#《目　次》

序—初版・改訂新版・改訂第三版 …… (1)
凡例 …… (3)
略語・記号一覧 …… (8)
「類義語の使い分け」の索引・「日本語」の索引 …… (9)
「使い分け」の索引 …… (10)
「類語と表現」の索引 …… (12)
本　文 …… 1〜1426
付　録
文法編
現代日本語の文法 …… 1428
動詞活用表 …… 1438
形容詞活用表 …… 1442
形容動詞活用表 …… 1443
主要助動詞活用表(口語) …… 1444
主要助動詞活用表(文語) …… 1446
表記編
『常用漢字表』 …… 1448
『現代仮名遣い』 …… 1450
『外来語の表記』 …… 1453
『送り仮名の付け方』 …… 1458
「人名用漢字」 …… 1463
漢字編
常用漢字小字典 …… 1465
その他
ローマ字のつづり方 …… 1535
時刻・方位・干支 …… 1536
二十四節気・月の異称・月齢表 …… 1537
主要季語一覧 …… 1538
計量単位一覧 …… 1540
旧国名・県名対照地図 …… 後ろ見返し
アルファベット略語集 …… 1588

Gakken Japanese Dictionary

学研 現代新国語辞典

金田一春彦 編

改訂 第三版

学研

装幀　日下　充典
［ケース：書　岩切善次郎］
＊ケース書の原典は、契沖（江戸前期の国学者・歌人）の歌集断簡。

さて、日本語で辞典が必要なのはそういう語釈ばかりではない。日本語は二種類の仮名のほか漢字で表記され、必要があれば数字、ローマ字でも表記され、このうち漢字は数が多く、画も多く、同音のものも多いので、正しく書くのが大変だ。辞典はぜひ書き方を親切に教えてくれなければいけない。

「ロテン」は「露店」だが、「ロテンショウ」となると「露天商」となる。芸術的な作品を作るのは「制作」であるが、道具や機械を作るのは「製作」である。また、同じ「ツイキュウ」でも、真理は「追究」する、責任は「追及」する、快楽は「追求」するという具合に難しい。これらは辞典で覚えるほかない。

最後にこの辞典は、ある言葉を他の言葉で言い換えようとするときに大変役に立つ。この辞典の「驚く」という項目の条でものぞいて頂きたい。文章をおもしろくしたり、手紙文を考えたりするのに大いに役に立つはずである。

平成九年七月

改訂第三版

初版の序文でも書いたことであるが、新語やカタカナ言葉の増殖は止まるところを知らないようである。「勤しむ」のような古く美しい日本語を若い人にも使って貰いたいと願うのは私一人では無いはずだが、現代では新語も知らなければコミュニケーションが成り立たなくなるので、無視する訳にはいかない。

この度の改訂に当たっては、一語一語を検討し、語釈や用例に時代に合わないところがないか、記述に分かりにくいところがないかを調べ、不都合な点を改めた。また、新語・カタカナ語を二〇〇〇語追補して、時代の要請に応えるようにした。勿論旧版の良いところを活かしながら磨きをかけたので、かなり使い勝手がよくなった。ご愛用を願う所以である。

平成十三年八月

金田一春彦

執筆協力（順不同）　金井　英雄（助詞）　工藤真由美（助動詞）　金田一秀穂（類語と表現）
藤江　稔（使い分け・常用漢字小字典）　加藤　博康（類語と表現）　鳥飼　浩二　阿久澤　忠
妹尾　孝昌　鈴木　雄一　横堀　利明　水谷　公弥　加藤　望　稲垣　吉彦
図版制作　橋本　寅一　川上　信行
改訂新版　執筆協力　新船　孝　内田　正俊　梅田　悟　高荷　裕夫
改訂第三版　執筆協力　黒羽　千秋（類義語の使い分け）　加藤　博康　鈴木　高志
編集協力　岡部　佳子　椛沢　洋一　石井美穂子
校　正　松尾　光江　竹内　節子　佐藤　盛男　高橋　慶子
組　版　㈲東京タイププレスセンター
編　集　学研辞典編集部

序

初版（抜粋）

日本では、現代ほど、よい国語辞典の求められている時代はない。日本語が乱れているという言い方には、私は必ずしも賛成しないが、社会情勢の急激な変化に伴って、新しい単語・表現が毎日のように生産されている。

先日タクシーに乗ったら、運転手が電話で、ジッシャ何とか…と言っている。ジッシャとは何だと聞いてみたら、客が乗っていない車は「空車」というから、客を乗せた車は「実車」という、とのことだった。ある座敷で晩餐を御馳走になった折、お手伝いさんが入ってきて、ゲイシャが参りましたと言う。「芸者が?」と驚いた。このゲイシャは「迎車」だった。

カタカナ言葉の横行・跳梁は、誰もが口にするところである。また旧来の単語・成句で新しい意味を獲得したものもあり、意味を変えてしまったものもある。われわれは、新聞や週刊誌を読み、テレビを見、分からぬ言葉に出会ったとき、辞典に頼ることが多い。一方、一時代前の作品を読む場合にも、その言葉の正確な意味が知りたくなる。一体に、日本語には「花吹雪」「木漏れ日」「名残惜しい」「たしなむ」等々、外国語には訳しにくい、美しい語句が多い。若い人にもこういう言葉は失わせたくない。

私は昭和五十三年に、学友池田弥三郎氏と協力して学習研究社から『学研国語大辞典』を出した。この辞典は語数十万二千語という大部のもので、有名作家の有名作品から採った用例が豊富で評判をとったが、もう少しハンディーなものをという要望も多かった。それに応えたのが、この『学研現代新国語辞典』で、『学研国語大辞典』をベースとして語彙・解釈・用例などを検討し、その収容量は六万五千語に及んだ。小型化しただけではなく、「春」「夏」「秋」「冬」、「風」「水」、「心」「色」、「言う」「笑う」など日本人の感性に深く関る単語には、用例や類語・関連語を多数示し、語感の理解や多様な表現に役立つようにした。助詞・助動詞・形式名詞・補助動詞の類も再検討を加え、用法を細かく分けて例を多くあげた。最近盛んになった外国人への日本語の教育にも役立つことと思う。

振り返れば、私もこの年齢になるまでに、何種類かの国語辞典の編纂をし、また、数多くの辞典の作成に関係した。しかし、今度の辞典ほど私の理想にぴったりしたものは作れなかった。この辞典が作れたことに満足し、生き甲斐を感じることは幸せである。

平成五年八月

改訂新版（抜粋）

世界広しといえども、日本ぐらいよい国語辞典を求められている国はない。それはまず、日本語ぐらい多くの単語から成り立っている言語はないからである。そうして、だからと言ってどんな単語でも辞典に載せなければいけないわけではないからである。

辞典に載せたいものは、「探鳥」「団塊の世代」のような漢語、「海の日」のような和語である。「いまいち」のような俗語も長命を保ちそうだから、載せていいかもしれない。しかし、そういう中にはすぐに消えてしまうものもありそうだ。なお、単語には新しい意味をもったものもあり、それをどういう文脈で使うのか、その用法も辞典は教えてくれなければ困る。

凡　例

一　編集方針

1　この辞典は、現代語を中心に約六万七〇〇〇語を収録し、高校生以上一般社会人までの使用に供するために編纂(へんさん)された。外来語・文語や慣用表現・故事成語なども収録した。

2　語義・用法は的確に解説し、類義の語との意味の違いが分かるようにした。用法上の留意点や正しい表記法なども示し、文章を書くときにも役立つ辞典であることにも努めた。

3　重要な名詞・動詞・形容詞・助詞・助動詞の類には、念入りな解説を施した。比喩(ゆ)的な用法にも目を配った。

4　語義・用法の理解を助けるために、また、その語の実用上の参考とするために適切な用例を掲げた。

5　その語の幅広い理解と実際の活用のために、参考　表記　注意などの欄を設けた。

6　適切な表現、的確な表記や、日本語の理解のための参考として、以下のような特別の解説を設けた。

(1)　**〔類語と表現〕〔類義語の使い分け〕**、二種類の**〔使い分け〕**の囲み記事を適宜に設け、語感、類語情報、ことばの使い分けなどを重点的に解説した。

(2)　**〔日本語〕**の囲み記事では、日本語の表現の原理や使い方を理解するための解説を収録した。

二　見出し語

1　見出し語の配列

(1)　見出し語は五十音順に配列した。五十音順で順序の決まらないものの配列は以下の約束に従った。

(ア)清音→濁音→半濁音の順。

はは【母】→**はば**【幅・×巾】→**ばば**【馬場】→**パパ**

(イ)直音→拗促音(ようそくおん)の順。

き‐やく【規約】→**きゃく**【客】

はつ‐か【〈二十日〉】→**はっ‐か**【発火】

(ウ)外来語の表記で用いる小さな字の「ァ」「ィ」「ゥ」「ェ」「ォ」はふつうのそれぞれのかなのあとに置く。

ふ‐あん【不安】→**ファン**

(エ)長音符号「ー」は直前のかなの母音と同じ扱いとする。

あん‐だ【安打】→**アンダー**→**あん‐たい**【安泰】

(2)　見出し語のかなが同じときは、以下の約束に従った。

(ア)ひらがな書き→カタカナ書きの順。

(イ)右の(ア)が同じときは、次の品詞順。

接辞（接頭語・接尾語）→助数詞→造語成分→名詞→形式名詞→代名詞→連体詞→副詞→接続詞→感動詞→動詞→形容詞→形容動詞→助動詞→助詞→連語→句

(ウ)右の(ア)(イ)が同じときは、一字目の漢字の『康熙(こうき)字典』の配列順。

(3)　親見出しのもとに示した複合語や慣用句・ことわざなどは、それぞれ親見出しを除く部分の五十音順に配列した。

2　見出しの示し方

(1)　**見出し語**は、原則として「現代仮名遣い」（昭和六十一年七月内閣告示）と「外来語の表記」（平成三年六月内閣告示）とによって示した。

(2)　**和語・漢語**はひらがなで、**外来語**はカタカナで、その長音は「ー」で示した。ただし、「きせる」「たばこ」など十分に日本語化している外来語は、ひらがなで表記した。

(3) **語構成**は現代の言語意識によって大きく区分し、見出しの中で「-」を用いてその切れ目を示した。ただし、地名・数号などは原則として区切らなかった。

にく-ひつ【肉筆】　**しん-ぜん-び**【真善美】

(4) **動詞**・**形容詞**は原則として終止形で示し、**語幹**と**語尾**の間に「・」を入れた。活用する連語もこれに準じた。

か・く【書く】　**うつくし・い**【美しい】

(5) 複合語や慣用句・ことわざなどは、原則として**子見出し**とし、親見出しのもとに示した。

(ア)ただし、複合語のうち以下のものは、検索の便のために**独立見出し**とした。

(a)見出しのかなが三字以内の和語で、漢字一字を当てるものに、他の語が結合した複合語

・「な（名）」「やま（山）」「こころ（心）」に対する「名付け」「山里」「心当たり」など

(b)見出しのかなが一字の漢語に、他の語が結合した複合語

・「え（絵）」に対する「絵解き」など

(イ)複合語の子見出しは親見出しに追い込み、親見出しに相当する部分を「—」で示した。

(ウ)慣用句・ことわざなどの子見出しは、親見出しに相当する部分を「—」で示し、漢字かなまじり・太字で示した。一件ずつ改行した。

(エ)語構成の最初の部分が見出しになっていない複合語や慣用句・ことわざなどは、**独立見出し**とした。

(6) 固有名詞はすべて**独立見出し**とした。

(7) 外来語のうち、見出し語形が同じでも語源が異なるものは**別見出し**とした。

(8) 他に同音語・同訓語のある見出しの場合、見出しの上部に小さな「＊」をつけて検索の便を図った。

三　見出し語の書き表し方

(1) 最も標準的な書き表し方を【　】の中に示した。二つ以上の書き表し方がある場合は、一般的なものを優先した。

か・う【買う】　**かい-そう**【壊走・×潰走】

(2) 【　】の中の漢字の字体は、常用漢字・人名用漢字はその字体を、他は最も一般的と認められるものを用いた。

(3) 【　】の中に、**常用漢字**かどうか、**送りがな**をどう送るかなどの情報を記号によって示した。

×　　常用漢字表にない字
▽　　常用漢字表にその音訓が認められていない字
〈　〉　常用漢字表の「付表」に示されている語
（　）　省いてもよい送りがな
〈　〉　送ってもよい送りがな

(ア)無印の漢字は、常用漢字であってその読みが認められている漢字である。

(イ)カタカナ書き見出しの外来語に対する漢字表記では、×の表示は施したが、▽の表示は行わなかった。

(ウ)**送りがな**は、活用のある複合語には及ぼさなかった。

(エ)**送りがな**は、昭和四十八年六月内閣告示の「送り仮名の付け方」によった。

(4) **外来語**のうちローマ字書きがふつうのものは、そのローマ字書きを【　】の中に示した。

エフ・エム【ＦＭ】

(5) 中国語・朝鮮語などで一般に漢字書きされるものは、その漢字表記を【　】の中に示した。

マージャン【麻×雀】

(6) 複合語の子見出しで、親見出しと重複する漢字表記の部分は「—」で示した。

たん‐じょう【誕生】…。**—せき**【—石】

四　歴史的かなづかい

(1) **和語**について、歴史的かなづかいが現代かなづかいと異なる場合は、歴史的かなづかいを【　】の下にひらがなの小字で示した。複合語で、二つのかなづかいが同じ部分は「—」で示した。漢字表記のないものは、見出しの下に示した。

なら・う【習う】ふなら　**なれ‐あ・う**【×馴れ合う】ふ—あ

(2) 子見出しの複合語の歴史的かなづかいは、親見出しと重複しない部分についてのみ示した。

(3) **漢語**については、原則として字音かなづかいは示さなかった。示す必要があるときはカタカナで示した。

五　品詞と活用

(1) 見出し語の品詞と活用の種類を、略語で《　》の中に示した。その語が**名詞**のみである場合は品詞表示を省略した。

(2) **品詞**や**活用**はおおむね学校文法の立場に従った。ただし、一部のものについては、さらに詳しく以下の形式によった。

(ア) 接尾語のうちで数につくものは、助数詞とした。
(イ) 代名詞と形式名詞をふつうの名詞とは区別した。
(ウ) 動詞は、自動詞・他動詞及び補助動詞を区別した。
(エ) 形容詞は、本来の形容詞と補助形容詞を区別した。
(オ) 形容動詞は、一般の活用（ニナ型活用）と「トタル型活用」とを区別した。
(カ)「する」がついて**サ変動詞**となる語は、《名・自サ》《名・他サ》《副・自サ》などの形で示した。
(キ) 助詞は、格助詞・接続助詞・副助詞・係助詞・終助詞・間投助詞・並立助詞・準体助詞の八つに分類した。
(ク) 助動詞は、《助動:下一型》などと活用の型も示した。
(ケ) 連語は《連語》、慣用句・ことわざの類は《句》、枕詞は《枕》として示した。
(コ) 造語成分としての外来語を《造語》として示した。
(サ) 見出し語の表記形に注目して《記号》としたものもある。

六　意味・用法の解説

1　意味の区分

(1) 意味が二つ以上ある場合には、次のように区分した。

一 二 三 …同一項目の中で品詞が異なり、意味も異なるときの区分
❶❷❸ …意味の一般の区分
㋐㋑㋒ …意味の下位区分
㊀㊁㊂ …❶❷❸より上位の区分。適宜に用いた。

・これらを解説中で指示するときは、一①㋐㊀を用いた。

(2) 意味が二つ以上に分かれる場合は、原則として基本的な意味を先に記述した。

2　解説文

(1) 必要に応じて、解説の冒頭の《　》〔　〕〈　〉または末尾の〔　〕の中に、語源・由来・原義、語の構成、意味の転化、用法などを示した。

なこうど【〈仲人〉**】**(なかうど)《「なかびと」の音便》
うら‐わか‐い【うら若い**】**《形》〔「こずえの葉が出たばかりでみずみずしい」意から〕…。
しょ‐てい【所定**】**〈「―の…」の形で〉
つき‐づき【月月**】**…〔副詞的にも用いる〕

(2) 解説の冒頭の〔 〕の中に、語の種類や使われる専門分野などを示した。

(ア)古語・雅語・隠語・俗語・文章語や卑称は、それぞれ〔古〕〔雅〕〔隠〕〔俗〕〔文〕〔卑称〕の形で示した。

(イ)専門用語であって特にその分野を示す必要のある語には、〔 〕の中にその分野を示す略語を入れた。

(3) 見出し語がもっぱら**成句の中で使われるもの**は、〈 〉の中にその成句を示し、成句全体としての意味を記述した。

いき‐うま【生(き)馬**】**〈―の目を抜く〉…。

(4) **外国語の翻訳語**には、原語名と原語を解説の冒頭に〔 〕でくくって示した。英語のみのときは原語名を省略した。

がく‐げき【楽劇**】**〔(ドイツ) Musikdrama〕

(5) 意味の解説(語釈)では、冒頭の〔 〕の中に、意味を限定し、類義の語との違いを示す注記を施したものもある。

か‐ぎょう【家業**】**〔代々受けつがれてきた〕その家の職業・商売。

(6) 解説文中の分かりにくい語については、適宜(=)を用いて注釈を施した。

(7) 繰り返しを避けるため、「・」と( )を用いて意味の記述を簡略にした。

いろ‐じろ【色白**】**《名・形動》肌(特に顔)が白い・こと(人)。
・右は「…白いこと。また、その人」の意味である。

(8) 見出し語に関連して他の項目を参照してほしい場合は、矢印(➡⇨)を用いて参照項目を示した。

3 用例

(1) 用例は「 」の中に掲げた。小説・短歌・俳句などから採り上げた用例には〈 〉に**出典**を示した。

(2) 見出し語に相当する部分は以下のように示した。

(ア)一般に「―」を用いて示した。ただし、活用する語は「―」で語幹を、「・」以下に活用する部分を示した。

うん‐せい【運勢**】**…。「―をうらなう」
うる・む【潤む**】**《自五》…。「言葉が―・む」

(イ)形容動詞と、《名・自サ》などで示されるサ変動詞とは、語幹を「―」で示し、「・」は用いなかった。

(ウ)語幹・語尾の区別のない動詞や、助動詞・助詞は「―」で示さずに、語の全形を太字(ゴシック体)で示した。

きる【着る**】**《他上一》❶…。「錦(にしき)を着て故郷に帰る」

(3) 用例のうち、慣用句や、ことわざ・成句には、「 」の中に(=)を用いて全体としての意味を示した。

4 参考記事

(1) その語の意味・用法をより深く理解するために、また、表現に役立つために、以下の参考記事を設けた。

(2) 参考 語源の解説、比喩的な意味の説明、類義の語との使い分けや、種々の補足的説明などを記述した。

(3) 故事 故事成語・ことわざなどのいわれを記述した。出典を示す必要のあるものは〈 〉の中に掲げた。

(4) 表記 正しい表記法、意味による書き分けなど、表記に関する諸情報を記述した。

かけ‐がえ【掛け替え**】**〈―が…〉 表記 多くかなで書く。

(5) 注意 読み方・書き方・使い方の注意点を記述した。

かい-しん【会心】…。注意「快心」は誤り。

5　類義語・反対語や、敬語表現の語

(1) 類義語・同意語・反対語・対語は、それぞれ 類語 同 対（反対語と対語は兼用）の記号の下に掲げた。

(ア)二つ以上の語義にかかわる場合は、「①②」「①～③」などとしてその番号を示した。

だ-ぶん【駄文】❶…。❷…。類語①②拙文（せつぶん）。

(イ) 類語 には、表現に役立つ広義の類義語や関連語も収録した。

(ウ)もとの語形から派生した異なる語形の同意語は、解説の末尾の「＝」の下に示したものがある。

(2) 見出し語に対する尊敬語・謙譲語・丁寧語は、尊敬 謙譲 丁寧 の記号の下に掲げた。

6　文語形

(1) 見出し語が活用語の場合、解説の最後に、文語の終止形及び活用の種類を示した。ただし、現代語と文語とで語形が同じ場合は、文語の終止形は示さなかった。

あ・ける【明ける】《自下一》……文あ・く《下二》。

(2) 形容動詞は、文語での活用の種類を示さなかった。

(3) 複合語の文語形は省略した。

7　外来語の原つづり・原国名

(1) 外来語の原語のつづりは、原則として解説の末尾に▽をつけて示し、英語を除いては原語名を示した。二か国以上から入ったと思われる原語は併記した。

アペリチフ……▽（フランス）apéritif

(2) 原つづりがロシア語・ギリシア語・中国語・朝鮮語・梵語（ぼんご）などの場合は、ローマ字にかえて示した。

(3) **イクラ**……▽（ロシア）ikra（＝魚卵）

いわゆる**和製英語**は、▽のあとに原語を示し、さらに「…からの和製語」、「…のなまり」などの注記を施した。

(4) 語義によってつづりが異なるものや、大文字・小文字の区別のあるものなどには、語義の番号を付して区別した。

チェッカー❶…。西洋碁。❷格子（こうし）じま。…。▽①checkers ②checker

(5) 必要に応じて、その語の原義を（＝ ）の中に示した。

ビバーク……▽（ドイツ）Biwak（＝露営）

七　囲み記事

(1) 現代の表現・表記の参考として、また日本語の理解の一助として、以下の囲み記事を設けて多角的な解説を施した。

(2) 類語と表現 には、場面に応じた適切な表現に活用するために、一二九項目を厳選して、例文や言い換え可能な類義語、関連した語・慣用表現などを一括して掲げた。

(3) 使い分け には、異字同訓語と同音類義語の使い分け（一三二項目）と、「雨」における「あめ／あま」などの使い分け（一〇項目）を、**類義語の**使い分け には、「浅はか」と「軽薄」、「侮（あな）る」と「みくびる」などの使い分け（八三項目）を用例によって示した。

(4) 日本語 は、日本語の表現の原理や使い方を理解し納得するために、「が」と「は」、外来語、語彙（ご）の数、動詞の種類など、二二項目を選んで解説した。

(5) これら**囲み記事の索引**を(9)ページ～(12)ページに設けた。

略語・記号一覧

■表記関連

× 常用漢字表にない字

▽ 常用漢字表にその音訓が認められていない字

〈 〉 常用漢字表の「付表」に示されている語

（ ） 省いてもよい送りがな

〈 〉 送ってもよい送りがな

■品　詞

《接頭》 接頭語

《接尾》 接尾語

《助数》 助数詞

《造語》 造語成分

《名》 名詞

《形名》 形式名詞

《代名》 代名詞

《連体》 連体詞

《副》 副詞

《接続》 接続詞

《感》 感動詞

《自》 自動詞

《他》 他動詞

《補動》 補助動詞

《形》 形容詞

《補形》 補助形容詞

《形動》 形容動詞

《助動》 助動詞

《格助》 格助詞

《接助》 接続助詞

《副助》 副助詞

《係助》 係助詞

《終助》 終助詞

《間投助》 間投助詞

《並助》 並立助詞

《準体助》 準体助詞

《枕》 枕詞　《連語》 連語

《句》 慣用句・ことわざ

■活　用

《五》 五段活用

《四》 四段活用

《上一》 上一段活用

《上二》 上二段活用

《下一》 下一段活用

《下二》 下二段活用

《カ変》 カ行変格活用

《サ変》 サ行変格活用

《ナ変》 ナ行変格活用

《ラ変》 ラ行変格活用

《特活》 特殊活用

《ク》 ク活用（文語）

《シク》 シク活用（文語）

《ト タル》 形容動詞トタル型活用

■語の位相・専門分野

〔古〕＝古語・〔雅〕＝雅語・

〔隠〕＝隠語・〔俗〕＝俗語・

〔文〕＝文章語・〔卑称〕＝使用を慎むことば

〔哲〕＝哲学・倫理学・美学・

〔論〕＝論理学・〔地〕＝地理・

地学・〔理〕＝物理・化学・

〔工〕＝工業・工学など

・専門分野については適宜〔 〕を用いて示し、語義の補足とした。

■意味の区分

一 二 三　品詞による区分

㊀ ㊁ ㊂　意味の上位区分

❶ ❷ ❸　意味の一般の区分

㋐ ㋑ ㋒　意味の下位区分

・これらを解説中で指示するときは一㊀①㋐を用いた。

(ア) (イ) 参考　記事中の区分

■その他の記号

＊ 他に同音語・同訓語がある語

接続　助動詞の接続

参考　意味・用法上の参考

故事　成句などの故事

表記　表記に関する参考

注意　誤用についての注意点

類語　広義の類義語や関連語

同　同意語

対　反対語・対語

尊敬　尊敬語

謙譲　謙譲語

丁寧　丁寧語

文　見出し語に対する文語形

↓ ⇩　その項を参照しなさい

■囲み記事

類語と表現 …類義語や、関連した語・慣用表現

・オノマトペ　触覚のオノマトペ には擬声語・擬態語の情報を載せた。

類義語の使い分け …用例によって示す類義語の使い分け

使い分け …異字同訓語や同音類義語の使い分け、「雨」における「あめ／あま」などの使い分け

日本語 …日本語についての解説

類義語の使い分けの索引（83語）

浅はか・軽薄 20
侮る・みくびる 35
ありあり・まざまざ 47
ありきたり・月並み 47
安直・安易・手軽 54
言い訳・弁解 59
異議・異論 64
いざこざ・ごたごた 69
いたずら・無駄 75
うしろめたい・やましい 114
運命・宿命 134
宴会・宴 146
演劇・芝居 147
恐ろしい・怖い 174
介護・看護 205
回数・度数 208
顔付き・顔立ち 217
覚悟・観念 225
慣習・習慣 285
観衆・観客 285
完璧・完全 293
企画・計画 300
兆し・徴候 306
貴重・重要 313
気持ち・気分 321
境遇・身の上 334
区別・区分 378
啓蒙・啓発 401
決死・必死 408
兼用・両用 424
広告・宣伝 434
呼吸・息 455
今後・以後 490
才能・能力 502
時間・時刻 548
死体・死骸・遺体 562
社会・世界 586
秀才・天才 597
状況・情勢 624
勝敗・勝負 634
真実・事実 661
せがむ・ねだる 713
切迫・緊迫 721
専念・没頭 736
相当・かなり 749
そそのかす・けしかける 758
大切・大事 780
地位・身分 824
天気・天候 904
展望・眺望 911
道具・用具 917
道楽・趣味 928
途中・中途 945
習わし・しきたり 988
忍耐・我慢・辛抱 1009
濡れる・湿る 1014
寝る・眠る 1022
呑気・気楽 1036
発明・考案 1068
歯向かう・楯突く 1077
張り切る・意気込む 1082
卑怯・卑劣 1102
病状・症状 1125
品位・品格 1130
風景・景色 1136
耽る・溺れる 1147
分別・思慮 1178
閉口・辟易 1181
まるで・全く 1243
見限る・見捨てる・見離す 1249
みすみす・むざむざ 1254
身寄り・身内 1265
命中・的中 1283
用いる・使う 1301
厄介・面倒 1321
優劣・甲乙 1336
要領・こつ 1351
世の中・世間 1359
利口・利発・聡明 1376
列席・出席 1398
老齢・高齢 1406
わめく・叫ぶ 1421
腕力・腕っ節 1425

日本語の索引（22語）

忌み詞 95
「が」と「は」 200
外来語 214
漢語 283
擬声語・擬態語 310
形容動詞 401
「小」という接頭語 425
語彙の数 426
いろいろな「コン」 493
指示代名詞 555
助数詞 644
人代名詞 665
動詞の種類 919
人の名前 983
女房詞 1006
消えていく言葉 1041
ほうほう族 1195
日本人のボディーランゲージ 1215
パンの耳 1262
野菜と果物 1318
和語 1416
花が笑う 1421

使い分けの索引（132語）

あう（会・遭・合） 6
あおい（青） 7
あかい（赤） 9
あがる・あげる（上・挙・揚） 12
あく・あける・あかす（空・明・開） 14
あたたかい・あたたかだ（温・暖） 26
あたたまる・あたためる（温・暖） 27
あたる・あてる（当・充） 29
あつい（暑・熱・厚） 30
あと（後・跡） 33
あやまる・あやまつ（誤・謝・過） 43
あらわす・あらわれる（表・現・著） 46
ある（有・在） 48
あわせる（合・会・併） 51
イシ（意思・意志） 69
イジョウ（異常・異状） 71
いたむ・いためる（痛・傷・悼） 76
いる・いれる（入・要） 98
うける（受・請） 112
うつ（打・撃・討） 121
うつる・うつす（移・映・写） 123
うむ・うまれる（生・産） 127
おかす（犯・侵・冒） 164
おくる（送・贈） 167
おくれる（遅・後） 167
おこる・おこす（起・興） 169
おさえる（押・抑） 169
おさまる・おさめる（収・納・修・治） 170
おす（押・推） 173
おどる（踊・躍） 180
おりる・おろす（下・降・卸） 193
カイトウ（回答・解答） 211
カイホウ（開放・解放） 213
かえる・かえす（返・帰） 216
かかる・かける（掛・係・懸・架） 220
かげ（影・陰） 230
かた（形・型） 243
かたい（堅・固・硬・難） 244
かわる・かえる（変・換・代・替） 278
カン（感・観・勘） 279
カンショウ（鑑賞・観賞・観照・勧奨） 286
キカイ（機械・器械） 299
きく（利・効） 303
きく・きこえる（聞・聴） 303
きる（切） 351
きわまる・きわめる（極・窮・究） 352
くら（倉・蔵） 381
コウイ（厚意・好意） 428
コウギョウ（興行・興業） 432
コウセイ（厚生・更生・更正・公正） 440
こえる・こす（越・超） 451
サイゴ（最後・最期） 498
さがす（探・捜） 506
さく・さける（割・裂） 509
サクセイ（作成・作製） 510
さげる（下・提） 512
さす（差・刺・指・挿） 516
さめる・さます（覚・冷） 525
さわる（触・障） 529
ジキ（時期・時機・時季） 549
しずまる・しずめる（静・鎮） 559
ジセイ（時世・時勢） 560
ジッタイ（実体・実態） 570
ジニン（自任・自認） 575
しぼる（絞・搾） 580
しまる・しめる（締・閉・絞） 581
シュウキョク（終局・終曲・終極） 596
シュウシュウ（収拾・収集） 598
シュギョウ（修行・修業） 605
ジュショウ（受賞・授賞・受章・授章） 609
ショウガイ（傷害・障害） 622
ショウシュウ（招集・召集） 628
ショクリョウ（食料・食糧） 641
シンテン（進展・伸展） 666

シンニュウ（侵入・進入・浸入） 668
シンニン（信任・親任） 668
シンロ（進路・針路） 672
すすむ・すすめる（進・勧・薦） 686
する（刷・擦） 697
セイケイ（成形・整形・成型） 703
セイサク（制作・製作） 704
そう（沿・添） 740
そなえる・そなわる（備・供） 761
タイショウ（対象・対照・対称） 778
タイセイ（体制・体勢・大勢・態勢） 779
たえる（耐・堪・絶） 787
たずねる（尋・訪） 795
たたかう（戦・闘） 796
たつ・たてる（立・建） 800
たつ（断・絶・裁） 800
たま（玉・球・弾） 809
タンキュウ（探究・探求） 817
ツイキュウ（追及・追求・追究・追窮） 855
つかう（使・遣） 860
つく・つける（付・着・就・突） 864
つぐ（次・継・接） 865
つくる（作・造） 866
つとめる（努・勤・務） 871
とうとい〈たっとい〉・とうとぶ〈たっとぶ〉（貴・尊） 924
とく・とける・とかす（解・溶・説） 934
ととのう・ととのえる（整・調） 948
とぶ・とばす（飛・跳） 952
とまる・とめる（止・留・泊） 953
とる（取・採・捕・執・撮） 962
なおる・なおす（直・治） 971
ながい（長・永） 972
ならう（倣・習） 987
のびる・のばす・のべる（伸・延） 1031
のぼる・のぼす・のぼせる（上・昇・登） 1032
のる・のせる（乗・載） 1035
ハイスイ（排水・廃水・配水） 1043
はかる（計・測・量・図・謀・諮） 1049
はじまる・はじめる・はじめ・はじめて（始・初） 1057
はなれる・はなす（放・離） 1073
はやい（早・速） 1077
ひく（引・弾） 1102
ひとり（一人・独り） 1116
ふえる（ふやす）（増・殖） 1138
ふく（吹・噴） 1143
ふるう（振・奮・震） 1169
ヘイコウ（平行・並行・平衡） 1180
ホショウ（保証・保障・補償） 1211
まざる・まじる・まぜる・まじわる（交・混） 1232
まち（町・街） 1235
まわり（回・周） 1244
みる（見・診） 1266
もと（下・元・本・基） 1303
ヤセイ（野性・野生） 1320
やぶる・やぶれる（破・敗） 1324
やわらかい（柔・軟） 1329
よい（良・善） 1345
わかれる（分・別） 1414

使い分けの索引（10語）

雨（あめ／あま） 41
上（うえ／うわ） 108
風・風邪（かぜ／かざ） 241
金（かね／かな） 258
酒（さけ／さか） 511
白（しろ／しら） 653
大（だい／たい／おお） 772
日本（にっぽん／にほん） 1001
船（ふね／ふな） 1160
胸・棟（むね／むな） 1277

類語と表現の索引（129語）

愛する	3
会う	6
明るい	12
秋	12
諦(あきら)める	14
呆(あき)れる	14
朝	19
足	21
味	21
遊ぶ	25
暖かい・温かい	26
頭	27
新しい・古い	28
暑い・熱い	29
貴方(あなた)	35
危ない	37
雨	41
謝る	43
荒い	44
歩く	48
慌てる	51
言う	60
家	61
生きる	66
忙しい	73
痛い	74
命	92
祈る	92
色	99
色色	100
打つ	121
美しい	121
海	126
売る	130
美味(おい)しい	152
多い	157
遅れる	167
怒(おこ)る	168
起こる	169
教える	171
恐れる（畏(おそ)れる）	174
驚く	181
思う・考える・感ずる	188
終わる	195
買う	215
顔	217
書く	224
風	241
悲しい	257
体	270
彼・彼女	274
川	276
感謝	285
木	296
聞く	303
兄弟・姉妹	338
嫌う	347
禁ずる	357
草	365
口	372
悔しい	381
暗い	381
苦しい	386
心	461
壊す・壊れる	489
誘う	517
寂しい	523
寒い	524
叱(しか)る	548
死ぬ	575
知らせる	649
新年	668
優れる	683
涼しい	685
進む	686
捨てる	690
成功・失敗	703
性質	705
空	765
太陽	785
助ける	795
楽しい・嬉(うれ)しい	806
頼む	807
旅	807
食べる	809
騙(だま)す	810
父・母	829
注意する	837
月	861
手	881
年(とし)	941
泣く	976
夏	979
匂(にお)い・臭(にお)い	994
盗む	1012
熱心・熱中	1019
望む	1029
花・華	1070
腹	1079
春	1083
火	1095
暇	1120
病気	1124
冬	1163
方法	1203
誇る	1209
星	1210
褒める・貶(けな)す	1218
水	1252
道	1256
認める	1260
見る	1266
難(むずか)しい	1274
胸	1277
貰(もら)う	1309
易(やさ)しい	1318
休む	1319
山	1324
遣(や)る	1328
雪	1337
行く・来る	1339
許す	1343
良い	1345
夜(よる)	1363
喜ぶ	1364
別れる	1414
私	1418
詫(わ)びる	1420
笑う	1421

あ

あ―安

*あ【亜】㊀《名》❶「亜細亜(アジア)」の略。「大東―」「欧―」❷「亜爾然丁(アルゼンチン)」の略。[表記]「ア」とも書く。[参考]㊀はふつう単独では用いない。㊁《接頭》❶次ぐ。準ずる。似ている。「―寒帯」❷〔理〕無機酸で酸素原子の割合が少ないことを表す。「―硫酸」

*あ《感》驚いたり、急に思いついたりしたとき、思わず言う語。あっ。「―、痛い」「―、今思い出した」

*ああ《副》あのように。「―いう(=あのような)人はきらいだ」「―した(=あのような)ことが時々ある」「―言えばこう言う(=どう言ってもそれに対して言いのがれを言う)」

*ああ《感》かるく承知の返答をするときに言う語。〔親密な間柄や、対等または目下の人に対して使う〕「『ついでに手紙を出して来てください』『―、いいよ』」

*ああ【×鳴▽呼・×噫】《感》物事に嘆き・悲しみ・喜びなどを感じたとき、また、何か思いついたときに発する語。「―悲しい」「―、用事を思い出した」

アーカイブズ 公記録などの保管所。アーカイブス。▽archives

アーガイル 二色以上の菱形(ひしがた)の編み込み格子模様。セーター・靴下などに用いる。アーガイルチェック。[参考]スコットランドの旧州名から。▽argyle

アーキテクチャー ❶建築物。建築学。また、建築様式。❷コンピューターシステム全体の基本的な構成上の考え方や構成仕様。コンピューターの基本設計思想。▽architecture

アーク-とう【アーク灯】炭素棒・タングステン棒などを電極とし、アーク放電によって光をだす電灯。アークライト。[参考]「アーク」は、arc(=弧・弓形)。

アーケード ❶〔洋風建築で〕柱列によって支えられたまるい天井をもつ通路。拱廊(きょうろう)。❷〔商店街で〕日よけ・雨よけのため屋根をつけた道。「―街」▽arcade

アース《名・他サ》感電を防ぐために、電気器具と大地との間に接続コードをつけること。また、その装置。接地。▽earth(=地球・大地)

アーチ ❶大きな重みがかかるようなとき、上部を弓形にして支えやすくした建物。迫持(せりもち)。❷骨組みの上を、スギ・ヒノキなどの青葉でおおい飾った門。緑門(りょくもん)。❸野球で、ホームラン。〔美化した言い方〕「痛烈なサヨナラーをかけた」▽arch(=弧・弓形)

アーチェリー 西洋の弓術。洋弓。▽archery

アーティスト 芸術家。アーチスト。▽artist

アート ㊀《造語》芸術(特に美術)に関する。「モダン―」「ポップ―」㊁《名》「アート紙」の略。▽art ―し【―紙】〔多く写真の印刷などに用いる〕表面がなめらかでつやのある上質紙。アートペーパー。アート。―ディレクター 映画・演劇や広告デザインなどの美術面を監督する人。美術監督。▽art director

アーバン《造語》都市の。都会的な。「―ライフ」[対]カントリー。▽urban

アーベント 夕方から開かれる音楽会・映画会・講演会などの催し。▽(ドイツ) Abend(=夕方)

アーム ❶腕。腕状のもの。「ミシンの―」「―ホール(=袖(そで)ぐり)」❷「トーンアーム」の略。レコードプレーヤーのピックアップで、カートリッジを支える腕木。▽arm

アーメン《感》キリスト教で、祈りや賛美歌の終わりにとなえる語。エーメン。▽(ヘブライ) amen(=確実。まことに)

アーモンド バラ科の落葉高木。果実は卵形で熟すと裂開する。核を食用や薬用とする。扁桃(へんとう)。巴旦杏(はたんきょう)。アメンドー。アマンド。▽almond

アール《助数》メートル法の面積の単位。記号 a。[参考]一アールは一〇〇平方(メートル)、約三〇坪。▽(フランス) are

アールエッチ-いんし【Rh因子】赤血球中に含まれる凝集素の一つ。この因子をもつ血液(Rh陽性)ともたない血液(Rh陰性)とがあり、Rh陰性の人がRh陽性の人からくり返し輸血をうけると、輸血反応をおこす。[参考]「Rh」は、この因子が発見されたアカゲザル(英名 rhesus)にちなむ。

アール-ヌーボー 一九世紀末から二〇世紀初めにかけて、フランスを中心におこった新芸術派の様式。植物模様や曲線が特色。▽(フランス) art nouveau(=新芸術)

アール-ブイ【RV】⇩巻末付録。

*あい【相】(あひ)《接頭》❶《動詞などについて》「たがいに」「いっしょに」の意を表す。「―半ばする」「―知る」「―等しい」❷《動詞について》行儀のよい、改まった言い方にする語。「―済みません」「お世話に―なります」

*あい【愛】❶人やものに対して、報いられなくても尽くしたいと思ったり、自分の手もとにおきたいと思ったりする、温かい感情。慈しむ心。大切に思う心。「兄弟―」「芸術への―」❷人をしたう心。特に、異性をしたう心。恋。「―を告白する」❸〔宗〕神仏の慈しみ。めぐみ。なさけ。「み仏の―」❹「愛蘭(アイルランド)」の略。[参考]❹は、ふつう単独では用いない。

*あい【×藍】(あゐ)❶タデ科の一年草。秋、紅色の小さな花を穂状につける。茎や葉から濃い青色の染料をとるため古くから栽培された。❷あい❶からとった染料。❸「あい色」の略。紺色と青色の中間の色。インディゴ。

*アイ《造語》目(の周り)。目に似た形・性質。「カメラ―」「キャッツ―」▽eye ―シャドー まぶたに塗る化粧品。▽eye shadow ―バンク 角膜移植のため、角膜を保存・提供する機関。角膜銀行。目の銀行。▽eye bank ―ライン 目をはっきり見せるために目のふちにかき入れる線。目ばり。▽eye line

あい-あい【×藹×藹】《形動(タルト)》❶〔文〕草木が茂っているようす。❷うちとけてなごやかなようす。「和気―」

あいあい-がさ【相合(い)傘】(あひあひ―) 一本のかさを(男女)二人でさすこと。相がさ。〔親しさを表す〕

アイアン ゴルフクラブのうち、ボールを打つ部分が鉄(金属)製のもの。主に近距離用。[対]ウッド。▽iron

あい-いく【愛育】《名・他サ》だいじにかわいがって育てること。

あい-いれな-い【相▽容れない】(あひ―)《連語》〔二つのものの考え方・立場・内容などが〕相反していて、いっしょに成り立つことができない。「両者の考え方には―ものがある」[注意]「相入れない」は誤り。

*あい-いん【合印】(あひ―) 帳簿や書類などを引き合わせたしるしに押す印。合判(あいはん)。合印(あいじるし)。「―を押す」

*あい-いん【愛飲】《名・他サ》〔アルコール飲料などを〕いつも好んで飲むこと。「ワインを―している」

あい-うち【相打ち・相討ち・相撃ち】(あひ―)〔剣道などで〕同時に相手をうつこと。転じて、勝負がつかないこと。「両者―となって倒れる」

アイ・エス・オー【ISO】国際標準化機構。各国の工業規格を標準化することによって、貿易を容易にすることを目的につくられた。イソ。▽International Organization for Standardization の略。

アイ・エム・エフ【IMF】国際通貨基金。一九四四年ブレトンウッズ協定に基づいて設立され、四七年に発足した、国際連合の一機関。国際通貨の秩序維持と世界経済の発展をめざす。参考 加盟国は、割当額に応じて自分の国の通貨を出資する義務がある。▽International Monetary Fund の略。

アイ・エル・オー【ILO】国際労働機関。国際連合の専門機関の一つ。労働条件の改善や社会的安定を図ることを目的とした国際機関。▽International Labor Organization の略。

あいえん・か【愛煙家】たばこが好きな人。

あいえん・きえん【合縁奇縁】人と人との関係で、気が合う同士と合わない同士とがあるのは、常識では考えられない不思議な縁によるものであるということ。類語 縁は異なもの。

あい・おい【相生(い)】❶〔同じ根から〕木が二本に分かれて生長すること。また、同じ種類の二本の木が途中からくっついて生長すること。「―の松」❷〔「相老い」にかけて〕夫婦が共に長生きすること。表記 ②は「相老い」とも書く。

アイ・オー・シー【IOC】国際オリンピック委員会。オリンピック競技の運営・開催都市の決定などを行い、さらにスポーツを通じ各国の親善と平和の推進を使命とする国際スポーツ組織。▽International Olympic Committee の略。

あい・か【哀歌】悲しい気持ちをよんだ歌。悲歌。エレジー。類語 哀詩。挽歌。

あい・かぎ【合×鍵】あるかぎのほかに、その錠をあけるために作られた別のかぎ。

あい・がさ【相傘】あいあいがさ。

***あい・かた**【合方】❶謡曲のはやし(方)。❷長唄で、唄の間に入る合いの手の長いもの。❸〔歌舞伎で〕せりふに合わせたり、せりふの間に入れたりして調子をつける三味線。❹〔歌い手に対して〕三味線をひく者。一般に、伴奏(者)。

***あい・かた**【相方】❶相手。〔古風な言い方〕❷客の相手の遊女。表記 ②は多く「敵娼」と当てる。

あい・がも【▽間×鴨・合×鴨】❶カモ科の鳥。マガモとアオクビアヒルとの雑種。食肉用として飼育する。❷〔俗〕アヒルの肉。

あい・かわらず【相変(わ)らず】《副》前と変わらず。いつものとおり。「―元気だ」「本年も―よろしく」参考「相も変わらず」は、進歩のない状態を少しさげすんでいう言い方。「相も変わらず独り暮らしだ」

***あい・かん**【哀感】もの悲しい気分。「―を催す」

***あい・かん**【哀歓】〔文〕悲しみと喜び。悲喜。「―交こもごも至る」「―を共にする」類語 哀楽。

***あい・がん**【哀願】《名・他サ》同情を求めて、切に願いたのむこと。また、その願い。「―を聞き入れる」類語 哀訴。哀求。嘆願。

***あい・がん**【愛×玩・愛×翫】《名・他サ》〔心を慰めるものとして〕大切にしてなでまわすようにかわいがること。また、大切にして楽しむこと。〔多く、小さいもの・工芸品などにいう〕「―動物」「―物」

あい・き【愛機】大切にして使っている飛行機・写真機など。表記 楽器など器具の場合は「愛器」と書く。

あい・ぎ【合着・▽間着】❶下着と上着の間に着る衣服。❷合服。

あいき・どう【合気道】武道の一つ。関節わざを主とし、攻撃よりも護身・自衛を目的とする。

あい・きゃく【相客】❶ある人を訪ねたとき、たまたまそこにいあわせた客。同席した(初めて会う)人。❷宿屋で同じ部屋に泊まり合わせた見知らぬ客。

アイ・キュー【IQ】→知能指数。▽intelligence quotient の略。

***あい・きょう**【愛▽敬・愛×嬌】❶にこやかでかわいいこと。「―のある丸顔」「男は度胸、女は―」参考 もとは仏教語「愛敬相」(=仏の慈相)から。❷〔表情・言動などが〕こっけいで心をなごますこと。「―者」❸〔人に好かれるような〕あいそやおせじ。「―をふりまく」❹売り物や催し物にそえるもの。おまけ。サービス。座興。「ご―に一曲歌おう」

***あい・きょう**【愛郷】生まれ故郷を愛すること。「―心」類語 懐郷。

あい・きょうげん【▽間狂言】能楽で、シテ・ワキ・ツレなどのほかに狂言師が出て演じる部分。また、その役がら。間。能間。

あい・ぎん【愛吟】《名・他サ》好きな詩歌をいつも口ずさむこと。また、その詩歌。類語 愛誦。

あい・くち【合口】❶物と物との合わせ目。❷つばのない短刀。九寸五分。どす。匕首。表記 ②は「匕首」とも当てる。❸話があう・こと(相手・間柄)。「―のいい間柄」

あい・くるし・い【愛くるしい】《形》〔見た目が〕非常にかわいらしい。〔幼いものや若い女性などに対していう〕「―・いお下げの少女」「―・い笑顔」

あい・けん【愛犬】❶かわいがって飼っている犬。「―ポチ」❷犬をかわいがること。「―家」

***あい・こ**【愛顧】ひいきにして引き立てること。ひいき。「ご―を頂く」参考 ふつう、目をかけられる側から使う語。多く商人・芸人などが使う。類語 恩顧。

***あい・こ**【相子】たがいに勝ち負け・損得がないこと。あいもち。「これでお―だ」「じゃんけんぽん、―でしょ」表記 かなで書くことが多い。類語 ひきわけ。

あい・ご【愛護】《名・他サ》かわいがってだいじにすること。「動物―デー」(=三月二〇日)

***あい・こう**【愛好】《名・他サ》ある事やある物を愛し好むこと。「音楽を―する」「果物を―する」

***あい・こう**【愛校】自分の学校を愛すること。「―心」

あい・こく【愛国】自分の国を愛すること。「―心」「―者」類語 憂国。

あい・ことな・る【相異なる】《自五》互いにちがっている。「―る主張」

あい・ことば【合(い)言葉】❶たがいが味方や仲間であることを知らせあうために、前もってきめておくことば。「山」に対し、「川」とこたえる場合の「山」と「川」の類。❷人々の気持ちをある方向に高揚するための標語。モットー。「『人間解放』を―にする」

アイコン コンピューターで、プログラムの機能やファイルの内容をディスプレー上に絵柄で表現したもの。▽icon

あい・さい【愛妻】❶妻を愛し大切にすること。「―家」❷愛し大切にしている妻。類語 恋女房。

あい-さつ【×挨×拶】《名・自サ》❶人と会ったとき、別れるときなどにとりかわす儀礼的な動作やことば。また、そのことばを述べること。「時候の—」「—を交わす」❷〔儀式・会合などで〕相手に敬意や謝意を表すために改まって述べることば。また、そのことばを述べること。「開会の—」「—状」❸返事。応対。「つっけんどんで—のしようがない」「一言の—もない」❹〔俗〕やくざの世界で、仕返し。「おぼえていろ。必ず—に行くからな」❺〈御ご—〉〔俗〕相手の失礼な態度に対し、皮肉をこめて応酬する語。驚いた言い分。「『色が白いね。もやしみたいだ』『ごーですこと』」

あい-し【哀史】〔実際にあった〕あわれなできごとを述べた物語。また、あわれで悲しい歴史。「女工—」類語 悲話。哀話。

あい-じ【愛児】かわいがっている、その人自身の子供。いとし子。〔第三者からいう語〕「彼は—を交通事故で失った」類語 寵児。秘蔵っ子。

アイ-シー【IC】集積回路。▽integrated circuit の略。**—カード** ICを組みこんで、データを電子的に記録するカード。▽IC card

アイ-シー-ユー【ICU】重症患者や手術直後の患者だけを治療する病院内の施設。二四時間態勢で患者の悪化を乗り切るための治療を行う。集中治療室。▽intensive care unit の略。

あい-しゃ【愛車】その人が大切に乗りこなしている自動車。「—を駆って出かける」

あい-じゃく【愛着】《名・自サ》❶〔仏〕俗界の欲望にとらわれて思いきれないこと。❷「愛着」の古風な言い方。

***あい-しゅう【哀愁】**もの悲しい感じ。「—を帯びた音色」類語 憂愁。

***あい-しゅう【愛執】**❶〔仏〕欲望にとらわれて、心が離れがたいこと。愛着。❷愛情にひかれて、縁をきれないこと。愛着。

あい-しょ【愛書】❶本が好きなこと。「—家」❷好きな本。愛読書。

***あい-しょう【哀傷】**《名・他サ》悲しみに心をいためること。「—歌(=人の死をいたみ悲しむ歌)」参考 人の死には、現代ではふつう「哀悼」を使う。

***あい-しょう【愛唱】**《名・他サ》好んで歌うこと。「—歌」

***あい-しょう【愛称】**本名や正式の呼称のほかに親愛の気持ちをこめて呼ぶ特別の名。ペットネーム。類語 あだ名。

***あい-しょう【愛×誦・愛唱】**《名・他サ》詩歌などを好んで口に出してとなえること。「牧水の歌を—する」表記「愛唱」は代用字。類語 愛吟。

***あい-しょう【相性・合性】**❶陰陽五行説からみて、男女二人の性(=生年月日を五行に配したもの)がうまく合うこと。「—を気にする」❷つきあってゆく上で、性格がうまく合うこと。「—がいい」

***あい-じょう【哀情】**悲しく思う心。悲しい気持ち。

***あい-じょう【愛嬢】**かわいがり大切にしている娘。まなむすめ。〔他人の娘にいう〕類語 令嬢。対 愛息。

***あい-じょう【愛情】**❶相手にそそぐあたたかな心。愛する心。「娘に—を注ぐ」❷異性を恋いしたう心。「ほのかな—を抱く」類語 情愛。慕情。恋情。

あい-じるし【合印】❶戦場で味方であることを表すためにつけるしるし。❷組み合わせをまちがえないようにつぎめにつけておくしるし。❸裁縫で、二枚以上の布を正しくぬい合わせるためにつけておくしるし。表記 ③は「合標」とも当てる。❹合印。

あい-じん【愛人】❶情婦、情夫、二号の類をぼかしていう語。類語 情人。いろ。❷〔古風な言い方で〕恋人。〔近年、よくないニュアンスをもつ〕

***あい-・す【愛す】**《他五》→愛する。

***アイス** ㊀《造語》「氷」の意。「—ボックス」㊁《名》❶氷。❷〔俗〕「アイスクリーム」「アイスキャンデー」の略。❸「アイスコーヒー」の略。対 ホット。❹〔俗〕高利貸し。参考「氷菓子」と音が同じであることから。▽ice **—キャンデー** 砂糖・香料などの混合液を、細い棒のまわりにこおらせた氷菓子。アイスティック。アイス。▽ice と candy からの和製語。**—クリーム** 牛乳・砂糖・卵黄などに香料を加え、まぜ合わせてこおらせたもの。アイス。参考 なまって「アイスクリン」ともいう。▽ice cream **—コーヒー** 冷やしたコーヒー。アイス。▽iced coffee から。参考 関西方面では「コールコーヒー」という。**—ピック** 氷を細かく砕くための、錐形の道具。氷割り。▽ice pick **—ボックス**→クーラー②。▽icebox **—ホッケー** スケートをはいて氷の上でするホッケー。六人ずつの二チームで、スティックを用い円盤状のパックを相手方のゴールに入れ合う。対 (フィールド)ホッケー。▽ice hockey

あい-ず【合図】《名・自サ》〔前もってきめた〕動作・音あるいは小道具などで、ある意志を知らせること。また、その知らせ。サイン。「目で—する」「—を送る」類語 目配せ。合い言葉。信号。ノック。

アイスバーン〔スキーコースなどで〕雪におおわれた山の傾斜面が氷のようにかたくなっている所。また、そのような状態。▽Eisbahn

あい-・する【愛する】《他サ変》❶かわいがる。いつくしむ。「両親に—・されてすくすく育つ」❷〔その価値を認めて〕大切にする。「文学を—・する」❸〔ある異性を〕恋しく思う。「夫を—・する」❹親愛の情をもつ。「—・する友」「私の—・する詩人たち」❺強く好む。「酒を—・する」⇩〔類語と表現〕

類語と表現

「愛する」

*彼〔彼女〕を愛する・ひそかに愛している人・愛する人と結婚する・家族を愛する・愛する妻を亡くす・誰からも愛される人・音楽〔詩歌・祖国〕を愛する。

◆かわいがる・いつくしむ・いとおしむ・いとしがる／(する)寵愛・溺愛・熱愛・盲愛・偏愛／好む・好く・愛でる・愛好する・大切〔大事〕にする・好き好む／恋する・恋う・惚れる・慕う・恋い慕う

◇〔愛の種々相〕純愛・性愛／(する)恋愛・恋慕・愛慕・思慕・相思相愛／恩愛・仁愛・敬愛・慈愛・博愛・友愛・人類愛・母性愛・父性愛・肉親愛・夫婦愛・師弟愛・郷土愛

◆副詞句表現 蝶よ花よと・目の中に入れても痛くないほど(かわいがる)／死ぬほど・骨まで・心底・心から・永遠に・いつまでも(愛する)／ぞっこん(惚れる)

***あい-せき【哀惜】**《名・他サ》〔文〕人の死などを悲しみおしむこと。「—の念にたえない」類語 哀悼。

***あい-せき【愛惜】**《名・他サ》❶愛し大切にして、手

放すことをおしむこと。「亡夫の—したカメラ」❷名残おしく思うこと。「過ぎ去った日々を—する」

***あい・せき【相席・合(い)席】**《名・自サ》〔食堂などで〕見知らぬ人と同じ卓の席に座ること。

あい・せつ【哀切】《名・形動》非常にあわれで、もの悲しいこと。「—をきわめた話」「バイオリンの—な響き」

***あい・ぜん【愛染】**〔仏〕❶愛欲にとらわれる心。煩悩。❷「愛染明王」の略。真言密教で愛欲をつかさどる神。三つの目と六本の腕をもち、怒りの相を表す。

***アイゼン** 登山で、凍った雪の上などを登降するときに靴の底にとりつける滑り止めの金具。鉄製のわくにつめがついている。鉄かんじき。参考「シュタイクアイゼン(ドイツ Steigeisen)」の略。

***あい・そ【哀訴】**《名・他サ》同情を求めるように嘆き訴えること。また、その訴え。「窮状を—する」「—に応える」類語 哀願。哀求。愁訴。

***あい・そ【愛想】**《「愛相(=にこやかな様子)」の意という。「愛想」の転》❶人に対する対応のしかた。また、人に対するにこやかで親しみのある態度や面持ち。「—がよい」「—をふりまく」❷〔客に対する〕好意を示したもてなし。〔「お—」の形も多い〕「何のお—もありませんで…」❸人に対する好意・親しみ。「—が尽きる(=あきれて、いやけがさす)」❹相手を喜ばすことば。おせじ。〔多く「お—」の形で使う〕「お—がお上手ですこと」❺〔料理屋などの〕勘定。〔多く「お—」の形で使う〕=愛想。**—づかし【—尽(か)し】**相手にいやけがさしたり、愛情をなくしたりしたことを示す態度やことば。「—をする」**—わらい【—笑い】**相手のきげんをとるための、へつらった笑い方。おせじ笑い。「—を浮かべる」**—もこそも尽き果・てる**《句》あきれて、すっかりいやけがさす。参考「愛想が尽きる」を強めたことば。

あい・そう【愛想】↓あいそ(愛想)。

***あい・ぞう【愛憎】**〔人に対する〕愛と憎しみ。「老夫婦の—を描く長編小説」

***あい・ぞう【愛蔵】**《名・他サ》大切にして、しまっておくこと。「—してやまない品々」「—版」

あい・そく【愛息】かわいがり大切にしている息子。〔他人の息子にいう〕類語 令息。対 愛嬢。

アイソトープ〔水素と重水素のように〕原子番号が同じで質量数(原子量)のちがう元素。同位元素。同位体。イソトープ。▽isotope

あいだ【間】❶二つのものではさまれた部分・中。また、そのはさまれた範囲。合間。「人と人との—に割り込む」「木立の—に星が光る」❷へだたり。間隔。〔空間的な場合にも時間的な場合にも使う〕「学校と家の—は約一キロ」「—をおいて拍子木がきこえる」❸ある限られたひと続きの時間。「留守をしていた—の出来事」❹関係。あいだがら。「二人の—を割く」❺仲間同士などの、中。また、ある物事の、うち。「学生の—で評判の小説」❻関係のうち。「夫婦の—には子供がなかった」❼《接続助詞的に用いて》…ゆえに。…であるから。〔候文の手紙などで使う〕「過日お話し申し上げ候—、何卒お聞き届けいただきたく…」

あい・たい【相対】第三者を入れず、二人さしむかいで物事をすること。**—ずく【—▽尽く】**両者納得の上で物事をとりはからうこと。「—で事を決める」

あい・たい・する【相対する】《自サ変》❶〔二つのものが〕たがいにむかい合う。「両者—・してにらみ合う」❷反対の立場にたつ。対立する。「意見が—・する」

あいだ・がら【間柄】〔血族・親類または友人・師弟など〕人と人との関係。「男女の—」類語 続柄。

あいだ・ぐい【間食い】《名・他サ》食事と食事の間に菓子などをたべること。間食。

あいた・しゅぎ【愛他主義】他人の幸福・利益を目的として行動する主義。利他主義。類語 博愛主義。

あい・ちゃく【愛着】《名・自サ》〔ある物・物事に〕心がひかれて思いきれないこと。愛執。「—を感じる」参考 ↓愛着。類語 執着。未練。固執。

***あい・ちょう【哀調】**あわれを感じさせるような物悲しい調子。「—を帯びた歌」

***あい・ちょう【愛聴】**《名・他サ》〔ラジオ放送のある番組を〕好んで聴くこと。「ディスクジョッキーを—する」

***あい・ちょう【愛鳥】**❶かわいがって飼っている鳥。❷鳥をかわいがること。「—週間(=バードウイーク。五月一〇日から一週間)」

あいつ【▽彼▽奴】《代名》《「あやつ」の転》❶《他称の人代名詞》けいべつまたは親しみの気持ちをこめて言う語。やつ。かやつ。きゃつ。「—なんか大嫌い」❷《遠称の指示代名詞》あの物。あれ。〔乱暴な言い方〕「いつか預けた—を返してくれ」

あいつい・で【相次いで】《副》一つのことが終わると、またすぐ次に。次々に。「事件が—起こる」

あい・つ・ぐ【相次ぐ】《自五》〔類似の物事・事件などが〕後から後から続いておこる。「—ぐ空の事故」

あい・づち【相×槌・相×鎚】〔鍛冶などで〕相手とかわるがわる打ち合うつち。また、その相手。表記「合槌・合鎚」とも書く。**—を打・つ**《句》相手の話に調子を合わせて受け答えをしたり、うなずいたりする。

あい・て【相手】❶ある物事を行うとき、それをうける一方の人。また、一緒に物事を行う人。「彼を—にする人はだれもいない」「相談—」類語 先方。向こう側。相棒。相方。仲間。パートナー。❷相対して争う人。「—にとって(=相手として)不足はない」類語 競争者。敵手。ライバル。**—ど・る【—取る】**《他五》相手②とする。「国を—・って訴訟を起こす」

アイディア ❶〔あるよい効果を生みだす〕思いつき。着想。❷〔哲〕観念。イデア。=アイデア。▽idea

アイディアリズム ❶〔哲〕世界を〔物質やその働きからでなく〕精神や理性などから説明しようとする主義。観念論。唯心論。対 マテリアリズム(=唯物論)。❷理想主義。▽idealism

アイ・ティー【IT】情報技術。「—革命」▽information technology の略。参考 ⇩巻末付録。

アイ・ディー・カード【IDカード】身分証明書。アイデンティティーカード。アイデンティフィケーションカード。参考 IDは、identity(=identification) card の略。▽ID card

あい・でし【相弟子】同じ師匠や先生のもとで一緒に学ぶ者。また、その関係。兄弟弟子。類語 同門。

アイテム ❶〔雑貨・洋服などの〕品目。ブラウス、スカート、スーツなどの服の種類をいう。❷新聞記事の項目。❸コンピューターで、磁気テープに記録された一件分のデータ。▽item

アイデンティティー ❶自分が自己自身であると感じ

あ

る場合の、その感覚や意識を言う語。自己の存在証明。自己同一性。主体性。「―の喪失」「―の創出」❷組織体で、それを他と区別し特徴づけるもの。独自性。「国家の―」▽identity(=同一性)

あい・とう【哀悼】《名・他サ》人の死を悲しみ心を痛めること。「―の意を表す」類語 哀惜。愁傷。哀傷。

あい・どく【愛読】《名・他サ》〔ある書物などを〕好んで読むこと。「魯迅(ろじん)を―する」「―書」

アイドリング《名・自サ》機械、特に自動車のエンジンを、負荷をかけずに回転させること。自動車を停止したままでエンジンを低速回転するなど。▽idling

アイドル 崇拝される人・物。敬愛の的。また、人気の的。「クラスの―」「―歌手」▽idol(=偶像)

あい・なかば・する【相半ばする】ーあひ《自サ変》〔相反した二つのものが〕半分ずつの状態を保つ。五分五分である。「功罪―・する」

あい・なめ【×鮎▽並・×鮎▽魚女】アイナメ科の魚。海岸近くの岩の間などにすむ。体長約三〇センチで、緑色をおびた褐色。美味。あぶらめ。あぶらこ。

あい・な・る【相成る】ーあひ《自五》「成る」のあらたまった言い方。〔おもに手紙に使われる〕「新緑の候と―・りました」「―・るべくは(=できることならば)参上仕ります」「無断欠席は―・らぬ」

あい・にく【▽生憎】《副・形動》〔「あやにく」の転〕〔何かしようとしたときに、たまたまそれができない状態になって〕ぐあいが悪いようす。「―お酒を切らしておりまして…」「―な天気」表記「生憎」は当て字。

アイヌ 主として北海道に居住する先住民族。かつては樺太(からふと)(=サハリン)・千島(=クリール)にも居住し、固有の言語・風習・文化を持ち、独自の歴史を築いていた。▽アイヌ Ainu(=人)

あい・の・こ【合(い)の子・▽間の子】ーあひ❶種類のちがう生物の間に生まれたもの。雑種。❷〔卑称〕人種・民族などのちがう両親の間に生まれた子。混血(児)。ハーフ。❸〔ひゆ的に〕どちらともつかない中間のもの。

あい・の・す【愛の巣】愛しあっている男女が〔こっそり〕住むすまい。「―を営む」

あい・の・て【合(い)の手・▽間の手・相の手】ーあひ❶邦楽で、歌と歌の間にはいる、三味線だけで奏される部分。❷歌・おどりなどの調子に合わせて入れる手拍子やかけ声。❸人の話や動作の合間にさしはさむことばや動作。「すかさず―を入れる」

あい・の・むち【愛の×鞭】《連語》相手のためを思ってあたえる厳しい言葉や体罰のたとえ。

あい・のり【相乗り】ーあひ《名・自サ》❶〔乗り物に連れでない人と〕一緒に乗ること。「タクシーに―する」類語 同乗。乗り合い。❷もともと仲間でないものがそのときの都合で、共同で事を行うこと。「企画に―する」

あい・ば【愛馬】❶かわいがっている馬。❷馬をかわいがること。「―精神」

あい・ばん【合判・▽間判・相判】ーあひ❶ノートなどの紙の大きさの一つ。仕上がり寸法が縦約二一センチ、横約一五センチ。A5判の大きさ。❷写真乾板で、小と中の間の大きさ。縦約一三センチ、横約一〇センチ。

アイビー・スタイル アメリカ東部八大学(アイビーリーグ)の学生の間に流行し、一般化したスタイル。背広はなで肩で、えりは細く、三つボタン。アイビールック。▽Ivy と style からの和製語。

***あい・びき【合(い)×挽(き)】**ーあひ 牛と豚の肉をあわせてひき肉にしたもの。

***あい・びき【×逢引(き)・×媾×曳】**ーあひ《名・自サ》〔恋をしている〕男女がこっそりあうこと。類語 密会。しのびあい。ランデブー。

あい・びょう【愛猫】❶猫をかわいがること。❷かわいがっている猫。「山川家の―」

あい・ふ【合符】ーあひ 駅などで手荷物を預かった証拠として渡す札。

あい・ぶ【愛×撫】《名・他サ》体などをやさしくなでさすること。「頬(ほお)を―する」

あい・ふく【合服・▽間服】ーあひ 春や秋に着る洋服。合着(あいぎ)。合い。

あい・ふだ【合札】ーあひ❶金銭や品物を預かったとき、それと引きかえに渡す札。❷割り符。

あいべつり・く【愛別離苦】〔仏〕八苦の一つ。親・兄弟・夫婦など、愛する者と別れる苦しみ。

あい・べや【相〈部屋〉】ーあひ〔旅館などで〕他人と同じ部屋にとまること。「あいにく―になります」類語 相宿。

あい・ぼ【愛慕】《名・他サ》愛ししたうこと。「―の情」類語 恋慕。

あい・ぼう【相棒】ーあひ❶駕籠(かご)を前後でかつぐ相手。❷仕事などをするとき組になる相手。また、いつも行動を共にする相手。「―は元気かい?」

あい・ぼし【相星】ーあひ 相撲の場所で、勝ち星の数が対戦する相手と同じであること。類語 同点。

アイボリー ❶象牙(ぞうげ)。❷象牙色。「―ホワイト」❸象牙色の光沢のある厚い西洋紙。▽ivory

あい・ま【合間】ーあひ 継続している物事のきれめ。ひま。手すき。〔おもに時間的なきれめに用いる〕「勉強の―にテレビを見る」

あい・まい【×曖×昧】《形動》❶物事がはっきりしないようす。「―な表現」類語 不確か。うやむや。あやふや。❷いかがわしいようす。「―茶屋」

―もこ【―模×糊】《形動タルト》〔話の内容などが〕あやふやではっきりしないようす。「実情は―として計りがたい」

あい・まって【相×俟って】ーあひ《連語》〔二つ以上のものが〕互いに力を出しあって。「両々―」注意「相待って」は誤り。

あいみ・たがい【相身互い】あひーたがひ〔「相身互身」から〕同じ〔苦しい〕境遇にあるので互いにその立場がわかること。また、同情して助けあう・こと(間柄)。「苦しい時は―です」表記「相見互い」とも書く。

あい・もち【相持ち】ーあひ❶〔一つのものを〕互いに持ち合うこと。共有。❷費用などを等分に出すこと。類語 お互い様。

あい・やど【相宿】ーあひ 同じ宿に泊まりあわせること。同宿。類語 相部屋(あいべや)。

あい・よう【愛用】《名・他サ》〔ある品物を〕好んで〔いつも〕使うこと。「―のパイプ」

あい・よく【愛欲・愛×慾】❶〔仏〕欲望に心をとらわれること。❷異性に執着する〔性的な〕欲望。〔多く罪悪の意を含める〕「―にもだえる」類語 性欲。情欲。

あい・よつ【相四つ】ーあひ 相撲で、取り組む二人の力士の得意なさし手が、右ざしまたは左ざし同士であること。「右の―」対 けんか四つ。

あい・らく【哀楽】〔文〕悲しみと楽しみ。「喜怒―の情」類語 哀歓。苦楽。悲喜。

あい・らし・い【愛らしい】《形》かわいらしい。可憐(かれん)だ。「目のくりくりした―・い少年」

アイリス アヤメ科の植物の総称。アヤメ・カキツバタ・ダッチアイリス・イングリッシュアイリスなど。園芸種。イリス。▽iris

***あい‐れん【哀×憐】**〔文〕同情して、なさけをかけること。あわれみの心。「―の情がきざす」

***あい‐れん【愛×憐】**〔文〕かわいがり、なさけをかけること。いつくしむ心。「―の思いに堪えない」

***あ‐いろ【▽文色】**《「あやいろ」の転》〔文〕❶模様。❷〔多く下に打ち消しの語を伴う〕「ものの―も分かたない」ものの様子・区別。また、物事の筋道。文目(あやめ)。

***あい‐ろ【×隘路】**❶けわしく狭い道。狭く通りにくい道。❷物事をする上で妨げになるもの。「販売政策上の―」類語 難関。障害。支障。悪条件。ネック。

アイロニー 皮肉。風刺。また、反語(法)。イロニー。▽irony

アイロン ❶布地のしわをのばすのに使う鉄製の重いこて。「―をかける」「電気―」類語 ひのし。❷髪の毛をちぢらせる鉄製のこて。▽iron(=鉄)から。

あい‐わ【哀話】 かわいそうな物語。悲話。類語 哀史。

あい‐わ・す【相和す】《自五》〔文〕❶互いに親しむ。仲良くする。「夫婦―・す」❷互いに呼応する。調和する。「―・して歌う」

***あ・う【会う・×逢う・遭う・▽遇う・×邂う】**(ふあ)《自五》❶約束して対面する。面会する。「一〇時に友人と―・う」❷偶然に人と出会う。「旧友にばったりと―・った」❸よくない物事に出会う。ぶつかる。「ひどい目に―・う」文《四》。⇩〔類語と表現〕〔使い分け〕

―うは別れの始め《句》知り合った人とは、いつかは必ず別れねばならないということ。参考 白居易の詩から出た、人の世のはかなさを言うことば。

類語と表現

「会う」

*人と会う約束がある・応接間で客と会う・五時にいつもの喫茶店で会おう・空港で昔の友達に会った・記者が大臣に会って話を聞く・先生に会うため、自宅を訪問する。

◆〔約束して会う〕(する)面会・対面・会見・面接・面談・引見・接見・再会／顔を合わせる・面と向かう・落ち合う・待ち合わせる・一堂に会する／(する)密会・逢引(あいびき)・デート・ランデブー／忍び会う・逢瀬(おうせ)を楽しむ

敬語 謁見〔拝謁・拝眉(はいび)〕いただく・お目にかかる・お目通りを願う・お目文字がかなう・まみえる・尊顔を拝する・謦咳(けいがい)に接する・拝顔の栄を賜る・謁を賜る

◆〔偶然に会う〕行き合う・出会〔合〕う・出くわす・巡り会〔合〕う・ぶつかる・かち合う・来合わせる／(する)鉢合わせ・邂逅(かいこう)・遭遇・逢着・直面／奇遇・一期一会

***あ・う【合う】**(ふあ)㊀《自五》❶〔二つ以上のものが〕集まって一つになる。「二つの川の―・う地点」類語 合わさる。落ち合う。出合う。合する。会する。(する)合併。合一。合流。結合。接合。融合。ドッキング。❷つりあいがとれる。「収入に―・った生活」類語 即(そく)す。そぐう。当てはまる。(する)調和。適合。❸一致する。「呼吸が―・う」「ピントが―・う」類語 添う。(する)合致。符合。整合。❹正しいものに一致する。「答えが―・う」❺〈ふつう「―・わない」の形で〉引き合わない。「割りに―・わない」「詫(わ)びを入れるだけでは―・わない」文《四》。㊁《接尾》❶たがいに…する。「話し―・う」❷…して一緒になる。「落ち―・う」文《四》。⇩〔使い分け〕

使い分け

「あう」

会う〔×逢〕〔約束してあう意で、一般に広く〕客と会う・人に会う・恋人と会(逢)う・立ち会(合)う

会う〔▽遇・×逢・×邂〕〔偶然にあう〕駅でばったり恩師に会った・巡り会(合・逢・邂)う・出会(合)う

遭う〔▽遇〕〔難にあう〕災難に遭う・にわか雨に遭う・ひどい目に遭う

合う〔合致する。互いに…する〕計算が合う・目が合う・体に合った服・割りに合わない・落ち合う・話し合う

参考「恋人と逢う」「旧友と巡り逢う」など、恋人や親友との出会いの意では、文学などでは、「逢」が好まれる。「出あう」は「人と出会う／本と出合う」のように使い分けることもあり、「立ちあう」は「競りに立ち会う・立会演説会／剣で立ち合う・相撲の立ち合い」のように使い分ける。「山道でクマにあう」などは、多くかな書き。

アウェー サッカーなどで、相手チームの本拠地。対 ホーム。▽away

アウター・ウエア 上着類の総称。外衣(がい)。アウター。アウトウエア。対 インナーウエア。▽outerwear

アウト ㊀《名》❶野球で、打者または走者がその資格を失うこと。対 セーフ。❷テニス・バレーボール・卓球などで、打ち込んだ球が相手コートの線外に出ること。対 イン。セーフ。❸ゴルフで、一八ホールのゴルフコースの前半の九ホール。対 イン。❹〔俗〕一般に、失格。不成功。駄目。対 セーフ。㊁《造語》外の。はずれた。「―シュート」「チェック―」▽out

―コース ❶競走・競馬などで、円形の競技場の外側の走路。❷野球で、打者にとって遠いほうを通る球の道。対 ①②インコース。▽out と course からの和製語。

―サイダー ❶仲間に入らない人。局外者。門外漢。❷カルテルなどの協定に参加しない同業者。対 ①②インサイダー。▽outsider

―サイド ❶外側。外面。❷〔野球で〕外角。アウトコーナー。対 ①②インサイド。▽outside

―ソーシング ❶企業などが業務の一部を、外部に委託すること。❷海外から安い部品を調達すること。▽outsourcing

―ドア 屋外。「―スポーツ」対 インドア。▽outdoor

―プット《名・他サ》出力装置を用いてコンピューターからデータを取り出すこと。出力。対 インプット。▽output

―ライン ❶輪郭(りんかく)(の線)。❷物事のあらまし。大要。梗概(こうがい)。「事件の―」▽outline

―レット 特定のブランドの在庫品を、格安の値段で販売する店。アウトレットストア。アウトレットショップ。▽outlet(=直営店・系列小売店)

―ロー きまりをやぶり、道理に従わない乱暴な人。無法者。▽outlaw

アウトバーン ドイツの、高速自動車専用道路。▽(ドイツ) Autobahn(=自動車道)

アウフヘーベン《名・他サ》〔哲〕二つの対立・矛盾する概念を合わせて、より高い概念に統合・発展させること。止揚(しよう)。揚棄(ようき)。▽(ドイツ) Aufheben

あ‐うん【×阿×吽・×阿×呍】〔悉曇(しったん)の字母の最初の音アと最後の音ウン〕吐く息と吸う息。呼吸。「―の呼吸(=共に一つのことをしようとする時に互いが感じる微妙な心の動き)」参考 梵語a-hūmの音訳。

あえか《形動》〔雅〕かよわいようす。参考 古典では、も

ろさを感じさせる美しさをいう。「—な愛」

あえ・ぐ【×喘ぐ】《自五》❶苦しそうにせわしく呼吸する。息をきらす。「—・ぎ—・ぎ坂をのぼる」❷苦しむ。四苦八苦する。「不況に—・ぐ」文《四》。

あえ-ず【▽敢えず】《連語》《「敢あふ」の未然形＋打ち消しの助動詞「ず」。動詞連用形、または動詞連用形＋「も」につく》❶こらえることができない(で)。「涙せき—」❷完全には…しきれない(で)。「言いも—」

あえ-て【▽敢えて】《副》❶《「敢あふ」の連用形＋接続助詞「て」》〔しなくてもよいことを〕無理に。わざわざ。しいて。「—言おう」❷《下に打ち消しの語を伴う》特別に。必ずしも。「—驚くに足りない」

あえ-な・い【▽敢え無い】《形》《「ない」は接尾語》結末などがあっけなく、もろい。「—・い最期」「—・くも敗れ去った」「—・くなる(＝死ぬ)」

あえ-もの【▽和(え)物・×韲物】 野菜・魚介などを、みそ・酢などであえた食品。

あ・える【▽和える・×韲える】《他下一》野菜・魚介などを、みそ・酢・ごまなどとまぜあわせて調理する。「うどを酢みそで—・える」文あ・ふ《下二》。

あ-えん【亜鉛】 青白色で光沢のある金属元素。トタン板を作り、真鍮・洋銀・青銅などの成分となる。ジンク。元素記号Zn。「硫酸—」

あお【青】 ㊀《名》❶晴れた日の空や海のような色。色の三原色の一つ。青色。ブルー。参考 沈静・清涼の気分を起こす。「白鳥は悲しからずや空の—海の—にも染まずただよふ〈牧水〉」⇩〖類語と表現「色」〗❷〔青①に類似のものとして〕緑色。さらに広く、月の光の色、病気のときの顔の色など。「山も野も—」❸馬の毛並みで、黒色。また、黒い毛色の馬。あお毛。参考 俗に、馬一般の代表名としても用いる。「—にまたがる」❹青信号。安全・進行を示す。「—になってから渡る」対赤。㊁《接頭》❶青い色をした。青みをおびた。「—海原」「—白い」❷未熟な。「—臭い」「—二才」

—は藍より出でて藍より青し《句》弟子が、その先生よりすぐれたものになることのたとえ。出藍の誉れ。参考 青色の染料はアイを原料とするが、できた染料はアイよりも青いことから。〈荀子・勧学篇〉

あお-あお【青青】《副・自サ》《副詞は「—と」の形も》いかにも青いようす。また、一面に青いようす。「—とした海」「—と広がる麦畑」

あお-あらし【青×嵐】〔文〕青葉のころにふく、さわやかな風。青嵐。類語 薫風。

＊あおい【×葵】 ❶アオイ科の植物の総称。多く観賞用に栽培される。❷フタバアオイの葉を図案化した紋所。種々の変形がある。参考 徳川家の紋は三つ葉葵で、江戸幕府の象徴とされた。

＊あお・い【青い・×蒼い・×碧い】《形》❶青①の色をしている。「—・い海」「—・い梅の実」❷緑色である。「—・い梅の実」❸青①に似た感じの色で、薄暗い。「夕もやが—・くかかる」❹〔病気のように〕顔に血の気がない。顔色が悪い。〔心配や恐怖のあまり血の気を失うようすにも用いる〕「—・い顔色をした病人」「大金をなくして—・くなる」❺未熟である。「—・いことばかり言う」文あを・し《ク》。⇩〖使い分け〗

使い分け「あおい」

青い(×蒼・×碧)〔緑・水色を含んだあお色〕青(蒼・碧)い空・青い梅・青信号・言うことがまだ青い・青(蒼)ざえ・青(碧)い海・指に光る青(碧)い玉・青(蒼)い月光・青(蒼)い顔

参考「青」は三原色の青を中心としたあお色一般を指し、広く用いられる。「蒼」は草色から深青色で、血の気のない衰弱した色合い、「碧」は浅緑色から濃青緑色の、翡翠のような色合い。「青い空」は日本で普通に見られる青空、「蒼い空」は特に四月ごろの春の淡い青空、「碧い空」は中東で見る突き抜けたような青空である。的確な表現を期す場合、「青」を使ったり、かな書きしたりした際には、「サファイアのような」などの色合いを示す形容が必要となろう。

あおいき-といき【青息吐息】 苦しいとき、がっかりしたとき、困りはてたときなどにでる息。また、その息がでるような状態。「資金不足で—だ」

あおい-とり【青い鳥】 身近にあるのに気づかない幸福。参考 メーテルリンク作の童話劇の題名から。

あおいろ-しんこく【青色申告】 所得税・法人税を申告する制度の一つ。青色の定められた用紙に書く。おもに事業所得に適用され、種々の特典がある。

あお-うなばら【青〈海原〉】 青々とした広い海。

あお-うま【青馬】 ❶毛が黒くて、つやのある馬。❷〔古〕白馬。また、葦毛の馬。❸「白馬の節会」の略。表記 ②③は、「白馬」と書く。

—の-せちえ【▽白馬(の)節会】 宮中の年中行事の一つ。正月七日、紫宸殿の庭に引き出された白馬を天皇が御覧になった後、群臣を集めて宴をもよおす儀式。白馬。

あお-うめ【青梅】 まだ熟さない緑色の梅の実。

あお-がい【青貝】 ❶貝殻の内面が青白く光る美しい貝。夜光貝・オウム貝・アワビなど。参考 螺鈿の材料にする。❷アワビの貝の内側を磨いたもの。ボタンなどに用いる。

あお-がえる【青×蛙】 ❶アマガエル・トノサマガエルなど体が緑色のカエルの総称。❷アオガエル科の緑色のカエル。足にある吸盤で木の上にのぼってすみ、地上におりて卵をうむ。モリアオガエルなど。

あお-かび【青×黴】 コウジカビ科の青緑色のかび。もち・パン・果物などに生える。

あお-がり【青刈り】〔肥料や飼料にするため〕稲・麦・豆などを、葉の青いうちに刈り取ること。

あお-き【青木】 ❶青々とした木。なま木。対枯れ木。❷常緑樹。❸ミズキ科の常緑低木。葉はつやのある楕円形。冬に実が赤く熟す。庭木に植える。

あお-ぎり【青×桐・×梧×桐】 アオギリ科の落葉高木。樹皮は緑色、葉は手のひら形で大きい。夏、うす黄色の小さい花がさく。街路樹。材は家具などに使う。梧桐。碧梧。

＊あお・ぐ【▽扇ぐ・×煽ぐ】《他五》うちわやおうぎで風を起こす。「七輪を—・ぐ」文《四》。

＊あお・ぐ【仰ぐ】《他五》❶上の方を向いて見る。「天を—・ぐ」「霊峰富士を—・ぐ」類語 仰向く。仰のく。仰向ける。仰のける。仰のけ反る。仰ぎ見る。見上げる。仰視(する)。❷たっとぶ。尊敬する。「長兄を師と—・ぐ」❸〔命令・教え・助力などを〕求める。うける。請う。「指令を—・ぐ」「援助を—・ぐ」❹尊敬してある地位についてもらう。また、敬い迎える。「総裁に—・ぐ」「女王の臨席を—・ぐ」❺〔毒・酒などを〕一息にのむ。あおる。「毒(杯)を—・ぐ」文《四》。

あお・くさ・い【青臭い】《形》❶青草のようなにおいがする。❷未熟である。幼稚である。「—い文章」

あおく・な・る【青くなる】《連語》不安や恐怖を強く感じて血の気を失う。「大金を落として—る」

あお・こ【青粉】❶金魚鉢・池・湖沼などに繁殖して、水を緑色にする藻類。❷青海苔の粉末。

あおさ【▽石×蓴】緑藻類アオサ属の海藻の総称。岸に近い浅い海の岩につく。食用また飼料用。

あお・ざかな【青魚】背中の青い魚。サバ・イワシ・サンマなど。

あお・ざ・める【青×褪める・×蒼×褪める】《自下一》〔顔色が恐怖・病気などのために〕血の気を失う。

あお・しお【青潮】海面が青白くにごる現象。プランクトンの大量発生による酸素不足が原因とされる。

あお・じゃしん【青写真】❶設計図・統計表などを青地に白く焼きつけた写真。青焼き。ブループリント。❷〔①が多く設計図に用いられることから〕未来の構想。「世界国家の—」

あお・じろ・い【青白い・×蒼白い】《形》❶青みがかって白い。「月光が一面を—くそめる」❷〔顔などに〕血の気のないようす。「青白きインテリ（=行動力に欠けた知識人をあざけって言う語）」

あお・しんごう【青信号】❶〔交通機関の信号機などで〕「進め」「進んでよい」「安全」を表す信号。青色・緑色を用いる。❷物事を進行させてよいという合図。「新政策断行の—」対①②赤信号。

あお・すじ【青筋】皮膚の表面に青くすきとおって見える静脈。

—を立・てる《句》〔こめかみに青筋が浮きでるほど〕興奮して怒るようすの形容。「—てて怒る」

あお・ぞら【青空】❶青く晴れた空。類語 青天井　青天。碧空。蒼天。❷屋外。野外。〔接頭語的に使う〕「—教室」「—駐車」「—市場」

あお・た【青田】❶稲が青々と生育している田。❷まだ稲が実りきらない田。参考↓白田・黒田。

—がい【—買い】❶収穫高を見積もって稲をとり入れの前に〔田畑に生えているままで〕買うこと。対青田売り。❷企業が人材や若い労働力を獲得するために、卒業前の生徒・学生と早くから就職の契約を結ぶこと。参考 俗に「青田刈り」とも。

あお・だいしょう【青大将】ユウダ科の無毒のヘビ。体は、暗緑褐色。日本で最大のヘビ。人家の近くにすみ、ネズミ・鶏卵などを食う。日本特産。

あお・だけ【青竹】❶〔きりとって間のない〕青い竹。❷〔古〕笛。

あお・だたみ【青畳】青々とした新しい畳。参考 青々とした海面や田畑の形容にも使う。「—を敷いたような海」

あお・だち【青立ち】稲が、時期が来ても未熟のままで生えていること。また、その稲。

あお・でんしゃ【青電車】路面電車で、その日の最終電車の一つ前の電車。青電。参考 行き先標識に青いランプをつけることから。類語 赤電車。

あお・てんじょう【青天井】❶青々とした空を天井にみたてた語。青空。「—の下で無心に遊ぶ」❷株価・物価などが際限なく値上がりする状態を果てしない空にたとえた語。「株価は強気の—」類語 野天。

あお・な【青菜】青い色の〔新鮮な〕野菜。菜っぱ。

—に塩《句》〔青菜に塩をかけるとしおれることから〕元気がなくしずんでしまうようす。

あお・にさい【青二才】年が若く経験に乏しい、未熟な男。〔けいべつ・卑下の気持ちをこめて使う〕

あおに・よし【青▽丹よし】《枕》「奈良」にかかる。「—ならのみやこは咲く花の…」

あお・の・く【▽仰のく】《自五》あおむく。

あお・の・ける【▽仰のける】《他下一》あおむける。

あお・のり【青海×苔】緑藻類アオノリ属の海藻。沿岸の浅い海に生える。乾燥品は香りが高く、食用。

あお・ば【青葉】〔初夏の〕生い茂ったみずみずしい若葉。新緑。「—の目にしみる候」

あお・ばえ【青×蠅・×蒼×蠅】❶イエバエ科のハエ。大形でからだが青く光る。❷〔ひゆ的に〕うるさくつきまとう人をののしって言う語。

あお・ばな【青×洟】子どもなどがたらす、青みをおびた鼻じる。あおっぱな。

あお・びかり【青光り】《名・自サ》青緑色に光ること。「—する石」

あお・びょうたん【青×瓢×箪】❶まだ熟していない青いひょうたん。青ふくべ。❷〔ひゆ的に〕顔色が青ざめて活気のない人をあざけって言う語。

あお・ぶくれ【青膨れ・青▽脹れ】《名・自サ》顔の色が青く、むくんでいること〔人〕。

あお・まめ【青豆】❶大豆の一種。実が緑色で大つぶのもの。❷グリンピース。

あお・み【青み】❶ほかの色にふくまれた青い色。また、その程度。「—を帯びたガラス」類語 青さ。❷料理で、吸い物・さしみ・焼き魚などにそえる緑色の野菜。表記「青味」とも書く（「味」は当て字）。

あお・みどろ【青味泥・水▽綿】緑藻類ホシミドロ科の藻。緑色で糸状をなし、どろどろしている。川・沼などに多い。あおみどり。

あお・む・く【▽仰向く】《自五》〔顔や物の前面が〕上を向く。あおむきになる。あおのく。「—いて寝る」「少し—いた鼻に愛敬がある」対うつむく。

あお・む・ける【▽仰向ける】《他下一》〔顔や物の前面を〕上にむかせる。上にむける。あおむけになる。あおのける。「顔を—けて嘆息する」「あごを—けた不遜な態度」対うつむける。

あお・むし【青虫】蝶・蛾などの、緑色をした幼虫の総称。特に、モンシロチョウの幼虫。ふつう、毛やとげがなく、アブラナ・キャベツなどを食害する。類語 いもむし。けむし。

あお・もの【青物】❶青色の野菜。また、野菜類の総称。蔬菜。「—市場」❷〔イワシ・サバなど〕皮の青い魚。参考↓光り物④。

あお・やぎ【青▽柳】❶青々としげったヤナギ。❷〔東京の方言〕バカガイのむきみ。すしなどに使う。

***あおり【×煽り】**❶あおること。特に、強い風によるはげしい動き。「爆風の—を受ける」❷強い働きのおよぼす影響。余勢・余波〔による衝撃〕。「ストの—で列車が遅れる」

—を食・う《句》そばにいたため、または近い関係にあったため、思わぬ災難や影響をうける。あおりを食らう。「閉山の—って人口が減る」類語 そばづえを食う。

***あおり【▽障▽泥・▽泥▽障】**馬の腹の両わきにおおうようにたらす皮革製の泥よけ。のちに飾り用。

***あお・る【×呷る】**《他五》〔酒などを〕勢いよく一息に

あ

飲む。あおぐ。「一気に酒を—る」文《四》。

*あお・る【×煽る】《他五》❶うちわなどを動かして風を起こし火勢を強める。「炭火を—る」❷〔風が物を〕ゆり動かす。「強風に—・られる」❸〔物を〕はげしい勢いで動かす。「ドアを—・って室内に入る」❹おだててその気にさせる。けしかける。たきつける。煽動する。「購買欲を—・る」❺物事を活気づかせる。「相場を—・る(=株をむやみに売買して相場を狂わせる)」❻あぶみで障泥を打って馬を急がせる。文《四》。

*あか【×垢】❶汗・あぶら、あるいはほこり・ごみなどが、皮膚の上皮細胞とまじってできる汚れ。「—を流す」「—で汚れた下着」❷けがれ。よごれ。「俗世の—」❸水あか。また、湯あか。「やかんの—」

*あか【×淦】船底にたまった水。「—をくみ出す」参考「閼伽」の転。船乗りが「水」と言うのを忌んで言う。

*あか【赤】㊀《名》❶血のような色。色の三原色の一つ。赤色。レッド。参考(ア)興奮の気分を起こす。(イ)朱・だいだい・茶色などもふくめて言う。⇩〖類語と表現「色」〗❷〈「—の」の形で〉明らかな。全くの。「—の他人」❸〔俗〕共産主義者。社会主義者。参考革命軍の旗が赤いことから。❹赤信号。危険・停止を示す。「—になったら渡るな」対青。❺校正で、赤字。朱。「—を入れる」❻銅。あかがね。表記⑥は「銅」とも書く。㊁《接頭》❶赤い色をした。赤みをおびた。「—さび」❷全くの。明らかな。「—はだか」「—恥」

*あか【×閼×伽】仏にそなえる水。また、それを入れる器。参考梵語argha(=功徳水)の音訳。功徳水は八種の功徳をもつ水。

*あか-あか【明明】《副》(「—と」の形も)〔光が照っていて〕いかにも明るいようす。「ライトが—とともる」類語皓々。煌々。

*あか-あか【赤赤】《副》(「—と」の形も)いかにも赤く鮮やかなようす。「火が—と燃える」

あか・い【赤い・▽紅い】《形》❶赤㊀①の色をしている。「—・い血」「火が—・く燃える」「—・い羽根(=共同募金に寄付した人につける赤くそめた小さい羽根)」「—・い気炎を上げる(=女性が気勢を上げる)」❷赤みをおびている。明るい茶色である。また、だいだい色である。「—・い髪の毛」「—・いミカン」❸健康で血色がよい。〔興奮したり、のぼせたり、はずかしがったり、酒に酔ったりしたようすにも用いる〕「冷やかされて—・くなる」❹〔俗〕共産主義者である。左翼的である。文あか・し《ク》。⇩〖使い分け〗

使い分け「あかい」

赤い(▽紅・▽朱・▽丹・×赭・×緋)〔赤色から赤い色合いをした黄・茶系統の色まで〕赤い夕日・赤い血・赤信号・赤(朱・丹)い柱・赤(丹)く焼いた土器・赤(紅)い頬・赤(紅)い唇・赤(紅)勝て白勝て・赤(紅)き血潮・赤(赭)ら顔・赤(緋)いマント・燃えるように赤(緋)い服

参考「赤」は三原色の純粋な赤色を中心とした赤い色で、一般に広く用いられる(赤いミカン・赤靴・赤犬)。「紅」はうす赤色(=べに色)、「朱」は黄みがかった深い赤(=朱色)、「丹」は丹砂の色で浅い赤(いわゆる「丹塗り」の「丹」)、「赭」は赤土色、「緋」は火のように鮮やかな赤である。

あか-いえか【赤家蚊】カ科の昆虫。赤褐色をした、もっともふつうの蚊。人の血を吸い日本脳炎などを媒介する。

あかい-しんにょ【赤い信女】未亡人。参考夫が死んだときに、生きている妻の戒名もその墓石にほりこむ場合、朱をいれておくことから。

あか-いわし【赤×鰯】❶塩づけにしたイワシ。参考赤みを帯びることから。❷赤くさびた刀。

アカウンタビリティー 行政・企業などが、社会に対して活動内容・収支などについて説明する・責任(義務)。▽accountability

あか-えい【赤×鱏・赤×鱝】アカエイ科の海魚。ひし形で平たい。長さ約一メートル。背面は赤褐色。尾のとげに毒がある。胎生。食用。

あか-えぼし【赤×烏▽帽子】赤ぬりのえぼし。えぼしはふつう黒ぬりである。「亭主の好きな—」

あか-がい【赤貝】フネガイ科の二枚貝。浅い海のどろの中にすむ。殻は黒褐色で肉は赤い。美味。

あか-がえる【赤×蛙】アカガエル科のカエル。背面は赤褐色。山地や平地の小川の近くにすむ。

あか-がね【▽銅】《「赤金」の意》〔文〕銅。あか。類語くろがね(=鉄)。こがね(=黄金)。しろがね(=銀)。

あか-かぶ【赤×蕪】カブの品種のうち、表皮の赤いもの。赤かぶら。

あか-がみ【赤紙】❶赤色の紙。❷〔俗〕〔紙の色が赤いことから〕旧軍隊の召集令状。また、差押えの紙。

あか-ぎ【赤木】❶皮をけずった木。対黒木。❷材の赤い木の総称。すおう・かりん・したんの類。

あ-がき【▽足×掻き】あがくこと。「最後の—」「悪—」—が取れな・い《句》〔方法・手段がなく〕どうしようもない。

あか-ぎれ【×皹・×皸】寒さのため、手足の皮膚に脂けがなくなり、ふかくさける症状。類語ひび。

あ-が・く【▽足×掻く】《自五》❶〔馬などが〕前足で地面をかく。❷〔動きにくいからだを自由にしようとして〕じたばたする。もがく。「捕縛から逃れようと—・く」❸〔苦しみなどからぬけ出そうと〕気をもむ。あくせくする。「いくら—・いても無駄だ」

あか-げ【赤毛】赤みをおびた髪の毛や馬の毛。

あか-ゲット【赤ゲット】❶赤色の毛布。❷〔明治時代、地方から都会に行くのに、多く赤い毛布を身に着けていたことから〕都会を見物に行く田舎者。おのぼりさん。また、なれない洋行者。〔多く、あざけりの気持ちがこもる〕「—、欧州を行く」参考「ケット」は「ブランケット(=毛布)」の略。表記「赤毛布」とも当てる。

あか-ご【赤子・赤▽児】赤ん坊。〔やや古風な言い方〕—の手を捩じるよう《句》力のない相手をたやすく負かすことのたとえ。また、たやすくできることのたとえ。赤児の手をひねるよう。

あかざ【×藜・×藋】アカザ科の一年草。高さ約一メートル。若葉は紅紫色で食用。茎はつえにする。

あか-ざとう【赤砂糖】精製していない、薄茶色の砂糖。類語黒砂糖。

*あか-さび【赤×錆】鉄の表面にできる赤茶色のさび。

*あかし【▽灯】《「明かす」の連用形から》〔文〕ともしび。あかり。また、灯明。「み—をともす」

*あかし【▽証】《「明かす」の連用形から》確かなこと、身の潔白などを証拠だてること。また、その証拠。「身の—を立てる」「愛の—を求める」

あか-じ【赤字】❶〔記帳するとき、不足額を赤色で示すことから〕収入より支出が多いこと。欠損。対黒字。❷〔赤色の鉛筆やインクで直すことから〕校正で訂正した字。朱。「—を入れる」

アカシア ❶マメ科の常緑高木。原産地はオーストラリア。初夏、白または黄色のちょう形の花を開く。材は家具・建築用。❷「にせアカシア」の俗称。街路樹などに用いる。参考 日本では多くこれを「アカシア」とよぶ。＝アカシヤ。▽acacia

あか-しお【赤潮】 微生物や藻類などが一時に大量にふえて海の水が赤く見える現象。貝類・海藻類・魚類などに害を与える。にが潮。くされ潮。

あかし-ちぢみ【明▽石縮】 絹で作った高級なちぢみ織りの布。夏用。あかし。参考 兵庫県の明石地方から産出したことから。

あか-じ-みる【×垢染みる】《自上一》あかがついてよごれている。「—みたシャツ」

あか-しんごう【赤信号】 ❶〔交通機関の信号機などで〕「止まれ」「危険」を表す信号。赤色を用いる。❷行く先の危険、物の不足などを知らせるしるし。「健康の—」対①②青信号。

あか-しんぶん【赤新聞】 社会の裏面や有名な人の私生活などを興味本位に書く低俗な新聞。イエローペーパー。参考 赤みがかった紙を使ったことから。

***あか-す【飽かす】**《自五》❶あきさせる。「人を—・さない話術」❷〔「〜に—・して…する」の形で〕たっぷりあるのをよいことにして、惜しげもなく使う。「暇に—・して読みまくる」＝あかせる。文《四》。

***あか-す【明かす】** ㊀《自五》夜を〔眠らないで〕すごす。「まんじりともせずに夜を—・す」類語 徹夜。文《四》。㊁《他五》かくれていたものを明らかにする。「秘密を—・す」「種を—・す」類語 公にする。公表。暴露。文《四》。

***あか-す【▽証す】**《他五》〔「明かす」と同語源〕確かなこと、身の潔白などを証拠だてる。「身の潔白を—・す」表記「明かす」とも書く。文《四》。⇩〔使い分け「あく・あける…」〕

あか-ず【飽かず】《連語》あきないで。あきもせず。いつまでも。「—眺める」

あかず-の【開かずの】《連体》開いたことがない。また、なかなか開かない。「—間」「—踏切」表記「明かずの」とも書く。

あか-すり【×垢擦り】 あかをこすり落とすこと。また、そのために使う布など。

あか-せる【飽かせる】《他下一》↓あかす（飽かす）。

あか-だし【赤出し】 ❶〔大阪ふうの〕すり魚肉をいれた赤みそのみそ汁。❷褐色でしぶみのある豆みそで作ったみそ汁。また、そのみそ。表記①②とも「赤出汁」とも書く。

あか-ちゃ-ける【赤茶ける】《自下一》〔日にやけたり色あせたりして〕赤みがかった茶色になる。あかっちゃける。「—けた畳」

あか-ちゃん【赤ちゃん】「赤ん坊」を親しみをもって呼ぶときに用いる語。

あか-ちょうちん【赤▽提▽灯】 赤い提灯をつるした、大衆向きの飲食店。特に、大衆向きの飲み屋。一杯飲み屋。あかぢょうちん。

あか-チン【赤チン】「マーキュロクロム水溶液」の俗称。すり傷などの手当てに用いる。参考「チン」は「チンキ」の略。「ヨードチンキ」が黄色いことに対してこの名がある。

あかつき【暁】《「明時」の転》❶〔雅〕まだ夜が明けずほの暗いころ。明け方。夜明け。類語 あけぼの。❷〔あることが実現・成就した〕その時。「成功の—には…」

あかつき-やみ【暁×闇】〔文〕↓ぎょうあん（暁闇）。参考 陰暦で各月の一四日ごろまで。

あがっ-たり【上がったり】《「たり」は文語の助動詞》〔商売・勢いなどがふるわないで〕だめになること。お手上げ。「不況で商売は—だ」表記 一般にかな書き。

あか-つち【赤土・×赭土】 鉄分をふくんだ〔粘土質の〕赤い土。赭土。

アカデミー 〔古代ギリシアでプラトンが教えたアカデメイア学園から〕❶学芸に指導的な人々の団体。学士院。翰林院。❷大学や研究所の総称。▽フランス académie 英 academy

アカデミック《形動》❶〔実際的なものを無視した意を含んで〕学究的。❷〔権威・伝統・形式などを重んじる意を含んで〕官学的。「—な講壇哲学」参考①②とも悪い意味にも使う。❸学術的なようす。「—な編集方針」▽フランス académique 英 academic

あか-てん【赤点】 落第点。参考 赤色で書くことから。

あか-でんしゃ【赤電車】 路面電車で、その日の最終電車。終電車。赤電。参考 行き先標識に赤いランプをつけることから。類語 青電車。

あか-とんぼ【赤×蜻×蛉】 ❶トンボ科の昆虫のうち、やや小形でからだの赤いものの総称。秋、むらがって飛ぶ。あかねとんぼ。❷〔俗〕旧式の複葉機。参考 練習機として多く用いた。

***あがな-う【▽購う】**《他五》〔文〕買い求める。「古書店にて一冊を—・う」類語 購入。文《四》。

***あがな-う【×贖う】**《他五》あやまちや罪を許してもらうため金品を出す。また、代わりのものでつぐないをする。「死をもって罪を—・う」文《四》。

あか-なす【赤×茄子】「トマト」の古い言い方。

あか-ぬけ【×垢抜け】《名・自サ》あかぬけること。素人くさくなくなること。

あか-ぬ-ける【×垢抜ける】《自下一》〔都会風に〕洗練されて、やぼなところがなくなる。「—・けた」の形で使うことが多い。「—けた身繕い」「—けた芸」

あかね【×茜】《「赤根」の意》❶アカネ科の多年生つる草。根は赤黄色で、染料または止血剤に用いる。❷暗赤色。あかね色。「野の草が—に染まる」

あかね-さす【×茜さす】《枕》「日」「昼」「照る」「君」「紫」にかかる。

あか-の-たにん【赤の他人】《連語》自分と全く関係のない人。

あか-はじ【赤恥】 ひどい恥。大恥。あかっぱじ。「—をかく」

あか-はた【赤旗】 ❶赤色の旗。❷〔源氏の白旗に対して〕平氏の旗。対白旗。❸革命派・共産党・労働者などの旗。❹危険信号を示す旗。

あか-はだ【赤肌・赤▽膚】 ❶皮がすりむけた、赤い肌。❷あかはだか。すはだか。❸山に草木がなく、山肌が露出していること。

あか-はだか【赤裸】 何も身にまとわない、全くの裸。素裸。まっぱだか。全裸。

あか-はら【赤腹】 ❶ヒタキ科の小鳥。頭からからだの上部はオリーブ色で腹の両わきが赤い。本州中部以北で繁殖し、冬は暖かい地方に渡る。❷「イモリ」の別称。❸「ウグイ」の別称。

あか‐びかり【×垢光り】《名・自サ》着物などの、あかのついた所が、こすれて光ること。

あか‐ふだ【赤札】❶赤い札。❷かつて取引所の立会場で、買いものが多く、売りものが少ないときにだした札。対青札。❸見切り品・特価品・売約ずみの品などにつける(赤色の)札。

あか‐ぶどうしゅ【赤×葡×萄酒】濃い赤色のぶどう酒。肉料理に適する。赤ワイン。対白葡萄酒。

アガペー キリスト教で、神の愛。また、自己を犠牲にして表される愛。アガペ。対エロス。▽ギリシア agape

ア‐カペラ ❶〔音〕無伴奏の合唱曲。❷伴奏がないこと。「―で歌う」▽イタリア a cappella(=礼拝堂風に)

あか‐ぼう【赤帽】❶〔小学校などで運動帽として用いた〕赤色の帽子。❷〔赤色の帽子をかぶっていることから〕駅の構内で旅客の手荷物を運搬する人。

あか‐ほん【赤本】❶江戸時代の草双紙の一つ。おとぎ話の絵本で、赤色の表紙を用いた。❷装丁が粗悪で、内容が低級な本。

あか‐まつ【赤松】マツ科の常緑高木。日本特産。幹は直立してのび、樹皮は赤褐色。材は堅くてくさりにくい。建築・土木用。また、紙の材料。めまつ。

***あか‐み**【赤み】ほかの色にふくまれた赤い色。また、その程度。「―をおびる」「顔に―がさす」表記「赤味」とも書く(「味」は当て字)。類語赤さ。

***あか‐み**【赤身】❶魚肉などの赤い部分。また、赤い肉(の魚)。マグロなど。対白身(しろみ)。❷木材の中心にある質の密な赤みがかった部分。心材。対白太(しらた)。

あか‐みそ【赤味×噌】赤茶色のみそ。仙台みそ・信州みそなど。味は辛い。類語白みそ。

あか‐むけ【赤×剝け】《名・自サ》皮膚がすりむけて赤くなること。また、その赤くなった部分。

あか‐め【赤目】❶充血した目。❷〔白ウサギ・白サギなどのように〕虹彩(こうさい)の色素が少ないため、血の色がすけて赤く見える目。❸あかんべ。❹「めなだ」の別称。

あかめ‐がしわ【赤芽×柏】トウダイグサ科の落葉高木。葉は、てのひら形。芽は美しいべに色。夏、黄色の小花をふさ状につける。

あか・める【赤める】《他下一》赤くする。赤らめる。文あか・む《下二》。

あが・める【▽崇める】《他下一》〔尊いものとして〕敬う。尊敬する。「神を―・める」文あが・む《下二》。

あか‐もん【赤門】❶朱塗りの門。❷東京大学正門の南にある赤い門。もと、加賀藩前田家の上屋敷(かみやしき)の正門。❸東京大学、特に、旧制の東京帝国大学の俗称。「―派」「―出」

あから‐がお【赤ら顔・×赭ら顔】〔日にやけたり、酒やけしたりして〕赤みをおびた顔。

あから‐さま《形動》隠さずはっきりしているようす。露骨。おおっぴら。「―に非難する」表記「明白」「明ら様」とも書く。

***あから・む**【明らむ】《自五》夜があけて空が明るくなりだす。「東の空が―・む」文《四》。

***あから・む**【赤らむ】《自五》赤みをおびる。赤みがかる。「顔が―・む」「つぼみが―・む」文《四》。

あから・める【赤らめる】《他下一》〔顔に〕赤みをおびさせる。「顔を―・める」文あから・む《下二》。

あかり【明(か)り】❶光。❷ともし火。灯火。「―をともす」丁寧御灯(みあかし)。❸電灯などの光。ライト。「―をつける」表記②③は「灯(り)」とも書く。

あがり【上がり】━《名》❶あがること。高くなること。「株価の―が激しい」対下がり。❷〔物の〕できあがり。また、できばえ。「いっちょう―」❸利益。収入。「店の―で生活する」❹上手になること。上達。「手の―が速い」❺すごろくで、最後の場所に入って競技に勝つこと。また、その場所。また、トランプ・マージャンなどで手がそろったり、札がなくなったりして勝つこと。「スペードのエースが出たら―だ」❻「上がり花」の略。━《接尾》❶続いていた物事が終わって間がないこと。「病み―」「雨―」❷《職業・身分などを表す名詞について》以前に…であった・こと(人)。「おめかけ―」参考(ア)低い地位から高い地位になった場合に、ややけいべつしていう。(イ)↓くずれ。

あがり‐かまち【上がり×框】家の上がり口の床に横にわたした木。上がりがまち。

あがり‐ぐち【上がり口】部屋や階段にあがる所。あがりくち。

あかり‐さき【明(か)り先】(自分から見て)光のさしてくる方。「―に立つ」

あかり‐しょうじ【明(か)り障子】現在、ふつうに使われている障子。〔古風な言い方〕類語ふすま障子。

あかり‐とり【明(か)り取り】室内を明るくするために日光をとり入れる窓。明かり窓。

あがり‐はな【上がり▽端】庭や土間から座敷へあがったすぐの所。端近(はしぢか)。

あがり‐ばな【上がり花】いれたばかりの茶。出ばな。また、茶。あがり。参考料理屋などで使う。

あがり‐め【上がり目】❶目じりの上がった目。「―、下がり目、ぐるりと回して猫の目(=子供の遊びの唱えことば)」❷物価や勢いなどが上がる傾向にあること。上り坂。「物価は―にある」対①②下がり目。

あがり‐ゆ【上がり湯】浴槽に入ったあとでからだを流し清めるため、別にわかしてある湯。おか湯。かかり湯。

***あが・る**【上がる】━《自五》━高い方へ移る。❶低い所から高い所へ、移る。のぼる。「階段を―・る」「壇上へ―・る」対おりる。❷〔からだの一部が〕上の方へ動く。「手がまっすぐ―・る」対①②さがる。❸〔煙・火・太陽・月、また、旗・たこなどが〕空中に高くのぼる。「煙が―・る」「日章旗が―・る」❹〔海・川などから〕陸に移る。上陸する。「一か月ぶりで船から―・る」表記③④は「揚がる」とも書く。❺〔ふろから〕出る。❻〔座敷や部屋の中へ〕入る。「ちょっと―・っていきなさい」❼〔⑥から転じて、特に、遊郭などに〕遊びに行く。表記⑦は「登楼る」などと当てた。❽〔地位が〕上へ行く。進む。「初段から二段に―・る」❾入学する。進級する。「中学に―・る」対⑧〜⑩さがる。❿〔神仏に〕そなえられる。「お神酒(みき)が―・っている」⓫〔血が頭にあがることから〕心が乱れる。過度の緊張によって、正常の言動がとれなくなる。「マイクの前に立つと―・る」表記⑪は「逆上る」とも当てる。⓬〔収入・利益・効果などが〕収められる。うみだされる。「アパートから家賃が―・る」「効果が―・る」⓭〔京都の市内で〕北へ向かって行く。参考皇居が町の北部にあったのでいう。⓮「行く」「たずねる」などの謙譲語。うかがう。「ご相談に―・る」対さがる。━抽象的な事柄が・積極的な(望ましい)ほうに進む。❶〔勢いが〕加わる。増す。「速度が―・る」「意気が―・

る」❷〔価格が〕高くなる。「物価が—•る」表記 ②は「騰がる」とも書く。❸〔物事の調子・状態などが〕よくなる。「うでが—•る」「文名が—•る」❹〔大きな声・音などが〕おこる。「祝砲が—•る」「喚声が—•る」
［三］物事が終わりになる。❶仕事が終わる。〔作品が〕できる。「仕事は八月中に—•る」「染色がきれいに—•る」❷〔けいこごとなどで、一つの作品を〕習い終わる。「六段の曲が—•った」❸…の費用ですむ。まかなえる。「旅行は三万円で—•った」❹すごろくで、最後の場所に入る。また、トランプ・マージャンなどで、手がそろったり、札がなくなったりして勝負がつく。「トランプの七並べでまっ先に—•った」❺〔雨が〕やむ。はれる。「雨が—•ってにじが出た」❻〔続いていたものが〕なくなる。「脈が—•った」❼魚が死ぬ。植物がかれる。「川が汚染されて魚が—•った」文《四》。
［二］《接尾》❶その動作が終わる。…し終わる。「染め—•る」❷その動作・状態が極点に達する。すっかり…する。「ちぢみ—•る」「晴れ—•る」文《四》。
［三］《他五》「食べる」「飲む」などの尊敬語。めしあがる。「たくさん—•ってください」「お酒を少し—•った」文《四》。⇩〔使い分け〕

*あが・る【挙がる】《自五》❶〔犯人・暴徒などが〕つかまる。検挙される。「犯人が—•る」❷〔証拠が〕みつかる。「証拠が—•る」文《四》。⇩〔使い分け〕

*あが・る【揚がる】《自五》熱い油で煮たものができあがる。「魚のフライが—•った」文《四》。⇩〔使い分け〕

使い分け　「あがる・あげる」

上がる（▽騰）〔下から上へ移る意で、一般に広く〕地位が上がる・物価が上（騰）がる・利益が上（挙）がる・効果が上（挙）がる・雨が上がる・躍り上がる・出来上がる・のぼせ上がる

挙がる〔もち上げて目立たせる。検挙する〕手が挙がる・文名が挙がる・犯人が挙がる・証拠が挙がる

揚がる〔空中に高くのぼる。わきあがる〕たこが揚がる・国旗が揚がる・水死体が揚がる・喚声が揚（上）がる・天ぷらが揚がる

上げる（×嘔）〔下から上へ移す意で、一般に広く〕棚に上げる・顔を上（挙）げる・気炎を上げる・苦しげに上（嘔）げる・スピードを上げる・作り上げる・染め上げる

挙げる〔はっきり分かるように示す。出し尽くす〕右手を挙げる・名を挙げる・式を挙げる・例を挙げる・犯人を挙げる・兵を挙げる・全力を挙げる・一女を挙げる

揚げる〔高くかかげる。浮かぶ。場所を移す〕気球を揚げる・旗を揚げる・水揚げ・陸揚げ・引揚者・天ぷらを揚げる

参考「上／挙」の使い分けは微妙で両者ともに使える場合がある。「利益を挙げる・効果を挙げる・頭を挙げる」などでは、はっきり分かるようになる意を含んで「上げる」と区別することもある。また、「手が挙がる／上がる」では、前者は挙手の意に後者は挙手の意のほかに上達する意でも使う。なお、もたげる意で「×擡」をあてる意気が上がる意で「×昂」をあてることもある。一般に、「…て（で）上げる」の形では、「買ってあげる・してあげる」のようにかな書きにすることが多い。

あかる・い【明るい】《形》❶〔物がよく見えるように〕十分光を・だして（通して）いるようす。また、光がさしている状態である。「—•い部屋」❷〔性格・表情・状態などが〕楽しそうである。ほがらかである。「心が—•くなる」❸やましいことや、かくしごとがなく、正しい。「—•い政治」❹〔将来などに〕期待がもてる。「—•い未来」❺〔色が〕にごりがなく、鮮明だ。くすんでいない。「—•いブルー」❻ある物事についてよく知っている。詳しい。「この辺の地理に—•い」対①〜⑥暗い。文あかる・し《ク》。⇩〔類語と表現〕

類語と表現　「明るい」

＊明るい月・明るい通り・空が明るくなる・明るい顔・明るい人柄・明るい社会・見通しが明るい・明るい未来・明るい緑色・コンピューターに明るい。

◆［光がある］明かり（薄明かり・窓明かり・月明かり・星明かり・片明かり・川明かり・雪明かり）・明るみ・明るさ・晴朗・薄明・黎明・光明・陽光・残照・夕照

◇副詞句表現 燦然・燦々・皓々・煌々・耿々・杲々・赤々・明々／目が眩むほど明るい

◆［はっきりとしている］くっきり・鮮やか・鮮明・澄明・明瞭・明白・明々白々・明晰・瞭然・歴然・判然

◆［心理・性格］朗らか・明朗・闊達・陽気・快活・活発・元気・外向的・外交的・社交的・活動的・楽天的・晴れ晴れ・生き生き・伸び伸び

あかる・み【明るみ】❶明るい所・部分。「東の山ぎわに—が見え始めた」❷表立った所。公。「事件が—に出る」注意「明るみになった」は、「明るみに出た」と「明らかになった」との混同からくる誤用。

あかる・む【明るむ】《自五》明るくなる。文《四》。

あか・ワイン【赤ワイン】赤葡萄酒。対白ワイン。

あ・かんたい【亜寒帯】寒帯と温帯の中間の地域。短い夏と、寒さのきびしい長い冬が特徴。針葉樹林帯。冷温帯。参考現在はふつう、「冷帯」という。

あかんべ《「赤目」の転》指で下まぶたをひき下げ、赤い部分を見せること。また、それと同時にいうことば。小さい子供をからかったり、あるいは、けいべつ・拒否の気持ちを表したりする動作。あかんべい。あかんべえ。あかべ。「—をする」

あか・ん・ぼう【赤ん坊】〔からだが赤みがかっていることから〕生まれてまもない子供。赤子。乳児。乳飲みご。あかんぼ。赤ちゃん。ベビー。類語みどりご。嬰児。初生児。新生児。早生児。未熟児。

*あき【▽安▽芸】旧国名の一つ。今の広島県の西部。芸州。

*あき【明き・空き】❶あいている・こと（場所・時間）。すきま。空白。余白。❷欠員。「定員の—がある」類語

*あき【秋】夏の次の季節。多く物事が終わりに近づいていることにたとえる。⇩〔類語と表現〕—の日は釣瓶落とし《句》秋の日の暮れやすいことのたとえ。

類語と表現　「秋」

＊秋が深まる・秋たけなわ・実りの秋・食欲の秋・読書の秋・芸術の秋・天高く馬肥ゆる秋・秋の七草・男心［女心］と秋の空／人生の秋・一葉落ちて天下の秋を知る。

◆［月の異称・陽暦では九〜一一月、陰暦では七〜九

月」陰暦七月…文月・孟秋・初秋・七夕月／陰暦八月…葉月・仲秋・月見月／陰暦九月…長月・季秋・晩秋・菊月・紅葉月
◇[二十四節気]立秋(八月八日ごろ)・処暑(八月二三日ごろ)・白露(九月八日ごろ)・秋分(九月二三日ごろ)・寒露(一〇月八日ごろ)・霜降(一〇月二三日ごろ)・立冬(一一月八日ごろ)・小雪(一一月二三日ごろ)
◇[雑節・節句]二百十日(九月一日ごろ)・二百二十日(九月一一日ごろ)・重陽の節句(九月九日)・彼岸(秋分を中日とする七日間)
◆[手紙の挨拶]九月…秋涼の候・新秋の砌・朝夕にようやくしのぎやすさを覚える頃／一〇月…秋冷の候・清秋の砌・日増しに秋も深まる頃／一一月…晩秋の候・向寒の砌・朝夕はひときわ冷え込む頃

***あき**【飽き・×厭き】〈ーが来る〉あきる。いやになる。

あき-あき【飽き飽き・×厭き×厭き】《名・自サ》これ以上続けるのがいやになること。すっかりあきること。「受験勉強にはもうーした」類語うんざり。

あき-あじ【秋味】《(アイヌ語「アキアチップ」の転という)》「鮭」の別称。参考→時鮭。

あき-おち【秋落ち】❶最初に予想したよりも、秋になって米の収穫量がへること。❷予想したよりも豊作であったため、秋になって米の価格が下がること。秋下げ。「ー相場」対秋高。

あき-かぜ【秋風】秋にふく風。参考「さわやかな、しかし無情な風」の感じをふくむ。

ーが吹・く《句》男女間の愛情がさめる。秋風が立つ。

あき-がら【空(き)殻】入っていた中身がなくなった外側のもの。「あさりのー」「スナック菓子のー」参考「秋」を「飽き」にかけていう。

あき-かん【空(き)缶】中身を出した、からの缶。

あき-くさ【秋草】秋に花がさく草。

あき-ぐち【秋口】秋めいてくるころ。初秋。注意春・夏・冬には「…ぐち」とは言わない。

あき-ご【秋▽蚕】夏ごろから晩秋までに飼うカイコ。秋蚕。参考→春蚕。夏蚕。

あき-さく【秋作】秋に栽培(または成熟)する作物。特に、稲。

あき-ざくら【秋桜】「コスモス」の別称。

あき-さめ【秋雨】秋にふる雨。秋の雨。秋雨。参考冷たくしとしとふり続き、さびしい感じをさそう。類語秋霖。対春雨。

ーぜんせん【ー前線】九月中ごろから一〇月中ごろにかけて、日本の南岸沿いに停滞し、長雨などの原因になる前線。

あき-しつ【空き室】住む人や使う人が決まっていない部屋。空き部屋。空室。

あき-しょう【飽き性・×厭き性】何をしてもすぐ飽きる性質。飽きっぽい性質。類語うつり気。浮気。

あき-す【空(き)巣】❶〔鳥のいない巣から〕留守の家。❷「あきすねらい」の略。留守の家をねらって盗みを働くこと(人)。「ーにやられた」

あきた-いぬ【秋田犬】秋田県原産の代表的な日本犬。からだは大きく、耳は立ち尾を巻く。性質は穏和でおちつきがあり、番犬に適する。天然記念物に指定されている。あきたけん。

あきたり-な・い【飽き足りない・×慊い】《連語》十分満足しない。あきたらない。「現状にー・い」

あき-た・りる【飽き足りる】《自上一》十分満足した気持ちになる。類語満ち足りる。参考(ア)一般に打ち消しを伴って用いる。(イ)→飽き足りない。

あき-ち【空(き)地・明き地】建物などが建っていない土地。使っていない土地。空地。

あきつ【秋津・×蜻×蛉】トンボの古称。参考古くは「あきづ」と言った。ーしま【ー島・ー×洲】一《名》「日本の国」、または「大和の国」の別称。あきつしまね。二《枕》「大和」にかかる。

あき-っ-ぽ・い【飽きっぽい】《形》すぐにあきるようす。あきやすい。「ー・い性質」

あぎ-と【×腭▽門・×腭・×顎・×腮】〔文〕❶あご。おとがい。❷魚のえら。

あきない【商い】❶《名・他サ》〔もうけるため〕品物を売り買いすること。商売。❷売り上げ。また、売上高。「人出の多いときはーも多い」❸〔取引所で〕売買取引。「不況でーは閑散としている」

ーは牛の涎《句》商売をするには、牛のよだれのように、細く長く切れめなく、気長に辛抱することが大切だということ。

あきな・う【商う】《他五》商売をする。売り買いする。「輸入品をー・う」文《四》。

あき-なすび【秋×茄▽子】秋の終わりごろに実のなるなすび。味がよいとされる。秋なす。

ー嫁に食わすな《句》秋のなすびは・おいしい(体が冷える)ので、嫁に食べさせるな。姑が嫁を・虐待する(大切にする)ことのたとえ。

あき-の-おうぎ【秋の扇】《連語》❶秋が来たために不要になった扇。❷〔ひゆ的に〕男から愛されなくなった女。班女が扇。故事漢の成帝の愛妾、班婕妤が、自作の詩の中で、帝の愛のさめた身を秋の扇にたとえたことから。

あき-の-そら【秋の空】《連語》❶秋の季節の空。また、秋の天候。参考「すがすがしい」「変わりやすい」などの意を含む。❷異性に対する愛情が変わりやすいことのたとえ。「男心とー」

あき-の-ななくさ【秋の七草】日本で、秋に咲く代表的な七つの草花。萩・尾花(薄)・葛・撫子・女郎花・藤袴・桔梗(または、朝顔)。参考→春の七草。

あき-ばれ【秋晴れ】❶秋に、空が澄んですがすがしく晴れわたった状態。❷不安・わだかまりなどがなく、すがすがしい気分のたとえ。「嫌疑が晴れて心はーだ」

あき-びより【秋〈日和〉】秋らしいよい天気。秋晴れのよい天気。類語小春日和。

あき-ま【空(き)間・明き間】❶すきま。❷〔人が使っていない〕あいている部屋。あきべや。あき室。

あき-め・く【秋めく】《自五》秋らしくなってくる。「日一日とー・いてくる」

あき-や【空(き)家・明き家】人が住んでいない家。また、借り手の決まっていない借家。

あきら-か【明らか】《形動》❶光が明るく照らしているようす。「月のーな夜」❷はっきりしていて疑いのないようす。「ーに彼の負けだ」類語明白。自明。

あきらめ【×諦め】あきらめること。思い切り。断念。「ーがつかない」「ーが肝心だ」

***あきら・める**【明らめる】《他下一》〔文〕〔説明して〕あきらかにする。はっきりさとる。「事の真相をー・める」

*あきら・める【×諦める】《他下一》〔もうだめだと〕望みをすてる。断念する。思い切る。「彼女への愛を―・める」文あきら・む《下二》。⇩〔類語と表現〕

類語と表現

「諦める」

*進学を諦める・万事休すと諦める・これも運命と諦める・望みはないと諦める・やるだけのことはやったと諦める・諦めるに諦められない・まだ諦めるのは早い。

◆(する)断念・観念・諦観・覚悟・放棄・泣き寝入り／見切る・見限る・見送る・思い切る・放る・放り出す・投げる・棄てる・投げ出す・投げ捨てる・悟る・観ずる・見切りをつける・手を引く・匙を投げる／諦め・諦念・お手上げ

◆副詞句表現 きっぱり(と)・あっさり(と)・潔く・渋々・やむなく・泣く泣く

あ・きる【飽きる・×厭きる】㊀《自上一》《文語四段動詞「あく」から転じた語》❶〔十分満足して〕これ以上はいらないという気持ちになる。「―・きるほど食べてみたい」類語(する)食傷。飽食。飽満。❷〔多すぎたり、長く同じことが続いたりして〕もういやだという気持ちになる。「ロックにはもう―・きた」類語 倦む。鼻につく。(する)飽き飽き。うんざり。屈託。退屈。倦怠。㊁《接尾》興味がなくなるほど十分に…する。いやになるほど…する。「見―・きる」「食べ―・きる」

あきれ・かえ・る【×呆れ返る】《自五》完全にあきれる。〔「あきれる」を強めた言い方〕「―・ってものも言えない」類語 あきれはてる。

アキレス・けん【アキレス×腱】❶ふくらはぎの筋肉をかかとの上の骨に結びつけている筋。歩行に重要で、切れると歩けなくなる。❷弱点。欠点。故事 ギリシア神話の英雄アキレウスは不死身で快足であったが、唯一の弱点であるかかとを射られて死んだことから。

あき・れる【×呆れる・×惘れる】《自下一》物事の意外な(ひどい)ようすに驚いて、なすべき処置に迷う。あっけにとられる。「ごみの多さに―・れる」「―・れるほどの手ぎわのよさ」文あき・る《下二》。⇩〔類語と表現〕

類語と表現

「呆れる」

*あの男には呆れる・呆れたやつだ・道の悪さに呆れる・地価の高さには呆れる・呆れるほどうまい・呆れるほどよく食べる・呆れてものも言えない・呆れて言葉も出ない。

◆呆れ返る・呆れ果てる・驚き呆れる・あっけに取られる・恐れ入る・愛想が尽きる・愛想もこそも尽き果てる・開いた口が塞がらない・啞然とする・呆然とする・茫然自失する

あきんど【▽商▽人】《「あきびと」の音便「あきうど」の転》商人。

*あく【悪】㊀《名》❶〔罪・不正・不道徳など〕悪いこと。また、悪い人。「―をなす(=悪事を働く)」「―の権化」「―の温床」❷〔芝居で〕敵役。対①②善。㊁《接頭》わるい。このましくない。「―条件」「―感情」

*あく【▽灰▽汁】❶水に灰をいれた上澄み。アルカリ性を呈し、洗濯・染め物などに使う。あくじる。❷〔ずいき・ゴボウなどの〕植物にふくまれている、しぶみのある成分。主成分は、炭酸カルシウム。「ワラビの―を抜く」❸〔性質や文章などにある〕個性のあるしぶとさ。どぎつさ。「―の強い人」表記 ③は、ふつうかな書き。注意「悪の強い人」と書くのは誤り。

―が抜・ける《句》〔人の趣味・性格・容姿などに〕いやみやあくどさがなくなり、洗練される。

*あ・く【開く・明く・空く】㊀《自五》❶〔戸・幕・口など〕しまっているものが(自然に)ひらく。注意「つぼみ」などがひらくときには使わない。「窓が―・く」「―・いた口が塞がらない(=驚きあきれてものが言えないようす)」対しまる。❷〔ある場所を〕占めるものがなくなる。からになる。「席が―・く」❸欠員になる。「委員のポストが―・く」❹使わなくなる。「アイロンが―・いたら貸してください」❺ひまになる。「時間が―・く」「手が―・いたら来てほしい」対②〜⑤ふさがる。文《四》。㊁《他五》あける。「口を―・いて寝る」参考 ややくずれた言い方。文《四》。⇩〔使い分け〕

*あ・く【飽く・×厭く】《自五》〔文〕飽きる。参考 文章語や西日本の方言などで使う。文《四》。

使い分け「あく・あける・あかす」

空く〔からになる。あきができる〕席が空く・間が空く・手が空く・空き時間(以上は「明」とも)・空地・空家

明く〔明らかになる。期間が過ぎる。片がつく〕目が明く・背の明いた服(以上は「開」とも)・らちが明かない

開く〔閉じていたものがひらく〕ドアが開く・店が開く・開いた口がふさがらない

空ける〔からにする〕ウイスキーを空ける・手を空けて待つ・家を空ける(以上は「明」とも)

明ける〔中身が見えるようにする。期間が終わる〕穴を明ける・夜が明ける・年が明ける・梅雨が明ける・秘密を打ち明ける

開ける〔閉めていたものをひらく〕玄関を開ける・店を開ける・ふたを開ける・こじ開ける・押し開ける

明かす〔夜を過ごす。明らかにする〕一夜を明かす・語り明かす・秘密を明かす・鼻を明かす・解き明かす

参考 からになる、すきまができている意味の「空・明」は両用されるが、名詞では「空」を優先させて使う。「引出しを開ける／空ける」では、前者は引出しそのものを引っ張り出す意、後者は中身をからっぽにする意。「一升瓶を開ける／空ける」では前者は栓を抜く意、後者は中身を空にする意。水泳などで「水をあける」は「空・明」も用いるが、一般にかな書きされることが多い。

アクアラング 潜水器具の一つ。圧縮空気をつめたボンベと、それを潜水者に送る器具とからなる。水中呼吸器。水中肺。スキューバ。参考 ラテン aqua(=水)と英 lung(=肺)から。商標名。▽Aqualung

アクアリウム 水族館。▽aquarium(=水槽)

あく・い【悪意】❶〔人に害を与えようとしたり人を憎んだりする〕悪い心・感情。わるぎ。「―に満ちたまなざし」❷〔相手にとって〕悪い意味。悪い見方。「話を―にとる」❸〔法〕法律上の関係の発生・消滅などに影響を与える事実を知っていること。たとえば、盗品と知りつつ買うことなど。「―の占有」対①〜③善意。

あく・いん【悪因】〔文〕悪い結果を生じる原因。対善因。**―あっか【―悪果】**〔仏〕悪い行いをする

と、それが原因となって必ず悪い結果が生じるということ。対善因善果。

あく‐うん【悪運】❶悪いめぐりあわせ。不運。非運。「―に泣く」❷悪いことをしても、そのむくいを受けずにすむ強い運。「―が尽きた」「―が強い」

あく‐えき【悪疫】〔文〕悪性の流行病。

あく‐えん【悪縁】❶よくない縁。❷別れようとしても、別れられない結びつき。くされ縁。〔おもに男女間の関係についていう〕「―を厭(いと)う」

あく‐か【悪貨】→あっか(悪貨)。

あく‐かんじょう【悪感情】〔他人に対してもつ〕不愉快な気持ち。悪感(あっかん)。「―を抱(いだ)く」対好感情。

あく‐ぎゃく【悪逆】❶人の道にそむいた、ひどい悪事。「―無道」❷古代の律に定められた罪名で、祖父母・父母などを殺す罪。八虐(はちぎゃく)の一つ。

あく‐ぎょう【悪行】悪い行い。悪事。悪行(あっこう)。「―の限りを尽くす」「―の報い」類語非行。対善行(ぜんこう)。

あく‐ごう【悪業】〔仏〕悪い行い。特に、悪いむくいを受ける、前世でおかした悪事。悪業(あくぎょう)。「前世の―の報い」対善業(ぜんごう)。

***あく‐さい【悪妻】**〔夫から見て〕悪い妻。対良妻。

***あく‐さい【悪才】**悪事をする才能。「―にたける」

あく‐じ【悪事】❶悪い行い。悪行。「―を働く」❷悪いできごと。災い。災難。「何か―の起こりそうな気配」対①②善事。好事。

―千里を走る《句》悪い行いはたちまち知れ渡る。悪事千里を行く。参考「好事門を出(い)でず、悪事千里を行く〈北夢瑣言〉」より。

あく‐じき【悪食】《名・自サ》ふつうには食べないような変わった物を食べること。「―家」類語いかもの食い。悪物食い。

***あく‐しつ【悪疾】**たちの悪い病気。治りにくい病気。類語業病。

***あく‐しつ【悪質】**《名・形動》❶〔品物の〕質が悪いこと。粗悪。「―の酒」対良質。❷たちの悪いこと。〔行為などにいう〕「―ないたずら」類語悪性(あくせい)。悪辣(あくらつ)。

アクシデント 思いがけない〔不幸な〕出来事。事故。災難。「―に遭う」類語椿事(ちんじ)。▽accident

***あく‐しゅ【悪手】**碁や将棋で、自身を不利にする、石の打ち方や駒(こま)のさし方。

***あく‐しゅ【握手】**《名・自サ》〔親愛・仲直りなどを表すあいさつとして〕互いに手をにぎりあうこと。また、同盟・協定を結んで互いに協力しあうこと。「―して別れる」「両国が固い―をする」

***あく‐しゅう【悪習】**悪い習慣。「―に染まる」参考悪多く、個人的な事柄について言う。類語悪癖(あくへき)。悪風。悪弊。対良習。

***あく‐しゅう【悪臭】**いやなにおい。くさいにおい。「―が鼻をつく」類語異臭。対芳香。

あく‐しゅみ【悪趣味】❶品の悪い趣味。「―のネクタイ」❷他人に迷惑や害を与える好み。「他人をからかって喜ぶなどは―だ」

あく‐じゅんかん【悪循環】〔Aが悪くなるとBも悪くなり、Bが悪くなればさらにAが悪くなるというように〕互いに関係しあって悪い状態が繰り返されること。「―に陥る」「―を繰り返す」類語いたちごっこ。

***あく‐しょ【悪所】**❶〔けわしい山道など〕危険な所。類語難所。❷悪い遊び場。特に、女遊びをする場所。遊郭。「―通い」

***あく‐しょ【悪書】**内容が愚劣で、読んで害になる本。「―追放」対良書。

あく‐じょ【悪女】❶性質・心の悪い女。類語毒婦(どくふ)。❷醜い女。類語醜婦(しゅうふ)。醜女(しこめ)。

―の深情け《句》醜い女は、美人よりもかえって情愛が深い。〔愛されてありがた迷惑なときに言う〕

あく‐しょう【悪性】《名・形動》❶性質や心情などが悪いこと。類語性悪(しょうわる)。❷〔酒色にふけるなど〕身持ち・素行の悪いこと。注意「悪性(あくせい)」は別語。

アクション ❶活動。行動。動作。「―プラン〔=行動計画〕」❷〔映画・演劇で〕俳優の、演技としての身のこなし。特に、動きの激しい演技・場面。「―が大きすぎる」「―映画」▽action

あく‐しん【悪心】悪い事をしようとする心・考え。「―が兆す」類語悪念。悪意。対善心。

***あく‐せい【悪性】**《名・形動》❶物事の質が悪いこと。「―インフレ」❷病気などのたちが悪いこと。「―のインフルエンザ」「―腫瘍(しゅよう)〔=癌(がん)〕」類語悪質。対①②良性。注意「悪性(あくしょう)」は別語。

***あく‐せい【悪政】**人民のためにならない悪い政治。「―に泣く」類語苛政(かせい)。圧政。対善政。仁政。

***あく‐せい【悪声】**❶ひびきの悪い声。また、他に不快感を与えるような声。対美声。❷悪いうわさ。悪口。〔古風な言い方〕「―を放つ〔=悪口を言う〕」

あく‐ぜい【悪税】不当に課せられる税金。類語酷税。

あく‐せく【×齷×齪・×偓▽促】《副・自サ》〔「あくさく」の転。副詞は「―と」の形も〕〔熱心すぎたり、気が小さかったりして〕力や精神をそのことだけに用いるようす。「―〔と〕働く」「一生を―して暮らす」類語こせこせ。営々。孜々(しし)。対ゆうゆう。

アクセサリー ❶飾りになる付属品。❷衣服の飾りになる付属品。ブローチ・イヤリングなど。❸自動車・カメラなどの機器の付属品。▽accessory

アクセス ❶ある目的地に至る方法・交通手段。「空港への―」❷《名・他サ》コンピューターで、記憶装置から情報を呼び出したり書き込んだりすること。❸《名・他サ》公文書や公の情報を入手したり利用したりすること。▽access〔=接近〕 **―けん【―権】**〔right of access〕❶公共機関に情報公開を求める権利。❷国民が新聞・放送などのマスメディアに自分の意見をのせることを求める権利。

アクセル 自動車の加速装置。足で踏んで操作する。参考「アクセレーター〔accelerator〕」の略。

あく‐せん【悪銭】❶原料の粗悪な貨幣。悪貨。❷不正な方法で得た金銭。類語不労所得。あぶく銭(ぜに)。

―身に付かず《句》悪銭②は浪費しがちで、残らないものだ。

あくせん‐くとう【悪戦苦闘】《名・自サ》❶激しく苦しい戦い。「―して勝つ」❷死にもの狂いの苦しい努力。「彼の人生は―の連続だった」

アクセント ❶単語の発音で、社会的習慣としてきまっている、音節の強弱または高低の配置。また、その一部を強くまたは高く発音する部分。「関西風の―」❷〔デザインなどで〕全体の調子をひきしめるため、ある部分を特に目立たせること。また、その部分。「胸元に赤いバラの―を置く」❸物事の重点。強調〔すべき点〕。「外交問題に―を置く」▽accent

*あく・そう【悪僧】❶戒律に反した、悪い行いをする僧。❷〔文〕武芸などにすぐれた、あらあらしい僧。

*あく・そう【悪相】❶悪いことをしそうな人相。凶悪な人相。「犯罪者然とした—」❷不吉なしるし。

あく・た【×芥】〔文〕ごみ。ちり。「ちり—」。

あく・たい【悪態】（はげしい）悪口。にくまれ口。悪たれ口。「—をつく（＝はげしく悪口を言う）」

あく・だま【悪玉】悪い心の人。悪人。特に芝居などで、悪人の役。「善玉—」参考江戸時代の草双紙(くさぞうし)のさし絵で、悪人を表すのに顔をまるくかき、その中に「悪」の字を書き入れたことから。対善玉。

あく・たれ【悪たれ】❶悪いいたずらや乱暴をする・こと（人）。〔ふつう、子供にいう〕「—小僧」❷悪たれ口。悪態。「—を言う」

あく・た・れる【悪たれる】《自下一》❶〔子供が〕無理をいって乱暴をする。❷悪たれ口をきく。憎まれ口をたたく。

あく・たろう【悪太郎】いたずらや乱暴をする、悪い男の子。〔やや古風な言い方〕

アクチュアル《形動》現実的。実際の。「—な社会問題」▽actual
アクティブ㊀《形動》能動的。積極的。活動的。アクチブ。「—な行動力」対パッシブ。㊁《名》共産党・労働組合などの組織の先頭にたって活動する人。活動分子。アクチブ。▽active
あく・てん【悪天】〔文〕荒れ模様の悪い天気。悪天候。荒天(こうてん)。「—をついて出かける」対好天。

あくど・い《形》❶〔色や味などが〕しつこい。くどい。「—い化粧」類語どぎつい。濃厚。❷〔物事のやり方が〕度をこして、たちが悪い。悪らつである。注意「悪どい」と書くのは誤り。文あくど・し《ク》。

あく・とう【悪党】❶悪者の仲間・集団。「—の一味に加わる」❷わるもの。「小—」類語悪漢。悪人。

*あく・どう【悪童】いたずらや乱暴をし、また、ませている子供。いたずらっ子。類語わんぱく。悪太郎。

*あく・どう【悪道】❶通行しにくい悪い道。〔古風な言い方〕類語難路。悪路。❷〔仏〕現世で行った悪事のむくいとして死後に行くという、苦しみの世界。地獄道(じごくどう)・餓鬼道(がきどう)・畜生道(ちくしょうどう)の三つ。対善道。


あく・とく【悪徳】道徳にそむいた悪い行いや精神。「—におぼれる」「—商人」対美徳。

あく・なき【飽くなき】《連体》どこまでも満足することのない。「—欲望」

あく・にち【悪日】〔何事をするにも〕運の悪い日。悪日(あくび)。凶日(きょうじつ)。

あく・にん【悪人】悪い心の人。わるもの。類語悪漢。悪党。対善人。

あく・ぬき【▽灰▽汁抜き】《名・他サ》〔ゴボウ・ホウレンソウなどの野菜類を水にさらしたりゆでたりして〕あくをとること。

あぐ・ねる《自下一》〔思わしい結果が出ず〕続けてするのがいやになる。もてあます。あぐむ。〔多く動詞の連用形につけて使う〕「思い—・ねる」「探し—・ねる」

あく・ねん【悪念】〔文〕悪い心。「—がきざす」類語悪心。悪意。

あく・ば【悪×罵】《名・他サ》下品なことばで人をののしること。また、そのことば。ひどい悪口。「敵対者を—する」「—を浴びせる」類語痛罵(つうば)。罵倒(ばとう)。

あくび【▽欠▽伸・▽欠】❶眠くなったり飽きたとき、または退屈なときなどに、自然に口が大きくあいておこる呼吸運動。「—が出る」「—をかみ殺す」❷漢字の部首の一つ。「次」「歌」「欲」などの「欠」の称。

あく・ひつ【悪筆】字が下手な・こと（人）。また、下手な字。類語拙筆(せっぴつ)。俗筆(ぞくひつ)。対達筆。

あく・ひょう【悪評】悪い評判・批評。悪声。「—を買う」類語不評。対好評。

あく・びょうどう【悪平等】それぞれの特質を正当に評価しない、形の上だけの、まちがった平等。

あく・ふう【悪風】悪いならわし。悪弊。弊習。「—に染まる」類語悪習。悪癖。対美風。良風。

あく・ぶん【悪文】意味のわかりにくい、下手な文章。類語拙文(せつぶん)。対名文。

あく・へい【悪弊】〔社会の害になるような〕悪いならわし。悪風。類語悪癖。悪習。

あく・へき【悪癖】悪いくせ。類語悪習。悪風。悪弊。

*あく・ほう【悪報】❶〔仏〕悪事をしたむくい。対善報。❷悪いしらせ。凶報。


*あく・ほう【悪法】❶〔文〕悪い方法。❷〔人のためにならない〕悪い法律。「—も法なり」

あく・ま【悪魔】❶仏道の修行をさまたげる悪神。魔。❷人の心をまよわし、悪い道にさそおうとするもの。ユダヤ教・キリスト教では「サタン」と言う。堕天使。「—の誘惑」類語魔王。魔女。魔物。

あく・まで【飽くまで・×迄】《副》〔「あきるまで」の意から〕どこまでも。徹底的に。「—（も）闘い抜くぞ」「海は—も青い」類語とことんまで。

あく・みょう【悪名】→あくめい。

あく・む【悪夢】悪い、おそろしい夢。不吉な夢。「—にうなされる」参考多く、夢でしか起こりえないような悪いことや、おそろしい現実のたとえに用いる。「—にも似た一週間」類語凶夢。

あぐ・む【×倦む】《自五》〔物事をしとげられないで〕どうしてよいか困る。あぐねる。〔同じ状態が長く続いて〕いやになる。もてあます。〔多く動詞の連用形につけて使う〕「攻め—・む」「待ち—・む」文《四》。

あく・めい【悪名】〔ある人・物・場所などについての〕悪い評判。悪名(あくみょう)。類語醜聞(しゅうぶん)。汚名(おめい)。対美名。—たか・い【—高い】《形》悪いものとしてその名が世間に知れわたっている。

あく・やく【悪役】❶〔演劇・映画で〕悪人になる役。悪形(あくがた)。敵役(かたきやく)。「憎々しげに—を演ずる」❷人からきらわれるような悪い役まわり（におかれた人）。

あく・ゆう【悪友】❶悪い友達。ためにならない友達。対良友。❷〔反語的に〕わけへだてのないつき合いのできる仲のよい友人。「彼は大学時代からの—」

あく・よう【悪用】《名・他サ》〔本来の目的に反して〕悪いことに使うこと。「学生証を—する」対善用。

あぐら【×胡×坐・×胡▽座】〔「足(あ)座(ぐら)」の意〕股(また)を開き、両足を組んで（楽に）すわること。また、その姿勢。—をか・く《句》❶あぐらの姿勢ですわる。「鼻が—・く（＝鼻の形が平たく横に張る）」❷〔あるものに頼って〕のんきに、また、ずうずうしく構える。「三百議席に—・く」

あく・らつ【悪×辣】《形動》〔物事のやり方に〕人情味がなく、たちの悪いようす。あくどいようす。「—なやり口」類語悪質。

あぐり・あみ【▽揚繰網・▽網繰網】巻網の一種。長

あ

方形の網を二そうの船でひきまわして魚を囲み、網の下の方からくりあげてとらえる。

あく-りょう【悪霊】 悪いたたりをする死者の魂。怨霊。悪霊。類語 死霊。もののけ。

あく-りょく【握力】〔手で物を〕にぎりしめる力。

アクリルさん-じゅし【アクリル酸樹脂】 合成樹脂の一種。耐水・耐酸・耐アルカリ・耐油性がある。電気の絶縁材料・安全ガラス・合成ゴムなどに利用。アクリル樹脂。アクリル。

アクリル-せんい【アクリル繊維】 化学繊維の一つ。手ざわりがやわらかく、弾力・保温力がある。アクリル系繊維。アクリル。

あくる【明くる・▽翌る】《連体》《下二段動詞「明く」の連体形から。日・月・年などの語につけて》〔ある時から見て〕次の。翌。「事件はその―朝に起こった」

***あく-れい【悪例】**〔あとで悪い結果を生じるような〕悪い例。「―を残す」

***あく-れい【悪霊】**→あくりょう。

アグレマン 大使・公使など、外交使節を派遣するとき、前もって相手国に求める承諾。▽フランス agrément（＝同意・承諾）

あく-ろ【悪路】 行き来しにくい、悪い道。「―に難渋する」類語 難路。

アクロバット 軽わざ師。軽わざ。特に、体を極端に屈曲して行う曲芸。「―飛行」▽acrobat

アクロバティック《形動》軽わざのようであるようす。曲芸的。アクロバチック。「―な動き」▽acrobatic

***あけ【明け】** ❶夜が明けること。夜明け。対 暮れ。❷〔ある期間が〕終わること。また、終わったすぐあと。〔接尾語的に使う〕「連休―」「年季―」

***あけ【▽朱・×緋】**〔文〕❶朱の色。緋色。❷赤色。「―に染まる（＝血まみれになる）」

***あげ【上げ】** ❶上げること。❷相場が高くなること。〔多く、造語成分的に使う〕「手の―下げ」「平均株価一〇〇円の―」対 ①②下げ。❸着物の裄や丈が長すぎるとき、肩や腰の部分を縫って作るひだ。ぬいあげ。

***あげ【揚げ】** ❶油で揚げること。また、油で揚げたもの。〔接尾語的に使う〕「精進―」「薩摩―」❷豆腐を油で揚げたもの。あぶらあげ。

あげ-あし【揚（げ）足】 ❶相撲・柔道で、宙にうきあがった足。❷ことばの上での失敗。まちがえたことばじり。「―を取る（＝人のことばじりや言いまちがえをとらえて、皮肉を言ったりやりこめたりする）」

あげ-あぶら【揚（げ）油】 揚げ物に使う油。ごま油・大豆油・なたね油など。

あげ-いた【上げ板・揚（げ）板】 ❶〔物を入れるため〕板の間の（一部の）板を取りはずしができるようにしたもの。あげぶた。❷ふろ場などの流しの上に置く板。

あげ-おろし【上げ下ろし】《名・他サ》❶上げることと、下げること。あげさげ。「箸の―」❷〔荷物などを〕つむことと、おろすこと。つみおろし。「荷物の―」表記 ②は「揚げ降ろし」とも書く。

あげ-かじ【上げ×舵】 航空機を上昇させるための、かじのとり方。対 下げ舵。

あけ-がた【明け方】 夜が明けようとするころ。夜明けがた。あかつき。類語 有り明け。早朝。未明。黎明。払暁。

あけ-がらす【明（け）×烏】 夜明けに鳴くカラス。昨晩。今暁。翌暁。対 暮れ方。参考 夢のようなまめかしさを破り、現実にひきもどすつれないもののたとえ。

あげ-く【挙（げ）句・揚（げ）句】 ❶連歌・俳諧の最後の七・七の句。結句。対 発句。❷〔ある物事をした〕すえ。おわり。とどのつまり。表記 ②は、ふつうかな書き。類語 結局。

―の-はて【―の果て】《連語》「あげく②」を強めた言い方。とどのつまり。

あけ-くれ【明け暮れ】 ❶朝と晩。朝夕。❷日々〔の生活〕。❸明けても暮れても。いつも。〔多く、副詞的に使う〕「―育児に余念がない」❹《名・自サ》〔同じことを繰り返して〕毎日を送ること。「研究に―する」

あけ-く・れる【明け暮れる】《自下一》〔夜が明け日が暮れる意から〕❶月日がすぎていく。❷〔同じことを繰り返して〕日を送る。「動物実験に―・れる毎日」

あげ-さげ【上げ下げ】《名・他サ》❶上げることと下げること。あげおろし。類語 昇降。❷〔潮が〕みちることと、ひること。❸人をほめたりけなしたりすること。

あげ-しお【上げ潮】 ❶干潮から満潮までの、海面が上がる間。また、その間の潮の流れ。満ち潮。さし潮。対 下げ潮。❷物事が盛んになったり、運などが向いてきたりすること。「事業が―に乗る」

あけ-しめ【開け閉め】《名・他サ》→あけたて。

あげ-ず【上げず】《連語》〔日と日の〕間をおかないで。「三日に―通いつめる」表記 ふつうかな書きにする。注意「…にあげず」「…をあげず」は誤り。

あけ-すけ【明け透け】《形動》つつみかくしがなく、はっきりしているようす。「―な物言い」表記 かな書きにすることが多い。類語 露骨。

あげ-ぜん【上（げ）×膳】 客などの前に食事の膳を置くこと。

―すえぜん【―据（え）×膳】 自分が作ったり手伝ったりしなくても食事が食べられること。「―のもてなし」

あげ-ぞこ【上げ底】〔箱や折りなどの〕底を高くして、実際より中身が多そうに見せてある・こと（もの）。

あげ-だし【揚（げ）出し】 かたくり粉をまぶした豆腐たはなすなどを、軽く油で揚げた料理。特に、揚げ出し豆腐のこと。

あけ-たて【開け▽閉て】《名・他サ》〔戸や障子を〕あけたりしめたりすること。開閉。あけしめ。「ドアの―」

あげ-だま【揚（げ）玉】 ❶かぶとの頂上にある飾りの金物。❷てんぷらを揚げたときにできる、ころものくず。天かす。表記「上げ玉」とも書く。

あけ-っ-ぱなし【開けっ放し・明けっ放し】《形動》❶《名》あけたままにしておくこと。「ドアを―にする」❷心につつみかくしがないようす。あけっぴろげ。開放的。「―な性格」＝あけはなし。

あけ-っ-ぴろげ【開けっ広げ・明けっ広げ】《形動》❶《名》すっかりあけてひろげること。❷あけっぱなし②。＝あけひろげ。

あげ-つら・う【▽論う】《他五》〔可否・理非について〕取り立てて言う。論ずる。「事の理非を―・う」「既往を何かと―・う」文《四》。

あけ-て【明けて】《副》年があらたまって。新年になって。「―四〇に達します」

あげ-て【挙げて】《連語》すべてを一つにして。すべてこぞって。〔副詞的にも、また上に集合名詞を伴って「…を―」の形でも使う〕「―主催者側に責任がある」「国を―祝う」類語 残らず。全部。ことごとく。

あけ-に【明（け）荷】 相撲で、関取が道具・着物などを入れて運ぶための長方形の箱。

あけ-のこ・る【明け残る】《自五》夜が明けても、まだ月や星が残っている。「―・る星の数」[対]暮れ残る。

あけ-の-みょうじょう【明けの明星】夜明け前、東の空に輝く金星。あかぼし。[対]宵の明星。

あげは-ちょう【揚羽×蝶】アゲハチョウ科のチョウの総称。特に、ナミアゲハ。ナミアゲハは、はねは緑がかった黄色で、黒い筋のまだらがある。あげは。

あけ-はな・す【開け放す・明け放す】《他五》〔窓・戸・障子などを〕残らずあける。また、あけたままにしておく。開放する。あけはなつ。あけはらう。

あけ-はな・つ【開け放つ・明け放つ】《他五》〔文〕あけはなす。

あけ-はな・れる【明け離れる・明け放れる】《自下一》夜がすっかり明ける。あけわたる。

あけ-はら・う【開け払う・明け払う】(―はらふ)《他五》❶あけはなす。[表記]①はふつう「開け払う」と書く。❷〔家や部屋の〕中にあるものをすっかりとりのぞいて、他へ移る。「屋敷を―・う」[表記]②はふつう「明け払う」と書く。[類語]明け渡す。

あけ-ばん【明(け)番】❶宿直・警備などの勤務を終えて退出する・こと(人)。❷勤務についた翌日の休暇。❸半夜交替の勤務で、後半(明け方)の番。また、その人。

あけび【▽木▽通・▽通▽草】アケビ科のつる性落葉低木。山野に自生。春、うす紫色の花を開く。果実は楕円(だえん)形で、秋に紫色に熟し、食用。やまひめ。

あげ-ひばり【揚(げ)▽雲×雀】空高く舞い上がるヒバリ。

あげ-ぶた【上げ×蓋・揚(げ)×蓋】あげ板①。

あけ-ぼの【×曙】《「明け仄(ほの)」の意》❶〔雅〕夜がほのぼのと明け始めるころ。明け方。[類語]朝ぼらけ。朝明け。有り明け。かわたれどき。暁(あかつき)。❷時代・生活などが新しく始まる時。「古代文明の―」[類語]黎明期(れいめいき)。

あげ-まき【揚巻・▽総▽角】❶昔の子供の髪型。二つに分けた髪を左右の耳の上で丸く輪にする。角髪(つのがみ)。総角(そうかく)。❷「揚巻結び」の略。ひもの結び方で、輪を左右に垂らし、中心を石畳に組んで結ぶもの。❸明治時代にはやった女の髪型。束髪の一種で、頭上で根をそろえた髪をねじってまげを作る。❹「あげまきがい」の略。ナタマメガイ科の二枚貝。暖かい地方の浅海にすむ。食用。[参考]出入水管の形があげまき①に似ることから。

揚 巻 ②

あげ-まく【揚(げ)幕】能の舞台で、鏡の間と橋がかりとの境目に下げる幕。また、歌舞伎(かぶき)で、花道の出入り口にかける幕。切幕(きりまく)。

あけ-むつ【明(け)六つ】〔文〕明け方の六つ時。今の午前六時。卯(う)の刻(こく)。また、その時にならす鐘の音。[対]暮れ六つ。

あげ-もの【揚(げ)物】野菜・魚肉類などを油であげること。また、その食べ物。

あげ-や【揚(げ)屋】昔、遊里で、置屋(おきや)から遊女を呼んで遊んだ店。

***あ・ける【明ける】**《自下一》❶〔夜が終わって〕朝になる。「夜の―・けないうちに出発する」[類語]明るむ。白(しら)む。明け渡る。[対]暮れる。❷新年になる。「年が―・ける」[類語]〔年が〕改まる。❸〔ある期間が〕終わる。「任期が―・ける」[文]あ・く《下二》。⇩〖使い分け「あく・あける…」〗

***あ・ける【開ける・明ける・空ける】**《他下一》❶〔戸・幕・ふた・本など〕しめてあるものを開く。「ドアを―・ける」「幕を―・ける」「ふたを―・ける」[対]しめる。とじる。❷〔ある場所を〕占めていたものを取り除く。空間・余白をつくる。「壁に穴を―・ける」「席を―・ける」「会計に穴を―・ける」[対]ふさぐ。❸中にあるものを他へ移す。からにする。「びんの中身を―・ける」❹〔他に約束などをせず〕暇をつくる。「三〇分ほど体を―・けてくれ」[文]あ・く《下二》。⇩〖使い分け「あく・あける…」〗

***あ・げる【上げる】**㊀《他下一》❶低い所から高い所へ移す。「荷物をたなに―・げる」[対]さげる。おろす。❷〔畳(たたみ)・床(とこ)など〕敷いてあるものをのける。「布団を―・げる」❸〔体の一部を〕上の方へ動かす。上向きにする。「手を―・げる」[対]さげる。おろす。❹〔煙・火、また、旗・たこなどを〕空中に高くはなつ。「アドバルーンを―・げる」[表記]④は「揚げる」とも書く。❺〔海・川などから〕陸に移す。「貨物船から荷を―・げる」❻〔食べた物を〕はく。もどす。「車に酔って―・げた」❼〔座敷や部屋の中に〕いれる。「客を奥の間に―・げる」❽〔⑦から転じて〕芸者などをよびよせて遊ぶ。「芸者を―・げて遊ぶ」[表記]⑧は「揚げる」とも書く。❾〔地位を〕高くする。昇進させる。「地位を―・げる」[対]さげる。❿入学させる。進級させる。「娘を大学に―・げる」⓫〔神仏に〕そなえる。たむける。「線香を―・げる」「経を―・げる」[対]さげる。⓬〔収入・利益・効果などを〕生みだす。「効果を―・げる」

㊁物事を積極的な方に進める。❶〔勢いを〕加える。「スピードを―・げる」❷〔価格を〕高くする。「生産者米価を―・げる」❸〔物事の調子・状態などを〕よくする。「点数を―・げる」「名を―・げる」❹〔程度を〕はげしくする。ふやす。「酒量を―・げる」[対]①〜④さげる。❺〔大きな声・音などを〕たてる。「喚声を―・げる」「滝がごうごうと音を―・げる」

㊂物事を終わりにする。❶〔仕事を〕終わらせる。〔作品を〕つくる。「この人形は一日五〇個を―・げる」❷〔けいこごとなどで、一つの作品を〕習い終える。「練習曲を三日で―・げた」❸…の費用ですます。まかなう。「一万円で―・げる」「安く―・げる」

㊃「与える」「やる」などの丁寧語。〔対象の人に敬意を含めて言う〕「あなたにこの本を―・げます」[文]あ・ぐ《下二》。⇩〖使い分け「あがる・あげる」〗

㈡《補動》動作の相手に利益になることを行う意を表す。多くの場合、相手を高める感じになる。「本を貸して―・げる」[参考](ア)最近は「やる」という語がきらわれて、対象が目下のものや動物の場合にも使う。「子どもに本を読んで―・げる」「犬を散歩につれていって―・げる」(イ)時に多少冗談めかして、対象に害になるような動作にも使う。「そんなことをしたら先生に言いつけて―・げますよ」[文]あ・ぐ《下二》。

㈢《接尾》❶《「申す」「存ずる」などの連用形について》相手に対してする行為のけんそん語。「お悔やみを申し―・げます」❷《動詞の連用形について》「すっかり…する」「…しとげる」「…しつくす」の意を表す。「任期をつとめ―・げる」「声を張り―・げる」[文]あ・ぐ《下二》。

***あ・げる【挙げる】**《他下一》❶〔式、特に結婚式を〕とり行う。「式を―・げる」❷〔戦いや反乱を〕おこす。「兵

を—・げる」❸選び出して示す。並べたてて示す。「証拠を—・げる」「候補者の名を—・げる」❹〔犯人・暴徒などを〕とらえる。検挙する。「真犯人を—・げる」❺出しつくす。「全力を—・げて事に当たる」参考→あげて。❻〔子供を〕つくる。もうける。「三男一女を—・げる」文あ・ぐ《下二》。⇩〖使い分け「あがる・あげる」〗

*あ・げる【揚げる】《他下一》熱い油の中に入れて煮る。また、てんぷらなどを作る。「フライを—・げる」文あ・ぐ《下二》。⇩〖使い分け「あがる・あげる」〗

あけ・わた・す【明け渡す】《他五》〔家・部屋・土地などを〕たちのいて他人に渡す。「城を—・す」類語明け払う。

あけ・わた・る【明け渡る】《自五》〔夜が〕すっかり明ける。明け離れる。「夜が—・る」

あご【×顎・×腭・×頤】❶人・動物の口腔(こうこう)を上下から囲み、顎骨(がっこつ)を中心として作られた部分。食物の咀嚼(そしゃく)や、発声に役立つ。「—が落ちる(=食物が非常においしいことのたとえ)」「—が干上がる(=生活ができなくなる)」「—を外す(=大いに笑うことのたとえ)」類語上顎(じょうがく)・下顎(かがく)。❷あご①の下の部分の外面。下あご。おとがい。「—で使う(=いばった態度で人を使う)」「—を出す(=ひどく疲れる)」「—を撫(な)でる(=物事が自分の思い通りになって得意になっているようす)」

あごあし・つき【×顎足付(き)】〔俗〕食費と交通費が支給されること。

あこう・だい【赤▽魚×鯛】(あかをだひ) フサカサゴ科の魚。深海にすむ。濃い赤色で、口が大きい。あこう。

アコースティック《名・形動》その楽器の自然の音であること。電気的に音を増幅していないこと。「—ギター」▽acoustic

アコーディオン 蛇腹(じゃばら)のある、箱形のふいごを伸び縮みさせ、リードを振動させて音をだす楽器。鍵盤(またはボタン)をおして演奏する。おもに軽音楽の伴奏楽器。手風琴(てふうきん)。アコーデオン。▽accordion

あこがれ【×憧れ・×憬れ】あこがれること。また、その心。憧憬(しょうけい・どうけい)。「—の人」「—の的」

あこが・れる【×憧れる・×憬れる】《自下一》〔実現性はうすいと知りながら、自分がなりたいもの、ほしいもの、行きたい所などに〕強く心をひかれる。思いこがれる。「アイドル歌手に—・れる」「豊かな暮らしに—・れる」文あこが・る《下二》。

あこぎ【×阿×漕】《形動》〔「同じことがたび重なること」の意から転じて〕あくどく欲ばり、思いやりのないようす。「—なことを言う人だ」故事「阿漕」は「阿漕ケ浦」の意で、現在の三重県津市東南部の海岸。古くから禁漁地であったが、ある漁夫が度々密漁して捕らえられ、海に沈められたという伝説をふまえる古歌「あふことを阿漕の島に引く網のたびかさならば人も知りなむ〈古今六帖・三〉」から。類語貪欲(どんよく)。

あご・ひげ【×顎×鬚】あごにはえるひげ。

あご・ひも【×顎×紐】動かないように、あごにかける帽子のひも。

あこや・がい【×阿古屋貝】ウグイスガイ科の二枚貝。暖かい海にすむ。養殖して真珠の母貝とする。たまがい。真珠貝。あこや。

*あさ【朝】夜が明けてしばらくの間。また、正午までの間を指すこともある。対夕。⇩〖類語と表現〗

類語と表現「朝」

*朝になる・朝が来る・朝が明ける・朝を迎える・朝が早い・朝早く起きる・朝から雨が降り出す・朝から晩まで働き通す・朝のうちに一仕事すます・すがすがしい朝。

◆〔日常語〕明け方・夜明け・午前中・昼前・けさ・朝っぱら

◆〔雅語〕あした・暁・曙(あけぼの)・朝明け・朝ぼらけ・朝まだき・有り明け・かわたれ時・東雲(しののめ)

◆〔文章語〕鶏鳴・早暁・早朝・天明・払暁(ふつぎょう)・分暁・未明・黎明(れいめい)・晨旦(しんたん)・晨朝

◆動詞表現 夜が去る・夜が明ける・夜が明け渡る・夜の底が明るむ・東の空が白(しら)む・大地が目覚める

*あさ【麻】❶クワ科の一年草。夏、うす緑の小さな花を開く。茎の皮から繊維をとる。実は「おのみ」とよばれ、食用。大麻(たいま)。麻苧(あさお)。❷麻①から作った、さらさらした感じの布。

—の如(ごと)し《句》〔麻糸がもつれるように〕ひどく乱れていることの形容。

—の中の蓬(よもぎ)《句》まっすぐな麻の中に生えれば、曲がりやすい蓬もまっすぐに伸びる。善良な人と交わると自然に感化されて善良になるたとえ。〈荀子・勧学篇〉

*あざ【字】町や村をさらに小さく分けた区域。大字(おおあざ)と小字(こあざ)がある。あざな。

*あざ【×痣】❶〔色素の増加、血管の増殖によって〕皮膚にできる赤・青・紫などの斑紋(はんもん)。❷体を強く打ったあとなどに皮膚に現れる赤・青・紫などの斑紋。

あさ・あけ【朝明け】朝になって、空が明るくなること。また、その時。明け方。

あさ・い【浅い】《形》❶くぼんでいる所の底や奥までの距離が短い。「川の—・い所で遊ぶ」❷色がうすい。「—・い緑」❸物事の程度や分量が少ない。「傷は—・いぞ」「経験が—・い」「付き合いが—・い」「—・からぬ仲」対①〜③深い。❹日数があまりたっていない。特に、春になってから間がない。「入社してまだ日が—・い」「春—・い山里」文あさ・し《ク》。

あさ・いち【朝市】朝開く、野菜・魚などの市。

あさ・うら【麻裏】❶裏地に使う麻布。❷「麻裏草履(ぞうり)」の略。平らにあんだ麻の組みひもを渦巻状に裏につけた草履。

あさ・お【麻×苧】(—を) ❶麻の繊維からとった糸。麻糸。❷麻。

あさ・おき【朝起き】《名・自サ》朝早く起きること。早起き。対朝寝(あさね)。

—は三文の徳《句》早起きすると何かしらよいことがある。早起きは三文の徳。

あさ・がえり【朝帰り】(—がへり)《名・自サ》よそで〔遊んで〕夜を明かして、朝自分の家に帰ること。「仕事が多忙で今日も—だ」参考もと、遊郭からの帰りを言った。

あさ・がお【朝顔】(—がほ) ❶ヒルガオ科の一年生のつる草。夏の早朝、じょうご形の花がさく。つるは左巻き。❷キキョウ・ムクゲの古称。❸じょうご形をしたもの。特に、男便所の小便をうける陶器。

あさ・がけ【朝駆け・朝×駈け】《名・自サ》❶朝早く馬を走らせること。❷朝早く不意に敵をせめること。転じて、新聞記者などが取材で朝早く他人の家を不意に訪れること。「夜討ち—の取材合戦」対夜討ち。

あさ・がた【朝方】朝の早いうち。早朝。対夕方。

あ

あさ・ぎ【浅×葱】 あさぎ色。表記「浅黄」とも書く。
—いろ【—色】 〔「淡い葱の葉の色」の意から〕緑がかった、うすいあい色。みず色。あさぎ。

あさくさ・のり【浅草▽海×苔】 ❶紅藻類ウシケノリ科の海藻。内海でとれる。色は紫紅色。あまのり。❷あさくさのり①をほして作った食品。参考江戸時代、隅田川の川口であった浅草で多く作られた。

あさ・ぐろ・い【浅黒い】 《形》〔皮膚の色、特に顔の色が〕うす黒い。

あさ・げ【朝×餉】 朝の食事。朝食。朝餉。「—に向かう」〔やや古風な言い方〕対夕餉。

あざけ・る【×嘲る】 《他五》ばかにする。「ひきょう者を—る」「失態を—る」類語そしる。文《四》。

あさ・ざけ【朝酒】 朝から酒をのむこと。また、その酒。「朝寝、—、朝湯の暮らし」類語寝酒。

あさ・さむ【朝寒】 秋の朝方のうすら寒さ。また、そのうすら寒い感じ。対夜寒。

あさ・じ【浅×茅】 〔雅〕まばらに生えたチガヤ。また、丈の低い、チガヤ。**—が・やど【—が宿】** 〔雅〕（あさじの生えている）荒れはてた家。

あさ・しお【朝潮】 朝、みちてくる潮。対夕潮。

あさ・すず【朝涼】 夏の、朝の涼しいとき。

あさ・せ【浅瀬】 海や川などの浅い所。**—に徒波** 《句》思慮の浅い者ほどさわがしいたとえ。

あさ・だち【朝立ち】 《名・自サ》〔旅に出るため〕朝早く出発すること。対夜立ち。

あさ・ぢえ【浅知恵】 深く考えない、あさはかな考え。「所詮は小僧っ子の—」

あさ・つき【浅×葱】 ユリ科の多年草。ネギに似た葉とらっきょう形の鱗茎は食用。

あさ・づけ【浅漬(け)】 ❶生ぼしにした大根を塩づけにしてから、こうじ・砂糖・みりんを加えてつけた漬物。べったらづけ。❷大根・ウリ・ナスなどを塩だけで短期間つけたもの。

あさって【▽明▽後▽日】 《「あさて」の促音化》明日の次の日。明後日。

あさ・っ・ぱら【朝っ腹】 〔俗〕〔「朝食前の空腹」の意から〕朝早いとき。早朝。表記ふつう「朝っぱら」と書く。

あさ・つゆ【朝露】 朝、おりている露。朝の露。対夜露。

あさ・で【浅手・浅▽傷】 〔文〕軽い傷。軽傷。うすで。対深手。

あざと・い 《形》❶あまり考えは深くないが、小利口である。「—く立ち回る」❷〔やり方が〕あくどい。どぎつい。「—い商法」文あざと・し《ク》。

あざ・な【▽字】 ❶〔学者・文人などが〕本名のほかにつけた名。参考もとは中国の風習。類語別名。通称。筆名。❷あだな（渾名）。❸→あざ（字）。

あさな・あさな【朝な朝な】 《副》〔文〕毎朝。「—小鳥の声で目覚める」対夜な夜な。

あざな・う【▽糾う】 《他五》〔文〕〔縄をなう〕よりあわせる。「禍福は—える縄のごとし」文《四》。

あさ・なぎ【朝×凪】 朝、海辺で、陸風と海風が交替するとき、しばらく無風状態になること。対夕なぎ。

あさな・ゆうな【朝な夕な】 《副》《「—に」の形も》〔文〕あけくれ。あさゆう。「—に亡き母をしのぶ」

あさ・ね【朝寝】 《名・自サ》朝おそくまで寝ていること。対朝起き。**—ぼう【—坊】** 《名・自サ》朝おそくまで寝ていること。また、そのくせのある人。

あさ・はか【浅はか】 《形動》物事に対する考えが浅いようす。「—な考え」類語浅薄。軽薄。表記「浅墓」とも当てる。

> **類義語の使い分け　浅はか・軽薄**
> [浅はか・軽薄] なんという浅はか（軽薄）なふるまい
> [浅はか] 浅はかな知恵で計画を立て失敗する
> [軽薄] いつも流行を追いかけている軽薄な男

あさ・はん【朝飯】 あさめし。対夕飯。

あさ・ばん【朝晩】 ❶朝と晩。❷いつも。毎日。〔多く副詞的に使う〕「父の冥福を—祈る」同①②朝夕。

あさ・ひ【朝日・×旭】 のぼってまもない太陽（の光）。参考勢いのよいものなどのたとえにも使う。類語旭日。対夕日。**—かげ【—影】** 〔雅〕朝日の光。

あさ・ぶろ【朝風×呂】 あさゆ。「—に入る」

あさ・ぼし【朝星】 明け方にみえる星。

あさ・ぼらけ【朝▽朗(け)】 〔雅〕夜が明けはじめて空が明るくなるころ。類語あけぼの。朝明け。

あさまし・い【浅ましい】 《形》《動詞「あさむ」からの派生語》❶〔姿・形などが〕みじめで情けない。「—い姿をお見せして恥ずかしい」❷〔心・性質・態度などが〕さもしくて情けない。類語みすぼらしい。また、いやしい。「—い行い」文あさま・し《シク》。

あさ・まだき【朝まだき】 〔文〕夜があけきらず、うすぐらいころ。早朝。〔副詞的にも使う〕「—に人影とてない」「—、東の空が白むころ」

あざみ【×薊】 キク科の多年草。山野に自生。葉のふちにとげがある。夏、多く紫紅色の花を開く。

あさ・みどり【浅緑】 〔若竹のような〕うすい緑色。

あざむ・く【欺く】 《他五》❶うそをついて相手をだます。「—かざる（＝真実の）告白」「予想を—かない（＝予想どおりの）出来ばえ」❷〈「…を—く」の形で〉…と思いちがいさせる。…にもまけない。「昼を—くネオン街」類語①②まどわす。たばかる。文《四》。

あさ・めし【朝飯】 朝の食事。朝食。あさげ。朝飯。対昼飯・晩飯。**—まえ【—前】** ❶朝起きてから朝食までの間。「—に一仕事終える」❷《名・形動》〔朝飯を食べる前にでもできるほど〕たやすいこと。「—の所行」「彼をだますなどは—だ」

あざ・やか【鮮やか】 《形動》❶はっきりしているようす。特に、色・形などがはっきりして美しいようす。「墨痕—に書く」類語清か。くっきり。際やか。ありあり。鮮明。澄明。❷〔技などが〕きわだって見事なようす。手ぎわがよいようす。「—に一本決める」類語すばらしい。華々しい。目覚ましい。立派。

あさ・やけ【朝焼け】 太陽がのぼるとき東の空が赤くそまること。参考俗に、雨の前兆とされる。「—は雨、夕焼けは晴れ」対夕焼け。

あさ・ゆ【朝湯】 朝からわかしてある、ふろ。また、朝からふろにはいること。朝ぶろ。「—を楽しむ」

あさ・ゆう【朝夕】 ❶朝と夕方。「—はめっきり涼しくなった」❷いつも。毎日。あけくれ。〔多く副詞的に使う〕「—読経にいそしむ」同①②朝晩。

あざらし【▽海×豹】 アザラシ科の哺乳動物。寒流にすみ、魚を食べる。毛皮・脂肪などを利用。海豹。

あさり【浅×蜊】 マルスダレガイ科の二枚貝。浅い海の、砂の中にすむ。食用。ボンゴレ。

あさ・る【▽漁る】 《他五》〔もと、魚や貝をとる意〕❶えさ・獲物をさがし求める。「犬がごみ箱を一・る」❷〔ある物を得ようと〕さがしまわる。「古本を一・る」文《四》。

アザレア ツツジ科の園芸種の一つ。花は八重で大形。オランダツツジ。セイヨウツツジ。▽azalea

あざ・わら・う【×嘲笑う・×嘲う】ーわらふ《他五》ばかにして笑う。あざけり笑う。せせら笑う。嘲笑(ちょうしょう)する。「愚行を一・う」

***あし**【×葦・×蘆・×葭】イネ科の多年草。水ぎわに生える。形はススキに似る。秋に穂を出してうす紫の花を開く。茎からすだれを作る。よし。参考 弱い人間のたとえに用いられることがある。「考える一」

***あし**【足】❶動物の体で、体をささえ、歩くはたらきをする部分。「一が棒になる(=足が非常に疲れる)」「一が向く(=そこへ行きたくなる)」「一に任せる(=気の向くままに歩く)」「一を掬(すく)う(=相手のすきにつけこんで失敗させる)」「一を入れる(=新たに関係するようになる)」「一を抜く(=今までの関係をたつ)」表記 哺乳(ほにゅう)動物には「脚」、昆虫には「脚」を多くあてる。人の場合は「脚」があてられるが、「足」も多く使われる。❷足首から先の部分。「一の甲」対①②手。❸物の下について支える用をするもの。「机の一」「顕微鏡の一」表記 ③は、多く「脚」と書く。❹物の下・末の部分。「山の一」「垂線の一」❺一つの漢字を上下に分けたとき、下部を構成する部分。「烈」の「灬」や「想」の「心」など。❻歩くこと。走ること。「一で調べる」「一がある(=走り方が速い。脚力がある)」「一が弱い」表記 ⑥は「脚」とも書く。❼〔雨・雲・風などの〕動いていく状態。特に、降っている雨のすじ。「雨の一がかすかに見える」表記 ⑦は、多く「脚」と書く。❽おとずれること。「客の一が遠のく」❾〈「その一で」の形で〉ある所へ出かけたそのついでに。「友人の家に行ったその一で買い物をして帰る」❿〔人が移動するために使う〕交通機関。乗り物。「一の便が悪い」「一を奪う(=ストライキなどで交通機関をとめる)」⓫〔犯罪者などの〕逃げた道すじ。足どり。「一が付く(=犯罪者の足どりがわかる。犯罪事実が現れる)」⓬〈お一〉金銭。おかね。参考 足①があるようによく動くことから。表記 ⑫は、ふつうかな書きにする。「お銭」とも当てる。⇩〔類語と表現〕

一が地に着かな・い《句》❶興奮や感動で落ち着きがなくなる。「出発を明日に控えて一・い」❷理論だけが先に立って実地に合わない。また、基礎が確立していない。「一・い計画」

一が・出る《句》支出額が予算額をこえる。赤字になる。損をする。

一が早・い《句》❶歩くこと、また走ることが速い。❷〔食物が〕くさりやすい。「豆腐は一・い」❸〔商品の〕売れ行きがよい。「この種のおもちゃは一・い」

一を洗・う《句》悪い仲間とのつきあいをやめる。また、ある(好ましくない)商売・生活からぬけ出す。「どろぼう稼業から一・う」

一を擂(す)り粉木に・する《句》足がすりへるほど、あちこち歩き回る。

一を伸ば・す《句》〔ある所まで出かけて〕さらに続けてその先まで行く。表記「足を延ばす」とも書く。

一を引っ張・る《句》〔非難したり陰で工作したりして〕昇進や成功のじゃまをする。また、物事のなめらかな進行をさまたげる。「野手の失策が投手の一・った」

一を向・ける《句》❶その方面へ行く。❷恩人(偉い人)に対し、感謝(尊敬)の心を表さないような行動をとる。参考 多く、打ち消しの形で感謝(尊敬)の心を表す。「恩人に一・けては寝られない」

> **類語と表現**
>
> 「足」
>
> *足が長い・足が大きい・足が速い〔遅い〕・足が強い・足がすくむ・足がふらつく・足を組む〔曲げる・広げる〕・足をくじく・足を速める・足を止める・足に合わない靴。
>
> ◆〔腰から下の部分=脚〕あんよ・おみ足・両足・両脚・双脚・片足・隻脚(せっきゃく)・右足・左足・下肢(かし)・上腿(じょうたい)・下腿・大腿・もも・太もも・内もも・股(また)・内股・がに股・鰐脚(わにあし)・脛(すね)・向こう脛・弁慶の泣き所・はぎ・ふくらはぎ・こむら・ひかがみ・膝(ひざ)・膝頭・膝小僧・諸膝(もろひざ)・片膝
>
> ◆〔足首から先の部分〕足首・くるぶし・きびす・くびす・かかと・足裏・土踏まず・足の甲・足指・爪先(つまさき)
>
> ◆〔人工の足〕義足・義肢(ぎし)
>
> ◆〔動物の足〕前足・後足・後ろ足・前肢・後肢

***あ・し**【▽悪し】《形シク》〔古〕悪い。参考 現在では、「よし」とともに対句的に用いたり、一語化した複合語の中で用いたりする。「よきにつけ一・しきにつけ」「一・しからず」「よしあし」「折あしく」

***あじ**【味】ぢあ ❶〔飲食物などが〕舌にふれたときの感じ。「一がよい」「一を見る(=味加減を調べる)」❷物事の趣。面白み。魅力。「一のある文章」「一も素っ気もない(=趣やうるおいがない。無味乾燥だ)」❸体験から得た感じ。「快楽の一を覚える」「一を占める(=うまくいって、いい気になる)」❹《名・形動》気がきいていて手ぎわがよいこと。しゃれていること。「一をやる」「一なことをやるじゃないか」⇩〔類語と表現〕

> **類語と表現**
>
> 「味」
>
> *味がいい〔悪い〕・味が落ちる・煮物の味が濃い〔薄い〕・変わった味がする・味をつける・味をみる・夜遊びの味を覚える・演技に味が出る・味のある書・味のある人柄。
>
> ◆〔味加減〕風味・味わい・うま味・塩梅(あんばい)・塩加減・下味・隠し味・後口・後味・大味・小味
>
> ◆〔よい味・悪い味〕うまい・おいしい・美味・醍醐(だいご)味・滋味・珍味・無味・まずい
>
> ◆〔五味〕甘い・甘ったるい・甘み・甘口・甘味(かんみ)・辛い・辛み・辛め・辛口・甘辛い・塩辛い・しょっぱい・塩気・薄塩・甘塩・塩辛い・鹹味(かんみ)・苦い・ほろ苦い・苦み・えぐい・えがらい・えがらっぽい・渋い・渋み・酸っぱい・酸い・酸味(さんみ)・甘酸っぱい
>
> ◆〔濃い味・薄い味〕しつこい・こってり・まったり・くどい・脂っこい・こくがある・濃厚・薄め・薄味・薄口・あっさり・さっぱり・水っぽい・淡泊
>
> ◆ 触覚のオノマトペ かりかり・こりこり・さくさく・しこしこ・しゃきしゃき・しゃりしゃり・つるつる・ばりばり・ぱりぱり・ほくほく・もちもち

***あじ**【×鯵】ぢあ ❶マアジ・ムロアジ・シマアジなど、アジ科の魚の総称。日本近海の暖海に群れをなす。「ぜいご」という一列のかたいうろこがある。食用。❷マアジ。

***アジ**「アジテーション」の略。感情に訴えて主義主張を説き、人々に行動を起こすようにしむけること。扇動。「一演説」参考 動詞化した語が「アジる」。**一びら** 大

衆を扇動するためのびら。扇動びら。［表記］「アジビラ」とも書く。**―プロ** 大衆の感情に訴えて、特定の主義・思想(特に左翼思想)を広めること。扇動的宣伝。［参考］「アジテーション」と「プロパガンダ(＝宣伝)」の略からの合成語。

あし-あと【足跡】 ❶歩いたあとに残る足の形。❷逃げた道すじ。「犯人の―をたどる」❸業績。「偉大な―を残す」［同］①③足跡(そくせき)。

あし-おと【足音・×跫音】 ❶歩くときの足の音。❷近づいてくるものの気配。「冬の―」［類語］跫音(きょうおん)。

あしか【▽海×驢】 アシカ科の哺乳(ほにゅう)動物。体長二～三メートルで、オットセイに似る。足はひれ状で、巧みに潜水する。人になれ、芸を覚える。

あし-がかり【足掛(か)り・足懸(か)り】 ❶登るときに足をかけて支えにするもの。❷物事をするときの糸口。手がかり。「発明の―をつかむ」［類語］足だまり。

あし-かけ【足掛け】 ❶物に足をかけること。❷〔相撲・柔道などで〕相手の足に自分の足をかけるわざ。❸〔期間を数える場合に〕一年・一月・一日に満たない始めと終わりの端数をそれぞれ一とする数え方。「―三年」［参考］年齢の場合の「数え年」の数え方と同じ。［対］満(まん)丸(まる)。

あし-かせ【足×枷】 ❶昔の刑具で、罪人が自由に歩けないように、足にはめさせたもの。足枷(あしかし)。❷自由をしばるもの。「子供が―になって動けない」

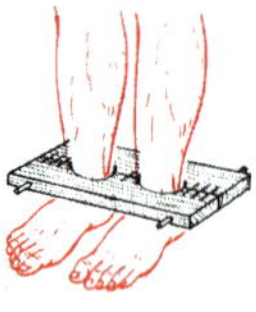

足枷①

あし-がた【足形・足型】 ❶足の形(をした物)。❷踏んだり歩いたりしたあとにつく、足の形。あしあと。「雪の上にくっきりと―が残る」❸足袋(たび)・くつなどを作るときに使う、木製の型。［表記］③は「足型」と書く。

［類語］①②手枷。首枷。

あし-がため【足固め】 ❶《名・自サ》足ならし①。❷《名・自サ》物事の基礎をしっかり固めること。「成功への―」❸柱をしっかりたてるため、床下の柱と柱の間にとりつけた横木。［表記］③は「足堅め」「脚堅め」とも書く。❹柔道・レスリングなどで、相手の脚部の関節を痛めたり、押さえつけたりして自由を奪う技。

あしから-ず【▽悪しからず】 《副》相手の気持ちを考えないで物事をしたときなどに使うことば。悪く思わないで。よろしく。「―御了承下さい」［表記］候文などでは「不悪」と書く。

あし-がらみ【足×搦み】 柔道などで、相手の足に自分の足をからませて倒すわざ。

あし-がる【足軽】 ふだんは雑役に従事し、いくさの時には歩兵となった雑兵(ぞうひょう)。江戸時代には武士階級の最下位におかれた。

あしき【▽悪しき】 〔文〕❶《形シク》《文語形容詞「悪し」の連体形》悪い。「―前例となる」［対］良き。❷《名》悪いもの。「―をすてる」［対］良き。

あじき-な・い【味気無い】(あぢ―) 《形》→あじけない。

あし-きり【足切り】 入学・入社試験などで、一定の水準に達しない者を切り捨てること。

あし-くせ【足癖】 ❶足のおき方・歩き方などのくせ。「―が悪い」❷相撲で、足を使って相手を倒すわざ。足わざ。「―を得意技にする」

あし-くび【足首・足×頸】 ❶くるぶしの上の、少し細くなった部分。❷くるぶしから下の部分。足の先。［対］①②手首。

*あし-げ【×葦毛】 馬の毛色で、白い毛に黒色・茶色などがまじっているもの。また、その毛色の馬。

*あし-げ【足×蹴】 ❶足でけること。❷ひどいしうち・扱いをすること。「仲間を―にして追い出す」［注意］「足蹴りにする」は避けたい。

あし-げい【足芸】 上向きに寝て、手を使わず足だけで演じる曲芸。足わざ。

あじけ-な・い【味気無い】(あぢ―) 《形》物事にあじわいが感じられず、つまらない。おもしろくない。「―・い日々の暮らし」「この世が―・く感じられる」［参考］「味気(あじき)ない」は、やや古風な言い方。

あし-こし【足腰】 足と腰。「―をのばして休む」

あし-ごしらえ【足×拵え】(―ごしらへ) 歩きやすいように足につけるものを準備したり、その具合を整えたりすること。「大雨に備えて―をして出掛ける」

あじさい【▽紫▽陽▽花】(あぢさゐ) ユキノシタ科の落葉低木。梅雨のころ、小さな花がまりのように集まってさく。花の色は青紫色から次第に濃くなり、淡紅色に変わる。別称、七変化。四片(よひら)。

あし-ざま【▽悪し様】 《形動》事実よりも悪いようす。「―にののしる」

あし-しげく【足▽繁く】 《副》ひんぱんに通うようす。「女のもとへ―通う」

アシスタント 仕事の手だすけをする人。助手。「―を務める」［類語］ヘルパー。▽assistant

あし-ずり【足×摺り・足▽摩り】 〔腹がたったとき、くやしいときなどに〕地面をはげしく踏み鳴らしたり、足をすり合わせたりすること。じだんだ踏むこと。「―をして悔しがる」

*あした【▽明▽日】 〔もと、「朝(あした)」の意〕今日の次の日。あす。明日(みょうにち)。〔「あす」よりくだけた言い方〕「―は―の風が吹く(＝明日のことは心配しても始まらない)」［類語］明くる日。翌日。

*あした【▽朝】 〔雅〕❶あさ。早朝。「―浜辺をさまよへば、昔のことぞしのばるる〈林古渓〉」［対］夕べ。❷あくる朝。翌朝。

―には紅顔ありて夕べには白骨となる 《句》〔人は、朝元気であってもその夜には死んで骨にならないとも限らない意で〕この世は無常で、生死の予測ができないことのたとえ。〈蓮如上人御文章〉

―に道を聞かば夕べに死すとも可なり 《句》朝に人間としての正しい生き方について聞くことができれば、たとえその夜に死んでも本望である。〈論語・里仁〉

あし-だ【足駄】 雨降りのときにはく、歯の高いげた。高げた。

―を履・く 《句》実際の金額よりも高い金額をつけて、その差額をかせぐ。げたをはく。

あし-だい【足代】 外出のとき、乗り物に要する費用。交通費。「―がかかる」［類語］車代。車馬賃(しゃばちん)。

あし-だまり【足×溜(ま)り】 ❶足をかけて支える所。❷〔ある目的を達するために〕しばらくとどまる所。〔行動の〕根拠地。「駅前の旅館を―にして近郊を歩き回る」［同］①②あしどまり。

あし-ついで【足▽序で】 出かけたついで。「―に立ち寄る」

あし-つき【足付き・脚付き】 ❶器物に足がついていること(もの)。❷〔歩いたりするときの〕足の運び方。

あ

足どり。

あし-つぎ【足継ぎ】①さらに高い所にとどくように脚部をつぎたす・こと(もの)。②踏み台。 表記 ②はふつう「足つき」と書く。

あじ-つけ【味付け】《名・自サ》味をつけること。また、つけられた味。「ーを見る」「ーのり」

あし-で【×葦手】「あしで書き」の略。アシが乱れ生えているような形に、字体をくずして書くこと。また、そのように書いたもの。参考 色紙に和歌などを書くときに用いた。

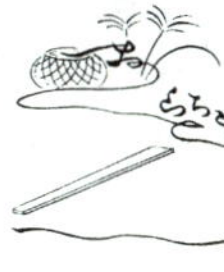
葦手

アジテーション↓アジ。▽agitation

あしで-まとい【足手×纏い】《名・形動》物事をするとき(手足にからみつくように)じゃまになる・こと(人)。あしてまとい。「子供がーになって動けない」注意「手足まとい」は避けたい。

アジト 左翼運動・労働運動などの扇動指令本部。また、グループなどの秘密集会所。隠れが。参考「ロシア agitpunkt」の略か。

アシドーシス 新陳代謝の機能に障害があって、血液中の酸とアルカリのバランスがくずれ、血液が酸性になる症状。酸毒症。アチドージス。対 アルカローシス。▽Acidosis

あし-どめ【足留め・足止め】《名・他サ》①外出を禁じること。禁足。また、移動できないようにすること。「ーを食う」②染色のむらを防ぐこと。

あし-とり【足取り】相撲の技で、相手の足を両手でかかえて倒しまたは土俵外に出すもの。なみまくら。いっすんぞり。

あし-どり【足取り】①(歩くときの)足の運び方。足つき。「ふらついたー」類語 歩調。②(犯人などの)歩いた道すじ。「ーをたどる」「ーをつかむ」「ー捜査」③取引相場の高低のぐあい。「ー表」

あじ-な【味な】《形容動詞「味」の連体形》↓味④。

あしなが-ばち【脚長×蜂・足長×蜂】スズメバチ科の昆虫。黄色と黒褐色のしまがあり、脚が長い。ハスの実のような形の巣を作る。

あし-なみ【足並み】①(二人以上の人が、いっしょに歩いたり走ったりするときの)足のそろい方。「ーが乱れる」②多くの人の考え方や行動のそろい方。「春闘のーがそろう」「野党共闘のーが乱れる」類語 ①②歩調。

あし-ならし【足慣(ら)し・足×馴(ら)し】《名・自サ》①(競技や登山などにそなえて)足をきたえること。足固め。②準備行動。「入試のー」

あし-ば【足場】①足をかける所。②高い所で作業をするために、丸太などを組んで作る、足を踏みかけるもの。あしがかり。「ーを組む」③物事をするときの(精神的な)よりどころ。「出世のーを失う」「海外進出のーを築く」類語 手づる。④交通の便。「ーがよい」

あし-ばや【足早・足速】《形動》歩く足の運び方が速いこと。「ーに立ち去る」

あし-はら【×葦原】アシが生い茂っている野原。葦原。

あしはら-の-みずほのくに【ーの×瑞穂の国】「日本国」の古称。参考「アシが茂り、穀物が豊かにみのる国」の意。

あし-はらい【足払い】柔道で、足で相手の足をはらって倒すわざ。あしばらい。「ーをかける」

あしび【▽馬▽酔▽木】↓あせび。

あしひき-の【足引(き)の】《枕》「山」「を(峰)」にかかる。参考 後世「あしびきの」とにごる。

あし-びょうし【足拍子】足を動かしてとる拍子。「ーをとって歌う」対 手拍子。

あし-ぶえ【×葦笛】アシの葉をまるめて作った笛。よしぶえ。類語 草笛。

あし-ぶみ【足踏み】《名・自サ》①立ちどまったまま両足をかわるがわる上げ下げして地を踏むこと。②物事が進展しないで同じ状態であること。「株価はー状態だ」類語 停滞。停頓。

あし-べ【×葦辺】(川などの)アシの生い茂ったあたり。

あし-まかせ【足任せ】①目的地をきめず、気のむくままに歩くこと。「ーの気楽な旅」②足の力が続くかぎり歩くこと。

あし-まめ【足▽忠▽実】《名・形動》めんどうがらずに出歩くこと。「ーに図書館に通う」類語 手まめ。

あし-まわり【足回り】①足のまわり。あしもと。②自動車などの車輪部分やその周辺装置。

あじ-み【味見】《名・他サ》少し食べたりのんだりして、味のぐあいをしらべること。

あし-もと【足元・足下・足▽許】①立っている(歩いている)足の近く。「ーに気を配る」②身近なところ。「ーに忍び寄る不幸」「ーに火が付く(=危険が自分の身に迫るたとえ)」③置かれている立場・状態。「ーを見る(=人の弱みにつけこむ)」「ーを固める」④歩くときの足のすすめぐあい。歩きぶり。「ーがふらつく」

ーから鳥が立・つ《句》①手近なところで思いがけない事件が起こる。②急に思いたって物事を始める。

ーの明るいうち《句》①日の暮れないうち。②自分の立場が不利にならないうち。「ーに手を引く」

ーへも寄り付けな・い《句》あまりすぐれていて、とても及ばない。全然比べものにならない。参考「足元にも及ばない」「足元にも追いつかない」なども。

あじゃり【×阿×闍×梨】(仏)①徳が高く、師とあがめるべき、えらい僧。②天台宗・真言宗で、宣旨によって任じられる僧職。また、その位を得た僧。参考 梵語 ācārya(=軌範師)の音訳。=あざり。

あし-ゆ【足湯・脚湯】ひざから下を湯につけること。脚湯。「ーを使う」類語 腰湯。

あ-しゅ【亜種】生物分類学上の単位の一つで、種の下の位。おもに、同一種の中で、ある集団が他の集団と一定の差をもつときに用いる。

あしゅら【×阿修羅】古代インドの神。仏教では仏法の守護神。バラモン教では嫉妬心や猜疑心が強く、戦いを好む悪神。修羅。参考 梵語 Asura の音訳。

あし-よわ【足弱】《名・形動》歩く力の弱い・こと(人)。「ーの老人」

あしらい ①もてなすこと。取り扱い。待遇。(接尾語的にも用いる)「客のーは気骨が折れる」「人ー」②とりあわせ。配合。「フライのーにパセリを使う」

あしら・う《他五》①取り扱う。応対する。受け答えする。②相手をばかにしたり、軽くみたりしていい加減に扱う。「鼻でー・う」③(美しく)とりあわせる。配合する。「刺身にミョウガをー・う」文《四》。

アジ・る《他五》(俗)扇動する。「激しく群衆をー・る」参考「アジテーション」の略「アジ」を動詞化した語。

あ-じろ【▽網代】①(「あみしろ」の転。「あみの代わり」の

あ

意》❶竹や柴(しば)を編んで川に立てつらね、末端に簀(す)をおいて魚をとらえるしかけ。❷竹・ヒノキなどをうすく細くけずり、斜めまたは縦・横に編んだもの。垣根・天井などに用いる。

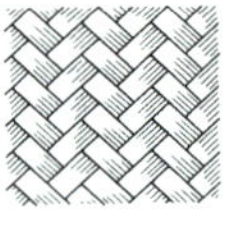
網代②

あじ‐わい【味わい】(あぢはひ) ❶食物のうまみ。風味。類語 味。❷物事のおもしろみ。趣。妙味。「―のある随筆」

あじ‐わ・う【味わう】(あぢはふ)《他五》❶飲食物の味をみる。味をためす。また、味のよさを楽しむ。「珍味を―・う」❷物事のおもしろみや意味を感じとる。鑑賞する。玩味(がんみ)する。「名詩を―・う」❸苦しさ・楽しさなどを感じとる。体験する。「人世の悲哀を―・う」注意「味合う」「味あう」は誤り。文《四》。

あし‐わざ【足技・足業】❶相撲の内がけ、柔道の大外がりなど、足を使って相手を倒す技。❷→足芸。表記 多く、①は「足技」、②は「足業」と書く。

あす【《明日》】❶今日の次の日。あした。明日(みょうにち)。❷近い将来。「―は我が身」「―をも知れぬ命」

あすか【▽飛▽鳥】❶「飛鳥時代」の略。聖徳太子の摂政(せっしょう)時代。六世紀後半から七世紀中ごろまで。仏教美術が栄えた。❷「飛鳥地方」の略。大和(やまと)朝廷のあった現在の奈良県明日香(あすか)村付近の地域。寺院や古墳などの遺跡が多い。

あずかり【預(か)り】(あづかり) ❶預かること。特に、預かったことを証明する書き付け。預かり証。❷〔相撲などで〕勝負が長びいて、勝ち負けがつかないとき、勝負の決定をしないでおくこと。「この一番は―にする」

あずかり‐しらな・い【▽与り知らない】(あづかり―)《連語》かかわりあいがない。関知しない。「私の―・いことだ」

***あずか・る【▽与る】**(あづかる)《自五》❶かかわりをもつ。関係する。関与する。「この仕事の成功には彼の努力が大いに―・っている」❷〔相談や分配の〕仲間に加わる。「分け前に―・る」❸〔好意・恩義などを〕受ける。こうむる。「おほめに―・る」「おたずねに―・って恐縮です」表記 ③は「預かる」とも書く。文《四》。

***あずか・る【預かる】**(あづかる)《他五》❶〔人から・頼まれた〕〔任せられた〕ものの〕保管や世話をする。「荷物を―・る」類語 (する)受託。❷〔めんどうな〕物事の処理などを任せられて引き受ける。「台所を―・る」❸引き受けて保留にしておく。「発表を―・る」❹勝負の中に入ってその取りさばきを任せられる。「けんかを―・る」❺勝ち負けをきめずにおく。「勝負を―・る」文《四》。

あずき【《小豆》】(あづき) マメ科の一年草。夏、ちょう形の黄色い花を開く。長さ一〇センチぐらいのさやの中に、七〜九個の暗赤色・白色などの種を結ぶ。種は、あん・和菓子の材料にするほか、赤飯などに使う。

あずけ【預け】(あづけ) ❶あずけること。〔ふつう他の語につけて使う〕「―物」「―主(ぬし)」❷〔お―〕犬の前に食べ物をおき、許しをだすまで食べさせないこと。転じて、計画や約束だけで、物事の実行が中止されている状態。「旅行はお―を食っている」❸江戸時代の刑罰で罪を犯した者を大名・寺・親族などに預けて禁固したもの。

あず・ける【預ける】(あづける)《他下一》❶人に頼んで、物の保管や世話をしてもらう。「貴重品を―・ける」類語 預け入れる。託する。(する)供託。寄託。❷〔相手に〕体をもたせかけるようにする。また、相手のなすままにしておく。「体を―・けて寄り倒す」❸〔めんどうな〕物事の処理を人に任せる。「帳場を―・ける」❹勝ち負けの決定を人に任せる。「勝負を―・ける」文 あづ・く《下二》。

アスコット‐タイ 幅の広いスカーフ風のネクタイ。アスコット。参考 英国のアスコット競馬の観客の間で始まった。▽ascot tie

あずさ【×梓】(あづさ) ❶カバノキ科の落葉高木。五月ごろ花を開く。材で弓を作った。よぐそみねばり。❷「きささげ」「あかめがしわ」の別名。中国で版木に使った木。❸版木。「―に上(のぼ)す(=出版する。上梓(じょうし)する)」

あずさ‐ゆみ【×梓弓】(あづさ―) ■《名》アズサの木で作った弓。■《枕》「張る」「射る」「引く」などにかかる。

アスター キク科シオン属の総称。シオン・ヨメナなど。参考 一般に「アスター」とよばれているものはエゾギクのこと。▽aster

アステリスク 〔印刷で〕注釈を要する個所などにつける印「*」。アステリ。▽asterisk (=星印)

アストラカン ❶ロシアのアストラハン地方に産する子羊の毛皮。また、その縮れた毛に似せて織った布地。❷手編み用毛糸の一つ。▽ロシ astrakhan

アストリンゼント 酸性化粧水の一つ。アルコール分が強く皮膚をひきしめる。アストリンゼン。▽astringent (=収斂(しゅうれん)性の)

あす‐なろ【▽翌×檜・▽羅▽漢×柏】ヒノキ科の常緑高木。日本特産。葉はうろこ状で、ヒノキに似る。材は耐湿性に富み、建築材・船舶材。ひば。あすひ。あすなろう。参考「明日(あす)はヒノキになろう」の意。

アスパラガス ユリ科の多年草。葉は退化し、細い茎が広がって葉のようにみえる。初夏に淡黄色の花を開く。若い茎は食用。アスパラ。▽asparagus

アスピリン アセチルサリチル酸の商標名。解熱・鎮痛に使う白色の粉末。▽ドイ Aspirin

アスファルト 原油精製の際に得られる炭化水素を主成分とする黒色の物質。水にとけないので道路の舗装・防水などに使う。土瀝青(どれきせい)。▽asphalt

アスベスト 石綿(いしわた)。▽オランダ asbest ドイ Asbest

あずま【▽東】(あづま)〔古〕❶日本の東部地方。京都から見て東の国のことをいうが時代によって範囲がちがう。㋐逢坂(おうさか)の関以東。㋑遠江(とおとうみ)以東。㋒箱根山以東。関東地方。東国。❷特に、京都からみて、鎌倉(かまくら)・江戸。表記 ①②は「吾妻」「吾嬬」とも書く。

―うた【―歌】古代、東国地方の歌。東国の民謡を母体として方言を使い、素朴な生活感情を歌う。**―おとこ【―男】**(―をとこ)❶〔古〕東国の男子。❷江戸(東京)の男。「―に京女(=男はたくましい関東の男がよく、女はやさしく美しい京の女がよい)」対 京女(きょうおんな) **―くだり【―下り】**昔、京都から東国へ行ったこと。また、特に、鎌倉に行ったこと。海道(かいどう)下り。**―げた【―下▽駄・×吾妻下▽駄】**台に畳表を張った女性用のげた。**―コート【×吾妻コート】**女性が外出するとき、和服の上に着るたけの長い外套(がいとう)。**―や【―屋・▽四×阿】**軒を四方へふきおろし、柱だけで壁のない小屋。庭園の休憩所などに使う。亭(ちん)。

アスリート スポーツ選手。特に、陸上競技の競技者。▽athlete

アスレチック 運動競技。体育。スポーツ。アスレティック。「フィールド―」▽athletic **―クラブ** 体力増強や美容のための会員制組織。アスレティッククラブ。▽athletic club

あせ【汗】❶暑い時や激しい運動をした時などに汗腺(かんせん)

からでる排泄液。体温を調節するはたらきもある。「—を入れる(=一休みする)」［類語］汗水。❷物の表面に一面に生ずる水滴。「やかんが—をかく」

—をか・く《句》❶汗がでる。❷〔食物が古くなって〕表面がべとついてくる。「かまぼこが—・いてきた」

—を流・す《句》❶〔風呂などで〕汗を洗いおとす。❷体を動かして一生懸命に物事をする。

あぜ【×畦・▽畔】 ❶田と田の間に土を盛りあげて作った境。くろ。❷鴨居や敷居の、溝と溝の間のしきり。

アセアン 東南アジア諸国連合。タイ・マレーシア・シンガポールなど一〇か国で構成され、加盟国の経済・社会・文化に相互に協力することや、社会の進歩の推進を目的としてつくられた機構。▽ASEAN(Association of Southeast Asian Nations の略)

あ・せい【亜聖】 聖人に次ぐ理想的な人。また、聖人とされる孔子に対して、孟子や顔回に対する敬称。

あぜ・くら【▽校倉】 角または円形の長材を井桁に組み、積み上げて壁とした倉。ふつう、高床。「—造り」

あせ・じ・みる【汗染みる】《自上一》衣服などが汗でよごれる。「—・みたシャツ」

あせ・しらず【汗知らず】 皮膚につけて汗や水分をすいとらせる粉。［参考］商標名。

アセスメント 〔影響〕評価。査定。↓環境アセスメント。▽assessment

あせ・・する【汗する】《自サ変》汗を出す。汗をかく。また、精を出してつとめる。「額に—・して働く」

あせ・だく【汗だく】《名・形動》〔俗〕ひどく汗をかいているようす。「—で働く」［類語］汗みずく。汗みどろ。

アセチレン 高温と強い光を出して燃える無色の有毒気体。カーバイドに水を加えて作る。溶接・灯火用、または合成樹脂製品の原料。▽acetylene

アセテート 酢酸繊維素を主原料とした半合成繊維。弾力性に富み、軽い。絹のような光沢がある。アセテート人絹。アセテート繊維。▽acetate

あせ・とり【汗取り】 汗をすい取らせるため、肌にじかに着る(和風の)下着。

アセトン アセチレンなどからとれる、無色で特有のにおいのある引火性の液体。ヨードホルム・クロロホルムなどの原料。溶媒としても使う。▽acetone

あせ・ば・む【汗ばむ】《自五》汗でじっとりする。「—・むほどの陽気」

あせび【▽馬▽酔▽木】 ツツジ科の常緑低木。山地に自生。春、つぼ形の小さな白い花が房になってさく。葉は有毒。あしび。［参考］馬などが食べると体がしびれ、酔ったようになることから、「馬酔木」と当てた。

あせ・まみれ【汗▽塗れ】《名・形動》汗でびっしょりぬれるようす。汗みどろ。「—のシャツ」［類語］汗だく。

あせ・みず【汗水】 水のように流れ出る汗。〔苦しい労働の形容に使う〕「—たらして働く」

あせ・みずく【汗▽水漬(く)】《形動》汗でびっしょりぬれているようす。汗みどろ。［表記］現代仮名遣いでは「あせみづく」も許容。

あぜ・みち【×畦道】 細い道になっているあぜ。

あせ・みどろ【汗みどろ】《形動》汗みずく。［類語］汗だく。汗まみれ。

あせ・も【汗×疹・汗×疣】 急にたくさんの汗が出たあと、皮膚にできる小さい湿疹。子供に多い。あせぼ。

*__あせ・る【焦る】__《自他五》〔早く思いどおりにならないかと〕いらいら気をもむ。「—・っても無駄だ」「功を—・って失敗する」［類語］いらだつ。せく。［文］《四》。

*__あ・せる【×褪せる】__《自下一》(「浅す(=海・川などの水が少なくなる)」から)❶〔色・つやなどが〕薄くなって鮮やかさをなくす。さめる。「服の色が—・せる」❷〔器量・熱意などが〕おとろえる。「色香が—・せる」［文］あ・す《下二》。

アセロラ キントラノオ科の低木。熱帯アメリカ原産。サクランボ大の果実は深紅色に熟し、ビタミンCを多く含む。▽スペイン acerola

あ・ぜん【×啞然】《形動タル》あきれてことばにつまるようす。「—として立ち尽くすのみ」

あ・そ・こ【▽彼▽処・▽彼▽所】《代名》(《遠称の指示代名詞》)❶話し手が、自分からも相手からも遠く離れている場所を指し示す語。あの場所。〔相手も知っている〕例の場所。「—に人がいる」「—は今日は休みだ」❷〔傍観せざるを得ない〕あの局面・段階。「病状が—まで進んでいようとは思わなかった」

あそば・す【遊ばす】 ［一］《他五》❶遊ばせる。「子供を—・す」「機械を—・しておく」❷「する」の尊敬語。なさる。〔自動詞的にも使う〕「お嬢様はお琴を—・します」［文］《四》。［二］《補動》(「お」+動詞連用形、(「ご」+)動作性名詞などにつけて)「…する」意の最上の尊敬語。…なさる。〔女性が会話に用いる〕「早くおいで—・せ」「ご覧—・してお喜びでした」［文］《四》。

あそばせ・ことば【遊ばせ言葉】 「ごめんあそばせ」のように、語尾に「あそばせ」をつけて言う、女性のことばづかい。［参考］「あそばせ」は「あそばす」の命令形。

あそび【遊び】 ❶遊ぶこと。「悪い—」「子どもの—」［尊敬］御遊。❷楽しむだけで他に役立たない行い。「前衛映画は監督の—だ」❸酒色にふけったりかけ事をしたりすること。遊蕩。「—がすぎる」❹仕事がなくぶらぶらすること。「きょうは雨で—だ」❺だれたところ。たるみ。「この小説は—が多すぎる」❻物事のゆとり。余裕。「彼の芸には—がある」❼機械の部品と部品の結合部分にあるゆとり。「このハンドルは—が少ない」

あそび・にん【遊び人】 ❶きまった職業をもたず、ばくちなどをして暮らしている人。［類語］ごろつき。ばくちうち。❷遊ぶことの好きな人。また、遊び上手な人。

あそび・ほう・ける【遊び×呆ける・遊び×惚ける】《自下一》夢中になって遊ぶ。

あそ・ぶ【遊ぶ】《自五》❶〔体を動かして〕好きなことをして楽しむ。「おもちゃで—・ぶ」❷仕事や有意義なことをしないでぶらぶらする。「—・んで暮らす」［対］働く。❸酒色にふける。「紅灯の巷に—・ぶ」❹〔場所・道具・機械・労力などが〕有効に使われないでいる。「注文がなく機械が—・ぶ」❺〔文〕ある土地へ行ってそこの風物などを楽しむ。「一日、吉野山に—・ぶ」❻〔文〕他郷に学ぶ。遊学する。「漱石の門に—・ぶ」「フランスに—・ぶ」❼野球で、投手が故意にストライクを避けて、ボールを投げる。「一球—・ぶ」［文］《四》。⇩〔類語と表現〕

類語と表現

「遊ぶ」
＊鬼ごっこをして遊ぶ・よく学びよく遊べ／花街に遊ぶ・遊ぶ金に困る・定年後は遊んで暮らす／一日鎌倉に遊ぶ・留学生としてパリに遊ぶ／手が遊んでいる・遊んでいる土地。

◆楽しむ・戯れる・もてあそぶ・ふざける・遊びほうける・遊

び興じる・遊び戯れる・遊び暮らす・遊興にふける・酒色にふける／（す）（る）遊楽・豪遊・遊興・清遊・来遊・遊覧・周遊・回遊・巡遊・遊歴・漫遊
◇[色々な遊び]砂遊び・水遊び・野遊び・雛(ひな)遊び・川遊び・船遊び・雪遊び・ままごと遊び・悪遊び・夜遊び・色遊び・女遊び・隠れ遊び・大尽遊び／飲む打つ買う
◆副詞句表現 のんびり（と）・のびのび（と）・ゆったり（と）・ゆうゆう（と）・ぶらぶら（と）・こそこそ（と）・嬉々(きき)として・心置きなく・夢中になって・童心に返って

***あだ**【×仇・×寇・▽賊・×讐】《「あた」の転》❶うらみをいだいている相手。かたき。敵。「親の―を討つ」❷うらみ。「―に思う」❸悪意をもった仕打ち。仕返し。「恩を―で返す」❹害をするもの。「親切が―となる」「放言が―をなす（=わざわいする）」

***あだ**【▽徒・▽空】《名・形動》❶むなしいこと。むだ。「せっかくの温情が―になる」❷いいかげんなこと。うわついていること。「―やおろそかに思うな」

***あだ**【×婀×娜】《形動》〔女性の〕なまめかしく美しいようす。色っぽいようす。「―な姿の洗い髪」「―めく」

アダージョ 楽曲の速度を表す標語の一つ。「ゆるやかに」の意。アンダンテよりおそく、ラルゴより速い。アダジオ。▽(イタリア) adagio

***あたい**【価・値】(あたひ) ❶商品のねだん。ね。また、代金。〔やや改まった言い方〕❷ねうち。価値。「千金の―」❸〔数〕文字や式が表す数量。「xの―を求める」表記 ①は「価」、②③は「値」と書く。

***あたい**【▽私】《代名》《「あたし」の転。自称の人代名詞》〔俗〕わたし。〔「あたし」よりくだけた、方言的な言い方で、多く女の子が使う〕

あたい・する【値する・価する】(あたひ―)《自サ変》❶〔あるもののねうちに〕相当する。「賞賛に―・する」「罪は万死に―・する」❷〔あることをする〕ねうちがある。「一読に―・する」

あた・う【▽能う】(あたふ)《自五》〔文〕できる。可能である。「感嘆おく―・わず（=感嘆しないではいられない）」参考 (ア)古くは打ち消しの語を伴って用いられたが、外国語の訳語にあてるところから最近では打ち消しの語を伴わなくても用いる。「―・う限り頑張るつもりです」(イ)終止形・連体形では、発音は「アトー」となることが多い。その場合現代かなづかいでは「あとう」と書く。注意「あたうる限り」とするのは誤り。

あだ・うち【×仇討（ち）】《名・自サ》昔、自分の主君・肉親などを殺した人を仕返しに殺してうらみをはらすこと。かたきうち。「―を遂げる」類語 報復。復讐(ふくしゅう)。文《四》。

あた・える【与える】(あたへる)《他下一》❶自分が所有している物を他人に渡してその人の物とする。また、自分の支配下にあるものを他人に渡してその人の自由に任せる。くれてやる。授ける。〔やや形式ばった、また、もったいぶった場合に使う〕「握り飯を―・える」尊敬 賜う。丁寧 上げる。❷もたせる。「仕事を―・える」「―・えられた（=問題として提出された）直線AB」❸〔損害・恥・恩義などを〕被らせる。「被害を―・える」「衝撃を―・える」文 あた・ふ《下二》。

あだ・おろそか【▽徒▽疎か】《形動》《下に多く打ち消しの語を伴う》いいかげん。なおざり。あだやおろそか。「この御恩―には致しません」

あたかも【×恰も・×宛も】《副》❶《多く、下に「…のよう」の意を表す語を伴う》まるで。さながら。「―黄金のように輝く」「―死せるがごとし」❷ちょうど（その時）。「時―春爛漫(らんまん)のころ」参考 ①②とも美文調の言い方。「あだかも」とも。

―よし【―▽好し】《連語》（そのうえ）ちょうどよいことに。「時―」

あたくし【▽私】《代名》《「わたくし」の転。自称の人代名詞》〔俗〕わたくし。〔「あたし」より丁寧で、「わたくし」よりはくだけた言い方。おもに女性が使う〕

***あだ・ごと**【▽徒事】〔文〕意味のないつまらぬこと。はかない事柄。「―にうつつを抜かす」

***あだ・ごと**【▽徒言】〔文〕誠意のないことば。

あだ・ざくら【▽徒桜】〔文〕散りやすい桜。参考 はかないもののたとえに用いる。

あたし【▽私】《代名》《「わたし」の転。自称の人代名詞》〔俗〕わたし。〔「わたし」よりくだけた親しみのある言い方で、おもに女性が使う〕

あたじけ・な・い《形》〔俗〕けちである。しわい。また、貧弱である。「安い会費の―・い会」

あだし・ごころ【▽徒し心】〔文〕浮気な心。

あたたか【暖か・温か】《形動》❶〔物の温度が〕冷たくなくてちょうどいいようす。「母の手は―だ」❷〔気温が〕寒くなく気持ちがいいようす。〔服などを着たときの感じにもいう〕「―な日ざし」「毛皮のオーバーは―だ」❸情がこもっているようす。愛情があるようす。「―な心」「―なまなざし」❹〈「懐(ふところ)が―だ」の形で〉使ってもよい金銭が豊かにある。⇩〖使い分け「あたたかい」〗

あたたか・い【暖かい・温かい】《形》《「あたたか」が形容詞化した語》❶〔物の温度が〕冷たくなくて、気持ちがいい。「―・い御飯」「―・い息」対 冷たい。❷〔気温が〕寒くなくて、気持ちがよい。〔服などを着たときの感じにもいう〕「―・い春の日」「―・いコート」参考 季節に適した言い方として、春は「暖かい」、夏は「暑い」、秋は「涼しい」、冬は「寒い」という。❸好意が感じられる。愛情がある。「思いやりのある―・いことば」「―・い家庭に育つ」対 冷たい。❹〈「懐(ふところ)が―・い」の形で〉使ってもよい金銭を十分にもっている。対 寒い。文 あたたか・し《ク》。⇩〖類語と表現〗〖使い分け〗

類語と表現
「暖かい・温かい」
＊日ざしが暖かい・今年の冬は暖かい・暖かい風・温かい飲み物・暖かい色調・居間を暖かくする・温かい目で見る。
◆あったかい・温暖・温和・うらら・うららか・ぬるい・ぬくい・生ぬるい・生あったかい・微温的／ぬくみ・ぬくもり・陽気・春風駘蕩(しゅんぷうたいとう)
◆副詞句表現 ほかほか（と）・ぽかぽか（と）・ぬくぬく（と）

使い分け
「あたたかい・あたたかだ」
温かい〔熱くも冷たくもなく気持ちのよい〕温かい御飯・温かい家庭・温かいもてなし・温かい心・懐が温かい
暖かい〔暑くも寒くもなく気分のよい〕暖かい気候・暖かい冬の日差し・暖かい部屋・暖かい布団
参考「温」は、触感ならびにそれに類する抽象的な事柄に使う。「暖」は、気象・気温に使う。形容動詞「温かだ・暖かだ」も同様に使い分ける。→あたたまる

あたたま・る【暖まる・温まる】《自五》❶〔温度・気温などが高くなって〕あたたかになる。ぬくもる。ぬくまる。「ふろに入って―・る」「空気が―・る」類語 暖(ぬく)んだをと

る。対冷える。❷情けにうたれる。愛情が豊かに感じられる。「心の—る話」❸〈「懐(ふところ)が—る」の形で〉金銭が豊かになる。文《四》。⇩〔使い分け〕

使い分け　「あたたまる・あたためる」

温まる〔熱くも冷たくもなくほどよくなごむ。情けにうたれる〕体が温まる・ストーブで温まる・心温まる話・懐が温まる

暖まる〔気温や温度がほどよく上がる〕部屋が暖まる・暖まった空気

温める〔冷たさをやわらげる。自分の手元におく〕スープを温める・鳥が卵を温める・旧交を温める・構想を温める

暖める〔温度をほどよく上げる〕室内を暖める

参考 ほどよい温度や雰囲気、性質のなごやかさに「温」、気温や温度に「暖」と一応の区別はできるが、『異字同訓』の漢字の用法」(国語審議会)では、一般に「温かい心」とするところを「暖かい心」と示すなど、その使い分けには微妙なところがある。➡あたたかい

あたた・める【暖める・温める】《他下一》❶〔温度を高くして〕あたたかにする。ぬくめる。「スープを—める」類語 熱する。対 冷やす。❷〈「旧交を—める」の形で〉〔絶えていたつきあいなどを〕もとのようにする。❸〔物事を同じ状態に保ったり完全なものにしたりするため、公にせず〕自分の手もとにおく。「構想を—める」❹〔俗〕こっそり自分のものにする。「公金を—める」文 あたた・む《下二》。⇩〔使い分け「あたたまる・あたためる」〕

アタック《名・他自サ》攻撃すること。また、挑戦すること。特に、登山で、登攀(とうはん)するのに困難な山頂や岩場にいどむこと。「冬山を—する」▽attack

アタッシェ-ケース〔「アタッシェ」は大・公使館員の意〕厚さ五㌢前後の小さな角型の手さげかばん。アタッシュケース。▽attaché case

アタッチメント 機械・器具などの付属品。特に、カメラに取り付ける補助レンズ。▽attachment

あだ-っ-ぽ・い【×婀×娜っぽい】《形》〔女性の顔や姿が〕なまめかしい。いろっぽい。「—い姿態」

***あだ-な【▽徒名・×仇名】**〔文〕男女関係についてのうわさ。浮名。「—が立つ」

***あだ-な【×渾名・×綽名・×諢名】**人の特徴を表した、本名のほかにつけて呼ぶ名まえ。ニックネーム。表記「仇名」と書くこともある。類語 通称。愛称。

あだ-なさけ【▽徒情け・×仇情け】その場かぎりのはかない恋。かりそめの情事。「ぬしと一夜(ひとよ)の—」

あだ-なみ【▽徒波・×仇▽浪】〔文〕風も吹かないのにいたずらに立つ波。参考 変わりやすい心や、うわついた行いのたとえに用いる。「夫婦の間に—が立つ」

あだ-ばな【▽徒花】❶咲いても実を結ばない花。むだ花。参考 実質・実効を伴わないもののたとえにも用いる。「美挙が—に終わる」❷咲いてすぐ散ってゆく花。参考 主に、桜についていう。また、はかない恋のたとえに用いる。

あた-ふた《副》〔「—と」の形も〕あわてていそがしく行動するようす。「—と立ち去る」類語 倉皇(そうこう)。

アダプター 機能をふやしたり、調節したりするためにとりつける器具。▽adapter

あたま【頭】❶人や動物の首から上の部分。特に、顔をのぞいた、内部に脳を含む部分。かしら。こうべ。「—が痛い(=頭痛がする。また、心配して悩む)」「—が下がる(=感服する)」「彼は—が低い(=へりくだった丁寧な態度をとる)」「—を抱える(=非常に悩む)」「—を丸める(=髪をそって出家する)」❷物の上部・てっぺん。また、物の先端。「鼻の—」❸髪の毛。「—をかる」❹頭脳・心のはたらき。ものの考え方。心。「—が古い」「—を悩ます」❺順序の一番目。また、いちばん上に立つ人。かしら。「列の—から三番目」❻人の数。人数。頭数。「客の—は二〇人ほどだ」⇩〔類語と表現〕

—が上がらな・い《句》❶〔勢力や権力におされたり、ひけめがあったりして〕対等になれない。「先輩には—い」❷病気が重く寝たきりである。

—隠して尻(しり)隠さず《句》悪事・欠点の一部を隠して全部を隠したつもりでいるのをあざけったことば。

—から水を掛けられたよう《句》思いがけないぶきみなことにであって、ふるえあがることの形容。「頭から水を浴びたよう」とも。

—から湯気を立・てる《句》非常に怒っているようすの形容。「—てて怒る」

—に来る《句》〔俗〕〔怒り・悲しみ・不満などのために〕平常心を失う。また、非常にしゃくにさわる。

—の上の蠅(はえ)も追えな・い《句》自分自身の始末さえできないたとえ。「頭の上の蠅も追われない」とも。

—の黒い鼠(ねずみ)《句》その家にすんでいながらその家の物をぬすんだりする、油断のできない人のたとえ。

—の天辺(てっぺん)から足の爪先(つまさき)まで《句》体の最上部から最下部まで。また、全体にわたっているようす。すっかり。全部。「—新興宗教にこりかたまっている」

—を下・げる《句》❶おじぎをする。「深々と—げる」❷あやまる。降参する。❸感心して尊敬する。

—を突っ込・む《句》❶頭(前部)がめりこむ。❷かかわりを持つ。首を突っ込む。「鳥類の研究に—む」

—を撥(は)・ねる《句》人に与えるべき利益の一部を自分のものにする。上前(うわまえ)をとる。ピンはねする。

—を擡(もた)・げる《句》❶〔隠れていたことが〕表面に出てくる。「疑問が—げる」❷勢力をもってくる。台頭する。「新興宗教が—げてくる」

類語と表現　「頭」

*頭をかく・頭を下げる・頭をなでる・頭をなぐる／つくしが頭を出す・釘(くぎ)の頭を打つ／頭がいい[悪い]・頭が固い・頭を使う・頭を切りかえる／頭から否定してかかる。

◆頭(かしら)・頭(ず)・かぶり(=かむり)・つむり(=つぶり)・おつむ・頭部・前頭(部)・後頭(部)・側頭(部)・頭頂(部)・脳天／石頭・金槌(かなづち)頭・才槌(さいづち)頭・毬栗(いがぐり)頭・慈姑(くわい)頭・胡麻塩(ごましお)頭・白髪(しらが)頭・散切(ざんぎり)頭・禿頭(はげあたま・とくとう)・坊主頭・丸坊主・くりくり坊主・白頭・髪・頭髪／脳・大脳・小脳・頭脳・脳細胞・前頭葉・側頭葉・後頭葉・知能・知力・考え／首(くび)・首(こうべ)・首級(しゅきゅう・しるし)・生首

あたま-うち【頭打ち】❶相場がそれ以上あがる見込みのない状態。頭打(ずう)ち。❷それ以上のぼる見込みのないこと。「生産高は—の状態だ」

あたま-かず【頭数】人数。「—をそろえる」注意「とうすう」と読めば別の意。

あたま-かぶ【頭株】仲間の上にたつ人。おもだった人。かしらぶん。

あたま-から【頭から】《副》〔細かい点をよく考えない

で〕最初から。のっけから。てんから。「ー信用しない」

あたま‐きん【頭金】買い取り契約を結ぶ際に、買い主が売り主に支払う手付金。

あたま‐ごし【頭越し】❶他人の頭の上を越してある物事をすること。❷あるものに直接働きかけて、その中間のものを無視すること。「ーの外交」

あたま‐ごなし【頭ごなし】相手の言い分をきこうともせず最初からおさえつけること。「ーにしかりつける」

あたま‐だし【頭出し】《名・他サ》録音・録画テープやCDなどで、必要箇所の最初の部分を探し出すこと。

あたま‐でっかち【頭でっかち】《名・形動》❶からだに比べて頭が大きくふつりあいな・こと(人)。❷上部が下部に比べて大きい・こと(もの)。❸知識だけが豊かで実行がともなわない・こと(人)。「ーな大学生」

ー**尻**(しり)**つぼみ**《句》始めは勢いが盛んで、終わりはだらしなくなること。竜頭蛇尾(りゅうとうだび)。

あたま‐わり【頭割り】〔金や品物を〕人数に応じて平等にわりあてること。「費用をーにする」[類語]割りかん。

アダム〔旧約聖書で〕神エホバが最初に造った男性。[対]イブ。▽Adam

あたら【▽可▽惜】■一《連体》〔古〕おしむべき。もったいない。「ー夜」「ー身命(しんみょう)」■二《副》〔文〕もったいないことに。おしくも。あったら。「ー若い命を散らす」

あたらし・い【新しい】《形》❶〔物ができてから、また物事が始まってから〕あまり時間がたっていない。「ー・い家」❷〔野菜・魚などがとれたてで〕生き生きしている。「魚がー・い」❸今までにそういうものがなかった。はじめてのものだ。「ー・い企画」❹〔今までになく〕現代的・進歩的である。「考えがー・い」[対]①〜④古い。[文]あたら・し《シク》。⇩〔類語と表現〕

ー**い酒を古い皮袋に盛る**《句》新しい内容を古くからある形式の中におさめる。[参考]「内容も形式もともに生きない」意に多く用いる。〈新約聖書・マタイ伝九〉

あたらず‐さわらず【当たらず障らず】(ーさはらず)《連語》どこかにさしさわりのあるような言動をさけて、どっちつかずの態度をとるようす。「ーの生返事」

あたら‐な・い【当たらない】《連語》➡当たる■一⑩。

***あたり**【当(た)り】■一《名》❶当たること。命中。的中。[表記]「命中」「的中」の意では、「中り」と書くこともある。❷〔物事の結果が〕希望どおり、予想どおりになること。また、催しなどが成功し、好評を博すること。「ーをとる」[対]①②はずれ。❸およその見当。「犯人のーをつける」❹ふれたとき、または相対したときの感じ。「ーの柔らかい人」❺〔野球などで〕打った球のぐあい。また、打撃の調子。「強いー」「ーがとまる」❻碁で、あと一手で相手の石がとれる状態。❼つりで、魚がえさにさわること。[表記]⑦は「魚信」とも当てる。■二《接尾》❶…に中毒すること。…によって体がそこなわれること。「食ー」「暑気ー」[表記]ふつう「中り」と書く。❷…について(の割合)。「一戸ー二〇〇円の寄付」

***あたり**【辺り】❶あるものに近い所・範囲。また、その周囲一帯。「肩のーが痛い」「威風ーを払う(=まわりの人を圧倒する)」[類語]付近。周囲。❷時・場所・人物などの大体を表す語。〔具体的な例につけて接尾語的に使う〕「来年ー」「彼ーが適任だ」[類語]頃(ころ)。など。

> **類語と表現**
>
> 「新しい・古い」
>
> *新しい野菜・新しい洋服・新しい発明・新しい法律・新しい考え方・記憶に新しい事件・新しく事業を興す／古いパン・古い靴・古い建物・古い制度・古い思想・古い手を使う。
>
> ◆[新しい]新た・真新しい・生新しい・目新しい・耳新しい・事新しい・瑞々(みずみず)しい・生々(なまなま)しい・今様・今出来・今日的・現代的・モダン・最新・新規・新奇・新鋭・新進(気鋭)・斬新(ざんしん)・新来・新任・生新・清新・新鮮・生鮮・フレッシュ・朝摘み・出来立て・鮮度が高い／新人・新顔・新米・ニューフェース・フレッシュマン・ルーキー／(〜する)一新・更新・刷新・改新・新作・新造・新生・新製・新設・新選・新着・新築・新調
>
> ◆[オノマトペ]ぱりぱりの・ほかほかの・ほやほやの・ぴかぴかの・ぴちぴちした
>
> ◆[古い]古臭い・古めかしい・古びた・黴(かび)臭い・黴の生えた・ひねた・歴史的・年代的・年代物・時代がかった・時代物の・大時代の・伝統的・時代[流行]遅れの・すたれた・昔の・昔風・古風・古色蒼然(そうぜん)・陳腐・旧式・古式・旧態依然・十年一日・使い込んだ・ぼろ・おんぼろ・ぽんこつ・中古・骨董(こっとう)／古参・古豪・ベテラン・オールドボーイ・古つわもの・古狸(ふるだぬき)
>
> ◆[オノマトペ]がたがたの・よれよれの・ぼろぼろの

あたり‐げい【当(た)り芸】俳優などが演じて、非常に好評を得た芸。

あたり‐さわり【当(た)り障り】(ーさはり)他のものを刺激するような影響。さしさわり。「ーのない意見」

あたり‐ちら・す【当たり散らす】《自五》〔不愉快なことがあって〕関係のないまわりの人につらく当たる。八つ当たりする。「女房にー・す」

あたり‐どし【当(た)り年】❶作物(特に果実)のみのりのよい年。「イチゴのー」[類語]豊年。❷よいことの多い年。また、幸運にめぐまれた年。

あたり‐ばこ【当(た)り箱】すずり箱。[参考]商家で「磨(す)る」が財産などをするに通じるのを嫌って言った。同種のことばに「当たり鉢(ばち)(=すり鉢)」「当たり棒(=すりこぎ)」「当たりめ(=するめ)」などがある。

あたり‐ばち【当(た)り鉢】すりばち。[参考]➡当たり箱。

あたり‐まえ【当(た)り前】(ーまへ)《形動》❶特に変わったことがないこと。普通。「ごくーの人」❷そうあるべきこと。当然。「おこるのがーだ」[類語]至当(しとう)。順当。[参考]「当然」の誤記「当前」を訓読みにした語。

あたり‐め【当(た)りめ】するめ。[参考]➡当たり箱。

あたり‐や【当(た)り屋】❶〔相場・かけごとなどで〕運がよくてよくもうける人。❷野球で、安打をよく打つ打者。❸〔俗〕走っている自動車にわざとぶつかって、見舞金や賠償金などをだましとる人。

あたり‐やく【当(た)り役】ある俳優が演じて、好評を得た役。[類語]はまり役。適役。

あた・る【当(た)る】■一《自五》❶ぶつかる。ぶっつかる。「しぶきが顔にー・る」[類語]かち合う。(〜する)鉢合わせ。衝突。追突。❷ふれる。さわる。「荷物の角が足にー・って痛い」❸〔光・熱・雨などが〕及ぶ。及ぶ範囲にいる。「日がー・る」「ストーブにー・る」❹〔任務として〕ひきうける。従事する。「外部との折衝にー・る」❺小言を言ったり、いじめたりする。つらいめにあわせる。「部下にー・る」❻さぐりをいれる。それとなく交渉する。「引き受けるかどうかー・ってみる」❼〔あるものと〕照らし合わせてたしかめる。調べる。「原典にー・る」❽〔ある時・場合などに」であう。直面する。「出発に―・って一言注意する」表記⑧は、ふつうかな書き。❾正しくあてはまる。相当する。該当する。「その非難は―・らない」「漢字が―・る」❿〈「…するに(は)―・らない」の形で〉…する必要はない。…するにおよばない。「遠慮するには―・らない」⓫…という間柄にある。「義理の弟に―・る」⓬たちむかう。「力を合わせて敵に―・る」⓭…の方向にある。「家から西に―・る山」⓮〔順番などが〕まわってくる。わりふられる。「そうじ当番に―・る」⓯ねらったとおりになる。命中する。的中する。「弾丸が―・る」「予報が―・った」表記⑮は「中る」とも書く。類語(るす)必中。⓰よい結果になる。うける。成功する。「今年はスイカが―・った」⓱〔くじなどで〕金銭・品物などをもらう。「抽せんで一等に―・った」⓲〔暑さ・食物などが〕体にさわる。中毒する。「暑さに―・って寝こむ」表記⑱は、ふつう「中る」と書く。文《四》。⇩〖使い分け〗

❷《他五》「剃(そ)る」「こする」「磨(す)る」などの忌みことば。「ひげを―・ってもらう」「墨を―・る」参考 商家で「する」が財産などをするに通じることを嫌って言う。文《四》。

―って砕けよ《句》成功するかしないかわからないが、思いきってやってみよ。当たって砕ける。

―らずと雖(いえど)も遠からず《句》予想や推測がぴたりと当たってはいないが、だいたい正しい。〈大学〉

―るも八卦(はっけ)当たらぬも八卦《句》うらないは当たることもあるし、外れることもあるということ。

―るを幸い《句》手に当たるのを幸いに。手当たり次第に。「―敵を投げとばした」

使い分け「**あたる・あてる**」

当たる(▽中)〔ふれる、相対する、あてはまる、命中するなどの意で、一般に広く〕ボールが当たる・原典に当たる・任に当たる・罰が当たる・辛く当たる・当番に当たる・衝(しょう)に当たる・商売が当たる・予報が当(中)たる・的に当(中)たる

あたる(▽中)〔体にさわる。中毒になる〕暑さにあたる・フグにあたる

当てる(▽中・×宛)〔ある物にふれる、くっつける、成功するなどの意で、一般に広く〕胸に手を当てる・日光に当てる・継ぎを当てる・的に当(中)てる・漢字を当(宛)てる・株で当てる・仲のよさに当てられる

充てる〔充当する。わりあてる〕小遣いに充てる・余暇を読書に充てる

あてる(×宛)〔…に出す〕兄にあてた手紙・あて名

参考「…するに当たって」の場合は、かな書きにすることもある。

アダルト おとな。成人(向けであること)。「―ファッション」「―ビデオ」▽adult **―チルドレン** ❶成人してからも子供っぽくて、対人関係がうまく保てない人。❷アルコール依存症や薬物依存症などの親のもとで育ち、精神的後遺症に悩む人。略称AC。▽adult children

あたわ-ず【▽能わず】《連語》〔文〕できない。不可能である。「賞賛おく―」参考↓能(あた)う。

あ-たん【亜炭】炭化の程度が低い、下等な石炭。熱量が少ない。亜褐炭。

アチーブメント-テスト 児童・生徒の学習した結果を〔客観的に〕判定するテスト。学力検査。アチーブ。▽achievement test

あち-こち【▽彼▽方×此▽方】❶《代名》いろいろの場所をさす語。あちらこちら。あっちこっち。ほうぼう。〔副詞的にも使う〕「―で見られる風習」❷《名》物事がくいちがうこと。順序が入り乱れること。あちらこちら。あっちこっち。「話が―になる」

あちゃらか 深い意味もない、こっけいなせりふやしぐさで笑わせる低俗な芝居。どたばた喜劇。ナンセンス喜劇。「―喜劇」「―趣味」参考 西洋風の現代趣味を意味した「あちら(=西洋)化」からという。

アチャラ-づけ【アチャラ漬(け)】大根・カブ・レンコン・ゴボウなどをうすく切り、砂糖・塩などにトウガラシを加えた酢につけたもの。参考「アチャラ」はペルシア語acharで、ポルトガル語を通して入った。表記「阿茶羅」と当てた。

あち-ら【▽彼▽方】❶《代名》❶《遠称の指示代名詞》㋐話し手からも相手からも遠く離れた場所の方向をさす。あの方向。「―に見えるのが槍(やり)ケ岳」㋑あちら㋐に当たる場所をさす。あの場所。あそこ。「―は日かげです」㋒遠くの方にある物をさす。あれ。「―を下さい」参考㋐「あそこ」「あれ」より敬意が強い。㋑①の㋐～㋒は「あっち」ともいうが、「あっち」より丁寧な言い方。❷《他称の人代名詞。遠称》ある特定の人をさす。あの人。あの方。「―はどなたですか」注意 ②は、ふつう「あっち」とは言わない。また、「あの人」より敬意が強い。❷《名》❶外国。特に、欧米諸国。「―の生活様式」❷あの世。冥土(めいど)。参考❷は「あっち」より丁寧な言い方。**―こちら**【―×此▽方】❶《代名》あちこち❶。❷《名》あちこち❷。

―立てれば此方(こちら)が立たぬ《句》〔一方によいように計らうと、他方に悪くなる意〕物事の両立しがたいたとえ。

あつ【圧】押さえつける力。圧力。「―を加える」

あっ《感》驚いたり、深く感動したりしたときなどに発する語。あ。「―、しまった」

―と言う間《句》非常に短い時間のたとえ。

―と言わ・せる《句》驚かせたり、感心させたりする。「世人を―・せた大発明」

あつ-あげ【厚揚(げ)】豆腐を厚めに切って、油でさっと揚げたもの。生揚げ。

あつ-あつ【熱熱】《形動》〔俗〕❶非常に熱いようす。❷〔夫婦・恋人などが〕熱愛しているようす。「―の仲」

*__あつ・い__【厚い】《形》❶一つの面から反対側の面までのへだたりが大きい。「―・い壁」「―・い紙」「面(つら)の皮が―・い(=あつかましい)」類語 分厚。厚手。厚ぼったい。❷真心・好意・恩恵などの程度がはなはだしい。「友情に―・い人」「労に―・く報いる」類語 深い。懇(ねんご)ろ。深甚(しんじん)。深厚。懇篤(こんとく)。❸あることに対する気持ちが強い。特に、信仰心が深い。「神を―・く信じる」対 ①～③薄い。❹病気が重い。「―・い病の床につく」文 あつ・し《ク》。⇩〖使い分け〗

*__あつ・い__【暑い】《形》〔不快なほど〕気温が高い。「しめきった―・い部屋」参考↓暖かい②。対 寒い。文 あつ・し《ク》。⇩〖類語と表現〗〖使い分け〗

◆**類語と表現**

「**暑い・熱い**」

*焼けつくように暑い・暑い日が続く・暑い盛り／熱いスープ・体中が熱くなる・エンジンが熱くなる・興奮して熱くなる。

〔暑い〕蒸し暑い・暑苦しい／炎暑・激暑・厳暑・極

暑・酷暑・大暑・熱暑・猛暑・残暑／炎天・日盛り・油照り・かんかん照り・熱帯夜・不快指数
◇［暑さの形容］厳しい・激しい・猛烈な・耐えがたい・むんむんする・むしむしする・うだるような・焼けるような・喘ぐような・蒸し風呂に入ったような・じっとしていても汗ばむような

◆［熱い］高温・高熱・炎熱・極熱・暑熱・焦熱・灼熱・熱々・熱っぽい

＊**あつ・い【熱い】**《形》❶温度が高い状態だ。㋐温度が高すぎて・触れる（長く触れている）ことができない状態だ。「ー・いみそ汁」「鉄はー・いうちに打て」㋑〔病気のために〕体温が高い。㋒〔心臓・血潮・目頭・息・涙などが〕情熱のために・もえるように〔わき立つように〕感じられる。「ー・い血潮」「目頭がー・くなる」❷感情が激している。「国の未来をー・い思いで語る」❸愛情を注いでいる。「ー・い仲」文あつ・し《ク》。⇩〖類語と表現「暑い」〗〖使い分け〗

使い分け　「あつい」

暑い〔不快なほどに気温が高い〕暑い夏・暑い地方・暑苦しい夜・蒸し暑い日

熱い〔ある物の温度がきわめて高い。痛みや感情が激しい〕熱い湯・鉄は熱いうちに打て・熱い痛みが走る・熱い血潮・熱い思い・お熱い仲

厚い（▽篤・×淳）〔あつみがある。人情がこまやか〕厚い本・厚い化粧・手厚い看護・利の厚い仕事・厚（篤・淳）い人情・厚（篤）い信仰心・厚（篤）く御礼申し上げます

あつい（▽篤）〔病状が重い〕病があつい・あつい病の床にふしている

あつ・いた【厚板】厚みのある板状の木材・鋼板・ガラス。対薄板。

あつ・えん【圧延】《名・他サ》回転するローラーの間に金属材料を通し、板・棒・管などの形にすること。

＊**あっ・か【悪化】**《名・自サ》〔物事の状態が〕悪くなること。「情勢がーする」対好転。

＊**あっ・か【悪貨】**〔地金の〕質が悪い貨幣。対良貨。**ーは良貨を駆逐する**《句》名目上の価値が等しく、品質に優劣のある二種の貨幣が同時に流通すると、良貨は貯蔵されて、悪貨だけが流通する。参考イギリスのグレシャムの唱えた経済法則（＝グレシャムの法則）。

あつかい【扱い】㊀《名》❶扱うこと。処理。使用法。「貴重品のーに気をつける」❷〔人の〕扱い方。もてなし。待遇。応対。「客のーが上手だ」「ひどいーを受ける」㊁《接尾》❶《人を表す名詞につけて》あたかも…のように扱うの意を表す。「邪魔者ー」「書生ー」❷《役職名につけて》その人の待遇がその役職にあるものとして扱う意を表す。「部長ー」類語心得。待遇。

あつか・う【扱う】《他五》❶気をくばって、ものを使用・操作する。取り扱う。「パソコンを上手にー・う」❷仕事としてうけもつ。処理する。とりはからう。「次の会は交通問題をー・う」❸人を待遇する。もてなす。「相談役としてー・う」文《四》。

あつかまし・い【厚かましい】《形》〔自分の目的や利益のためには〕遠慮や恥を知らない。ずうずうしい。「ー・いことを平気でする」「ー・いお願いですが…」

あつ・がみ【厚紙】厚みのある紙。特に、ボール紙。対薄紙。

あつ・がり【暑がり】《名・形動》ふつうの人以上に暑さを感じやすいこと（人）。「ーな男」

あつ・かん【熱×燗】酒のかんを熱くすること。また、その酒。「ーにする」「ーで飲む」

＊**あっ・かん【圧巻】**〔書物・楽曲・催し物などの中で〕最もすぐれている部分。また、多くのものの中で、最もすぐれているもの。「この絵こそ出品作品中のーだ」参考昔、中国で巻（＝官吏登用試験の答案）の最もすぐれたものを一番上にのせたことから出た語。類語傑作。出色。ぴかいち。

＊**あっ・かん【悪漢】**〔男の〕わるもの。ならず者。類語悪党。悪人。

あっ・き【悪鬼】人に害を与える、おそろしい鬼。

あつ・ぎ【厚着】《名・自サ》衣類を必要以上に重ねて着ること。類語重ね着。対薄着。

あつ・くるし・い【暑苦しい・熱苦しい】《形》暑くて息苦しい。息苦しく感じるほど暑い。「ー・い部屋」

あっ・け【×呆気】〈ーに取られる〉〔事の意外さに〕驚きあきれてぼんやりする。**ーな・い【ー無い】**《形》〔意外に簡単で〕ものたりない。はりあいがない。「ー・い幕切れ」

あつ・げしょう【厚化粧】《名・自サ》べに・おしろいなどを濃くぬって、はでに化粧すること。また、その化粧。濃化粧。対薄化粧。

あっけらかん《副》〈多く「ーと」の形で〉〔俗〕❶事の意外さに驚きあきれて（口をあけ）ぽかんとしているようす。「とんとん拍子に事が運ぶのをーとながめている」❷物事にこだわらずけろっとしているようす。「しかられてもーとしている」＝あけらかん。

あっ・こう【悪口】❶他人のことをけなすこと。悪くいうこと。また、そのことば。悪態。悪口。❷〔仏〕十悪の一つ。悪口を言うこと。悪口。**ーぞうごん【ー雑言】**いろいろの悪口。〔悪口を強めた言い方〕「ーを吐く」「ーを並べる」類語罵詈雑言。

＊**あつ・さ【厚さ】**物の一つの面から反対側の面までのへだたりの程度。また、そのへだたりの大きいこと。

＊**あつ・さ【暑さ】**❶暑いこと。また、その程度。❷暑い時候。夏季。類語暑気・暑。炎熱。炎天。「ーに向かう」「ーの折からお体をたいせつに」対①②寒さ。**ー寒さも彼岸まで**《句》春秋の彼岸を境として、暑さ寒さがおとろえ、ほどよい気候になること。

あっ・さく【圧搾】《名・他サ》強い力でしめつけること。特に、気体を圧縮すること。「ー空気」類語圧縮。

あつさ・しのぎ【暑さ×凌ぎ】暑さをまぎらすこと。また、そのために用いる物や方法。「ーにビールを飲む」

あっ・さつ【圧殺】《名・他サ》❶押しつけて殺すこと。❷押さえつけて勢いをなくさせること。圧迫して活動を封じること。「ーされた民主主義」

あっさり《副・自サ》《副詞は「ーと」の形も》❶〔味・色・性格などが〕淡泊でしつこくないようす。「ーした味つけ」対こってり。❷簡単なようす。たやすいようす。「ーとあきらめる」類語①②さっぱり。

あつし【厚子・厚司】❶オヒョウ・シナノキなどの樹皮の繊維で織った布。アイヌ民族が衣料に用いた。❷厚子①に似せて作った、厚い丈夫な綿織物。また、それで作った仕事着。▽アイヌ attush（＝オヒョウ）から。

＊**あっ・し【圧死】**《名・自サ》押しつぶされて死ぬこと。

＊**あっし**《代名》《自称の人代名詞》私。〔多く、いきな商

人や職人などが用いる〕

あつ-じ【厚地】 厚みのある織物の生地(きじ)。対薄地。

あっ-しゅく【圧縮】《名・他サ》❶強い力で押して、ちぢめること。一般に、物質に圧力を加えてその容積を小さくすること。「―空気」類語圧搾(あっさく)。❷〔文章などを〕ちぢめて短くすること。類語縮小。短縮。

あっ-しょう【圧勝】《名・自サ》一方的に勝つこと。圧倒的な勝利。「選挙で―した」

あっ・する【圧する】《他サ変》❶力を加えて押す。押さえつける。❷力を示して押さえる。圧倒する。また、屈服させる。「四囲を―する摩天楼」

***あっ-せい【圧制】** 権力・暴力で他人の〔言動の〕自由を押さえること。「官憲の―と闘う」類語圧迫。

***あっ-せい【圧政】**〔人民の意思をいれず〕権力で押さえつけて行う政治。「―に泣く」類語悪政。

あっ-せん【×斡旋】《名・他サ》❶間に立って両者がうまく行くようにとりはからうこと。とりもち。「就職を―する」類語周旋(しゅうせん)。❷〔法〕労働争議で、労働委員会の指名した第三者〔斡旋員〕が争議当事者の間に立って、当事者の自主的解決に導くこと。注意「幹旋」は誤り。

あっち【▽彼▽方】《代名》→あちら。〔「あちら」よりもぞんざいな言い方〕 **―こっち【―×此▽方】** 一《代名》あちこち㊀。二《名》あちこち㊁。

あっ-ちゃく【圧着】《名・自他サ》強く押してつけて、ぴったりとつけること。「金箔(きんぱく)を―する」

あつ-で【厚手】《名・形動》〔紙・布・陶器などの〕厚さが厚い・こと〔もの〕。「―の木綿」対薄手。

あっ-とう【圧倒】《名・他サ》〔かけはなれてすぐれた力や威力で〕相手を押し負かすこと。「実力で―する」類語圧迫。 **―てき【―的】**《形動》比べものにならないほどの差があるようす。「―多数」

アット-ホーム《形動》〔自分の家庭にいるように〕くつろいだようす。家庭的。「―な雰囲気」▽at home

アット-マーク ❶電子メールのアドレスで、組織名・国名などを表す記号「@」。❷商品単価を表す記号「@」。▽at mark

アット-ランダム《形動》→アトランダム。▽at random

アッパー-カット ボクシングで、下から相手のあごをつきあげるように打つこと。アッパー。▽uppercut

あっ-ぱく【圧迫】《名・他サ》❶物を押しつけること。「胸を―する」❷〔力でせまって〕相手を押さえつけること。「少数意見を―する」類語威圧。圧倒。圧制。

あっぱっぱ〔俗〕女性が夏に着る、簡単なワンピース。通風性を重んじ、薄手の布でゆったりと作る。簡単服。表記「アッパッパ」と書くことが多い。

あっぱれ【▽天晴(れ)・×遖】《感動詞「あはれ」の促音化》一《形動》〔驚くほど〕りっぱであるようす。みごとなようす。「―なふるまい」二《感》〔りっぱなようすを〕感心してほめたたえる気持ちを表す語。「―、よくやった」

アップ ❶《名・自他サ》〔価・程度・地位などが〕高まること。あがること。また、あげること。「公共料金が―する」対ダウン。❷女性の髪型で、後ろ髪をすき上げて頭の上部でまとめ、首筋を見せるもの。また、そのように結うこと。アップスタイル。❸「クローズアップ」の略。「―で撮る」❹ゴルフで、一定数のホールを勝ちこしていること。「五ホールの―」対ダウン。▽up **―ダウン** 起伏。浮き沈み。アップアンドダウン。「―の多いコース」▽ups and downs から。 **―ツー-デート**《形動》最も新しい様式であるようす。現代的。今日的。「―な座談会」対アウトオブデート。▽up-to-date **―デート**《名・他サ》コンピューターで、ファイルを最新の内容に置き換えること。▽update **―ロード**《名・他サ》コンピューターで、端末側からホストコンピューターにデータを転送すること。対ダウンロード。▽upload

あっぷ-あっぷ《副・自サ》〔俗〕❶水におぼれて苦しむようす。❷〔転じて〕困難な状態におちいって、苦しんでいるようす。「物価上昇に伴う生活難で―する」

あっ-ぷく【圧伏・圧服】《名・他サ》力で押さえつけて従わせること。「強権で―する」

アップリケ 手芸で、ししゅうの一つ。地になる布の上に、配色のよい別布で図案を切り抜いてのせ、まわりを縫いつけるもの。アプリケ。▽(フランス) appliqué

アップル-パイ 洋菓子の一つ。砂糖煮にしたりんごをはさんだパイ。▽apple pie

あつ-ぼった・い【厚ぼったい】《形》厚みのある〔重そうな〕感じである。「―・い布地」

あつまり【集(ま)り】 ❶集まること。「父母の―がある」「若者の―が悪い」類語会合。集合。寄り合い。つどい。❷集まったまとまり。「偶数の―」類語むれ。人垣(ひとがき)。群衆。群集。集団。烏合(うごう)の衆。

あつま・る【集まる】《自五》〔二つ以上の物や人などが自然に、またはある目的をもって〕一つところに寄ってくる。つどう。「三時に駅前に―・る」「同情が―・る」参考「むらがる」「むれる」は「集まる」より数が多い場合に、また、秩序がない場合に多く使う。「たかる」は人・動物について使う。「つどう」は多く人について使う。類語(する)密集。文《四》。

あつ-み【厚み】 ❶厚さの程度。「作品に―が出る」❷〔性格・人柄や内容などに〕深みのあること。

あつ・める【集める】《他下一》〔二つ以上の物や人を〕一つ所に寄せる。「本部に会員を―・める」「注目を一身に―・める」類語(する)募集。採集。収集。招集。呼集。召集。集金。文あつ・む《下二》。

あつ-もの【×羹】〔「熱いもの」の意〕ふつう、野菜や魚肉を使ったこくのある熱い汁物。吸い物。 **―に懲(こ)りて膾(なます)を吹く**《句》前の失敗にこりて、必要以上に用心深くなるたとえ。

あつ-やき【厚焼き】 卵焼き・ホットケーキ・せんべいなどで、厚みをつけて焼いたもの。対薄焼き。

あつ-よう【厚様】 厚手の鳥の子紙。対薄様。表記「厚葉」とも書く。

アッラー →アラー。▽(アラビア) Allah

あつらえ【×誂え】 あつらえること。あつらえて作ること〔品物〕。注文。「―の服」対できあい。 **―むき【―向き】**《形動》〔まるであつらえて作ったように〕かねてからの希望にぴったり合っているようす。要求どおりでちょうどよいようす。「お―の申し入れ」類語理想的。 **―もの【―物】** 注文して作らせる物。「―の服」

あつら・える【×誂える】《他下一》注文して希望どおりの品物を作らせる。文あつら・ふ《下二》。

あつ-りょく【圧力】 ❶物を押しつける力。特に、物理学で、二物体が接触面で、また一つの面を境にする物体内部の二つの部分がその面で、互いに垂直に押し合う力。❷人を抑えつける力。圧迫する力。「権力者の―と闘う」―だんたい【―団体】ある利益を得るために、公の機関に政治的な圧力をかけて、政策・法律などを自分たちに有利に導こうとする団体。

あつ・れき【×軋×轢】〔車輪がきしることから〕争いあって互いにかどが立つこと。「親子間の―が収まる」類語 摩擦。不和。反目。葛藤（かっとう）。

***あて**【×宛】《接尾》❶《数量を表す名詞について》「…当たり」「…について」の意を表す。「一人―三個配る」❷《人・団体などを表す名詞について》送り先・届け先を表す語。「G社―送付する」

***あて**【当て】㊀《名》❶めあて。目的。目標。「―のない旅に出る」「―もなくさまよう」❷見込み。見当。「生還する―もない」❸心だのみにすること。期待。たのみ。「―が外れる」「―にならない」㊁《接尾》「体や物の一部を保護するためにあてる物」の意。「ひじ―」

あで【×艶】《形動》《「貴（あて）」の転》〔文〕はなやかでなまめかしいようす。あでやか。「―なる舞」

あて・うま【当て馬】❶めす馬の発情を調べたりうながしたりするために近づける、おす馬。❷相手のようすを探るために近づけてみる人。「―候補」「―にする」

あてがい・ぶち【×宛▽行扶▽持】〔相手の希望などをきかず〕与える側が適当にその額・量・種類や条件をきめて与えること（金銭や物品）。参考「割り当てて渡す扶持米（ふちまい）」の意。

あて・が・う【×宛▽行う】《他五》❶〔希望などをきかず〕適当に〔割り当てて〕与える。あてる。「離れの一室を―・う」❷ぴったりとくっつける。「そえ木を―・う」

あて・こすり【当て▽擦り】あてこすること。また、そのことば。あてっこすり。類語 厭味（いやみ）。あてつけ。

あて・こす・る【当て▽擦る】《他五》ほかのことをひきあいに出して、遠まわしに相手を悪く言う。皮肉る。「失態を意地悪く―・る」類語 あてつける。

あて・ごと【当て事】頼みにしていること。あてにしていること。
―は向こうから外れる《句》自分の方であてにしていることは、相手の都合でだめになることが多い。

あて・こ・む【当て込む】《他五》〔よい結果になることを〕期待する。あてにする。「父の遺産を―・んで暮らす」

あて・さき【×宛先】郵便物・荷物などの届け先。

あて・じ【当て字・×宛字】❶漢字本来の意味には関係なく、その読み方を借りてその表記にあてた漢字。また、その用法。「目出度（めでた）い」「亜細亜（アジア）」「矢鱈（やたら）」など。❷漢字の音訓に関係なく、意味が似ていることなどから、ある語を二字以上の漢字で書き表したもの。熟字訓における一続きの漢字。「海苔（のり）」「田舎（いなか）」「煙草（たばこ）」など。

あて・ずいりょう【当て推量】確かな根拠もないのに自分の勘だけでおしはかること。また、その内容。「―で物を言う」類語 当てずっぽう。憶測。

あで・すがた【×艶姿】〔女性の〕なまめかしく美しい姿。

あて・ずっぽう【当てずっぽう】《名・形動》〔俗〕いいかげんに判断すること。また、その判断した内容。「―に答える」「―を言う」類語 当て推量。

あて・つけ【当て付け】あてつけること。類語 あてこすり。
―がまし・い《形》いかにもあてつけているようすである。「―・い物言い」

あて・つ・ける【当て付ける】《他下一》❶直接関係のないことをわざと見せたりきかせたりして、相手を非難する。「子供の過ちを親に―・ける」類語 あてこする。❷男女の仲のいいところを見せつける。

あて・ど【当て▽所】めあてとする所。また、めあて。目的。参考 (ア)多く「―(も)なく」の形で使われる。「―もなくさまよう」(イ)「ど」は「所」の意。

あて・どころ【×宛所】❶手紙などを送る先。手紙などに書く、あて名。❷めあてとする所。目標。

あて・な【×宛名】郵便物・書類などに書く先方の氏名、または住所氏名。名あて。「―を書く」

あて・にげ【当て逃げ】《名・自サ》車を人や物にぶつけて、そのまま逃げること。「―事件」

アデノイド のどの奥の粘膜（咽頭扁桃（いんとうへんとう））がはれる病気。子供に多い。▽ドイ adenoide Vegetationから。

あて・はま・る【当て×嵌まる】《自五》〔ある物事に〕ちょうどうまくあう。適合する。「現代にも―・る教訓」

あて・は・める【当て×嵌める】《他下一》〔ある物事に〕うまくあうようにする。適用する。「彼の行動を校則に―・めて考える」

あて・み【当て身】〔柔道で〕こぶし・ひじ・足先を使って相手の急所を突き、打ち、けるわざ。あてみわざ。「―を食わせる」

あて・もの【当て物】❶知らせないでいるものを言いあてる遊び。判じ物・なぞなぞなど。❷懸賞。❸直接ふれるのを防ぐため、物と物の間にあてる布・紙など。

あで・やか【×艶やか】《形動》《「あてやか」の転》なまめかしく美しいようす。〔多く、女性の形容に使う〕「―にほほえむ」「―な長い黒髪」類語 妖艶（ようえん）。濃艶（のうえん）。

アデュー《感》さようなら。参考 特に、再会する機会がないと思われるときに使う別れのことば。▽フラ adieu

あて・ら・れる【当てられる】《連語》→当てる⑭⑮。

あ・てる【当てる】《他下一》❶ぶつける。ぶっつける。「ボールを壁に―・てる」❷ふれるようにする。あてがう。「口もとにハンカチを―・てる」「きたない座ぶとんですが―・てて（＝敷いて）ください」参考 座ぶとんなどの場合は丁寧語的。❸〔光・熱・風・雨などの〕作用を受けさせる。さらす。「日に―・てる」❹任務としてさせる。従事させる。「機動隊を警備に―・てる」❺あてはめる。「かたかなの部分に漢字を―・てる」❻〔あることをさせるため〕名ざす。指名する。「順に―・てて答えさせる」❼〔ある目的のために〕使う。「この部屋を客間に―・てる」❽わりあてる。「この仕事は明日に―・てる」表記 ⑧はふつう「充てる」と書く。❾〔手紙などを〕…にむける。…に出す。「友人に―・てた手紙」表記 ⑨はふつう「宛てる」と書く。❿〔矢・弾丸などを〕命中させる。「矢を扇のかなめに―・てる」表記 ⑩は「中てる」とも書く。⓫正しく推測する。また、正しく判断してみつける。「答えを―・てる」「たずね―・てる」⓬よい結果をえる。成功する。「その企画で―・てた」⓭〔くじなどで〕金銭・品物などを得る。「特等を―・てた」⓮〔ある雰囲気・毒気などが〕影響を与える。〔主として受け身の形で用いる〕「毒気に―・てられる」⓯〔夫婦・恋人などが仲のよいようすを〕見せつける。〔主として受け身の形で用いる〕「新婚の二人に―・てられる」文 あ・つ《下二》。⇩〔使い分け「あたる・あてる」〕

あて・レコ〔映画やテレビなどで〕声の吹き替え。参考 アフレコをもじった和製語。声優が画面を見ながら、その口の動きに当ててレコーディングする意。表記 ふつう「アテレコ」と書く。

ア・テンポ 楽曲の速度を表す標語の一つで、「もとの速

さで演奏せよ」の意。▽イタリア a tempo

*あと【後】❶背の方向。うしろ。後方。「ーへ引けない(=譲歩できない。やめられない)」❷〔ある時をもとにして、その時から〕のち。以後。「ーでお届けします」❸〔物事の〕おわり。「話のーの方がよくわからなかった」対①〜③前。先。❹物事が終わって以後。「ーはおれにまかせろ」「ーに三人残った」❺〔人の〕死後。「遺言してーを友人に託す」❻次に来る者。代わりのもの。「委員長がやめるとーがいない」❼子孫。「ーが絶える」❽〔現在から〕さかのぼった時。以前。「今から二年ーに結婚した」対先。⇩〔使い分け〕

ーの雁が先になる《句》後から来たものが先に行ったものを追い越すたとえ。仕事・研究・学問などで、後輩が先輩を追い越すたとえ。

ーの祭り《句》時機をのがして手おくれになること。

ーは野となれ山となれ《句》当面のことさえすんでしまえば、後のことはどうなろうとかまわない。

ーを引く《句》❶〔声・音などが〕いつまでも続く。❷ある物事が一応終わってからも、影響が残る。「汚職事件がーいて選挙に負けた」❸ある物を一応食べたり、飲んだりし終わってからもまたすぐ続けて食べたり飲んだりしたいと感じる。「スナック菓子はーく」

*あと【跡・×迹】❶通っていった、しるし。特に、足あと。「車輪のー」❷ゆくえ。「ーをくらます(=ゆくえをわからなくする)」「ーを付ける(=尾行する)」❸ある物事の行われた、しるし・場所。また、あるものが存在した、しるし・場所。「進歩のーがうかがえる」「城のー」❹あとめ。家督。「名門のーをつぐ」❺筆跡。「水ぐきのー」表記 もと、建物のあとなどは「址」と書いた。傷のあとなどには多く「痕」と書く。⇩〔使い分け〕

ーを追う《句》❶〔ある人の〕後から追いかける。「犯人のーう」❷ある人の死後、〔その人を慕って〕続いて死ぬ。「愛妻のーう」

ーを絶つ《句》〔ある事柄が〕すっかりたえてしまう。「歩道橋ができて児童の事故がーった」

あど〔能狂言で〕わき役。わき。表記 ふつう「アド」と書く。類語 ツレ。ワキ。対シテ。

あと-あし【後足・後脚】動物の後ろ足。対前足。

ーで砂を掛ける《句》〔以前に受けた恩を忘れて〕去りぎわに人に迷惑をかける。

使い分け 「あと」

後〔うしろ。のち〕後になり先になり・後五分すると到着する・後を頼む・後が絶える・後がない・後戻り

跡〔×迹・×痕〕〔あとかた〕足跡・弾丸の跡(痕)・墨の跡(痕)・容疑者の跡を追う・城跡(址・趾)・進歩の跡・苦心の跡・跡を取る・跡目を継ぐ

参考「後」は空間・時間における後続の意で、「前」の対。「跡」は痕跡・事跡など場所の意で使う。家督の意では両者用いられるが、「跡」が優勢。後継者の意では、一般に「後」を使う(社長の後を継ぐ)。「迹・跡」は同字。「趾」はあしあとの意で使うが、元来は場所を示す「址」の本字。「きずあと(傷痕)」は「傷跡」で代用することもあるが、「手術あと(痕)」は「跡」とするにはなじまない。

あと-あじ【後味】❶物を食べた後に口の中に残る味。あと口。「しつこいー」❷ある物事の終わった後に感じる気持ち。「ーの悪い終幕」

あと-あと【後後】〔その物事から続いて〕ずっと後。後々。「ありのままに話したほうがーのためにいい」

あとう-かぎり【▽能う限り】《連語》〔文〕可能であるぎりぎりのところまで。できるかぎり。参考→能う。

あとおい-しんじゅう【後追い心中】死んだ恋人や配偶者を慕って自殺すること。

あと-おし【後押し】《名・他サ》❶〔荷車などを〕後ろから押す・こと〔人〕。❷かげで力をかして援助する・こと〔人〕。「事業のーをする」

あと-がき【後書(き)】手紙・文書・著書などの本文の後に書きそえる文章。類語 追って書き。追記。追伸。対前書き。端書き。

あと-かた【跡形】ある物・物事のあったあとに残るしるし。「ーもなく消えうせる」類語 形跡。名残。

あと-かたづけ【後片付け・跡片付け】物事の終わった後で乱れたものの整理をすること。あと始末。

あと-がま【後×釜】ある人が去った後のその地位〔につく人〕。「ーに座る」「ーを物色する」類語 後任。

あとから-あとから【後から後から】《連語》物事が連続するようす。次々と。「ー客が来る」

あと-きん【後金】❶代金の一部を払って、後で支払う残りの金銭。残金。❷品物を先に受けとって、代金を後で支払うこと。後払い。対①②前金。

あと-ぐされ【後腐れ】ある事がすんでも、わずらわしい問題が後に残ること。あとぐされ。〔ふつう、「ーがない」の形で使う〕「ーがないようにけりを付ける」

あと-くち【後口】❶あとあじ①。「ーが悪い」❷〔ある人・物の〕後からきた人・物。「面会者のーが待っている」❸〔ある物より〕後の順番。「この問題の検討はーにしよう」対②③先口。

あどけ-な・い《形》幼くてかわいい。邪心がなくてかわいい。「わが子のーい姿」「ーい笑顔」

あと-さき【後先】❶ある物や場所の前と後ろ。❷ある物事の〔起こった〕前と後。「ーのことも考えずに行動する」❸物事の順序。「ーになる(=順序が入れかわる。前後する)」同①〜③前後。

あと-さく【後作】とりいれた後、次にその作物を植えるまでの間にそこで栽培する農作物。裏作。

あと-ざん【後産】子が生まれてまもなく、胎盤・卵膜・臍帯などが排出されること。後産。

あと-しき【跡式・跡敷・跡▽職】〔文〕家督と財産。また、跡つぎ。跡目。

あと-じさり【後▽退り】《名・自サ》→あとずさり。

あと-しまつ【後始末・跡始末】❶あとかたづけ。❷事のすんだ後、その処理をすること。事後処理。「総会のーをする」

あと-ずさり【後▽退り】《名・自サ》〔人・動物が〕前をむいたまま後ろへさがること。あとしざり。あとじさり。「にらまれてーする」類語 しりごみ。

あと-ち【跡地】❶ある作物を作った後の土地。❷建物などをとり壊した後の土地。

あと-ぢえ【後知恵】事の済んだあとに出る知恵。

あと-つぎ【跡継ぎ・後継ぎ】❶その家の跡をつぐ人。世つぎ。跡取り。「わが家のー」❷〔芸道・学問・武道などで〕前任者・師の後をうけつぐ人。後継者。表記 ①は「跡継ぎ」、②は「後継ぎ」と書く。

あと-づけ【後付(け)】書物の本文の後につける、後記・索引などのページ。対前付け。

あ

あと‐づ・ける【跡付ける】《他下一》物事の変化のあとをたどって調べ確かめる。「師の業績を―・ける」

あと‐とり【跡取り】 あとつぎ①。

アトニー 体を形づくっている組織がたるむ病気。「胃―」▽ドイ Atonie

アドニス ギリシア神話で、愛の女神アフロディテに愛された美貌(びぼう)の王子。▽Adonis

アドバイザー 助言者。顧問。▽adviser

アドバイス《名・他サ》忠告。助言。▽advice

あと‐ばら【後腹】 ❶出産の後の腹。「―が痛む」❷事が終わったあとでおこる障害・苦痛など。「浪費の―に苦しむ」❸後妻の産んだ子。対先腹(さきばら)。

あと‐ばらい【後払い】(―ばらい) 品物を受けとったあとで代金を支払うこと。後金(あときん)。対前払い。

アド‐バルーン 広告をつけて空にあげる気球。アドバルン。▽ad(=広告)とballoonからの和製語。

―を上・げる《句》反応を見るために発言をする。

アドバンテージ ❶テニスなどで、ジュースの後にどちらかが一点をとること。❷「アドバンテージルール」の略。▽advantage(=有利) **―ルール** サッカー・ラグビーで、反則行為の罰則を適用すると反則した側が有利になるとき、そのままゲームを続行させるルール。アドバンテージ。▽advantage rule

アトピー ❶生まれつき、環境に対して過敏な反応を起こしやすい体質。❷「アトピー性皮膚炎」の略。皮膚が荒れて激しいかゆみを伴う、過敏性皮膚炎。参考まだ原因不明で決定的な治療法はない。▽atopy

あと‐ひき【後引き】 与えられたものだけで満足できず、次々とほしくなること。特に、酒をいつまでも飲みたくなること。「―上戸(=後引きの癖のある酒飲み)」

アドベンチャー 冒険。アドベンチュア。参考→アバンチュール。▽adventure

あと‐ぼう【後棒】〔かご・もっこなど〕棒につるして人や荷物を運ぶとき、後ろの方をかつぐ人。「―を担ぐ(=首謀者の手助けとして参加する)」対先棒(さきぼう)。

あと‐まわし【後回し】(―まわし) (先にすべき事を)他の事より後に行うこと。「難題は―にしよう」

アトム 原子。参考もと、ギリシア語で「これ以上分けられないもの」の意。▽atom

あと‐め【跡目】 ゆずりつぐべき家名・家業・地位。また、それらをゆずりつぐ人。「―相続」

アトモスフェア 雰囲気。アトモスフィア。▽atmosphere(=大気)

あと‐もどり【後戻り】《名・自サ》❶来た方向へもどること。もとへもどること。逆行。「練習を怠って技術が―する」❷〔能力・技術などが〕退歩すること。

あと‐やく【後厄】 厄年の次の年。また、その年にこうむる災厄。対前厄(まえやく)。

あと‐やま【後山】 鉱山・炭坑で、後方で手助けをしたり掘った物を運び出したりする役目の人。対先山(さきやま)。

アトラクション 客寄せのために、主となる催しのほかにそえる出し物。人気をよぶためにする俳優の挨拶(あいさつ)・実演など。類語よびもの。余興。▽attraction

アトラス ❶ギリシア神話の神で、天空をささえているという巨人。❷地図帳。▽①Atlas ②atlas

アト‐ランダム《形動》〔どれを選ぶということなく〕任意に選び出すようす。手当たり次第。アットランダム。「―に選択する」▽at random

アトリエ ❶彫刻家・画家などの仕事部屋。画室。工房。❷写真をとる部屋。スタジオ。▽フランス atelier

アド‐リブ〔役者・演奏者などが〕脚本・楽譜にないせりふや音を、自由かつ即興的にその場の雰囲気に合わせて言ったり演奏したりすること。また、そのせりふ・演奏。「巧みに―を入れる」▽ad lib(=好みに任せて)

アドレス ❶あて名。住所。❷「ホームページ」や「電子メール」のあて先に割り当てられた文字列。▽address

アドレナリン 副腎(ふくじん)から出るホルモン。交感神経に働いて末梢(まっしょう)血管を収縮させる働きがある。強心剤・止血剤に使う。▽ドイ Adrenalin

あな【穴・▽孔】 ❶物の表面にできた、深いくぼみ。「―をほる」❷〔物の中を〕反対側までつきぬけた空間。「壁に―をあける」表記②は多く「孔」と書く。❸地中にほった、けもののすみか。「クマの―」❹不完全な部分。あいている地位。「二塁が―だ」「休演スターの―をうめる」❺〔金銭上の〕損失。欠損。「借金の―をうめる」「会計に―をあける(=金を使いこむ。欠損になる)」❻あまり知られていないで、利益・獲物などの多い所。また、その事柄。「この川はつり場の―だ」❼〔競馬・競輪などで〕番狂わせの勝負。「―を当てた」

―があったら入りたい《句》体を隠してしまいたいほど恥ずかしいたとえ。

―の明くほど・見る《句》強く見つめる。

アナーキー《名・形動》❶無政府状態。無秩序。❷体制や社会通念に逆らうこと。「―な言動」▽anarchy

アナーキスト 無政府主義者。▽anarchist

アナーキズム 無政府主義。▽anarchism

あな‐うま【穴馬】 競馬で、実力はわからないが、番狂わせをおこして勝ちそうな馬。ダークホース。

あな‐うめ【穴埋め】《名・他サ》❶くぼんだ所やうつろな所をふさぐこと。❷〔金銭や物資の〕不足・欠損をおぎなうこと。「家計の赤字を内職で―する」

アナウンサー ラジオやテレビで、ニュース・広告・天気予報などを読んだり、実況放送や番組の司会をしたりする職業(の人)。放送員。アナ。▽announcer

アナウンス《名・他サ》人が大勢集まる所で、マイクロホンを使って必要な情報を知らせること。また、それを知らせる言葉。「場内―」▽announce **―こうか【―効果】** 政府・マスコミなどの報道が、人々に影響を及ぼすこと。また、その影響。アナウンスメント効果。

あな‐かしこ《連語》《感動詞「あな」+形容詞「かしこし」の語幹「かしこ」》〔文〕「ああ、おそれ多い」の意で手紙文などの結びに書いて敬意を表す語。かしこ。参考手紙文では女性が使う。

あながち【▽強ち】《副》《打ち消しの語を伴う》必ずしも。一概に。「―当方の責任ばかりとは言えない」

あな‐ぐま【穴×熊】 イタチ科の哺乳(ほにゅう)動物。山地の穴にすむ。タヌキに似る。日本特産。夜行性で冬眠する。地方によってムジナと呼ばれる。ささぐま。

あな‐ぐら【穴蔵・穴倉・×窖】〔物を蓄えておくために〕地下に作った穴。

アナクロニズム 時世の流れに逆行していること。時代錯誤。時代おくれ。アナクロ。▽anachronism

あな‐ご【穴子】 アナゴ科の魚。近海にすむ。ウナギに似る。食用。

あな‐ごもり【穴×籠(も)り】《名・自サ》❶動物が土中の穴や木の洞(ほら)にこもって冬を越すこと。❷〔ひゆ的に〕はれがましい所からはなれて暮らすこと。

あな‐じ【穴×痔】→じろう(痔瘻)。

あな‐じゃくし【穴×杓子】汁の実だけをすくうために、小さな穴をたくさん開けてある杓子。

*__あなた__【▽彼▽方】《代名》《遠称の指示代名詞》〔文〕❶話し手からも聞き手からも遠い方向・場所を指す語。向こうの方。あちら。かなた。「山の―」❷ある時をもとにしてそれより前の時を指す語。ずっと昔。以前。かなた。「千年の―」

*__あなた__【▽貴▽方】《代名》《対称の人代名詞》相手を指す語。〔対等または下位の者に用いる〕参考「あなた(彼方)」から出た語で、古くは対等または上位の者に用いた。現在、妻が夫を指す代表的な代名詞。表記 相手が女性の場合は、多く「貴女」と書く。⇩〖類語と表現〗

あなた‐まかせ【―任せ】❶真宗で、他力本願。阿弥陀如来にすべてを任せること。❷自主的に事を運ばず、なりゆきや先方の言いなりに任せること。「―の態度」

類語と表現

「貴方」

＊あなたはどうなさいますか・この本はあなたに差し上げます・あなたを委員に推薦します・あなたの考えを述べてください・あなたから始めてください・あなた、時間ですよ。

◆君・汝・貴様・そち・そこもと・そのほう・そなた・こなた・あんた・おのれ・お前・てめえ・お主・お宅・御身・足下・貴君・貴兄・貴下・貴殿・貴公・貴台・大兄・雅兄・尊台・尊堂

◇[複数]皆様・各位・諸君・諸兄・諸姉・諸氏・諸公・諸賢

あなど・る【侮る】《他五》相手の力などを軽くみる。ばかにする。けいべつする。「敵を―・って不覚をとる」類語 みくびる。文《四》。

類義語の使い分け　侮る・みくびる

[侮る・みくびる] 敵を侮っ(みくびっ)て痛い目に遭う

[侮る] 侮りがたい相手だから十分に気をつけよう

[みくびる] 私もずいぶんみくびられたものだなあ

あな‐ば【穴場】❶あまり人に知られていないで、利益・獲物などの多い場所。特に、観光地・娯楽場などであまり人に知られていない、おもしろい場所。〔安くてうまい飲食店などにもいう〕「イワナ釣りの―」「行楽地の―」❷〔俗〕競馬・競輪などで、投票券発売所のこと。

あな‐ぼこ【穴ぼこ】〔俗〕あな。くぼみ。〔ふつう、小さなものにいう〕「くつ下に―があいた」

アナリスト ❶分析する人。分析家。「システム―」❷株式を発行している会社を調査し、投資価値を判断する専門家。証券分析家。▽analyst

アナログ 数値や情報の量を、長さなどの連続的な物質量で表示すること。対 デジタル。▽analog

アナロジー 類推。▽analogy

*__あに__【兄】❶きょうだいのうち、年上の男性。実兄。❷配偶者のきょうだいで、配偶者より年上の男性。義兄。❸姉の夫。義兄。表記 ②③は「義兄」と書いて「あに」と読ませる。⇩〖類語と表現「兄弟・姉妹」〗

*__あに__【×豈】《副》〔文〕《下に反語を伴う》どうして。「―図らんや」参考 漢文の訓読から出た語。

あえてそれをなしえんや(=どうしてそうすることができようか)」

―図らんや《句》〔「どうしてそんなことを考えつこうか」の意から〕意外にも。「―彼が張本人だった」

あに‐い【兄い】❶兄の敬称。〔やくざの男などが、年長者などをよぶときにも用いる。主に、「お―さん」の形で、また「一郎―」のように名前の下につけて用いる〕❷〔俗〕勇みはだの若い男性。

あに‐き【兄貴】❶兄。〔もと、兄の敬称。現在では親しみの気持ちをこめて使う〕「―、相談があるんだ」❷親しい仲間や、職人・やくざなどの間で、年長者・先輩の男性を指す語。兄分。兄貴分。

あに‐でし【兄弟子】自分より先に同じ師匠・先生について学んでいる人。対 弟弟子。

アニバーサリー 記念日。記念祭。▽anniversary

アニミズム 宗教の原初形態の一つ。世界のすべての事物に霊魂や精神が存在すると信じる心的状態。精霊崇拝。▽animism

アニメ 「アニメーション」の略。動きのない画面を一こまずつ描いたり、人形を少しずつ動かしたりして撮影する映画(の特殊技術)。動画。

アニメーション→アニメ。▽animation

あに‐よめ【兄嫁・×嫂】〔自分または配偶者の〕兄の妻。

アニリン 特殊なにおいのある無色・油状の液体。人工染料の原料。アミノベンゼン。▽ドイツ Anilin

あね【姉】❶きょうだいのうち年上の女性。実姉。❷配偶者のきょうだいで、配偶者より年上の女性。義姉。❸兄の妻。義姉。表記 ②③は「義姉」と書いて「あね」と読ませる。⇩〖類語と表現「兄弟・姉妹」〗

あね‐ご【×姐御・姉御】〔もと、姉の敬称〕やくざなどの親分の妻。また、(やくざの)女親分。

あね‐さま【姉様】❶姉の敬称。❷髪の毛・顔・着物を紙で作った女の人形。姉様人形。

あねさん‐かぶり【姉さん▽被り】掃除をするときなどに、手ぬぐいの中央を額にあて両端を後頭部までまわし、その片方を頂へ折り返して額の所ではさむ、手ぬぐいのかぶり方。ねえさんかぶり。あねさまかぶり。

あ‐ねったい【亜熱帯】温帯の中で、熱帯に近い地域。緯度はだいたい二〇〜三〇度で、高温少雨。

あね‐にょうぼう【姉女房】夫より年上の妻。ねえさん女房。姉さん女房。

あね‐むこ【姉婿・姉×聟】姉の夫。対 妹婿。

アネモネ キンポウゲ科の多年草。三〜四月に白・赤・桃色などの花が咲く。観賞用。▽anemone

あ‐の【▽彼の】㊀《連体》《代名詞「あ」＋格助詞「の」》❶話し手・相手の両方から遠い位置にある物をさす語。「―箱をとってほしい」❷話し手からも相手からも心理的・時間的に遠くなっているものをさす語。「―ころはよかったなあ」❸話し手も相手も知っているが、今相手の頭の中にないことを思い起こさせるときにそのことがらをさしていう語。例の。「―話はどうなりましたか」㊁《感》うまくことばが出なかったときなどに、つなぎとして使う語。「―、ちょっと」参考「あのう」のように長音化することも多い。表記 ㊁はかな書き。

あの‐かた【▽彼の方】《代名》《他称の人代名詞。遠称》→あのひと。参考「あのひと」より敬意が強い。

あのて‐このて【▽彼の手×此の手】《連語》いろいろな方法・手段。「―で攻める」

あ

あの・ひと【▽彼の人】《代名》《他称の人代名詞。遠称》以前に話題になった人、また、話し手からも聞き手からも遠い人を指して言う。「—が彼の婚約者です」参考「あちら」「あの方(かた)」より敬意が薄い。

あの・よ【▽彼の世】〔人が〕死んだ後に行くという世界。来世。類語冥土(めいど)。対この世。

アノラック 風や寒さを防ぐためのフードがついているジャケット。スキー・登山用。参考もと、イヌイット語。類語ウインドヤッケ。ヤッケ。▽anorak

アパート 中が、いくつもの独立した住まいになっている建物。共同住宅。参考「アパートメントハウス(apartment house)」の略。

アバウト《形動》こまかいことにこだわらず、雑であるようす。おおざっぱなようす。▽about から。

あば・く【暴く・▽発く】《他五》❶土中にうめられたものを掘り出す。「墓を—く」❷〔他人の秘密や悪事などを〕さぐり出して公にする。暴露(ばくろ)する。「秘密を—・く」「旧悪を—・く」類語ばらす。すっぱ抜く。洗い立てる。(する)剔抉(てっけつ)。文《四》。

アパシー 無関心。〔特に政治・思想問題に関するものに言う〕「政治的—」▽apathy

あば・ずれ【×阿婆擦れ】すれていてずうずうしく、品の悪い女。すれっからし。莫連(ばくれん)。参考昔は男についても言った。表記「阿婆」は当て字。

あばた【▽痘×痕】天然痘の発疹が化膿(かのう)してかさぶたになり、それがとれたあとの皮膚のくぼみ。痘痕(とうこん)。「—面(づら)」参考梵語 arbuda(=皮膚の水疱(すいほう))から。

—も靨(えくぼ)《句》相手に好意を持てば、どんな欠点も長所に見えるたとえ。

アパッチ アメリカ先住民の一部族。勇猛な性質をもっていた。▽Apache

あばら・ぼね【×肋骨】背骨から胸骨へ連なって胸部の内臓を保護する、左右一二対の骨。肋骨(ろっこつ)。あばら。

あばら・や【▽荒家・▽荒屋】❶あれはてた、そまつな家。類語陋屋(ろうおく)。廃家(はいか)。❷自分の家をけんそんして言う語。「むさくるしい—によくぞおいで下さいました」

アパルトヘイト 南アフリカ共和国が政策としていた黒人に対する極端な人種差別・人種隔離政策。▽(オランダ) apartheid

あばれ・がわ【暴れ川】(ーが)(は) 大雨が降ると、すぐにはんらんする川。

あばれ・もの【暴れ者】すぐけんかなどの乱暴なことをする人。乱暴者。暴れん坊。

あば・れる【暴れる】《自下一》❶力を使って乱暴な行いをする。「酔って—れる」❷思いきって大胆にふるまう。「総会で大いに—れる」文あば・る《下二》。

アパレル 衣服。「—産業(=衣料製造業)」▽apparel

あばれん・ぼう【暴れん坊】❶乱暴者。暴れ者。「校内きっての—」❷その世界で、大胆な激しい言動を行う人。「政界の—」

アバン・ギャルド 第一次世界大戦前後に起こった芸術革新運動。伝統的なものを否定し、最も新しい芸術を生みだそうとした。前衛派。▽(フランス) avant-garde(=前衛)

アバン・ゲール 世界大戦(特に第二次世界大戦)の前の思想・生活態度を身につけている人。戦前派。対アプレゲール。▽(フランス) avant-guerre(=戦前)

アバンチュール 恋愛にからんだ冒険。「恋の—」▽(フランス) aventure(=冒険)

アピール ❶《名・他サ》〔世論・公衆などに〕訴えること。また、その訴え。「原水爆禁止を—する」❷《名・他サ》スポーツなどで、抗議・要求すること。また、その抗議・要求。❸《名・自サ》人の興味を強くひきつけること。「大衆に—する映画」❹人の心を動かす力。魅力。「セックス—」=アッピール。▽appeal

あび・きょうかん【×阿鼻叫喚】❶〔仏〕阿鼻地獄でうける苦しみにたえられないで、亡者がわめき叫ぶようす。❷災害・事故などで被害をうけた人々が泣き叫ぶ、むごたらしい状態。「—の巷(ちまた)と化す」

あび・じごく【×阿鼻地獄】〔仏〕八大地獄の一つ。最悪の罪を犯した人が死後、たえず苦しみをうける所。無間(むけん)地獄。阿鼻焦熱地獄。阿鼻叫喚地獄。

あびせ・か・ける【浴びせ掛ける】《他下一》「あびせる」を強めた言い方。

あびせ・たおし【浴びせ倒し】(ーた)(ふし) 相撲の手の一つ。相手の上にのしかかって倒す技。

あび・せる【浴びせる】《他下一》❶〔大量の液体を〕上からそそぎかける。「冷水を—せる」類語ぶっかける。吹きかける。ふりかける。❷〔多くの物を〕集中的にぶつける。また、勢いよくしかける。「弾丸を—せる」「一太刀—せる(=刀で切りつける)」❸〔多くのことばを〕つづけざまに投げかける。こうむらせる。「質問を—せる」「罵声(ばせい)を—せる」文あび・す《下二》。

あひる【▽家×鴨】カモ科の鳥。マガモを家禽(かきん)として飼いならしたもの。卵や肉は食用。

あ・びる【浴びる】《他上一》❶〔大量の液体を〕かぶる。「水を—びる」類語浴する。(する)行水。水浴。沐浴(もくよく)。温浴。海水浴。❷湯につかる。「一風呂(ひとふろ)—・びる(=風呂に入る)」類語(する)入浴。入湯。❸〔多くの物、特に光・煙・ほこりなどを〕集中的にうける。「春の陽光を—びる」類語(する)日光浴。❹〔多くのことばや視線を〕つづけてうける。たくさんこうむる。「賛辞を—びる」「脚光を—びる」文あ・ぶ《上二》。

あぶ【×虻】アブ科とその近縁の昆虫。ハエを大きくしたような形をしている。種類が多い。

—蜂(はち)取らず《句》あれもこれもとよくばって全部失敗するたとえ。「—に終わる」類語二兎(にと)を追う者は一兎をも得ず。対一挙両得。一石二鳥。

アフォリズム 金言。警句。箴言(しんげん)。▽aphorism

あぶく【▽泡】〔俗〕〔水の〕あわ。

あぶく・ぜに【▽泡銭】苦労せずに、または悪いことをしてもうけた金銭。類語悪銭。

アブサン リキュールの一種。ニガヨモギの花や葉で香味をつけた緑色の酒。アルコール分は七〇(パーセント)前後。アブサント。アプサント。▽(フランス) absinthe(=ニガヨモギ)

アブストラクト ━《形動》抽象的。━《名》❶「アブストラクトアート」の略。抽象芸術。抽象美術。❷抜粋(ばっすい)。抄録。「文献の—」▽abstract

アフタ 口の粘膜にできる、粒状の小さな潰瘍(かいよう)。白色または灰白色で、まわりが赤くなる。ウイルスが原因とされ、幼児に多い。▽aphtha

アフター・ケア 回復期の患者に一定の期間行う作業療法。また、病後・産後の体の訓練や、更生・社会復帰のために行う職業補導。アフタケア。▽aftercare

アフター・サービス 業者が商品を売った後も、一定期間その品物の保証をし、修理などの便宜をはかること。▽after と service からの和製語。

アフタヌーン ❶午後。❷「アフタヌーンドレス」の略。昼間の儀式・訪問などに着る女性用礼服。ふつう、帽子をかぶる。[類語]イブニングドレス。▽afternoon

あぶな・い【危ない】《形》❶〔よくないことが起こりそうで〕気がかりだ。危険だ。「落石の多い—・い山道」❷滅びそうな、また、なくなりそうな状態である。「命が—・い」「不況で会社が—・い」[同]①②あやうい。❸〔望むことが〕実現しそうもない。成功しそうもない。不安である。「当選できるかどうか—・い」❹たしかでなく、信用できない。「彼の話は—・いものだ」[文]あぶな・し《ク》。
⇩〔類語と表現〕

—い橋を渡・る《句》危険な手段で仕事をする。また、危険だと知りながら法律に反した行為をする。

類語と表現

「危ない」

＊命が危ない・道路で遊ぶのは危ない・夜道の一人歩きは危ない・危ない遊び・危ない目に遭う・危ないところを助かる・経営が危なくなる。

◆危うい・危なっかしい・きわどい・由々しい／危険・危殆・危急・傾危・物騒・剣呑・不用心・有害・有毒・リスク・一触即発・危機一髪・一髪千鈞／(する)ひやひや・はらはら・どきどき・ひやりと・どきりと・どきんと・ぞっと／薄氷を踏む・虎穴に入る・虎の尾を踏む・累卵の危うき・風前の灯・轍鮒の急

あぶな・え【危(な)絵】 江戸時代後期の浮世絵で、女が肌をあらわに見せた扇情的なもの。「歌麿の—」

あぶなく【危なく】《副》(「あぶない」の連用形から)➡あやうく。

あぶな・げ【危なげ】《名・形動》あぶなそうで不安なこと。あやうげ。「—がない」「—で見ていられない」「—な手つき」[表記]「危な気」とも書く。

あぶなっかし・い【危なっかしい】《形》〔俗〕見ていてはらはらするくらい、危なげである。「—・い足どり」

アブノーマル《形動》変態的。病的。異常なようす。[対]ノーマル。▽abnormal

あぶはちとらず【×虻×蜂取らず】《句》➡「あぶ」の子見出し。

あ・ぶみ【×鐙】(「足踏み」の意)❶馬具の一つ。馬のくらの両わきにとりつけて足をふみかけるもの。❷登山で岩壁を登るときに用いる、なわばしご状の道具。

鐙 ①

＊**あぶら【油】** ❶鉱物・植物・動物からとれる、水にとけない透明な液体。燃えやすい。[表記]常温で液体のものを「油」、固体のものを「脂」と書く。❷活動の原動力。特に、酒のこと。「—が切れて頑張れない」

—を売・る《句》むだ話をして仕事をなまける。

—を差・す《句》❶〔機械などの動きをよくするため〕油をつける。❷➡油を注ぐ。

—を絞・る《句》❶〔大豆・ゴマなどをしめ木にかけて油をしぼりとるように〕あやまちや失敗をひどく責める。詰問する。❷〔むずかしい問題などを出して〕力をきびしくためす。「数学の問題で—・られた」

—を注・ぐ《句》勢いなどをさらに強くさせる。おだてる。油を差す。油をかける。

—を流したよう《句》海や湖の面が、波だたず穏やかなようすの形容。

＊**あぶら【脂・×膏】**〔動物の〕脂肪。[表記]特に肉のあぶらを「膏」と書くことがある。

—が乗・る《句》❶〔魚などが〕体に脂肪がついて十分発育する。❷ある物事をするのに調子がでてくる。「仕事に—・ってきた」

あぶら・あげ【油揚(げ)】 薄く切った豆腐の水をきり、油であげた食べ物。あげ。あぶらげ。

あぶら・あし【脂足】 脂肪分が多く、汗をたくさん出す性質の足。

あぶら・あせ【脂汗】〔体のぐあいの悪いときや心にはげしい苦しみがあるときなどにでる〕ねばねばした感じの汗。[類語]ひや汗。

あぶら・え【油絵】 油絵の具でかいた絵。洋画。

あぶら・かす【油×粕・油×糟】 大豆・菜種などから油をとった、しぼりかす。窒素をふくむので肥料になる。

あぶら・がみ【油紙】 桐油などの油をぬった、防水用の紙。油紙。「—に火がついたよう(=ぺらぺらとよくしゃべることの形容)」[類語]ろう紙。

あぶら・ぎ・る【脂ぎる】《自五》脂肪が多くついてぎらぎらする。脂肪がうきでてみえる。「—・った中年の男」

＊**あぶら・け【油気】** 油をふくんでいるようす。あぶらっけ。「あぶらげを湯に通して—をとる」

＊**あぶら・け【脂気】** 脂をふくんでいるようす。あぶらっけ。「—がぬける」

あぶら・げ【油▽揚】➡あぶらあげ。

あぶら・ごおり【油氷】 油を流したように表面がつるつるで、滑りやすい氷。

あぶら・さし【油差(し)】 機械などに油をさす、口の細い道具。油つぎ。

あぶら・じ・みる【油染みる】《自上一》油がしみついてよごれる。「—・みた作業服」

あぶら・しょう【脂性】 脂肪の分泌が多く、肌がいつもあぶらぎっている体質。[対]荒れ性。

あぶら・ぜみ【油×蟬】 セミ科の昆虫。やや大形で、からだは黒く、はねは赤褐色。非常にやかましくなき、暑さをかきたてる。最もふつうに見られる。

あぶら・っ・こ・い【脂っこい・油っこい】《形》❶脂肪分が多い。また、油気が強い。「—・い料理」❷〔性質が〕しつこい。「—・い話しぶり」

＊**あぶら・で【油手】** 油のついた手。油でよごれた手。

＊**あぶら・で【脂手】** 汗や脂肪分の分泌が多く、いつもべたべたしている手。

あぶら・でり【油照り】 夏、うすぐもりで風がなく、日がじりじりと照って、ひどくむし暑いこと(天候)。[類語]かんかん照り。

あぶら・な【油菜】 アブラナ科の一、二年草。春、黄色の花を開く。若い葉・茎は食用。種からなたね油をとる。なのはな。あおな。

あぶら・み【脂身】 魚・牛・豚・鳥などの肉の脂肪の多い所。「マグロの—」

あぶら・むし【油虫】 ❶アブラムシ科の昆虫。体長三ミリ前後。植物の液を吸う害虫。アリと共生する。ありまき。❷「ごきぶり」の別称。

ア・プリオリ《名・形動》〔哲〕経験に先立って与えられている知識。また、その在り方。先験的。先天的。

対アポステリオリ。▽ラテン a priori(=前にあるものから)

アプリケーション ❶適用。応用。❷申し込み。申請。出願。❸「アプリケーションソフト」の略。**―ソフト** コンピューターで、文書作成・通信など、特定の作業をするためのソフトウエア。▽application software から。

アプリコット あんず。▽apricot

あぶり-だし【×炙(り)出し・×焙(り)出し】 紙にみょうばんの水溶液・塩水などで字や絵をかき、火にあぶるとその形が現れでるようにしたもの。

あぶり-だ-す【×炙り出す・×焙り出す】《他五》❶紙に隠された字や絵を、火にかざして浮かび上がらせる。❷隠されていた本質などをあらわにする。「政変で真実が―される」

あぶ-る【×炙る・×焙る】《他五》❶火でほどよく焼く。「するめを―る」❷火にあてる。「火鉢で手を―る」文《四》。

アプレ-ゲール 世界大戦(特に第二次世界大戦)の後、それまでの思想や生活態度にしばられずに考え、行動する若い人々。戦後派。アプレ。対アバンゲール。▽フランス après-guerre(=戦後)

アフ-レコ 「アフターレコーディング」の略。映画・テレビなどで、初め画面だけを撮影しておいて、それに合わせて後から音をふきこむ方式。対プリレコ。

あふれ-でる【×溢れ出る】《自下一》あふれてこぼれ出る。あふれだす。「湯が浴槽から―でる」

あぶれ-もの【あぶれ者】 ❶世間からもてあまされている人。無法者。ならず者。❷仕事にありつけなかった人。失業者。

あふ-れる【×溢れる】《自下一》❶いっぱいになってこぼれる。あふれ出る。「涙が―れる」❷こぼれるほどいっぱいある。あふれ出る。「顔に喜びが―れる」文あふ・る《下二》。

あぶ-れる《自下一》《「溢(あふ)れる」の転》❶仕事にありつけない。「仕事に―れる」類語(る)失業。❷〔狩りや釣りで〕獲物がない。

アプローチ ❶《名・自サ》学問研究などで、その対象に接近すること。また、その接近のしかた。「自然科学的―」「公害問題への―」❷《名・自サ》めあてとする人に接近すること。「社長に―する」❸《名・自サ》ゴルフで、グリーンに近い地点からホールの近くへ球を寄せること。❹スキーのジャンプやボウリングなどで、スタートからふみきりまでの間。助走路。❺登山で、最後の乗り物をおりてから山の登り口に行くまでの間。❻敷地の出入り口から玄関までの間。▽approach(=接近)

あべかわ-もち【▽安▽倍川×餅】 焼いたもちに、きな粉などをまぶしたもの。あべかわ。参考静岡県の安倍川の渡しの茶屋で供されたものが名物となった。

あべ-こべ《名・形動》〔順序・位置・表裏関係などが〕ひっくりかえっていること。さかさま。反対。逆。

アベック 男女の二人連れ。▽フランス avec(=…とともに)

アベニュー 大通り。並木道。▽avenue

アベ-マリア《感》キリスト教で、聖母マリアにささげる祈りのことば。▽ラテン Ave Maria(=幸あれ、マリア)

アペリチフ 食欲を増すために食前に飲む、口あたりのよい洋酒。食前酒。アペリティフ。▽フランス apéritif

アベレージ ❶平均。❷「バッティングアベレージ」の略。野球の打率。アベレッジ。▽average

あへん【×阿片・×鴉片】 ❶麻薬の一つ。未熟なケシの実からとった乳状の液を乾燥させて作った茶色の粉。主成分はモルヒネ。痛み止めなどに使う。常用すると中毒になる。参考opiumの音訳「阿片」「鴉片」を音読した語。表記「アヘン」と書くことも多い。❷人間の正常な感覚を失わせるもの。「宗教は―だ」

アポ ❶「アポイントメント」の略。「―をとる」❷「アポストロフィー」の略。

アポイントメント 人に会う約束。また、会合に出席する約束。アポイント。アポ。「大臣と面談の―をとる」▽appointment

あ-ほう【×阿×呆・×阿▽房】《名・形動》おろかなこと(人)。あほ。〔人をののしるときにも使う〕参考関西で普通に使われる。類語ばか。とんま。まぬけ。**―どり【―鳥・▽信▽天▽翁】** アホウドリ科の海鳥。からだは白色で、頭からくびの両面にかけて黄褐色。翼を開くと二メートル前後になる。繁殖地はおもに伊豆七島の鳥島。国際保護鳥。参考地上での動作がにぶく、人に捕らえられやすいことからこの名がある。

アボカド クスノキ科の高木。熱帯アメリカ原産。西洋梨(なし)に似た形でこい緑色の実がなる。実は脂肪が多い。わになし。▽avocado

ア-ポステリオリ《名・形動》〔哲〕経験を通じて得る知識。また、その在り方。後験的。後天的。対アプリオリ。▽ラテン a posteriori(=後から来るものから)

アポストロフィー〔英語で〕省略や所有格などを表す記号。「can't」「Akiko's」などの「'」。アポストロフ。アポ。▽apostrophe

あほ-らし-い【×阿×呆らしい】《形》ばかばかしい。ばからしい。あほくさい。〔おもに関西でいう〕

アポロ-てき【アポロ的】《形動》造形的・理知的・静的で、調和がとれているようす。参考ニーチェが説いた芸術上の世界観から。対ディオニソス的。

***あ-ま【亜麻】** アマ科の一年草。高さ一メートル前後。夏、白またはうす青色の花を開く。種からあまに油をとり、茎の繊維でリンネルなどの高級な織物を作る。**―いろ【―色】** 黄色みをおびた褐色。あま糸の色。

***あま【尼】** ❶仏門に入った女。尼僧。比丘尼(びくに)。尊敬尼公(にこう)。対僧。参考梵語ambā(=母)の音訳。❷〔キリスト教で〕修道女。❸〔俗〕女をののしっていう語。あまっちょ。あまっこ。表記③は「阿魔」「女」とも書く。

***あま【▽海▽人・×蜑】**〔古〕漁業をする人。漁師。

***あま【〈海女〉】** 海にもぐって、貝・海藻などをとることを職業とする女性。

***アマ** 「アマチュア」の略。対プロ。

あま-あい【雨▽間】 雨のやんでいる間。あまま。

あま-あがり【雨上(が)り】 →あめあがり。

あま-あし【雨脚・雨足】 ❶雨が降り移っていく動き。「―が速い」❷線のように見えて(激しく)降る雨。「―が白く光る」参考雨の移動する様子や連続して落ちる様子を「脚」に見立てた語。＝雨脚(あめあし・うきゃく)

あま-い【甘い】《形》❶砂糖や蜜(みつ)のもっている味である。「―い菓子」類語甘ったるい。❷〔料理で〕塩けが少ない。「―いみそ」対①②辛い。❸〔においが〕糖分を思わせるようだ。「バラの―い香り」❹心がとけるようだ。人を喜ばせて誘いこむようだ。「―い音楽」「―い感傷にひたる」❺〔男女間の〕愛情がこまやかである。「―い関係」❻〔しつけ・採点などが〕厳しくない。親切で、何でもうけいれる。「女にー・い」「点がー・い」対辛い。❼考えがたりない。のんきである。また、大したものではない。「考えがー・い」「世の中をー・く見る」❽〔刃物の〕切れ味が悪い。鈍い。「切れ味がー・い」❾ぴったり合わない。ゆるい。「ねじがー・くなる」文あま・し《ク》。

ーい汁を吸・う《句》↓うまい汁を吸う。

あまえ【甘え】 甘える・こと(気持ち)。「ーが抜けない」

あま・える【甘える】《自下一》❶〔上位の人に〕人なつっこくなれなれしくする。また、なれてわがままにふるまう。「母親にー・える」❷〔人の好意・親切心などを〕都合のよいこととしてそれによりかかる。「お言葉にー・えまして…」「好意にー・える」文あま・ゆ《下二》。

あまえん-ぼう【甘えん坊】 すぐに甘える子供・人。類語甘ったれ。

あま-おおい【雨覆い】(ーおほひ) 雨がかからないようにかぶせる物。あまよけ。

あま-おち【雨落ち】 ❶あまだれが落ちてあたる所。あまだれ落ち。雨落(あめお)ち。❷〔劇場の〕舞台に一番近い席。かぶりつき。

あま-がえる【雨×蛙】(ーがへる) アマガエル科の小さなカエル。背は緑色のものが多いが、周囲の色によって変わる。四肢の先端に吸盤があって木の上にすむ。参考雨が降る前によく鳴くのでこの名がある。

あま-が・ける【天×翔る】《自五》〔文〕〔神・霊魂・鳥などが〕空を飛ぶ。あまかける。「ー・る想像力」注意下一段〔天がけない…〕に活用させることは避けたい。

あま-がさ【雨傘】 雨のときにさすかさ。

あま-がっぱ【雨合羽】 雨のときに衣服の上に着るおおい。表記「合羽」は当て字。類語レインコート。

あま-から・い【甘辛い】《形》甘さと辛さを両方持っているようす。「ー・いせんべい」

あま-かわ【甘皮】(ーかは) ❶木・果実などの内側にあるうすい皮。類語渋皮(しぶかわ)。薄皮(うすかわ)。対粗皮(あらかわ)。❷つめのはえぎわの、うすい皮。

あま-ぎ【雨着】 雨を防ぐために着る衣服。類語雨具。

あま-ぐ【雨具】 雨を防ぐために使う衣類や道具類。かさ・かっぱ・雨ぐつなど。雨具(うぐ)。

あま-くだり【天下り・天▽降り】 ❶天から下界〔人間界〕へおりること。❷官庁・上役などからの一方的な命令・おしつけ。「ー人事」❸《名・自サ》退職した高級官僚が〔官庁のおしつけで〕関連のある団体や民間会社に相当の地位で就職すること。

あま-くち【甘口】《名・形動》❶〔酒・みそなどの味加減で〕甘みが強いこと。「ーの酒」❷甘いものが好きな・こと(人)。甘党。対①②辛口(からくち)。❸喜ばせて人を誘い込む・こと(ことば)。甘言(かんげん)。「ーに乗るな」

あま-ぐつ【雨靴】 雨や雪のときにはく、ゴム・ビニールなどで作った靴。レインシューズ。

あま-ぐも【雨雲】 暗灰色の低い雲。参考気象用語では「乱層雲」。

あま-ぐもり【雨曇り】 今にも雨が降りそうな曇った空。

あま-ぐり【甘×栗】 ❶クリの実を熱した小石の中で皮のついたまま焼き、外から黒砂糖や水あめでつやと甘みをつけたもの。「天津(てんしん)ー」❷かちぐり。

あま-ごい【雨×乞い】(ーごひ)《名・自サ》〔日照りの続いたとき〕雨が降るように神仏に祈ること。「ーの神事」

あま-ざけ【甘酒】 ❶やわらかくたいた白米またはもち米の飯にこうじを加え、澱粉(でんぷん)を糖化して作る甘い飲み物。一夜酒(いちやざけ)。参考本来は夏の飲み物。❷酒のかすに砂糖・水を加え、熱して作る甘い飲み物。

あま-ざらし【雨×曝し】 雨にぬれるままにして、ほうっておくこと。「ーにする」類語日ざらし。野ざらし。

あま-じお【甘塩】(ーじほ) ❶〔料理で〕塩けをうすくしてあること。薄塩。❷魚肉などにうすく塩をつける・こと(もの)。「ーの鮭(さけ)」

あま・す【余す】《他五》あまらせる。残す。また、残っている。「今年もー・すところあと三日となった」「胸の内をー・す所なく(=残らず)話す」文《四》。

あま-ず【甘酢】 みりん・砂糖などを加えて甘みをつけた三杯酢。

あま-ずっぱ・い【甘酸っぱい】《形》甘くてすっぱい。参考ひゆ的に、うれしいようなやるせないような複雑な感情の形容にも使う。「ー・い初恋の味」

あま-ぞら【雨空】 今にも雨の降りそうな空。また、雨が降っているときの空。類語雪空。

あまた【▽数多・▽許多】《名・副》〔文〕数が多いこと。多く。たくさん。「ーの歳月が流れる」「桜花ー咲き乱れる」表記「数多」「許多」は当て字。

あま-だい【甘×鯛】(ーだひ) アマダイ科の魚。マダイよりも細長い。食用。参考タイ類とは別種。

あま-だれ【雨垂れ】 軒などからしたたり落ちる雨水。あましずく。あまだり。点滴。雨滴。

ー石を穿(うが)つ《句》小さな力でも長い間続ければ最後には成功するたとえ。

あま-ちゃ【甘茶】 ❶ユキノシタ科の落葉低木。六月ごろ、アジサイに似た花を開く。❷甘茶①・甘茶ヅルなどの葉をむしてもみ、乾かして作った茶。せんじて飲む。四月八日の灌仏会(かんぶつえ)に釈迦(しゃか)の像に注ぐ。

アマチュア〔そのことを職業とせず〕趣味や余技としてする人。しろうと。アマ。「ーのカメラマン」類語ノンプロ。対プロフェッショナル。▽amateur

あま-つ【天つ】《接頭》天にある。天の。「ー風(=空を吹きわたる風)」「ー神」参考「つ」は上代の助詞で「の」の意。

あま-っ-こ【×阿魔っ子・尼っ子・▽女っ子】〔俗〕表記「天津」と当てることもある。女性をののしって言う語。あまっちょ。

あまつ-さえ【▽剰え】(ーさへ)《副》(「あまりさへ」の促音便「あまっさえ」の転)〔文〕その上に。おまけに。〔多く、悪い場合に使う〕「風雨強く、ー雷まで鳴り出した」類語加うるに。のみならず。

あま-っ-たる・い【甘ったるい】《形》❶いやになるほど甘い。「ー・い味つけ」❷〔声・態度などが〕ひどくあまえてしまりがない。「ー・い声でねだる」「ー・い男」❸〔男女間の〕愛情の表現が度をすぎているようす。

あま-っ-たれ【甘ったれ】《名・形動》甘ったれる・こと(人)。類語甘えん坊。

あま-っ-た・れる【甘ったれる】《自下一》〔好意などをあてにして〕ひどく甘える。あまたれる。

あま-っ-ちょろ・い【甘っちょろい】《形》〔俗〕〔考え方などが〕安易である。あまい。あまちょろい。「そんなー・い考え方ではだめだ」

あま-つぶ【雨粒】 雨のつぶ。雨のしずく。あめつぶ。

あま-でら【尼寺】 ❶尼の住んでいる寺。比丘尼寺(びくにでら)。❷女子の修道院。

あま‐ど【雨戸】〔日本風の建物で、風雨を防ぐため〕ガラス戸の外側や縁側にたてる板戸。

あま‐どい【雨×樋】軒の雨だれをうけて地上に流すもの。とい。

あま‐とう【甘党】〔酒よりも〕あまいものの好きな・こと（人）。対辛党。

あま‐なつ【甘夏】夏ミカンの中で、すっぱさの少ない品種。甘夏みかん。甘夏かん。

あま‐なっとう【甘納豆】アズキ・ソラマメなどを砂糖を加えて煮つめ、砂糖をまぶした菓子。

あまねく【▽遍く・▽普く】《副》《文語「あまねし」の連用形から》〔文〕ひろく。「雨は―大地をうるおす」

あま‐の‐いわと【天の岩戸】日本の神話で、高天が原にあったという岩穴の戸。天の岩戸。

あま‐の‐がわ【天の川・天の河】夏の晴れた夜、乳白色にあわく光って、川のように見える無数の星の集まり。銀河。参考七夕の伝説で有名。類語天河。星河。銀河。銀漢。天漢。ミルキーウエー。

あま‐の‐じゃく【天の邪▽鬼】❶仁王や毘沙門天が足でふみつけている鬼。❷わざと人の意見・忠告にさからう・こと（人）。つむじまがり。＝あまんじゃく。

あま‐の‐はら【天の原】━《名》❶〔文〕大空。❷日本の神話で、神々の住む所。高天が原。━《枕》「富士」「空」「ふりさけ見る」などにかかる。

あま‐ぼし【甘干し】❶渋をとるために、皮をむいて干した柿。❷魚のなまぼし。

あま‐ま【雨間】雨のやんでいる間。あまあい。

あま‐み【甘味】❶甘い味。甘い程度。甘さ。甘味。「―が足りない」❷〔菓子など〕甘い食べ物。表記「甘味」の「味」は当て字で、「甘み」と書くことも多い。

あま‐みず【雨水】降った雨の（たまった）水。天水。雨水。

あま‐みそ【甘味×噌】塩けのうすいみそ。対辛みそ。

あま‐もよい【雨▽催い】今にも雨の降りそうな空模様。あめもよう。あめもよい。〔やや古風な言い方〕

あま‐もよう【雨模様】➡あめもよう。

あま‐もり【雨漏り】屋根や天井の破れ目から雨水が家の中へもること。「―がする」

あま‐やか【甘やか】《形動》甘い感じがするようす。甘美。「―な愛情」

あまやか‐す【甘やかす】《他五》〔子供や部下などに〕気ままな行動をゆるす。わがままにさせる。「―・されて育つ」文《四》。

あま‐やどり【雨宿り】《名・自サ》軒下や木陰などで、一時、雨をさけること。雨やみ。雨よけ。

あま‐やみ【雨▽止み】❶雨がやむこと。雨上がり。「―を待つ」❷雨宿り。〔古風な言い方〕

あま‐よ【雨夜】雨が降っている夜。

あま‐よけ【雨▽除け・雨▽避け】❶雨を防ぐ・こと（おおい）。類語日よけ。❷《名・自サ》雨宿り。表記①は「雨除け」、②は「雨避け」と書くことが多い。

あまり【余り】━《名》❶余ったもの。残り。「―が出る」類語残余。剰余。余剰。❷《形動》程度がひどいようす。あんまり。「―のひどさに驚いた」「―に急ぐものではない」表記②はふつうかな書き。類語過度。法外。━《副》❶〈「―に」「―にも」の形も〉ふつうの程度をひどく越しているようす。…すぎるほど…。あんまり。「これは―に（も）惨めだ」❷〈「…の―」「…した―」などの形で〉〔感情などが〕はなはだしく高まった結果。「びっくりした―」❸《下に打ち消しの語を伴う》たいして。それほど。あんまり。「―好きじゃない」表記━はふつうかな書き。━《接尾》《数を表す語について》それより少し多いことを表す。余。「一か月―の後」

―と言えば《句》いくら何でも程度というものがあると言うほどに。「―ひどい仕打ち」

あまり‐あ・る【余り有る】《連語》…してもまだ不足がある。それよりもはるかに程度がはげしい。「最大級の賛辞を呈しても―・る行為」

あまり‐もの【余り物】あまった物。残り物。

―に福あり《句》残った物の中に意外に値うちのあるものがある。残り物に福あり。

アマリリス ヒガンバナ科の多年草。初夏、長くのびた茎の先にユリに似た、朱色・白色などの花を数個開く。▽amaryllis

あま・る【余る】《自五》❶多すぎて残る。割り切れずに残る。「お金が―・る」「人手が―・る」❷〔ある数・年月を〕こえている。❸〔勢い・能力・分などの〕限度をこえている。「十指に―・る」「手に―・る仕事」「身に―・る光栄」「目に―・る惨劇」文《四》。

アマルガム ❶水銀と他の金属との合金。❷虫歯につめる水銀・すず・カドミウムなどの合金。▽amalgam

あまん・じる【甘んじる】《自上一》➡あまんずる。

あまん・ずる【甘んずる】《自サ変》❶〔ある程度のところで〕十分だとして受け入れる。「薄給に―・ずる」❷〔与えられたものに〕逆らわないで、我慢する。「万人の幸福に―・じて不幸を背負う」「批判は―・じて受けよう」類語（する）満足。類語（する）甘受。＝あまんじる。

***あみ【網】**❶糸・なわ・ひも・針金などをあらく編んだもの。また、それで作った鳥・魚・虫などを捕らえるもの。参考「一帖…」「一張…」と数える。❷ある人を・捕らえるため（束縛するように）はりめぐらしたもの。「法の―にかかる」「捜査の―を張る（＝犯人などを捕らえるため、準備をして待ち伏せる）」

***あみ【×醤×蝦】**エビに似た一センチ前後の節足動物。多く海にすむが、川・湖などにもすむ。食用・飼料用。

***アミ** 友達。また、恋人。▽フランス ami（女性形 amie）

あみあげ‐ぐつ【編（み）上（げ）靴】二列に並んだホックや穴にひもを×型にかけてしめる深い靴。あみあげ。

アミーバ ➡アメーバ。▽amoeba

あみ‐うち【網打ち】❶網を投げて魚をとる・こと（人）。投網。❷相撲で、（網を投げるように）相手の片腕をとって後ろに投げるわざ。

あみ‐がさ【編（み）×笠】イグサ・スゲ・わらなどで編んだ、頭にかぶるかさ。

あみ‐じゃくし【網×杓子】すくう物の水けを切るため、先の部分が網になっているしゃくし。

あみ‐シャツ【網シャツ】網目状に編んだシャツ。夏の肌着に用いる。

あみだ【×阿×弥×陀】❶すべての人を救うという誓いをたてた、西方の極楽浄土の教主の名。浄土（真）宗の本尊。阿弥陀仏。阿弥陀如来。弥陀。参考梵語 amitābha, amitāyus の音訳で、「無量光明」「無量寿」と訳す。❷「あみだくじ」の略。❸「あみだかぶり」の略。「帽子を―にかぶる」

―かぶり【―▽被り】〔阿弥陀仏の光背のように〕帽子・かさなどを後ろに傾けてかぶること。あみだ。

―くじ【―×籤】何本かの縦線・横線を組み合わせたくじ。あみだ。

あみ-だ・す【編み出す】《他五》❶編みはじめる。❷編んで、形などを表す。「花もようを―・す」❸〔新しい方法・策略などを〕考えだす。「新方式を―・す」

あみ-だな【網棚】電車などで、手荷物を置くための、網をはったたな。

*__あみ-ど__【網戸】〔蚊やハエを防ぐため〕金網をはった戸。

*__あみ-ど__【編(み)戸】竹・木などを編んで作った戸。

アミノ-さん【アミノ酸】〈amino acid〉〔理〕たんぱく質の構成単位となる窒素化合物。ふつう無色の結晶で、水にとける。参考 人間に不可欠なアミノ酸を「必須アミノ酸」という。

あみ-の-め【網の目】網目①。

あみ-ばり【編(み)針】編み物に使う、竹や金属で作った太く長い針。編み棒。

あみ-はん【網版】印刷用凸版の一つ。写真・絵画などの濃淡を網の目のような細かい点の集まりの粗密によって表した版。網目版。網目。網版。

あみ-ぼう【編(み)棒】編み針。

*__あみ-め__【網目】❶網を作っている糸と糸とのすきま。網の目。類語 編み目。❷網版。

*__あみ-め__【編(み)目】編んだものの、糸・毛糸などで囲まれたすきま。また、編み物を編むときの単位になる、糸と糸とをからみ合わせて作った目。「―が粗い」

あみ-もと【網元】船や網をもち、多くの漁夫を使って漁業をいとなむ職業(の人)。網主。対 網子。

あみ-もの【編(み)物】糸や毛糸を編んで衣類・装飾品などを作ること。また、そのようにして作った物。

あみ-やき【網焼き】火に直接、金網をかけて焼くこと〔料理〕。グリル。「―にする」

アミューズメント 楽しみ。娯楽。▽amusement

あ・む【編む】《他五》❶〔糸・竹・髪など〕細長いものを組み合わせる。「毛糸を―・む」❷幾つかの材料を集めて、本や計画表などを作る。「文集を―・む」類語 製作。作成。編集。編纂。文《四》。

アムール 愛。恋。恋愛。▽(フランス) amour

アムネスティー 「アムネスティーインターナショナル〈Amnesty International〉」の略。民間の国際的な人権擁護団体。政治犯・思想犯の釈放運動などを行っている。略語AI。参考 amnestyは大赦の意。

*__あめ__【天】〔古〕天上。天。また、空。「―の下」対 地。

*__あめ__【雨】❶空気中の水蒸気が冷えて、たくさんの水滴となって空から降ってくるもの。生物に多くの恵みを与える一方、洪水などの害をもたらす。❷雨①が降る天候。「涙の―」「―のち曇」❸続けざまに落ちてくるもの。「爆弾の―」⇨〖類語と表現〗〖使い分け〗

―が降ろうが槍が降ろうが《句》どんな困難があっても。「―伺います」

―降って地固まる《句》もめごとがあった後は、前より物事がかえってよい状態におちつくたとえ。

類語と表現 「雨」

*雨になる・雨が降る〔落ちる・ぱらつく・そぼ降る・降りかかる・降りつのる・降りしきる・降り注ぐ・降りやむ・やむ・上がる〕。

◆〔…あめ(さめ)〕朝雨・大雨・小糠雨・五月雨・篠突く雨・天気雨・通り雨・長雨・涙雨・にわか雨・日照り雨・恵みの雨・遣らずの雨／春雨・秋雨・霧雨・小雨・氷雨・村雨

◇〔…う〕煙雨・甘雨・豪雨・細雨・慈雨・驟雨・春雨・小雨・大雨・多雨・梅雨・風雨・猛雨・雷雨・霖雨・冷雨・暴風雨

◇〔…降り〕雨降り・吹き降り／小降り・大降り・本降り・土砂降り

◇〔その他〕梅雨(空つゆ・菜種づゆ・戻りづゆ)・時雨(初しぐれ・村しぐれ・横しぐれ)・夕立・お湿り・狐の嫁入り・秋霖・卯の花くたし・五月雨・スコール

◆副詞句表現 沛然と・潸々と・蕭々と・車軸を流すように・天の底が抜けたように・バケツをひっくり返したように

◆オノマトペ ぱらぱら・ぽつぽつ・ぽつりぽつり・ざあざあ・ざあっと・しとしと・じめじめ

使い分け 「雨(あめ／あま)」

*「雨」を語頭にもつ語には、「あま…」となるものが多い。これは、「あめ」の古い形である「あま」が複合語に残ったものと言われる。現代では、「あめ」は名詞・造語成分として、「あま」は造語成分としてだけ使われるが、前者には現代的で即物的な、後者には古風で優雅な響きがある。雨具の類は必ず「あま…」となる。また、語末では一般に「…あめ」となるが、「…さめ」となる語もある。(〖類語と表現〗「雨」を参照)

◆〔あめ…〕雨あられ・雨男・雨女・雨風・雨がち・雨台風・雨露・雨降らし〔生物〕・雨降り

◇〔「あま…」とも〕雨上がり・雨冠〔部首〕・雨しずく・雨粒・雨模様

◆〔あま…〕雨覆い・雨音・雨外套・雨蛙・雨傘・雨がっぱ・雨具・雨靴・雨雲・雨ごい・雨ゴート・雨ざらし・雨空・雨垂れ・雨つばめ・雨戸・雨冷え・雨水・雨漏り・雨宿り・雨夜

◇〔「あめ…」とも〕雨落ち・雨脚・雨支度・雨もよい・雨やみ・雨よけ

*__あめ__【×飴】いも・米などの澱粉を糖分にかえて作った甘い粘りのある食品。

―と鞭《句》甘い生活条件と厳しい弾圧を併用する政治技術。参考 プロイセンの首相ビスマルクの政策から。類語 人参と鞭。

―をしゃぶら・せる《句》うまいことを言ったり、わざと負けたりして、相手を喜ばせておく。飴をなめさせる。飴を食わす。

あめ-あがり【雨上(が)り】雨がやんだあと。あまあがり。類語 雨後。

あめ-あし【雨脚・雨足】→あまあし。

あめ-あられ【雨×霰】弾丸や矢などが、激しく続けざまに飛んでくるたとえ。「弾丸が―と降り注ぐ」

あめ-いろ【×飴色】〔水あめのような〕透明な黄褐色。

アメーバ 池や沼の泥の中にすむ単細胞の原生動物。たえず体の形を変えながら偽足を出して運動し、食物をとる。参考「アミーバ」とも言うが、学術用語では「アメーバ」。▽amoeba

あめ-おとこ【雨男】催しにその人が参加すれば必ず雨が降るといわれる男性。参考 女性の場合は「雨女」。ともにからかって言う。「―の異名をとる」

あめ-が-した【天が下】〔文〕〔古風な言い方で〕この世。世界。天下。天の下。「―に並ぶ者なし」

あめ-かぜ【雨風】❶〔生活などに支障を与えるものと

しての〕雨と風。また、辛いことのたとえ。「―をしのぐだけの（＝どうにか暮らせるだけの貧しい）生活」「浮世の―」［類語］雨露。❷風をともなった雨。［類語］風雨。

アメシスト 紫色の水晶。紫水晶。アメジスト。［参考］二月の誕生石。▽amethyst

アメダス 地域気象観測システム。雨量・気温・風（風向・風速）・日照ならびに積雪の深さを自動的に測定し、通信する。▽AMeDAS（Automated Meteorological Data Acquisition Systemの略）

あめ-つち【天▽地】〔古〕❶天と地。天地。❷天の神と地の神。

あめ-つぶ【雨粒】→あまつぶ。

あめ-つゆ【雨露】〔生活などに支障をあたえるものとしての〕雨と露。雨露。「―をしのぐ」［類語］雨風。

アメニティー〔おもに都市生活での〕住みやすさ。▽amenity（＝快適さ）

あめのむらくも-の-つるぎ【天×叢雲剣】三種の神器の一つ。日本の神話で、素戔嗚尊が退治した八岐大蛇の尾からでたという剣。後に「草薙の剣」と改称。

あめ-ふり【雨降り】雨が降ること。降雨。また、雨天。「―には外出しません」

あめ-もよい【雨▽催い】→あまもよい。

あめ-もよう【雨模様】今にも雨が降りそうな様子。あめもよい。あまもよい。あまもよう。［参考］近年俗に、わずかの雨が降ったりやんだりすることにも言う。

アメリカ-インディアン 南北アメリカ大陸の先住民族。太古に東アジアから渡来したという説が有力。インディアン。▽American Indianから。

アメリカ-しろひとり【アメリカ白火取】ヒトリガ科のガ。白色で前ばねに黒褐色の斑点がある。幼虫（毛虫）は淡黄色で、サクラなどの葉を食いあらす。［参考］一九四六年ごろ北アメリカから入ってきた。

アメリカナイズ《名・自他サ》米国化すること。米国ふうになること。▽Americanize

アメリカン ❶《造語》「アメリカの」「アメリカ風の」「アメリカ人の」の意を表す。「―ドリーム」❷《名》「アメリカンコーヒー」の略。浅く煎った豆を使っていれる、軽いコーヒー。▽American ―**フットボール** アメリカで、サッカーとラグビーとから考案されたフットボール。一チーム一一人からなり、楕円形の球を相手の陣地・ゴールにもちこみ、または、けり入れて勝負を争う。防具を着けて行う。米式蹴球。アメフ（ッ）ト。アメラグ。▽American football

あめんぼ【×飴▽坊・▽水▽馬・▽水×黽】アメンボ科の昆虫。体は細長く、黒っぽい。池や小川にすみ、長い足で水面をはねるようにして動く。あしたか。かわぐも。［参考］(ア)捕らえると水あめに似たにおいを出すことから言う。(イ)ミズスマシを指す地方もあるが、別種。

アモルファス〔理〕原子配列が不規則で、結晶にならない状態（の物質）。ガラス状態。非晶質。［参考］この状態の金属（＝アモルファス金属）は強度・磁気特性にすぐれる。▽amorphous

***あや**【▽文・▽彩・×綾】❶〔物の表面に自然にあらわれた〕いろいろな形の配置。模様。特に、斜めに交わった線の模様。「―をなす」❷物事のすじみち。いりくんだしくみ。「勝負の―」❸たくみな言いまわし。ことばの飾り。「ことばの―」［類語］文飾。

***あや**【×綾】❶あや織り。❷美しい模様を織りだした絹織物。あや絹。

あやう-い【危うい】《形》〔文〕→あぶない。［文］あやふ・し《ク》。

―**きこと累卵の如し**《句》〔いつ崩れるかわからないような〕非常に危険な状態のたとえ。

あやうく【危うく】《副》《「あやうい」の連用形から》❶あることをしそうになってどうにか思いとどまるようす。かろうじて。やっとのことで。「―助かった」❷あることを今にもしそうになるようす。もう少しで。すんでのことで。すんでのところで。「―だまされるところであった」＝あぶなく。

あや-おり【×綾織（り）】❶横糸・縦糸をおのおの数本おきに交わらせて、斜めの模様を表す布の織り方。また、そのように織ったもの。綾。❷綾を織る人。

あやかし ❶船が遭難したときなどに海上に現れるという怪物。❷ふしぎな・こと（もの）。怪奇。もののけ。

あやかり-もの【▽肖り者】他の人があやかりたいと思うほど幸福な人。果報者。

あやか・る【▽肖る】《自五》幸せな人に・似て〔影響されて〕幸せになる。「彼女の幸せに―・りたい」［文］《四》。

あやし・い【怪しい】《形》❶ふしぎで不気味である。神秘的である。「―・い光を放つ刀身」❷ふつうと変わっていて変である。異様だ。「町は―・く静まり返っている」［表記］①②は「妖しい」とも書く。❸〔よくない状態になりそうで〕不安である。当てにならない。「空模様が―・くなる」❹〔本当かどうか〕疑わしい。疑問である。「その話は―・い」❺嫌疑がかけられる。犯人の疑いがある。「あいつが―・い」❻〔男女間で〕秘密の関係があるらしい。「ふたりの仲は―・い」❼正体や素性がわからない。「ものかげにひそむ―・い男」［文］あや・し《シク》。

あやし-げ【怪しげ】《形動》怪しいようす。特に、いかがわしいようす。「―な目つき」「―な安宿」

あやし・む【怪しむ】《他五》あやしいと思う。けげんに思う。「犯人ではないかと―・む」「二人の仲を―・む」［類語］うたがう。［文］《四》。

あや・す《他五》〔赤ん坊の〕きげんをとる。「むずかる子を―・す」［参考］「愛す」の音変化。［文］《四》。

あやつり【操り】❶操ること。また、操るしくみ。からくり。❷操り人形。―**にんぎょう**【―人形】❶糸をつけた人形をかげで操ってさせる芝居。また、その人形。操り。傀儡。くぐつ。マリオネット。❷他人の意思・命令のままに行動する人。「大国の―と化する」

あやつ・る【操る】《他五》❶〔人形などを〕しかけた糸で動かす。❷〔ものを〕動かして使う。あつかう。「舟を―・る」❸〔ことばや知識を〕使いこなす。「三か国語を―・る」❹かげで人を動かしてあることをさせる。かげで糸を引く。「政府を―・る黒幕」［文］《四》。

あや-とり【×綾取り】輪にした細いひもを指や手首にかけ、いろいろな形を作りながら互いにやりとりする女の子の遊び。糸取り。

あや-ど・る【×綾取る】《他五》❶〔たすきなどを〕十文字にむすぶ。「たすきを―・る」❷美しくかざる。「文章を―・る」「花壇を―・る春の花々」

あや-な・す【▽彩なす・×綾なす】《他五》〔文〕❶美しい色や模様をあらわす。美しい色や模様でいろどる。「美辞麗句で―・す」❷うまく取り扱う。思いのままに扱う。〔古風な言い方〕「甘言で女を―・す」

あや-に【▽奇に】《副》〔文〕わけもなく。たとえようもなく。「―畏(かし)し」「―尊し」

あや‐にしき【×綾×錦】〔綾(あや)と錦(にしき)の意から〕美しい着物や紅葉などを形容する語。「赤や黄色の―」

あやぶ・む【危ぶむ】《他五》〔うまくいくかどうか〕不安に思う。あぶなく思う。「成功(するかどうか)を―・む」 類語 気遣う。(する)懸念(けねん)。危惧(きぐ)。 文《四》。

あや‐ふや《形動》不確かで、はっきりしないようす。あてにならないようす。「―な答え」 類語 曖昧(あいまい)。

あやまち【過ち】❶やり損ない。間違い。失敗。失策。誤り。「若げの―」❷〔悪意がなく偶然に犯した〕罪。過失。「ふと魔がさして犯した―」 類語 大過。小過。❸男女の間の不道徳な関係。「―を清算する」

注意 「誤ち」は誤り。

あやま・つ【過つ】《他五》❶やり損なう。失敗する。間違う。「―・たずに命中する」❷〔悪意はなく偶然に〕罪を犯す。 参考 「過ちを犯す」の文語的な言い方。 文《四》。⇩〖使い分け「あやまる・あやまつ」〗

あやまり【誤り】正しくないこと。間違い。「―を指摘される」「―を正す」 類語 失策。誤謬(ごびゅう)。誤算。

あやま・る【誤る・×謬る】➊《自五》❶し損なう。間違う。「針路が―・っている」❷道理からはずれる。間違える。たがえる。「―・った戦争で国が亡びる」 文《四》。➋《他五》❶〔選び方を〕間違える。「あいさつをする人の順序を―・る」❷悪いほうにみちびく。失敗させる。ふみはずす。「身を―・る」 文《四》。⇩〖使い分け〗

あやま・る【謝る】《自他五》❶〔悪かったと〕わびる。謝する。「ごぶさたを―・る」❷〔閉口して〕降参する。まいる。「彼のあつかましさには―・る」❸〔閉口して〕ことわる。ごめんこうむる。「そんな面倒な仕事は―・る」 文《四》。⇩〖類語と表現〗〖使い分け〗

類語と表現

「謝る」

*至らぬ点を謝る・不手際を謝る・素直に謝る・手をついて[土下座して]謝る・平謝りに謝る・謝って済む問題ではない。

◆詫(わ)びる・詫びを入れる・詫び入る・詫び言をいう・泣きを入れる・許し[諒恕(りょうじょ)・寛恕・宥恕(ゆうじょ)]を請う・謝する・謝意を表する/(する)陳謝(ちんしゃ)・多謝・深謝・謝罪

◆挨拶 ごめんね[よ]・ごめんなさい・お詫びします・済みません・申し訳ない・ご容赦[ご海容]ください・許して[堪(こら)えて]ください・勘弁[堪忍]してください

使い分け

「あやまる・あやまつ」

誤る〔やり損なう。間違える。ふみ外す〕操作を誤る・計算を誤る・聞き誤る・身を誤る・筆写に誤りがある

謝る〔わびる〕判断ミスを謝る・非礼を謝る・平謝りに謝る

過つ〔失敗する。悪意なく罪を犯す〕過つことなく矢を当てる・道を過つ・過って人を殺す・若気の過ち・男女の過ち

参考 「あやまって」の形では、「誤って甲乙入れ違える/過って人を殺す」のように書き分けるが、道をふみ外す意では「誤って/過って」いずれも使われる(誤って/過って悪魔の誘惑に乗る)。

***あや‐め**【▽文目】〔文〕❶模様。色どり。❷ものの区別・けじめ。また、物事のすじみち。道理。〔多く下に打ち消しの語を伴う〕「―も分からぬ真の闇(やみ)」

***あやめ**【×菖×蒲】❶「しょうぶ」の古名。❷アヤメ科の多年草。山野の日当たりのよいかわいた所に自生する。葉は剣状。六月ごろ花柄の先端に紫色または白色の花を開く。はなあやめ。 参考 ハナショウブ・カキツバタ・イチハツと同じ仲間で、よく似る。

あや・める【▽殺める・▽危める】《他下一》〔文〕危害を加える。殺す。「人を―・める」 文あや・む《下二》。

***あ‐ゆ**【×阿×諛】《名・自サ》〔文〕相手の気にいるようなことを・言って(して)きげんをとること。へつらうこと。「官憲に―する」 類語 追従。迎合(げいごう)。おべっか。

***あゆ**【×鮎・▽香▽魚・▽年▽魚】アユ科の魚。清流にすむ。背は黄緑色で、腹は黄白色。姿が美しく、肉に香りがある。食用。鮎(あい)。 参考 寿命が一年なので「年魚(ねんぎょ)」、香りがあるので「香魚(こうぎょ)」ともいう。

あゆみ【歩み】❶歩くこと。歩行。「―がのろい」「―を運ぶ(=歩く)」❷足なみ。歩調。「―をそろえる」❸物事の進み方。「歴史の―」「母校の―をたどる」

あゆみ‐あい【歩み合い】〔対立する主張を一致させるため〕互いにゆずりあうこと。折り合い。歩み寄り。

あゆみ‐よ・る【歩み寄る】《自五》❶〔自分のほうから、または、互いに〕歩いて近寄る。❷対立した意見が一致するようにゆずる。おれあう。「双方が―・る」

あゆ・む【歩む】《自五》〔文〕❶足を使って進む。あるく。〔雅語的な言い方〕「大和路を―・む」❷経てくる。すごす。「苦難の道を―・む」❸〔物事が〕進む。「戦争終結にむかって―・む」 文《四》。

***あら**【新】《接頭》《名詞について》❶新しい。「―所帯」❷まだ使っていない。「―湯」 対①②古(ふる)。

***あら**【粗】➊《接頭》《名詞について》❶おおざっぱで・粗末な(完成していない)。「―塗り」「―造り」❷簡単でまばらな。「―垣」❸人手を加えない。自然のままの。「―金(がね)」➋《名》❶魚肉のよい部分をとった残りの骨・頭など。❷精白した米にまじっている籾(もみ)。❸落ち度。欠点。短所。「―が目立つ」「―をさがす」

***あら**【荒】《接頭》❶荒れている。「―野」❷(おおまかで)荒々しい。激しい。「―稼ぎ」「―療治」「―仕事」❸勢いが強い。乱暴な。「―武者」「―法師」

***あら**《感》物事に感動したり、驚いたりしたときに、主として女性の発する語。「―、だって、面白かったんですもの」 参考 「あらあら」と重ねても言う。

アラー イスラム教の、唯一最高の神。アッラー。▽(アラビア)Allah(=神)

アラーム❶警報。警報器。❷目覚まし装置。「―クロック(=目覚まし時計)」▽alarm

あら‐あら【粗粗】《副》〔文〕おおざっぱに。だいたい。ざっと。「経緯を―述べる」 参考 形容詞「粗い」の語幹を重ねた語。 **―かしこ**《感》〔文〕女性が手紙の終わりに書くあいさつの語。 参考 「おおざっぱで、恐れいります」の意。「かしこ」より丁寧な言い方。

あらあら‐し・い【荒荒しい】《形》❶〔ことば・行いなどが〕あらっぽい。乱暴である。「―・い足音」❷〔程度が〕激しい。「―・い息づかい」

***あらい**【洗い】❶洗うこと。「印画紙の―がたりない」❷さしみの一種。新鮮な魚の白身を冷水や氷水でひやして、かたくちぢませた料理。タイ・コイ・スズキなどを用いる。 表記 ②は「洗鱠」「洗魚」とも当てる。

***あら・い**【粗い】《形》❶〔編み物・織物・模様などの〕目が大きい。また、粒が大きい。「むしろの目が―・い」❷ざらざらしてなめらかでない。「肌が―・い」❸密でなく、まばらである。「種のまき方が―・い」❹大まかである。

あ

大ざっぱである。ととのっていない。「—・い計画」対①〜④細かい。文あら・し《ク》。

＊あら・い【荒い】《形》❶〔気持ち・態度・行動などが〕乱暴である。「言葉遣いが—・い」「気性が—・い」❷勢いが激しい。「波が—・い」「息遣いが—・い」❸節度がなく乱暴である。「金遣いが—・い」「人使いが—・い」文あら・し《ク》。⇩〖類語と表現〗

類語と表現

「荒い」

＊風波が荒い・呼吸が荒い・人使い〔金遣い〕が荒い・荒れた海・荒い言葉を吐く・気性の荒い馬・語気荒く詰問する。

◆荒々しい・荒っぽい・荒くれた・手荒い／がさつ・粗削り・野蛮・粗野・粗暴・乱暴・強暴・凶暴・凶猛・獰猛・暴虐・暴戻・伝法・鉄火・過激

あらい・あ・げる【洗い上げる】《他下一》❶洗い終わる。「全部の皿を—・げる」❷すっかり洗う。十分に洗う。「まっ白に—・げる」❸〔②から転じて〕すっかり調べ上げる。「容疑者の身元を—・げる」

あらい・がみ【洗い髪】〔女性の〕洗いたての髪。また、洗ったままで、きちんと結っていない女性の髪。「あだな姿の—」

あらい・ぐま【洗(い)×熊】アライグマ科の食肉動物。北アメリカ原産。タヌキに似ている。毛は灰褐色で、尾に黒いしまがある。食物を洗って食べる習性がある。愛玩用。ラクーン。

あらい・こ【洗い粉】❶食器などを洗うときに使うこな。❷髪を洗うときに使うこな。髪洗い粉。

あらい・ざらい【洗い×浚い】《副》残らず全部。すっかり。「—調べ上げる」「—売り払う」

あらい・ざらし【洗い×晒し】何度も洗って、色があせてしまうこと。また、その物。「—のジーンズ」

あらい・ぜき【洗(い)×堰】川の下流の水位や水量を調節する目的で、川幅いっぱいに水流を横ぎってつくるせき。参考 水がいつもその上をあふれて流れるような構造になっている。

あら・いそ【荒×磯】荒い波がうちよせる岩の多い海岸。ありそ。

あらい・だし【洗い出し】❶れんが・人造石などの生地を、塗料などでぬりつぶさずに出しておくこと。❷壁・たたきなどの表面がかわかないうちに、水で洗い流して、中の小石を浮きださせたもの。❸杉板をこすって洗い、表面に木目を浮きださせたもの。

あらい・だ・す【洗い出す】《他五》❶洗い始める。❷洗って下地などを出す。❸かくれていた事実を調べあげる。「容疑者の行動を—・す」

あらい・たて【洗い立て】洗ったばかりである・こと（物）。「—のタオル」

あらい・た・てる【洗い立てる】《他下一》❶十分に洗う。よく洗う。❷〔他人の悪事・秘密・欠点などを〕すっかりあばく。あばきたてる。「旧悪を—・てる」

あらい・なお・す【洗い直す】《他五》❶一度洗ったあともう一度洗う。「皿を—・す」❷当たり前と考えられていたことをもう一度調べ、考える。再検討する。「従来の政策を—・す」

あらい・はり【洗(い)張り】布地を洗い、のりをつけて板や伸子でしわをのばしてほすこと。

あらい・もの【洗い物】衣類・食器など、洗わなければならない物。また、洗うこと。「—をする」

あら・う【洗う】《他五》❶〔水・洗剤などで〕汚れを落とす。また、汚れを落としてきれいにする。「大根の土を—・う」「顔を—・う」類語（する）洗濯。洗顔。洗面。洗髪。❷〔水・波などが〕寄せてかかる。「岸を—・う波」❸〔隠れているものを〕調べだす。さらけだす。「身元を—・う」文《四》。

あら・うま【荒馬】性質の荒い馬。悍馬。

あら・うみ【荒海】波の荒い海。

あら・えびす【荒×夷】〔文〕気の荒い田舎者。〔昔、都の人が荒っぽい東国の人をけいべつして言った語〕

あらが・う【▽抗う・▽争う・×諍う】《自五》〔文〕さからう。抵抗する。「時流に—・う」文《四》。

あらかじめ【▽予め】《副》あることがおこるより前に。前もって。前から。「—用意する」類語かねて。かねがね。

あら・かせぎ【荒稼ぎ】《名・自他サ》不当に、または一時に多くの金をもうけること。「株で—する」

あら・かた【粗方】《副》ほとんど全部。大部分。おおかた。あらまし。「準備は—済んだ」類語大略。概略。

あら・がね【粗金・▽鉱】《古くは「あらかね」》❶掘り出したままで精錬していない金属。鉱石。類語なまがね。❷〔古〕鉄。くろがね。

あら・かべ【粗壁・荒壁】下塗りをしただけの壁。

ア・ラ・カルト 献立表から自由に選んで注文する料理。一品料理。対ターブルドート（＝セット料理）。▽フランス à la carte（＝献立表によって）

あら・かわ【粗皮・荒皮】❶木・果実などの外側の堅い皮。対甘皮。❷まだなめしていない動物の皮。

あらかん【×阿羅漢】小乗仏教で、悟りを開いた修行者に与えられる、最高位の称号。また、悟りを開いた聖者。羅漢。参考 梵語 arhat の音訳から。

あら・き【粗木・荒木】切りだしたままで加工していない木材。

あら・ぎも【荒肝】〈「—を抜く」「—を拉ぐ」の形で〉非常に驚かせ恐れさせる。どぎもを抜く。参考「荒」は「荒々しく」の意で、「抜く」「拉ぐ」にかかる。

あら・ぎょう【荒行】僧や山伏の行う激しい修行。滝にうたれたり、冬に水を浴びたりする。

あら・くれ【荒くれ】荒々しい・こと（人）。乱暴な・こと（人）。「—男」

あら・く・れる【荒くれる】《自下一》荒々しくふるまう。乱暴をはたらく。参考 多く、「荒くれた」の形で用い、「荒々しくみえる」などの意を表す。「—・れた男」

あら・けずり【粗削り・荒削り】㊀《名・他サ》仕上げをする前にざっと・けずること（けずったもの）。㊁《形動》様式や方法が大ざっぱで、まだ十分ねれていないようす。「—だが、力強い魅力がある作品」

あら・ごと【荒事】❶歌舞伎で、荒々しい武人や鬼神などを主役にした芝居。また、それを演じるときの荒々しく誇張した扮装や演技。「—を得意とする」「—師」対実事・和事。❷荒々しい行為。

あら・ごなし【荒ごなし・粗ごなし】❶物を粉末にする前に、あらく砕いておくこと。❷本格的に仕事にかかる前に、あらましのことをすませておくこと。

あら・さがし【粗探し・粗捜し】《名・自サ》〔下心をもって〕人や作品などの欠点をさがしだすこと。

＊あらし【荒(ら)し】《接尾》…を荒らす・こと（人）。「鉄火場—」「道場—」

*あらし【×嵐】❶激しくふく風。疾風(はやて・しっぷう)。台風。颶風(ぐふう)。暴風。ハリケーン。❷激しい雨風。暴風雨(ぼうふうう)。類語 野分(のわき)。時化(しけ)。参考 多く、激しい気持ち・行動・情勢などのたとえに用いる。「革命の—」

—の前の静けさ《句》〔嵐がくる前に一時風がおさまることから〕変事が起こる前の不気味な静けさ。

あら-しごと【荒仕事】❶力のいる激しい仕事。❷〔強盗・殺人など〕不法で荒々しい仕事。

あら-し-める【在らしめる・有らしめる】《連語》《動詞「ある」の未然形＋使役の助動詞「しめる」》存在させる。あるようにする。「私の今日を—めた恩人」

あら・す【荒〈ら〉す】《他五》❶傷つけたり、壊したり、散らかしたりして、乱れた状態にする。「畑を—す」「強い日ざしが肌を—す」類語 (るす)破壊。破損。擾乱(じょうらん)。❷〔他人の領域などを〕おかす。「なわばりを—す」「道場を—す」文《四》。

あら-ず《連語》〔文〕❶…ではない。「さに—」❷〔前にのべたことがらをうけて〕そうではない。いいえ。〔感動詞的に使う〕「笛の音か。—、妹の泣く声なり」

あら-すじ【粗筋・荒筋】〔物語・計画などの〕だいたいのすじ。プロット。「小説の—」「企画の—」類語 梗概(こうがい)。概要。概略。あらまし。

あらず-もがな《連語》《「あらず」＋願望の助詞「もが」＋感動の助詞「な」》〔文〕ないほうがよい。なくもがな。「—の解説」「—のことをする」

あらせいとう【▽紫羅▽欄▽花】アブラナ科の多年草。四〜五月ごろ、赤・紫などの花がふさ状に咲く。園芸用は一年草。ストック。参考 語源未詳。

あらそい【争い】あらそうこと。類語 内輪(うち わ)もめ。葛藤(かっとう)。悶着(もんちゃく)。相克(そうこく)。軋轢(あつれき)。口論。

あらそ・う【争う】《自他五》❶他に勝とうとする。得ようとして競争する。「優勝を—う」「手術は一刻を—う」❷いさかいをする。けんかをする。「兄弟が—う」❸戦争する。たたかう。「隣国と—う」❹否定する。打ち消す。〔多く、「争われない」の形で使う。「争えない」ともいう〕「年は—われない」文《四》。

あらそえ-な・い【争えない】《連語》《可能動詞「争える」の打ち消しから》〔証拠となるものがはっきり現れていて〕打ち消したり隠したりできない。あらそわれない。「年齢は—い」

あらそわれ-な・い【争われない】《連語》《動詞「争う」の未然形＋可能の助動詞「れる」の未然形＋否定の助動詞「ない」》→あらそう④。

あらた【新た】《形動》新しいようす。特に、今まであったものを改めたり、それにつけ加えたりして新しくするようす。「—な門出」「—に備えつけたエアコン」

あらたか【×灼か】《形動》〔神や仏の霊験(れいげん)や、薬効が〕明らかに現れているようす。「効きめは—だ」

あら-だ・つ【荒立つ】《自五》❶〔波・風・気分などが〕荒くなる。「心が—つ」❷物事がもつれていっそう面倒になる。「彼が出ると事が—つ」文《四》。

あら-だ・てる【荒立てる】《他下一》❶〔波・風・気分などを〕荒くする。「ことばを—てる」❷こじれた物事をいっそう面倒にする。「事を—てる」

あら-たま【粗玉・荒玉・新玉・×璞】掘り出したままでみがいてない玉。

—の《枕》「年」「月」「日」「春」にかかる。

*あらたま・る【改まる】《自五》❶新しくかわる。「年が—る」「条例が—る」❷よいものになる。ちがったものになる。「姿勢が—る」❸ことさらにことばや態度などがかわる。かたくるしくなる。「—った言い方」状態にかわる。表記 ①〜③は「革まる」とも書く。文《四》。

*あらたま・る【▽革まる】《自五》〔文〕《「革」の訓読語から派生した語》〔長くわずらっていた病気が〕悪くなる。急変する。〔多く、死ぬまぎわの状態に言う〕「病状が—る」文《四》。

あらため-て【改めて】《副》❶別の(正式の)時に。「明日—お伺いします」❷もう一度新しく。今さらのように。「—喜びをかみしめる」「—言うまでもない」

あらた・める【改める】《他下一》❶新しいものにかえる。別のものにする。「衣服を—めて外出する」「日を—めて伺います」❷よいものにかえる。改善する。「悪習を—める」「心を—める」❸ことさらにことばや態度などをかえる。堅苦しくする。「ことばを—める」「様子を—める」❹まちがいがないか調べる。「乗車券を—める」表記 ①〜③は「革める」とも書く。表記 ④は「検める」とも書く。文 あらた・む《下二》。

あら-づくり【粗造り・荒造り】大ざっぱに作ってあること(もの)。また、仕上げが施されていないこと(もの)。「—の庭」

あら-っ-ぽ・い【荒っぽい・粗っぽい】《形》❶〔気持ちや性質が〕荒々しい。乱暴である。「—い気性」❷〔姿や形が〕ごつごつしている。「山男らしい—い服装」❸〔仕事などが〕大まかである。「木のけずり方が—い」表記 多く「荒っぽい」と書く。

あら-て【新手】❶まだ戦っていない兵士・選手。「—をくり出す」❷新しく仲間に加わった(まだ不慣れな)人。新人。新顔。「—の活躍に期待する」❸〔以前のものの効きめがうすくなったために考え出した〕新しい方法・手段。しんて。「—の詐欺(さぎ)」対 ②③古手(ふるて)。

あら-と【粗×砥・荒×砥】刃物をざっととぐときに使う、質の粗い砥石。対 中砥・真砥(まと)。

あら-なみ【荒波】❶荒くはげしい波。類語 怒濤(どとう)。❷世の中や人生などの、きびしさ・つらさ。「うき世の—にもまれる」「不況の—に押しまくられる」

あら-なわ【荒縄】わらで作った太いなわ。

あら-に【粗煮】魚のあらを煮た料理。「タイの—」

あら-ぬ《連体》〔文〕❶別の。違った。関係のない。「—思いにふける」❷意外な。思いがけない。「—疑いをかけられる」

あら-ぬり【粗塗り・荒塗り】《名・他サ》〔壁などを〕ざっとぬってまだ仕上げてない・こと(もの)。下塗り。対 中塗り・上塗り。

あら-ねつ【粗熱】〔料理で〕高温で調理したものを冷ますときの熱。「—をとる」

あら-の【荒野・×曠野】荒れ野。

あらば-こそ《連語》〔文〕あるどころではない。絶対にない。「たずねる人も—」

アラビア-ゴム アラビアゴムの木の樹皮から分泌する液をかわかしてかためたもの。のり・薬品・インクなどの原料。▽(オランダ) Arabische gomから。

アラビア-すうじ【アラビア数字】インド人が作りだし、アラビア人がヨーロッパに伝えた数字。0・1・2…など。算用数字。類語 ローマ数字。漢数字。

あら-びき【粗×碾き・粗×挽き】《名・他サ》穀物・コーヒー豆などを、粉末にならない程度に簡単にひくこと。「コーヒー豆を—(に)する」

あらひと‐がみ【▽現人神】〔文〕❶人の姿をしてこの世に現れた神。もと、天皇のこと。あきつかみ。あきつみかみ。❷随時姿を現して霊威を示す神。

アラブ ❶アラビア人。❷アラビア馬。▽Arab

あら・ぶる【荒ぶる】《連体》《文語動詞「荒ぶ」の連体形から》〔文〕荒々しい。「―魂」

アラベスク ❶アラビアふうの工芸・建築装飾などに使われる模様。唐草模様・幾何学模様など。アラビア模様。❷アラビアふうの〔装飾的ではなやかな〕音楽。▽フランス arabesque

あら‐ほうし【荒法師】❶荒々しく乱暴な僧。❷荒行をする僧。同①②荒聖(あらひじり)。

あら‐ぼとけ【新仏】死後、初めてのうらぼんに祭られる死者の霊。新精霊(あらしょうりょう)。新仏(しんぼとけ・にいぼとけ)。

あら‐ぼん【新盆】→にいぼん。

あら‐まき【荒巻・新巻】❶竹の皮・わらなどで巻き包んだ魚。つと。すまき。❷あまり塩けが強くない塩ざけ。あらまきざけ。参考 荒縄で巻いたことから。

あらまし ━《名》概略。あらすじ。「計画の―を述べる」━《副》おおよそ。ほとんど。大体。「陳述の内容は―次のごとし」

あら‐みたま【荒▽御▽魂】〔文〕荒く、たけだけしい行いをする神霊。対 和御魂(にぎみたま)。

あら‐むしゃ【荒武者】❶勇ましく荒々しい武士。❷がむしゃらな行動をする人。乱暴者。

あら‐め【荒▽布】褐藻類コンブ科の海藻。暖かい地方の外海の岩に生える。若い芽は食用。ヨードの原料。参考 →かじめ。

ア・ラ・モード 最新流行(の型)。▽フランス à la mode

あら‐もの【荒物】〔たわし・ちりとりなど〕おもに台所で使われる雑貨類。「―屋(=雑貨商)」対 小間物。

あら‐ゆ【新湯】→さらゆ(新湯)。

あら‐ゆる《連体》《動詞「有り」の未然形＋上代の助動詞「ゆ」の連体形》あるかぎりの。すべての。「―条件を考慮に入れる」参考「ありとあらゆる」は強めた言い方。表記「所有」「凡」などと当てた。

***あら‐らか**【粗らか】《形動》粗雑なようす。大ざっぱなようす。「―な仕上げ」

***あら‐らか**【荒らか】《形動》〔人の言動・性格、ものの動きなどが〕荒々しいようす。「ことばも―に席を立つ」

あららぎ【×蘭】❶「のびる」の古称。❷「いちい」の別称。

あらら・げる【荒らげる】《他下一》乱暴にする。荒くする。「ことばを―・げる」「態度を―・げる」注意「あららげる」は誤用。また、送りがなは「荒らげる」としない。文 あらら・ぐ《下二》。

あら‐りえき【粗利益】販売経費などを除き、売上額から原価を引いて出した、大ざっぱな利益。

あら‐りょうじ【荒療治】《名・他サ》❶〔患者の苦痛を考慮せず〕思いきった手荒な治療をすること。〔おもに外科的な治療に言う〕❷思いきった処置を講ずること。「人事の―を行う」

あられ【×霰】❶空中の水蒸気が氷結して降ってくるもの。雹(ひょう)よりも小さく、冬の初めに多く降る。❷料理で、材料を賽(さい)の目に切ること〔切ったもの〕。❸もちを賽の目に切り、いって味をつけた菓子。あられもち。

あられ‐も‐な・い【有られも無い】《形》❶ふつうにはあるはずがない。とんでもない。「―・い噂(うわさ)」❷似つかわしくない。〔特に女性が女性として適当でない意に使う〕「―・い姿で現れる」表記 かなで書くことが多い。

あらわ【▽露・▽顕】《形動》❶〔おおうものがなく〕むきだしであるようす。「肌を―にする」❷〔ひかえめなところがなく〕露骨なようす。無遠慮なようす。「不快感を―にする」❸はっきりしているようす。公になるようす。「秘事が―になる」

***あら‐わざ**【荒技】❶武術やスポーツで、強くはげしいわざ。思いきったわざ。「大外刈りの―」❷強引な処置。「重役全員を入れ替える―」

***あら‐わざ**【荒業】あら仕事。力仕事。

***あらわ・す**【現〈わ〉す・表〈わ〉す】《他五》❶〔姿や形を〕見えるように外に出す。「雲間から月が姿を―・す」「事件が全容を―・す」❷〔感情・ようすなどを〕自然に表に出す。示す。呈する。「怒りを顔に―・す」❸〔考え・意志などを〕発表する。表現する。「承諾の気持ちを―・す」「思いを絵に託して―・す」❹〔あるものが〕記号としてその内容を示す。表示する。「青色は安全を―・す」「その語の―・す意味」❺〔よいことなどを〕広く知らせる。顕彰する。「善行を世に―・す」表記 ⑤は「顕す」と書く。文《四》。⇩〔使い分け〕

***あらわ・す**【著〈わ〉す】《他五》書物を書いて出版する。著作する。「小説を―・す」文《四》。⇩〔使い分け〕

使い分け「あらわす・あらわれる」
表す〔心の中のものを外に出す。象徴する〕口に表す・喜びを表す・危険を表す赤信号・名は体を表す・言い表す
現す〔▽露・▽見〕〔隠れていたものが姿を出す〕太陽が姿を現す・正体を現す・頭角を現(見)す・効果を現す・馬脚を現(露)す
著す〔著作する〕自叙伝を著す
あらわす〔▽顕〕〔世間に出す。顕彰する〕善行を世にあらわす・名をあらわす
表れる〔心の中のものが外に出る〕感情が表れる・誠意が表れる・顔付きに表れる・結果に表れる
現れる〔▽顕〕〔隠れていたものが姿を見せる〕月が現れる・不正が現(顕)れる・夜な夜な幽霊が現れる
参考「あらわす(顕)」は「名を著す・世に著す」と「著」を用いることもある。

あらわれ【表れ・現れ】あらわれること。また、あらわれたもの。「好意の―」

あらわ・れる【現〈わ〉れる・表〈わ〉れる】《自下一》❶〔姿や形が〕見えるようにでてくる。出現する。「悪事の報いが―・れる」類語(する)登場。❷〔感情・ようすなどが〕自然に表にでる。「死相が―・れる」❸〔隠されていたもの、わからなかった事柄などが〕広くわかる。発覚する。露顕(ろけん)する。ばれる。「真価が―・れる」類語(する)露呈(ろてい)。文 あらは・る《下二》。⇩〔使い分け「あらわす・あらわれる」〕

あらん‐かぎり【有らん限り】《連語》あるだけすべて。ありったけ。〔副詞的にも使う〕「―(の)力を出す」

***あり**【×蟻】アリ科の昆虫。土の中や腐った木に巣を作り、女王アリを中心に集団生活をする。ふつう地上でみかけるのは働きアリで、女王アリ・雄アリは地中の巣の中にいる。種類が多い。参考 勤勉な人のたとえに使う。「―のように働く」

あ

—の穴から堤も崩れる《句》わずかなことでも、ゆだんすると大事をひきおこすことのたとえ。〈韓非子・喩老〉

—の這い出る隙も無い《句》逃げだすための少しのすきまもないほど警戒が厳しいようす。類語 水ももらさぬ。注意「蟻の入るすき間もない」は誤り。

*あ・り【在り・有り】《自ラ変》〔古〕→ある。「山—谷—」「何でも—」対 無し。

アリア ❶オペラ・オラトリオなどの中の叙情的な独唱歌曲。詠唱。対 レチタティーボ。❷旋律の美しい叙情的な小歌曲・器楽曲。▽イタリア aria

ありあけ【有(り)明(け)】❶陰暦一六日以後、空に月が見えているまま夜があけること。また、その月。また、そのころ。❷夜明け。あけぼの。「—の光」

アリアドネ ギリシア神話で、ミノス王の娘。迷宮に閉じこめられたアテナイの王子テセウスに恋し、糸を与えて脱出の道を教えた。参考 難問を解く道標となるものを「アリアドネの糸」という。▽Ariadne

ありあま・る【有り余る】《自五》必要以上にある。豊富にある。「—るほどある」

ありあり《副》《「—と」の形も》❶〔夢や思い出などが〕現在起こっていることのようにはっきり心に浮かぶようす。「往時のことが—とよみがえる」類語 彷彿。❷ある状態がはっきりと現れるようす。「悲しみの影が—と現れる」類語 ①②まざまざ。まのあたり。②歴然。

類義語の使い分け　ありあり・まざまざ

[ありあり・まざまざ] アルバムを開くと、三年前のあの出来事がありあり(まざまざ)と目に浮かぶ
[ありあり] 彼の魂胆がありありと見てとれる
[まざまざ] 能力の違いをまざまざと思い知らされる

ありあわせ【有(り)合(わ)せ】都合よくその場にあること(物)。「—の菓子」

アリーナ 観客席が演技場または競技場の周囲にある室内競技場。▽arena

ありうべからざる【有り得べからざる】《連語》〔文〕あるはずのない。起こる可能性のない。〔連体詞的に使う〕「—話だ」対 ありうべき。

ありうべき【有り得べき】《連語》〔文〕あってもよい。ありそうな。起こる可能性のある。〔連体詞的に使う〕「—事実」対 ありうべからざる。

あり・うる【有り得る】《自下二》起こる可能性がある。考えられる。「—うる事故」参考 →うる(得る)㊁。

あり・か【在▽処】❶物・建物のある場所。「宝物の—」❷人のいる場所。「賊の—をつきとめる」類語 所在。

あり・かた【在り方】ある物・人の実際にある姿。また、それの当然そうあるべき姿。「政治の—を探究する」

ありがた・い【有(り)難い】《形》❶〔「めったにない」意から〕めったにないことで貴重だ。尊重しなければならない。「—い奇特な行為」❷宗教的な気持ちでその前に畏服したくなるようす。とうとい。「—い神様」「—い教え」❸その人(の行為)から受けた好意に対してうれしいと思う。また、自分にとって利益であってうれしい。感謝している。かたじけない。「人から親切にされて—く思う」「天気のよかったのが—かった」

ありがた・なみだ【有(り)難涙】ありがたさのあまり流す涙。類語 うれし涙。

ありがた・み【有(り)難み】ありがたいという感じ。ありがたさ。「—がないお経」「親の—がわかる」

ありがた・めいわく【有(り)難迷惑】《名・形動》人の好意・親切をありがたく思いながら、迷惑に感じること。「—な手伝い」

あり・がち【有り勝ち】《形動》世の中によくあるようす。とかくあるようす。「春先に—な事故」

あり・がとう【有(り)難う】《感》《「ありがたい」の連用形「ありがたく」が「ございます」に続くときの音便形》感謝の気持ちを表す語。「御協力—ございます」

あり・がね【有り金】現在、手もとにある現金。「—をはたく」

あり・きたり【在(り)来(た)り】《形動》〔特に変わったところがなく〕ありふれているようす。「—のB級映画」類語 月並み。陳腐。

類義語の使い分け　ありきたり・月並み

[ありきたり・月並み] ありきたり(月並み)な企画だな
[ありきたり] ありきたりの応対で、誠意が感じられない
[月並み] 月並みな批評でつまらない／月並み俳句

あり・くい【×蟻食】アリクイ科の哺乳動物。中南米にすむ。長い舌でアリを捕らえて食べる。

あり・げ【有りげ】《形動》《多く名詞を受けて》…がありそうなようす。「自信—な態度」

あり・さま【有様】物事のようす。「世の中の—」「目を覆わんばかりの—」表記 かなで書くことも多い。

あり・し【在りし】《連体》《文語動詞「あり」+助動詞「き」の連体形》〔文〕もとあった。以前の。昔の。この世に生きていた。「—日」「—世」

あり・じごく【×蟻地獄】❶ウスバカゲロウの幼虫。体長約一センチ。かわいた土にすりばち状の穴をほってその底にかくれ、アリなどが落ちこむと捕らえて体液を吸う。❷ありじごく①の作った、すりばち状の穴。

ありし・ひ【在りし日】《連語》〔文〕❶〔ある人が〕生きていたとき。生前。「—のおもかげ」❷過ぎ去った日。かつての日。昔日。「—の思い出」

あり・だか【有(り)高・在(り)高】現在ある総量〔総数〕。現在高。

ありた・やき【有田焼】佐賀県有田町を中心に作られる磁器。参考 伊万里港から出荷されたので「伊万里焼」とも言う。

あり・づか【×蟻塚】アリが巣を作るときに地中から運びだした砂が、地表面に積み上げられたもの。また、土や枯れ葉を積み上げて作った、アリの巣。蟻の塔。蟻封。蟻垤。

あり・つ・く【有り付く】《自五》〔生活するために望んでいたものが〕手に入る。「仕事に—く」

あり・っ・たけ【有(り)っ丈】《名・副》あるだけすべて。ある限り。ありたけ。「—の花で飾る」表記 多く、かな書きにする。

あり・てい【有(り)体・有▽態】《名・形動》ありのまま。ほんとうのまま。「—に言えば、こうなる」

ありと・あらゆる【有りとあらゆる】《連語》「あらゆる」を強めた言い方。すべての。ありとある。〔連体詞的に使う〕「—苦難を乗り越える」

あり・なし【有り無し】あることと、ないこと。あるかないか。あるなし。「返答の—にかかわらず…」類語 有無。存否。

あり・の・とう【×蟻の塔】→ありづか。

あ

あり・の・まま【有りの×儘】《名・形動・副》実際にあったとおり。事実のまま。あるがまま。「―(に)話す」

あり・の・み【有りの実】梨(なし)の実。〔参考〕「梨」が「無し」と同音であるのをきらって言いかえた語。

アリバイ ある事件(特に犯罪)が起こったときに、その場所にいなかったという証明。また、その証明を立証する事実。現場不在証明。「―がある」「容疑者の―・をくずす」▽alibi

あり・ふ・れる【有り触れる】《自下一》どこにでもある。〔多く「ありふれた…」の形で使う〕「世間に―・れた事件」

あり・まき【×蟻巻】「あぶらむし①」の別称。

ありや・なしや【有りや無しや】《連語》〔文〕それが存在するかどうか。「―の(＝わずかばかりの)お金」

あ・りゅう【亜流】一流の人のまねをして独創性のない・こと(人)。追随者。エピゴーネン。「ピカソの―」

ありゅうさん・ガス【亜硫酸ガス】無色で、強い刺激のあるにおいをもつ有毒な気体。硫黄を焼くと発生する。硫酸の原料。還元剤・冷却剤・漂白剤に用いる。無水亜硫酸。二酸化硫黄。

あり・よう【有り様】❶〔物事などの〕ありさまや、あるべき姿。「大学自治の―を考える」❷ありのまま。真相。実情。「―を言えば、生活は苦しい」❸あるべきわけ。当然の理由。「うまい口実の―がない」

あり・ん・す《連語》「ある」の丁寧語。あります。〔参考〕江戸吉原(よしわら)の遊女が用いた遊女語。

＊**ある**【×或(る)】《連体》はっきりしない事物・人・時・所などをさしていう語。また、それをはっきりさせずにいうときに用いる語。「―時」「―所」〔類語〕然(さ)る。とある。

＊**あ・る**【在る・有る】㊀《自五》❶物が見えたり触れたり知られたりする。存在する。「庭に梅の木が―・る」「日本には憲法が―・る」〔類語〕存する。(るす)実在。実存。現存。厳存。❷地位を占めている。ある状態の中にいる。「大臣の地位に―・る」「病の床に―・る」❸〔…を〕もっている。「彼にはお金が―・る」「子供の―・る人」〔類語〕有する。❹〔ある特別のことが〕おこる。行われる。「地震が―・った」「重大発表が―・る」❺〔とどまって〕いる。「広野に一人―・るようなさびしさ」〔類語〕(るす)在留。〔対〕①～⑤ない。❻〈「…に―・る」の形で〉…によってきまる。「会議の成否は各国の協力いかんに―・る」❼〈「…と―・る」の形で〉…ということだ。…と書かれている。「皇太子のおでかけと―・って(＝ということで)」「手紙には仲よく暮らせと―・った」「君の頼みと―・れば(＝ということなら)」❽時がたつ。「やや―・って口を開いた」〔文〕あ・り《ラ変》。⇩〔使い分け〕
㊁《補動》❶〈「て―・る」の形で〉ある動作や行為の結果が続いていることを表す。〔主として他動詞に続く〕「机の上に本が置いて―・る」❷〈「て―・る」の形で〉起こると予想されることに対して準備がなされていることを表す。「ちゃんと予習して―・る」❸〈「…にして―・る」の形で〉実現していないが、その実現がきまったこととみなされていることを表す。「今日中に発送することにして―・ります」❹《形容詞・形容動詞の連用形につけて》「…の状態を呈する」「…の性質を有する」意を表す。「静かで―・る」「美しく―・るがゆえに…」❺《名詞＋助動詞「だ」の連用形「で」につけて》㋐ある物事と他の物事が等しい関係にあること、また、ある物事が何らかの類に属することを表す。「日本の首都は東京で―・る」㋑ある状態・事態を表す。「中は空で―・る」〔丁寧〕①～⑤御座います。〔文〕あ・り《ラ変》。

使い分け「ある」

有る〔所有する〕金が有る・家が有る・妻が有る・才能が有る・有り余る・有り難い・有り金・有り合わせ

在る〔存在する。地位を占める〕アジアに在る一国・責任は私に在る・要職に在る・在り方・在りか・在り来たり・在りし日

ある〔抽象的な意味で、また補助動詞で〕教養があ(有)る・重大発表があ(有)る・授業があ(有)る・置いてある・既に運んである・わが輩は猫である

〔参考〕「有る・在る」ともに、動詞の場合は一般にかな書きにする傾向がある。

あるい・は【×或(い)は】《動詞「有り」の連体形「有る」＋上代語の助詞「い」＋助詞「は」》㊀《接続》❶または。もしくは。…か…。「曇り―雨」❷〈「あるいは…あるいは…」の形で〉同種の事柄を列挙し変化のあるようすを表す。「―快活に―優雅に踊る」㊁《副》もしかすると。「計画は―中止になるかも知れない」〔参考〕歴史的かなづかいを「あるひは」とするのは誤り。

アルカイック《形動》古風(でつたない)。古拙(こせつ)的。古代の。アーケイック。▽(フランス)archaïque

あるか・なきか【有るか無きか】《連語》あるのかないのか(わからない)。いるのかいないのか(はっきりしない)。「机の上に―のきずがある」

あるか・なし【有るか無し】《連語》→あるかなきか。

アルカリ 水にとける塩基性物質の総称。かせいソーダ・消石灰など。〔参考〕アルカリの水溶液は赤色のリトマス試験紙を青く変える。〔対〕酸(さん)。▽alkali ―せい【―性】アルカリのもつ性質。リトマス試験紙を青く変え、酸を中和して塩(えん)を生じる。〔対〕酸性。

アルカロイド 植物中に含まれる、窒素を含んだアルカリ性の有機物。モルヒネ・ニコチン・コカイン・カフェインなど。毒性が強い。医薬用。▽alkaloid

アルギン・さん【アルギン酸】(alginic acid)褐藻類の中に多く含まれる、ねばりけの多い物質。接着剤・乳化剤・フィルムなどに用いる。

ある・く【歩く】《自五》❶〔自分自身の〕足をかわるがわる動かして進む。あゆむ。「一歩一歩―・く」「山道を―・く」⇩〔類語と表現〕❷経てくる。すごす。「二〇年間、教師の道を―・いてきた」❸訪れる。めぐる。また、あちこちで…する。「車で京都の主な寺を―・いてきた」❹〔野球で、四死球などによって〕バッターが一塁に進む。「ふれて―・く」「四球で―・く」〔文〕《四》。

類語と表現「歩く」

＊駅まで歩く・世界各地を歩く・威張って歩く・ぶらぶら〔とぼとぼ・よちよち〕歩く・足を棒にして歩く・足を引きずって歩く・歩いて行く・歩いて帰る。

◆歩(あゆ)む・練り歩く・ほっつき歩く・ほっつき回る・さすらう・ぶらつく・ほっつく・歩を進める・一歩を進める／(るす)歩行・散歩・闊歩(かっぽ)・徘徊(はいかい)・巡回・行脚(あんぎゃ)・踏破・縦走・漫遊・夜歩き・独り歩き・使い歩き・拾い歩き

◆〔歩行のいろいろ〕早足・並足・急ぎ足・抜き足・差し足・忍び足・摺(す)り足・探り足・刻み足・忍び歩き

アルコール ❶炭化水素の水素原子の一部を水酸基でおきかえた化合物。エチルアルコール・メチルアルコール・グリセリンなど。特に、エチルアルコール。酒類の主成分。酒精。❷〔俗〕酒。「―が入る」▽オランダ・英 alcohol

―いぞんしょう【―依存症】 長期の飲酒によって、アルコールが切れるといらいらしたり幻覚・幻聴などの精神障害を起こしたりするようになった状態。**―ちゅうどく【―中毒】** アルコール飲料の飲みすぎによって起こる中毒症。急性は意識不明・心臓衰弱など、慢性は精神異常などを起こす。アル中。

あること-ないこと【有る事無い事】《連語》ほんとうの事とうその事。「―を言いふらす」

アルゴリズム 問題を解くための一連の演算手段。また、処理順序。▽algorithm

アルゴン 希ガス元素の一つ。無色・無臭の気体。ガス入り電球・ネオンサインなどに用いる。元素記号AまたはAr。▽argon

あるじ【▽主・▽主▽人】 ❶一家の主人。また、店の主人。❷〔家の〕持ち主。所有者。「別荘の―」

あるしゅ-の【×或る種の】《連語》ある種類の。一種の。

アルチザン ❶職人。❷〔アルチスト(=芸術家)に対して〕職人的な芸術家。=アルティザン。▽フランス artisan

アル-ちゅう【アル中】「アルコール中毒(者)」の略。

アルツハイマー-びょう【アルツハイマー病】〔老人性〕痴呆症の一種。脳の神経細胞が減少し、脳の萎縮がみられる。参考 ドイツの精神医学者アルツハイマー(Alzheimer)の名にちなむ。

アルテミス ギリシア神話中の女神。ゼウスの子で、アポロンと双生児。野獣・狩猟・出産・豊作などを支配する。参考 ローマ神話ではダイアナ。▽Artemis

アル-デンテ パスタ類をゆでたときに、適度に歯ごたえがあること。▽イタリア al dente

アルト ❶女声のうち、一番低い音域(を歌う声)。また、その歌手。中音。コントラルト。類語 ソプラノ。❷同属の楽器の中で中音域を受け持つもの。特に、ビオラ。「―サックス」▽イタリア alto(=高い)。

あるとき-ばらい【有る時払い】 期限をきめずに、金銭のあるときに支払うこと。「―の催促無し」

ある-なし【有る無し】→ありなし。

アルバイター〔学生などで〕内職で勤めている人。▽ドイツ Arbeiter(=労働者。研究者)

アルバイト《名・自サ》内職。特に、学生の内職。また、内職をする人。アルバイター。参考 略して、「バイト」。▽ドイツ Arbeit(=労働)

アルパカ ❶ラクダ科の哺乳動物。南米の高原に放牧されている。ヤギより少し大きく、くびが長い。黒または白の美しい毛をもつ。❷アルパカ①の毛から作った毛糸や織物。▽alpaca

アルバム ❶写真・切手・絵葉書などをはる帳面。特に、写真をはる帳面。写真帳。❷記念のために写真などを編集・印刷したもの。「卒業記念―」❸〔数曲を収めた〕レコードやCD。▽album

アルピニスト〔アルプスの〕登山家。▽Alpinist

アルファ【A・α】《ギリシア語アルファベットの第一字を表す名称。英語のA・aに当たる》❶物事の最初。「―からオメガまで(=最初から最後まで。すべて)」❷〈多く「プラス―」の形で〉ある数量に付け加えられる、わずかの量(特に金額)を表す語。「基本給プラス―」❸〔理〕「β(ベータ)」「γ(ガンマ)」などと対立させて、それぞれを区別するのに用いる語。〔接頭語的に用いる〕「―星」❹走り高跳び・棒高跳びで、さらに高くとべる資格を得たのに、それを放棄したときに、その記録の下につけて言う語。「二メートル―」▽alpha **―せい【α星】** 各星座の中で最も明るい星。首星。**―せん【α線】** 放射線の一種。電子の二倍の電気量をもつ粒子の流れ。類語 β(ベー)線。γ(ガン)線。

アルファベット ❶〔ABC…のように〕ギリシア文字・ローマ字などを一定の順序で並べたもの。参考 ギリシア文字の最初の「アルファ」と二字目の「ベータ」から。❷物事の初歩。「ダンスの―」▽alphabet

アルプス ❶ヨーロッパ中南部にある大山脈。アルプス山脈。▽Alps ❷「日本アルプス」の略。

あるへい-とう【有平糖】 砂糖を煮つめてあめのようにし、棒状にかためた菓子。あるへい。参考「有平」は当て字。▽ポルトガル alfeloa(=砂糖菓子)から。

ある-べき【有るべき】《連語》当然存在するはずの。また、当然そうであるはずの。〔連体詞的に用いる〕「―物がない」「民主主義の―姿」

アルペン ❶アルプス①。参考 ドイツ Alpeの複数形から。❷アルペン競技の略。スキーの競技種目で、滑降・回転・大回転・スーパー大回転の総称。アルペン種目。参考 (ア)アルプス地帯で発達した。(イ)→ノルディック種目。▽ドイツ Alpen

アルマイト アルミニウムの表面を酸化アルミニウムの膜でおおったもの。腐食しにくくかたい。参考 もと、商標名。▽alumite

ある-まじき【有るまじき】《連語》〔文〕存在しないだろう。また、そうあるべきではない。そうあってはならない。〔連体詞的に用いる〕「人間として―行い」

アルマジロ アルマジロ科の哺乳動物。南米の森林・平野にすむ。背中はかたいうろこのような甲でつつまれ、敵にあうと身を丸めて防ぐ。夜行性。よろいねずみ。▽スペイン armadillo sash から。

アルミ「アルミニウム」の略。

アルミナ ボーキサイトなどから作る白色の粉末。アルミニウムの中間原料で、耐火建材用。礬土(ばんど)。酸化アルミニウム。▽alumina

アルミニウム 銀白色の軽くやわらかい金属元素。電気・熱の良導体。酸化しにくく、展性・延性に富む。電気器具・家具・航空機などの主要材料。アルミ。アルミニューム。元素記号Al。▽aluminium

アルルカン 道化役。道化者。アルレッキーノ。ハーレクイン。▽フランス arlequin

***あれ【荒れ】** ❶あれること。「家の―が激しい」「きのうの会議は大―だった」❷風・雨・波などが激しくなること。「山は―模様」類語 荒天。時化(しけ)。嵐(あらし)。❸皮膚がかさかさになること。「肌の―を防ぐ」

***あれ【▽彼】**《代名》❶《遠称の指示代名詞》㋐話し手が、自分からも相手からも距離的に遠く離れた所にある物を指し示す語。「―を取ってくれ」㋑話し手が、自分からも相手からも心理的・時間的に遠ざかっている事柄や物を指し示す語。また、相手が知っているが、今、頭の中にない事柄や物を思い起こさせるときに使う語。あの・こと(もの)。「―は失敗作だった」「―をかたづけてくれた?」㋒話し手が、相手とある話題を取り上げている時よりもずっと以前のある時を指し示す語。その時。

「ーきり音信不通だ」「ー以来かけ事はやめている」㋓あそこ。あの場所。「ーに見えますのは東京タワーです」❷《遠称の人代名詞的に用いて》話し手が、第三者である人を同等以下の扱いで指し示す語。「ーもそんなに悪い人間じゃない」

*あれ《感》驚いたり怪しんだりする時に発する語。あれえ。あら。参考 代名詞「彼」と同語源。

あ・れい【×啞鈴・亜鈴】(dumbbell) 鉄または木の棒の両端に鉄の球がついた運動用具。片手で持って上げ下ろしし、筋力を強くする。一対で一組。ダンベル。表記「亜鈴」は代用字。

あれ・くる・う【荒れ狂う】《自五》❶狂ったように暴れる。「ーう暴徒の群れ」❷波・風などがひどく激しくなる。「ーう波」

アレグレット 楽曲の速度を表す標語の一つ。「やや速く」の意。モデラートより速くアレグロより遅い。▽イタリア allegretto

アレグロ 楽曲の速度を表す標語の一つ。「快速に」の意。▽イタリア allegro

アレゴリー 寓意。諷喩。また、それによるたとえ話。▽allegory

あれ・これ【▽彼▽是】㊀《代名》いろいろなこと・物・人を指し示す語。㊁《副》(「ーと」の形も)いろいろ。さまざま。あれやこれや。「ー(と)思いをめぐらす」

あれ・しき【▽彼式】〔俗〕(たった)あれほど。(たった)あれぐらい。「ーのことに参るものか」表記 ふつう、かな書きにする。

あれ・しょう【荒れ性】皮膚に脂肪が少なくて、あれやすい体質。対 脂性。

あれ・ち【荒れ地】❶耕さずに荒れたままになっている土地。❷〔岩石などが多く〕作物の作れない土地。

あれ・の【荒れ野・×曠野】手入れをせず、雑草が茂るにまかせた野原。荒野。類語 荒れ地。

あれ・はだ【荒れ肌・荒れ▽膚】脂肪が少なくて、かさかさしている肌。

あれ・もよう【荒れ模様】❶今にも暴風雨になりそうなようす。❷機嫌が悪い(悪くなりそうな)ようす。「今日の彼女はだいぶーだ」

あれや・これや【▽彼や▽是や】《連語》➡あれこれ㊁

あれよ・あれよ《感》物事の意外ななりゆきに対する驚きを表す語。〔多く、はらはらしながら見守っているときに使う〕「ーという間にゴールインした」

あ・れる【荒れる】《自下一》❶〔ある物事の状態や人の態度・行動などが〕おだやかでなくなる。荒々しくなる。「海がーれる」「気持ちがーれる」「試合がーれる」❷手入れをしない状態になる。荒廃する。「庭はーれるにまかせてある」❸〔皮膚に〕脂肪分が少なくなる。かさかさになる。文 あ・る《下二》

アレルギー ❶種々の物質や刺激に対して起こる、体の過敏な反応。じんましん・ペニシリンショックなど。「ー性の体質」❷ある人・物事に対する精神的な拒絶反応。「漢字ー」▽ドイツ Allergie

アレルゲン アレルギーの原因となる抗原。花粉・動物の毛・食品の成分など多種ある。▽ドイツ Allergen

アレンジ《名・他サ》❶〔物事をうまくならべかえて〕整えること。また、手はずを取り決めること。「日程をーする」❷編曲。また、改作したり脚色したりすること。アレンジメント。「有名アーティストがーした曲」▽arrange

あろうこと・か【有ろう事か】《連語》あってよいことか(いや、あってはならないことだ)。「ー、こんな失敗をするとは」参考「あろう事かあるまい事か」の形でも用いる。

アロエ ユリ科アロエ属の多年草の総称。原産地はアフリカ。葉は厚く剣状で、縁にとげがある。観賞用。葉は健胃薬・緩下剤。ろかい。参考 俗に「医者いらず」ともいう。▽ラテン aloe

アロハ ㊀《感》歓送迎のあいさつ語。〔ハワイで、広くあいさつのことばとして使う〕㊁《名》「アロハシャツ」の略。▽ハワイ aloha ーシャツ はでな模様の布で作った開襟の半そでシャツ。すそをズボンの上に出して着る。アロハ。▽aloha shirt

アロマセラピー 快い香りを用いて心身をリラックスさせ、神経や肌の疲労回復を図る療法。芳香療法。アロマテラピー。▽aromatherapy

*あわ【▽安▽房】旧国名の一つ。今の千葉県の南部。房州。

*あわ【泡・×沫】❶液体が気体を含んで、まるくふくれた玉。あぶく。バブル。❷〔よくしゃべったときなど〕口の端につくつばの玉。「口角ーを飛ばす」類語 泡沫・水泡。気泡。水沫

ーを食・う《句》ひどく驚きあわてる。

*あわ【×粟】❶イネ科の一年草。九月ごろ穂をだして花を開き、黄色の小さな実を結ぶ。五穀の一つで、主食としたほか、あめ・菓子などの材料に使う。おおあわ。黄粱。❷粟①の実のように丸くて小さいもの。「肌にーを生ずる」

*あわ【×阿波】旧国名の一つ。今の徳島県。阿州。

アワー《造語》時間。時間帯。「ラッシュー」▽hour

*あわい【▽間】〔二つのものの〕あいだ。すきま。〔古風な言い方〕「昼のー」

*あわ・い【淡い】《形》❶〔色・味・香りなどが〕うすい。「ーい水色」対 濃い。❷〔物事に対して〕深くこだわらない。あっさりしている。「ーい恋心」❸〔物の形・影・光などが〕はっきりしない。かすかだ。ほのかだ。「ーい影を落とす」文 あは・し《ク》

あわさ・る【合わさる】《自五》自然に合わせた状態になる。合うようになる。一つになる。文《四》

あわじ【淡路】旧国名の一つ。今の兵庫県の一部で、淡路島全体。淡州。

*あわ・す【会わす・遭わす・▽遇わす】《他五》➡会わせる。

*あわ・す【合わす】《他五》➡合わせる。

*あわ・す【淡す・×醂す】《他五》〔酒などを使って〕しぶがきの渋みをぬく。さわす。文《四》

あわせ【×袷】〔春・秋、または冬に着る〕裏布をつけた和服。類語 わたいれ。対 ひとえ。

あわせ・かがみ【合(わ)せ鏡】自分の後ろ姿を見るために、前に鏡をおき、後ろから別の鏡をかざして前の鏡に映すこと。

あわせ・ず【合(わ)せ酢】酢に塩・酒・砂糖など他の調味料を加えたもの。二杯酢・三杯酢など。

あわせ・て【合(わ)せて】㊀《連語》全部いっしょにして。みなで。合計して。「ー一〇〇〇円」㊁《副》〔文〕つけ加えて。それとともに。「新春のおよろこびを申し上げ、ー平素の御無沙汰をおわびいたします」表記 ㊁は、ふつう「併せて」と書く。

あわせ-も・つ【合わせ持つ・併せ持つ】《他五》二つ(以上)のすぐれたものを持つ。兼ね備える。「知勇―・った武将」文《四》。

＊**あわ・せる**【会わせる・遭わせる・▽遇わせる】《他下一》(「あう」の使役形)❶(人と)会うようにする。面会させる。「両社の社長を―・せる」❷〔ある物事を〕経験させる。〔多く、好ましくないことに言う〕「ひどい目に―・せる」表記①は「会わせる」、②は「遭わせる・遇わせる」と書く。文あは・す《下二》。⇩〖使い分け〗

＊**あわ・せる**【合(わ)せる】《他下一》❶〔二つ以上のものを〕合うようにする。いっしょにする。くっつける。足す。「力を―・せる」表記「隣町を―・せて一市とする」など併合の意では、「併せる」と書くこともある。❷つりあうようにする。調和させる。「収入に―・せた暮らし方」❸一致させる。正しくする。「帳尻を―・せる」「時計を―・せる」❹〔薬を〕調合する。「二つの薬を―・せる」❺合奏する。「笛と琴を―・せる」❻比べてたしかめる。照らし合わす。「問題の答えを友だちと―・せる」❼〈刀(剣)を―・せる〉戦う。いくさをする。「太刀を―・せる」❽〔力士に〕勝負をさせる。「―・せる行司は…」文あは・す《下二》。⇩〖使い分け〗

―せる顔が無・い《句》面目なくて、その相手に会いにくい。表記「会わせる顔がない」とも書く。

使い分け「あわせる」

合わせる〔二つ以上のものをあうようにさせたりそろえたりする意で、一般に広く〕手を合わせる・歩調を合わせる・話を合わせる・打ち合わせる・掛け合わせる・読み合わせる・引き合わせる・手合わせ・巡り合わせ

会わせる〔面会させる〕喫茶店で二人を会わせる

併せる〔とりこんで一つのものにする。両立させる〕二つの会社を併せる・隣国を併せ統治する・清濁併せのむ・併せ持つ・併せ馬・併せて平安を祈る

参考「併」は副詞の形でも用いる。面会させる場合は「会わせる」と書くが、「引きあわせる」では、「引き合わせる」と書く。また、「巡り合い・巡り会い」とは書くが、「巡りあわせ」の場合は「巡り合わせ」としか書かない。

あわただし・い【慌(ただ)しい・×遽しい】《形》❶忙しく、落ち着かない。せわしい。「―・い日々の暮らし」類語急遽。遑急。匆卒。倉皇。❷〔重大な事が起こり〕人の動きや社会情勢がよく変わる。「―・い政局」文あわただ・し《シク》。

＊**あわ-だ・つ**【泡立つ】《自五》泡がたくさんできる。

＊**あわ-だ・つ**【×粟立つ】《自五》〔寒さや、おそろしさのために〕毛穴がふくれて、皮膚に粟つぶのような小さなぶつぶつができる。鳥肌だつ。「総身に―・つ」類語身の毛がよだつ。

あわ-だ・てる【泡立てる】《他下一》泡がたくさんできるようにする。泡をたたせる。「卵の白みを―・てる」

あわ-つぶ【×粟粒】粟の実。〔非常に小さいもののたとえに多く使われる〕「―ほどの宝石」

あわて-ふため・く【慌てふためく】《自五》ひどくあわててまごまごする。「突然の不幸に―・く」

あわて-もの【慌て者】落ち着きのない、そそっかしい人。類語粗忽者。

あわ・てる【慌てる・▽周▽章てる】《自下一》〔物事を早くしようとして、また、予期しない出来事に驚いて〕落ち着きをなくす。うろたえる。「事態の急変に―・てる」文あわ・つ《下二》。⇩〖類語と表現〗

類語と表現「慌てる」

＊突然の来客に慌てる・財布を忘れて慌てる・慌てるな・慌てるには及ばない／警報を聞いて慌てて飛び出す・慌てて現場に駆けつける。

◆焦る・急ぐ・急く・動じる・うろたえる・驚き慌てる・慌てふためく・まごつく・浮き足立つ・取り乱す・面食らう・気がはやる・気が転倒〔動転〕する・泡を食う・常態を失する・挙措〔平常心・落ち着き〕を失う・落ち着かない・足が地につかない／(する)周章・狼狽・周章狼狽・恐慌／(する)うろうろ・まごまご・あたふた・どぎまぎ・そわそわ・おろおろ／慌ただしい・そそっかしい・性急・せっかち・短兵急／慌て者・粗忽者・おっちょこちょい／急いで〔慌ただしく・大慌てで・大急ぎで・匆卒に・倉皇として〕～する

あわび【×鮑・×鰒】ミミガイ科の巻き貝。貝殻は皿の形をして、内側は光沢があり美しい。ボタンや細工物などに使う。肉は食用。美味。

―の片思い《句》〔アワビは二枚貝のように見えて、貝殻が片方だけにしかないことから〕自分が恋い慕っているだけで、相手には通じていないこと。片恋。磯の鮑の片思い。

あわ-もり【泡盛】沖縄特産の焼酎。粟や米から作る。透明で、アルコール分が強い。

あわ-や《副》〔文〕あやうく(…しようとする)。まさに(…しようとする)。「―衝突というところで助かった」

＊**あわ-ゆき**【泡雪・×沫雪】❶泡のように軽く、とけやすい雪。❷「あわゆきかん」の略。卵の白身を泡立てて寒天と砂糖にまぜて作った和菓子。

＊**あわ-ゆき**【淡雪】春のはじめごろに降る、すぐにとけて消える雪。「日に溶けて―流る〈藤村〉」

あわよく-ば《副》よい機会に恵まれたら。うまくいけば。「―金メダルも不可能ではない」

あわれ【哀れ】━《形動》❶かわいそうだ。ふびん。「事故で亡くなった子を―に思う」「親の愛のうすい―な子」❷みじめである。情けない。「意気地のなさを我ながら―に思う」表記━は「憐れ」とも書く。━《名》❶同情心。あわれみ。「―をさそう身の上」表記「憐れ」とも書く。❷心に深くしみる感動。しみじみしたおもむき・風情。「秋の―を感じる」❸悲哀。悲しみ。━《感》〔文〕感動したときなどに発する語。ああ。「―秋かぜよ情あらば伝えてよ〈春夫〉」

あわれ-っ-ぽ・い【哀れっぽい】《形》〔他の人に〕あわれを感じさせるようである。「―・い話しぶり」

あわれみ【哀れみ・×憐れみ】あわれに思う心。気の毒に思う心。同情。「―を感じる」

あわれ・む【哀れむ・×憐れむ】《他五》かわいそうに思う。気の毒だと思う。「亡き子を―・む」文《四》。

＊**あん**【暗】《接頭》《色を表す語について》「暗い」「黒ずんだ」の意を表す。「―紫色」「―褐色」

＊**あん**【×庵】━《名》僧・世捨て人などが住む、そまつな住居。いおり。いお。類語草庵。━《接尾》〔文〕文人・風流人などの名や住居、また料亭の名などにそえる語。「芭蕉―」「雪後―」

＊あん【案】❶〔ある物事についての〕考え。意見。予想。❷〔あることを行う〕計画。もくろみ。「―を練る」
―に相違する《句》予想とちがう。案に違(たが)う。

＊あん【×餡】❶小豆・隠元豆などを煮てつぶし、砂糖(または塩)で味をつけたもの。あんこ。❷→葛餡(くずあん)。

あんあん‐り【暗暗裏・暗暗×裡】〈「―に」「―の」の形で〉人に知られないうちに。ひそかに。「―に事を進める」

＊あん‐い【安易】《名・形動》❶〔努力しないでも〕たやすくできること。「―な仕事」類語簡易。安直。❷〔真剣さがなく〕いいかげんなこと。「―な考え方」⇩〖類義語の使い分け「安直」〗

あん‐いつ【安逸・安×佚】《名・形動》〔安心し、楽しむ意から〕何もしないで気楽に・している(暮らす)こと。「―をむさぼる」

あん‐うつ【暗×鬱】《形動》暗くうっとうしいようす。「―な青春の日々」類語憂鬱(ゆううつ)。陰鬱(いんうつ)。

あん‐うん【暗雲】❶今にも雨が降りだしそうに空をおおう黒い雲。❷〔ひゆ的に〕危険・破局などが今にも起こりそうな気配。「二国間に―がただよう」類語暗影。

あん‐えい【暗影・暗×翳】❶暗い影。❷物事の将来に対する不吉な予感・前兆。「外交の失敗は前途に―を投げかけた」類語暗雲。

あん‐おん【安穏】《名・形動》→あんのん。

＊あん‐か【安価】《名・形動》❶値段が安いこと。「―な商品」類語廉価(れんか)。安直。対高価。❷値うちが低いこと。安っぽいこと。「―な感傷にふける」類語低級。

＊あん‐か【案下】〔文〕〔机の下、机のそばの意から〕目上の人に出す手紙のあて名の脇付(わきづけ)に書く尊敬語。類語机下(きか)。注意ふつう、男性が使う。

＊あん‐か【行火】木または土で作った小さな箱に炭火をいれて手足を温める道具。類語こたつ。

あん‐が【安×臥】《名・自サ》楽な姿勢で横になること。また、寝ること。

アンカー ❶〔船の〕いかり。❷リレー競技の最後の走者・泳者。▽anchor ―マン〔アンカー②から転じて〕❶他の人が取材した記事やデータをまとめる役(の人)。❷放送局で、いろいろなニュースをまとめた原稿をもとに解説をする役(の人)。▽anchorman

アンガージュマン〔おもに文学者が〕特定の政治思想や社会運動に共鳴し、それを芸術活動にも反映させること。(社会)参加。▽(フランス) engagement

あん‐がい【案外】《形動・副》〔物事の程度が〕予想していた以上(以下)であるようす。思いのほか。予想外。「かかえてみると―(に)軽い」「―な結果に終わる」参考俗に、「―と」とも言う。類語意外。存外。

あん‐かけ【×餡掛(け)】くずあんをかけた料理。くずかけ。「―どうふ」「―そば」

アンカット 書物などで小口を切りそろえていない・こと(もの)。▽uncut(=切らない)

あん‐かん【安閑】《形動タルト》❶〔生活環境が〕のんびりとして静かであるようす。「―として暮らす」類語安穏(あんのん)。❷危急のときなどに何もせずのんびりしているようす。「―としてばかりもいられない」

＊あん‐き【安危】〔文〕安全であるか危険であるかということ。「国家の―にかかわる問題」類語安否。

＊あん‐き【暗記・×諳記】《名・他サ》書いたものを見なくても言えるようにおぼえること。そらんじること。「詩を―する」類語暗唱。

＊あん‐き【安気】《形動》〔文〕心配がなく気楽なようす。「老夫婦二人の―な暮らし」類語のんき。

あん‐ぎゃ【行脚】《名・自サ》❶僧が修行のために諸国をめぐり歩くこと。雲水(うんすい)。遊行(ゆぎょう)。❷〔徒歩で〕いろいろな地方を旅すること。「大和路―」

＊あん‐きょ【安居】《名・自サ》❶心安らかに暮らすこと。❷安易に満足すること。「現状に―する」

＊あん‐きょ【暗×渠】〔排水などのため〕地下に作った水路。対明渠。

あん‐ぐ【暗愚】《名・形動》〔文〕〔道理がわからず〕おろかな・こと(人)。類語暗弱。

あん‐ぐう【行宮】行在所(あんざいしょ)。

アングラ 実験的・前衛的で、反商業主義をめざす映画・演劇などの芸術。「―劇場」参考「アンダーグラウンド(underground)」の略。

あんぐり《副・自サ》《副詞は「―と」の形も》口を大きくあけたようす。

アングル ❶ものの角。すみ。❷角度。「カメラ―」❸〔あることを考えるときの〕立場。観点。▽angle

アングロ‐サクソン ゲルマン民族の一派。現在のイギリス人の祖。▽Anglo-Saxon

あん‐くん【暗君】〔文〕おろかな君主。暗主。対明君。

アンケート ある目的のために、多くの人の各々に同じ質問をして、その回答を求める調査。参考「アンケート調査」と言うことも多い。▽(フランス) enquête

あん‐けん【案件】❶調査し相談しなければならない事がら。「重要―」類語議案。事案。❷訴訟事件。

あんけん‐さつ【暗剣殺】九星(きゅうせい)の方位のうちで、最も不吉とされる方角。参考これを犯すと、主人は使用人に、親は子に殺害されるという迷信。

＊あん‐こ〔「あねこ」の音便〕〔伊豆大島の方言〕むすめ。

＊あん‐こ【×餡こ】❶〔俗〕餡(あん)①。❷ふくらみなどをだすため、物の中につめるもの。

あん‐ご【安▽居】《名・自サ》陰暦四月一六日から七月一五日まで、僧が一定の場所にこもって修行すること。夏安居(げあんご)。

あん‐こう【×鮟×鱇】アンコウ科の大きな魚。深い海底にすむ。頭・口が大きく、からだは平たい。おもに、なべ料理にして食べる。

＊あん‐ごう【暗号】当事者だけにわかる、秘密の、通信・伝達の符号。「―を解読する」

＊あん‐ごう【暗合】《名・自サ》思いがけなく一致すること。偶然の一致。「偶然の―」

アンコール《名・自他サ》音楽会などで、予定の演奏のおわった出演者に客が追加の演奏・出場を、拍手・かけ声などで要求すること。参考フランス語の「アンコール」が英語で新しい意味を獲得して、それが日本語化したもの。▽(フランス) encore(=もう一度)

あんこ‐がた【あんこ型】《「鮟鱇(あんこう)型」のつづまった言い方》相撲で、でっぷりと太って腹の出た力士の体型。参考魚のアンコウに似ているからという。対ソップ型。

あん‐こく【暗黒・×闇黒】《名・形動》❶あたり一面真っ暗なこと。真っ暗闇。❷社会の秩序・道徳が乱れていること。また、文明がおくれていること。―がい【―街】秩序や道徳が乱れ、犯罪などが多い区域。―めん【―面】〔物事や社会の〕暗く醜い面。

アンゴラ ❶トルコの首都アンカラの旧称。❷アンゴラウ

サギの毛皮。また、その毛をいれて織った織物。「—のセーター」▽Angora

あんころ-もち【×餡ころ×餅】 外側を餡(あん)でおおった餅。あんころ。

あん-ざ【安座・安×坐】《名・自サ》❶くつろいで座ること。また、あぐらをかいて座ること。❷現状に満足しきっていること。「安定政権に—する」

あんざい-しょ【行在所】 昔、天皇がお出かけになるときの仮の住まい。行宮(あんぐう)。行在(あんざい)。

あん-さつ【暗殺】《名・他サ》ひそかにつけねらって人を殺すこと。〔多く、政界・財界などの要人が対象とされる場合に言う〕「大統領が—された」

***あん-ざん【安産】**《名・他サ》苦しまずに子供を産むこと。㊎難産。

***あん-ざん【暗算】**《名・他サ》紙や計算器などを使わず、頭の中で計算すること。類語 めのこざん。

あんざん-がん【安山岩】 火山岩の一種。板状または柱状の規則正しい割れ目があって、かたい。土木・建築用材として使用。

アンサンブル ❶ドレスとジャケット、スカートとコートなどを共布で作って調和をとった一対の婦人服。❷合奏。合唱。❸〔おもに室内楽を演奏する〕小楽団。小合唱団。❹〔音楽・演劇などで〕全体的統一。調和。「—のいい舞台」▽(フランス) ensemble(=共に。一緒に)

あん-じ【暗示】 ❶《名・他サ》別のことを示してそれとなく感づかせること。また、その示されたもの。ヒント。サジェスチョン。類語 啓示。示唆(しさ)。㊎明示。❷〔心〕無意識のうちに、ある観念をうえつけるような刺激。

アンジェラス ❶カトリック教で、天使が聖母マリアに、イエスの受胎を告げたことを記念する祈り。お告げの祈り。❷お告げの祈りの時を知らせるために、朝・正午・晩にならす鐘。お告げの鐘。=アンゼルス。▽Angelus

***あん-しつ【×庵室】** 僧や尼が住む、質素なすまい。庵室(あんじつ・あんじち)。類語 庵(いおり)。

***あん-しつ【暗室】**〔化学実験・写真現像などのため〕外からの光線が入らないように作った部屋。

アンシャン-レジーム フランス革命(一七八九年)以前の政治・社会体制。旧制度。旧体制。旧政体。▽(フランス) ancien régime

***あん-しゅ【×庵主】** 庵室の主人。庵主(あんじゅ)。

***あん-しゅ【暗主】**〔文〕→暗君。㊎明主(めいしゅ)。

あん-じゅう【安住】《名・自サ》❶安心して住むこと。「—の地を求める」類語 永住。❷ある状態に満足して、それ以上を望まないこと。「現状に—する」

あん-しゅつ【案出】《名・他サ》〔工夫して〕考え出すこと。「新方式を—する」類語 発案。創案。

あん-じょ【×晏如】《形動タルト》〔文〕〔心が〕やすらかで落ちついているようす。「久しく心の—たるを得ない」類語 安穏(あんのん)。安閑(あんかん)。

***あん-しょう【暗唱・暗×誦・×諳×誦】**《名・他サ》〔詩歌・文章など〕書いたものを見ないでそらで言うこと。そらんじること。類語 暗記。

***あん-しょう【暗礁】** 海の中に隠れていて見えない岩。—に乗り上・げる《句》予期しない障害で物事の進行が妨げられる。「資金難で工事は—・げた」

***あん-しょう【暗証】** 登録してあって本人しか知らない番号や記号を用いて、本人であることを証明すること。また、その番号や記号。「—番号」

あんじょう《副》(「味善(あじよ)く」の音便「味善う」の転)〔関西方言〕うまく。ぐあいよく。

あん-しょく【暗色】 暗い感じを与える色。㊎明色。

***あん-じる【×按じる】**《他上一》→按(あん)ずる。

***あん-じる【案じる】**《他上一》→案(あん)ずる。

あん-しん【安心】《名・形動・自サ》気にかかることがなくて心が安らかなこと。また、心が安らぐこと。「—して任せよう」㊎心配。—りつめい【—立命】《名・自サ》仏を信じて心に迷いがなくなること。安心立命(あんじんりゅうめい)。

あん-ず【×杏子・×杏】 バラ科の落葉高木。春早く、白または薄紅色の花を開く。実は梅に似て大きく、食用。種子の仁(じん)(=杏仁(きょうにん))は薬用。

***あん-・ずる【×按ずる】**《他サ変》❶考えをめぐらす。考える。案ずる。❷調べる。案ずる。「地図を—・ずる」❸〔文〕おさえる。なでる。=按(あん)じる。

***あん-・ずる【案ずる】**《他サ変》❶考えをめぐらす。また、(くふうして)考えだす。考える。「一計を—・ずる」❷心配する。気づかう。「弟の身を—・ずる」❸不明な点を調べる。=案(あん)じる。

—ずるより産むが易(やす)い《句》物事は、実行してみると、心配していたよりはたやすくできるものだ。

あんずる-に【案ずるに・×按ずるに】《連語》考えてみると。思うに。〔多く、自分の意見を述べるときに、言い出しの語として使う〕

あん-せい【安静】《名・形動》〔病人などが〕体を動かさないで安らかにしていること。「絶対—」

***あん-ぜん【安全】**《名・形動》危険がないこと。「—を保障する」「—な場所」類語 無事。無難。安泰(あんたい)。㊎危険。**—かみそり【—×剃▽刀】** 皮膚を傷つけないでそれるように工夫した西洋かみそり。**—き【—器】** きめられた以上の電流が流れないようにとりつける、ヒューズをいれた配電器具。安全開閉器。**—そうち【—装置】** 不注意によって起こる危険や失敗を未然に防ぐ装置で、機械・器具などにとりつけて用いるもの。特に、銃砲の暴発を防ぐ装置。**—ちたい【—地帯】** 危険のない場所。特に、車道上に一段高く設けた路面電車などの停留所。**—とう【—灯】** 炭鉱などの坑内で用いる、金網をはったランプ。坑内のガスに引火する心配がない。**—パイ【—×牌】**〔俗〕❶マージャンで、それを捨てても相手に上がられる危険のない牌。❷〔転じて〕益もなく害もない人。また、確実に自分の意のままにできる・もの(人)。「今度の対戦相手は—だ」**—ピン** 長円形にまげ、針先をおおって危険のないようにした留め針。**—ベルト** 自動車や航空機などの事故で、危険を防ぐために体を座席に固定させるベルト。シートベルト。**—べん【—弁・—×瓣】** ❶ボイラーの中の気圧がある限度以上になると、自動的に排出口が開いて、蒸気が外に出るようにした装置。❷危険な状態になるのを前もって防ぐ働きをするもの。「国際紛争の—」**—ほしょう【—保障】** 外国からの侵略に対して、国家の安全をうけあうこと。

***あん-ぜん【暗然・×黯然】**《形動タルト》悲しみで暗い気持ちになるようす。「—たる面持ち」

あん-そく【安息】《名・自サ》心や体をしずかに休めること。**—こう【—香】** ❶エゴノキ科の落葉高木。原産地はスマトラ・ジャワ島。❷安息香①の樹皮から分泌する樹脂。熱するとよい香りを放つ。香料・薬などに用いる。=安息香(あんそこう)。**—び【—日】**(Sabbath)❶

る。〔キリスト教で〕日曜日。キリストが復活した日を記念する。❷〔ユダヤ教で〕土曜日。天地を造り終えた神が休んだのを記念する。＝安息日(あんそくじつ・あんそくにち)。

アンソロジー〔詩歌・文芸作品などの〕選集。詞華集。▽anthology

あんた【▽貴▽方】《代名》《「あなた」の撥音便》《対称の人代名詞》下位または対等の人に対して用いる語。〔「あなた」よりぞんざいな言い方〕

あん-だ【安打】野球で、打者が安全に塁に進めるように球を打つこと。また、そのような打撃。ヒット。

アンダー《造語》下。下位。▽under **―ウエア** 下着。▽underwear **―シャツ** 直接肌につける男物のシャツ。肌着。▽undershirt **―スロー**〔野球などで〕下手からボールを投げる投げ方。下手投げ。類語 オーバースロー。サイドスロー。▽underhand throw から。**―パー** ゴルフで、規定の打数より少ない打数でプレーを終えること。▽under par **―ライン**〔横書きの文章で〕特に注意をひかせるために、語句などの下に引く線。下線。▽underline

あん-たい【安泰】《名・形動》安全で心配がないこと。「国の―を祈る」類語 安寧(あんねい)。

アンタッチャブル ❶インドの最下層の賤民(せんみん)。不可触賤民。❷〔買収などに応じないことから〕米国のＦＢＩ(＝連邦捜査局)のこと。▽untouchable(＝触れてはならない)

あん-たん【暗×澹】《形動タトル》❶〔空・海などが〕非常に暗く、ものすごいようす。「灰色の―たる空」❷〔物事の未来に〕見通しがつかず希望がないようす。暗く絶望的なようす。「―たる面持ち」

アンダンテ 楽曲の速度を表す標語の一つ。「歩くくらいの速さで」の意。アレグロとアダージョの中間の速さ。▽andante

***あん-ち【安置】**《名・他サ》〔神仏の像・遺体などを〕たいせつにすえておくこと。「仏像を―する」

***アンチ**《接頭》「反…」「非…」「対…」の意。「―ファシズム」「―ショック」▽anti- **―テーゼ** ❶弁証法の用語で、初めにたてられた命題(テーゼ)を否定する命題。正・反・合の反。「反立」「反定立」「反措定」などと訳される。対 テーゼ。❷ある主張や事物に対して、それと矛盾する主張や事物。▽Antithese

アンチック ❶→アンティーク。❷活字の書体の一つ。肉太でやわらかみがある。参考 この辞典の見出しのかなが アンチック。「かたかな」と「ひらがな」しかない。アンチ。▽antique(＝古代の。昔の。古びた)

アンチモン 金属元素の一つ。銀白色で、もろい。合金として、活字・軸受けなどに用いる。アンチモニー。元素記号 Sb。▽Antimon

あん-ちゃく【安着】《名・自サ》〔人が目的地に〕無事につくこと。「御―の趣、大慶に存じます」

あん-ちゃん【▽兄ちゃん】 ❶自分の兄や年上の親しい男性をさす語。❷〔俗〕庶民的な若い男性をさす語。

あん-ちゅう【暗中・×闇中】 暗がりの中。暗やみの中。「―に光る一点の灯火」 **―ひやく【―飛躍】**《名・自サ》世間に知られぬように、ひそかに工作し活動すること。暗躍。**―もさく【―模索】**《名・他サ》❶暗やみの中で手さぐりして物をさがすこと。❷確かな方法がわからないままに、いろいろのことを試みにやってみること。「解決策を―する」同 ①②暗索。

あん-ちょく【安直】《形動》❶あまり金銭がかからないようす。類語 安価。廉価(れんか)。❷〔目的を達するのに〕困難がないようす。「―な手段」類語 安易。手軽。

類義語の 使い分け　安直・安易・手軽

〔安直・安易・手軽〕 安直（安易・手軽）な方法を選ぶ
〔安直・安易〕 そんな安直（安易）な考えではだめだ
〔安直・手軽〕 出先なので安直（手軽）な食事で済ませた
〔手軽〕 だれにでも手軽に作れる／手軽な料理

あん-ちょこ《「安直(あんちょく)」の転》〔俗〕教科書に注釈や答えなどをつけた安易な参考書。とらのまき。

アンチョビー ❶ヨーロッパ沿岸・地中海などにすむ、カタクチイワシ科の魚。❷アンチョビー①を塩づけ・油づけにした食品。▽anchovy

アン-ツー-カー 陸上競技場・テニスコートなどに使われる赤褐色の土。また、その土をしいた、雨天の日でも使える競技場。▽en-tout-cas(＝晴雨兼用)

あん-てい【安定】《名・自サ》❶〔物事の状態に〕激しい変化がなく落ちついていること。「生活が―する」「経済の―」「―勢力」❷〔理〕物体・物質に変化を与えたとき、もとの状態にもどろうとする性質をもつこと。また、一般に、すわりがよいこと。「この机は―が悪い」

アンティーク ❶古代の遺物。また、古美術品。❷こっとう品。＝アンチック。▽antique(＝古代の)

アンテナ ❶電波を送信・受信するために空中に張る金属製の装置。「パラボラ―」❷ある物事を知るための手がかりとなるもの。▽antenna **―ショップ** 製造業者や問屋が消費動向や、どんな商品が売れるかを調べるために、直接に経営する店舗。参考「パイロットショップ」ともいう。▽antenna shop

アンデパンダン ❶フランスで、一八八四年に正統派の美術家団体に反対してできた美術家の団体。独立美術家協会。また、その展覧会。参考 無鑑査をたてまえとする。❷アンデパンダン①にならって、日本で開かれる展覧会。▽indépendant(＝独立した)

あん-てん【暗転】《名・自サ》❶芝居で、幕をおろさないで、舞台の照明を消して場面を転換すること。ダークチェンジ。類語 溶暗(ようあん)。❷物事が良い状態から悪い状態に転じること。「状況は急速に―した」

あん-ど【安×堵】《名・自サ》《堵(かき)(＝塀(へい))の中に安んじている意》❶〔歴〕領主が土地の所有権をみとめること。❷〔物事がうまく運んで〕安心すること。「―の胸をなでおろす」「―の色を浮かべる」

あん-とう【暗闘】 ❶《名・自サ》表だたず、ひそかに争うこと。「政党間の―」❷〔歌舞伎(かぶき)で〕だんまり。

アントニム 反意語。対 シノニム。▽antonym

アントレ 洋食のコース料理で、魚料理の次、ローストした肉料理の前に出す料理。または、スープやオードブルのあと、主菜の前に出される料理。▽entrée

アントレプレナー 新しい事業を企業化する人。起業家。アントレプレヌール。▽entrepreneur

アンドロイド 人間の形をしたロボット。▽android

あん-どん【行▽灯】 木製の四角のわくに紙をはり、その中に油をいれた皿を置いて火をともして使う、昔の照明器具。あんど。あんどう。参考「一張(ひとはり)・二張(ふたはり)」

行　灯

…」と数える。

あんな《形動》《語幹が連体形の働きをして、状態を示す体言を修飾するが、接続助詞「のに」「ので」に続くときは「—な」となる》状態や程度・数量が、あのようであるようす。あのよう(な)。参考 文脈によってその程度・数量を強調することがある。特に、連用形「—に」の形で用いるときにその傾向が強い。「—にいい人はめったにいない」「父が—なので母が苦労する」

あん-ない【案内】❶《名・他サ》〔ある場所へ〕導いて連れてゆくこと。「人を—する」❷《名・他サ》人にある場所などを見せて歩くこと。「会場を—する」❸取りつぎ。「社長に—を求める」❹〔物事のようすなどを〕知らせること。しらせ。通知。「—状」❺物事の事情や、場所のようす。「—知った屋敷」❻事情をよく知っていること。承知していること。「御—の通り」

あん-に【暗に】《副》はっきりと示さないで。それとなく。「—ほのめかす」「—におわせる」

アンニュイ ものうく気だるいこと。倦怠(けんたい)。▽(フランス) ennui

あん-ねい【安寧】《名・形動》〔文〕社会がおだやかに治まり、不安がないこと。「—秩序を乱す」類語 安泰。

あん-の-じょう【案の定】《副》あらかじめ思っていたとおり。はたして。「—雨が降り出した」注意 「案の条」は誤り。

あん-のん【安穏】《名・形動》《「あんおん」の連声》変わったこともなくおだやかなこと。「日々—」「—無事」類語 平安。平穏(へいおん)。

あん-ば【×鞍馬】馬の背の形のように作った革製の細長い台に、二つのとっ手と脚をつけた体操用具。また、それを使ってする競技。

***あん-ばい**【案配・×按配・×按排】《名・他サ》〔かぎられた数の物を〕ほどよくならべたり、整理したりすること。また、ほどよく処理すること。「子供でも使えるように—する」参考 →塩梅(あんばい)。

***あん-ばい**【▽塩梅】❶〔調味料として用いた塩と梅酢の意から〕味のつけ方。〔ほどよい〕味かげん。「煮物の—をみる」❷体の調子。健康状態。「—が悪い」❸《形式名詞的に用いて》ぐあい。ようす。「いい—に手がすいている」「面倒でいやだといった—で」注意 「案配」と「塩梅」はよく混同して使われる。

アンパイア 競技の審判員。▽umpire

あん-ばこ【暗箱】旧式の写真機で、革・布などで作った伸び縮みする胴体の箱型の部分。

アンバサダー 大使。使節。▽ambassador

アンバランス《名・形動》つりあいがとれていないこと。不均衡(ふきんこう)。「—が生じる」▽unbalance

あん-ぴ【安否】〔ある人物が〕無事であるかないか。「遭難者の—」類語 安危(あんき)。注意 「安非」は誤り。

アンビバレント《形動》同じ事柄について同時に正反対な感情を持つようす。特に、愛と憎しみを同時に感じるようす。「父親に対する—な感情」▽ambivalent

***あん-ぶ**【暗部】暗い部分。隠れている部分。「現代社会の—をえぐる」

***あん-ぶ**【×鞍部】山の尾根が少し低くなっている所。コル。

***あん-ぷ**【暗譜・×諳譜】《名・他サ》音楽の譜を暗記すること。「—で大曲を弾く」

***アンプ**「アンプリファイア」の略。入ってくる電圧や電流を大きくする装置。増幅器。

アン-フェア《形動》不公平であるようす。公正を欠くようす。「—な態度」対 フェア。▽unfair

あん-ぷく【×按腹】《名・自サ》腹部をもむこと。腹部にするあんま。

アンプル 注射液を密封した、ガラスの小さい容器。アンプール。▽(フランス) ampoule

***あん-ぶん**【案分・×按分】《名・他サ》基準になる数量に比例して分けること。「—比例」表記 「案分比例」は代用字。

***あん-ぶん**【案文】〔公式文書の〕下書きの文章。また、それを書いた文書。「報告書の—」＝案文(あんもん)。

アンペア《助数》電流の強さを表す単位。記号 amp または A。参考 毎秒一クーロンの電気量が流れるときの電流の強さが一アンペア。▽ampere（＝もと、人名）

アンペラ ❶カヤツリグサ科の多年草。乾燥させて、砂糖袋・敷物などに編む。❷アンペラ①の茎であんだ、むしろ。参考 (ポルトガル) amparo のなまりか。表記 「筕篖」と当てる。

あん-ぽう【×罨法】薬・水・湯などで、患部を・ひやす〔あたためる〕治療法。湿布(しっぷ)。「冷—」

あんぽんたん〔俗〕まがぬけていて、ばかな・こと〈人〉。あほう。ばか。〔人をののしる語〕参考 語源未詳。表記 「安本丹」と当てることもある。

あん-ま【×按摩】《名・他サ》体の筋肉をたたいたりもんだりして血液の循環をよくし疲れを取ること。また、その治療を施す人。類語 指圧。マッサージ。

あん-まく【暗幕】外部からの光線をさえぎったり、内部の光線が外へもれたりしないように張る幕。

あんまり《「あまり」の転》一《形動》〔俗〕度をすぎてひどいようす。ひどすぎるようす。「それは—だ」二《副》〔俗〕❶〔程度・度数などが〕ふつうよりはげしいようす。ひどく。あまりにも。「—腹が立った」❷《下に打ち消しの語を伴って》たいして。「—元気ではない」

あん-まん【×餡×饅】「あんまんじゅう」の略。あずきあんに、炒(い)ってすりつぶした黒ごまとラードを加え、それを小麦粉の皮で包んで蒸した中国伝来の食べ物。

あん-みつ【×餡×蜜】蜜豆(みつまめ)の上にあんをのせた食べ物。あん入りみつまめ。

あん-みん【安眠】《名・自サ》やすらかによく眠ること。「健康には—が必要だ」「—妨害」類語 熟睡(じゅくすい)。

あん-めん【暗面】〔文〕かくれた、みにくい面。暗黒面。裏面。「現代の—をあばく」

あん-もく【暗黙】だまっていて何も言わないこと。「—の了解」「—のうちに通じあう」類語 沈黙(ちんもく)。

アンモナイト 頭足類の化石動物。古生代から中生代にかけて生存し、特に中生代に繁栄した。アンモン貝。▽ammonite

アンモニア ❶水素と窒素の化合物。特有の刺激臭のある無色の気体。冷却・製氷などに用いるほか、ソーダ・硫安などの原料。❷アンモニア①の水溶液。試薬・医薬用。アンモニア水。▽ammonia

アンモニウム 窒素一分子と水素四分子からなる、原子の集まり。酸と化合して塩(えん)をつくる。▽ammonium

アン-モラル《形動》不道徳であるようす。背徳的。インモラル。参考 英語は immoral を使う。▽un-moral（＝道徳に無関係の）

あん‐や【暗夜・×闇夜】〔月や星の見えない〕真っ暗な夜。やみ夜。「ーにまぎれて脱出する」

あん‐やく【暗躍】《名・自サ》ひそかに活動すること。暗中飛躍。「財界の裏面でーする」

あん‐ゆ【暗×喩】修辞法の一つ。「…のごとし」「…のようだ」などを使わずに、直接それだと言ってたとえる方法。美人の姿を「立てば芍薬座れば牡丹」と表す類。隠喩。メタファー。対直喩。明喩。

あん‐らく【安楽】《名・形動》〔心や体が〕苦痛がなくやすらかであること。「ーにくらす」**ーし【ー死】**助かる見込みのない病人をその苦しみから救うために、本人の希望によって苦痛の少ない薬品などで死なせること。ユータナジー。オイタナジー。

アンラッキー《形動》運が悪いようす。不運。対ラッキー。▽unlucky

あん‐りゅう【暗流】❶水面からは見えない、底の方の水の流れ。❷はっきりとは表れない物事の(不穏な)動き。「政界のー」類語①②底流。

あん‐るい【暗涙】人知れず流す涙。「ーにむせぶ」

*い《接尾》名詞または名詞的な語について、形容詞をつくる。「四角ー」「黄色ー」

*い【位】《接尾》❶くらいを表す。「名人ー」❷《助数》等級・順番・位階などを表す。「第一ー」「正五ー」❸《助数》〔一・十・百などの数の下につけて〕位取りを表す。「十ーの数」❹《助数》死者の霊を数える尊敬語。「英霊百ー」

*い【井】ゐ〔文〕井戸。**ーの中の蛙大海を知らず**《句》見識のせまいことのたとえ。

*い【×亥】ゐ❶十二支の十二番め。いのしし。❷昔の時刻の名。午後一〇時、または午後九時から一一時の間。亥の時。❸昔の方位の名。北北西。

*い【委】「委員」「委員会」の略。〔接尾語的に使う〕「文化財保護ー」「中労ー」

*い【威】〔文〕他のものを恐れ従わせる勢い。威力。「ーを振るう(=威力を示す)」「とらのーを借るきつね」

*い【意】❶心に思っていること。考えていること。気持ち。考え。「ーに満たない(=満足できない)」「ーのある所(=真意とする点)」「ーを決する(=決心する)」「ーを体する(=人の考えを察する)」「ーを汲む(=人の考えを察する)」「ーを尽くす(=思っていることを十分に言い表す)」「ーを強くする(=自信をふかめる)」「ーを迎える(=その人の気に入るようにふるまう)」「ーを用いる(=気をくばる)」「感謝のーを表す」「わがーを得たり」「部下をーの儘(=思いどおり)。思いのままに使う」❷〔物事やことばの〕内容。意味。「読書百遍ーおのずから通ず」❸意志。「知(=知識)・情(=感情)・ー」対知・情。

ーに介する《句》〔ある物事を自分に関係のあることとして〕気にかける。気にする。参考多くの場合、打ち消しの表現をとる。「まったくー・さない」

ーに適う《句》心にかなう。気に入る。意にあたる。

*い【易】〔文〕❶たやすいこと。「難を避けてーに就く」対難。❷いいかげんなこと。「ーに過ぎる」

*い【異】■一《名》〔他とくらべて〕ちがっている・こと(もの)。変わっている点。「ーとするに足りない」「ーを立てる(=ちがった意見を出す)」■二《形動》ふしぎなようす。あやしいようす。参考現在では多く「異な」の形で連体詞的に用いられる。「ーな感じ」「縁はーなもの」

*い【緯】❶横。〔物事の入り組んだ関係を縦と横とに整理して述べるときなどに用いる〕❷織物の横糸。ぬきいと。❸緯度。対①〜③経。

*い【胃】内臓の一つで、主要な消化器官。上は食道、下は十二指腸に続く袋状のもの。

*い【▽胆】〔文〕胆嚢。きも。「熊のー」

*い【×藺】ゐイグサ科の多年草。湿地に自生し、また、水田に栽培する。茎は畳表、髄は、昔、灯心に使用された。いぐさ。とうしんそう。

*い【衣】〔文〕きもの。衣服。「ー・食・住」

*い【医】■一《名》〔文〕❶病気やけがなどを治療する・こと(技術)。医術。「ーを業とす」❷医者。■二《接尾》医者。「外科ー」

ーは仁術《句》医術は人を救って、仁徳をほどこす道である。

*い【偉】《形動》〔文〕りっぱなようす。堂々たるようす。「ーなるかな」「ーとするに足る(=偉大な)人物」

*い《終助》〔断定の助動詞「だ」についた「だい」や、終助詞「か」「な」「わ」などについた「かい」「ない」「わい」などの形で使う〕親しみを込めて表現をやわらげる。「何してるんだい」「これでいいかい」「ついて来るない」「わしの知ったことじゃないわい」「気をつけろい」参考男性がくだけた会話で使う。「だい」「かい」は高年の女性も使う。「何を言ってるんだい」「食事はもう済んだかい」

*い‐あい【居合(い)】ゐあひ 剣法の一つ。すわったままですばやく刀を抜き、相手を切るわざ。**ーぬき【ー抜き】**昔、客よせのため、道ばたで行った居合の見せ物。長い刀をさやから自由に抜く曲芸。

*い‐あい【遺愛】死んだ人が生前愛用していた・こと(もの)。「亡き父のーの品」

い‐あく【×帷×幄】〔文〕❶幕をはりめぐらした所。❷作戦をたてる所。本営。帷幕。「ーに参ずる(=機密の相談に参加する)」❸参謀。

い‐あつ【威圧】《名・他サ》威光や威力などで・おさえつける(圧倒する)こと。「ー感」「ー的」類語圧迫。

い‐あわ・せる【居合わせる】ゐあはせる《自下一》ちょうどその場にいる。いあわす。「事故の現場にー・せる」

い‐あん【慰安】《名・他サ》心をなぐさめ安らかにする・こと(事柄)。「従業員のー旅行」

*いい【×謂】ひい〔文〕わけ・意味。…ということ。参考「…の謂」の形で使うことが多い。「何のーぞや」

*いい【▽飯】ひい〔古〕めし。ごはん。

*い・い【▽良い・▽善い・▽好い】《形》「よい」のくだけた言い方。参考(ア)終止形・連体形しか使わない。(イ)反語的に「悪い(ひどい)」の意にも使う。「ー・い迷惑だ」

*い‐い【唯唯】《形動タトル》〔文〕他人の言うことにさからわず従順なようす。参考もと、「はいはい」という承知の返事。**ーだくだく【ー諾諾】**《形動タトル》〔文〕自分の意見を主張せず、ただ人の意見に従うようす。「ーとして従う」

*い‐い【易易】《形動タトル》〔文〕困難がなくたやすいようす。「彼の主張に反論するのはーたることだ」

*イー【E・e】《造語》「電子」「電気」の意を表す。「―コマース(=電子商取引)」▽electronic の略。

―メール 電子メール。▽E-mail

いい・あ・う【言い合う】《自他五》❶たがいにものを言う。話しあう。「去年のできごとを―・った」❷言い争う。口げんかをする。「小さな声で―・っている」

いい・あ・てる【言い当てる】《他下一》推しはかって言ったとおりになる。予言して当てる。

いい・あやま・る【言い誤る】《他五》まちがえて言う。言いまちがえる。言いそこなう。

いい・あらそ・う【言い争う】《自他五》口げんかをする。口論する。言いあう。「男女の―・う声」

いい・あらわ・す【言い表す】《他五》〔思っていることを〕ことばで表す。ことばで表現する。

いい・あわ・せる【言い合わせる】《他下一》❶互いに話しあう。❷前もって約束する。申しあわせる。「二人とも―・せたように黙る」

イー・イー・カメラ【EEカメラ】シャッターを押したときに自動的に適切な露出が得られる電子カメラ。▽electric eye camera

いいえ《感》ていねいに打ち消すことば。いえ。「『外国へ行ったことがありますか』『―』」対はい。ええ。

いい・お・く【言い置く】《他五》言い残しておく。話しておく。

いい・おく・る【言い送る】《他五》❶次々に言い伝える。申し送る。「次の人に―・る」❷手紙などで言ってやる。「むだづかいしないように―・る」

いい・おく・れる【言い遅れる・言い後れる】《自下一》❶先に言うべきことが後回しになる。「―・れましたが、私が当社の総務部長です」❷ためらって、言う機会を失う。言いそびれる。

いい・おと・す【言い落とす】《他五》〔言うつもりであったことを〕忘れて言わないでしまう。言い忘れる。言いもらす。「大事なことを―・した」

いい・がい【言い▽甲×斐】〔注意・忠告などを〕言ったその効果。言うだけの価値。〔「―がある」「―がない」などの形で使う〕

いい・かえ・す【言い返す】《他五》❶一度言ったことばをくり返して言う。❷〔相手の言ったことに対して〕逆らってことばを返す。「負けずに―・す」

いい・か・える【言い換える・言い替える】《他下一》❶〔同じ事柄を〕別のことばで言い表す。言い改める。換言する。「やさしいことばに―・えてください」類語言い直す。❷前に言ったこととちがうことを言う。

いい・かお【▽好い顔】㊀《連語》きげんのいい顔つき。好意のある態度。「予告せずに行ったら―をされない」㊁《名》顔がきくこと。また、その人。有力者。「この土地の―になる」

いい・がかり【言(い)掛(か)り】❶根拠のない事柄をつくって、相手にからむこと。また、その事柄。「―をつける」類語難癖。❷言い出した、そのことに関しての相手とのかかわり合い。「―上あとへはひけない」

いい・か・ける【言い掛ける】《他下一》❶〔相手に〕話しかける。ことばをかける。「無理難題を―・ける」❷話し始める。言い始める。❸途中まで言う。言いさす。「自分のことを―・けてやめた」

いい・かげん【▽好い加減】㊀《連語》ちょうどよい程度。適度。「ちょうど―な大きさだ」参考「よいかげん」ともいう。㊁《形動》❶〈「―なところで」「―に」の形で〉ほどほどのところで。その程度で。「―なところで仕事をやめる」「冗談も―にしたまえ(=早くやめろ)」❷〔物事のしかたが〕おおざっぱなようす。また、無責任であてにならないようす。おざなり。「―な仕事」㊂《副》〔物事の程度が〕許される限度をこえたようす。だいぶ。〔好ましくない場合に使う〕「―いやになる」

いい・かた【言い方】口のききよう。言い回し。表現。「持って回った―」

いい・がた・い【言い難い】《形》言いにくい。表現しにくい。「―・い悲しみ」

いい・か・ねる【言い兼ねる】《他下一》言いたくても言い出すことができない。言うことがためらわれる。「彼女とのことはちょっと―・ねる」謙譲申し兼ねる。

いい・かわ・す【言い交わす】《他五》❶両方でたがいに言う。ことばをかけあう。❷口で約束しあう。特に、本人同士で結婚の約束をする。「―・した仲」

*い・いき【異域】〔文〕外国。異国。異境。「―の鬼となる(=外国で死ぬ)」

*いい・き【▽好い気】《連語》自分のすることをいいと思ってうぬぼれるようす。ひとりよがりでのんきにかまえるようす。「―になって遊ぶ」「―なもんだ」

いい・きか・せる【言い聞かせる】《他下一》納得するように話し、さとす。教えさとす。言い聞かす。

いい・きみ【▽好い気味】《連語》胸がすくようないい気持ち。〔仲の悪い相手や他人の、災難や失敗を喜んだときに言う〕「失敗して―だ」

いい・き・る【言い切る】《他五》❶〔言うべきことを〕最後まで言う。言い終わる。❷〔自信をもって〕はっきりと言う。断言する。「正しいと―・る」「―・れない」

いい・ぐさ【言い▽種・言い草】❶〔ある人の〕言ったことば。また、説。「無法な―」❷ものの言い方。「あの―が気にいらない」❸言い分。口実。「そんな―は通らない」❹世間話の話題。かたりぐさ。

いい・くる・める【言い▽包める】《他下一》〔相手が自分の思い通りになるように〕ことばたくみに言ってごまかす。「黒を白と―・める」類語いいつくろう。

いい・こ【▽好い子】《連語》子どもをほめて言う語。〔なだめすかす場合にも使う〕「―だからおとなしくなさい」「―になる(=よく思われるようにふるまう)」

いい・こと【▽好い事】㊀《連語》❶よいこと。幸運なこと。「―ずくめ」❷よい口実。「混雑を―に手をふれてくる」㊁《感》相手に念をおすときに用いる女性語。「―、ちゃんとあいさつするのよ」

いい・こ・める【言い×籠める】《他下一》議論してやりこめる。りくつで言い負かす。言いつめる。

いい・さ・す【言い▽止す】《他五》途中まで言ってやめる。言いかけてやめる。

いい・ざま【言い様】〔ものの〕言い方。言いよう。〔やや乱暴なことば〕「その―は何だ」「何という―だ」

イー・シー【EC】ヨーロッパ共同体。ヨーロッパの関税の撤廃、農業共通市場の設定、対外的には共通の関税率と通貨単位を決め、人・サービス・資本・商品の移動を自由にし、広大な地域市場を形成しようとした共同体。参考一九六七年に発足し、一九九三年にEUになった。▽European Community の略。

イージー《形動》❶たやすい。てがるだ。❷安易。いいかげん。「―な考え方」▽easy

―オーダー あらか

い

じめきめた型・布などで見本を作り、それによって注文をうけ、客の寸法に合わせて作る服。類語ハーフメイド。▽easy（＝たやすい）とorder（＝注文）からの和製語。

―ゴーイング《形動》努力しないようす。安易。「―な生き方」▽easygoing **―ペイメント** 分割払い。▽easy payment **―リスニング** くつろいで気楽に聴ける音楽。イージーリスニングミュージック。▽easy listening

いい・しぶ・る【言い渋る】《他五》言うのをいやがって、なかなか言わない。「返事を―・る」

いい・じょう【言い条】■一《名》主張することがら。言い分。「相手の―もきく」■二《連語》(「…と(は)―」の形で接続助詞のように用いて)…とは言うものの。「春とは―、まだ寒い」

いい・しれぬ【言い知れぬ】《連語》なんとも言いようがない。言い知れない。〔連体詞的に使う〕「―さびしさを感じる」

いい・す・ぎる【言い過ぎる】《他上一》〔調子にのって〕言わなくてもいいことまで言う。度を超して言う。「興奮していたので少し―・ぎた点はみとめる」

イースター キリスト教で、キリストの復活を祝う祭り。三月二一日以後の満月の日の次の日曜日に行う。復活祭。▽Easter

いい・す・てる【言い捨てる】《他下一》言うだけ言って、返答をまたない。はきすてるように言う。

イースト 酵母(菌)。▽yeast

イーゼル 絵をかくとき、カンバスなどをたてかける台。画架。▽easel

いい・そこな・う【言い損なう】《他五》❶言いまちがえる。❷失言する。❸言いそびれる。

いい・そび・れる【言いそびれる】《他下一》なかなか言い出せないで、言わずに終わる。言いはぐれる。「頼みにくくて、つい―・れてしまった」

いい・だこ【▽飯×蛸】マダコ科の軟体動物。体は灰色がかった紫色で、小形。中国・日本近海にすむ。食用。参考卵が飯つぶに似ているのでこの名がある。

いいだし・っ・ぺ【言(い)出しっ×屁】〔俗〕❶はじめに「くさい」と言った者が、実はおならをした本人だということ。❷何かをしようと最初に言いだすこと。また、その人。＝いいだしべ。

いい・だ・す【言い出す】《他五》❶〔他の人よりも〕先に言う。はじめに言う。❷言い始める。❸口に出して言う。「一度―・したら聞かない」

いい・た・てる【言い立てる】《他下一》特別にとりあげて言う。強調して言う。とりたてて言う。「あくまで反対だと―・てる」「人の欠点を―・てる」

いい・ちら・す【言い散らす】《他五》❶無責任に言う。やたらに言う。❷言いふらす。吹聴する。

いい・つか・る【言い付かる】《他五》〔ことばで〕命令される。言いつけられる。「母から―・ってきました」尊敬仰せ付かる。

いい・つく・す【言い尽くす】《他五》〔言うべきことを〕のこらず言う。全部言う。「この問題はすでに―・されている」類語語りつくす。対言い残す。

いい・つくろ・う【言い繕う】《他五》〔自分のあやまりや欠点などを〕ことばをうまく使ってごまかす。「その場を―・う」類語いいくるめる。

いい・つ・ける【言い付ける】《他下一》❶〔目上の者がことばで〕命令する。「部下に―・ける」尊敬仰せ付ける。❷そっと告げ口をする。「先生に―・ける」❸いつも言っている。言いなれる。「―・けない言葉」

いい・つたえ【言(い)伝え】❶昔から今へ口から口に伝えられてきたこと。伝説・口碑など。❷ことづて。伝言。

いい・つた・える【言い伝える】《他下一》❶〔人から人に〕ことばで伝える。謙譲申し伝える。❷後世に語り伝える。

いい・つの・る【言い募る】《他五》勢いにのってはげしい調子で言う。「互いにむきになって―・る」

いい・つらのかわ【▽好い面の皮】《連語》ほかの人の失敗のためにばかな目にあわされること。とんだ迷惑。〔自嘲または同情して言う語〕

いい・とお・す【言い通す】《他五》〔自分の考えを〕どこまでも言い張る。

いい・とし【▽好い年】《連語》❶世なれて、物事の善悪をわきまえる年ごろ。参考その年齢にふさわしくないふるまいなどについて、あざけりの気持ちを含んで言う。「―をして、よくはずかしくないものだ」❷平穏無事で幸福な年。「―をおむかえください」❸長い人生をへてきた年配。相当の年齢。「彼も―でしょう?」

いいと・して【▽良いとして】《連語》(前にのべたことをうけて)…はさておいて。…は別として。「アルバイトのほうは―、学校のほうはどうしたんだ」

いい・なお・す【言い直す】《他五》❶前に言ったことをもう一度改めて言う。❷まちがいを訂正して言う。「前言をとりけし、―・します」❸ことばをかえて改めて言う。「表現が妥当でないので―・します」

いい・なか【▽好い仲】《連語》男女がたがいに愛しあっているあいだがら。好いたどうし。

いい・な・す【言い×做す】《他五》❶ないことをあるように言う。事実らしく言う。それらしく言う。「巧みに―・す」❷とりなして言う。とりつくろって言う。適当にはからって言う。「うまく―・して機嫌を取る」

いい・なずけ【▽許▽嫁・▽許▽婚】(下二段動詞「言い名付く」の連用形が名詞化した語)❶両方の親が、その子の幼少の時から婚約をしておくこと。また、その相手。❷婚約をした相手。婚約者。フィアンセ。表記現代仮名遣いでは「いいなづけ」も許容。

いい・ならわし【言(い)習(わ)し・言(い)▽慣(わ)し】昔から伝えられてきた事柄・ことば。類語風習。伝承。

いい・ならわ・す【言い習わす・言い▽慣わす】《他五》❶昔から世間一般で言う。❷口ぐせのように言う。

いい・なり【言(い)成り】人の言うことにそのましたがうようす。言うがまま。言うなり。「―になる」

いい・にく・い【言い▽悪い・言い▽難い】《形》❶言うことがむずかしい。発音しにくい。「―・い名まえ」❷言いだすのがためらわれる。「人前では―・い話」

いい・ぬ・ける【言い抜ける】《他下一》〔問いつめられた時〕ことばたくみに答えて、責任や罪をのがれる。言いのがれる。

いい・ね【言い値】売手が言うままの値段。「―で買う」対付け値。

いい・のが・れる【言い逃れる・言い×遁れる】《他下一》言いぬける。

いい・のこ・す【言い残す】《他五》❶言うべきこと

(の一部)を言わないでしまう。「すべてを言わないでー・す」対言い尽くす。❷去っていく人が、後の人に言っておく。言い置く。「ー・すことは何もない」

いい-はな・つ【言い放つ】いひ《他五》きっぱりと言う。断言・公言する。「自分のミスではないとー・つ」

いい-は・る【言い張る】いひ《他五》自分の考えを押し通そうと強く言う。主張する。「正統性をー・る」

いい-ひと【▽好い人】━《連語》人柄のいい人。善良な人。好人物。類語善人。━《名》恋人。情人。「ーができる」「彼女にはーがいる」

いい-ひらき【言(い)開き】いひ《名・他サ》〔立場を理解してもらうために〕理由を説明すること。弁明。「ーが立たない」類語言い訳。弁解。謙譲申し開き。

いい-ひろ・める【言い広める】いひ《他下一》〔口づてにして〕広く世間に知らせる。言いふらす。

いい-ふく・める【言い含める】いひ《他下一》❶わかるように言って聞かせる。言い聞かせて納得させる。❷〔計画などを〕あらかじめ言って承知させておく。「段取りをー・める」

いい-ふら・す【言い触らす】いひ《他五》多くの人に言い広める。吹聴(ふいちやう)する。「あちこちー・して歩く」

いい-ふる・す【言い古す・言い▽旧す】いひ《他五》長い間何度も言ってきて、新しさを失う。「ー・された話」

*いい-ぶん【言い分】いひ〔不平・不満、または言い訳として〕主張したい事柄。「ーを聞こう」謙譲申し分。

*イーブン 二人の競技者の勝負の点数が互角であること。「この回は五対五のーで終わった」▽even ━パー ゴルフで、規定打数(=パー)でホールインすること。▽even par

いい-まか・す【言い負かす】いひ《他五》議論して相手に勝つ。言い破る。言いふせる。

いい-まぎら・す【言い紛らす】いひ《他五》うまくごまかして言う。本心がわからないように話をそらす。言い紛らわす。

いい-まく・る【言い×捲る】いひ《他五》〔相手を圧倒するほど〕さかんにしゃべる。「一方的にー・る」

いい-まわし【言(い)回し】いひまはし 言い表し方。ことばの表現。

いい-め【▽好い目】《連語》❶運がよいこと。幸運。「ーにあう」「ーをみる(=いい境遇を経験する)」❷うまく出た、さいころの目。「ーが出る」

イー-ユー【EU】ヨーロッパ連合。ECが拡大され、新たに外交・安全保障、経済・通貨、社会の分野で統合されたもの。参考一九九三年に設立された。▽European Union の略。

いい-よう【言い様】いひやう ❶口のきき方。話のし方。「物もーで角(かど)が立つ(=大したことではなくても話のし方で、相手に悪く受け取られる)」❷言い表す方法。「何ともーがない」

いい-よど・む【言い×淀む】いひ《他五》〔言いたいことがらが〕すらすらとことばに出ず、ためらう。ことばがつかえる。類語言いしぶる。口ごもる。

いい-よ・る【言い寄る】いひ《自五》❶話しかけながら近づく。❷〔男が女に、または女が男に〕愛情を求める。くどく。

いい-わけ【言(い)訳・言(い)分け】いひ《名・自サ》行為が、やむを得なかったことや善意からでたことなどを説明すること。「ーが立たない」「ーばかりの(=形だけの)庭がある」類語言い開き。弁解。弁明。謙譲申し訳。申し開き。

> **類義語の使い分け　言い訳・弁解**
>
> [言い訳・弁解] そんな言い訳(弁解)は通用しない
> [言い訳] あれこれ言い訳を考える／言い訳が立つ
> [弁解] あなたの責任で弁解の余地はない

いい-わた・す【言い渡す】いひ《他五》〔命令や判決などを〕ことばで告げる。申し渡す。宣告する。「原告の勝訴がー・される」

*い-いん【委員】ある集団・団体に属し、その集団・団体の人々から選ばれ、ある仕事に関してその処理をゆだねられている人。「学級ー」

*い-いん【医院】❶医者が個人的な経営によって、病人を診察・治療する所。❷診療所の俗称。

い・う【言う・×云う・×謂う】ふい《「いう」の語形では発音は「ユー」。現代かなづかいでは活用の説明上「いう」と書く》━《他五》《「…とー・う」「…をー・う」、またはそれの複合した形で用いるが、「と」「を」は言外に示され、表面に表れないことも多い》❶口を動かして、思ったことをことばで表す。述べる。しゃべる。〔字に書いて趣旨を伝えるときにも使う〕「だれにー・うともなくー・う」「手紙でー・ってやった」「出来上がりはー・う事無し(=申し分ない)」「ー・うに言われぬ(=ことばでは表現しつくせない)苦労」「ー・うまでもない(=もちろんである)」「ー・うも疎(おろ)か(=当然のことで、言うのもばかげている)」「ー・わずと知れた(=わかりきった)」

㋐《「…とー・う」の形で》…と、口に出す。「彼は『それでも地球は回る』とー・った」

㋑《「…をー・う」の形で、ことばで表現されたことを受けて》そのことを口に出す。「賛成しかねるという意味のことをー・った」「冗談をー・う」

㋒《評価を表す形容詞連用形＋「ー・う」の形で》…と評価する。「彼のことを悪くー・うつもりはない」

❷《「(…を)…とー・う」を基本的な形として用いる》…と発音する。…の語形でとなえる。「『チフス』とー・わずに『チブス』とー・う」

❸《「…とー・う」「…を…とー・う」を基本的な形として用いる》…の名前で呼ぶ。称する。また、そのことばで表現する。「漱石は実名を金之助とー・う」「彼をこそ天才とー・うべきであろう」

❹《実質的意味を失い、動詞としての機能を半ば失ったもの》㋐《「…とー・う」「…とー・った」の形で》上の語または文を「と」で示し、それが下の語の内容を説明する関係で修飾する。「『愛する』とー・う語」「社長とー・う地位」「読むとー・う行為」

㋑《「…とー・う」「…とー・った」の形で》上の語の意味を強め、かつ明確化する。「何万とー・う(=何万にものぼる)大軍」「一〇〇億とー・う金が動いた」「三人とー・う小人数(=わずか三人)では何もできない」

㋒《「…とー・う…」の形で、上下に同じ体言を用いて》強意を表す。…と呼ばれるものは全部。「今度とー・う今度は(=今度こそは)」「家とー・う家は流された」

㋓《副詞「こう」「そう」「ああ」「どう」＋「ー・う」「ー・った」の形で》「…のような」の意を表す。「こうー・う風にやる」「そうー・う訳です」「ああー・った人は嫌いだ」

オ《「…と━・う」の形で、もっぱら終止形で文を受ける。主語は表面に表れない》伝聞の意を表す。…と聞く。…としている。…そうだ。「彼の病気は不治の病だと━・う」「来月末に国会は解散すると━・う」

カ《指示代名詞「これ」＋「と━・う」「と━・った」「と━・って」の形で、下に打ち消しの語を伴って》とりたてて問題にすべき…がない」意を表す。「これと━・う問題はない」「これと━・った特徴のない人」

キ《疑問代名詞「どこ」「どれ」＋「と━・って」の形で、下に打ち消しの語を伴って》場所・物事を不定の形で提示しながら、それを否定する意を表す。どこ(どれ)も…ない。「どこと━・って行きたい所はない」

ク《「Aと━・いBと━・い」の形で》(…はともかく)AもBも。AだってBだって。「人物と━・い学歴と━・い申し分ない」参考 強調した「Aと━・わずBと━・わず」もある。「海と━・わず山と━・わず込んでいる」

ケ《「…と━・えば」「…と━・うと」などの形で》話題を提示するときに用いる。…を話題にすれば。…に言及すれば。「山田君と━・えば、あの事件を思い出す」

コ《「Aと━・えばA、Bと━・えばB」の形で、相反する判断・評価を表す語をA、Bの位置にとり》その判断・評価に迷う意を表す。…とも…ともいえる。「悪いと━・えば悪い、良いと━・えば良い」

サ《疑問文＋「と━・うと」「と━・えば」の形で、提示された疑問に対する答えの前おきに用いて》…のわけ・原因・理由を述べれば。「悪いのはだれかと━・うと、彼だ」「なぜ欠席したかと━・えば、病気だったからです」

シ《「…と━・っても」「…とは━・え」「…とは━・うものの」などの形で》…といえども。「古いと━・っても十分使える」参考 接続詞的にも用いる。「離婚した。とは━・え、子どもとは別れたくない」

ス《接続助詞「から」＋「と━・って」の形で、否定の意を表す語と呼応して》「その原因・理由となるべき事実があっても、必ずしも…ない」意を表す。…からとて。「親だからと━・って、そんな権利はない」参考「だからといって」「といって」の形で接続詞的にも用いる。「金はある。と━・って、むだに使えもしない」

セ《状態を表す語に「と━・ったらない」の形でついて》「このうえもなく…だ」「これ以上に…なことはない」の意を表す。…ったらない。「眠いと━・ったらない」「あわてたと━・ったらない」文《四》。

二《自五》［人間以外のものが］音を立てる。声を発する。「階段がみしみし━・う」「犬がキャンキャン━・う」

表記 一の③、特に一の④並びに二は、かなで書くことが多い。また、漢字で書くときは、「言」を用いることが多い。文《四》。⇩〔類語と表現〕

━い得て妙《句》［たとえ話などの］絶妙な表現をほめて言う語。

━わぬが花《句》口に出してはっきり言わないほうがかえっておもむきがあってよい。

━わぬは言うに勝る《句》言葉で言うよりも、黙っているほうが心の中の思いをよく表すものである。

━わん許り《句》〈「━と」の形で〉口にこそ出さないが、口に出して言ったのと同様であるようす。「『盗んだ』と━の物腰でつめよる」

類語と表現

「言う」

＊口から出まかせを言う・しきりに文句を言う・早く用件を言いなさい・呆れてものが言えない・人のことを悪く言う・言うに言われぬ事情がある・言うは易く行うは難し

◆話す・話しかける・語る・語らう・物語る・しゃべる・ささやく・ぬかす・ほざく・述べる・説く・口説く・弁じる・訴える・論ずる・講ずる・談ずる・報ずる・叫ぶ・呼ぶ・唱える・称える・うそぶく・告げる・伝える・知らせる・どなる・わめく・がなる・まくしたてる・ののしる・口走る・つぶやく・独りごちる

◇［サ変動詞］口述・供述・祖述・陳述・述懐・強弁・抗弁・代弁・陳弁・答弁・弁明・弁解・自供・自白・告白・白状・訓辞・戒告・勧告・急告・警告・宣告・忠告・通告・布告・報告・密告・告知・通知・報知・通達・発語・発音・発表・表明・対話・会話・談話・談判・懇談・雑談・相談・密談・面談・講話・主張・吹聴・説教・説明・説得・解説・演説・口論・議論・極論・討論・反論・弁論・論議・論及・論述・講演・講義・豪語・言及・言明・明言・確言・換言・公言・広言・失言・助言・証言・宣言・断言・提言・発言・放言・付言・予言・質問・尋問・命令・号令・呼称・連呼・点呼・絶叫

◆［慣用的表現］心中を明かす・悩みを打ち明ける・言葉に表す・言葉を掛ける・言葉を返す・耳に入れる・口を［利く・開く・挟む・割る・滑らせる］・口に［口を］出す・口の端に上せる・憎まれ口を叩く・嘘をつく・不平を並べる・不満を漏らす・捨てぜりふを吐く・一席ぶつ・啖呵を切る・沈黙を破る・言いがかりを付ける・辞意をほのめかす

◆［尊敬］おっしゃる・仰せられる・宣う［謙譲］申す・申し上げる・申し述べる・申し添える・申し伝える・申し兼ねる・上聞に入れる／(する)言上・上申・奏上・上奏・奏聞・啓上・進言・建言・建白・具申

◆［副詞句表現］滔々と・朗々と・よどみなく・弁舌爽やかに・立て板に水を流したように／侃々諤々・喧々囂々・打々発止・喋々喃々・嘖々・訥々・諄々／四の五の・なんのかの・どうのこうの・なんだかんだ／口を極めて・言葉を尽くして・糞味噌に・ぼろくそに

◆［オノマトペ］すらすら・ぺらぺら・べらべら・ぺちゃぺちゃ・ぺちゃくちゃ・がやがや・ぶつぶつ・ぶすぶす・ぶつくさ・ぐちゃぐちゃ・ごたごた・ごてごて・がたがた・くどくど・つべこべ・ひそひそ・こそこそ・ぼそぼそ・ぽつりぽつり・もぐもぐ・もごもご

いうところ-の【×謂う所の】いふ《連語》世にいう。いわゆる。「━土地成金」
いう-なれば【言うなれば】いふ《連語》〔俗〕言ってみれば。言うならば。いわば。
＊**いえ**【家】いへ ❶人が住むための建物。すまい。わがや。自宅。「━を空ける(＝自分の家に帰らずよそで泊まる)」「━を外にする(＝自分の家に帰らずよそで泊まる)」 ❷自分や家族が住んでいる所。 ❸家庭。所帯。「━貧しくして孝子顕わる」 ❹先祖から続いてきた家すじ。家系。一門。「お━の大事」「━をつぐ」 ❺家がら。家の格式。「━がよい」「古い━」 ❻一家の財産。身代。「━を食いつぶす」 ❼旧民法で、戸主とその家族とから成る親族の集まり。家族制度の基本。参考「いえ」は「うち」よりもやや改まった言い方。⇩〔類語と表現〕
━を・出る《句》❶離縁してその家を去る。❷帰らないつもりで自分の家庭から抜け出る。家出する。

類語と表現

「家」

*［建物］家を建てる・家を買う・家の中で［外で］遊ぶ・日曜日は家にいる・明日は家に帰る・友人を家に招く・私の生まれた家／［家庭・家系］家が貧しい・結婚して家をもつ［構える］・家を切り盛りする・商人の家に生まれる・家を継ぐ

◆家・家屋・屋舎・ハウス・住まい・住処・ねぐら・宿・住所・住居・新居・家居・住宅・家宅・居宅・家作・屋敷・家屋敷・母家・離れ・一軒家・一戸建て・平屋・二階屋・しもた屋・洋館・人家・民家・町家・農家・田舎屋・草屋・藁屋・あばら屋・苫屋・廃屋・（草の）庵・草庵・埴生の宿・小屋・掘っ立て小屋・あずまや・番屋・山小屋・山荘・バラック・ヒュッテ・バンガロー・ログハウス／自宅・隣家・私宅・私邸・本宅・本邸・別宅・別邸・別荘・御用邸／貸家・借り家・借家・売り家・空き家・長屋・裏店・裏屋・裏長屋・九尺二間・棟割長屋・アパート・マンション・下宿・寄宿舎・寮・社宅・官舎・公舎・公邸・官邸／邸宅・豪邸・館・城・城館・シャトー・御殿・殿堂・宮殿・パレス・金殿玉楼／ホーム・マイホーム・スイートホーム・愛の巣

◆尊敬 貴家・尊家・貴宅・尊宅・高堂・尊堂・御宅・おたく 謙譲 拙宅・小宅・小屋・弊宅・寓・寓居・仮寓・陋居・陋屋・茅屋

*いえ【▽否】《感》打ち消しのことば。いいえ。〔「いいや」「いや」よりややていねいな改まった言い方〕「―そんなことはございません」

*い-えい【遺影】写真・絵などに残された、故人の姿。

*い-えい【遺詠】❶故人が、未発表のまま死後にのこした詩歌。❷死にぎわに、この世にのこすためによむ詩歌。類語 遺作。辞世。

いえ-がまえ【家構え】いへがまへ 家の造り方・建て方。やづくり。

いえ-がら【家柄】いへ その家の格式。また、それがよい家。「―の出」類語 家格。門地。権門。名門。

い-えき【胃液】胃の中に分泌される酸性の消化液。たんぱく質を分解する酵素（ペプシン）を含む。

いえ-じ【家路】いへぢ（歩いて）家へ帰るみち。「―を急ぐ」「―につく」「―をたどる」類語 帰路。帰途。

*イエス「イエス＝キリスト」の略。「―様」「主―」▽Jesus ―キリスト↓キリスト。▽Jesus Christ

*イエス《感》肯定・同意を表すことば。そうです。はい。しかり。▽yes ―マン 自分の考えをもたず、他の人の言いなりになる人。▽yes man

いえ-すじ【家筋】いへすぢ 家代々の系統。家系。

いえ-だに【家▽壁×蝨】いへ サシダニ科の節足動物。からだは一ミリにみたず、楕円形で褐色。ネズミに寄生して、感染症のなかだちをすることもある。

いえ-つき【家付（き）】いへ ❶建物が付属していること。「―の土地」❷もとからその家に住みついていること。「―の娘」参考 娘が婿をとる場合などにいう。

いえ-で【家出】いへ 類語 出奔。失踪。蒸発。ひそかに自分の家庭をすてて他へ行くこと。

いえ-ども【×雖も】いへ《連語》〈「といえども」の形で〉「たとえ…しても」「…だけれども、しかし」の意を表す。「一票と―無駄にするな」注意「言えども」は誤り。

いえ-なみ【家並み】いへ ❶多くの家が続いて並んでいる・こと（ようす）。やなみ。「―がとぎれる」❷並んでいる家の一軒一軒。軒毎。「―訪問する」

いえ-の-こ【家の子】いへ〔文〕❶同じ家、また家門に生まれた人。❷武家の社会で、血縁関係があって、本家の家来となったもの。家人。「―郎等」❸従僕。家臣。❹〔ひゆ的に〕ある党派・勢力者の子分。部下。

いえ-ばえ【家×蠅】いへばへ イエバエ科の昆虫。人家にいる黒茶色のふつうのハエ。感染症のなかだちをする。

いえ-もち【家持（ち）】いへ ❶家屋を所有している・こと（人）。❷一家の主人。家長。戸主。❸家計のやりくり。「―がよい」

いえ-もと【家元】いへ 芸道で、その流派の正統を伝え、統率する本家（の主人）。宗家。「華道の―」

いえ-やしき【家屋敷】いへ 家とその敷地。

*い・える【▽癒える】《自下一》〔病気や傷などが〕なおる。「心の傷が―・える」文 い・ゆ《下二》。

*い・える【言える】いへる《自下一》《「言う」の可能形》❶言うことができる。「片言が―・えるようになる」❷言うだけの価値がある。特に真理として断定できる。「『彼は頭がいいが冷たい人だ』『それは―・える』」

イエロー 黄色。▽yellow ―カード サッカーで、主審が危険なプレーをした選手に対し、警告を示す黄色のカード。▽yellow card ―ペーパー 犯罪や個人の悪い評判などをおおげさにとりあげる低級な新聞。赤新聞。参考 米国で、黄色い紙を用いたことから。▽yellow paper

*い-えん【以遠】〔その場所をふくめて〕そこより遠い・こと（所）。「広島―」参考 おもに交通関係にいう。―けん【―権】国際協定で、航空会社が到着国空港を経由してさらに第三国空港へ定期ルートを開く権利。

*い-えん【胃炎】暴飲・暴食・毒物などで胃の粘膜に炎症を起こす病気。胃カタル。

*い-おう【以往】それからのち。以後。「明治―の文化」参考 誤って「以前」の意に用いられることもある。

*い-おう【〈硫黄〉】いわう 非金属元素の一つ。無臭で、樹脂のような光沢がある、もろい黄色の結晶。火薬、マッチ・ゴムの製造、医薬品などに使う。硫黄。元素記号S。

い-おと・す【射落とす】《他五》❶射て落とす。また射て仕留める。❷ねらっていた地位や人の心を得る。「社長のポストを―・す」「彼のハートを―・す」

いおり【×庵】いほり〔僧・世捨て人などがすむ〕草や木で屋根や壁を作ったそまつな小屋。いお。「―を結ぶ」類語 草庵。庵室。

イオン 正（＋）または負（－）の電気をおびた原子（気体分子）や原子団。▽ion ―こうかん-じゅし【―交換樹脂】合成樹脂の一つ。水溶液中のイオンを取り込んで、別のイオンを放出するもの。純水の製造などに用いる。

い-おんびん【イ音便】「き」「ぎ」「し」「り」などの子音が脱落して、「い」に変化する現象。連用形の活用語尾や名詞の語中におこる。「書きて」が「書いて」、「こぎて」が「こいで」になる類。

*い-か【以下】❶《数量・程度・段階を表す語に直接つけて》それをふくんで、それより下。「五〇歳―」参考 (ア)基準となる数値を明確に示しえない場合はそれをふくまずにいうことがある。「実力は君―だ」(イ)数量などでそれ

い

をふくまないときは「未満」を使う。対以上。❷《代表としてあげる語につけて》それをはじめとして、それに関係するもの全部。「社長ー五名(=社長をふくめて全部で五名)」❸これよりあと。「ー省略」

***いか**【×烏▽賊】海にすむ軟体動物。吸盤をもつ一〇本の腕がある。目が非常に発達し、敵にあうと腹部から黒い汁を出して逃げる。食用。参考(ア)ほしたものを「するめ」という。(イ)「一杯…」と数える。

***い・か**【異化】《名・自他サ》(catabolism)生物体の組織を構成する有機化合物が、化学的により簡単な物質に分解されること。対同化。

***い・か**【医家】医術を職業としている人・家。

***い・か**【医科】❶医学に関する学科。❷「医科大学」の俗称。医大。❸「大学医学部」の俗称。

***いが**【×伊賀】旧国名の一つ。今の三重県の北西部。伊州。賀州。

***いが**【×毬】クリなどの実をつつむ、とげのある外皮。

***い・かい**【位階】❶くらい。❷栄典の一種。国家に功労のあった人や公務員に与えられる・位(等級)。現在、一位から八位まであり、その各々に正と従がある。故人にのみ与えられる。類語官位。

***い・かい**【遺戒・遺×誡】後世の人のために残したいましめ。類語遺訓。

***い・がい**【以外】それを除いた、ほか。そのほかの・こと(もの)。「好奇心ーの何物でもない」注意「以内」は対語にならない。類語自余。

***い・がい**【意外】《名・形動》思っていたことと実際とが非常にちがうようす。思いのほか。「ーな事件」「ーに時間がかかる」〔俗に「ーと」の形で副詞的に使われる〕「ーと簡単」類語予想外。意想外。案外。

***い・がい**【×貽貝】イガイ科の二枚貝。殻は黒褐色の細長い三角形。足糸という糸状の分泌物を出して、いその岩に付着する。美味。せとがい。

***い・がい**【遺×骸】死んだ人のからだ。遺体。なきがら。〔「死体・死骸」よりていねいな言い方〕

いが・いが【×毬×毬】《副・自サ》〔俗〕❶(クリのいがのように)とげとげしているようす。❷ちくちく。ひりひり。「喉がーする」表記①②とも、かな書きする。

い・かいよう【胃×潰×瘍】胃壁の組織の一部がくずれて傷が粘膜下層に達する病気。胃痛・はきけ・出血などが起こる。

いか・が【▽如▽何】《副・形動》《「いかにか」の転》❶相手の気持ち・意見などをたずねる語。どのよう(に)。「気分はーですか」参考ていねいに言っている語感をもつ。❷相手に呼びかけすすめる語。どうですか。「お一つー」類語①②どう。❸疑いあやぶむ意を表す語。どうであろう(か)。参考「不都合である」意を含めて使うことが多い。「その意見はーかと思う」 **ーわし・い**《形》❶疑わしい。信用できない。また、正体がわからない。「ー・い人」❷風紀上・道徳上よろしくない。「ー・い写真」

い・かく【威嚇】《名・他サ》力を示して、おどすこと。「ー射撃」「きばをむいてーする」類語脅迫。

***い・がく**【異学】❶正統でない学問。❷江戸時代、幕府が正学としていた朱子学以外の儒学。

***い・がく**【医学】人体や病気・健康に関する諸現象を研究し、治療法・予防法・健康保持などの技術を発展させる学問。類語医術。

い・かくちょう【胃拡張】胃が異常に広がり、もとにもどらなくなる病気。

いが・ぐり【×毬×栗】❶いがに包まれたままのクリの実。❷「いがぐり頭」の略。髪の毛を短く丸がりにした頭。また、その人。いがぐり坊主。類語坊主頭。

い・かけ【鋳掛(け)】なべ・かまなどのこわれた所に銅・はんだなどをとかしこんで修理すること。「ー屋」

い・か・ける【射掛ける】《他下一》敵に向かって矢を射る。

いか・さま【▽如▽何様】㊀《名》いかにもそうだと思わせるほど似せた・こと(もの)。まやかし。いんちき。「ーとばく」「ー師」㊁《副》〔文〕いかにも。なるほど。〔相手のことばをうけて感動詞的にも使う〕「ー、もっともだ」表記多く、かなで書く。

***いか・す**《自五》〔俗〕気がきいていて魅力がある。「ー・すかっこう」参考「行く」の使役形から。

***いか・す**【生かす・▽活かす】《他五》❶生きかえらす。よみがえらせる。蘇生させる。「死者をー・す」❷殺さないで命を保たせる。「ー・しておけ」対殺す。❸〔ほうっておけばむだになるものを〕有効に使用する。活用する。「時間をー・す」類語役立てる。使う。利用。運用。善用。転用。流用。❹いきいきと、きわだたせる。❺〔校正・作文などで〕一度朱線などで消したところを、再びもとにもどす。「初校で削った二行をー・す」参考記号は「イキ」とかたかなで書く。文《四》。

い・かすい【胃下垂】体質的に胃や内臓が正常の位置よりたれ下がった状態。

いかずち【▽雷】〔文〕かみなり。なるかみ。

い・かぞく【遺家族】一家のおもだった人に死なれて、のこされた家族。特に、戦没者の遺族。

いかだ【×筏・×桴】木材や竹を組んでつなぎ合わせ、水に浮かべたもの。木材の運搬や、乗り物として使う。「ー流し」「ー師(=いかだを操る人)」

い・がた【鋳型】鋳物を作るとき、とかした金属を流しこむ型。砂・金属などを用いる。「ーにはめた(=画一化した)教育」

い・カタル【胃カタル】→いえん(胃炎)。

い・かつ【威喝】《名・他サ》〔大声で〕おどかすこと。

いかつ・い【▽厳い】《形》ごつごつした感じである。いかめしい。「ー・い顔の男」文いかつ・し《ク》。

いか・な【▽如▽何な】㊀《連体》《「いかなる」の転》❶どのような。どんな。「ー人でもむずかしい」❷さすがの。「ー私も、これには参った」㊁《副》→いっかな。

いかなご【▽玉▽筋▽魚】イカナゴ科の近海魚。群泳し、また砂中にすむ。からだは銀白色で細長い。幼魚を煮ぼし・つくだ煮などにする。こうなご。かますご。

いか・なる【▽如▽何なる】《連体》〔文〕どんな。どのような。「ー事情があろうとも参加する」

いか・に【▽如▽何に】《副》❶どのように。どんなふうに。〔状態を疑い問う語〕「ーすべきか」❷どれくらい。どれほど。どんなに。〔程度を推量する語〕「ー苦しくてもやりとげねばならない」❸どんなに…(でも)。どれほど…(だとしても)。〔あとに仮定の言い方を伴って、極端な場合を想定する語〕「ー親しい仲であってもこの秘密は話せない」 **ーも**《副》❶どう見ても。どう考えても。「ここでやめるのはー惜しい」❷まさにそのとおりのようで。まことに。実に。「ーおいしそうに食べる」❸〔相手のことばに同意して〕たしかに。全く。〔感動詞的にも使う」「―その通り」

いか・のぼり【×凧・▽紙×鳶】〔関西地方の方言〕空にあげる、たこ。凧(いか)。参考 多く俳諧(はいかい)で用いる。

いか・ばかり【▽如▽何×許り】《副》〔文〕どれほど。どのくらい。どんなに。「親の悲しみは―か」

いか・ほど【▽如▽何程】《副》❶〔数量・値段などが〕どのくらい。「―おいり用ですか」❷どんなに(たくさん)。「―頼んでもだめだ」表記 かなで書くことが多い。

いがみ・あ・う【×啀み合う】《自五》❶〔獣が〕互いにかみつこうとする。「二匹の犬が―・う」❷にくしみをもって、互いに争う。「親子が―・う」類語 にらみあう。

いかめし・い【▽厳しい】《形》人に威圧やきびしさを感じさせるようす。近より難くおごそかだ。ものものしい。「―・い顔つき」文 いかめ・し《シク》

い・カメラ【胃カメラ】胃の中に入れて胃の内部をうつす超小型カメラ。胃潰瘍(いかいよう)・胃癌(いがん)などの診断に利用する。ガストロカメラ。参考 日本で開発した。

いか・もの【▽如▽何物】❶本物に似せたまがい物。にせ物。❷いかがわしいもの。〔多く食べ物についていう〕

―ぐい【―食い】❶普通の人が食わないような変わったものを好んで食うこと(人)。悪物(あくもの)食い。類語 悪食(あくじき)。❷普通の人とちがった趣味や好みをもつこと(人)。「あんな女にほれるとは、彼も相当な―だ」

いか・よう【▽如▽何様】《形動》どのよう。どんなふう。「―にもおわびいたします」

いから・す【怒らす】《他五》❶おこらせる。立腹させる。❷いかめしくする。かどだたせる。「肩を―・す」「目を―・す」同①②いからせる。文《四》。

いがら・っ・ぽ・い【×蘞辛っぽい】《形》えがらっぽい。「のどが―・い」

***いかり【怒り】**〔相手に対して〕非常な不満をおぼえて、腹を立てること。また、その感情。立腹。「裏切りの証拠を見て―心頭に発した(=激怒した)」

***いかり【×錨・×碇】**❶船をとめておくために、ロープや鎖の先端につけて水底に沈めておく、鉄製または鋼鉄製のおもり。類語 鉄錨(てつびょう)。❷物を引っかけてつり上げる、いかり①の形をした道具。

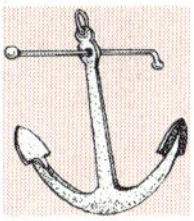

錨 ①

いかり・がた【怒り肩】かどばった肩。「幅の広い―」対 なで肩。

***いかる【×鵤・×斑×鳩】**アトリ科の鳥。大きさはスズメの二倍近くある。からだは灰色で、頭・翼・尾・のどは黒く、黄色い大きなくちばしをもつ。鳴き声が美しい。いかるが。三光鳥。

***いか・る【▽埋かる】**《自五》〔「埋けらる」の意〕うずめられた状態にある。「炭が灰に―・っている」文《四》。

***いか・る【怒る】**《自五》〔文〕❶不満に思って感情がたかぶる。おこる。立腹する。「大将が大いに―・った」類語 いきどおる。❷いかめしくなる。かどばる。「肩が―・る」❸荒れくるう。「波が―・る」文《四》。

***いか・る【生かる・▽活かる】**《自五》〔「生けらる」の意〕花などがいけられた状態にある。文《四》。

いかれ・ぽんち〔俗〕頭の働きや行動がまともでない若い男。安っぽく、軽薄な男。いかれぽんち。

いか・れる《自下一》〔俗〕❶人に先まわりしてやられる。してやられる。「この勝負はそちらに―・れた」❷〔頭の働き・行動などが〕まともでなくなる。「―・れた身なり」「彼女に―・れる(=心をうばわれる)」❸役にたたなくなる。だめになる。「この服も―・れてきた」

***い・かん【偉観】**〔堂々とした〕りっぱなながめ。「―を誇る」類語 壮観。

***いか・ん【▽如▽何・×奈▽何】**《「いかに」の音便》一《名》どんなようであるか、その状態。事の次第。「理由の―によらず」二《副》〔文〕どのように。どんなふうであるか。「結果は―」**―せん**《連語》〔文〕なすべき手段がなくて困る意を表す語。どうにもならない。残念ながら。「―、資金がない」**―とも**《連語》どんなふうにも。どうにも。「―しがたい」

***い・かん【尉官】**旧軍隊の階級で、大尉・中尉・少尉の総称。参考 →将官・佐官。

***い・かん【異観】**めずらしいながめ。かわったみもの。「―を呈する」

***い・かん【移監】**《名・他サ》囚人を他の監獄に移すこと。

***い・かん【移管】**《名・他サ》管理する主体をほかへ移すこと。管轄をかえること。「国から地方自治体へ権限を―する」

***い・かん【衣冠】**❶衣服と冠(かんむり)。❷平安中期以後の公卿の装束(しょうぞく)の一つ。束帯につぐ男子の略式の朝廷服。現在の神官の装束。「―束帯」

衣冠 ②

***い・かん【遺憾】**《名・形動》〔希望通りにならないで〕心残りなこと。残念。「―の意を表す(=自分の場合は釈明、第三者の場合は軽い非難の意)」**―なく【―無く】**《副》心残りなく十分に。「実力を―発揮した」

***いか・ん**《連語》〔「いかぬ」の転〕❶〈多く「…するわけには―・ん」の形で〉不可能の意を表す。できない。いかない。「ここで退くわけには―・ん」❷だめである。いけない。〔多く、話しことばで使う〕「見ては―・ん」

***い・がん【依願】**〔他から強制されるのではなく〕本人の願いによること。「―退職」

***い・がん【胃×癌】**胃に発生するがん。

***い・き【位記】**位をさずけるときに、その理由を書き記して与える文書。告身(こくしん)。くらいがき。

***いき【域】**❶範囲。程度。段階。「素人(しろうと)の―を脱する」「暴風―に入る」❷境地。「名人の―に達する」

***いき【▽壱岐】**旧国名の一つ。日本海にある島で、今の長崎県の一部。壱州(いっしゅう)。

***い・き【委棄】**《名・他サ》❶うちすてておくこと。❷〔法〕ある物の所有権を移転させる一方的意思表示。

***いき【息】**❶呼吸作用。また、そのとき出入りする空気。特に、呼気。「―が苦しい」「―が止まる」「―がくさい」「―が通う(=生きている)」「―の長い(=長い時間のかかる)仕事」「―を入れる(=一休みする)」「―を吐(つ)く(=楽な状態になる。ほっとする)」「―を抜く(=一休みする)暇もない」「―を呑(の)む(=一瞬、非常に驚く)」「―を引き取る(=死ぬ)」類語 息遣い。息差し。呼吸。深呼吸。呼気。吸気。❷〔二人以上で物事をする場合の〕調子。気分。「―の合った演技」⇩〔類義語の使い分け「呼吸」〕

―が掛か・る《句》〔深いつながりにある有力者などの〕保護や支配をうける。「社長の―・った人」

―が切・れる《句》❶呼吸が苦しくなって息切れがする。

❷物事を長く続けられなくなる。❸息がとまる。死ぬ。

—が詰ま・る《句》呼吸ができなくなる。また、緊張して息がとまるような感じになる。

—を凝ら・す《句》呼吸をおさえてじっとしている。息を殺す。息をつめる。〔ひどく緊張した状態にいう〕「—•して成り行きを見守る」

—を吹き返・す《句》❶生き返る。❷〔おとろえていた状態から〕たちなおる。よみがえる。

***い・き【意気】**❶〔何かしようとする〕いきごみ。気概。元気。「—が揚がる」❷〔何かしようとする時の〕心のもち方。「人生—に感ず」参考↓粋。**—ぐみ【—組(み)】**意気ごみ。**—けんこう【—軒×昂】**《形動タリ》〔希望にみちて〕元気いっぱいなようす。対意気消沈。**—ごみ【—込み】**〔ある物事をする時の〕勇み立つ気持ち・勢い。意気組み。「はじめから—がちがっている」**—ご・む【—込む】**《自五》〔ある物事をしようとして〕心が勇み立つ。はりきる。勢い込む。⇩〔類義語の使い分け「張り切る」〕**—じ【—地】**〔面目を失わないために〕自分の考え・行いなどをどこまでも貫こうとする気持ち。意地。意気地。類語根性。気骨。気概。心意気。**—しょうちん【—消沈】**《名・自サ》〔がっかりして〕元気がなくなること。意気阻喪。「思わぬ大敗に—する」対意気軒昂。**—しょうてん【—衝天】**〔天を衝くほど〕意気込みがさかんなこと。「—の勢い」**—そそう【—阻喪】**《名・自サ》意気消沈。**—とうごう【—投合】**《名・自サ》互いに気持ちがぴったりと合うこと。類語共鳴。注意「意気統合」は誤り。**—ようよう【—揚揚】**《形動タリ》得意でほこらしげなようす。「—と引きあげる」注意「意気陽陽」は誤り。

***いき【生き】**❶生きること。「人の—死に」❷いきいきとしていること。生気。また、物事をする勢い。「—のいい新入社員」❸〔特に魚肉の〕新鮮さ。鮮度。「—のいいサバ」❹囲碁で、一連の石に二つ以上の目があって敵にとられないこと。❺校正で、一度朱線で訂正した箇所を元にもどすこと。記号は「イキ」。

***いき【▽粋】**《名・形動》❶〔気風・姿などが〕さっぱりとして色気があること。あかぬけしていること。「—な作り」類語伊達。❷人情を解し、物がよくわかっていること。「—な人」❸特に、花柳界の事情に通じていること。❹色恋に関すること。参考「意気」から意味が転じた語ともいわれ、「意気」と書くことも多い。類語①〜④粋。対①〜④やぼ。不粋。

***いき【行き・▽往き】**↓行き。対帰り。

***い・き【遺棄】**《名・他サ》❶すてること。置き去りにすること。❷刑法で、遺棄罪となる行為。「死体—」

***いき【×閾】**❶しきい。しきみ。❷〔ドイ Schwelle〕〔心〕ある量以上の刺激によって意識が知覚され反応を起こす場合の、境界にある知覚・反応。また、そのときの刺激量。識閾。

***い・ぎ【威儀】**作法にかなったおもおもしい態度・動作。「—を正す(=身なりをととのえ、立ち居ふるまいを正しくする)」類語威容。

***い・ぎ【意義】**❶ことばが表す内容。わけ。意味。❷〔ある行為の〕ねうち。価値。「人生の—」「有—」**—ぶか・い【—深い】**《形》大きな意義がある。大変に重要である。「—•い講話」

***い・ぎ【異義】**〔ある意味と〕ちがった意味。「同音—」

***い・ぎ【異議】**〔ある意見と〕ちがった意見。他人の意見・行為などに不服である意見。「—の申し立て」「—なし」類語異存。異論。

類義語の使い分け　異議・異論

【異議・異論】	改革案に異議(異論)を唱える
【異議】	異議を差し挟む／賛成です。異議なし
【異論】	この通説については異論も多い

いき・あし【行き足】前へ進む勢い。ゆきあし。「—を殺す」「—がつく」

いきあたり・ばったり【行(き)当(た)りばったり】《名・形動》↓ゆきあたりばったり。

いき・あた・る【行き当たる】《自五》↓ゆきあたる。

いき・いき【生き生き・▽活き▽活き】《副・自サ》《副詞は「—と」の形も》活気があふれて勢いのいいようす。新鮮で元気のいいようす。溌剌。「—とした表情」

いき・うつし【生(き)写し】〔ある人の顔・姿などが他の人に〕非常によく似ていること。生写し。「死んだおばあさんに—だ」参考ふつう、血縁関係のある人に似ているときに言う。類語瓜二つ。

いき・うま【生(き)馬】〈—の目を抜く〉抜け目なくすばやく人を出し抜くことのたとえ。すばしこくて、油断もすきもならないことのたとえ。類語しり毛を抜く。

いき・うめ【生(き)埋め】生きたまま地中にうめること。また、うまること。「山くずれで—になる」

いき・え【生(き)×餌】動物のえさや釣りのえさにする、生きたままの虫や小動物。

いきおい【勢い】(いきほひ)**一**《名》❶人の動作や物の動きなどの上で、だんだんに度合いが進んでくる強さ・速さなどの力。「川の水の—がはげしくなる」❷〔他をおさえつける〕さかんな力。勢力。「武力に訴えそうな—で市場開放を迫る」類語元気。威勢。❸〔物事の〕はずみの力。なりゆきの力。「酒の—で不満を言う」**二**《副》当然の結果として。ことのなりゆきで、必然的に。「無駄遣いをやめれば—金がたまる」表記二は、かなで書く。

いきおい・こ・む【勢い込む】(いきほひ—)《自五》〔あることをしようと〕気負い立つ。意気ごむ。奮い立つ。

いきおい・づ・く【勢い付く】(いきほひ—)《自五》活気づく。元気になる。「応援を得て—•く」

***いき・がい【域外】**区域の外。対域内。

***いき・がい【生き▽甲×斐】**(—がひ)生きていてよかったと思うこと。生きる価値。生きるめあて。「—を見つける」

いき・か・う【行き交う・▽往き交う】(—かふ)《自五》↓ゆきかう。

いき・かえり【行き帰り・▽往き帰り】(—かへり)↓ゆきかえり。

いき・かえ・る【生き返る】(—かへる)《自五》死んだ(枯れた)ものが命をとりもどす。よみがえる。

いき・がかり【行(き)掛(か)り】↓ゆきがかり。

いき・がけ【行(き)掛け】↓ゆきがけ。

いき・かた【生き方】❶〔ある地位・身分・職業などについている〕人間として生きてゆく態度。「作家としての—」❷生活のしかた。生活態度。「—を改める」

いき・がみ【生(き)神】人の姿をかりてこの世に現れている神。〔徳の高い人を敬っていう〕類語生き仏。

いき・が・る【▽粋がる】《他五》粋であると自負する。粋なつもりでいる。「—•った態度」

いき・かわ・る【生き変わる】(—かはる)《自五》生まれ変わ

る。

いき-き【行き来・▽往き来】《名・自サ》➡ゆきき。

いき-ぎも【生(き)肝・生(き)▽胆】生きている動物から取った肝。「—を抜く(=ひどく驚かす)」

いき-ぎれ【息切れ】《名・自サ》❶呼吸が苦しくて、あえぐこと。❷物事の途中で力が続かなくなること。途中であきること。「長い仕事だから—しないように」

いき-ぐされ【生き腐れ】〔魚などが〕新鮮そうにみえて腐っていること。生きぐさり。「サバの—」

いき-ぐるし・い【息苦しい】《形》❶呼吸をするのが困難で苦しい。❷〔ふんいきが〕圧迫されるようで重苦しい。「—・い場面」

いき-さき【行き先】➡ゆきさき。

いき-さつ【▽経▽緯】ある物事がそこに至った事情。事の経過。なりゆき。経緯。「事件の—」

いき-ざま【生き様】〔その人の〕なまなましいまでの生き方。「奔放な—を描いた小説」参考「死にざま」から類推して使われるようになった語。

いき-じごく【生(き)地獄】〔生きたまま地獄に落ちたような〕むごたらしくひどいありさま。生きたまま受けるひどい苦しみ。「事故の現場は—だ」

いき-しな【行きしな】➡ゆきしな。対帰りしな。

いき-じびき【生(き)字引】何事についてもよく・知って(覚えて)いる人。ものしり。「会社の—」

いき-すぎ【行(き)過ぎ】➡ゆきすぎ。

いき-すじ【▽粋筋】❶〔花柳界などの〕粋な方面。「—の客」❷男女間の情事に関する粋な事がら。

いきせき-き・る【息▽急き切る】《自五》急いだため、息づかいが激しくなる。息せく。「—・ってかけつける」

参考 多く「息せききって」の形で使う。

いき-たい【生き体】相撲で、倒れかけているが、まだ体勢をたて直す可能性がある状態。対死に体。

いき-だおれ【行(き)倒れ】➡ゆきだおれ。

い-ぎたな・い【▽寝×穢い・▽寝汚い】《形》❶よく眠っていてなかなか目がさめない。対いざとい。❷〔寝ている姿が〕だらしない。寝ぞうが悪い。「—・く寝そべっている」参考「寝」は「眠り」の意。

いき-ち【生(き)血】生きている・動物(人間)からとったばかりの血。なまち。「人の—を吸う(=自分の利益のために、他人をしいたげてひどい目にあわせる)」

いき-ちがい【行(き)違い】➡ゆきちがい。

いき-づかい【息遣い】息をするようす。呼吸の仕方・調子。「—が荒い」

いき-つぎ【息継ぎ】《名・自サ》❶〔歌っている途中などで〕息を少し吸いこむこと。❷〔仕事などの途中で〕短い時間休むこと。息抜き。「ここらで—しようか」

いき-づ・く【息▽衝く】《自五》❶苦しい息をする。せわしく息をする。類語あえぐ。❷息をする。呼吸する。また、確実に生きている。「伝統が—・く町」

いき-づくり【生(き)作り・▽活(き)作り】➡いけづくり。

*__いき-づま・る__【息詰まる】《自五》〔緊張や圧迫感で〕息がつまるような感じがする。「—・る熱戦」

*__いき-づま・る__【行き詰まる】《自五》➡ゆきづまる。

いきどお・る【憤る】《自他五》〔非難の気持ちをもって〕おこり、なげく。立腹する。憤慨する。「テロの横行に—・る」「不正を—・る」文《四》。

いきとし-いける-もの【生きとし生けるもの】《連語》(「生き」は四段動詞「生く」の連用形。「し」は強意の助詞》〔文〕この世に生きているものすべて。あらゆる生き物。

いき-とど・く【行き届く】《自五》➡ゆきとどく。

いき-どまり【行(き)止(ま)り】➡ゆきどまり。

いき-ない【域内】〔経済圏・地域などの〕一定の区域や範囲の内部。対域外。

いき-ながら・える【生き長らえる・生き▽存える】《自下一》この世に長く生き続ける。「激しい戦いの中をよく—・えたものだ」類語生き延びる。

いき-なや・む【行き悩む】《自五》➡ゆきなやむ。

いき-なり【行き成り】《副》急に動作を起こすようす。だしぬけに。突然。「—走り出す」表記かなで書くことが多い。

いき-ぬき【息抜き】❶《名・自サ》〔仕事の途中で気分を楽にして〕しばらく休むこと。休憩。息継ぎ。息休め。❷室内の空気の流通をよくするために壁などにとりつけた窓や穴。空気ぬき。

いき-ぬ・く【生き抜く】《自五》〔苦しみにたえて〕せいいっぱい生き続ける。「激動の時代を—・く」

いき-のこ・る【生き残る】《自五》〔多くの仲間が死んだのに〕命を失わずにいる。もう少しで死ぬところを、死なずにいる。「戦乱の中を一人—・った」

いき-の-した【息の下】いまにも息がたえようとする状態。「苦しい—から子どもの名を呼ぶ」

いき-の-ね【息の根】呼吸。命。生命。「—を止める(=殺す。また、完全にほろぼす)」

いき-の・びる【生き延びる】《自上一》〔失うべき命を保って〕長く生きる。「砲火の下をよくぞ—・びた」

いき-はじ【生(き)恥】生きている間に受ける恥。「—をさらす」対死に恥。

いき-ば・る【息張る】《自五》息をつめて腹に力を入れる。息む。「顔を真っ赤にして—・る」

いき-ぼとけ【生(き)仏】❶りっぱな僧を敬って言う語。高徳の僧。❷〔仏のように〕慈悲深い人。また、徳の高い人。類語①②生き神。

いき-ま・く【息巻く】《自五》荒々しい態度で怒り、はげしく言いたてる。「絶対に倒してやると—・く」

いき-み【生(き)身】生きている体。なまみ。「—は死に身(=生きているものは必ず死ぬ)」対死に身。

いき・む【息む】《自五》息をつめて腹に力を入れる。息ばる。文《四》。

いき-もの【生き物】❶生きているもの。生命のあるもの。〔おもに動物をさすが、広く生物一般をさして言うこともある〕「—をかわいがる」❷生きているように絶えず動き、変化してゆくもの。「ことばは—だ」

いき-やすめ【息休め】《名・自サ》仕事の間に、一休みすること。息抜き。息つぎ。

い-きょ【依拠】《名・自サ》よりどころとすること。また、そのよりどころ。「師の説に—する」

*__い-きょう__【異境】故国を遠くはなれた土地。他国。外国。異国。「—の空」類語異土。

*__い-きょう__【異教】❶自分の信仰する宗教とは別の宗教。〔排他的に言う〕❷〔キリスト教で〕キリスト教以外の宗教。「—の徒」類語異宗。外道。邪教。

*__い-きょう__【異郷】自分の故郷以外の土地。他郷。「—の地に骨をうずめる」類語異国。他国。対故郷。

*__い-ぎょう__【偉業】〔ある人がなしとげた〕偉大な仕事。りっぱな業績。「—を達成する」

い

*い・ぎょう【医業】病気を診察し、治療を行う職業や業務。「卒業後―に就く」

*い・ぎょう【異形】《名・形動》普通と異なったあやしげな姿・形。異体。「―の僧」

*い・ぎょう【遺業】故人が生前に完成した事業。また、故人が生前にやりかけて後に残した事業。「亡父の―をつぐ」

い・ぎょうしゅ【異業種】ちがった業種。「―交流」

*い・きょく【委曲】詳しくこまかな事情。「―を尽くす（＝説明などが詳しく行きとどく。詳しい事情を明らかにする）」 類語 委細。

*い・きょく【医局】病院で、医務をとりあつかう所。また、医師の研修・連絡の場所。

いきょく・どうこう【異曲同工】→同工異曲。

いきり・た・つ【▽熱り立つ】《自五》激しく怒って興奮する。「―・った観客」 類語 いきまく。たけりたつ。

いき・りょう【生（き）霊】恨みのある人にとりついてたたりをするといわれる、生きている人の魂。いきすだま。生霊(せいれい)。 対 死霊(しりょう)。

い・きる【生きる・▽活きる】《自上一》❶〔生物が〕この世で活動できる状態にある。㋐命をたもつ。生存する。「―・きているものすべて」㋑生活する。毎日を過ごす。「世の荒波にもまれて―・きる」㋒命のないものが、命のあるような作用をする。「亡き夫は心の中に―・きている」⇩〖類語と表現〗❷有効にはたらく。効果を発揮する。役に立つ。「この一行で文章全体が―・きる」❸生き生きする。生気がある。「画面が―・きている」❹囲碁で、〔相手の石に囲まれた〕一連の石が二つ以上の目をもつ。❺野球で、アウトにならずにすむ。「一塁に―・きる」 対 ①～⑤死ぬ。❻〔校正・作文などで〕一度〔朱線などで〕訂正した部分が元にもどる。 文 い・く《上二》。

―きた心地もしな・い《句》あまりの恐怖で、生きているような気がしない。生きた空も無い。

◆類語と表現

「生きる」

＊百歳まで生きる・野草を食べて生きる・あの人はまだ生きてるだろうか・生きるのがいやになる・生きるか死ぬかの瀬戸際。

◆生き抜く・生き延びる・生き残る・生き長らえる・生き返る・息を吹き返す・死に損なう・死に後れる・九死に一生を得る・一命を取り留める／（―する）生存・生息・存命・存生(ぞんじょう)・長生・長生き・再生・蘇生(そせい)・命拾い／在世(ざいせ・ざいせい)・延命・不死／…の目の黒いうち

いきれ【▽熱れ・×熅れ】むされるような熱気。むし暑いむっとするような空気。「人―」「草―」

いき・わかれ【生（き）別れ】〔親子・夫婦・兄弟などが〕生きていながら互いに消息を知らずに暮らすこと。生別(せいべつ)。「戦争で両親と―になった」 対 死に別れ。

いき・わた・る【行き渡る】《自五》→ゆきわたる。

*いく【幾】《接頭》❶《おもに名詞について》数量・程度などが不確実、または不明なことを表す。「―日」❷《大きな数量・程度を表す語について》その数量・程度の非常に大きいことを表す。「―千万の人」「―久しく」

*い・く【行く】《自五・補動》→行(ゆ)く。 文《四》。⇩〖類語と表現「行(ゆ)く・来る」〗

*い・く【▽逝く】《自五》→逝(ゆ)く。 文《四》。

イグアナ イグアナ科の大形のトカゲ。熱帯アメリカなどに棲息(せいそく)する。背中にたてがみ状の突起がある。▽(スペイン) iguana

い・ぐい【居食い】《名・自サ》働かないで手もとにある財産を使って生活すること。 類語 徒食(としょく)。座食。

いく・いく【×郁×郁】《形動タルト》〔文〕❶文物の盛んなようす。❷香気が盛んにたつようす。「―たる梅の花」

いく・え【幾重】〔―へ〕❶多くの重なり。❷重なりの数が幾つであるか尋ねる語。「花びらは―になっていますか」

―にも《副》重なり・度数などが多いようす。何度も重ねて。くりかえし。「―おわびします」

いく・えい【育英】すぐれた能力を持つ青少年を〔経済上の援助を与えて〕教育すること。「―会」「―資金」

いくさ【戦・▽軍】戦争。たたかい。合戦。〔古風な言い方〕「―の庭（＝戦場）」

い・ぐさ【×藺草】〔―ゐ〕→い（藺）。

いく・さき【行く先】→ゆくさき。

*いく・じ【〈意気地〉】《「いきじ」の転》物事をやり通そうとする強い気力。意地。意気地(いきじ)。

―無し【―なし】❶気力がない・こと（人）。❷むやみにこわがる性格（の人）。臆病(おくびょう)（者）。 類語 甲斐性(かいしょう)なし。

*いく・じ【育児】《名・自サ》乳幼児を育てること。

―かいごきゅうぎょう・ほう【―介護休業法】労働者が育児または、家族の介護のために休業する権利を保障した法律。正式名「育児休業、介護休業等育児または家族介護を行う労働者の福祉に関する法律」。

いく・しゅ【育種】《名・自他サ》作物や家畜を改良して、より価値の高い新種や新品種を作り育てること。

いく・せい【育成】《名・他サ》育ててりっぱにすること。「青少年を―する」「人材の―」 類語 養成。

いく・た【幾多】《副》物事の数が多いようす。多く。多数。たくさん。「―の苦難を乗りこえる」

いく・つ【幾つ】❶個数・年齢などをたずねることば。〔数が〕どれほど。何個。何歳。「もう―（＝幾日）ねるとお正月」「お子さんはお―ですか」❷〈「―も」の形で〉かなりたくさん。〔副詞的に使う〕「同じ物が―もある」「道は―にも（＝相当の数に）分かれている」

いく・どうおん【異口同音】多くの人が口をそろえて同じことを言うこと。多くの人の意見が一致すること。「―に反対を唱える」 注意「異句同音」は誤り。

いく・とせ【幾▽歳・幾▽年】〔雅〕❶何年。幾年(いくねん)。❷多くの年月。「苦しみの―を送る」

いく・ばく【幾▽何・幾▽許】〔文〕❶どのくらい。どれほど。❷〈「―もない」「―も…ない」の形で〉いくらもない。幾日・幾時間もたっていない。「余命―もない」❸若干。〔下に助詞「か」を伴う〕「―かの金を与える」

い・くび【×猪首・×猪×頸】〔―ゐ〕〔イノシシの首のように〕短く太い首（の人）。

いく・ひさしく【幾久しく】《副》〔文〕末ながく。いつまでも変わらずに。〔あいさつ・手紙文などで用いる〕「―お幸せでありますように」

いく・ぶん【幾分】㊀《名》いくつかの部分に分けた、その一部分。「蔵書の―かを売り払った」㊁《副》ある程度。いくらか。多少。〔下に副助詞「か」を伴うこともある〕「休んだので―楽になった」「―か勇気が出る」

*いく・ら【幾ら】《「ら」は接尾語》㊀《名》❶不確定または不明な、数量・程度・値段などを表す語。どれほど。どれくらい。「値段は―ですか」❷〈「―も（…）ない」〉わずかしか（…）ない。少ししか（…）ない。「残金は―もない」㊁《副》❶度数・程度などのはげしいようす。どんなに。

い

どれほど。「ー探しても見つからない」❷〈「ー…でも」「ー…ても」の形で〉たとえ…でも。「ー子供でも許すわけにはいかない」類語よしや。一歩ゆずって。

*イクラ サケの卵をほぐして食塩水につけたもの。カナッペや酒のさかなに使う。類語すじこ。▽ロシア ikra(=魚卵)

いくら・か【幾らか】㊀《名》少しの数・量。多少。「ーの金を渡す」㊁《副》程度・数量などが少ないようす。少しばかり。多少。「昨日よりー涼しい」

いくら・なんでも【幾ら何でも】《連語》どのような事情があるとしても。どう考えてみても。「ーひど過ぎる」

*い・くん【偉勲】りっぱな手柄。偉功(いこう)。「ーをたたえる」

*い・くん【遺訓】故人の残したおしえ。また、そのことば。「先祖のーを守る」類語遺戒。

*いけ《接頭》〔俗〕多く不愉快な気持ちを表す語について、さらにその気持ちを強める語。全く…。「ーずうずうしい」「ーしゃあしゃあ」「ーすかない」

*いけ【池】❶地面を掘ってくぼみをつくり、水をたくわえてある所。❷広いくぼ地に水が自然にたまっている所。類語沼。湖。沢。泉。泉水(せんすい)。貯水池。

い・けい【×畏敬】《名・他サ》〔けだかく偉大な人間として〕おそれ敬うこと。また、その気持ち。「師をーする」「ーの念」類語尊敬。崇敬(すうけい)。

い・けいれん【胃×痙×攣】上腹部に発作的な激しい痛みを感ずる症状。胃壁の筋肉の収縮による。類語さしこみ。しゃく。

いけ・うお【生(け)魚・▽活(け)魚】ーうを〔食用にするため〕生けすなどに飼っておく魚。

いけ・がき【生(け)垣・生(け)×籬】〔低い〕樹木を植え並べて作った垣根。「ーを結い巡らした家」

いけ・しゃあしゃあ《副》《「いけ」は接頭語》〔俗〕〔悪いこと・はずかしいことをしても〕平気で知らぬ顔をしているようす。参考ふつう「ーと」の形で使う。

いけ・す【生(け)×簀】〔料理用・観賞用などのために〕捕った魚や貝類などを生かしてたくわえておく所。

いけ・ず《名・形動・自サ》〔関西の方言〕意地悪く気ままな動作をする・こと(人)。不人情な・こと(人)。

いけ・ずうずうし・い【いけ▽図▽図しい】ーづうづうしい《形》《「いけ」は接頭語》〔俗〕にくらしいほど、ずうずうしい。

いけ・すかな・い【いけ好かない】《連語》《「いけ」は接頭語》〔俗〕〔特に理由はないが〕いやらしくてきらいだ。むしが好かない。「ーい野郎だ」

いけ・ぞんざい《形動》《「いけ」は接頭語》〔俗〕不快なほど粗雑だ。失礼きわまる。「ーな口をきく」

い・げた【井×桁】ーゐ ❶井戸の縁(ふち)を木で「井」の形に組んだもの。❷「井」の形をしたもの。また、それを図案化した模様。

いけ・づくり【生(け)作り・▽活(け)作り】魚の料理の一つ。生きているコイ・タイなどの肉を切り取ってさしみに作り、頭・尾のついた骨の上にもとの形に並べて出す料理。いきづくり。

いけ・ど・る【生け捕る】《他五》〔人・獣などを〕殺さないで生きたまま捕らえる。「クマをーる」

いけ・な・い《連語》《「行ける」の否定形》❶〔性質・品質・状態などが〕好ましくない。よくない。悪い。「奥さんが御病気だって。それはーいね」❷望みがない。だめである。「兄の体はもうーい」参考「ーかった」「ー・くなる」などの形で、死ぬ意にも使う。「弟がーくなると、母は泣きくずれた」❸〔体質的に〕酒が飲めない。「ーい口」❹〈「…て(で)ーい」「…するとーい」などの形で〉望ましくない。困る。「どうも気が散ってーい」❺〈「…てはーい」「…てーい」などの形で〉ある動作が禁止されていることを表す。(…しては)ならない。「入ってはーい」❻〈「…なければーい」の形で〉義務として課せられていることを表す。(…しなければ)ならない。「税金は納めなければーい」

いけ・にえ【生(け)×贄・▽犠▽牲】ーにへ ❶〔祈願のために〕生き物を生かしたまま神に供えること。また、その生き物。「ーを捧(ささ)げる」❷ある物事やある人のために生命・利益・名誉などをなげすてること。また、その・人(もの)。犠牲(ぎせい)。「一族の繁栄のーとなる」

いけ・ばな【生(け)花・▽活(け)花】草木の枝・葉・花を適当に切り取ってその形をととのえ、花器にさしてかざりとする・こと(技術)。また、そのようにしていけた花。生花。挿花(そうか)。花道。

*い・ける【行ける】《自下一》《「行く」の可能形》❶行くことができる。「ひとりでー・けます」❷〔事が〕思ったようにすらすら運ぶ。(うまく)できる。「英語もフランス語もー・ける」❸〔ものの質や食べ物の味が〕相当なものである。上等だ。よい。「この菓子はなかなかー・ける」❹酒がかなりのめる。酒好きである。「相当ー・ける口でしょう」表記ふつう、②〜④はかな書き。

*い・ける【▽埋ける】《他下一》《「生ける(下一)」と同語源》❶〔消えないように〕炭火を灰の中にうずめる。「火をー・ける」❷〔ものを〕土の中にうずめる。「大根をー・ける」文い・く《下二》。

*い・ける【生ける・▽活ける】《他下一》❶生かす。生き返らす。❷花・枝を花器にさす。❸植物を土の中に植える。「鉢にー・ける」文い・く《下二》。

*いけ・る【生ける】《連語》《文語の四段動詞「生く」の已然形+完了の助動詞「り」の連体形》〔文〕生きている。生命がある。「生きとしーもの」

いける・しかばね【生ける×屍】《連語》生きてはいるが死んだも同様の身。

*い・けん【意見】❶〔ある話題についての個人としての〕考え。「ーを述べる」尊敬貴意。謙譲愚見。❷《名・他サ》自分の考えを述べて相手をいさめること。また、そのことば。「先輩にーされる」類語忠告。説教。ーこうこく【ー広告】個人や団体の意見を、代金を払って新聞や放送に出す広告。

*い・けん【異見】人とちがった考え・見解。「ーを唱える」類語異存。異論。異議。

*い・けん【違憲】〔法律・命令・規則・処分などが〕憲法にそむくこと。憲法違反。対合憲。

*い・けん【遺賢】政府に用いられず、民間に埋もれている・りっぱな(有能な)人。「野(や)にーあり」

い・げん【威厳】いかめしく、おごそかな感じ。人を圧する重々しさ。「ーのある顔」類語威光。威風。

いげん・びょう【医原病】〔手術・投薬など〕医師の医療行為が原因で起こる病気。医原性疾患。

*い・ご【以後】❶それをふくんで、その時からのち。そののち。以降(いこう)。「彼は四時ーでないと帰らない」類語爾来(じらい)。以来。対以前。❷今からのち。「ー気をつけます」類語今後。参考①②とも副詞的にも使う。⇩〔類義語の使い分け「今後」〕

い

*い・ご【囲碁】縦・横一九本ずつの線でくぎった盤の上に、二人で、白・黒の石を交互にうって戦わせ、囲んだ地の大きさで勝負をきめる遊び。碁。

いこい【憩(い)】のんびりと休むこと。くつろぐこと。休息。「―の時間」

*い・こう【以降】〔その時を含んで〕ある時からのち。以後。参考 比較的長い時間の経過に用いられる。「昭和三〇年―」「終戦―」

*い・こう【偉功】ほまれ高い大きな業績。りっぱなてがら。偉勲。「―を立てる」

*い・こう【偉効】すぐれた効果。「―を奏する」

*い・こう【威光】〔勢力のあるものにそなわった〕自然に人を従わせる力。「親の―」類語 威厳。威勢。

*い・こう【意向・意×嚮】〔こうしよう、ああしようという〕考え。気持ちの向かうところ。「相手の―を確かめる」類語 思わく。志向。尊敬 御意。

*い・こう【移行】《名・自サ》〔他の状態に〕移って行くこと。移り変わること。「―措置」類語 推移。

*い・こう【移項】《名・他サ》等式・不等式で、一方の辺の項を、符号を変えて他の一方の辺に移すこと。

い・こう【衣×桁】着物などをかけておく家具。台の上に細い木を鳥居のように組んだもの。えこう。衣紋掛け。参考「一架…」と数える。

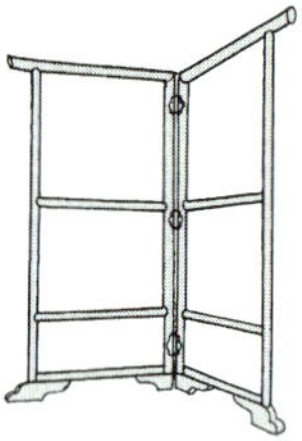

衣桁

*い・こう【遺功】死後に残された功績。「先王の―」

*い・こう【遺構】荒れたりくずれたりして残っている、古い都市や建造物のあと。

*い・こう【遺稿】故人がその生前に書いておいた未発表の原稿。「―集」類語 遺書。遺文。

*い・こ・う【憩う・▽息う】《自五》のんびりと休む。休息する。からだや心を楽にする。「温泉で―・う」文《四》。

イコール 一《形動》相等しいようす。二《名》〔数〕等しいことを表す「=」の記号。等号。▽equal

い・こく【異国】外国。他国。「―の風物」類語 異郷。異土。対 母国。

―じょうちょ【―情緒】異国情調。参考「いこくじょうしょ」ともいう。

―じょうちょう【―情調】自分の国とはちがった、外国独特の風物がかもし出す気分。また、外国らしい風物に接して起こる気分。異国情緒。

い・ごこち【居心地】→その場所・地位などにいることが快適であるか不快であるかという気持ち。居心。「―がよい部屋」

いこ・じ【依×怙地・意固地】《名・形動》意地をはって自分の考えをおし通そうとすること。片意地。えこじ。「―な態度」「―になる」類語 頑固。

い・こつ【遺骨】〔火葬にした〕死者の骨。おこつ。参考「一柱…」「一体…」と数える。

いごっ・そう〔高知県土佐地方の方言〕気骨があること。また、頑固者。参考 高知県人の気性を表すとされる。

い・こ・む【鋳込む】《他五》金属をとかして鋳型に流し込む。

*い・こん【遺恨】いつまでも心に残るうらみ。忘れられないうらみ。「―を晴らす」類語 宿怨。宿恨。

*イコン 聖画像。ギリシア正教で礼拝に用いる、キリスト・マリアなどの画像。▽ドイツ Ikon（=肖像）

い・ごん【遺言】〔法〕〔財産の贈与・相続・子どもの認知などについて〕自分の死後に効力を発生させる目的でする意思表示。参考 →遺言。

いざ《感》〔文〕❶人を誘うときにいうことば。さあ。どれ。「―行かん」「―さらば」❷思いきってあることを始めようとするとき、また、物事がこれから起ころうとするときにいうことば。さて。いよいよ。〔多く「―…する」「―となると」などの形で使う〕「―となると逃げ腰になる」類語 すわ。

―鎌倉《句》〔鎌倉幕府に一大事が起こって、さあ鎌倉へはせ参じるという意から〕一大事が起こった場合。万一の場合。すわかまくら。〈謡曲・鉢木〉

―知らず《句》…についてはどうだかわからないが。…はともかく。「人は―、私は承服できない」参考「いさ（=さあ、どうだろうか）しらず」が誤って用いられたもの。

―と言う時《句》〔病気・事故など〕変わったことが起きた場合。万一の場合。

*い・さい【偉才・異才】きわだってすぐれた才能（を持っている人）。類語 英才。逸才。俊才。

*い・さい【委細】❶くわしい事情・事柄。「―面談」「―は後便にて知らせる」「―構わず（=どんな事情があろうと構わないで）事を運ぶ」❷〔転じて〕万事。すべて。「―承知しました」類語 詳細。委曲。明細。子細。

*い・さい【異彩】❶きわだった色。❷他とちがって目だつようす。「―を放つ（=きわだってすぐれている）」

い・ざい【偉材・異材】きわだってすぐれた人物・人材。類語 逸材。

い・ざいそく【居催促】→相手の居る場所にすわりこんで催促すること。いさいそく。

いさお【▽功・▽勲】《「いさをし」の転》〔雅〕名誉なてがら。功績。「―を立てる」

いさおし【▽功・▽勲】〔雅〕いさお。

いさかい【×諍い】❶言いあらそうこと。言いあい。口論。❷あらそい。けんか。

―果ての乳切り木《句》〔争いが終わったあとで棒を持って来ても役にたたないように〕時機におくれて役にたたないことのたとえ。諍い果ての棒乳切り。

い・ざかや【居酒屋】→❶店先で酒をのませる酒屋。❷安い酒をのませる酒場。類語 大衆酒場。

いさき【×伊佐木・▽鶏▽魚】イサキ科の浅海魚。体長三〇～四〇チセン。背は黄緑色。食用。いさぎ。

いさぎよ・い【潔い】《形》❶〔心や行為が〕道にはずれたところがない。潔白である。「―・い生涯を送る」類語 清廉。❷未練がない。思い切りがよい。悪びれない。「―・く身を引く」注意 送り仮名は「潔よい」としない。文 いさぎよ・し《ク》。

いさぎよ・し【潔し】《形ク》〔古〕いさぎよい。

―としな・い《句》〔ある行動を〕ひきょうなこと、または、恥ずべきこととしてみずから許さない。いさぎよしとせず。「金銭でしばられることを―・い」

い・さく【遺作】死んだ後に残した、その人の（未発表の）作品。「―展」類語 遺品。

いさ・ご【▽砂・×沙・▽砂子・×沙子】〔雅〕きわめて細かい石。すな。まさご。すなご。

いざ・こざ 小さな争い。もめごと。トラブル。「―が絶えない」類語 ごたごた。

類義語の使い分け　いざござ・ごたごた

[いざござ・ごたごた]　党内にいざござ（ごたごた）が絶えない／いざござ（ごたごた）続きでいやになる
[いざござ]　彼の言動がいざござを起こす原因となった
[ごたごた]　次期会長の椅子をめぐってごたごたする

いささか【×聊か・×些か】《副》すこし。わずかばかり。少々。「―困った」「―のためらいもない」　**―なりとも**《連語》少しだけでも。わずかばかりでも。「―お役に立ちたい」

い・ざと・い【▽寝×聡い】《形》〔眠りが浅くて〕目がさめやすい。「老人は―・い」対いぎたない。

いさ・な【▽勇▽魚・▽鯨▽魚】クジラの古名。

いざな・う【▽誘う】《他五》〔文〕すすめて連れ出す。さそう。「おとぎの国へ―・う」文《四》。

いさまし・い【勇ましい】《形》❶積極的に困難や強敵にぶつかっていくようすだ。勇敢だ。おおしい。「―・く戦う」❷人の気持ちをたかぶらせるようすだ。「―・いらっぱの響き」❸〔俗〕大胆だ。無謀だ。「やくざにけんかを売るような―・い男」文いさま・し《シク》。

いさみ・あし【勇み足】❶相撲で、相手を土俵ぎわに追いつめたときに、勢い余って自分の方が先に足を土俵の外に出して負けになること。❷調子にのってやりすぎ、しくじること。「―の発言」

いさみ・た・つ【勇み立つ】《自五》物事に勇敢に立ち向かおうとする気持ちがみなぎる。ふるいたつ。奮起する。「決勝戦に―・つ」

いさみ・はだ【勇み肌】強い者をくじき弱い者を助ける気風。威勢がよくて男気（おとこぎ）のある気性・気質。また、その人。きおいはだ。類語男だて。

いさ・む【勇む】《自五》物事に勇敢に立ち向かおうとする気持ちになってはりきる。「―・んで出発する」類語はずむ。気負う。文《四》。

いさ・める【×諫める】《他下一》〔多く目上の人に対して〕不正や欠点などを改めるように言う。忠告する。「死をもって―・める」文いさ・む《下二》。

いざよい【▽十▽六▽夜】《「いさよふ」の連用形「いさよひ」の転》〔文〕❶陰暦一六日（の夜）。❷「いざよいの月」の略。陰暦一六日の夜の月。

いざよ・う《自五》《「いさよふ」の転》〔雅〕進もうとして、なかなか進まない。ためらう。たゆとう。「―・う波」文《四》。

いさり・び【▽漁火】〔文〕夜、海などで魚をさそい集めるために船でたく火。漁火（ぎょか）。

い・ざ・る【×膝▽行る・×躄る】《自五》❶すわったまま進む。ひざまたは尻（しり）を畳や地につけて進む。膝行（しっこう）。躄行（へきこう）。❷〔物が〕置いた場所から自然にずれる。文《四》。

*__い・さん__【胃散】消化不良・胃酸過多症などの治療に使う粉薬。「―を服用する」

*__い・さん__【胃酸】胃液の中にふくまれる酸。おもに塩酸。消化酵素（ペプシン）を働きやすくする。「―過多」

*__い・さん__【違算】❶計算を間違うこと。見込み違い。類語①②誤算。❷予想・計画などが狂うこと。

*__い・さん__【遺産】❶死んだ人が残した財産。「―相続」参考法律では、所有権・債権などとともに債務も含む。❷過去の人が残した業績。「学問的―」「文化―」

*__い・し__【意志】❶（あることをしようと思う）考え。こころざし。意思。「―の疎通を欠く」類語意向。意図。❷物事を・しよう（しまい）とする積極的な心の働き。「―が強い」「―薄弱」❸〔哲〕道徳的行為のもととなる力。⇩〔使い分け〕
尊敬貴意。御意（ぎょい）。

*__い・し__【意思】❶意志①。❷〔法〕㋐民法で、行為の直接の原因となる心理作用。または、ある事柄に対する意欲。㋑刑法で、行為に対する認識。時には、「犯意」と同意に用いる。⇩〔使い分け〕

使い分け　「イシ」

意思〔何かをしようと思う考え。法律用語〕本人の意思を尊重する・意思表示・意思決定

意志〔何かをやりとげようとする積極的な意欲。心理学・哲学で、また一般に広く〕強固な意志の持ち主・意志薄弱・神の意志・意志の自由

参考両者意欲の点で相通じ、「イシの疎通」では、「意志・意思」ともに用いる。一般的には「意志」が使われ、「意思」は法律で使う。

*__いし__【石】❶岩より小さく砂より大きな岩石。参考岩は動かないものとしてあるのに対し、石はごろごろころがっている感じをもつ。類語石ころ。石塊（いしくれ）。礫（つぶて）。❷岩石・鉱物の総称。「―の家」❸宝石。「指輪の―」❹〔碁石・ライターの発火用合金・すずり・墓石など〕ある種の鉱物加工品。❺人体の中にできる結石。❻じゃんけんの一つ。にぎりこぶしで示す。ぐう。対はさみ・紙。❼固いこと、重いこと、冷たいこと、がんこなことなどのたとえ。「―頭」「―のように黙る」

―が流れて木（こ）の葉が沈む《句》物事が道理にはずれて逆になっていることのたとえ。石が流れて木が沈む。

―に齧（かじ）り付いても《句》どんなに苦しくてもがまんして。何がなんでも。「―やりとげてみせる」

―に灸（きゅう）《句》石に灸をすえるように、ききめのないことのたとえ。また、苦痛に感じないことのたとえ。石に針。糠（ぬか）にくぎ。

―に立つ矢《句》何事も一心にやれば、できないことはないというたとえ。故事漢の時代に、李広（りこう）という将軍が、ある夜大きな石を虎（とら）と見間違えて矢を射たところ、その矢は矢羽根まで石にささって石を割ったという故事から。〈史記・李将軍伝〉

―に枕（まくら）し流れに漱（くちすす）ぐ《句》浮世をはなれて山林にかくれ住み、自由な生活を送るたとえ。

―の上にも三年《句》しんぼう強くがまんしてやれば、最後にはきっと成功するというたとえ。

*__い・し__【×縊死】《名・自サ》〔文〕（自分で）首をくくって死ぬこと。首つり。首くくり。

*__い・し__【遺×址・遺×趾】昔、大きな建物や城のあったあと。類語古跡。旧跡。遺跡。

*__い・し__【遺子】親に死に別れてあとに残された子。わすれがたみ。遺児（いじ）。

*__い・し__【遺志】死んだ人が生きているときに、こうしようと心にきめていたこと。「父の―をつぐ」

*__い・し__【医師】医療と保健指導に従事する職業（の人）。医者。〔医者より公的な言い方〕「―会」「―法」

*__い・し__【×頤使】《名・他サ》〔文〕横柄な態度で人を使うこと。あごで人を使うこと。

*__い・じ__【意地】❶〔人に対する〕心の構え。根性。〔多く悪い意味に使う〕「―が悪い」❷物をほしがる気持ち。

「—が汚い」❸物事をやりとげようとする強い気持ち。いくじ。「—を通す(=自分の考え通りにふるまう)」「—になる(=どうしても自分の思い通りにしようとする)」「—を張る(=人にさからっても自分の考えを押し通そうとする)」類語 我。強情。 **—きたな・い【—汚い】**《形》欲張る心が強い。がつがつしている。特に、食い意地が張っている。 **—っ・ぱり【—っ張り】**《名・形動》意地をはる・こと(人)。強情っぱり。 **—わる【—悪】**《名・形動》意地悪い・こと(性質)。また、そのような性質の人。「—を言う」 **—わる・い【—悪い】**《形》❶わざと人を困らせるような行動をするようす。❷〔ひゆ的に〕物事の都合が悪くなるようす。ぐあいが悪い。「出ようとしたら—・く雨が降ってきた」

***い・じ【意字】** 漢字など、一字で意味を表すことをたてまえとする文字。表意文字。義字。対 音字。

***い・じ【異字】** ❶異なる文字。別の文字。❷異体字。 **—どうくん【—同訓】** 字は異なるが、訓が同じであること。「計」「測」「量」「図」の訓がすべて「はかる」であることなど。同訓異字。

***い・じ【維持】**《名・他サ》〔ある状態を〕そのまま持ちこたえること。保ち続けること。「現状—」

***い・じ【遺児】** 親に死に別れてあとに残された(小さな)子。わすれがたみ。遺子。「交通—」

***い・じ【医事】** 医学や医療に関することがら。「—報道」

いし・あたま【石頭】 ❶石のようにかたい頭。❷がんこで融通がきかない・こと(人)。金づち頭。

いじ・いじ《副・自サ》《副詞は「—と」の形も》はっきりとした態度がとれなくて、いじけているようす。

いし・うす【石×臼】 石で作ったうす。

いし・がき【石垣】 石を積み上げて作った垣。石壁。「城の—」

いし・がみ【石神】〔民間信仰で〕石そのものに霊力が宿るとして祭った神。奇石や石剣・石棒などを神体としたもの。石神。

いし・がめ【石×亀】 イシガメ科の、カメ。もっともふつうに見られる。日本特産。淡水にすむ。愛がん用。参考 子供で小さいものをゼニガメという。

***い・しき【意識】** ❶あることをしているとき、またはある状態におかれているとき、それに気づいている心の状態・働き。「—を失う」「—をとりもどす」❷《名・他サ》ある物事や状態に気づくこと。はっきりそれと知ること。自覚。「異性を—する」❸階級・社会などに対する認識。「—が低い」 **—てき【—的】**《形動》自分で自覚していてわざとするようす。故意。「—に避ける」

***い・しき【違式】** 一定の形式や習慣などからはずれていること。「—の届け」

いしき・あて【居敷当て】《居敷は尻の意》ひとえの着物の裏の、尻のあたる部分につける布。しりあて。

いし・く【石工】 石を切り出し、また、その石を用いて細工をする職人。石切り。石屋。

いし・ぐみ【石組(み)】〔日本ふうの庭園で〕景観を作るために自然石を配置・すること(した所)。岩ぐみ。

いじく・る【×弄る】《他五》❶〔手で〕もてあそぶ。❷仕事や趣味としてあつかう。「庭の草や木を—・る」参考 ①②とも「いじる」の俗な言い方。文《四》。

いし・くれ【石▽塊】 石のかけら。石ころ。「—同然の役立たず」参考「くれ」は、「かたまり」の意。

いし・けり【石×蹴り】 地面にかいた円や四角の中へ一つの小石を片足でけって順に送りこむ子供の遊び。

いじ・ける《自下一》❶〔恐ろしさや寒さのために〕ちぢこまって元気がなくなる。すくむ。❷ひねくれて、引っ込み思案になる。「—・けた子」

いし・けん【石×拳】 じゃんけん。

いし・ころ【石▽塊】 小石。石くれ。

いし・ずえ【礎】《石を据える意》❶家の柱の下に置く石。土台石。礎石。柱石。❷物事のもととなる大切な・もの(人)。基礎。「国家の—となる」

いし・ずり【石×摺(り)・石刷(り)】 ❶石碑の文字などを油墨で紙にすりうつすこと。また、そのすりうつしたもの。拓本。❷石摺①のように、地を黒く、文字や絵の部分を白く浮き出すように刷った書画。

いし・だい【石×鯛】 イシダイ科の海魚。青灰色で、体長約四〇チセン。磯にすみ、幼魚では七本の黒い縦じまがはっきりしている。食用。しまだい。

いし・だたみ【石畳・×甃】 ❶四角い平らな石をたたみのように敷きつめてある所。また、その石。石甃。❷〔古〕石段。❸市松模様。

いし・だん【石段】 石で作った階段。

***い・しつ【異質】**《名・形動》他とくらべて性質がちがうこと。また、ちがった性質。「—の文化」対 同質。

***い・しつ【遺失】**《名・他サ》〔品物や金銭を〕落としたり置き忘れたりしてなくすこと。「—物」類語 紛失。

いし・づき【石突(き)】 ❶太刀のさやじり。また、それをつつむ金具。こじり。❷やり・なぎなたなどの柄の末端や、つえ・傘などの先端。また、そこについている金具。❸キノコの根もとのかたい部分。

いし・どうろう【石灯×籠】 石で造ったとうろう。

いし・ばい【石灰】「酸化カルシウム(=生石灰)」「水酸化カルシウム(=消石灰)」の俗称。石灰。

いし・ばし【石橋】 石で造った橋。類語 土橋。 **—を叩いて渡・る**《句》慎重に物事を行うたとえ。

いし・ぶみ【石文・▽碑】 ある事がらを記念し、または後世に伝えるため、文章などを刻みつけて地面にたてる石。また、その文章。石碑。

いしべ・きんきち【石▽部金吉】〔俗〕非常にまじめな人。がんこなほどものがたい人。〔融通のきかない人をからかっていうことが多い〕参考 金・石のようにかたいものをならべて人名化したことば。類語 木石漢。

いし・ぼとけ【石仏】 ❶石で造った仏像。石仏。❷〔ひゆ的に〕ものを言わない人。感情を表情や態度に表さない人。「木仏金仏—」

いじまし・い《形》❶みじめな気持ちを起こさせる。あわれをもよおす。「上司にごまをする—・い奴」❷度量がせまい。こせこせしている。「—・い料簡」

いし・むろ【石室】 ❶石を積んだり、岩石を利用したりして造ったへや・小屋。岩屋。❷古代人が墓として造った、石のへや。石室。

いじめ【×苛め・▽虐め】 いじめること。集団で特定の個人に精神的・肉体的苦痛を長期にわたり与え続けること。「弱い者—」「学校から—をなくす」

いじ・める【×苛める・▽虐める】《他下一》弱いものを苦しめる。「弟を—・める」

いし・もち【石持・石▽首▽魚】 ニベ科の海魚シログチの通称。灰色で光沢がある。白身で美味。かまぼこの材料。参考 頭骨の中に耳石があるので、この名がある。

***い・しゃ【慰謝・慰×藉】**《名・他サ》〔文〕苦しみや悩みを慰めいたわること。「—料」表記「慰謝」は代用字。

*い-しゃ【医者】病気を診察し、治療を行う職業(の人)。医師。類語 国手(こくしゅ)。ドクター。―の不養生《句》理屈を知っていながら自分で実行しないことのたとえ。

いし-やま【石山】❶岩石の多い山。❷石材を切り出す山。

*い-じゃく【胃弱】慢性的に胃の消化力が悪い状態。

*い-しゅ【意趣】〔文〕❶心の向かうところ。意向。考え。おもわく。「―卓逸(たくいつ)(=きわめてすぐれた考え)」❷〔他人がしたことに対して〕恨みをもつこと。はらすべき恨み。遺恨。―がえし【―返し】(しがへ)しかえしをして恨みをはらすこと。意趣ばらし。復讐(ふくしゅう)。

*い-しゅ【異種】違った種類。「―交配」類語 他種。別種。対 同種。

*い-しゅ【異趣】趣が変わっていること。風変わり。

*い-しゅ【遺珠】〔文〕❶〔拾われないで〕残っている玉。❷まだ世の中に知られていない、すぐれた詩文。〔故人の詩集・随筆集などをほめていう〕

*い-しゅう【異臭】へんなにおい。いやなにおい。「―を放つ」「―が鼻をつく」類語 悪臭。

*い-しゅう【×蝟集】《名・自サ》〔文〕ハリネズミ(蝟)の毛のように、多くのものが一か所に群がり集まること。「難民が―している」類語 密集。

*い-しゅう【遺習】今も残っている、昔の風習。

*い-じゅう【移住】《名・自サ》他の土地や国へ移り住むこと。類語 移転。

*い-しゅく【×畏縮】《名・自サ》〔文〕〔権力や威力に〕恐れてちぢこまること。「先生の前で―する」

*い-しゅく【×萎縮】《名・自サ》〔文〕〔恐ろしさや寒さのために〕活気がなくなってちぢこまること。しなびてちぢむこと。いじけること。「気持ちが―する」「―腎(じん)」

い-しゅつ【移出】《名・他サ》国内のある地方から他の地方へ、または本国から植民地へ、産物・物資を送り出すこと。類語 輸出。対 移入。

い-じゅつ【医術】傷・病気を診察し治療する技術。類語 医学。

いし-ゆみ【石弓・×弩】❶昔の武器の一つ。ばねで石をはじきだして射るもの。石はじき。おおゆみ。❷城の石垣の上などに板をかけわたし、その上に石を置き、敵がくると石を頭上に落とすしかけ。❸→ぱちんこ①。

*い-しょ【遺書】❶死後にしてほしい事や、死に際しての感想などを書き記した文書。遺言状(ゆいごんじょう)。書き置き。❷後世に残された書物。遺著。「聖賢の―」

*い-しょ【医書】医術や医学について記した書物。医学書。医籍。

*い-しょう【意匠】❶絵画・詩文などを作る上でのくふう。また、あるものを作る上でのくふう。趣向。「―をこらす」❷製品・工芸品・商品などを美しく見せるため、その形・色・模様などを新しく考案すること。また、その考案したもの。デザイン。「―登録」

*い-しょう【異称】正式の、または、ふつうのよび名とは違った別のよび名。別称。別名。異名(いみょう)。

*い-しょう【衣装・衣×裳】❶〔外見をかざる〕衣服。着物。「貸―」「―道楽」❷芝居などで、出演者が着る着物。「―合わせ」参考「衣(=上半身をおおうもの)」と「裳(も)(=下半身をおおうもの)」の意。表記「衣装」は代用字。もとは、もっぱら「衣裳」と書いた。

*い-じょう【以上】❶〔数量・程度・段階を表す語に直接つけて〕それをふくんで、それより上。「六歳―」「平均―」「課長―」参考 基準となる数値を明確に示しえない場合はそれをふくまずにいうことがある。「彼のやった仕事は君や私―の仕事だ」対 以下。❷〔演説・文書などで〕これまでのべたことがら。「―の通りまちがいなし」❸文書の最後にしるし、「終わり」の意を表す語。❹〔活用語の連体形につけて接続助詞のように用いる〕…からには。「約束した―、実行する」

*い-じょう【囲×繞】《名・他サ》〔文〕まわりをとりかこむこと。囲繞(いにょう)。「湖水を―する山々」

*い-じょう【委譲】《名・他サ》〔文〕〔権限などを〕他にまかせゆずること。「権限の―」

*い-じょう【異常】《名・形動》ふつうと違っていること。ふつうの場合とくらべて変わっていること。「胸部に―をみとめる」「―体質」対 正常。⇩【使い分け】

*い-じょう【異状】ふだんと違った状態。別状。「どこにも―はない」「―を訴える」⇩【使い分け】

使い分け「イジョウ」

異常〔ふつうとは違っている。並外れた〕異常気象・異常渇水・異常心理・異常な才能・異常な執着心・精神に異常をきたす・検査は異常(異状)なしと出た

異状〔ふだんと違った状態〕異状(異常)を呈する・異状(異常)を発見する・全員異状なし・西部戦線異状なし・異状死

参考「異常」は形容動詞(語幹)または名詞として用いる。「正常」の対で、アブノーマルの意。「異状」は、異常な状態の意で、多く「あり・なし」を伴って名詞として使ったが、近年「健康状態は異常なし」のように使うことも多い。「異状を呈する・異状を発見する」の場合も、近年「異常」と書くことがある。ともに、一部の例外を除いて「異常」を統一的に使おうとする傾向の表れである。意味よりも文法的な用法(「異状な～」の形はない)に違いがあるとする考えが一般的で、「異常を訴える／異状を訴える」と書いても意味に大差はないと見ていいだろう。

*い-じょう【移譲】《名・他サ》〔文〕他にゆずり移すこと。「経営権を第三者に―する」

い-じょうふ【偉丈夫】〔文〕体がたくましく、りっぱな男。堂々とした男。大丈夫(だいじょうぶ)。

*い-しょく【委×嘱・依×嘱】《名・他サ》〔文〕ある仕事を人にまかせてやってもらうこと。たのみゆだねること。委託。「土地の調査を―する」

*い-しょく【異色】他とくらべて、ありさま・性質などに非常に特色があること。「―ある作品」「―の人物」

*い-しょく【移植】《名・他サ》❶植物(特に農作物・草花・樹木)を他の場所に移し植えること。参考 ひゆ的に、ある地域の文化などを他に移すことの意にも使う。❷からだの組織の一部や臓器を切り取って、それを他の場所や個体に移し植えること。「心臓―」

*い-しょく【衣食】❶着る物と食べる物。衣料と食料。「―住」❷生活。生計。―足りて礼節を知る《句》物質的に不自由がなくなり、生活にゆとりができれば、自然に礼儀を知るようになり、道徳心もうまれてくる。参考「衣食足りて則(すなわ)ち栄辱を知る〈管子・牧民〉」から。

い-じょく【居職】(ゐ)自宅にいて(手作業で)仕事をする職業。裁縫師・印判屋など。対 出職(でしょく)。

い

いしょく-どうげん【医食同源】医術も食事も生命を養い健康を保つためのものであり、本質は同じだということ。参考 中国の伝統的な考え方。

いじらし・い《形》〔力の弱いものや幼いものの（懸命な）ようすが〕いたいたしくて同情したくなる。可憐で あわれに思う。「泣きたいのを我慢している子供の姿が―・い」文 いぢら・し《シク》。

いじ・る【×弄る】《他五》❶手でふれてもてあそぶ。さわる。「ハンカチを―・る」❷道楽として手入れをしたり、世話をしたりする。興味をもってあつかう。〔自分に関する場合は謙遜の気持ちをこめていう〕「庭を―・る」❸〔機構・構造などを〕必要もないのにちょっと変える。「へたに文章を―・るな」文《四》。

いし・わた【石綿】蛇紋岩などが変化した繊維状のやわらかな鉱物。アスベスト。石綿。参考 防熱・防湿・電気の絶縁などに使われたが、発がん性があるとして使用を規制されている。

***い・しん**【威信】〔文〕他に示す威厳と他から受ける信望。「国の―にかけて」

***い・しん**【異心】〔文〕人をうらぎろうとする心。むほんをたくらむ心。ふたごころ。「―をいだく」

***い・しん**【維新】すべてのことが新しく改まること。特に、明治維新のこと。「―の元勲」

***い・しん**【遺臣】❶死んだ前の主君の代から残っている家来・臣下。❷ほろびた・王朝の臣下（藩の家臣）。

***い・じん**【偉人】非常にりっぱな仕事を残したすぐれた人。えらい人。「―伝」

***い・じん**【異人】❶ほかの人。別人。「同名―」❷国の異なった人。外国人。〔やや古風な言い方〕「―館」

いしん・でんしん【以心伝心】❶禅宗で、文字やことばによらず、心から心へ仏法の神髄を伝えること。参考 →不立文字。❷ことばに出さなくても自分の考えや気持ちが相手に通じること。「―の間柄」注意「意心伝心」は誤り。

い・す【×椅子】❶こしをかけるための洋風の家具。こしかけ。参考「一脚…」と数える。❷官職などの地位。ポスト。「社長の―をねらう」

いず【×伊豆】旧国名の一つ。今の静岡県の伊豆半島の大部分と東京都下の伊豆七島。豆州。

い・すう【異数】〔文〕めったに例がないこと。他と異なって特別なこと。異例。「―の出世」「―の抜擢」

いすか【×鶍・▽交×喙】アトリ科の鳥。雄は暗紅色、雌は黄緑色。スズメより少し大きく、上下のくちばしの先が食い違っている。冬期に北方より渡来し、針葉樹林にすむ。

鶍

―の嘴《句》物事が食い違って思い通りにいかないことのたとえ。参考 イスカのくちばしが食い違っていることからいう。

い・すくま・る【居×竦まる】《自五》〔恐ろしさなどで〕その場にすわったまま動けなくなる。いすくむ。

い・すく・める【射×竦める】《他下一》❶矢を射て敵を動けないようにする。❷相手をじっと見つめて動けないようにする。「敵の鋭い眼光に―・められる」

いずくん・ぞ【▽安んぞ・×焉んぞ】《副》（「いづくにぞ」の転）〔文〕下に推量の語を伴い、反語の意を表す。どうして…（であろうか）。なんで…（であろうか）。「燕雀―鴻鵠の志を知らんや」

いず・こ【▽何▽処】《代名》（不定称の指示代名詞）〔文〕どこ。いずく。「―ともなく去っていく」

い・ずまい【居住（ま）い】すわっている姿勢・ようす。「―を正す」

***いずみ**【▽和▽泉】旧国名の一つ。今の大阪府の南西部。泉州。

***いず・み**【泉】（「出水」の意）❶地下水が地上に自然にわき出ている場所。また、その水。類語 池。泉水。温泉。噴泉。湧泉。冷泉。オアシス。❷物事が・起こる（始まる）源。源泉。「若さの―」「話の―」

いずみ・ねつ【泉熱】ウイルスで起こる急性感染症。高熱・発疹を伴い、舌が赤くなる。異型猩紅熱。参考 発見者「泉仙助」の姓にちなんでいう。

イズム 主義。主張。説。▽ism

いずも【▽出▽雲】旧国名の一つ。今の島根県の東部。雲州。

―の・かみ【―の神】❶出雲大社の祭神、大国主命。❷結婚をつかさどる神。縁結びの神。参考 毎年一〇月に全国の神々が出雲大社に集まり、男女の仲をとりもつという俗信から。

イスラム・きょう【イスラム教】アジア・アフリカに普及している宗教。アラビアの預言者マホメットを教祖とする。唯一・絶対の神アラーを信じる。キリスト教・仏教とともに世界三大宗教の一つ。イスラム。マホメット教。回教。フイフイ教。イスラーム教。

いずる【▽出ずる】《連体》（文語動詞「出づ」の連体形から）〔文〕出る。「日―国（＝日本国の美称）」

いずれ【▽何れ・×孰れ】㊀《代名》（不定称の指示代名詞）たしかでない物事を指し示す語。❶〔二つ以上のものの〕どれ。「―も立派な作品だ」❷〔二つのうちの〕どちら。「和服か洋服か―になさいますか」❸どこ。「きょうは―へお出かけですか」㊁《副》❶（「いくつか考えられる場合のどれになっても」の意から）どちらにしても。どっちみち。「人間は―死ぬ」❷近いうちに。そのうち。「―お伺いいたします」

―が菖蒲杜若《句》どちらもすぐれていて優劣のきめがたいことのたとえ。選択に迷うことのたとえ。参考 アヤメもカキツバタも同科の花で区別するのがむずかしいことからいう。

いずれ・に・せよ【▽何れにせよ・×孰れにせよ】《連語》どちらにしても。いずれにしても。いずれにしろ。「―、結論はまだ出ない」

い・すわ・る【居座る・居×坐る・居据わる】《自五》❶〔他人の家・場所などに〕すわっていつまでもいる。動かないでそのままいる。❷同じ地位や位置などに〔ひき続いて〕とどまり動かない。「大臣はまだ―・る腹だ」

いせ【×伊▽勢】❶旧国名の一つ。三重県の大部分。勢州。❷「伊勢神宮」の略。

―えび【―×蝦・―▽海▽老】イセエビ科の甲殻類。海にすむ。体長約三〇センチで甲羅がかたく、ひげが長い。暗紫色または暗褐色で、煮ると赤紅色になる。肉は美味。しまえび。かまくらえび。参考 昔、伊勢湾で多くとれたのでこの名がある。長寿の象徴として古くから珍重され、めでたい時や、正月の飾りに使われる。

―じんぐう【―神宮】三重県伊勢市にある皇大神宮（内宮）と豊受大神宮（外宮）の総称。皇室の氏神。

―まいり【―参り】伊勢神宮への参拝。伊勢参宮。参考 江戸時代にさかんに行われた。

*い・せい【威勢】❶恐れさせおさえつける勢い。「敵の—に恐れをなす」❷活気のある勢い。「—のいい声」

*い・せい【為政】〔文〕政治を行うこと。「—者」

*い・せい【異姓】互いに姓が違うこと。また、その別姓。対同姓。

*い・せい【異性】❶性質が違うこと(もの)。❷〔動物で〕性の異なる・こと(もの)。❸男性から女性、女性から男性をさす語。「—の友人」対①～③同性。

*い・せい【異星】地球とは別の天体。「—人」

*い・せい【遺制】〔文〕社会状態のかわった今でも行われている、古い制度。昔の制度の名残。「—を守る」

*い・せき【移籍】《名・自他サ》❶本籍を他へ移すこと。類語転籍。❷スポーツ選手などが、所属している団体から他の団体へ変わること。「—選手」

*い・せき【遺跡・遺×蹟】❶昔、大きな建物や事件などのあった跡。類語遺址。旧跡。古跡。❷土器・石器など、考古学上の遺物が残っている貝塚や古墳。

*い・せつ【異説】これまでの世間一般の説と違った説。「—を唱える」「—をたてる」

*い・せつ【移設】《名・他サ》建物や記念物などを他の場所に移すこと。「工場を—する」類語移築。

い・せる《他下一》裁縫で、長さの違う二枚の布を一方にふくらみをつけて縫い合わせるために、長い方の布を細かく縫いちぢめる。いせこむ。「そで付けを—・せる」

い・せん【緯線】地球の表面に赤道に平行して仮に引いた線。同じ緯度の点を結ぶ線。経線と直角に交わる。緯度線。参考「緯」は「横糸」の意。対経線。

*い・ぜん【以前】❶ある基準になる時を含んで、それより前。「六時—」「明治—」対以後。❷現在より前。過去。昔。「この家の—の持ち主」〔①②は副詞的にも使う〕

*い・ぜん【依然】《形動タルト》少しもかわらずもとのままであるようす。〔副詞的にも使う〕「旧態—たる考え」

いぜん・けい【×已然形】文語の用言・助動詞の活用形の一つ。接続助詞「ば」「ど」「ども」に続いて確定条件を表し、また、係助詞「こそ」の結びとして文を終止する。口語では、仮定形にあたる。既然形。

*いそ【×磯】〔岩の多い〕海・湖などの波うちぎわ。また、そこにある岩。

*イソ→アイエスオー(ISO)。

いそ・あけ【×磯明け】海岸で、貝類や海藻を採ることが許されること。また、その期間。磯の口明け。浜の口明け。対磯の口止め。

いそ・いそ《副・自サ》《副詞は「—と」の形も》〔うれしいことや思いついたことなどがあって〕心がはずんで動作が調子づいているようす。「—と出かける」

*い・そう【位相】❶(phase)〔理〕振動現象など、周期的に運動するものの、ある瞬間の位置および運動状態。周期関数における変数の値。「—差」❷〔語学〕言語表現の主体や場面(職業・階級・性別・地域など)の違いによって生じることばの違い。「—語」❸(topology)〔数〕極限と連続の概念を、空間で論じるときに、よりはっきりさせるための適当な構造。

*い・そう【意想】〔文〕〔心の中の〕考え。思い。—がい【—外】《名・形動》考えもしないこと。思いもつかないこと。「—の費用がかかる」類語意外。予想外。

*い・そう【異相】〔文〕普通の人とは違った人相・姿。「—の持ち主」類語異形。

*い・そう【移送】《名・他サ》❶〔法〕ある事件を処理する権限を一つの法律機関から他の法律機関へ移すこと。❷〔人や物を〕他の場所に移し送ること。

い・ぞう【遺贈】《名・他サ》その人の死後、遺言によって、財産を他人(相続人も含む)に無償でゆずりわたすこと。「蔵書を図書館へ—する」類語贈与。

いそ・うお【×磯魚】海岸の近くの岩や藻の間にすむ魚。ハゼ・ベラなど。

い・そうろう【居候・▽食▽客】他人の家に住んで養ってもらう・こと(人)。食客。

いそがし・い【忙しい】《形》❶用が多くて・休む(ほかのことをかまう)ひまがない。仕事に追われている。「年末の—・い毎日」❷落ち着きがなく、よく動く。じっとしていない。せわしい。「—・い性分の人」文いそが・し《シク》。⇩〔類語と表現〕

類語と表現

「忙しい」

＊仕事で忙しい・引っ越しの準備で忙しい・目が回るほど忙しい・猫の手も借りたいくらい忙しい・忙しく飛び回る・忙しくて席の暖まる暇もない・忙しい性分。

◆忙・多忙・繁忙・繁劇・繁用・繁多・怱忙・怱々・多事・多用・多端・多事多用・多事多端

◆[多忙の表現]慌ただしく[忙しげに・忙しなく・気忙しく]立ち働く／仕事が[重なる・山積する・立て込む]／仕事で[駆け回る・駆けずり回る・飛び歩く・奔走する・東奔西走する・きりきり舞いする・てんてこ舞いする]／仕事に[追われる・あくせくする・取り紛れる・忙殺される]／激務に就く・激職にある

いそが・す【急がす】《他五》→いそがせる。文《四》

いそが・せる【急がせる】《他下一》《「急ぐ」の使役形》急いであることをするようにさせる。せきたてる。いそがす。「出発を—・せる」文いそが・す《下二》。

いそぎ【急ぎ】いそぐこと。急を要すること。「—の使い」「—の返事」

いそ・ぎんちゃく【×磯×巾着】浅海の岩などについている刺胞動物。体は筒形で、中央にある穴の周囲の触手で、自衛し、えさをとる。刺激をうけると体が収縮し、きんちゃくをしぼった形になる。

いそ・ぐ【急ぐ】《自他五》❶物事を短い時間でしようとする。早くしようとする。「—・いで準備する」「結論を—・ぐ」類語早める。❷気持ちがせく。あせる。「勝ちを—・ぐ」類語逸る。慌てる。❸〔目的地へ〕早くつこうとする。早く歩く。「道を—・ぐ」文《四》。—がば回・れ《句》急いで危険な手段をとるより、時間がかかっても安全な手段をとったほうが早く目的を達することができるというたとえ。

い・ぞく【遺族】ある人の死後に残された、その家族・親族。類語遺家族。

いそ・くさ・い【×磯臭い】《形》海岸特有のにおいがする。魚・貝・海藻・潮風などのにおいがする。

いそ・じ【▽五▽十・▽五▽十路】〔雅〕❶五〇。❷五〇年。五〇歳。「—の坂を越す」

いそし・む【▽勤しむ】《自五》〔することが楽しくて〕心を散らさずにつとめはげむ。「勉学に—・む」対怠る。文《四》。

いそ・べ【×磯辺】いその近く。いそのあたり。

いそ・め【×磯目・×磯×蚯×蚓】海岸の岩の間の泥地

い

や石の下などにすむ環形動物の総称。ミミズに似ているが、たくさんの短い足がある。つりのえさにする。

い・そん【依存】《名・自サ》他のものにたよって・成立する(生きる)こと。いぞん。「石油に―する生活」

い・ぞん【異存】反対の意見。不服(な意見)。「―を唱える」「―はない」 類語 異論。異議。

いた【板】❶うすくて平らな木材。また、その形に似た堅いもの。「ガラスの―」❷「まないた」の略。❸「板前」の略。「―さん」❹舞台。

―に付・く《句》❶俳優の演技が舞台によく調和する。❷動作・態度などが、その地位・職業などによく似合ってぴったりする。「主婦業が―・いてきた」

*__い・たい【異体】__❶《名・形動》普通とちがって、風変わりなこと。また、その形や姿。異体。❷別の体。「雌雄―」❸標準の文字と字体の異なる文字。「峰」に対する「峯」など。異体字。

*__い・たい【遺体】__死んだ人の体。なきがら。 参考 (ア)「死体」より丁寧な言い方。(イ)「一体…」と数える。 類語 死体。死骸。屍。⇩〔類義語の使い分け「死体」〕

*__いた・い【痛い】__《形》❶体の一部を打たれたり、押されたり、傷つけられたりして、たえがたい感じだ。強く「ボールの当たったところが―・い」「―・くも痒くもない(=何の苦痛も感じない。痛痒を感じない)」❷(弱点をつかれて)ひどく困る。つらく苦しい。「―・い所をつく(=弱点をせめる)」「―・い目にあう(=つらい思いをさせられる)」 文 いた・し《ク》。⇩〔類語と表現〕

―くもない腹を探ら・れる《句》自分にやましいところがないのに、他人からあれこれ疑われる。

◆類語と表現

「痛い」

*歯が痛い・のどが痛い・風邪を引いて頭が痛い/借金で頭が痛い・一〇万円の罰金は痛い・そう言われると耳が痛い。

◆[反応]差し込む(差し込み)・疼く(疼き)・苦しむ(苦しみ)・ひりつく・苦痛

◇[部位]胃痛・腹痛・胸痛・腰痛・歯痛・頭痛・偏頭痛・神経痛・筋肉痛

◇[痛み方・程度]激痛・疼痛・絶痛・鈍痛・陣痛

◇[原因]生理痛・打撲痛・疝痛

◆副詞句表現 割れるように・刺すように・刺されたように・飛び上がるほど・唸るほど(痛い)

◆オノマトペ ずきずき・ずきんずきん・がんがん・きりきり・ちくちく・しくしく・ちりちり・ひりひり・ぴりぴり(痛い・痛む)

い・だい【偉大】《形動》(価値・能力などが)すぐれていて、りっぱなようす。「―な人物」「―な業績」

いたいいたい・びょう【イタイイタイ病】全身の骨がもろくなり、わずかの衝撃で骨にひびがはいったり折れたりする病気。全身が衰弱して死亡する。原因はカドミウムによる中毒で、公害病の一つ。 参考 一九五五年ごろから、富山県神通川流域に発生。

いたい・け【▽幼気】《形動》幼くてかわいらしいようす。また、弱々しくていたいたしいようす。「―な少女」 表記 かなで書くことが多い。

いたいた・し・い【痛痛しい・▽傷▽傷しい】《形》心が痛くなるほど、かわいそうだ。気の毒でいたましい。「―・いほどやつれた姿」「やけどのあとが―・い」

いた・がね【板金】❶うすくひきのばした金属板。❷板金①。

いた・がみ【板紙】板のように厚くてかたい西洋紙。ボール紙。

いた・ガラス【板ガラス】板のように平らなガラス。鏡・窓ガラス・ショーウインドーなどに使う。

*__い・たく【依託】__《名・他サ》〔文〕❶ある物事についてのすべてを他にたのんでまかせること。「政府から―された学生」❷物にもたせかけること。「―射撃」

*__い・たく【委託】__《名・他サ》❶〔文〕ある事を自分にかわってしてくれるように、まかせ頼むこと。「調査を民間に―する」「―販売」❷〔法〕ある行為・事務の処理を他人にまかせたのむこと。 類語 委任。委嘱。

*__い・たく【遺沢】__〔文〕死後にまで残る恩沢。後世まで残るめぐみ。「先人の―に浴する」

*__いたく【痛く・▽甚く】__《副》《文語形容詞「いたし」の連用形から》〔文〕物事の程度がはなはだしいようす。非常に。はなはだしく。ひどく。「―気に入る」

いだ・く【抱く】《他五》❶〔文〕腕で、かかえる。かかえもつ。だく。「大きな花束を―・く」❷かかえるようにまわりをかこむ。「入り江を―・く浜」❸(ある考え・感情を)心に持つ。「大志を―・く」「疑いを―・く」 参考「だく」の古い形。 表記 ①②は「擁く」とも、③は「懐く」とも書く。 文《四》。

いたけ・だか【居丈高】《形動》相手を威圧するような態度をとるようす。「―になる」 参考「居丈」は座ったときの背の高さ。 表記「威丈高」とも当てる。

いたこ 奥羽地方で、死人のことばを伝えるといわれる巫女。

いた・ご【板子】和船の底にしく上げ板。

―一枚下は地獄《句》船のりの仕事が非常に危険であることのたとえ。

いたし・かた【致し方】うまく解決する方法。しよう。すべ。 参考「しかた」の改まった言い方。

―な・い【―無い】《連語》〔文〕しようがない。しかたがない。「事ここに至っては―・い」

いたし・かゆし【痛し×痒し】《連語》(かけば痛いし、かかなければかゆいの意で)ぐあいのよい面もあれば、ぐあいの悪い面もあって困ること。「客があまり入り過ぎるのも、事故が心配で―だ」

いた・じき【板敷(き)】建物の中の床に板を張ること。また、その板を張った所。板の間。

いた・す【致す】㊀《他五》❶行き届かせる。至らせる。「高原に思いを―・す」❷(よくない結果を)もたらす。ひき起こす。まねく。「不徳の―・すところ」「室長の不明の―・すところ」❸《自五》「する」の改まった言い方。また、謙譲語。「変な音が―・します」「おいとまを―・します」「それはわたくしが―・します」 文《四》。㊁《補動》《「お」+動詞の連用形、漢語の名詞などについて》「…する」の改まった言い方。転じて、謙譲語。「お願い―・します」「参上―・します」 参考「いたします」の形で使われることが多い。 表記 かなで書くことも多い。 文《四》。

いだ・す【▽出す】《他四》〔古〕だす。

*__いたずら【▽悪▽戯】__《名・形動・自サ》《「徒」と同語源》❶ある人に対して、その人が困るようなふざけた行い(をすること)。わるふざけ。わるさ。「子供の―」❷自分の行為をけんそんして言うことば。手なぐさみ。「ちょっと―をしてビスケットを焼いてみました」❸みだらなふるまい(をすること)。「女性に―する」

*いたずら【▽徒】《形動》したことに対して一向に利益・効果のないようす。無益なようす。〔多く「いたずらに」の形で副詞的に使う〕「―に日を送る」「―に騒ぐ」 類語 無駄。無益。

類義語の使い分け　いたずら・無駄
[いたずら・無駄] ただいたずら(無駄)に時を過ごす
[いたずら] いたずらに他人を中傷するものではない
[無駄] 努力が無駄になる／無駄な抵抗はやめろ

*いただき【頂】《「頂き」と同語源》山などの一番高い所。頂上。てっぺん。「―に霜を置く(=髪が白くなる)」

*いただき【頂き・×戴き】《「いただく」の連用形から》〔俗〕苦労せずに自分のもの(勝ち)になること。「このゲームは―だ」「そのアイディアは―だ」

いただ・く【頂く・×戴く】一《他五》❶頭の上にのせる。頭の上の高い所におく。また、頭(頭上)の辺りにささげ持つ。「王冠を―・く」「雪を―・く山々」「満天の星を―・く」「賞状を―・く」❷〔上の者として〕敬い仕える。あおぐ。「A氏を党首に―・く」❸「もらう」の謙譲語。頂戴する。「先生の著書を―・く」「お言葉を―・く」❹「食う」「飲む」の謙譲語・丁寧語。「ご飯を―・く」「―・きます(=飲食する前に言うあいさつのことば)」❺〔俗〕苦労せずに手にいれる。「この勝負は―・いた」「人のプランを―・く」文《四》。二《補動》❶《「お」(「ご」)+漢語、動詞の連用形、「ご」+漢語、動詞連用形+「て」(で)」につけて》「…てもらう」の謙譲語。他人が何らかの動作をすることを、その他人に頼む形で表す。他人を一段高いものとして扱うので、多くの場合、丁寧な感じを伴う。「お待ち―・く」「ご検討―・く」「もう帰って―・こう」❷《「…(さ)せていただく」の形で》相手に願って、自分のすることを許してもらう意の謙譲語。「帰らせて―・く」表記 二は、多くかな書き。文《四》。

いただけ・な・い【頂けない・×戴けない】《連語》《可能動詞「いただける」+助動詞「ない」》→いただける③。

いただ・ける【頂ける・×戴ける】《自他下一》《「いただく」の可能形》❶「もらうことができる」意の謙譲語。「お金を―・けるとはありがたい」❷「食える」「飲める」などの謙譲語。「毎日ごはんが―・ける」❸十分よいと認められる。感心できる。〔多く、「いただけない」の形で使う〕「その考えは―・けない」

いた-だたみ【板畳】❶板をしんとして入れた畳。❷板をしきつめた所。また、その板。板敷き。参考 床の間などに用いる。

いたたまれ-な・い【居た▽堪れない】《連語》〔その場所・地位などに〕それ以上じっとしていられない。いたたまらない。「―・い思いで席を立つ」

いたち【×鼬・×鼬×鼠】イタチ科の哺乳動物。夜間に行動し、ネズミ・ニワトリ・ウサギなどをとらえてその血を吸う。敵にあうと悪臭を放ってにげる。

―の最後っ屁《句》困りきったときに最後の非常手段を使うことのたとえ。

―の道《句》〔イタチは同じ道を二度と通らないということから〕交通・交際・音信などが絶えることのたとえ。いたちの道切り。

いたち-ごっこ【×鼬ごっこ】❶子供の遊び。二人が「いたちごっこ、ねずみごっこ」と唱えながら、互いに手の甲をつまみ合い、手が届かなくなるまで順に重ねていくもの。❷両者が同じことをくりかえすばかりで、らちのあかないこと。「抗生物質と耐性菌との―」

い-だつ【遺脱】《名・自サ》〔文〕〔文字などが〕ぬけおちること。おち。類語 遺漏。

*いたつき【▽労・▽病】〔文〕❶骨おり。労苦。❷病気(の人)。

*いた-つき【板付(き)】❶板のついたもの。また、板についたもの。❷板の間。板敷き。❸〔「板(=舞台)に付く」意から〕開幕する前から舞台にでて(演技をはじめて)いる・こと(俳優)。❹「板付きかまぼこ」の略。小さな板に盛って蒸したかまぼこ。

いたっ-て【至って】一《連語》〈「…に―」の形で〉…になって。「争議は八月に―解決した」二《副》非常に。きわめて。「―質素な生活」「―元気だ」

いた-で【痛手】❶〔刀・矢などでうけた〕重い傷。「―を負う」類語 ふかで。重傷。❷ひどい打撃・損害。「東北地方は、冷害で大きな―を受けた」

いだ-てん【×韋駄天】❶仏法の守護神。足の速い神といわれる。「―走り」❷足の速い人。

いた-ど【板戸】板をはった戸。雨戸・引き戸など。

いたどり【×虎×杖】タデ科の多年草。雌雄異株。茎は中空で節があり、高さ一～二メートル。夏、淡紅色、または白色の小さい花を多数つける。若い芽は酸味があり食用、根は薬用。

いた-の-ま【板の間】床に板をはっただけの所。また、その部屋。板敷き。〔台所・脱衣場などに言うことが多い〕

―かせぎ【―稼ぎ】ふろ屋・温泉場などの脱衣場で他人の衣類や持ち物をぬすむ・こと(人)。

いた-ば【板場】→板前。

いた-ばさみ【板挟み】対立する二つのものの間に立って、どうしてよいか困ること。ジレンマ。いたばさまり。「義理と人情の―」

いた-ばり【板張(り)】❶板をはりつけて作ってあること。板をはりつけた場所。❷《名・他サ》洗い張りで、つやを出ししわをのばすため、布にのりを付け、板にはりつけてかわかすこと。

いた-び【板碑】〔仏〕板状の平らな石で作った卒塔婆。鎌倉・室町時代に関東で流行した。

いた-ぶき【板×葺(き)】屋根を板でふくこと。また、その屋根や家。「―屋根」

いたぶ・る《他五》《「甚く振る」の意》〔俗〕おどかして、金品などをせびり取る。ゆする。文《四》。

いた-まえ【板前】《「まな板前」の略といわれる》❶料理屋で、まな板をおく所。調理場。❷日本料理の料理人(の長)。板。参考 おもに関東でいう。関西では「板場」という。=板場。

いたまし・い【痛ましい・傷ましい】《形》心がいたむほど、あわれで気の毒だ。見ていられないほどかわいそうだ。「―・い交通事故」類語 いたいたしい。文 いたま・し《シク》。

いたみ【痛み・傷み】❶肉体に感じる苦しみの感覚。痛い感じ。苦痛。「傷の―がおさまる」類語 疼き。差し込み。刺激。❷心に感じる苦しみの感覚。悲しみ。悩み。心痛。「胸の―に耐える」類語 傷心。❸〔器物の〕損傷。故障。「機械の―が激しい」❹食べ物がくさること。果物に傷がつくこと。「夏は食べ物の―が早い」表記 ①②は「痛み」、③④は「傷み」と書く。

いたみ-い・る【痛み入る・傷み入る】《自五》〔相手の好意や、相手に迷惑をかけたことなどに〕恐れいる。

恐縮する。〔古風な言い方〕「丁寧なあいさつに—る」

いたみ・わけ【痛み分け・傷み分け】 相撲で、どちらか一方のけがによって試合が引き分けになること。

***いた・む【痛む・傷む】**《自五》❶〔肉体に〕痛みを感じる。「歯が—む」❷〔心に〕苦しみや悲しみを感じる。「心が—む」「懐が—む（=自分の持ち金がへる）」類語 悩む。❸〔器物などが〕こわれる。故障する。傷つく。「家が—む」❹食べ物がくさる。果物に傷がつく。「早く食べないと—む」文《四》。⇩〔使い分け〕表記 ①②は「痛む」、③④は「傷む」と書く。

***いた・む【悼む】**《他五》〔人の死などを〕なげき悲しむ。哀悼する。「亡き師を—む」「戦死者を—む」文《四》。⇩〔使い分け〕

使い分け 「いたむ・いためる」

痛む 〔肉体的精神的な苦痛に苦しむ〕足が痛む・良心が痛む・痛（傷）み入る・痛（傷）み分け・痛ましい

傷む 〔きずつく。くさる〕家が傷む・道路が傷む・野菜が傷む・傷んだ果物

悼む 〔死を悲しみ嘆く〕友の死を悼む・故人を悼む

痛める 〔心身の苦痛を受ける〕ひじを痛める・のどを痛める・心を痛（傷）める・痛め付ける

傷める 〔きずつける。くさらせる〕器物を傷める・花を傷める・桃を傷める

参考「痛」は苦痛・苦悩に、「傷」は主に、きずや故障に使うが、「心をいためる」は「痛める」とともに、「傷める」とも書き（=傷心）、後者は心をやぶり、損なう意の強い表現となる。

いた・め【板目】 ❶板と板との合わせ目。❷板の木目が平行でなく、波形あるいは山形をした不規則な形のもの。対 正目。

板目②

いため・がわ【×撓（め）革】 にかわ水にひたし、たたいて堅くした革。対 なめし革。

イタ・めし【イタ飯】《「イタ」は「イタリア」の略》〔俗〕イタリア料理。

いため・つ・ける【痛め付ける】《他下一》ひどい目にあわせる。「敵をこっぴどく—ける」

***いた・める【×炒める】**《他下一》食べ物を油でいりつける。「野菜を—める」文 いた・む《下二》。

***いた・める【痛める・傷める】**《他下一》❶肉体的な痛みを起こす。体のある部分を悪くする。「自分の腹を—めた子（=実の子）」❷心に、苦しみや悲しみの感じを起こす。「子供のことで胸を—める」類語 なやます。❸痛手を与える。打撃・損害を与える。「懐を—める（=自分の金を使う）」❹〔器物などを〕こわす。傷つける。「おもちゃを—める」❺食べ物をくさらせる。果物に傷をつける。「台風で—められたリンゴの実」表記 ①②③は「痛める」、④⑤は「傷める」と書く。文 いた・む《下二》。⇩〔使い分け「いたむ・いためる」〕

いた・や【板屋・板家】 板ぶきの屋根（の家）。

いたら・な・い【至らない】《連語》至らぬ。

いたら・ぬ【至らぬ】《連体》〔思慮などが〕行きとどかない。未熟である。至らない。「—者ですがよろしく」

いたり【至り】《動詞「いたる」の連用形の名詞化》❶〔ある物事の〕至る所。もたらした結果。「若気の—」❷〔ある思いが〕最高の状態に達していること。行きつく所。きわみ。「痛快の—」「愚の—」「汗顔の—」

イタリック 欧文活字の書体の一つ。少し右にかたむいた活字。傾斜書体。例 *italics*。▷italics

いた・る【至る・×到る】《自五》❶〔ある場所・時刻に〕行きつく。とどく。達する。「山頂に—る道」「深夜に—る」❷〔ある状態、範囲の程度、ある段階などに〕なる。及ぶ。「大事に—る」「死に—る（=死ぬ）」❸やってくる。感情などがわいてくる。「好機—る」「悲喜こもごも—る」参考 ↓至らぬ。文《四》。

いたる・ところ【至る所・×到る所】 行くさきざき。あらゆる所。〔副詞的にも使う〕「—花盛りだ」「—から水がもる」類語 随処。各処。

いたれり・つくせり【至れり尽くせり】《連語》《「り」は完了の助動詞》〔心づかいなどが〕非常によくゆきとどいている。「—のもてなしで満足した」

いた・わさ【板▽山×葵】「板わさび」の略。板付きかまぼこを切ったものに、わさび・しょうゆを添えた料理。

いたわし・い【▽労しい】《形》気の毒だ。あわれでかわいそうだ。不憫だ。「子供を亡くして—いことだ」類語 いたましい。文 いたは・し《シク》。

いたわ・る【▽労る】《他五》❶〔同情して、力の弱い者などを〕やさしくたいせつにあつかう。「老人を—る」❷労をねぎらう。「救助隊員を—る」文《四》。

い・たん【異端】 学問・思想・宗教などの分野で、正統とみとめられないこと。また、その学説・思想・宗派。「—者」「—児」「—視」類語 邪道。外道。

***いち【一】** 一《名》❶〔数の名で〕自然数の最初の数。一つ。表記 証書などでは「壱」と書く。❷〔物事の〕はじめ。最初。一番め。「—から出なおす」「—の鳥居」「—から十まで（=何から何まで。すべて）」❸最もすぐれたこと（もの）。首位。「—、二を争う」❹三味線・琴などで、いちばん低い音をだす糸。一の糸。二《接頭》❶数多くの中の一つ（一人）。「—事件」「—市民」❷とりたてて言うほどではない。つまらない。「—役人の子」❸不確かなことを表す。ある。「—記者が訪れた」❹ひとかどの。「—見識」

—か八か《句》運を天にまかせて試みること。のるかそるか。「—の大勝負に出る」参考 ばくちからでたことば。類語 乾坤一擲。

—姫二太郎《句》子をもつには、最初が女、次は男という順に産むのがよいということ。参考「子供の数は、女の子が一人と男の子二人がよい」という意味にとる俗説もある。

—富士二鷹三茄子《句》初夢に見ると縁起がよいとされるものを順に並べた句。

—も二も無・い《句》とやかく言うまでもない。参考「—・く」の形で使うことが多い。「—・く承知する」

—を聞いて十を知・る《句》〔一部分を聞いても全体を理解できるほど〕非常に理解が早く、聡明であることのたとえ。〈論語・公冶長〉

***いち【市】** ❶〔一定の日時に〕多くの人が集まって品物の交換や売買をすること（場所）。「古本—」「—が立つ」「門前—をなす（=訪れる人が多くにぎわう）」類語 市場。❷〔転じて〕多くの人が集まる所。市街。まち。

—に虎を放・つ《句》〔「人が多く集まる所に虎を放す」意から〕非常に危険であるたとえ。

***い・ち【位置・位地】**《名・自サ》ある人・物・事柄が、他との関係上しめる場所。また、その場所をしめるこ

と。㋐空間の中で、場所をしめること。また、その場所。「大体の―を教える」「村の西方五〇キロに―する」㋑〔抽象的に〕ある世界・社会の中で、場所をしめること。立場。「自然界における人間の―」㋒組織の中でしめる場所。地位。「課長の―にある」 ―づ・ける【―付ける】《他下一》〔全体の中で、また他との関連で〕ある位置を与える。ある位置におく。

*いち・い【一位】❶第一の位。首位。❷第一の位階。正一位・従一位のこと。❸一けたの数。

*いち・い【一意】❶一つの意味・考え。一義。「―性」❷一つのことにだけ心を集中すること。「―専心」。

*いちい【×櫟(いちい)】イチイ科の常緑高木。葉は針状で、赤い実がつく。材は、建築・細工物材また鉛筆材。アララギ。参考昔、この木で笏(しゃく)を作ったので、位階の一位にちなんで「一位」とも書く。

いちいたい・すい【一衣帯水】〔文〕一筋の帯のようにせまく長い川・海。また、それを隔てて近接していること。「―の地」「日中両国は―の間にある」

いち・いち【一一】《名・副》〔たくさんあるものの〕一つ一つ。それぞれ。また、一つ残らず。もれなく念入りに。「―の例は面倒だから省く」「―文句を言う」表記かなで書くことが多い。類語逐一(ちくいち)。

*いち・いん【一員】団体・仲間などの中の、一人。

*いち・いん【一因】〔考えられるいくつかの原因の中の〕一つの原因。「失敗の―」

*いち・いん【一院】❶一つの寺院。❷議院がただ一つであること。また、二院制の議会のうちの、一つの議院。「―制」

いち・う【一宇】〔文〕ひとむねの家・建物。一軒。「―の堂」参考「宇」は「屋根」「家」の意。

いち・え【一会】❶一つの集まり。❷一度会うこと。「一期(いちご)―」

いち・えん【一円】《ある地名・地方名などの下につけて》そのあたり一帯。全体。「関東―を襲った台風」

いち・おう【一応・一往】《副》❶〔完全とはいえないが〕ひととおり。ひとわたり。「家のものと―相談する」❷一度。一回。「―も二応も調査した」表記もと「一度往(ゆ)くこと」の意で、元来は「一往」と書いた。

いち・が【一河】〔文〕❶一筋の川。ある川。「―のほとり」❷同じ川。

―の流れを汲(く)む《句》〔同じ川の水を共にくむ意から〕仏教で、人と人とのつながりはわずかなことでも前世からの因縁によっているということ。

いちがい・に【一概に】《副》おしなべて。ひっくるめて。一様に。〔下に打ち消しの語を伴うことが多い〕「―悪いとは言えない」

*いち・がつ【一月】年の第一の月。むつき。正月。

*いち・がん【一丸】〔多くのものを集めた〕ひとかたまり。ひとまとまり。「―となって突入する」

*いち・がん【一眼】❶一つの目。片方の目。一眼(いちげん)。❷片目。独眼。隻眼。❸〔レフレックスカメラで〕レンズが一つであること。 ―レフ「一眼レフレックスカメラ」の略。一個のレンズで焦点調節用と撮影用を兼ねるもの。参考↓二眼レフ。

*いち・ぎ【一義】❶一つの道理。一理。❷〔物事の〕一つの意味。一意。❸もっとも重要な意義。根本の意義。第一義。 ―てき【―的】《形動》❶一つの意味しかないようす。「―にきまる」❷もっとも重要であること。根本的。第一義的。「―な問題」

*いち・ぎ【一議】〔文〕❶一度の評議。「―に及ばず(=議論するまでもない)」❷異議。一言。「―ある者」

い・ちく【移築】《名・他サ》ある建物を原形のまま他の場所に移し建てること。類語移設。

*いち・ぐう【一遇】一回会うこと。「千載(せんざい)―」

*いち・ぐう【一隅】〔広い場所の〕一方のすみ。かたすみ。「庭の―」類語一角(いっかく)。

*いち・ぐん【一群】一つのむれ。類語一団。

*いち・ぐん【一軍】❶一つの軍勢。❷すべての軍勢。全軍。❸日本のプロ野球で、公式試合に出場できる資格をもつ、登録選手の集団。対二軍。

いち・げい【一芸】一つの芸能・技能。「―に秀でる」

いち・げき【一撃】《名・他サ》〔はげしく〕一回打つこと。一回攻撃すること。「頭に―を加える」

*いち・げん【一元】❶いろいろな事物・現象のもとになるものが一つであること。「―的」対多元。❷天皇の在位中に一つの年号だけを用いること。「一世―」❸〔方程式で〕未知数の種類が一つであること。「―二次方程式」 ―か【―化】《名・他サ》いくつかに分かれている組織・機構などを一つのものに統一すること。一本化。 ―ろん【―論】(monism)〔哲〕ただ一つの原理または根源的実在をみとめ、それによって物質の存在・運動、また精神の働きなど世界のあらゆるものを説明しようとする立場。対二元論・多元論。

*いち・げん【一▽見】初めて会うこと。初対面。特に、旅館・料理屋などで、なじみでなく、初めてであること。また、その客。「―の客」

*いち・げん【一言】一つのことば。短いことば。ひとこと。いちごん。「―一行(いっこう)(=一つ一つの言動)」 ―こじ【〈―居士〉】どんな事がらにも自分の意見を少しでも言わなければ気のすまない人。〔多く、けいべつの意を含めて使う〕注意「いちごんこじ」は誤読。

いちげん・きん【一弦琴・一×絃琴】弦を一本だけ張った琴。須磨琴(すまごと)。板琴(はんきん)。

いち・けんしき【一見識】〔まとまりのある〕ひとかどのりっぱな意見・考え方。相当な見識。いっけんしき。「彼は演劇について―を持っている」

いち・こ【市子・▽神×巫・×巫▽女】神・死霊(しりょう)・生霊(いきりょう)を自分の体にのり移らせ、それらにかわって考えや死後のできごとなどを語る女。巫女(みこ)。あずさみこ。くちよせ。いたこ。

*いち・ご【一期】〔文〕生まれてから死ぬまで。一生。生涯。「―の思い出」「五〇歳を―として静かに息を引きとる」 ―いちえ【―一会】一生に一度だけ会うこと。参考一生に一度だけの機会として、それに心を傾注する意で、茶道の心構えとして強調される。

*いち・ご【一語】❶一つの単語。「彼を評すれば無能の―に尽きる」❷わずかなことば。「―も聞きもらすまい」類語片言(へんげん)。

*いちご【×苺・×莓】❶バラ科の多年草、または、小低木。オランダイチゴ・ヘビイチゴ・キイチゴなどの総称。❷オランダ苺(いちご)。茎が水平にのびてふえる。食用。

いち・ごう【一×毫】〔文〕〔「一本の細い毛」の意から〕ほんの少し。わずか。「―のすきもない」

いち・こじん【一個人】公の立場・資格をはなれた、一人の人間。一個人(いっこじん)。「―としての感想」

いち・ごん【一言】一つのことば。短いことば。ひとこと。いちげん。「要求を―の下にはねつける」「―もない

（＝一言も弁解のしようがない）」「—一句（＝ひとことひとこと）」類語一句。一語。隻語(せきご)。—はんく【—半句】ほんのわずかなことば。片言隻句(へんげんせきく)。〔下に打ち消しの語をともなう〕「—もおろそかにしない」

いち・ざ【一座】❶《名・自サ》同じ場所にすわること。同座。同席。「大スターと—する」❷同じ場所に居合わせているすべての人。その席にいる人全体。満座。「—を笑わせる」❸芝居などを興行する芸人の一団。「—の花形」❹〔連歌・説法・講談などの〕一回。一席。❺〔仏像などの〕一基。参考→座(ざ)。

***いち・じ【一事】**一つの物事。**—ふさいり【—不再理】**刑事訴訟法の原則の一つ。判決が確定した事件について、再公訴を許さないこと。二重訴追の禁止。**—が万事**《句》ある一つの事によって、他のすべての事を推しはかることができるということ。

***いち・じ【一字】**一個の文字。**—せんきん【—千金】**一字のあたいが千金にもあたるほど、すぐれた文章または文字であること。故事 秦(しん)の呂不韋(りょふい)が呂氏春秋をあらわしたとき、一字でも添削できる者がいたら千金を与えようと言った故事から。

***いち・じ【一時】**❶過去のある時・時期。その当時。「—は彼と絶交状態だった」❷その場かぎり。当座。「—の間に合わせ」❸しばらくの間。「—仕事を休もう」参考①〜③は副詞的にも使う。＝一時(いっとき)。**—ききゅうせい【—帰休制】**→レイオフ。**—きん【—金】**〔継続的に支給される金に対して〕一度に限ってまとまった額が支給される金。〔年金・月給などに対していう〕「年末—」**—しのぎ【—×凌ぎ】**その場だけをとりつくろうこと。一時の間に合わせ。「—の策に過ぎない」**—てき【—的】**《形動》物事が長続きしないようす。少しの間だけ(であるようす)。「—な現象」**—に**《副》多くのものが同じ時に同じ行動をするようす。物事が集中するようす。同時に。また、一時(いちどき)に。「群衆が—叫び出す」**—のがれ【—逃れ】**その場だけつくろって不利な立場から逃れようとすること。「—のうそ」**—ばらい【—払(い)】**〔何度にも分けないで〕一度に支払うこと。対分割払い。

***いち・じ【一次】**❶〔ある事を二回以上に分けて行うときの〕第一回め。最初。「—試験」❷代数式で、一乗またはそれ以上の項を含まないこと。「—関数」

いちじく【▽無▽花▽果】クワ科の落葉小高木。葉は大形で三〜五裂に分かれている。初夏に小さな袋状の花托(かたく)をつけ、その内側に多くのうすべに色の花をつける。これが熟すと食べられる。

いちしち・にち【一七日】〔仏〕人が死んだ日から七日めの日。しょなぬか。一七日(ひとなぬか・いっしちにち)。

いち・じつ【一日】〔文〕❶一つの日数。「十年—の如(ごと)く」❷月のはじめの日。ついたち。「八月—」❸ある日。「春の—、野に遊ぶ」＝一日(いちにち)。**—せんしゅう【—千秋】**一日が千年にも感じられるほど長く思われること。待ちどおしいこと。いちにちせんしゅう。「夫の帰りを—の思いで待つ」**—の長**《句》他より少し年をとっていること。転じて、経験や技術が他の人にくらべて少しすぐれていること。いちにちのちょう。〈論語・先進〉

いち・じゅ【一樹】〔文〕一本の立ち木。**—の陰(かげ)一河(いちが)の流れも多生の縁**《句》〔仏〕ともに同じ木かげに雨宿りし、ともに同じ川の水をくむことは、たとえ知らない者どうしであっても、すべて前世の因縁によるものであるということ。

いち・じゅう【一汁】一種類の汁。**—いっさい【—一菜】**❶〔副食物が〕一種類の汁と一種類のおかずからなるもの。❷非常に簡単で質素な食事。

***いち・じゅん【一旬】**〔文〕一〇日間。旬日(じゅんじつ)。

***いち・じゅん【一巡】**《名・自サ》〔ある範囲を〕全部経てもとにもどること。ひとめぐり。ひとまわり。「館内を—する」類語一周(いっしゅう)。

***いち・じょ【一助】**わずかな助け。何かのたし。「生活費の—とする」

***いち・じょ【一女】**❶一人のむすめ。❷長女。

***いち・じょう【一場】**❶一つの場面。一度。一回。❷〔演説などの〕一席。ひとくさり。「—の訓示をうける」❸その場かぎり。わずかの間。「—の夢（＝物事のはかないことのたとえ）」

***いち・じょう【一定】**㊀《名・形動ナリ》〔古〕確かにそれと決まっていること。確実であること。必定。対不定(ふじょう)。㊁《副》〔古〕たしかに。必ず。きっと。

***いち・じょう【一条】**❶ひとすじ。一本。「—の光」❷〔箇条書きにした文章などの〕一節。ひとくだり。❸事件のいきさつ。一件。「話がだまされた—に及ぶ」

いち・じるし・い【著しい】《形》きわだってはっきりしている。目だつほど、程度がはなはだしい。「—・い進歩をとげる」文いちじる・し《シク》。

いち・じん【一陣】❶第一の陣。先陣。❷〔風雨などが〕さっと吹くこと。ひとしきり吹くこと。「—の風」

いち・ず【一▽途】《形動》一つのことだけに懸命になるようす。ひたむき。ひとすじ。「仕事—の生活」「—に思い込む」注意「いっと」と読めば別語。

いち・せいめん【一生面】新しく切り開いた方面。新機軸。いっせいめん。「—を切り開く」

いちぜん・めし【一×膳飯】❶一人に椀(わん)一杯だけ割り当てる飯。盛り切り飯。❷〔葬儀のとき〕死者との告別の意味で一杯ずつ食べる飯。また、死者の枕(まくら)もとに供える盛り切りの飯（＝枕飯）。いっぱい飯。

いち・ぞく【一族】同じ血筋または氏(うじ)の人々すべて。一門。同族。「—郎党」

いち・ぞん【一存】自分一人だけの考え・判断。「私の—で決めた」類語独断。

いち・だ【一×朶】〔文〕❶〔花の〕一輪。「—の白百合(しらゆり)」❷〔①から〕花のついた、ひとえだ。「—の山桜」❸ひとかたまり。ひとむれ。「—の雲」

***いち・だい【一大】**《接頭》「一つの大きな」「一つの重大な」の意。「—革命」「—発見」

***いち・だい【一代】**❶一人の天皇・国王・戸主（＝世帯主）などがその地位にいる期間。「—で財産をきずく」❷一生。一生涯。「—の不覚」「人は—名は末代」❸ある一つの時代。その時代。「—の名僧」

いち・だいじ【一大事】〔急を要する〕重大なできごと。容易ならぬ事件。「お家の—」

***いち・だん【一団】**〔しっかりまとまった〕ひとかたまり。一つの集まり。「—の乗客」類語一群。

***いち・だん【一段】**㊀《名》❶〔階段・段階などの〕一つの段。ひときざみ。「地位が—あがる」❷〔文章などの〕ひとくぎり。類語一節。㊁《副》《「—と」の形も》はっきりした差があるようす。ひとしお。ひときわ。いっそう。「寒さが—と厳しくなる」

いち・だんらく【一段落】《名・自サ》あるくぎりまで物

事がかたづくこと。ひとくぎり。「仕事が―する」注意「ひとだんらく」と読むのは誤り。

いち-てんき【一転機】 一つの・たいせつな（大きな）変わりめ。いってんき。「大病が彼の生活の―となった」

いち-ど【一度】 一回。一遍。〔副詞的にも使う〕「―言い出したらあとへ引かない」「一生に―のことだ」 **―に** 《副》一時に。同時に。いっぺんに。「―食べる」

***いち-どう【一同】** ❶同じ場所に居合わせたすべての人。❷ある組織・仲間のすべての人。「従業員―」

***いち-どう【一堂】** ❶一つの堂。一宇。❷同じ建物・場所。「―に会する（＝一つの場所に集まる）」注意「一同に会する」は誤り。

***いち-どう【一道】** 〔文〕❶一つの道。一筋の道路。❷一つの芸道。一芸。「―に長じる」❸〔煙・光など〕細長いものの、ひとすじ。「―の光明」

いちどき-に【一時に】 《副》いっぺんに。同時に。一度に。一時に。「―襲う」類語 一挙に。

いち-どく【一読】 《名・他サ》一度読むこと。全体にざっと目を通すこと。「この小説は―の価値がある」

いち-とんざ【一×頓×挫】 《名・自サ》勢いや物事の進行が一時くじけること。「事故で工事は―を来した」

***いち-なん【一男】** ❶一人の息子。❷長男。

***いち-なん【一難】** 一つの困難・災難。「―去ってまた―（＝次々に災難が起こること）」

いち-に【一二】 ❶一つ二つ。ほんの少し。ごくわずか。「―の誤りはしかたがない」❷第一位と第二位。一番と二番。「―を争う」

いち-にち【一日】 ❶一つの日数。いちじつ。「―置き」❷午前零時から午後一二時までの二四時間。一昼夜。❸朝（起きて）から晩（寝る）まで。終日。「―テレビを見ている」❹月のはじめの日。ついたち。いちじつ。❺〔文〕ある日。いちじつ。「初夏の―川辺を歩く」 **―せんしゅう【―千秋】** ↓「いちじつ」の子見出し。 **―の長** 《句》↓「いちじつ」の子見出し。

いち-にょ【一如】 ❶《「一」は不二（＝同じであること）、「如」は不異（＝異ならない）の意》〔仏〕真理は現れ方は違っていても、もとは一つであること。「梵我―」❷ただ一つであること。一体であること。「物心―」

***いち-にん【一人】** ひとり。 **―まえ【―前】** ❶ひとりに割り当てられる分量。ひとりぶん。❷その道で、一通りのことができる腕前・能力をもつこと。「―の料理人」対 半人前。❸大人と同じ能力・資格をもつこと。「―の男に育てる」＝ひとりまえ。

***いち-にん【一任】** 《名・他サ》〔ある物事の処理・決定などの〕すべてを任せること。「残務整理を父に―する」

いち-にんしょう【一人称】 自称。対 二人称・三人称。

***いち-ねん【一年】** ❶一月一日から一二月三一日までの期間。「―の計は元旦にあり」❷ある日・月を基準として数えた、その前後一二か月間の長さ。「あれからちょうど―になる」❸第一学年。一年生。❹〔文〕ある年。ひととせ。「―パリに遊ぶ」 **―そう【―草】** 春発芽し、その年のうちに花をつけて実を結び、枯れる草。イネ・アサガオなど。一年生植物。

***いち-ねん【一念】** ❶一つのことを一心に深く思いこむこと。また、その心。「子を思う親の―」❷きわめて短い時間。一瞬間。❸〔仏〕㋐称名・念仏を一度唱えること。対 多念。㋑一仏・一経を守り、一心に信仰・修行すること。 **―ほっき【―発起】** 《名・自サ》❶仏に対する信仰の志をおこすこと。❷ある事を成しとげようと決心すること。「―して家業に励む」

いち-の-ぜん【一の×膳】 正式な日本料理で、最初に出すおもな膳。ふつう、汁・なます・煮しめ・つけ物・飯などがのる。本膳。

いち-の-とり【一の×酉】 一一月の一番めの酉の日。鷲神社などで酉の市が行われる。初酉。参考 ↓酉の市。

いち-ば【市場】 ❶定期的に商人が集まって品物の売買をする所。市。「青物―」❷日用品・食料品などを売る常設の小売店が一か所に集まっている所。マーケット。注意「しじょう」と読めば別語。

いち-ばい【一倍】 《名・他サ》❶〔数学で〕ある数に一をかけること。また、その数。❷ある数にそれと同じ数を加えること。二倍。「人―（＝他の人の二倍も）働く」

いち-はつ【×鳶▽尾・一▽八】 アヤメ科の多年草。五月ごろ、紫・白などの大きな花を開く。ハナショウブに似るが、花の表面にとさかのようなものがある。

いちばつ-ひゃっかい【一罰百戒】 〔文〕世間にありがちな犯罪のごく一部を罰して、他の大勢の戒めにすること。

いち-はやく【▽逸早く】 《副》《文語形容詞「いちはやし」の連用形から》〔ある事が起こると〕すぐに。すばやく。まっさきに。「―現場にかけつける」

いち-ばん【一番】 ㊀《名》❶順番が最初であること。第一。「あした―（＝一番列車）で帰ります」❷多くのものの中で最もすぐれている・こと（もの）。「―で卒業する」「健康が―だ」❸〔碁・将棋・相撲などの〕一勝負。❹〔謡曲などの数え方で〕一曲。❺一般に、物事の一回。一度。「緊褌―」「大死―」㊁《副》❶程度が甚だしいようす。最も。何よりも。「背が―高い人」❷思いきって。ためしに。一つ。「―当たってみよう」 **―て【―手】** ❶一番先に攻撃する軍勢。❷一番先に進む・もの（人）。また、一番有望な・もの（人）。「横綱争いの―」 **―どり【―▽鶏】** 夜明け前に、最初に鳴くニワトリ。また、その声。 **―のり【―乗り】** 《名・自サ》❶だれよりも先に敵陣へ（馬で）攻め入る・こと（人）。❷ある場所にだれよりも早く着く・こと（人）。 **―やり【―×槍】** ❶最初に敵陣にのりこんでやりをつきいれる・こと（人）。❷最初に手柄をたてる・こと（人）。

***いち-び【市日】** （定期的に）市の立つ日。

***いちび【×莔▽麻】** アオイ科の一年草。高さ一～一・五メートル。夏、黄色い小花をつける。昔、茎から繊維をとるために栽培された。きりあさ。

いちひめ-にたろう【一姫二太郎】 《句》↓「一」の子見出し。

いちびょう-そくさい【一病息災】 無病というわけにもいかないが、まあまあ元気だという状態を言う語。また、一つぐらい軽い病気を持っている方が（そのぶん注意するから）、全く病気をしない健康な人より長生きするということ。参考「無病息災」のもじり。

***いち-ぶ【一分】** ❶全体の一〇分の一。❷長さの単位。一寸の一〇分の一。約三・〇三ミリ。❸一割の一〇分の一。❹ごくわずかな・こと（もの）のたとえ。「―の隙も見せない守備」 **―いちりん【―一厘】** ごくわずかなことのたとえ。「―のくるいもない」

***いち-ぶ【一部】** ❶〔雑誌・小冊子・書物などの〕一つ。一冊。❷〔書物の〕ひとそろい。一組。❸全体の中のあ

る部分。一部分。対全部。 **―しじゅう【―始終】**〔なりゆきの〕始めから終わりまで。こまごまとした事柄のすべて。一伍一什。類語顛末。

いち-ぶぶん【一部分】 全体の中のある部分。また、全体からみてわずかの部分。一部。対大部分。

*__いち-ぶん【一分】__ 一身のめんぼく。身分にふさわしい名誉。「男の―が立たない」

*__いち-ぶん【一文】__〔文〕一編の文章。「―を草する」

*__いち-べつ【一別】__《名・自サ》〔文〕人と別れること。 **―いらい【―以来】**《連語》別れてからその時まで。別れてこのかた。一別来。「―の挨拶」

*__いち-べつ【一×瞥】__《名・他サ》ちらっと見ること。「―を与える」類語瞥見。一見。

いち-ぼう【一望】《名・他サ》〔広い景色などを〕ひと目で見渡すこと。ひとながめ。一眸。「町を―する高台」 **―せんり【―千里】**《連語》〔一目で千里の遠くまで見渡せる意から〕見渡すかぎり広いようす。

いち-ぼく【一木】 一本の木。 **―いっそう【―一草】** 一本の木、一本の草。「―もない砂漠」

いち-まい【一枚】 ❶〔紙・板など薄くて幅の広いもの、重ねられるものなどの〕一つ。「ざるそば―」参考↓枚。❷その中のある役割を演ずる、一人。「ぜひとも―加わってほしい」「―かむ（＝参画する）」❸〔能力などの〕一段階。〔多く、「―上」の形で使う〕「老巧さでは、彼のほうが―上だ」参考番付にのった役者をその順位によって、一枚目、二枚目、三枚目と数えることから。 **―いわ【―岩】** ❶〔一枚の板のように〕大きく平らな岩。❷組織・団体などで、内部に対立や紛争がなくしっかりまとまっていること。「―の団結」 **―かんばん【―看板】** ❶一座の中心役者。また、一つの団体の中で他に誇れる中心人物。大立者。参考もと、歌舞伎芝居で、外題や役者の名前・似顔などを書いて劇場前にかかげる大看板をいった。❷他に示して、ただ一つの宣伝効果をもつもの。「この料理は当店の―だ」❸〔俗〕たった一枚しかない衣服。一張羅。

*__いち-まつ【一抹】__〔「ひとなすり」「ひとはけ」の意から〕ほんの少し。わずか。「―の疑い」「―の不安」

*__いちまつ【市松】__ ❶「市松人形」の略。関西人形の一つ。土焼きの人形で腹部に笛がしこんである。いちま。❷「市松模様」の略。黒と白の正方形をたがいちがいに碁盤目状にならべた模様。石畳。参考江戸中期の歌舞伎俳優佐野川市松がこの模様のはかまを用いたことから。

市 松 ②

いち-み【一味】 ❶一つのあじ。同じあじ。「―唐がらし」❷漢方薬で、一種類。❸ある味わいや趣があること。「―の涼風」❹〔同じ目的をもった〕なかま。同類。一党。〔ふつう、悪いことをする場合にいう〕「―の者」「―徒党」

いち-みゃく【一脈】 一つのつながりがあること。ひと続き。ひとすじ。「―通ずる（＝どこかしら共通する）」

*__いち-めい【一名】__ ❶ひとり。参考↓名㊂①。❷正式の名称以外の、もう一つのよび名。異名。別名。

*__いち-めい【一命】__ ❶一つの命。「―をすてる」「―をとりとめる」❷一つの命令。「―をおびる」「―が下る」

いち-めん【一面】 ❶〔物体の〕いくつかある面の一つ。「八面体の―」❷物事の一つの面・立場。ある観点。〔副詞的にも使う〕「悪いとは言え、―同情すべき点もある」「―的」❸新聞の第一ページ。❹〔広がったものの〕全体。一帯。〔副詞的にも使う〕「―が火の海」

いち-めんしき【一面識】 以前に一度会って、ちょっと知っていること。〔多く、「―もない」の形で使う〕「彼とは―もない」

いちもう-さく【一毛作】 同じ田畑に一年に一回だけ作物を作ること。参考↓二毛作・三毛作・多毛作。

いちもう-だじん【一網打尽】 一度打った網でそのあたりにいたほとんど全部の魚をとらえること。転じて、〔悪人の〕一味を一度にごっそりととらえること。

いち-もく【一目】 ❶一つの目。❷《名・他サ》〔物事の状態などを〕ちょっと見ること。一見。「事故現場を―して原因をさとる」❸碁盤上の一つの目。また、一つの碁石。参考↓目㊁。 **―さん【―散】**《多く「―に」の形で副詞的に使う》わきめもふらず走ったり逃げたりするようす。まっしぐら。いっさん。「―に駆け去る」 **―りょうぜん【―×瞭然】**《形動》ひとめ見ただけではっきりとわかるようす。「試合の結果は―である」 **―置・く**《句》〔碁を打つとき、腕の弱いほうが石を何目か置いて始めることから〕自分より相手の能力が上だとみとめて、一歩をゆずる。

*__いち-もつ【一物】__ ❶一つの品物。❷一つの〔悪い〕考え。あるたくらみ。「腹に―ある」❸〔俗〕例のもの。あのもの。特に、男根。

*__いち-もつ【▽逸物】__ とびぬけてすぐれている・もの（人）。逸物。〔馬・犬・タカなどにも言う〕

*__いち-もん【一問】__ 一つの質問・問題。 **―いっとう【―一答】**《名・自サ》一つの質問に対して一つの答えをすること。また、二人でそれをくりかえすこと。

*__いち-もん【一文】__ ❶江戸時代の金銭で、穴あき銭一枚。千枚で一貫に当たる。❷わずかの金銭。「―のねうちもない」「無―」❸〔文〕一つの文字。「―不知（＝文字を一字も知らないこと）」 **―おしみ【―惜しみ】** わずかな金品を出し惜しむ・こと（人）。 **―なし【―無し】** 全然金を持っていない・こと（人）。文なし。 **―惜しみの百知らず**《句》目前のわずかな金銭を出し惜しんで、後に大損をすることを知らないこと。

*__いち-もん【一門】__ ❶同姓の一族。❷〔仏〕同じ宗旨を信じるもの。同門。❸〔学問・技芸などで〕同じ師から教えをうけた仲間。また、同じ師の系統をひく者たち。❹大砲の数え方で、一つ。参考↓門㊁。

いち-もんじ【一文字】 ❶一つの文字。❷「一」の文字。真一文字。❸〔「一」の字のように〕横にまっすぐなこと。「口を―に結ぶ」❹まっすぐに突き進むようす。まっしぐら。❺掛け軸の上下につける細い布。❻舞台の上の方に横に長くつった、黒またはあさぎ色の布。

いち-や【一夜】 ❶日暮れから夜の明けるまで。ひとばん。「―明ければ」❷ある夜。あるばん。「春の―、友と語る」＝一夜。 **―づくり【―作り・―造り】** ❶一夜のうちに作ってしまう・こと（もの）。❷一時の間に合わせに、大急ぎで作る・こと（もの）。 **―づけ【―漬（け）】** ❶一晩だけ漬けた漬物。❷時間をかけずに一時の間に合わせにする・こと（仕事・勉強）。

いちゃ-いちゃ《副・自サ》《副詞は「―と」の形も》男女がたわむれ合うようす。「人前で―する」

いち-やく【一躍】《名・自サ》❶ひととびすること。ひととび。❷一定の順序をふまずにとびこして進むこと。特に、名声や地位などが、一挙に上がること。一足とび。〔多く副詞的に使う〕「ーートップスターとなる」

いちゃ・つ・く《自五》〔俗〕(仲のよい)男女がなれなれしくふざけあう。

いちゃ・もん〔俗〕〔けんかを売るつもりでいう〕文句。「ーをつける」類語 言いがかり。難癖。けち。

いち・ゆう【一×揖】《名・自サ》〔文〕軽くおじぎをすること。えしゃくすること。一礼。「ーして席につく」

***い・ちゅう【意中】** 心の中で思っている事柄。心の中。胸中。「ーを打ち明ける」「ーの人(=心の中でこれと決めている人。特に、恋人や結婚相手)」

***い・ちゅう【移駐】**《名・自サ》軍隊などが、ある土地から他の土地にうつりとどまること。類語 進駐。

い・ちょ【遺著】 死後に・のこされた(出版された)著作。類語 遺文。遺作。

***いち・よう【一葉】**〔文〕❶一枚の木の葉。木の葉一枚。ひとは。❷〔紙などのうすい物の数え方で〕一枚。「写真ー」参考 →葉(よう)。❸小舟一そう。

***いち・よう【一様】**《形動》❶多くのものがみな同じであるようす。同様。「皆ーにうつむく」対 多様。❷ありふれているようす。なみ。「尋常(じんじょう)ーな方策」

***い・ちょう【異朝】**〔文〕外国の朝廷。外国。「ーに例を求める」対 本朝。

***い・ちょう【移×牒】**《名・自サ》〔文〕受け持ちのちがう役所などへ、文書で命令・通知をすること。また、その命令・通知。参考 現在、公用文では「移達」という。

***い・ちょう【移調】**《名・他サ》楽曲全体の形を変えないで、そのままほかの高さ(=調)に移して演奏したり、楽譜に書いたりすること。

***い・ちょう【胃腸】** 胃と腸。また、消化器官のこと。

***い・ちょう【医長】** 総合病院で、内科・外科など各科の首席の医師。

***いちょう【▽銀×杏・×鴨▽脚▽樹・▽公▽孫▽樹】** イチョウ科の落葉高木。葉は扇形で、秋に黄色くなる。雌雄異株。種は「ぎんなん」とよばれ、食用。材は木目が密で、家具・碁盤などに用いる。

ーがえし【▽銀×杏返し】(しがへ) 日本髪の結い方で、頂に束ねた髪を二つに分け、左右に半円形に曲げて結んだもの。

銀杏返し

いちよう・らいふく【一陽来復】《陰がきわまって陽がかえってくる意》❶陰暦一一月。また、冬至の日。❷《名・自サ》しばらく悪いことが続いたが、ようやく幸運がめぐってくること。注意「一陽来福」は誤り。

いち・よく【一翼】❶一つのつばさ。❷全体の中の一部分の役割。一つの任務。「ーを担(にな)う(=全体の中で一つの役割を果たす)」類語 一端(いったん)。

い・ちょく【違勅】《名・自サ》天子の命令にそむくこと。対 奉勅(ほうちょく)。

いち・らん【一覧】❶《名・他サ》ひととおり目を通すこと。「報告書をーする」❷ある物事を一目で知ることができるようにまとめて書いたもの。便覧。「ー表」

いちらんせい・そうせいじ【一卵性双生児】 一つの受精卵から生まれたふたご。同性で、体形・性質・知能程度などがよく似ている。参考 →二卵性双生児。

***いち・り【一利】** 一つの利益。「百害あってーなし」

***いち・り【一理】** 一つの道理。一応の理由・わけ。「彼の言うことにもーある」

***いち・り【一里】**「里」を単位とする距離で、約三・九三キロ。参考 →里(り)。

ーづか【ー塚】❶昔、街道に一里ごとに、道の両側に土を高く盛り上げ、エノキなどの樹木を植えて里程の目標とした塚。❷達成にいたるまでの間の、一つの段階。「一大改革へのー」

***いち・りつ【一律】**《名・形動》❶同じ調子で変化がないこと。「千篇(せんぺん)ー」❷〔やり方が〕みな同じであること。一様。「ー五〇〇〇円の手当」注意「一率」は誤り。

***いち・りつ【市立】**→しりつ(市立)。

***いち・りゅう【一流】**❶〔技芸・学問などの〕一つの流派・流儀。❷〔同じ氏族の中で〕別に一家をなした一族。「足利氏のー」❸ある分野ですぐれた地位をしめる・もの(人)。「ーのホテル」❹〔やり方・流儀などが〕独特であること。「彼ーのポーズ」❺旗・のぼりなどの数え方で、一つ。一ながれ。表記 ⑤は「一旒」とも書く。

***いち・りゅう【一粒】** ひとつぶ。

ーまんばい【ー万倍】 わずかな元手から多くの利益・収穫が生ずること。

いち・りょう【一両】《接頭》「一、二」の意。「ー日」

いち・りん【一輪】❶車輪や花の数え方で、一つ。❷満月のこと。「ーの名月」「野菊ー」参考 →輪(りん)。

ーざし【ー挿(し)】 一、二輪の草花をいける小さい花器。

ーしゃ【ー車】❶車輪が一つだけの手押し運搬車。ねこぐるま。❷車輪が一つの自転車。

いち・る【一×縷】❶〔文〕ひとすじの糸。❷今にも絶えようとするほどわずか。かすか。「ーの望み」類語 一条。

***いち・るい【一塁】**❶一つのとりで。❷野球で、走者が最初にふむ塁。ファースト(ベース)。❸「一塁手」の略。野球で、一塁②を守る選手。

***いち・るい【一類】**❶同じ種類。❷一族。同族。

***いち・れい【一例】** 一つの例。「ーを挙げる」

***いち・れい【一礼】**《名・自サ》一度おじぎをすること。また、軽く礼をすること。「ーしてさがる」

いち・れつ【一列】❶ひとならび。❷第一の列。❸同じなかま。同列。「ーにみなす」

いち・れん【一連】❶関係のあるひとつながり。「ーの事件」❷つれだっている一組。表記 ①は「一聯」とも書く。→連(れん)(助数)。

いちれん・たくしょう【一×蓮×托生】❶〔仏〕死後、極楽浄土で同じ蓮台(れんだい)(=ハスの花の上)に生まれること。❷他の人と行動や運命をともにすること。「こうなったら君とはーだ」

いち・ろ【一路】 一《名》(まっすぐな)ひとすじの道。「真実ー」 二《副》〔わき見やより道をせず〕まっすぐに。ひたすら。「目的地に向かってー邁進(まいしん)する」

いち・ろく【一六】❶〔すごろく・ばくちなどで〕さいの目に一と六が出ること。❷毎月一または六のつく日。

ーぎんこう【ー銀行】〔俗〕質屋。参考 一と六とを加えると七で、「質」と同音であることから。

ーしょうぶ【ー勝負】❶さいころでする勝負ごと。ばくち。❷運を天にまかせてやってみること。「ーに出る」

***いつ【一・▽壱】**〔文〕❶いち。一つ。❷二つのもののうちの、一つ。一方(いっぽう)。「ーはよく、ーは悪い」❸同じであること。同様。「軌をーにする」

***いつ【▽何▽時】**《代名》❶《不定の指示代名詞》不定の年・月・日・時間などを表す。はっきりきまっていない時。「ーになるかわからない」「ーと無く(=いつの間にか)彼とは疎遠になった」類語 何時頃(いつごろ・なんじごろ)。何時(なんどき・なんじ)。何時何時(いついつ・なんどき)。何時ぞや。❷いつもの時。平生。

「—に無く(＝いつもとは違って)沈んだ様子だ」 —の間(ま)に《句》いつか知らない間に。〔下に疑問の形を伴う〕「—背がのびたのだろう」

い・つう【胃痛】胃がいたむこと。また、そのいたみ。

いつ・か【▽何▽時か】《副》《「か」は疑問の係助詞》❶過去の不定の時を表す。いつであったか。以前。「この道は—来た道」類語ある時。前に。昔。その上(かみ)。かつて。先ごろ。❷未来の不定の時を表す。そのうち。おそかれはやかれ。いずれ。「また—電話する」類語後で。後程(のちほど)。後(のち)に。今に。追っ付け。遠からず。後日。早晩。❸いつの間にか。いつしか。「—雨は上がっていた」 —しら《副》《「いつか知らぬ」の転》いつの間にか。いつしか。「—夏も過ぎた」

*いっ・か【一下】〔命令などが〕ひとたび下ること。「号令—」

*いっ・か【一家】❶一軒の家。「—をかまえる(＝独立して所帯を持つ)」❷一家族。「—そろって出かける」❸同じ親分をもつ博徒(ばくと)の一団。〔姓や名の下につけて接尾語的にも使う〕「清水—」❹〔学問・芸術などで〕独自の見解をもつ一流派。「評論で—を成す」 —げん【—言】その人独特の意見・学説。また、ひとかどの見識をもった意見。「彼はこの分野では—をもつ」

*いっ・か【一過】《名・自サ》さっと通り過ぎること。「台風—」 —せい【—性】❶〔医〕症状などが一時的であること。「—の熱」❷つかえたりこだわったりせず、さっと通り過ぎる性質。「—の文章」

*いっ・かい【一介】〈「—の」の形で〉とるに足りない。つまらない。「—の画家」参考「介」は「芥(あくた)」に通じるとも、助数詞「个(か)」「箇」に通じるとも言われる。

*いっ・かい【一回】❶ひとたび。一度。〔副詞的にも使う〕❷ひとまわり。一巡。「—忌(＝一周忌)」

*いっ・かい【一塊】ひとかたまり。「—の土」

*いっ・かく【一画】❶漢字で、一つの画(かく)。また、その一筆で書く線。「一点—」❷〔土地などの〕ひとくぎり。一区画。「町の—」表記②は「一劃」とも書く。

*いっ・かく【一角】❶一つの角(かく)。一つのかど。「氷山の—」❷〔ある地域・領域などの〕一部分。片隅(かたすみ)。一角(ひとすみ)。「駅前の—に店を出す」❸一本の角(つの)。❹イッカク科の海獣。雄は体長五メートル前後で、上がくの門歯が角(つの)状に長く突き出ている。北極海にすむ。牙(きば)は漢方で解熱剤にする。一角獣。ウニコール。 —じゅう【—獣】❶一角④。❷「きりん(麒麟)②」の別称。❸想像上の動物。全体は馬に似ているが、ひたいに一本の角を持つ。ユニコーン。

*いっ・かく【一郭・一×廓】❶一つのかこいの中の〈全体の〉地域。❷そのあたりのひとくぎり。「林の中の—」

いっかく・せんきん【一×攫千金】たやすく一度に大金をもうけること。「—を夢見る」表記新聞などでは代用漢字「一獲千金」を用いる。

*いっ・かつ【一喝】《名・他サ》大きな声で一声しかりつけること。「社長から—される」

*いっ・かつ【一括】《名・他サ》一つにくくること。ひとまとめにすること。「原案を—して検討する」

いっ・かど【一▽廉・一角】《名・副》ひときわすぐれていること。ひとかど。「—の食通」

いっ・か・な《副》《「如何(いか)な」の促音便。下に打ち消しの語を伴う》どうしても。一向に。「—聞き入れない」

*いっ・かん【一巻】❶巻物・書物・フィルムなどの、一つ。❷〔二つ以上ある巻の〕第一の巻。 —の終わり《句》〔一巻の物語が完了する意から〕すべてが終わること。特に、死ぬこと。

*いっ・かん【一環】❶くさりの一つの輪。❷全体の中でたがいに関係をもつものの一つ。「平和運動の—」

*いっ・かん【一貫】《名・自サ》〔始めから終わりまで〕ある一つの方針・考え方などでとおすこと。「—した思想」「終始—」

いっかん・ばり【一閑張(り)】漆器の一つ。原型にのりで美濃(みの)紙または布などをはり重ね、あとで型をぬいてその上にうるしをぬったもの。参考江戸時代の初期に、飛来一閑(ひらいいっかん)が創始したという。

*いっ・き【一×揆】中世・近世に、武士・社寺・地主などの圧迫をうけた農民・信徒などが、団結しておこした闘争。「百姓—」「一向—」

*いっ・き【一気】ひといき。 —かせい【—×呵成】❶文章・詩などをひといきに作りあげること。「小説を—に書き上げる」❷物事をひといきにしてしまうこと。「—にしあげる」参考①②とも「—に」「—の」の形で使うことが多い。 —に《副》途中で休まず一度にするようす。ひといきに。「敵陣を—突破する」

*いっ・き【一季】❶春夏秋冬のうちの一つの季節。❷江戸時代、奉公人がつとめる、一年の期間。

*いっ・き【一騎】馬に乗った兵の数え方で、一人。 —うち【—討(ち)】❶一騎ずつで戦うこと。❷一対一で勝負すること。「保守・革新の—」 —とうせん【—当千】一人で千人の敵に対抗できるほど強いこと。一人当千。「—の兵(つわもの)」

*いっ・き【逸機】《名・自サ》〔文〕機会を失うこと。特に、スポーツで得点する機会をのがすこと。

いっき・いちゆう【一喜一憂】《名・自サ》〔情勢の変化によって〕喜んだり心配したりすること。「味方の戦いぶりに—する」

いっ・きく【一×掬】〔文〕❶両手で水をひとすくいすること。ひとすくい。❷わずか。「—の涙を禁じえない」

*いっ・きゅう【一級】❶一つの階級。「—ずつ進級する」❷第一位の等級。「—品」

*いっ・きゅう【逸球】《名・自サ》野球で、〈投げられた〉球をとりそこなうこと。類語落球。後逸(こういつ)。

いっ・きょ【一挙】一回の行動。一つのふるまい。 —いちどう【—一動】一つ一つの動作・行動。一挙手一投足。「名優の—を見守る」 —に《副》物事を一度にするようす。ひといきに。「城を—攻め落とす」 —りょうとく【—両得】一つのことを行って、同時に二つの利益を得ること。一石二鳥。「—をねらう」

*いっ・きょう【一興】❶一つの楽しみ。❷風変わりで、ちょっと面白みのあること。「それも—だ」

*いっ・きょう【一驚】《名・自サ》〔文〕おどろくこと。びっくりすること。「—を喫する」

いっきょく・しゅうちゅう【一極集中】政治・経済・文化上の組織や施設などが一か所に集中すること。

いっきょしゅ・いっとうそく【一挙手一投足】〔ちょっと手をあげたり足を動かしたりする意から〕❶わずかな努力・骨折り。「—の労を惜しむ」❷こまかい、一つ一つの動作・行動。一挙一動。「—を見守る」

い・つ・く【居着く】《自五》❶他から来て、そのままいつづける。「のら犬が—・く」❷〔どこにも行かないで〕その場所に落ち着く。「兄は家に—・かない」

いっ・く【一句】❶ひとこと。「一言—」❷俳句の数え方で、一つ。「ー詠む」❸詩・和歌などの一くぎり。

いつくし・む【慈しむ・▽愛しむ】《他五》〔文〕かわいがって大切にする。「子をー・む」文《四》。

*__いっ・けい【一系】__同一の血すじ。「万世ー」

*__いっ・けい【一計】__一つのはかりごと・計画。一策。「ーを案じる」

*__いっ・けつ【一決】__《名・自サ》〔意見・議論などが〕一つにまとまってきまること。「衆議ー」

*__いっ・けつ【×溢血】__《名・自サ》体の組織内や皮膚・粘膜などに起こる、比較的小さな出血。「脳ー」

*__いっ・けん【一件】__❶事件・事柄などの数え方で、一つ。また、一つの事柄。「これにてー落着」❷あの事柄。例の事柄。「きのうのーはどうなった」

*__いっ・けん【一犬】__一匹の犬。

ー虚に吠(ほ)ゆれば万犬実を伝・う《句》一人がうそを言い立てると、多くの人がそれを伝えて、真実らしく聞こえるようになる。参考 付和雷同を戒めたことば。

*__いっ・けん【一見】__㊀《名・他サ》❶一度見ること。「百聞はーに如(し)かず」「ーの価値がある」❷ちらっと見ること。「ーしてにせものと分かる」㊁《副》ちらりと見た感じでは。「ー学者風の紳士」「ー丈夫そうに見える」

*__いっ・けん【一軒】__家の数え方で、一つ。一戸(いっこ)。

ーや【ー家・ー屋】❶あたりに他の家がなく、一つだけたっている家。「野中のー」❷〔長屋でなく〕独立して建っている家屋。

*__いっ・こ【一個】__❶品物の数え方で、一つ。「リンゴー」❷ひとり。「ーの社会人にすぎない」

*__いっ・こ【一己】__自分だけ。自分一人。「ーの私見をのべる」表記「一個」とも書く。

*__いっ・こ【一戸】__一軒の家。また、一世帯。「ー建て」

*__いっ・こ【一顧】__《名・他サ》ちょっとふり返って見ること。ちょっと心にとめること。「ーだにしない」

*__いっ・こう【一考】__《名・他サ》ちょっと考えてみること。「ーを要する」「ぜひこの点を御ー願いたい」

*__いっ・こう【一行】__❶一つの行い。「一言ー」❷いっしょに行く仲間の人々。「工場見学のごー」

*__いっ・こう【一向】__《副》《「ーに」の形も》❶〔文〕心を一つのことに向けるようす。ひたすら。❷まったく。「ーに平気です」❸《下に打ち消しの語を伴って》全然。まるっきり。すこしも。「ーに成績が上がらない」

ーしゅう【ー宗】→真宗(しんしゅう)。

*__いっ・こく【一刻】__㊀《名》❶昔、一時(いっとき)の四分の一。現在の約三〇分。❷わずかな時間。「ーも猶予(ゆうよ)できない」「ーを争う(=非常に急ぐ)」㊁《形動》人の意見などをきかず、がんこなようす。一徹(いってつ)。「ーな老人」「ー者」表記㊁は「一国」とも書く。

ーせんきん【ー千金】〔一刻の間が千金にもあたる意から〕楽しい時や、大切な時が過ぎやすいのを惜しむたとえ。参考 蘇軾(そしょく)の詩の一句「春宵一刻直千金(しゅんしょういっこくあたいせんきん)」から。

ーせんしゅう【ー千秋】わずかな時間が非常に長く感じられるたとえ。一日千秋。

*__いっ・こく【一国】__❶一つの国。❷国全体。全国。

ー一城の主(あるじ)《句》他から支配や干渉などを受けずに独立している人。

いっ・こん【一献】❶さかずき一杯の酒。「ーさしあげたい」❷一度酒をさすこと。〔転じて〕酒のふるまい。

*__いっ・さい【一再】__一、二度。一、二回。「ーならず(=一度や二度ではなく、何度も。たびたび)」

*__いっ・さい【一切】__㊀《名》〔物事の〕何もかもすべて。全部。「交渉のーを君に任す」㊁《副》《下に打ち消しの語を伴う》全然。まったく。「言い訳はー聞かない」

ーがっさい【ー合切・ー合財】「一切㊀」を強めた言い方。のこらずみんな。すっかり。〔副詞的にも使う〕「火事で財産のーを失った」

ーきょう【ー経】→大蔵経(だいぞうきょう)。

ーしゅじょう【ー衆生】この世に生きているすべてのもの。一切有情(いっさいうじょう)。

いつ・ざい【逸材】すぐれた才能(をもった人)。逸才(いっさい)。「多くのーを育てる」

いっさい・たふ【一妻多夫】一人の女性が同時に二人以上の夫をもつこと。対 一夫多妻。

*__いっ・さく【一昨】__㊀《接頭》《年・月・日などにつけて》間にその単位を一つおいた過去を表す。「昨」より一つ古い時を表す。「ー日」「ー夜」㊁《連体》《特定の日を表す語につけて》おとといの。一昨日の。「ー四日」

ーさく【ー昨】《接頭》「一昨」より一つ前を表す。「ー日(=さきおととい)」「ー年(=さきおととし)」

*__いっ・さく【一策】__一つのはかりごと・計画。一計。「ーを案じる」

いっ・さつ【一札】一通の書きつけ。一通の証文。「ーを入れる(=謝罪文・念書などを差し出す)」

いっさつ・たしょう【一殺多生】→いっせつたしょう。

*__いっ・さん【一山】__一つの大きな寺全体。また、そこにいるすべての僧。いちざん。「ーの僧」

*__いっ・さん【一×盞】__〔文〕一つのさかずき。また、さかずき一杯の酒。「ーを傾ける」

*__いっ・さん【一×粲】__《「粲」は清く白い意》〔文〕〔白い歯を出して笑うことから〕ひとわらい。一笑。

ーを博・す《句》自作の詩文などを人に贈るとき、けんそんして言う言葉。お笑いぐさまでに。

いっさんか・たんそ【一酸化炭素】木炭などの不完全燃焼によってできる、無味・無色・無臭の有毒ガス。

いっさん・に【一散に・逸散に】《副》わきめもふらず走るようす。いちもくさんに。「ー逃げ出す」

*__いっ・し【一子】__❶一人の子供。「ーをもうける」❷囲碁で、一つの石。

ーそうでん【ー相伝】〔学問・技芸などの〕奥義(おうぎ)を秘密にするために、自分の子一人だけに伝えること。

*__いっ・し【一指】__〔文〕ゆび一本。「ーも触れず」

*__いっ・し【一死】__❶〔文〕死ぬことを強めて言う語。「ー報国」❷野球で、一人がアウトになること。ワンダン。ワンアウト。「ー満塁」

*__いっ・し【一矢】__一本の矢。

ーを報・いる《句》❶敵の攻撃に対してしかえしをする。反撃する。❷自分にむけられた議論に対して反ばくする。反論する。

*__いっ・し【一糸】__一筋の糸。「ーも纏(まと)わず(=すっぱだかで)」「ー乱れず(=少しも乱れず、整然として)」

*__いっ・し【逸史】__〔文〕正史に書きもらされた、歴史上の事実。

いつ・じ【逸事】〔文〕世にあまり知られていない事柄。かくれた事実。「ーに富んだ人」

いつ・し・か【▽何▽時しか】《副》《「し」は強意の副助詞、「か」は疑問の係助詞》〔文〕いつのまにか。知らないうちに。「ー夜も更けた」

いっ・しき【一式】〔道具などの〕ひとそろい。「夜具ー」

いっ・しつ【一失】一つの損失・失敗。「千慮(せんりょ)のー」

い

いっしつ‐りえき【逸失利益】〔法〕他人の不法行為・債務不履行の結果、得られなくなった利益。

いっし‐どうじん【一視同仁】すべての者を差別なく平等に愛すること。

いっしゃ‐せんり【一×瀉千里】〔川の流れが速くてひとたび流れ出すと千里も流れる意から〕❶物事がすみやかにはかどること。「たまっていた仕事を―にかたづける」❷文章・弁舌などがよどみないこと。

*__いっ‐しゅ【一種】__❶その種類に含まれるものの一つ。一つの種類。❷ある意味では、その種類に含めてよいこと(もの)。〔「―の…」の形で使う〕「これは―の人災だ」❸どことなく変わっていること。ふつうとちがうこと。〔多く副詞的に使う〕「―異様なにおい」

*__いっ‐しゅ【一首】__詩や和歌の数え方で、一つ。

*__いっ‐しゅう【一周】__《名・自サ》ひとまわり。「世界―」【参考】→周(しゅう)㊁。【類語】一巡。**―き【―忌】**人の死後一年めの同月同日に行う法事。一回忌。一年忌。【参考】仏教で言う。神道では「一年祭」という。**―ねん【―年】**まる一年。満一年。「開店―」

*__いっ‐しゅう【一×蹴】__《名・他サ》❶簡単に負かすこと。「横綱に―された」❷〔要求・抗議などを〕相手にせず簡単にはねつけること。「要求を―される」

いっしゅう‐かん【一週間】一週の期間。七日間。

いっ‐しゅく【一宿】《名・自サ》ひと晩とまること。【類語】一泊(いっぱく)。**―いっぱん【―一飯】**〔文〕〔ひと晩とめてもらい、一回食事をふるまわれる意から〕ほんのちょっと世話になることのたとえ。「―の恩義」【参考】もと、やくざ仲間のことば。

いっ‐しゅつ【逸出】《名・自サ》❶ぬけ出ること。❷ずばぬけてすぐれていること。「―した働き」

いっ‐しゅん【一瞬】❶〔一度、まばたきする意から〕ほんのわずかの時間。一瞬間。瞬間。〔副詞的にも使う〕「―のできごと」「―はっとなる」❷〈―にして〉あっというまに。たちまち。「―にして不幸のどん底へ沈む」

*__いっ‐しょ【一所】__❶一つの場所。一か所。❷同じ所。【参考】→一緒(いっしょ)。**―けんめい【―懸命】**《副・形動》〔封建時代に主君からたまわった一か所の領地を生活の根拠として、そこに命をかけるという意から〕物事を命がけでするようす。懸命。一生懸命(いっしょうけんめい)。

*__いっ‐しょ【一緒】__《「一所(いっしょ)」の転》❶一つに・集まる(集める)こと。ひとまとめ。「―になる(=一つになる。夫婦になる)」❷〔関西の方言〕区別がないこと。同じ。同一。「これで勝ったも―や」❸共に同じことをすること。【類語】共に。共々。諸共(もろとも)。相共に。相伴(しょうばん)。❹〈ご―する〉「共に行く」をけんそんしていう語。「恩師と関西へご―しました」【類語】同道。同行。同伴。【注意】「一諸」は誤り。**―くた**〔俗〕〔雑多なものを〕何もかも一まとめにすること。また、同一視すること。

*__いっ‐しょう【一将】__〔文〕一人の将軍。ある将軍。**―功成って万骨枯・る**《句》一人の将軍が功名を立てることができたのは、いく万人もの兵が戦場に骨をさらしたからである。上に立つ人の功名ばかりたたえるのを憤慨(ふんがい)することば。〈曹松・己亥歳〉

*__いっ‐しょう【一生】__❶生まれてから死ぬまでの間。生涯(しょうがい)。一生涯。また、生きている間。終生。「人の―」「―忘れない」【類語】一世(いっせい・いっせ)。一代。一期。畢生(ひっせい)。今生(こんじょう)。終身。❷〈「―の…」の形で〉生涯に一度。「―のお願い」❸やっと命が助かること。「九死に―を得る」**―けんめい【―懸命】**《副・形動》《「一所(いっしょ)懸命」の変化した語》一所懸命。

*__いっ‐しょう【一笑】__❶《名・自サ》ちょっと笑うこと。ひと笑い。「破顔―」❷《名・他サ》一つの笑いぐさとして笑うこと。また、一つの笑いぐさ。「―に付する(=笑って問題にしない。ばかにしてとりあげない)」

いっ‐しょうがい【一生涯】一生。終生。

いっしょう‐さんたん【一×倡三×歎・一唱三嘆】〔文〕すぐれた文章や詩歌を一度朗読して何度もほめたたえること。一読三嘆。【参考】本来は中国古代の礼法で、一人が歌って三人がそれに従い歌うこと。〈礼記・楽記〉

*__いっ‐しょく【一色】__❶一つの色。❷一つの種類・傾向。「町じゅうが選挙―にぬりつぶされる」=一色(ひといろ)。

*__いっ‐しょく【一触】__一度ふれること。ちょっとさわること。**―そくはつ【―即発】**ちょっとさわるだけで、すぐ爆発しそうな状態。非常に危険な状態のたとえ。「両国の関係は―の危機にある」

*__いっ‐しん【一審】__訴訟で、最初にうける裁判。第一審。始審。

*__いっ‐しん【一心】__❶一つの心。特に、二人以上の人の一つになった心。❷心をそのことだけに集中させること。また、その心。「合格したい―で勉強する」**―どうたい【―同体】**二人以上の人が心も体も一つであるかのように力を合わせて行うこと。「夫婦は―」**―ふらん【―不乱】**《名・形動》心を一つのことに集中して、ほかのことに乱されないこと。「―に祈る」

*__いっ‐しん【一新】__❶《名・自他サ》すっかり新しく・する(なる)こと。まったく・変える(変わる)こと。「面目を―する」❷〈御―〉明治維新(めいじいしん)のこと。

*__いっ‐しん【一身】__❶自分一人の体。また、自分一人だけ。自分自身。「非難を―に浴びる」❷自分のすべて。「芸術に―を捧(ささ)げる」**―じょう【―上】**自分の身の上に関すること。「―の都合で退職する」

いっしん‐いったい【一進一退】《名・自サ》❶進んだりしりぞいたりすること。❷〔病状などが〕よくなったり悪くなったりすること。「戦況は―で長引きそうだ」

いっしん‐きょう【一神教】(monotheism)〔ユダヤ教・キリスト教・イスラム教などのように〕ただ一つの神を認めてそれを信じる宗教。唯一神教。【対】多神教。

いっ‐しんとう【一親等】親等の一つ。本人または配偶者とのへだたりが一世である関係。本人と父母、本人と子、本人と配偶者の親との関係など。一等親。

*__いっ‐すい【一炊】__一度飯をたくこと。**―の夢**《句》→邯鄲(かんたん)の夢(ゆめ)。

*__いっ‐すい【一睡】__《名・自サ》ほんのわずかねむること。ひとねむり。「―もしないで歩く」

*__いっ‐すい【×溢水】__《名・自他サ》〔文〕水があふれること。また、水をあふれさせること。

いっ‐・する【逸する】㊀《他サ変》❶とらえそこなう。のがす。失う。「機を―・する」❷〔物を〕なくす。落とす。㊁《自サ変》はずれる。それる。「常軌を―・する」

いっ‐すん【一寸】❶「寸」を単位とする長さで、約三・〇三(センチ)。【参考】→寸(すん)㊀。❷非常に短い距離・時間・長さ。また、小さいこと。**―きざみ【―刻み】**物事が〔同じような間隔で〕少しずつ進行するようす。**―のがれ【―逃れ】**その場だけとりつくろって責任をのがれること。当座のがれ。いっときのがれ。「―の言いわけ」**―ぼうし【―法師】**非常に背の低い人をあざけって言う語。【参考】おとぎ話の主人公の名から。

―先は闇(やみ)《句》将来のことは全く予知できないたとえ。「―の世の中」
―の光陰軽んずべからず《句》〔文〕わずかな時間でもむだにすごしてはならない。〈朱熹・偶成詩〉
―の虫にも五分の魂《句》どんな小さいもの、弱いものにもそれに応じた意地があるから、小さくてもばかにできないということのたとえ。

いっ-せ【一世】〔仏〕❶過去・現在・未来の三世(さんぜ)のうちの一つの世。特に、現世。❷一生涯。一生。**―いちだい【―一代】**❶〔引退する能役者や歌舞伎(かぶき)俳優などが〕一生のしおさめとして得意の芸を演ずること。「―の名演技」❷一生に一度。「―の大ばくち」

***いっ-せい【一世】**❶一生。一代。「―を通じ世につくす」❷ある一人の支配者が統治している期間。❸その時代。当代。「―の名匠」❹〔移民・開拓民などの〕最初の代の人。「ブラジル移民の―」〔類語〕初代。❺ヨーロッパで、同じ名の皇帝・法王などの中で、最初の人を示すことば。〔名まえの下につけて使う〕「ナポレオン―」**―いちげん【―一元】**同じ天皇の在位中に一つの年号だけを用いること。一代一号。**―を風靡(ふうび)・する**《句》世間の多くの人々をある一つの傾向に従わせる。「―・した歌」

***いっ-せい【一声】**(大きい)一つの声。(大きい)一つの音。一声(ひとこえ)。「汽笛―」

***いっ-せい【一斉】**〔多くのものが〕みんなそろって同時に同じ事をすること。いちどき。「―取りしまり」**―に**《副》みんなそろって同時に。「―振り向く」

***いっ-せき【一隻】**❶船の数え方で、一つ。一そう。❷一対(いっつい)になったものの片方。「―の靴」**―がん【―眼】**❶片方の目。❷物を見抜く独特の見識。ひとかどの見識。「―をそなえる」

***いっ-せき【一夕】**〔文〕❶ひと晩。一夜(いちや)。「一朝―」「―の歓をつくす」❷ある晩。ある夜。

***いっ-せき【一席】**❶〔演説・講談・落語・宴会などの〕一回。「―伺う」「―打(ぶ)つ(=ちょっと演説する)」「―設ける(=宴会を行い、その宴席に招待する)」❷〔作品の優劣をきめる序列で〕第一番。

***いっ-せき【一石】**❶一つの石。❷〔碁で〕一番。一局。**―二鳥**《句》〔一つの石で二羽の鳥を落とすように〕一つの行動で二つの成果を得ること。一挙両得。**―を投・ずる**《句》〔水面に石を投げると波紋がひろがることから〕問題を投げかける。意見を提出して波紋を起こす。「平穏な学会に―・じた」

いっ-せつ【一説】❶一つの説。「―をなす」❷ある説。ちがった説。他の説。「―によれば」

いっせつ-たしょう【一殺多生】一人を殺すことによって、多くの人の命を助けること。一殺多生(いっさつたしょう)。

いっ-せつな【一×刹×那】ごく短い時間。一瞬間。「―の出来事」〔参考〕→刹那(せつな)。

***いっ-せん【一戦】**《名・自サ》一回の戦い・勝負。ひと勝負。「皇国の興廃この―にあり」「―をまじえる」

***いっ-せん【一線】**❶一本の線。❷はっきりした区切り。また、限界となる所。「最後の―はまもる」「―を画する(=はっきりと区切りをつける)」❸ある分野で、おもだって活躍する場所。第一線。「―でばりばり働く」「―級(=第一線で活躍する腕前をもった)の投手」

***いっ-せん【一×閃】**《名・自サ》〔文〕〔光が〕ぴかっと光ること。さっとひらめくこと。また、そのひらめき。「白刃(はくじん)―」「紫電(しでん)―」

いっそ《副》ふつうではとらないような手段を思い切ってとろうとするようす。むしろ。いっそのこと。「こんな思いをするなら、―死んだほうがましだ」

***いっ-そう【一双】**二つで一組になるもの。また、その数え方で、一つ。「びょうぶ―」〔類語〕一対(いっつい)。

***いっ-そう【一層】**㊀《名》❶ひと重ね。❷いくつか重なったもののいちばん下。第一層。㊁《副》それまでより以上に程度がはげしくなるようす。さらに。一段と。ひとしお。「結婚して―美しくなった」

***いっ-そう【一掃】**《名・他サ》残らずかたづけてしまうこと。「滞貨を―する」「ランナー―の三塁打」

***いっ-そう【逸走】**《名・自サ》逃げて走ること。また、きまったコースからそれて走ること。

いっ-そく【逸足】〔文〕❶足がはやい・こと(もの)。駿足(しゅんそく)。❷すぐれた人材。逸材。

いっそく-とび【一足飛び】❶両足をそろえてとぶこと。❷非常に急いで走ること。「―に走って帰る」❸物事が一定の順序をふまないで、とびこえて進むこと。一躍。「―に部長に昇進する」

いつ-ぞ-や【▽何▽時ぞや】《副》《「いつ」+助詞「ぞ」+助詞「や」》いつであったか。いつか以前に。このあいだ。〔過去の不定の日を思い出していう〕「―はお世話になりました」〔類語〕さきごろ。過日。

***いっ-たい【一体】**㊀《名》❶二つ以上のものがまとまって一つになったもの。また、ひとまとめにした全体。「官民―」❷仏像・彫刻・遺体などの数え方で、一つ。❸一つの体裁・様式。「明朝体(みんちょうたい)は漢字の―」❹〈―に〉一般に。概して。総じて。〔副詞的に使う〕「今年は―に不作だ」㊁《副》❶もともと。そもそも。元来。本来。「―彼はおもしろい奴(やつ)で…」❷強い疑問を表す語。ぜんたい。「―この金を何に使うのだ」**―ぜんたい【―全体】**《副》「一体㊁②」を強めた言い方。「―彼は何者なんだ」

***いっ-たい【一帯】**❶ひとすじ。ひと続き。「―の山脈」❷そのあたり全体。一円。「関東地方―」

いつ-だつ【逸脱】《名・自サ》❶本すじからそれること。「社会の常識から―した行動」❷《他サ》あやまって抜かすこと。また、抜けること。「活字を一字―した」

***いっ-たん【一端】**❶一方の端。かた端。「棒の―を赤くぬる」❷全体の中の一部分。「所信の―を述べる」

***いっ-たん【一×旦】**《副》《「旦」は朝の意》❶ひとたび。一度。一朝(いっちょう)。「―決心したからにはやり抜く」❷ひとまず。一時的に。「ここは―引き上げよう」**―緩急あれば**《句》ひとたび大事件が起これば。〈史記・袁盎伝〉

いっ-ち【一致】《名・自サ》〔二つ以上のものの数量・形・内容などが〕同じになること。一つになること。「意見の―を見る」「満場―」

いっち-はんかい【一知半解】《名・形動》ある物事について十分理解していないこと。なまかじり。なまはんか。「―のやから」〔類語〕半可通(はんかつう)。

いっ-ちゃく【一着】❶洋服の数え方で、一つ。❷《名・他サ》洋服を着ること。「新しい服を―に及んで…」❸速さを競うスポーツの順位で、一番。❹碁で、盤面に石を一つ打つこと。一手(いって)。

いっ-ちゅう【一×籌】《「籌」は勝負の得点を数える道具》〔文〕一つのはかりごと。**―を輸・する**《句》他にひけをとる。勝ちを相手にゆずる。参考「輸する」は「負ける」意。

いっちゅう・ぶし【一中節】 浄瑠璃節の一つ。宝永（一八世紀初）のころ、京都の都太夫一中が始めたもの。

＊**いっ・ちょう【一丁】** ❶とうふ・刃物などの数え方で、一つ。❷一品料理などの数え方で、一人前。「ラーメン―」❸〔和本などの〕書物の表裏二ページ。❹距離で、一町のこと。参考↓町㊁①。❺〔俗〕一勝負。一番。〔副詞的に使う〕「―やってみるか」 **―まえ【―前】** 一人前②③。

＊**いっ・ちょう【一朝】** 〔文〕❶一つの朝。また、ある朝。❷わずかの間。一時。ひとたび。一旦。「―にして衰亡する」❸〔多く副詞的に使う〕「―事ある時は」 **―いっせき【―一夕】** わずかの日時。短時日。「―には習得できない」

＊**いっ・ちょう【一聴】** 《名・他サ》一度きくこと。ちょっときくこと。「―に値するCD」

いっちょう・いっし【一張一×弛】 〔弦をはったりゆるめたりするように〕気をはったりゆるめたりすること。

いっちょう・いったん【一長一短】 一つの長所と一つの短所。長所もあり短所もあること。

いっちょう・ら【一張羅・一帳羅】 たった一枚しか持っていない晴れ着。いっちょら。「―の訪問着」参考着る物が一枚しかないときにもいう。

いっ・ちょくせん【一直線】 ❶一つの直線。❷まっすぐであること。ひとすじ。まいちもんじ。〔多く「―に」の形で副詞的に使う〕

いつ・つ【五つ】 ❶一つの五倍。ご。いつ。〔物の数を数えるときに使う〕❷五歳。❸昔の時刻の名。今の午前および午後の八時。五つ時。

い・づつ【井筒】 ゐ 地上に出ている、木や石で作った井戸のかこい。化粧側。類語いげた。

いっ・つい【一対】 二つで一組になっているもの。また、その数え方で、一つ。「紅白―の餅」類語一双。

い・つづけ【居続け】 ゐ《名・自サ》❶長い間よそにとまって自分の家に帰らないこと。入り浸り。❷遊里などで、連日遊びふけって家に帰らないこと。流連。

いつつ・もん【五つ紋】 羽織や着物の、背・左右のそで・左右の胸におのおの一つずつ、計五つの家紋を染め出したもの。五所紋。参考一般の正装。女子の羽織は略装であるため、五つ紋は用いない。

いっ・て【一手】 ❶碁や将棋で、石やこまを一回打ったり動かしたりすること。ひと手。❷ただ一つの手段・方法。「押しの―」「逃げの―」❸他人に分担させず自分だけですること。独占してすること。「―販売」

いっ・てい【一定】 《名・自サ》一つにきまっていて変わらないこと。一つにきめること。「―の条件」 **―げん【―限】** 一定の限度。「―の範囲」

いってい・じ【一丁字】 一個の文字。一つの文字。「目に―もない（＝文字が読めない）」参考「丁」は「个」の誤用から。「个」は「箇（＝個）」と同じ。

いっ・てき【一滴】 ひとしずく。「酒を―も飲まない」参考ひゆ的に、ごく少量の意にもいう。

いっ・てつ【一徹】 《名・形動》〔自分の考えなどを〕あくまでもおし通すこと。かたくな。「老いの―」「頑固―」

＊**いっ・てん【一天】** ❶空全体。空一面。〔空を強めた言い方〕「―にわかにかき曇る」❷天下。「―の君」

＊**いっ・てん【一転】** 《名・自サ》❶一度まわること。一回転。❷〔ようすが〕がらりと変わること。「心機―」「物語の筋が―する」類語一変。

＊**いっ・てん【一点】** ❶一つの点。一箇所。「多数の直線が―で交わる」❷ごくわずかな部分。ほんの少し。「―の非の打ち所もない」❸点数の数え方で、一つ。「―の差で勝つ」❹品物や作品の数え方で、一つ。「入選作品―」❺昔の時刻で、一時（約二時間）を四分の一に分けた最初のくぎり。 **―ばり【―張り】** ある一つのことだけでおし通すこと。「知らないの―で、話し合いにならない」参考ばくちで、一つの所にばかり金を張ることから。類語一本やり。

いっ・てんき【一転機】 ↓いちてんき。

いっ・と【一途】 ❶一つの手段・方法。「攻撃の―あるのみ」❷ただ一つの方向。「戦局は悪化の―をたどる」注意「いちず」と読めば別語。

＊**いっ・とう【一党】** ❶一つの政党・党派。❷なかま。

＊**いっ・とう【一刀】** ❶一本の刀。「腰に―をさす」❷刀をひとふりして切ること。ひとたち。「―のもとに切り殺す」 **―りょうだん【―両断】** ❶一太刀でまっ二つに切ること。❷《名・形動》思いきってすみやかに処理すること。「―の措置を講ずる」

＊**いっ・とう【一灯】** 一つの電灯。一つのともしび。「貧者の―」参考ひゆ的に、わずかな寄付などの意にも使う。「助け合い運動に―を献ずる」

＊**いっ・とう【一等】** ㊀《名》❶等級・順位などの一番上。一番。最上。「―席」❷一番よい状態。❸等級の一段階。「罪―を減じる」㊁《副》最も。一番。「これが―美しい」 **―せい【―星】** 恒星の中で、地球から見て、もっとも明るく見える、第一級の星。

＊**いっ・とう【一統】** ❶一つにまとまった全体。一同。「御―様」❷《名・他サ》一つにまとめること。世の中を治めまとめること。統一。「天下を―する」

＊**いっ・とう【一頭】** ❶獣の数え方で、一匹。❷一つの頭。 **―地を抜・く** 《句》↓独立見出し。

いっ・とうしん【一等親】 ↓いっしんとう（一親等）。

いっとうち・をぬ・く【一頭地を抜く】 《句》ほかの多数の人より一段すぐれている。一段ぬきんでている。一頭地を出す。〈宋史・蘇軾伝〉参考「地」は漢文の助辞。

いっ・とき【一時】 ❶〔文〕昔の時間区分で、今の二時間。ひととき。❷わずかの時間・間。しばらくの間。暫時。ひととき。「母のことは―も忘れない」❸〈―に〉同時に。いちじに。いちどきに。「客が―にやってきた」❹〔過去の〕ある時。ひととき。「―は死ぬかと思った」 **―のがれ【―逃れ】** ちょっとの間だけのがれること。一寸のがれ。一時のがれ。

いっ・とく【一得・一徳】 一つの利益。一利。 **―いっしつ【―一失】** 一つの利益と一つの損。いい点があれば同時に悪い点もあること。類語一利一害。

いつ・なんどき【▽何▽時何時】 《副》「いつ」を強めた語。どんなときに。「―命令が下るかもしれない」

いつ・に【一に】 《副》〔文〕❶ひとえに。もっぱら。「勝敗は―君の肩にかかっている」❷一つには。または。

＊**いっ・ぱ【一波】** ❶一つの波。「―だに動かず」❷次々におこるものの、初めの一回。「春闘の第―」❸一つの波紋。一つの事件。ひとさわぎ。「―纔かに動いて万波随う（＝一つの事件がさまざまな影響を及ぼす）」

＊**いっ・ぱ【一派】** ❶〔学問・芸術・宗教・武術などで〕お

おもとの流派から分かれた一つの派。「日蓮宗の―」[類語]分派。❷一つの仲間。一味。「反対派―」

＊**いっ-ぱい【一敗】**《名・自サ》一回負けること。「―を喫する」

―地に塗(まみ)れる《句》〔戦いや試合などに〕二度と立ち直れないほど完全に負ける。

＊**いっ-ぱい【一杯】**㊀《名》❶〔さかずき・茶わんなどの〕容器一つに満ちる分量。❷軽く酒を飲むこと。「湯どうふで―やる」「今夜―やろう」❸イカ・カニなどの数え方で、一つ。❹船の数え方で、一そう。㊁《形動・副》❶ものがあふれるほど多く満ちているようす。「日が―にさしこむ」「場内―の人」❷限られた範囲まですれすれになるようす。ありったけ。ぎりぎり。〔名詞につけて、接尾語的にも使う〕「時間―にまにあわせる」**―いっぱい【―一杯】**《名・形動》〔俗〕ぎりぎりの限度に達していること。「―の値段」**―きげん【―機嫌】**酒を少し飲んで適度に酔い、いい気持ちになること。

―食・う《句》人にだまされる。「まんまと―・った」

―食わ・す《句》人をだます。一杯食わせる。

＊**いっ-ぱく【一拍】**❶一度手を打ちならすこと。❷〔音〕拍子(ひょうし)を一回とること。❸一音節。

＊**いっ-ぱく【一泊】**《名・自サ》ひと晩とまること。「箱根で―する」「―旅行」

＊**いっ-ぱく【一白】**❶馬の〔一本の〕足の下端にだけ白いまだらがあること。また、その馬。❷九星(きゅうせい)の一つ。方位は北。水星にあたる。

いっ-ぱし【一端】㊀《名》一人前。ひとかど。「口だけは―のことを言う」㊁《副》一人前に。人並みに。「―文句を並べる」[表記]かなで書くことが多い。

＊**いっ-ぱつ【一発】**❶大砲や鉄砲などの弾丸の数え方で、一つ。❷大砲や鉄砲を一度うつこと。「―の号砲がひびく」❸こぶしで一回なぐること。❹野球で、ここぞというときに出る安打。特に、ホームラン。「チャンスに―が出ない」❺〔俗〕一度。一つ。〔副詞的に用いることが多い〕「―大きいことをやろう」

＊**いっ-ぱつ【一髪】**❶一本の髪の毛。❷きわめてわずかな・すきま(あいだ)のたとえ。「危機―」

―千鈞(せんきん)を引・く《句》〔一本の髪の毛で千鈞の重さのものを引く意から〕きわめて危険なことのたとえ。〈韓愈・与孟尚書書〉

＊**いっ-ぱん【一半】**一つのものを二つに分けた半分。なかば。また、一部分。「私にも―の責任がある」

＊**いっ-ぱん【一×斑】**❶ヒョウの毛皮のまだらの一つ。❷物事の一部分。「業界の機構の―を知る」

―を見て全豹(ぜんぴょう)をト(ぼく)・す《句》物事の一部分を見て、全体をおしはかる。一斑を見て全豹を知る。

＊**いっ-ぱん【一般】**❶〔ある共通する要素が〕全体にわたっていること。普遍。全般。「今年は―に不景気だ」❷ありふれていること。ふつう。なみ。また、ふつうの人々。「―の席」[対]特殊。❸似ていること。同様。同類。「保身にかけては保守も革新も―だ」**―か【―化】**《名・他サ》広く全体におよぶようにすること。「問題を―する」[類語]普遍化。**―しょく【―職】**❶〔大臣・裁判官など、特別職に対して〕一般の公務員の職。❷企業コース別人事制度で、一般業務にあたる職。[対]総合職。**―てき【―的】**《形動》全体に広くとりあげるようす。また、特別でなく、あたりまえのようす。「社会の―な風潮」**―ろん【―論】**〔特別な、または個々の場合を考えないで〕全体を一様に論じる議論。広く認められることを述べた議論。

いっ-ぴ【一×臂】〔文〕❶一つのひじ。かたうで。❷〈―の力〉少しばかりの助力。「―の力を仮す」

いっ-ぴき【一匹・一×疋】❶魚・虫・獣などの数え方で、一つ。❷強めた言い方で、一人。〔ふつう男性をさす〕「男―」❸絹布二反。「白絹―」❹昔、銭一〇文、または二五文のこと。**―おおかみ(おおかみ)【一匹×狼】**❶群れから離れて一匹でいるオオカミ。❷ある社会で、仲間から離れて独自の行動をする人。「政界の―」[参考]lone wolf の訳語といわれる。

いっ-ぴつ【一筆】❶同一の筆跡。❷すみつぎをせず線を切らずに書くこと。「―がきの絵」❸簡単な手紙や文章を書くこと。また、その手紙や文章。「―お願いします」[同]②③一筆(ひとふで)。**―けいじょう【―啓上】**〔一通の手紙で簡単に申し上げますの意〕ふつう、男性が手紙のいちばん初めに書くことば。

＊**いっ-ぴん【一品】**❶一つの品物。一品(ひとしな)。「どれか―を選べ」❷〈天下―〉最もすぐれたもの。二つとない、りっぱなもの。絶品。[類語]逸品(いっぴん)。**―りょうり【―料理】**❶〔ホテル・料理店などで〕一皿ずつ値段がつけてあり、客が自由に選択できる料理。アラカルト。[対]定食。❷〔おかずが〕一皿だけの手軽な料理。

＊**いっ-ぴん【逸品】**すぐれた品物・作品。「―を選んで展覧する」[類語]絶品。天下一品。

いっ-ぴん-いっしょう【一×顰一笑】〔一度顔をしかめることと一度笑うことの意から〕人の表情の変化。人の顔色・きげん。「―に気をつかう」

いっ-ぷ-いっぷ【一夫一婦】一人の夫と一人の妻によって成立する婚姻形態。一夫一妻。[対]一夫多妻。一妻多夫。

いっ-ぷう【一風】ほかのものにない一つのおもむき。〔副詞的にも使う〕「彼は―変わっている」

＊**いっ-ぷく【一幅】**書や絵の掛け物の数え方で、一つ。「―の絵を見るような絶景」

＊**いっ-ぷく【一服】**❶〔一回分の〕粉薬一包み。「―盛る(=毒薬をのませる)」❷《名・他サ》茶・たばこを一回のむこと。また、その量。「茶を―どうぞ」❸《名・自サ》〔茶・たばこをのんで〕一休みすること。「さあ、―しよう」

―の清涼剤《句》さわやかな気分になることのたとえ。「私の提案が―ともなれば幸いです」

＊**いっ-ぷく【一腹】**〔文〕同じ母から生まれたこと。同腹。ひとはら。

い-つぶ・す【鋳×潰す】《他五》金属の製品をとかして、もとの地金(じがね)にする。「鐘を―・して大砲を造った」

いっ-ぷ-たさい【一夫多妻】一人の夫が同時に二人以上の妻をもつこと。また、その制度。[対]一夫一婦。一妻多夫。

いつ-ぶつ【逸物】→いちもつ(逸物)。

＊**いつ-ぶん【逸文】**❶ちりぢりになって一部分しか伝わっていない文章。「風土記―」[表記]「佚文」とも書く。❷世間に知られない文章。

＊**いつ-ぶん【逸聞】**世に・伝わっていない(知られていない)めずらしい話。「―を集める」[類語]逸話。

いっ-ぺき【一×碧】〔文〕〔空・水面などが〕一面に青い色になること。「水天―」「天空―」

＊**いっ-ぺん【一変】**《名・自他サ》すっかり・変わる(変える)こと。がらりと・変わる(変える)こと。「態度が―する」[類語]一転。激変。急変。豹変(ひょうへん)。

*いっ・ぺん【一片】❶うすいもの一枚。ひとひら。「―の花びら」❷大きいものから分かれた、ひときれ。「木材の―」❸わずか。すこし。「―の誠意も見せない」

*いっ・ぺん【一遍】❶一回。一度。❷ひととおり。ひとわたり。「―の回向(えこう)」❸もっぱらそれだけであるようす。ただ…だけ。〔副助詞的に使う〕「正直―の男」「義理―のあいさつ」「一偏」とも書いた。参考③は元来「一偏(=一方に偏(かたよ)ること)」。―に《副》いちどきに。

いっぺん・とう【一辺倒】ある一つのものだけにかたよること。「親米―の政策」参考第二次世界大戦後、毛沢東(もうたくとう)の論文中から出たことば。

いっ・ぽ【一歩】❶ひとあし。ひとあゆみ。「―前へ出よ」❷物事の程度・状態のよしあしなどの、一くぎり。一段。また、わずかであること。「死の―手前の容態」―譲・る《句》❶〔力や質が〕一段階劣る。ひけをとる。❷少し譲歩する。＝一歩を譲る。

いつ・ぽう【×鷸×蚌】シギとハマグリ。いっぽう。―の争い《句》→漁夫の利。

*いっ・ぽう【一報】《名・他サ》簡単に知らせること。また、その知らせ。「電話で―を入れる」

*いっ・ぽう【一方】㊀《名》❶一つの方向・方面。ある方面。「―の雄」❷物事の一つの面。また、ある状態の反面。❸二つあるもののうちの一つ。片方。「―の耳がきこえない」❹もっぱらその方面にだけむかうこと。それ ばかり。〔副助詞的に使う〕「味方は防戦―だ」❺ある事柄と並行して他の事柄が行われること。…しつつ他方で。〔接続助詞的に使う〕「仕事をする―、よく遊びもする」㊁《接続》関連するもう一つの側面では。別の方面では。「―、企業の立場から事情を説明する」―つうこう【―通行】❶一つの道で、車や人を一方向にだけしか通さないこと。❷意思・主張などが伝えられてそれに対する反対の意見・主張などが、一方的に伝えられないこと。「―の政治」―てき【―的】《形動》❶一方にだけかたよるようす。「―な試合」❷〔相手のことを考えず〕自分の都合だけにかたよるようす。「―な要求」

*いっ・ぽう【一法】一つの方法。一手段。「この際逃げるのも―だ」

いっ・ぽん【一本】❶一冊の本。ある本。一書。「―にいわく」❷〔木・棒・ひもなどの〕細長いものの数え方で、一つ。❸剣道・柔道などで〔型どおりの〕わざが一回きまること。転じて、一回勝つこと。「―取る」❹一人前の芸者。「―になる」対半玉(はんぎょく)。❺酒の入ったとっくりの数え方で、一つ。「―つける」❻〔電話・手紙などの〕一通。一信。「―の電話もよこさない」「手紙―」❼〔他のものを混ぜないで〕それだけであること。〔多く、他の語につけて副助詞的に使う〕「的を―にしぼる」「そのやり方―で行く」―ぎ【―気】《名・形動》純粋で、あることをひとすじに思いこむようす(性質)。「―の青年」類語直情径行(ちょくじょうけいこう)。―じめ【―締め】一度行う手締め。―しょうぶ【―勝負】一回限りの試合。やり直しのきかない戦い。―だち【―立ち】《名・自サ》〔「樹木が広い所に一本だけ立っていること」の意から〕自分ひとりの力でやって行くこと。独り立ち。独立。―ぢょうし【―調子】《名・形動》〔物事のやり方や話し方などが〕同じような調子で、変化にとぼしいこと。単調なこと。「朗読が―でつまらない」―づり【―釣(り)】❶一本のつり糸につり針を一つ付けて魚をつる方法。「カツオの―」❷特定の個人を引きぬくこと。また、一人一人を別々に口説きおとすこと。―ばし【―橋】丸太を一本渡して橋としたもの。まるきばし。―やり【―×槍】❶槍を用いて、ただ一突きで勝負をきめること。❷〔他の手段を考えず〕一つのことだけを行うこと。一つのことをおし通すこと。「勉強―の生活」類語一点張り。

いつ・みん【逸民】❶俗世間をのがれて、隠れ暮らしている人。❷官職につかず、民間で気楽に暮らす人。「太平の―」

いつ・も【▽何▽時も】《副》❶いつでも。常に。「―けちけちしている」類語年がら年中。寝ても覚めても。絶えず。明け暮れ。❷ふだん。平生(へいぜい)。「―通る道」

いつ・ゆう【逸遊】《名・自サ》〔文〕気ままに遊ぶこと。

いつ・らく【逸楽】《名・自サ》〔ほしいままに〕遊び楽しむこと。また、気ままな楽しみ。「―にふける」

いつ・わ【逸話】〔ある人に関する〕あまり知られていないちょっとした話。エピソード。

いつわり【偽り】〈いつはり〉偽ること。うそ。「―を言う」

いつわ・る【偽る】〈いつはる〉《他五》❶本心や事実に反したことを言ったりしたりする。うそを言う。「お祭りに行くと―って家を出る」❷本当らしくふるまう。だます。あざむく。「人を―る」「本心を―る」文《四》。

いで《接助》〔「ないで」の略〕〔関西方言〕文❶「…ないで」の意を表す。「あんなに泣かいでも(=泣かないでも)ええのに」「知らいでは(=知らないでは)済まんぞ」❷〔「いでか」の形で終助詞的に使って〕打ち消しの反語を表す。「やらいでか(=しないでおくものか)」

イデア〔哲〕われわれの日常的感覚の対象ではなく、それを超えた精神的な真の実在とされるもの。観念。理念。イデー。アイディア。▽ギリシア idea

イディオム 二つ以上の語が一まとまりになって使われ、それぞれの語の本来の意味とはちがった意味を表す言いまわし。日本語の「あごで使う(=高慢な態度で人を使う)」や、英語の「rain cats and dogs(=どしゃ降りに降る)」など。慣用句。▽idiom

イデー〔哲〕理念。イデア。▽ドイツ Idee フランス idée

イデオロギー ❶〔哲〕歴史的・社会的立場に制約された、根本的なものの考え方。観念形態。意識形態。❷一般に、〔政治的な〕ものの考え方。思想傾向。「―の相違で会を退く」▽ドイツ Ideologie

い・てき【×夷×狄】〔文〕❶未開人。野蛮人。えびす。参考昔、中国でみずからを中華といい、外民族をその方角により、東夷(とうい)・北狄(ほくてき)・南蛮(なんばん)・西戎(せいじゅう)と呼んだことから。❷外国人。〔けいべつした言い方〕

いで・たち【▽出(で)立ち】❶旅にでかけてゆくこと。旅立ち。出発。「―の日」類語門出。❷身じたく。よそおい。「ものものしい―」

いて・つ・く【▽凍て付く】《自五》こおりつく。また、こおりつくように感じられる。「―くような北国の町」

いで・ゆ【▽出(で)湯・▽温▽泉】〔雅〕温泉(おんせん)。「―の里」

い・てる【▽凍てる・×冱てる】《自下一》こおる。また、こおるように冷たく(寒く)感じられる。「霜に―てた道」文い・つ《下二》。

い・てん【移転】《名・自他サ》❶〔住居・事務所などの〕場所がかわること。また、場所をかえること。「本社が―する」❷〔おもに法律で〕権利を他に移すこと。また、権利が他に移ること。「所有権の―」

い・でん【遺伝】《名・自サ》親(=祖先)の性格・体質・

形状などが子（＝子孫）につたわること。「隔世—」

—し【—子】染色体上に一定の順序で並んでいると考えられる微小な物質。遺伝形質を作り出すもとになるものとして仮定されたもの。遺伝因子。参考→DNA

—し・こうがく【—子工学】生物に遺伝子操作を施して工業技術に応用する学問。

*い・と【意図】❶《名・他サ》〔ある目的をはたそうと〕考えること。「改革を—する」「—的」❷考えている事柄。もくろみ。ねらい。「企画の—を説明する」類語 企図。計画。

*いと【糸】❶繊維をより合わせて作った細く長いもの。❷糸①のような形のもの。「クモの—」❸〔物事を〕つなぐもの。結びつけるもの。「記憶の—」❹弦楽器の弦。転じて、三味線や琴の演奏。「姉さんの—で小唄をうたう」❺つり糸。「川岸に—を垂れる」

—を引・く《句》❶〔影響などが〕のちまで長く続いて絶えない。「二〇年前の争いが今も—・いている」❷裏面にいて人をあやつる。「かげで—・く」❸食物にねばり気が出、一部をとると糸状にのびてすぐにはちぎれない状態になる。「納豆が—・く」

*いと【▽最・▽甚】《副》〔古〕非常に。きわめて。

*い・ど【井戸】ゐ—《井処（＝井のある所）の意》地面を掘り下げて、地下水をくむようにした設備。「—水」

*い・ど【異土】〔文〕異郷・異国の土地。「—に死す」

*い・ど【緯度】地球上のある地点と地球の中心とを結ぶ直線が赤道面となす角度。北半球では北緯何度、南半球では南緯何度と呼ぶ。赤道は0度、両極は九〇度。対 経度。

いと・う【×厭う】いとふ《他五》〔文〕❶〔あきたり、わずらわしく思ったりして〕いやがる。きらって避ける。「世間を—・う」「どんな苦労も—・わない」❷〔からだを〕だいじにする。いたわる。「お体をお—・い下さい」文《四》

*い・どう【異動】《名・自他サ》〔ある職場の中で〕地位・職務などがかわること。また、かえること。「人事—」注意「人事移動」は誤り。

*い・どう【異同】〔くらべてみて〕異なった所。ちがい。「原本との—」類語 差異。

*い・どう【移動】《名・自他サ》場所が移り動くこと。また、場所を移し動かすこと。「—図書館」「バスで—する」

いとおし・い いとほし《形》❶かわいらしい。いじらしい。「たべてしまいたいほど—・い」❷かわいそうだ。気の毒だ。「親のない子は—・い」文 いとほ・し《シク》

いとおし・む いとほしむ《他五》〔文〕❶惜しんでだいじにする。「行く春を—・む」❷かわいいと思う。いじらしいと思う。「娘を—・む」❸かわいそうに思ってよくしてやる。「孤児を—・む」文《四》

いど・がえ【井戸替え】ゐどがへ 井戸の水を全部くみ出して念入りに掃除すること。井戸ざらえ。

いと・きり【糸切り】❶糸を切ること。「—ばさみ」❷〔ろくろから陶器を糸で切りはずすときにできる〕陶器の底のうず状の跡。また、陶器の底〔の少し高くなっている部分〕。糸じり。糸底。❸料理などで、糸を巻きつけて切ること。「—だんご」 —ば【—歯】〔俗〕人間の犬歯。参考「糸を切るのに用いる歯」の意。

*い・とく【威徳】〔文〕威厳と徳。「—を備える」

*い・とく【遺徳】〔文〕死後にまでのこるその人の人徳。「先代の—をしのぶ」

いと・ぐち【糸口・▽緒】❶〔長く巻いた〕糸のはし。❷〔そこから先に続いているような〕物事のはじまり。てがかり。「事件解決の—」類語 発端。端緒。

いと・くり【糸繰り】❶まゆや綿花から糸を引き出すこと〔人〕。糸取り。❷糸を繰るわく。糸わく。❸「おだまき」の別名。 —ぐるま【—車】まゆや綿花から糸を引き出したり、また、引き出した糸をより合わせたりするのに用いる車。糸車。

糸繰り車

いと・ぐるま【糸車】→いとくりぐるま。

いとけ・な・い【▽幼けない・▽稚けない】《形》〔文〕年が少ない。幼い。また、子どもっぽい。「—・い女の子」類語 がんぜない。

いとこ【▽従▽兄・▽従▽弟・▽従▽姉・▽従▽妹】父または母の、兄弟・姉妹の子。また、その間柄。表記 性別・年齢のちがいで、従兄・従弟・従姉・従妹などと書く。

い・どころ【居所】ゐ— いるところ。居場所。住居。「犯人の—がわかった」「虫の—が悪い」類語 ありか。

いと・ごんにゃく【糸×蒟×蒻】糸のように細長くこしらえたこんにゃく。いとこんにゃく。

いと・さばき【糸×捌き】❶糸の取り扱い方。❷〔琴・三味線などの〕弦の扱い方。ひき方。「巧みな—」

いとし・い【▽愛しい】《形》❶かわいい。恋しい。「—・い人」❷気の毒で胸がつまるようだ。かわいそうだ。ふびんだ。文 いと・し《シク》

いとし・ご【▽愛（し）子・▽愛▽児】かわいい〔わが〕子。大事な〔わが〕子。

いと・すぎ【糸杉】ヒノキ科の常緑小高木。コノテガシワの変種。幹は直立し、枝は細くたれ下がる。葉は鱗片状。観賞用。サイプレス。

いと・ぞこ【糸底】糸切り②。

いと・たけ【糸竹】〔文〕❶〔糸は弦楽器、竹は管楽器の意で〕和楽器の総称。管弦。糸竹。❷〔和楽器による〕音楽。音曲。「—の道」

いと・づくり【糸作り・糸造り】料理で、イカ・サヨリ・ハゼなどの身の細い魚を、糸のように細く切ってさしみにすること。また、そうして作ったさしみ。

いと・ど《副》《「いといと」の転》〔古〕物事の程度がさらにひどくなるようす。ますます。いっそう。いよいよ。

いとなみ【営み】❶いとなむこと。行為。特に、〔正当な〕性行為。「夜の—」❷〔生きるための〕仕事。つとめ。生業。「日々の—」❸準備。したく。「冬の—」

いとな・む【営む】《他五》❶〔努力して〕物事をする。つとめる。行う。「社会生活を—・む」「法事を—・む」❷職業とする。経営する。「喫茶店を—・む」❸造りととのえる。「邸宅を—・む」文《四》

いと・のこ【糸×鋸】うす板を曲線に切ったり、中を切り取ったりする時に使う、薄く細い刃のついたのこぎり。いとのこぎり。

いどばた・かいぎ【井戸端会議】ゐどばたクワイギ 共同で使っている井戸のまわりで、女が水くみや洗濯などをしながら、世間話をすること。また、家事のあい間にする主婦たちのおしゃべり。

いと・はん【▽嬢はん】おじょうさん。いとさん。〔関西地方でいう〕

いと‐ひめ【糸姫】 製糸・織物工場などの女子工員。織り姫。〔美化した、古風な言い方〕

いど‐べい【井戸塀】｜ゐ 政治家が、政治のために財産を使い、井戸と塀しか残らないほど貧しくなること。

いと‐へん【糸偏】 ❶漢字の部首の一つ。「紙」「約」などの、左がわの「糸」の称。❷〔俗〕〔紡績・紡織など〕糸に関係のある産業。繊維工業。類語 金偏(かねへん)。

いとま【▽暇・×遑】 ❶用事がない時。また、時間の余裕。ひま。「応接に―がない」❷一時的に休むこと。休暇。「お―をいただく」❸〔他人の家で働いている人が〕職をやめること。また、離縁すること。「妻に―を出す」❹〔あいさつをして〕別れること。辞去。「そろそろお―します」「―を告げる」

いと‐まき【糸巻(き)】 ❶〔もつれないように〕糸を巻いておくもの。❷三味線の頭部にある、糸を巻きつけて弦の張りを調節するしかけ。転手(てんじゅ)。転軫(てんじん)。❸日本髪の結い方の一つ。髪をくしに輪状に巻いて結い、糸巻き①に似た形にしたもの。

いとま‐ごい【▽暇×乞い】｜ご《名・自サ》❶別れをつげること。❷暇(ひま)がほしいと頼むこと。

いど‐む【挑む】 ㊀《他五》❶〔相手に向かって〕戦い・争い・競争などをしかける。挑戦する。「決戦を―・む」「冬山に―・む」㊁《自五》❷〔征服するために〕たちむかう。㊁《自五》むりに恋をしかける。文《四》。

いと‐め【糸目】 ❶〔細い〕糸の線。糸すじ。❷〔ひゆ的に〕物事のつながり。「話の―」❸紙だこをあげるときのつりあいをとるために、その表面につけ、手に持つ糸に結びつける数本の細い糸。❹糸の目方。❺陶器などにきざみつけた、糸のように細い模様。❻ゴカイ科の環形動物。淡水の流れこむ浅い海の泥中にすむ。からだは紅色で平たく細長い。魚つりのえさにする。

―を付けな・い《句》〔金銭を〕惜しげなく使う。「金に―・い」参考「いとめ」は「たこの糸目」からとも、「厭(いと)い目」からともいう。

い‐と‐める【射止める】《他下一》❶〔矢や弾丸などを〕射あてる。射ころす。❷〔手に入れにくいものを〕自分のものにする。獲得する。「彼女の心を―・める」

いと‐も【▽最も】《副》《副詞「いと」＋強意の係助詞「も」》たいへん。非常に。「―簡単にしあげた」

いと‐やなぎ【糸柳】「しだれやなぎ」の別名。

いとわし・い【×厭わしい】《形》〔文〕いやである。不愉快である。きらいである。「ヘビは見るのも―・い」文 いとは・し《シク》。

*__いな【×鯔】__ ボラの幼魚。

*__いな【否】__ ㊀《感》〔文〕相手のことばに対して、打ち消し・不同意の気持ちを表す語。また、自分のことばを途中で打ち消して言い直すときに発する語。いや。いいえ。㊁《名》不承知。不同意。「―はあるまい」

*__いな【異な】__《形動》《形容動詞「異」の連体形》→異(い)㊁。

い‐ない【以内】 ❶その部分をふくんでそれより内側の範囲。「白線―」❷〔時間・距離・数量などで〕その部分をふくんでそれよりうち。それより小。「一時間―」

いなおり‐ごうとう【居直り強盗】(ゐなほりガウタウ) 盗みにはいった者が家人に見つけられて、急に強盗に変わること。また、その強盗。

い‐なお・る【居直る】(ゐなほる)《自五》❶〔姿勢を正して〕すわりなおす。❷急に態度を変える。〔多く、強い態度になって相手をおどすような場合にいう〕「こそどろが強盗に―・る」

い‐なか【〈田舎〉】｜ゐ ❶都会からはなれた、田畑・山林の多い地方。ひな。「―の人は実直だ」「―育ち」❷〔現在そこから離れて住んでいる人の〕生まれ育った地方。郷里。「定年後は―へ引っ込む」❸《接頭語的に使って》「素朴な」「あかぬけしない」意を表す。「―まんじゅう」「―紳士」

―じるこ【―汁粉】 つぶしあんで作ったしるこ。

―っ‐ぺ 〔俗〕いなか者②。

―もの【―者】 ❶地方出身の人。地方に住んでいる人。❷礼儀作法を心得ない、やぼったい人をばかにしていうことば。いなかっぺ。〔自分を卑下するときにもいう〕

い‐ながら【居×乍ら】｜ゐ《副》〔立ったり外出したりしないで〕座ったまま。家にいるまま。〔多く「―にして」の形で使う〕「―にして情報を収集する」

いな‐ご【稲子・×蝗】《「稲の子」の意》バッタ科の昆虫。からだは緑色で、はねは淡褐色。稲の葉を食いあらす害虫。食用になる。

い‐な‐さく【稲作】 ❶稲を栽培すること。「―地帯」❷稲のみのりぐあい。「今年の―」類語 ①②米作。

いな‐す【▽往なす】《他五》❶帰らせる。去らす。〔関西地方で多く使う〕「女房を―・す」❷〔すもうで〕自分の体を後ろへ引いて相手の〔激しい〕勢いを弱める。「軽く―・して体勢をくずす」❸〔相手の攻撃や追及を〕軽くあしらう。「鋭い質問を―・す」文《四》。

いな‐ずま【稲妻・▽電】｜づま 空中の放電にともなって生じる光。雷の光。いなびかり。雷光。雷火。参考 動作がすばやいことや、時間が非常に短いことにたとえられる。「―のように名案がひらめいた」類語 電光。雷電。紫電。表記 現代仮名遣いでは「いなづま」も許容。

いな‐せ【×鯔背】《名・形動》勇み肌でいきな・こと(すがた)。「―な若い衆」参考 江戸時代、江戸日本橋の魚河岸(うおがし)にいた若者が、鯔背銀杏(いなせいちょう)という、イナの背に似た髷(まげ)を結(ゆ)い、男気に富んでいたことから。

*__いなだ__ ブリの幼魚。

*__いな‐だ【稲田】__ 稲を植えてある田。

いな‐づま【稲妻・▽電】→いなずま。

いなな‐く【×嘶く】《自五》〔馬が〕声高く鳴く。文《四》。

いなば【▽因×幡】 旧国名の一つ。今の鳥取県の東部。因州(いんしゅう)。

いな‐びかり【稲光】→いなずま。

いな‐ほ【稲穂】 いねの穂。いなぼ。

いな‐む【否む・▽辞む】《他五》〔文〕❶ことわる。拒否する。「手助けを―・む」❷否定する。文《四》。

いな‐むら【稲×叢】 刈りとった稲をつみ重ねたもの。また、稲かけにかけたもの。稲づか。

いなめ‐な・い【否めない】《連語》《「否める」の未然形＋助動詞「ない」》❶ことわることはできない。「申し出は―・い」❷否定することはできない。「―・い事実」

いな‐や【否や】 ㊀《連語》《「や」は疑問の助詞》〔文〕〈「…や―」の形で〉…かどうか。…か否か。「便法ありや―」㊁《副》〔文〕(…する)と同時に。(…する)とすぐに。〔「…や―」「…が―」などの形で使われる〕「戸が開くや―、人々はなだれこんだ」㊂《名》〔文〕❶承知することとしないこと。諾否(だくひ)。「―の返事をしぶる」❷異議。不承知。「彼に―はないはずだ」

い‐なら・ぶ【居並ぶ】｜ゐ《自五》多くの人が並んで座る。席を連ねる。「大スターが―・ぶ」

い

いなり【稲▽荷】❶五穀をつかさどる神である、倉稲魂神。また、その神を祭った神社。稲荷神社。おいなりさま。❷〔いなり①の使いとされる〕キツネ。**―ずし【―×鮨】**甘く煮た油揚げの中に、酢などで味をつけた飯を詰めたもの。しのだずし。きつねずし。

イニシアティブ 先にたって物事をすること。率先。発言権。主導権。イニシアチブ。「―を取る(=機先を制して事を行う。主導権をとる)」▽initiative

いにしえ【▽古】《「往にし方」の意》〔文〕遠い昔。「―の奈良の都の八重ざくら…」

イニシャル〔欧文やローマ字で書いたときの〕頭文字。特に、姓名の頭文字。イニシアル。▽initial

い・にゅう【移入】《名・他サ》❶うつし入れること。「感情―」❷〔植民地から本国、ある県から他の県などのように〕国内の一地方から他の地方へ貨物を入れること。類語 輸入。対 移出。

い・にょう【囲×繞】《名・他サ》➡いじょう(囲繞)。

い・にん【委任】《名・他サ》❶〔物事の処理を他人に〕ゆだねまかせること。❷〔法〕相手方を信頼し、法律行為や事務の処理をまかせ、相手方がこれを承諾することによって成立する契約。「―状」

イニング《名・助数》野球などで、両チームがおのおの攻撃と守備を一回ずつ終える間。回。インニング。「ラストー」「五―無失点」▽inning

***いぬ【×戌】**❶十二支の一一番め。❷昔の時刻の名。今の午後八時、または午後七時から九時までの間。五つ。❸昔の方位の名。西北西。

***いぬ【犬・×狗】**一《名》❶イヌ科の哺乳動物。家畜やペットとして古くから飼われ、飼い主に忠実。品種も多い。嗅覚・聴覚が発達している。類語 犬ころ。❷〔警察などの〕まわし者。スパイ。「警察の―」二《接頭》《名詞について》❶「似ているが、ちがう(役に立たない)」意を表す。〔多く植物の名につける〕「―わらび」「―たで」❷いやしめ軽んじて、「くだらない」「むだである」などの意を表す。「―医者」「―ざむらい」「―死に」

―と猿《句》仲が悪いことのたとえ。犬猿の仲。

―の遠吠え《句》おくびょうな人が、かげで虚勢をはり相手を非難することのたとえ。

―も歩けば棒に当たる《句》❶でしゃばるとんでもない災難にあうことのたとえ。❷出歩くと思いがけない幸運にであうことのたとえ。

―も食わない《句》非常にきらわれることのたとえ。また、(ばからしくて)相手にしないことのたとえ。「夫婦げんかは―」

***い・ぬ【▽往ぬ・▽去ぬ】**《自ナ変》〔古〕❶行ってしまう。去る。また、戻る。参考 西日本の方言に残る。❷〔時が〕過ぎ去る。「―にし春」

いぬ・い【×戌×亥・▽乾】昔の方位の名。戌と亥との間。北西。

イヌイット 北アメリカの北極海沿岸を生活圏とする民族。漁労・狩猟によって生活していた。エスキモー。参考「イヌイット」はカナダでの、「エスキモー」はアラスカでの一般的な呼び名。▽Inuit(=人間)

いぬ・かき【犬×掻き】〔犬が泳ぐように〕腹ばいになり足で水をけりながら手で水をかく泳ぎ方。犬泳ぎ。

い・ぬき【居抜き】店舗・住宅などを、商品・設備・家具をそれまで使っていたままの状態で他人に売ったり貸したりすること。「この店を―で売る」

いぬ・ぐい【犬食い】食器に手を添えずに、顔を食器に近づけてがつがつと食べること。いぬくい。

いぬ・くぎ【犬×釘】鉄道のレールを枕木に固定させるために打つ大きなくぎ。参考 最近では木製の枕木が使われなくなり、ボルトで固定されることが多い。

いぬ・ころ【犬ころ】〔俗〕犬の子。小犬。

いぬ・じに【犬死に】《名・自サ》何の役にもたたないような死に方。むだ死に。徒死。

いぬ・たで【犬×蓼】タデ科の一年草。山野に自生する。夏から秋にかけて茎の先に紅紫色の小花を穂のようにつける。あかのまんま。

いぬ・ちくしょう【犬畜生】〔犬やけだものの意から〕人間としての道にはずれている人をののしっていう語。

いぬ・の・ひ【×戌の日】十二支のうち、戌にあたる日。参考 犬にあやかって、安産を願い、妊娠五か月の妊婦がこの日から腹帯(岩田帯)をしめる。

いぬ・ばしり【犬走り】❶築地の外壁とその外側の溝の間の狭い空地。❷城の垣と堀の間の狭い空地。

いぬ・はりこ【犬張(り)子】犬の形をした、張り子のおもちゃ。参考 古くは幼児の魔よけにしたという。

いね【稲】イネ科の一年草。原産地は熱帯アジア。梅雨のころ、苗代から田に苗を植えかえ、一〇月ごろ刈り取る。参考 水田で作るものを「水稲」といい、畑で作るものを「陸稲」または「おかぼ」という。

いね・かけ【稲掛(け)・稲架(け)】刈り取った稲の穂をかけて乾かすために木などを組んだもの。はさ。はざ。はせ。稲掛け。

いね・かり【稲刈り】秋、実った稲を刈り取ること。刈り入れ。類語 麦刈り。

いね・こき【稲▽扱き】刈り取った稲の穂からもみをしごきおとすこと。また、その道具。いなこき。

い・ねむり【居眠り・居▽睡り】《名・自サ》すわったり、こしかけたりしたままで眠ること。類語 うたたね。

い・の・いちばん【いの一番】〔「い」は「いろは…」の最初の字であることから〕いちばん最初。まっさき。〔第一番を強めていうことば〕「―にかけつける」

い・のう【異能】ふつうの人にはないような非常にすぐれた才能をもっていること。「―力士」

いのこずち【▽牛×膝】ヒユ科の多年草。茎は四角で、葉はだえん形。果実にはとげがあって衣服などによくつく。根は漢方薬。

い・のこ・る【居残る】《自五》❶いっしょにいた人が帰った後までも残っている。❷〔勤務時間などの〕定刻より後まで残る。「情報収集のため―る」

い・の・しし【×猪】《「猪の獣」の意》イノシシ科の哺乳動物。ブタに似るが、牙があり、全身に黒褐色のあらい毛がはえている。夜行性で、畑などを荒らす。肉は食用。野猪。しし。のあらし。のじし。山くじら。**―むしゃ【―武者】**❶むこう見ずに敵に突進するさむらい。❷むこう見ずな人。

イノシン・さん【イノシン酸】〔inosinic acid〕肉汁にふくまれる、酸味のある物質。かつおぶしのうまみを作る成分。化学調味料として用いる。

いのち【命】❶生物が生きている間持っており、死ぬとなくなる、すべての活動のもとであるもの。生命。「―を懸ける(=死んでもかまわない気になる)」参考 ひゆ的に、物事を存続させるもとになる力の意でも使う。❷命①のつづく期間。寿命。「―を縮める」「―を削る(=ひどく苦労や心配をすることのたとえ)」「―の限り」❸いちばんだいじなもの。唯一のよりどころ。「子は母の―」⇩〔類語と表現〕 ―の‐おや【―の親】《連語》死にかけたところを救ってくれた恩人。 ―の‐せんたく【―の洗濯】《連語》日ごろの苦労をはらすための保養・気ばらし。 ―の‐つな【―の綱】《連語》〔命をささえているような〕もっともだいじなもの。「―と頼む人を失った」

―あっての物種《句》何事をするにも命があってはじめてできる。命はたいせつにしなければならない。

―長ければ辱(はじ)多し《句》長生きをすると何かと恥をかくことが多い。〈荘子・天地〉

―を落と‐す《句》〔病気や事故で〕死ぬ。参考 ふつう、自殺や自然死には使わない。

類語と表現

「命」

＊命が尽きる・命を削る〔縮める〕・命を失う〔落とす〕・命を救う〔拾う・とりとめる〕・命を捧(ささ)げる〔投げ出す〕・命の綱が切れる・子を命と頼む・エンジンは自動車の命。

◆生・生命・一命・人命・命脈・息の根・息の緒・玉の緒

◇〔命の長さ〕寿命・命数・天寿・天命・定命(じょうみょう)・聖寿・長寿・長命・短命・薄命・露命

◇〔残された命〕余命・余生・残命・老い先・老後

いのち‐がけ【命懸け】《名・形動》〔物事を行うのに〕生死をかえりみないこと。いのちずく。「―で作業する」

いのち‐がね【命金】命をつなぐための金。また、命にも代えるほどの大切な金。

いのち‐からがら【命辛辛】《副》命だけはどうにか失わずに。やっとのことで。「―逃げ出す」表記「命からがら」と書くことが多い。

いのち‐ごい【命×乞い】(―ごひ)《名・自サ》❶寿命がのびるように神仏にいのること。❷〔殺されることになっている人や動物を〕殺さないように頼むこと。類語 助命。

いのち‐しらず【命知らず】《名・形動》死ぬことを恐れない、無鉄砲な・こと（人）。「―のあらくれ男」

いのち‐づな【命綱】❶潜水夫や、高い所で仕事をする人が身につけて命を守る綱。また、救命ブイや救助艇にわたす綱など。❷命や生活を存続させるために、なくてはならないものとして頼るもの。

いのち‐とり【命取り】❶命をなくすもとになるもの。❷失敗や破滅のもとになるような・もの（事柄）。「外交政策の失敗が内閣の―となった」類語 ①②致命傷。

いのち‐びろい【命拾い】(―びろひ)《名・自サ》〔死にそうになったが〕運よく助かること。九死に一生を得ること。

いのち‐みょうが【命×冥加】《名・形動》〔神仏の力で〕失うはずの命がふしぎに助かること。幸運にも災難から免れること。「一人だけ助かるとは―な人だ」

い‐の‐ふ【胃の×腑】胃。いぶくろ。参考「腑」は「はらわた」の意。

イノベーション ❶革新。特に、技術革新。新機軸(しんきじく)。❷〔経〕経済成長の有力要因。▽innovation

いのり【祈り・×禱り】祈ること。「平和の―」類語 祈願。祈禱(きとう)。祈念。

いの・る【祈る・×禱る】《他五》❶〔守り・助けを〕神や仏にねがう。❷〔人のために〕切に望む。希望する。「御多幸を心から―・る」文《四》。⇩〔類語と表現〕

類語と表現

「祈る」

＊無事を祈る・家内安全を祈る・世界平和を祈る・合格を祈る・ご健康を祈る・幸多かれと祈る。

◆拝む・伏し拝む・拝する・念じる・願う（願い）・望む（望み）・希(こいねが)う・願を掛ける・本願〔心願〕を立てる・熱禱(ねっとう)を捧(ささ)げる・神殿にぬかずく／（する）祈禱・祈願・祈念・誓願・願掛け・願立て・立願・黙禱・拝跪(はいき)・発願(ほつがん)・熱願・切望・熱望・渇望・庶幾

◆副詞句表現 切に・心から・心を致して・ぬかずいて・茶断ちをして・精進潔斎して・斎戒沐浴(もくよく)して

＊い‐はい【位×牌】死んだ人の戒名などを書いて仏壇にまつる木のふだ。「―を汚(けが)す（＝先祖の名誉を傷つける）」参考「一柱(ひとはしら)…」と数える。

＊い‐はい【違背】《名・自サ》〔文〕命令やきまりにそむくこと。「お言葉に―する」類語 違反。

＊い‐はい【遺灰】死体を火葬にしたあとに残る灰。類語 遺骨。

い‐はく【威迫】《名・他サ》〔文〕〔権力などによって〕人をこわがらせて、従わせようとすること。「兵力を集結し―を加える」類語 威嚇(いかく)。脅迫(きょうはく)。

い‐ばく【×帷幕】〔「たれぎぬ」と「引きまく」の意から〕〔文〕陣営。本営。また、作戦をたてる所。帷幄(いあく)。

い‐ばしょ【居場所】(ゐ―)居る場所。すわる場所。席。

い‐ば‐しんえん【意馬心猿】〔文〕煩悩(ぼんのう)・妄念(もうねん)・欲情などのため、心の乱れをおさえ切れないこと。参考 馬が走り、猿がさわぐのは制しがたいことから。

＊い‐はつ【衣鉢】〔文〕❶師の僧が弟子にあたえる袈裟(けさ)と鉢(はち)。転じて、仏教の奥義。❷一般に、師から弟子に伝える学問・技芸などの奥義。「―を継ぐ」＝衣鉢(えはつ・いはち)。

＊い‐はつ【遺髪】死後のかたみとして残す髪の毛。

＊いばら【×茨・×棘・×荊】❶ノイバラ・カラタチなど、とげのある低木の総称。うばら。❷植物のとげ。❸苦しみの多いこと。「―の人生」 ―の‐みち【―の道】《連語》とげのある木が多くはえた道。参考 苦しみの多い生活や人生にたとえる。

＊いばら【×薔×薇】バラ。特に、ノイバラをさすこともある。〔詩・歌などで使う〕

いばり【▽尿】〔文〕小便。ゆばり。ばり。

い‐ば・る【威張る】《自五》自分はえらいのだということを、人にみせつけるようにふるまう。えばる。類語 おごる。たかぶる。文《四》。

＊い‐はん【違反】《名・自サ》約束・規則・法律などにそむくこと。「交通―」「法律に―する」類語 違背。背反。

＊い‐はん【違犯】《名・自サ》〔文〕法律などにそむくこと。

い‐び【×萎×靡】《名・自サ》〔文〕活気がなくなって衰えること。「道徳の―」類語 衰微(すいび)。

いびき【×鼾】眠っているときに、呼吸とともに鼻から出る音。口を開くと音が大きくなる。「―をかく」

い‐ひつ【遺筆】〔生前に発表されなかったものについていう〕形見としてのこった文章・手紙など。類語 遺墨。

いびつ【×歪】《名・形動》〔「飯櫃(いいびつ)」の転〕❶〔「いいびつ」の形が長円形であることから〕形、特に、円形がゆがんでいること。❷正常でないこと。〔人間の心・物事の状態などについてもいう〕「性格が―になる」

い‐ひょう【意表】思いもつかないこと。予期しないこと。「相手の―をつく」類語 意外。予想外。

い‐びょう【胃病】胃に起こる病気。

いびり・だ・す【いびり出す】《他五》〔気に入らない人を〕いじめて追いだす。「姑(しゅうとめ)が嫁を—・した」

いび・る《他五》むごくあつかって苦しめる。いじめて苦しめる。「まま子を—・る」「嫁を—・る」文《四》。

い・ひん【遺品】❶死んだ人があとに残した品物。かたみの品。「祖父の—を整理する」❷忘れ物。遺失品。

*****い・ふ【×畏怖】**《名・他サ》〔文〕おそれおののくこと。「—の念を抱く」

*****い・ふ【異父】**〔文〕〔兄弟・姉妹で〕母は同じで父がちがう間柄。たねちがい。〔単独では使わない〕「—兄弟」「—妹」対異母。

*****い・ぶ【威武】**権威と武力。強くたくましい勢い。「—堂々」「世界に—をかがやかせる」

*****い・ぶ【慰×撫】**《名・他サ》なだめて心をおだやかにさせること。なぐさめていたわること。「人心を—する」

*****イブ** 神エホバが最初に造った女性。アダムの妻。エヴァ。参考旧約聖書創世記では、神がアダムの肋骨(ろっこつ)を一本抜き取って造ったとされる。対アダム。▽Eve

*****イブ** 祭日の前夜(前日)。宵祭り。前夜祭。特に、クリスマスイブ。イヴ。▽eve

*****い・ふう【威風】**威厳・威勢がみなぎっているようす。「—あたりを払う」**—どうどう【—堂堂】**《形動タルト》威厳があって力強いようす。「—と入場する」

*****い・ふう【異風】**〔文〕❶ふつうとちがった風習・風俗。❷ふつうの人とちがう姿。

*****い・ふう【遺風】**〔文〕❶のちの世に残された風習・習慣。❷死んだ人の教えで、後世まで伝わり残されているもの。「先代の—を守る」

いぶかし・い【×訝しい】《形》〔変なところがあって〕うたがわしい。あやしい。不審だ。「この報告には—い点がある」文いぶか・し《シク》。

いぶかし・がる【×訝しがる】《他五》いぶかしく思う。また、そういう態度をみせる。文《四》。

いぶか・る【×訝る】《他五》〔変なところを感じて〕うたがわしく思う。不審に思う。あやしむ。文《四》。

い・ぶき【〈息吹〉】〔文〕❶いき。呼吸。いきづかい。❷いきいきした活動的な気分。「のどかな春の—」

*****い・ふく【威服・威伏】**〔文〕❶《名・他サ》勢力や威光をしめして相手を服従させること。❷《名・自サ》相手の勢力や威光におそれて服従すること。

*****い・ふく【威福】**〔文〕〔威圧と福徳の意から〕権力でおどかしたり、利益を与えたりして、人を従わせること。

*****い・ふく【×畏服】**《名・自サ》〔文〕おそれつつしんで従うこと。「—の念」

*****い・ふく【異腹】**〔文〕父は同じで母がちがうこと。異母。はらちがい。「—の兄弟」対同腹。

*****い・ふく【衣服】**身にまとって着るもの。きもの。類語衣装。被服(ひふく)。尊敬お召し物。御衣(みけし・みぞ・おんぞ・ぎょい)。

い・ぶ・く【▽息吹く】《自五》〔文〕❶息をする。呼吸する。❷いきいきと活動をする。「大地が春の気配に—・く」「古い伝統に—・く世界」文《四》。

い・ぶくろ【胃袋】〔俗〕胃。胃の腑(ふ)。

いぶし・ぎん【×燻し銀】❶硫黄の煙で表面を濃い灰色にした銀。また、その色。黒みがかった灰色。「—にくもった空」❷表面的な華やかさはないが、実力・実質のともなっている・こと(人)。「—の芸に感嘆する」

いぶ・す【×燻す】《他五》❶煙を多くだすように燃やす。煙をこもらせてけむたくする。「蚊取線香を—・す」類語けぶらす。くすべる。❷煙で黒くする。特に、硫黄を使って銅・銀などの表面をくもらせる。文《四》。

*****い・ぶつ【異物】**❶ふつうとは違ったもの。❷体内にはいったり、体内で発生したりしてからだの組織となじまないもの。のみこんだガラス玉、結石など。

*****い・ぶつ【遺物】**❶〔その人が〕生前使ったり作ったりしたもので、死後に残したもの。かたみ。遺品。❷現在まで残っている、古い過去の時代のもの。「前世紀の—」❸おとし物。遺失物。

イブニング「イブニングドレス」の略。**—ドレス** 公式の夜会などに着る女性の礼服。丈を長くし、そでなしかまたは短いそでをつけ、襟ぐりを大きくあける。イブニング。類語アフタヌーンドレス。▽evening dress

いぶ・る【×燻る】《自五》ほのおが立たず煙がでる。くすぶる。「まきが—・っている」類語けぶる。文《四》。

*****い・ぶん【異聞】**〔文〕聞きなれない変わったうわさ。珍しい話。類語逸聞。風聞。

*****い・ぶん【遺文】**〔文〕❶死者が生前書き残して、公にしなかった文章。「—集」❷現在まで残っている、古い時代の〔散逸した〕文献。「平安—」

*****い・ぶん【遺聞】**〔文〕世間に知られていない珍しい話。

い・ぶんか【異文化】自分の属する生活圏とは違った別の外国の文化。「—交流」

い・ぶんし【異分子】同じ団体の中で、その仲間と性質や思想がちがっている者。「グループ内の—」

い・へき【胃壁】胃を形づくるかべ。粘膜・筋肉などから成る。

*****い・へん【異変】**❶〔天災や事変など〕変わったできごと。「暖冬—」❷変化すること。「病状に—はない」

*****い・へん【×韋編】**〔文〕書物。参考「韋」はなめし革の意。昔、中国で、竹の札(ふだ)をなめし革でとじて書物にしたことから。

—三度(みたび)絶・つ《句》幾度も熱心に本を読むことのたとえ。韋編三絶(いへんさんぜつ)。故事孔子が易経をくりかえし読んで、書物をとじたなめし革が三度も切れたということから。〈史記・孔子世家〉

イベント❶行事。催し物。❷競技種目。試合。「メーン—」=エベント。▽event(=できごと)

*****い・ぼ【異母】**〔文〕〔兄弟・姉妹で〕父は同じで母がちがう間柄。はらちがい。異腹。〔単独では使わない〕「—兄弟」「—妹」対異父。

いぼ【×疣】❶皮膚の角質層(かくしつそう)が部分的に厚くなってできる小さな突起。皮膚の老化としても起こる。❷物の表面にある小さな突起。「キュウリの—」

いぼ・いぼ【×疣×疣】〔俗〕物の表面にある〔複数の〕粒状の突起。いぼ。「—がついたサンダル」

*****い・ほう【×彙報】**種類別にして集めた報告。「学会の—」類語雑報。

*****い・ほう【異邦】**〔文〕外国。よその国。「—人」類語異土。異国。

*****い・ほう【違法】**法律に違反すること。「—行為」類語無法。不法。対適法。

*****い・ほう【医方】**〔文〕治療の方法。医術。

*****い・ぼく【遺墨】**〔文〕死んだ人が、その生前に〔墨(すみ)で〕書いた書。遺芳(いほう)。類語遺筆。遺作。

いぼ・じ【×疣×痔】痔疾(じしつ)の一つ。肛門(こうもん)のまわりにいぼ状のはれができる。痔核(じかく)。

い・ほん【異本】❶ふつうとは違ったためずらしい書物。珍本。❷もとは同一内容の書物であるが、文章・文字

い

などが変化して、流布本と少し違っている本。参考→定本。

*いま【今】一《名》❶過去と未来との境の時点。この時。現在。「—ちょうど正午です」「—からでもおそくはない」丁寧只今。❷現在をふくんだ、ある期間。現代。今日。「—の世」対昔。❸話をしているこの場面で。〔接続詞的に用いる〕「—この点をAとする」二《副》❶ごく近い未来を表す。すぐに。おっつけ。「—はじまる」❷ごく近い過去を表す。さっき。少し前。「—見てきたところだ」❸さらに。そのうえに。もう。「—一つ」「—一度」「—少し」三《接頭》《固有名詞の上について》「現代の」「現在の」「新しい」などの意を表す。「—浦島」「—業平」「—太閤」

—か今かと《句》物事が起こる時を待ちかねるようす。「合格通知を—待つ」類語今や遅しと。鶴首。

—泣いた烏がもう笑・う《句》今まで泣いていた者がすぐ機嫌を直して笑う。子供などの機嫌が変わりやすいことのたとえ。

—に始まったことではな・い《句》〔前から続いていることで〕事新しいことではない。

—は是れ迄《句》死や敗北が避けられないと覚悟をきめたことを表す語。もうこれで終わりだ。もうこれまで。「—と覚悟をきめた」

—は昔《句》今からみると昔のことだが。参考昔話などの最初に用いることば。

—や遅しと《句》早く早くとその時のくるのを待ちかまえているようす。「—待ちわびる」類語今か今かと。

—を時め・く《句》現在、世にもてはやされている。

*い・ま【居間】家族がいつもいて使う部屋。居室。

いま・いち【今一】《副》《「今一歩」「今一息」「今一つ」から》〔俗〕少し不十分なようす。「—努力が足りない」「成績は—だ」

いまいま・し・い【忌(ま)忌(ま)しい】《形》くやしくて腹だたしい。しゃくにさわる。

いまがわ・やき【今川焼】小麦粉を水でとき、円形の焼き型に流しこんでまん中にあんを入れ、両面を焼いた菓子。たいこやき。

いま・ごろ【今×頃】今の・時刻(季節)。今時分。

いま・さら【今更】《副》❶今あらたまって。事新しく。「—注意するまでもない」❷今になって。この時に及んで。〔多く、下に打ち消し・疑問・反語などをともなう〕「過ぎたことを—言ってもしょうがない」—め・く《自五》〔文〕今初めてであるかのようにみえる。「—・いた対応」

—のように《句》〔すでにわかっていることなのに〕まるで今はじめてであるかのように。あらためて。「時の流れの速さを—感じます」

いまし・がた【今し方】《副》ほんの少し前。たった今。ついさっき。「父は—出かけたばかりだ」

イマジネーション 想像(力)。▽imagination

いま・じぶん【今時分】今の・時刻(季節)。今ごろ。

いましめ【戒め】❶注意。訓戒。教え。また、そのことば。「父の—を守る」❷こらしめ。懲戒。❸禁止。抑制。❹警戒。警固。❺しばること。捕縛。「—を解く」参考→戒める。

いまし・める【戒める】《他下一》❶〔あやまちのないように〕前もって・注意(訓戒)する。教えさとす。「自らを—・める」表記①は「誡める」「警める」とも書く。❷〔同じあやまちをおかさないように〕こらしめる。「子どものいたずらを—・める」❸禁止したり、抑制したりする。「はやる心を—・める」表記③は「禁める」「警める」とも書く。❹警戒する。警固する。「あたりを—・める」表記④は「警める」とも書く。❺しばって自由をうばう。捕縛する。「犯人の両手を—・める」表記⑤は多く、「縛める」と書く。文いまし・む《下二》。

いまし・も【今しも】《副》ちょうど今。たった今。「—地平線の彼方に夕日が沈もうとしている」

いま・す【▽在す・×坐す】《自五》〔文〕「ある」「いる」の尊敬語。いらっしゃる。おいでになる。おわす。文《四・サ変》。

いまだ【▽未だ】《副》〔文〕今になっても。まだ。〔下に打ち消しの語を伴う〕「対策は—講じられていない」

いまだ・かつて【▽未だ×嘗て】《副》今までに一回も。まだ一度も。〔下に打ち消しの語を伴う〕「—見たことも聞いたこともない」

いまだ・し【▽未だし】《形シク》〔古〕まだその時になっていない。まだ十分でない。「練習—・しの感がある」

いまだ・に【▽未だに】《副》今になってもまだ。今もって。

いまち・づき【居待(ち)月】〔文〕〔出るのをすわって待つ月の意で〕陰暦一八日の月。居待ちの月。類語立ち待ち月。寝待ち月。

いま・どき【今時】❶現代。当世。このごろ。「—の若い者」❷今ごろ。今時分。〔副詞的に使う〕「—のこのこ現れても、もう遅い」

いま・なお【今▽猶・今▽尚】《副》その時から現在まで同じ状態が続いているようす。今でも。「彼の武勇は、—人々の語りぐさとなっている」

いま・に【今に】《副》❶今になってもまだ。今でも。今なお。いまだに。「その日のことは—覚えている」❷そのうちに。まもなく。「—みろ」

いまに・して【今にして】《連語》今になって。「—思えば、あれが別れの会だったのだ」

いまに・も【今にも】《副》すぐにもおこりそうなようす。まもなく。もう少しで。「—泣き出しそうな顔」

いま・は【今は・今▽際】《「いまわ」の歴史的かなづかいによる表記》→いまわ。

いま・ふう【今風】《名・形動》現在の風俗。現代ふう。当世ふう。今様。「—な考え方」「—の家」

いま・めかし・い【今めかしい】《形》❶現代ふうである。❷今さらめいている。わざとらしい。

いま・もって【今▽以て】《副》今もなお。いまだに。「—彼の行方が分からない」

いま・や【今や】《副》《「や」は強めの助詞》❶いまこそ。「—決意すべき時」❷今にも。「花は—散らんとする」❸いまはすでに。「この服は—時代おくれだ」

いま・よう【今様】❶現代ふう。当世ふう。「—の美人」❷「今様歌」の略。平安時代の歌謡の一つ。和讃の流れをくみ、ふつう七五調四句からなる。

いまり・やき【×伊▽万里焼】佐賀県有田地方で産する磁器。伊万里。参考→有田焼。

いま・わ【今わ・今▽際】〔文〕〔「今はかぎり」の意から〕命の終わり。死ぬまぎわ。臨終。「—のことば」「—の際(=臨終の時。死にぎわ。いまわのとき)」

いまわし・い【忌(ま)わしい】《形》❶忌むべきである。不吉だ。「—・い前兆」❷にくむべきである。いとわしい。「—・い事件」文いまは・し《シク》。

＊**いみ【忌（み）・▽斎】**❶〔神事を行う時〕身をきよめてつつしむこと。物いみ。❷喪（も）に服すること。「―があける」

＊**い・み【意味】**❶あることばの表している内容。意義。「単語の―を調べる」❷ある表現や行為によって示される意図。表現されたものの裏にある事情。わけ。「話をことわった―がわかった」❸物事の価値。「―のない仕事」**―あい【―合い】**（ひあ）〔特別な事情をふくめた〕意味。理由。わけ。**―しん【―深】**《形動》〔俗〕「意味深長（いみしんちょう）」の略。**―しんちょう【―深長】**《形動》直接表面に表れない意味を奥に含んでいるようす。「―な笑いを浮かべる」**―・する**《他サ変》〔あることば・表現・行為などが〕ある物事の内容を表し示す。「黒い色は悪を―・する」「戦争は死を―・する」**―づけ【―付け】**物事に価値や意義をもたせること。「人生の―」

いみ・きら・う【忌み嫌う】（―きらふ）《他五》〔ひどく〕にくみきらう。いやがる。「ヘビを―・う」

いみ・ことば【忌（み）▽詞・忌み言葉】宗教上の理由から、また、特殊な社会で不吉な意味に通じるとして用いられないことば。また、そのかわりに用いることば。商家で「すり鉢」を「あたり鉢」と言う類。

いみじく・も《副》〔文〕非常にうまく。まことによく。適切にも。「―名づけたものだ」

イミテーション❶まね。模倣。模造。❷模倣したもの。模造品。にせもの。「―の真珠」▽imitation

いみ・な【×諱】〔「忌み名」の意〕❶ある人の死後、その人をたっとんでつけた称号。おくりな。❷死んだ人の生前の名まえ。

い・みょう【異名】❶本名または本来のよび方とは別のよび方。別名。一名。類語 異称。❷〔特に〕あだな。「切られの与三と―をとり」＝異名（いめい）。

い・みん【移民】《名・自サ》〔労働して生計をたてる目的で〕他国へ移り住む・こと（人）。「集団―」

＊**い・む【医務】**人々の健康を管理するための仕事。

＊**い・む【忌む】**《他五》❶〔不吉なこと、けがらわしいこととして〕きらいさける。「―・むべき風習」❷にくみきらう。「うそを―・む」文《四》。

＊**い・めい【依命】**〔官庁で〕命令によること。「―通達」

＊**い・めい【異名】**→いみょう。

＊**い・めい【遺命】**《名・他サ》死ぬときにいいつけること。また、その命令。「父の―により家をつぐ」

イメージ〔心の中に思いうかべる〕像。すがた。かたち。心象（しんしょう）。おもかげ。イマージュ。「具体的な―が浮かばない」▽image **―アップ**《名・自他サ》見かけなどをよくして、印象・が高まる（を高める）こと。対イメージダウン。▽image と up からの和製語。**―ダウン**《名・自サ》印象が悪くなること。対イメージアップ。▽image と down からの和製語。**―チェンジ**《名・自他サ》見かけなどがすっかり変わること。また、変えること。イメチェン。「髪型を変えて―する」▽image と change（＝変える）からの和製語。

＊**いも【▽妹】**〔古〕❶男が女を親しんでよんだことば。特に、妻や恋人。対兄（せ）。❷いもうと。

＊**いも【芋・×藷・×薯】**❶植物の地下茎や根がでんぷんなどを蓄えて大きくなったもの。❷サツマイモ・サトイモ・ジャガイモ・ヤマノイモなどの総称。❸〔俗〕とるに足りない・こと（人）や、やぼったい・こと（人）をあざけって言う語。〔多く接頭語的に使う〕「―侍（ざむらい）」**―の煮えたもご存じな・い**《句》世間知らずで、ぼんやりしている者をあざけっていうことば。**―を洗うよう**《句》せまい場所に大勢の人が集まり、こみあっているようす。「プールは―だ」

日本語

忌（い）み詞（ことば）

縁起が悪い、不吉であるなどの理由で使うのを避ける言葉や、その語の代わりに使う言葉を忌み詞という。婚礼では「去る」「帰る」などの言葉を嫌い、結婚式を終えることを、あえて「お開きにする」というなどの類である。

正月の一一日に神仏に供えてあった鏡餅（かがみもち）をおろし、ちいさく割って雑煮や汁粉に入れて食べる風習がある。理屈から言えば「鏡割り」なのだが、「割る」を忌んで「鏡開き」という。祝い事の席では、酒樽の鏡（ふた）を抜くことも「鏡を開く」と言わなくてはならない。

商家などでは「する」という語を避けて、「すり鉢」を「あたり鉢」、「するめ」を「あたりめ」と呼び、音が「なし」に通じるのを嫌って、「梨（なし）の実」を「ありのみ」という。人に縁起を担ぐ性（さが）がある限り、忌み詞はいつまでも生き残るに違いない。

いもうと【妹】〔「妹人（いもひと）」の転〕❶きょうだいのうち年下の女性。参考 古くは男からみての女きょうだいの意で、年下のものとは限らなかった。尊敬 令妹。謙譲 愚妹。❷配偶者のきょうだいで、配偶者より年下の女性。義妹。❸弟の妻。義妹。表記 ②③は、ふつう「義妹」と書く。対①～③姉。⇩〔類語と表現「兄弟・姉妹」〕**―むこ【―婿・―×聟】**妹の夫。対姉婿（あねむこ）。

いも・がしら【芋頭】サトイモの塊茎。おやいも。

いも・がゆ【芋×粥・×藷×粥】❶ヤマノイモに甘葛（あまづら）の汁をまぜてたいた甘いかゆ。❷サツマイモ入りのかゆ。

いも・がら【芋▽幹・芋▽茎】サトイモの葉柄（ようへい）。また、それを乾燥させたもの。食用にする。ずいき。

いも・ざし【芋刺し】サトイモを竹のくしでさすように、人を槍（やり）でさし通して殺すこと。類語 串刺し。

いも・せ【▽妹背】〔文〕❶男と女。❷夫婦。「―のちぎりを結ぶ」❸兄と妹。また、姉と弟。参考「いも」は女性を、「せ」は男性を親しんで呼んだことば。

いもち・びょう【▽稲▽熱病】イネの病気の一つ。イモチ病菌の寄生によって発病し、茎や葉に黒色・暗褐色のはん点ができて発育がとまる。湿気の多い年に多く発生し、大きな被害をもたらす。稲熱病（とうねつびょう）。

いもづる・しき【芋×蔓式】〔イモのつるをたぐると、つながって多くのイモが出てくるように〕ある一つのことから、それに関係した多くのものがつぎつぎに現れること。「容疑者を―に検挙する」

い・もの【鋳物】〔鉄・青銅・鉛などの〕とかした金属を型に流しこんでつくった器物。対打ち物。

いも・むし【芋虫】❶ガ・チョウなどの幼虫で毛のないものの総称。特に、スズメガ科のガの幼虫。❷けぎらいされている人。〔ののしって言う〕「あの―め」

いも・めいげつ【芋名月】陰暦八月一五日の月。中秋の名月。参考 新しくとれたサトイモを月にそなえることから。→栗名月（くりめいげつ）。

い‐もり【井守・×蠑×螈】〔ゐ〕イモリ科の両生類。池・沼・川などの水中にすむ。日本固有の動物。形はヤモリに似て、背は黒く、腹は赤い。あかはら。

い‐もん【慰問】《名・他サ》〔不幸な人や苦労している人などを〕見舞いなぐさめること。「―品」「―袋」

＊**いや【×弥】**《副》〔文〕いよいよ。ますます。

＊**いや**《感》驚き・感動などを表す語。やあ。ああ。

＊**いや【▽否】**《感》相手のことばに対して、打ち消し・不承知などを表す語。また、自分のことばを途中で打ち消して言い直すときに発する語。いいえ。

―でも応でも《句》不承知でも承知でも。どうでもこうでも。「―この話は進めるつもりだ」注意「嫌でも応でも」は誤り。

―も応もなく《句》承知・不承知に関係なく。有無を言わせず。否応(いやおう)無しに。

＊**いや【嫌・×厭】**《形動》❶欲しないようす。好ましくないようす。「―な奴(やつ)」❷不愉快である。「―な音」

―と言うほど《句》❶それ以上いらないというくらい。あきるほど。「魚を―食べた」❷非常によく。ひどく。「親の気持ちが―わかった」「向こうずねを―ぶつける」

＊**いや‐いや【嫌嫌・×厭×厭】**㊀《副》気に入らないが、仕方なく。しぶしぶ。「原稿を―引きうける」㊁《名》〔幼児が〕「いやだ」という意味で頭を横にふること。

＊**いや‐いや【▽否▽否】**《感》強い否定を表す語。いいえいいえ。いえいえ。「―それはうそだ」

いや‐おう【▽否応】承知しないことと承知すること。諾否(だくひ)。類語 有無(うむ)。是非(ぜひ)。

―なし‐に【―無しに】《副》承知・不承知にかかわらず。有無(うむ)を言わせず。「―その場から連れ戻した」

いやがうえ‐に【×弥が上に】〔―うへ―〕《連語》(「―も」の形も)〔そうであるのに〕なおその上。ますます。一層。〔副詞的に使う〕「彼が加わって座は―盛り上がった」

いや‐がらせ【嫌がらせ】人のいやがることをわざとして困らせること。また、その言動。

いや‐が・る【嫌がる】《他五》いやだという態度をとる。きらう。「人の―ることはするな」文《四》。

いや‐き【嫌気】→いやけ。

＊**い‐やく【意訳】**《名・他サ》原文の一語一語にこだわらず、全体の意味・文章のニュアンスなどをくみとって翻訳すること。対直訳。逐語訳。

＊**い‐やく【違約】**《名・自サ》約束に反すること。「―金」

＊**い‐やく【医薬】**❶医術と薬剤。また、医師と薬剤師。「―分業」❷病気の治療に使う薬品。「―品」

いや‐け【嫌気】〔あきるなどして〕いやだと感じる気持ち。嫌気(いやき)。「―がさす(=いやになる)」

いや‐さか【×弥▽栄】〔文〕いよいよさかえること。「ご両家の―を祈る」

いやし【▽癒し】悩み・苦しみ・緊張などをやわらげ、なおすこと(もの)。ヒーリング。「心の―を求める」

いやし・い【卑しい・×賤しい】《形》❶身分・地位が低い。類語 卑賤(ひせん)。下賤(げせん)。❷貧しくて、みすぼらしい。「―い服装」❸下品である。下劣である。「―い根性」類語 野卑(やひ)。粗野(そや)。❹〔食べ物・金銭などに対する〕欲望がむきだしである。さもしい。「彼は金のことになると―い」文いや・し《シク》。

いやしく‐も【×苟も】《副》〔文〕❶かりそめにも。かりにも。「―一流企業の社員ともあろう者が…」❷〈「―せず」「―しない」の形で〉いいかげんにしない。そまつにしない。「一点一画―しない」

いやし・める【卑しめる・×賤しめる】《他下一》〔いやしいとして〕軽べつする。見くだす。さげすむ。「貧しい家だと―めるな」文いやし・む《下二》。

いやしん‐ぼう【卑しん坊】〔俗〕食い意地のはっている人。なんでもたべたがる人。くいしんぼう。

いや・す【▽癒す・▽医す】《他五》〔病気・飢餓・悩み・苦しみなどを〕なおす。「心の傷を―す」文《四》。

いや‐ち【▽忌地・×厭地】同じ土地に同じ作物や近縁の作物を続けて栽培したために、収穫が減ったり皆無になったりすること。いやじ。

いや‐に《副》❶〔ふつうとちがって〕妙に。変に。「―そわそわしている」❷ひどく。非常に。「今日は―蒸す」

いや‐はや《感》驚いたとき、あきれたときなどに言うことば。いやもう。「―彼のだらしなさにはあきれかえる」

イヤ‐ホン 音声電流を音に変える装置で、直接耳にさしこんで用いるもの。イヤホーン。イアホン。類語 ヘッドホン。レシーバー。▽earphone

いや‐まさ・る【×弥増さる】《自五》〔文〕ますますふえる。いよいよ激しくなる。「―る胸の思い」

いや‐ま・す【×弥増す】《自五》〔文〕どんどん増す。どんどんふえる。「さびしさは―すばかりだ」

いや‐み【嫌味・×厭味】❶《名・形動》相手に不愉快な気持ちを起こさせること(態度)。「―な人」❷あてつけのことば。いやがらせ。皮肉。「―を言う」

いやらし・い【嫌らしい・×厭らしい】《形》❶不調和(不自然)で、不快な感じがする。「へらへらとした―い奴(やつ)だ」❷みだらな感じがして不愉快だ。いやみだ。「―い目つきをする」文いやら・し《シク》。

イヤ‐リング〔アクセサリーとしてつける〕耳輪。耳飾り。イアリング。▽earring

い‐ゆう【×畏友】〔文〕❶自分が尊敬している友人。❷自分の友人を尊敬していうことば。「―大西君」

いよ【×伊予】旧国名の一つ。今の愛媛(えひめ)県。予州。

いよ‐いよ【×愈・×弥】㊀《副》❶それまでよりも、より一層。ますます。「風は―激しくなる」❷予定していたことがついに起こるようす。とうとう。「―別れの時が来た」❸確かさが決定的になるようす。たしかに。きっと。「これで―まちがいない」㊁《名》最悪の状態がくるとき。「―となったら助け船を出す」表記㊀㊁とも「愈々」「弥々」とも書く。

＊**い‐よう【偉容】**〔文〕〔大きくて〕りっぱな姿。堂々とした姿。「―を誇る超高層ビル」

＊**い‐よう【威容】**〔文〕他を威圧するようないかめしい姿・ようす。「雪を頂いた富士の―」

＊**い‐よう【移用】**《名・他サ》〔文〕歳出予算や継続費に定められた経費を、必要に応じて各部局間や同一部局内の各項間で相互に融通し、融通をうけた部局や項の経費とすること。「予算の―」類語 流用。

＊**い‐よう【異様】**《形動》ふつうと変わっているようす。ふうがわりなようす。「―な風体の男」

い‐よく【意欲・意×慾】ある物事をしよう(したい)という積極的な気持ち。「―を燃やす」「―的な人」

＊**い‐らい【依頼】**❶《名・他サ》あることをしてもらうように人にたのむこと。「調査を―する」❷《名・自サ》他人をあてにすること。たよること。「―心」

＊**い‐らい【以来】**その時から今まで。「結婚―ここに住んでいる」類語 爾来(じらい)。

いら‐いら【×苛×苛】㊀《副・自サ》《副詞は「―と」の

形も》❶思い通りにならずあせって落ちつかないようす。じりじり。「返事がないので—する」❷小さなとげなどが皮膚にさわって不快なようす。「のどが—する」■二《名》気が落ちつかず、神経が過敏になっている状態。「—が直る」

いら・う【×弄う】《他五》〔関西地方の方言〕さわる。いじる。もてあそぶ。文《四》

いらえ【▽応え・▽答え】〔文〕返事。こたえ。

いらか【×甍】〔雅〕屋根がわら。特に、棟瓦。また、かわらぶきの屋根。「—の波」「—を争う（＝家が数多くびっしりと立ち並んでいるようすの形容）」

いら・くさ【▽刺草・×蕁▽麻】イラクサ科の多年草。夏から秋に緑白色の小花を開く。茎と葉に細かいとげがあり、蟻酸を含んでいるのでふれると痛みを感じる。茎の繊維は糸・織物の材料。いたいたぐさ。

イラスト「イラストレーション」の略。

イラストレーション 書籍・雑誌・広告などの、さし絵・説明図など。イラスト。▽illustration（＝図解）

イラストレーター さし絵・広告の図案などを描く人。▽illustrator

いら・せ・ら・れる《自下一》「いらっしゃる」をさらにうやまっていう言い方。「おすこやかに—・れる」

いらだた・し・い【×苛立たしい】《形》〔思いどおりにならなくて〕いらいらする感じだ。「—・い思い」

いら・だ・つ【×苛立つ】《自五》思い通りにならず心があせる。いらいらする。いらつく。類語 せく。やきもきする。

いら・つ・く【×苛つく】《自五》いらだつ。

いらっしゃい ■一《自五》《「いらっしゃる」の命令形》おいでなさい。〔補助動詞的にも使う〕「今度は家に—」「遊びに—」「食事をすませて—」■二《感》《「いらっしゃいました」の略》人が来たときに迎えていう、あいさつのことば。ようこそ。よくおいでなさいました。「やあ、—、お待ちしていました」

いらっしゃ・る ■一《自五》《「いらせらる」の転》「居る」「来る」「行く」の尊敬語。「お客様が—・る」「先生が東京へ—・る」■二《補動》❶《動詞・形容詞の連用形＋「て（で）」について》「ている」の尊敬語。「お美しくて—・る」「遊んで—・る」❷《形容動詞連用形（「…で」）、または状態性・動作性の名詞＋「で」について》「である」の尊敬語。「お元気で—・る」「お友達で—・る」

いり【入り】❶はいること。〔ふつう、他の語の下につけて使う〕「金文字—の洋書」❷収入。みいり。「—が多く大喜びだ」対 出で。❸費用。入費。かかり。「—がかさむ」❹ある物の中に人や物が・入る（入っている）こと。また、その数量。「一〇—」「客の—が悪い」❺太陽や月が沈むこと。対 出で。❻〔彼岸・寒・土用など〕ある時期の始まる最初の日。「寒の—」

*__いり・あい__【入会】ある地域の住民が、一定の山林・原野・漁場にはいり、共同でそれを使用し利益を得ること。「—漁業」「—地」

*__いり・あい__【入相】〔雅〕❶日がくれるころ。日没。夕暮れ。❷「入りあいの鐘」の略。夕方、寺でつく鐘（の音）。晩鐘。

いり・うみ【入（り）海】〔内海・湾などのように〕海が陸地にはいりこんだ所。類語 入り江。

いり・え【入（り）江】湖や海が陸地にはいりこんだ所。類語 入り海。

いり・がた【入（り）方】太陽や月が沈もうとするころ。いりかた。「日の—の空」

いり・ぐち【入（り）口】❶中へはいって行く所。はいりぐち。対 出口。❷物事の始まり。始め。

いり・く・む【入り組む】《自五》物事が複雑になる。こみいる。「話が—・んでいてややこしい」

*__いり・こ__【▽海▽参・×熬▽海×鼠】ナマコの内臓を除き、ゆでて乾燥した物。中華料理の材料。ほしこ。

*__いり・こ__【×炒り子・×熬り子】〔主に関西以西で〕小さなイワシの煮干し。いりぼし。

*__いり・こ__【×炒り粉・×熬り粉】❶いった、米の粉。❷むぎこがし。参考 ①②とも菓子の材料。

いり・こ・む【入り込む】《自五》❶おしわけてはいる。❷〔わからないように〕もぐりこむ。「敵地に—・む」❸複雑にいりまじる。入り組む。「—・んだ事情がある」

イリジウム 金属元素の一つ。銀白色で、かたく、もろく、酸に強い。白金との合金は、化学器材・万年筆のペン先などに使う。元素記号 Ir。▽iridium

いり・しお【入り潮】❶引きしお。干潮。対 出潮。❷満ちて入ってくるしお。みちしお。

いり・つ・ける【×炒り付ける・×煎り付ける】《他下一》火にかけて、水けのなくなるまでよくいる。

いり・ひ【入（り）日】沈もうとする太陽（の光）。夕日。落日。

いり・びた・る【入り浸る】《自五》❶水中にずっとつかっている。❷〔遊びなどで〕よその家・場所に居続けて自分の家へ帰らないでいる。「雀荘に—・る」

いり・ふね【入（り）船】港に入ってくる船。対 出船。

いり・まじ・る【入り交じる・入り混じる】《自五》〔多くの〕異なったものがたがいにまじる。また、あるものの中にはいってまじり合う。「期待と不安の—・った複雑な気持ち」表記「入り雑じる」とも書く。

いり・まめ【×炒（り）豆・×煎（り）豆】いった豆。特に、大豆。

—に花が咲・く《句》ありえないことがおこることのたとえ。「いりまめに花」とも。類語 枯れ木に花が咲く。

いり・みだ・れる【入り乱れる】《自下一》多くのものがごちゃごちゃにまじりあう。「両軍—・れて戦う」

いり・むこ【入（り）婿・入（り）×聟】よその家の籍にはいってその家の娘の婿となる・こと（人）。むこ養子。

いり・もや【入▽母屋】日本建築の屋根の形式で、上の方は切妻造りにし、下の方は寄棟造りにして四方へ傾斜させたもの。

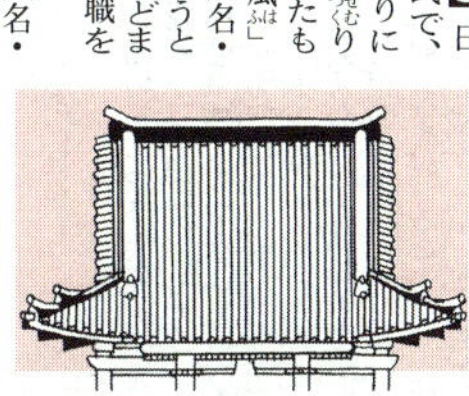
入母屋

*__い・りゅう__【慰留】《名・他サ》〔文〕役職を退こうとする人をなだめて思いとどまらすこと。「—造り」「—破風」「部下の退職を—する」

*__い・りゅう__【遺留】《名・他サ》〔文〕❶〔品物を〕おき忘れること。「—品」❷死後に残しておくこと。「—分（＝一定の相続人のために法律上確保された、遺産の一定の割合額）」

イリュージョン ❶幻影。幻想。錯覚。❷大がかりな演出で見せる奇術。▽illusion

いり・よう【入り用】❶《名・形動》〔金・品物などが〕

必要なこと。入用（にゅうよう）。「急にまとまった金が—になる」❷必要な費用。入費。

*い・りょう【衣料】着るもの、または、その材料の総称。「—品」

*い・りょう【衣糧】衣服と食糧。

*い・りょう【医療】〔医術によって〕病気を治療すること。「—施設」

*い・りょく【偉力】非常にすぐれた効果を上げる力。「コンピューターの—を発揮する」

*い・りょく【威力】他を圧倒して服従させる強い力。「将軍の—を示す」

*い・りょく【意力】意志の力。精神力。「—に欠ける」

*い・る【入る】㊀《自五》「はいる」のやや古風な言い方。参考 今日では、ふつう単独には「はいる」が使われ、「いる」は慣用的な言いまわしの中で使われることが多い。㋐〔外から〕中に行く。「大河は海に—る」「悦（えつ）に—る」「佳境に—る」「気に—る」㋑物のかげにかくれる。〔太陽・月が〕沈む。「山の端（は）に日が—る」㋒身をおく。「政界に—る」㋓ある状態になる。「ひびが—る」「実が—る（=熟する）」文《四》。㊁《接尾》❶その動作・状態の程度がはなはだしい意を表す。深く…する。「念じ—る」「驚き—る」❷すっかり…する。ほとんど…する。「寝—る」「消え—る」文《四》。⇩〔使い分け〕

*い・る【要る】《自五》ないと不都合である。必要である。「金が—る」「—らぬ（=よけいな）お世話」表記「入る」と書くこともある。類語 要する。入り用。入用（にゅうよう）。必需（ひつじゅ）。必須（ひっす）。所要。不可欠。有用。要用。文《四》。⇩〔使い分け〕

使い分け 「いる・いれる」

入る〔外から内にはいる意で、多くは慣用的な言い回しや接尾語として使う〕痛み入る・有卦（うけ）に入る・悦に入る・感に入る・興（きょう）に入る・手に入る・堂に入る・見入る

要る〔必要とする〕資金が要る・許可が要る・保証人が要る

入れる〔▽容〕〔外から内に移す。さしはさむ。容認する〕耳に入れる・大学に入れる・食費を入れる・文章に手を入れる・入（容）れ物・くちばしを入（容）れる・人を入（容）れる度量・忠告を入（容）れる・相入（容）れない

参考「品物を入れる・会費を入れる」など「納入」の意では、「▽納れる」とも書き、「茶を入れる」は「×淹れる」とも書く。「容」は器に物を受ける、包み入れるの意から、介入・容認の意味に使われる。今では、一般に「入」で書くことができる。

*い・る【×炒る・×煎る・×熬る】《他五》火にかけて〔かきまぜながら〕水分がなくなるまで熱する。また、水分のないものを火であぶりこがす。「ゴマを—る」類語 炒（い）める。焙（ほう）じる。焙煎（ばいせん）（する）。文《四》。

*いる【居る】（ゐる）㊀《自上一》❶〔人や動物が〕その場所に存在する。その状態にある。また、持続的にとどまる。「山の中に人が居る」「ネコが居る」「木のてっぺんに鳥が居る」参考 運転手が乗っている自動車のようなものは、物でも「居る」を使う。「タクシーが居る」尊敬 いらっしゃる。お出（い）でになる。御座（ござ）る。出（い）で座（ま）す。御座（おわ）す。御座（おわ）します。❷〔古〕すわる。文《上一》。参考「居ても立っても居られない」の形で残る。㊁《補動》❶動作や作用の継続・進行を表す。「子どもを遊ばせている」「虫が鳴いている」❷ある動作のくりかえし、またはいくつかの出来事の集合を表す。「毎日泣いている」「毎日、何人かの赤ちゃんが生まれていることでしょう」❸動作・作用の結果の、存続あるいは状態を表す。「よごれが手についている」「腹がへっている」❹過去に行われた動作・経験などを表す。「かねて聞いていた店」「この本は前に読んでいる」❺ある状態にあることを表す。「鼻の先が赤くなっている」参考「ている」「ていた」は、話しことばでは、しばしば「てる」「てます」「てた」の形になる。「今言ってるところは…」「お待ちしてました」「そんなこと話してたのか」文《上一》。

居ても立っても居られない《句》心がいらだってじっとしていられない。

*いる【射る】《他上一》❶弓につがえて、矢をはなつ。❷〔矢や弾丸を〕目標にあてる。「的を射る」❸〔光が〕するどくあたる。「眼光人を射る」文《上一》。

*いる【鋳る】《他上一》金属をとかし、型に流しこんで器物をつくる。文《上一》。

*い・るい【異類】❶種類のちがう・こと（もの）。❷人類以外のもの。鬼神・鳥獣など。「—の身となる」

*い・るい【衣類】着るもの。衣服。

*いるか【▽海▽豚】イルカ科の哺乳（ほにゅう）動物。口がとがり、歯は多数あって、魚などを食べる。日本近海にも多く、ふつう群れをなしてすむ。

い・るす【居留守】（ゐ）家にいるのに外出しているふうによそおうこと。「—を使う」

イルミネーション たくさんの電球やネオンなどの光で、建物などをかざること。電飾。▽illumination

いれ・あ・げる【入れ揚げる】《自他下一》〔情人・好きなもののために〕多くの金銭をつぎこむ。また、そのために金銭を使い果たす。「女に—げる」

*い・れい【威令】❶威力のある命令。「社長の—がいきわたる」❷威光と命令。

*い・れい【慰霊】死んだものの魂を慰めること。「—碑」

*い・れい【異例】いつもの例とちがうこと。他に例がないこと。違例。「—の抜擢（ばってき）」

*い・れい【違令】法令や命令にそむくこと。

*い・れい【違例】❶異例。❷〔文〕からだのぐあいがいつもとちがうこと。病気。類語 不例（=貴人の病気）。

いれ・か・える【入れ替える・入れ換える】（—かへる）《他下一》❶それまで入っていたものを出して他のものを入れる。「客を—える」「心を—える（=心を改める）」❷容器・場所をかえて入れる。「なべの中身を皿に—える」

いれ・がみ【入れ髪】→入れ毛。

いれ・かわり【入れ代（わ）り・入れ替（わ）り】（—かはり）いれかわること。交替すること。いりかわり。表記「入れ換（わ）り」とも書く。**—たちかわり**【—立ち代（わ）り・—立ち替（わ）り】（—かはり）《副》多くの人がつぎつぎと入れかわって現れるようす。「—訪れる」

いれ・かわ・る【入れ代わる・入れ替わる】（—かはる）《自五》それまであったものにかわって他のものがはいる。交替する。いりかわる。「荷物の中身が—る」

イレギュラー《形動》不規則であるようす。変則的。「—バウンド」対 レギュラー。▽irregular

いれ・げ【入れ毛】髪を結う時に、自分の髪のほかに、別の髪を足し入れること。また、その髪。そえ髪。入れ

い

髪。

いれ-こ【入れ子・入(れ)×籠】 ❶小さなものを、大きなものの中に順に重ねて入れるようにした、同じ形の箱・器。❷自分の子が死んだあと、他人の子を養子にすること。また、その養子。

いれ-こみ【入(れ)込み】 ❶〔男女・貴賤などの区別なく〕多くの人をいっしょに入れること（場所）。いれごみ。❷夢中になる・こと（気持ち）。「競馬に対する—」

いれ-こ・む【入れ込む】 ㊀《他五》他のものの中へ入れて、そこへおく。「庭に石を—・む」㊁《自五》夢中になる。のぼせあがる。「競馬に—・む」

いれ-ずみ【入(れ)墨・▽文▽身・▽刺▽青】 ❶針や小刀で皮膚をきずつけ、その中へ墨・朱などをさして、文字・絵などをほりつけること。また、その文字や絵。ほりもの。❷江戸時代の刑罰の一つ。罪人の顔・手などに「入れ墨①」をして前科のあるしるしとしたこと。

いれ-ぢえ【入れ知恵】 《名・自サ》人に策略を教えること。また、人から教えられた策略。「変な—をするな」

参考 ふつう、よいことには言わない。

いれ-ちがい【入(れ)違い】 ❶いれまちがうこと。「品物の—」❷一つのものが出て行くと他のものがかわってはいること。「彼とはちょうど—で会えなかった」❸互いちがい。＝いれちがえ。

いれ-ちが・う【入れ違う】 ㊀《他五》まちがって入れる。㊁《自五》一方が出たあとで他方がはいり、たがいに出あわない。かけちがう。類語 ゆきちがう。

いれ-ば【入(れ)歯】 ❶ぬけた歯やぬいた歯のかわりに人工の歯を入れること。また、その歯。義歯。❷たかげたなどの歯を入れること。

いれ-ふだ【入れ札】 入札。投票。〔古風な言い方〕

イレブン 〔チームが一一人で成り立っていることから〕サッカーのチームのメンバー。また、サッカーのチーム。▽eleven

いれ-ぼくろ【入(れ)▽黒▽子】 化粧で、顔に書いたりはりつけたりするほくろ。つけぼくろ。ビューティースポット。

いれ-め【入れ目】 失った眼球のかわりに入れる、人造の眼球。義眼。

いれ-もの【入(れ)物】 物をいれる器。容器。

い・れる【入れる】 《他下一》❶外から中（のほう）に移す。〔ある範囲に〕はいらせる。おさめる。「票を—・れる（＝投票する）」「手に—・れる（＝得る）」「頭に—・れる（＝理解する。おぼえておく）」「彼のうわさを耳に—・れた（＝聞いた）」「このニュースは彼の耳に—・れて（＝彼に話しておかねばならない）」❷収容する。㋐入院させる。入所させる。「刑務所に—・れる」㋑入学させる。㋒やとう。「会社に大卒を—・れる」㋓仲間にする。くわえる。「彼を役員に—・れる」❸ふくめる。「計算に—・れる」「考慮に—・れる」❹さしはさむ。介する。「疑いを—・れる」「人を—・れて交渉する」表記 ④は「容れる」とも書く。❺〔あかり・電気などを〕つける。「灯を—・れる」❻加えて直す。おぎなう。「手を—・れる」❼認めてうけいれる。容認する。許す。ききいれる。したがう。「要求を—・れる」「人を—・れる（＝包容する）雅量がない」表記 ⑦は「容れる」とも書く。❽飲めるようにする。作る。「お茶を—・れる（＝お茶の液を作る）」表記 ⑧は「淹れる」とも書く。❾かける。「電話を—・れる」❿用いる。ついやす。「力を—・れる」⓫〈「身を—・れる」「心を—・れる」の形で〉（物事に）打ち込む。「身を—・れて仕事をしろ」文 い・る《下二》。⇩〔使い分け「いる・いれる」〕

いろ【色】 ❶目に見えるものが持つもっとも普遍的な属性の一つ。赤・青・黄および白・黒を基本とし、その中間の種類が無限にある。色彩。カラー。❷黒・白およびその間色を除いたもの。「—鉛筆」「—刷り」❸人間の肌色。特に、顔色。「—が白い」参考 健康状態や感情の動きを表すものとされる。❹〔その人の感情・意志を表す〕目の光。「目の—をかえる」❺〔思っていることが反射的に表れた〕表情。「喜びの—」❻種類。「—とりどり」「—分け」❼趣。ようす。けはい。「秋の—」「琴の音の—」❽〔美しい〕容姿。いろけ。「—に迷う」❾色情。情事。恋愛。「—を好む」❿〔俗〕恋人。情人。「—ができる」⇩〔類語と表現〕

—の白いは七難隠・す 《句》肌の白い女は顔かたちに多少欠点があってもそれが目立たない。

—を失・う 《句》驚いたりあわてたりして、顔色が青くなる。

—を付・ける 《句》〔物を売るときなど〕おあいそにおまけをつける。

—をな・す 《句》怒って顔色をかえる。憤然とする。

類語と表現

「色」

＊色を塗る［付ける］・色があせる［さめる］・色の白い人・明るい［暗い・派手な・落ち着いた］色／大会に色を添える／驚きの色が見える・憂いの色が濃くなる／色に溺れる。

◆カラー・彩り・色彩・色合い・色相・色調・原色・三原色・間色・中間色・暖色・寒色・明色・暗色・有色・無色・無色透明・有彩色・無彩色・単色・五色・五彩・七色・多彩・迷彩色・極彩色・天然色・千紫万紅

◆[さまざまな色]白・純白・乳白色・蒼白・黒・漆黒・墨色・薄墨色・烏羽色・鉄色・灰色・グレー・灰白色・煤色・鼠色・銀鼠・鈍色・鉛色・土色・土気色・銀色・銅色・赤銅色・蘇芳色・赤・赤色・紅・石竹色・桜色・桃色・ピンク・肉色・薔薇色・鴇色・唐紅・鮮紅・真紅・緋・朱・臙脂・小豆色・茜色・褐色・茶褐色・赤褐色・黄褐色・代赭色・茶色・焦げ茶・葡萄茶・薄茶・栗色・亜麻色・雀色・黄土色・ベージュ・セピア・カーキ色・狐色・樺色・小麦色・錆色・柿色・鳶色・紫・薄紫・若紫・濃紫・青紫・江戸紫・紫紺・暗紫色・藤色・菫色・バイオレット・青・青色・水色・空色・ブルー・コバルト・藍・藍色・紺・茄子紺・紺青・紺碧・群青・縹色・お納戸色・利休色・利休鼠・浅葱・緑・グリーン・薄緑・濃緑・深緑・草色・鶸色・鶯色・オリーブ色・黄緑・萌葱・黄色・金色・黄金色・山吹色・クリーム色・黄蘗色・卵色・鬱金色・飴色・朽ち葉色・橙色・オレンジ色・玉虫色

いろ-あい【色合(い)】 ❶色のぐあい。色の調子。「渋い—の服」❷〔性質や物事の〕ぐあい。傾向。「敗戦の—がこい」

いろ-あげ【色揚げ】 ❶染め物などの、色の染めあがり。「あざやかな—」❷《名・他サ》色のあせた布をもう一度色をかけて染めなおし、美しくすること。

いろ-あ・せる【色×褪せる】 《自下一》❶〔時がたって〕色がさめる。「—・せたカーテン」❷以前の新鮮なようすがなくなる。精彩（精気）をうしなう。「—・せた思い出」

いろ-いろ【色色・▽種▽種】《形動・副》《副詞は「—と」の形も》種類が多いようす。さまざま。あれこれ。「—な種類」「—と気をつかう」⇩〔類語と表現〕

類語と表現

「色色」
*色々な品・色々な形・色々やってみる・色々(と)考える・色々(と)趣向をこらす・色々(と)お世話になりました・色々わけがある・虫の色々。
◆いろんな・数々・諸々(もろもろ)・種々(しゅじゅ)・種々(くさぐさ)・諸種・多種・多様・多彩・各種・各様・各般・万般(ばんぱん)・諸般・百般・百様・凡百(ぼんぴゃく)・区々・千々(ちぢ)・千万(せんばん)・流々(りゅうりゅう)・四方山(よもやま)・取り取り・まちまち・幾通り・種々雑多・多種多様・各人各様・十人十色・バラエティー

*い-ろう【慰労】《名・他サ》苦労や骨折りをいたわり、なぐさめること。労をねぎらうこと。「—会」

*い-ろう【遺漏】必要なことがもれ落ちること。手おち。手ぬかり。「万(ばん)—なきよう」類語 欠漏。脱漏。

いろ-おとこ【色男】(ーをとこ)❶〔女に好かれそうな〕美しい男。美男子。「—金と力はなかりけり」❷ある女が肉体関係をもっている男。情夫。情人。いろ。❸〔俗〕男によびかけることば。「おい、—」対①②色女。

いろ-おんな【色女】(ーをんな)❶〔男に好かれそうな〕美しい女。美女。❷ある男が肉体関係をもっている女。情婦。いろ。対①②色男。

いろ-か【色香】❶色とにおい。❷〔男の心をそそる〕女の美しい容姿。女のいろけ。「女の—に迷う」

いろ-がみ【色紙】〔装飾や幼児の遊びに使う〕いろいろな色に染めてある紙。類語 千代紙。折り紙。

いろ-がわり【色変(わ)り】(ーがはり)《名・自サ》❶色が変わること。色が変わったもの。変色。❷〔基準になるものと〕色がちがうこと。別の色のもの。色ちがい。「—のセーター」❸一風変わっている・こと(もの)。

いろ-きちがい【色気違い・色▽狂い】(ーちがひ)人並みはずれて好色な・こと(人)。

いろ-ぐろ【色黒】《名・形動》肌〔特に顔〕が黒い・こと(人)。対色白。

いろ-け【色気】❶色ぐあい。色あい。❷性的な魅力。「—のない話」❸ふぜい。面白み。あいそう。「—こぼれるような—」❹〔異性に対する〕性的な関心。異性に対する興味。❺〔あることに対する〕意欲・野心・興味。「政治に—を示す」❻おんなっけ。「—抜きの集まり」—づ・く【—付く】《自五》❶果実・花などが色づく。❷性的なことに関心を示すようになる。色づく。

いろ-けし【色消し】❶《名・形動》〔あることに対する〕興味・趣・おもしろみなどをうしなわせること。つや消し。不粋。やぼ。「美人でもあのことばづかいでは—だ」❷レンズの色収差(いろしゅうさ)をなくすこと。「—レンズ」

いろ-こい【色恋】(ーこひ)男女間の恋愛・色情。「—沙汰(ざた)」

いろ-ごと【色事】❶〔肉体関係をもつ〕恋愛。情事。❷〔接吻(せっぷん)や抱擁(ほうよう)など〕芝居で行う、男女のなまめかしい演技。ぬれごと。「—師」「—を演じる」

いろ-ごのみ【色好み】異性に対する情欲が強い・こと(人)。好色。〔ふつう、男性についていう〕

いろ-ざと【色里】遊女屋や芸者屋が集まっている町。色町。花街(はなまち)。遊里。花柳街。

いろ-じかけ【色仕掛け】〔ある目的を達するために〕色情を利用すること。「—で取引を承知させる」

いろ-しゅうさ【色収差】レンズを通して物体の像を結ばせるとき、物体から出る個々の光の色は波長や屈折率がちがうため、像がぼけたり、像のふちが色づいてみえたりする現象。

いろ-じろ【色白】《名・形動》肌〔特に顔〕が白い・こと(人)。対色黒。

いろ-ずり【色刷(り)・色×摺(り)】黒だけでなく他の多くの色を使って印刷すること。また、その印刷物。

いろ-ちがい【色違い】(ーちがひ)↓色変わり②。

いろ-づ・く【色付く】《自五》❶草木の葉に色がつく。紅葉する。また、草木の実に色がつく。熟した色になる。❷色気がでてくる。色気づく。

いろ-っ-ぽ・い【色っぽい】《形》〔情欲をそそるような〕色気がある。なまめかしい。「—・い着物姿」

いろ-つや【色×艶】❶色と光沢。❷〔健康そうな〕肌や顔のつや。❸性的な魅力。色気。「まだ—が衰えぬ」❹おもしろさ。興趣(きょうしゅ)。「話に—をつける」

いろ-どり【彩り・色取り】❶《名・他サ》いろどること。彩色。着色。❷色の(ついた)ぐあい。配色。「ポスターの—がよい」❸面白みや華やかさをつけ加えて、変化をつけること。うるおい。「—を添える」

いろ-ど・る【彩る・色取る】《他五》❶(美しい)色をぬる。色をつける。彩色する。❷化粧する。❸〔美しい色をとり合わせて〕変化をつける。飾る。「会場をさまざまな花で—・る」「昭和を—・る事件簿」

いろ-なおし【色直し】(ーなほし)《名・自サ》❶結婚式のあとで、花嫁が式服から他の服に着替えること。お色直し。❷着物などをそめなおすこと。

イロニー↓アイロニー。▽(フランス) ironie (ドイツ) Ironie

い・ろ・は ❶かな文字の総称。いろは歌の四七文字に「ん」または「京」を加えたもの。〔順序を表す符号にも使う〕「—順」❷〔昔、いろは歌を勉強の最初に使ったことから〕物事の初歩。習いはじめ。「野球を—から教える」—うた【—歌】四七文字のひらがなを一回ずつ使って作った、七五調の歌。涅槃経(ねはんぎょう)の一節を和訳したもの。これを手習いの手本とした。手習い歌。—がるた【—歌留多】いろはの各文字および「京」から始まることわざをかいた字札四八枚と、その内容を絵に表した絵札四八枚とでできたかるた。

いろ-まち【色町・色街】いろざと。

いろ-め【色目】❶〔布地・紙などの〕色あい。色ぐあい。❷相手に関心があるような、なまめかしい目つき。ながし目。秋波(しゅうは)。「男に—を使う」❸〔利益を得ようとして〕相手に関心があるように見せる目つき・態度。「許可してもらうため、担当の役人に—を使う」

いろ-めがね【色〈眼鏡〉】❶レンズに色がついているめがね。❷かたよった考え。偏見。「—で見る」

いろめき-た・つ【色めき立つ】《自五》興奮や緊張で落ち着かなくなる。「大事件で、警察は—・った」

いろ-め・く【色めく】《自五》❶はなやかな色がでてくる。色づく。❷興奮して落ち着かなくなる。活気づく。動揺する。「議長の重大な発言に会場は—・いた」❸いろっぽくなる。なまめかしくなる。

いろ-もの【色物】❶〔白・黒以外の〕色のついた紙・織物。❷〔寄席(よせ)で、講談や落語に対して〕声色(こわいろ)・音曲・手品・踊り・漫才・漫談など、感じのやわらかい芸。

い

❸落語の中の人情ばなし。

いろ‐もよう【色模様】❶美しい模様。❷歌舞伎で、情事の情景・しぐさ。

いろ‐やけ【色焼(け)】顔・体が日に焼けて茶色になること。また、衣服などが日に焼けて変色すること。

いろ‐よい【色▽好い】《連体》〔こちらが望んだとおりで〕好都合な。好ましい。「―返事を待つ」

いろり【囲炉裏】床の一部を四角に切り、灰を敷いて火をたくようにした所。炉。

いろ‐わけ【色分け】《名・他サ》❶〔図面などに〕色をぬって区別すること。❷種類別にわけること。分類。「賛成派と反対派に―する」類語 区分。類別。

い‐ろん【異論】他人とちがった意見。また、反対の意見。「―を唱える」類語 反論。異議。異存。⇩〔類義語の使い分け「異議」〕

いろん‐な【色んな】《連体》〔俗〕いろいろな。さまざまな。「―できごと」表記 かなで書くことが多い。

＊**いわ**【岩・×巌・×磐】❶地球の地殻を形づくっている堅い物質。❷地上に現れている大きな鉱物。参考 石は小さく、ころがっているものをいい、岩は大きく、たやすくは動かないものをいう。類語 岩根。巌。岩石。岩盤。岩礁。

＊**い‐わ**【違和】❶体や、心の調和がとれなくなること。❷他のものと調和がとれないこと。ちぐはぐになること。「―感」注意「異和」は誤り。

いわい【祝(い)】❶祝うこと。祝賀。慶祝。「結婚の―」類語 祝宴。祝典。奉祝。❷祝って贈る品物・ことば。「―をのべる」

いわい‐ざけ【祝(い)酒】めでたい時にそれを祝って飲む酒。

いわい‐ばし【祝(い)×箸】柳の木で作り、両端を細くした丸いはし。祝儀のぜんに用いる。

いわ‐う【祝う】《他五》❶めでたいことを喜ぶ気持ちを〔形式をふんで〕行動で表す。「新年を―う」類語 ことほぐ。賀する。❷〔人の〕しあわせを祈る。祝福する。「前途を―う」文《四》。

いわ‐お【×巌】〔文〕大きな岩。

いわ‐かべ【岩壁】壁のように切り立った岩の腹。岩壁。類語 氷壁。

＊**いわ‐き**【岩木】岩と木。また、人間味のないもののたとえ。木石。

＊**いわき**【×磐▽城】旧国名の一つ。今の福島県の東部と宮城県の南部。磐州。

いわ‐く【×曰く】〔「言ふ」＋接尾語「く」〕❶〔文〕《副詞的に用いて》言うことには。「孔子―」「作者―」❷〔外からはわからない〕こみいったわけ。いわれ。「―のありそうな二人連れ」類語 のたまわく。

―**言い難し**《句》複雑な事情があって、なんともことばでは言い表しようがない。〈孟子・公孫丑〉

いわく‐いんねん【×曰く因縁】複雑な事情。こみいったわけ。「―のある取引」

いわく‐つき【×曰く付き】こみいった(やっかいな)事情や、よくない評判をもつ・こと(もの)。「―の男」

いわけ‐な・い【▽稚ない】《形》〔文〕おさない。こどもっぽい。あどけない。

いわし【×鰯・×鰮】❶カタクチイワシ・ウルメイワシ・マイワシなど、イワシ類の総称。常に海面近くを群れをなして泳ぐ。食用・飼料用。❷「まいわし」のこと。❸切れない刀。鈍刀。「赤―」

―**で精進落ち**《句》〔イワシのようなつまらない魚を食べてせっかくの精進をむだにする意で〕ちょっとしたつまらないことで禁戒を破ることのたとえ。

―**の頭も信心から**《句》〔イワシの頭のような〕つまらない物でも、信心の対象となればありがたく思われるというたとえ。「鰯の頭も信心から」とも。

いわし‐ぐも【×鰯雲】「巻積雲」の通称。白く小さい雲がうろこのようにひろがる。うろこ雲。さば雲。

いわ‐しみず【▽石〈清水〉・岩〈清水〉】岩の間からわく、つめたく、きれいな水。

いわしろ【岩代】旧国名の一つ。今の福島県の西部。

いわず‐かたらず【言わず語らず】《連語》〔文〕ことばに出して言わないで。暗黙のうちに。「―の胸のうち」

いわず‐と‐しれた【言わずと知れた】《連語》言わなくても十分わかる。「この辺りでは―美人」

いわず‐もがな【言わずもがな】《連語》〔「いわず」＋願望の終助詞「もが」＋感動の終助詞「な」〕〔文〕❶言わないほうがよい。「―の失言」❷言う必要がない。「―の弁明」❸言うまでもなく。もちろん。「大人は―、子供までも希望した」

いわた‐おび【岩田帯】胎児の保護のため、妊婦が妊娠五か月目から腹部に直接巻く、白無地の細長い布。腹帯。参考→戌の日。

いわ‐だたみ【岩畳】岩が一面に重なり合っている・こと(ところ)。

いわ‐で‐も【言わでも】《連語》〔文〕言わなくてもよいこと。「―のことを言って憎まれる」

いわ‐な【岩▽魚】サケ科の淡水魚。谷川の上流にすむ。マスに似た形で、体長約三〇センチに達する。からだの側面に赤または黄色の斑点がある。美味。

＊**いわ‐ね**【岩根】岩の、土にうずまった部分。

＊**いわ‐ば**【岩場】岩の多い所。特に、岩山で、登山者が岩登りをする場所。

＊**いわ‐ば**【言わば・×謂わば】《副》言ってみれば。たとえて言えば。別のことばで言えば。「海は、―生命の母である」

いわ‐はだ【岩肌・岩▽膚】岩の表面。

いわ‐ぶろ【岩風×呂】湯ぶねの周囲に岩を配して作ったふろ。岩湯。

いわみ【▽石見】旧国名の一つ。今の島根県の西部。石州。

いわ‐むろ【岩室】岩屋①。

いわ‐や【岩屋・×窟】❶岩をくり抜いて作った住居。岩室。❷岩の間にできたほら穴。岩窟。

いわ‐やま【岩山】岩ばかりの山。岩の多い山。

いわ‐ゆる【▽所×謂】《連体》〔「言ふ」の未然形＋上代の受け身の助動詞「ゆ」の連体形〕世に言われている。俗に言う。よく言う。「―草野球」

いわれ【×謂れ】❶わけ。理由。「―ない(＝根拠がない。身におぼえがない)」❷古くから伝えられたことがら。由来。いわく。「―のある建物」

いわん‐ばかり【言わん▽許り】《連語》ことばでは言わないが、明らかにそれとさしているようす。「お手上げだと―に肩をすくめる」

いわん‐や【▽況(ん)や】《副》〔「言ふ」の未然形＋推量の助動詞「む」の連体形＋助詞「や」〕〔文〕〈「―…

をや」の形で〉まして（なおさら）…は言うまでもない。「善人なをもて往生をとぐ、ー悪人をや〈歎異抄〉」

***いん【印】**❶文書の責任などを明らかにするしるし。印影。また、そのしるしを作るためのもの。判。はんこ。印章。印判。印形。印鑑。「社長のーをもらう」[参考]「一顆…」と数える。❷仏や菩薩の悟りや誓願を表すしるしとして、手の指をいろいろに組み合わせた形。印相。「ーを結ぶ」❸「印度」の略。「日ー通商」[参考]③は、ふつう単独では使わない。

***いん【員】**㊀《名》〔文〕員数。「ーに備わるのみ（＝一員として加わっているが何の役にも立たぬ）」㊁《接尾》…の係。…の役。…する人。「警備ー」「調査ー」

***いん【因】**〔文〕物事の（直接の）原因。起こり。「練習不足が敗戦のーをなした」[対]果。

***いん【飲】**〔文〕❶飲みもの。「一瓢（＝一つのヒョウタン）のー」❷酒を飲むこと。「一夜のーを共にする」

***いん【×淫・×婬】**〔文〕❶色欲。情欲。性欲。「ーにふける」❷みだらなこと。❸精液。

***いん【院】**㊀《名》〔文〕❶まわりを垣でかこんだ大きな建物。❷寺院。寺。❸上皇・法皇・女院などの尊称。転じて、上皇・法皇・女院などの居所。「隠岐のー」㊁《接尾》❶寺・学校・役所その他の機関・施設の名につける語。「知恩ー」「大学ー」「人事ー」「美容ー」❷〔仏〕戒名につける語。「長雲ー清澄居士」

***いん【陰】**❶〔易で〕万物のうち・消極的（女性的）、または、暗く冷たい性質を持つと感じられるもの。月・冬・夜・黒・静など。❷物のかげ。かくれて見えない所。裏がわ。「ーに陽に（＝陰になり日なたになり）」[対]①②陽。

ーに籠こも・る《句》外に表れず内にこもる。〔陰気なようすをいう〕「ーった鐘の音」

***いん【韻】**❶漢字音の、頭子音を除いた部分。たとえば、開（kai）の ai。❷詩歌で、句や行の始めまたは終わりの、定まった位置においてくり返す、同じ種類の音。「ーを踏む」

***イン** ❶テニス・バレーボールなどで、球がライン内にあること。セーフ。❷ゴルフで、一八ホールのゴルフコースの後半の九ホール。[対]①②アウト。▽ in

ーコース ❶競走・競馬などで、円形の競技場の内側の走路。❷野球で、ホームプレートの、打者に近いほうを通る球の道。[対]①②アウトコース。▽ in と course からの和製語。

ーゴール ラグビーで、ゴールラインとデッドボールラインの間。ここでボールを地面につけると、トライになる。▽ in-goal

ーサイダー ❶社会や集団の内部にいる人。❷「インサイダー組合」の略。法律上の要件を満たしている労働組合。[対]①②アウトサイダー。▽ insider

ーサイド ❶内側。内部。内面。❷〔野球で〕内角。インコーナー。[対]①②アウトサイド。▽ inside

ーソール 靴の中底・敷き皮。▽ insole

ードア 室内。屋内。「週に一回ーでテニスの練習をする」[対]アウトドア。▽ indoor

ープット《名・他サ》入力装置を使ってコンピューターに情報をいれること。入力。[対]アウトプット。▽ input

いん・い【陰×萎】 男子性器の勃起不能。性交不能。インポテンツ。

***いん・いつ【×淫×佚・×淫逸】**《名・形動》〔文〕❶遊びや楽しみにふけること。❷男女の関係が乱れていること。みだらなこと。「ーに流れる」

***いん・いつ【隠逸】**〔文〕俗世間のわずらわしさから逃れかくれること。「ーの士」[類語]隠遁。

***いん・いん【×殷×殷】**《形動タト》〔文〕❶〔雷・鐘・大砲などの〕音が大きく盛んにとどろくようす。「ーたる砲声」❷非常にうれえるようす。「憂心ー」

***いん・いん【陰陰】**《形動タト》〔文〕❶うす暗く、ものさびしいようす。「ーたる森の中」❷陰気なようす。「ー滅々（＝気分が暗く、めいるようす）たる鐘の音」

***いん・う【×淫雨】**〔文〕作物に害を与える長雨。「ーが襲う」[類語]霖雨。

***いん・う【陰雨】**〔文〕いつまでも陰気に降りつづく雨。[類語]霖雨。

いん・うつ【陰×鬱】《名・形動》〔文〕〔空模様・気分などが〕はればれしないこと。うっとうしいこと。「ーな雨」「ーな気分」[類語]暗鬱。憂鬱。

***いん・えい【印影】**〔紙などに〕印をおしたあと。

***いん・えい【陰影・陰×翳】**❶光がさえぎられてできた暗い部分。かげ。❷〔かげ日なたを思わせるような〕微妙な変化。ニュアンス。「ーに富む文章」

***いん・か【×允可】**《名・他サ》〔文〕きき入れ許すこと。許し。許可。允許。

***いん・か【印可】**〔文〕❶《名・他サ》師の僧が、弟子の悟りをきわめたことを認めてそれを証明すること。❷芸道で、奥義に達したことを認めて免許を授けること。また、その免許。「ーを受ける」

***いん・か【引火】**《名・自サ》火が他の物に移って燃え出すこと。「ライターの火が充満したガスにーした」

ーてん【ー点】〔理〕可燃性の物質が、他の炎にふれたとき、燃え出す最低の温度。

***いん・か【陰火】**〔文〕夜、墓地などで燃える、怪しい火。鬼火。狐火。[参考]燐などの発光による。

***いん・が【印画】**フィルムや乾板の像を感光紙に焼きつけて、ふつうの写真にしたもの。

ーし【ー紙】 写真を焼きつける感光紙。

***いん・が【因果】**㊀《名》❶原因と結果。「ー関係」❷〔仏〕すべての物事は、前の行いによって後の運命がきまること。特に、前世に犯した悪い行いの報いとして現れる不幸な事柄。「これもーとあきらめよう」㊁《形動》不運であるようす。宿命的。「ーな商売」

ーおうほう【ー応報】〔仏〕人の行いの善悪に応じて、それにふさわしい報いが必ず現れること。[参考]現在では、ふつう悪い意味に使う。

ーりつ【ー律】〔哲〕すべての事物の現象は必ず原因があって生じ、また、同一の原因からは同一の結果が生じるという科学の根本原理。

ーを含・める《句》〔やむを得ないことであるという〕事情を説き聞かせて納得させる。「ー・めて、別れさせる」

***いん・が【陰画】**写真の乾板やフィルムを現像した時、明暗や色が実物と反対に出ている画像。ネガ。[対]陽画。

***いん・がい【員外】**定められた人数や個数以外の・こと（人・物）。定員以外。定数以外。

***いん・がい【院外】**院とよばれるものの外部。特に、衆参両議院や病院の外部。「ー処方箋」[対]院内。

いん・かく【陰核】女性の外陰部にある、海綿体の小突起。陰梃。クリトリス。さね。

いんか・しょくぶつ【隠花植物】「胞子植物」の旧称。[対]顕花植物。

***いん・かん【印鑑】**❶印の真偽の対照ができるように、あらかじめ役所に届け出て登録した印影。実印。「ー証明」❷印①。はんこ。

*いん‐かん【×殷鑑】〔文〕自分のいましめとなる、ほかのものの失敗。[参考]「鑑」はかがみの意。[類語]商鑑。前例。前轍。

―遠からず《句》いましめとする前例は、〔遠くに求めなくても〕すぐ近くにある。「殷鑑近きにあり」とも。[故事]「殷鑑遠からず夏后の世に在り〈詩経・大雅〉」より。殷の国は、前代の夏の国が桀王の暴政で滅びたことを戒めにすべきだったことから。

*いん‐き【陰気】■一《名》〔易で〕万物をつくり出す根元となるもののうち、陰①に属するもの。[対]陽気。■二《形動》〔天候・雰囲気・性格・気分などが〕暗く、はればれしないようす。うっとうしいようす。「―な冬空」[類語]陰鬱。[対]陽気。―くさ‐い【―臭い】《形》暗い感じがする。「―・い話」

*インキ インク。[表記]「印気」「洋墨」などと当てた。▽オランダ inkt 英 ink

いん‐きゃく【韻脚】❶漢詩の、句の終わりに使う韻(字)。❷西洋の詩のリズムの単位。強音節に弱音節を組み合わせたもの。

*いん‐きょ【×允許】《名・他サ》〔文〕認め許すこと。許し。許可。允可。「―状」

*いん‐きょ【隠居】《名・自サ》官職をやめたり家督を譲ったりして、世間の活動から身をひき、のんびりと暮らすこと(人)。[参考]老人をさすこともある。「―仕事」「ご―さん」[類語]隠栖。隠退。

いん‐ぎょう【印形】〔文〕印①。印章。

いん‐きょく【陰極】❶電位が低く電流が流れこむ方の電極。負の電極。❷磁石の南極。[対]①②陽極。

いん‐きん【陰金】「陰金田虫」の略。―たむし【―田虫】内股や陰部にできる紅色の湿疹。はげしいかゆみをともなう。「頑癬」の俗称。いんきん。

いん‐ぎん【×慇×懃】❶《名・形動》礼儀正しく、丁寧なこと。「―な態度」❷非常に親しい交わり。ねんごろ。❸男女の情交。「―を通じる」「―を重ねる」「―を尽くす」―ぶれい【―無礼】《名・形動》丁寧すぎて、かえって無礼になること。また、うわべは礼を尽くしているようだが、実は相手をばかにして無礼なこと。

インク 筆記や印刷に使う、色のついた液体。インキ。▽ink

インクライン 斜面にレールをしき、動力で船・荷物を運ぶしくみ。こう配鉄道。▽incline(=傾斜)

いん‐くんし【隠君子】〔文〕❶世をさけてかくれ住む徳の高い人。❷「菊」の別名。隠逸花。

いん‐けい【陰茎】男性の生殖器の一部。海綿体からなり、細長い。中に尿道がある。男根。ペニス。

いん‐けつ【引決】《名・自サ》〔文〕「引責自決」の略。責任を負って自殺すること。

*いん‐けん【引見】《名・他サ》〔文〕〔身分・地位の高い人が〕人をよびよせて会うこと。「使者を―する」[類語]引接。接見。

*いん‐けん【陰険】《名・形動》〔表面は優しそうに見えながら〕心に悪意をいだき、人を陥れようとすること。「やり方が―だ」[類語]陰柔。腹黒。

*いん‐けん【隠見・隠顕・隠▽現】《名・自サ》見えたり隠れたりすること。見え隠れ。「―する島々」

いんげん【隠元】「いんげんまめ」の略。―まめ【―豆】マメ科のつる性一年草。若い実は細長いさやのまま食べる。熟した種は、和菓子の材料。[参考]明の僧、隠元が日本に持って来たという。

いんこ【×鸚×哥】オウム科の中で、比較的小形の鳥。原産地は熱帯。羽が美しく、種類が多い。人によくなれ、ことばをまねるものもある。

*いん‐ご【隠語】特定の社会や仲間だけに通用する、特別なことば。泥棒が「忍び込み」を「ノビ」というなど。[類語]符丁。

*いん‐ご【韻語】〔漢詩文で〕韻をふんだ語・文章。

*いん‐こう【印行】《名・他サ》〔文〕文書や図書を印刷して発行すること。刊行。

*いん‐こう【×咽×喉】〔文〕❶咽頭と喉頭。のど。「耳鼻―科」❷重要な通路。大事な場所。たいせつな部分。「―を扼する(=大事な場所をしめる)港」

*いん‐こう【引航】《名・他サ》曳航。

*いん‐こう【×淫行】みだらな行い。

*いん‐ごう【因業】❶むくいの原因になる〔悪い〕行い。業因。❷《名・形動》自分のことばかりを考え、がんこで思いやりのないこと。「―おやじ」「―な仕打ち」

*いん‐ごう【院号】❶上皇・皇太后などの、「…院」とつく尊号。❷院の字のついた戒名。❸修験者などの、年功をへた者につける「…院」とつく称号。

*いん‐こく【印刻】《名・他サ》❶文字などを材に彫りつけること。印を彫ること。❷心に刻みつけること。

*いん‐こく【陰刻】《名・他サ》押した印の面の形が白く出るように、文字や絵の部分をくぼませて彫ること。その彫り方。[対]陽刻。

インゴット とかした金属を型に流して固めたもの。▽ingot

インサート《名・他サ》挿入すること。▽insert

いん‐ざい【印材】印を作る材料。木・角・水晶など。

インサイダー ❶組織内部の人。「―取引(=未公開情報を利用して行う不法な証券売買)」[対]アウトサイダー。❷消息筋。事情通。▽insider

いん‐さつ【印刷】《名・他サ》版を作り、その版面にインクをつけ、文字・図案などを紙・布などに刷ること。〔多く機械などで大量に刷る場合にいう〕「凸版―」

いん‐さん【陰惨】《名・形動》陰気で、むごたらしいようす。「―をきわめた殺人事件」[類語]悲惨。凄惨。

*いん‐し【印紙】❶収入印紙。❷〔俗〕郵便切手。

*いん‐し【因子】❶ある物事を起こすもとになる要素。要因。ファクター。「遺伝―」❷〔数〕因数。

*いん‐し【陰子】陰電子。電子。

*いん‐じ【印字】《名・他サ》タイプライター・電信機などで、文字・符号をしるすこと。また、その文字・符号。

*いん‐じ【印璽】天皇の印(御璽)と国家の印(国璽)の総称。[類語]玉璽。

*いん‐じ【×淫事】〔文〕みだらなこと。男女間の情交。

*いん‐じ【×淫辞】〔文〕❶みだらなことば。❷よこしまなことば。邪説。

*いん‐じ【韻字】❶漢詩などで、韻をふむために句の終わりに使われる字。❷連歌・俳諧で、句の末に置く字・ことば。留まり字。[参考]多く体言の場合にいう。

*いん‐じ【韻事】〔文〕〔詩歌文章を作るような〕風流な事がら・遊び。

いん‐しつ【陰湿】《形動》暗く、じめじめしているようす。「―な犯行」「いじめは―だ」

いん‐じゃ【隠者】俗世間のわずらわしさをのがれて山奥などにかくれ住んでいる人。隠遁者。隠士。[類語]世捨て人。

い

いん・しゅ【飲酒】《名・自サ》酒を飲むこと。
いん・じゅ【印×綬】〔文〕昔、中国で、官職任命のしるしとして、天子が与えた印とそれをつるすひも。「―を帯びる(=重要な官職につく)」
いん・しゅう【因習・因襲】昔から続いているならわし。古くから伝わるしきたり。〔ふつう、悪い場合に使う〕「―を破る」「―にとらわれる」類語 旧習。旧慣。
インシュリン 膵臓でつくられる、たんぱく質のホルモン。体内の糖分の代謝を調節する。糖尿病の治療薬として使われる。インスリン。▽insulin
いん・じゅん【因循】《名・形動》❶昔からの習慣・方法に従っていて、進歩のないこと。「―な考え」類語 旧態依然。❷《自サ》思い切りが悪く、ぐずぐずすること。「―な態度」 **―こそく【―×姑息】**《名・形動》思い切りが悪く、一時のがれをすること。
*__いん・しょう【印章】__〔文〕印①。はん。はんこ。
*__いん・しょう【印象】__(impression)事物が人の心に直接与える感じ・影響。「―がうすい」「―に残る」 **―しゅぎ【―主義】**(フランス impressionnisme)マネを先駆者として、一九世紀後半にフランスに興った、絵画における芸術運動。外光の輝きや自然の与える刹那的印象をそのまま表現しようとする。参考 のちに彫刻・音楽・文学などにも影響を与えた。 **―てき【―的】**《形動》強い印象を与えるようす。「―な場面」 **―ひひょう【―批評】**主観批評の一つ。作品が自分に与える印象によって批評すること。
*__いん・しょう【引照】__《名・他サ》引き合わせて比べること。文献などを調べて照合すること。「前例を―する」
*__いん・しょう【引証】__《名・他サ》〔文〕他の事がらから証拠としてもってくること。引用して証拠とすること。「古文書から―する」類語 挙証。
いん・じょう【引▽接】阿弥陀が衆生を救済すること。いんせつ。
いん・しょく【飲食】《名・自他サ》飲むことと食べること。のみくい。「―店」
*__いん・しん【×殷×賑】__《名・形動》〔文〕盛んでにぎやかなこと。「―地帯」「―をきわめる」類語 繁華。
*__いん・しん【音信】__〔文〕たよりや連絡をすること。たより。音信。「―不通」
いん・すう【因数】一つの項がいくつかの数・文字・式の積であるとき、そのそれぞれの数・文字・式。例えば、$ma+mb$ の因数は m と $a+b$。因子。「―分解」
いん・ずう【員数】〔人や物の〕かず。また、定められた一定の数。いんず。「きみは―に入っている」「―外」
インスタント《名・形動》すぐにできること。即席。即座。「―コーヒー」「―なやり方」▽instant
インストラクター 指導員。特に、特定の技能・技術の訓練や指導を行う人。▽instructor
インスピレーション 突然ひらめく、すぐれた考え。霊感。「―がわく」▽inspiration
*__いん・する【×淫する】__《自サ変》〔文〕〔悪い結果をまねくほど〕夢中になる。度を過ごす。おぼれる。ふける。「書に―する」「酒色に―する」
*__いん・する【印する】__《他サ変》〔文〕しるしをつける。あとを残す。「南極に足跡を―する」
*__いん・せい【院政】__上皇または法皇が院庁(=御所)で政治を行ったこと。また、その政治。一〇八六年白河上皇によって始められた。
*__いん・せい【陰性】__❶《名・形動》消極的で、陰気な性質。❷病菌などに対する反応がないこと。対 ①②陽性。
*__いん・せい【隠×棲・隠×栖】__《名・自サ》世間から離れて静かに住むこと。「―の地」類語 隠遁。隠居。
いん・ぜい【印税】出版物などの定価・部数に応じて、発行者が著者・編者などに一定の割合ではらう金。
*__いん・せき【姻×戚】__結婚によってできた親類。えんつづき。縁家。姻族。「―関係」類語 親族。
*__いん・せき【引責】__《名・自サ》責任をとること。「―辞職」「―辞任」
*__いん・せき【×隕石】__流星が大気中で燃えきらずに地上に落ちてきたもの。
いん・せつ【引接】《名・他サ》❶〔身分の高い人などが〕人を引き入れて面会すること。❷→いんじょう。
いん・ぜん【隠然】《形動タルト》表面には出ないが、隠れた実力のあるようす。「財界に―たる勢力をもつ」対 顕然。
いん・そう【印相】〔文〕❶→印②。❷仏の顔つき。印相。❸字体や彫り方からみた、印判のようす。
いん・ぞく【姻族】〔文〕姻戚。
いん・そつ【引率】《名・他サ》多くの人を引き連れてゆくこと。ひきいること。「生徒を動物園に―する」
インター ❶「インターナショナル㊁」の略。❷「インターチェンジ」の略。 **―カレッジ** 全国の大学の対抗競技。▽intercollegiate(games)から。 **―チェンジ** 高速道路とふつうの道路とをつなぐ所。ふつう立体交差になっている。インター。▽interchange **―ナショナル** ㊀《形動》国際的。▽international ㊁《名》❶社会主義運動・労働運動の国際的な組織。万国労働組合。国際労働者同盟。インター。▽International Working Men's Association から。❷社会主義者・労働者などの間で歌われる革命歌。インター。▽International **―ネット** さまざまなコンピューターのネットワークどうしを連結させた、世界的規模のコンピューターネットワークの集合体。海外との電子メールや情報検索などに利用される。▽internet **―ハイ** 全国の高等学校の対抗競技。▽inter と high school からの和製語。 **―フェース** ❶異なる装置や電気回路をつなぐ接続部分。❷人間がコンピューターを使えるように、人間とコンピューターの橋渡しをするもの。また、その方法・装置。「マンマシン―」▽interface(=接点) **―ポール** 国際犯罪の情報交換や捜査協力のための国際機関。国際刑事警察機構。ICPO(International Criminal Police Organization)の略。▽Interpol **―ホン**〔建物・船・飛行機などの〕受話器と送話器をかねた、室内用の電話機。▽interphone
インターセプト《名・他サ》ラグビー・サッカーなどの球技で、相手のパスを横取りすること。▽intercept
インターバル ❶〔場所・時間の〕へだたり。間隔。間。❷特に、野球で、投球と投球のあい間。❸障害競走で、ハードルとハードルの間。▽interval
インターフェア《名・他サ》❶干渉すること。妨げること。❷競技中に相手のプレーのじゃまをすること。妨害。▽interfere
インターン 理容師・美容師などの志望者が現場で行う実習。また、その実習生。「―生」参考 ㋐理容師・美容師の国家試験受験資格取得のための実地修練にいう。(イ)医師のインターン制度は廃止されている。▽intern **ーシップ** 学生が企業や行政機関で一定期間働き、社会経験を積むこと。▽internship

***いん・たい【引退】**《名・自サ》活動していた地位や職業から退くこと。「第一線をーする」類語 勇退。

***いん・たい【隠退】**《名・自サ》社会的活動から身を引いて静かに暮らすこと。「七〇でーする」類語 隠居。

いん・たいぞう【隠退蔵】《名・他サ》(「隠匿」と「退蔵」の意)〔文〕役だてずに、隠しまっておくこと。「ー物資」

いん・たく【隠宅】〔文〕隠居した人などが世を避けて住む家。隠居所。

インダストリアル《造語》産業の。工業の。「ーデザイン」▽industrial

インタビュー《名・自サ》報道関係者が取材するために人に会って話をきくこと。また、その記事。インタヴュー。「首相にーする」▽interview(=会見)

インタラクティブ《名・形動》コンピューターなどで、利用者と情報のやり取りをしながら処理を進めること。対話方式。双方向型。「ーTV(=交信機能を備えたテレビ)」▽interactive

インタレスト ❶興味。関心。❷利害関係。❸利益。利子。▽interest

インタロゲーション・マーク 疑問符。クエスチョンマーク。「?」▽interrogation mark

***いん・ち【印池】**印肉をいれるうつわ。肉入れ。肉池。

***いん・ち【引致】**《名・他サ》逮捕状などを出したうえで、犯罪容疑者・被告人などを警察署・検察庁・裁判所などに強制的につれてくること。類語 勾引(こういん)。

***いん・ち【韻致】**〔文〕すぐれて風雅なおもむき。雅致(がち)。風韻。雅趣。

***インチ**《助数》ヤードポンド法による長さの単位。一インチは一二分の一フィート。約二・五四センチ。記号 in. 表記「吋」とも当てる。▽inch

いんちき ❶不正なことをして相手から金をまきあげるばくち。いかさまばくち。❷《名・形動》〔俗〕ごまかしたり、手を抜いたりすること。本物でないこと。また、そのような物。

インディアン「アメリカインディアン」の略。アメリカ大陸の先住民。インデアン。▽Indian(=インド人) **ーペーパー** 薄くてきめが細かく強い、上質の西洋紙。たばこの巻き紙や辞典などに使う。インディアペーパー。インデアペーパー。▽India paper から。

インディオ 中南米に住むインディアン。▽(スペイン)Indio

インディカ 米の種類の一つ。長粒で粘りけが少ない。主に東南アジアで栽培される。インディカ米。参考→ジャポニカ。▽(ラテン)*indica*

インディゴ ❶紺と青色の中間の色。藍(あい)。藍色(あいいろ)。❷藍色の染料。もとは植物からとったが、現在は化学的につくられる。インド藍(あい)。=インジゴ。▽indigo

インデックス ❶指標。指針。❷索引。見出し。「ーをつける」❸指数。▽index

インテリ「インテリゲンチア」の略。

インテリア ❶室内装飾。「ーデザイン」❷室内調度品。▽interior(=内部の)

インテリゲンチア 知識階級。知識人。インテリ。▽(ロシア)intelligentsiya

インテリジェンス 知性。知力。▽intelligence

インテリジェント《形動》高度な能力のあるようす。聡明(そうめい)であるようす。知性的。▽intelligent **ービル** 高度な情報通信機能と、建物全体の自動管理システムを備えたビル。高度情報化ビル。▽intelligent building から。

インテルメッツォ ❶演劇・歌劇などの幕間(まくあい)またはその前後に演じる寸劇や音楽。幕間劇(まくあいげき)。❷間奏曲。▽(イタリア)intermezzo

いんでん・がわ【印伝革】羊・牛・鹿(しか)のなめしがわ。染色・彩色し、多く漆で模様をつけて袋物などの材料にする。甲州印伝革が有名。印伝。参考 本来は「インド伝来」の意。

いん・でんき【陰電気】毛皮でエボナイトを摩擦した時、エボナイトに起きる電気と同種類の電気。負の電気。対 陽電気。

いん・でんし【陰電子】陰電気をおびた電子。陰子。エレクトロン。参考 (ア)ふつう、電子といえば陰電子をさす。(イ)→中性子・陽子。

***いん・とう【×咽頭】**〔文〕鼻腔(びこう)や口腔(こうこう)と、食道や気管との間にある、粘膜(ねんまく)におおわれた管。咽喉(いんこう)の上部。

***いん・とう【×淫×蕩】**《名・形動》(異性との)みだらな遊びにふけって、節度のないようす。「ーな生活」類語 遊蕩(ゆうとう)。放蕩(ほうとう)。

いん・どう【引導】❶人を導いて仏道にはいらせること。❷死者を葬るとき、死者が迷わずにさとりの世界に至るように、導師の僧が法語をとなえること。また、その法語。

ーを渡・す《句》❶死者に引導②を与える。❷最終的な言いわたしをする。「女にー・す」

***いん・とく【陰徳】**〔文〕人目につかないよい行い。ひそかに行うよい行い。「ーを施す」対 陽徳。

ーあれば陽報あり《句》人に知られずよい行いをすれば、必ずよいお返しがある。〈淮南子・人間訓〉

***いん・とく【隠匿】**《名・他サ》〔文〕ものをかくすこと。秘密にすること。(かくすことがよくない時に使う)「ー物資」「ー罪」類語 蔵匿(ぞうとく)。隠蔽(いんぺい)。

イントネーション 話しことばで、話し手の感情や意志を反映して、文またはその一部にあらわれる声の上がり下がり。抑揚(よくよう)。音調。▽intonation

イントラネット インターネット技術を企業内の情報交換に応用したネットワーク(システム)。▽intranet

イントロ「イントロダクション」の略。

イントロダクション ❶導入。❷紹介。手びき。入門。❸〔論文などの〕序説。序論。❹序曲。序奏。前奏曲。イントロ。▽introduction

いん・とん【隠×遁】《名・自サ》世間のわずらわしさからのがれて、静かな所でくらすこと。世をすてること。「ーの日々を過ごす」類語 隠棲(いんせい)。隠逸。隠居。

インナー・ウエア 内側に着る衣服。上着と肌着の間に着る衣服。また、下着類。インナー。対 アウターウエア。▽innerwear

いん・ない【院内】院とよばれるものの内部。特に、衆参両議院の内部。「ーでは土足厳禁」対 院外。 **ーかんせん【ー感染】**医療事故の一つ。病院で患者が、もともとの病気とは別の感染症にかかること。病院感染。

いん・に【陰に】《副》かげで。こっそり。「ー非難する」

いん・にく【印肉】印を押すときに用いるもの。もぐさ・綿などにひまし油や松やにをまぜ、朱や墨の顔料をしみこませてつくる。

いん‐にん【隠忍】《名・自サ》〔文〕怒りや苦痛を表面に出さず、我慢すること。「―してチャンスをうかがう」

―じちょう【―自重】《名・自サ》じっと我慢して軽はずみな行動を慎むこと。「―して時節の到来を待つ」

インニング《名・助数》↓イニング。▽inning

いん‐ねん【因縁】❶〔仏〕この世の物事はすべて原因（＝因）と、結果を生む作用（＝縁）によって定められていること。類語 縁起。因果。❷物事に定められた運命。「前世からの―」❸〔運命によって結ばれた〕関係。つながり。「―浅からぬ仲」❹物事のおこり。由来。「寺のいわれ―を話す」❺言いがかり。「―をつける」

いん‐のう【陰×嚢】〔生理〕睾丸（こうがん）をつつみこんでいる、袋状の皮膚。ふぐり。

インバーター ❶直流の電流を交流に変換する装置。❷交流の周波数を変換する装置。ちらつきのない蛍光灯や消費電力量の少ないエアコンなどに使用される。▽inverter

いん‐ばい【×淫売】女が金でからだを売ること。また、その女。売春。売淫。

インパクト 衝突。衝撃。また、強い影響（力）。「―を与える」「この宣伝には―が足りない」▽impact

いん‐ばん【印判】〔文〕はんこ。印章。印形。

＊いん‐び【×淫×靡・×婬×靡】《名・形動》〔文〕みだらで、節度のないこと。「世相が―に流れる」

＊いん‐び【隠微】《名・形動》〔文〕かすかでわかりにくいこと。微妙で知りつくせないこと。「人情の―」

いん‐ぶ【陰部】体外にあらわれた生殖器。局部。かくしどころ。

いん‐ぷ【×淫婦・×婬婦】〔文〕性関係にだらしない女。みだらな女。類語 姦婦（かんぷ）。対 貞婦。節婦。

いん‐ぷう【×淫風・×婬風】〔文〕〔性に関する〕みだらなならわし。みだらな風潮。

インフェリオリティー・コンプレックス 他人より自分が劣るという潜在観念。劣等感。ひけめ。参考 略して、「コンプレックス」ともいう。対 シュペリオリティーコンプレックス。▽inferiority complex

インフォーマル《形動》形式ばらないようす。非公式。略式。「―な服」対 フォーマル。▽informal

インフォームド・コンセント 患者が医師の治療を受ける時、医師から治療法・費用・危険性などの説明を受け、患者が同意すること。▽informed consent

インフォメーション ❶情報。知らせ。❷受付。案内所。＝インフォーメーション。▽information

インフラ「インフラストラクチャー」の略。都市の基盤となり、経済・産業を支える施設。道路・上下水道・公共施設など。基幹施設。社会的生産基盤。「都市の―を整備する」▽infrastructure から。

インフルエンザ 流行性感冒。流感。▽influenza

インフレ「インフレーション」の略。対 デフレ。

インフレーション 商品量に対して通貨の量が必要以上にふえ、貨幣の値うちが下がり、ものの値段が高くなる状態。インフレ。対 デフレーション。▽inflation

インプレッション 印象。感銘。感じ。「ファースト―」▽impression

いん‐ぶん【韻文】❶漢文で、韻②をふんだ文章。詩・賦など。❷韻律をもった口調のよい文章。特に、詩。参考 和歌・俳句などについてもいう。対 散文。

いん‐ぺい【隠×蔽】《名・他サ》〔文〕おおいかくすこと。「真相を―する」類語 秘匿。隠匿。対 暴露（ばくろ）。

インベーダー 侵略者。侵入者。▽invader

いん‐ぼう【陰謀】❶こっそりくわだてる悪い計画。わるだくみ。「会社のっとりの―をはかる」表記「隠謀」とも書く。❷〔法〕二人以上でたてる、犯罪の計画。

インポート《名・他サ》輸入すること。また、輸入品。「―物」対 エクスポート。▽import

インポテンツ 陰萎（いんい）。インポ。▽ドイツ Impotenz

＊いん‐ぽん【×淫奔・×婬奔】《名・形動》〔女が〕性関係にだらしのないこと。みだら。類語 淫乱。尻軽（しりがる）。

＊いん‐ぽん【院本】浄瑠璃（じょうるり）全段の詞（ことば）をおさめた本。浄瑠璃本。丸本（まるほん）。

＊いん‐めつ【×湮滅・×堙滅】《名・自他サ》〔文〕跡形もなく消えること。また、跡がのこらないように消すこと。「証拠を―する」表記 法令などでは「隠滅」で代用する。

＊いん‐めつ【隠滅】《名・自サ》〔文〕かくれて、見えないこと。類語 消滅。

いん‐めん【印面】印章の、文字が刻んである面。

いん‐もう【陰毛】陰部にはえる毛。恥毛（ちもう）。

いん‐もつ【音物】〔文〕❶したしくつきあうための贈りもの。進物。❷わいろ。

いん‐もん【陰門】〔生理〕体外に現れた、女性の生殖器。女性の陰部。玉門（ぎょくもん）。

いん‐やく【隠約】〔文〕❶ことばは簡単で、奥深い意味を含んでいること。❷はっきりと言わず、それとなく表すこと。

＊いん‐ゆ【因由】《名・自サ》〔文〕物事の原因になること。由来。因由（いんゆう）。

＊いん‐ゆ【引×喩】自分の言いたいことを表現するために、故事・諺（ことわざ）・古人の言などを引き合いに出すこと（修辞法）。「旅は道づれ、仲よく行きましょう」の類。

＊いん‐ゆ【隠×喩】暗喩。メタファー。対 直喩。明喩。

＊いん‐よう【引用】《名・他サ》他人の説や文章を自分の説や文章の中に使うこと。「卒業論文に資本論の一節を―する」

＊いん‐よう【飲用】《名・他サ》〔人間が〕飲むために使うこと。「―に供する」「―牛乳」類語 食用。

＊いん‐よう【陰陽】❶〔易で〕陰と陽。万物を形づくるもととなる、相反した性格のもの。月と日、暗と明、女と男、静と動、夜と昼など。陰陽（おんよう・おんみょう）。❷易学。「―の術」❸電気・磁気の陰極と陽極。**―ごぎょうせつ【―五行説】**古代中国の世界観。陰陽と五行（＝木・火・土・金・水）の盛衰消長によって、自然の異変や人事の吉凶などを説明しようとするもの。

いん‐よく【×淫欲・×淫×慾】〔文〕異性の肉体を求めるみだらな欲望。色欲。類語 情欲。性欲。

インライン・スケート アイススケートの刃の代わりに三〜五個の車輪を縦一列に取り付けた靴。また、それをはいて滑走するスポーツ。参考「ローラーブレード」は商標名。▽in-line skates

いん‐らく【×淫楽】〔文〕情欲による楽しみ。みだらな快楽。「―にふける」

いん‐らん【×淫乱・×婬乱】《名・形動》〔文〕〔性的関係が〕ひどくみだらなこと。類語 淫奔（いんぽん）。

いん‐りつ【韻律】詩歌のことばに現れる音の強弱・高低・長短の組み合わせや、音節数の組み合わせから生ずる美的な効果・印象。リズム。

いん・りょう【飲料】〔人間の〕飲み物。「―水」

いん・りょく【引力】❶二つの物体が空間を隔てて互いに引き合う力。参考ふつう万有引力をさす。対斥力。❷〔ひゆ的に〕人の心をひきつける力。

いん・れい【引例】《名・他サ》例としてあげること。また、その例。類語用例。引証。

いん・れき【陰暦】月の公転期間を基準にした暦。一か月を二九日または三〇日とし、一年を一二か月とする。陽暦とのずれは一九年に七回の閏月を設けて調節する。太陰暦。旧暦。対陽暦。

いん・ろう【印×籠】昔、腰にさげた三重または五重の小さな重ね箱。古くは印・印肉などを入れたが、後に薬などを入れるようになった。武士の装身具、礼服のときの装飾品として用いた。薬籠。参考「一具・一重…」と数える。

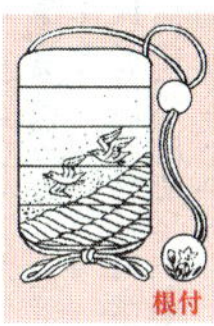

印籠

いん・わい【×淫×猥】《名・形動》〔文〕下品で、みだらなこと。卑猥。「―な言葉」類語猥褻。

う

宇

＊う【宇】《助数》建物を数える語。「一―のお堂」

＊う【×卯】❶十二支の四番め。うさぎ。❷昔の方角の名。東。❸昔の時刻の名。午前六時。また、午前五時から午前七時までの間。うの時。

＊う【×鵜】ウ科の水鳥の総称。ウミウ・カワウ・ヒメウなど。海岸や湖沼にすむ。羽は黒色。水にもぐってよく魚をとる。参考鵜飼いに使うのはウミウ。

―の真似をする烏《句》自分の能力を考えないでむやみに人のまねをすると失敗するというたとえ。

―の目鷹の目《句》〔鵜が魚をあさり、鷹が小鳥を捜すような鋭い目つきの意から〕人が熱心に物を捜そうとするようす。類語蚤のとりまなこ。

＊う《助動：無変化型》《文語助動詞「む」の転》❶〔意志的な動作を表す語について〕話し手の意志を表す。「もう少し頑張ろう」「この辺でよしておこう」❷話し手の、相手に対する勧誘、穏やかな命令を表す。「一緒に行こう」「太郎君、塾に行くのはよしましょうよ」❸〔非意志的な意味をもつ語について〕話し手の推量、穏やかな断定を表す。〔やや文語的な言い方〕「こんなに親しくなろうとは思わなかった」「元気なのであろう」参考話しことばでは、ふつう「だろう」「でしょう」となる。「明日は雪になろう→なるだろう」❹〔疑問詞、または疑問の意を表す助詞とともに使って〕反語を表す。〔やや文語的な言い方〕「誰が知ろう(か)」「こんな不思議がまたとあろうか」❺〔「…うとする」の形で〕㋐実現のために努力する意を表す。「地球の環境を守ろうとする」㋑実現しかけている意を表す。「桜の花が咲こうとしている」参考文語的な言い方に「…んとする」がある。❻〔主に接続助詞「と・が」を伴って〕仮定を表す。「雨が降ろうが、風が吹こうが」「大学教授ともあろう人が(=仮にも大学教授である人が)」接続五段動詞、形容詞、形容動詞、助動詞「です・ます・だ・た・ない・たい・そうだ(様態)・ようだ・みたいだ」の未然形につく。その他の動詞・助動詞には「よう」がつく。連体形は主に形式名詞につく。「彼が行かないだろうことは明らかだ」参考→よう(助動)。

＊うい【初】《接頭》《名詞につけて》「初めての」「最初の」の意。「―産」「―孫」「―陣」

＊う・い【有為】〔仏〕因縁の結合によって生じた、現世に存在するいっさいの物・現象。注意「ゆうい」と読めば別語。対無為。**―てんぺん【―転変】**❶〔仏〕万物は常に移り変わり、同じ状態にとどまることがないということ。有為無常。❷物事がはげしく移り変わること。類語激動。激変。

―の奥山《句》脱することのむずかしい無常のこの世を、深山にたとえた語。

＊うい【▽愛い】《連体》〔文〕感心な。殊勝な。かわいい。〔目下の者をほめるときの古い言い方〕「―奴」

＊う・い【憂い】《形》〔文〕思うようにならなくて、くるしい。心が満たされなくて、かなしい。文う・し《ク》。

ウイーク 週。週間。「バード―」▽week **―エンド** 週末。週末の休暇。▽weekend **―デー** 日曜以外の日。平日。週日。参考土曜日を除くこともある。▽weekday

ウイーク・ポイント 弱点。▽weak point

ウイークリー 週に一度発行される出版物。週刊の雑誌や新聞。▽weekly

ういうい・し・い【初初しい】《形》年が若く、清らかで、純真な感じである。「―・い花嫁」

うい・きょう【×茴香】セリ科の多年草。全体に特有のかおりがある。実は香味料や胃の薬に用いる。

うい・ご【初子】〔その夫婦の間に〕はじめて生まれた子。初子。対末子。

うい・ざん【初産】はじめての出産。初産。

うい・じん【初陣】❶はじめて戦場に出ること。また、その戦い。❷はじめて試合・競技に出場すること。また、その試合・競技。「完投して―をかざる」

ウイスキー 大麦・ライ麦・トウモロコシなどを糖化・発酵させ、蒸留してつくった酒。英国産のスコッチ、米国産のバーボンなどの種類がある。▽whisk(e)y

ウイット 人の思いつかないたくみな発想で驚きや笑いをもたらす、機敏で鋭い知的作用。機知。とんち。「―に富む会話」類語ユーモア。エスプリ。▽wit

ウイニング・ボール 野球・ゴルフなどで、勝利を決めたときに使っていたボール。▽winning と ball からの和製語。

うい・まご【初孫】はじめての孫。初孫。

ウイルス ❶細胞に寄生する、細菌より小さい病原体の総称。電子顕微鏡などによらなければ見ることができない。ビールス。❷コンピューターウイルス。▽ラテン virus

うい・ろう【▽外郎】❶白玉粉・しん粉やうるち米の粉に砂糖などを加えてむした和菓子。ういろうもち。❷黒色で四角い、たんを切る薬。小田原市の名物。透頂香。ういろうぐすり。参考②は商標名。

ウインカー〔自動車などの〕点滅式の方向指示器。▽winker

ウインク《名・自サ》❶〔合図のため〕片目でまばたきすること。目くばせ。❷特に、男女の間で行う、いろめ。秋波。▽wink

ウイング ❶翼。羽。特に、飛行機の主翼。❷舞台の両そで。❸サッカー・ラグビー・ハンドボールなどで、左右両端の守備位置(につく人)。▽wing

ウインター・スポーツ 冬、おもに雪や氷の上で行う運動競技。スキー・スケートなど。▽winter sports

ウインチ ロープやチェーンなどを円筒形の心棒などにまきとって、重いものを持ちあげたり引っぱったりする機械。巻きあげ機。▽winch

ウインドー ❶窓。「ーボックス(=窓際に置く植木箱)」❷「ショーウインドー」の略。❸コンピューターのディスプレーの中の窓状の表示部分。▽window **ーショッピング** ショーウインドーの商品を見て歩くこと。▽window-shopping

ウインド・サーフィン 帆を張って風を利用するサーフィン。▽windsurfing

ウインド・ブレーカー ジャンパーの一種。おもにスポーツで、防寒・防風のためにユニホームの上に羽織る。参考 本来は商標名。▽windbreaker

ウインドヤッケ スキー・登山などのときに着る、フードつきの防風防寒用の上着。ヤッケ。類語 アノラック。▽Windjacke

ウィンナ・コーヒー 泡立てた生クリームを浮かしたコーヒー。▽Vienna coffee

ウィンナ・ソーセージ 小形で、指のような形をしているソーセージ。ふつう、一〇ほどの長さでひねってじゅず状につながっている。▽Vienna sausage

ウースター・ソース 日本で、ふつうソースとよんでいる、西洋料理の調味料。参考 英国のウースター地方で作られた。▽Worcester sauce

ウーステッド よりをかけた梳毛糸で織った毛織物。織りが密である。合い・冬用の背広などに使う。参考 英国のウーステッドで作られた。▽worsted

ウーマン 《造語》「女性」「婦人」の意。「ーパワー」「セールスー」▽woman **ーリブ** 〔女性自身による〕女性解放運動。▽Women's Lib から。

ウーリー・ナイロン 羊毛とナイロンとの特性をそなえ、羊毛のような感触をもたせたナイロン。弾力性に富み、強い。参考 商標名。▽woolly nylon

ウール ❶羊・ヤギ・ラマなどの毛。特に、羊毛。❷羊毛で織った服地。毛織物。❸毛糸。▽wool

ウーロン・ちゃ【×烏竜茶】 茶の一種。紅茶と緑茶の中間的性状をもつ半発酵茶でやや紅茶に近く、香りが強い。中国福建省や台湾で産する。

***うえ【上】** 一《名》❶位置が高い所。「山のー」❷〔物の〕表面。外側。「机のー」❸程度・地位・等級などが他より高いこと。また、他より高い地位(にいる人)。「ーの級」「ーからの命令」❹年齢が多いこと。年上。「七つーの姉」❺順序が先の部分。「ーに述べた通り…」対 ①~⑤下。二《形名》❶その・事(人)に関すること。特に、身の上。「法律のーでは問題ない」❷〔ある事に〕加えて。「家をただで貸したー、生活費まで世話した」❸…した結果をふまえて。「失礼を承知のーで言う」❹…するため。「生きてゆくーで必要なこと」❺〈「ーは」の形で〉…からには。「いったん引き受けたーは…」表記 二はふつうかな書き。三《接尾》目上の人を言うときに添えて尊敬の意を表す。〔古風な言い方〕「父ー」「姉ー」⇩〔使い分け〕

ーを下への大騒ぎ 《句》大ぜいの人が入り乱れてごったがえすようす。

> **使い分け** 「上(うえ/うわ)」
>
> *「上」は、古くは「うわ」と言った。現代語でも複合語で語頭に来る時は、少数の例外を除いて、「うわ…」となる。語末では例外なく「…うえ」となる。
>
> ◆[うえ…]上様・上下
>
> ◆[うわ…]上顎・上書き・上掛け・上着・上薬(釉薬)・上唇・上靴・上滑り・上澄み・上擦る・上背・上草履・上調子(音楽)・上包み・上っ面・上積み・上手・上塗り・上乗せ・上の空・上辺・上前・上回る・上目遣い・上屋・上役
>
> ◆[…うえ]父上・母上・年上・目上

***うえ【飢え・▽餓え・×饑え】** 飢えること。「木の実でーをしのぐ」類語 飢餓。飢渇。

***ウエア** 《造語》「…製品」「…用商品」の意を表す。「キッチンー」「ソフトー」▽ware

***ウエア** 衣服。ウェア。「スポーツー」▽wear

ウエー 《造語》「道」の意。ウェー。ウェイ。「ドライブー」「ハイー」▽way

ウエーター 食堂・喫茶店などの男性の給仕人。ウエイター。類語 ボーイ。対 ウエートレス。▽waiter

ウエート ❶重さ。目方。体重。❷重要さの度合い。重点。「健康にーをおく」▽weight **ートレーニング** 筋力強化のトレーニング。▽weight training **ーリフティング** 重量挙げ。▽weight lifting

ウエートレス 食堂・喫茶店などの女性の給仕人。ウエイトレス。対 ウエーター。▽waitress

ウエーブ ❶〔音・電波などの〕波。波動。❷《名・自サ》波形にちぢれたり曲がったりすること。「ーした髪」「ーをかける」❸傾向。「映画界のニューー」▽wave

うえ・き【植木】 ❶庭に植えるための木。庭に植えてある木。庭木。❷鉢に植えた木。盆栽。

うえ・こみ【植(え)込み】 ❶植えこむこと。❷特に、庭園で草や木をたくさん植えてある場所。

うえ・こ・む【植え込む】 《他五》❶草や木を土の中に植えていれる。❷草や木を集めて植える。❸ある物を他の物の中へはめこむ。「柱にコンセントをー・む」

うえ・さま【上様】 〔文〕❶天皇・将軍など高貴な人をさす尊敬語。❷領収書などで、相手の名前の代わりに書く尊敬語。

うえ・した【上下】 ❶上と下。❷上と下とが逆になること。さかさまになること。「箱がーになる」

うえ・じに【飢(え)死に・▽餓(え)死に】 《名・自サ》〔食べ物がなくて〕飢えて死ぬこと。餓死。

ウエス 機械などをふくためのぼろ布。▽waste から。

ウェスタン ❶開拓時代のアメリカ西部を舞台にした劇映画。西部劇。❷〔音〕「ウェスタンミュージック」の略。アメリカの西部開拓者の間でおこった、民謡風の音楽。▽Western(=西方の。西部の)

***ウエスト** ❶〔人間の体で〕胸と腰との間の一番細くなっている所。また、衣服の胴の部分。胴回り。「ハイー」「ーライン」❷胴着。チョッキ。ベスト。▽waist

***ウエスト** 《名・自サ》ウエストボール。また、それを投げること。▽waste **ーボール** 野球で、盗塁・ヒットエンドラン・スクイズプレーなどを防ぐため、ストライクの球道から外して投げるたま。捨てだま。つりだま。ウエスト。▽waste と ball からの和製語。

うえ・つ・がた【上つ方】 〔文〕身分の高い人々。上流社会の人々。うえつかた。参考「つ」は「の」の意味にあたる格助詞。

う

うえ・つ・ける【植え付ける】《他下一》❶〔植物の苗などを〕ある場所に移し植える。❷〔ある思想・感情・印象などを〕心にいだかせて、離れないようにする。「不信感を一・ける」

ウエット《名・形動》❶しめっていること。「一ティッシュ」❷情にもろく感傷的なこと。「一な男」対ドライ。▽wet **一スーツ** 潜水や水上スポーツのときに着る、スポンジゴム製の服。▽wet suit

ウエディング 結婚。結婚式。「一ドレス」「一マーチ」▽wedding

ウエハース 小麦粉・砂糖・牛乳・卵黄などを原料とし、軽くうすく焼いてクリームなどをはさんだ洋菓子。ウエハー。▽wafers

ウェブ「ワールド・ワイド・ウェブ（WWW）」の略。「一サイト」参考⇩巻末付録「WWW②」。▽Web

うえ・ぼうそう【植（え）×疱×瘡】 種痘。〔古風な言い方〕

*__う・える【飢える・▽餓える】__《自下一》❶〔食べものがなく〕ひどく腹がへる。空腹に苦しむ。❷〔求めるものが得られず〕ひどくほしがる。欠乏に苦しむ。「娯楽に一・える」「愛情に一・える」同①②かつえる。文う・う《下二》。

*__う・える【植える】__《他下一》❶植物の根や球根を土にうめる。「花の苗を一・える」類語まく。❷〔細菌・細胞などを〕他から移して育てる。「やけどのあとに健康な皮膚を一・える」❸〔小さなものを数多く〕はめこむ。いれこむ。「歯ブラシの毛を一・える」文う・う《下二》。

ウエルカム《感》歓迎の気持ちを表す語。ようこそ。いらっしゃい。▽welcome

ウエルター・きゅう【ウエルター級】〔welter-weight〕ボクシングで、重量別階級の一つ。プロでは六三・五〜六六・六八キロ、アマでは六三・五〜六七キロ。

ウェル・ダン ステーキ類の焼き方で、肉の中までよく焼くこと。参考↓ミディアム。レア。▽well-done

ウェル・ビーイング〔肉体的・精神的に〕健康で幸福に生きている・こと（状態）。▽well-being

*__う・えん【有縁】__❶〔仏〕仏の道に縁のあること。❷〔文〕互いに何らかの関係があること。対①②無縁。

*__う・えん【×烏×焉】__〔文〕〔二つの字が、崩すと「馬」の字に似ることから〕よく似た文字を間違えること。「一馬と成る」「一魯魚の誤り」

*__う・えん【×迂遠】__《形動》❶目的に達するまで遠まわりをしているようす。まわりくどいようす。「一な表現」❷実際の役にたたないようす。「一の空論」

うお【魚】 魚類の総称。水中で生活し、ひれでおよぎ、えらで呼吸する動物。さかな。

一と水《句》切っても切れない密接な関係のたとえ。水と魚。

一の水を得たよう《句》自分にふさわしい場所を得て、大いに活躍することのたとえ。

うお・いちば【魚市場】 魚介類の取引をする市場。魚市。魚河岸。類語青物市場。

うおう・さおう【右往左往】《名・自サ》〔右へ行ったり左へ行ったりする意から〕うろたえたりまごついたりして、行方が定まらないこと。うおうざおう。

ウオーキング 歩くこと。特に、健康増進のために歩くこと。「一シューズ」▽walking

ウオーター 水。飲用水。▽water **一シュート** ボートを急斜面のレールにのせて水面に滑りおりる遊び。また、その装置。▽water chute **一プルーフ** ❶防水（性）。耐水（性）。❷防水布。▽waterproof **一フロント** 大都市の水辺地域。▽waterfront **一ポロ** 水球。▽water polo

ウオーミング・アップ《名・自サ》競技や激しい運動などの前に行う軽い運動。準備運動。ウオームアップ。▽warming-up

うお・がし【魚〈河岸〉】❶魚市場のある河岸。また、魚市場。河岸。❷特に、東京都中央区築地にある「中央卸売市場本場魚類部」の通称。

うお・ごころ【魚心】〈一あれば水心〉相手が好意を示してくれれば、こちらも好意をもって応対する気になるというたとえ。水心あれば魚心。参考もと「魚、心あれば、水、心あり」であったものが「魚心」「水心」と一語化したもの。

ウオツカ ライ麦・トウモロコシ・ジャガイモなどを糖化・発酵させ、蒸留して作ったロシア原産の酒。アルコール分は強い。ウオッカ。ウオトカ。▽ロシア vodka

ウオッチング 観察すること。「バードー」▽watching

うお・つり【魚釣（り）】 魚をつること。さかなつり。つり。フィッシング。

うお・の・め【魚の目】 皮膚の角質の一部分がかたくなって真皮内にくいこんだもの。足のうら、手の指などにできる。押さえると激痛がある。鶏眼。

ウォン《助数》〔朝鮮漢字音「圓（wən）」から〕大韓民国・朝鮮民主主義人民共和国の通貨の単位。略号はW。

う・おんびん【ウ音便】 音便の一つ。語中や語尾の「く（ku）」「ぐ（gu）」「ひ（hi）」「び（bi）」「み（mi）」などの子音が落ちて発音が「う」音に変わる現象。「かくし（格子）」が「かうし」、「よく」が「よう」、「問ひて」が「問うて」、「なつかしくて」が「なつかしうて」となるなど。

う・か【羽化】《名・自サ》〔昆虫のさなぎが〕成虫になって羽が生えること。**一とうせん【一登仙】** 人間の体に羽が生えて、仙人となり天にのぼること。参考多く、酒に程よく酔ってうっとりとした気分にたとえる。

*__う・かい【×迂回・×迂×廻】__《名・自サ》遠まわりすること。まわりみち。「一路」対直行。

*__う・かい【×鵜飼（い）】__ 鵜を飼いならしてアユなどの魚を捕らえさせる・こと（人）。

うがい【×嗽・▽含×嗽】《名・自サ》〔口やのどを清めるため〕水・薬液を口に含んで、すすぎ吐き出すこと。

うか・うか《副・自サ》《副詞は「一と」の形も》❶不注意で、警戒していないようす。うっかり。「一と相手に得点を与えた」❷はっきりした目的もなく、のんびりしているようす。「競争相手が多いから一できない」

うかがい【伺（い）】❶神のお告げを求めること。❷目上の人の意見を求めること。また、その文書。「進退一」参考「お伺いを立てる」の形でも使う。表記「進退伺」など、届け書ではふつう送りがなをはぶく。

うかがい・し・る【×窺い知る】《他五》〔推測して〕物事のあらましを知る。大体のことを知る。

*__うかが・う【伺う】__ 一《他五》❶「問う」「聞く」の謙譲語。㋐〔目上の人の意見・指図や神のお告げなどを〕求めたずねる。「主旨を一・いたい」「御機嫌を一・う」㋑目上の人の話などをお聞きする。「御高説を一・う」類語うけたまわる。❷《「御機嫌を伺う」の意から》〔落

語家などが〕面白おかしく話をする。「一席お笑いを―います」文《四》。二《自五》「訪問する」の謙譲語。参上する。「あす一〇時に―います」文《四》。

***うかが・う【×窺う】**《他五》❶そっとのぞいてみる。「戸のすき間から中を―う」表記「覗う」とも書く。❷推定して知る。察知する。「真意を―う」❸時期をまちうける。「好機を―う」文《四》。

うかさ・れる【浮かされる】《自下一》❶〔ある事に〕夢中になって落ち着かなくなる。「人気に―れる」❷〈熱に―れる〉熱が高くて意識が正常でなくなる。文うかさ・る《下二》。

うか・す【浮かす】《他五》❶浮くようにする。浮かべる。浮かばせる。「池にボートを―す」❷一部分を高くする。「花を―して彫る」❸余りがでるようにやりくりする。「出張旅費を―す」＝うかせる。文《四》。

うがち・すぎ【×穿ち過ぎ】裏の事情を深読みしすぎること。

う・かつ【×迂×闊】《名・形動》ぼんやりしていて気がつかないこと。また、物事の事情をよく知らないこと。「―には言えない」「―者(もの)」

うが・つ【×穿つ】《他五》〔文〕❶穴をあける。つきぬく。「点滴(雨だれ)石を―つ」❷〔はかまなどを〕はく。着用する。❸物事の隠れてわかりにくい面をたくみに言い当てる。「―ったことを言う」文《四》。

うか・と《副》注意のたりないようす。うっかり(と)。うかうか(と)。「―人の悪口はいえない」

うかぬ・かお【浮かぬ顔】《連語》心配事のあるような顔つき。憂うつそうな表情。

うかば・れる【浮かばれる】《連語》(「浮かぶ」の未然形＋可能の助動詞「れる」)❶死者の霊がやすらかに成仏できる。❷苦しい境遇から救われる。面目がたつ。「中止になったのでは―れない」

うかび・あが・る【浮(か)び上がる】《自五》❶〔水中・地面などにあったものが〕水面・空中へ上がってくる。「気球が―る」❷〔隠れていた物事が〕表面に現れ出る。うかびでる。「真相が―る」❸〔地位・生活などが〕悪い状態からよい状態になる。「最下位から―る」

うか・ぶ【浮(か)ぶ】《自五》❶〔水面・水中・空中などに〕沈まずにある。浮く。類語→浮く。対沈む。❷表面に現れる。「ほほえみが―ぶ」❸〔考えや物のようすなどが〕意識の中に現れる。「構想が―ぶ」文《四》。

うかぶ・せ【浮(か)ぶ瀬】❶〔地位・生活などが〕よくなる機会。出世する機会。「身を捨ててこそ―もあれ(＝捨て身にならなければ苦境から逃れられない)」❷心のやすまる時。報いられる時。類語立つ瀬。

うか・べる【浮(か)べる】《他下一》❶〔水面・水中・空中などに〕浮くようにする。類語→浮く。対沈める。❷表面に現す。「涙を―べる」「汗を―べる」❸〔考えや物のようすなどを〕意識の中にのぼらせる。思い出す。「師の教えを心に―べる」文うか・ぶ《下二》。

うから【▽族】〔雅〕血族。親族。やから。「―やから(＝一族)」

うか・る【受かる】《自五》〔試験に〕合格する。

うかれ・でる【浮(か)れ出る】《自下一》心がうきうきして、目的もなく外へ出る。「祭りに―でた人々」

うか・れる【浮(か)れる】《自下一》❶楽しくてじっとしていられない気持ちになる。❷上滑りな気持ちになる。文うか・る《下二》。

う・がん【右岸】川の流れる方角に沿って、右側の岸。対左岸。

***うき【浮き】**❶浮くこと。❷魚がかかったことを示す手がかりにするため、つり糸やあみにつけて水面に浮かべる木片など。表記②は「浮子」とも書く。❸うきぶくろ①。❹浮標(ふひょう)。ブイ。

***う・き【雨季・雨期】**一年のうちで、特に雨の多い季節・時期。対乾季。

うき・あが・る【浮き上がる】《自五》❶水中にあった物が水面にあがる。❷地面・土台などから離れて空中にあがる。❸〔考え・幻想などが〕意識の中に現れてくる。「古い記憶が―る」❹形・輪郭などが現れる。「霧の中から人影が―る」❺周りとの結びつきが弱くなる。「国民から―った政治」

うき・あし【浮(き)足】❶つまさきだけが地についていること。また、そのような足どり。❷今にも逃げ出しそうな体勢。逃げ腰。**―だ・つ【―立つ】**《自五》落ちついていられなくなる。逃げ腰になる。

うき・いし【浮(き)石】❶軽石(かるいし)。❷不安定な状態に積み重なっている岩石。

うき・うお【浮(き)魚】〔イワシ・サンマ・カツオ・マグロなど〕海面に近い所にすむ魚の総称。対底魚(そこうお)。

うき・うき【浮き浮き】《副・自サ》《副詞は「―と」の形も》楽しくて、また、うれしくて落ち着かないようす。心がはずむようす。類語そわそわ。

うき・おり【浮(き)織(り)】地組織の上に、横糸(または縦糸)を浮かせて模様を織り出すこと(織り方)。また、その織物。

うき・がし【浮(き)貸し】《名・他サ》〔銀行・会社・官庁などで〕公金や他人の金を不正な方法で(個人的に)他に貸し付けること。不当融資。

うき・ぎ【浮(き)木】❶川や海に浮いている木片。❷いかだ。ふね。**―の・かめ【―の×亀】**仏の教えにめぐりあうことの難しさのたとえ。転じて、めったに出あえないことのたとえ。参考→盲亀(もうき)の浮木(ふぼく)。

うき・くさ【浮(き)草・×萍】❶ウキクサ科の小さな多年草。水田・池・沼などの水面に浮かんで生える。❷水面に浮かんで生える草の総称。❸落ち着かない状態のたとえ。「―の生活」「―稼業(かぎょう)」

うき・ぐも【浮(き)雲】❶〔ぽっかり〕空に浮かんでいる雲。注意空いっぱいの雲については言わない。❷将来どのようになるかわからない不安定な物事のたとえ。

うき・ごし【浮(き)腰】❶腰に力がはいらず不安定なようす。❷〔その場をはなれたがって〕態度が落ち着かないようす。類語及び腰。逃げ腰。❸柔道の技の一つ。相手の体を自分の腰にのせて投げる。

うき・しずみ【浮(き)沈み】《名・自サ》❶浮いたり沈んだりすること。❷よくなったり悪くなったりすること。「―の激しい人生」類語盛衰。栄枯。＝浮沈(ふちん)。

うき・しま【浮(き)島】❶水面に浮かんでいるように見える島。❷〔沼や湖などで〕水草が密生して島のように見えるもの。「尾瀬(おぜ)の―」同①②浮き州。

うき・す【浮(き)巣】❶水鳥が水上に浮かべて作る巣。「鳰(にお)の―」❷定まらない住居。

うき・だ・す【浮き出す】《自五》❶表面に浮いて現れる。「水面に油が―す」❷〔形・模様などが〕ぬけでたようにはっきり見える。同①②うきでる。

うき・た・つ【浮き立つ】《自五》❶楽しくて、また、うれしくて心が落ち着かない。うきうきする。❷〔気分・

雰囲気などが〕あらわれでる。

うき・でる【浮き出る】《自下一》➡うきだす。

うき・ドック【浮きドック】海上で船の修理などをするための構造をもったドック。

うき・な【浮(き)名】《もと「憂き名（＝悪い評判）」の意》恋愛や情事のうわさ。艶聞。「―を流す」

うき・に【浮(き)荷】船体を軽くするため海に投棄されたり、荒波にさらわれたりして水面にただよう貨物。

うき・ね【浮(き)寝】《名・自サ》❶水鳥が水面に浮かんだまま眠ること。❷人が船の中で眠ること。❸落ち着かない状態で眠ること。❹〔遊女などの〕かりそめの添い寝。ひとときの添い寝。「―の旅」〘参考〙歌などで、「浮き」と「憂き（＝つらいこと）」をかけて使う。

うき・はし【浮(き)橋】水上にいかだや舟をならべて、その上に板をかけた橋。船橋。浮舟橋。

うき・ぶくろ【浮(き)袋】❶人を水面に浮かせるための道具。ゴムやビニールで作り、中に空気をつめる。うき。❷魚類の体内にあって、浮き沈みを調節する袋。ふえ。〘表記〙②は「浮(き)嚢」「鰾」とも書く。

うき・ふし【憂(き)節】〔雅〕つらく悲しいこと。

うき・ふね【浮(き)舟】水上に浮かぶ小舟。浮舟。

うき・ぼり【浮(き)彫(り)】❶彫刻で、金属・木などの平面上に像を浮き出させて彫る彫り方。また、その作品。レリーフ。リリーフ。❷ある物・物事をことさら目立つように表すこと。「世相を―にした小説」

***うき・み**【憂(き)身】つらく、苦労の多い身。

―を窶・す《句》〔やせるほどの苦労もかえりみずに〕物事に熱中する。「道楽に―・す」

***うき・み**【浮(き)身】水泳で、じゅうぶんに空気を吸いこんで、あおむけになって水面に浮く泳ぎ方。

うき・め【憂(き)目】つらい体験。悲しいめ。苦しいめ。「敗北の―を見る」

うき・よ【浮(き)世】〘一〙《名》❶はかない世の中。つらい事の多い世の中。〘参考〙仏教の考えからでた語。〘表記〙「憂(き)世」とも書く。〘類語〙火宅。❷この世の中。世間。「―の辛酸をなめる」〘二〙《接頭》「当世風」「好色の」などの意。〔近世に多く使われた〕「―寺」

―え【浮世絵】江戸時代に菱川師宣によって大成された風俗画。遊女や芝居などから題材をとった。

―ぞうし【浮世草子・浮世草紙】江戸時代に上方でおこった小説。町人の生態や人情を描く。代表的な作家は井原西鶴など。浮世本。

―の・かぜ【―の風】《連語》この世間の風潮。

―の・なさけ【―の情け】《連語》この世の人間同士の慈悲・恩愛。

―の・なみ【―の波】《連語》この世の定めない浮き沈み。「―にもまれる」

―の・ならい【―の習い】《連語》現世ではのがれられないことがら。この世の習慣。

―ばなれ【―離れ】《名・自サ》世間の常識や普通の生活から、かけはなれていること。「―した学者」

う・きょく【×迂曲・×紆曲】《名・自サ》〔文〕❶うねりまがること。「―する道」❷回り遠いこと。遠回り。

う・く【浮く】《自五》❶〔水面・水中・空中などに〕とどまった状態で存在する。また、水中から水面に出る。地面を離れて空中にあがる。うかぶ。「空に―・いた雲」〘類語〙浮かす。浮かべる。浮き出る。浮き出す。浮き上がる。浮かび上がる。浮かび出る。浮上。浮揚。浮遊。〘対〙沈む。❷表面に現れる。「脂が顔に―・く」❸固定した基盤からゆるみ離れる。「前歯が―・く」❹周囲との結びつきが弱まる。孤立する。うきあがる。「彼はグループ内で―・いている」❺心が晴れ晴れして活気がある。「―・かない顔つき」❻軽薄である。また、遊び半分の男女関係がある。「―・いたうわさが流れる」❼〔うまく使ったり節約したりしたために〕余分が出る。「交通費が―・いた」〘文〙《四》。

う・ぐ【×迂愚】《名・形動》〔文〕ぼんやりしていて、世事にうといこと。うかつでおろかなこと。〘類語〙迂遠。

うぐい【×鯎・▽石×斑▽魚】コイ科の淡水魚。産卵期には腹部に赤い三本の線があらわれる。食用。はや。いだ。あかはら。あかうお。

うぐいす【×鶯】❶ヒタキ科の小鳥。羽はオリーブ色。早春、「ホーホケキョ」と美しい声で鳴く。春告げ鳥。黄鳥。❷声の美しい女性。❸うぐいす色。

―いろ【―色】ウグイスの羽の色に似た色。緑に茶のまじった色。うぐいす茶。

―じょう【―嬢】〔野球場などで〕場内放送をする女性アナウンサー。

―ばり【―張り】廊下などの床板の張り方の一つ。歩くと板と板をとめたかすがいがこすれあって、ウグイスの鳴き声に似た音が出る。

―まめ【―豆】アオエンドウをやわらかく、甘く煮た食品。

―もち【―×餅】表面に青い豆粉をふりかけたもち菓子。

―鳴かせたこともあ・る《句》今は年をとって容色が衰えたが、かつては異性にもてはやされたものだ。

ウクレレ ハワイに起こった、ギターに似た小形の四弦の弦楽器。指ではじいて音を出す。▽ukulele

***うけ**【受け】❶受けること。また、受けるもの。「名刺―」❷芝居などで、主役に応対する・こと（役）。❸勝負事などで、守る立場になること。「―にまわる」❹ひきうけること。承諾。「―の証文」❺身元などを保証する・こと（人）。請け人。〘表記〙⑤は、ふつう「請け」と書く。❻評判。人気。また、信用。「―をねらう」「―がよい」

***う・け**【有×卦】陰陽道で、その人の干支によって吉事が七年間続くという年まわり。〘対〙無卦。

―に入・る《句》幸運にめぐまれて、よい事が続く。運が向く。「連戦連勝で―・っている」

***うけ**【×筌】川魚をとる道具。細く割った竹を、底のない筒形に編み、入り口にじょうご形のかえしをつける。入った魚は出られなくなる。うぐえ。うえ。

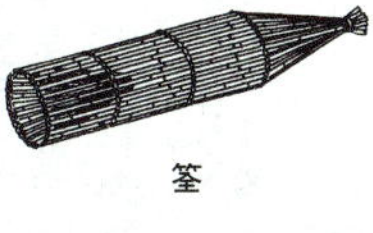

筌

うけ・あい【請(け)合い】❶ひきうけること。「安―」❷確かだと保証すること。「もうかること―だ」

うけ・あ・う【請け合う】《他五》❶〔責任をもって〕ひきうける。「協力を―・う」❷保証する。「品質を―・う」

う・けい【右傾】《名・自サ》❶右に傾くこと。❷〔国粋主義・ファシズムなど〕極端に保守的な思想に傾くこと。右翼化。〘対〙①②左傾。

うけ・いれ【受(け)入れ】❶受け取っておさめること。❷〔会計帳簿で〕収入。〘対〙払い出し。❸引き取って迎え入れること。「難民の―準備」

うけ・い・れる【受け入れる・受け▽容れる】《他下一》❶受け取っておさめる。引き取って迎え入れる。「異文化を―・れる」「被災者を―・れる」❷〔人の意見・要求などを〕聞き入れる。承知する。「提案を―・れる」

うけ・うり【受(け)売り・請(け)売り】《名・他サ》❶製造元や問屋から商品を買って他へ売ること。❷他人の意見などを自分の意見のように言うこと。

うけ-おい【請負】うけおうこと。特に、土木工事・建築などをうけおうこと。**―し**【―師】土木・建築工事などの請負を職業とする人。**―にん**【―人】うけおった仕事をなしとげる義務を負う人。

うけ-お・う【請け負う】《他五》引き受ける。特に、完成したら一定の報酬をもらう約束で、仕事を引き受ける。「建築を―・う」〔注意〕「受け負う」は誤り。

うけ-が・う【▽肯う・▽首▽肯う・▽諾う】《他五》〔文〕❶承諾する。承知する。❷肯定する。同意する。〔同〕①②うべなう。〔文〕《四》。

うけ-ぐち【受け口】❶物を受け入れる口。❷下唇が上唇より少し前につき出ている口。うけくち。

うけ-ごし【受け腰】❶物を受けとるときの、腰を引いた姿勢。❷受け身の構え。受動的な態度。

うけ-こたえ【受け答え】《名・自サ》きかれたこと、言われたことに対して答えること。応答。

うけ-ざら【受け皿】❶物を受け入れる皿。特に、カップやグラスなどの下に置いて、落ちる滴を受ける皿。❷ある人・物・物事などを受け入れる態勢や制度。「難民を迎える―がない」「落ちこぼれの―を準備する」

うけ-しょ【請(け)書】承知した旨を書きしるして差し出す文書。請け文。請け書き。

うけ-だ・す【請け出す】《他五》❶〔質入れしたものなどを〕金銭を払って引き取る。❷身請けする。「遊女を―・す」

うけ-だち【受け〈太刀〉】❶剣術で、切りつけられた太刀を受けとめる太刀(の使い方)。❷〔論争などで〕相手が攻勢に出たため、押されがちになること。

うけ-たまわ・る【承る】《他五》(「受け賜る」の意)❶「聞く」の謙譲語。〔相手の話・意見などを〕つつしんで聞く。拝聴する。「御意見を―・る」❷「受ける」「引き受ける」の謙譲語。つつしんで・受ける(引き受ける)。「しんがりを―・る」❸「承諾する」の謙譲語。つつしんで承知する。「たしかに―・りました」❹「伝え聞く」の謙譲語。「―・ればますます御繁栄の様子」

うけ-つ・ぐ【受け継ぐ】《他五》引き受けて続けていく。受け取って守っていく。「皇位を―・ぐ」「伝統を―・ぐ」〔類語〕(する)継承。承継。踏襲。

うけ-つけ【受(け)付け】❶受け付けること。受理。「願書の―は十日まで」❷外来者をとりつぐ場所・係・人。〔表記〕②は「受付」と書く。

うけ-つ・ける【受け付ける】《他下一》❶〔申し込み・文書などを〕処理するために受け取る。❷人の要求・意見などを認める反応を示す。聞き入れる。「だれの忠告も―・けない」❸〔病人のからだが〕くすり・飲食物などを胃におさめる。「水一滴すら―・けない」〔参考〕②③は、多く否定の形で使う。

うけて-た・つ【受けて立つ】《連語》挑戦を受けて、それに堂々と応じる。

うけ-と・める【受け止める】《他下一》❶くるものを受けて動きをとめる。「難球を―・める」❷〔他からの作用などを〕引き受けて、とどめる。「事実を厳粛に―・める」❸〔攻撃や要求を〕くいとめる。防ぎとめる。

うけ-とり【受(け)取り】❶受け取ること。〔類語〕引き取り。❷受け取ったことを証明する書きつけ。領収書。受領書。〔表記〕②は「受取」と書く。**―にん**【受取人】❶郵便物を受け取る人。〔対〕差出人。❷書類・物件などを受け取る人。❸振り出された手形・小切手の交付を受けるべき人。〔対〕振出人。

うけ-と・る【受け取る】《他五》❶手にとっておさめる。「ボールを―・る」❷もらう。受領する。領収する。「金を―・る」〔謙譲〕(する)拝受。❸なっとくする。もっともだと思う。「その話は―・りがたい」❹ある意味に解釈する。「架空の話と―・る」

うけ-なが・す【受け流す】《他五》❶切りこんできた刀を軽く受けて、わきへかわす。❷まともに相手にならず、適当にあしらう。「柳に風と―・す」

うけ-にん【請(け)人】ある人の身元などを引き受ける人。保証人。うけ。「―を立てる」

うけ-み【受(け)身】❶他からの攻撃や働きかけを受けて、それを防ぐ立場。「―にまわる」❷〔柔道で〕相手に投げられた時にけがをしないように倒れる方法。❸〔文法で〕主体となるものが他から動作を受ける意を示す表し方。文語では、動詞に助動詞「る」「らる」などを、口語では「れる」「られる」をつけて表す。受動態。

うけ-もち【受(け)持ち】❶受け持つこと。また、受け持つ仕事・人・場所。〔類語〕担当。分担。❷〔特に学校で〕一クラスをまとめる教員。担任。

うけ-も・つ【受け持つ】《他五》〔一定の範囲の物事を〕自分の仕事として引き受けて扱う。担当する。

うけ-もど・す【請け戻す】《他五》質や抵当に入れた物を、代価を払って取り返す。請け出す。

*__う・ける__【受ける】■一《他下一》❶自分の方に向かって来るものをささえとめる。しかけられた行為に応じる。うけとめる。うけいれる。「命令を―・ける」❷〔自然に〕さずけられる。「天から―・けた才能」〔表記〕②は「享ける」「禀ける」とも書く。❸あとをつぐ。うけつぐ。ひきつぐ。「父の仕事を―・ける」〔表記〕③は「承ける」とも書く。❹〔作用などを〕身にこうむる。…に身をさらす。「強い印象を―・ける」❺認める。信用する。「うわさを真に―・ける」❻文法で、ある語句が前の語句に形と意味の上で応じる。〔対〕係る。〔表記〕⑥は「承ける」とも書く。〔文〕う・く《下二》。■二《自下一》好評を得る。「世間に―・ける」〔文〕う・く《下二》。⇩〔使い分け〕

*__う・ける__【請ける】《他下一》❶引き受ける。うけおう。「急ぎの工事を―・ける」❷代金を払って引きとる。〔文〕う・く《下二》。⇩〔使い分け〕

> **使い分け**「うける」
> **受ける**〔▽享・▽承〕〔うけとめる、さずかる、うけつぐ、こうむる意で、一般に広く〕杯に受ける・許しを受ける・質問を受ける・生を受(享)ける・貴族の血を受(承)ける・損害を受ける・動詞連用形を受(承)ける・大向こうに受ける・引き受ける・見受ける・申し受ける
> **請ける**〔保証して引き受ける。代金を出して引きとる〕工事を請ける・質草を請ける・請け合う・請け負う・請け出す・下請け・請け人

うけ-わたし【受(け)渡し】《名・他サ》❶一つの物・物事を一方の人が渡し他方の人が受けとること。やりとり。❷代金とひきかえに商品をわたすこと。

う-げん【右×舷】船のへさきに向かって、右側のふなばた。〔対〕左舷。

*__うご__【羽後】旧国名の一つ。今の秋田県の大部分と山形県の北部。

*__う-ご__【雨後】〔文〕雨の降ったすぐ後。雨あがり。

—の筍《句》〔雨がふったあと、タケノコが次々に出るように〕同じような物事が、次から次へとたくさん出てくることのたとえ。

う-ごう【×烏合】〔文〕〈—の衆〉〔カラスの集まりの意から〕規律も統一もなく寄せ集められた多くの人々。

うごか・す【動かす】《他五》❶ものの位置・地位を変える。❷ゆすぶる。ゆする。「風が花を—・す」❸〔物事や心の〕状態をかえる。「表情を—・す」「—・しがたい（=否定できない）事実」❹行動や働きをさせる。作動させる。「機械を—・す」❺もうけるために使う。運用する。活用する。「資金を—・す」文《四》。

うこぎ【▽五▽加】ウコギ科の落葉低木。幹にするどいとげがある。若芽は食用。根の皮をほしたものは五加皮といって強壮薬にする。

うごき【動き】❶動くこと。動いている・ようす（傾向）。「ピストンの—」「—が取れない（=物事が思うようにできない）」❷移り変わり。動向。「時勢の—」

うご・く【動く】《自五》❶あるものの位置・地位が変わる。「群れが—・く」❷〔固定したものが前後・左右・上下の方向などに〕局部的に位置を変える。揺れる。「振り子が—・く」❸〔物事や心の〕状態が移り変わる。「気持ちが—・く」❹行動や働きをする。活動する。作動する。「資金が—・く」「エンジンが—・く」文《四》。

うこ-さべん【右顧左×眄】《名・自サ》〔「眄」は流し目で横を見ること。右を見たり左を見たりする意から〕周囲の情勢をうかがってばかりいて決断をためらうこと。左顧右眄。

うご-めか・す【×蠢かす】《他五》たえまなくこまかく動かす。「小鼻を—・す」

うご-め・く【×蠢く】《自五》〔ウジムシやイモムシなどが動くように〕全体がたえまなくこまかく動く。もぞもぞ動く。蠢動する。

***う-こん【右▽近】**「右近衛府」の略。平安時代、左近衛府とともに、宮中の警護や行幸の随行をつとめた機関。右近衛。対左近。 **—の-たちばな【—の×橘】**紫宸殿の正面階段のわき、殿舎から見て右側に植えてあるタチバナ。対左近の桜。

***う-こん【×鬱金】**❶ショウガ科の多年草。太い根茎からは黄色の色素がとれ、黄色染料・薬剤やカレー粉の原料になる。❷うこん①・きょうおうなどの根茎を乾燥させた黄色の染料。❸うこんいろ。濃い黄色。

う-さ【憂さ】思いどおりにならない不快な気持ち。くさくさする気持ち。「心の—を払う酒」

うさぎ【×兎・×兔】ウサギ科の哺乳動物。耳と後足が長く、よくはねる。肉は食用。毛皮は衣料用。参考古くは「一羽…」と数えたが、今は「一匹…」が普通。

うさぎ-うま【×兎馬】「ろば」の別称。

うさぎ-とび【×兎跳び】両ひざを折り腰を下げた姿勢で、とび歩くこと。足腰をきたえる方法の一つ。

うざった・い《形》〔俗〕うっとうしい。わずらわしい。

うさ-ばらし【憂さ晴(ら)し】《名・自サ》うさを忘れること。また、その手段。気散じ。気晴らし。

う-さん【×胡散】《形動》〔見た感じが〕うたがわしいようす。あやしいようす。胡乱。「—な奴」類語不審。 **—くさ・い【—臭い】**《形》〔見た感じが〕あやしくて、気がゆるせない。うたがわしい。「—・い男」

***うし【×丑】**❶十二支の二番め。❷昔の方角の名。北北東。❸昔の時刻の名。今の午前二時。または、午前一時から午前三時までの間。うしの時。うしの刻。❹昔の年・月・日にあてた呼び名。「—の日」

***うし【▽大▽人】**〔文〕学者の尊称。特に、江戸時代以降、国学者が自分の先生をさしていう。「県居の—（=賀茂真淵）」

***うし【牛】**ウシ科の哺乳動物。動作はのろいが、がっしりした体をもつ。頭に二本の角があるものと無いものがある。ひづめは二つに分かれる。食べた物を反芻する。役用・乳用・肉用などに飼われる。 **—に引かれて善光寺参り**《句》他人からさそわれて知らぬまに良い方へ導かれることのたとえ。また、本心からはじめたことではないのに、知らず知らずその事に熱心になることのたとえ。参考不信心な老婆が、牛が布を角にかけて去ったのを追いかけて、知らぬまに善光寺に着き、信心をおこしたという説話から。 **—の歩み**《句》物事の進み方がおそいことのたとえ。 **—の涎**《句》物事が細く長々と続くことのたとえ。 **—は牛連れ馬は馬連れ**《句》同類のものは集まりやすいことのたとえ。「馬は馬連れ」とも。 **—を馬に乗り換・える**《句》自分の都合のいいほうに切りかえることのたとえ。対馬を牛に乗り換える。

***う-し【×齲歯】**（「くし」の慣用読み）むしば。

***うじ【氏】** ━《名》❶家系を表す名称。姓。苗字。❷家柄。❸同じ先祖から出た血族の集まり。氏族。 ━《接尾》他人の姓（名）の下につける敬称。〔古風な呼び方。現在では「氏」と言う〕「林—」 **—より育ち**《句》家柄などより、環境や教育の力がその人間の品位をつくりあげるということ。

***うじ【×蛆】**ハエ・ハチなどの幼虫。脚がなく、筒形で、色は白っぽい。うじむし。また、特に、ハエの幼虫のこと。「男やもめに—がわく」

うじ-うじ《副・自サ》（副詞は「—と」の形も）気おくれしてためらうようす。類語ぐずぐず。もじもじ。

うしお【▽潮・×汐】❶〔文〕海の水が定期的に大きくみちひきすること。また、その海の水。潮。❷「うしお汁」の略。❸「うしお煮」の略。

うしお-じる【▽潮汁】魚や貝を水で煮て、塩で味つけをしたすましじる。

うしお-に【▽潮煮】白身の魚を骨つきのまま切り、塩で味つけをしてあっさりと煮たもの。

うし-かい【牛飼(い)】❶牛を飼う人。牛飼い童。類語牧夫。❷〔古〕牛車の牛を扱う人。牧童。

うし-がえる【牛×蛙】トノサマガエルに似た大きなカエル。牛がうなるような鳴き声を出す。食用蛙。

うじ-がみ【氏神】❶一門一族の祖先として祭る神。❷村や町などの一定の地域を守護する神。産土神。鎮守。「—様の祭り」

うじ-こ【氏子】❶氏神の子孫。❷産土神の守護する土地に（生まれ）住む人。「—総代」

うじ-すじょう【氏素姓】家柄。家筋。

うし-とら【×丑×寅・×艮】十二支で表した方角の名の一つ。北東。参考鬼門に当たるとして、この方向にむかって物事を行うことをさけた。

うしな・う【失う・▽喪う】《他五》❶〔持っていたものを〕なくす。「全財産を—・う」「色を—・う（=顔色が青ざめる）」「気を—・う（=失神する）」「自分を—・う（=常態をなくす）」❷わからなくなる。「方角を—・う」❸〔機会などを〕とりにがす。「好機を—・う」❹死なせる。亡くす。「祖父を—・う」文《四》。

う

うし-の-した【牛の舌】ウシノシタ科の海魚の総称。体は平たく牛の舌のような形で、左側に両眼がある。海底のどろの中にすむ。食用。したびらめ。

うし-の-とき【×丑の時】→うし(丑)③。 **—まいり**【—参り】毎夜丑の時に神社に参って、うらむ相手をかたどったわら人形を五寸釘で木にうちつけてのろうこと。七日めの満願の日に目ざす相手は死ぬと信じられた。うしの刻参り。うしの時詣で。

うし-の-ひ【×丑の日】干支の丑に当たる日。参考 夏の土用の丑の日には、暑さにまけないようにウナギを食べる習慣がある。

うし-みつ【×丑三つ】昔の時刻の一つ。丑の刻を四つに分けて、その三番目に当たる時刻。今の午前二時から二時半までの間。転じて、真夜中。深夜。「草木も眠る—どき」表記「丑満」とも当てる。

うじ-むし【×蛆虫】❶うじ。❷つまらない人間。下品な人間。〔ののしって言う語〕

うじゃ-うじゃ《副・自サ》〔副詞は「—と」の形も〕❶〔小さい虫などが〕たくさん集まって(動いて)いるようす。うざうざ。うようよ。「ミミズが—いる」❷小さい声でくどくどともの言うようす。

う-しょう【×鵜匠】〔川で〕魚をとるために鵜を飼いならし、操る人。鵜飼い。うじょう。

う-じょう【有情】〔仏〕〔感情をもたない木・石などに対して〕感情をもつ生きもの。人間・鳥・けもの・虫など。一般に、動物。対非情。

うしろ【後ろ】❶物の正面(前面)と反対の方。背後。対前。❷背中。「敵に—を見せる(=気おくれして逃げ出す)」❸縦に並んでいるもののうち、他の背中に向かっているもの。「一番—の人」対前。❹物にへだてられて見えない所。かげ。「木の—にかくれる」

うしろ-あし【後ろ足】動物の後ろの足。あとあし。対前足。

うしろ-かげ【後ろ影】後ろ姿。

うしろ-がみ【後ろ髪】頭の後ろのほうにはえている毛。対前髪。 **—を引か・れる**《句》〔髪を後ろに引っぱられるようで〕思い切れず心残りがする。未練が残る。

うしろ-きず【後ろ傷】逃げるとき、背中に受けた傷。参考 武士にとって恥とされた。対向こう傷。

うしろ-ぐら・い【後ろ暗い】《形》〔他からとがめだてを受けるような〕やましい点がある。類語 後ろめたい。

うしろ-すがた【後ろ姿】後ろから見た姿。後ろ影。

うしろ-だて【後ろ盾・後ろ×楯】❶〔戦いなどで〕後方を防ぐもの(人)。❷かげで力をかすこと。また、そのもの(人)。うしろみ。

うしろ-で【後ろ手】❶後ろの方。後方。❷片手または両手を後ろにまわすこと。「—にしばる」

うしろ-はちまき【後ろ鉢巻(き)】鉢巻を後頭部で結ぶこと。また、その姿。対向こう鉢巻。

うしろ-まえ【後ろ前】〔衣服などを着たとき〕後ろと前とが反対になること。類語 裏表。

うしろ-み【後ろ見】❶うしろだて②。❷幼い人や法律上能力のない人などを、親にかわって世話し、助けること(人)。後見。後見人。

うしろ-みごろ【後ろ身×頃・後ろ×裑】衣服の背面の、襟・袖を除いた部分。対前身頃。

うしろ-むき【後ろ向き】❶〔相手に〕背中をむけていること。❷〔思想・行動などが〕時代の流れ、時代の進むべき方向に対して逆の方へ向いていること。消極的なこと。「—の考え方」対①②前向き。

うしろ-めた・い【後ろめたい】《形》自分の行動を反省して恥じる点がある。「—・い思い」類語 後ろ暗い。やましい。

> **類義語の使い分け** うしろめたい・やましい
>
> [うしろめたい・やましい] 天地神明に誓ってうしろめたい(やましい)ことなど何一つしていない
>
> [うしろめたい] 彼に対してうしろめたい気持ちになる
>
> [やましい] 調べられてもやましい点はないから平気だ

うしろ-ゆび【後ろ指】〈—を指される〉〔他人に後ろから指をさされる意から〕かげで他人から非難される。かげ口を言われる。

う-しん【有心】❶理解力のあること。思慮のあること。❷中世の歌論で、叙情性の深くこもった美。❸優雅を旨とする、純正の連歌。有心連歌。❹〔狂歌を「無心」というのに対して〕和歌。対③④無心。

＊**うす**【薄】㊀《接頭》❶「厚さが少ない」の意。「—紙」❷「程度が少ない」「あわい」の意。「—情け」「—味」❸「なんとなく」「どことなく」の意。「—気味悪い」㊁《接尾》「…が少ない」「あまり…が無い」の意。「望み—」

＊**うす**【×臼】❶円筒形の石・木などをえぐり、きねでその中の穀物をつき砕いたり、餅をついたりする道具。❷ひきうす。参考 ①②とも「一基…」と数える。

うず【渦】❶らせんのような形にまわる水流。❷うず①に形や感じが似たもの。❸物事がはげしく動いて混乱している状態。「興奮の—」=うずまき。

うす-あかり【薄明(か)り】❶ほのかな光。類語 微光。❷日の出前や日の入り後の空がかすかに明るいこと。薄明。

うす-あきない【薄商い】売買があまり行われないこと。また、取引総額が少額であること。対大商い。

うす-あじ【薄味】あっさりした味つけ。

＊**う-すい**【雨水】〔文〕❶あめのみず。天水。雨水。❷二十四節気の一つ。太陽暦で、二月一九日ごろ。参考 雨水がぬるみ草木の芽が萌え始めるころの意。

＊**うす・い**【薄い】《形》❶上の面から下の面までの距離が短い。厚さがわずかである。「—・い紙」「—・く積もった雪」対厚い。❷物の濃度・密度が少ない。「塩で—・く味をつける」「高山は空気が—・い」「髪の毛が—・い」対濃い。❸物事の程度が少ない。「利が—・い(=もうからない)」「政治への関心が—・い」「なじみの—・い土地」❹弱い。足りない。とぼしい。「印象が—・い」文うす・し《ク》。

うす-いた【薄板】板状で厚みのないもの。対厚板。

うす-うす【薄薄】《副》はっきりではないが、いくらか分かっているようす。おぼろげに。「—知っていた」

うず-うず《副・自サ》〔副詞は「—と」の形も〕心がはやるようす。「試合に出たくて—する」類語 むずむず。

うす-がみ【薄紙】薄い紙。「—を剝ぐよう(=病気などが少しずつよくなることのたとえ)」対厚紙。

うす-かわ【薄皮】❶物の表面をおおう薄い皮(のようなもの)。また、膜。「栗の—」類語 甘皮。渋皮。❷皮の薄いまんじゅう。 **—の剝けた**《句》肌の色が白く、きめの細かい粋な女性の形容。「—女」参考「渋皮のむけた」ともいう。

う

うす-ぎ【薄着】《名・自サ》〔寒い季節でも〕着物を少ししか重ねて着ないこと。対厚着。

うす-ぎたな・い【薄汚い】《形》なんとなくきたない。どことなく汚れているような感じである。類語小汚い。

うす-きみわる・い【薄気味悪い】《形》なんとなく気味がわるい。不気味である。

うず・く【×疼く】《自五》ずきずき重苦しく痛む。「傷口が—く」「失恋して心が—く」文《四》。

うす-くち【薄口】❶〔醤油や料理の〕色や味が薄いこと(もの)。表記「淡口」とも書く。対濃口。❷〔ちゃわん・ちょこなどの〕うすでに作ったもの。

うずくま・る【×蹲る・×踞る】《自五》ひざをまげて腰をおとし、体を丸く小さくする。〔けものなどにも言う〕参考歴史的かなづかい「うづくまる」は室町時代以降行われた。文《四》。

うす-ぐも【薄雲】❶薄くたなびいた雲。❷巻層雲(けんそううん)。

うす-ぐもり【薄曇り】空いっぱいに薄い雲がかかって、くもっていること(天気)。類語高曇り。

うす-ぐら・い【薄暗い】《形》光がわずかで、少し暗い。ほのぐらい。おぐらい。「—い部屋」

うす-げしょう【薄化粧】《名・自サ》❶目立たないような薄い化粧(をすること)。対厚化粧。濃い化粧。❷雪で山が少し白くなること。

うす-ごおり【薄氷】薄くはった氷。薄氷(はくひょう)。

うす-じ【薄地】布などで、比較的厚さが薄い・こと(もの)。「—のウール」対厚地。

うす-じお【薄塩】❶〔ふつうより〕料理の塩加減が少ないこと。甘塩。❷料理に使う肉や野菜に少し塩をかけておくこと。「—で一晩おく」

うず-しお【渦潮】うずをまいて流れている海水。

うす-ずみ【薄墨】❶「薄墨色」の略。うすい墨色。❷「薄墨紙」の略。うすい灰色をした紙。

うずたか・い【×堆い】《形》もりあがって高い。厚く積もっている。「落ち葉が—く積もる」

うす-ちゃ【薄茶】❶抹茶のたて方の一つ。一定量の湯に対して抹茶の量を少なくしたもの。お薄。❷薄い茶色。薄茶色。対①②濃茶。

うすづ・く【×臼×搗く・×舂く】《自五》❶臼に物を入れて杵でつく。❷〔文〕夕日が山の端や地平線・水平線に隠れようとする。表記②は「舂く」と書く。

うすっ-ぺら【薄っぺら】《形動》❶〔ぺらぺらするほど〕薄いようす。❷〔行動や物の考え方に〕内容がなく、ふかみのないようす。軽薄。浅薄。「—な人」

うす-で【薄手】一《名》❶《形動》〔紙・陶器・織物などの〕厚みが少ない・こと(もの)。「—の茶碗」対厚手。❷浅い傷。軽傷。浅手。「—を負う」対深手。二《形動》軽々しく安っぽいようす。「—な造りの家」

うす-のろ【薄▽鈍】《名・形動》知能が少し劣っていて、動作や反応がおそい・こと(人)。類語うすばか。

うす-ば【薄刃】〔同種の刃物の中で〕刃の薄いもの。特に、刃の薄いほうちょう。

うす-ばか【薄馬×鹿】《名・形動》少しばかな・こと(人)。類語うすのろ。

うすば-かげろう【薄羽×蜉×蝣・薄羽×蜻×蛉】ウスバカゲロウ科の昆虫。形はトンボに似ている。はねが薄くやわらかい。夕方からとびまわる。幼虫をアリジゴクという。

うす-び【薄日】弱い日ざし。「雲間から—がさす」

うす-べり【薄▽縁】ふちをつけたござ。

うず-まき【渦巻(き)】❶らせんのような形にまわる水流。うず。❷うずをまいた形。また、それに形や感じの似たもの。「指紋の—」「デモの—」

うず-ま・く【渦巻く】《自五》❶水流がらせんのような形にまわる。「濁流が—く」❷うずに似た形になってはげしくまわる。「デモの隊列が—く」❸感情などがはげしく動く。「愛憎が—く」「不満の声が—く」

うずま・る【▽埋(ま)る】《自五》❶くぼみなどに物が一杯につまる。ふさがる。❷多量の物におおわれて、すっかり隠れる。うずもれる。「駅が雪に—る」❸〔たくさんの人や物で〕その場所がすっかりおおわれる。「球場は人で—った」同①～③うまる。文《四》。

うずみ-び【▽埋み火】〔早くもえてしまわないように〕灰の中にうずめた炭火やたどんの火。類語いけ炭。

***うす-め【薄め】**《名・形動》❶〔色・味などが〕ふつうよりも少し薄いこと。対濃いめ。❷厚さが少し薄いこと。「大根を—に切る」対厚め。参考「め」は接尾語。

***うす-め【薄目】**目を細くあけること。また、少しあけた目。ほそめ。「—をあけて見る」

うす・める【薄める】《他下一》〔色・味・濃度などを〕薄くする。「水で—める」文うす・む《下二》。

うず・める【▽埋める】《他下一》❶〔多量の物で〕おおいかくす。「棺を菊の花で—める」❷〔物を入れてくぼみや穴を〕ふさぐ。「板のふし穴を—める」❸他の物の中に入れて、外から見えなくする。特に、土の中へ入れる。「あごをえりに—める」❹〔たくさんの人や物で〕その場所をいっぱいにする。「群衆が会場を—める」❺〔金銭などの足りない分を〕おぎなう。「赤字を—める」＝うめる。文うづ・む《下二》。

うす-もの【薄物】〔紗・絽などのように〕薄く織った織物。また、それで作った着物。

うずも・れる【▽埋もれる】《自下一》❶〔多くの物の下に〕かくれる。「雪に—れた家」❷〔すぐれた才能・価値などが〕世に知られないでいる。「—れた人材」＝うもれる。文うづも・る《下二》。

うす-やき【薄焼き】卵焼き・せんべいなどで薄く焼いたもの。対厚焼き。

うす-よう【薄様】❶「薄様紙」の略。薄くすいた鳥の子紙。表記「薄葉」とも書く。対厚様。❷上を濃く、下になるにしたがって薄くなるようにぼかしてそめた色。

うす-よご・れる【薄汚れる】《自下一》どことなくよごれる。少しよごれる。

うすら【薄ら】《接頭》❶「厚さが少ない」の意。「—氷」❷「程度が少ない」「あわい」「ほのかな」「かすかな」などの意。「—明かり」「—笑い」❸「なんとなく」「どことなく」の意。「—寒い」

うずら【×鶉】キジ科の鳥。はねの色は茶色で、黒・白のまだらがある。肉・卵とも食用。

うすら・ぐ【薄らぐ】《自五》うすくなる。次第に少なくなる。うすれる。「寒さが—ぐ」「危険が—ぐ」注意色・味などの場合には使わない。

うすら-さむ・い【薄ら寒い】《形》なんとなく寒い。うそ寒い。「日がかげって—くなった」類語はだ寒い。文《四》。

うすら-ひ【薄ら氷】〔雅〕薄くはった氷。薄氷(うすごおり・はくひょう)。うすらい。

うすら-び【薄ら日・薄ら▽陽】〔雅〕うすぐもりの空か

らさす太陽のにぶい光。うすび。

うずら‐ふ【×鶉×斑】ウズラのはねの色に似た、茶色に黒・白のまだらのある模様。

うずら‐まめ【×鶉豆】マメ科の一年草。インゲンマメの一種。煮豆用。参考 種子は白地に赤い斑点があり、ウズラの卵に似ている。

うすら‐わらい【薄ら笑い】《名・自サ》うす笑い。

うす・れる【薄れる】《自下一》うすくなる。少なくなる。うすらぐ。「記憶が―・れる」文うす・る《下二》。

うす‐わらい【薄笑い】《名・自サ》〔声を出さず〕かすかに笑うこと。また、その表情。うすら笑い。参考 相手をばかにしたような感じを与える。

*__う‐せい__【雨声】〔文〕雨の降る音。雨音。

*__う‐せい__【×迂生】《代名》〔文〕〔「おろかな私」の意から〕自分の謙称。注意 男性が手紙文などで使う。

う‐せつ【右折】《名・自サ》〔道路や自動車などが〕右へまがること。「―禁止」対 左折。

うせ‐もの【▽失せ物】なくなった品物。なくし物。紛失物。〔古風な言い方〕類語 遺失物。さがし物。

う・せる【▽失せる】《自下一》❶見えなくなる。なくなる。「夢も希望も―・せた」❷死ぬ。〔古風な言い方〕「主の―・せた家」❸行く。去る。〔粗野な言い方〕「とっとと―・せろ(=行ってしまえ)」文う・す《下二》。

*__うぜん__【羽前】旧国名の一つ。今の山形県の大部分。

*__うそ__《接頭》〔「薄」のなまり〕「なんとなく」「少し」の意。「―寒い」

*__うそ__【×嘘】❶事実でないこと。また、人をだますために事実と違うことを言うこと。また、そのことば。偽り。そらごと。虚言。「―をつく(=うそを言う)」類語 ほら。❷間違っていること。誤り。「―の字」類語 虚偽。❸〈「…するのは―だ」の形で〉…するのは適当でない。「こんな時に働くのは―だ」❹〈「…しなければ―だ」の形で〉当然…すべきだ。「今、動かなければ―だ」

―から出た実《句》うそで言ったことが偶然に事実となること。また、なにげなしに言ったことばが、いつしか実現してしまうこと。類語 瓢簞から駒。

―も方便《句》〔うそは悪いことであるが〕目的をとげるための手段として時には、うそをつくことも必要だ。

*__うそ__【×獺】「かわうそ」の別称。

*__うそ__【×鷽】アトリ科の小鳥。体は青灰色。雄のほおは淡紅色で美しい。口笛のような声で鳴く。うそどり。

うそ‐うそ《副・自サ》《副詞は「―と」の形も》落ち着かないようす。そわそわ。「―と歩き回る」

うぞう‐むぞう【有象無象】❶宇宙にある、有形・無形のすべての物。森羅万象。❷たくさんの、つまらない・人(もの)。平凡で種々雑多な・人(もの)。

うそ‐かえ【×鷽替え】一月七日の夜、太宰府天満宮で行われる神事。明かりを消した境内で、参拝者同士が木製の鷽を交換し合う。参考 東京亀戸・大阪などにも似た行事がある。

うそ‐さむ・い【うそ寒い】《形》なんとなく寒い。うすら寒い。うす寒い。

うそ‐じ【×嘘字】誤字。「―の多い手紙」

うそ‐つき【×嘘▽吐き】うそを言う・こと(人)。特に、いつもよくうそを言う人。類語 ほら吹き。千三つ。

うそ‐っ‐ぱち【×嘘っぱち】〔俗〕「うそ」を強めた言い方。まったくのうそ。表記「嘘っ八」とも当てる。

うそ‐の‐かわ【×嘘の皮】〔俗〕うそを包み隠したことがら。「―がはがされた」

うそ‐はっぴゃく【×嘘八百】やたらにうそを言うこと。「―を並べる」参考「八百」は「数が多い」意。

うそ‐ぶ・く【×嘯く】《自五》❶〔文〕〔口をすぼめて強く息や声を出すことから〕ほえる。また、ほえるような大きな声や音を出す。「月に―・く虎」❷とぼけて知らないふりをする。「自分は無関係だと―・く」参考「そらうそぶく」の転。❸大げさなことを言う。豪語する。「一升飲めると―・く」❹〔文〕〔詩歌などを〕口ずさむ。吟ずる。「都の花に―・けば…」文《四》。

うた【歌】❶ことばに節をつけ、声に出してうたうもの。表記「唄」とも書く。❷和歌。短歌。「―を詠む」

うた‐あわせ【歌合(わ)(せ)】歌人が左右二組に分かれ、同じ題でよんだ和歌を一首ずつ出して組み合わせ、判者が優劣を判定して、勝ち歌の多少で勝負をきめる遊び。平安時代、貴族の間で流行した。

うたい【謡】能楽の詞章。また、それに節をつけてうたうこと。謡曲。

う‐だい【宇内】〔文〕天地四方の内。天下。世界。

うたい‐あ・げる【歌い上げる】《他下一》❶詩歌・小説などに作る。「情感豊かに―・げた小説」❷声をあげて終わりまでうたう。強い調子で表現する。

う‐だいじん【右大臣】太政官の長官。左大臣の次の位。天皇をたすけて政務を行う。みぎのおとど。右府。対 左大臣。

うたい‐て【歌い手】❶(上手に)歌を歌う人。❷歌を歌うことを職業とする人。歌手。

うたい‐もの【謡物】叙情的な詞章に節をつけて歌うものの総称。神楽歌・催馬楽・朗詠・今様・謡曲・長唄・端唄・小唄など。対 語り物。

うたい‐もんく【×謳い文句】多くの人に知ってもらうために長所を強調していう短いことば。キャッチフレーズ。注意「歌い文句」は誤り。

*__うた・う__【歌う】《他五》❶ことばに音楽的な節をつけて声に出す。「童謡を―・う」「歌を―・う」❷和歌・詩などにつくる。「風景を―・う」❸(鳥が)鳴く。さえずる。表記 ①は「謡う」「唄う」とも、②は「詠う」とも書く。文《四》。

*__うた・う__【×謳う】《他五》❶多くの人に知らせるように・言う(書く)。強調して・言う(書く)。「主権在民を―・う」❷多くの人がほめたたえる。謳歌する。「秀才と―・われる」文《四》。

うだ‐うだ《副・自サ》どうでもいいことを、いつまでもしたり言ったりするようす。「済んだことを―言う」類語 ぐずぐず。

うた‐かい【歌会】→かかい(歌会)。―はじめ【―始】→うたごかいはじめ。

うたがい【疑い】❶確かでないと思う・こと(点)。不審な点。「―をさしはさむ」❷〔多く悪いことに関して〕そうではないかと思う・こと(点)。「放火の―がある」類語 容疑。嫌疑。―な・い【―無い】《形》疑いの余地がない。確実である。「成功は―・い」―ぶか・い【―深い】《形》疑う心が強い。うたぐり深い。

うたが・う【疑う】《他五》❶確かでないと思う。不審に思う。「かれの常識を―・う」「目を―・う(=見たことが信じられない)」❷〔多く、悪いことに関して〕そうではないかと思う。「犯人ではないかと―・う」=うたぐる。類語 ①②あやしむ。文《四》。

うたがう‐べくもな・い【疑う▽可くも無い】

う

《連語》疑いをかける余地もない。確かだ。

うたがうらく-は【疑うらくは】《連語》〔文〕疑問に思うことには。もしかしたら。うたごうらくは。「(月光を)ーこれ地上の霜かと」

うた-かた【▽泡×沫】〔文〕❶水の上にうかんだあわ。みなわ。❷消えやすく、はかないもののたとえ。長続きしないもののたとえ。「ーの夢」「ーの恋」

うた-がるた【歌加留多】小倉百人一首などの和歌を書いたかるた。また、それを使ってする遊び。類語 いろはがるた。参考 読み札には和歌の全句を、取り札には下の句だけを書く。江戸初期に始まった。

うたがわし-い【疑わしい】《形》❶本当かどうか確かでない。「実験の成功はー・い」❷変である。あやしい。「ー・い行為」文 うたがは・し《シク》。

うた-ぐち【歌口】❶和歌の詠みぶり。❷笛や尺八などを吹くとき、口にあてる・部分(あな)。

うたぐ-る【▽疑る】《他五》疑う。〔やや俗な言い方〕

うたげ【▽宴】〔雅〕酒もり。酒宴。宴会。「ーの後(=華やかな催しなどが終わった後の、しらじらしい感じ)」

うたごうらく-は【疑うらくは】《連語》↓うたがうらくは。

うた-ごえ【歌声】歌を歌っている声。

うたごかい-はじめ【歌御会始】毎年、宮中で行われる、年のはじめの歌会。あらかじめ出された御題によってよむ。歌会始。歌御会始。

うた-ごころ【歌心】❶和歌の意味。❷和歌を作ってみようとする心。歌の素養・たしなみ。「ーがある人」

うた-ざいもん【歌祭文】江戸時代に起こった俗曲の一つ。神をたたえる祭文が遊芸僧や山伏などによって俗化されたもの。世間のできごとを三味線に合わせておもしろく歌う。祭文節。祭文。

うたざわ-ぶし【歌沢節・×哥沢節】江戸後期に流行した俗曲の一つ。端唄をもとにしてできた。表記 寅派と芝派があり、前者は「歌沢節」、後者は「哥沢節」、総称として「うた沢節」と書く。

うたた【▽転た】《副》〔文〕❶〔物事に感じる心情の〕程度が進むようす。いよいよ。ますます。「ー感慨にたえない」❷〔物事の程度が〕常とちがってはなはだしいようす。「山川草木ー荒涼」

うたた-ね【▽転寝】《名・自サ》眠るつもりはなく休んでいるうちに、うとうと眠ること。類語 仮睡。

うだつ【×梲】❶梁の上に立てて棟木を支える、短い柱。❷民家で、屋根の両端を一段高くし小屋根をつくった部分。=うだち。

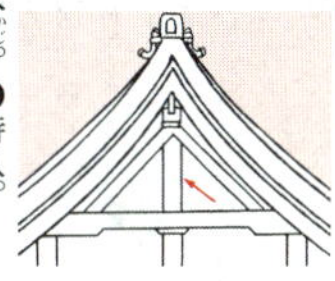

梲

ーが上がらな・い《句》地位・生活などがよくならない。

うた-びと【歌人】❶和歌を(上手に)作る人。歌よみ。歌人。❷詩人。

うた-ひめ【歌姫】〔雅〕❶歌を(上手に)歌う女。うため。❷歌を歌うことを職業とする女。女流歌手。

うた-まくら【歌×枕】❶むかしから和歌によまれている名所。❷〔まくらことば・名所など〕和歌をよむときに必要なことばを書き集めた書物。

うた-ものがたり【歌物語】平安時代に発達した、和歌を中心とする短編の物語。また、それを集めたもの。伊勢物語・大和物語など。

うた-よみ【歌詠み】和歌を(上手に)作る人。歌人。類語 歌仙。歌聖。

うだ-る【×茹だる】《自五》《「ゆだる」の転》❶熱い湯でにられる。また、熱い風呂にはいり、のぼせる。「たまごがー・る」❷ひどく暑くてぐったりする。文《四》。

うた-れる【打たれる】《連語》《「打つ」の未然形＋受け身の助動詞「れる」》強い感動を覚える。「胸をー・れた」参考 ↓「打つ」③。

*__うち__【打(ち)】《接頭》❶「少し」「ちょっと」の意。「ー見る」❷「すっかり」の意。「ー切る」❸動詞の上について、意味を強め語調をととのえる語。「ー寄せる」

*__うち__【内】■一《名》❶物の中側。囲い・仕切りなどの中側。内部。「部屋のー」対 そと。❷一定の範囲の中。「二人のーではどっちが偉いか」❸外に現れない心の中。内心。心中。「ーにこもった感情」❹自分の家。家庭。「これはーの習慣です」対 よそ。❺建物としての、家。家屋。「ーを建てる」❻自分の夫または妻。「ーに相談します」❼自分の所属する所。「ーの会社」❽〈「…のーに」の形で〉ある状況のあいだ。「成功のーに閉会する」「暗黙のーに了解した」表記 ①②③は「中」、④⑤は「家」とも書く。⑦⑧はかなで書くことが多い。■二《形名》一定の時限の中。以内。あいだ。「歩いているーに忘れた」表記 かなで書くことが多い。■三《代名》《自称の人代名詞》〔主として関西地方の方言〕わたし。〔女性が使う〕「ーが行く」表記 かなで書くことが多い。

ーを外に・する《句》外出ばかりしていて、ほとんど家にいない。家を外にする。

うち-あ・う【打ち合う】■一《自五》刀などで互いに争う。■二《他五》❶互いに・打つ(たたく)。❷銃や砲を互いに放つ。互いに射撃する。表記 ②は、「撃ち合う」「射ち合う」とも書く。

うち-あげ【打(ち)上げ】❶打ち上げること。「国産ロケットのーに成功した」❷「打ち上げ花火」の略。❸一つの興行や事業を終えること。「東京公演のー」

ーはなび【打(ち)上(げ)花火】筒をつかって空高く打ち上げ、空中で破裂するしくみの花火。

うちあけ-ばなし【打(ち)明け話】〔今まで人に知らせなかった〕自分の気持ちや自分に関係する事実をかくさずに話す話。類語 秘話。

うち-あ・ける【打ち明ける】《他下一》《「打ち」は接頭語》〔今まで人に知らせなかったことを〕かくさずに話す。「秘密をー・ける」類語 告白(する)。

うち-あ・げる【打ち上げる】《他下一》❶《「打ち」は接頭語》「上げる」を強めた言い方。❷(打って)高く上げる。❸波が物を陸に運び上げる。「岸にー・げられた船」❹興行をすっかり終える。また、仕事を終える。「公演をー・げる」❺碁で、勝負を終える。

うち-あわせ【打(ち)合(わ)せ】❶あらかじめ相談すること。また、その相談。類語 下相談。協議。話し合い。❷洋服の、左右の前身ごろの合わさったところ。

うち-あわ・せる【打ち合わせる】《他下一》❶互いにぶつけ合う。「拍子木をー・せる」❷打って、しっかりくっつける。「板と板とをー・せる」❸《「打ち」は接頭語》あらかじめ相談する。「作戦をー・せる」

うち-いり【討(ち)入(り)】〔いくさや仇討ちで〕敵の陣地や住居に攻め入ること。「赤穂浪士のー」

うち-い・る【討ち入る】《自五》敵の陣地に攻めこむ。

うち-いわい【内祝(い)】❶自分の家の祝い事を、親族や縁故者など内輪の者だけで祝うこと。❷自分の家の祝い事を記念して品物を贈ること。また、その品物。参考品物に付けるのし紙に書く。

うち-うち【内内】❶家庭の中(の人)。❷表だたず、ごく内輪に物事を行うこと。内々(ないない)。

うち-うみ【内海】❶(古)みずうみ。❷陸にかこまれたせまい海。入り海。内海(ないかい)。類語入り江。対外海(そとうみ)

うち-お【打(ち)緒】(-を) 何本かの糸を組んで作ったひも。打ちひも。組みひも。

うち-おと・す【打ち落とす】《他五》❶たたいて落とす。「クリを―・す」❷(首を)切って落とす。❸鉄砲のたまなどを放って、あてて落とす。「鳥を―・す」表記③は「撃ち落とす」「射ち落とす」とも書く。

うち-おろ・す【打ち下ろす】《他五》(刀・つちなど重いものを、高い所から)勢いよくおろす。

うち-かえし【打(ち)返し】(-かへし) 劇場で、背景の書き割りの板を裏返して別の背景にすること。

うち-かえ・す【打(ち)返す】(-かへす) ㊀《他五》❶打って向こうへ返す。「ボールを―・す」❷たたかれたしかえしに相手をたたく。たたき返す。❸硬くなった綿を打ってやわらかくする。打ち直す。❹田畑の土をすきかえす。㊁《自五》いったん引いた波がまた寄せてくる。

うち-かくし【内隠し】洋服の内ポケット。

うち-かけ【打(ち)掛(け)・×裲×襠】❶平安時代、朝廷の儀式のときに、武官が装束(しょうぞく)の上につけた錦(にしき)の胴衣。❷江戸時代、武家婦人の礼服の一つ。形は長着に似て、帯をしめた上からはおり、すそを引いて着る。現在は、花嫁の衣装として使う。かいどり。

うち-がけ【内掛け】相撲の技の一つ。自分の足を相手の足の内側にかけて倒す技。対外掛け。

うち-かさな・る【打ち重なる】《自五》《「打ち」は接頭語》❶「重なる」を強めた言い方。「―・る不幸」❷(物の上に、かるく)重なる。「ボタンの花が―・る」

うち-がし【内貸し】《名・他サ》報酬や賃金などの一部を、きまった支払い日より前に貸し出すこと。類語前貸し。先貸し。対内借り。

うち-かた【打ち方】❶鉄砲を撃つこと。射撃。砲撃。❷鉄砲・鼓・囲碁(いご)などで、打つ・方法(人)。

うち-か・つ【打ち勝つ】《自五》❶《「打ち」は接頭語》「勝つ」を強めた言い方。❷(「打ち」は接頭語)(困難・苦しみなどを)のりこえる。克服する。「貧苦に―・つ」表記②は「打ち克つ」とも書く。❸(野球やボクシングで)打力を生かして勝つ。対打ち負ける。

うち-かぶと【内×兜・内×冑】❶かぶとの内側。❷内部の事情。うちうちのようす。「―を見すかす(=内部の事情を見ぬく。弱点などを見やぶる)」類語内幕。

うち-がり【内借り】《名・他サ》報酬や賃金などの一部を、きまった支払い日より前に借り出すこと。類語前借り。先借り。対内貸し。

うち-がわ【内側】(-がは) ものの内に面している側。内面。類語裏側。裏面。対外側。

うち-き【内気】《名・形動》気が弱く、人前ですすんで物事ができない・こと(性質)。また、遠慮ぶかい・こと(性質)。「―な人」類語小心。弱気。

うち-ぎ【×袿】❶昔、身分の高い女子が唐衣(からぎぬ)の下に着た衣服。平安時代中期以後は、襲(かさね)の上着をさす。❷昔、男子が直衣(のうし)や狩衣(かりぎぬ)の下に着た、ふだんの衣服。=うちき。

うち-きず【打(ち)傷・打(ち)×疵】物に打ちつけたり打たれたりしてできた傷。打撲傷。打ち身。

うち-き・る【打ち切る】《他五》❶勢いよく切る。たたき切る。❷《「打ち」は接頭語》(物事の)あるところまでで終わりにする。「中継放送を―・る」

うち-きん【内金】売買などの契約で、代金の一部としてあらかじめ支払われる金。類語前金。頭金。

うち-くず・す【打ち崩す】(-くづす)《他五》❶《「打ち」は接頭語》「くずす」を強めた言い方。「かたい守りを―・す」❷重い物をぶつけて、くずす。❸野球で、打ちまくって敵の投手を退ける。「エースを―・す」

うち-くだ・く【打ち砕く】《他五》❶《「打ち」は接頭語》「くだく」を強めた言い方。「野望を―・く」❷強くたたいてくだく。「石をハンマーで―・く」❸(打撃を与えて)物事をめちゃくちゃにする。「強敵を―・く」

うち-くび【打(ち)首】昔、刀で首を切りおとす刑罰。斬罪(ざんざい)。類語斬首(ざんしゅ)。刎首(ふんしゅ)。断頭(だんとう)。

うち-けし【打(ち)消(し)】❶そうでないと言うこと。否定。❷(文法で)ある種の助詞・助動詞・形容詞を用いて、動作・状態などが成り立たないことを表す言い方。否定。

うち-け・す【打ち消す】《他五》《「打ち」は接頭語》❶「消す」を強めた言い方。❷そうではないと言う。否定する。取り消す。「うわさを―・す」

うち-ゲバ【内ゲバ】学生運動の諸派間の内輪もめから起こる暴力行為。参考「内部ゲバルト」の略から。

うち-げんかん【内玄関】家人などが出入りするための玄関。内玄関(ないげんかん)。対表玄関(おもてげんかん)。

うち-こ【打(ち)粉】❶刀剣を手入れするときに、刀の表面にふりかける砥(と)の粉。❷そば・もちをのばすとき、手・めん棒などにくっつかないようにふりかける粉。❸天花粉(てんかふん)。

うち-こ・む【打ち込む】《他五》❶打って中へいれる。「くいを―・む」❷(剣術で)相手のすきをねらって打つ(攻め込む)。❸(球技で)相手側へ球を勢いよく打って入れる。❹囲碁で、相手の陣構えの中に石を打つ。❺(工事で)液状のものを型わくの中へ流しこむ。「コンクリートを―・む」❻弾丸・矢などをうって中に入れる。命中させる。表記⑥は「撃ち込む」「射ち込む」とも書く。❼一つの事に心を集中する。熱中する。「仕事に―・む」❽コンピューターに入力する。

うち-ころ・す【打ち殺す】《他五》❶《「打ち」は接頭語》「殺す」を強めた言い方。❷たたいて殺す。❸銃殺する。表記③は「撃ち殺す」「射ち殺す」とも書く。

うち-こわ・す【打ち壊す・打ち×毀す】(-こはす)《他五》❶《「打ち」は接頭語》「こわす」を強めた言い方。「契約を―・す」類語ぶちこわす。❷たたいてこわす。

うち-しず・む【打ち沈む】(-しづむ)《自五》《「打ち」は接頭語》気持ちがめいって、すっかり元気がなくなる。

うち-じに【討(ち)死(に)】《名・自サ》(武士が)戦場で敵と戦って死ぬこと。類語戦死。

うち-すう【内数】統計上で示される数のうち、一定の条件をもつ数。参考たとえば、全体の人数に占める、既婚者の数など。

うち-す・える【打ち据える】(-すゑる)《他下一》❶《「打ち」は接頭語》「据える」を強めた言い方。しっかりとすえる。「石像を―・える」❷(起きあがれなくなるほど)強くたたく。打擲(ちょうちゃく)する。(古風な言い方)

うち-す・ぎる【打ち過ぎる】《自上一》《「打ち」は接

頭語》「過ぎる」を強めた言い方。

うち-す・てる【打ち捨てる・打ち▽棄てる】《他下一》《「打ち」は接頭語》「捨てる」を強めた言い方。かまわずほうっておく。

うち-ぜい【内税】商品の価格表示で、消費税にあたる額が含まれていること。対外税。

うち-そろ・う【打ち×揃う】《自五》《「打ち」は接頭語》「そろう」を強めた言い方。「―・って出発する」

うち-たお・す【打ち倒す】《他五》❶《「打ち」は接頭語》「倒す」を強めた言い方。やっつける。負かす。「強敵を―・す」❷打ってたおす。なぐってたおす。

うち-だし【打(ち)出し】❶紙や薄い金属板などを裏からたたいて、模様を表に浮き出させること。また、それに用いる型。❷相撲・芝居などで、一日の興行の終わり。はね。参考太鼓を打つので言う。

うち-だ・す【打ち出す】《他五》❶《「打ち」は接頭語》〔ある考え・主義などを〕強く出す。「方針を―・す」❷紙や薄い金属板などを裏からたたいて、表に模様を浮き出させる。❸相撲・芝居などで、一日の興行の終わりを知らせる太鼓を打つ。

うち-た・てる【打ち立てる・打ち建てる】《他下一》《「打ち」は接頭語》「たてる」を強めた言い方。しっかり定める。建設する。「新記録を―・てる」

うち-ちがい【打(ち)違い】❶まちがえてうつこと。また、まちがえてうったもの。うちちがえ。❷十の字形(になること)。交差(すること)。ぶっちがい。

うち-つけ【打ち付け】《形動》〔文〕❶突然であるようす。不意。「―の訪問」❷露骨なようす。「―な物言い」表記①②とも、ふつうかな書きにする。

うち-つ・ける【打ち付ける】《他下一》❶強く打ち当てる。ぶっつける。「頭を壁に―・ける」❷たたいてくっつける。打ってとめる。「くぎを―・ける」

うち-つづ・く【打ち続く】《自五》《「打ち」は接頭語》「続く」を強めた言い方。いつまでも続く。ずっと続く。「―・く災害」

うち-づら【内面】自分の家族や内輪の人に対する態度。「―が悪い」対外面。

うち-つ・れる【打ち連れる】《自他下一》《「打ち」は接頭語》「連れる」を強めた言い方。いっしょに行く。

うち-でし【内弟子】師匠が自分の家に住みこませて、手伝いをさせながらしこむ弟子。

うちで-の-こづち【打(ち)出の小×槌】打ち振れば、ほしい物が何でも出て来たり、願い事がかなったりするという想像上の小さな槌。

うち-と・ける【打ち解ける】《自下一》《「打ち」は接頭語》隔てのない気分になって親しむ。「―・けて話す」

うち-どころ【打ち所・打ち▽処】❶〔からだなどの〕物に打ちつけた場所。「頭とは―が悪かった」❷しるしをつけるべきところ。「非の―がない(=欠点が全くない)」

うち-どめ【打(ち)止め・打(ち)留め】❶相撲・芝居などの、一つの興行の終わり。類語打ち出し。千秋楽。❷ぱちんこで、ある量のたまがでた台の使用を止めること。❸一般に、物事の終わり。

うち-と・める【撃ち止める・討ち止める】《他下一》❶鉄砲・矢などでうち殺す。いとめる。❷刀・やりなどで殺す。「かたきを―・める」同①②しとめる。表記①は「撃」、②は「討」の字をあてる。

うち-と・る【撃ち取る・討ち取る】《他五》❶〔めざす敵を〕武器を使って殺す。❷〔競技などで〕相手を負かす。表記②は「打ち取る」と書くことが多い。

うち-なお・す【打ち直す】《他五》❶〔一度打ったものを〕あらためて打つ。❷〔古くなった綿を〕たたいて、やわらかく再生する。

うち-に【打(ち)荷】難破しそうなとき、船の安全をはかって積み荷の一部を海に捨てること。捨て荷。

うち-にわ【内庭】周囲を建物でかこまれた庭。中庭。坪庭。

***うち-ぬ・く**【打ち抜く・打ち▽貫く】《他五》❶〔厚く固いものに〕つきさして穴をあける。つらぬき通す。❷厚紙や薄い金属板などに型をあててその形をたたきぬく。❸予定日時の最後まで行う。「ストを―・く」

***うち-ぬ・く**【撃ち抜く】《他五》❶銃を発射して穴をあける。ぶちぬく。❷徹底的に撃つ。最後まで撃つ。

うち-の-ひと【内の人・▽家の人】❶家族。❷妻が他人に対して自分の夫をさして言う語。類語主人。宅。宿。

うち-のめ・す【打ちのめす】《他五》❶たちあがれなくなるほど強くなぐる。❷大差をつけて相手を負かす。❸〔大きな損害・打撃などを与えて〕再起できなくする。また、がっかりさせる。「相つぐ災害に―・される」

うち-のり【内▽法】❶〔管状・箱状のものの〕内側の寸法。対外法。❷柱と柱との内側の距離。また、鴨居と敷居との距離。

うち-は・たす【打ち果たす・討ち果たす】《他五》〔人を〕うち殺す。切り殺す。

うち-ばらい【内払い】❶内金としての支払い。内渡し。❷借金の一部の支払い。

うち-はら・う【打ち払う】《他五》❶《「打ち」は接頭語》「はらう」を強めた言い方。はらいのける。❷たたいて、はらいのける。「雪を―・う」❸〔敵を〕攻めて追い散らす。❹大砲などをうって追いはらう。表記③は「討ち払う」、④は「撃ち払う」とも書く。

うち-ひし・ぐ【打ち×拉ぐ】《他五》《「打ち」は接頭語》「ひしぐ」を強めた言い方。おしつぶして無力にする。参考受け身で用いることが多い。「貧苦に―・がれる」

うち-ひも【打(ち)×紐】数本のより糸を組んで作ったひも。うちお。くみひも。

うち-ぶ【打(ち)歩】❶株式・公社債などの発行価格が額面価格を上回るときの超過額。割増金。プレミアム。❷〔金銀複本位制などで〕二つの通貨がある場合、同じ額面における二つの通貨の実質価値の差。

うち-ぶところ【内懐】❶〔着物を着たときの〕肌に近いふところ。対外懐。❷内ポケット。❸他人に知られたくない内部の事情。内情。「―を見すかす」

うち-ぶろ【内風×呂】住宅の内部にあるふろ場。また、自分の家でわかすふろ。類語内湯。対外風呂。

うち-べり【内減(り)・内▽耗(り)】❶穀物をうすでついたとき、元の分量よりも減ること。また、減った分量。つきべり。対外減。❷歩合算で、元高に対する減り高の割合。また、その量。

うち-べんけい【内弁慶・内×辨慶】家族や親しい人の前では強がっていて、他人の前に出ると意気地のないこと(人)。陰弁慶。

うち-ぼり【内堀・内×壕・内×濠】城の内部の堀。また、いくつもある堀の、内側のもの。対外堀。

うち-ほろぼ・す【討ち滅ぼす】《他五》戦ってほろぼす。攻めほろぼす。

うち-まく【内幕】❶〔陣地などで〕二重にはりめぐらす幕の、内側の幕。❷外からはわからない内部の事情。内情。内幕(ないまく)。「―をあばく」類語楽屋裏。裏面。

うち-まく・る【打ち×捲る】《他五》❶激しくたたき続ける。❷野球で、たくさんのヒットを打つ。

うち-ま・ける【打ち負ける】《自下一》〔野球で〕打力で敵に敗れる。対打ち勝つ。

うち-まご【内孫】〔自分の〕むすこの嫁が産んだ孫。内孫(ないそん)。対外孫(そとまご)。

うち-また【内×股】❶ももの内側。内もも。❷足の先を内側にむけた歩き方。うちわ。「―に歩く」対外股(そとまた)。❸柔道で、自分の足を相手の内ももにかけて倒す技。 **―ごうやく**【―×膏薬】〔両方の股にくっつくことから〕その時の都合次第で、あちらについたりこちらについたりして節操がない・こと(人)。二股膏薬。

うち-まわり【内回り】環状の電車・バスの路線のうち、内側を回る路線。「山手線(やまのてせん)の―」対外回り。

うち-み【打(ち)身】体を強く打ったときに皮下組織にできる傷。打ち傷。打撲傷。挫傷(ざしょう)。

うち-みず【打(ち)水】〔ほこりをしずめたり、涼しくしたりするために〕庭・門前・玄関などに水をまくこと。また、その水。切り水。類語散水(さんすい)。

うち-もの【打(ち)物】❶〔刀・やりなど〕打ち鍛えて作った武器。❷打って作った金属器具。対鋳物(いもの)。❸〔鉦(しょう)・鼓(つづみ)など〕打って鳴らす楽器。❹型に入れて固めた干菓子(ひがし)。❺きぬたで打ってつやをだした絹布。

うち-もも【内×腿・内×股】もの内側。内また。

うち-やぶ・る【打ち破る】《他五》❶〔「打ち」は接頭語〕「破る」を強めた言い方。うちこわす。「因習を―・る」❷攻めて負かす。撃破する。「敵軍を―・る」表記②は「撃(討)ち破る」とも書く。

うち-ゆ【内湯】❶旅館などで、その建物の中に作ったふろ場。❷自宅の中に作ったふろ場。類語内風呂(うちぶろ)。

う-ちゅう【宇宙】❶すべての天体とそれを包んでいる全空間。物質が存在する全空間。❷〔哲〕秩序ある統一体としての独立世界。 **―くうかん**【―空間】❶天体と天体の間の空間。❷地球上から見たとき、普通の飛行機が飛ぶことのできる限界〔高度三〇キロ〕より遠い空間。 **―じん**【―人】地球以外の天体に生存するかもしれないと考えられている生物のうち、人間に似たもの。異星人。 **―じん**【―×塵】〔天〕宇宙空間をただよう、ちり状の物質。流星塵。スターダスト。 **―せん**【―線】〔理〕地球外から地球上に飛んでくる粒子の総称。 **―せん**【―船】人間が乗って、宇宙空間を航行する飛行体。類語衛星船。 **―つうしん**【―通信】人工衛星など地上との通信、通信衛星を中継点とする国際間の通信など、宇宙空間を利用した無線通信。 **―ゆうえい**【―遊泳】人間が宇宙船の外へ出て、宇宙空間を自由に動きまわること。

うちょう-てん【有頂天】❶〔仏〕欲界・色界など形のある世界の最上に位する所。また、そこにのぼりつめること。❷《名・形動》〔有頂天①にのぼりつめたように〕得意・喜びの絶頂にいて他のことを考えないこと。「合格して―になる」注意「有頂点」は誤り。

うち-よ・せる【打ち寄せる】㊀《自下一》〔「打ち」は接頭語〕「寄せる」を強めた言い方。〔多くの人や、波などが〕かさなりよせてくる。おしよせる。㊁《他下一》〔「打ち」は接頭語〕〔波が〕海面に浮かんだ物を海岸〔の近く〕に運んでくる。「浜に―・せられた海藻」

***うち-わ**【内輪】❶外部には関係のない内部だけのこと。また、家族・親類・仲間など、内部だけの人々。うちうち。内幕(うちまく)。「―の祝いごと」❷外に知られない内部の事情。❸〔数量・金額などを〕ひかえめにすること。「―に見積もる」❹内また。対外輪(そとわ)。 **―ばなし**【―話】一般にはあまり知られていない、内部での話。 **―もめ**【―×揉め】家族・親類・仲間など、内部の人の間で起こる争い。内輪げんか。

***うちわ**【▽団▽扇】〔「打ち羽」の意という〕❶あおいで風を送る簡単な道具。竹の骨に紙や絹などを張り、柄をつける。❷「軍配うちわ」の略。 **―だいこ**【―太鼓】一枚革をまるく張って柄をつけた、うちわのような形のたいこ。日蓮宗(にちれんしゅう)の信者が題目をとなえるときにたたく。

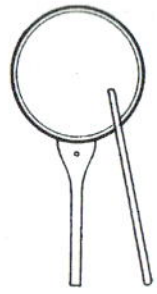
団扇太鼓

うち-わけ【内訳】金銭・物品などの総高の内容を個々に区分したもの。明細。「―書」

うち-わた【打(ち)綿】❶綿弓(わたゆみ)で打った繰り綿。❷古綿を打ち返して再生した綿。

うち-わたし【内渡し】《名・他サ》内金を渡すこと。

うち-わ・る【打ち割る】《他五》❶たたき割る。❷〔「打ち」は接頭語〕心中を隠さず示す。「―・って話す」

***うつ**【×鬱・×欝】〔―状態〕心がふさいではればれしないこと。ふさいだ気持ち。対躁(そう)。表記「欝」は異体字。

***う・つ**【打つ】《他五》❶へだたった所から、強くぶつかって強い衝撃を与える。たたく。なぐる。「子どもの尻を―・つ」「波が岸を―・つ」⇩〔類語と表現〕❷物を他の物に瞬間的に強く当てる。ぶつける。「棚で頭を―・つ」❸うつ①のような感じを与える。強い刺激や衝撃を与える。「心を―・つ話」「雷に―・たれる」❹たたいて飛ばす。「ヒットを―・つ」❺たたいて鳴らす。うちあわせて鳴らす。「太鼓を―・つ」「したつづみを―・つ」❻たたいて平たくする。「箔(はく)を―・つ」❼金属をたたいてきたえる。「刀を―・つ」❽細工して、ものを作る。「能面を―・つ」❾めん類を作る。「そばを―・つ」❿〔田や畑を〕鍬(くわ)などでたがやす。⓫キーなどをたたく仕事をする。また、野球で、バッターの役わりをする。「パソコンを―・つ」「四番を―・つ」⓬電報の発信を頼む。出す。⓭〔釘・くいなどを〕たたいて・はめこむ〔入れる〕。たたきこむ。⓮〔針などを〕体につき刺す。「注射を―・つ」⓯人目につくように立てる。「高札を―・つ」⓰〔紙などを〕いちめんに張る。「裏を―・つ」⓱文字や記号をつける。「句読点を―・つ」⓲的をめがけて物を投げる。「つぶてを―・つ」⓳ひろがるように投げる。「投網(とあみ)を―・つ」⓴まきかける。まきちらす。「庭に水を―・つ」㉑ひも・糸などを組み合わせてよる。「緒を―・つ」㉒〔罪人などを〕しばりあげる。「縄を―・つ」㉓〔芝居や相撲の〕興行をする。「ひと芝居―・つ〔=策略をしかける〕」㉔〔碁・ばくちなどの〕勝負を行う。「ばくちを―・つ」㉕ある手段や計略を行う。ある種の動作・行為をする。「逃げを―・つ」「寝返りを―・つ」㉖規則的な動きをする。「脈を―・つ」表記㉖は「搏つ」とも書く。㉗〔総金額の一部を〕あらかじめ支払う。「手付〔金〕を―・つ」文《四》。⇩〔使い分け〕
―てば響・く《句》ちょっとした言動をしかけると、ただちに的確な反応を返す。「―・く応答」

類語と表現

「打つ」

＊くぎを打つ・太鼓を打つ・ボールを打つ・平手でほおを打つ・転倒してひじを打つ・ステッキで肩を打つ・手を打ってはやし立てる・雷に打たれる・滝に打たれる。

◆叩く・ぶつ・はたく・ひっぱたく・どやす・どやしつける・小突く・殴る・ぶん殴る・殴りつける・殴りとばす・張る・張りとばす・むち打つ・打ち据える・打ちのめす・(げんこつを)食らわす／(る・す)殴打・打擲・打撲・打撃・直撃・一撃・強打・痛打・猛打・連打・乱打／横殴り・袋叩き・めった打ち・衝撃・ショック

＊**う・つ【撃つ】**《他五》❶弾丸を発射する。射撃する。❷攻撃する。文《四》。⇩〖使い分け〗

＊**う・つ【討つ】**《他五》❶刀などを使って人を・切る〔殺す〕。❷攻める。討伐する。征伐する。表記 ②は「伐つ」とも書く。文《四》。⇩〖使い分け〗

使い分け「うつ」

打つ〔▽拍・×搏〕〔手でうちたたく意で、一般に広く〕頭を打つ・手を打(拍)つ・注射を打つ・心を打つ・手金を打つ・刀を打つ・寝返りを打つ・波を打(搏)つ・脈打(搏)つ

撃つ〔▽射〕〔発射する。攻撃する〕銃を撃つ・鳥を撃つ・撃ちてしやまん・撃ち殺す・迎え撃つ

討つ〔▽伐〕〔罪を言いたて攻めうつ〕宿敵を討(伐)つ・賊を討(伐)つ・大将を討ち取る・討ち入り・やみ討ち

参考「雷に打たれる」は強い表現として「雷に撃たれる」と書くことができる。「打ち倒す／撃ち倒す」は倒す状況を異にし、前者は「棒を振るって～」、後者は「鉄砲で～」などの意を含むことになる。「伐」はほこで首を切ることから征伐の意、「射」は弓を射ることから射撃の意、「拍」は手のひらで打つ、拍子をとって打つことから拍手の意に、「搏」は手元に力を入れて打つことから「拍」と同じ意味に使う。

うつ-うつ【×鬱×鬱】《形動タルト》〔文〕❶心がふさいで、はればれしないようす。「―として楽しまない」❷草木がすきまもなく茂っているようす。

うっかり《副・自サ》《副詞は「―と」の形も》ぼんやりして、するべき事を忘れたり気づかなかったりするようす。「―して伝言を忘れる」

うっ-き【×鬱気】〔文〕気持ちがふさいではればれしないこと。また、そのような気持ち。気鬱。

うつ-ぎ【▽空木・×卯木】ユキノシタ科の落葉低木。初夏、つりがね形の白い小花を開く。うのはな。参考 幹が中空であることからこの名がある。

う-づき【×卯月】〔雅〕陰暦四月の別名。うのはなづき。参考 太陽暦の四月にもいう。

うつくし・い【美しい】《形》ものの色や形また、音色などがよい感じである。きれいである。対 みにくい。文 うつく・し《シク》。⇩〖類語と表現〗

類語と表現

「美しい」

＊美しい声・美しい色・美しい文章・美しい風景〔眺め〕・容姿が美しい・美しい人・心の美しい人・美しく装う・笛の音が美しく響く。

◆きれい・美々しい・麗しい・見目麗しい・見目よい・華やか・艶やか・きらびやか・美妙・美麗・華麗・秀麗・艶麗・流麗・濃艶・凄艶・絢爛・甘美・艶美・善美・華美・醇美・壮美・優美・妖美・秀美・絶美

◇〔肉体の美〕肉体美・脚線美・健康美・八頭身

◇〔美しい女性〕美人・佳人・麗人・美女・別嬪・美貌・美形・色女・妖女・妖婦・手弱女・大和撫子・花の顔・シャン

◇〔美男美女の形容〕苦み走った・凜々しい・精悍な・彫りの深い・白皙の・眉目秀麗・色白の・ほっそりした・豊満な・肉感的な・清楚な・楚々とした・富士額の・三日月眉の・黒目がちの・水もしたたる・花と見紛う・花も恥じらう・花をも欺く・立てば芍薬座れば牡丹歩く姿は百合の花

うっ-くつ【×鬱屈】《名・自サ》〔不満や心配事がたまって〕気分がはれず、ふさぎこむこと。

うつけ【▽空(け)・▽虚(け)】〔中がからっぽの意から〕まぬけ。あほう。また、まぬけ者。

うっ-けつ【×鬱血】《名・自サ》静脈の一部分に、静脈血が異常にたまること。参考 動脈の場合は、「充血」という。

うつし【写し】❶〔ある物に〕似せて作った書画。「雪舟の―」❷〔ある文書の〕ひかえとして写しとった文書。コピー。「契約書の―をとる」類語 副本。謄本。

＊**うつし-え【写し絵】**❶かきうつした絵。写生画、また、肖像画。❷写真。幻灯。〔古風な言い方〕❸かげ絵。表記 ②③は「映し絵」とも書く。

＊**うつし-え【移し絵】**子供のおもちゃの一種。水にとけやすいのりを台紙にぬり、その上に絵や字を印刷したもの。水にぬらして紙などにはり、静かに台紙をはがすと印刷したところだけが残る。

うつし-だ・す【映し出す・写し出す】《他五》❶うつしはじめる。❷〔光で〕物の像をあらわす。

うつし-と・る【写し取る】《他五》❶原文のとおりに書き取る。筆写する。❷原物をそのままねて写す。模写する。「自然を―・った絵」

うつし-み【▽現し身】〔雅〕この世に生きている人の身。なま身。

うつし-よ【▽現し世】〔雅〕この世。人の世。現世。

＊**うつ・す【写す】**《他五》❶文書・絵などをそのとおりにかきとる。模写する。「経典を―・す」❷見たり聞いたりしたものを文章や絵などに表す。描写する。「老人の心理を―・した小説」❸実物のとおりにまねてつくる。模する。「中世の寺院を―・した建築」❹写真にとる。撮影する。文《四》。⇩〖使い分け「うつる・うつす」〗

＊**うつ・す【映す】**《他五》❶〔光の反射で〕物の形や色を他のものの上にあらわし出す。「鏡に顔を―・す」類語 (る・す)射影。投影。❷映像をあらわす。映写する。「映画を―・す」❸影響を表面にあらわす。反映する。「世相を―・す流行語」文《四》。⇩〖使い分け「うつる・うつす」〗

＊**うつ・す【移す】**《他五》❶動かして、もとと違う場所・状態に置く。位置・地位を変える。「戸籍を―・す」表記 場所・地位については「遷す」とも書く。特に、都・宮殿については「遷す」と書くことが多い。❷〔視線・心を〕ほかのものに向ける。「他の女性に心を―・す」❸〈「時を―・す」の形で〉時を過ごす。〔多く打ち消しの形

で使う〕「時を―・さず行動を起こす」❹〔病気などを〕伝染させる。「かぜを―・す」表記 ④はかなで書くことが多い。文《四》。⇩〔使い分け「うつる・うつす」〕

うっすら【▽薄ら】《副》《「―と」の形も》〔物の程度が〕ごくわずかであるようす。ごくうすいようす。ほんの少し。ほのかに。うっすり。「―と雪が積もる」

うっ-・する【×鬱する】《自サ変》〔文〕気持ちがふさぐ。心が暗くなる。

うっ-せき【×鬱積】《名・自サ》〔不平・不満などが〕心の中にいっぱいたまること。

*__うつせみ__《「うつしおみ(現し臣)」→「うつそみ」→「うつせみ」と転じてできた語》〔雅〕❶この世に生存している身。うつしみ。❷この世。現世。＝うつそみ。―の《枕》「身」「命」「人」「世」などにかかる。

*__うつ-せみ__【▽空×蟬】❶〔平安時代、「うつせみ」に「空蟬」の字をあてたことから〕セミのぬけがら。❷セミ。

うつ-ぜん【×鬱然・×蔚然】《形動タルト》〔文〕❶〔あたりが暗くなるほど〕草や大きな木が茂っているようす。鬱蒼(うっそう)。❷勢いがさかんなようす。「―たる偉観」❸心がはれないようす。「―としてたのしまず」類語 ①〜③鬱乎(うっこ)。

うっ-そう【×鬱×蒼・×鬱×葱】《形動タルト》〔あたりが暗くなるほど〕大きな木が茂っているようす。鬱然(うつぜん)。「―たる森」

うったえ【訴え】❶うったえる・こと(内容)。❷〔法〕原告が被告との関係における請求の当否について裁判所へ審判を申したてる行為。

うった・える【訴える・×愬える】《他下一》❶もめごとをさばいてもらうために裁判所に申し出る。表記「訴える」と書く。❷不平や苦しみなどを人につげる。「腹痛を―・える」❸激しい手段を使って解決しようとする。「武力に―・える」❹相手の感情に働きかける。「良心に―・える」文 うった・ふ《下二》。

うっちゃら-か・す【打っ▽遣らかす・打っ▽棄らかす】《他五》〔俗〕〔しなければならないことを〕手をつけないで、ほうっておく。ほったらかす。うっちゃる。

うっちゃり【打(っ)▽遣り・打(っ)▽棄り】❶相撲の技の一つ。寄ってくる相手を、土俵ぎわで身をひねって逆に外へ倒す技。❷物事の最後のところで、形勢をひっくりかえすこと。逆転。「土壇場で―を食う」

うっちゃ・る【打っ▽遣る・打っ▽棄る】《他五》《「打ち遣ゃる」の転》❶投げすてる。❷〔しなければならないことを〕手をつけずにおく。ほうっておく。また、相手にならないでおく。「そのまま―・っておく」❸相撲で、寄ってくる相手を、土俵ぎわで身をひねって逆に外へ倒す。❹物事の最後のところで形勢を逆転する。

うつつ【▽現】〔文〕❶目がさめている状態。現実。「夢か―か幻か」❷気がたしかな状態。正気。「―に返る」❸〔多く「夢うつつ」の形で使われたことから、誤って〕夢か現実かはっきりわからない状態。夢心地。―を抜か・す《句》〔ある物事に〕熱中して本心を失う。夢中になる。「競馬に―」

うつ-て【打つ手】《連語》〔ある事態に対して〕なすべき手段。「もはや―がない」

うっ-て【討(っ)手】敵軍・罪人などを追いかけて討つ役。また、その人。「―をさしむける」類語 追っ手。

うって-かわ・る【打って変わる】《自五》急に今までと全く違った態度・状態になる。がらりとかわる。急変する。〔多く「―・った」「―・って」の形で使う〕

うって-つけ【打って付け】《名・形動》〔ある条件・役割などに〕非常によく適していること。もってこい。「―の仕事」類語 最適。

うって-・でる【打って出る】《自下一》❶攻撃にでる。表記 ふつうかな書きにする。❷みずから進んで出る。華やかな場で活動をはじめる。「政界に―・でる(＝出馬する)」

ウッド ㊀《名》ゴルフのクラブのうち、ボールを打つ部分が木製のもの。対 アイアン。㊁《造語》「木材」「木製」の意。「―ステッキ」▽wood

うっとう-し・い【×鬱陶しい】《形》❶〔気分・天候・物事の状態などが〕陰気ではればれしない。❷じゃまになって、うるさい。「―・い長髪」

うっとり《副・自サ》《副詞は「―と」の形も》心をうばわれるようす。「―見とれる」類語 恍惚(こうこつ)。

うつ-ばり【×梁】〔木造建築で〕棟(むね)を支えるために水平にわたした木材。はり。

うつ-びょう【×鬱病】躁鬱(そううつ)病の一つの型。鬱状態だけを周期的にくりかえす。理由もなく悲しい気分におちいり、思考が抑制され、決断力がなくなる。抑鬱症(よくうつしょう)。参考 ➡躁病(そうびょう)。

うつ-ぶ・す【×俯す】《自五》体の前面を下にして・倒れる(寝る)。うつぶせる。

うつ-ぶ・せる【×俯せる】㊀《自下一》体の前面を下にして・倒れる(寝る)。うつぶす。㊁《他下一》❶体の前面を下にして倒す。❷顔を下に向ける。うつむける。❸器などの上部を下に向けて置く。さかさにして伏せる。対 あおむける。

うっ-ぷん【×鬱憤】がまんしていたために心の中にたまったいきどおり。「―を晴らす」

*__うつぼ__【×靫・×靭・▽空穂】昔、矢をいれ、腰や背につけて持ち歩いた筒形の道具。表記「空穂」は当て字。

*__うつぼ__【×鱓】ウツボ科の魚。岩礁(がんしょう)にすむ。形はウナギに似て、体長六〇センチ前後。するどい歯をもつ。

うつぼ-かずら【×靫×葛・×靫×蔓】ウツボカズラ科の多年草。熱帯地方に自生する。食虫植物の一つ。葉の先につぼ形の捕虫袋があって消化液を分泌し、袋に落ちた虫をとかして養分とする。

うつ-ぼつ【×鬱×勃】《形動タルト》〔文〕盛んに起こって外に現れようとするようす。「―たる闘志」

うつ-む・く【×俯く】《自五》頭をたれ下をむく。顔をふせる。類語 うつぶす。うなだれる。対 あおむく。

うつ-む・ける【×俯ける】《他下一》❶顔を下の方にむける。対 あおむける。❷〔器などの〕上部を下にする。

うつら-うつら《副・自サ》《副詞は「―と」の形も》〔ねむけや発熱などのため〕意識がはっきりしないようす。類語 うとうと。

うつり【映り】❶かげや像がうつること。また、その状態。「写真―」表記「写り」とも書く。❷〔色などの〕取り合わせ。配合。調和。「―のよい化粧」

うつり-が【移り香】物に移って残っているかおり。類語 残り香。

うつり-かわ・る【移り変わる・▽遷り変わる】《自五》〔ありさまなどが〕時がたつにしたがって、つぎつぎに変わる。変遷する。「―・る世の中」類語 (する)推移。

うつり-ぎ【移り気】《名・形動》興味が一つのものごとに集中せず、すぐによそへ移ってしまうこと。類語 多情。浮気(うわき)。飽き性。

うつり-ばし【移り×箸】和風の食事のとき、一つのおかずを食べたあと、飯を食べずすぐ続けてほかのおかずを食べること。渡り箸。惑い箸。[参考]無作法とされる。[類語]せせり箸。

***うつ・る【写る】**《自五》❶〔物の形やかげが〕すけて見える。「障子に—った人影」❷写真で物の形などが現れる。とれる。「写真に—る」[文]《四》。⇩〔使い分け〕

***うつ・る【映る】**《自五》❶〔光の反射で〕物の形や色が他のものの上にあらわれる。「顔が鏡に—る」「目に—る（=見える）」[類語]映（えい）じる。（する）反映。反射。❷映像があらわれる。「テレビに—る」❸〔色や形が〕調和する。はえる。「彼女には着物がよく—る」[文]《四》。⇩〔使い分け〕

***うつ・る【移る】**《自五》❶人や物の位置・地位がかわる。移動する。[表記]→移す①。❷心がほかのものにむく。❸人の動作、物事の状態などが〔積極的な方に〕変わる。「次の行動に—る」❹〔物のにおいなどが〕他のものにつく。❺〔時間が〕すぎさる。経過する。「時代が—る」❻〔病気などが〕伝染する。[表記]⑥は、かなで書くことが多い。[文]《四》。⇩〔使い分け〕

使い分け「うつる・うつす」

移る〔▽遷〕〔移動する〕都が東京に移（遷）る・関心が移る・季節が移る・行動に移る

映る〔はっきりとうつしだす。よく似合う〕影が映る・スクリーンに映る・富士山に映る紅葉

写る〔透けてみえる。写真に形が現れる。撮影〕ガラスに人影が写る・写真に写る

うつる・うつす〔▽感▽染〕〔伝染させる〕風邪がうつる・赤痢をうつす

移す〔▽遷〕〔他にうつしかえる〕席を移す・都を移（遷）す・支社勤めに移（遷）される・心を移す・時を移さず

映す〔光が物をうつしあらわす。はっきりとうつしだす。映写。反映〕スライドを映す・世相を映す流行語・姿を水面に映す

写す〔書きうつす。描写する〕書類を写す・文章に写す・写真に写す

[参考]「感染（うつ）る」を「移る」で代用する向きもあるが、余りなじまない。「遷す」は位置や官職などが高低の間を移動する意で、遷都・任用に多く用いられる。

うつろ【▽空ろ・▽虚ろ】《形動》❶《名》中身がないこと。中空なこと。がらんどう。からっぽ。❷気がぬけたようにぼんやりしているようす。「—な目を向ける」

うつろ・う【移ろう】（うつろふ）《自五》（「移る」の継続態）〔文〕❶場所を変える。❷〔物事が〕〔次第に〕変わる。「秋から冬に—う」❸〔次第に〕色あせる。また、〔次第に〕おとろえる。「色香が—う」[文]《四》。

うつわ【器】（うつは）❶いれもの。容器。❷〔ある地位につくだけの〕能力・人柄。器量。「大臣の—ではない」

うで【腕】❶人体の肩から手首までの部分。[参考]もと、ひじから手首までの部分。[類語]手。肘（ひじ）。上肢。上膊（じょうはく）。下膊（かはく）。前膊（ぜんはく）。前腕。上腕。❷〔うで木・よこ木など〕主体になるものから横につき出たもの。「いすの—」❸うでまえ。力量。才能。手腕。「いい—を持っている」❹腕力。「—ずく」

—が鳴・る《句》うでまえを示したくて心がはやる。

—に覚えがあ・る《句》自分の技量に自信がある。

—に縒（よ）りを掛・ける《句》うでまえを示そうとはりきる。

—を拱（こまぬ）・く《句》〔腕を組む意から〕自分は何もしないで人がしていることをそばでみている。傍観する。腕を拱（こまね）く。[類語]拱手（きょうしゅ）傍観。

—を振る・う《句》才能・技量を十分に発揮する。

うで・ぎ【腕木】〔物をささえるため〕中心になるものから横につき出してとりつけた木。「電柱の—」

うで・きき【腕利き】うでまえがすぐれている・こと（人）。敏腕（家）。腕こき。腕っこき。「—の刑事」

うで・くび【腕首】腕とてのひらとがつながる部分。手首。「—を取る」

うで・ぐみ【腕組み】《名・自サ》胸の前で両腕をたがいちがいに組みあわせること。

うで・くらべ【腕比べ・腕▽競べ】《名・自サ》うでまえ・腕力・能力の優劣をくらべること。競争。

うで・じまん【腕自慢】《名・他サ》自分の力やわざを誇り、いばる・こと（人）。

うで・ずく【腕▽尽く】（—づく）〔話し合いなどせず〕腕力を使うこと。「—で取りもどす」[表記]現代仮名遣いでは「うでづく」も許容。[類語]力ずく。

うで・ずもう【腕〈相撲〉】（—ずまう・—ずまふ）二人が相対してひじを立て、片手のてのひらをにぎりあって、相手の腕をたおす遊び。腕おし。

うで・だて【腕立て】腕力を頼んで、人と争おうとすること。腕だのみ。

うでたて・ふせ【腕立て伏せ】うつぶせになって両手と両足のつま先でからだをささえ、腕を曲げ伸ばしする運動。腹・背・腕の筋肉をきたえる。

うで・だめし【腕試し】《名・自サ》自分のうでまえや力がどのくらいであるか、ためしてみること。力だめし。

うで・っ・こき【腕っ▽扱き】腕きき。「—の職人」

うで・っ・ぷし【腕っ節】（「うでぶし」の促音化）❶腕（の関節）。❷腕の力。腕力（わんりょく）。「—が強い」⇩〔類義語の使い分け「腕力」〕

うで・どけい【腕〈時計〉】ベルトで手首につけて持ち歩く小型の時計。

うてな【▽台】〔雅〕❶屋根がなく、見晴らしのいい高い建物。高殿（たかどの）。高楼。❷物をのせる、上の平らな台。「蓮（はす）の—（=極楽浄土に往生した人が座る、ハスの花の座）」❸植物の萼（がく）。[表記]③は「萼」とも書く。

うで・まえ【腕前】（—まへ）物事をうまくやってのける能力・技術。手腕。技量。手なみ。「すぐれた—を見せる」

うで・まくら【腕×枕】《名・自サ》曲げたひじの上に頭をのせて寝ること。ひじまくら。

うで・まくり【腕×捲り】《名・自サ》〔自由に活動できるように〕衣服のそでをまくりあげて腕を出すこと。

う・でる【×茹でる】《他下一》（「ゆでる」の転）〔調理のために〕あつい湯の中に入れて煮る。ゆでる。

うで・わ【腕輪】かざりとして腕にはめる輪。腕ぬき。ブレスレット。

う・てん【雨天】〔文〕雨が降る天候・日。あめふり。「—でも決行する」「—順延」[対]晴天・曇天（どんてん）。

う・と【×烏×兎】〔文〕❶太陽と月。[故事]太陽にはカラス（金烏（きんう））、月にはウサギ（玉兎（ぎょくと））がすむという中国の伝説から。❷年月。月日。歳月。「—匆匆（そうそう）（=月日のたつのが早いようす）」

うど【▽独▽活】ウコギ科の大形の多年草。高さ一・五メートル前後。夏に小さな白い花を開く。地上に出る前の若い茎はやわらかく、芳香があり、食用。

—の大木《句》体は大きいが、何の役にもたたない人の

たとえ。

うと・い【疎い】《形》❶〔ある事柄について〕よく知らない。「経済に―・い」❷〔間がらが〕あまり親しくない。「関係が―・くなる」文うと・し《ク》。

***う・とう**【右党】❶右翼政党。保守党。類語右派。❷〔俗〕〔酒飲みを「左党」ということから〕酒が飲めず、甘い物の好きな人。甘党。類語下戸(げこ)。対①②左党。

***うとう**【▽善▽知▽鳥】ウミスズメ科の海鳥。北太平洋や日本海北部などにすむ。背と胸が黒茶色で腹は白い。繁殖期にはくちばしにこぶができる。うとうどり。

うと・うと《副・自サ》《副詞は「―と」の形も》浅くねむるようす。ねむりにはいりかけるようす。類語うつらうつら。とろとろ。

うとうとし・い【疎疎しい】《形》〔間がらが〕親しくない。冷淡である。よそよそしい。類語遠々しい。

う・とく【有徳】《名・形動》〔文〕❶徳がそなわっていること。❷裕福なこと。金持ち。＝ゆうとく。

うとまし・い【疎ましい】《形》〔ある物事や人から受ける感じが〕気にそわなくていやである。いとわしい。「見るのも―・い」対好ましい。文うとま・し《シク》。

うと・む【疎む】《他五》うとんずる。きらう。〔多く受け身の形で使う〕「上司に―・まれる」文《四》。

うどん【×饂×飩】《「うんどん」が省略された形》めん類の一つ。小麦粉に食塩と水を加えてこね、薄くのばし、細長く切ったもの。参考生のものは「一玉(ひとたま)…」、料理して器に盛ったものは「一杯(いっぱい)…」「一丁(いっちょう)…」と数える。**―こ**【―粉】小麦粉。

うどん・げ【▽優曇華】❶〔仏〕インドで、三〇〇〇年に一度花を開くと伝えられる想像上の植物。❷非常にまれなことのたとえ。「盲亀(もうき)の浮木、―の花〔＝かたきにめぐりあったときなどに使うことば〕」❸木の枝や葉、天井板などにうみつけた、クサカゲロウの卵。細い糸状の柄の先に卵がつくのを吉兆とも凶兆ともいう。うどんげの花。

うとん・ずる【疎んずる】《他サ変》きらい遠ざける。よそよそしくする。うとむ。うとんじる。

うなが・す【促す】《他五》❶早くするようにいう。急がせる。催促する。「借金の返済を―・す」❷〔進行を〕早める。促進する。「植物の生長を―・す」❸〔あることをするように〕すすめる。「決断を―・す」文《四》。

うなぎ【×鰻】ウナギ科の川魚。からだは細長く、ぬるぬるしている。深海に下って産卵し、稚魚は、春、川を上って親になる。脂が多く、かば焼きなどにして食べる。「―の寝床〔＝せまくて細長い家や場所〕」

うなぎ・のぼり【×鰻上り・×鰻登り】〔物事の程度・価値などが〕みるみるうちにあがること。「株価が―に上昇する」参考ウナギが水中をのぼるようすからいう。

うなさ・れる【×魘される】《自下一》〔おそろしい夢などを見て〕ねむったまま、苦しそうなうなり声をあげる。「悪夢に―・れる」文うなさ・る《下二》。

***うな・じ**【▽海路】ーぢ〔雅〕船が通る海上の道。航路。うみじ。かいろ。ふなじ。対陸路(くがじ)。

***うなじ**【▽項】首の後ろの部分。えりくび。

うな・じゅう【×鰻重】二重の重箱の、上の箱にウナギのかば焼きを入れ、下の箱に飯を入れたもの。一つの箱に入れた飯の上に、かば焼きをのせたものにも言う。

うな・ず・く【×頷く・▽首▽肯く】ーづく《自五》〔理解・同意・承認などの意を示すため〕あごを下に動かす。表記現代仮名遣いでは「うなづく」も許容。

うな・ず・ける【×頷ける・▽首▽肯ける】ーづける《自下一》《「うなずく」の可能形》納得できる。もっともだと思われる。表記現代仮名遣いでは「うなづける」も許容。

うな・だ・れる【▽項垂れる】《自下一》〔失望・悲しみ・恥ずかしさなどのために〕頭を前にたれる。また、元気がなくなる。類語うつむく。

うな・づ・く【×頷く・▽首▽肯く】《自五》➡うなずく。

ウナ・でん【ウナ電】至急電報。ウナ。参考「ウナ」は「至急」の意の記号。昭和五一年に廃止。

うな・どん【×鰻×丼】「うなぎどんぶり」の略。ウナギのかば焼きをのせ、たれをかけたどんぶりめし。

うな・ばら【〈海原〉】ひろびろと広がった海。「大―」

うなり【×唸り】❶うなること。また、その音。「―を上げて、こまがまわる」❷凧(たこ)につけ、風によって低い音を出させるもの。❸〔理〕振動数の少し違う二つの音が接近した場合に、互いに干渉しあって、音が周期的に強くなったり弱くなったりする現象。

うな・る【×唸る】■一《自五》❶〔「ウウー」というような〕長く引いた低い声を出す。「犬が―・る」類語うめく。❷長くひびく低い音を出す。「モーターが―・る」❸〔ひゆ的に〕たくわえられた勢いや物がはちきれそうになる。「腕が―・る」「お金が―・るほどある」❹〔すぐれた芸・わざなどに接して〕ひどく感動する。感嘆する。〔多く、使役の形で使う〕「名調子で聴衆を―・らせる」文《四》。■二《他五》〔浄瑠璃(じょうるり)・謡(うたい)・浪曲などを〕よくない声やへたな節でうたう〔語る〕。「浪曲を―・る」文《四》。

***うに**【▽海▽胆・海×栗】棘皮(きょくひ)動物の一種。殻は球形でとげが多く、栗(くり)のいがに似る。海中の岩の間にすむ。卵巣(らんそう)を食用にする。

***うに**【▽雲▽丹】ウニの卵巣(らんそう)を塩づけにしたもの。

うぬ【×汝・▽己】《代名》〔俗〕❶《対称の人代名詞》相手をののしっていう語。てめえ。きさま。❷自分自身。自分。〔①②とも古風で粗野な言い方〕

うぬ・ぼれ【▽自×惚れ・▽己×惚れ】うぬぼれること〔心〕。「―の強いやつ」類語自負。自任。過信。

うぬ・ぼ・れる【▽自×惚れる・▽己×惚れる】《自下一》実力以上に、自分がすぐれていると思いこんで得意になる。「秀才だと―・れる」

うね【畝・×畦】❶作物を植えつけたり種をまいたりするために、畑に土を細長く〔幾すじも平行して〕盛ったもの。❷畝①に形の似たもの。

うね・うね《副・自サ》《副詞は「―と」の形も》〔山脈・道などが〕高く低く、またはまがりくねって長く続くようす。「―と続く山道」類語くねくね。

うね・おり【畝織(り)】畝のように高低のある模様を織り出す織り方。また、その織物。あぜ織り。

うね・め【×采女】奈良時代、おもに天皇の食事の世話をした後宮の女官。参考平安時代にはすたれた。

うねり❶うねること。また、その度合い。❷波が上下に大きくゆれること。また、その波。❸物事の起伏・曲折などのようす。「歴史の―」

うね・る《自五》❶まがりくねって進む。類語蛇行（する）。❷〔山脈・波などが〕（大きい周期で）高くなったり低くなったりする。文《四》。

う・のう【右脳】大脳の右半分。図形・音楽・直感力などの認識にかかわるとされる。対左脳。

う・の・け【×兎の毛】ウサギの毛。参考物事がきわめて小さいことにたとえる。「―ほどの痛みも感じない」

う-の-とき【×卯の時】↓う（卯）③。

う-の-はな【×卯の花】❶「うつぎ」の花。また、「うつぎ」の別名。❷〔うのはな①に似ているところから〕豆腐をつくるときにできる絞りかす。おから。きらず。

う-のみ【×鵜×呑み】❶〔鵜が魚をのみこむように〕食物をかまないでのみこむこと。まるのみ。❷物事の内容をよく理解・検討しないでそのままうけいれること。「人の話を―にする」

うのめ-たかのめ【×鵜の目×鷹の目】《句》↓「鵜」の子見出し。

う-は【右派】一つの団体や政党の中で、保守的・国粋的な考えをもつ人たちの一派。また、その人。類語 右翼。右党。対 左派。

＊**うば【〈乳母〉】**母親に代わって、赤ん坊に乳をのませ、また、世話をして育てる女。めのと。おんば。

＊**うば【×姥・×媼】**❶老女。ばば。おうな。❷能楽で、老女。おうな。また、その能面。対 尉。

うば-う【奪う】《他五》❶〔相手の意志にかかわりなく力ずくで〕一方的にとりあげる。むりやりにとり去る。「領土を―う」「体温を―う（＝下げる）」❷〔気持ちを〕強くひきつける。夢中にさせる。「美しい景色に目を―われる」文《四》。

うは-うは《副・自サ》《副詞は「―と」の形も》〔俗〕喜びをおさえきれないようす。うわついて落ち着かないようす。「大もうけして―する」

うば-ぐるま【〈乳母〉車】乳幼児をのせる手押し車。

うば-ざくら【×姥桜】❶葉より先に花をつける桜。ヒガンザクラ。❷年をとっても色気のある女性。あだっぽい年増女。

うばすて-やま【×姥捨山】年をとって役に立たなくなった人を移しておく職場・地位。参考 ㋐「姨捨山」伝説から転じて使われる語。㋑↓おばすてやま。

う-はつ【有髪】〔僧や尼が〕髪をそらずにいること。

うばら【×茨】〔文〕いばら。また、野ばら。

う-ひょう【雨氷】摂氏零度以下になった雨滴が、地面や地表の氷点以下の物について氷となったもの。

うぶ【▽初・▽初▽心】《名・形動》〔「産ぶ（＝生まれた時のままであること）」の転〕❶すれていないこと。純情なこと。❷性的な知識を十分に知らない・こと（人）。

うぶ-ぎ【産着・産▽衣】生まれたばかりの赤ん坊に着せる着物。うぶぎぬ。

うぶ-げ【産毛】❶生まれた時に赤ん坊にはえているやわらかい髪の毛。産髪。❷からだにはえる細かくやわらかい毛。類語 和毛。

うぶ-ごえ【産声】生まれた時にはじめて出す泣き声。呱々の声。「―を上げる」

うぶ-すな【産▽土】❶その人の生まれた土地。❷「うぶすながみ」の略。**―がみ【―神】**その人や一族が生まれた土地の守り神。氏神。うぶがみ。うぶすな。

うぶ-ゆ【産湯】生まれた子をはじめて湯に入れること。また、その湯。初湯。「―を使わせる」

うべ【▽宜】《副》〔古〕もっともだ。まったくその通り。むべ。「―なるかな」

う-べかりし【得▽可かりし】《連語》〔文〕得られるはずであった。「―利益」

うべ-な-う【▽宜う・▽肯う・▽諾う】《他五》〔「宜」＋「…する」意の接尾語「なふ」〕〔文〕❶承諾する。同意する。❷肯定する。同①②うけがう。文《四》。

う-へん【右辺】等式や不等式で、等号や不等号の右がわにある数式。対 左辺。

＊**うま【▽午】**❶十二支の七番め。❷昔の方角の名。南。❸昔の時刻の名。今の午後零時。または、午前一一時から午後一時までの間。うまの時。❹〔十二支の順序にあてて数えた〕昔の年・月・日の名。

＊**うま【馬】**❶ウマ科の哺乳動物。長い首にはたてがみがある。よく走る。家畜の一つ。昔は耕作・運搬など、今は競走用・乗用などに使う。駒。参考「一頭…」「一匹…」と数える。人が乗っている場合には「一騎…」と数える。類語 馬匹。駿馬。竜馬。神馬。騏驎。❷左右に開く脚のついた、ふみ台。❸将棋で、角が成った「竜馬」の略。参考「桂馬」をさすこともある。❹料理屋などで、勘定の支払いができない客について行って代金をとりたてる者。つけうま。つきうま。❺木馬。

―が合・う《句》たがいに気が合う。参考 馬と乗り手との息が合うことから。

―には乗ってみよ人には添うてみよ《句》物事は実際に経験してみないとわからないということ。

―の背を分・ける《句》夕立などが、ある場所に降り、少し離れた他の場所には降らないことのたとえ。

―の耳に念仏《句》忠告や意見をきき入れようとしないことのたとえ。馬の耳に風。類語 馬耳東風。

―を牛に乗り換・える《句》歩みの速い馬から、遅い牛に乗り換える。有利なものを捨てて代わりに不利なものを取ることのたとえ。対 牛を馬に乗り換える。

うま・い【▽旨い・▽甘い】《形》❶味がよいと感じる。おいしい。「―い菓子」参考 ↓おいしい①。表記「美味い」とも書く。❷好ましい。自分の希望にぴったりあう。つごうがよい。「―い話」❸てぎわがよい。上手だ。「字が―い」「―く処理する」表記 ③は「巧い」「上手い」とも書く。対 ①〜③まずい。文 うま・し《ク》。

―い汁を吸・う《句》自分は何の努力もせずに、地位や他人を利用して利益をえる。あまい汁を吸う。

うま-いち【馬市】馬①を売り買いする市場。

うま-うま 一《副》《「―と」の形も》たくみなやり方で、相手を自分の思いどおりにするようす。うまく。まんまと。〔多く、相手をだますような悪いことの場合に言う〕 二《名》「（おいしい）食べ物」の意の幼児語。

うまおい-むし【馬追（い）虫】キリギリス科の昆虫。からだは緑色で、頭・胸・背が褐色。「スイーッチョ」となく。すいっちょ。うまおい。

うま-がえし【馬返し】昔、山道で、道がけわしくなり、乗ってきた馬を引き返させて歩き始めた地点。

うま-かた【馬方】馬を使って荷物や人をはこぶ職業の人。馬子。馬追い。馬引き。

うま-ごやし【馬肥・×苜×蓿】❶マメ科の二年草。葉は、クローバーに似る。夏、ちょう形の黄色い花を開く。飼料・肥料などに用いる。❷「クローバー」の俗称。

うま-ざけ【▽旨酒・▽味酒】うまい酒。美酒。

うまず-たゆまず【×倦まず×撓まず】《連語》飽きもせず怠りもせず、こつこつと一生懸命に努力するようす。〔副詞的に用いる〕「―勉強を重ねる」

うまず-め【▽石女】《「産まず女」の意》子供を産めない女。妊娠する能力のない女。石女。

うま-づら【馬面】❶馬のように長い顔（の人）をあざけっていう語。馬顔。❷「ウマヅラハギ」の略。カワハギ科の海魚。カワハギより体が細長い。食用。

うま-とび【馬跳び・馬飛び】 前かがみになった人の背に手をついて、跳び越える遊び。

うま-に【▽旨煮・▽甘煮】 料理の一つ。肉や野菜をあまくて濃い味に煮つけたもの。

うま-の-あし【馬の足・馬の脚】 ❶芝居で、作りものの馬の中にはいって足になる役者。❷下級の俳優。また、芸の下手な俳優。大根役者。

うま-の-はなむけ【馬の×餞・馬の×餞▽別】 《「馬の鼻向け」の意》〔古〕〔昔、旅にでる人を送る時に、その人の乗る馬の鼻を行く先に向けて安全を祈ったことから〕旅にでる人への贈り物。餞別(せんべつ)。はなむけ。

うま-の-ほね【馬の骨】 出身や身分のわからない人をののしっていう語。「どこのーかわからぬやつ」

うま-のり【馬乗り】 ❶馬に乗る・こと(人)。❷〔馬に乗るように〕人や物にまたがること。

うま-ぶね【馬▽槽】 ❶まぐさを入れるおけ。かいばおけ。❷大きなおけ。

うま-み【▽旨み・▽甘み】 ❶おいしさ。類語 美味。❷〔演技などの〕巧みさ。「ーのあるせりふ」❸〔仕事・商売などの〕もうけが多いおもしろさ。「ーのある商売」 表記 「旨味」「甘味」とも当てる。 **ーちょうみりょう【ー調味料】** 天然のうまみ成分を、発酵作用をもちいて製造した調味料。グルタミン酸ナトリウムなど。 参考 もと「化学調味料」といった。

***うま-や【馬屋・×厩】** 馬を飼っておく小屋。馬小屋。厩舎(きゅうしゃ)。

***うま-や【▽駅・▽駅家】** 昔、街道すじなどで、旅人のために馬や人夫を備えておいて馬のつぎたしや宿泊の世話をしたところ。うまつぎ。宿場(しゅくば)。宿駅(しゅくえき)。

うま・る【埋まる】 《自五》❶くぼみなどの中に物がいっぱいに入れられる。「穴がごみでー・る」❷たくさんのものにおおわれて、中にすっかりかくれる。うずもれる。「土砂にー・った家」❸〔人やもので〕その場所がすっかりおおわれる。また、あいていた所などが、みちてふさがる。「空席がー・る」 同 ①～③うずまる。❹〔不足・損失などが〕おぎなわれて満たされる。「赤字がー・る」 文《四》。

うまれ【生(ま)れ】 ❶生まれること。出生。誕生。❷生まれた家の血統。素姓。「武家のー」❸生まれた土地。出生地。「ーは九州です」❹生まれた年代・時。「ーは昭和です」❺〈ーもつかぬ〉生まれつきでない。

うまれ-お・ちる【生まれ落ちる】 《自上一》生まれてくる。生まれ出る。

うまれ-かわ・る【生まれ変わる】(ーかはる) 《自五》❶死んだものが他のものに姿をかえて、再びこの世に生まれる。生き変わる。❷すっかり心をいれかえて、性格や行動がかわる。別人のようになる。「真人間にー・る」

うまれ-つき【生(ま)れ付き】 一《名》生まれた時からもっている・こと(形・性質・能力など)。「けんか早いのはーだ」 二《副》生まれながら。生来。「ー涙もろい」

うまれ-ながら【生(ま)れ×乍ら】 《副》生まれた時から。生まれつき。生来。「ーの役者」

うま・れる【生(ま)れる】 《自下一》❶母の腹から・子(卵)が出る。また、卵からかえる。類語 生まれ出る。生まれ落ちる。世に出る。臍(へそ)の緒を切る。産声を上げる。呱々(ここ)の声を上げる。孵(かえ)る。／(す)出生。誕生。生誕。降誕。孵化(ふか)。対 死ぬ。❷作り出される。新しくできる。「戦後ー・れた国」❸〔ある感情や効果などが〕生じる。「希望がー・れる」 文 うま・る《下二》。 ⇩ 〘使い分け「うむ・うまれる」〙

***うみ【海】** ❶地球の表面のうち、塩水をたたえた広い部分。 参考 月の表面の平らな部分にもいう。「静かのー」 ⇩〘類語と表現〙 対 陸。❷〈「…のー」の形で〉㋐液体が多量にある・こと(所)のたとえ。「血のー」㋑いちめんにひろがり続いたもののたとえ。「火のー」㋒多く集まっているもののたとえ。「ことばのー」❸〔文〕みずうみ。「鳰(にお)のー(＝琵琶湖(びわこ))」 表記 ③は「湖」とも書く。❹すずりで、水をためるところ。対 陸(おか)。 **ーのものとも山のものともつかな・い** 《句》物事の正体・本質がつかめず、将来どうなるか見当がつかないたとえ。「海の物とも山の物ともわからない」とも。

類語と表現

「海」

*海に乗り出す・荒れた海・鏡のような海・海に浮かぶ船・海に注ぐ川・海に囲まれた国・海の香・海の幸。

◆大海・蒼海(そうかい)・内海(うちうみ・ないかい)・外海(そとうみ・がいかい)・荒海(あらうみ)・泥海・海原(うなばら)・海(わた)の原・大海原・青海原・四海・沿海・環海・近海・遠海・深海・東海・南海・絶海・海峡・海淵・海域・海洋・大洋・遠洋・内洋・外洋・北洋・極洋・太平［大西・インド］洋・沖・沖合・潟(かた)・湾・峡湾・入り江・入り海・瀬戸・［紀伊・浦賀］水道・一衣帯水・フィヨルド

***うみ【×膿】** ❶〔医〕傷・はれ物などがうんで生じる、黄色のにごった粘液(ねんえき)。のう。うみしる。❷取り除かなければならない弊害。「政界のーを出す」

うみ-うし【海牛】 海にすむ腹足類のウミウシ目に属する軟体動物。色彩のあざやかなものが多い。頭部に二本の触角がある。

うみ-おと・す【産み落とす・生み落とす】 《他五》子供を産む。卵を産む。

うみ-かぜ【海風】 ↓かいふう(海風)①。

うみ-がめ【海×亀】 ウミガメ科のカメの総称。アオウミガメ・アカウミガメ・タイマイなど。

うみ-じ【海路】(ーぢ) ↓うなじ(海路)。

うみせん-やません【海千山千】 〔海に千年、山に千年住んだ蛇は竜になるということから〕せちがらい世間でのさまざまな経験をへて悪がしこくなっている・こと(人)。老獪(ろうかい)な・こと(人)。海千年山千年。

うみ-だ・す【生み出す・産み出す】 《他五》❶子・卵をうむ。 表記 ふつう「産み出す」と書く。❷別の物、または新しい物を作り出す。「新製品をー・す」❸努力して作り出す。「利益をー・す」

うみ-づき【産み月】 子を産む予定の月。臨月(りんげつ)。

うみ-なり【海鳴り】 あらしや津波の前兆として、海のほうから響いてくる、遠雷または風のような音。波のうねりが海岸近くでくずれる音。海鳴(かいめい)。

うみ-ねこ【海猫】 カモメ科の海鳥。背・翼が青灰色で、他は白色。鳴き声がネコに似ている。

うみ-の-おや【生みの親・産みの親】 ❶その人を産んだ両親。実の親。❷〔苦労して〕最初につくった人。「議会政治のー」 **ーより育ての親** 《句》自分を産んだ親より育ててくれた親のほうがありがたい。生みの恩より育ての恩。

うみ-の-くるしみ【産みの苦しみ・生みの苦しみ】 《連語》❶子を産むときの苦しみ。❷物事を新しくはじめるときの苦労。類語 ①②陣痛。

うみ-の-さち【海の幸】 海からとれる食料。海産物。魚・貝・海藻など。海幸。対山の幸。

うみ-の-ひ【海の日】 国民の祝日の一つ。海の恩恵に感謝し、海洋国日本の繁栄を願う日。七月第三月曜日。

うみ-びらき【海開き】 海水浴場で、その年になってはじめて一般に海水浴を許すこと。また、その日。

うみ-べ【海辺】 海に近い所。海のほとり。海ばた。海辺。類語海岸。海浜。対山辺。

うみ-へび【海蛇】 ❶はちゅう類ウミヘビ科のヘビ。毒をもっている。暖かい地方の海にすむ。❷硬骨魚類ウミヘビ科の海魚。するどい歯をもつ。南日本に多い。

うみ-ぼうず【海坊主】 ❶海上に現れると想像される、坊主頭の大きな化け物。❷「あおうみがめ」の別名。インド洋・太平洋などにすむ大きなカメ。

うみ-ほおずき【海▽酸×漿】 アカニシ・テングニシ・ナガニシなどの巻き貝が卵を入れて保護する、革質の袋（＝卵嚢）の通称。口で鳴らす、ほおずきの代用。

うみ-ほたる【海蛍】 甲殻類ウミホタル科の節足動物。体長約三ミリ。太平洋の浅海に多くすむ。上唇から発光物質を分泌する。

うみ-やま【海山】 ❶海と山。❷〔山のように高く海のように深い意で〕愛情や恩恵が高く深いことのたとえ。「―の恩」❸非常に。たくさん。〔多く、副詞的に使う〕「申し上げたきことは―ございますが…」

***う-む【有無】** ❶あることと、ないこと。あるなし。「連絡の―にかかわらず来てほしい」❷承諾することと、ことわること。「―を言わせぬ（＝いやおうなしの）強引さ」

***う-む【×倦む】** 《自五》〔文〕❶物事にあきて、いやになる。退屈する。❷くたびれる。疲れる。文《四》。

***う-む【▽熟む】** 《自五》〔文〕〔くだものなどが〕熟す。実が入る。うれる。「柿が―む時期」文《四》。

***う-む【×膿む】** 《自五》〔体に〕うみをもつ。化膿する。「傷が―む」文《四》。

***う-む【産む・生む】** 《他五》❶母が子（卵）を腹から外へ出す。分娩する。また、子を作り設ける。類語産み落とす。産み付ける。子をなす。身二つになる。孵す。／（る）出産。分娩。産卵。／安産。難産。流産。死産。❷新しくつくり出す。「新記録を―む」類語形づくる。組み立てる。（す）作成。作製。形成。生成。創造。構成。編成。組成。創作。文《四》。
⇩〔使い分け〕

使い分け 「うむ・うまれる」

生む〔生命を与える。新しいものを作り出す〕一男一女を生（産）む・生（産）みの親・新しい命を生（産）み出す・傑作を生む・利益を生む・発明に至る生みの悩み

産む〔出産する〕猫が子を産む・卵を産む・病院で男児を産む。産み付ける・産み月・産（生）みの苦しみ

生まれる〔生命が与えられる。作り出される〕裕福な家庭に生まれる・犬の子が生まれる・生まれてこの方・近年生まれた国・記録が生まれる・疑問が生まれる

参考「産む／生む」は、動物の出産にはもっぱら「産」が、人間には、出産の意では「産」、子を設け作る意では「生」が使われるが、近年は後者の意でも「産」と書く傾向がある。物事には「生」が使われる。「うまれる」（＝「産む」の自発形）は、一般には「生まれる」と書くが、殊更に「出産」に注目して言う場合は「産」も使われる（予定日だがなかなか産まれない）。

***う-む【▽績む】** 《他五》〔麻・カラムシなどの〕繊維を長くより合わせる。糸をよる。「苧を―む」文《四》。

うめ【梅】 バラ科の落葉高木。原産地は中国。花は白・うす紅色・紅色などで、二月ごろ開く。かおりがよい。実は六月ごろ熟し、すっぱい。食用。
―に鶯《句》よくつりあうもののたとえ。類語松に鶴。

うめ-あわ-せる【埋め合わせる】 《他下一》不足や損失を他のもので・つぐなう（おぎなう）。うめあわす。「損失を―せる」

うめ-き【埋（め）木】 ❶木材の穴・すきまなどをつくろいかくすために、細かい木片をうめること。また、それに使う木片。❷「埋め木細工」の略。寄せ木細工。

うめ-く【×呻く】 《自五》❶痛みや苦しみのためにうなり声をあげる。うなる。❷感嘆にたえず声を出す。❸苦心して詩歌を作る。苦吟する。文《四》。

うめ-くさ【埋（め）草】 〔雑誌・新聞などの〕紙面の余白をうめるために用意する短い文章。

うめ-しゅ【梅酒】 焼酎に砂糖を加え、青い梅の実を入れて密封し、貯蔵して作った酒。梅酒。

うめ-ず【梅酢】 梅の実を塩づけにしたときにできる酸味の強い汁。アカジソをいれて赤い色をつけ、ショウガなどをつける。

うめ-た-てる【埋め立てる】 《他下一》〔川・海などを〕土で埋めて陸地にする。類語（する）干拓。

うめ-びしお【梅×醤】 梅干しの果肉に砂糖を加えてよくねりまぜた食品。

うめ-ぼし【梅干（し）】 ❶梅の実を塩づけにしたのち、夏の晴天の日によく干し、アカジソの葉を加えなどしてつけた、日本特有の食品。❷「うめぼしあめ」の略。色や形を梅干し①の形に似せたあめ。

うめ-もどき【梅▽擬】 モチノキ科の落葉低木。葉はウメの葉に似る。冬、葉が落ちた後まで小さな赤い実をつける。雌雄異株。観賞用。

う-める【埋める】 《他下一》❶↓うずめる。❷〔低温の液体をいれて〕液体の温度をさげる。ぬるめる。「風呂を―める」文う・む《下二》。

う-もう【羽毛】 鳥の体に生えているやわらかい毛。

うもれ-ぎ【埋（も）れ木】 ❶長い間、土の中などにうずもれて石のように堅くなった木。良質のものは、細工物に利用される。❷世間から捨てられてかえりみられない境遇にある・こと（人）。

う-も-れる【埋もれる】 《自下一》❶ものの下にかくれる。「雪に―れる」❷〔すぐれた才能・価値などが〕世に知られないでいる。「―れた人材」同①②うずもれる。文うも・る《下二》。

うやうや-し-い【恭しい】 《形》敬い慎んで礼儀正しくふるまうようす。「―く一礼する」類語恭敬。恭虔。慇懃。

うやま-う【敬う】 《他五》尊い者・偉い者として礼をつくし、命令に従おうとする気持ちを持つ。また、そのような態度をとる。あがめる。「神仏を―う」類語（する）尊敬。畏敬。敬愛。文《四》。

うや-むや【有×耶無×耶】 《名・形動》〔「有るのか無いのか」の意から〕物事のすじ道や結末が、はっきりしないままになること。「話が―に終わる」類語あいまい。

う-ゆう【×烏有】 〔「烏んぞ有らんや（＝どうしてある

ものか」の意から〕まったくないこと。[類語]皆無(かいむ)。

―に帰・す《句》〔火災に遭って〕何もかもなくなる。

うよ・うよ《副・自サ》《副詞は「―と」の形も》たくさんの〔小さな〕生き物や、つまらない人間が集まってうごいているようす。うじゃうじゃ。

うよ・きょくせつ【×紆余曲折】《名・自サ》❶〔道が〕まがりくねること。❷〔ある目的に到達するまでに〕いろいろとめんどうな事情があって、複雑な経過をたどること。「―の末、法案が成立した」

う・よく【右翼】❶右のつばさ。❷〔隊列など〕左右にひろがったものの中で、右側の部分。❸保守的・国粋的な思想。また、そのような思想をもつ人々の集まり。[参考]フランスの革命時の議会で、保守派が議長席からみて右側に席をしめたことからいう。[類語]右派。❹野球で、本塁からみて右側の外野。また、そこを守る選手。ライト。右翼手。[対]①〜④左翼(さよく)。

*うら《接頭》はっきりしないがなんとなく。どことなく。「―さびしい」[参考]古くは「心」の意味。

*うら【浦】〔文〕❶海辺。浜辺。❷海・湖などが陸地に入りこんだところ。入り江。浦曲(うらわ)。「鯛(たい)の―」

*うら【裏】❶一対の面をもつ物の、人の目にふれない方。表面や前面でない方。❷裏①につけるもの。特に、着物の内側につける布。裏地。[対]①②表(おもて)。❸反対のこと。逆の立場。「物事を―から見る」❹物事の表面に現れない面。内情。「人には言えない―がある」❺家の後ろ側。後ろ側の入り口。「―から入る」[類語]勝手口。❻公然とされていないこと。裏口。「―から頼みこむ」[対]④〜⑥表。❼〔論〕「AならばBなり」という形の命題に対して「AならざればBならず」という形の命題。[参考]もとの命題が真であってもその裏は必ずしも真とはならない。❽連歌・俳諧(はいかい)で、二つに折った懐紙の裏側の面。❾野球で、一イニングのうち後攻めのチームがせめるとき。「七回の―」[対]⑧⑨表(おもて)。

―には裏がある《句》物事の裏面には複雑な事情や仕組みがある。

―の裏を行・く《句》相手がこちらの思いもかけなかったような事をたくらめば、さらにそれをくつがえすような計略を考えて相手を出しぬく。

―を返・す《句》❶同じことをまたする。❷遊郭で初めて遊んだ遊女と二度めに来てまた遊ぶ。❸〈「―・せば」〉逆の言い方をすれば。

―をか・く《句》相手が考えたことと反対のことをして、相手を出しぬく。裏をゆく。[類語]意表をつく。

―を取・る《句》実際の証拠を探り出して、発言・供述などの真偽を確かめる。「自供の―る」

うら・あみ【裏編み】棒針編みの基本的な編み方の一つ。メリヤスの裏と同じ編み目になる。[対]表編み。

うら・うち【裏打ち】《名・他サ》❶〔じょうぶにするために〕紙・布・革(かわ)などの裏に、別の紙・布などをはること。特に、衣服の表地を補強するため、裏に別の布地をつけること。❷うらづけ②。

うら・うら《副》《「―と」の形も》❶〔春の〕太陽が明るくのどかに照っているようす。うららかなようす。❷〔かすみなどが〕のどかにたなびくようす。

うら・えり【裏襟・裏×衿】衣服のえりの裏側になる布地。裏側のえり。[対]表襟(おもてえり)。

うら・おもて【裏表】❶裏と表。「紙の―」❷裏と表を反対にすること。裏返し。「セーターを―に着る」❸外見と中身が一致しないこと。「―のある男」

うら・かいどう【裏街道】正式の街道ではない道路。[参考]うしろぐらい生活の意でも用いる。「人生の―」[類語]抜け道。[対]表街道。

うら・がえし【裏返し】(―がえし)❶ひっくり返して今までの裏を表にすること。また、そのようにした状態。裏表。❷反対。逆。「乱暴な行為の―には弱さと甘えがある」

うら・がえ・す【裏返す】(―がえす)《他五》❶ひっくり返して、表を裏にする。❷物の見方・立場を反対にする。「投手戦だが、―せば貧打戦だ」

うら・がき【裏書】《名・自他サ》❶〔小切手・手形・証券・書画・巻物などの〕書面の裏に氏名・住所や、内容の証明・注記など、必要な事柄を書くこと。また、その書かれたもの。❷ある物事が確実であることを他の事柄で証明すること。「潔白を―する証拠」[表記]②はふつう「裏書き」と書く。

うら・かた【裏方】❶貴人の妻。特に、本願寺法主(ほっす)の妻。❷〔大道具係・小道具係・衣装係・照明係など〕舞台の裏側で働く人。[対]表方。❸表立って活躍する人の陰にいて、実質的な準備・運営などに当たる人。「通訳として国際会議の―をつとめる」

うら・がなし・い【うら悲しい】《形》《「うら」は接頭語》〔特に理由もないのに〕なんとなく悲しい。

*うら・がね【裏▽曲・裏×矩】かね尺の裏側につけた尺度。表の一目盛りの√2(≒約一・四一四)倍を一目盛りとしてある。うらじゃく。

*うら・がね【裏金】❶ものの裏にうちつける金(かね)。❷〔取引などを有利にするため〕表向きに支払う金銭のほかに、内密に支払う金銭。[表記]「裏鉄」とも書く。

うら・が・れる【▽末枯れる】《自下一》〔寒さで〕草や木の枝先や葉先が枯れる。

うら・がわ【裏側】(―がわ)裏の方。裏面。[対]表側。

うら・き【▽末木】樹木の先。こずえ。[対]本木(もとき)。

うら・ぎり【裏切り】うらぎること。「―は許さない」[類語]背信。寝返り。内通。

うら・ぎ・る【裏切る】《他五》❶〔誓いや約束などを破って〕味方に背き、敵方につく。「友を―る」[類語]寝返る。❷〔予想・信頼・期待などに〕背く。反する。「期待を―る成績」

うら・ぐち【裏口】❶建物の裏側にある出入り口。勝手口。通用口。[対]表口。❷山の裏側にある登り口。❸正当でない方法で物事を行うこと。「―入学」

うら・げい【裏芸】〔芸人が〕余興などでしか見せたり聞かせたりしない、自分の専門以外の、とっておきの芸。[類語]隠し芸。[対]表芸(おもてげい)。

うら・こうさく【裏工作】《名・自サ》ある目的のために他に対して、ひそかにはたらきかけること。裏面工作。[参考]表向きの活動に対していう。

うら・ごえ【裏声】(―ごえ)自然の発声では出せない、技巧的な高い声。[対]地声。

うら・ごし【裏×漉し】❶円形のわくに目の細かい金属の網や布を張った調理用具。豆・いも・野菜などをつぶして質を細かくしたり、あん・スープなどをこしたりする。「―にかける」❷《名・他サ》うらごし①を使って食物を細かくつぶしたり、こしたりすること。

うら・さく【裏作】主要な作物をとり入れたあと、次の植えつけまで、その土地で他の作物を作ること。また、その作物。後作(あとさく)。[参考]↓二毛作。[対]表作。

うら・ざと【浦里】〔雅〕海の近くの村。漁村。

うら-さびし・い【うら寂しい】《形》《「うら」は接頭語》なんとなくさびしい。ものさびしい。「—・い夕暮れ」

うら-じ【裏地】衣服や袋物などをあわせ仕立てにするとき、裏につける布地。裏ぎれ。[対]表地。

うらしま-たろう【浦島太郎】伝説上の人物。助けたカメの案内で竜宮を訪れ、乙姫のもてなしを受ける。三年後に故郷にもどり、禁を破って土産の玉手箱を開けたところ、煙が立ちのぼり、たちまち老人になった。浦島の子。[参考]世の中のようすがすっかり変わったことにとまどう人にたとえることもある。

うら-じゃく【裏尺】裏曲。

うら-じょうめん【裏正面】↓向こう正面。

うら-じろ【裏白】❶物の、裏・内側・底などが白いこと。❷ウラジロ科の常緑のシダ植物。暖かい地方に自生する。葉の裏は白色。正月の飾りに使う。

うら-だな【裏▽店】表通りの家の裏や路地の奥などにある(そまつな)貸家。[類語]裏長屋。

うら-づけ【裏付け】《名・他サ》❶うらうち①。❷〔ある物事を〕証明するためのたしかな証拠になる・こと(もの)。「アリバイの—」

うら-づ・ける【裏付ける】《他下一》あることがたしかであることを他の面から証拠だてる。「犯行を—・ける」

うら-て【裏手】〔建物などの〕裏の方。後ろの方。

うら-どおり【裏通り】〔大通りに面した建物などの〕裏側を通っている(狭い)道。裏道。[対]表通り。

うら-どし【裏年】果物のよく実らない年。[対]なり年。

うら-とりひき【裏取(り)引(き)】かげで不正な取引をすること。公にされない交渉。[類語]密約。

うらない【占い・×卜】うらなう・こと(方法)。また、それを職業にする人。占卜。卜占。[類語]八卦。易。占筮。売卜(者)。

うら-な・う【占う・×卜う】《他五》《「うら(=占い)」＋「…する」意の接尾語「なふ」》❶〔あるものの形や自然のきざしなどによって〕人の運命、吉凶・成り行きなどを考え定める。❷予測する。「相場を—・う」

うら-ながや【裏長屋】人家・商店などの裏にある(そまつな)長屋。[類語]裏店。

うら-なり【▽末▽生り・▽末成り】❶時期がおそくなって、ウリ・カボチャなどのつるの先の方に実がなること。また、その実。[対]もとなり。❷〔うらなり①の実はやせて色も悪いことから〕顔色が悪くやせて元気のない人。〔あざけって言う語〕

ウラニウム ↓ウラン。▽uranium

うら-にほん【裏日本】本州の日本海側の地方。[参考]ふつう「日本海側」という。[対]表日本。

うら-はずかし・い【うら恥ずかしい】《形》《「うら」は接頭語》なんとなくはずかしい。「—・い年ごろ」

うら-ばなし【裏話】一般には知られていない、隠された事情に関する話。「日中会談の—」[類語]秘話。

うら-はら【裏腹】㊀《名》❶背と腹。❷裏と表。「—なく話し合う」❸背中あわせ。「生と死が—の危険な作業」[類語]紙一重。㊁《形動》相反するようす。逆。反対。あべこべ。さかさま。「卑下と—な自信」

うら-ばんぐみ【裏番組】ある放送番組と同時刻に放送される他の局の番組。

うら-ぶ・れる《自下一》〔おちぶれて〕みすぼらしくあわれなようすになる。「—・れた生活」

うらぼん【×盂×蘭盆】〔仏〕七月(または八月)一五日に祖先の霊を祭り冥福を祈る行事。うら盆会。精霊会。たま祭り。ぼん。[参考]梵語 ullambana の音訳。

うら-まち【裏町】裏通りにある(さびれた)町。

うらみ【恨み・×怨み】❶恨むこと。また、その心。怨恨。「—を晴らす」「—を買う(=恨まれる)」「—をのむ(=恨みを晴らせず、悔しい気持ちをこらえる)」[類語]仇怨。怨嗟。仇恨。意趣。私怨。宿怨。遺恨。❷不満に思う点。残念に思う点。欠点。「すなおな文章だが、やや平板な—がある」[表記]②はふつう「憾み」と書く。

—骨髄に徹・する《句》〔「恨みが骨のしんまでしみ通る」意から〕非常に深く人を恨む。恨み骨髄に入る。

うらみ-がまし・い【恨みがましい】《形》恨んでいるようすだ。非難するようすだ。「—・い言葉」「—・い目つき」

うらみ-ごと【恨み言・×怨み言】恨みを述べることば。怨言。

うら-みち【裏道】❶裏口へ通じる道。❷建物などの裏を通っている(せまい)道。裏通り。❸本道以外の道。間道。ぬけ道。[参考]不正な手段などにもたとえる。「—から禁制品を仕入れる」

うらみ-っ-こ【恨みっこ・×怨みっこ】たがいに恨むこと。[参考]ふつう「恨みっこなし」の形で使う。

うらみ-つらみ【恨み▽辛み・×怨み▽辛み】さまざまな恨み。[参考]「つらみ」は「うらみ」と語調を合わせたもの。「—を並べたてる」

うら・む【恨む・×怨む】《他五》❶〔相手の仕打ちに対して不平・不満を持ち〕にくいと思う。❷思い通りにならず、くやしく思う。残念に思う。「我が身の不運を—・む」[表記]②は「憾む」とも書く。[文]《四》。

うらむらく-は【恨むらくは・×怨むらくは】《連語》〔文〕おしいことには。残念なことには。「—覇気に乏しい」[表記]「憾むらくは」とも書く。

うら-め【裏目】❶さいをふって出た目に対して、その反対側の目。❷編み物などの、裏側の目。[対]表目。

—に出る《句》期待したことと逆の結果になる。

うらめし・い【恨めしい・×怨めしい】《形》❶〔人を〕恨みたくなる思いだ。❷なさけない。残念だ。「からだの弱いのが—・い」[文]うらめ・し《シク》。

うら-もん【裏門】〔建物などの〕裏のほうにある門。後門。[対]表門。正門。

うら-やま【裏山】建物・市街地などの裏にある山。

うらやまし・い【×羨ましい】《形》《「心病ましい」の意》〔自分よりもよく見える他人のありさまなどを見て〕自分もそのようになりたいと思う気持ちがする。「友を—・く思う」[類語]ねたましい。[文]うらやま・し《シク》。

うらや・む【×羨む】《他五》《「心病む」の意》〔自分よりもよく見える他人のありさまを見て〕自分もそのようになりたいと思う。[類語]ねたむ。[文]《四》。

うら-よみ【裏読み】書かれていないことや、かくされた気持ちを読むこと。

うら-ら【▽麗ら】《形動》〔文〕うららか。「春の—の隅田川」

うら-らか【▽麗らか】《形動》空が美しくはれて、太陽がやわらかく照っているようす。うらら。〔主に春についていう〕「—な春の日」[類語]晴朗。

うら-わか・い【うら若い】《形》〔「こずえの葉が出たばかりでみずみずしい」意から〕ひよわそうで、いかにも若

い。若くてういういしい。〔主に女性に対していう〕

うら‐わざ【裏技】 人に知られていない、効果的な技。

ウラン 放射性元素の一つ。半減期は四五億年。原子炉や原子爆弾のエネルギー源として利用される。ウラニウム。元素記号U。▽ドイツ Uran

うらん‐かな【売らん×哉】《連語》何が何でも売ろうとするようす。「―の誇大広告」

***うり【×瓜】** ウリ科の一年草の総称。また、その果実。特に、シロウリ・マクワウリの果実。

―に爪有り爪に爪無し《句》「瓜」という字と「爪」という字の区別を教えることば。

―の蔓に茄子は生らぬ《句》平凡な親には平凡な子しか生まれないたとえ。類語 蛙の子は蛙。

―二つ《句》〔たてに二つに割ったウリのように〕顔つきや姿などがたがいによく似ているたとえ。そっくり。「兄と―の弟」

***うり【売り】** ❶売ること。「店を―に出す」❷相場の値下がりを予想して売ること。対①②買い。❸売るときに強調できる特長。「新製品はこの点が―だ」

うり‐あげ【売(り)上(げ)】 商品を売って得た、ある期間の代金の総額。売上金。売上高。

うり‐いそ‐ぐ【売り急ぐ】《他五》〔売れる機会をのがすことを恐れたり、また金が急に必要になったりして〕急いで売ろうとする。対うりおしむ。

うり‐おし‐む【売り惜しむ】 ―をしむ《他五》〔値段があがることを予想したり、未練があったりして〕なかなか売ろうとしない。対うりいそぐ。

うり‐かい【売り買い】 ―かひ《名・他サ》売ったり買ったりすること。売買。商い。

うり‐かけ【売(り)掛(け)】 代金を後日受けとる約束で品物を売ること。また、その代金。かけ売り。貸し売り。類語 つけ。対買い掛け。**―きん【売掛金】** かけ売りの代金。売りかけ。かけ。

うり‐かた【売り方】 ❶売る側の人。売手。❷売る方法。対①②買い方。

うり‐き‐れる【売り切れる】《自下一》〔ある品物が〕みんな売れてしまう。

うり‐ぐい【売(り)食い】 ―ぐひ《名・自サ》財産を〔少しずつ〕売って、生活をすること。類語 筍生活。

うり‐くち【売り口】 ❶品物を売る相手。販路。はけ口。売れ口。❷品物を売る手口。売り方。

うり‐こ【売(り)子】〔店頭・駅・車内・興行場などで〕客に品物を売ることを仕事にしている人。参考 現在は、ふつう「販売員」という。

うり‐ごえ【売(り)声】 ―ごゑ 商品を売るときに客に呼びかける声。

うり‐ことば【売(り)言葉】 相手を怒らせて、けんかのきっかけになるような悪意のある乱暴なことば。

―に買い言葉《句》相手が悪意のある乱暴なことばを言ったのに対して、同じように乱暴なことばで言い返すこと。

うり‐こ‐む【売(り)込む】《他五》❶ある品物を強く勧めて買わせる。❷〔利益になることを見込んで〕秘密の情報などを告げ知らせる。「特種を―・む」❸大いに宣伝して有名にしようとする。強く推薦して信用させる。「テレビで顔を―・む」❹名前やよい評判が広く知られるようにする。〔多く、自動詞的に使う〕「独特な味で―・んだ店」

うりざね‐がお【×瓜▽核顔・×瓜▽実顔】 ―がほ〔「ウリの種に似た顔」の意から〕色が白く、中高でやや細長くふっくらした顔。参考 昔、美人の条件の一つ。

うり‐さば‐く【売り×捌く】《他五》〔多くの品物を〕手ぎわよく売る。売りこなす。

うり‐しぶ‐る【売り渋る】《他五》売るのをいやがる〔ためらう〕。売り惜しむ。

うり‐だし【売(り)出し】 ❶売りはじめること。発売。❷特定の期間に宣伝して品物を売ること。「中元の―」❸世間に名が広まりだすこと。「いま―の女優」

うり‐だ‐す【売り出す】《他五》❶売りはじめる。❷〔派手に宣伝して〕大いに売る。❸世間に名を知られるようにする。〔多く、自動詞的に使う〕「推理小説で―・した作家」

うり‐たて【売(り)立て】 所蔵品を集め、〔入札や競売によって〕一度に売り払うこと。

うり‐つ‐ける【売り付ける】《他下一》〔相手にあまり買う気がないのに〕むりに買わせる。押し売りする。

うり‐て【売手】 物を売る方の側。売り方。類語 売り主。対買手。**―しじょう【―市場】**〔経〕需要が供給を上回って、買手より売手が有利になる取引市場。参考 ひゆ的にも使う。「今年の就職は―だ」対買手市場。

うり‐とば‐す【売り飛ばす】《他五》〔大事なものを〕惜し気もなく売り払う。手がるに売り渡す。

うり‐にげ【売(り)逃げ】 取引で、株式・商品を、相場の下がる前に売り尽くすこと。売り抜け。

うり‐ぬし【売(り)主】 売りに出された物の持ち主。その物を売る人。類語 売手。対買い主。

うり‐ね【売値】 物を売るときの値段。売価。対買値。

うり‐ば【売(り)場】 ❶物を売る場所。「切符―」「―主任」❷売るのによい時機。売り時。

うり‐はら‐う【売り払う】 ―はらふ《他五》すっかり売ってしまう。「蔵書を―・う」

うり‐ぼう【×瓜坊】 イノシシの子。うりんぼう。参考 背にウリのしまに似た斑紋があるところから。

うり‐もの【売(り)物】 ❶売るための品物。商品。「―にならない」❷人の関心を集める長所。「足が―の選手」❸芝居などで、ある俳優の当たり芸。

うり‐もんく【売(り)文句】 製品を売るための、効果的な言葉。セールストーク。

うり‐や【売(り)家】 売りに出した家。売り家。

う‐りょう【雨量】 地表に降った雨の量。降雨量。参考 ↓降水量。

うり‐わた‐す【売り渡す】《他五》❶物を売って、相手に渡す。❷味方を裏切って敵に利益を与える。

***う‐る【売る】**《他五》❶代金とひきかえに品物・権利などを他人に渡す。「株を―・る」対買う。❷世間にひろめる。「男を―・る」❸自分の利益のために裏切る。「仲間を―・る」❹〔ある行為を〕しかける。「媚を―・る」文《四》。⇩〔類語と表現〕

類語と表現

「売る」

*商品を売る・土地を売る／名を売る・顔を売る／国を売る・同志を売る／恩を売る・喧嘩を売る。

◆売り出す・売り込む・売りさばく・売り渡す・売り払う・売り飛ばす・叩き売る・さばく・ひさぐ／(する)販売・発

売・売却・市販・直売・即売・密売・乱売／押し売り・(大)安売り・投げ売り・(大)売出し・(大)蔵払い・(大)蔵浚え・在庫一掃・セール・バーゲン・ダンピング

***うる**【得る】❶《他下二》《文語動詞「得う」の連体形。現代語では終止形としても使う》手に入れる。得る。「名声を**うる**」「利益を**うる**」 参考 「得る」より改まった言い方。❷《接尾》「…できる」意。「実現し**うる**」

うるう【×閏】・平年より暦の日数や月数が多いこと。暦の上の季節と実際の季節とのずれを調節するためで、太陽暦では四年に一度二月を二九日とし、太陰暦では適当な割合である月を二回くり返し、一年を一三か月とする。

うるう-どし【×閏年】閏の年。閏年。

うる-うる《副・自サ》〔俗〕《副詞は「—と」の形も》涙で目が潤むようす。「感動して—する」

うるおい【潤い】❶湿りけ。湿気。❷〔金銭などの〕足りない部分を補うもの。また、利益。もうけ。❸心の・ゆたかさ(あたたかさ)。ゆとり。「—のある人生」

うるお・う【潤う】《自五》❶水分をおびる。しめる。「夕立で庭木が—・う」❷利益をうける。もうかる。「村は補償金で—・った」❸心が豊かになる。ゆとりができる。「激励の手紙で心が—・う」文《四》。

うるお・す【潤す】《他五》❶しめらせる。適度にぬらす。「ビールでのどを—・す」❷利益や恩恵を与える。豊かにする。「生活を—・す」文《四》。

うるか【×鱁×鮧・潤香】アユの内臓や卵を塩づけにした食品。酒のさかなによい。

うるさ・い【▽煩い・▽五▽月×蝿い】《形》❶〔何度もくりかえされて〕いやだと思う。しつこくていやになる。「—・くつきまとう」❷いりくんでいて、めんどうである。わずらわしい。「手続きが—・い」 類語 煩雑。煩瑣。❸〈「…すると—・い」の形で〉めんどうなことになる。「見つかると—・い」❹〔音が〕耳ざわりである。やかましい。「ラジオが—・い」 類語 騒がしい。騒々しい。姦しい。かまびすしい。けたたましい。物騒がしい。騒然とする。喧騒をきわめる。喧々囂々。❺〔物が多くあって〕うっとうしい。「長髪が—・い」❻〔小言・忠告・批評などを〕いろいろと言う。口やかましい。「父は言葉づかいに—・い」文うるさ・し《ク》。

うるさ-がた【▽煩型・うるさ型】何事にも口を出して、批評をしたがる性質(の人)。 類語 一言居士。

うるし【漆】❶ウルシ科の落葉高木。葉は秋に紅葉する。樹液は塗料、実はろうの原料となる。さわるとかぶれることがある。❷漆①の樹液からとった塗料。

うるし-ぬり【漆塗(り)】器物に漆②をぬること。また、漆をぬったもの。漆器。

うるし-まけ【漆負け】漆にかぶれて起こる炎症。漆かぶれ。

うるち【×粳】❶米・アワ・キビで、炊いたときにねばりけの少ない品種。粳。対糯。❷炊いて食べる、ふつうの米。もち米にくらべてねばりけが少ない。うるち米。うるごめ。対もち米。

ウルトラ《接頭》「極端な」「過度の」「超…」などの意。「—ナショナリズム(=超国家主義)」▽ultra-

うる・む【潤む】《自五》❶水分をふくむ。しめりけをおびる。「目が—・む(=涙でぬれる)」❷〔もや・霧・霧雨などのために〕かすんでみえる。「霧雨に—・む灯」❸〔声・音などが、いまにも泣き出しそうに〕ふるえてさえなくなる。「言葉が—・む」文《四》。

うるめ-いわし【潤目×鰯】ウルメイワシ科の海魚。マイワシよりも、丸みがある。干物にする。うるめ。 参考 目に透明な膜があって、目がうるんで見える。

うるわし・い【麗しい】《形》❶きちんとして美しい。整って立派である。「—・い文章」❷〔色・形などが〕美しい。きれいである。「—・い菊の花」 参考 ①②は「美しい」より文章語的な感じ。❸晴れやかである。「ごきげん—・い」❹心があたたまるようすである。よい感じである。「—・い友情」文うるは・し《シク》。

うれい【憂い・愁い・▽患い】《「憂え」の転》❶不安。心配。うれえ。「後顧の—」 類語 同憂。深憂。杞憂。大患。後患。憂国。内憂外患。❷悲しい思い。嘆き。悩み。「—を含んだ目つき」 類語 憂鬱。 表記 ①は「憂い」「患い」、②は「愁い」と書く。

うれ・う【憂う・愁う・▽患う】《他上二》〔文〕うれえる。「世を—・う」「—・うべき事態」 参考 文語動詞「うれふ」が口語の中に残ったもの。

うれ・える【憂える・愁える・▽患える】《他下一》❶心を痛めて嘆き悲しむ。「道徳の退廃を—・える」❷〔結果やなりゆきを〕心配する。案ずる。「経済の沈滞を—・える」 類語 気遣う。恐れる。気に病む。寒心に堪えない。懸念。心痛。憂慮。文うれ・ふ《下二》。

うれ-くち【売れ口】❶物が売れて行く先。販路。はけ口。❷〔俗〕嫁になって行く先。

うれし・い【×嬉しい】《形》❶にこにこしたくなる気持ちだ。「志望校に入れて—・い」❷〔俗〕あいきょうがあってにくめない。「おまえは何という—・い奴だろう」文うれ・し《シク》。
⇩〖類語と表現「楽しい・嬉しい」〗

うれしがら-せ【×嬉しがらせ】相手をよろこばせるようなことばや態度。 参考 口先だけで実際は期待はずれになるという意味合いをもつ。「—を言う」

うれし-が・る【×嬉しがる】《他五》うれしさを表情や態度にあらわす。喜ぶ。「ほめられて—・る」

うれし-なき【×嬉し泣き】《名・自サ》非常にうれしくて、そのあまり泣くこと。「再会の喜びに—する」

うれし-なみだ【×嬉し涙】非常にうれしくて、そのあまり出る涙。 類語 ありがた涙。随喜の涙。

うれ-すじ【売れ筋】よく売れる系列の商品。

うれ-だか【売れ高】売れた商品の・数(金額)。売り上げ。売り高。

ウレタン❶カルバミン酸とアルコール類またはフェノール類から得られる物質。ウレタン樹脂。❷「ウレタンフォーム」の略。▽ドイ Urethan **—フォーム** ウレタン樹脂を使った発泡合成ゴム。断熱保温材として使う。ウレタン。▽ドイ Urethan と foam からの和製語。

うれ-っ-こ【売れっ子・売れっ▽児】❶よく口のかかる芸者・娼妓。 表記 「売れっ妓」とも書く。❷その時代に、とくにもてはやされる人。「—の作家」

うれ-のこり【売れ残り】❶売れないで残った品。❷〔俗〕婚期をすぎても結婚相手がなく、独身でいる女。

うれ-のこ・る【売れ残る】《自五》❶〔商品が〕売れないで残る。❷〔俗〕〔女性が〕婚期をすぎても結婚相手がなく、独身でいる。

うれ-ゆき【売れ行き】商品の売れていく調子。売れぐあい。「—のいい本」 類語 売れ足。

***う・れる**【熟れる】《自下一》〔果実や農作物の実が〕みのる。熟す。「—・れた柿」文う・る《下二》。

う

*う・れる【売れる】《自下一》❶(よく)買われる。(よく)買手がつく。[類語]はける。❷〈「顔が—・れる」「名が—・れる」などの形で〉広く知られる。有名になる。「政界に名が—・れた人」[文]う・る《下二》。

うれわし・い【憂わしい】《形》〔文〕うれうべきようすである。心配である。なげかわしい。「国家の将来が—・い」[文]うれは・し《シク》。

*う・ろ【×烏×鷺】❶(黒い)カラスと、(白い)サギ。❷黒と白。❸〔黒石と白石を使うことから〕囲碁。「—をたたかわす」「—の争い」

*うろ【▽空・▽虚・▽洞】中がからになっているもの・所。ほらあな。空洞。「木の—」「虫歯の—(=穴)」

*う・ろ【×迂路】〔文〕まわり道。迂回路。

*う・ろ【雨露】〔文〕❶あめと、つゆ。❷〔万物をうるおすほどの〕大きなめぐみ。恩恵。「太平の—に浴す」

うろ・うろ《副・自サ》《副詞は「—と」の形も》〔あてもなく、またうろたえて〕あっちへ行ったり、こっちへ来たりするようす。うろつくようす。「町を—と歩く」

うろ・おぼえ【うろ覚え】ぼんやりと覚えていること。不完全な記憶。「—の字を辞書で確かめる」

うろこ【×鱗】❶魚類・はちゅう類などのからだの外側をおおっている、薄い小片の組織。こけら。うろくず。[類語]魚鱗。銀鱗。細鱗。❷うろこ①に似た形。とくに、三角形をくみ合わせた形。うろこ形。「三つ—」

鱗 ②

うろこ・ぐも【×鱗雲】「巻積雲」の通称。魚のうろこのように点々と広がる雲。鯖雲。鰯雲。

うろた・える【×狼×狽える】《自下一》〔不意をうたれて〕どうしてよいかわからず、あわてまどう。ろうばいする。[類語]まごつく。とまどう。[文]うろた・ふ《下二》。

うろ・ちょろ《副・自サ》《副詞は「—と」の形も》〔うるさいほど〕あちこちとせわしく動きまわるようす。

うろ・つ・く《自五》あてもなく歩きまわる。うろうろと歩く。「へんな人が—・いている」[類語]ぶらつく。(する)徘徊。彷徨。[表記]「彷徨く」とも当てる。

うろ・ぬ・く【▽疎抜く】《他五》間をおいて引きぬく。まびく。おろぬく。「大根を—・く」

う・ろん【×胡▽乱】《形動》❶確かでないようす。「—な記憶」❷〔正体がわからず〕あやしいようす。うさんくさいようす。「—な男」[参考]「う」も「ろん」も唐音。

うわ【上】《接頭》「上」「表側」「屋内」などの意味を表す。⇩〔使い分け「上(うえ/うわ)」〕

うわ・あご【上×顎】上のあご。上顎。上顎部。[対]下あご。

うわ・え【上絵】❶〔布などの〕白く染め抜いた上に別の色で描いた絵・もよう。❷陶磁器で、うわぐすりをかけて焼いた上に描いた絵・もよう。

うわ・がき【上書き】《名・他サ》手紙・書物・箱・荷物などの表面に字(特にあて名)を書くこと。また、その文字。[類語]表書き。

うわ・がけ【上掛け】❶本来の服装の上に着る簡単な衣服。上っ張り。[類語]ガウン。❷こたつぶとんなどの上にかける布。

うわ・がみ【上紙】❶物の外側をつつむ紙。つつみ紙。❷表紙。

うわ・かわ【上皮】❶物の表面をおおっている皮。表皮。❷物をつつんでいるおおい。うわおおい。

うわ・き【〈浮気〉・上気】❶《名・形動》気持ちが一つのことに落ち着かず、変わりやすいこと。うつり気。❷《名・形動》異性に心を引かれやすいこと。多情。❸《名・自サ》配偶者・婚約者などがあるのに他の異性を〔一時的に〕愛すること。

うわ・ぎ【上着・上▽衣】❶下着の上に着る衣服。[対]下着。❷打衣の上、小袿の下に着る衣。❸〔上下で一対になった服の〕上半身に着る衣服。「スーツの—」[表記]②は「表着」とも書く。

うわ・ぐすり【×釉薬・×釉】《「上薬」の意》光沢やなめらかさを与え、水をはじかせるために、素焼きの陶磁器の表面に塗る、ガラス質の薬。塗った後に再び焼く。釉薬。ゆう。つや薬。「—をかける」

うわ・くちびる【上唇・上×脣】上側のくちびる。[対]下唇。

うわ・ぐつ【上靴】屋内でだけはく、くつ。上ばき。[類語]スリッパ。

うわ・ごと【×譫言・×囈言】病気で高熱を発したときなどに無意識に発することば。「—を言う」

うわさ【×噂】❶確かでないことを言いふらすこと。また、その話。風説。風聞。「—が立つ」[類語]流言。飛語。ゴシップ。❷《名・他サ》その場にいない人についてあれこれ話すこと。また、その話。

—をすれば影(が差す)《句》ある人のうわさをするとその場へ当人が現れるものだ。

うわ・しき【上敷(き)】たたみ・床などの上に敷く物。うすべりなど。うわじき。

うわ・すべり【上滑り・上×辷り】《名・自サ》❶表面がなめらかですべること。❷《形動》〔理解のしかた・効果などが〕内部まで深くとおらずおわること。また、表面だけを見て軽々しく判断・行動すること。「—の知識」

うわ・ずみ【上澄み】液体にまじった物が下の方に沈み、上の方にできる澄んだ部分。うわしる。[類語]上調子。軽率。軽佻。

うわ・ずる【上擦る】《自五》〔興奮したり緊張したりして〕うわついた調子になる。㋐〔動作・気持ちに〕落ち着きがなくなる。逆上する。「気持ちが—・って手がふるえる」㋑声の調子が高くなり乱れる。「緊張のあまり声が—・る」[表記]「上ずる」と書くことが多い。

うわ・ぜい【上背】身長。「—がある(=背が高い)」

うわ・ちょうし【上調子】❶→うわぢょうし。❷《名・形動》言語・動作・性質などに落ち着きがなく、かるがるしいこと。うわっちょうし。「話し方が—だ」

うわ・ぢょうし【上調子】三味線を合奏するとき、その中の一つの三味線が、ふつうの高さより四度または五度高く合わせた調子。また、その演奏者。曲に変化をつけるために行う。うわちょうし。

うわ・つ・く【〈浮つく〉・上付く】《自五》〔気分が〕うきうきして落ち着かない状態になる。

うわ・づつみ【上包み】物の一番外側をおおい包むもの。包装。カバー。

うわ・っ・つら【上っ面】❶物の表面。外側の見える所。❷物事の内容まで立ち入らない、外面にあらわれた部分。うわべ。「—で判断する」=うわつら。

うわ・っ・ぱり【上っ張り】汚れを防ぎ、また、働きやすくするために、衣服の上に着る仕事着。

うわ・づみ【上積み】《名・他サ》❶あるものの上にさ

う

らに積むこと。また、上に積んだ荷物。対下積み。❷あるきまった数量・金額などの上にさらにある数量・金額をつけ加えること。「一万円を―する」

うわ-て【上手】❶上の方向・場所。また、土地の高い方。❷〔風・川などの〕流れてくる方。風上、または、川上。同①②かみて。対①②しもて。❸《名・形動》才能・知識・技術などが他人よりすぐれていること。また、その人。「一枚―だ」❹《名・形動》相手をおびやかすような態度をとること。「―に出る」類語強気。高飛車。❺相撲で、相手の腕の上からまわしをつかむこと。また、その腕。「―投げ」対③～⑤下手。

うわ-に【上荷】❶馬・車・船などに積んだ荷物。❷荷物をつんだ上にさらに積み重ねた荷物。

うわ-ぬり【上塗(り)】《名・他サ》❶壁・漆器などを塗るときに、これまで塗ってきたものの上に、さらに最後の仕上げのために塗ること。仕上げ塗り。対あら塗り・下塗り・中塗り。❷あることの上にさらに同じようなことをかさねてすること。「恥の―」「うその―」

うわ-ね【上値】相場で、それまでの値段より高い値段。高値。対下値。

うわ-のせ【上乗せ】《名・他サ》〔取引・交渉などで〕すでに示した金額・数量などに、さらに若干の金額・数量を加えること。「消費税を―する」

うわ-の-そら【上の空】《名・形動》他に心がうばわれて必要な事に注意が向かないこと。「話を―で聞く」類語放心。

うわ-のり【上乗り】《名・自サ》船や車で荷物を運搬するとき、荷物といっしょに乗ってゆくこと(人)。

うわ-ばき【上履(き)】〔上ぐつ・上ぞうりなど〕屋内でだけはく、はきもの。対下履き。

うわばみ【×蟒・×蟒▽蛇】❶大きなヘビの総称。大蛇。おろち。❷〔俗〕大酒のみ。

うわ-ばり【上張り・上×貼り】《名・他サ》ふすま・壁などを張るとき、最後に仕上げの紙や布を張ること。また、その紙や布。対下張り。

うわ-べ【上辺】❶ものの表面。❷物事を内面ではなく外面からみた感じ。みせかけ。「―を飾る」

うわ-まえ【上前】❶着物の前をかさね合わせたとき、外側に出る部分。上交。対下前。❷《「上米」の転》他人に取りつぐ金銭の一部。「―をはねる」(=賃金や代金の一部分を、不正に自分のものにする)」

うわ-まわ-る【上回る】《自五》ある(基準の)数量・程度・評価より上になる。「出生率が死亡率を―」類語しのぐ。対下回る。

うわ-むき【上向き】❶上を向いていること。類語あおむき。❷うわべ。外観。「―のよい男」❸相場があがる傾向にあること。また、物事のなり行きがよくなる傾向にあること。対①③下向き。

うわ-め【上目】❶ひとみを上にむけること。また、そのような目つき。「―を使う」対下目。❷さおばかりのさおの上面につけた目もり。少量のものをはかるときに用いる。対向こう目。❸数量がある基準より多くなること。超過。「一キロよりやや―だ」類語多め。❹上包みや容器ごと、重さをはかること。皆掛け。

うわ-もの【上物】〔不動産売買などで〕建物。

うわ-や【上屋・上家】❶駅・港などで、貨物を置いたり仕分けしたりするために設けた、屋根をつけただけの簡単な建物。❷工事現場などで、ある建物の上につけた仮の屋根。❸税関の構内に設けた倉庫。

うわ-やく【上役】一つの団体組織の中で、地位や職務が自分より上の人。特に、自分の直接の上司。類語上官。対下役。

うわ-る【植わる】《自五》植えられる。文《四》。

う-わん【右腕】右のうで。対左腕。

***うん**【運】❶〔自分の力ではどうにもできない〕自然のめぐりあわせ。運命。類語定め。運勢。運気。❷特に、よいめぐりあわせ。幸運。「―の尽き」類語つき。

***うん**《感》❶〔自分より目下の人、または自分と同等の人の質問・依頼に対して〕肯定・承諾などを表す語。❷一時的な苦しみを表す声。うっ。「―と言って気を失う」❸かるい驚きを表す語。「―、たいしたものだ」❹ふと思い出したときに出すことば。「―、そうだ、電話だ」❺瞬間的に力を入れるときに出す声。

うん-いき【雲域】雲の広がっている範囲。

うん-う【雲雨】〔文〕❶雲と雨。❷〔雲のように広く覆い、雨のようにふりそそぐ意から〕恵み。❸男女の契り。交情。「―の情」

うん-えい【運営】《名・他サ》組織の機能を内側から活動させること。「会の―」類語運用。経営。

うん-えん【雲煙・雲×烟】〔文〕❶雲と煙。雲と霞。❷書画のあざやかな墨色。また、見事な山水画や筆跡。―かがん【―過眼】〔文〕〔雲や霞がたちまちに目の前を通りすぎるように〕物事をちょっと見るだけで深く心にとめないこと。物事に執着しないこと。

***うんか**【▽浮×塵▽子】ウンカ科に属する昆虫の総称。体長数ミリで、形はセミに似る。時に大群をなして飛ぶ。イネの害虫。

***うん-か**【雲×霞】〔文〕❶雲と霞。❷人などが非常に多く集まるようす。「―の如き大軍」

うん-が【運河】〔船の運航または給水・排水・かんがいなどのために〕陸地を掘ってつくった人工の水路。掘り割り。溝渠。「パナマ―」

うん-かい【雲海】〔高い所から見おろしたとき〕かさなり合って海のように見える雲。

***うん-き**【▽温気】〔文〕むっとする暑さ。蒸し暑さ。

***うん-き**【運気】❶昔、天地・人体をつらぬいて存在するとされた五運六気。❷〔文〕運勢。

***うん-き**【雲気】❶〔文〕雲の動くようす。❷空をただようとされた一種の気。昔、天文家や兵術家が天候・吉凶などを知るよりどころとした。

うん-きゅう【運休】《名・自サ》《「運転休止」「運航休止」の略》〔電車・汽車・バス・船舶など、定期的に動く交通機関が〕運転・運航を休むこと。類語欠航。

うん-けい【雲形】世界気象機関で定めた雲の分類。雲の形を出現する高度や発達のしかたで一〇種に分ける。巻雲・巻積雲・巻層雲・高積雲・高層雲・乱層雲・層積雲・層雲・積雲・積乱雲。十種雲形。雲級。

うん-げい【雲×霓】〔文〕雲と虹。参考雨のきざしともされる。

うん-げん【×繧×繝・×暈×繝】❶奈良時代に盛んに行われた彩色法。同じ色を濃から淡へ、淡から濃へと順に数段くりかえして表す。繧繝彩色。❷たてじまの境をぼかして織った織物。―にしき【―×錦】赤地に、青・緑・黄などの色糸で花形・菱形などの模様をたて筋の間に織りだした錦。―べり【―▽縁】繧繝錦を使った畳のへり。また、そのへりをつけた畳。

***うん-こう**【運航】《名・自サ》〔定期の〕船・航空機など

がきまった航路を進むこと。「連絡船の—」

*うん‐こう【運行】《名・自サ》〔天体・交通機関などが〕定まった道筋を進むこと。「月の—を記録する」

*うん‐ざ【運座】俳諧で、各人が一定の題で俳句を作り、すぐれた俳句を互いに選びあう会。

うんさい‐おり【雲斎織】太い糸で地をあらく、目を斜めに織った厚い綿布。丈夫で、仕事服やたびの底などに用いる。雲斎。

うんざり《副・自サ》《副詞は「—と」の形も》〔同じ事がくりかえされたり、かわりばえしなかったりして〕すっかりあきていやになるようす。

うん‐ざん【運算】《名・他サ》数式の示すところにしたがって所要の数値を求めること。

うんさん‐むしょう【雲散霧消】《名・自サ》〔雲が散り霧が消えるように〕あとかたもなく消え去ること。「疑念が—する」注意「雲散無消」は誤り。

うん‐し【運指】❶楽器を演奏するときの指の運び方。指使い。フィンガリング。❷算盤で、盤面の珠を置いたり払ったりするときの指の運び方。

うん‐しゅう【雲集】《名・自サ》〔文〕〔人やものが〕〔雲のように〕たくさん集まること。類語 蝟集。密集。

うんしゅう‐みかん【▽温州×蜜×柑】日本で最も多く栽培されるミカン。果実は大きく、皮がうすく、種子がなく、美味。参考 ミカン類の名産地である、中国の温州にちなんでいう。

*うん‐じょう【×醞醸】《名・自サ》〔文〕❶《他サ》酒をかもすこと。酒の醸造。❷しだいに熟して、ある状態ができあがること。

*うん‐じょう【雲上】❶雲の上。❷〔古〕皇居の中。宮中。禁裏。「—人(=宮中に仕える貴族)」

*うん‐じょう【雲壌】〔文〕❶空の雲と、地上の土。天と地。❷二つのもののちがいがはなはだしいことのたとえ。霄壌。雲泥。「—の差」

うん‐しん【運針】裁縫で、直線にぐし縫いするときの針の運び方。参考 和裁で、基本的な技術の一つ。

うん‐すい【雲水】❶〔文〕行く雲と、流れる水。❷〔雲や水のように〕ゆくえを定めず、修行のため各地をめぐり歩くこと(僧)。行脚僧。雲水僧。

うん‐せい【運勢】幸・不幸のまわりあわせ。〔将来の〕運命。「—をうらなう」

*うん‐そう【運×漕】《名・他サ》船で物を運送すること。回漕。

*うん‐そう【運送】《名・他サ》〔品物を〕運び送ること。類語 運搬。輸送。運輸。運漕。回漕。空輸。

うん‐だい【雲台】三脚の上にとりつけ、カメラや測量器械と三脚とをつなぐ台。

うん‐だめし【運試し】〔かけ事などをして〕運のよしあしをためしてみること。

うん‐ちく【×蘊蓄・×薀蓄】十分に積みたくわえた知識。深い学識。「—を傾ける(=持っている知識を全部出す)」類語 学殖。造詣。

うん‐ちん【運賃】人や物を運ぶための料金。交通料金。運送賃。

うん‐でい【雲泥】〔空の雲と地の泥の意から〕二つのものの間のちがいが大きいことのたとえ。雲壌。「—の差(=非常に大きい差)」

うん‐てん【運転】❶《名・他サ》大きな機械・乗り物などをあやつり動かすこと。類語 操縦。❷《名・他サ》〔資金などを〕やりくりして活用すること。運用。「—資金」❸《名・自サ》大きな機械などが動くこと。「発動機が順調に—している」

うん‐と《副》〔俗〕数量・程度の大きいようす。たくさん。ひどく。「—食べる」類語 たんと。

うん‐どう【運動】《名・自サ》❶〔理〕物体が時間の経過に従って空間的位置を変えること。「—の法則」対 静止。❷〔健康の増進・維持のために〕体力を使って体を動かすこと。「屈伸—」参考 ひゆ的に、頭をはたらかすことにもいう。「頭の—」類語 スポーツ。❸ある目的を達するために人に呼びかけたり働きかけたりすること。「自然を守る—」 —しんけい【—神経】❶脳からの命令をうけて、体内の骨につながっている筋肉に収縮をおこすように伝える神経。類語 反射神経。対 感覚神経。❷スポーツをたくみにこなす能力。

うんとも‐すんとも《連語》《下に「言わない」の意のことばを伴う》ただの一言も。なんのことばも。

うん‐どんこん【運鈍根】幸運と鈍重な性質と根気。参考 成功に必要な三つの要素をいうことば。

うん‐ぬん【×云×云】《「うんうん」の連声》❶主題となることばだけを示し、そのあとを略すときに使う語。これこれ。しかじか。「社会主義、共産主義—のイデオロギー」❷引用文のおもな部分のみを示し、あとを略す時に使う語。…ということである。「『智に働けば角が立つ』—の名文句」❸《名・他サ》とやかくいうこと。いろいろと批評すること。「改憲論を—する」

うん‐のう【×蘊奥・×薀奥】学問や芸術の最も奥深いところ。奥義。蘊奥。「哲学の—をきわめる」類語 真髄。秘奥。極意。

うん‐ぱん【運搬】《名・他サ》〔品物を〕運び移すこと。持ち運ぶこと。類語 運送。輸送。搬送。

うん‐ぴつ【運筆】字や絵をかくために筆やペンを動かすこと。また、その筆やペンの運び方。筆遣い。

うん‐ぴょう【雲表】〔文〕雲の上。雲の外。雲外。

うんぷ‐てんぷ【運▽否天賦】❶運のよしあしは天が定めるものだということ。❷運を天にまかせること。

うん‐む【雲霧】〔文〕雲と霧。人の判断を迷わせるもののたとえ。「—に迷う」

うん‐めい【運命】人間の身の上を支配し、人の意志で変えることも予測することもできない神秘的な力。また、それによって定められている、物事のなりゆきや人間の身の上。類語 天運。宿運。宿命。 —きょうどうたい【—共同体】運命をともにするものの集まり。 —ろん【—論】〔哲〕この世におこる一切の現象は、すべてあらかじめ決定されていて、人間の力では全く変更できないとする考え。宿命論。参考 →決定論。

類義語の使い分け　運命・宿命

【運命・宿命】これも運命(宿命)だとあきらめよう
【運命】一国の運命にかかわる重大事が持ち上がる
【宿命】決勝戦で宿命のライバルと対決する

うん‐も【雲▽母】六角板状の結晶をした珪酸塩鉱物。花崗岩にふくまれ、はがれやすい。熱・電気の絶縁物に使う。きら。きらら。マイカ。うんぼ。

うん‐ゆ【運輸】人や物を運び送ること。輸送。類語 運搬。運送。

うん‐よう【運用】《名・他サ》そのものの機能をはたらかせて実際に使うこと。「法律の—」類語 活用。

うん-りょう【雲量】 空にある雲の分量の、全天に占める割合。空に雲がほとんどない場合を雲量ゼロ、空全体が雲でおおわれている場合を雲量一〇として一〇段階に分ける。

え

え―衣

***え【▽方】** へ《接尾》〔古〕方向・位置・時などを表す。…の方。…の所。…のとき。「しりー」「いにしー」

***え【重】** へ《助数》《和語について》同じ種類のものが重なっていることを表す。かさなり。「十(と)ー」「二十(はた)ー」

***え【会】** 大ぜいの人が集まって行う仏事や祭事。「寂滅(じゃくめつ)のー」「成道(じょうどう)ー」参考 接尾語的にも使う。

***え【▽枝】** 〔古〕えだ。「松がー」「梅がー」

***え【柄】** ❶持ちやすいように器物にとりつけた棒状のにぎり。「ひしゃくのー」類語 取っ手。❷キノコの「かさ」をささえる部分。❸葉柄(ようへい)。

ーの無い所に柄をす・げる《句》無理やり理屈をつけることのたとえ。

***え【江】** 〔古〕海・川・湖などが陸地に深くはいりこんだ所。入り江。類語 湾。

***え【絵・▽画】** ❶筆・ペンの類を用い、点や線を組み合わせ、時には色をつけて、物の形・風物、何かが行われているようすなどを面の上に直接えがき表したもの。類語 絵画。図画。素描(そびょう)。❷〔テレビや映画などの〕映像。

ーに描(か)いた餅(もち)《句》計画や想像だけで、実現の可能性がないことのたとえ。画餅(がべい)。類語 机上の空論。

ーに描(か)いたよう《句》❶きわだって鮮やかなことのたとえ。「ーな投球」❷〈「…をー」の形で〉全くそのとおりであることのたとえ。「気の毒をーな人」

ーにな・る《句》〔絵画の題材としてふさわしい意から〕❶姿かたちがよい。❷その場の雰囲気にしっくりと釣り合っていて似つかわしい。❸〔映画・テレビ・写真などで〕見るにたえるだけの画面が作れる。

***え【×餌】** ゑ〔文〕えさ。

***え**《感》❶会話で、肯定・承諾を表す語。はい。ええ。「ー、わかっています」❷会話で、疑わしいときに問い返す語。えっ。「ー、いくらですか」❸会話で、驚きを表す語。えっ。「ー、それは大変だ」

***え**《終助》❶《名詞について》呼びかけに使う。〔古風な言い方〕「おかみさんえ、ごしんぞさんえ〈瀬川如皐〉」❷《文末について》語気をやわらげ、親しみの気持ちを添える。〔古風な言い方〕「一緒に行くかえ」

エア ㊀《造語》「航空」の意を表す。エアー。「ーポート」㊁《名》空気。大気。エアー。「タイヤにーを入れる」▽air

ーカーテン 〔建〕人工的に風をおこし、大きな建物の内と外の空気をしきる装置。エアドア。▽air curtain **ークラフト** 航空機。▽aircraft **ーコンディショナー** 室内の空気の温度や湿度を〔自動的に〕調節する装置。空気調節装置。エアコン。▽air conditioner **ーコンディショニング** 室内の空気の汚れをとり、温度や湿度を調節すること。空気調節。空調。▽air conditioning **ーターミナル** 空港内にあって、航空機の乗客が発着の手続きや待ち合わせをする建物。▽air terminal **ーチェック**《名・他サ》放送を録音・録画すること。▽air check **ーバス** 大量輸送のための大型ジェット旅客機。短・中距離向きに作られる。▽airbus **ーバッグ** 自動車の安全装置の一つ。衝突事故の衝撃で自動的にふくらむ空気袋。▽air bag **ーブレーキ** 圧縮空気を利用した、列車・自動車などのブレーキ。空気制動機。▽air brake **ーポート** 空港。▽airport **ーポケット** ❶気流の関係で空気がうすくなっていて、航空機が飛行中急激に高度が下がる所。❷周囲とちがった状態にありながら、一見周囲と区別できないために観察や注意の行きとどかない所。「犯罪のー」▽air pocket **ーメール** 航空便。▽airmail

エアゾール ガスの圧力で容器の中の薬剤を霧状にして吹き出すようにしたもの。参考 殺虫剤・化粧品などに使う。類語 スプレー。▽aerosol

エアロビクス スポーツによる健康法の一種。歩く・走る・泳ぐ・自転車をこぐなど、酸素をたくさん吸いながら、持続する全身運動を計画的に行う。有酸素運動。「ーダンス」▽aerobics

***えい【×嬰】** 〔sharp〕音の高さを本来より半音高くすることを表す語。シャープ。「ーハ短調」参考 ➡嬰記号。対 変(へん)。

***えい【栄】** ほまれ。名誉。「天覧のーを賜る」

***えい【×穎】** ❶イネ科植物の小穂や花の外側につつむ小さな葉状のもの。特に、稲の穂先。❷〔文〕錐(きり)・筆などの先。

***えい【×纓】** 〔古〕❶冠の後ろに付ける細長い布。❷あごの下でむすぶ、冠のひも。

纓 ①

***えい【×裔】** 〔文〕血統の末。子孫。「源氏のー」

***えい【詠・×咏】** 〔文〕詩歌を作ること。また、その詩歌。

***えい【×鱝・×鱏】** ひえ アカエイ・シビレエイなどの軟骨魚の総称。平たいひし形で、尾が糸のように細長い。

***えい**《感》急に力をいれたり、気合いをかけたりするときに発する語。

***えい-い【営為】** 〔文〕いとなむこと。いとなみ。「人間のー」「精神的なー」

***えい-い【栄位】** 〔文〕名誉ある地位。

***えい-い【鋭意】** 〔文〕心を励まして一生懸命努めること。〔副詞的に使うことが多い〕「ー努力する」

えい-いん【影印】《名・他サ》〔古典などの〕原本を写真にとって複製印刷すること。「ー本」

えい-えい【営営】《形動タル》せっせと自分の仕事に励むようす。また、一生懸命一つのことに励むようす。「ーとして働く」類語 孜々(しし)。あくせく。

えい-えん【永遠】《名・形動》❶いつまでも限りなく続くこと。永久。「ーに栄える」類語 永劫(えいごう)。悠久(ゆうきゅう)。❷時間に左右されずに存在すること。「ーの美」

えい-か【詠歌】 ❶〔文〕和歌を作ること。また、その和歌。詠歌(えいが)。類語 作歌。❷〔仏〕浄土宗の信者や巡礼がうたう、仏教をたたえる歌。御(ご)詠歌。

***えい-が【映画】** 連続撮影したフィルムを連続して映写幕の上に映しだし、物の形・ありさま・動きなどを実際と同じように再現してみせるもの。活動写真。シネマ。キネマ。「ー館」参考「一本(いっぽん)…」と数える。

*えい‐が【栄華】権力・財力を得て栄えること。また、はでな生活をすること。「―をきわめる」「栄耀―」

えい‐かく【鋭角】直角より小さい角。対鈍角。

えい‐かん【栄冠】❶勝利や名誉を得た人がかぶる冠。❷輝かしい名誉。栄誉。「受賞の―に輝く」

*えい‐き【英気】すぐれた気性。また、活発ですぐれた能力。「―を養う(=いざというときにすぐれた能力が十分に発揮できるように、休養を取る)」

*えい‐き【鋭気】❶するどく強い気性。❷するどく強い意気込み・勢い。「相手の―をくじく」

えい‐きごう【×嬰記号】音の高さを本来より半音高くすることを示す記号「#」。シャープ。対変記号。

*えい‐きゅう【永久】《名・形動》〔ある状態などが〕いつまでも限りなく続くこと。永遠。類語永劫。悠久。

―し【―歯】乳歯の抜けた跡にはえる歯。一生はえかわらない。対乳歯。

えい‐きょ【×盈虚】《名・自サ》〔文〕❶月の満ち欠け。❷栄えたり衰えたりすること。栄枯。

えい‐きょう【影響】《名・自サ》あるものの働きが、他のものに変化を与えること。また、その結果。「水不足が米の収穫に―した」「―力」類語波及。余波。

えい‐ぎょう【営業】《名・他サ》利益を得るために事業を営むこと。また、その事業。「終夜―」類語商売。

えい‐ぎん【詠吟】《名・他サ》詩歌を声に出してよむこと。また、その詩歌。朗詠。吟詠。

*えい‐けつ【永×訣】《名・自サ》〔文〕永久に別れること。ながの別れ。永別。「―の辞」類語死別。

*えい‐けつ【英傑】〔文〕大事業をなしとげるほどの才知のすぐれた大人物。類語偉人。豪傑。英雄。

えい‐けん【英検】「実用英語技能検定」の略。実用英語の普及・向上を目的とする検定試験。

えい‐こ【栄枯】〔草木の茂ることと枯れることの意から〕〔国家などが〕栄えることと、衰えること。盛衰。類語興廃。興亡。消長。 ―せいすい【―盛衰】栄えたり、衰えたりすること。

*えい‐ご【×穎悟】〔文〕たいそう賢いこと。

*えい‐ご【英語】イギリスの国語。参考→米語。

*えい‐こう【×曳航】《名・他サ》自力で運航できない船を、他の船が引いて行くこと。引航。「―船」


*えい‐こう【栄光】輝かしい名誉。光栄。「勝利の―に輝く」類語栄誉。

えい‐ごう【永×劫】〔文〕限りなく長い年月。「未来―」類語永久。永遠。

えいこう‐だん【×曳光弾】光を発しながら飛ぶ弾丸。弾道の観測や目的地を焼くために使用する。

えい‐こく【英国】〔文〕イギリス。

えい‐こん【英魂】〔文〕❶すぐれた人の魂。❷死者(特に戦死者)の魂の尊敬語。英霊。

えい‐さい【英才・×穎才】すぐれた知能や才能。また、その持ち主。秀才。俊才。「―教育」表記「鋭才」とも書く。類語天才。対鈍才。

*えい‐し【英姿】〔文〕堂々として、りっぱな姿。

*えい‐し【英資】〔文〕すぐれた素質。

*えい‐し【衛視】国会の警備・監視に当たる職員。参考もとは「守衛」といった。

*えい‐じ【×嬰児】生まれたばかりの子ども。また、一歳から三歳ぐらいまでの子ども。類語ちのみご。みどりご。赤ん坊。乳児。幼児。

*えい‐じ【英字】英語を書き表す文字。「―新聞」

えい‐じつ【永日】〔文〕❶昼間の長い、春の日。春日。❷別れのあいさつや手紙文の終わりに用いる語。「いずれそのうちにゆっくり会おう」の意。

えいじ‐はっぽう【永字八法】書道で、「永」の一字に備わっている八通りの筆づかい。すべての文字に応用できる基礎的な筆法とされる。

*えい‐しゃ【営舎】兵隊が居住する建物。兵舎。

*えい‐しゃ【映写】《名・他サ》映画・スライドなどをスクリーンに映しだすこと。「―会」「―機」

*えい‐しゃ【泳者】泳ぐ人。特に、競泳の泳ぎ手。

えい‐しゃく【栄爵】〔文〕名誉ある高い爵位。

えい‐しゅ【英主】〔文〕すぐれて、賢い君主。類語名君。明君。明主。

えい‐じゅ【衛×戍】陸軍の軍隊が一つの場所に長くとどまって警備すること。「―病院(=陸軍病院の旧称)」

えい‐じゅう【永住】《名・自サ》その土地に死ぬまで住むこと。「ブラジルに―する」「―権」類語安住。

えい‐しゅん【英俊】才知が多くの人よりもすぐれている・こと(人)。


えい‐しょう【詠唱】❶〔音〕アリア①。❷《名・他サ》節をつけて歌うこと。また、その歌。

えい‐しょく【栄職】社会的にみて立派な地位。

えい‐じょく【栄辱】〔文〕名誉になることと、恥になること。栄誉と恥辱。

*えい‐じる【映じる】《自上一》→映ずる。

*えい‐じる【詠じる】《他上一》→詠ずる。

*えい‐しん【栄進】《名・自サ》高い地位に進むこと。昇進。「重役に―する」類語栄達。栄転。昇級。

*えい‐しん【詠進】《名・他サ》和歌を作って宮中・神社などに差し出すこと。特に、宮中の歌会始の勅題に対して和歌を作り差し出すこと。「―歌」

エイズ 後天性免疫不全症候群。HIVによって免疫系が破壊されて、体内の正常な免疫能力が低下する病気。血液や精液を介して感染し、死亡率が高い。参考→HIV。▽AIDS(Acquired Immuno-deficiency Syndrome の略)

*えい‐・ずる【映ずる】《自サ変》❶〔光・影・形・色などが〕物にうつる。「紅葉が湖水に―・ずる」❷光を受けて、輝く。はえる。「サクラの花が朝日に―・ずる」❸物事がある印象を伴って、感じられる。「西洋人の目に―・ずる日本の姿」=映じる。

*えい‐・ずる【詠ずる】《他サ変》❶詩歌を作る。詠む。「辞世の句を―・ずる」❷節をつけて詩歌をよみあげる。類語吟ずる。=詠じる。

*えい‐せい【永世】〔文〕限りなく続く世・年月。永代。「―中立国」類語永久。

*えい‐せい【永生】〔文〕❶長生きすること。長寿。「―を祈る」❷永遠に続く生命。

*えい‐せい【永逝】《名・自サ》〔文〕〔永遠に行ってしまう意から〕人が死ぬこと。永眠。逝去。

*えい‐せい【衛星】❶(satellite)惑星のまわりを公転する天体。地球をまわる月など。「人工―」❷ある中心になるもののまわりにあり、その支配下にあって、それを守るようなもの。「―国」「―都市」 ―ほうそう【―放送】放送電波を人工衛星に向けて送信し、これを地上に向けて再送信することによって受信者に届ける方式。参考電波が直接届かない山間部や離島でも受信できる利点がある。

*えい-せい【衛生】健康に気をつけ、病気の予防や治療につとめること。「不━」類語 摂生(せっせい)。養生。

えい-せん【×曳船】自力で運航できない他の船を引っぱって行く船。引き船。曳航船。

えい-ぜん【営繕】《名・他サ》建物を造ったり、修繕(しゅうぜん)したりすること。「━課」「━費」

*えい-そう【営倉】陸軍の兵営内の、規則を犯した兵士をとじこめる建物。また、そこへとじこめる罰。

*えい-そう【営巣】《名・自サ》動物が巣を作ること。

*えい-そう【詠草】〔文〕よんだ歌の草稿。和歌の下書き。類語 歌稿(かこう)。

*えい-ぞう【営造】《名・他サ》〔文〕大きな家や倉庫などを造ること。類語 造営。━ぶつ【━物】❶建造物。❷〔法〕国または公共団体が公共の利益のために造った施設。道路・鉄道・学校・図書館・病院など。

*えい-ぞう【影像】絵画・写真・彫刻などに表された、神仏や人の姿。肖像。

*えい-ぞう【映像】❶光線の屈折・反射によって映しだされた物体の姿・形。また、映画・テレビなどの画像。❷頭の中にうかんだ、もののありさま。イメージ。「幼い日の━」表記 ①②とも古くは「影像」とも書いた。

えい-ぞく【永続】《名・自サ》〔ある状態が〕いつまでも長く続くこと。長続き。類語 持続。

えい-たい【永代】〔文〕限りなく続く世・年月。永世(えいせい)。「━供養」類語 永久。注意「えいだい」は誤読。

えい-たつ【栄達】《名・自サ》高い地位・身分にのぼること。類語 栄進。昇進。栄転。成功。対 零落(れいらく)。

えい-だつ【×穎脱】《名・自サ》〔文〕才能がとびぬけてすぐれていること。「━の秀才」参考「きりの先が、袋からつきぬけて出る」意。

えい-たん【詠嘆・詠×歎】《名・自サ》深く感動すること。また、感動を声に出して表すこと。類語 感嘆(かんたん)。

*えい-だん【営団】《経営財団の意》公共性をもつ事業を営むための特殊な企業体。第二次世界大戦中に設置され、終戦後ほとんど廃止された。現在では帝都高速度交通営団のみ。類語 公団。

*えい-だん【英断】〔賢明な判断のもとに〕思い切りよく事を決めること。また、そのような判断。「大━をくだす」類語 決断。果断。勇断。

*えい-ち【英知・×叡×智】物事の道理を見通す、すぐれた知恵。「━を結集する」

*エイチ【H】↓エッチ㊂。注意 本書では、「H」の読みを「エッチ」で統一表記している。

*えい-てん【栄典】❶めでたい儀式。❷名誉ある待遇。❸栄誉のしるしとして国から与えられる位階・勲章など。参考 栄典の授与は天皇の国事行為の一つ。

*えい-てん【栄転】《名・自サ》今までよりも高い地位を得て転任すること。「支店長に━する」類語 栄進。栄達。昇進。対 左遷。

エイト ❶八人でこぐ競漕(きょうそう)用ボート(で行う競技)。また、そのこぎ手。❷ラグビーで、スクラムを八人で組むやり方。また、その八人の人。エイトシステム。▽eight

エイドス〔哲〕❶イデア。❷形相(けいそう)。▽(ギリシア) eidos (=姿)

えい-トン【英トン】《助数》イギリス式の重さの単位。一英トンは約一〇一六キロ。ロングトン。

えい-ねん【永年】〔文〕長い年月。「━勤続者」

えい-のう【営農】《名・自サ》農業をいとなむこと。

えい-びん【鋭敏】《名・形動》❶鋭く、感じやすいこと。「━な神経」類語 敏感。❷才知があり、頭の働きが鋭いこと。明敏。「━な頭脳」類語 鋭利。犀利(さいり)。対 遅鈍(ちどん)。

*えい-ぶん【×叡聞】〔文〕天皇がお聞きになること。「━に達する」

*えい-ぶん【英文】❶英語で書かれた文章。「━和訳」類語 欧文(おうぶん)。❷「英文学」の略。英国の文学。また、英語で表現した文学。❸「英文学科」の略。大学で、英文学について研究する学科。

えい-へい【衛兵】警備担当の兵士。番兵。

えい-べつ【永別】《名・自サ》〔文〕永久に別れること。ながの別れ。永訣(えいけつ)。参考 多く死別をいう。

*えい-ほう【泳法】およぎかた。「古式━」

*えい-ほう【鋭×鋒】❶鋭いほこ先。❷鋭く攻めたてる勢い。また、言論による鋭い攻撃。「━鋭く迫る」

えい-まい【英×邁】《名・形動》〔文〕才知が他よりもはるかにすぐれていること。類語 英明。高邁。

えい-みん【永眠】《名・自サ》〔永久に眠る意から〕人が死ぬこと。永逝(えいせい)。逝去(せいきょ)。「━の地」

*えい-めい【英名】〔文〕すぐれた評判。名声。

*えい-めい【英明】《名・形動》〔文〕才知がすぐれて、物事の道理に明るいこと。「━な君主」類語 英邁(えいまい)。

えい-やく【英訳】《名・他サ》他の国語を英語に翻訳すること。また、英語に翻訳したもの。

えい-ゆう【英雄】すぐれた頭脳と非凡な胆力をもった人。また、ふつうの人にはできないような有益な大事業をなしとげる人。ヒーロー。類語 偉人。英傑。━色を好・む《句》英雄は女色を好む傾向がある。

えい-よ【栄誉】〔文〕誉れ。名誉。「入選の━を担う」

*えい-よう【栄×耀】〔文〕大いに栄えて、ぜいたくな生活をすること。えよう。━えいが【━栄華】〔文〕富み栄えて、ぜいたくを尽くすこと。えようえいが。「━を極める」

*えい-よう【栄養・営養】生物がからだの健全を保ち成長し活動するための必要な成分をとり入れる働き。また、その成分。「━をとる」「━価が高い」類語 滋養。養分。━し【━士】各都道府県知事の免許をうけ、学校・病院などで栄養についての指導をする人。━しっちょう【━失調】栄養分の不足や不調和のためにからだに起こる障害。━そ【━素】生物体の栄養となる物質。炭水化物・脂肪・蛋白(たんぱく)質・ビタミン・無機質などをいう。

えい-らん【×叡覧】〔文〕天皇がご覧になること。天覧。「━の栄に浴する」類語 上覧。台覧(たいらん)。

*えい-り【営利】財産上の利益を得る(ために行う)こと。金もうけ。「━事業」「━団体」「━目的」

*え-いり【絵入り】本・雑誌・新聞などにさし絵があること。「━広告」

*えい-り【鋭利】《形動》❶刃物などが鋭くてよく切れるようす。「━な刃物」❷頭のはたらきが鋭いようす。「━な洞察力」類語 鋭敏(えいびん)。

エイリアン 異星人。宇宙人。エーリアン。▽alien

えい-りょ【×叡慮】〔文〕天皇のお考え。聖慮(せいりょ)。

*えい-りん【営林】森林の保護・育成・伐採や、木材の搬出・加工などの事業を行うこと。「━局」

*えい-りん【映倫】❶「映画倫理規程」の略。映画の倫理的水準を、映画界が自主的に規制する要綱。❷

「映画倫理規定管理委員会」の略。①に基づき、映画の審査を行う団体。

えい‐れい【英霊】❶すぐれた人の霊魂。❷死者(の霊)、特に戦死者(の霊)の尊敬語。英魂(えいこん)。

え‐いん【会陰】陰部と肛門(こうもん)との間の部分。ありのとわたり。

***ええ**《感》❶会話で、肯定・承諾を表す語。はい。え。対いいえ。❷会話で、驚きと同時に疑問を表す語。ええっ。えっ。「―、ほんとうですか?」❸いらだって物事を投げだすときなどに発する語。えい。「―どうでもかってにしろ」❹ことばのつなぎに使う語。

***エー【A】**❶連続したものの一番目のもの。また、最初。「一年―組」「―からZまで(=最初から最後まで。また、すべて)」❷最もすぐれたもの。「成績が―」❸音名のイ音。「―マイナー(=イ短調)」❹「ビタミンA」「A判」「A型」などの略。

エー‐アイ【AI】❶↓人工知能。▽artificial intelligence の略。❷↓アムネスティー。▽Amnesty International の略。

エー‐エー【AA】《造語》「アジア・アフリカの」の意味を表す。「―会議」「―グループ」▽Afro-Asian の略。Asian-African の略。

***エー‐エム【A.M., a.m.】**《記号》「午前」の意を表す記号。参考ふつう横書きで、9.00A.M.(a.m.)のように用い、日本独自の用法としてA.M.(a.m.)9.00がある。対P.M. ▽ラテン ante meridiem の略。

***エー‐エム【AM】**❶振幅変調。❷振幅変調方式によるラジオ放送。AM放送。参考↓FM。▽amplitude modulation の略。

エー‐オー‐にゅうし【AO入試】入学者選抜方法の一つ。入試事務局(=AO)を設けて、学力・課外活動の実績・面接の結果などによって人物を総合的に判断するもの。参考AOは admission office の略。

エーカー《助数》ヤードポンド法の面積の単位。一エーカーは約四〇四七平方メートル。▽acre

ええかっこ‐しい〔関西地方などの方言〕格好をつける・こと(人)。

エー‐クラス【Aクラス】❶第一級。最高級。❷野球などで、上位チーム。▽A class

エージ《造語》❶時代。年代。❷年齢。=エイジ。「アトミック―(=原子力時代)」▽age

エージェンシー(広告)代理店。▽agency

エージェント 代理人。代理業者。▽agent

エース ❶さいころ・トランプなどの、1。「ダイヤの―」❷第一人者。特に野球で、チームの主戦投手。「―の登板」❸テニス・バレーボール・卓球などで、相手が打ち返せないみごとなサーブ。また、それによる得点。サービスエース。▽ace

***エー‐ディー【A.D.】**《記号》「西暦紀元」の意を表す記号。参考ふつう横書きで A.D.4 または 4A.D. のように用いる。対B.C. ▽ラテン anno Domini の略。

***エー‐ディー【AD】**❶アシスタントディレクター。テレビの演出助手。▽assistant director の略。❷オートマチックデポジター。自動預金機。▽automatic depositor の略。

エー‐ティー‐エス【ATS】停止信号が出ている場合、列車を自動的に停止させる装置。自動列車停止装置。▽automatic train stop の略。

エー‐ティー‐エム【ATM】⇩巻末付録。

エー‐ティー‐しゃ【AT車】変速を自動化し、足元にアクセルとブレーキペダルをつけた車。自動変速装置付きの自動車。参考ATは automatic transmission の略。

エーテル ❶光や電波を媒介(ばいかい)すると考えられた仮想上の物質。相対性理論の出現によって否定された。❷アルコールに硫酸を加え、蒸留したときに生じる無色の液体。揮発(きはつ)しやすく燃えやすい。麻酔剤・溶剤などに使用。エチルエーテル。▽ドイツ Äther オランダ ether

エーデルワイス 高山植物の一種。キク科の多年草。ヨーロッパのアルプスの花として名高い。全体に白色の綿毛がはえ、夏、茎の先に白色の小さい花をつける。西洋薄雪草(うすゆきそう)。▽ドイツ Edelweiss

エード《造語》「果汁に甘味をつけ、水をまぜた飲料」の意。「オレンジ―」▽-ade

エートス ❶〔哲〕同一行為をくり返すことによって養われる持続的な習慣・性格。対パトス。❷ある民族・社会集団における習慣・習俗。=エトス。▽ギリシア ethos

エー‐ばん【A判】日本工業規格(JIS)による印刷用紙の大きさの一つ。縦八四一ミリ、横一一八九ミリをA0番とし、半截(はんさい)ごとに、A1番、A2番、…と表す。A12番まである。A列。A。対B判(ビーばん)。

エー‐ピー‐エス【APS】フィルムサイズを小型化して、カメラ・レンズの小型軽量化をはかり、撮影やプリントのデータ、また、現像所での処理データなどを書き込む記憶機能を持たせるようにした写真システム。▽Advanced Photo System の略。

エー‐ビー‐シー【ABC】❶英語のアルファベット。また、その最初の三字。❷物事の初歩。入門。いろは。「天文学の―」

エー‐ブイ【AV】❶オーディオビジュアル。視聴覚。▽audio-visual の略。❷アダルトビデオ。成人向けのビデオソフト。▽adult video の略。

エープリル‐フール〔西洋の風習で〕罪のないうそをついて人をかついでもよいとされる日。四月一日。四月馬鹿(ばか)。万愚節(ばんぐせつ)。▽April fool

エーペック アジア太平洋経済協力会議。▽APEC〔Asia-Pacific Economic Cooperation〔Conference〕の略〕。

***エール** イギリス産のビールの一種。色が薄く、苦みが強い。▽ale

***エール**〔運動競技などで〕応援の喚声。声援。「試合前に―の交換を行う」▽yell

え‐がお【〈笑顔〉】ほほえみ笑っている顔。笑い顔。類語恵比須顔(えびすがお)。地蔵顔(じぞうがお)。破顔。

え‐かき【絵▽描き】絵をかくことを職業にしている人。画家。類語画工。画人(がじん)。画匠(がしょう)。絵師(えし)。

えが‐く【描く・▽画く】《他五》(「絵書く」の意)❶絵や図に表す。絵にかく。「風景を―く」❷物の形・運動がその形をとる。「弧を―いてボールが飛ぶ」❸物事のありさまを文章・音楽などに表す。表現する。「全編を美文調で―く」❹物の形や物事のありさまを心に思いうかべる。「母の姿を頭に―く」文《四》。

え‐がた‐い【得難い】《形》手に入れにくい。貴重である。「―い経験」

え‐がら【絵柄】〔工芸品などの〕模様・図案。絵のがら。類語図柄。

えがら‐っ‐ぽ‐い【×蘞辛っぽい】(えぐ)《形》えぐい感じ

え

がする。いがらっぽい。「のどが—・い」

***えき【役】**〔文〕❶昔、国民を強制的に集めて、公用の(肉体)労働に使ったこと。夫役(ぶやく)。えだち。❷戦争。戦役。「文久の—」「西南の—」

***えき【易】**❶「易経(えききょう)」の略。❷中国から伝わった占いの一つ。易経の陰陽の原理に基づき、算木(さんぎ)・筮竹(ぜいちく)を使って、物事の吉凶を判断するもの。

***えき【液】**〔水や油のような〕流動する物体。液体。

***えき【疫】**〔文〕流行病。感染症。疫病。疫(え)。

***えき【益】**❶〔人間や世の中の〕ためになること。「社会の—になる人物」対 害。❷もうけ。利益。対 損。❸ききめ。効果。「言っても—がない」

***えき【駅】**❶〔古〕昔、馬・人足・船・宿などを提供するため、街道に設けられた場所。宿場。宿駅。❷鉄道で、列車・電車が発着し、旅客や貨物を扱う施設。停車場。ステーション。類語 停留所。

えき-いん【駅員】駅の職員。類語 鉄道員。

えき-うり【駅売り】鉄道の駅の構内で、物を売ること(人)。「—の新聞」「—弁当」

***えき-か【液化】**《名・自他サ》〔理〕冷却または圧縮によって、気体が液体になること。また、気体を液体にすること。参考 俗に、固体がとけて液体になること(=融解)にもいうことがある。類語 気化。

***えき-か【×腋×窩】**〔文〕わきの下のくぼみ。腋窩(えきわ)。

えき-が【×腋芽】種子植物で、葉のつけ根に出る芽。

***えき-がく【易学】**易②を研究する学問。

***えき-がく【疫学】**❶感染症の流行状態を研究し、予防に役立たせる学問。❷人間がその生活環境条件に影響されてかかる、集団的傷病を研究する学問。

えき-ぎゅう【役牛】〔耕作などの〕力仕事に使う牛。対 肉牛・乳牛。

えき-きょう【易経】五経の一つ。陰陽の原理に基づいて、天文・地理・人事・物象を説いた、中国の書物。周易(しゅうえき)。易。

えき-きん【益金】もうかった金。利益金。対 損金。

えき-ざい【液剤】液状の薬剤。類語 散剤。粉剤。錠剤。

エキサイト《名・自サ》興奮。エクサイト。▽excite

エキジビション❶公開。展示。❷展覧会。❸模範試合。=エキシビション。▽exhibition

***えき-しゃ【易者】**易で、占いをするのを職業とする人。占い師。売卜者(ばいぼくしゃ)。八卦見(はっけみ)。

***えき-しゃ【駅舎】**駅の建物。

えき-しゅ【駅手】〔昔の言い方で〕鉄道の駅で貨物の運搬や雑務をする人。駅務掛。

えき-じゅう【液汁】〔植物の葉・茎・果実などから出る〕汁。つゆ。

えき-しょう【液晶】液体と固体の中間的な状態にある有機物質。流動性を持つ点は液体に、光学的な点では結晶に似る。平面ディスプレー装置、壁かけテレビなどに利用。液状結晶。

えきじょうか-げんしょう【液状化現象】地震などで、建物を支える地盤が液体のようになり、建物が水中に浮いたような状態になる現象。

エキス❶薬や食物から有効な成分をとりだして、濃い液体にしたもの。精。❷物事の一番大切な部分。本質。精髄(せいずい)。「学問の—」表記「越幾斯」と当てた。▽オランダ extract(=抽出物。浸出物)から。

エキストラ❶余分のもの。臨時のもの。番外のもの。規定外のもの。❷増刊号。号外。❸端役(はやく)を演ずるための、臨時雇いの俳優。▽extra

エキスパート ある一つの分野で経験を積み、その分野に特にすぐれた知識・才能・技術を持っている人。専門家。熟練者。類語 ベテラン。▽expert

エキスパンダー 筋肉をきたえるための運動用具の一つ。ゴムまたは金属製のばねを手や足で引いて広げるもの。▽expander

エキスポ❶万国博覧会。❷博覧会。見本市。=エクスポ。▽①Expo ②expo

***えき-する【役する】**《他サ変》〔文〕❶公用のために人民を使う。❷使役する。使う。

***えき-する【益する】**《自他サ変》〔文〕利益を与える。ためになる。「公共に—する事業」

えきせい-かくめい【易姓革命】古代中国の政治思想。天子は天命によって徳の高い人が選ばれるものとし、天子に徳がなくなれば、天命は他の人にくだるというもの。参考「天命が革(あらた)まり、姓を易(か)える」意。

エキセントリック《形動》風変わりなようす。奇矯(ききょう)。エクセントリック。「—な服装」▽eccentric

エキゾチック《形動》外国の趣があるようす。異国的。「—な風景」▽exotic

えき-たい【液体】あるきまった圧力と温度のもとで、ほぼ一定の体積をもつが一定の形をもたないもの。熱すると気体になり、冷やすと固体になる。水・油など。対 気体・固体。

えき-だん【易断】《名・他サ》易で判断を下すこと。易占(えきせん)。

えき-ちく【役畜】農耕・運搬などの労働に使う家畜。牛・馬・ロバなど。

えき-ちゅう【益虫】人間に利益を与える昆虫。ミツバチ・トンボ・カイコなど。類語 益鳥。対 害虫。

***えき-ちょう【益鳥】**害虫をたべ、人間に利益を与える鳥。ツバメ・キジなど。類語 益虫。対 害鳥。

***えき-ちょう【駅長】**鉄道の駅で、最高の地位の人。

えき-てい【駅逓】❶昔、荷物などを、宿場から宿場へと人や馬をかえて送ったこと。宿継(しゅくつ)ぎ。駅伝。❷郵便。〔古い言い方〕「—局(=郵便局の旧称)」

えき-でん【駅伝】❶駅逓(えきてい)①。❷宿継ぎに使う馬。継馬(つぎうま)。❸「駅伝競走」の略。長い道のりをいくつかの区間に分け、数人が一チームとなってその区間をひきついで走り、総所要時間によって勝負を競う競技。

えき-とう【駅頭】駅の近く。駅の前。「—に群衆が集まる」

えき-どめ【駅留(め)・駅止(め)】鉄道で荷物を送るとき、着駅で受け取るようにしておくこと(制度)。

えき-ばしゃ【駅馬車】鉄道のできる以前に、欧米でおもな交通路を定期的に往復して旅客や貨物を運んだ乗合馬車。

えき-ひ【液肥】液体の肥料。水肥(すいひ・みずごえ)。

えき-びょう【疫病】(悪性の)流行病。感染症。

えき-ビル【駅ビル】鉄道の駅を包み込んだ形で、商店や食堂などを収めるビル。

***えき-べん【液便】**〔腸が悪い時などに〕液状になって排泄(はいせつ)される大便。

***えき-べん【駅弁・駅×辨】**「駅売り弁当」の略。鉄道の駅で売る弁当。

えき-む【役務】労働などによるつとめ。

え

えき‐り【疫痢】もと、「小児赤痢」といった幼児がかかる細菌性の赤痢。急に発熱して激しい中毒症状を起こす。参考今は使わない語。

えき‐れい【疫×癘】〔文〕流行病。疫病(えきびょう)。

えき‐ろ【駅路】〔文〕宿駅のある道。街道。

えぐ・い【×蘞い】(ゑぐい)《形》〔あくが強くて〕のどが刺されるようにいらいらする。また、そのような味がする。えがらい。文ゑぐ・し《ク》。

エクササイズ ❶運動。「―ウオーキング」❷練習問題。演習課題。▽exercise

エクスクラメーション‐マーク 感嘆を表す符号「！」。感嘆符。▽exclamation mark

エクスタシー 興奮して無我夢中の状態になること。うっとりとして我を忘れること。恍惚(こうこつ)。▽ecstasy

エクスチェンジ ❶為替(かわせ)。また、為替相場。❷《名・他サ》両替をすること。通貨の交換をすること。また、両替所。▽exchange

エクスポ→エキスポ。

エグゼクティブ 管理職。重役。▽executive

エクソシスト 悪魔を払う祈禱師(きとうし)。▽exorcist

え‐くぼ【×靨・▽笑×窪】(ゑ―)笑うときに、ほおにできる小さなくぼみ。「あばたも―」

えぐ‐み【×蘞み】(ゑ―)えぐい感じ。えごみ。

えぐり‐だ・す【×抉り出す・×剔り出す】(ゑぐり―)《他五》❶〔奥にあったものを〕刃物で切って出す。「患部を―・す」❷隠されている事柄をさらけ出す。「真実を―・す」

えぐ・る【×抉る・×剔る】(ゑぐる)《他五》❶刃物などを深く刺して、回すようにして穴をあける。❷心に強い苦痛を与える。「悲しみが心を―・る」❸相手の弱点を強く鋭くつく。「事件の核心を鋭く―・る」文《四》。

エクレア 細長いシュークリームの上にチョコレートをかけた洋菓子。エクレール。▽フランス éclair

えげつ‐な・い《形》〔やり方が〕露骨でいやらしい。下品であくどい。「―・い商法」

*__え‐こ__【依×怙】不公平。えこひいき。↓いこじ。**―ひいき**【―×贔×屓】《名・他サ》一方だけのかたをもつこと。公平でないこと。えこ。

*__エコ__ ■一《造語》「環境」「生態」の意。▽eco- ■二「エコロジー」の略。「―ライフ」 **―マーク** 環境保全に役立つ商品に付けられるマーク。日本環境協会が認定する。エコラベル。▽eco(=環境)とmarkからの和製語。

エゴ ❶自我。自己。❷「エゴイズム」の略。▽ラテン ego

エゴイスティック《形動》自分勝手なようす。利己的。自己中心的。▽egoistic

エゴイスト 利己主義者。自分勝手な人。▽egoist

エゴイズム 利己主義。エゴ。▽egoism

え‐こう【回向・×廻向】《名・自サ》❶自分の積んだ功徳(くどく)や善根を他に回し向け、自他ともに救われようとすること。❷念仏をとなえたり、読経(どきょう)・布施などを行ったりして、死者の冥福(めいふく)を祈ること。

エコー ❶ギリシア神話に出てくる森の妖精(ようせい)。美少年ナルキッソスに失恋し、なげきのあまり姿が消え声だけが残ったという。❷《名・自サ》反響。こだま。山びこ。❸残響を効果音として響かせること。「マイクに―をかける」▽① Echo ②③ echo

え‐ごころ【絵心】❶絵をかく能力。また、絵を理解する能力。「―がある」❷絵をかきたい気持ち。「―をかきたてる景色」類語①②歌心。

え‐ことば【絵▽詞】❶絵・絵巻物の内容を説明した文章。絵巻物の詞書(ことばがき)。❷詞書のついている絵巻物。

えご‐の‐き【▽斉×墩▽果】エゴノキ科の落葉小高木。初夏、枝先に長い柄の白い花がふさ状に咲く。材は櫛(くし)・パイプなどの細工物、床柱などに利用。

エコノミー ❶経済。❷節約。▽economy **―クラス** 旅客機・客船などの並の席。ツーリストクラス。▽economy class **―クラス‐しょうこうぐん**【―クラス症候群】狭い座席の乗客におこる、腰痛・足の痛み・息苦しさなどの一連の症状。血行不良が原因。旅行者血栓症。エコノミークラスシンドローム。

エコノミスト 経済学者。経済人。▽economist

エコノミック‐アニマル 経済的利益ばかりを追い求める動物。参考国際社会における日本人の行動を批判的に形容した語。▽economic animal

えご‐のり【恵×胡▽海×苔】(ゑご―)紅藻類の海藻。紅色をしている。食用。また、寒天の原料。

え‐ごま【×荏×胡麻】シソ科の一年草。茎は方形。夏に白い花が咲く。種子から荏(え)の油をとる。

え‐ごよみ【絵暦】❶絵の入っている暦。絵入り暦。❷文字の読めない人にもわかるように、年中行事などを絵で表した暦。

エコロジー ❶〔生物学の一分野としての〕生態学。❷生態学を人間に応用し、人間と環境との関係を研究する学問。人間生態学。社会生態学。❸自然環境を守ろうとする活動。エコ。▽ecology

えさ【×餌】(ゑさ)❶〔飼っている〕動物の食べ物。❷動物を誘い寄せて捕らえるときに使う食べ物。❸人を誘い込むために使うもの。❹〔俗〕食べ物。同①～④餌(え)。

え‐さがし【絵捜し・絵探し】ある絵の中に、一見しただけではわからないように、他の絵や文字などがかかれているのをさがし出す遊び。また、その絵。

*__え‐し__【▽壊死】《名・自サ》生体の細胞や組織の一部分が死ぬこと。また、その状態。

*__え‐し__【絵師・▽画師】❶えかき。画工。〔古風な言い方〕❷律令(りつりょう)制で、画工司(えだくみのつかさ)に属して絵をかくことをつかさどった職。❸江戸幕府で、絵所(えどころ)に属して絵画のことをつかさどった職。

え‐じ【▽衛士】(ゑじ)律令(りつりょう)制で、衛門府(えもんふ)に属して宮中の警備にあたった兵士。

え‐しき【会式】❶法会(ほうえ)の儀式。❷日蓮宗(にちれんしゅう)で、日蓮上人(しょうにん)の命日(一〇月一三日)とその前日に行う法会。御会式(おえしき)。御命講(おめいこう)。

え‐じき【×餌食】(ゑ―)❶えさとして食われる生き物。❷他人の利益・欲望などの犠牲になるもの。「暴力団の―になる」類語食い物。生けにえ。

え‐しゃく【会釈】❶《名・自サ》浅く首を下げて、おじぎをすること。類語あいさつ。❷他人の気持ちを考えること。思いやり。「遠慮―なくやっつける」

えしゃ‐じょうり【会者定離】〔仏〕会う者は必ずいつか離れる運命にあるということ。「生者必滅(しょうじゃひつめつ)―」参考この世のはかなさ・無常を表す語。

エシャロット ユリ科の多年草。小形のタマネギ。シャレット。シャロット。▽フランス échalote

春分・秋分(彼岸団子)　初午(鉢と馬)

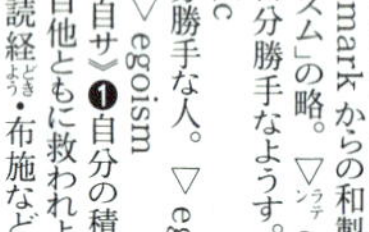

入梅(荷奪)　八十八夜

絵暦②

え-しん【回心・×廻心】《名・自サ》〔仏〕まちがった方向にあった心を改めて、善の方向へむけること。

エス【S】❶〔俗〕女学生の同性愛。また、その対象。[参考] sister の頭文字から。❷「S判」「Sサイズ」の略。[参考]セーター・下着など衣服の大きさで、標準より小さいもの。[参考] small の頭文字から。[対] M。L。

え-ず【絵図】❶絵。❷土地・家屋などの平面図。絵図面。「―を引く」❸絵地図。「江戸の―」

エス・エス・ティー【SST】超音速旅客機。▽supersonic transport の略。

エス・エフ【SF】科学的空想によって常識をこえた世界を描いた小説。空想科学小説。サイエンスフィクション。▽science fiction の略。

エス・エル【SL】蒸気機関車。▽steam locomotive の略。

エス・オー・エス【SOS】❶船が遭難したときに使われた、救助を求める無電信号。❷救助記号。また、救助を求めなければならないような状態・事態。

え-すがた【絵姿】絵にかいた人の姿。画像。絵像。

エスカルゴ 食用として養殖した大形のカタツムリ。フランス料理に使う。▽フランス escargot

エスカレーター 人や荷物などをのせて自動的に階上・階下に運ぶ階段状の装置。自動階段。▽escalator

エスカレート《名・自他サ》しだいに拡大すること。段階的に強化すること。「紛争が―する」▽escalate

エスキス 下絵。画稿。また、スケッチ。▽フランス esquisse

エスキモー→イヌイット。▽Eskimo

エスケープ《名・自サ》〔俗〕授業中や仕事中にその場からこっそり抜け出ること。▽escape(=逃げる)

エスコート《名・他サ》❶護衛。付き添い。❷女性に付き添って送ること(男性)。▽escort

エスタブリッシュメント ❶〔既成の〕秩序。〔既成の〕体制。体制側。❷〔官庁・陸海空軍などの〕常置組織。また、常置人員。▽establishment

エステティック ❶美学。❷全身美容。エステ。＝エステティーク。▽ドイツ Ästhetik フランス esthétique

エステル アルコールと酸を化合させてできるもの。多く食品の香料に使う。▽ドイツ Ester

エスニック《形動》民族色が豊かなようす。民族的。「―な衣装」「―料理」▽ethnic

エス-は【S波】地震波の一種。横波で、振幅が大きい。P波のあとに観測される。[参考] Sは、secondary(=第二の)の頭文字。[対] P波。

エス・ピー【SP】❶宣伝などによって消費者に購買意欲を呼び起こし、製品販売の増加を図ること。また、そのための活動。販売促進。セールスプロモーション。▽sales promotion の略。❷重要な地位についている人の身辺を警護する、警視庁の警察官。セキュリティーポリス。▽security police の略。❸一分間に七八回転する、昔のレコード。SP盤。▽standard playing record から。

エスプリ ❶精神。❷機知。才気。「―をきかせた話」[類語]ウイット。❸精髄。▽フランス esprit

エスプレッソ イタリア風の濃厚なコーヒー。また、そのための器具。圧搾蒸気を使う。▽イタリア espresso

エスペラント 一八八七年にポーランドの眼科医ザメンホフが考案した人工的国際語。エスペラント語。エス語。▽エスペラント Esperanto(=希望する人)

えせ【▽似▽非・▽似×而▽非】《接頭》❶似てはいるが、本物ではない意。「―風流」「―紳士」「―詩人」❷「いやしい」「つまらない」の意。「―歌」

え-そ【▽壊×疽】壊死した部分が、外気に触れて褐色や黒色に変わった状態。また、その部分が脱落したり、腐敗したりして悪臭を伴う状態。脱疽。

えぞ【×蝦×夷】❶古代、奥羽地方から北海道にかけて住んでいた人々。アイヌとする説と、日本人の一部とする説とがある。えびす。えみし。❷北海道の古称。「―地」[参考]アイヌ語 enju(=人)から。 **―ぎく【―菊】**キク科の一年草。園芸品種が多く、夏から秋にかけて、紫・紅・白などの頭状花を開く。さつまぎく。えどぎく。アスター。 **―まつ【―松】**マツ科の常緑高木。北海道・サハリンなど、寒い地方に自生する。葉は線形針状。パルプや建築用材として重要。

え-ぞう【絵像】絵にかいた、人の姿。画像。絵姿。

え-ぞうし【絵双紙・絵草紙】❶江戸時代に流行した絵入りの通俗的な読み物。赤本・青本・黄表紙などがあった。草双紙。❷世間の出来事などを簡単に絵入りで説明した印刷物。瓦版。❸錦絵。

え-そらごと【絵空事】〔画家が事実を誇張して描くところから〕実際にはありもしないこと。

えた【×穢多】江戸時代の身分制度により、非人とともに賤民として不当に差別された身分。明治四年、この身分をなくし平民に編入されたが、今なお社会的差別が残っている。

えだ【枝】❶幹や茎から分かれて出た部分。[類語]梢。木末。一枝。一朶。千枝。万朶。樹枝。分枝。❷もとになるものから分かれて出たもの。

え-たい【得体】本当の性質や姿。正体。「―が知れない人物」[類語]本性。素姓。

えだ-うち【枝打ち】《名・他サ》樹木の発育などのために、必要のない枝を切り落とすこと。枝おろし。

えだ-げ【枝毛】先がさけた、傷んだ髪の毛。

えだ-ずみ【枝炭】茶道で、炉に入れて使う炭。ツツジ・クヌギの小枝を焼いて作る。

えだ-にく【枝肉】牛・豚・馬などの、皮・内臓・頭・肢端を取り除いた、骨付き肉。脊柱を縦断して、左右二つに分ける。

エタノール エチルアルコール。▽ドイツ Äthanol

えだ-は【枝葉】❶枝と葉。❷物事のあまり大切でない部分。末節。「―の問題」＝枝葉。

えだ-ぶり【枝振り】枝のかっこう。枝差し。

えだ-まめ【枝豆】〔枝についたままの〕まだ熟していない大豆。また、それをさやのまま塩ゆでにしたもの。

えだ-みち【枝道・岐路】❶本道から分かれた細い道。横道。分かれ道。❷物事の本筋からはなれること。また、はなれたところ。「話が―に入る」

え-たり【得たり】《連語》《動詞「得う」の連用形＋助動詞「たり」》〔文〕物事が自分の思いどおりになった。しめた。「―とばかりに攻撃する」[参考]古くは感動詞的に用いた。「―やおう(=うまくいった、さあ)」 **―かしこし【―賢し】**《連語》〔文〕物事が自分の思いどおりになった。ありがたい。しめた。

えだ-わかれ【枝分(か)れ】《名・自サ》大もとの部分から小さく分かれること。分岐。

エチケット 社会的な慣習として守ることが望まれる、社交上の言語・動作などの決まり。礼儀作法。[類語]マナー。▽フランス étiquette

え

えちご【▽越後】 旧国名の一つ。佐渡を除いた今の新潟県。越州。 **—じし【—×獅子】** 越後の国西蒲原郡から出た獅子舞。子供に獅子頭をつけさせ、踊りや逆立ちなどの芸をさせて、物乞いして歩く。角兵衛獅子。

えちぜん【▽越前】 旧国名の一つ。今の福井県の北東部。越州。

エチモロジー ❶語源学。❷語源。=エティモロジー。▽etymology

エチュード ❶絵画・彫刻などで、練習として作られる作品。習作。試作。❷器楽・声楽の練習用に書かれた、楽曲。練習曲。また、演奏会用に書かれた、練習曲ふうの楽曲。▽フランス étude

エチル・アルコール アルコールの一種。無色透明で、芳香のある液体。燃えやすく、揮発しやすい。酒の主成分。エタノール。酒精。▽ドイツ Äthylalkohol

エチレン 〔理〕エチレン系炭化水素の一つ。無色の可燃性気体。ポリエチレンの原料などに使われる。▽ethylene

***えつ【悦】** 〔文〕喜ぶこと。喜び。「—に入る(=満足してひとりで喜ぶ)」

***えつ【謁】** 〔文〕身分の高い人や目上の人に会うこと。おめみえ。お目通り。謁見。「—を賜る」

***えつ【越】** ❶中国の春秋時代にあった国の名。❷越前・越中・越後のこと。越州。

***えつ【閲】** 〔文〕〔書物・文書などの〕内容を調べること。「—を請う」

えっ-きょう【越境】 《名・自サ》〔法律やとりきめなどに反して〕国境や境界線を越えること。「—入学」

え-づ・く【×餌付く】 《自五》〔野生の〕鳥やけものなどが人になれて、与えたえさを食べるようになる。

エックス【X・x】 未知または疑問である事柄。未知数。 **—きゃく【X脚】** 両足をそろえて立った時、下肢がXの字の形のように内側に曲がった足。対O脚。 **—せん【X線】** 高速の電子が障壁にぶつかったときに発生する短い波長の電磁波。物質を透過する力が大きく、病気の診断や治療、工業資材の検査などに広く利用される。レントゲン線。参考ドイツのレントゲンが発見し、「未知の線」という意味で名づけた。 **—デー** 世間の関心を集めていることが実際に行われる予定日。また、何かを起こそうと計画している日。▽Xとdayからの和製語。

え-つけ【絵付け】 《名・他サ》陶磁器の表に、絵や模様を描くこと。「皿に—する」

え-づけ【×餌付け】 《名・自サ》野生の鳥やけものなどにえさを与えて、人になれさせること。

***えっ-けん【謁見】** 《名・自サ》身分の高い人や目上の人に会うこと。謁。拝謁。「大統領に—する」類語接見。

***えっ-けん【越権】** その人の行為がその人に与えられた権限を越えること。越権。「—行為」類語僭越。

エッジ ❶アイススケートで、靴の下につける金具の、直接氷にふれる部分。また、その金具。❷スキー板の、滑走面の両端。また、その部分の金具。❸卓球で、卓球台の上面のふち。❹ゴルフで、ホール・グリーン・バンカーなどのへりの部分。▽edge(=ふち。はし)

えっ-しゅう【越州】 「越前・越中・越後の国」の唐風の呼び名。こしのくに。越。

***えっ・する【謁する】** 《自サ変》〔文〕身分の高い人や目上の人に会う。おめにかかる。「陛下に—する」

***えっ・する【閲する】** ㊀《他サ変》〔文〕見て調べる。検閲する。「草稿を—する」㊁《自サ変》〔文〕時を過ごす。経る。「三年を—した」=閲する。

エッセイスト エッセー①を書く人。随筆家。▽フランス essayiste 英 essayist

エッセー 〔文学〕❶随筆。随想。❷特別な主題についての試論。論文。評論。エセー。エッセイ。▽フランス essai 英 essay

エッセンス ❶物事の本質。精髄。「美の—」❷おもに植物に含まれる香気の高い成分を抽出した精油状の芳香性物質。化粧品・洋菓子・洋酒などのかおりをつけるのに用いる。「バニラ—」▽essence

エッチ【H】 ㊀《形動》〔俗〕性についての言動が多少露骨であるようす。「—な話」参考「変態」のローマ字書き hentai の頭文字からか。㊁《名・自サ》〔俗〕〔㊀から〕性交。セックス。㊂《記号》鉛筆の芯の硬度を表す記号。数値が大きいものほど硬い。エイチ。参考 hard の略から。対B。

エッチ・アイ・ブイ【HIV】 ヒト免疫不全ウイルス。リンパ球を破壊して、人間が本来持っている抵抗力を弱めてしまう。エイズの病原体。▽human immunodeficiency virus の略。

エッチ・ビー【HB】 〔鉛筆の芯の硬度(または濃度)が〕HとBの中間の鉛筆。

えっ-ちゅう【越中】 ❶旧国名の一つ。今の富山県。越州。❷「越中褌」の略。 **—ふんどし【—×褌】** 長さ約一メートルの並幅の布にひもをつけたふんどし。

えっちら-おっちら 《副》たどたどしい足どりでつらそうに歩くようす。「—山を登る」

エッチング ろう引きの銅板に針で絵や文字をかき、硝酸で腐食させて作った印刷の原版。また、それによって刷ったもの。腐食銅版(画)。▽etching

えっ-とう【越冬】 《名・自サ》冬を越すこと。特に、厳しい環境の下で冬を越すこと。「—隊」

えつ-どく【閲読】 《名・他サ》〔文〕〔書物・文書などの〕内容や文章を調べながら読むこと。類語閲覧。

えつ-ねん【越年】 《名・自サ》年を越して新年を迎えること。「—資金」参考「越年」は古風な言い方。類語年越し。

えっ-ぺい【閲兵】 《名・自他サ》〔元首・司令官などが〕軍隊を整列させて、検閲すること。「—式」

え-つぼ【▽笑×壺】 〔文〕笑い興じること。 **—に入る** 《句》思いどおりになって喜ぶ。

え-づら【絵面】 絵の外観。

えつ-らく【悦楽】 《名・自サ》ある状態に身心ともに満足しきって喜び楽しむこと。類語歓楽。享楽。

えつ-らん【閲覧】 《名・他サ》〔図書館などで〕新聞・書物などを調べながら見ること。「—室」類語閲読。

えつ-れき【閲歴】 《名・他サ》〔文〕経験すること。また、経験してきた事柄。経歴。類語履歴。

え-て【得手】 ❶〔ある技などに〕もっとも得意であること。また、その技。❷〔俗〕「猿」のこと。えてこう。 **—に帆を揚・げる** 《句》よい機会にめぐまれ、得意なことを調子に乗って行うたとえ。「得手に帆」とも。

エディター ❶編集者。編集長。主筆。❷映画フィルムの編集者。▽editor

エディプス・コンプレックス 精神分析学で、男の

子が母親に愛情を感じ、父親に反感を持つ傾向。[対] エレクトラコンプレックス。▽ Oedipus complex

えて-かって【得手勝手】《名・形動》他人のことを考えず、自分に都合のいいようにふるまうこと。

えて-して【得てして】《副》とかく。「あせるとーろくなことはない」

エデン キリスト教で、人類の始祖アダムとイブが住んでいたという楽園。エデンの園。▽ Eden **ーの-その【ーの園】**《連語》❶エデン。❷楽土。楽園。

え-と【▽干▽支】《「兄(え)と弟(と)の意」》十干と十二支を甲子・乙丑・丙寅のように組み合わせたもの。六〇回で一まわりする。年・月・日・方位・時刻などにあてはめて使う。干支。

***えど【江戸】** 東京の旧称。中世初期には江戸氏の根拠地で、徳川時代、幕府がおかれて政治の中心地となった。慶応四(一八六八)年東京と改称した。**ーっ-こ【ーっ子・ーっ▽児】** 江戸に生まれ江戸に育った人。東京生まれの人にもいう。「ちゃきちゃきのー」[参考] ふつう三代続けて江戸(=東京)に生まれ育った人を純粋の江戸っ子という。**ーまえ【ー前】**《「江戸の前」の意》❶〔東京湾、特に芝・品川付近の海の意から〕東京湾でとれる魚類の称。❷江戸のやり方。江戸風。東京風。「ーずし」**ーむらさき【ー紫】** 藍色のかった紫色。[参考] 昔、江戸で染め始めた。**ーの敵を長崎で討つ**《句》〔江戸と長崎は遠く離れていることから〕意外な所で、または筋違いな事で、以前の仕返しをすることのたとえ。

***え-ど【×穢土】**〔仏〕悟りの世界に入らない者のいる汚れた所。現世。この世。[類語] 俗世。[対] 浄土。

え-とき【絵解き】《名・他サ》❶絵の意味を説明すること。また、その説明。❷絵によって説明をおぎなうこと。❸なぞを解くこと。

え-とく【会得】《名・他サ》物事を理解して自分のものにすること。「技術をーする」[類語] 知得。納得。

エトセトラ その他種々のもの。…等々。…など。[表記] etc. また &c. とも書く。▽ et cetera

エトランジェ 見知らぬ人。外国人。異邦人。また、〔外国人の〕旅行者。エトランゼ。▽ étranger

えな【▽胞▽衣】 胎児を包んでいる膜と胎盤・臍帯などの総称。分娩後、排出される。

エナジー →エネルギー。▽ energy

エナメル ❶金属や陶器などの表面に塗るガラス質のうわぐすり。琺瑯。❷ワニスと顔料をまぜて作った塗料。塗った表面はなめらかでつやが出る。エナメルペイント。❸エナメル②を塗って、つやを出した革。エナメル革。▽ enamel

えにし【▽縁】《「縁(えん)」から転じた「えに」+強めの助詞「し」》〔文〕ゆかり。えん。特に、男女の間の結ばれ方。「奇しきー」

エニシダ マメ科の落葉低木。葉はふつう三枚の複葉からなる。初夏、蝶形の黄色い花が咲く。観賞用。[表記]「金雀枝」「金雀児」と当てる。▽ hiniesta

エヌ-エッチ-ケー【NHK】 日本放送協会。日本の公共放送局。[参考] 事業計画や収支決算は国会審議が必要。▽ Nippon Hoso Kyokai の略。

エヌ-ジー【NG】 映画で、撮影がうまくいかずだめになること。また、そのために不要になったフィルム。[参考] ラジオ・テレビで、録音・録画に失敗することにもいう。「ーを出す」▽ no good の略。

エネルギー ❶〔理〕物体が仕事をすることのできる能力。大きさは仕事の量ではかる。❷精力。活動力。[参考] =エナージー。エナジー。▽ Energie

エネルギッシュ《形動》精力的。「ーに活動する」▽ energisch

え-の-あぶら【×荏の油】 エゴマの種子をしぼってとる油。乾燥性に富むので油紙や雨がさに用いる。

え-の-き【×榎】 ニレ科の落葉高木。五月ごろ淡黄色の小さな花を開き、後、小さな実をつける。材は家具・薪に用いる。江戸時代、一里塚に植えた。

えのき-たけ【×榎×茸】 キシメジ科のキノコ。自生のものは黄褐色ないし栗色で、かさは二~六センチ。粘りがあり、食用になる。栽培もする。えのきだけ。

え-の-ぐ【絵(の)具】 絵に色をつけるために用いる材料。顔料。水彩絵の具・油絵の具・泥絵の具など。

えのころ-ぐさ【×狗▽尾草】 イネ科の一年草。野原や道ばたに自生する雑草。夏、犬の尾に似た緑色の穂が出る。えのころ。ねこじゃらし。

え-ば【絵羽】 ❶「絵羽模様」の略。❷「絵羽羽織」の略。**ーはおり【ー羽織】** 絵羽模様をつけた女性用の羽織。外出・訪問用。絵羽織。絵羽。えばおり。**ーもよう【ー模様】** 和服で仕立てたときに縫い目にまたがる絵画的な模様。振袖・留袖・訪問着・絵羽羽織など、礼装用の和服に用いられる。絵羽。

え-はがき【絵葉書】 あて名を書く面の裏に、絵や写真のあるはがき。[表記] ふつう「絵はがき」と書く。

え-はだ【絵肌】 筆触・絵の具などによる画面の肌合い。材質感。マチエール。

えび【×蝦・×鰕・▽海▽老】 節足動物甲殻類の一部門の総称。四本の触角と一〇本の足を持つ。腹部には七つの節があり、自由に体を曲げることができる。食用。[参考]「一尾…」「一匹…」などと数える。**ーで鯛を釣・る**《句》わずかなものや、わずかな労力で、大きな利益を得るたとえ。えびたい。

えび-がに【×蝦×蟹・▽海▽老×蟹】 →ざりがに②。

エピキュリアン 快楽主義者。▽ epicurean

エピグラフ ❶〔墓碑・記念碑などに書かれた〕碑銘。碑文。❷〔書物の始めや編・章の始めに置かれる〕標語。▽ epigraph

エピグラム ある思想を簡潔に鋭く表現した句。警句。風刺詩。▽ epigram

エピゴーネン〔学問・芸術などで〕先人のまねをするにすぎない者。亜流。模倣者。▽ Epigonen

***えびす【×夷・×戎】**《「えみし」の転》❶えぞ①。❷未開人。❸荒々しい人。情趣を解さぬあらくれ武士。[参考] 特に、京都の人が関東以北の武士を言った。

***えびす【恵比×須・恵比▽寿・×夷・×蛭子】**《「夷」と同語源》❶七福神の一つ。狩衣・指貫に風折烏帽子をつけ、右手に釣竿を持ち、左手に鯛をかかえている。海上・漁業・商家の神。また、田の神。❷「えびす講」の略。[表記]「恵比須」「恵比寿」とあてるときには、歴史的かなづかいは「ゑびす」と書くこともある。**ーがお【ー顔】**〔恵比須①のように〕にこにこした顔つき。きげんのよい顔。[対] 閻魔顔。**ーこう【ー講】** 陰暦一〇月二〇日に、商家で恵比須を祭る行事。はつかえびす。[参考] 農家でも田の神として祭る。

エピソード ❶談話や小説・物語などの中に、本筋とは関係なくはさみこまれる短い話。挿話。❷話題になっ

ている人や物事に関する、ちょっとした興味のある話。逸話。「新作映画に関する―」▽episode

えび-たい【×蝦×鯛・▽海▽老×鯛】〔俗〕「えびでたいを釣る」の略。

えび-ちゃ【×葡×萄茶・▽海▽老茶】黒みがかった赤茶色。「―のはかま」

エピック 叙事詩。英雄詩。[対]リリック。▽epic

えびら【×箙】矢を入れて背に負う武具。

エピローグ ❶演劇で、舞台の上から俳優の一人が作者にかわってのべる閉幕のことば。❷詩歌・小説・演劇・歌劇などの、最後の部分・場面。❸物事の終わりの部分。終局。[対]①～③プロローグ。▽epilogue

エフ-エックス【FX】防衛庁が次の機種として導入を検討している主力戦闘機。▽fighter-X の略。

エフ-エム【FM】❶周波数変調。❷FM①の方式によるラジオ放送。雑音が少ない。FM放送。[参考]↓AM。▽frequency modulation の略。

え-ふで【絵筆】絵をかくときの筆。画筆。

エフ-ビー-アイ【FBI】アメリカ連邦捜査局。アメリカ国内の全国的な犯罪の捜査などを担当する。▽Federal Bureau of Investigation の略。

エプロン ❶〔西洋風の〕前掛け。❷空港で、航空機が停止して、乗客の乗り降り、貨物の積みおろしなどを行う場所。▽apron ―ステージ 劇場で、客席に張り出している舞台。▽apron stage

エフ-ワン【F1】国際自動車連盟の規定による最上級クラスのレーシングカー。また、これによって行われるレース。[参考]Formula one から。

エペ フェンシングの種目の一つ。相手の体のどの部分を突いても有効打となるもの。また、その種目に用いる、先のとがった細身の剣。▽フランス épée

え-ほう【恵方・▽吉方】その年の干支にもとづいて決められる、縁起のよい方角。明きの方。歳徳神がいるとされる。―まいり【―参り】元日に、恵方にある神社・寺に参拝すること。[参考]歳徳

え-ぼし【×烏▽帽子】昔、元服した公家・武士などがかぶった一種の帽子。古くは紗絹、後には紙を使い、黒い漆でぬり固めて作った。種類が多い。

エポック〔過去と新しい時代とを区別する〕一つの時期。(新)時代。(新)紀元。「―を画する」▽epoch ―メーキング《形動》新時代を作るような。画期的。「文学史上―な事件」▽epoch-making

エボナイト 生ゴムに硫黄を加えて作った黒い樹脂状の物質。万年筆の軸、絶縁体などに使う。▽ebonite

エホバ 旧約聖書中で、イスラエル人が信仰する最高の神。ヤハウェ。[参考]→ユダヤ教。▽Jehovah

え-ほん【絵本】❶〔古〕絵の入った、江戸時代の通俗的な読み物。絵草紙。[対]読本。❷絵を主体にした〔子供向けの〕本。

え-ま【絵馬】願いごとをする時や、また、それがかなった時に、神社や寺に奉納する額。[参考]多く、馬の絵の額を納めたことからいう。

エマージェンシー 非常事態。▽emergency

え-まき【絵巻】物語・伝説などを、絵と絵詞〔＝説明文〕で表し、巻物にしたもの。絵巻物。

え-まきもの【絵巻物】絵巻。

えみ【笑み】〔文〕ほほえみ。微笑。「―を浮かべる」

***え・む**【笑む】《自五》〔文〕❶にっこりする。❷つぼみがほころびる。花が開く。「桜の花が―・む」❸〔栗のいがや果実などが〕実って自然に割れる。[文]《四》。

***エム**【M】❶〔俗〕金銭。〔学生語〕[参考]money の頭文字から。❷〔隠〕男根。[参考]梵語 māra〔＝魔羅〕の頭文字から。❸〔俗〕男性(的要素)。[参考]man の頭文字から。[対]W。❹「M判」「Mサイズ」の略。衣服の大きさで、標準のもの。並判。[参考]middle の頭文字から。[対]S。L。

エム-アール-アイ【MRI】磁気共鳴画像診断装置。▽magnetic resonance imaging の略。⇩巻末付録。

エム-アール-エス-エー【MRSA】メチシリン耐性黄色ブドウ球菌。▽methicillin-resistant staphylococcus aureus の略。⇩巻末付録。

エム-アンド-エー【M&A】企業の合併と買収。▽merger and acquisition の略。

エム-ピー【MP】アメリカ陸軍の憲兵。▽military police の略。

エム-ブイ-ピー【MVP】〔プロスポーツの〕最高殊勲選手。▽most valuable player の略。

エメラルド 鮮やかな緑色をした緑柱石。緑玉石。翠玉。[参考]五月の誕生石。▽emerald

えも-いわれぬ【得も言われぬ】《連語》〔文〕何ともことばでは表せない。何とも言えない。「―美しさ」

エモーション 情緒。感情。情感。▽emotion

え-もじ【絵文字】絵をかいて意思を表現したもの。文字のうちで最も原始的な形態とされる。

***え-もの**【得物】❶自分がじょうずに使いこなせる道具。得手物。❷武器。武具。

***え-もの**【獲物】❶漁や狩りでとった動物。魚・貝・けもの・鳥など。[類語]海の幸。山の幸。収獲。❷奪いとった物。特に、戦争や勝負事で手に入れた物。

え-もん【▽衣紋・▽衣文】❶作法にかなった衣服・装束の着方。❷着物の襟を胸で合わせたところ。着物の襟もと。「―をつくろう」―かけ【―掛(け)】❶衣服〔特に和服〕を掛けてつるしておくための短い棒状の道具。[類語]ハンガー。❷衣桁。

え-よう【▽栄×耀】《「えいよう」の転》❶大いに栄えること。「―栄華」❷ぜいたく。おごり。＝栄耀。

えら【×鰓】❶魚・貝・エビ・カニなど、水生動物の呼吸器。水から酸素をとる。❷人の顔で、あごの下の左右の部分。「―の張った顔」

エラー あやまち。失策。失敗。[類語]ミス。▽error

えら・い【偉い・▽豪い】《形》❶〔行いや性格などが〕立派ですぐれている。❷地位・身分などが高い。「会社の―・い人」❸程度がはなはだしい。「―・い雨にあった」❹重大な事態である。「―・いことになった」[表記]③④は、ふつうかな書きにする。[文]えら・し《ク》。

えらく【偉く】《副》《形容詞「偉い」の連用形から》〔俗〕すごく。ひどく。

えら・ぶ【選ぶ・▽択ぶ】《他五》❶〔二つ以上のものの中から〕条件に合うものを抜き出す。選択する。「代表を―・ぶ」❷〔原稿の中から〕よりだして書物を作る。編集する。「歌集を―・ぶ」[表記]②は「撰ぶ」とも書く。[文]《四》。―ぶ所が無・い《句》他と同じである。差がない。「これでは凡人の作と―・い」

えら-ぶた【×鰓×蓋】魚のえらをおおい保護する、骨質の薄い板。

え

えら・ぶつ【偉物・▽豪物】 すぐれた人物。実力者。偉者(えらもの)。〔類語〕手腕家。敏腕家。やりて。うできき。

えら・ぶ・る【偉振る】《自五》偉そうにふるまう。おごった様子をみせる。「―った態度」〔表記〕「振る」は多くかな書き。

えら・ぼね【×鰓骨】 ❶魚のえらの内部にある、えらを支えている弓形の骨。❷あごの骨。「―が張っている」

***えり【襟・×衿】** ❶衣服で、首の回りの部分。また、そこに別につける布。❷〔人間の〕首。特に、首の後ろの部分。首筋。うなじ。

―を正・す《句》❶服装の乱れをととのえる。また、姿勢を正しくする。❷気持ちを引きしめる。

***えり【×魞】** 川・湖などで、魚をとるしかけ。水中にくいを打って簀(す)をたて、魚を狭い場所に誘導してとる。

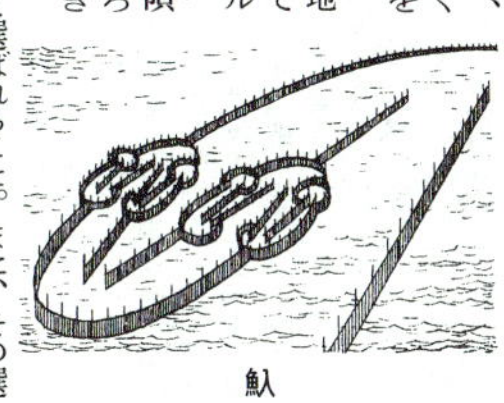

魞

エリア 地域。区域。地帯。〔多く他の語につけて複合語をつくる〕「ゴール―」「サービス―」▽area

えり・あし【襟足・▽領脚】 耳の後ろから首の後ろにかけての髪の毛の生えぎわ。「―が長い」

エリート すぐれたものとして選ばれること。また、その選ばれた人。選良(せんりょう)。「―意識」▽(フランス) élite

エリカ 南アフリカおよび地中海沿岸に自生するツツジ科植物の総称。葉は小さく細い。花は小さく、釣鐘形・つぼ形。色は白・薄紫・薄紅色など。▽(ラテン) erica

えり・がみ【襟髪・▽領髪】 ❶首の後ろの方にはえる髪の毛。❷首の後ろの部分。首筋。えり首。

えり・くび【襟首・▽領×頸】 首の後ろの部分。首筋。

えり・ぐり【襟×刳(り)】 洋服で、首にそってあいている線。ネックライン。

えり・ごのみ【▽選り好み】《名・他サ》多くのものの中から、好きなものだけ選びとること。よりごのみ。「―がはげしい」

えり・しょう【襟章】 襟につけて、階級・所属などを表す記章(きしょう)。〔類語〕腕章(わんしょう)。肩章。

えり・すぐ・る【▽選りすぐる】《他五》多くのすぐれたものの中から、特によいものだけを選ぶ。よりすぐる。

えり・ぬき【▽選り抜き】 選び出すこと。また、選び出された物・人。より抜き。「―の選手」〔類語〕つぶより。

えり・まき【襟巻(き)】 防寒用・装飾用、あるいは両方をかねて、襟首に巻くもの。首まき。マフラー。

えり・もと【襟元】 衣服の襟のあたり。また、衣服の襟が当たる、首の部分。「―に付く(=権勢にこびる)」

えり・わ・ける【▽選り分ける】《他下一》〔種類・質などに応じて〕多くのものの中から選んで分ける。より分ける。選別する。〔類語〕えりぬく。

***え・る【▽選る・▽択る】**《他五》〔文〕多くの中からとる。選ぶ。よる。〔文〕《四》。

***え・る【▽彫る】**《他四》〔古〕ほる。きざむ。

***える【得る】** 一《他下一》❶〔持っていないものを求めて〕自分のものにする。「利益を得る」「意を得る」❷〔ほしくないものを〕身に受ける。こうむる。「罪を得る」「病を得る」❸さとる。理解する。「要領を得ない話」❹〈「…ざるを得ない」の形で〉…しないわけにはゆかない。「行かざるを得ない」〔文〕う《下二》。二《接尾》「…できる」意。「言い得て妙だ(=うまく言い表している)」〔参考〕終止形と連体形は文語下二段活用の「得(う)る」の形も使う。「その点は納得しうる」〔文〕う《下二》。

***エル【L】**「L判」「Lサイズ」の略。衣服の大きさで、標準より大きいもの。大判。〔参考〕largeの頭文字から。〔対〕M。S。

エル・エス・アイ【LSI】 大規模集積回路。集積回路(=IC)をさらに発展させて高密度にしたもの。ICを使うより信頼度が高く、電子機器を一段と小型化できる。▽large-scale integration の略。

エル・エス・ディー【LSD】 無色透明で、無味・無臭の薬。ごく微量の服用で一時的に幻覚作用をおこす。▽lysergic acid diethylamide(リゼルギン酸ジエチルアミド)の略。

エル・エル【LL】 ❶視聴覚教材を備えた語学教室。▽language laboratory の略。❷洋服や靴のサイズで、特大。〔参考〕large の頭文字を重ねたもの。

エルグ《助数》仕事量、およびエネルギーの単位。一エルグは一ダイン(ダイン)の力が物体に働いて、その力の方向に物体を一センチ(センチ)だけ動かす仕事量。▽erg

エル・ケー【LK】 住宅の間取りで、リビングルーム(=居間)とキッチン(=台所)とを兼ねた部屋。▽living room と kitchen の頭文字からの和製語。

エルじ・こう【L字溝】 コンクリート製の、L字形の側溝。道路の排水溝などに使われる。〔類語〕U字溝。

エル・ディー【LD】 レーザーを用いる、光学方式のビデオディスク。光ディスクに記憶させた音声と画像をレーザー光を当てて再生する。〔参考〕商標名の「レーザーディスク(LaserDisc)」の略。

エル・ディー・ケー【LDK】 住宅の間取りで、リビングルーム(=居間)とダイニングルーム・キッチン(=食堂兼用の台所)とを兼ねた部屋。▽living room と dining room と kitchen の頭文字からの和製語。

エル・ニーニョ 南米の太平洋岸、エクアドルからペルーの沖にかけ、海流の水温がクリスマスのころから異常に上昇する現象。〔参考〕漁業や気象に悪影響を及ぼす。▽(スペイン) El Niño(=幼子イエス)

エル・ピー・ガス【LPガス】 ↓LPG。

エル・ピー・ジー【LPG】 ガス状の炭化水素を常温で圧力を加えて液化したもの。プロパン・プロピレン・ブタン・ブチレンなどが主成分。ボンベにつめて、家庭用のほか、自動車などの燃料に利用。液化石油ガス。LPガス。▽liquefied petroleum gas の略。

エルム〔植〕にれ。▽elm

エレガント《形動》優雅なようす。「―な振る舞い」▽elegant

エレキ ❶「エレキテル」の略。電気。〔古風な言い方〕❷「エレキギター」の略。**―ギター** 電気ギター。特に、共鳴箱がなく、アンプによって音を増幅するギター。エレキ。▽electric と guitar からの和製語。

エレクト《名・自サ》勃起(ぼっき)。▽erect

エレクトラ・コンプレックス 精神分析学で、女の子が父親に愛情を感じ、母親に反感を持つ傾向。〔対〕エディプスコンプレックス。▽Electra complex

エレクトロニクス エレクトロン(=電子)の働きを利用した、電気通信・自動制御・遠隔操作などを研究する理論・技術。電子工学。▽electronics

エレクトロン ❶電子。❷「エレクトロンメタル」の略。

マグネシウムを九〇パーセント以上含む超軽合金。自動車・航空機などの部品に多く使われる。▽electron

エレジー 悲しみをこめた歌。哀歌。悲歌。▽elegy

エレベーター 〔高い建造物などで〕動力によって人や荷物を上下に移動させる機械。昇降機。▽elevator

エレメント ❶要素。❷〔理〕元素。▽element

エロ ㊀《形動》「エロチック」の略。「―話」類語 グロ。㊁《名》「エロティシズム」の略。「―で売る雑誌」

エロ・グロ 「エロチック」と「グロテスク」の略。色情的で猟奇的なこと。「―ナンセンス」

エロス ❶ギリシア神話で、男女をむすぶ愛の神。恋愛の神。参考 ローマ神話のキューピッド。❷プラトン哲学で、精神的な愛。❸一般に、性的な愛。対 ②③アガペー。▽①Eros ②③eros

エロチック 《形動》情欲をそそられるようす。色情的。扇情(せんじょう)的。＝エロティック。▽erotic

エロティシズム 愛欲主義。また、官能的な愛。性愛。エロチスム。＝エロチシズム。▽eroticism

***えん【園】**《接尾》❶「人が入って景色を見たり楽しんだりする庭や場所」の意。「百花―」「動物―」❷「子供を保護・教育する施設」の意。「幼稚―」「保育―」❸「果樹・草花・野菜などを栽培する所」の意。「果樹―」「リンゴ―」表記 ①③は「苑」とも書く。

***えん【炎】**《接尾》❶「ほのお」の意。「還元―」表記「焔」とも書く。❷〔医〕「炎症」の意。「中耳―」

***えん【円】** ㊀《名》❶まるいこと。まるい形。まる。❷〔数〕一つの平面上で、ある一点から等距離にある点の軌跡(きせき)。また、それに囲まれた平面。❸円㊁で表される貨幣。「―が上がる」㊁《助数》日本の貨幣の単位。一円は一〇〇銭。記号¥。

***えん【宴】**〔文〕人が集まって酒や食べ物を飲み食いしながら、歌・おどりなどを楽しむこと。うたげ。「―たけなわとなる」「―を設ける」類語 酒盛り。宴会。⇩〖類義語の使い分け「宴会」〗

***えん【縁】** ❶〔仏〕原因を助けて結果を生じさせる直接の働きをするもの。「前世の―」❷ある運命になるめぐりあわせ。回りあわせ。「―あって結ばれる」類語 えにし。ゆかり。因(ちな)み。因縁。❸人と人とのつながり・関係。特に、肉親・夫婦の関係。「師弟の―を切る」類語 誼(よしみ)。絆(きずな)。血筋(ちすじ)。係累(けいるい)。❹ある事物とのつながり・関係。「金には―がない」類語 つて。縁故。コネ。❺てがかり。きっかけ。「これをご―によろしく」類語 よすが。手蔓(てづる)。❻家の外側につけた、細長い板敷。広縁・ぬれ縁など。縁側。

―無き衆生(しゅじょう)は度し難し《句》❶いくら仏でも、仏の教えをきく縁のない人は救いがたい。❷頑固で人のことばをききいれようとしない人は救いようがない。

―は異なもの味なもの《句》男と女の結びつきは、常識では判断できない不思議な経路をたどるものだ。

―を結・ぶ《句》❶成仏すべき因縁を持つ。仏道と縁をつなぐ。❷養親子・夫婦などの縁組をする。

***えん【×艶】**《名・形動》〔文〕❶〔女性の容姿などが〕あでやかで美しいこと。「―を競う」❷性的な感覚を刺激される美しさがあること。なまめかしいこと。

***えん【塩】** 酸と塩基を反応させたときや、金属を酸にとかしたときにできる物質。炭酸ソーダ・重炭酸ソーダ・塩基性硫酸銅など。塩類。

***えん・いん【延引】**《名・自サ》物事が予定より遅れること。長引くこと。「完成が―する」類語 遅延。遅滞。

***えん・いん【援引】**《名・他サ》自分の説の証拠として、他の事実や文献を引用すること。類語 援用。

***えん・いん【遠因】** 間接的な、遠い原因。対 近因。

えん・う【煙雨】〔文〕けむるように降る雨。

えん・えい【遠泳】《名・自サ》〔海・川・湖などで〕長距離を泳ぐこと。また、その競技。

えん・えき【演×繹】《名・他サ》❶おし広げてのべること。❷(deduction)〔論〕普遍的一般的な・前提(事実)から、経験に頼らず論理の規則に従って、特殊的個別的事実を導き出すこと。三段論法はその一つ。対 帰納。

***えん・えん【×奄×奄】**《形動タルト》〔文〕いまにも息が絶えそうなようす。「気息―」

***えん・えん【延延】**《形動タルト》物事が長く続くようす。「会議は―と続いた」

***えん・えん【炎炎】**《形動タルト》〔火事などで〕火が勢いよく燃えあがるようす。「ほのおは―と空をこがした」

***えん・えん【×蜿×蜿・×蜿×蜒・×蜒×蜒】**《形動タルト》〔文〕❶ヘビなどがうねって進むようす。❷〔川・山脈・道・行列などが〕うねりくねって長く続くようす。「―長蛇の列」

えん・お【×厭悪】《名・他サ》〔文〕きらい、にくむこと。ひどくいやに思うこと。嫌悪(けんお)。

***えん・おう【×冤×枉】**〔文〕無実の罪。冤罪(えんざい)。ぬれぎぬ。「―をそそぐ」「―をはらす」

***えん・おう【×鴛×鴦】**〔文〕オシドリ。参考「鴛」はオシドリの雄、「鴦」は雌。**―の・ちぎり【―の契り】**〔オシドリの雌雄は、常にいっしょにいることから〕(非常に仲のよい)夫婦の関係。「―を結ぶ」

***えん・か【×嚥下】**《名・他サ》〔文〕のみくだすこと。嚥下(げえん)。「薬物を―する」

***えん・か【円価】** 円貨の、国際市場におけるねうち。

***えん・か【円貨】** 円単位の貨幣。日本の貨幣。

***えん・か【演歌・×艶歌】** ❶明治・大正時代に街頭で大道芸人によって歌われた流行歌。参考 自由民権思想を広める演説歌として始まり、明治・大正期には「演歌」と書いた。大正末期に人情物などを歌う大道演芸となり、多く「艶歌」と書いた。❷日本風の流行歌。「―歌手」表記 ②は「演歌」と書くことが多い。

***えん・か【煙×霞・×烟×霞】**〔文〕❶煙とかすみ(で、ぼんやりとかすんでみえる景色)。❷自然の趣。「―の癖(へき)(＝自然の趣を愛し、そのような所を旅する習癖)」

***えん・か【縁家】** 結婚や縁組によってつながりのできた家。また、縁故のある家。類語 姻戚(いんせき)。姻族(いんぞく)。

***えん・かい【宴会】** 多くの人が集まり、酒や料理を飲み食いしながら、楽しむ会。「―を催す」類語 酒盛り。うたげ。宴席(えんせき)。酒宴。宴。尊敬 御宴(ぎょえん)。

> **類義語の使い分け　宴会・宴**
> [宴会・宴] 受賞を祝う宴会(宴)を催す／私的な所用があって宴会(宴)のなかばで退席する
> [宴会] 宴会の幹事／恒例の宴会が行われる
> [宴] 米寿の祝賀の宴を張る／宴たけなわのころ

***えん・かい【延会】**《名・他サ》❶会議・会合の日時を先へ延ばすこと。❷〔法〕国会などで、予定された議事日程が全部終わらず、次の会議に持ち越すこと。

***えん・かい【沿海】** ❶海にそった陸。うみぞい。類語

沿岸。❷陸に近い海。近海。「―漁業」対遠洋。

*えん・かい【遠海】陸地から遠く離れた海。対近海。

*えん・がい【円×蓋】アーチ形の天井。ドーム。

*えん・がい【×掩×蓋】❶〔大きなものに〕覆いかぶせるもの。覆い。❷軍隊で、敵弾を防ぐために、木材や石材で塹壕(ざんごう)などの上を覆うように作ったもの。「―壕(ごう)」

*えん・がい【煙害】精錬所・工場などの煙や火山の煙によって、人や動植物が受ける害。

*えん・がい【塩害】海水中の塩分によって、農作物・電線などが受ける害。参考高潮による海水の浸入や、台風のときの塩分を含んだ風雨などによって起こる。

えんかい・しょく【鉛灰色】鉛の色に似た灰色(はいいろ)。

*えん・かく【沿革】物事の移り変わり。変遷(へんせん)。「当社の―を調べる」類語歴史。

*えん・かく【遠隔】遠くはなれていること。「―の地」「―操作」「―制御」類語遠方。対近接。

えん・がく【縁覚】〔仏〕仏の教えによらないで自ら悟りを開いた人。菩薩(ぼさつ)の下、声聞(しょうもん)の上に位する。独覚。参考梵語 pratyekabuddha の訳。

えん・かつ【円滑】《形動》❶角(かど)だたず、滑らかなようす。❷物事がとどこおりなくすらすらと進むようす。「交渉が―に進む」

えんか・ナトリウム【塩化ナトリウム】塩。食塩。

えんか・ビニール【塩化ビニール】❶アセチレンと塩素を原料にしてつくる化合物。塩化ビニール樹脂の原料。塩ビ(えんビ)。❷「塩化ビニール樹脂」の略。塩化ビニールが重合してできる固体。熱に弱いが、耐水性・耐酸性・電気絶縁性にすぐれる。塩ビ(えんビ)。

えんか・ぶつ【塩化物】塩素と、塩素よりも陽性の元素との化合物。塩化ナトリウム・塩化銀など。

えん・がわ【縁側】―がは ❶日本建築で、座敷の外側に作った細長い板敷き。縁。❷魚のひれの基部にある肉。また、〔カレイ・ヒラメなどの〕魚のひれにある骨。

えん・かわせ【円〈為替〉】エンかはせ ❶日本の円貨幣と外国貨幣との比較価値。円の外国為替相場。❷日本の円貨幣で表示した外国為替手形。円価手形。

*えん・かん【円環】まるい輪。まるくつながったもの。

*えん・かん【鉛管】鉛で作った管。主に、水・ガスなどを送るために用いる。類語ビニール管。鉄管。


えん・がん【沿岸】❶川・海・湖などに沿った陸地。❷川・海・湖などの陸地に近い部分。類語①②沿海。―ぎょぎょう【―漁業】陸地に近い海などで行う漁業。沿海漁業。対沖合漁業。遠洋漁業。

*えん・き【延期】《名・他サ》予定した日時・期間などを延ばすこと。「無期―」類語延引(えんいん)。日延(ひの)べ。

*えん・き【遠忌】三年忌以上の年忌。遠忌(おんき)。参考真宗では「えんき」というが、他宗では「おんき」という。

*えん・き【塩基】酸を中和して塩(えん)をつくる水酸化物。かせいソーダ・かせいカリ・水酸化アンモニウムなど。

*えん・ぎ【演技】《名・自サ》❶〔俳優や芸人が〕舞台や映画で、芝居・おどり・曲芸などの技を演じてみせること。また、その技。❷ある目的があってわざとやってみせること。また、その行動・動作。「―の笑顔」

*えん・ぎ【演義】〔文〕❶意義をわかりやすく説明すること。❷史実を興味深く脚色して書いた中国の通俗小説。演義小説。「三国志―」

*えん・ぎ【縁起】❶〔仏〕一切の物事の起こり。❷神社や寺などの由来や変遷についての伝説。また、それを記したもの。❸よい事または悪い事が起こりそうな兆し。また、先行きの吉凶を判断するもとになるもの。「―がよい」「―でもない(=悪い事が起こりそうでいやな感じである)」「―を担ぐ(=幸先のよしあしを気にする)」―だな【―棚】商家で、繁盛を祈るために設けてある神棚。神仏混交のものが多い。―なおし【―直し】《名・自サ》悪い縁起をよい縁起にかえるために祝い直すこと。―もの【―物】縁起を祝うための品物。だるま、まねき猫、酉(とり)の市の熊手(くまで)など。

えん・きょく【×婉曲】《形動》遠回しに言うようす。露骨(ろこつ)でないようす。「誘いを―に断る」「―な表現」

えん・きょり【遠距離】遠い距離。遠い道のり。長距離。対近距離。

えん・きり【縁切り】親子・兄弟・夫婦・主従などの関係を絶ちきること。「―寺」類語絶縁(ぜつえん)。離縁(りえん)。

えん・きん【遠近】遠いことと近いこと。―ほう【―法】絵画で、立体の奥行きや自然の距離などを画面に表すための方法。パースペクティブ。

えん・ぐみ【縁組(み)】《名・自サ》❶夫婦・養子などの関係を結ぶこと。特に、夫婦の関係を結ぶこと。❷〔法〕養子縁組。

えん・ぐん【援軍】❶味方を救い助けるための軍隊。類語援兵。❷力をかす仲間。類語加勢。

*えん・げ【×嚥下】《名・他サ》→えんか(嚥下)。

*えん・けい【円形】まるい形。「―劇場」「―脱毛症」

*えん・けい【遠景】❶遠くの景色。対近景。❷〔絵や写真の〕画面の中で、遠方の部分。類語背景。

*えん・げい【園芸】野菜・果樹・草花などの栽培。

*えん・げい【演芸】大衆的な、劇・歌・おどり・落語・手品などの芸。「―会」

エンゲージ 婚約すること。▽engage ―リング 婚約指輪。婚約のしるしに男性から女性に贈る指輪。▽engagement ring から。

えん・げき【演劇】舞台装置・照明などを用い、演出者の指導で俳優が演技をして、脚本の筋書きを舞台の上に表現する総合芸術。劇。類語芝居。ドラマ。

類義語の使い分け　演劇・芝居
[演劇・芝居] 演劇(芝居)を鑑賞する／演劇(芝居)通
[演劇] 演劇を上演する／演劇活動／演劇界
[芝居] 芝居がはねる／芝居を打つ／猿芝居

えん・げつ【×偃月】〔文〕半月に少し足りない、中のくぼんだ月。弓張月。―とう【―刀】偃月の形をした刀。古代中国の武器の一つ。

エンゲル・けいすう【エンゲル係数】家計の総支出の中で、食費の占める比率を百分比で表したもの。参考この係数が高いほど生活が苦しいとされる。ドイツの学者エンゲルが提唱した。

えん・けん【×厭×倦】〔文〕物事に飽きて、それ以上続けることがいやになること。

*えん・げん【×怨言】〔文〕恨みを込めて言うことば。うらみごと。「―を連ねる」

*えん・げん【×淵源】〔文〕物事の起源であり、根本をなすもの。根源。「教育の―」

えんげんどう【×袁×彦道】ばくち。参考中国東晋時代のばくちの名人の名から。

*えんこ《名・自サ》❶〔幼児語で〕座ること。幼児がしりもちをついた状態になること。❷〔俗〕列車・自動車などが

故障して動かなくなること。「バスが—する」

*えん-こ【円弧】円周の一部分。

*えん-こ【縁故】❶血縁や姻戚関係によってつながっていること（人）。縁続き（の人）。❷あることによって生じた、人と人、また人と物との関係。「—採用」

*えん-こ【塩湖】湖水一リットル中に〇・五グラム以上の塩類を含む湖。死海・カスピ海など。塩水湖。類語 鹹水湖。鹹湖。対 淡湖。

*えん-ご【×掩護】《名・他サ》敵の攻撃などから味方の行動や拠点をかばい守ること。「—射撃」表記「援護」で代用することも多い。類語 庇護。援護。

*えん-ご【援護】《名・他サ》〔困っているものを〕助け守ること。「—の手をさしのべる」参考 →掩護。類語 掩護。庇護。

*えん-ご【縁語】歌や文章中で、あることばと意味上つながりのあることばを使って表現効果をあげること。また、そのことば。「難波江の蘆のかり寝の一夜ゆゑ身をつくしてや恋ひわたるべき」では、「かり」「ひとよ」は蘆の縁語、「みをつくし」は難波江の縁語。

*えん-こう【円光】仏・菩薩などの頭上から後方にまるく差す光。後光。

えん-こう【猿×猴】〔文〕サル。特に、テナガザル。

*えんこう-きんこう【遠交近攻】遠い国と親交を結び、近い国を攻める外交政策。参考 中国の戦国時代に、魏の范雎の唱えた外交政策。

えん-ごく【遠国】❶遠くにある国。遠くはなれた地方。類語 遠邦。遠地。遠境。❷律令制で、都から遠く隔たった国。遠国。対 ①②近国。

えん-こん【×怨恨】〔深い〕恨み。「—を抱く」

えん-さ【×怨×嗟】《名・他サ》〔文〕恨み嘆くこと。恨みの気持ちを強く表すこと。「—の声」「—の的」

*えん-ざ【円・坐・円座】《名・自サ》多くの人が、輪の形になって座ること。車座。

*えん-ざ【円座】〔わら・すげ・藺などで〕うずまき状に、まるく平たく編んだ敷物。わろうだ。わらざ。

円 座

えん-ざい【×冤罪】おかしたおぼえのない罪。無実の罪。ぬれぎぬ。冤枉。「—をこうむる」

エンサイクロペディア 百科事典。百科全書。▽encyclopedia

えん-さき【縁先】❶縁側の外に近い端。「—で日なたぼっこをする」❷縁側の前。

えん-さだめ【縁定め】〔夫婦・養親子などの〕縁を取り決めること。

えん-さん【塩酸】塩化水素の水溶液。純粋のものは無色透明で、不純物を含んだものは黄色をおびる。化学工業・染色・繊維工業などに用途が広い。

えん-ざん【演算】《名・他サ》計算。運算。

*えん-し【煙死】《名・自サ》煙にまかれて死ぬこと。

*えん-し【遠視】目に入る光線が網膜の後方で像を結び、近くのものがはっきり見えない状態。凸レンズで矯正する。遠眼。とおめ。類語 老眼。対 近視。

*えん-じ【園児】幼稚園・保育園などに通う子供。

*えん-じ【×衍字】〔書かれたり印刷されたりした〕語句の中にあやまって入っている不要の文字。対 脱字。

*えん-じ【×臙脂】❶ベニバナからとった紅色の顔料。べに。❷黒みがかった赤色。臙脂色。

エンジェル 天使。また、天使のような人。エンゼル。▽angel —フィッシュ カワスズメ科の熱帯魚。原産地はアマゾン川。体は平たい円形で、銀白色に黒の横じまが数本ある。観賞用。▽angelfish

えんじつ-てん【遠日点】太陽系の天体が楕円軌道上で、太陽から最も遠ざかる点。対 近日点。

エンジニア〔機械・土木などの〕技師。技術家。技術者。▽engineer

エンジニアリング 工学。工学技術。「ヒューマン—」▽engineering

*えん-じゃ【演者】〔芝居や音楽を〕演じる人。

*えん-じゃ【縁者】血縁や縁組によって、縁のつながっている人。身内の者。

えん-じゃく【×燕×雀】〔文〕ツバメやスズメ（のように小さい鳥）。対 鴻鵠。

—安くんぞ鴻鵠の志を知らんや《句》〔小さな鳥にどうして大きな鳥（鴻鵠）の心がわかろうかの意〕小人物には大人物の考えがわからないたとえ。〈史記・陳渉世家〉

*えん-じゅ【延寿】〔文〕寿命を延ばすこと。長生き。

*えんじゅ【×槐】マメ科の落葉高木。夏から秋ごろにかけて、淡黄色のちょう形の花を開き、ソラマメに似た種が、さやの中にできる。代表的な中国の庭木。

*えん-しゅう【円周】円を形づくる曲線。また、円のまわり。—りつ【—率】円周の、直径に対する比。約三・一四。記号はπ。

*えん-しゅう【演習】❶軍隊が、仮に実戦の状況を設けて行う訓練。❷ゼミナール。

*えん-しゅう【遠州】「遠江の国」の唐風の呼び名。

えん-じゅく【円熟】《名・自サ》❶物事によくなれて、上手になること。「—した演技」類語 熟達。成熟。❷人格が円満になり、如才がなくなること。対 ①②未熟。

えん-しゅつ【演出】《名・他サ》❶演劇・映画・放送などで、脚本にもとづいて俳優の演技や舞台装置・衣装・照明・音楽・音響効果などを指導し、全体をまとめあげて一つの作品にすること。❷ある会合や式で、その内容や進行の順序などの方法を工夫して全体をまとめあげること。「開会式の—」

えん-じゅつ【演述】《名・他サ》〔文〕自分の意見・思想などを述べること。

*えん-しょ【炎暑】真夏のはげしい暑さ。酷暑。

*えん-しょ【×艶書】〔文〕恋文。艶文。ラブレター。

えん-じょ【援助】《名・他サ》〔困っている人や国に〕力や物を与えて、助けること。「資金を—する」類語 救援。救助。

エンジョイ《名・他サ》十分に楽しむこと。▽enjoy

*えん-しょう【延焼】《名・自サ》火事などの火が、火元から他に燃え広がること。参考「類焼」は、もらい火で焼けること。

*えん-しょう【炎症】細菌やウイルスの感染、薬剤の刺激、物理的作用などが原因で、からだの組織が赤くはれ、熱をもって痛む状態。

*えん-しょう【煙硝・×焔硝】❶硝酸カリウム。硝石。❷火薬の別称。

*えん-しょう【×艶笑】❶〔文〕あでやかに笑うこと。❷〔物語・話などで〕好色的なおかしさ。「—小ばなし」

*えん-しょう【遠称】文法で、他称の指示詞の区分の一つ。話し手からも相手からも遠くにある対象（事物・場所・方向・人など）を指すもの。口語では、「あれ」「あそこ」「あちら」「あの方」「あんな」など、文語では、「か」

「かしこ」「かなた」など。参考→近称・中称。

えん・じょう【炎上】《名・自サ》大きな建物・船などが火事でやけること。

***えん・しょく【×怨色】**〔文〕うらんでいる顔つき。

***えん・しょく【×艶色】**〔文〕〔女性の〕あでやかな容色。つややかな顔色。

***えん・じる【×怨じる】**《他上一》→怨(えん)ずる。

***えん・じる【演じる】**《他上一》→演(えん)ずる。

***えん・しん【延伸】**《名・自他サ》〔文〕のばすこと。また、のびること。

***えん・しん【遠心】**中心から遠ざかること。対求心。**—りょく【—力】**円運動している物体が、中心から遠ざかろうとする力。対求心力。

***えん・じん【×厭人】**〔文〕人を嫌い避けること。人間ぎらい。「—癖(へき)」

***えん・じん【円陣】**❶円形の陣だて。❷多くの人が集まって輪の形に並ぶこと。「—を組む」

***えん・じん【猿人】**原人より前の進化段階にある化石人類の総称。学名はアウストラロピテクス。

***エンジン** 内燃機関・蒸気機関などの熱エネルギーを機械エネルギーに変える、熱機関の総称。機関。発動機。原動機。「—が掛かる(=勢いがつく)」▽engine

***えん・すい【円×錐】**円周上のすべての点と、この円の平面以外の一定点とを結んでできる立体。円錐体。

***えん・すい【塩水】**塩を含んだ水。塩を入れた水。しおみず。類語鹹水(かんすい)。**—こ【—湖】**→えんこ(塩湖)。対淡水湖。

えん・ずい【延髄】脳髄の下端にあって、脊髄(せきずい)の上端に続く部分。直接生命に関係のある、肺・心臓・血管などの働きを支配している。

エンスト〔俗〕エンジンがとまること。「バスが—を起こす」参考和製英語「エンジンストップ」の略か。

***えん・ずる【×怨ずる】**《他サ変》うらむ。怨(えん)じる。

***えん・ずる【演ずる】**《他サ変》❶ある劇(の役)や芸などを行う。❷ある役割をつとめる。「いい父親を—・ずる」❸しでかす。「醜態を—・ずる」=演じる。

***えん・せい【×厭世】**この世に生きていることが嫌になること。「—家(=ペシミスト)」「—的」対楽天。**—かん【—観】**厭世主義。対楽天観。**—しゅぎ【—主義】**(pessimism)世の中や人生には生きてゆくだけの価値がないとする考え。対楽天主義。

***えん・せい【延性】**物体を引っ張ったとき、弾性の限界を超えても破壊されずに細長く引きのばせる性質。参考銅・金・白金などは延性が大きい。→展性。

***えん・せい【遠征】**《名・自サ》❶遠い所へ攻めていくこと。❷試合・探検・登山などの目的をもって、遠い所まで旅行すること。「ヒマラヤ—」

***えん・せき【宴席】**宴会の場所。酒盛りをする場所。

***えん・せき【縁×戚】**縁続き。親戚。

***えん・せき【遠×戚】**血のつながりの薄い親戚。

えん・せきがいせん【遠赤外線】赤外線のうち、波長の長い(五〇〜一〇〇〇マイクロメートル)電磁波。高分子化合物によく吸収され、効率よく熱を発生するので加熱・殺菌などに利用される。

えん・せつ【炎節】〔文〕夏のこと。類語炎帝。朱夏。

えん・ぜつ【演説・演×舌】《名・他サ》多くの人の前で、自分の主義・主張・意見などを述べること。また、その話。類語講演。講話。弁論。談話。スピーチ。

エンゼル→エンジェル。▽angel

***えん・せん【×厭戦】**〔戦争にあきて〕戦争を嫌うこと。「—思想」「—気分」参考積極的に戦争を嫌い、反対する場合は、「反戦」。対好戦。

***えん・せん【沿線】**鉄道線路にそった地域。類語沿道。

***えん・ぜん【×婉然】**《形動タルト》〔文〕しとやかで美しいようす。「—たる淑女」類語婉々(えんえん)。

***えん・ぜん【×宛然】**《形動タルト》〔文〕そっくりであるようす。まさにそのとおりであるようす。「「さながら」の意で副詞的にも使う」「—桃源郷である」

***えん・ぜん【×嫣然・×艶然】**《形動タルト》〔文〕美しい女性がにっこりと笑うようす。「—と笑う」

***えん・そ【遠祖】**何代も前の祖先。遠い祖先。

***えん・そ【塩素】**ハロゲン元素の一つ。刺激の強いにおいを発する黄緑色の有毒な気体。液化しやすく、漂白・酸化・消毒剤として使用。元素記号Cl。

***えん・そう【×淵×藪・×淵×叢】**〔文〕物事の多く寄り集まる所。「学問の—」参考「淵」には魚が集まり、「藪」「叢」には鳥や獣が集まることから。

***えん・そう【演奏】**《名・他サ》〔人々にきかせるため〕音楽をかなでること。「—会」類語奏楽(そうがく)。吹奏(すいそう)。

えん・ぞう【塩蔵】《名・他サ》〔たべものを〕塩につけて保存すること。塩漬け。

えん・そく【遠足】見学や運動などのため、日帰りで〔歩いて〕遠くへ行くこと。

エンターテイナー 娯楽などを提供して、人を楽しませる人。エンタテナー。▽entertainer

エンターテイメント 娯楽。演芸。余興。エンタ(ー)テインメント。「—に徹した映画」▽entertainment

えん・たい【延滞】《名・自サ》金銭の支払い・納入などが、期日より遅れること。「—利息」類語遅滞。

***えん・だい【演台】**演説などをする人の前に置く台。

***えん・だい【演題】**演説・講演などの題。

***えん・だい【縁台】**夏、外で夕涼みなどをするときの細長い腰かけ台。「—で涼む」「—将棋」

***えん・だい【遠大】**《形動》〔計画や理想の〕規模が大きく、先のことまで考えているようす。「—な計画」

えん・だか【円高】為替相場で、外国の通貨に対して日本の円の価値が高いこと。対円安。

***えん・たく【円卓】**まるいテーブル。「—会議」

***えん・タク【円タク】**《「一円タクシー」の意》昭和初期、「市内一円」の料金札をつけて走ったタクシー。転じて、流しのタクシー。

エンタシス〔古代ギリシア・ローマ建築で〕円柱の中ほどにある、わずかなふくらみ。参考法隆寺金堂(こんどう)の柱にも見られる。▽entasis

えん・だて【円建て】対外為替相場で、外国通貨の一定額に対して、円貨で表示する方式。邦貨建て。

***えん・だん【演壇】**演説などをする人が立つ壇。

***えん・だん【縁談】**結婚・養親子などの縁組の相談。特に、ある人に結婚の縁組をすすめるための相談。

えん・ちゃく【延着】《名・自サ》〔列車・電車・飛行機・荷物などが〕決められた〔予定された〕日や時刻よりも遅れて着くこと。対早着。

えん・ちゅう【円柱】❶丸い柱。❷平行な位置にある面積の等しい二つの円と、その円周上のすべての点を結ぶ直線が作る面とで囲まれた立体。円壔(えんとう)。円筒。

***えん・ちょう【園長】**〔幼稚園・動物園など〕園と名の

つく施設で、一番上の地位の人。類語園主。

*えん‐ちょう【延長】❶《名・自他サ》ある決まった長さや時間がのびること。また、のばすこと。「―戦」対短縮。❷その物・事と一続きになる物・事。「仕事を遊びの―と考えるな」❸のべにした長さ。「鉄道の―キロ数」

えんちょう‐こくい【円頂黒衣】〔文〕〔丸い頭と黒い衣の意から〕僧の姿。僧。

えん‐ちょく【鉛直】《名・形動》❶重力の方向。物体をつり下げた糸の示す方向（に向いていること）。❷ある直線・平面に垂直な方向（に向いていること）。

えん‐づ・く【縁付く】《自五》嫁（よめ）に行く。とつぐ。また、婿（むこ）に行く。

えん‐つづき【縁続き】❶親類としてつながりがあること。類語身内（みうち）。❷縁側でつながっていること。

*えん‐てい【園丁】〔文〕公園・庭園の手入れや番などをする職業（の人）。類語植木屋。庭師。

*えん‐てい【×堰堤】〔文〕ダム。

エンディング 終わり（の部分）。結び。▽ending

*えん‐てん【円転】まるくまわること。類語輪転（りんてん）。

―かつだつ【―滑脱】《名・形動》人と争わず、自由な態度で滑らかに物事を行うこと。「―な司会」

*えん‐てん【炎天】焼けつくように日が照る夏の空。また、その天気。「―下（か）を歩く」類語炎暑。酷暑。

えん‐でん【塩田】海水をひき入れ、太陽熱で蒸発させて塩をとるための広い砂場。しおはま。

エンド ❶〔物事の〕終わり。結末。❷末端。はじ。▽end ―ユーザー ❶製品の一般消費者。❷コンピューターなどの一般利用者（末端使用者）。▽end-user ―レス《名・形動》終わりがなく、いつまでも続くようす。「―テープ」▽endless

*えん‐とう【円×壔】円柱②。

*えん‐とう【円筒】❶丸い筒。❷円柱②。

*えん‐とう【遠島】❶陸地から遠く離れた島。類語孤島。離れ島。❷江戸時代の刑罰の一つ。罪人を伊豆（いず）七島・佐渡・壱岐（いき）などの島に送った刑。島流し。

*えん‐とう【遠投】《名・他サ》ボールなどを遠くへ投げること。

*えん‐どう【沿道】道路に沿ったところ。類語沿線。

*えん‐どう【×豌豆】マメ科の越年草。葉の先にまきひげがある。若いさやと熟した実は食用。

えん‐どお・い【縁遠い】《形》❶つながりが薄い。あまり縁がない。「哲学には―・い」❷なかなか結婚する機会に恵まれない。〔女性についていうことが多い〕

*えん‐どく【煙毒】工場や精錬所などから吐き出す煙に含まれる毒素。

*えん‐どく【鉛毒】❶鉛に含まれている毒素。❷鉛の毒を吸ったり皮膚につけたりしたためにおこる、慢性の中毒症。貧血や消化器・神経系統に異常をおこす。

えん‐とつ【煙突】❶燃料を完全に燃やすために、通風や煙を外へ送り出す働きをもった装置。長い筒を立てた形のものが多い。❷〔隠〕タクシーの運転手が不当な利益をえるために、料金表示器を用いずに客を運ぶこと。表記②は片かなで書くことも多い。

エントランス 入り口。▽entrance

エントリー《名・自サ》〔競技などへの〕出場申し込み。参加登録。また、その名簿。「―ナンバー」▽entry

エントロピー 熱力学で、物質の状態を表す量の一つ。物質を構成する粒子の配列や秩序の度合いを表す。▽entropy

えん‐ない【園内】〔幼稚園・動物園など〕園と名のつく場所の中。対園外。

えん‐にち【縁日】〔「有縁（うえん）の日」の意〕寺や神社で、祭ってある神仏の降誕・成仏（じょうぶつ）など、何らかの縁がある日。その神仏の供養や祭りなどが行われ、露店が出、参詣人（さんけいにん）でにぎわう。

えん‐ねつ【炎熱】〔焼けるように太陽の照りつける〕真夏の厳しい暑さ。「―地獄」類語酷暑（こくしょ）。炎暑。

*えん‐のう【延納】《名・他サ》金銭・物品などを決められた期日より遅れて納めること。類語滞納（たいのう）。

*えん‐のう【演能】能楽を演ずること。

えん‐の‐した【縁の下】縁側の下。床下（ゆかした）。

―の筍（たけのこ）《句》〔上がつかえて一生のびることができない意から〕一生出世できない者のたとえ。

―の力持ち《句》他人の気づかないところで、他人のために苦労や努力をする・こと（人）。縁の下の舞（まい）。

えん‐ぱ【煙波・×烟波】〔文〕〔広い海などで〕もやのかかったようにかすんでみえる波の連なり。「―縹緲（ひょうびょう）」

えん‐ばく【×燕麦】イネ科の一年草、または二年草。葉は線形で細長く、穂はまばら。実は飼料やオートミールの材料となる。オートむぎ。からすむぎ。

えん‐ぱく【延泊】《名・自サ》予定を延長して宿泊すること。

えん‐ぱつ【延発】《名・自サ》〔列車・飛行機などが〕決められた日や時刻よりも遅れて出発すること。対早発。

*えん‐ばん【円盤】❶まるくて平たい板状のもの。「空飛ぶ―」❷円盤投げに用いる木製のまるい盤。❸レコード。―なげ【―投げ】投擲（とうてき）競技の一種目。円盤②を投げ、その距離を競うもの。

*えん‐ばん【鉛版】紙型（しけい）に鉛の合金を流し込んでつくった印刷版。ステロタイプ。

*えん‐び【×艶美】《名・形動》〔文〕あでやかに美しいこと。また、その美しさ。類語艶麗（えんれい）。

*えん‐ビ【塩ビ】「塩化ビニール」の略。

えん‐ぴ【猿×臂】サルのように長い腕。「―を伸ばす（＝物をつかむために腕を長く伸ばす）」

えん‐ぴつ【鉛筆】木の軸の中に細い芯（しん）をはめこんだ筆記用具。黒色の芯は黒鉛・粘土を材料にする。

えんび‐ふく【×燕尾服】公式の夜会などに着る、男子の正式礼服。参考上着の後ろすそが、燕（つばめ）の尾に似ていることからいう。類語タキシード。モーニング。

*えん‐ぶ【円舞】❶大ぜいがまるく輪を作って踊るダンス。輪舞（りんぶ）。❷男女が一組になってまるく回りながら踊る社交ダンス。「―曲（＝ワルツ）」

*えん‐ぶ【演武】❶武術を練習すること。❷武術を行うこと。

*えん‐ぶ【演舞】《名・自サ》❶舞の練習をすること。❷大ぜいの前で舞を舞ってみせること。「―場」

えん‐ぷ【×怨府】〔文〕多くの人のうらみが集まる所。

えん‐ぷく【×艶福】男性が多くの女性に愛されるしあわせ。「―家」

エンブレム 標章。紋章。類語ワッペン。▽emblem

*えん‐ぶん【×衍文】〔文〕文章の中に誤ってはいっている不必要な文句。

*えん‐ぶん【×艶文】〔文〕恋文。艶書（えんしょ）。

*えん‐ぶん【×艶聞】男女間の恋愛に関するうわさ。「―を流す」類語浮き名。醜聞（しゅうぶん）。

***えん・ぶん【塩分】** 物に含まれる塩の量。塩気。

***えん・ぺい【×掩×蔽】**《名・他サ》〔文〕❶〔大きなものを〕おおい隠すこと。「―壕(ごう)」❷→星食(せいしょく)。

***えん・ぺい【援兵】** 応援の兵。類語 援軍(えんぐん)。

えん・ぺん【縁辺】 ❶ふち。まわり。❷縁故のある人・家。「―をたよる」

***えん・ぼう【遠望】**《名・他サ》遠くを見渡しながめること。遠見(とおみ)。類語 望見(ぼうけん)。展望。眺望(ちょうぼう)。

***えん・ぼう【遠謀】** 先々のことまで考えに入れたはかりごと。類語 深謀(しんぼう)。**―しんりょ【―深慮】** 先々のことまで深く考えること。深慮遠謀。深謀遠慮。

えん・ぽう【遠方】 遠くのほう。遠いところ。

エンボス 紙・布・皮革などに型押しして、模様や文字を浮き彫りにすること。「―加工」▽emboss

えんま【×閻魔】《「閻魔羅闍(えんまらじゃ)」の略》〔仏〕冥土(めいど)へ来た人間を現世での行状によって裁くという、地獄の大王。閻魔王。閻魔大王。閻王。閻羅(えんら)。**―がお【―顔】** 閻魔のような恐ろしい顔。対 えびす顔。**―ちょう【―帳】** ❶〔仏〕閻魔が、死者の生前に行ったすべてのことを書きしるしておくという帳面。❷〔俗〕教師が、生徒の成績・品行などをしるしておく帳面。

えん・まく【煙幕】 敵の目から味方の行動を隠すためにまきひろげる煙の層。**―を張・る**《句》❶煙幕をまきちらして、味方を敵の目から隠す。❷真意を隠すために別のことを言い立てたり、問題を別のものにすりかえたりしてごまかす。

えん・まん【円満】《名・形動》❶どこにも不満がなく、もめ事がおこらないこと。「夫婦―」❷〔人柄が〕かどがなくおだやかなこと。「―な性格」類語 温厚(おんこう)。

えん・む【煙霧】 ❶煙と霧。❷スモッグ。

えん・むすび【縁結び】 ❶男女の縁を結ぶこと。「―の神様」❷思う人の名を書いた紙をこよりにして、社寺の格子や樹木に結びつけておくと、その人と縁が結ばれるという俗信。また、それによる願かけ。

えん・めい【延命】 命をのばすこと。延命(えんみょう)。「―策を講じる」類語 延寿(えんじゅ)。延年。

えん・もく【演目】 上演目録。芝居の出し物の題名。

えん・や【×艶×冶】《形動》〔文〕なまめかしく美しいようす。類語 妖冶(ようや)。

えん・やす【円安】 為替相場で、外国の通貨に対して日本の円の価値が低いこと。「―ドル高」対 円高。

えん・ゆ【縁由】〔文〕❶ゆかり。関係。縁由(えんゆう)。❷〔法〕意思を決定するに至った理由。動機。

えんゆう・かい【園遊会】 庭園に多くの客を招き、飲食・演芸などを行う会。ガーデンパーティー。

***えん・よう【援用】**《名・他サ》自説を有利にするためにその証拠となる事実や文献を引用すること。「政府発表の統計を―する」類語 援引。

***えん・よう【×艶容】**〔文〕〔女性の〕なまめかしく美しい姿。あでやかな姿。類語 艶姿(えんし)。

***えん・よう【遠洋】** 陸地から遠く離れた大海。「―漁業」対 沿海。近海。

***えん・らい【遠来】** 遠くからやって来ること。「―の友」

***えん・らい【遠雷】** 遠くで鳴る雷(かみなり)。

えん・り【×厭離】〔仏〕けがれたこの世を嫌い離れること。厭離(おんり)。**―えど【―×穢土】**〔仏〕けがれたこの世を嫌い、理想的な極楽浄土に生まれることを望むこと。厭離穢土(おんりえど)。参考 →欣求浄土(ごんぐじょうど)。

エンリッチ《名・他サ》食品にビタミンやミネラルなどの栄養素を加えること。また、その食品。栄養強化〔食品〕。▽enrich(=強化する)

えん・りょ【遠慮】 ❶〔文〕遠い将来のことまで考えること。また、その考え。「深謀―」❷《名・自サ》〔他人に対し、自分のしたいことを〕控え目にすること。「―して少ししか食べない」❸《名・自サ》〔まわりの事情などを考えて〕祝い事や目立つような行いなどを差し控えること。「忌中なので年始回りは―する」❹《名・自サ》〔相手の申し出などを〕それとなくことわること。「せっかくのお誘いですが、―させていただきます」**―会釈も無・い**《句》相手の立場や気持ちを考えず、自分の思いどおりに事を運ぶようす。

えん・るい【塩類】 →えん(塩)。**―せん【―泉】** 塩素イオンをもつ塩類を多量に含む温泉。

***えん・れい【×婉麗】**《形動》〔文〕しとやかで美しいようす。「―な所作(しょさ)」

***えん・れい【×艶麗】**《形動》〔文〕あでやかで美しいようす。「―な容姿」類語 艶美。

えん・ろ【遠路】 遠い道のり。「―はるばる訪ねる」

お

於→お

***お【小】** を《接頭》❶《体言について》㋐「こまかい」「小さい」「少ない」などの意。「―川」「―舟」㋑調子をととのえたり表現をやわらげたりして、やさしい感じを表す。「―暗い」「―やみなく降る」❷《用言について》「すこし」の意。「―琴」「―田」

***お【▽御】**《接頭》《「御(おん)」の転》❶《体言・用言の上について》尊敬・謙譲・丁寧の意を表す。㋐尊敬の意を表す。〔動詞の上につく場合は、連用形に「になる」「なさる」「くださる」「あそばす」などがついた形に続く〕「―顔」「―わかりになる」㋑謙譲の意を表す。〔動詞の上につく場合は、連用形に「いただく」「ねがう」「もうし上げる」「する」「いたします」などがついた形に続く〕「―手紙さし上げます」「―はずかしい」「―願いいたします」㋒丁寧の意を表す。「―米」「―天気」❷《「お」+動詞連用形+「なさい」の形の「なさい」を略して言い切った形》軽いやわらかな命令を表す。「早く―行き」❸〈「お…さま」「お…さん」の形で〉相手に対する同情・ねぎらい・なぐさめなどの意を表す。「―世話さま」「―気の毒さま」❹女の名前の上につけて、軽い尊敬・親愛の意をそえる。「―富さん」表記 ④は「阿」「於」とも書く。参考 →御(ご)。御(おん)。御(み)。御(ぎょ)。

***お【雄・×牡】** を《接頭》《「男(お)」と同語源》❶〔動植物の〕「おす」「雄性」の意。「―牛」「―花」対 雌(め)。❷「おおしい」の意。「―たけび」

***お【尾】** を ❶動物のしりから細長くのびたもの。しっぽ。❷山のすそののびた所。「山の―」対 峰。❸〔尾①に似て〕うしろに長くのびたもの。「凧(たこ)の―」「彗星(すいせい)の―」**―を引・く**《句》〔すんだあとまで〕影響が続く。

***お【▽男】** を《「雄(お)」と同語源》㊀《名》〔古〕おとこ。男子。「賤(しず)の―」「ますら―」対 女(め)。㊁《接頭》❶「男性」の意。「―神」❷対になっているもののうち、強いもの大きいものを表す。「―滝」「―竹」表記「雄」とも書く。対 ①②女(め)。

お

***お**【緒】を ❶〔羽織・兜・履物などに付いている〕ひもや糸。「堪忍袋の―が切れる」❷〔楽器や弓などの〕糸。弦。❸長く続くもの。「あらたまの年の―」

お-あいそ【▽御愛想】❶あいそ①②④の丁寧語。「―を言う」❷世間的な義理で行うふるまい。「ほんの―に顔を出す」❸〔飲食店などの〕勘定。あいそ。

おあいにく-さま【▽御▽生憎様】《感・形動》《「あいにく」の丁寧な言い方》相手の望みどおりにいかなかったときに、わびやなぐさめの意をこめていう語。また、相手の望みどおりにいかないようす。「―に存じます」〔ひややかしや皮肉をこめて使うこともある〕類語 お気の毒さま。

お-あし〔俗〕金銭。お金。ぜに。参考 足がはえたように世の中を渡り歩くことから言われる。表記 ふつうかな書きにする。「お銭」「お足」とも書く。

オアシス ❶砂漠の中で、水がわき出し、木がしげっている所。❷いこいの場所。「公園は都会の―」▽oasis

お-あずけ【▽御預け】―づけ ❶飼い犬などに食べ物を見せて、許しを出すまで食べさせないこと。❷約束や計画だけで実行が中止されていること。「遠足は当分―だ」❸江戸時代の刑罰の一つ。参考 →預け③。

***おい**【×甥】をひ 自分の兄弟・姉妹のむすこ。対 姪。

***おい**【×笈】おひ《「負い(=負うこと)」から》修験者・行脚僧などが、仏具・衣服・書籍・食器などを入れてせおう箱。足・とびらがついている。

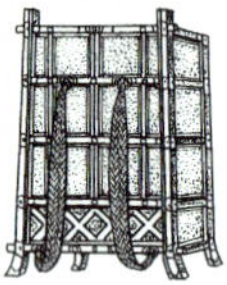
笈

***おい**【老い】年をとっていること。また、老人。「―を忘れる」「―も若きも」「―の一徹」

***おい**《感》❶心やすく・呼びかける(答える)語。〔親しい間柄の者や目下の者に対して使う〕「―、もう起きろよ」❷やや驚いたときにいう語。

おい-あ・げる【追い上げる】―おひ《他下一》追いつき、追いこそうとして激しく迫る。

おい-うち【追(い)討ち・追(い)撃ち】―おひ ❶〔逃げていく人を〕追いかけてうつこと。❷立ち直れない状態の人にさらに打撃を加えること。「冷害に―をかける水害」参考 ①②とも、「―をかける」「―を受ける」の形で使うことが多い。

お-いえ【▽御家】へ―い ❶貴人・他人の家の尊敬語。❷封建時代の主人(特に大名や武士)の家。主家。「―の一大事」❸〈―様〉昔、中流以上の町家(特に商家)の主婦に対する尊称。奥方様。 **―げい**【―芸】❶〔歌舞伎・能などで〕その家に古くから伝わる独特の芸。❷その人のもっとも得意とする独特の芸・やり方。同 ①②家の芸。 **―そうどう**【―騒動】❶御家②でおこった跡継ぎなどの争い。特に、江戸時代の大名家の内紛。❷会社・団体などの内部の派閥争い。 **―りゅう**【―流】❶日本風の書体の一つ。伏見天皇の皇子尊円法親王が創始したもの。江戸時代の公文書はこの書体で書かれた。青蓮院流。尊円流。❷三条西実隆が創始した香道の一派。

***おい-おい**【追(い)追(い)】おひおひ《副》《「―と」「―に」の形も》〔順を追って〕だんだんに。しだいしだいに。「―暖かくなる」表記 かなで書くことが多い。

***おい-おい** ━《感》同輩または目下の者によびかける語。━《副》《「―と」の形も》〔大声をあげて〕はげしく泣くようす。また、その声の形容。

おい-おと・す【追い落とす】―おひ《他五》❶追いかけてせめ滅ぼす。また、追い払って本拠地を奪う。❷〔下の地位から上がってきて〕他人をある地位から退ける。

おい-かえ・す【追い返す】おひかへす《他五》〔やってきたものを〕もとの方へもどす。その場から立ち去らせる。追いもどす。類語 追い払う。

おい-か・ける【追い掛ける】―おひ《他下一》❶〔先に進んでいるものなどを〕あとから追う。❷ひきつづいて次のことをする。また、ひきつづいて、次のことがおこる。「―・けて事件が起こる」=おっかける。

おい-かぜ【追(い)風】―おひ 進んでゆく方向に後ろから吹く風。追い風。順風。「―に乗る」対 向かい風。

おい-かわ【追川・追河】おひかは コイ科の淡水魚。からだは平たく、しりびれが長い。関東ではヤマベ、関西ではハエ・ハヤなどという。異称が多い。

おい-き【老い木】多くの年月をへて衰えてきた木。老木。老樹。「―に花(=衰えたものがふたたび勢いをとりもどすこと)」類語 古木。対 若木。

おい-く・ちる【老い朽ちる】《自上一》年をとって役に立たなくなる。また、むなしく一生を終える。類語 老いさらばえる。老い果てる。

おい-ご【×甥御】をひ― 他人の甥の尊敬語。対 姪御。

おい-ごえ【追(い)肥】おひ― 追肥。対 元肥。

おい-こ・す【追い越す】おひ―《他五》❶あとからきて先のものより前になる。❷〔道路交通法で〕後車が進路を変えて進行中の前車の側方を通り、その前方に出る。❸〔おとっていたものが〕あるものよりすぐれたものになる。「米国を技術で―・す」類語 追い抜く。

おい-こみ【追(い)込み】おひ― ❶追って中に入れること。❷〔仕事などの〕最終段階。「選挙戦も―にはいった」❸印刷の組版で、改行または改ページをせずに、前の行または前のページに続けて活字を組むこと。

***おい-こ・む**【老い込む】《自五》年をとって衰える。年寄りくさくなる。類語 おいぼれる。(する)耄碌。

***おい-こ・む**【追い込む】おひ―《他五》❶追っていってあるものの中にはいらせる。❷せめたてて、ある立場に立たせる。「窮地に―・む」「自分を―・んで練習する」類語 追いつめる。陥らす。陥れる。❸最後の段階で、残っている力全部を出してがんばる。「直線コースで―・む」❹印刷の組版で、追い込み③の状態で組む。

***おい-さき**【生い先】おひ― 成長していく、将来。「―が楽しみだ」

***おい-さき**【老い先】年をとって、先の短い将来。余生。「―が短い」

おい-さらば・える【老いさらばえる】―さらばへる《自下一》《文語四段動詞「おいさらぼふ」から転じた語》年をとって、みにくくみじめな姿になる。

おいし・い【▽美▽味しい】《形》《文語形容詞「いし(=味がよい)」に接頭語「お」のついた形から》❶〔飲食物の〕味がよい。うまい。「―・い料理」参考「うまい」より丁寧、かつ上品な感じを与え、女性が好んで使う。対 まずい。❷〔俗〕都合がよい。魅力がある。「―・い話」❸〔俗〕おかしい。笑いの種になる。「―・いことを言う」⇩【類語と表現】

類語と表現

「美味しい」
＊朝食が美味しい・このケーキはとても美味しい・山の空気が美味しい・美味しい酒・ラーメンの美味しい店・果物の美味しい

季節。

◆うまい・味がよい・後口がよい・飲み口がよい・うまみ・美味・好味・厚味・滋味・佳味・甘味・甘露・珍味・醍醐味(だいごみ)・芳醇(ほうじゅん)
◆動詞表現 舌鼓を打つ〔鳴らす〕
◆副詞句表現 あごが落ちそう・ほっぺたが落ちそう

おい・しげ・る【生い茂る】—おひ《自五》草木がたくさんの枝葉をひろげてしげる。類語(する)繁茂。

おい・すが・る【追い×縋る】—おひ《自五》追いかけていってすがりつく。「—・って頼みこむ」

オイスター 牡蠣(かき)。▽oyster **—ソース** かきを煮つめて作る中国料理の調味液。かき油。▽oyster sauce

おい・ずり【×笈×摺】—おひ 巡礼などが着物の上に着る、ひとえのそでなしの羽織に似たうすもの。おいずる。参考 昔、笈(おい)を背負ったとき、着物がすりきれないように、修験者(しゅげんじゃ)などが着たもの。

おい・せん【追(い)銭】—おひ 支払いがすんだ上にさらに支払う余分な金。おいがね。「盗人(ぬすっと)に—」

おいそれ・と《副》《「おい」と呼ばれて「それ」と応じる意》即座に物事に応じるようす。参考 多く下に打ち消しの語を伴う。「—引き受けられない」

おい・だき【追(い)×焚き】—おひ《名・他サ》さめたふろの湯を、もう一度温め直すこと。

おいだし・コンパ【追(い)出しコンパ】—おひ 卒業生を送り出すために開くコンパ。参考 主に学生が使う。

おい・だ・す【追い出す】—おひ《他五》❶おいたてて外へやる。追い払う。❷その人が属している社会からしめ出して関係を断つ。類語(する)追放。

おい・たち【生い立ち】—おひ ❶成長すること。「子供の—を見守る」❷生まれ育ってきた経歴。「不幸な—」

おい・た・てる【追い立てる】—おひ《他下一》❶無理におってその場から去らせる。また、せきたてて、早く行くようにする。❷〔家などから〕立ちのかせる。❸《多く受け身の形で》せかされる。「仕事に—・てられる」

オイタナジー 安楽死。ユータナジー。▽(ドイツ) Euthanasie

おい・ちら・す【追い散らす】—おひ《他五》おいたてて散らばるようにさせる。「やじうまを—・す」類語 けちらす。

おい・つか・う【追い使う】—おひつかふ《他五》〔休むひまも与えず〕おいまわして使う。酷使する。こき使う。

おい・つ・く【追い付く・追い着く】—おひ《自五》❶あとから行った者が先に行った者のところへ行き着く。❷技術・能力などが、先行しているものや目標としている水準に達する。「西欧の技術水準に—・く」

おい・つ・める【追い詰める】—おひ《他下一》逃げるところのなくなるまで追う。類語 追い込む。

***おい・て**【追(い)手】—おひ 敵や犯人など、逃げるものをおいかける人。おって。「—が迫る」

***おい・て**【▽措いて】《連語》〔文〕《「置きて」の音便。多く下に打ち消しの語を伴う》〈「…を—」の形で〉…をのぞいて。…以外に。「かれを—適任者はない」

***おい・て**【×於(い)て】《連語》〔文〕《「置きて」の音便》〈「…に—」の形で〉❶あることが行われる場所を示す。…で。〔格助詞的に用いる〕「校庭に—朝礼を行う」❷…の分野で。「外交に—手腕を発揮する」❸…に関して。…について。「輸入高に—第一位」

お・いで【▽御▽出で】㊀《連語》❶《下に「になる」「なさる」「です」などを伴う》「行く」「来る」「居る」の尊敬語。「遊びに—になる」「ここに—です」類語 光臨。来駕(らいが)。❷「おいでなさい」の略。「行きなさい」「来なさい」「居なさい」を親しんで言ういい方。「ここまで—」㊁《名》「来ること」の尊敬語。「—を乞(こ)う」**—おいで**【—▽御▽出で】〔子供などをよぶときにする〕手まねき。

おいてき・ぼり【置いてきぼり】とり残されること。おいてけぼり。「—をくう」

お・いど —ゐど《「居処(=座る所)」に接頭語「お」をつけた語》〔関西方言〕おしり。参考 もと、女房ことば。

おい・ぬ・く【追い抜く】—おひ《他五》❶あとからいって先になる。❷〔道路交通法で〕後車が進路を変えないで、進行中の前車の前方に出る。類語 追い越す。❸〔劣っていたものが〕あるものよりすぐれたものになる。「数学の成績ではA君を—・いた」

おい・の・いってつ【老いの一徹】《連語》老人が一つのことを押し通そうとすること。また、その頑固さ。

おい・はぎ【追(い)×剝(ぎ)】—おひ 夜道などで通行人をおどして衣類や金銭などをうばう・こと(人)。引剝(ひは)ぎ。剽賊(ひょうぞく)。類語 辻強盗(つじごうとう)。盗賊。

おい・ばね【追(い)羽根】—おひ 二人以上で一つのはねを羽子板(はごいた)でつきあう、〔女の子の〕新年の遊び。

おい・ばら【追(い)腹】—おひ 昔、主君の死後、そのあとを追って家臣が切腹したこと。「—を切る」

おい・ばらい【追(い)払い】—おひばらひ《名・他サ》一度支払ったあとからさらに追加として支払うこと。

おい・はら・う【追い払う】—おひはらふ《他五》〔いやなものなどを〕追って遠ざける。おっぱらう。類語(する)放逐(ほうちく)。

おい・ぼれ【老(い)×耄(れ)】おいぼれること。また、おいぼれた人。〔老人をあざけったり、老人が自分を卑下したりして言う語〕

おい・ぼ・れる【老い×耄れる】《自下一》年をとって心身のはたらきがにぶる。

おい・まく・る【追い×捲る】—おひ《他五》❶はげしく・追い払う(追い散らす)。❷《受け身の形で》はげしくせきたてられる。「仕事に—・られる」

おい・まわ・す【追い回す】—おひまはす《他五》❶〔逃げていくものを〕あちこちと追う。❷〔休む間もなく〕はげしく働かせる。「雑事に—・される」類語 こき使う。

おい・め【負い目】—おひ 金銭を借りたり恩恵をうけたり損害を与えたりして、そのことを負担に思う気持ち。「—を抱く」類語 ひけめ。

おい・や・る【追い▽遣る】—おひ《他五》追って去らせる。おいはらう。また、せきたてて行かせる。

おい・ら【▽己▽等・×俺▽等】《代名》《「おれら」の転。自称の人代名詞》〔俗〕おれ。〔男性が使う。やや品位に欠け、子供っぽさ・親しみなどの感じを添える〕

おい・らく【老いらく】《「老ゆ」の名詞化「おゆらく」の転》〔文〕年をとること。老年。「—の恋(=年老いてからの恋)」

おいらん【▽花×魁・▽華×魁】〔江戸吉原の遊郭で〕姉女郎のこと。また、格の高い遊女。太夫。転じて一般に、女郎。遊女。参考 妹分の女郎や新造(しんぞ)・かむろなどが「おいらの姉さん」をちぢめて呼んだことから。

***お・いる**【老いる】《自上一》年をとる。また、心身の働きが、年をとっておとろえる。「—・いてますます盛ん」文 お・ゆ《上二》。

—いては子に従え《句》年をとったら何事も子供にまか

せてそれに従うのがよい。

*オイル 油。▽oil **—ダラー** 石油売買による収入で産油国に蓄積される余剰外貨。▽oil dollar **—フェンス** 海に流出した油が拡散するのを防ぐための囲い。▽oil と fence からの和製語。 **—やき【—焼(き)】** 油をたっぷり使って焼く・こと(料理)。

おい・わけ【追分】 ❶〔牛馬を追い分ける所の意から〕街道が二つに分かれる所。❷「追分節」の略。民謡の一つ。テンポが緩やかで哀調のある馬子唄。

*おう【応】** 承知すること。「いやも—もない」

*おう【王】** ❶国家で、最も上位にある男性の統率者。国家の最高主権者。君主。対女王。❷その方面で最もすぐれた、最も力のあるものにつける称号。「三冠—」❸日本の皇族で、三世以下の嫡男系嫡出の子孫である男子。対女王。❹将棋の駒の一つ。王将。

*おう【翁】** ❶男の老人。おきな。❷男の老人の名につける敬称。〔ふつう接尾語的に用いるが、名前を省略して単独で代名詞的にも用いる〕「蕉—(=松尾芭蕉)」「沙—(=シェークスピア)」「—の生涯」

*お・う【負う】** 《他五》❶〔人・荷物を〕肩から背中のあたりにのせる。背負う。「荷を—・う」類語しょう。おぶう。かつぐ。になう。舁く。引っかつぐ。おんぶ(する)。❷後ろにする。「月を—・って立つ」❸他からもたらされたものを、わが身に引き受ける。「恨みを—・う」「手傷を—・う」類語しょい込む。引き受ける。食らい込む。受け持つ。抱える。抱え込む。かぶる。ひっかぶる。❹おかげをこうむる。「先人の偉業に—・うところが大きい」参考↓負えない。文《四》。

—うた子に教えられて浅瀬を渡る 《句》ときには自分より経験の少ない人からかえって教えられることがあるというたとえ。

*お・う【追う・▽逐う】** 《他五》❶先の方に離れて・いる(ある)ものに対して、そのもとに行こうと急ぐ。また、目的とするものを捕らえようとして、進む。「流行を—・う」「—・いつ—・われつ」❷物事の順序などに従ってすすむ。「日を—・って親しくなる」❸〔そこにいるのは好ましくないと思って〕ほかの場所に行かせる。また、家畜などをある場所に行かせる。「ハエを—・う」「牛を牧舎に—・う」❹《受け身の形で》せかされて、ゆっくり楽しむ余裕がない状態である。「生活に—・われる」文《四》。

おう・い【王位】 王の位。「—の継承」類語王座。

おう・いつ【横×溢・×汪×溢】 《名・自サ》〔精神力などが〕みちあふれること。「活気が—する」

*おう・いん【押印】** 《名・自サ》はんを押すこと。捺印。

*おう・いん【押韻】** 《名・自サ》詩文で、韻をふむこと。

おうう【奥羽】 陸奥の国と出羽の国。今の青森・秋田・山形・岩手・宮城・福島の六県。東北地方。奥羽地方。

おう・えん【応援】 《名・他サ》❶〔苦しんだり困ったりしている人に〕力をかしてたすけること。加勢。「選挙—」類語引き立て。尻押し。援助。賛助。救援。増援。❷競技で、声をかけたり拍手をしたりして味方の選手に元気をつけること。「—団」類語声援。

*おう・おう【往往】** 《副》そうなりやすい場合がよくあるようす。参考「—に」「—にして」の形で使うことが多い。「自信過剰は—にして失敗する」類語ときどき。しばしば。時折。折々。

*おう・おう【×快×快】** 《形動タルト》〔文〕不平・不満を心にいだいているようす。「—として楽しまず」注意「応々」は誤り。

*おう・か【桜花】** 〔文〕サクラの花。「—爛漫」

*おう・か【欧化】** 《名・自他サ》ヨーロッパ風になること。また、そうすること。「—思想」類語西洋化。

*おう・か【王化】** 〔文〕国王の徳により世の中をよくすること。「—あまねし」

*おう・か【×謳歌】** 《名・他サ》〔声をそろえて歌う意から〕多くの人々がほめたたえること。また、しあわせな気持ちや楽しい気持ちなどをかくさず行動すること。「青春を—する」類語賛美。礼賛。賞賛。

*おう・が【×枉×駕】** 《名・自サ》〔文〕〔わざわざ、駕を枉げて(=乗り物の方向を変えて)来る意から〕相手の来訪を尊敬していう語。御来駕。「—の栄に浴す」

*おう・が【横×臥】** 《名・自サ》横向きに寝ること。側臥。

おう・かくまく【横隔膜】 哺乳類の胸腔と腹腔とのさかいにある、弓のような形の筋肉性の膜。肺臓の呼吸作用をたすける。隔膜。

*おう・かん【往還】** 〔文〕❶《名・自サ》人や車馬がゆききすること。「—のはげしい街道」❷通り道。街道。

*おう・かん【王冠】** ❶王のかぶるかんむり。❷栄誉のしるしのかんむり。❸びんの口金。

*おう・ぎ【奥義】** 学問・武芸・芸術などの奥深い最も大事な点。奥義。類語真髄。極意。

*おうぎ【扇】** あおいで風をおこす道具。扇子。末広がり。〔「扇子」よりも雅語的な言い方〕類語うちわ。

おうぎ・がた【扇形】 扇を広げた形。扇形。

*おう・きゅう【応急】** 急場の間にあわせ。「—手当て」

*おう・きゅう【王宮】** 王のすむ宮殿。類語皇宮。

おう・ぎょく【黄玉】 珪酸塩の柱状の結晶。かたく、透明または半透明。黄色のものが宝石としてこのまれる。一一月の誕生石。トパーズ。黄玉。

おう・け【王家】 王の一族。王族。

おう・けん【王権】 国王の権力。「—神授説」

おう・こ【往古】 〔文〕遠くすぎさった昔。大昔。いにしえ。往昔。

*おう・こう【往航】** 〔船や飛行機などが〕目的地に行くときの航行・飛行。対復航。帰航。

*おう・こう【横行】** 《名・自サ》❶横に歩くこと。「—の介子(=カニの別称)」❷自由に、また無遠慮に・歩きまわる(ふるまう)こと。「—闊歩」❸〔悪事などが〕あちこちで盛んに行われること。「新手の詐欺が—する」

*おう・こう【王侯】** 王と諸侯。「—貴族」

*おう・こう【王公】** 王と諸公。また、身分の高い人。

おう・こく【王国】 ❶王が支配する国。❷ある一つのものが大きな力をもって栄えている社会。「野球—」

おう・ごん【黄金】 ❶金。また、金色。❷貨幣。金銭。❸非常に価値のある・こと(もの)。「—の腕」 **—じだい【—時代】** (golden age)〔ある国・組織体・人などの勢力や活動が〕最も盛んな時代。特に、ある国の文化が最も栄えた時代。最盛期。 **—ぶんかつ【—分割】** 一つの線分を外中比(一対一・六一八)に分けること。横と縦とがこの比になると、長方形の形として一番調和がとれて美しいといわれる。

おう・ざ【王座】 ❶王の座席。また、その地位。王位。❷第一人者の地位。「野球界の—」類語首位。

*おう・さつ【応札】** 《名・自サ》入札に参加すること。

*おう・さつ【殴殺】** 《名・他サ》(手で)なぐり殺すこと。

［類語］撲殺。

***おう-さつ**【×鏖殺】《名・他サ》〔文〕みなごろしにすること。みなごろし。「一族を一する」

おう-さま【王様】❶王を尊敬または親しんで呼ぶ言い方。❷㋐その方面で、最高位にあるもの。「果物の一」㋑最も権力・勢力のある人。「消費者は一」

***おう-し**【横死】《名・自サ》思いがけない災難で死ぬこと。不慮の死。非業の死。「一を遂げる」

***おう-し**【王師】〔文〕❶王の軍隊。❷王の師範。

***お-うし**【雄牛・×牡牛】をおすの牛。［対］雌牛。

***おう-じ**【往事】〔文〕過去のできごと。昔のこと。

***おう-じ**【往時】〔文〕過ぎ去った時。昔。「一をしのぶ」［類語］往日。［対］近時。

***おう-じ**【王事】❶帝王の事業。❷王室に関する事柄。「一に尽くす」

***おう-じ**【王子】❶王の息子。❷旧制で、親王宣下のない皇族の男子。［対］①②王女。

***おう-じ**【皇子】天皇の息子。みこ。［対］皇女。

おう-しつ【王室】王の一家・一族。また、皇室。

おう-じつ【往日】〔文〕過ぎ去った日。昔。「一の面影今やなし」［類語］昔日。往時。

おう-しゃ【応射】《名・他サ》相手の射撃に対してこちらからも撃ち返すこと。射返すこと。

おう-じゃ【王者】❶王である人。❷王道で国を治める人。［対］覇者。❸その社会で一番力のあるもの。「マラソンの一」＝王者。

おう-じゃく【×尩弱・×尪弱】《名・形動》〔文〕体がよわくて病気にかかりやすいこと。［類語］ひよわ。虚弱。

おう-しゅ【応手】〔文〕碁・将棋で、相手の・打った（指した）手に応じて・打つ（指す）手。

おう-じゅ【応需】《名・自サ》〔文〕要求や需要にこたえること。「入院一」

***おう-しゅう**【奥州】❶陸奥の国の唐風の呼び名。❷東北地方の古い呼び名。

***おう-しゅう**【応酬】《名・自サ》❶議論・意見などをやりとりすること。特に、相手の言動に対抗して、（ことばで）やりかえすこと。「領土問題で二国間の一が続く」「やじの一」［類語］応答。❷〔酒席で〕杯をやりとりすること。❸〔手紙などに〕返事をすること。［類語］返答。

***おう-しゅう**【押収】《名・他サ》〔法〕裁判所・検察官などが証拠になる品物などの占有を取得すること。

***おう-しゅう**【欧州・欧×洲】《「欧羅巴州」の略》ヨーロッパ。**一れんごう**【一連合】→EU。

おう-じゅく【黄熟】《名・自サ》草木の実、特にイネ・ムギなどの穂がみのって黄色になること。こうじゅく。

おうじゅ-ほうしょう【黄×綬褒章】→褒章。

***おう-じょ**【王女】❶王の娘。❷旧制で、内親王宣下のない皇族の女子。［対］①②王子。

***おう-じょ**【皇女】天皇の娘。皇女。［対］皇子。

***おう-しょう**【応召】《名・自サ》❶呼び出しに応ずること。❷もと、軍人を職業としない一般人が、召集で軍人の候補者として指定の場所に赴くこと。

***おう-しょう**【王将】将棋で、一番大切なこま。これをとられると負けになる。王。［参考］→玉将。

***おう-しょう**【×鞅掌】《名・自サ》〔文〕休む暇がないほど、せわしく働くこと。精励。〔手紙などで、相手の行動についていう〕「益々御一の段、喜ばしく…」

***おう-じょう**【往生】《名・自サ》❶〔仏〕この世を終わったのち、他の国土にいって生まれること。特に、極楽浄土に生まれかわること。❷死ぬこと。「大一」❸すっかりあきらめて静かになること。❹どうしてよいかわからなくて困ること。閉口。困却。「あいつにはほとほと一した」**一ぎわ**【一際】死にぎわ。転じて、あきらめようとするまぎわ。「一が悪い（＝あきらめが悪い）」

***おう-じょう**【王城】❶王のすむ城。王宮。［類語］皇城。宮城。皇居。禁城。❷〔王城①のある所の意で〕都。特に、京都。

おう-しょく【黄色】きいろ。こうしょく。「一人種」

おう-じる【応じる】《自上一》→応ずる。

***おう-しん**【往信】返事を求めて送る通信。［対］返信。復信。

***おう-しん**【往診】《名・自サ》〔開業医が〕患者の家に行って診察すること。［対］宅診。内診。

お-うす【▽御薄】「薄茶」の丁寧語。抹茶をうすくたてた飲みもの。

***おう-すい**【王水】濃硝酸と濃塩酸を混ぜた液体。普通の酸ではとけない金・白金をもとかす。

***おう-すい**【黄水】胃からはきもどす黄色い液。きみず。

おう-ずる【応ずる】《自サ変》❶〔外からのはたらきかけに対して〕こたえる。ひきうける。「挑戦に一・ずる」❷〔物事の変化・多様性などに〕ふさわしい態度で対処する。「物価の変動に一・ずる」＝応じる。

おう-せ【×逢瀬】〔恋愛関係にある男女が〕ひそかに会う機会（時）。「つかの間の一」［類語］逢引。密会。

***おう-せい**【王制】❶王の定めた制度。❷王が主権者である政治制度。君主制。王政。

***おう-せい**【王政】❶国王・天皇がみずから行う政治。「一復古」❷王制②。

***おう-せい**【×旺盛】《形動》〔体力・精神力が〕非常にさかんなようす。「元気一」「一な食欲」

おう-せき【往昔】〔文〕過ぎ去った昔。いにしえ。往古。往時。「一、栄華をきわめた都」

おう-せつ【応接】《名・自サ》人をむかえて、その相手をすること。「一間」「客に一する」「一に暇がない（＝人が次々とおとずれてきたり、物事が次々と起こったりして非常に忙しいようす）」［類語］応対。

***おう-せん**【応戦】《名・自サ》敵の攻撃に対抗して戦うこと。［類語］防戦。抗戦。

***おう-せん**【横線】横に引いた線。よこせん。［対］縦線。**一こぎって**【一小切手】表面の端にななめに二本の平行線を引いた小切手。銀行に対してだけ支払われる。線引小切手。

おう-そ【応訴】《名・自サ》相手の訴訟に応じ、被告として争うこと。［対］提訴。

おう-そう【押送】《名・他サ》〔容疑者や囚人などを〕見張りながら他の場所へ移すこと。護送。

おう-ぞく【王族】王の一族。「一王氏」

お-うた【▽御歌】❶他人の「歌」の尊敬語。❷天皇や皇族がつくった短歌。**一かい**【一会】宮中で催す短歌の会。

おう-だ【殴打】《名・他サ》ひどく打つこと。なぐること。「棒で頭を一する」

***おう-たい**【応対】《名・自サ》相手になってうけ答えをすること。「親切に一する」［類語］応答。応接。［注意］「応待」は誤り。

***おう-たい**【横隊】横にならぶ隊形。［対］縦隊。

おうたい-ホルモン【黄体ホルモン】卵巣の黄体か

ら分泌される女性ホルモン。妊娠(にん)の持続に役立つ。

おう‐だく【応諾】《名・他サ》〔頼みや申し込みを〕引きうけること。承諾。受諾。「講演を―する」

*__おう‐だん【横断】__❶《名・他サ》〔上下に分けるようにして〕横の方向に断ち切ること。「―面」❷《名・自サ》東西の方向に横切ること。「―飛行」対①②縦断。❸《名・自サ》〔川・山脈・道など帯状にのびているものを〕直角の方向に渡ること。 **―てき【―的】**《形動》同列のもの同士の連係に基づくようす。「―組織」類語 横割り。 **―ほどう【―歩道】**道路で、標識や標示によって歩行者が横断するための場所であることが示されている部分。 **―まく【―幕】**道路上を横切って張ったり、何人かで持って歩いたりする、幅の広い幕。標語や広告文などが書かれる。

*__おう‐だん【黄×疸】__胆汁(たんじゅう)の黄色い色素が、血液の中に多量にたくわえられるために、皮膚や他の組織が黄色くなる病気。

おう‐ちゃく【横着】《名・形動・自サ》できるだけ楽をして、得をしようとすること。転じて、なまけること。「―者(もの)」「―を決めこむ(=ずうずうしく構える)」

おう‐ちょう【王朝】❶帝王親政の朝廷。❷国を統治する同じ王家の系統。また、その王家が統治する時期。「ブルボン―」

おう‐つり【▽御移り】物をもらったとき、返礼としてそれを入れてきた容器に入れて返す、ちょっとした品物。参考 ふつう、半紙・マッチ・石けんなどを入れる。

おう‐て【王手】❶将棋で、相手が処置を講じなければ王将を取ろうとする手。「―飛車取り」❷あと一歩で相手の死命を制すること。「優勝に―をかける」

おう‐てっこう【黄鉄鉱】真鍮(しんちゅう)色をした硫化鉄鉱。硫黄・硫酸・肥料の製造に使う。黄鉄鉱(こうてっこう)。

おう‐てん【横転】《名・自サ》❶横倒しにころぶこと。❷左右に回転すること。

おう‐と【×嘔吐】《名・他サ》〔食べた物や胃液を〕口から外に吐き出すこと。もどすこと。「―を催す」

*__おう‐ど【王土】__王者の治める土地。

*__おう‐ど【黄土】__❶中国北部・ヨーロッパ中央部・北アメリカなどに広く見られる黄色で細かな粒の土。こうど。「―層」❷酸化鉄の粉末。粘土に混ぜ、顔料・塗料にする。オーカー。オークル。

*__おう‐とう【応答】__《名・他サ》問いや話しかけに答えること。うけこたえ。「質疑―」

*__おう‐とう【桜桃】__❶バラ科の落葉高木。サクラの一種。実は「さくらんぼ」とも呼び、六月ごろ赤く熟して食用となる。❷「ゆすらうめ」の別称。

*__おう‐どう【横道】__《名・形動》❶人としての正しい道にそむくこと。「―者(もの)」❷不正と知りながら行うこと。

*__おう‐どう【王道】__❶王の行うべき道。また、正当な方法。❷仁徳をもって人民を治める政治の方法。「―楽土」参考 孟子(もうし)が説いた。対 覇道(はどう)。❸〔royal road〕安易な方法。近道。「学問に―なし」

*__おう‐どう【黄銅】__「真鍮(しんちゅう)」の別称。 **―こう【―鉱】**銅の原料として最も重要な鉱物。おもに銅・鉄・硫黄から成る。

おう‐とつ【凹凸】❶へこみと、でっぱり。でこぼこ。❷平等でないこと。不均等。「税負担の―」

おうな【×媼・×嫗・▽老▽女】〔「おみな」の転〕年をとった女。老女。〔古風な言い方〕対 翁(おきな)。

おう‐なつ【押×捺】《名・他サ》〔文〕印判をおすこと。押印。捺印(なついん)。

おうねつ‐びょう【黄熱病】熱帯地方に流行する急性感染症。蚊が媒介(ばいかい)するウイルスによって感染する。高熱・四肢(しし)痛・黄疸(おうだん)・胃腸出血をともなう。

おう‐ねん【往年】遠く過ぎ去ってしまった昔。ひと時代、昔。「―の名選手」「―の美少女」類語 往時。

おう‐のう【×懊悩】《名・自サ》〔文〕心のおくでなやむこと。なやみもだえること。類語 苦悩。煩悶(はんもん)。

おう‐ばい【黄梅】モクセイ科の落葉小低木。春の初めに、黄色い花が咲く。迎春花。金梅(きんばい)。

おうばく‐しゅう【黄×檗宗】曹洞(そうとう)宗・臨済(りんざい)宗とともに日本三禅宗の一つ。臨済宗の系統で、中国の僧隠元(いんげん)が、江戸時代初期に黄檗山万福寺を京都の宇治にたてて始めたもの。黄檗。

おう‐はん【凹版】印刷版の方式の一つ。インキのつく部分がへこんでいる印刷版。彫刻凹版と、グラビア版などがある。参考→凸版(とっぱん)。

おう‐ばん【×椀飯・×垸飯】❶わんにもった飯。❷酒食を盛大にふるまうこと。 **―ぶるまい【―振舞】**〔江戸時代、正月に親類を集めて盛んにもてなしたことから〕盛大なもてなし。表記 誤って、「大盤(おおばん)振舞」と書き、特に近年、代用字として「大盤振舞」「大飯振舞」などと書くことが多い。

*__おう‐ひ【奥秘】__〔文〕奥深い意義をもち、他には秘密とすべきたいせつな事柄。奥義。「―を伝授する」

*__おう‐ひ【王妃】__❶王の妻。類語 皇后。きさき。❷日本の皇族中、王③の配偶者。

おう‐ふう【欧風】ヨーロッパ風。洋風。

おう‐ふく【往復】❶行きと帰り。「―三時間」❷《名・自サ》ある所まで行って帰ること。「車で―する」❸《名・自サ》交際すること。ゆきき。「日ごろ親しく―している」❹〔手紙などの〕やりとり。「―書簡」❺「往復切符」の略。同一区間を一往復するための乗車券。 **―はがき【―葉書】**往信用と返信用が、ひと続きになっているはがき。表記「葉書」はかなで書くことが多い。

*__おう‐ぶん【応分】__《名・形動》身分・能力などにふさわしいこと。身分相応なこと。「―の寄付」対 過分。

*__おう‐ぶん【欧文】__ヨーロッパやアメリカ諸国の、それぞれの言語で書かれた文章。また、それを書き表すための文字。「―電報」対 邦文。和文。

おう‐へい【横柄・押柄】《形動》えらそうにして、相手を見くだすようす。大柄(おおへい)。「―な態度」類語 尊大(そんだい)。高慢(こうまん)。傲慢(ごうまん)。不遜(ふそん)。傲岸(ごうがん)。対 謙虚。

*__おう‐べい【欧米】__ヨーロッパとアメリカ。「―諸国」

*__おう‐へん【往返・往▽反】__《名・自サ》〔文〕行き帰りすること。往復。

*__おう‐へん【応変】__〔文〕思いがけない変事に際して、適宜にそれに応じた処置をとること。「臨機―」

おう‐ぼ【応募】《名・自サ》募集にこたえて、申しこむこと。「コンクールに―する」「―要領」

*__おう‐ほう【往訪】__《名・自サ》〔文〕自分で出かけていって、人を訪れること。訪問。対 来訪。

*__おう‐ほう【応報】__善悪の行為に応じてあらわれる苦楽の報い。また、一般に悪に対する報い。「因果―」

おう‐ぼう【横暴】《名・形動》人の気持ちも構わず、むりを押し通して自分勝手なことをすること。「―の限りをつくす」「―な男」類語 乱暴。専横(せんおう)。

おうま‐が‐とき【×逢魔が時】〔文〕夕方の薄暗く

なったところ。たそがれどき。逢魔時(おうまどき)。参考「大禍時(おおまがとき)(=災厄の起こる時)」の転。

おうみ【▽近▽江】(あふみ)《「淡海(あはうみ)」の転》旧国名の一つ。今の滋賀県。江州(ごうしゅう)。

おう・む【×鸚×鵡】オウム科の鳥。熱帯地方から南半球にすむ。くちばしが太く、かぎ形にまがっている。人のことばや、他の動物の声をまねる。**ーがい【ー貝】**(がひ)頭足類オウムガイ科の軟体動物。巻き貝のような殻をもつ。**ーがえし【ー返し】**(がへし)人から言いかけられたことばを、そのまま(すぐに)言い返すこと。また、言いかけられてすぐに返事などを返すこと。

おうめん・きょう【凹面鏡】反射面が凹面になっている反射鏡。懐中電灯・ヘッドライト・反射望遠鏡などに使う。対凸面鏡(とつめんきょう)。

おうもん・きん【横紋筋】筋繊維にこまかい横じまのある筋肉。意志によって動かすことができる随意筋。収縮がはやく、すばやい運動ができる。対平滑筋。

***おう・よう【応用】**《名・他サ》前に得た原理・知識・経験を他のことにあてはめて用いること。「ー問題」「ー化学」類語活用。利用。転用。運用。

***おう・よう【×鷹揚】**《形動》(ゆうゆうと大空を飛ぶ鷹(たか)のように)小さなことにこだわらず、ゆったりしているようす。大様(おおよう)。「ーな態度」

おう・らい【往来】❶《名・自サ》(人や車などが)行ったり来たりすること。ゆきき。「車のーが激しい」類語往復。❷人や車の通る所。道。道路。❸《名・自サ》つきあうこと。交際。「親しくーする」**ーもの【ー物】**もと、往復書簡文の模範文例集。後世、初等教育用、特に寺子屋用に編集した教科書・副読本。

おう・りつ【王立】王または王族が資金を出して設立したものであること。「ー図書館」

おう・りょう【横領】《名・他サ》他人の財産や公共の物を不正な方法で自分の物とすること。「公金をーする」類語横奪(おうだつ)。着服(ちゃくふく)。ねこばば。

おう・りん【黄×燐】淡黄色で、ろう状の結晶。自然発火してもえるので、水中におく。猛毒。白燐。

おう・れつ【横列】横に並んだ列。対縦列。

おう・レンズ【凹レンズ】中央がうすく、ふちへいくほど厚くなったレンズ。虚像をつくる。近視眼用の眼鏡レンズに用いたり、凸レンズと組み合わせていろいろな光学器械をつくったりする。対凸(とつ)レンズ。

おう・ろ【往路】行くときに通る道。対帰路。復路。

お・えしき【▽御会式】→えしき(会式)。

お・えつ【×嗚×咽】《名・自サ》むせび泣くこと。「ーが漏れる」

おえ・な・い【負えない】(おへ)《連語》《「負う」の可能形「負える」の未然形＋打ち消しの助動詞「ない」》引き受けることができない。「手にーい(=手に余る)」

お・えらがた【▽御偉方】(自分とは別の境遇にあり、自分より)身分や地位が高い人たち。(からかい・わけへだての感情を含んだ言い方)「会社のー」

お・える【終える】(をへる)《他下一》終わりまでしとげる。「仕事をーえる」「中学校をーえる」参考やや俗な言い方で、自動詞的にも用いる。「仕事がーえる」対始める。文をふ《下二》。

***おお【大】**(おほ)《接頭》❶「広い」「大きい」「多い」などの意。「ー海原」「ー人数」❷物事の程度が激しい意。「ー地震」❸「極限の」「一番の」の意。「ーみそか」「ー詰め」❹「序列が上位である」意。「ー伯父」「ー番頭」❺「大体の」の意。「ーづかみ」❻(文)尊敬・賛美の意。「ー御所」「ー倭(やまと)」⇩【使い分け「だい」】

***おお**《感》❶応答・応諾の意を表す語。「ー、いいとも」❷感動・驚きを表す語。「ー、かわいそうに」❸ちょっと思い出したとき、また、思い立ったときにいう語。「ー、そうだ」表記「おう」とも書く。

おお・あざ【大字】(おほ)町村内の行政区画の一つ。小字(こあざ)を含む比較的広い地域。対小字(こあざ)。

おお・あし【大足】(おほ)❶大きな足(のうら)。❷大また。❸田で使う、板で作ったげた状の履物。

おお・あじ【大味】(おほあぢ)《形動》❶食べ物の味が単純で、こまやかな風味が感じられないようす。「ーで、うまくない」❷(物事のおもむきに)こまやかなおもしろみが感じられないようす。「ーな演技」対小味。

おお・あせ【大汗】(おほ)ひどく出る汗。「ーをかく」

おお・あたり【大当(た)り】(おほ)《名・自サ》❶予想が適中すること。❷(商売や興行で)大成功をおさめること。❸くじ引きなどで一番よいものが当たること。❹(野球で)打撃が非常に好調であること。

おお・あな【大穴】(おほ)❶大きなあな。❷金銭上の大きな損害。「興行に失敗してーをあける」❸(競馬や競輪などで)予想が大きくはずれること。また、そのために配当が高額になること。「ーを当てる」

おお・あま【大甘】(おほ)《形動》非常に手ぬるいようす。また、楽観的すぎるようす。「ーな親」「ーな見通し」

おお・あめ【大雨】(おほ)はげしく、多量にふる雨。「ー注意報」類語豪雨(ごうう)。対小雨(こさめ・しょうう)。

おお・あり【大有り】(おほ)「あること」を強めた言い方。「理由はーだよ」

おお・あれ【大荒れ】(おほ)《名・形動》❶ひどくあれること。❷大暴れすること。「酔ってーに荒れる」❸(スポーツ・かけごとなどで)予想が大きく外れ、思いがけない結果がおこること。「土俵は初日からーだった」❹天候がひどく悪いこと。暴風雨。

おお・あわて【大慌て】(おほ)《名・形動》非常にあわてること。

***おおい【覆い・▽被い】**(おほひ)物の上にひろげて、かぶせること(もの)。カバー。類語掩蓋(えんがい)。被覆(ひふく)。

***おお・い【多い】**(おほ)《形》《「大きい」と同語源》(数・量・度数などが)たくさんある。「希望者がーい」対少ない。文おほ・し《ク》。⇩【類語と表現】

類語と表現

「多い」

*人口が多い・商店が多い・交通事故が多い・今年は雪が多い・コーヒーを好む人は多い・誤りの多い論文・女性に多い病気。

◆夥(おびただ)しい・たくさん・いっぱい・うんと・たんと・たんまり・どっさり・しこたま・ふんだんに・わんさ・ごろごろ・うようよ・うじゃうじゃ・ふさふさ・もじゃもじゃ・多め・多々・幾多・過多・夥多(かた)・最多・多大・多量・数々・数多(すうた)・莫大(ばくだい)・膨大・無数・無量・仰山(ぎょうさん)・大幅・大部(たいぶ)・浩瀚(こうかん)・万斛(ばんこく)・無尽・無尽蔵・鈴生り・盛り沢山・少なからず・降るほど・尽きせぬ・星の数ほど・雲霞(うんか)の如く・枚挙にいとまがない・汗牛充棟

オー・イー・エム【OEM】自社で生産した製品に相手方の製造業者の商標をつけて、供給すること。相手先商標製品の受注生産。▽original equipment manufacturing の略。

オー・イー・シー・ディー【ＯＥＣＤ】経済協力開発機構。先進諸国が国際経済全般について協議するために設立した機構。発展途上国への経済発展の援助、高水準の経済成長の維持、世界貿易の拡大などを目的としている。▽Organization for Economic Cooperation and Development の略。

おお・いき【大息】おほー〔がっかりしたり、うんざりしたり、心配したりして〕大きくつく息。ためいき。

おお・いそぎ【大急ぎ】おほー《名・形動》ひどく急ぐこと。対小急ぎ。

おお・いちばん【大一番】おほー 相撲で、優勝や昇進のかかった大事な取組。

おお・いちょう【大▽銀×杏】おほイチャウ・おほイテフ ❶大きなイチョウの木。❷武家の髪型で、まげの先をイチョウの葉の形に広げたもの。現在は、十両以上の力士が結う。

大銀杏②

おおい・なる【大いなる】おほいー《連体》〔文〕《文語形容動詞「おおきなり」の連体形「おおきなる」から転じた語》❶大きな。大変な。「―損失」❷偉大な。「―功績」

おおい・に【大いに】おほいー《副》《文語形容動詞「おおきなり」の連用形「おおきに」から転じた語》❶非常に。はなはだしく。「―結構」「―反省している」❷たくさん。「―飲み、―食べる」類語①②少なからず。

おお・いり【大入り】おほー〔芝居・スポーツなどの興行で〕見物人がたくさん入ること。「―満員」対不入り。―**ぶくろ**【大入(り)袋】大入りのときに、従業員に祝儀として与える金銭(を入れた袋)。

おお・う【覆う・▽被う・×蔽う・×蓋う・×掩う】おほふ《他五》❶物の上にかぶせて(前をさえぎって)他の物を置く。「目を―・う」類語包む。くるむ。被ぶる。被さる。被せる。引っ被る。遮る。張り詰める。張り巡らす。(す)(る)目隠し。被覆。遮蔽。❷物の上に広がってそれを見えないようにする。「雲が山を―・う」❸包み隠す。真実を現さない。「不始末を―・う」❹まわりを取り囲む。転じて、あたりいっぱいになる。「闇があたりを―・う」文《四》。

おお・うち【大内】おほー〔雅〕天皇のすまい。皇居。大内山。類語御所。内裏。―**やま**【―山】〔雅〕大内。

おお・うつし【大写し】おほー《名・他サ》〔映画・テレビ・写真などで〕ある物の一部分を大きくうつし出すこと。クローズアップ。

オー・エー【ＯＡ】「オフィスオートメーション」の略。

*__オー・エス__【ＯＳ】→オペレーティングシステム。

*__オー・エス__《感》綱引きなどの掛け声。▽フランス oh hisse

おお・えど【大江戸】おほー「江戸」の美称。

オー・エル【ＯＬ】「オフィスレディー」の略。

おおおか・さばき【大×岡裁き】おほをかー 公正で人情味にあふれた裁定・裁判。参考八代将軍吉宗に用いられた江戸町奉行、大岡越前守忠相の裁きが、公正で人情味豊かであったということから。

おお・おく【大奥】おほー ❶御所の奥ふかい所。❷江戸城内で、将軍の夫人や側室が住んでいた所。男子禁制であった。

おお・おじ【大〈伯父〉・大〈叔父〉】おほをぢ 両親のおじ。祖父母の兄弟。表記「大伯父」は祖父母の兄、「大叔父」は祖父母の弟の場合に使う。対おおおば。

おお・おとこ【大男】おほをとこ 体がずばぬけて大きい男。類語巨人。巨漢。大兵。対小男。―**総身に知恵が回りかね**《句》体ばかり大きくて、頭の働きのにぶい男をばかにして言うことば。類語うどの大木。

おお・おば【大〈伯母〉・大〈叔母〉】おほをば 両親のおば。祖父母の姉妹。表記「大伯母」は祖父母の姉、「大叔母」は祖父母の妹の場合に使う。対おおおじ。

おお・がかり【大掛(か)り】おほー《形動》しくみ・規模が大きなようす。大仕掛け。「―な花火大会」

オーガズム →オルガスムス。▽orgasm

おお・かぜ【大風】おほー 強くふきつける風。類語強風。烈風。暴風。

おお・かた【大方】おほー ㊀《名》❶あらまし。大部分。「―の会社は土曜休日です」❷世間一般の人。「―の意見」㊁《副》❶あらかた。ほとんど。「仕事は―かたづいた」❷多分。たいてい。「―そんなことだろう」

*__おお・がた__【大型】おほー ❶大きな型。❷似た形のものの中で大きいこと(もの)。「―バス」対①②小型。―**こうりてん**【―小売店】→大規模小売店舗。

*__おお・がた__【大形】おほー 規模・模様などの大きいこと(もの)。「―の花柄」類語大柄。対小形。

オーガナイザー ❶〔労働組合などの〕オルグ。❷細胞分裂をうながす働きのあるもの。形成体。＝オルガナイザー。▽organizer

オーガニゼーション 組織。機構。▽organization

オーガニック 有機栽培であること。また、有機栽培農産物。「―食品」「―コットン」▽organic

おお・かみ【×狼】おほかみ ❶イヌ科の哺乳動物。形はイヌに似て、口が大きい。性質はあらく、肉食性で、夜、群れをなして行動し、ときに人・家畜などをおそう。日本では絶滅したといわれる。❷か弱い女をおびやかす恐ろしい男。「街の―」「送り―」―**しょうねん**【―少年】うそつき。自分がうそをついたために困るはめになった人。参考イソップ物語に出てくる少年。いつも「オオカミが出た」とうそをついていたため、本当にオオカミが出たときには信用されず、助けてもらえなかった。

おお・がら【大柄】おほー《形動》❶からだがふつうの人より大きいようす。❷《名》模様がふつうより大きいこと。また、その模様。類語大形。対①②小柄。

おおかれ・すくなかれ【多かれ少なかれ】おほかれー《連語》多くても少なくても。大なり小なり。〔副詞的に使う〕「現代人には―ストレスがある」

おお・かわ【大皮・大▽鼓】おほかは おおつづみ。

おお・き・い【大きい】おほきい《形》《「多い」と同語源》❶〔かさ・広さ・長さなどが〕たくさんの場所を占める。「―・い荷物」類語大きな。でかい。大振り。大形。大輪。巨大。広大。最大。粗大。❷〔数・量・程度などが〕多い。はなはだしい。「さわぎが―・くなる」類語→多い。❸範囲が広い。「―・い計画」❹年齢が上である。「彼は私より二つ―・い」❺重要である。「こっちの方が―・い問題だ」❻こせつかずゆとりがある。心が広い。「人物が―・い」対①〜⑥小さい。❼おおげさである。「態度が―・い」で生意気である。不相応

おおき・さ【大きさ】おほきー ❶物の長さ・広さ・かさなどの

程度。❷〔度量などの〕大きいこと。また、その程度。「スケールの―がわかる」＝大いさ。[対]小ささ。

オーキシン 植物生長ホルモン。生長素。▽auxin

おおき-な【大きな】《連体》《文語形容動詞「おおきなり」の連体形「おおきなる」の転》大きい。「―家」「―顔をする（＝自分がえらい者であるかのような、いばった態度をとる）」「―お世話（＝いらざるおせっかい）」「―口を叩く（＝大きなことを言う）」[対]小さな。

おおき-に【大きに】《もと文語形容動詞「おおきなり」の連用形》❶《副》程度のはげしいようす。大いに。「仕事が―はかどった」「―お世話だ（＝非常に迷惑なことに言うことば）」❷《感》〔関西・九州地方の方言〕「おおきにありがとう」の略。ありがとう。

おお-きみ【大君】〔文〕❶天皇を敬って言う語。[類語]天子。❷親王・王子・王女などを敬って言う語。

オー-きゃく【O脚】 両足をそろえて立った時、両ひざが離れてOの字の形に外側に曲がった脚。[対]X脚。

おお-ぎょう【大仰】《形動》〔しくみが大きい意から〕もったいぶって大げさなようす。「―な身ぶり」[表記]多くかなで書く。「大形」「大業」ともあてる。

おお-ぎり【大切り】❶物を大きく切ること。また、大きく切ったもの。❷芝居・寄席などで、その日のいちばん終わりのだしもの。切り狂言。[表記]②は、「切」の字をきらい、縁起をかついで「大喜利」とも書く。❸ものごとの終わり。大づめ。

おおく【多く】《文語形容詞「多し」の連用形から》❶《名》たくさん。大部分。「―を語らない」❷《副》たいてい。おおかた。「芸術的な催しは―秋に行われる」

おお-ぐい【大食い】 食べ物をたくさん食べる・こと（人）。大食家。大食漢。おおぐらい。「やせの―」

オークション せりうり。競売。▽auction

オークス 中央競馬の GI レースの一つ。毎年五月末に東京競馬場で行われる「四歳優駿牝馬競走」の別称。[参考]ロンドン郊外で行われる競馬にならったもの。▽Oaks

おお-ぐち【大口】❶大きい口。❷大げさなことば。「―を叩く（＝大げさなことを言う）」❸取引などの金額・数量などが多いこと。「―の注文」[対]小口。

おおくら-しょう【大蔵省】❶「財務省」の旧称。❷〔歴〕八省の一つ。律令制の中央行政官庁。諸国からの税の出納などをつかさどった。

おおくら-だいじん【大蔵大臣】❶旧大蔵省の長官。❷〔俗〕金銭の総元締めや家計の責任者（としての主婦）の称。

おお-くらばらい【大蔵払い】 大がかりに行う「蔵払い」。大蔵ざらえ。→蔵払い。

オー-ケー【OK】❶《感》「承知した」「了承した」の意。よろしい。オーライ。❷《名・自サ》同意。承諾。「―が出る」▽米 all correct をふざけて all korrect と綴ったことから。

おお-げさ【大×袈×裟】❶《名》肩からななめに大きく袈裟掛けに切りおろすこと。❷《形動》実際より誇張して言ったりしたりするようす。また、普通より程度をこえているようす。大仰。「―に驚く」[類語]大層。

オーケストラ〔音〕管弦楽（団）。[参考]俗に、略して「オケ」とも言う。→バンド。▽orchestra

おお-ごえ【大声】 大きな声。大声。高声。[対]小声。蛮声。[類語]大音。大音声。

おお-ごしょ【大御所】《〔隠居した将軍の意〕》❶隠退して表面に出て活動しないが、その社会に大きな影響力をもつ人。❷ある分野で高い地位をしめて、大きな勢力をもっている人。「文壇の―」[類語]大立者。

おお-ごと【大事】 重大な事柄。また、重大な出来事。大事件。「ほうっておくと―になりかねない」

おおさか-ずし【大×阪×鮨】 関西ふうのすし。特に、押しずし。

おお-ざけ【大酒】 多量の酒。また、一時に酒をたくさんのむこと。大酒。「―を食らう」「―飲み」

おお-ざっぱ【大雑把】《形動》❶こまかなことに注意せず、行いなどが雑なようす。「―な仕事」❷全体を大きくつかむようす。おおまか。「―な見積もり」

おおざつま-ぶし【大×薩摩節】 もと江戸浄瑠璃の一派。ふしまわしが豪壮で、江戸で流行した。後、長唄の曲調に取り入れられた。大薩摩。

おお-じ【大路】 人の多く通る広い道。大通り。本通り。〔古風な言い方〕[類語]大道。[対]小路。

おおし・い【雄雄しい・▽男▽男しい】《形》心が強く、いさぎよく困難なことに立ち向かうようす。男らしく勇ましい。[対]めめしい。[文]をを・し《シク》。

オー-ジー【OG】❶女子の卒業生・先輩。[参考]OB に対して言う場合に使う。▽old と girl の頭文字からの和製語。❷「オフィスガール」の略。

おお-しお【大潮】 潮の満ち干の差が最大になること。新月や満月の一～二日後におこる。[対]小潮。

おお-じかけ【大仕掛（け）】《形動》しかけ・しくみが大きいようす。大がかり。大規模。「―な設備」

おお-じだい【大時代】❶歌舞伎の時代物で、特に様式美を誇張した、写実性の少ない・狂言（演技・演出）。「―狂言」「―物」❷《名・形動》古めかしくて時代おくれな・こと（もの）。「―なことば」

おお-しばい【大芝居】❶設備の大じかけな芝居。また、有名な俳優がそろってでる芝居。❷江戸時代、幕府に公認された劇場。❸のるかそるかの気持ちで物事を行うこと。大ばくち。「一世一代の―を打つ」

おおしま【大島】「大島紬」の略。鹿児島県奄美大島で作られる、かすり模様に織った紬。

おお-じょたい【大所帯・大▽世帯】❶家族が大勢いる家。また、その家計。「―を切り回す」❷たくさんの人が集まった組織。

おお-すじ【大筋】〔物事の〕だいたいのすじ。あらまし。大略。「事件の―」[類語]大綱。

おおすみ【大隅】 旧国名の一つ。今の鹿児島県の東部。隅州。

おお-ずもう【大〈相撲〉】❶盛大に行われる相撲の興行。特に、日本相撲協会が行う相撲。❷力がこもって、勝負のつきにくい相撲の取組。

おおせ【仰せ】❶目上の人の言いつけ・命令。〔尊敬した言い方〕「―にそむく」[類語]主命。❷相手のことば。おことば。〔尊敬した言い方〕「―の通りです」

おお-ぜい【大勢】〔一まとまりとなった〕たくさんの人。〔副詞的にも用いる〕「―で押しかける」「人が―集まる」[類語]多勢。多人数。[対]小勢。[注意]「多勢」は誤り。

おお-ぜき【大関】 相撲で、力士の位の一つ。横綱の次の位。[参考]もと、力士の最高位で、その中で最優秀のものを横綱と称した。

おおせ-つ・ける【▽仰せ付ける】《他下一》「言い

つける」の尊敬語。命令する。任命する。

おおせら・れる【▽仰せられる】《他下一》「言う」の尊敬語「おっしゃる」のさらに改まった言い方。文おほせら・る《下二》。

おお・せる【▽果せる・▽遂せる】《接尾》「なしとげる」「はたす」の意。…しおえる。…しつくす。「逃げー・せる」「隠しー・せる」文おほ・す《下二》。

おお・そうじ【大掃除】《名・他サ》部屋・建物などの全体を念入りに掃除すること。参考組織内の反対者などをすっかりなくすことの意にも用いる。

オーソドックス ㊀《名》正統派。伝統派。㊁《形動》〔ものの考え方や方法が〕伝統的であるようす。正統的。「ーな演出」▽orthodox

おお・ぞら【大空】広く大きな空。「ーにはばたく」

オーソリティー〔その方面・分野における〕権威者。大家。また、権威。▽authority

オーダー ❶〔並べたときの〕順序。順番。「ーがくるう」「バッティングー(=打順)」❷《名・他サ》命じること。注文。▽order **ーストップ** 飲食店で、注文を受けるのをうち切ること。▽order と stop からの和製語。**ーメード** 注文して特に作らせたもの。あつらえたもの。特に、注文服。対レディーメード。▽order と made からの和製語。

おお・だい【大台】❶株式相場で、百円を単位とする値段の範囲。❷金額・数量などの変化の大きな境目となるところ。「人口が一億のーに乗る」

おお・だいこ【大太鼓】❶雅楽の、だだいこ。❷神楽・祭礼囃子・芝居下座囃子などに用いる大型の太鼓。❸管弦楽・吹奏楽に用いる大型の太鼓。バスドラム。対①～③小太鼓。

おお・たちまわり【大立(ち)回り】❶芝居で、はげしいたちまわり。❷はげしい格闘。大げんか。「夫婦でーを演ずる」

おお・だてもの【大立(て)者】❶芝居などの一座の中で、最もわざのすぐれた役者。類語御大。❷一般に、いちばん実力があり指導的な役割を果たす人。「政界のー」類語重鎮。巨頭。大御所。

おお・だな【大▽店】大きな商店。大商店。

おお・だんな【大×檀×那・大×旦×那】❶布施などを多く出す檀家。❷若主人の父親に対する尊敬語。親だんな。対若だんな。小だんな。表記②は「大旦那」と書くことが多い。

おおつ・え【大津絵】古く仏画から進んで、民間信仰と風刺を題材にした民芸風の簡単な絵。江戸時代、近江(=滋賀県)の大津で売った。

おお・づかみ【大×摑み】❶《名・他サ》手にいっぱいつかみとること。❷《名・形動》ものごとのだいたいのことをとらえること。あらすじを理解すること。「ーに説明する」類語おおざっぱ。

おお・つごもり【大×晦・大×晦▽日】〔文〕おおみそか。類語つごもり。

おお・づつ【大筒】❶酒などを入れる大きな竹筒。❷昔、大砲をさして言った語。対①②小筒。

おお・つづみ【大鼓】能の囃子に用いる打楽器の一つ。鼓の大型のもので、左のひざの上に横たえて打つ。おおかわ。対小鼓。

おお・っ・ぴら《形動》《「おおびら」の促音化》❶他をはばからず事を行うようす。「禁制品をーに売る」❷あからさまになるようす。「秘密がーになる」類語公然。

おお・つぶ【大粒】《名・形動》つぶが大きい・こと(もの)。「ーの涙」対小粒。

おお・づめ【大詰(め)】❶芝居などの最後の幕・場面。類語大団円。❷〔長くつづいた〕物事のおわり。最終段階。終局。「審議もーに近づく」

おお・て【大手】❶敵の正面を攻撃する部隊。追手。❷城の正面。城の表口。「ー門」対①②からめ手。❸〔経〕取引所で多額の売買をする人・会社。大手筋。また、一般に、同業の中で特に規模の大きい会社。「ースーパー」

おお・で【大手】❶〈ーを広げる〉㋐両手を大きく横へ広げる。㋑喜んで人を迎えるようすの形容。❷〈ーを振る〉㋐両手を大きく振って歩くようすの形容。㋑やましい所などがなく人に気がねや遠慮をしないで堂々と物事を行うようすの形容。参考②は、多く「ーを振って」の形で使う。

おお・てあい【大手合】〔日本棋院・関西棋院で〕所属棋士の昇段をきめるために行う対局。

オー・ディー・エー【ＯＤＡ】先進国から無償を含む形で、発展途上国や国際機関に対して供与する援助資金。政府開発援助。▽Official Development Assistance の略。

オーディオ ❶聴覚に関係するものについて言う語。特に、映画・テレビなどの音声部分。「ー部門」対ビデオ。❷音響再生装置。▽audio(=可聴周波の)

オーディション 歌手・俳優などを採用するか否かの決定をするための実技テスト。▽audition

おお・でき【大出来】〔予想以上の〕よい結果。申し分のないできばえ。上出来。

オー・デ・コロン アルコールに香料を加えた化粧水。▽フランス eau de Cologne(=ケルンの水)

***オート** ㊀《造語》❶「自動の」の意を表す。「ードア」「フルー(=全自動)」❷「自動車の」の意を表す。「ーショー」参考㋐「オートモビル」の略から。㋑四輪車以外のものにも言う。▽auto- ㊁《名》「オートバイ」の略。**ーキャンプ**《名・自サ》キャンピングカーなどの自動車で移動し、車やテントの中で食事や睡眠をとって旅行する・こと(場所)。▽autocamp **ーバイ** ガソリンエンジンをそなえた二輪車のうち、スクーターを除いたものの総称。単車。モーターサイクル。バイク。オート。参考auto と bicycle からの和製語「オートバイシクル」の略。**ーマチック** ㊀《形動》〔機械の力で〕自動的にできるようす。オートマティック。㊁《名》自動拳銃。また、自動小銃。オートマティック。▽automatic **ーメーション** ほとんど人力を必要とせず、機械の力で自動的に仕事をするしくみ。自動制御装置。オートメ。▽automation **ーロック** 扉をしめると自動的にかぎがかかる錠。▽autolock

***オート** 燕麦。▽oat **ーミール** 精白した燕麦をいってあらくすりつぶしたもの。また、それをかゆ状に煮て、牛乳・砂糖をかけた食品。▽oatmeal

おお・ど【大戸】商家などの表口の、大きな戸。

おお・どうぐ【大道具】舞台装置のなかで、比較的大きな道具。背景・家屋・樹木・岩石など。また、それを組みたてたり移動させたりする係。対小道具。

おお・どおり【大通り】〔町の中の〕広い道。

おおどか《形動》〔人の性質などが〕ゆったりしていて、こまかい事にこせこせしないようす。おおらか。

お

オート‐クチュール ❶高級衣装店。高級洋裁店。❷最新流行のデザインによる高級な女性用の洋服。また、その仕立て。参考パリにある高級衣装店の称から。▽フランス haute couture

おお‐どころ【大所】 ❶かまえの大きな家。金持ちの家。大家。❷ある分野で大きな勢力をもつ主だった人。大家。「文壇のー」類語大物。重鎮。

おお‐どしま【大年▽増】 としまのうちで、年齢の高い女性。参考古くは、多く二〇歳過ぎの女性を言った。類語年増。中年増。

オー‐ド‐トワレ 薄めの香水。香料の割合が五～一〇パーセントのもの。オードトワレット。トワレ。▽フランス eau de toilette

おお‐との【大殿】 〔古〕❶「貴人の住居」の尊敬語。御殿。❷宮殿の正殿。寝殿。❸「大臣」の尊敬語。おとど。❹「貴人の当主(の父)」の尊敬語。

オードブル 洋食で、おもな料理の前に食欲をうながすために食べる軽い食べ物。食前酒とともにスープの前に出される。前菜。▽フランス hors-d'œuvre

おお‐とり【大鳥・×鵬・×鳳・×鴻】 ❶大きな鳥。ツル・コウノトリの類。❷想像上の大きな鳥。鵬・鳳凰の類。表記「大鳥」と書く。

オーナー 持ち主。所有者。特に、プロ野球の球団、船、自動車の持ち主について言う。▽owner **ードライバー** 自家用車をもっていて、自分で運転する人。類語自家用車族。マイカー族。▽owner-driver

おお‐なた【大×鉈】 〈ーを振るう〉思い切った大規模な整理をはかる。「行政改革でーをふるう」

おお‐にんずう【大人数】 人数が多いこと。多くの人数。多人数。大人数。対小人数。

おお‐ね【大根】 〔文〕❶「だいこん」の古名。❷物事の根本。おおもと。

おお‐ば【大葉】 〔料理に使う〕アオジソの若葉。

オーバー ━《名》❶《自他サ》物の上やある範囲などを・越える(越す)こと。「予算をーする」❷「オーバーコート」の略。外套。━《形動》度を超すようす。大げさなようす。「ーな話し方」▽over **ーオール** 胸あてのついたズボン。子供用・作業用。▽overalls **ーシューズ** 雨などのとき、防水のためくつの上からつける覆い。▽overshoes **ースロー** 野球などで、うでを肩の上から大きく弧をえがいて前へふり下ろして投げる投げ方。上手投げ。▽over handthrow から。**ータイム** 競技で、規定の時間、または規定の回数を超えること。▽overtime **ーネット** バレーボールで、手がネットを越えて相手側のコート内でボールに触れること。参考現在はペネトレーションフォールトにふくまれる反則。▽over the net から。**ーハング** 〔登山で〕頭の上におおいかぶさるように突き出した岩。▽overhang **ーヒート** 《名・自サ》〔エンジンなどが〕熱くなりすぎること。過熱。参考節度を失った過度の状態などの意でも用いる。「ーする政党間の対立」▽overheat **ーブッキング** 〔解約などを見越して〕座席数より多く切符を売ること。▽overbooking **ーフロー** ❶水などが、あふれ出ること。❷コンピューターによる数値計算の際に、桁数が大きくなりすぎて計算が狂うこと。桁あふれ。▽overflow **ーヘッド‐プロジェクター** 書かれた絵や文字をスクリーンに映し出すスライド式の装置。複合投影機。略語OHP。▽overhead projector **ーホール** 《名・他サ》機械・エンジンなどを分解して、検査・手入れをすること。解体修理。▽overhaul **ーラップ** 《名・自サ》❶《他サ》映画で、前の画面が消えないうちに次の画面を重ねて映すこと。二重写し。略語OL。❷〔二つのもの・物事が〕重なること。また、部分的に重なること。「昔の記憶が眼前の光景にーする」▽overlap **ーラン** 《名・自サ》❶〔きまった所で止まらず〕走り越すこと。❷野球で、走者が塁を走り越すこと。▽overrun **ーローン** 銀行からの貸出金が預金高を超える状態。貸出超過。▽overloan **ーワーク** 規定や体力以上に仕事をすること。過重労働。▽overwork

おおばこ【大葉子・▽車▽前▽草】 オオバコ科の多年草。葉は根元からかたまって出て、夏、白い小さな花が穂のように咲く。おばこ。おんばこ。

オーバチュア 序曲。▽overture

おお‐はば【大幅】 ━《名》布の幅でふつうよりひろいもの。広幅。参考和服地では二幅(約七二センチ)、洋服地ではダブル幅(約一四二センチ)のもの。対小幅・中幅。━《形動》もとのものと変化したものとの変動の開きが大きいようす。「ーな値下げ」

おお‐はらい【大×祓】 《「おほはらへ」の転》宮中や神社で、一年中の罪やけがれをはらい清める行事。ふつう、六月と一二月の末日に行う。

***おお‐ばん【大判】** ❶紙・帳面などの型がふつうより大きいもの。❷江戸時代に使われた、楕円形の大形の金貨。小判一〇枚にあたる。対①②小判。

***おお‐ばん【大番】** ❶「大番役」の略。平安・鎌倉時代、皇居や市中の警護のため京都に駐在した諸国の武士。京都大番役。❷「大番組」の略。江戸幕府の職名の一つ。江戸城・京都二条城・大坂城を交替で警護した。

おおばん‐ぶるまい【大盤振舞】 →椀飯振舞

オー‐ビー【OB】 ❶卒業生。先輩。オールドボーイ。▽old boy の頭文字から。❷ゴルフで、プレーを禁じてある区域。また、その区域にボールを出してしまうこと。▽out of bounds(=範囲外)の頭文字から。

おお‐びけ【大引(け)】 ❶取引所で(最後の)立会いが終わること。また、その時の相場。対寄り付き。❷遊郭で、午前二時ごろの、店を閉める時刻。

おお‐ひろま【大広間】 ❶〔宴会・会合などをする〕広い部屋。❷江戸時代、江戸城内で、大名が列席した広間。広間。

おお‐ふう【大風】 《形動》おごりたかぶっていばるようす。おうへい。〔古風なことば〕「ーな態度」

オープニング 〔ショーや演劇などの〕開始。開会。幕あけ。「ーゲーム(=開幕試合)」▽opening

おお‐ぶね【大船】 大きな船。「ーに乗ったよう(=他の大きな力を頼りにして安心するようす)」対小船。

***おお‐ぶり【大振り】** ❶《名・他サ》バットなどを、大きく振ること。❷振幅の程度が大きいこと。❸《名・形動》形が大きめであること。大形。「ーの湯のみ」表記③は「大風」とも書く。対①～③小振り。

***おお‐ぶり【大降り】** 雨などがはげしくふること。対小降り。

おお‐ぶろしき【大風×呂敷】 〈「ーを広げる」の形で〉大げさなことを言う。

オーブン 天火。「ートースター」▽oven

お

オープン ㊀《造語》❶「(物に)おおわれていない」「屋外に・接した(面した)」などの意。「―カー」❷「制限がなく自由である」「差別がなく開放されている」などの意。㊁《名・自他サ》開くこと。開場。開館。開店。「プールが―する」㊂《形動》隠しだてがなく、あけっぴろげなようす。開放的。「―に話し合う」▽ open **―カー** 屋根・ほろをはずした自動車。▽ open car **―かかく**【―価格】小売店が自由に決められる商品価格。**―ゲーム** ❶参加資格に制限がなく、だれでも自由に参加できる競技・試合。公開競技。❷プロ野球・ボクシング・テニスなどで、リーグ戦や選手権に関係なく、自由な組み合わせによって行う試合。非公式試合。オープン戦。▽ open game **―コース** 陸上競技の中距離・長距離競走やスピードスケートレースで、走者各自の走路が区分されていないコース。対セパレートコース。▽ open course **―シャツ** 開襟シャツ。▽ open shirt **―ショップ** 労働者の雇用・解雇などに際して、労働組合の組合員と未加入者との間に差別をつけない労使間の協定。ある企業の従業員になる場合、労働組合員であることを資格条件としない制度。参考 ↓クローズドショップ・ユニオンショップ。▽ open shop **―セット** 映画撮影で、撮影所内の野外に建てる装置。屋外セット。▽ open と set からの和製語。**―せん**【―戦】オープンゲーム②。対公式戦。

おお-べや【大〈部屋〉】おほ ❶大きな部屋。対小部屋。❷劇場・撮影所などで、下級の俳優がはいる大きな部屋。転じて、下級の俳優。「―女優」❸病院で、個室に対して、たくさんのベッドが並べてある部屋。

オーボエ 木管楽器の一つ。二枚合わせたリードを使って音を出し、たてにかまえて吹く。オーボー。▽ oboe

おお-まか【大まか】おほ《形動》❶小さなことにこだわらないようす。「―な性格」類語おおらか。❷大体の所を押さえておおざっぱにするようす。「―な見積もり」

おおまが-とき【大▽禍時】おほまがー ↓逢魔が時。

おお-まじめ【大真▽面目】おほ《名・形動》非常にまじめであること。きまじめ。本気。「冗談に―で答える」参考 からかいの気持ちが含まれることも多い。

おお-また【大×股】おほ〔歩くとき〕両足を広くひらくこと。歩幅が広いこと。対小股。

おお-まわり【大回り・大×廻り】おほまはり《名・自サ》❶遠回り。特に、道の曲がり角などで、外側を大きく回ること。対小回り。❷大きな円を描いて回ること。

***おお-み**【大▽御】おほ《接頭》〔古〕神・天皇などに関する物事を表す語について、尊敬の意を表す。おおん。お ん。「―神」「―代」「―宝」「―心」

***おお-み**【大身】おほ 刃わたりが長くて大きいこと。また、そのような刀・やりなど。「―のやり」

おお-みえ【大見得】おほ 歌舞伎で、役者が特に大げさに演ずる見得。**―を切・る**《句》❶役者が大見得を演ずる。❷大げさなことを言って自信満々であることを示す。

おお-みず【大水】おほみづ 大雨などのために、川や湖の水がふえてあふれ出すこと。また、そのためにあたり一面が水びたしになること。類語洪水。出水。

おお-みそか【大×晦日】おほ 一年の最後の日。一二月三一日。おおつごもり。類語みそか。

おお-みだし【大見出し】おほ 新聞・雑誌で、目立つように大きな活字を用いた見出し。対小見出し。

おお-みや【大宮】おほ〔文〕❶皇居・宮殿・神社の尊敬語。❷太皇太后または皇太后の尊敬語。❸〔若宮に対して〕母である宮の尊敬語。**―びと**【―人】〔文〕宮中に仕える人。公卿。雲の上人。

オーム《助数》電気抵抗の実用単位。起電力の存在しない導体の二点間に一ボルトの電位差を与えて一アンペアの電流が流れる時の二点間の抵抗を一オームとする。記号Ω。▽ドイ Ohm(=ドイツの物理学者の名)

おお-むかし【大昔】おほ ずっと遠い昔。類語太古。千古。

おお-むぎ【大麦】おほ イネ科の植物。花穂は小麦より長い。実はみそ・しょうゆなどのこうじ、ビール・水飴の原料。わらは、むぎわらとして細工物の材料。

おお-むこう【大向(こ)う】おほむかう・おほむかふ ❶観客席のうしろにある一幕見の立見席。❷立見席の見物人。「―をうならせる(=大衆の絶賛を博する)」

おお-むね【大旨・▽概ね】おほ ㊀《名》物事のだいたいの趣・意味。「話の―はわかった」㊁《副》ほぼすべてにわたって。だいたい。おおよそ。「航海は―平穏であった」類語大略。概略。表記㊁は「概ね」と書く。

***おお-め**【多め】おほ《名・形動》分量・めかたなどが、ある量より少し多いぐらいの程度。対少なめ。

***おお-め**【大目】おほ ❶二百匁(=七五〇グラム)を一斤とするはかり方。❷《名・形動》人の扱い方などがおおざっぱで寛大なこと。「―に見る(=多少の不正・あやまり・欠点などがあっても、余りとがめないで寛大に扱う)」

おお-めだま【大目玉】おほ ❶目玉が大きくとび出していること。また、その目。❷ひどくしかること。参考 多く「―を食う」「―を食わせる」などの形で使う。

おお-めつけ【大目付】おほ 江戸幕府の職名。老中の下で政務全般を監督し諸大名の監視に当たった。

おお-もじ【大文字】おほ ❶大きな文字。❷欧文で、文頭や固有名詞の語頭などに用いる文字。ABCの類。頭文字。対①②小文字。

おお-もて【大持て】おほ 非常にもてること。

おお-もと【大本】おほ 物事の根本になるもの。

おお-もの【大物】おほ ❶〔同類のものの中で〕形が大きくて非常に価値のあるもの。「―を釣りにがす」❷〔ある分野で〕大きな勢力や実力をもっている人。「財界の―」対小物。**―ぐい**【―食い】ひ 勝負の世界で、自分よりずっと地位の高い相手をしばしば負かす人。

おお-もり【大盛(り)】おほ 食べ物などを容器に普通よりたくさん盛って入れること。また、その食べ物。

おお-もん【大門】おほ ❶〔大きな屋敷や城などの〕表門。正門。❷遊郭の正面の門。参考 ↓大門。

おお-や【大家・大屋】おほ ❶貸家・アパートの持ち主。家主。対店子。❷おもや。

おおや-いし【大▽谷石】おほやー 栃木県宇都宮市大谷付近からでる凝灰岩。うすい青緑色でやわらかく、火に強く加工がしやすい。建築・土木用材。

おおやけ【公】おほやけ(「大家」「大宅」の意から)❶政府。役所。皇居。国家。「―の機関」❷社会(の人々)。世間。「―の利益」❸表だつこと。広く知れわたること。「研究結果を―にする」❹個人にかかわる物事でなく、組織・社会の全体にかかわっていること。「公園は―のもの」類語公共。公有。対①〜④私。

おお-やしま【大八×洲】おほ〔「多くの島からなっている国の意から」〕「日本国」の古称。おおやしまぐに。

おお-ゆき【大雪】おほ 雪がたくさん降ること。また、たくさん積もった雪。対小雪。

おお‐よう【大様】一《形動》〔性格・態度・動作などが〕ゆったりとして落ちつきがあるようす。鷹揚。「―にかまえる」類語悠長。二《副》大体。およそ。

おお‐よそ【大▽凡・▽凡（そ）】一《名》物事の大体。あらまし。大要。「事件の―を話す」二《副》ほぼ。おおかた。およそ。「―三時」

オーラ 物や人から周りに発散するという霊気。▽aura

オーライ《感》〔「すべてよし」の意から〕「同意」「承認」の意。承知した。よろしい。オーケー。「発車―」「バック―」▽all right から。

おお‐らか【大らか】《形動》〔性格や気持ちが〕こせこせしないで、ゆったりとしているようす。「大自然の中で―に育つ」

オーラル‐コミュニケーション ❶音声によって、意思を伝え合うこと。❷英語科で会話を主体にした教科。▽oral communication

*__オール__《造語》❶「すべて…である」意。「―ウール」❷「そのメンバーを…じゅうから集めた」意。全…。「―日本」❸《英語の数詞を冠して》「競技の点数が双方とも同じである」意。「ファイブ―」▽all **―オア‐ナッシング** すべてか無か。▽all or nothing **―スター‐キャスト** 映画・演劇・テレビ番組などで、人気のある俳優・歌手・タレントがそろって出演すること。▽all-star cast **―ナイト** 終夜。夜どおし。また、終夜営業。「―で興行する」▽all-night **―バック** 髪の毛を長くのばして、分けないで全部後ろへなでつける〔男の〕髪型。▽all と back からの和製語。**―ラウンド** 運動競技などで、どんな技術でも万遍なくこなせること。万能。「―プレーヤー」▽all-round

*__オール__ ボートをこぐ櫂。▽oar

オールディーズ 昔流行した、ポピュラー音楽の名曲や映画の名作など。▽oldies

オールド《造語》「古い」「年とった」意を表す。▽old **―タイマー** 時代遅れの人物。▽old-timer〔＝古参〕 **―ボーイ** ↓OB①。▽old boy **―ミス** 婚期をすぎても未婚でいる女性。老嬢。類語ハイミス。参考現在は用いない。▽old と miss からの和製語。

オールマイティー ❶何でも完全にできる・こと〔人〕。全知全能（の神）。❷トランプで、一番強い札。ふつうはスペードのエース。類語エース。▽almighty

オーロラ ❶ローマ神話で、あけぼのの女神。参考ギリシア神話では、エオス。❷地球の南極・北極の近くで、赤・緑・紫などのうすい光が空高く大きくあらわれる現象。形は弧状・帯状・カーテン状のものなどがある。極光。▽① Aurora ② aurora

おお‐わく【大枠】 大ざっぱな限度。「予算の―」

おお‐わざ【大技】〔相撲・柔道などで〕大がかりで豪快なわざ。「―を振るう」「―で倒す」対小技。

おお‐わらわ【大▽童】《形動》❶髪がばらばらに乱れるようす。参考昔、戦場で、かぶとを脱ぎ、乱髪になって戦ったようすを、結髪していない童子の頭に見立てたもの。❷けんめいになって物事をするようす。「大会の準備に―だ」

*__おか__【丘・×岡】低く平らな土地が小高く盛り上がった部分。山よりも低いものをいう。丘陵。類語小山。峰。台地。高台。段丘。砂丘。

*__おか__【▽陸】❶地表で水におおわれていない所。陸地。りく。❷すずりの墨をするところ。対①②海。❸ふろの流し場。

―に上がった河童《句》自分の本来の領分を離れて動きがとれない、また、本来の力が発揮できないでいるようすのたとえ。

お‐かあ‐さん【〈お母さん〉・▽御〈母さん〉】 子供が自分の母親を敬い親しんで、それに呼びかけるとき、また指示するときに用いる語。対お父さん。

おかいこ‐ぐるみ【▽御蚕▽包（み）】 絹織物の衣服ばかりを着ていること。転じて、ぜいたくな・生活〔環境〕。「―で育てられた」

お‐かえし【▽御返し】 ❶人から物をもらったとき、それに対する返礼として別の物をおくること。また、その物。❷しかえしをすること。報復。

お‐かか「かつおぶし」のこと。参考もと女房ことば。

お‐かかえ【▽御抱え】 個人的に専従の人を雇うこと。また、その雇われている人。「―の運転手」

お‐かき【▽御×掻】「かきもち」の丁寧語。〔おもに関西で使う〕

おが‐くず【▽大×鋸×屑】 のこぎりで材木をひいたときに出る、粉のような木のくず。のこくず。

お‐かぐら【▽御〈神楽〉】 ❶↓かぐら（神楽）。❷平家の家屋にあとから二階をつけたすこと。また、その二階。❸灰かぐら。

お‐かくれ【▽御隠れ】〈―になる〉身分の高い人がおなくなりになる。崩御する。

お‐かげ【▽御陰・▽御×蔭】 ❶神仏の助け。加護。❷他から受けた力ぞえ（の結果）。また、ある物事・行為などによる結果。〔皮肉をこめて言う場合もある〕「彼の―で助かった」「彼の―でとんだ目にあった」

お‐かざり【▽御飾り】 ❶神仏の前に置くかざり物やそなえ物。❷しめかざり。

おがさわら‐りゅう【小×笠原流】 ❶〔武家の〕礼儀作法の流派の一つ。室町時代に小笠原長秀が定めた。❷かた苦しい行儀作法。「―のあいさつ」

おかし・い【▽可▽笑しい】《形》❶〔矛盾があったりして〕笑いたくなる気持ちである。こっけいである。❷普通とちがっている。かわっている。変である。「患者の容態が―・い」❸〔態度・行動などが〕いぶかしい。あやしい。「あの娘は店長と―・い〔＝特別な関係ができているようだ〕」❹〔俗〕ばかばかしい。「こんな芝居なんか―・くて見ていられないよ」文をか・し《シク》。

おかし‐がた・い【犯し難い】《形》おごそかで、逆らったり傷つけたりできない。「―・気品」

おかし‐な【▽可▽笑しな】《連体》おかしい。変な。変わった。「―形の建物」

おかしら‐つき【尾頭付（き）】 尾も頭も切りはなさないままの（大きな）焼き魚。参考ふつう、慶事の料理で、「めでたい」の語からタイを用いることが多い。

*__おか・す__【侵す】《他五》❶他国や他人の土地に不法にはいり込む。また、せめ入る。「領地を―・す」❷他の領分にかってにはいり込む。また、他人の権利・権限をそこなう。文《四》。⇩〔使い分け〕

*__おか・す__【犯す】《他五》❶法律・規則・道徳に反することをする。「法を―・す」対守る。❷女性に暴行する。強姦する。文《四》。⇩〔使い分け〕

*__おか・す__【冒す】《他五》❶やりにくいこと、むずかしいことを、おしきってする。また、他人の意に逆らう。「面を―・す〔＝きげんをそこなう〕」❷害をあたえる。

❸汚し傷つける。❹他姓を名のる。「母方の姓を―・す」[文]《四》。⇩〖使い分け〗

[使い分け]「おかす」
犯す〔法や決まりを破って勝手なことをする〕法を犯す・罪を犯す・過ちを犯す・女性を犯す
侵す〔いつとはなしに不法に入り込む〕国境を侵す・権利を侵（犯）す・自由を侵す・プライバシーを侵す・病魔の侵すところとなる
冒す〔向こうみずにおし切ってする〕危険を冒す・病に冒される・風雨を冒して決行する・面を冒す・名を冒す

お・かず【▽御数・▽御▽菜】〔数をとりあわせる意から〕副食物。おさい。総菜。[表記]多く、かなで書く。

お・かた【▽御方】他人をさす敬称。[類語]お人。

お・かっぱ【▽御▽河▽童】〔女の子の〕前髪を切り下げ、後ろ髪をえりもとで切りそろえた髪の形。

おか・っ・ぴき【×岡（っ）引】《「おかひき」の音便》〔「おか」は「傍」で、そばにいて手びきをする意〕江戸時代、諸役人の手先となって犯人の探索・逮捕を助けた私的な使用人。おかひき。めあかし。

おか・づり【▽陸釣（り）】❶海・川・湖沼の岸辺でするつり。[類語]船釣り。沖釣り。❷〔俗〕人をさそいこむこと。特に、女性を誘惑すること。

おかど・ちがい【▽御門違い】〔家・方向などをまちがえる意から〕目標をまちがえること。見当ちがい。「ぼくをうらむのは―だよ」

おか・ばしょ【×岡場所】江戸時代の、公認の遊郭（=吉原）以外の遊郭。

お・かぶ【▽御株】得意な芸。十八番。おはこ。「―を奪う（=ある人の得意なことを他の人が代わって行う）」

おか・ぼ【▽陸▽稲】《「陸の穂」の意》イネ科の一年草。畑につくる。陸稲。

おか・ぼれ【▽傍×惚れ・×岡×惚れ】《名・自サ》❶他の女（または男）と関係のある男（または女）を恋すること。[類語]横恋慕。❷相手の気持ちがわからないのにひそかに恋すること。[類語]片思い。

お・かま【▽御×釜】❶「かま」「かまど」の丁寧語。[表記]「かまど」の意では「御竈」と書く。❷〔俗〕しり。❸〔俗〕男色（を好む人）。また、その相手（の少年）。❹火山の噴火口。[表記]④は「御竈」とも書く。

お・かまい【▽御構い】❶江戸時代の刑罰の一つ。追放の刑。「江戸―」❷その場にいる人を心にかけること。特に、来客をもてなすこと。「どうぞ―なく」 ―なし【―無し】《連語》気にかけないようす。周囲の状況を考えないようす。「深夜でも―に大声で話す」

*__お・かみ__【▽女▽将】〔料理屋・宿屋などの〕女主人。女将。[類語]マダム。

*__お・かみ__【▽御上】〔古風な言い方〕❶天皇。朝廷。❷政府。役所。❸主君。主人。

お・かみ・さん【▽御上さん・▽御▽内▽儀さん】「かみさん」の尊敬・丁寧語。

おがみ・たお・す【拝み倒す】《他五》何度もたのんでむりに承知させる。「―・して借金をする」

おが・む【拝む】《他五》❶〔尊いものにむかって〕左右の手のひらを合わせたり、体を折りかがめたりして礼をする。[類語]（す）る参拝。遥拝。跪拝。❷深くたのみこむ。「どうかそうしてください。―・みます」❸見る。〔対象を尊んで言う〕「宝物を―・む」[文]《四》。

*__おか・め__【▽傍目・×岡目】他人のしていることをそばで見ていること。よそめ。 **―はちもく**【―八目】〔他人の囲碁をみている者は、対局者より八目先の手までよめるということから〕当事者よりも傍観者のほうが、物事の是非・得失を正確に判断できること。

*__お・かめ__【▽御×亀】❶おかめ②をかたどった面。おたふく。❷ふとってひたいやほおが出ていて、鼻が低く、まるい女性の顔。また、その女性。おたふく。❸「おかめそば」の略。かまぼこ・まつたけ（しいたけ）・ふ・ゆばなどを入れた、そば。

おか・もち【×岡持（ち）】手とふたのついた浅いおけ。料理屋などで料理を運ぶときに使う。

おか・やき【▽傍焼（き）・×岡焼（き）】《名・自サ》男女が仲よくしているのをはたからねたむこと。

おか・ゆ【▽陸湯】あがり湯。

お・から【▽雪▽花▽菜】豆腐を作ったあとの豆のしぼりかす。食材にする。うのはな。きらず。豆腐がら。

お・がら【▽麻▽幹・×苧×殻】皮をむいた麻の茎。うら盆の迎え火・送り火をたく時に使う。

オカリナ 粘土などで作った、ハトの形の笛。オカリーナ。▽イタリア ocarina

オカリナ

オカルト 神秘的なこと。超自然的な事象。▽occult

お・かわ【▽御×厠】↓おまる。

お・がわ【小川】細い流れの川。

お・かわり【▽御代（わ）り】《名・他サ》飲食したあとまた同じものをつづけて飲食すること。また、そのもの。「みそ汁の―」

お・かん【悪寒】〔発熱などのために〕ぞくぞくと感じる寒け。「―がする」「―戦慄」[注意]「あくかん」は誤読。

おかん・ばん【▽御×燗番】酒の燗の世話をする・こと（人）。燗番。

お・かんむり【▽御冠】〔俗〕おこってきげんの悪いこと。ふきげん。[参考]「冠をまげる」から。

*__おき__【置き】《接尾》《数量を表す語につけて》ある物事の間をそれだけあける意を表す。「一分―」「三段―」

*__おき__【沖・×澳】海・湖などで、岸から遠くはなれた所。[表記]かなで書くことが多い。[類語]沖合。

*__おき__【×熾・×燠】❶赤くおこった炭火。おき火。❷まきが燃えて煙が出なくなり炭のようになったもの。

*__おき__【起き】起きること。起床。〔接尾語的に使われる〕「明朝は五時―だ」「寝床から―・る」と。

*__おき__【▽隠岐】旧国名の一つ。今の島根県の一部。日本海中の諸島。隠州。

おぎ【×荻】イネ科の多年草。湿地や水辺に自生する。秋、ススキに似た大きな花の穂を出す。

おき・あい【沖合】沖の方。沖のあたり。[類語]沖。

おきあがり・こぼし【起き上（が）り小▽法師】だるま人形の底におもりをつけて、倒してもひとりでにおき上がるように作ったおもちゃ。不倒翁。

おき・あが・る【起き上がる】《自五》横たわった状態から体を起こす。また、立ちあがる。「寝床から―・る」

おき・あみ【沖×醬×蝦】エビに似た小さな節足動物。海産で、クジラ類の重要なえさ。

おき・いし【置（き）石】❶特定の場所に石を置くこと。また、その置いた石。特に、趣をそえるために庭などに置く石。❷軒下のしき石。❸囲碁で、強い人に対するとき、前もって二日以上石を置くこと。また、その石。

おき-うお【沖魚】(を) 沖でとれる魚。

おき-か・える【置き換える】(−かへる)《他下一》❶物を現在の場所から他へ移して置く。❷ある物とある物との位置を入れかえて置く。とりかえる。

おき-がけ【起(き)掛け】起き抜け。

おき-がさ【置(き)傘】❶不意の雨に備えて、勤め先や学校などに置いておく傘。❷旅館や駅などに備え、無料で貸す傘。

おき-ぐすり【置(き)薬】販売員が客の家に置いていく薬。あとで使った分だけ代金を受け取る。

おき-ご【置(き)碁】囲碁で、力の劣る方の人が、最初に二目以上置いてうつ碁。

おき-ごたつ【置(き)×炬×燵】自由に置き場所をかえられるこたつ。参考 →切りごたつ・掘りごたつ。

おき-ざり【置(き)去り】置いたままにして(残して)行ってしまうこと。置いてきぼり。「子供を−にする」

おき-じ【置(き)字】❶〔也(や)・焉(えん)・矣(い)・乎(こ)など〕漢文を訓読するときに、読まない字。助字。❷〔凡(およ)そ・抑(そもそも)・将又(はたまた)など〕手紙文で副詞・接続詞に使う字。

オキシダント 大気中の窒素酸化物・炭化水素・亜硫酸ガスなどが紫外線と作用して生じる有毒物質の総称。強酸化性物質。略語OX。▽oxidant

オキシドール「過酸化水素水」の日本薬局方名。殺菌・漂白などに使用する。▽(ドイ ツ) Oxydol

おき-つ【沖つ】《連語》〔古〕沖の。「−島根」参考「つ」は古い格助詞で、現在の「の」に当たる。

おき-つち【置(き)土】❶〔低い土地などに〕土を置き加えること。また、その土。❷客土(きゃくど)。

おき-づり【沖釣(り)】海の沖で、船に乗ってする、つり。類語 陸釣(おかづ)り。磯釣(いそづ)り。

おきて【×掟】❶仲間の間できめた守らねばならないこと。さだめ。きまり。「武士の−」❷公のとりきめ。法律。〔古い言い方〕「国の−」

おき-てがみ【置(き)手紙】《名・自サ》用件を手紙に書いて自分の去った後に残しておくこと。また、その手紙。置き文(ぶみ)。

おき-どけい【置(き)〈時計〉】机やたなの上に置いて使う時計。

おき-どころ【置き所】❶物を置く場所。物を置いた場所。❷〈身の−〉安心して住める場所。落ち着いていられる場所。「身の−がない」同①②置き場。

おきな【▽翁】❶年を取った男。老人。〔古風な言い方〕対 嫗(おうな)。❷老人に対する敬称。類語 翁(おう)。❸老人の顔に似せてつくった(能楽の)面。

おぎな・う【補う】(おぎなふ)《他五》❶たりないところをみたす。つけ加えてうめあわせをする。補充する。「説明を−・う」❷特に、損害をうめ合わせる。つぐなう。補塡(ほてん)する。「欠損を−・う」文《四》。

おき-なかし【沖仲仕】〔港などで〕本船とはしけとの間で、荷物の積みおろしをする港湾労働者。

おきな-ぐさ【▽翁草】❶キンポウゲ科の多年草。春、暗紅色のつりがね形の花を開く。参考 花が終わると、実から白い毛がのびて老人の白髪のようになるのでこの名がある。❷「菊」の別称。❸「松」の別称。

おき-ぬけ【起(き)抜け】朝、寝床をはなれたばかりの時。起きがけ。「−に電話で呼び出された」

おきのどく-さま【▽御気の毒様】《感・形動》《「おきのどく」の丁寧な言い方》❶相手の不幸に同情する気持ちを表す語。「−に存じます」❷相手に迷惑をかけたり、相手の期待に応じられなかったりして、わびる気持ちを表す語。〔ひやかしや皮肉をこめて使うこともある〕

おき-ば【置(き)場】置き所。

おき-び【×熾火・×燠火】赤くおこった炭火。また、まきなどが完全にもえて煙がでなくなったもの。おき。

おき-びき【置(き)引(き)】《名・自他サ》〔列車の中や待合室などで〕置いてある他人の荷物を盗み去る・こと(人)。「空港で−にあう」

おき-ふし【起き伏し・起き×臥し】❶《名・自サ》起きることと寝ること。毎日の生活。❷《副》寝ても起きても。始終。つねづね。「−母の身を案じる」

お-きまり【▽御決(ま)り】同じ条件のもとでは、そうなることがいつもきまっていること。「−のぐちが始まった」類語 定例(じょうれい・ていれい)。恒例(こうれい)。

おき-みやげ【置(き)〈土産〉】立ち去る時に、あとの人のために残しておく・品物(事柄)。

おき-もの【置物】❶床(とこ)の間・飾りだななどに置く飾り物。ふつう、陶器・彫刻などの美術品。❷地位などがりっぱなだけで、実際には力・価値などのない人。

おき-や【置屋】芸者や娼妓(しょうぎ)をやとっておいて、客の求めに応じて料理屋・待合などへ行かせる商売(の家)。

お-きゃん【▽御×侠】《名・形動》若い女が活発で慎みがないこと。また、そのような若い女。おてんば。

お-ぎょう【▽御形・▽御行】「ははこぐさ」の別称。ごぎょう。

お・きる【起きる】《自上一》❶横になっていたものが立つ。「転んでもただは−・きない」類語 起き上がる。❷寝床から出る。「毎朝六時に−・きる」類語 床上げ(す・る)。起床。離床。❸目をさます。「赤ん坊が−・きた」類語 起こす。目覚める。❹事件などがもちあがる。起こる。「紛争が−・きる」類語 生起(す・る)。発生。発祥。発起(ほっき)。勃発(ぼっぱつ)。突発。偶発。誘発。触発。併発。続発。文 お・く《上二》。

おき-わす・れる【置き忘れる】《他下一》物を置いた場所を忘れる。また、物を置いたまま持って帰るのを忘れる。「眼鏡をどこかに−・れた」

***おく**【億】❶一万の一万倍。❷数が極めて多いこと。

***おく**【奥】❶入り口などから遠い深い所。「路地の−の家」❷表にあらわれない深い所。「心の−」❸家の中で妻や家人がふだんいる所。❹〔古〕貴人の妻。夫人。〔身分の高い人が自分の妻をよぶ時に使う〕

おく【屋】〔文〕❶いえ。建物。❷やね。

***お・く**【置く】❶《自五》〔文〕霜・露などがおりる。「庭に白く霜が−・く」文《四》。❷《他五》❶物をある場所にすえる。また、物や人をある場所にとどめる。人をある位置にいさせる。「町に保健所を−・く」❷設ける。「肩に手を−・く」❸預けいれる。「着物を質に−・く」❹〔蒔絵(まきえ)・箔(はく)などを〕施す。「金箔を−・く」❺人を家に泊まらせて生活させる。また、人を雇って働かせる。「店員を二人−・く」❻そろばんや算木を操作する。「そろばんを−・く」❼間にはさむ。間を隔てる。「三日−・いて帰宅した」❽心にとめる。「念頭に−・く」❾〈「重きを−・く」などの形で〉重視する。「産業面にウエートを−・く」❿さしおく。除く。別にする。「君を−・いてほかに適格者はいない」表記 ⑩は「措く」と書く。⓫《「打ち消しを伴う」》その状態を見のがして許す。「犯人を見つけ出さずには−・かない」表記 ⑪は「措く」とも書く。⓬や

める。「筆を―・く(=文章を書き終わる)」「箸を―・く(=食事を終わる)」 表記 ⑫は「措く」または「擱く」とも書く。 文《四》。 三《補動》❶何らかの動作またはその結果をそのまま残す意を表す。…してそのままにする。「すきなことを言わせて―・く」 ❷あとでおこる事柄を予想した、準備的な動作を表す。前もって用意する。あらかじめ…する。「資料を調べて―・く」 ❸当座の処置としての、何らかの動作を表す。「君にだけは話して―・く」 参考 話しことばでは、「ておく(でおく)」は「とく(どく)」になることがある。「ほっといてください」「あらかじめ読んどく」 表記 三は、ふつうかな書き。 文《四》。

おく-がい【屋外】建物のそと。戸外。 対 屋内。

おく-がき【奥書】❶書写本などの書物の終わりに、その本の由来、製作の日付、筆者名などを書き記した文章。跋。 類語 奥付。 対 端書。口書き。 ❷書画類の鑑定書。 ❸役所が、届書・証書などの終わりに、その記載事項が正しいことを証明した文章。

おく-がた【奥方】身分・地位の高い人の妻。〔古風な言い方〕 類語 夫人。令閨。令室。

おく-ぎ【奥義】→おうぎ(奥義)。

おく-ざしき【奥座敷】❶〔大きな家で、ふつう客間に使う〕入り口から遠い所にある座敷。 ❷大都市近郊にある保養地・観光地のたとえ。「箱根は東京の―だ」

おく-さま【奥様】❶他人の妻に対する敬称。 類語 夫人。令閨。令室。 ❷女主人に対する敬称。 参考 「奥さん」より敬意が強い。 対 ①②だんな様。

おく-さん【奥さん】他人の妻に対する敬称。 参考 「奥様」よりくだけた言い方。

お-ぐし【▽御▽髪】「髪の毛」「頭」の尊敬・丁寧語。〔女性が使う〕

おく-しゃ【屋舎】〔文〕(大きな)建物。家屋。

おく-じょう【屋上】❶屋根の上。 対 屋下。 ❷ビルなど、比較的大きな建物の一番上の屋外に設けた平らなところ。「―ビヤガーデン」

―屋を架・す《句》〔屋根の上にさらに屋根をつける意で〕むだなことを重ねてすることのたとえ。

おく-・する【×臆する】《自サ変》〔文〕気おくれしておそれる。おどおどする。「―・する色なくふるまう」

おく-せつ【×臆説・憶説】事実に基づかずに推測での べる意見。 類語 仮説。 表記 「憶説」は代用字。

おく-そく【×臆測・憶測】《名・他サ》いいかげんにおしはかること。「―でものを言うな」「揣摩―」 類語 推測。忖度。当て推量。 表記 「憶測」は代用字。

おく-そこ【奥底】❶物事のいちばん深い所。 ❷たやすくわからない心の奥。本心。 類語 深底。

オクターブ 音階で、ある音に対して、完全八度へだたりを持った音。また、そのへだたり。同音に次いで協和度が高い。〔音のへだたりを表す単位として、助数詞的にも使う〕「三―の音域」▽ octave

―が上が・る《句》声の調子が高くなる。話し方が熱っぽくなる。

おく-だん【×臆断】《名・他サ》いいかげんにおしはかってきめること。根拠のない推量による判断。 類語 推断。

オクタン-か【オクタン価】(octane number)〔工〕ノッキング(=異常爆発)をおこしにくいガソリンの性質を示す尺度。 参考 数字が大きいほどノッキングをおこしにくい。

おく-ち【奥地】海岸や文化の中心地などから遠くへだたった地。 類語 遠隔地。

おくち-よごし【▽御口汚し】→くちよごし②。

おく-ちょう【億兆】〔文〕❶かぞえきれぬほど多い数。 ❷多くの人民。民衆。「―心を一にする」

おく-つ-き【奥津▽城】〔雅〕墓。墓所。おきつき。 参考 「つ」は古い格助詞で、現在の「の」にあたる。

おく-づけ【奥付】書物の末尾に、編著者名・発行者名・印刷者名・発行年月日・定価などを記載したもの。 類語 奥書。

おく-て【奥手・▽晩▽稲・▽晩▽生・▽晩▽熟】❶〔農〕成熟のおそい稲の品種。 表記 ①は、ふつう「晩稲」と書く。 対 中稲・早稲。 ❷〔農〕野菜・果実などの生り物で成熟のおそい品種。 ❸成熟のおそい人。「―の娘」 表記 ②は、ふつう「晩生」と書く。 対 中手・早生。

おく-でん【奥伝】師匠から奥義を教えられること。奥許し。 対 初伝。

おく-ない【屋内】建物のなか。 類語 室内。 対 屋外。

お-くに【▽御国】❶相手の国、相手の出身地に対する尊敬語。 ❷日本を天皇の国として、尊敬して言う語。 ❸「地方」「田舎」「郷里」の丁寧語。「―なまり」 ❹江戸時代、諸大名の領地に対する尊敬語。

おく-ねん【憶念】〔文〕かたく心にとどめていつまでも忘れない思いや考え。 類語 執念。

おく-の-いん【奥の院】❶寺院・神社の本堂・拝殿より奥の方にあって、本尊・本地仏・神霊などを安置してある建物。 ❷めったに人に見せないたいせつな所。

おく-の-て【奥の手】❶奥義。 ❷とっておきの手段。「―を使う」 類語 きり札。伝家の宝刀。

おく-ば【奥歯】〔生理〕口の奥の上下左右にある歯。臼歯。 対 前歯。

―に物が挟まったよう《句》思うことを率直に言わず、なにか隠しだてのあるようす。

おくび【×噯・×噯▽気】胃にたまったガスが口外に出ること。また、そのガス。げっぷ。

―にも出さない《句》すっかり秘密にして、人に話すそぶりにも見せない。

おく-びょう【×臆病】《名・形動》ちいさなことにもこわがること。 類語 怯懦。小心。

―かぜ【―風】おくびょうな気持ちがおこること。「―に吹かれる」

おく-ぶか・い【奥深い】《形》❶表や入り口から遠くはなれている。 ❷さとりにくい深い意味をもつ。また、態度などに深みがある。「―・い真理」=おくふかい。

おく-ま・る【奥まる】《自五》〔部屋などが〕入り口からかなりはなれた所にある。奥にある。「―・った部屋」

おく-まん【億万】非常に大きな数。「―長者」

おくみ【×衽・×袵】《「大領」の約転》並幅の布で長着をつくるとき、前身ごろの前えりからすそまで縫いつける半幅の細長い布。

おく-むき【奥向き】❶〔居間・台所などのある〕家の奥のほう。 ❷〔上流家庭などで〕家庭内の私的な生活に関する方面(の仕事)。「―のことには口をはさまない」

おく-めん【×臆面】気おくれしたようす。「―もなく(=遠慮する様子もなく。ずうずうしくも)」

おく-やま【奥山】人里はなれた深い山。深山。

おく-ゆかし・い【奥床しい】《形》深みと品があって心がひかれる。深い考えや心づかいが感じられて、心がひかれる。「人柄が―・い」

おく-ゆき【奥行(き)】❶〔建物や地面などの〕入り口から奥までの長さ。 対 間口。 ❷学識・経験・考え方

お

などの奥深さ。「—のある研究」

*おく・ゆるし【奥許し】奥伝(おくでん)。対 初許し・中許し。

*お・くら【▽御蔵・▽御倉】〔俗〕❶しまっておくこと。❷発表するために作った物を未発表のままにすること。「—入り」

*オクラ アオイ科の一年草。種子を包むねばねばした若いさやは食用。秋あおい。陸蓮根(おかれんこん)。▽okra

おぐら【小倉】(をぐら) ❶「小倉あん」の略。❷「小倉汁粉(おぐらじるこ)」の略。❸「小倉百人一首」の略。 —あん【—×餡】あずきのこしあんに、煮て蜜漬(みつづ)けにしたあずき粒をまぜたもの。 —じるこ【—汁粉】小倉あんでつくったしるこ。 —ひゃくにんいっしゅ【—百人一首】藤原定家が、天智(てんじ)天皇から順徳天皇の時代に至る一〇〇人の歌人の歌をそれぞれ一首ずつ選び集めた歌集。江戸時代以後、歌がるたとして使われる。

お・ぐら・い【小暗い】(を)《形》(「小」は「少し」の意の接頭語)少し暗い。ほの暗い。うす暗い。

おくら・せる【遅らせる・後らせる】《他下一》おくれるようにする。おくらす。「開演を—せる」対 進める。

おくり【送り】❶荷物をおくること。「大阪—の品」❷人を見送ること。「—迎え」対 迎え。❸「送り状」の略。❹「送り仮名」の略。❺死者を墓所まで見送ること。葬送。「野辺(のべ)の—」❻次へ(順に)移して行くこと。「一字—」❼管轄を移すこと。「検察庁—」

おくり・おおかみ【送り×狼】(—おほかみ)〔山中などで人の行くあとからついて来て害を加えるオオカミの意から〕親切そうに、(若い)女などを送って行くといって途中で悪いことをする危険な男。

おくり・がな【送り〈仮名〉】❶〔「送る」の「る」、「明るい」の「るい」などのように〕漢字仮名まじりで書くときに、語形を明らかにするために漢字のあとにつけるかな。送り。❷漢文訓読で、漢字の右下にかたかなで小さくつけるかな。捨てがな。

おくり・こ・む【送り込む】《他五》(人や物を)送って行って、目的の所までとどける。

おくり・じょう【送り状】(—じやう) 送った荷物の内容・代金などをしるして、発送人から受取人に送る書きつけ。仕切状。運送状。送り。

おくり・だ・す【送り出す】《他五》❶送って外へ出す。出かける人を送る。「卒業生を—す」❷相撲で、相手の背中を押して土俵の外へ突き出す。

おくり・つ・ける【送り付ける】《他下一》(相手がいやがるような物を)一方的に送りとどける。

おくり・づゆ【送り〈梅雨〉】梅雨が明けようとするころに降る大雨。

おくり・て【送り手】送る側の人。「荷物の—」

おくり・とど・ける【送り届ける】《他下一》送って目的の場所に着かせる。「荷物を—ける」「迷子を家まで—ける」

おくり・な【贈(り)名・×諡・×謚】人の死後、その人の生前のりっぱな行い・人格などに対しておくられるよび名。弘法大師(=空海)、伝教大師(=最澄)など。諡号(しごう)。諱(いみな)。類語 追号(ついごう)。贈号(ぞうごう)。

おくり・び【送り火】うら盆の最後の日(陰暦七月一五日)の夜、祖先の霊をふたたびあの世へ送り帰すために、その家の門前でたく火。対 迎え火。

おくり・もの【贈(り)物】(感謝・祝福などの気持ちを表すために)人にあげる品物。プレゼント。

*おく・る【贈る】《他五》❶(感謝・祝福などの気持ちを表すために)他人にものを与える。「賛辞を—る」尊敬 (する)恵贈。恵投。恵与。謙譲 (する)拝呈。❷死者に官位・称号を与える。文《四》。⇩〔使い分け〕

*おく・る【送る】《他五》❶物をある所から(離れた)他の所に移して、そこに届くようにする。参考 抽象的なものについても用いる。「手で合図を—る」謙譲 (する)拝送。❷人をある場所へ派遣する。「使いを—る」❸人をある所まで案内する。また、人に付き添って守って行く。「子どもを幼稚園まで—る」❹去って行くものと別れる。見送る。「卒業生を—る」対 迎える。❺死者を墓地におさめる。葬送する。「ひつぎを—る」❻時を過ごす。❼順ぐりに移す。「ひざを—る」❽送りがなをつける。文《四》。⇩〔使い分け〕

使い分け「おくる」

送る〔人や物を送り届ける。時を過ごす〕荷を送る・手紙を送る・別便で送る・拍手を送る・駅まで友を送る・見送る・日を送る

贈る〔物や位を人におくり与える。贈呈〕著書を贈る・入学祝いに金品を贈る・正三位を贈る

参考「贈」は感謝・祝福など敬意を込めた贈呈に、「送」は郵送などの手段による物品の移動に使う。はなむけをおくる場合は「×餞る」と書くこともある。

お・くるみ【▽御▽包(み)】寒さを防ぐために、赤ん坊の衣服の上に着せるもの。ねんねこ・かいまきに似るが、小形で、そでがない。

おくれ【遅れ・後れ】おくれること。おそくなること。「技術開発で—を取った(=相手に追い抜かれる)」

おくれ・げ【後れ毛】〔おくれてのびた毛の意から〕女性が髪をゆったり、たばねたりした時、残ってたれさがった短い毛。おくれ髪。

おくれ・ばせ【後れ×馳せ】おくれてかけつけること。また、時機におくれること。 —ながら【—×乍ら】《連語》おくれて時機を失ったが。〔多く、手紙文などで使う〕「—お祝い申し上げます」

*おく・れる【遅れる・後れる】《自下一》❶きまった日や時刻に間に合わなくなる。遅刻する。遅参する。❷進み方が・普通(予定)よりおそくなる。他のものよりあとになる。⇩〔類語と表現〕❸死ぬのがあとになる。類語 先立たれる。生き残る。生き長らえる。❹気おくれする。表記 ④は、ふつう「後れる」と書く。文 おく・る《下二》。⇩〔使い分け〕

類語と表現「遅れる」

*完成が遅れる・発育が遅れる・時計が五分遅れる・出発が二時間遅れる・願書の提出が遅れる・学校に遅れる・流行に遅れる・終電車に遅れる・遅れた時間を取り戻す。

◆立ち遅れる・滞(とどこお)る・渋る・溜(た)まる・つかえる・泥(なず)む・手間取る・暇取る・愚図つく・もたつく・伸び悩む・行き悩む／(する)遅刻・遅参・遅滞・延滞・渋滞・停滞・停頓(ていとん)・難航・難渋／遅れ・月遅れ・立ち遅れ・遅れ馳(ば)せ・頭打ち・足踏み・一進一退

使い分け「おくれる」

遅れる〔決まった時刻・時期より後になる意で、一般に広く〕電車が遅れる・会社に遅れる・発表が遅れる・時

計が遅(後)れる・出世が遅(後)れる・夫に死に遅(後)れる

後れる〔劣る〕後れ毛・後れを取る・気後れがする

参考 「後」は、他と比較して遅くなる、おくれをとる意で、「流行に後れる」などと使うが、近年「気後れ」「後れ毛」「後れをとる」などの名詞用法のほかは、一般に「遅」が使われる傾向にある。

おけ【×桶】《「麻笥(=麻を入れる器)」の転》細長い板をたてて円筒形に並べ、たがでしめ、底をつけた器。

お-けら【×螻×蛄】❶〔動〕→けら。❷〔俗〕一文なし。すかんぴん。

おけ-る【×於ける】《連語》〔文〕《文語四段動詞「おく」の已然形＋助動詞「り」の連体形》❶《「…に―」の形で、助詞的に用い連体修飾語となる。ある動作・作用の行われる場所・時間を表す語について》「…での」「…にあっての」の意。…においての。「法廷に―証言」❷《「…に―」の形で、ふつう下に体言を伴わず》「…の…に対する関係」の意。「芸術の人生に―は…」

おこ【×烏×滸・尾×籠・▽痴】《名・形動》〔文〕おろかな・こと(人)。ばかげた・こと(人)。「―の沙汰(=ばかばかしいこと。また、さしでがましいこと)」

お-こう【汚行】不名誉な行い。不道徳な行為。

お-こうりょう【▽御香料】「香料②」の丁寧語。

おこえ-がかり【▽御声掛(か)り・▽御声懸(か)り】→声掛かり。

おこ-がまし・い【×烏×滸がましい】《形》❶ばかげている。みっともない。「問われて名乗るも―・いが…」❷身の程しらずでなまいきである。さしでがましい。「人を教えるなんて―・い」

***お-こし【▽御腰】**❶「腰」の尊敬語。❷「腰巻」の女性語。

***お-こし【▽御越し】**「行くこと」「来ること」の尊敬語。「―をお待ちいたします」

***おこし【×粔×籹・興】**米を蒸してかわかし、いって、水あめと砂糖を加え固めた菓子。粟・麦なども使う。

***おこ・す【×熾す】**《他五》火を炭にうつして、よく燃えるようにする。〔文〕《四》。⇩〔使い分け「おこる・おこす」〕

***おこ・す【興す】**《他五》❶〔おとろえていたものの〕勢いを盛んにする。「国を―・す」❷〔事業などを〕はじめる。〔文〕《四》。⇩〔使い分け「おこる・おこす」〕

***おこ・す【起(こ)す】**《他五》❶横になっているものを立たせる。「上半身を―・す」❷目をさまさせる。「寝た子を―・す」類語→起きる。❸土をほりかえす。「畝を―・す」❹かたくくっついているものをはがしとる。「道路の敷石を―・す」❺物事を始める。「訴訟を―・す」❻生じさせる。「かんしゃくを―・す」類語→起きる。〔文〕《四》。⇩〔使い分け「おこる・おこす」〕

おこぜ【×鰧・×虎▽魚】カサゴ科の近海魚。形がみにくい。背びれのとげに毒がある。美味。

おごそか【厳か】《形動》威厳があっていかめしいようす。厳粛。「―な即位の礼」類語 荘厳。荘重。

おこそ-ずきん【▽御▽高祖頭×巾】頭部と顔の一部分を包む女性のかぶりもの。

御高祖頭巾

おこた・る【怠る・▽惰る】《他五》❶しなければならないことをしないでおく。なまける。「努力を―・る」対 いそしむ。❷いいかげんにする。「注意を―・る」〔文〕《四》。

おこない【行い】❶行うこと。行為。「勇敢な―」❷身持ち。品行。「ひごろの―が悪い」類語 素行。❸〔仏〕仏道の修行。勤行。

おこない-すま・す【行い澄ます】《自五》❶よく規則を守り仏道をおさめる。「山にこもって―・した高徳の僧」❷とりすます。殊勝らしくする。気どる。類語 ①②悟りすます。

おこな・う【行〈な〉う】《他五》❶物事をする。ふるまう。処理する。「入学式を―・う」❷〔古〕仏道修行をする。参考→おこなわれる。〔文〕《四》。

おこなわ・れる【行われる】《自下一》❶《「行う」の受け身形》実行される。「結婚式が―・れる」❷世間一般に用いられる。世の中にゆきわたる。はやる。通行する。「二つの説が―・れる」〔文〕おこなは・る《下二》。

おこのみ-やき【▽御好み焼(き)】水でといた小麦粉に野菜・魚介・肉などをまぜ、熱した鉄板の上で焼いて食べる料理。

おご-のり【▽海▽髪▽海×苔・×於×胡▽海×苔】紅藻類オゴノリ科の海藻。暗紫色で、細いひも状をなし、ゆでると緑色に変わる。寒天の原料。

お-こぼれ【▽御▽零れ】残り。余り。また、余得。「―にあずかる」

お-こもり【▽御×籠(も)り】《名・自サ》神仏に祈願するため、ある期間神社や寺にこもること。参籠。

***おこり【×瘧】**寒け・震えに続いて高熱を発する症状が一～二日の間をおいて起こる、マラリア性の熱病。

***おこり【起(こ)り】**物事の始まり。起源。また、原因。「事の―」

***おごり【×奢り】**❶ぜいたく。「―をつくした生活」❷人にごちそうすること。ふるまい。「この酒は先輩の―だ」

***おごり【×驕り・×傲り】**ほこりたかぶること。思い上がること。「心の―」類語 驕慢。

おこり-っ-ぽ・い【怒りっぽい】《形》ささいな事にもすぐ腹を立てる性質である。

***おこ・る【怒る】**《自五》❶不快・不満の気持ちを表面に表す。腹をたてる。「父を―・らせた」参考「いかる」より口語的。❷自分の意に添わない目下の者を、強くしかる。〔多く受け身の形で使う〕「上司に―・られる」〔文〕《四》。⇩〔類語と表現〕

類語と表現

「怒る」

＊悪口を言われて怒る・真っ赤になって怒る・目をつり上げて怒る／主君を怒らせる・へまをして怒られる。

◆怒る・憤る・むくれる・ふくれる・むかつく・腹立つ・息巻く・苛立つ・いらいらする・気色ばむ・罵る・猛り立つ・叱る・叱りつける・責め立てる・かんかんになる・かっかする・ぷりぷりする・ぷんぷんする／(す)る 激怒・憤慨・憤激・痛憤・立腹・叱責・譴責・叱咤・罵倒・一喝・悲憤慷慨／腹が立つ・腹を立てる・小腹が立つ・癪にさわる・小癪にさわる・癇にさわる・気にさわる・目に角を立てる・目を三角にする・目くじらを立てる・目の色を変える・目を剝く・頰をふくらます・冠を曲げる・腸が煮えくり返る／憤怒・私憤・公憤・義憤・鬱憤・悲憤・余憤・瞋恚・瞋恚の炎

お

*おこ・る【×熾る】《自五》〔炊事や暖房のため〕火が炭や石炭にうつってさかんに燃える。おきる。「炭火が―る」文《四》。⇩〔使い分け〕

*おこ・る【興る】《自五》❶勢いがさかんになる。さかんな状態になる。「平和主義が―る」❷〔事業などが〕新たに始まる。文《四》。⇩〔使い分け〕

*おこ・る【起(こ)る】《自五》〔ある事・ある状態が〕始まる。生じる。「変化が―る」文《四》。⇩〔類語と表現〕〔使い分け〕

類語と表現　「起こる」

*事件が起こる・地震が起こる・静電気が起こる・喘息(ぜんそく)の発作が起こる・聴衆から笑いが起こる・悪心が起こる・いたずら心が起こる。

◆起きる・兆(きざ)す・発する・出る・生まれる・巻き起こる・湧(わ)く・沸く・沸き上がる・沸き起こる・持ち上がる／(する)発生・発祥・発起・勃発(ぼっぱつ)・突発・偶発・誘発・触発・併発・散発・連発・再発・多発・頻発・続発・再燃・続出・継起・生起・派生・蜂起(ほうき)・出来(しゅったい)

使い分け　「おこる・おこす」

起こる〔新たに生じる意で、一般に広く〕不吉な事が起こる・発作が起こる・物の起こり

興る〔盛んになる。勃興(ぼっこう)〕新しい産業が興る・差別撤廃運動が興る・新しい国が興る

おこる・おこす(×熾)〔炭に火がついて盛んになる〕火がおこる・七輪に火をおこす

起こす〔横になっているものを立たせる、始めるの意で、一般に広く〕体を起こす・五時に起こす・事件を起こす・訴訟を起こす・筆を起こす・錯覚を起こす

興す〔盛んにする。始める〕国を興す・家を興す・事業を興す

*おご・る【×奢る】㊀《自五》ぜいたくな生活をする。「口が―る(=うまい物を食べつける)」。㊁《他五》人にごちそうする。金銭を出して人をもてなす。文《四》。

*おご・る【×驕る・×傲る・×倨る】《自五》人よりすぐれた点を誇り、人をみくだした態度をとる。わがままなふるまいをする。「―る平家は久しからず」文《四》。

お・こわ【▽御▽強】[―こは] こわめし。特に、赤飯(せきはん)。

*おさ【×筬】[をさ] 織機の付属品の一つ。縦糸をととのえ、横糸をたたいて織りこむ。金属・竹などでつくる。

*おさ【▽長】[をさ]〔文〕仲間の中で一番上に立つ人。首長。首領。かしら。「村の―」

お・ざ【▽御座】❶「座席」の尊敬語・丁寧語。❷その場のようす。場の雰囲気。「―がさめる(=座がしらける)」

お・さい【▽御菜】「菜(さい)」の丁寧語。おかず。副食物。

おさえ【押(さ)え・抑え】[おさへ] ❶押さえること。❷物を押さえるためにおく物。おもし。おし。「文鎮(ぶんちん)を―にする」❸〔敵などを〕くいとめること。「この城を―として戦う」❹人に勝手な行動をさせない力。「部下に―のきく部長」❺隊列の最後にいて、隊列の乱れを防ぐ・こと(者)。しんがり。

おさえ-つ・ける【押さえ付ける】[おさへ―]《他下一》❶動けないように強くしっかり押さえる。❷〔権力・威力などによって〕相手の自由を束縛する。相手の活動を封じる。「少数意見を―ける」

おさ・える【押(さ)える・抑える】[おさへる]《他下一》❶押すようにしておおう。押しあてる。「手で鼻を―える」「帽子を手で―える」❷物を上から押して動かないようにする。❸ある動きのあるものを何らかの方法でとめる。くいとめる。「流感のひろがるのを―える」❹圧迫を加えて自由にできないようにする。❺こみあげる感情をとめる。こらえしのぶ。がまんする。「怒りを―える」❻大事なものとしてしっかりと脳裏にとどめる。「問題の要点を―える」❼勝手に手をつけさせないように、それを手中におさめる。確保する。「財産を―える」表記「押」は具体的な物に、「抑」は抽象的なことについて用いることが多い。③～⑤、特に⑤には「抑」を用いる。文おさ・ふ《下二》。⇩〔使い分け〕

使い分け　「おさえる」

押さえる〔上から重みをかけておさえる〕手で押さえる・文鎮で押さえる・弱点を押さえる・証拠を押さえる

抑える〔もり上がろうとするものを無理におさえつける。抑止。抑制〕物価を抑える・頭を抑える・感情を抑える・反乱を抑える

参考「押」は動かないように押さえる意で、「▽圧さえる」とも書いた。「抑」は「揚」に対して言い、上にもたげ動くものを抑止する意に使う。

おさ・おさ[をさをさ]《副》〔文〕《下に打ち消しの語を伴って》なかなか。容易には。「用意―怠りなし」

お・さがり【▽御下(が)り】❶神仏に供えたあとで取りさげたもの。❷目上の人からもらったその人の使った衣服・品物など。「姉の―」類語お古。

おさき・ばしり【▽御先走り】➡先走り。

おさき・ぼう【▽御先棒】〈―を担ぐ〉軽々しく人の手先となって働く。

おさき・まっくら【▽御先真っ暗】《形動》将来の見通しが全くつかないようす。「就職もきまらず―だ」

お・さげ【▽御下げ】❶少女などの髪の結い方。髪を耳のうしろで二つに分けて編み、長くたれさげたもの。(お)下げ髪。❷両端をさげて結ぶ、女の帯の結び方。

お・ざしき【▽御座敷】❶「座敷」の丁寧・尊敬語。❷宴会の席。〔芸者・芸人の立場から言う語〕

―が掛か・る《句》❶芸者・芸人などが客に招かれる。❷〔俗〕出席・出場するようにさそわれる。

お・さだまり【▽御定まり】いつもきまって同じ様子であること。おきまり。〔多少、皮肉の意を含む〕「―の自慢話」類語型通り。

お・さつ【▽御×薩】「さつまいも」の女性語。

おざ・つき【▽御座付(き)】芸者が客によばれた席で、最初に三味線をひいて歌う・こと(歌)。

お・さと【▽御里】❶「里」の丁寧・尊敬語。嫁入りした女の実家。または婿入りした男の実家。「―がえり」❷以前の身分。すじょう。経歴。「―が知れる(=その人の生まれや育ちのよしあしがわかる)」

おさな・い【幼い】[をさない]《形》❶年が少ない。いとけない。「―い子」類語幼少。❷未熟である。幼稚である。子供っぽい。「考え方が―い」文をさな・し《ク》。

おさな-がお【幼顔】[をさながほ] おさない時の顔つき。

おさな-ご【幼子・幼▽児】[をさな―] 年齢の少ない子供。小さい子供。幼児(ようじ)。

おさな-ごころ【幼心】[をさな―] 純真であどけない、子供の心。子供心。

おさな‐ともだち【幼〈友達〉】をさな― おさないときの友達。おさないときからの友達。類語おさななじみ。

おさな‐なじみ【幼×馴染(み)】をさな― 子供のころに親しくしていた間柄。また、その人。類語おさなともだち。

おざ‐なり【▽御座なり】《名・形動》その場だけのまにあわせ。いいかげん。「―の対策」「―を言う」

おさまり【収(ま)り・納(ま)り】をさまり ❶おさまること。納入。❷始末。決着。「論争の―がつかない」❸落ちつきぐあい。安定。「この花びんは―がわるい」

***おさま・る**【収まる・納まる】をさまる《自五》❶中にきちんとはいる。「カメラに―る(=写真にうつされる)」❷取り入れて自分のものになる。「望みの品が手に―る」❸受取り手のもとに渡る。納入がすむ。「国庫に―る」表記③は「納まる」と書く。❹しずまって安定した状態になる。「内乱が―る」「砂ぼこりが―る」表記④は「治まる」とも書く。❺落ち着くべきところに落ち着く。「席に―る」❻〔ある地位や境遇に〕満足して落ち着く。「社長に―る」❼事が解決する。また、納得する。「腹の虫が―らない」文《四》。⇩〖使い分け〗

***おさま・る**【修まる】をさまる《自五》行いがよくなる。「素行が―らない」文《四》。⇩〖使い分け〗

***おさま・る**【治まる】をさまる《自五》❶乱れがしずまる。平和な状態になる。静かになる。「争いが―る」「風が―る」表記「収まる」とも書く。❷政治がゆきとどき平和である。「国が―る」❸苦痛が去る。「痛みが―る」文《四》。⇩〖使い分け〗

使い分け「おさまる・おさめる」

収まる〔中にきちんと入る。落ち着く。解決する〕箱に収まる・馬上に収まる・風が収(治)まる・インフレが収(治)まる・不平不満が収(治)まる・丸く収(治)まる

納まる〔中にきちんとしまい片づける。ある地位・境遇に落ち着く〕国庫に納まる・議員に納(収)まる・納(収)まり返る・腹の虫が納(収)まらない

修まる〔行いがよくなる〕素行が修まる・身持ちが修まらない

治まる〔乱れがしずまる。苦痛が去る〕反乱が治(収)まる・国が治まる・騒ぎが治(収)まる・気持ちが治(収)まらない・痛みが治まる

収める〔中にきちんと入れる。受け入れる〕金庫に収める・全集に収める・戦果を収める・成功を収める

納める〔先方に入れおさめる。終わりにする〕税金を納める・胸に納める・書き納める・仕事納め・見納め

修める〔わが身につける〕学業を修める・身を修める

治める〔乱れをしずめる〕乱世を治める・国を治める・水を治めた天子・争いを治(収)める

参考「争いをおさめる・風がおさまる」など、乱れがしずまる、落ち着くの意では「収・治」ともに書くことができる。

お‐さむ・い【▽御寒い】《形》❶「寒い」の丁寧語。「毎日―うございます」❷〔俗〕〔中身や見た目が〕貧弱で・心細い(なさけない)。「―い財政」「―いギャグ」

おさめ【納め】をさめ 一《名》終わりにすること。おしまい。最後。「御用―」二《接尾》《動詞の連用形につけて》「…する最後」の意を表す。「見―」「舞い―」

***おさ・める**【収める・納める】をさめる《他下一》❶きちんと中に入れる。また、しまう。かたづける。「刀をさやに―める」❷取り入れて自分のものにする。受け入れる。「成功を―める」❸受取り手のもとに渡す。納入する。「会費を―める」❹終わりにする。やめにする。〔接尾語的にも用いる〕「書き―める」表記③④は「納める」と書く。❺乱れをしずめる。落ち着かせる。「怒りを―める」表記⑤は「治める」とも書く。文をさ・む《下二》。⇩〖使い分け「おさまる・おさめる」〗

***おさ・める**【修める】をさめる《他下一》❶心や行いを正しくする。ようすをととのえる。「身を―める」❷〔学問・技芸などを〕学んで、自分のものにする。「武芸を―める」文をさ・む《下二》。⇩〖使い分け「おさまる・おさめる」〗

***おさ・める**【治める】をさめる《他下一》❶乱れをしずめる。落ち着かせる。「暴徒を―める」表記「収める」とも書く。❷政治を行う。「国を―める」文をさ・む《下二》。⇩〖使い分け「おさまる・おさめる」〗

お‐さらい【▽御×浚い】―さらひ《名・他サ》❶教わった学問・技芸などを自分でもう一度やってみること。復習。❷芸事で、師匠が弟子に教えた芸を演じさせること。また、その芸を発表する会。温習。「―会」

お‐さらば 一《感》「さらば」の丁寧語。別れるときのあいさつの語。さようなら。〔古い言い方〕二《名・自サ》別れること。「この世に―する(=死ぬ)」

お‐さん【▽御産】子を産むこと。分娩(ぶんべん)。

お‐さんじ【▽御三時】おやつ。

おさん‐どん【▽御三どん・▽御×爨どん】❶〔台所働きの〕女中。飯たき女。❷台所仕事をすること。

***おし**【×唖】〔卑称〕聴覚や発声の機能に障害があって、話すことができない・こと(人)。

***おし**【押し】一《名》❶押すこと。対引き。❷押さえつける・こと(物)。おもし。おさえ。「つけ物の―」❸自分の意見に他の人を従わせること。また、その力。「―の一手(=ひたすらやりとげようとする強引なやり方)」表記②③は「圧し」とも書く。二《接頭》《動詞の上につけて》❶「しいて…する」「むりに…する」意。「―流す」「―通す」❷意味を強める。「年も―つまる」

***おし**【×鴛×鴦】をし〔文〕「おしどり」の古名。

***お‐じ**【〈伯父〉・〈叔父〉】をぢ《「小父」の意》父母の兄または弟。および、おばの夫。表記父母より年上なら「伯父」、年下なら「叔父」と書く。おばの夫の場合は「おば」を基準として「伯」「叔」を使い分ける。尊敬伯父(叔父)貴。対おば(伯母・叔母)。

お‐じ【小父】をぢ《「おじ(伯父・叔父)」と同語源》〈「―さん」の形で〉〔主に年少者が〕よその大人の男性を親しんで呼ぶ称。〔年少者に向かっては、自称としても使う〕「パン屋の―さん」対おば(小母)。

おしあい‐へしあい【押し合い▽圧し合い】―あひ―あひ《名・自サ》《「へし」も「押し」の意》せまい所に大勢の人や動物が集まって押し合うこと。また、そのため非常に混雑すること。

おし・い【惜しい】をしい《形》❶大切なものを失ったり価値のあるものをむだにしたりすることが、我慢しがたい。もったいない。「―い人を亡くした」❷わずかのところで思いどおりにならなかったのが残念である。「―くも一点差で敗れた」文をし《シク》。

***おじい‐さん**【▽御×爺さん】―ぢい 男の老人を、尊敬して(親しんで)呼ぶ語。対御婆(ばあ)さん。

***おじい‐さん**【▽御▽祖▽父さん】―ぢい 祖父を、尊敬して(親しんで)呼ぶ語。対御祖母(ばあ)さん。

おし‐いただ・く【押し頂く・押し×戴く】《他五》

❶うやうやしく物を顔の上にささげもつ。また、そのような動作をしながら、感謝の気持ちをもって人から物を受け取る。「表彰状を━・く」❷〔ある人を〕うやまって長として迎える。推戴する。「会長に━・く」

おし-い・る【押し入る】《自五》〔他人の家などに〕無断でむりやりにはいりこむ。特に、強盗にはいる。

おし-いれ【押(し)入(れ)】〔日本間で〕夜具などを入れるために作りつけた、ふすまや板戸つきの物入れ。

おし-うり【押(し)売(り)】《名・他サ》❶ほしくもない品物をむりやりに売りつけること(人)。❷相手のことを考えず、無理じいすること。「親切の━」

*__おし-え__【押(し)絵】厚紙に美しい布をはり、中に綿を入れて花・鳥・人物などの形に作り、台にはったもの。羽子板などに用いる。

*__おしえ__【教え】❶教えること。また、その内容。教育。教訓。❷宗教の教義。諭し。「仏の━」

おしえ-ご【教え子】〔学校などで学問・技芸などを〕教えたことのある、または教えている相手。

おしえ-こ・む【教え込む】《他五》〔相手がよくわかって忘れなくなるまで〕じゅうぶんに教える。

おしえ-の-にわ【教えの庭】〔雅〕学校。学園。まなびや。類語 学窓。

おし・える【教える】《他下一》❶〔ことばで説明したり、手本を示したりして〕学問や技術を習わせ、身につけさせる。「英語を━・える」「子供を━・える(=教師として指導する)」対 おそわる。学ぶ。❷〔自分のもっている知識・情報などを〕他人に告げ知らせる。「道を━・える」❸さとし導く。いましめる。「━・えられるところが多い」文 をし・ふ《下二》。⇩〔類語と表現〕

> **類語と表現**
>
> 「教える」
>
> *手順を教える・電話番号を教える・ピアノを教える・大学で心理学を教える・猿に芸を教える・駅に行く道を教える・パソコンの使い方を教える。
>
> ◆示す・告げる・知らせる・垂れる・講じる・導く・躾ける・仕込む・叩き込む・手引きする・手ほどきする・入れ知恵する・蒙を啓く／(する)教示・示教・指教・助言・教育・教習・教授・伝授・講義・指南・指導・訓導・訓育・薫育・誘掖・啓蒙・調教・アドバイス・コーチ／ガイダンス・オリエンテーション
>
> ◇[教育]文教・風教・胎教・知育・徳育・育英・早教育・性教育・英才教育

お-しおき【▽御仕置(き)】《名・他サ》➡しおき(仕置き)②。

おし-かえ・す【押し返す】《他五》むこうから押してくるのを逆にこちらからも押す。押しもどす。

おし-かく・す【押し隠す】《他五》《「押し」は強めの接頭語》努力してかくそうとする。「悲しみを━・す」

おしかけ-にょうぼう【押(し)掛け女房】男の家に押しかけていって、むりにせまって妻となった女。

おし-か・ける【押し掛ける】《自下一》❶〔威圧するために〕大勢が出向いて近づきせまる。押しよせる。類語 つめかける。❷〔招かれないのに〕自分から出向く。

おし-がみ【押(し)紙】疑問点・参考意見・注意事項などを書いて、書物や文書などにはりつけた紙。つけ紙。押紙。類語 付箋。

おし-が・る【惜しがる】《他五》惜しそうなようすをみせる。「金を━・る」

お-しき【▽折敷】《「折り敷き」の転》へぎ板を折りまげて四方を囲んだ四角いお盆。昔は食器をのせたが、今日では祭器具として多く用いられる。

おじ-き【〈伯父〉貴・〈叔父〉貴】「おじ」の尊敬語。また、他人に対して自分のおじを親しんでいう語。

お-じぎ【▽御辞儀・▽御辞宜】《名・自サ》頭をさげて礼をすること。また、その礼。

お-しきせ【▽御仕着せ】❶季節に応じて主人が奉公人に与える(形・色などのきまった)衣服。❷上からあてがわれた、お定まりのもの。「━の修学旅行」

おし-きり【押(し)切り】❶押しつけて切ること。❷まぐさや壁土に入れるすさなどを切る道具。かいば切り。

━ちょう【押切帳】金銭を渡すとき、相手に受け取りの印を押させる帳面。判取帳。

おし-き・る【押し切る】《他五》❶押しつけて切る。「厚紙を━・る」❷〔困難・無理・反対などを〕押しのけてやり通す。「父の反対を━・って上京した」

おしく-も【惜しくも】《副》残念なことに。

おし-くら【押し▽競】《「おしくらべ」の略》大勢が一か所に集まり、たがいに押しあって相手をたおす遊戯。おしくら。おしくらまんじゅう。

おし-げ【惜し気】〔手離すのを〕惜しがる気持ち。〔多く、「━もなく」の形で使う〕「━もなく大金を使う」

おじ-け【▽怖じ気】〔するのを〕こわがる気持ち。恐怖心。「━をふるう」表記 ふつう「怖じけ」と書く。類語 未練。

━づ・く【━付く】《自五》おじけが生じる。おじけだつ。「相手の剣幕に━・く」

おじ・ける【▽怖じける】《自下一》こわがってびくびくする。おそれひるむ。文 おづ・く《下二》。

おし-こみ【押(し)込み】❶押し入れ。戸だな。❷強盗。おしこみ強盗。

おし-こ・む【押し込む】㊀《他五》押してむりに入れる。㊁《自五》〔他人の家などに〕むりやりはいりこむ。特に、強盗にはいる。押し入る。「賊が━・む」

おし-こ・める【押し込める】《他下一》❶押してむりに入れる。押しこむ。「学生を一部屋に━・める」❷ある場所に入れて、出られないようにする。「人質を地下室に━・める」類語 とじこめる。(する)監禁。幽閉。

おし-ころ・す【押し殺す・▽圧し殺す】《他五》《「おし」は強めの接頭語》❶勢いをむりに抑える。「怒りを━・す」❷〔声が〕あたりに響かないように抑える。

おし-ずし【押(し)×鮨】多く四角形の木型に酢じめの魚肉、焼き卵、そぼろなどを入れ、上にすしめしをのせて押しぶたで押してから裏返し、適当な大きさに切ったもの。大阪ずしの代表的なもの。箱ずし。

*__おし-すす・める__【押し進める】《他下一》押して前へ動かす。「エンストを起こした車を━・める」

*__おし-すす・める__【推し進める】《他下一》物事を積極的に進行させる。推進する。「禁煙運動を━・める」

おし-せま・る【押し迫る】《自五》《「おし」は強めの接頭語》まぢかにせまる。「暮れも━・る」

お-したじ【▽御下地】〔女性語〕醬油。むらさき。

おし-だし【押(し)出し】❶押して出すこと。❷相撲の技の一つ。相手を押して土俵の外へ出す技。❸野球で、満塁のとき、フォアボールまたはデッドボールで得点をあげること。❹人なかへ出たときの、外見上の姿・態度。ふうさい。かっぷく。「━のりっぱな人」

お

おし‐だ・す【押し出す】㊀《他五》〔ある範囲や、ある物の中から〕押して外へ出す。㊁《自五》❶下(底)から上(表面)へ出る。「溶岩流が―・す」❷大勢がそろって出かける。「行列が大通りへ―・す」類語 くりだす。

おし‐た・てる【押し立てる】《他下一》❶〔「押し」は強めの接頭語〕「立てる」を強めていう語。勢いよく立てる。「のぼりを―・てる」❷押して先頭に立たせる。「キャプテンを―・てて進む」❸〔本人の意志にそむいて〕推挙し、表面に立たせる。「委員長に―・てる」

おし‐だま・る【押し黙る】《自五》〔「押し」は強めの接頭語〕〔意地を張って〕全くだまりこんでしまう。

お‐しちや【▽御七夜】子供が生まれてから七日めの夜(の祝い)。七夜。

おしつけ‐がまし・い【押(し)付けがましい】《形》〔自分の気持ち・考えなどを〕むりに人におしつけるようである。「―・い意見」

おし‐つ・ける【押し付ける】《他下一》❶〔他の物につけて〕上から力を加える。押さえつける。❷〔仕事・責任などを〕むりにさせるようにする。特に、むりに引き受けさせる。「幹事を―・ける」＝おっつける。

おし‐つま・る【押し詰まる】《自五》❶〔ある重大な時期が〕近づく。差し迫る。切迫する。❷年末になり、年内の日数が少なくなる。参考 暮れのあいさつに「おしつまりまして」ということが多い。

おし‐つ・める【押し詰める】《他下一》❶押してむりにつめる。つめこむ。❷押していって動けなくする。「土俵ぎわまで―・める」❸〔内容などを〕ちぢめ、短く言い表す。つづめる。要約する。「―・めて言えば」

おし‐て【押して】㊀《副》むりに。しいて。「―たのむ」㊁《連語》《「Aを―Bする」の形で》Aを物ともせず、あえてBする。「嵐(あらし)を―出発する」参考 →押す⑤。

おし‐とお・す【押し通す】(―とほす)《他五》❶むりやりにとおす。❷〔態度や主張を〕最後まで変えずに続ける。「反対の立場を―・す」

おし‐どり【×鴛×鴦】(をし―)❶カモ科の水鳥。おすの羽色が美しい。雌雄が常にいっしょにいるといわれる。鴛鴦(えんおう)。❷仲がよく、常に連れ立っている夫婦。「―夫婦」

*__おしなべ‐て【押し▽並べて】__《副》〔文〕全体にわたって同じように。概して。「今年の稲作は―よい」

おし‐の・ける【押し▽退ける】《他下一》❶押してどける。「見物人を―・けて前へ出る」❷〔自分が勝とうとして、また、ある地位につこうとして〕相手をむりにしりぞける。排斥する。「先輩を―・けて部長になる」

お‐しのび【▽御忍び】「忍び歩き」の意の尊敬語。身分の高い人が身分を隠して非公式に外出すること。

おし‐ば【押し葉】葉・花などを、紙・書物などの間にはさみ、おもしをかけて乾燥させたもの。しおり・標本などにする。腊葉(さくよう)。

おし‐はか・る【推し量る・推し測る】《他五》あることをもとにして、他の事柄の見当をつける。推量する。推測する。「親の気持ちを―・る」

おし‐ばな【押し花】花を紙・書物などの間にはさみ、おもしをかけて乾燥させたもの。しおり・標本などにする。

お‐しべ【雄×蕊】(―を)種子植物の花の中にある、雄性の生殖器官。ふつう、長い柄(＝花糸)とその先についた小さなふくろ(＝葯(やく))からなる。ふくろの中には花粉がある。雄ずい。対 めしべ。

おし‐ボタン【押しボタン】押すと電流が流れるしかけになっているボタン。呼びりんなどのボタンの類。

お‐しぼり【▽御絞り】〔手や顔をふくために〕湯や水でしめしてしぼった手ぬぐいやタオル。類語 お手ふき。

お‐しまい【▽御仕舞(い)】(―しまひ)❶「しまい」の丁寧な言い方。おわり。「これで―」❷物事がだめになること。望みが全くなくなること。「ザイルが切れたら―だ」

おしみ‐な・い【惜しみ無い】(をしみ―)《形》惜しむ気持ちがない。「―・い拍手」「―・く与える」

おし・む【惜しむ】(をしむ)《他五》❶〔金銭や品物を〕出すことをいやがる。出ししぶる。ある物事をするのをいやがる。「協力を―・まない」類語 しみったれる。❷〔名誉・誇り・時間などを〕失うのを恐れる。「寸暇を―・む」❸〔価値あるものを失ったり、人と別れたりして〕心残りがする。「名残を―・む」文《四》。

おし‐むぎ【押(し)麦】蒸した大麦をローラーで平たくつぶし、かわかしたもの。つぶし麦。

おしむらく‐は【惜しむらくは】(をしむ―)《連語》〔文〕惜しいことには。残念なことには。「いい人だが、―は病弱である」

*__おし‐め【押し目】__〔経〕上がりつつあった相場が、一時急に下がること。

*__お‐しめ【×襁×褓】__〔「お」は接頭語。「しめ」は湿し(＝おむつ)の略〕大小便をとるため、乳児などの尻に当てておく布。むつき。おむつ。

お‐しめり【▽御湿り】乾燥した地面がほどよくぬれる程度にふる雨。「いい―だ」

おし‐もんどう【押(し)問答】《名・自サ》互いに自分の立場を言い張ってゆずらず口論すること。

お‐じや 味噌(みそ)・野菜・魚介類などを入れて煮たかゆ。雑炊(ぞうすい)。参考 もとは女性語。

お‐しゃか【▽御▽釈×迦】〔俗〕〔工場などで〕作りそこなって役にたたない製品。不良品。また、こわれて使いものにならない・こと(物)。「車が―になる」

お‐しゃく【▽御酌】❶《名・自サ》「酌」の丁寧語。❷酌をする女。酌婦(しゃくふ)。❸まだ一人前にならない若い芸者。半玉(はんぎょく)。参考 京阪では「舞子」のことをいう。

おしゃぶり 赤ん坊に持たせてしゃぶらせる、おもちゃ。

お‐しゃべり【▽御×喋り】《名・自サ》❶雑談をすること(人)。❷《形動》べらべらとよくしゃべる・こと(人)。口数の多い・こと(人)。「―な奴(やつ)」類語 多弁。饒舌(じょうぜつ)。

おしゃま《名・形動》〔俗〕幼いくせにおとなびた言動をする・こと(幼児)。類語 おませ。おちゃっぴい。

おし‐や・る【押し▽遣る】《他五》❶押して動かし、自分のところから遠ざける。❷〔ある考え・気持ちを〕むりにしりぞける。「雑念を―・る」

おじゃ・る(おぢやる)〔「おいである」の転〕〔古〕㊀《自四》「ある」「居る」「行く」「来る」の尊敬語。㊁《補動》「ている」「である」の丁寧語。「大変な事で―・る」

お‐しゃれ【▽御×洒▽落】《名・形動》❶《自サ》みなりをかざったり化粧したりして気のきいた姿になろうとすること。また、その人。類語 おめかし。❷〔人以外のものが〕気がきいて洗練されていること。

おじゃん〔俗〕やりかけていたことがだめになること。物事が失敗に終わること。「計画が―になる」参考 火事が消えたときにうつ半鐘の最後の音からか。類語 ふい。

おしょう【和尚】〔仏〕❶弟子から、先生にあたる僧を呼ぶ呼び名。❷寺の住職。一般に、僧。坊さん。参考 宗派によって「わじょう」「かしょう」とも言う。

おじょう‐さま【▽御嬢様】❶主人の家の娘に対する

尊敬語。また、他人の娘に対する尊敬語。[参考]「お嬢さん」とともに若い未婚の女性に対する呼びかけにも用いる。[類語]令嬢(れいじょう)。❷世間の苦労を知らずに育った(若い)女性。[類語]箱入り娘。[対]①②お坊ちゃま。

お-しょく【汚職】 公の地位にある人が、職権を利用して不正な利益をえること。「―事件」[参考]「瀆職(とくしょく)」の言いかえ語。[類語]背任(はいにん)。

***お-じょく【汚辱】** 〔文〕名誉をきずつけられるようなはずかしめ。恥。[類語]侮辱(ぶじょく)。恥辱(ちじょく)。屈辱(くつじょく)。

***お-じょく【汚▽濁】** 〔仏〕→おだく。

おし-よ・せる【押し寄せる】 ■一《自下一》はげしい勢いで近づきせまる。「大波が―・せる」「群衆が―・せる」[類語](する)殺到。■二《他下一》押してその方に近づける。

おしら-さま【おしら様】 東北地方の民間で信仰されている養蚕の神。おしら神。

お・じる【▽怖じる】(おぢる)《自上一》おそれる。こわがる。〔古風な言い方〕「―・じずに意見を述べる」[類語]おじける。ひるむ。[文]お・づ《上二》。

お-しろい【▽白▽粉】 《「お白い」の意》〔顔や首筋にぬる〕化粧用の白い粉。粉白粉・水白粉・練り白粉などがある。**―ばな【―花】** オシロイバナ科の多年草。夏から秋にかけて、赤・黄・白などの、漏斗(ろうと)状の花を開く。種子をすりつぶすとおしろいの粉のようになる。

オシログラフ 電流・電圧などの、電気的な量の時間的変化が直接目で観察できるように、波形に映像化したり記録したりする装置。心電図・脳波測定などに使われる。オッシログラフ。▽oscillograph

オシロスコープ オシログラフのうち、電流・電圧の変化をブラウン管に映像化して見せるもの。陰極線オシログラフ。▽oscilloscope

お-しん【悪心】 〔文〕むかむかして吐きけを催すような感じ。はきけ。むかつき。

おじ-ん(おぢ―)〔俗〕おじさん。若者が年上の男性をからかいを込めて呼ぶ語。[対]おばん。

お-しんこ【▽御新▽香】 香(こう)の物。つけもの。

***おす【雄・×牡】**(をす) 動物のうち、精巣をもち精子を形成するもの。[類語]男。[対]雌。

***お・す【押す】** 《他五》❶向こうの方へ力を加える。後ろから力を加えて進ませる。「ドアを―・す」❷上から重みを加えて押さえつける。「―・すと痛い」[表記]②は「圧す」とも書く。❸〔印(いん)などの形を〕うつしとる。「金箔(きんぱく)を―・す」[表記]③は「捺す」とも書く。❹はりつける。❺むりにする。あえて行う。[参考]→押して㊁。❻他をしのぐ。圧倒する。「気迫に―・される」[表記]⑥は「圧す」とも書く。❼〈「念を―・す」「駄目を―・す」の形で〉まちがいのないようにたしかめる。[文]《四》。⇩【使い分け】

―しも押されもせぬ 《句》だれからも力を認められるほどである。確固とした地位をしめる。「―横綱」

***お・す【推す】** 《他五》❶〔後ろから力を加えて〕前進させる。[表記]「押す」とも書く。❷〔適当な人として〕ある地位につかせるようにすすめる。推挙する。「委員に―・す」❸よい物としてすすめる。推薦する。❹〔すでにわかっている事柄をもとにして〕他の事柄へ考えを進める。おしはかる。推量する。[文]《四》。⇩【使い分け】

―して知るべし 《句》おしはかってみれば、自然に分かる。〔ふつう、悪い状態をいう〕「トップがこれでは、他は―だ」

使い分け「おす」

押す(▽圧・×捺)〔上からおさえつける〕ベルを押(圧)す・背中を押(圧)す・印を押(捺)す・念を押す・病を押して勉強する・勢いに乗って押(圧)す

推す〔前へおしやる。おしはかる〕会長に推す・推薦図書に推す・経験から推して・推し量る・推し進める

お-すい【汚水】 〔文〕〔人が使用したあとの〕よごれてきたない水。下水。「―処理場」[対]浄水。

おず-おず【▽怖ず▽怖ず】(おづおづ)《副・自サ》《副詞は「―と」の形も》こわがり、ためらいながら物事をするようす。こわごわ。おそるおそる。「―進み出る」[類語]びくびく。

お-すそわけ【▽御×裾分け】 《名・他サ》もらった物の一部をさらに他の人に分け与えること。また、その分けたもの。「―にあずかる」

おすな-おすな【押すな押すな】 《連語》大勢の人が押しかけて混雑するようす。「―の大繁盛」

お-すべらかし 女性の髪型の一つ。前髪を横にはり、後ろ髪を背中に長くたれ下げた形。すべらかし。[参考]現在は宮中で結婚式の時などに結われる。

お-すまし【▽御澄(ま)し】 ❶《名・形動》気どっていること(人)。とりすましていること(人)。❷「すまし汁」の女性語。[表記]②は「お清汁」とも書く。

お-すみつき【▽御墨付(き)】 ❶〔室町・江戸時代に〕幕府や大名が臣下に与えた、墨の印を押した許可あるいは保証の文書。❷権威者が与える保証(書)。「専門家から―をもらう」

お-せいぼ【▽御歳暮】 →歳暮②。

おせ-おせ【押せ押せ】 《「押す」の命令形を重ねた語》❶次々に押すこと。押しまくること。「―ムード」❷あとの物事にしわよせが及んで、余裕がなくなること。また、あとの仕事がたまること。「仕事が―になる」

お-せじ【▽御世辞】 「世辞(せじ)」の丁寧語。相手のきげんをとろうとして必要以上にほめていうことば。

お-せち【▽御節】 →おせちりょうり。**―りょうり【―料理】** 正月用に特に作る煮しめの料理。ふつう重箱などにつめておく。おせち。[参考]もと、五節句に神前にそなえた料理であった。

お-せっかい【▽御節介】 《名・形動》余計な世話をやくこと(人)。必要としない干渉。「―を焼く」

おせわ-さま【▽御世話様】 他の人が自分のために尽力してくれることを言う語。おせわさん。〔多く感謝の気持ちをこめたあいさつの語として用いる〕

お-せん【汚染】 《名・自他サ》汚れにそまること。特に、空気・水・食物などが、細菌・放射能・ガス・ちりなどの有毒物質におかされること。「大気が―する」

おぜん-だて【▽御×膳立て】 ❶食ぜんをとりそろえること。[類語]配膳(はいぜん)。❷いつでも始められるように準備すること。「―ができた」

お-そ【悪阻】 〔文〕つわり。

お-そ・い【遅い】 《形》❶〔動きがにぶく〕事を行うのに時間が余分にかかる。のろい。「進歩が―・い」[対]速い。❷ある時刻におくれているので役にたたない。まにあわない。「今さら悔やんでも―・い」❸時間的にあとである。「開花が―・い」❹時間がだいぶたっている。特に、夜がふけている。「もう―・いから寝よう」[表記]③④は「晩い」とも書く。[対]③④早い。[文]おそ・し《ク》。

―かりし由良之助(ゆらのすけ) 《句》なすべき時機をのがしたときに言う言葉。[参考]歌舞伎(かぶき)の「仮名手本忠臣蔵」で、

お

とから。大星由良之助が、主君が切腹する直後にかけつけること

—きに失・する《句》遅すぎて、まにあわない。おくれて役にたたない。「対策が—・する」

おそい・かか・る【襲い掛かる】《自五》せめようとして激しい勢いで相手に近づく。「猛獣が—・る」

おそ・う【襲う】《他五》❶不意にせめかかる。危害を加える。「強盗が銀行を—・う」❷〔好ましくない感情が〕突然おこる。〔多く、受け身の形で用いる〕「恐怖に—・われる」参考 ↓おそわれる。❸不意に人の家におしかける。「新聞記者に寝込みを—・われる」❹あとめを継ぐ。「父のあとを—・う」文《四》。

おそ・うまれ【遅生(ま)れ】四月二日から一二月三一日までに生まれた・こと(人)。参考 同年の早生まれの人より一年おそく小学校に入学する。対 早生まれ。

おそかれ・はやかれ【遅かれ早かれ】《連語》時期の遅い早いはあっても。いずれは。いつかは。どうせそのうちに。〔副詞的に使う〕「—皆死ぬのだ」類語 早晩。

おぞ・け【▽怖気】おそれる心。おじけ。「—を震う(=恐ろしくて体がふるえる)」 —だ・つ【—立つ】《自五》恐ろしさのためにぞっとする。おののく。

おそ・ざき【遅咲き】〔同種類の花よりも〕花の咲く時期がおくれて咲く・こと(もの)。「—の桜」対 早咲き。

おそ・じも【遅霜】晩霜。

おそ・ぢえ【遅知恵】❶子供の知恵の発達が普通の子供よりおくれていること。また、その知恵。❷〔その場に間にあわないで〕あとになって出てくる知恵。

おそ・で【遅出】〔交替制勤務で〕遅く出勤すること。また、その番。遅番。対 早出。

お・そなえ【▽御供え】❶神仏に供えること。また、その物。お供え物。お供物。❷「お供え餅」の略。正月や祭礼の時に神仏に供える餅。まるく平たい大小の餅を二つ重ねる。

お・そば【▽御▽側】❶「そば」の尊敬語。❷主君・主人などのそば。「—近くにつかえる」❸主君・主人などのそばにつかえる人。近侍。

おそ・ばん【遅番】〔交替で仕事をするときの〕遅く出勤する番。遅出。対 早番。

おそ・まき【遅×蒔き】❶普通の時期より遅れて種子をまくこと。また、その品種。対 早まき。❷時機に遅れて物事をし始めること。「—ながら援助の手をのべる」

おぞ・まし・い【×悍ましい】《形》不快なほどいやな感じである。恐ろしい。「—・い事件」

お・そまつ【▽御粗末】《形動》「そまつ」の丁寧語。〔軽べつ、または謙遜・自嘲などの気持ちを含んだ言い方〕「—な演技だ」「—様でした」

おそらく【恐らく】《副》(「恐らくは」の略。下に推量の語を伴って)多分。大方。「彼は—欠席だろう」

おそる・おそる【恐る恐る】《副》物事をこわがりながらするようす。こわごわ。おずおず。「—ゴリラに近づく」類語 おっかなびっくり。

おそる・べき【恐るべき】《連語》〔文〕❶ひどくおそろしい。戦慄すべき。「—殺人事件」❷程度・価値などがひどく高いようす。非常な。「—才能」参考 ①②とも連体詞的に使う。

***おそれ**【恐れ】おそろしいと思う気持ち。恐怖。「—をいだく」「—をなす」

***おそれ**【×畏れ】優れたもの、高貴の人などに対して服しうやまう気持ち。畏敬。「神への—」

***おそれ**【虞】〈多く「…の—」の形で〉よくないことが起こるのではないかという心配。懸念。「高波の—がある」表記「恐れ」「惧れ」とも書く。類語 危惧。

おそれ・い・る【恐れ入る・×畏れ入る】《自五》❶申しわけなく思う。「ご親切、—・ります」類語 いたみいる。恐縮する。❷〔相手のすぐれた能力などに〕まいる。降参する。「一発でノックアウトとは—・る」❸〔相手の非常識に〕あきれる。「しつこさには—・る」

おそれ・おお・い【恐れ多い・×畏れ多い】《形》❶〔高貴な人に対し〕礼を失するようで申しわけない。❷ありがたく、もったいない。「—・いお言葉」

おそれ・おのの・く【恐れ▽戦く】《自五》こわがってふるえあがる。戦慄する。

おそれ・ながら【恐れ×乍ら】《副》恐れ多く思いますが。恐縮ですが。失礼ですが。「—申し上げます」

おそ・れる【恐れる・▽怖れる・×懼れる・×畏れる】《他下一》❶こわがる。❷〔よくないことがおこるのを〕心配する。気づかう。「失敗を—・れる」❸敬い、もったいなく思う。はばかる。「天帝を—・れる」表記 ③は多く「畏れる」と書く。文 おそ・る《下二》。⇩〖類語と表現〗

類語と表現

「恐れる(畏れる)」
*死を恐れる・報復を恐れる・病気の感染を恐れる・最悪の事態を恐れる／天界の神秘を畏れる・神をも畏れぬ行為。

◆〔恐怖の念〕怖がる・おびえる・ひるむ・おののく・恐れおののく・動じる・びくつく・怖じる・怖じける・怖じ気立つ・おぞけ立つ・ぞっとする・ぎょっとする・びくびくする・はらはらする・おどおどする・おろおろする・たじたじになる／肝を冷やす・心胆を寒からしめる・身の毛がよだつ・戦慄が走る／戦々兢々

◆〔危惧の念〕案じる・憂える・気にする・気になる・気にかかる・気にかける・気に病む・気づかう・胸を痛める・心にかける／(する)心配・懸念・屈託・心痛・憂慮・憂患

◆〔畏敬の念〕つつしむ・忌む・憚る・畏まる・控える・恐れ入る／恭敬・恭倹／(する)恐懼・恐惶

おそろし・い【恐ろしい】《形》❶恐怖を感じさせる。こわい。「—・いめにあう」❷驚くべきである。「恋心とは—・いもので」❸〔物事の程度が〕ふつうではない。はなはだしい。「—・く暑い」類語 こわい。文 おそろ・し《シク》。

類義語の使い分け 恐ろしい・怖い

〔恐ろしい・怖い〕恐ろしい(怖い)夢を見てうなされる
〔恐ろしい〕恐ろしく暑い日だった／末恐ろしい子
〔怖い〕怖いもの知らずの男／怖いもの見たさ

おそわ・る【教わる】《他五》教えてもらう。教えられる。「絵を—・る」類語 習う。対 教える。文《四》。

おそわ・れる【×魘われる】《自下一》(「襲う」の受身形から)夢の中で苦しめられる。うなされる。「悪夢に—・れる」文 おそは・る《下二》。

お・そん【汚損】《名・自他サ》物がよごれたりきずついたりすること。物をよごしたりきずつけたりすること。

オゾン 酸素の同素体。特有のにおいをもつ気体。空気(酸素)中の放電によって生じる。酸化力が大きく、漂白・殺菌などに使う。化学記号 O_3。▽ ozone —ホール オゾン層(=地球の大気の層のうちでオゾンを比

較的多くもつ領域)にできる、オゾン濃度の少ない領域。主に南極上空に出現する。大気中に放出されるフロンガスなどが原因とされる。▽ozon hole

おだ 〔俗〕〈ーをあげる〉勝手な気炎をあげる。

お-だい【▽御代】「代金」の丁寧語。

お-たいこ【▽御太鼓】❶「おたいこむすび」の略。❷たいこもち。表記 ②は「御幇間」とも書く。 **ーむすび**【ー結び】女性の帯の結び方の一つ。太鼓の胴のように丸くふくらませたもの。おたいこ。

お-だいもく【▽御題目】❶「題目」の丁寧語。❷口先で唱えるだけで、実行できそうもない主張。

おたいら-に【▽御平らに】《連語》客に足をくずして楽にすわるようにすすめる語。「どうぞー」

おた-おた《副・自サ》《副詞は「ーと」の形も》あわてるだけでどうにもできず、うろうろするようす。

お-たか・い【▽御高い】《形》気位が高い。「ー・くとまる(=人を見くだした態度をとる)」

おたがい-さま【▽御互い様】相手も自分も同じ立場にあること。〔だから苦情やわびなどを言い合うのはやめようという意を含む〕「困るのはーだ」類語 相身互い。

お-たから【▽御宝】❶紙に刷った、宝船の絵。よい初夢を見るために一月二日の夜、枕(まくら)の下に敷く。❷〔俗〕おかね。ぜに。❸非常にだいじな宝物。

お-だき【雄滝・▽男滝】ー対になっている滝のうち、勢いがよくてはばの広いもの。対 雌滝(めだき)。

お-たく【▽御宅】━《名》❶相手・他人を敬って、その家・家庭を言う語。❷相手の夫を敬って言う語。❸〔俗〕相手を敬って、その属する所を言う語。「ーはボーナスが多いから…」❹〔俗〕一つの事に異常にくわしく、他に関心を示さないマニアを揶揄(やゆ)していう語。表記 多く、「オタク」と書く。━《代名》《対称の人代名詞》〔俗〕あまり親しくない、ほぼ同等の相手に向かって、軽い敬意を払って言う語。あなた。

お-だく【汚濁】《名・自サ》よごれにごること。「水質のー」参考 仏教関係では「おじょく」と読む。

お-だけ【雄竹・▽男竹】ーマダケ・モウソウチクなど、大形の竹の称。対 雌竹(めだけ)。

お-たけび【雄▽叫び】ー〔文〕勇ましい叫び声。

おたずね-もの【▽御尋ね者】ー警察で捜査中の容疑者。〔古風な言い方〕

お-たちだい【▽御立ち台】❶身分の高い人が立って謁見やあいさつをする壇。また、監督や殊勲選手が記者会見をする台。❷スポーツで、表彰台。

お-たっし【▽御達し】〔官庁・警察・上司などからの〕指示・命令。〔古風な言い方〕「その筋のーにより…」

おだて【×煽て】おだてること。「ーに乗る」類語 おふれ。通達。

おだ・てる【×煽てる】《他下一》相手の気にいるようなことを言って、いい気持ちにさせる。類語 そそのかす。扇動。文 おだ・つ《下二》。

お-たな【▽御▽店】商家に勤めている者や出入りをしている商人・職人・仕事師などがその商家を呼ぶ語。〔古風な言い方〕 **ーもの**【ー者】商店で使っている人。商店の奉公人。番頭・手代など。〔古風な言い方〕

お-たびしょ【▽御旅所】祭礼のとき、みこしを本宮から移して仮に安置するところ。お旅所(たびどころ)。旅所。

おたふく【×阿多福・×於多福】おかめ①②。 **ーかぜ**【ー〈風邪〉・ー風】「流行性耳下腺炎(じかせんえん)」の通称。参考 左右の耳下腺がはれ、顔がおたふくのようになることから言う。 **ーまめ**【ー豆】ソラマメの実の大粒のもの。また、それを甘く煮たもの。

お-だぶつ【▽御×陀仏】〔俗〕〔臨終に「南無阿弥陀仏(なむあみだぶつ)」ととなえることから〕❶〔人が〕死ぬこと。❷物事が失敗すること。だめになること。

お-たま【▽御玉】❶鶏卵。❷「おたまじゃくし②」の略。〔①②とも女性語〕 **ーじゃくし**【ー×杓子】❶カエルの幼生。頭がまるく、足がなく、尾で泳ぐ。科斗(かと)。❷しるをすくう、小さなまるいしゃくし。おたま。❸〔俗〕音符。♩・♪など。

お-だまき【×苧▽環】ー❶つむいだ麻糸を中空にして丸く巻いたもの。参考 和歌で「くりかえす」の縁語として使う。❷キンポウゲ科の多年草。晩春に筒形の五弁の花が下向きに咲く。色は青紫または白色。❸「おだまきむし」の略。茶わんむしの一種。底にうどんを入れ、シイタケ・かまぼこ・鶏肉などを加え、卵の汁をかけて蒸し上げたもの。表記 ③は多く「小田巻」と書く。

お-たまや【▽御霊屋】〔文〕貴人の霊をまつる建物。廟(びょう)。廟堂(びょうどう)。霊廟(れいびょう)。御霊屋(みたまや)。

おため-ごかし【▽御▽為ごかし】《「ごかし」は接尾語》相手の利益をはかるように見せかけて、裏では自分の利益をたくらむこと。「ーの親切」

おだ-やか【穏やか】《形動》❶静かで、やすらかなようす。「ーな海」❷〈「ーでない」の形で〉ほうっておけない。「だましたとはーでない」❸静かに落ちついていて、かどのたたないようす。「ーに話す」

おだわら-ぢょうちん【小田原▽提▽灯】江戸時代に小田原で作りはじめたといわれる提灯。円筒形で、伸び縮みする。

小田原提灯

おだわら-ひょうじょう【小田原評定】長びいて、なかなかまとまらない相談。参考 豊臣秀吉が小田原城を攻め囲んだとき、城中で北条家の和戦の評定がなかなか決まらなかったことから。

おたんちん《名・形動》〔俗〕間(ま)が抜けている・こと(人)。〔人をののしって言う〕

おち【落ち】❶おちること。❷うっかりして、しないでおくこと。手ぬかり。手落ち。「仕事にーがない」❸〔落語などで〕しめくくりのしゃれ。下(さ)げ。「ーがつく」❹行きつく当然の結果。結末。「泣きをみるのがーだ」

おち-あ・う【落ち合う】《自五》❶いくつかのものが動いて行ってある場所でいっしょになる。出会う。❷〔二つ以上の川がある地点で〕合流する。

おち-あゆ【落(ち)×鮎】九～一〇月ごろ、産卵のために川を下るアユ。さびあゆ。下り鮎。

おち-い・る【陥る】《自五》《「落ち入る」の意》❶〔低い所に〕落ちてはまりこむ。「深みにー・る」❷計略にかかる。おとしいれられる。「敵の術中にー・る」❸攻め取られる。陥落(かんらく)する。「城がー・る」❹ある(悪い)状態になる。「自己嫌悪にー・る」

おち-うお【落(ち)魚】❶産卵のために川をくだる魚。❷冬になって川の水温がさがるため、深い川などに移動する魚。❸死んだ魚。

おち-うど【落▽人】《「おちうど」は「おちゅうど」の歴史的かなづかいによる表記》→おちゅうど。

おち-えん【落(ち)縁】和風建築で、座敷の高さより一段低く設けた縁側。参考ふつう、ぬれ縁をさす。

おち-おち【落ち落ち】《副》《「ーと」の形も。下に打ち消しの語を伴う》落ち着いて。安心して。「夜もー眠れない」表記かなで書くことが多い。

おち-ぐち【落ち口】❶水の流れが落ちこむ所。❷くじ・入札などで、当たった人。〔古風なことば〕

おち-こち【▽遠▽近・▽彼×此】〔文〕遠くや近く。あちらこちら。

おち-こぼれ【落ち▽零れ】❶脱穀や俵詰めのとき、米などの穀物がこぼれ落ちること。また、その穀物。❷全部おさまりきれずに残ったもの。残り物。❸学校で、授業について行けない児童・生徒。

おち-こ-む【落ち込む】《自五》❶低い所に落ちてはいりこむ。おちいる。「穴にー・む」❷周囲に比べて深くへこむ。くぼむ。「地面がー・む」❸よくない状態になる。おちいる。「景気がー・む」❹気分が沈む。元気がなくなる。「目標を見失ってー・む」

おち-しお【落ち潮】引き潮。

おち-つき【落(ち)着き】❶落ち着くこと。また、その態度。「ーを失う」「ーのない人」❷〔置いた物の〕すわりぐあい。安定。「ーの悪い花瓶」

おちつき-はら-う【落ち着き払う】《自五》非常に落ち着いて、ゆっくりかまえる。

おち-つ-く【落ち着く】《自五》❶心や物事が安定した静かな状態になる。❷物事のきまりがつく。〔議論などが〕結論に達して定まる。「最初の案にー・く」類語しずまる。❸〔住所・職業などが〕定まる。きまる。「生まれ故郷にー・く」❹言動に、うわついた様子や感じがなくなる。「ー・いて話す」❺〔色などが〕調和がとれていて、けばけばしくない。「ー・いた色のネクタイ」

おち-つ-ける【落ち着ける】《他下一》〔気持ち・状態などを〕落ち着くようにする。

おち-ど【落(ち)度・▽越度】〔他から非難されるような〕あやまち。手おち。類語過失。失敗。

おち-の-びる【落ち延びる】《自上一》遠方まで逃げて行く。「犯人は外国へー・びた」

おち-ば【落(ち)葉】❶散り落ちた木の葉。落葉。類語枯れ葉。❷落ち葉色。赤みをおびた茶色。

おち-ぶ-れる【落ちぶれる・▽零▽落れる・▽落×魄れる】《自下一》〔以前よりも〕地位・生活状態などがみじめな状態になる。零落する。類語うらぶれる。

おち-ぼ【落(ち)穂】とりいれのすんだ田畑に落ちている、稲などの穂。「ー拾い」

おち-むしゃ【落(ち)武者】いくさに負けて逃げて行く武士。落人。

おち-め【落ち目】人の運が、悪い方向に向かいかかった状態。また、その時。「人気がーになる」

お-ちゃ【▽御茶】❶「茶」の丁寧語。❷仕事の間の休憩。一服。「ーにしよう」❸茶の湯。

ーを濁・す《句》いい加減なことを言ったりしたりしてその場を適当にごまかす。

ーを挽・く《句》〔芸者・娼妓などが〕客がなくてひまでいる。参考客のつかない遊女が、葉茶を茶臼でひいて粉にする仕事をさせられたところからという。

おちゃうけ【▽御茶請(け)】「茶請け」の丁寧語。

おちゃっぴい《名・形動》〔俗〕少女がませたことをさかんに言ったりしたりして、ちゃめっ気があること。また、そのような少女。類語おしゃま。おてんば。

お-ちゃのこ【▽御茶の子】❶「茶の子」の丁寧語。㋐お茶請け。㋑朝飯前に仕事をするときに食べる軽い食事。❷〔俗〕物事がたやすくできること。朝飯前。おちゃのこさいさい。参考お茶の子①㋑が簡単に食べられ、腹に残らないところから。

おちゃ-ひき【▽御茶×挽(き)】〔芸者・娼妓が〕客がなくてひまでいること。また、はやらない芸者・娼妓。おちゃっぴき。参考➡お茶を挽く。

おちゃら-か-す《他五》〔俗〕ばかにしたように、からかう。ちゃかす。おひゃらかす。

お-ちゅうげん【▽御中元】➡中元②。

おちゅうど【落▽人】《「おちびと」の音便》❶戦いに負け、人目をしのんで逃げて行く人。「平家のー」❷物事に失敗し、人目をさけて逃げて行く人。表記歴史的かなづかい「おちうど」の表記も広く用いられる。

おち-ゆ-く【落ち行く】《自五》〔文〕❶落ちのびて行く。逃げて行く。❷結局、一つのところに帰着する。落ち着く。❸だんだんおちぶれて行く。文《四》。

お-ちょう【雄×蝶】❶雄のチョウ。❷紅白の紙を雄のチョウにかたどって折ったもの。婚礼などのとき、銚子や提子にかけてかざる。対①②雌蝶。

ーめちょう【ー雌×蝶】❶婚礼などのとき、銚子や提子につける雄蝶と雌蝶。❷雄蝶雌蝶①のついた銚子で三三九度の酒をつぐ人。

おちょうし-もの【▽御調子者】❶いいかげんに調子を合わせる、信用できない人。❷かるはずみで、調子にのりやすい人。類語おっちょこちょい。

おちょく-る《他五》〔俗〕からかう。参考関西地方から広がったことば。

おちょぼ-ぐち【おちょぼ口】つぼめて小さくした〔かわいらしい〕口つき。おつぼ口。参考「ちょぼ」は「小さい」意。

お-ちる【落ちる】《自上一》❶〔自然の力によって〕高い方から低い方へ位置が移る。落下する。「葉がー・ちる」❷〔月・太陽が〕沈む。没する。「日がー・ちる」❸注ぐ。㋐上方から光が射す。「木もれ日が地面にー・ちる」㋑〔視線などが〕その方向にむく。「視線が彼の上にー・ちた」㋒水が流れ込む。「東京湾にー・ちる川」❹〔物の上に〕映る。「池の面に月影がー・ちる」❺ついていたものがとれてなくなる。「色がー・ちる」❻もれる。ぬける。「一字ー・ちる」❼落第する。不合格になる。落伍する。「入試にー・ちる」❽ひそかに逃げる。へんぴな場所に移る。「田舎へー・ちる」❾堕落する。いやしくなる。「話がー・ちる」表記⑨は「堕ちる」とも書く。❿劣った状態になる。衰える。減る。低くなる。「体力がー・ちる」「風がー・ちる(=風がやむ)」⓫〔よくない状態・位置に〕おちいる。「わなにー・ちる」⓬帰する。落ち着く。「結局ー・ちるところはきまっている」「腑にー・ちない」⓭その人の所有になる。「人手にー・ちる」⓮負けて敵に取られる。陥落する。「城がー・ちる」表記⑭は「陥ちる」とも書く。⓯負ける。㋐本音をはく。白状する。「問うにー・ちず、語るにー・ちる」㋑くどかれて意に従う。「彼の情熱にとうとうー・ちた」⓰柔道で、気絶する。⓱〔動物が〕死ぬ。⓲〈「眠りにー・ちる」の形で〉ねいる。文お・つ《上二》。

おつ【乙】□一《名》❶十干の二番目。きのと。❷〔物事の等級で〕第二位。「甲ーつけがたい成績」❸《「甲・乙・丙…」などと対立的に用いて》物の順序を表したり、ものの名のかわりに使ったりする語。「甲はーに対して金

お

五万円なりを支払うものとする」❹邦楽で、甲(かん)より一段低い調子。二《形動》❶一風変わっていて、趣があるようす。「—な味」❷いつもとちがうようす。妙である。変。「—に気取る」

お‐つかいもの【お遣い物】他の人への贈り物。御進物。

おっ【押っ】《接頭》《「押し」の転》〔俗〕動詞の上につけて意味を強める。「—ぽり出す」「—たまげる」

おっ‐かけ【追っ掛け】《「おいかけ」の音便》〔俗〕追いかけること(人)。特に、タレントなどを追いかける人。「タレントの—」類語グルーピー。

おっ‐か・ける【追っ掛ける】《他下一》《「おいかける」の音便》〔俗〕→おいかける。

おっかな・い《形》〔俗〕こわい。おそろしい。

おっかな‐びっくり《副》〔俗〕びくびくしながら物事をするようす。こわごわ。

おっ‐かぶ・せる【押っ▽被せる】《他下一》《「おっ」は接頭語》❶「かぶせる」を強めて言う語。勢いよくかぶせる。❷〔物事の原因や責任を〕他人に負わせる。おしつける。なすりつける。❸〈多く「—・せて」「—・せるように」などの形で〉㋐威圧するような態度に出る。「—・せるように命じる」㋑他人が何かをし終わるやいなや、それを否定するようなことをする。「言いかけたのを、—・せて止める」

お‐つき【▽御付き】地位や身分の高い人のそばについてその人の世話をする人。「—の者」類語お供。

おっ‐くう【億×劫】《形動》《「おくこう(億劫)」の転》〔「長い時間がかかり、すぐにはできない」の意から〕気がすすまず、めんどうなようす。「口をきくのも—だ」

お‐つくり【▽御作り】❶〔女性語〕化粧。❷さしみ。「ヒラメの—」参考主に西日本でいう。

お‐つけ【▽御付け・▽御▽汁】〔飲み物としての〕おつゆ。特に、みそしる。おみおつけ。表記多くかなで書く。

お‐つげ【▽御告げ】神仏の託宣(たくせん)。参考もと、女房ことば。

おっ‐けん【×臆見】〔文〕臆測にもとづく意見・見解。

おっこ・ちる《自上一》〔俗〕落ちる。参考主に関東地方でいう。

おっこと・す《他五》〔俗〕落とす。

おっしゃ・る【▽仰る・▽仰▽有る】《自五》《「おおせある」の転》❶「言う」の尊敬語。言われる。「先生の—ることをきく」参考命令形と、助動詞「ます」につく連用形は、語尾が「い」になる。「はっきりと—・い」❷《「…と—・る」の形で、人名を受けて》そういう名前でいらっしゃる。「メリーと—・る方」文《四》。

オッズ❶賭事(かけごと)の賭け率。❷競馬などの賭け金に対する配当の率。▽odds

おっちょこ‐ちょい《名・形動》〔俗〕気持ちがうわついていて、考えが浅いこと(人)。類語お調子者。

おっつ‐かっつ《形動》〔状態・結果・成績などの〕差がほとんどないようす。同程度。「二人の実力は—だ」参考「追っつ縋(すが)っつ」、または「打っつ搗(か)って」のなまりともいう。類語ちょぼちょぼ。とんとん。

おっ‐つけ【追っ付け】《副》まもなく。程なく。〔ふつう、下に予想を表す語を伴う〕「—帰ってくるだろう」

おっ‐つ・ける【押っ付ける】《他下一》《「おしつける」の音便》❶〔俗〕「おしつける」を強めていう語。❷相撲で、相手に差させないように自分の脇(わき)をくっつけて相手の腕を手のひらでつかむようにおさえる。

***おっ‐て**【追(っ)手】逃げて行く者をつかまえようとして追いかける人。「—がかかる」

***おっ‐て**【追って】一《副》〔時・場所などをかえて〕のちほど。あとで。後刻。「—連絡します」表記「逐って」とも書く。二《接続》手紙文・掲示などで、一度書きおえた文章に改めてつけ加えて書くとき、その文頭に使う語。なお。つけ加えて。表記「追而」と書くこともある。

—がき【—書(き)・追×而書】書き終わった手紙の文章のあとに、つけたして書くこと。また、その文章。追伸。二伸。類語後書き。

おっと【夫・▽良▽人】《「おひと(男人)」の転》結婚している男女のうちの、男の方の称。妻の配偶者。類語亭主。尊敬御主人。謙譲宅。主人。対妻。

おっとせい【×膃×肭×臍・×膃×肭▽獣】アシカ科の哺乳(ほにゅう)動物。北太平洋に分布する。あしは短くてひれ状、からだは流線型で泳ぐのに適し、また陸上も歩ける。参考アイヌ語 onnep からといわれる。

お‐つとめ【▽御勤め】❶「勤め」の丁寧語。❷僧が仏前で読経(どきょう)すること。勤行(ごんぎょう)。❸商人が客に奉仕すること。「—品」表記❸は「御勉め」とも書く。

おっとり《副・自サ》《副詞は「—と」の形も》こまかいことにこだわらず、ゆったりとしているようす。こせこせしないようす。「—した人」

おっとり‐がたな【押(っ)取り刀】❶急に事が起こったとき、刀を腰にささず手に持ったまま行動を起こすこと。❷急な事件などのとき、取るものも取りあえず急いで行くようす。「—で駆けつける」

おっ‐ぱら・う【追っ払う】《他五》〔俗〕「追い払う」の音便。

おっ‐ぽりだ・す【押っ▽放り出す】《他五》《「おっ」は接頭語》〔俗〕「ほうりだす」を強めていう語。

お‐つまみ【▽御▽摘み】「つまみ二②」の丁寧語。

お‐つむ《「おつむり(御頭)」の略》あたま。〔おもに女性が幼児に対して使う語〕「—てんてん」

お‐つもり【▽御積(も)り】酒盛りで、それで飲みおさめにする最後の酒。また、酒宴の終わり。

お‐て【▽御手】❶「手」の尊敬語。❷他人の筆跡の尊敬語。❸犬などに前足をあげさせて人間のさし出した手にふれさせること。また、その芸。「—を教える」

お‐てあげ【▽御手上げ】《降参して手をあげる意》行き詰まってどうしようもなくなること。「商売も—だ」

お‐でい【汚泥】〔文〕きたないどろ。

お‐でき【▽御出来】「でき物」の丁寧語。腫物(しゅもつ)。はれもの。表記かなで書くことが多い。

お‐でこ【▽御出子】❶ひたいが高く出ている・こと(人)。❷ひたい。表記かなで書くことが多い。

お‐てしょ【▽御手▽塩】〔女性語〕小さくて浅い皿。手塩皿(てしおざら)。おてしょう。

お‐てだま【▽御手玉】❶小さな布の袋にアズキやハブチャの実などを入れてぬった、少女のおもちゃ。また、それを数個使って、投げあげたり受けたりする遊び。❷〔俗〕野球で、ボールを受け取るとき、しっかりグローブにおさめられないで、ボールを一、二度はじくこと。

お‐てつき【▽御手付(き)】❶歌がるたで、あやまってちがう札に手をつけること。❷〔俗〕主人が侍女などと肉体関係を結ぶこと。また、その侍女。

おてつだい‐さん【▽御〈手伝い〉さん】家事の

手伝いを職業として〔住みこみで〕働く女性。参考「女中」の語感をきらった、新しい呼び方。

お て-の-もの【▽御手の物】なれていて、わけなくできる・こと〔わざ〕。得意〔のわざ〕。「パソコンはーだ」

お-てまえ【▽御手前】（ーまへ）㊀《名》❶あることをする技量・てなみ。❷茶の湯の作法・様式。また、そのてなみ。表記 ②は「御点前」とも書く。㊁《代名》《対称の人代名詞》〔文〕武士が同じ身分の相手を呼んだ語。類語 そこもと。貴殿。貴公。

お-でまし【▽御出▽座（し）】外出・出席などの尊敬語。「国王がーになる」

お-てもと【▽御手▽許・▽御手元】❶「てもと」の尊敬・丁寧語。❷料理屋で、客の使う箸の丁寧語。

お-てもり【▽御手盛り】❶自分が食べるために、自分で食物を器に盛ること。❷自分に都合のいいように、自分で勝手にとりはからうこと。「ー予算」

おて-やわらか【▽御手柔らか】（ーやはらか）《形動》あまり手ひどくなく、技・力などを加減して扱うようす。ほどほど。〔多く「ーに」の形で、試合・けいこなどを始める時にあいさつのことばとして用いる〕「ーに願います」

お-てん【汚点】❶ぽつんとついたよごれ。しみ。また、きたないところ。❷〔歴史や仕事の上に残された〕不名誉なできごと。「オリンピック史上にーを残す」

お-でん【▽御田】鍋もの料理の一つ。がんもどき・はんぺん・こんにゃく・大根・昆布などを薄味のだしで煮こんだ冬向きの料理。参考「田楽」の「田」に「お」をつけた語。表記 かなで書くことが多い。

お-てんき【▽御天気】❶「天気」の丁寧語。「ーがよい」❷人のきげん。また、きげんがよいこと。「ーをうかがう」「ー屋（=きげんの変わりやすい人）」

おてんと-さま【▽御天▽道様】「太陽」を敬い、親しんだ言い方。おてんとうさま。類語 お日様。

お-てんば【▽御転婆】《名・形動》少女・若い女が、元気に男性的に行動すること。また、その人。おはね。

おと【音】❶物が振動した時に聴覚に感じられるもの。「ーがする」「ーを立てて崩れる」類語 音。響き。鳴り。❷評判。「ーに聞こえた（=有名な）白糸の滝」

おと-あわせ【音合（わ）せ】（ーあはせ）❶合奏や合唱を始める前に、音の高さを合わせること。❷放送・演劇などで、音楽や効果音などをテストすること。

お-とう-さん【〈お父さん〉・▽御〈父さん〉】子供が自分の父親を敬い親しんで、それに呼びかけるとき、また指示するときに用いる語。対 お母さん。

おとうと【弟】《「おと（=若い）ひと」の音便》❶同じ親から生まれた兄弟のうち、年下の男性。参考 異父弟・異母弟にも言う。「腹違いのー」尊敬 令弟。謙譲 愚弟。❷配偶者の兄弟で、配偶者より年下の男性。また、妹の夫。義弟。表記 ②は「義弟」とも当てる。❸年少の男を親しんでいう語。対 ①〜③兄。⇩〔類語と表現「兄弟」〕 **ーでし**【ー弟子】同じ師匠・先生のところへあとから入門した男の弟子。対 兄弟子。

お-とおし【▽御通し】（ーとほし）料理屋で、酒のさかなとして最初に出る簡単な料理。通し。通し物。つきだし。

おど-おど【▽怖▽怖】《副・自サ》《副詞は「ーと」の形も》こわがったり、不安だったりして態度がおちつかないようす。「ーした目つき」類語 びくびく。おずおず。

おとがい【×頤】（おとがひ）あご。特に、下あご。〔やや古風な言い方〕「ーを解く（=大笑いする）」

おどか・す【脅かす・▽威かす・▽嚇かす】《他五》❶相手に恐怖心をおこさせるようにする。こわがらせる。類語 おびやかす。威嚇。脅迫。❷驚かす。びっくりさせる。「物陰に隠れていてーす」

お-とぎ【▽御×伽】《「とぎ」の丁寧語》❶〔高貴な人の〕そばにつきそって話し相手になり、退屈を慰める・こと〔人〕。❷〔高貴な男に〕添い寝する・こと〔女〕。❸死者の枕もとで通夜をすること。夜伽。❹「おとぎばなし」の略。 **ーぞうし**【ー草子】室町時代から江戸初期にかけて作られた短編小説の総称。一寸法師・物くさ太郎・鉢かづきなど。 **ーばなし**【ー話・ー×噺】❶御伽①のための話。退屈を慰める話。❷子供に聞かせるための、昔からある空想的な物語。類語 童話。民話。❸あまりにも現実ばなれのした話。

お-どく【汚毒】《名・他サ》〔文〕毒でけがすこと。また、その毒。

おど・ける【▽戯ける】《自下一》わざとこっけいな言動をする。類語 ふざける。表記「お道化る」とも当てる。

おとこ【男】（をとこ）❶人間の性別の一つで、女でない方。一般に力が強く、子どもを生ませる能力をもつ。男子。男性。参考 接頭語的には動物にもいう。「ー犬」❷成人した男性。一人前の男性。「ーになる」尊敬 殿御。丁寧 殿方。❸女性と肉体関係をもった男性。童貞でなくなった男性。❹男性としての面目・体面。「ーを上げる」「ーがすたる」「ーを売る（=男気があるという評判を広める）」❺情夫。情人。

ーは度胸女は愛敬《句》男は胆力の強いのがよく、女は愛想がよくかわいらしいことが大切である。

おとこ-いっぴき【男一匹】（をとこー）恥じることのない一人前の男子であることを強めていう語。

おとこ-おび【男帯】（をとこー）男がしめる帯。幅がせまい。角帯・兵児帯・三尺帯など。対 女帯。

おとこ-おんな【男女】（をとこをんな）男（女）でありながら女（男）のような性質・特徴をもつ人。

おとこ-ぎ【男気・×侠気】（をとこー）❶男らしい勇気のある気性。❷自分の身を犠牲にしても困っている人を助けようとする気性。義侠心。侠気。「ーを出す」

おとこ-くさ・い【男臭い】（をとこー）《形》❶男の体臭がついているようす。「ー・い部屋」❷いかにも男性的な感じがするようす。「ー・い職場」類語 男っぽい。

おとこ-ごころ【男心】（をとこー）❶男特有の心理。男が持つのにふさわしい心。❷男の浮気な心。❸男が女にひかれる心。「ーをかき立てる」対 ①〜③女心。

ーと秋の空《句》女に対する男の愛情は、秋の空のように変わりやすいということ。また、秋の天候が変わりやすいことのたとえ。

おとこ-ざか【男坂】（をとこー）〔神社・寺などの参道にある〕二つの坂のうち、急な方の坂。対 女坂。

おとこ-ざかり【男盛り】（をとこー）男の一生の間で、心身ともに充実し最も元気よく活躍すべき時期（であること）。参考 ふつう、三五歳ごろから五〇歳ごろまでを言う。類語 壮年。働き盛り。対 女盛り。

おとこ-じょたい【男所帯・男▽世帯】（をとこー）男ばかりで生活している所帯。対 女所帯。

おとこ-ずき【男好き】（をとこー）❶女がひどく男を好むこと。また、その女。❷〈「ーのする」の形で〉〔女の容姿・気質が〕男の好みに合う。「ーのする顔」対 ①②女好き。

おとこ-だて【男×伊▽達】（をとこー）〔男の面目を立てる意から〕義理人情を重んじ、命を捨てても強い者をくじき弱い者を助ける・こと(人)。侠客。類語男気。

おとこ-っ-ぷり【男っ振り】「おとこぶり」の転。

おとこ-っ-ぽ・い【男っぽい】《形》❶(たくましくて)男らしい。いかにも男性的である。❷(性格・好みなどが)女であるのに男のようである。類語①②男臭い。

おとこ-で【男手】❶(古)漢字。男文字。❷男が書いた文字。男の筆跡。男文字。❸男の労働力。また、男の働き手。「―がない」対①～③女手。

おとこ-なき【男泣き】《名・自サ》めったに泣かないはずの男がこらえきれずに泣くこと。「―に泣く」

おとこ-の-こ【男の子】❶男の、まだ一人前でないもの。❷若い男性。

おとこ-ひでり【男×旱】(男の数が少なく)結婚や遊びの相手として、女が男を求めるのに不自由する状態。対女旱。

おとこ-ぶり【男振り】❶男としての風采・容姿。男前。「―が上がる」❷男としての面目。＝男っぷり。

おとこ-まえ【男前】❶男ぶり①。❷男ぶり①がよい・こと(人)。美男。「彼はなかなかの―だ」

おとこ-まさり【男勝り】《名・形動》女が男をしのぐほど気性がしっかりしていること。また、そのような女。女丈夫。「―の女」

おとこ-みょうり【男×冥利】男に生まれたという幸せ。男に生まれたかい。男冥加。「―に尽きる(＝男としてこれ以上幸せなことはない)」

おとこ-むすび【男結び】ひもの結び方の一つ。ひもの右端を上から左の下にまわし、それを右に返して輪を作り、左端をその輪に通して結ぶ。対女結び。

おとこ-もじ【男文字】男手①②。対女文字。

おとこ-もち【男持ち】男が持つのに適するように作ったもの。「―のかさ」類語男物。対女持ち。

おとこ-もの【男物】男が使うように作った品物。類語男持ち。対女物。

おとこ-やく【男役】演劇などで、女優が男の役をすること。また、その女優。男形。

おとこ-やもめ【男×鰥】(妻と死別または生別して)一人暮らしをしている男。「―にうじがわく」対女寡。

おとこ-らし・い【男らしい】《形》性質・態度・身体的特徴などに、強さ・たくましさ・潔さなどがあって、いかにも男であると感じさせるようすである。「―・くあきらめる」類語おおしい。男性的。対女らしい。

おと-さた【音×沙×汰】(「おと」「さた」ともに古くは「たより」の意)たより。連絡。消息。「何の―もない」

おとし【落(と)し】❶落とすこと。❷動物を生け捕るためのしかけ。わな。❸→くるる②。❹話の結末。おち。「―話」

***おどし**【×縅】(「緒通す」の意の動詞「をどす」の名詞形)よろいの胴や草摺、大袖、かぶとの錣などを組み立てるために、札を並べてひもや革でつづり合わせる・こと(もの)。参考その色や模様によって「赤糸おどし」「小桜おどし」「裾濃おどし」などと呼ぶ。

***おどし**【脅し・▽威し・▽嚇し】❶おどすこと。おどかし。「―がきく」類語威嚇。脅迫。恐喝。❷「かかし」のこと。すずめおどし。

おとし-あな【落(と)し穴】❶上にのった人・けものなどが落ちこむようにしかけた穴。❷人をだまして失敗させる計略。類語①②陥穽。

おとし-い・れる【陥れる】《他下一》(「落とし入れる」の意)❶中に落ちこませる。❷(城・陣地などを)攻め落とす。陥落させる。❸人を(だまして)不利な立場に追いやる。計略にかける。「罪なき人を―・れる」

おとし-がみ【落(と)し紙】便所で使う紙。ちり紙。

おとし-ご【落(と)し子】❶(身分の高い人が)妻以外の女に産ませた子。おとしだね。落胤。❷ある物事から生じた、(予想外の)好ましくない結果。「大気汚染は高度成長経済の―」

おとし-ざし【落(と)し差し】鐺をまっすぐ下にさげて刀をさすさし方。また、その刀。

おとし-だね【落(と)し×胤】おとしご①。落胤。

お-としだま【▽御年玉】(子供や使用人におくる)新年の贈り物。参考「年玉」は「年の賜物」の意。

おどし-つ・ける【脅し付ける・▽威し付ける】《他下一》激しい勢いでおどす。

おとし-どころ【落(と)し所】交渉などを決着させる・内容(場面)。「貿易摩擦の―」

おとし-ばなし【落(と)し話・落(と)し×噺】うまいしゃれや地口を用いて最後をしめくくる話。落語。

おとし-ぶた【落(と)し×蓋】❶なべなどのふちより小さく作って中に落ちこむようにした、ふた。中の物が煮くずれしないようにする。❷箱の側面に縦のみぞをきり、そこにはめこんで上下に開閉させるふた。

おとし-ぶみ【落(と)し文】❶昔、時局の風刺や批判など、公然とは言えないことを匿名で書いて、わざと道などに落としておく文書。落書。❷甲虫類オトシブミ科の昆虫。参考卵をうみつけた木の葉を筒状に巻き、それが巻物の手紙に似ているところからいう。

おとし-まえ【落(と)し前】〔俗〕(やくざなどの間で)けんかやもめごとを解決すること。また、そのための金銭。

おとし-める【×貶める】《他下一》劣ったものとしてばかにする。みくだす。さげすむ。「自らを―・める」〔多く「―をつける」の形で使われる〕

おとし-もの【落(と)し物】気づかずに持ち物を落とすこと。また、その品物。類語遺失物。対拾い物。

おと・す【落とす】《他五》❶落ちさせる。落下させる。「涙を―・す」❷注ぐ。㋐(光で)照らす。「明るい光を地表に―・す」㋑(視線などを)その方向に向ける。特に、下に向ける。「目を紙面に―・す」㋒水を流し入れる。「川の水を貯水池に―・す」❸(物の上に影を)うつす。「水面に影を―・す」❹ついていたものをとりのぞく。「垢を―・す」❺(取るべきものを)取りそこなう。「英語の単位を―・す」❻もらす。ぬかす。「メンバーから―・す」❼(持ち物などを)なくす。「命を―・す」❽なくなるようにする。「かまどの火を―・す」❾落第させる。❿こっそり逃げ去らせる。「女子供を奥州に―・す」⓫おとった状態にする。また、おとろえさせる。「評判を―・す」⓬おちぶれさす。堕落させる。「身をやくざに―・す」⓭(よくない状態・場所に)おちいらせる。「話を―・す」⓮敵をうち破って手に入れる。陥落させる。「城を―・す」⓯手にはいるようにする。「無尽を―・す」⓰くどいて自分の意に従わせる。「通い続けて彼女を―・す」⓱柔道で、気絶させる。⓲(動物を)殺す。⓳落語などの最後に、しゃれなどでしめくくりをする。「うまい下げで―・す」文《四》。

おど・す【脅す・▽威す・▽嚇す】《他五》❶(相手の不利になるようなことを示して)こわがらせる。恐れさせる。

「━・して金を巻き上げる」[類語]おびやかす。威嚇(いかく)する。脅迫。❷びっくりさせる。おどかす。[文]《四》。

おとずれ【訪れ】（おとづれ）〔文〕❶おとずれること。訪問。来訪。「春の━」❷〔手紙での〕たより。消息。音信。

おとず・れる【訪れる】（おとづれる）〔文〕■一《他下一》ある場所や人の居所をたずねる。訪問する。「故郷を━・れる」■二《自下一》〔ある季節・時期・状態などが〕やってくる。「平和な日々が━・れる」[表記]現代仮名遣いでは「おとづれる」も許容。[文]おとづ・る《下二》。

おととい【▽一▽昨▽日】（をとひ）《「おとつい」の転》昨日の前の日。おとつい。一昨日(いっさくじつ)。━来い《句》人をののしって追いはらうときのことば。「二度とくるな」の意。

おと・とし【▽一▽昨年】（をと）去年の前の年。おとどし。一昨年(いっさくねん)。

おと・どり【音▽録り・音取り】〔俗〕音声の録音。

おとな【〈大人〉】❶社会的に一人前に成長した人。成人。[対]子供。❷〈「━だ」「━に」の形で〉㋐思慮・分別が十分にある・こと(人)。〔ふつう比較的若い成人について言う〕「年のわりになかなかの━だ」㋑聞き分けがよくおとなしくしていること。〔おとなが子供について言う語〕「坊や、━にしているのよ」**━げ・な・い【━気無い】**《形》〔言動が〕思慮分別のある一人前のおとなにふさわしくない。**━・びる**《自上一》おとなのようになる。おとならしくなる。「━・びたものの言い方」

おとな・う【▽訪う】（おとなふ）《「音」+接尾語「なふ」》■一《自他五》〔文〕たずねる。訪問する。おとずれる。「古寺を━・う」[文]《四》。■二《自五》〔文〕声を出して来訪した旨を告げる。「門べに立って━・う」[表記]二は「音なう」と書くことが多い。[文]《四》。

おとなし・い【▽温▽和しい】《形》《「大人」を形容詞化した語》❶〔性質・態度などが〕落ちついていて、もの静かである。「ひとりで━・く遊ぶ」❷さからわない。すなおである。「説得されて━・く帰る」❸〔服装・色どりなどが〕はでではない。「━・い模様」[表記]①〜③は「大人しい」「音無しい」とも書く。[文]おとな・し《シク》。

おとなし・やか【▽温▽和しやか】《形動》落ちついていて、もの静かなようす。「━な物言い」

おと・ひめ【▽乙姫】竜宮の主として住むという、美しい女性。浦島太郎の伝説にでてくる。[参考]本来、「妹(いも)にあたる姫」あるいは「年若い姫」の意。

おと・め【〈乙女〉・▽少女】（をと）結婚していない年の若い女。むすめ。処女。少女(しょうじょ)。**━ご【━子】**〔雅〕少女。[参考]語調を整えるときなどに使う。

お・とも【▽御供・▽御▽伴】❶《名・自サ》〔目上の人などに〕付きそって行くこと。また、その人。[類語]随従(ずいじゅう)。随行(ずいこう)。❷〔料理屋などで〕帰る客を送るためによぶ自動車。「━が参りました」

おと・や【▽乙矢・▽弟矢】射芸で、二本持った矢のうち、二番目に射る矢。二の矢。[対]甲矢(はや)。

***おど・らす【踊らす】**（をどらす）《他五》❶踊るようにさせる。❷人をかげであやつって、自分の意のままに動かす。「部長に━・されているだけだ」=踊らせる。[文]《四》。

***おど・らす【躍らす】**（をどらす）《他五》❶躍るようにさせる。❷〈「心を━・す」「胸を━・す」の形で〉〔喜びや期待のために〕心をわくわくさせる。=躍らせる。[文]《四》。

おとり【×囮】（をとり）《「招鳥(をきとり)」の転か》❶鳥や獣を招き寄せてとらえるため、猟師や網のそばにつないでおく同類の鳥や獣。❷相手を誘いよせ、おとしいれるために利用するもの(人)。「━商品」

おどり【踊り】（をどり）❶〔音楽にあわせて〕手足や体を比較的速いテンポで動かし、喜怒哀楽の感情を形に表すこと。また、そのようにして表現する芸術。舞踊。舞踏。ダンス。[参考]→舞。❷「踊り字」の略。

おどり・あが・る【躍り上がる】（をどり―）《自五》❶〔勢いよく〕とびあがる。はねあがる。❷喜びや驚きのためにとびあがる。はねあがる。「合格の知らせに━・る」

おどり・かか・る【躍り掛かる・躍り懸かる】（をどり―）《自五》身をおどらせて飛びかかる。勢いよく飛びかかる。

おどり・ぐい【躍り食い・踊り食い】（をどりぐひ）エビや白魚などをポン酢などにつけて生きたまま食べること。

おどり・こ【踊り子】（をどり―）❶踊りをおどる少女。❷おどることを職業にしている女性。[類語]①②舞子。❸〔俗〕→ひよめき。

おどり・こ・む【躍り込む】（をどり―）《自五》身をおどらせて飛びこむ。勢いよく飛びこむ。また、攻めこむ。

おとり・さま【▽御×酉様】「酉(とり)の市(いち)」の丁寧語。

おどり・じ【踊り字】（をどり―）同じ文字が続くとき、あとの文字に代えて用いる符号。「々」「ゝ」「〱」「〵」など。繰り返し符号。重ね字。畳字(じょうじ)。おどり。

おとり・そうさ【×囮捜査】（をとりサウ―）警官などを犯罪者の仲間のように装わせて誘惑し、犯人が犯罪を遂行するのを待って逮捕する捜査方法。

おどり・でる【躍り出る】（をどり―）《自下一》❶勢いよくとび出す。❷勢いよく他を抜いて目立った場所・位置につく。「優勝の最短コースに━・でる」

おどり・ば【踊り場】（をどり―）❶踊る場所。❷階段の中ほどで、他の踏み板より広くなった所。

おと・る【劣る】《自五》❶〔価値、または能力・数量などが〕他のものにくらべて低い、または少ない状態である。ひけをとる。「数においては数段━・る」❷〈「…に━・らず」の形で〉…と同じように。「今年の冬は去年に━・らず寒さが厳しい」[対]まさる。[文]《四》。

***おど・る【踊る】**（をどる）《自五》《「躍る」と同語源》❶歌や音楽にあわせ、体を動かし、さまざまな美しい身ぶり手ぶりをする。[参考]「踊り」または踊りの種類を表す語を目的語にとって、広く他動詞としても用いる。❷人にあやつられて行動する。[文]《四》。⇩[使い分け]

***おど・る【躍る】**（をどる）《自五》《「踊る」と同語源》❶とびあがる。はねあがる。「魚が━・る」❷律動的にはげしく動く。躍動(やくどう)する。❸〔書いた字や活字などが〕乱れる。❹〔喜びや期待のために心が〕どきどきする。わくわくする。[文]《四》。⇩[使い分け]

使い分け　「おどる」

踊る〔リズムに合わせておどる。操られて行動する〕ワルツを踊る・会議は踊る・笛吹けども踊らず・盆踊り・踊り子・人に踊らされる

躍る〔はね上がる。とび上がる〕魚が躍る・小躍りして喜ぶ・胸が躍る・字が躍る・躍り出る

[参考]「盆踊りの輪に踊り込む／敵陣に躍り込む」のように、複合語で使い分けることがある。前者は踊りながら加わる意、後者は勢いよく飛び込む意。

おどろ【×棘】《名・形動》〔文〕❶草木が乱れ茂っていること(所)。❷髪の毛などがひどく乱れていること。

おとろ・える【衰える】（おとろへる）《自下一》〔力・勢いなど

が〕弱まる。「体力が—・える」「国が—・える」類語(する)衰弱。衰微。老衰。対栄える。文おとろ・ふ《下二》。

おどろおどろ-し・い《形》〔文〕おそろしい。気味が悪い。「—・い形相」

おどろか・す【驚かす】《他五》❶(わざと)びっくりさせる。おどろかせる。「世間を—・す大事件」❷〔文〕眠っているものを目覚めさせる。文《四》。

おどろき【驚き・×愕き・×駭き】おどろくこと。「—の目をみはる」類語仰天。驚愕。驚嘆。

おどろき-い・る【驚き入る】《自五》(「入る」は、「甚だしい」意の接尾語)ひどくおどろく。「—・った話だ」

おどろ・く【驚く・×愕く・×駭く】《自五》〔思いがけないことにであって〕心が平静を失う。びっくりする。「美しさに—・く」文《四》。⇩〖類語と表現〗

類語と表現

「驚く」

＊突然の銃声に驚く・あっと驚く・驚いて立ちすくむ・宇宙の神秘に驚く・彼の博識に驚く・彼女の熱意に驚く・政治家の巧言に驚く。

◆驚き入る・驚きあきれる・たまげる・ぶったまげる・びっくりする・びっくり仰天する・ぎょっとする・はっとする・どきっとする・ぎくっとする・愕然とする・一驚を喫する・腰を抜かす・肝を潰す・舌を巻く・息を呑む・目を疑う・目を見張る・目を丸くする・目を白黒させる／(する)驚愕・驚嘆・驚動・驚倒・喫驚・動転・聳動・震駭

おない-どし【同い年】《「おなじとし」の音便》同じ年齢。「彼と私は—だ」「私は彼と—だ」

お-なか【▽御中・▽御▽腹】腹。また、胃腸。「—が痛い」参考もと、女房詞。表記多くかなで書く。

お-なが【尾長】—を ❶尾が長いこと。❷カラス科の鳥。カラスの半分ぐらいの大きさで、尾が長い。からだは灰色で、尾は淡青色。**—どり【—鳥】**日本固有のニワトリの一品種。雄の尾は非常に長く、六～一〇メートルにも達する。特別天然記念物。長尾鶏。

お-ながれ【▽御流れ】❶目上の人が飲んでいた杯を借りて酒をついでもらって飲むこと。また、その酒。「—をちょうだいする」❷目上の人の使い古しをもらうこと。また、その品物。おさがり。❸予定していたことがとりやめになること。「雨で遠足は—だ」類語中止。

お-なぐさみ【▽御慰み】❶座興。❷たのしみなこと。おたのしみ。「うまくいったら—」参考うまくいってほしいがはっきり請け合えない場合に、ふざけ・皮肉の気持ちをこめて使うことが多い。

おな-ご【▽女子】—をな《「おんなご」の転》❶女の子ども。❷女の人。女性。❸女中。おなごしゅう。〔古風な言い方。多く関西で使う〕

おなじ【同じ】㊀《形動》《もとシク活用形容詞であったものが、形容動詞語幹になったもの。連体形「同じな」は、「同じなのに」「同じなので」のような場合にのみ用いられて、体言に続くときは語幹「同じ」が用いられる》Aと、B二つのものが、入れかわってもかわりがない。❶そのものである。同一である。共通である。「—屋根の下」❷〔そのものとしてはちがうが〕種類・程度は区別がない。「—長さの棒」類語一つ。一つ。等しい。等し並み。負けず劣らず。どっこいどっこい。とんとん。似たり寄ったり。おっつかっつ。ちょぼちょぼ。同様。同然。同等。一様。一律。画一。均一。均等。平等。対等。互角。五分。五分五分。合同。相似。伯仲。千篇一律。同工異曲。大同小異。五十歩百歩。兄たり難く弟たり難し。甲乙つけ難い。軌を一にする。団栗の背くらべ。タイ。イーブン。イコール。㊁《副》〈「同じ…なら」の形で〉「同じ…ということをするなら」の意を表す。「—買うならいい物を買う」類語どうせ。せっかく。参考㊀㊁は、俗に「おなし」ともいう。

—穴の貉《句》同類(の者)。一味。一つ穴のむじな。〔よくないことをする人に言う〕

—釜の飯を食・う《句》仲間として同じ所で起居し親しく生活することのたとえ。

おなじ・い【同じい】《形》〔文〕同じである。「AはBに—・い」参考シク活用形容詞「同じ」が口語化したもの。類語ひとしい。文おな・じ《シク》。

おなじく【同じく】㊀《副》同様に。ひとしく。「右に—取り扱う」㊁《接続》同じ事柄を列挙するときに、前と同じことばをくりかえすことをさけて、代用するときに使う語。同。「社員A、—B」参考㊀㊁とも、もとシク活用形容詞「同じ」の連用形「同じく」の転。

お-なじみ【▽御×馴染(み)】「なじみ」の丁寧語。「—のメンバー」

おなじゅう・する【同じゅうする】《連語》《「同じくする」の転》〈「…を—・する」の形で〉…が同じである。「席を—・する」

オナニー 手淫。▽ドイツ Onanie

お-なみ【▽男波・▽男▽浪】—を〔文〕高低のある波のうち、高い方の波。片男波。対女波。

おなみだ-ちょうだい【▽御涙頂×戴】《連語》〔映画・演劇などで〕観客の涙を誘おうという意図が見えすいていること。

お-なら〔俗〕屁。参考もと、女房詞。

お-なり【▽御成り】〔皇族・摂家・将軍など〕身分の高い人が外出・出席することの尊敬語。

お-なんど【▽御納戸】❶身分の高い人の衣服・調度などをしまっておく部屋。❷「おなんど色」の略。❸「おなんど役」の略。**—いろ【—色】**ねずみ色がかったあい色。なんどいろ。**—やく【—役】**江戸幕府の職名の一つ。将軍家の金銀・衣服・調度の出し入れなどをした役。また、その役人。

おに【鬼】㊀《名》❶想像上の生き物。形は人に似ていて、角と牙を持ち、怪力で、性格は非情で恐ろしい。腰に虎の皮のふんどしをつけているという。赤鬼・青鬼などがある。類語夜叉。羅刹。❷情けしらずな人。血も涙もない人。❸〈心を—にする〉〔相手のためを考えて〕冷酷にふるまう。❹ある一つのことに精魂を傾け、精進する人。「仕事の—」❺死者のたましい。魂魄。「護国の—」❻たたりをする霊魂。亡霊。❼〔おにごっこ・隠れんぼなどで〕さがし捕らえる役(の人)。㊁《接頭》❶「鬼の顔に似ている」の意。「—瓦」❷「無慈悲な」「むごい」の意。「—ばばあ」❸「気性が荒くいさましい」「きびしい」「こわい」などの意。「—コーチ」❹「大形の」の意。「—やんま」「—あざみ」

—が出るか蛇が出るか《句》将来どんなおそろしいことが起こるか予測がつかないことのたとえ。

—が笑・う《句》未来を予測することの愚かさをからかって言うことば。「来年のことを言うと—・う」

—に金棒《句》強い上にさらに強さを加えるたとえ。

お

表記「金棒」は「鉄棒」とも書く。
―の居ぬ間に洗濯《句》こわい人や気づまりな人のいない間に、十分くつろぐことのたとえ。
―の霍乱《句》非常に健康で、めったに病気をしない人が病気になること。
―の首を取ったよう《句》この上ない手柄を立てたかのように、得意になるようす。「一回戦を勝って―に喜ぶ」
―の目にも涙《句》無慈悲な人でも、時には情に感じて涙を流すことがあるというたとえ。
―も十八番茶も出花《句》〔みにくい鬼でも年ごろになれば美しく見え、粗末な番茶でも出ばなはかおりがよいの意〕どんな女でも年ごろになれば女らしい美しさがその身に現れることのたとえ。鬼も十八。注意 褒めことばにはならない。

おに-あざみ【鬼×薊】キク科の多年草。大形で、葉の縁には鋭いとげがたくさんある。夏、こい紅紫色の花がさく。

オニオン たまねぎ。「―スープ」▽onion

おに-がわら【鬼×瓦】屋根のむねの両端に、かざりにつける、大きなかわら。もと、鬼の面をかたどって魔よけにした。

おに-ぎり【▽御握り】「握り飯」の丁寧語。おむすび。

おに-ご【鬼子】❶人間の子ではない子供。また、鬼から生まれたと思えるような乱暴な子供。「親に似ぬ子は―」❷歯がはえて生まれた赤ん坊。＝鬼っ子。

おに-ごっこ【鬼ごっこ】子供の遊びの一つ。ひとりが鬼となって他の者を追いかけてつかまえ、つかまえられた者が次の鬼になる。

おに-ば【鬼歯】鬼のきばのように、二重になってはえ、外側へつき出た歯。類語 八重歯。

おに-ばばあ【鬼▽婆】❶老婆の姿をした鬼。❷情けしらずで、いじわるな老婆。＝おにばば。

おに-び【鬼火】❶夜、墓地や湿地などで青白く光る火。燐火。きつね火。❷葬式で、出棺のときに門前で焚く火。

お-にもつ【▽御荷物】❶「荷物」の丁寧語。❷負担になるもの。やっかいな存在。「チームの―になる」

おに-やらい【鬼▽遣・▽追×儺】昔、大晦日の夜、宮中で行った疫病の鬼を追い払う儀式。のち、民間で節分の行事となった。豆まき。追儺。

おに-やんま【鬼×蜻×蜓】オニヤンマ科のトンボ。日本最大のトンボ。黒色に緑黄色の横縞がある。

お-ニュー【▽御ニュー】→ニュー㊁。

おに-ゆり【鬼▽百▽合】ユリ科の多年草。夏、橙色の地に黒点のある大形の花を開く。地下茎は食用。

お-ぬし【▽御主】《代名》《対称の人代名詞》同輩以下の相手を指して言う語。おまえ。おのし。〔古風な、また方言的な語〕「―なかなかできるな」

お-ね【尾根】山の頂上から頂上へ、一番高い部分が続いてつながるところ。稜線。

お-ねがい【▽御願い】《名・他サ》「願い」の丁寧語。また、「願うこと」の謙譲語。「―、早く帰ってきてね」

お-ねじ【雄×螺▽旋】まるい棒の周囲にらせん状にみぞをつけた、はめこむのに使うねじ。対 雌ねじ。

お-ねしょ《名・自サ》《「お寝小便」の下略》寝小便。〔女性が幼児に対して使う語〕

お-ねり【▽御練り】大名や祭礼の行列がうねるようにして、ゆっくり進むこと。また、その行列。転じて、ゆっくり歩くこと。

おの【×斧】鉄製のくさび形のぶあつい刃に短い柄をつけ、木をたたき切ったり割ったりする道具。「まさかり」より小型。よき。参考「一丁…」と数える。

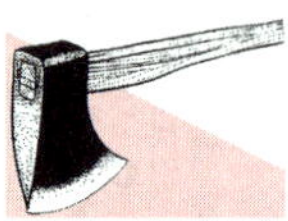
斧

お-の-え【尾の▽上】〔雅〕山のてっぺん。山頂。「―の桜」

おの-おの【各・各各】《「己己」の意》〔副詞的にも使う〕〔多くのものの〕一つ一つ。めいめい。それぞれ。「―意見を異にする」

おのが-じし【▽己がじし】《副》〔文〕それぞれ自分の心まかせに。めいめい（思うままに）。

お-の-こ【▽男子・▽男】❶〔文〕男の子。❷〔文〕おとこ。特に、成人の男子。対①②女の子・おみな。

おの-ずから【▽自ずから】《副》❶ひとりでに。自然に。おのずと。「努力すれば―と分かることだ」❷たまには。「忙中―閑あり」

おのず-と【▽自ずと】《副》おのずから①。

おのの-く【▽戦く・×慄く】《自五》〔恐ろしさ・興奮・寒さなどのため〕〔からだが〕ぶるぶるふるえる。わななく。また、恐怖などのため、胸がどきどきする。「不安に―く」表記「戦慄く」とも当てる。文《四》。

おのぼり-さん【▽御上りさん】〔俗〕大都会を見物しに来た田舎者。〔あざけって言う語〕類語 赤ゲット。

オノマトペ 擬声語・擬態語。▽フランス onomatopée

おのれ【己】〔文〕㊀《名》その人、その物自身。自分自身。「―に勝つ」㊁《代名》❶《自称の人代名詞》私。〔卑下した感じを伴う〕❷《対称の人代名詞》おまえ。なんじ。〔相手を見下した言い方〕㊂《感》相手をはげしくののしるとき、くやしいときなどに発する語。
―を虚しゅうする《句》自分の感情を捨てて、わだかまりのない気持ちになる。

お-は【尾羽】鳥の尾と羽。
―打ち枯らす《句》〔地位や勢力のあった人が〕おちぶれて、昔の面影がなくなる。類語 零落。落魄。

***お-ば【〈伯母〉・〈叔母〉】**《「小母」の意》父母の姉または妹。および、おじの妻。表記 父母より年上なら「伯母」、年下なら「叔母」と書く。おじの妻の場合は「おじ」を基準として「伯」「叔」を使い分ける。対 おじ（伯父・叔父）。

***お-ば【小▽母】**《「おば（伯母・叔母）」と同語源》〈「―さん」の形で〉〔主に年少者が〕よその大人の女性を親しんで呼ぶ称。〔年少者に向かっては、自称としても使う〕「肉屋の―さん」対 おじ（小父）。

***おばあ-さん【▽御▽祖▽母さん】**祖母を尊敬して（親しんで）呼ぶ語。対 御祖父さん。

***おばあ-さん【▽御▽婆さん】**女の老人を尊敬して（親しんで）呼ぶ語。対 御爺さん。

オパール 真珠色の光沢があって、卵白色・オレンジ色・青色などをした半透明の鉱物。宝石として装飾品に用いる。蛋白石。一〇月の誕生石。▽opal

お-はぎ【▽御×萩】もち米とうるち米をまぜてたいた飯を軽くついて丸め、あん・きなこ・ごまなどをつけた食品。はぎの餅。牡丹餅。参考 もと、女房詞。

お-はぐろ【▽御歯黒・▽鉄×漿】《もと、「はぐろめ」の女房詞》歯を黒くそめること。かねつけ。参考 むかし、上流社会の女性や公家の間にはやり、江戸時代には一般に既婚の女性の印として用いられた。

お・ばけ【▽御化け】❶ばけもの。〔幼児語的表現〕類語妖怪(ようかい)。幽霊。変化(へんげ)。魑魅魍魎(ちみもうりょう)。❷ふつうとちがってきみが悪いほど大きなもの。「ナスの―」

お・はこ【▽十▽八▽番】《「御箱」の意》❶得意な芸。十八番(じゅうはちばん)。参考歌舞伎(かぶき)の市川家のお家芸を十八番といい、箱に入れて秘蔵する物の意から「おはこ」というようになった。❷興が乗ると出る、くせ。「酔うと、―の歌が出る」

お・はこび【▽御運び】「来ること」「行くこと」の尊敬語。「こんな田舎へ、わざわざ―下さいまして…」

お・はじき【▽御▽弾き】平たいガラス玉・貝がらなどをまいておき、指先ではじいて当ててとりあいをする、女の子の遊び。また、それに使うもの。はじき。

おばしま【▽欄】〔古〕欄干(らんかん)。手すり。

お・はしょり【▽御▽端▽折り】❶和服のすその端を帯などにはさむこと。❷女性の和服で、着丈に合わせて余った部分を腰の部分で折り、ひもで結んでとめること。また、その位置。

おばすて・やま【×姨捨山】―をば ❶長野県にある山の名。ある男が年老いた親代わりの伯母を山の頂に捨ててきたが、明るい月を見て後悔し、つれもどしたという伝説がある。❷↓姥捨山(うばすてやま)。

お・はち【▽御鉢】❶「めしびつ」の丁寧語。おひつ。❷火山の火口。また、その周辺。「―巡り(=火口、特に富士山の火口の周りを見物して回ること)」―が回・る《句》〔あることをする〕順番がくる。

お・はつ【▽御初】❶初めてであること。❷初めてのもの。特に、初めて着た新しい服。

―にお目に掛かります《句》〔「初めてお会いします」の意〕初対面のときのあいさつとして言うことば。

お・はつほ【▽御初穂】「初穂(はつほ)」の丁寧語。おはつお。

*__お・ばな__【尾花】―を ススキ。また、その花穂。花すすき。「枯れ―」

*__お・ばな__【雄花】―を おしべだけあって、めしべのない花。実を結ばない。カボチャ・キュウリ・松・イチョウなどに見られる。雄性花。雄ずい花。対雌花(めばな)。

お・はなばたけ【▽御花畑・▽御花×畠】高山・高原や北国などで、多くの種類の高山植物の花がいちめんに咲いている所を「花畑」に見立てた語。

お・はね【▽御跳ね】おてんば。おきゃん。

お・はよう【▽御早う】―はやう《感》朝、初めてあったときにいう、あいさつのことば。参考丁寧な言い方は、「おはようございます」。類語今日は。今晩は。

*__お・はらい__【▽御払い】―はらひ ❶「払い」の尊敬語。❷不用なものを売ること。また、不用品。「―物」

*__お・はらい__【▽御×祓い】―はらひ ❶災厄(さいやく)を除くために神社で行う神事。はらえ。❷毎年六月・一二月の末日に神社で行う、罪・汚れを清める神事。おおはらい。❸神社の神号を書いた厄除けのお札。大麻(たいま)。 **―ばこ**【―箱】❶御祓い③を入れて、伊勢(いせ)神宮から各地の信者に年ごとに配る箱。❷〈「―にする」の形で〉いらなくなった物を捨てる。また、使用人をやめさせる。参考おはらい箱①が毎年新しい物に取り替えられることから。表記②は、ふつう「お払(い)箱」と書く。

おはら・め【▽大原女】京都市の北にある大原(おおはら)から市中へ、花・たきぎ・木製品などを頭にのせて売りにくる女。おおはらめ。

お・はり【▽御針】❶針仕事。裁縫。❷「おはり子」の略。やとわれて針仕事をする女。針子。縫子(ぬいこ)。

おば・ん〔俗〕おばさん。若者が年上の女性をからかいを込めて呼ぶ語。対おじん。

おび【帯】❶和服を着るとき、上に着る長着の上から腹部に巻いて結ぶ、平らで細長い布。また、そのような形をしたもの。「―を締める」「―のように広がる」「―状に分布する」参考「一本…」「一条(いちじょう)…」「一筋(ひとすじ)…」と数える。❷「帯紙」の略。❸「帯番組」の略。

―に短し襷(たすき)に長し《句》中途半ぱで役に立たないことのたとえ。

おび・あげ【帯揚(げ)】女性が、結んだ帯がずり落ちてこないように帯の下にまわして結ぶ布。綸子(りんず)・平絹などで絞りにしたものが多い。

おび・いわい【帯祝(い)】―いはひ 妊婦が妊娠五か月めごろの戌(いぬ)の日に岩田帯(いわたおび)をする、祝い事。

おび・える【▽脅える・×怯える】《自下一》〔恐ろしいことが起こるのを〕こわがってびくびくする。「暗やみに―・える」文おび・ゆ《下二》。

おび・がね【帯金】❶箱・たるなどに巻きつける、帯状の薄く細長い金具。❷刀のさやにつけた、腰につけるためのひもを通す環(かん)。❸女帯をしめるとき、帯をはさみとめる金具。帯ばさみ。

おび・がみ【帯紙】❶宣伝文・推薦文などを印刷して、書籍の外箱や表紙の下部に巻いた紙。❷物をたばねるのに使う細長い紙。❸帯封に使う細長い紙。

おび・かわ【帯革・帯皮】―かは ❶革で作った帯。革帯。バンド。ベルト。❷調べ車にかけわたして動力を伝える、機械用のベルト。

お・ひきずり【▽御引(き)×摺り】❶着物の裾(すそ)を長くひきずること。また、そのように仕立てた着物。❷無精で、ろくに働かない女。ひきずり女。

おびき・だ・す【▽誘き出す】《他五》だましてつれ出す。だましてさそい出す。類語さそい出す。

おびき・よ・せる【▽誘き寄せる】《他下一》だまして自分の方へ近づける。だまして引きよせる。

お・ひ・さま【▽御日様】「太陽」を尊敬して、または親愛の情をこめていう語。類語おてんと(う)さま。

お・ひざもと【▽御×膝元・▽御×膝下】❶身分の高い人のいる傍ら。❷天皇・将軍などが住み政務をとっている土地。首都。類語帝都。❸権力や威力が直接及ぶ所。「警察の―で起きた事件」

おび・じ【帯地】帯を作る布地。しゅす・博多織など。

おび・じめ【帯締(め)】女性が、結んだ帯の形がくずれないように帯の上からしめておさえる、細いひも。参考↓帯どめ。

おび・しん【帯心・帯×芯】❶帯の形を保ち張りをもたせるために中にいれる、厚い布地。❷帯をしめたとき、前面にしわがよらないように帯の間にはさむもの。

お・ひたし【▽御浸し】《「ひたしもの」の丁寧語》コマツナ・ホウレンソウ・ミツバなど、やわらかい青菜などをゆでてしぼり、しょうゆ・かつおぶしなどをかけた食べ物。

おびただし・い【×夥しい】《形》❶〔数量が〕あきれるほど多い。「―・いごみの山」❷〔程度が〕はなはだしい。はげしい。「疲労が―・い」文おびただ・し《シク》。

お・ひつ【▽御×櫃】炊いたごはんを入れておく木製の容器。めしびつ。おはち。

おび・どめ【帯留(め)】帯じめ。特に、両端を金具でとめるようにした、あるいはひもに装飾的な細工物を通した帯じめ。また、その装飾的な細工物。

お

おひと-よし【▽御人▽好し】《名・形動》気がよくて、他人の言うことをすぐ信用したり引き受けたりする・こと（人）。「―にも程がある」類語好人物。

オピニオン ❶意見。❷世論。▽opinion **―リーダー** 世論の指導者。その発言が全員の意思や行動に影響をもつ人物。▽opinion leader

お-ひねり【▽御×捻り】金銭を紙につつんで軽くひねったもの。神仏に供えたり祝儀として与えたりするときに使う。紙ひねり。ひねり。

おび-のこ【帯×鋸】「おびのこぎり」の略。帯のように長い鋼鉄板に刃をつけて輪状に溶接したのこぎり。動力で回転させ、金属・木材などを切る。類語糸のこ。

おび-ばんぐみ【帯番組】ラジオやテレビで、毎週、同じ時刻に続けて放送される番組。帯。

おび-ふう【帯封】新聞・雑誌などを郵送するとき、細長い紙で帯のように巻きつつむこと。また、その紙。

お-ひや【▽御冷や】〔つめたい〕飲み水。参考もと、女性語。

おびや-か-す【脅かす】《他五》❶〔危険を感じさせて〕おそれさせる。おどす。❷あぶない状態にする。あやうくする。「社長の地位を―・す」

お-ひゃくど【▽御百度】「お百度参り」の略。↓ひゃくどまいり。

―を踏・む《句》❶百度参りをする。❷〔頼みごとを聞き入れてもらうため〕同じ人を何度もたずねる。

おひゃら-か-す《他五》〔俗〕からかう。ひやかす。

おひょう【▽大×鮃】カレイ科の海魚。体長は二メートル以上。北太平洋に多くすむ。食用。おひょうひらめ。

お-ひら【▽御平】《もと「ひらわん」の女房詞》底が浅くて平たい、ふたのついた椀。平椀。

お-ひらき【▽御開き】宴会・祝宴などが終わること。「この辺で―にしよう」参考「終わる」「閉じる」などをきらって、その代わりに言う語。類語閉会。

お-ひる【▽御昼】❶正午。❷昼飯。

お-びる【帯びる】《他上一》❶〔勲章などを〕身につける。〔刀・剣を〕腰につける。「刀を―・びる」表記「佩びる」とも書く。❷身に引き受ける。負う。「任務を―・びる」❸〔ある性質・成分などを〕中に含んで持つ。「哀調を―・びた曲」文お・ぶ《上二・四》。

お-ひれ【尾×鰭】―を ❶魚の尾とひれ。「うわさに―が付く（＝事実以外のことが付け加わって話が大げさになる）」

お-びれ【尾×鰭】―を 魚のからだの後ろ端にあるひれ。

お-ひろい【▽御拾い】―ひろひ 「歩くこと」の尊敬語。参考もと、女房詞。

お-ひろめ【▽御披露目】《「御広め」の意》❶「披露」の丁寧語。❷芸者・芸人などがその土地ではじめて出ること。また、そのときにして回るあいさつ。

オフ ❶スイッチや機械などが、停止・消灯・休止中であること。対オン。❷「オフシーズン」または「シーズンオフ」の略。❸「オフタイム」の略。▽off **―サイド** サッカー・ラグビー・ホッケーなどの反則の一つ。競技者が味方のボールの位置よりも前方にいてプレーをすること。▽off-side **―シーズン** 一年のうちで、そのことの行われない季節・時期。シーズン外。シーズンオフ。オフ。▽off-season **―タイム** 仕事の時間外。仕事からはなれているとき。休み。オフ。対オンタイム。▽off と time からの和製語。**―ホワイト** わずかに灰色または黄色を含んだ白色。▽off-white **―リミッツ** 立ち入りが禁止されている・こと（区域）。オフリミット。対オンリミッツ。▽off-limits **―レコ** ❶記録に残さないこと。❷〔新聞・放送などで〕公表しない・こと（事項）。「―の記者会見」参考「オフザレコード（off the record）」の略。対①②オンレコ。**―ロード** 山間や海岸などの、道路として整備されていないところ。「―レース」▽off-road

オファー《名・他サ》申し出。申し込み。提案。「―を受ける」▽offer

オフィシャル《形動》公式であるようす。公認であるようす。「―ゲーム」▽official

オフィス 事務所。会社。役所。「―街」▽office **―オートメーション** コンピューターなどの情報機器を導入して、早く確実に事務処理を行い、経営の合理化をはかること。ＯＡと略す。▽office automation **―ガール** オフィスレディー。ＯＧと略す。▽office と girl を合わせた和製語。**―レディー** 会社・役所などに勤める女子事務員。オフィスガール。ＯＬと略す。▽office と lady からの和製語。

***お-ぶう**〔幼児語・女性語〕❶湯。茶。おぶ。❷ふろ。

***おぶ・う**【負ぶう】《他五》《「負ふ」の転》〔俗〕〔子供を〕せおう。しょう。類語負う。文《四》。

オフェンス スポーツで、攻撃する・こと（側）。対ディフェンス。▽offense

お-ふくろ【▽御袋】〔くだけた会話の中で他人に話すとき〕成年男子が自分の母親を親しんで言う語。表記かなで書くことが多い。対おやじ。

おふく-わけ【▽御福分け】《名・他サ》人からもらった物の一部を他の人に分け与えること。おすそわけ。

オフ-コン データ処理ができる、事務用の小型コンピューター。単独に使用するほか、大型機と結合することも可能。参考「オフィスコンピューター（office computer からの和製語）」の略。

オブザーバー 会議の傍聴者。▽observer

おぶさ・る【負ぶさる】《自五》❶せおってもらう。せおわれる。❷〔自分の事をするのに〕他人の力・金銭などにたよる。「本家に―・って商売をする」文《四》。

オブジェ 現代芸術で、道具としてではなく、美を表現する素材として用いた物体。また、それを用いて作った作品。参考彫刻・生け花などで盛んに行われる。▽フランス objet（＝客体。物体）

オプション ❶手付金の支払いによって、一定期間内に売買取引の履行を要求できる権利。（買付け）選択権。❷「オプショナルパーツ」の略。標準仕様でなく、客の注文によって取り付ける部品・装置。▽option

オブストラクション〔スポーツ競技で〕相手側（の攻撃や守備）を妨害する反則行為。▽obstruction

オフセット 平版印刷の一つ。版面に付着しているインクをいったんゴム布に転写してから紙に印刷する方法。オフセット印刷。▽offset

お-ふだ【▽御札】神社・寺などで発行する守り札。護符。おまもり。

お-ぶつ【汚物】〔ごみ・糞尿など〕きたないもの。

オプティミスト 楽天家。楽観論者。オプチミスト。対ペシミスト。▽optimist

お-ふでさき【▽御筆先】天理教・大本教などで、教祖が神のお告げのことばを書きとめたという文書を尊敬して言う語。

オブラート 澱粉などで作った、薄い透明な膜。飲みにくい粉薬などを飲むときに包んで使う。「ーに包む(=直接的な表現を避け、やわらかくぼかして言う)」▽オランダ oblaat ドイツ Oblate

お-ふる【▽御古】〔「古物」の丁寧語から〕持ち主がすでに一回は使った品。

お-ふれ【▽御触れ】❶役所からの、一般国民への命令。〔古風な言い方〕❷「御触書」の略。江戸時代、幕府・諸藩が命令を一般人民に公布した文書。

オペ ❶〔医〕「オペラチオン(ドイツ Operation)」の略。手術。❷「オペレーション」の略。

おべっか 〔俗〕へつらって、機嫌をとる・こと(ことば)。おべんちゃら。「ーを使う」類語 追従。

オペック 石油輸出国機構。参考 ⇩巻末付録(OPEC)。

オペラ 歌劇。▽イタリア・英 opera フランス opéra **ーグラス** オペラや芝居をみるときに使う、小型で低倍率の双眼鏡。▽opera glass

オベリスク 古代エジプトで、神殿の前にたてた、先のとがった石の四角柱。方尖塔。▽obelisk

オペレーション ❶機械の運転・操作。❷作用。活動。❸〔軍隊で〕作戦。❹〔医〕手術。オペラチオン。参考 ①〜④とも「オペ」ともいう。▽operation

オペレーター ❶機械の運転操作をする人。電話交換手、コンピューターの操作者など。❷自分で船舶を所有し、また他人から借用して海運業を営む人。運航業者。▽operator

オペレーティング-システム コンピューターの基本ソフトウエア。プログラムの実行、入出力制御、データ管理などの機能をもつ。略語 OS。▽operating system

オペレッタ 喜歌劇の一種。だれにでも親しめる内容をもった、喜劇的で小規模な歌劇。小歌劇。軽歌劇。▽イタリア operetta

お-べんちゃら 〔俗〕人の機嫌をとるために言う実意のないことば。口先のおせじ。おべっか。「ーを言う」

おぼえ【覚え】❶〔経験したことを〕記憶すること。また、その事柄。❷思い当たるふし。「身にーのない疑い」❸技術上の手腕に関する自信。「腕にーがある」❹〔目上の人の〕信任。寵愛。「社長のーがめでたい(=社長に気に入られている)」❺覚え書き①。

おぼえ-がき【覚(え)書(き)】❶忘れないように簡単に書きとめておくこと。また、その文書。覚え。類語 メモ。備忘録。手控え。❷(memorandum)相手国に対して一方的に希望・意見などを書きしるした略式の外交文書。表記 ②は「覚書」と書く。

おぼえ-ず【覚えず】《副》〔文〕自分で意識しないでするようす。思わず。知らず知らず。「ー涙を流す」

おぼ・える【覚える】《他下一》❶心にとどめて自分の知識とする。記憶する。「英単語をー・える」参考「ー・えておけ」などの形で、「覚悟しておけ」の意でも用いる。表記「憶える」とも書く。❷〔体や心に〕感じる。体験する。「痛みをー・える」❸〔習って〕身につける。体得する。「芸をー・える」文 おぼ・ゆ《下二》。

おぼこ《「産子」の転》❶《名・形動》まだ世なれず、純情な・こと(人)。❷きむすめ。処女。

おぼし・い【▽思しい・▽覚しい】《形》〈「…とー・い」「…とー・しき」の形で〉…と考えられる。…と思われる。「犯人とー・い男」文 おぼ・し《シク》。

おぼし-めし【▽思し召し】❶〔文〕「考え」「心持ち」などの尊敬語。「ほんのー(=志程度の金)で結構です」❷〔俗〕異性に対する関心。恋情。〔やや、ふざけていう語〕「君はあの娘にーがあるのじゃないか」

おぼし-め・す【▽思し召す】《他五》「思う」「考える」の尊敬語。お思いになる。お考えになる。「哀れとー・す」

オポチュニスト ご都合主義者。日和見主義者。▽opportunist

おぼつか-な・い【▽覚▽束無い】《形》❶はっきりせず、たしかでない。あやふやである。「ー・い記憶をたどる」❷〔物事のなりゆきや成否が〕あやぶまれる。うたがわしい。「成功はー・い」❸しっかりせず、たよりない。心もとない。「足許がー・い」

おぼれ-じに【×溺れ死に】《名・自サ》水におぼれて死ぬこと。水死。溺死。

おぼ・れる【×溺れる】《自下一》❶泳げないため、水中でもがき、浮き沈みする。泳げずに・死ぬ(死にそうになる)。類語 魚腹に葬られる。海の藻屑となる。溺れ死に。水死。入水。溺死(する)。❷心をうばわれる。熱中して、理性を失う。「酒色にー・れる」類語 耽る。(する)耽溺。惑溺。文 おぼ・る《下二》。⇩〔類義語の使い分け「耽る」〕

ーれる者は藁をも摑む《句》危険においこまれた人は、頼りになりそうもないものにも助けを求める。

おぼろ【×朧】[一]《形動》かすんでぼんやりしているようす。また、はっきりしないようす。「月がーにかすむ」類語 ほのか。朦朧。[二]《名》→そぼろ②。

おぼろ-ぐも【×朧雲】「高層雲」の通称。空一面にひろがる灰色の雲。

おぼろ-げ【×朧げ】《形動》〔記憶・物の形などが〕はっきりしないようす。ぼんやりしているようす。「ーな記憶」「ーな人影」類語 朦朧。

おぼろ-こぶ【×朧昆布】酢につけてやわらかくしたこんぶを薄くけずったもの。おぼろこんぶ。類語 とろろこぶ。

おぼろ-づき【×朧月】〔春の夜の〕かすんでぼんやりと見える月。朧月。

おぼろ-づきよ【×朧月夜】〔春の〕月がかすんであたりがうす明るい夜。おぼろづくよ。おぼろよ。

おぼろ-よ【×朧夜】おぼろづきよ。

お-ぼん【▽御盆】「ぼん」「うらぼん」の丁寧語。

オマージュ ❶賛歌。賛辞。「今は亡き詩人へささげるー」❷尊敬。敬意。▽フランス hommage

お-まいり【▽御参り】《名・自サ》神社・寺・墓などを拝みに行くこと。

お-まえ【▽御前】[一]《名》神仏や身分の高い人の前を尊敬していう語。御前。[二]《代名》《対称の人代名詞》同等または、目下の相手をぞんざいに、また親愛の情をこめて呼ぶ語。「ーにやるよ」参考 現代では、多く男性が使う。もとは、同等以上の相手に対する尊敬語であった。類語 貴様。

お-まけ【▽御負け】❶《名・他サ》値引きすること。「五〇〇円ーします」❷景品として付け加える・こと(もの)。「ーをつける」❸あるものにさらに付け加える・こと(もの)。「も一つーにげんこつをやる」表記 かなで書くことが多い。**ーに**《接続》その上に。「彼は歌がうまい。ーバイオリンもひける」類語 のみならず。かてて加えて。

お-まじり【▽御交(じ)り・▽御混(じ)り】よく煮えた米粒が少しまじった、おもゆ。

お-ませ《名・形動》ませていること。また、その子供。

お

お・まちかね【▽御待ち兼ね】 今か今かと待っている様子。〔第三者が言う語〕「さっきからーですよ」

おまちどお・さま【▽御待ち遠様】 《感》相手を待たせたときのあいさつの語。

お・まつ【雄松・▽男松】 くろまつ。対雌松(めまつ)。

お・まつり【▽御祭り】 ❶「祭り」の丁寧語。❷魚釣りで、釣り糸が近くで釣っている人の糸とからみ合うこと。

ーさわぎ【ー騒ぎ】 ❶祭礼の時のにぎやかな騒ぎ。❷調子にのって必要以上に騒ぎたてること。類語ばか騒ぎ。どんちゃん騒ぎ。

お・まもり【▽御守(り)】 災難をよけるために身につける神仏の守り札。寺社で発行する。護符。守り札。

お・まる【▽御×虎▽子】 《接頭語「お」+古語「まる(=大小便をする)」の名詞化》病人・幼児などが室内で使う、持ちはこびのできる便器。おかわ。類語しびん。

おまわり・さん【〈お巡りさん〉】 「巡査」を親しんで言う語。

お・まんま【▽御▽飯】 〔俗〕めし。ごはん。食事。

お・み【▽御▽御】 《接頭》《「大御(おおみ)」の転。和語の名詞の上につけて》丁寧・尊敬の意を表す。「ー足」「ーくじ」類語御(お)。御(おん)。

おみ・あし【▽御▽御足】 「足」の尊敬語。

おみ・おつけ【▽御味▽御付け】 「みそしる」の丁寧語。おつけ。表記かなで書くことが多い。参考「おみ」は「みそ」の女房詞(ことば)。

お・みかぎり【▽御見限り】 愛想をつかして、しばらく交際を絶つこと。

お・みき【▽御〈神酒〉】 ❶神前にそなえる酒。❷〔俗〕酒。「ーがはいっている」 **ーどくり【ー徳利】** ❶酒を入れて神前に供える一対の徳利。❷転じて、いつも同じような姿をしている二人。また、いつもいっしょにいる二人。=おみきどっくり。

おみ・くじ【▽御▽神×籤・▽御×籤・▽御▽御×鬮】 神社や寺院で、参拝人に引かせて吉凶・運不運・事の成否などをうらなうくじ。

お・みこし【▽御▽神×輿】 ❶「みこし」の丁寧・尊敬語。❷〔俗〕〔すわったときの〕腰。「ーをすえる」「ーをあげる」参考腰のすわったようすを輿の安定したようすに見立てるとともに、「輿」を「腰」にかけたしゃれ。

お・みずとり【▽御水取(り)】 ❶奈良東大寺の二月堂で行われる年中行事の一つ。三月一日から二七日まで行法・儀式が行われる。修二会(しゅにえ)。❷お水取①の儀式の一つ。三月一二日の深夜から一三日の明け方にかけて、堂の前にある井戸(=若狭井(わかさい))から水をくみとり、本堂にはこぶ儀式。おたいまつ。

お・みそれ【▽御見▽逸れ】 《名・他サ》❶「見過ごすこと」「見忘れること」の謙譲語。会った相手をそれと気づかず失礼すること。「ごりっぱになられて、ーしました」❷評価をまちがえて相手を軽く見ること。「すばらしい出来ばえですね。どうもーしました」

オミット 《名・他サ》除外・省略すること。▽omit

おみな【▽女】 ❶〔文〕おんな。特に、成人した女性。❷〔文〕女の子。同①②女(め)の子。対①②男(おのこ)。

おみな・えし【▽女▽郎▽花】 オミナエシ科の多年草。秋、黄色の小さな花が、かさを広げたように集まって咲く。秋の七草の一つ。根は漢方で利尿剤。

お・みや【▽御宮】 「神社」を親しみ、また、丁寧に言う語。「ー参り」「ー入り(=迷宮入り)」類語お寺。

お・みやげ【▽御〈土産〉】 「みやげ」の丁寧語。

お・むかえ【▽御迎え】 「むかえ」の尊敬・丁寧語。**ーが・来る** 《句》〔あの世から魂をむかえにくる意で〕あの世へ行く。死ぬ。

お・むすび【▽御結び】 「むすび」の丁寧語。にぎりめし。おにぎり。

お・むつ【▽御×襁×褓】 《「むつ」は「むつき」の略》おしめ。

オムニバス 〔映画・放送などで〕独立したいくつかの短編を並べ、全体として一つの主題を引き出すようにまとめた作品。「ー映画」▽omnibus(=乗合自動車)

オム・ライス 米飯を油でいためてケチャップなどで味をつけうすい卵焼きで包んだ料理。参考「オムレツ」の「オム」と「ライス」とからの和製語。

オムレツ ときほぐした卵をフライパンで紡錘状に焼き上げた料理。中に野菜や肉類を入れたものなど、種類が多い。▽(フランス)omelette(=卵焼き)

お・め【▽御目】 ❶「目」の尊敬語。❷「見ること」の尊敬語。

ーに掛か・る 《句》「(人に)会う」の謙譲語。お会いする。

ーに掛・ける 《句》「見せる」の謙譲語。お見せする。

ーに留ま・る 《句》「目にはいる」「目につく」の尊敬語。〔身分の高い人、目上の人などに〕みとめられる。気に入られる。注目される。

お・めい【汚名】 不名誉な評判。悪い評判。「ーをすすぐ」「ー返上」類語醜聞。悪名。注意「汚名挽回(ばんかい)」「汚名回復」は誤り。

おめ・おめ 《副》《「ーと」の形も》自分の恥や不名誉になることでも、しかたがないとしてそのままでいるようす。のめのめ。「このままーと引き下がるわけにはいかない」

オメガ【Ω・ω】 《ギリシア語アルファベットの第二四字〔最後の文字〕を表す名称》物事の最後。「アルファからーまで(=始めから終わりまで。すべて)」▽omega

お・めかし【▽御▽粧(し)】 《名・自サ》化粧をし、着飾ること。おしゃれをすること。「ーして出かける」

お・めがね【▽御〈眼鏡〉】 「鑑識」「判定」「目きき」などの尊敬語。「ーにかなう(=目上の人や身分の高い人に気に入られる。よいと認められる)」

おめ・く【▽喚く】 《自四》〔古〕〔大声で〕さけぶ。わめく。〔主に西日本の方言に残る〕

お・めし【▽御召(し)】 ❶「招くこと」「呼ぶこと」「乗ること」「着ること」「入浴すること」などの尊敬語。「ーにあずかる」❷「おめしちりめん」の略。ねり糸で織り、表面にしぼをよせた、和服用の高級な絹織物。表記②は、ふつう「御召」「お召」と書く。**ーもの【▽御召物】** 「着物」の尊敬語。**ーれっしゃ【ー列車】** 天皇・皇后・皇太子が乗るための特別列車。

おめず・おくせず【▽怖めず×臆せず】 《連語》少しも気おくれせずに。恐れずひるまず。〔副詞的に使う〕「ー意見を述べる」

お・めだま【▽御目玉】 目上の人にしかられること。おしかり。おこごと。「ーを食う」

お・めでた 「めでたいこと」の丁寧語。参考特に、他人の結婚・出産・妊娠などに言う。

お・めでた・い 《形》❶「めでたい」の丁寧語。❷〔俗〕気がよくて、ぬけたところがある。お人よしである。〔逆説的で皮肉な言い方〕「ー・い人」表記①②とも「御目(芽)出度い」と当てる。

お・めでとう 《感》〔新年・吉事・成功・幸福など〕め

でたいことを祝うあいさつのことば。〔表記〕「御目(芽)出度う」と当てる。

お-めみえ【▽御目見(え)・▽御目見得】 ❶《名・自サ》「身分の高い人に会うこと」の謙譲語。お目通り。〔類語〕拝謁。❷《名・自サ》〔歌舞伎で〕新しい俳優などが初めてその土地の客の前で演技をみせること。❸《名・自サ》新しくつくられたものが初めて人々の前に姿を見せること。「新しい橋が—した」〔表記〕③は、ふつう「お目見え」と書く。❹《名・自サ》新しく来た奉公人が、ためしに短い期間使われること。❺江戸時代、幕府の家臣が将軍に直接会うこと。「—以下(=御家人)」〔表記〕⑤は「御目見」と書くことが多い。

おめ-もじ【▽御目文字】《名・自サ》〔文〕〔女性語〕お目にかかること。「—の上、申し上げたく存じます」〔参考〕もとは、女房詞。手紙文などで使う。

***おも【面】**〔文〕❶〔人の〕顔。❷表面。おもて。「川の—」〔参考〕複合語の中に残る。「—ざし」「—長」

***おも【主・重】**《形動》おもだつようす。主要な。また、重要なようす。「—な演目」〔参考〕→主に。

***おもい【思い・▽想い】**(おもひ) ❶思うこと。また、その内容。考え。「遠い昔に—をよせる」❷期待。予想。想像。「—のほか寒い」❸願い。のぞみ。「長年の—がかなう」❹恋心。恋情。「彼への—がつのる」❺心配。うれい。「—に沈む」❻執念。うらみ。「—を晴らす」❼気持ち。感じ。経験。「痛い—をさせる」

—半ばに過・ぎる《句》みずから思い当たるところがあって自然に分かる。ほぼ推察できる。

—も寄らな・い《句》まえもって考えてもいない。全く予期できない。思いもかけない。

—を致・す《句》特にそのことを取り上げて考える。〔参考〕心理的に離れているものに使われることが多い。「開拓者の苦労に—・す」

***おも・い【重い】**《形》❶ある物を基準にして、それより目方がある。また、そのような感じである。「—・い足どり」「まぶたが—・い(=眠い)」「口が—・い(=口数が少ない)」❷〔気分が〕はればれしない。不快だ。「頭が—・い」❸程度がはなはだしい。ひどい。また、重要である。「—・い責任」〔対〕①～③軽い。〔文〕おも・し《ク》。

おもい-あが・る【思い上がる】(おもひ—)《自五》うぬぼれて、いい気になる。つけあがる。「—・った態度」

おもい-あた・る【思い当たる】(おもひ—)《自五》〔問題になっている事柄に関して〕記憶がよみがえり、あれだと気づく。「そういえば—・る節がある」

おもい-あま・る【思い余る】(おもひ—)《自五》いくら考えてもよい考えが浮かばず、考えることにたえられなくなる。「—・って先輩に相談する」〔類語〕思いあぐむ。

おもい-あわ・せる【思い合わせる】(おもひあはせる)《他下一》他の物事と・くらべて(結びつけて)考える。

おもい-いた・る【思い至る】(おもひ—)《自五》〔あるところまで〕考えがおよぶ。「問題の本質に—・る」

おもい-いれ【思い入れ】(おもひ—) ❶心をこめて深く思うこと。❷芝居で、心の動きを、無言のうちにしぐさ・表情で表すこと。また、そのしぐさ・表情。

おもい-うか・べる【思い浮かべる】(おもひ—)《他下一》思い出して心にえがく。〔類語〕想起(する)。

おもい-えが・く【思い描く】(おもひゑがく)《他五》〔物事のある状態・ありさまなどを〕心に浮かべてみる。

おもい-おこ・す【思い起こす】(おもひ—)《他五》〔意識して〕思い出す。想起する。「子供のころを—・す」

おもい-おもい【思い思い】(おもひおもひ)《副》(「—に」の形も)それぞれ自分の思いどおりにするようす。てんでに。「—に好きな道を選ぶ」〔類語〕てんでんばらばら。

おもい-およ・ぶ【思い及ぶ】(おもひ—)《自五》思いいたる。考えつく。「そこまでは—・ばなかった」

おもい-かえ・す【思い返す】(おもひかへす)《他五》❶思い出す。❷〔一度決めた考えを〕もう一度考えて変える。思いなおす。「行こうと思ったが、—・してやめた」

おもいがけ-ず【思い掛けず】(おもひ—)《副》予期しなかったのに思いもよらず。「—一番になる」〔参考〕多く、予想よりよいことに対して用いられる。

おもいがけ-な・い【思い掛けない】(おもひ—)《形》前もって考えてみたこともない。予期しない。思いもよらない。「—・い結果になる」

おもいきっ-た【思い切った】(おもひ—)《連語》大胆きわまる。〔連体詞的に用いる〕「—行動に出る」

おもいきっ-て【思い切って】(おもひ—)《連語》〔今までのためらいを捨てて〕決心するようす。ひと思いに。〔副詞的に用いる〕「—打ち明ける」

おもいき-や【思いきや】(おもひ—)《連語》《動詞「思ふ」の連用形「思ひ」＋助動詞「き」＋反語の助詞「や」》〔文〕…と思っていたところが、意外にも。「虎口を脱したと—追っ手はすぐうしろにいた」

おもい-きり【思い切り】(おもひ—) ㊀《名》〔ある事への〕期待の気持ちをたちきること。思い切ること。「—が悪い」〔類語〕あきらめ。㊁《副》❶満足できるまで十分物事を行うようす。思うぞんぶん。できる限り。「—遊ぶ」❷物事の程度がはげしいようす。非常に。「—熱い湯」

おもい-き・る【思い切る】(おもひ—) ㊀《他五》〔ある事に対する〕期待の気持ちをたちきる。「あの人との結婚は—・った」〔類語〕あきらめる。断念(する)。㊁《自五》覚悟をきめる。決心する。〔参考〕→思い切って・思い切った。

おもい-こ・む【思い込む】(おもひ—)《他五》❶そうであるときめて信じる。「彼は進学したものと—・んでいた」❷ある事に心を集中する。深く心に思う。「—・んだら命がけ」

おもい-し・る【思い知る】(おもひ—)《他五》なるほどと身にしみてわかる。深くさとる。「おれの強さを—・ったか」

おもい-すごし【思い過(ご)し】(おもひ—) よけいなことまで考えること。「私の—かも知れない」〔類語〕邪推。

おもい-だ・す【思い出す・▽想い出す】(おもひ—)《他五》過去のことを思う。忘れていたことを心に思いうかべる。思い返す。〔類語〕思い起こす。想起(する)。回想。

おもい-た・つ【思い立つ】(おもひ—)《他五》新たにある物事をしようという気持ちを起こす。あることを実行しようと心をきめる。「急に—・って旅に出る」〔類語〕決心(する)。

—ったが吉日《句》〔改めて日の吉凶を占わなくても〕あることをしようと思い立ったら、その日を吉日として、すぐ実行するのがよい。思い立つ日が吉日。

おもい-ちがい【思い違い】(おもひちがひ)《名・他サ》ある物事を他の物事と、また事実でないことを事実と考えること。考え違い。勘違い。〔類語〕誤解。錯覚。

おもい-つき【思い付き】(おもひ—)〔深く考えず〕ふと心に浮かんだ考え。「—がいい」「—にすぎない」〔類語〕着想。

おもい-つ・く【思い付く】(おもひ—)《他五》❶ある考えが心にうかぶ。「方法を—・く」❷忘れていたことを思い出す。

おもい-つ・める【思い詰める】(おもひ—)《他下一》〔悩んで〕そのことだけを深く考える。〔類語〕思い込む。

おもい-で【思い出・▽想い出】(おもひ—) 過去に出あったで

きごとが深く心に残っていて、それが思い出されること。また、その事柄。「悲しくつらい―がある」［類語］追想。追憶。回想。

おもい・とどま・る【思い▽止まる】おもひー《他五》〔しようと思っていた事を〕考えた結果やめる。あきらめる。断念する。思いとまる。「就職を―・る」

おもい・なお・す【思い直す】おもひなほす《他五》〔一度きめた考えなどを〕もう一度考えて変える。考え直す。

おもい・なし【思い×做し】おもひー ❶たしかな理由もなく、おしはかって、そうときめること。推量。❷〈「―か」の形で〉そう思うせいか。気のせいか。〔副詞的に用いる〕「―か元気がないようだ」

おもい・のこ・す【思い残す】おもひー《他五》しておけばよかったという気持ちがあとに残る。未練をのこす。「―・すことは何もない」

おもい・の・たけ【思いの丈】おもひー 思うことのすべて。〔おもに男女の間でいう〕「―を打ち明ける」

おもい・の・ほか【思いの外】おもひー《連語》考えていたこととはちがって。予想に反して。意外に。案外。〔多く副詞的に使う〕「―やさしい問題だった」［類語］存外。

おもい・まど・う【思い惑う】おもひまどふ《自五》あれこれと迷って心が決まらない。思い迷う。

おもい・めぐら・す【思い巡らす】おもひー《他五》〔過去の出来事や、これから起こるであろう事について〕あれこれと考えてみる。

おもい・もう・ける【思い設ける】おもひまうける《他下一》前もって考えておく。予期して心構えをする。予想する。

おもい・もの【思い者】おもひー ❶ある人が恋しく思っている人。恋人。〔ふつう、男性からみていう〕❷めかけ。

おもい・やり【思い▽遣り】おもひー 相手の気持ち・立場を考えること。また、その心。同情。「―に欠ける」

おもい・や・る【思い▽遣る】おもひー《他五》❶〔遠く離れている人や物事などに〕考えをおよぼす。思いをはせる。「故郷を―・る」❷〈「―・られる」の形で〉〔悪い状態になりそうで〕心配される。案じられる。「先が―・られる」❸相手の気持ち・立場を考える。同情する。「彼の胸中を―・る」

おもい・わずら・う【思い煩う】おもひわづらふ《他五》あれこれと考えて、なやむ。

おも・う【思う・▽想う・▽憶う】おもふ《他五》❶心に浮かべる。想像する。推量する。回想する。「北国では雪だと―・う」「昔のことを―・う」❷心がそちらに働く。㋐願望する。希望する。期待する。「原稿が―・うように書けない」㋑恋い慕う。いつくしむ。大切にする。また、心にかける。心配する。「子を―・う親心」❸あることをしようと心にきめる。志す。「強く生きようと―・う」❹心の中でまとめる。判断する。「どう―・おうと勝手だ」❺心に感じる。気持ちをいだく。「うれしく―・う」［参考］㋐→考える。㋑④⑤は多く「…と思う」の形、または形容詞・形容動詞の連用形を受けて使われる。［文］《四》。⇩〔類語と表現〕

類語と表現

「思う・考える・感ずる」

＊辛いと思う・必ず勝つと思う・心に思う人・思うところがあって辞職する・我思う故に我あり／筋道を立てて考える・よく考えてから発言する／痛みを感じる・失望を感じる。

◆鑑みる・慮る・恋う・慕う・おもんみる・考え込む・思い込む・思い当たる・思い合わせる・思い至る・思い入る・思い浮かべる・思い描く・思い置く・思い過ごす・思い定める・思い巡らす・思い悩む／頭をひねる・頭を抱える・心に浮かべる・胸に抱く／(する)思考・黙考・思索・思慮・思惟・思弁・思量・商量・考慮・熟考・長考・勘考・沈思・熟思・黙想・瞑想／思い・考え・通念・想念・雑念・俗念・余念・邪念・妄念・浅慮・短慮・深慮・熟慮

◆［尊敬］賢慮・尊慮・貴慮・叡慮・聖慮

◆［推量］察する・推し量る・お見受けする／(する)推測・忖度・憶測・推察・拝察

◆［感覚・感情の認識］気づく・感づく・悟る・ぴんと来る・虫が知らせる・感じ取る・気取る／(する)感受・共感・感応・実感・直感・直観／予感・予覚・直覚・統覚・勘・霊感・第六感・五感・視覚・聴覚・味覚・嗅覚・触覚・圧覚・痛覚・視聴覚・音感・触感

◆［副詞句表現］つらつら「つくづく・よくよく・くよくよ」考える

おもう・さま【思う様】おもふー《副》思うぞんぶん。思いきり。「―活躍する」［表記］ふつう「思うさま」と書く。

おもう・ぞんぶん【思う存分】おもふー《副》〈「―に」の形も〉したいと思うだけ、十分に。思いきり。「―(に)勉強する」「―の活躍」［類語］せいいっぱい。存分に。

おもう・つぼ【思う×壺】おもふー〔そうなると望んでいた〕もくろみ。また、もくろんだとおりになること。「相手の―にはまる」［参考］「つぼ」は賽を入れて振るもの。

おもう・に【思うに・×惟うに】おもふー《副》〔自分が〕考えるところでは。

おもえ・らく【思えらく】おもへー《「思ふ」＋接尾語「らく」》〔文〕《副詞的に用いて》考えることには。思うのには。［表記］「以為らく」「謂えらく」とも書く。

おもおも・し・い【重重しい】《形》威厳があってどっしりとしている。おごそかで重大そうに見える。「―・い口調」「―・い空気」

おも・がい【面×繋・面懸】《「おもがき」の音便》馬具の一つ。飾りに、馬の頭の上からくつわにかける紐。

おも・かげ【面影・×俤】❶目の前になく、記憶の中にある、その人や物の姿・ありさま。「亡き母の―をおう」❷目の前にあるものによって喚起される、その人や物の昔の姿・ようす。「少年の頃の―を残している」

おも・かじ【面×舵】ーかぢ ❶船のへさきを右へまげるときの、かじのとり方。❷右舷。［対］①②取りかじ。

おも・がわり【面変(わ)り】ーがはり《名・自サ》〔年をとったり病気をしたりして〕顔つきが変わること。

おもき【重き】《文語形容詞「おもし」の連体形の名詞化》重いこと。重み。「内政に―を置く(＝重視する)」「財界に―を成す(＝重要な役職・地位にある)」

おも・くるし・い【重苦しい】《形》おさえつけられるような感じで不快である。「―・い雰囲気」

おも・さ【重さ】❶重いこと。また、その程度。目方。❷重要さ。「責任の―を痛感する」❸〔理〕物体に作用する重力の大きさ。

おも・ざし【面差(し)】顔のようす。顔つき。顔だち。おもだち。「やさしい―」［類語］おもかげ。

おもし【重し・重▽石】《文語形容詞「おもし」の終止形の名詞化》❶物をおさえつけるためにおく物。特に、つけ物用の石。おし。❷人をおさえつける力。貫禄。「兄では―がきかない」

おもしろ・い【面白い】《形》❶ふつうと違っていて笑い出したくなるようすである。こっけいである。「―い表情をする」類語 面白おかしい。❷楽しくて、つい夢中になってしまうようすである。興味をそそられて、退屈しない。「パーティーは―かった」❸思うとおりで好ましい。参考 否定形で使うことが多い。「病状が―くない」文 おもしろ・し《ク》。

おもしろ・はんぶん【面白半分】《名・形動》〔物事を〕半ばはおもしろいという気持ちですること。「探鳥会に―に参加した人」

おもしろ・み【面白み】おもしろい・こと〔程度〕。また、そのあじわい。「話の―がわからない」類語 趣。

おもた・い【重たい】《形》重い①②。文 おもた・し《ク》。

おも・だか【▽沢×瀉】オモダカ科の多年草。みぞや水田にはえる。葉はやじり形で、長い柄がある。夏、三弁の白色の花を開く。

お・もたせ【▽御持たせ】《「おもたせ物」の略》客が持ってきた「みやげ物」の尊敬語。参考 手みやげをすぐその客に出すときなどにいう。「―で恐縮ですが…」

おも・だち【面立ち】顔のつくり。目鼻だち。顔だち。おもざし。「整った―」類語 顔つき。

おも・だ・つ【主立つ・重立つ】《自五》〔多くの仲間の中で〕中心の地位をしめる。〔ふつう「―った」の形で連体詞的に用いる〕「町内の―った者が集まる」

おもちゃ【×玩▽具】❶子供が持って遊ぶ道具。がんぐ。参考 大人が趣味として愛用する物をからかいの気持ちを含めて言うこともある。「パソコンは彼の―さ」❷もてあそぶもの。なぐさみもの。「人の心を―にする(=もてあそぶ)」

***おもて【表】**一《名》❶物の二つの面のうち、上〔前・外〕になるのが正式とされるもの。二つの面のうち、おもだった方。物の外面。物の表面。「貨幣の―」❷表①につけるもの。「畳の―をとりかえる」❸物事の表面に現れたようす。そとみ。見かけ。うわべ。「―を飾る」❹公式のこと。表むきのこと。「―から頼んでもだめらしい」対①～④裏。❺家の、入り口に近い部屋。「―の座敷」❻家の正面。正面の入り口。「―に松飾りを飾る」対裏。❼家のそと。屋外。戸外。「―で遊ぶ」❽連歌・俳諧(はいかい)で、二つに折った懐紙の第一面。❾野球で、イニングの前半。「七回の―」対⑧⑨裏。二《接尾》❶〔方向を表す語について〕むかっている方角を表す。「南―」❷〔地名について〕その方向を言うことによって間接にその土地をさす。「江戸―」

***おもて【面】**《「表(おもて)」と同語源》〔文〕❶顔。顔面。「―も振らず(=わき見もせず一心に)」❷仮面。面(めん)。特に、能面。❸外面。表面。「水の―」

おも・で【重手・重▽傷】〔刀や矢でうけた〕ひどいきず。ふかで。〔古風な言い方〕「―を負う」

おもて・あみ【表編み】棒針編みの基本的な編み方の一つ。メリヤスの表と同じ編み目になる。対 裏編み。

おもて・かいどう【表街道】街道の本道。本街道。参考 ひゆ的に、正しい人生やはなやかな人生の意でも用いる。「人生の―」対 裏街道。

おもて・がえ【表替え】(―がへ) 畳の表を新しいものに取りかえること。

おもて・がき【表書(き)】封書などの表に書かれた住所・氏名など。また、それを書くこと。

おもて・かた【表方】劇場で、お客の応対や経営の面に関する仕事を受け持つ人々。支配人・切符係・案内係など。対 裏方。

おもて・がまえ【表構え】(―がまへ) 家屋の正面の造作〔のようす〕。「立派な―」

おもて・がわ【表側】(―がは) 表にむいている側。対 裏側。

おもて・かんばん【表看板】❶劇場の正面にかかげる看板。演目・出演者などの案内が書かれる。❷世間に対して示す〔表面上の〕名目。参考 悪い意味で使うことが多い。「実業家を―にして、密輸を働く」

おもて・ぐち【表口】❶建物の表側にある出入り口。対 裏口。❷本道である登山口。❸間口(まぐち)。

おもて・げい【表芸】❶教養として当然習いおさめていなければならない技芸。❷世間にその人の専門として認められている技芸。表看板の技芸。対 裏芸(うらげい)。

おもて・げんかん【表玄関】❶家の正面にある正式の玄関。対 内玄関。❷国や大都市などの主要な出入り口である駅・港・空港など。「成田空港は日本の―」

おもて・さく【表作】二毛作で、同じ田畑に作る作物のうち、おもな作物。対 裏作。

おもて・ざしき【表座敷】〔大きな家で〕家の表のほうにある座敷。客間として使う。正室。対 奥座敷。

おもて・ざた【表×沙×汰】❶〔かくすべき事柄が〕世間一般に知れわたること。表向き。「内輪もめが―になる」❷事件を公の訴訟などに持ちこむこと。「暴行事件を―にする」

おもて・だ・つ【表立つ】《自五》❶世間に公然と知られる。人目につくようになる。表面にでる。「―った変化はない」❷裁判ざたになる。

おもて・どおり【表通り】(―どほり) 市街地の、おもだった広い通り道。対 裏通り。

おもて・にほん【表日本】本州の太平洋側の地方。参考 現在では、ふつう「太平洋側」という。対 裏日本。

おもて・むき【表向き】❶表ざた。❷世間一般に示す、うわべだけの事柄。「―は休養ということにする」❸政府。役所。公の仕事。「―からの通達」

おもて・もん【表門】〔建物などの〕表のほうにある門。正門。前門。対 裏門。

***おもと【▽万▽年▽青】**ユリ科の常緑多年草。花は緑黄色で、夏、厚い葉の間から茎をだして咲き、のちに赤い実になる。おもに葉を観賞し、鉢に植える。

***お・もと【▽御▽許】**一《名》❶〔文〕〔貴人の〕そば。❷〔「―に」の形で〕女性が、手紙のあて名のそばにつけて使う語。＝御許(おんもと)。二《代名》〔古〕《対称》相手の女性を親しんでよぶ語。あなた。御許(おんもと)。

おも・なが【面長】《形動》ふつうより、顔が少し長いようす。「―の美男子」

***おも・に【重荷】**❶重い荷物。❷〔行動のさまたげとなる〕重い負担。「―をおろす(=気にかかっていたことが解決してほっとする)」

***おも・に【主に】**《副》《形容動詞「主だ」の連用形から》その中で大きな割合・役割をしめるようす。主として。「―木でできている」類語 主たる。もっぱら。大部分。メーン。→おも(主)。

おもね・る【×阿る】《自五》相手の気にいるように機嫌をとる。「大衆に―る」類語 こびる。へつらう。文《四》。

おも・ばば【重馬場】競馬で、雨や雪がふって水分を含んだため、走りにくい状態になった馬場。重(おも)。

おも・はゆ・い【面映ゆい】《形》〔顔を合わせるのがま

ぶしい意から、人前でほめられた時などのように〕うれしくはずかしい。てれくさい。「―い思いをする」

おも・み【重み】❶重さの・程度〈感じ〉。❷重大であること。特に、基準以上に重たい・こと〈感じ〉。「一票の―」❸〔性格・態度などが〕どっしりとした重々しい感じであること。類語 貫禄(かんろく)。

おもむき【趣】《「おもむく」の連用形の名詞化》❶〔そのものがおのずから作りだす〕落ち着いた感じの、味わい。おもしろみ。風情(ふぜい)。「―のある庭」類語 雅趣(がしゅ)。情趣(じょうしゅ)。興趣(きょうしゅ)。❷あるものが持っているのと同じ〔ような〕ようす。「深山幽谷の―」❸〔伝えたい〕内容。趣旨。「お話の―はよく分かりました」❹「…である」という、伝聞の内容。…とのこと。「お手紙によれば御病気の―、御案じ申し上げます」

おもむ・く【赴く・▽趣く・×趨く】《自五》《「背向(そむ)く」に対して「面向(おもむ)く」の意》〔文〕❶〔ある場所に〕向かって行く。「任地に―く」❷〔物事がある状態に〕移っていく。向かう。「快方に―く」文《四》。

おもむろ・に【▽徐に】《副》〔動作やものなどの動きが〕(ものものしく)ゆっくりしているようす。「―口を開く」

おも・もち【面持(ち)】〔内心の感情が表れている〕顔つき。「気づかわしそうな―で眺める」類語 表情。

おも・や【〈母屋〉・〈母家〉】❶〔離れ・物置などに対して〕屋敷の中のおもな建物。❷〔ひさし・廊下などに対して〕家の建物の主要な部分。❸本家(ほんけ)。

おも・やつれ【面×窶れ】《名・自サ》顔がやせて、病気や心労のあとが顔にあらわれること。

おも・ゆ【重湯】水を多くして白米をたき、米粒をこしとった、ねばりのある汁。病人食・乳児食にする。

***お・もり【▽御守】**《名・他サ》自分の身を処理できない人（特に子供）の相手をしたり、世話をしたりする・こと（人）。表記「…すること」の意では、「お守り」、「…する人」の意では「お守」と書く。類語 子守(こもり)。

***おもり【重り・▽錘】**《動詞「重る」の連用形の名詞化》❶軽いものに重みをつけるために加えるもの。❷さおばかり・天びんばかりなどの分銅(ふんどう)。

おも・る【重る】《自五》〔文〕❶目方が重くなる。❷病気が重くなる。文《四》。

おもろ・い《形》〔関西地方の方言〕おもしろい。

おも・わ【面輪】〔雅〕顔（の形）。

おもわ・く【思わく・思惑】(おもはー)《「思ふ」＋接尾語「く」》〔「思うこと(には)」の意から〕❶ある意図をもった、その人の考え。「―どおりになる」❷その人に対する評判。うけ。「世間の―を気にする」❸相場で、将来の上がり下がりを予想して売買すること。表記 ③は多く「思惑」と当てる。

おもわし・い【思わしい】(おもはしい)《形》思うとおりで都合がよい。望みにかなっていて好ましい。「病人の容態が―・くない」文 おもは・し《シク》。

おもわ・ず【思わず】(おもはー)《副》〔突然予期しない出来事に出会って〕意識しないである行為をするようす。覚えず。「―大声を出す」類語 うっかり。

おも・わすれ【面忘れ】《名・自サ》〔見知っているはずの〕他人の顔を忘れること。

おもわせ・ぶり【思わせ振り】(おもはせー)《名・形動》ことば・しぐさに特別な意味があるように思わせ、相手に期待をもたせること。「―なウインク」

おもん・じる【重んじる】《他上一》→重んずる。

おもん・・ずる【重んずる】《他サ変》価値のあるものとして重くみなす。たっとぶ。重んじる。「名誉を―・ずる」対 軽んずる。

おもん・ぱか・る【▽慮る】《他五》《「思ひはかる」の音便》〔文〕周囲や将来のことをこまかく気づかう。あれこれと考え合わせる。おもんばかる。「万一の場合を―・る」類語 おもんみる。

おもん・・みる【×惟る】《他上一》《「思ひみる」の音便》〔文〕（よくよく）考えてみる。思いめぐらす。「つらつら―・みるに」類語 おもんぱかる。

***おや【親】**❶子をうんだ人。父母。尊敬 親御さん。御祖(みおや)。❷子として育て養う人。「育ての―」❸祖先。「―代々」表記 ③は、「祖」とも書く。❹同じ種類のものを作りだす、もとのもの。「サボテンの―」「―いも」❺成長した生き物。❻〔いくつかある同種のものの中で〕中心となって他を支配しているもの。〔多く、接頭語的に使う〕「―会社」対 ①～⑥子。❼花札・トランプ・麻雀(マージャン)などで、ゲームをリードする役。

―の因果が子に報・ゆ《句》親のおかした悪業(あくごう)の結果が子供にあらわれて、わざわいを受ける。

―の心子知らず《句》子供のことを思う親の深い心を察しないで、子供が勝手きままなことをする。

―の脛(すね)を齧(かじ)・る《句》子供が相当の年齢になっても独立せずに親の経済力で養われている。

―の光は七光(ななひかり)《句》親の威光・名声が大きいと、子供はそのおかげを受けることが大きい。親の七光。

―の欲目《句》親は自分の子がかわいいので、実際以上によく評価すること。

―は無くとも子は育・つ《句》親に早く別れても残った子はどうにか育ってゆく。世の中のことはそんなに心配したものではないということのたとえ。

***おや**《感》思いがけないときや疑問のあるときに思わず言う語。「―、めずらしい人がきた」

おや・いも【親芋】サトイモの球茎で、中心となる大きなもの。周りに子芋をつける。いもがしら。対 子芋。

おや・おもい【親思い】(―おもひ)親をいたわり、大切にすること。類語 親孝行。

おや・おや《感》❶「おや」を強めた語。❷多少がっかりした気持ちをこめていう語。やれやれ。

おや・がいしゃ【親会社】ある会社に対して、資本上・取引上の実際の支配権をもつ会社。対 子会社。

おや・がかり【親掛(か)り】子が独立しないで、親の世話になっていること。「―の身」類語 すねかじり。

おや・かた【親方】❶職人・作業員などの頭(かしら)。対 子方。❷〔熟練した〕職人などを親しんで呼ぶ称。❸相撲の年寄で、弟子をかかえ部屋を営む人。また、「年寄」を呼ぶ称。「高砂(たかさご)―」

―ひのまる【―日の丸】〔俗〕〔自分たちの親方は国家である意から〕❶国家が経営している・こと（もの）。❷官公庁などの役所が経営管理に力を入れず、予算の使い方や業務内容の向上にルーズであること。「―の放漫な経営」

おや・かぶ【親株】❶〔経〕株式会社が増資をした場合、新しく発行する株（＝新株）に対して、それまでに発行した株。旧株。❷根を分けて苗木をとるとき、そのもとになる株。対 ①②子株。

おや・がわり【親代(わ)り】(―がはり)親のかわりになって世話をしたり養育したりすること。親代(おやしろ)。

おや・ぎ【親木】つぎ木のつぎ穂や、さし木のさし穂などをとる、もとになる木。

お・やく【▽御役】「役目」の尊敬語「お役目」の略。**―ごめん**【―御免】❶仕事・役目をやめさせられること。免職。「停年で―になる」❷それまで行われていたことや使われていたものが、用いられなくなること。

おやくしょ・しごと【お役所仕事】形式を重視し、もったいぶっていて能率の悪い官庁の仕事。参考 皮肉っていう語。

おや・こ【親子】❶両親と子。また、父と子、母と子。表記「父子」「母子」「父娘」「母娘」などとも書く。❷親子①の関係に似たもの。「―電話」❸「親子どんぶり」の略。**―どんぶり**【―×丼】とり肉と卵を、ミツバなどといっしょにしょうゆ・砂糖などで味をつけて煮て、どんぶり飯の上にかけた料理。親子。親子どん。

おや・ご【親御】〈「―さん」の形で〉他人の親を尊敬して言う称。

おや・こうこう【親孝行】《名・自サ・形動》子が親をたいせつにし、よくつかえること。孝行。「―な息子」類語 親思い。対 親不孝。

おや・ごころ【親心】❶自分の子を愛する、親の心。❷目下の者に対する、親が子を愛するような思いやりのある気持ち。類語 老婆心。

***おや・じ**【親字】漢和辞典で、一字で見出しになっている漢字。漢字の熟語を作るもとになる。

***おや・じ**【親▽父】❶〔くだけた会話の中で他人に話すとき〕成年男子が自分の父親を親しんで言う称。対 おふくろ。❷部下が、店の主人・職場の長・社長などを親父①に見立てて、親しんで言う称。「うち（=我が社）の―さん」❸中年以上の男、また男の老人を親しんだり、さげすんだり、からかったりして言う称。「―臭い趣味」表記 ②③は「親仁」「親爺」とも書く。

おや・しお【親潮】千島列島・北海道・本州の東海岸にそって南下する寒流。千島海流。参考 →黒潮。

おや・しらず【親知らず】❶産みの親の顔を知らない・こと（子）。❷〔そこを通るとき、親子がたがいに相手を思うゆとりもないほど〕断崖になっていて、波があらく危険な海岸。❸一番おそくはえる四本の奥歯。第三臼歯。親知らず歯。知歯。

お・やす・い【▽御安い】《形》❶わけない。たやすい。「―・い御用だ」❷〈「―・くない」の形で〉男女が特別の間柄である。参考 多く、男女の仲のよいことをうらやんだり、からかったりする場合に使う。

お・やすみ【▽御休み】❶「寝ること」の丁寧・尊敬語。「お父さんはもう―ですか」❷「休暇」「欠勤」「休息」「休業」の丁寧・尊敬語。❸《「お休みなさい」の略》就寝のときのあいさつの語。

おや・だま【親玉】❶数珠の中で、中心になる大きな玉。❷仲間の中で、中心になる人。かしら。〔多少くだけた言い方〕類語 親分。

お・やつ【▽御八つ】（午後の）間食。おさんじ。参考 むかし、八つ時（=午後三時ごろ）に食べたことからいう。表記 かなで書くことが多い。

おや・ばか【親馬×鹿】自分の子供がかわいいあまりに、親がばかげたことを言ったりしたりして、他からはおろかにみえること。また、その親。

おや・ばなれ【親離れ】《名・自サ》子供が成長して、親から精神的・経済的に独立していくこと。自立すること。対 子離れ。

おや・ふこう【親不孝】《名・形動・自サ》親に対して子としての務めをはたさないこと。不孝。対 親孝行。

おや・ぶね【親船】船団の中心となって作業するための設備をもつ大船。母船。「―に乗ったよう（=大きな力を頼りにして心丈夫であるようす）」

おや・ぶん【親分】❶かりに親として定め、頼りにする人。❷徒党を組む者の頭。特に、やくざ仲間などの長。「―肌の（=面倒見のよい）人」類語 元締め。ボス。対 ①②子分。

おや・ぼね【親骨】❶扇の両端を支える、厚くて太い骨。❷戸・障子の上下左右にある太いわく。対 子骨。

お・やま【▽女▽形】〔歌舞伎で〕女役を演じる男の役者。女がた。参考 女形人形遣いの名人、小山次郎三郎の「小山人形」からという。

おやま・の・たいしょう【▽御山の大将】《連語》❶子供の遊びの一つ。低い盛り土の上などにのぼり、のぼってくる子をつき落として、頂上に立つことを争う遊び。❷せまい範囲で自分が一番えらいのだといい気になっていばる人。

お・やみ【小▽止み】〔雨・雪が〕少しの間やむこと。小止み。〔多く「―（も）なく」の形で使う〕「雪が―なく降っている」

おや・みだし【親見出し】辞書で、独立した項目として太字などで示した見出し。対 子見出し。

おや・もと【親元・親▽許】親のいる所。類語 実家。

おや・ゆずり【親譲り】〔物・性格などを〕親からゆずりうけること。「―の激しい気性」

おや・ゆび【親指】手の指で、端にあって、いちばん太い指。母指。参考 足の指についても言う。

お・ゆ・わり【▽御湯割り】ウイスキー・焼酎などをお湯で薄めること。また、その飲み物。

およが・せる【泳がせる】《他下一》《「泳ぐ」の使役形から》❶水中を進むような手つきをして、体をのめらせる。「よろよろと体を―・せて出てくる」❷ひそかに監視しながら、表面的には自由に行動させる。「容疑者を―・せる」文 およが・す《下二》。

およ・ぐ【泳ぐ】《自五》❶人・魚などが、手足やひれを動かして水面・水中を進む。❷（うまく）世の中をわたる。〔世の中を海などに見たてた言い方〕「巧みに財界を―・ぐ」❸〔人の多くいる所で人を〕おしわけて進む。〔多くの人を水に見たてた言い方〕「群衆の中を―・いで進む」❹前方によろめく。〔水中での動作に見たてた言い方〕「つまずいて体が―・いだ」文《四》。

およそ【▽凡そ】㊀《名》物事のだいたいのありさま。あらまし。おおよそ。「―の見当をつける」㊁《副》❶一般に。おしなべて。総じて。そもそも。〔話を切り出すときに使う〕「―人間というものは…」❷まったく。全然。〔下に否定的表現を伴う〕「―意味がない」❸あまり厳密でないようす。だいたい。「―午前三時だ」

およばず・ながら【及ばず×乍ら】《副》不十分ではあるが。行きとどかないが。〔人に力をかすときに、けんそんして言う語〕「―お手伝いしましょう」

お・よばれ【▽御呼ばれ】〔ごちそうに〕まねかれること。招待されること。「―にあずかる」

***お・よび**【▽御呼び】「呼ぶこと」の尊敬語。お召し。「―がかかる」**―でな・い**《句》〔俗〕〔「呼ばれていない」の意から〕用事などがない。必要とされない。無用である。

***および**【及び】《「及ぶ」の連用形から》㊀《接続》同じ条件の物事を並べあげるときに使う語。…と…。…も

…も。「生徒ー父兄」参考→並びに。二《名》〈「ーもつかない」「ーもない」の形で〉とうてい及ばない。とてもかなわない。「計算では彼にーもつかない」

および・ごし【及び腰】❶手をのばして物をとろうとするときなどの、腰をやや曲げた不安定な姿勢。❷気の入れ方が中途半端であること。「ーの外交」

お・よびたて【▽御呼(び)立て】《名・他サ》「人を呼び寄せること」の意のけんそんした言い方。「お忙しいところーして申し訳ありません」

およ・ぶ【及ぶ】《自五》❶ある所・時・数などに達する。事態が進んで、ある状況になる。「長ずるにー・んで才能を発揮する」❷勢力や影響が、あるところまでとどく。「外国からの圧力が国内産業にー・ぶ」❸程度が同じぐらいになる。匹敵する。〔ふつう下に打ち消しを伴う〕「彼の実力にはー・ばない」❹しとげられる。望みどおりになる。〔ふつう下に打ち消しを伴う〕「ー・ばぬ恋」❺取り返しがつく。〔ふつう下に打ち消しを伴う〕「くやんでもー・ばない」❻〔「…するに(は)ー・ばない」などの形や反語の言い方で〕…する必要がない。「辞退するにはー・ばない」「言うにやー・ぶ」文《四》。

およぼ・す【及ぼす】《他五》〔ある作用・影響などを〕行きわたらせる。およぶようにする。とどかせる。「迷惑をー・す」文《四》。

おら【▽己】《代名》《自称の人代名詞》おれ。おいら。〔方言臭のある言い方〕「ーも東京さ行く」

オラトリオ 宗教的な題材をもった、声楽および器楽による大がかりな楽曲。聖譚曲(せいたんきょく)。▽イタリア oratorio

オランウータン 腕が長い赤茶色の類人猿(るいじんえん)。ボルネオやスマトラの森林にすむ。知能程度は高い。猩々(しょうじょう)。▽orangutan(=原義はマレー語で「森の人」)

***おり【折(り)】**をり 一《名》❶折ること。また、折ったもの。❷折り目。❸その時。時機。「ーを見て話す」「猛暑のー」表記③は「折」と書く。類語際。砌(みぎり)。❹薄い板・厚紙などで作った浅い箱型の入れ物。また、それに食べ物などをつめたもの。折り箱。折りづめ。「菓子のー」二《助数》折り箱・折りづめ、また折り重ねたものを数える語。「半紙一ー」

***おり【×檻】**をり 獣などをいれてとじこめておく、鉄のさくなどで囲った入れ物。

***お・り【汚吏】**〔文〕〔地位や職を利用して〕不正なことをする役人。

***おり【×澱・×滓】**❶液体を静かに置いたとき、底に沈んでたまったもの。おどみ。❷心の中にかすのようにたまって離れないもの。類語①②沈殿物。残滓(ざんし)。

***おり【織(り)】**❶布地やむしろなどを織ること。また、その出来上がり具合。❷「織物(おりもの)」の略。〔多く接尾語的に用いる〕「西陣ー」「毛ーのコート」

おり・あい【折(り)合い】をりあひ ❶たがいにゆずりあってなかよくすること。妥協。「ーをつける」❷人と人との、円滑かどうかの関係。仲。「嫁と姑(しゅうとめ)のー」

おり・あ・う【折り合う】をりあふ《自五》たがいにゆずり合って意見を一致させる。妥協する。おれあう。「値段がー・わない」

おり・あしく【折▽悪しく】をり《副》時機が悪いことに。あいにく。「ー持ち合わせがない」対折よく。

おり・いって【折り入って】をり《副》特に心をこめてたのむようす。特別に。ぜひとも。「ー頼みがある」

オリーブ モクセイ科の常緑高木。暖かい土地に育つ。葉は長楕円(ちょうだえん)形で、五〜六月ごろ、香りのよい黄白色の小花を開く。果実からオリーブ油をとり、また、熟さない実は塩づけにして食用にされる。「ー色(=黒ずんだ黄緑)」▽olive

おり・えり【折(り)襟・折(り)×衿】をり 外側へ折り返すように仕立てた、洋服のえり。対立ちえり。つめえり。

オリエンタル《形動》東洋的であるようす。東洋風であるようす。「ーなムード」▽oriental

オリエンテーション ある作業・研究・学習をするのに先立って、その進路・方針・内容などについての方向づけをすること。また、そのための指導。特に、新入生・新入社員のための教育。方向づけ。▽orientation

オリエンテーリング 山野で行われる競技の一つ。地図とコンパスを用いてコースをたどり、目的地に着くまでの速さを競う。参考ドイツ語からＯＬと略す。▽orienteering

オリエント 東洋。特に、アジアの西南部とアフリカの北東部を含む地域。メソポタミアやエジプトなど、世界最古の文明の発祥地がある。▽Orient

おり・おり【折折】をりをり 一《名》その時その時。「四季ーの花」二《副》ときどき。ときおり。「ー見かける」

オリオン ❶ギリシア神話で、巨人の猟師。アポロンのためにサソリにさされて死に、のち星座になった。❷オリオン座。二月上旬の夕方、真南に見える。中央に「三つ星」をふくんでいる。▽Orion

おり・かえし【折(り)返し】をりかへし 一《名》❶折り返す・こと(ところ)。また、折り返したもの。❷引き返す・こと(ところ)。「ー地点」❸〔歌や詩の文句の〕くり返し。リフレーン。二《副》返事・返答などの、間(ま)を置かないようす。すぐに。「ーうかがわせます」

おり・かえ・す【折(り)返す】をりかへす 一《他五》折って二重にする。「すそをー・す」二《自五》❶来た方向へ〔すぐに〕引き返す。「終着駅からー・す」❷〔歌や詩の文句を〕くり返す。❸間(ま)をおかずに返事をする。

おり・かさな・る【折り重なる】をり《自五》〔多くの人やものが〕つぎつぎにかさなり合う。「ー・って倒れる」

おり・がみ【折(り)紙】をり ❶〔公式文書や贈り物の目録などに用いる〕二つ折りにした奉書紙・檀紙(だんし)など。❷書画・刀剣・器物などの鑑定書。❸紙を折って、いろいろなものの形を作る遊び。また、それに使う〔色のついた〕四角な紙。類語色紙(いろがみ)。=おりかみ。**ーつき【ー付き】**❶鑑定して保証した書き付けがついている・こと(もの)。❷〔品物・人物などについて〕世間の定評があること。確かであると保証できること。「ーの悪(わる)」

おり・から【折から】をり ❶ちょうどその時。おりしも。〔副詞的にも用いる〕「ーの雨」❷…の時である・から〔のに〕。〔接続助詞的に用いる〕「暑さ厳しきーご自愛ください」表記②は「折柄」とも当てる。

おり・くち【降り口・下り口】階段・坂道・山道などで、おりはじめる所。対のぼり口。

オリゴ・とう【オリゴ糖】ぶどう糖・果糖などの単糖が二〜一〇個結合してできた糖。腸内の有用細菌の増殖を助けるものは、健康食品に利用される。少糖類。

おり・こみ【折(り)込(み)】をり 新聞・雑誌などの間に、広告などをはさみこむこと。また、その広告。

おり・こ・む【織り込む】《他五》❶地を織る糸の中へ他のかわった糸をいれておる。❷ある物事の中へ他の物事をくみいれる。「体験をー・んで話す」

オリジナリティー 独創性。独創力。「ーにとんだ作

品」▽ originality

オリジナル ㊀《形動》他をまねないようす。目新しいようす。独創的。「—な作品」㊁《名》❶〔美術・音楽などで、複製したり手を加えたりしたものに対して〕もとの作品。原型。原作。原画。「—を模写した作品」❷〔演劇・映画・放送などで〕新しく書きおろした脚本。▽original

おり・しも【折しも】 をり—《副》《「しも」は強めの係助詞》〔文〕ちょうどその時。おりから。

おり・すけ【折助】 をり— 武家の下男。 **—こんじょう【—根性】** 雇い人が自分のするべき仕事を他人にうまくおしつけようとするずるい根性。

おり・たたみ【折（り）畳み】 をり— 折りたたむこと。折って小さくすること。「—のかさ」

おり・たた・む【折（り）畳む】 をり—《他五》折って小さくする。折って重ねる。

おり・た・つ【降り立つ・下り立つ】《自五》〔馬・乗り物などから〕おりて立つ。〔高い方から低い方へ〕おりていってその場に立つ。おりていく。「庭に—つ」

おり・づめ【折（り）詰（め）】 をり— 食べ物を折り箱につめること。また、その外箱とその中の食べ物。「—のべんとう」「—を開く」 参考「一折（おり）…」と数える。

おり・づる【折（り）×鶴】 をり— 紙を折って、ツルの形に作ったもの。

おり・ど【折（り）戸】 をり— ちょうつがいをつけて、戸の中央で折りたたみのできるように作った開き戸。

おり・な・す【織り成す】《他五》❶織って模様を作りだす。「錦（にしき）を—す」❷さまざまなものを組み合わせて、変化に富んだものを作りだす。「百花—す春の花壇」「人々が—す人生模様」

おり・ばこ【折（り）箱】 をり— 薄板・厚紙などを折りまげて作った浅い箱。折り。

おり・ひめ【織（り）姫】 ❶はたおりの少女。❷紡績工場の女子工員の愛称。❸織女（しょくじょ）星。たなばたつめ。

おり・ふし【折節】 をり— ㊀《名》〔文〕❶そのときそのとき。❷時節。季節。「—のあいさつ」㊁《副》❶ときどき。たまに。「—会う人」❷ちょうどそのとき。折から。「—風が吹き、花が散った」

おり・ほん【折（り）本】 をり— 和本で、つぎ合わせた一枚の長い紙を折りたたんで作った、とじ目のない本。書画の手本や経本に多い。

おり・ま・げる【折（り）曲げる】 をり—《他下一》折ってまげる。

おり・ま・ぜる【織り交ぜる】《他下一》❶いろいろな糸・模様をまぜて織る。❷ある物事の中へ別の物事を繰り入れる。「現実と空想を—ぜた作品」

***おり・め【折（り）目】** をり— ❶ものを折ったときにできる二つの面のさかい目。すじ目。❷物事のくぎり・きまり。けじめ。「—正しい（=行儀作法がきちんとしている）」

***おり・め【織（り）目】** 織物の糸と糸とのすきま。

おり・も・あろうに【折もあろうに】 をり—あらう—《連語》ほかにもっとよい時もあるだろうに。「—引っ越しの日に遊びにくるとは…」

おり・も・おり【折も折】 をり—をり《連語》ちょうどその時。「困っていた—、友人が訪ねて来てくれた」

おり・もと【織（り）元】 織物の製造元。

***おり・もの【下り物】** 子宮から出る粘液・組織などの総称。こしけ。

***おり・もの【織物】** 多数の縦糸と横糸をくみ合わせて、機で織って作った布。

おり・やま【折（り）山】 をり— 紙や布などを折った時にできる、外がわの折り目。

おり・よく【折よく】 をり—《副》ちょうど都合よく。ちょうどよい時機に。「—来合わせた」対 折あしく。

お・りる【降りる・下りる】《自上一》❶上から下に移る。高い所から低い所に移動する。参考「落ちる」とはちがい、意図をもって、したがって多くはゆっくり移る。類語 降ろす。下がる。（する）下降。降下。滑降。対 あがる。❷さがった状態になる。「錠が—りている」❸乗り物から出る。類語 降り立つ。乗り捨てる。（する）下車。下馬。下乗。下船。降車。対 乗る。❹高い地位から退く。職をやめる。また、役がらをことわる。「会長を—りる」❺勝負に加わるのを見合わせる。「試合を—りる」❻官公庁から・支給（下付）される。また、命令・許可などが言い渡される。❼霜・露・霧・もやなどが〔空から降って来たような感じに〕生じる。「霜が—りる」❽体内から下に出る。「回虫が—りる」文 お・る《上二》

⇩〔使い分け〕

使い分け 「おりる・おろす」

下りる〔上から下へ移る〕階段を下（降）りる・山を下りる（=下山）・幕が下りる・許可が下りる・恩給が下りる・錠が下りる

降りる〔高い所から低い所へ移る。役割をやめる〕階段を降（下）りる・ゲレンデを滑り降りる・マウンドを降りる（=降板）・壇を降りる（=降壇）・車から降（下）りる・次の駅で降りる・船を降（下）りる・崖（がけ）から飛び降りる・仕事を降りる・会長の座を降りる・霜が降りる

下ろす〔上から下へ移す。新しく使い始める〕腰を下ろす・根を下ろす・枝を下ろす・貯金を下ろす・錠を下ろす・仕立て上がりの服を下ろす

降ろす〔高い所から低い所へ移す。役割をやめさせる〕国旗を降ろす・水面に船を降ろす・乗客を降ろす・次長職から降ろす

卸す〔卸売りをする。すりくだく〕食肉を卸す・卸売り・棚卸し・大根を卸（下ろ）す・卸し金

参考「階段を下りる／降りる」のように両者用いるが、「下」は自然に、「降」は意志的な気持ちを含ませて用いるといった趣がある。「降」は乗り物の場合に多く用いるが、「下馬・下船・下車」に対応させて「馬を下りる・船を下りる・車を下りる」とも書く。また、「山をおりる」は「下山」に対応させて「下」を使うが、「降」を使うこともできる。大根をおろす意では、一般的には「大根を下ろす・大根下ろし」と書くが、「おろしがね」の場合は「卸し金」が一般的。

オリンピック オリンピック競技。五輪。▽Olympics **—きょうぎ【—競技】** ❶古代ギリシアで、四年に一度ゼウス神殿の前庭で行った競技会。古代オリンピック。❷①にならって、一八九六年から始まった国際スポーツ競技大会。四年めごとに行われる。近代オリンピック。現在は、夏季と冬季の大会がある。

***お・る【▽居る】** ゐる—を ㊀《自五》その所にとどまる。そこにある。「そこに—るのはだれだ」参考(ア)「いる」に比べて、西日本の方言的で古風な感じを伴う。(イ)「おります」は「います」より丁寧な感じが強い。「あしたは家に—ります」文 を・り《ラ変》。㊁《補動》ある動作・状態がつづい

お

ている意を表す。❶〈「…てー・る」の形で〉「…ている」の方言的で、古風な言い方。「時計がおくれてー・る」参考「おられる」の形では、「…ている」の荘重な言い方になる。「神様が見てー・られる」❷〈「…てー・ります」の形で〉「…ている」の丁寧な言い方。参考「…ています」より丁寧な感じが強い。「明日から出張の予定になってー・ります」文を・り《ラ変》。三《接尾》他人の言動をいやしめる意を表す。…やがる。〔関西方言〕「生意気なことを言いー・った」文を・り《ラ変》。

*お・る【折る】《他五》❶二つに曲げて重ねるようにする。「腰をー・る」❷曲げて切りはなす。「桜の枝をー・る」❸紙をたたみ重ねて、物の形を作る。折り紙を作る。「千羽づるをー・る」文《四》。

*お・る【織る】《他五》❶糸を機にかけて布にする。「錦をー・る」❷藁や藺を組み合わせて筵を作る。文《四》。

オルガスムス 性的快感が頂点に達した状態。また、その絶頂感。オーガズム。▽ドイツ Orgasmus

オルガン 鍵盤楽器の一つ。パイプオルガンとリードオルガンがある。▽ポルトガル orgão 英 organ

オルグ《名・他サ》政党や組合などから派遣されて大衆・労働者の中に入り下部組織を作ったり、組織を強化したりするために活躍する・こと(人)。参考「オルガナイザー(organizer)」「オルガナイズ(organize)」の略。

オルゴール ぜんまいじかけで自動的に音楽を奏する装置。参考 古くは「自鳴琴」とも。▽オランダ orgel

おれ【×俺・▽己・×乃▽公】《代名》《自称の人代名詞》男が同輩や目下の人と話すとき、自分をさす語。

おれ・あ・う【折れ合う】《自五》➡おりあう。

お・れい【▽御礼】「礼」の丁寧語。感謝の気持ちを表す・こと(ことば)。また、その気持ちを表す贈り物。「ーのしるしにお納め下さい」 ーまいり【ー参り】❶神仏にかけた願いがかなったとき、そのお礼のために神仏に参拝すること。❷〔俗〕刑を終えて出所した者や警察から釈放された者などが、自分の悪事を告発・密告などした者にしかえしをすること。

お・れきれき【▽御歴歴】「歴々」の尊敬語。身分・格式の高い人々。名士たち。「町のーが集まる」

おれ・くぎ【折れ×釘】❶折れたくぎ。折れ曲がったくぎ。❷頭部を直角に折り曲げたくぎ。柱などにつけて物をかける。おりくぎ。 ーりゅう【ー流】へたな筆跡。かなくぎ流。〔流派の名になぞらえた語〕

おれ・くち【折れ口】❶物が折れた境目のところ。おれめ。❷人の死にあうこと。不祝儀。

おれ・せん【折れ線】いくつかの線分の端点と始点が一致するように次々とつないでできる線。「ーグラフ」

おれ・め【折れ目】折れた境目。また、そこにできる線。おれくち。類語 折り目。

お・れる【折れる】《自下一》❶曲がって重なる。❷曲がって切り離れる。「鉛筆のしんがー・れる」❸曲がって進む。「交差点を右へー・れる」❹〔心が〕くじける。また、自分の意見をやわらげ、他人の考えに従う。「強気な人がー・れる」文を・る《下二》。

オレンジ ❶ミカン科の果樹。代表的な柑橘類で、実は、かおり・味ともにすぐれる。❷オレンジ色。黄色みをおびただいだい色。黄赤色。▽orange

おろ・おろ《副・自サ》《副詞は「ーと」の形も》❶泣いたときの声がふるえるようす。❷驚き・心配などのために心が乱れ、あわてとまどうようす。類語 うろうろ。

*おろか【▽疎か】《副》《「愚か」と同語源》〈「言うもー」「…はー」などの形で〉…はいうまでもなく。…はもとより。「彼の名は日本はー世界にも鳴り響いた」

*おろか【愚か】《形動》《「疎か」と同語源》知能のはたらきがにぶいようす。考えがたりないようす。ばかげているようす。ばか。あほう。「ーな奴」「ーな考え」

おろかし・い【愚かしい】《形》ばかげている。考えがたりない。「ー・い行い」文おろか・し《シク》。

*おろし【下(ろ)し】❶おろすこと。「貨物の積みー」❷〔大根・ワサビ・ショウガなどを〕卸しがねですること。また、卸しがねですった物。「大根ー」❸〔新しい品を〕初めて使うこと。「仕立てー」❹〔局地的に〕山の斜面に沿って吹いてくる強い風。「赤城ー」表記 ①は「降(ろ)し」、②は「卸し」、④は「颪」とも書く。

*おろし【卸】❶卸売りをすること。❷「卸値」の略。卸売りの値段。「ーで百円」

おろし・うり【卸売(り)】《名・他サ》問屋が製造元や輸入業者から多量の商品を買い入れて、小売商人に売り渡すこと。「ー商」

おろし・がね【卸し金・下(ろ)し金】大根・ワサビ・ショウガなどをすりおろす道具。金属・陶器などの板面にとがった目が多数ある。

*おろ・す【卸す】《他五》卸売りをする。文《四》。⇩〔使い分け「おりる・おろす」〕

*おろ・す【降ろす・下ろす】一《他五》❶上から下に移す。高い所から低い所へ移動させる。「荷をー・す」「のれんをー・す(=店の商売をやめる)」対あげる。❷さがった状態にする。「錠をー・す」❸乗り物から出す。「乗客をー・す」対乗せる。❹高い地位から退かせる。職をやめさせる。また、役からはずす。「主役からー・す」❺神仏や貴人などに供えた飲食物をさげる。❻体内から下に出す。特に、堕胎する。「胎児をー・す」❼そったり切ったりして落とす。「髪をー・す(=出家する)」❽物をすりくだく。「大根をー・す」表記 ⑧は「卸す」とも書く。❾魚肉を切りひらく。「アジを三枚にー・す」❿引き出す。「預金をー・す」⓫新しい品を使い始める。「ー・したばかりのくつ」文《四》。二《自五》高い所から風が下へむかって吹く。「赤城山からー・す風」文《四》。⇩〔使い分け「おりる」〕

おろそか【▽疎か】《形動》物事をいいかげんにしておくようす。なおざり。「手入れがーだ」

おろち【▽大▽蛇】〔文〕非常に大きなヘビ。だいじゃ。うわばみ。

おろ・ぬ・く【▽疎抜く】➡うろぬく。

お・わい【汚×穢】❶〔文〕けがれ。よごれ。❷汚物。糞尿。おあい。

おわ・す【▽御▽座す・▽在す】《自サ変》〔古〕「ある」「いる」「来る」「行く」の尊敬語。いらっしゃる。

お・わらい【▽御笑い】❶落語。〔これから演じようとするときにいう〕「ーを一席申し上げます」❷相手・他人が笑うための材料。お笑いぐさ。「とんだーさ」

*おわり【尾張】旧国名の一つ。今の愛知県の西北部。尾州。

*おわり【終(わ)り】❶〔空間的・時間的に続いているものの〕それ以上先がないところ。しまい。最後。「長い冬もーを告げる(=終了する)」類語 終焉。❷人の一生の最後。臨終。類語 末期。❸〈「…したら

お

ーだ」の形で〉…したら処置なしだ。…したらおしまいだ。「この雪の中で眠り込んだらーだ」

ーを全うする《句》最後まできちんとしとげて、恥ずかしくないようにする。

おわり・はつもの【終(わ)り初物】をはりはつもの 時期の末になって品うすになるころ成熟して、初物と同じように珍重される、野菜・くだもの。

おわ・る【終(わ)る】をはる 一《自五》❶〔続いていた物事が〕おわりになる。「仕事がーる」対 始まる。⇩〖類語と表現〗❷《名詞＋「で」の形を受けて》それ以上に発展しないでしまう。「課長でーる」❸《名詞＋「に」の形を受けて》…という〈好ましくない〉結果になる。「失敗にーる」文《四》。二《他五》しまいにする。「ごあいさつをーります」類語 仕終える。仕舞う。済ませる。切り上げる。閉じる。締め切る。打ち切る。了する。(する)終了。修了。文《四》。三《接尾》「…することが完了する」意。…しおえる。…て(で)しまう。「本を読みーる」文《四》。

類語と表現

「終わる」

＊授業が終わる・戦争が終わる・一日の勤めが終わる・会議はまだ終わらない・検査はすぐ終わるだろう・実験が失敗に終わる。

◆済む・止む・片付く・上がる・引ける・果てる・尽きる・極まる・跳ねる・幕になる・幕を閉じる・ちょんになる・けりが付く・片が付く・終止符[ピリオド]を打つ／(年が)暮れる・(休暇が)明ける／(する)終了・完了・完結・結了・満了・落着・終結・終決・終止・終息・終業・終演・閉幕・閉止・閉廷・閉会・閉場・閉校・閉店・閉業・閉館

◇[終わり]終幕・終戦・終焉(しゅうえん)・終局・終末・しまい・早じまい・お開き・ゲームセット・ジエンド

＊**おん【御】**《接頭》〔「大御(おお)」の転「おおん」の約〕↓お(御)。参考「お」よりも尊敬・丁寧の意が強く、改まったところで使われる。「ー手」「ー礼」

＊**おん【恩】**〔目上の〕人から受けた感謝すべき利益。「先生のー」「ーに着せる(＝恩を与えたことを相手にありがたく思わせる)」「ーに着る(＝他人から与えられた恩をありがたく思う)」「ーを売る(＝相手から感謝されることを期待して恩を与える)」類語 情け。めぐみ。

ーを仇(あだ)で返す《句》恩をうけたことを感謝せず、かえって害を与える。類語 あと足で砂をかける。

＊**おん【音】**❶おと。❷言語に用いる、口で発するおと。言語音。「『あ』という文字が表すー」❸中国での読み方をもとにした、漢字の読み方。字音。対 訓(くん)。「山を「サン」、川を「セン」と読む類。

＊**オン**❶スイッチや機械などが、運転・点灯・操作中であること。対 オフ。❷《名・自サ》ゴルフで、打った球がグリーンの上にのること。▽on　ーエア〔放送局で〕番組を放送すること。また、番組が放送中であること。▽on the air から。　ーザ・ロック 氷片の上にウイスキーなどを注いだ飲み物。ロック。▽on the rocks　ーパレード 俳優などが大勢そろって出場すること。勢ぞろい。総出演。▽on parade　ーライン ❶コンピューターと端末装置が直接つながっていること。「ーシステム」❷〔テニスやバレーボールなどで〕境界線上にボールが落ちること。有効打とされる。▽on line

おん・あい【恩愛】〔文〕親子・夫婦などの間の愛情。また、その愛情や恩にひかれて執着すること。「ーの絆(きずな)を断ち切る」参考 連声で「おんない」とも言う。

おん・い【恩威】〔文〕人に与える恩恵と、人を従わせる威力。「ー並び行う」

おん・いき【音域】人の声や楽器の音で、出すことのできる高低の範囲。また、その中の特定の範囲。

おん・いん【音韻】❶漢字の音〔語頭の子音〕と韻〔語尾の母韻〕。❷一回一回の具体的な音声に対して、同一言語社会に属する話し手たちが共有していると仮定される抽象的な言語音。❸音素(おんそ)。

おん・うち【御内】〔文〕手紙で、あて名のわきにそえる語。参考 相手の妻、相手の家の人、また一家全体にあてて出す場合などに使う。

おん・が【温雅】《形動》〔文〕〔性質・態度などが〕おだやかで、上品なようす。「ーな人物」類語 しとやか。

おん・かい【音階】一オクターブを一組とし、高さの順に一定の規則に従って音を配列したもの。スケール。

おん・がえし【恩返し】ーがへし《名・自サ》人から受けた恩にむくいること。報恩(ほうおん)。

おん・がく【音楽】人間の思想や感情を音で表現する芸術。音を素材として、一定の形式のもとに組み立てた作品を、現実の音で再現して聴き手に伝える。声楽と器楽とに大別される。

おん・かん【音感】音に対する感覚。音の高低・音色などを聞きわける能力。「ーがするどい」

おん・がん【温顔】おだやかでやさしい顔つき。柔和な顔つき。「ーに接する」類語 温容(おんよう)。

＊**おん・き【遠忌】**〔仏〕開祖などの五〇回忌以後、五〇年ごとに行う法会(ほうえ)。参考 真宗は「えんき」と読む。

＊**おん・ぎ【恩義・恩×誼】**報いて返さねばならない義理のある恩。「ーを感じる」

＊**おん・ぎ【音義】**❶漢字の、字音と字義。類語 訓義。❷音義説における音と意味。❸〔漢籍や経典で用いられている〕漢字の発音・字義を解説したもの。「法華経(ほけきょう)音義」「太平記音義」など。　ーせつ【ー説】語の一つ一つの音に固有の意味があるとして、それに基づいて語義・語源を説明しようとする説。

おんきせ・がまし・い【恩着せがましい】《形》恩にきせて相手にありがたく思わせようとする。「ーい態度」

＊**おん・きゅう【恩給】**官吏や公務員の退職後または死亡後、本人や遺族の生活を保障するために国から支給された金。参考 第二次世界大戦後、公務員に対する恩給は共済組合の年金に移行された。

＊**おん・きゅう【温×灸】**モグサを器具に入れて火をつけ、間接に患部を熱する療法。

おん・きょう【音響】おと。ひびき。　ーこうか【ー効果】❶演劇・映画・放送などで、擬音を使って演出の効果を高めること。また、その装置。❷建物の内部で、その構造・材質などの影響によって、演奏やせりふなどの効果が発揮される度合いの優劣。

おん・ぎょく【音曲】❶日本の芸能における音楽・謡物の総称。❷特に、琴・三味線などに合わせてうたう、俗曲。箏唄(ことうた)・長唄(ながうた)・清元・端唄などの類。

オングストローム《助数》長さの単位。センチメートルの一億分の一。原子の大きさや光の波長などに用いる。記号 Å または A。参考 スウェーデンの物理学者オングストレームの名に由来する。▽angstrom

おん・くん【音訓】漢字の音読みと訓読み。すなわち、その漢字の中国での発音がもとになって日本化した読み方と、その漢字の表す意味に対して訳語としての日本語を当てた読み方。「―索引(さくいん)」

おん・けい【恩恵】 与えられて、利益や幸福となるもの。めぐみ。「―に浴する」「―を施す」類語 恩沢(おんたく)。

おんけつ・どうぶつ【温血動物】「恒温(こうおん)動物」の古い呼称。対 冷血動物。

おん・けん【穏健】《形動》〔思想や言動などが〕おだやかで、しっかりしているようす。極端に走らず、中庸(ちゅうよう)をえているようす。「―派」「―路線」対 過激。

おん・げん【音源】 音の出るもと。

おん・こ【恩顧】〔目上の人が〕好意をもって、めんどうをみること。ひいき。「―を受ける」類語 愛顧。

おん・こう【温厚】《形動》〔性質や態度が〕おだやかで、やさしいようす。「―な紳士」「―篤実(とくじつ)」

おんこ・ちしん【温故知新】 むかしのことを研究して、それによって現代のことを解釈・理解すること。参考 書き下し文では、「故(ふる)きを温(たず)ね、新しきを知る」と読む。〈論語・為政〉

おん・さ【音×叉】 鋼鉄の棒をU字形に曲げ、湾曲部に柄(え)をつけたもの。また、それを木製の共鳴箱にとりつけたもの。固有の振動数をもつため、音の共鳴や振動数の実験などに使う。

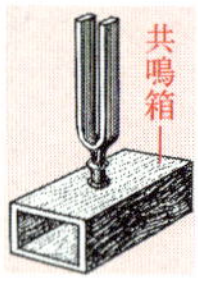

音　叉

***おん・し【恩師】** 教えをうけ、世話になった先生。

***おん・し【恩賜】** 天皇・主君から物をもらうこと。また、その品物。類語 下賜(かし)。

おん・じ【音字】 表音文字。対 意字(いじ)。義字(ぎじ)。

***おん・しつ【温室】** 寒さに弱い植物や時季より早く採る植物の栽培のために、内部の温度を一定に保つようにした、ガラスやビニールばりの建物。「―育ち(＝世間の苦労を知らずに、だいじにされて育つこと)」**―こうか【―効果】** 大気中の二酸化炭素・メタンなどが温室のガラスと同じ役割を果たして地表面の温度を比較的高く保つ現象。「―ガス」

***おん・しつ【音質】** 音の性質。音のよしあし。

おん・しゃ【恩赦】 裁判によって確定した刑の内容を、特別な恩典によって減じたり免除したりすること。内閣が決定し、天皇が認証する。参考 ↓大赦(たいしゃ)・特赦(とくしゃ)。

おん・しゃく【恩借】《名・他サ》〔文〕人の情けによって、金や品物をかり受けること。また、その金品。

***おん・しゅう【恩×讐・恩×讎】**〔文〕恩とうらみ。情けとあだ。愛と憎しみ。

***おん・しゅう【温習】**《名・他サ》くり返して習うこと。復習。おさらい。「―会」

おん・じゅう【温柔】《名・形動》〔文〕❶おだやかですなおなこと。❷あたたかで、はだざわりのよいこと。

おん・じゅん【温順】《名・形動》〔文〕❶性質がおだやかですなおなこと。❷〔風雨や気温の急変などがなく〕気候がおだやかなこと。「―の風土」類語 ①②温和。

***おん・しょう【恩賞】** 功績をほめて、国王・君主などがほうびとして金品・領土・地位などを与えること。また、その金品・領土・地位。

***おん・しょう【温床】** ❶植物の苗を早く育てるために、温度を人工的に高めた苗床(なえどこ)。フレーム。対 冷床。❷ある物事(特に、よくない物事)をおこしやすくさせる環境。「悪の―」

***おん・じょう【恩情】**〔文〕〔目上の者から目下の者に対する〕ためになることをしてやろうという、ありがたい心。いつくしみの心。恩愛の情。「―に報いる」

***おん・じょう【温情】** おもいやりのあるやさしい心。「―あふれる言葉」「―主義」類語 厚情。

***おん・しょく【温色】** ❶〔文〕穏やかな顔色。❷暖かい感じを与える色。暖色。対 寒色。

***おん・しょく【音色】**〔その楽器特有の〕音の調子・響き。ねいろ。

おん・しらず【恩知らず】《名・形動》恩をうけながら、それに報いようとしない・こと(人)。類語 忘恩(の徒)。

おん・しん【音信】 手紙などによる知らせ・連絡。たより。おとずれ。音信(いんしん)。「―不通」類語 消息。

おん・じん【恩人】 恩をかけてくれた人。世話になった人。「命の―」

オンス《助数》ヤードポンド法による重さの単位。一オンスは一六分の一ポンド。約二八・三五グラム。約七・六匁。記号 oz. ▽ ounce

おん・すい【温水】 あたためた水。対 冷水。

おんすう・りつ【音数律】 韻律の形式の一つ。音節の数で組み立てられる韻律。わが国の詩歌では、五・七、七・五などの音数で構成される。

おん・せい【音声】 人間が何かを伝える目的で、音声器官を使って意図的に出す音。叫び声・歌声などもふくむ。**―きごう【―記号】** 言語の音を音声学的に示すための記号。単音を表すのに主にローマ字を用いる国際音声記号が有名。音標文字。発音記号。**―たじゅう・ほうそう【―多重放送】** テレビで、一つの画面に対し二種類以上の音声を流すこと。二か国語放送・ステレオ放送など。

おん・せつ【音節】 単語の構成要素としての音の単位。その言語を使う人が、日常一番小さい一まとまりの音として取り扱っているリズムの単位。日本語ではふつう、一母音か、一子音＋一母音でできている。シラブル。

おん・せん【温泉】 ❶地熱によって熱せられた、セ氏二五度以上の地下水がわき出る所。また、その温水。いでゆ。類語 冷泉。鉱泉。❷温泉①を利用した浴場のある土地。温泉場(ば)。また、その旅館。温泉宿。

おん・そ【音素】 音韻論上の最小単位。音韻。

おん・ぞうし【御曹司・御曹子】《「曹司」は「部屋」の意で、もと貴族の部屋住みの子息の尊敬語》❶〔古〕上流武家の子息。特に、源氏の子息を尊敬して言った語。❷名門・資産家の子息。

おん・そく【音速】 音が媒質を伝わるはやさ。参考 空気中ではセ氏零度で毎秒三三一メートル、水中では毎秒一五〇〇メートルである。

おん・ぞん【温存】《名・他サ》使わずに、だいじにしまっておくこと。「兵力を―する」

***おん・たい【御大】**《「御大将(おんたいしょう)」の意》ある団体・仲間などの中で頭(かしら)である人を親しんで呼ぶ語。

***おん・たい【温帯】** 地球上の、熱帯と寒帯との間の地域。一般に温暖湿潤で、四季の区別があり、人間の生活に適している。参考 ↓熱帯・寒帯。**―ていきあつ【―低気圧】** 温帯に発生する低気圧。中・高緯度地方の天気の変化に大きく影響する。

おん・たく【恩沢】〔文〕めぐみ。類語 恩恵。

おん・だん【温暖】《形動》気候があたたかく、おだやかなようす。**―ぜんせん【―前線】** あたたかい気団がつめたい気団の上にのりあげたときにできる前線。これに沿った地域は雨が降り、ときには豪雨になる。通過後、気温が上がる。対寒冷前線。

*おん・ち【御地】相手を敬って、その住んでいる土地を言う語。貴地。参考手紙文などで使う。

*おん・ち【音痴】❶音に対する感覚が鈍く、声の調子や高低がうまくとれない・こと(人)。また、音楽に対する理解にとぼしく、歌を正しく歌えない・こと(人)。❷ある方面に関して鈍感な・こと(人)。「方向—」

おん・ちゅう【御中】《接尾》〔文〕団体・会社などへあてた郵便物の、あて名の下につける語。

*おん・ちょう【恩×寵】〔文〕神や君主のめぐみ。いつくしみ。類語恩恵。

*おん・ちょう【音調】❶音の高低の調子。❷話をするときの声の高低の調子。イントネーション・アクセント・リズムなどを含む。❸詩歌や音楽の調子・リズム。

おん・つう【音通】❶ある語の音節が、五十音図の同行または同段の他の音節に通じ合うこと。「さけだる」と「さかだる」、「けぶり」と「けむり」など。音韻交替。❷漢字で、同一字音の文字を通用させること。「考」を「攷」に通じ用いるなど。

おん・てい【音程】二つの音の高さのへだたり。

おん・てき【×怨敵】〔文〕(深い)うらみのある敵。「—退散」類語仇敵(きゅうてき)。

*おん・てん【恩典】〔天皇・政府などの〕情けのある処置・扱い。「学費貸与の—がある」類語特典。

*おん・てん【温点】感覚点の一つ。皮膚・粘膜上に点在し、体温以上の温度を感じる。対冷点。

おん・と【音吐】〔文〕〔ことばを発するときの〕声。こわね。「—朗々(=詩・文章などをよみあげる声が、大きく、遠くまではっきり聞こえるようにひびくようす)」

*おん・ど【温度】暖かさ冷たさの(感じの)度合い。特に、気温のこと。「—計」 —さ【—差】❶温度の違い。❷ある物事に対する熱意の違い。「現場と上層部とでは—がある」

*おん・ど【音頭】❶雅楽(ががく)・声明(しょうみょう)などで、最初にうたい出す人。❷多くの人がいっしょに歌うとき、調子をとるために最初に歌う・こと(人)。音頭取り。「—を取って民謡を歌う」❸多くの人がまとまって一つの物事をするとき、先にたって皆をひっぱって行く・こと(人)。音頭取り。「クラブ結成の—を取る」❹多くの人が歌に合わせておどる歌舞の形式。また、その形式でできている曲。「伊勢(いせ)—」

*おん・とう【温湯】〔文〕ほどよいあたたかさの湯。熱くなくぬるくない湯。

*おん・とう【穏当】《形動》むりがなく、道理にかなっているようす。「—な処置」類語至当。妥当。

おん・どく【音読】《名・他サ》❶文章を声を出して読むこと。対黙読。❷漢字を音(おん)で読むこと。音読み。対訓読(くんどく)。

おん・どり【▽雄鳥】❶おすの鳥。❷ニワトリのおす。表記②は多く「雄鶏」と書く。対①②めんどり。

オンドル 朝鮮・中国などで行われる暖房設備。床下に板石を積んで煙道をつけ、焚(た)き口で燃やした火の熱気を板石に吸いとらせる。▽朝鮮 ondol 表記朝鮮語での表記「温突」を用いることもある。

おんな【女】❶人間の性別の一つで、性質がやさしく、子を産む能力をもっているもの。女子。女性。参考接頭語的には動物にもいう。「—猫」❷成人した女性。一人前の女性。婦人。❸男性と肉体関係をもった女性。❹情婦。「—ができた」
—三人寄れば姦(かしま)しい《句》〔「女」の字が三つ寄って「姦」の字ができるのにかけて〕女性はおしゃべりなので、三人集まると非常にやかましい。
—を知る《句》女性と肉体関係をはじめて経験する。

おんな・おび【女帯】〔男用の角帯や三尺帯に対して〕女性がしめる帯。対男帯(おとこおび)。

おんな・がた【女形・女方】↓おやま。

おんな・ぐせ【女癖】男性の、女性関係に関する性癖。「—が悪い」参考よくない意味でいう。

おんな・け【女気】女がいるために生じるふんいき。また、女がいるというけはい。女っけ。

おんな・ごころ【女心】❶女に自然にそなわっている(やさしい)心。女らしい心。❷女に特有な微妙な心理。❸女が男をしたう心。対①～③男心。

おんな・ごろし【女殺し】女の理性を失わせること。また、そのように魅力的な男性。類語女たらし。マダムキラー。

おんな・ざか【女坂】〔神社・寺などの参道にある〕二つの坂のうち、緩やかな方の坂。対男坂。

おんな・ざかり【女盛り】女が、肉体的にも精神的にも最も充実して美しい年ごろ。対男盛り。

おんなじ【▽同じ】《形動・副》↓おなじ。

おんな・じょたい【女所帯・女▽世帯】女だけで、男のいない世帯。対男世帯。

おんな・ずき【女好き】❶男が、ひどく女を好むこと。また、その男。「—の男」❷〔「—のする」の形で〕〔男の容貌(ようぼう)が〕女の好みに合う。「—のする顔」対①②男好き。

おんな・たらし【女×誑し】何人もの女をたくみに誘惑してもてあそぶ・こと(男)。色魔。

おんな・で【女手】❶〔古〕ひらがな。女文字。❷女が書いた文字。女の筆跡。女文字。❸働き手としての女。女の労働力。「—一つで一家を支える」対①～③男手。

おんな・どうらく【女道楽】女遊びをする・こと(男)。

おんな・の・こ【女の子】❶一人前になっていない女。少女。幼女。❷若い女性。

おんな・ひでり【女×旱】〔女の数が少なく〕男が結婚や遊びの相手としての女を求めるのに不自由する状態。対男ひでり。

おんな・むすび【女結び】ひもの結び方の一つ。男結びの結び方を左からはじめたもの。おなごむすび。対男結び。

おんな・もじ【女文字】女手①②。対男文字。

おんな・もち【女持ち】女が持つのに適するように作ったもの。「—の時計」類語女物。対男持ち。

おんな・もの【女物】女が使うように作った品物。婦人物。「—のかさ」類語女持ち。対男物。

おんな・やもめ【女▽寡】〔夫と死別または生別して〕ひとり暮らしをしている女。類語未亡人。寡婦(かふ)。対男鰥(おとこやもめ)。

おんな・らし・い【女らしい】《形》〔やさしさ・しとやかさ・こまやかさなど〕女性としての特質があらわれている。女にふさわしい。「—・い好み」対男らしい。

おん・ねん【×怨念】〔文〕うらみの思いにとりつかれた心。遺恨(いこん)。「—を抱く」「—を晴らす」

おん-の-じ【御の字】〔俗〕じゅうぶんであり、ありがたいこと。「一万円の日当ならば━だ」参考「御」という字をつけて感謝の意を表したいほどだの意。

おんば【▽乳▽母】《「おうば」の転》うば。めのと。**━ひがさ【━日傘】**うばをつけよう、日がさをさそう、というように子供をだいじに育てること。過保護な育て方。おんばひからかさ。

おん-ぱ【音波】空気その他の媒質が発音体の振動によっておこす周期的な波動。音の波。

おん-ばん【音盤】〔文〕レコード②。

おん-びき【音引(き)】❶辞典で、音節文字を手がかりとして、ことば・漢字を引くこと。「━索引」類語 画引(かくび)き。ローマ字引き。❷〔校正用語で〕長音符号。

おんぴょう-もじ【音標文字】❶音韻を表す記号として使う文字。かな・ローマ字など。表音文字。音字。対 表意文字。❷音声記号。

***おん-びん【音便】**単語・文節の一部分が、発音しやすいように別の音に変化すること。変化しない形もある場合、変化した方を言う。たとえば、「行きて」に対する「行って」、「書きて」に対する「書いて」の類。イ音便・ウ音便・撥(はつ)音便・促(そく)音便の四種類がある。

***おん-びん【穏便】**《形動》おだやかで、荒だたないよう。また、おだやかに荒だてずに物事を取りあつかうよう。「事を━に処理する」類語 円満。

おんぶ【負んぶ】《名・他サ》《「負ぶう」の転》❶〔幼児語〕せおうこと。おぶうこと。❷〔俗〕自分が負担すべきところを、他人の力・金銭などにたよること。おぶさること。「足りない費用は会社に━する」

━に抱っこ《句》甘え放題に他人に頼り切るようす。

***おん-ぷ【音符】**❶漢字の構成部分の一つ。その字の字音を決定する部分。たとえば、「清」「晴」などの「青」。❷文字につけて、発音を示すための補助符号。濁音符「゛」、半濁音符「゜」、反復音符「ゝ」「〱」「々」「〻」、長音符「ー」などの総称。❸音の長さの割合を示す記号。譜表に記入すると、音の高さも表す。四分音符「♩」、八分音符「♪」など。

***おん-ぷ【音譜】**楽譜。「━を読む」

おん-ぷう【温風】❶春のあたたかい風。❷〔暖房装置などから送られる〕あたためられた風。「━ヒーター」対 冷風。

オンブズマン 政府から独立して、行政機関の不正や非能率を見張り、国民の苦情の処理に当たる・役人(制度)。行政監察専門員。オンブズパーソン。▽スウェーデン ombudsman

おん-ぼろ《名・形動》〔俗〕ひどくいたんでいる・こと(もの)。ぼろぼろ。「━の自動車」

おん-まえ【御前】━まへ ❶「前(まえ)」の尊敬語。身分の高い人の前。ごぜん。❷手紙の脇付(わきづけ)の一つ。「御前に」とも。参考 女性が使う。

おん-み【御身】━《名》〔文〕「あなたのお体」の意を表す尊敬語。〔手紙文などに使う〕「━お大事に」━《代名》《対称の人代名詞》〔文〕〔対等または目下の〕相手を軽い敬意をもってさす語。あなた。

おん-みつ【▽隠密】━《形動》ひそかに行うようす。こっそり。「━(裏)に事を運ぶ」━《名》戦国時代から江戸時代にかけて幕府・諸藩におかれ、諜報(ちょうほう)活動を任務とした下級の武士。間者(かんじゃ)。忍びの者。

おんみょう-どう【▽陰陽道】陰陽五行の説に基づく中国伝来の学問。天文・暦・占いなどを研究する。陰陽(おんみょう)。陰陽道(おんようどう)。

***おん-めい【恩命】**〔文〕〔主君などの〕情けのある命令。ありがたいおことば。「━が下る」

***おん-めい【音名】**〔音〕一定の高さの音につけたその音固有の名称。イロハ…、ABC…など、国によって表し方が異なる。参考↓階名。

おん-もと【御▽許】《名・代名》↓おもと(御許)。

おん-やく【音訳】《名・他サ》漢字の音または訓を借りて、外国語の音を書きあらわすこと。ガスを「瓦斯」、パリを「巴里」と書く類。音写。

おん-やさい【温野菜】〔生で食べる野菜に対し〕ゆでたりいためたり、加熱調理した野菜。「━サラダ」

おん-よう【温容】〔文〕おだやかでやさしいようす・顔つき。「師の━に接する」類語 温顔。

おんよう-どう【▽陰陽道】↓おんみょうどう。

おん-よく【温浴】《名・自サ》〔文〕湯・温泉などにはいること。温水浴。

おん-よみ【音読み】《名・他サ》音読(おんどく)②。対 訓読み。

オンリー もっぱらそれにかぎること。ただそれだけ。〔接尾語的に使う〕「金もうけ━」「仕事━の人」▽only

おん-りつ【音律】❶音楽に使う音の高さを音響理論的にまとめた体系。ヨーロッパ音楽の平均律、日本や中国の十二律など。❷音の調子。音楽の調子。

***おん-りょう【×怨霊】**人にたたりをする、死者の霊。うらみをもって死んだ人の霊。類語 亡霊。死霊(しりょう)。

***おん-りょう【音量】**人の声や楽器・テレビ・ラジオ・ステレオなどの、音の・大きさ(豊かさ)。ボリューム。「テレビの━を下げる」

***おん-りょう【温良】**《形動》〔人の性格が〕おだやかで、すなおなようす。類語 温厚。

おん-わ【温和・穏和】《形動》❶気候が、あたたかくおだやかで、寒暑の差がはげしくないようす。「ここは━で暮らしやすい土地です」❷〔性格などが〕おだやかで、おとなしいようす。「━な意見」表記 ①は多く「温和」、②は「穏和」と書く。

か

か ― 加

***か**《接頭》《ふつう形容詞の上にそえて》調子を整え、また意味を強める。「━弱い」「━細い」「━黒き髪」

***か【下】**━《接頭》位置が低いことを表す。「━半身」対 上(じょう)。━《接尾》「…のした」「ある状態のもと」の意。「支配━」「占領━」

***か【過】**《接頭》❶「度をこす」などの意。「━保護」❷化合物の成分が多いことを表す。「━酸化鉛」

***か【化】**《接尾》「ある状態に・する(なる)」の意。「映画━」「具体━」「コード━」

***か【家】**《接尾》❶「…のいえ(の人)」の意。「素封━」「財産━」❷「…を専門や職業とする人」などの意。「評論━」「音楽━」❸「…の性質・傾向が特に強い人」の意。「情熱━」「努力━」

***か【貨】**《接尾》「貨幣」の意。「ニッケル━」

***か【価】**《助数》〔理〕原子価・基・イオンの電荷などの単位を表す。また、アルコールなどの分子中の、水酸基の

数を表す。「酸素の原子価は二ー」

*か【日】《助数》《和語について》日数・日づけを表す。「五ー」「二十ー」 類語 日。

*か【箇・▽個・×个】《助数》物を数える語。〔下の語と結合して使う〕「百ー日」 表記 漢字「个」を誤って片仮名「ケ」としたところから、「ケ」とも書く。

*か【荷】《助数》荷物を数える語。「酒だる三ー」

*か【×顆】《助数》小粒のくだもの・宝石などを数える語。「ダイヤモンド三ー」

*か【可】❶よいこと。「分割払いもー」 対 不可。❷よいと認めて許すこと。「その方法をーとする」 対 否。❸成績評価などで、優・良の次の評点。

ーも無く不可も無・し《句》特によい点もないかわりに、特に悪い点もない。ふつうである。

*か【火】❶五行の第二位。方位で南、時節で夏、天体の五星で火星、十干では丙・丁に当たる。❷「火曜日」の略。

*か【寡】〔文〕人数・勢力が少ないこと。少ない人数。「ーをもって衆に対する」 対 衆。

*か【科】❶区分けした一つ一つ。特に、学問・学科などを分類した一区切り。「国語ー」「耳鼻ー」❷生物の分類学上の名称。目の下で、属の上。「マメー」

*か【果】❶原因によって生じるもの。結果。「因となりーとなる」 対 因。❷〔仏〕信仰によって得た結果。仏果。

*か【禍】㊀《名》〔文〕わざわい。ふしあわせ。「風雨のー」 対 福。㊁《接尾》「…による災難」の意。「交通ー」

*か【華】〔文〕うわべだけのはなやかさ。「ーを去りて実に就く(=うわべを捨てて内容の充実をはかる)」

*か【蚊】双翅目カ科とその近縁の昆虫の総称。小形でからだもあしも細く、はねは一対。雌は人畜の血を吸い、感染症を媒介する害虫。幼虫はボウフラ。

ーの食う程にも思わ・ぬ《句》少しも痛痒を感じない。

ーの鳴くような声《句》かすかで弱々しい声。「ーで謝る」

ーの涙《句》数量がきわめてわずかなことのたとえ。「ーほどの見舞金」 類語 雀の涙。

*か【課】❶教科書などの中の小区分。「第一ー」❷役所・会社などで、組織の小区分。ふつう、局・部の下、係の上に位置する。「秘書ー」

*か【香】〔文〕(よい)におい。かおり。「湯のー」

*か【▽彼】《代名》❶《他称の人代名詞・遠称の指示代名詞》〔文〕遠くの人・物をさし示す語。あれ。かれ。「ーの人」「ーの国」❷「何」と対応して、ばくぜんとしたことがらをさす語。「何やーやと物いりだ」

*か ㊀《副助》《文語では係助詞。文末を連体形で結ぶ》❶〔疑問を表す語について〕これと特定できない意(=不定・不確か)を表す。「だれか来たようだ」「何か食べる物はないか」「何事か考えこんでいるふうだ」「幾人かの人が欠席した」「なぜか悲しい」「どこかへ行ってしまった」❷ 文語 反語を表す。「生きとし生けるもの、いづれか歌をよまざりける〈古今集〉」❸〔「どんなにか」の形で〕程度をおしはかりつつ、程度が甚だしいことを言う。「どんなにか喜ぶことだろう(=大いに喜ぶだろう)」 参考 「どんなに喜ぶことだろう」もほぼ同義だが、これには程度をおしはかる気持ちがない。❹〔「のみか」「ばかりか」「どころか」などの形で〕「単に…だけではなく、さらにもっと…」「全く…ではなく」の意を表す。「雨ばかりか、風まで吹き募る」「泣くどころか、暴れ出した」

㊁《並助》〔「…か…か」の形で〕対等の関係にあるものをいくつか並べ上げ、どれか一つを選ぶ意を表す。「君か僕かが行かねばならない」「生きるか死ぬかの境目」 参考 最後の「か」は、略されることがある。「休日は読書かごろ寝(か)だ」

㊂《終助》❶問いかけを表す。〔自問も含む〕「どちらへ行かれますか」「彼女は来るだろうか」「何かいいことがあったのだろうか、二つ返事で引き受けた」❷〔話し手の動作を表す動詞＋「…(よ)うか」の形で〕相手の意向への質問を表す。「肩でももうか」❸〔話し手が相手とともにする動作を表す動詞＋「…するか」「…(よ)うか」「…ないか」の形で〕提案や勧誘を表す。「そろそろ帰ろうか」「見に行かないか」❹〔「…ていただける(もらえる・くれる)」＋「か」の形で〕婉曲な依頼を表す。「貸していただけますか」「引き受けてもらえますか」 参考 打ち消しの表現は、さらに丁寧な言い方。「貸していただけませんでしょうか」❺〔「…たらどうか」「…てはいかがか」などの形で〕穏やかな勧告を表す。「およしになったらどうですか」❻〔「…ではないか」の形で〕㋐自問の形で、控えめな断定を表す。「犯人は彼ではないか」㋑聞き手に対する問いかけの形で、否定すべくもない事実であることを強調するのに使う。仮にも否定することに関しては難詰の気持ちがこめられる。「私があれほど忠告したではないか」㋒予期しない事実の発生を述べて、相手に強い共感を求めるのに言う。「あろうことか、その時救いの手がさしのべられたではないか」❼反語を表す。「こんなことがあってたまるか」 参考 相手に関係した事柄を言うときは、難詰の気持ちが出る。「存じませんで済むと思うか」❽〔相手の動作を表す動詞＋「…ないか」「…んか」の形で〕難詰の気持ちをこめて、相手の動作を促す。「おい、早くしないか」❾〔「いいか」「よろしいか」の形で〕相手の注意をひいて念を押すのに使う。「いいか、よく聞け」❿〔「ことか」の形で〕「どのくらい心配したことか」⓫〔「(もの)か」の形で〕㋐詠嘆を表す。「私の知ったことか」㋑反語を表す。の形で〕反語の気持ちをこめて、強い否定を表す。「死んでなるものか」⓬〔「どうしたものか」の形で〕詠嘆をこめた、困惑を表す。どうしたらいいのだろうか。「彼の処分はどうしたものかね」⓭〔自問自答の形で〕〔驚き・詠嘆・感動を伴うことが多い〕㋐事実の確認を表す。「ああ、また始まったか」㋑静かな決意を表す。「よし、もう一度やってみるか」

*が【画】《接尾》「絵」の意。「水彩ー」「美人ー」

*が【我】❶自我。❷自分本位の考え・気持ち。我意。「ーが強い(=強情である)」「ーを張る」「ーを通す」

ーを折・る《句》〔他からの力で〕自分の主張した強い意志・意見を変える。「説得されてついにー・る」

*が【×蛾】チョウ目のチョウ以外の昆虫。チョウに似るが、胴が太い。多くは夜行性。幼虫のイモムシ・ケムシは、多く農作物の害虫。

*が【賀】〔文〕❶いわい。よろこび。❷→賀の祝い。

*が【×駕】〔文〕〔車・かごなどのような〕のりもの。

ーを枉・げる《句》〔貴人がわざわざ訪問する意から〕「訪問する」「来訪する」の尊敬語。

*が《接続》前の文を受けて、後の文がそれと逆の関係にあることを表す。だが。しかし。「彼をさそってみた。ー、ことわられた」

*が ㊀《格助》〔体言につく〕❶〔下に述部を伴って〕上の体言が、述部の表す動作・作用や状態・存在・性状などの主体であることを、新しい情報として示す。「だれが行くのか」「太郎が行きます」「夜空が美しい」「彼が犯人だ」

「音が聞こえる」 参考 (ア)述部が願望・好悪・可能・受け身を表す語は、「を」で表すことも多い(例：水を／が飲みたい・彼女を／が好きなのか・英語を／が上手に話せる・功労賞を／が授与された)。「欲しい」「恋しい」「できる」「分かる」も、「新人を欲しい」「母を恋しい」「英語をできる」「気持ちを分かる」のように言うことがあるが、やや標準から外れる。(イ)文語的表現や慣用句の類には用言にもつく。「ほれたが悪いか」「負けるが勝ち」↓は(係助)。❷文語 連体格を示す。❼所有・所属を表す。〔口語の「の」に当たる〕「我らが母校」「誰がために鐘は鳴る」❹〔下に同一または同種の体言を伴い、慣用語的に使って〕上の語を強調する。「今が今」「年が年中」❻〔下に「故」「如し」などの語を伴い〕文語的な格調を添える。「愛するがゆえに」「翔ぶが如く」

二《接助》❶次に述べる事柄の前おきや予備的説明として使う。「春たけなわとなりましたが、お元気ですか」「新聞で見たのですが、本当ですか」❷予測どおりでない事柄を対比的に示すのに使う。〔単なる対比の場合もある〕「知ってはいますが、今は話せません」「この絵もいいが、あちらのもいい」❸〔「(よ)うが…まいが…」などの形で〕前句に示された仮定条件に拘束されることなく、後件が成立することを強く表現するのに使う。…とも。「反対しようがすまいが知ったことではない」「雨が降ろうが槍が降ろうが決行する」❹〔「ところが」の形で〕接続助詞として働く。↓ところが(接助)。

三《終助》❶〔二から転じて、言いさした形で〕❼叙述をやわらげ、相手の反応を待つ気持ちを表すのに使う。「ちょっとお尋ねしたいのですが、…」❹叙述にいささかの不安やためらいの気持ちを添えるのに使う。「早く結婚相手を見つけてやりたいが…」❻聞き手の理解や同意を求めて高圧的に念を押すのに使う。「早く済ませておけばよかったでしょうが」❷〔一から転じて〕期待を裏切られた恨みの気持ちを強く表すのに使う。〔見下し、ののしって言う〕「この不孝者めが！」

カー **一**《造語》列車・電車の車両の意。「ロマンスー」**二**《名》自動車。「マイー」「レンター」▽car **ーナビゲーション** 自動車を目的地まで誘導するシステム。人工衛星を使った全地球測位システムや地磁気センサーなどを利用して、地図上に現在位置と進行方向を

日本語

「が」と「は」

「昔、昔、あるところに山がありました。その山は高い山でした。その山に猿が住んでいました。その猿は賢い猿でした。」

この昔話で、「山」と「猿」が初めて使われるところには、主語を表すのに「が」が使われ、二度目に使われるところには「は」が使われている。それは、相手の頭にまだ入っていないだろうと思うときには「が」を使い、頭に入っているだろうと思うところには「は」を使うからで、これは、ちょうど英語の不定冠詞 a と定冠詞 the との使い分けに似ている。このような区別を異なる助詞で表す言語は、日本語・朝鮮語以外には少ない。

「が」は主語を表す助詞であるが、「は」の方は題目を表す助詞で、話の題目には相手が知っているものを選ぶことから、右のような使い分けになるのである。相手自身のことや、話をしているわたし自身のことは、相手にすぐに分かるだろうと思うから、「あなた」とか「わたし」とかいう言葉は、「あなたは…」「わたしは…」と、「は」をつけて言うことが多い。外の景色に対しては、相手はまだ気が付いていないかもしれないから、「庭に小鳥が来た」「夕焼けがきれいだよ」と、「が」を使う。

表示する。カーナビゲーションシステム。参考「カーナビ」と略す。▽car navigation **ーフェリー** 乗客と自動車を同時に運ぶ、大型の船。フェリーボート。▽car と ferry(=連絡船)からの和製語。

カーキ・いろ【カーキ色】 茶色がかった黄緑色。枯れ草色。参考「カーキ」は、khaki(=もと「土ぼこり」の意のヒンディー語)。

カーゴ 貨物機。貨物船。「エアー」▽cargo

かあ・さん【〈母さん〉】「お母さん」のややくだけた言い方。対父さん。

カースト インドに古代からある世襲の階級制度。バラモン(僧侶(そうりょ))・クシャトリヤ(王侯・武人)・バイシャ(平民)・シュドラ(奴隷)の四つに分かれている。四姓(しせい)。カスト。▽caste

ガーゼ あらく平織りにした薄くて柔らかい綿布。乳児の肌着や医療に用いる。▽(ドイツ) Gaze

カーソル ❶計算尺についている、縦に細い直線が入った透明な四角い板。左右に動かして目盛りをよみ取る。滑尺。❷コンピューターなどで、表示画面上に、次に入力する文字などの位置を示す印。▽cursor

ガーター ❶くつしたどめ。❷「ガーター編み」の略。棒針編みで、一段おきに表の編み目と裏の編み目がくりかえされているもの。❸「ガーター勲章」の略。英国の最高の勲章。▽① garter ③ the Garter

か・あつ【加圧】《名・自他サ》圧力を加えること。圧力が加わること。

カーディガン ジャケットの一つ。えりはつけず、前あきにしてボタンで打ち合わせる。主として毛糸で編む。参考 創案者の名前から。▽cardigan

ガーデニング 庭やベランダなどに草花や花木などを配置して植え育てること。庭作り。▽gardening

カーテン ❶おおい・しきり・飾りなどに用いる幕。特に、窓かけ。❷ある物事をさえぎりかくす物。「鉄のー」▽curtain **ーコール** 芝居やショーの終了後、観客が拍手をして出演者を幕の前や舞台に呼び出すこと。▽curtain call

ガーデン (広い)庭。庭園。「ビヤー」▽garden

カート 荷物運搬用の手押し車。▽cart

カード ❶小形に切りそろえた四角な厚紙。また、それに似せたもの。「単語ー」❷トランプ。また、その札。「ーを配る」❸①の形をしたキャッシュカードなどの総称。「ー社会」❹試合の組み合わせ。「好ー」▽card

***ガード** 道路・鉄道線路の上にかけられた鉄橋。陸橋。「ー下」▽girder bridge(=けた橋)から。

***ガード** ❶《名・自サ》護衛・監視すること(人)。護衛。「ーマン」❷スポーツで、おもに防御をうけもつ選手。❸《名・自サ》ボクシング・フェンシングなどで、防御。また、その構え。「ーを固める」▽guard **ーレール** 事故防止のために車道の端に設ける鉄製のさく。防護柵(さく)。▽guardrail

カートリッジ ❶レコードプレーヤーのピックアップの先端につけた、針をさしこむ部分。❷万年筆にはめこんで使う、インクのはいっている筒。❸そのままカメラにはめこめる、中にフィルムを収めた容器。マガジン。パトローネ。▽cartridge

ガードル 女性の下着の一種。腹部から腰部にかけて体型をととのえるために用いる。[参考]骨のはいっていない点がコルセットと異なる。▽girdle

カートン ❶厚紙。❷ろう引きの厚紙でつくった箱。「―入り牛乳」❸巻きたばこ一〇箱あるいは二〇箱をひとまとめにして入れた大きな箱。また、それを数える語。❹銀行・商店などでお金をいれて渡す盆。金銭盆。＝カルトン。▽carton

カーニバル ❶カトリック教会で、肉食を断つ四旬節の前に行う祭り。仮装行列などをして楽しむ。謝肉祭。❷にぎやかなお祭りさわぎを伴う催し。▽carnival

カーネーション ナデシコ科の多年草。葉は細く、夏に赤・白・桃色などの花を開く。オランダセキチク。▽carnation

ガーネット ざくろ石。▽garnet

カーバイド 「炭化カルシウム」の俗称。純粋なものは白色の結晶。水を加えるとアセチレンガスを発生する。肥料の原料。カーバイト。▽carbide

カービン-じゅう【カービン銃】 小型・軽量で携行に便利な銃。アメリカで騎兵銃として発達した。

カーフ 子牛の皮。カーフスキン。▽calf(=子牛)

カーブ ❶曲線。「―を切る(=曲がる)」❷《名・自サ》曲がること。また、その部分。❸《名・自サ》〔野球で〕変化球の一つ。投球が打者の近くへ来て急に曲がること。また、その球。曲球。▽curve

カーペット 地の厚い大型の敷物。じゅうたん。段通(だんつう)。[類語]毛氈(もうせん)。マット。ラッグ。▽carpet

ガーベラ キク科の多年草。葉はタンポポに似る。初夏に赤・白・黄などの花を開く。▽gerbera

カーボン ❶炭素。❷電極に用いる炭素棒・炭素線など。❸「カーボン紙」の略。▽carbon ―し【―紙】油とろうをまぜたものに顔料を加え、雁皮紙(がんぴし)などにぬったもの。複写用に使う。炭酸紙。カーボンペーパー。

ガーリック 料理に使うニンニク。▽garlic

カーリング 氷の上で、ハンドルのついた、重い平たい花崗(かこう)岩製の石をすべらせ、円形の的に入れる競技。▽carling

***カール** 《名・自他サ》髪の毛がうず巻き状に巻いていること(毛)。巻き毛。また、そのようにくせをつけること。「やわらかに―した髪」[類語]ウエーブ。▽curl

***カール** 氷河の浸食によってできたU字状のくぼ地。圏谷(けんこく)。▽(ドイツ)Kar

ガール 《造語》「少女」「娘」「女」などの意。「キャンペーンー」「―ハント」[対]ボーイ。▽girl ―スカウト 少女を精神的・身体的によりよき社会人となるように訓練するための団体。また、その団員。[対]ボーイスカウト。▽Girl Scouts ―フレンド 女友だち。特に、(若い)男性の交際相手としての(若い)女性。[対]ボーイフレンド。▽girl friend

***かい【×搔い】** 《接頭》《「かき」の音便》動詞につけて、意味を強め、調子を整える語。「―出す」「―くぐる」

***かい【皆】** 《接頭》みな。すべて。「国民―保険」

***かい【海】** 《接尾》「ある限られた範囲のうみ」の意。〔「洋(よう)」よりもせまいときに使う〕「日本―」

***かい【界】** 《接尾》「ある限られた範囲の社会・仲間」などの意。「経済―」「芸能―」

***か-い【下位】** ひくい地位・順位。下のくらい。「―概念」[対]上位・中位。

***か-い【下意】** 〔文〕〔支配されている〕一般の人々の考え・気持ち。下情。「―上達」[対]上意。

***かい【会】** ❶ある目的のために多くの人が集まること。集まり。「―を開く」❷ある目的のために何人かが集まってつくった団体。「同好―」[尊敬]貴会。

***かい【解】** 問題の解き方や答え。「―を求める」

***かい【回】** ━《名》同じことが繰り返して行われる場合、その一つ一つの称。回数。「―を重ねる」━《助数》物事の度数・順序を数える語。「三―の表の攻撃」

***かい【快】** ━《名》〔文〕心地よく、ゆかいなこと。「―をむさぼる」━《接頭》《漢語につけて》「気持ちよく、すばらしい」意。「―速球」「―男児」

***かい【怪】** ━《名》ぶきみでふしぎな物事。「古沼の―」[類語]なぞ。━《接頭》《漢語につけて》「あやしい」「ふしぎな」などの意。「―文書」「―電話」

***かい【戒・×誡】** 罪悪を防ぐために、仏教信者の守るべき規則。いましめ。「―を守る」

***かい【×楷】** 楷書。[対]行。草。

***かい【×櫂】** 《「かき」の音便》船をこぐのに用いる木製の棒。一端を平たくして水をかく。オール。

***かい【▽甲×斐】** 旧国名の一つ。今の山梨県。甲州。

***かい【▽甲×斐・×詮・▽効】** 行(ひか)った物事に対するむくいや好ましい結果。また、物事を行うだけのねうち。「努力した―があって一番になった」[参考]接尾語として用いるときには「がい」と濁る。↓甲斐(がい)。[類語]はりあい。

***かい【貝】** ❶貝殻をもつ動物の総称。二枚貝と巻き貝を主とする。[参考]動かずにいるもの、黙っているものなどのたとえに用いる。「―のように口をとざす」❷貝殻。❸ほらがい。「―を吹く」

***かい【買い】** ❶買うこと。「安もの―」❷相場の値上がりを予想して買うこと。[対]①②売り。

***かい【階】** ━《名》❶階段。❷建物のなかの、上下の層。━《助数》建物の層を数える語。「二―建て」

***かい【×隗】** 郭隗(かくかい)。中国の戦国時代の人。燕(えん)の昭王の臣。

―より始めよ 《句》事を始めるには手近なことから始めよ。また、言い出した人からまず始めよ。[故事]郭隗が昭王に賢臣を集める方法を問われ、「賢臣を招くにはまず自分のように大したこともない者を優遇することから始めよ。そうすればすぐれた人材が次々に集まってくるだろう」と答えたという故事から。〈戦国策／郭隗〉

***か-い** 《連語》《終助詞「か」＋終助詞「い」》↓い(終助)。

***がい【外】** 《接尾》…の範囲よりそとの意。…のほか。「問題―」「予想―」「割り当て―」「時間―」

***がい【▽甲×斐】** 《接尾》《名詞や動詞の連用形について》「…(するだけの)ねうち」「…(の)ききめ」「…(の)めぐみ」などの意。「生き―」「年―」「頼み―」[参考]↓甲斐(かい)。

***がい【街】** 《接尾》「…の(多くある)まち」の意。「商店―」「官庁―」「繁華―」

***がい【×蓋】** 《助数》笠(かさ)、また、笠の形をしたものなどを数える語。「ひのき笠一―」

***がい【害】** そこない、悪い結果を与えるもの。「たばこはからだに―がある」[対]益。

＊が・い【我意】 自分勝手な考え・気持ち。「ーを通す」

＊がい【概】〔文〕❶気概。元気。「敵を飲むのー」❷あるものに似たおもむき。「古武士のーあり」

＊が・い【賀意】〔文〕祝う気持ち。祝意。「新年のーを表す」対弔意。

＊がい【該】《連体》〔文〕(「該当する」意から)(話題になっている)その。この。当の。「ー事件」「ー雑誌」

＊ガイ《造語》「男」の意。「ナイスー」「タフー」▽guy

かい・あく【改悪】《名・他サ》改めて、かえって前よりも悪くすること。「新訳はかえってーだ」参考「改善」の対語としてできた語。対改善。

がい・あく【害悪】 他のものをそこない、悪い結果を与えることがら。害毒。「社会にーを流す本」

かい・あ・げる【買い上げる】《他下一》(身分の高い人や権力のあるものが)物を買いとる。「都がー・げた土地」対払い下げる。

かい・あさ・る【買い▽漁る】《他五》さがし求めて(むやみに)買う。「土地をー・る」

がい・あつ【外圧】 外部からおさえつけようとする力。また、外国から受ける圧力。「ーに屈する」対内圧。

かい・あわせ【貝合(わ)(せ)】 平安時代、貴族の女子が行った遊びの一つ。三六〇個の貝がらを「地貝」と「出し貝」の二つに分け、地貝を全部出して並べ、これに出し貝を合わせる。貝おおい。

＊かい・い【介意】《名・他サ》〔文〕気にかけること。「弱者をーしない政治」類語心配。懸念。

＊かい・い【会意】 漢字の六書の一つ。二つ以上の字を合わせて、新しい字形と意味を構成する方法。「人」と「木」を合わせ、「休」とする類。「ー文字」

＊かい・い【怪異】 ❶《名・形動》(ふつうでは考えられないほど)ふしぎであやしいこと。怪奇。「ーな物語」「超自然のー」類語奇怪。❷ばけもの。妖怪。変化。

＊かい・い【×魁偉】《形動》〔文〕顔やからだが、人並みはずれて大きく、いかついようす。「容貌ー」

がい・い【害意】〔文〕あいてに害を与えようとする気持ち。害心。「ーを抱く」類語敵意。悪意。

かい・いき【海域】 区切られた、一定範囲の海。参考「水域」よりも広い場合に使う。「日本ー」

かい・いぬ【飼(い)犬】 家でかっている犬。

ーに手を噛ま・れる《句》かわいがっていた者から害をうけるたとえ。裏切られる。

かい・い・れる【買い入れる】《他下一》物を買って自分の所に取り入れる。類語買い取る。買い受ける。

＊かい・いん【会員】 会を構成する人。会のメンバー。

＊かい・いん【改印】《名・他サ》役所・銀行・取引先などに届け出てあった印鑑を別のものに変えること。

＊かい・いん【海員】 船に乗り組んで仕事をする人。類語船員。水夫。参考ふつう、船長はふくまない。

＊かい・いん【開院】《名・自サ》❶《他サ》国会を開くこと。また、開かれること。❷《他サ》(病院など)「院」と名のつく施設を新たにつくって、業務を始めること。また、業務が始まること。❸病院・医院などがその日の業務を始めること。類語②③開業。対①～③閉院。

がい・いん【外因】 その物事自体にはなくて、外部にある原因。対内因。

かい・う・ける【買い受ける】《他下一》(人が売ろうとする物を)買って手に入れる。類語買い入れる。

＊かい・うん【海運】 海を利用して、船で客や貨物を輸送すること。「ー業」類語水運。対陸運。

＊かい・うん【開運】 運が、いい方向に開けること。「ーを祈る」「ーのお守り」

かい・えき【改易】《名・他サ》江戸時代、武士に科せられた刑罰の一つ。士族としての籍を除き、家屋敷・領地を没収した。切腹より軽く、蟄居より重い。

＊かい・えん【海×淵】 海溝の中の特に深い部分。

＊かい・えん【開園】《名・自サ》❶《他サ》(動物園・幼稚園など)「園」と名のつく施設を新たにつくって、業務を始めること。また、業務が始まること。❷動物園・遊園地などがその日の業務を始めること。対①②閉園。

＊かい・えん【開演】《名・自サ》演劇・演芸・講演などの、その日の番組を始めること。「午後六時ー」類語開幕。開場。対終演。

＊が・い・えん【外延】（extension, denotation）〔論〕ある概念が適用される最大の範囲。たとえば、「哲学者」という概念の外延は、ソクラテス、プラトン、アリストテレス、…など。対内包。

＊がい・えん【外縁】 外側のふち。外側にそった部分。対内縁。

＊がい・えん【外×苑】 神社・皇居などに属し、その外側にある広い庭園。「神宮ー」対内苑。

かいおう・せい【海王星】〔天〕太陽系のなかで、太陽から数えて八番目の惑星。一六四年九か月で太陽を一周する。ネプチューン。参考→冥王星。

かい・おき【買(い)置き】 品物を買ってしまっておくこと。また、その品物。「たばこのーがなくなる」

かい・おけ【飼(い)×桶】 飼い葉を入れる、おけ。飼い葉桶。

かい・おん【快音】 ❶野球で、ヒットやホームランを打ったときの気持ちのよい音。❷〔エンジンなどの〕調子のよい音。「ーを響かせて離陸する」

かい・おんせつ【開音節】 母音または二重母音で終わる音節。ka, sho, tei など。対閉音節。

＊かい・か【怪火】〔文〕❶〔きつね火・鬼火などの〕あやしい火。❷原因がわからない火事。不審火。

＊かい・か【開化】《名・自サ》〔ある社会全体の〕人々の知識が発達し、文化が進歩すること。「文明ー」

＊かい・か【開架】 図書館で、閲覧者に書架から自由に本を取り出して利用させること。「ー式図書館」

＊かい・か【開花】《名・自サ》❶草木の花が開くこと。「ー期」❷すぐれた成果があらわれること。「努力がーする」「天平文化のー」

＊かい・か【階下】 ❶階段の下。❷二階建ての建物の、第一の階。❸幾層にもなっている建物の、より下の階。対①～③階上。

かい・が【絵画】 造形美術の一つ。線や色を使って平面上に、目に見える形態を作り出すもの。絵。「ー的」「ー鑑賞」類語図画。

＊がい・か【×凱歌・×愷歌】 戦いに勝ったときに歌う祝いの歌。「ーを上げる(=勝つ)」類語かちどき。

＊がい・か【外貨】 ❶外国の通貨。「ー獲得」対邦貨。❷外国から輸入する商品・貨物。

ガイガーミュラー・けいすうかん【ガイガーミュラー計数管】 放射性元素や宇宙線中の粒子を検出・測定する装置。ガイガー計数管。参考一九二八年、ドイツのガイガーとミュラーが共に考案した。

かい・かい【開会】《名・自他サ》❶会議・集会などを始めること。「ー式」類語発会。❷議員を召集して、国

か

会を開くこと。対①②閉会。

***かい・がい**【海外】海をへだてた外国。「—雄飛」

***がい・かい**【外海】❶陸地に囲まれていない海。外海(そとうみ)。対内海。❷陸地から遠く離れた海。類語外洋。

***がい・かい**【外界】❶ある物をとりまく外の世界。「—とのつながりをたつ」❷意識から独立して存在するものすべて。客観的世界。対内界。

がい・がい【×皚×皚】《形動タルト》〔文〕〔雪・霜などで〕いちめんに真っ白く見えるようす。「白(はく)—の山頂」

かいがい・し・い【▽甲×斐▽甲×斐しい】(かひがひ—)《形》一所懸命で、動作がきびきびしている。「—・く働く」

かい・かく【改革】《名・他サ》〔制度・機構などの〕悪い点をあらため、変えること。「行政—」類語変革。

かい・がく【開学】《名・自他サ》大学を開設すること。また、大学ができること。

***がい・かく**【外角】❶多角形の一辺とその隣の辺の延長とが作る角。❷野球で、アウトコース。対①②内角。

***がい・かく**【外郭・外×廓】〔文〕❶〔城・都市などの〕いちばん外側のかこい。そとがこい。対内郭。❷物事の輪郭。「事件の—をつかむ」—**だんたい**【—団体】ある官庁・公共企業体と組織の上では別だが、その支配を受けたり、業務を援助したりする団体。

かい・かけ【買(い)掛け】(かひ—)代金を後日支払う約束で買うこと。また、その代金。「—金(きん)」対売り掛け。

かい・かた【買い方】(かひ—)❶買う方法。❷買う側の人。「—にまわる」対①②売り方。

***かい・かつ**【快活】《形動》ことばや動作がはきはきしているようす。「—な少女」「—な足どり」類語活発。

***かい・かつ**【快×闊・快×豁】《形動》❶〔文〕開豁(かいかつ)①。❷〔性格が〕さっぱりしていて物事を苦にしないようす。度量の広いようす。「—な態度」

***かい・かつ**【開×豁】《形動》〔文〕❶ひろびろと開けていて、ながめがよいようす。快闊(かいかつ)。❷心が広く、こまかいことにこだわらないようす。「—な気性」

がい・かつ【概括】《名・他サ》❶〔内容の要点を〕ひとつにまとめること。「意見を—する」類語総括。一括。要約。❷〔論〕多くの事物に共通した性質があるとき、その性質をひとつの概念にまとめること。

かい・かぶ・る【買い▽被る】(かひ—)《他五》〔ある人物の才能・人格、あるものの力などを〕実質より高く評価する。「子どもの能力を—・る」

かい・がら【貝殻・介殻】(かひ—)貝類の外側をおおっている固いから。特に、中身のとれたものをさす。貝殻(ばいかく)。—**ぼね**【—骨】「肩甲骨(けんこうこつ)」の俗称。—**むし**【—虫】半翅(はんし)目に属する小さな昆虫。雌は、ろう質・かいがら質を分泌して植物に付着する。果樹の害虫。

***かい・かん**【会館】催し物や会議などを行うための大きな建造物。〔多く、建物の名まえにつける〕「産業—」

***かい・かん**【快感】こころよい感じ。〔精神的な場合にも、肉体的な場合にも使う〕「勝利の—」

***かい・かん**【怪漢】〔人に危害を加えそうな〕挙動のあやしい男。類語怪人。悪漢。怪人物。凶漢。

***かい・かん**【開巻】〔文〕❶書物を開くこと。❷書物の書き始め。第一ページ。類語巻頭。

***かい・かん**【開館】《名・自サ》❶《他サ》図書館・美術館・博物館などを新しくつくって、業務を始めること。また、業務が始まること。❷図書館・美術館・博物館などがその日の業務を始めること。対①②閉館。

***かい・がん**【海岸】海に接している陸地。また、そのあたり一帯。うみべ。類語浜。浜辺。砂浜。磯(いそ)。岸。汀(なぎさ)。波打ち際。水際(みぎわ・みずぎわ)。沿海。沿岸。臨海。海浜。ビーチ。—**せん**【—線】❶海と陸との境目をつないだ線。❷海にそった鉄道線路。沿岸線。

***かい・がん**【開眼】《名・自他サ》視力のなかった目が、見えるようになること。また、見えるようにすること。「—手術」注意「かいげん」と読むと意味が異なる。

***がい・かん**【外患】〔文〕外国・外部との間に起こる、戦争・もめごとなどの心配事。外憂(がいゆう)。「内憂—」対内患。

***がい・かん**【外観】外から見たようす。外見。「—は現代風の建物」類語外形。みかけ。みてくれ。うわべ。

***がい・かん**【概観】《名・他サ》ある物事の全体の内容を大ざっぱに見ること。また、だいたいのありさま。「国内事情を—する」類語概括(がいかつ)。

***かい・き**【回忌】《助数》〔仏〕人の死後、毎年めぐってくる同月同日の命日の回数を表す語。年忌。周忌。参考満一年めを一回忌、満二年めを三回忌、満六年めを七回忌などと数える。

***かい・き**【会期】会が開かれている期間。開会から閉会までの期間。「—を延長する」

***かい・き**【会規】会の規則。会の規約。会則。

***かい・き**【回帰】《名・自サ》ひとまわりして、もとへもどること。—**せん**【—線】北緯二三度二七分、南緯二三度二七分の地点をつらねた緯度線。参考→北回帰線・南回帰線。

***かい・き**【快気】❶気分がよいこと。心地よいこと。❷《名・自サ》病気がなおること。「—祝い」

***かい・き**【怪奇】《名・形動》ふしぎであやしいこと。怪異。「—小説」「複雑—」類語奇怪。

***かい・き**【海気】〔文〕海の空気。海べの空気。

***かい・き**【買(い)気】(かひ—)買いたいという気持ち。特に市場で、それを買おうとする人気。対売り気。

***かい・き**【開基】❶〔仏〕寺院を創建すること。また、創建した人。開山(かいさん)。❷ある物事の基を開くこと。

***かい・ぎ**【会議】❶《名・自サ》〔多くの〕関係者が集まって、一定の題目について相談・検討すること。また、その集まり。「—をひらく」類語会談。協議。評議。集会。❷評議するための機関。「日本学術—」

***かい・ぎ**【回議】《名・他サ》担当者がつくった案を関係者に回覧して、意見をきき、また、承認を求めること。類語稟議(りんぎ)。

***かい・ぎ**【懐疑】《名・自他サ》〔物事の真理・価値などについて〕疑いを抱くこと。また、その疑い。「—的」—**ろん**【—論】(scepticism)〔哲〕人間の認識は主観的・相対的なものであるから、確実な知識や真理をとらえることはできないとする主張。懐疑主義。

がい・き【外気】戸外の〔新鮮な〕空気。「—浴」

かい・きえん【怪気炎】〔聞いていて疑わしく感じるような〕調子のいい気炎。「—をあげる」

かいき・しょく【皆既食・皆既×蝕】「皆既日食(=太陽の全面が月にかくされて、日中一時的に太陽が見えなくなる現象)」と「皆既月食(=月の全面が地球の本影の中に入って、一時的に月が全く見えなくなる現象)」のこと。表記「皆既食」は代用字。対部分食。

かい・ぎゃく【×諧×謔】〔しゃれ・冗談など〕ひねったところがあって、笑いやおもしろみを感じさせることば。「—を弄(ろう)する」「—精神」類語おどけ。ユーモア。

*かい・きゅう【懐旧】〔文〕昔のことを、なつかしく思い出すこと。「―の情にかられる」「―談」[類語]懐古。

*かい・きゅう【階級】❶身分・地位などの、段階・等級。❷社会における身分・家柄・財産などで人々を分けたとき、同じ地位に位する人々の集まり。「知識―」

―とうそう【―闘争】支配者階級と被支配者階級との間の支配権をめぐる争い。特に、資本主義社会では、資本家階級と労働者階級の闘争。

かい・きょ【快挙】胸のすくような、りっぱな行い。「元禄(げんろく)の―（=赤穂浪士の討ち入り）」[類語]壮挙。

*かい・きょう【回教】イスラム教。[参考]回鶻(ウイグル)から伝わったため、中国で回回(フイフイ)教と称したことから。

*かい・きょう【懐郷】故郷をなつかしく思うこと。望郷。「―の念」[類語]郷愁。里心。

*かい・きょう【海峡】陸地と陸地にはさまれた、せまい海。「津軽―」

*かい・ぎょう【改行】《名・他サ》印刷物や原稿などで、文章の行をかえて始めること。[参考]ふつう、一字分下げて始める。

*かい・ぎょう【開業】《名・自サ》❶《他サ》新しく事業や商売を始めること。「―資金」[対]閉業。廃業。❷店を開いて営業していること。「午前一時まで―」「―医（=個人で診療をしている医師）」[類語]①②開店。

がい・きょう【概況】おおよそのありさま。「天気―」

かい・きょく【開局】《名・自他サ》〔放送局・郵便局など〕「局」と名のつく機関が新しくつくられ、業務を始めること。「―五周年記念」

がい・きょく【外局】内閣府や各省に直属して、特別な事務をあつかう行政機関。庁と委員会とがある。内閣府の国家公安委員会・宮内庁など。[対]内局。

かい・き・る【買い切る】(かひ―)《他五》❶〔品物や座席の権利などを〕残らず買う。「特別席を―・る」[類語]買い占める。借り切る。❷小売店が生産者・問屋などから返品しない約束で商品を買う。

*かい・きん【解禁】《名・他サ》〔法律による〕禁止の命令をとくこと。「あゆ漁が―になる」

*かい・きん【皆勤】《名・自サ》一日も休まず出席・出勤すること。「―賞」[類語]精勤。

*かい・きん【開襟】❶〔折りえりにして〕えりを開くこと。また、開いたえり。❷「開襟シャツ」の略。前えりが折りえりになったシャツ。

がい・きん【外勤】《名・自サ》勤め先の内部で勤務せずに、交渉・勧誘・販売・集金・配達など、もっぱら外へ出かけて仕事をすること。また、その人。[対]内勤。

*か・いく【化育】《名・他サ》〔文〕〔天地自然が〕万物をつくりそだてること。「天地の―に参ず」

*かい・く【海区】❶地球上の地形により定められた海の区画。北太平洋・南太平洋・北インド洋・南インド洋など。❷漁業法に基づき、農林水産大臣が定める海の区画。[類語]海域。

がい・く【街区】街路に囲まれた一区画。ブロック。

かい・ぐい【買(い)食い】(かひぐひ)《名・他サ》〔子供などが自分の小遣いで〕菓子などを買って間食すること。

かい・くぐ・る【×掻い▽潜る】《自五》「くぐる」を強めた言い方。「取り締まりの目を―・る」

かい・ぐすり【買い薬】(かひ―)〔医師・病院などからでなく〕薬屋から買った薬。

かい・く・る【×掻い繰る】《他五》両手を交互に動かして引きよせる。「綱を―・る」

かい・くれ【×掻い暮れ】《副》《打ち消しの語を伴う》まったく。いっこうに。「―わからぬ」〔古風な言い方〕[参考]「掻きくれる」の連用形「掻きくれ」の音便。

かい・くん【回訓】《名・自サ》外国駐在の大使・公使・使節などの求めに応じて本国政府が回答として出す訓令。また、その訓令を出すこと。[対]請訓。

かい・ぐん【海軍】おもに、海上の守備・戦闘に参加する軍隊。[類語]水軍。[対]陸軍・空軍。

*かい・けい【会計】❶金銭の出し入れを計算・管理すること。また、その仕事。「―課」❷〔飲食店・宿屋などの〕代金を勘定すること。また、その代金。「―をして下さい」―けんさ・いん【―検査院】国の収入・支出の決算などの会計検査を行う機関。―ねんど【―年度】国や地方公共団体、企業などで、収入と支出の状況を調べてしめくくりをつけるために設けた一定の期間。ふつう四月一日から次の年の三月三一日まで。[類語]事業年度。

*かい・けい【塊茎】地下茎の一つ。地中の茎が養分をたくわえて塊状になったもの。ジャガイモ・キクイモなど。

*がい・けい【外形】物の表面が作っている形。「―は神殿のようだ」[類語]外観。外見。―ひょうじゅん・かぜい【―標準課税】企業の所得によらず、その規模・売上金など、客観的な指標をもとにした課税方式。赤字企業にも課税できる。

*がい・けい【外径】球や円筒形で、そのものの厚みを加えた外側の直径。[対]内径。

かいけい・の・はじ【会×稽の恥】(クワイ―はぢ)《連語》以前に受けた手ひどい恥。[故事]中国の春秋時代、越王(えつおう)勾践(こうせん)が、呉王(ごおう)夫差(ふさ)と会稽山で戦って敗れた恥を辛苦の末にすすいだという故事から。〈史記・貨殖伝〉

*かい・けつ【解決】《名・他自サ》もつれた事件や難問題などを、整理したり解いたりして結末をつけること。また、結末がつくこと。「紛争を―する」

*かい・けつ【怪傑】ふしぎな力をもつ〔正体不明の〕豪傑。特別なすぐれた能力をもつ人物。[類語]奇傑。

かいけつ・びょう【壊血病】ビタミンCの欠乏で起こる病気。貧血、皮下・歯茎の出血などの症状がある。

*かい・けん【会見】《名・自サ》〔話をするために〕人と会うこと。〔公式の場合に使う〕「記者―」[類語]面会。

*かい・けん【懐剣】ふところに入れて持ち歩いた、護身用の短い刀。ふところがたな。[類語]守り刀。

*かい・けん【改憲】現行の憲法を改めること。

*かい・げん【戒厳】❶警戒をきびしくすること。❷〔法〕戦争や事変などの非常事態のとき、立法権・行政権・司法権の全部または一部を軍隊にうつし、兵力によって治安を守ること。[参考]日本国憲法にはない。―れい【―令】〔法〕戒厳②を布告する命令。「―をしく」

*かい・げん【改元】《名・他サ》年号をあらためること。改号。「昭和を平成と―する」

*かい・げん【開眼】《名・自サ》❶〔仏〕新しくつくった仏像・仏画を供養して、仏の魂を迎え入れること。また、その儀式。開眼供養。「大仏―」❷仏道の真理をさとること。[参考]広く、宗教一般にもいう。「キリスト教の教義に―して入信した」❸芸道・芸術の道などの真髄を会得(えとく)すること。「真の演技に―した」

がい・けん【外見】外からみたようす。外観。外見(みそと)。[類語]みかけ。うわべ。

*かい・こ【解雇】《名・他サ》使用者が、労働契約を一

方的に破棄すること。くびにすること。馘首(かくしゅ)。「大量ー」類語解職。免職。

*かい-こ【回顧】《名・他サ》自分が経験した過去のできごとを思い返すこと。「ー録」類語回想。

*かい-こ【懐古】《名・自サ》〔文〕昔のことを思い起こしてなつかしむこと。「ー趣味」類語追憶。追懐。懐旧。

*かいこ【蚕】(かひこ)《「飼い蚕(こ)」の意》カイコガの幼虫。クワの葉をたべ、四、五回休眠して脱皮した後、まゆをつくる。まゆから絹糸をとる。おかいこ。おこ。

*かい-ご【介護】《名・他サ》〔自宅で療養している病人や老齢者などの〕介抱や看護をすること。ケア。類語介助。看護。ーしえん・せんもんいん【ー支援専門員】→ケアマネージャー。ーほけん【ー保険】老後、介護を必要とする状態になったときの医療や福祉サービスを公費で負担する保険〔制度〕。四〇歳以上の国民が保険料を支払う。公的介護保険制度。

類義語の使い分け　介護・看護
［介護・看護］病人をかいがいしく介護(看護)する
［介護］介護保険／在宅介護／介護サービス
［看護］完全看護の大学病院／看護師／看護学

*かい-ご【解語】ことばの意味を解すること。ーのーはな【ーの花】《連語》〔「ことばを解する花」の意から〕美人のこと。

*かい-ご【悔悟】《名・自他サ》過去の行いを悪かったとさとり、悔いること。「ーの念」類語悔悛(かいしゅん)。悔恨。

*かい-ご【改悟】《名・自他サ》過去の非行をさとり、改めること。類語改悛(かいしゅん)。改心。悔悟。

*かい-こう【回航・×廻航】❶あちこちをまわる航海。類語周航。巡航。❷《名・他自サ》〔大きな〕船を他の港や特定の場所に移すため、航行させること。

*かい-こう【改稿】《名・他サ》原稿を書きあらためること。「旧版をーする」「ー版」

*かい-こう【海港】海岸にある港。対河港。

*かい-こう【海溝】大洋の底の、みぞ状に深くくぼんでいる所。「日本ー」参考→海淵(かいえん)。

*かい-こう【×蟹行】❶《名・自サ》〔文〕カニのように横に歩くこと。よこばい。❷「蟹行文字」の略。左から右へ横書きにする文字。特に、欧米の文字。横文字。

*かい-こう【×邂×逅】《名・自サ》〔文〕〔しばらく会わなかった人に〕思いがけなく出会うこと。また、思いがけない出会い。めぐりあい。「偶然のー」類語奇遇。

*かい-こう【開口】❶〔口を開く意から〕ものを言いはじめること。「ー一番(=話をはじめるやいなや)相手を非難する」❷空気や光などを通すための入り口を設けること。また、その入り口。「ー部」

*かい-こう【開校】《名・自他サ》新しく学校をつくって、授業を始めること。「ー記念日」対閉校。廃校。

*かい-こう【開港】《名・自他サ》❶新しく港・空港をつくって船・飛行機の出入りを始めること。❷〔貿易・通商のために〕港を開放して外国船の出入りを許すこと。また、その港。

*かい-こう【開講】《名・自他サ》〔ある期間つづけて行われる〕講義や講習を始めること。対閉講。

*かい-ごう【会合】《名・自サ》〔相談・討議などのために〕人が寄り集まること。また、その集まり。寄り合い。「ーを開く」「ーを持つ」類語集会。

*かい-ごう【改号】《名・他サ》❶称号をあらためること。改名。❷年号をあらためること。改元。

*がい-こう【外交】❶外国とのつきあい・交渉。❷銀行・保険会社・商社などで、社外に出ていって行う取引。また、それを行う係。「ー員」類語外商。渉外。ーかん【ー官】〔法〕外国に駐在し、または派遣されて、外国との交渉にあたる官吏。ーじれい【ー辞令】外交・社交の上で使う儀礼的な応対のことば。転じて、社交上言う口先だけのお世辞。社交辞令。ーとっけん【ー特権】外交使節などが駐在国で持つ国際法上の特権。不可侵権と治外法権がある。

*がい-こう【外光】屋外で照っている太陽光線。

*がい-こう【外向】関心を外部の物事に積極的に向ける性格上の傾向。「ー性」「ー的」対内向。

*がい-こう【外×寇】〔文〕外国から攻めてくること。また、その軍勢。「文永・弘安のー」対内寇。

*がい-こう【外港】❶防波堤の外側の区域。船舶が入港する前に仮泊したり沖荷役を行ったりするところ。対内港。❷大都市の近くにあって、その都市の出入り口の役目をもつ港。

*がい-こう【外航】外国へ行く航路。対内航。

*がいごう-ないじゅう【外剛内柔】→内柔外剛。

*かい-こく【回国・×廻国】《名・自サ》❶〔文〕多くの国をまわって歩くこと。❷「回国巡礼」の略。巡礼のために多くの国をめぐり歩くこと(人)。

*かい-こく【戒告・×誡告】《名・他サ》❶戒め言い渡すこと。また、そのことば。❷行政上の義務をはたすようにうながすこと〔通知〕。類語警告。催告。請求。❸公務員などに対する懲戒処分の一つ。職務の義務に違反したとき、それに対する戒めを申しわたすもの。表記②③は「戒告」と書く。

*かい-こく【海国】まわりを海に囲まれて海との関係が深い国。「ー日本」類語島国。

*かい-こく【開国】《名・自サ》❶建国。❷外国と交際・通商を始めること。対鎖国。

がい-こく【外国】よその国。よその国土。「ー人」「ー語」類語異国。他国。ーかわせ【ー〈為替〉】(かはせ)外国と取引をするとき、代金などを現金でなく為替手形によって決済する方法。また、それに用いる為替手形。俗に「外為(がいため)」ともいう。対内国為替。

がい-こつ【×骸骨】肉が腐って骨だけになった死体。類語白骨。ーを乞(こ)う《句》高官が君主に辞職を願いでる。参考仕官中のからだは君主にささげたので、その残骸を返してほしいと願う意から。

かい-ことば【買(い)言葉】(かひ)相手が言った敵意のあることばに対して、言い返すことば。対売り言葉。

*かい-こ-む【×掻い込む】《他五》〔「掻(か)き込む」の音便〕❶わきの下にかかえこむ。「なぎなたをー・む」❷〔液体を〕器にすくい入れる。「水をー・む」

*かい-こ-む【買(い)込む】(かひ)《他五》〔さしあたっての必要量以上に〕物をたくさん買い入れる。「食糧をー・む」

かい-ごろし【飼(い)殺し】(かひ)❶家畜が年をとって役にたたなくなっても、殺さずに死ぬまで飼っておくこと。❷雇い人・奉公人などを〔特別に取り立てたりすることなく〕一生やとっておくこと。

*かい-こん【塊根】〔植〕でんぷん・糖類などの養分をたくわえて塊状になった根。サツマイモ・サトウダイコン・ダリアの根など。

＊かい‐こん【悔恨】〔自分のしたことを〕くやみ、残念に思うこと。「—の情」「—の涙」「—の念」類語 悔悟。

＊かい‐こん【開墾】《名・他サ》山林や原野をきり開いてたがやし、田や畑にすること。「—地」類語 開拓。

＊かい‐さい【快×哉】《「快なる哉（かな）」の音読み》〔胸がすくような〕よい気持ち。「—を叫ぶ（＝喜びの声をあげる）」

＊かい‐さい【皆済】《名・他サ》金品の納入・支払い・返済などをすっかり終えること。「借金を—した」

＊かい‐さい【開催】《名・他サ》〔会・式典・催し物などを〕開き行うこと。「講演会を—する」

かい‐ざい【介在】《名・自サ》物事の間にはさまって存在すること。「両国の間に—する難問」

がい‐さい【外債】「外国債」の略。外国で募集する、日本の公債・社債。対 内債。

＊がい‐ざい【外在】《名・自サ》その物事の外部に存在すること。「—批評（＝文芸作品を社会現象とみて、社会的歴史的観点から批評すること）」対 内在。

＊がい‐ざい【外材】外国から輸入される木材。

＊かい‐さく【快作】鑑賞する人を気持ちよくさせる、すぐれた作品。

＊かい‐さく【改作】《名・他サ》〔美術・文学・音楽などの作品の一部を訂正したり、補筆したりして〕作り直すこと。また、その作品。

＊かい‐さく【開削・開×鑿】《名・他サ》山野を切り開いて運河や道路を通すこと。表記「開削」は代用字。

かい‐ささ・える【買い支える】（かひさへる）《他下一》〔相場が下がりそうなときに〕株などを必要なだけ買って、相場の安定をはかる。

かい‐さつ【改札】《名・自サ》駅で、掛員がプラットホームへ出入りする乗客の切符をたしかめ、はさみをいれたり取り集めたりすること。「—口」類語 検札。

＊かい‐さん【解散】《名・自他サ》❶〔会合・団体行事などで〕集まった人々が別れ散ること。「現地—」類語 散会。対 集合。❷〔会社・団体などの〕組織を解くこと。「バンドを—する」❸〔法〕衆議院や地方公共団体の議会で、任期が終了する前に全議員の資格を解くこと。

＊かい‐さん【海産】海でとれる・こと（物）。「—物」類語 水産。対 陸産。

＊かい‐さん【開山】❶《名・他サ》〔仏〕山を開いて寺を創立すること。また、その創立者。開基。❷〔仏〕その宗派を開いた人。祖師。開祖。宗祖。❸ある物事を初めて行った人。創始者。類語 元祖。

かい‐ざん【改×竄】《名・他サ》〔公文書・証書などの〕文面を故意に書きかえること。

がい‐さん【概算】《名・他サ》おおよその数量を計算すること。「旅費の—を出す」類語 推算。対 精算。

＊かい‐し【怪死】《名・自サ》原因のわからない死に方をすること。「—を遂げる」類語 変死。

＊かい‐し【懐紙】❶畳んで懐（ふところ）に入れて持つ白紙。ふところがみ。❷〔昔、歌人が即興の歌を懐紙①に書きつけたことから〕和歌・連歌などを正式に書き記す紙。

＊かい‐し【海市】蜃気楼（しんきろう）。〔古風な言い方〕

＊かい‐し【開始】《名・自他サ》ある事がはじまること。ある事をはじめること。「販売を—する」対 終了。

＊かい‐じ【快事】気持ちのよいできごと。胸のすくような事件。「近来の—」類語 快挙。

＊かい‐じ【海事】海に関すること。海上でおこる事柄。「—裁判」

＊かい‐じ【開示】《名・他サ》❶明らかにして示すこと。また、説き示すこと。類語 明示。❷〔法〕あるものまたは事柄の、内容・性質・数量などをはっきりとわかるように示すこと。類語 提示。呈示。公示。

＊がい‐し【外史】〔公の力によらず〕民間人が書いた歴史。野史。「日本—」対 正史。

＊がい‐し【外紙】外国の新聞。外字紙。

＊がい‐し【外資】外国の資本。外国資本。「—導入」

＊がい‐し【×碍子】(insulator)電線を絶縁して電柱に固定する器具。陶器製・合成樹脂製。

＊がい‐じ【外事】❶外部のこと。よそのこと。対 内事。❷外国・外国人に関すること。「—課」

＊がい‐じ【外字】❶外国、特に欧米の文字。「—紙」❷一定の範囲以外の文字。常用漢字の表外字や、JISの文字コード外の文字など。「—登録」

＊がい‐じ【外耳】脊椎（せきつい）動物の耳の一番外側の部分。耳殻（じかく）（耳たぶ）と外耳道（耳の穴）からなり、音波を受け入れて鼓膜に伝える役割をする。対 中耳・内耳。

＊がい‐じ【×孩児】❶〔文〕幼児。みどりご。❷〔仏〕幼児の戒名に添える語。

かい‐しき【開式】《名・自サ》〔文〕儀式をはじめること。「—の辞」対 閉式。

がいし‐て【概して】《副》大ざっぱにいって。だいたいのところ。一般に。おおむね。「新人は—おとなしい」

かい‐し・める【買い占める】（かひ）《他下一》ひとりで残らず買い集める。とくに、利益を得るために残らず買う。「灯油を—める」

＊かい‐しゃ【会社】営利事業を行う社団法人。合名会社・合資会社・株式会社・有限会社がある。尊敬 御社。貴社。

＊かい‐しゃ【×膾×炙】《名・自サ》〔文〕〈人口に—する〉世間に広く知れわたる。「人口に—している和歌」参考「膾」は「なます①」、「炙」は「あぶり肉」の意で、どちらもよく人の口に合い、好まれることから。

＊がい‐しゃ【外車】外国製の自動車。

＊がい‐しゃ【害者】〔隠〕刑事事件の被害者。参考 警察・新聞記者などの間で使う。

＊かい‐しゃく【介▽錯】《名・他サ》❶つきそって世話をする・こと（人）。後見。❷切腹する人の後ろにいて、首を切り落とす・こと（人）。「—人」

＊かい‐しゃく【解釈】《名・他サ》❶意味を明らかにし、説明すること。また、その説明。「古文を—する」❷〔他人の文章や言動などの意味を〕判断し、理解すること。また、その判断・理解。「善意に—する」

がい‐じゅ【外需】〔経〕〔商品などの〕国外での需要。対 内需。

＊かい‐しゅう【会衆】会合に集まった人々。参会者。

＊かい‐しゅう【回収】《名・他サ》〔一度手放した物、使った物などを〕もどし収めること。「資金を—する」

＊かい‐しゅう【改宗】《名・自サ》今まで信仰していた宗教・宗派をやめて、他の宗教・宗派にかわること。宗旨がえ。

＊かい‐しゅう【改修】《名・他サ》〔道路・建物などを〕手入れしてなおすこと。「橋の—工事」類語 修理。

＊かい‐じゅう【怪獣】❶正体のわからない（大きな）けもの。「ネス湖の—」類語 珍獣。❷人間が想像してつくりだした、巨大で不気味な動物。「—ゴジラ」

＊かい‐じゅう【懐柔】《名・他サ》うまく手なずけ、自分に従わせること。だきこむこと。「—策」

*かい-じゅう【×晦渋】《名・形動》〔文章・語句などが〕むずかしくて、意味がわかりにくいこと。「意味の―な文章」「―で読みにくい」類語 難解。

*かい-じゅう【海獣】海にすむ哺乳動物の総称。クジラ・イルカ・アシカ・アザラシ・ラッコ・オットセイなど。

がい-しゅう【外周】〔円形の物体や建物などの〕外側のまわり。また、その長さ。「円筒の―」対 内周。

がい-じゅう【害獣】〔畑を荒らしたり人や家畜を傷つけたりして〕人間に害を与えるけもの。類語 悪獣。

がいしゅう-いっしょく【×鎧×袖一触】よろいの袖でちょっと触れたくらいの少しの力で簡単に相手を負かすこと。〔副詞的にも使う〕「―、敵を打ち破る」

がいじゅう-ないごう【外柔内剛】うわべはやさしくおだやかに見えるが、心の中は強くしっかりしていること。内剛外柔。対 内柔外剛。

がい-しゅつ【外出】《名・自サ》〔自分の家・職場などから〕よそへ出かけること。「―先」尊敬 御成り。御出座。御幸。行幸。行啓。

*かい-しゅん【回春】❶〔文〕春が再びめぐってくること。❷〔老人が〕若返ること。「―薬」

*かい-しゅん【改×悛・悔×悛】《名・自サ》❶犯した悪事を悔いて、心を改めること。「―の情」類語 悔悟。改悟。改心。❷カトリックで、洗礼を受けた後に過去におかした罪を悔いること。また、それによって罪のゆるしが与えられる秘蹟。表記 ❷は「悔悛」と書く。

*かい-しゅん【買(い)春】―〔俗〕→買春(ばいしゅん)。参考「買春」が「売春」と同音であるので、区別のために使われるようになった語。

*かい-しょ【会所】❶人々が寄り合いをする場所。「碁―」❷江戸時代の事務所・取引所の称。「町―」

*かい-しょ【×楷書】漢字の書体の一つ。点や画をくずさないで書く、もっとも標準的な書体。真書。正書。楷。対 行書。草書。

*かい-しょ【開所】《名・自他サ》〔出張所など〕「所」と名のつく機関が新しく業務を始めること。

*かい-じょ【介助】《名・他サ》〔文〕〔病人・老人などの〕身の回りの世話をすること。手助けをすること。介添え。「身障者の―」類語 介護。

*かい-じょ【解除】《名・他サ》❶禁止したり制限したりしていたものをとりやめて、もとの状態にもどすこと。「武装―」「追放―」❷〔法〕一度成立した契約などを、一方がとりけし、最初から契約がなかったのと同じ状態にすること。類語 解消。

*かい-しょう【会商】《名・自サ》《「商」は、はかる意》〔文〕集まって相談すること。また、その相談。〔多く外交上のことについて言う〕「日英―」

*かい-しょう【解消】《名・自他サ》従来あった関係や状態をなくすこと。また、それがなくなること。「契約を―する」「ストレスが―する」「発展的―」

*かい-しょう【回章・×廻章】〔文〕❶あて名の人に次々に回して用を知らせる文書・書状。回状。回文。回報。回覧状。❷返事の手紙。同 ❶❷回書。

*かい-しょう【快勝】《名・自サ》〔大差をつけて〕あざやかに勝つこと。類語 楽勝。大勝。対 惨敗。

*かい-しょう【改称】《名・自他サ》名称を変え改めること。また、その変え改めた名称。類語 改名。改号。

*かい-しょう【海×嘯】三角形状にひらいた河口などで、満潮時に海水が川をさかのぼり、川の流れと衝突してできる高い波。参考 一般に津波の意に使うこともある。類語 津波。高潮。

*かい-しょう【▽甲×斐性】積極的に物事を行う、しっかりした気力。かいしょ。〔生計のために働く気構えについていう〕「妻子を養う―もない男」

*かい-じょう【会場】会をひらく場所。集会に使う場所。「講演会の―」

*かい-じょう【回状・×廻状】回章❶。

*かい-じょう【戒×杖】〔仏〕山伏や僧などが護身用に持ち歩くつえ。錫杖・金剛杖など。

*かい-じょう【海上】海の上。海面。対 陸上。

*かい-じょう【開城】《名・自サ》降服して城や城郭都市を敵に明け渡すこと。「江戸―」「旅順―」

*かい-じょう【開場】《名・自サ》❶新しく建った建物などを公開すること。❷会場を開いて人を入れること。「劇場は十時に―」対 閉場。

*かい-じょう【階上】❶階段の上。❷二階建ての建物の二階。❸幾層にもなっている建物の、より上の階。対 ❶〜❸階下。

*がい-しょう【外傷】外からの力によってからだに受けた傷。また、からだの外側から見える傷。

*がい-しょう【外商】❶外国の商人・商社。❷〔デパートなどで〕売り場ではなく、客の自宅や会社へ直接出向いて行って商売をすること。「―部」

*がい-しょう【外相】「外務大臣」の通称。

*がい-しょう【街商】店を持たずに、街頭でものを売る商人。露天商。

*がい-しょう【街×娼】街頭へ出て客をさそう売春婦。ストリートガール。

がい-じょう【街上】〔文〕街なかの路上。類語 街頭。

*かい-しょく【会食】《名・自サ》何人かが集まっていっしょに食事をすること。「―を共にする」

*かい-しょく【解職】《名・他サ》〔文〕〔命令によって〕職をやめさせること。免職。類語 解雇。解任。

*かい-しょく【海食・海×蝕】《名・自サ》波・潮流などが海岸の地形をこわし、変化させること。「―作用」「―段丘」表記「海食」は代用字。

がい-しょく【外食】《名・自サ》家庭でなく、食堂などで食事をとること。また、その食事。「―産業」

*かい-しん【会心】うまくいったと満足すること。「―の笑みを浮かべる」「―の作」注意「快心」は誤り。

*かい-しん【回心】《名・自サ》(conversion)キリスト教で、それまでの俗人的意志を悔い改めて、神の道へ心を向けること。類語 発心。回心(えしん)。

*かい-しん【回診】《名・自サ》病院で、医師が病室をまわって患者の診察をすること。類語 往診。

*かい-しん【戒心】《名・自サ》心をひきしめ、用心すること。類語 自戒。

*かい-しん【戒慎】《名・他サ》〔文〕自らいましめ、行いをつつしむこと。「日ごろの熱意のなさを―する」

*かい-しん【改心】《名・自他サ》悪いとさとって、心を改めること。「友を―させる」類語 改悟。改悛。

*かい-しん【改新】《名・自他サ》変え改めて新しくすること。また、新しくなること。〔多く、公の規則・制度などについていう〕「大化の―」類語 革新。一新。更新。

*かい-じん【怪人】正体不明で、人並みはずれて行動がすばやかったり力が強かったりする人。

*かい-じん【海神】海をおさめる神。わたつみ。海神(かいしん)。

*かい・じん【灰×燼】〔文〕灰と、もえさし。燃えかす。 **ーに帰・する**《句》〔大事なものや、りっぱなものが〕燃えてあとかたもなくなる。「積年の研究がー・した」

*がい・しん【外信】〔新聞・ラジオ・テレビなどの報道機関に送られてくる〕外国からの通信。「ー部」

*がい・しん【害心】〔文〕他人に害を与えようとする心。害意。「ーをいだく」 類語 敵意。悪意。悪心。

*がい・じん【外人】外国の人。異邦人。異人。エトランゼ。 対 邦人。

*がい・じん【外陣】↓げじん(外陣)。

かい・ず【海図】海の深さ、潮流の方向、灯台や港湾の位置など、水路や沿岸の状態を示した地図。

かい・すい【海水】海のみず。 参考 ふつう、約三・五パーセントの塩分をふくむ。 **ーよく【ー浴】**〔運動や娯楽のため〕夏、海に入ったり泳いだりして遊ぶこと。

かい・すう【回数】ある物事が繰り返して・起こる〔行われる〕ときの、繰り返しの数。 類語 度数。 **ーけん【ー券】**〔乗り物・食堂・劇場などで利用する〕同じ種類の切符を何枚かつづりあわせたもの。 類語 定期券。

> **類義語の使い分け　回数・度数**
> 〔回数・度数〕余震の回数(度数)を記録する
> 〔回数〕大会も回数を重ねて第六回を迎える／回数券
> 〔度数〕ウイスキーの度数／レンズの度数

がい・すう【概数】おおよその数。だいたいの数。

*かい・・する【会する】《自サ変》〔文〕❶〔人が〕集まる。寄り集まる。「一堂にー・する」 ❷〔二つ以上の物が〕であう。落ち合う。「一点にー・する」

*かい・・する【介する】《他サ変》❶間に入れる。なかだちとする。「人をー・して就職をたのむ」 ❷心にかける。気にする。「意にー・する(=気にかける)」

*かい・・する【解する】《他サ変》❶わかる。理解する。知っている。「風流をー・する」 ❷考えて解く。解釈する。「自己流にー・してはいけない」

*がい・・する【害する】《他サ変》❶きずつける。そこなう。悪くする。「健康をー・する」「感情をー・する」 ❷〔人を〕殺す。 ❸さまたげる。「人の仕事をー・する」

*がい・・する【慨する】《他サ変》〔文〕心配し、なげく。気づかい、いきどおる。「世をー・する」

*かい・せい【回生】《名・自他サ》〔死んだようになっていたものが〕生き返ること。また、生き返らせること。「起死ー」「ーの一打を放つ」 類語 蘇生(そせい)。

*かい・せい【快晴】空がみごとに晴れわたっている・こと〔天気〕。 参考 気象学上は雲量ゼロまたは一の天候。

*かい・せい【改姓】《名・自他サ》名字を変えること。 類語 改名。

*かい・せい【改正】《名・他サ》〔法令・規則などを〕正しいものに改めること。「憲法のー」 類語 改定。改訂。改良。改善。是正。

*かい・せい【×諧声】❶調和する声。 ❷〔語学〕形声(けいせい)。 **ーもじ【ー文字】**〔語学〕形声(けいせい)文字。

*がい・せい【外征】《名・自サ》外国へ軍隊を送って戦争をすること。 類語 遠征。外役(がいえき)。

*がい・せい【慨世】〔文〕世の中のありさまやなりゆきを、気づかいなげくこと。「ー救国」「ーの言」

*がい・せい【×蓋世】〔文〕世界をおおいつくすほどの盛んな気力があること。「ーの勇」「ーの将軍」 参考 ↓抜山蓋世(ばつざんがいせい)。

*かい・せき【会席】❶社交のため集まる席。 ❷連歌・俳諧(はいかい)の席。 ❸「会席料理」の略。本膳(ほんぜん)料理を簡単にした、酒宴の席でだす料理。 参考 ↓懐石(かいせき)。

*かい・せき【解析】❶《名・他サ》物事を細かく解き分けて、論理的に研究すること。「データをー・する」「現況をー・する」 類語 分析。 ❷「解析学」の略。〔代数学・幾何学に対していう〕関数に関する研究をする学問。

*かい・せき【懐石】「懐石料理」の略。茶の湯の席で、茶をすすめる前に出す簡素な料理。茶懐石。 参考 (ア)「懐石」は、温石(おんじゃく)(=温めた石)を懐にだいて腹を温めるのと同じくらいに、腹を温めて空腹を一時忘れる意。(イ)↓会席(かいせき)③。

がい・せき【外×戚】母方の親類。外戚(げしゃく・げじゃく)。 対 内戚。

*かい・せつ【解説】《名・他サ》事柄を分析し、わかりやすく説明すること。また、その説明。「時事ー」

*かい・せつ【回折・×廻折】《名・自サ》(diffraction)音波・電波・光波などの波動が障害物のかげにまわりこむこと。 参考 ↓屈折。

*かい・せつ【開設】《名・他サ》〔施設を〕新しく設けて、仕事を始めること。「保育園をー・する」 類語 新設。

*がい・せつ【概説】《名・他サ》物事の全体にわたってのあらましを説明すること。また、その説明。 類語 概論。

*がい・せつ【×剴切】《形動》〔文〕非常に適切であるようす。「時勢にーな処置」

カイゼル・ひげ【カイゼル×髭】両端がはねあがった口ひげ。 参考 カイゼル(Kaiser)はドイツ帝国の皇帝の称号。特にウィルヘルム二世のひげの形からいう。

*かい・せん【会戦】《名・自サ》大きな軍団同士が出会って戦うこと。また、その戦闘。「ワーテルローのー」

*かい・せん【回線】❶回路②。 ❷電話線。電信線。

*かい・せん【回船・×廻船】海上の運送に使う大きな和船。江戸時代に発達した。回漕船(かいそうせん)。「ー問屋」

*かい・せん【改選】《名・他サ》選挙で選ばれた人の任期が終わって、あらためて選挙をすること。

*かい・せん【海戦】海上で行う(大きな)戦争。「日本海ー」 対 陸戦・空(中)戦。

*かい・せん【海鮮】新鮮な海産物。「ー料理」

*かい・せん【界線】❶境界線。 ❷投影図で、立画面と平画面とのさかいの線。

*かい・せん【×疥×癬】疥癬虫(かいせんちゅう)の寄生による感染性の皮膚病。激しいかゆみをともなう。ひぜん。

*かい・せん【開戦】《名・自サ》戦争を始めること。「日米ー」 対 終戦。

かい・ぜん【改善】《名・他サ》悪いところを改めてよくすること。「待遇ー」 類語 改良。改正。 対 改悪。

*がい・せん【×凱旋】《名・自サ》戦争に勝って帰ること。凱陣(がいじん)。「ー門」 参考 成功して帰ってくることの意にも用いる。「ー公演」

*がい・せん【外線】❶外側の線。 ❷屋外の電線。 ❸交換台から外部に通じている電話線。 対 ①〜③内線。

*がい・ぜん【×蓋然】ある程度たしかであること。 **ーせい【ー性】**(probability)ある事柄が起こるか否かの確実さの度合い。確からしさ。「ーが高い」

*がい・ぜん【慨然】《形動タルト》〔文〕❶いきどおり、なげくようす。「ーとして嘆息する」 ❷強く心をふるいおこすようす。「ーたる心意気」 類語 奮然。

かいせん・きょく【回旋曲】↓ロンド。

*かい・そ【改組】《名・他サ》〔団体などの〕構成や組織などをかえること。「組合の―」類語改編。

*かい・そ【開祖】❶一宗一派を開いた人。「真言宗の―」❷学問・芸道などの一流派を始めた人。

*かい・そう【会葬】《名・自サ》葬式に参列すること。「―者」

*かい・そう【回想】《名・他サ》昔の事を思いおこすこと。「―録」「昭和を―する」類語追想。回顧。

*かい・そう【回×漕・×廻×漕】《名・他サ》船で荷物を運ぶこと。「―業」類語運漕。水運。海運。

*かい・そう【回送・×廻送】《名・他サ》❶送られてきた手紙や物を改めて他の場所へ送ること。類語転送。❷電車・自動車を空車のまま他へ行かせること。「―車」

*かい・そう【壊走・×潰走】《名・自サ》〔文〕戦闘部隊が戦いに負けて、ばらばらになって逃げさること。類語敗走。

*かい・そう【快走】《名・自サ》気持ちのよいほど速く走ること。「―艇(=ヨット)」類語疾走(しっそう)。

*かい・そう【改葬】《名・他サ》一度ほうむった死体や遺骨を、よそにほうむりなおすこと。「―式」

*かい・そう【改装】《名・他サ》❶荷造りをしなおすこと。❷〔店・部屋などの〕装飾や造作(ぞうさく)をかえること。「店内を―する」類語新装。改造。模様がえ。

*かい・そう【海草】海中にはえる、海藻以外の草。アマモ・イトモなど。

*かい・そう【海藻】海中にはえる藻類。緑藻類・褐藻類・紅藻類に大別される。ノリ・コンブ・ワカメなど。

*かい・そう【海送】《名・他サ》海を利用して(船で)運ぶこと。海上輸送。類語海運。対陸送。

*かい・そう【階層】❶建物の上下のかさなり。❷地位・身分などで分類した、社会を形成する人々の集団。また、その層。界層。「知識―」類語階級。

かい・ぞう【改造】《名・他サ》構造・組織などをつくり直すこと。「内閣を―する」類語改作。改装。

*がい・そう【外装】❶荷物などの外側の包装。❷建築物などの外側の設備・装飾。対内装。

*がい・そう【×咳×嗽】〔文〕せき。

かいぞう・りょく【解像力】光学器械で、細かい部分を識別できるレンズの能力。また、テレビジョンやフィルムなどに写した画像が微細部を表しうる能力。

かい・ぞえ【介添え】(へ―ぞ)《名・自サ》(「搔(か)き添え」の音便)つきそってめんどうをみる・こと(人)。「―人」類語後見。介錯(かいしゃく)。

*かい・そく【会則】会の規則。会規。

*かい・そく【快足】走ったり歩いたりするのが非常に速い・こと(人)。「―を買われたピンチランナー」

*かい・そく【快速】❶《名・形動》気持ちのよいほど速いこと。❷「快速列車」「快速電車」の略。停車駅が少なくて普通よりも短時間で目的地につく列車・電車。

かい・ぞく【海賊】海上で他の船を襲って積み荷などを奪いとる盗賊。「―船」対山賊。―ばん【―版】(pirated copy)外国の書物やCDなどを、その著作権者の許可を得ないで複製した物。

がい・そく【概則】〔文〕おおよその規則。

がい・そふ【外祖父】〔文〕母方の祖父。母の父。

がい・そぼ【外祖母】〔文〕母方の祖母。母の母。

かい・ぞめ【買(い)初め】(かひ―)新年にはじめて物を買うこと。

かい・そん【海損】航海中の事故によって、船舶や貨物の受けた損害。

かい・ぞん【買い損】(かひ―)買うと損になること。対買い得。

がい・そん【外孫】〔文〕嫁にいった娘の子として生まれた孫。外孫(そとまご)。対内孫(ないそん)。

かい・だ【快打】《名・自サ》野球で、胸のすくようなみごとな安打(を打つこと)。クリーンヒット。「―を放つ」

がい・だ【×咳×唾】〔文〕❶(「せきと、つば」の意から)せきばらいの声。❷目上の人のことばを敬っていう語。―珠(たま)を成(な)す《句》なにげなく言うことばでさえ、珠玉のように美しい。詩文の才能が非常に豊かなことのたとえ。〈李白・妾薄命〉

*かい・たい【解体】《名・他サ》❶解剖(かいぼう)。〔江戸時代のことば〕「―新書」❷《自サ》機械などを、ばらばらにすること。また、ばらばらになること。類語分解。❸《自サ》組織をばらばらにしてその機能をなくすこと。また、ばらばらになってくずれ去ること。「財閥を―する」「古いビルを―する」

*かい・たい【懐胎】《名・自サ》〔文〕子をはらむこと。妊娠(にんしん)。懐妊(かいにん)。

*かい・たい【拐帯】《名・他サ》〔文〕公金や人の品物などを持ったまま姿をくらますこと。「公金を―する」類語持ち逃げ。

*かい・だい【解題】〔文〕❶《名・自他サ》問題をとくこと。❷ある書物・絵などの、作者・内容・なりたち・発表年月日などについての解説。開題。「万葉集の―」

*かい・だい【改題】《名・他サ》題を変え改めること。また、変え改めたその題。「旧作を―する」

*かい・だい【海内】〔文〕❶国内。❷天下。「名を―にとどろかす」類語四海。

*かい・だい【開題】❶《名・自他サ》経文(きょうもん)の題目の意義を解説し、大意を示すこと。❷解題(かいだい)②。

かい・たく【開拓】《名・他サ》❶山野・荒れ地などを切りひらいて、耕地・敷地などにすること。「北海道の―」「―村」類語開墾(かいこん)。❷新しい分野・進路・関係などを切りひらくこと。「販路を―する」

かい・だく【快諾】《名・他サ》気持ちよく承諾すること。「大臣の―を得た」類語欣諾(きんだく)。二つ返事。

かい・だし【買(い)出し】(かひ―)❶商人が商品を市場・問屋・生産地などへ出かけて行って買うこと。❷消費者が食料品などを市場や生産地へ直接行って買うこと。

かい・だ・す【×搔い出す】《他五》(「搔き出す」の音便)水などの液体を外にくみ出す。「池の水を―・す」

かい・たた・く【買い×叩く】(かひ―)《他五》法外に安い値をつけて買う。「機種の古い製品を―・く」

かい・たて【買(い)立て】(かひ―)❶むやみに買うこと。買いあさり。❷買ったばかりであること。また、そのもの。「―のかさをなくす」

かい・た・てる【買い立てる】(かひ―)《他下一》むやみに買う。買いあさる。

かい・だめ【買(い)×溜め】(かひ―)《名・他サ》さしあたって必要な量以上に買って、ためておく・こと(品物)。

がい・ため【外▽為】「外国為替」の通称。

*かい・だん【会談】《名・自サ》面会して話し合うこと。また、その話し合い。〔多く、公的なものにいう〕「首脳―」「首相と―する」類語談合。面談。

*かい・だん【解団】《名・自他サ》団体を解散すること。「―式」対結団。

***かい・だん**【快談】《名・自サ》愉快に話し合うこと。また、その話。「時を忘れてーする」

***かい・だん**【怪談】幽霊やばけものを扱った、こわい話。[類語]鬼話(きわ)。妖怪(ようかい)談。怪奇譚(かいきたん)。幽霊話。

***かい・だん**【戒壇】僧に戒律をさずけるための壇。

***かい・だん**【階段】❶人が上り下りするための、段になった通路。[類語]はしご段。きざはし。❷順をおって進む等級。「出世のー」[類語]階級。段階。

がい・たん【慨嘆・慨×歎】《名・自他サ》〔文〕嘆かわしいことと思い、ふんがいすること。「秩序の乱れはーにたえない」[類語]慷慨(こうがい)。

がい・だん【街談】〔文〕世間のうわさ。「ー巷説(こうせつ)」

かい・だんし【快男子】気性のさっぱりした、好感のもてる男。快男児。好漢。快漢。

ガイダンス 児童・生徒・学生が、学習・進学・就職などの面で、その個性や能力を最大限に発揮できるよう導く教育活動。▽guidance(=指導)

がい・ち【外地】❶外国の土地。❷内地以外の日本の旧領土。朝鮮・満州・台湾・樺太(からふと)など。「ーからの引き揚げ者」[対]①②内地。

かい・ちく【改築】《名・他サ》建造物の全部、または一部をたてなおすこと。「校舎のー」[類語]改造。改装。

***かい・ちゅう**【回虫・×蛔虫】カイチュウ科の円形動物。形はミミズに似る。卵が生の野菜などについて人や家畜の体内にはいり、小腸に寄生する。[表記]「回虫」は代用字。

***かい・ちゅう**【懐中】《名・他サ》ふところやポケットの中。また、そこに入れて持つこと。「ー物」「大金をーする」**ーでんとう**【ー電灯】乾電池を電源にした、携帯用の小型電灯。**ーどけい**【ー〈時計〉】ふところや内ポケットに入れて持ち歩く、小型の時計。たもと時計。[類語]腕時計。

***かい・ちゅう**【改鋳】《名・他サ》鋳造しなおすこと。いなおすこと。吹き替え。「つりがねをーする」

***かい・ちゅう**【海中】海の中。「ー火山」**ーこうえん**【ー公園】国立公園・国定公園内の海岸及び海面に設けた自然公園。国が指定する。

***がい・ちゅう**【外注】《名・他サ》〔自分の部署や会社でするべき仕事を〕外部の業者に注文すること。

***がい・ちゅう**【害虫】人間の生活に害を与える虫。ノミ・シラミ・ダニなど。[類語]毒虫。[対]益虫。

***かい・ちょう**【会長】会の仕事を指導・監督し、会を代表する人。[参考]会社では、社長を引退した人などがなる名誉職をいうことがある。[類語]会頭。

***かい・ちょう**【回腸・×廻腸】空腸の下にあり、大腸につづく小腸の終わりの部分。曲がりくねっている。

***かい・ちょう**【快調】《名・形動》ぐあいがよく、気持ちのよいこと。気持ちがいいほど都合よくゆくこと。「ーなエンジン」「ーなすべりだし」[類語]好調。

***かい・ちょう**【海鳥】海岸・島などにすみ、魚類をえさとする鳥。カモメ・ウミネコなど。うみどり。

***かい・ちょう**【×諧調】《名・自サ》〔文〕調和がよくとれていること。また、その調子。ハーモニー。

***かい・ちょう**【開帳】《名・他サ》❶寺で、厨子(ずし)のとびらをひらいて、秘仏などを人々に拝ませること。開扉(かいひ)。開龕(かいがん)。❷ばくちの座をひらくこと。

がい・ちょう【害鳥】〔農作物を荒らしたり不衛生であったりして〕人間の生活に害を与える鳥。[対]益鳥。

かい・ちょく【戒×飭】《名・他自サ》〔文〕いましめ慎むこと。また、自らいましめ慎ませること。

かい・ちん【開陳】《名・他サ》意見や考えなどを、口頭や文章で述べること。「ー処分」

かい・つう【開通】《名・自他サ》鉄道・道路・電信・電話などの設備ができあがって、通じること。「犯行の動機をーする」[類語]開設。

かい・づか【貝塚】(かひ)石器時代の人類がすてた魚介類の骨や殻が堆積(たいせき)したもの。また、それを伴う遺跡。

かい・つけ【買(い)付け】(かひ)❶いつも買っていること。「ーの店」❷品物を(多量に)買い入れること。

かいつぶり【×鸊×鷉】カイツブリ科の水鳥。小形で尾が短い。体色は黒茶色で腹部が白い。巣は水草で作り水面に浮く。にお。におどり。かいつむり。

かい・つま・む【×搔い▽摘む】《他五》要点をざっとまとめる。概括する。「一連の事件をー・んで話す」

かい・て【買手】(かひ)物を買う立場の人。買い方。「ようやくーがついた」[類語]買い主。[対]売手。**ーしじょう**【ー市場】買手の方が有利な取引市場。[参考]供給に対して需要が少ないときにおこる。[対]売手市場。

***かい・てい**【改定】《名・他サ》新たに定めなおすこと。「運賃のー」「音訓表のー」[類語]改訂。改正。

***かい・てい**【改訂】《名・他サ》書物・文書などの文字・文章の誤りや不備を直すこと。「ー版」[類語]更訂。再訂。修訂。増訂。改定。改正。修正。

***かい・てい**【海底】海のそこ。「ー火山」「ートンネル」

***かい・てい**【開廷】《名・自サ》〔その日の裁判を行うため〕法廷を開くこと。[対]閉廷。

***かい・てい**【階×梯】〔文〕❶階段。❷学問や芸術を学ぶ順序。特に初めの段階。初歩。入門。「花道ー」

かい・てき【快適】《形動》心にもからだにもよくかなってこころよいようす。「ーな室温」[注意]「快的」は誤り。

***がい・てき**【外敵】外部・外国から攻めてくる敵。

***がい・てき**【外的】《形動》❶物事の外部に関するようす。外部的。「ー条件」❷〔精神に対して〕肉体や物質に関するようす。「ー生活」[対]①②内的。

***かい・てん**【回天】〔文〕〔天を回転させる意から〕世の中のありさまをすっかり変えてしまうこと。また、おとろえた勢いをもりかえすこと。「ーの事業」

***かい・てん**【回転・×廻転】❶《名・自サ》くるくるまわること。転回。「車輪のー」「頭のー(=頭脳の働き)が早い」❷《名・自サ》〔理〕物体が一つの点または線を軸にしてまわること。❸《名・自サ》仕入れた商品が売れて投資した金がもどってくること。「資本のー」❹「回転競技」の略。アルペン競技種目の一つ。急な斜面に立てられた一定数の旗門を左右にくぐりぬけながら滑りおり、その所要時間を競う。スラローム。

***かい・てん**【開店】❶《名・自他サ》新しく店を開いて商売を始めること。「本日ー」[類語]開業。❷《名・自サ》店をあけてその日の営業を始めること。「九時ー」[対]①②閉店。**ーきゅうぎょう**【ー休業】店を開いても客がなくて、休業しているに等しいこと。

かい・でん【皆伝】《名・他サ》芸事や武道などで、奥義(おうぎ)を師匠からすべて教えられること。「免許ー」

***がい・でん**【外伝】本伝に書かれなかった伝記や逸話。「義士ー」

***がい・でん**【外電】「外国電報」の略。外国から送られてくるニュース。

ガイド《名・他サ》案内・手引きをすること。特に、旅行・登山者などに同行して、案内をすること。また、その職業（の人）。「ーブック（＝案内書）」「ヒマラヤの名ー」▽guide **ーライン** 目標値。指標。指針。特に、政府が経済政策で示す指標。▽guideline

＊**かい・とう【会頭】** 会議所などの長。類語 会長。

＊**かい・とう【解党】**《名・自他サ》政党などが解散すること。また、政党などを解散すること。対 結党。

＊**かい・とう【解凍】**《名・他サ》保存のために冷凍したものをもとの状態に戻すこと。「自然ー」対 冷凍。

＊**かい・とう【解答】**《名・自サ》問題をといて答えを出すこと。また、その答え。「数学のー」⇩〖使い分け〗

＊**かい・とう【回答】**《名・自サ》〔質問などに〕答えること。また、その答え。返答。返事。⇩〖使い分け〗

> **使い分け** 「カイトウ」
>
> **回答**〔質問や照会に対して、自分の考えなどを伝える〕アンケートの回答・政府への回答・身の上相談の回答・組合の要求に回答する
>
> **解答**〔試験などの設問や問題点などに答える〕模範解答・解答を間違える・クイズの解答欄・土地問題への解答を迫る
>
> 参考 「回答」はふつう正誤が問題になることはないが、「解答」はもっぱら正誤が問題となる。「土地問題への解答」の場合は、解決策の意。

＊**かい・とう【快刀】**〔文〕非常に切れ味のよい刀。 **ー乱麻を断・つ**《句》もつれた物事を非常に手ぎわよく処理することのたとえ。「ー・つがごとき推理」

＊**かい・とう【快投】**《名・自サ》野球で、胸のすくような素晴らしい投球（をすること）。類語 好投。

＊**かい・とう【怪盗】**〔自由自在に出没する〕正体のわからない盗賊。「ールパン」

＊**かい・どう【会同】**《名・自サ》〔文〕〔会議のため〕より集まること。また、その集まり。「ーを開く」

＊**かい・どう【会堂】** ❶集会に使うための建物。❷キリスト教の教会堂。

＊**かい・どう【怪童】** からだが特に大きく、怪力を持った子供。

＊**かい・どう【海×棠】** バラ科の落葉低木。春、長い柄（え）の先に淡紅色の花が咲く。はなかいどう。

＊**かい・どう【海道】**〔文〕❶海岸沿いの道路。❷「東海道」の略。「ー一の大親分」

＊**かい・どう【街道】** ❶昔、大きな町と町を結ぶ主要な道路。参考 ↓五街道（ごかいどう）。表記 もと、「海道」とも書いた。❷〔国道・県道などの〕大通り。

＊**がい・とう【外×套】** 寒さなどを防ぐために外出のときに洋服の上に着る、長い衣服。オーバー（コート）。

＊**がい・とう【外灯】**〔門灯など〕屋外にとりつけた電灯。屋外灯。類語 街灯。

＊**がい・とう【街灯】** 道路を照らすため、道ばたに設けた電灯。街路灯。類語 外灯。

＊**がい・とう【街頭】** まちの通り。まちかど。「ー演説」

＊**がい・とう【該当】**《名・自サ》〔示された条件に〕あてはまること。「ー者」

＊**かい・どく【会読】**《名・他サ》人々が集まって一冊の本を読みあい、その意味・内容を批評しあうこと。

＊**かい・どく【解読】**《名・他サ》わからない文章や、暗号などをといて読むこと。「暗号文をーする」類語 判読。

＊**かい・どく【回読】**《名・他サ》〔ある書物を〕多くの人が順々にまわして読むこと。回し読み。類語 回覧。

＊**かい・どく【買い得】**ーかひ 割安であったり質がよかったりして、買うとトクになること。「おー品」対 買い損。

がい・どく【害毒】 からだや心をそこない、悪い影響を与えるもの。害。害悪。「社会にーを流す」

かい・とり【買（い）取り】ーかひ 買い取ること。特に、返品しない約束で商品を仕入れること。買い切り。

かい・どり【飼（い）鳥】ーかひ 家庭で飼っている鳥。類語 家禽（かきん）。対 野鳥。

かい・と・る【買い取る】ーかひ《他五》買って自分のものにする。「土地をー・る」類語 買い入れる。

かいな【▽腕】（かひな）〔雅〕うで。

かい・な・い【▽甲×斐無い】ーかひ《形》〔文〕❶ききめがない。「捜査のー・く発見できなかった」❷（するだけの）値うちがない。「生きていてもー・い命だ」

かい・なで【×掻（い）×撫で】《形動》（「掻き撫で」の音便）物事のうわっつらをなでただけで、深くは知らないこと。「ーの学者」

かい・なら・す【飼い×馴らす】ーかひ《他五》動物を飼って主人の言いつけに従順に従うようにしつける。参考 人間の場合にも言う。「会社にー・された人」

かい・なん【海難】 航海中に海上で起こる災難。座礁・船火事・衝突・沈没など。「ー事故」「ーにあう」

かい・にゅう【介入】《名・自サ》第三者がはいりこんで関係を持つこと。「政治力のー」「軍事ー」

＊**かい・にん【解任】**《名・他サ》任務をとくこと。「監督をーする」類語 解雇。免職。解職。罷免（ひめん）。

＊**かい・にん【懐妊・懐×姙】**《名・自サ》〔文〕子をはらむこと。みごもること。妊娠。懐胎。

かいにん・そう【海人草】 ❶紅藻類フジマツモ科の海藻。干して回虫の駆除薬とする。まくり。❷海人草①を原料とした、回虫駆除薬。

＊**かい・ぬし【買（い）主】**ーかひ ある品物を買う人。類語 買い方。買手。対 売り主。

＊**かい・ぬし【飼（い）主】**ーかひ その家畜をかっている人。

かい・ね【買値】ーかひ 物を買いとるときの値段。また、商品などを買い入れるときの値段。仕入れ値。「ーを割る」類語 原価。元値。対 売値。

がい・ねん【概念】（英・フランス concept）❶対象となるいくつかの事物から共通の要素をぬき出し、それらを総合して得た一般性のある表象。語であらわされ、内包と外延をもつ。「不安のー」類語 観念。名辞。❷ある物・事柄に対し、一般的に思いうかべられる意味・内容、また、イメージ。「宇宙のー」 **ーてき【ー的】**《形動》❶物事をとらえる場合、個々の特殊性をとりあげないで、それらを抽象化して概念①として見るようす。類語 観念的。❷物の見方が具体的・現実的でなく、大ざっぱであるようす。「ーな理解にとどまる」

かい・は【会派】 政党や団体内で共通点をもつ者の集まり。

＊**かい・ば【海馬】** ❶（sea horse）セイウチ・トドの別称。参考 誤って、ジュゴンにもいう。❷タツノオトシゴの別称。海馬（うみうま）。❸大脳の内部にある、本能・欲望・自律神経をつかさどる部分。

＊**かい・ば【飼（い）葉】**ーかひ 牛馬のえさにする、わらや干し草。まぐさ。「ー桶（おけ）」

かい・はい【改廃】《名・他サ》法律や制度などを、改めたり、廃止したりすること。「法のー」

かい・はく【灰白】 灰色がかった白。灰白色。

*がい‐はく【外泊】《名・自サ》〔他人の家など〕一定の宿所以外の場所でとまること。「無断―」

*がい‐はく【該博】《形動》〔文〕〔学問や知識などの〕広い範囲に通じているようす。「―な知識」類語博学。

かい‐ばしら【貝柱】［かひ―］❶「閉殻筋」の一般的な言い方。二枚貝の内部で、両方の殻を閉じる働きをする筋肉。肉柱。❷貝柱①を煮てほした食品。はしら。

かい‐はつ【開発】《名・他サ》❶天然資源を産業・生活に役立てること。「電源―」❷研究して新しく作りだし、実用化すること。「新製品の―」❸〔教〕問答などによって児童・生徒に自発的に学習させ、理解させる教育法。参考ペスタロッチが創始した。

かい‐ばつ【海抜】平均海水面を基準にしてはかった陸地の高さ。海抜高度。標高。「―三四〇〇メートル」

かい‐はん【改版】《名・他サ》出版物の版を、新しく組みなおして出すこと。また、その出版物。

がいはん‐ぼし【外反×拇×趾・外反母×趾】足の親指が第二指の方に屈曲した状態。

*かい‐ひ【会費】❶会を運営・維持するために会員が納入する金。❷会合に出席する者が出す金。

*かい‐ひ【回避】《名・他サ》〔好ましくない事態を〕さけること。まぬかれること。「責任を―する」「危機を―する」類語忌避。逃避。

*かい‐ひ【開扉】《名・他サ》❶《自サ》とびらを開くこと。対閉扉。❷〔仏〕開帳①。

がい‐ひ【外皮】❶外側をつつむ皮。❷動物の体表をおおう細胞層。皮膚とその生成物（毛・うろこ・つめなど）の総称。❸植物の表皮。対①～③内皮。

かい‐びかえ【買（い）控え】［かひびかへ］《名・他サ》株式市場などで、買うことを見合わせること。また、買う量を少な目におさえること。

かい‐びゃく【開×闢】❶この世の始まり。「天地―」類語創世。❷物事の始まり。「本校―以来の珍事」

*かい‐ひょう【海×豹】〔文〕あざらし。

*かい‐ひょう【開票】《名・自他サ》投票箱をあけて、投票の結果を集計すること。「―速報」

がい‐ひょう【概評】《名・他サ》全体について、大まかに批評すること。また、その批評。「テストの―」

かい‐ひん【海浜】〔文〕海べ。はまべ。「―公園」


かい‐ふ【回付】《名・他サ》書類などを回送してわたすこと。「文書を―する」類語回送。送達。

*がい‐ぶ【外侮】〔文〕外国または外部の人などから受けるあなどり。「かかる―は黙視できぬ」

*がい‐ぶ【外部】❶物の外側。外面。❷仲間や関係者以外の人。「情報が―にもれる」対①②内部。

*かい‐ふう【海風】❶海上を吹く風。海風（うみかぜ）。❷海岸地方で、昼間、海から陸にむかって吹く風。海軟風（かいなんぷう）。対陸風（りくふう）。

*かい‐ふう【開封】❶《名・他サ》〔手紙などの〕封を開くこと。❷封をしない郵便物。また、封の一部をあけて送る郵便物。開き封。

*かい‐ふく【回復・×恢復】《名・自他サ》もとの（よい）状態になること。また、もとの（よい）状態にすること。「健康（病気）が―する」「名誉（人気）を―する」

*かい‐ふく【快復】《名・自サ》病気がなおり、健康な状態にもどること。表記「回復」「恢復」とも書く。

*かい‐ふく【開腹】《名・自サ》手術のため腹壁を切り開くこと。「―手術」

か‐いぶし【蚊×燻し】蚊を追いはらうために、杉の葉、干したミカンの皮などをもやして煙をたてること。また、そのためにもやすもの。かやり。いぶし。

かい‐ぶつ【怪物】❶正体がわからず、ぶきみな生き物。「海底の―」類語ばけもの。魔物。❷ふしぎな才能や力を持っている（えたいのしれない）人物。また、えたいのしれない恐ろしい事物。「政界の―」

がい‐ぶつ【外物】❶他の物。❷〔哲〕自我に属さず、自我の対象として外界に存在するすべての物。

*かい‐ぶん【回文・×廻文】❶回覧用の文書。回状。回章。❷始めから読んでも終わりから読んでも同じになる文句。「たけやぶやけた」の類。＝回文（かいもん）。

*かい‐ぶん【怪聞】〔文〕あやしい変なうわさ。

*かい‐ぶん【灰分】❶灰（はい）。❷栄養学で、食物中の無機成分。ミネラル。

がい‐ぶん【外聞】❶内部のことが人に知られること。また、そのときの評判。「―をはばかる」❷世間に対する体裁（ていさい）。「恥も―もない」類語人聞き。みえ。

かい‐ぶんしょ【怪文書】出所の明らかでないあやしい文書。他を中傷し、その秘密をあばくもの。


*かい‐へい【海兵】❶海軍の下士官と兵の通称。類語水兵。❷「海軍兵学校」の略。旧日本海軍の兵科将校の養成を目的とした学校。対陸士（りくし）。―たい【―隊】アメリカ軍の攻撃部隊の一つ。敵地上陸後の地上での戦闘を任務とする。

*かい‐へい【皆兵】国民の（男子）全部が兵役に服する義務をもつこと。「国民―」「―制度」

*かい‐へい【開平】《名・他サ》数・整式の平方根を求めること。類語開立（かいりゅう）。対平方。

*かい‐へい【開閉】《名・自他サ》開いたりとじたりすること。あけたりしめたりすること。あけたて。「扉の―」

がい‐へき【外壁】〔文〕外がわのかべ。対内壁。

*かい‐へん【改変】《名・他サ》内容をあらためて、前と違った状態にすること。「制度の―」類語変革。変改。

*かい‐へん【改編】《名・他サ》編集・編成したものをあらためて、作り直すこと。「番組を―する」類語再編。

*かい‐へん【海辺】〔文〕海のほとり。海べ。

*かい‐べん【快便】気持ちよく便通があること。

*かい‐べん【快弁・快×辯】〔文〕よどみなくたくみに述べる弁舌。「―をふるう」類語雄弁。

がい‐へん【外編・外×篇】〔文〕書籍（特に漢籍）で、主要部分である内編のほかにつけたされた部分。

*かい‐ほう【介抱】《名・他サ》病人・負傷者などの世話をすること。「急病人を―する」類語看病。看み取り。

*かい‐ほう【会報】会の運営・活動などのようすを会員に報告するために発行する雑誌、または印刷物。

*かい‐ほう【解放】《名・他サ》束縛をとりのぞいて、自由な行動ができるようにすること。「民族―」「植民地の―」「雑務から―される」対束縛。⇨【使い分け】

*かい‐ほう【回報・×廻報】❶返事の手紙。❷→回章①。

*かい‐ほう【快報】よいことのしらせ。「―に接する」類語吉報。朗報。

*かい‐ほう【快方】病気やけがなどがよくなってくること。「―に向かう」

*かい‐ほう【懐抱】《名・他サ》〔文〕❶ふところにだくこと。❷ある考え・計画などを心の中にいだくこと。また、その考え・計画。抱懐。「密かに―する企て」

*かい‐ほう【開放】《名・他サ》❶〔窓・戸などを〕あけは

なすこと。「扉のーを厳禁する」❷制限などを設けず、自由に出入りできるようにすること。「門戸をーする」⇩〔使い分け〕 ーてき【ー的】《形動》ありのままのようすを見せて、隠しだてをしないようす。「ーな家」

使い分け 「カイホウ」
開放〔戸や窓をあけはなつ。制限などを設けず自由にする〕開放病棟・門戸開放・開放経済・開放都市・学校を市民に開放する・開放的な雰囲気
解放〔政治的・社会的な束縛を脱して自由な行動ができる〕奴隷解放・民族解放運動・人質を解放する・責任から解放される・解放区

*__かい・ぼう__【解剖】《名・他サ》❶体内の形態や構造を調べたり死因を探ったりするために、生物のからだ（特に死体）を切り開くこと。ふわけ。「病理ー」❷物事をこまかく分解・分析して調べること。「心理のー」

*__かい・ぼう__【海防】海岸の防備。海上のまもり。

__がい・ぼう__【外×貌】〔文〕❶外からみた顔かたち。❷外からみた物事のようす。類語見かけ。外見。外観。

__かいほう・せき__【海泡石】粘土状の鉱物。色は灰白色・白色など。多孔質で軽く、パイプなどをつくる。

__かい・ぼり__【×掻い掘り】《名・他サ》魚などをとるために、池・堀などの水をくみ出すこと。

__がい・まい__【外米】外国産の米。対内地米。

__かい・まき__【×掻（い）巻（き）】《「掻き巻き」の音便》（うすく）わたをいれた、そで付きの小形の夜着。

__かい・まく__【開幕】《名・自他サ》❶舞台の幕があいて演劇などが始まること（始めること）。類語開演。❷物事が始まること（始めること）。「オリンピックのー」「ー戦」対①②閉幕。

__かいま・みる__【垣間見る】《他上一》《「垣間見る」の音便》物のすきまから、内部のようすをちらっと見る。「通りから家の中をーみる」

__かい・みょう__【戒名】❶仏門にはいった人が、師から与えられる名前。❷僧が死者につける名前。「ーを墓石にきざむ」同①②法名。法号。対①②俗名。

__かい・みん__【快眠】《名・自サ》気持ちよくねむること。また、その眠り。類語熟睡。熟寝。

*__かい・む__【会務】会の業務・事務。「ーに当たる」

*__かい・む__【皆無】《名・形動》〔文〕全くないこと。少しもないこと。絶無。「外国の知識はーだ」

__がい・む__【外務】❶外国との交際・交渉などに関する事務。対内務。❷外勤。「ー社員」 ーしょう【ー省】内閣各省の一つ。外国との交際・交渉などに関する行政事務を取りあつかう国の行政機関。

*__かい・めい__【解明】《名・他サ》〔不明な点を〕調べて明らかにすること。「事故の原因をーする」

*__かい・めい__【改名】《名・他サ》名前を変え改めること。また、その改めた名。改名。類語改姓。改称。

*__かい・めい__【×晦×冥・×晦×瞑】〔文〕まっくらになること。暗闇。「天地ー」

*__かい・めい__【開明】《名・自サ》〔文〕人々の知識が進んで、世の中が開けること。「ーの世」

*__かい・めい__【階名】音階の各段階の名称。音の絶対的な高さに関係なく、ド・レ・ミ・ファ・ソ・ラ・シの七音にあてたもの。日本の雅楽では宮・商・角・徴・羽を用いる。参考→音名。

__かい・めつ__【壊滅・×潰滅】《名・自サ》くずれてすっかりほろびること。「暴力団にー的打撃を与える」「大地震で一都市がーする」

*__かい・めん__【海綿】❶海綿動物。❷海綿動物の骨格。小さな穴がたくさんあき、やわらかで水をよく吸う。文房具・化粧用・医療用などに使う。スポンジ。 ーどうぶつ【ー動物】筋肉・感覚細胞・神経細胞などをもたない下等な無脊椎動物。表面に多くの穴がある。大部分は海産で、水底などに付着する。

*__かい・めん__【海面】海の表面。類語海上。

*__かい・めん__【界面】〔液体と固体、気体と液体など〕二つの物質が接触している境の面。「ー張力」 ーかっせいざい【ー活性剤】界面張力（＝表面張力）を著しく低下させる働きをもつ物質。洗剤・乳化剤などに用いる。表面活性剤。

__がい・めん__【外面】❶物の外側の面。❷ある物事を外側から見たようす。外観。「ー的」対①②内面。

__かい・もく__【皆目】《副》まったく。ぜんぜん。まるっきり。〔多く下に打ち消しの語をともなう〕「ー見当がつかない」「二人の行方はーわからない」

__かい・もど・す__【買い戻す】《他五》いったん売り渡した品物を買いとってとりもどす。買い返す。

__かい・もの__【買（い）物】《名・自他サ》❶品物を買うこと。また、その品物。「ーをいっぱいかかえる」❷買って得になる物。「この土地はなかなかのーだった」

*__かい・もん__【回文・×廻文】→かいぶん（回文）。

*__かい・もん__【開門】《名・自サ》門を開くこと。対閉門。

__がい・や__【外野】❶野球のグラウンドで、内野の後方のファウルライン内の地帯。「ーフライ」❷「外野手」の略。外野①を守る選手。右翼手・左翼手・中堅手の総称。❸「外野席」の略。野球場で外野①に面した観覧席。❹その物事に無関係な者。局外者。「ーがうるさい」対①〜③内野。

__かい・やき__【貝焼（き）】❶貝を貝殻のまま焼くこと。❷大きな貝殻に食べ物を入れて焼く料理。類語やじうま。

*__かい・やく__【解約】《名・他サ》契約をとり消すこと。キャンセル。「定期預金をーする」類語違約。

*__かい・やく__【改訳】《名・他サ》以前に翻訳したものを、改めて翻訳しなおすこと。また、その文章。「ー本」

__かい・ゆ__【快癒】《名・自サ》病気やけががすっかりなおること。類語全快。全治。完治。本復。治癒。

*__かい・ゆう__【会友】❶自分と同じ会にはいっている友人・仲間。❷会員外の人であるが、その会と深い特別な関係にある人に与える名称。

*__かい・ゆう__【回遊・×廻遊】《名・自サ》❶あちこちをめぐり、遊び歩くこと。「ー券」「ー式庭園」❷魚などの水生動物がむれをなし、季節によって遠距離を移動すること。「ー魚」表記②は本来「回游・洄游」と書く。

*__がい・ゆう__【外憂】外国・外部からうける心配事。外患。「ー内患」対内憂。

*__がい・ゆう__【外遊】《名・自サ》〔視察・研究などのため〕外国に旅行すること。類語洋行。

*__かい・よう__【海容】《名・他サ》〔文〕〔海が何でも広く受け入れるように〕寛大な気持ちで、他人の罪・あやまち・無礼などをゆるすこと。「失礼をごーください」

*__かい・よう__【海洋】大きい海。「ー国」対大陸。

*__かい・よう__【×潰×瘍】皮膚・粘膜などの組織が深部までただれくずれること。また、その状態。「胃ー」

*__がい・よう__【外洋】ひろびろと広がっている海。外海

がい・そと。かい・うみ。類語遠洋。対内洋(ないよう)。

*がい・よう【外用】《名・他サ》くすりを皮膚や粘膜に直接つけること。「ー薬」対内用。内服。

*がい・よう【概要】ある物事のおおよそのようす。あらまし。大すじ。〔副詞的にも使う〕「事件のーをのべる」「ー、次のことが判明している」類語大要。大略。

*かい・らい【×傀×儡】❶〔文〕あやつり人形。傀儡(くぐつ)。❷他人の思いのままに動かされ、利用されている人。「ー政権」類語飾りもの。手先。ロボット。ーし【ー師】❶江戸時代、あやつり人形を使うことを職業とした人。くぐつし。くぐつまわし。❷表面に立たず、かげから人を自分の思いのままに動かす人。類語黒幕。

*かい・らい【界雷】寒冷前線に伴う急激な上昇気流のために起こる雷。春さきに多い。前線雷。

がい・らい【外来】❶よそからくること。「ーの客」❷外国からくること。「ー思想」❸通院して診療を受けること(患者)。「ー患者」ーご【ー語】外国の言語からはいってきて同化し、その国のことばのように使われる語。日本語における「コーヒー」「テーブル」など。カタカナ語。借用語。輸入語。

かい・らく【快楽】気持ちよく、たのしいこと。特に、欲望が満たされたときの、こころよい感情。けらく。「ー主義」類語逸楽。悦楽。享楽。歓楽。

*かい・らん【解×纜】《名・自サ》〔文〕〔ともづなを解く意から〕船が出帆すること。ふなで。類語出港。出航。

*かい・らん【回×瀾・×廻×瀾】〔文〕さかまく波。ーを既倒に反(かえ)・す《句》〔文〕〔うずをまいて倒れてくる大波をもとへ押し返す意から〕悪くなった形勢をふたたびもとの状態にもどす。狂瀾を既倒に廻(めぐ)らす。

*かい・らん【回覧・×廻覧】《名・他サ》❶〔文〕方々を見てまわること。巡覧。❷〔雑誌・文書などを〕何人かの人が順々にまわして見ること。「ー板」

*かい・らん【壊乱】《名・自他サ》〔文〕秩序・風俗などが、くずれ乱れてひどい状態になること。また、ひどい状態にすること。「風俗をーする」類語紊乱(ぶんらん・びんらん)。

*かい・らん【壊乱・×潰乱】《名・自サ》〔文〕組織などが、くずれ乱れること。特に、戦いに敗れて乱れること。

*かい・り【海里・×浬】《助数》(nautical mile, sea mile)海上の距離の単位。一海里は一八五二メートル。表記「カイリ」とも書く。

*かい・り【×乖離】《名・自サ》〔文〕〔結びついたもの、結びつくべきものが〕たがいにそむきはなれること。「現実と理想とのー」「民心ー」類語離反。

*かい・り【海×狸】〔文〕→ビーバー。

かい・りき【怪力】〔人の力とは思えない〕ものすごく強い力。怪力(かいりょく)。「ーの力士」類語ばか力。

*かい・りつ【戒律】❶僧尼の守らなければならない徳目や修行上の規範。律法。❷おきて。規則。

*かい・りつ【開立】《名・他サ》数・整式の立方根を求めること。開立(かいりゅう)。類語開平。

がい・りゃく【概略】物事のおおよそのようす。概要。あらまし。〔副詞的にも使う〕「事件のー」「話の内容はーこうである」類語大略。大要。大体。あらかた。

日本語

外来語

外来語は、もともと外国から輸入された単語のことで、昔、中国から入って来た漢語も外来語のはずであるが、普通にはそれは外来語には入れず、中世以降ヨーロッパ・アメリカなどから入って来た単語に言う。中国語からのものは、「ラーメン」「マージャン」のような明治以降に入って来たもののみ外来語扱いにしている。外来語の大きな特徴はかたかなで書かれることで、この点は、「ワンワン」「コケコッコー」のような鳥獣の声並みの扱いである。

しかし、「たばこ」のように外来語の意識が薄くなったものは、ひらがなで書かれることもある。

外来語が増えることは、日本が外国の文化に侵食されることを表すと考え、心配する向きもあり、この点、漢語に対する態度とは違っている。また、日本で作った漢語があると同様に、日本でできた外来語もあり、「バックネット」「マイホーム」などはその代表で、これらは英米へ行って使っても通じない単語である。

*かい・りゅう【海流】一定の方向に移動する海水の大きな流れ。暖流と寒流がある。「千島ー」類語潮流。

*かい・りゅう【開立】《名・他サ》→かいりつ(開立)。

*かい・りょう【改良】《名・他サ》欠点をなおして、よりよくすること。「品種ー」類語改正。改善。

*かい・りょう【飼い料】❶家畜を飼うためのえさ。飼料(しりょう)。❷家畜を飼うための費用。

がい・りょく【外力】〔材料や構造に対して〕外部から働きかける力。「ーが働く」対応力。

かい・りょく・らん・しん【怪力乱神】理性では説明のできない、怪異と怪力と悖乱(はいらん)と鬼神。参考孔子はこれらを口にしなかった。〈論語・述而〉

がい・りん【外輪】❶外側の輪。外輪(そとわ)。❷外まわり。外側の周囲。❸車輪の外側にとりつけた鉄製のおおい。ーざん【ー山】複式火山で、中央火口丘の外側をとりかこみ、古い噴火口のかべをつくる輪状の峰のつらなり。対内輪山。

*かい・れい【回礼】《名・自サ》年始のあいさつをしたりお礼を述べたりするために、方々をまわること。

*かい・れい【海×嶺】海底にある山脈状の高まり。けわしい斜面を持つ。海底山脈。

かい・れき【改暦】❶《名・自他サ》暦法を改めること。❷〔文〕改まった年。新年。

*かい・ろ【回路】❶物質やエネルギーが巡り回る道筋。❷とくに、電気回路。電源から出て、電源へもどる電流の通り道。サーキット。回線。

*かい・ろ【懐炉】衣服の下にいれて、からだをあたためる器具。「ー灰」

*かい・ろ【海路】海上で船が通る道。また、それを利用した交通。「ーインドに向かう」類語水路。対陸路・空路。

がい・ろ【街路】街なかの道路。「ー灯」

かい・ろう【回廊・×廻廊】〔神社・寺院などの〕建物の外側をとりまくように作った、長い廊下。

かいろう・どうけつ【×偕老同穴】❶〔文〕夫婦が仲よく共に老い、死後同じ墓にほうむられること。夫婦の愛情が深く、契りの固いことのたとえ。「ーの契り」参考詩経にある語。❷海綿動物の一種。からだはかご状の骨格からできていて、ふつう、その中に雌雄一対の小形のエビがすむ。

かいろく【回×禄】〔文〕火事。「―の難にあう」参考 中国の火の神の名から。

カイロ・プラクティック 背骨のゆがみを正すことで病気を治す技術。脊椎(せきつい)指圧療法。▽chiropractic

がい・ろん【概論】 ある学問・論説などのあらましをのべたもの。「文学―」類語 概説。通論。

***かい・わ【会話】**《名・自サ》相手と話しあうこと。また、その話のやりとり。「英―」類語 対話。対談。

***かい・わ【×諧和】**《名・自サ》なごやかに親しみあうこと。

かい・わい【界×隈】 そのあたり一帯。「新宿―」類語 付近。近辺。一帯。

かい・われ【貝割れ・×穎割れ】かひ 芽を出したばかりの幼い植物。穎割り。「―大根」

かい・わん【怪腕】〔文〕人並みはずれた腕の力や手腕。類語 辣腕(らつわん)。すごうで。

***か・いん【下院】** 二院制の議会で、国民の選挙でえらばれた議員によって構成される議院。対 上院。

***か・いん【禍因】**〔文〕災いの原因。禍根。

***か・う【▽支う】**ふか《他五》支えとする。つっかいとする。「しんばり棒を―・う」文《四》。

***か・う【買う】**ふか《他五》❶〔物品・権利などを〕代金を払って自分のものにする。あがなう。尊敬 召す。召される。対 売る。❷金銭を払って芸者・売春婦などと遊興する。❸〔好ましくないことを〕自分から自分の身に招く。「反感を―・う」❹価値を認める。「努力を―・う」❺〔犠牲を払って〕求める。自分からすすんで求める。「歓心を―・う」文《四》。⇩〔類語と表現〕

類語と表現

「買う」

＊週刊誌を買う・マンションを買う・権利を買う／飲む打つ買う／不興を買う・顰蹙(ひんしゅく)を買う／誠意を買う・語学力を買われる／売られた喧嘩(けんか)を買う。

◆購(あがな)う・求める・買い入れる・買い求める・買い込む・買い上げる・買い受ける・買い取る・買い付ける・買いあさる・買い切る・買い占める・仕入れる・仕込む／(する)入手・購買・購入・購求・買収

***か・う【飼う】**ふか《他五》〔動物に〕えさを与えて養い育てる。「犬を―・う」類語 (する)飼育。飼養。文《四》。

ガウス《助数》磁束密度のCGS電磁単位。記号は、G。参考 ドイツの数学者・物理学者ガウスの名にちなむ。▽gauss

カウチ 寝いす。▽couch

カウ・ボーイ〔アメリカ西部の〕牧場で牛の世話をする男。牧童。▽cowboy

か・うん【家運】 一家の運命・運勢。また、一家の経済状態。「―が傾く」

ガウン ❶欧米の裁判官・牧師・大学教授などが正装として着る上着。たけが長く、ゆったりとしている。❷長くゆったり仕立てた室内着。「ナイト―」▽gown

カウンセラー 相談員。学校・職場などで、悩みを持つ人の相談に応じ、助言を与える人。▽counselor

カウンセリング 学校・職場などで、一身上の諸問題を解決するため、相談員が個別的に面接して指導・助言を与えること。▽counseling

***カウンター**《造語》「反対の」「対抗の」の意。▽counter **―カルチャー** 既成の体制や文化に対して反抗したり批判したりして生み出される、若者の文化。▽counterculture **―ブロー** ボクシングで、相手が打ってくるのをはずすと同時に、打撃を加えること。また、その打撃。カウンターパンチ。▽counterblow

***カウンター** ❶計算係。❷計算器。計数管。「ガイガー―」❸勘定台。帳場。❹酒場などで、客と調理場との間を仕切り、客をその前に腰かけさせるようにした台。❺商品を陳列する台。陳列棚(だな)。▽counter

カウント ❶《名・他サ》数をかぞえること。計算。「入場者数を―する」❷競技で、得点(の計算)。❸野球で、打者に対する投手の投球の、ストライクとボールの数。ボールカウント。「フル―」❹《名・他サ》ボクシングで、ノックダウンしたときに審判が秒数をかぞえること。また、その秒数。「―アウト」❺ガイガー計数管で測定した放射能の粒子の数。〔助数詞的にも用いる〕「五〇〇〇―」▽count **―ダウン**《名・他サ》ロケット発射などの直前に、一〇、九、八、…〇と、残りの秒数を読み上げること。秒読み。参考 大晦日(おおみそか)に新年までの残り秒数を数えるときや大規模な大会の開催日までの残り日数を数えるときにもいう。▽countdown

かえ【代え・替え・換え】かへ ❶とりかえること。❷かわりのもの。代用。「こわれたので、―をさがす」

かえ・うた【替(え)歌】かへ ある歌と同じ節で、歌詞をつくりかえた歌。対 元歌(もとうた)。

かえ・ぎ【替(え)着】かへ 着かえる着物。着がえ。

かえし【返し】かへし ❶返すこと。❷返礼。返報。「お祝いの―」❸返歌。❹大風・地震・津波などが一度やんでまた起こること。❺つりせん。「三〇円のお―」

かえし・うた【返し歌】かへし ❶贈られた和歌に答える返事の和歌。返歌。❷反歌(はんか)。

かえし・ぬい【返し縫い】かへしぬひ 裁縫で、一針縫うごとに針をあとへもどして、もう一度縫う縫い方。縫い目をじょうぶにするために行う。返し針。

***かえ・す【×孵す】**すかへ《他五》卵を、ひな(子)にする。類語 ↓孵(かえ)る。文《四》。⇩〔使い分け「かえる・かえす」〕

***かえ・す【帰す】**すかへ《他五》〔人を〕もといた所に行かせる。帰らせる。「車を―・す」「実家に―・す」文《四》。⇩〔使い分け「かえる・かえす」〕

***かえ・す【返す】**すかへ 一《他五》❶もとどおりにする。もとの所にもどす。「白紙に―・す」類語 直す。(る)回復。復元。還元。挽回(ばんかい)。❷もとの持ち主にもどす。「借金を―・す」類語 (す)返却。返戻。返済。返上。返還。返付。還付。償還。償却。奉還。❸受けた行為に対して、こちらからも同じように働きかける。「恩を仇(あだ)で―・す」類語 報いる。(る)報復。返報。❹向きを変える。裏(下)を表(上)にする。ひるがえす。「てのひらを―・す」❺ほりかえす。たがやす。「畑の土を―・す」表記 ④⑤は「反す」とも書く。文《四》。二《自五》❶〔波などが〕もとへもどる。「―・す波」❷〔馬・舟に乗っていて〕もとの場所にもどる。「卑怯(ひきょう)なり。―・せ、―・せ」文《四》。三《接尾》❶他からの働きかけに対して、こちらからもその方向に同じような動作を行う。「なぐり―・す」❷繰りかえす。「読み―・す」文《四》。⇩〔使い分け「かえる・かえす」〕

かえす・がえす【返す返す】かへすがへす《副》❶何度も何度もくりかえすようす。くれぐれも。「―頼む」❷過ぎたことを何度も考えくやむようす。どう考えても。「―(も)残念だ」

かえす‐かたな【返す刀】かへすー ❶一方へ切りつけた刀をひるがえしてすぐさま他方へ切りかかること。❷一方を攻めたと思うと、すぐ他方へほこ先を向けること。

かえ‐だま【替(え)玉】かへー ほんもの(本人)にみせかけた、にせもの・身がわり。「―受験」「―投票」

かえ‐ち【替(え)地】かへー ❶土地をとりかえること。また、とりかえた土地。❷かわりの土地。代替地。

かえっ‐て【▽反って・▽却って】かへつー《副》(「かへりて」の音便)予期に反して。逆に。「力を貸したのが―悪い結果になった」

***かえ‐で【替(え)手】**かへー 邦楽で、基本の旋律に変化をつけ、それと合奏できるように作られた旋律。かえて。対本手(ほんて)

***かえで【×楓】**かへで《「かえるで」の転。葉の形がカエルの手に似ているのでいう》カエデ科の落葉高木。葉は手のひらのような形で、秋に美しく紅葉するものが多い。材は家具・細工物に使う。もみじ。

かえ‐ば【替(え)刃】かへー 切れなくなったときにとりかえる、かみそりなどの刃。特に、安全かみそりの刃。

かえ‐もん【替(え)紋】かへー 定紋(じょうもん)のかわりに使う紋。裏紋。

かえらぬ‐ひと【帰らぬ人】かへらぬー《連語》〔二度と帰って来ない人の意から〕死んだ人。「―となる」

かえり‐うち【返り討ち】かへりー かたき討ちをしようとして、反対に自分が討たれること。「―にあう」

かえり‐がけ【帰り掛け】かへりー 帰る途中。帰りしな。「―に映画を見る」類語 帰り道。対 行き掛け。

かえり‐ぐるま【帰り車】かへりー 客を送り届けた帰りの、空の人力車・タクシー。

かえり‐ざき【返り咲き】かへりー ❶咲くべき時節を過ぎた花が、ちがう時期にもう一度咲くこと。類語 くるい咲き。❷いったん退いたものが、もう一度もとの地位にもどって活躍すること。カムバック。

かえり‐しな【帰りしな】かへりー かえりがけ。対 行きしな。

かえり‐しんざん【帰り新参】かへりー いったんやめた勤め先へ再び帰ってきて働くこと(人)。でもどり。

かえり‐ち【返り血】かへりー 刀で相手を切ったとき自分にはね返ってくる血。「―をあびる」

かえり‐ちゅう【返り忠】かへりー 仕えていた主人をうらぎって敵方に忠義をつくすこと。うらぎり。内通。

かえり‐てん【返り点】かへりー 漢文を訓読するとき、漢字の左下につけて下の字から上の字へもどって読むことを示すしるし。「レ」のほか、上・中・下、一・二・三、甲・乙・丙・丁、天・地・人など。返り字。返し字。

かえり‐なん【帰りなん】かへりー《連語》〔文〕帰ってしまおう。「―いざ(=さあ、帰ってしまおう)」

かえり‐ばな【返り花・帰り花】かへりー 返り咲きの花。くるい咲きの花。

***かえり‐・みる【省みる】**かへりー《他上一》《「返り見る」の意》自分の言動などを、ふりかえってよく考える。反省する。「―・みてやましきところなし」注意 送りがなを「省る」としない。

***かえり‐・みる【顧みる】**かへりー《他上一》《「返り見る」の意》❶ふりむいてうしろを見る。ふりかえる。❷過ぎ去ったことを思いおこして考える。回顧する。「幼い日を―・みる」❸気にかける。心配する。「危険を―・みない」注意 送りがなを「顧る」としない。

―みて他を言・う《句》答えにつまったときや答えたくないときなど、本論をはずして他のことを言う。

***かえる【×蛙】**かへる 両生類の一種。川・水田・池などにすむ。後ろあしが大きく、よく跳ぶ。幼生は、オタマジャクシ。種類が多い。かわず。

―の子は蛙(かえる)《句》❶平凡な人の子はやはり平凡である。❷子は親に似るものである。

―の面(つら)に水《句》〔カエルは顔に水をかけられても平気なように〕なにを・言われても(されても)いっこうに平気なことのたとえ。〔鈍感でずうずうしいようすをいう〕

***かえ・る【×孵る】**かへる《自五》卵が・ひな(子)になる。「ニワトリのひなが―・る」「カメの卵が―・る」類語 湧(わ)く。孵化(ふか)(する)。孵卵(ふらん)。文《四》。⇩〔使い分け〕

***かえ・る【帰る】**かへる《自五》もといた所にもどる。「学校から―・る」文《四》。⇩〔使い分け〕

***かえ・る【返る】**かへる 一《自五》❶もとの状態になる。もとの所にもどる。「貸した金が―・る」❷こちらが与えた行為に対して、相手が働きかけをする。「答えが―・る」❸向きが変わる。裏(下)が表(上)になる。ひるがえる。「軍配が―・る」表記 ③は「反る」とも書く。文《四》。二《接尾》程度のはなはだしい意。すっかり…する。「わき―・る」文《四》。⇩〔使い分け〕

使い分け「かえる・かえす」

返る〔▽反・▽還〕〔もとへもどる。向きが変わる〕我に返る・平和に返る・持ち主に返る・原点に返る・自然に返(還)る・野性に返(還)る・昔に返(還)る・すそが返(反)る・呆(あき)れ返(反)る・税金が返(還)る

帰る〔▽還〕〔もとの場所にもどる。ひきかえす〕大学に帰る・中国から帰(還)る・婚家に帰(還)る・客が帰る

返す〔▽反・▽還〕〔もとどおりにする。向きを変える〕お金を返す・恩を仇(あだ)で返す・返す言葉もない・取って返す・領土を返(還)す・手の平を返(反)す・返す波・繰り返す・問い返す・調べ返す

帰す〔▽還〕〔もとの場所へ人をもどす〕親元に帰す

かえる・かえす〔×孵〕〔ひなになる〕ひながかえる・卵をかえす

参考 表現するものの意味の相違によって、「借りた車を返す(=返却する)/タクシーを空車で帰す(=帰宅させる)」、「特派員を本社詰めに返す(=戻す)/大風で社員を帰す(=帰宅させる)」のように使い分ける。「還」は「往」に対して使い、もとの状態にもどる、ひき返す意で広く使われた。「反」はひっくり返る、ひるがえる意で使った。「反って」の形で使うときは、多くかな書き(かえって、迷惑だ)。「童心にかえる・初心にかえる」は「帰・返・還」ともに使う。

***か・える【代える・換える・替える】**かへる《他下一》❶あるものを除き、(それに匹敵する)別のものをそこに持ってくる。「円をドルに―・える」❷古いものを除き、新しいものをそこに持ってくる。「池の水を―・える」表記 ①②は多く「換える」「替える」と書く。❸代わりをさせる。代理にする。「市長に―・えて助役を出席させます」表記 ③は多く「代える」と書く。文か・ふ《下二》。⇩〔使い分け「かわる・かえる」〕

***か・える【変える】**かへる《他下一》❶前とちがった状態にする。変化させる。「血相を―・えて怒りだす」❷前とちがう時・所に移す。「期日を―・える」「場所を―・える」文か・ふ《下二》。⇩〔使い分け「かわる・かえる」〕

かえる‐さ【帰るさ】かへるさ〔文〕帰るとき。帰る途中。

かえる‐また【×蟇×股・×蛙×股】かへるー カエルがあしをひ

ろげたような形をした材。日本の建築で、はりの上に置いて上からの重みをうける。多く装飾をかねる。

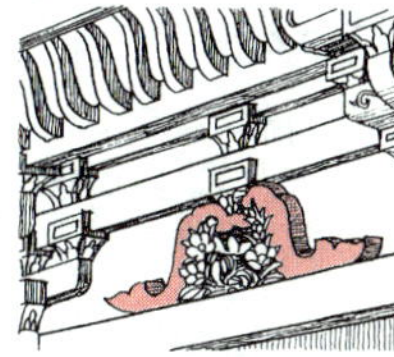

蟇股

か・えん【火炎・火×焰】大きく燃えあがるほのお。「―瓶」

が・えん【賀宴】〔文〕めでたいことを祝う宴。祝宴。

がえん・じる【▽肯んじる】《他上一》↓肯んずる。

がえん・ずる【▽肯んずる】《他サ変》〔文〕〔人の意見・案などを〕聞きいれる。肯定する。がえんじる。

かお【顔】❶人・動物の頭部のうち、目・鼻・口のある前面の部分。「―が合わせられない(=面目なくて相手に会えない)」「―がそろう(=顔ぶれがそろう)」「―を貸す(=頼まれて人に会う)」❷〔美醜の対象としてみた〕顔の様子。顔だち。容貌。「整った―」❸〔心持ちのあらわれた〕顔の様子。表情。〔接尾語的にも使う〕「いやな―をする」「―を曇らせる(=表情を暗くする)」「人待ち―」❹面目。体面。「―にかかわる」「―が立つ(=面目をたもつ)」「―がつぶれる(=面目を失う)」❺その社会で・信用されて(知られて)いること。「芸能界ではちょっとした―だ」「―が売れる(=世間に知られる)」「―が広い(=つきあいが広い)」❻ある物の、表にあらわれて目立つ部分。「受付は会社の―だ」⇩〔類語と表現〕

―が利・く《句》〔信用などで〕便宜をはかってもらえる。

―から火が・出る《句》非常にはずかしくて顔がまっ赤になる。「人前で注意され、―・出る思いをした」

―に泥を塗・る《句》面目を失わせる。体面をけがす。

かお・あわせ【顔合(わ)せ】《名・自サ》❶たがいに知りあうために、集まること。「新会員の―」❷興行・競技などで相手としてともに出ること。「初―」

かお・いろ【顔色】❶顔の色・つや。「―が悪い」❷心の動きが表れた、顔の様子。表情。顔色。〔尊敬〕御気色。「―を変える」「―をうかがう」

か・おう【花押・華押】古文書などで、名前の下に書き判。書き判。

かお・かたち【顔形・顔×貌】顔つきや姿。容貌。「―のととのった人」〔類語〕顔立ち。みめ。

か・おく【家屋】人が住むための建物。〔参考〕「一戸…」「一軒…」「一棟…」などと数える。

カオス 宇宙の秩序が形成される以前の未分化の状態。混沌。〔対〕コスモス。▽ギリシア khaos

かお・だし【顔出し】《名・自サ》❶顔を見せること。❷〔あいさつなどのため〕人の家を訪問すること。また、集会の席に出ること。「親類へ―する」

かお・だち【顔立ち】顔の形。目鼻のととのい具合。「かしこそうな―」〔類語〕顔つき。面相。

類義語の使い分け　顔付き・顔立ち
〔顔付き・顔立ち〕柔和な顔付き(顔立ち)の人
〔顔付き〕険しい顔付きで激しく相手をにらみつける
〔顔立ち〕端整な顔立ち／顔立ちの整った女性

かお・つき【顔付(き)】❶顔の形・ありさま。顔だち。❷感情が表れた顔の様子。表情。「殺気だった―」「泣きそうな―」〔類語〕形相。面持ち。

類語と表現

「顔」

＊顔を洗う・顔を背ける・顔を赤らめる・彫りの深い顔／喜ぶ顔が見たい／顔が丸つぶれになる／伯父の顔で就職する・顔の売れたタレント／首相は一国の顔だ。

◆顔面・素顔・地顔・横顔・顔貌・容貌・容顔・容色・顔立ち・かんばせ・満面・相好・形相・面・面立ち・人面・面貌・面相・面差し・面持ち・面・面構え・横面

◇〔形態・表情〕丸顔・瓜実顔・赤ら顔・泣き顔・笑い顔・得意顔・物知り顔・訳知り顔・我が物顔・大きな顔・知らん顔・素知らぬ顔・涼しい顔・何食わぬ顔・したり顔・浮かぬ顔・寝顔・死に顔・恵比須顔・閻魔顔・紅顔・童顔・酔顔・慈顔・温顔・温容・美貌・馬面・泣き面・仏頂面・しかめっ面・ふくれっ面・あほう面・ばか面・あばた面・髭面

◆〔尊敬〕尊顔・竜顔・天顔・芳顔・尊容

かお・つなぎ【顔×繫ぎ】❶面識のない人どうしをひきあわせること。❷忘れられてしまわないように、会などに時々出席しておくこと。「―に食事をしよう」

かお・なじみ【顔×馴染(み)】顔をよく知っている・こと(人)。「―のセールスマン」〔類語〕顔見知り。

かお・ぶれ【顔触れ】〔ある会合や事業などに〕参加する人々。メンバー。「新内閣の―」

かお・まけ【顔負け】《名・自サ》〔相手がずうずうしくて、または、すぐれていて〕こちらが圧倒され、はずかしく感じること。「専門家も―の研究」

かお・みしり【顔見知り】〔会ったことがあって〕たがいに顔を知っている・こと(人)。〔類語〕知りあい。

かお・みせ【顔見せ】❶〔大ぜいの人の前に〕はじめて顔を見せること。❷歌舞伎などで、一座の役者が全員顔をみせること。「顔見世興行」「顔見世狂言」

かお・むけ【顔向け】ある人と顔を合わせること。「恩師に―ができない(=面目なくて会えない)」〔表記〕②は、ふつう「顔見世」と書く。

かお・やく【顔役】〔ある土地・仲間などの中で〕名前が知られていて、勢力のある人。〔類語〕有力者。

かおり【香り・薫り・×馨(り)】(よい)におい。香。「花の―がただよう」

かお・る【薫る・×馨る・香る】《自五》(よい)においを放つ。(よい)においがする。「若葉が―・る」「風―・る」〔参考〕文語的な語に「薫ずる」がある。〔文〕《四》。

か・おん【×訛音】〔文〕なまった発音。なまり。

か・か【×呵×呵】《副》(「―と」の形も)〔文〕大声で笑うようす。「―大笑する」

かが【加賀】旧国名の一つ。今の石川県の南部。加州。

＊**が・か**【画家】絵を描くことを職業とする人。えかき。〔類語〕絵師。画工。画伯。画人。

＊**が・か**【画架】絵をかくときに画布を立てかける(三脚の)台。イーゼル。

が・が【×峨×峨】《形動タルト》〔文〕山・岩などが、高くけわしくそびえているようす。「―たる山脈」〔類語〕屹然。突兀。崔嵬。

かかあ【×嬶・×嚊】〔俗〕庶民社会で、妻を親しんで呼ぶ語。かか。「―天下（＝夫よりも妻の方が権力をもっていること）」

か・かい【歌会】人々が自作の和歌を発表し批評しあう会。歌の会。短歌会。歌会。

＊か・がい【加害】他人に危害や損害を与えること。「―者」対被害。

＊か・がい【禍害】〔文〕わざわい。災難。

＊か・がい【花街】〔文〕遊郭のある町。色まち。

＊か・がい【課外】❶学校の規定の教科・課程に属していないこと。また、そのような教育活動。「―活動」❷課の外部。「―の人は立ち入り禁止」対課内。

＊が・かい【瓦解】《名・自サ》〔屋根がわらは一箇所が落ちるとその勢いで全部がくずれることから〕一部分のくずれから、組織だっていた物事の全部がばらばらになること。「江戸幕府の―」「協調体制が―する」類語崩壊。

＊が・かい【画会】❶画家が自分の作品を売るために開く展示会。❷人々が集まって絵をかき、批評しあう会。

＊が・かい【雅懐】〔文〕〔花や月をながめたり、詩歌を作ったりする〕風流な心。みやびな心。

かかえ【抱え】■《名》❶〔ある人の仕事だけをさせるために〕人をやとって使うこと。また、そのやとわれた人。〔多く「お―」の形で使う〕「王様お―の理髪師」❷年季を定めてやとっておく芸者・遊女。対自前。■《助数》両腕でかかえるほどの大きさ、または量であることを表す。「一―のたきぎ」「二―もある杉の老木」

かかえ・こ・む【抱え込む】《他五》《「かかえる」を強めた言い方》❶腕でかこむようにして胸の内や脇にだく。❷処理しきれないほど引き受ける。「たくさんの仕事を―・む」類語しょいこむ。文《四》。

かか・える【抱える】《他下一》❶腕で囲んで胸の前に持つ。また、脇の下にはさんで持つ。「本を小脇に―・える」「頭を―・える（＝心配事などがあって非常に困る）」「腹を―・えて笑う（＝大笑いする）」類語抱く。抱き抱える。抱え込む。❷〔自分の負担になるものを〕持つ。「病人を―・える」類語引き受ける。背負う。背負い込む。担う。❸人をやとって使う。「工員を五人―・えている」文かか・ふ《下二》。

カカオ アオギリ科の常緑高木。原産地は南米。一年じゅう黄白色の小花が咲き、紡錘形の実を結ぶ。種子はココア・チョコレートなどの原料。▽スペイン cacao

＊か・かく【価格】商品の価値を金銭であらわしたもの。値段。類語あたい。価額。

＊か・かく【家格】家の階級的な地位・格式。家柄。

＊か・かく【過客】〔文〕❶たずねて来た人。来客。❷行き過ぎてゆく人。旅人。＝過客。類語行人。旅客。遊子。

＊か・がく【下顎】〔文〕したあご。対上顎。

＊か・がく【化学】（chemistry）自然科学の一部門。物質の性質・構造、物質と物質のあいだにおこる変化などを研究する学問。参考「科学」と区別するため、「ばけがく」ともいう。―きごう【―記号】化学で用いる記号。主として元素記号をさす。―せんい【―繊維】原料から繊維になるまでの工程に化学的方法が用いられる繊維。化繊。対天然繊維。―ちょうみりょう【―調味料】↓うまみ調味料。―はんのう【―反応】ある物質がそれ自身で、または他の物質と作用しあって変化を生じ、性質の異なる別の物質になること。また、その過程。―ひりょう【―肥料】化学的処理をほどこしてつくった肥料。人造肥料。対天然肥料。―へいき【―兵器】化学反応を直接戦闘に利用する兵器。毒ガス・しょうい弾・火炎放射器など。―へんか【―変化】化学反応がおこるときの物質の変化。ある物質の特性が全く失われて、別の特性をもった物質に変わること。対物理変化。―りょうほう【―療法】抗生物質や化学薬品で病原体を殺したりその増殖を阻止したりして病気を治す方法。対物理療法。

＊か・がく【価額】価格に相当する金額。類語価格。

＊か・がく【家学】その家に代々伝わる学問。

＊か・がく【科学】（science）❶ある対象を一定の目的と方法によって組織的・体系的・理論的に研究・整理し、普遍妥当な原理や法則を求める学問。参考人文科学、社会科学、自然科学などに分けられる。❷特に、自然科学のこと。―てき【―的】《形動》実証的・合理的・体系的に物事を考えたり説明したりするようす。「事故の原因を―に考える」

＊か・がく【歌学】[illegible]本質、作歌上の規則やしきたり、古歌の訓詁や解釈などを研究する学問。

が・かく【画角】写真レンズで、フィルムに写し取ることができる範囲の角度。写角。「―が広い」

が・がく【雅楽】《「雅正の楽」の意》平安時代ごろから宮中で行われてきた音楽。日本古来の音楽と、朝鮮・中国などから伝来した音楽とからなる。

かか・げる【掲げる】《他下一》❶人目につく場所に物を高く上げる。「校旗を―・げて入場する」「看板を―・げる」❷高く差し上げる。❸巻き上げる。まくり上げる。「すそを―・げて走る」❹人目につくように書き示す。掲載する。「意見広告を―・げる」❺人に知らせるために表し示す。「理想を―・げる」文かか・ぐ《下二》。

かかし【▽案▽山子】《もと「嗅かがし（＝においをかがせるもの）」》❶作物を荒らす鳥・けものなどをおどすため、竹・わらなどで作って田畑にたてる人形。かがし。おどし。❷見かけは一人前だが、実際の能力がない人。

かか・す【欠かす】《他五》《多く下に打ち消しの語を伴う》❶しないですます。おこたる。「授業には―・さず出る」❷〔必要な物・事を〕なしですます。ぬかす。「晩酌を―・したことがない」文《四》。

かかずら・う【▽拘う】《自五》❶〔めんどうなことや、やっかいなことに〕かかわりを持つ。関係する。「騒動に―・う」❷小さな物事やくだらない物事に、こだわる。拘泥する。「小事に―・う」文《四》。

か・がすり【蚊×絣・蚊▽飛▽白】蚊が群れをつくって飛んでいるような、細かい模様のかすり（の衣服）。

かかと【×踵】❶足の裏の後ろの部分。きびす。くびす。❷はきものの（裏の）後ろの部分。＝踵。

かがま・る【▽屈まる】《自五》からだを前にまげてしゃがむ。また、そのようなかっこうになる。文《四》。

＊かがみ【鏡】《「影見」の転という》❶光の反射を利用して、顔・姿などをうつして見る道具。古くは金属製、現在はガラス板の裏面に水銀をぬって作る。❷「鏡もち」の略。参考「一面…」と数える。❸酒だるのふた。「―をぬく（＝酒だるをあける）」類語姿見。

＊かがみ【▽鑑・×鑒】ある物事の手本・模範。「教師の―（＝教師としてみんなが見習うべき手本のような人）」

かがみ・いた【鏡板】❶表面をなめらかにした、大きな板。天井・壁・戸などにはめこむ。❷能舞台の正面にはった板。松をえがく。松をえがいた板。❸歌舞伎(かぶき)で、能舞台を模して正面にはる、松をえがいた板。

かがみ‐びらき【鏡開き】 鏡もちを割り、ぞうに・ぜんざいなどにして食べること。一月一一日(もとは二〇日)に行う。鏡割り。〔参考〕「開き」は「割り」の忌みことば。

かがみ‐もち【鏡×餅】 まるく平たく作って、大小二個を重ねたもち。正月や祭礼の時に供える。おそなえ。おかがみ。〔参考〕「一重(ひとかさね)…」と数える。

かが・む【▽屈む】《自五》❶〔からだの一部分が〕前へ折れるように曲がる。かがまる。「腰が―・む」❷しゃがむ。こごむ。「―・んで草をむしる」〔文〕《四》。

かが・める【▽屈める】《他下一》かがむようにする。「からだを―・めて戸をくぐる」〔文〕かが・む《下二》。

かがやかし・い【輝かしい・×耀かしい】《形》❶光りかがやいてまばゆい。〔類語〕燦然(さんぜん)。燦々(さんさん)。燦爛(さんらん)。赫々(かっかく)。煌々(こうこう)。爛々(らんらん)。炯々(けいけい)。❷かがやくようにすばらしい。非常に立派である。「―・い未来」「―・い業績」〔文〕かがやか・し《シク》。

かがやか・す【輝かす・×耀かす】《他五》❶かがやくようにする。光らせる。「目を―・して話をきく」❷広く知れわたるようにする。「国威を―・す」〔文〕《四》。

かがや・く【輝く・×耀く】《自五》❶美しく連続的に光る。きらめく。〔類語〕→光る。❷明るい感じがあふれる。「希望に―・く」❸名誉・ほまれなどを受けて非常に立派に見える。「連続優勝に―・く」〔文〕《四》。

かがよ・う【×耀う】(かがよふ)《自五》〔雅〕ちらちらと光ってゆれる。光りちらつく。〔文〕《四》。

***かかり【係(り)】** ❶〔組織の中で〕特定の仕事・業務を受け持つ役(の人)。〔表記〕「係」、また「掛」と書く。〔参考〕→係(かか)り。❷文法で、あることばがそれを受ける他のことばの陳述に作用をおよぼすこと。〔対〕結び。

***かかり【掛(か)り・懸(か)り】** ❶ひっかかること。特に、魚が針にかかること。「今日は―が悪い」❷いりような費用。入費。「入院の―が大きい」❸囲碁で、相手の石を攻めにいくこと。また、その石。「―を打つ」

かがり【×篝】 ❶かがり火をたくときに使う鉄製のかご。❷かがり火。「―をたく」

***がかり【係・掛】**《接尾》「…の役(の人)」の意。「進行―」〔表記〕鉄道関係では多く「掛」と書く。「出札―」

***がかり【掛(か)り】**《接尾》❶《日数・人数などを表す語について》「それだけの数量を必要とすること」の意。「五人―の仕事」❷「…に依存すること」「…に養われること」の意。「親―の身」❸《動詞の連用形について》「…するついで」「…した勢い」の意。「通り―」「行き―」❹「…の気分」「…のふう」の意。「芝居―」

かかり‐あ・う【掛かり合う】(かかりあふ)《自五》❶〔ある物事に〕たずさわる。関係する。「市民運動に―・う」❷まきぞえをくう。「よっぱらいのけんかに―・う」〔文〕《四》。

かかり‐いん【係員】〔ある組織で〕特定の仕事・業務を専門に受け持つ役目の人。「会場整理の―」〔表記〕鉄道関係では、多く「掛員」と書く。

かかり‐かん【係官】 その事を担当する役人。

かかり‐きり【掛(か)り切り】 ある一つの事だけに従事(関係)して、他の事をしないこと。かかりっきり。

かかり‐じょし【係り助詞】 国文法で、助詞の分類の一つ。体言・用言などいろいろな語について強調・疑問などの意味をそえる助詞。文語では結びのことばに影響をおよぼすものもある。文語では「は・も・ぞ・なむ・や・か・こそ」、口語では「は・も・さえ・しか・でも」など。係助詞(けいじょし)。〔参考〕(ア)副助詞の一部とする説もある。(イ)→係り結び。

かかり‐つけ【掛(か)り付け】 いつもその医者の診察・治療を受けていること。「―の医者」〔表記〕かながきすることが多い。

かがり‐び【×篝火】 夜間の照明・警備・漁猟などのために、屋外でたく火。かがり。

かかり‐むすび【係(り)結(び)】 文語文で、文中に使われた係り助詞と、それを受けて文を終止する活用語との間にある呼応関係。ふつう、上に「ぞ・なむ・や・か」がきたときは文末を連体形、「こそ」がきたときは已然(いぜん)形で結ぶ場合にいう。

かかり‐ゆ【掛(か)り湯】 ふろにはいる前、または上がったとき、からだにかけるきれいな湯。あがり湯。陸湯(おかゆ)。

***かかる【×斯かる】**《連体》(「かくある」の約)〔文〕このような。こういう。「―行為は許されるべきでない」

***かか・る【係る】**《自五》❶かかわる。関係する。「人命に―・る事故」❷その人の行為に・よる(負う)。「事の成否は彼の努力いかんに―・る」❸文章で、前の文節が後の文節に形や意味の上で続く関係をもつ。〔対〕うける。〔文〕《四》。⇩[使い分け]

***かか・る【×罹る】**《自五》病気になる。「結核に―・る」〔文〕《四》。⇩[使い分け]

***かか・る【掛(か)る】** ㊀《自五》❶物にとめられたりひっかかったりして、(高い所に)ぶらさがる。また、高い所にかかげられる。「壁に―・った絵」〔参考〕「月が―・る」の形で、「月が高い空にある」などの意にもいう。その場合、ふつう「懸(か)る」と書く。

❷かまど・こんろなどの上に置かれたり、上からつるされたりして火にあてられる。「いろりになべが―・っている」

❸船が停泊する。「沖合に―・った船」〔表記〕「繋る」とも書く。

❹〔物の働きをとめるためのしかけが〕閉ざされる。「かぎが―・る」「安全装置が―・っている」

❺ある物が他の物をとらえる。「刀の柄に手が―・る」

❻〔「竿秤(さおばかり)にぶらさがる」意から〕はかりに受けとめられ、目盛りにでる。「重みが―・る」「五キロ―・る(=目方が五キロある)」

❼〔ある問題が〕持ち出されて取り上げられる。「案件が会議に―・る」〔表記〕多く「懸(か)る」と書く。

❽〈「目に―・る」の形で〉目にとまる。「お目に―・る(=お会いする)」

❾〈「心に―・る」「気に―・る」の形で〉心にとまる。気がかりになる。

❿〔魚・鳥が〕網・針などでとらえられる。また、しかけにおちいる。「わなに―・る」「計略に―・る」

⓫かかりあう。「彼の口に―・ってはかなわない」

⓬〈「手に―・る」「人手に―・る」の形で〉殺される。「強盗の手に―・った」

⓭何かにたよって、その世話を受ける。「医者に―・る(=医者の治療を受ける)」

⓮〈「AにBが―・る」の形で〉Aに、Bを(得るかどうか)左右する決定権がおわされる。「この勝負に優勝が―・る」〔表記〕ふつう「懸(か)る」と書く。

⓯あびせられる。また、(よくないことが)身におこる。「どろ水が―・る」「とばっちりが―・る」

⓰一面におおう。かぶさる。「月に雲が―・った」

⑰費用・時間などが必要とされる。費やされる。「歩けば二時間—る」
⑱増し加わる。「馬力が—る」「気合いが—る」
⑲他をおさえつけるような態度に出る。「かさに—る」
⑳攻めていく。攻撃する。「一度に—ってゆく」
㉑《多く、動詞の連用形＋「て」について》まず…してことにのぞむ。「この話は無理だと決めて—る」
㉒作用が及ぶ。作用を受ける。「わざが—る」「誘いが—る」
㉓〔装置が操作されて〕機械が働きをはじめる。「ラジオが—る」「エンジンが—る」「ブレーキが—る」
㉔〔相手の発した作用やことばが〕こちらに及ぶ。「電話が—る」「号令が—る」
㉕片方から他方へかけ渡される。「橋が—る」「にじが—る」表記多く「架かる」と書く。
㉖〔なわ・ひもなどが〕他の物のまわりに渡される。「ロープの—った荷物」
㉗組み立てられる。仮設される。「小屋が—る」
㉘〔小屋がけして行われたことから〕興行される。上演される。「芝居が—る」
㉙着手する。とりかかる。「仕事に—る」
㉚ちょうどその所に来る。さしかかる。「電車が鉄橋に—った時」文《四》。
二《接尾》❶「まさに…しようとする」「もう少しで…するところである」などの意。「食べ—ったとき」「ペンキがはげ—っている」表記多くかな書き。❷「そこにその作用が向かう」意。「もたれ—る」「攻め—る」文《四》。⇩〔使い分け〕

使い分け　「かかる・かける」

掛かる〔物や人にひっかかる意で、一般に広く〕鼻に掛かる・仕事に掛かる・お目に掛かる・迷惑が掛かる・お金が掛かる・疑いが掛かる・掛員・掛官・〜掛(がかり)

係る〔関与する〕人命に係る重大事・本件に係る訴訟・施策に係る・名人の手に係る・上の句に係る・係り結び・係り助詞・係員・係長・係の者・〜係(がかり)

懸かる〔離れないようにぶらさがる。心にかかる〕月が中天に懸かる・賞金が懸かる・会議に懸かる・優勝が懸かった大一番・気懸かり

架かる〔かけわたす〕電線が架かる・橋が架かる・にじが架かる

かかる〔×罹〕〔病気になる〕肺炎にかかる

掛ける〔物や人にひっかける意で、一般に広く〕絵を壁に掛ける・鎌(かま)を掛ける・はかりに掛ける・火に掛ける・保険を掛ける・布団を掛ける・電話を掛ける

懸ける〔つりさげる。勝った者に与える。気にかける〕懸け巣・懸け橋・賞金を懸ける・命を懸ける・願を懸ける・思いを懸ける・剣に懸けて誓う・お目に懸ける

架ける〔かけわたす〕橋を架ける・はしごを架ける

参考 博打(ばくち)をする意では、「×賭ける」と書く〈金品を賭ける・賭け事〉。「命を懸ける」を、「金を賭ける」に倣って、「命を賭ける」と書くこともできるが、その場合は強い表現となる〈但し、「命賭け」と書くことはない〉。架橋の意では「橋を架ける」と書くが、「かけはし」の形では「架け橋／懸け橋」があり、前者を一般的な事象に、後者を特殊な事象にと使い分けることもある〈架け橋を渡る／夢の懸け橋・日中間の懸け橋となる〉。「…にかけて」はかな書き〈三月から五月にかけて・語学にかけては〉。また、接尾語「かける・かかる」も一般にかな書き〈行きかける・脱ぎかかる〉。このほか「足かけ・圧力がかかる・かかりつけ・肩にかかる・扇風機をかける・双肩にかかる・手塩にかける・電話をかける・土足にかける・泊まりがけ・麻酔をかける・目をかける」など、一般に「掛かる・掛ける」と書くものはかな書きにすることが多い。

かが・る【×縢る】《他五》〔布などの裁ちめや破れめを〕糸やひもでからげて縫う。類語まつる。文《四》。

がか・る【掛(か)る】《接尾》《名詞について五段活用の動詞をつくる》❶〔動作・ことばなどが〕「…のようである」の意。「芝居—る」❷《色を表す語について》「…の色がまじった感じがする」の意。「紫—った空」表記①②とも、ふつうかなで書く。文《四》。

かかわら・ず【▽拘らず】(かかはらー)《連語》〈「…に(も)—」の形で〉❶…であるのに。「猛勉強したにも—落第した」❷…に関係なく。「晴雨に—決行する」

かかわり・あい【▽係(わ)り合い】(かかはりあひ)❶関係。かかわり。「—をもつ」❷まきぞえ。

＊**かかわ・る**【▽係(わ)る・▽関(わ)る】(かかはる)《自五》❶関係する。かかずらう。「汚職事件に—る」❷〈よくない〉影響を及ぼす。かかずらう。「命に—る」文《四》。

＊**かかわ・る**【▽拘る】(かかはる)《自五》こだわる。拘泥(こうでい)する。「小事に—って時をむだにする」文《四》。

＊**か・かん**【花冠】花弁の集まり。花びら。

＊**か・かん**【果敢】《形動》大胆に思い切って物事を行うようす。「—に反撃する」「勇猛—」

か・がん【河岸】〔文〕かわぎし。**—だんきゅう**【—段丘】〔地〕河岸に沿って階段状になった地形。水流による浸食などによってできる。河成段丘。

＊**かき**【×搔き】《接頭》《動詞につけて》下の語の勢いを強める。「—曇る」「—消す」「—くどく」参考音便で「かい」となることもある。「搔い潜(くぐ)る」

＊**か・き**【下記】〔文〕ある文の下(次)に書きしるすこと。また、その文。「—のとおり」類語左記。対上記。

＊**かき**【垣・×牆・×籬】他の区域との境を示すための〈低い〉しきり。また、家や庭のかこい。「—をつくる(=間を隔てる)」同垣根。

＊**か・き**【夏期】夏の期間。「—休暇」対冬期。

＊**か・き**【夏季】夏の季節。「—施設」対冬季。

＊**かき**【×柿】カキノキ科の落葉高木。葉は楕円(だえん)形で厚い。黄赤色に熟す実は、秋の代表的なくだもの。

＊**か・き**【火器】❶〔火鉢など〕火をいれる道具。火入れ。❷鉄砲・大砲など、銃砲類の総称。「小—」

＊**か・き**【火気】❶火があること。火のけ。「—厳禁」❷火の勢い。火力。火勢。「—がおとろえる」

＊**かき**【×牡×蠣】イタボガキ科の二枚貝。殻(から)で浅い海の岩などに付着する。形は、だいたい長円形。栄養価が高く、食用として古くから養殖される。オイスター。

＊**か・き**【花×卉】〔文〕花の咲く草。また、花を観賞する植物の総称。草花。参考「卉」は草の総称。

＊**か・き**【花器】〔いけばなで〕花をいける器。花入れ。類語花瓶(かびん)。

＊**か・き**【花期】花が咲く時期・期間。「スズランの—」

＊**かぎ**【×鉤】❶先端がまがっている金属製の棒。物をひっかけるのに使う。❷かぎ①のような形(の物)。❸引用文などの上下につける「　」のしるし。かぎかっこ。

＊**かぎ**【×鍵・×鑰】❶錠(じょう)を開閉するためにさしこむ、棒

状の金具。キー。「―で開ける」❷錠（じょう）。「ドアに―をつける」❸〔問題・事件などを解決するための〕もっとも重要な手がかり。キー。「事件の―をにぎる男」

が・き【餓鬼】❶〔仏〕生前の罪のため餓鬼道におち、つねに飢えとかわきに苦しむ亡者。❷〔仏〕無縁の亡者。❸〔仏〕「餓鬼道（がきどう）」の略。❹〔俗〕子どもをいやしめ、またはののしって呼ぶ語。「うちの―」 **―だいしょう【―大将】**わんぱくな子供仲間の親分。 **―どう【―道】**〔仏〕六道の一つ。現世で欲の深かった者が死後に行くといわれる所。ここに落ちた亡者は飲食できず、つねに飢えとかわきに苦しむという。

かき・あげ【×掻（き）揚（げ）】てんぷらの一種。貝柱、サクラエビ、こまかく切った野菜などの材料をころもといっしょにかきまぜて油で揚げたもの。

***かき・あ・げる【×掻き上げる】**《他下一》❶上へ引きあげる。かくようにして上げる。「沈殿物を―・げる」「髪を―・げる」❷灯心を出す。かき立てる。

***かき・あ・げる【書き上げる】**《他下一》❶一つずつ書き並べて示す。「必要事項を―・げる」❷すっかり書きおえる。「長編小説を―・げる」

かき・あじ【書（き）味】（―あぢ）書いたときの感じ。「―のよいペン」

かき・あつ・める【×掻き集める】《他下一》❶かき寄せて集める。「落ち葉を―・める」❷あちこちから持って来て一か所に集める。「財産を―・める」

かぎ・あ・てる【×嗅ぎ当てる】《他下一》❶においをかいで、物のあり場所や正体を当てる。❷さぐって見つける。さぐり当てる。「秘密を―・てる」

かぎ・あな【×鍵穴】かぎをさしこむための錠（じょう）の穴。

***かき・あらわ・す【書き著す】**（―あらはす）《他五》著書として世に出す。「大河小説を―・す」

***かき・あらわ・す【書き表す・▽描き表す】**（―あらはす）《他五》〔ある物事の内容を〕文字・絵などにかいて表現する。「印象を詩に―・す」

かき・あわ・せる【×掻き合わせる】（―あはせる）《他下一》〔襟（えり）・裾（すそ）などを〕手で寄せてあわせる。つくろう。

かき・いれ【書（き）入れ】❶書き入れること。また、その文字・文章。書き込み。❷「書き入れ時」の略。 **―どき【―時】**〔「つぎつぎに帳簿に記入する時期」の意から〕売れ行き・利益などがいちばん多い時期。

かき・い・れる【書き入れる】《他下一》書いて加える。書きこむ。記入する。「合格者の氏名を―・れる」

かき・いろ【×柿色】❶柿の渋のような色。赤茶色。❷色づいた柿の実のような色。黄色をおびた赤色。

かき・うつ・す【書き写す】《他五》書いて写しとる。

かき・おき【書（き）置（き）】❶用件・伝言などを書いて、あとに残しておく・こと（手紙）。置き手紙。❷遺言状（ゆいごんじょう）。遺書。

***かき・おこ・す【×掻き起こす】**《他五》かくようにしておこす。表面にあるものをはらいのけて、出すようにする。「炭火を―・す」

***かき・おこ・す【書き起こす】**《他五》〔長い文章などを〕新しく書き出す。書きはじめる。「論文を―・す」

かき・おと・す【書き落とす】《他五》不注意から、書かないでぬかしてしまう。書きもらす。

かき・おろし【書（き）下（ろ）し】〔小説・論文・脚本などを〕新たに書くこと。また、その作品。特に、新聞・雑誌などに連載したものでなく、出版したり上演したりするために新たに書かれた作品。「―のドラマ」

かき・かえ【書（き）換え・書（き）替え】（―かへ）〔契約書などの内容を〕書き改めること。「名義の―」

かき・か・える【書き換える・書き替える】（―かへる）《他下一》❶〔他の体裁・内容にするために〕もう一度書く。書きなおす。❷〔今までの文書を破棄して〕新しく書き改める。「契約書を―・える」

かき・かた【書き方】❶文章・書類などの作り方。「論文の―」❷字を書くときの筆の運び方。運筆。「字の―がちがう」❸〔毛筆で〕字を書く技術。習字。[参考] 旧制小学校の教科目の一つ。「―の時間」[類語] 筆法。

かぎ・かっこ【×鉤括弧】→かぎ（鉤）③。

***かき・き・える【×掻き消える】**《自下一》〔不意に〕あとかたもなく消える。「姿が―・える」

かき・き・る【×掻き切る】《他五》勢いよく切る。かっきる。「腹を―・る」

かきくだし・ぶん【書（き）下し文】漢文を日本語の語順に従って、文語文で書き直した文章。「学而時習之、不亦説乎」を「学びて時にこれを習ふ、亦（ま）た説（よろこ）ばしからずや」とする類。

かき・くだ・す【書き下す】《他五》❶上から下へ順に書く。❷筆のすすむままに書く。書き流す。「一気に―・す」❸漢文を書き下し文にする。

かき・くど・く【×掻き口説く】《他五》「くどく」を強めた語。

かき・くも・る【×掻き曇る】《自五》急にすっかり曇る。「一天にわかに―・る」

かき・く・れる【×掻き暮れる】《自下一》❶すっかり暗くなる。❷〈涙に―・れる〉泣きしずむ。[表記] ①は「掻き暗れる」、②は「掻き昏れる」とも書く。

かき・け・す【×掻き消す】《他五》〔不意に〕あとかたもなく消す。「―・すように見えなくなる」

かき・ごおり【欠き氷】（―ごほり）みぞれ状に削った氷に蜜（みつ）シロップをかけたもの。

かき・ことば【書き言葉】❶文字で書かれたことば。文字言語。❷談話ではなく、文章で表現するときに多く使われることば。文章語。[対] 話しことば。

***かき・こ・む【×掻き込む】**《他五》❶かいて寄せ集める。❷急いで食べる。かっこむ。「お茶づけを―・む」

***かき・こ・む【書き込む】**《他五》書きこみをする。記入する。「本に要点を―・む」

かぎ・ざき【×鉤裂き】〔着物などを〕くぎなどに引っかけて、鉤（かぎ）の形に裂くこと。また、その裂けめ。

かき・さ・す【書き▽止す】《他五》途中まで書いてやめる。「手紙を―・して出かける」

かき・しぶ【×柿渋】渋柿の実をしぼってとる液。防水・防腐剤として、木・紙・布などに塗る。

かき・しる・す【書き記す】《他五》文字・文章などを書く。書きつける。「事件の一切を―・した」

かき・すて【×掻（き）捨て】恥を恥と思わず、そのままにして気にしないこと。かきずて。「旅の恥は―」

かき・す・てる【書き捨てる】《他下一》❶書いて、そのままほうっておく。❷書いてすぐ捨てる。「一、二行書いては―・てる」❸なげやりに書く。気ままに書く。「筆のむくままに―・てる」

かき・そ・える【書き添える】（―そへる）《他下一》〔文章や絵のそばに〕そえて書く。「一句―・える」[類語] 書きたす。

かき・そこな・う【書き損なう】（―そこなふ）《他五》❶書きまちがう。「宛名（あてな）を―・う」❷書く機会をのがす。

かき‐ぞめ【書(き)初め】 新年の行事の一つ。その年初めて毛筆で字を書くこと。また、その書いたもの。参考 ふつう、一月二日に行う。

かき‐だし【書(き)出し】 ❶〔文章の〕書きはじめの部分。冒頭(ぼうとう)。「小説の―」❷勘定書き。

*__かき‐だ・す【×掻き出す】__《他五》掻くようにして中から外へ出す。かい出す。「水を―・す」

*__かき‐だ・す【書き出す】__《他五》❶抜き出して書く。❷文字に書いて示す。「掲示板に合格者名を―・す」

かぎ‐だ・す【×嗅ぎ出す】《他五》❶においをかいで見つけ出す。❷さぐって見つけ出す。さぐりあてる。かぎあてる。「秘密を―・す」

*__かき‐た・てる【×掻き立てる】__《他下一》❶勢いよくかきまぜる。「たまごを―・てる」❷〔光を強くするため〕灯心を引き出す。かきあげる。「ろうそくの心を―・てる」❸〔火がよく燃えるように〕かき出す。「暖炉の火を―・てる」❹〔強い刺激を与えて〕ある気持ちをさかんに起こすようにする。「闘争心を―・てる」

*__かき‐た・てる【書き立てる】__《他下一》❶一つ一つとりあげて書き並べる。❷〔新聞・雑誌などで〕目立つように書く。「悪行を―・てる」

かぎ‐たばこ【×嗅ぎ▽煙草】 鼻孔にすりつけ、かおりをかいで味わう粉末のたばこ。

かき‐たま【×掻(き)▽卵・×掻(き)玉】 すまし汁を煮えたたせ、その中にとき卵を流し入れたもの。かきたま汁。

かき‐ちら・す【書き散らす】《他五》❶筆に任せて、無造作にどんどん書く。「詩を―・す」類語 書き殴る。❷あちこちに書く。「ノートに悩みを―・す」

かき‐つけ【書(き)付(け)】 ❶〔要件・おぼえがきなどを〕書きつけた文書。証文。❷請求書。勘定書。

かき‐つ・ける【書き付ける】《他下一》❶書きしるす。書きとめる。「要点を―・ける」❷書きなれる。

かぎ‐つ・ける【×嗅ぎ付ける】《他下一》❶においをかいでさぐり当てる。「猫がさかなのにおいを―・ける」❷気づいてさぐり当てる。「不正を―・ける」

かぎっ‐こ【×鍵っ子】〔俗〕両親が勤めに出ていて、学校から帰っても家にだれもいないため、常に自分でかぎを持っている子供。

かき‐つづ・る【書き×綴る】《他五》まとまった文章・詩などを作る。「闘病生活を―・る」

かきつばた【×燕▽子花・×杜▽若】 アヤメ科の多年草。沼地などの水辺に自生する。初夏、茎の先に紫色や白色などの花を開く。かおよぐさ。かきつ。

かき‐つら・ねる【書き連ねる】《他下一》並べて次々と書く。列記する。「名を―・ねる」類語 書き並べる。

かき‐て【書き手】 ❶〔文章・文字などを〕書く〔役めの〕人。また、書いた人。類語 筆者。対 読み手。❷文章・書などを書くのがたくみな人。類語 書家。文章家。

かき‐とど・める【書き▽留める】《他下一》書いて記録に残す。「事件の経過を―・めた」

かき‐とば・す【書き飛ばす】《他五》❶速く書く。「―・した原稿」❷一部分をぬかして書く。

かき‐とめ【書留】「書留郵便」の略。確実に送りとどけるために受付日・発信人・受信人などを記録しておく、特別の料金の郵便物。また、その制度。

かき‐と・める【書き留める】《他下一》〔忘れないように〕書きしるす。「前後の事情を―・めておく」

かき‐とり【書(き)取り】 ❶〔文章・話などを〕書きとること。「英語の―」❷特に、かなで書いた日本のことばや文章に漢字をあてて書くこと。「漢字の―」

かき‐と・る【書き取る】《他五》❶人の話したことを文字で書く。筆記する。「首相の談話を―・る」❷書きうつす。「黒板に書かれた文章を―・る」

かき‐なお・す【書き直す】《他五》〔訂正したり浄書したりするために〕もう一度書く。書きあらためる。

かき‐なが・す【書き流す】《他五》気軽にすらすらと書く。むぞうさに書く。類語 書きとばす。

かき‐なぐ・る【書き殴る】《他五》乱暴に書く。なぐり書きする。「―・ったメモ」類語 書きちらす。

*__かき‐なら・す【×掻き▽均す】__《他五》かき立てて平らにする。「グラウンドを―・す」「砂場を―・す」

*__かき‐なら・す【×掻き鳴らす】__《他五》〔指先で弦楽器を〕掻くようにしてひく。「ギターを―・す」

かぎ‐なり【×鉤▽形・×鉤▽状】 鉤(かぎ)の先のように直角にまがっている形。類語 鉤の手。

かぎ‐なわ【×鉤縄】 先端に、物にひっかけるための鉤(かぎ)をとりつけたなわ。

かき‐ぬき【書(き)抜き】 ❶要点や必要な部分を抜き出して書くこと。また、その書き付け。抜き書き。❷芝居で、台本からある役のせりふを書き出したもの。

かき‐ぬ・く【書き抜く】《他五》❶〔要点や必要な部分を〕抜き出して書きとる。抜き書きする。「論文の要旨を―・く」❷最後まで書きとおす。

かき‐ね【垣根】 ❶他の区域との境を示すための〔低い〕しきり。❷間を隔てるもの。同 ①②垣(かき)。

かき‐の・ける【×掻き▽退ける】《他下一》手で左右に押してのける。「人を―・けて進む」類語 かきわける。

かき‐のこ・す【書き残す】《他五》❶あとに伝えるために書いて残す。「被爆体験を―・す」❷〔書くべき事を〕書かないでおく。書かずに残す。「時間がなくて―・した」類語 書きもらす。書き落とす。

かき‐のし【書(き)×熨▽斗】 熨斗のかわりに、進物の包み紙などに「のし」と書くこと。また、そのしるし。

かぎ‐の‐て【×鉤の手】 鉤(かぎ)の形のように直角にまがっていること。また、その形〔の所・物〕。類語 鉤形(かぎなり)。

かぎ‐ばな【×鉤鼻】 鉤(かぎ)のように先が内側にまがった鼻。わしばな。参考 →引目(ひきめ)鉤鼻。

かぎ‐ばり【×鉤針】 先が鉤(かぎ)のようにまがっている編み物用の針。鋼鉄・プラスチックなどで作る。対 棒針。

かき‐はん【書(き)判】 →花押(かおう)。

かき‐ま・ぜる【×掻き混ぜる・×掻き▽雑ぜる】《他下一》❶かきまわしてまぜる。❷物事を複雑にする。紛糾させる。「議会を―・ぜる」類語 ①②かきまわす。

かき‐まわ・す【×掻き回す】《他五》❶物の中に手・棒などを入れて、中の物を・まわす(いじる)。❷よけいな言動を加えて、秩序を乱す。「委員会を―・す」類語 ①②かきまぜる。

かき‐みだ・す【×掻き乱す】《他五》❶あちこちをかきまわして乱す。❷混乱させる。不安定にさせる。「平静な心を―・す」「町の静けさを―・すサイレン」

かき‐むし・る【×掻き×毟る】《他五》〔指の先で〕ひっかいてむしる。むしるようにひっかく。「髪の毛を―・る」「胸が―・られるような悲しみ」

かき‐もち【×掻(き)×餅・欠(き)×餅】 ❶餅を薄く切って乾かしたもの。焼いたり油で揚げたりして食べる。❷鏡餅を手や槌(つち)で欠き割ったもの。参考 刃物で切るのを忌み、手で欠き割ることからいう。

かき‐もの【書き物】❶文字・文章などを書くこと。「机に向かって—をする」❷文字を書いたもの。文書。

かき‐もん【書(き)紋】❶筆で書いた、衣服の紋。参考→縫い紋。❷筆で書いた、衣服の模様。

*か‐きゃく【貨客】〔文〕貨物と旅客。—せん【—船】貨物と旅客とを同時に運ぶことのできる船。

*か‐ぎゃく【過客】→かかく(過客)。

*か‐ぎゃく【加虐】残酷に扱うこと。いじめること。「—趣味」対被虐。

*か‐ぎゃく【可逆】逆もどりしうること。対不可逆。—はんのう【—反応】化学反応で、反応系から生成系に向かう正反応と、生成系から反応系に向かう逆反応が同時におこるような反応。対不可逆反応。

*か‐きゅう【下級】等級・段階などが下であること。下のクラス。「—生」類語下等。初級。対上級。

*か‐きゅう【加給】《名・他サ》〔文〕給与をふやすこと。「—金」類語加俸。昇給。増給。増俸。対減給。

*か‐きゅう【火急】《名・形動》〔火がついたときのように〕ひどくさし迫っていること。非常に急ぐこと。「—を要する話」「—に金がいる」類語至急。

か‐ぎゅう【×蝸牛】〔文〕カタツムリ。「—の歩み」—角上の争い《句》小さな世界の中で、つまらないことで争うたとえ。蝸角(かかく)の争い。故事カタツムリの左の角の上にある国と右の角の上にある国とがたがいに争ったという寓話(ぐうわ)から。〈荘子・則陽〉

かきゅう‐てき【可及的】《副》〔文〕〔「及ぶ可(べ)く」の意から〕できるだけ。なるべく。「—速やかに処理する」

*か‐きょ【家居】〔文〕《名・自サ》〔仕官しないで〕家にひきこもっていること。家居(いえい)。類語籠居(ろうきょ)。

*か‐きょ【科挙】昔、中国で行われた、官吏の採用試験。隋(ずい)代から始まって清(しん)朝の末まで行われた。

*か‐きょう【佳境】❶物事の最も興味深い所。「物語が—に入る」❷〔文〕景色のすばらしい所。

*か‐きょう【家郷】〔文〕〔自分の家や土地のある〕ふるさと。故郷。郷里。類語故山。郷土。

*か‐きょう【架橋】《名・自サ》橋をかけること。また、かけわたした橋。「—工事」

*か‐きょう【歌境】❶和歌に表現される(歌人の)境地。❷歌をよむときの心境。

*か‐きょう【華×僑】外国に定住している中国人(特に中国商人)。華商。参考「僑」は「仮ずまい」の意。

*か‐ぎょう【家業】〔代々受けつがれてきた〕その家の職業・商売。「—をつぐ」類語生業(せいぎょう)。

*か‐ぎょう【稼業】〔生活の手段としての〕職業。商売。仕事。「サラリーマン—」「人気—」類語なりわい。

*か‐ぎょう【課業】〔ある単位時間に〕割り当てた学科・業務。「—が終わる」

*が‐きょう【画境】❶絵をかくときの心境。❷絵に表現される(画家の)境地。

*が‐きょう【雅境】〔文〕おもむきのある優雅な境地。

*が‐ぎょう【画業】〔文〕❶絵をかく仕事。「—に没頭する」❷絵をかく上での業績。

か‐きょく【歌曲】芸術的な独唱曲。リート。

かき‐よ・せる【×掻き寄せる】《他下一》❶手などでかいて、自分の方に引きよせる。「ふとんを—・せる」❷寄せて集める。かき集める。「落ち葉を—・せる」

かぎり【限り】㊀《名》❶〔時間的・空間的な、また、数量・程度の〕限界。限度。「欲には—がない」❷最後。おしまい。「今を—と声をはり上げる」㊁《形名》❶その範囲内のすべて。また、限度・限界まで。〔副助詞的にも使う〕「見渡す—の焼け野原」「力の—戦う」❷〈「—で(は)ない」などの形で〉その範囲にあてはまらない。「説明の—にあらず(=説明には及ばない)」❸最高。極限。きわみ。「うれしい—です」❹〈接続助詞的に用いて〉ある時間的・空間的な範囲を限定する意を表す。〈…する〉あいだは。「生きている—食わなければならない」㊂《接尾》物事を時間的・空間的に限定する意。だけ。「その場—のつきあい」

かぎり‐な・い【限り無い】《形》❶きりがない。果てしがない。「—・い大地」❷この上ない。「—・い神の愛」

かぎ・る【限る】㊀《他五》くぎる。❶さかいをつける。しきる。「稜線(りょうせん)が空を—・る」❷範囲を限定する。制限する。「人数を—・る」文《四》。㊁《自五》特にそのものと限定する。❶〈「…に—・って」の形で〉…だけは。…だけ特に。「彼に—・ってそんなことをするはずがない」❷〈「…に—・る」の形で〉…のほかにまさるものがない。「山は富士に—・る」❸〈上に「と」「に」「とは」「とも」などを伴い、下に打ち消しの語を伴う〉…にきまっている。「散歩は朝とは—・らない」文《四》。

かぎろい【▽炎・▽陽▽炎】〔古〕❶〔明け方の〕ちらちら光る日の光。曙光(しょこう)。❷かげろう。

*かき‐わ・ける【×掻き分ける】《他下一》掻くようにしておし開く。「人波を—・けて歩く」類語掻きのける。

*かき‐わ・ける【書き分ける】《他下一》区別して書く。「二行に—・ける」「同音語を—・ける」

かぎ‐わ・ける【×嗅ぎ分ける】《他下一》においのちがいで区別する。「かおりを—・ける」「損得を—・ける」

*かき‐わり【欠(き)割(り)】→みがきにしん。

*かき‐わり【書(き)割(り)】芝居の舞台で、建物・座敷・けしきなどをえがいたもの。大道具の一つ。

*か‐きん【家×禽】食用や愛玩(あいがん)用にするために、家で飼う鳥類。ニワトリなど。対野禽。

*か‐きん【×瑕×瑾】〔文〕〔物についた〕きず。また、非難に値する欠点。「経歴に—はない」参考「瑕」はきず、「瑾」は美玉の意。類語弱点。難点。瑕疵(かし)。

*か‐く【佳句】〔文〕❶よい文句。❷詩・歌・俳句などの中で、すぐれてよいもの。特に、よい俳句。類語名句。秀句。佳什(かじゅう)。

*かく【格】❶法則。規則。きまり。❷くらい。地位。「—が上がる」❸流儀。やり方。「—に合わない」❹〔語学〕名詞・代名詞などが、文の中で他の語(自立語)に対して持つ関係。主格・所有格・目的格など。

*かく【核】❶果実のたねを守るかたいから。さね。❷生物の細胞の中にあって、機能の中心になる球状の物質。遺伝に関係のある物質を含み、細胞分裂に関係する。❸物や物事の中心。中核。「市民運動を—とする組織」❹原子核。「—爆発」❺「核兵器」の略。

*かく【画】漢字を形づくる点や線で、一筆で書ける部分。字画。〔字画を数える語としても使う〕

*かく【角】❶〔文〕つの。また、つのぶえ。❷四角であること(物)。方形。〔接頭語的・接尾語的にも使う〕「—に切る」「—ざとう」❸二本の直線または二つの平面が交わってできる図形。また、その開きの度合い。❹将棋の駒(こま)の一つ。角行(かくぎょう)。

*かく【閣】〔文〕❶高く造った建物。たかどの。❷構えの大きなりっぱな建物。ごてん。

*かく【×斯く】《副》〔文〕このように。このとおりに。こ

う。「―のごとくして…」「―なる上は…」

*か・く《他五》❶〖「掻く」と同語源〗そのことを外へ現す。「汗を―・く」「恥を―・く」❷〖「掛く(=掛ける)」と同語源〗㋐かまえる。「あぐらを―・く」㋑しっかり身につける。「ふんどしを―・く」文《四》。

*か・く【×掻く】《他五》❶〔手の指や、先のとがったもので〕物の表面をこする。「かゆい所を―・く」類語 掻き毟(むし)る。❷鋤(すき)で田畑などを耕す。「田を―・く」❸琴などの弦をはじく。〔多く、他の語の上につけて使う〕「―・き鳴らす」❹刀で切り取る。刃物でけずる。「寝首を―・く」❺物の表面をこするようにして、はらいのけたり、よせ集めたりする。「雪を―・く」❻こするようにしてこねまぜる。「からしを―・く」文《四》。

*か・く【欠く】《他五》❶〔かたい物の〕一部分をこわす。「茶わんを―・く」❷なければいけないものがない。「―・くべからざる(=なくてはならない)条件」「義理を―・く」「決め手を―・く」文《四》。

*か・く【書く】《他五》❶文字・符号・点・線をしるす。「手紙を―・く」「筆で字を―・く」❷文章につくる。著述する。「小説を―・く」❸絵・図をえがく。「油絵を―・く」❹その形に動く。「トンビが輪を―・く」表記 ③④は「描く」「画く」とも書く。文《四》。⇩〖類語と表現〗

類語と表現　「書く」

*きれいな字を書く・住所氏名を書く・詩を書く・日記を書く・脚本を書く・歴史の本を書く・新聞に書かれている記事

◆書する・書き記す・書き出す・書き抜く・書き取る・書き写す・書き込む・書き起こす・書き下す・書き下ろす・書き入れる・書き添える・書き留める・書き付ける・書き捨てる・書きなぐる・書き流す・書き散らす・書き分ける・書き上げる・書き直す・書き換える・書き損なう・書き損じる／記す・著(あらわ)す・認(したた)める・付ける・控える・草する・ぬたくる／筆を執る〔走らせる・染める・揮(ふる)う〕・健筆を振るう／(する)筆記・速記・自記・清書・浄書・朱書・血書・自書・自筆・手書・板書・代書・代筆・著述・記述・記入・記載・表記・標記・前記・左記・注記・付記・特記・追記・列記・摘記・別記・転記・明記・詳記・略記・誤記・抄出・摘録・執筆・起筆・染筆・加筆・補筆・起草・起稿・揮毫(きごう)・走り書き・抜き書き・寄せ書き・メモ・リライト／書き初め・書き取り・聞き書き・仮名書き・散らし書き・上書き・下書き・一筆(いっぴつ・ひとふで)・直筆・肉筆・細筆・乱筆

*か・く【×舁く】《他五》〔かご・輿(こし)などを〕二人以上で肩にかつぐ。文《四》。

*かく【確】《形動タルト》〔文〕たしかなようす。「―たる証拠がない」

*か・ぐ【下愚】〔文〕ひどくおろかなこと(人)。対 上知。

*か・ぐ【家具】室内の日常生活に必要な道具。たんす・机・いすなど。類語 家什(かじゅう)。調度(ちょうど)。

*か・ぐ【×嗅ぐ】《他五》鼻でにおいを感じる。類語 嗅ぎ付ける。嗅ぎ分ける。鼻が利く。文《四》。

*がく【学】❶〔文〕まなぶこと。学問。「―を修める」❷理論づけられた知識体系。〔接尾語にも使う〕「教育―」❸専門的な知識。「―がある」

*がく【楽】〔文〕音楽。「―の音」

*がく【×萼】花のいちばん外側にあって花びらをささえているもの。うてな。

*がく【額】❶分量。特に、金銭上の数値。❷書画・写真を枠に入れて壁などに掲げておくもの。また、その枠。参考「一面(いちめん)…」「一架(いっか)…」と数える。

かく・あげ【格上げ】《名・他サ》資格・等級・地位などをそれまでより高くすること。類語 昇格。対 格下げ。

*かく・い【各位】〔文〕ある集団の中の一人一人をさす尊敬語。みなさまがた。「―のご協力により」「お客様―」注意「各位殿」「各位様」などとはしない。

*かく・い【隔意】〔文〕うちとけない心。隔心。「―のない間柄」類語 遠慮。他意。

がく・い【学位】大学・大学院で一定の学術を修め、それについての論文を提出して審査に合格した人に与えられる称号。学士・修士と博士とがある。「―論文」

かく・いつ【画一・×劃一】何もかも同じような形や性質に統一すること。「―化」「―的」類語 一様。均一。

*かく・いん【各員】〔文〕ある集団の中の一人一人。めいめい。「―一層奮励努力せよ」類語 各自。各人。

*かく・いん【客員】ある団体に正式には所属していないが、特に迎えられて加わった人。客員(きゃくいん)。〔特に大学・学術団体などでいう〕「―教授」対 正員。

*かく・いん【閣員】〔文〕閣僚(かくりょう)。「―の一角を占める」

*がく・いん【学院】「学校」の別称。〔ふつう、「○○―」の形で、(私立学校の)校名として使う〕

*がく・いん【楽員】楽団を構成する演奏者。楽団員。

*か・くう【架空】❶空中に(長く)かけわたすこと。「―ケーブル」❷事実でなく、想像で作り出すこと。「―の人物」類語 虚構。注意「仮空」と書くのは誤り。

か・ぐう【仮×寓】《名・自サ》〔文〕かりに住むこと(家)。かりずまい。寓居(ぐうきょ)。

かく・えき【×赫×奕】《形動タルト》〔文〕美しく光りかがやくようす。赫奕(かくやく)。「夕日(せきじつ)―として燃える」

がく・えん【学園】学校。「―都市」参考 特に、私立学校で、下級から上級まで一貫してつながった組織をもつものをさす。類語 キャンパス。

かく・おび【角帯】二つ折りに仕立てた、かたくて幅のせまい男子用の帯。正装用。

がく・おん【楽音】音楽を構成する素材となる音。規則正しく振動し、耳に快くきこえる。対 噪音(そうおん)。

かく・かい【角界】力士およびその関係者で構成されている社会。相撲の社会。角界(かっかい)。

*かく・がい【格外】《名・形動》規格や標準からはずれていること。「―の品物」類語 例外。等外。法外。

*かく・がい【閣外】内閣の外部。対 閣内。

がく・がい【学外】学校の組織の外部。参考 大学についていうことが多い。類語 校外。対 学内。

*かく・かく【×斯く×斯く】《副》〔文〕こうこう。これこれ。「事の次第は―である」「―しかじか」

*かく・かく【×赫×赫】《形動タルト》⇩かっかく(赫赫)。

*がく・がく《副・自サ》〔副詞は「―と」の形も〕❶ゆるんですぐに動くようす。「机の足が―する」❷からだの一部が強く小刻みに動くようす。「―震える」

*がく・がく【×諤×諤】《形動タルト》〔文〕正しいと信ずる意見を率直に述べるようす。「侃々(かんかん)―」

かく・かぞく【核家族】夫婦(とその子)だけで構成される家族。「―化」

かく・がり【角刈り】男子の頭髪で、全体を四角に見えるように刈り上げたもの。

*かく‐ぎ【格技・×挌技】打ちあったり組み合ったりして争う競技。ボクシング・空手・柔道・相撲など。格闘技。

*かく‐ぎ【閣議】内閣がその職務・職権を行うために、内閣総理大臣が各省大臣を招集して開く会議。

がく‐ぎょう【学業】〔文〕学校で勉強すること。また、学校で修める課業。「―にはげむ」「―成績優秀」

がく‐げい【学芸】学問と芸術。また、教養としての学問。「―欄」 ―いん【―員】博物館の専門職員。資料収集・調査研究などを行う。キュレーター。 ―かい【―会】小学校などで、児童が学習した成果を劇・音楽などの形で発表する会。

がく‐げき【楽劇】(ドィ Musikdrama)ドイツのワーグナーが創始した歌劇。音楽と演劇とを融合させた総合的な舞台芸術をめざしたもの。

*かく‐げつ【各月】それぞれの月。毎月。〔副詞的にも使う〕「会議は―ひらく」

*かく‐げつ【客月】〔文〕今月の前の月。先月。

*かく‐げつ【隔月】ひと月ずつあいだをおくこと。ひと月おき。〔副詞的にも使う〕「―配本」

*かく‐げん【格言】教え・いましめを簡潔に表現したことば。金言。類語 箴言(しんげん)。警句。ことわざ。

*かく‐げん【確言】《名・他サ》自信をもってはっきり言いきること。また、そのことば。「―を得る」類語 明言。

かく‐ご【覚悟】《名・他サ》❶〔仏〕迷いを去り道理をさとること。❷あぶないこと、よくないことを予期して、心を構えること。「死を―する」「―はできたか」類語 決心。決意。観念。 ―の‐まえ【―の前】(―まへ)《連語》前もって覚悟していること。覚悟の上。

類義語の使い分け　覚悟・観念

[覚悟・観念] 命運もはやこれまでと覚悟(観念)する
[覚悟] もちろん非難は覚悟の上だ／覚悟を決める
[観念] 万事休すと、観念の臍(ほぞ)を固める

*かく‐さ【格差】資格・等級・価格・品質などの格づけの差。「賃金―」「―是正」

*かく‐さ【較差】《「こうさ」の慣用読み》二つのものを比較したときの差。「気温の―」類語 開き。違い。

かく‐ざ【×擱×坐・×擱座】《名・自サ》〔文〕❶船が浅瀬や暗礁にのりあげること。座礁(ざしょう)。❷戦車・車両などが破壊されて動けなくなること。

かく‐さい【客歳】〔文〕去年。昨年。客年。

かく‐ざい【角材】切り口の四角な木材。

*がく‐さい【学債】私立の大学などが発行する債券。

*がく‐さい【学才】学問に関する才能。「鋭利な―」

がく‐さい【楽才】音楽に関する才能。「豊かな―」

がくさい‐てき【学際的】《形動》(interdisciplinary)研究などが二つ以上の異なった学問分野にわたっているようす。「―な研究」

かく‐さく【画策】《名・他サ》物事をたくらみ、ひそかにあれこれとやってみること。「陰で―する」

かく‐さげ【格下げ】《名・他サ》資格・等級・地位などをそれまでより低くすること。類語 降格。対 格上げ。

かく‐ざとう【角砂糖】立方形などの形に小さくかためた白砂糖。

*かく‐さん【拡散】《名・自サ》❶多方面にひろがること。「核兵器の―を防止する」❷〔理〕一つの液体(気体)に他の液体(気体)を入れたとき、全体が一様の密度になろうとして、しだいにまじりあってゆくこと。

*かく‐さん【核酸】生物体にとって重要な高分子化合物。たんぱく質の合成と遺伝に関係する。

*かく‐し【客死】《名・自サ》〔文〕旅先または他国で死ぬこと。客死(きゃくし)。「パリで―した」

*かくし【隠し】衣服につけた小さな袋。ポケット。〔やや古風な言い方〕

かく‐じ【各自】一人一人。おのおの。めいめい。「弁当は―持参する」類語 各人。各員。各個。

*がく‐し【学士】大学の教育課程を修了した者に与えられる学位。バチェラー。参考 ↓修士(しゅうし)。博士(はくし)。 ―いん【―院】❶「日本学士院(またはその前身の帝国学士院)」の略称。❷「アカデミー」の訳語。

*がく‐し【学資】学業を続けるために必要な費用。〔通学費・生活費をも含む〕

*がく‐し【楽士】〔芝居・見せ物などで〕音楽の演奏を職業にする人。類語 楽手。楽人。楽団員。

*がく‐し【楽師】❶音楽を演奏する人。楽人。❷宮内庁楽部の職員。奏楽に従事する。

がく‐じ【学事】〔文〕学問・学校に関する事柄・事務。「―課」「―報告」類語 学務。

かくし‐あじ【隠し味】(―ぢ)特定の調味料をそれとわからないように加えて、全体の味を引き立たせること。また、それに用いる調味料。「酢を―に用いる」

かく‐しき【格式】身分・階級などについて定まった礼儀作法。また、それらによって表される身分・階級。「―を重んじる」 ―ば・る【―張る】《自五》格式を重んじて堅苦しくふるまう。「―・ったあいさつ」

がく‐しき【学識】学問と識見。また、学問をして身につけた識見。「―豊か」「―経験者」類語 学殖。

かくし‐くぎ【隠し×釘】外から見えないように打ったくぎ。しのび釘。

かくし‐げい【隠し芸】ふだんは人に隠しておき、宴席などでやって見せる芸。「―を披露する」類語 余技。

かくし‐だて【隠し立て】《名・他サ》物事をことさら隠して人に知らせないこと。「親に―をする」

かくし‐だま【隠し玉】かくしておいたとっておきの・もの(人・方法)。

*かく‐しつ【確執】《名・自サ》互いに自分の主張を変えず、ゆずらないこと。また、そのためにおこる争い。確執(かくしゅう)。「両家間に―が生じる」類語 葛藤(かっとう)。

*かく‐しつ【角質】毛・つめ・つの・ひづめ・羽などをつくる硬たんぱく質。ケラチン。「―層」「―化」

*かく‐しつ【革質】〔植物の表皮などに見られる〕皮のようなかたい性質。

*かく‐じつ【隔日】一日ずつあいだをおくこと。一日おき。〔副詞的にも使う〕「―勤務」

*かく‐じつ【確実】《形動》たしかで、まちがいないようす。「明日―にお届けします」「―な情報」

かく‐じっけん【核実験】核分裂・核融合に関する実験。ふつう、原子爆弾・水素爆弾などの実験をいう。

かく‐して【×斯くして】《副・接続》〔文〕このようにして。こうして。かくて。「―事件は落着した」

かくし‐どころ【隠し所】❶物をかくす場所。❷性器とその周辺。陰部。〔やや古風な言い方〕

かくし‐どり【隠し撮り】《名・他サ》相手に知られないように撮影すること。

かく‐しゃ【客舎】〔文〕旅先での宿泊所。客舎(きゃくしゃ)。

がく‐しゃ【学者】❶学問研究で身をたてている人。

[類語]学究。学徒。碩学(せきがく)。[尊敬]大人(うし)。❷学問を身につけた人。「若いに似ず、なかなかの—だ」

かく・しゃく【×矍×鑠】《形動タルト》年老いても健康で元気のいいようす。「—たる老人」[類語]壮健。達者。

***かく・しゅ【各種】**それぞれの種類。「—取りそろえる」[類語]いろいろ。各様。種々。諸種。 **—がっこう【—学校】**学校教育法で定める学校の範囲外で、各種の教育を行う施設。料理・洋裁・美容・語学に関するものや受験予備校など。

***かく・しゅ【確守】**《名・他サ》〔文〕しっかりとまちがいなく守ること。「命令を—する」

***かく・しゅ【×馘首】**《名・他サ》〔文〕〔「人の首を切る」意から〕雇い主の一方的な意思で使用人をやめさせること。解雇(かいこ)。免職。首切り。

***かく・しゅ【×鶴首】**《名・他サ》〔文〕〔「鶴(つる)のように首を長くして待つ」意から〕ある物事の至るのを待ちわびること。「吉報を—して待つ」

***かく・しゅう【確執】**《名・自サ》→かくしつ(確執)。

***かく・しゅう【隔週】**一週間ずつあいだをおくこと。一週間おき。〔副詞的にも使う〕

かく・じゅう【拡充】《名・他サ》組織・設備などの規模をひろげ、内容を充実させること。「教育施設を—する」「組織の—を図る」[類語]拡張。拡大。

***がく・しゅう【学修】**《名・他サ》〔文〕学問を学び身につけること。修学。[類語]修業。

***がく・しゅう【学習】**《名・他サ》❶学び習うこと。特に、学校で児童・生徒が一定の計画にしたがって基礎的な知識・技術を勉強すること。[類語]勉強。勉学。❷〔心理〕過去の経験にもとづいて、新しい適応の仕方を習得すること。 **—じゅく【—塾】**子供に学校の授業の補習や受験勉強の指導をする、私立の施設。

がく・じゅつ【学術】専門的な学問。また、学問と芸術・技術。「—用語」「—書」[類語]学芸。

かく・しょ【各所・各処】あちらこちら。ここかしこ。「—で火の手があがった」[類語]随所。いたる所。

かく・しょう【確証】たしかな証拠。「—を得る」[類語]明証。実証。

***がく・しょう【学匠】**〔文〕❶すぐれた学者。大学者。❷〔仏〕仏道をおさめて師匠の資格のある人。

***がく・しょう【楽匠】**〔文〕すぐれた音楽家。大音楽家。[類語]楽聖。

***がく・しょう【楽章】**交響曲・協奏曲・奏鳴曲などの楽曲を構成している、独立した個々の一区切りの曲。

がく・しょく【学殖】〔文〕身につけた学問上の素養・知識。「深い—に裏打ちされた寸評」[類語]学識。

かく・じょし【格助詞】国語の助詞の一つ。体言または体言に準ずるものの下につき、その文節とそれを受ける語との格関係を示すもの。文語には「が」「の」「に」「を」「へ」「と」「から」「より」「にて」「まで」などがあり、口語にはこれらのほかに「で」がある。

***かく・しん【核心】**物事の中心となる、たいせつな部分。「—をつく」[類語]中枢(ちゅうすう)。心髄。中核。中軸。

***かく・しん【確信】**《名・他サ》確かであると信じて疑わない・こと(心)。「無罪を—する」「—がゆらぐ」 **—はん【—犯】**思想的・道徳的・宗教的・政治的な確信に基づいて行われる犯罪。政治犯・思想犯など。

***かく・しん【隔心】**〔文〕相手に対してうちとけず、へだてのある心。へだて心。隔意。「—をいだく」

***かく・しん【革新】**《名・他サ》古い制度・組織・方法などを改めて、新しいものにすること。「技術の—」「—政党」[類語]改新。改革。維新。刷新。[対]保守。

かく・じん【各人】それぞれ。一人一人。〔副詞的にも使う〕「—各様」「—各説」[類語]各自。各員。

***がく・じん【岳人】**登山を愛し経験をつんでいる人。

***がく・じん【楽人】**〔文〕音楽を演奏する人。特に、雅楽を奏する人。伶人(れいじん)。楽人(がくにん)。[類語]楽士。楽手。

かく・す【隠す】《他五》❶人の目に触れないようにする。見えないようにする。「頭—・して尻(しり)—・さず」[類語]晦(くら)ます。忍ばせる。潜(ひそ)める。匿(かくま)う。人目を忍ぶ。(する)隠匿(いんとく)。隠蔽(いんぺい)。蔵匿(ぞうとく)。遮蔽(しゃへい)。韜晦(とうかい)。❷〔感情や物事を〕人に知られないようにする。「事実を—・す」[類語]包み隠す。繕(つくろ)う。取り繕う。忍ぶ。しらばくれる。惚(とぼ)ける。空惚(そらとぼ)ける。ごまかす。はぐらかす。紛(まぎ)らす。揉(も)み消す。伏せる。白(しら)をきる。何食わぬ顔。口を拭(ぬぐ)う。(する)秘匿(ひとく)。[文]《四》。

かく・すい【角×錐】一つの多角形(底面)と、その各辺を底辺として多角形の平面外にある一点を共通の頂点とした三角形(側面)とで、かこまれた立体。

かく・すう【画数】漢字を形づくっている点や線の数。

かく・・する【画する・×劃する】《他サ変》〔文〕❶〔「線を引く」意から〕はっきりと区別する。「一線を—・する」❷計画や計略をたてる。「脱走を—・する」

***かく・せい【郭清・×廓清】**《名・他サ》〔文〕ながい間につもりつもった不正・不法などを、すっかりとり除くこと。「—運動」[類語]粛正(しゅくせい)。粛清。浄化。

***かく・せい【覚×醒】**《名・自サ》〔文〕❶ねむりからさめること。「昏睡(こんすい)状態から—する」❷迷いからさめて自分の非に気づくこと。「非行の道から—する」 **—ざい【—剤】**神経を興奮させて、ねむけや疲労感をおさえる薬。カフェイン・ヒロポンなど。

***かく・せい【隔世】**時代や世代がへだたっていること。「—の感」 **—いでん【—遺伝】**祖父または祖母に似る遺伝現象。ふつう劣性形質があらわれる。

***がく・せい【学制】**学校または教育に関する制度。

***がく・せい【学生】**学校で学業をおさめている者。特に、大学で勉強している者。[参考]ふつう、中・高校生は「生徒」、小学生は「児童」という。[類語]学徒。

***がく・せい【楽聖】**非常にすぐれた音楽家。[参考]特に、ベートーベンの称ともする。[類語]楽匠(がくしょう)。

かくせい・き【拡声器】音声を大きくして遠くまで聞こえるようにした機器。特に、ラウドスピーカー。

***がく・せき【学籍】**その学校の学生・生徒として登録されている籍。「—をはなれる」「—簿」

***がく・せき【学績】**〔文〕❶学問上の業績。❷〔学校における〕学業の成績。

かく・せつ【確説】〔文〕たしかな説。

かく・ぜつ【隔絶】《名・自サ》遠くかけはなれ、他とのつながりが全く絶たれること。「文明から—した世界」[類語]懸隔。懸絶。隔離。疎隔(そかく)。

***がく・せつ【学説】**学問上の説。「新しい—をたてる」

***がく・せつ【楽節】**楽曲構成の基礎になっている小節のまとまり。[参考]小楽節(四小節)と大楽節(八小節)とがあるが、ふつう大楽節をさす。[類語]楽句。

***かく・ぜん【画然・×劃然】**《形動タルト》〔文〕区別がはっきりついているようす。「—たる相違」[類語]截然(せつぜん)。

***かく・ぜん【確然】**《形動タルト》〔文〕たしかで動かすことのできないようす。「—たる事実」[類語]確固。

がく・ぜん【×愕然】《形動タルト》ひどくおどろくようす。「—として立ち尽くす」類語駭然(がいぜん)。唖然(あぜん)。

かく・せんそう【核戦争】核兵器を用いる戦争。

かく・そう【各層】❶いくつかある階層のそれぞれ。「国民—の意見を聞く」❷それぞれの地層・断層。

***がく・そう【学僧】**❶学問を身につけて、深い知識をもつ僧。❷学問を修行中の僧。

***がく・そう【学窓】**〔文〕〔「学校の窓」の意から〕学校。学舎。「—を巣だつ」類語学び舎(や)。学びの庭。

***がく・そう【楽想】**楽曲の構想。また、楽曲の中に表現される作曲者の感情や概念など。「—が浮かぶ」

がく・そく【学則】学校の組織編成・教育課程・管理運営などについて定めた規則。類語校則。

がく・そつ【学卒】「大学卒業(者)」の略。

かく・そで【角×袖】❶〔男物の和服で〕四角なそで。❷角袖①のついた、男子の和服用の外套(がいとう)。

かく・たい【客体】→きゃくたい(客体)。

***かく・だい【拡大】**《名・自他サ》広がって大きくなること。また、広げて大きくすること。郭大(かくだい)。「規模を—する」「—鏡」「—解釈」類語拡張。対縮小。

***かく・だい【郭大・×廓大】**〔文〕❶《名・形動》広く大きいこと。❷《名・自他サ》拡大(かくだい)。

がく・たい【楽隊】いろいろな楽器を合奏する人々の一団。類語楽団。

かくたる【確たる】《形動タルト》《形容動詞「確たり」の連体形》→かく(確)。

かく・たん【×喀×痰】《名・自サ》〔文〕たんを吐くこと。また、吐いたたん。「—検査」

かく・だん【格段】《名・副》ある物事の程度の差が非常に大きいようす。「—の進歩」類語格別。

***がく・だん【楽団】**音楽の演奏をするための団体。「交響—」「—員」類語楽隊。

***がく・だん【楽壇】**音楽家の社会。類語音楽界。

かく・だんとう【核弾頭】ミサイル(=誘導弾)などに爆弾として装備した、核分裂物質・熱核物質など。

***かく・ち【各地】**それぞれの土地・地方。「日本の—」

***かく・ち【客地】**〔文〕旅先の土地。客土(かくど)。

***かく・ちく【角逐】**《名・自サ》〔文〕たがいに競争すること。「権勢をめぐる—」類語競合。せりあい。

かく・ちゅう【角柱】❶四角な柱。❷〔数〕一直線に平行な三個以上の相交わる平面と、これに直角に交わる二つの平行平面とでできた多面体。角壔(かくとう)。

***かく・ちょう【拡張】**《名・他サ》範囲・規模・勢力などを広げて大きくすること。「道路を—する」類語拡大。

***かく・ちょう【格調】**主として芸術作品がもっている品格の高さや調子の折り目正しさ。「—の高い詩歌」

***がく・ちょう【学長】**大学の長。参考→総長。

***がく・ちょう【楽長】**❶楽隊または楽団の長。❷楽師の長。

かく・つう【角通】相撲(界)に詳しい人。相撲通。

かく・づけ【格付け】《名・他サ》❶商品取引所で、標準品とくらべて、品質のよしあしに従い価格をきめること。❷資格・価値・能力などに応じて分類し、その等級や段階をきめること。「最上位に—される」

かく・て【×斯くて】《接続》〔文〕このようにして。こうして。かくして。「—二人はめでたく結ばれた」

***かく・てい【画定・×劃定】**《名・他サ》区切りをつけて範囲をはっきりときめること。「国境を—する」

***かく・てい【確定】**《名・自他サ》はっきりときまること。また、きめること。「日程が—する」類語決定。**—しんこく【—申告】**納税義務者が確定した過去一年間の所得額および税額を税務署に申告すること。

がく・てき【学的】《形動》学問に関するようす。学問的。「—根拠を示す」

カクテル❶数種の洋酒に炭酸水・果汁・砂糖などを加えてかきまぜた飲み物。❷異なったいろいろなものをまぜあわせたもの。「光と音の—」▽cocktail **—こうせん【—光線】**昼光色や白色を混ぜて、自然の光に近くした光線。スポーツ競技場などの夜間照明に使われる。**—パーティー**カクテルと軽食を中心にした立食形式のパーティー。▽cocktail party

がく・てん【楽典】西洋音楽を楽譜に書きしるす上での規則。また、それを書いた本。

***かく・ど【客土】**❶〔文〕旅先の土地。客地(かくち)。❷→きゃくど(客土)。

***かく・ど【確度】**〔文〕確実さの度合い。「—が高い」

***かく・ど【角度】**❶角の大きさ。角の度数。❷物・物事を見る方向。「—を変えて見る」

***かく・ど【×赫怒・×嚇怒】**《名・自サ》〔文〕はげしく怒ること。激怒。

***がく・と【学徒】**〔文〕❶学問の研究をしている人。研究者。学究。❷勉学中の学生・生徒。「—出陣」

***がく・と【学都】**〔文〕大学その他の学校が多くある町。学園都市。

***かく・とう【格闘・×挌闘】**《名・自サ》❶たがいに組み合ってたたかうこと。「—技」類語組み討ち。❷ある物事をなしとげるため非常に苦労すること。「難問と—する」表記「格闘」は代用字。

***かく・とう【確答】**《名・他サ》明確な返事をすること。また、その返事。「—をさける」類語明答。

***かく・とう【角灯】**ガラス張りの四角形の箱にランプを入れた、手さげ用の照明具。ランタン。

がく・どう【学童】小学校で学ぶ児童。小学生。「—疎開」「—服」「—保育」

かく・とく【獲得】《名・他サ》〔苦心して〕手に入れ、自分のものとすること。「権利を—する」類語取得。

がく・とく【学徳】〔文〕学問と徳行。「—兼備」

かくと・した【確とした】《連語》たしかな。まちがいのない。確たる。「—証拠がある」参考→確(かく)。

かく・ない【閣内】内閣の内部。大臣どうしの間。「—にとどまる」「—不一致」対閣外。

がく・ない【学内】学校の構内。また、学校の組織の内部。「—人事」類語校内。対学外。

かく・に【角煮】❶豚肉を角切りにして甘く味付けし、とろ火でよく煮込んだ中国風の料理。❷マグロ・カツオなどの魚肉を角切りにしてしょうゆで煮こんだもの。

かく・にん【確認】《名・他サ》はっきりそうだと認めること。「信号を—して渡る」「未—情報」類語認定。

***かく・ねん【客年】**〔文〕去年。客年(きゃくねん)。類語旧年。

***かく・ねん【隔年】**一年ずつ間をおくこと。一年おき。

がく・ねん【学年】❶学校で定める一年間の修学期間。「—末」❷修学期間によって区分した、学生・生徒・児童の所属する段階。「第一—」

かく・のう【格納】《名・他サ》倉庫などにしまい入れること。「—庫(=航空機を入れておく建物)」

かく・の・ごとし【×斯くの▽如し】《連語》〔文〕このようである。前述のようである。「結果は—」参考漢文訓読による語法。[表記]「如斯」「如之」などと当てた。

がく・は【学派】 学問上の流派。「ケインズー」

かく・ばい【拡売】《名・他サ》〔「拡張販売」の略〕販路を拡張すること。「薬のー競争」

がく・ばつ【学閥】 同じ学校の出身者や、同じ学派に属する人によってつくられる派閥。「ー偏重」

かく・ば・る【角張る】《自五》❶かどが出て、まるみがなくなる。「ーった顔」❷〔態度・やり方などが〕かたくなる。しかつめらしくなる。[同]①②四角張る。

*__かく・はん【各般】__〔文〕さまざま。いろいろ。諸般。「ーの事情を考慮する」

*__かく・はん【×攪×拌】__《名・他サ》〔「こうはん」の慣用読み〕〔文〕かきまぜること。「溶液をーする」

かく・はんのう【核反応】 原子核に陽子・中性子などの粒子が衝突しておこる、核変換・核分裂・核融合などの現象。多大なエネルギー変化がおきる。原子核反応。

がく・ひ【学費】〔授業料など〕学校で勉強するのに必要な費用。「ーを納入する」

かく・びき【画引(き)】 辞典・字典などで、漢字をその画数によって引くこと。「ー索引」

かく・ひつ【×擱筆】《名・自サ》〔文〕〔「筆をおく」意から〕文を書き終わること。[対]起筆。

*__がく・ふ【学府】__〔文〕〔学問研究の中心となる〕学校。「最高ー」

*__がく・ふ【楽譜】__ 楽曲を、一定の記号を用いて五線譜などに書きあらわしたもの。音譜。譜。

*__がく・ふ【岳父】__〔文〕妻の父(の敬称)。しゅうと。

がく・ぶ【学部】 ❶大学で、専攻する学問によって大きく分けた部。「文ー」❷教養部・大学院に対比される大学の本科。❸予科を置いた旧制大学の本科。

がく・ふう【学風】 ❶学問研究上の傾向。「反官学的なー」❷その学校のもつ気風。校風。

かく・ふく【拡幅】《名・他サ》〔道路や通路などの〕幅を広げること。「ー工事」

かく・ぶそう【核武装】 原子爆弾・水素爆弾などの核兵器を装備し、配置すること。

がく・ぶち【額縁】 ❶額のまわりにとりつけ、飾りにする枠(わく)。❷窓・出入り口などのまわりにつける飾りの木。

かくぶつ・ちち【格物致知】 ❶〔朱子学で〕物の本質・道理をきわめて、自分の後天的な知力をみがくこと。❷〔陽明学で〕自分の考えなどの誤りを正して、先天的な知力をみがくこと。[参考]「大学」の「致㆑知在㆑格㆑物(=知を致すは物に格(いた)るに在り)」から出た語。

かく・ぶん【確聞】《名・他サ》〔文〕〔話などを〕確かな情報として聞くこと。

かく・ぶんれつ【核分裂】 ❶細胞質が分裂するまえに、細胞核が二つにわかれること。❷ウランやプルトニウムなどの重い原子核が分裂し、莫大(ばくだい)なエネルギーを出すこと。原子核分裂。[参考]原子爆弾や原子力発電に応用。[対]核融合。

かく・へいき【核兵器】 核分裂や核融合による大きなエネルギーを利用した兵器。原子爆弾・水素爆弾など。

かくべえ・じし【角▽兵▽衛×獅子】 ❶名工の角兵衛(かくべえ)が作ったという、獅子(しし)の面。❷越後獅子(えちごじし)。

かく・へき【隔壁】〔文〕物をへだてる壁。しきりとなる壁。「防火ー」

かく・べつ【格別】 [一]《形動》他と区別されて、同列に扱えないようす。「今日の暑さはーだ」「ーの御厚情を賜る」[類語]格段。[二]《副》とりわけ。特別に。とりたてて。「ー優れたところもない」[三]《名》《(仮定の条件などを受けて)…(の場合)は別として。ともかくとして。「今日の場合はー、二度と悪さはしないように」

かく・ほ【確保】《名・他サ》手に入れて、しっかりともちこたえること。「優秀な人材をーする」「首位をーする」[類語]堅持。保持。護持。

かく・ほう【確報】 たしかな知らせ。「ーを得る」

かく・ぼう【角帽】 ❶大学生がかぶるぼうしで、上部がひし形になったもの。❷〔古風な言い方で〕大学生。

がく・ほう【学報】 ❶〔その大学の〕学術研究上の報告。また、これをのせる雑誌。❷学校で発行し、学内のできごとを知らせる新聞・雑誌。〔多く大学でいう〕

がく・ぼう【学帽】 学生・生徒がかぶる学校の制帽。

かく・ぼん【角盆】 四角形の盆。[対]丸盆。

かくま・う【▽匿う】(かくまふ)《他五》〔追われている人などを〕こっそり隠しておく。「逃亡者をーう」[文]《四》。

かく・まき【角巻(き)】 毛布でつくった、角形の肩かけ。雪国の女性が防寒用に用いる。

かく・まく【角膜】 眼球の最前部にある、うすい透明な膜。「ー移植手術」

がく・む【学務】〔役所の仕事で〕学校や教育制度に関する事務。「ー課」

かく・めい【革命】 ❶《(「天命が革(あらた)まる」の意)》古代中国で、王朝が倒れ、新しい王朝がおこって統治すること。❷(revolution)㋐被支配階級が支配階級を倒して政権をとり、政治の形態や国家・社会の組織が根本的に変わること。[類語]クーデター。㋑〔方法・考え方などに質的な影響を与える〕急激で大きな変化。「産業ー」「ー的な技術」[類語]革新。改革。

がく・めい【学名】 ❶学問研究上の功績による名誉・名声。❷学術研究上の便宜のためにつけられた、世界共通の動植物の名称。ラテン語を用いる。

がく・めん【額面】 ❶書画を入れた額。また、その表面。❷「額面価格」の略。株券などに記された価格。**ーどおり【ー通り】**(どほり) ❶株券などに記された金額のとおり。❷推測・想像を加えず、見たり聞いたりしたそのまま。「彼の言うことはーにはうけとれない」

かく・も【×斯くも】《副》〔文〕このようにまで。これほど。「ー盛大な歓迎会を開いていただき…」

がく・もん【学問】 ❶《名・自サ》知らないことを学び、疑わしいことを問うこと。また、それによって得た知識。「ーに励む」「ーのある人」❷体系的にととのえられた知識や理論的に構成された研究方法などの総称。**ーてき【ー的】**《形動》学問としての内容・形式・方法をそなえているようす。学的。「ーに考える」

がく・や【楽屋】 ❶昔、舞楽で、楽(がく)を奏する所。❷劇場で、出演者が支度や休息をする〔舞台の裏側にある〕部屋。楽屋裏。「ー入り」❸おおっぴらにできない場所・事柄。楽屋裏。**ーうら【ー裏】** ❶楽屋②。❷楽屋③。「業界のー」**ーおち【ー落ち】** ❶寄席(よせ)や芝居などで、楽屋の仲間だけに通じて、観客などにはわからないこと。❷仲間どうしにだけ通じて、外部の人にはわからないこと。**ーすずめ【ー×雀】** ❶絶えず楽屋に出入りして、演劇界の事情にくわしい素人。芝居通。❷その社会の内情をよく知っていて、軽々しく話してまわる人。**ーばなし【ー話】**〔芝居の関係者が楽屋でする話の意から〕仲間どうしの話。内輪話。

*__かく・やく【確約】__《名・他サ》はっきりと約束すること。

また、その約束。「社長の―を得る」

＊**かく‐やく【×赫×奕】**《形動タルト》↓かくえき(赫奕)。

かく‐やす【格安】《形動》他の同種のものより価格が特別に安いこと。「―の品」[類語]割安。

がく‐ゆう【学友】❶学問をするうえでつきあっている友人。学侶。[尊敬]学兄。❷同じ学校で勉強している友人。校友。「宮様の御―」[類語]同窓。

かく‐ゆうごう【核融合】二個以上の軽い原子核が、大きなエネルギーを放出して一個の重い原子核になること。熱核反応。原子核融合。[参考]水素爆弾はこの反応を応用する。[対]核分裂。

かく‐よう【各様】おのおのがそれぞれに他と異なったようすであること。「各人―」「各種―」[類語]様々。

がくよう‐ひん【学用品】〔かばん・鉛筆・ノートなど〕児童が学校で勉強するのに必要な品物。[類語]文房具。

かぐら【〈神楽〉】《「神座」の転》❶朝廷で神を祭るときに奏する、日本古来の舞楽。かみあそび。みかぐら。❷↓さとかぐら。

＊**かく‐らん【×攪乱】**《名・他サ》《「こうらん」の慣用読み》かきまわして混乱を起こすこと。「敵方を―する」[類語]惑乱。紊乱。

＊**かく‐らん【×霍乱】**暑気あたりや、吐きくだしする急性の病気。〔古い言い方〕「鬼の―」

がく‐らん【学らん】〔俗〕詰め襟の学生服。特に、上着丈が長いもの。[表記]「学ラン」「ガクラン」とも書く。

かく‐り【隔離】《名・他サ》❶あるものからへだてはなすこと。[類語]隔絶。❷感染症患者を一般の人からはなして、一定の場所におくこと。「―病棟」

がく‐り【学理】学問を成立させている理論・原理。

＊**かく‐りつ【格率】**(maxim)〔哲〕実践上・理論上の原則を簡潔に言いあらわしたもの。

＊**かく‐りつ【確率】**(probability)あることが起こる可能性の度合い。「成功の―は高い」

＊**かく‐りつ【確立】**《名・他自サ》しっかりと打ち立てること。また、しっかりと打ち立てられること。「対策が―される」「自我の―」

かく‐りょう【閣僚】内閣を構成している各国務大臣。閣員。[参考]ふつう、総理大臣はのぞいて言う。

がく‐りょう【学寮】❶寺院で、僧が学問や修行をするところ。❷学校の寄宿舎。

かく‐りょく【核力】原子核の中で、陽子と中性子を結合させている力。

がく‐りょく【学力】❶学習によって身についた、生徒・学生の知的能力。「―向上」❷学問上の実力。「底知れぬ―」[類語]学識。学殖。

かくれ【隠れ】❶隠れること。❷〈お―〉「死ぬこと」の尊敬語。[参考]↓おかくれ。

―も無・い《句》よく知られている。「―・い事実」

がく‐れい【学齢】❶義務教育を受ける年齢。満六歳から満一五歳まで。「―期」❷小学校に入学する義務が生じる年齢。満六歳。「―に達する」

かくれ‐が【隠れ家・隠れ▽処】人目をさけ、かくれ住んでいる家・所。

がく‐れき【学歴】その人がどんな学校に在学し、何を勉強したかという経歴。「―社会」[類語]職歴。

かくれ‐ざと【隠れ里】❶世のわずらわしさをのがれ、世間から離れてすむ所。❷公認されていない遊里。

かくれ‐みの【隠れ×蓑】❶それを着るとからだが見えなくなるという、想像上のみの。❷ほんとうの姿や目的などを隠すための手段。「宗教家を―にする」

かく‐れる【隠れる】《自下一》❶外から見えなくなる。「月が雲に―・れる」「ものかげに―・れる」[類語]紛れる。紛う。(―する)雲隠れ。❷人目につかないように身を置く。ひそむ。「山中に―・れて生活する」[類語]籠もる。忍ぶ。地下に潜る。神隠しにあう。(―する)潜伏。潜在。伏在。❸官職につかず民間にいる。「―・れた人材」❹身分の高い人が死ぬ。〔うやまっていう言い方〕[参考]↓おかくれ。[文]かく・る《下二》。

かくれん‐ぼう【隠れん坊】鬼になった一人が隠れている者たちをさがし出す、子供の遊び。かくれあそび。かくれおに。かくれんぼ。

か‐ぐろ・い【か黒い】《形》《「か」は調子をととのえる接頭語》黒々としている。黒い。

かく‐ろう【客×臘】〔文〕去年の一二月。旧臘。

かく‐ろん【各論】一つ一つの項目について述べた論説・議論。各説。[対]総論。通論。汎論。

かぐわし・い【×馨しい・▽芳しい・▽香しい】《形》〔文〕品のある、よいにおいである。また、うっとりするほど美しい。「―・いバラ」「―・い青春」

がく‐わり【学割】「学生割引」の略。学生に対して行われる、鉄道運賃・入場料などの割引。

か‐くん【家訓】〔文〕その家に代々伝わる戒め・教え。家訓。[類語]家憲。家法。庭訓。

がくん《副》《「―と」の形も》急に強い動揺・衝撃などを受けるようす。「―と汽車がとまる」「ひざが―とする」

＊**かけ【掛け】**■一《名》❶「掛け売り」「掛け買い」の略。❷「売掛金」の略。❸「掛けそば」「掛けうどん(＝すうどん)」の略。[対]もり。❹「掛け目②」の略。❺帯のしめ始める方の一端。■二《接尾》❶《動詞の連用形につけて》その動作が途中であることの意。「読み―」[表記]①は、かなで書くことも多い。❷《名詞の下につけて》かけておく道具の意。「洋服―」「手拭い―」

＊**かけ【×賭(け)】**❶賭けること。かけごと。「―に勝つ」[類語]ばくち。賭博。❷一つのことをえらんで、その結果を運命にまかせること。「探検は多く―である」

＊**かげ【影】**❶日・月・灯火などの光。「朝日の―が谷にさしこむ」❷水や鏡の面などにうつって見える、人・物のすがた。「湖に富士の―がうつる」❸物体が光線をさえぎったときにできる、その物体の形をした暗い部分。陰影。「人の―が障子にうつる」❹そこにあると感じとった、人・物のすがた。けはい。また、心の中に思いうかべた、人・物のすがた。おもかげ。「妹の姿にその姉の―を感じる」❺あることの前兆や暗示されたもの。「老いの―」「死の―におびえる」❻あまり思わしくない、暗い面。「天才詩人の―の部分」⇩〔使い分け〕

―が薄・い《句》❶命が短いような感じがする。❷印象が弱い。「兄がりっぱすぎて、弟の―・い」

―が差・す《句》あるもののあらわれる気配が感じられる。「噂をすれば―・す」「戦争の―・す」

―の形に添う如く《句》あるものに他のものが、いつも連れ添ってはなれないようす。形影相伴う。

―も形も無・い《句》全く形跡をとどめない。

―を潜・める《句》表立ったところから姿を隠す。

＊**かげ【陰・×蔭】**❶物にさえぎられて、光線のあたらない場所。「建物の―で日当たりが悪い」❷物にさえぎられて、直接目にふれない場所。「ドアの―」「―で糸を引く(＝裏で策動して自分の思いどおりに人を動かす)」❸

物事の表面に現れないところ。背後。「犯罪の―に女あり」「―の苦労」❹他の者を庇護するもの。また、その恩恵。参考↓おかげ。⇩〔使い分け〕
―になり日向になり《句》ある人のために、表に立ったり裏にまわったりして力を尽くすことの形容。「―してかばう」

使い分け「かげ」

影〔光線をさえぎってできる物の形。すがた〕影法師・影が差す・影が薄い・見る影もない・影も形もない・影の内閣・不況の影・しのび寄る死の影・影武者・湖面に島影が映える・月影さやか

陰（×蔭・×翳）〔日のあたらない所。物の裏側〕日陰・木陰・草葉の陰・陰ひなたがある・陰干し・山の陰・船が島陰に隠れる・陰の実力者・陰の声・陰ながら・彼のお陰（蔭）で・陰（翳）のある人

参考「蔭」は草木のかげの意で、山の日の当たらぬ意の「陰」と全く同様に使われる。特に、「お蔭で…」は「陰」よりも好まれる傾向にある。

***か・げ**【×鹿毛】馬の毛色の一つ。鹿の毛のように茶褐色で、たてがみ・尾・足の下部の黒いもの。

***がけ**【掛（け）】《接尾》❶《身につけるものの名につけて》「…をつけたまま」の意。「たすき―」「浴衣―」❷《人数を表す語につけて》その人数まで座れる意。「五人―のベンチ」❸《助数》ある価格に対する他の価格の割合を表す。割。「定価の七―」❹《動詞の連用形につけて》ある動作の途中で、ある事が行われる意を表す。「寝―」「起き―」「行き―の駄賃」

***がけ**【×崖・×厓】山や岸などの、きりたったようにけわしくなっているところ。きりぎし。類語 岨。断崖。絶壁。懸崖。峭壁。

かけ・あい【掛（け）合い】❶互いにかけあうこと。❷ある事柄について、要求をだし交渉すること。「―に応じる」類語 談判。折衝。❸〔演芸などで〕二人以上の人が交互に・歌う（語る）こと。「―漫才」

かけ・あ・う【掛け合う】《他五》❶互いにあびせる。❷《自五》要求を出して相手と交渉する。「賃上げで会社側と―・う」類語（する）談判。折衝。

かけ・あし【駆け足・×駈け足】《名・自サ》❶速く走ること。参考 物事を急いでするの意でも使う。「―で説明を終える」類語 早足。小走り。❷物事があわただしくさし迫ったり遠ざかったりすること。「師走が―でやってくる」❸〔馬術で〕ギャロップ。対 並足。

かけ・あわ・せる【掛け合わせる】《他下一》❶掛け算をする。「二と三を―・せる」❷動植物を交配させる。「種馬を―・せる」＝かけあわす。

***か・けい**【佳景】〔文〕よいけしき。好景。絶景。

***か・けい**【家兄】〔文〕自分の兄。〔他人に対してへりくだっていうことば〕類語 舎兄。愚兄。

***か・けい**【家系】先祖から続いてきて現在に及ぶ、その家の系統。「学者が輩出した―」「―図」類語 血統。

***か・けい**【家計】一家が生活をしてゆく上での収支の状態。一家の経済。「―を支える」「―簿」類語 生計。

***かけ・い**【懸×樋・×筧】水を引くために地上にかけわたした、竹や木のとい。かけひ。

***か・けい**【火刑】〔文〕火あぶりの刑。

***か・けい**【花茎】葉をつけないで、その先に花だけをつける茎。タンポポ・スミレなどの茎。

懸樋

が・けい【雅兄】《代名》《対称》〔文〕男の友人を敬愛していう語。〔男が手紙文で使う〕類語 大兄。貴兄。

かけ・うり【掛（け）売り】《名・他サ》あとで代金を受け取る約束で品物を売ること。貸し売り。かけ。対 掛け買い。

かげ・え【影絵・影▽画】❶手や紙で物の形を作り、光をあててその影を障子や壁にうつし出す遊び。また、その影。❷影の形を黒白で描き出した絵。シルエット。

かけ・えり【掛（け）襟・掛（け）×衿】❶よごれやいたみを防ぐために、和服の襟の上に同じ布地でつける襟。とも襟。❷よごれやいたみを防ぐために、夜具・丹前・半てんなどにつける襟。

かけ・おち【駆（け）落ち・×駈（け）落ち】《名・自サ》結婚を許されない相愛の男女が、連れだってひそかに他の土地へ逃げてゆくこと。

かけ・がい【掛（け）買い】《名・他サ》あとで代金を支払う約束で品物を買うこと。かけ。対 掛け売り。

かけ・がえ【掛け替え】かわりの用意にとっておく、同じ種類のもの。「―のない（＝このうえなく大切な）自然」類語 かわり。予備。表記 多くかなで書く。

かけ・がね【掛（け）金】戸じまりのため、戸・障子などにとりつけて開かないようにする金具。

かけ・かまい【掛（け）構い】心にかけること。気づかうこと。参考 多く、打ち消しの語を伴う。「―のない笑い声」

かけ・がみ【懸（け）紙】❶巻紙に書いた手紙などを包む紙。❷贈り物の上包みに用いる紙。参考 多く、のし・水引などの形を印刷したものをいう。

***か・げき**【歌劇】劇としての台本に作曲をほどこし、歌唱を中心に管弦楽を伴奏として、劇・舞踊などを加えた大がかりな舞台芸術。オペラ。参考↓楽劇。

***か・げき**【過激】《形動》度をこしてはげしいようす。「―な運動を避ける」「―な思想」類語 先鋭。過度。激越。酷烈。対 穏健。

かけ・きん【掛（け）金】❶年ごと、月ごと、または日ごとに一定の額を払いこんで積み立てる金。「保険の―」類語 積立金。❷掛売りの代金。掛け代金。

かげ・ぐち【陰口】その人のいない所で言う悪口。かげごと。「―をきく」「―をたたく」

かけ・くらべ【駆け比べ・×駈け▽競べ】《名・自サ》走って速さをきそうこと。かけっくら。類語 かけっこ。競走。

かけ・ご【掛（け）子・懸（け）×籠】他の箱のふちにかけて、その中にはめこむように作った箱。

かけ・ごえ【掛（け）声】❶芝居や競技などで、ひいきの者によびかける声。❷拍子をとったり、人をはげましたり、力を入れたりするときに出す声。「―とともに立ち上がる」「―だけで実行が伴わない」

かけ・ごと【×賭（け）事】金品をかけてする勝負事。賭け。ギャンブル。類語 賭博。ばくち。

かげ・ごと【陰言】陰口。〔やや古風な言い方〕

かけ・ことば【掛（け）▽詞・懸▽詞】文や歌の中で、一つのことばに同時に二つの意味をもたせたもの。「同じ世にまたすみのえの月や見む今日こそよそにおきの島守」

の歌で「すみのえ」が「住み」と「住(す)みの江」、「おき」が「置き」と「隠岐(おき)」の意味を同時にもつ類。

かけ-こみ【駆(け)込み・×駈(け)込み】❶かけこむこと。❷ある時期・機会を逃さないように、大急ぎで事を行うこと。「―申請」

―でら【―寺】江戸時代、不幸な結婚をして悩んだ女性がにげこんだ寺。一定期間そこにとどまると離婚が認められた。縁切り寺。

かけ-こ・む【駆け込む・×駈け込む】《自五》走って中にはいる。「ゴールに―・む」類語 飛び込む。

かけ-ごや【掛(け)小屋】芝居・見せ物・相撲などのために臨時に建てる、簡単な小屋。

かけ-ざん【掛(け)算】二つ以上の数・式を掛け合わせた値を求める計算。乗法。対 割り算。

かけ-じ【掛(け)字】❶文字を書いた掛け物。❷掛け物①。表記 ②は「掛(け)地」とも書く。

かけ-じく【掛(け)軸】装飾のため、書や絵を表装して床の間や壁などにかけるもの。掛け物。軸。参考 ふつう「一軸(いちじく)…」「一幅(いっぷく)…」と数える。

かけ-す【懸巣】カラス科の鳥。全体は淡茶色で、翼には白・黒・コバルト色のしま模様がある。山林にすみ他の鳥の声などをまねる。どんぐりを好む。かしどり。

かけ-ず【掛(け)図】大ぜいの前で説明するときなどに使う、地図・図表などの掛け物。

かけ-すて【掛(け)捨て】❶保険などの掛け金の支払いを中途でやめること。❷保険などで、満期になっても配当金・返還金のないこと。＝かけずて。

かけずり-まわ・る【駆けずり回る・×駈けずり回る】(―づりまはる)《自五》あちこちと走って回る。奔走する。「資金集めに―・る」類語 とび歩く。

かげ-ぜん【陰×膳】家を遠く離れている人の無事を祈り、るすを守る者が食事のたびに供える食膳。

かけ-そば【掛(け)×蕎▽麦】どんぶりに入れて、熱い汁だけをかけたそば。かけ。対 もりそば。

かけ-だおれ【掛(け)倒れ】(―だふれ)❶掛け売りの代金が受けとれず、損をすること。❷掛け金を掛けただけで、見返りがなく損をすること。❸費用をかけただけで、利益があがらず損をすること。経費倒れ。

かけ-だし【駆(け)出し・×駈(け)出し】その職についたばかりで、なれていない・こと(人)。新米。「―の記者」

かけ-だ・す【駆け出す・×駈け出す】《自五》❶〈人や動物が〉走り始める。❷走ってでる。

かげ-ち【陰地・×蔭地】日光の当たらない土地。

かけ-ちが・う【掛け違う】(―ちがふ)《自五》❶行き違いになる。すれちがう。❷くいちがう。「話が―・う」

かけ-ぢゃや【掛(け)茶屋】道ばたや公園などによしずをかけて作った簡単な飲食店。茶店。

か-けつ【可決】《名・他サ》上程された議案をよいと認めて、決定すること。「満場一致で―する」対 否決。

か-げつ【箇月・▽個月】《助数》月(つき)③の倍数を表す。「全治一―」表記 ふつう「か月」と書く。

かけ-つぎ【掛(け)継ぎ】二枚の布を継ぎ目がわからないようにしてつぎ合わせること。かけはぎ。

かけつけ-さんばい【駆(け)付け三杯】宴会で、遅刻者に罰として酒を続けて三杯のませること。

かけ-つ・ける【駆け付ける・×駈け付ける】《自下一》大急ぎでその場に至る。「急を聞いて―・ける」

かけ-っこ【駆けっこ・×駈けっこ】《名・自サ》〈幼児語〉走って速さをきそうこと。類語 かけくらべ。競走。

がけ-っぷち【×崖っ縁】❶がけのへり。❷物事が大きく変わるさかいめ。「運命の―に立つ」

かけ-て《連語》《「掛ける」の連用形＋助詞「て」》❶〈「…から…に―」「…から…へ―」の形で〉↓掛(か)ける㊀㉟。❷〈「…に―(は)」の形で〉↓掛(か)ける㊀㊱。

かけ-どけい【掛(け)〈時計〉】柱や壁などにかけて使う大型のとけい。

かけ-とり【掛(け)取り】掛売りの代金を取り立ててまわる・こと(人)。類語 借金取り。集金人。

かげ-ながら【陰×乍ら】《副》〈相手に〉知られないところで。よそながら。「―無事を祈ります」

かけ-ぬ・ける【駆け抜ける・×駈け抜ける】《自下一》走って通り抜ける。また、走って追い越す。

かけ-ね【掛(け)値】❶売手が、引き合うだけの値段よりも高く値段をつけること。また、その値段。「―なしの値段」❷物事を大げさに言うこと。「―のないところを言おう」類語 誇張。

かけ-はぎ【掛(け)▽継ぎ・掛(け)×矧ぎ】掛け継(つ)ぎ。

かけ-はし【掛(け)橋・架(け)橋・懸橋】❶藤(ふじ)づるや板などを組んで、けわしいがけに棚のように造り設けた橋の道。桟道(さんどう)。桟橋(さんきょう)。❷なかだち。橋渡し。「両国の―となる」「恋の―」類語 媒介(ばいかい)。

かけ-はな・れる【掛け離れる・懸け離れる】《自下一》非常に・へだたり(ちがい)がある。かけへだたる。「年が―・れる」「意見が―・れる」類語 (す)隔絶(かくぜつ)。

かけ-ひ【懸×樋・×筧】↓かけい。

かけ-ひき【駆(け)引き・×駈(け)引き】《名・自サ》〈戦場で時機をみて兵を進退させる意〉商売・交渉などで、相手の出方や時機に応じて態度を巧みに変え、状況が自分に有利になるようにすること。「巧みな―」

かげ-ひなた【陰日▽向】〈日の当たる所と日の当たらない所の意〉❶人が見ているときと見ていないときで、ことばや行動に違いのあること。「―なく働く」❷その人がいる所でもいない所でもその人をかばうこと。

かけ-ぶとん【掛(け)布団】寝るときにからだの上にかけるふとん。対 敷き布団。

かけ-へだた・る【懸け隔たる】《自五》かけはなれる。

かけ-べり【掛(け)減り】物をはかりにかけたとき、前にはかったときよりも目方がへること。目減り。

かげ-べんけい【陰弁慶】内弁慶(うちべんけい)。

かげ-ぼうし【影法師】光が当たって、地面や障子などにうつる、人や物の影。

かげ-ぼし【陰干し・陰▽乾し】《名・他サ》日かげで〈風に当てて〉かわかすこと。対 日干し。

かげ-ま【陰間】〈江戸時代の若衆(わかしゅ)歌舞伎(かぶき)で、まだ舞台に立たない少年役者の意。男色を売ることが多かったことから〉男色を売る少年・人。男娼(だんしょう)。

かけまく-も【掛けまくも・懸けまくも】《連語》〈古〉ことばに出して言うことも。「―かしこき(＝おそれ多い)」

かげ-まつり【陰祭(り)】神社で、本祭り(例祭)のない年に行う簡略な祭り。対 本祭り。

かけ-まわ・る【駆け回る・×駈け回る】(―まはる)《自五》❶あちこちと走って回る。かけめぐる。「所狭しと―・る」❷あちこちへ行って尽力する。奔走(ほんそう)する。「資金集めに―・る」類語 (す)狂奔(きょうほん)。東奔西走(とうほんせいそう)。

かげ-み【影身】影のように、つねにその人につきそって離れない・こと(人)。「―に添う」

がけ-みち【×崖道】片側ががけになっている道。

かげ-むしゃ【影武者】❶敵をあざむくため、大将などと同じ面体・服装をさせ、いざというときにその身がわりにするための武士。❷黒幕②。

*__かけ-め__【掛け目】❶はかりにかけて、目盛りに出た重さ。量目。❷まゆ取引で、まゆの価格を表す係数。かけ。参考「一万かけ」は、生糸一貫目分(=約三・七五キロ)のまゆの値段が一万円であること。❸棒針編みで、糸をかけて編み目をふやす方法。

*__かけ-め__【欠け目】❶欠けていて不完全な部分。類語欠点。❷不足した目方。❸囲碁で、目のような形をしているが、目にならない所。

かけ-めぐ・る【駆け巡る・×駈け巡る】《自五》あちこち走って回る。参考感情や想念などが激しく動き回る意にも使う。「熱き思いが胸中を―・る」

かけ-もち【掛(け)持ち】《名・他サ》二つ以上の仕事や役割をひとりで受け持つこと。「事務と渉外の仕事を―でこなす」類語兼務。兼帯。兼任。

かけ-もの【掛(け)物・懸物】❶書画を表装し、壁・床の間などにかけて装飾とするもの。掛け軸。掛け字。❷〔ふとんなど〕寝るときにからだの上にかけるもの。

かげ-もん【陰紋】輪郭だけを陰の線(=複線)でえがいた紋。

かけ-や【掛(け)矢】木で作った大きな槌(つち)。くいなど打ち込むときに使う。かきや。

かけ-よ・る【駆け寄る・×駈け寄る】《自五》走って近寄る。走り寄る。馳(は)せ寄る。

かけ-ら【欠けら・欠▽片】欠けてはなれた、小さな部分。「食器の―」類語断片。破片。砕片(さいへん)。―も無・い《句》〈「…の―・い」の形で〉そのような心の傾向がほんの少しもない。「誠意の―・い」

かげり【陰り・×蔭り・×翳り】かげること。また、かげのあるようす。「山ひだの―」「―のある表情」

*__かけ・る__【×翔る】《自五》〔文〕〔鳥・飛行機などが〕空高く飛ぶ。「大空を―・る」文《四》。

*__か・ける__【欠ける】《自下一》❶〔かたい物の〕一部分がこわれてとれる。「歯が―・ける」❷〈月が―・ける〉月の一部分がみえなくなる。表記②は、「虧ける」とも書く。❸〔そろうべきものの〕一部がなくなる。脱落する。「メンバーが―・ける」❹満足すべきところに達しない。不足する。「目方が―・ける」「義理に―・ける」対みちる。文か・く《下二》。

*__か・ける__【駆ける・×駈ける】《自下一》❶馬に乗って速く走る。「野を―・ける」❷速く走る。疾走する。「全速力で―・ける」文か・く《下二》。

*__か・ける__【掛ける・懸ける】■《他下一》❶高いところにぶらさげる。また、高い所にかかげる。「壁に画を―・ける」「看板を―・ける」❷上からつるしたり、かまど・こんろなどの上に置いたりして火にあてる。「なべをガスに―・ける」❸他の物の上に置く。他の物にもたせかける。「肩に手を―・ける」「はしごを―・ける」❹高くかかげて張る。「帆を―・ける」❺物が動かないように、かぎなどで閉ざす。「安全装置を―・ける」「ホックを―・ける」❻ある物で他の物をとらえる。「引き金に手を―・ける」❼〔「竿秤(さおばかり)にぶらさげる」意から〕目方をはかる。「はかりに―・ける」「てんびんに―・ける」❽物または人をそこ(それ)で受けとめて処理する。「ふるいに―・ける」「材料を機械に―・ける」❾〔ある問題を〕持ち出して、そこで取り上げる。「会議に―・ける」❿〈「目に―・ける」の形で〉目にとめる。目にふれさせる。「お目に―・ける(=お見せする)」⓫〈「心に―・ける」「気に―・ける」の形で〉心にとめる。気にとめる。心配する。「妹のことを心に―・ける」⓬網・針などでとらえる。また、仕組んでおとしいれる。「魚を―・ける」「ぺてんに―・ける」⓭〈「手に―・ける」の形で〉手を下して処分する。殺す。「わが子を手に―・ける」⓮〔自分から〕その事を扱う。「手に―・けた仕事」⓯頼んで、ゆだねる。託する。「仏様に願を―・ける」⓰他者にたよって、その世話を受けさせる。「医者に―・ける(=医者の治療を受けさせる)」⓱㋐勝負事に金品を出し合い、それらの金品が自分のものとなるかどうかを勝敗にゆだねる。「トランプに金を―・ける」㋑〈「Aを―・けて…する」「…にAを―・ける」の形で〉失敗したらAを失う覚悟で・事を行う(事に対する)。表記⑰は多く「賭ける」と書く。⓲あびせる。ふりかける。また、かぶせる。「ソースを―・ける」「土を―・ける」「ふとんを―・ける」⓳〔矢・火などを〕放つ。「屋敷に火を―・ける」⓴〔よくないこと、不快なことなどを〕他人の身におわせる。「心配を―・ける」「苦労を―・ける」㉑こちらの気持ちをむける。「情けを―・ける」㉒費用・時間などを使用する。費やす。「金を―・けた家」「時間を―・けて考える」㉓増し加える。「馬力を―・ける」㉔掛け算をする。「五に五を―・ける」㉕掛け値をする。「仕入れ値の一割を―・けて売る」㉖定期的に掛け金を払う。「保険金を―・ける」㉗作用を及ぼす。「誘いを―・ける」「おどしを―・ける」㉘機械を働かせる。「ブレーキを―・ける」㉙道具を動かして、作用を及ぼす。「はたきを―・ける」㉚あることばの音を利用して、その音に共通する他のことばを暗示し、一つの語句に二つの意味をふくませる。かけことばで表現する。「『秋』に『飽き』を―・ける」㉛ことばを発して、相手に・送る(届く)ようにする。「声を―・ける」「口を―・ける(=連絡をつける)」㉜片方から他方へかけ渡す。「橋を―・ける」「電線を―・ける」表記多く「架ける」と書く。㉝細長いものを、他の物のまわりに渡す。「たすきを―・ける」「めがねを―・ける」㉞組み立てる。仮設する。「小屋を―・ける」㉟〔時間や場所の範囲が〕…にわたる。参考多く「…から…に―・けて」「…から…へ―・けて」の形で使う。「二月から三月に―・けて」表記多くかな書き。㊱…にかかわる。…に関する。参考多く「…に―・けて(は)」の形で使う。「彼は語学に―・けては天才だ」表記多くかな書き。文か・く《下二》。
■《接尾》❶「…し始める」「途中まで…する」意。「本を読み―・けたところへ人が来た」❷「もう少しで…する」意。「自信を失い―・ける」❸「そこにその作用を向ける」意。「話し―・ける」表記■は多くかな書き。文か・く《下二》。⇩〖使い分け「かかる・かける」〗

*__か・ける__【×賭ける】《他下一》⇨掛(か)ける■⑰。文か・

く《下二》。⇩〔使い分け「かかる・かける」〕

かげ・る【陰る・×蔭る・×翳る】《自五》❶光が当たらなくなって暗くなる。「午後になると庭が—・る」❷日がかたむく。また、日の光が何かにさえぎられてうすくなる。「雲が出て日が—・った」❸目のかがやきがなくなる。表情が暗くなる。「表情が—・る」❹よくない状態になる。「景気が—・ってきた」文《四》。

*__かげろう__【×蜉×蝣・×蜻×蛉】《「陽炎」と同語源》❶「とんぼ」の古名。❷カゲロウ目の昆虫。形はトンボに似るが、弱々しい。成虫になって数日間生き、産卵すると数時間で死ぬ。参考 かげろう②の命が短いことから、はかないものなどのたとえに使う。

*__かげろう__【▽陽▽炎】春・夏などの直射日光の強い日に、地面から空気がたちのぼり、ゆれ動いてみえる現象。「—が立つ」類語 逃げ水。蜃気楼。

か・けん【家憲】その家の家族・子孫などが守るようにきめてあるおきて。類語 家訓。

*__か・げん__【下弦】満月から次の新月までの間(陰暦で毎月二二、三日ごろ)の月。参考 月の東がわが半円形に見え、月の入りに弦が下に来る。対 上弦。

*__か・げん__【下限】下の方の限界。対 上限。

*__か・げん__【加減】㊀《名》❶《他サ》加えることと減らすこと。類語 抜き差し。増減。加除。取捨。❷〔数〕加法と減法。足し算と引き算。「—乗除」対 乗除。❸《他サ》(ほどよく)調節すること。「塩分を—する」❹ほどあい。ぐあい。程度。「湯—」❺体の調子。「けさは—がいい」❻影響。「陽気の—で頭が痛い」㊁《接尾》《動詞の連用形、または名詞について》❶「…の程度」「…する程度」の意。「ばかさ—」「はらのへり—」❷(ちょうどよい)…ぐあい。「飲み—」❸「やや…の傾向」「…ぎみ」などの意。「うつむき—」 **—もの**【—物】調節するのが難しいものごと。

*__か・げん__【×嘉言】〔文〕人生に対するいましめなどを含んだ、よいことば。「—善行」

*__か・げん__【寡言】〔文〕口かずの少ないこと。「—実行」類語 寡黙。無口。対 多言。

が・けん【我見】〔文〕❶自分だけのせまい考え。❷→がしゅう(我執)①。

が・げん【雅言】〔文〕❶口頭語ではあまり使わない、上品で正しいとされることば。優雅なことば。対 俚言。俗言。❷和歌などに使われた平安時代の大和ことば。類語 歌語。同 ①②雅語。

か・げん・み【過現未】〔仏〕過去・現在・未来。三世。

*__か・こ__【▽水▽夫】〔雅〕船頭。船乗り。

*__か・こ__【過去】❶過ぎ去った時。現在より以前の時点。類語 既往。往時。昔。❷〔仏〕三世の一つ。この世に生まれる以前の世。過去世。❸すぎ去った動作・状態を表現する語法。対 ①〜③現在・未来。❹〔人に隠しておきたい〕前歴。「—のある男」 **—ちょう**【—帳】〔仏〕死者の俗名・法名・死亡年月日などを記した帳簿。鬼簿。点鬼簿。鬼籍。鬼録。

*__か・ご__【加護】《名・他サ》神仏が力をかし、まもり助けること。「神仏の—をたのむ」類語 守護。神助。

*__か・ご__【歌語】和歌に多く使われる古雅なことば。「つる(鶴)」に対する「たづ」など。類語 雅言。雅語。

*__かご__【×籠】竹・つる・針金などで編んだ入れ物。

*__か・ご__【×訛語】〔文〕標準語とくらべて音韻にちがいのあることば。なまったことば。訛言。

*__か・ご__【過誤】〔文〕あやまち。まちがい。「—を犯す」類語 過失。失策。錯誤。

*__かご__【×駕×籠】《「籠」と同語源》昔の乗り物の一つ。人を乗せた箱形の座に棒を通し、前後からかついで運ぶ。「—をかく」参考「一挺…」と数える。

が・ご【雅語】→がげん(雅言)②。

かこい【囲い】❶かこうこと。❷かこうもの。塀・垣根・柵など。類語 築地。埒。矢来。外郭。障壁。フェンス。❸野菜などを長く貯蔵しておく・こと(所)。「—がきく」❹茶室。参考 もと、広間の一部をかこって作ったことから。❺「囲い者」の略。別に家を与えて住まわせておくめかけ。

*__か・こう__【下降】《名・自サ》下にさがること。「—線をたどる」類語 落下。沈下。降下。対 上昇。

*__か・こう__【仮構】《名・他サ》実際には無いことをかりにあることとして作り出すこと。「—の物語」類語 仮作。虚構。フィクション。

*__か・こう__【佳×肴・×嘉×肴】〔文〕うまい、酒のさかな。うまい料理。「珍味—」「—に飽きる」

*__か・こう__【加工】《名・他サ》(天然の)原料や他の品物などに人手を加えて、新しい物を作ること。「—品」

*__か・こう__【歌稿】歌の原稿。歌の下書き。詠草。

*__か・こう__【河口】川が海や湖に流れこむ所。川口。

*__か・こう__【河港】河口または河岸につくられた港。類語 河口港。対 海港。

*__か・こう__【火口】❶火山の噴火口。❷かまの、火をたく口。 **—きゅう**【—丘】噴火口の中に新しくできた小規模な火山。 **—げん**【—原】外輪山と火口丘との間にある平地。 **—こ**【—湖】噴火口のあとに水がたまってできた湖。

*__か・こう__【花×梗】茎から分かれ出て、花を直接ささえている柄。花柄。

*__か・こう__【華甲】〔文〕数え年六一歳の称。還暦。参考「華」の字を分解すると六つの「十」と「一」とになることから。「甲」は「甲子」の意。

*__かこ・う__【囲う】《他五》❶周囲をとりまき、中と外とを区別する。「塀で屋敷を—・う」類語 囲む。❷めかけにして養う。「女を—・う」❸たくわえておく。「タマネギを—・う」類語 貯蔵。文《四》。

か・ごう【化合】《名・自サ》二つ以上の物質がいっしょになって、全く別の性質をもつ物質ができること。水素と酸素とで水になるなど。「—物」対 分解。

*__が・こう__【画工】絵を描くことを職業とする人。特に、職人的な絵かき。類語 画家。画伯。絵師。

*__が・こう__【画稿】絵のしたがき。

が・ごう【雅号】文人・書家・画家などが、本名のほかにつける風流な別名。雅名。類語 筆名。ペンネーム。

かこう・がん【花×崗岩】深成岩の一種。ふつう、灰白色で黒いはん点がある。主成分は、長石・石英・雲母など。建築・装飾用に使う。御影石。御影。

がこう・そう【×鵞口×瘡】口の粘膜に白い小さなはん点のできる病気。多く、栄養失調の乳児に見られる。

かこう・ち【可耕地】耕地にすることのできる土地。

かご・かき【×駕×籠×舁(き)】昔、駕籠をかつぐのを職業とした人。かごや。

*__か・こく__【×苛酷・×苛刻】《形動》むごくきびしいようす。「—な刑罰」「—な労働」

*__か・こく__【過酷】《形動》度をこしてひどいようす。「—な

条件」「―な試練」

かこく・るい【×穀類】穀物として栽培される、イネ科の植物。イネ・ムギ・トウモロコシなど。

かこ・つ【▽託つ】《他五》〔文〕好ましくない事態が自分の身にふりかかって、うらみに思う。なげいていう。「我が身の不幸を―・つ」㊀《四》。

かこつ・ける【▽託ける】《自下一》〔ある行為をするために〕他のことを理由にする。ことよせる。口実にする。「病気に―・けて休む」㊀かこつ・く《下二》。

かご・ぬけ【×籠抜け・×籠▽脱け】❶竹かごの筒の中をすばやくくぐりぬける曲芸。❷「かごぬけ詐欺」の略。

―さぎ【―詐欺】建物の入り口などで、そこに所属する人のように見せかけて相手を信用させ、金品をうけ取ると裏口などから姿をくらます詐欺。

かご・の・とり【×籠の鳥】《連語》〔かごの中の鳥のように〕自由をうばわれている人。〔特に遊女をいう〕

かこみ【囲み】❶かこむこと。また、かこんだもの。「竹で―を作る」類語→囲い②。❷攻めるためにまわりをとりまくこと。包囲。「敵の―を破る」❸〔新聞・雑誌などの記事で〕罫でかこんであるところ。「―記事」

かこ・む【囲む】《他五》まわりを全部とりまく。「塀で―・む」「敵を―・む」「皆で食卓を―・む（＝食事をする）」類語囲う。包む。回す。巡らす。巻く。(する)囲繞。包囲。㊀《四》。

かご・め【×籠目】❶かごの編み目（のような模様）。❷↓かごめかごめ。

―かごめ【―×籠目】こどもの遊びの一つ。しゃがんで目をふさいでいる人のまわりを、数人が手をつないで歌を歌いながら回り、歌が終わったとき、中の人に背後の人をあてさせる。かごめ。参考「かごめ」は「かごむ（＝かがむ）」の命令形から。

か・こん【禍根】〔文〕わざわいや不幸の起こるもと。禍源。禍因。「―を残す」

か・ごん【過言】妥当ではないことまでも言うこと。言いすぎ。過言。「…と言っても―ではない」

＊かさ【傘】雨・雪・日光などをさけるためにさしかざす、柄のついた道具。雨傘・日傘など。さしがさ。「―をさす」参考和傘は「一張…」「一張…」と数える。

＊かさ【×嵩】❶物の大きさ・分量。体積。容積。「水の―がます」「―が高い」❷〔古〕相手を威圧する勢い。

―に懸か・る《句》優位な立場・権力などを利用して、相手を攻めたり、相手を頭からおさえつけたりするような態度をとる。「―・って攻め立てる」

＊かさ【×暈】（halo）太陽・月のまわりにできる光の環。光環。暈。ハロ。

＊かさ【×毬】マツ・トチなどの実の、から。「松の―」

＊かさ【×瘡】❶皮膚にできる、はれもの・できものの総称。❷「梅毒」の俗称。

＊かさ【×笠】❶雨・雪・日光などを防ぐために頭にかぶるもの。かぶりがさ。参考「一蓋…」と数える。❷笠①の形に似たもの。「電灯の―」❸まもりかばうもの。「権力を―に横暴をきわめる」

―に・着る《句》〔あるものの〕権力・地位などをたのんでいばる。

がさ〔隠〕刑事言葉で、家宅捜索。「―を入れる」参考「捜す」の「さが」を逆にした語。

かさ・あげ【×嵩上げ】《名・他サ》❶堤防などを一段と高くすること。「―工事」❷請求・見積もりなどの金額を〔不当に〕高くすること。

かざ・あし【風脚・風足】風の速さ。類語風力。

かざ・あな【風穴】❶風の吹き通る穴・すきま。❷風を通すため、壁などにあけた穴。通風孔。❸山腹などにある、冷たい風の吹き出てくる深い穴。風穴。

＊か・さい【家裁】「家庭裁判所」の略。

＊か・さい【果菜】果実を食用にする野菜。トマト・キュウリ・ナスなど。

＊か・さい【火災】火事。また、火事による災害。〔改まった言い方〕「―が発生する」「―報知機」「―保険」

＊か・さい【花菜】花の部分を食用にする野菜。食用菊やカリフラワー・ブロッコリーなど。

＊か・さい【禍災】わざわい。災難。災害。災禍。

か・ざい【家財】❶〔家具・衣類など〕家にある道具類。「―道具」❷家の財産。一家の財産。類語身代。

が・さい【画才】絵を上手にかく才能。「豊かな―」

が・ざい【画材】❶絵になる材料。絵の題材。「花を―とする」❷〔絵の具・筆など〕絵をかくのに使う材料。

かさい・りゅう【火砕流】火山が噴火したとき、大量の軽石や火山灰が急速に山腹を流れ落ちる現象。

かざ・いれ【風入れ】〔部屋・衣服・書物などに〕風を通して湿気をとること。類語虫干し。

かざ・おれ【風折れ】風で樹木などがおれること。「柳に―なし」

かさ・かき【×瘡×掻き】〔俗〕梅毒にかかっている人。かさっかき。

かさ・かさ《副・自サ》《副詞は「―と」の形も》❶かわいた（うすい）ものが、軽くふれあう音の形容。「落ち葉が―音をたてる」❷《形動》ひからびてうるおいのないようす。「手が―になる」❸感情にうるおいのないようす。〔多く女性に使う〕「―した女」

がさ・がさ《副・自サ》《副詞は「―と」の形も》❶かわいたものがふれあう音の形容。「竹やぶが―する」❷《形動》しめりけやあぶらけがなく、ざらざらしているようす。「手の甲が―する」❸性質・態度などが、粗雑でうるおいのないようす。「―した人」類語がさつ。

かざ・かみ【風上】風の吹いてくるほう。対風下。

―にも置けな・い《句》〔いやなにおいをまともに受けるので風上には置けないの意から〕とても同じ仲間として同等に扱えないほど卑劣である。風上に置けない。

かさ・ぎ【×笠木】❶鳥居・門・板べいなどの上にわたす横木。参考↓冠木。❷電柱の頭にかぶせる、笠①に似た形の木。

かざ・きり【風切り】❶船の上に立てて風の吹く方向を見る旗。❷「風切り羽」の略。鳥のつばさの後端に並ぶ、長くて大きな羽。❸屋根の切妻近くの部分に、棟から軒までおいた丸がわら。＝風切り。

＊か・さく【仮作】《名・他サ》❶一時かりに作ること。また、そのもの。❷実在しないものなどをかりに作ること。また、そのもの。虚構。「―物語」

＊か・さく【佳作】❶すぐれた作品。類語秀作。❷入賞作品の次にすぐれた作品。「選外―」

＊か・さく【家作】❶家を作ること。家作り。❷貸家にするために作った、自分の持ち家。「―持ち」

＊か・さく【寡作】《名・形動》〔芸術家などが〕作品を少ししか作らないこと。「―な作家」対多作。

かさ・ぐも【×笠雲】高い山の頂にかかる笠状の雲。

かざ・ぐるま【風車】❶↓ふうしゃ（風車）。❷羽根車に柄をつけ、風がふくとまわるようにしたおもちゃ。

かざ・け【〈風邪〉気・風気】少しかぜをひいたようなか

らだの調子。かぜぎみ。風邪気(かぜけ)。

かさ-ご【×笠子】カサゴ科の浅海魚。頭部は大きく、紅色または黒褐色で黄色のまだらがある。美味。

かざ-ごえ【〈風邪〉声・風声】(-ごゑ) かぜをひいたときの・しわがれた(鼻のつまった)声。風邪声(かぜごえ)。

かさ-こそ《副》(「-と」の形も)かわいた落ち葉や薄い紙などがふれあって立てる、かすかな音の形容。

かささぎ【×鵲】カラス科の鳥。頭・背は黒く、肩・胸は白い。日本では北九州にいる。

かざ-しも【風下】風の吹いて行くほう。風先(かざさき)。風下(かざした)。対風上(かざかみ)。

-に立・つ《句》他に先んじられて、その勢力におされる立場に立つ。劣位に立つ。下風(かふう)に立つ。

*__かざ・す__【▽挿▽頭す】《他五》花や枝、造花などを髪や冠(かんむり)にさす。「花を髪に-・す」文《四》。

*__かざ・す__【×翳す】《他五》❶手にもった物を頭上にあげてかまえる。「刀を-・して突き進む」❷光にあてるようにして高くあげる。「月光に-・して読む」❸かげを作るようにさしかける。また、ものの上にさしかける。「小手を-・す」「火鉢に手を-・す」文《四》。

かさ-だか【×嵩高】《形動》❶〔目方の割に〕体積が多いようす。かさばるようす。「-な荷物」❷いばって、おうへいなようす。「-に言う」

がさつ《形動》粗野で細かい所に気を配らないようす。「-な男」類語 粗雑。

がさ-つ・く《自五》❶がさがさと、音がする。❷ことばや動作があらっぽく落ち着かないでいる。

かざ-とおし【風通し】(-とほし) ↓かぜとおし。

かさな・る【重なる】《自五》❶ある物の上に、さらに同じ(種類の)物がのる。「足あとが-・っている」❷ある事の上に、さらに同じ(種類の)事が加わる。「不幸が-・る」文《四》。

かさね【重ね】㊀《名》❶重ねること。また、重ねたもの。❷昔、袍(ほう)の下に重ねて着た衣服。下襲(したがさね)。❸上着と下着がそろっている衣服。❹かさねぎ。㊁《助数》重箱・衣服など、重ねたものをかぞえることば。「重箱一-」
表記 ②は「襲」と書く。

かさね-がさね【重ね重ね】㊀《名》何回も同じようなことをくり返すこと。たびたび。「-の不幸」「-の失礼もお許し下さい」㊁《副》念を入れて言うようす。くれぐれも。じゅうじゅう。「-よろしくとのことです」

かさね-ぎ【重ね着】《名・他サ》衣服を重ねて着ること。また、その衣服。類語 厚着。

かさね-て【重ねて】《副》一度すませたことをまたくりかえすようす。ふたたび。もう一度。「-お願いします」

かさね-もち【重ね×餅】❶大と小の二個を重ねて神仏などに供えるもち。かがみもち。❷人が倒れて折り重なることのたとえ。

かさ・ねる【重ねる】《他下一》❶ある物の上に、さらに同じ(種類の)物をのせる。「皿を-・ねる」❷ある事の上に、さらに同じ(種類の)事を加える。くりかえす。「版を-・ねる」❸一定の区切られた時間を何回もつづけて過ごす。「日を-・ねる」文かさ・ぬ《下二》。

かざ-ばな【風花】❶雪のつもっている所から風に吹かれてとんでくる雪。❷晴れた日、風の吹き起こる前などにちらちら舞いながら降る雪。=風花(かざはな)。

かさ-ば・る【×嵩張る】《自五》容積が大きく場所をとる。「-・った包み」類語 かさむ。

かさ-ぶた【×瘡×蓋・×痂】皮膚にできた傷口がかわいて、その上にできるかたい皮。「-がはがれる」

かざ-まち【風待ち】《名・自サ》出帆する船が、順風になるのを待つこと。風待(かぜま)ち。「-の港」

かざ-まど【風窓】風を通すためにつくった窓・あな。

かざ-み【風見】船上や屋根の上などにとりつけて風の方向を知る、矢や鳥の形をした道具。風向計。❷〔周囲の動向によって自分の態度を決める〕定見のない人。**-どり**【-▽鶏】❶ニワトリをかたどった風見。❷〔周囲の動向によって自分の態度を決める〕定見のない人。

がざみ【×蝤×蛑】ワタリガニ科のカニ。甲羅はひし形で、体色は紫緑色。肉は美味。わたりがに。

かさ・む【×嵩む】《自五》❶体積・分量などが多くなる。❷金額がつもって多くなる。「人件費(経費)が-・む」「仕事が-・む」類語 かさばる。文《四》。

かざ-むき【風向き】❶風の吹いてくる方向。❷物事のなりゆき。形勢。「会議の-が変わる」=風向(かざむ)き。**-が悪・い**《句》❶形勢が不利である。❷機嫌がよくない。「社長の-・い」

かざ-よけ【風▽除け】風を防ぐこと。また、そのための物。風防。風除(かぜよ)け。

かざり【飾り】❶かざること。また、かざるもの。装飾。「-の多い文章」❷〈「お-」の形で〉正月のしめかざり・松かざり。❸実質のない見せかけだけのもの。「会長は-にすぎない」

かざり-け【飾り気】人によく見られようとして、うわべをかざろうとする気持ち。「-のない人」

かざり-しょく【飾(り)職・×錺職】金属製の装飾品をつくる職業(の人)。飾り屋。飾り師。

かざり-た・てる【飾り立てる】《他下一》〔人目に立つように〕さかんにかざる。「花で部屋を-・てる」

かざり-だな【飾り棚】❶〔客間などに置き〕美術品などをかざる棚。❷商品などをかざる棚。

かざり-つ・ける【飾り付ける】《他下一》〔いろいろなものを、全体の美しさを考えながら〕整えて並べる。

かざり-まど【飾り窓】商品をかざっておく窓。ショーウインドー。陳列窓。

かざり-もの【飾り物】❶かざりに使う物。特に、正月や祭りのときのかざり。❷実際の役にはたたないが、うわべをつくろうために置くもの・人。「-の審議会」

かざ・る【飾る】《他五》❶手を加えて・美しく(りっぱに)見えるようにする。「美談が紙面を-・る」類語 飾り付ける。飾り立てる。彩る。(する)装飾。❷見かけだけをとりつくろって・美しく(りっぱに)見せる。「体裁を-・る」類語 装う。気取る。体裁ぶる。❸美しく(りっぱに)見えるように置く。「おひな様を-・る」文《四》。

*__か-さん__【加算】❶《名・他サ》〔基準となるものに〕加えて数えること。「利子を-する」類語 合算(がっさん)。❷〔数〕たし算。よせ算。対減算。

*__か-さん__【加×餐】《名・自サ》〔文〕〔「食を加える」意から〕健康に気をつけ、養生すること。参考 手紙文などで使う。「御-を祈ります」類語 自愛。

*__か-さん__【家産】〔文〕一家の財産。身代。「-を傾ける」類語 家財。

か-ざん【火山】地中のガスや溶岩などが地殻の弱い所にそって地表に噴出し、堆積(たいせき)してできた山。**-がん**【-岩】火成岩の一つ。岩漿(がんしょう)が地表または地表に近い所で冷えて固まってできた岩石。玄武岩・安山岩など。**-たい**【-帯】火山が分布している帯状の地域。火山脈。**-ばい**【-灰】(ひばい) 火山から噴出される、灰のようなこまかい物質。火山塵(かざんじん)。

が・さん【画賛・画×讃】〔日本画などの〕絵の上・わき・余白などに書きそえる詩句・文章。讃(さん)。

かさんか・すいそ【過酸化水素】弱酸性の無色・透明の液体。漂白剤・殺菌剤に使う。

***か・し【下肢】**〔文〕❶〔人の〕あし。脚部。❷〔動物の〕うしろ足。対①②上肢。

***か・し【下賜】**《名・他サ》〔天皇・皇帝など〕身分の高い人がくださること。「御一金」

***か・し【仮死】**意識不明で呼吸がとまり、脈搏(みゃくはく)も弱くなり、外観上は死んだように見える状態。「一状態」

***か・し【可視】**〔文〕肉眼で見えること。「一光線」対不可視。

***かし【×樫・×櫧・×橿】**ブナ科の常緑高木。暖地に自生する。果実を「どんぐり」と言う。材はかたく、用途が広い。アカガシ・アラカシ・シラカシなど。

***か・し【歌詞】**❶〔文〕和歌に使うことば。❷節をつけてうたう歌の文句。歌曲・歌謡曲・歌劇などのことば。

***かし【〈河岸〉】**❶〔船荷の積みおろしなどをする〕川の岸。かわぎし。❷川岸にたつ市場。特に、魚市場。「魚一」❸物事をする場所。「一を変えて飲む」

***か・し【×瑕×疵】**〔文〕❶きず。また、欠点。瑕瑾(かきん)。❷〔法〕法律または当事者の予期するような完全な状態や条件などが欠けていること。

***か・し【華氏】**水の氷点を三二度、沸点を二一二度とし、その間を一八〇等分した温度目盛り。また、それによってはかった温度。記号はF。参考→摂氏(せっし)。表記「カ氏」とも書く。

***か・し【菓子】**間食用の食べ物。多くは甘い。参考もと、果物の意。**一おり【一折(り)】**(ーをり)菓子を詰めた折り箱。おもに贈り物として用いる。**一パン** 中に、あん・クリームなどを入れたり、甘みをつけたりしたパン。

***かし【貸し】**❶金銭や物を貸すこと。また、貸した金品。❷他に与えた恩恵や利益のお返しが、まだ自分の方に与えられていないこと。「助けてやった一がある」❸簿記で、「貸方」の略。対①〜③借り。

***か・し**《終助》《終助詞「か」+強意の間投助詞「し」という》文語〔言い切りの文について〕強く念を押す。また、強く自覚して、文意を強める。「待たれよかし(=待って下さいね)」「身にしみて偲(しの)ばるるぞかし」参考「さぞかし」「これ見よがし」などの形で現代語にも残る。

***か・じ【加持】**《名・自サ》❶仏が衆生をまもること。❷密教で、仏の慈悲が人の心に加えられ、人がその慈悲を感得すること。❸印を結び呪文(じゅもん)をとなえて、仏のたすけと保護を祈ること。「一祈禱(きとう)」

***か・じ【家事】**❶家庭の内部の事情。「一の都合で欠勤する」❷生活をいとなむうえで必要な家庭内の仕事。

***かじ【×楫・×舵・×梶】**(かぢ)❶〔古〕水をかいて船をすすめる道具。艪(ろ)・櫂(かい)などの総称。❷船尾につけて船の進行方向を定める装置。❸飛行機の進行方向や昇降を定める装置。❹車のかじ棒。表記ふつう、①は「楫」、②③は「舵」、④は「梶」と書く。

舵(かじ)を取る《句》物事がうまく運ぶように誘導する。

***か・じ【火事】**建物・船舶・山林などが焼ける災害。類語ぼや。火災。火難。大火。近火。**一ば【一場】**火事のおこっている現場。**一ば・どろぼう【一場泥棒】**❶火事場のさわぎにつけこんでぬすみをする人。❷ある事件の混乱につけこんで不正な利益を得る人。=火事泥。**一みまい【一見舞(い)】**(ーみまひ)火事や近火にあった家へ、なぐさめに行くこと。

***かじ【▽鍛×冶】**(かぢ)金属をやいたり打ったりして鍛え、いろいろな器械・器具をつくること(職人)。「刀一」

***がし**《接尾》《文語の終助詞「かし」の転。動詞の命令形について》あてつけがましくそうしろと望む意。…と言わんばかり。「聞こえよ一に言う」

***が・し【賀詞】**〔文〕〔新年・長寿の祝い・祝賀の行事などのときにのべる〕祝いのことば。祝詞(しゅくし)。祝辞。

***が・し【餓死】**《名・自サ》〔食べ物がないために〕うえて死ぬこと。うえ死に。かつえ死に。飢死(きし)。

かし・いえ【貸(し)家】(ーいへ)料金をとって人に貸す家。貸家(かしや)。対借り家(え)。

かし・うり【貸(し)売り】《名・他サ》あとで代金を受け取る約束で品物を売ること。かけうり。対現金売り。

***かじか【河×鹿】**「かじかがえる」の略。**一がえる【一×蛙】**(ーがへる)アオガエル科の小さなカエル。山間の渓流にすむ。雄は夏に美しい声で鳴く。

***かじか【×鰍】**カジカ科の淡水魚。ハゼに似る。すんだ川や湖沼にすむ。食用。まごり。ごり。

かし・かた【貸(し)方】❶金銭・品物を人に貸す方の人。貸し手。類語債権者。❷金銭・品物を人に貸すときの方法・態度。❸複式簿記で、資産の減少、負債・資本の増加、収益の発生を記入する右側の欄。貸し。表記③は「貸方」と書く。対①〜③借り方。

かしがまし・い【×囂しい】《形》〔文〕やかましい。うるさい。「カエルの声が一・い」文かしがま・し〈シク〉。

かじか・む《自五》手足が寒さのためにこごえて思いどおりに動かなくなる。かじける。文《四》。

かし・かり【貸し借り】《名・他サ》貸すことと借りること。貸借(たいしゃく)。「これで一なしになる」

か・しかん【下士官】旧軍隊で、士官・准士官の下、兵の上に位する武官。下士。

かじ・き【×梶木・▽旗▽魚】(かぢー)カジキ科の海魚。暖かい地方の海に広く分布する。長くて鋭い上あごで他の魚を刺して食べる。食用。かじきまぐろ。まかじき。

かし・きり【貸(し)切(り)】貸し切ること。また、貸し切ったもの。「一バス」対借り切り。

かし・き・る【貸し切る】《他五》❶〔乗り物・劇場の席などを〕ある期間、きまった人や団体だけに貸す。❷残らず貸す。対①②借り切る。

かし・きん【貸(し)金】貸した金(かね)。対借り金。

かし・きんこ【貸(し)金庫】銀行が、厳重な金庫室の中に置き、使用料をとって客の貴重品を預かる箱。

***かし・ぐ【▽傾ぐ】**《自五》船・車や建物などが傾く。「荷物の重みで車が一・ぐ」文《四》。

***かし・ぐ【▽炊ぐ・×爨ぐ】**《他五》〔めしなどを〕たく。〔古風な言い方〕「米を一・ぐ」「飯を一・ぐ」文《四》。

か・じく【花軸】花序の中軸となる茎。これから花柄(かへい)が分枝して、花をつける。

かし・げる【▽傾げる】《他下一》斜めにまげる。かたむける。「首を一・げる」文かし・ぐ《下二》。

***かし・こ【▽彼▽処】**《代名》〔文〕《遠称の指示代名詞》話し手・相手から離れた場所を指し示す語。あの所。あそこ。あすこ。「どこも一も」

***かしこ【×畏】**《感》《文語形容詞「かしこし」の語幹》〔文〕「おそれつつしむ」意で〕女性が手紙の終わりに書くあいさつの語。かしく。あなかしこ。「あらあら一」

***かしこ・い【×畏い】**《形》〔文〕❶おそれ多い。尊くて

遠慮される。「申すも—・いこと」❷かたじけない。ありがたい。「—・き仏の御慈悲」[文]かしこ・し《ク》。

***かしこ・い**【賢い】《形》❶頭のはたらきが鋭く、状況に対する反応がすぐれている。「—・い子」[類語]さかしい。聡い。利口。怜悧。賢明。聡明。利発。英明。英邁。頭脳明晰。才気煥発。目から鼻へ抜ける。一を聞いて十を知る。❷巧妙である。要領がいい。「—・く立ち回る」[文]かしこ・し《ク》。

かしこき・あたり【×畏き辺り】《連語》〔「おそれ多い所」の意で〕宮中・皇室を婉曲に指して言う語。

かしこく・も【×畏くも】《副》〔文〕おそれ多くも。もったいなくも。「—天皇よりお言葉を賜る」

かし・こし【貸(し)越(し)】❶一定限度以上に貸すこと。❷銀行が当座預金の口座を持つ者に、預金の残高を越える額の小切手を振り出すこと。また、その振り出した金額。当座貸越。[対]①②借り越し。

かしこ・だて【賢立て】かしこいようにふるまうこと。りこうぶること。さかしら。「—にふるまう」

かしこ・どころ【賢所】《畏い(=おそれ多い)所の意》❶昔、宮中で、三種の神器の一つである神鏡を安置した所。賢所。温明殿。❷神殿・皇霊殿とともに宮中三殿の一つ。ここに神鏡「八咫の鏡」を祭る。❸神鏡「八咫の鏡」の別名。

かしこま・る【×畏まる】《自五》❶おそれいって、つつしんだ態度・姿勢をとる。「—・って拝聴する」❷〔緊張して〕きちんとすわる。正座する。「—・っていないで楽になさい」❸〈「—・りました」の形で〉相手の命令・依頼などをつつしんで受ける意を表す。[文]《四》。

かし・ざしき【貸(し)座敷】❶かしせき。❷遊女屋。女郎屋。

かし・しつ【貸室】料金をとって貸す部屋。貸間。

カシス❶ユキノシタ科の落葉小低木。また、その果実。果実は酸味があり、ジャムや菓子などの材料にする。黒スグリ。❷①からつくるリキュール。▽cassis

かしず・く【×傅く】《自五》❶人につかえて、その人を守り世話をする。❷〔古〕後見する。[表記]現代仮名遣いでは「かしづく」も許容。[文]《四》。

かし・せき【貸席】料金をとって、〔時間ぎめで〕貸す座敷。貸し座敷。また、それを職業とする家。

かし・だおれ【貸(し)倒れ】貸した金が返してもらえず、損になること。

かし・だし【貸(し)出し】❶〔公共の機関が〕物を外部に貸すこと。「図書の—をする」❷〔銀行などが〕貸し付けのために金銭を支出すること。[対]借り入れ。

かし・ち【貸(し)地】地代をとって人に貸す土地。[対]借地。借り地。

かし・ちん【貸賃】貸した物の使用料としてとる料金。[類語]損料。[対]借賃。

***か・しつ**【加湿】《名・他サ》乾燥を防ぐため、空気中の湿気を増やすこと。「—器」[対]除湿。

***か・しつ**【過失】❶不注意のためにおこした失敗。過ち。しくじり。「—による事故」[類語]失策。失敗。粗相。失態。❷〔法〕不注意であるとの非難を受ける意思状態、およびその状態に基づく行為。[対]故意。—**ちし**【—致死】故意でなく、過失によって他人を死なせること。「—罪」

***か・じつ**【佳日・×嘉日】〔文〕〔結婚式など〕めでたい事のある日。よい日。[類語]佳節。嘉辰。吉日。

***か・じつ**【果実】❶植物の実。くだもの。水菓子。❷果実①のうち、特に食用とされるもの。家畜が産んだ子、貸家の家賃など。❸〔法〕元物から生じる利益。

***か・じつ**【過日】〔文〕すぎ去ったある日。先日。〔多く手紙文などで使う〕「—は御無礼いたしました」

が・しつ【画室】絵をかくために〔採光・温度などを考えて〕特別に作った部屋。画房。アトリエ。

かし・つけ【貸(し)付(け)】利子や返済の期限をきめて金品・権利などを貸すこと。—**しんたく**【貸付信託】信託業務の一つ。信託銀行が受益証券を発行し、それによって集めた資金を運用して、その収益を客に配当するもの。

かし・て【貸(し)手】金品を貸す人。貸し方。[類語]貸し主。[対]借り手。

かし・どり【×樫鳥】「カケス」の別称。

かじ・とり【×舵取り】❶船の舵の操縦をすること。また、その役(の人)。操舵手。舵手。❷物事がうまく進行するように導く・こと(人)。

かし・ぬし【貸(し)主】金銭や品物を貸す立場の人。[類語]貸し手。貸し方。[対]借り主。

カジノ❶とばくを主とする娯楽場。❷レビュー・軽演劇などの興行場。▽イタリア casino

かじ・の・き【×梶の木・▽構の木・×楮の木・×榖の木】クワ科の落葉高木。春、淡緑色の小さい花を穂状につける。樹皮は和紙の原料。かじ。かみのき。

かし・ビル【貸しビル】事務所や営業所用に、全部または一部を貸すビルディング。

かじ・ぼう【×梶棒】人力車・荷車などの、引くときににぎる長い柄。かじ。

かし・ほん【貸本】料金をとって、ある期間人に貸す本。貸本。「—屋」

かし・ま【貸間】料金をとって貸す部屋。貸室。

かしまし・い【×囂しい・×姦しい】《形》やかましい。うるさい。さわがしい。かしがましい。かまびすしい。「女三人よれば—・い」[文]かしま・し《シク》。

かしま・だち【×鹿島立ち】《名・自サ》遠い所へ旅立つこと。旅立ち。[参考]昔、旅立ちのとき、鹿島の阿須波の神に旅の安全を祈ったことからという。

がじまる→がじゅまる。

かし・みせ【貸(し)店】料金をとって人に貸す店。貸し店舗。

カシミヤ❶パキスタン・インドにまたがるカシミール地方に産するカシミヤヤギの毛を原糸とした布地や毛糸。保温性が高く光沢がある。=カシミア。▽cashmere

かじ・め【×搗▽布】褐藻類コンブ科の海藻。ヨードの原料。

かし・もと【貸(し)元】❶金銭を貸す人。金主。〔古風な言い方〕❷ばくち打ちの親分。[類語]胴元。

かし・や【貸家】→かしいえ。[対]借り家。

***か・しゃ**【仮▽借】漢字の六書の一つ。字の意味に関係なく、音だけを借りてことばをうつすもの。たとえば、元来「口ひげ」の意の「而」の文字を「しこうして」の意の「じ」にあてる類。仮借。

***か・しゃ**【貨車】貨物を運ぶ鉄道車両。[対]客車。

かじ・や【▽鍛×冶屋】鍛冶を職業とする・人(家)。

か・じゃ【▽冠者】→かんじゃ(冠者)。[参考]狂言などで、人名のあとにつけて使う。「太郎—」「蒲の—」

***か・しゃく**【仮借】❶《名・他サ》〔文〕借りること。❷《名・他サ》みのがして、許すこと。「—なく責め立てる」

類語容赦(ようしゃ)。❸↓かしゃ(仮借)。

*か‐しゃく【×呵▽責】《名・他サ》きびしくせめ苦しめること。また、心の中でせめさいなむこと。「良心の━」

*か‐しゅ【歌手】歌を歌うことを職業にしている人。歌い手。「ロック━」

*か‐しゅ【火手】機関車に乗って、汽罐(きかん)の火をたいたり、機関の手入れなどをする役(の人)。

*か‐しゅ【火酒】〔火をつけると燃えるほど〕アルコール度の強い酒。焼酎(しょうちゅう)・ウイスキー・ウオツカなど。

か‐じゅ【果樹】食用になる果実がなる木。「━園」

*が‐しゅ【画趣】絵になるような趣や景観。

*が‐しゅ【雅趣】風流で上品な趣。風雅な趣。雅致(がち)。「━に富む」類語風趣。

が‐じゅ【賀寿】長寿の祝い。賀の祝い。

カジュアル《形動》形式ばらないようす。特に、衣服などが、気軽に着られるようす。「━ルック」対フォーマル。▽casual

*か‐しゅう【家集】〔昔の〕個人の歌集。家の集。

*か‐しゅう【歌集】❶多くの和歌を集めて編んだ本。❷歌謡曲や歌曲を集めた本。「愛唱━」

*か‐しゅう【河州】「河内(かわち)の国」の唐風の呼び名。

*カシュー ウルシ科の常緑小高木。おもに熱帯地方で栽培される。実は食用。▽cashew ━ナッツ カシューの実。煎って食用とする。▽cashew nuts

*か‐じゅう【佳×什】〔文〕すぐれた詩や歌。類語佳作。

*か‐じゅう【加重】《名・自他サ》重みや負担がさらに加わること。また、さらに加えること。「━をかける」━へいきん【━平均】数値の平均を求める場合、それぞれの数値に軽重の度合いを加えて算出する方式。

*か‐じゅう【果汁】果実をしぼった汁。ジュース。

*か‐じゅう【荷重】構造物や機械に、外部から加えられる力。また、構造物がたえうる重さ。「橋の━」

*か‐じゅう【過重】《形動》〔重さ・量・負担などが〕ある限度をこしているようす。「━な労働」類語過度。

*が‐しゅう【我執】❶〔仏〕自身の内に永遠不変の実体があると思いこんでいること。我見(がけん)。我想(がそう)。「━を去る」❷自分本位のせまい考え。「━にとらわれる」

*が‐しゅう【画集】多くの絵を集めて編集した本。類語画帖(がじょう)。

*が‐しゅう【賀州】「伊賀の国」の唐風の呼び名。

がじゅまる クワ科の常緑高木。熱帯アジアに分布する。幹からたれた気根は地について支柱になる。防風林などとして植える。榕樹(ようじゅ)。がじまる。

が‐しゅん【賀春】〔文〕新春を祝うこと。類語賀正。頌春(しょうしゅん)。参考年賀状などに書くあいさつの言葉。

が‐じゅん【雅×馴】《名・形動》〔文〕文章や表現が正しくて、よくねれていること。「━な筆致」

*か‐しょ【歌書】和歌を集めた書物。また、和歌に関する事を書いた書物。歌集・歌学書など。

*か‐しょ【箇所・▽個所】㊀《名》そのものの存在するひとくぎりの場所。「疑問の━」「訂正━」㊁《助数》《数を表す漢語につけて》場所・部分の数を表す。「三━に設置する」表記「か所」と書くことが多い。

*か‐じょ【加除】《名・他サ》〔文〕加えたり、除いたりすること。「━訂正」

*か‐じょ【花序】花が花軸につくときの花のならびかた。

*か‐しょう【仮称】《名・他サ》かりに名称をつけること。また、そのかりの名称。

*か‐しょう【仮象】〔主観的に認めることはできるが〕実際には実在しないもの。

*か‐しょう【▽和尚】天台宗で、和尚(おしょう)。

*か‐しょう【×嘉賞】《名・他サ》〔文〕〔目上の人が〕よいと認めてほめること。「御━にあずかる」

*か‐しょう【歌唱】《名・他サ》〔文〕歌を歌うこと。また、歌。「━力」「━指導」

*か‐しょう【河床】川底の地盤。河床(かわどこ)。

*か‐しょう【火傷】《名・自サ》火・熱湯・蒸気・薬品などで皮膚に傷を受けること。また、その傷。やけど。

*か‐しょう【華商】海外に定住した中国人の商人。参考「華僑(かきょう)」の言いかえ語。

*か‐しょう【×訛称】〔文〕❶なまった言い方。❷間違った言い方。正しくない呼び名。

*か‐しょう【過賞・過称】《名・他サ》〔文〕過度にほめること。ほめすぎ。過褒(かほう)。「━のきらいがある」

*か‐しょう【寡少】《形動》〔文〕非常に少ないようす。ごくわずか。「━な勢力」類語僅少(きんしょう)。微少(びしょう)。

*か‐しょう【過小】《形動》小さすぎるようす。「実力を━にみつもる」「━評価」対過大。

*か‐しょう【過少】《形動》少なすぎるようす。「━申告」対過多。

*か‐じょう【下情】〔為政者などの側から見た〕一般庶民のようす。「━に通じる」類語民情。世情。

*か‐じょう【家常】〔文〕ふだんのならわし。━さはん【━茶飯】〔文〕〔ふだん家庭でとる食事の意から〕ごくありふれていること。日常茶飯。「━事」

*か‐じょう【火定】《名・自サ》仏道の修行者が、みずから火の中に身をなげて死ぬこと。類語水定。土定。

*か‐じょう【渦状】〔文〕うずまきのような形。

*か‐じょう【箇条・▽個条】㊀《名》いくつかに分けて述べ並べたときの、その一つ一つ。類語条項。項目。㊁《助数》《数を表す漢語につけて》条項の数を表す。「五━の御誓文(ごせいもん)」表記「か条」と書くことが多い。━がき【━書(き)】箇条にわけて書き並べること。また、そのように書いたもの。「要求を━にする」

*か‐じょう【過剰】《名・形動》必要以上に多くあること。あり余ること。「生産━」「自信━」類語余剰。

*が‐しょう【画商】絵の売買を商売にしている人。また、その商売。「━を営む」

*が‐しょう【×臥床】〔文〕❶ねどこ。❷《名・自サ》床(とこ)にはいってねること。〔多く病気のときに言う〕

*が‐しょう【賀正】〔文〕新年を祝うこと。賀正(がせい)。参考年賀状などにかくあいさつのことば。類語賀春。

*が‐しょう【雅称】〔文〕風流な呼び方・名称。

*が‐じょう【×牙城】〔文〕〔大将などがいる〕城の中心。本丸(ほんまる)。「━を守る」「敵の━に迫る」

*が‐じょう【画×帖】〔文〕❶多くの絵を集めて、とじ本や折り本にしたもの。類語画集。❷絵をかくための冊子。画帳(がちょう)。スケッチブック。

*が‐じょう【賀状】〔文〕祝いの手紙。特に、年賀状。

*か‐しょく【仮植】《名・他サ》植物を、本植えするまでの間、かりに植えること。かりうえ。対定植。

*か‐しょく【家職】❶その家に代々伝わる職業・仕事。家業。「━をつぐ」❷武家・華族・富豪などの家で、その家の事務をとる人。家令・家扶など。

*か‐しょく【河食・河×蝕】川の流れが川底や岸の土地を削り取ること。表記「河食」は代用字。

*か‐しょく【火食】《名・自サ》〔文〕物を煮たり焼いたり

してから食べること。

*か-しょく【華×燭】〔文〕❶はなやかにともされたともしび。❷結婚の席にともす灯火。転じて、結婚式。 ―の-てん【―の典】「結婚式」の美称。婚礼。

*か-しょく【貨殖】〔文〕財産をふやすこと。利殖。

*か-しょく【過食】《名・自他サ》〔文〕食べすぎること。類語暴食。 ―しょう【―症】精神的な要因で、食欲が極度に増進する病気。「神経性大食症」の俗称。若い女性に多い。対拒食症。

かしょ-の-くに【華×胥の国】❶中国古代の天子黄帝が昼寝の夢の中で遊んだという華胥氏の国。争いのない理想郷。〈列子・黄帝〉❷昼寝。

かしょぶん-しょとく【可処分所得】個人が自由に処分できる所得。個人所得から所得税と社会保険の個人負担を差し引いた残りの額。

*かしら【頭】❶頭部。あたま。「―に霜を置く(=白髪になる)」❷頭髪。かみ。「―を下ろす(=出家する)」❸一番上(のほう)。一番はじめ(のほう)。「十五を―に三人の子がある」❹一団の人の上に立ってひきいる人。首領。「一味の―」❺特に、大工・左官・鳶職(とびしょく)などの親方。職人の長。❻人形の首。〔特に人形浄瑠璃(じょうるり)の人形にいう〕「―をうつ(=作る)」

*か-しら《終助詞「か」+「知らん」の転》一《終助》❶話し手の思案を自問の形で示す。〔思案するさまが余情として残り、これによって相手への問いかけの意を含ませることもできる〕「こんなに幸せでいいかしら」❷〔「…ていただける(もらえる・くれる)」+「かしら」の形で〕婉曲(えんきょく)な依頼を表す。「やってもらえるかしら」〔打ち消しの表現にすると、さらに遠慮深い言い方になる〕「貸していただけないかしら」参考女性が使う(近年、男性も使う)。これに当たる男性語は「かな」。二《副助》〔疑問を表す語について〕不定の意を表すのに使う。〔どれとも決めがたいという余情がこもる〕「どこかしら高貴なところがある」「何かしら不安げだ」

がしら【頭】《接尾》❶「…したとたん」の意。「出会い―」❷「(…した)最上位の人」の意。「出世―」「旗―」❸手前・上端などの意を表す。「目―」「波―」

かしら-じ【頭字】→かしらもじ。

かしら-だ・つ【頭立つ】《自五》人の上に立つ。かしらになる。類語おもだつ。

かしら-ぶん【頭分】ある仲間の人々の中で支配者的な地位にある人。親分(格)。首領(格)。頭株(あたまかぶ)。

かしら-もじ【頭文字】欧文で、文の始めの語や固有名詞の始めに用いる大文字。頭字(かしらじ)。参考姓名の頭文字を「イニシアル」という。

か-しらん《終助》《終助詞「か」+「知らん」》不審を抱きながらの自問を表す。〔主に、年配の女性が使う〕「私っていつもこうなのかしらん」参考→かしら。

かじり-つ・く【×齧り付く】《自五》❶くいつく。かみつく。「骨つきの肉に―・く」類語かぶりつく。❷しっかりと・ついて(つかんで)離れまいとする。「ストーブに―・く」類語むしゃぶりつく。❸一つのことから離れまいとして一所懸命になる。「机に―・いて勉強する」

かし-りょう【貸(し)料】物を貸してとる料金。貸賃。類語損料。

かじ・る【×齧る・×噛る】《他五》❶〔堅いものを〕歯で少しずつかんでいく。歯を立てる。「親のすねを―・る(=親がかりになっている)」❷〔ある物事を〕少しだけやってみる。「フランス文学を―・る」文《四》

*かしわ【×柏・×槲】ブナ科の落葉高木。山野に自生する。葉は大きく、倒卵形でふちが波形。葉をかしわ餅に用いる。表記俗に「槲」とも書く。

*かしわ【▽黄▽鶏】❶茶色の羽のニワトリ。❷食用にする、ニワトリの肉。鶏肉。

かしわ-で【×柏手・▽拍手】神を拝むとき、両手のてのひらを打ち合わせて鳴らすこと。「―を打つ」

かしわ-もち【×柏×餅】❶米の粉をこねてむしたもちであんをくるみ、カシワの葉で包んだ和菓子。五月五日の節句に供える。❷〔俗〕一枚のふとんを二つにおって、その中にねること。

*か-しん【佳×辰・×嘉×辰】〔文〕めでたいことのある日。よい日がら。「―の挙式」類語佳節。佳日。吉日。

*か-しん【家信】〔文〕自分の家からの手紙。家書。

*か-しん【家臣】〔大名などの〕家につかえる臣下。家来。家人(けにん)。「徳川の―」

*か-しん【花信】〔文〕〔桜・梅などの〕花が咲いたという知らせ。花だより。「―に接する」

*か-しん【花心・花×芯】おしべ・めしべのある部分。花の中心。花蕊(かずい)。

*か-しん【過信】《名・他サ》高く評価して信頼(信用)しすぎること。「実力を―する」類語過大評価。

*か-じん【佳人】〔文〕容貌(ようぼう)の美しい女。美人。「才子―」 ―はくめい【―薄命】〔文〕美人はとかく不幸で、若死にしやすいということ。類語才子多病。

*か-じん【家人】家族の者。〔その家の主人を含めないでいうことが多い〕

*か-じん【歌人】和歌を作ることを職業または専門にする人。歌よみ。類語俳人。詩人。

*か-じん【華人】国外に移住した、中国人。類語華商。華僑(かきょう)。

が-じん【画人】〔文〕絵かき。画家。類語画伯。

がしん-しょうたん【×臥薪×嘗胆】《名・自サ》〔文〕かたき討ち、または目的の達成のために、苦しい試練を自分に課すること。故事中国の春秋時代に呉王(ごおう)夫差(ふさ)は父のあだを討つため、たきぎの上に寝て勇猛心をふるい起こし、ついに越王(えつおう)勾践(こうせん)を降伏させた。負けた勾践は、たえず苦い熊(くま)の胆(い)をなめて屈辱を思い出し、ついに夫差を滅ぼしたという。〈十八史略〉

*かす【×滓】❶液体などの底に沈殿するもの。おり。❷よい部分を取り去ったあとに残るもの。❸役に立たないつまらないもの。「人間の―」表記②③は「粕」「糟」をあてることもある。

*かす【×粕・×糟】酒のもろみをこして液汁を取ったあとに残ったもの。酒かす。類語くず。

*か・す【仮す】《他五》〔文〕❶かりに与える。「―・すに時を以(もっ)てす」❷みのがして許す。仮借(かしゃく)する。文《四》

*か・す【貸す・×藉す】《他五》❶自分のものを一時的に、他人のものとして使わせる。「本を―・す」類語用立てる。貸し付ける。貸し出す。(るす)前貸し。賃貸し。貸与。賃貸。融通。❷他人の便をはかるために、自分の能力・知恵などを差し出す。助力する。「手を―・す」「力を―・す」表記「藉す」は②に当てる。対①②借りる。文《四》

*か-ず【下図】下に示した図。対上図。

*かず【数】❶同じ種類のものが集まっている場合、どの程度に重複しているかを表すもの。「ひとつ」「ふたつ」、「いち」「に」のような言葉・文字を指す場合(十まで数を

数える・黒板に漢字で数を書く）と、実際の数量を指す場合（数が多い・リンゴの数は幾つですか）とがある。

参考 ↓数。❷多い分量・種類。いろいろ。「—ある中でも最もすぐれる」❸価値あるものとしてとりたてて数えたときの範囲。また、その範囲に入る・こと（もの）。「—にはいる」「—ならぬ身」

ガス ❶気体。「炭酸—」「毒—」❷〔プロパンガス・天然ガスなど〕燃料用の気体。❸ガソリン。「—欠」❹濃い霧。「—がかかる」❺「ガス糸」の略。❻「ガス織り」の略。ガス糸で織った織物。❼〔俗〕屁。おなら。 表記 （③を除き）「瓦斯」と当てる。▽オランダ gas 注意 ③は英語。 **—いと【—糸】**（gassed yarn）ガスの炎で表面のけばを焼きとった綿糸。丈夫でつやがある。ガス。 **—タンク** ガスを貯蔵し、圧力で送りだす、球形や円筒形の大きな容器。▽gas tank **—とう【—灯】** 石炭ガスを燃やして光源とした明かり。特に、街灯。ガスランプ。 **—ぬき【—抜き】**《名・自サ》❶鋳物などをつくるときに、空気を抜いて空洞ができないようにすること。❷炭坑などで、発生したガスを抜くこと。❸不満・ストレスなどを発散させること。 **—マスク** 有毒ガス・煙などから呼吸器や目を守るため、顔につける器具。防毒面。防毒マスク。▽gas mask

—を熟す《句》多くの数量のものを処理する。

***か‐すい【下垂】**《名・自サ》〔文〕〔正常な位置にとどまらず〕たれさがること。「胃—」

***か‐すい【仮睡】**《名・自サ》〔文〕軽く眠ること。仮眠。 類語 うたた寝。かり寝。

***か‐すい【花穂】** 一本の軸の先に、穂の形に多数の花がついたもの。

かす‐か【▽幽か・▽微か】《形動》わずかで弱々しいようす。「—に虫の声が聞こえる」「—に潮の香がする」 類語 うっすら。仄のか。ほんのり。ぼんやり。薄々。仄々。絶え絶え。幽けし。淡い。微弱。

かすがい【×鎹】 ❶戸をしめる金具。かけがね。❷両端を曲げた「コ」の字形の鉄くぎ。二つの材木をつなぎとめるのに用いる。❸二つの物をしっかりつなぎとめるもの。「子は—」 類語 くさび。

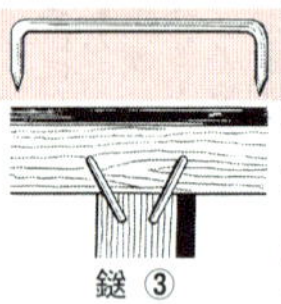
鎹 ③

かす‐かす《副・形動》❶果物の水分が乏しいようす。「—のみかん」❷〔俗〕差異・余裕などがわずかであるようす。すれすれ。「—で間に合う」

かず‐かず【数数】《名・副》数や種類が多いこと。種々さまざま。いろいろ。「好きな作家は—あるが」

***かず・く【▽潜く】**《自五》水中にもぐる。潜水する。〔古風な言い方〕文《四》。

***かず・く【▽被く】**《他五》〔衣服などを〕頭にのせる。上にかける。かぶる。〔古風な言い方〕文《四》。

かず・ける【▽被ける】《他下一》❶頭にかぶらせる。❷ことよせる。かこつける。〔多く、自動詞的に使う〕「病気に—・けて欠席する」❸〔責任などを〕他人におわせる。「罪を人に—・ける」文かづ・く《下二》。

かずさ【▽上▽総】 旧国名の一つ。今の千葉県の中央部。南総。総州。

かす‐じる【×粕汁・×糟汁】 酒かすを加え、塩鮭や塩ぶりなどを具にしたみそしる。

カスター 食塩・こしょうなどの小びんをのせ、テーブルに置く器具。薬味立て。キャスター。▽caster

カスタード ❶牛乳・卵・砂糖などをまぜあわせたもの。❷「カスタードクリーム」の略。①に小麦粉を加えて煮つめた、クリーム状のもの。▽custard **—プディング** 洋菓子の一つ。カスタードを型に流しこみ、むし焼きにしたもの。カスタードプリン。▽custard pudding

カスタネット スペインに起こった打楽器。二枚貝のような、対の形をしている。手のひらと指の間にはさんで打ち鳴らす。 参考 スペイン castaña（＝栗の実）から。▽castanets

カスタム《造語》「注文生産の」「特別製の」の意。「—カー」▽custom

かす‐づけ【×粕漬(け)・×糟漬(け)】 魚・野菜などを酒かすやみりんかすにつけること。また、つけたもの。

カステラ 洋菓子の一つ。卵をといて、砂糖・小麦粉・水飴などをまぜ、スポンジ状にむし焼きにしたもの。▽ポルトガル pão de Castella（＝カスティーリャのパン）から。

カスト ↓カースト。▽caste

かす‐とり【×粕取(り)・×糟取(り)】 ❶「粕取り焼酎」の略。酒かすに水を加えて糖化・発酵させたものを蒸留して作った焼酎。❷芋などから急造された質の悪い密造酒。 表記 ②は多く「カストリ」と書く。

かず‐とり【数取り】 ❶物を数える時に使う物。❷数を数える役目の人。❸取った物の数を争う遊び。

ガストロノミー 美味を追求すること。美食学。▽フランス gastronomie

かず‐ならぬ【数ならぬ】《連語》とくに数えあげるほどの値打ちのない。〔連体詞的に使う〕「—身」

かず‐の‐こ【数の子】《「鯡の子」の意》ニシンの卵を乾燥または塩づけにした食品。正月料理に用いる。

かすみ【×霞】 ❶昼ま、霧・もや・低い雲・スモッグなどで遠景がぼんやりとみえる現象。「春—がたなびく」 参考 多く春に発生するものを「霞」と言い、秋に発生するものは「霧」と言った。❷「かすみ網」の略。

かすみ‐あみ【×霞網】 飛んで来る小鳥をとらえるための、細い絹糸でつくった網。かすみ。 参考 一九四七（昭和二二）年の狩猟法改正で禁止された。

かすみ‐そう【×霞草】 ナデシコ科の一年草。春から夏にかけて、白色・淡紅色の小さい花を多数つける。

かすみ‐め【×翳(み)目】 視力がおとろえて、物がかすんで見える目。

かす・む【×霞む】《自五》❶かすみ①がたちこめる。❷けむって物がぼんやり見える。「遠くに島が—・む」❸〔目に故障があって〕はっきり見えなくなる。 表記 ③はふつう「翳む」と書く。文《四》。

かすめ‐と・る【×掠め取る】《他五》❶〔すばやく〕うばいとる。❷人目をごまかしてぬすみとる。

かす・める【×掠める】《他下一》❶〔すばやく〕盗み取る。「倉庫から衣類を—・めてくる」 類語 掠奪。❷〈「目を—・める」の形で〉人の目をくらます。すきをうかがう。「番人の目を—・めて逃げ出す」❸すれすれにすばやく過ぎ去る。かすする。「弾丸が頭を—・めた」❹〔かすめる③ように〕あるものの上にあらわれてすぐに消える。「母の姿が脳裏を—・める」文かす・む《下二》。

かず‐もの【数物】 ❶数の多い物。また、わずかな金で数多く買える物。下等品。❷一定の数がそろってはじめて役に立つ物。❸数の少ない物。

***かずら【×葛・×蔓】** つる草の総称。

***かずら【×鬘】** ❶古代の髪飾りの一種。つる草などで

つくった。❷→かもじ。❸→かつら。

*かすり【×掠り】❶かすること。❷一部分をごまかしてとること。また、そのとった物。「―を取る」❸文字・絵などの墨がかすれること。また、そのかすれた部分。

*かすり【×絣・▽飛▽白】輪郭がかすったようになった小さな模様。また、その模様の織物。飛白(ひはく)。

かすり-きず【×掠り傷・×掠り×疵】❶物が皮膚をこすってできた軽い傷。擦過傷(さっかしょう)。❷軽い損害・損傷。「被害はほんの―だ」

*かす・る【×掠る・▽擦る】《他五》❶軽く触れてすばやく過ぎ去る。「弾丸が的を―・る」❷一部分をごまかして取る。うわまえをはねる。「賃金を―・る」❸底をさらう。「なべを―・る」文《四》。

*か・する【化する】━《自サ変》〔文〕形や性質が変わって別のものになる。「村が廃墟(はいきょ)と―・する」━《他サ変》〔文〕❶形や性質を変わらせて別の物にする。変える。❷影響をおよぼして、その性質・行いなどを変える。感化する。「徳をもって衆を―・する」

*か・する【嫁する】━《自サ変》〔文〕よめに行く。とつぐ。━《他サ変》〔文〕❶とつがせる。❷〔責任を〕他になすりつける。転嫁する。「責任を部下に―・する」

*か・する【×呵する】《他サ変》〔文〕❶強くしかる。❷凍った筆に息を吹きかけてあたためる。転じて、文章を書く。「禿筆(とくひつ)を―・する」

*か・する【科する】《他サ変》〔文〕刑罰を加える。刑罰を負わせる。「罰金を―・する」

*か・する【架する】《他サ変》〔文〕かけ渡す。また、上にかけて、構築する。「屋上屋を―・する」

*か・する【課する】《他サ変》〔文〕割り当てる。一方的に負わせる。「税を―・する」「義務を―・する」

*が・する【×臥する】《自サ変》〔文〕ふす。ふせる。ねる。「病床に―・する」

*が・する【×駕する】《自サ変》〔文〕❶〔馬車・馬などに〕乗る。❷他をしのいで上に出る。凌駕(りょうが)する。

*が・する【賀する】《他サ変》〔文〕祝いのことばを述べる。祝う。「新年を―・する」類語ことほぐ。

かす・れる【×掠れる・▽擦れる】《自下一》❶〔墨・絵の具・インクなどのつき方が少なくて〕かいた文字や絵の一部が切れ切れになって白い部分を残す。「文字が―・れる」❷〔声が〕しわがれる。文かす・る《下二》。

*かせ【×桛・×綛】❶つむいだ糸をかけて巻く道具。❷「かせいと」の略。❸てぬぐいかけ。❹きまった長さの枠に糸を一定の回数まきつけ、枠をはずして束にしたもの。〔助数詞的にも使う〕表記④は「綛」と書く。

*かせ【×枷】❶昔、罪人の首や手足にはめて、からだを自由に動かせないようにした刑具。桎梏(しっこく)。❷人を束縛するもの。「行動に―をはめる」

かぜ【風】❶物がそよぎ、吹きとばされ、からだには・寒く〔涼しく〕感じられる空気の流れ。「―が吹く」「―が立つ」❷呼吸器系の病気の一種。多く、寒けがして発熱する。感冒(かんぼう)。風邪(ふうじゃ)。「―は万病のもと」表記②はふつう「風邪」と書く。❸人に影響を与える、社会の慣習・様式などのたとえ。「世間の冷たい―に当たる」❹様子。態度。そぶり。〔接尾語的に使う〕「先輩―を吹かせる」⇩〘類語と表現〙〘使い分け〙

―薫・る《句》若葉をわたって風がさわやかに吹くようすを形容することば。〔五月の気候に言う〕

―が吹けば桶屋(おけや)が儲(もう)かる《句》思いがけない所に影響が及ぶたとえ。大風(おおかぜ)が吹(ふ)けば桶屋(おけや)が喜(よろこ)ぶ。

―の吹き回し《句》〔その時々で変わる風の吹きぐあいの意から〕その時の模様次第で変化し、一定しないことに言うことば。もののはずみ。「どういう―か、彼は急にまじめになった」

―光・る《句》春の日ざしの中をそよそよと風が吹くようすを形容することば。〔四月の気候に言う〕

―を切・る《句》〔乗り物・矢などが〕勢いよくすすむ。「小石が―・って飛んできた」参考→肩で風を切る。

―を食ら・う《句》〔自分の悪事がばれたのをさとり〕すばやくにげて姿をかくす。「盗賊は―・って逃げた」

類語と表現

「風」

*風が起こる・風が吹く〔吹き渡る・吹き込む・吹き通う・吹き抜ける・吹き募る・吹き荒れる・吹きまくる〕・風が止む〔おさまる・しずまる〕・風に吹き飛ばされる。

◆〔…かぜ〕朝風・夕風・夜風・春風・秋風・東風・西風・南風・北風・海風・浜風・浦風・川風・山風・葉風・松風・涼(すず)風・そよ風・つむじ風・大風・横風・追い風・向かい風・空っ風・天つ風・神風 ◇〔…ふう(ぷう)〕強風・逆風・颶風(ぐふう)・飄風(ひょうふう)・涼風・緑風・冷風・海風・海陸風・季節風・偏西風・貿易風／温風・寒風・薫風・疾風・春風・順風・旋風・突風・南風・熱風・烈風 ◇〔嵐(あらし)〕朝嵐・夕嵐・夜嵐・小夜嵐・砂嵐・初嵐・花嵐・山嵐・大嵐 ◇〔気流〕上昇気流・下降気流・ジェット気流・乱気流・悪気流 ◇〔その他〕野分(のわき)(のわけ)・竜巻・疾風(はやて)・山背・東風(こち)・颪(おろし)・山颪・深山(みやま)颪・春一番・木枯らし・松籟(しょうらい)

◆オノマトペ そよそよ・ひゅう・ひゅうひゅう・ぴゅう・ぴゅうぴゅう・びゅう・びゅうびゅう・ごうごう(吹く)

使い分け

「風・風邪(かぜ／かざ)」

*「風・風邪」は、古くは「かざ」と言った。現代語でも語頭に来る複合語は「かざ…」となるものが多く、古風な響きを現代に伝えている。語末に来る時は、例外なく「…かぜ」となる。

◆〔かぜ…〕風邪気味・風草(植物)・風知草・風台風・風津波・風邪引き・風交じり ◇〔「かざ…」とも〕風当たり・風邪薬・風通し

◆〔かざ…〕風脚(かざあし)・風穴・風折り烏帽子(えぼし)・風折れ・風上・風車・風なぎ・風波・風花・風窓・風見 ◇〔「かぜ…」とも〕風入れ・風音・風邪気・風邪声・風先・風待ち・風道・風向き・風よけ

◆〔…かぜ〕秋風・朝風・雨風・追い風・臆病(おくびょう)風・神風・空っ風・川風・恋風・潮風・隙間(すきま)風・微風(そよかぜ)・つむじ風・波風・春風・夜風・鼻風邪・はやり風邪

がせ〔俗〕にせ。でたらめ。「―ねた(=にせの情報)をつかまされる」

かぜ-あたり【風当(た)り】❶風がそこに吹きつけること。❷その人の行動に対する周囲からの非難・攻撃。「社長への―が強い」＝かざあたり。

*か-せい【化成】《名・自他サ》❶形を変えて他の物になる(する)こと。❷〔理〕化合して他の物質になること。また、化合させて他の物質にすること。「―肥料」

*か-せい【化生】《名・自サ》❶〔文〕形を変えて生まれ出ること。❷生物の組織の形態や機能が、刺激やホルモンの作用などを受けて大きく変わること。

*か・せい【仮性】病因は異なるが、症状や性質が真性の病気によく似ていること。「—近視」対真性。

*か・せい【加勢】《名・自サ》力をかして助けること（人）。「—を頼む」類語援助。応援。助だち。助力。

*か・せい【家政】家庭内の仕事をとりまとめて日常生活を営むこと。「—科」「—婦（=雇われて家事の手伝いをする女性）」

*か・せい【家声】〔文〕一家の名声。一家の評判。

*か・せい【歌聖】〔文〕非常にすぐれた歌人。歌のひじり。歌仙。「—柿本人麻呂」

*か・せい【河清】〔文〕いつもにごっている中国の黄河の水が澄むこと。

—を俟つ《句》〔黄河の水が澄むのを待つ意から〕いくら望んで待っていても実現するみこみのないたとえ。百年河清を俟つ。〈春秋左氏伝・襄公八年〉

*か・せい【火勢】〔火事などの〕火の燃える勢い。「—が弱まる」類語火力。

*か・せい【火星】太陽系の内側から数えて四番めの軌道をまわる惑星。二個の衛星をもつ。地球の外側にあり、赤く光ってみえる。マルス。熒惑。

*か・せい【×苛性】動物の皮膚その他の組織をただれさせる性質。「—カリ（=水酸化カリウム）」「—ソーダ（=水酸化ナトリウム）」

*か・せい【×苛政】〔文〕〔人民を苦しめる〕きびしく、むごい政治。虐政。類語圧政。暴政。悪政。

—は虎よりも猛し《句》悪政は、人食い虎よりも凶暴で恐ろしい。〈礼記・檀弓〉

か・ぜい【課税】《名・自サ》税金をかけること。また、その税金。「—率（=税率）」

が・せい【画聖】〔文〕非常にすぐれた画家。画仙。

かせい・がん【火成岩】地下の岩漿が、地表または地中で冷えかたまってできた岩石。花崗岩・安山岩など。

かせ・いと【×桛糸・×綛糸】桛①から外した糸。桛。

カゼイン 乳汁にふくまれている、主要なたんぱく質。栄養価が高い。▽ドイ Kasein

か・せき【化石】❶〔地〕地質時代に生きていた動植物の死体やその生活の痕跡が、岩石の中に石のようにかたくなって残っているもの。「ひゆ的に進歩・発展のない人の意でも使う」「あの人は—人間だ」❷《名・自サ》〔文〕石になること。「—したようにこわばる」

—ねんりょう【—燃料】太古の動植物が地中に埋まってのち、長年の間に地熱などの作用を受けて分解し、炭化したもの。石炭・石油の類。

かせぎ【稼ぎ】❶働いて収入を得ること。また、その能力。「大した—もない」「出—」❷生活の資を得るための仕事。「いい—はないか」❸働いて得た収入（の額）。かせぎ高。「きょうの—は少なかった」類語収入。

かせ・ぐ【稼ぐ】㊀《自五》〔収入を得るために〕精出して働く。文《四》。㊁《他五》❶働いて収入を得る。「学費を—ぐ」❷〔努力して〕自分に有利な状態にもっていく。㋐〔スポーツ競技などで〕得点する。「前半戦で—ぐ」㋑〈「点を—ぐ」「点数を—ぐ」の形で〉相手の気に入るように働いて成績・評価を高める。「上役の点を—ぐ」❸〈「時を—ぐ」「時間を—ぐ」の形で〉〔よい機会が来るまで〕時間を費やすようにしむける。文《四》。

—ぐに追いつく貧乏なし《句》つねに精を出して働いていれば、貧乏に苦しむことはない。

かぜ・くさ【風草】イネ科の多年草。道ばたや野原に自生する雑草。秋、細かく分かれた穂を出し、紫色の小花を開く。風知草。かぜしりぐさ。みちしば。

かぜ・ぐすり【〈風邪〉薬・風薬】風邪をなおすのに使う飲み薬。風薬。

かぜ・け【〈風邪〉気・風気】↓かざけ。

かぜ・ごえ【〈風邪〉声・風声】↓かざごえ。

*か・せつ【仮設】❶《名・他サ》かりにつくり設けること。「—テント」❷（assumption）〔論〕一つの命題や定理で、前提となる部分。仮定。「AならばBである」のAのこと。対終結。

*か・せつ【仮説】❶（hypothesis）〔科学・哲学などで〕まだ証明されていない、いろいろな経験事物を統一的に説明するため、かりに立てた理論。「—を立てる」❷実際にはそうでないことをかりにそうだとすること。

*か・せつ【佳節・×嘉節】〔文〕〔公に関したことで〕めでたい日。祝日。「菊花の—」類語佳辰。

*か・せつ【架設】《名・他サ》〔長いものを〕宙に浮かせてかけ渡すこと。「電線の—工事」

カセット 録音テープなどを小さな容器に収めて装塡しやすくしたもの。また、その録音テープを使うしくみのテープレコーダー。▽cassette（=小箱）

かぜ・とおし【風通し】❶風が吹きぬける具合。「—がいい」❷組織などの中で、互いの意思が通じる具合。同①②風通り。=風通し。

かぜ・の・たより【風の便り】どこからともなく伝わってくるうわさ。風聞。

かぜ・ひき【〈風邪〉引き・風引き】風邪にかかること。また、風邪にかかった人。

かぜ・まち【風待ち】《名・自サ》↓かざまち。

かぜ・むき【風向き】↓かざむき。

かぜ・よけ【風▽除け】↓かざよけ。

*か・せん【化繊】「化学繊維」の略。

*か・せん【寡占】（oligopoly）少数の大企業で市場の大部分を支配すること。「—市場」

*か・せん【架線】《名・自他サ》空中に電線・電話線などをかけ渡すこと。また、そのかけ渡した線。「—工事」

*か・せん【歌仙】❶和歌の名人。参考ふつう、六歌仙・三十六歌仙をさす。❷連歌・俳諧の一形式で、三十六句からなるもの。参考三十六歌仙にちなむ。

*か・せん【河川】〔文〕大小の川を総称していう語。

—しき【—敷】〔河川法で、その河川の一部であると規定された〕河岸の敷地。かせんじき。

*か・せん【火線】〔文〕戦争で、直接敵と砲火をまじえる地帯。戦闘の最前線。

か・ぜん【果然】《副》〔文〕はたして。思ったとおり。あんのじょう。「—予想どおりであった」

が・ぜん【×俄然】《副》急に今までとちがった状態になるようす。にわかに。「—勢いづく」

がせん・し【画仙紙・画×箋紙】書画用の、厚くて大判の白い紙。もと、中国産。

か・そ【過疎】非常にまばらであること。ある地域に住む人の数が少なすぎること。「—化」「—地域」対過密。

が・そ【画素】画像を構成する最小単位。ピクセル。

*か・そう【下層】❶重なったものの下の部分・層。❷〔社会の〕下の方の階層。「—社会」対①②上層。

*か・そう【仮想】《名・他サ》かりに現実のこととして考えること。かりに想定すること。「—敵国」

—げんじつかん【—現実感】↓バーチャルリアリティー。

*か・そう【仮相】〔文〕実在しない、かりのかたち。仮象。㊥実相。真相。

*か・そう【仮葬】《名・他サ》正式の墓におさめる前に、かりにほうむること。仮埋葬。[類語]密葬。㊥本葬。

*か・そう【仮装】《名・自サ》❶かりにある人物・動物などの姿に似せてよそおうこと。「—行列」[類語]変装。❷かりに武装・装備すること。「—巡洋艦」

*か・そう【家相】中国の陰陽五行説に基づいてうらなった、家の向き・位置・間取りなどの吉凶。「—が悪い」

*か・そう【火葬】《名・他サ》死体を焼き、残った骨を集めてほうむること。茶毘。[参考]↓土葬・水葬・風葬・鳥葬。

*か・ぞう【加増】《名・他サ》❶《自サ》〔文〕増加。❷禄高や領地をふやし与えること。[類語]加禄。

*か・ぞう【家蔵】《名・他サ》〔文〕自分の家にしまい込んで持っていること(物)。「—の宝」

*か・ぞう【架蔵】《名・他サ》〔文〕〔本を〕たなにおさめて持つこと。「—の本」

が・ぞう【画像】❶絵にかいた肖像。えすがた。「キリストの—」❷テレビにうつる映像。「鮮明な—」

かぞえ【数え】「数え年」の略。「—で二十歳」

かぞえ・あ・げる【数え上げる】《他下一》❶一つ一つ数えてとりあげて言う。数え立てる。「欠点を—・げる」❷数え終わる。

かぞえ・うた【数え歌・数え×唄】「一つとせ」または、「一つとや」に始まって、十ぐらいまで数えあげていく歌。手まり歌・お手玉歌に多い。

かぞえ・た・てる【数え立てる】《他下一》一つ一つ取り立てて言う。数え上げる。「欠点を—・てる」

かぞえ・どし【数え年】生まれた年を一歳として、新年になるたびに一歳ずつ加えて数える年齢。かぞえ。[参考]↓満②。

かぞ・える【数える】《他下一》❶一・二・三…と順を追って数を調べる。勘定する。「日を—・える」[類語]計算。運算。演算。カウント。❷取りあげて言う。列挙する。「名人の一人に—・えられる人」[類語]数え上げる。数え立てる。枚挙。[文]かぞ・ふ《下二》。—える・ほど【—える程】《連語》〈「—しかない」「—しかいない」の形で〉ごく少数である。

か・そく【加速】《名・自他サ》速度がはやくなること。速度をはやめること。また、その速度。㊥減速。—ど【—度】❶〔理〕単位時間に速度が変化する割合。❷物事の進行する速度が次第に(はげしく)ましてゆくこと。「—がつく」「—的に物価が上がる」

*か・ぞく【家族】❶夫婦・親子・兄弟など、血縁を中心に構成する集団。[尊敬]貴家。尊家。❷旧民法で、戸主と同じ戸籍に入っている人々。—せいど【—制度】❶家族の共同生活を円滑にし、存続させていく上での、法的あるいは倫理的な秩序または制度。❷家長(=戸主)によって統率された家を社会組織の基礎単位とする制度。家制度。

*か・ぞく【華族】旧憲法で、士族の上の身分。公・侯・伯・子・男の爵位をもつ者とその家族。[類語]貴族。

が・ぞく【雅俗】〔文〕雅と俗。上品なことと、俗っぽいこと。

かそ・せい【可塑性】固体に外から力を加えると形をかえ、力をとりさってもそのままの形をのこす性質。粘土・プラスチックなどに見られる。塑性。

カソリック ↓カトリック。▽ Catholic —きょう【—教】↓カトリック教。

ガソリン 原油を摂氏二二〇度以下で分留したときにとれる油。主に内燃機関の燃料にする。ガス。▽ gasoline —エンジン ガソリンに点火して動力を発生させる内燃機関。オートバイ・自動車・航空機などのエンジン。ガソリン機関。▽ gasoline engine —スタンド 街頭にあって、自動車などにガソリンを売る所。▽ gasoline と stand からの和製語。

*かた【型】❶一定のかたちをつくり出すもとになるもの。また、そのための用具。鋳型・型紙など。❷習慣としてきまりきった形式。「—にはまった発想」[表記]「形」とも書く。❸〔武道・芸能・スポーツなどで〕規範とされる、動作・かたちなどの方式。「空手の—」[表記]「形」とも書く。❹その特質や特性をよく表している形式・形態。タイプ。パターン。「新しい—の車」❺きまった大きさ。サイズ。「靴の—が大きい」⇩〔使い分け〕—に嵌・める《句》多くのものすべてを同じようなありさまに・作る(みなす)。「—・めて教育する」—の如く《句》慣例どおり。型どおり。

*か・た【×夥多】《名・形動》〔文〕おびただしく多いこと。あまた。「その例は—に及ぶ」

*かた【形】❶かたち。かっこう。「髪の—」❷元のかたちが残されているしるし。あとかた。「壁に額の—が残っている」❸抵当。「借金の—」❹↓型③。⇩〔使い分け〕

使い分け「かた」

形〔目に見える形状〕洋服の形が崩れる・コの字形・ひょうたん形の池・蝶形の花・弓形に反る・卵形の顔・自由形(型)・横綱の手形・跡形もない・大形(小形)の昆虫・大形形鋼・H形鋼

型〔形をつくり出すもとになるもの。手本〕型紙・大型(小型)の台風・大型新人[免許・機械]・大型車・大型機・新型の掘削機・空手の型(形)・古い型(形)の演劇・型にはめる・やせ型・肥満型・九〇年型・血液型・自動車の型式証明・型通り・型破り・紋切り型・うるさ型

[参考]一般に、形状(フォーム)と形式(パターン・タイプ・スタイル)によって「形/型」「大形・小形/大型・小型」を使い分けるが、一線を画しがたいところもある。また、「H形鋼」や「大形(小形)形鋼」などは慣用により「形」を用いる。

*かた【方】㊀《形名》❶〔文〕空間的な方向を示す語。方角。方位。「東の—に山あり」❷〔文〕場所。所。「道なき—をふみ分けて」❸〔文〕ばくぜんとした時間・時期を示す語。ころ。「過ぎこし—」❹〔文〕しかた。方法。手段。[参考]多く下に打ち消しを伴う。「やる—なし」❺さし示す「ひと」をうやまって言う語。「御希望の—」㊁《接尾》❶《動詞の連用形について》「方法」「手段」「ようす」などの意。「扱い—」「混み—」❷《動詞の連用形や動作性の漢語名詞について》「…すること」の意。「打ち—やめ!」「調査—を頼む」❸「その方面に関係する人」の意。㋐〔二つあるうちの〕一方に属する人。「母—」「相手—」㋑その事にあたる人。係。「二番—」❹《人名に付けて》住む場所としてのその人の家の意。「大川様—」❺《助数》人を数えるときの尊敬した言い方。〔「おひとかた」「おふたかた」「おさんかた」の形でのみ用いる〕[参考]↓がた(方)。

*かた【潟】❶遠浅の海岸で、潮が満ちるとかくれ、ひくとあらわれる所。干潟(ひがた)。❷湾。入り江。❸砂嘴(さし)・砂州(さす)などによって海の一部分がくぎられ、海から切り離されてできた湖や沼。潟湖(せきこ・かたこ)。

*かた【片】㊀《名》二つで一組になるものの、一方。「―や東京に住み、―や京都に住む」㊁《接頭》❶「二つあるべきもののうちの一方」の意。「―目」❷「中心から離れて一方に偏っている」の意。「―田舎」❸「完全でない」「はんぱな」の意。「―言(こと)」❹「一方だけの」の意。「―恨み」❺「わずか」「少ない」の意。「―時(とき)」「―手間」❻「好ましくない」の意。「―意地」

―が付・く《句》処理すべき物事の解決がつく。決着がつく。おさまる。表記「方が付く」とも書く。

*かた【肩】❶くびの下部から腕のつけねにいたる、胴体の最上部。「―が怒る(=肩が高く張り出ている)」「―をすくめる」参考獣の前あしのつけねの上部、鳥の翼のつけねの上部にも言う。類語肩口。肩先。片肌。双肩(そうけん)。❷位置が、肩①にあたる所。㋐衣服の肩①にあたる部分。㋑山頂のやや下の平らな所。㋒物の上部のかどの部分。「文字の―に印をつける」❸になうもの。負担。「―が軽くなった」

―が凝(こ)・る《句》❶肩の筋肉がこわばる。❷気づまりで、ひどく神経を使う。同①②肩がはる。

―で息を・する《句》〔肩が上下するほど〕苦しそうに大きく呼吸をする。肩で息を継ぐ。

―で風を切・る《句》肩をそびやかし、得意になって歩く。威勢がいい様子の形容。

―に掛か・る《句》〔責任・義務などが〕ある人の負担となる。「社の発展は若い社員の―・っている」

―を怒(いか)ら・せる《句》〔いばって〕肩をそびやかす。威圧するような態度で人にせまる様子の形容。

―を入・れる《句》特別にひいきにし、応援する。

―を落と・す《句》肩の力が抜けて両腕が垂れ下がる。がっかりした様子の形容。

―を貸・す《句》❶手伝っていっしょにかついでやる。❷力をかして助ける。援助する。「弟の仕事に―・す」

―を窄(すぼ)・める《句》身を縮めておとなしくする。しょんぼりしたようすの形容。

―を並・べる《句》❶肩と肩とを一列にそろえる。「―・べて歩く」❷比肩(ひけん)する。「大国と―・べる」

―を抜・く《句》責任や負担をのがれる。

―を張・る《句》勢力のあるようすをする。いばる。

―を持・つ《句》加勢する。「妹の―・つ」

*か・た【過多】《形動》〔文〕多すぎるようす。「胃酸―」「情報―」類語過剰(かじょう)。対過少。

*がた【型】《接尾》その類の典型的なかたち・特徴をもっている意。タイプ。「最新―」「ハムレット―」「血液―」「うるさ―」⇩〔使い分け「かた」〕

*がた【形】《接尾》あるものが、それに似たかたちをしている意。「卵―」「ハート―」⇩〔使い分け「かた」〕

*がた【方】《接尾》❶《人を表す語について》複数の敬称を表す。「あなた―」「奥様―」類語たち。❷一方の仲間・所属であることを表す。「豊臣―」「幕府―」❸おおよその時間・時刻を表す。ころ。時分。「日ぐれ―」❹大体の割合・程度を表す。くらい。ほど。「九割―」

*がた〔俗〕〈「―がくる」「―がいく」の形で〉❶機械などが古くなって調子が悪くなる。「この車はもう―がきている」❷体のあちこちにぐあいの悪い所がでてくる。

かた・あげ【肩上げ・肩揚げ】《名・自サ》大きめに作った子供の着物のゆきを肩の部分で縫いあげて短くすること。また、縫いあげた部分。「―が取れる(=成長しておとなになる)」

かた・あし【片足】❶一方の足。片方の足。対両足。❷一本の足しかない・こと(人)。類語隻脚(せっきゃく)。

―を突っ込・む《句》❶半分はいりかかっている。「かんおけに―・む(=死にかかっている)」❷少し関係する。ちょっとかかわりをもつ。「市民運動に―・む」

かた・あて【肩当(て)】❶肩の形をととのえたり、布地のいたむのを防いだりするため、衣服の肩の(裏の)部分にぬいつける布・芯(しん)。❷寝るとき、肩をおおって寒さを防ぐ布。❸物をかつぐとき肩にあてるもの。

*か・たい【下×腿】ひざから足首までの部分。下腿部。すね。対上腿。

*か・たい【歌体】和歌の形式。短歌・長歌・旋頭歌(せどうか)・仏足跡歌(ぶっそくせきか)など。

*か・たい【過怠】〔文〕❶過ち。てぬかり。❷義務違反・怠慢などの償いとしてする物事。「―金」

*かた・い【堅い・固い・硬い】《形》❶物が、力を加えられても容易に形をかえない性質である。質が強くじょうぶである。「―・い木の実」「―・い鉄の箱」参考音・声などが重く強い意にも使う。「金属と石のぶつかる―・い音」対やわらかい。❷きっちりとしていて、すきまがない。堅固である。「唇を―・く閉じる」「守りが―・い」❸動作・顔つきなどにやわらかみがない。こわばっている。「―・くなって返事をする」❹心の状態や言行が容易に変わらない。「―・く決心する」「―・い約束」❺身持ちがたしかである。実直である。「身を―・く守る」❻がんこで融通がきかない。かたくなである。「頭が―・い」❼物事が、確実である。堅実である。「合格は―・い」❽厳格である。きびしい。〔副詞的に使う〕「―・くお断りいたします」❾ふざけたところがない。まじめである。「―・い本を読む」対やわらかい。文かた・し《ク》。⇩〔使い分け〕

*かた・い【難い】《形》〔文〕むずかしい。容易でない。困難である。「想像に―・くない」参考↓がたい。文かた・し《ク》。⇩〔使い分け〕

使い分け「かたい」

堅い〔質がしまって割れにくく、折れにくい。堅実。確実〕堅い材木・堅いつぼみ・堅焼き・意志が堅い・口が堅い・義理堅い・優勝は堅い・手堅く得点する

固い〔城壁を守るように、外から侵すことのできぬほど強くかたい〕地盤が固い・固く団結する・固く辞退する・口を固く閉ざす・守りが固(堅)い・決意が固い・固い握手・頭が固い

硬い〔「軟」の対。石のように、たやすく砕けたり裂けたりしない〕硬い玉・硬い髪・表情〔態度〕が硬い・体〔皮膚〕が硬い・硬さがほぐれる・硬い文章・話が硬い

難い〔「易」の対。難しい〕許し難い・想像に難くない

*か・だい【仮題】かりにつけた題。類語仮称。

*か・だい【架台】❶物をかけておく台。❷足場として作った台。❸鉄道・橋などをささえる構築物。

*か・だい【課題】題・問題を与えること。また、解決しなければならない題・問題。「人生の―」

*か・だい【過大】《形動》大きすぎるようす。「―な期待」「―視」「―評価」類語過分。対過小。

がた・い【難い】《接尾》《動詞の連用形について》「…するのがむずかしい」「…しにくい」などの意。「有りー・い」「耐えー・い」「名状しー・い」〔文〕がた・し《ク》。

が・だい【画題】❶絵につける題目。絵の題。❷絵の主題。絵の題材。花・鳥・裸婦の類。

かた・いき【片息・肩息】〔肩を動かして〕ひどく苦しそうにつく息。たえだえな息。

かた・いじ【片意地】《名・形動》がんこに自分の考えを押し通すこと。「ーを張る」

かた・いっぽう【片一方】二つあるもののうちの一つの方。一方。片方。「ーの手でつかむ」「履物のー」

かた・いなか【片〈田舎〉】ーゐ 都会から遠くはなれた、交通不便な村里。〔類語〕辺地。僻地へきち。僻村へきそん。

かた・いれ【肩入れ】《名・自サ》ひいきにし、力を貸すこと。力添え。「愛まな弟子にーする」

かた・うた【片歌】和歌の歌体の一つ。五・七・七の三句からなる。上代に見られ、問答に用いられた。

かた・うで【片腕】❶一方の腕。片手。❷一番信頼できて助けとなる人・部下。「ーと頼む」〔類語〕腹心。

かた・うらみ【片恨み】理由がないのに、片方の者だけが一方的にうらむこと。「謂いわれのないー」

かた・え【片▽方・▽傍え】ーへ〔文〕片側。かたほう。また、かたわら。そば。

かた・えくぼ【片×靨】ーゑくぼ 片方のほおだけにできるえくぼ。

かた・おき【型置き】型紙を物の上に置き、塗料・染料などを塗って模様を出すこと。

がた・おち【がた落ち】〔数量・評価などが〕急に甚だしく落ちること。「成績がーになる」〔類語〕急落。暴落。

かた・おなみ【片▽男波】ーをなみ 男波おなみ。〔参考〕山部赤人やまべのあかひとの和歌にある「潟を無み」をもじってできた。

かた・おもい【片思い】ーおもひ 一方は何とも思わないのに、片方だけが恋いしたうこと。片恋かたこい。

かた・おや【片親】❶父母のうちのどちらか一方。〔対〕二親ふたおや。❷父母のどちらかが欠けていること。

かた・がき【肩書(き)】❶〔名刺などで〕氏名の上または右上にかく、職名・役名・身分など。❷地位・身分・称号・呼称など。「ーが物を言う」

かた・かけ【肩掛(け)】防寒と装飾をかねて、女性が外出するとき肩にかけて用いるもの。ショール。

かた・かげ【片陰】❶ものの片方の陰。ちょっとした物陰。「ーにひそむ」❷日光のあたらない所。日陰。

かた・かた《副・自サ》《副詞は「ーと」の形も》小さなかたいものが触れあってでる、軽い感じの音の形容。

***かた・がた**【方方】㊀《名》「人々」の尊敬語。「お集まりのー」㊁《代名》《対称の人代名詞》〔文〕多くの人たちへ呼びかける語。あなたがた。おのおのがた。

***かた・がた**【×旁】㊀《接続》その機会にまた。〔…して〕一方では。ついでに。「所用で上京し、ー美術館巡りをする」㊁《接尾》《動詞の連用形や動作を表す名詞につけて》「…をかねて」「…のついでに」などの意を表す。…がてら。「御礼ごんれいーご案内まで」

がた・がた《副・自サ》《副詞は「ーと」の形も》❶堅いものがふれあってでる、重い感じの音の形容。「電車がーゆれる」❷体が激しくふるえ動くようす。「恐怖にーふるえる」〔類語〕ぶるぶる。❸《形動》こわれかかっているようす。「体はもうーだ」「ーにくずれる」

かた・かな【片〈仮名〉】《「片」は漢字の完全でない一部分の意》かなの一つ。多く、漢字の画かくを省略して作った日本の文字。〔参考〕主に、擬声語・擬態語・外来語・動植物名・隠語などの表記に使う。〔対〕ひらがな。

かた・がみ【型紙】❶〔染め物に使うため〕模様の形を切りぬいた紙。❷布などを裁断するときにあてて使う、作ろうとするものの形に切りぬいた紙。❸模様をうき出させた紙。〔表記〕③は「形紙」とも書く。

かた・がわ【片側】ーがは 物の一方のがわ。「ーだけに糊のりをつける」「道のーに寄る」〔類語〕反対側。 **ーまち**【ー町】道路の片側にだけ家が建ち並んでいる町。片町。

かた・がわり【肩代(わ)り・肩替(わ)り】ーがはり《名・他サ》〔かごをかつぐ人が交替する意から〕負担や負債を、他の者がひきついで負うこと。「借金をーする」

かたき【敵・×仇】❶競争相手。〔ふつう、接尾語的に使う〕「商売ーがたき」「恋ーがたき」❷ふかい恨みがあって、機会があれば滅ぼしたいと願っている相手。「親のー」❸恨みをもつ原因となったもの。「金がーの世の中」

***かた・ぎ**【堅気】《名・形動》❶性質がまじめで、心がしっかりしていること。「ーな社員」〔類語〕律義。❷まともで、じみな職業や生活をしている・こと(人)。〔不正な商売ややくざなどに対して言う〕「ーに立ち返る」

***かた・ぎ**【形木】❶〔染色などに使うため〕ある物の形・模様を彫った板。❷〔古〕版木はんぎ。

***かた・ぎ**【▽気▽質・▽容気】その身分・職業・環境などに特有な気風・気性。〔接尾語的に使う〕「職人ー」「昔ー」〔類語〕気質きしつ。

かたき・うち【敵討ち】❶主君や親などを殺された者が、仕返しにあいてを殺すこと。あだうち。❷仕返しをすること。復讐ふくしゅう。〔類語〕報復。

かた・ぎぬ【肩▽衣】❶上代、庶民が着た上着。袖そでがなく、肩と背だけをおおうもの。❷室町時代以後、武士の礼服の一つ。肩から背をおおうもの。

かたき・やく【敵役】❶芝居で、悪人にふんする役。悪形あくがた。悪役。❷人から憎まれる役目。

***か・たく**【仮託】《名・他サ》〔ある物事に〕かこつけること。ことよせること。「小説にーして語る」

***か・たく**【家宅】〔他人の住む〕住居。家。すみか。「ー侵入罪」「ー捜索」

***か・たく**【火宅】〔仏〕現世。この世。〔参考〕苦しみ・悩みにみちた現世を火事で燃える家にたとえた語。

かた・くずれ【形崩れ・型崩れ】《名・自サ》衣服や靴などが、本来の形を失うこと。「背広がーする」

かた・くち【片口】❶一方だけの言い分。片言かたこと。「ーは信用できない」❷一方にだけつぎ口のある鉢はちや長柄の銚子ちょうし。

ーいわし【ー×鰯】カタクチイワシ科の魚。上あごが下あごより長い。幼魚をしらすぼし・ごまめなどにする。せぐろいわし。ひしこ。

片口②

かた・ぐち【肩口】肩先。

かたくな【▽頑な】《形動》〔だれが何と言おうと〕自分だけの考え・態度を強く持ちつづけるようす。「ーに自説にこだわる」〔類語〕強情。がんこ。偏屈。

かた・くり【片×栗】❶ユリ科の多年草。山地に自生する。早春に紅紫色の花を一つ下向きに開く。根茎から「かたくり粉」をとる。❷「かたくり粉」の略。 **ーこ**【ー粉】カタクリの根茎からとる白色のでんぷん。料理や菓子を作るのに使う。〔参考〕現在は、ほとんどジャガイモのでんぷんで代用。

かた-くるし・い【堅苦しい】《形》うちとけずに窮屈である。「—・い家庭」「—・いあいさつは抜きにしよう」

かた-ぐるま【肩車】❶人を両肩にまたがらせてかつぐこと。❷柔道で、相手を肩にかけて投げる技。

***かた・げる【▽傾げる】**《他下一》かたむける。「首を—・げる」〔方言臭のある言い方〕文かた・ぐ《下二》。

***かた・げる【▽担げる】**《他下一》肩にのせてかつぐ。「くわを—・げて帰る」文かた・ぐ《下二》。

かた-こい【片恋】(-こひ)片思い。

かた-こと【片言】❶〔文〕ことばの一部分。片言(へんげん)。❷〔幼児や外国人などのしゃべる〕不完全なたどたどしいことば。「まだ—しかしゃべれない」❸〔文〕→片口。

かた-こり【肩凝り】肩のあたりがこること。

かた-さ【硬さ】硬いこと。また、硬い度合い。硬度。

かた-さき【肩先】肩の、腕に寄った部分。肩口。

かた-しき【型式】自動車・航空機などの構造や外形によって分類される、特定の型。「—番号」

かた-しぐれ【片〈時雨〉】〔雅〕ある場所では時雨が降っているのに、そのすぐ近くでは晴れていること。

かたじけな・い【×忝い・▽辱い】《形》❶恐れ多い。もったいない。「—・い仰せ」❷感謝にたえない気持ちだ。ありがたい。文かたじけな・し《ク》。

かたじけなく・する【×忝くする・▽辱くする】《連語》もったいなくも…していただく。かたじけのうする。〔古風な言い方〕「天覧を—する」

かた-しろ【形代】❶昔、神を祭るとき、神体のかわりに置いたもの。❷みそぎ・おはらいなどに使う、人の形に切りぬいた紙。ひとがた。❸身がわりのもの。

かた-じん【堅人】まじめで身持ちのよい人。堅物(かたぶつ)。

かた-す【片す】《他五》〔関東・東北の方言〕かたづける。整理する。「部屋を—・す」文《四》。

かた-ず【固×唾】〔息をこらして事の成り行きを見守るとき、〕口の中にたまるつば。「—を呑(の)む(=どうなることかと、緊張して息をこらす)」表記 現代仮名遣いでは「かたづ」も許容。

かた-すかし【肩透(かし)】❶相撲で、差した手と相手の胸に当てた肩を急に引いて身をかわし、相手の肩をたたいて倒す技。❷意気ごんでくる相手を軽くそらして、拍子抜けさせること。「—を食わせる」

カタストロフィー ❶大災害などによる破滅。❷演劇や小説などの〔悲劇的な〕大づめ。破局。=キャタストロフィー。カタストロフ。▽catastrophe

かた-すみ【片隅】❶一方のすみ。すみっこ。「部屋の—に座る」❷広い範囲の中の〔目立たない〕一部分。せまい場所。一隅(いちぐう)。「大都会の—で起きた事件」

かた-ずみ【堅炭】ナラ・カシなどの木でつくった、質が堅く火力のつよい木炭。

かた-ぞう【堅蔵・堅造】まじめ一方の人。堅物(かたぶつ)。参考 人名に似せて言ったことば。

かた-ぞめ【型染(め)】型紙を使って模様を染めること。また、そのようにして染めたもの。

かた-たがえ【方▽違え】(-がへ)陰陽道(おんみょうどう)の俗信の一つ。外出する方角が悪いとき、別の場所に一泊して方角を変えてから目的地へむかうこと。

かた-たたき【肩×叩き】❶こりをほぐすため、肩をたたくこと〔道具〕。❷退職や出向などを、やわらかく頼み勧めること。

かた-だより【片便り】出した手紙に対して返事が来ないこと。参考 ふつう恋文に言う。

かたち【形】❶目や手によって知られる、物のすがた。かっこう。「影も—もない」❷物事の表面にあらわれた形式・様式。「近代国家としての—を整える」「—の上では…(=体裁上は…)」❸物事の結果としてなった状態・ありさま。「悲惨な—で結末を迎えた」❹人に対する態度・様子。「覚えず—を改める」

かたち-づく・る【形作る】㊀《自五》化粧(けしょう)する。〔古風な言い方〕㊁《他五》〔要素を組み立てて〕あるまとまった形をつくる。構成する。「理論を—・る」

かたち-ばかり【形▽許り】《連語》→かたばかり。

かた-ちんば【片×跛】《名・形動》対(つい)になっているべきものの形や大きさなどがそろっていないこと。

か-たつ【下達】《名・他サ》〔文〕上の人の意思・命令などを下の人に伝えること。「上意—」対上達。

かた-づ【固×唾】→かたず。

かた-つき【肩付(き)】肩の〔あたりの〕様子・かっこう。

かた-づ・く【片付く】《自五》❶〔物が〕納まるべき場所に納まる。「部屋が—・く」類語 整う。❷物事が解決する。きまりがつく。「事件が—・く」類語 (する)決着。落着。帰着。❸嫁に行く。とつぐ。〔本人以外の身内から言う〕表記 ❸は「嫁く」とも書く。

がた-つ・く《自五》❶がたがた音をたてる。「風で窓が—・く」❷体がはげしくふるえうごく。「恐怖に—・く」❸調子が悪くなる。「機械が—・く」❹組織が乱れる。「労資紛争で社が—・く」

かた-つけ【型付(け)】型紙をあて、上から染料をつけて模様を染めること。また、それをする職人。

かた-づ・ける【片付ける】《他下一》❶〔物を〕納めるべき場所に納める。整頓(せいとん)する。「部屋を—・ける」類語 整える。❷物事を解決する。きまりをつける。「宿題を—・ける」類語 (する)始末。❸嫁にやる。とつがせる。「娘を—・ける」表記 ❸は「嫁ける」とも書く。❹〔俗〕じゃまになる人を除く。殺す。「スパイを—・けた」

がたっ-と《副》❶物が急に傾いたりくずれたりするようす。「積み荷が—くずれる」❷物事が急に悪い状態になるようす。「景気が—悪くなる」

かた-っ-ぱし【片っ端】「かたはし」を強めて言う語。**—から**《副》ためらわず順々に行うようす。手あたり次第に。かたはしから。「—事件を解決する」

かたっ-ぽう【片っ方】→かたほう。

かたつむり【×蝸▽牛】陸にすむ巻き貝の通称。殻をおった形で、湿地にすむ。二対の触角をもつ。でんでんむし。まいまいつぶり。まいまい。蝸牛(かぎゅう)。

かた-て【片手】❶一方の手。片方の手。対両手。❷一本の手しかない・こと(人)。類語 隻腕(せきわん)。隻手(せきしゅ)。❸一組の手袋などの片方。❹片方の相手。一方の相手。❺〔俗〕五、五〇、五〇〇など、五のつく金額を言う語。参考 片手の指の数から言う。**—おけ【—×桶】**(をけ)片方だけに取っ手のついているおけ。

かた-ておち【片手落ち】《名・形動》一部分にだけしか注意がおよばず、公平をかくこと。「生徒だけを責めるのは—だ」類語 不公平。不平等。へんぱ。

かた-てま【片手間】本来の仕事のあいま。また、その間に何かほかの事をすること。「—に片付ける」

かた-どおり【型通り】(-どほり)《名・形動》きまっているやり方に従ってすること。「—に儀式を行う」類語 定まり。

かた-とき【片時】ほんのわずかの間。少しの時間。

か

〔ふつう、「―も…しない」の形で使う〕「―も忘れない」 類語 瞬間。暫時。寸時。寸刻。

かた・ど・る【▽象る・▽模る】《他五》〔「形取る」の意〕❶ある物の形をもとにして、うつしとる。「星を―・った校章」❷ある物事の内容を姿・形にして表し示す。「愛を―・った彫刻」

かたな【刀】❶片刃の刃物。❷小形の太刀。❸武士が脇差と対にして腰にさした刃物。大刀。たち。類語 やいば。秋水。氷刃。参考「一口…」「一振り…」、また腰に帯びるものとして「一腰…」と数える。**―の・さび**【―の×錆】《連語》〈「―になる」「―にする」の形で〉刀で切られて死ぬ。また、刀で切り殺す。**―の・てまえ**【―の手前】《連語》刀をもつ以上は。武士であるからには。**―折れ矢尽・きる**《句》戦う手段を使い果たす。また、物事をしつづけていく手段をなくす。**―に懸けても**《句》刀を使っても。うでずくでも。

がた・な・い【難ない】《接尾》〔動詞の連用形について〕「…するのがむずかしい」「…しがたい」の意。「忘れ―・い」「離れ―・い」「逃れ―・い」

かた・ながれ【片流れ】棟から軒まで一方にだけ傾斜している屋根。また、その構造。対 両流れ。

かた・なし【形無し】《名・形動》〔もとの形がなくなる意から〕体面をたもてないほど、面目を失うこと。「そうまで言われては先生も―だ」

かた・ならし【肩慣(ら)し】❶野球などで試合に出る前に軽い投球練習をして肩をほぐすこと。❷本格的に仕事を始める前の下準備。

かた・ぬぎ【肩脱ぎ】着物の袖をぬいで肩を現すこと。

かた・ねり【固練り・固×煉り】水分を少なくして、かたくねること。また、かたくねったもの。

***かた・は**【片刃】❶刃物で、刀身の片側の面からだけ刃を研ぎ出したもの。切り出しなど。❷刀身の片方のふちにだけ刃をつけること。また、その刃物。「―のかみそり」＝片刃。対 ①②諸刃。両刃。

***かた・は**【片羽】〔鳥の〕片方のつばさ。

かた・はい【片肺】❶片方の肺。❷双発の飛行機の、片方のエンジン。「―で飛び続ける」「―飛行」❸双方そなわってはじめて満足な働きをするものの、片方だけがそなわっていること。「―体制」

かた・ばかり【形▽許り】《連語》体裁や形式だけをととのえるようす。しるしばかり。かたちばかり。「―のお礼の品」参考 謙遜の気持ちを表す。

かた・はし【片端】❶物の一方のはし。かたっぱし。❷わずかな部分。一部分。「話の―を聞く」「ベンチの―にすわる」類語 一端。

かた・はだ【片肌・片▽膚】〔はだぬぎになったときの〕片方の肩。対 諸肌。**―を脱・ぐ**《句》❶着物の片袖をぬいで、片方の肩を出す。片肌ぬぐ。❷人を助けるために力をかす。

かた・はば【肩幅】左右の肩のはしからはしまでの幅。

かたばみ【▽酢×漿▽草】カタバミ科の多年草。庭や道ばたに自生する。葉は三枚のハート形の小葉からなる複葉。春から秋にかけて黄色い五弁の花を開く。

かた・はら【片腹】腹のかた一方。わきばら。**―いた・い**【―痛い】《形》それにふさわしくなく、こっけいである。ちゃんちゃらおかしい。かたわらいたい。

カタパルト〔軍艦の甲板など〕狭い場所から飛行機をとびたたせる装置。飛行機射出機。▽catapult

かた・びさし【片×庇・片×廂】❶片流れのひさし。❷粗末なさしかけの屋根。

***かた・ひじ**【片×肘】一方のひじ。対 両肘。

***かた・ひじ**【肩×肘】〈―張る〉堅苦しい態度をとる。気負う。いばる。「―張って交渉に臨む」

がた・ぴし《副・自サ》〔副詞は「―と」の形も〕❶組み立てやたてつけが悪く、なめらかに動かなかったり音をたてたりするようす。「雨戸が―する」❷組織などがゆるんで働きがにぶっているようす。

かた・びら【×帷▽子】❶昔、几帳・帳などに用いた、ひとえのうすい布。❷生糸・麻糸などで織った夏むきのひとえ物。また、ひとえ物。❸→経帷子。

カタピラー→キャタピラー。

かた・ぶつ【堅物】まじめで、身持ちのよい人。きまじめで融通のきかない人。堅人。堅蔵。

かた・ぶとり【固太り・堅▽肥り】《名・自サ》肉づきがかたくしまって、ふとっている・こと（人）。

がた・べり【がた減り】〔俗〕急にがたっと減ること。

かた・ほ【片帆】❶〔二つある帆の〕一方の帆。❷帆を一方に傾けてあげること。参考 横風を受けて舟をはしらせるときの帆のあげ方。対 真帆。

かた・ほう【片方】〔二つあるうちの〕一方。片一方。「くつの―が見あたらない」類語 かたがわ。対 両方。

かた・ぼう【片棒】二人で、かごや重い物を棒でかつぐときの、一方の一人。**―を担・ぐ**《句》いっしょに仕事をする。協力する。片棒かつぐ。「新商売の―・ぐ」「悪事の―・ぐ」

かた・ぼうえき【片貿易】輸出または輸入のどちらか一方に偏った貿易。

かた・ほとり【片▽辺】〔文〕❶〔ある場所の〕すみのあたり。片すみ。❷〔中心部から遠く離れた〕へんぴな場所。片いなか。「―の村」類語 僻地。辺地。

かた・まえ【片前】洋服の上着で、前を浅く合わせてボタンを一列につけたもの。シングル。対 両前。

かたまり【固(ま)り・塊】❶かたまること。また、かたまったもの。「土の―」❷〔人や動物などの〕集まり。集団。「学生の―」❸〈「…の―」の形で〉ある性質・傾向などが極端に強いこと。「愛社精神の―」「欲の―」表記 ①③は「塊」、②は「固(ま)り」と書く。

かたま・る【固まる】《自五》❶〔粉状・つぶ状・液状だったものが〕（寄り集まって）固いものになる。固くなる。「寒天が―・る」「土が―・る」類語 凝結。凝固。❷〔人や動物などが〕一か所に集まる。「この花は―・って咲く」❸しっかりしたものになる。「方針が―・る」❹ある事だけに夢中になって、他を顧みない。「新興宗教に―・る」参考 ④の強調表現は「凝こり固まる」。文《四》。

***かた・み**【形見】❶過去のあるできごとを思い出す材料となるもの。「青春の―」「栄華の―」❷死んだ人や別れた人が残していったもので、見るたびにその人を思い出す材料となる品物。「亡き母の―」「―の時計」類語 遺品。**―わけ**【―分け】ある人の持ち物を、形見②としてその親族・友人などに分け与えること。

***かた・み**【片身】❶からだの半分。特に、魚の、背骨から左右に切りわけた身の半分。類語 半身。❷着物の身ごろの片方。片身ごろ。

***かたみ**【×筐】〔文〕竹で編んだ、目のこまかいかご。

***かた・み**【肩身】❶肩と胴体。❷世間に対する面目。**―が狭・い**《句》世間の人々に対してはずかしく、ひけめ

を感じる。世間がせまい。「負け続けでー・い」

かたみ・がわり【▽互替(わ)り】ある物事をかわるがわるすること。交互。交替。〔やや古風な言い方〕

かた・みち【片道・片▽路】ある所までの行き帰りの、どちらか一方。「ー切符」対往復。

かたみ・に【▽互に】《副》〔文〕たがいに。それぞれがともに。「ー手をふって別れる」

かた・むき【傾き】❶傾くこと。また、その程度。「塔のーがひどい」❷物事がある特定の方向に向かおうとするようす。傾向。「己の才能を信じすぎるーがある」

かた・む・く【傾く】《自五》(「片向く」の意)❶〔平衡状態を保っていたものの〕向きが一方にそれる。斜めになる。かしぐ。「船体がー・く」類語ずれる。偏る。(する)傾斜。前傾。偏向。❷〔太陽や月が〕沈もうとする。「日が西にー・く」❸勢いが衰える。「国運がー・く」❹ある方面に向かって近づこうとする。「みんなの意見が賛成にー・く」=かたぶく。

かた・む・ける【傾ける】《他下一》❶〔平衡状態にある物の向きを〕一方にそらす。斜めにする。かしげる。「首をー・ける」❷〔酒などを〕飲む。「杯をー・ける(=酒を飲む)」❸勢いをおとろえさせる。「身代をー・ける」❹〔力や心をある方に〕集中させる。「サッカーに情熱をー・ける」「耳をー・けて(=気持ちを集中させて)きく」

かた・むすび【片結び】帯やひもの結び方の一つ。一方を輪にし、他方を伸ばしたままにして結ぶもの。

*__かため__【固め】❶かたくすること。❷かたい約束。「夫婦のー」「ーの杯」❸かたく守ること。警備。「城のー」

*__かた・め__【固目】《名・形動》その程度がどちらかというとかたいこと。「御飯をーにたく」

*__かた・め__【片目】❶一方の目。片方の目。対両目。❷一方の目がつぶれている・こと(人)。独眼。隻眼。

ーが明・く《句》相撲で、二日目以後に初めて勝つ。広く、負けつづけたあと、初めて勝利を得る。

かた・める【固める】《他下一》❶〔粉、つぶつぶしたもの、どろどろした液体などを〕かたいものにする。かたまらせる。「石膏をー・める」参考ひゆ的に、一つの事柄だけである物事を形づくる意にも使う。「うそでー・めた(=うそばかりで作りあげた)話」❷一つにまとめる。「ー・めて休みをとる」❸しっかりしたものにする。「学問の基礎をー・める」「身をー・める(=結婚する)」❹守りを厳重にする。「守備をー・める」❺〈「…に身をー・める」の形で〉…をきちんと(しっかりと)身につける。「白装束に身をー・める」文かた・む《下二》。

かた・めん【片面】〔表・裏あるうちの〕一方の面。片方の面。「ーを赤く塗る」類語片側。一面。対両面。

かた・や【片や】《連語》〔相撲などで、相対するものの〕片一方は。

かた・やぶり【型破り】《名・形動》ありきたりの型にあてはまらないようす。「ーの大人物」「ーの演出」

かた・やまざと【片山里】〔文〕山の奥深くにある村里。へんぴな山里。

かた・よ・せる【片寄せる】《他下一》一方へよせる。一方へまとめる。「荷物をへやの隅にー・せる」

かた・よ・る【偏る・片寄る】《自五》❶〔ある基準・標準から〕ずれて一方に寄る。「ー・った嗜好」❷ある部分にだけ集まって全体の均衡を欠く。「畑の南側にー・って芽がでる」❸〔取り扱いが〕不公平になる。一方に偏する。「ー・った判定」

かたら・う【語らう】《他五》❶親しく話し合う。「楽しげにー・う」❷〔男女が〕互いの愛を約束する。言いかわす。ちぎる。「ー・った仲」❸説いて仲間にいれる。「友をー・って旅に出る」文《四》。

*__かたり__【語り】❶物語ること。また、その話。❷〔能・狂言で〕独白形式の改まった口調で、節をつけずに物語ること。また、その文句。❸〔テレビ・映画などで〕作品の進行につれて筋などを朗読する・こと(人)。

*__かたり__【×騙り】人をだまして、金品をまきあげる・こと(人)。詐欺(師)。「ゆすりーをはたらく」

かたり・あか・す【語り明かす】《自他五》話をしあって夜を明かす。

かたり・ぐさ【語り▽種・語り草】うわさ話のたね・材料。「後世のーとなる」類語話題。話柄。

かたり・くち【語り口】語るときの特徴。語り方。〔特に落語・浄瑠璃などに言う〕「訥々としたー」

かたり・つ・ぐ【語り継ぐ】《他五》つぎつぎに語って〔次の世代に〕引きついでゆく。類語語り伝える。

かたり・つた・える【語り伝える】《他下一》〔世間の人々や後世の人々などに〕話して伝える。「戦争体験をー・える」類語語り継ぐ。

かたり・て【語り手】❶話をする人。話し手。❷話の上手な人。話し手。❸語り③をする人。語り。ナレーター。❹浄瑠璃・浪曲など、語り物を語る人。

かたり・べ【語▽部】上代、大和朝廷につかえ、神話・伝説などを語り伝えることを職務とした氏族。

かたり・もの【語り物】叙事的な詞章を、楽器に合わせて特殊な抑揚・節をつけて語って聞かせる芸能。平家琵琶・浄瑠璃・浪曲など。対謡物。

*__かた・る__【語る】《他五》❶ことばで表し言う。「思い出をー・る」❷よく説明する。また、おのずから示す。「事故の状況をくわしくー・る」「部屋のようすが二人の仲をー・っている」❸〔浄瑠璃・浪曲など、語り物を〕特殊な抑揚・節をつけて唱える。文《四》。

ーるに落・ちる《句》「問うに落ちず語るに落ちる」の略。隠そうとしたことを、うっかり話してしまう。

ーるに足・る《句》話すだけの価値がある。

*__かた・る__【×騙る】《他五》❶人をだまして、金品をまきあげる。❷うそをついて他のものだと言う。いつわる。「政治家の名をー・る」文《四》。

*__カタル__ 粘膜細胞の剝離や粘液の分泌などによる、滲出物を伴う粘膜の炎症。「大腸ー」表記「加答児」と当てた。▽ドイツ Katarrh

カタルシス ❶劇(特に悲劇)を見ることによって、うっせきした感情が解放されて快感を味わうこと。❷〔心〕精神的苦悩を外部に表出することによってコンプレックスを解消すること。=浄化。▽ギリシア katharsis

カタログ 商品目録。商品についての説明書。「ーショッピング」表記「型録」と当てた。▽catalog

かた・わ【片端】《名・形動》〔卑称〕❶体の一部の機能に障害がある・こと(人)。❷全体としてのつりあいがとれないこと。表記①②とも「片輪」とも書く。

かた・わき【片×脇】❶一方のわき。わき。❷かたわら。かたすみ。

かたわら【傍ら・×旁(ら)・▽側(ら)】❶ある物のすぐ近くのあたり。そば。「ーのいすにすわる」❷その一方では。そのあいまに。〔接続助詞的にも使う〕「仕事のー勉強をする」類語他方。かつ。一面。かたがた。

ーに人無きが如し《句》→傍若無人。

かた‐われ【片割れ】❶分かれたり、欠けたりした一部。「土器の―」類語かけら。❷分身。❸行動を共にする仲間の中の一人(一方の者)。「賊の―」―づき【―月】半分欠けている月。半月。弓張り月。

＊か‐たん【下端】(物の)下の方のはし。対上端。

＊か‐たん【荷担】《名・自サ》味方になり、力を貸して助けること。「陰謀に―する」「悪事に―する」表記「加担」とも書く。類語左袒(さたん)。加勢。

＊か‐だん【果断】《名・形動》大胆に思い切って行うこと。決断力があること。「―な行動」類語英断(えいだん)。

＊か‐だん【花壇】庭や公園などの一部分をくぎって草花を植えてある場所。類語花畑。

＊か‐だん【歌壇】歌人たちがつくる社会。

が‐だん【画壇】画家たちがつくる社会。

カタン‐いと【カタン糸】綿糸をよりあわせて、ろうを引いたなめらかな糸。おもにミシンに使う。参考「カタン」はcotton(=綿)の転。

がたん‐と《副》❶かたい物が落ちたり倒れたりぶつかったりする音の形容。❷高い位置にある物事が急に悪い方に下がるようす。「成績が―落ちる」

＊か‐ち【価値】❶人間の欲求・関心の対象となる性質や、目的の実現に役だつ性質。また、その度合い。ねうち。「一読の―がある本」❷〔哲〕個人の好ききらいに関係なく、一般によいものとして承認すべきもの。真・善・美など。―かん【―観】ある物・物事にどういう価値を認めるかについての、それぞれの人の考え方。

＊か‐ち【勝ち】勝つこと。勝利。「負けるが―」対負け。―に乗・ずる《句》勝って気をよくしてその勢いのままに物事をする。勝ちに乗る。

＊か‐ち【▽徒・▽徒▽歩】❶歩くこと。徒歩(とほ)。〔古風な言い方〕❷徒歩で主君の供などをした、身分の低い武士。かちざむらい。表記②は「徒士」とも書く。

＊が‐ち【勝ち】《接尾》《名詞や動詞の連用形について》❶「…の割合が多い」の意。「黒目―な瞳(ひとみ)」❷「…の傾向が強い」の意。「病気―」「曇り―」「沈み―」表記かなで書くことが多い。

＊が‐ち【雅致】風流で上品な趣。雅趣(がしゅ)。「―に富む」

かち‐あ・う【×搗ち合う】《自五》❶(二つの物が)(すばやく)ぶつかりあう。また、出あう。「頭と頭が―・う」類語衝突(しょうとつ)。❷(二つ以上の事柄が、偶然に)同時に起こる。重なる。「日曜と祝日が―・う」

かち‐あ・げる【×搗ち上げる】《他下一》相撲で、腕を曲げてひじで相手ののどのあたりを強く突き上げる。

かち‐いくさ【勝(ち)戦・勝(ち)▽軍】戦いに勝つこと。また、勝った戦い。「―に終わる」対負けいくさ。

かち‐いろ【▽褐色】こい紺色。かち。かちん。

かち‐え・る【勝ち得る・×贏ち得る】《他下一》努力の結果、手に入れる。獲得する。「信頼を―・える」

かち‐かち ━《副》《「―と」の形も》かたい物が軽くぶつかりあって(連続的に)でる小さな音の形容。「時計が―と音をたてる」━《形動》❶非常に堅くなっているようす。「―に凍った道」❷律義でゆうずうがきかないようす。がんこなようす。「―な頭」参考強調して「かちんかちん」ともいう。同①②こちこち。

がち‐がち《副》《「―と」の形も》❶かたい物がぶつかりあって(連続的に)でる鈍い音の形容。「寒さに歯を―いわせる」❷ゆとりがなくただ一つのことだけをいっしょうけんめいに行うようす。「―勉強する」

かち‐き【勝(ち)気】《名・形動》気が強く人に負けまいとする気性。負けん気。「―な娘」類語気丈。

か‐ちく【家畜】人が飼って、生活に役だてる動物。牛・馬・ニワトリなど。

かち‐ぐり【×搗(ち)×栗・勝(ち)×栗】干した栗の実をうすでつき、殻と渋皮を取りのぞいたもの。おしぐり。参考「搗(か)ち」が「勝ち」に通じるため、出陣や勝利の祝い、または正月などのめでたい時の料理に使う。

かち‐こ・す【勝ち越す】《自五》❶勝った数が負けた数より多くなる。❷競技で、相手より多い得点をとる。「七対三で―・す」対①②負け越す。

かち‐っ‐ぱなし【勝ちっ放し】《「勝ち放し」の転》一度も負けず、ずっと勝ちつづけていること。勝ちはなし。「一〇日間―」類語連勝。対負けっ放し。

かち‐どき【勝(ち)×鬨】戦いや勝負に勝ったときに上げる喜びの声。凱歌(がいか)。「―を上げる」類語鬨(とき)の声。

かち‐と・る【勝ち取る】《他五》苦労して自分のものとする。「優勝を―・る」

かち‐なのり【勝(ち)名乗り】❶相撲で、行司が、勝った力士に軍配をあげ、その名をよびあげること。「―をあげる」❷競争・戦いなどで勝ちを宣すること。

かち‐にげ【勝(ち)逃げ】試合・勝負に勝ったまま、再度の挑戦に応じないでその場を立ち去ること。

かち‐ぬき【勝(ち)抜き】❶競技などで、勝った者が次々と相手を変えて何回でも勝負を続けること。❷競技などで、勝った者同士が次々と試合をしていって、最も強いものをきめること(方式)。トーナメント。「―戦」

かち‐ぬ・く【勝ち抜く】《自五》❶(相手を変えて)続けて勝つ。「予戦を―・く」❷最後まで戦って勝つ。勝ち通す。

かち‐はだし【▽徒×跣】歩くとき、履物(はきもの)をはかないこと。はだし。〔古風な言い方〕

かち‐ほこ・る【勝ち誇る】《自五》勝って得意になる。勝っておごりたかぶる。「意気揚々と―・る」

かち‐ぼし【勝(ち)星】相撲の星取り表で、勝ち力士の名につける白丸。「―をあげる」「―を拾う」類語白星(しろぼし)。対負け星。

かち‐まけ【勝ち負け】勝つことと負けること。勝負(しょうぶ)。勝敗。「―を競う」

かち‐み【勝(ち)味】勝てる見込み。勝てる可能性。勝ちめ。「―がうすい」

かち‐め【勝(ち)目】❶勝てそうな見込み。勝ちみ。「―がない」❷勝っているように見えること。

がちゃ‐がちゃ ━《副・自サ》《副詞は「―と」の形も》❶堅いものがぶつかりあって出すやかましい音の形容。「金具が―と音をたてる」❷騒いで動き回るようす。「―騒ぎ回る」━《形動》めちゃくちゃに入り乱れているようす。「―に壊れる」━《名》「くつわむし」の別称。参考鳴き声が「がちゃがちゃ」ときこえるところから。

＊か‐ちゅう【家中】❶家の中。❷家族のすべて。「―の安全」❸大名・小名の家来。藩士。「水戸の―」

＊か‐ちゅう【渦中】〔うずまきの中の意から〕混乱している物事の中。「事件の―に巻き込まれる」

＊か‐ちゅう【火中】❶〔燃えている〕火の中。❷《名・他サ》火の中に入れて焼くこと。―の栗(くり)を拾・う《句》他人の利益のためにあえて危険をおかすたとえ。参考ラ・フォンテーヌの寓話(ぐうわ)「猿と猫」から。

＊か‐ちゅう【華×冑】〔文〕〔華族・貴族など〕名高い家

か

柄。名門。「—の出」「—界」

カチューシャ 前頭から両耳の後ろにはめる、アーチ形の髪留め。▽ Katyusha

***か・ちょう【家長】** 一家の主人。参考 旧民法では「戸主」の意。

***か・ちょう【花鳥】**〔風雅な気持ちで眺める〕花と鳥。
—ふうげつ【—風月】 ❶〔風雅な気持ちで眺める〕自然界の美しいけしき。「—を友とする」❷詩・画などの風雅な遊び。風流。「—を楽しむ」

***か・ちょう【課長】** 会社・官庁などの課の長。

***が・ちょう【画帳・画×帖】** 絵をかくための帳面。画帖。

***が・ちょう【×鵞鳥】** カモ科の飼い鳥。ガンを飼いならしたもの。アヒルより大きく、首が長い。くちばしのつけ根にこぶがある。

かちょう・きん【課徴金】 国が行政権・司法権に基づき徴収する金銭。特許料・行政許可手数料・罰金など。参考 租税は含まれない。

かち・わり【×搗ち割り】〔主に関西地方で〕氷を小さく砕いたもの。ぶっかき。

かちん《副》《多く「—と」の形で》堅いものが触れあって発する鋭い音の形容。「グラスが—と音をたてる」
—と・来る《句》〔俗〕〔他人の言動などが〕強く感情にさわる。「とげのある言葉に—・来た」

かちん・かちん ↓かちかち。

***かつ【活】**〔文〕❶生きること。「死中に—を求める」❷気絶した人の意識をよみがえらせる術。
—を入・れる《句》❶気絶した人の急所をつくなどして、意識をよみがえらせる。❷たるんでいるものや元気のないものに刺激を与えて元気づける。

***かつ【渇】** ❶のどのかわき。「—をおぼえる」「—をいやす」❷欠乏を満たしたいという強い望み。

***かつ【且つ】** ━《副》〔文〕いくつかの動作が並行して行われるようす。一方では。〔重ねて使う〕「—驚き—喜ぶ」「—飲み—歌う」━《接続》〔文〕一つの物事の上にさらに他の物事が加わる意。「夏は暑く、—雨が多い」

***かつ【喝】**《感》〔禅宗で〕あやまった考え・迷いなどをしかり、さとらせるときに出すはげましの声。「—をいれる」

***か・つ【勝つ】**《自五》❶争って相手を負かす。「裁判に—・つ」類語 勝ち抜く。勝ち取る。勝ち越す。軍配をあげる。優勝。制勝。大勝。圧勝。制覇。対 負ける。❷〔比較した場合〕相手よりまさる。「兵の数では敵に—・つ」対 負ける。❸ある要素・傾向・性質が他にくらべて強くある。「理性の—・った人」「赤が—・った模様」「気が—・つ（＝勝ち気である）」❹〔仕事・負担などが〕その人の能力を超えている。「荷が—・つ（＝重すぎる）」❺体や心をむしばむ作用を抑えつける。抑制する。「病気に—・つ」「己に—・つ」「誘惑に—・つ」表記 ⑤は「克つ」とも書く。対 負ける。文《四》。
—って兜の緒を締めよ《句》事が成就しても、油断をしないでさらに用心深くなれ。
—てば官軍負ければ賊軍《句》まちがった道理でも争いに勝てば正しいということになり、正しい道理でも争いに負ければまちがっているということになること。

***カツ**「カツレツ」の略。「とん—」「—丼」

かっ【×搔っ】《接頭》《接頭語「搔き」の転》《動詞について》その動作を強める語。「—ぱらう」「—さらう」

がつ【月】《助数》一から一二までの数につけて、一年を一二に分けたそれぞれの期間を表す語。

かつ・あい【割愛】《名・他サ》惜しいと思いながら、思いきって手放したり省略したりすること。「紙面の都合で記事の一部を—する」

かつ・あげ《名・他サ》〔俗〕おどして奪うこと。

かつ・える【▽飢える・▽餓える】《自下一》〔文〕❶ひどく腹がへる。❷〈「…に—・える」の形で〉そのものが欠乏していて、ひどくほしがる。「愛に—・える」同 ①②うえる。文 かつ・う《下二》。

かつお【×鰹・▽堅▽魚・▽松▽魚】 サバ科の海魚。初夏から秋にかけて黒潮にのって回遊する。背は青黒く、腹部は銀白色で特有のしまが数本ある。さしみ・なまり節・かつお節などにする。松魚。

鰹　木

かつお・ぎ【×鰹木】 神社や宮殿の棟木の上に、それと直角に並べて置く飾り木。形がかつお節に似ている。

かつお・ぶし【×鰹節】 カツオの身を煮、よく乾燥させたもの。薄くけずって料理にかけたり、だしに使う。かつぶし。類語 けずり節。

***かっ・か【閣下】**〔勅任官・将官など〕地位の高い人に対する敬称。〔役名・氏名の下につけても使う〕参考 もと「貴人の住む高殿の下」の意。

***かっ・か**《副》《「—と」の形も》❶炭火などが〔炎を出さず〕盛んに燃えるようす。❷《自サ》ひどくほてるようす。「恥ずかしさに頬が—する」❸《自サ》腹を立て興奮するようす。「事故続きで—（と）している乗客」

***がっ・か【学科】** ❶学問を、専門分野別に分けたときの、科目。学問の科目。「国文—」❷学校教育における教科の科目。「得意な—は英語です」

***がっ・か【学課】** 修得すべき学問の課程。

***かっ・かい【各界】** 政界・財界・学界・芸能界などのそれぞれの社会。「—の権威」

***かっ・かい【角界】** ↓かくかい（角界）。

***がっ・かい【学会】** 学問上の研究促進を目的として、同じ分野の専門家で組織された団体。また、その会合。「外科—のメンバー」「—で発表する」

***がっ・かい【学界】** 学者たちで構成されている社会。学問の世界。「—の注目をあびる」

***がっ・かい【楽界】** 音楽家およびその関係者で構成されている社会。音楽界。楽壇。

かっ・かく【×赫×赫】《形動タルト》〔文〕❶非常に明るくはげしくかがやくようす。「—たる夏の日」類語 皓々。煌々。燦々。燦然。❷〔功名・名声などが〕すばらしくりっぱに現れるようす。「—たる武勲をたてる」＝赫々。

かっ・かざん【活火山】 現在、噴火活動をしている火山。また、噴火活動をする可能性のある火山。参考 現在は、過去一万年以内に噴火したか否かが判定基準とされる。したがって富士山も活火山に含まれる。

かっか・そうよう【隔靴×搔×痒】〔文〕〔靴の上からかゆい所をかく意から〕思うようにならず、じれったいこと。もどかしいこと。はがゆいこと。「—の感」

***かつ・かつ**《形動・副》❶かろうじてある状態を保っているようす。かつがつ。「その日その日を—しのぐ」❷ある限度いっぱいであるようす。ぎりぎり。すれすれ。「門限—に間に合った」「食べるに—な収入」

*かつ‐かつ【×戛×戛・×戞×戞】《形動タルト》かたいものが触れあって鋭い音を出すようす。「―たる馬蹄の音」

がつ‐がつ《副・自サ》《副詞は「―と」の形も》❶空腹で、むやみに食う(食いたがる)ようす。「飯を―(と)食う」❷むやみによくばるようす。「金もうけに―する」

がっ‐かり《副・自サ》《副詞は「―と」の形も》失望・落胆して元気がなくなるようす。「落選して―する」

かつ‐がん【活眼】物事の道理を見きわめる鋭い目。「―の士」

がっ‐かん【学監】〔学校で〕校務をとり学生を監督する役(の人)。

*かっ‐き【客気】〔文〕いさみたつ勢い。一時的に、はやる心。血気。客気。「―に駆られる」「―にはやる」

*かっ‐き【活気】いきいきとした気分・ふんいき。「―を取り戻した町」「―にみちた会合」類語 生気。

*がっ‐き【学期】学校生活の一年間をいくつかに区切ったそれぞれの期間。「新―」「―末試験」類語 学年。

*がっ‐き【楽器】音楽を演奏するときに使う、音を出す道具。打楽器・管楽器・弦楽器に大別される。類語 管弦。なりもの。糸竹。

かつぎ‐だ・す【担ぎ出す】《他五》❶物をかついで、外・人前などに出す。❷ある人をおしたてて、事態の表面にたてる。「仲介者に政治家を―・す」

かっ‐き‐てき【画期的・×劃期的】《形動》時代に一つのくぎりをつけるくらいに新しい(めざましい)ようす。エポックメーキング。「―な発明」「―な試み」

かつぎ‐や【担ぎ屋】❶縁起をかつぐ人。❷人をだましておもしろがる人。❸生産地から食糧などを消費地へ(ひそかに)運んできて売る人。

*がっ‐きゅう【学究】〔文〕純粋に学問を研究する・こと(人)。「―の徒」「―肌」類語 学者。

*がっ‐きゅう【学級】授業をするために、生徒を一定の人数に組分けしたもの。級。組。クラス。―ほうかい【―崩壊】(児童・生徒の立ち歩き・私語などのために)学校で授業が成立しなくなること(状態)。

かっ‐きょ【割拠】《名・自サ》〔文〕めいめいが、ある場所をねじろとしてたてこもり、その一定地域内に勢力を張ること。「群雄―」

かつ‐ぎょ【活魚】生きている魚。「―料理」

かっ‐きょう【活況】商売・取引などが盛んで、人や物の動きが活発になり、景気のよいようす。「市場が―を呈する」類語 盛況。好況。

がっ‐きょく【楽曲】〔声楽曲・器楽曲・管弦楽曲など〕音楽の曲の総称。

かっきり《副》《「―と」の形も》❶はんぱのないようす。ちょうど。きっかり。「五時―に帰宅した」❷区切りがはっきりしているようす。「―と浮かび上がる」

かっ‐きん【×恪勤】《名・自サ》〔文〕仕事をまじめにつとめること。格勤。「精励―」類語 精勤。

かつ・ぐ【担ぐ】《他五》❶〔物を〕肩にのせる。になう。「神輿を―・ぐ」類語 負う。背負う。負ぶう。❷自分たちの上に立つ人としておしたてる。「代議士を会長に―・ぐ」❸〔縁起・迷信などを〕気にする。「御幣を―・ぐ」❹ふざけて人をだます。からかって、いっぱいくわせる。「うっかり―・がれた」文《四》。

がっ‐く【学区】公立の学校を単位として定めた、その学校に通学すべき生徒の居住区域。

かっ‐くう【滑空】《名・自サ》発動機を使わずに、惰力・風力・上昇気流などを利用して空を飛ぶこと。空中滑走。「―機(=グライダー)」類語 滑走。滑翔。

がっくり《副》《「―と」の形も》❶力が抜けて、急に形がくずれるようになるようす。「―とひざをつく」❷《自サ》失望・落胆・疲労などのために、気力が一度になくなるようす。「悲報を聞いて―する」

かっ‐け【▽脚気】ビタミンB_1の欠乏で起こる病気。足がむくんでだるくなり、口・指先などにしびれが起こる。

かっ‐けい【活計】〔文〕生活していくこと。また、そのための方法。生計。くらし。「―の手段を講じる」

がっ‐けい【学兄】〔文〕〔学問上の先輩の意で〕学友を尊敬していう語。参考 手紙文などで男同士で用いる。

かつ‐げき【活劇】❶格闘場面を中心とした映画・芝居。アクションドラマ。「手に汗をにぎる―」❷激しい格闘や乱闘。「酔余の―」類語 大立ち回り。

かっ‐けつ【×喀血】《名・自他サ》せきと同時に肺・気管支などから血をはくこと。参考 →吐血。

*かっ‐こ【各個】いくつかあるものの、一つ一つ。ひとりひとり。それぞれ。「―撃破(=敵や障害を一つ一つうち破ること)」類語 各自。各位。

*かっ‐こ【各戸】いくつかある・家(所帯)の、一つ一つ。「寄付を―に割り当てる」

*かっ‐こ【括弧】《名・他サ》ある文字・数字、文章・数式などの前後につける、( )「 」などの符号。また、その符号をつけること。「書名を―でくくる」「―つきの(=同類と等しく扱えず、注釈の必要な)人物」

*かっ‐こ【×羯鼓】雅楽に使う打楽器の一つ。形は鼓に似ている。鼓面を左右に向けて台の上にすえ(からだの前につけ)、両手に持った二本のばちで打ち鳴らす。

*かっ‐こ【確固・確×乎】《形動タルト》〔文〕しっかりと定まって動かされないようす。「―たる信念」

*かっ‐こう【格好・×恰好】一《名》❶形や姿。「星の―をしたブローチ」「妙な―の男」❷ととのった形。体裁。「ノーネクタイでは―がつかない」❸〔動詞・助動詞の連用形+助動詞「た」の下について〕…した状態・ようす。「便りもなく忘れられた―だ」二《形動》ある条件にちょうど適しているようす。「避暑には―の地」三《接尾》《年齢を表す数の下につけて》「およそ…ぐらいの年齢」の意。参考 年輩の人をさして言う場合が多い。「五〇―の男」表記「格好」は代用字。

*かっ‐こう【滑降】❶《名・自サ》〔スキーやグライダーで、斜面や空を〕すべり降りること。❷「滑降競技」の略。スキー競技のアルペン種目の一つ。山頂からふもとのゴールまですべり降りて、その所要時間を競う。

*かっ‐こう【角行】将棋のこまの一つ。斜め四方に自由に動ける。角。角行。

*かっ‐こう【郭公】カッコウ科の渡り鳥。日本には夏渡来し、「カッコウ」と鳴く。巣を作らず、ほかの鳥の巣に卵をうむ。食虫性。かんこどり。よぶこどり。

かつ‐ごう【渇仰】《名・他サ》〔渇して水を求め、山を見ては高きを仰ぐ意から〕❶〔仏〕仏道を深く信仰すること。渇仰。❷〔文〕はげしく、あこがれ慕うこと。「師の徳を―する」

がっ‐こう【学校】教育・学習に必要な設備をととのえて学生・生徒を集め、ある一定の教育目的の下に、教師が組織的・継続的に教育をほどこす所。類語 学院。学園。学窓。教えの庭。学びの庭。学び舎。スクール。尊敬 貴校。

かっ‐こ・む【×搔っ込む】《他五》《「かきこむ」の音便》

か

飯などを急いで食べる。「茶漬けを―・む」

かっこん-とう【×葛根湯】 漢方薬の一つ。乾燥させた葛根・麻黄・ショウガなどから成る。発汗・解熱剤。

かっ-さい【喝×采】《名・自サ》歓声や拍手でほめそやすこと。また、その声・音。「拍手―」「―を博(はく)する」

かつ-ざい【滑剤】 機械などの摩擦部分のすべりをよくするために使うもの。油・滑石(かっせき)・黒鉛など。

がっさい-ぶくろ【合切袋・合財袋】〔「一切合切(いっさいがっさい)の物を入れる袋」の意で〕こまごまとした手まわり品を入れる携帯用のくくり袋。類語 信玄(しんげん)袋。

がっ-さく【合作】《名・他サ》❶二人以上の人が一つのもの（作品）を協力して作ること。また、その作品。「日米―の映画」参考 書物では「共著」という。❷共通の目的のために協力すること。「国共―」

かっ-さつ【活殺】〔文〕生かすことと殺すこと。「―自在（＝自分の思いのままにあやつり動かすこと）」

がっ-さつ【合冊】《名・他サ》何冊かの本を合わせて一冊にとじること。また、そのとじたもの。類語 合本(がっぽん)。

かっ-さら・う【×掻っ×攫う】（―さらふ）《他五》《「かっ」は接頭語》〔俗〕「攫(さら)う」を強めた言い方。

がっ-さん【合算】《名・他サ》幾つかの数量を合わせて計算すること。合計。「経費を―する」類語 加算。

かっ-し【▽甲子】《「かふし」の音便》❶干支(えと)の最初にあたるもの。きのえね。❷干支の総称。

かつ-じ【活字】 活版印刷に使う、金属でつくった文字の型。「―を組む」

***かっ-しゃ【活写】**《名・他サ》〔文〕〔物事のありさまをいきいきと写しとること。「世相を―する」

***かっ-しゃ【滑車】** 円盤の溝に綱・鋼索(こうさく)などをかけて回し、回転速度の変換、力の方向や大きさの変換などに用いる装置。

かっ-しゃかい【活社会】 活動している現実の社会。参考「実社会」は学生の社会などに対して言う語。

ガッシュ 水彩絵の具の一種。濃厚で不透明なもの。グワッシュ。▽(フランス) gouache

がっしゅう-こく【合衆国】❶二つ以上の国家または州が連合してできた単一国家。連合国家。❷「アメリカ合衆国」の略。

がっ-しゅく【合宿】《名・自サ》ある目的のために、おおぜいの人が一定期間同じ場所にとまり、生活すること。「選手強化のため―する」

かっ-しょう【滑×翔】《名・自サ》〔文〕〔鳥・グライダーなどが〕空をすべるように水平に、または上昇してとぶこと。「―するハンググライダー」類語 滑空(かっくう)。滑走。

かつ-じょう【割譲】《名・他サ》一部分をさいて相手にゆずり与えること。特に、国がその領土の一部を他国に与えること。「敗戦で半島の一部を―する」

***がっ-しょう【合唱】**《名・他サ》❶複数の人が声をあわせて同じ文句を唱えること。❷〔音〕何人かの人が各声部にわかれ、異なった旋律を同時に歌うこと。コーラス。参考「斉唱」の意で使うこともある。対 独唱。

***がっ-しょう【合掌】**❶《名・自サ》両方の手のひらを顔・胸の前で合わせたてること。また、そのようにしておがむこと。参考 多く死者の冥福(めいふく)を祈る場合にする。「霊前に―する」❷〔建〕二本の木材を山形に組み合わせること。また、その構造。「―造り」

がっしょう-れんこう【合従連衡】 力をあわせて強敵にあたること。故事 中国の戦国時代に秦(しん)と他の国の間に行われた外交政策からでたことば。蘇秦(そしん)の唱えた合従策は、韓(かん)・魏(ぎ)・趙(ちょう)・燕(えん)・楚(そ)・斉(せい)の六国が連合して秦に対抗するもの。張儀の唱えた連衡策は、六国がそれぞれ単独に秦と同盟を結ぶもの。

かっ-しょく【褐色】 黒っぽい茶色。こげ茶（色）。ブラウン。

がっしり《副・自サ》《副詞は「―と」の形も》〔からだつきや物の構造などが〕しっかりと安定していて、力強いようす。がっちり。「―した建物」「―とした体格」

かつじん-が【活人画】 扮装(ふんそう)した人が適当な背景の前で静止し、一つの絵のようにみせるもの。参考 明治から大正にかけて、集会の余興などで行われた。

かっ-すい【渇水】〔雨が降らないため〕水がかれること。「―期」

かっ・する【渇する】《自サ変》〔文〕❶のどがかわく。❷〔降雨量が少なく〕水がかれる。❸〔ある物が欠乏していて〕はげしくほしがる。うえる。「肉親の愛に―・する」類語 (かっ・する)渇望。

―しても盗泉の水を飲まず《句》どんなに困っても不正なことには手を出さない。故事 盗泉は中国山東省にあった泉の名で、孔子はこの名をきらって、その泉の水を飲まなかったという。〈淮南子／陸機〉

がっ・する【合する】《自他サ変》〔二つ以上のものが〕いっしょになる。また、いっしょにする。「二つの川が―・する所」

かっ-せい【活性】 物質が化学反応をおこしやすい性質をもっていること。また、その性質。**―か【―化】**《名・他サ》衰えて活気がなくなったものに勢いを与えること。また、勢いが出ること。「組織を―する」**―たん【―炭】** 吸着力の大きい炭素性の物質。脱色・脱臭剤、吸着剤などに使われる。

かっ-せき【滑石】 やわらかく、ろうのようになめらかな鉱物。電気の絶縁材、減摩剤、化粧品の原料、石筆などに用いる。ろう石。タルク。タルカン。

かつ-ぜつ【滑舌】 俳優・アナウンサーなどが話すときの、舌のまわり具合。「―が悪い」

***かっ-せん【合戦】** 敵味方の軍勢が出会って戦うこと。「関ケ原の―」「弔(とむら)い―」類語 会戦。戦争。

***かっ-せん【活栓】** 管や器などの口にとりつけ、自由に開閉して中の液体の流れを調節する装置。

かつ-ぜん【×豁然】《形動タルト》〔文〕❶ぱっと目の前がひらけるようす。「―として眼界が開ける」❷まよい・疑いなどが急に消えさるようす。「―と悟る」

かっ-そう【滑走】《名・自サ》❶〔地上・水上・氷上などを〕すべるように進むこと。すべって進むこと。「―する水上スキー」類語 滑翔(かっしょう)。❷飛行機が離着陸のため、地上・水上を走ること。「―路」類語 滑空(かっくう)。

がっ-そう【合奏】《名・他サ》二つ以上の楽器を合わせて一つの曲を演奏すること。対 独奏。

かっそう-るい【褐藻類】 葉緑素のほかに褐色の色素を含む藻類。ほとんどが海産。コンブ・ワカメなど。

カッター ❶一本マストの小型の帆船。❷軍艦・汽船などにつみこむ大型のボート。❸物を切る道具。とくに、工作用刃物など。❹洋裁で、裁断者。❺「カッターシャツ」の略。折りえりをつけた、カフスのない男性用の長そでシャツ。類語 ワイシャツ。▽ cutter

がっ-たい【合体】《名・自サ》〔性質の異なるものが〕一つに合わさること。「公武―」類語 合同。合併(がっぺい)。

かっ-たつ【×闊達・×豁達】《形動》〔文〕小さな物事

かつ-だつ【滑脱】《形動》〔文〕言動などが、自由自在に変化・順応し、なめらかに運ぶようす。「円転―」

かっ-たる・い《形》〔俗〕❶疲れて、だるい。けだるい。❷〔話などが〕まわりどおくてもどかしい。「夏になるとどうも―・い」「全く―・い男だ」

かっ-たん【褐炭】黄褐色または黒褐色の石炭。炭化度は亜炭よりやや高い。品質が悪く、火力は弱い。

かつ-だんそう【活断層】〔地〕最近数十万年の間に活動し、現在も活動が続いていると見られる断層。数千年単位の断層のひずみが地震の原因となる。

がっ-ち【合致】《名・自サ》ぴったりあうこと。「目的に―した行動」類語 一致。

かっ-ちゅう【▽甲×冑】昔、武士が戦いの時に身につけた武具。よろいとかぶと。具足(ぐそく)。

かっちり《副・自サ》《副詞は「―と」の形も》❶ぴったり合うようす。「錠が―とかかる」❷かたくひきしまっているようす。「―した身体」

がっちり《副・自サ》《副詞は「―と」の形も》❶↓がっしり。「―とスクラムを組む」❷堅実に行うようす。「―勝ち抜く」❸ぬけ目がなくて計算高いようす。「―屋」

ガッツ やる気。根性。闘志。「―のある若者」▽guts

―ポーズ 握りしめたこぶしを上げ、喜びや得意ぶりを示す姿勢。▽guts と pose からの和製語。

がっ-つ・く《自五》〔俗〕❶むさぼり食う。がつがつ食う。❷むやみによくばって物事をする。

かつて【×嘗て・×曾て】《副》❶過去のある時に。以前。「―このあたりは雑木林だった」❷《打ち消しの語をともなって》今まで全く(…ない)。「いまだ―会ったことのない人」参考 近世以降「かって」とも言う。

かっ-て【勝手】❶台所。「―口」❷生活のぐあい。くらし向き。「―が苦しい」❸その場や相手の人のようす。事情。「―知ったる他人の家」❹〔物事を行うときの〕ぐあい。都合。「―の悪い部屋」「使い―」❺《名・形動》他人のことはかえりみず、自分に都合のよいようにすること。「そんな―は許さない」「自分―」 **―しだい【―次第】**《形動》自分の思うとおりにふるまうようす。自由きままなようす。 **―むき【―向き】**❶台所に関すること。❷台所で用いるのに適していること。台所用。❸暮らし向き。「―がよくない」 **―もと【―元・―▽許】**❶台所の方。❷暮らし向き。

かって-でる【買って出る】《連語》自分から進んで引き受ける。「仲裁を―・でる」

がっ-てん【合点】《名・自サ》〔むかし、和歌や俳句を批評して、よいものにしるしをつけたり、回状などの自分の名前の所に賛成の意でしるしをつけたりしたことから〕了解・承知・納得すること。がてん。「―がゆかない」「おっと―承知の助」

***かっ-と**《副》❶火や日光などが急に強く燃え、または光るようす。「―日がさす」❷《自サ》急に興奮して理性を失うようす。「―なって手をあげる」❸目や口などを急に大きく開くようす。「両目を―見開く」

***カット** ❶《名・他サ》切ること。切って除くこと。「画面の四隅を―する」❷《名・他サ》髪を〔短く〕切りそろえること。「ショート―」❸《名・他サ》〔宝石の原石を〕多面体に切り取ってみがくこと。また、その面のつけかた。❹《名・他サ》卓球で、たまを斜めに切るようにして、回転を与えて打つこと。「―がうまい」❺《名・他サ》球技で、ある選手に送られたたまを、他の選手が途中でうばうこと。❻《名・他サ》撮影で、カメラの回転をとめること。❼《名・他サ》撮影したフィルムや録音したテープなどの、不必要な、または好ましくない部分を切りとること。「検閲で―される」❽《名・他サ》〔給料など〕当然与えられるべきものの一部を削りとること。「賃金を―する」❾印刷物の適当な箇所に入れる、小さなさし絵。❿映画の一場面。「評判になった―」▽cut **―グラス** 彫刻や切りこみ細工をしたガラス。また、その器。切り子ガラス。▽cut glass **―ソー** 裁断したニット地を縫製して作った衣類。▽cut and sewn から。 **―バック** 映画で、異なる場面を交互にうつして劇的効果をたかめる技術。切り返し。▽cutback

***ガット** 関税および貿易に関する一般協定。一九九五年に世界貿易機関(WTO)に吸収された。▽GATT (General Agreement on Tariffs and Trade)

***ガット** ヒツジなどの腸で作った糸。楽器の弦(げん)やラケットの網などに用いる。腸線。▽gut

かっ-とう【×葛×藤】《名・自サ》〔「からみあった葛(かずら)と藤(ふじ)」の意から〕❶〔人と人とが〕互いにゆずらず、からみ合って対立すること。「肉親の間に―が生じる」類語 悶着(もんちゃく)。❷〔心〕心の中に二つ以上の欲求が同時に起こり、そのいずれを選ぶか迷っている・こと(状態)。

かつ-どう【活動】❶《名・自サ》元気よく動き、ある働きをすること。「野外で―する」「―家」類語 活躍。❷「活動写真」の略。「映画」の古い言い方。

かっ-とば・す【かっ飛ばす】《他五》《「かっ」は接頭語》はげしい勢いで飛ばす。「ホームランを―・した」

カツ-どん【カツ×丼】とんカツをタマネギなどとともに煮て、鶏卵でとじてどんぶり飯の上にかけたもの。

かつ-は【且つは】《副》〔文〕一方では…であると同時に他方では…。〔ふつう、「且つは…且つは…」の形で使う〕「―飲み、―歌う」

***かっ-ぱ【合羽】**❶雨よけに着るマント。雨がっぱ。類語 レインコート。❷荷物などの上にかけて雨よけに使う桐油紙(とうゆし)。▽ポルトガル capa

***かっ-ぱ【喝破】**《名・他サ》〔文〕〔大声でしかりつける意から〕物事の真実を正しくとらえて明らかにすること。また、はっきりと言ってのけること。「事の本質を―する」類語 道破。看破。

***かっぱ【▽河▽童】**❶想像上の動物。川・沼などにすみ、泳ぎがうまく、相撲を好む。頭にある皿のようなくぼみに水がある間は、陸上でも強い力をもつ。川太郎。❷泳ぎがうまい人。❸〔俗〕〔すし屋で〕「きゅうり」の別称。また、「かっぱ巻き」の略。キュウリののり巻き。参考 河童がキュウリを好むという俗説から。❹↓おかっぱ。 **―の川流れ**《句》どんなに熟達した人でも時には失敗することがあることのたとえ。類語 猿も木から落ちる。弘法(こうぼう)にも筆の誤り。 **―の屁(へ)**《句》あることをするのが、実にたやすいことのたとえ。屁のかっぱ。

かっ-ぱつ【活発・活×潑】《形動》〔ことば・動作・ものの動きなどが〕元気で勢いのよいようす。「―に動き回る」「―な少年」表記「活発」は代用字。類語 潑剌(はつらつ)。敏活(びんかつ)。快活(かいかつ)。

かっ-ぱら・う【×搔っ払う】《他五》《「かっ」は接頭語》すきをねらってすばやく他人の物品を盗み去る。

かっ-ぱん【活版】活字を組んでつくった印刷版。また、それによって印刷すること。活字版。「―刷り」

がっ・ぴ【月日】〔何かに記入する際の〕月と日で表す日づけ。類語 年月日(ねんがっぴ)。

がっ・ぴつ【合筆】《名・他サ》数筆の土地を合併して一筆の土地にすること。対 分筆(ぶんぴつ)。

がっ・ぴょう【合評】《名・他サ》何人かが集まり、一つの問題についてそれぞれの立場から批評すること。また、その批評。「新人の作品を―する」「演劇―」

***かっ・ぷ【割賦】**〔月賦・年賦などのように〕代金の一部を支払って商品を受けとり、残りの金額を分割して支払うこと。分割払い。わっぷ。「―販売」

***カップ** ❶コップ。❷洋風の、取っ手のついた湯のみ茶わん。❸水・粉などの分量を量る、目盛りのついた容器。計量カップ。❹賞杯(しょうはい)。「優勝―」❺ブラジャーの、乳房をおおう丸くなった部分。▽cup **―めん【―×麺】**カップ形の容器に詰めたインスタント麺。

***かっ・ぷく【割腹】**《名・自サ》〔自殺するために〕腹を切ること。切腹。はら切り。「―自殺」

***かっ・ぷく【×恰幅】**〔肉づき・押し出しなどからみた〕からだつきや様子。〔よい意味に使う〕「―のよい紳士」

かつ・ぶし【×鰹節】→かつおぶし。

かつ・ぶつ【活仏】❶生きていて仏のようにあがめられる人。いきぼとけ。❷ラマ教で、最高位の人。

がっ・ぷり《副》〔「―と」の形も〕❶相撲で、双方が腕を深く差し入れ、まわしを取って、しっかりと組み合っているようす。「―四つに組む」❷議論などで一歩も引かず対等にわたりあうようす。

カップル〔夫婦・恋人同士など〕男女ふたりの組み合わせ。「似合いの―」類語 アベック。▽couple(=一対)

がっ・ぺい【合併】《名・自他サ》〔二つ以上の組織などを〕合わせて一つにすること。また、合わさって一つになること。併合。「町村―」類語 合体。結合。

かつ・べん【活弁・活×辯】〔「活動写真の弁士」の意〕無声映画で、画面の説明をし、せりふをしゃべる人。

かっ・ぽ【×闊歩】《名・自サ》❶〔堂々と、また、いばって〕大股(おおまた)に歩くこと。「大道を―する」❷堂々とした態度で思うままに行動すること。「官界を―する」

かつ・ぼう【渇望】《名・他サ》〔のどのかわいた人が水をほしがるように〕手にいれたいとはげしくのぞむこと。「平和を―する」類語 熱望。切望。渇仰。

かっ・ぽう【割×烹】❶〔切ったり煮たりして〕食べ物を〔和風に〕料理すること。「―着」類語 調理。❷割烹店。料理屋。〔多く店の名前に冠して使われる〕「―春日(かすが)」

がっ・ぽう【合邦】《名・他サ》二つ以上の国家を合併すること。また、合併してできた国。類語 連邦。

がっ・ぽり《副》〔「―と」の形も〕《俗》たくさんの金品が、手にはいる〔出ていく〕ようす。「―かせぐ」類語 しこたま。たんまり。

かっぽれ「かっぽれかっぽれ」というはやしことばのある俗謡にあわせて踊るこっけいな踊り。また、その歌。表記「活惚」と当てる。

がっ・ぽん【合本】《名・他サ》❶何冊かの本をまとめて、新たに一冊の本に作って出版すること。また、その本。❷同じ種類の書物・雑誌・小冊子などをとじあわせること。また、その本。類語 合冊(がっさつ)。合巻(ごうかん)。

かつ・また【且(つ)又】《接続》〔文〕その上また。

かつ・もく【×刮目】《名・自サ》〔文〕〔目をこすってよく見る意から〕ある物事を、注意してよく見ること。刮眼(かつがん)。「―に値(あたい)する仕事」類語 瞠目(どうもく)。

かつ・やく【活躍】《名・自サ》さかんに行動すること。注目されるほどの大きな仕事をすること。「第一線で―する」「今年政界で―した人」類語 活動。

かつやく・きん【括約筋】収縮して、管状器官を閉鎖する働きをもつ環状の筋肉。瞳孔(どうこう)・こうもん・膀胱(ぼうこう)などのまわりにある。

かつ・よう【活用】❶《名・他サ》そのもののもつ能力・機能などを生かして使うこと。「人材の―」類語 利用。運用。❷《名・自サ》用言・助動詞の語尾の形が用法により規則的に変化すること。**―けい【―形】**用言・助動詞が活用によってとる種々の語形。未然形・連用形・終止形・連体形・仮定形(文語では已然形(いぜんけい))・命令形の六種。**―ご【―語】**活用をする単語。動詞・形容詞・形容動詞・助動詞の総称。

かつよう・じゅ【×闊葉樹】「広葉樹(こうようじゅ)」の旧称。

***かつら【×桂】**❶カツラ科の落葉高木。山地に自生する。雌雄異株。春、葉の出る前に紅色の小花が開く。材は建築・家具・えんぴつの軸などに使用。❷中国の伝説で、月にあるという想像上の木。

***かつら【×鬘】**頭にかぶったり添えたりする毛髪状のもの。種々の形があり、美容のため、はげをかくすため、俳優が扮装(ふんそう)するためなどに用いられる。鬘(かずら)。

かつ・らく【滑落】《名・自サ》〔登山で〕高い所からすべり落ちること。「―事故」

かつら・むき【×桂×剝き】ダイコンなどの野菜を五センチぐらいの長さで輪切りにしたあと、外側から内側へ向けて、薄く、紙のようにひとつながりにむくむき方。

かつ・りょく【活力】元気よく働き動くための力。バイタリティー。「明日への―をたくわえる」類語 精力。

かつ・れい【割礼】性器の一部、特に陰茎の包皮を切除する儀式・風習。現在でもユダヤ教徒やイスラム教徒で行われている。

カツレツ 牛肉・豚肉・鳥肉などの切り身に、小麦粉・たまご・パン粉をつけて油であげたもの。カツ。▽cutlet

かつ・ろ【活路】死地から逃れて生きのびるみち。また、行きづまった状態からぬけ出す方法。「―を開く」

がつん《副》《多く「―と」の形で》❶ものが強くぶつかるようす。また、その時の音の形容。ごつん。❷精神的に強い衝撃があるようす。「初回に―とやられる」

***かて【×糅】**量をふやすために主食に野菜などをたすこと。また、そのたしたもの。参考 →糅飯(かてめし)。

***かて【糧・×粮】**❶むかし、旅のときなどに携行した、ほしいい。❷〔生きるために必要なものとしての〕食べ物。糧食。「その日の―にも困る」❸活動をささえ、力づけるもの。「心の―」

***か・てい【仮定】**《名・他サ》❶仮にそうだと想定すること(事柄)。「夢が実現したと―する」類語 仮想。❷〔論〕→仮設②。**―けい【―形】**口語の活用形の一つ。接続助詞「ば」が続く、まだ成立しない条件を仮定する形。「咲け(ば)」「起きれ(ば)」などの類。文語の已然(いぜん)形に当たる。

***か・てい【家庭】**一つの家でいっしょに生活している夫婦・親子などの集まり。類語 家族。家。尊敬 貴宅。尊宅。丁寧 お宅。**―さいばんしょ【―裁判所】**下級裁判所の一つ。家庭に関する事件の調停・審判、および少年の保護事件の審判などをする裁判所。家裁。**―てき【―的】**《形動》❶家族や家庭での生活を大切にするようす。「―な人」❷家庭にいるように、

ゆっくりくつろげるようす。「—な旅館」

*か・てい【課程】修得するために割りあてられた一定の学業・作業、およびその指導順序。「高校の—を修了する」注意「過程」と混同しやすい。

*か・てい【過程】あるものごとが変化・発展して一つの結末に至るまでのみちすじ。プロセス。「成長の—にある子ども」「研究の—を報告する」類語 経過。

カテーテル 尿道・膀胱などにさし入れて尿などを体外へ出す、管状の医療器具。▽ドイ Katheter

カテキン 植物中に含まれる、ポリフェノールの一種。食品の中では茶葉だけに含まれ、抗酸化作用・抗菌作用などの効果があるとされる。▽ catechin

カテゴリー 範疇。▽ドイ Kategorie

かてて-くわえて【×糅てて加えて】《連語》（よくないものごとに）さらに他のものごとが加わるようす。〔副詞的に用いる〕「失業に—病気になる」

かて・めし【×糅飯】〔かさを増やすために〕米に野菜や雑穀を混ぜて炊いた飯。

がてら《接尾》《動作を表す語について》何かをする機会に他のことをも合わせてする意。…をかねて。…のついでに。「散歩—友人を訪ねる」「遊び—来てください」

か・てん【加点】《名・自他サ》❶点数を加えること。また、その点数。増点。対 減点。❷漢文に訓読のための記号を記入すること。また、その記号。

*か・でん【家伝】その家に先祖代々伝わってきたこと。伝家。また、そのもの。「—の秘薬」

*か・でん【家電】家庭用の電気器具。テレビ・冷蔵庫など。「—メーカー」

*か・でん【×瓜田】〔文〕うり畑。

—に履を納れず《句》ウリを盗んでいると疑われる恐れがあるから、うり畑ではくつをはき直さない。疑いをかけられるような行いはしないほうがよいというたとえ。瓜田の履。〈列女伝〉類語 李下に冠を正さず。

*か・でん【荷電】→でんか(電荷)。

*か・でん【×訛伝】《名・他サ》〔文〕ある事実を誤って伝えること。また、事実を誤って伝えた知らせ。誤伝。

が・てん【合点】《名・自サ》理屈などをよく理解すること。納得。了解。承知。がってん。「—のいかない話」参考 →がってん。

がでん・いんすい【我田引水】〔自分の田に水を引く意から〕自分の都合のいいように・する（言う）こと。「我が田へ水を引く」とも。「話が—になる」類語 自画自賛。

カデンツァ ❶楽曲の終わりに入る装飾的な部分。❷協奏曲で、独奏者が無伴奏で演奏するはなやかな部分。＝カデンツ。▽イタ cadenza

か・と【過渡】ある状態から新しい状態にうつってゆくこと（途中）。「新旧の—の時代」—き【—期】ある状態から新しい状態に移り変わる途中の（不安定な）時期。「高齢化社会への—にさしかかる」

*かど【▽廉】原因や理由をなす点・事がら。参考 形式名詞的に使う。「不審の—がある」類語 ふし。

*かど【角】❶道路が折れ曲がっている地点。❷物のはしのとがっているところ。❸他人とのつきあいが円滑にゆかないような点・性質。「—のある人」類語 圭角。

—が立・つ《句》〔他人との間がらが〕荒だっておだやかでなくなる。かどだつ。「黙っていては—つ」

—が取・れる《句》〔他人と仲よくつきあえるように〕円熟して性格がおだやかになる。

*か・ど【過度】《名・形動》〔ある動作・状態・気持ちなどが〕適当な程度をこしていること。「—の疲労」「—に緊張して手がふるえる」類語 過大。過分。対 適度。

*かど【門】〔雅〕❶門。また、門の前（外）。❷家。また、家族。一族。「笑う—には福来たる」

かと・いって【かと言って】《連語》そうだからといって。「無口だが、—暗い性格ではない」

*か・とう【下等】《名・形動》❶品質が劣っていること。「—な酒」対 上等・中等。❷教養がなく品性の下劣なこと。「やり方が—だ」類語 低級。劣等。❸等級が下であること。「—動物」対 高等。

*か・とう【果糖】糖類の一つ。白色の粉末で水にとけやすく、砂糖より甘みが強い。ぶどう糖とともに蜂蜜や果実などに多くふくまれる。

*か・とう【過当】《名・形動》適当な程度をこしていること。「—な要求」「—競争」類語 過度。対 適当。

*か・どう【可動】動かすことができること。動くしかけになっていること。「—橋」

*か・どう【歌道】和歌をつくる技術・作法。歌の道。「—をきわめる」類語 歌学。

*か・どう【渦動】流体がうずまくときの状態。うず。

*か・どう【稼働・稼動】《名・自サ》❶〔人が〕かせぎはたらくこと。「—日数」類語 就労。就働。❷《他サ》〔作業のために〕機械を運転すること。「—時間」

*か・どう【花道・華道】草花・木などを花器に美しくいける技術・作法。いけばなの道。「—を学ぶ」

かどう・きょう【架道橋】道路・鉄道をまたぐようにして架けた橋。跨道橋・跨線橋など。

かとう・せいじ【寡頭政治】（oligarchy）少数の人が国家の権力をにぎって行う、独裁的な政治。

かどかど・し・い【角角しい】《形》〔言動・性格などが〕かど立っていて、おだやかでない。類語 とげとげしい。

かど・がまえ【門構（え）】→もんがまえ。

か・とく【家督】❶その家のあとをつぐ人。❷相続すべき家のあとめ。家長（戸主）の身分。「—をつぐ」❸明治憲法で、戸主である地位。また、戸主の身分にともなって、定められていた権利・義務。「—相続」

かど・ぐち【門口】❶〔門・玄関など〕家の出入り口。また、その付近。戸口。❷物事が始まろうとする時。「まだ社会人として—に立ったばかりです」

かど・だ・つ【角立つ】《自五》❶かどがあってなめらかでなくなる。❷〔円満さ・おだやかさを欠き〕他人の感情などを刺激する。かどが立つ。「—った言い方」

かど・ち【角地】道路の曲がりかどにある土地。

かど・づけ【門付け】人家の門口に立って音楽・舞などの芸を行い、金品をもらって歩く・こと（人）。

かど・で【門出・▽首▽途】❶長い旅や戦いに出て行くこと。❷新しい生活や事業をはじめること。「人生の—を祝う」類語 ①②出立。旅立ち。出立。

かど・なみ【門並み】❶家の並びぐあい。❷並んでいる家の一軒一軒。軒並み。家ごと。〔副詞的にも用いる〕「—に寄付を求めて歩く」類語 ①②家並み。

かど・ば・る【角張る】《自五》❶かどが突きでていてなめらかでなくなる。角張る。❷〔態度・言動が〕かたくるしくなる。四角張る。「緊張して—る」

かど・ばん【角番】囲碁・将棋などで、何番か続けて勝負して勝敗をきめるとき、その一番に負けると負けが決まってしまうという一戦。「—に立つ」参考 相撲で、その試合の成績によって、その力士の地位が確保できるかどうかが決まるような場合にも言う。

かど‐び【門火】❶盂蘭盆のときに門口でたく火。迎え火と送り火。❷葬送のときに門口でたく火。❸婚礼のとき、花嫁を送る儀式として門口でたく火。

かど‐まつ【門松】正月、家の門口に立ててかざる松。松かざり。松。

カドミウム 亜鉛に似た銀白色の金属元素。めっき・合金などに使う。鉱山の廃液などに含まれる。体内に蓄積されると有害。元素記号Cd。参考 汚染公害物質の一つ。→イタイイタイ病。▽cadmium

かど‐みせ【角店】道の曲がりかどにある店。

かど‐やしき【角屋敷】道路の曲がりかどや交差する所などにあって、二方が道に面している屋敷。

カドリール 一八世紀末にフランスを中心としておこった社交ダンス。四人一組になっておどる。また、その舞曲。カドリーユ。▽quadrille

かとり‐せんこう【蚊取(り)線香】除虫菊の葉・茎などの粉末をおもな原料として、棒状またはうずまき状につくった、蚊を殺すための線香。蚊やり線香。

カトリック カトリック教の教えを奉じる一派(信者)。カソリック。対プロテスタント。▽オランダ katholiek **―きょう**【―教】キリスト教の正統教義を奉じる一派(の教え)。ローマカトリック教とギリシア正教に大別される。旧教。カソリック教。

カトレア ラン科の多年草。花は、桃色・べに色・紫色・黄色などいろいろで、ラン科の中でも特に美しい。参考 ブラジルの国花。▽cattleya

かどわか‐す《他五》(抵抗する力のない人を)だまして誘い出し、つれ去る。「幼児を―す」表記「勾引かす」「勾かす」「拐かす」などと当てる。文《四》。

か‐とん【火遁】忍術の一つ。火の中にはいって姿をかくすもの。「―の術」

か‐とんぼ【蚊蜻蛉】❶ガガンボ科の昆虫の俗称。形は蚊に似るが大形で、血は吸わない。かのうば。ががんぼ。❷(俗)やせて背の高い人。

***か‐な**【〈仮名〉・仮字】《「かりな」の転「かんな」がさらに転じたもの》漢字をもとにして、日本でつくった表音文字。ふつう、片かな・平がなをさす。参考 広義には万葉仮名も含む。対真名。**―ぞうし**【〈仮名〉草子・〈仮名〉草紙】江戸時代初期、ひらがなを使って書かれた通俗小説。娯楽的・教訓的な作品が多い。

***か‐な** ■一《終助》文語《係助詞「か」＋詠嘆の終助詞「な」》感動・詠嘆を表す。「げに言へば言はれたものかな、好いわ〈鷗外〉」参考 現代では、「惜しいかな」「果たせるかな」「幸いなるかな」「売らんかな」「已ゃんぬるかな」などの慣用的な表現の中に残る。表記「哉」と当てることもある。■二《連語》《疑問の終助詞「か」＋詠嘆の終助詞「な」》❶話し手の思案を、幾分かの詠嘆を込めながら、自問の形で示す。(思案するさまが余情として残り、これによって相手への問いかけの意を含ませることができる。問いかけとしては、親しい間柄の男性が使う)「こんなにいただいていいかな」「たった一人で来たのかな」参考「かなあ」の形で使うときは、問いかけの気持ちが弱まり、詠嘆の気持ちが強まる。「母は承知してくれるかなあ」❷(「…ていただける(もらえる・くれる)」＋「かな」の形で)婉曲な依頼を表す。「やってもらえるかな」(打ち消しの表現にすると、さらに遠慮深い言い方になる)「貸していただけないかな」参考 ①②とも、これに当たる女性語は「かしら」。

がな 文語 ■一《終助》《願望の終助詞「もが」＋詠嘆の終助詞「な」が、「も」＋「がな」と分析・意識されてできたものという》ある状態の実現への詠嘆をこめた願望を表す。…があるといいなあ。参考 現代語には、「なくもがな」「言わずもがな」などの形で残る。■二《副助》(■一の転か)(疑問を表す語とともに使って)不確かの意を表す。「何がな(=何かしら)思うところがあるらしい」

かな‐あみ【金網】針金を編んで作った網。

か‐ない【家内】❶家の内。❷家族。「―一同元気です」❸他人に対して自分の妻を言う語。類語 愚妻。

かな・う【▽適う・×叶う】《自五》❶(条件・基準などに)あてはまる。「時宜に―・う」「道理に―・う」❷思いどおりになる。「願いが―・う」「―・わぬ恋」❸…することが許される。「目通り―・わぬ」「入学が―・う」❹対抗できる。「彼に―・う者はいない」「プロには―・わない」❺しただけの甲斐がある。「養生―・わず」❻〈「―・わぬ」「―・わない」の形で〉㋐(文)さけることができない。「―・わぬ用」㋑がまんできない。困る。「なくては―・わん」表記 ①は「適う」、②③は「叶う」と書く。文《四》。

かなえ【×鼎】❶古代中国で湯わかしなどに使った銅器。二つの手と三本の足がついている。❷王位・権威などの象徴。また、王位。故事 中国古代、夏の禹王が全国の銅を集めて九鼎(=九個の鼎)をつくり、王室の宝としたことから。

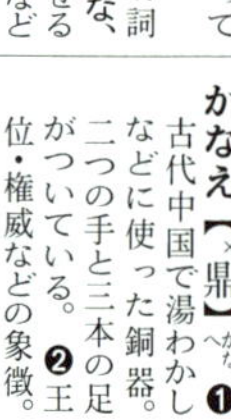

鼎 ①

―の軽重を問う《句》権威のある人の実力を疑う。また、力を疑ってその地位を奪おうとする。故事 周の定王のとき、楚の荘王が、周の王室の宝である九鼎の大小・軽重を問うた故事から。〈春秋左氏伝・宣公三年〉 **―の沸くが如し**《句》鼎の中の湯がにえたつように、ものごとがさわがしく収まりのつかないようす。

かな・える【▽適える・×叶える】《他下一》❶あてはまるようにする。みたす。「条件を―・える」❷思いどおりにさせる。「願いを―・える」表記 ①は「適える」、②は「叶える」と書く。文 かな・ふ《下二》。

かな‐がた【金型】金属製の型。かねがた。

かな‐かな「ひぐらし」の別名。

かなきり‐ごえ【金切り声】(金属を切るときに出る音のような)かん高く鋭い(女性の)声。(叫び声などにいう)「―をあげて助けを求める」

カナキン かたくよった綿糸で、目を細かく織った薄地の平織りの綿布。カネキン。表記「金巾」と当てる。▽ポルトガル canequim

かな‐ぐ【金具】器具にとりつける金属製の付属品。

かな‐くぎ【金×釘】金属製のくぎ。**―りゅう**【―流】(金釘を並べたように)ぎくしゃくしたへたな文字の書き方。(あざけって言う語)

かな‐くさ・い【金臭い】《形》(水などに)金属のにおいや味がする。金気くさい。

かな‐くず【金×屑】金属を細工するときに出る削りくず。

***かな‐くそ**【金×屎】❶鉄のさび。❷鉄を焼いてきたえるとき、はがれて落ちるくず。❸鉱石を精錬のためにとかしたとき、上層にうかぶかす。からみ。鉱滓。

かな-ぐつわ【金×轡】金属製のくつわ。「―を嵌めるの(=わいろを贈って口止めする)」

かなぐり-す・てる【かなぐり捨てる】《他下一》❶身につけている物を荒々しく取って捨てる。❷思いきって捨てる。「地位も名誉も―・てる」

かな-け【金気】❶水にとけこんでいる鉄分。❷新しいなべ・かまなどで湯をわかすときに水にうかび出る、赤黒いしぶ。＝金気。表記①②は「鉄気」とも書く。

かなし・い【悲しい・▽哀しい】《形》胸がきつくしめつけられて、泣きたくなるような気持ちだ。あわれだ。「―・い物語」文かな・し《シク》。⇩〖類語と表現〗

類語と表現

「悲しい」

＊愛児を亡くして悲しい・誠意が通じなくて悲しい・悲しい曲・悲しい知らせ・別れはいつも悲しい。

◆うら悲しい・もの悲しい・寂しい・うら寂しい・もの寂しい・嘆かわしい・胸が痛い／悲しみ・悲しさ・哀傷・哀感・哀愁・傷心・長嘆・愁嘆・悲嘆・悲愴・悲傷・沈痛・哀れ・哀切・哀惜・断腸の思い・聞くも涙語るも涙／悲しむ・憂える・嘆く・嘆じる・侘びる・悲嘆に暮れる・胸を掻きむしる・胸が潰れる・胸が裂ける・胸が詰まる・胸が一杯になる・胸が痛む・胸を痛める・心を痛める・涙を流す

かな-しき【金敷(き)・▽鉄敷(き)】その上に金属をのせてうちきたえる、鉄製の台。かなとこ。

かな-しばり【金縛り】❶全く身動きできないように、きびしくしばりつけること。「不動の―」「―にあう」❷〔俗〕金銭の力で人の自由を束縛すること。

かなし・む【悲しむ・▽哀しむ】《他五》悲しい気持ちになる。「母の死を―・む」類語(する)哀傷。悲傷。傷心。愁傷。愁嘆。悲嘆。慨嘆。文《四》。

かなた【▽彼▽方】《代名》《遠称の指示代名詞》〔文〕あるものを越して、話し手から遠くはなれたほう(の場所)。むこう。あなた。「海の―に船が見える」

かな-だらい【金×盥】金属製のたらい。

かな-づかい【〈仮名〉遣(い)】〔歴史的かなづかい・現代かなづかいなど〕語をかなで書き表すときの、表記のしかた。また、そのきまり。

かな-づち【金×槌・金×鎚・▽鉄×鎚】❶頭部が鉄でできているつち。たたいて釘を打ちこむのに使う。類語木槌。❷〔金づち①は水に沈むことから〕泳ぎができない・こと(人)。―**あたま**【―頭】❶金づちのようにかたい頭。❷がんこで融通のきかない頭(の人)。石頭。

カナッペ 薄く小さく切ったパンやクラッカーの上に魚のたまごや肉などいろいろなものをのせた食べ物。オードブルや洋酒のつまみにする。カナペ。▽フランス canapé

かなつぼ-まなこ【金×壺眼】くぼんで、小さくまるい目。くぼめ。

かな-てこ【金×梃・▽鉄×梃】(大きな)鉄製のてこ。かなてこぼう。

かな・でる【奏でる】《他下一》楽器で音楽を奏する。演奏する。「ギターを―・でる」文かな・づ《下二》。

かな-とこ【金床・▽鉄床・▽鉄×砧】かなしき。―**ぐも**【―雲】積乱雲が発達して、上部が金床のように平らになっている雲。

かな-ばさみ【金×鋏・▽鉄×鋏】❶金属を切るためのはさみ。❷鍛冶屋が熱した鉄などをはさむのに使う大きなはさみ状の道具。かなばし。＝金鋏。

かな-ぶつ【金仏】❶金属製の仏像。対木仏・石仏。❷心にあたたかみのない人。非情な人。＝金仏。

かな-ぶん【金×蚉】コガネムシ科の昆虫。長円形で、背中は丸いがやや扁平。体色は青銅色などで、光沢にとむ。羽音をぶんぶん立てて飛ぶ。かなぶんぶん。

かな-へび【金蛇】爬虫類カナヘビ科のトカゲ。背面は褐色で光沢にとぼしく、尾が長い。

かな-ぼう【金棒・▽鉄棒】❶鉄でつくった棒。「鬼に―」❷先端に数個の鉄の輪をつけた杖のような鉄の棒。❸鉄棒。〔古風なことば〕―**ひき**【―引(き)】❶金棒②をつき鳴らして夜警などをする人。❷ささいなことを大げさにふれ歩く人。

かな-ぼとけ【金仏】↓かなぶつ(金仏)。

かなめ【▽要】❶扇の骨を一点にまとめてとめるくぎ。また、扇形に広がるもののひろがりの起点となる・もの(ところ)。❷最も大切な部分・点。「話の―」「肝心―の所」類語要点。要所。❸「かなめもち」の略。

かなめ-もち【▽要×黐・▽扇▽骨▽木】バラ科の常緑小高木。五～六月ごろ、枝の先に白い小さな花が咲く。いけがきとして植える。あかめもち。かなめ。

かな-もの【金物】❶〔なべ・かまなど〕金属製の(小さな)器具。「―を商う」「―屋」❷金具。

かな-やま【金山】金・銀・銅などの鉱石をほりだす山。鉱山。〔古風なことば〕

かならず【必ず】《副》ある条件のもとで、ある結果・事柄が例外なくおこるようす。間違いなく。「飲めば―歌う」「約束した以上―来る」―**しも**《副》《下に打ち消しの語を伴って》ある条件がみたされても、例外のありうるようす。きっと…であるというわけではない。「良書が―売れるとはかぎらない」―**や**《副》《下に推量の語を伴って》話し手が確かなことだと判断する意を表す。〔やや古風な言い方〕「―実現するであろう」

か-なり【可成・可×也】《副・形動》《「可なり」として認め許す意》ある程度以上であるようす。そうとうに。「―寒い」表記かなで書くことが多い。⇩〖類義語の使い分け「相当」〗

カナリア アトリ科の飼い鳥。体色はふつう黄色。雄は美しい声でなく。原産地は大西洋のカナリア諸島。カナリヤ。表記「金糸雀」と当てる。▽スペイン canaria

がな・る《自五》大声でわめくように言う。〔品のない言い方〕参考他動詞的にも使う。「演歌を―・る」文《四》。

かな-わ【金輪・▽鉄輪】❶金属製の輪。特に、鉄製の輪。❷五徳。

か-なん【火難】〔文〕〔火事など〕火が原因となって起こる災難。火の災難。「―の相」

かに【×蟹】甲殻類エビ目カニ亜目の節足動物。からだは堅いからで包まれ、腹部が小さい。一対のはさみと四対の足をもつ。食用になるものもある。―**は甲羅に似せて穴を掘る**《句》人は分相応の・望みを持つ(行いをする)ものだ。

かに-かくに《副》〔雅〕あれこれと。とやかくと。

か-にく【果肉】果実の、外皮の内側にあって肉質になった部分。

かに-こうせん【×蟹工船】カニ漁業の母船。捕ったカニをかんづめなどに加工する設備をもつ。

かに-たま【×蟹玉】カニの肉と鶏卵をかきまぜて焼いた中国風の料理。芙蓉蟹。

かに・ばば【×蟹×屎】赤子が生後はじめてする大便。黒っぽい色でねばねばしている。胎便。かにくそ。

カニバリズム 人間が人間の肉を食べる風習。食人風習。▽cannibalism

がに・また【×蟹×股】両足が外向きに湾曲している・こと(人)。

か・にゅう【加入】《名・自サ》❶団体・組織などに加わること。「組合に―する」類語 入会。参加。対 脱退。❷金を出して契約者になること。「保険に―する」

カヌー ❶木をくりぬいて作り、かいでこぐ原始的な小舟。丸木船。❷カヌー①に似せてつくった競漕用の小舟。また、それを使った競技。▽canoe

*__かね__【×矩】❶曲尺②。❷直線。また、直角。〔古風な言い方〕「板を―にわたす」

*__かね__【金】❶金属の総称。参考 特に鉄をさす。❷金銭。ぜに。おかね。「―をためる」「先立つものは―」類語 おあし。懐。金子。鳥目。貨幣。紙幣。円貨。外貨。硬貨。財貨。正貨。通貨。軟貨。法貨。現金。キャッシュ。マネー。⇩〔使い分け〕

―が唸・る《句》ありあまるほどたくさん金銭を持っている。「金庫に―・っている」

―が敵《句》❶金銭が身をほろぼすもとであること。❷なかなか金銭に縁がないこと。

―が物を言・う《句》事を運ぶのに金銭の力が非常に大きく働く。「選挙では―・う」

―に飽か・す《句》〔ある事をするために〕ふんだんに金銭を使う。「―・して建てた豪邸」

―に糸目を付けな・い《句》金銭を惜しまずに出す。「―・いで作らせる」

―の切れ目が縁の切れ目《句》金銭によって成り立っている関係は、金がなくなった時に断たれるということ。〔多く男女関係に言う〕

―の生る木《句》金銭をたえず手に入れることのできるもとになるもの。

―の草鞋で捜・す《句》〔すり切れない金属製のわらじをはいてさがす意から〕いろいろな手段を使って根気よくさがし求める。かねのわらじでたずねる。

―は天下の回り持ち《句》金銭は世間をまわり動いて行くものである。金銀は回り持ち。金は天下の回りもの。

使い分け「金(かね/かな)」

*語頭にくる「金」は「かね」とも「かな」とも言う。「かな…」は古い形が複合語に残ったものとされるが、一般に造語成分として「金属(製)」の意で使い、「かね…」は「お金」の意で使う。語末にくるときは、一部の例外を除いて、金属(製)・お金の別を問わず、一般に「…がね」となる。

◆〔かね…〕金入れ・金請け(保証人)・金貸し・金食い虫・金蔵・金繰り・曲尺・金尽く・金遣い・金詰まり・金づる・金離れ・金偏(部首)・金回り・金目の物・金儲け・金持ち◇〔「かな…」とも〕金のこぎり

◆〔かな…〕金網・金臼・金頭(魚)・金切り声・金具・金釘流・金臭い・金屑・金屎・金ぐつわ・金錆・金敷(道具)・金縛り・金盥・金槌・金壺まなこ・金梃・金床・金箸・金鉢・金版(印刷)・金仏・金棒・金物・金輪◇〔「かね…」とも〕金気・金ばさみ・金型

◆〔…かね/がね〕銭金・切金/有り金・裏金・大金持ち・差し金・地金・留め金・針金・引き金・見せ金

*__かね__【×鉦】念仏にあわせて撞木でたたき鳴らす金属製の仏具。小さなかなだらいの形をしている。たたきがね。ふせがね。

―や太鼓で捜・す《句》大さわぎしてさがしまわる。参考 打楽器として使うこともある。

*__かね__【▽鉄×漿】鉄を酸化させて得た暗褐色の液。主としておはぐろに用い、染色にも用いた。おはぐろ。

*__かね__【鐘】つりさげておいて、たたいたりついたりして鳴らす金属製の道具。特に、つりがね。また、その音。

かね・あい【兼(ね)合い】両方のつりあいをうまく保つこと。「予算との―を考える」「千番に一番の―」(=非常にむずかしいことのたとえ)類語 バランス。

参考「一口…」または「一口…」と数える。

かね・いれ【金入れ】金銭を入れて持ち歩くいれもの。がまぐち・さいふ・きんちゃくなど。

かね・かし【金貸(し)】金銭を貸して、利息をとる商売(の人)。〔ややけいべつした言い方〕類語 高利貸し。

かね・がね【▽予▽予・兼兼】《副》以前からずっと。「―望んでいた品」「―お会いしたいと思っておりました」

表記 かなで書くことが多い。類語 かねて。

かね・ぐら【金蔵・金倉・金▽庫】❶金銀などの宝物を入れておくくら。類語 金庫。❷金銭上の援助をしてくれる人。類語 金蔓。ドル箱。

かね・ぐり【金繰り】資金のやりくり。金銭上のやりくり。「―をつける」「―に困る」類語 金策。

かね・ごえ【金肥】金肥。

かね・ざし【×矩差(し)】かねじゃく①。

かね・じゃく【▽曲尺・×矩尺】❶直角に曲がった金属製の物さし。かねざし。さしがね。まがりがね。❷鯨尺の八寸を一尺とした目盛りの物さし。一尺は約三〇・三センチ。かね。=曲尺。

かね・ずく【金▽尽く】金銭の力だけでものごとを解決しようとすること。金銭ずく。「―でかたをつける」

表記 現代仮名遣いでは「かねづく」も許容。

かね・そな・える【兼ね備える】《他下一》二つ以上のものをいっしょに持つ。合わせ持つ。兼備する。「攻守走を―・えた選手」

かね・たたき【×鉦×叩き】❶鉦をたたく・こと(人)。❷鉦をたたいて経文をとなえ、金銭をもらい歩くこじき。❸撞木。❹コオロギ科の昆虫。雄は、秋、鉦をたたく音のような声でちんちんと美しく鳴く。

*__か・ねつ__【加熱】《名・自他サ》熱を加えること。「―装置」「―して食べる」

*__か・ねつ__【火熱】火の熱。「―を使う料理」

*__か・ねつ__【過熱】❶《名・他自サ》熱くしすぎること。また、熱くなりすぎること。「ストーブの―から出火する」対 過冷。❷《名・自サ》物事の状態が度を超してはなはだしくなること。「―をきわめた選挙」❸《名・他サ》液体を沸騰させずに沸点以上に熱すること。「―蒸気」

かね・づかい【金遣い】金銭の使い方。「―が荒い」

かね・づまり【金詰(ま)り】〔貨幣の流通が悪く〕金銭のやりくりがつきにくいこと。「―から倒産する」

かね・づる【金×蔓】金銭を手に入れる手づる。金銭を出してくれる人。「―をつかむ」類語 金ぐら。

かね・て【▽予て・兼て】《副》以前から。かねてから。「―覚悟していた」「―よりの予定」表記 かなで書くことが多い。類語 かねがね。

かね・ばなれ【金離れ】〔自分の金を使うときの〕金銭の使いぶり。「—のいい男」類語 金遣い。

かね・へん【金偏】 ❶漢字の部首の一つ。「鉄」「銀」「銅」などの左側の「金」の称。❷〔俗〕製鉄・製鋼など、金偏①の字に関係のある産業。「—景気」

かね・まわり【金回り】 ❶社会の中で、金銭が一方から他方へ動くこと。類語 金融。❷収入の状態。ふところぐあい。「—がいい」

かね・め【金目】 ❶金銭にかえたときの価値。❷《名・形動》金銭にかえたときの価値が高いこと。「—の品」

かね・もうけ【金×儲け】《名・自サ》金銭上の利益を得ること。金をもうけること。類語 営利。

かね・もち【金持(ち)】 金銭や財産をたくさん持っていること(人)。類語 富豪。金満家。長者。資産家。

—喧嘩せず《句》人と争うと損をすることが多いから、金持ちはけんかをしない。

か・ねる【兼ねる】 一《他下一》❶ある・物(人)が、二つ(以上)のはたらき・性質などを同時に持つ。「視察を—・ねた旅行」類語 (する)掛け持ち。兼営。兼学。兼官。兼業。兼勤。兼行。兼職。兼修。兼摂。兼帯。兼任。兼備。兼補。兼有。兼用。❷〈多く「気を—・ねる」の形で〉気をつかう。遠慮する。文 か・ぬ《下二》。

二《接尾》❶…することができない。…することがむずかしい。「よいとは言い—・ねる」「見—・ねる」❷〈「…—・ねまじ」「…—・ねない」などの形で〉…しないとは言いきれない。…するかもしれない。「どんな悪事でもやり—・ねない」表記 二はふつうかな書きする。文 か・ぬ《下二》。

か・ねん【可燃】 火をつけたとき、(よく)燃えること。〔ふつう他の語につけて使う〕「—物」「—性」対 不燃。

か・ねんど【過年度】 過去の年度。昨年度。〔おもに会計年度について言う〕

か・の【彼の】《連体》〔文〕相手もよく知っているはずの。あの。例の。「—有名な事件」類語 件の。

が・の・いわい【賀の祝い】 長寿の祝い。賀寿。参考 六一歳(還暦)、七〇歳(古稀)、七七歳(喜寿)、八〇歳(傘寿)、八八歳(米寿)、九〇歳(卆寿)、九九歳(白寿)などに行う。

***か・のう【化×膿】**《名・自サ》ばい菌がはいって、炎症を起こした部分に膿をもつこと。

***か・のう【可能】** ❶《名・形動》〔ある事がらが〕実現できること。ありうること。「宇宙旅行が—になった」❷〔文法で〕可能①の意味を表す言い方。「行く」に対する「行ける」、「理解する」に対する「理解できる」の類。**—せい【—性】** ❶実現できるという見込み。「成功の—が強い」❷何かをすることができるという要素。「無限の—を持った若人」**—どうし【—動詞】** 五段(四段)活用の動詞が下一段活用に転じて、可能の意味をもつようになったもの。「歩ける」「行ける」などの類。命令形はない。

***か・のう【×嘉納】**《名・他サ》〔文〕❶〔進言・願いなどを〕よいとほめて聞き入れること。「御—にあずかる」❷〔進物などを〕ほめて快く受け取ること。

か・の・え【×庚】《「金の兄」の意》十干の第七位のよび名。己の次。庚。

か・の・こ【×鹿(の)子】 ❶〔文〕シカの子。シカ。❷「かのこしぼり」「かのこまだら」「かのこもち」の略。**—しぼり【—絞り】** 絞り染めの一種。布地を小さくつまんで根元を糸でくくり、染色液につけて染めるもの。地色に小さな白い輪の模様が隆起する。かのこ。**—まだら【—×斑】** シカの毛のように茶褐色の地に白いはん点のある模様。かのこ。**—もち【—×餅】** 餅をあんでくるみ表面に甘く煮たアズキの粒をつけた和菓子。かのこ。

かの・じょ【彼女】 一《代名》《他称の人代名詞》話し手・聞き手以外の女性をさす語。参考 欧文の訳語としてできた語。対 彼。二《名》〔俗〕ある男の恋人。「弟の—」対 彼氏。⇩〔類語と表現「彼・彼女」〕

か・の・と【▽辛】《「金の弟」の意》十干の第八位のよび名。庚の次。辛。

***カノン** 音楽で、一つの声部の旋律を他の声部が少し遅れて模倣して追ってゆく形式。参考「輪唱」もその一つ。▽ドイツ Kanon 英 canon

***カノン** 砲身が長くて射角の狭い、遠距離射撃用の火砲。カノン砲。表記「加農」と当てた。▽オランダ kanon 英 canon

か・は《連語》文語《係助詞「か」＋係助詞「は」。文末を連体形で結ぶ》❶詠嘆を含んだ問いかけを表す。「はちす葉のにごりに染まぬ心もて何**かは**露を玉とあざむく〈古今〉」❷反語を表す。「枷も理不尽も恐るべき**かは**〈紅葉〉」参考 ↓ものかは。

***かば【×樺】** ❶カバノキ科の植物の総称。シラカンバ・ダケカンバなどがある。かんば。❷「かばいろ」の略。

***か・ば【河馬】** カバ科の哺乳動物。原産地はアフリカ。大きく丸い胴と太く短い足をもつ。口が大きい。大河・湖沼などに群れをなしてすむ。草食性。

***かば【×蒲】** ❶植物のガマ。❷「かばいろ」の略。

カバー《名・他サ》❶(保護するために)物をおおう・こと(もの)。おおい。「おむつ—」「本の—」「全世界を—する通信網」❷損失・不足・失敗などを補うこと。「赤字分を—する」❸〔スポーツで〕味方の選手の守備行動を援助すること。▽cover **—ガール** ❶雑誌の表紙などにモデルとして使われる女性。❷テレビのショー番組などで、番組の合間などに映される(若い)女性。▽cover girl **—チャージ** レストラン・ナイトクラブなどで、一つのテーブルについて定められている料金。テーブルチャージ。▽cover charge

かばい・だて【×庇い立て】《名・他サ》〔ある人を〕何かにつけてかばうこと。「—は無用だ」類語 庇護。

かば・いろ【×蒲色・×樺色】 ガマの穂のような、赤みがかった黄色。かば。表記「樺色」は当て字。

かば・う【×庇う】《他五》他から害をうけないように守ってやる。「幼児を—・う」類語 守る。労る。厭う。(する)庇護。擁護。弁護。文《四》。

がば・がば《副》❶水が激しく動く音の形容。がっぽがっぽ。❷〔俗〕金もうけをする形容。「金が—入る」❸《形動・自サ》大きすぎてゆるいようす。「—な靴」

***か・はく【下×膊】** ひじと手首との間の部分。前膊。対 上膊。

***か・はく【仮泊】**《名・自サ》艦船が予定地以外の港などにかりに停泊すること。

***か・はく【科白】**〔文〕役者の、しぐさとせりふ。特に、せりふ。「—劇(=せりふを主体にした演劇)」

が・はく【画伯】 ❶〔文〕すぐれた画家。画聖。❷画家の敬称。〔多く、姓の下につけて使う〕「川端—」

か・ばしら【蚊柱】 夏の夕方などに、蚊が空中に縦に長く群れをなして飛ぶもの。「—が立つ」

がば・と《副》急に起き上がったり倒れふしたりするようす。「—飛び起きる」「—地にふせる」

*かばね【▽姓】❶大化の改新以前、家柄や職業をあらわした世襲制の称号。臣(おみ)・連(むらじ)・造(みやつこ)など。❷天武天皇の時に定められた、家柄の尊卑を表す八つの称号。真人(まひと)・朝臣(あそみ)・宿禰(すくね)など。=姓(せい)。

*かばね【×屍・×尸】〔雅〕死んだ人のからだ。しかばね。「草むすー」類語 むくろ。死骸(しがい)。なきがら。

かば・やき【×蒲焼(き)】ウナギ・ドジョウ・アナゴなどを開いて骨をとり、たれをつけてくし焼きにした料理。参考 昔、ウナギを丸のままくしざしにして焼いた形が、蒲(がま)の穂に似ていたことから言う。

か・はらい【過払い】(クワはらひ) 代金・給料などを払いすぎること。過払(かばら)い。「手数料がーになる」

か・ばり【蚊×鉤】蚊の形に似せて作った羽毛をつけたつり針。アユ・ハヤなどをつるのに使う。蚊がしら。

*か・はん【河畔】〔文〕川のほとり。川べり。川端(かわばた)。

*か・はん【過半】〔文〕全体の半分より上。類語 大半。

*か・はん【過般】〔文〕さきごろ。この間。過日。〔手紙文などで使う〕「ーお申しこしの件について…」

*か・ばん【下番】《名・自サ》交替制の勤務を終えて下がること。参考 もと、軍隊で使われた語。対 上番(じょうばん)。

*かばん【×鞄】革・ズックなどでつくった携帯用の入れもの。書類・学用品などを入れる。参考 箱を意味する中国語の夾板(キャバン)また夾槾(キャマン)がなまって「かばん」となり、「鞄(=なめし革)」の字をあてた。

ーもち【ー持(ち)】❶上役のかばんを持って、供をする・こと(人)。❷上役にまつわりついてへつらう者をあざけっていう語。

が・ばん【画板】❶画をかくとき、画用紙をおく台にする板。❷〔油絵で〕絵をかきつける板。類語 画布(がふ)。

か・はんしん【下半身】からだの、腰から下の部分。下半身(しもはんしん)。「ーがだるい」対 上半身。

か・はんすう【過半数】総数の二分の一より多い数。過半。「ーの賛成を得る」類語 大部分。大半。

か・ひ【下×婢】〔文〕召使の女。はしため。

*か・ひ【可否】❶よいか悪いか。よしあし。「現行法のーを論じる」類語 当否。良否。適否。是非。❷可決と否決。賛否。「上程案のーをとる」

*か・ひ【果皮】❶果実のたねをとりまく部分。内果皮・中果皮(=多層・多肉・多汁で食用になる部分)・外果皮の三層にわかれる。❷果実の表面をおおっている皮。

*か・ひ【歌碑】和歌をほりつけた碑。類語 詩碑。句碑。

*か・び【華美】《名・形動》はなやかで美しいこと。また、ぜいたくではでなこと。「生活がーに流れる」

*かび【×黴】下等な菌類の一群。胞子でふえる。食物を腐敗させたり、衣類についたりする有害なものと、発酵・薬品製造などに必要で有益なものとがある。

が・び【×蛾×眉】〔文〕❶〔蛾の触角(しょっかく)のような〕三日月形の美しい、女性の眉(まゆ)。❷美人。

かび・くさ・い【×黴臭い】《形》❶かびのにおいがする。「押し入れの中がー・い」❷時代おくれで古くさい。「ー・い思想」「内容がー・い」類語 古めかしい。

カピタン ❶江戸時代、長崎のオランダ商館の館長。❷〔江戸時代に渡来した外国船の〕船長。表記「加比丹」「甲必丹」などと当てた。▽ポルトガル capitão

か・ひつ【加筆】《名・他サ》文章・絵などに筆を入れてなおすこと。「原稿にーする」類語 添削。補筆。

が・ひつ【画筆】絵をかくのに使う筆。えふで。

が・びょう【画×鋲】絵・紙などを、壁や板にとめるのに使う、びょう。

か・びる【×黴びる】《自上一》かびがはえる。「パンがー・びる」文 かぶ《上二》

か・ひん【佳品】〔文〕すぐれた品・作品。類語 逸品。

*か・びん【花瓶】つぼ形の花いけ。類語 花器。

*か・びん【過敏】《名・形動》感じ方が強すぎること。過度に敏感なこと。「神経がーになる」

*か・ふ【下付】《名・他サ》役所などから国民に書類や金品をさげ与えること。「証明書をーする」対 上納。

か・ふ【家扶】もと、皇族・華族などの家で、家令を助けて家の事務や会計を管理した人。

*か・ふ【家父】〔文〕自分の父。〔改まった言い方〕

*か・ふ【寡夫】〔文〕妻と死別した男。男やもめ。参考 離婚した場合にもいう。

*か・ふ【寡婦】〔文〕夫と死別した女。やもめ。未亡人。後家(ごけ)。「ー控除」参考 離婚した場合にもいう。

*か・ふ【花譜】〔文〕いろいろな花を、開花する季節順に記した図譜。「原色ー」類語 花図鑑。

*かぶ ❶賭博(とばく)で、九の数の札。また、合わせて末尾が九になる数。❷花札賭博の一つ。おいちょかぶ。

*か・ぶ【下部】下の方の部分。「ー組織」対 上部。

ーこうぞう【ー構造】❶下部をかたちづくる仕組みや組み立て。❷史的唯物論で、政治・法律などの「上部構造」に対し、その基盤となる社会の経済構造。対 上部構造。

*かぶ【株】㊀《名》❶木を切り倒した後に残った短い幹、または根。切り株。❷〔何本かに分かれて〕はえている草木の根・根もと。「ーをわける」❸〔江戸時代に〕特別に幕府から許可された営業権。また、同業組合員の権利。❹〔ある社会で〕特別な地位・身分。また、その地位・身分を得るための権利。「相撲の年寄のー」参考 その売買の対象となることもある。❺その人特有のくせ。その人の得意のわざ。〔多く「おー」の形で使う〕「おーを奪う」❻株式会社の株式・株券。㊁《接尾》❶《助数》根のついた草木を数える語。❷《助数》株式・株券を数える語。「鉄鋼株を一〇〇〇ー買う」❸「他に対して占める地位・身分」の意。「親分ー」「古ー」

*か・ぶ【歌舞】〔文〕❶歌と舞。「ー音曲(おんぎょく)」❷《名・自サ》歌ったり舞ったりすること。「ーの巷(ちまた)(=色町)」

*かぶ【×蕪】アブラナ科の越年草。根は平たい球形で白色だが、紅色・紫色のものもある。根・葉を食用にする。かぶら。かぶらな。かぶな。すずな。参考「かぶら」の女房詞(にょうぼうことば)「おかぶ」の「お」を略した語。

*が・ふ【画布】油絵をかくための布。カンバス。

*が・ふ【画譜】絵画を題材などの種類によって分け集めた本。類語 画集。

*か・ふう【下風】〔文〕→風下(かざしも)。

*か・ふう【家風】その家の伝統になっている生活様式。その家独特のならわし。「ーに合わない」

*か・ふう【歌風】和歌の作り方の特色。和歌の作風。

が・ふう【画風】絵のかき方の特色。絵の作風。

カフェイン アルカロイドの一種。神経中枢を興奮させる。コーヒー・ココア・緑茶などに含まれる。強心剤・利尿剤などに用いる。▽caffeine ドイツ Kaffein

カフェー ❶喫茶店。コーヒー店。カッフェ。参考 明治時代の中ごろに使われた語。❷女給がいて相手をする、酒場をかねた飲食店。カフエー。参考 大正時代から昭和の初めに流行した。▽フランス café

カフェ・オ・レ コーヒーに牛乳をたっぷり入れた飲み物。カフェオーレ。類語 カフェラテ。▽フランス café au lait

カフェ・テラス 歩道沿いにテーブルや椅子(いす)を置いた喫茶店。▽(フランス)café と terrasse からの和製語。

カフェテリア 客が好みの品を自分で選び運んで食べるしくみの食堂。キャフェテリア。▽cafeteria

カフェラテ エスプレッソコーヒーに泡立てた牛乳を加えた飲み物。カフェラッテ。類語 カフェオレ。▽(イタリア)caffellatte

かぶ・か【株価】 株式の相場の価格。「ーの変動」

がぶ・がぶ 一《副》(「ーと」の形も)❶水・酒などを、勢いよくたくさん飲むようす。❷《自サ》〔胃に〕液体がいっぱいたまっているようす。「腹がーする」二《形動》大きすぎてゆるいようす。ぶかぶか。「ーのくつ」

*__かぶ・き【▽冠木】__ ❶門の上部に横につらぬきわたした木。❷「冠木門」の略。 **ーもん【ー門】** 二本の柱の上部に横木をつらぬきわたした屋根のない門。かぶき。

*__かぶき【歌舞×伎】__《動詞「傾(かぶ)く(=放縦な行いをする)」の連用形の名詞化》江戸時代に民衆の娯楽として起こって完成した、日本独特の演劇。かぶき芝居。

か・ふきゅう【過不及】 多すぎたり少なすぎたりすること。「ーなし(=ちょうどよい)」類語 過不足。

か・ふく【禍福】〔文〕わざわいと、しあわせ。 **ーは糾(あざな)える縄の如(ごと)し**《句》人生のわざわいとしあわせは、よりあわせた縄のように表裏一体のもので、つねに相伴って変転するものだ。〈史記・南越伝〉

が・ふく【画幅】 軸物に仕立ててある絵。類語 書幅。

かふく・ぶ【下腹部】 下腹の部分。特に、陰部。

かぶ・けん【株券】 株式会社が発行し、株主権を表示する有価証券。売買・譲渡ができる。株式。株。

かぶさ・る【▽被さる】《自五》❶上におおいかかる。❷重なりあう。「声がーる」❸負担などがかかる。影響が及ぶ。「責任がーる」文《四》。

かぶ・しき【株式】 ❶株式会社の資本を構成する単位。❷株主権。❸株券。 **ーがいしゃ【ー会社】** 株券を発行し、資金を集めて営利事業を営む会社。

カフス ワイシャツ・婦人服などのそで口にとりつけたバンド状の部分。▽cuffs **ーボタン** カフスにつける、かざりをかねたボタン。▽英 cuffs と(ポルトガル)botão からの和製語。

かぶ・せる【▽被せる】《他下一》❶上からおおう。「ふとんをーせる」❷上から注ぐ。かける。「土をーせる」「水をーせる」❸負担などをかける。負わせる。「責任をーせる」「罪をーせる」文 かぶ・す《下二》。

カプセル ❶粉薬などをつめ込むための、ゼラチンで作った小さな(円筒形の)容器。❷内部を密閉した容器。特に、宇宙ロケットの先端にとりつけて、人間や計器類などをのせる、容器状のもの。▽(ドイツ)Kapsel **ーホテル** カプセル状の小部屋を並べた簡易ホテル。▽(ドイツ)Kapsel と hotel からの和製語。

か・ふそく【過不足】 数量・程度などが多すぎることと足りないこと。「ーなく分配する」類語 過不及。

かふちょう・せい【家父長制】 一家の長が家族全員に対して絶対的な権力をもつ家族形態。

かぶと【×兜・▽冑・▽甲】 昔、戦いのときに頭部を保護するためにかぶった武具。鉄・革などで作った。「ーを脱ぐ(=降参する)」

かぶと・むし【×兜虫・▽甲虫】 コガネムシ科の昆虫。からだはつやのある黒色。雄はかぶとの前立てに似た角を持つ。さいかちむし。

かぶ・ぬし【株主】 株式会社の出資者。株式の持ち主。「ー総会」

がぶ・のみ【がぶ飲み】《名・他サ》〔水・酒などを〕つづけざまに大量に飲むこと。がぶがぶと飲むこと。

かぶ・ま【株間】 植えてある作物の、株と株との間。

*__かぶら【×蕪・×蕪×菁】__「蕪(かぶ)」の古風な言い方。

*__かぶら【×鏑】__ ❶矢の先端につける、蕪(かぶ)の根の形に似たもの。中は空洞で数個の穴がある。矢をとばすと穴から空気が入り、ぶうんと鳴る。❷「鏑矢(かぶらや)」の略。

かぶら・や【×鏑矢】 鏑をつけた矢。飛ぶときにうなりを発するので、戦いの合図や敵を威嚇するために射た。鳴鏑(なりかぶら)。

鏑矢

かぶり【▽頭】 あたま。つむり。〔古風なことば〕「ーを振る(=頭を左右に振って、不承知・拒否の意を示す)」類語 こうべ。

がぶり《副》(「ーと」の形も)❶大きな口をあけて一口に食いつくようす。❷一息に飲みこむようす。

かぶり・つき【×噛り付き・×齧り付き】〔舞台にかぶりつくようにして見る場所の意から〕劇場などで、舞台ぎわの最前列の客席。類語 雨落ち。

かぶり・つ・く【×噛り付く・×齧り付く】《自五》〔食べ物に〕勢いよく、また乱暴にかみつく。

カプリッチオ 一定の形式がなく、気分の流れのままに自由に変化する軽快な器楽曲。狂想曲。綺想(きそう)曲。カプリス。カプリチオ。▽(イタリア)capriccio(=気まぐれ)

かぶり・もの【▽被り物・▽冠物】〔笠(かさ)・頭巾(ずきん)・帽子など〕頭にかぶるもの。

かぶ・る【▽被る】 一《他五》❶頭・顔の上からおおう。❷〔水・波・粉などを〕あびる。「火の粉をーる」❸負担として身に受ける。こうむる。「罪をーる」文《四》。二《自五》〔写真で〕現像の失敗、露出過度などのため、乾板・フィルム・印画紙がくもる。文《四》。

がぶ・る《自五》❶〔波で〕船がはげしくゆれ動く。❷相撲で、はげしく上下にゆすって寄る。

かぶ・れる【▽気触れる】《自下一》❶〔漆・薬品などの毒性に強い刺激を受けて〕皮膚がはれてかゆくなる。❷感化され夢中になる。〔ふつう好ましくない状態にいう〕「流行にーれる」「ロックにーれる」表記 かなで書くことが多い。文 かぶ・る《下二》。

かぶろ【×禿】 ❶頭に毛のないこと。❷山に木がないこと。❸髪を短く切りそろえた子どもの髪型。また、その子ども。❹遊女の召し使う幼女。 =禿(かむろ)。

かぶ・わけ【株分け】《名・他サ》植物の根を親株から分け離して移植すること。「菊のーをする」

か・ふん【花粉】 種子植物のおしべの葯(やく)の中にできる粉のような単細胞。風や虫によって運ばれてめしべの柱頭につき、実を結ばせる。 **ーしょう【ー症】** アレルギー性疾患の一種。スギ・ブタクサなどの花粉が鼻・目などに入り、鼻水・目のかゆみなどの症状が出る。

*__か・ぶん【寡聞】__《名・形動》〔文〕(自分の)見聞がせまく、知識が少ないこと。「ーにして存じません」参考 謙遜(けんそん)して言うときに使う。

*__か・ぶん【過分】__《名・形動》〔文〕分に過ぎていてふさわしくないこと。身分不相応であること。「ーのおほめにあずかる」対 応分。

が・ぶん【雅文】 ❶〔文〕優雅な文章。❷平安時代の仮名文。また、それをまねた擬古文(ぎこぶん)。対 俗文。

か‐ぶんすう【仮分数】❶分子が分母より大きいか、あるいは分子が分母に等しい分数。対真分数。❷〔俗〕頭でっかちの人。

かべ【壁】❶建物の周囲のかこいや、部屋と部屋とのしきり。❷ものごとの進展を行きづまらせるもの。障害(物)。「研究が―にぶつかる」

―に耳あり《句》だれがどこで聞いているかわからないということ。密談はもれやすいというたとえ。壁に耳。類語障子に目あり。

*か‐へい【寡兵】〔文〕〔敵にくらべてずっと〕人数の少ない軍隊・兵力。「―よく大軍を破る」類語少兵。

*か‐へい【貨幣】商品などと交換できるねうちのあるものとして、社会に流通するもの。硬貨・紙幣など。「―経済(=貨幣を媒介物として商品の交換が行われる経済体制)」 ―かち【―価値】貨幣のもつ、物資を買うことのできる力。貨幣のもつ購買力。

が‐べい【画×餅】〔文〕絵にかいたもち。計画や想像だけで実現の可能性のないもののたとえ。画餅(がへい)。

―に帰す《句》〔計画したことなどが実現できず〕努力・骨折りがむだになる。徒労に終わる。「計画は―・した」

かべ‐かけ【壁掛(け)】〔陶器の絵皿・ししゅう布など〕室内の装飾として壁に掛けるもの。

かべ‐がみ【壁紙】〔室内の装飾や壁の補強のために〕壁にはる、模様などのある紙。

かべ‐しんぶん【壁新聞】学校・会社・工場などで、身近な話題や主張などを記事にして壁にはり出して見せる、一種の新聞。

かべ‐そしょう【壁訴訟】❶訴える当の相手がいないままに、ひとりぶつぶつ不平などを言うこと。❷遠まわしにあてこすること。

かべ‐つち【壁土】壁をぬるのに用いる粘土質の土。

かべ‐ひとえ【壁一重】〈隣同士が壁を一枚へだてただけであること〉距離がきわめて近いことのたとえ。

*か‐へん【佳編・佳×篇】〔文〕すぐれた文学作品。

*か‐へん【可変】変えうること。また、変わりうること。「―性」対不変。 ―しほん【―資本】生産に投下される資本のうちで、労働力の買い入れにあてられるもの。剰余価値を生産し、その資本の価値の大きさを変える。対不変資本。

*か‐へん【花片】〔一つ一つの〕花びら。

か‐べん【花弁・花×瓣】花冠を構成する各片。花びら。

*か‐ほう【下方】下のほう(の部分)。対上方。

*か‐ほう【加俸】正規の俸給に加算される俸給。

*か‐ほう【加法】たし算(の方法)。対減法。

*か‐ほう【家宝】その家に代々伝わる宝物。家の宝。

*か‐ほう【家法】〔文〕❶〔代々伝わる〕その家のしきたり。類語家風。❷その家に代々伝わる秘法・技術。

*か‐ほう【果報】❶〔仏〕以前におこなった善悪いずれかの行為のむくいとして、のちに身に受けることがら。因果の応報。むくい。❷《名・形動》運にめぐまれてしあわせなこと。いい運。「―者」類語幸運。冥加(みょうが)。

―は寝て待て《句》幸運を得ようとあせってみても、人の力ではどうにもなるものではないから、気長に時機が来るのを待つのがよい。

*か‐ほう【火砲】火薬の爆発力を利用し、弾丸を筒から発射する兵器の総称。特に、大砲・高射砲など。

*か‐ほう【過褒】〔文〕〔そのものの実際のねうちにふさわしくないほど〕過度にほめること。過賞。

*が‐ほう【画報】絵・写真などを中心として編集された雑誌形式の刊行物。

*が‐ほう【画法】絵のかき方・技法。「独特の―」

が‐ぼう【画×舫】〔文〕〔絵をかいたり、彩色をほどこしたりして〕美しくかざった(中国の)遊覧船。

か‐ほうわ【過飽和】❶溶液が、その温度のもとでの溶解度以上に溶質を含むこと。❷蒸気が、その温度のもとでの飽和量以上に存在すること。

*か‐ぼく【家僕】〔文〕大家(たいか)などにやとわれて、雑用をする男。下男。下僕(げぼく)。類語従僕(じゅうぼく)。

*か‐ぼく【花木】〔文〕❶花と木。❷〔桜・梅などのように〕美しい花の咲く木。花を観賞する木。花樹。

か‐ほご【過保護】《名・形動》子供などを必要以上に大事にし、めんどうをみすぎること。「―に育つ」

かぼす ユズの一種。果実は酸味が強く、独特の香りがあり、果汁などを料理に使う。参考大分県の特産物。

か‐ぼそ・い【か細い】《形》(「か」は接頭語)〔からだつきや声などが〕ほそくて弱々しい。「―・い腕」

かぼちゃ【▽南×瓜】ウリ科のつる性一年草。夏、黄色い合弁花を開く。果実は、糖分・ビタミンAを多く含む。食用・飼料用。とうなす。なんきん。参考カンボジア(Cambodia)から伝わったことから。

カポック ⇒パンヤ。参考マレー語から。▽kapok

ガボット 一七世紀ごろフランスに起こった二分の二または四分の四拍子の快活な民族舞曲。また、その踊り。▽(フランス) gavotte

か‐ほど【×斯程】《副》〔文〕これくらい。これほど。「―喜ばしいことはない」

*かま 大きい魚の、えらの下で、胸びれの周りの部分。

*かま【窯】物を高温で焼いたり溶かしたりするための設備。れんが・どろなどで築く。ガラス・陶磁器・炭・瓦(かわら)などをつくるのに使う。「―に火を入れる」

*かま【×竈】かまど。へっつい。

*かま【×罐・▽缶】水を加熱して高温・高圧の蒸気を発生させる装置。エンジンを動かしたり暖房に使ったりする。ボイラー。汽罐(きかん)。表記「缶」は代用字。

*かま【×釜】❶飯をたいたり湯をわかしたりするのに使う、金属製あるいは土製の器具。なべよりも深く、ふつう、周囲につばがついている。❷茶の湯で、湯をわかすのに使う、金属製の器具。茶釜。参考①②とも「一口(ひとくち)…」または「一口(いっこう)…」と数える。

*かま【×鎌】草を刈る農具。三日月形の刃に長い柄を直角につけたもの。参考「一挺(いっちょう)…」と数える。

―を掛ける《句》本当の事を言わせようとして、それとなく問いかけて(さぐりを入れて)、相手をさそう。

*がま【×蒲】ガマ科の多年草。池や沼に直立してはえる。夏、茎の頂に、円柱形で緑褐色の穂がつく。葉は、むしろ・すだれなどを編むのに用いる。かば。蒲(かま)。

*がま【×蝦×蟇】「ひきがえる」の別称。

かま‐いたち【×鎌×鼬】急にころんだり、からだを動かしたりしたとき、打ちつけもしないのに鎌で切ったようなするどい切り傷ができる現象。参考昔はイタチのしわざと考えたので、この名がある。

かまい‐つ・ける【構い付ける】《他下一》あれこれと相手になる。とりあう。

かま・う【構う】一《自五》《多く打ち消しの語をともなう》❶気をつかう。また、さしつかえる。「金はいくらかかっても―・わない」類語意に介する。配慮。❷

かかわる。「小事に—ってもいられない」「やつに—うな」文《四》。二《他五》❶心にかける。相手にする。せわをする。「だれも私のことを—ってくれない」「体裁を—う」❷からかう。「犬を—う」文《四》。

かまえ【構え】かまへ ❶〔建築物などの〕組みたてのようす。構造。「りっぱな—の家」❷からだや心のそなえ。「正眼の—」❸漢字の部首の一つ。大きく包むように構成されている部分の称。門構え・国構えなど。

かまえ-て【構えて】かまへ《副》〔文〕必ず。決して。参考 多く、打ち消しの語を伴う。「—、忘れるな」

かま-える【構える】かまへる 一《他下一》❶ととのった形につくる(こしらえる)。「邸宅を—える」「一家を—える」❷ある姿勢・態勢をとって相手に対する。「ストを—える」❸ある物を手に取って・身のそなえとする(準備する)。「銃を—える」❹ありもしないことをわざとつくりあげる。つくりごとをする。「言を—える(=口実をつくる)」文かま・ふ《下二》。二《自下一》〔物事にそなえて〕意識的に、ある姿勢・態度をとる。「悠然と—える」「何となく—えた態度」文かま・ふ《下二》。

かま-きり【×蟷×螂・×螳×螂・×鎌切】カマキリ科の昆虫。三角形の小さな頭と、鎌状の長い前あしをもつ。交尾期には、時に大きな雌が雄を殺して食べてしまう習性がある。いぼじり。蟷螂(とうろう)。

がま-ぐち【×蝦×蟇口】口金のついた銭入れ。参考 開いた口がガマの口に似ることから。類語 きんちゃく。

かま-くび【×鎌首】鎌のようにまげた首。「—をもたげる」参考 蛇などが攻撃するときにもちあげた首をいう。

かま-くら 秋田県で陰暦一月一五日に子供たちが行う行事。雪室(ゆきむろ)を作り、中に祭壇をもうけて水神を祭り、飲食したり遊んだりする。また、その雪室。

かま-ける《自下一》そのことだけにかかわる。「雑事に—けて約束を忘れる」文かま・く《下二》。

がまし-い《接尾》《動作を表す名詞、動詞の連用形などについて》「いかにも…する風がある」の意。「未練—い」「言い訳—いことを言う」文がま・し《シク》。

かま-しき【×釜敷(き)】かま・鉄びんなどを置くとき、下に敷くもの。

***かます**【×叺】穀物・塩・肥料などを入れる、わらむしろを二つ折りにして作った長方形の大きな袋。

***かます**【×魳・×梭▽魚】カマス科の近海魚。からだは細長く、口が長く突き出ている。食用。干物にする。

***かま-す**【×噛ます】《他五》➡かませる。文《四》。

かま-せる【×噛ませる】《他下一》❶二つのものの間にあるものをはさみ込み、すきまなくかっちりとかみ合うようにする。「猿ぐつわを—せる」❷〔俗〕相手の勢いをそぐような強い言葉や動作をしかける。「突っ張りを—せる」類語 くらわせる。=噛(か)ます。

かま-たき【×罐×焚(き)・▽缶×焚(き)】汽罐(きかん)の火をたく・こと(人)。表記「缶」は代用字。

かまち【×框】❶床(ゆか)の前端に渡す、飾りをかねた横木。上がりかまち・床(とこ)がまち・縁がまちなど。❷戸・障子・ふすまなどの周囲をかこむ枠。

かまど【×竈】(「釜(かま)をかける所」の意)❶土・れんがなどで築き、かま・なべなどをかけて食物を煮たきする設備。へっつい。かま。❷独立の生活をいとなむ一世帯。「—を分ける(=別の所帯を持つ。分家する)」

—を起こ-す《句》家の財産をふやす。家名をあげる。

かまど-うま【×竈馬】カマドウマ科の昆虫。コオロギに似るが羽がなく、黄褐色で触角が長く、背が湾曲している。おかまこおろぎ。

かま-とと〔俗〕知っているくせに知らないふりをして、いかにもうぶであるようにみせかける・こと(人)。〔多く女性に言う〕「—ぶる」参考「蒲鉾(かまぼこ)ってとと(=魚)なの」と聞いたことからと言われる。

がま-の-あぶら【×蝦×蟇の油】ヒキガエルの皮膚から出る分泌物から製した民間薬。

かま-ば【窯場】陶磁器を焼く窯のある仕事場。

かまびすし-い【×喧しい・×囂しい】《形》〔文〕やかましい。かしましい。文かまびす・し《シク》。

かま-ぼこ【×蒲×鉾】❶すりつぶした魚肉に味をつけて・蒸した(焼いた)食品。板につけたものや昆布で巻いたものなどがある。参考 昔、串刺(くしざ)しの円柱形で焼いたものが、蒲(がま)の穂の形に似ていたところから。❷〔形が板付きかまぼこに似ているところから〕宝石をはめこんでいない中高の指輪。**—いた**【—板】板付きかまぼこを作る時に、練った魚肉を盛りつける板。

かま-めし【×釜飯】小さなかまで牡蠣(かき)・貝柱・鯛(たい)・鶏肉・きのこ・野菜などの具をまぜてたいた味つけ飯。

かま-もと【窯元】陶磁器を窯で焼いて作っている・ところ(人)。陶磁器を製造し出荷する・ところ(人)。

かま-ゆで【×釜×茹で】❶かまで物をゆでること。「—にしたカニ」❷戦国時代にあった死刑の一種。罪人をかまの熱湯に入れて煮殺した。かまいり。

が-まん【我慢】❶〔仏〕自分を偉いと思い、他人を軽んずること。類語 高慢。❷我を張ること。強情であること。〔古風な言い方〕❸《名・他サ》感情をおさえて、こらえること。辛抱(しんぼう)。「苦しいのを—する」「もう—がならない」類語 忍耐(にんたい)。堪忍(かんにん)。❹《名・他サ》大目に見ること。「今度だけは—してやる」⇨〔類義語の使い分け「忍耐」〕

—づよ-い【—強い】《形》たえしのぶ力が強い。しんぼう強い。「—い子供」

***かみ**【上】❶ある地域で、より川の源に近い方。また、位置がより高い方。ア川の上流。川上。対下(しも)。イ体または衣服の、腰より上の部分。「—半身」対下(しも)。❷より高い場所。ア皇居・京都に近い方。「—方(かみがた)」対下(しも)。イ特に、京都の町で、北の方。❸〔ひとつづきの〕物事の前の部分。ア文章・和歌などのはじめの方。参考 和歌では、多く前半三句をいう。「—の句」対下(しも)。イある期間の前半。月の上旬。「—半期」対下(しも)。ウ以前。昔。いにしえ。「其(そ)の—」❹身分・地位の系列の中で、高い方。また、その地位にいる人。「—は大臣から下(しも)は庶民まで」対下(しも)。ア主君。主人。特に、君主。天皇。〔多く「お—」の形で使う〕「お—御一人(ごいちにん)(=天皇)」イ朝廷。政府。〔多く「お—」の形で使う〕「お—の御用」ウ上座。上席。「—にすわる」対下(しも)。❺舞台で、客席から見て右の方。上手(かみて)。対下(しも)。

***か-み**【佳味】❶よい味。また、その食べ物。❷よい趣。「—を添える」

***か-み**【加味】《名・他サ》❶〔文〕味をつけ加えること。❷ある事がらの中に他の事がらの要素を取り入れること。「一年間の成績を—する」類語 添加。付加。

***かみ**【神】❶宗教的な崇拝または信仰の対象となるもの。人間の目には見えず、超人的な能力をもち、人類に禍福を与えると考えられているもの。❷日本で、神話時代に活躍したという超人的な能力をもつもの。大神(おおかみ)。大御神(おおみかみ)。明神(みょうじん)。❸神社などに祭られ 尊敬

た(死者の)霊。「靖国の―となる」[類語]仏。

―も仏も無・い《句》世間には助けとなる慈悲深い神も仏もいない。世間の無情をはかなんでいうことば。

*かみ【紙】❶おもに植物性の繊維をすいて作った薄いもの。絵・文字などをかいたり、物を包んだりするのに用いる。ペーパー。[参考](ア)「一枚…」と数える。(イ)薄い物・破れやすいもののたとえに用いられる。「人情―のごとし」「―ひとえ」❷じゃんけんで、指を全部開いて出すもの。ぱあ。[対]石・はさみ。

*かみ【▽長▽官】《「上」の意》大宝令で、四等官の第一位。諸官庁の長官。[参考]官庁によって「伯」「卿」「頭」「督」「帥」「守」などと書き分けた。

*かみ【髪】❶頭に生える毛。かみの毛。頭髪。「―を結う」❷髪①を結った形。髪形。「ほつれた―」

―を下ろ・す《句》髪をそって仏門にはいる。出家する。

が・み【雅味】〔文〕上品なあじわい・おもむき。

かみ・あ・う【×嚙み合う】《自五》❶歯やきばで、たがいにかみつきあう。❷歯型のものがたがいにすきまなく組み合う。「歯車が―・う」❸〔議論などが〕たがいにうまくやりとりされる。「意見が―・わない」

かみあり・づき【神在月】出雲の国(=島根県東部)だけでいう、旧暦の一〇月。[参考]日本中の神々が一〇月には出雲に集まるという伝説から。

かみ・あわせ【×嚙み合わせ】❶かみ合うぐあい。「歯車の―」❷上下の奥歯が互いにふれる部分。

かみ・あわ・せる【×嚙み合わせる】《他下一》❶上下の歯を強く合わせる。❷歯型のものを互いにすきまなく組み合わせる。❸〔獣などを〕互いに激しく争わせる。❹互いにしっくりゆくようにする。

かみいちだん・かつよう【上一段活用】国語の口語・文語動詞の活用形式の一つ。語尾が「い・い・いる・いる・いれ・いろ(いよ)」と五十音図のイ段に活用するもの。「射る」「似る」「見る」などや、文語上二段(「起く」「尽く」など)の口語形「起きる」「尽きる」など。

かみ・いれ【紙入れ】❶昔、外出するときに鼻紙・楊枝などを入れ、懐中に入れて持ち歩いたもの。❷紙幣を入れて持ち歩く入れもの。札入れ。[類語]財布。

かみ・おろし【神降(ろ)し】❶祈って神霊を呼び招くこと。❷巫女が神の託宣を受けるため、神霊をその身にのりうつらせること。降神。

かみ・がかり【神懸(か)り・神×憑り】❶神霊が人にのりうつること。また、のりうつった人。❷科学や真理を無視し、理屈に合わない事がらを信じ行う・こと(人)。「―的な言動」

かみ・かくし【神隠し】ある人の行方が突然わからなくなること。神隠し。「―にあう」[参考]昔、神や天狗のしわざと考えて言った。

かみ・かけて【神懸けて・神掛けて】《連語》自分の言動にまちがいがないことを強めて言う語。神にちかって。ほんとうに。きっと。「約束は―守る」

かみ・かざり【髪飾り】女が髪につけてかざるもの。くし・かんざしなど。

かみ・かぜ【神風】❶神の力で吹き起こされるという(恵みの)風。特に、元寇のときに吹いた暴風雨。❷〔俗〕命知らずで、むこうみずにとびまわること。〔接頭語的に使う〕「―運転」[参考]第二次世界大戦中、海軍の特攻隊につけた「神風隊」の名から。

*かみ・がた【上方】〔関東地方から見て〕京阪地方の通称。

―ぜいろく【―×贅六】江戸の人が上方の人をぬけめのない人間として、あざけっていう語。上方ざいろく。[参考]「贅六」は「才六」の転という。

*かみ・がた【髪型・髪形】髪の型。ヘアスタイル。

がみ・がみ《副》《「―と」の形も》威圧的な態度で口やかましく言うようす。「―どなり散らす」

かみ・き【上期】一年を二期に分けたときの、前期の六か月。前半期。上半期。「―の売上げ」[対]下期。

かみきり・むし【髪切り虫】カミキリムシ科の昆虫。節のある長い触角をもち、あごが強い。幼虫はテッポウムシといい、樹木の幹に穴をあける害虫。

かみ・き・る【×嚙み切る】《他五》歯でかんで、切る。食い切る。「縄を―・る」「舌を―・る」

かみ・きれ【紙切れ】紙の切れはし。紙片。

かみ・くず【紙×屑】不用になった紙。使い捨てた紙。「―同然の書類」「―籠」[類語]反故。

かみ・くだ・く【×嚙み砕く】《他五》❶かんでこまかくする。「あめを―・く」[類語]嚙み潰す。(する)咀嚼。❷わかりやすく説明する。「この理論を―・いて言えば」

かみ・こ【紙子・紙▽衣】昔、和紙をはり合わせ、揉みやわらげて作った衣服。柿渋をひくこともある。防寒性に富み、僧衣・胴着・羽織などに用いた。

かみ・ころ・す【×嚙み殺す】《他五》❶かみついて殺す。❷〔あくび・笑い声・泣き声などが出ないように〕歯をかみしめるようにしておさえる。「嗚咽を―・す」

かみ・ざ【上座】上位の人がすわる席。上座。「客を―にすえる」[類語]上席。[対]下座。

かみ・ざいく【紙細工】紙で細工すること。また、紙で細工した物。

かみ・さ・びる【神さびる】《自上一》古びてこうごうしくなる。長い年月を経ていて、落ち着いた古風な趣がある。神さびる。「―・びた神殿」

かみ・さま【神様】❶神の尊敬語。❷〔ある分野で〕神聖視されるほどすぐれている人。「野球の―」

かみ・さん【上さん】商人・職人などの妻。また、親しい間柄で他人の妻や自分の妻をさす語。「うちの―」

かみ・しばい【紙芝居】幾枚かの厚い紙に物語の各場面をえがいて箱形のわくに入れ、順々にめくって絵の説明をしながら子どもに見せるもの。

かみ・し・める【×嚙み締める】《他下一》❶力を入れてかむ。「くちびるを―・める」❷よく考えて奥深い意味まで理解する。また、ある感情をじっくり味わう。「教えを―・める」「人の情けを―・める」[類語](する)玩味。

かみ・しも【×裃】《「上下」の意》おもに江戸時代に用いられた武士の礼服の一つ。袖のない肩衣と、同じ色のはかまから成る。

―を着る《句》礼儀を正して堅苦しい態度をとる。

―を脱・ぐ《句》堅苦しい態度をやめて打ちとける。

かみ・すき【紙×漉き】和紙をすく・こと(人)。

かみ・そり【×剃▽刀】《「髪そり」の意》❶頭髪・ひげなどをそる、刃のうすい鋭利な刃物。「―で顔を当たる(=ひげをそる)」❷頭の働きや動作などが非常にすみやかでするどいこと。「―パンチ」「彼は―のような男だ」

―の刃を渡・る《句》失敗したら破滅するような危険な行動をすることのたとえ。刀の刃を渡る。

かみ・だな【神棚】〔家の中で〕神を祭っておく棚。

かみ・だのみ【神頼み】神に祈って助けを求めること。「苦しい時の―」

かみ・たばこ【×嚙み▽煙▽草】かんで香気を味わうたば

こ。たばこの葉に香料などを加えて固めたもの。

か・みつ【過密】《名・形動》集中しすぎること。特に、ある地域にすむ人の数が多すぎること。「人口の―な地域」「―ダイヤ」対過疎。

かみ・つ・く【×嚙み付く】《自五》❶歯やきばで、食いつく。「犬が子供に―・く」❷攻撃的な態度で、批判や質問をする。食ってかかる。「上役に―・く」

かみ・づつみ【紙包(み)】紙で包んだもの。参考特に金一封をいうこともある。

かみ・つぶ・す【×嚙み×潰す】《他五》❶かんでつぶす。「丸薬を―・す」類語かみ砕く。❷口が開こうとするのをこらえる。「あくびを―・す」

かみ・つぶて【紙×礫】投げて的に当てるため、紙を(かんで)固くまるめたもの。

カミツレ キク科の薬用植物。一、二年草。夏、中心が黄、周囲が白の花をつける。乾燥させた花は発汗作用がある。カミルレ。カモミール。▽オランダ kamille

かみ・て【上手】❶上の方。上流。「舟を―にやる」❷観客席から見て、舞台の右の方。対①②下手。

かみ・でっぽう【紙鉄砲】子供のおもちゃの一つ。竹筒の先端に固くまるめた紙をつめ、別の一端から棒で押し、空気の圧力で飛び出させる仕かけのもの。

かみな・づき【神無月】→かんなづき。

かみ・なり【雷】《「神鳴り」の意》❶雲と雲との間、または雲と地表との間におこる放電現象。閃光と大きな音をともなう。なるかみ。いかずち。「―に打たれる」類語鰤起こし。雷公。雷霆。霹靂。遠雷。界雷。急雷。疾雷。春雷。迅雷。天雷。熱雷。雷鳴。❷雲の上にいて雷をおこすという神。鬼の姿をし、虎の皮の褌をしめ、太鼓を持つ。人間のへそをとるという。雷神。❸どなりつけて言うこと。「おやじが―を落とす」**―おやじ【―親▽父】**事あるごとにどなりつける父親・主人・上役。**―ぞく【―族】**〔俗〕大きな音をたてて乱暴にオートバイを乗りまわす(若い)人たち。類語マッハ族。暴走族。

かみにだん・かつよう【上二段活用】国語の文語動詞の活用形式の一つ。語尾が「い・い・う・うる・うれ・いよ」と五十音図のイ段とウ段の二段にわたって活用するもの。「起く」「過ぐ」など。参考口語では原則として上一段活用になる。

かみ・ねんど【紙粘土】新聞紙などをちぎって水にひたし、のりを加えてつくる粘土状のもの。

かみ・の・く【上の句】短歌で、初めの五・七・五の三句。かみ。対下の句。

かみ・の・け【髪の毛】頭にはえる毛。頭髪。髪。**―を逆立・てる**《句》髪の毛が逆立つほど怒る。

かみ・ばさみ【紙挟(み)】〔折れたりよごれたり紛失したりしないように〕紙・書類などをはさんでおく用具。

かみ・ばな【紙花】❶紙でつくった造花。❷とくに、葬儀の飾りに使う造花。

かみ・はんき【上半期】→かみき(上期)。

かみ・ひとえ【紙一重】〔紙一枚の厚さほどのわずかな隔たりや差異。「実力の差は―だ」

かみ・ぶすま【紙×衾】中にわらを入れた、紙製のふとん。天徳寺。かみふすま。

かみ・ふぶき【紙〈吹雪〉】❶色紙を小さく切り、歓迎や祝賀の気持ちを込めて、吹雪のようにまき散らすもの。❷数多くの紙きれが舞い散る状態のたとえ。

かみ・まき【紙巻(き)】「紙巻きたばこ」の略。きざんだたばこの葉を紙で巻いたもの。巻きたばこ。シガレット。

かみ・もうで【神×詣(で)】神社に参拝すること。神参り。類語社参。宮詣で。

かみ・やしき【上屋敷】江戸時代、大名などが江戸で平常のすまいとした屋敷。対中屋敷・下屋敷。

かみ・やすり【紙×鑢】金剛砂やガラス粉を厚紙や布にのりづけしたやすり。物をみがくのに使う。やすりがみ。サンドペーパー。

かみ・ゆい【髪結(い)】他人の髪をゆうことを職業とする人。また、その店。**―どこ【―床】**江戸時代、男の髪をゆったり、ひげや月代をそったりした店。かみいどこ。**―の・ていしゅ【―の亭主】**妻の働きで養われている夫。参考俗に「髪亭」と略す。

かみ・よ【神代】神が治めていたという時代。日本の神話で、神武天皇以前の、神々が活躍していた時代。神代。「―の昔」「―の物語」

かみ・より【紙×縒り】細長い紙をよってつくった糸状のもの。こより。かんぜより。紙ひねり。

かみ・わ・ける【×嚙み分ける】《他下一》❶よくかんで、味を区別する。「酸いも甘いも―・ける(=いろいろのことを経験して人情・世事によく通じている)」❷〔道理や真意を〕深く考えてこまかな違いを理解する。

かみ・わざ【神業】神でなければできないわざ。人間にはできないようなすぐれた技術。神技。対人間業。

か・みん【仮眠】《名・自サ》少しの間ねむること。仮睡。「―をとる」類語仮寝。うたた寝。

***か・む【×嚙む・×咬む】**《他五》❶上下の歯を強く合わせる。また、上下の歯の間に物をはさむ。❷上下の歯で食べ物などをくだく。「よく―・んで食べる」類語かじる。嚙る。嚙りつく。嚙み締める。食いしばる。嚙みこなす。咀嚼(する)。❸歯やきばで傷をつける。「飼い犬に手を―・まれる」❹はげしくおしよせてぶつかる。「岩を―・む波」❺歯車などの歯と歯が食い合う。文《四》。**―んで含・める**《句》わかりやすくくだいて話し聞かせる。「―・めるように教える」

***か・む【×擤む】**《他五》鼻じるを、息で鼻から吹き出して、ふき取る。「鼻を―・む」文《四》。

***カム** まがりくねった縁あるいは溝をもつ円盤で、軸とともに回転してこれに接する他の軸に一定周期の複雑な往復運動を与える装置。▽cam

ガム「チューインガム」の略。▽gum **―テープ** クラフト紙などに粘着力の強い接着剤をつけた幅の広いテープ。梱包などに使う。▽gummed tape から。

カムイ アイヌの神。参考日本語の「神」を取り入れたもの。▽アイヌ kamuy

がむしゃら【我武者羅】《名・形動》むこうみずに強引に行動すること。「―に仕事をする」類語無鉄砲。

カム・バック《名・自サ》〔もとの地位・身分に〕再びもどること。返り咲き。「芸能界に―する」▽comeback

カムフラージュ《名・他サ》❶敵の目をごまかすために、武器・施設・からだなどに種々の色をぬったり物をつけたりして、周囲のものと区別できないようにすること。迷彩。擬装。❷様子を変えて、別のものに見せかけること。=カモフラージ。▽フランス camouflage

かむ・る【▽被る・▽冠る】《他五》→かぶる。文《四》。

かむろ【×禿】→かぶろ。

***かめ【▽瓶・×甕】**❶液体などを入れる、底の深い陶器。また、金属製の容器。「―に水を張る」類語つぼ。

❷特に、かめ①に似た花いけ。

***かめ**【×亀】爬虫類カメ目の動物の総称。からだは平たく、背はかたい甲羅でおおわれ、その中に頭と四肢と尾をかくすことができる。参考 ㋐古来、鶴とともに、長生きをするめでたい動物とされる。㋑↓鶴。

***か・めい**【下名】〔文〕あることを述べた文章などの下にしるした氏名(の者)。「一の者出頭せよ」

***か・めい**【下命】《名・他サ》❶〔目下の者に〕命令を下すこと。また、その命令。おおせつけ。❷〈御一〉〔仕事・注文などの〕お申しつけ。「当店に御一下さい」

***か・めい**【仮名】〔本名を隠すとき、また、本名が不明のとき〕かりにつける名。かりの名。「一で投書する」

***か・めい**【加盟】《名・自サ》ある団体などに加わること。「国連に一する」「一店」類語 加入。

***か・めい**【家名】❶一家の名称。家名。「一をつぐ」❷一家の名誉・名声。「一をあげる」「一をけがす」

が・めい【雅名】風流な呼び名。また、雅号。

カメオ めのう・貝がらなどに浮き彫りをほどこした装飾品。「一のペンダント」▽cameo

がめつ・い《形》〔俗〕欲深く、利を得ることにぬけめがない。「金を一・くためこむ」参考 大阪の釜ケ崎付近(今のあいりん地区)の方言をもとに、劇作家菊田一夫が作った語。

かめ・の・こう【×亀の甲】❶カメの甲羅。かめのこ。❷六角形の図形が連続した模様。きっこう。

一より年の功《句》長年積んだ経験の価値は何よりも尊いというたとえ。参考「甲」と「功」の音が通じるところからしゃれて言う。表記「功」は「劫」とも書く。

かめ・ぶし【×亀節】小さめのカツオを三枚におろした片身で作るかつおぶし。参考 ↓本節。

かめ・むし【×椿▽象】《「亀虫」の意》カメムシ科の昆虫。からだは扁平で六角形。さわると悪臭を出す。くさがめ。へっぴりむし。

カメラ ❶写真機。❷映画やテレビの撮影機。＝キャメラ。「一マン」「一ワーク(＝撮影技術)」▽camera

一アイ カメラの性能をよく心得て、カメラで記録される状態を想像・判断できる能力。▽camera-eye

一アングル ❶撮影するときの、対象に対するカメラのレンズの角度。❷写真の構図。▽camera angle

が・める〔俗〕■一《他下一》こっそり盗む。■二《自下一》かけごとで、欲ばって大勝ちをねらう。

カメレオン カメレオン科の爬虫類。形はトカゲに似る。目玉は大きく、左右が別々に動く。からだの色を光・温度・感情などの変化に応じて変える。北アフリカ・インドなどにすむ。▽chameleon

か・めん【仮面】顔の形に作ったかぶりもの。面。マスク。参考 真実を隠すものの意にも用いる。「一をかぶる(＝本心・本性などを隠し、違ったものに見せかける)」

が・めん【画面】❶かかれた絵の表面。❷うつされたフィルムの表面。また、焼きつけられた印画紙の表面。❸映画・テレビなどにうつし出された映像。

***かも**【×鴨】❶カモ科に属する水鳥。渡り鳥で、日本にはほとんどが冬渡ってきて、春に北へ帰る。食用。❷〔俗〕だまして、利用しやすい相手。勝負ごとで、負かしやすい相手。「いい一が来た」

一が葱を背負って・来る《句》〔カモがある上にネギまでそろうとは鴨鍋をつくるのに絶好であるの意から〕よりいっそう好都合になることのたとえ。

***か・も** ■一《終助》文語《終助詞「か」＋終助詞「も」》❶詠嘆・感動を表す。〔自問を含むこともある〕…だなあ。…かな。〔「かな」より古い言い方で、現代ではもっぱら短歌に使う〕「最上川逆白波のたつまでにふぶくゆふべとなりにけるかも〈茂吉〉」❷〔「ぬかも」の形で〕詠嘆をこめた願望を表す。…ないかなあ。…てほしい。「生一本に夜を日につぎて山河のたぎち(＝激流)のとよみとゞまらぬかも〈利玄〉」❸〔「ものかも」「めかも」の形で〕詠嘆をこめた反語を表す。「古へを仰ぎて、今を恋ひざらめかも〈古今〉」■二《連語》文語《係助詞「か」＋係助詞「も」》感動・詠嘆をこめた自問を表す。…(だろう)かなあ。「それ歌をおもふ心は少年の恋にかも似る〈吉野臥城〉」■三《連語》口語《終助詞「か」＋終助詞「も」》〔「かもしれない」「かも分からない」の形で〕半ば疑いの気持ちがある意。多分そうだろうが、よく分からない。「出席するかもしれない、欠席するかもしれない」参考 ㋐「かも分からない」は口頭語的。㋑近年「かも」で言い切る形も行われる。「あした行くかも」

かも・い【×鴨居】一敷居に対応させて上に渡す横木。みぞがついていて、障子・ふすま・引き戸などをはめてあけたてする。対 敷居。

が・もう【×鵞毛】〔文〕ガチョウの羽毛。参考 白いものやきわめて軽いもののたとえに使うことが多い。

***か・もく**【科目】❶組織的に区分けした個々の項目。「勘定一」❷学問を分野別に区分けした項目。教科・学科の区分。課目。「必修一」「理科二一選択」

***か・もく**【課目】❶〔学校などで〕義務として課せられた項目。❷科目②。「一外の授業」

***か・もく**【寡黙】《形動》〔文〕口かずが少ないようす。〔ふつう、よい意味に使う〕「一の人」類語 無口。

か・もじ【×髢】《「髪か文字」の意》❶〔もと女房ことばで〕髪。参考 ↓文字詞。❷女性が日本髪を結うときに補いそえる髪の毛。いれがみ。かずら。

かも・しか【×氈×鹿・×羚▽羊】❶ウシ科の哺乳動物。山岳地帯にすむ。二本の短い角がある。日本と台湾の特産。日本産のニホンカモシカは特別天然記念物。かもしし。❷アフリカ・アジア産の羚羊のなかま。あしが細く、速く走る。「一のような足」

かもし・だ・す【醸し出す】《他五》〔その場に似つかわしい、ある感じ・気分などを〕自然につくり出す。「なごやかな雰囲気を一・す」

かも・しれな・い【かも知れない】《連語》↓かも■三

かも・す【醸す】《他五》❶発酵させて、酒・しょうゆなどを造る。醸造する。❷〔ある雰囲気・状態などを〕つくり出す。「物議を一・す」文《四》。

(連語)。表記 ふつう仮名書き。

か・もつ【貨物】❶〔車や船などで〕運送する品物。❷「貨物列車」の略。貨物を運ぶための列車。

かも・の・はし【×鴨の×嘴】カモノハシ科の原始的な哺乳動物。卵を産み、かえった子を乳で育てる。形はカワウソに似る。口の形は、カモのくちばしに似て、歯がない。オーストラリアに棲息。

カモフラージ《名・他サ》↓カムフラージュ。▽フランス camouflage

かもめ【×鷗】カモメ科の中形の海鳥。体は白く、背中と翼の上面が灰色。日本には冬鳥として渡来する。港湾・海岸・河口などに多く集まる。

かも・る【×鴨る】《他五》〔俗〕勝負事などで、相手をうまく利用して、利益を得る。かもにする。

***か・もん【下問】**《名・他サ》〔文〕〔貴人などが〕目下の人に問いたずねること。下聞(かぶん)。

***か・もん【家紋】** それぞれの家に定まった紋どころ。徳川家の「葵(あおい)」の類。

***か・もん【家門】**〔文〕❶家の門。❷一家の全体。一家一門。一族。「―の誉れ」❸家の格式。家柄(いえがら)。

***か・もん【渦紋】**〔文〕うずの形をした模様。

***かや【×榧】** イチイ科の常緑高木。種子から油をとり、材は建築・碁盤・将棋盤などに用いる。

***かや【×茅・×萱】** ❶チガヤ・スゲ・ススキなど、イネ科・カヤツリグサ科の植物の総称。葉が細長い。屋根をふくのに使う。❷特に、ススキ。

***か・や【〈蚊帳〉・蚊屋】** 蚊を防ぐため、つりさげて寝床を覆う網状の布。蚊帳(かちょう)。「―の外(=情報を知らされない立場)」参考「一張(ひとはり)…」などと数える。

がや・がや《副・自サ》《副詞は「―と」の形も》大ぜいの人がさわがしく話し合うようす。また、その声の形容。「部屋の中が―する」「―と騒ぐ」

***か・やく【加薬】** ❶漢方薬で、主となる薬に他の薬を加えること。また、その薬。❷薬味。❸五目飯・うどんなどに入れるいろいろな具。〔おもに関西地方で言う〕「―飯(=五目飯(ごもくめし))」

***か・やく【火薬】** 熱・衝撃などのわずかな刺激で爆発する薬物。硝石(しょうせき)・木炭・いおうなどを混ぜて作る。

カヤック ❶イヌイットが使う、木材でわくを作り、アザラシの皮をはった舟。一本のかいでこぎ進める。カヤーク。❷カヤック①に似た舟を用いた、カヌー競技の一種目。また、それに使う舟。▽kayak

かや・ぶき【×茅×葺(き)・×萱×葺(き)】 カヤで屋根をふくこと。また、その屋根・家。類語 わらぶき。

か・やり【蚊▽遣(り)】 ❶蚊を追いはらうために、ものをいぶすこと。また、そのために使うもの。❷「かやりせんこう」の略。かとり線香。―び【―火】蚊を追いはらうためにたく火。

かゆ【×粥】 白米に水を多く加え、やわらかく煮たもの。参考 古くは、米を水で炊いたものの総称。

かゆ・い【×痒い】《形》皮膚がむずむずして、そこをかきたくなるような感じである。文 かゆ・し《ク》。―い所に手が届・く《句》心くばりが、細かいところにまで行き届くたとえ。

かゆ・ばら【×粥腹】 かゆを食べただけの腹。〔力のはいらない、不満足な状態にいう〕類語 茶腹。水腹。

かよい【通い】(かよひ) ❶かようこと。ゆきき。❷自宅などから勤務先にかようこと。通勤。「―の店員」対 住み込み。❸「通い帳」の略。

かよい・じ【通い路】(かよひぢ) 行き来する道。通り道。通路。〔古風な言い方〕「雲の―」

かよい・ちょう【通い帳・通い×帖】(かよひチャウ・かよひテフ) ❶掛け買いの品名・個数・金額などを記入しておく帳面。❷預金の通帳。同 ①②かよい。

***か・よう【可溶】**《名・形動》液体に溶けやすいこと。また、低温度で溶けやすいこと。対 不溶。―せい【―性】❶液体に溶けやすい性質。❷〔金属などが〕低温度で溶けやすい性質。対 ①②不溶性。

***か・よう【歌謡】** 韻文形式の文学の一つ。その時代の民衆の間にうまれ、広く節をつけて歌われた歌の総称。「中世の―」「記紀―」―きょく【―曲】❶「歌曲」の旧称。❷日本人の伝統的な音楽表現をもとに、西洋音楽の手法をとり入れた大衆的な歌。類語 流行歌。

***か・よう【火曜】** 週の第三日。月曜の次の日。火曜日。

***かよ・う【通う】**(かよふ)《自五》❶ある場所へ何度も(定期的に)行く。行き来する。「学校に―・う」❷ある場所へ道筋が・いたる(つながる)。「京へ―・う街道」❸〔ある方向へ〕連続して動いて行く。流通する。「電流が―・う」「血が―・う」❹心がつたわる。「気持ちが―・う」❺互いにつながりをもつ。似通う。「ふたりの性格には―・うところがある」文《四》。

***か・よう【×斯様】**《形動》このよう。この通り。〔古風な言い方〕「―なわけだ」類語 かかる。

がよう・し【画用紙】 クレヨン画・水彩画などを描くのに使う厚手の白い紙。

か・よく【寡欲】《形動》〔文〕〔金銭・名声などに対する〕欲が少ないようす。小欲。「生来―の人」類語 無欲。

が・よく【我欲・我×慾】 自分の得になることだけを考える心。自分中心の欲望。類語 私欲。我意。

か・よわ・い【か弱い】《形》《「か」は接頭語》いかにももろく弱そうである。弱々しい。「―・い体」「―・い女」

かよわ・す【通わす】(かよはす)《他五》通わせる。文《四》。

かよわ・せる【通わせる】(かよはせる)《他下一》通うようにしむける。「子供を塾に―・せる」文 かよは・す《下二》。

***から【殻】** ❶中身がなくなって外側が残っているもの。「弁当の―」「缶詰めの―」❷動植物の内部を保護するために表面をおおっているかたいもの。「卵の―」参考 外界と交渉を絶ち、自分だけの世界などを守るものの意にもいう。「―に閉じこもる」❸〔動物の〕ぬけがら。「セミの―」❹豆腐のかす。おから。―を破・る《句》今までの古い考えや習慣を打破する。

***から【空】** 一《名》中に何もないこと。「―の箱」類語 うつろ。空虚。二《接頭》《名詞について》❶「何もはいっていない」の意。「―財布」❷「何も持っていない」の意。「―手」❸「ねうちがない」の意。「―くじ」❹「実質がともなわない」「見せかけの」の意。「―約束」「―いばり」

***から【×韓・唐・▽漢】** 一《名》❶朝鮮の古称。表記「韓」と書く。❷中国の古称。表記「唐」「漢」と書く。❸外国。❹「唐織」の略。二《接頭》❶中国または外国から渡来したものであることを表す。「―絹」❷めずらしい」「上等である」の意。「―ころも」

***から**《副》《否定的な意を表す語について》その状態のはなはだしいようす。全く。さっぱり。「―意気地がない」

***から** 一《格助》〔体言(相当語)につく〕❶空間的起点を表す。また、経過点を表す。「学校**から**帰る」「旅先**から**手紙を書く」「額**から**頬(ほお)にかけて怪我(けが)をする」「月光が窓**から**部屋に差し込む」❷起点・経過点となる人を表す。「彼は多くの人**から**尊敬されている」「彼女**から**もらった花束」「官房長官**から**重大発表がある」❸時間的出発点を表す。「三時**から**五時まで」「子供の時**から**おっとりしていた」「発端**から**話し始める」❹動作・作用の起点・出所を表す。「話が本筋**から**それる」「ひなが卵**から**かえる」「仕事**から**解放される」「三人の中**から**首相を選ぶ」「不注意**から**(=…が原因で)事故を起こす」「チーズは牛乳**から**(=…を原料として)作る」「見た感じ**から**(=…をもとにして)判断する」「女性の立場**から**(=…を基盤として)発言する」❺順序・配列の起点を表す。「君**から**報告を始めなさい」「易しそうな問題**から**取りかかる」「炊事洗濯**から**子育てまで」❻〔動詞連用形＋「てから」の形で〕一つの事態が成立した時点を、次の事態

の時間的起点として示す。「仕事がすんでから出かけよう」参考「結婚してからが大変だった」「事実を知ってから(というもの)は、物も言わない」のように、「…てから」全体が体言扱いになることがある。「…してからその後(ずっと)」の意。❼〔下に「帰る」「戻る」など、復路の移動を表す動詞を伴い〕目的とする動作の完遂に伴う、帰宅などの動機を表す。「買い物から戻る」参考往路の移動の目的を表す。「買い物に行く」などと対をなす言い方。❽〔数量を表す語について、「からある」「からする」「からになる」の形で〕程度がそれ以上の意を表す。その程度・度合いが甚だしい意を含むことが多い。「重さは一〇キロからある」「退職してもう三か月からになる」❾〔「からして」「にしてから」の形で〕甚だしい一例をあげて、他はましてと、事のさまを強く述べるのに使う。「第一、彼にしてからが乗り気じゃない」❿〔古〕〔動詞連体形＋「からに」の形で〕…する(した)だけですぐに。…する(した)それだけの理由で。「吹くからに秋の草木のしをるれば〈古今〉」参考現代では、「見るからに」の形で残る。

□二《接助》❶前件が後件の原因・理由となることを措定(そてい)して述べる。〔後の句には、主張・命令・依頼・推量など話し手の気持ちを表す語がくることが多い〕「疲れたから一休みしよう」「一度でいいからいらっしゃい」「あまりに急でしたから、衝撃も大きかったのでしょう」参考↓ので。❷〔「からだ」の形で〕結果を先に述べ、原因・理由を後で説明するのに使う。「結婚したのは、君が熱心に勧めたからだ」❸〔「からとて」「からって」「からといって」の形で、ふつう下に打ち消しの語を伴う〕…という理由で。また、ただそれだけの理由で。「勝ったからといって、安心はできない」「子供だからって甘やかすことはない」参考「からとて」は文語的な言い方。「からって」は口頭語的な言い方。❹〔「からには」の形で、多く下に決意・希望など強い気持ちの表現を伴う〕…する(した)以上は。「言い出したからには後へはひけない」「立候補したからには当選したい」参考文章語的な言い方に「からは」がある。❺〔終助詞的に〕㋐話し手の決意を相手に提示し、警告したり反応を求めたりするのに使う。「後で水をぶっかけてやるから」「では、これで失礼するから」㋑聞き手に対するいたわりの気持ちを表す。「いいから、いいから」

***がら**《「殻(から)」の濁音化したもの》❶必要なものを取りのぞいたあとの残り。❷品質のわるいコークス。❸ニワトリの、肉を取ったあとの骨。「―でスープをとる」

***がら【柄】**□一《名》❶〔布地などの〕模様。「しぶい―」❷〔大きさから見た〕からだつき。「―の大きい人」❸〔人・環境などの〕品位。品格。「―の悪い男」❹〔その人にふさわしい立場・地位・性質。「―にもないことを考える」□二《接尾》「その…にふさわしい・品位(立場・地位・性質・状態)」などの意。「時節―」「商売―」「場所―」

***カラー** サトイモ科の多年草。夏、茎の頂部に白(黄)の花弁状の包葉をつけその中央に黄色の小花が穂状に集まって咲く。オランダカイウ。カーラー。▽calla

***カラー** ❶〔洋服・ワイシャツなどの〕えり。❷背広などのえりの切れこみから上の部分。▽collar

***カラー** ❶色。色彩。❷絵の具。「ポスター―」❸多色の色。また、その写真・映画など。「―フィルム」「―テレビ」対モノクローム。モノクロ。❹特色。気風。持ち味。「チーム―」「ローカル―」▽color

がら-あき【がら空き】《形動》中がすいてがらんとしているようす。「―の映画館」類語がらすき。

から-あげ【空揚げ・唐揚げ】 肉・魚などにかたくり粉などを薄くまぶして油で揚げること。また、その料理。参考↓素(す)揚げ。

から-あし【空足】 ❶無駄足。❷はだし。素足。❸階段の上り下りなどで、高さを誤って踏み出した足。「―を踏む」

から-あや【唐×綾】 唐(＝中国)から伝わった綾織物。模様を浮き織りにした絹織物。綸子(りんず)など。

から・い【辛い】《形》❶舌を強く刺すような味である。「―・いカレーライス」❷塩味が強い。塩からい。しょっぱい。「―・い味噌汁(みそしる)」表記②は「鹹い」とも書く。❸〔酒・たばこなどで〕刺激が強い。❹〔採点・評価などの仕方が〕きびしい。厳格である。「点が―・い」対①～④甘い。文から・し《ク》。

から-いばり【空威張り】《名・自サ》〔実力がないのに〕うわべだけいばったり強がったりすること。類語虚勢。

から-いり【▽乾×煎り】 なべに直接材料を入れ、油などをひかずに火にかけて煎ること。また、そのようにした食べ物。「とうふを―にする」

から-うす【唐×臼・×碓】 うすを地面に固定し、きねの一端を足で踏んで穀物などをつく仕掛けのもの。踏みうす。

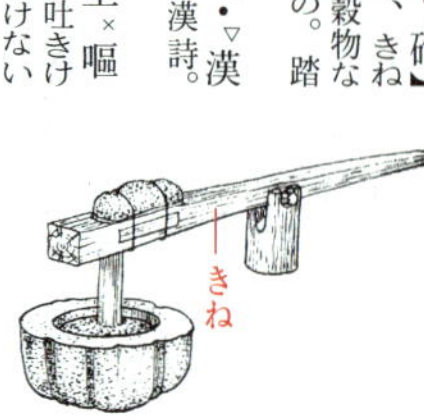

唐　臼

から-うた【唐歌・▽漢▽詩】 中国の詩。漢詩。対大和歌(やまとうた)。

から-えずき【空×嘔▽吐】(―ゑづき)《名・自サ》吐きけがするのに、何も吐けないこと。〔古風な言い方〕

から-オケ【空オケ】 伴奏だけで歌詞を入れない演奏を録音したもの。また、その再生装置。「―で歌う」参考「からの(＝歌詞が入っていない)オーケストラ」の意。

から-おし【空押し】《名・他サ》凹凸二面の型の間に紙・革・布などをはさんでおさえ、模様や文字をうきださせること。また、そのようにして作ったもの。

から-おり【唐織】 唐(＝中国)から渡来した美しい織物。また、その織り方をまねて作った国産の織物。金襴(きんらん)・繻子(しゅす)・錦(にしき)など。唐織物。唐物。

から-が《連語》《格助詞「から」＋格助詞「が」》↓から(格助)□一❾。

からか・う(からかふ)《他五》ひやかしたり、冗談を言ったりして人をなぶる。揶揄(やゆ)する。「大人を―・うものではない」類語おちゃらかす。茶化す。茶にする。囃(はや)す。半畳を入れる。文《四》。

から-かさ【唐傘・▽傘】 竹でつくった骨に油紙を張った、柄のある雨がさ。番がさ・蛇の目がさなど。

から-かぜ【空風・▽乾風】 雨や雪をともなわずに激しく吹く乾燥した風。からっかぜ。「上州名物―」

から-かみ【唐紙】 ❶美しい模様や金泥(きんでい)・銀泥(ぎんでい)などをつけた厚手の紙。昔、唐(＝中国)から渡来した。❷「唐紙障子」の略。ふすま。

から-から □一《副》《「――と」の形も》❶かたいもの・かわいたものなどがかるく触れ合って出る音の形容。「矢車が―と回る」❷さわやかに声高く笑うようす。「愉快そうに―と笑う」□二《形動》❶かわききって水分のないようす。「―に乾いた道」「のどが―だ」❷中に少しもないようす。

からっぽ。「さいふがーだ」

から-がら【辛辛】《副》やっとのことで命だけは助かって、危難からのがれるようす。〔多く「命ー」の形で使う〕「命ー逃げ出す」表記かなで書くことが多い。

がら-がら ■一《副》(「ーと」の形も)❶かたいものなどが一度にくずれるようす。また、その音の形容。「ーと戸を開ける」❷《自サ》性格・言動などが無遠慮でがさつなようす。■二《形動》中がほとんどからのようす。すいているようす。「客席はーだ」■三《名》振るとがらがら音のする幼児のおもちゃ。**ーへび**【ー蛇】マムシ科の毒へび。北アメリカにすむ。尾の先に数個の輪があり、危険が近づくと振って音を出す。響尾蛇。

から-き【唐木】黒檀・紫檀など、熱帯産の木材。唐木。参考昔、唐(=中国)を経由して渡来した。

から-きし《副》(下に打ち消しの語をともなって)全く問題にならないようす。まるで。てんで。からっきし。「ーいくじがない」参考「からきり」の音変化から。

から-ぎぬ【唐▽衣】平安時代、女官などが正装するとき、一番上に着た衣服。錦や綾織物でつくり、そでや丈が短い。注意「からころも」と読むと意味が違う。

から-くさ【唐草】「唐草模様」の略。つる草がはったり、からんだりしているようすを図案化した模様。

から-くじ【空×籤・空×鬮】何もあたらないくじ。はずれたくじ。しらくじ。「ーを引く」「ーなし」

がら-くた 使いものにならない、雑多な古道具。表記「瓦落多」「我楽多」とも当てる。

から-くち【辛口】❶口あたりの辛いこと。「ーの酒」❷辛い味を好む・こと(人)。辛党。対①②甘口。

からく-も【辛くも】《副》危ない状態や苦しい状態をどうにかこうにか切りぬけるようす。やっとのことで。かろうじて。「ーピンチを脱した」「ー合格点に達した」

から-くり【▽絡繰り・▽機▽関】《動詞「からくる(=仕掛けを動かす)」の連用形から》❶人形や道具などを動かすための、糸・ぜんまい・砂・水などの動力を利用した仕掛け。「ー人形」❷〔一般に〕機械などを操作するための複雑な仕掛け。❸「からくりめがね」の略。↓のぞきからくり。❹表面からはわからないようにしくんだ(悪い)計略。また、そのしくみ。「詐欺事件のー」

から-ぐるま【空車】荷物・客を乗せていない、からの車。空車。

から-くれない【×韓紅・唐紅】濃くあざやかな紅色。深紅色。参考「韓(=朝鮮)から渡来した紅」の意。

から-げいき【空景気】実際は景気が悪いのに、表面だけ景気がよいように見せること。「ーをつける」

から-けつ【空穴】〔俗〕↓からっけつ。

から・げる【▽絡げる・×紮げる】《他下一》❶まきつけてしばる。「荷物をひもでー・げる」類語くくる。しばる。たばねる。❷〔衣服の一部を〕まくって、帯などでおさえる。「すそをー・げる」文から・ぐ《下二》。

から-げんき【空元気】表面だけ元気があるように見せかけること。見せかけの元気。「ーを出す」

から-こ【唐子】〔文〕❶唐風の子どもの髪型をし、唐風のみなりをした子ども。❷幼児の髪型の一種。ぼんのくぼと左右の側頭部に髪を少し残し、他をそるもの。江戸時代、おもに幼女が用いた。❸「からこまげ」の略。髪型の一種。もとどりから先の髪を二つに分け、頭の上で二つの輪をつくる。昔、元服前の子どもがゆった。❹「からこ人形」の略。唐子①の姿をした人形。

唐子②

から-ごころ【唐心・▽漢心・▽漢▽意】〔文〕漢籍を学び、中国の文化・思想に心酔する心。対やまと心。

から-ころも【唐衣・×韓衣】■一《名》〔文〕❶唐風の着物。❷めずらしく、美しい着物。■二《枕》「着る」「裁つ」「ひも」「すそ」などにかかる。

カラザ 鳥類の卵の中にあるひも状の物。黄身の両端につながり、黄身の位置を安定させている。▽chalaza

から-ざお【殻×竿・▽連×枷】稲・麦・豆などの穂やさやを打って、実をとる農具。長短二本のさおをつないで、短い方が回転するようにしたもの。連枷。

から-さわぎ【空騒ぎ】《名・自サ》わけもなく、むやみにさわぐこと。「事件はーに終わる」類語ばかさわぎ。

からし【×芥子】カラシナの種子をひいて粉にしたもの。黄色で辛みがある。香辛料・薬などに使う。**ーな**【ー菜】アブラナ科の越年草。四月ごろ、茎の先端に黄色の花が咲く。種子からからしをとる。葉・茎は漬物用。

から-じし【唐×獅子】❶昔、ライオンを言った語。参考「獅子」をいのしし・かのしし(=鹿)の「しし」と区別して言った語。「牡丹にー」❷美術的に装飾化した、獅子の像。=唐獅子。

から-して《連語》《格助詞「から」+副助詞「して」》↓から(格助)■一⑨。

***からす**【×烏・×鴉】カラス科の鳥。体色はまっ黒。雑食性で、鳥類の中では高い知能をもつ。人里近くの高い木などで群れをなして生活する。昔から不吉な鳥とされる。参考多く黒いもののたとえに用いられる。「髪はーの濡れ羽色」**ーの・あしあと**【ーの足跡】《連語》〔俗〕(女性の)目尻にできるしわ。**ーの行水**《句》時間の短い入浴のたとえ。**ーの雌雄**《句》よく似ていて区別しにくいことのたとえ。〔是非・善悪などの判別しにくいときに使う〕**ーの鳴かぬ日はあっても**《句》どんな日でも(必ず…する)。「ー酒を飲まぬ日はない」

***から・す**【×嗄らす】《他五》〔声を〕かすれさせる。しゃがれ声にする。「のどをー・す」文《四》。

***から・す**【枯らす】《他五》枯れるようにする。枯れさせる。「苗をー・す」「植木をー・す」文《四》。

***から・す**【×涸らす】《他五》❶水をくみ尽くす。水気をなくしてからからにする。「井戸をー・す」❷考えなどを出し尽くす。「アイディアをー・す」文《四》。

ガラス ❶高温で融解された液体が急に冷却され、結晶を生じないでそのまま固まった物質。❷一般に、けい砂・ソーダ灰・生石灰などを混合して高熱で融解し、冷却して固まらせた物質。透明でかたいが、もろい。参考古く、「玻璃」「瑠璃」「ビードロ」「ギヤマン」などともいった。表記「硝子」と当てる。▽オランダglas **ーせんい**【ー繊維】↓グラスファイバー。**ーばり**【ー張り】❶ガラスをはめてあること。❷かくしだてがなく、内部のようすがよくわかる状態。「ーの政治」

からす-うり【×烏×瓜】ウリ科の多年草。山野に自生する。茎はつる状で長くのびる。楕円形の実がなり、赤く熟して冬まで残る。雌雄異株。

からす-がい【×烏貝】イシガイ科の二枚貝。淡水にすむ。貝がらは黒褐色で、楕円形。貝がらはボタンや細工物の材料。

からす-がね【×烏金】一日間だけ貸し、翌日返させる高利の金。参考「翌朝、夜明けのカラスが鳴くころに返すべき金」の意という。

から・すき【唐×鋤・×犂】牛馬にひかせて田畑を耕すのに使うすき。広い刃に、ほぼ直角に柄がついている。

がら・すき【がら▽空き】《形動》〔俗〕がらがらにすいているようす。「―の電車」類語がらあき。

から・すぐち【×烏口】墨で線を引くときに使う製図用具。先がカラスのくちばしのような形をしている。

から・す・てんぐ【×烏天×狗】翼があり、体が黒く、カラスのくちばしのような口をした天狗。類語このは天狗。

から・す・の・きゅう【×烏の×灸】子供の口のわきにできるただれ。ビタミンの不足などが原因。口角炎。

から・すみ【×鱲▽子】ボラの卵巣を塩漬けにしてかわかしたもの。酒のさかなによい。参考形が唐墨(からすみ)(=中国産の墨)に似ていることからいう。

から・す・むぎ【×烏麦】❶イネ科の二年草。初夏、薄緑色の穂を出す。家畜の飼料にする。ちゃひきぐさ。❷「えんばく」の別称。

*__から・せき__【▽乾×咳】たんの出ない、あるいはたんの切れない苦しいせき。乾咳(かんがい)。表記「空咳」とも書く。

*__から・せき__【空×咳】〔それとなく相手の注意をうながすために〕わざとするせき。せきばらい。空咳(くうがい)。「わざとこんこんと―をする」

から・せじ【空世辞】真心のこもらないせじ。口先だけのせじ。そらせじ。

からだ【体・▽身▽体・×軀】❶動物の、頭の先から足の先に至る全体。㋐身体。体軀(たいく)。五体。〔体格・体質などについてもいう〕「弱い―」㋑性的行為の対象としての身体。肉体。「―をゆるす」㋒行動の主体としての身体。一身(いっしん)。「国に―を捧(ささ)げる」㋓ある立場におかれている身体・身分。身(み)。「なんの責任もない―だ」❷❶から頭と手足をのぞいた部分。胴体。「―の右側が痛む」❸❶の状態。健康。⇩〔類語と表現〕

―を売・る《句》売春をする。

―を惜し・む《句》働くのをいとう。骨おしみをする。

―をこわ・す《句》病気になる。健康をそこなう。

―を張・る《句》〔ある目的をとげるために〕自分の身の安全をかえりみないで行動する。

から・だき【空×焚き】《名・他サ》ふろおけ・やかんなどの中に水が入っていないのに気がつかないまま、火をつけたり火にかけたりすること。「―注意」

から・たけ【▽乾竹・▽幹竹】「真竹(まだけ)」または「淡竹(はちく)」の別名。 **―わり**【―割り】〔から竹を割るときのように〕物を勢いよく縦にまっすぐに切りさくこと。〔多く、昔は人をたちきる場合に言った〕

から・たち【×枸×橘・×枳▽殻】ミカン科の落葉低木。枝にとげがあり、いけがきに使う。春、白い小花を開く。果実は熟して黄色になる。未熟な実を乾燥したものを「きこく」といい、漢方で健胃剤とする。

から・たちばな【唐×橘】ヤブコウジ科の常緑低木。夏、白い小花がかたまって開く。実は球形で赤く熟する。たちばな。ささりんどう。こうじ。

からだ・つき【体付き】外から見た体格。体のかっこう。「ほっそりとした―」「親によく似た―」

から・ちゃ【空茶】茶菓子なしで・出す(飲む)茶。

からつ【唐津】「唐津焼」の略。佐賀県の唐津市およびその付近で作られる陶器。黒ずんだもえぎ色の物が多く、茶器に特色がある。唐津物。

から・っ・かぜ【空っ風・▽乾っ風】➡からかぜ。〔「からかぜ」を強めた言い方〕

から・っ・けつ【空っ穴】〔俗〕金銭などを全く持っていないこと。無一物。〔「からけつ」を強めた言い方〕

*__からっ・と__《副》〔「からりと」の転〕❶物事の状態が急にすっかり変わるようす。「―様子が変わる」❷《自サ》さわやかに晴れているようす。「秋晴れの―した天気」❸《自サ》性格や気持ちが、明るくさっぱりしているようす。「―した性格」❹景色などが急に明るくひろびろとひらけるようす。「視界が―ひらける」❺物がよくかわいているようす。「てんぷらを―揚げる」

類語と表現

「体」

＊体が弱い・体が痛む・体を鍛える・体を悪くする・体を横たえる・体をかがめる・体を使う仕事・体の線が崩れる・体の大きい人・がっしりした体・体で覚えた技。

◆身体・身体髪膚(しんたいはっぷ)・人体・五体・肉体・肢体・生体・女体・母体・老体・弱体・病体・巨体・図体(ずうたい)・肢体・体軀(たいく)・病軀・痩軀(そうく)・老軀・老骨／人身・老身・病身・一身・全身・満身・渾身(こんしん)・総身(そうしん・そうみ)・身(み)・身柄・生身・空身・肌身・骨身・生き身・現(うつ)し身・ボディー

◇〔体の部分〕上下(かみしも)・半身・上半身・下半身・上体

尊敬 御身・玉体・尊体・聖体

*__カラット__《助数》❶宝石の重さを表す単位。一カラットは二〇〇ミリグラム。記号K、またはcar, ct。❷合金の中に含まれる金の割合を表す単位。純金は二四カラット。記号K、またはkt。▽carat, karat

がら・っ・ぱち《名・形動》言語や動作が粗野な・こと(人)。がさつな・こと(人)。

から・っ・ぺた【からっ〈下手〉】《形動》全くへたなこと。〔「からへた」を強めた言い方〕表記「空っ下手」とも書く。

から・っ・ぽ【空っぽ】《形動》〔容器などの〕中に何もないようす。から。「―のびん」「部屋の中は―だ」

から・つゆ【空〈梅雨〉】つゆの時期に〔ほとんど〕雨が降らないこと。てりつゆ。

から・て【空手】❶なにも持たないこと。手ぶら。空手(くうしゅ)。「―で敵地に乗り込む」類語徒手。素手(すで)。❷沖縄から伝わった拳法(けんぽう)の一種。手・足・腕などで身を守る術。空手術。表記❷は「唐手」とも書く。

から・てがた【空手形】❶商取引がないのに、金銭のやりくりをつけるために発行する手形。融通手形。❷実行する意思のない約束。「公約は―に終わった」

から・でっぽう【空鉄砲】❶弾をこめずに撃つ鉄砲。空砲。❷言うだけで実行が伴わないこと。

から・とう【辛党】酒の好きな人。酒のみ。左党。左きき。類語上戸(じょうご)。対甘党(あまとう)。

から・とりひき【空取引】売り買いのときに現物の受け渡しがなく、差額金の決済だけをする取引。空(くう)取引。空(くう)相場。空(から)相場。

から・に《連語》《格助詞「から」＋助詞「に」》➡から(格助)㊀⑩。

から・にしき【唐×錦】㊀《名》唐(=中国)から渡来した、にしき。唐織のにしき。㊁《枕》「たつ」「おる」「ぬふ」などにかかる。

から・には《連語》《接続助詞「から」＋助詞「に」「は」》

↓から(接助)㊁④。

から-ねんぶつ【空念仏】 ❶心をこめず、口先だけでとなえる念仏。❷言うだけで、実行しない意見。「ーに終わった公約」 類語 そら念仏。

から-は 《連語》《接続助詞「から」＋係助詞「は」》↓から(接助)㊁④。

から-ばこ【空箱】 何もはいっていない箱。空箱。

から-はふ【唐破風】 玄関・門・社寺などに装飾として用いられる。ゆるい「ハ」の字形の曲線の破風。

から-びつ【唐×櫃】 脚のついている唐風の長方形のひつ。ふつう脚は左右に各一本、前後に各二本の、計六本ある。衣類・調度品などをおさめる。からひつ。

から・びる【▽乾びる・×涸びる】 《自上一》かわいて水気がなくなる。「ー・びた庭草」 文 から・ぶ《上二》。

から-ぶき【▽乾×拭き】 《名・他サ》つやをだすため、乾いた布・雑巾でふくこと。つやぶき。

から-ぶり【空振り】 ❶《名・他サ》(野球・テニスなどで)振ったバットやラケットがボールに当たらないこと。「ーの三振」 ❷《名・他サ》相手をなぐりそこねてこぶしが空を切ること。❸しようとしたことが期待通りの結果にならないこと。「計略はーに終わった」

カラフル 《形動》いろどりが豊かなようす。「ーな飾りつけ」▽colorful

から-ぶろ【空風×呂】 ❶むしぶろ。❷湯水が入っていない風呂。

から-ぼり【空堀・空×濠】 水のはいっていないほり。

からま・せる【絡ませる】 《他下一》《「からむ」の使役形》からむようにする。からます。

から-まつ【唐松・▽落▽葉松】 マツ科の落葉高木。葉は針状をなし、晩秋に黄葉する。材は湿気に強く、建築・橋梁などに用いる。落葉松。

からま・る【絡まる】 《自五》❶(物のまわりに)巻きつく。「足にひもがー・る」 ❷密接な関係をもつ。「選挙にー・る汚職」 同①②からむ。文《四》。

から-まわり【空回り】 《名・自サ》❶(車輪や機械が)むだに回転すること。類語 空転。❷同じ状態をくりかえしていて、効果や成果があがらないこと。「いくら努力してもーに終わる」

***から-み【空身】** 荷物を持たずに、また、同行者を連れずに、自分の身一つで出かけること。「ーで旅に出る」

***から-み【辛味】** ❶(塩・からしなどの)舌を刺すような感じ・味。からさ。「ーをきかせる」 類語 塩気。薄塩。甘塩。辛口。鹹味。❷こしょう・とうがらし・わさび・しょうがなど、からい味のある食品の総称。表記「味」は当て字。ふつう「辛み」と書く。

がらみ【×搦み】 《接尾》❶「…(を)ひっくるめて」「…(と)いっしょに」の意。ぐるみ。「袋ー買う」 ❷「およそ…ぐらい」「…見当」「…かっこう」の意。(多く年齢について使う)「五〇ーの男」

からみ-あ・う【絡み合う】 《自五》❶たがいに巻きつく。❷もつれて複雑な関係を生じる。

からみ-つ・く【絡み付く】 《自五》❶巻くようにしてくっつく。まといつく。「ツタが壁にー・く」 ❷いやなことや、やっかいなことを言って人につきまとう。からむ。

から・む【絡む】 《自五》❶巻きつくようについて、離れなくなる。まといつく。「ロープがー・む」 類語 絡ませる。絡み付く。絡み付ける。絡み合う。巻く。巻き付く。まつわる。まつわり付く。もつれる。よれる。こんがらかる。纏繞。纏綿。❷密接にむすびつく。「金がー・む」「政治家がー・む」 ❸(相手のそばにくっついて離れようとせず)言いがかりをつける。「酔って上役にー・む」 同①〜③からまる。文《四》。

から-むし【×苧・×苧▽麻】 イラクサ科の多年草。茎の皮からとる長くて強い繊維は弾力性に富み、越後縮・越後上布などに用いる。まお。ちょま。

から-め【辛め】 《名・形動》❶辛みがやや多いこと。「ーのスープ」 ❷ややきびしいこと。「ーに採点する」

からめ-て【×搦(め)手】 ❶城の裏門。「ーから攻める」 ❷城の裏門から攻める部隊。対①②大手。❸犯罪人などをとらえる一隊の人々。とりて。❹相手の弱点や、注意をむけていない方面。「ーから口説く」

***から・める【×搦める】** 《他下一》《「絡める」と同語源》❶しばって動かないようにする。くくる。捕縛する。〔古風な言い方〕 ❷(登山で)障害物や通行困難な所をさけたコースをとる。文 から・む《下二》。

***から・める【絡める】** 《他下一》❶巻きつけて離れなくする。❷ねばりけのあるものをくっつける。「豆に水あめをー・める」 ❸密接にむすびつける。「住民の意見もー・めて考える」 文 から・む《下二》。

***カラメル** 砂糖に少量の水を加え、高温で熱して作った、黒褐色のあめ状のかたまり。料理や菓子などの着色や風味づけに使う。キャラメル。▽caramel

から-やくそく【空約束】 《名・他サ》守る気のない約束。また、約束を守らないこと。空約束。

から-ゆき【唐行き】 〈ーさん〉むかし、九州の天草島近辺から南方などへ出稼ぎに行った女性。

がら-ゆき【柄行き】 (布地などの)柄から受ける感じ。

から-よう【唐様】 ❶唐(＝中国)の様式。唐風。❷書道で、唐風の書体。特に、江戸中期に明から伝わって流行した、漢字の書体。対 和様。❸鎌倉時代に宋から伝わった、禅寺の建築様式。

からり 《副》《多く「ーと」の形で》❶戸・障子・窓などを軽く勢いよくあける音の形容。また、そのようす。❷かたい物がふれ合う音の形容。また、そのようす。❸物事が、急にすっかり変わるようす。「目算がーと外れる」 ❹空にくもりがなく、明るいようす。「ーと晴れわたった空」 ❺性格・気持ちなどが明るくさっぱりしているようす。「ーとした性格」 ❻景色などが急にひろびろとひらけるようす。「ーと視界がひらける」 ❼物がよくかわいているようす。「天ぷらがーと揚がる」

がらり 《副》《多く「ーと」の形で》❶雨戸・格子戸などを勢いよくあける音の形容。また、そのようす。❷急にすっかり変わるようす。＝がらっと。「態度がーと変わる」

カラン 水道の口にとりつけ、水や湯を出したりとめたりする装置。蛇口。▽オランダ kraan

***がらん【×伽×藍】** ❶僧侶が仏道を修行する所。❷本堂・僧房など、寺の(大きな)建物。「七堂ー」 参考 梵語 saṃghārāma の音訳「僧伽藍摩」の略。

***がらん** 《副》《多く「ーと」の形で》❶金属製の大きなものなどがふれ合うときの音の形容。❷広い所になにもなくて、だだっぴろく感じられるようす。「ーとした教室」

がらんどう 《形動》大きなものの中に何もないようす。「ビルの中はーだ」

***かり【仮】** ❶一時のまにあわせ。「ーの処置」 類語 臨時。❷本来的なものでないこと。「ーの名」 注意 送りがなを「仮り」とはしない。

***かり【借り】** ❶金銭や物を借りること。また、その金銭

や物。負債。❷報いなければならぬ恩。また、しかえしをすべき恨み。「大敗の―を返す」❸簿記で、「借方」の略。対①～③貸し。

*かり【狩(り)】㊀《名》鳥やけものを追いかけてとらえること。狩猟(しゅりょう)。㊁《接尾》《名詞について》❶動物や植物をとる意。「ほたる―」「きのこ―」❷花や紅葉を観賞する意。「桜―」❸犯罪者などをさがしてつかまえる意。「暴力団―」参考㊁は連濁で「がり」となる。

*かり【×雁】「雁(がん)」の別名。〔詩歌に多く使われる〕

*カリ ❶「カリウム」の略。「―肥料」❷「炭酸カリウム」の俗称。❸カリウム塩類。表記「加里」と当てた。▽(オランダ) kali

*がり〔俗〕❶「がり版」の略。「―を切る」表記 多く「ガリ」と書く。❷すし屋で、甘酢につけたしょうが。

*が・り【我利】自分だけの利益。私利。―がり・もうじゃ【―我利亡者】他人の迷惑など考えず、自分の利益だけを考えて物事をする人。〔非難して言う〕

*かり・あ・げる【借り上げる】《他下一》目上の者が目下の者から金品を借りる。また、公の機関などが民間から金品を借りる。「土地を―・げる」対貸し下げる。

*かり・あ・げる【刈り上げる】《他下一》❶残らず刈る。「芝生を―・げる」❷頭髪後方の部分を、すそからかなり上の方まで刈って行く。「髪を短く―・げる」

かり・あつ・める【駆り集める】《他下一》あちこちから(急いで)寄せ集める。「援軍を―・める」

かり・いえ【借(り)家】―い(へ) 料金を払って借りる家。借家(しゃくや・しゃか)。対貸し家(いえ)。

かり・いれ【刈(り)入れ】〔穀物を〕刈り入れること。収穫。とりいれ。「―時(どき)」

*かり・い・れる【借り入れる】《他下一》金銭などを借りて自分の方に取り入れる。対貸し出す。

*かり・い・れる【刈り入れる】《他下一》成熟した稲・麦などを刈って取り入れる。収穫する。とりいれる。

かり・う・ける【借り受ける】《他下一》他から借りて自分のもとに置く。

かり・うど【狩▽人・▽猟▽人】《「かりびと」の音便。「かりうど」は「かりゅうど」の歴史的かなづかいによる表記》↓かりゅうど。

カリウム 金属元素の一つ。銀灰色のやわらかいアルカリ金属。水に入れると水素を発生する。肥料・火薬などの原料。カリ。元素記号K。▽(ドイツ) Kalium

カリエス 結核菌によって骨や関節が冒される病気。骨質がとけてうみがでる。骨瘍(こつよう)。▽(ドイツ) Karies

かり・おや【仮親】❶〔結婚・養子縁組・奉公などの場合に〕一時的に親の代わりを務める人。❷養父母。

かり・かえ・る【借り換える】―か(へる)《他下一》前の借りを返して、改めて借りる。

かり・かた【借(り)方】❶金銭や品物を借りる方の人。借り手。類語債務者。❷金銭や品物を人に借りるときの方法・態度。❸複式簿記で、仕訳(しわけ)記入の左側の欄。現在所有する財産を記入する欄。借り。表記③は「借方」と書く。対①～③貸し方。

カリカチュア 風刺画。漫画。戯画。▽caricature

かり・が・ね【×雁が音・×雁金・×雁】❶〔雅〕ガンの鳴き声。❷〔雅〕「がん」の別称。かり。

かり・かぶ【刈(り)株】稲・麦などを刈ったあとに根とともに残っている部分。

かり・かり《副》《副詞は「―と」の形も》❶かたいものをかみくだくようす。❷かたく乾いているようす。「―に揚げたフライ」❸《自サ》〔俗〕いらだって神経過敏になっているようす。「仕事が忙しくて―する」類語ぴりぴり。

がり・がり ㊀《副》《「―と」の形も》❶かたいものを、音を立ててかみくだくようす。❷かたいものを、荒々しく引っかいたり削ったりするようす。「氷を―と削る」㊁《形動》❶ただ一つのことばかり行うようす。「―勉強する」❷非常にやせているようす。「―にやせる」

かり・ぎ【借(り)着】《名・他サ》他人の衣服を借りて着ること。また、その借りた衣服。

かり・ぎぬ【狩▽衣】平安時代、公家(くげ)が日常着た略服。中世以降、公家や武士の礼服となった。

カリキュラム 学校教育で、系統的に組織された教育の計画。教育課程。「―を組む」▽curriculum

かり・き・る【借り切る】《他五》❶〔乗り物や場所などを〕ある期間、きまった人や団体だけが借りる。❷残らず借りる。対①②貸し切る。文《四》。

かり・こし【借(り)越(し)】❶一定の限度以上に借りること。❷貸してあるより多く借りること。また、その金銭。参考当座預金にいう。対①②貸し越し。

かり・こみ【狩(り)込み】❶けものを追いたててつかまえること。❷警察などが、浮浪者・売春婦などをいっせいにつかまえて施設に収容すること。

かり・こ・む【刈り込む】《他五》❶草木の枝葉や頭髪などを切って形をととのえる。「庭木を―・む」❷刈りとってたくわえる。「牧草を―・む」

かり・しょぶん【仮処分】〔法〕権利が侵されるおそれのあるとき、判決確定までの間、その権利の保全をはかるためになされる暫定的な処分。裁判所が命令する。

カリスマ 奇跡や予言などを行う超能力。大衆を心服させる資質・能力。また、そのような能力をもった人。「―的支配」▽(ドイツ) Charisma

かり・ずまい【仮住(ま)い・仮住居】―ず(まひ)《名・自サ》一時しのぎに、仮にすむこと。また、仮の住居。「倉庫に―する」類語仮寓(かぐう)。寓居(ぐうきょ)。

かり・そめ【仮初(め)・×苟▽且】《名・形動》❶その場かぎりのこと。一時の間に合わせであること。「―の恋」❷ふとしたこと。ちょっとしたこと。「―の風邪」「―の恩」❸かるがるしいこと。おろそか。「師の教えを―にする」―にも《副》❶《下に打ち消しの語・反語などを伴う》どんなことがあっても。けっして。参考強い禁止を表す。「―うそはつくな」❷まがりなりにも。いやしくも。「―先生たる者が…」同①②仮にも。❸ほんのちょっとでも。「―会いたいと願う」

かり・たお・す【借り倒す】―た(ふす)《他五》借りたものを返さないですまし、相手に損害を与える。踏み倒す。

*かり・だ・す【借り出す】《他五》借りて持ち出す。

*かり・だ・す【駆り出す】《他五》❶狩りで、獣を追い出す。「猪(いのしし)を―・す」表記「狩り出す」とも書く。❷すすめて、むりに引き出す。「応援に女性を―・す」

かり・た・てる【駆り立てる】《他下一》❶獣を追いたてる。表記「狩り立てる」とも書く。❷人をうながして・何かをしなければ(どこかへ行かなければ)ならないような状態にさせる。「仕事に―・てる」

かり・ちん【借(り)賃】物を借りたかわりに払う料金。借用料。損料。対貸し賃。

かり・て【借(り)手】金品を借りる方の人。借り方。類語借り主。対貸し手。

かり・とじ【仮×綴(じ)】―と(ぢ) 本・書類などを仮に簡単に

とじること。また、そのとじたもの。

かり‐と・る【刈り取る】《他五》❶〔稲・麦などを〕刈ってとる。収穫する。❷刈ってとりのぞく。

かり‐に【仮に】《副》❶一時の間に合わせに。「—小屋を建てる」❷仮定として。そう・なる(する)かどうかわからないが、もし。「—成功したとしても」

かり‐に‐も【仮にも】《副》➡かりそめにも①②。

かり‐ぬい【仮縫い】《名・他サ》❶間に合わせに縫うこと。❷洋服で、本仕立ての前に仮に縫って、からだに合わせて形をととのえること。下縫い。

かり‐ぬし【借(り)主】金銭や品物を借りる立場の人。「この家の—」類語 借り手。借り方。対 貸し主。

かり‐ね【仮寝】《名・自サ》❶〔熟睡するつもりでなく〕仮に少し寝ること。うたたね。「一時間ほど—をする」❷旅先で寝ること。たびね。類語 仮睡。仮眠。また、野宿。同 ①②仮枕。

かり‐ば【狩(り)場】狩猟をする場所。猟場。類語 遊猟地。

かり‐ばし【仮橋】一時の間に合わせにかけた橋。

カリパス コンパス型の計測用補助器具。物さしではかりにくい、工作物の外径・内径・厚さ・幅などを測るのに使う。キャリパス。パス。▽calipers

かり‐ばらい【仮払い】《名・他サ》正式の支払いの前に、概算で支払っておくこと。また、その金銭。

がり‐ばん【がり版】「謄写版」の俗称。がり。参考 原紙を切る音からいう。表記 多く「ガリ版」と書く。

カリフ イスラム教の教祖マホメットの後継者。宗教と政治の最高権力をあわせもつ者の称号。▽caliph

かり‐ぶき【仮×葺き】間に合わせに屋根をつくること。また、その屋根。

カリフラワー アブラナ科の越年草。巻かずに開く葉の中心に白いかたまり状のつぼみがつき、これを食用にする。花椰菜。花キャベツ。▽cauliflower

がり‐べん【がり勉】〔俗〕がむしゃらに勉強をする・こと(人)。〔あざけって言う〕表記「我利勉」とも書く。

かり‐まくら【仮枕】仮寝。

かり‐みや【仮宮】❶仮の宮殿。❷仮に設けた天皇の御所。行宮。行在所。❸祭りのとき、神輿が一時休む所。仮屋。御旅所。

かり‐めん【仮免】「仮免許」の略。

かり‐めんきょ【仮免許】資格を得るまでの間、取得した免許に準じて仮に与えられる免許。かりめん。

かり‐もの【借(り)物】借りた物。「—の思想」

***か‐りゅう【下流】**❶その川の流れのうち、河口に近い部分。対 上流・中流。❷その川のある地点からみて、河口へ流れていく部分。川しも。対 上流。❸身分・地位・経済力の低い階級。下層。対 上流・中流。

***か‐りゅう【花柳】**芸者や遊女のいる町。色町。「—の巷」「—界」「—病(=性病)」

***か‐りゅう【×顆粒】**つぶ状のもの。

が‐りゅう【我流】正式の流儀に合わない、自分ではじめた独特の流儀。自己流。「—の草書体」

がりゅう‐てんせい【画竜点×睛】➡がりょうてんせい(画竜点睛)。

かりゅうど【狩▽人・▽猟▽人】《「かりびと」の転》野山で鳥獣を捕らえることを職業とする人。猟師。類語 猟人。表記 歴史的かなづかい「かりうど」の形の表記も広く用いられる。

***か‐りょう【下僚】**〔役所や会社で、ある人より〕地位の低い人。下役。「—に調査を命ずる」

***か‐りょう【加療】**《名・自サ》病気の手当てをすること。「早期に—する」「入院—を要する」類語 治療。

***か‐りょう【科料】**財産刑の一つ。軽い罪をおかしたものに、刑罰として金銭を出させること。罰金より軽い。参考 過料と区別して、「とが料」ともいう。

***か‐りょう【過料】**行政上、法令に違反したものなどに出させる金銭。参考 刑罰ではない。科料と区別して、「あやまち料」ともいう。

***か‐りょう【佳良】**《形動》〔ある程度に〕よいようす。悪くないようす。「病状はやや—である」

***が‐りょう【画料】**❶画家が自分の絵を売って得る代金。❷絵を描くための材料。画材。

***が‐りょう【×臥▽竜】**〔文〕❶伏している竜。❷隠れて世間に知られていない大人物。

***が‐りょう【雅量】**ゆとりのある、寛大な心。「—を示す」「—に乏しい」類語 広量。

がりょう‐てんせい【画▽竜点×睛】物事の最後に加える大事な仕上げ。「—を欠く」故事 中国の絵の名人が竜をえがいて、最後にその睛をかきいれると、竜は天にのぼっていったという故事から。〈歴代名画記〉注意「画竜点晴」は誤り。

かりょう‐びんが【×迦陵頻×伽】極楽に住むという想像上の鳥。美女の顔を持ち、美しい声で鳴くという。迦陵頻。参考 梵語 kalavinka(=好声)の音訳。

か‐りょく【火力】❶火の勢い・強さ。火のエネルギー。「—発電」❷火器の威力。「敵を—で圧倒する」

か・りる【借りる】《他上一》《文語四段動詞「かる」から転じた語》❶他人のものを一時、自分の用に使う。「金を—・りる」類語 借り受ける。借り入れる。借り上げる。借り切る。(する)又借り。賃借り。賃借。転借。寸借。借用。租借。恩借。借金。謙譲(する)拝借。❷仮に他のものを使う。代用する。「人の口を—・りて言う」「パスカルの言葉を—・りれば」❸自分の便をはかるために、他の能力を利用する。助力・協力を受ける。「力を—・りる」対 ①③貸す。

—りて来た猫《句》(ふだんと違って)非常におとなしいことの形容。「人前では—のようにおとなしい」

かり‐わたし【仮渡し】《名・他サ》かりに渡すこと。特に、金銭を概算で仮に支払うこと。仮払い。

か‐りん【花×梨・×榠×樝】バラ科の落葉高木。春、うす紅色の五弁花を開く。果実は卵形で芳香があり、砂糖づけなどにして食べる。材は床柱・家具などに使う。

かりん‐さん‐せっかい【過×燐酸石灰】燐酸二水素カルシウムと硫酸カルシウムを混ぜた人造肥料。

かりん‐とう【花林糖】菓子の一種。小麦粉に水あめなどを練りあわせて、油であげ、みつをからめたもの。

***か・る【借る】**《他五》〔西日本の方言〕借りる。文《四》。

—る時の地蔵顔《句》金や物を借りるときには、にこにこしていること。借りるときの恵比須顔。「—、済す(=返す)時の閻魔顔」

***か・る【刈る】**《他五》まとまって生えているものを一度に切りとる。切り払う。「稲を—・る」「髪を—・る」類語 薙ぐ。刈り取る。刈り入れる。文《四》。

***か・る【狩る】**《他五》❶鳥や獣を追って捕らえる。「猪を—・る」❷さがし求める。〔古風な言い方〕「桜を

＊か・る【駆る・×駈る】《他五》❶〔動物を〕追いたてて、走らせる。〔やや古風な言い方〕「羊の群れを━る」❷〔乗って〕走らせる。「車を━って駅へ向かう」参考はげしい勢いで急いで行う意にも用いる。「筆を━って一気に書き上げる」❸〔ある行動をするよう〕むりにすすめる。「受験戦争に━る」❹心をある感情の方向に強くうごかす。参考多く受け身の形で使う。「不安に━られる」「衝動に━られる」文《四》。

＊が・る《接尾》《ある種の形容詞・形容動詞の語幹、名詞、希望の助動詞「たい」の「た」などにつけて五段活用の動詞をつくる》「…という様子や気持ちを見せる」「…であるというふりをする」などの意。「食べた━る」「行きた━る」「強━る」「照れくさ━る」文《四》。

＊ガル《助数》加速度の単位。一ガルは毎秒一センチの加速度を表す。記号Gal。参考ガリレイ(Galilei)の名にちなむ。▽gal

かる・い【軽い】《形》❶重さが少ない。「━い荷物」❷動きが軽快である。「身が━い」「ステップも━くダンスをする」❸軽率である。「口が━い」❹気持ちが明るくはればれとしている。「心も━くハイキングに行く」❺程度がはなはだしくない。「責任が━い」「━い病気」対①〜⑤重い。❻〔処理が〕簡単である。「━く優勝できる」❼物事にこだわらず、あっさりしている。「━く引き受ける」❽〔身分が〕低い。「━い地位」❾〔味などが〕あっさりしている。文かる・し《ク》。

かる・いし【軽石】溶岩が急に冷え、中のガスがふきだして海綿のようにたくさんの穴があいた石。水に浮く。からだのあか落としに使う。浮石(うきいし)。

かる・がも【軽×鴨】カモ科の水鳥。マガモぐらいの大きさで、全体に茶褐色。日本各地で繁殖する。

かる・かや【刈×萱】❶イネ科の多年草。山地や原野に群生する。秋、褐色の花穂を出す。めがるかや。❷かるかや①に似た多年草。花穂が小さい。おがるかや。

かる・がる【軽軽】《副》《「━と」の形も》いかにも・軽そうに(たやすそうに)物事をするようす。「━と持ち上げる」━し・い《形》慎重に考えないで物事をするようす。軽率だ。「秘密を━く話すな」

カルキ❶「クロールカルキ」の略。「水道の水は━くさい」→クロール石灰(かいせっ)。❷石灰。▽オランダ kalk

かる・くち【軽口】❶軽い感じで、気がきいていることば・話。「━話」❷江戸時代に流行した語呂(ごろ)あわせ。地口(じぐち)・秀句など。❸深く考えずにしゃべる・こと(人)。❹〈「━をたたく」の形で〉軽い気持ちで、とりとめのないことを話す。

カルサン もんぺに似た一種のはかま。上部をはかま風、下部をももひき風に仕立てたもの。表記「軽衫」「軽袗」とあてる。▽ポルトガル calção

カルサン

カルシウム 元素の一つ。アルカリ土類に属する銀白色の軽い金属。空気中で酸化しやすい。骨組織をつくる成分でもある。元素記号Ca。▽オランダ calcium

カルスト・ちけい【カルスト地形】石灰岩地域に特有の地形。石灰岩が雨水に溶けてさまざまな奇勝ができる。山口県秋吉台が有名。カルスト。参考カルスト(ドイツ Karst)はユーゴスラビアにある石灰岩地域の地名。

かるた【歌留多・加留多・▽骨×牌】遊びやばくちに使う、絵または文字のかいてある長方形のふだ。また、それを使った遊びやばくち。いろはがるた・歌がるたなど、種類が多い。「━取り」表記「歌留多」「加留多」「骨牌」はあて字。▽ポルトガル carta

カルチャー 教養。文化。カルチュア。▽culture ━ショック 社会的慣習・生活様式・物の考え方などの違いを、他国の文化から強く感じてショックを受けること。文化衝撃。「インドの旅で━を受ける」▽culture shock ━センター 各種の教養講座を提供する所。▽cultureとcenterからの和製語。

カルテ 医者が、診療した患者の病状や経過を記入するカード。診療記録カード。▽ドイツ Karte

カルテット 四重奏(団)。四重唱(団)。また、四重奏曲。四重唱曲。クアルテット。▽イタリア quartetto

カルデラ 火山が噴火したのち、火口が崩壊または陥没してできた、著しく大きな円形のくぼ地。▽caldera

カルテル 同業の会社が、たがいに不必要な競争をさけ、市場を独占して利潤を確保するために、価格・生産量などについて協定を結んだ組織。企業連合。参考→トラスト。コンツェルン。▽ドイツ Kartell

カルト❶ある物や人物をあがめうやまっている、組織化された宗教的な小集団。❷一部の熱狂的な人にだけ支持されている個性的な映画や小説。「━ムービー」▽cult(＝祭儀。崇拝)

かる・はずみ【軽はずみ】《名・形動》深く考えず、よけいなことを言ったり行ったりすること。軽率。「━な言動をつつしむ」

かる・み【軽み】❶軽い感じ。❷蕉風俳諧(しょうふうはいかい)の理念の一つ。卑近な題材に美を見いだして平淡にさらりと表現する趣をいう。＝軽(かろ)み。

カルメ・やき【カルメ焼(き)】カルメラ。

カルメラ 赤砂糖を煮つめて重曹(じゅうそう)を加えてふくらまし、かためた菓子。カルメ焼き。▽ポルトガル caramelo

かる・やか【軽やか】《形動》→かろやか。

かる・やき【軽焼(き)】もち米の粉に砂糖を加えて水でこね、焼いてふくらませたせんべい。

かる・わざ【軽業】❶危険な動作を身軽にやって見せる芸。綱渡り・はしご乗り・さら回しなど。曲技。曲芸。「━師」類語サーカス。❷危険の多い仕事。

かれ【彼】━《代名》❶〔文〕《遠称の指示代名詞》あの物。あれ。❷《他称の人代名詞》男性をさす語。あの人。あの男。対彼女。━《名》〔俗〕ある女性の、恋人または夫。対彼女。⇩【類語と表現】

類語と表現

「彼・彼女」

＊彼は君の兄さんかい・彼女はあなたの妹ですか・彼〔彼女〕のことは心配しなくてもいい・彼〔彼女〕は悲嘆にくれた／姉に彼ができたらしい・ぼくの彼女を紹介しよう。

◆彼氏・あの方・あの男・あの女・同人・同氏・同女・同君・氏・翁(おう)・あちら・あれ・あいつ・そいつ・そやつ・きゃつ・やつ・やっこさん・こいつ・こやつ

がれ→がれ場。

＊か・れい【加齢】年を重ねること。年をとって衰えること。

＊か・れい【×嘉例・佳例】めでたい先例。めでたいとされ

るしきたり。吉例。「毎年の―」「―にならう」

*か・れい【家令】もと、皇族・華族の家で、事務・会計を管理し、他の雇い人を監督した役(の人)。

*か・れい【家例】その家に代々伝わるしきたり。

*かれい【×鰈(かれい)】カレイ科の海魚。形はヒラメに似るが、両眼が右側にあるものが多い。食用。

*か・れい【佳麗】《形動》容姿などが整っていて美しいようす。「―な姿」

*か・れい【華麗】《形動》はなやかで美しいようす。「―な舞台」「―に着飾った女優」類語 絢爛(けんらん)。華美(かび)。

カレー ❶香辛料の一つ。うこん・黒こしょう・唐がらし・しょうがなどをまぜ合わせた黄色の粉末。カレー粉。❷「カレーライス」「ライスカレー」の略。▽curry ―ライス いためた野菜・肉などにカレー粉・小麦粉・水を加えて煮てどろりとさせたものを飯にかけて食べる料理。ライスカレー。参考 curry and rice から。

ガレージ〔自動車の〕車庫。▽garage ―セール 不用になった家庭用品などを、自宅のガレージや庭先に並べて売ること。ヤードセール。▽garage sale

かれ・えだ【枯(れ)枝】枯れた木の枝。また、葉の枯れ落ちた木の枝。枯れ枝(え)。

かれ・おばな【枯れ尾花】―を〔雅〕穂が枯れたススキ。枯れすすき。「幽霊の正体見たり―」

かれ・がれ【枯れ枯れ】《形動》草木が今にも枯れそうなようす。「野の草も―になる」

かれ・き【枯(れ)木】枯れた木。対 青木。

―に花《句》衰えたものが再び栄えることのたとえ。

―も山の賑(にぎ)わい《句》〔枯れ木でも、それはそれで山に趣を添える意から〕つまらないものでもないよりはましであることのたとえ。

が・れき【×瓦×礫】❶かわらと小石。打ちくだかれたコンクリートのかけらや石ころなど。「―の山」「大地震で―と化した町」❷あっても値うちのないつまらないもの。

かれ・くさ【枯(れ)草】枯れた草。対 青草。

かれ・これ【彼▽是・彼×此】《副》❶《自サ》言動がいくつかのものごとに及ぶ(関係する)ようす。あれやこれやとやかく。「―考える」「―するうちに出遅れた」❷《時刻・年月・数量などを表す語をともなって》それに近くなっていることを表す。おおよそ。おっつけ。「―一時になる」

かれ・さんすい【枯れ山水】日本庭園で、水を使わず、地形によって山水を表現する様式。おもに石・砂などを配置する。枯山水(こせんすい)。枯れ山水(せんすい)。

かれ・し【彼氏】㊀《代名》《他称の人代名詞》話し手・聞き手以外の男性をさす語。あの男。対 彼女。㊁《名》〔俗〕ある女性の、恋人または夫である男。「まだ―はできないの」参考 徳川夢声の造語。対 彼女。

かれ・すすき【枯れ▽薄】枯れたススキ。

かれ・せんすい【枯れ▽山水】→かれさんすい。

か・れつ【×苛烈】《名・形動》〔その状態が、がまんできないくらいに〕ひどく、きびしいこと。「―をきわめた戦闘」類語 峻烈(しゅんれつ)。酷烈(こくれつ)。激烈。猛烈。

カレッジ〔ユニバーシティーに対して〕単科大学。「―ライフ」▽college

かれ・の【枯(れ)野】草が枯れ、木の葉が枯れ落ちた冬の野原。枯れ野原。「―の暮色」

かれ・は【枯(れ)葉】枯れて色が変わった葉。

がれ・ば【がれ場】山の急斜面がくずれて、土砂や岩石でおおわれた所。がれ。

かれ・ら【彼▽等】《代名》《他称の人代名詞》あの人人。あの人たち。

*か・れる【×嗄れる】《自下一》声がかすれて出なくなる。しわがれる。「のどが―・れる」文 か・る《下二》

*か・れる【枯れる】《自下一》❶草木の生気がなくなる。草木が衰えて死ぬ。「花が―・れる」類語 枯ればむ。闌(すが)れる。(する)枯死(こし)。❷体などに、みずみずしさがなくなる。しなびる。❸能力・機能を失って、本来の活動ができなくなる。「やせても―・れても武士だ」❹〔人物・技術などが円熟して〕はなやかさがなくなり、しぶい深い味を持つようになる。「芸が―・れる」「人間が―・れて丸くなった」文 か・る《下二》

*か・れる【×涸れる】《自下一》❶〔川・湖・池などの〕水がなくなる。ひあがる。「ひでりで池が―・れる」「泣いて涙も―・れる」❷能力・感情などがなくなる。「才能が―・れる」「詩想が―・れる」文 か・る《下二》

*か・れん【×苛×斂】〔税金などを〕きびしく取り立てること。―ちゅうきゅう【―×誅求】人民から租税などをむごくきびしく取り立てること。

*か・れん【可×憐】《形動》弱々しく、思わずいたわりたい気持ちを起こさせるようす。「―な少女」「―な草花」

カレンダー ❶〔洋風の〕こよみ。七曜表。❷年中行事表。「スポーツ―」▽calendar

カレント《造語》「現代の」「最近の」「現在の」などの意。「―トピックス」▽current

*か・ろう【家老】昔、大名のもとで、家中の武士を統率し藩政を管理した職(の人)。最高位の重臣。

*か・ろう【過労】働きすぎて疲労がたまること。―し【―死】《名・自サ》勤労者が業務上の過労が原因で死亡すること。

が・ろう【画廊】❶〔売買するため〕絵画を陳列する所。ギャラリー。❷画商の店。

かろう・じて【辛うじて】(からうじて)《副》〔「辛(から)くして」の音便〕ぎりぎりのところでものごとの成るようす。やっとのことで。ようやく。「―間にあう」「―合格する」

かろ・し・める【軽しめる】《他下一》〔文〕軽くみる。けいべつする。

カロチン 植物にひろく見られる黄赤色の色素。動物の体内でビタミンAにかわる。ニンジン・カボチャなど緑黄色野菜に多く含まれている。カロテン。▽carotene

かろ・とうせん【夏炉冬扇】〔「夏のいろりと冬の扇」の意から〕時季はずれで役にたたない・もの(こと)のたとえ。冬扇夏炉。

かろ・やか【軽やか】《形動》いかにも軽そうで、ここちよさそうに感じられるようす。かるやか。「―な服装」「―に舞う」また、態度・動作などが軽快なようす。

カロリー《名・助数》❶純粋の水一グラムの温度を一気圧のもとで摂氏一四・五度から一五・五度まで上げるのに必要な熱量の単位。また、その熱量。小カロリー。記号 cal。❷食物から得られる熱量の単位。大カロリー。カロリー①の一〇〇〇倍(=キロカロリー)を単位とする。記号 Cal。▽英・(フランス) calorie

か・ろん【歌論】和歌についての評論または理論。

ガロン《助数》ヤード・ポンド法による液体の体積の単位。一ガロンは、イギリスで約四・五リットル、アメリカで約三・八リットル。▽gallon

かろん・じる【軽んじる】《他上一》→かろんずる。

かろん・ずる【軽んずる】《他サ変》〔「軽(かろ)みする」の

転》価値・力のないものとしてかるくみる。いいかげんに扱う。あなどる。「女とみて―・ずる」対重んずる。

*か‐わ【佳話】〔文〕心温まる、いい話。類語美談。

*かわ【側】かは→がわ(側)①②③。

*かわ【川・河】かは地表の水が集まって、くぼ地にそって流れてゆくもの。参考「一条(いちじょう)…」「一条(ひとすじ)…」などと数える。表記「河」は、もと中国の黄河のことで、特に、大きな川に使うこともある。⇨〘類語と表現〙

類語と表現　「川」

*川が流れる・川があふれる・川を渡る・川を溯(さかのぼ)る・川を船で上る[下る]・川に沿って歩く・川で泳ぐ・川の水が増える[減る]。

◆流れ・河川・小川・谷川・上水・天井川・どぶ川・細流・せせらぎ・瀬・川瀬・高瀬・早瀬・急湍(きゅうたん)・運河・懸河・江河(こうが)・大河・氷河・河流・水流・渓流・清流・濁流・泥流・緩流・急流・奔流・激流・曲流・源流・本流・支流・傍流・分流・小流・上流・下流・クリーク・滝・白滝・瀑布(ばくふ)・飛瀑・淵(ふち)・淀(よど)・瀞(とろ)／溝・側溝・下水

*かわ【皮】かは❶動植物の外面をおおい包んでいるもの。特に、毛皮。「リンゴの―をむく」「虎(とら)の―の敷物」類語皮膚。表皮。ファー。❷ものの外側を包んでいるもの。「まんじゅうの―」「ふとんの―」❸内容・本質などをおおい隠しているもの。「うその―」「ばけの―」

*かわ【革】かは動物の皮をはいでなめしたもの。なめしがわ。皮革(ひかく)。「―のコート」類語擬革(ぎかく)。レザー。バックスキン。ボックス(カーフ)。

がわ【▽側】がは❶相対するものの一方。「敵の―につく」「消費者の―」❷ある物の一方・一面。「箱のこちらの―」「右―」「東―」❸ある物のまわり。また、それをとり囲んでいるもの。「時計の―」同①〜③側(かわ)。❹そば。かたわら。はた。「本人より―の者がうるさい」

かわ‐あかり【川明(か)り】かは―〔まわりが暗い中で〕川の水面がほのかに明るいこと。川面(かわも)の明るみ。

かわ‐あそび【川遊び】かは―川で遊ぶこと。特に、川に舟をうかべ、歌を作ったり飲食したりして遊ぶこと。

かわ‐い・い【可▽愛い】かはいい《形》《「かわゆい」の転》❶深く愛する気持ちや大切にする気持ちをおこさせる。「親にとってはどの子も―・い」類語愛(いと)しい。いとおしい。❷小さくて、または、子供っぽくて、ほほえましい気持ちをおこさせる。「―・い花」「―・い子犬」類語愛くるしい。かわいらしい。いじらしい。しおらしい。あどけない。可憐(かれん)。キュート。

―い子には旅をさせよ《句》子供を愛しているならば甘やかさないで、辛いことも経験させる方がよい。

かわい‐が・る【可▽愛がる】かはい―《他五》《「かわゆがる」の転》❶かわいいと思って大事にする。「娘を―・る」「猫を―・る」類語慈しむ。愛(いと)しがる。いとおしむ。めでる。愛する。(す)愛護。寵愛(ちょうあい)。溺愛(できあい)。❷《反語的に用いて》暴力をふるっていじめる。また、きびしくきたえる。「―・ってやるから外へ出ろ」

かわい‐げ【可▽愛げ】かはい―《名・形動》《「かわゆげ」の転》かわいらしいと感じさせること。「―のない人だ」

かわい‐さ【可▽愛さ】かはい―《「かわゆさ」の転》かわいいこと。かわいいと思う気持ち。

―余って憎さ(が)百倍《句》かわいいと思う気持ちが強いので、一度憎いと思ったらその憎しみはかえってひどいものになるということ。

かわい‐そう【可▽哀相・可▽哀想】かはいさう《形動》あわれで、同情にたえないようす。気の毒なようす。「―な境遇」表記「可哀相」「可哀想」は当て字。類語哀れ。哀れっぽい。いたわしい。痛ましい。痛々しい。いたいけ。見るに忍びない。不憫(ふびん)。

かわい‐らし・い【可▽愛らしい】かはい―《形》かわいい②。あいらしい。「―・い少女」「―・く笑う」

かわ‐うお【川魚】かはうを川にすむ魚。川魚(かわざかな)。

かわ‐うそ【川×獺・×獺】かは―イタチ科の哺乳(ほにゅう)動物。イタチに似るが、みずかきがある。水辺にすみ、水にもぐり魚をとる。毛皮を珍重した。かわおそ。うそ。参考特別天然記念物に指定されている。

かわ‐おと【川音】かは―川の水の流れる音。

かわ‐おび【革帯】かは―なめし革で作った腰帯。ベルト。おびかわ。

かわ‐か・す【乾かす】《他五》〔日光や火などにあてて〕湿気をとりのぞく。乾燥させる。「ぬれた服を―・す」類語干す。涸(か)らす。文《四》。

かわ‐かみ【川上】かは―川のみなもとに近い方。川が流れてくる方。上流。「―にある村」対川下(かわしも)。

*かわき【乾き】水分がなくなること。また、その度合い。「洗濯物の―が悪い」

*かわき【渇き】❶のどがかわくこと。「―をいやす」❷ほしいものが得られず、強く求めること。「愛の―」

かわ‐ぎし【川岸・河岸】かは―川の岸。河岸(かがん)。「―に舟をつける」類語河岸(かし)。河畔(かはん)。

かわ‐きり【皮切り】かは―〔「最初にすえる灸(きゅう)」の意から〕ある物事のし始め。手始め。「―に歌をうたう」

*かわ・く【乾く】《自五》〔熱などのため〕水分・湿気がなくなる。「洗濯物が―・く」類語涸(か)れる。干乾(ひから)びる。干上がる。(す)乾燥。文《四》。

*かわ・く【渇く】《自五》❶のどにうるおいがなくなって、飲み物がほしくなる。「―・いたのどをうるおす」❷あるものをひどくほしがる。「愛に―・く」文《四》。

かわ‐ぐ【皮具・革具】かは―毛皮・なめしがわなどで作った道具。

かわ‐くだり【川下り】かは―船で川(特に急流)を下って、景観を楽しむこと。「天竜川の―」

かわ‐ぐち【川口・河口】かは―川の流れが海や湖にそそぐ所。河口(かこう)。川じり。「―の港」

かわ‐ぐつ【革靴】かは―革で作ったくつ。

かわ‐ご【皮×籠・革×籠】かは―まわりを皮で張った箱。物入れ用・運搬用・携帯用。参考後には、紙で張ったものや竹で編んだものもいう。

かわ‐ごし【川越し】かは―❶〔ものごとをするのに〕川を隔ててすること。「―に合図する」❷《名・自サ》川を徒歩で渡ること。❸「川越し人足」の略。江戸時代、人を肩や輦台(れんだい)に乗せて川を渡すことを職業とした人。

かわ‐ごろも【皮衣・×裘】かは―毛皮で作った衣。かわぎぬ。「羊の―」

かわ‐ざんよう【皮算用】かは―物事がはっきりきまらないうちから、その結果をあてにしてあれこれ計画を立てること。「もうけの―をする」参考「取らぬ狸(たぬき)の皮算用」からでた語。類語胸算用(むなざんよう)。

かわ‐しも【川下】かは―川の河口(かこう)に近い方。川が流れて行く方。下流。「―に橋がある」対川上(かわかみ)。

かわ‐じり【川×尻】かは―❶川下。❷川口。

*かわ・す【交(わ)す】かはす 一《他五》❶交換し合う。やり

とりする。「言葉を─す」「さかずきを─す」❷〔同じところで〕まじえ合わせる。交差させる。「握手を─す」「情を─す(=男女が肉体関係をもつ)」文《四》。㊁《接尾》互いに…し合う。「顔を見─す」「酒をくみ─す」「契約書を取り─す」文《四》。

*かわ・す【×躱す】かはす《他五》〔向かってくるものを〕その方向からはずれるように(からだの)向きをかえてさける。「身を─す」「相手の非難を─す」文《四》。

かわず【×蛙】かはづ ❶「かえる」の別称。〔やや古風な言い方〕❷「かじかがえる」の別称。

かわ・すじ【川筋】かはすぢ ❶川の流れる道すじ。「─にそった町」❷川にそって続いている道・土地。「─にある村」

*かわ・せ【川瀬】かは─ 川の、底が浅くて流れの急なところ。川の瀬。

*かわせ【〈為替〉】かはせ 遠く離れた土地の間で貸借の決済をつけるとき、現金を動かさず、手形・小切手・証書などによってすませる方法。また、その手形・小切手・証書など。「─を組む」「代金を─で送る」 ─そうば【─相場】外国為替相場。 ─てがた【─手形】手形発行者である振出人が、受取人への支払いを第三者である支払人に委託する形式の手形。

かわ・せがき【川施餓鬼】かは─ 水死人の冥福を祈って、船の中や川岸などで行う法会。

かわ・せみ【川×蟬・×翡×翠】かは─ カワセミ科の鳥。くちばしが長く、背は青緑色で美しい。川辺にすみ、魚を捕食する。ひすい。しょうびん。

かわ・そう【革装】かはサウ 本の表紙に皮革をつかった装丁。

かわ・だち【川立ち】かは─ ❶川のほとりで生まれ育つこと。また、その人。❷泳ぎのうまい人。 ─は川で果てる《句》〔泳ぎのうまい人はかえって川で死ぬ意から〕得意のわざが身を滅ぼすもととなることのたとえ。

かわたれ・どき【▽彼▽者×誰時】かはたれ─ 〔雅〕夜明け方や夕暮れの、うす暗いころ。特に明け方にいう。参考 うす暗くてわからず、「彼は誰(=あの人はだれだ)」とたずねる時刻の意。類語 たそがれどき。

かわ・たろう【河太郎・川太郎】かはタラウ 「河童」の別称。

かわち【河▽内】かはち 《「かはうち」の転》旧国名の一つ。畿内の一国。今の大阪府の東部。河州。

かわ・ちどり【川千鳥】かは─ 川に集まってくる千鳥。類語 浜千鳥。

かわ・づら【川面】かは─ ❶川の水面。川面。❷川のほとり。川べ。

かわ・づり【川釣(り)】かは─ 川で魚をつること。

かわ・と【革×砥】かは─ 刃物をとぐのに使う革。

かわ・どこ【川床】かは─ 川の底の地面。河床。

かわ・とじ【革×綴(じ)・皮×綴(じ)】かはとぢ ❶書物の表紙・背を革で作ったもの。❷革ひもでとじること。

かわ・どめ【川留め・川止め】かは─ 江戸時代、増水の際に、川を渡ることを禁じたこと。対 川明け。

かわ・ながれ【川流れ】かは─ ❶川の水に流されること。❷川でおぼれて・死ぬこと(死んだ人)。「かっぱの─」

かわ・はぎ【皮×剝(ぎ)】かは─ カワハギ科の近海魚。口は小さいが鋭い歯をもつ。皮は厚くて、ざらざらしている。美味。参考 皮をはいで料理をする。

かわ・ばた【川端】かは─ 川のほとり。川辺。河畔。「─のヤナギ」

かわ・びらき【川開き】かは─ 夏の夜に、川べで花火を打ち上げて、その年の納涼のはじまりを楽しみ祝う年中行事。「両国の─」類語 山開き。海開き。

かわ・ぶね【川船・川舟】かは─ 川や湖を行き来する船。高瀬舟・平田舟など。かわふね。

かわ・べ【川辺】かは─ 川のほとり。川べり。川端。

かわ・むこう【川向(こ)う】かはむかう 川向かい。 ─の火事《句》自分には何の影響もない物事のたとえ。対岸の火事。

かわ・も【川▽面】かは─ 川の水面。川面。

かわ・や【×厠】かは─ 便所。雪隠。後架。〔古風なことば〕参考 もと川の上に作ったことから「川屋」とも、家のわきにたてたことから「側屋」とも書いた。

*かわ・やなぎ【川柳】かは─ ❶川辺にはえている柳。川柳。❷番茶の上等なもの。

*かわ・やなぎ【×楊柳】かは─ 《「川柳」と同語源》「ねこやなぎ」の別称。

かわ・よど【川×淀】かは─ 川の流れで、水がよどんでいるところ。よどみ。

*かわら【〈河原〉・〈川原〉・×磧】かはら 《「かわはら」の転》❶川べの土地で、水が流れていなくて、砂や小石が表面に現れている所。類語 川岸。州。岸。川端。河畔。河岸。堤。土手。河川敷。❷江戸時代、京都の四条川原のこと。参考 芝居が上演された。 ─こじき【─×乞食】江戸時代、歌舞伎役者、その他遊芸人をさげすんで言った呼び名。河原者。

*かわら【×瓦】かはら 粘土を板状にかためて窯で焼いたもの。セメント・金属などを原料とするものもある。屋根をふくのに使う。参考 梵語 kapāla からという。

かわら・け【▽土▽器】かはら─ 《「瓦笥(=食器として用いる土器)」の意》❶〔うわぐすりをぬってない〕素焼きの土器。❷素焼きのさかずき。❸土製の器。

かわら・せんべい【×瓦×煎×餅】かはら─ 屋根がわらの形に焼いたせんべい。小麦粉と卵と砂糖を材料とする。

かわら・ばん【×瓦版】かはら─ ❶粘土に文字や絵をほりつけて焼いた、印刷の版。また、それで刷った印刷物。❷江戸時代に行われた一枚刷りの出版物。明治初年、新聞が出まわるまで行われた。読み売り。

*かわり【代(わ)り・替(わ)り】かはり ㊀《名》❶あるものが他のものにかわること。また、そのかわったもの。代理。代用。「父の─に出席する」「─の品」類語 引き替え。掛け替え。替え玉。❷同じ飲食物をさらに・出す(求める)こと。また、そのもの。〔ふつう、「おかわり」の形で使う〕「ごはんのお─」❸〈多く「─に」の形で、連体修飾語を受けて〉つぐなう・こと(もの)。代償。「高い─に質もいい」㊁《接尾》《名詞について》「…の代用」の意を表す。参考 多く連濁で「がわり」となる。「香典─」

*かわり【変(わ)り】かはり ❶かわること。異なること。違い。差異。「昔と─のない風景」❷ふだんとちがう状態。特に、健康を害すること。「お─ありませんか」

かわり・ごはん【変(わ)り御飯】かはり─ いろいろな材料をまぜてたいた飯。五目飯・栗飯など。かわりめし。

かわり・だね【変(わ)り種】かはり─ ❶普通とは異なっている物。変種。❷〔仲間の中で〕普通とは異なる性質・経歴などを持つ人。「医者から歌手になった─」

かわり・ばえ【代(わ)り映え・代(わ)り栄え】かはり─ かわったために、よりよく感じられること。〔ふつう、打ち消しの語を伴って使う〕「─のしない顔ぶれ」

かわり・は・てる【変(わ)り果てる】かはり─ 《自下一》すっ

かりかわってしまう。〔ふつう、その結果が悪い場合に使う〕「―・てた姿」

かわりばん・こ【代（わ）り番こ】《「こ」は接尾語》〔俗〕かわるがわるすること。「―に自転車にのる」

かわり・み【変（わ）り身】❶からだの位置をすばやく変えること。❷情勢に応じて、今までの考え・態度などをすっかり変えること。「―が早い」

***かわり・め【代（わ）り目】**交替するとき。また、とりかえるとき。「当番の―」

***かわり・め【変（わ）り目】**ものごとのうつり変わるとき。それまでとちがった状態になるとき。「季節の―」

かわり・もの【変（わ）り者】〔周囲の人と性質・行動などが〕どこか違っている人。変人。類語 奇人。変わり種。

***かわ・る【代（わ）る・換（わ）る・替（わ）る】**《自五》❶あるものが退き、別のものがそこに来る。入れかわる。交替する。「内閣が―・る」「年度が―・る」❷他の位置に立つ。代わりになる。代理になる。「石油に―・る燃料」文《四》。⇩〖使い分け〗

***かわ・る【変（わ）る】**《自五》❶前とちがった状態になる。変化する。「季節が―・る」「気が―・る」類語 化する。変ずる。転ずる。革まる。変わり果てる。急変。朝令暮改。有為転変。生々流転。猫の目のよう。（する）様変わり。激動。変動。変遷。変移。変異。転変。転成。転換。推移。豹変。一変。一転。逆転。改変。千変万化。❷〈「―・った」「―・っている」の形で〉普通のものとはちがう。一般のものからかけ離れる。「―・った服装」❸前とちがうものになる。前とちがう時になる。前とちがう所に移る。「期日が―・る」文《四》。⇩〖使い分け〗

使い分け「かわる・かえる」

変わる〔前と違った状態になる。ふつうと違う〕所変われば品変わる・考えが変わる・変わった人

換わる〔交換されてかわる〕金に換わる・名義が書き換わる

代わる〔他のかわりをする。代役〕部長に代わって説明する・社長に成り代わる・肩代わり・身代わり・その代わり

替わる〔▽更〕〔交替してかわる〕首相が替わる・投手が替わる・年度が替わる・替わって運転する・入れ替わり立ち替わり・歯が抜け替わる

変える〔前と違ったものにする。場所を移す〕顔色を変える・生活を変える・位置を変える・河岸を変える

換える〔物をとりかえる〕金に換える・名義を書き換える・部品を取り換える・バスを乗り換える

代える〔他のかわりにする〕花束をお礼に代える・命に代える・御飯をパンに代える

替える〔▽更〕〔ある物にかえて別の物と交替する。古いものから新しいものにする〕商売を替える・新しい水に替える・投手を替（代）える・新しい服に着替（更）える・家を住み替える・借金を振り替える・荷を持ち替える

参考「換」と「替」はしばしば混用され、かなで書かれることも多い。また「替わる」は意味が近似するところから、よく「代わる」と書かれ、厳密な書き分けは困難である。「更える・更わる」は、とりかえる、しなおすなどの意味から「衣を更える・人を更える」と使うが、今日では「替」をもって代える。

かわる・がわる【代（わ）る代（わ）る】《副》同じ動作を二人以上の人がいれかわりながらつづけるようす。また、同じ動作を二つ以上の対象に対して順番に行うようす。交互に。「―見張りに立つ」

***かん【刊】**《接尾》「刊行」「出版」の意。「九三年―」

***かん【監】**《接尾》❶「監督（の役（の人））」の意。「生徒―」「軍医―」❷「囚人を入れる部屋」の意。「未決―」

***かん【館】**《接尾》❶「（公共の）大きな建物」の意。「迎賓―」❷「やどや」「旅館」などの名に付ける語。

***かん【×竿】**《助数》竹・竹ざおなどを数える語。

***かん【貫】**《助数》❶尺貫法による重さの単位。一貫は一〇〇〇匁（＝約三・七五キログラム）。❷昔のお金の単位。一貫は一〇〇〇文。❸鎌倉時代以降の武士の知行高の単位。一貫は一〇石。

***かん【冠】**㊀《名》〔文〕かんむり。㊁《形動タルト》〔文〕同種のものの中でとびぬけて（すぐれて）いるようす。冠絶しているようす。「世界に―たる芸術の国」

***かん【寒】**❶〔文〕冬の寒さ。❷二十四節気のうち、大寒と小寒の称。立春前の三〇日間で、前半を小寒、後半を大寒という。「―の入り」対①②暑。

***かん【勘】**〔物事の事情や意味を〕直感によってさとる能力。第六感。「―がいい」「―を働かす」⇩〖使い分け〗

***かん【巻】**㊀《名》〔文〕❶巻物。❷書物。「―をとじる」㊁《助数》❶巻いたものを数える語。「テープ五―」❷書籍の順序・量を数える語。「文学全集第一―」

***かん【×奸】**〔文〕心がねじけていて正しくないこと（人）。「―を誅す」「君側の―」

***かん【完】**〔文〕❶おわり。完結。参考 映画・物語などの終わりにしるす。❷「完全」「完備」などの略。全部そなわっていること。「全十冊―」「バス・水道―」

***かん【官】**㊀《名》国家や公共の機関。また、それに属する人の制度上の地位。「―につく」㊁《接尾》「役人」「官吏」などの意を表す。「裁判―」「警察―」

***かん【感】**㊀《名》❶ある物事に対したときに起こる、その時どきの思い・感じ。「隔世の―」「哀惜の―を深くする」❷強く感じて心が動くこと。感動。「―無量」「―極まって（＝非常に感激して）泣く」㊁《接尾》「…の感じ」の意を表す。「悲壮―」「圧迫―」⇩〖使い分け〗

―に堪えな・い《句》驚きのあまり、非常に感動する。「今昔の―・い」

―に堪・える《句》↓感に堪えない。参考 打ち消しの形から転じて、打ち消しの語を伴わない形で使ったもの。

***かん【棺】**死体をおさめる箱。かんおけ。ひつぎ。

―を蓋いて事定まる《句》死んで棺に入れられふたをされてから初めてその人の行った業績の価値がきまる。〈晋書・劉毅〉

***かん【款】**❶〔文〕まごころ。忠誠。「―を寄せる」❷〔文〕よしみ。❸〔経〕予算書・決算書などで、部の下、項の上に位する区分の名称。「―に属する費用」

―を通・ずる《句》❶よしみをむすぶ。❷内通する。

***かん【歓】**〔文〕よろこび、たのしむこと。「―を尽くす」

***かん【漢】**㊀《名》❶中国の古代王朝の一つ。紀元前二〇二年、劉邦が秦をほろぼして建国し、紀元二二〇年まで続いた。❷中国本土。また、そこにすむ民族。漢族。㊁《接尾》「男」の意。「熱血―」「無頼―」

***かん【×燗】**〔とっくりなどの器にいれて〕酒を温めること。また、その温まりぐあい。「―がぬるい」

***かん【×疳】**❶神経が過敏になって、発作的にけいれん・失神などを起こす病気。子供に多い。癇。癇症。❷

癇①。

***かん【×癇】** ❶神経が過敏で、興奮したり怒りやすかったりすること。また、その性質。疳(かん)。❷〔医〕疳(かん)①。
―に障・る《句》感情を害する。腹が立つ。しゃくにさわる。かんに触れる。

***かん【管】** ㊀《名》中がからで筒(つつ)の形をしたもの。くだ。「水道の―」㊁《助数》笛・笙(しょう)・筆など、くだ状のものを数える語。「笛一―」「二―の尺八」

***かん【×緘】**《記号》「とじる」意で、手紙などの封じ目に書く字。封(ふう)。

***かん【缶・×罐・×鑵】** ❶金属製、とくにブリキ製の容器。「石油の―」❷「かんづめ」の略。▽(オランダ) kan

***かん【艦】**〔文〕戦争のときに使う船。軍艦。

***かん【観】** ㊀《名》〔ある人・ある物事を〕外から見た感じ。「別人の―を呈する(=別人のように見える)」㊁《接尾》「…に対する考え方」「…の見方」などの意。「人生―」「宇宙―」「無常―」⇩〖使い分け〗

使い分け「カン」
感〔ある物事に対して起こる心の動き〕隔世の感・感極まる・悲壮感・圧迫感・正義感・使命感・第六感
観〔外から見た感じ。考え方や見方〕別人の観がある・人生観・厭世観・女性観・無常観・世界観
勘〔第六感〕勘がいい・勘が働く・山勘・土地勘がある
参考「勘」は「カン」と片かなで表記されることも多い。「土地勘(1)」は警察筋から出た語で、語源がはっきりせず、「土地鑑(2)・土地感(3)・土地カン」などとも書かれるが、(1)を正しいとする立場では(2)が疑問視され、(2)を正しいとする立場では(1)が疑問視される傾向にある。(3)は誤用であろう。

***かん【×鐶】** ❶金属製の輪。❷引き出しなどの取っ手に使う輪の形の金物。「たんすの―」

***かん【間】** ㊀《名》❶〔ものとものとの〕あいだ。「生死の―」「その―、五キロメートル」❷〔文〕ちょうどよい機会。「―に乗じる」❸〔文〕仲たがい。不和。「二人の中に―を生じる」㊁《接尾》《名詞について》「…のあいだ」「…と…のあいだ」などの意。「業者―の対立」
―髪(はつ)を容(い)れ・ず《句》〔「間に髪の毛一すじも入れる余地がない」意から〕非常に急で、少しも時間のゆとりがないたとえ。すかさず。〈文選・枚乗・諫呉王書〉

***かん【閑】** ㊀《名》〔文〕する事がなく、ひまなこと。「忙中―あり」㊁《接頭》「ひまな」「ひまな人のする」「実益のない」などの意。「―日月」「―文字」「―事業」

***かん【簡】** ❶《形動ナリ》〔文〕短くてわかりやすいようす。手軽なようす。簡単。❷古代中国で紙の発明前、文字をしるすのに使った竹のふだ。❸〔文〕手紙。書簡。
―にして要を・得る《句》簡単で、しかも要点をとらえている。

***がん【丸】**《接尾》丸薬の名につける語。「救命―」

***がん【×癌】** ❶細胞に発生して周囲の組織と調和せずに大きくなる、悪性のはれもの。癌腫(がんしゅ)と肉腫(にくしゅ)とがある。❷ある組織・機構などの中にあって、がんこな障害となっているもの。「行政改革上の―」

***がん【眼】** ㊀《名》❶め。まなこ。❷見ること。また、見ぬく力。「彼の―に狂いはない」❸すずり石の表面にあらわれた同心円状の紋。㊁《接尾》「見抜く力」「見分ける能力」の意。「千里―」「鑑識―」
―を付・ける《句》〔悪意をもって〕相手の顔をみる。

***がん【×雁・×鴈】** カモ科の水鳥。日本には秋に来て、春、北へ去る。カモより大きい。並んで飛ぶ習性があり、群れをなして生活する。かり。かりがね。

***がん【願】** 神仏に対する願い。「―を懸ける」

***ガン** ❶小銃類の総称。拳銃(けんじゅう)・機関銃・猟銃など。❷何かを吹きつけたり打ちつけたりする、小銃形の道具。「フラッシュ―」「スプレー―」▽gun

かん・あく【×奸悪・×姦悪】《名・形動》〔文〕心がねじけて腹黒いこと。また、そういう人。悪者。「―の臣」

かん・あけ【寒明け】 寒が終わって立春になること。

がん・あつ【眼圧】 角膜と鞏膜(きょうまく)に包まれた眼球内部の圧力。水様液(眼房水)の循環によって、一定の圧力に保たれている。眼内圧。

かん・あん【勘案】《名・他サ》〔文〕いろいろと考え合わせること。「双方の意見を―する」

***かん・い【官位】** ❶〔法律で定められた〕官職と位階。❷官職の等級。官等。

***かん・い【敢為】**〔文〕困難なものごとを押し切って行うこと。敢行。「―の気性に富む」

***かん・い【簡易】**《名・形動》てがるで簡単なこと。「―な方法」「―宿泊所」類語 安易。
―さいばんしょ【―裁判所】 下級裁判所の一つ。訴訟の目的額が三〇万円をこえない請求の民事訴訟、罰金以下の刑にあたる刑事訴訟など、簡易軽微な訴訟を扱う。

***がん・い【含意】**《名・他サ》❶〔文〕意味として含むこと。また、含まれた意味。「文章の―」❷〔論〕命題の関係の一つ。pとqの二つの命題があって、pが真ならqは必ず真であるとき、pはqを含意すると言う。

***がん・い【願意】**〔文〕願う気持ち。また、願いのおもむき。願いの趣旨。「―がかなう」「―を伝える」

かん・いっぱつ【間一髪】〔「髪の毛一すじのすきま」の意から〕ごくわずかな時間の差のために、ものごとの成否がわかれる場合のたとえ。「―のところで助かる」 注意 「間一発」は誤り。

***かん・いん【×姦×淫】**《名・自サ》男女が倫理に反した肉体関係をむすぶこと。「―の罪」「汝(なんじ)―するなかれ」類語 姦通(かんつう)。密通(みっつう)。私通(しつう)。不義。

***かん・いん【官印】** 役所・官職を示す印。対 私印。

***かん・いん【官員】** 役人。官吏。〔明治時代の用語〕

かん・う【甘雨】〔文〕草木をうるおし、育てる雨。類語 慈雨。

かんうん・やかく【閑雲野×鶴】〔文〕〔静かに浮かぶ雲と野に遊ぶツルの意から〕外からわずらわされず、ひまを楽しんで過ごす生活のたとえ。

***かん・えい【官営】** 政府が経営すること。国営。〔やや古風なことば〕「―の事業」類語 公営。対 民営。

***かん・えい【艦影】** 海に浮かんだ軍艦の姿。

***かん・えつ【簡閲】**《名・他サ》〔文〕〔人員を集めて〕数え調べること。選び調べること。「―点呼」

***かん・えつ【観閲】**《名・他サ》〔高官が〕軍隊などの状況を、見て調べること。「―式」

かん・えん【肝炎】 ウイルス・薬剤・アルコールなどによっておこる肝臓の炎症。日本人の肝炎はウイルス性が多い。「慢性―」

がん・えん【岩塩】 岩石の間などから天然にとれる塩。粒状または立方体の結晶。山塩(やまじお)。石塩(いしじお)。

***かん・おう【感応】**《名・自サ》➡かんのう(感応)。

***かん・おう【観桜】** 咲いた桜の花を見て楽しむこと。花

見。「―の宴」「―会」類語 観菊(かんきく)。観梅(かんばい)。

かん・おけ【棺×桶】(クヮンをけ) 死体を入れて葬る木箱。 ―に片足を突っ込む《句》年をとって老い先が短くなることのたとえ。

*かん・おん【感恩】《名・自サ》〔文〕他人から受けた恩をありがたく思うこと。

*かん・おん【漢音】日本で使われている漢字音の一つ。唐時代の中国北方の音が、遣唐使などによって持ちこまれ伝わったもの。「人」を「ジン」、「行」を「コウ」などという類。参考→呉音(ごおん)・唐音(とうおん)。

*かん・か【干×戈】(「干(たて)と戈(ほこ)」の意)〔文〕武器。「―を交える(=戦う。戦争をする)」

*かん・か【感化】《名・他サ》他に影響を与えて、心がけ・態度・性格などをかえさせること。「母親の―」

*かん・か【看過】《名・他サ》〔文〕みすごすこと。みのがすこと。「―することのできない悪事」「不正を―する」

*かん・か【×瞰下】《名・他サ》〔文〕見下ろすこと。

*かん・か【管下】役所や機関などの権限がおよぶ範囲内(にあること)。管轄のもと。管内。「警視庁―」

*かん・か【閑暇】《名・形動》〔文〕〔仕事がなく〕ひまなこと。ひま。「―を得て旅に出る」

*かん・が【官×衙】〔文〕官庁。役所。

*かん・が【閑雅】《形動》〔文〕❶あくせくとせず、しとやかで奥ゆかしいようす。「―に余生を送る」❷ものしずかで上品な趣があるようす。「―な庭園」

*がん・か【眼下】目の下(の方)。「―に広がる風景」「―に見くだす(=けいべつしてみる。見下げる)」

*がん・か【眼科】眼の疾患の予防・治療をあつかう、医学の一分科。「―医」

*がん・か【眼×窩・眼×窠】眼球のはいっているあな。

*かん・かい【勧戒・勧×誡】《名・他サ》〔文〕善をすすめ悪をいましめること。勧懲(かんちょう)。

*かん・かい【官界】官吏の社会。官途(かんと)。

*かん・かい【寛解】《名・自サ》〔白血病などの〕病気の徴候や症状がなくなること。緩解。

*かん・かい【感懐】〔文〕〔あるできごとに接して〕心にいだく深い思い。「―を述べる」類語 感想。

*かん・がい【寒害】季節はずれの異常な寒さによってうける、農作物の災害。凍害(とうがい)。類語 冷害。

*かん・がい【干害・×旱害】ひでりで水が不足したためにうける、農作物の災害。表記「干害」は代用字。

*かん・がい【感慨】〔過去のことやある物事について〕しみじみと深く心に感じること。また、その思い。「―にふける」 ―むりょう【―無量】《形動》はかり知れないほど、感慨の深いようす。感無量。

*かん・がい【×灌×漑】《名・他サ》田や畑に人工的に水を引き土地をうるおすこと。「―用水」

がん・かい【眼界】❶目に見える範囲。視界。「―が開ける」❷考えのおよぶ範囲。「―が狭い」

かんがえ【考え】(かんがへ) 考えること。また、考えた事がら・内容。「―にふける」類語 思慮。心慮。深慮。尊敬 思(おぼ)し召し。御意。貴慮。尊慮。謙譲 愚考。愚策。 ―ごと【―事】頭の中であれこれと考えること。また、考えている事がら。〔多く、心を悩ますことに言う〕 ―もの【―物】❶よく考える必要のある事がら。「今発表するのは―だ」❷〔判じもの・なぞなぞなど〕考えて問題を解き当てる遊び。また、その問題。

かんがえ・こ・む【考え込む】(かんがへ—)《自五》あれこれとつきつめて深く考える。「どうしたものかと―む」

かんがえ・つ・く【考え付く】(かんがへ—)《他五》新しい考えが頭にうかぶ。思いつく。「よい方法を―いた」

かんが・える【考える】(かんがへる)《他下一》すじみちを立てて頭を働かす。参考「思う」が、情的・意志的に心(脳)を働かす意をも含むのに対して、「考える」は、ある問題について何らかの判断を下すために知的・理性的に心(脳)を働かす意。「数学の問題を―える」「人生について―える」「自分が正しいと―える(=判断する)」「新しい装置を―える(=考案する)」文 かんがふ《下二》。

⇩〔類語と表現「思う・考える・感ずる」〕

―える葦(あし)《句》(フランス roseau pensant) 人間は自然のうちで最も弱い一本の葦のようなものである、しかし、それは考える能力をもっている、ということ。参考 パスカルの「パンセ」の中のことばで、思考の偉大さを言う。

*かん・かく【感覚】❶目・耳・鼻・舌・皮膚などによって、外部の刺激を感じること。また、その感じとった内容。❷物事を感じとる心の働き。「指先の―がなくなる」「―中枢」「―がするどい」「―が古い」 ―きかん【―器官】動物がいろいろな刺激を体内にうけいれて神経に伝える器官。視覚器官・嗅覚(きゅうかく)器官・味覚器官・聴覚器官・平衡器官など。感覚器。 ―しんけい【―神経】目・耳・鼻・舌・皮膚などで受け入れた刺激を中枢に伝える神経。知覚神経。対 運動神経。

*かん・かく【×扞格・×捍格】《名・自サ》〔文〕たがいにこばみあって相手を受け入れないこと。「―齟齬(そご)」

*かん・かく【間隔】❶物と物とのはなれている度合い。へだたり。「同じ―で並べる」「―が狭い」類語 距離。❷二つの物事の間の時間。「三分―で発車する」

*かん・がく【官学】❶政府の経営する学校。官立の学校。〔やや古風な言い方〕対 私学(しがく)。❷昔、時の政府が正しいとみとめた学問。江戸時代の朱子学など。

*かん・がく【漢学】❶漢文・漢籍についての学問。特に、儒学。❷中国の漢・唐時代の訓詁(くんこ)の学。参考 宋(そう)・明(みん)時代の性理の学に対していう。

がん・かけ【願懸け・願掛け】《名・他サ》〔自分の願いがかなうように〕神・仏に誓いをたてること。願立て。「不動様に―をする」「茶を断って―する」対 願ほどき。

がん・がさ【×雁×瘡】〔俗〕湿疹(しっしん)の一種。非常にかゆくてなおりにくい。がんそう。

*かん・かつ【寛×闊】《名・形動》〔文〕心や性格がおおらかで、ゆったりしていること。「―な気性」

*かん・かつ【管轄】《名・他サ》権限によって支配すること。また、その範囲。「―が変わる」「―官庁」

かん・がっき【管楽器】くだに息を吹きこんで空気を振動させて音を出す楽器。笛・フルート・トランペットなど。吹奏楽器。参考 木管楽器と金管楽器がある。

かんが・みる【▽鑑みる・×鑒みる】《他上一》〔判断を下すのに〕先例や実例に照らして考える。「先例に―みる」「失敗に―みる」文《上一》。

カンガルー カンガルー科の哺乳(ほにゅう)動物。後ろあしが前あしに比べてきわめて大きく、尾も太くて長い。雌は腹にある袋の中で子を育てる。主としてオーストラリアにすみ、草食性。▽kangaroo

*かん・かん〔幼児語〕❶かみの毛。❷かんざし。

*かん・かん【感官】感覚器官。また、その働き。

*かん・かん【漢×奸】中国で、敵国に通じて自国を裏切る者。売国奴(ばいこくど)。

*かん・かん【看貫】〔文〕❶物の目方をはかって斤量を

定めること。❷目方。❸「看貫秤(かんかんばかり)」の略。台秤(だいばかり)。

*かん・かん ━《副》(「―と」「―に」の形も)❶金属など堅いものをたたいたときに出る音の形容。「―と鐘が鳴る」❷〔夏の〕日光が強く照りつけるようす。❸炭火などが盛んにおこるようす。❹ひどく怒るようす。「父はいま―だ」❺〔石・土などが〕非常に堅いようす。「―に凍った道」 ━《名》❶〔俗〕「かんかん帽(ぼう)」の略。麦わらで堅く編んだ、頂の平たい男性用の夏帽子。かんかんぼう。❷〔俗〕缶(かん)。特に、空き缶。かんから。―でり【―照り】〔真夏の〕太陽が激しく照りつけること。また、そのような天候。類語 油照り。

*かん・かん【閑閑】《形動タルト》〔文〕のんびりと落ちついているようす。「悠々―」

*かん・がん【×宦官】〔昔、オリエント諸国や中国で〕後宮の妾(けめかけ)や女官の監督などに従事した、去勢された男の役人。宦者。閹官(えんかん)。閹人(えんじん)。

*かん・がん【汗顔】《名・形動》〔文〕はずかしくて、顔に汗を流すこと。非常にはじいること。「―の至り」類語 赤面。

がん・がん《副》(「―と」の形も)❶大きな〔金属性の〕音の形容。また、その音がやかましく響くようす。「鉄管を―とたたく」❷大声でやかましく言うようす。「―どなる」❸《自サ》頭がひどく痛むようす。「頭が―する」❹さかんに火を燃やすようす。「ストーブを―たく」❺物事を激しい勢いでするようす。「―仕事をする」

かんかん・おどり【看看踊(り)】(―を どり)江戸時代からはやりだした、中国清朝ふうの踊り。かんかんのう。

かんかん・がくがく【×侃×侃×諤×諤】《名・形動タルト》〔文〕何ものもおそれず、正しいと思うことをさかんに主張すること。侃諤(かんがく)。「―の議論」

かんかん・しき【観艦式】元首などが自国の海軍の艦船を観閲する儀式。

*かん・き【乾季・乾期】一年のうちで、特に雨の少ない季節・時期。対 雨季。

*かん・き【寒気】さむさ。「―がゆるむ」対 暑気(しょき)。

*かん・き【勘気】〔悪事・失敗などに対して〕君主・親などからうけるとがめ。「―にふれる」「―をこうむる」

*かん・き【喚起】《名・他サ》〔注意や自覚、ある行動などを〕呼びおこすこと。「世論を―する」

*かん・き【官紀】官吏が守るべき規律。「―の粛正」

*かん・き【換気】《名・他サ》〔室内の〕よごれた空気を出し、新鮮な空気を入れること。―せん【―扇】室内の空気を入れかえるための扇風機。換気ファン。

*かん・き【歓喜】《名・自サ》非常に喜ぶこと。「―の合唱」「勝利に―する」

がん・ぎ【×雁木】❶雁の列のように、斜めに少しずつずらした、ぎざぎざの形。❷階段のある桟橋(さんばし)。❸坑内で使うはしごの一種。❹大きくて歯のあらいのこぎり。おおが。❺雪国で、雪が積もっても通れるように、のきから道路上にひさしを長く張り出して、その下を通路としたもの。また、そのひさし。

*かん・ぎく【寒菊】菊の品種の一つ。霜に強く、晩秋から冬にかけて黄色い小さな花が咲く。観賞用。

*かん・ぎく【観菊】咲いた菊の花を見てたのしむこと。菊見(きくみ)。「―会」類語 観桜(かんおう)。観梅(かんばい)。

かんきつ・るい【×柑×橘類】ミカン科のうち、ミカン属・キンカン属に属する果樹の総称。また、その果実の総称。ミカン・レモン・ザボンなど。

かんぎ・てん【歓喜天】仏教の守護神。頭は象、からだは人間の姿をした神。福をもたらし、夫婦和合・子宝の神とされる。大聖天(だいしょうてん)。聖天(しょうてん)。聖歓喜天。歓喜仏。

*かん・きゃく【観客】映画・演劇・スポーツなどの興行を見物する人。観客(かんかく)。「―席」類語 観衆。⇩〖類義語の使い分け「観衆」〗

*かん・きゃく【閑却・閑×卻】《名・他サ》〔文〕いいかげんにして打ち捨てておくこと。「―できない問題」類語 等閑。

*かん・きゅう【官給】《名・他サ》政府から金銭・物品を支給すること。また、その金銭・物品。「―品」

*かん・きゅう【感泣】《名・自サ》〔人の行為やことばなどを〕心に深く感じて泣くこと。「恩師の温情に―する」

*かん・きゅう【緩急】〔文〕❶ゆるやかなことと急なこと。ゆるいこときびしいこと。「―自在」「―よろしきを得る」❷〔調子・速度などの〕早いことと遅いこと。❸物事のひどくさし迫った状態。急。「一旦(いったん)―あれば」参考 ③の場合、「緩」には意味がない。

がん・きゅう【眼球】脊椎(せきつい)動物の視覚器の主要部分。内側の網膜で光を感じ、視神経を経て大脳に伝えられる。目のたま。めだま。

かんぎゅう・じゅうとう【汗牛充棟】〔文〕❶〔牛が汗をかくほどの重さと、家の棟(むね)までみちるほどの量の意から〕持っている本が非常に多いこと。❷書物、特に類書の量がおびただしいこと。

*かん・きょ【官許】《名・他サ》〔文〕政府の許可。「―を得る」類語 勅許(ちょっきょ)。

*かん・きょ【閑居・間居】〔文〕❶静かで落ちついた住まい。❷《名・自サ》することがなく、ぶらぶらと過ごすこと。また、世事から離れ、自分のしたいことをしてのんびりと暮らすこと。「小人―して不善をなす」

かん・ぎょ【還御】《名・自サ》〔文〕天皇・三后(さんこう)などが出先からお帰りになること。類語 還幸。対 出御。

*かん・きょう【感興】〔ある物事を見たり聞いたりしたときに〕興味がわいてくること。また、その興味。「―のおもむくままに詩をつくる」「―を殺(そ)ぐ」

*かん・きょう【環境】❶人間その他の生物をとりまき、それに何らかの影響を与えるものとしての外界。「―を破壊する」❷コンピューターが動作して作業をするための、ハード・ソフトの面の種々の条件。「―設定」―アセスメント 大規模な開発事業が自然をどの程度こわし、人間にどういう影響を与えるかを、事前に調査をすること。環境影響評価。―しょう【―省】公害防止や自然保護など、環境を守る行政をつかさどる国の行政機関。―ホルモン 環境汚染物質のうち、体内に取り入れたとき、ホルモンと同じような働きをする化学物質の総称。内分泌攪乱物質(ないぶんぴつかくらんぶっしつ)。ダイオキシンやポリ塩化ビフェニール(PCB)など。

*かん・きょう【艦橋】軍艦の上甲板に一段高く作られた、将校が指揮をとるところ。ブリッジ。

*かん・ぎょう【寒行】寒の間に、寒さをたえしのんで行う苦行。寒念仏・寒参り・寒垢離(かんごり)など。

*かん・ぎょう【勧業】〔政府が〕産業を向上発展させるために力を入れてすすめること。「―博覧会」

*かん・ぎょう【官業】政府が経営する営利事業。郵便・国有林事業・印刷局・国立病院など。対 民業。

*がん・きょう【眼鏡】めがね。〔古風な言い方〕

*がん・きょう【頑強】《形動》❶意志がつよく、たやす

く屈しないようす。「—に言い張る」「—に抵抗する」❷〔からだが〕がっしりして丈夫なようす。頑健。「—な体軀」類語 屈強。

がん・ぎょう【願行】〔仏〕誓願と修行。

かん・きょく【寒極】地球上で最も気温の低い地点。

*****かん・きり【缶切(り)】**かんづめを切り開く道具。

*****かん・きん【官金】**政府の所有する金銭。類語 公金。

*****かん・きん【換金】**《名・他サ》❶物や有価証券を売って現金にかえること。「在庫品を—する」「—作物」対 換物。❷小切手などを現金にすること。

*****かん・きん【×桿菌】**細長い形の細菌。赤痢菌・大腸菌・結核菌・腸チフス菌など。バチルス。類語 球菌。

*****かん・きん【監禁】**《名・他サ》ある場所にとじこめて行動の自由をうばうこと。「—罪」類語 拘禁。軟禁。

*****かん・きん【看▽経】**《名・自サ》❶経文を声を出さずに読むこと。対 読経。❷経文を読むこと。諷経。

かん・ぎん【感吟】〔文〕❶《名・他サ》感動して詩歌を作ること。❷《名・他サ》よい詩歌に感動して声を出して読むこと。❸感嘆すべき詩歌・俳句。特に、俳句。

がん・きん【元金】❶貸し借りしたり預金したりするときのもとの金額。対 利子。❷もとになる資本金。もとで。「—が乏しい」＝元金。

*****かん・く【甘苦】**〔文〕〔「甘いことと苦いこと」の意から〕楽しみと苦しみ。苦楽。「—を共にする」類語 甘酸。

*****かん・く【管区】**管轄する区域。「第十—」

*****かん・く【×艱苦】**つらいことや苦しいこと。艱難辛苦。「—に耐える」類語 辛酸。苦難。

*****がん・ぐ【×玩具】**子どもが遊ぶ道具。おもちゃ。

*****がん・ぐ【頑愚】**《名・形動》〔文〕がんこでおろかなこと。類語 頑迷。

がん・くつ【岩×窟・×巌×窟】岩がえぐれてできた、大きな(横)穴。岩穴。石窟。洞窟。岩屋。

かん・く・の・あめ【寒九の雨】寒九(＝寒の入りから九日目)に降る雨。参考 豊年のきざしとされる。

がん・くび【×雁首】❶〔雁の首に形が似ていることから〕きせるの頭部。参考 →煙管(図)。❷きせるの頭の形をした土管。❸〔俗〕人間の首・頭。「—を並べる」

かん・ぐ・る【勘繰る】《他五》勘をはたらかせて(悪く)推察する。邪推する。「裏切るのではないかと—・る」

かん・ぐん【官軍】その時の・朝廷(政府)に味方する軍隊。官兵。「勝てば—」対 賊軍。

かん・げ【勧化】《名・他サ》❶仏の道にはいるように人にすすめること。❷寺などの建立・修復などのために、寄付をつのること。同 ①②勧進。

*****かん・けい【×奸計・×姦計】**〔文〕〔人を陥れる〕悪いはかりごと。奸策。「—にはまる」類語 謀略。

*****かん・けい【還啓】**《名・自サ》〔文〕三后・皇太子が出先から皇居や御所にお帰りになること。類語 還御。還幸。対 行啓。

*****かん・けい【関係】**❶《名・自サ》あることと他のあることとが何らかの意味でかかわりあっていること。かかわりあい。「需要と供給の—」「市民運動に—する」「出版—の仕事」類語 関連。関与。❷二つ(以上)の事物の互いへの対し方。あいだがら。「師弟の—」❸《名・自サ》男女の間で情交を結ぶこと。男女の情交。**—づ・ける【—付ける】**《他下一》何らかの関係をもたせて結びつける。「犯罪と貧困とを—・ける」

*****かん・けい【簡×勁】**《形動》〔文〕簡潔で力強いようす。「—な文章」類語 雄勁。

かん・げい【歓迎】《名・他サ》喜んで迎えること。「遠来の客を—する」「—の辞」「—会」対 歓送。注意「歓仰」「観迎」は誤り。

かん・げいこ【寒×稽古】寒中の早朝・夜などに寒さにたえて行う、武芸・芸事などの練習。

かんけい・どうぶつ【環形動物】無脊椎動物の一つ。からだは多く円筒形で、前後につらなる多くの体節(環節)からなる。ミミズ・ゴカイ・ヒルなど。

*****かん・げき【感激】**《名・自サ》〔うれしいことがあったり、他人のすばらしい行動を見聞きしたりして〕強く心を動かされふるいたつこと。激しく感動すること。「—に浸る」「—を新たにする」類語 感動。感銘。

*****かん・げき【観劇】**《名・自他サ》演劇を見物すること。「—会」

*****かん・げき【間×隙】**〔文〕❶すきま。「—を縫って歩く」❷油断。気のゆるみ。すき。「—を突いて攻める」❸仲たがい。不和。「夫婦間に—が生じる」

かん・げざい【緩下剤】ききめのおだやかな下剤。

*****かん・けつ【完結】**《名・自サ》〔つづいていた小説・劇・物事などが〕しめくくりをつけてすっかり終わること。「次号—」「連載小説が—する」類語 完了。

*****かん・けつ【間欠・間×歇】**〔文〕一定の時間をおいて起こったりやんだりすること。「—泉(＝熱湯・水蒸気を周期的にふき出す温水)」表記「間欠」は代用字。

*****かん・けつ【簡潔】**《形動》簡単に要領よくまとまっているようす。「—な文章」「—に述べる」類語 簡明。

*****かん・げつ【寒月】**さえて、いかにも寒そうに見える冬の月。「—中天にかかる」

*****かん・げつ【観月】**月(特に満月)を見て楽しむこと。月見。「—の宴」

*****かん・けん【官憲】**❶国家・政治のおきて。❷管轄する官庁。当局。その筋。❸〔権力にささえられた〕官吏。特に、警察官。「—の弾圧」「—の手を逃れる」

*****かん・けん【官権】**政府または役人の権力・権限。

*****かん・けん【管見】**〔文〕〔管の穴を通してものを見る意から〕せまい見識・見解。参考 自分の見識・見解をへりくだっていう。「—をのべれば…」

*****かん・げん【寛厳】**〔文〕ゆるやかなことと、きびしいこと。寛大さと、厳格さ。「—よろしきを得る」

*****かん・げん【換言】**《名・他サ》〔より適切な〕他のことばで言いかえること。別言。「—すれば…」

*****かん・げん【甘言】**相手の気をひくための相手の喜ぶようなことば。あまくち。「—にのせられる」「—を用いてだます」類語 巧言。美辞。口車。

*****かん・げん【管弦・管×絃】**❶管楽器と弦楽器。❷音楽を奏すること。特に、雅楽を奏すること。また、その音楽。〔古風な言い方〕「—の遊び」「妙なる—の音」**—がく【—楽】**弦楽器・管楽器・打楽器で合奏する大がかりな音楽。オーケストラ。類語 吹奏楽。

*****かん・げん【×諫言】**《名・他サ》〔目上の人を〕いさめること。また、そのことば。「—を聞き入れる」「面を冒して—する」

*****かん・げん【還元】**《名・他サ》❶ある状態になったものをもとの状態にかえすこと。「利益の一部を国に—する」「白紙—」❷〔理〕㋐ある物質から酸素をとりのぞくこと。㋑ある物質が水素と化合すること。㋒正原子価が減少すること。または、負原子価が増加すること。㋓原子または原子団に電子がつくこと。対 酸化。

***がん・けん**【眼×瞼】まぶた。

***がん・けん**【頑健】《形動》〔からだが〕がっしりして、じょうぶなようす。頑強。類語 頑丈。強健。

***かん・こ**【歓呼】《名・自サ》喜んで大声をあげること。また、その声。「—の声におくられる」類語 歓声。

***かん・こ**【×鹹湖】→えんこ(塩湖)。対 淡湖。

***かん・ご**【漢語】昔、中国からはいって日本語となったもので、音読する語。また、それにならって日本で作った語のうち、漢字音で読むもの。参考 →和語。

***かん・ご**【監護】《名・他サ》〔文〕〔非行者などを〕監督し、保護すること。

***かん・ご**【看護】《名・他サ》けが人や病人につきそって、手当てや世話をすること。「手厚い—」「—人」類語 看病。介護。介抱。⇩〔類義語の使い分け「介護」〕

—し【—師】法定の資格を持ち、医師の診療を手伝い、傷病者の看護をする人。—ふ【—婦】看護師の資格をもつ女性。

***かん・ご**【閑語】《名・自サ》〔文〕❶ゆったりした気分で話をすること。また、その話。❷ひまにまかせてむだ話をすること。また、その話。同 ①②閑談。閑話。

がん・こ【頑固】《形動》❶〔他からの力に動かされず〕ある一つの考えや態度を押し通そうとするようす。かたくな。「—に言い張る」「—な考え」「—一徹」類語 頑迷。固陋。強情。❷しつこく、いつまでも勢いが弱まらないようす。「—なみずむし」

***かん・こう**【刊行】《名・他サ》〔書物などを〕印刷して世に出すこと。出版。「—物」類語 上梓。発行。

***かん・こう**【勘校】《名・他サ》〔二つの文章などを〕くらべ合わせて異同や誤りをしらべること。校勘。

***かん・こう**【勘考】《名・他サ》〔文〕よく考えること。思案。「—の末、結論を出す」類語 勘案。考慮。

***かん・こう**【完工】《名・自他サ》工事が完了すること。工事を完了させること。類語 竣工。対 起工。

***かん・こう**【感光】《名・自サ》〔フィルム・乾板・印画紙などが〕光線の作用を受けて化学変化をおこすこと。「—紙(=印画紙)」

***かん・こう**【慣行】古くからある例にならって行われる事柄。ならわし。しきたり。「—に従う」「悪しき—」類語 慣例。慣習。習慣。

日本語

漢語

漢語はもともと日本に輸入された中国語で、漢字で書かれ、音読みされる単語である。たとえば、「天地」「言語」などが「立春」「山河」「男女」などが漢語である。

「心臓」「気管」のような生理学用語、「金」「銀」「水晶」などの鉱物用語は大部分が漢語であり、「運命」「過去」「知識」など、抽象的なものを表す単語も多い。日本で漢字を組み合わせて新作した漢語も多く、「油断」「心配」などがそれであり、特に明治以後、外国語を訳すために、「会社」「哲学」「本能」「文化」など多くの漢語が作られた。これらの中には中国へ逆輸出したものもある。

漢語には漢字二字のものが多く、また、その発音には制限があり、たとえば一漢字を二音節で読むものは、第二音節が「ン・ツ・イ・キ」など少数のものに限られている。そのために同音語が多い。

古く漢語は教養がある人が用いた関係上、一般には通じにくい難解なものがある。また、「あす」の代わりの「明日」、「持って行く」の代わりの「持参する」のような、改まった場で使うものもあり、「拝啓」「賀正」のような単語は女性は使わない傾向があった。

「物忘れ」と「失念」など、同じ意味であるが、漢語の方が高尚な言い方と考えられるものもあり、「宿屋」に対する「旅館」のように上等なものを指す語感のものもある。

***かん・こう**【敢行】《名・他サ》〔無理や障害を〕おしきって行うこと。「突撃を—する」類語 断行。強行。

***かん・こう**【×箝口・×鉗口】(「けんこう」の慣用読み)〔文〕❶《名・自サ》口を閉じてものを言わないこと。緘口。❷《名・他サ》発言や言論の自由を束縛すること。

—れい【—令】当事者にとって不利益な発言を禁ずる命令。「—を敷く」

***かん・こう**【緩行】❶《名・自サ》〔文〕ゆっくり進むこと。徐行。❷〔列車が〕各駅に停車しながら進むこと。(「鈍行」の改まった言い方)「—電車」対 急行。

***かん・こう**【×緘口】《名・自サ》〔文〕口を閉じてものを言わないこと。

***かん・こう**【観光】《名・自他サ》景色・名所・文物などを見物してまわること。「—客」「沖縄を—する」類語 見物。見学。遊覧。

***かん・こう**【還幸】《名・自サ》〔文〕天皇が出先からお帰りになること。類語 還御。還啓。対 行幸。

***かん・こう**【寛厚】《形動》〔文〕心がひろくて温厚なようす。

***がん・こう**【眼光】❶目のかがやき。目の光。「鋭い—」❷物事を見通す力。洞察力。「真実を見抜く—」

—紙背に徹・する《句》〔紙の裏側まで見通す意から〕読書をするとき、字句の意味だけでなく、背後の深い意味までくみとる。眼光紙背にとおる。

***がん・こう**【眼孔】❶眼球のはいっているあな。目のあな。❷見識(の範囲)。「—が広い」

***がん・こう**【×雁行】〔文〕❶空を飛ぶ雁の列。❷《名・自サ》ななめに並んで行くこと。「—飛行」❸《名・自サ》まさり劣りなく進むこと。「輸出高で—する二社」

がんこう・しゅてい【眼高手低】他人の作品を批評することは上手でも、自分で作るのは下手であること。

かん・こうしょ【官公署】官署と公署。役所。官庁。参考 皮肉って言う。

かん・こうちょう【官公庁】官庁と地方公共団体の役所。

かんこう・ば【勧工場】明治・大正時代に、多くの商店が一つの建物の中に商品を陳列し、正札をつけて販売した所。今の百貨店・マーケットなどの前身。

かん・こうへん【肝硬変】「肝硬変症」の略。結合組織が増殖するために肝臓が硬化する病気。

***かん・ごえ**【寒肥】寒中にほどこす肥料。寒ごやし。

***かん・ごえ**【×癇声】かんしゃくを起こして出す高い声。「—で子どもをしかる」

かん・こく【勧告】《名・他サ》❶〔そうしたほうがよい、

そうすべきであると〕説きすすめること。「退職を―する」類語 勧誘。説得。❷〔法〕ある事柄について、ある処置をすすめ、またはうながす行為。「人事院―」

*かん-ごく【監獄】刑事被告人や自由刑に処せられた者を拘禁する施設。「刑務所・拘置所」の旧称。

*かん-こつ【寛骨・×髖骨】腰部で、脊椎(せきつい)骨と下肢とを連結する骨。表記「寛骨」は代用字。

*かん-こつ【×顴骨】《「けんこつ」の慣用読み》顔の上部、目の斜め下の方にある、つきでた骨。ほおぼね。

かんこつ-だったい【換骨奪胎】《名・他サ》〔文〕〔骨をとりかえ、胎(=胎児)を取って使う意から〕古人の作った詩文の作意や内容を生かしながら、表現形式や語句などに新たな工夫を加えて新しい作品を作ること。参考 俗に、「焼き直し」の意で使うこともある。

かんこ-どり【閑古鳥】「かっこう」の別名。
―が鳴・く《句》《カッコウが鳴く山里のように人けがない意》客がおとずれず、さびしくひまなようす。

かん-ごり【寒×垢離】寒中に冷水を浴びて神仏に祈願をする修行。

かん-こん-そう-さい【冠婚葬祭】人生の四つの重大な礼式。冠礼(元服)と婚礼と葬式と先祖の祭り。慣習としてきまった形式を尊重して行われる。

*かん-さ【監査】《名・他サ》〔経営・会計などを〕監督し、検査すること(人)。「会計―」「―役」「―請求」

*かん-さ【鑑査】《名・他サ》〔書画・彫刻などを〕よく調べて評価を下すこと。「作品を―する」類語 審査。

*かん-さい【完済】《名・他サ》借金などを全部返すこと。皆済(かいさい)。「ローンを五年で―する」

*かん-さい【漢才】〔文〕漢学の才能。また、大陸風の教養。からざえ。かんざえ。かんざい。「和魂―」

*かん-さい【関西】❶昔、逢坂(おうさか)の関所から西の諸国。❷現今、京都・大阪・神戸・奈良などを中心とする地方。特に、京阪神地方。関西地方。「―訛(なま)り」「―料理」対 ①②関東。

*かん-ざい【寒剤】低温を得るために使う混合物。たとえば氷に塩を入れたものなど。起寒剤。

*かん-ざい【管財】財産を管理したり、財務の仕事をしたりすること。「―人」「―課」

*かん-さく【×奸策・×姦策】〔文〕〔人をだます〕わるだくみ。奸計。「―を弄(ろう)する」

*かん-さく【間作】《名・他サ》❶ある作物のうねの間に、他の作物を作ること。また、その作物。あいさく。❷ある作物を収穫し、次の作物を植えるまでの間、短期間で収穫できる作物を作ること。また、その作物。

がん-さく【×贋作】《名・他サ》にせの作品を作ること。また、その作品。「ピカソの―」類語 偽作。贋造。

かん-ざけ【×燗酒】あたためた日本酒。燗(かん)をした日本酒。「おでんに―」対 冷や酒。

かん-ざし【×簪】《「かみさし」の音便》❶冠が落ちないようにもとどりを貫いて支えるもの。❷女性の日本髪にさす装飾品。「べっこうの―」類語 かみかざり。

*かん-さつ【監察】《名・他サ》〔経営・行政などが正しく行われるように〕調べて、とりしまること。「―官」

*かん-さつ【観察】《名・他サ》〔物事の状態・なりゆきなどを〕注意深く見守ったり見きわめたりすること。「―眼」「アサガオを―する」

*かん-さつ【鑑札】〔法〕ある種の営業や行為などに対して、役所が交付する許可証。「犬の―」参考 新しい法令では、「免許証」または「許可証」の語を用いる。

がん-さつ【×贋札】〔文〕本物に似せて作った紙幣。贋造(がんぞう)紙幣。にせ札。

かん-ざまし【×燗冷(ま)し】一度燗(かん)をした酒の冷えたもの。

かん-ざらし【寒×晒し】❶〔穀類などを〕寒中にさらすこと。また、そのさらしたもの。❷寒中に、もち米を水にさらしてひいた粉。白玉粉(しらたまこ)。寒ざらし粉。

*かん-さん【換算】《名・他サ》ある数量を別の単位で計算して表すこと。また、その計算。換算(かんざん)。「ドルを円に―する」「―率」

*かん-さん【甘酸】〔文〕〔甘いことと、すっぱいことの意から〕楽しみと苦しみ。「―をなめる」類語 甘苦。

*かん-さん【閑散】《名・形動》《「―と」の形も》❶〔文〕することがなくひまなこと。「―の身」❷静かでひっそりとしていること。「―とした店内」「―な住宅地」❸市場の商いが不活発なこと。「商況は―」

がん-ざん【元三】〔文〕❶元日。参考 年・月・日の三つの元(=はじめ)の意。❷元日から三日間。=元三(がんさん)。

*かん-し【冠詞】(article)欧米語などに見られる品詞の一つ。名詞の前につけて、数・性・格などを示す語。英語の the, a やフランス語の le, la, les やドイツ語の der(des, dem, den)など。「定―」「不定―」

*かん-し【干支】十干(じっかん)と十二支。また、それらを組み合わせたもの。えと。参考 年や日に配当して使う。

*かん-し【漢詩】中国の詩。また、それをまねて日本で作った詩。ふつう、一句が四言(しごん)・五言(ごごん)・七言(しちごん)などからなり、平仄(ひょうそく)や脚韻の規則がある。古詩・楽府(がふ)・絶句・律詩などの種類がある。からうた。

*かん-し【環視】《名・他サ》〔多数の人が〕まわりをとりまいて見ること。「衆人―の中」

*かん-し【監視】《名・他サ》〔悪い行為が行われないように〕人の行動を注意して見張ること(人)。「―の目を光らせる」「―を怠る」

*かん-し【×諫止】《名・他サ》〔文〕いさめて、思いとどまらせること。「暴挙を―する」

*かん-し【×諫死】《名・自サ》〔文〕非をいさめるために死ぬこと。また、死を覚悟していさめること。

*かん-し【×鉗子】手術のときなどに使う、はさみのような形をした金属製の医療器具。

*かん-じ【幹事】〔会・団体などで〕中心になっていろいろな事務の処理や折衝に当たる役(の人)。「社内旅行の―」「―長」類語 世話人。世話役。宰領。

*かんじ【感じ】❶知覚すること。感覚。感触。「指先の―がなくなる」❷物事から受ける印象や物事が引き起こす感情。「―が悪い(=不快な印象を与える)」

*かん-じ【漢字】中国で作られ使用されてきた、一字一音節の表意文字。ふつう、日本で作られた国字も含めていう。真名(まな)。本字。

*かん-じ【監事】❶団体などで庶務を担当する役(の人)。❷法人の業務・会計などを監督する機関や人。

*かん-じ【×莞×爾】《形動タルト》〔文〕〔男が満足げに〕にっこりと笑うようす。「―として死地に赴(おもむ)く」注意 女がにっこりと笑うときは、多く「嫣然(えんぜん)」を使う。

かんじ-い・る【感じ入る】《自五》心に深く感じる。ひどく感心する。「見事な技に―る」

がんじ-がらめ【×雁字×搦め】❶ひも・なわなどを左右縦横から幾重にも堅く巻きつけること。「―にしばる」❷強い束縛をうけて、ぬけ出す方法がなくなること。

「規則でーにされる」=がんじがらみ。

かん-しき【鑑識】 ❶《名・他サ》物のよしあしや真偽などを見わける・こと(力)。「ー眼」尊敬 御眼鏡(おめがね)。❷犯罪捜査で、指紋・血液型・筆跡などを科学的に調べること。また、それを担当する係(の人)。

かんじき【×樏・×橇】 深い雪の上を歩くとき、足が雪の中に入り込まないように、はきものの下につけるもの。木の枝・つるなどを輪の形にまげて作る。わかん。わかんじき。

樏

がん-しき【眼識】 物事の真偽・善悪・優劣などを見わける力。「ーの高い人」類語 鑑識眼。

かん-じく【巻軸】 ❶巻物。❷巻物の、軸に近い部分。また、書物の末尾の部分。❸巻物や書物にある詩歌・俳句の中で、最もすぐれているもの。巻頭。

*__かん-しつ【乾湿】__ 乾燥していることと、湿っていること。「ー計(=空気中の湿度をはかる装置)」

*__かん-しつ【乾漆】__ ❶漆の液がかわいてできたかたまり。漢方薬の一つ。❷奈良時代に中国から伝わった工芸技術の一つ。麻布を何枚も漆で塗りかため、上塗りをしてしあげる。仏像などの製作に用いられた。

がん-しつ【眼疾】 〔文〕目の病気。眼病。類語 めやみ。

がん-じつ【元日】 一年の最初の日。一月一日。類語 元旦。元朝。

かん-じつげつ【閑日月】 〔文〕❶ひまな月日。❷気持ちに余裕のあること。「胸中おのずからーあり」

*__かん-しゃ【官舎】__ 官吏・公吏の住居として、政府・自治団体などがつくった住宅。公舎。類語 公邸。官邸。

*__かん-しゃ【感謝】__ 《名・他自サ》〔他からの行為を〕ありがたいと思うこと。「神にーする」「ーの意を表す」「ーに堪えない」⇩〔類語と表現〕

類語と表現

◆「感謝」

*好意に感謝する・深く感謝する・心から感謝します・これは感謝のしるしです・感謝の言葉もありません・感謝感激・感謝状。

◆謝意・謝恩・謝儀・謝金・謝辞・謝状・謝礼・深謝・万謝・拝謝・礼・御礼・感恩・感佩(かんぱい)・三拝九拝/ありがたがる・恩に着る・多とする・徳とする

◆挨拶 ありがとう(ございます)・すみません・恐れ入ります・痛み入ります・かたじけない・もったいない・恐れ多い・心苦しい・厚く御礼申し上げます・感謝至極に存じます・お礼の申し上げようもございません・おおきに・サンキュー・メルシー・ダンケ・謝々(シエシエ)

*__かん-しゃ【甘×蔗】__ ↓かんしょ(甘蔗)。

*__かん-じゃ【冠者】__ 〔文〕❶昔、元服をして冠をつけた少年。❷わかもの。「猿面(さるめん)ー」❸六位で無官のもの。❹〔大名などの〕召使の若者。=冠者(かじゃ・かんざ)。

*__かん-じゃ【患者】__ 病気・けがなどをして治療を受ける人。クランケ。「ーを診察する」「入院ー」

*__かん-じゃ【間者】__ 敵方にはいりこみ、そのようすをさぐる者。間諜(かんちょう)。スパイ。〔古風な言い方〕「ーを放つ」「ーがはいり込む」類語 まわしもの。隠密(おんみつ)。

*__かん-しゃく【官爵】__ 〔文〕官職と爵位。

*__かん-しゃく【×癇×癪】__ 感情をおさえ切れず、すぐに怒りを表すこと。また、その性質。「ーを起こす」「ー持ち」類語 癇癖(かんぺき)。 **ーだま【ー玉】** ❶〔俗〕かんしゃく。❷砂をまぜた火薬を紙につつんで小さな玉にしたおもちゃ。ぶつけると大きな音を出して爆発する。

かん-じゃく【閑寂】 《名・形動》〔文〕〔おもむきがあって〕ものさびしく静かなこと。「ーを楽しむ」「ーな庭園」類語 閑静。静寂。寂寞(じゃくまく・せきばく)。

*__かん-しゅ【巻首】__ 〔文〕巻物や書物のはじめの部分。巻頭。対 巻尾。巻末。

*__かん-しゅ【監守】__ 《名・他サ》〔文〕監督し保護する・こと(人)。類語 看守。管守。

*__かん-しゅ【看取・観取】__ 《名・他サ》〔物事の事情などを〕見てそれと知ること。「たくらみをーする」

*__かん-しゅ【看守】__ ❶〔文〕管理し、見守る・こと(人)。❷〔法〕刑務所で、所内の巡視・警備、囚人の監督などにあたる役(の人)。類語 監守。

*__かん-しゅ【管守】__ 《名・他サ》〔文〕保管し守る・こと(人)。類語 監守。

*__かん-しゅ【艦首】__ 軍艦のへさき。類語 船首。対 艦尾。

*__かん-じゅ【官需】__ 政府・官庁の需用。対 民需。

*__かん-じゅ【感受】__ 《名・他サ》❶感じ取って受け入れること。「喜びをーする」❷〔心〕感覚神経によって、外界の刺激を感じ取ること。 **ーせい【ー性】** 外界からの刺激を感じ取って心に感動をよびさます能力。センシビリティー。「ーの鋭い人」類語 感性。

*__かん-じゅ【甘受】__ 《名・他サ》やむを得ないものとして、あまんじて受けること。「非難をーする」

*__かん-じゅ【貫首・貫主】__ ❶かしらに立つ人。❷天台宗の最高の僧職。貫長。座主(ざす)。❸各宗の総本山・諸大寺などの長。管長。貫長。=貫首(かんじゅ・かんしゅ)。

*__がん-しゅ【×癌×腫】__ 上皮性の細胞(=皮膚・粘膜・腺など)に発生する、悪性のはれもの。参考 ↓癌(がん)。

*__がん-しゅ【願主】__ 〔文〕神仏に願い事をする、本人。

*__かん-しゅう【慣習】__ 長年にわたって行われてきたしきたり。ならわし。「ーに従う」類語 慣行。習慣。 **ーほう【ー法】** 慣習が、民衆の法意識にささえられて、法としての効力をもつようになったもの。不文法。

類義語の使い分け 慣習・習慣

〔慣習・習慣〕 これまでの慣習(習慣)に従って行う

〔慣習〕 従来の慣習を考慮して制度を改革する

〔習慣〕 早寝早起きの習慣がついて健康になる

*__かん-しゅう【監修】__ 《名・他サ》書物の著述・編集などを責任をもって監督する・こと(人)。「辞書をーする」

*__かん-しゅう【観衆】__ 〔スポーツ・見せ物などをみる〕大勢の見物人。「ーが殺到する」類語 観客。

類義語の使い分け 観衆・観客

〔観衆・観客〕 劇的ホームランに観衆(観客)が熱狂する

〔観衆〕 五万を超える大観衆がスタンドを埋めつくす

〔観客〕 観客がまばらで空席が目立つ/観客動員数

がん-しゅう【含×羞】 〔文〕はじらい。

*__かん-じゅく【完熟】__ 《名・自サ》果実や種子が完全に熟すこと。類語 豊熟。円熟。成熟。対 未熟。

*__かん-じゅく【慣熟】__ 《名・自サ》物事に十分なれて、じょうずになること。「操縦にーする」類語 習熟。

かん-しゅだん【慣手段】 〔文〕いつも用いている手

段。慣用手段。

*かん-しょ【官署】〔文〕政府関係の仕事をする諸機関の総称。役所。官庁。「―へ陳情に行く」類語 公署。

*かん-しょ【漢書】〔文〕漢文で書かれた(中国の)書物。漢籍。からぶみ。参考「かんじょ」と読めば「中国の前漢の歴史をかいた書物」の意。対 洋書。和書。国書。

*かん-しょ【甘×蔗】《「かんしゃ」の慣用読み》「さとうきび」の別称。

*かん-しょ【甘×藷・甘×薯】「さつまいも」の別称。

*かん-しょ【関×雎】夫婦が仲むつまじく礼儀正しいこと。故事「関」は「関関(=鳥ののどかに鳴く声)」の略、「雎」は「雎鳩(しょきゅう)(=ミサゴ。夫婦仲がよいとされる水鳥)」の略。文王と王妃との和合の徳を詠じた「詩経」の詩から。

*かん-じょ【官女】昔、宮中・将軍家などに仕えた女。官女(かんにょ)。「三人―」類語 女官。

*かん-じょ【寛×恕】❶〔文〕心が広く、思いやりがあること。❷《名・他サ》広い心であやまちなどをゆるすこと。「ご―を請う」

*かん-じょ【緩徐】《形動》〔文〕〔物事の進み方が〕ゆっくりしているようす。「―楽章」類語 徐々。緩慢。

*がん-しょ【×雁書】〔文〕手紙。書簡。雁字。故事 漢の蘇武(そぶ)が匈奴(きょうど)にとらえられたとき、手紙を雁の脚に結びつけて漢帝に送ったという故事から。

*がん-しょ【願書】❶神仏への願いごとを書いた文章。願文(がんもん)。❷許可を求めるために必要事項をしるして提出する書類。特に、入学願書。

*かん-しょう【冠省】〔文〕〔季節のあいさつなどを省略したの意で〕手紙文の最初に書く語。類語 前略。

*かん-しょう【勧奨】《名・他サ》〔文〕よいことだといってすすめること。「退職―」類語 奨励。⇩〖使い分け〗

*かん-しょう【勧賞】《名・他サ》〔文〕ほめ励ますこと。「―にあたいする行い」

*かん-しょう【×奸商・×姦商】〔文〕不正な手段で利益を得る商人。悪徳商人。

*かん-しょう【干渉】《名・自サ》❶自分と直接関係のない物事に立ち入って、あれこれと口出しすること。「他人の生活に―する」類語 容喙(ようかい)。❷〔法〕国際法で、一国が他国の内政・外交などに対して強制的に介入することで。「三国―」「内政―」❸〔理〕〔光波・音波などで〕二つの波がかさなりあって、その力をある点では強めあい、ある点では弱めあうこと。また、その現象。

*かん-しょう【感傷】物事に心を動かされやすいこと。特に、さびしくなったり悲しくなったりしやすいこと。「―にふける」―てき【―的】《形動》悲哀の感情にとらわれやすいようす。センチメンタル。「―な詩」

*かん-しょう【感賞】〔文〕❶《名・他サ》感心してほめること。類語 嘆賞。❷功績をほめて与えるほうび。

*かん-しょう【環礁】環状に発達して海面をとりかこんでいるさんご礁。「ビキニ―」

*かん-しょう【×癇症・×癇性】❶〔医〕疳(かん)①。表記 ふつう「癇症」と書く。❷《名・形動》神経質で、ひどく怒りっぽかったり、ひどく潔癖であったりすること。

*かん-しょう【管掌】《名・他サ》❶つかさどること。「人事を―する」❷〔法〕自分の管轄の仕事として、監督し取り扱うこと。「政府―の健康保険」類語 管理。

*かん-しょう【緩衝】《名・他サ》対立する物の間で、その不和や衝突をやわらげる・こと(もの)。「―地帯」

*かん-しょう【観照】《名・他サ》対象を主観をまじえずにありのままに観察し、その深い意味をとらえようとすること。「人生を―する」⇩〖使い分け〗

*かん-しょう【観賞】《名・他サ》見てほめ味わいながら楽しむこと。「―魚」⇩〖使い分け〗

*かん-しょう【鑑賞】《名・他サ》見たり聞いたりして理解し、味わうこと。「文学―」⇩〖使い分け〗

使い分け「カンショウ」

鑑賞〔芸術作品を味わう〕芸術鑑賞・名曲を鑑賞する・詩を鑑賞する・能楽を鑑賞する・名園を鑑賞する

観賞〔美しいもの珍しいものをながめ楽しむ〕観賞魚・桜の花を観賞する・夜景を観賞する・名月観賞会

観照〔客観的に観察し本質を見きわめる〕自然を観照する・観照的態度を貫く

勧奨〔すすめはげます〕退職勧奨・新種の栽培を勧奨する・勧奨は通告の前段階

参考「鑑賞/観賞」の区別は芸術作品か否かにあるが、現実の表記としては「名月鑑賞会・鯉(こい)の鑑賞会」が行われたり、「映画鑑賞・映画観賞」などの二様の表記が行われたりする。前者は、名月・鯉を芸術相当と見なしたもの、後者は芸術の認定を巡って表記がゆれている例である。共に誤りとすることはできない。

*かん-しょう【簡×捷】《形動》〔文〕物事の進め方が手軽ですばやいようす。類語 敏捷(びんしょう)。

*かん-じょう【冠状】冠(かんむり)のような形。かんむり状。―どうみゃく【―動脈】心臓壁に冠状に分布する動脈。

*かん-じょう【勘定】❶《名・他サ》数をかぞえること。計算。「人数を―する」❷《名・他サ》金銭の収支を計算すること。また、その結果得られた値や収支の決算。「―が合わない」❸〔複式簿記で〕増加と減少を記入する二つの欄(=借方・貸方)をもった計算単位。資産・負債・資本・収益・費用の各項目の変動を明らかにするために設ける。❹《名・他サ》代金を支払うこと。また、その代金。「彼女が来ることも―に入れる(=考慮する)」―ずく【―▽尽く】《名・形動》損得だけを考えて事をすること。計算ずく。そろばんずく。表記 現代仮名遣いでは「―づく」も許容。―だか・い【―高い】《形》損得の計算に細かい。打算的である。算盤(そろばん)高い。―合って銭足らず《句》〔計算は合っているが現金が不足している意から〕理論と実際とが一致しないたとえ。

*かん-じょう【勧▽請】《名・他サ》❶神仏の霊を分けて、別の所に移し祭ること。❷神仏の霊のおいでを願うこと。「田の神を―する」

*かん-じょう【干城】〔文〕君主や国家を守るための盾や城。転じて、国を守る武士・軍人。

*かん-じょう【感情】心の中におこる、うれしい・悲しい・楽しい・さびしいというような感じ。気持ち。「―を抑える」「―に走る」「―を害する」類語 気分。情操。―いにゅう【―移入】(ドイツ Einfühlung)芸術作品や自然などの対象の中に自分の感情を投射し、対象と自分とが一つに融合することを意識する心理作用。―てき【―的】《形動》❶感情に関するようす。「―には理解できる」❷感情をすぐ表面に出しがちなようす。「すぐに―になる人」対 理性的。

*かん-じょう【感状】〔文〕功績のあった者に上官が与

える賞状。「—授与式」

*かん・じょう【環状】環のような形・状態。「—星雲」「—線（＝環状に走る電車・バスなどの路線）」

*かん・じょう【管状】くだのような形。管状。

*かん・じょう【艦上】軍艦の上。軍艦の上の部分。

*がん・しょう【岩床】岩漿が地層の間にはいりこみ、板状に広がってかたまったもの。

*がん・しょう【岩×漿】地中の深い所で種々の鉱物が地熱でどろどろに溶けているもの。地表に噴出すると溶岩になり、冷えて固まると火成岩になる。マグマ。

*がん・しょう【岩礁】海水の下にかくれている大きな岩。類語 暗礁。

*がん・しょう【×翫賞】《名・他サ》〔文〕美術品・文学作品などのよさを味わうこと。賞翫。鑑賞。

がん・じょう【頑丈】《形動》丈夫でがっしりしているようす。「—なからだ」「—にできているテーブル」表記「岩乗」「岩畳」とも書いた。類語 堅固。

*かん・しょく【寒色】寒い感じをあたえる色。青色、またはそれに近い色。対 暖色。温色。

*かん・しょく【官職】❶官と職。参考「官」は公の職務の分類、「職」は担当すべき職務の範囲。❷〔法〕国家公務員が一定の職務と責任をもって占める地位。

*かん・しょく【感触】❶外からの刺激に触れて心に起こる感じ。「初夏の—」❷外からの刺激に触れて皮膚に起こる感じ。手ざわり。はだざわり。「つるつるした—」類語 触感。❸〔相手の態度や話などから〕何となく受ける感じ。「成算ありとの—をつかむ」

*かん・しょく【間色】原色をまぜあわせてできる色。中間色。

*かん・しょく【間食】《名・他サ》食事と食事の間にものを食べること。また、その食べ物。あいだぐい。

*かん・しょく【閑職】あまり大した仕事のない職務。重要でない職。「—にある」「—に移される」対 激職。

がん・しょく【顔色】〔文〕かおの色。かおつき。顔色。「—無し（＝恐れや驚きのため、顔が青くなる。相手に圧倒されて、なすすべを知らないたとえ）」

*かん・じる【感じる】《他上一》→感ずる。

*かん・じる【観じる】《他上一》→観ずる。

*かん・しん【寒心】《名・自サ》〔こわさや心配のために〕ぞっとすること。おそろしく思うこと。「—に堪えない」

*かん・しん【×奸臣・×姦臣】主君に対して、わるだくみをする家臣。

*かん・しん【感心】《名・形動・自サ》りっぱなものや行動に対して、深く心を動かされること。「見事な作品に—する」参考 逆説的に、つまらない事やばかばかしい行為に対して、驚きあきれる気持ちをこめても言う。「頭の悪いのには—した」

*かん・しん【歓心】〔自分によくしてくれた相手に対して〕うれしいと思う心。「上司の—を買う（＝気に入られようとして努める。きげんをとる）」

*かん・しん【甘心】《名・自サ》それでよいと思うこと。快く思うこと。満足すること。〔古めかしい言い方〕

*かん・しん【関心】特に心にとめること。特に心をひかれること。「—が高い」類語 興味。—じ【—事】特に心にかかっている事柄。「国民の一大—」

*かん・じん【勧進】《名・他サ》❶〔仏〕すすめて仏道にはいらせ、功徳をつませること。勧化。❷〔仏〕堂塔・仏像などの建立や修理のため、寄付をつのること。勧化。❸出家姿で物を集める・こと（人）。❹ものごいをする・こと（人）。ものもらい。乞食。—ちょう【—帳】勧進②の趣旨をしるした帳面・巻物。—もと【—元】❶勧進②のためにする相撲・芝居などの興行主。❷ある事を発起し、その世話をする人。

*かん・じん【寛仁】《名・形動》〔文〕心が広く思いやりがあること。寛仁。「—大度（＝寛大でなさけ深く、度量が大きいこと）」類語 寛大。

*かん・じん【閑人】〔文〕ひまな人。閑人。

*かん・じん【肝心・肝×腎】《形動》〔肝と心、または、肝臓と腎臓はからだの中で欠かせないものであることから〕何かをするのにそれがいちばん大切であるようす。「—な勉強を怠る」「辛抱が—だ」類語 肝要。—かなめ【—▽要】《形動》きわめて肝心なようす。もっとも大切なようす。「—の主役が決まらない」

かんしん・せい【完新世】地質時代の区分の一つ。新生代第四紀の更新世の次の時代で、約一万年前から現在まで。もと、沖積世といった。

かんじん・より【かんじん×縒り】《「かんぜより」の転》→かんぜより。

かん・す【×鑵子】❶茶の湯に使う茶釜。❷青銅・真鍮製の湯わかし。類語 鉄びん。

*かん・すい【冠水】《名・自サ》〔商品・田畑・作物・橋などが〕大水などで水をかぶること。「—品」

*かん・すい【完遂】《名・他サ》完全にしとげること。「目的を—する」注意「かんつい」は誤読。類語 貫徹。

*かん・すい【×梘水】中華そばの粉をとくときに混ぜる、炭酸ナトリウムを含んだ水。

*かん・すい【×灌水】《名・自サ》水をそそぎかけること。「畑に—する」

*かん・すい【×鹹水】塩を含んだ天然の水。海水。「—魚」類語 塩水。対 淡水。

がんすい・たんそ【含水炭素】「炭水化物」の旧称。

かん・すう【関数・×函数】（function）ある数 y が他の数 x の変化につれてきまった変化をするとき、x に対する y のこと。参考 y が x の関数であることを $y=f(x)$ で表す。表記「関数」は代用字。

かん・すうじ【漢数字】漢字のうちで、数を表すもの。一・十・百・千・万など。

*かん・する【×姦する】㊀《自サ変》〔文〕姦通する。㊁《他サ変》〔文〕女をおかす。

*かん・する【関する】《自サ変》ある物・事に関係をもつ。かかわる。関係する。「人命に—する問題」

*かん・する【冠する】㊀《他サ変》〔文〕❶冠を頭にのせる。❷〔あることばを〕上につける。「企業名を—したスポーツ大会」㊁《自サ変》〔文〕元服する。

*かん・する【×箝する】《他サ変》〔文〕❶はさむ。❷→緘する②。

*かん・する【×緘する】《他サ変》〔文〕❶開かないように封をする。❷〔口を—する〕口を閉じる。また、口を封じて物を言わせない。箝する。

*かん・ずる【感ずる】《他サ変》❶刺激されて感覚を生じる。「肌で—ずる」❷感動する。感心する。「人生意気に—ずる」❸心に思う。「不安を—ずる」「—ずる所あって辞職する」＝感じる。⇩〔類語と表現「思う・考える・感ずる」〕

*かん・ずる【観ずる】《他サ変》❶〔仏〕心を落ちつけて真理をさとる。思いみる。❷心に思い浮かべて観察する。「無常を—ずる」「時局を—ずる」＝観じる。

か

*かん・せい【乾性】❶すぐ乾いてしまう性質。「―塗料」❷水分をあまり含まない性質。[対]湿性。

*かん・せい【喚声】驚いたり興奮したりして出すさけび声。「あまりの美しさに―をあげる」

*かん・せい【×喊声】〔味方を勇気づけ、敵を恐れさせるために〕大ぜいの人があげるさけび声。「―をあげて突進する」「天地をゆるがす―」鯨波(げいは)。ときの声。

*かん・せい【完成】《名・自他サ》すっかりできあがること。また、全部しあげること。「新校舎が―した」「―を見る」「―品」[類語]完了。完結。完遂(かんすい)。達成。

*かん・せい【官制】もと、国の行政機関の名称・組織・権限などを決めた法規。

*かん・せい【官製】政府で作ること。また、そのもの。「―はがき」[対]私製。

*かん・せい【感性】〔悟性・理性に対して〕外界からの刺激によって何らかの印象を感じとることができる直観的・受動的な能力。「豊かな―」[類語]感受性。

*かん・せい【慣性】他から力の作用をうけない限り、物体がいつまでもその運動または静止の状態をかえない性質。惰性(だせい)。「―の法則」

*かん・せい【歓声】喜んで出すさけび声。よろこびの声。「群衆の間に―が起こる」[類語]歓呼。

*かん・せい【管制】《名・他サ》❶非常の場合などに、国家が強制的に自由な活動・使用を管理・制限すること。「報道―を敷く」「灯火―」[類語]統制。❷航空機の航行を管理・規制すること。「―官」「―塔」

*かん・せい【陥×穽】〔文〕❶落とし穴。わな。❷人をおとし入れるための計略。「敵の―にはまる」

*かん・せい【×鼾声】〔文〕いびき。

*かん・せい【閑静】《形動》〔場所などが〕静かでひっそりとしているようす。「―な住まい」「―な山里」

*かん・ぜい【間税】「間接税」の略。[対]直税。

*かん・ぜい【関税】輸入される貨物に課する税金。

がんせい・ひろう【眼精疲労】長い間目をつかうと疲れ、頭痛・視力低下をきたす状態。

かんぜおん【観世音】大慈大悲(だいじだいひ)の徳をそなえ、人々のなやみを救う菩薩(ぼさつ)。阿弥陀(あみだ)仏の左脇(ひだりわき)に立つ。観自在菩薩。観世音菩薩。観音。

かん・せき【漢籍】漢文で書かれた書物。漢書(かんしょ)。

がん・せき【岩石】地殻をつくっている物質。火成岩・水成岩・変成岩・混成岩に大別される。岩。「―圏」

*かん・せつ【冠雪】雪が山の頂に〔かぶりものをつけたように〕降り積もること。「富士山の初―」

*かん・せつ【官設】政府や国家の費用で設置すること。また、そのもの。[類語]公設。[対]私設。

*かん・せつ【環節】節足動物・環形動物のからだをかたちづくる、環(わ)のような形の節。

*かん・せつ【間接】物と物とがじかに関係しないで、間に他のものをおいていること。また、遠まわしな状態で対していること。「直接―の援助」「―照明」「―にしか知らない人」[対]直接。―きつえん【―喫煙】喫煙者から流れてくる煙を、たばこを吸わない人まで吸わされてしまうこと。受動喫煙。―ぜい【―税】実際に税を負担する人とそれを納める人とが異なる税。消費税・酒税・たばこ税など。間税。[参考]製造・販売者が納税者となり、消費者は負担者となる。[対]直接税。―せんきょ【―選挙】有権者が選挙人をえらび、その選挙人が代表者をえらぶ選挙制度。アメリカ大統領の選挙など。[対]直接選挙。

*かん・せつ【関節】二つの骨のつながっている部分。骨の連結部。「―が外れる」「―炎」

かん・ぜつ【冠絶】《名・自サ》〔文〕とびぬけてすぐれていること。「周囲に―する」「天下に―する」[類語]卓絶。

がんぜ・な・い【頑是無い】《形》幼くて、してよいことと悪いことの区別がつかない。「―・い子ども」

かんぜ・より【観世×縒(り)】和紙を細く切って、指先でかたくよってひものようにしたもの。書類をとじたりするのに使う。かんじんより。かんじより。こより。

*かん・せん【乾×癬】銀白色のうろこ状の細片をつけた発疹(はっしん)ができる慢性の皮膚病。

*かん・せん【官選】《名・他サ》〔ある役目につく人を〕政府でえらぶこと。国選。「―弁護人」[対]民選。

*かん・せん【幹線】道路・鉄道・電線などで、おもな地点間を結ぶ、中心となる線。[類語]本線。[対]支線。

*かん・せん【感染】《名・自サ》❶病原体が体内にはいること。うつること。「結核に―する」[類語]伝染。❷ある物事に感化・影響されること。「悪に―する」―しょう【―症】病原微生物に感染してかかる病気。結核・コレラなど。[類語]伝染病。[参考]「感染症予防法」によりあらたに定義された語。

*かん・せん【汗×腺】皮膚の中にあって汗を出す腺。

*かん・せん【艦船】❶軍艦と、一般の船舶。❷〔海軍で〕艦艇の総称。[類語]兵船。

*かん・せん【観戦】《名・他サ》戦争・試合などの〔勝ち負けの〕ようすを見ること。「名人戦を―する」

*かん・ぜん【勧善】よい行いをすすめること。―ちょうあく【―懲悪】よい行いをすすめ、悪い行いをいましめこらしめること。勧懲。

*かん・ぜん【完全】《名・形動》欠点や不足のないこと。必要な条件が十分にそろっていること。「―な形」「―を期する」[類語]万全(ばんぜん)。完璧(かんぺき)。⇩〔類義語の使い分け「完璧」〕―むけつ【―無欠】《名・形動》完全でまったく欠点のないこと。〔「完全」を強めた言い方〕「―の防備」

*かん・ぜん【間然】《名・他サ》〔文〕欠点を指摘して非難すること。―する所が無・い《句》完全でとやかく言う余地がない。完璧(かんぺき)である。

*かん・ぜん【敢然】《形動タルト》〔正しいと思うことを〕思いきって行うようす。「―と立ち向かう」[類語]決然。

がん・ぜん【眼前】〔その人が見ている〕目の前。すぐ近い所。目前。「―の光景」[類語]眼下。

かん・そ【簡素】《名・形動》かざりけがなく、簡単で質素なこと。「―な結婚式」「―化を図る」

がん・そ【元祖】❶〔一家の〕先祖。❷ある物事を始めた最初の人。創始者。[類語]鼻祖。始祖。

*かん・そう【乾燥】《名・自他サ》かわくこと。また、かわかすこと。「―させた果実」「空気が―している」

*かん・そう【乾草】かりとってほした草。ほしくさ。

*かん・そう【完走】《名・自サ》〔きめられたコースを〕最初から最後まで走り通すこと。

*かん・そう【感想】ある事柄について、自然に心に浮かぶ思い。所感。「―文」[類語]随想。所見。感慨。

*かん・そう【歓送】《名・他サ》出発する人を祝いはげまして、よろこんで見送ること。「―会」[対]歓迎。

*かん・そう【観想】《名・他サ》〔真の姿をとらえようとして〕静かに思いをこらすこと。「人生を―する」

*かん-そう【観相】人相・手相などを見て、その人の性質や運命を判断すること。「—術」

*かん-そう【間奏】独奏や独唱などの途中で、伴奏楽器だけで演奏する部分。また、その演奏。 —きょく【—曲】多楽章の楽曲の間やオペラの幕あいなどに演奏される小曲。インテルメッツォ。

*かん-ぞう【甘草】マメ科の多年草。夏から秋にかけてちょう形の淡紅色の花を開く。根は乾燥させて、甘味料・薬用に用いる。甘草(あまくさ)。

*かん-ぞう【肝臓】内臓器官の一つ。腹腔(ふっこう)の右上部にある大きな分泌腺(ぶんぴつせん)。胆汁(たんじゅう)を分泌し、炭水化物をグリコーゲンとしてたくわえるほか、解毒作用など、多様な機能をもつ。

*かん-ぞう【×萱草】ユリ科の多年草。葉は剣状で、夏、オレンジ色のユリに似た花を開く。萱草(けんぞう)。

*がん-そう【含×嗽・含×漱】❶《名・自サ》〔文〕口をすすぐこと。うがい。❷「含嗽剤(がんそうざい)」の略。うがい薬。

*がん-そう【顔相】かおつき。

がん-ぞう【×贋造】《名・他サ》本物に似せてつくること。また、そのつくったもの。偽造。「千円札を—する」「—紙幣」類語 変造。贋作(がんさく)。

かん-そく【観測】《名・他サ》❶自然現象を詳しく観察・測定すること。「気象—」❷物事をよく観察し、将来の成り行きをおし測ること。「希望的—」

かん-ぞく【×奸賊・×姦賊】〔文〕心のねじけた邪悪な悪人。〔賊を憎んだ言い方〕

かん-そん【寒村】人家も産物も少ない辺地の村。さびしく、貧しい村。「海浜の—」類語 貧村。

かんそん-みんぴ【官尊民卑】政府や官吏を尊いとし、民間や人民のことを卑しいとすること。

カンタータ 管弦楽つきの独唱・重唱・合唱からなる、大がかりな声楽曲。交声曲。「教会—」▽(イタリア) cantata

カンタービレ 器楽曲の発想記号の一つ。なだらかに演奏することを表す。「歌うように」の意。▽(イタリア) cantabile

*かん-たい【寒帯】地球の南緯・北緯それぞれ六六度三三分から両極までの地帯。非常に寒冷な地帯。参考 →温帯・熱帯。

*かん-たい【歓待・款待】《名・他サ》よろこんで、心をこめてもてなすこと。「遠来の客を—する」類語 歓迎。

*かん-たい【緩怠・寛怠】〔文〕❶《名・形動》なまけること。おこたること。❷ておち。過失。「—をわびる」❸《名・形動》無礼。不作法。「—至極(しごく)」

*かん-たい【艦隊】二隻以上の軍艦で編制した部隊。「連合—」類語 船隊。

かん-だい【寛大】《名・形動》心がひろく、思いやりのある態度で接すること。人の失敗や欠点をとがめだてしないこと。「—な処置」類語 寛容。雅量。鷹揚(おうよう)。

がん-たい【眼帯】眼病の人が目を保護するためにあてるもの。ガーゼなどでつくる。

かんたい-じ【簡体字】中国で使われている、公に定めた略字。東→东、華→华、義→义など。簡字。簡化字。参考 →繁体字。

かん-だか・い【甲高い・×疳高い】《形》〔子供や女性などの〕声の調子が高く鋭い。

かん-たく【干拓】《名・他サ》海岸や湖などの水をほして、農耕・宅地などに適した土地にすること。「—地」

がん-だて【願立て】《名・他サ》神仏に願をかけること。願かけ。立願(りゅうがん)。「全快を祈って—をする」

かん-たまご【寒卵】寒の季節にうんだ鶏卵。栄養価が高いとされる。

がん-だれ【×雁垂】漢字の部首の一つ。「厄」「原」「厚」などの「厂」の称。

*かん-たん【感嘆・感×歎】《名・自サ》非常に感心すること。深く感じ入ること。「すばらしい成果に—する」類語 賞嘆。嘆称(たんしょう)。 —し【—詞】→かんどうし(感動詞)。 —ふ【—符】文の終わりにつけて感嘆の意を表す符号「!」。エクスクラメーションマーク。

*かん-たん【肝胆】〔文〕〔肝臓と胆嚢(たんのう)の意から転じて〕真実の心。心の底。 —相照ら・す《句》たがいに心の底まで打ちあけて親しくつきあう。 —を砕・く《句》心労の限りを尽くす。思案に思案を重ねる。

*かんたん【×邯×鄲】❶中国の地名。河北省南部にある都市。戦国時代、趙(ちょう)の都。❷コオロギ科の昆虫。からだは緑色で、長い触角をもつ。「ルールルルー」と低い声でなく。 —の歩み《句》むやみに人のまねをし、自分本来のものも忘れて両方とも失うことのたとえ。故事 昔、中国で、田舎の青年が趙(ちょう)の都邯鄲へ行って都会風の歩き方を習ったが習得できず、その上、自分の歩き方までも忘れてしまったという故事から。〈荘子・秋水〉 —の枕(まくら)《句》→邯鄲(かんたん)の夢。 —の夢《句》人生の栄枯盛衰のはかないことのたとえ。黄粱一炊(こうりょういっすい)の夢。一炊の夢。盧生(ろせい)の夢。邯鄲の枕(まくら)。故事 昔、中国の趙(ちょう)の都邯鄲で、盧生という男が道士に枕を借りて寝たところ、次第に立身出世して金持ちになった夢をみたが、目がさめてみると寝る前に炊いていた黄粱がまだ煮え終わらないくらいの短い時間であったという故事から。〈枕中記〉

*かん-たん【簡単】《形動》❶こみいってなく、わかりやすいようす。「—な問題」対 複雑。❷時間・手数などがかからず、あっさりしているようす。「—に説明する」「—に昼食を済ます」 —ふく【—服】簡単に仕立てた女性用の夏のワンピース。あっぱっぱ。

*かん-だん【寒暖】〔文〕寒さと暖かさ。類語 寒暑。 —けい【—計】気温をはかる道具。温度計。

*かん-だん【歓談・款談】《名・自サ》うちとけて、楽しく話し合うこと。また、その話。

*かん-だん【間断】〔つづいているものの〕切れめ。たえま。「—のない緊張」「銃声が—なく聞こえる」「—のひと時」

*かん-だん【閑談】《名・他サ》❶〔ひまつぶしに〕むだ話をすること。また、その話。❷〔文〕静かに話をすること。また、その話。同 ①②閑語。閑話。

がん-たん【元×旦】❶一年の最初の朝。一月一日の朝。元朝。歳旦。❷〔俗〕一月一日。元日。

*かん-ち【完治】《名・自サ》病気やけがが完全になおること。かんじ。

*かん-ち【寒地】冬の寒さがきびしい土地。対 暖地。

*かん-ち【×奸知・×奸×智・×姦×智】〔文〕悪がしこい知恵。悪知恵。「—にたける」類語 奸才(かんさい)。狡知(こうち)。

*かん-ち【感知】《名・他サ》直接に感じとって知ること。気づくこと。「事の重大性を—する」類語 察知。

*かん-ち【換地】《名・他サ》土地と土地を交換すること。また、その交換したかわりの土地。かえ地。

*かん-ち【閑地】〔文〕❶静かな土地。「余生を—で送

る」❷あいている土地。❸ひまな地位。また、職務をはなれた気楽な身分。「—に就く」類語閑職。

*かん・ち【関知】《名・自サ》ある物事にかかわりあいを持ち、その事情などを知っていること。あずかり知ること。「一切—しない」「吾人の—する所にあらず」

かん・ちがい【勘違い】《名・他サ》うっかりして思い違いをすること。考え違い。「瀬音を雨と—する」

かん・ちく【寒竹】タケの一種。観賞用・生垣用。表皮に紫色の模様がある。秋にたけのこがでる。紫竹。

がん・ちく【含蓄】❶《名・他サ》〔文〕ふくみたくわえること。❷〔あることばや話の〕表面にあらわれない深い意味や味わい。「—のある文章」「—に富む」

かん・ちつ【巻×帙】〔文〕書物の、巻物と帙(ちつ)。転じて、書物。

*かん・ちゅう【寒中】❶小寒から大寒までの期間。寒の内。「—水泳」❷冬の寒さのきびしい期間。対暑中。

*かん・ちゅう【閑中】〔文〕ひまでのんびりしている時。「—忙(ぼう)あり」対忙中。

がん・ちゅう【眼中】❶目の中。❷考慮したり関心を持ったりする範囲内。「—に無い(=問題にしない)」

*かん・ちょう【勧懲】〔文〕「勧善懲悪」の略。

*かん・ちょう【完調】体の調子が完全であること。最もよい調子。

*かん・ちょう【官庁】❶〔法〕国家の意思を決定し、それを外部に表示し、執行する国家の機関。内閣・各省大臣・庁の長官など。❷役所。官署。「—に勤める」

*かん・ちょう【干潮】潮がひいて、海面が一日のうちでもっとも低くなる状態。低潮。対満潮。

*かん・ちょう【×灌腸・×浣腸】《名・自サ》肛門(こうもん)から薬液を入れること。腸を洗ったり、便通をよくしたり、人工栄養を補給したりするために行う。

*かん・ちょう【管長】❶〔宗〕神道・仏教などで、一つの宗派の長。❷〔仏〕各宗の総本山・諸大寺の長。貫長(かんちょう)。貫首(かんじゅ)。「薬師寺の—」

*かん・ちょう【貫長・貫頂】〔仏〕❶天台宗の座主(ざす)の称。❷各宗の総本山・諸大寺の長。同①②貫首(かんじゅ)。

*かん・ちょう【間×諜】ひそかに敵地にはいりこみ、ようすをさぐって味方に知らせる者。間者。スパイ。

*かん・ちょう【館長】〔図書館・美術館・博物館など〕館とよばれる所の長。

*がん・ちょう【元朝】元日の朝。元旦。

*かん・つう【×姦通】《名・自サ》❶男女が道徳にそむいた交わりをむすぶこと。不義の交わり。密通。❷配偶者のある者が、配偶者以外の異性と性的関係をもつこと。〔妻の行為にいうことが多い〕

*かん・つう【貫通】《名・自サ》ある物の中を貫いてとおること。「弾丸が胸を—した」「—銃創」

カンツォーネ イタリアの大衆的な歌。▽イタリア canzone

かん・づ・く【感付く】《自五》直感で気づく。感知する。「怪しいと—く」

かん・つばき【寒×椿】❶ツバキ科の常緑低木。一二月ごろから翌年の二月ごろにかけて、淡紅色または紫紅色の八重の花が咲く。❷冬の寒いうちに咲くツバキ。冬椿(ふゆつばき)。参考②はふつう、俳諧(はいかい)で言う。

かん・づめ【缶詰(め)】❶調理した食品を缶に入れて密封し、加熱殺菌して長く保存できるようにしたもの。❷あることをさせるため、本人の同意を得て、ある場所にとじこめておくこと。「ホテルに—になる」

*かん・てい【官邸】大臣・長官など、高級官吏の在任中の住居として、政府が貸し与える邸宅。「首相—」類語官舎。公邸。対私邸。

*かん・てい【艦艇】大小さまざまな軍艦の総称。参考「艦」は大型、「艇」は小型のものをいう。

*かん・てい【鑑定】《名・他サ》〔あるもの・物事の〕真偽・よしあしなどを見定めたり、本質などを明らかにしたりすること。また、その判定内容。目きき。「刀剣を—する」「筆跡—」類語鑑識。鑑別。

がん・てい【眼底】❶眼球の内面の、網膜のある部分。「—出血」❷心の奥底。「生前の姿が—に焼きつく」「—を払う(=すっかり心から消え去る)」

かんてい・りゅう【勘亭流】歌舞伎(かぶき)の看板や番付などを書くときに用いる、丸みのある筆太の書体。参考江戸時代、中村座の岡崎屋勘亭が始めたといわれる。

勘亭流

*かんてき〔西日本の方言〕七輪。

*かん・てき【閑適】《名・形動》〔文〕のんびりと心しずかに楽しむこと。「悠々—」「—自在」

かん・てつ【貫徹】《名・他サ》ある一つの行動・考えなどをつらぬきとおすこと。「初志を—する」類語達成。成就。注意「完徹」は誤り。

カンテラ 携帯用の石油ランプ。箱型などの容器に石油をいれ、綿糸の芯(しん)に火をともす。▽オランダ kandelaar(=ちょうちん。燭台)

カンデラ《助数》光度の単位。一カンデラは、周波数540×10^{12}ヘルツの単色光を放射し、その放射強度が六八三分の一ワット毎ステラジアンである光源の、その方向における光度。記号cd。▽candela

*かん・てん【寒天】❶〔文〕さむざむとした冬の空。「—の星」類語さむ空。❷テングサを煮てとかして固めたものを凍らせ、乾かしたもの。一度水にもどして煮たものをゼリー状の菓子の材料にする。

*かん・てん【干天・×旱天】ひでりが続いている(夏の)空。ひでり。類語旱魃(かんばつ)。表記「干天」は代用字。

—の慈雨《句》❶ひでりつづきの後、やっと降った雨。❷待ちのぞんでいたものが、やっとかなえられること。

*かん・てん【観点】物事を観察したり考察したりするとき、その基(もと)となる、その人のとる立場。見地。立脚点。「異なる—から発言する」「総合的な—に立つ」

*かん・でん【乾田】水はけがよく、必要なときには畑にもなる田。対湿田(しつでん)。

*かん・でん【感電】《名・自サ》動物のからだに電流が流れてショックをうけること。「—死」

かんてん・きち【歓天喜地】〔文〕〔天に向かって喜び、地に向かって喜ぶ意から〕非常に喜ぶこと。

かん・でんち【乾電池】電解液をでんぷんや綿紙に吸収させたり、のり状にして容器に詰めたりして、液がもれないようにした一次電池。懐中電灯・携帯ラジオなどに使う。マンガン電池・水銀電池など。対湿電池。

かん・と【官途】〔文〕官吏としての職務・地位。「—に就く」

かん・ど【感度】刺激に対して反応する度合い・程度。「高—のフィルム」「—良好」

*かん・とう【巻頭】❶巻物や書物の初めの部分。巻首。「—をかざる論文」「—言」対巻尾。巻末。❷〔文〕その書物の中で最もすぐれた詩歌。類語圧巻。

*かん‐とう【官等】官吏の身分の等級。官職の等級。

*かん‐とう【敢闘】《名・自サ》勇ましくたたかうこと。「よく―して勝ち残る」「―精神」類語 奮闘。奮戦。

*かん‐とう【×竿灯】秋田市などで八月六日の夜行われる七夕祭り。また、それに用いる道具。竹竿に横竹を結び山形に四六～四八個の提灯をつるしたもの。

*かん‐とう【×竿頭】〔文〕さおのさき。「百尺―一歩を進める」

*かん‐とう【関東】❶昔、逢坂の関所から東の諸国。❷箱根の関から東の諸国。関東八州。❸関東地方。東京・茨城・栃木・群馬・埼玉・千葉・神奈川の一都六県から成る。類語 坂東。対 ①～③関西。―だき【―▽煮き】「おでん」の関西地方での呼び名。関東煮。かんとだき。

*かん‐とう【関頭】〔文〕〔大切な事柄の〕わかれめ。せとぎわ。「生死の―に立つ」

*かん‐どう【勘当】《名・他サ》〔不行跡などの理由で〕主人・師匠・親などが、家来・弟子・子などとの縁を切って追い出すこと。「―息子」類語 義絶。久離。

*かん‐どう【感動】《名・自サ》物事に強く心を動かされること。「―を受ける」「―的な場面」類語 感銘。感激。―し【―詞】話し手の感動や呼びかけ・応答などを表す語。自立語で活用がなく、ふつう、単独で文となり、修飾語をそえることがない。「おや」「はい」「いいえ」「さようなら」「おはよう」など。感嘆詞。

*かん‐どう【間道】わき道。ぬけ道。対 本道。

がん‐とう【岩頭・×巌頭】〔文〕岩の上。岩の突端。

がんどう‐がえし【▽強盗返し】芝居で、背景を後ろへ転倒させて次の背景を下からせり上げて変える大道具の仕掛け。どんでん返し。

かんとう‐し【間投詞】❶外国語の感動詞を言う語。❷まれに日本語で、文の途中にはさまれる、特に意味のない言葉を言う語。「ええと」「あのう」の類。また、「感動詞」と同義に用いられることもある。

かんとう‐じょし【間投助詞】助詞の一つ。文節の切れ目に用いて、文がまだ続く、次を聞いてくれ、の意を表す。「な」「ね」「さ」「よ」など。参考「感動助詞」「詠嘆助詞」などとも呼ばれる。

がんどう‐ぢょうちん【▽強盗▽提▽灯】ちょうちんの一つ。鉄・ブリキなどでつりがね形のおおいをつくり、中に自由に回転するしかけのろうそく立てと反射鏡をつくりつけたもの。光は正面だけを照らす。がんどう。表記「龕灯提灯」とも書く。

*かん‐とく【感得】《名・他サ》〔真理・道理などを〕感じとってさとること。「人生の意義を―する」類語 感知。

*かん‐とく【監督】《名・他サ》人の上にたって下の者を見張ったり取りしまったり指図したりすること(人)。特に、映画の撮影や運動競技などで、指導し指揮をとること。また、その役(の人)。類語 監理。

かん‐どころ【勘所】❶三味線・琴などの弦楽器で、目的の音を出すために指先で弦をおさえるべき位置。つぼ。❷〔物事をうまくする上で〕十分配慮すべき点。かんじんなところ。「―をおさえる」表記 ①は「甲所」とも書く。②は「肝所」とも書く。

がんと‐して【頑として】《副》強く自分の意見を主張して他人の説をきき入れないようす。「―譲らない」

カントリー ❶いなか。郊外。「―ライフ」対 アーバン。❷「カントリーミュージック」の略。アメリカ南部・西部の農村部から生じた、白人の大衆音楽。▽country ―クラブ 都市の郊外にゴルフ場・テニスコートなどを設けた、保養・娯楽施設。▽country club

*かん‐な【×鉋】材木の表面を平らにけずるための道具。堅い木の台に鉄の刃を斜めにはめこんである。

*カンナ カンナ科の多年草。赤・黄・だいだい色などの花を初夏から初秋に開く。▽canna

かん‐ない【管内】権限によって支配できる範囲内。管轄区域の中。「警視庁―の事故」対 管外。

かん‐ながら【▽随▽神・×惟▽神】《副》〔古〕神であらせられるまま。神の御心のまま。「―の道(＝神道)」

かんな‐づき【神無月】〔雅〕陰暦一〇月の別称。神無月・かみなしづき。参考 太陽暦の一〇月にも言う。

かん‐なべ【×燗×鍋】酒の燗をするのに使う銅製のなべ。平たいやかんに似ている。

かんなめ‐さい【神×嘗祭】天皇がその年の新穀を伊勢神宮に奉納する祭り。一〇月一七日に行われる。神嘗祭。神嘗の祭り。

かん‐なん【×艱難】《名・自サ》〔文〕困難なことに出あって苦しみなやむこと。つらく苦しいこと。「―辛苦」―汝を玉にす《句》人間は困難なことを経験することによって、りっぱな人物になる。

*かん‐にゅう【×嵌入】《名・自他サ》〔文〕はまりこむこと。また、はめこむこと。

*かん‐にゅう【貫入】❶《名・自他サ》つらぬいて中に入る(入れる)こと。❷陶磁器の表面に細かく出るひび。乳。貫乳。

かん‐にん【堪忍】㊀《名・他サ》❶〔文〕苦しみなどをこらえしのぶこと。❷怒りをおさえて他人の過失・無礼などを許すこと。勘弁。「ならぬ―するが―(＝堪忍できないことを堪忍することが真の堪忍である)」類語 忍耐。辛抱。㊁《感》人に許しをこうときの語。ごめん。〔多く関西地方で使う〕―袋の緒が切・れる《句》これ以上我慢できなくなる。

カンニング《名・自サ》試験で、受験者が監督者の目をぬすんで、ノートや他の人の答案を見るなどの不正行為をすること。▽cunning(＝ずるい)

かん‐ぬき【×閂】《「貫の木」の転》❶観音びらきの門・戸を内側からかたくしめるための横木。「門に―をかける」❷錠をかけたときに、錠の中からつき出る部分。❸「かんぬきざし」の略。かんぬき①のように大小の刀を水平に差す差し方。❹相撲で、もろ差しになった相手の腕を両手でかかえこんで強く締めつける技。

かん‐ぬし【神主】神社に仕え神を祭る人。また、その長。神官。類語 神職。禰宜。

かん‐ねい【×奸×佞・×姦×佞】《名・形動》〔文〕心がねじけて、悪がしこい・こと(人)。「―邪知」

かん‐ねん【観念】❶〔仏〕〔目をとじ〕心を静めて仏教上の真理について考えること。❷(idea)〔哲〕ある事物を意識したとき、意識のうちにあらわれる意識内容。イデア。イデー。❸〔ある物事に対する〕考え。「時間の―がない」「義務―」「固定―」❹《名・他サ》あきらめること。覚悟すること。「もうだめだと―する」「―の臍を固める(＝もうこれまでとあきらめる)」類語 覚悟。⇩〔類義語の使い分け「覚悟」〕―てき【―的】《形動》具体的な事実から離れて、抽象的に頭の中だけの考えにかたよるようす。「―な改良案」対 実際的。―ろん【―論】❶〔哲〕外界は、われわれの自己の観念で認めたものであり、精神から独立して存在するものではないと

か

する考え方。対唯物論。実在論。❷具体的な事実からはなれて、頭の中だけでつくり出した考え。類語理想論。抽象論。

がん・ねん【元年】 ❶その天皇の治世のはじまった最初の年。「持統天皇の—」❷年号の改まった最初の年。「平成—」

かん・ねんぶつ【寒念仏】〔仏〕寒中の夜、鉦(かね)をたたき念仏を唱えて寺院に参拝すること。寒念仏(かんねぶつ)。

かん・の・いり【寒の入り】 小寒にはいること。一月六日ごろ。

*__かん・のう【堪能】__《名・形動》深くその道に通じていて、たくみな・こと(人)。堪能(たんのう)。対不堪。

*__かん・のう【完納】__《名・他サ》〔納めるべき金品を〕残らず納めること。全納。「税金を—する」類語皆納。

*__かん・のう【官能】__ ❶感覚を生じさせる器官のはたらき。❷感覚。特に、性に関する感覚。「—的」

*__かん・のう【感応】__《名・自サ》(「かんおう」の連声》❶ある物事にふれて心が感じ動くこと。❷〔仏〕信仰する心が神仏に通じること。❸〔理〕電場・磁場にはいった導体が電気・磁気の作用をうけること。誘導。

*__かん・のう【間脳】__ 脊椎(せきつい)動物の脳で、大脳半球と中脳をむすぶ部分。自律神経の中枢がある。

かん・の・むし【×疳の虫】 ❶疳(かん)をおこす原因と考えられていた虫。❷「疳」の俗称。「—がおこる」

かん・の・もどり【寒の戻り】 暖かくなった晩春のころ、一時、異常に寒くなる現象。

かん・のん【観音】「観世音(かんぜおん)」の略。 **—びらき【—開き】**〔観音をおさめた厨子(ずし)のとびらのように〕まん中で左右に開くしくみの戸。また、その開き方。

*__かんば【×樺】__ 樺(かば)①。

*__かん・ば【汗馬】__〔文〕❶馬を走らせて汗をかかせること。また、走って汗をかいた馬。❷駿馬(しゅんめ)。 **—の労**《句》〔文〕〔乗った馬が汗をかくほど走りまわる労苦の意から〕❶戦場でたてるてがら。戦功。武勲。❷あちこち動きまわる苦労。「—をいとわない」

*__かん・ば【×駻馬・×悍馬】__ 性質があらく、人になれにくい馬。荒馬(あらうま)。荒れ馬。あばれ馬。類語狂馬。

*__かん・ぱ【寒波】__ (cold wave)冬、冷却した大陸上空の寒気が波のように周期的に襲ってきて、気温が急激に低下する現象。「—襲来」対熱波(ねっぱ)。

*__かん・ぱ【看破】__《名・他サ》〔かくされた物事の真相を〕見破ること。見抜くこと。「悪だくみを—する」

*__カンパ__ ❶大衆に呼びかけて、政治運動などの資金を募集すること。また、それによって集めた資金。❷《名・他サ》カンパ①に応じて金銭を出すこと。また、その金銭。参考「カンパニア(ロシア kampaniya)」の略。

*__かん・ばい【寒梅】__ 寒中に咲く梅。

*__かん・ばい【観梅】__〔文〕梅の花を見て味わい楽しむこと。梅見(うめみ)。類語観桜(かんおう)。観菊(かんぎく)。

*__かん・ぱい【乾杯・乾×盃】__《名・自サ》祝福の気持ちをこめて、いっせいにさかずきをあげたりふれ合わせたりして、酒をのみほすこと。「—の音頭」

*__かん・ぱい【完敗】__《名・自サ》〔文句のつけようがないほど〕完全に負けること。「一〇対〇で—する」

*__かん・ぱい【感×佩】__《名・自サ》〔文〕〔受けた恩などを〕深く心に感じて忘れないこと。「恩情に—する」

かん・ぱく【関白】(「関(あずか)り白(もう)す」意》❶〔文〕天子の政務にあずかり意見を申しのべること。❷昔、天皇を助けて一切の政治を行った重職。実質は摂政(せっしょう)と同じ。❸権力・威力の強いもの。「亭主—」

かんばし・い【芳しい・×馨しい・▽香しい】《形》❶においがよい。かぐわしい。「—・い花の香」❷いった(焼いた)においがよい。こうばしい。「—・い焙(ほう)じ茶」❸(ふつう、下に打ち消しの語を伴う)期待にかなっている。おもわしい。「成績が—・くない」文かんば・し《シク》。

かん・ばし・る【甲走る】《自五》細い声が高く鋭くひびく。「—・った子供の声」

カンバス ❶あらく織った麻の布。キャンバス。ズック。❷油絵をえがくための画布。▽canvas

かん・ばせ【▽顔・▽顔▽容】(「かおばせ」の音便》❶〔雅〕顔。顔つき。「花の—」❷面目。体面。〔古風な言い方〕「何の—あって郷党にまみえん」

かん・ぱち【間八】 アジ科の海魚。形はブリに似て、体長一・五メートルに達する。食用で美味。アカブリ。

*__かん・ばつ【×旱×魃】__〔農作物に必要な〕雨が、長い間降らないこと。「—で稲が枯れる」「—に見舞われる」表記「干魃」とも書く。類語干天。ひでり。水がれ。

*__かん・ばつ【簡抜】__《名・他サ》〔文〕〔必要な人や物を〕えらんでぬき出すこと。類語選抜。抜擢(ばってき)。

*__かん・ばつ【間伐】__《名・他サ》良質の樹木を育てるため、密生した樹木を適当に切り除くこと。すかし切り。「—材」

*__かん・ぱつ【×渙発】__《名・他サ》〔文〕詔勅を広く天下に発すること。「詔書を—する」

*__かん・ぱつ【×煥発】__《名・自サ》〔文〕〔すぐれた才能などが〕勢いよく外に輝き現れること。「才気—」

カンパニー 商会。会社。▽company

がん・ば・る【頑張る】《自五》❶自分の意志をおし通す。「譲歩できないと—・る」類語突っ張る。押し切る。❷〔困難なことをやりとげるため〕忍耐して努力する。「徹夜で—・る」類語踏ん張る。粘る。❸ある場所を占めて、どかないでいる。「警官が入り口で—・っている」

かん・ばん【看板】 ❶商店・興行場などで、宣伝のために屋号や商標名、出し物の題名や芸人の名などを書いて人目につくようにかかげる板。❷信用を得ている店の名。屋号。「—にかかわる」「—にきずがつく」類語のれん。❸人の注意をひき、人気を集めるためにかかげるもの。表向きの名目。「ボランティアを—にする」❹外から見たありさま。外見。見かけ。「—に偽(いつわ)りなし(=外見と実質とが一致している)」❺〔閉店のとき看板①をはずすことから〕飲食店などがその日の営業を終えること。閉店。「—にする」 **—だおれ【—倒れ】** みかけは立派だが、内容がそれにともなわず貧弱なこと。「—の政策」 **—むすめ【—娘】** 店頭に出て、その美しさで客をひきつけ商売を繁盛させる娘。 **—を下ろ・す**《句》〔その日の営業を終えて〕店じまいをする。また、営業を続けることをやめて〕店をたたむ。

*__かん・ぱん【乾板】__ 写真感光板の一種。ガラスなどの透明な板に、感光乳剤を薄くぬり乾燥させたもの。

*__かん・ぱん【官版・官板】__ ❶政府が刊行すること。また、その出版物。対私版(しはん)。❷江戸時代、幕府の昌平坂(しょうへいざか)学問所で教科書として出版した漢籍。

*__かん・ぱん【干犯】__《名・他サ》他の領域まで干渉して、その権利をおかすこと。「統帥権の—」類語侵犯。

*__かん・ぱん【甲板】__ 船舶の上部にある広く平らな床。デッキ。参考船舶関係では「こうはん」と言う。

*__かん・パン【乾パン】__ 水分を少なくして堅めに焼いた、

ビスケットのような小形のパン。おもに携帯・保存用。

***がん・ばん【岩盤】** 地中にある大きな岩石層。

***かん・び【完備】** 《名・自他サ》〔設備などが〕すべて完全に備わること。また、完全に備えること。「宿泊施設の―した研修所」「冷暖房―」類語 具備。対 不備。

***かん・び【甘美】** 《形動》❶甘さがほどよくて味がよいようす。「―な果実」❷〔うっとりとするように〕たのしく快いようす。「―な旋律」

かん・ぴ【官費】 ❶政府から出る費用。「―留学」参考 現在では、ふつう「公費」と言う。❷〔俗〕会社などの組織体から出る費用。対 ①②私費。自費。

がん・ぴ【×雁皮】 ❶ジンチョウゲ科の落葉低木。暖かい山地に自生する。葉は卵形。夏、黄色の小花を枝の先につける。樹皮はがんぴ紙の原料となる。❷「がんぴ紙」の略。**―し【―紙】** ガンピの樹皮の繊維でつくった、薄くてじょうぶな上質の和紙。竹紙（ちくし）。

かん・びょう【看病】 《名・他サ》病人やけが人につきそって世話をすること。「徹夜で―する」「友の―をする」類語 看護。介抱。

かん・ぴょう【干×瓢・乾×瓢】 ユウガオの果肉をひものように細長くむいてかわかしたもの。「―巻き」

かん・ぴょうき【間氷期】 地質時代の氷期と氷期の間の、比較的温暖で、氷河が後退していた時期。

***かん・ぶ【幹部】** 〔会社・団体などの〕重要な地位にいて、活躍の中心となる人。類語 中枢。首脳部。

***かん・ぶ【患部】** 病菌におかされたり傷ついたりした部分。「―を消毒する」「―が痛む」

***かん・ぷ【乾布】** かわいた布。「―摩擦」

***かん・ぷ【×姦夫】** 〔文〕夫のある女と肉体関係をもった男。類語 情夫。まおとこ。

***かん・ぷ【×姦婦】** 〔文〕夫以外の男と肉体関係をもった女。類語 情婦。

***かん・ぷ【完膚】** 〔文〕傷ついていない皮膚。また、傷つけられない箇所。欠点のない箇所。**―無き迄（なきまで）** 《句》〔傷をうけないところがないまでの意から〕徹底的に。「―敵をやっつける」

***かん・ぷ【×悍婦】** 気性の荒い女。

***かん・ぷ【還付】** 《名・他サ》〔文〕〔政府が一時所有・領有・租借していた物を〕もとの持ち主へもどすこと。「―金」「―請求」類語 返付。返還。

カンファレンス ❶会議。委員会。❷競技連盟。コンファレンス。▽conference

カンフー【功夫】 中国の拳法（けんぽう）。こぶしで、打ったり突いたり、足でけったりするもの。中国武術。クンフー。▽中国 gong-fu

***かん・ぷう【寒風】** 冬に吹く寒い風。

***かん・ぷう【完封】** 《名・他サ》❶〔相手の活動を〕完全に封じること。❷野球で、相手のチームに最後まで得点を与えずに勝つこと。シャットアウト。「―勝ち」

***かん・ぷく【官服】** 公務員に政府から支給される制服。

***かん・ぷく【感服】** 《名・自サ》非のうちどころがないとして感心すること。「腕前に―する」類語 心服。敬服。

がん・ぷく【眼福】 すぐれたもの、美しいものなどを見ることができた幸福。「思わぬ―にあずかる」

かん・ぶくろ【紙袋】 《「かみぶくろ」の転》紙でつくった袋。〔古風な言い方〕

***かん・ぶつ【乾物】** かわかして、長く保存できるようにした食品。かんぴょう・こんぶ・煮干しなど。「―屋」

***かん・ぶつ【×奸物・×姦物】** 〔文〕悪知恵があって心のねじけた人。奸知（かんち）にたけた悪人。

***かん・ぶつ【換物】** 《名・他サ》〔多額の〕金銭を品物にかえること。参考 特に、金（かね）を高価な物にかえて財産を守ることにいう。対 換金。

***かん・ぶつ【×灌仏】** 〔仏〕❶仏像に香水（こうずい）などをそそぎかけること。浴仏。❷「灌仏会（かんぶつえ）」の略。**―え【―会】** 〔仏〕釈迦如来（しゃかにょらい）の誕生日（四月八日）に花御堂（はなみどう）のなかに誕生仏を安置し、香湯・甘茶・五色の水などをそそぎかけて供養する行事。降誕会。仏生会（ぶっしょうえ）。浴仏会（よくぶつえ）。花まつり。花供養。灌仏。

がん・ぶつ【×贋物】 〔文〕ある物ににせて作った物。まがいもの。偽物。にせもの。対 真物。

かん・ぶな【寒×鮒】 寒中にとれるフナ。美味。

かん・ぶり【寒×鰤】 寒中にとれるブリ。美味。

カンフル 精製した、しょうのう液。カンフル剤。▽オランダ Kamfer **―ざい【―剤】** ❶カンフル。❷カンフル注射。**―ちゅうしゃ【―注射】** しょうのう液の注射。心臓衰弱・仮死・呼吸困難などのときにうつ。カンフル剤。参考 末期的な状態をすぐに回復させる効力をもつものの意にも用いる。「不景気に対する―が必要だ」

かん・ぶん【漢文】 ❶漢字で書かれた、古い時代の中国の文章。「―訓読」❷日本で漢文①をまねて書いた、漢字だけから成る文章。対 ①②和文。

かん・ぷん【感奮】 《名・自サ》〔文〕心に強く感じてふるい立つこと。「―興起」類語 発奮。奮発。奮起。

かん・ぺい【観兵】 〔国王・元首などが〕特定の時に兵隊を整列（行進）させて、検閲すること。「―式」類語 閲兵（えっぺい）。観閲（かんえつ）。

かんぺい・しゃ【官幣社】 旧社格の一つ。古くは神祇官（じんぎかん）から、明治以降は宮内省から幣帛（へいはく）をささげて祭られた神社。

***かん・ぺき【完×璧】** 《名・形動》〔きずのない宝玉の意から〕欠点や足りない部分が全くなく、りっぱであること。完全無欠。「―を期する」類語 完全。十全。万全。注意「完壁」は誤り。

> **類義語の使い分け　完璧（かんぺき）・完全**
> 【完璧・完全】ほぼ完璧（完全）な形で復元する
> 【完璧】完璧なピッチングで完封する／完璧な作品
> 【完全】完全にしくじった／完全無欠な人間はいない

***かん・ぺき【×癇癖】** 癇癪（かんしゃく）を起こしやすい性質・癖。

***がん・ぺき【岸壁】** ❶〔文〕壁のようにけわしくきり立った岸。❷大きな船を横づけできるように、港や河岸にコンクリートや石で作った壁。

***がん・ぺき【岩壁・×巌壁】** 壁のようにけわしくきり立った山の岩肌。「―をよじ登る」

かん・べつ【鑑別】 《名・他サ》〔物の真偽・良否・種類などを〕しらべて見わけること。「にせ札を―する」「ひなの雌雄を―する」「―法」類語 鑑定。鑑査。識別。

かん・べに【寒紅】 寒中につくった紅。紅の最上品。

***かん・べん【勘弁】** 《名・他サ》他人のあやまち・要求などをがまんできるものとして許すこと。「その発言は―できない」「謝るから―してくれ」類語 容赦（ようしゃ）。堪忍。

***かん・べん【簡便】** 《名・形動》〔方法・取り扱いなどが〕簡単で便利なこと。手軽なこと。「電話で―に連絡する」類語 重宝。軽便。

かん・ぺん【官辺】 〔文〕官庁方面。「―筋」類語 公辺。

*かん・ぼう【官房】内閣・各省などにおかれる内部部局の一つ。長官に直属し、機密事項・予算・会計・人事・文書の受付けなどの事務をとる機関。「内閣―」

*かん・ぼう【感冒】おもにウイルスによって起こる呼吸器系の炎症の総称。発熱・頭痛・のどの痛み・せきなどの症状をあらわす。風邪。参考→流行性感冒。注意「寒冒」は誤り。

*かん・ぼう【監房】刑務所で、囚人を入れておく部屋。

*かん・ぼう【観望】《名・他サ》〔文〕❶〔景色などを〕広く遠くまでながめ見ること。❷〔事のなりゆきを〕少し離れてうかがい見ること。「情勢を―する」

*かん・ぽう【官報】政府が、国民に広く知らせるために、国の公文書その他の公示事項を編集してのせる日刊機関紙。財務省印刷局が発行する。

*かん・ぽう【漢方】古代中国で発達しわが国に伝来した医術。皇漢医学。「―医」「―薬」

*かん・ぽう【艦砲】軍艦に装備した火砲。「―射撃」

*かん・ぼう【観法】❶〔仏〕心に真理を思い浮かべ念ずること。類語観念。❷〔文〕人相をみる法。

がん・ぼう【願望】❶《名・他サ》〔ある結果が実現するように〕願いのぞむこと。また、その願い。願望。「―を遂げる」類語希望。念願。❷〔文法で〕話し手の願望①の意を表す形。希望。「―の助動詞」

かんぽうのまじわり【管×鮑の交わり】《句》たがいによく理解しあった、きわめて親しい交際。故事中国斉の国の管仲と鮑叔牙とが終始変わらない友情をもって交わったということから。〈列子・力命〉類語刎頸の交わり。水魚の交わり。

*かん・ぼく【×灌木】「低木」の旧称。対喬木。

*かん・ぼく【×翰墨】〔文〕❶筆と墨。筆墨。❷詩文・書画を書くこと。また、その詩文・書画。

かん・ぼつ【陥没】《名・自サ》〔土地の一部分が〕おちこむこと。陥落。「道路が―する」「―湖」類語陥入。

*かん・ぽん【刊本】❶印刷し発行された書物。❷版本。対①②写本。稿本。書き本。

*かん・ぽん【完本】〔分冊された書物で〕欠けた巻がなく、全部そろっている本。丸本。「源氏物語の―」対欠本。端本。零本。

がん・ぽん【元本】❶事業のもとになる金。もとで。❷〔法〕利益・収入を生じるもとになる財産や権利。

カンマ→コンマ。▽comma

かん・まいり【寒参り】寒中の三〇日間、毎夜、神仏に参詣すること(人)。寒詣で。

ガンマ・せん【γ線】ラジウムなどから出る放射線の一つ。波長が短い電磁波で、透過力が大きい。

かん・まつ【巻末】書物や巻物などの終わりの部分。巻尾。「―索引」対巻頭。巻首。

*かん・まん【干満】潮のみちひ。干潮と満潮。

*かん・まん【緩慢】《形動》❶速度がのろいようす。「―な動作」類語緩徐。❷手ぬるいようす。「―な処置」

*かん・み【甘味】あまい味(の食べ物)。「―料」

*かん・み【×鹹味】しおからい味。また、その食品。

がん・み【×玩味】《名・他サ》❶食物をよくかんでその味をよく味わうこと。❷物事の意味・内容をよく考えて味わうこと。含味。「熟読―」

かん・みん【官民】政府と民間。役人と民間人。「―一致」

かんむり【冠】❶頭にかぶるものの総称。❷昔、衣冠・束帯などをつけたときに用いたかぶりもの。❸漢字の部首のうちで、上部を構成するもの。ワ冠(冖)・ウ冠(宀)・草冠(艹・艹)など。参考→御冠。

―を曲・げる《句》❶きげんを悪くする。類語つむじを曲げる。❷いこじになる。

かん・むりょう【感無量】《形動》感慨無量。

かん・め【貫目】一《名》❶目方。重量。❷身にそなわった重々しさ。貫禄。二《助数》尺貫法で表した目方の単位。貫。参考一貫目は約三・七五キログラム。

*かん・めい【官名】官職の名称。

*かん・めい【官命】〔文〕〔ある個人・団体に対して〕政府・役所から出された命令。「―を帯びて行く」

*かん・めい【感銘・肝銘】《名・自サ》〔忘れることのできないほど〕心に深く感じること。「名曲に―する」「―を与える」「―を受ける」類語感動。感激。

*かん・めい【漢名】〔動植物名などを〕中国での呼び方にならったもの。ダイコンを「蘿蔔」と言う類。対和名。

*かん・めい【簡明】《形動》簡単ではっきりしているようす。簡単明瞭。「―な解説」「―に答える」

がん・めい【頑迷・頑×冥】《名・形動》がんこで、あやまった考えをあらためようとしないこと。「―固陋」類語頑蒙。かたくな。

かん・めん【乾×麺】麺類を干したもの。干しうどん・そうめんなど。熱湯でゆでて食べる。

がん・めん【顔面】顔の表面。「―蒼白となる」

かん・もく【×緘黙】《名・自サ》〔文〕口をとざして、物を言わないこと。「―症」類語沈黙。だんまり。

がん・もく【眼目】〔人の顔の中で最も大事なものである目の意から〕ある物事の中心となる最も重要なところ。「新企画の―」類語要点。かなめ。主眼。

かん・もじ【閑文字】何の役にも立たない、むだな文字・文章。むだなことば。「―をもてあそぶ」

かん・もち【寒×餅】寒に入ってからつくもち。また、それを切って水に浸し、たくわえたもの。寒の餅。

がん・もどき【×雁▽擬(き)】豆腐をしぼったものに、細かくきざんだ野菜・こんぶ・きのこなどを加えて、油であげた食品。飛竜頭。がんも。

*かん・もん【喚問】《名・他サ》〔裁判所や公の機関などで〕人を呼び出して、必要な事柄を問いただすこと。「証人を―する」類語召喚。

*かん・もん【関門】❶関所の門。関所。❷目的を達するのに通過しなければならない大事な所。また、通過するのがむずかしい所。「入学試験という―」

がん・もん【願文】❶仏・菩薩の本願を書き表した文。❷神仏に祈願するとき、その願いの趣旨を書いてたてまつる文章。願書。発願文。

*かん・やく【完訳】《名・他サ》外国語や古語で書かれた書物の全文を訳すこと。また、訳したもの。全訳。「源氏物語の―」対抄訳。

*かん・やく【簡約】《名・形動・他サ》要点をまとめて簡単にすること。手短なこと。「要点を―に述べる」「―版」類語簡単。簡略。

がん・やく【丸薬】ねりあわせて小さく丸めた薬。

かん・ゆ【肝油】魚類(おもに鱈)の肝臓からとったあぶら。脂肪・ビタミンA・ビタミンDなどを多量に含む。

*かん・ゆう【勧誘】《名・他サ》ときすすめて、誘うこと。「会への加入を―する」「保険の―」類語勧奨。

*かん・ゆう【×奸雄・×姦雄】〔文〕悪知恵によって英雄となった人。奸知にたけた英雄。

*かん・ゆう【官有】政府が所有すること。国有。「―林」「―地」類語 公有。対 民有。

がん・ゆう【含有】《名・他サ》ある物の中に他の物を(成分として)ふくんで持つこと。「ビタミンAを―する」

かんゆ・ほう【換×喩法】(metonymy)修辞法で、あるものを表す場合、それと深い関係のあるものの名で置き換える方法。「鳥居」で神社を表す類。換喩。

かん・よ【関与・干与】《名・自サ》〔ある仕事をする人人の一員として〕関係をもち、それにたずさわること。「経営に―する」類語 参与。関知。

*かん・よう【寛容】《名・形動・他サ》心が広く、他人の言行や過失をとがめずに聞き入れること。類語 寛大。

*かん・よう【慣用】《名・他サ》〔習慣として〕世間一般で広く用いること。類語 常用。常套(じょうとう)。 ―おん【―音】漢音・呉音・唐音以外に、日本で昔から使われ、一般に通用している漢字音。「緒(しょ)」を「ちょ」、「堪(かん)」を「たん」と読む類。 ―く【―句】二つ以上の語が一まとまりになった形で習慣的に使われ、あるきまった特殊な意味を持つもの。「油をしぼる」「山をかける」など。イディオム。慣用語。

*かん・よう【×涵養】《名・他サ》徐々に養い育てること。「道義心を―する」類語 養成。育成。

*かん・よう【肝要】《形動》きわめて大切で、欠くことができないようす。肝心。類語 重要。切要。

*かん・よう【簡要】〔文〕簡単で要領を得ていること。また、簡潔にまとめた要点。

かんよう・しょくぶつ【観葉植物】葉の美しい色や形を観賞の対象とする植物。

がん・らい【元来】《副》〔物事の〕はじまりから。もともと。「―の怠け者」類語 本来。

がんらい・こう【×雁来紅】「はげいとう」の別名。参考 秋、ガンの来るころ葉が紅色になることから。

*かん・らく【乾酪】《名》〔文〕チーズ。

*かん・らく【歓楽】喜び楽しむこと。「―におぼれる」「―街」類語 享楽。快楽。逸楽。愉楽。悦楽。

*かん・らく【陥落】《名・自サ》❶土地の一部分がおちこむこと。陥没。「地盤が―する」類語 陥入。❷〔城・陣地などが〕攻め落とされること。「ベルリン―」❸今までの順位・地位などを失って、それより下になること。「二軍に―する」❹〔俗〕くどきおとされること。

*かん・らん【×橄×欖】❶カンラン科の常緑高木。黄白色の小花を房状につける。果実は食用・薬用として用いる。❷オリーブ。参考 ②は、別種であるオリーブの訳語として文語訳の聖書などで行われた言い方。

*かん・らん【甘×藍】❶キャベツ。❷葉牡丹(はぼたん)。

*かん・らん【観覧】《名・他サ》〔景色・興行物などを〕ながめ、見ること。「―料」「―席」類語 見学。見物。

*かん・り【官吏】役所につとめて公務に従事する者。役人。特に、国家公務員。

*かん・り【監理】《名・他サ》監督・管理すること。とりしまること。「設計―」「電波―局」類語 監督。

*かん・り【管理】《名・他サ》そのものの働きが十分に保てるように、全体にわたって気を配り、とりしきること。「工場を―する」「品質の―」「―人」「―職」

がん・り【元利】元金とその利息。「―合計」

*がん・りき【眼力】物事の真偽・善悪・成否などを見分ける力。眼力(がんりょく)。「鋭い―を備える」

*がん・りき【願力】❶願をかけて目的をとげようとする一念の力。念力。❷〔仏〕阿弥陀仏(あみだぶつ)の本願の力。

かん・りつ【官立】政府が設立すること。また、そのもの。〔「国立」の古い言い方〕「―の研究所」「―大学」

かん・りゃく【簡略】《形動》〔形式・方法などを〕略して簡単にするようす。「表現を―にする」「―な叙述」「―化」類語 簡便。簡潔。

*かん・りゅう【乾留・乾×溜】《名・他サ》空気を入れないで固体をむし焼きにし、揮発分を分離・回収すること。表記 「乾留」は代用字。

*かん・りゅう【寒流】まわりの海水より低水温の海流。極地の海洋から赤道地方に向かって流れる。千島海流(親潮)・カリフォルニア海流など。対 暖流。

*かん・りゅう【貫流】《名・自サ》〔川などが広い地域を〕つらぬいて流れること。「盆地を―する川」

*かん・りゅう【還流】❶《名・自サ》もとの方へ流れもどること。また、その流れ。❷暖流の一つ。赤道海流が、大陸や島に当たって二つに分かれ、極地の方向にむかって東へ流れるもの。黒潮はその一つ。

*かん・りょう【完了】《名・自他サ》完全に終わること。また、完全に終えること。「作業が―する」「準備を―する」類語 完結。終了。対 未了。

*かん・りょう【官僚】役人。官吏。特に、国家機構に直接たずさわっている、上級の役人。 ―しゅぎ【―主義】一般に官僚に共通してみられる態度や考え。 ―てき【―的】《形動》官僚にみられるような性質・気風があるようす。参考 形式にとらわれ、横柄で融通がきかない、派閥意識が強いなど、悪い意味に使う。

*かん・りょう【感量】計器の針が感じ得る最低の量。

がん・りょう【顔料】❶水・油などに溶けない着色剤。塗料・インクなどの材料。❷えのぐ。

がん・りょく【眼力】→がんりき(眼力)。

かん・りん【×翰林】〔文〕❶〔文書の集まっている所の意から〕学者・文人の仲間。類語 学林。儒林。❷「翰林院(かんりんいん)①」の略。 ―いん【―院】❶中国で、唐時代にはじまり、歴代王朝に設けられた官庁の一つ。学者・文士を集め、詔勅をつかさどり、時に国史・図書の編集なども行った。翰林。❷「アカデミー」の訳語。

かん・るい【感涙】感激して流す涙。「―にむせぶ」

*かん・れい【寒冷】《名・形動》気温が低くて、寒く冷たいこと。 ―しゃ【―×紗】目が粗くて極めて薄い、平織りの綿布・麻布。カーテン・かや・裏打ちなどに使う。 ―ぜんせん【―前線】不連続線の一つ。冷たい気団が、暖かい気団の下に潜りこんだときにできる空気の境めが、地面と交わる線。にわか雨・突風などを伴い、急に温度が下がる。対 温暖前線。

*かん・れい【慣例】習慣になっている事柄。ならわし。しきたり。「―に従う」類語 先例。慣行。習慣。

かん・れき【還暦】数え年の六一歳。本卦(ほんけ)がえり。参考 六〇年で干支(えと)が一まわりして、ふたたび生まれた年の干支にかえることから。

かん・れん【関連・関×聯】《名・自サ》つながりがあること。かかわりつながること。連関。「学校教育に―した施策」類語 関係。

*かん・ろ【寒露】❶二十四節気の一つ。陰暦で九月の節(=月の初めごろ)、太陽暦で一〇月八日ごろに当たる。❷〔文〕晩秋から初冬のころにおりる露。

*かん・ろ【甘露】《名・形動》非常に(甘くて)おいしいこと。〔多く、おいしいものを飲食したときにいう〕「ああ、―、―」 ―に【―煮】小魚などを砂糖・水あめ・みり

んなどを用いて汁けがなくなるまで煮つめたもの。

がん・ろう【×玩×弄】《名・他サ》〔人をなぶりものやなぐさみものにして〕もてあそぶこと。弄玩。類語 愚弄。

かん・ろく【貫×禄】身についた風格や重々しさ。貫目。「―がつく」「―を示す」「―のある紳士」

＊**かん・わ**【官話】現代中国の標準語。「北京(ペキン)―」

＊**かん・わ**【漢和】❶〔文〕中国と日本。和漢。❷漢語と日本語。❸「漢和辞典」の略。 **―じてん**【―辞典】漢字・漢語の読み方・意味などを日本語で解説した辞典。漢和。

＊**かん・わ**【緩和】《名・自他サ》〔きびしい(ひどい・はげしい)状態が〕ゆるやかな状態になること。また、そうすること。「国際間の緊張が―する」

＊**かん・わ**【閑話】《名・他サ》❶静かに話をすること。また、その話。❷むだ話をすること。また、その話。同①②閑語。閑談。 **―きゅうだい**【―休題】《連語》余談をやめて話を本筋にもどすときに使うことば。本題にかえって。それはさておき。参考 ふつう、文章の中で、接続詞的に用いる。

き

き ― 幾

＊**き**【希】《接頭》❶「濃度がうすい」の意。「―硫酸」対 濃。❷「まれにしかない」の意。「―元素」

＊**き**【既】《接頭》「すでに…した」の意。「―発表」対 未。

＊**き**【貴】《接頭》❶「身分・価値が高い」の意。「―公子」「―金属」❷敬意をこめた「あなたの」の意。「―国民」

＊**き**【器】《接尾》❶「…の働きを備えたもの」の意。「呼吸―」❷「道具」「器具」の意。「消火―」類語 機。

＊**き**【基】《接尾》❶「もとになる物」の意。「培養―」❷(radical)二種以上の原子の集まりで、化学変化の際、一個の原子のように反応するもの。根(こん)。「水酸―」❸《助数》〔墓石・灯籠(とうろう)・機械など〕すえつけておくものを数える語。「三―の石塔」

＊**き**【旗】《接尾》「はた」の意。「大会―」「優勝―」

＊**き**【紀】《接尾》(period)地質時代の一区分。「代」と「世」との間。「ジュラ―」

＊**き**【鬼】《接尾》「恐ろしい人」の意。「殺人―」

＊**き**【騎】《助数》一頭の馬に人が乗った数を数える語。「侍五―」

＊**き**【奇】❶《名・形動》〔文〕普通とちがっていること。めずらしいこと。ふしぎなこと。「―を衒(てら)う(=めずらしさを売り物にして人の注意をひく)」「事実は小説より―なり」❷奇数。「―の数」対 偶。

＊**き**【季】❶春・夏・秋・冬(四時)のそれぞれの時節。季節。シーズン。「枝豆は六月の―のもの」❷陰暦で、四時の最後の月。三月・六月・九月・十二月。❸年月の区分に使う語。一年を一季、半年を半季という。❹連歌・俳句で、句によみこむ四季の景物。季題。

＊**き**【己】十干の第六。つちのと。

＊**き**【忌】㊀《名》近親者の死後、行いをつつしむこと。また、その期間。ふつう四九日間。「―があける」類語 喪。㊁《接尾》「命日」の意。「河童(かっぱ)―(=芥川龍之介の命日)」「桜桃―(=太宰治の命日)」

＊**き**【×揆】はかりごと。方法。 **―を一(いつ)にする**《句》方法・やり方が同じである。参考 ↓軌(き)を一にする。

＊**き**【期】㊀《名》〔文〕❶時期。期間。❷よい機会。時機。「―を違(たが)えずに行う」㊁《接尾》❶(age)地質時代の一区分。「世(せ)」の下。❷「…の時期」「一区切りの期間」の意。「農繁―」「少年―」「第二―」

＊**き**【木】❶植物のうち、幹に木質の部分が発達したもの。結実後も幹は枯れない。樹木。表記「樹」とも書く。対 草。❷樹木を製材した物。材木。「―の机」❸拍子木。「―が鳴る」表記 ③は「柝」とも書く。⇩

〖類語と表現〗

―から落ちた猿《句》頼りにしていた物がなくなってどうにも仕方のなくなることのたとえ。木を離れた猿。

―で鼻を括(くく)る《句》無愛想に応答することのたとえ。「―ったような横柄なあいさつ」

―に竹を接(つ)ぐ《句》物事の前後が調和せず、なめらかでないことのたとえ。

―に縁(よ)りて魚を求む《句》見当ちがいの努力をして、成功する見込みのないたとえ。〈孟子・梁恵王〉

―を見て森を見ず《句》小さいことにこだわりすぎて全体を見通さないたとえ。

類語と表現「木」

＊木が生える・木が茂る・木を植える・木を切る・木の枝を折る・木に登る／木を削る・木を切り出す・木の香も新しい家。

◆青木・常磐木(ときわぎ)・若木・生木・庭木・並木・雑木(ぞうき)・老い木・枯れ木・朽ち木・低木・灌木(かんぼく)・高木・喬木(きょうぼく)・大木・巨木・名木・銘木・神木・霊木・老木・古木・倒木・流木・常緑樹・落葉樹・広葉樹(闊葉樹(かつようじゅ))・針葉樹・果樹・老樹・大樹・巨樹・街路樹・林・森・樹海・密林・森林

◇[木材]原木・粗木(あらき)・材木・用材・良材・丸木・丸太・角材・白木(しらき)・黒木・赤木・赤身・心材・白太(しらた)

＊**き**【機】㊀《名》❶物事の起こるきっかけ。また、あることを行うのにちょうどよいおり。機会。しおどき。「―を失する」「―をうかがう」「―に乗ずる」「―が熟す(=好機がくる)」❷仏教で、仏の教えによって活動する心の働き。機根。❸「飛行機」の略。「―と運命をともにする」㊁《接尾》❶「動力をもった機械」の意。「電話―」「昇降―」類語 器。❷「飛行機」の意。「戦闘―」❸《助数》飛行機を数える語。「一部隊十―編制」

―に臨み変に応ず・ずる《句》その時その場の事情に応じて、適当な手段をほどこす。

―を見るに敏(びん)《句》ちょうどよい機会をすばやく見つけだすようす。

＊**き**【気】❶人の活動の根源となる生命力。精神。「―が遠くなる(=失神する)」「―が触れる(=気が変になる)」「―を落とす(=がっかりする)」❷その人に備わった心の傾向。気質。「―が弱い」「―がいい」「―が早い(=せっかちである)」❸何かをしようと思う心。また、そのときの心の状態。意志。気持ち。「―が進む(=乗り気になる)」「―が多い(=移り気である)」「―が散る(=注意が集中しなくなる)」❹いろいろと思いめぐらす心。「―をつける」「―を回す(=邪推する)」「―が回る(=心づかいが行き届く。いろいろと想像する)」「―が知れない」「―にする(=心配する)」「―に病む(=心配して悩む)」「―にかかる」「―を配る(=注意する。気を使う)」

❺感情。「ーをまぎらす」「ーに障る(=感情を害する)」「ーが滅入(めい)る(=憂鬱(ゆううつ)になる)」❻人・物・物事に引かれる心。関心。「ーがない」「ーをとられる」❼物事に対して有効に働く心。「若いのによくーがきく(=細かいことに心が行き届く)」「ーのきいた(=しゃれた)店」❽その物の中に含まれている勢い・力。精気。特に、アルコール類の香気・味。「ーの抜けたビール」❾その場に感じられる気配。雰囲気。「あたりには秋のーが満ちていた」❿空気などの気体。「ーの抜けた風船」⓫人の息。呼吸。「ーがつまりそうな雰囲気」

ーが有・る《句》❶しようとする意思がある。「車を買うー・る」❷異性に対して関心がある。

ーが置けな・い《句》緊張したり遠慮したりする必要がなく、うちとけられる。「ー・い友人」参考 最近、誤って「気がゆるせない」「油断ができない」の意に用いられることがある。

ーが勝・つ《句》気性が強い。勝ち気である。

ーが差・す《句》〔自分のしたことが〕気にかかる。やましい気持ちになる。「逃げたことにー・す」

ーが済・む《句》気がかりなことがなくなる。

ーが付・く《句》❶注意が行き届く。「よい所にー・いた」❷対象を意識する。「景色に見とれていて、ー・くだれもいなかった」❸意識をとりもどす。

ーが咎(とが)・める《句》〔自分のしたことを〕やましく思う。

ーが引・ける《句》引け目を感じて気おくれする。

ーが揉(も)・める《句》早く(何とか)しなければならないという気持ちでいらいらする。「二人の事でー・める」

ーに入・る《句》心にかなう。好みに合う。「ー・った相手」尊敬 お気に召す。お気に召される。

ーに食わな・い《句》自分の気持ちに合わない。気に入らない。「ー・い奴(やつ)だ」

ーは心《句》量は少しだが、真心の一端を表すものであるということ。「ーですから、二〇〇円お引きします」

ーを入・れる《句》他のことを考えずにその物事に熱心になる。「もっとー・れて仕事をしなさい」

ーを利か・せる《句》細かなところまで気を配る。気を利かす。「事が事だけにー・せて席をはずした」

ーを付け《句》❶「足をそろえてまっすぐ立ち、顔を正面に向けよ」という号令。❷「気をつけ」①の号令でとる姿勢。「ーをする」対①②休め。

ーを呑(の)ま・れる《句》圧倒されて勢いがくじける。

ーを吐・く《句》〔威勢のよいことをして〕気概のあることを示す。「横綱ひとりがー・いている」

ーを張・る《句》気持ちを引きしめる。

ーを引・く《句》それとなく相手の意中を探る。また、相手の関心がこちらに向くようにする。

ーを持た・せる《句》期待をいだかせる。思わせぶりをする。

ーを許・す《句》心を開いて警戒をとく。

ーを良く・する《句》満足する。愉快になる。

*き【生】一《名》純粋でまじりけがないこと。「ウイスキーをーでのむ」「ーのままの心」二《接頭》「純粋でまじりけがない」「人手を加えない」「まさにそのとおりの」などの意。「ー醤油(じょうゆ)」「ー娘」「ーまじめ」

*き【×癸】十干の第十。みずのと。

*き【記】一《名》記録。「思い出のー」二《接尾》「事実を書きしるしたもの」「記録」の意。「航海ー」類語 録。

*き【軌】❶車の両輪の間隔。❷車の通った跡。わだち。

ーを一(いつ)に・する《句》❶〔多くの車の幅を同じにする意から〕国家が統一されととのっている。❷〔車の通った跡が同じである意から〕方針・考え方が同じである。参考 ↓揆(き)を一(いつ)にする。

*き【黄】一《名》菜の花のような色。きいろ。色の三原色の一つ。二《接頭》「黄色である」の意。「ー表紙」

*き《助動：特殊型》文語 ❶過去の動作・状態を表す。…た。「をとゝひのへちまの水も取らざりき〈子規〉」❷次にくる動詞よりも事が以前に起こる(起こった)意を表す。「我が建てしもの壊れしならば其場を一歩立去り得べきや〈露伴〉」❸〔誤用から起こって、連体形「し」の形で〕結果の存続・状態を表す。…ている。…てある。…た。「曇る日や深く沈みし種俵(たねだわら)〈鳴雪〉」

*ぎ【気】《接尾》《名詞につけて》「心持ち」「気性」「気質」などの意。「男ー」「一本ー」「商売ー」

*ぎ【偽】一《名》❶本物のようにみせかけること。❷〔論〕ある命題が誤りであること。対①②真。二《接頭》「本物のようにみせかけた」の意。にせの…。「ー君子」

*ぎ【儀】一《名》❶あるきまりによって行う式。儀式。「婚礼のー」❷事柄。件。わけ。「余のーではない」二《接尾》❶〔文〕《人名・人代名詞などにつけて》「…に関しては」の意。事(こと)。「私(わたくし)ー」❷「…になぞらえたもの」の意。「地球ー」「月球ー」❸「器械」「器具」などの意。「測距ー」「水準ー」

*ぎ【技】〔文〕わざ。うでまえ。「ー、神(しん)に入る(=神業(かみわざ)のようになる)」

*ぎ【義】一《名》〔文〕❶五常の一つ。人として行うべき正しい道。人道。「ーを重んずる」❷条理。理由。❸意味。意義。「そのーを解する」二《接頭》「義理」の意。「ー兄弟」

ーを見てせざるは勇無きなり《句》正しいと知りながら実行しないのは勇気がないからである。〈論語・為政〉

*ぎ【×誼】〔文〕したしみ。よしみ。「ーを通じる」

*ぎ【議】〔文〕❶議論し、相談すること。「大会のーに付す」❷相談した内容。案。

ギア ❶歯車。伝動装置。❷用具。=ギヤ。▽gear

き-あい【気合(い)】ーあい ❶心持ち。気分。「ーのいい男」❷相手といっしょに物事をするときの呼吸・調子。「ーが合わない」❸心をひきしめて、事に当たる勢い。また、かけ声。「ー十分な先発投手」

ーを入・れる《句》❶心をひきしめさせる。また、力を入れる。「ー・れて行こう」❷精神をきたえるため、体罰を加える。「新入生にー・れる」

ぎ-あく【偽悪】うわべをわざと悪く見せかけること。「ー趣味」参考「偽善」をもじって造った語。

き-あけ【忌明け】忌の期間が終わること。いみあけ。

き-あつ【気圧】大気の圧力。標準気圧(=一気圧)は一〇一三・二五ヘクトパスカル。参考 単位はヘクトパスカル(ヘクトパ)。

き-あわ・せる【来合わせる】ーあはせる《自下一》その場所に偶然に来て、あう。「折よく友だちがー・せた」

き-あん【起案】《名・自他サ》〔議案・文書などの〕もとになるあらすじや文章をつくること。類語 発案。起草。

ぎ-あん【議案】〔論議・議決するために〕会議に提出する案。「ー書」類語 案件。

*き-い【忌×諱】《名・自サ》《「きき」の慣用読み》↓きき(忌諱)。

*きい【紀×伊】旧国名の一つ。今の和歌山県の全部と三重県の南部。紀伊の国。紀の国。紀州(きしゅう)。

*き-い【貴意】〔文〕相手の意見・意志・気持ちなどの尊

敬語。あなたのお考え。「―を得たく…」類語御意。

*き・い【奇異】《形動》普通と様子がちがっていて変である。「―に感じる」類語異様。奇妙。

*キー ❶鍵(かぎ)。❷〔ピアノやタイプライター・キーボードなどの〕指で押す部分。鍵(けん)。鍵盤。電鍵。❸〔音〕調。❹問題をとく手がかり。かぎ。「事件の―を握る人物」▽key ―ステーション ラジオ・テレビの番組を放送網に送るとき、もとになる局。親局。キー局。▽key station ―ノート ❶ある音階の第一音。主調音。主音。❷基調。眼目。主旨。▽keynote ―パーソン 集団や組織の中で大きな影響を与える重要人物。中心人物。キーマン。▽key person ―パンチャー コンピューターのデータ入力などのためにキーを打つ職業(の人)。オペレーター。▽keypuncher ―ポイント 事件・問題を解決する重要な手がかりとなる事柄。解決点。▽keyとpointからの和製語。―ボード ❶ピアノ・オルガンなどの鍵盤(けんばん)。また、タイプライターやパソコンなどのキーの並んだもの。❷シンセサイザーなど、鍵盤をもつ電気楽器の総称。「―奏者」▽keyboard ―マン ➡キーパーソン。▽keyman ―ワード ❶なぞをとく手がかりになる、重要なことば。❷情報検索で、検索の手がかりとなることば。書名・論文名や、文章・句の中で重要な単語などをいう。▽key word

キーセン【×妓生】朝鮮の(もと政府につかえた)芸妓(げい)。妓生(きせい)。キーサン。▽朝鮮 ki-saeyng

きいた・ふう【利いた風】《名・形動》何もわからないのに、いかにもものわかったような生意気な態度をとること。しったかぶり。「―なことを言う」

き・いちご【木×苺・▽懸×鉤▽子】バラ科の落葉低木。実は黄熟し、食べられる。

き・いつ【帰一】《名・自サ》〔文〕異なった事柄が、結果として一つのことにおちつくこと。「百の徳目は一つの誠に―する」類語帰着。

き・いっぽん【生一本】《名・形動》純粋で、まじりけがないこと。性格がまじめでひとすじなこと。「灘(なだ)の―」「―な職人」注意「気一本」は誤り。

き・いと【生糸】蚕のまゆからとったままで、練っていない絹糸。対練り糸。

キープ《名・他サ》❶〔有利な状態を〕保持すること。「A席を五枚―してほしい」「ボトルを―する」❷ラグビー・サッカーで、ボールを保持し続けること。❸テニスで、自分のサービスゲームをとること。▽keep

キール 船首から船尾にかけて、船底の中心線に縦に通した鉄や木の材料。竜骨。▽keel

き・いろ【黄色】《名・形動》色の三原色の一つ。菜の花やバナナの皮のような色。黄。イエロー。⇩〔類語と表現「色」〕 ―・い《形》色がきいろである。 ―い・こえ【―い声(ごえ)】〔若い女性や子供の〕かん高い声。

*き・いん【気韻】〔文〕上品なおもむき。品格のあるようす。 ―せいどう【―生動】〔芸術作品などに〕気品のあるおもむきが、いきいきと表れていること。

*き・いん【起因・基因】《名・自サ》ある事柄を起こす直接の原因となること。また、その直接の原因。「不注意に―する事故」

*ぎ・いん【議員】国会や地方議会などの議決機関を構成し、議決権をもつ人。

*ぎ・いん【議院】❶国会。❷衆議院と参議院。

き・う【気宇】〔文〕〔外の物事・出来事に対する〕心の持ち方。「―広大」「―壮大」「―闊達(かったつ)」

キウイ ❶ニュージーランドの森林にすむ鳥。翼は退化し、全身に褐色の羽毛が生えている。夜行性。❷マタタビ科の蔓(つる)性植物。原産地は中国。果実は茶色で短い毛が生え、食用。参考 果実がキウイ①に似ることから名づけられた。▽kiwi

き・うけ【気受け】その人が他人に接したとき与える好き嫌いの感じ。「世間の人の―がよい」類語人づき。

き・うつ【気×鬱】《名・形動》気分がふさぐこと。「将来のことを考えると―になる」類語憂鬱(ゆううつ)。

き・うつり【気移り】《名・自サ》関心が一つの物事に集中せず、他に移ること。「―が激しい」類語目移り。

き・うら【木裏】板材の面で、木の中心に近い方。対木表(きおもて)。

き・うるし【生漆】採取したままの精製していない漆。

*き・うん【機運】〔あることを行う〕時のまわりあわせ。「海外進出の―が熟する」類語時機。

*き・うん【気運】物事のなりゆきがある方向にむかう傾向。時世のなりゆき。「戦争回避の―が盛りあがる」

き・え【帰依】《名・自サ》信仰して、仏や神の威徳にすがること。「仏道に―する」〔本来、仏教用語〕

*き・えい【機影】〔飛んでいる〕航空機の姿・影。

*き・えい【帰営】《名・自サ》兵営にかえること。

*き・えい【気鋭】《名・形動》気力にあふれ、意気ごみがするどいこと。「新進―の評論家」

きえ・い・る【消え入る】《自五》❶そのまま自然に消えてなくなる。「―・るような声」❷息が絶える。死ぬ。❸気を失う。失神する。

きえ・う・せる【消え▽失せる】《自下一》その場から見えなくなる。「とっとと―・せろ」類語消え去る。

きえ・ぎえ【消え消え】《副》〈多く「―に」「―と」の形で〉今にも消えてなくなりそうなようす。「―に残る雪」

き・えつ【喜悦】《名・自サ》〔満足して〕よろこぶこと。よろこび。「―の情」「―の色をあらわす」類語歓喜。

きえ・のこ・る【消え残る】《自五》消えないで残る。

きえ・やら・ぬ【消えやらぬ】《連語》〔文〕〔消えるはずのものが〕消えずにある。「―・ぬたそがれの光」

き・える【消える】《自下一》❶〔雪やにじが〕とけて〔薄くなって〕なくなる。「流氷が―・える」類語失(う)せる。(する)消失。消散。霧消。霧散。雲散霧消。❷光や熱を発しなくなる。「電灯が―・える」「火が―・える」❸〔物の形や人の姿が〕見えなくなる。「星が―・える」「屋島の露と―・えた(=屋島で討死にをした)」❹音が聞こえなくなる。「ざわめきが―・える」❺存在しなくなる。なくなる。「野の緑が―・える冬」「罪が―・える」❻ある感覚の対象がなくなる。また、ある感情がおさまる。「においが―・える」「恨みが―・える」文き・ゆ《下二》

*き・えん【奇縁】考えおよばない不思議な縁。くしき縁。「合縁(あいえん)―」

*き・えん【機縁】❶生き物に、仏の教えをうけるべき因縁があること。❷〔将来につづく事柄の〕きっかけ。機会。「これを―によろしく願います」

*き・えん【気炎・気×焔】〔議論の中で示す〕さかんな意気。「―万丈」「―を上げる(=勢いのよいことを言う)」

ぎ・えん【義×捐】《「捐」は「捨てる」の意》〔災難などにあった〕不幸な人々のために金品をさしだすこと。慈善のための寄付。「―金」表記「義援(金)」で代用することもある。類語施し。

き-えんさん【希塩酸・×稀塩酸】 水でうすめた塩酸。消化剤・殺菌剤・洗剤などに使う。

き-おい【気負い】 人よりもりっぱにできるという意気ごみ。「若いのでーが見られる」

きおい-た・つ【気負い立つ】《自五》〔りっぱにやりとげようと〕張りきって立ち向かう。勇みたつ。

***き-おう【既往】** すでに過ぎ去った時。過去。また、過去の物事。「ーにとらわれない」 **ーしょう【ー症】**〔現在は治っているが〕前にかかった病気。既往歴。

***き-お・う【気負う】**《自五》〔りっぱにやりとげようと〕心をふるいたたす。われこそと思う。勇みたつ。「ーった様子がうかがわれる」

き-おく【記憶】《名・他サ》❶過去に経験した事実を頭に入れて忘れないこと。また、その事実の内容。ものおぼえ。「ー力がいい」「ー喪失(そうしつ)」❷コンピューターに情報を蓄積すること。 **ーそうち【ー装置】** コンピューターで、データやプログラムを蓄積し、必要に応じてそれらを取り出したり消したりする装置。

き-おくれ【気後れ】《名・自サ》心がひるむこと。おじけづくこと。「ーがして実力が出せない」

キオスク 駅や街頭などで、新聞・雑誌・たばこなどを売る小さな売店。キヨスク。▽(フランス) kiosque

き-おち【気落ち】《名・自サ》がっかりして、力を落とすこと。「受験に失敗してーする」 類語 落胆。阻喪。

き-おも【気重】《名・形動》❶〔あることが気になって〕気分がはればれしないこと。「ーな仕事」❷相場が引きたたず、株式の取引が不活発なこと。

き-おもて【木表】 板材の面で、木の中心から遠い方。 対 木裏(きうら)。

***き-おん【基音】** 複合音を構成している音(部分音)のうち、振動数の最も少ない音。基本音。原音。

***き-おん【気温】** 大気の温度。 参考 気象では、百葉箱の中の、地上から約一・五(メートル)の高さに置かれた温度計の測定値。

***ぎ-おん【擬音】** 芝居や放送で、実際の音に似せて、道具を使って作りだす音。 **ーご【ー語】** 擬声語。

***ぎ-おん【×祇▽園】**〔もとは、仏の説法道場のあった地〕❶京都の八坂(やさか)神社の旧称。また、この一帯の地。 参考 遊郭があった。❷「祇園会(ぎおんえ)」の略。 **ーえ【ー会】** 京都の八坂神社の祭礼。七月一七日から二四日まで。祇園祭。祇園。

***き-か【奇禍】** 思いがけない災難。「国外でーにあう」

***き-か【奇貨】** ❶珍しい品物。❷利用すれば、意外な利益が得られる品物・機会。〔多く、「…をーとして」の形で使う〕「相場の暴落をーとして…」 **ー居(お)くべし**《句》得がたい機会だから、のがさず利用すべきである。好機をのがすな。〈史記・呂不韋伝〉

***き-か【幾何】**「幾何学」の略。「平面ー」 **ーがく【ー学】**(geometry) 数学の一部門。点・線・面などのつくる空間図形の性質を研究する学問。 **ーきゅうすう【ー級数】** 等比級数(とうひきゅうすう)。 対 算術級数。

***き-か【旗下】**〔文〕❶(将軍の)旗の下。❷麾下(きか)。

***き-か【机下・×几下】**〔文〕〔「おそば」の意で〕手紙のあて名の脇付(わきづけ)に書く尊敬語。 類語 机右(きゆう)。案下。座下。 注意 ふつう、男性が使う。

***き-か【帰化】**《名・自サ》❶他国の国籍をえて、その国の国民になること。❷外国から渡来した動植物が、環境に適応して繁殖し、野生化すること。「ー植物」

***き-か【×麾下】** ❶将軍直属の家来。❷その指揮者の指揮権の下にある・こと(人)。指揮下。配下。「A将軍ーの精鋭」 同 ①②旗下。

***き-か【気化】**《名・自サ》液体または固体から気体にかわること。 参考 液体の表面からの気化は「蒸発」、内部からは「沸騰」、固体表面からは「昇華」。 類語 液化。 **ーねつ【ー熱】** 気化に要する熱量。ふつう、物質一(グラム)が気化する熱量をいう。蒸発熱。

***き-か【貴家】**〔文〕相手の家・家族に対する尊敬語。尊家。お宅。「ー益々(ますます)御清栄の段…」

***き-か【貴下】**《代名》〔文〕同等以下の相手に対する尊敬語。 参考 男性が手紙文で使う。 類語 貴殿。

***き-が【帰×臥】**《名・自サ》〔文〕官職をやめて故郷に帰り、静かに余生を送ること。「故山にーする」

***き-が【起×臥】**《名・自サ》〔文〕起きることと寝ること。日々の生活。おきふし。起居。「ーをともにする」

***き-が【飢餓・×饑餓】**〔文〕飢え。「ーに苦しむ」

***ぎ-が【戯画】**〔風刺を含んだ〕こっけいな絵。カリカチュア。「ー化」 類語 漫画。

***ぎ-が【×巍×峨】**《形動(タルト)》〔文〕山などの高くそびえているようす。「ーたる山々」 類語 巍々(ぎぎ)。

***ギガ**《接頭》「一〇億倍の」の意。メートル法の単位の前に付ける。記号G。「ートン」▽giga-

***き-かい【器械】** 道具。また、簡単な機械。⇩〔使い分け〕 **ーたいそう【ー体操】** 鉄棒・跳び箱などの器械を使って行う体操。 対 徒手体操。

***き-かい【機会】** ある事を行うのにちょうどよい時機。しおどき。チャンス。おり。「絶好のー」 類語 好機。 **ーきんとう【ー均等】** 機会を平等に与えること。

***き-かい【機械】** 人力以外の動力によって目的の仕事を行わせる装置。⇩〔使い分け〕 **ーか【ー化】**《名・自サ》❶《他サ》人力のかわりに機械力を使うこと。「ーによる大量生産」❷人間の行動が主体性を失うこと。 **ーてき【ー的】**《形動》❶機械のしかけで動くようす。❷単調な動作を行うようす。「ーな作業」❸〔考えや行動が〕型にはまっているようす。「ーな考え方」

使い分け「キカイ」

機械〔人力以外の動力を使い、複雑で大規模なもの〕工作機械・精密機械・機械化部隊・機械文明

器械〔道具や、人力が加わった単純で小規模なもの〕光学器械・器械体操

参考 接尾語の「～機／～器」も右に準じて、動力の有無、規模の大小、仕組みの複雑・単純に従って使い分けるのが原則であるが、最近、機器は小型化・複雑化が進み、右の原則では処理できない物が多くなってきた。「機械／器械」についても同様で、新聞では伝統的な「光学器械」を、現在「光学機械」に改めて表記している。「測定器／機」「盗聴器／機」など二様の表記が成立するものには、実態に即した用字を心がける必要があろう。なお、「機械・器械」の総称として「機器・器機」がある(教育機器)。

***き-かい【奇怪】**《形動》❶ふつうでは考えられないほど変わっていて、不思議なようす。「ーな言動」❷けしからぬようす。不都合なようす。「ー千万」＝奇怪(きっかい)。

***き-がい【危害】**〔動物や他人が〕生命や身体に加える危難。「クマが登山者にーを加える」

***き-がい【気概】**〔困難などに屈しない〕正しく強い意

気。「―のある人物」類語 意気地(いくじ)。気骨。注意「気慨」は誤り。

＊ぎ-かい【議会】国民・地方住民によって選挙された議員で組織され、国民・地方住民の意思を代表し、立法・議決をうけもつ合議制の機関。特に、国会。

き-がえ【着替え】衣服をきかえること。また、そのために用意する着物。きかえ。

き-か・える【着替える】《他下一》きている着物をぬいで、別の着物をきる。きがえる。「浴衣に―える」参考「きかえる」が本来的。

き-がかり【気掛(か)り・気懸(か)り】《名・形動》〔物事の結果・なりゆきなどが〕心配で心からはなれないようす。「あすの試験が―だ」類語 心配。懸念。

＊き-かく【企画・企×劃】《名・他サ》新しくあることを行うために計画を立てること。また、その計画。「新しい番組の―を募集する」類語 計画。もくろみ。

類義語の使い分け　企画・計画

[企画・計画] 企画(計画)を立てる／企画(計画)案
[企画] 企画が大ヒットする／企画会議を開く
[計画] 計画どおりに事がうまく運ぶ／計画的犯行

＊き-かく【規格】❶生産や使用に便利なように、工業生産品などの品質・形・寸法などについて定めた標準。「JISの―」❷〔一般に〕物事の、標準となる定め。

き-がく【器楽】楽器で演奏する音楽。対 声楽。

ぎ-かく【擬革】布・紙などを加工して、なめし革ににせたもの。ビニールレザーなど。レザークロス。

ぎ-がく【×伎楽】古代、インド・チベット地方に起こり、推古(すいこ)天皇の時、百済(くだら)から日本に伝わった、音楽つきの無言仮面劇。呉楽(くれがく)。「―面」

き-かげき【喜歌劇】内容が軽快で喜劇的な要素をもった小規模な歌劇の総称。せりふを伴う。

き-かざ・る【着飾る】《自五》美しい衣服を着て外見をかざる。「―って出かける」類語 (する)盛装。

＊き-か・す【利かす】《他五》→利かせる。文《四》。

＊き-か・す【聞かす】《他五》→聞かせる。文《四》。

＊き-か・せる【利かせる】《他下一》〔「利く」の使役形〕❶利くようにさせる。「人に口を―せるひまもない」❷ききめがあるようにさせる。「塩を―せる」「すごみを―せる」＝利かす。文 きか・す《下二》。

＊き-か・せる【聞かせる】《他下一》❶〔「聞く」の使役形〕聞くようにさせる。「友だちにアメリカの話を―せる」❷〔話や歌がうまく〕自然に聞き入るようにさせる。聞く価値がある。「なかなか―せる話だった」類語 聞ける。＝聞かす。文 きか・す《下二》。

き-がた【木型】❶鋳型を作るときの、木製の型。❷物の形をととのえるときの、木製の型。「靴の―」

き-かつ【飢渇・×饑渇】〔文〕飲食物がなく、腹がへり、のどがかわくこと。飢えとかわき。「―に苦しむ」

きかぬ-き【利かぬ気】《名・形動》→きかんき。

き-がね【気兼ね】《名・自他サ》他人の都合や思わくを考えて、気を使うこと。「―のない間柄」「義母に―する」類語 遠慮。気づかい。

き-がまえ【気構え】〔物事にすぐとりかかれるように〕心を決めて待ちうけること。心構え。「万一の時の―をもつ」類語 心掛け。心組み。

き-がみ【生紙】のりを加えないですいた和紙。

き-がる【気軽】《形動》物事にこだわらず、気持ちがあっさりしているようす。「―に話せる友」類語 気さく。

き-がる・い【気軽い】《形》こだわらず、あっさりしている。気軽である。「―・く考える」

＊き-かん【器官】生物体を形成し、いくつかの組織からなっている、一定の形と働きをもつ部分。「発声―」注意「器管」は誤り。

＊き-かん【基幹】物事の大もと。組織・体系をつくるものの中心となる・こと(もの)。「―産業」類語 根幹。

＊き-かん【奇観】今まで見たこともないような珍しい眺め。かわったみもの。「―を呈する」類語 奇勝。

＊き-かん【旗艦】艦隊の司令(長)官が乗っている軍艦。参考 マストに司令官の官階を示す旗をかかげる。―てん【―店】小売業で、販売戦略上の中心となる店。

＊き-かん【既刊】すでに刊行していること。対 未刊。

＊き-かん【期間】〔前もってきめた〕ある一定の時期から他の一定の時期までの間。「売り出しの―」

＊き-かん【機関】❶火力・電力などのエネルギーを機械エネルギーにかえる装置。「内燃―」❷ある目的を達するための手段として設けた組織。「報道―」「在外―」―し【―誌・―紙】政党や組織などが、その目的のために発行する雑誌・新聞。表記 雑誌は「誌」、新聞は「紙」と書く。―しゃ【―車】客車・貨車をひっぱる動力装置を備えた鉄道車両。蒸気機関車・電気機関車など。―じゅう【―銃】引き金を引いている間、弾丸を連発する小口径の銃。機銃。マシンガン。

＊き-かん【帰還】❶《名・自サ》〔任務が終わって、戦地などから〕基地・内地などに帰ってくること。「―兵」「宇宙からの―」❷→フィードバック。

＊き-かん【帰館】《名・自サ》やかたに帰ること。また、宿舎や旅館に帰ること。「亭主のご―」類語 帰宅。

＊き-かん【気管】❶脊椎(せきつい)動物ののどの下部から肺につづく管。呼吸気の通路。❷昆虫・クモなどの呼吸器官の一部。―し【―支】気管①が下端で左右二つにわかれ肺臓にはいるまでの部分。

＊き-かん【汽×罐】〔文〕ボイラー。表記「汽缶」で代用することもある。

＊き-かん【季刊】〔雑誌などを〕一年に四回〔定期的に〕刊行すること。クォータリー。類語 月刊。年刊。

＊き-かん【貴簡・貴×翰】〔文〕相手の手紙に対する尊敬語。あなたのお手紙。「―拝受しました」

＊き-かん【×亀鑑】〔文〕〔人の行いの〕手本。模範。鑑(かが)み。「教育者の―となれ」参考「亀」は占いに用いる亀甲、「鑑」はかがみの意で、行動の規準となるもの。

＊き-かん【貴官】《代名》〔文〕官吏または軍人としての相手を尊敬して呼ぶ語。

＊き-がん【奇岩・奇×巌】形のめずらしい大きな岩。「―累々(るいるい)」「―怪石」

＊き-がん【帰×雁】春に、北国をさして帰って行くガン。

＊き-がん【祈願】《名・他サ》希望がかなうように神仏に祈り願うこと。「―が成就する」類語 願掛け。誓願。

ぎ-かん【技官】特別な学術・技芸に関係した仕事をする国家公務員。「農林―」

ぎ-がん【義眼】ガラスなどでつくった人造の眼球。入れ目。類語 義歯。義足。義手。

きかん-き【利かん気】《名・形動》人に負けたり言うままになったりすることをきらう性質。きかぬ気。

きかん-ぼう【利かん坊】利かん気で、わんぱくな子ども。

＊きき【利き・効き】❶働くこと。働き。「かぜをひいて鼻の—が悪い」「塩の—がよい」「薬の—がおそい」❷ききめ。効能。［表記］①は「利き」、②は「効き」と書く。

＊き-き【危機】〔悪い結果になりそうな〕危険な場合・状態・時期。ピンチ。「—を脱する」「—に瀕する」—**いっぱつ【—一髪】**一つまちがえば重大な危険に陥るという、きわどい状態。［注意］「危機一発」は誤り。

＊き-き【忌×諱】《名・自サ》忌みきらって、さけること。忌諱。「—に触れる(=忌みきらっていることを行ったり言ったりして、目上の相手の機嫌をそこなう)」

＊き-き【機器・器機】機械・器具の総称。「教育—」

＊き-き【記紀】古事記と日本書紀。「—の歌謡」

＊き-き【鬼気】ぞっとするほど気味が悪く、恐ろしい気配。「—迫る演技」

＊き-き【×嬉×嬉・×嬉×嬉】《形動タルト》喜びに心がはずむようす。喜びたのしむようす。「—として遊ぶ」［表記］「喜々」で代用することもある。

＊き-ぎ【×嬉戯】《名・自サ》〔文〕たのしく遊ぶこと。遊びたわむれること。［類語］遊戯。

＊き-ぎ【機宜】〔文〕〔ある事を行うのに〕時機が適切なこと。また、その時機。「—を得た発言」［類語］時宜。

＊ぎ-き【義旗】〔文〕正義のためにあげる旗じるし。「—を翻す(=正義の戦いを起こす。決起する)」

＊ぎ-き【義気】〔文〕正義を守り行う意気。義侠心。

＊ぎ-ぎ【疑義】意味・内容などがはっきりせず、疑問に思われること。「—をただす」［類語］疑点。

＊ぎ-ぎ【×巍×巍・×魏×魏】《形動タルト》〔文〕〔山・建物などが〕高く大きいようす。「—としてそびえる山々」［類語］峨々。嵯峨。巍峨。

きき-あやま・る【聞き誤る】《他五》聞きちがえる。

きき-あわ・せる【聞き合わせる】《他下一》物事を確かめるために先方に聞く。「会の開催の有無を—・せる」［類語］問い合わせる。たずね合わせる。

きき-い・る【聞き入る・聴き入る】《自五》〔耳をすまして〕熱心に聞く。一心に聞く。「楽の音に—・る」

きき-い・れる【聞き入れる】《他下一》〔頼みなどを〕聞いて承諾する。「願いを—・れる」［類語］了承。

きき-うで【利き腕】動作に使いよい腕。利き手。

きき-お・く【聞き置く】《他五》相手の意見や要求を聞くだけにしておく。〔地位・身分などの上の者が下の者に対して使う〕「その陳情は—・こう」

きき-おさめ【聞(き)納め】それが最後で二度と聞けない(聞かない)こと。「この世の—」

きき-おと・す【聞き落とす】《他五》〔うっかりして〕聞かずにおわる。聞きもらす。「大切なことを—・した」

きき-おぼえ【聞(き)覚え】❶以前に聞いた記憶。「—のある声」❷〔正式に習ったのではなく〕ただ聞いただけで覚えること。「—の英語をつかう」［類語］耳学問。

きき-およ・ぶ【聞き及ぶ】《他五》人づてに聞いて知っている。「お手並みはかねがね—・んでいる」

きき-かいかい【奇奇怪怪】《形動》〔文〕非常に奇怪なようす。〔「奇怪」を強めた言い方〕「—な事件」

きき-かえ・す【聞き返す】《他五》❶前に聞いたものをもう一度聞く。聞きなおす。「録音を—・す」❷〔内容などがはっきりせず確かめるために〕繰り返して問う。「電話が遠いので—・してばかりいる」❸〔相手の問いに対し〕こちらからも質問する。問い返す。

きき-がき【聞(き)書き】《名・他サ》聞いた話を書きとめること。また、そのもの。「芸談を—する」

きき-かじ・る【聞き×齧る】《他五》他から聞いて、一部分だけを知る。うわっつらだけを知る。

きき-かた【聞き方・聴き方】❶聞く方法・態度。「講義の—が悪い」❷聞く側。聞き役。「—に回る」

きき-ぐるし・い【聞き苦しい】《形》〔内容が悪かったり、雑音がはいったりして〕聞いていて不快になる。また、聞きとりにくい。「—・い点をわびる」

きき-こみ【聞(き)込み】❶〔情報などを〕他から聞いて知ること。❷刑事などが、犯罪捜査の手がかりを他から聞き出すこと。また、その聞いた話。

きき-ざけ【聞き酒・利き酒】〔質や味を鑑定するため〕酒を少し口にふくんで味わうこと。また、その酒。試し酒。［類語］試飲。

きき-じょうず【聞き〈上手〉】《名・形動》〔受け答えがうまく〕相手に気持ちよく話をさせる・こと(人)。聞き巧者。［対］聞き下手。

きぎす【×雉・×雉子】「きじ」の古称。きぎし。「焼け野の—、夜の鶴」

きき-すご・す【聞き過ごす】《他五》聞いたことの内容を心にとめないでおく。聞き流す。［類語］聞き捨てる。

きき-ずて【聞(き)捨て】聞いたことをとりたてて問題にしないこと。「—ならない(=聞き流せない)」

きき-そこな・う【聞き損なう】《他五》❶聞く機会をのがす。聞かないままにしてしまう。［類語］聞きもらす。❷まちがえて聞く。聞きまちがう。

きき-だ・す【聞き出す】《他五》❶〔かくされていることを〕聞いてさぐり出す。「新事実を—・した」❷聞くことを始める。聞き始める。「四月から講義を—・した」

きき-ただ・す【聞き▽質す・聞き▽糾す】《他五》〔真偽・不明の点などを〕聞いてはっきりさせる。聞いて確かめる。「事件の真相を—・す」［類語］問いただす。

きき-ちがい【聞(き)違い】《名・他サ》聞きちがえること。聞きあやまり。「—を正す」［類語］誤聞。

きき-ちが・える【聞き違える】《他下一》〔話の内容・ことばなどを〕まちがって聞く。聞き誤る。聞きまちがう。聞きちがう。「名まえを—・えた」

きき-つ・ぐ【聞き継ぐ】《他五》❶続けて聞く。❷順々に聞き伝える。「村人が—・いできた話」

きき-つ・ける【聞き付ける】《他下一》❶〔音や声を〕のがさずに聞く。「犬が主人の声を—・けて走ってくる」❷〔公にされない事柄を〕伝え聞いて知る。「倒産の噂を—・ける」［類語］聞きこむ。聞き出す。❸いつも聞いてなれる。聞きなれる。「音楽番組を—・けている」

きき-づたえ【聞(き)伝え】人から伝え聞いた・こと(話)。聞きづて。伝聞。

きき-づら・い【聞き▽辛い】《形》❶聞きとりにくい。「声が遠くて—・い」❷質問しにくい。「セックスに関することは—・い」❸聞いていられない。聞くのがつらい。「死んだ人の悪口は—・い」［同］①～③聞きにくい。

＊きき-て【聞き手】❶聞く立場の人。「—に回る」［類語］聞き役。❷聞くのが上手な人。［対］①②話し手。

＊きき-て【利き手】利きうで。

きき-とが・める【聞き×咎める】《他下一》問いただす。また、聞いて非難する。「大臣の発言を—・める」

＊きき-どころ【利(き)所】❶ききめのある場所。「鍼の—」❷中心をなす大切な所。要所。「—をおさえる」

＊きき-どころ【聞き所・聴き所】注意して聞くべき部分。聞く値打ちのある部分。「曲の—」［類語］さわり。

きき‐とど‐ける【聞き届ける】《他下一》〔上位にあるものが〕願い・申し出などを聞いて許しを与える。聞き入れる。「願いを—ける」 類語 (する)聴許。

きき‐と‐る【聞き取る】《他五》❶〔音・ことばなどを〕聞いてとらえる。聞いて知る。「かすかな声を—る」❷〔事情などを〕わかるように聞く。聴取する。

きき‐なお‐す【聞き直す】《他五》一度聞いたことを改めて聞く。聞き返す。「演説を録音で—す」

きき‐なが‐す【聞き流す】《他五》聞いていながら、そのままにしてとりあわないでおく。「柳に風と—す」

きき‐な‐す【聞き×做す】《他五》聞いて、それと思う。そのように聞く。「話を弁解と—す」

きき‐な‐れる【聞き慣れる・聞き×馴れる】《他下一》何度も聞いてなれる。「—れぬ声に振り返る」

きき‐にく‐い【聞き▽悪い・聞き▽難い】《形》❶〔音・声などがはっきりせず〕聞きとりにくい。❷たずねにくい。「離婚の原因は—い」❸聞くにたえない。「女性にとって—い話」 同 ①〜③聞きづらい。

き‐ぎぬ【生絹】ねらない生糸で織った、はだざわりのいい絹布。おもに裏地用。すずし。 対 練り絹。

きき‐のが‐す【聞き逃す】《他五》❶うっかり聞かないでしまう。聞き落とす。聞き漏らす。❷聞かないことにして無視する。「酒の上の失言だから—そう」

きき‐ふる‐す【聞き古す】《他五》何度も聞いて新鮮みがなくなる。 参考 多く「ききふるした」の形で「言いふるされた」と同じ意に用いる。「—した話」

きき‐ほ‐れる【聞き×惚れる】《自下一》聞いて心をうばわれる。聞いてうっとりする。「美声に—れる」

きき‐みみ【聞き耳】〈—を立てる〉〔人の話・物音などを〕聞こうとして注意を集中する。耳をそばだてる。

きき‐め【利き目・効き目】ある行為や作用がもたらすと期待したしるし。効能。「忠告しても—がない」「—の早い薬」 類語 効果。効力。効用。

きき‐もの【聞き物】聞く値打ちのある物。

きき‐もら‐す【聞き漏らす・聞き×洩らす】《他五》〔うっかりして、一部分を〕聞かないままにしてしまう。聞き落とす。「連絡先を—す」 類語 聞き損なう。

きき‐やく【聞き役】もっぱら相手の話を聞く立場(の人)。「—に回る」 類語 聞き手。

き‐きゃく【棄却】《名・他サ》❶〔ある物事を〕すてて、取りあげないこと。「提案を—する」 類語 放棄。放擲(ほうてき)。遺棄。❷〔法〕訴えを受けた裁判所が審理して、申し立ての理由がないもの、手続きのまちがったもの、期間を経過したものなどをとりあげず、訴訟を無効にすること。「上告を—する」 類語 却下。

***き‐きゅう【企及】**《名・自サ》〔文〕〔考え・行動などが〕あるものの程度までおいつくこと。努力して同じになること。「常人の—するところに非(あら)ず」

***き‐きゅう【危急】**〔文〕非常に危険な状態がまぢかに迫っていること。「—を救う」 類語 危殆(きたい)。緩急。

—存亡の秋(とき)《句》〔大きな危難が迫り〕現在のまま残るか、それとも滅びるかの、わかれめ。せとぎわ。

***き‐きゅう【希求・×冀求】**《名・他サ》〔文〕激しく願い求めること。こい願うこと。「平和を—する」 類語 熱望。切望。

***き‐きゅう【帰休】**《名・自サ》〔勤めや仕事をやめて〕自分の家や郷里に帰って休息すること。「一時—」

***き‐きゅう【気球】**水素・ヘリウムなど、空気よりも軽い気体をつめて空中に上げる、球形の袋。軽気球。

***き‐きょ【×欷×歔】**《名・自サ》〔文〕すすり泣くこと。すすり泣き。歔欷(きょき)。欷泣(ききゅう)。「—の声が上がる」

***き‐きょ【起居】**《名・自サ》〔文〕❶〔立つことと座ることの意から〕たちいふるまい。 類語 動作。挙措。❷日常の生活をすること。また、その生活・ようす。起きふし。寝起き。「—を共にする」

ぎ‐きょ【義挙】〔自分の利害などは考えず〕正義のためにおこす行動。「近来まれな—」 類語 美挙。

***き‐きょう【×桔×梗】**キキョウ科の多年草。七月から九月にかけて紫色・白色などのつりがね形の花を開く。秋の七草の一つ。根は、乾燥してせきどめ薬にする。

***き‐きょう【帰京】**《名・自サ》〔地方から〕みやこへ帰ること。特に、東京へ帰ること。「二年後には—します」

***き‐きょう【帰郷】**《名・自サ》自分の郷里に帰ること。「五年ぶりに—する」 類語 帰国。帰省。

***き‐きょう【気胸】**❶肋膜腔(ろくまくこう)〔=肺を包む胸膜の間〕に空気がはいって、肺が押し縮められている状態。❷肋膜腔に人工的に空気を送りこむこと。肺結核治療法の一つ。気胸療法。

***き‐きょう【奇矯】**《形動》〔言動が〕ひどく変わっているようす。「—なふるまい」 類語 奇異。奇抜。突飛。

***き‐ぎょう【企業】**資本・労働力・土地などの生産要素を結合し、営利を目的として継続的に行う事業・経営体。「中小—」「—努力」「公共—体」

***き‐ぎょう【機業】**織物を織る事業。はた織り業。

***き‐ぎょう【起業】**〔文〕新しく事業を始めること。「—家〔=アントレプレナー〕」 類語 創業。 対 廃業。

ぎ‐きょう【義×侠】正義を重んじ、弱い立場の者の味方にたつこと。おとこだて。「—心」 類語 仁侠(にんきょう)。

ぎ‐きょうだい【義兄弟】❶約束を結んで兄弟の交わりをする人。義理の兄弟。❷婚姻・縁組などによって、兄弟の関係になった人。

き‐きょく【危局】〔文〕危険が切迫した時局・場面。

ぎ‐きょく【戯曲】舞台で上演するような形式で書いた文学作品。ドラマ。 類語 シナリオ。

ききょ‐らい【帰去来】〔文〕〔官吏をやめて〕故郷へ帰るためにその地を去ること。 参考 陶淵明(とうえんめい)の詩「帰去来辞」から。「帰りなんいざ」と訓ずる。

き‐ぎれ【木切れ】木の切れはし。木っぱ。木片。

きき‐わけ【聞(き)分け】〔子どもが〕話を聞いてその道理をさとり、それに従うこと。「—のない子ども」

きき‐わ‐ける【聞き分ける】《他下一》❶聞いてちがいを区別する。「虫の音を—ける」❷話を聞いてその道理・意味を納得する。「親の言うことを—ける」

***き‐きん【基金】**❶ある事業・目的などのために前もって準備しておく資金。基本金。「慈善事業の—にあてる」❷〔財団法人などが行う〕特定事業の経済的基盤となる財産。「文化交流—」

***き‐きん【寄金】**金銭を寄付すること。また、寄付金。

***き‐きん【飢×饉・×饑×饉】**❶農作物が不作で食物が不足し、多くの人がうえに苦しむこと。 類語 凶作。❷生活に必要なものが非常に不足すること。「水—」

ぎ‐きん【義金】慈善や公益に使う寄付金。義捐金(ぎえんきん)。

***き‐きんぞく【貴金属】**〔金・銀・白金などのように〕空気中で酸化せず、化学変化をおこしにくい金属。産出量が少なく高価。 類語 希有(けう)金属。 対 卑金属。

***き‐く【危×懼】**《名・他サ》〔文〕危惧(きぐ)。

＊きく【菊】 ❶キク科の多年草。種類が多い。観賞用として古くから栽培され、サクラとともに日本の代表的な植物。原産地は中国といわれる。おきなぐさ。長月(ながつき)花。隠君子。❷紋所の一つ。菊①の花やそれに葉をとりあわせた形。参考 一六弁の紋は皇室の紋章。

＊き-く【規×矩】 〔文〕〔「ぶんまわし(=コンパス)と、かねじゃく」の意から〕規則。規準。手本。**―じゅんじょう【―準縄】** 〔文〕〔「ぶんまわし・かねじゃく・みずもり(=水平器)・すみなわ」の意から〕人の行動・考え方のよりどころとなるもの。物事の手本。

＊き-く【起句】 詩・文の最初の句。特に、漢詩の最初の句。「起承転結」の起。対 結句。

＊き・く【利く】 一《自五》❶効果や効能があらわれる。ききめがある。「薬が―・く」「注意が―・いてまじめになった」表記「効く」とも書く。❷機能が働く。よく活動する。「気が―・く」「目先が―・く」「鼻が―・く」❸可能である。できる。「洗いが―・く」文《四》。二《他五》〈口を―・く〉❶物を言う。話をする。「無駄口を―・く」❷他の人に話をつける。「上役が口を―・いてくれた」文《四》。⇩〖使い分け〗

使い分け 「きく」
利く〔能力や働きが十分に発揮される。物を言う〕目が利く・左手が利く・顔が利く・にらみを利かせる・機転が利く・無理が利く・見晴らしが利く・口を利く
効く〔ききめがあらわれる〕薬が効く・宣伝が効く・風刺の効いた文句・冷房を効かせる・酸味を効かせる
参考 一般には、機能には「利」、効果には「効」と使い分けることができるが、使い分けは微妙である。「わさびが利いた寿司・パンチを利かせた第一打」と書けば、機能を重んじた表現となり、「わさびが効いた批評・先制のパンチが効いた」と書けば、効果を重んじた表現となる。

＊き・く【聞く】 《他五》❶音や声、話などを耳に感じて理解する。「話を―・く」「音楽を―・く」「遠からんものは音にも―・け」表記 耳を傾けてきく意では、多く「聴く」と書く。尊敬 御高聞に達する。(する)謹聴。謙譲 承る。(する)拝聴。拝承。拝聞。❷〔要求を〕聞き入れる。承知する。「言うことを―・かない子」「忠告を―・く」❸問う。たずねる。「道を―・く」表記 ③は「訊く」「尋く」とも書く。❹〔においを〕かぐ。「香を―・く」❺〔酒などの味を見わけるために〕味わってみる。「酒を―・く」文《四》。⇩〖類語と表現〗〖使い分け〗

―いて極楽見て地獄 《句》話と実際とは大違いで、聞いてよいと思っていることも、実際に経験してみると悪いことが多いというたとえ。

―きしに勝・る 《句》聞いていた以上である。噂(うわさ)や評判より、もっとたいへんである。「―・るけわしい道」

―くは一時(いっとき)の恥聞かぬは一生の恥 《句》知らないことを人にたずねるのは恥ずかしいことだが、それはそのときだけのことで、たずねずに過ごせば一生そのことを知らず、いつも恥ずかしい思いをすることになる。

類語と表現 「聞く」
＊物音を聞く・落語を聞く・コーラスを聞く・知らせを聞いて驚く／国民の声を聞く・親の言いつけを聞く・頼みを聞いてほしい／理由を聞く・旧友の消息を聞く。
◆〔聴覚〕聞こえる・聞き置く・聞き取る・聞き惚(ほ)れる・聞き耳を立てる・聞き慣れる・聞き直す・聞きかじる・聞き違える・聞き誤る・聞き損なう・聞き落とす・聞き漏らす・聞き逃す・聞き忘れる・聞き過ごす・聞き流す・耳にする・耳に留まる・耳に入る・耳に入れる・耳につく・耳にたこができる・耳慣れる・耳を貸す・耳を傾ける・耳を澄ます・耳をそばだてる・耳を立てる・小耳に挟む／(する)聴取・傾聴・謹聴・聴講・確聞・仄聞(そくぶん)／早耳・初耳・空耳・地獄耳・百聞・誤聞
◆〔尋ねる〕尋ね合わせる・質(ただ)す・問う・問い掛ける・問い返す・問い詰める・問い質す・問い合わせる・聞き出す・聞き返す・伺う／(する)質問・質疑・発問・試問・諮問・誰何(すいか)・尋問・査問・審問・詰問・糾問(きゅうもん)／疑問・難問・奇問・珍問・愚問

使い分け 「きく・きこえる」
聞く(×訊・▽尋)〔自然に音を感じとる意で、一般に広く〕笑い声を聞く・物音を聞く・うわさを聞く・香を聞く・酒を聞く・道順を聞(訊・尋)く・身元を聞(訊・尋)く・理由を聞(訊・尋)く・師に人生の意味を聞(尋)く・聞く耳を持たない・条件を聞き入れる
聴く〔注意深く耳を傾けてきく〕音楽を聴く・街の声を聴く・声なき声を聴く・事情を聴(訊)く
聞こえる〔音が自然に耳に入ってくる〕物音が聞こえる・うわさが聞こえてくる
参考 「聞」は英語のhearに、「聴」はlisten toにおおむね対応する。「きこえる」の形(「聞く」の自動詞形。自発)で、「聴」を使うのは誤り。また、「お聞かせください」など使役の意や、「微妙な音の差を聞き分ける」など複合語では、一般に「聞」を使う。たずねる、問いただすの意では、「訊・尋」を使ったが、今では「聞」で代用する。

＊き-ぐ【危×惧】 《名・他サ》〔文〕〔ある物事の結果を〕心配し恐れること。恐れあやぶむこと。また、その気持ち。危懼(きく)。「―の念をいだく」類語 懸念(けねん)。

＊き-ぐ【器具】 ❶構造・操作などが簡単な器械・道具。「電気―」❷物を入れる道具。うつわ。器物。

＊き-ぐ【機具】 機械・器具の総称。「農―」

ぎ-く【疑×懼】 《名・他サ》〔文〕〔どうなることかと〕疑いをいだき、不安を感じること。疑惧(ぎぐ)。「娘の将来を―する」類語 危惧(きぐ)。

きくい-むし【木食虫】 (ひ―・く―) ❶キクイムシ科の昆虫。成虫・幼虫ともに木の幹に穴をあける。❷キクイムシ科の甲殻類。海にすむ。体長約三(ミリ)。体を曲げると球状になる。木船の船底に穴をあけたりする。

＊き-ぐう【奇遇】 思いがけなく出会うこと。思いもよらぬめぐりあわせ。類語 邂逅(かいこう)。

＊き-ぐう【寄×寓】 ❶《名・自サ》他人の家にしばらくの間住み、世話になること。いそうろう。「おじの家に―する」類語 寄宿。❷かりのすまい。寓居(ぐうきょ)。仮寓(かぐう)。

きく-か【菊花】 ↓きっか(菊花)。

き-くぎ【木×釘】 木で作ったくぎ。細工に用いる。

ぎく-しゃく 《副・自サ》❶言語・動作などがぎごちないようす。❷物事がなめらかに進まないようす。「―(と)した人間関係に悩む」類語 ①②ぎくぎく。

き-くず【木×屑】 (―づ・―く) 切ったりけずったりして出た、木のくず。こくず。

きく-すい【菊水】 紋所の一つ。水の流れの上に菊の花を浮かせた形。参考 楠木氏の家紋として有名。

き-ぐすり【生薬】 →しょうやく(生薬)。

きく-・する【×掬する】《他サ変》〔文〕❶〔水を〕両手ですくう。むすぶ。❷心情などを察する。気持ちをくみとる。❸注目する。「可憐—・すべき乙女」

き-くずれ【着崩れ】《名・自サ》衣服を着た形が、着ているうちにくずれること。「—しない着付け」

き-ぐち【木口】 ❶建築用木材の種類・性質。木質。❷横に切った木材の切り口。木口。❸手さげなどの口に取りつけた、木製の持ち手。

きく-づき【菊月】 陰暦九月の別称。

きく-な【菊菜】「しゅんぎく」の別称。

きく-にんぎょう【菊人形】 たくさんの菊の花で衣装の部分を細工した大きな見世物人形。

きく-の-せっく【菊の節句】 五節句の一つ。陰暦九月九日、菊見の宴を行った。重陽の節句。

き-くばり【気配り】《名・自サ》細かく気を使うこと。心づかい。「まずしい人への—が足りない」類語 配慮。

きく-ばん【菊判】 ❶洋紙の旧規格寸法の一つ。全紙の大きさは縦九三・九センチ、横六三・六センチ。参考 初めて輸入されたとき、菊花の商標があったことから。❷書籍の判型の一つ。縦二二センチ、横一五センチ。A5判よりやや大きい。

きく-びより【菊〈日和〉】 菊の花が咲くころのよい天気。晩秋のよい天気。類語 小春びより。

＊き-ぐみ【木組(み)】〔木造建築などで〕切りこみを入れて木材を組み合わすこと。「接合部の—」

＊き-ぐみ【気組(み)】〔物事をなしとげようとする〕心がまえ。いきごみ。「優勝する人は—が違う」類語 気構え。

き-ぐらい【気位】 自分の品位を高く保とうとする心の持ち方。「—が高い」類語 自尊心。自負。

き-くらげ【木▽耳】 キクラゲ科のキノコ。秋、ニワトコなどの枯れ木に群生する。暗褐色で、クラゲのような手ざわりがする。形は人の耳に似る。食用。

ぎくり《副》《多く「—と」の形で》恐れと驚きとを同時に感じて緊張するようす。ぎくっ。ぎっくり。「—とする」

き-ぐろう【気苦労】 心配や気づかいなどの苦労。心労。「子供をもつと—がたえない」

き-くん【貴君】《代名》〔文〕男性が、同等と同程度の男性をさす尊敬語。あなた。貴兄。〔手紙で多く使う〕類語 貴殿。貴下。

ぎ-ぐん【義軍】〔文〕正義のためにおこす戦い。また、そのための軍隊。義兵。

＊き-けい【奇形・×畸形】 生物体の正常でない形態。〔先天性のものにいう〕表記「奇形」は代用字。

＊き-けい【奇計】 普通の人が思いつかないような・すぐれた(かわった)はかりごと。奇策。「—を用いる」

＊き-けい【×詭計】〔文〕人をだまし、陥れるはかりごと。詭謀。「—を弄する」類語 計略。謀略。

＊き-けい【貴兄】《代名》〔文〕男性が、同等の男性をさす尊敬語。あなた。貴君。〔手紙で多く使う〕

＊き-けい【奇警】《形動》〔文〕普通の頭では思いもよらないようす。奇抜。「—な言を吐く」

ぎ-けい【義兄】 ❶約束を結んで兄になった人。❷縁組・婚姻などによって兄になった人。義理の兄。対 ①②実兄。

＊ぎ-げい【×伎芸】 歌舞・音曲などの芸。類語 芸能。遊芸。—てん【—天】伎芸を守り福徳を与える天女。

＊ぎ-げい【技芸】 うでまえ。わざ。特に、美術・工芸に関したわざ・技術。「—をきそう」

き-げき【喜劇】 ❶人生の真実を表現するのに滑稽を手段とした劇。コメディー。「モリエールの—」❷滑稽なできごと。対 ①②悲劇。

＊き-けつ【既決】 ❶すでにきまってしまったこと。すでに決定していること。「—の書類」❷〔法〕裁判の判決がすでに確定していること。対 ①②未決。

＊き-けつ【帰結】《名・自サ》曲折を経た考え・議論・行動などが最後にまとまって落ちつくこと(ところ)。「当然の—」類語 帰着。決着。落着。

ぎ-けつ【議決】《名・他サ》合議により意思を決定すること。また、その決定した事柄。「—権」類語 決議。

きけ-もの【利け者】 ある分野で、すぐれた腕前や勢力をもつ人。働きがあって、はばのきく人。

き・ける【聞ける】《自下一》❶聞くことができる。また、音が自然に耳に入ってくる。「静かに—・ける部屋」❷耳を傾けて聞く価値がある。「新人にしては—・ける演奏だ」表記 ②は「聴ける」とも書く。類語 聞かせる。

＊き-けん【危険】《名・形動》悪い事が起こるおそれのあること。あぶないこと。「身に—が迫る」「あえて—をおかす」類語 危殆。危急。累卵の危機。一髪千鈞。風前の灯。対 安全。

＊き-けん【棄権】《名・他サ》権利を自分の意思ですてて、使わないこと。特に、選挙権を行使しないこと。

＊き-けん【気圏】 大気圏。

＊き-けん【貴顕】〔文〕身分が高く、名声のある・こと(人)。「朝野の—」類語 貴紳。貴人。

＊き-げん【期限】 前もって定められた時期・期間。

＊き-げん【機嫌】 ❶〔仏教用語で、世の人のそしりきらうことの意から〕快・不快などの気分。「—を損なう」❷〔他人の〕健康の状態。「御—を伺う」❸《名・形動》いい気分であること。〔多く、「御—」の形で使う〕「酒をのんで御—になる」—かい【—買い】❶〔人に対する好悪など〕気分や感情の変わりやすい・こと(人)。❷相手の機嫌に応じて、その気に入るような態度をとる・こと(人)。「—で調子のいい奴」—気褄を取・る《句》→機嫌を取る。参考「機嫌を取る」と「褄を取る」の「取る」をかけて、語呂を合わせたことば。—を取・る《句》相手の気分をやわらげ、人の気にいるように働きかける。機嫌気褄を取る。

＊き-げん【紀元】 ❶建国の最初の年。❷〔歴史上の〕年数を数えるもとになる年。参考 現在、世界的にはイエス＝キリスト生誕の年を元年とする西暦が使われている。もと、日本では神武天皇即位の年(西暦紀元前六六〇年)を紀元とし、「皇紀」とよんだ。

＊き-げん【起源・起原】 物事の起こるもと。みなもと。「生命の—」類語 始原。本源。淵源。

き-げんそ【希元素・×稀元素】〔希ガス類元素・希土類元素・白金属元素などのように〕地球上まれにしか存在しないと考えられていた元素。希有元素。

＊き-こ【旗鼓】〔文〕❶〔戦場で指揮・号令を伝える〕軍旗と太鼓。❷戦場に出て戦う軍勢。また、戦場。—の間に相見・える《句》戦場で敵味方として会う。

＊き-こ【騎×虎】〔文〕トラの背に乗ること。—の勢い《句》〔トラの背に乗って走る者は途中でおりるにおりられず、走りつづけることから〕行きがかり上、途

中でやめられないことのたとえ。類語 乗りかかった船。

*き-ご【季語】俳句・連歌などで、季節感を表現するため、よみこむように特に定められたことば。「山路きて何やらゆかしすみれ草」の「すみれ草」の類。季題。⇩付録一五三八ページ。

*き-ご【×綺語】❶〔文〕美しく飾ったことば。「狂言―」類語 美辞麗句。❷〔仏〕十悪の一つ。真実に反して、うわべを飾ったことば。＝綺語(きぎょ)。

ぎ-こ【擬古】〔文〕❶昔の様式をまねること。❷昔の文章・詩歌などの文体をまねて作ること。「―文」

*き-こう【奇効】〔文〕不思議なききめ。「―を奏する」

*き-こう【奇巧】〔文〕細工などが珍しく、巧みなこと。

*き-こう【奇行】ひどく変わった行い。「―の多い人」

*き-こう【寄港】《名・自サ》航海の途中で船が港に立ち寄ること。「横浜港に―した外国船」

*き-こう【寄稿】《名・自他サ》〔依頼されて〕新聞・雑誌などに原稿を書き送ること。また、その原稿。「特別―」参考「投稿」は自分で勝手に送ること。

*き-こう【寄航】《名・自サ》❶寄港。❷航空機が目的地に行く途中で他の空港に立ち寄ること。

*き-こう【希×覯・×稀×覯】〔文〕まれにしか見られないこと。めったに見られないこと。「―本」

*き-こう【機構】❶ある一つの組織を組み立てているしくみ。「行政―」「人体―」「国連の―」❷機械の内部の構造。類語 ①②組織。構造。構成。

*き-こう【機甲】科学を応用した最新の兵器や機械力で装備すること。「―部隊」

*き-こう【帰校】《名・自サ》〔在籍する者が〕学校へ帰ってくること。「修学旅行をおえて全員無事に―した」

*き-こう【帰港】《名・自サ》船が出発した港に帰ること。「長い航海を終えて―する」対 出港。

*き-こう【帰航】《名・自サ》船・飛行機の帰りの航路(につくこと)。復航。「―の途につく」対 往航。

*き-こう【気候】ある地域の、長期間にわたる温度・湿度・風向・晴雨などの天気の総合状態。「大陸性―」類語 天気。陽気。季候。候。寒暑。寒暖。気象。

*き-こう【気功】古代中国から伝わる健康法。独特の体操や呼吸法によって生命エネルギーを引き出し、病気を治し健康を維持する。

*き-こう【気孔】植物の表皮(特に葉の裏側)にある(無数の)小さなあな。呼吸作用、炭酸同化作用、蒸散作用の空気・水蒸気の通路になる。

*き-こう【季候】四季ごとの気候。時候。

*き-こう【紀行】旅行中の見聞や感想などをしるした文。紀行文。類語 旅日記。道中記。―ぶんがく【―文学】旅行中の体験・見聞・印象などに基づく文学。

*き-こう【起工】《名・自サ》〔大がかりな〕工事を始めること。着工。「―式」対 完工。竣工(しゅんこう)。

*き-こう【起稿】《名・自他サ》原稿を新たに書き始めること。類語 起草。起筆。対 脱稿。

*き-こう【貴公】《代名》男性が、同等またはそれ以下の人をよぶ語。君。参考 昔は目上の人に使った。

*き-ごう【揮×毫】《名・他サ》毛筆で書画をかくこと。また、その書画。染筆。「―を依頼する」類語 潤筆。

*き-ごう【記号】あるきまった思想や事柄の内容を表すためのしるし。㋐〔語学〕〔文字に対して〕符号。「発音―」㋑音声・文字・符号・信号・標章・身ぶりなど、コミュニケーションにおいて意味を伝えるいっさいのもの。

*ぎ-こう【技工】手で加工する技術。また、その技術を持った人。「歯科―士」

*ぎ-こう【技巧】技術を巧みに用いていろいろくふうを施すこと。特に、芸術作品などの表現や制作に関する技術上のくふう。テクニック。「洗練された―」「―派」

ぎ-ごう【戯号】戯作者(げさくしゃ)などの雅号。

き-こうし【貴公子】❶身分の高い家に生まれた(若い)男子。貴族の子弟。類語 御曹司(おんぞうし)。❷〔容貌(ようぼう)・風采(ふうさい)が〕上品で美しい男子。

きこう-でん【×乞巧×奠】「七夕祭り」の古称。乞巧奠(きっこうでん)。参考 裁縫の上達を願う(＝乞巧)のでこの名がある。

きこえ【聞(こ)え】❶聞こえること。また、その度合い。「ラジオの―が悪くなる」❷他人が聞いたときの感じ。「小さな社(やしろ)でも神社と言えば―がいい」❸うわさ。評判。「人格者の―が高い人」

きこえよ-がし【聞こえよがし】《形動》(「がし」は接尾語)人の悪口・皮肉などをわざとその当人に聞こえるように話すようす。「失礼なことを―に言う」

きこ・える【聞こえる】《自下一》❶音や声が耳に感じられる。「うるさくて話が―・えない」❷受け取られる。解釈される。「こういったら変に―・えるかもしれないが……」❸わけがわかる。すじが通る。「そりゃ―・えませんよ伝兵衛(でんべえ)さん」❹(うわさ・評判として)伝わる。また、世に広く知れわたる。「美人をもって―・えた人」文 きこ・ゆ《下二》。⇩〔使い分け「きく・きこえる」〕

*き-こく【帰国】《名・自サ》❶(外地・外国から)本国に帰ること。類語 帰朝。❷ふるさとに帰ること。帰郷。

*き-こく【貴国】〔文〕相手の国に対する尊敬語。

*き-こく【鬼×哭】〔文〕成仏できない死人の魂が泣くこと。また、その声。―しゅうしゅう【―×啾×啾】《形動タルト》〔文〕死者の魂が悲しげに泣くようす。鬼気が迫ってすさまじいようす。「―たる古戦場」

ぎ-ごく【疑獄】はっきりした証拠がつかめず、罪状をきめがたい裁判事件。特に、大がかりな贈収賄事件。

き-ごこち【着〈心地〉】その衣服を着た時の具合・気分。着ぐあい。「この服は―がよい」

き-ごころ【気心】〔その人本来の気質からくる〕考え方・気持ち。「―の知れた仲間」類語 気質。気立て。

きこしめ・す【聞こし召す】㊀《他四》〔古〕❶「聞く」の尊敬語。❷「飲む」「食う」「行う」「治める」の尊敬語。㊁《他五》酒を飲む。〔たわむれていう語〕「御酒を―・す」「一杯―・しているね」

ぎごちな・い《形》〔言語・動作などが〕なめらかでない。また、気持ちなどがしっくり合わない。不自然である。ぎこちない。「―・い話し方」

*き-こつ【奇骨】〔文〕ふつうとは変わった(すぐれた)性格。「―に富む」

*き-こつ【気骨】信念を貫こうとする強い心。簡単には人に屈しない気質。「稜々(りょうりょう)たる―」類語 気概。意地。意気地。反骨。

き-こな・す【着▽熟す】《他五》衣服を自分のからだに似合うようにうまく着る。「流行のモードを―・す」

き-こ・む【着込む】《他五》❶上着の下に衣服を重ねる。「シャツを二枚も―・んだ」❷あらたまって着る。きちんと着る。「新しい背広を―・む」

き-こり【×樵・×樵▽夫】山林の立ち木をきることを職業とする人。

*き-こん【既婚】すでに結婚していること。対 未婚。

***き・こん【気根】**❶困難に耐えうる気力。根気。〔古風な言い方〕❷空気中にある根の総称。参考 地中に入ったり、他の植物体などに付着したりする。

***き・ざ【気▽障】**《形動》《「気ざわり」の略》きどっていて、いやみのあるようす。「―な男」「―なことを言う」

***き・ざ【×跪×坐・×跪座】**《名・自サ》〔文〕ひざまずいてすわること。「神前に―する」

ぎざ のこぎりの歯のような刻みめ。ぎざぎざ。

***き・さい【奇才】**世にもまれなすぐれた才能(のある人)。類語 逸材。

***き・さい【既済】**〔必要な手続きや義務などが〕すでに済んでいること。「借金の―分」類語 既決。対 未済。

***き・さい【機才】**〔文〕機敏な才気。するどい才気。

***き・さい【記載】**《名・他サ》〔書物・書類などに〕書いてのせること。「―事項を確認する」類語 掲載。

***き・さい【起債】**《名・自サ》〔国家・公共団体・会社などが〕公債・社債を募集すること。

***き・さい【鬼才】**〔人間離れのした〕非常に鋭い才能(のある人)。「映画界の―」類語 天才。秀才。

***き・ざい【器材】**❶ある器具を作るための材料。❷〔ある仕事に必要な〕器具と材料。「観測用の―」

***き・ざい【器財】**うつわや道具。

***き・ざい【機材】**❶ある機械を作るための材料。❷〔ある仕事に必要な〕機械と材料。「撮影の―」

きさき【▽后・▽妃】天皇や王の妻。おきさき。参考「后」は正式の配偶者、「妃」は側室。

ぎざ・ぎざ《名・形動・自サ》のこぎりの歯のような刻みめが並んでいること。また、その刻みめ。ぎざ。

***き・さく【奇策】**ふつうの人が思いつかないようなすぐれた策略。奇抜な策略。奇計。「―をめぐらす」

***き・さく【気さく】**《形動》きどりがなく、うちとけやすいようす。「―な人」「―に話しかける」類語 気軽。

ぎ・さく【偽作】《名・他サ》ある〔芸術〕作品に似せて作ること。また、そのにせの作品。贋作(がんさく)。偽作(にせさく)。参考 法律では、著作権者の許しなしに、複製・翻訳・興行・映画化・放送などの行為をすることをいう。

き・ざけ【生酒】まじり物のない純粋な酒。醇酒(じゅんしゅ)。類語 生一本(きいっぽん)。

きさご【▽細×螺・×扁×螺】ニシキウズガイ科の巻き貝。浅海にすむ。カタツムリに似るが、小形。殻は種々の美しい色をもち、おはじきなどに使う。きしゃご。

き・ささげ【木×豇▽豆・×楸】ノウゼンカズラ科のつる性落葉高木。ササゲに似た実は利尿剤になる。あずさ。

きざし【兆し・×萌し】〔「草や木の芽ばえ」の意から〕ある物事が起こることを予想させるしるし。前兆。「好況の―が見える」類語 凶兆。吉兆。徴候。

きざ・す【兆す・×萌す】《自五》❶草木の芽が少し出る。「新芽が―・す」類語 もえる。表記「萌す」と書く。❷起こり始まろうとする。〔多く、心が動き始める場合に使う〕「悪心が―・す」同 ①②めばえる。文《四》。

> **類義語の使い分け 兆し・徴候**
> 〔兆し・徴候〕この現象は地震の兆し(徴候)だろうか
> 〔兆し〕野原のここかしこに春の兆しが見てとれる
> 〔徴候〕この症状は動脈硬化の徴候かもしれない

き・さつ【貴札】〔文〕相手の手紙に対する尊敬語。〔改まった手紙文などで使う〕類語 芳書。

きざ・はし【▽階】〔雅〕階段。

き・さま【貴様】《代名》男性が、親しい同輩や目下の男性をさす語。また、男性が相手をさげすみ、ののしっていう語。参考 昔は目上の人に使った。

きざみ【刻み】一《名》❶刻むこと。また、刻みめ。「材木に―を入れる」❷「刻みたばこ」の略。二《接尾》《短い時間・長さ、少ない量などを表す数詞について》「…ごとに」の意。「一分―」「百円―」

きざみ・あし【刻み足】小またに急いで歩くこと。

きざみ・こ・む【刻み込む】《他五》❶細かく切って他のものの中にまぜて入れる。「ジャガイモにタマネギを―・む」❷〔細かく〕文字や模様などを彫りつける。「粘土板に―・まれた古代の文字」❸〔忘れないように〕心に深く印象づける。刻み付ける。「感激を胸に―・む」

きざみ・たばこ【刻み▽煙▽草】きせるに詰めて吸うたばこ。たばこの葉を細かく刻んだもの。きざみ。

きざみ・つ・ける【刻み付ける】《他下一》❶〔目じるしなどのために〕刻んであとをつける。ほりつける。「墓石に没年を―・ける」❷〔忘れないように〕心に深く印象づける。刻み込む。「父の臨終の言葉を心に―・ける」

きざ・む【刻む】《他五》❶切って細かくする。「大根を―・む」❷〔時間などを〕細かく区分していく。「仕事を一時間単位に―・む」❸彫刻する。彫刻したような跡を表面にあらわす。「仏像を―・む」「苦労の跡が顔に―・まれている」❹〔心に―・む〕はっきりと記憶する。強く印象づける。「別離の悲哀を心に―・む」文《四》。

きさらぎ【▽如▽月・▽二▽月・▽更▽衣】〔雅〕陰暦二月の別称。参考 太陽暦の二月にもいう。

き・ざわし【木×醂(し)】(―ざはし) 木になったままで甘くなるカキ。きざがき。きざらし。

き・ざわり【気障り】(―ざはり)《名・形動》相手の言動を不愉快に感じること。「なにかと―なことを言う」

***き・さん【帰参】**《名・自サ》〔文〕❶〔長く〕留守にしていた人が帰ってくること。❷昔、武士などが、一度ひまをとった主人にまた仕えること。「―がかなう」

***き・さん【帰山】**《名・自サ》僧が自分の寺に帰ること。

***き・さん【起算】**《名・自サ》ある地点・時点をもとにして計算し始めること。「開会日から―して一五日間」

ぎ・さん【×蟻酸】アリ・ハチなどの体内の毒腺(どくせん)や、イラクサ・松の葉などにふくまれる無色の液体。刺激臭があり、皮膚にふれると炎症をおこす。羊毛・木綿の染色、なめし革の製造などに使う。メタン酸。

き・さんじ【気散じ】❶心中にたまったいやな気分をはじきだし、はればれするために心を他のものに向けること。気ばらし。「―に散歩する」❷《名・形動》苦労がなく、気楽なこと。「―な日々を送る」類語 のん気。

***きし【岸】**〔川・海・湖などの〕水に接した陸地。水ぎわ。「―に寄せる波」「―の柳」類語 みぎわ。汀(なぎさ)。岸辺。浜。海岸。河岸(かがん)(かわぎし)。湖岸。

***き・し【×愧死】**《名・自サ》〔文〕恥ずかしさのあまり死ぬこと。また、死ぬほど深く恥じ入ること。慚死(ざんし)。

***き・し【旗×幟】**〔文〕❶〔合戦で、敵味方を区別するための〕旗じるし。❷ある物事に対して示す、態度・主張。「―鮮明(=態度・主張がはっきりしているようす)」

***き・し【棋士】**碁・将棋をすることを職業とする人。類語 棋客(きかく)。

***き・し【起死】**死にかかった人を生き返らせること。
―かいせい【―回生】望みのなくなった状態から、よい状態にもどすこと。「―のホームラン」「―の妙案」

*き・し【騎士】❶馬に乗っている武士。❷ヨーロッパ中世における武人の階級。ナイト。参考 封建領主と主従関係をむすび、騎士道を重んじた。―どう【―道】中世ヨーロッパの騎士の道徳。勇気・忠誠・名誉・貴婦人崇拝などを理想として重んじた。

*き・じ【奇事】不思議なこと。めずらしいこと。

*き・じ【木地】❶木目による木材の質。❷何もぬらない木。塗り物の下地。❸木彫などの細工に用いる材料の木で、荒びきしただけのもの。❹「木地塗り」の略。木目がすいてみえるように塗った、漆塗り。

*き・じ【生地・▽素地】❶手を加えない、自然のままの性質・状態。「酔って―が出る」❷織物の地質。また、衣服の材料となる織物・布。「スカートの―」❸陶磁器で、まだうわぐすりをぬっていないもの。❹粉やバターなどをまぜた状態の材料。「パンの―」

*き・じ【記事】事柄を伝えるために書いた文章。特に、新聞・雑誌などにのせて、ある事実をしらせる文章。

*きじ【×雉・×雉子】キジ科の鳥。日本・朝鮮などの低い山や原野にすむ留鳥。雄は美しい尾羽をもつ。日本の国鳥。きぎし。きぎす。

―も鳴かずば打たれまい《句》無用な発言をしたばかりに、わざわいをまねくことのたとえ。

*ぎ・し【技師】ある分野の高度の技術を身につけ、その技術に関した仕事を専門に行う人。エンジニア。参考 ㋐「技官」の旧称。㋑➡技手。

*ぎ・し【擬死】動物が、急激な刺激をうけたり害敵にであったりして、反射的に死んだようになること。

*ぎ・し【義士】〔文〕正義を守り行う人・武士。特に「赤穂義士」のこと。

*ぎ・し【義姉】❶約束を結んで姉になった人。❷縁組・婚姻などによって姉になった人。義理の姉。対①②実姉。

*ぎ・し【義子】義理の子。養子、娘の夫など。対実子。

*ぎ・し【義肢】失った手足の代わりにつける、人工の手足。義手と義足。

*ぎ・し【義歯】抜歯後に入れる、人工の歯。いれば。

*ぎ・じ【擬×餌】擬餌鉤。

*ぎ・じ【疑似・擬似】〔症状などが〕見分けがつかないくらい本物によく似ていること。「―脳炎」対真性。

*ぎ・じ【議事】会議を開いて討議すること(事項)。「―録」―どう【―堂】議員が会議する建物。特に、国会議事堂。

きし・かた【来し方】〔文〕❶過去。「―行くすえ」❷通り過ぎてきた所。＝こしかた。

ぎ・しき【儀式】〔祝い・祭り・とむらいなどの〕一定の形式で行う作法。「盛大な―」―ば・る【―張る】《自五》形式を重んじ、体裁をつくろう。「―った祝辞」

ぎし・ぎし《副》(「―と」の形も)❶木などがすれあって、きしむ音の形容。ぎちぎち。「床板が―鳴る」❷《形動》無理に詰めこむようす。❸遠慮せず、はっきり言うようす。つけつけ。ずけずけ。「―文句を言う」

*き・じく【基軸】物事の基準となるもの。「―通貨」

*き・じく【機軸】❶〔車輪などの心棒の意から〕組織・団体などの活動の中心となるもの。❷構想。くみたて。方式。「新―を打ち出す」

*き・しつ【器質】解剖で認められる、器官の特質。「―的障害(＝器官が変形を起こすまでになった障害)」

*き・しつ【気質】❶気性。性向。気だて。また、かたぎ。❷〔心〕個人の性格を特徴づけるような感情傾向・性質。多血質・神経質・胆汁質・粘液質など。

*き・じつ【忌日】➡きにち(忌日)。

*き・じつ【期日】あらかじめ決められた日。また、期限の日。「―には間に合う」

き・しな【来しな】来る途中。来がけ。「―に寄る」

きじ・ばと【×雉×鳩】ハト科の鳥。山野にすむ普通のハトで、留鳥。茶色で、くびの両側に青と黒のしまがある。「山鳩」ともいう。アジア各地に分布。

ぎじ・ばり【擬×餌×鉤・擬×餌針】鳥の羽毛・ゴム・ビニール片などで生き餌に似せた加工物をつけた、釣りばり。擬餌。

きし・べ【岸辺】岸のあたり。岸の近く。

きしみ【×軋み】❶物がこすれ合ってたてる、きしきしという音。「車輪の―」❷利害などが対立してなめらかに進まないこと。軋轢。「二国間に―が生じる」

きし・む【×軋む】《自五》物がすれあって、すべりの悪い音を立てる。きしる。「床が―む」文《四》。

きし・め・く【×軋めく】《自五》きしんで鳴る。

きし・めん【×棊子×麺】平たく打ったうどん。名古屋のものが有名。ひもかわ。参考 もと、小麦粉をこねてのばし、棊子(＝碁石)のように丸く打ち抜いた。

きしも・じん【鬼子▽母神】〔仏〕安産・幼児保護などの神。もと鬼神の妻で、多くの子を産んだが、他人の子をとって食べた。のち、釈迦にさとされて子とともに仏教に帰依した。訶梨帝母。鬼子母神。

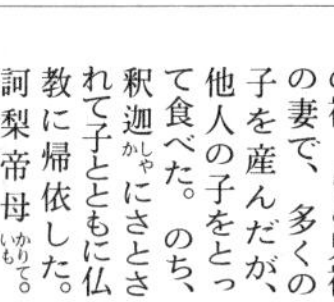
鬼子母神

*き・しゃ【喜捨】《名・他サ》財物をすすんで寺社・貧者などに与えること。「浄財を―する」類語 寄進。施与。

*き・しゃ【汽車】蒸気機関車がひっぱり、レールの上を進む列車。

*き・しゃ【記者】新聞・雑誌・放送などで、記事を集めたり書いたりする人。「―会見」―クラブ 国会や官公署などで取材する記者の集まり。また、その詰め所。

*き・しゃ【貴社】〔文〕相手の会社に対する尊敬語。御社。

*き・しゃ【騎射】《名・自サ》走る馬にのって弓を射ること。特に、やぶさめ。うまゆみ。対歩射。

き・しゃく【希釈・×稀釈】《名・他サ》塗料・薬液などの溶液に水・溶媒を入れてうすめること。

*き・じゃく【帰寂】《名・自サ》〔文〕僧が死ぬこと。入寂。入滅。

*き・じゃく【着尺】おとな用のふつうの長着が一枚作れる、反物の長さと幅。また、その反物。対羽尺。

*き・しゅ【奇手】変わったやりかた。めずらしいわざ。

*き・しゅ【旗手】❶旗を持つ役目の人。旗持ち。❷代表として先頭に立つ人。「自然主義運動の―」

*き・しゅ【期首】ある期間のはじめ。対期末。

*き・しゅ【機種】❶航空機の種類。❷機械の種類。

*き・しゅ【機首】航空機の機体の前部。「―をあげる」

*き・しゅ【起首】〔文〕物事のはじまり。起こり。類語 発端。冒頭。嚆矢。

*き・しゅ【騎手】馬の乗り手。〔多く、競馬でいう〕

*き・しゅ【鬼手】碁・将棋で、他人が予想もできない、

奇抜ですぐれた手。

き‐じゅ【喜寿】 七七歳。また、その長寿の祝い。喜の祝い。喜の字の祝い。参考 (ア)「喜」の草書体「㐂」が「七十七」と読めることから。(イ)→賀の祝い。

*__ぎ‐しゅ【技手】__ 技師の下に属して、技術に関した仕事に従事する人。参考「技師(ぎし)」とまちがえやすいので「ぎて」とも。

*__ぎ‐しゅ【義手】__ 失った手の代わりにつける、人工の手。対義足。

*__き‐しゅう【奇習】__ 奇妙な風習・習慣。

*__き‐しゅう【奇襲】__《名・他サ》相手の思いつかない方法で、不意をついて攻撃すること。不意うち。「―作戦」

*__き‐しゅう【既習】__《名・他サ》すでに学習し習得したこと。「―事項」対未習。

*__き‐しゅう【紀州】__「紀伊(きい)の国」の唐風の呼び名。

*__き‐しゅう【貴酬】__〔文〕返事の手紙を出すときの、わきづけの一つ。〔敬意を払った御返事の意〕

き‐じゅう【機銃】 機関銃。「―掃射」

きじゅう‐き【起重機】 非常に重い荷物をあげおろししたり、移動したりする機械。クレーン。

*__き‐しゅく【寄宿】__《名・自サ》❶他人の家に一時寝起きすること。類語寄寓(きぐう)。寄食。❷寄宿舎にすむこと。**―しゃ【―舎】** 学校・会社などが、学生・従業員などの共同宿舎としてつくった建物。寮。

*__き‐しゅく【×耆宿】__〔文〕〔ある分野で〕学識と長い経験のある老大家。元老。大家。長老。類語宿老。

*__き‐じゅつ【奇術】__ しかけをしておき、人の不注意や錯覚を利用し、ありそうもないふしぎな事が起こったように見せかける芸。てじな。「―師」類語魔術。

*__き‐じゅつ【既述】__《名・他サ》〔文〕すでにのべたこと。「―したように…」類語前述。

*__き‐じゅつ【記述】__《名・他サ》❶文章にして書きしるすこと。「―式試験」類語叙述。❷(description)事物の外形を学問的にしるし述べること。「―言語学」

ぎ‐じゅつ【技術】 ❶科学知識を生産・加工に応用する方法・手段。「先端―」❷〔一定の方法によって〕物事をうまく行うわざ。「編集の―を習う」類語技巧。

*__き‐しゅん【季春】__〔文〕春の末。晩春。暮春。参考陰暦三月の別称。

*__き‐じゅん【基準】__ 物事のもととなるようにきめた標準。「採点の―」

*__き‐じゅん【帰順】__《名・自サ》反逆・反抗をやめて服従すること。帰服。「―をすすめる」

*__き‐じゅん【規準】__〔判断・行為の〕模範となる標準。また、従わなければならない規則。「道徳の―」

*__き‐しょ【奇書】__〔文〕〔内容が〕非常に珍しい本。

*__き‐しょ【寄書】__《名・自サ》〔文〕❶手紙を書き送ること。また、その手紙。「―を得る」❷寄稿。「―欄」

*__き‐しょ【希書・×稀書】__〔文〕容易に手にはいらない珍しい本。希覯本(きこうぼん)。

*__き‐しょ【貴所】__ ㊀《名》〔文〕相手の住んでいる所に対する尊敬語。類語御当地。㊁《代名》〔文〕相手をさす尊敬語。あなた。類語貴君。貴殿。貴下。

*__き‐しょ【貴書】__〔文〕❶相手からの手紙に対する尊敬語。貴簡。お手紙。❷相手の著書に対する尊敬語。

*__き‐じょ【貴女】__ ㊀《名》身分の高い女。㊁《代名》〔文〕相手の女性をさす尊敬語。あなた。

*__き‐じょ【鬼女】__ ❶女の姿をした鬼。❷鬼のように残酷で恐ろしい女。

ぎ‐しょ【偽書】〔人をだますつもりで〕あるものに似せて書いた書物・手紙・文書。「一茶の書には―が多い」

*__き‐しょう【×毀傷】__《名・他サ》〔文〕壊し傷つけること。「身体を―する」

*__き‐しょう【奇勝】__ ❶《名・自サ》思いがけず勝つこと。表記「奇捷」とも書く。❷珍しくて、すぐれたけしき。「天下の―」類語景勝。

*__き‐しょう【気性】__ 生まれつきの心の性質。気質。気象。「―が荒い」類語気だて。心だて。性分。気風。

*__き‐しょう【気象】__ ❶気性。❷〔気圧・風向・風速・雲量など〕大気中におこる現象。「―の変化が激しい」**―だい【―台】** 気象の観測・通報などを行う公の施設。参考気象庁の管下にある。**―ちょう【―庁】** 国土交通省の外局で、気象事務を扱う機関。各気象台・測候所・気象研究所などを管下にもつ。**―よほうし【―予報士】** 天気予報を公表する資格を持つ人。

*__き‐しょう【記章・×徽章】__ 身分・職業・資格などを示すために衣服・帽子などにつける、小さなしるし。バッジ。表記「記章」は代用字。類語校章。社章。

*__き‐しょう【起床】__《名・自サ》目をさまして、ねどこから起き出ること。「六時に―する」対就床。就寝。

*__き‐しょう【起▽請】__《名・自サ》❶偽り・背信などのないことを神仏に誓うこと。また、その誓いの文書。起請文。「―まで交わした仲」参考昔、男女の間で多くとりかわした。類語祈誓。誓紙。誓文。❷たがいにかわす固い約束。

*__き‐しょう【希少・×稀少】__《名・形動》ごくまれで少ないこと。**―かち【―価値】** 数の少ないところから生ずるねうち。「―がある」

*__き‐じょう【机上】__ 机の上。「―プラン」**―の空論**《句》頭の中だけで考えて、実際には役にたたない案・理論。

*__き‐じょう【機上】__〔飛んでいる〕飛行機の中。機中。

*__き‐じょう【軌条】__ レール。「―折損」

*__き‐じょう【騎乗】__《名・自サ》馬に乗ること。

*__き‐じょう【気丈】__《形動》〔不意の大きな危難などに際しても〕理性を失わず、気持ちがしっかりしているようす。気丈夫。「―にふるまう」「―な女性」

*__ぎ‐しょう【偽称】__《名・他サ》名称をいつわっていうこと。また、いつわりの名称。類語偽名。仮称。詐称。

*__ぎ‐しょう【偽証】__《名・他サ》❶うその証明(証言)をすること。また、その証明(証言)。❷〔法〕法律によって宣誓した証人〔鑑定人・通訳〕が裁判所・国会などに対し虚偽の陳述〔鑑定・通訳〕を行うこと。「―罪」

*__ぎ‐じょう【儀×仗】__ 儀式に、装飾として用いる武器。

*__ぎ‐じょう【議場】__ 会議をする場所。会議を開いている場所。「―は騒然となった」

き‐しょう‐てん‐けつ【起承転結】 ❶漢詩〔特に絶句〕の組み立て方。第一句で言い起こし(=起)、第二句でうけ(=承)、第三句でその意を転じ(=転)、第四句で全体を結ぶ(=結)。❷物事の組み立て・順序。「話の―がはっきりしている」

き‐じょうぶ【気丈夫】《形動》❶心づよいようす。心丈夫。「彼がいるから―だ」❷気丈。

き‐じょうゆ【生×醬油】 他の調味料をまぜたり薄めたりしていないしょうゆ。

*__き‐しょく【喜色】__〔文〕うれしそうなようす。「―満面」

*__き‐しょく【寄食】__《名・自サ》他家に身を寄せて、他

人に養われること。居候。類語 寄宿。

*き-しょく【気色】❶心の中の考えや感情があらわれた顔つき。気色。「―をうかがう」類語 面持ち。顔色。❷〔あるものに対する〕感じ。気分。

―が悪・い《句》❶気分が悪い。❷気味が悪い。

キシリトール シラカバなどから抽出した天然甘味料。参考 虫歯予防に効果があるとされる。▽xylitol

きし・る【×軋る・×轢る・×輾る】《自五》→きしむ。文《四》。

*き-しん【寄進】《名・他サ》寺や神社に金や物などを寄付すること。「大鳥居を―する」類語 喜捨。奉納。

*き-しん【忌×辰】〔文〕祥月命日。

*き-しん【帰心】〔文〕〔故郷やわが家に〕帰りたいと思う心。「―矢の如し」

*き-しん【貴紳】〔文〕身分や家柄が高く名声がある紳士。貴顕紳士。「顕官―」類語 貴顕。

*き-しん【鬼神】❶死者の霊魂。また、神の霊。❷荒々しく恐ろしい力を持つ神。鬼神。「断じて行えば―もこれを避く（=断固として行えばそれを妨げる障害はない）」=鬼神。

*き-じん【奇人・×畸人】性質・言動などがふつうとひどく変わっている人。類語 変人。

*き-じん【帰陣】《名・自サ》〔文〕戦場から〔陣屋に〕帰ること。

*き-じん【貴人】〔皇族・華族など〕身分や家柄の高い人。貴人。類語 貴顕。貴紳。尊敬 御方。

*ぎ-しん【疑心】〔文〕疑う心。疑い。「―がつのる」

―あんき【―暗鬼】〔疑いの心を持つと、存在しない鬼の姿まで見えるようになる意から〕疑い出すと、なんでもない事まで信じられなくなり、不安に感じられること。「―にかられる」参考「疑心暗鬼を生ず」〈列子・説符〉から。

*ぎ-しん【義心】正義・忠義のためにふるい立つ心。

*ぎ-じん【擬人】〔修辞法で〕人間でもないものを人間にたとえて扱うこと。「―法」

*ぎ-じん【義人】正義感の強い人。正義の人。義人。類語 義士。義民。

*きす【×鱚】キス科の海魚。体長約二五チセン。体は細長くて美しい。砂地にすむ。食用。きすご。

*キス《名・自サ》接吻。キッス。▽kiss

*きず【傷・×疵】❶からだの皮膚・肉をそこなって、表面にできた痛む部分。また、そのあと。「脛に―を持つ（=悪事を隠していて、ひけ目を感じる）」類語 けが。❷精神的な面で、他から与えられた苦しみ・打撃。「心に深く―を負う」❸物の、壊れたりいたんだりしてついたあと。「―のある品物」❹物事の不完全な部分。欠点。「玉に―」❺恥辱。不名誉。「経歴に―がつく」表記 ①は「創」、③④は「瑕」とも書く。

*き-ず【木酢】柑橘類の汁を酢として使うもの。

*き-ず【生酢】調味料などの混ぜ物をしない酢。

きず-あと【傷×痕・×疵×痕】❶〔からだについた〕傷の〔治った〕あと。類語 瘢痕。❷大きな損傷・災害などによってうけた影響。「戦争の―」

*き-すい【既遂】❶すでにしてしまったこと。❷〔法〕刑法上の犯罪が完全に行われること。対 ①②未遂。

*き-すい【汽水】海水と淡水がまじりあった、塩分のうすい水。海岸近くの湖や河口にみられる。「―域」

*き-ずい【奇×瑞】〔文〕めでたいことの起こる不思議な前兆。瑞相。類語 吉兆。

*き-ずい【気随】《名・形動》自分の気持ちのおもむくままにまかせること。すきかって。きまま。―きまま【―気×儘】《名・形動》自分の気持ちのままに勝手にふるまうこと。わがまま勝手。「―に暮らす」

*き-すう【基数】数を表すもとになる数。参考 十進法では一から九までの整数。

*き-すう【奇数】二で割り切れない整数。対 偶数。

*き-すう【帰×趨】《名・自サ》〔文〕ある物事が行きつくこと。「―する所を知らず」類語 決着。帰結。

き-すうし【基数詞】数詞のうち、数量を数えるときに用いられるもの。対 序数詞。

ぎす-ぎす《副・自サ》❶やせて、かどばっており、冷たい感じを与えるようす。「―したからだつき」❷態度・ふるまいなどにあいきょうがないようす。「―した応対」❸心情や雰囲気にゆとりがなく・親しみにくい（うちとけにくい）感じを受けるようす。「―した性格」

きず・く【築く】《他五》❶土や石を積み、つき固めてつくる。「城を―く」❷基礎を固めて、しっかりと安定したものをつくる。「富を―く」文《四》。

きず-ぐすり【傷薬】傷に当てたり塗ったりする薬。

きず-ぐち【傷口・×疵口】〔からだの表面の〕傷がついた部分。ひゆ的に、人に知られたくない、失敗や不名誉。「―をぬう」「古い―に触れる」

きず-つ・く【傷付く・×疵付く】《自五》❶〔からだに〕傷がつく。けがをする。負傷する。「―いた足」❷〔物に〕傷ができる。こわれる。また、欠点ができる。❸〔心に〕痛手をうける。「心ないことばに深く―いた」

きず-つ・ける【傷付ける・×疵付ける】《他下一》❶けがをさせる。傷をおわせる。❷〔物に〕傷をつける。こわす。また、欠点のあるものとする。❸〔他人の名誉・気持ちなどを〕害する。そこなう。また、いたでをうけさせる。「子どもの心を―ける」

きずな【×絆・×紲】〔動物をつなぎとめておく綱の意から〕断ち難い〔人間同士の〕結びつき。「親子の―」類語 羈絆。表記 現代仮名遣いでは「きづな」も許容。

きず-もの【傷物・×疵物】傷がついているもの。

*き-する【帰する】㊀《自サ変》〔文〕結果としておちつく。最終的にそうなる。「努力が水泡に―する」㊁《他サ変》〔文〕〔物事の原因・責任などを〕負わせる。おしつける。「他人に責任を―する」―する-ところ【―する所】《連語》→独立見出し。

*き-する【期する】《他サ変》❶期限や時期をきめる。「来月末を―して発売する」❷確かなものとしてあらかじめ待ちうける。確かにそうであると期待する。「再会を―して別れる」「慎重を―する」❸前もって覚悟する。決心する。「心中深く―するところがある」

*き-する【記する】《他サ変》〔文〕❶文字などで書きしるす。記録する。❷記憶する。「心に―する」

*ぎ-する【擬する】《他サ変》〔文〕❶〔凶器・武器などを手にもって〕くっつける。さしあてる。つきつける。「刃物を背に―しておどす」❷〔ある人・物と〕同じように見たてる。なぞらえる。「次期会長に―する」

*ぎ-する【議する】《他サ変》〔文〕会議を開いて意見をのべあう。審議する。討議する。「国政を―する」

きする-ところ【帰する所】《連語》〔文〕つまるところ。結局。「―お金の問題だ」

*き-せい【奇声】聞きなれない大きな奇妙な声。とんきょうな声。「―を発する」

き

き

＊き-せい【寄生】《名・自サ》❶ある生物が他の生物の外部または内部に付着し、そこから栄養をとって生活すること。「―植物」❷自分は働かず、他人の金銭や働きによって生活すること。「企業に―する総会屋」**―ちゅう【―虫】**❶他の生物に寄生する動物。❷①のような存在。＝パラサイト。

＊き-せい【希世・×稀世】〔文〕〔すぐれていて〕世にまれであること。希代（きたい）。「―の天才」類語 絶世。

＊き-せい【既成】〔その状態を動かせないものとして〕すでに成り立っていること。「―概念」「―の事実」

＊き-せい【既製】〔品物が〕すでにできていること。前もってつくってあること。レディーメード。「―品」

＊き-せい【期成】ある事柄を成し遂げようと決心し、それを目ざすこと。「―同盟」

＊き-せい【棋勢】〔文〕囲碁・将棋で、途中の盤面に現れた形勢。

＊き-せい【棋聖】❶囲碁・将棋で、最上の地位にある人。❷将棋で、棋聖戦の優勝者に与えられる称号。

＊き-せい【帰省】《名・自サ》（親にあうため）故郷にかえること。「郷里に―する」類語 帰郷。

＊き-せい【気勢】勇み立ち、はりきった気持ち。元気のよい勢い。「―を上げる」類語 威勢。

＊き-せい【祈誓】《名・他サ》〔文〕神仏に祈ってちかいを立てること。

＊き-せい【規制】《名・他サ》規則を定めて制限すること。また、その規則。「輸出の―」類語 規定。統制。

＊き-せい【規整】《名・他サ》〔文〕規則を定めて、物事を正しくととのえること。「度量衡を―する」

＊き-せい【規正】《名・他サ》〔規則にあわせて〕悪い点・不都合な点を正しく直すこと。「政治資金―法」

＊ぎ-せい【擬制】❶実質はちがうのに、そうであるように見せかけること。見せかけ。❷〔法〕本質の異なるものを同一のものと見なして法律上同一の効果を与えること。窃盗罪で電気を財物と見なすなど。

＊ぎ-せい【擬勢】〔文〕❶うわべや見せかけだけの勢い。「―を張る」類語 虚勢。❷動物が相手をおどして身を守るためにとる体勢。コブラが頸部（けいぶ）を膨らますなど。

＊ぎ-せい【犠牲】❶〔文〕昔、神にささげた、生きた動物・人など。生贄（いけにえ）。類語 人身御供（ひとみごくう）。❷ある目的のために損失をかえりみないこと。また、その損失。「―が大きすぎる」類語 代償。❸思いがけない災難で死んだり傷ついたりすること。「交通戦争の―となる」

ぎせい-ご【擬声語】物の音や動物の声などをまねてあらわした語。「ガタガタ」「ザアザア」「ワンワン」など。擬音語。写声語。参考 →擬態語。

日本語

擬声語・擬態語

犬が鳴くのを「ワンワンと鳴く」と言い、水車が回るのを「コトコト回る」と言う。このように、音のするものを、言葉のうえで似た音でまねするものは擬声語と言い、英語などにもたくさんある。が、日本語では進んで、「風船がふわふわ浮かぶ」とか、「足がつるっと滑った」のように、音のしないものを音でその感じを表す。これを擬態語と言うが、英語などでは極めて少ない。

擬声語・擬態語は、語形の違いによって事物の様態の違いを細かく表すことができる。たとえば、同じ回転するでも、「くるくる」は連続して回転することを表し、「くるり」は一回回転して止まることを表す。また、「くるっ」は回転しかけることを、「くるんくるん」は弾みをもって回転することを表す。もし、濁って「ぐるぐる」と言えば、同じ回転するのでも、大きなものが何かの周囲を旋回することを表す。

擬声語・擬態語は新作も自由で、漫画などに新しい言い方がどんどん発表されているが、地方の方言でもまた豊かに使われている。たとえば、青森県五戸（ごのへ）の方言集によると、「パフラッと」はふろしきをかぶせる形容、「モツモツ」は食パンに何も付けずに食べる形容、「グレカリッとした」は美男の形容だそうで、「ジャポガボ」は人馬が浅瀬を渡る音とはうまい。

ぎせい-どうふ【擬製豆腐】水けを切った豆腐に卵や野菜などを加えて、焼いたり蒸したりしたもの。

きせ-か-ける【着せ掛ける】《他下一》着物などを体の上にかぶせる。体に着せるようにする。「カーデガンを―・ける」

＊き-せき【奇跡・奇×蹟】ふつうでは考えられない、ふしぎな出来事。特に、神の力によるとされるもの。ミラクル。「―が起こる」「―的」

＊き-せき【貴石】❶宝石。❷美しい鉱石。飾り石。

＊き-せき【軌跡】❶幾何学で、与えられた条件のすべてを満たす点の集合によってできる図形。❷〔車の輪が通った跡の意から〕ある物事がずっとたどってきた跡。

＊き-せき【鬼籍】死者の戒名・死亡年月日などを書きつける帳面。鬼簿。過去帳。「―に入る（＝死ぬ）」

ぎ-せき【議席】議場における議員の席。転じて、議員の資格。「―を争う」

きせず-して【期せずして】《連語》思いがけず。偶然に。予期せず。「―意見が一致する」類語 はからずも。

＊き-せつ【既設】設備・施設などがすでに設けてあること。「―の工場」対 未設。

＊き-せつ【気節】気概があって、節操が堅いこと。

＊き-せつ【季節】気候や天候の移り変わりによって一年を区分した一つ一つの区切り。温帯では春・夏・秋・冬の四季、熱帯では雨季と乾季に分ける。シーズン。類語 折節。四季。時候。時節。時季。四時。候。旬（しゅん）。春夏秋冬。**―はずれ【―外れ】**（はづれ）それにふさわしい季節をはずれていること。「―の大雪」**―ふう【―風】**ふつう冬は大陸から大洋に、夏は大洋から大陸にむかって定期的に吹く風。モンスーン。

＊き-ぜつ【奇絶】《名・形動》〔文〕びっくりするほど珍しい・こと（光景）。

＊き-ぜつ【気絶】《名・自サ》一時呼吸がとまって、気を失うこと。失神。類語 卒倒。人事不省。

ぎ-ぜつ【義絶】《名・自他サ》〔義理のために〕君臣・親子・兄弟などの縁を切ること。類語 絶交。勘当（かんどう）。

＊きせる【▽煙▽管】❶きざみ煙草をつめて吸う道具。竹などの細長い管（＝羅宇（ラウ））に金属製の雁首（がんくび）・吸い口をつけたもの。❷〔俗〕乗車駅と下車駅

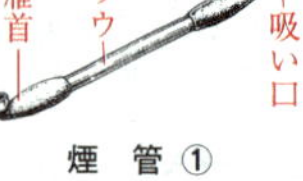

煙　管①

の近くだけ乗車券や定期券を使い、中間の料金をごまかして不正乗車をすること。きせる乗り。[参考]両端だけかねを用いることから。[表記]「煙管」はあて字。▽カンボジア khsier

***き・せる【着せる】**《他下一》❶衣服を身につけさせる。着させる。[類語]被(かぶ)せる。❷こうむらせる。負わせる。「罪を―・せる」「汚名を―・せる」

き・ぜわ【生世話】「生世話物」の略。歌舞伎(かぶき)の世話物狂言のうち、脚本の書かれた当時の世相・風俗・人情などを題材とした写実的なもの。生世話狂言。

き・ぜわし・い【気▽忙しい】《形》❶気持ちがせかされて落ちつかない。せかせかしていそがしい。「一二月に入ると―・くなる」❷せっかちである。「―・い人」[同]①②きぜわしない。

***き・せん【基線】**三角測量で、基準になる直線。

***き・せん【機先】**事の起ころうとするやさき。**―を制・する**《句》他に先んじて事を行い、相手の気勢をくじく。[注意]「気先を制する」は誤り。

***き・せん【機船】**「発動機船」の略。内燃機関を動力とする船。

***き・せん【汽船】**蒸気機関によって進む船。蒸気船。また、機械力によって航行する大型の船の総称。

***き・せん【貴×賤】**身分の高い人と低い人。また、とうといことと、いやしいこと。「職業に―の別はない」

***き・せん【輝線】**物質のスペクトル中の輝いた線。

き・ぜん【×毅然】《形動タルト》断固とした態度をもって物に動じないようす。「不正行為に対し、―とした態度をとる」[類語]屹然(きつぜん)。厳然。断固。

***ぎ・ぜん【偽善】**本心をいつわって、うわべをよくみせかけること。また、そのみせかけの善事・善行。「―的な行為」「―者」[参考]→偽悪(ぎあく)。

***ぎ・ぜん【×巍然】**《形動タルト》〔文〕他よりもひときわ高くそびえるようす。巍々(ぎぎ)。「―たる(=偉大な)人物」

***き・そ【基礎】**❶建築物の土台。いしずえ。「―工事」❷物事の成立するもととなる事柄。「研究の―を固める」[類語]根底。根本。基盤。基(もとい)。基(もと)。**―づ・ける【―付ける】**《他下一》ある事柄を成り立たせるための十分な根拠を与える。「彼の理論を―・ける事実」

***き・そ【起訴】**《名・他サ》検察官が裁判所に訴えをおこすこと。[類語]告訴。**―じょう【―状】**検察官が起訴に際し裁判所に出す書類。**―ゆうよ【―猶予】**犯人の事情や犯罪の軽重などの状況から、検察官が訴追の必要がないと判断して公訴を提起しないこと。[参考]→不起訴。

***き・そう【基層】**ある物事の基礎をなしているもの。その上に物が層状に存在する。基盤。「日本文化の―」

***き・そう【奇想】**ふつうでは思いつかないような珍しい考え。とっぴな考え。**―てんがい【―天外】**《形動》〔「奇想天外より落つ」から〕ふつうでは思いもつかないようす。奇抜なようす。「―な物語」

―天外より落・つ《句》非常に珍しく変わった事を思いつく。奇抜な事を思いつく。奇想天外より来(きた)る。

***き・そう【貴僧】**[一]《名》〔文〕身分の高い、尊い僧。[二]《代名》〔文〕相手に対する尊敬語。

***き・そう【起草】**《名・他サ》原稿や文案の下書きを書き始めること。草案を書きおこすこと。「規約の―者」[類語]起筆。起稿。

***きそ・う【競う】**《他五》〔負けまいとして〕互いに争う。競争する。はりあう。「妍(けん)を―・う」[文]《四》

き・ぞう【寄贈】《名・他サ》品物をおくり与えること。寄贈(きそう)。「蔵書を―する」[類語]贈呈。進呈。寄付。

***ぎ・そう【擬装・偽装】**《名・他サ》人や敵の目をくらますため、他の物とまぎらわしい形・色・状態などをよそおうこと。カムフラージュ。「―心中(しんじゅう)」

***ぎ・そう【×艤装】**《名・他サ》〔でき上がった〕船体に、航海に必要な装置・器具などをとりつけること。

ぎ・ぞう【偽造】《名・他サ》〔だます目的で〕本物に似せてつくること。贋造(がんぞう)。「一万円札を―する」

きそう・きょく【×綺想曲・奇想曲】カプリッチオ。[表記]「奇想曲」は代用字。

きそう・せい【帰巣性】ミツバチやツバメのように、動物がすんでいた所や巣へ帰ってくる本能。帰巣本能。

***き・そく【気息】**〔文〕呼吸。息。**―えんえん【―×奄×奄】**《形動タルト》❶息が絶え絶えであるようす。今にも死にそうなようす。❷物事の状態が永らえるか滅びるかのせと際であるようす。「―のA政権」

***き・そく【規則】**〔国やある団体・組織などに属する人の〕行為や事務手続きなどの規準として定められた事柄。きまり。ルール。「―を守る」「交通―」[類語]規約。規律。規程。**―ただし・い【―正しい】**《形》物事が、一定のきまりに従ってきちんと整えられているようす。**―てき【―的】**《形動》一定のきまりに従っているようす。規則正しいようす。「―に変化する」

***き・そく【×驥足】**〔文〕〔駿馬(しゅんめ)の足の力の意から〕すぐれた才能(のある人)。「―を展(の)ばす(=すぐれた才能を十分に発揮する)」

***き・ぞく【帰属】**《名・自サ》❶つき従うこと。「会社への―意識」❷財産・権利などが、特定の人・団体・国などの所有となること。「版権は出版社に―する」

***き・ぞく【貴族】**❶血統・門閥・財産などにより、一般民衆に対して優越をほこり、政治的・社会的な特権をもつ上層階級。また、その人(たち)。❷特権をもち、高い地位にある人。「労働―」

***ぎ・そく【偽足・擬足】**アメーバなど原生動物の原形質が、運動・食物摂取のために一時的に突き出すもの。仮足。虚足。[表記]植物学で「偽足」、動物学で「擬足」と書く。

***ぎ・そく【義足】**失った足を補うためにつける、人工の足。義脚。[類語]義肢(ぎし)。[対]義手(ぎしゅ)。

ぎ・ぞく【義賊】金持ちからうばった金品を貧しい人に与える盗賊。義盗。「―の首領日本駄右衛門」

き・そつ【既卒】〔「新卒」に対して〕学校を既に卒業していること。「―者」[参考]就職条件などについていう。

き・そば【生×蕎▽麦】小麦粉などをまぜず、ほとんどそば粉だけでつくったそば。純粋なそば。

き・ぞめ【着初め】新しい衣服をはじめて着ること。

***き・そん【×毀損】**《名・他サ》❶《自サ》物をこわすこと。物がこわれること。「古墳の壁画が―する」[類語]破損。損傷。❷名誉・信用などをそこなうこと。「名誉を―する」[表記]新聞では「(名誉)棄損」と書く。

***き・そん【既存】**《名・自サ》すでに存在していること。前からあること。「―の施設」「―の理論体系」[参考]俗に「きぞん」ともいう。

***き・そん【帰村】**《名・自サ》自分の村に帰ること。

きた【北】方角の一つ。太陽の出る方に向かって左の方向。[対]南。

ぎ・だ【犠打】〔野球で〕「犠牲打」の略。打者はアウトになるが、走者が進塁または得点できる打撃。

ギター 弦楽器。ふつうは、8字型の木製の胴に腕木をつけて六本の弦を張り、横にかかえるようにして指先またはピック(つめ)で弾いてならす。▽guitar

***き-たい【危×殆】**〔文〕〔ある物事の状態が〕非常にあぶないこと。「経済が―に瀕する」類語 危険。危機。

***き-たい【基体】**〔哲〕物の性質・状態・変化の基礎として考えられるもの。類語 実体。

***き-たい【期待】**《名・自他サ》あてにして待っていること。「成功を―する」「新人に―するところ大なるものがある」「両親の―に添う」類語 嘱望。待望。要望。

***き-たい【機体】** 飛行機(の胴体)。また、飛行機のエンジン以外の部分。

***き-たい【気体】** 一定の形・体積がなく、自由に流動する物質。物質の三態の一つ。ガス。対 固体・液体。

***き-たい【鬼胎】** 妊娠初期に胎児をおおう膜が、ぶどう状の小さな袋のあつまりに発達する病気。胞状鬼胎。葡萄状鬼胎。表記「奇胎」とも書く。

***き-たい【奇体・奇態】**《形動》あやしく不思議であるようす。風変わりで、珍しいようす。「―な事件」類語 奇怪。奇妙。

***き-だい【季題】** 季語。

***き-だい【希代・×稀代】**《形動》〔文〕❶世にめったにないようす。「―の好き者」類語 絶世。❷ひどくふしぎなようす。けったい。「―なことを言う」＝希代。

***き-だい【貴台】**《代名》〔文〕相手に対する尊敬語。あなたさま。高台。尊台。類語 貴下。

ぎ-たい【擬態】 ❶あるもののようすに似せること。類語 ポーズ。❷動物が他の生物や無生物に似た色や形をしていること。―ご【―語】 物事の状態・ようすを、それを示すのにふさわしい音で表した語。「きらきら」「ぴかぴか」「にやにや」など。擬容語。参考 (ア)広義の擬声語の一種。(イ)⇩〔日本語「擬声語・擬態語」〕

ぎ-だい【議題】 会議で討議する問題(の題目)。

きた・える【鍛える】《他下一》❶金属を熱し打って、硬度を強くする。「鉄を―・えて刀を作る」❷心や身体を、修練して強くする。また、わざをみがく。「山で心身を―・える」文 きた・ふ《下二》。

き-だおれ【着倒れ】 衣服に金をかけすぎて破産すること。「京の―、大阪の食い倒れ」

きた-かいきせん【北回帰線】 北緯二三度二七分の緯線。夏至の日に太陽がこの線の真上にくる。夏至線。対 南回帰線。

きた-かぜ【北風】 北の方から吹いてくる(寒い)風。朔風。ほくふう。対 南風。

きたきり-すずめ【着たきり×雀】〔俗〕いつも同じ衣服を着ている・こと(人)。参考「舌切りすずめ」とかけて、語呂を合わせた語。

***き-たく【寄託】**《名・他サ》ある物を他人にあずけて、その保管・処理をたのみまかせる・こと(契約)。「蔵書を図書館に―する」類語 委託。

***き-たく【帰宅】**《名・自サ》わが家に帰ること。「―時間」類語 帰館。

きた-ぐに【北国】〔寒さがきびしい〕北方の国・地方。ほっこく。類語 北地。雪国。対 南国。

き-たけ【着丈】 その人の身長にあった、衣服の長さ。

きた・す【来す】《他五》〔ある好ましくない事・状態を〕起こらせる。まねく。「一頓挫を―・す」文《四》。

き-だち【木〈太刀〉】 木で作った太刀。木刀。

き-たつ【既達】〔文〕文書などによって、すでに通知してあること。すでに達しをしたこと。「―事項」

き-だて【気立て】 生まれつきもっている、気持ちのよい傾向。「―の優しい人」類語 気性。気質。性質。

きたな・い【汚い・×穢い】《形》❶泥やほこりなどにまみれたり、古びたり、しみなどがあったりして不快な感じを与える。不潔である。「―・い道」「―・い千円札」❷正しい形式から外れて、不快な感じを与える。下品である。「―・い原稿」❸心がいやしい。卑劣である。「金銭に―・い人」「―・いやり口」文 きたな・し《ク》。

きたな-らし・い【汚らしい・×穢らしい】《形》汚くて不潔な感じだ。「―・い身なり」

きた-の-かた【北の方】〔文〕公卿など身分の高い人の正妻をさす尊敬語。参考 寝殿造りの北の対屋に住んだことから。

きた-はんきゅう【北半球】 地球の赤道以北の部分。陸地面積が南半球よりも大きい。対 南半球。

きた-まくら【北×枕】 頭を北にむけて寝ること。参考 死者の枕を北向きにするため、一般に不吉とされる。

きた-やま【北山】 ❶北の方にある山。特に、京都の北方の山。❷〔「来た」の意にかけて〕(ア)関心が向いてくること。(イ)空腹になること。「腹が―だ」

ぎだゆう【義太夫】「義太夫節」の略。元禄ごろ、竹本義太夫が始めた、浄瑠璃の一派。太ざおの三味線伴奏で力強く語られる。浄瑠璃。

***きた・る【来る】**《連体》〔月日などの上につけて〕「近いうちにくる」「次の」などの意。「―五日」対 去る。

***きた・る【来(た)る】**《自四》〔文〕来る。やって来る。「待ち人―・る」

***き-たん【奇×譚】** めずらしい、不思議な言い伝え・物語。「漂流―」類語 奇談。

***き-たん【忌×憚】** ❶《名・他サ》いみはばかること。❷〔あることを言うのを〕遠慮すること。参考 ふつう、下に否定の語を伴う。「―なく話す」「―のない意見」

***き-だん【奇談】**〔内容が〕めずらしい話。不思議な話。「珍談―」類語 珍談。奇聞。奇譚。奇話。

***き-だん【気団】** 水蒸気の量や気温が水平方向にほぼ決まった値をもつ空気のかたまり。「海洋性―」「寒―」

***き-だん【×綺談・奇談】** 飾り立てて面白く作った話。表記「奇談」は代用字。

***き-ち【危地】** 危険な状態・場所。「ようやく―を脱した」類語 危機。死地。虎口。

***きち【吉】**〔うらない・おみくじなどで〕めでたいこと。よいこと。吉。「占いは―と出た」対 凶。

***き-ち【基地】**〔軍隊・探検隊などの〕行動の根拠地。「前線―」「軍事―」類語 拠点。

***き-ち【奇知・奇×智】** ふつうとちがった(すぐれた)知恵。奇抜な知恵。「―をめぐらす」

***き-ち【既知】** すでに知っていること。すでに知られていること。「―の事実」対 未知。―すう【―数】❶〔方程式で〕値がわかっている数。❷将来の事や価値などがすでにわかっていること。対 ①②未知数。

***き-ち【機知・機×智】** その場に応じてすばやく働く、鋭い才知。ウイット。「―に富む」類語 機転。頓知。

***き-ち【×窺知】**《名・他サ》〔文〕ひそかにうかがい知ること。「軍の機密は―を許さず」類語 推知。察知。

***き-ち【貴地】**〔文〕相手が・いる(住んでいる)土地をさす尊敬語。御地。〔多く、手紙文で使う〕

き-ちがい【気違い・気▽狂い】(卑称) ❶精神が乱れて、言動が正常でない・こと(人)。❷ある物事にひどく夢中になっている・こと(人)。マニア。**―ざた**【―×沙×汰】狂人のするようなふるまい。**―じ・みる**【―染みる】《自上一》(言動が)狂人のようにみえる。**―みず**【―水】(俗)酒。

きち-きち ㊀《形動》❶物がすきまなくつまっているようす。「―の靴」❷必要な物の量や時間に、余裕のないようす。ぎりぎり。「―で間に合う」㊁《副》(「―と」の形も)かたい物がふれてきしむ音の形容。

ぎち-ぎち《副》(「―と」の形も)❶木などがすれあって、きしむ音の形容。ぎしぎし。❷《自サ》物事がなめらかに進まないようす。ぎくしゃく。

き-ちく【鬼畜】鬼と畜生。ひどく残酷な、恩知らずな人のたとえ。「―のような人」類語 豺狼。

きち-じ【吉事】(婚礼・出産など)めでたいできごと。慶事。吉事。対 凶事。

きち-じつ【吉日】祝い事などによい日。よい日がら。吉日。「大安―」類語 佳日。祝日。対 凶日。

きち-じょう【吉祥】(仏)よいことのある、きざし。めでたいしるし。吉祥。類語 瑞祥。吉兆。**―てん**【―天】「吉祥天女」の略。人々に福徳を与える美しい女神。鬼子母神の子で、毘沙門天の妃。吉祥天女。きっしょうてん。

きち-にち【吉日】→きちじつ(吉日)。

き-ちゃく【帰着】《名・自サ》❶(遠い所から)帰り着くこと。「六時、東京に―」類語 帰還。❷(議論・考えなどが)いろいろな過程をへてある状態におちつくこと。「―するところは一つだ」類語 帰結。

き-ちゅう【忌中】家族に死者が出たとき、不浄をいみ、また、哀悼の気持ちを表すためにつつしんでいる期間。喪中。参考 ふつうは、死後四九日間。

***き-ちょう**【×几帳】台に柱を立ててその上に横木をつけ、横木から幕をかけおろしたもの。昔、貴人の室内の仕切りに使った。**―めん**【―面・木帳面】㊀《名》建具・器具などの角を丸くけずって、その面の両側に刻み目を入れたもの。㊁《形動》(行動や性格が)規則正しく、きちんとしているようす。「―な性格」

***き-ちょう**【基調】❶楽曲の中で主になっている音階。主調。❷ある学問・思想・作品などを形づくるもと。「絵の―にあるのは人類愛だ」❸絵や装飾品で、主に使われている色。「赤を―とするインテリア」

***き-ちょう**【機長】飛行中の航空機の乗組員の長。

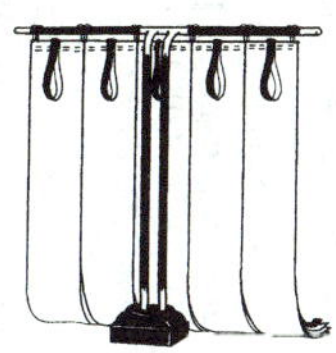
几帳

***き-ちょう**【帰朝】《名・自サ》外国から日本に帰ってくること。「―報告会」類語 帰国。

***き-ちょう**【記帳】《名・他サ》帳簿や帳面に記入すること。「売上高を―する」

***き-ちょう**【貴重】《形動》非常に大切であるようす。「―な体験」「―品」類語 重要。重大。

類義語の使い分け　貴重・重要

[貴重・重要]	貴重(重要)な資料／貴重(重要)な品
[貴重]	貴重な時間を割く／貴重な体験をする
[重要]	重要な手がかりをつかむ／重要な地位につく

ぎ-ちょう【議長】会議で、議事を進めて採決を行い、その会議を代表する人。類語 座長。

きち-れい【吉例】めでたいしきたりや儀式。嘉例。吉例。「―顔見世歌舞伎」類語 恒例。

きちん-と《副》❶整っていて、乱れのないようす。「部屋は―かたづいている」❷正確で規則正しいようす。「会計は―している」類語 →ちゃんと。

きちん-やど【木賃宿】❶昔、旅人が自炊し、その燃料代(＝木賃)だけ払って泊まった安宿。❷宿泊料の安い粗末な宿屋。

きつ・い《形》❶程度がはなはだしい。はげしい。「―・い坂道」「―・い酒」❷(力の入れ方や加わり方が)強い。「タオルを―・くしぼる」❸(扱い方などが)ひどい。きびしい。つらい。「―・くしかられる」❹気がしっかりしている。気が強い。「―・い女」❺(締まり方が)きゅうくつだ。文 きつ・し《ク》。

きつ-えん【喫煙・喫×烟】《名・自サ》たばこを吸うこと。「―室」

きつ-おん【×吃音】(文)どもること。また、その音声。

きっ-か【菊花】(文)菊の花。また、それをかたどった模様。「―の紋章」

き-っ-かい【奇怪】《形動》(「奇怪」の促音化)「奇怪」の意味を強めた語。「―千万」「―至極」

き-づかい【気遣い】心配や遠慮をして気をつかうこと。心配。「―は無用」類語 心労。気苦労。配慮。

き-づか・う【気遣う】《他五》気にとめて心配する。あやぶみ、心をくばる。「登山者の安否を―・う」

きっ-かけ【切っ掛け】ある物事を始める手がかり。また、その動機・機会。「話の―をつくる」

きっかり《副》(「―と」の形も)❶ある数量・時刻などにちょうど一致し、はんぱのないようす。かっきり。きっちり。「―一キロあります」❷きわだってはっきりしているようす。「―と区別する」類語 くっきり。

き-づかれ【気疲れ】《名・自サ》(気持ちがはりつめて)心・神経がつかれること。「―のする仕事」

き-づかわし・い【気遣わしい】《形》(成り行きが)気がかりである。心配である。「―・い病状」

きっきゅう-じょ【×鞠×躬如】《形動タルト》(「如」は「様子」の意)(文)(尊い人などに対し)身をかがめて恐れつつしむようす。「―として進み出る」

***きっ-きょう**【吉凶】縁起のよいことと、悪いこと。めでたいことと、不吉なこと。「トランプで―を占う」

***きっ-きょう**【喫驚・×吃驚】《名・自サ》(文)驚くこと。びっくりすること。類語 仰天。驚愕。

きっ-きん【喫緊・×吃緊】《名・形動》(文)さし迫っていて、非常に大事なこと。緊要。「―の事業」

キック《名・他サ》(ボールを)けること。▽kick **―オフ**(サッカー・ラグビーで)試合開始・再開のときにボールをけること。転じて、試合開始。▽kickoff **―バック**❶リベート。また、わいろ。❷ボウリングで、ピンの両側にある板の壁。▽kickback

き-づ・く【気付く】《自五》❶自分で意識する。感づく。また、正気に戻る。「失敗の原因に―・く」❷思い出す。「約束したことに―・いた」

きっ-くつ【詰屈・×佶屈】《名・自サ・形動》(文)❶まがりくねっていること。❷文字・文章がむずかしくて理解しにくいこと。**―ごうが**【―×聱×牙】《名・形動》〔文〕文章がむずかしくて、理解しにくいこと。

ぎっくり《副》《「―と」の形も》〔驚いたり不意をつかれたりして〕急に動揺するようす。ぎくり。**―ごし**【―腰】からだを動かすと、腰に激しい痛みを起こす病気。

*__き-つけ__【気付(け)】❶気絶した人の意識をとりもどさせること。また、元気を失った人の気を引きたたせること。「―にいっぱいやる」❷「気つけ薬」の略。気つけ①に使う興奮剤。強い酒や強いにおいのする薬品など。❸↓きづけ(気付)。

*__き-つけ__【着付(け)】人に衣服(特に和服)を着せつけること。また、その着せつけたぐあい。類語 着こなし。

き-づけ【気付】郵便物・荷物などを相手の住所以外にあてて送るときに、そのあて先の下につける語。気付。「プリンスホテル―上田様」参考「…方」は相手が他人の家に同居しているような場合、「…内」は戸主以外の家族にあてた場合に用いる。

き-つ・ける【着付ける】《他下一》❶人に衣服(特に和服)を着せてやる。❷いつも着ている。着慣れる。「―・けない服」表記②の「付ける」は多くかな書き。

きつ-ご【×吃語】どもること。また、そのことば。

*__きっ-こう__【×拮抗・×頡×頏】《名・自サ》《「けっこう」の慣用読み》〔文〕力・勢力などを互いに張り合うこと。「両勢力が―している」類語 対立。対抗。

*__き-っ-こう__【×亀甲】《「きこう」の促音化》❶カメのこうら。❷カメのこうらをかたどった六角形、またそれが前後左右につながっている模様。亀甲形。

きっ-さ【喫茶】茶を飲むこと。喫茶。「―店」

きっ-さき【切(っ)先・×鋒】刀のようにとがった物の先。「―をかわす」

きつ-じつ【吉日】↓きちじつ(吉日)。

ぎっ-しゃ【▽牛車】平安時代の貴族が用いた、ウシにひかせた屋形車。御所車。源氏車。牛車。

きっ-しょう【吉祥】↓きちじょう(吉祥)。

ぎっしり《副》《「―と」の形も》物がすきまなく詰まっているようす。ぎっちり。「日程が―とつまっている」

きっ-しん【吉×辰】〔文〕めでたい日。吉日。

キッズ 子ども。子どもたち。「―用品」▽kids

*__きっ-すい__【喫水・×吃水】〔船が水に浮かんだとき〕船底の最下面(キール下端)から水面までの垂直距離。ふなあし。表記「喫水」は代用字。**―せん**【―線】水に浮いた船の、船体と水面とが交わる線。

*__き-っ-すい__【生粋】《「きすい」の促音化》〔出身・素姓などに〕全くまじりけのないこと。「―の江戸っ子」類語 純粋。はえぬき。

きっ-・する【喫する】《他サ変》〔文〕❶〔茶などを〕飲む。〔食物を〕たべる。〔たばこを〕すう。❷〔よくないことを〕受ける。こうむる。「一驚を―・する」

きつ-ぜん【×屹然】《形動タトル》〔文〕❶山が高くくっきりとそびえているようす。❷ひとりぬきんでて他に屈しないようす。「―として孤高を持する」類語 毅然。

*__きっ-そう__【吉▽左右】❶喜ばしい知らせ。吉報。❷〔成否などについての〕よいか悪いかどちらかの知らせ。「―を知りたい」〔①②とも古風な言い方〕

*__きっ-そう__【吉相】〔文〕❶よいことがある前兆。❷よい人相。福相。

き-づた【木×蔦】ウコギ科のつる性の常緑低木。岩や壁などに気根で密着してのびる。ふゆづた。

きった-はった【切った張った】《連語》《「切ったっ張ったっ」の転》切ったりなぐったりの乱暴をすること。「―の大立ち回り」

き-づち【木×槌】木でつくったつち。

キッチュ《名・形動》俗悪で悪趣味だがおもしろみのあること(もの)。「―な絵画」「―な服」▽ドイツ Kitsch

ぎっちょ〔俗〕❶左きき。左ぎっちょ。❷きりぎりす。

きっ-ちょう【吉兆】よい事、めでたい事が起こりそうなきざし。類語 吉相。吉祥。瑞相。対 凶兆。

きっちり《副》《「―と」の形も》❶ある数量・時刻などにちょうど合って、過不足のないようす。きっかり。かっきり。「―一時に着いた」❷《自サ》〔入れ物に対して中の物などが〕すきまなく合うようす。「―した服」

キッチン ❶台所。調理場。キチン。「ダイニング―」❷〔客の前で調理して供する〕洋式軽飲食店。参考 店名につけていうことが多い。▽kitchen

き-つつき【×啄▽木▽鳥】キツツキ科の鳥の総称。鋭いくちばしで木に穴をあけ、長い舌で虫をひき出して食べる。啄木。啄木鳥。

きっ-て【切手】❶昔、関所の通過や乗船の時などに示した通行証。❷現金に引き換えることを目的として発行する書き付け。手形。❸「郵便切手」の略。

きって-の【切っての】《連語》〔…の中で〕もっともすぐれた。…で一番の。〔名詞につけて連体詞的に使う〕「町内―美人」

*__き-っ-と__【×屹度・▽急度】《副》《「きと」の促音化》❶例外なくきまっているようす。必ず。確かに。「―待ってね」類語 絶対。勿論。無論。❷きびしく命令するようす。「―言いつけたぞ」「―した口調で断る」❸《自サ》顔つき・態度がきびしくひきしまるようす。

*__キット__ 模型や機械などを組み立てるための部品や用具などをセットにしたもの。▽kit

キッド 子ヤギの革。手袋・靴などに用いる。▽kid

きづな【×絆・×紲】↓きずな。

きつね【×狐】❶イヌ科の哺乳動物。夜行性。小さい獣や鳥などを食う。昔から、人をだますとも人に乗り移るともされ、稲荷の神の使いとされる。❷ずるがしこい人。❸〔キツネは油あげが好物ということから〕いなりずし。❹「きつね色」の略。❺「きつねうどん」の略。

―と狸の化かし合い《句》ずるいもの同士がだまし合うことのたとえ。

―につまま・れる《句》予期しないことが起こって、何だかわからずぽかんとすることのたとえ。

きつね-いろ【×狐色】〔キツネの毛色のような〕うすいこげ茶色。きつね。「こんがりと―に焼ける」

きつね-うどん【×狐×饂×飩】油あげとネギを入れた、かけうどん。きつね。

きつね-けん【×狐×拳】ふたりが、キツネ・庄屋・狩人(鉄砲)のまねをして争う拳。藤八拳。庄屋拳。参考 キツネは庄屋に、庄屋は狩人に、狩人はキツネに勝つ。

きつね-ごうし【×狐格子】❶縦横に細かく組んだ格子の裏に板を張ったもの。つま格子。木連格子。❷狐格子①でつくった戸。

狐格子①

きつね-つき【×狐付(き)・

×狐×憑(き)】キツネの霊が人間に乗り移ったといわれる、一種の精神錯乱。また、その人。

きつね-の-よめいり【×狐の嫁入り】《連語》❶きつね火が数多く並ぶこと。❷日が照っていながら雨がふること。日照り雨。

きつね-び【×狐火】夜もえる燐火(りんか)。鬼火。

きっぱり《副・自サ》《副詞は「—と」の形も》〔誤解や未練を残さないように〕はっきりした言動をとるようす。「—と断る」

***きっ-ぷ**【切符】❶〔交通機関・劇場などで〕料金を支払った証明になる札。❷〔品物の〕受け渡しのしるしに用いる札。「荷物を預けて—をもらう」=チケット。

***き-っ-ぷ**【気っ風】《「きふう」の転》〔さっぱりした〕気性。きまえ。「—のいい人」

きっ-ぽう【吉報】めでたい知らせ。よい知らせ。「合格の—を待つ」類語 快報(かいほう)。対 凶報。

き-づま【気×褄】↓きげん(機嫌)①。
—を合わ-す《句》気にいるように調子を合わせる。

き-づまり【気詰(ま)り】《名・形動》気をつかい、気持ちがくつろがず窮屈であること。「—な相手」

きつ-もん【詰問】《名・他サ》とがめて、問いただすこと。問いつめること。責問。「—状」類語 尋問。

き-づよ-い【気強い】《形》❶気が強く、弱みを見せない。❷〔たよるものがあって〕安心である。心強い。心丈夫である。「金をもっているので—い」

きつ-りつ【×屹立】《名・自サ》〔文〕〔山・建物などが〕高くそびえ立つこと。そそり立つこと。「—する連山」

きつれ-ごうし【木連格子】狐格子(きつねごうし)①。

き-て【来手】来る人。来てくれる人。「彼には嫁の—がない」

ぎ-て【技手】↓ぎしゅ(技手)。

***き-てい**【基底】ある物事の基礎となっている事柄。

***き-てい**【旗亭】〔文〕〔昔、中国で旗を立てて目じるしとしたことから〕宿屋・茶店・料理屋など。

***き-てい**【既定】〔計画などが〕すでにきまっていること。「—の方針を進める」対 未定。

***き-てい**【規定】《名・他サ》❶ある物事を一つのきまった形に定めること。また、その定め。おきて。きまり。規程。❷〔法〕ある事項を法令の個々の条項に定めること。また、一つの法令中における個々の条項の定め。「前項の—によると…」参考 ↓規程②。

***き-てい**【規程】❶《名・他サ》規定①。❷〔法〕一定の目的のために定められた一連の条項の全体。「両院協議会に関する—」参考「規定」と紛れやすいので、現在では「規則」と言いかえて用いる。❸役所などで、事務をとる上の基準となる規則。「事務—」

***ぎ-てい**【義弟】❶約束を結んで弟になった人。弟分。❷縁組・婚姻などによって、弟になった人。義理の弟。対 ①②実弟。

***ぎ-てい**【議定】《名・他サ》評議してきめること。また、評議してきめた定め・おきて。議定(ぎじょう)。
—しょ【—書】❶議定した事柄を記録した文書。❷国際問題で、関係国の代表が会合して決定し、署名した公式の文書。「—をかわす」=議定書(ぎじょうしょ)。

き-てき【汽笛】蒸気をふき出して鳴らす笛(の音)。

き-てれつ【奇▽天烈】《形動》非常にかわっていて、ふしぎなようす。「奇妙—な事件」

***き-てん**【基点】〔距離をはかるときや図形をえがくときの〕もとになる点。「北極を—にして地図を描く」

***き-てん**【機転・気転】物事のなり行きに応じて、巧みにすばやく動く心のはたらき。「—の利く人」類語 機知。

***き-てん**【起点】ある物事のはじまりとなるところ。出発点。「東海道線の—」対 終点。

***き-でん**【紀伝】❶人物の伝記を記した書。❷「紀伝体」の略。
—たい【—体】歴史書の編纂(へんさん)形式の一つ。本紀(ほんぎ)(=帝王の伝記)・列伝(=個人の伝記)などに分けて記述する。中国ではこの形式が正統とされた。紀伝。参考 ↓編年体。

***き-でん**【起電】《名・自サ》電気をおこすこと。「—力」

***き-でん**【貴殿】《代名》〔文〕男が同輩またはそれ以上の男をさす尊敬語。〔文書・手紙文で使う〕類語 貴下。

***ぎ-てん**【儀典】〔文〕儀式を行う際のきまり。典例。

***ぎ-てん**【疑点】うたがわしい点。「—が残る」

***き-と**【企図】《名・他サ》ある事を行おうと企てること。「国家の再建を—する」類語 計画。企画。意図。

***き-と**【帰途】行きついた場所からもどること。また、その途中。帰りみち。帰路。「—につく」

***き-ど**【喜怒】❶喜びと怒り。❷感情。
—あいらく【—哀楽】喜びと怒りと悲しみと楽しみ。転じて、人間のいろいろな感情。「—の情をおしころす」

***き-ど**【木戸】❶城や柵(さく)に設けた門。城の門。❷〔庭・戸外の通路などの出入り口につける〕木で作った屋根のない開き戸の門。❸〔興行場で〕見物人の出入り口。木戸口。〔古風なことば〕「—をつかれる(=入場の際に入り口でとがめられる)」❹「木戸銭(きどせん)」の略。

***き-ど**【輝度】有限のひろがりをもつ発光体の表面の明るさを示す量。単位面積あたりの光度で表す。

***き-とう**【帰投】《名・自サ》軍隊で、兵隊・航空機・艦船などが基地に帰りつくこと。

***き-とう**【気筒・汽筒・気×筩】〔文〕シリンダー。

***き-とう**【祈×禱】《名・他サ》〔宗教上の作法に従って〕神仏に祈ること。また、その儀式。「加持—」「—書」類語 祈り。祈願。祈念。

***き-とう**【×亀頭】陰茎の先端の部分。

***き-どう**【機動】❶軍隊で、交戦前後や交戦中に作戦上行う部隊の移動・活動。「—演習」❷状況に応じてすばやく行動できること。「—性に富む」
—たい【—隊】各都道府県の警察本部ごとに配置されて、機に応じて動けるように組織された警官隊。

***き-どう**【気道】脊椎(せきつい)動物の、肺にいたるまでの空気の通路。鼻腔(びこう)・気管・気管支など。

***き-どう**【起動】《名・自サ》❶動きを起こすこと。❷機械が運転を始めること。始動。

***き-どう**【軌道】❶車の通り道。特に、汽車・電車などの線路。❷物体が一定の法則で運動するときにえがく経路。特に、天体の運行する一定の経路。「人工衛星の—」❸物事が進行する一定の道。「事業が—に乗る」

きどう-しゃ【気動車】内燃機関を原動機とし、旅客や荷物などを乗せる設備のある鉄道車両。ガソリンカー・ディーゼルカーなど。類語 電車。汽車。

き-どうらく【着道楽】自分が着る衣服にお金をかけて、楽しむこと(人)。類語 食い道楽。

き-とお-す【着通す】《他五》一枚の衣服を続けて着る。また、同じ種類の服を着続ける。

***き-とく**【危篤】病気・けがなどが非常に重くなり今にも死にそうな状態。「父の—を知らせる電話」類語 重態。

***き-とく**【奇特】《名・形動》〔行い・心がけが〕すぐれてい

て感心なこと。奇特(きどく)。「—な行為」類語殊勝。

*き・とく【既得】すでに手に入れて所有していること。

—けん【—権】❶すでに得ている権利。❷〔法〕国家・特定の人などが、法律上正当に手に入れた権利。

き・どく【奇特】❶《名・形動》→きとく(奇特)。❷〔文〕〔神仏などの力による〕ふしぎなしるし。霊験。

きど・ごめん【木戸御免】〔相撲・芝居などの〕興行場に、木戸銭を払わずに出入りできる・こと(人)。

きど・せん【木戸銭】〔「木戸で払う料金」の意で〕興行物を見るための入場料。木戸。

きど・ばん【木戸番】興行場の木戸の番人。

*き・どり【木取り】材木から必要な大きさに用材を切り取ること。特に、丸太から角材を切り取ること。

*き・どり【気取り】■一《名》気取ること。「—屋」■二《接尾》《名詞について》「…を気取ること」「…のふうをすること」などの意。「英雄—」「社長—」

き・ど・る【気取る】■一《自五》もったいぶったり、すましたりしてわざとらしくする。「—・って歩く」類語すかす。澄ます。もったいぶる。■二《他五》❶それと感じてさとる。感づく。けどる。「秘密を—・られないようにする」❷〔社会的に知られた人になったつもりで〕それらしいようすをまねてふるまう。「大人物を—・る」

きどるい・げんそ【希土類元素】地球上で埋蔵量・生産量ともに少ない、スカンジウム・イットリウム・ランタンなど一七元素の総称。レアアース。

キナ アカネ科の常緑高木。原産地は南米。葉は楕円(だえん)形。淡紅色の花が開く。樹皮からキニーネを製する。キナの木。表記「規那」と当てた。▽(オランダ) kina

*き・ない【機内】航空機の内部。対機外。

*き・ない【×畿内】旧国名で、山城・大和・河内(かわち)・和泉(いずみ)・摂津の五か国の総称。五畿内。畿内(きだい)。

き・なか【▽半▽銭】《「寸半(きなか)」の意》❶〔一文銭の直径が一寸であったことから〕一文の半分。半文。半銭。❷わずかなこと。

き・なが【気長】《形動》のんびりしていて、あせらないようす。「病気の全快を—に待つ」類語悠長。対気短。

き・ながし【着流し】❶能楽の装束で、はかまをはかないこと。❷男がはかまをつけない、ふだんの和装。

きな・くさ・い【きな臭い】《形》❶紙・布などのこげるにおいがする。こげくさい。❷〔硝煙のにおいがする意から〕戦争や抗争など、不穏なことが起こりそうな気配である。また、何となく、あやしげだ。「—・い話」

き・なぐさみ【気慰み】ふさいだ気分を慰める・こと(もの)。気ばらし。

きな・こ【黄(な)粉】大豆をいって、粉にしたもの。餅(もち)やだんごにまぶすなど、菓子の材料に使う。

き・なり【生成(り)】❶生地のままで、飾りのないこと。❷まぜもののないこと。❸糸や布地などのさらさないままのもの。「—の木綿」

き・なん【危難】〔命にかかわるような〕非常にあぶない事柄。危険な災難。危厄。「—を免れる」類語奇禍。

キニーネ キナの樹皮から作るアルカロイド。絹糸のような白色のつやがある結晶。解熱剤・健胃剤。特にマラリアの特効薬。キニン。▽(オランダ) kinine 英 quinine

きに・いり【気に入り】気にいること。また、その人。参考「お—」の形で多く使う。「お—の場所」

き・にち【忌日】〔毎年・毎月めぐってくる〕その人が死んだ日と同じ日付の日。命日。忌日(きじつ)。

き・にゅう【記入】《名・他サ》〔きめられた用紙などに〕文字を書きいれること。「カードに住所を—する」

ギニョール 人形芝居のうち、人形の頭と両手に指をいれて動かすもの。また、その人形。(あやつり)指人形。参考→マリオネット。▽(フランス) guignol

き・にん【帰任】《名・自サ》〔一時はなれていた〕任地・任務にかえること。「—の途につく」

*きぬ【絹】❶蚕のまゆからとった繊維。❷絹糸で織った布。美しい上品なつやがある。絹織物。シルク。

—を裂くよう《句》非常に高く鋭い声の形容。

*きぬ【▽衣】〔文〕着物。衣服。

きぬ・あや【絹×綾】綾織りの薄い絹織物。

きぬ・いと【絹糸】蚕のまゆからとった繊維を練ってよりをかけた糸。絹の糸。絹糸(けんし)。類語生糸(きいと)。

きぬ・おりもの【絹織物】絹糸で織った織物。

きぬ・がさ【▽衣×笠・絹傘】❶絹張りで柄(え)の長いかさ。昔、貴人の後ろからさしかけた。❷天蓋(てんがい)❶。

きぬ・かつぎ【▽衣▽被】里芋の子を皮つきのままゆでたもの。皮をむき、しょうゆまたは塩をつけて食べる。

きぬ・ぎぬ【▽衣▽衣・▽後▽朝】〔古〕共寝をした男女が翌朝別れること。また、その朝。「—の別れ」参考二人の着物を重ねて共寝をし、翌朝それぞれの着物を着て別れたことから。

き・ぬけ【気抜け】《名・自サ》張り切っていた気持ちがゆるんで、ぼんやりすること。張り合いがなくなること。「入試が終わって—した」類語放心。拍子抜け。

きぬ・ごし【絹×漉(し)】❶《名・他サ》絹の布、絹を張ったものなどで物をこすこと。また、こしたもの。〔きめが細かく、感触がなめらかになる〕❷「絹ごし豆腐」の略。比較的濃い豆乳を〔木綿豆腐のように上澄みをこさず〕そのまま固めた、きめの細かい豆腐。

きぬ・さや【絹×莢】早どりのさやえんどう。

きぬ・じ【絹地】❶絹で織った布地。❷日本画を描くために使う絹のうすい布。絵絹。

きぬ・ずれ【▽衣擦れ・▽衣×摺れ】〔歩いたり身動きしたりして〕着ている着物がすれあうこと。また、その音。

きぬた【×砧・×碪】《「衣板(きぬいた)」の約》〔柔らかくしたり、汚れをとったりするために〕布を打つとき下にしく木や石の台。また、それを打つこと。「—の音」

*きぬ・ばり【絹張(り)】絹布を張ること。また、張ったもの。「—のふすま」

*きぬ・ばり【絹針】絹地をぬうのに使う細い針。

きぬ・もの【絹物】❶絹織物。❷絹製の衣服。

きぬ・わた【絹綿】くず繭から作った、真綿の一種。

きね【×杵】穀物をうすに入れてつく木製の道具。

ギネス・ブック イギリスのギネス社が毎年刊行する、各ジャンルでの世界一の記録を記載した本。参考商標名。▽Guinness Book of Records から。

き・ねずみ【木×鼠】「りす」の別称。

きね・づか【×杵▽柄】きねの柄(え)。「昔取った—」

キネマ 活動写真。映画。〔古風な言い方〕▽kinema

*き・ねん【祈年】〔文〕その年の豊作を神に祈ること。

*き・ねん【祈念】《名・他サ》〔願い事がかなうよう〕神仏に祈り念ずること。祈願。「平和を—する」

*き・ねん【紀年】紀元から数えた年数。

*き・ねん【記念】《名・他サ》❶あることを思い出す、よりどころにすること。また、その物。類語かたみ。❷過去の物事を思い起こし、記憶を新たにすること。「創立五〇周年を—する」—さい【—祭】あることを記念

して行う祭り。 **―ひ【―碑】** あるできごとを記念してたてる碑。モニュメント。参考 ひゆ的に、記憶にとどめておくべき重要な物事・事件の意にも使う。「悲しみの―」 **―び【―日】** 記念すべきことのあった日。思い出の日。アニバーサリー。「終戦―」

ぎ-ねん【疑念】〔ある物事が〕確かにそうかどうか疑う気持ち。疑心。「―を晴らす」「―を抱く」 類語 疑惑。

***きのう【〈昨日〉】** ❶きょうの一日前の日。昨日。類語 きぞ。前日。❷〔近い〕過去。「―の敵はきょうの友」 **―きょう【―〈今日〉】** ❶きのうと、きょう。❷ごく最近。つい近ごろ。きのうや、きょう。きょうこのごろ。「―に始まったことではない」 類語 昨今。

***き-のう【機能】**《名・自サ》ある物のはたらき・作用。また、作用すること。活動の能力を発揮すること。「心臓の―」「委員会が―を発揮する」

***き-のう【帰納】**《名・他サ》(induction)〔論〕いくつかの特殊な経験的事実から、一定の共通点をさぐり出し、それらを総合的に説明できる一般的な結論を出すこと。「―的な考え」「―法」 対 演繹。

***き-のう【帰農】**《名・自サ》都会での職をやめて、農村に帰り農業に従事すること。「―令」

***き-のう【気×嚢】** ❶鳥類の肺につづく、空気の入った大きな袋。❷気球などの、ガスを入れる袋。

ぎ-のう【技能】 その物事を行う上での技術的なうまさ。うでまえ。「―をいかす」 類語 技量。技巧。

き-の-え【▽甲】 十干の第一。甲。

きのえ-ね【▽甲▽子】 干支の一番目。十干の甲と十二支の子にあたる年・月・日。こうし。かっし。

き-の-こ【×茸・×蕈】 担子菌類に属する植物。胞子で繁殖する。多くは傘状をなし、柄がある。食用になるものと、有毒のものとがある。「―狩り」

き-の-じ【喜の字】 七七歳のこと。参考「喜」の草書体「㐂」が、七十七と読めることから。

き-の-と【▽乙】 十干の第二。乙。

き-の-どく【気の毒】《名・形動》《「心の毒になる」の意》❶他人の苦しみや悲しみに同情して心をいためること。「ひどい事故にあって―だ」❷《自サ》他人に迷惑をかけてすまなく思うこと。「彼に―したよ」

きのみ-きのまま【着の身着の×儘】《連語》〔災害などにあって〕現在着ている物のほかは何も持っていないこと。「―で避難する」 類語 きたきりすずめ。

き-の-め【木の芽】 ❶春、木に新しくもえでた芽。このめ。類語 若芽。❷特に、サンショウの新芽。 **―あえ【―▽和(え)】** サンショウの新芽をすってまぜたみそ(=木の芽みそ)であえたもの。 **―どき【―時】** 春になって、多くの木が芽ぶくころ。

き-の-やまい【気の病】 精神のつかれなどから起こる病気。気のわずらい。気やみ。〔古風な言い方〕

き-のり【気乗り】《名・自サ》ある事に対して興味がわき、進んでしようという気持ちになること。気が進むこと。「―薄(=進んでしようとする気にならないこと)」

***き-ば【木場】** ❶〔川の水面などにうかべて〕材木を多くたくわえておく所。❷材木商店の多くある場所。

***きば【×牙】** 哺乳動物の犬歯で、特に発達して強く鋭いもの。類語 歯牙。爪牙。毒牙。

―を研・ぐ《句》相手に害を与えようと用意して待つ。

―を剝・く《句》❶〔動物などが怒って〕牙をむき出しにする。❷相手を傷つけ害を与えようとする。

***き-ば【騎馬】** 馬に乗ること。馬に乗った人。「―隊」 類語 乗馬。 **―せん【―戦】** 遊戯の一種。三、四人で馬と乗り手を組み、乗り手を落としたり鉢巻や帽子をとったりし合うもの。

***き-はい【気配】** ❶〔ある事に〕気をつかうこと。気くばり。❷〔取引所で〕人気。景気。気配。

***き-はい【×跪拝】**《名・自サ》〔文〕ひざまずいて拝むようにして敬意を表すこと。拝跪。

き-ばい【木灰】 木・草・落葉などを焼いてつくった灰。木灰。類語 わらばい。

き-ばえ【着映え・着栄え】 着たときに、その衣服や姿がいっそうりっぱに見えること。「―のしない服」

***き-はく【希薄・×稀薄】**《名・形動》❶液体の濃度や気体の密度などがうすいこと。❷ある物事に対する意欲・熱意などが乏しいこと。「人情が―な都会」

***き-はく【気迫・気×魄】** ひるまず、相手にたちむかう強い精神力。「―にあふれる」「―がこもる」 表記「気迫」は代用字。類語 気力。意気込み。気概。

き-ばく【起爆】《名・自サ》火薬に、衝撃・摩擦・熱を加えて爆発を起こさせること。 **―ざい【―剤】** ❶わずかな衝撃・摩擦・熱で容易に爆発する火薬。❷刺激をあたえ、活性化させるきっかけとなる事柄。

き-ばさみ【木×鋏】 庭木用の、長い柄のはさみ。

き-はずかし・い【気恥ずかしい】《形》何となくはずかしい。きまりが悪い。「―・い思い」

***き-はだ【木肌・木▽膚】** 樹木の外がわの皮。

***き-はだ【黄×蘗】**→きわだ(黄蘗)。

***き-はだ【黄肌】**→きわだ(黄肌)。

き-ばたらき【気働き】 気をきかすこと。機転。「―のある人」

き-はちじょう【黄八丈】 和服用の絹織物の一つ。黄色地に茶色・とび色などで縞や格子を織り出したもの。参考 東京都八丈島の特産であった。

き-はつ【揮発】《名・自サ》ふつうの温度と気圧下で液体が気体になること。類語 気化。蒸発。昇華。 **―ゆ【―油】** 原油を蒸留するとき、セ氏一五〇度までで得られる油。

き-ばつ【奇抜】《形動》〔思いも及ばないほどすぐれている意から〕考え・ありさまなどが意表をついて風変わりなようす。「―なデザイン」 類語 奇矯。奇異。

ぎば-へんじゃく【×耆婆×扁×鵲】〔文〕名医。参考「耆婆」は古代インドの、「扁鵲」は古代中国の名医の名。

き-ば・む【黄ばむ】《自五》黄色くなる。黄色みをおびる。「イチョウの葉が―・む」

き-ばや【気早】《形動》物事を早く処理しなければ気がすまないようす。気が早いようす。「―な人」 類語 気短。短気。性急。

き-ばや・い【気早い】《形》せっかちである。

き-ばらい【既払い】 すでに支払ってあること。既払い。対 未払い。

き-ばらし【気晴(ら)し】 しずんでいる気持ちをほがらかにすること。気さんじ。「―に旅に出かける」

き-ば・る【気張る】 一《自五》❶息をつめて下腹に力を入れる。いきむ。❷意気ごんで張り切る。「―・って働く」 類語 勇み立つ。二《他五》思いきりよく多くの金銭を出す。(大金を)はずむ。「祝儀を―・る」

***き-はん【帰帆】**〔文〕❶帰路につく帆かけ船。「矢橋の―」❷〔故国・港などに〕帰る船。

***き-はん【×覊×絆・×羈×絆】**〔文〕《「牛馬をつなぐこと」

の意から〕人の行動を精神的に拘束し、妨げとなるもの。ほだし。「世の━を脱する」類語きずな。束縛。

*き・はん【規範・軌範】❶物事の手本。模範。❷〔哲〕人間が行動したり判断したりするときに従うべき、価値判断の規準。「道徳━」「法━」

*き・ばん【基板】電子部品や集積回路を組み込む板。

*き・ばん【基盤】ある物事をつみあげてゆく基礎になるもの。物事の土台。「生活の━」類語基礎。基本。

きはん・せん【機帆船】発動機と帆と両方備えている小型の船。近海や内海などの航行に使用する。

*き・ひ【基肥】〔文〕もとごえ。

*き・ひ【忌避】《名・自サ》❶きらって身を遠ざけること。類語回避。❷〔法〕訴訟事件で不公平な裁判が行われるおそれのある時、裁判官・鑑定人などの職務執行を訴訟当事者が拒否すること。「裁判官━」

*き・び【機微】〔人情・事件などの〕表面からはわかりにくい、微妙なおもむき・事情。「人情の━にふれる」

*き・び【気▽味】《「きみ」の転》→きみ(気味)。

*き・び【×驥尾】〔文〕足の速い良馬の尾。

━に付・す《句》すぐれた人につき従って、実力以上の事をなしとげることのたとえ。驥尾につく。〔多く、謙遜(けんそん)の表現として使う〕参考「蒼蠅(そうよう)驥尾に付して千里を致す〈史記・伯夷伝〉」より。

*きび【×黍・×稷】イネ科の一年草。夏に三〇センチほどの穂をだし、秋に淡黄色の実を結ぶ。五穀の一つ。

き・びき【忌引(き)】近親者が死んだため、〔学校・勤めなどを休んで〕喪に服すること。また、その休暇。

きび・きび《副・自サ》〔副詞は「━と」の形も〕〔態度・言動などが〕元気よく、敏速でしまりのあるようす。「━と行動する」類語はきはき。

きびし・い【厳しい・▽酷しい】《形》❶厳格で、容赦しない。むごいほど厳格である。「母はしつけに━い」「採点が━い」❷傾斜が急でごつごつしている。けわしい。「━い稜線(りょうせん)が続く」❸〔物事の状態・人の表情などが〕緊張している。「━い顔つき」❹〔寒さ・暑さなど物事の程度が〕はなはだしい。はげしい。ひどい。「残暑が━い」「━い山風」文きび・し《シク》。

きび・しょ【▽急×須】《「急焼」の唐音「きゅうしゃ」の転》→きゅうす(急須)。

きびす【×踵】〔文〕かかと。踵(くびす)。「━を返す(=ひき返す)」「━を接する(=多くのものが次々と続く)」

*き・びたき【黄×鶲】ヒタキ科の小鳥。雄は背面は黒く腹面は黄色、雌は暗緑褐色。鳴き声が美しい。

*きび・だんご【▽吉備団子】もち米の粉と砂糖をねり、小さく丸めた和菓子。岡山地方の名産。

*きび・だんご【×黍団子】キビの実の粉でつくった、だんご。

き・ひつ【起筆】《名・自サ》〔想をねって〕文章を書き始めること。筆を起こすこと。対擱筆(かくひつ)。

ぎ・ひつ【偽筆】〔だます目的で〕他人の字や絵に似せて書いたもの〔文字・絵〕。類語偽書。対真筆。

きび・なご【×黍▽魚子・▽吉備×奈×仔】ウルメイワシ科の海魚。体は細長い。背の部分が青く、体側に広い銀白色の横帯がある。食用。

き・ひょう【起票】《名・自他サ》伝票を書きおこすこと。伝票に書くこと。

き・びょう【奇病】珍しい病気。「━にかかる」

ぎ・ひょう【戯評】漫画などで行う社会時評。

き・びょうし【黄表紙】江戸時代の中ごろに刊行された草双紙の一種。絵入りで、しゃれと風刺のまじった滑稽(こっけい)な文学。参考黄色の表紙を用いたことから。

*き・ひん【気品】〔人柄・作品などのもつ〕上品でけだかい趣。品格。「━のある風貌(ふうぼう)」「━の高い文章」

*き・ひん【気×稟】〔文〕生まれつきもっている気質。

*き・ひん【貴賓】〔文〕身分の高い客。「━席」

き・びん【機敏】《形動》機に応じた適切な動作・処置などをすばやく行うようす。類語敏捷(びんしょう)。敏速。

*き・ふ【寄付・寄附】《名・他サ》〔公共の事業・設備などのために〕金や品物をさし出すこと。「校舎新築資金の━をつのる」「共同募金に━する」類語寄贈。寄進。

*き・ふ【棋譜】碁・将棋の対局の手順を記した記録。

*き・ふ【▽肌×膚】〔文〕はだ。皮膚。

*き・ふ【貴腐】完熟したぶどうの実にかびの一種が付き、半乾燥状態になること。参考糖度が高く、香りもよく、高級ワインの原料として珍重される。

き・ぶ【基部】基礎をなす部分。類語基盤。

ぎ・ふ【義父】婚姻・縁組によって父となった人。義理の父。類語継父。対実父。

ギブ・アップ《名・自サ》降参。▽give up

ギブ・アンド・テーク〔「与えて取る」意から〕自分から相手に利益を与え、自分も相手から利益を得ること。「━貿易」▽give-and-take

*き・ふう【棋風】碁や将棋のたたかい方に表れる、その人の個性。「おおらかな━」

*き・ふう【気風】〔ある社会・地方の人々に共通する〕気質。気性。気だて。「九州人の━」類語気っ風(ぷ)。

*き・ふく【帰服・帰伏】《名・自サ》〔文〕つきしたがって、その支配下にはいること。類語帰順。降参。

*き・ふく【起伏】《名・自サ》❶高くなったり低くなったりしていること。「緩やかに━した砂丘」❷〔勢力・感情などが〕さまざまに変化すること。栄えたり衰えたりすること。「━の多い人生」類語①②あがりさがり。

き・ぶく【忌服】近親が死んだとき、一定期間喪に服して家にひきこもること。「━が明ける」

き・ぶく・れる【着膨れる・着▽脹れる】《自下一》着物をたくさん着て、からだがふくれる。

き・ぶしょう【気無精・気無性】《名・形動》気がふさぐこと。気分が重いこと。また、その性質。

き・ふじん【貴婦人】身分の高い女性。類語淑女。

ギプス 石膏(せっこう)の粉末をふくませた包帯。骨・関節などの病気・傷害などのとき、患部を固定させるために用いる。ギブス。▽ドイツGips(=石膏)

ぎふ・ぢょうちん【▽岐×阜▽提▽灯】岐阜県特産のちょうちん。細い骨で卵形に作って薄い和紙をはり、底にふさをたらす。盂蘭盆(うらぼん)や夏の夜につるす。盆提灯。

岐阜提灯

*き・ぶつ【器物】うつわ・道具などの総称。

*き・ぶつ【木仏】❶木を彫って作った仏像。❷冷たい人。情の薄い人。=木仏(きぼとけ)。類語①②石仏。金仏(かなぶつ)。

*キブツ イスラエルの共同集団農場。▽ヘブライkibbutz

ぎ・ぶつ【偽物】〔人をだますため〕ある物に似せて作った物。贋物(がんぶつ)。偽物(にせもの)。偽造品。対真物。

き・ぶっせい【気ぶっせい】《形動》〔俗〕心がのびのびしないできゅうくつなようす。「彼を━に思う」

ギフト 贈り物。「━券」▽gift

き‐ぶとり【着太り】《名・自サ》❶厚着をして太って見えること。❷着物を着ると実際よりも太って見えること。対着やせ。

き‐ふるし【着古し・着▽旧し】長い間着て、古くなること。また、その衣服。類語古着(ふるぎ)。

＊**き‐ぶん【奇聞】**〔文〕(おもしろくて)変わった話。ふしぎな珍しい話。「西洋―」類語奇談。珍談。

＊**き‐ぶん【気分】**❶快・不快などの心の状態。心持ち。「勉強する―にならない」「ほろよい―」類語機嫌。気持ち。❷雰囲気。感じ。趣。「その場の―をつかむ」「お祭り―」⇩〔類義語の使い分け「気持ち」〕

＊**き‐ぶん【記聞・紀聞】**〔文〕他から聞いたことを書きしるすこと。また、書きしるしたもの。「西洋―」

ぎ‐ふん【義憤】〔直接自分に関係のない〕不正・悪などに対するいきどおり。「―を感ずる」類語公憤。

ぎ‐ぶん【戯文】たわむれに書いた文章。こっけい味をねらった文章。

き‐へい【騎兵】馬に乗って戦う兵士・軍隊。「―隊」

ぎ‐へい【義兵】正義のために起こすいくさ。また、正義のために戦う兵。「―を起こす」類語義軍。

き‐へき【奇癖】ふつうと変わった奇妙なくせ。

き‐へん【机辺】〔文〕机の近く。机のそば。また、書見などをする身のそば。類語座右。

き‐べん【×詭弁・×詭×辯】こじつけ・ごまかしの巧みな議論。「―を弄(ろう)する」表記「危弁」は学術用語の、「奇弁」は新聞の代用字。類語へりくつ。

き‐ぼ【規模】物事の構造やしくみの大きさ。スケール。「―の大きな計画」類語結構。

ぎ‐ぼ【義母】婚姻・縁組によって母となった人。義理の母。類語継母。対実母。

＊**き‐ほう【奇峰】**〔文〕変わった形をした峰。

＊**き‐ほう【既報】**〔文〕すでに報告・報道したこと。また、その報告・報道。「―のとおり実施する」

＊**き‐ほう【機×鋒】**〔文〕❶きっさき。ほこさき。❷相手を攻めようとするときの勢い。「鋭い―」

＊**き‐ほう【気泡】**液体や固体中に空気などが入ってできる粒状のもの。あわ。「―コンクリート」類語あぶく。

＊**き‐ほう【気胞】**魚のうき袋。

＊**き‐ほう【貴方】**㊀《名》〔文〕相手の居所をさす尊敬語。貴殿。貴下。㊁《代名》〔文〕相手をさす尊敬語。あなた。類語貴殿。貴下。

＊**き‐ぼう【希望】**❶《名・他サ》こうあってほしいと願うこと。また、その願い。「―をいだく」「夢も―もない」❷〔未来に対する〕よい見通し。「人生に―を失う」「―的観測」類語願望。期待。

＊**き‐ぼう【既望】**〔文〕陰暦一六日の夜。また、その夜の月。いざよい。参考「望」はもちづき。

＊**き‐ぼう【×詭謀】**〔文〕人をだましておとしいれようとするはかりごと。詭計。「―をめぐらす」

＊**き‐ぼう【鬼謀】**〔文〕〔ふつうの人の思いつかない〕不思議なほどすぐれたはかりごと。「神算―」

ぎ‐ほう【技法】技術上の方法。類語手法。

ぎ‐ぼうしゅ【擬宝珠】→ぎぼし(擬宝珠)。

き‐ぼく【×亀×卜】中国古代の占いの一つ。亀の甲を焼いてできる割れめの状態によって吉凶を判断する。

ぎ‐ぼし【擬▽宝▽珠】❶欄干の柱頭につける、ネギの花の形をしたかざり。❷ネギの花。❸ユリ科の多年草。葉は楕円(だえん)形で、根元から生える。初夏、うす紫色の筒状の花をつける。＝擬宝珠(ぎぼうしゅ・ぎぼうし)。

き‐ぼとけ【木仏】→きぶつ(木仏)。

き‐ぼね【気骨】心づかい。気苦労。心配。「―が折れる(＝いろいろと神経をつかって疲れる。気疲れする)」

き‐ほよう【気保養】のんびりと心を楽しませること。きぼよう。「―に温泉へ行く」類語気晴らし。気慰み。

き‐ぼり【木彫(り)】木をほって作ること。また、木にほった彫刻。木彫(もくちょう)。

き‐ほん【基本】物事のよりどころとなる大もと。「社会政策の―」類語土台。基礎。基盤。**―てき‐じんけん【―的人権】**人間が生まれながらにしてもっている、人間としての当然の権利。生命・自由・最低生活の保障など。参考日本では憲法で保障されている。

ぎ‐まい【義妹】❶約束を結んで妹になった人。妹分。❷縁組・婚姻などによって妹になった人。対①②実妹。

き‐まえ【気前】(―まへ) 金銭や物をおしげもなく差し出す気性。「―がいい」

き‐まかせ【気任せ】《形動》その時その時の気持ちにまかせるようす。「―な旅」類語気随。心任せ。

ぎ‐まく【義膜・偽膜】炎症部位の血管から出た血漿(けっしょう)が乾いて膜状になったもの。

き‐まぐれ【気▽紛れ】《名・形動》❶思いつきで物事を行うこと。気が変わりやすいこと。「―な人」❷変わりやすく、先の予測が立たないこと。「―な天気」

き‐まじめ【生真▽面目】《名・形動》非常にまじめで、くだけた所のないこと。「―な性格」

き‐まず・い【気まずい】(―まづい)《形》互いの気持ちがぴったりせず何となく不愉快だ。「ふたりの仲が―・くなる」

き‐まつ【期末】ある期間の終わり。「―テスト」「―手当」対期首。

きまっ‐て【決(ま)って・▽極(ま)って】《副》ある条件がそなわると必ずある状態になるようす。必ず。「月曜日は―遅刻する」

き‐まま【気×儘】《名・形動》自分の思うとおりにふるまうこと。勝手。「勝手―」「気随―」「―な考え方」

き‐まめ【気まめ】《名・形動》忠実にこつこつと仕事を果たすこと。

き‐まよい【気迷い】(―まよひ) 心が迷うこと。気持ちが一つにきまらず、迷うこと。「一時の―」

きまり【決(ま)り・▽極(ま)り】❶きめられた事柄。規則。「―は変えられない」❷〔物事や行動の〕しめくくり。決着。「―を付ける」類語区切り。❸〔言動が〕いつも同じで変わりばえのしないこと。参考多く「お―」の形で使う。「お―の小言が始まった」**―が悪・い**《句》体裁が悪く、はずかしい。きまり悪い。「―・い失敗」

きまり‐き・る【決まり切る】《自五》〈多く「―・って」「―・った」の形で〉まったく確実である。明らかである。はっきりしている。「―・った事を聞くな」

きまり‐て【決(ま)り手・▽極(ま)り手】相撲で、勝負がきまったときの技。現在は、八二手ある。

きまり‐もんく【決(ま)り文句・▽極(ま)り文句】〔いつもきまって言う〕型にはまって新しさのない文句。おさだまりの文句。常套(じょうとう)句。「―を並べたてる」

きまり‐わる・い【決(ま)り悪い・▽極(ま)り悪い】《形》体裁が悪く、はずかしい。気まりが悪い。

きま・る【決(ま)る・▽極(ま)る】《自五》❶一つの結果に落ちつく。定まる。決定する。「結婚の相手が―・る」「これで運命が―・る」類語(る)(す)確定。内定。❷

〔用いた技が効果をあらわして〕勝負がつく。「ストライクが真ん中に—・る」❸〔事物や動作の形が〕形式どおりにうまくできる。「ぴたりと—・った演技」❹〈「…に—・っている」の形で〉疑う余地はない。問題にならないくらい正しい。当然…だ。きっと…する。「彼が犯人に—・っている」参考→きまって。文《四》。

き-まわし【着回し】（—まはし）《名・他サ》一つの服を組み合わせを替えて着ること。「—がきくスーツ」

ぎ-まん【欺×瞞】《名・他サ》うそをいってだますこと。いつわり、あざむくこと。瞞着(まんちゃく)。「—行為」

***きみ【君】**㊀《名》〔文〕❶〔自分が仕えている〕君主。主君。特に、帝王・天子・国王など。❷人の敬称。「マドンナの—」㊁《代名》〔男が〕同輩またはそれ以下の相手を親しんで呼ぶ語。〔「おまえ」よりも丁寧〕対僕。

***き-み【気味】**❶〔ある物事から受ける〕感じ・気持ち。「—が悪い」「あまり—のいい話ではない」類語気分。気色。❷〈「—がいい」「いい—(だ)」の形で〉相手の失敗・不首尾を見て、ざまを見ろという気になる。❸〔ある傾向・ようすを〕少し帯びている状態。「黄疸(おうだん)の—がある」**—あい【—合(い)】**（—あひ）❶心持ち。気分。❷ある傾向をもつようす。「働きすぎの—がある」**—わる・い【—悪い】**《形》なんとなく、不安で恐ろしい。「あまり親切で—・い」

***き-み【黄味】**他の色に含まれた黄色。黄色っぽいこと。黄色み。「—を帯びる」表記多く「黄み」と書く。

***き-み【黄身】**鳥の卵の黄色い部分。卵黄。対白身。

ぎ-み【気味】《接尾》《名詞、および動詞連用形について》「あるようす・傾向がある」の意。「自棄(やけ)—」

きみ-が-よ【君が代】日本の国歌として歌われる歌。参考一九九九(平成一一)年国旗国歌法として制定された。

き-みじか【気短】《形動》気がみじかいようす。短気。せっかち。「年をとって—になった」対気長。

***き-みつ【機密】**〔国家・機関・組織などの〕重要な秘密。類語極秘。**—ひ【—費】**機密の用途にあてる費用。特に、政府機関が使途を示さずに使う費用。

***き-みつ【気密】**〔気圧が変化しないように、部屋・機械の内部などに〕気体が流通しないようにすること。

き-みゃく【気脈】〔文〕❶血液の通る道筋。❷連絡。「—を通ずる(=連絡しあって、意志を通じる)」

***き-みょう【帰命】**心から仏法を敬い信じ、仏の教えに従うこと。身命を投げ出して信心すること。**—ちょうらい【—頂礼】**❶《名・自サ》〔自分の頭を仏の足につけて礼拝することから〕仏に帰依し、心から礼拝すること。❷仏を礼拝するときに唱える語。

***き-みょう【奇妙】**《形動》❶〔原因や理由がわからず〕ふしぎなようす。「彼の予言は—に当たる」❷ふつうと変わっているようす。「—なかっこうで踊る」「—な発想」**—きてれつ【—奇▽天烈】**《形動》ひどくふしぎなようす。〔「奇妙」を強めた語〕

き-みん【棄民】国が、苦しい立場の人々を見捨てること。また、その人々。

ぎ-みん【義民】〔文〕自分の身を投げ出して、正義のために尽くす民。「—佐倉惣五郎(そうごろう)」類語義人。

ぎ-む【義務】法律上または道徳上、人が行わなければならない、また、行ってはならない行為。「国民は納税の—がある」類語責務。対権利。**—きょういく【—教育】**国民の義務として、一定の年齢に達した子どもに受けさせなければならない普通教育。**—づ・ける【—付ける】**《他下一》義務として課す。**—てき【—的】**《形動》義務として(しかたなく)するようす。

き-むずかし・い【気難しい】（—むづかしい）《形》〔自分独自の考え・感情に執着して〕その人の気にいるようにするのがむずかしい。神経質である。「文章に対して—・い」

き-むすこ【生〈息子〉】まだ女と性的な交わりをもたない(純真な)若者。童貞。対きむすめ。

き-むすめ【生娘】まだ男と性的な交わりをもたない(純真な)娘。処女。対きむすこ。

キムチ 朝鮮の代表的なつけ物。白菜や大根などを、ニンニク・トウガラシ・ショウガ・魚介の干物などとまぜて塩でつけたもの。▽朝鮮 kimchi

き-め【木目】❶木の板の表面に年輪がつくりだす模様。まさ目と板目がある。木目(もくめ)。❷人間の皮膚や物の表面のあや。また、その手ざわり。「—の細かい肌」❸物事をする際の心くばり。配慮。「—の細かい文章」表記①は「木理」、②③は「肌理」とも書く。

き-めい【記名】《名・自サ》自分の氏名を書きしるすこと。類語署名。

ぎ-めい【偽名】〔本名をかくすためになのる〕いつわりの名。にせの名。「—をつかう」類語仮名。

きめ-こみ【木目込み・▽極(め)込み】❶奉書や糊(のり)入れなどの板目紙(いためがみ)に、綿を入れずにきれ地を張った押し絵。❷「木目込人形(きめこみにんぎょう)」の略。金襴(きんらん)・ちりめんなどをはって着せた、木彫りの人形。鴨川(かもがわ)人形。

きめ-こ・む【決め込む・▽極め込む】《他五》❶〔勝手に〕そうだと決めてしまう。「もうかると頭から—・む」類語思い込む。信じ込む。❷自分だけで・そうしようと決めて(そのつもりになって)そのようなふるまいをする。「知らぬ顔の半兵衛(はんべえ)を—・む」類語気どる。

きめ-だま【決め球・▽極(め)球】〔野球・テニスなどで〕勝負をかけて投げたり打ったりする、得意な(威力のある)球。ウイニングショット。

きめ-つ・ける【決め付ける・▽極め付ける】《他下一》❶〔弁解や言い分をきかず〕きびしく叱(しか)る。類語(るす)難詰。❷はっきりと言いきる。「犯人だと—・ける」

きめ-て【決め手・▽極め手】❶勝負を決定的にする方法・わざ。「—を欠く」❷〔物事の真偽、事件の原因などを〕ときあかすよりどころ。「その証拠が事件解決の—となった」❸物事を決める人。

きめ-どころ【決め所・▽極め所】❶ある事柄を決めるのによい時機・段階。「この相談も今が—だ」❷物事のもっとも大切な所。肝心な点。類語要点。

き・める【決める・▽極める】《他下一》❶〔物事を〕一つの結果に落ちつかせる。定める。決する。決定する。「話を—・める」「心を—・める」❷〈「…と—・めている」の形で〉…と思い込んでいる。いつも…である。「いつも恋人がいるものと—・めている」❸〔用いた技が効果をあらわして〕勝負をつける。「ストライクを—・める」❹型にはめて、動きがとれないようにする。「相手の差し手を—・める」❺わざとそのようなふるまいをする。きめこむ。「ずるを—・める」文き・む《下二》。

き-めん【鬼面】〔文〕鬼の顔。また、鬼の面。**—人を威(おど)す**《句》うわべだけの威勢で人をおどす。

きも【肝・▽胆】❶肝臓。「アンコウの—」❷内臓全体。はらわた。臓腑(ぞうふ)。五臓六腑。❸〔勇気・気力・度量などの〕精神力が宿る所。また、その精神力。胆力。きもだま。きもったま。「—が据わる(=度胸があってめったなことには驚かない」「ーが太い(=勇気があって大胆である)」「ーを据える(=気を落ちつけ覚悟をきめる。腹を据える)」〔表記〕③はふつう「胆」と書く。
ーに銘・ずる《句》忘れないようにしっかりと心にきざむ。
ーを潰(つぶ)・す《句》ひどくびっくりする。肝をけす。
ーを冷や・す《句》恐れてはっとする。ぞっとする。

きも・いり【肝×煎(り)】二つのものの間にはいって、世話をしたり取り持ったりする・こと(人)。「師匠のーで大きな名跡を継ぐ」〔表記〕「肝入り」とも書く。

き・もう【起毛】《名・自他サ》織物・編み物などの表面をかきたて、毛羽(けば)を立てること。

きも・すい【肝吸(い)】ーすひ ウナギの肝を入れた吸物。

きも・だま【胆▽魂・胆玉】→きもったま。

きも・だめし【肝試し】墓場など人気のない場所に夜一人で行かせ、恐ろしさにたえる力を試すこと。

き・もち【気持(ち)】❶ある物事・人などに対して起こる心の状態。感情。また意思。「他人のーを察する」〔尊敬〕貴意。尊慮。〔謙譲〕寸心。❷体のぐあいのよしあしによって起こる感じ。〔類語〕気分。「車に酔ってーが悪い」❸好意・弔意・感謝などの一端。「ーだけのお礼」❹いくらか。心もち。「ー左へよせる」

類義語の使い分け　気持ち・気分

[気持ち・気分] 早朝の散歩は気持ち(気分)がいい／船に酔って気持ち(気分)が悪くなる
[気持ち] つらい立場にある相手の気持ちを思いやる／うしろにお立ちの方、気持ち左に寄ってください
[気分] 気分をこわされて不機嫌になる／気分を変えて飲み直す／気分転換に庭いじりをする／新婚気分

きも・っ・たま【肝っ▽魂・肝っ玉】どんなことにも恐れない気力。胆力。きもだま。「ーのすわった男」

き・もの【着物】❶体に着る物。衣服。〔尊敬〕御召物。❷和服。「結婚式にはーで出席する」

***き・もん【奇問】**思いも寄らない質問・問題。

***き・もん【旗門】**スキーの回転競技で、コースを示すために立てる一対の旗。一定の間隔をおいて立てる。

***き・もん【鬼門】**❶何事をするにも忌み避けるべき、艮(うしとら)(=東北)の方角。〔参考〕陰陽(おんよう)道で、鬼が出入りすると考えた方向。〔対〕裏鬼門。❷その人にとって好ましくない相手・物事・場所。苦手(にがて)。「漢文はーだ」

ぎ・もん【疑問】うたがわしいこと。「成功するかどうかーだ」〔類語〕不審。ーし【ー詞】疑問の事物・事態を表す語。日本語では、不定称の代名詞の「だれ」「何」「いつ」、数詞の「いくつ」、副詞の「どう」「なぜ」、連体詞の「どの」など。ーふ【ー符】疑問を表す符号「?」。クエスチョンマーク。

ギヤ→ギア。▽gear

***き・やく【奇薬】**〔文〕よくきくめずらしい薬。ふしぎなほどよくきく薬。〔類語〕妙薬。秘薬。

***き・やく【規約】**協議によって定めた、会・団体などを運営するためのきまり。「ー改正」〔類語〕規則。

***きゃく【客】**㊀《名》❶招かれて来る人。訪れて来る人。「観光ー」〔類語〕来客。客人。来賓。❷金銭を支払う側の人。〔類語〕顧客(こきゃく・こかく)。㊁《助数》(接待用の)道具・器などを数える語。「おわん五ー」
ーをする《句》招待してもてなす。客の相手をする。

***きゃく【▽格】**奈良・平安時代に律令(りつりょう)の不備な点を補い修正するために臨時に出された法規。また、それらを集めた書物。「弘仁ー」

***きゃく【脚】**㊀《名》❶(動物や道具類などの)足。❷漢字を上下に分けたときの下の部分。「灬」「皿」など。㊁《助数》足のある道具を数える語。「いす三ー」

ぎゃく【逆】❶《名・形動》(順序、進行の方向、位置、方法などが)反対であること。さかさま。「順路をーに進む」「本心のーを言う」❷〔論〕ある命題の仮設と終結とを反対にして得た命題。「石は鉱物だ」に対して「鉱物は石だ」の類。逆命題。❸逆手①。

ギャグ 映画・演劇などで、見物人を笑わせる、即興的な動作・せりふ。▽gag

きゃく・あし【客足】(商店・興行場などに)客が来ること。また、でかけて来る客の数。「ーがにぶる」

きゃく・あしらい【客あしらい】ーあしらひ (商店などへ来る)客に対する接し方。客のもてなし方。客扱い。「ーがうまい」〔類語〕接待。応対。応接。

きゃく・あつかい【客扱い】ーあつかひ ❶客あしらい。「ーになれている」❷《名・他サ》人を客としてあつかうこと。❸鉄道で、旅客の輸送についての業務。

***きゃく・いん【客員】**→かくいん(客員)。

***きゃく・いん【脚韻】**詩歌の行や句などの終わりの韻をそろえること。また、その韻。〔対〕頭韻。

きゃく・うけ【客受け】客がうける感じ。客の評判。

ぎゃく・うん【逆運】思うことの反対のことばかり起こる、不幸な運命。「ーに泣く」〔類語〕悪運。不運。

きゃく・えん【客演】《名・自サ》俳優・音楽家などが、自分の所属していない劇団・楽団などに招かれて出演すること。「ー指揮者」

ぎゃく・えん【逆縁】(もと、仏に反抗し、仏法を悪くいうことなどが、かえって仏道にはいる因縁となることの意)❶親が子を供養したり、生前の敵が相手を供養したりして、その関係が逆になっていること。〔対〕順縁。❷事のついでに、縁のない人が回向(えこう)すること。

きゃく・ご【客語】❶〔論〕命題の主辞について述べる語。「人間は動物だ」の「動物だ」にあたる。賓辞(ひんじ)。❷「目的語」の旧称。客辞。=客語(かくご)。

ぎゃく・こうか【逆効果】期待したものと反対の(よくない)効果。逆効果(ぎゃっこうか)。「ーを生じる」

ぎゃく・こうせん【逆光線】見ている対象の後方からさし込む光線。逆光。逆光線(ぎゃっこうせん)。

ぎゃく・コース【逆コース】❶ふつう進むべき道すじと反対の方向をとる道すじ。❷社会の進むべき方向にさからって進む動き。=逆(ぎゃっ)コース。

きゃく・ざしき【客座敷】客を通す座敷。客間。

ぎゃく・さつ【虐殺】《名・他サ》むごたらしい方法で殺すこと。惨殺(ざんさつ)。「捕虜ー」

ぎゃく・ざや【逆×鞘】❶中央銀行の公定歩合が市中銀行の貸出金利より大きいこと。また、その差。〔対〕順鞘(じゅんざや)。❷生産者価格が消費者価格より高いこと。また、その差。

ぎゃく・さん【逆算】《名・他サ》ふつうの順序とは逆の順序で計算すること。さかのぼって計算すること。

ぎゃく・ざん【逆産】胎児が、頭から生まれず、足から先に生まれること。倒産。さかご。

きゃく・し【客死】《名・自サ》→かくし(客死)。

ぎゃく・し【虐使】《名・他サ》〔文〕しいたげて、ひどくこきつかうこと。「ーに耐えきれず逃亡する」〔類語〕酷使。

きゃく・しつ【客室】客をもてなすための部屋。特に、

旅館・客船で泊まり客を通す部屋。客間。

***きゃく-しゃ【客舎】**〔文〕旅先で泊まる宿舎。客舎(かくしゃ)。「異国の—に死す」

***きゃく-しゃ【客車】** 旅客を運ぶ車両。㊊貨車。

ぎゃく-しゅう【逆襲】《名・自他サ》攻撃をうけていた者が、力をもり返して逆に攻撃すること。

ぎゃく-じゅん【逆順】 ❶道理にさからうことと従うこと。❷逆の順序。

ぎゃく-じょう【逆上】《名・自サ》のぼせあがって分別をなくすこと。「—して相手を傷つける」

きゃく-しょうばい【客商売】 客にサービスを提供する商売。また、その職業。

きゃく-しょく【脚色】《名・他サ》❶小説・物語・記録などを演劇・映画・放送などの脚本に書きかえること。[類語]潤色。❷事実にないことをつけ加えて話などを面白くすること。「彼の話は—が多すぎる」

きゃく-じん【客人】 客として来ている人。客。

***ぎゃく-しん【逆心】** 主君にそむく気持ち。謀反の心。「—を抱く」[類語]二心。

***ぎゃく-しん【逆臣】** 主君にそむく臣下。謀反の臣。「—の汚名を着せられる」[類語]逆徒。逆賊。㊊忠臣。

ぎゃく-シングル【逆シングル】 野球で、グローブをはめた手を反対側に出して片手で捕球すること。

ぎゃく-すう【逆数】 ある数で1をわった値を、その数に対していう語。例えば、3の逆数は$\frac{1}{3}$。

きゃく-すじ【客筋】 ❶客の種類や性質。客だね。❷とくい関係。また、顧客。「—の注文に従う」

ぎゃく-せい【虐政】〔文〕人民をしいたげ苦しめる政治。暴政。苛政(かせい)。[類語]悪政。圧政。

きゃく-せき【客席】〔興行場・会場などで〕客がすわる座席。転じて、そこにすわる人々。見物席。

***ぎゃく-せつ【逆接】**〔文法で〕二つの文または句の接続のしかたの一つ。前の文(句)に対して、後の文(句)が矛盾・対立の意味を持ちながら結びつけられる接続。「しかし」「ところが」などの接続詞や、「けれど」「ても」などの接続助詞を用いる。逆態接続。㊊順接。

***ぎゃく-せつ【逆説】** ❶真理に反する説。❷一見真理ではないことを述べているようで、よく考えると真理を述べている説。パラドックス。「—的な表現」

きゃく-せん【客船】 旅客をのせて運ぶ船。客船(かくせん)。㊊貨物船。

きゃく-ぜん【客×膳】 客に出す食事(の膳)。

ぎゃく-せんでん【逆宣伝】 ❶《名・他サ》相手の宣伝を逆に利用して・相手に不利(自分に有利)になるように宣伝すること。また、その宣伝。❷期待した効果とは逆の(悪い)宣伝効果が現れてしまった宣伝。

きゃくせん-び【脚線美】〔若い〕女性の脚の、曲線のなだらかな美しさ。

***きゃく-そう【客僧】**〔文〕❶他の寺に客として泊まっている僧。❷行脚(あんぎゃ)している僧。[類語]雲水。

***きゃく-そう【客層】** 年齢・職業などで分類される客の階層。「コンビニの—は若者と中高年の男性が多い」

ぎゃく-ぞく【逆賊】 君主や国家にそむき害をなす悪人。「—を成敗する」[類語]逆臣。反徒。謀反人。

きゃく-たい【客体】〔哲〕❶意志・行為などの対象となるもの。❷〔意志・行為・感情などに関係なく〕外界に存在するもの。客観。=客体(かくたい)。㊊①②主体。

ぎゃく-たい【虐待】《名・他サ》むごく取り扱うこと。いじめること。「動物を—する」「幼児—」[類語]酷使。

きゃく-だね【客種】 客の種類や性質。客筋。

ぎゃく-たんち【逆探知】《名・他サ》電波や電話の受信機から逆に発信元をつきとめること。

きゃく-ちゅう【脚注・脚×註】 本文の下段につけた注釈。「—を付ける」㊊頭注。

***ぎゃく-ちょう【逆潮】** ❶風向きと反対の方向に流れる潮流。❷船の進路と逆方向に流れる潮。㊊順潮。

***ぎゃく-ちょう【逆調】** 物事の調子が悪い方向へむかうこと。「貿易の—」[類語]不調。㊊順調。

ぎゃく-て【逆手】 ❶〔柔道などで〕相手の関節を反対にまげて攻めるわざ。逆。❷相手の攻撃を逆に利用して攻めること。逆手(さかて)。「相手のことばを—に取る」❸物の握り方が、ふつうとは反対であること。

ぎゃく-てん【逆転】《名・自他サ》❶それまでとは反対の向きに回転・する(させる)こと。[類語]反転。❷〔形勢・順位などが〕それまでとは反対の状態に・なる(する)こと。「九回裏に—する」「—勝ち」

きゃく-ど【客土】 耕地改良のため、他の土地の土を運び入れること。また、その土。おき土。客土(かくど)。

***ぎゃく-と【逆徒】** むほんを起こした人々。反逆者。

***ぎゃく-と【逆×睹】**《名・他サ》〔文〕〔物事の結末やなりゆきを〕あらかじめ・見通す(見抜く)こと。逆睹(げきと)。「形勢は—しがたし」[類語]予知。予測。予見。予断。

きゃく-どめ【客止め】《名・自サ》興行場などで、満員のために客の入場を断ること。[類語]札止め。

ぎゃく-ひ【逆比】 ❶比の前項と後項を入れかえたもの、もとの比に対する称。例えば a:b の逆比は b:a。❷「逆比例」の略。㊊①②正比。

きゃく-ひき【客引(き)】〔特定の旅館・遊郭・興行場などに〕客をさそいよび入れる・こと(人)。

ぎゃく-ひれい【逆比例】《名・自サ》→反比例。

きゃく-ぶ【脚部】 からだ・道具などの足の部分。足。

ぎゃく-ふう【逆風】 進んでゆく方向から吹いてくる風。むかい風。「—にあおられる」㊊順風。

きゃく-ぶん【客分】 客として、あつく待遇される身分。また、その人。「—としてもてなす」

きゃく-ほん【脚本】 演劇・映画などのせりふ・動作・舞台装置などをこまかく書いた、上演のもとになる本。台本。ほん。[参考]映画の脚本は「シナリオ」ともいう。

きゃく-ま【客間】 客を通してもてなすための部屋。客座敷。客室。[類語]応接室。

きゃく-まち【客待ち】《名・自サ》タクシーの運転手などが客の来るのを待っていること。また、その場所。

ぎゃく-もどり【逆戻り】《名・自サ》もとの場所・状態にもどること。[類語]後戻り。

ぎゃく-ゆしゅつ【逆輸出】《名・他サ》他国から輸入したものを〔自国で加工して〕改めて輸出すること。

ぎゃく-ゆにゅう【逆輸入】《名・他サ》いったん輸出したものを〔他国で加工して〕改めて輸入すること。

きゃく-よう【客用】 客のために使うもの。

ぎゃく-よう【逆用】《名・他サ》自分の都合に合わせて、本来の目的とは反対の目的に利用すること。「法律を—する」

きゃく-らい【客来】〔文〕客が来ること。来客。

ぎゃく-りゅう【逆流】《名・自サ》反対の方向に流れること。また、その流れ。「川が—する」㊊順流。

きゃく-りょく【脚力】〔歩いたり走ったりしつづけるときの〕足の強さ。歩行力。脚力(きゃくりき)。「—をつける」

ぎゃく-ろう【逆浪】〔文〕逆風によって起こる波。さかまく波。

ギャザー 洋服で、布を細かく縫いちぢめてつくるひだ。「―スカート」▽gathers

きゃ-しゃ【▽華×奢・▽花車】《形動》〔姿・形などが〕ほっそりとして品がよく弱々しいようす。「―な女性」類語 脆弱(ぜいじゃく)。ひよわ。

き-やす・い【気安い】《形》遠慮をしない。気がねをしない。心やすい。「―・く相談してください」

キャスター ❶〔移動が容易なように〕家具などの脚部につけた車。❷ニュースキャスター。▽caster

キャスティング-ボート ❶採決にあたって可否同数の場合、議長の行う決定投票。❷議会などで、二つの勢力が均衡しているとき、第三勢力のもつ決定権。「―をにぎる」▽casting vote

キャスト 映画・演劇などで演じる役のわりあて。配役。「豪華―」「ミス―」▽cast

き-やすめ【気休め】❶その場だけの安心。一時だけの満足。❷人を安心させるために言う、あてにならないことば。「―を言わないでくれ」

き-やせ【着×痩(せ)】《名・自サ》着物を着ると実際よりもやせてみえること。対 着太り。

キャセロール ふた付きの蒸し焼きなべ。また、それで作った料理。カッスロール。▽(フランス) casserole

きゃ-たつ【脚立・脚×榻】二つのはしごを両側から合わせて、上に板をはったような形の踏み台。

キャタピラー 鋼鉄の板を帯状につなぎ、車輪全体に取り付けた装置。地面との接触面積が大きいので山野を自由に走れる。ブルドーザー・戦車などに用いられる。無限軌道。カタピラー。▽caterpillar(=いも虫)

きゃつ【▽彼▽奴】《代名》《「彼奴(かやつ)」の転》人をけいべつしたり、親しみをこめたり、ふざけたりして指し示す語。あいつ。かやつ。やつ。〔男性が使う〕

***きゃっ-か【却下】**《名・他サ》〔裁判所・役所などが〕訴訟・願い出などをとりあげず、さしもどすこと。「願い出を―する」「保釈の請求を―する」類語 棄却。

***きゃっ-か【脚下】**〔文〕〔立っている人の〕あしもと。「―に見おろす谷間」 **―しょうこ【―照顧】**《名・他サ》〔文〕自分自身のことをふり返ってよく考えてみること。真理を外にではなく、自分自身の内に求めること。

きゃっ-かん【客観】(object)〔哲〕❶人間の認識の対象。また、主観から独立して意識の外にそれ自体存在するものの総称。客体。❷《名・他サ》物事を第三者の立場から観察したり考えたりすること。=客観(かっかん)。対 ①②主観。 **―せい【―性】**客観的な性質。「―のある意見」対 主観性。 **―てき【―的】**《形動》❶意識に関係なく存在するようす。客体的。❷ひとりよがりの考えでなく、だれが考えても納得できるようす。「―に判断する」対 主観的。

ぎゃっ-きょう【逆境】不運で苦労の多い不幸せな境遇。「―にめげず勉学に励む」類語 苦境。対 順境。

きゃっ-こう【脚光】舞台の最前部の床に一列に備えつけて、俳優をあしもとから照らす照明。フットライト。「―を浴びる(=世間の注目の的となる)」

***ぎゃっ-こう【逆光】**逆光線(ぎゃくこうせん)。

***ぎゃっ-こう【逆行】**《名・自サ》〔進行方向や時代の流れに対して〕反対の方向に進むこと。対 順行。

キャッシュ 現金。類語 現なま。▽cash **―カード** 銀行などが発行する、現金自動支払い機用の磁気カード。▽cash card **―ディスペンサー** 現金自動支払い機。銀行などで、客が自分で預金の引き出しなどを行う機械。略語CD。参考 ⇩巻末付録(ATM)。▽cash dispenser **―レス** 現金をもたず、キャッシュカードやクレジットカードで支払いをすませること。▽cashless

キャッシング 小切手などを現金化すること。また、現金を貸し出すこと。▽cashing

キャッチ ❶《名・他サ》とらえること。つかむこと。「情報を―する」❷《名・他サ》〔ボールなどを〕受けること。❸《名・他サ》ボート・水泳で、オールや腕がうまく水をかくこと。❹〔俗〕キャッチャー㊀。▽catch **―フレーズ** 簡単な表現で、人の注意をひく宣伝文句。うたい文句。▽catch phrase **―ボール** 野球のボールを投げ合うこと。▽catch と ball からの和製語。 **―ホン** 通話中に他の人から電話がかかっても、今までの通話を一時保留にし、あとからかけてきた人と通話ができる電話機。▽catch と phone からの和製語。

キャッチャー ㊀《造語》「とらえる物・人」の意。「アイ―」㊁《名》野球で、捕手。キャッチ。対 ピッチャー。▽catcher **―ボート** 母船式船団で、母船からの指示で実際に捕鯨(ほげい)を行う船。▽catcher と boat からの和製語。

キャッツ-アイ ❶猫目石。❷道路に埋められている、反射体の交通標示。夜間、車のライトを受けて発光する。▽cat's-eye

***キャップ** チームやグループの指導者・主任。特に、新聞社の取材班の指揮をする人。▽captain から。

***キャップ** ❶ふちなしの帽子。類語 ハット。❷〔鉛筆・万年筆などの〕帽子状のふた。▽cap

ギャップ 考え方・感情などのへだたり。意見の食い違い。「親子の考えの―をうめる」▽gap(=割れ目・みぞ)

キャディー ゴルフで、競技者についてまわり、クラブを運んだりアドバイスをしたりする人。▽caddie

キャパシティー ❶容量。収容能力。「劇場の―」❷能力。才能。▽capacity

ギャバジン 綾(あや)織りの服地の一つ。たて糸に諸撚(もろよ)りの梳毛(そもう)糸、よこ糸に綿糸または梳毛糸を使って、綾をくっきり織り出したもの。ギャバ。▽gabardine

キャバレー 舞台やダンスホールを設け、客にダンスをさせたり、ショーを見せたりする酒場。▽(フランス) cabaret

きゃ-はん【脚×絆・脚半】昔、旅行などに、すねに巻き、ひもで結びつけた布。はばき。「―をつける」表記「脚半」は代用字。類語 ゲートル。

キャビア チョウザメの卵を塩漬けにしたもの。黒みがかっている。カビア。▽caviar

キャピタル ❶大文字。頭文字。❷首都。❸資本。❹〔建〕柱頭。▽capital **―ゲイン** 土地・株式など、資産の値上がりによる利益。資本利得。対 キャピタルロス。▽capital gain **―ロス** 土地・株式など、資産の値下がりによる損失。資本損失。対 キャピタルゲイン ▽capital loss

キャビネ 写真判で、縦一六・五センチ、横一二センチの大きさ。キャビネ判。カビネ。▽(フランス) cabinet

キャビネット ❶飾りだな。❷テレビ・ラジオの受信機の外箱。❸レコード盤などを入れておく箱。❹事務用品などを入れる戸だな・箱。▽cabinet

キャビン 船の客室。船室。ケビン。「―アテンダント(=

スチュワーデス・スチュワードの性差のない呼び名)」▽cabin

キャプション ❶〔雑誌・書籍などで〕写真につけた説明。❷〔映画で〕タイトル。字幕。▽caption

キャプテン ❶運動チームの主将。❷船長。また、機長。▽captain

キャブレター ガソリン機関で、ガソリンと空気をほどよく混合して爆発性のガスを作る装置。気化器。キャブ。▽carburetor

ぎゃふん《副》《多く「—と」の形で》完全に降参するようす。勢いをくじかれるようす。「—と言わせる」

キャベツ アブラナ科の一年草または越年草。葉は秋に球状に巻く。食用。たまな。かんらん。▽cabbage

ギヤマン ガラス。また、ガラス製の容器。〔古風なことば〕[参考]原語は、「ダイヤモンド」。それでガラスを切って細工したものを「ギヤマン細工」といったことから。▽(ポルトガル) diamante (オランダ) diamant

き-やみ【気病み】 心配がもとで起こる病気。

キャミソール 女性の洋装用の下着。胸の部分から腰までをおおい、肩からひもでつる。▽camisole

キャメル ❶ラクダの毛を使った毛糸・織物。❷ラクダ色。淡褐色。▽camel

きゃら【×伽羅】 ❶「沈香(じんこう)」の別称。❷沈香から取った香料のうち、特に良質のもの。❸「きゃらぼく」の略。

—ぶき【—×蕗】 フキの葉柄をしょうゆでいったり煮たりして作る、きゃら色(=黒に近い茶色)の食べ物。

—ぼく【—木】 イチイ科の常緑低木。イチイの変種で、幹は地に伏す。ふつう、観賞用。春に開花し、秋に実が赤く熟す。きゃらのき。きゃら。

ギャラ《「ギャランティー」の略》前もってきめた出演料。契約金。「—が高い」

キャラクター ❶性格。人格。また、その人独特の持ち味。❷〔小説や劇・漫画などの〕登場人物。また、その役柄。▽character

—しょうひん【—商品】 漫画の主人公や動物の絵などをデザインの一部または全部に取り込み、人気を高める商品。

キャラコ 白の無地で薄手の平織り綿布。ふとんカバー・たびなどに使われる。キャリコ。▽calico

キャラバン ❶砂漠などを、ラクダに荷を積み、隊を組んで行く商人の一団。隊商。❷奥地・高山などを隊を組んで行く登山者・調査員などの一団。❸〔販売・宣伝などを目的に〕一団を組織し、自動車・徒歩などで行う広範囲の旅行。「全国—の旅」▽caravan

キャラメル ❶砂糖・水飴(あめ)・牛乳・バターなどをまぜて煮つめてつくった飴。❷カラメル。▽caramel

ギャラリー ❶回廊。❷美術品を陳列する部屋。画廊。❸〔ゴルフなどの〕試合の見物人。▽gallery

ギャランティー ↓ギャラ。▽guarantee(=保証)

き-やり【木▽遣り】 ❶大きな岩・材木などを大ぜいで音頭をとりながら引いて運ぶこと。❷「木遣り歌」の略。木遣り①のときに、力を合わせるために歌った歌。地突きや祭礼の行列などにも歌われる。

***キャリア** ❶その方面で実地に経験した程度。経歴。特に、試合経験。競技歴。❷国家公務員で、上級試験に合格した者。「—官僚」[対]ノンキャリア。▽career

—ウーマン 専門職を持った、経験の豊かな女性。▽career woman

—ぐみ【—組】 キャリア②で、中央本省庁に採用された人。[参考]幹部または幹部候補として採用される。[対]ノンキャリア組。

***キャリア** ❶運搬する器具。また、自転車などの荷台。❷保菌者。「エイズウイルスの—」▽carrier

ギャル〔俗〕女の子。特に、若くて活発な女性。▽gal

ギャルソン〔ホテル・レストランなどの〕男の給仕。ボーイ。ガルソン。▽(フランス) garçon

ギャロップ 馬の最も速い走り方。一歩ごと四足とも地上から離して走る。駆け足。駆歩。▽gallop

キャロル クリスマス・復活祭などの祝歌。カロル。「クリスマス—」▽carol

きゃん【×侠】《名・形動》男のようにきびきびした(若い)女のようす。女の勇み肌。おきゃん。

ギャング 強盗・殺人などを行う凶悪犯罪者。また、その集団。▽gang(=群れ。同類)

キャンセル《名・他サ》予約・売り買いなどの契約を取り消すこと。解約。▽cancel

キャンデー ❶砂糖・水飴(あめ)で作った菓子。❷「アイスキャンデー」の略。=キャンディー。▽candy

キャンドル ろうそく。▽candle

キャンバス ↓カンバス②。▽canvas

キャンパス〔大学の〕構内。校庭。▽campus

キャンピング キャンプ②。▽camping

—カー キャンプ用の設備を一式備えた自動車。▽camping と car からの和製語。

キャンプ ❶テントで作った小屋。❷《名・自サ》山や野原で、テントをはってくらすこと。野営。キャンピング。「—イン」❸兵営。❹プロ野球・ボクシングなどの合宿練習。❺捕虜などの収容所。▽camp

ギャンブラー 賭博師(とばくし)。▽gambler

ギャンブル ばくち。かけ事。▽gamble

キャンペーン 組織的な運動。「—を張る」「一大—」▽campaign

き-ゆう【×杞憂】 心配する必要のないことを心配すること。とりこし苦労。「その心配は—に終わった」[故事]中国の杞の国の人が、天が落ちてこないかと心配したという故事から。〈列子・天瑞篇〉

***きゅう【給】**《接尾》給料の意。「時間—」「能率—」

***きゅう【宮】**《接尾》❶「宮殿」の意。「水晶—」❷天球の区分名につける語。「白羊—」[参考]↓十二宮。

***きゅう【急】** [一]《名》❶急ぐこと。いそがしいこと。「事は—を要する」❷物事がさしせまっていて、危険な状態。また、突然起こった変事。「風雲—をつげる」「—を知らせる」❸雅楽・能楽で、序・破・急の最後の段。[二]《形動》❶〔物事の起こり方・進み方・変わり方などが〕早いようす。また、忙しいようす。「—な流れ」❷前ぶれがなく突然起こるようす。にわか。「—に泣きだす」❸〔物の傾きなどが〕激しいようす。「—な坂道」

***きゅう【×灸】** 漢方で、熱による刺激療法。灸点にもぐさを置き、火をつけて病気を治す。やいと。「—を据える(=戒めに注意を与えたり処罰したりする)」

***きゅう【球】** [一]《名》❶丸い形をした物。たま。❷一定点からの距離が一定である点の軌跡によってできる立体。[二]《助数》〔野球などで〕たまをなげた回数を表す。「三—三振」

***きゅう【×笈】**〔文〕〔本などを入れて〕背におう箱。

—を負・う《句》勉学のため遠く故郷を離れる。

***きゅう【級】** ❶物事を程度によっていくつかに分けるときの一定の区切り・等級。階級。「そろばんの—が上がる」❷学校で、勉学上、組み分けたグループ。学年。

「上の―に進む」❸同じ学年で分けたグループ。組。

*きゅう【旧】㊀《名》❶古いこと。昔から続いている事柄。「―を捨てる」❷過去の状態。もとの様子。「―に復す」「―に倍する」❸「旧暦」の略。「―の正月」[対]①～③新。㊁《接頭》「古い」「昔の」「旧暦」などの意。「―支配体制」「―思想」「―憲法」「―正月」

*きゅう《副》《多く「―と」の形で》❶強くこすったり、ねじったりしたときにでる音の形容。❷強く押しつけたり締めつけたりするようす。また、そのような気持ちになるようす。「胸が―となる」❸ひや酒などを一息に飲むようす。「酒を―と飲みほす」

*キュー❶玉つきで、玉をつく棒。❷ラジオやテレビなどに出演中の俳優・効果係などに演出者が与える、手振りの指図。「―を出す」▽cue

ぎ-ゆう【義勇】〔文〕❶忠義と勇気。❷正義のためにふるいおこす勇気。「―、公に奉ずる」―ぐん【―軍】国家や正義のために戦いに参加することを自ら志願した人々で組織した軍隊。

ぎゅう【牛】❶ウシ。〔食肉や皮革製品にしたものについていう〕「―の肉」「―の革」❷〔食用の〕牛肉。

きゅう-あい【求愛】《名・自サ》異性に愛を求めること。「鳥の―の行動」

きゅう-あく【旧悪】以前におかした悪事。

キュー-アンド-エー【Q&A】疑問と回答。質疑応答。▽question and answer から。

きゅう-い【球威】野球で、投手の投げる球の勢い。

*きゅう-いん【吸引】《名・他サ》❶すいこむこと。すいつけること。「―力」❷人をひきつけること。

*きゅう-いん【吸飲】《名・他サ》すってのむこと。

ぎゅういん-ばしょく【牛飲馬食】《名・自サ》〔「牛のように飲み、馬のように食べる」意から〕一度にたくさん飲み食いすること。鯨飲馬食。[類語]暴飲暴食。

ぎゅう-えき【牛疫】ウイルスによる、ウシの急性感染症。発熱し、口・胃の粘膜がただれる。

*きゅう-えん【休演】《名・自サ》興行や出演を休むこと。「病気のため―する」[類語]休場。

*きゅう-えん【救援】《名・他サ》力をかして救いたすけること。「―物資」[類語]援助。救助。

*きゅう-えん【求縁】《名・自サ》〔文〕結婚の相手を求めること。「―の情」[類語]求婚。

*きゅう-えん【球宴】プロ野球で、選ばれたスター選手が集まって、公式戦とは別に行う試合。「夢の―」

*きゅう-えん【旧×怨】〔文〕昔のうらみ。

*きゅう-えん【旧縁】昔からの縁故・知り合い。前からのなじみ。「―をたどる」

*きゅう-おん【吸音】《名・自サ》〔壁・天井材などが〕音を吸いこんで、反射させないこと。「―材」

*きゅう-おん【旧恩】〔文〕昔うけた恩。「―を忘れぬ」

*きゅう-か【休暇】つとめや学校などの休み。「夏の―」

*きゅう-か【急火】〔文〕❶突然の火災。❷近火。

*きゅう-か【旧家】❶古くからの由緒ある家柄。❷〔文〕もと住んでいた家。「―の出」[類語]名門。素封家。

きゅう-カーブ【急カーブ】曲がりぐあいが急なこと。また、その曲線。「―を描く」「―を切る」

*きゅう-かい【休会】《名・自他サ》❶会を休むこと。特に、国会・地方議会などが一定期間議事を休むこと。❷取引所で、売買取引を開かないこと。

*きゅう-かい【球界】野球をする人の社会。野球関係者のなかま。「―のホープ」「高校―」

*きゅう-かい【旧懐】〔文〕昔のことをなつかしむこと。また、その気持ち。懐旧。「込み上げてくる―の情」

きゅう-かく【×嗅覚】においに対する感覚。[注意]「しゅうかく」は誤読。[参考]→臭覚(しゅうかく)。

きゅう-がく【休学】《名・自サ》〔病気などのため〕生徒・学生が長期間学校を休むこと。[類語]長期欠席。

きゅう-かくど【急角度】斜面と平坦(へいたん)面のなす角度や、方向を変えるときの角度などが、非常に大きいこと。「―の坂」「―に右へ曲がる」

きゅう-かざん【休火山】過去に噴火した記録があるが、現在は噴火活動をしていない火山。[参考]現在は合理的でないとして、使われていない。↓活火山。

きゅう-かつ【久×闊】〔文〕長い間、会ったり便りをしたりしないでいること。無沙汰(ぶさた)。「―をわびる」「―を叙(じょ)する(=久しぶりのあいさつをする)」

きゅう-かなづかい【旧〈仮名〉遣(い)】(キウーづかひ)歴史的かなづかい。[対]新仮名遣い。

きゅう-かぶ【旧株】株式会社の増資による新しい株式に対し、もとからの株式。親株。[対]新株。

*きゅう-かん【休刊】《名・自サ》〔定期的な新聞・雑誌などの〕発行を一時休むこと。「―日」[類語]廃刊。

*きゅう-かん【休閑】〔地力(ちりょく)を養うため〕作物を栽培せず耕地を休ませること。「―地」

*きゅう-かん【休館】《名・自サ》映画館・美術館・図書館などが業務を休むこと。「月曜日―」

*きゅう-かん【急患】すぐ手当てを要する患者。

*きゅう-かん【旧慣】〔文〕昔からのならわし。

*きゅう-かん【旧観】〔文〕もとの姿。昔のありさま。

きゅう-かん【旧館】古いほうの建物。[対]新館。

きゅうかん-ちょう【九官鳥】ムクドリ科の鳥。全身黒く、人のことばをよくまねる。愛玩(あいがん)用。

*きゅう-き【吸気】❶〔動物が〕吸いこむ息。[対]呼気(こき)。❷〔熱機関などで〕ガス・蒸気を吸い入れること。また、その吸い入れる気体。[対]排気(はいき)。

*きゅう-き【旧記】〔文〕古い記録。[類語]古文書。

*きゅう-ぎ【球戯】❶球・ボールを使ってする遊び。❷たまつき。撞球(どうきゅう)。

*きゅう-ぎ【球技】ボールを使ってする競技。野球・テニス・バスケットボール・サッカーなど。

*きゅう-きゅう【救急】急に起こった難儀を助けること。特に、急な病気・負傷などの手当てをすること。「―車」[注意]「急救」は誤り。―きゅうめい-し【―救命士】救急車の中で、医師の指示で高度な救命治療行為を行う資格をもつ救急隊員。―ばこ【―箱】救急時に必要な薬・包帯などを入れておく箱。

*きゅう-きゅう《副》《「―と」の形も》❶物がこすれたりきしんだりして鳴る音の形容。「歩くとくつが―鳴る」❷いっぱいにつめたり、強くしめつけたりするようす。「箱に―つめる」❸経済的な余裕がなく、苦しむようす。「―の暮らし」❹ひどい目にあって苦しむようす。「練習で毎日―言っている」

*きゅう-きゅう【×汲×汲】《形動タルト》〔文〕心にゆとりをもたず一つのことにつとめるようす。「地位を守るのに―としている」

ぎゅう-ぎゅう《副》《「―と」の形も》❶物がこすれたりきしんだりして鳴る音の形容。❷強くおしつけたり、しめつけたり、つめこんだりするようす。「帯を―しめる」❸強く責めて降参させるようす。「―の目にあわせる」

き

きゅうぎゅうのいちもう【九牛の一毛】《句》〔「多くの牛のなかの一本の毛」の意から〕たくさんの中のごく少ない部分。また、非常に少なくて、問題にならないことのたとえ。〈司馬遷・報任少卿書〉

***きゅうきょ【旧居】**以前のすまい。対新居。

***きゅうきょ【急×遽】**《副》突然物事を行うようす。にわかに。「—対策を講じる」

***きゅうきょう【究×竟】**〔文〕↓くっきょう(究竟)㊀。

***きゅうきょう【窮境】**〔文〕非常に苦しい立場・境遇。「—を脱する」

***きゅうきょう【旧教】**カトリック教。対新教。

きゅうぎょう【休業】《名・自サ》営業・業務などを休むこと。「夏期—」

きゅうきょく【究極・窮極】❶ある物事や考えなどをおし進めて最後に到達する所。とどのつまり。「—の目的」類語終極。❷《名・自サ》最後にゆきつくこと。きわまること。「—するところは哲学の問題である」

***きゅうきん【球菌】**丸い形をした細菌。化膿(かのう)菌・肺炎(はいえん)菌など。類語桿菌(かんきん)。

***きゅうきん【給金】**雇い人に給料として支払われる金銭。〔古風な言い方〕類語給与。俸給。**—ずもう【—〈相撲〉】**相撲で、力士が本場所で勝ち越して昇給をきめる一番。八勝目の取組。

きゅうくつ【窮屈】《形動》❶せまいようす。「—な車から出る」❷〔雰囲気・考え方などが〕かたくるしく気づまりなようす。「—な職場」❸〔金銭などが〕不足して余裕のないようす。「財政が—だ」「—な暮らし」

きゅうくん【旧訓】❶昔の教え。❷漢文・漢字などにつけられた古い読み方。

***きゅうけい【休憩】**《名・自サ》仕事や運動などを一時やめて、体を休めること。「—所」類語休息。

***きゅうけい【宮刑】**昔の中国の刑罰の一つ。男子は睾丸(こうがん)を抜き取り、女子は監房に幽閉した。腐刑。

***きゅうけい【弓形】**❶弓のように曲がった形。ゆみ形。❷弦とその上に張る弧とでつくられる図形。

***きゅうけい【求刑】**《名・他サ》〔法〕被告人への刑罰を、検察官が裁判長に請求すること。「死刑を—する」

***きゅうけい【球形】**球のような丸い形。類語球状。

***きゅうけい【球茎】**養分を蓄えて球になった、地中の茎。サトイモ・コンニャクイモなど。参考↓球根。

***きゅうげき【旧劇】**「歌舞伎(かぶき)」の別称。参考明治時代におこった新演劇を「新派」とよぶのに対する語。

***きゅうげき【急激・急劇】**《形動》〔物事の変化・動作などが〕突然で激しいようす。「世界が—に変化した」

***きゅうけつ【吸血】**〔人の〕生き血を吸いとること。「—動物」**—き【—鬼】**夜間、人の生き血を吸うという魔物。バンパイア。また、搾取して人を無慈悲に苦しめる人間のたとえ。

***きゅうけつ【×灸穴】**↓灸点(きゅうてん)①。

***きゅうけつ【給血】**《名・自サ》輸血するための血液を提供すること。供血。類語献血。売血。預血。

***きゅうげん【急減】**《名・自他サ》急にへること。また、急にへらすこと。「生徒数が—する」対急増。

***きゅうげん【給源・給原】**ある物・物事を供給するみなもと。供給源。「労働力の—」

きゅうこ【旧故】〔文〕昔からのなじみ。古い友人。

きゅうご【救護】《名・他サ》〔病人・負傷者などを〕助け、保護すること。「—班」類語救助。救援。

ぎゅうご【牛後】〔文〕牛のしり。参考↓鶏口。

***きゅうこう【休校】**《名・自サ》学校の授業を行わないで休みにすること。「同盟—」「台風のため—になる」

***きゅうこう【休耕】**《名・自サ》しばらくの間、農作物を作らないでおくこと。「生産調整による—田(でん)」

***きゅうこう【休航】**《名・自サ》船や飛行機の定期便が運航を休むこと。欠航。

***きゅうこう【休講】**《名・自サ》教師が講義を休むこと。

***きゅうこう【急行】**❶《名・自サ》急いで行くこと。「事故現場に—する」❷「急行列車」「急行電車」の略。主な駅だけに止まって間の駅を通過して行く列車・電車。対鈍行。緩行(かんこう)。

***きゅうこう【救荒】**《名・他サ》〔文〕飢饉(ききん)から人々を救うこと。「—作物」

***きゅうこう【×躬行】**《名・自サ》〔文〕〔口でいうばかりでなく〕自分で実際に行うこと。「実践—」

***きゅうこう【旧交】**古くからのつきあい。昔からの交際。また、古いつきあい。「—をあたためる」

***きゅうこう【旧稿】**以前に書いた原稿。

きゅうごう【糾合・×鳩合】《名・他サ》〔文〕あちこちからよせ集めて一つにまとめること。「同志を—する」

きゅうこうか【急降下】《名・自サ》飛行機を、地面に対して四五度以上の角度で降下させること。

きゅうこうぐん【急行軍】早く目的地に着くために、歩調を速め休憩をへらして進む行軍。

***きゅうこく【急告】**《名・他サ》急いでつげ知らせること。急ぎの知らせ。類語急報。

***きゅうこく【救国】**〔文〕国を危難から救うこと。

きゅうごしらえ【急×拵え】(キフごしらへ)〔まにあわせに〕急いで造ること。急いで造ったもの。急造。

***きゅうこん【求婚】**《名・自サ》結婚を申しこむこと。プロポーズ。

***きゅうこん【球根】**地中で、根・茎などが養分をたくわえて球形に近い形になったもの。「—の水栽培」

***きゅうさい【休載】**《名・自サ》〔新聞・雑誌などで〕連載物の掲載を休むこと。

***きゅうさい【救済】**《名・他サ》困っている人を救い助けること。「失業者を—する」類語救援。

***きゅうさく【窮策】**〔文〕困りぬいて、苦しまぎれに考えた方法・手段。窮余の策。

***きゅうさく【旧作】**以前に作った作品。

***きゅうし【九死】**〔文〕死以外の結果がほとんど考えられないほど危険な状態。**—に一生を得る**《句》ほとんど死にそうな状態になりながらやっとのことで助かる。

***きゅうし【九紫】**陰陽道(おんみょうどう)の九星(きゅうせい)の一つ。方位は南、火星にあたる。

***きゅうし【休止】**《名・自他サ》運動・活動などがとまること。また、運動・活動などをやめること。「運転を—する」類語中止。**—ふ【—符】**↓きゅうふ(休符)。「長い論争に—を打つ(=一段落をつける)」

***きゅうし【急使】**急ぎの使者。類語特使。

***きゅうし【急死】**《名・自サ》急に死ぬこと。頓死(とんし)。「交通事故で—した」類語急逝(きゅうせい)。

***きゅうし【球史】**野球界の歴史。「—を飾る熱戦」

***きゅうし【窮死】**《名・自サ》〔文〕生活がゆきづまって、貧苦のうちに死ぬこと。

***きゅうし【×臼歯】**〔医〕口の奥の方にあって、先が平

き

らで、うすのような形の歯。おくば。臼歯。

*きゅう-し【旧×址・旧×趾】〔文〕昔、有名な建物・事件などがあったあと。類語旧跡。古跡。

*きゅう-し【旧師】〔文〕以前に教えをうけた先生。

*きゅう-じ【×灸治】《名・他サ》灸により治療すること。「ーに通う」

*きゅう-じ【球児】年少の野球選手。「高校ー」

*きゅう-じ【給仕】❶もと、会社・役所・学校などで、こまかい雑用をした役(の人)。❷《名・自サ》飲食の席で、飲食の世話をすること。また、その職業(の人)。

*きゅう-じ【旧事】〔文〕昔の事柄。古い事柄。くじ。

*きゅう-じ【旧時】〔文〕〔ある事のあった〕昔。以前。「ーを回想する」類語往時。

ぎゅう-し【牛脂】牛からとった脂肪。ヘット。

ぎゅう-じ【牛耳】〔ーを執る〕ある団体・党派などの中で勢力をもち、中心となって支配する。牛耳る。故事古代中国で、諸侯が盟約を結ぶとき、盟主が牛の耳をさき、血をすすって誓いをたてたという故事から。〈春秋左氏伝・定公八年〉

*きゅう-しき【旧式】❶昔からしきたりになっている方法。古い形式。❷《名・形動》〔形・構造・考えなどが〕時代おくれで古くさいこと。「ーな電車」対①②新式。

*きゅう-しき【旧識】〔文〕昔からの知り合い。昔なじみ。旧知。

きゅう-じたい【旧字体】一九四九年に当用漢字字体表が告示される前の字体。対新字体。

*きゅう-しつ【吸湿】《名・自サ》湿気を吸い取ること。「ー性」

*きゅう-しつ【宮室】〔文〕❶帝王の住む建物。宮殿。御殿。❷帝王・天皇の一族。皇室。

きゅう-じつ【休日】〔規則などできめられた〕勤務・営業・授業などを休む日。類語定休日。公休日。

*きゅう-しゃ【×厩舎】❶馬を飼うための建物。うまや。馬小屋。❷馬主から馬を預かって訓練し、競走馬にしたてる所。

*きゅう-しゃ【×柩車】〔文〕霊柩車。

*きゅう-しゃ【×鳩舎】ハトを飼う建物。はと小屋。

*ぎゅう-しゃ【牛舎】牛を飼う建物。牛小屋。

*ぎゅう-しゃ【牛車】❶牛が引く荷車。うしぐるま。❷〔古〕牛車。

*きゅう-しゅ【球趣】〔文〕野球をおもしろくあじわう心。野球のおもしろみ。

*きゅう-しゅ【旧主】〔文〕以前の主人・君主。旧君。

*きゅう-しゅ【×鳩首】《名・自サ》(「鳩」は「集める」意)〔文〕人々が集まって、ひそひそと相談すること。「ー協議」 ーぎょうぎ【ー凝議】《名・自他サ》〔文〕人々が顔をつきあわせてひそひそと相談すること。

*きゅう-しゅう【九州】九州地方。福岡・佐賀・長崎・大分・熊本・宮崎・鹿児島・沖縄の八県からなる。

*きゅう-しゅう【吸収】《名・他サ》外にあるものを内に吸いこみ、自分のものにすること。「海外の文化をーする」「大企業にーされる」類語摂取。

*きゅう-しゅう【急襲】《名・他サ》不意におそいかかること。「敵の寝込みをーする」類語奇襲。

*きゅう-しゅう【旧習】昔からの習慣。旧慣。

きゅう-しゅつ【救出】《名・他サ》危険な状態から救い、その範囲の外へ出すこと。類語救助。

*きゅう-じゅつ【弓術】弓を射るわざ。射術。

*きゅう-じゅつ【救×恤】《名・他サ》〔文〕〔経済的・物質的に〕困っている人に金品を与えて救うこと。「困窮の民をーする」「ーセンター」類語救援。

きゅう-しゅん【急×峻】《名・形動》傾斜が急でけわしいようす。また、そういう所。「ーな山」

きゅう-しょ【急所】❶からだの中で、そこに打撃を受けると命にかかわる部分。「弾がーをはずれた」❷物事の最も大事な部分。「ーを握られている」類語要点。

きゅう-じょ【救助】《名・他サ》〔危険な状態にあるものを〕救い助けること。「人命ー」類語救援。救出。

*きゅう-しょう【求償】《名・自サ》❶〔文〕賠償または償還を要求すること。❷〔法〕他人の負債のために出費した者が、その他人に返還を請求すること。「ー権」

*きゅう-しょう【旧称】もとの名称。類語古称。

*きゅう-じょう【休場】《名・自サ》❶競技場・興行場などが業務を休むこと。❷〔出場者・競技者などが〕休んで出場しないこと。類語①②休演。欠場。

*きゅう-じょう【宮城】天皇の平常の住まい。参考「皇居」の旧称。

*きゅう-じょう【弓状】弓のように、半円形に曲がっていること。ゆみなり。弧。

*きゅう-じょう【球場】野球場。類語グラウンド。

*きゅう-じょう【球状】球のような形。類語球形。

*きゅう-じょう【窮状】ひどく困り苦しんでいる状態。「ーを訴える」「ーを見かねて」

*きゅう-じょう【旧情】〔文〕昔、親しく交際していたころの友情・情愛。古い交わりの情。「ーをあたためる」

きゅう-しょうがつ【旧正月】旧暦による正月。

*きゅう-しょく【休職】《名・自サ》勤め人が身分・資格などはそのままで一定の期間勤務を休むこと。

*きゅう-しょく【求職】《名・自サ》〔自分の〕職業を求めること。勤め口を求めること。「ー先」対求人。

*きゅう-しょく【給食】《名・自サ》〔学校・会社・工場などで生徒・社員・従業員などに〕食事を与えること。また、その食事。「学校ー」

ぎゅう-じ・る【牛耳る】《他五》〔ある集団などを〕自分の思うように支配する。牛耳を執る。「市議会をーる」参考「牛耳」を動詞化した語。文《四》。

*きゅう-しん【丘×疹】皮膚上に盛り上がってできる発疹。

*きゅう-しん【休心・休神】《名・自サ》〔文〕安心すること。安心。「どうぞ御ー下さい」類語放念。

*きゅう-しん【休診】《名・自サ》病院や医院で診療を休むこと。「本日ー」

*きゅう-しん【急伸】《名・自サ》急にのびること。特に、株価が急に値上がりすること。

*きゅう-しん【急信】〔文〕急ぎのたより。類語急報。

*きゅう-しん【急診】急いで診療すること。

*きゅう-しん【急進】《名・自サ》急いで進むこと。特に、早く理想・目的などを達しようとして激しい行動をとること。「ー的」「ー分子」対漸進。

*きゅう-しん【求心】回転している物体が中心に近づこうとすること。対遠心。 ーりょく【ー力】円運動をしている物体が中心に向かおうとする力。向心力。対遠心力。

*きゅう-しん【球審】〔野球で〕捕手の後ろにいる審判員。投手の投球の判定や打者に関する裁定などを行う。参考正式には「主審」。類語塁審。

*きゅう-しん【球心】球の表面から等距離にある点。

球の中心。

***きゅう-しん**【旧臣】〔文〕古くから仕えている家来。また、もと家来だった人。昔の臣下。

***きゅう-じん**【九×仞】〔文〕〔一仞は八尺で、その九倍の意から〕高さが非常に高いこと。
―の功を一簣に欠・く《句》〔高い山を築くのにも、最後の一簣(=もっこ一杯)の土を欠けば山はできないことから〕成功を目前にした長い間の苦労も最後のちょっとしたことで失敗に終わるたとえ。〈書経・旅獒〉

***きゅう-じん**【吸×塵】〔電気掃除機などが〕ごみを吸いこむこと。「―力」

***きゅう-じん**【求人】やとい入れる人をさがし求めること。「―広告」対求職。

***きゅう-じん**【旧人】❶〔その社会で〕以前から活躍している人。また、新しさのない人。対新人。❷人類の進化過程で、原人に次ぎ新人に先立つ更新世の化石人類。ネアンデルタール人など。

***きゅう-す**【急×須】煎茶を入れる、取っ手・注ぎ口のある小型の器具。きびしょ。茶出し。類語どびん。

***きゅう-・す**【休す】《自サ変》〔文〕❶休む。休息する。❷終わる。おしまいになる。「万事―・す」

***きゅう-すい**【吸水】《名・自サ》水分を吸い取ること。「―性」

***きゅう-すい**【給水】《名・自サ》水を供給すること。

きゅう-すう【級数】数列を和の記号でつないだもの。参考算術級数・幾何級数などがある。

***きゅう-・する**【窮する】《自サ変》❶〔物事が〕行きづまる。ひどく困る。「返答に―・する」❷〔金・物などが〕足りなくて苦しむ。「生活に―・する」
―すれば通ず《句》行きづまって困りきったときには、かえって活路が開ける。

***きゅう-・する**【給する】《他サ変》〔金または物を〕くばり与える。あてがう。支給する。「学費を―・する」

***きゅう-せい**【九星】陰陽道で、九曜星を五行および方位に配して、これを人の生まれた年にあてて吉凶を判断するもの。一白・二黒・三碧・四緑・五黄・六白・七赤・八白・九紫のこと。

***きゅう-せい**【急性】急に発病し、病状が急激に進行する病気の性質。「―の盲腸炎」対慢性。

***きゅう-せい**【急逝】《名・自サ》急に死ぬこと。

***きゅう-せい**【救世】❶みだれた世の人々を救うこと。❷宗教の力で人々を苦しい現世から救い幸福に導くこと。参考仏教では「くせ」「くぜ」「ぐぜ」などという。
―ぐん【―軍】(Salvation Army)キリスト教の一派。一八六五年、イギリスのブースにより創立されたもの。軍隊的な組織をもち、伝道・社会事業などを行う。
―しゅ【―主】❶人類を救済する人。救い主。❷キリスト教で、イエス=キリスト。参考ヘブライ語で「メシア」、ギリシア語で「キリスト」。

***きゅう-せい**【旧制】以前に行われていた制度。もとの制度。古い制度。「―の中学校」対新制。

***きゅう-せい**【旧姓】結婚・養子縁組などで姓が変わる前の姓。もとの姓。

きゅう-せかい【旧世界】アメリカ大陸発見以前からヨーロッパ人に知られていた世界。アジア・アフリカ・ヨーロッパ。旧大陸。対新世界。

***きゅう-せき**【休×戚】〔文〕よいことと悪いこと。喜びと悲しみ。「―を共にする」

***きゅう-せき**【旧跡・旧×蹟】昔、歴史に残るような事件や物事があった所。「名所―」類語古跡。史跡。

***きゅう-せつ**【急設】《名・他サ》〔施設・家屋・設備などを〕急いで設けること。「宿舎を―する」

***きゅう-せつ**【旧説】昔から唱えられている説。また、ある説より以前に唱えられていた説。対新説。

きゅう-せっきじだい【旧石器時代】人類が打製の石器や骨・角などで作った道具を使っていた時代。採集・漁猟で生活していた。対新石器時代。

きゅう-せん【休戦】《名・自サ》話し合いのうえ、一時戦闘行為を中止すること。「―条約」類語停戦。

きゅう-ぜん【×翕然】《形動タルト》〔文〕多くの物事が一つに集まり合うようす。「―として同情が集まる」

きゅう-せんぽう【急先×鋒】先頭に立って物事をはげしい勢いで行うこと(人)。「反対派の―となる」

***きゅう-そ**【泣訴】《名・他サ》〔文〕泣いて訴えること。「生活難を―する」類語哀訴。強訴。

***きゅう-そ**【窮×鼠】〔文〕追いつめられて逃げ場のなくなったネズミ。
―却って猫を嚙・む《句》弱い者でも必死になると強い者を苦しめることがあるたとえ。窮鼠猫をかむ。

きゅう-そう【急送】《名・他サ》急いで送ること。ただちに送ること。「救援物資を―する」

***きゅう-ぞう**【急増】《名・自他サ》急に・ふえる(ふやす)こと。にわかに多く・なる(する)こと。「人口が―する」類語激増。対急減。

***きゅう-ぞう**【急造】《名・他サ》〔一時の間に合わせに〕急いで作ること。急ごしらえ。にわか作り。

***きゅう-そく**【休息】《名・自サ》からだを楽にして、つかれを休めること。「―をとる」類語休憩。

***きゅう-そく**【球速】〔投手の〕投げた球の速度。

***きゅう-そく**【急速】《形動》〔物事の進み方が〕非常に早いようす。速やかなようす。「―に発達する」

きゅう-ぞく【九族】〔文〕❶自分を中心として先祖の高祖父・曾祖父・祖父・父と、子孫の子・孫・曾孫・玄孫の九親族。❷血縁の一族。

きゅう-そだい【窮措大】《「措大」は「書生」の意》〔文〕貧しい学者。貧乏書生。

***きゅう-たい**【球体】球。球のような形の物体。

***きゅう-たい**【旧態】〔文〕以前からの姿や状態。「―に復する」類語旧観。
―いぜん【―依然】《形動タルト》〔文〕もとのままで少しも変化や進歩発展がないようす。「―たる生活」注意「旧態以前」は誤り。

きゅう-だい【及第】《名・自サ》試験や検査などに合格すること。「―点」類語合格。対落第。

きゅう-たいりく【旧大陸】旧世界。対新大陸。

きゅう-たく【旧宅】前に住んでいた家。対新宅。

きゅう-たん【急×湍】〔文〕流れの速い浅瀬。早瀬。

***きゅう-だん**【球団】プロ野球のチームを作り、その試合を見せることを事業としている団体。

***きゅう-だん**【糾弾・×糺弾】《名・他サ》罪状・不正・失敗などを問いただしてとがめること。類語糾明。

***きゅう-ち**【窮地】〔どうする方法もない〕困った苦しい立場・状態。「―に追いこむ」類語窮境。破目。

***きゅう-ち**【旧知】〔気心の知れた〕昔からの知りあい。昔なじみ。「―のあいだがら」類語旧友。

きゅうち-しん【求知心】〔文〕知識を求める心。

きゅう-ちゃく【吸着】《名・自サ》❶吸いつくこと。❷〔理〕物質の表面に他の物質が吸いつけられること。

＊きゅう-ちゅう【宮中】天皇の住む宮殿のなか。また、そこでの天皇を中心にした社会。禁中。禁裏。九天。

きゅう-ちょ【旧著】〔その人が〕以前に書いて出版した書物。古い著作。「—を改訂する」対新著。

＊きゅう-ちょう【急潮】〔文〕流れの速い潮流。

＊きゅう-ちょう【窮鳥】〔文〕追いつめられて逃げ場を失った鳥。

—懐に入れば猟師も殺さず《句》逃げ場を失った人が救いを求めて来れば、どんな場合でも見殺しにすることはできないというたとえ。参考「窮鳥懐に入れば仁人憫(あわれ)む所」〈顔氏家訓〉から。

＊きゅう-ちょう【級長】もと、学級を代表する役目(の児童・生徒)。学級の長。学級委員。

きゅう-ちょうし【急調子】調子や物事の進み方が非常に速いこと。急ピッチ。急テンポ。急調。

＊きゅう-つい【急追】《名・他サ》〔文〕〔逃げて行くものを〕休みなく、はげしく追うこと。「敵を—する」

＊きゅう-つい【窮追】《名・他サ》〔文〕❶〔逃げ場のない状態にまで〕追いつめること。❷問いつめること。

ぎゅう-づめ【ぎゅう詰め】〔俗〕ぎゅうぎゅうつめこむこと。「—の電車」

＊きゅう-てい【休廷】《名・自サ》法廷を閉じて裁判の進行を一時休むこと。類語閉廷。

＊きゅう-てい【宮廷】皇帝・国王などが住んでいる所。また、その内部の社会。「—歌人」

きゅうてい-たいりょ【九×鼎大×呂】〔文〕貴重な物、重い地位・名声などのたとえ。鼎呂。参考「九鼎」は中国夏(か)の時代に作られた黄金のかなえ、「大呂」は周の時代に作られた大鐘で、ともに宝器。

きゅう-てき【×仇敵】〔文〕うらみをもって憎んでいる相手。かたき。あだ。「—を倒す」類語敵手。

＊きゅう-てん【九天】❶〔文〕天の高い所。天界。九重(きゅうちょう)の天。九霄(きゅうしょう)。❷〔文〕宮中。「—に奏す」❸〔仏〕九個の天体。日天・月天・水星天・金星天・火星天・木星天・土星天・恒星天・宗動天。九天(くてん)。

＊きゅう-てん【急転】《名・自サ》急に変わること。「事態が—する」類語急変。**—ちょっか【—直下】**《名・自サ》行きづまっていた物事の状態やようすが急に変わって解決に向かうこと。「—解決にむかう」

＊きゅう-てん【×灸点】❶灸をすえるべき、体の部分。灸穴。❷灸をすえる箇所に墨でつける、小さな点。❸《名・自サ》灸をすえること。

＊きゅう-でん【休電】《名・自サ》電気の供給を一時休むこと。電休。類語停電。

＊きゅう-でん【宮殿】❶皇帝・天皇・国王が住む建物。御殿。尊敬大宮。❷神を祭る社殿。

＊きゅう-でん【急電】急ぎの電報。至急電報。

＊きゅう-でん【給電】《名・自サ》電力を供給すること。類語送電。配電。

きゅう-テンポ【急テンポ】《名・形動》調子が非常に速いこと。急調子。「—で発達した」

＊きゅう-と【旧都】もと、首都であった所。対新都。

＊キュート《形動》活発でかわいいようす。〔主に若い女性の形容〕「—な女の子」▽cute

＊きゅう-とう【急騰】《名・自サ》物価・相場などが急激に高くなること。「株価が—する」類語暴騰。対急落。

＊きゅう-とう【旧冬】〔文〕前年の冬。また、前年の暮れ。昨冬。去冬。〔ふつう、新年になって使う〕「—上京の折は大変お世話になりました」類語旧臘(きゅうろう)。

＊きゅう-とう【旧×套】〔文〕昔ながらの古くさい習慣・方法。ありふれた手段・形式。類語旧態。旧習。

＊きゅう-とう【給湯】《名・自サ》ボイラーなどから必要な場所に湯を供給すること。「—設備」

＊きゅう-どう【弓道】武道の一つ。弓で矢を射る術。弓術。射術。類語射芸。

＊きゅう-どう【求道】〔文〕悟りの境地や真理を求めて修行すること。「—心」参考→ぐどう(求道)。

＊きゅう-どう【球道】❶〔野球で〕投げたボールの進むコース。❷「野球道」の略。野球についての技術をみがくための方法。「—一筋に生きる」

＊きゅう-どう【旧道】〔新しくできた道に対して〕もとからある道。古くからある道。類語旧街道。対新道。

＊ぎゅう-とう【牛刀】牛を切りさくための、大きな刀。

—をもって鶏を割く《句》小さなことを処理するのに大がかりな手段を用いるたとえ。参考「鶏を割くにいづくんぞ牛刀を用ゐん」〈論語・陽貨〉より。

＊ぎゅう-とう【牛痘】牛にできる痘瘡(とうそう)。天然痘に対して免疫性ができるので、その痘毒を種痘に用いる。

ぎゅう-どん【牛×丼】牛肉をタマネギ・白たきなどと煮て、汁ごとどんぶり飯にかけたもの。牛飯。

ぎゅう-なべ【牛×鍋】❶牛肉を野菜などといっしょに煮ながら食べる料理。すきやき。❷牛鍋①をするときに用いる鉄のなべ。

＊きゅう-なん【急難】〔文〕急に起こった災難。思いがけない困難な事情。「—を救う」

＊きゅう-なん【救難】〔文〕災害・危難などにあっている人を救うこと。「—訓練」類語救援。救助。救出。

ぎゅう-にく【牛肉】食用にする牛の肉。牛(ぎゅう)。ビーフ。

きゅう-にゅう【吸入】《名・他サ》❶吸い入れること。吸い込むこと。❷〔病気の治療のため〕噴霧状の薬品や酸素などを口から吸い入れること。「酸素—」

ぎゅう-にゅう【牛乳】牛の乳。ミルク。

きゅう-ねん【旧年】去年。昨年。〔年始のあいさつなどに使う〕「—中はお世話になりました」類語旧臘(きゅうろう)。対新年。

＊きゅう-は【急派】《名・他サ》急いで派遣すること。「記者を現地に—する」類語特派。

＊きゅう-は【旧派】❶古くからの流派・流儀。旧式なやり方。「—に属する歌人」対新派。❷〔新派劇に対して〕歌舞伎(かぶき)芝居。旧劇。旧派劇。

＊きゅう-ば【弓馬】❶〔「弓術と馬術」の意から〕武芸。武術。弓馬の道。「—の家(=武士の家柄)」❷戦争。戦い。〔古風な言い方〕「—を交(まじ)える」

＊きゅう-ば【急場】さしせまって、すぐに解決を必要とする場合。「—をしのぐ」類語難局。危急。

ぎゅう-ば【牛馬】牛と馬。参考「—のごとく」「—のように」の形で、人をこき使うことの形容に使う。

＊きゅう-はい【九拝】❶《名・自サ》〔何度もおじぎをして〕深い尊敬や感謝の気持ちを表すこと。「三拝—する」❷〔文〕手紙の終わりに書いて、敬意を表す語。

＊きゅう-はい【朽廃】《名・自サ》〔文〕〔建造物などが〕くさって役にたたなくなること。

＊きゅう-はく【急迫】《名・自サ》〔すぐに打開策を必要とするほど〕物事がさしせまった状態になること。せっぱつまること。切迫。「—した事態に対処する」

＊きゅう-はく【窮迫】《名・自サ》物事がせっぱつまって

き

困りきること。特に、生活が非常に苦しくなること。「財政の―」「暮らしが―する」類語困窮。窮乏。

***きゅう-ばく【旧幕】**旧幕府。〔明治維新後の言い方〕

***きゅう-はん【急坂】**傾斜の急な坂。

きゅう-はん【旧版】改訂・増補などを行う前の版・書籍。「―のまちがいを直す」対新版。

***きゅう-はん【旧藩】**江戸幕府時代の藩。〔明治維新後の言い方〕

きゅう-ばん【吸盤】❶動物が他の物に吸いつくための器官。タコ・イカなどの足にある。❷吸盤①の形に似せてゴムなどで作ったもの。

***きゅう-ひ【×厩肥】**家畜の糞尿(ふんにょう)と敷きわらを積んで腐らせた肥料。うまやごえ。

***きゅう-ひ【給費】**《名・自サ》〔国家・公の機関・団体などが〕勉学などに必要な費用を個人に支給すること。また、その費用。「―生」「―を受ける」

***ぎゅう-ひ【▽求肥】**和菓子の一つ。白玉粉に白砂糖・水あめを加えて煮ながらよく練り、薄いもちのようにしたもの。表記もと、「牛皮」と書いた。

***ぎゅう-ひ【牛皮】**牛の皮。

キューピー 頭が大きく、てっぺんに頭髪をまとめてとがらせた、目の大きい裸の人形。▽kewpie

キュービスム 二〇世紀初めにフランスに起こった絵画運動。対象をいろいろな角度からとらえて、それを同一画面にえがこうとするもの。立体派。立体主義。キュービズム。キュビスム。▽(フランス)cubisme

きゅう-ひつ【休筆】《名・自サ》執筆活動を休止すること。「―宣言をする」

きゅう-ピッチ【急ピッチ】《名・形動》進行の状態や調子が速いこと。急テンポ。「―で進む都市化」

キューピッド ローマ神話の愛の神。裸で背に小さな翼がはえ、弓矢をもった男の子の姿で表される。クピド。▽Cupid

きゅう-びょう【急病】とつぜん起こった病気。

きゅう-ひん【救貧】〔文〕貧困者を救うこと。

***きゅう-びん【急便】**至急の通信・運送。至急便。

きゅう-ふ【休符】楽譜の中で音のない所を示す記号。休止符。対音符。

***きゅう-ふ【給付】**《名・他サ》〔団体・公の機関などが〕金品を支給し与えること。「現金―」類語交付。

キューブ 立方体。▽cube

きゅう-ふう【旧風】〔文〕古くからの風習。

きゅう-ぶつ【旧物】〔文〕古くさいもの。古くからあるもの。「―を破壊する」類語古物。

きゅう-ぶん【旧聞】以前に聞いてしまって、耳新しくない話。古い話。「―に属する」

きゅう-へい【旧弊】━《名》古いしきたりから生じる弊害。古くからの悪い習慣。「―を改める」━《形動》古くさい習慣や考え方にとらわれて、ゆうずうがきかないようす。「―な人」類語因循(いんじゅん)。

きゅう-へん【急変】❶《名・自サ》〔物事の情勢・状態などが〕急に〔悪く〕変わること。「容態が―する」類語急転。激変。❷急に起こった変事。「―に備える」

きゅう-ぼ【急募】《名・他サ》〔文〕非常に急いで〔人を〕募集すること。「アルバイト―」

ぎゅう-ほ【牛歩】遅い牛の歩みのように、物事がのろのろとしか進まないこと。「―戦術(=反対派が審議の引きのばしのためにのろのろした行動をとること)」

***きゅう-ほう【急報】**《名・他サ》急いで知らせること。また、その知らせ。「―を受ける」類語至急報。速報。

***きゅう-ほう【旧法】**❶〔廃止された〕古い法律・法令。❷古い方法。「―で対処する」対①②新法。

きゅう-ぼう【窮乏】《名・自サ》金銭や物資が不足して苦しむこと。「―生活」類語窮迫。

キューポラ 鋳鉄を溶かすための直立円筒形の炉。溶銑炉。キュポラ。▽cupola(=円屋根。円屋根の塔)

きゅう-ぼん【旧盆】旧暦の盂蘭盆会(うらぼんえ)。

***きゅう-みん【休眠】**《名・自サ》❶動植物が、生活するのに適さない期間中、ほとんど活動をやめてじっとしていること。類語冬眠。夏眠。❷物事が、ある期間活動をやめること。活動休止。「―状態に入る」

***きゅう-みん【救民】**〔文〕戦災・天災などにあって生活に困っている人民を助け救うこと。「―活動」

***きゅう-みん【窮民】**〔文〕貧乏で苦しんでいる人民。

きゅう-む【急務】急いでしなければならぬ、さしせまった事柄。急を要するつとめ。「目下の―」類語急用。

きゅうむ-いん【×厩務員】厩舎(きゅうしゃ)で競走馬の世話をする人。

***きゅう-めい【救命】**危険な状態にある人の命を助けること。「―具」

***きゅう-めい【究明】**《名・他サ》〔真理・道理などを〕くわしく研究して明らかにすること。「真相を―する」「敗因を―する」「よって来たるゆえんを―する」

***きゅう-めい【糾明・×糺明】**《名・他サ》〔犯罪・悪事などの〕不明の点や事情などを追及して明らかにすること。「責任の所在を―する」「汚職を―する」「罪状を―する」「横領金の使途を―する」類語糾問。糾弾。

***きゅう-めい【旧名】**もとの名。以前の名。旧称。

ぎゅう-めし【牛飯】牛丼(ぎゅうどん)。

きゅう-めん【球面】❶球形の物の表面。「―の面積」「―鏡」❷一定点から等距離にある点のつくる面。

***きゅう-もん【宮門】**宮殿の門。「―の警護」

***きゅう-もん【糾問・×糺問】**《名・他サ》〔文〕〔犯罪・悪事などの〕不明の点や事情などを問いただすこと。「犯行の動機を―する」類語糾明。糾弾。

***きゅう-やく【旧約】**❶以前にむすんだ約束。昔の約束。「―に従う」類語前約。先約。❷「旧約聖書」の略。対新約。

―せいしょ【―聖書】〔The Old Testament〕ユダヤ教とキリスト教の聖典。旧約。旧約全書。対新約聖書。注意「旧訳聖書」は誤り。

***きゅう-やく【旧訳】**以前に行った翻訳。昔の翻訳。「英詩の―」対新訳。

きゅう-ゆ【給油】《名・自サ》❶機械の摩擦部分に潤滑油をさすこと。❷航空機・自動車・船舶などに燃料油を補給すること。「―所」「港で―する」

***きゅう-ゆう【級友】**学校で同じ組の友だち。同級生。クラスメート。類語校友。

***きゅう-ゆう【旧友】**古くからの親しい友だち。

***きゅう-ゆう【旧遊】**〔文〕〔その地に〕昔、旅行して遊んだことがあること。「―の地」類語曾遊(そうゆう)。

***きゅう-よ【窮余】**困りきったあげくの果て。苦しまぎれ。「―の一策(=苦しまぎれに思いついた手段)」

***きゅう-よ【給与】**❶《名・他サ》金銭や物品を割りあてて与えること。また、その金銭・物品。「制服を―する」「現物―」類語給付。❷給料。「―所得」

***きゅう-よう【休養】**《名・自サ》〔仕事などを休んで〕からだを休め、体力を養うこと。類語静養。保養。

***きゅう-よう【急用】** 急に起こった急ぎの用事。「―を思い出す」類語急務。

***きゅう-よう【給養】**《名・他サ》〔文〕❶物を与えて養うこと。❷衣服・食料・飼料・金銭などを与えること。

きゅう-らい【旧来】 昔からずっと行われていること。以前から。「―の陋習(ろうしゅう)」類語従来。

***きゅう-らく【及落】** 及第と落第。合格と不合格。

***きゅう-らく【急落】**《名・自サ》株価などが急激にさがること。「株価が―する」類語暴落。対急騰。

ぎゅう-らく【牛酪】〔文〕バター。

***きゅう-り【久離・旧離】** 江戸時代に、町人が届け出て親族の縁を切ったこと。「―を切る(=勘当する)」

***きゅう-り【究理・窮理】**〔文〕物事の道理をきわめること。「―学(=哲学・物理学の旧称)」

***きゅうり【×胡×瓜】** ウリ科のつる性一年草。まきひげがある。円筒形で多肉質の未熟果を食用にする。

***きゅう-りゅう【急流】** 水の速い流れ。「―にのまれる」類語激流。奔流(ほんりゅう)。対緩流。

***きゅう-りゅう【×穹×窿】**〔文〕❶椀(わん)を伏せたような形。半球形。また、その形の天井・屋根。ドーム。「イスラム寺院の―」❷〔半球状に見える〕大空。

***きゅう-りょう【丘陵】** 平地よりも少し高くなった土地。おか。「―地帯」

***きゅう-りょう【救療】**〔文〕〔貧乏な患者に〕治療をほどこして救うこと。

***きゅう-りょう【給料】** 定職をもつ労働者が労働の報酬として雇用者から受け取る金銭。賃金。給金。給与。「―日」類語月給。週給。日給。

***きゅう-りょう【旧領】** 前に領有していた土地。また、古くから領有してきた土地。「幕府の―」

きゅう-れい【旧例】 昔からのしきたり。過去の例。「―に従う」類語先規。前例。対新例。

***きゅう-れき【球歴】** 野球など、球技の経歴。

***きゅう-れき【旧暦】** 月のみちかけを基準として作った暦。太陰暦。陰暦。対新暦。

きゅう-ろう【旧×臘】〔文〕〔「臘」は「陰暦一二月」の意〕前年の一二月。去年の暮れ。〔ふつう、年頭に使う〕「―二十日」類語旧冬。旧年。

ぎゅっ-と《副》強く握ったり押しつけたりするようす。

キュプラ 木材パルプなどを原料として、銅アンモニア溶液を使ってつくる人絹(で織った布地)。銅アンモニアレーヨン。参考「ベンベルグ」は商標名。▽cupra

キュラソー リキュール酒の一種。オレンジの皮を加えて作った甘い洋酒。参考西インド諸島南部のキュラソー島ではじめて作った。▽(フランス) curaçao

キュリー《助数》放射性物質の量を表す単位。記号Ci。▽(フランス) curie

キュレーター〔美術館・博物館などの〕学芸員。▽curator

キュロット ❶半ズボン。❷乗馬用ズボン。❸「キュロットスカート」の略。▽(フランス) culotte **―スカート** ズボン式の女性用スカート。キュロット。▽(フランス) culotte と英 skirt からの和製語。

きゅん-と《副・自サ》気持ちの高まりで、胸が締め付けられるようす。「胸が―となる」

***き-よ【×毀誉】**〔文〕そしることとほめること。悪口と称賛。「―褒貶(ほうへん)(=ほめことばと悪口)」

***き-よ【寄与】**《名・自サ》他のものの役に立つこと。他に利益を与えること。「社会に―する」類語貢献。

***きょ【居】**〔文〕住居。家。すまい。「―を定める」

***きょ【挙】**〔文〕〔くわだてて〕物事を行うこと。行動。行為。ふるまい。「反撃の―に出る」

***きょ【×渠】**〔文〕〔水を流す〕みぞ。掘り割り。

***きょ【×炬】**〔文〕かがり火。たいまつ。参考強く光るもののたとえにも用いる。「眼光―の如(ごと)し」

***きょ【虚】** ❶〔文〕中身がないこと。うつろ。❷油断していること。すき。「―に乗ずる(=相手のすきや弱点につけこむ)」「―を衝(つ)く(=相手がゆだんした点を攻撃する)」❸真実でない事柄。いつわり。「―と実」

ぎょ【御】《接頭》高い敬意を表す。「―意」「―題」参考字音語について、天子の行為や事物に使う。

きょ-あく【巨悪】 巨大な悪。巨大な権力・勢力をもつ悪い人物や組織。「財界の―とたたかう」

きよ-い【清い・▽浄い】《形》❶物に、くもり・濁り・よごれなどがない。きれいだ。「水―き故郷(ふるさと)」「水―ければ魚すまず」❷世の中のみにくい風潮に汚されていない。また、神聖である。「―い愛情」❸物欲・肉欲がともなわない。欲がなく、さっぱりしている。「―いつき合い」「―き一票」文きよ・し《ク》。

きょ-い【虚位】〔文〕❶実権を持たない名だけの地位・官位。虚器。❷あいている地位。空位。

***ぎょ-い【御意】** 一《名》〔文〕高貴な人や目上の人などの考え・意志・意向に対する尊敬語。❶おぼしめし。お考え。「―に従う」「―に入る(=お気に入る)」❷おさしず。ご命令。二《感》〔文〕ごもっとも。そのとおり。参考「御意のとおり」の意。

―に召・す《句》目上の人の気に入る。

―を・得る《句》❶お考えをうかがう。❷お目にかかる。「はじめて―得ます」

***ぎょ-い【御衣】**〔文〕天皇や高貴な人の衣服に対する尊敬語。お召物。「恩賜の―」

***き-よう【紀要】** 大学・研究所などで出す、学術研究論文の定期的な刊行物。

***き-よう【起用】**《名・他サ》〔今まで用いられなかった人を〕ある〔重い〕役目につけて使うこと。とりたてて用いること。「新人を―する」「選手の―」類語登用。

***き-よう【器用】**《形動》❶〔手先やからだの動きがうまく〕じょうずに物事を処理できるようす。技芸にたくみなようす。❷要領よくたちまわるようす。「―な生き方」

―びんぼう【―貧乏】 器用なためにいろいろ重宝がられたり、一つの事に徹底する根気がなかったりして、かえって大成しない・こと(人)。

***きょう【峡】**《接尾》「峡谷」の意。「層雲―」

***きょう【強】**《接尾》《数量を表す語について》端数を切り捨てたことを表す。「五キロ―」対弱。

***きょう【教】**《接尾》「宗教」の意。「天理―」

***きょう【橋】**《接尾》「橋(はし)」の意。「可動―」

***きょう【狂】**《接尾》❶「狂人」の意。「色情―」❷ある一つのことに夢中になる人の意。「野球―」

***きょう【鏡】**《接尾》❶「かがみ」の意。「三面―」❷「レンズを使った道具」の意。「望遠―」「顕微―」

***きょう【京】** ❶〔文〕みやこ。首府。「―へのぼる」❷京都。「―女」「―の五条」❸兆の一万倍。京(けい)。

―の着倒れ大阪の食い倒れ《句》京都の人は衣服にぜいたくをして金銭を使い果たし、大阪の人は食べ物にぜいたくをして金銭を使い果たすということ。

***きょう【〈今日〉】** ❶今すごしているこの日。こんにち。

本日。「―は終戦記念日です」[類語]当日。❷今日と同じ日付の日。「去年の―」 **―あす【―〈明日〉】**①今日と明日。「展覧会は―です」❷今日か明日のうち。ほどなく。「―じゅうにお返事致します」 **―このごろ【―×此の×頃】** ちかごろ。「日和続きの―です」 **―び【―日】** きょうこのごろ。近ごろ。現今。「―そんな値段では土地は買えない」 **―という今日**《句》「きょう」を特に強調することば。きょうこそ。「―は貸した金を返してもらうぞ」

***きょう【凶】**〔占い・おみくじなどで〕運が悪いこと。縁起が悪いこと。不吉。「占いは―とでた」[対]吉。

***きょう【×卿】** ■一《名》❶昔、大納言・中納言・参議・三位以上の人。❷各省の長官。[参考]明治二年にはじまり、明治一八年「大臣」に改称。■二《接尾》「ロード」「サー」の爵位をもつ人の名につける敬称。「スミス―」[参考]代名詞的にも用いる。「―は明日御帰宅です」

***きょう【境】** ■一《名》❶〔くぎられた〕場所。また、地位・境遇。「無人の―を行く」❷心の状態。境地。心境。「無我の―」■二《接尾》❶「場所」「範囲」「境遇」の意。「人外―」❷「心境」の意。「恍惚―」

***きょう【経】** 仏陀の説いた教えを書きとどめた書。お経。「―をあげる」[類語]仏典。経典。経巻。

***きょう【興】** ❶心に感じる楽しみ。おもしろみ。「―をそそる」「―を添える」「―を殺ぐ」❷その場のたわむれ。座興。「花見の―」❸漢詩の六義の一つ。ある事物にふれて感じたおもしろみをのべるもの。

***きょう【郷】** ■一《名》〔文〕自分の生まれた土地。ふるさと。「―を出でて二〇年」■二《接尾》「…の土地」「…の地帯」などの意。「歓楽―」「理想―」

***きょう【香】**「香車」の略。

ぎ・よう【儀容】〔文〕礼儀にかなった(いかめしい)ようす・姿。「―をつくろう」[類語]威儀。

***ぎょ・う【御宇】**〔文〕御代。治世。「明治天皇の―」

***ぎょう【業】** ■一《名》❶生活するための仕事。職業。「詩作を―とする」❷学問・技芸。「―を修める」❸自分のなすべき仕事。業務。「畢生の―」「―に励む」■二《接尾》「生業」「職業」などの意。「飲食―」

***ぎょう【行】** ❶文字・物などの縦横のならび。くだり。「―と―との間があきすぎる」「ア―」❷仏道の修行。

「寒中の―」❸書体の一つ。行書。[対]楷・草。

きょう・あい【狭×隘】《名・形動》〔文〕〔場所や心に〕ゆとりがなく、せまくるしいこと。「―な心の人」

***きょう・あく【×梟悪】**〔文〕性質が非常に悪く、人の道にそむくこと(人)。「―の徒」

***きょう・あく【凶悪・×兇悪】**《形動》性質がひどく残忍なようす。「―な犯人」[類語]猛悪。極悪。

きょう・あつ【強圧】《名・他サ》〔文〕強い力や権力などでおさえつけること。また、その力・権力。「―を加える」「―的」[類語]抑圧。弾圧。

きょう・あん【教案】 授業の教材・目標・方法などの計画をしるしたもの。指導案。教授案。「―を作成する」

ぎょう・あん【暁×闇】〔文〕夜あけ少し前のほの明るいやみ。暁闇。「―に出発する」

***きょう・い【強意】** 文章表現で、ある部分の意味を強めること。「―の助詞」

***きょう・い【胸囲】** 胸回りの長さ。[類語]バスト。

***きょう・い【脅威】**〔威力・実力などで〕危害を加えられるのではと感じる恐れ。「軍事的―」[類語]恐怖。

***きょう・い【驚異】** ふつうでは考えられない(すばらしい)事柄に対するおどろき。「自然界の―」「―的」[注意]「驚威」は誤り。

きょう・いき【境域】〔文〕❶一定範囲の場所・地域・分野。❷物と物との境。境界。

きょう・いく【教育】《名・他サ》知識・学問・技術・教養などを身につけるため、教え育てること。また、それによって身についたもの。「―を受ける」「社会―」「―のある人」 **―いいんかい【―委員会】** 地方公共団体の中におかれ、その地域内の教育・学術・文化に関する事務を取り扱う機関。教委。 **―かてい【―課程】** カリキュラム。 **―かんじ【―漢字】** 義務教育の期間に、読み書き共にできるように指導すべきものとして選定された漢字の通称。もと八八一字、現在は一〇〇六字。学習漢字。 **―てき【―的】** 教育する上でのぞましいようす。「―配慮」

きょう・いん【教員】 学校で児童・生徒を教育する人。教師。[参考]「教職員」は事務職員を含む。[類語]教官。

きょう・うん【強運】 運が強いこと。「―の持ち主」

ぎょう・うん【暁雲】〔文〕夜明けの雲。

***きょう・えい【競映】**《名・自他サ》同じ題材や、同じ傾向の映画を競争して上映すること。

***きょう・えい【競泳】**《名・自サ》一定の距離を泳いでその速さをきそうこと。また、その競技。「―種目」

***きょう・えい【共栄】**〔文〕いくつかが共に繁栄すること。「共存―」

***きょう・えい【胸泳】**→ひらおよぎ。

きょう・えき【共益】 共同の利益。 **―ひ【―費】** アパートや団地などで、外灯やごみ処理などの共通の便のために各戸で負担する費用。「公団団地の―」

きょう・えつ【恐悦・恭悦】《名・自サ》〔文〕つつしんで喜ぶこと。〔他人(特に目上の人)に対して喜びをのべるあいさつのことば〕「御健康で―至極に存じます」

***きょう・えん【競演】**《名・自他サ》異なった俳優・劇団が、同傾向の作品・役を演じて技術の優劣・人気を争うこと。「俳優座と文学座でハムレットを―する」

***きょう・えん【共演】**《名・自サ》主役格の俳優が二人以上いっしょに出演すること。「二大スターの―」

***きょう・えん【×嬌×艶】**《名・形動》〔文〕なまめかしく美しいこと。あでやかなこと。「―な女性」

***きょう・えん【×饗宴・供宴】** 客を招いてもてなす盛大な酒宴。「国をあげての―」「―を催す」[参考]ひゆ的に「はなやかな催し」の意でも用いる。「音と光の―」[表記]「供宴」は新聞などで使う代用字。

***きょう・おう【胸奥】**〔文〕胸のおく。心の奥深い所。「―に訴える」「―に響く」[類語]胸中。胸間。胸底。

***きょう・おう【×饗応・供応】**《名・他サ》酒・食事などをふるまってもてなすこと。「業者から―を受ける」「客を―する」[表記]もと、もっぱら「饗応」と書いた。

***きょう・おく【×怯×臆】**《名・自サ》〔文〕恐れて気おくれすること。「時の権力に―する」

***きょう・おく【胸×臆】**〔文〕心。心の中の思い。

きょう・おもて【京表】 地方から、京の都をさして言った語。京都表。「―からの使者」[対]国表。

きょう・おん【×跫音】〔文〕あしおと。[参考]ひゆ的に、「訪れ」「接近」の意でも用いる。「空谷の―」

きょう・おんな【京女】 京都の女性。[参考]優美な女性の代表とされる。「東男に―」[対]東男。

***きょう・か【供花】** 仏や死者に花を供えること。また、

その花。供花(げく)。「墓前の—」

*きょう-か【強化】《名・他サ》〔不足を補って〕さらに強くすること。「—合宿」「陣容を—する」[対]弱化。

*きょう-か【教化】《名・他サ》教えたり影響を与えたりして、人をよい方向に進ませること。「民衆を—する」[類語]感化。徳化。[注意]「きょうげ」と読めば別語。

*きょう-か【教科】学校で教える科目。「担当—」 —しょ【—書】教科のために編集した書物。

*きょう-か【橋架】〔文〕橋げた。橋。

*きょう-か【狂歌】皮肉・風刺・こっけいを目的とした短歌。ざれうた。ざれごとうた。「江戸—」「—師」

きょう-が【恭賀】〔文〕つつしんで祝うこと。謹賀。

ぎょう-が【仰×臥】《名・自サ》あおむけにねること。「床に—する」[対]伏臥。

*きょう-かい【協会】〔営利的なものでなく〕ある目的のために会員が協力して組織し維持する会。

*きょう-かい【境界】二つのもの(特に土地など)の境目になっている所。さかい。「—線」「—を設ける」「科学と宗教との—」[注意]「きょうがい」と読めば別語。

*きょう-かい【教会】ある一つの宗教(特にキリスト教)の教義を説き伝え、儀式などを行うための建物。教会堂。また、その組織。

*きょう-かい【教戒・教×誡】《名・他サ》〔文〕教えいましめること。「—を施す」

*きょう-かい【教×誨・教戒】《名・他サ》〔文〕〔悪事をした人を〕教えさとすこと。「—師」[表記]「教戒」は代用字。[類語]教化。善導。

*きょう-かい【胸懐】〔文〕胸のうち。心。胸中。「—を吐露する」[類語]胸襟(きょうきん)。

*きょう-がい【境涯】生きて行く上での立場・環境。境遇。境界(きょうがい)。身の上。「娘ひとりのたよりない—」

*きょう-がい【境界】❶〔仏〕前世の行いのむくいとして各自が受ける地位・境遇。❷境涯(きょうがい)。

*きょう-がい【驚×駭】《名・自サ》〔文〕驚き恐れること。「科学の進歩に—する」

*ぎょう-かい【凝塊】〔文〕こり固まったもの。

*ぎょう-かい【業界】同じ産業や商売などに従事している人々の社会。同業者仲間。「—紙」

ぎょうかい-がん【凝灰岩】火山灰・火山砂などが積もり、固まった岩石。土木・建築用に利用。

*きょう-かく【×俠客】強きをくじき弱きを助けると称して世を渡る人。渡世人。おとこだて。

*きょう-かく【胸郭・胸×廓】脊椎(せきつい)・肋骨(ろっこつ)・胸骨にかこまれて、かごのような形をしている骨格。

*きょう-がく【共学】《名・自サ》男女が同じ学校や組でいっしょに学ぶこと。「男女—」

*きょう-がく【教学】〔文〕教育と学問。[類語]文教。

*きょう-がく【驚×愕】《名・自サ》〔突然のできごとなどに〕ひどく驚くこと。喫驚(きっきょう)。「急死の報に—した」

*ぎょう-かく【仰角】目と水平面より上にある対象物とを結んだ直線が、水平面となす角度。[対]俯角(ふかく)。

*ぎょう-かく【×磽×确・×墝×埆】《名・形動(タル)》(「こうかく」の慣用読み)〔文〕石が多く、土地がやせていること。また、その土地。

*ぎょう-かく【行革】「行政改革(ぎょうせいかいかく)」の略。

きょう-かたびら【経×帷▽子】死人に着せる白い衣。麻・木綿などで作り、経文などを書く。経衣(きょうえ)。

きょう-かつ【恐喝】《名・他サ》〔弱点や秘密などに付け込んで〕おどしつけること。おどして、金品を出させること。「—罪」[類語]脅迫。おどし。ゆすり。

きょう-がのこ【京×鹿(の)子】❶京都で染めた、かのこしぼり。❷かのこもち。❸バラ科の多年草。夏、密集した、小さな赤い花を付ける。観賞用。

きょう-が・る【興がる】《自他五》面白がる。「土産話に—・る」[類語]興ずる。

*きょう-かん【共感】《名・自サ》他人の考え・意見・感情などに全くその通りだと感じること。また、その気持ち。「多くの人の—を呼ぶ」[類語]同意。同感。共鳴。

*きょう-かん【凶漢・×兇漢】他人に危害を加える者。「—に襲われた」[類語]凶徒。悪漢。暴漢。

*きょう-かん【叫喚】〔文〕❶《名・自サ》大声でわめきさけぶこと。また、そのさけび。「阿鼻—」❷「叫喚地獄」の略。八熱地獄の一つ。この地獄に落ちた亡者は、熱湯や火中に投ぜられて、わめきさけぶという。

*きょう-かん【教官】❶国立の学校や研究所で、学問・技術などを教える役人。「体育—」[類語]教員。❷教育に関することをつかさどる役人。「文部科学—」❸旧制度の中学・高校・大学などで教練を担当した軍人。

*きょう-かん【経巻】経文を書きしるした巻物。

*きょう-かん【胸間】〔文〕胸のあたり。また、考えや感情が浮かぶ胸のうち。[類語]胸裏。胸奥。胸中。

*きょう-かん【郷関】〔文〕❶故郷と他国とのさかい。❷故郷。「—を出(い)づ」

きょう-がん【競願】《名・自他サ》二つ以上の会社・団体が、ある事柄に対する許可をうけるため、きそって官公署に願い出ること。

ぎょう-かん【行間】書かれた文章の行と行との間。「—に書きこむ」「—を読む(=文章に表されていない筆者の心情や真意をくみとる)」[類語]字間。

*きょう-き【×俠気】強い者をくじき、弱い者を助けようとする気持ち。おとこぎ。[類語]任俠。義俠心。

*きょう-き【凶器・×兇器】人を殺傷するために使う道具。「走る—(=自動車)」

*きょう-き【強記】《名・他サ》〔文〕記憶力がよいこと。よく記憶すること。強識(きょうしき)。「博覧—(=書物を多く読みそれをよく記憶していること)」[類語]牢記(ろうき)。

*きょう-き【狂喜】《名・自サ》気が狂ったかと思うほど喜ぶこと。大喜びすること。「—乱舞する」

*きょう-き【狂気】精神状態が正常でないこと。気が狂っていること。「—の沙汰(さた)」[対]正気。 —じ・みる【—染みる】《自上一》気が狂ったように見える。

*きょう-き【狭軌】鉄道で、二本のレールの間が国際標準軌間(=一・四三五メートル)より狭い鉄道。[参考]日本の鉄道の大部分は狭軌。[対]広軌。

*きょう-き【驚喜】《名・自サ》予想外のうれしい事柄に驚き喜ぶこと。「合格の報に—する」

*きょう-き【×驕気】〔文〕おごりたかぶった心。

*きょう-ぎ【競技】《名・自サ》技術、特に運動の腕まえの優劣をきそうこと。「陸上—」「—会」[類語]競争。

*きょう-ぎ【協議】《名・他サ》〔何人かが集まり〕話し合って物事を決めること。「対策を—する」「—離婚(=夫婦の合意で離婚すること)」[類語]相談。

*きょう-ぎ【教義】〔その宗教が真理として説く〕宗教上の教え。教理。「—に反する行い」「イスラムの—」

*きょう-ぎ【狭義】〔あることばの意味を〕せまい範囲にかぎって解釈した場合の意味。「—の解釈」[対]広義。

*きょう-ぎ【経木】スギ・ヒノキなどの木材を紙のように

薄く広くけずったもの。編みひも、食品の包装などに用いる。参考 昔、経文を記すのに使ったことから。

ぎょう‐き【×澆季】〔文〕《「澆」は薄い、「季」は末の意》道徳・人情が重んじられない乱れた世。末世。

***きょう‐ぎ【凝議】**《名・他サ》〔文〕熱心に相談すること。「鳩首(きゅうしゅ)―」類語 協議。熟議。

***ぎょう‐ぎ【行儀】**〔礼儀の面から見た日常の〕行為・動作の作法。たちいふるまい。「―の良い子」「―作法」類語 品行。礼儀作法。行状。しつけ。

きょう‐きゃく【橋脚】〔建〕橋を支える柱。

きょう‐きゅう【供給】《名・他サ》❶要求に応じて物質をあてがい与えること。「工場に資材を―する」類語 供与。❷販売・交換のために商品を市場に出すこと。また、その量。「需要が―を上回る」対 ①②需要。

きょうぎゅう‐びょう【狂牛病】〔俗〕⇩巻末付録(BSE)。

***きょう‐きょう【恐恐】**《感》〔文〕〔「恐れかしこまる」意で〕手紙文の結びに添える語。恐惶(きょうこう)。「―謹言」

***きょう‐きょう【×兢×兢】**《形動タルト》〔文〕非常に恐れて、びくびくするようす。「戦々―」

***きょう‐きょう【×恟×恟】**《形動タルト》〔文〕恐れおののいておどおどするようす。「暴君に―と仕える」

きょう‐ぎょう【協業】《名・自サ》同一の生産過程で、労働者が分担して協同的・組織的に働くこと。

ぎょう‐きょう【業況】業務の状況。

ぎょうぎょう‐し・い【仰仰しい】《形》見かけや表現が大げさである。大層らしい。「―・く言いたてる」

***きょう‐きん【恭謹】**《名・形動》〔文〕うやうやしくつつしみ深いこと。

***きょう‐きん【胸襟】**〔文〕〔「胸と襟」の意から〕心の奥底。心の中。「―を開く(=心中をうちあける)」

***きょう‐く【恐×懼】**《名・自サ》〔文〕〔地位の高い人などに対し〕恐れいりかしこまること。「―して退出する」

***きょう‐く【教区】**宗教を広めるためにもうけた〔監督上の〕区域。「担当の―」

***きょう‐く【狂句】**こっけいな内容の、俳句形式の句。

***きょう‐く【驚×懼】**《名・自サ》〔文〕驚き恐れること。

きょう‐ぐ【教具】〔掛け図・標本など〕教授するときに使う道具。「社会科の―」類語 教材。

きょう‐ぐう【境遇】生きて行く上での立場・環境。境涯。「恵まれた―に育つ」類語 身の上。

> **類義語の使い分け　境遇・身の上**
> [境遇・身の上] 気の毒な境遇(身の上)に同情する
> [境遇] 今の境遇からなんとか抜け出したい／どうやら境遇があの人の性格を変えてしまったようだ
> [身の上] アメリカに留学中の一人娘の身の上をしきりに案じる／しみじみとした身の上話に耳を傾ける

きょう‐くん【教訓】《名・他サ》〔人として進むべき道を〕教えさとすこと。また、その教え。「親の―を守る」「児童を―する」類語 教戒。訓戒。

きょう‐げ【教化】《名・他サ》〔仏〕衆生(しゅじょう)を教え導いて善に向かわせること。きょうけ。「民衆を―する」
注意「きょうか」と読めば別語。

きょう‐けい【恭敬】〔文〕つつしみうやまうこと。

***ぎょう‐けい【行刑】**〔法〕確定した自由刑を執行すること。

***ぎょう‐けい【行啓】**〔文〕太皇太后・皇太后・皇后・皇太子・皇太子妃・皇太孫などが外出すること。おでまし。〔古い言い方〕類語 行幸。御幸(みゆき)。対 還啓。

***きょう‐げき【京劇】**中国の古典劇。胡弓(こきゅう)・月琴・銅鑼(どら)・横笛などの伴奏入りの音楽劇。一八世紀後半清代に北京で発達した。京劇(けいげき)。

***きょう‐げき【挟撃・×夾撃】**《名・他サ》両側から同時に攻撃すること。はさみうち。「―作戦」

***きょう‐げき【矯激】**《形動》〔文〕言動・思想などが並はずれて激しいようす。過激。「―な檄文(げきぶん)」

***きょう‐けつ【供血】**《名・自サ》輸血するための血液を提供すること。給血。類語 献血。預血。売血。

***きょう‐けつ【×俠血】**〔文〕弱きを助け強きをくじく気性。おとこ気。義俠心(ぎきょうしん)。「―に富む」

***ぎょう‐けつ【凝結】**《名・自サ》❶こりかたまること。「悲しみが―する」❷気体が圧縮または冷却されて液体になること。凝縮。❸コロイドの粒子が集まって沈殿すること。凝固。「たんぱく質が―する」類語 凝集。

***ぎょう‐けつ【凝血】**《名・自サ》流れ出た血液が固まること。また、その血。

***きょう‐けん【強健】**《名・形動》体がしっかりしていて丈夫なこと。「身体―な運動選手」類語 頑健。壮健。

***きょう‐けん【強堅】**《名・形動》強くしっかりしていて、たやすくくずれないこと。堅固。強固。「―な意志」「―を誇る城」類語 堅牢(けんろう)。

***きょう‐けん【強権】**国家のもつ、強制的な強い権力。「―を発動する」

***きょう‐けん【強肩】**肩が強いこと。また、その肩の力。特に、野球で、遠くまで球を投げられること。

***きょう‐けん【恭倹】**《名・形動》〔文〕人にうやうやしく、自分では慎み深くふるまうこと。「―己を持す」

***きょう‐けん【恭謙】**《名・形動》〔文〕うやうやしくへりくだること。「―な態度」

***きょう‐けん【教権】**❶教育の権威。❷宗教上の権力。特に、カトリック教で、教会や教皇の権力。

***きょう‐けん【狂犬】**狂犬病にかかっているイヌ。―びょう【―病】❶定温動物、特に、イヌの感染症。❷四類感染症の一つ。狂犬病①にかかったイヌにかまれて傷口から感染する、ウイルス性の病気。頭痛・発熱などがあり、水を飲もうとすると、けいれんを起こし、嚥下(えんげ)困難となる。恐水病。

きょう‐げん【狂言】❶能楽と能楽のあいまに演ずる、こっけいな劇。機知に富んだ笑いを主眼とする。能狂言。❷歌舞伎(かぶき)芝居。また、その出し物。「当たり―」「―役者」❸道理に合わない話・ことば。❹〔人をだますため〕たくらんで演じること。また、そのたくらみ。「―強盗」―きご【―×綺語】道理に合わないことばやおおげさに飾りたてたことば。詩歌・物語など。狂言綺語(きょうげんきぎょ)。―まわし【―回し】〔または 演劇で、その劇の主役ではないが、筋の運びや主題の解説などを受け持つ役割。

きょう‐こ【強固・×鞏固】《形動》〔意志などが〕しっかりしていて動かないようす。牢固(ろうこ)。「―な決意」
表記「強固」は代用字。類語 強靱(きょうじん)。

きょう‐ご【教護】《名・他サ》〔非行少年を〕教育し、保護すること(人)。―いん【―院】↓児童自立支援施設。

ぎょう‐こ【凝固】《名・自サ》❶液体や気体が固体になること。「―点」❷↓凝結③。

***きょう‐こう【凶荒】**〔文〕農作物のみのりが非常に悪

いこと。ひどい飢饉(ききん)。凶作。類語 不作。

***きょう-こう【凶行・×兇行】** 残忍で凶悪な犯行。

***きょう-こう【峡江】** 〔文〕フィヨルド。

***きょう-こう【強攻】** 《名・他サ》〔むりを承知で〕強引に攻めたてること。強襲。「—策」

***きょう-こう【強行】** 《名・他サ》障害・反対などを押し切り、しいて行うこと。「—採決」類語 断行。

***きょう-こう【恐慌】** ❶恐れあわてること。「—をきたす」❷好景気から不景気に移るときなどにおこる経済の大混乱。パニック。「金融—」

***きょう-こう【恐×惶】** 一《名・自サ》〔文〕恐れつつしむこと。「国王の前に出て—の態(てい)」二《感》〔文〕手紙文の終わりに書くあいさつの語。恐々。類語 頓首。再拝。敬白。敬具。**—きんげん【—謹言】**《感》〔「恐れつつしんで申し上げる」の意で〕手紙文の終わりに書くあいさつの語。

***きょう-こう【教皇】** ローマカトリック教会の最高位の聖職。ローマ法王。法王。教皇(きょうおう)。

***きょう-こう【胸×腔】** 胸郭の内側の部分。肺臓・心臓をおさめる。参考 医学では、「きょうくう」という。

***きょう-こう【強硬】** 《形動》意志・態度などを容易にかえず、押し通そうとするようす。「自説を—に主張する」「—手段」類語 強情。強固。対 軟弱。

***きょう-ごう【競合】** 《名・自サ》❶〔利害などが〕互いに重なりせりあうこと。「古墳の保存は開発と—する」❷幾つかの事柄が複雑に重なり合うこと。「—脱線」

***きょう-ごう【強剛】** 《名・形動》〔文〕強くて物事に屈しないこと。てごわいこと。剛強。「—な意志」

***きょう-ごう【強豪】** 貫禄と実力をかねそなえて強い・こと(人)。「甲子園に—がそろう」類語 強者。古豪。

***きょう-ごう【▽校合】** 《名・他サ》❶写本・刊本などを他の本と比較照合して、文字・文脈などを検討すること。校合(こうごう)。類語 校訂。照校。❷〔文〕校正。

***きょう-ごう【×驕×傲】** 《名・形動》〔文〕おごりたかぶること。「—な態度」

***ぎょう-こう【×僥×倖】** 《名・他サ》〔文〕思いがけない偶然の幸福。また、それをあてにすること。こぼれざいわい。「万一の—を願う」「生還を—する」類語 奇福。

***ぎょう-こう【暁光】** 〔文〕夜明けの光。「—がさす」

***ぎょう-こう【行幸】** 《名・自サ》〔文〕天皇が外出すること。天皇のおでまし。御幸(みゆき)。類語 行啓。対 還幸。

きょう-こうぐん【強行軍】 ❶〔早く目的地につくため〕一日の行程をふやして行う激しい行軍。❷早く目的を達するためにむりをして行うこと。「—で仕上げる」

***きょう-こく【峡谷】** 幅が狭く、深い谷。類語 渓谷。

***きょう-こく【強国】** 〔強い軍隊や大きな経済力をもつ〕強い国。「経済—」類語 大国。雄邦。対 弱国。

***きょう-こく【郷国】** 〔文〕ふるさと。郷里。

***きょう-こつ【×侠骨】** 〔文〕義侠心のある性質。おとこだての気性。「—の人」

***きょう-こつ【胸骨】** 胸郭の前部中央にあって、左右の肋骨(ろっこつ)をつなぐ細長く扁平(へんぺい)な骨。平骨。

***きょう-こつ【×頬骨】** 〔生理〕ほおぼね。

きょう-さ【教唆】 《名・他サ》❶〔文〕〔悪事をするよう〕教えそそのかすこと。❷〔法〕他人に犯罪を実行する意思を起こさせること。「殺人を—する」注意 「きょうしゅん」は誤読。

***きょう-さい【共催】** 《名・他サ》団体や組織が共同で主催すること。「新聞社とテレビ局の—」類語 主催。

***きょう-さい【共済】** 〔組織などを作り〕力を合わせて助け合うこと。「—組合」「—年金」類語 互助。

***きょう-さい【恐妻】** 夫が妻に頭が上がらないこと。「—家」

きょう-ざい【教材】 〔教科書・副読本など〕教授、および学習に使う材料。「—研究」類語 教具。

***きょう-さく【競作】** 《名・他サ》〔作品などを〕何人かの人が優劣を競いあって作ること。「新進作家の—」

***きょう-さく【凶作】** 農作物のできが非常に悪いこと。ひどい不作。凶荒。「二十年来の—」対 豊作。

***きょう-さく【狭×窄】** 《名・形動》〔文〕すぼまって狭くなっていること。「幽門—」「—な海門」

***きょう-さく【▽警策】** 禅寺で、座禅のときに打っていましめるのに使う、長くて平たい板。けいさく。

きょう-さつ【恐察】 《名・他サ》〔文〕〔相手の事情・心中を〕推察すること。〔謙遜(けんそん)していう語〕「御心中—申し上げます」類語 拝察。

きょう-ざつ-ぶつ【×夾雑物】 余計なまじりもの。

きょう-ざまし【興×醒(ま)し】 《名・形動》せっかくのおもしろみや愉快な気分を失わせる・こと(もの)。

きょう-ざめ【興×醒め】 《名・形動・自サ》〔ある行動や発言がきっかけとなって〕そのことに感じていた興味や楽しい気分を失うこと。「実物を見て—した」

***きょう-さん【共産】** 財産を共有すること。**—しゅぎ【—主義】** 生産手段を社会の共有とし、貧富の差のない社会にしようとする考え方。マルクスとエンゲルスとによって体系化された。コミュニズム。**—とう【—党】** 共産主義社会の実現をめざす政党。

***きょう-さん【協賛】** 《名・自サ》〔催し物などの計画に〕賛成して、その実行に協力すること。類語 賛助。

***きょう-さん【強酸】** 強い酸性の、水素イオンを多く生じる酸。塩酸・硝酸・硫酸など。対 弱酸。

ぎょう-さん【仰山】 一《形動》❶数量の非常に多いようす。❷〔言動に〕誇張があって、おおげさなようす。「—に後ろへのけぞる」二《副》〔関西方言〕数量の非常に多いようす。たくさん。「ごはんを—食べる」

***きょう-し【×嬌姿】** 〔文〕〔女の〕あでやかで、なまめかしい姿。あだっぽい姿。類語 媚態。

***きょう-し【教師】** ❶〔学校などで〕学問・技芸などを教える人。教員。先生。「家庭—」❷宗教の指導者。

***きょう-し【教旨】** 〔教育・宗教などの〕教えの趣旨。

***きょう-し【狂死】** 《名・自サ》気が狂って死ぬこと。狂い死に。「—せんばかりの悲しみ」

***きょう-し【狂詩】** こっけいな内容をもった日本の漢詩。**—きょく【—曲】** 器楽で演奏する、形式が自由で激しい感じの小曲。ラプソディー。

***きょう-し【×驕×侈】** 〔文〕おごってぜいたくをすること。

***きょう-し【×驕×恣・×驕×肆】** 《名・形動》〔文〕権威をかさに着て気ままなこと。また、そのようなふるまい。

***きょう-じ【凶事】** 縁起のよくないできごと。不吉なできごと。「つぎつぎと—が続く」対 吉事。

***きょう-じ【教示】** 《名・他サ》〔知識・方法などを〕教え示すこと。教示(きょうし)。「先生からご—をいただく」

***きょう-じ【×矜持・×矜×恃】** 〔文〕自分の力・才能などを信じて持つ誇り。「旧家の主人としての—は捨てない」類語 自負。自尊。参考 慣用では「きんじ」と読む。

***きょう-じ【×脇士・×脇侍・×夾侍】** 仏像で本尊の左右両わきにひかえて立つもの。脇士(わきじ)。脇立(わきだち)。

き

*きょう-じ【×驕児】〔文〕❶わがままな子。❷おごりたかぶって、わがままな人。驕者。「梨園の―」

*ぎょう-し【仰視】《名・他サ》顔を上に向けて見ること。「高峰を―する」

*ぎょう-し【凝脂】〔文〕❶こりかたまった脂肪。❷白くつやのある女の肌。「―を洗う」

*ぎょう-し【凝視】《名・他サ》じっと見つめること。目をこらして見ること。「相手を―する」類語 熟視。

*ぎょう-じ【行事】恒例としてとり行う事柄。儀式・催し物など。「年中―」「学校―」

*ぎょう-じ【行司】相撲で、力士を立ち合わせ、その勝負の進行・判定などをする役。また、その人。

きょうしき-こきゅう【胸式呼吸】おもに胸郭を広げて行う呼吸のしかた。対 腹式呼吸。

きょう-しつ【教室】❶〔学校などで〕学問・技芸を教える部屋。教場。「音楽―」❷〔大学で〕専攻科目ごとの研究室。❸学校の授業などに見たてて行われる、技芸などの講習。「テレビの料理―」「着つけ―」

きょう-じつ【凶日】物事を行うのに悪い日。不吉な日。悪日。対 吉日。

*きょう-しゃ【強者】強い者。類語 強豪。対 弱者。

*きょう-しゃ【狂者】〔文〕気が狂った人。狂人。

*きょう-しゃ【狭斜】〔文〕花柳街。遊郭。色町。

*きょう-しゃ【香車】将棋のこまの一つ。前へだけいつでも進めることができる。香。やり。香子。

*きょう-しゃ【×驕×奢】《名・形動》〔文〕権勢をかさに着て、したい放題にぜいたくをすること。「―な生活」

きょうじ-や【経師屋】書画や、ふすま・屏風などの仕立てを職業とする人(家)。表具師。表具屋。

ぎょう-しゃ【業者】❶事業を経営している人。「出入りの―」❷同業者。

ぎょう-じゃ【行者】❶仏道を修行する人。行人。❷修験者。山伏。

*きょう-じゃく【強弱】強いことと、弱いこと。また、強さの程度。「音の―」「力の―」

*きょう-じゃく【×怯弱】《名・形動》〔文〕気が小さく弱いこと。おくびょうで消極的なこと。類語 怯懦。

*きょう-しゅ【凶手・×兇手】〔文〕凶行をする者。また、その毒手。「テロリストの―にかかる」

*きょう-しゅ【×拱手】《名・自サ》〔文〕❶両手の指を胸の前で組み、礼をすること。参考 昔、中国で人を敬う礼。❷手を下さず何もしないこと。類語 袖手。ふところ手。―ぼうかん【―傍観】《名・自サ》ある状態を目前にしながら、何もせず成り行きを見ていること。袖手傍観。

*きょう-しゅ【教主】❶仏教の教えを説いた最初の人。釈尊。❷ある一つの宗派をはじめた人。宗祖。

*きょう-しゅ【×梟首】《名・自他サ》〔文〕打ち首にした罪人の首を木にかけてさらすこと。さらし首。獄門。

*きょう-しゅ【興趣】おもしろみ。「一段と―が増す」

*きょう-じゅ【享受】《名・他サ》受け取って十分に自分のものにすること。また、芸術などを味わい楽しむこと。「自由を―する」

*きょう-じゅ【教授】❶《名・他サ》〔専門的な〕学問・技術などを教えること。「ピアノの―」❷大学、高等専門学校などで学問を教え、研究を進めることを任務とする人。また、その地位の一つ。類語 助教授。

*ぎょう-しゅ【業主】事業を経営する人。営業を行う人。類語 事業主。営業主。

*ぎょう-しゅ【業種】事業・営業の種類。類語 職種。

*きょう-しゅう【×嬌×羞】〔文〕女のなまめかしいはじらい。「―をおびた微笑」

*きょう-しゅう【強襲】《名・他サ》❶強引に攻めること。強行襲撃。強攻。❷はげしい勢いでおそいかかること。「投手―のヒット」類語 ①②猛攻。

*きょう-しゅう【教習】《名・他サ》〔特殊な技術を〕訓練して身につけさせること。「自動車―所」

*きょう-しゅう【郷愁】❶〔異郷にあって〕故郷を懐かしく思う気持ち。懐郷の念。ノスタルジア。「―にかられる」類語 懐郷。望郷。❷遠く離れたもの、過去などにひかれる気持ち。「幼年時代への―」

ぎょう-しゅう【凝集・凝×聚】《名・自サ》〔文〕❶固まり集まっていること。「あらゆる問題がこの一点に―する」❷〔理〕〔分離または溶解していた物質が〕一か所に固まり集まること。類語 凝縮。凝固。凝結。

ぎょうじゅう-ざが【行住×坐×臥】〔「行くことと止まること、すわることと臥すこと」の意から〕日常のたちいふるまい。また、日常。ふだん。つねづね。「国王は―、国家の安泰を願う」参考 仏教からでた語。

きょう-しゅく【恐縮】❶《名・自サ》〔人に迷惑をかけたり、労をとらせたりして〕申し訳なく思い、恐れ入ること。「御心配いただき―しました」❷〈「―ですが…」の形で〉人にものを頼むとき最初に言う語。

ぎょう-しゅく【凝縮】《名・自サ》❶《他サ》こり固まってちぢむこと。また、ばらばらなものが集まって、密度をますこと。「短い言葉の中に―された思いをのべる」❷凝結②。

きょう-しゅつ【供出】《名・他サ》〔農作物・物品などを〕なかば強制されて政府にさし出すこと。

きょう-じゅつ【供述】《名・他サ》〔法〕刑事訴訟法で、裁判官や検察官などの取り調べに対して、被告人・被疑者・証人などが事実をのべること。また、その内容。「被告の―」「証人が―する」類語 陳述。

きょう-じゅん【恭順】〔文〕つつしんで服従すること。「―の意を表する」

きょう-しょ【教書】❶〔政〕アメリカ大統領が議会に提出する、政治上の意見・勧告を記した文書。「一般―」❷〔宗〕ローマ教皇が公式に発する訓告の文書。

きょう-じょ【狂女】〔文〕気が狂った女。

ぎょう-しょ【行書】漢字の書体の一つ。楷書を少しくずして、画を続け書きにしたもの。行。対 楷書・草書。

*きょう-しょう【協商】〔法〕二つ以上の国家間において、ある事柄に関し、同盟関係にならない程度で協定すること。また、その協定。「英仏露三国―」

*きょう-しょう【×嬌笑】〔文〕〔女性の〕なまめかしい笑い。色っぽい笑い。「―を浮かべる」

*きょう-しょう【強将】〔文〕〔戦いに〕強い大将・将軍。類語 勇将。驍将。

*きょう-しょう【狭小】《名・形動》〔文〕狭くて小さいこと。「考え方が―だ」類語 狭隘。対 広大。

*きょう-しょう【胸章】胸のところにつける記章。

*きょう-じょう【凶状・×兇状】〔殺人・傷害など〕凶悪な犯罪の経歴。「―持ち(=凶悪な罪を犯した者)」

*きょう-じょう【教場】授業する場所。教室。〔古風な言い方〕「―に集まる」類語 道場。

*きょう-じょう【教条】(dogma)❶〔宗〕キリスト教

で、教会が公認した教義。また、その教義を箇条としたもの。❷特定の権威者の教義・思想。**―しゅぎ【―主義】**特定の権威者の教義・思想、特にマルクス＝レーニン主義を絶対的なものと考え、現実を無視してこれを機械的に適用しようとする立場。

***ぎょう-しょう【暁鐘】**〔文〕❶明け方に突き鳴らす鐘（の音）。夜明けをしらせる鐘（の音）。明けの鐘。対晩鐘。暮鐘。❷新しい時代・物事の始まりを告げ知らせるもの。「藤村の詩は近代詩の―となった」

***ぎょう-しょう【行商】**《名・他サ》商品をたずさえて、各地を売り歩く・こと（人）。また、その職業。

***ぎょう-しょう【×驍将】**〔文〕強く勇ましい大将・将軍。類語勇将。猛将。強将。

ぎょう-じょう【行状】ある人の日常の行為・行動。「―を改める」類語品行。身持ち。行跡。

***きょう-しょく【教職】**学校で児童・生徒・学生の教育にたずさわる職業。教育者としての職。「―課程」

***きょう-しょく【矯飾】**《名・他サ》〔文〕いつわって、うわべをかざること。「―に満ちた人生」

きょう-しょくいん【教職員】教員と教育事務職員。

きょう・じる【興じる】《自上一》→興(きょう)ずる。

***きょう-しん【共振】**《名・自サ》共鳴。特に、電気振動における共鳴。ともぶれ。「音叉(おんさ)が―する」

***きょう-しん【強震】**強い地震（のゆれ）。参考もと使われていた名称。対弱震。

***きょう-しん【狂信】**《名・他サ》気が狂ったように一つのことを激しく信じること。「―的」類語盲信。

***きょう-じん【凶刃・×兇刃】**凶悪な者がふるった刃物。凶行に使った刃物。「通り魔の―に倒れる」類語凶弾。

***きょう-じん【狂人】**精神が乱れて、言動が正常でない人。狂者。

***きょう-じん【強×靱】**《形動》しなやかで丈夫であるようす。ねばり強く、困難などによくたえるようす。「―なロープ」「―な意志」類語強固。

きょうしん-ざい【強心剤】病的心臓の働きを強める薬。

きょうしん-しょう【狭心症】心筋の酸素欠乏により、心臓に発作的に痛み・けいれんなどの起こる病気。

きょう-すい【胸水】肋膜(ろくまく)炎などのとき、肋膜腔(ろくまくこう)内にたまる液。

ぎょう-ずい【行水】《名・自サ》（夏の暑い時などに）たらいに湯や水を入れて、その中で汗やよごれを落とすこと。「烏(からす)の―」類語入浴。

きょうすい-びょう【恐水病】狂犬病②。

きょう-すずめ【京×雀】京都にすみ噂(うわさ)などに詳しい人を、こうるさいスズメに見立てた語。京烏(きょうがらす)。

***きょう-・する【狂する】**《自サ変》〔文〕❶気が狂う。❷熱狂する。「詩作に―・する」

***きょう-・する【供する】**《他サ変》❶（地位・身分の高い人などに）差しだす。「膳部を―・する」「資金を―・する」❷役立てる。「食用に―・する」「参考に―・する」

***きょう-・する【×饗する】**《他サ変》〔文〕ごちそうする。もてなす。供応する。「遠来の客を―・する」

きょう-・ずる【興ずる】《自サ変》（ある物事を）面白がり楽しむ。興じる。「釣りに―・ずる」類語興がる。

ぎょう-・ずる【行ずる】《他サ変》〔文〕おこなう。また、修行をする。「真言を―・ずる」

***きょう-せい【共生・共×棲】**《名・自サ》❶ともに生きて行くこと。❷異種の生物が共同して生活すること。ヤドカリとイソギンチャクなど。類語寄生。

***きょう-せい【×匡正】**《名・他サ》〔文〕（まちがい・不正などを）なおすこと。ただすこと。「己の非を―する」

***きょう-せい【叫声】**〔文〕さけび声。「―をあげる」

***きょう-せい【×嬌声】**女のなまめかしい声。

***きょう-せい【強制】**《名・他サ》❶権力や腕力で無理に行わせること。「参加を―する」類語強要。❷〔法〕義務を履行しない場合に、国家の権力をもって、義務の内容を実現させること。「―送還」「―執行」**―しょぶん【―処分】**〔法〕刑法上、証拠、刑の執行を保全するため、裁判所が人や物に対して強制的に行いうる処分。逮捕・押収・勾引(こういん)など。

***きょう-せい【強勢】**❶強い勢い。強勢(ごうせい)。❷強弱のアクセントで強める部分。ストレス。「―をおく」

***きょう-せい【強精】**精力を強めること。「―剤」

***きょう-せい【強請】**《名・他サ》〔文〕（おどして）無理にたのむこと。ゆすること。強請(ごうせい)。「寄付を―する」

***きょう-せい【教生】**教授法の実習をうけている学生。教育実習生。

***きょう-せい【矯正】**《名・他サ》ふつうの正しい状態に矯(た)めなおすこと。「歯列―」「社内の弊風を―する」

***きょう-せい【胸声】**胸腔(きょうこう)で共鳴させてだす、比較的低い音域の声。対頭声(とうせい)。

ぎ-ようせい【疑陽性・擬陽性】結核の感染を検査するツベルクリン反応検査などで、陽性にちかい反応をしめすこと。

***ぎょう-せい【暁星】**〔文〕❶夜明けの空に消え残っている星。参考数の少ないものにたとえる。❷明けの明星(みょうじょう)。金星。

***ぎょう-せい【行政】**❶法律に従って国を治めること。国家の統治作用のうち、立法・司法以外のもの。「―機関」❷国の機関または地方公共団体が、法律・政令の範囲内で行う事務。「―職」**―かいかく【―改革】**時代の流れにそって能率よく動けるように、行政制度や運用を改めること。行革。**―けん【―権】**〔法〕国家の統治作用の一つとして、行政を行う権能。立法権・司法権に対するもの。**―しどう【―指導】**行政官庁が下級の行政官庁や産業界へ助言・勧告することによって、政策の実現を図ること。**―しょぶん【―処分】**〔法〕行政機関が法規にもとづいて特定の人に権利を設定したり、義務を課したり、その他法律上の効果を生ぜしめること。**―そしょう【―訴訟】**〔法〕行政官庁の違法な処分で被害をうけたと思うものが、その取り消しまたは変更を求める訴訟。**―めいれい【―命令】**〔法〕行政機関が法律の許す範囲内で下す命令。法規以外の政令・省令など。

***ぎょう-せき【業績】**〔ある事業・学問などで〕なしとげた実績・成績。「スポーツ界に―を残す」類語功績。

***ぎょう-せき【行跡】**日常の行いのあと。類語行状。
注意「業積」は誤り。

きょう-せつ【教説】教えこまれてきた学説。また、人に教えるための学説。「超俗的な―」

きょう-せん【胸×腺】胸腔(きょうこう)の前端にある内分泌腺。身体発育や性的発育に関係があるとされる。

ぎょう-ぜん【凝然】《形動タルト》〔文〕じっとして動かないようす。「―と立ちつくす」

きょう‐そ【教祖】❶宗教・宗派などを新しく開いた人。宗祖。開祖。類語祖師。開山。❷新しく始めて一つの傾向などを作り出した人。「前衛華道の―」

***きょう‐そう【競×漕】**《名・自他サ》ボートで速さを競うこと。また、その競技。ボートレース。類語レガッタ。

***きょう‐そう【競争】**《名・自他サ》他よりすぐれた地位をしめようとして、互いに争うこと。〔優劣を〕競い争うこと。「生存―」「どちらが早く着くか―する」「―心」

***きょう‐そう【競走】**《名・自他サ》走って速さを争うこと。かけっこ。「一〇〇メートル―」「―馬」

***きょう‐そう【強壮】**《名・形動》からだが丈夫で気力が盛んなこと。「―剤」類語強健。壮健。

***きょう‐そう【狂騒・狂×躁】**〔文〕気が狂っているようなおちつかないさわぎ。「―の巷」類語喧噪。

***きょう‐ぞう【経蔵】**❶三蔵の一つ。仏陀の説いた経文を集めたもの。対律蔵・論蔵。❷一切経を納める蔵。類語経堂。

***きょう‐ぞう【胸像】**胸から上をかたどった彫刻像。

***ぎょう‐そう【形相】**〔激しい感情が表れた〕顔つき。「必死の―」

***ぎょう‐そう【行草】**行書と草書。

***きょうそう‐きょく【協奏曲】**独奏楽器と管弦楽とが、互いに対等の立場に立って演奏できるように作曲された合奏曲。コンチェルト。「ピアノ―」

***きょうそう‐きょく【狂想曲】**↓カプリッチオ。

***きょう‐そく【教則】**物事を教える上の規則。「―本」

***きょう‐そく【×脇息】**すわったとき、ひじをかけて、からだをもたせかけて楽にする、和室用の道具。

脇息

きょう‐ぞく【凶賊・×兇賊】〔文〕〔殺害・傷害など〕残忍なことをする賊。凶悪な賊。

きょう‐ぞめ【京染〔め〕】京都で染めること。京都で染めたもの。また、京都風の染め物。

きょう‐そん【共存】《名・自サ》〔性質・考えなどの異なる〕二つ以上のものがある範囲内でともに生存・存在すること。共存。「左右両陣営の―」「―共栄」

***きょう‐だ【強打】**《名・他サ》❶強く打つこと。「胸部を―する」❷野球で、積極的に打って出ること。

***きょう‐だ【×怯×懦】**《名・形動》〔文〕気が弱くおくびょうなこと。「―な性格」類語懦弱。

***きょう‐たい【×嬌態】**女のなまめかしいようす・ふるまい。いろっぽい態度。「―を見せる」類語媚態。

***きょう‐たい【狂態】**正気とは思えないようなばかげた行為・態度。「―を演ずる」類語失態。醜態。

***きょう‐だい【兄弟】**❶両親または片親を同じくする間柄の人。「―思い」表記「兄妹」「姉妹」「姉弟」や「同胞」と書いて「きょうだい」と読ませることもある。❷婚姻・縁組などによって同じ人を親とよぶ間柄の人。義兄弟。❸男同士親しみを感じている間柄でのよび方。「おい―、手をかしてくれ」⇩〔類語と表現〕 **―ぶん【―分】**血のつながりはないが、約束によって兄弟①同様の交わりをする間柄。〔多く、やくざ仲間などの間で使う〕類語義兄弟。

類語と表現

「兄弟・姉妹」

*兄二人、妹二人の五人兄弟・三人兄弟の真ん中・腹違いの兄弟・兄弟げんか・義理の姉。

◆〔兄弟・姉妹〕同胞・兄姉・弟妹・双子・双生児・異父兄弟・異母兄弟・異腹兄弟・腹違い・義兄弟・乳兄弟・小舅・小姑・義理の兄弟〔姉妹〕

◆〔兄・弟〕兄さん・お兄ちゃん・お兄様・あんちゃん・あにやん・兄貴・兄上〔様〕・舎兄・家兄・長兄・次兄・仲兄・令兄・実兄・義兄・賢兄・愚兄・舎弟・直弟・末弟・実弟・義弟・賢弟・愚弟・小弟・令弟／総領の甚六・愚弟賢兄

◆〔姉・妹〕姉さん・お姉ちゃん・お姉様・姉ちゃん・あねやん・姉上〔様〕・姉御・実姉・長姉・義姉・令姉・実妹・義妹・妹御・令妹・愚妹

***きょう‐だい【橋台】**両端で橋げたを支える部分。

***きょう‐だい【鏡台】**鏡を立てる台。今では小さな引き出しをつけた台上に鏡をとりつけたものが多い。

***きょう‐だい【強大】**《形動》〔勢い・力などが〕強くて大きいようす。「国家の―な権力」対弱小。

***ぎょう‐たい【凝滞】**《名・自サ》〔文〕〔物事が〕とどこおり通じないこと。「事務が―する」類語停滞。渋滞。

***ぎょう‐たい【業態】**事業や企業が運営されている状態。運営状況。「―を査察する」

***きょう‐たく【供託】**《名・他サ》〔法〕金銭・有価証券その他の物件を供託所または法務大臣の指定する銀行または特定の人にあずけ、保管をたのむこと。「―金」参考「提供寄託」の意。

***きょう‐たく【教卓】**教室で、教授する人が使う机。

きょう‐たん【驚嘆・驚×歎】《名・自サ》ひどくおどろき感心すること。「―に値する成功」類語感嘆。

***きょう‐だん【凶弾・×兇弾】**凶悪な者がうった弾丸。「大統領が―に倒れた」類語凶刃。

***きょう‐だん【教団】**〔教祖や教主を中心に〕同一の教義を奉ずる人々によってつくられた宗教団体。

***きょう‐だん【教壇】**教室で授業をするときに教師が立つ壇。「―に立つ（＝教職につく）」

きょう‐ち【境地】❶おかれている立場。「苦しい―を察する」❷心の状態。心境。「さとりの―に達する」

きょうちく‐とう【×夾竹桃】キョウチクトウ科の常緑低木。葉はかたく、夏、紅色または白色の花を開く。観賞用。葉・花などは薬用。樹液は有毒。

ぎょう‐ちゃく【凝着】《名・自サ》異種の物質が、相互に付着しあうこと。「―力」

きょう‐ちゅう【胸中】心の中。また、ひそかに思っていること。胸のうち。「―を打ちあける」類語胸裏。胸奥。胸底。心中。

ぎょう‐ちゅう【×蟯虫】寄生虫の一つ。長さ約一センチ。人間の小腸・盲腸などに寄生する。

きょう‐ちょ【共著】二人以上の人が共同して一つの書物を書きあらわすこと。また、その書物。

***きょう‐ちょう【凶兆】**悪いことが起こる前ぶれ。不吉な前兆。「―を占う」対吉兆。

***きょう‐ちょう【協調】**《名・自サ》利害の対立したものが譲りあい、力を合わせること。「―路線」

***きょう‐ちょう【強調】**❶《名・他サ》〔ことば・音などの〕調子を強めること。❷《名・他サ》〔ある事柄を〕強く主張すること。「この辞典の特色を―する」類語力説。❸相場がしっかりしていて、上がろうとしている状態。参考「堅調」よりももっと勢いが強い。

きょう-ちょく【強直】❶《名・自サ》筋肉・関節などがこわばること。硬直。強直(ごうちょく)。「腕の関節が―する」❷《名・形動》〔文〕意志が強く正直なこと。

きょう-つい【胸×椎】頸椎(けいつい)と腰椎(ようつい)との間にあり、それらと共に脊柱(せきちゅう)を形づくる一二個の椎骨。

***きょう-つう【共通】**《名・形動・自サ》二つの事柄が二つ以上のもののどれにもあてはまること。「―点」「万国―」「―の場」「二人に―する性質」 **―ご【―語】**❶世界各国に通用する言語。「英語は国際外交における―だ」❷その国内のどこでも通用する言語。参考→標準語。対方言。

***きょう-つう【胸痛】**胸部に感じる痛み。

きょう-づくえ【経机】経典をのせて置くための机。

***きょう-てい【競艇】**モーターボートで速さを争うこと。モーターボートレース。

***きょう-てい【協定】**《名・他サ》〔互いの活動・利益を守るため〕ある事柄について協議し、定めること。また、その定めた事柄。「―価格」「報道―」参考国家間の「協定」は「条約」ほど形式が厳重でない。

***きょう-てい【教程】**ある事柄を教える一定の順序・方式。また、それに従った教科書。「自動車練習―」

***きょう-てい【×篋底・×筐底】**〔文〕〔文書・衣類などをしまっておく〕箱の底。「思い出の写真を―に秘める」

***きょう-てい【胸底】**〔文〕心の奥。「悲しみを―に秘める」類語胸中。胸裏。胸奥。

***きょう-てき【強敵】**強くてゆだんできない、敵・相手。「―を倒す」類語大敵。対弱敵。

***きょう-てき【狂的】**《形動》〔言動が〕正常でなく、気が狂っているようす。「―に自説を固執する」

***きょう-てん【教典】**❶宗教上のよりどころとなる教えを記した書物。類語聖典。❷教育を行う上でよりどころとするもの(書物)。

***きょう-てん【経典】**❶仏の教えを記した文章・書物。経文。❷宗教上の守るべき教え・いましめ。また、それを記した書物。キリスト教の聖書など。

きょう-でん【強電】〔電動機・発電機など〕電力の発生・輸送などに関する比較的強い電流をあつかう電気工学部門の通称。強電流工学。対弱電。

***ぎょう-てん【仰天】**《名・自サ》〔「天を仰ぐほど驚く」の意から〕意外な事柄に、非常に驚くこと。たまげること。「びっくり―」「事の次第に―する」

***ぎょう-てん【暁天】**〔文〕明け方の空。夜明け。「―の星(=非常に数が少ないことのたとえ)」

きょうてん-どうち【驚天動地】〔文〕〔「天を驚かし、地を動かす」の意から〕多くの人々をひどく驚かすこと。世間を驚かすこと。「―の大事件」

***きょう-と【凶徒・×兇徒】**〔文〕❶凶悪なことをする悪者。「―に襲われる」類語凶漢。❷暴動・騒乱などを起こす仲間。暴徒。

***きょう-と【教徒】**ある宗教を信仰して、その教団の一員になっている人。「キリスト―」類語信徒。信者。

***きょう-ど【強度】**❶〔外からの力に対する〕物体の強さの度合い。「鋼材の―」❷《名・形動》〔心身の〕状態が甚だしいこと。「―の近眼」類語極度。対軽度。

***きょう-ど【強×弩・×彊×弩】**〔文〕強い力をもった、いしゆみ。参考「弩」は機械仕掛けで矢や石をうつ、古代中国の武器。 **―の末(すえ)**《句》勢力のあったものも、その衰えはてた時には何事もすることができないたとえ。参考「強弩の末、力魯縞(ろこう)に入る能(あた)わず〈漢書・韓安国伝〉」から。

***きょう-ど【郷土】**❶生まれ育った土地。類語故郷。郷里。❷その地方。「―史」「―芸術」 **―しょく【―色】**〔風俗・習慣・産物などに表れる〕その地方特有の趣。地方色。ローカルカラー。「―豊かなおもちゃ」

***きょう-とう【×俠盗】**〔文〕〔金持ちから盗んだものを貧乏人に恵むような〕義俠心のある盗賊。類語義賊。

***きょう-とう【共闘】**《名・自サ》二つ以上の組織が共同して闘争すること。共同闘争。「―態勢をとる」

***きょう-とう【教頭】**〔教〕「校務主任」の通称。小・中・高等学校の教員の首席。校長の代理となる。

***きょう-とう【郷党】**〔文〕その人が生まれた村里。また、そこに住む人々。「―の名誉をになう」

***きょう-とう【驚倒】**《名・自サ》〔文〕〔卒倒するほど〕ひどく驚くこと。類語仰天。喫驚(きっきょう)。

***きょう-どう【共同】**❶《名・自サ》二人以上の人が事を一緒に行うこと。「本を―で書く」類語協力。協同。❷二人以上の人が一つのものに同じ条件・資格でつながりをもつこと。「―の敵」「―で使う」対①②単独。 **―しゃかい【―社会】**〔ドイツ Gemeinschaft〕生まれながらの本質的な意志によって自然にできる社会。家族・村落など。共同体。協同体。コミュニティー。ゲマインシャフト。対利益社会。 **―せいはん【―正犯】**〔法〕二人以上の者が共同して犯罪を実行すること。共犯にふくまれる。対単独正犯。 **―せんせん【―戦線】**〔方針のちがう〕二つ以上の団体などが、当面の共通した目標や敵に対して協力態勢をとること。また、その態勢。「―を張る」 **―たい【―体】**共同社会。 **―ぼうぎ【―謀議】**〔法〕二人以上の人が犯罪の計画や実行手段などを協議すること。共謀。 **―ぼきん【―募金】**公共団体が、社会事業に寄付する資金を広く一般から募ること。また、その運動。赤い羽根募金。

***きょう-どう【協同】**《名・自サ》〔二人以上の人や多くの集団が〕一つの物事をするために力を合わせること。「―一致」「産学―」類語共同。協力。 **―くみあい【―組合】**生産者・消費者が各自の経済的な利益を守るために協同して作る組織。

***きょう-どう【×嚮導】**《名・他サ》〔文〕先に立って案内する・こと(人)。道案内。「他の艦船を―する」

***きょう-どう【教導】**《名・他サ》〔文〕〔道徳・宗教などにもとづいて〕教え導くこと。類語教化。薫育。

***きょう-どう【経堂】**経典を納めておく堂。類語経蔵。

ぎょう-とう【行頭】行の初め(の方)。対行末。

きょうとう-ほ【橋頭×堡】❶橋を守るため、橋の両端などに築く陣地。❷河川・谷・地雷帯などで敵と対しているとき、攻撃の足がかりとして敵地につくる陣地。特に、上陸の拠点。=橋頭堡(きょうとうほう)。

きょう-な【京菜】→みずな②。

きょう-にん【×杏▽仁】アンズの種子の核の中にある肉。乾燥して、漢方薬として使う。杏仁(あんにん)。 **―どうふ【―豆腐】**すりつぶした杏仁と砂糖を寒天液と混ぜ、冷やして固めたものを果汁にひたして食べる料理。中華料理のデザート。杏仁(あんにん)豆腐。

きょう-ねつ【狂熱】くるおしいほど激しい情熱。

***きょう-ねん【享年】**〔文〕〔「天から享(う)けた年」の意から〕この世に生存した年数。行年(ぎょうねん)。「―八〇」

*きょう-ねん【凶年】❶農作物のできが悪く、食糧が不足する年。対豊年。❷悪いできごとのあった年。

ぎょう-ねん【行年】〔文〕享年(きょうねん)。

きょう-は【教派】宗教上の流派。宗派。

きょう-ばい【競売】《名・他サ》多くの買手のうちで、いちばん高い値をつけた人に売ること。せりうり。「一にふす」「名画の一」参考法律では「競売(けいばい)」という。

*きょう-はく【強迫】《名・他サ》❶むりに要求すること。むりじい。❷〔法〕民法上、相手に害悪の生じることを知らせて恐れさせ自由意思をさまたげること。一かんねん【一観念】いくら払いのけようとしても意志に反して絶えず心に浮かぶ、不快な病的観念。

*きょう-はく【脅迫】《名・他サ》❶あることを人にさせるためにおどすこと。「刃物で一する」❷〔法〕刑法で、害悪の生じることを知らせて他人をおどすこと。

*きょう-はん【共犯】〔法〕二人以上の人が共同して犯罪を行うこと。また、その人。「すりの一」類語ぐる。

*きょう-はん【橋畔】〔文〕橋のそば。橋のたもと。

きょう-ひょう【狂×飆】〔文〕荒れ狂う大風。暴風。

*きょう-ふ【恐怖】《名・自サ》〔生命に対する危険を感じ〕恐れこわがること。また、その気持ち。一しょう【一症】ある特定の物事に対して、異常なほど恐怖・不安を感じる神経症。高所恐怖症・動物恐怖症など。一せいじ【一政治】殺害・拷問・投獄などのむごい手段で、反対者をおさえつけて行う政治。

*きょう-ふ【教父】〔宗〕❶古代キリスト教会の学徳すぐれた著述家で、その学説が教会に認められた人々。アウグスチヌスなど。❷キリスト教で、洗礼を受ける人の、男の保証人。名付け親。代父。

きょう-ぶ【胸部】胸の部分。「一疾患」

*きょう-ふう【強風】強い風。大風(おおかぜ)。「一が吹き荒れる」参考旧風力階級の一つ。樹木全体がゆれる程度の風。風力七。類語暴風。烈風。

*きょう-ふう【狂風】〔文〕激しく吹きまくる風。

*きょう-ふう【矯風】〔文〕悪い風俗を改めること。

*きょう-ふう【驚風】〔漢方で〕小児の病気の一つ。高熱、からだの痙攣(けいれん)などのてんかん性の激しい症状をもったもの。脳膜炎・疱瘡(ほうそう)・熱病の類。

*きょう-ぶん【凶聞】〔文〕凶事の知らせ。

*きょう-ぶん【狂文】「狂歌」に対して興った、こっけいと風刺を含んだ戯文。

きょう-へい【強兵】〔文〕❶強い軍隊・兵隊。類語精兵。❷軍備・兵力などを増強すること。「富国一」

きょう-へき【胸壁】❶立った人の胸の高さぐらいに土や石できずいた壁。胸牆(きょうしょう)。❷とりで。❸〔内臓に対して〕胸部の外側の部分。

*きょう-へん【共編】《名・他サ》二人以上で編集すること。また、そのもの。「一の詩集」

*きょう-へん【凶変・×兇変】〔文〕ひどく不吉な、ふつうでないできごと。「一が続く」類語天変地異。

*きょう-べん【強弁・強×辯】《名・他サ》〔文〕むりに理屈をつけて言い立てること。「いかなる一も通らない」

*きょう-べん【教×鞭】生徒に教えるときに教師が使う、むち。「一を執る(=教師になる)」

きょう-ほ【競歩】陸上競技の一つ。左右どちらかのかかとが必ず地面についているようにして歩き、その速さをきそう競技。ウオーキングレース。

*きょう-ほう【凶報】❶悪い知らせ。不吉な知らせ。悪報。「一に接する」類語悲報。対吉報。❷人の死去の知らせ。訃報(ふほう)。

*きょう-ほう【教法】❶仏が説いた教え。❷物事を教授する方法。

*きょう-ぼう【共謀】《名・他自サ》❶〔二人以上の人が〕共同して〔悪事を〕たくらむこと。「一して盗みを働く」類語策応。❷〔法〕共同謀議。

*きょう-ぼう【強暴】〔文〕❶《名・形動》力が強く乱暴なこと。❷《名・他サ》強迫して暴行を加えること。

*きょう-ぼう【凶暴・×兇暴】《形動》性質が残忍で乱暴なようす。「一なクマ」参考→狂暴。類語凶猛。

*きょう-ぼう【狂暴】《形動》気が狂ったようにあばれるようす。また、常識にはずれた乱暴なことをするようす。「一なふるまい」

*ぎょう-ぼう【仰望】《名・他サ》〔文〕あがめ、期待すること。また、尊敬し慕うこと。「世界の平和を一する」類語仰慕。景慕。

*ぎょう-ぼう【×翹望】《名・他サ》〔文〕〔「首を翹(あ)げて待ち望む」の意から〕ある事柄の実現することをしきりに待ち望むこと。翹首(ぎょうしゅ)。「文壇は才能ある新人を一する」類語鶴首(かくしゅ)。渇望。待望。熱望。切望。

*きょう-ぼく【×喬木】「高木(こうぼく)」の旧称。対灌木(かんぼく)。

*きょう-ぼく【×梟木】昔、さらし首をのせた木。獄門台。さらし木。「身を一に晒(さら)される」

*きょう-ほん【教本】❶〔道徳・宗教などの〕教えの根本。❷〔技芸などの〕教科書。教則本。「ピアノ一」

*きょう-ほん【狂奔】《名・自サ》❶気が狂ったように走り回ること。「馬が一する」❷ある目的のために一生懸命に動き回ること。「資金調達に一する」

きょう-ま【京間】和風建築で、部屋の広さなどをはかるときの尺度。一間(いっけん)を曲尺(かねじゃく)の六・五尺(=約一・九七メートル)にとる。おもに関西地方で用いる。

*きょう-まい【京舞】上方舞(かみがたまい)で、地唄(じうた)を地に用い、能の影響を受けて繊細優美なもの。

*きょう-まい【供米】米を供出すること。また、その米。供出米。注意「くまい」と読めば別語。

*きょう-まく【胸膜】→ろくまく。

*きょう-まく【×鞏膜・強膜】眼球の一番外側の大部分を包む、堅い繊維性の白い膜。しろめの部分。白膜。表記「強膜」は代用字。

ぎょう-まつ【行末】行の終わり(の方)。対行頭。

ぎょう-まん【×驕慢・×憍慢】《名・形動》〔他よりすぐれているとして〕おごりたかぶること。「一な態度」類語高慢。傲慢(ごうまん)。不遜(ふそん)。尊大。倨傲(きょごう)。

きょう-み【興味】❶ある物事をおもしろいと感じ、ひきつけられる気持ち。「音楽に一をもつ」「野球には一がない」「一本位の記事」類語関心。❷そのものが人に感じさせるおもしろさ。「一をそぐ」類語興趣。一しんしん【一津津】《名・形動タリ》次々に興味が湧(わ)いて来て、やめられないようす。興味がつきないようす。「一たる筋立て」注意「興味深深」は誤り。

きょう-む【教務】❶学校で生徒を教授する上で必要な事務。また、その事務をとる人。「一課」❷宗門上の事務。また、その事務をとる人。

ぎょう-む【業務】職業として行うべき〔毎日の〕仕事。「一を怠るな」「一命令」類語公務。

*きょう-めい【共鳴】《名・自サ》❶振動する物体が他の振動する物体の作用で、それと同じ振動数で振動し始めること。共振。共鳴り。「一箱」❷他人の考えや

意見に同感し賛成すること。「氏の説に—する」

*きょう-めい【×嬌名】〔文〕〔芸者などがたてられる〕なまめかしい評判。「—を馳せる」「—をうたわれる」

ぎょう-めい【×驍名】〔文〕〔武将などの〕勇気があって強いという評判。「—を馳せる」類語 勇名。武名。

きょう-もう【凶猛・×兇猛】《形動》〔文〕荒々しくたけだけしいようす。「—な人物」類語 凶暴。獰猛。

*きょう-もん【教門】❶仏教の理論の組織を研究する方面。❷生死解脱の道に入る門としての仏の教え。

*きょう-もん【経文】経典に書かれている文章。また、経典。お経。「—を唱える」

*きょう-やく【共訳】《名・他サ》共同で翻訳すること。

*きょう-やく【協約】❶《名・他サ》〔個人と団体または団体と団体の間で〕たがいに協議して約束すること。また、その約束。「労働—」❷〔法〕国と国の間で文書を交換して結ぶ契約。「隣国と—を結ぶ」類語 協定。

きょう-ゆ【教諭】❶《名・他サ》〔文〕教えさとすこと。類語 教戒。教訓。説諭。❷小・中・高等学校、幼稚園、養護・ろう・盲学校の正規の教員。「養護—」「中学校の—」類語 教官。

*きょう-ゆう【享有】《名・他サ》〔文〕〔権利・能力などを〕生まれながらにして持っていること。また、自分の身にうけて持つこと。「私権の—は出生に始まる」

*きょう-ゆう【×侠勇】〔文〕義侠心があって、勇ましいこと〔人〕。「—の徒」

*きょう-ゆう【共有】《名・他サ》❶一つの物を二人以上の人が共同して持つこと。「秘密を—する」対 専有。❷〔法〕一つの物の所有権が二人以上の人にあること。

*きょう-ゆう【×梟雄】〔文〕残忍で強い人。「一代の—」類語 姦雄。

きょう-よ【供与】《名・他サ》〔利益・物品などを〕提供し与えること。「武器を—する」類語 供給。

*きょう-よう【供用】《名・他サ》〔文〕〔他人の〕使用に供すること。〔他人に〕使わせること。

*きょう-よう【共用】《名・他サ》〔二人以上の人が〕一つの物を共同で使うこと。また、二種類以上の物に対して使えること。「—の洗面所」「都市ガスにもプロパンガスにも—のガス器具」類語 共有。対 専用。

*きょう-よう【強要】《名・他サ》〔ある行為をするように〕むりに要求すること。「自白の—」類語 強制。

*きょう-よう【教養】〔「教え育てる」意から〕学問や広い知識などによって自然に備わった、心の持ち方や考え方の豊かさ。「高い—を身につける」「—が深い」

*きょう-らく【享楽】《名・他サ》快楽をじゅうぶんに味わうこと。「—をむさぼる」「—的」類語 歓楽。

*きょう-らく【京×洛】〔文〕みやこ。特に、京都。「—の老舗」参考「洛」は、中国古代の都洛陽のこと。類語 京師。

*きょう-らく【競落】《名・他サ》競売で所有権を得ること。せりおとすこと。競落。「名画を—する」

*きょう-らん【供覧】《名・他サ》〔文〕自由に多くの人に見せること。観覧に供すること。類語 展覧。

*きょう-らん【狂乱】《名・自サ》気が狂って、異常なふるまいをすること。「—状態」「お夏—」参考 ひゆ的に、物事の異常な状態にもいう。「—物価」

*きょう-らん【狂×瀾】〔文〕荒れ狂う〔海の〕大波。

—を既倒に廻らす《句》〔「砕けかかる大波を押し返す」意から〕ひどく悪くなった形勢をもとの状態に返す。「回瀾を既倒に反す」とも。〈韓愈・進学解〉

*きょう-り【教理】ある宗教で、真理とする教えの体系。宗教上の道理・理論。「—を学ぶ」「—問答」

*きょう-り【胸裏・胸×裡】〔文〕胸のなか。心のうち。心中。「過去のことが—に浮かぶ」類語 脳裏。胸底。胸中。

*きょう-り【郷里】生まれ育った土地。故郷。ふるさと。「—に帰る」「—は山形です」類語 郷土。郷党。

ぎょう-りき【行力】仏道・修験道などの修行によって得た力。

きょうりき-こ【強力粉】ねばり気が強い小麦粉。パンなどに使う。対 薄力粉。

きょう-りつ【共立】《名・他サ》一つのものを共同して設立すること。

きょう-りゅう【恐竜】中生代に生存した巨大な爬虫類。現在、化石として残っている。

*きょう-りょう【橋×梁】〔文〕〔大規模な〕橋。

*きょう-りょう【狭量】《名・形動》他人のあやまちや意見などを受け入れる心がないこと。度量が狭いこと。「—な人」類語 偏狭。狷介。対 広量。

*きょう-りょく【協力】《名・自サ》同じ目的のために他と力を合わせること。「経済—」類語 協同。共同。

*きょう-りょく【強力】《名・形動》力が強いこと。作用が大きいこと。また、力強いようす。「—な説得力」

きょう-れつ【強烈】《形動》〔刺激・作用などが〕強くはげしいようす。「—な印象」類語 猛烈。激烈。

ぎょう-れつ【行列】❶《名・自サ》多くの人が、〔たてに〕並んで列を作ること。また、その列。「ちょうちん—」❷数・文字を正方形・長方形に並べたもの。両側に( )・〔 〕・||などをつけて表す。マトリックス。「—式」

*きょう-れん【教練】❶《名・他サ》〔文〕教えきたえること。❷軍隊で、実戦に役だつように兵隊や指揮官を訓練すること。また、その訓練。❸軍事教練。

*きょう-れん【狂恋】気が狂ったように見えるほどはげしい恋愛。「—に陥る」

きょう-ろん【経論】仏典の三蔵のうち、経蔵と論蔵。

きょう-わ【協和】《名・自サ》〔文〕心を合わせて、仲よくすること。「—音」「諸国民と—する」

きょうわ-こく【共和国】共和制をとっている国。

きょうわ-せい【共和制】(republic)直接または間接に、人民によって選挙された者が国を支配する国家形態。共和政体。対 君主制。

きょう-わん【峡湾】〔文〕フィヨルド。

きょ-えい【虚栄】体面を重んじて身分や実力以上に外観をよそおい示すこと。みえ。類語 虚飾。—しん【—心】自分をその身分や実力以上に人に見せようとする心。みえをはりたがる心。「—の強い男」

*ぎょ-えい【御詠】〔文〕天皇または皇族が作った和歌や漢詩。「親王の—」類語 御歌。御製。

*ぎょ-えい【魚影】川や海を群れをなして泳ぐ魚のすがた。群れをなす魚の集まり具合。「—が濃い」

ぎょ-えん【御×苑】皇室の所有する庭園。「新宿—」類語 禁苑。

きょ-おく【巨億】きわめて大きい数・金額。「—の財を築く」参考「巨万」よりも強い意味を表す。

ギョーザ【×餃子】中華料理の一つ。小麦粉をこねて薄くのばした皮に、肉や野菜を包んで半月形にし、蒸したり焼いたりゆでたりしたもの。▽中国 jiao-zi

*きょ・か【×炬火】〔文〕たいまつ（の火）。かがりび。

*きょ・か【許可】《名・他サ》ある行為・行動を許すこと。「外出―」類語 承認。許容。允許。承諾。

*ぎょ・か【御歌】〔文〕天皇が作った和歌。大御歌。類語 御詠。御製。

*ぎょ・か【漁家】〔文〕漁師の家。

*ぎょ・か【漁火】〔文〕夜、魚をおびきよせるために船でたく火。いさり火。「―をたく」

きょ・かい【巨×魁・×渠×魁】〔文〕団体、特に盗賊などのかしら。「暗黒街の―」類語 頭目。首領。

ぎょ・かい【魚介】《「介」は「貝」の意》魚類と貝類。また、食用としての海産動物の総称。「―類」表記「魚貝」とも書く。

きょ・がく【巨額】非常に多い数量・金額。類語 多額。

ぎょ・かく【漁獲】《名・他サ》水産物をとること。また、そのとったもの。「―量」「―高」

*きょ・かん【居館】〔文〕住んでいる屋敷。

*きょ・かん【巨漢】からだの大きな男。大男。

*きょ・かん【巨艦】非常に大きな軍艦。

きょ・がん【巨岩・巨×巌】非常に大きな岩。大岩。

ぎょ・かん【御感】〔文〕天皇や王が感心すること。満足してほめること。叡感。「―に入る」

ぎょがん・レンズ【魚眼レンズ】広角レンズの一種。包括角度が一八〇度前後の凸レンズ。天文・気象の観測などに使われる。参考 魚の目が一八〇度近い視野をもつことからいう。

きょ・き【×歔×欷】《名・自サ》〔文〕すすり泣くこと。すすり泣き。歔泣。欷歔。「―の声」

きょ・ぎ【虚偽】真実でないことを真実のようにみせかけること。うそ。いつわり。「―の申し立て」対 真実。

*ぎょ・き【御忌】貴人・祖師などの年忌の法会の尊敬語。特に、法然上人の忌日に行う法会。

*ぎょ・き【漁期】漁期。「秋はサンマの―」

きょ・ぎょう【虚業】《「実業」のもじり》堅実でない事業。当たりはずれのある事業。

ぎょ・きょう【漁況】〔ある漁場での〕魚のとれる状況。魚のとれぐあい。「―調査」

ぎょ・ぎょう【漁業】魚介類・海藻類などをとったり、養殖したりする事業・職業。「遠洋―」―すいいき【―水域】領海につながる公海で、沿岸国が独自に、漁業資源の保護・管理に関する権利を有する水域。漁業専管水域。参考 多くの国が沿岸から二〇〇海里と定めている。

きょきょ・じつじつ【虚虚実実】〔相手の虚（＝そなえのすき）をねらい、実（＝そなえの堅い所）を避けて攻めるように〕たがいに巧みな計略や秘術をつくして戦うこと。「―の駆け引き」

きょ・きん【×醵金】《名・自サ》〔社会事業などのために〕金銭を出し合うこと。また、その金銭。「福祉事業に―する」表記「拠金」で代用することもある。

*きょく【局】一《名》❶役所・会社などで、いくつかに分けた組織の一つ。部・課などの上にある部署。「調査―」「事務―」❷郵便局・電報局など、局と名のつく所。❸当面している仕事や事態。「権力の―に当たる人々」❹物事の終わり。「―を告げる」二《助数》碁・将棋などの勝負を数える語。

*きょ・く【巨×軀】〔文〕大きなからだ。巨体。

*きょく【曲】❶〔文〕よこしまな事柄。不正。「―を強いる」対 直。❷音楽のふし。しらべ。メロディー。「静かな―」「詩に―をつける」❸音楽上の作品。楽曲。❹物事の変化する面白み。「このままでは―がない」

*きょく【極】❶〔物事の状態が〕それ以上行きつきようのない所。きわみ。限界点。「虚脱の―にある」類語 果て。究極。❷天子の位。❸地球の自転軸の端。南極と北極。❹電池・磁石などの端。「プラスの―」

*ぎょ・く【漁区】水陸を含む、漁業を許された区域。

*ぎょく【玉】❶美しく高価な石。宝石。たま。❷角閃石の一種。うすい灰色、または、うすい緑色をした半透明の石。昔、中国や日本で珍重した。❸取引所で、売買の成立した株式・商品。❹〔花柳界で〕芸者・娼妓。また、その揚代。玉代。はな。❺将棋で「玉将」の略。❻〔料理屋・すし屋などで〕鶏のたまご。また、すしだねに使う卵焼き。また、そのすし。

ぎょ・ぐ【漁具】〔舟・網など〕漁業に使う道具。

ぎょくあん・か【玉案下】《「お机の下」の意》手紙のあて名のわきに書いて、敬意を表す語。机下。

きょく・いん【局員】〔郵便局・放送局など〕局と名のつく所に属している職員。「郵便局の―」

きょく・う【極右】極端な右翼思想（の人）。対 極左。

きょく・うち【曲打ち】《名・他サ》太鼓などを、はやく、また変わったやり方で、曲芸のように打つこと。また、その打ち方。「ドラムの―」

ぎょく・おん【玉音】〔文〕天皇の声。天皇の話されることば。玉音。―ほうそう【―放送】天皇じきじきのラジオ放送。特に、一九四五年八月一五日正午から録音で流された、終戦の詔勅の放送。

きょく・がい【局外】❶〔局と名のつく役所・部署などで〕その管轄に属さない範囲。対 局内。❷その事件・部署などに関係をもっていない立場。当事者でないこと。「―者」―ちゅうりつ【―中立】国際間の争いなどで、どちらにも味方しないこと。また、その立場。

きょくがく・あせい【曲学×阿世】真理に反した説を唱え、人気や時勢におもねること。「―の徒」

ぎょく・がん【玉顔】〔文〕❶玉のように美しい顔。❷天皇の顔。竜顔。「―を拝す」

きょく・ぎ【曲技】〔文〕かるわざをする技術。また、かるわざのような危険の多いわざ。類語 離れわざ。

きょく・げい【曲芸】〔かるわざ・曲馬など〕ふつうではできない危険で変わった芸当。「―団」類語 離れわざ。

*きょく・げん【局限】《名・他サ》一定の範囲に、せまく限ること。「社会の小部分に―される」類語 限定。

*きょく・げん【曲言】《名・他サ》〔文〕遠回しに言うこと。また、そのことば。対 直言。

*きょく・げん【極言】《名・他サ》〔遠慮せずに〕極端な言い方をすること。また、そのことば。「―すれば、あの作品は駄作だ」類語 極論。

*きょく・げん【極限】❶物事が進んで、それ以上の状態にはできないという最後の点。限界点。「機械の能力の―まで運転する」「―状態」類語 極所。極点。リミット。❷ある一定の法則に従って変化する数が、ある値に限りなく近づくとき、その近づく値。極限値。

きょく・さ【極左】極端な左翼思想（の人）。対 極右。

ぎょく・ざ【玉座】〔文〕天子がすわる座席。

ぎょく・さい【玉砕・玉×摧】《名・自サ》〔玉となって美しく砕け散るように〕多くの人が全力を尽くして戦い、名誉や忠節を重んじて潔く死ぬこと。対 瓦全。

＊きょく-し【局紙】鳥の子紙に似た厚い上質の和紙。表面は滑らかで黄色っぽく、強い。紙幣・証券などに使う。参考 もと、大蔵省抄紙局で作ったことから。

＊きょく-し【曲師】浪曲や俗曲で、三味線をひく人。

きょく-じ【曲事】〔文〕不正な事。「—を働く」

きょく-じつ【×旭日】〔文〕あさひ。「—昇天」

きょく-しゃ【曲射】障害物にかくれた目標または水平な目標などを攻撃するために、湾曲した弾道で砲弾を上方から落下させる射撃。「—砲」対 平射。直射。

ぎょく-じゅう【玉×什】〔文〕❶すぐれた詩歌。❷他人の詩歌をさす尊敬語。

きょく-しょ【局所】〔文〕❶〔全体の中の〕かぎられた一部分。「—麻酔」❷陰部。同 ①②局部。

＊きょく-しょう【極小】❶非常に小さいこと。「—の物質」❷関数の値が次第に減少してこれから増大しようとするときの値。ミニマム。「—値」対 ①②極大。

＊きょく-しょう【極少】〔程度・数量が〕極めて少ないこと。「リスクを—におさえる」類語 極微。僅少(きんしょう)。

＊ぎょく-しょう【玉将】将棋のこまの一つ。主将に当たるこま。玉(ぎょく)。王将。参考 一組のこまには主将に当たるこま（王将）が二つあり、一方を王将、他方を玉将とする。ふつう、下位の者が玉将をもつ。

＊ぎょく-しょう【玉章】〔文〕❶美しく、すぐれた詩文。❷他人の手紙をさす尊敬語。＝玉章(たまずさ)。

ぎょく-ずい【玉髄】石英の、緻密(ちみつ)に結晶したもの。めのうなど。多く、装飾・印材などに用いる。

ぎょく-せい【玉成】《名・他サ》〔文〕玉のようにりっぱにみがきあげること。りっぱな人物に育てあげること。

きょく-せき【×跼×蹐】《名・自サ》「跼天蹐地」の略。

ぎょく-せき【玉石】〔文〕❶玉と石。❷すぐれたものと劣ったもの。—こんこう【—混交・—混×淆】《名・自サ》すぐれたものと劣ったものが入りまじっていること。「—の作品」

＊きょく-せつ【曲折】《名・自サ》❶曲がりくねっていること。❷経過する途中で複雑に変化すること。また、複雑に入りくんだ事情。「紆余(うよ)—」「—を経る」

＊きょく-せつ【曲節】〔文〕音楽のふし・調子。メロディー。曲調。

きょく-せん【曲線】なめらかに曲がった線。連続して曲がっている線。カーブ。「—美」類語 弧。対 直線。

きょく-そう【曲想】楽曲の構想。曲全体のイメージ。「—を得る」類語 楽想。

きょく-だい【極大】❶非常に大きいこと。❷関数の値が次第に増大してこれから減少しようとするときの値。マキシマム。類語 ①②最大。対 ①②極小。

ぎょく-たい【玉体】〔文〕天皇のからだ。類語 聖体。

ぎょく-だい【玉代】〔花柳界で〕芸者・娼妓(しょうぎ)などをよんで遊ぶための料金。花代。揚代。玉(ぎょく)。

きょく-たん【極端】❶物の一番はし。類語 先端。❷《名・形動》〔思想・言動などが〕非常にかたよっていること。度はずれていること。「—な発言」類語 極度。

＊きょく-ち【局地】限られた一部分の土地。一定区域の土地。「—戦争」

＊きょく-ち【極地】はての土地。南極・北極の地方。

＊きょく-ち【極致】〔ある物事が到達しうる〕最高の状態・境地。「快楽の—をきわめる」類語 極点。頂点。

＊きょく-ちょう【局長】〔会社・役所などの〕局の長。

＊きょく-ちょう【曲調】〔文〕音楽のふし・調子。

きょく-ちょく【曲直】〔文〕曲がったこととまっすぐなこと。不正なことと正しいこと。「—をただす」「政治の—を明らかにする」類語 是非。理非。善悪。

きょく-てん【極点】❶ある物事の行きつく最後の点。「興奮が—に達する」類語 極致。極所。頂点。極限。絶頂。❷北極点、および南極点。「—に立つ」

きょくてん-せきち【×跼天×蹐地】〔文〕〔「天は高いのにつかえないかと身を縮めて歩き、地は厚いのにへこまないかとそっと歩く」の意から〕肩身がせまく世をはばかって行動すること。跼蹐。

きょく-ど【極度】《名・形動》それ以上はないほどの、はなはだしい程度。「—に緊張する」類語 極端。

きょく-とう【極東】（Far East）〔「西欧から見て最も東方の地域」の意で〕日本・朝鮮など、東アジアの地域。「—地域」対 中東・近東。

きょく-どめ【局留】郵便物・電報などを発信人の指定する局に留めておくこと。また、その郵便物・電報。

きょく-のり【曲乗り】《名・自サ》馬・球・自転車などに乗りながら曲芸をすること。また、その曲芸。

きょく-ば【曲馬】馬に乗ったり馬を使ったりして、曲芸をすること。また、その曲芸。「—団（＝サーカス）」

ぎょく-はい【玉杯・玉×盃】〔文〕❶玉で作ったさかずき。❷「さかずき」の美称。「—を仰ぐ」

きょく-ばん【局番】それぞれの電話交換局の番号。

きょく-び【極微】《名・形動》〔文〕非常にこまかいようす。極微(ごくび)。「—の世界」

きょく-びき【曲弾き】《名・他サ》琴・三味線などを速く、また変わった奏法で曲芸のようにひくこと。

きょく-ひつ【曲筆】《名・他サ》〔文〕〔都合のいいように〕事実を曲げて書くこと。また、その文章。「事件の真相を—する」類語 舞文(ぶぶん)。対 直筆(ちょくひつ)。

きょくひ-どうぶつ【×棘皮動物】動物分類上の門の一つ。からだの表面に石灰質のとげがあり、放射状の形をした海産動物。ウニ・ナマコ・ヒトデなどの類。

＊きょく-ふ【局譜】囲碁の勝負のあとを図譜にしたもの。

＊きょく-ふ【曲譜】歌・音楽の譜。楽譜。

きょく-ぶ【局部】局所。「—麻酔」

ぎょく-ふ【玉×斧】〔文〕玉のおの。「—を乞(こ)う（＝自分の詩歌・文章を添削してもらうように頼む）」

きょく-ほう【局方】「日本薬局方」の略。

きょく-ほく【極北】北のはて。北極に近い地域。

＊きょく-めん【局面】❶碁・将棋などの盤の表面。特に、そこで行われている勝負の形勢。❷〔当面している〕物事の状勢。物事の成り行き。「—打開の策」

＊きょく-めん【曲面】どの部分も平面にならない、連続して曲がっている面。球の面など。

きょく-もく【曲目】❶楽曲の名。曲名。❷演奏する曲を演奏順にしるした表。プログラム。「演奏—」

ぎょく-もん【玉門】❶〔文〕玉でかざった美しい門。立派な門。❷〔隠〕女性の陰部。

きょく-りょう【極量】劇薬・毒薬などの、使用しても安全な限界量。

きょく-りょく【極力】《副》あることのためにできる限り努力するようす。「目標達成のために—努力する」

ぎょく-ろ【玉露】❶〔文〕玉のように美しい露。❷最も上質のせん茶。香りがよい。

ぎょく-ろう【玉楼】〔文〕珠玉を散りばめたような、立派な高殿。「金殿—」

きょく-ろく【曲×彔】いすの一種。よりかかる部分をまるく曲げ、脚はX形に交差する。法会などに僧が使う。

曲　彔

***きょく-ろん**【曲論】《名・他サ》〔文〕道理を曲げた議論。正しくない議論。類語曲説。対正論。

***きょく-ろん**【極論】《名・他サ》❶極端な言い方をすること。また、その論議。「—すれば無策に等しい」❷ある事柄を徹底的に論じること。類語①②極言。

ぎょ-ぐん【魚群】魚の群れ。「—探知機」

ぎょ-けい【御慶】〔文〕❶およろこび。お祝い。〔新年のお祝いのことば〕「初春の—、めでたく申しおさめ候」❷新年のあいさつ。

きょ-けつ【虚血】体の一組織や臓器への流入血液量がひどく減ること。乏血(けつぼう)。参考全身に起こる「貧血」と区別していう。

きょ-げつ【去月】〔文〕今月のすぐ前の月。先月。類語前月。

きょ-げん【虚言】〔文〕うそを言うこと。また、そのことば。そらごと。虚言(きょごん)。「—癖」類語虚辞。

***きょ-こう**【挙行】《名・他サ》〔儀式・行事を〕正式にとり行うこと。「入学式を—する」類語執行。

***きょ-こう**【虚構】❶事実ではないことを事実のようにしくむこと。つくりごと。「—の世界」❷(fiction)文芸作品を作者が想像によって組み立てること。また、そのもの。仮構。フィクション。

きょ-ごう【×倨×傲】《名・形動》〔文〕おごりたかぶっていばること。類語高慢。傲慢(ごうまん)。横柄。

ぎょ-こう【漁港】漁業の根拠地となっている港。出漁・陸揚げの諸施設がある。

きょ-こく【挙国】〔文〕国民全体が一つの気持ちになること。国をあげて。「—一致」類語挙世。

***きょ-こん**【虚根】方程式の根で、虚数がふくまれているもの。対実根。

***きょ-こん**【許婚】〔文〕いいなずけ。「—者」

ぎょ-ざ【御座】〔文〕天子・皇族などの座る場所。

きょ-さい【巨細】→こさい(巨細)。

***きょ-ざい**【巨材】❶大きな材木。❷偉大な才能(をもった人)。

***きょ-ざい**【巨財】莫大(ばくだい)な財産。「—を残す」

きょ-さつ【巨×刹】〔文〕大きな寺。大寺院。「古都の—」類語大伽藍(だいがらん)。

***きょ-し**【巨資】多額の資本。「—を投じる」

***きょ-し**【挙止】〔文〕人のたちいふるまい。〔日常の〕動作。挙措。「—進退」類語挙動。起居。

***きょ-し**【×鋸歯】〔文〕❶のこぎりの歯。❷葉のふちの、のこぎり状の切れ込み。

***きょ-じ**【虚字】❶漢文で、抽象的意味を表す文字。多く動詞・形容詞として使われる文字。「行」「来」「高」など。❷漢文で、文法上の形式的意味を表す文字。「為」「于」「者」「矣(い)」「乎(や)」など。助字。助辞。対①②実字。

***きょ-じ**【虚辞】〔文〕真実を表さないことば。うそ。いつわり。「—を弄(ろう)する」類語虚言。

ぎょ-じ【御×璽】天皇の印。玉璽(ぎょくじ)。

きょ-しき【挙式】《名・自サ》儀式(特に結婚式)をとり行うこと。「—の日取り」類語挙行。

きょ-しつ【居室】〔文〕ふだんいる部屋。居間。

きょ-じつ【虚実】〔文〕❶うそと、ほんとう。あることとないこと。虚構と事実。「—を確かめる」類語真偽。実否。❷守備の有無。また、いろいろな策略。「—をつくして戦う」参考→虚虚実実。

きょし-てき【巨視的】《形動》❶人間の感覚で識別できる程度の大きさを対象とするようす。肉眼的。粗視的。「—世界」❷〔社会・経済現象などについて〕対象を全体的な一つのまとまりとしてみるようす。マクロ的。「—に把握する」対①②微視的。

ぎょ-しゃ【御者・×馭者】馬車につけた馬をあやつり、馬車を動かす人。

きょ-じゃく【虚弱】《名・形動》からだが弱く、ひよわなこと。「—児童」類語尫弱(おうじゃく)。蒲柳(ほりゅう)。羸弱(るいじゃく)。

ぎょし-やす-い【御し▽易い】《形》人を思うとおりに動かすことができるようす。あつかいやすい。手なずけやすい。「—い相手」

きょ-しゅ【挙手】《名・自サ》❶片手を高くあげること。「賛成の—を求める」❷右手を額の辺りにあげて敬礼すること。「—の礼」

きょ-じゅ【巨樹】〔文〕大きな立ち木。巨木。

きょ-しゅう【去就】立ち去ることと、とどまること。また、ある状態でどう身を処するかという態度。「社長の—が注目される」類語出処。進退。

***きょ-じゅう**【居住】《名・自サ》ある場所・建物に住むこと。また、その家。「—空間」類語在住。住居。

***きょ-じゅう**【巨獣】〔文〕大きなけもの。

ぎょ-しゅう【漁舟】〔文〕漁をする小ぶね。類語漁船。

きょ-しゅつ【×醵出】《名・他サ》〔ある目的のために多くの人が〕金銭や品物を出しあうこと。表記「拠出」で代用することもある。類語カンパ。醵金。

きょ-しょ【居所・居処】❶身をおく所。いどころ。「転々と—を変える」尊敬貴所。貴地。御地。❷〔法〕生活の本拠ではないが、多少の期間継続して住んでいる場所。

***きょ-しょう**【去声】漢字の声調である四声の一つ。発音するとき、始めが高くあとが低くなるもの。去声(きょせい)。参考→平声(ひょうしょう)・上声(じょうしょう)・入声(にっしょう)。

***きょ-しょう**【巨匠】芸術の分野できわだって優れた人。大家。名匠。「文壇の—」類語泰斗(たいと)。

***きょ-しょう**【挙証】《名・自サ》証拠をあげること。

きょ-じょう【居城】日ごろ住んでいる城。

ぎょ-しょう【魚礁・漁礁】海底が隆起していて、魚のすみかや産卵場所に適した所。参考石などを大量に沈めた人工のものにも言う。

ぎょ-じょう【漁場】漁業を行う場所。漁場(ぎょば・りょうば)。

きょ-しょく【虚飾】内容がともなわずうわべだけをかざること。うわべの体裁。「—にみちた生活」類語虚栄。

ぎょ-しょく【漁色】だれかれかまわず、次々に女をもとめて情事にふけること。漁色(りょうしょく)。「—家」

きょしょく-しょう【拒食症】精神的な要因で、食欲が極度に低下する病気。「神経性食思(食欲)不振症」の俗称。若い女性に多い。対過食症。

きょ-しん【虚心】《名・形動》心がすなおであること。わだかまりのないこと。「—に話を聞く」**—たんかい**【—×坦懐】《名・形動》とらわれた考えやわだかまりがなく、すなおに物事に対すること。虚心平気。「—に話し合う」注意「虚心担懐」は誤り。

きょ‐じん【巨人】 ❶からだが、けたはずれに大きい人。ジャイアント。❷特にすぐれた人。偉大な人。

*__ぎょ‐しん【御寝】__ 〔文〕「寝ること」の尊敬語。

*__ぎょ‐しん【魚信】__ 釣りで、魚が餌(え)にくいついた手ごたえ。当たり。

きょ‐すう【虚数】 負数の平方根。二乗して負になる数。参考 $\sqrt{-1}$ を数と考え、これを i で表して虚数の単位とする。対実数。

きよ‐ずり【清刷(り)】 活版を写真製版の版下にするために上質の紙に刷ること。また、その刷ったもの。

ぎょ‐する【御する】《他サ変》❶馬などを自由にあやつり動かす。表記「馭する」とも書く。❷〔人を〕自分の思うとおりに動かし使う。うまく支配する。「わが妻―しがたし」

き‐よせ【季寄せ】 季題を集め、分類して並べた本。参考 歳時記の簡略なもので、例句などものせる。

*__きょ‐せい【去勢】__《名・他サ》❶動物の生殖器などをとり去って、生殖機能をなくすこと。「牛の―」❷意欲などを失わせること。「機械文明に―された現代人」

*__きょ‐せい【去声】__ →きょしょう(去声)。

*__きょ‐せい【巨星】__ ❶恒星のうち、半径や光度の大きい星。アンタレス・ベテルギウス・カペラなど。対矮星(わいせい)。❷輝かしい業績をもつ偉大な人物。大人物。―墜(お)つ《句》偉大な人物が死ぬ。参考→将星隕(お)つ。

*__きょ‐せい【挙世】__ 〔文〕世の人すべてが一つの気持ちになること。世をあげて。「―の熱狂」類語挙国。

*__きょ‐せい【虚勢】__ 〔実力がともなわない〕うわべだけの威勢。からいばり。「―を張る(=からいばりする)」

ぎょ‐せい【御製】 〔文〕天皇の作った詩歌や文章。類語御詠。御歌。

きょ‐せき【巨石】 非常に大きな石。大石。

きょ‐せつ【虚説】 〔文〕まったく根拠のないうわさ。「―が広まる」類語流言飛語(りゅうげんひご)。流説。

きょ‐ぜつ【拒絶】《名・他サ》〔要求などを〕こばむこと。ことわること。拒否。「援助の申し出を―する」対許諾。受諾。**―はんのう【―反応】** 体内にはいった異物を排除しようとする反応。臓器移植の際などに起こる。拒否反応。

きょ‐せん【巨船】 〔文〕非常に大きなふね。大船。

きょ‐ぜん【居然】《形動タルト》〔文〕❶じっと動かないようす。もとのままのようす。「―とした態度」❷安らかなようす。❸することがないようす。

ぎょ‐せん【漁船】 漁業をするための船。類語漁舟。

きょ‐そ【挙措】 〔文〕〔日常の〕たちいふるまい。動作。挙止。「―端正」「―を失う(=とり乱す)」

きょ‐ぞう【虚像】 ❶レンズや鏡によって光が発散したとき、光と逆方向の延長線上に見える像。❷見かけだけで実際には存在しないもの。「戦後の繁栄は―か」対①②実像。

ぎょ‐ぞく【魚族】 〔文〕魚類(ぎょるい)。

ぎょ‐そん【漁村】 おもに漁業によって生計をたてている海辺の村。類語農村。山村。

きょ‐た【許多・巨多】 〔文〕数が多いこと。あまた。

きょ‐たい【巨体】 非常に大きな体。巨軀(きょく)。

きょ‐だい【巨大】《名・形動》非常に大きいこと。「―な建物」「―産業」

ぎょ‐だい【御題】 〔文〕❶天皇が書いた題字。❷天皇が選んだ詩歌・文章の題。勅題。

きょ‐たく【居宅】 〔文〕〔ふだん〕住んでいる家。住居。

きょ‐だく【許諾】《名・他サ》〔文〕〔相手の要求・希望などを〕聞き入れて許すこと。「交渉を―する」「父の―を得る」類語承諾。受諾。許可。対拒絶。

ぎょ‐たく【魚拓】 魚の表面に墨・絵の具をぬり、和紙や布をその上にかぶせて魚の形をすり写すこと。また、その写したもの。「―をとる」

きょ‐だつ【虚脱】《名・自サ》❶心臓が衰弱して体中の力が抜け、仮死状態になること。❷急激な衝撃などをうけて、体力も気力もなくなり、うつろな状態になること。「敗戦の衝撃で―状態に陥る」「―感」

*__きょ‐たん【去×痰・×祛×痰】__ 〔文〕のどにたまっているたんを取り去ること。「―剤」

*__きょ‐たん【虚誕】__ 〔文〕おおげさなうそ。でたらめ。

きょ‐だん【巨弾】 大きな弾丸・爆弾。

ぎょ‐たん【魚探】「魚群探知機」の略。超音波を使って、魚のむれをさがす器械。

きょちゅう‐ちょうてい【居中調停】 ❶〔法〕紛争中の二国の間に第三国がはいって平和的に解決するようにはかること。❷〔一般に〕仲なおりのとりもち。

きょっ‐かい【曲解】《名・他サ》物事を、ねじまげて解釈すること。「同情を侮辱と―する」

*__きょっ‐かん【極冠】__ 火星の両極地方に見られる冠状の白い地帯。

*__きょっ‐かん【極×諫】__《名・他サ》〔目上の人などに対して〕ことばをつくし、きびしくいましめること。

きょっ‐けい【極刑】 最も重い刑罰。死刑。

きょっ‐けん【極圏】 地球上の南北六六度三三分の緯線から、南極または北極までの地域。

*__きょっ‐こう【×旭光】__ 〔文〕朝日の光。旭暉(きょくき)。「―の如(ごと)き勢い」類語暁光。

*__きょっ‐こう【極光】__ オーロラ。

ぎょっ‐こう【玉稿】 〔文〕相手の原稿をさす尊敬語。

ぎょっ‐と《副・自サ》一瞬驚いて心が動揺するようす。

きょ‐てん【拠点】 ある活動の足場となる地点。「ニューヨークを情報収集の―とする」

きょ‐でん【虚伝】 〔文〕根も葉もないうわさ。事実でない言い伝え。虚聞(きょぶん)。

ぎょ‐でん【魚田】《「魚の田楽」の意》魚を角切り、あるいは丸のまま串にさし、みそをつけて焼いた料理。

*__きょ‐とう【巨頭】__ ❶大きな頭。❷ある社会で最も重要な地位にある人。「―会談」類語首脳。大立者。

*__きょ‐とう【挙党】__ 党員全員が団結して事に当たること。党をあげて。「―体制」類語全党。

きょ‐どう【挙動】 行動や動作。ふるまい。「―不審」

ぎょ‐とう【漁灯】 魚をさそい集めるために漁船がともす明かり。集魚灯。漁火(いさりび)。

ぎょ‐どう【魚道】 ❶〔海で〕魚群がいつも通るきまった道すじ。❷ダムなどを作って川をせきとめたとき、魚の通路として設けた水路。魚梯(ぎょてい)。

ぎょとう‐ゆ【魚灯油】 魚の脂からとった灯油。

きょと‐きょと《副・自サ》《副詞は「―と」の形も》おちつかずあたりをみまわすようす。類語きょろきょろ。

きょとん《副》《多く「―と」の形で使う》〔驚いたり、相手のいうことがわからなかったりして〕目を大きくあけてぼんやりしているようす。

ぎょ‐にく【魚肉】 ❶〔食用としての〕魚の肉。❷けものの肉と、魚の肉。「―ソーセージ」

きょ・ねん【去年】 ことしの前の年。昨年。旧年。前年。客年(かくねん)。先年。類語こぞ。

ぎょ・ば【漁場】→ぎょじょう(漁場)。

きょ・はく【巨×擘】〔文〕❶おやゆび。❷おおぜいの中で特にすぐれた人。かしらに立つ人。

ぎょ・ばん【魚板】 魚の形に木を彫って作った板。寺で時を知らせるときなどにたたくもの。

*__きょ・ひ【巨費】__ 非常に多くの費用。「―を投じる」

*__きょ・ひ【拒否】__《名・他サ》〔要求・提案などを〕こばんで受けつけないこと。拒絶。「立ちのきを―する」「―反応」 **―けん【―権】**〔法〕❶君主・大統領が議会の決定した事柄を拒否し、くつがえすことのできる権利。❷国際連合の安全保障理事会で議決を拒否できる権利。五常任理事国がもっている。

*__きょ・ひ【許否】__ 許すことと許さないこと。

ぎょ・ひ【魚肥】 魚を原料として作る肥料。

きょ・ふ【巨富】〔文〕非常に多くの富・財産。巨万の富。「―を成す」

ぎょ・ふ【漁夫】 漁業で生活をたてる人。漁師。 **―の利**《句》両者の争っているすきに第三者が(労なくして)利益をさらうこと。鷸蚌(いつぼう)の争い。故事シギとハマグリが争っているところへ漁父(=年老いた漁師)が来て、かんたんに両方を捕らえたという中国の故事から。〈戦国策・燕策〉表記「漁父の利」とも書く。

きよ・ぶき【清×拭き】《名・他サ》家具などをぬれた布でふき、かわいた布で更に仕上げること。

ぎょ・ふく【魚腹】〔文〕魚の腹(の中)。「―に葬(ほうむ)られる(=海・川・湖などで水死する)」

ぎょ・ぶつ【御物】 皇室の所蔵品。御物(ぎょもつ・ごもつ・ごぶつ)。

きょ・ぶん【虚聞】〔文〕❶根拠のない、でたらめなうわさ。虚説。虚伝。「―に惑わされるな」❷実質以上にうけとられている名声。空名。類語虚名。

ぎょ・ふん【魚粉】 魚をほして粉にしたもの。飼料・肥料・食料などにする。

きょ・へい【挙兵】《名・自サ》兵を集めて軍事行動を起こすこと。旗揚げ。「源氏の―」類語出兵。

きょ・ほ【巨歩】〔文〕❶大またに歩くこと。大またの歩み。❷ある物事の発展・進歩について残した、大きな功績。「スポーツの発展に―を印する」

*__きょ・ほう【巨砲】__ ❶大きな大砲。❷野球の強打者。

*__きょ・ほう【虚報】__〔文〕ある物事についての、いつわりのしらせ。うそのしらせ。「―に惑わされる」類語誤報。

ぎょ・ほう【漁法】 魚をとる方法。「刺網(さしあみ)―」

きょ・ぼく【巨木】〔文〕非常に大きな立ち木。大木。「―倒るるの感あり(=偉大な人の死を形容することば)」

きよま・る【清まる】《自五》けがれがなくなる。清くなる。「初日の出に心が―・る」文《四》。

きょ・まん【巨万】 非常に多くの数、また、金額。「―の富を築く」参考→巨億。

きよみず・の・ぶたい【清水の舞台】 京都の清水寺(きよみずでら)にある観音堂の舞台。切りたった崖(がけ)の上にある。 **―から飛び降りるよう**《句》重大な問題について、うまくいくかどうかわからないが、思い切って決断を下すときの気持ちの形容。「―な思いで愛を告白する」

ぎょ・みん【漁民】 漁業で生活する人々。類語漁師。

きょ・む【虚無】 ❶価値があると認められるものが何もないこと。また、その状態。❷何もなく、むなしいこと。空虚。「―感」❸〔哲〕老子の説で、万物の本体と考える、形がなく人間の感覚にふれえないもの。 **―しゅぎ【―主義】**(nihilism)〔哲〕実在・真理などを否定し、あらゆる価値・権威・規範を認めない立場。ニヒリズム。

きよめ【清め・▽浄め】 清めること。けがれを取り去ること。「お―をする」

きょ・めい【虚名】 実力をともなわない、高い評判。むなしい名誉。「―を馳(は)せる」類語虚聞(きょぶん)。空名。

ぎょ・めい【御名】 天皇の名前。 **―ぎょじ【―御璽】** 天皇の署名と証印。

きよ・める【清める・▽浄める】《他下一》けがれやよごれを除いてきれいにする。清らかにする。「からだを―・める」対けがす。文きよ・む《下二》。

きょ・もう【虚妄】〔文〕事実でないこと。うそいつわり。「―の説」類語虚偽。虚誕。

ぎょ・もう【漁網・魚網】 魚をとるのに使う網。

ぎょ・もつ【御物】→ぎょぶつ(御物)。

きよもと【清元】「清元節」の略。江戸浄瑠璃(えどじょうるり)の一種。清元延寿太夫がはじめたもので、浄瑠璃の中で最も派手で粋(いき)なもの。

ぎょ・ゆ【魚油】 イワシ・ニシン・タラなどの魚からとったあぶら。せっけんの材料・灯火用油などとして使う。

ぎょ・ゆう【御遊】〔文〕❶「遊び」の尊敬語。❷高貴な人が催す遊び。特に、宮中で行われる管弦の遊び。

*__きょ・よう【挙用】__《名・他サ》人をそれまでより重い地位につけて使うこと。登用。「部長を役員に―する」類語抜擢(ばってき)。起用。

*__きょ・よう【許容】__《名・他サ》〔原則からはずれたことを〕おおめにみて許すこと。この程度ならよしとして、許しうけいれること。「―範囲」類語容認。黙認。

きょ・らい【去来】《名・自サ》行ったり来たりすること。ゆきき。また、〔ある気持ちが〕浮かんだり消えたりすること。「胸中に―する思い」

ぎょ・らい【魚雷】「魚形水雷」の略。自動装置によって水中を進み、目的物に命中すると破裂する爆弾。

きよ・らか【清らか】《形動》❶けがれや濁りなどがないようす。清浄。きよら。「―な水」❷世の中のみにくい風潮にけがされていないようす。「―な心」「―な少女」

ぎょ・らん【魚×籃】〔釣った〕魚を入れるかご。びく。

*__きょ・り【巨利】__〔文〕非常に大きな利益。大きなもうけ。巨益。「―を博する」「―をむさぼる」対小利。

*__きょ・り【距離】__ 二点を結ぶ(直線の)長さ。へだたり。参考心理的な場合にも使う。「理想と現実との―」

きょ・りゅう【居留】《名・自サ》❶ある場所に一時的に住むこと。類語寄留。❷居留地に住むこと。 **―ち【―地】** 条約に基づいて、外国人が居住したり営業したりすることを特別に認めた地域。類語租界(そかい)。

ぎょ・りょう【漁猟】 漁業と狩猟(しゅりょう)。また、漁業。

ぎょ・りん【魚×鱗】 ❶〔文〕魚のうろこ。❷陣形で、中央部を敵の方につき出し、うろこ形に陣を並べた形。

ぎょ・るい【魚類】 脊椎(せきつい)動物の一つ。体表にうろこを持ち、水中にすみ、えらで呼吸する。魚族。

*__きょ・れい【挙例】__ 例をあげること。

*__きょ・れい【虚礼】__ 形式だけはととのっていて誠実さのない礼儀。うわべだけの礼儀。「年末年始の―廃止」

*__ぎょ・ろう【漁労・漁×撈】__ 水産動植物をとる仕事。漁獲作業。「―長」表記「漁労」は代用字。

*__ぎょ・ろう【魚×蠟】__ 魚やクジラなどの油から取った白色固形のろう。ろうそく・化粧品などに用いる。

きょろ・きょろ《副・自サ》《副詞は「―と」の形も》目を

あちこち動かして落ちつかない態度でみまわすようす。「授業中は—するな」類語きょときょと。

ぎょろ-ぎょろ《副・自サ》《副詞は「—と」の形も》大きな目玉で見まわすようす。大きな目玉を光らすようす。

ぎょろ-め【ぎょろ目】大きな目。大きく見開いた目。また、その目つき。「—の男」

ぎょろり《副》《多く「—と」の形で》大きな目玉を動かしてにらむようす。

き-よわ【気弱】《名・形動》気が弱い・こと(性質)。

き-ら【×綺羅】❶あや絹と、うす絹。❷ぜいたくな美しい衣服。❸華やかで美しいこと。 **—ぼし【—星・×煌星】**❶暗夜にきらきら輝く星。❷〈「—の如(ごと)く」の形で〉美しい人または身分や地位の高い人がずらりと並ぶたとえ。参考❷は、もと「きらほしの如く」の意。

キラー ❶九人制バレーボールで、中衛の両サイド。❷運動競技、特に、野球で、特定チームに対して強い人。「ジャイアンツ—」❸魅力によって人をなやます人。悩殺する人。「マダム—」参考❷❸は、ふつう、他の語の下につけて使う。▽killer(=殺人者)

***きらい【嫌い】**❶《名・形動》きらうこと。「—な食物」類語人見知り。嫌悪。嫌忌。対好き。❷〈ふつう「…の—がある」「…する—がある」の形で〉(よくない)傾向。気味。「文弱の—がある」❸〈ふつう「…の—なく」の形で〉区別。差別。「先輩後輩の—なく」

***き-らい【機雷】**「機械水雷」の略。爆薬をいれて水中に設置し、艦船がふれると爆発するしかけの水雷。

***き-らい【帰来】**《名・自サ》〔文〕かえってくること。

ぎらい【嫌い】《接尾》「…をきらう・こと(人)」の意。

きら・う【嫌う】《他五》❶好まない。きらいだと思う。「蛇蝎(だかつ)の如(ごと)く—う」対好く。参考無生物などにも使う。「湿気を—う金属」❷いやがって避ける。忌む。「友引の日の葬式は—われる」❸〈「—・わず」の形で〉物事を差別しない。「相手—・わず議論をする」文《四》。⇨〔類語と表現〕

類語と表現

「嫌う」

*勉強を嫌う・生野菜を嫌う・計器類は湿気を嫌う・人に嫌われる・家業を嫌って故郷を捨てる。

◆嫌がる・憎む・厭(いと)う・忌む・忌み嫌う・煙たがる・鼻に付く・歯が浮く・虫酸(むしず)が走る／(する)嫌悪・嫌忌・忌避・倦厭(けんえん)・唾棄(だき)・食傷・人見知り／嫌い・毛嫌い・男嫌い・食わず嫌い・嫌気(いやけ)・いや気・厭世

◇〔嫌われる〕顰蹙(ひんしゅく)を買う

きら-きら《副・自サ》《副詞は「—と」の形も》何度も続けて、光り輝くようす。きらめくようす。「星が—光る」類語ぴかぴか。

ぎら-ぎら《副・自サ》《副詞は「—と」の形も》目を強烈に刺激するように一面に光り輝くようす。「太陽が—と照りつける」

***き-らく【帰×洛】**《名・自サ》〔文〕都(特に京都)に帰ってくること。「先月二日に—」

***き-らく【気楽】**《形動》気を使わないようす。また、物事を深刻に考えないようす。類語のんき。⇨〔類義語の使い分け「呑気」〕

きら・す【切らす】《他五》❶切れた状態にする。「息を—・す」「しびれを—・す」❷たくわえをなくす。途切れさせる。絶やす。「塩を—・す」文《四》。

きら-ず【▽雪▽花▽菜】〔切らずに料理に使える意から〕豆腐のしぼりかす。おから。うのはな。豆腐がら。

ぎら-つ・く《自五》ぎらぎら光る。「水面に油が—・く」

きらび-やか【×煌びやか】《形動》輝くほどはでで美しいようす。「—な場所」「—な衣装」類語絢爛(けんらん)。

きら-め・く【×煌めく】《自五》光り輝く。きらきらと輝く。「—・く星座」「—・くリズム」

きらら【▽雲▽母】→うんも(雲母)。参考きらきら光ることから。

きらり《副》《多く「—と」の形で》瞬間的にするどく光るようす。「感性が—と光る」類語ぴかっと。

ぎらり《副》《多く「—と」の形で》どぎつく光るようす。重々しく光るようす。「白刃(はくじん)が—と光る」

き-らん【貴覧】〔文〕相手が見ることの尊敬語。御覧。高覧。「—に供する」

***きり【切り】**❶切れ目のところ。くぎり。「—のいいところでやめる」❷〈「—がない」「—のない」の形で〉限りがない。際限がない。「不満を言えば—がない」表記❷は「限り」とも書く。❸能・歌舞伎(かぶき)の終わりの部分。「四幕の—」❹「切能」の略。❺「切狂言」の略。❻寄席(よせ)などで、その日の最後の演目。また、それを演じる人。類語とり。❼清算取引で、受け渡しの期限。表記❼は、ふつう「限」と書く。

***き-り【奇利】**〔文〕思いがけないもうけ。「—を博する」

***きり【×桐】**ゴマノハグサ科の落葉高木。葉は広卵形で大きく、粘毛(ねんもう)が多い。材は軽く、防湿性が強い。たんす・琴・げたなどを作る。

***きり【×錐】**材木などに小さな穴をあける道具。先の鋭くとがった細い鉄棒に、木の柄をつけたもの。 **—の嚢中(のうちゅう)に処(お)るが如(ごと)し**《句》すぐれた人物は必ずその才能が人に知られるものであること。〈史記・平原君伝〉

***きり【霧】**❶大気中の水蒸気が集まって細かい水滴になり、煙のように空中に浮かんだもの。類語霞(かすみ)。靄(もや)。煙霞(えんか)。スモッグ。ガス。参考→霞 ❷細かい水滴を空中にとびちらしたもの。「—をふく」

***きり**《副助》《名詞「切り」(=際限)の転》〔口頭語的な言い方で、多く「っきり」となる。「ぎり」となることもある〕❶ある範囲の中からそれだけに限定する意。…だけ。「今回っきりでおしまいにしましょう」「二人っきり」参考「きりしか…ない」の形で使うことも多い。「きりしかいない」❷〈「…きり…ない」の形で〉それを最後として、…することが全くないの意。…以来…しない。「あれっきり母には会っていない」参考「…たきり…ない」の形で、接続助詞的にも使う。「入ったきり出て来ない」

***キリ** 「十字架」の意から「十」の意となり、さらに転じて最終(のもの)。また、最低(のもの)。参考→ピンからキリまで。▽ポルトガル cruz(=十字架)の転か。

***ぎ-り【義理】**❶物事の正しい道理・筋道。「—をわきまえる」❷今までの行きがかりや関係のため、さけられないつきあい・礼儀。「—と人情の板ばさみ」「—が悪い」「—を欠く(=世間的なつきあいを怠る)」「—を立てる(=立場上や行きがかり上でしなければならないことを果たす)」参考「…した—ではない」の形で、「今までの関係からも…する立場ではない」意にも。「今更こんな事が相談出来た—でもない」❸血のつながりはないが、血族と同じような関係があること。「—の兄」 **—あい【—合(い)】**つきあい上の情誼(じょうぎ)。義理❷。「言いなりになる—はない」 **—がた・い【—堅い】**《形》義理❷を堅く

守っておろそかにしない。律義である。「―・い人」―だて【―立て】《名・自サ》他人との交際や恩返しのために義理②を重んじること。「―に無理算段する」―にも《連語》❶どんなによく言っても。おせじにも。「―美人とはいえない」❷行きがかり上の面目からでも。かりにも。「―受け取れない金」

*ぎり《副助》→きり(副助)。

きり・あ・う【切り合う・×斬り合う】〈―あふ〉《自五》互いに刃物を使って戦う。切りむすぶ。刀を交える。

きり・あ・げる【切り上げる】《他下一》❶していたことをやめて、一段落をつける。「仕事を―・げる」❷下から上へと切る。表記②は「斬り上げる」とも書く。対切り下ろす。❸計算上、端数をその上の位の一にして加える。対切り捨てる。❹平価の対外価値を引きあげる。対②④切り下げる。

きり・いし【切(り)石】❶いろいろな形に切った石。❷割れて角ばった石。❸石だたみ。

きり・うり【切(り)売り】《名・他サ》❶商品を注文に応じて、少しずつ切って売ること。❷それまでに修得したものを小出しにして著述や講義をすること。また、それによって収入をえること。「知識の―」

きり・え【切(り)絵】紙から図形を切り抜き、それをはり合わせてつくった絵。

きり・おと・す【切り落とす】《他五》❶(ある物の一部分を)切って離す。「枝を―・す」類語切断(する)。❷堤防の一部をくずして水を流す。

きり・おろ・す【切り下ろす】《他五》上から下へ向かって切る。きりさげる。対切り上げる。

きり・かえし【切(り)返し】〈―かへし〉❶剣道で、相手の面を左右交互に打つ練習法。❷相撲で、決まり手の一つ。相手のひざの外側に自分のひざをあてて、相手のからだをそらすようにしてひねり倒すわざ。

きり・かえ・す【切り返す】〈―かへす〉《他五》❶相手が切りつけてきた直後に、こちらから切りこんでゆく。また、論争などで、攻勢に転ずる。やりかえす。「相手の発言を―・す」類語まき返す。表記「斬り返す」とも書く。❷相撲で、切り返し②を行う。

きり・か・える【切り替える・切り換える】〈―かへる〉《他下一》(それまでの方法・考え方・規則などを)新しいものにする。また、別のものに改める。「頭を―・える」

きり・かか・る【切り掛かる・×斬り掛かる】㊀《他五》切り始める。また、切る動作を途中までする。「紙を―・ったところで時間がきた」㊁《自五》刃物をふり上げ、切ろうとする。切りつける。「不意に―・ってきた」

きり・かけ【切(り)掛け・切(り)懸け】❶切り掛けること。また、切り掛けたもの。「―の板」❷目隠しの板塀の一つ。幅の狭い板を幾枚も一定の傾斜を保って横にうちつけ、風を通しやすいようにしたもの。

切り掛け②

きり・か・ける【切り掛ける・×斬り掛ける】㊀《他下一》❶切り始める。また、切る動作を途中までする。「野菜を―・ける」❷物を切って、他の物にかけておく。特に、首を切って獄門にかける。㊁《自下一》刃物をふり上げ、切ろうとする。

きり・かね【切(り)金・×截(り)金】金箔(きんぱく)や銀箔を細かく切り、絵画・彫刻にはり付けて輪かく線や模様にする技法。きりがね。

きり・かぶ【切(り)株】草木を根に近いところから切りとって、地上に残った部分。くいぜ。切りくい。

きり・かみ【切(り)髪】❶切りとった髪の毛。❷女の髪型の一つ。髪をひもでたばね、首またはそれより上のあたりで先を短く切りそろえた形。切り下げ髪。

きり・がみ【切(り)紙】紙をさまざまな形に切り抜く遊び。また、それに使う紙。類語折り紙。千代紙。

きり・きざ・む【切り刻む】《他五》❶切ってこまかくする。「牛肉を―・む」❷(断続的に)苦しみを与える。「恋の苦しみが身を―・む」類語切りさいなむ。

きり・ぎし【切(り)岸】まっすぐに切り立った(けわしい)がけ。断崖(だんがい)。絶壁。

きり・きず【切(り)傷・切(り)×疵】刃物や、とがった物で切った傷。創傷。類語突き傷。打ち傷。

きり・きょうげん【切(り)狂言】歌舞伎(かぶき)で、その日(また、午前の部、午後の部)の興行で、演目の最後の出しもの。切り幕。きり。大切り。大喜利(おおぎり)。

きり・きり《副》(「―と」の形も)❶車などがきしって回るようす。激しく回転するようす。「―と回って倒れる」❷弓を強くひきしぼるようす。ひもや綱を強くしめて巻きつけるようす。また、強く張るようす。「糸を―まく」❸激しくさし込んでいたむようす。「おなかが―痛む」―まい【―舞(い)】〈―ひ〉《名・自サ》❶片足で強くからだを何度も回すこと。❷忙しく仕事に追われること。「人手不足で―している」参考→てんてこ舞い。

ぎり・ぎり ㊀《名・形動》必要な量や時間に余裕のないこと。限度いっぱい。極限。「発車時間―に間に合った」㊁《副》(「―と」の形も)❶歯をくいしばるようす。❷大きな物のきしる音の形容。❸きつく巻いてしばるようす。

きりぎりす【×螽×蟖】❶コオロギの古名。❷キリギリス科の昆虫。イナゴに似るが、体がやわらかく、長い触角がある。「チョンギース」となく。ぎっちょ。ぎす。

きり・くず【切(り)×屑】〈―くづ〉物を切ったときの不用の部分。「野菜の―」

きり・くず・す【切り崩す】〈―くづす〉《他五》❶高い所や出っぱった所をけずってくずす。❷(敵陣などに)切り込んで備えの一部をつぶす。また、団結した反対勢力を乱れさせる。分裂させる。「第二組合を―・す」

きり・くち【切(り)口】❶物を切ってできた面。断面。切断面。切れ口。「材木の―」❷切り傷の口。❸切り方。切った腕前。また、説得や説明のやり方。「―の鮮やかな評論」

きり・くび【切(り)首・×斬(り)首】首を切ること。また、切り取った首。

きり・く・む【切り組む】《他五》材木を切って組み合わせるようにする。

きり・こ【切(り)子・切(り)×籠】立方体や直方体などのかどをそぎ落とした形。また、その形になるような細工をほどこしたもの。―ガラス カットグラス。

きり・こうじょう【切(り)口上】形式張った堅苦しい、ものの言い方。「―のあいさつ」

きり・ごたつ【切(り)×炬×燵】(置きごたつに対して)床板を切って炉をつくったこたつ。掘りごたつ。

きり・こみ【切(り)込み】❶刀を抜いて攻めこむこと。また、するどく相手の弱点をついて攻撃すること。「関東方面に販売拡大の―をかける」表記「斬(り)込み」とも書く。❷刃物で切って切れ目を入れること。また、その切れ目。特に、洋裁で、布に切りこんだ切り目。❸

刻んだ魚肉の塩づけ。

きり・こ・む【切り込む・×斬り込む】 一《自五》❶刀を抜いて敵(の中)に攻めこむ。切り入る。また、するどく相手の弱点をついて攻撃する。「あいまいな論点にー・む」❷深く刃物を中まで入れて切る。二《他五》切って中に入れる。「おかゆにサツマイモをー・む」

きり・さいな・む【切り×苛む・×斬り×苛む】《他五》ずたずたに、なぶり切りにする。容赦なく痛めつけて切る。参考 抽象的なものにも使う。「人の心をー・む」

きり・さ・く【切り裂く】《他五》切って破り開く。切って(二つに)離す。「闇(やみ)をー・く悲鳴」

きり・さ・げる【切り下げる】《他下一》❶上から下へと切る。切りおろす。表記「斬り下げる」とも書く。❷切ってたれさがるようにする。「前髪をー・げる」❸平価の対外価値などを引きさげる。「為替レートをー・げる」対①③切り上げる。

きり・さめ【霧雨】 霧のようにつぶのこまかい雨。ぬかあめ。霧雨(きりあめ)。「ーが降る」類語 小雨(こさめ)。細雨。

キリシタン ❶室町時代(一五四九年)に日本に伝わったときのカトリック教。天主教。ヤソ教。また、その教会・信徒。❷キリシタン①の僧侶(そうりょ)が布教の方便に用いた、理化学を応用した技術。転じて、魔術。表記 初め「吉利支丹」、のちに「切支丹」と当てた。▽(ポルトガル) Christão **ーバテレン** ❶キリシタンの神父をさす尊敬語。❷邪宗。▽(ポルトガル) Christão padre

きり・じに【切(り)死に・×斬(り)死に】《名・自サ》人と切り合って死ぬこと。類語 討ち死に。

きりすて・ごめん【切(り)捨て御免】 ❶江戸時代の武士階級に認められていた特権。無礼なふるまいをした町人・百姓などを切り捨てても罰せられなかったこと。❷特権を利用して、無理を通すこと。「ーの検定」表記「斬(り)捨て御免」とも書く。

きり・す・てる【切り捨てる】《他下一》❶切って捨てる。また、そのものから除外して捨てる。「弱者をー・てる」❷計算で、ある桁(けた)以下の端数を捨てる。「小数点以下はー・てる」対 切り上げる。❸〔武士が〕人を刀で切り殺して、(とどめをさずに)そのまま捨てておく。表記 ③は「斬り捨てる」とも書く。

キリスト キリスト教の開祖。キリスト教で、人類の罪をつぐなうために神がこの世につかわした救世主といわれる。イエス＝キリスト。クリスト。表記「基督」と当てた。▽(ポルトガル) Christo **ーきょう【ー教】** イエス＝キリストの始めた宗教。絶対唯一の神をいただく一神教。仏教・イスラム教とともに世界三大宗教の一つ。参考 古風な言い方では「ヤソ教」「天主教」。

きり・ずみ【切(り)炭】 ほどよい長さに切った木炭。

きり・だし【切(り)出し】 ❶(木・石などを)切って運び出すこと。また、その運び出したもの。❷刃が斜めについて、先が鋭くとがっている小刀。細工物などに使う。❸話し始めること。「話のーが難しい」

きり・だ・す【切り出す】《他五》❶(木・石などを)切って運び出す。❷(大事な話・相談・用件などを)思い切って話し始める。話題として持ち出す。

きり・た・つ【切り立つ】《自五》(岩・山などが)刃物で切ったように鋭くそびえ立つ。「ー・った岩場」

きり・たんぽ【切りたんぽ】 秋田地方特産の食べ物。新米をたき上げて、半ばつぶし、スギの棒や竹ぐしにぬりつけて焼いたもの。また、これを鶏肉・ネギ・ゴボウなどとともにしょう油で煮る料理をもいう。

***き・りつ【規律・紀律】** ❶(集団生活・社会生活における)行為・態度などのよりどころとして決められたもの。「学校のー」❷(日常生活の)秩序。「ー正しい生活」

***き・りつ【起立】**《名・自サ》立ち上がって正しい姿勢をとること。「ーして国歌をうたう」「ー、礼」対 着席。

きり・つぎ【切(り)継ぎ・切(り)接ぎ】《名・他サ》❶切り取って、つぎ合わせること。「うすい紙をーする」❷つぎ木で、台木を縦に少し割り、つぎ穂を差し込んでしばる。表記 ②は「切り接ぎ」と書く。

きり・つ・ける【切り付ける・×斬り付ける】 一《自下一》刃物をもっておそいかかる。相手のからだに刃物で傷をつける。「暗やみの中でー・けられた」二《他下一》刃物で切ってめじるしをつける。

きりっ・と《副・自サ》ひきしまって、きちんとしているようす。きりりと。「鉢巻をー結ぶ」

きり・づま【切(り)妻】 ❶切り妻屋根の両端の壁の部分。❷「切り妻造り」の略。**ーづくり【ー造(り)】** 切り妻屋根にした、家屋のつくり。両下(りょうさげ)造り。切り妻。参考 神社の本殿などに用いる。**ーやね【ー屋根】** 屋根の形式の一つ。棟を境にして斜面を両側にふきおろして、棟の長さを軒と同じにしたもの。

きり・つ・める【切り詰める】《他下一》不必要な部分を切りすてて、短くしたり、小さくしたり、少なくしたりする。「生活をー・める」

きり・ど【切(り)戸】 ❶(門のとびら・戸などにつけてある)小さな出入り口の戸。くぐり戸。❷能舞台の奥の方、向かって右側面の羽目板についている、楽屋へ通ずるくぐり戸。臆病口(おくびょうぐち)。切り戸口。

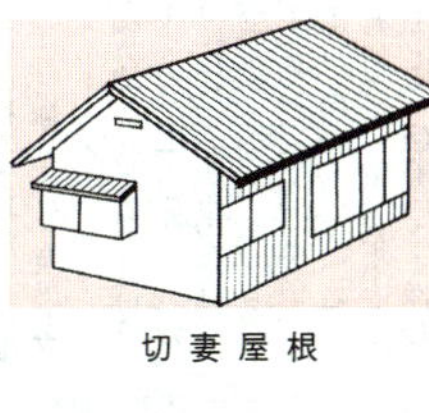

切妻屋根

きり・どおし【切(り)通し】(ーどほし) 山・丘などを切りひらいてつくった道路・水路。「鎌倉のー」

きり・と・る【切り取る】《他五》❶切って取る。また、全体からその一部を切って取り除く。「胃を三分の二ー・る」❷武力(特に刀)で一部分をうばいとる。

きり・ぬき【切(り)抜き】 ❶切り抜くこと。また、切り抜いたもの。「新聞のー」❷「切り抜き絵」の略。紙などに物の形・模様などを書き、それを切り抜いて取るようにした絵。

きり・ぬ・ける【切り抜ける】《他下一》❶(敵のかこみなどを)刀をふるって破り、のがれでる。❷(危険な状態から)力をつくして抜けでる。「難局をー・ける」

きり・のう【切能・▽尾能】 能楽で、その日の番組の最後に演じる能。五番目物。きり。

きり・は【切羽・切端】 鉱石・石炭などを掘る、坑内の現場。切り場。

きり・はく【切(り)×箔】 細かく切った金銀の箔。びょうぶなどにまきちらす。

きり・はた【切(り)畑】 ❶山腹などを切り開いてつくった畑。❷土地を耕作地と放牧地に分けて交互に使うこと。切り替え畑。

きり・ばな【切(り)花】 枝・茎をつけて切り取った花。

***きり・はな・す【切り放す】**《他五》(つないでいたものを)切って放してやる。「犬をつないだ綱をー・す」

*きり・はな・す【切り離す】《他五》切って離れさせる。切って別にする。「二つの問題を—・して考える」

きり・はなれ【切(り)離れ】❶切れて別々になること。❷思い切ること。あきらめ。「—よく向きを変える」❸かねばなれ。同①~③切れ離れ。

きり・はら・う【切り払う】(—はらふ)《他五》❶〔じゃまな草木などを〕切って取り除く。「雑草を—・う」類語なぎ払う。❷〔敵を〕切って追い払う。「敵を—・う」

きり・ばり【切(り)張り・切(り)×貼り】《名・他サ》❶障子などの破れた部分だけを切りとって張り替えること。❷紙を切って他の物に張りつけること。❸他から集めて全体を構成すること。「—のレポート」

きり・び【切(り)火・×鑽火】❶棒を板にすり合わせておこした火。また、火打ち石でおこした火。❷〔旅立ちや芸人がつとめに出るときなどに〕清めのために火打ち石で身に打ちかける火。「—を打つ」

きり・ひとは【×桐一葉】キリの葉が一枚落ちるのをみて秋の訪れを知ること。衰亡の兆しにたとえる。参考「一葉(いちよう)落ちて天下の秋を知る」とも。

きり・ひら・く【切り開く】《他五》❶〔田畑・道路・宅地などを造るために〕山を崩したり、木を切ったりする。「山の斜面を—・く」❷敵の囲みを破って脱出口を作る。❸〔努力して〕いい状態を作り出す。「運命を—・く」「新分野を—・く」

きり・ふき【霧吹(き)】液体を霧のようにして吹きかけること。また、その道具。類語噴霧器。スプレー。

きり・ふ・せる【切り伏せる・×斬り伏せる】《他下一》刀で切って倒す。「敵を—・せる」類語切り倒す。

きり・ふだ【切(り)札】❶トランプで、他の種類の札よりも強い力をもつ札。❷とっておきの有力な手段。「我がチームの—」類語伝家の宝刀。奥の手。

きり・ぼし【切(り)干(し)】〔ダイコン・サツマイモなどを〕薄く細く切って日に干した食品。

きり・まく・る【切り×捲る・×斬り×捲る】《他五》❶相手の中にせめこんで、激しく休みなく切る。❷激しく論じて、相手をへこます。「新人の作品を—・る」

きり・まど【切(り)窓】〔あかりとりのために〕羽目板(はめいた)・壁などを切り抜いてつくった窓。類語天窓。

きり・まわ・す【切り回す】(—まはす)《他五》中心になって処理する。「母が店を一人で—・す」

きり・み【切(り)身】いくつかに切った魚の肉。

きり・みず【切(り)水】(—みづ)❶草花を切って、その切り口をすぐ水につけること。類語水切り。❷玄関や庭などに水をまくこと。打ち水。

きり・むす・ぶ【切り結ぶ・×斬り結ぶ】《自五》刀をまじえて激しく切り合う。「敵の大将と—・ぶ」参考ひゆ的に「激しく争う」意にもいう。「死と—・ぶ」

きり・め【切(り)目】❶〔刃物で〕切ってつけたあと。「イカの身に—を入れる」類語切り口。❷物事のくぎり。

きり・もち【切(り)×餅】❶のし餅を一口大の四角に切ったもの。❷江戸時代、一分銀一〇〇枚(=二五両)を四角く紙に包んで封じたもの。参考切り餅①に形が似ることから。

きり・もど・す【切り戻す】《他五》剪定(せんてい)で、古枝を切り取って、それが生える前の状態に戻す。果実の実りをよくするためなどに行う。

きり・もみ【×錐×揉み】❶《名・自サ》〔穴をあけるため〕きりを手のひらの間にはさんで強く回すこと。❷飛行機が失速し、機首を下にして、うずまきをえがいて落下すること。スピン。

きり・もり【切(り)盛(り)】《名・他サ》❶食物を切ったり食器に盛ったりして、ほどよく分けること。❷物事をうまくさばき、処理すること。「家計を—する」

*き・りゃく【奇略】奇抜な計略。類語奇計。

*き・りゃく【機略】その場合に応じた適切なはかりごと。「—に富んだ男」類語機知。

*き・りゅう【寄留】《名・自サ》一時、他の土地または他人の家に身をよせて住むこと。「友人宅に—する」

*き・りゅう【気流】大気中におこる空気の流れ。

き・りゅうさん【希硫酸・×稀硫酸】蒸留水でうすめた低濃度の硫酸。対濃硫酸。

き・りょ【×羈旅・×覊旅】〔文〕たび。

き・りょう【器量】❶〔ある地位・役目にふさわしい〕(すぐれた)才能や人徳。「大臣の—のある男」類語才幹。才量。❷〔女性の美しい〕顔だち。容貌(ようぼう)。みめ。「—のよい娘さん」「—好み」類語容姿。 —じん【—人】才徳のすぐれた人。 —まけ【—負け】《名・自サ》❶相手の才能や人徳に負けること。「どこへ出しても—しない」❷才能または顔だちがすぐれていて、かえって失敗や不幸をまねくこと。

*ぎ・りょう【技量・×伎×倆・技×倆】ある物事を処理する能力・力。手腕。「泳ぎの—」表記「技量」は代用字。類語腕前。力量。技術。

*ぎ・りょう【議了】《名・他サ》〔文〕〔ある事柄についての〕審議・議事を終えること。

き・りょく【気力】ある物事をなしとげようとする精神力。「—のない人」類語精力。意気。元気。根気。

きりり《副》《多く「—と」の形で》❶ひきしまっていて、ゆるみのないようす。「—とした顔」❷〔弓などを〕強くひきしぼるようす。

きり・わり【切(り)割(り)】❶〔道をつけるために〕山や丘の一部を切りくずした所。「—の崖(がけ)」❷切って二つにすること。

*き・りん【×騏×驎】❶一日に千里を走るという、すぐれた馬。❷すぐれた人物。参考→きりん(麒麟)②。 —も老いては駑馬(どば)に劣る《句》すぐれた人物でも年をとると、その働きがふつうの人に及ばなくなることのたとえ。参考「騏驎の衰ふるや駑馬これに先だつ」〈戦国策〉より。

*き・りん【×麒×麟】❶キリン科の哺乳(ほにゅう)動物。熱帯アフリカにすむ。背の高い獣で、高さ六メートルにもなる。前足と首が長い。全身に黒または褐色のまだらがある。草食性。ジラフ。❷中国で聖人が生まれる前兆として現れる、想像上の動物。形はシカ、尾はウシ、ひづめはウマに似る。一角獣。表記「騏驎」とも書く。❸すぐれた人物。 —じ【—児】才能が特にすぐれた若者。鳳雛(ほうすう)。 —そう【—草】ベンケイソウ科の多年草。山地にむらがって生える。夏、茎の先端に黄色の小さな五弁花を多数つける。観賞用。

*き・る【切る】■《他五》❶刃物などで物を断ち分ける。「大根を—・る」❷傷をつける。「ガラスで足を—・った」❸結びついているもの、一続きになっているものを分け離す。また、関係をなくす。「縁を—・る」「手を—・る(=関係をたつ)」「炉を—・る(=炉を作りつける)」❹破ってそこなう。こわす。「せきを—・る」❺〔つづいている〕行為をやめる。とだえさす。打ち切る。「電話を—・る」❻勢いよく進む。「シャッターを—・る」「息を—・る」「風を—・って歩く」「ぬき手を—・る」❼振ったり、した

たらせたりして、水分をなくす。「野菜を洗って水を―・る」❽時刻や期限を定める。「日限を―・る」❾かるた・トランプなどで、札を、そろえてまぜる。「トランプの札をよく―・る」❿トランプで、切り札を出す。「ジャックを―・る」⓫囲碁で、相手のおいた石のつながりをたつ。⓬〔あるきまった〕しぐさをする。「十字を―・る」「みえを―・る」⓭方向を変えるようにする。「右にハンドルを―・る」⓮〔ある行動・動作を〕起こす。「スタートを―・る」「口を―・る（=発言する）」⓯〔ある量・値などを〕下回るようにする。不足させる。「原価を―・って売る」⓰卓球で、カットする。文《四》。⇩【使い分け】
㊁《接尾》❶「（すっかり）…し終える」「…しとおす」意。「坂道をのぼり―・る」「長編小説を読み―・る」❷「完全に…する」「十分に…する」また、「ひどく…する」意。「わかり―・ったこと」「甘え―・った態度」❸「はっきり…する」意。「必ず実現すると言い―・った」文《四》。
―っても切れな・い《句》関係や縁が非常に深くてたやすく断ち切れないことの形容。「―・い仲」

使い分け「きる」
切る（×斬・×截・×剪・▽伐・×馘）腹を切る・手を切る・日限を切る・水を切る・札びらを切る・スタートを切る・言い切る・思い切る・人を切（斬）る・服地を切（截）る・植木を切（剪）りそろえる・木を切（伐）る・責任を取らせて首を切（馘）る
参考「切」は物を刀でたちきる意で、一般に広く使う。「きる」は、古来、さまざまに細分化して表記された。「斬」は斤・で人をたちきる、きりころす意、「截」は戈・できりはなす、紙や布をたつ意、「剪」は刀で切りそろえる意、「伐」は戈で打ちきる、立ち木や材木をきる意、「馘」は敵を殺したしるしに左耳をきりとったことから首をきるの意があり、それぞれにあてはめて使ったが、現代では、おおむね「切」で統一的に書き表すことができる。「人をきる」は、剣豪小説などでは「斬る」が好まれる。

*き・る【×鑽る】《他四》〔古〕木と木をこすりあわせたり、金属と石をはげしく打ちあわせたりして火を取る。
*きる【着る】《他上一》❶衣服を身につける。「錦を着て故郷に帰る」類語着ける。纏う。羽織る。着する。(す)る着用。尊敬召す。召される。❷はかまなどをはく。かぶりものをかぶる。〔古風な言い方。また、関西の方言でいう〕「はかまを着て歩く」「威光を笠に着る」対①②脱ぐ。❸身に引き受ける。「罪を着る」「恩に着る（=受けた恩をありがたく感じる）」文《上一》。

キルク ↓コルク。▽オランダ kurk
キルティング ❶布地に毛・綿などのしんを入れ、さしぬいして、模様を浮き出させたり、ふくらませたりすること。また、その製品。❷「キルティングコート」の略。キルティング①を用いた防寒服。▽quilting
キルト スコットランドの民族衣装で、格子縞で片ひだの巻きスカート。おもに男性がつける。▽kilt
ギルド 中世ヨーロッパの都市で作られた、商人と職人の自治団体。同業の発達を目的とした。▽guild
きれ【切れ】 ㊀《名》❶㋐切れぐあい。切れあじ。「刃が欠けて―が悪い」㋑〔水分を切ったときの〕水分のとれぐあい。❷〔良いか悪いかという観点でとらえた〕技術・腕前などの調子。切れあじ。「―のよいカーブが決まる」❸物の切れはし。「木の―」❹織物を切ったもの。また、織物。布。きれじ。表記④は「布」「裂」とも書く。❺〔有名な〕古人の筆跡の断片。参考接尾語的に使うときは「ぎれ」と濁る。「古筆―」「高野―」㊁《助数》切ったものを数える語。「一―の切り身」
ぎれ【切れ】《接尾》〔きめられた量・時間などを〕使い終わっている意。「時間―で終わる」「会費―」
きれ・あが・る【切れ上がる】《自五》上の方まで切れている。上へ向かって切れている。参考↓小股。
きれ・あじ【切れ味】 ❶刃物の切れぐあい。きれ。「―のよいナイフ」❷〔良いか悪いかという観点でとらえた〕技術・腕前などの調子。きれ。「―のよい投球」
き・れい【奇麗・×綺麗】《形動》❶色や形やその配合の感じがこころよい。美しい。美麗だ。「―な色合い」「―な若い女性」「澄んで―な声」❷にごりやよごれがない。清潔だ。「―な水」参考抽象的な意味にも用いる。「二人の間は―な関係だった」❸よこしまなところがなく、純粋なようす。「心の―な人」❹きちんとととのっているようす。「リンゴは―に二つに割れた」「すくい投げが―にきまった」❺あとに余計なものが残らぬように結末をつけるようす。残りのないようす。「借金は―に返した」「―にみんな食べてしまった」―ごと【―事】❶〔深みはないが〕要領よく一応体裁はととのっている物事。「歌い方が―で面白くない」❷表面的な美しさだけを表現すること。「―を言う」―さっぱり《副・自サ》あとくされのないようす。心残りなく解決するようす。「―忘れてしまった」―どころ【―所】芸者。きれいどこ。
ぎ・れい【儀礼】 社会的な習慣として定まっている礼儀。「宮中の―」―てき【―的】《形動》〔真心がこもらず〕外形だけ形式や礼儀がととのっているようす。
きれ・ぎれ【切れ切れ】《名・形動》いくつにも小さくなって離れていること。断続的につづくこと。
きれ・くち【切れ口】 切り口①。
きれ・こみ【切れ込み】 刃物で深く切りこんだ（ような）形。「カエデの葉は―が大きい」
きれ・こ・む【切れ込む】《自五》切り進むようにして、中に入り込む。「深く―・んだ入り江」
*きれ・じ【切れ字】** 連歌・俳諧の発句や俳句などで、一句の途中や末尾に置いて言い切る働きをする語。「や」「かな」「けり」など、助詞・助動詞の類が多い。
*きれ・じ【切（れ）地・▽布地・▽裂地】** 織物の切れはし。また、織物。布地。きれ。
きれ・じ【切（れ）×痔・▽裂（れ）×痔】 肛門の縁の浅い部分が切れたり、ただれたりする病気。裂け痔。
き・れつ【×亀裂】〔カメの甲の模様のように、表面に〕ひびができること。また、そのひび。さけめ。参考抽象的な意味にも用いる。「世代の断層と―」
ぎ・れつ【義烈】 正義、また忠義の心が強くはげしいこと。「―の士」類語義勇。
きれ・っ・と【切▽処・切戸】 尾根が深くV字形に切れこんだ所。尾根の悪場。きれと。表記 cleft から転じた語ともいわれ、「キレット」と書くことが多い。
きれ・なが【切れ長】《名・形動》目じりが細長く切れ込んでいるように見えるようす。「―の目」
きれ・はし【切れ端】 切り離された（余分な）小部分。切れっぱし。切り端。「材木の―」類語切片。断片。
きれ・はなれ【切れ離れ】 ↓きりはなれ。
きれ・め【切れ目】 ❶〔続いていた物・物事が〕切れた部分。また、その跡。「雲の―」類語切れ間。❷〔ある物事が〕ひとくぎりついて終わっている所。一段落。すっかり尽きた時。「文章の—」「金の—が縁の—」

***きれ-もの【切れ物】** 物を切る道具。よく切れる刃物。

***きれ-もの【切れ者】** ❶主君に信用されていて勢力のある人。❷〔頭の働きや勘が鋭く〕物事をてきぱき処理する才能のある人。敏腕家。「A社随一の—」

き・れる【切れる】 一《自下一》❶〔刃物などで〕物が断ち分けられる。「ザイルが—・れて転落した」❷傷がつく。さけめがつく。「ススキの葉で手が—・れた」❸結びついているもの、一続きになっているものが分かれ離れる。また、関係がなくなる。「夫婦の縁が—・れる」❹破れそこなわれる。裂ける。「堤防が—・れる」❺㋐切れ目ができる。一時終わる。とだえる。「雲が—・れる」「スタミナが—・れる」㋑㋐の結果、よくない状態になる。怒り出す。〔新しい用法〕「中学生が—・れた」❻一時なくなる。「油の—・れた機械」❼〔ある量・価などを〕下回る。不足する。「一万円に少し—・れる」❽ある時刻や期限がくる。「七月で保険が—・れる」❾かるた・トランプなどで、札が(よく)まざっている。❿進んできた方向をかえる。「車は右へ—・れた」⓫㋐切ることができる。「竹光で人は—・れない」㋑よく切ることができる。「この刀は—・れる」㋒頭の働きがするどく、物事を処理する能力にすぐれている。敏腕である。「—・れる男」[文]き・る《下二》。二《接尾》《あとに多く否定の語を伴って不可能の意を表す》㋐「…しとおすことができる」意。「待ち—・れない」「こらえ—・れない」㋑「完全に…することができる」意。「すっかり…することができる」意。「死んでも死に—・れない」㋒「はっきり…することができる」意。「大丈夫だとは言い—・れない」[文]き・る《下二》。

***き-ろ【岐路】** ❶行く先が分かれている道。わかれ道。「—に立つ」❷未来の運命が選択によって大きく変わるような状況。「人生の—」

***き-ろ【帰路】** 〔出先からの〕帰り道。帰途。[対]往路。

***キロ** 一《接頭》メートル法の基本単位名につけて、「千倍」の意。記号k。二《助数》「キロメートル」「キログラム」や「キロリットル」「キロワット」の略。▽(フランス) kilo **—カロリー**《助数》熱量の単位。「大カロリー」とも。記号 kcal、または Cal。▽ kilocalorie **—グラム**《助数》メートル法の重さの単位。キロ。記号 kg。▽(フランス) kilogramme **—ヘルツ**《助数》周波数の単位。記号 kHz。▽ kilohertz **—メートル**《助数》メートル法の長さの単位。キロ。記号 km。▽(フランス) kilomètre **—リットル**《助数》メートル法の容積の単位。キロ。記号 kℓ。▽(フランス) kilolitre **—ワット**《助数》電力量の単位。キロ。記号 kW。▽ kilowatt **—ワット-じ【—ワット時】**《助数》(kilowatt-hour) 仕事量(電力量)の単位。記号 kWh。

ぎ-ろう【×妓楼】 〔文〕遊女を置いて客を遊ばせる家。遊女屋。女郎屋。青楼(せいろう)。

き-ろく【記録】 ❶《名・他サ》のちのために伝える必要のある事実を書きしるすこと。また、その文書。「会議の—」❷競技などの成績・結果。特に、その最高のもの。レコード。「—を更新する」**—てき【—的】**《形動》めずらしく、記録に残るほどである。記録しておく価値のあるようす。「—な豪雨」

ギロチン 首切り台。断頭台。▽(フランス) guillotine(=考案者の名から) [参考]フランス革命時代に考案された。

ぎ-ろん【議論】 《名・自他サ》ある問題について自分の意見をのべたり相手の意見を批評したりして、〔筋道をたてて〕論じあうこと。また、その内容。「白熱した—」「友と—する」[類語]討論。論議。討議。[謙譲]拙論。

***き-わ【奇話】** 〔文〕〔内容が〕めずらしく、風変わりな話。奇談。[類語]珍談。

***きわ【際】(はき)** ❶ある物から他の物に変わろうとする境目のすぐそば。物の端・ふち。「橋の—を歩く」❷ある状態になろうとするその時。「別れの—」「今わの—」[参考]①②とも形式名詞として使うことが多い。

ぎわ【際】(はぎ) 《接尾》❶《名詞や動詞の連用形について》「…のすぐそば」の意。「窓—」「そでのつけ—」❷《動詞の連用形について》「…しようとするころ」「…しはじめる時」の意。「人は引き—が肝心」「桜の散り—」

ぎ-わく【疑惑】 疑いをもち、あやしく思うこと。疑い。「—を招く」[類語]疑義。嫌疑。疑念。

き-わた【木綿】 ❶パンヤ科の落葉高木。長さ一五(センチ)前後の実をつけ、中の種子は綿毛におおわれている。綿毛はつめ物などに利用する。わたのき。きわたのき。❷綿〔繭から取った「まわた」に対して〕わた。綿花。

***き-わだ【黄×蘗】(—はだ)** ❶ミカン科の落葉高木。樹皮の内側は黄色で苦みがあり、黄蘗(おうばく)の名で、薬・染料などに用いる。材は建築・家具用。きはだ。❷「きわだ色」の略。きわだ①の樹皮でそめた黄色。きはだ色。

***き-わだ【黄▽肌】(—はだ)** 【—×鮪】サバ科の海魚。食用。ひれが黄色なのでこの名がある。きはだ。きわだ。きはだまぐろ。**—まぐろ**「きわだまぐろ」の略。きはだ。

きわ-だ・つ【際立つ】(—きは) 《自五》まわりの物とはっきりちがっていて、特に目だつ。「—・った美しさ」

きわ-ど・い【際▽疾い】(—きは) 《形》❶〔機会をのがしたり、危険に陥ったりしそうな〕ぎりぎりの状態である。すれすれの状態である。「—・いところで助かった」❷わいせつがかっている。「—・い話」

きわまり【窮(ま)り・極(ま)り】(きはまり) 〔ある物事が〕きわまったところ。きわみ。**—な・い**《形》この上ない。はなはだしい。…きわまる。「無作法(なこと)—・い」「巧妙—・いわな」[参考]形容動詞の語幹またはそれに「なこと」を伴った語につく。「ない」は否定の意であるが、意味上は、否定を伴わない「きわまる②」と同じになる。

きわま・る【窮まる・極まる】(きはまる) 《自五》❶ぎりぎりの状態に達する。「不安が—・る」❷〈形容動詞の語幹+「—・る」の形で〉…この上ない。…きわまりない。「不愉快—・る態度」[参考]→きわまりない。❸行きづまる。困りはてる。「進退—・る」[表記]③は「谷まる」と書くことも多い。[文]《四》。⇩〔使い分け〕

使い分け 「きわまる・きわめる」

極まる〔ぎりぎりの状態に達する。この上はない〕感極(窮)まる・失礼極(窮)まる・釣りはフナに極まる

窮まる(▽谷)〔限度まで行き着く。行き詰まって身動きがとれない〕窮まりない大空・進退窮(谷)まる・不作法窮(極)まりない

究める〔深く研究して本質をつかむ〕学問を究める・真理を究める・奥義を究める

極める〔てっぺん・極点まで達する〕位(くらい)人臣(じんしん)を極める・頂上を極める・栄華を極める・口を極めて称賛する・混雑を極める・極め付き・見極める

窮める〔最後までつきつめる〕道理を窮める・窮め尽くした芸の道

[参考]「谷まる」は八方ふさがりで、きわめるの意はない。

「感極まる」「失礼極まる」のように二様の書き方があるが、「極」が一般的。

きわみ【窮み・極み】〔ある物事の〕ゆきつく・最高（最後）の状態。きわまり。はて。極。「宇宙の―」「淋しさの―」「恐縮の―です」類語きわめ。

きわめ【窮め・極め】 ❶到達した・最高（最後）のところ。際限。❷刀剣・書画などの作者や価値をみきわめること。鑑定。目きき。「絶品と―をつけられる」

きわめ-つき【極め付（き）】 ❶刀剣・書画などを鑑定した証明書がついていること。❷定評がある・こと（もの）。「―の不良」「―の芸」類語折り紙つき。

きわめ-て【極めて】《副》ある物事の程度がはなはだしいようす。非常に。この上なく。「―困難な仕事」

きわ・める【窮める・極める】《他下一》❶この上ないところに達する。「山頂を―・める」❷〔学問などで〕深くさぐって本質をつかむ。深く研究する。「蘊奥を―・める」表記②は、ふつう「究める」と書く。❸この上なく…である。非常に…である。「繁盛を―・めた店」「混雑を―・める」❹〈「口を―・めて」の形で〉それ以上言いようがないほど思う存分に。「口を―・めてほめる」文きは・む《下二》。⇩〔使い分け「きわまる・きわめる」〕

きわ-もの【際物】 ❶〔門松・鯉のぼりなど〕ある時期だけに需要が集中する商品。❷一時的な関心・興味などをあてこんで作る品物・映画・小説など。

きわ-やか【際やか】《形動》〔文〕はっきりと区別がつくようす。きわだっているようす。

***きん【斤】**《助数》❶尺貫法による重さの単位。一斤は約六〇〇グラム。❷食パンの一塊を数える語。

***きん【琴】** 中空の胴に弦を七本はった弦楽器。琴柱はなく、左手で弦をおさえ右手でひく。唐代に日本に伝えられた。七弦琴。きんの琴。

***きん【禁】** してはいけないととめられている事柄。禁じられている事柄。「―を破る」類語法度。

***きん【筋】** 筋肉。

***きん【菌】** 単細胞の微生物で、他の物に寄生して発酵・腐敗・病気などを起こさせるもの。細菌。ばいきん。

***きん【金】** 一《名》❶金属元素の一つ。黄色の光沢をもち、さびず、展性・延性に富む。貴金属の中でも最も珍重され、貨幣・装飾品などに使われる。黄金・おうごん。ゴールド。元素記号Au。類語金無垢。純金。砂金。白金。十八金。金塊。❷非常に貴重なもの。「沈黙は―」❸金貨。貨幣。「―三枚」❹「金色」の略。「―の地に銀で鶴をかく」❺「金将」の略。❻↓ごん（金）。❼「金曜日」の略。❽「金メダル」の略。競技で、第一位の者に与えられる金製または金めっきのメダル。また、第一位。「―を取る」二《接頭》❶貨幣・金銭などの意。「―一封」❷金額をしるすとき、数字の上にしるす語。「―五万円」三《助数》金①の純度を表す単位。カラット（K）。「十八―」参考↓金位。

***ぎん【吟】**〔文〕❶〔漢詩・和歌などを〕節をつけてうたうこと。❷詩歌を作ること。また、作った詩歌。「山頂の―」❸漢詩の一体で、悲痛な調子のもの。

***ぎん【銀】** ❶金属元素の一つ。白色の光沢があって、展性と延性に富む。貨幣・装飾品のほか、めっき・感光剤などに使う。白銀。シルバー。元素記号Ag。類語純銀。燻し銀。❷銀貨。貨幣。❸「銀色」の略。「―の翼に日の丸をえがく」❹「銀将」の略。❺「銀メダル」の略。競技で、第二位の者に与えられる銀製または銀めっきのメダル。転じて、第二位。

きん-あつ【禁圧】《名・他サ》〔文〕権力・威力などで抑えつけ、禁止すること。「自由を―する」類語弾圧。

きん-い【金位】 金製品に含まれる金の純度。参考カラット制で、純金を二四金とする。「―十八」

ぎん-い【銀位】 銀製品に含まれる銀の純度。

きん-いつ【均一】《名・形動》〔分量・種類などの違いどれをとっても〕金額・状態などがひとしいこと。「一〇〇円―の端切れ」「―料金」類語均等。一律。一様。

きん-いっぷう【金一封】〔賞金・寄付などの〕一包みの金。参考金額をあからさまにしないときにいう。

きん-いろ【金色】 金のようなつやのある黄色。こがね色。金色。きん。「―の時計」類語山吹色。

ぎん-いろ【銀色】 銀のようなにぶいつやのある灰色。しろがね色。ぎん。「―の山々」

***きん-いん【近因】** 最も直接的な原因。対遠因。

***きん-いん【金員】**〔文〕❶〔「金銭の員」の意から〕金額。金高。❷金銭。金円。「多額の―をうけとる」

きん-うん【金運】 金銭についての運勢。

***きん-えい【禁衛】**〔文〕〔「禁裏の衛り」の意から〕皇居を守護すること。また、その兵。

***きん-えい【近影】** 最近写した、ある人の写真。

***きん-えい【近詠】** 最近作った詩歌。

ぎん-えい【吟詠】《名・他サ》❶節をつけて、漢詩・和歌などをうたうこと。類語吟唱。朗詠。❷漢詩・和歌などを作ること。また、その詩や歌。

***きん-えん【禁×厭】**〔文〕〔凶事や災難をとめる〕まじない。禁呪。禁厭。

***きん-えん【禁園・禁×苑】**〔文〕❶一般の人がはいることを禁じられている庭園。❷皇居の庭。類語御苑。

***きん-えん【禁煙・禁×烟】** ❶たばこを吸うことを禁止すること。喫煙禁止。ノースモーキング。「場内―」❷《名・自サ》たばこを吸う習慣を自分からやめること。「―して一週間になる」類語①②禁酒。

***きん-えん【筋炎】** 化膿菌による筋肉の炎症。

***きん-えん【近縁】** ❶血のつながりが近いこと。「―の者」類語近親。対遠縁。❷生物の系統分類上近い関係にあること。「―種」

***きん-えん【金円】**〔文〕おかね。金銭。金員。

きんえん-しゅ【近縁種】 生物の分類で近い関係にある種類。

きんおう-むけつ【金×甌無欠】〔文〕少しの傷もない黄金のかめのように、完全で欠点のないこと。また、国家が一度も外国の侵略を受けたことがないたとえ。

***きん-か【×槿花】**〔文〕❶ムクゲの花。参考朝開いて夕方しぼむことから、はかない栄華のたとえに使う。「―一日の栄」「―一朝の夢」❷〔古〕アサガオの花。

***きん-か【近火】** 近所に起きた火事。「―御見舞い」

***きん-か【金貨】** 金を主成分としてつくった貨幣。

きん-が【謹賀】〔文〕つつしんで喜びを申しのべること。恭賀。「―新年」

ぎん-が【銀河】 夜空に光の川のようにみえる、星の集まり。天の川。―けい【―系】銀河に集中分布する無数の恒星・星間物質の大集団。中央がふくらんだ円盤状をなし、太陽系もその中にある。

***きん-かい【×欣快】**《名・形動》〔文〕非常にうれしく気持ちのよいこと。喜び。「―の至り」類語愉快。

***きん-かい【襟懐】**〔文〕心中思っていること。考え。

「ーを述べる」

***きん・かい【近海】** 陸地の近くにある海。対遠海。

***きん・かい【金塊】**〔精製した〕金のかたまり。

きん・かいきん【金解禁】 金や金貨の輸出禁止を解除すること。

ぎん・かいしょく【銀灰色】 銀のような色つやをおびた灰色。

きんか・ぎょくじょう【金科玉条】〔文〕〔金や玉のような法律の意から〕尊ぶべき大切な法律。絶対的なものとして守っている規則・教訓。「師の教えをーとする」

***きん・がく【勤学】**《名・自サ》〔文〕学問に努め励むこと。

***きん・がく【金額】** 金銭の量で表された値。「大きなー」類語金高・金高。

きん・かくし【金隠し】 大便所の穴の前に取り付けたおおい。

ぎん・がみ【銀紙】 ❶銀箔をおした紙。銀色の塗料をぬった紙。❷銀色をした金属の箔。アルミニウムなどを薄く紙状に延ばしたもの。料理などに使う。

ギンガム 格子や縞などを織り出した平織りの綿布。夏向きの婦人・こども服などに多く使う。▽オランダ gingham

きん・がわ【金側】 金でつくった側。金めっきの側。特に、金製の側の時計。

***きん・かん【近刊】** ❶近いうちに出版されること。また、その本。「ー予告」❷最近出版されたこと。また、その本。「ー書」参考「新刊」より古い。

***きん・かん【金冠】** ❶金で作り飾ったかんむり。❷〔治療のため〕歯にかぶせる金製の覆い。

***きん・かん【金×柑】** ミカン科の常緑低木。果実は、球形で、直径約三センチ。冬に黄色く熟す。果皮は甘く生食するが、果肉は酸味が強い。食用・薬用。

***きん・かん【金環】** 金の輪。金色の輪。**ーしょく【ー食・ー×蝕】** 月が太陽の中央部をおおい、太陽の光が月のまわりに金の輪のようにみえる日食。

きん・がん【近眼】 近視。対遠眼。**ーきょう【ー鏡】** 近視の人が使う凹レンズのめがね。

ぎん・かん【銀漢】〔文〕銀河。天の川。

きんかん・がっき【金管楽器】 らっぱ類の楽器。演奏者の唇が楽器の簧(=リード)の役目をする。トランペット・ホルンなど。ブラス。金管。対木管楽器。

きん・かんばん【金看板】 ❶〔屋号などを〕金文字で書いた看板。❷世間に対して誇り示す主義・主張。「福祉社会をーとする」

***きん・き【×錦旗】**〔文〕赤地の錦に太陽と月とをえがいた天皇の旗。にしきのみはた。参考昔、官軍の標識とした。

錦　旗

***きん・き【×欣喜】**《名・自サ》〔文〕非常に喜ぶこと。大喜び。類語狂喜。驚喜。**ーじゃくやく【ー×雀躍】**《名・自サ》おどり上がって喜ぶこと。喜んでこおどりすること。「合格の知らせにーする」

***きん・き【禁忌】**《名・他サ》❶してはならないとしていみきらうこと(物)。タブー。「ーをおかす」「ーにふれる」❷医療行為のうち、人体に悪い影響を与えるものとして、ある種の対症方法や薬を用いないこと。また、その方法・薬。

***きん・き【近×畿】** 近畿地方。京都・大阪・滋賀・三重・奈良・和歌山・兵庫の二府五県を合わせた地域。

ぎん・き【銀器】 銀でつくった器物・器具。

ぎん・ぎつね【銀×狐】 黒毛に灰白色の毛がまざり、銀色にみえるキツネの毛皮。また、そのえりまき。

きん・きゅう【緊急】《名・形動》事態が重大で至急に対策を要すること。「ーに手配する」「ー入院」

きん・ぎょ【金魚】 フナをかいならして作った観賞用の魚。色や形に変化のある多くの品種がある。**ーのうんこ**《連語》一人の人の後について回る大勢の人のたとえ。金魚のふん。

***きん・きょう【禁教】** 政治権力によって禁じられた宗教。特に、日本近世での天主教。

***きん・きょう【近況】**〔ある人・物事などの〕近ごろのようす。最近の状況。「御ーお知らせ下さい」「ー報告」

きん・ぎょう【近業】〔文〕最近の仕事・業績・作品。「ある作家のー」類語近作。

きん・きょく【琴曲】〔七弦の〕琴で演奏する曲。参考本来は十三弦の琴でひく箏曲と区別する。

きん・ぎょく【金玉】 ❶金と玉。❷〔文〕非常に貴重で、賞美すべきもの。「ーの作品」「ーの声」

きん・きょり【近距離】 近い距離。対遠距離。

きんきら・きん《名・形動》〔俗〕綺羅を飾ること。表面をきらびやかによそおうこと。「ーの服」

きん・ぎれ【×錦切(れ)】 ❶錦のきれはし。❷明治維新のころの官軍兵士の称。参考肩に錦のきれはしをつけて目印としたことから。

***きん・きん**《副・自サ》声や物音が、かん高くよく通って耳に鋭く響くようす。「ーした声」

***きん・きん【×僅×僅】**《副》〔文〕数量がわずかであるようす。たった。「ー三名を残すのみ」

***きん・きん【近近】**《副》あることがごく近い将来実現するようす。もうすぐ。近々。「ー上京いたします」

きん・ぎん【金銀】 ❶金と銀。「ー珊瑚」「ー財宝」❷金貨・銀貨。❸〔財産としての〕金銭。

ぎん・ぎん 一《形動》熱狂的なようす。「ーのロック」二《副・自サ》❶頭がひどく痛むようす。また、頭に強く響く音の形容。❷犬や虫などがうるさく鳴くようす。

きんきん・ぜん【×欣×欣然】《形動タルト》〔文〕いかにもうれしそうなようす。「ーとして語る」

***きん・く【禁句】** ❶〔文学〕和歌・俳諧などで、使ってはいけない語句。止め句。❷他人の感情を害さないため、〔人前で〕言ってはならないことばや文句。

***きん・く【金句】** ❶言いまわしのたくみな、美しい句。りっぱなことば。❷金言。

キング ❶王。帝王。ひゆ的に、最もすぐれたもの。「ホームランー」❷トランプで、王の姿をかいた札。❸チェスの王将。▽king **ーサイズ** 寸法が標準以上であること(もの)。特大。「ーの服」▽king-size **ーメーカー** 重要ポストの人選を左右する実力者。▽kingmaker

きん・ぐち【金口】「金口たばこ」の略。吸い口に金紙を巻いた巻きたばこ。

***きん・けい【近景】** 手前の方の風景。対遠景。

***きん・けい【謹啓】**《感》〔文〕〔つつしんで申しあげるの意で〕手紙の最初に書くあいさつの語。

***きん・けつ【金欠】**〔俗〕金を持っていないこと。**ーびょう【ー病】**〔俗〕金がなくて困っている状態を病気にたとえた語。金欠。

***きん・けつ【金穴】** ❶金を掘り出す穴。金坑。❷〔俗〕資金・費用などを貢いでくれる人。ドル箱。

***きん・けん【勤倹】** 仕事にはげみ、むだを省いて倹約すること。「―貯蓄」「―力行（りっこう）」

***きん・けん【近県】** 〔ある土地の〕近くの県。

***きん・けん【金券】** 金貨と引き換えできる紙幣。また、特定の地域で貨幣と同様に通用するもの。

***きん・けん【金権】** 多額の金銭を持っていることによって生じる権力。「―政治（＝富の力に支配される政治）」

***きん・げん【謹厳】** 《名・形動》つつしみ深くまじめで重々しいこと。「―実直」「―居士」類語 謹直。

***きん・げん【金言】** 教訓的な内容を持った、尊重すべき短いことば。金句。「―集」類語 格言。箴言（しんげん）。

***きん・げん【謹言】** 《感》〔文〕〔つつしんで述べる意で〕手紙の末尾に書くあいさつの語。「恐惶（きょうこう）―」

***きん・こ【禁固・禁×錮】** ❶《名・他サ》〔文〕人を一室にとじこめて外へ出さないこと。❷〔法〕刑罰の一つ。刑務所に入れておくだけで、労働をさせない刑。「―刑」
表記 法令では「禁錮」と書く。「禁固」は代用字。

***きん・こ【近古】** 時代区分の一つ。中古と近世との間。日本史では、ふつう、鎌倉（かまくら）・室町時代をさす。

***きん・こ【金庫】** ❶重要書類や貴重品をしまっておく、特別なしくみの鉄製の箱。「―番（＝金庫の番人。また、金銭の出し入れを管理する人）」❷国や公共団体が社会政策的な金融を行うために設けた現金出納機関。「農林中央―」類語 公庫。国庫。

***きん・こ【金▽海×鼠】** 棘皮（きょくひ）動物で、ナマコの一種。東北や北海道の浅い海底にすむ。灰褐色で褐色の斑紋（はんもん）がある。煮て干したものは中華料理の食材。ふじこ。

***きん・こう【均衡】** 《名・自サ》つりあいがとれていること。バランス。「―を失する」類語 平衡。平均。

***きん・こう【×欣幸】** 〔文〕しあわせだと感じ、喜ぶこと。「おいで下されば―です」「―の至り」類語 幸甚。

***きん・こう【謹厚】** 《名・形動》〔文〕つつしみ深く親切なこと。「―な人物」

***きん・こう【近郊】** 都市に近い地域。郊外。「―の農村」類語 近在。近郷。

***きん・こう【金工】** 金属に細工をほどこす工芸。また、その職人。類語 彫金。

***きん・こう【金鉱】** ❶金を含んでいる鉱石。❷金の出る鉱山・鉱脈。金山。「―を掘り当てる」

きん・ごう【近郷】 （都市の）近くの田舎。近在。「―近在から人が集まる」類語 近郊。近村。

***ぎん・こう【吟行】** 《名・自サ》❶〔文〕歌や詩をくちずさみながら歩くこと。❷和歌や俳句を作るために、名所や郊外などに出かけること。「―会」

***ぎん・こう【銀行】** 預金者から金銭を預かったり、他に貸し付けたり、また、手形の割引や為替の取引などを行う金融機関。参考「足りないものを融通しあう組織」の意にも使う。「血液―」「目の―」 **―けん【―券】** 主として中央銀行（わが国では日本銀行）が通貨として発行する紙幣。

***ぎん・こう【銀鉱】** ❶銀を含んでいる鉱石。❷銀の出る鉱山・鉱脈。銀山。

きん・こく【謹告】 〔文〕〔「つつしんで告げる」意で〕商店・会社などで、広告文などの最初にしるす語。

***きん・ごく【禁獄】** 獄中に監禁すること。

***きん・ごく【近国】** 〔ある国の〕近くにある国。「―との交流」類語 隣国。対 遠国（えんごく・おんごく）。

きん・こつ【筋骨】 ❶筋肉と骨格。❷体の骨組み・肉づき。体格。「―隆々」「―たくましい青年」

きん・こん【緊×褌】 〔文〕ふんどしを引きしめること。 **―いちばん【―一番】** 事を行うのに、心をしっかり引きしめてかかること。「―、難局に当たれ」参考「一番」は「一勝負」の意。

きんこん・しき【金婚式】 結婚して、五〇年を迎えた夫婦の記念の祝い。

ぎんこん・しき【銀婚式】 結婚して、二五年を迎えた夫婦の記念の祝い。

きん・さ【×僅差】 わずかな差。「―で負ける」

ぎん・ざ【銀座】 ❶江戸幕府の、銀貨を鋳造し銀を管理した役所。現在の東京都中央区銀座にあった。❷東京都中央区にある、高級な商店の多い所。また、町名につけて繁華街を表す語。「荻窪（おぎくぼ）―」

きん・ざい【近在】 （都市の）近くの村里。近郷。「―の衆」類語 近郊。

***きん・さく【近作】** 最近の作品。類語 新作。

***きん・さく【金策】** 《名・自サ》（苦労して）必要な金銭をそろえること。また、そのための方法。金のくめん。「―に駆け回る」

***きん・さつ【禁札】** 禁止事項をしるした立て札。制札。

***きん・さつ【金札】** ❶金製のふだ。また、金色のふだ。❷金貨のかわりになる紙幣。類語 兌換券（だかんけん）。

きん・ざん【金山】 ❶金を産出する鉱山。金鉱。「佐渡―」❷金属でつくったように（守りの）堅固な山。

ぎん・ざん【銀山】 銀を産出する鉱山。銀鉱。

きんざんじ・みそ【金山寺味×噌・▽径山寺味×噌】 いり大豆と大麦のこうじをまぜて食塩を加えたものに、シロウリ・ナス・シソなどを加えて醸造した、なめみそ。参考 中国の径山寺の製法と伝える。

***きん・し【禁止】** 《名・他サ》してはならぬとさしとめること。「駐車―」類語 禁制。禁断。法度（はっと）。

***きん・し【菌糸】** 菌類のからだをつくっている、細い糸状の単細胞、または細胞の列。

***きん・し【近視】** 目にはいる平行光線が網膜の前方で像を結ぶ状態。遠くのものがはっきりみえない。近視眼。近眼。ちかめ。対 遠視。 **―がん【―眼】** ❶近視。対 遠視眼。❷目さきのことしかわからず、先を見通す力がないこと。ちかめ。「―的な発想」

***きん・し【金糸】** ❶（刺繍（ししゅう）・織物などに使う）金箔（きんぱく）を使った金色の糸。❷細い金属線に金でめっきしたもの。 **―たまご【―卵・×錦糸卵】** 薄い卵焼きを細く切ったもの。

***きん・し【金×鵄】** 神武（じんむ）天皇が長髄彦（ながすねひこ）と戦ったとき、天皇の弓に止まってそのかがやきで敵の目を見えなくさせたという金色のトビ。「―勲章」

***きん・じ【×矜持】** 《「きょうじ」の慣用読み》➡きょうじ（矜持）。

***きん・じ【近似】** 《名・自サ》基準に近く、またそれに似通っていること。「病状が赤痢に―する」類語 類似。 **―ち【―値】** ある数に近い数。真の数に誤差の加わったもので、近似計算によるものや測定値など。

***きん・じ【近侍】** 《名・自サ》主君のそば近くに仕えること（人）。近習。「殿のそばに―する」類語 近臣。

***きん・じ【近時】** 〔文〕近ごろ。最近。このごろ。「―の世相」「―、物価の上昇がはげしい」対 往時。

***きん・じ【金地】** 下地が金色であること。金色の地。

*きん・じ【金字】金泥などで書いた文字。金色の文字。—とう【—塔】❶〔側面が金の字に似ていることから〕ピラミッド。❷永久に伝えられるような偉大な業績。「医学界に不滅の—をうち建てた」

ぎん・し【銀糸】〔刺繡・織物などに使う〕銀箔を使った銀色の糸。

ぎん・じ【銀地】下地が銀色であること。銀色の地。

きんし・ぎょくよう【金枝玉葉】〔文〕天皇の一族。皇族。参考「枝」「葉」は子孫を表す。

きん・じさん【禁治産】〔法〕心神喪失の常況にある者を法律上保護するため、後見人をつけてその財産を管理させること。また、その制度。禁治産者。

きんジストロフィー・しょう【筋ジストロフィー症】骨格筋の進行性萎縮と筋力の低下を特徴とする病気。現在、特に有効な治療法はない。

*きん・しつ【均質】《名・形動》ある物のどの部分も同じ性質・状態であること。等質。「—な水溶液」

*きん・しつ【琴×瑟】〔—相和・す〕〔文〕〔琴（五弦または七弦）と瑟（ふつう二五弦）を合奏すると調和がとれるように〕夫婦仲がむつまじいことのたとえ。

きん・じつ【近日】ごく近い将来。近いうち。そのうち。「—封切り」「—発売予定の新薬」類語近々。

きんじつ・てん【近日点】太陽系の天体の公転軌道上で、その天体が太陽に最も近付く点。対遠日点。

きんじ・て【禁じ手】相撲や将棋などで、使うことを禁じられている技や手。禁手。

*きん・しゃ【金砂・金×沙】❶金粉。また、金砂子。❷金色に見える砂。また、砂金。＝金砂。

*きん・しゃ【金×紗・錦×紗】❶「きんしゃちりめん」の略。和服用の高級な絹織物。細めの生糸で織り、しぼが小さい。❷「きんしゃおめし」の略。練り染め糸で、平織り・紋織りにした織物。❸紗に金糸で模様を織りだしたもの。きんしゃ織り。

ぎん・しゃ【吟社】〔文〕詩歌を作る人々の結社。

ぎん・しゃり【銀しゃり】〔俗〕〔麦飯などに対し、上等で貴重なものとしての〕白米（の飯）。

*きん・しゅ【禁酒】❶《名・自サ》酒を飲むことを、永続的に自分からやめること。断酒。❷酒を飲むことを禁止すること。「—法」類語①②禁煙。

*きん・しゅ【筋×腫】筋肉組織に発生する良性の袋状のできもの。「子宮—」

*きん・しゅ【金主】❶必要な資金を出してくれる人。「—が付く」❷おかねをたくさんもっている人。

きん・じゅ【近▽習】つねに主君のそば近くに仕える人。近侍。近習。「—の兵」

ぎん・しゅ【銀朱】水銀をやいて作った赤色の顔料。

*きん・しゅう【×錦秋】〔文〕もみじが錦のように美しい秋。「—の候」

*きん・しゅう【×錦×繡・×錦×綉】〔文〕❶にしきと、ぬいとりをした織物。また、美しい衣服・織物。「—のとばり」❷字句の美しい詩文のたとえ。❸花・紅葉など、美しいながめのたとえ。「—を織りなす渓谷」

きん・じゅう【×禽獣】〔文〕鳥やけもの。鳥獣。「—にも劣るふるまいだ」参考人の行うべき正しい道や恩義を忘れた人のたとえにも言う。類語畜生。

きん・しゅく【緊縮】《名・他サ》❶《自サ》かたくひきしめること。ひきしまること。❷財政をしっかりさせるため支出をきりつめること。「—予算」

*きん・しょ【禁書】法律によって、書籍の出版・販売を差し止めること。また、その書籍。

*きん・しょ【謹書】〔文〕〔「つつしんで書いた」の意で〕書や画の署名のあとにそえる語。「石川一郎—」

きん・じょ【近所】❶ある場所に近い所。近辺。付近。「—の病院」❷近くの家。「—づきあい」

*きん・しょう【近称】文法で、他称の指示詞の区分の一つ。話し手からも相手からも近い関係にある対象（事物・場所・方角・人など）を指すときに用いる。「これ」「ここ」「こちら」「このかた」など。参考↓遠称・中称。

*きん・しょう【金将】将棋のこまの一つ。前後・左右・ななめ前へ一つずつ進むことができる。きん。

*きん・しょう【×僅少】《形動》わずかなようす。ほんの少し。「—の差」類語些少。軽少。対莫大。

*きん・じょう【今上】現在、位についている天皇。今上陛下。

*きん・じょう【禁城】皇居。宮城。

*きん・じょう【×錦上】〔文〕美しい錦の上。

—花を添・える《句》〔美しく〕りっぱなものの上に、さらによいことが加わる。錦上花を敷く。

*きん・じょう【謹上】〔文〕〔「つつしんで差し上げる」の意で〕手紙のあて名にそえる語。「—鈴木清殿」

*きん・じょう【近状・近情】〔文〕近ごろの様子。

*きん・じょう【金城】〔文〕❶守りのかたい城。堅城。❷城の本丸。❸「名古屋城」の別称。—てっぺき【—鉄壁】〔文〕〔「金で造った城と鉄の城壁」の意から〕守りや構えが非常に堅固な城。転じて、物事が非常に堅固なこと。「—の守り」—とうち【—湯池】〔文〕地形に恵まれて守りやすく、攻めにくい城と堀。また、堅固な本拠地・勢力範囲。参考「湯池」は熱湯をたたえた堀の意。

*ぎん・しょう【吟唱・吟×誦】《名・他サ》詩歌を声に出して、歌うように読むこと。「藤村の詩を—する」類語吟詠。表記「吟唱」は代用字。

*ぎん・しょう【銀将】将棋のこまの一つ。前後のななめと、前方に一つずつ進むことができる。ぎん。参考相手の陣に入って、金将としても使える。

ぎん・じょう【吟醸】《名・他サ》上等の原料を使い、ていねいに醸造すること。「—酒」

きん・じる【禁じる】《他上一》↓禁ずる。

ぎん・じる【吟じる】《他上一》↓吟ずる。

*きん・しん【謹慎】《名・自サ》❶〔反省して〕言動をつつしむこと。また、つつしみ深いこと。「—の意を表する」❷一定の期間、出勤・登校などを禁じ、反省させる処罰。「—期間」類語禁足。

*きん・しん【近信】〔文〕最近のたより。

*きん・しん【近臣】いつも主君のそば近く仕えている家来。側近。「将軍の—」類語近侍。近習。

*きん・しん【近親】❶血縁関係が近い親族。「—者」❷そば近く仕えていて、特に親しい家来。—こん【—婚】血縁の近い親類間の結婚。近親結婚。

きん・す【金子】おかね。銀子。〔古風な言い方〕

ぎん・す【銀子】おかね。金子。〔古風な言い方〕

きん・すなご【金砂子】金箔をこまかい粉にしたもの。金粉。金砂。

きん・ずる【禁ずる】《他サ変》❶〔ある行為を〕さしとめて、許さない。禁止する。「私語を—ずる」❷〈—・じ得ない〉みずからおさえとめることができない。「涙を—・じ得ない」＝きんじる。⇩〔類語と表現〕

類語と表現

「禁ずる」
＊入室を禁ずる・外出を禁じられる・禁じられた恋・悲しみを禁じ得ない・失笑を禁じ得ない。
◆いけない・ならない・駄目だ・ならぬ・罷りならぬ・止める・差し止める・差し押さえる・封じる・制止・無用・法度・御法度・留め立て・足止め・口止め・客止め・天地無用・禁止・禁制・禁圧・禁断・禁輸・禁漁・禁猟・禁煙・禁酒・国禁・厳禁

ぎん・ずる【吟ずる】《他サ変》❶詩歌を声にだしてうたう。吟唱する。❷詩歌・俳句を作る。＝ぎんじる。

＊**きん・せい【均整・均斉】**〔体などの〕各部分のつりあい。「―のとれた体」

＊**きん・せい【禁制】**《名・他サ》法律や命令で、ある行為をさしとめること。また、その法律・命令。きんぜい。「―の品」類語禁止。禁断。法度。禁令。

＊**きん・せい【謹製】**〔文〕謹んで作ること。「越後屋―」

＊**きん・せい【近世】**歴史の時代区分の一つ。日本では江戸時代、西洋ではルネサンスからフランス革命まで。

＊**きん・せい【金星】**太陽から二番目の軌道をまわる惑星。ビーナス。参考明け方東の空にみえるときは「明けの明星」「あかぼし」、夕方西の空にみえるときは「宵の明星」「ゆうずつ」とよばれる。

＊**きん・せい【金製】**金で作ること。また、そのもの。

＊**ぎん・せい【吟声】**詩歌を吟ずる声。

＊**ぎん・せい【銀製】**銀で作ること。また、そのもの。

ぎん・せかい【銀世界】雪が一面に降り積もって、白一色になった景色。「一面の―」類語雪景色。

きん・せき【金石】〔文〕❶金属と岩石。また、金属器と石器。❷堅固で、たやすくくずれないもの。金鉄。**―がく【―学】**金石文を研究する学問。**―ぶん【―文】**金属製の容器・武器・鐘、および石碑・石像などにきざまれた文字・文章。金文。

＊**きん・せつ【近接】**《名・自サ》❶近づくこと。接近。❷近くにあること。「―した土地」類語隣接。

＊**きん・せつ【緊切】**《形動》〔文〕❶ぴったりとつくようす。❷さし迫っていて、非常にたいせつなようす。「―な用件」

きん・ぜつ【禁絶】《名・他サ》〔文〕禁止して根こそぎなくすこと。「麻薬を―する」類語根絶。

＊**きん・せん【琴線】**❶琴の糸。❷心の奥底にある微妙な感じやすい心情のたとえ。「―にふれる美談」

＊**きん・せん【金銭】**物を買うとき代価として使用するもの。おかね。ぜに。「―感覚(＝お金に対する価値観)がない」**―ずく【―▽尽く】**金銭の損得だけで行動し解決しようとすること。かねずく。勘定ずく。表記現代仮名遣いでは「金銭づく」も許容。

きん・ぜん【×欣然】《形動タルト》〔文〕喜んで物事をするようす。「―と死地に赴く」

ぎん・ぜん【銀×髯】〔文〕〔銀のように美しい〕真っ白なほおひげ・あごひげ。白髯。

きん・せんい【筋繊維・筋線維】筋肉を構成する、糸状の細胞組織。筋肉繊維。

きんせん・か【金×盞花】キク科の一年草。ふつう、春から夏にかけてだいだい色の花がさく。観賞用。

＊**きん・そく【禁則】**してはいけないことを決めた規則。禁止の規則。「―をおかす」

＊**きん・そく【禁足】**《名・他サ》ある場所から外へ出さないこと。また、罰として外出を許さないこと。足どめ。外出禁止。「―令」類語謹慎。

＊**きん・ぞく【勤続】**《名・自サ》〔勤め先をかえず〕長年勤め続けること。「―三〇年」

＊**きん・ぞく【金属】**常温・常圧の下で不透明な固体(水銀は液体)で、特有の光沢や展性・延性などをもつ物質。電気・熱の良導体。金・銀・銅・鉄など。かね。**―げんそ【―元素】**単体が金属としての性質をもつ元素の総称。鉄・金・銀など。**―せい【―性】**金属特有の性質。また、金属に似た性質。「―のひびき」

きん・だ【勤惰】〔文〕はげむことと、なまけること。また、出席と欠席。出勤と欠勤。勤怠。

＊**きん・たい【勤怠】**〔文〕まじめに仕事をすることと、なまけること。勤勉と怠惰。また、出勤と欠勤。出席と欠席。勤惰。「―表」

＊**きん・たい【近体】**〔文〕❶近ごろ流行する様式・体裁。❷漢詩で、絶句と律詩。近体詩。表記「今体」とも書く。対古体。

きん・だい【近代】❶近世に続き現代に近い時代。また、現代。「―文学」❷歴史の時代区分の一つ。ふつう、日本では明治維新以後の時代。西洋では、フランス革命以後の時代。**―か【―化】**《名・他サ》非合理的・非人間的な状態を、合理的で人間性を重んじる状態に改めること。「設備の―」**―ごしゅきょうぎ【―五種競技】**オリンピックの競技種目の一つ。フェンシング・クロスカントリー・射撃・水泳・馬術の五種目を一人の競技者が一日一種目ずつ行って争う。近代五種。**―てき【―的】**《形動》近代としての特徴をもつようす。また、新しい感じをもつようす。「―な建物」類語現代的。モダン。

きん・たいしゅつ【禁帯出】その場から持ち出すことを禁ずること。「この辞典は―だ」

きん・だか【金高】おかねの額。金額。

きん・だち【▽公▽達】《「きみたち(公達)」の音便》〔古〕❶親王・摂家・清華など、上流貴族の子弟。❷平家一門の子弟。対①②おんぞうし。

きん・たま【金玉】❶金色の玉。❷〔俗〕睾丸。

きんたろう【金太郎】❶伝説上の怪童。平安時代の武人、坂田公時(金時)の幼名とされている。相模国(＝今の神奈川県)足柄山にすみ、ふとって全身が赤く、怪力をもつ子供。まさかりを持ち、腹がけをかけ、相撲・乗馬を好んだという。❷金太郎①をかたどった人形。❸子供の腹がけ。**―あめ【―×飴】**どこで切っても断面に同じ図柄(金太郎の顔)が現れる、棒状のあめ。

＊**きん・だん【禁断】**《名・他サ》〔文〕かたく禁じ、さしとめること。「殺生―の場」類語禁制。禁止。**―しょうじょう【―症状】**アルコール・麻薬などの中毒患者が、それを断ったときに起こる、頭痛・不眠・興奮・虚脱などの症状。**―のこのみ【―の木の実】**《連語》❶エデンの園にあったという、知恵の果実。参考旧約聖書にある語。神から禁じられていたのに、イブがこれを食べた。そのため、イブはアダムとともに楽園を追放され、ここから人間の堕落が生じたという。❷一度始めたらその魅力や快楽のとりこになるため、してはいけないとされている物事。

＊**きん・だん【金談】**かねの貸し借りについての相談。

きん・ち【×錦地】〔文〕相手の居住地に対する尊敬語。

きん・ちさん【禁治産】→きんじさん(禁治産)。

***きん・ちゃ【金茶】**金色がかった茶色。

***きん・ちゃく【×巾着】**❶布や革で作り、口をひもでしめる小さな袋。昔、金銭や薬などをいれ腰にさげて持ち歩いた。❷いつも目上の人や権力のある人のそばにくっついていて、その人のきげんをとる人。腰ぎんちゃく。 **―あみ【―網】**巻網の一種。網のすそに網を通し、その網を引き締めて網の底の口をくくる。回遊魚に用いる。 **―きり【―切り】**すり。〔古風な言い方〕

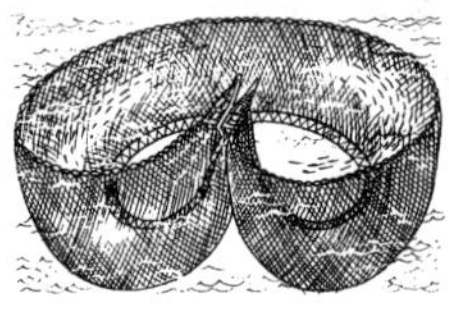

巾着網

***きん・ちゃく【近着】**最近、到着した・こと(物)。また、ちかぢか到着する・こと(物)。「―の外国雑誌」

きん・ちゅう【禁中】皇居の中。また、その社会。宮中。禁裏。内裏(だいり)。「―の警備」

きん・ちょ【近著】〔文〕最近書き著した本。対旧著。

***きん・ちょう【禁鳥】**法令によって捕らえることを禁じている鳥。保護鳥。類語益鳥。

***きん・ちょう【緊張】**《名・自サ》❶心がゆるみなく張りつめていること。「―をほぐす」「―した面持ち」❷〔両者間に〕争いが起こりそうな状態であること。「両国間に―が続く」「―緩和」❸筋肉や神経中枢が長時間、収縮・興奮状態を続けること。対①③弛緩(しかん)。

***きん・ちょう【謹聴】**㊀《名・他サ》敬意をもって聞くこと。「先生の話を―する」類語拝聴。㊁《感》演説会などで聴衆が叫ぶ語。「皆よくきけ」の意。

きん・ちょく【謹直】《名・形動》〔心の持ち方や行いが〕つつしみ深く正しいこと。謹厳実直。「―な人柄」

きん・つば【金×鍔】❶金製または金色の刀のつば。❷小麦粉を堅くこねた皮であんを楕円(だえん)形に包んで鉄板上で焼いたもの。金鍔焼き。❸四角く切ったあんを、小麦粉をといた液にくぐらせて鉄板上で焼いたもの。

きん・て【禁手】→禁じ手。

***きん・てい【×欽定】**《名・他サ》〔文〕君主や天子が制定すること。参考「欽」は天子に関したことにつける尊敬語。 **―けんぽう【―憲法】**〔法〕君主や天子が制定した憲法。参考日本の旧憲法はその一つ。

***きん・てい【謹呈】**《名・他サ》〔文〕つつしんで贈呈すること。「―、山田太郎様」

きん・でい【金泥】金泥(こんでい)。

きん・てき【金的】❶三センチ平方の金色の板に直径約一センチの円を描いた、弓の的。❷手にいれたいと思っているすばらしい目標・目標物。「―を射とめる」

きん・てつ【金鉄】❶金と鉄。また、金属。金石。❷〔文〕非常に堅固で、たやすくくずれないもの。「―の誓い」「男子の一言―の如(ごと)し」

きん・てん【均×霑】《名・自サ》〔「霑」はうるおう意〕〔文〕みんな同じように利益や恩恵をうけること。

きんでん・ぎょくろう【金殿玉楼】豪華に飾りたてた立派な御殿。

きん・てんさい【禁転載】発表された文章・絵画・写真などを無断で転載することを禁じること。

きんでん・ず【筋電図】筋肉の活動電流を筋電計で測定・記録してグラフにしたもの。運動の機能障害の診断などに用いる。

きん・ど【襟度】〔文〕〔異なった考え・態度などをうけいれる〕心の広さ。「大人物の―を示す」類語度量。

***きん・とう【均等】**《名・形動》〔数量・状態などに〕差をつけずひとしくすること。「利益を―に配分する」「教育の機会―」類語平等。均一。同等。

***きん・とう【近東】**(Near East)〔西欧に近い東方諸国のある地域の意で〕トルコからエジプトに至る地域。サウジアラビア・バルカン諸国・イラン・イラクなどを含めることもある。対中東・極東。

きんとき【金時】❶「坂田金時(さかたのきんとき)」のこと。幼名は金太郎。参考→金太郎。❷「きんとき豆」の略。金時あずきを砂糖でよく煮たもの。❸サツマイモの一品種。皮が赤く、美味。 **―の火事見舞い**《句》〔酒を飲んだりして〕顔が非常に赤いことのたとえ。

きん・とん【金団】インゲンマメ・クリなどを砂糖を加えてやわらかく煮て、裏ごししたサツマイモなどと混ぜた食品。日本料理の口取りなどに用いる。

ぎん・なん【銀×杏】《「ぎんあん」の連声》イチョウの実。食用とする。また、イチョウ。

きん・にく【筋肉】神経によってまたは直接に刺激をうけて収縮し、運動を起こさせる器官。筋(きん)。 **―しつ【―質】**脂肪が少なく、筋肉がかたくしまっている体質。 **―ろうどう【―労働】**からだを(はげしく)動かして行う労働。肉体労働。

ぎん・ねず【銀×鼠】銀色がかったねずみ色。銀灰色。銀鼠(ぎんねずみ)(色)。ぎんねず色。

きん・ねん【近年】最近の数年。ちかごろ。

***きん・のう【勤皇・勤王】**皇室の安泰・隆盛のためにはたらき、天皇に忠義をつくすこと。尊王。「―の志士」

***きん・のう【金納】**《名・他サ》租税・小作料などを金銭で納めること。「米のかわりに―する」対物納。

きんの・たまご【金の卵】《連語》❶手に入りにくい貴重なもの。❷将来に期待がもてる若者。

きん・ば【金歯】金冠をかぶせた歯。金の入れ歯。

きん・ぱ【金波】〔文〕〔日光や月光で〕金色に輝く波。

ぎん・ぱ【銀波】〔文〕〔月光で〕銀色に輝く波。

***きん・ぱい【金杯・金×盃】**金製または金めっきの、さかずき。「―の酒を飲み干す」

***きん・ぱい【金×牌】**金製または金めっきのメダル。金メダル。「首にさげた―」

きん・ばえ【金×蠅】クロバエ科の昆虫。青緑色の光沢をもつハエ。腐った物・汚物などに集まる。参考幼虫を釣りでは「さし」といい、餌(えさ)にする。

きん・ばく【緊縛】《名・他サ》〔文〕きつくしばること。

***きん・ぱく【緊迫】**《名・自サ》〔情勢が〕非常に緊張しさし迫っていること。「―した空気」「―感」類語切迫。⇩〔類義語の使い分け「切迫」〕

***きん・ぱく【謹白】**〔文〕〔つつしんで申し上げる意で〕手紙などの終わりにそえる語。

***きん・ぱく【金×箔】**❶金を紙のように薄く打ち延ばしたもの。「―を貼(は)る」❷実質以上にりっぱにみせかける外観。類語めっき。

ぎん・はくしょく【銀白色】銀色をおびた白色。

きん・ぱつ【金髪】金色の髪の毛。ブロンド。

ぎん・ぱつ【銀髪】銀色の髪の毛。しらが。白髪。

きん-ばん【勤番】 ❶交替で勤務すること。❷江戸時代に、諸国の大名の家来が交替で江戸屋敷に勤めたこと。また、その当番。❸幕臣が交替で遠方の幕府直轄の城に駐在して勤務する・こと(人)。「甲府—」

ぎん-ばん【銀盤】 ❶銀でつくった皿・盆。❷スケートリンクの氷の表面。「—に舞う」

きん-ぴ【金肥】 金銭を払って買う肥料。化学肥料など。かねごえ。

きん-ぴか【金ぴか】《名・形動》❶金色にぴかぴか光る・こと(もの)。❷華やかに飾る・こと(もの)。「—の服」

きんぴら-ごぼう【金平▽牛×蒡】 細く切ったゴボウを油でいため、しょうゆなどで味をつけた料理。きんぴら。

きん-ぴん【金品】 金銭と品物。金銭や品物。

きん-ぷくりん【金覆輪】 金または金色の金属をかぶせた覆輪。太刀の柄・鞘・鞍のふちなどに用いる。

きん-ぶち【金縁】 ❶金製や金色の縁。❷「金縁眼鏡」の略。縁を金や金色の金属で作った眼鏡。

ぎん-ぶら【銀ぶら】《名・自サ》〔俗〕東京の銀座通りをぶらぶら散歩すること。表記 多く「銀ブラ」と書く。

***きん-ぶん【均分】**《名・他サ》同じ量・額に分けること。平等に分けること。「—相続」類語 等分。

***きん-ぶん【金文】** →きんせきぶん。

きん-ぷん【金粉】 金の粉。また、金色の粉。金砂。

きん-べん【勤勉】《名・形動》まじめにはげむこと。類語 精勤。精励。

***きん-ぺん【近辺】**〔ある場所に〕近いあたり。近所。付近。近傍。「自宅の—の地図」類語 界隈。近隣。

***きん-ペン【金ペン】** 金と銅の合金でつくった(万年筆の)ペン先。

きん-ぼ【×欽慕】《名・他サ》〔文〕(つつしんで)うやまい慕うこと。仰慕。「—の情」類語 敬慕。

ぎん-ぽ【銀▽宝】 ギンポ科の海魚。体長約二〇センチ。ウナギのように細長く、色は灰褐色。東京近辺でてんぷらにして賞味する。かみそりうお。ぎんぽう。

きん-ぼう【近傍】 付近。近所。近辺。

きんぽう-げ【金×鳳▽花・▽毛×茛】 キンポウゲ科の多年草。高さ二〇～六〇センチ。春の終わりごろ、光沢のある黄色の五弁花が咲く。有毒。うまのあしがた。

きん-ぼし【金星】 ❶相撲で、平幕の力士が横綱を負かすこと。「大—」❷大きなてがら。殊勲。

きん-ほんい【金本位】 金本位制度。**—せいど【—制度】** 通貨の単位価値が一定量の金の値と等しい関係にある通貨制度。金単本位。金本位。

ぎん-ほんい【銀本位】 銀本位制度。**—せいど【—制度】** 通貨の単位価値が一定量の銀の値と等しい関係にある通貨制度。銀単本位。銀本位。

ぎん-まく【銀幕】 ❶(白い)映写幕。スクリーン。❷映画(界)。「—の女王」

きんまん-か【金満家】 大がねもち。富豪。〔やや古風な言い方〕「村の—」類語 資産家。

ぎん-み【吟味】《名・他サ》❶ある物の内容・質などについて細かい点までよく調べること。また、調べ選ぶこと。「料理の材料を—する」❷罪のあるなしを問い調べること。〔古風な言い方〕

きん-みつ【緊密】《形動》ある物事と物事とのむすびつきがしっかりしているようす。「—な関係」類語 密接。

きん-みゃく【金脈】 ❶金を産出する鉱脈。金の鉱脈。❷資金など、金銭を出してくれる所・人。金主。

きん-みらい【近未来】(空想が及ぶ範囲の)現代からそれほど離れていない未来。「—小説」

きん-む【勤務】《名・自サ》職務をもってつとめること。また、そのつとめ。「—先」「—態度」類語 職務。

きん-むく【金無×垢】 不純物を含まない金。また、それで作ってあるもの。純金(製)。「—の仏像」

きん-め【斤目】 めかた。量目。

ぎん-めし【銀飯】〔俗〕(麦飯などに対し、上等で貴重なものとしての)白米の飯。銀しゃり。

きんめ-だい【金目×鯛・金▽眼×鯛】 キンメダイ科の海魚。からだは美しい赤色。目は大きく、ネコの目のように黄金色に光る。深海の岩地にすむ。食用。

きん-モール【金モール】 ❶金糸をより合わせた装飾用の細いひも。礼服や帽子のかざりに使う。❷たて糸は絹糸で、よこ糸に金糸を使って織った織物。

きん-もくせい【金木×犀】 モクセイ科の常緑高木。秋、香りの高い赤黄色の小さい花を開く。

きん-もつ【禁物】 してはならない物事。禁じてさけるべき物・物事。「病人に酒は—」「油断するのは—だ」

***きん-もん【禁門】**〔文〕❶人の出入りを厳重に警戒する門。❷皇居の門。宮門。❸皇居。禁裏。

***きん-もん【金紋】** 金うるしで描いた紋所。**—さきばこ【—先箱】** 金紋を描いたはさみ箱。大名行列の先頭がかつぎ、威儀・格式を示した。

きん-ゆ【禁輸】 輸出入を禁止すること。「—の品目」

きん-ゆう【金融】〔資金の需要と供給によって生じる〕金銭の融通。金繰り。「—が逼迫する」**—きかん【—機関】** 資金の融通・供給を行う機関。銀行・信用金庫など。**—こうこ【—公庫】** 一般の金融機関では貸さない資金を貸すために政府が出資してつくった機関。「住宅—」**—しほん【—資本】** ❶銀行が産業資本と結びついて、経済組織を支配する独占的な資本形態。❷銀行資本。**—ちょう【—庁】** 内閣府の外局の一つ。金融政策に関する企画・立案と、金融機関の検査・監督などを行う。

ぎんゆう-しじん【吟遊詩人】 中世ヨーロッパで、自作の詩を吟唱して遊歴した叙情詩人の一派。

***きん-よう【金曜】**〔日曜からはじまる〕一週の第六日。木曜の次の日。金曜日。

***きん-よう【緊要】**《形動》〔文〕非常に重要なようす。「超党派の話し合いが—である」類語 肝要。枢要。

きん-よく【禁欲・禁×慾】《名・自サ》欲望(特に性欲)をおさえつけること。「—主義」「—的」

ぎん-よく【銀翼】 飛行機の(銀色に光る)つばさ。また、飛行機。「—を連ねる」類語 鵬翼。

きん-らい【近来】〔文〕少し前から現在まで。ちかごろ。最近。「—まれに見る好著」

きん-らん【金×襴】 錦地に金糸模様を織り出した絹織物。仏具・帯などに使われる。**—どんす【—×緞子】** 金襴を使った、厚くてつやのある豪華な布地。

***きん-り【禁裏・禁×裡】**〔文〕(出入りを禁じた所の意から)皇居(の中の社会)。宮中。禁中。

***きん-り【金利】** ❶貸し金・預金などにつく利子。「—がかさむ」❷利子のつく割合。利率。

***きん-りょう【斤量】** めかた。斤目。「—が不足する」

***きん-りょう【禁漁】**〔法律で〕魚介類をとることを禁じること。漁労禁止。禁漁。「—期」

***きん-りょう【禁猟】**〔法律で〕鳥や獣をとることを禁じ

ること。狩猟禁止。「—区」

*きん-りょく【筋力】筋肉の力。「—の低下」

*きん-りょく【金力】〔人を支配する〕金銭の威力。お金の力。「—に物を言わせる」類語 財力。

きん-りん【近隣】となりとその近くの辺り。「—の諸国」類語 近辺。

*ぎん-りん【銀輪】❶銀または銀色の輪。❷「自転車」を美化していう語。また、その車輪。

*ぎん-りん【銀×鱗】〔文〕銀色のうろこ。転じて、波間などに光ってみえる魚。「—をおどらせる」

きん-るい【菌類】体が菌糸からなる植物。葉緑素がなく、胞子でふえる。カビ・キノコなど。

きん-れい【禁令】ある行為をさしとめる命令・法令。「—をしく」類語 禁制。法度(はっと)。

ぎん-れい【銀×嶺】〔文〕雪のつもって銀色に輝く峰。

きん-ろう【勤労】《名・自サ》❶一定時間、一定の仕事をすること。❷〔力を使う〕仕事をすること。体を動かし働くこと。「—青年」類語 労働。—かんしゃ-の-ひ【—感謝の日】国民の祝日の一つ。勤労をたっとび、生産を祝い、国民が互いに感謝しあう日。一一月二三日。—しゃ【—者】❶労働者。❷不労所得によらず、勤労して生活する者。俸給生活者・労働者・農民・小商工業者など。—しょとく【—所得】勤労によって得る所得。給与所得。雇用者所得。給料・恩給・年金など。対 不労所得。—ほうし【—奉仕】《名・自サ》公共の仕事を無報酬で手伝うこと。

きん-わ【謹話】〔文〕つつしんで話をすること。参考 もと、皇室に関して公に話すとき、話し手の名前などにそえた。「山田一郎—」

く

く—久

*く【九】八の次の数。ここのつ。九(きゅう)。

*く【区】■一《名》❶地域などをいくつかにわけたその一つ。❷東京都〔特別区〕、政令で指定された都市〔指定都市の区〕、および市町村内の一区域〔財産区〕の総称。「大田—」■二《接尾》〔ある目的のため〕いくつかにわけた地域・区間の意。「選挙—」

*く【句】■一《名》❶㋐文章の一くぎり。センテンス。「—を切る」㋑二語以上から成る、ひとまとまりの思想を表したセンテンスの一くぎり。文節に近いもの。㋒慣用句。❷和歌・俳句・漢詩などで、一定の音数を持った一くぎりの文句。和歌・俳句では五音または七音の一くぎり、または上(かみ)の句・下(しも)の句をいい、漢詩では五字または七字の一くぎりをいう。❸俳句。「—を作る」■二《助数》連歌の一くぎりや、俳句などを数える語。「一—浮かぶ」「三—選びだす」

*く【苦】❶くるしみ。また、苦痛。「—あれば楽あり」対 楽。❷苦労。ほねおり。困苦。困難。「—の種」「—にする〔=気にしてなやむ〕」「—になる〔=心の負担になる〕」❸なやみ。心配。「—も無く〔=たやすく〕」

*ぐ【具】■一《名》❶〔文〕〔物事を達成するための〕道具。手段。「教育問題を政争の—に供する」❷汁物などにまぜ合わせる材料。たね。み。■二《助数》一そろいになっている衣服・器具などを数える語。「よろい一—」

*ぐ【愚】■一《名・形動》愚かな・こと〔もの〕。くだらない・こと〔もの〕。「—にも付かぬ〔=ばかばかしくて話にもならない〕話」「—の骨頂〔=非常に愚かなこと〕」■二《代名》〔文〕自分を謙遜(けんそん)して言う語。「—思うに…」

ぐ-あい【具合・▽工合】—あひ ❶ある事の、なりゆき・状態・調子。「交渉がうまい—に運んだ」❷物の状態の調子。「機械の—が悪い」❸体の状態・調子。「胃の—が悪い」❹やり方。様式。「どんな—に会議を進めたらよいか」❺体裁。体面。「その格好では—が悪い」

クアハウス 観光地などの温泉にスポーツトレーニングの設備をもうけて、総合的な健康づくりを目標とする施設。多目的温泉保養館。▽(ドイツ) Kurhaus

く-あわせ【句合(わ)せ】—あはせ 二組に分かれて俳句を作り、その優劣を競う遊び。句相撲(すもう)。発句(ほっく)合わせ。類語 歌合わせ。

*ぐ-あん【具案】❶草案をしたためること。❷一定の方法・手段がそなわっている・こと〔案〕。

*ぐ-あん【愚案】❶おろかな考え。つまらない案。❷自分の考え・案を謙遜(けんそん)して言う語。類語 愚考。

*く-い【句意】句の意味。

*くい【悔い】自分がしたことや、したりなかったことを残念に思う・こと〔気持ち〕。後悔。「—を千載に残す〔=いつまでも後悔する気持ちがつきまとう〕」

*くい【×杭・×杙】くひ〔物をささえたり、目じるしにしたりするため〕地中に打ちこむ棒。「出る—は打たれる」

ぐ-い【愚意】〔文〕〔つまらない考え・意見の意から〕自分の考え・意見を謙遜(けんそん)して言う語。愚見。愚考。

くい-あ・う【食い合う】くひあふ ■一《自五》❶互いに相手や相手のものを食う。互いにかみつく。❷組み合わせた部分がぴったりと合う。かみあう。「歯車が—・う」■二《他五》二人または二匹以上で食う。「選挙で地盤を—・う〔=奪い合う〕」

くい-あげ【食(い)上げ】くひ— 生活ができなくなること。生活の手段をうしなうこと。「飯の—になる」

くい-あら・す【食い荒らす】くひ—《他五》❶片っぱしから食べて、害を与える。「ネズミが畑の作物を—・す」❷あれこれと少しずつ食べて汚す。また、いろいろな事に少しずつ手を出す。「料理をさんざんに—・す」類語 食い散らす。食い散らかす。❸他のものの領域を荒っぽく侵す。「外国製品が市場を—・す」

くい-あらた・める【悔い改める】くひ—《他下一》自分のした悪い行い・態度などを後悔し、心を改める。

くい-あわせ【食い合(わ)せ】くひあはせ ❶二種類以上の食物をいっしょに食べること。また、それによって中毒をおこすといわれる食物の組み合わせ。スイカと天ぷらなど。食べあわせ。❷〔建具など〕二つのものを組み合わせてつなぐこと。また、その部分。

くい-いじ【食い意地】くひ—ぢ むさぼり食おうとする貪欲(どんよく)な気持ち。「—が張っている」類語 食いけ。

くい-い・る【食い入る】くひ—《自五》❶深くはいりこむ。食いこむ。「腕に縄が—・る」❷〈「—・るように見る」などの形で〉真剣にじっとみつめるようすの形容。

クイーン ❶女王。王妃。また、優れた女性や、仲間の中心となってふるまう女性。「—のごとき存在」❷トランプで、女王の絵のついている札。▽queen —サイズ 婦人服などの特大サイズ。類語 キングサイズ。▽queen-size

くい-うち【×杭打ち・×杙打ち】くひ— 杭を地中に打ちこむこと。建築・土木の基礎工事。

くい-かけ【食い掛け】(くひ) 食べ始めて、途中でやめること。また、その食べ物。「—のパン」

く-いき【区域】〔ある目的によって〕くぎりをつけた範囲。「通学—」「水泳禁止—」 類語 領域。地域。

くい-き・る【食い切る】(くひ)《他五》❶歯でかみ切る。「堅くて—れない肉」❷残らず食べる。食いつくす。

ぐい-ぐい《副》(「—と」の形も)❶強い力で続けて物事を行うようす。「—(と)引っぱる」❷勢いよく続けて飲むようす。

くい-け【食い気】(くひ) 食べたいと思う気持ち。食欲。

くい-こ・む【食い込む】(くひ)《自五》❶(しめつけるように)深くはいりこむ。「担いだ荷が肩に—む」❷他の範囲・領域にはいりこむ。侵入する。「対立候補の地盤に—む」❸赤字になる。「今月は一万円—んだ」

くい-さが・る【食い下がる】(くひ)《自五》❶食いついて、ぶらさがる。食いついて離れないでいる。❷〔強いものに〕ねばり強くたちむかう。「反証をあげて—る」

くい-しば・る【食い縛る】(くひ)《他五》〈歯を—る〉歯をかたくかみ合わせる。また、そのようにして苦しみ・痛みなどをじっとがまんする。

くい-しろ【食い代】(くひ) ❶食べ物の代金。食費。食いぶち。類語 飲みしろ。❷食料。

くいしん-ぼう【食いしん坊】(くひ—バウ)〔俗〕食べ物なら何でも食べたがる・こと(人)。

クイズ あてごとあそび。特に、ラジオ・テレビの番組や雑誌などで、問題を出して解答者や聴視者・読者などに答えさせるもの。また、その問題。▽quiz

くい-す・ぎる【食い過ぎる】(くひ)《他上一》度をこして食べる。食べすぎる。〔粗野な言い方〕

くいぜ【▽株】(くひぜ)〔文〕木の切りかぶ。

—を守る《句》古くからのならわしなどを頑固に守って、臨機応変の処置がとれない。参考 →守株(しゅしゅ)。

くい-ぞめ【食い初め】(くひ) 子供に初めて飯を食べさせる祝い。生後一二〇日めに行う。箸(はし)ぞめ。

くい-たお・す【食い倒す】(くひたふす)《他五》❶飲み食いした代金を払わないままにする。類語 ふみたおす。❷〔働かないで〕財産をすっかり使いはたす。食いつぶす。

くい-だおれ【食い倒れ】(くひだふれ) ❶食べ物にばかりお金をかけて、貧乏になること。「京の着倒れ、大阪の—」類語 着倒れ。❷働かないで遊んでくらす・こと(人)。

くい-だめ【食い×溜め】(くひ)《名・他サ》〔当分食べなくてもすむように〕一度にたくさん食べておくこと。

くいたり-な・い【食い足りない】(くひ)《連語》❶食欲がまだ十分に満たされていない。❷不満である。ものたりない。「着想はよいが、構成は—い小説」

くい-ちが・う【食い違う】(くひちがふ)《自五》❶組み合わせの部分がうまく合わない。合わないで交差する。「歯車が—う」❷〔一致してほしいことが〕うまく一致しない。うまくいかない。「目的と結果が—う」

くい-ちぎ・る【食い千切る】(くひ)《他五》かんで切り取る。「もちを—る」表記「ちぎる」は多くかな書き。

くい-ちら・す【食い散らす】(くひ)《他五》❶食べ物を食べこぼして、あたりをよごす。「パンを—す」❷出された料理をあれこれと少しずつ食べる。また、いろいろな物事に少しずつ手をつける。類語 食い荒らす。

くい-つ・く【食い付く】(くひ)《自五》❶歯でしっかりとかみつく。「がぶりと—く」❷しっかりと組みつく。しがみつく。「強敵に最後まで—く」❸〔利益になることなどに〕よろこんでとびつく。「もうけ話に—く」

クイック《造語》「すばやい」の意。「—モーション」対 スロー。▽quick

くい-つな・ぐ【食い×繋ぐ】(くひ)《自五》❶限られた食べ物を少しずつ食べて、命を長らえる。❷貧しく苦しい生活を、なんとか続けて行く。「内職で—ぐ」

くい-つぶ・す【食い×潰す】(くひ)《他五》働かないで生活して、財産をすっかりなくす。食いたおす。

くい-つ・める【食い詰める】(くひ)《自下一》〔収入がなくなり〕生活ができなくなる。「職を失って—める」

くい-で【食い出】(くひ) 食べて、十分満足できる分量。食いごたえ。たべで。表記 ふつう「食いで」と書く。

ぐい-と《副》❶急に力をいれて、引いたり押したりするようす。「つなを—引っぱる」「戸を—押す」❷勢いよく強くつかむようす。「腕を—つかまれた」❸〔物事の状態・方向が〕急に大きく変わるようす。「—方向を転換する」❹〔水・酒などを〕ひといきにのむようす。

くい-どうらく【食い道楽】(くひダウ—) おいしい物やめずらしい物を食べることに、特別の興味・趣味をもっている・こと(人)。類語 着道楽。

くい-と・める【食い止める】(くひ)《他下一》物事がそれ以上進むのを防ぎとめる。「侵入する敵を—める」

くいな【▽水▽鶏・×秧▽鶏】(くひな) クイナ科の渡り鳥。くちばしと足が長く、尾は短い。水辺のしげみにすむ。参考 その鳴き声を「たたく」と表現する。

くい-にげ【食い逃げ】(くひ)《名・自サ》❶飲食店で飲み食いした代金を払わずに逃げる・こと(人)。❷食べたり飲んだりしただけで、あいさつや用件もそこそこに帰ってしまう・こと(人)。

くい-のば・す【食い延ばす】(くひ)《他五》❶〔食べ物を〕少しずつ食べて、長い間食べられるようにする。❷〔金銭を〕少しずつ使って長く生活できるようにする。「わずかな貯金で—す」類語 くいつなぐ。

ぐい-のみ【ぐい飲み・ぐい×呑み】❶《名・他サ》一気にぐいと飲むこと。「酒を—する」❷大きく深い杯。

くい-はぐ・れる【食い▽逸れる】(くひ)《自下一》食べるべき機会をのがす。転じて、生活の手段をなくす。くいっぱぐれる。「手に職があれば—れることはない」

くい-ぶち【食(い)扶▽持】(くひ) 食べ物を買う費用。食費。くいぶん。「毎月の—を入れる」

くい-ほうだい【食い放題】(くひハウ—) 食べたいだけ食べること(ができること)。また、食べたいだけ食べさせること。たべほうだい。「—飲み放題で三〇〇〇円」

くい-もの【食い物】(くひ) ❶食べ物。食物。〔粗野な言い方〕「—の恨みはこわい」❷利益を得るために利用するもの。「幼い子を—にする」類語 えじき。

くい-りょう【食い料】(くひレウ) ❶食べ物。❷食費。

く・いる【悔いる】《他上一》自分がしたことや、したりなかったことを残念に思う。自分のあやまちをさとって悩む。後悔する。「前非を—いる」文 く・ゆ《上二》

クインテット 五重奏(団)。五重唱(団)。また、五重奏曲。五重唱曲。▽(イタリア)quintetto

***くう**【空】❶天と地との間の、何もない所。空中。空間。虚空(こくう)。「—をつかむ」「—を切って飛ぶ(=勢いよく、すばやく飛ぶ)」❷《名・形動》何もないこと。むなしいこと。空虚。むだ。「努力が—に帰する」❸〔仏〕世の中のすべての物事は因縁によってできた仮のすがたで、永久不変の実体はないということ。「色即是—」

＊**く・う【食う・×喰う】**《他五》❶食物を、かんでのみ込む。食べる。参考「食べる」よりも、ぞんざいな言い方。「同じ釜の飯を—・う」「道草を—・う(=途中でなまける)」「何—・わぬ顔(=そしらぬふり)」類語↓食べる。❷生きてゆくための必要な条件として食う①。転じて、くらしをたてる。くらす。「小説で—・っていく」「—・うに困る」❸虫などがかじって穴をあける。また、蚊などが刺す。「本がシミに—・われる」❹相手の勢力範囲などをおかす。また、相手をやっつける。「対立候補の票を—・う」「人を—・う(=相手をばかにする)」❺消費する。費やす。「時間を—・う」❻〔人によって〕ある事を自分の身にうける。こうむる。「おいてきぼりを—・う」「いっぱい—・う(=だまされる)」文《四》。

—うか食われるか《句》相手を負かすか、相手に負かされるか。死ぬか生きるか。「—の世の中」

—うや食わず《句》食べることすら満足にできないようす。非常に貧しくて、くらしが苦しいようす。

＊**ぐう【宮】**《接尾》「御殿」「神社」などの意。「鎌倉—」

＊**ぐう** じゃんけんで、手をにぎって出すもの。石。対ちょき・ぱあ。

＊**ぐう【×寓】**〔文〕❶仮のすまい。❷名字の下につけて、自分の家を謙遜して言う語。「大川—」

くう-い【空位】❶ある定められた地位(特に王位)があいていること。また、その地位。❷名ばかりの地位。

ぐう-い【×寓意】他の物事にかこつけて、ある意味をそれとなく示すこと。また、その意味。アレゴリー。「—をこめた話」類語比喩。風喩。諷刺。

くう-いき【空域】ある地域の上空をしめる空間。

ぐう-いん【偶因】偶然の原因。「落雷が—の大火」

ぐう-えい【偶詠】〔文〕偶然心にうかんだことをそのまま詩歌にすること。また、その詩歌。

くう-かぶ【空株】株券の受け渡しなしで、相場の高低によって損益を計算する株。から株。対実株。

くう-かん【空間】❶あいていて何もない場所。また、何かを充当するためにあいている場所。余地。スペース。あき。「建物と建物との間の—」❷前後・左右・上下のすべての方向に対する、果てしない広がり。「時間と—を超越する」対時間。

ぐう-かん【偶感】〔ある折々に〕ふと心に浮かんだ感想。「—を詩に託す」類語随想。

くうかん-ち【空閑地】建築・農耕などに利用しないであけてある土地。類語あき地。

くう-き【空気】❶地球の表面をおおう大気の下層をしている、無色・透明・無臭の気体。おもに、酸素・窒素よりなる。「部屋の—を入れかえる」「—がうまい(=空気が新鮮なことの形容)」参考あってもなくてもわからないもの、いくらでもあってただのもの、生きるために何よりも大切なものなどのたとえにも使う。「—のような人(=いるのかいないのかわからない人)」類語外気。山気。清気。爽気。大気。熱気。夜気。涼気。冷気。酸素。エア。ガス。❷その場の気分。雰囲気。「不穏な—が流れる」類語気配。様子。—じゅう【—銃】圧縮空気の力で弾丸を発するしくみの銃。エアライフル。—でんせん【—伝染】空気中に飛び散った病原菌によって病気がうつること。空気感染。

くう-きょ【空虚】《名・形動》❶あるものの中に、何も入っていないこと。から。❷〔心や物事などに〕真実味や内容がなくむなしいこと。「—な生活」同①②うつろ。

ぐう-きょ【×寓居】《名・自サ》仮に住む・こと(住居)。かりずまい。仮寓。〔自分の住まいを謙遜してもいう〕「ぜひ—にお立ち寄り下さい」

くう-くう【空空】《形動タトル》❶〔文〕何もなくむなしいようす。❷〔文〕ぼんやりしているようす。「—として日を送る」❸〔仏〕この世にあるものはすべて実体がなく、定まらないということを悟り、物事に執着しないようす。

—ばくばく【—漠漠】《形動タトル》〔文〕❶限りなく広いようす。「—と広がる荒野」❷とらえどころのないようす。むなしいようす。「—たる寂寥感」

ぐう-ぐう《副》❶よく眠っているようす。また、そのいびきの音の形容。「—眠る」❷空腹のために腹が鳴るようす。また、その音の形容。

くう-ぐん【空軍】航空機によって、空中での戦闘や対地攻撃などを受け持つ軍隊。対陸軍・海軍。

くう-けい【空×閨】〔文〕夫または妻のどちらかがいない、ひとりねのさびしい寝室。空房。「—を守る」

くう-げき【空×隙】〔文〕物と物との間。すき間。間隙。〔心理的なものにもいう〕「警備の—を突く」

くう-けん【空×拳】〔文〕武器となるものや、他人の援助など、頼りになるものを何も持たないこと。空手。「徒手—」「回天の事業—を如何せん」

くう-げん【空言】〔文〕❶根拠のないうわさ。❷言うだけで実行・できない(しない)ことば。「—を吐く」

ぐう-げん【×寓言】他にかこつけて意見や教訓を遠回しにのべた、たとえ話。「荘子の—」類語寓話。

くう-こう【空港】民間の航空機が定期的に発着する場所。エアポート。「成田—」「国際—」類語飛行場。

くう-こく【空谷】〔文〕人けのない、さびしい谷。—の・きょうおん【—の×跫音】《連語》人けのない谷間にひびく足音。さびしく暮らしているときにうける、思いがけない訪問・便りのたとえ。〈荘子・徐無鬼〉

くう-さい【空際】〔文〕天と地が接してみえる所。天際。「—にわき立つ雲」

ぐう-さく【偶作】〔文〕何かの機会にふと作ること。また、その作品。「この句は旅先での—だ」

くう-さつ【空撮】《名・他サ》「空中撮影」の略。飛行機やヘリコプターなどから地上を撮影すること。「—写真」

くう-ざん【空山】〔文〕人けのないさびしい山。

ぐう-じ【宮司】神社の最高の神官。特に、伊勢神宮で、祭主に次ぐ大宮司・小宮司の称。

くう-しつ【空室】人の住んでいない部屋。また、人の使っていない部屋。あきべや。

くう-しゃ【空車】営業用の車で、人や貨物などをのせていないもの。また、使用しないでいる車。

くう-しゅう【空襲】《名・他サ》爆撃機・戦闘機などが空から爆弾や機銃掃射などで攻撃すること。「—警報」

くう-しょ【空所】何もなくあいている所。

ぐう-すう【偶数】二で割り切れる整数。対奇数。

グーズベリー ユキノシタ科の落葉小低木。春、白い五弁の花を穂状につける。実は黄緑色で、生で食べるほか、ジャムにする。西洋すぐり。▽gooseberry

＊**ぐう-・する【×寓する】**一《自サ変》かりずまいをする。二《他サ変》他の事にかこつけて言う。それとなくほのめかして言う。「反戦思想を—・した小説」

＊**ぐう-・する【遇する】**《他サ変》もてなす。待遇する。取り扱う。「家族として—・する」「礼を以って—・する」

ぐう-せい【偶成】〔文〕〔詩や文章などが〕偶然にできあがること。また、そのもの。「—の和歌」

くう-せき【空席】❶だれもすわっていない席。あいている席。あき。❷欠員になっている地位。[類語]空位。

くう-せつ【空説】〔文〕根拠のない説。根も葉もないうわさ。「―に惑わされる」

くう-ぜん【空前】今までに、比較する例がないこと。かつてないこと。「史上―の大惨事」「―絶後(＝今までにもなく、これから先もないと思われるほど、非常に珍しいこと)」[類語]未曾有(みぞう)。

ぐう-ぜん【偶然】㊀《名・形動》思いがけないこと。その事の起こる原因・必然性が考えられないこと。「―の一致」[対]必然。㊁《副》思いがけず。たまたま。図らずも。「―駅で友人に出会った」[注意]「遇然」は誤り。

くう-そ【空疎】《名・形動》外見だけで内容がとぼしいこと。なかみが貧弱なこと。「―な内容の論文」

くう-そう【空想】《名・他サ》現実をはなれて気ままに想像すること。また、その想像。「―にふける」「―科学映画」[類語]幻想。夢想。妄想(もうそう)。

ぐう-ぞう【偶像】❶木・石・金属などで作った像。❷信仰の対象になる、神仏などをかたどった像。「―崇拝」❸崇拝・盲信の対象とされるもの。

くう-そく-ぜ-しき【空即是色】万物は実体のない現象にすぎないが、その現象の一つ一つがそのままこの世の一切でもあるということ。[参考]↓色即是空。

ぐうたら《名・形動》〔態度や性質が〕ぐずぐずして気力のない・こと(人)。「―な人間」

くう-だん【空談】〔文〕❶むだ話。❷根拠のない話。

くう-ち【空地】❶何にも使われていない土地。あきち。❷空中と地上。「―連絡」

くう-ちゅう【空中】空の中。空気の中。空(くう)。―せん【―戦】航空機どうしが空中で行う戦闘。空戦。―ぶんかい【―分解】❶航空機が飛行中にこわれて、ばらばらになること。❷計画・組織などが、中途でそこなわれること。「工場新設計画が―する」[類語]頓挫(とんざ)。―ろうかく【―楼閣】❶〔空中に築いた高い建物のように〕実現できない架空の物事。また、基礎のない物事。[類語]砂上の楼閣。❷蜃気楼(しんきろう)。

***くう-ちょう【空腸】**十二指腸に続き、回腸に至るまでの小腸の一部分。

***くう-ちょう【空調】**〔「空気調節」の略〕↓エアコンディショナー。

くう-てい【空×挺】「空中挺進(ていしん)」の略。陸上部隊がパラシュートや輸送機などにより、空から敵地に進出すること。「―部隊」

クーデター 武力で政権をうばいとろうとすること。革命と異なり、権力者・支配者階級の内部で行われる。[参考]「軍部の―」[類語]政変。▽フランス coup d'État

くう-てん【空転】《名・自サ》❶むだに回ること。から回り。「プロペラが―する」❷ある物事が何の効果も現さずにむだに進行すること。「国会審議の―」

くう-でん【空電】空中の放電現象によって発生する電波。妨害電波となって受信機に雑音を与える。

くう-どう【空洞】❶穴があいて、空っぽになっている所。ほら穴。❷体の組織内の一部分が死んで、それが排出された後にできた穴。「肺に―ができる」―か【―化】《名・自サ》❶形だけ残って、中身がなくなること。「産業の―」❷実質的な意味を失うこと。「企業系列の―」

くう-とりひき【空取引】↓からとりひき。

クーニャン【×姑娘】〔中国で〕少女。むすめ。▽中国 gu-niang

ぐう-の-ね【ぐうの音】息がつまったときなどにでる「ぐう」という声。「―も出ない(＝一言も弁解できない)」

くう-はく【空白】❶書物・ノートなどの紙面で何もかいてない箇所。また、そのようになっていること。[類語]余白。❷《名・形動》何もなく、むなしいこと。何も行われないこと。「戦争中の―をうめる」＝ブランク。

***くう-ばく【空爆】**《名・他サ》「空中爆撃」の略。爆撃機で空から爆撃すること。「首都圏を―する」

***くう-ばく【空漠】**《形動タルト》❶〔何物も存在せず〕はてしなく広がっているようす。「―と広がる原野」❷ばく然としてつかみどころのないようす。「―たる人生」

くう-はつ【空発】《名・自サ》❶しかけた火薬が目的物を破壊せずにむだに爆発すること。❷ねらいを定めないうちに、鉄砲にこめた弾丸が飛び出すこと。

ぐう-はつ【偶発】《名・自サ》思いがけなくおこること。偶然に発生すること。「―的事故」

くう-ひ【空費】《名・他サ》むだに使うこと。むだづかい。「いたずらに時を―する」[類語]浪費。

くう-ふく【空腹】腹が・すいている(すく)こと。すきばら。「―をみたす」「―を訴える」[対]満腹。

くう-ぶん【空文】〔法律・規則などの文章で〕実際には何の効力ももたない文章。死文。「―化した条文」

クーペ 乗用車の車体型式の一つ。ドアが二つで、セダン(＝箱型車)に比べ車高が低く、全体的にスマート。▽フランス coupé(＝二人乗りの箱馬車)

くう-ぼ【空母】「航空母艦」の略。

***くう-ほう【空包】**火薬で発射音だけがでるようにした演習用弾丸。また、その発射音。[対]実包。実弾。

***くう-ほう【空砲】**火薬だけで、実弾をこめていない銃や大砲。また、その発射音。「歓迎の―を放つ」

クーポン 切りとって使う券。つづり切符。特に、乗車券・乗船券・宿泊券などが一つづりになっている旅行切符。クーポン券。▽フランス coupon

くう-めい【空名】実際の内容・価値に値しない評判・名声。「学者といっても―に過ぎない」[類語]虚名。

ぐう-もく【×寓目】《名・自サ》〔文〕目をつけること。注意して見ること。「―に値する才能」

くうや-ねんぶつ【空×也念仏】平安時代、空也上人(しょうにん)が始めた念仏。ひょうたんまたは鉢(はち)をたたき、鉦(かね)をならして、節おもしろく念仏をとなえながら踊るもの。空也踊り。踊り念仏。念仏踊り。鉢たたき。

くう-ゆ【空輸】《名・他サ》「空中輸送」の略。人や荷物を航空機で運ぶこと。「援助物資を―する」

ぐう-ゆう【偶有】《名・他サ》〔文〕〔ある性質などを〕たまたまそなえていること。「―性」「―的」

クーラー ❶〔夏に〕室内などの空気を冷やして、涼しくするための装置。冷房装置。「ルーム―」「カー―」❷物を入れて冷やすための箱。特に、釣った魚を保存するための携帯用の箱。アイスボックス。▽cooler

くう-らん【空欄】問題・書類などで、文字などを書き入れるようにあけてある(かこみの)部分。ブランク。

くう-り【空理】実際とかけはなれていて、役に立たない理屈。「―に走る」「―空論」[類語]空論。[対]実理。

クーリー【苦力】もと、中国・インドなどの下層労働者。荷役などに雇われた。クリー。[参考]もとウルドゥー語。英語を経て中国語になった語。▽中国 ku-li

くう-りく【空陸】❶空中と陸上。❷空軍と陸軍。

ぐう・りょく【偶力】 一つの物体の異なる二点に対して、大きさが等しく方向が反対でしかも平行に働く二つの力。物体を回転させる。

クーリング・オフ 割賦販売や訪問販売で、契約をしても、一定期間内であれば違約金なしで申し込みの撤回や契約の解除ができる制度。▽cooling-off

*__クール__ 《助数》放送で、連続番組の放送期間の単位。ワンクールはふつう一三週。▽(フランス) cours

*__クール__ 治療を行う期間。▽(ドイツ) Kur(=治療)

*__クール__ 《形動》❶涼しそうなようす。「―タッチ」❷頭の働きが鋭く、感情におぼれないようす。「彼は―な人だ」「―ジャズ(=冷静さと知的な要素をもつモダンジャズの一つ)」▽cool

くう・れい【空冷】 〔エンジンなどを〕空気によって冷やすこと。空気冷却。「―式エンジン」対水冷。

くう・ろ【空路】 航空機の飛ぶ空の道すじ。航空路。また、それを用いた交通。「―ベルリンへおもむく」対海路(水路)・陸路。

*__くう・ろん【空論】__ 〔現実とかけはなれていて〕実際の役にたたない議論・理論。「机上の―」類語空理。

*__クーロン__ 《助数》電気量の実用単位。一アンペアの電流が一秒間に運ぶ電気の量を一クーロンとする。記号C。▽(フランス) coulomb

ぐう・わ【×寓話】 教訓的な内容を動植物などの擬人化などによって表した、たとえばなし。類語寓言。

ぐ・えい【愚詠】 〔文〕❶へたな詩歌。❷自作の詩歌を謙遜(けんそん)して言う語。

クエーカー キリスト教新教の一派。神から直接黙示を感受することを重んじる。平和主義を唱える。フレンド派。光の子派。▽Quaker(=霊感にふるえる者)

クエーサー 準星。▽quasar

く・えき【苦役】 ❶苦しい労働。❷懲役(ちょうえき)。

クエスチョン・マーク 疑問符。インタロゲーションマーク。「?」▽question mark

くえ・な・い【食えない】 (くへ―)《連語》❶食べ物として食べられない。❷〔収入が少なくて〕生活ができない。食ってゆけない。「親子三人とても―・い」❸〔俗〕わるがしこくて、油断できない。「―・いやつ」

く・える【食える】 (くへる)《自下一》❶食うことができる。謙譲頂ける。❷食べるだけの価値がある。「この料理は―・える」類語食わせる。❸生活できる。食っていける。「利息だけで―・える」参考→食えない。

くえん・さん【×枸×櫞酸】 ミカン類の実に多く含まれる酸。清涼飲料の材料、医薬などに用いる。

クォーク 〔理〕物質を構成する、最も基本的な粒子。従来最小の粒子とされてきた陽子(ようし)・中性子なども、これによって構成される。クオーク。▽quark

クォーター ━《名》スポーツ競技で、規定の試合時間を四つに分けた一つ。━《助数》❶質量の単位。一クォーターは約一二・七キログラム。❷ヤードポンド法で長さの単位。一ヤード。▽quarter(=四分の一)

クォータリー 一年に四回発行される出版物。年四回の定期刊行物。季刊誌。▽quarterly

クォーツ ❶石英。❷水晶時計。▽quartz

クォーテーション・マーク 引用符。「〝 〟」「 」。参考国語表記における「 」『 』に相当する。▽quotation marks

クオリティー 質。品質。クォリティー。▽quality

―オブ・ライフ 医療や福祉で、生活の質を重視する考え方。略語QOL。▽quality of life

く・おん【久遠】 〔文〕時がかぎりなくつづくこと。また、遠い昔。「―の理想」類語永遠。永久。無限。

*__く・かい【区会】__ 「区議会」の旧称。「―議員」

*__く・かい【句会】__ 俳句を作ったり互いに批評し合ったりする集まり。

*__く・かい【苦海】__ 苦しみの多いこの世を、海にたとえた語。類語苦界(くがい)。

く・がい【苦界】 ❶苦しみや悩みの絶えない、人間の世界。類語苦海。❷遊女の境遇。「―に身を沈める」

く・かく【区画・区×劃】 《名・他サ》土地などをしきって分けること。また、そのしきった場所。「行政―」

く・がく【苦学】 《名・自サ》働いて学費・生活費をかせぎながら勉強すること。「―して資格をとる」「―力行」

くが・じ【▽陸路】 (くがぢ)〔雅〕陸の上の道。りくろ。対海路(うなじ)。

くかたち【▽探▽湯・▽盟▽神▽探▽湯】 上代の呪術(じゅじゅつ)の一つ。正邪をきめがたいとき、神にちかって熱湯に手を入れさせ、やけどの有無で判断したこと。正しいものは傷つかないとされた。くかだち。くがたち。

く・がつ【九月】 一年の九番目の月。長月。菊月。

く・かつよう【ク活用】 文語形容詞の活用の一種。「く・から―く・かり―し―き・かる―けれ―かれ」と活用する。「よし」「高し」「白し」のように、終止形が語幹+「し」の形のもの。参考→シク活用。

く・がら【句柄】 〔連歌や俳句などの〕句のできばえ。

*__く・かん【区間】__ ある距離をいくつかに分けたとき、二つの地点の間。「列車の不通―」「―が短い」

*__く・かん【苦寒】__ 〔文〕❶寒さに苦しむこと。❷貧しさに苦しむこと。❸最も寒い時。陰暦一二月の別称。

*__く・かん【×軀幹】__ 〔文〕体。五体。特に、胴体。

ぐ・がん【具眼】 物事の是非を見わけ、正しく判断する力をもっていること。見識があること。「―の士」

くき【茎】 種子植物・シダ植物・コケ植物にある器官。花や葉をささえ、下端は根に連なり、水分や養分の通路となる。類語花茎。塊茎。球茎。根茎。地下茎。地上茎。鱗茎(りんけい)。

くぎ【×釘】 鉄・竹などでつくり、一端をとがらせた小さな棒。材木・板などを打ちつけたり、物をつるしたりするのに用いる。「―を打つ」「―を踏み抜く」

―を差・す 《句》〔違約のないように〕相手に念をおす。「一言―・しておこう」類語くさびをさす。

くぎ・かくし【×釘隠し】 〔長押(なげし)など〕人目につく所に打ちつけたくぎの頭を隠すためのかざり。

くぎ・ごたえ【×釘▽応え】 (―ごたへ)❶くぎが、しっかり押さえて効きめがあること。❷意見などがよく効くこと。

くぎ・ざき【×釘裂き】 〔衣服などを〕くぎに引っかけて破ること。また、その破れめ。「―をつくる」

くぎ・づけ【×釘付け】 ❶くぎを打ちつけて、動かないようにすること。「雨戸を―にする」❷そこから動けなくすること。自由をうばい、動きがとれないようにすること。「走者を塁上に―にする」「テレビの前で―になる」

くぎ・ぬき【×釘抜き】 くぎを抜きとる〔鉄製の〕道具。

ぐ・きょ【愚挙】 〔文〕考えの足りない、ばかげた行い。おろかな企て。「―に出る」類語愚行。

*__く・きょう【句境】__ ❶俳句の作り方がすぐれている度合い。「深い―」❷ある俳句を作ったときの心持ち。

*__く・きょう【苦境】__ 〔追いつめられた〕苦しい立場。不

幸な境遇。「—に立つ」類語逆境。窮地。

*く-きょう【苦況】〔事業・仕事などにおける〕苦しい状況。「—を脱する」

*く-ぎょう【▽公×卿】❶公(=摂政・関白・大臣)と卿(=大納言・中納言・参議および三位以上のもの)との称。公家。上達部。卿相。月卿。九卿。公卿。❷殿上人の総称。

*く-ぎょう【苦行】❶《名・自サ》悟りをひらくために苦しい修行を行うこと。また、その修行。「難行—」❷苦しく、つらいおこない・仕事。

く-ぎり【区切り・句切り】❶〔文章・詩などの〕句の切れめ。句読。❷物事の一つの切れめ。段落。きり。「仕事に—がつく」

く-ぎ・る【区切る・句切る】《他五》❶文章・詩などにくぎりを入れる。「一語ずつ—・って読む」❷ある・物(こと)をいくつかに分ける。くぎりをつける。仕切る。「土地を—・る」

く-ぎん【苦吟】《名・自サ》詩・和歌・俳句などを、苦心して作ること。また、その作品。

*く-く【九九】❶一から九までの各数のかけ算の積を表す体系。また、その一つ一つの唱え方。「—を唱える」❷「九九表」の略。九九①を表で表したもの。

*く-く【区区】《形動タルト》〔文〕❶それぞれ異なっていてまとまりのないようす。まちまち。「意見が—にわかれる」参考①の意味では、「区区な・区区に」の形でも使う。❷小さくて、とるにたりないようす。小さなことにこだわるようす。「—たる問題」類語些細。

くぐい【×鵠】「はくちょう」の古称。

くぐつ【×傀×儡】〔文〕❶あやつり人形。また、それをあやつる芸・芸人。「—師」「—回し」❷他人の意志のままに動く人。同①②傀儡。

くぐもり-ごえ【くぐもり声】口の中にこもってはっきり聞きとれない声。含み声。

くぐも・る《自五》〔文〕声が、口にこもってはっきりしない。口ごもる。「—・った声」文《四》。

くぐり【▽潜り】❶くぐること。〔ふつう他の語につけて使う〕「胎内—」❷「くぐり戸」の略。

くくり-ぞめ【▽括り染め】糸や布の一部を糸でくくってそめること(方法)。絞りぞめ。

くくり-つ・ける【▽括り付ける】《他下一》動かないように他のものにくっつけてしばる。しばりつける。

くぐり-ど【▽潜り戸】〔大きな戸や板塀の一部に作った〕くぐって出入りする小さな戸口。切り戸。くぐり。

くぐり-ぬ・ける【▽潜り抜ける】《自下一》❶〔狭いところを〕くぐって通り抜ける。「縁の下を—・ける」❷〔困難な事態や激しい競争を〕何とか処理して無事に切り抜ける。「人生の関門を—・ける」

くく・る【▽括る】《他五》❶〔ひも・なわなどを〕物にまいてしめる。しばる。「首を—・る(=首をつる)」❷ひとつにまとめてしばる。たばねる。「古い雑誌を—・る」❸ひとまとめにする。総括する。「かっこで—・る」「話を—・る」❹〔古〕しぼりぞめにする。文《四》。

くぐ・る【▽潜る】《自五》❶水の中にもぐる。❷物の下を通りぬける。また、穴などを通りぬける。「学校の門を—・る(=入学する)」❸〔困難な場所・環境・時代などを〕なんとか通り抜ける。また、切り抜ける。「敵の目を—・って進む」「法の網を—・る」文《四》。

*く-げ【供▽花・供華】仏前に花をそなえること。また、その花。供花。「墓前の—をたやさない」

*く-げ【▽公×卿】↓くぎょう(公卿)。

*く-げ【▽公家】〔歴〕❶朝廷。天皇。❷〔武家に対して〕朝廷に仕える者。宮廷貴族。❸公卿。

く-けい【×矩形】「長方形」の旧称。

*ぐ-けい【愚兄】〔文〕〔愚かな私の兄の意で〕自分の兄を謙遜して言う語。対賢兄。愚弟。

*ぐ-けい【愚計】❶ばかげた計略。つまらぬはかりごと。❷自分の計画を謙遜して言う語。

くけ-だい【×絎台】裁縫道具の一つ。布をくけるとき、たるまないように布の一端を固定させておく台。

絎　台

くけ-ぬい【×絎縫い】〔裁った布の端をしまつするときなどに〕表側にぬい目が・出ない(目立たない)ように・縫うこと(縫い方)。

く・ける【×絎ける】《他下一》〔布の端を折り込んで、裏目を大きく表目を小さくして〕表側に縫い目が・出ない(目立たない)ように縫う。文く・く《下二》。

*く-げん【苦▽患】苦しみや悩み。苦悩。「—を背負った半生」類語苦難。=苦患。

*く-げん【苦言】〔文〕言われる人にとっては、いい気はしないが、その人のためになることば。類語諫言。

ぐ-けん【愚見】〔おろかな意見の意から〕自分の意見を謙遜して言う語。愚意。「—を述べる」類語愚考。

ぐ-げん【具現】《名・他サ》はっきりした形に、または具体的な形に表すこと。「理想を—する」「—者」

く-こ【×枸×杞】ナス科の落葉低木。夏、葉のつけねに淡紫色の小さな花を開く。赤く熟した果実は果実酒にする。樹皮・葉は乾燥して、漢方で解熱剤にする。

く-ご【供御】〔古〕天皇の飲食物。参考上皇・皇后・皇子にも言う。武家時代には将軍にも言った。

*ぐ-こう【愚考】《名・他サ》〔おろかな考えの意から〕「自分が考えること」「自分の考え」の意の謙譲語。「—を巡らす」類語愚案。愚見。卑見。

*ぐ-こう【愚行】おろかな行い。考えの足りない、ばかげた行為。「—を重ねる」類語愚挙。

く-こん【九献】杯を三献(=三杯)ずつ三度、すなわち九回さすこと。婚礼の三三九度。

*くさ【×瘡】皮膚病の総称。特に、胎毒。かさ。

*くさ【草】㊀《名》❶地上の部分がやわらかく、木質組織をもたない植物。一年草・二年草・多年草の別がある。草本。対木。❷雑草。「—をむしる」㊁《接頭》「本格的ではないが、それに準じている」の意。「—野球」「—競馬」「—相撲」⇩【類語と表現】

—の根を分けて捜・す《句》あらゆる方法をつくして、くまなくさがす。

類語と表現

「草」

*草が生える・草を刈る・草をむしる・庭の草を取る・牛が草を食む・草の庵・草で葺いた屋根・草ぼうぼうの庭。

◆植物・草本・野草・緑草・海草・海藻・雑草・牧草・薬草・香草・毒草・一年草・越年草・二年草・多年草・宿根草・草花・若草・青草・夏草・秋草・水草・蔓草・千草・下草・庭草・枯れ草・干し草・浮き草

◇[春の七草]芹・薺・御形・繁蔞・仏座・菘・蘿蔔

◇[秋の七草]萩・尾花(薄)・葛・撫子・女郎花・藤袴・桔梗(または朝顔)

ぐさ【▽種・草】《接尾》《主に動詞の連用形から転じた名詞について》「…を生じるもと」「…の材料」などの意。「語り―」「笑い―」「言い―」 類語 たね。

くさ・い【臭い】 ㊀《形》❶いやなにおいがする。「―・いどぶ川」 類語 異臭(悪臭・汚臭・激臭)を放つ。死臭(腐臭)が漂う。鼻持ちならない。ぷんぷん臭う。❷疑わしい。あやしい。いわくがありそうだ。「あの男が―・い」「―・い仲」 ㊁《接尾》❶《においを発するものの名前につけて》「…の(ような)いやなにおいがする」意。「汗―・いシャツ」❷《名詞について》「…のようなようすだ」の意。…らしい。「西洋―・い」「インテリ―・い」❸《形容動詞語幹などについて》上の語の語意を強める。「けち―・い」「めんどう―・い」 文 くさ・し《ク》。

―い飯を食・う《句》刑務所で服役する。

―い物に蓋をする《句》人に知られては困ることを、一時しのぎのやり方で隠す。臭い物に蓋。

ぐ・さい【愚妻】〔おろかな妻の意で〕自分の妻を謙遜して言う語。荊妻。

くさ・いきれ【草▽熱れ・草×熅れ】 夏、草むらや草原が強い太陽にてらされて、むっとするような臭気または熱気を出すこと。また、その臭気・熱気。

くさ・いち【草市】 盂蘭盆会に必要な花や供え物などを売るためにたつ市。盆市。

くさ・かげろう【草×蜉×蝣・草×蜻×蛉】 クサカゲロウ科の昆虫。からだも羽も緑色。成虫も幼虫もアリマキを食べる。卵を「優曇華」と言う。

くさ・がめ【草×亀】 イシガメ科に属し、淡水にすむカメの一種。からだは黒褐色で、甲が黄色くふちどられ、頭部にも黄色の線が多い。子をゼニガメという。

くさ・かり【草刈り】 草を刈る・こと(人)。 類語 草取り。

―ば【―場】 ❶草を刈る場所。❷選挙で、何人もの候補者が票を奪い合う地域。

くさ・がれ【草枯れ】〔霜・雪・寒さなどのため〕草がかれること。また、その季節、すなわち、冬。

くさ・き【草木】 草と木。また、植物。草木。

―ぞめ【―染(め)】 草木から採った自然の染料で染めること。また、それで染めたもの。

―も靡・く《句》非常に勢力が強く、多くの人がそれに従うことの形容。

―も眠・る《句》夜がふけて、すっかり静かになるころの形容。「―・る丑三つ時」

く・さく【句作】《名・自サ》俳句を作ること。

__ぐ・さく【愚作】__ ❶くだらない作品。❷自分の作品を謙遜して言う語。 類語 ①②拙作。

__ぐ・さく【愚策】__ ❶おろかな計画。ばかばかしいもくろみ。「―を弄する」❷自分の計画・考えを謙遜して言う語。 類語 ①②拙策。

くさ・くさ《副・自サ》《副詞は「―と」の形も》気分が晴れずいらいらするようす。「雨が続くので―する」

くさ・ぐさ【▽種▽種】〔文〕物・物事などの種類が多いようす。いろいろ。さまざま。種々。「―の品」

くさ・けいば【草競馬】 農村などで行われる競馬。〔公認の競馬に対していう〕

くさ・ごえ【草肥】 緑肥。

くさ・す【腐す】《他五》他を悪く言う。他人の悪口を言う。けなす。「新人の作品を―・す」 表記 かなで書くことが多い。 類語 そしる。 文《四》。

くさ・ずもう【草〈相撲〉】 しろうとがする相撲。 類語 素人相撲。

くさ・ずり【草×摺(り)】 よろいの胴の下にたらして腰の回りをおおう板状のもの。

くさ・ぞうし【草双紙】 江戸時代の、大衆向きの絵入りの通俗小説。多くは、ひらがなでしるす。赤本・青本・黒本・黄表紙・合巻などがある。絵双紙。

くさ・たけ【草丈】 草や稲・麦などののびた高さ。

くさ・ち【草地】〔樹木などがなく〕草が多くはえている土地。 類語 草原。草叢。

くさ・とり【草取り】〔田畑・庭などの〕雑草をとりのぞくこと。除草。 類語 草むしり。草刈り。

くさなぎ・の・つるぎ【草×薙の剣】 →あめのむらくものつるぎ(天叢雲剣)。

くさ・の・ね【草の根】 ❶草の、地中にある部分。❷名もない一般大衆。一般市民。「―運動」

くさ・ば【草葉】 草の葉。

―の・かげ【―の陰】〔埋葬された〕土の中。墓の下。あの世。

くさ・ばな【草花】 ❶草にさく花。草の花。❷〔きれいな〕花の咲く草。「―を植える」

くさ・はら【草原】 草が多くはえた野原。草原。くさわら。「―に寝ころがる」 類語 草叢。

くさび【×楔】 ❶断面が鋭角三角形をした木製または鉄製の道具。ものを割ったり、すき間に打ちこんでゆるみをつめたりするのに使う。❷物事と物事とをかたくつなぎ合わすもの。「友情をつなぐ―となる」❸車軸の端の穴にさし通して、車輪がぬけるのをふせぐもの。

―を打ち込・む《句》❶敵陣に攻めこんで、勢力を二つに割る。❷ある勢力の中へ別の勢力を強引に入れて、その勢力を押さえる。「派閥に―・む」

―を差・す《句》しっかりとたしかめておく。念をおす。確認する。 類語 くぎをさす。

くさび・がた【×楔形】 楔①に似た形。一方の端が広く、他の一方の端に行くに従って狭くなっている形。

―もじ【―文字】 →せっけいもじ(楔形文字)。

くさ・ひばり【草▽雲×雀】 コオロギ科の昆虫。形はコオロギに似て小さく、体色は黄褐色。秋の夕方、小さい木や生け垣の中で「フィリリ」と美しい声で鳴く。

くさ・ぶえ【草笛】 草の葉を巻いて口にあてがい、笛のように吹いてならすもの。

くさ・ぶか・い【草深い】《形》❶草がおい茂っている。❷へんぴで、開けていない。「―・い田舎」

くさ・ぶき【草×葺(き)】 わら・カヤなどで屋根をふくこと。また、その屋根。「―の農家」

くさ・ぼうき【草×箒】 かわかしたホウキグサの茎をたばねて作ったほうき。

くさ・まくら【草×枕】 ㊀《名》野宿。旅寝。㊁《枕》「旅」「結ふ」「結ぶ」「仮」「露」などにかかる。

くさ・み【臭み】 ❶そのもの特有のいやなにおい。「魚の―をとる」❷いやな感じ。「―のある演技」 類語 いやみ。

くさ・む・す【草▽生す・草▽産す】《自五》〔文〕〔自然に〕草がはえる。また、〔ある物が手入れされず〕その周囲に草がおいしげる。「―・した墓」「山行かば―・すかばね」 参考 「むす」は「生じる」の意。 類語 苔生す。

くさ・むら【草×叢・×叢】 草がかたまって多くはえている所。草叢。 類語 草やぶ。やぶ。

くさめ【×嚔】 →くしゃみ。

くさ‐もち【草×餅】ヨモギの葉を入れてついた餅。また、あんを包んだり、だんごにしてあんをつけた和菓子。

くさ‐もみじ【草〈紅葉〉・草▽黄▽葉】秋に、草が赤や黄に変色すること。

***くさや** 腹びらきにしたムロアジなどを、くり返し用いた古い塩汁につけて干したもの。焼くと、特有の強いくさみがある。酒のさかなにする。くさやのひもの。

***くさ‐や**【草屋】❶草ぶきの家。❷まぐさをたくわえておく小屋。まぐさ小屋。表記「草家」とも書く。

くさ‐やきゅう【草野球】しろうとどうしで（あき地や野原で）する野球。

くさ‐やぶ【草×藪】たけの高い草が多くしげっている所。類語 草むら。

くさら・す【腐らす】《他五》→腐らせる。文《四》。

くさら・せる【腐らせる】《他下一》❶腐るようにする。「せっかくのタイを―・せてしまった」❷（物事がうまくいかないで）いや気を起こさせる。不愉快にさせる。「気を―・せる」＝腐らす。文 くさら・す《下二》。

くさり【鎖】❶金属製の輪をつなぎ合わせたもの。チェーン。❷物事と物事を結びつけているもの。つながり。きずな。「両国間の―は切れた」

ぐさり《副》（「―と」の形も）（とがったものが）勢いよく突きささるようす。ぐさっ（と）。「矢が―とささる」「あのひと言が―と胸にきた」

くさり‐かたびら【鎖×帷▽子】小さな鎖をつないでじゅばんのようにしたて、鎧などの下に着た防御具。

くさり‐がま【鎖×鎌】江戸時代の武器の一種。鎌に長い鉄の鎖をつけ、その端に分銅をつけたもの。

くさ・る【腐る】㊀《自五》❶（生鮮食品や死体などが）変質して、くずれたり悪臭を放ったりする。腐敗する。類語 傷む。（す）酸敗。朽ちる。黴びる。饐える。立ち腐れになる。❷木材・金属などが、長い間に形がくずれたりぼろぼろになったりする。類語 腐食。❸人の心がまともさを失って、だめな状態になる。堕落する。「性根の―・った男」❹失望落胆して、物事をする元気を失う。いやけを起こす。「試合に負けて―・っている」❺〈「―・るほどある」などの形で〉使いきれなくて腐らせてしまうほどある。たくさんある。「お金なら―・るほどある」文《四》。㊁《接尾》〔俗〕人の動作を、ののしりにくむ意を表す。…やがる。「いつまでも何をして―・る」「いばり―・る」文《四》。

―っても鯛 《句》本当によいものは、だめになったようでも、それだけの価値があるということのたとえ。

くされ【腐れ】㊀《名》腐っている・こと（部分・程度）。くさり。「キャベツに―が出る」㊁《接頭》「不道徳な」「軽べつすべき」などの意。「―金」「―縁」「―儒者」

くされ‐えん【腐れ縁】別れようとしても別れられずに続く、好ましくない関係。「―だとあきらめる」

くさ‐わけ【草分け】❶草のしげった荒れ地を最初に切り開き、その村や町の基礎を・作ること（作った人）。❷ある物事を最初に行って、その発展の基礎を・作ること（作った人）。創始（者）。「業界の―」

***くし**【×串】食べ物をさし通して調理するための、先のとがった細い棒。鉄・竹などで作る。

***くし**【×櫛】髪をすいたり髪飾りにしたりするもの。「髪に―を入れる（＝髪をくしけずる）」

―の歯が欠けたよう 《句》本来続いてあるべきものが、ところどころ抜けているようす。参考 →歯の抜けたよう。

―の歯を挽く 《句》物事が次から次へ続いてたえまのないたとえ。参考 櫛の歯を作るときは、次々と木をひくようにしてけずり取るところから。

***く‐し**【駆使】《名・他サ》❶人を追いたてて使うこと。こき使うこと。「従業員を―する」❷自分の思いのままに使いこなすこと。「ドイツ語を―する」

***く‐じ**【九字】護身の秘法として唱える九つの文字。臨兵闘者皆陣列在前の九字。

***く‐じ**【▽公事】〔古〕❶公の事柄。❷訴え。訴訟。

***くじ**【▽孔子】孔子。

―の倒れ 《句》どんなすぐれた人にでも失策はあるものだというたとえ。類語 弘法にも筆の誤り。

***くじ**【×籤】物事を機械的に決定する手段の一つ。多くの同じ形の紙きれ・木片などに、語句・符号などを書き、その中から一つをぬき取らせて、勝敗・当落・吉凶などをきめるもの。「―を引く」「―できめる」

くじ‐うん【×籤運】くじを引いたとき、それに当たるか当たらないかの運。「―が強い」「―が悪い」

くし‐がき【×串×柿】渋柿の皮をむいて竹ぐしにさし、乾燥させたもの。串にさした干し柿。

くし‐がた【×櫛形】❶櫛の背の形。上部だけがゆるやかな丸みをもった形。❷「櫛形窓」の略。採光・換気のために欄間に作った櫛形①をした窓。❸壁などに作った櫛形①をした出入り口。

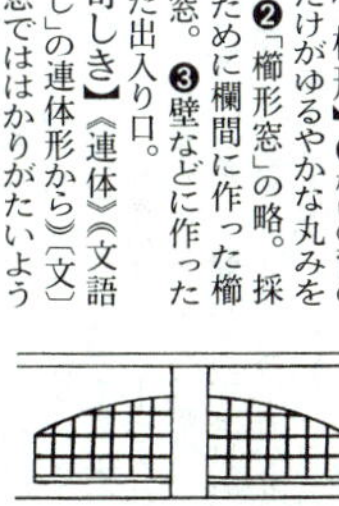

櫛形 ②

くしき【▽奇しき】《連体》（文語形容詞「くし」の連体形から）〔文〕人間の知恵でははかりがたいようす。不思議な。霊妙な。「―運命」「―因縁」

くじ・く【×挫く】《他五》❶（ねじまげたり打ったりして）関節をいためる。捻挫する。❷勢いをそいで弱くする。また、計画などを挫折させる。「敵の出鼻を―・く」「弱きをたすけ、強きを―・く」文《四》。

ぐじ‐ぐじ《副・自サ》（副詞は「―と」の形も）（不平・不満を言って）はっきりした態度をとらないようす。

くしく‐も【▽奇しくも】《副》（文語形容詞「くし」の連用形「くしく」＋助詞「も」）〔文〕ありえないほど不思議なようす。不思議にも。あやしくも。「―巡り合う」

くし‐けず・る【×梳る】《他五》（頭髪を）くしですいてととのえる。とかす。梳く。

くじ・ける【×挫ける】《自下一》❶（打ちつけたりひねったりして）関節が傷つく。「足が―・けた」❷勇気や勢いが弱くなる。阻喪する。「心が―・ける」「障害にも―・けずに頑張る」文 くじ・く《下二》。

くし‐ざし【×串刺し】❶（食べ物を）串にさすこと。また、串にさした物。❷やりなどのとがったものでさし殺すこと。類語 田楽刺し。

ぐし‐ぬい【×串縫い】布に串をさすように、表裏に同じ大きさの縫い目を出して縫うこと。また、その縫い方。参考 運針の練習に用いる、普通の縫い方。

くじ‐びき【×籤引(き)】《名・自サ》くじを引くこと。くじ。抽籤。「―で一等に当たる」

くし‐め【×櫛目】櫛ですいたあとにつく筋。

ぐ‐しゃ【愚者】〔文〕おろか者。対 賢者。

くし‐やき【×串焼(き)】肉・魚や野菜などを串にさして焼くこと。また、焼いたもの。「アユの―」

く‐じゃく【▽孔×雀】キジ科の鳥。東南アジアの国々にすむ。インドクジャク・マクジャクの二種がある。雄の羽毛は美しく、目玉のような紋がある。

くしゃ・くしゃ 一《形動》❶〔紙・布などが〕もまれてしわだらけになるようす。くちゃくちゃ。しわくちゃ。また、髪などが乱れているようす。「—の頭」❷〔物事が〕混乱してまとまりのないようす。ごちゃごちゃ。二《副・自サ》《副詞は「—と」の形も》心がいらだち、すっきりしないようす。くさくさ。「気分が—する」

ぐしゃ・ぐしゃ《形動》❶ぬれて柔らかくなり、形が崩れるようす。ぐしょぐしょ。「新聞が雨にうたれて—だ」❷崩れて、もとの形がなくなるようす。「電柱に激突して—になった車」＝ぐじゃぐじゃ。

ぐじゃ・ぐじゃ 一《形動》↓ぐしゃぐしゃ。二《副》《「—と」の形も》くどいほど文句を言うようす。「—言うな」

くしゃく・にけん【九尺二間】〔間口九尺、奥行二間の意で〕非常にせまい家。また、貧乏人の住居のたとえ。「—の棟割長屋」

くしゃみ【×嚔】鼻の粘膜が刺激されて急に息を激しくはきだす反射運動。くさみ。くさめ。

く・じゅ【口授】《名・他サ》〔文〕↓こうじゅ（口授）。

く・しゅう【句集】連句・俳句を集めた書物。俳句集。「芭蕉—」類語 歌集。詩集。

***く・じゅう【苦汁】**〔文〕にがい汁。また、それを飲まされたようなつらい思い。苦悩。「—の日々」

—を嘗め・める《句》あと味の悪いいやな思いをする。にがい経験をする。苦汁を飲まされる。苦杯を喫する。苦杯を嘗める。

***く・じゅう【苦渋】**❶〔文〕にがく、しぶいこと。❷《名・自サ》〔物事が、うまく進まず〕なやみ苦しむこと。非常につらい思いをすること。「—にみちた顔」「顔に—の色をただよわす」「難渋—」類語 苦悩。難渋。

く・しょ【区処】❶《名・他サ》区分けして処置すること。取りはからい。❷区分けされた所。くぎり。

く・じょ【駆除】《名・他サ》〔害虫・ネズミなどを〕殺したり追いはらったりして、とりのぞくこと。

く・しょう【苦笑】《名・自サ》心の中ではにがにがしく思いながらそれをかくすために、しいて笑うこと。また、その笑い。にが笑い。「失策をつかれて—する」

く・じょう【苦情】他から受けた害悪や不都合な状態に対する不平・不満。「—をもちこむ」「—が絶えない」類語 泣きごと。愚痴。クレーム。

ぐ・しょう【具象】目や耳でとらえられる、はっきりした形・形態をそなえていること。具体。「—的」「—化」「—画」対 抽象。

ぐしょ・ぬれ【ぐしょ×濡れ】ひどくぬれること。びしょぬれ。ずぶぬれ。「全身—になる」「—の犬」

くじら【鯨】❶クジラ目の哺乳動物の総称。海にすみ、形は魚に似る。ヒゲクジラ類（歯のかわりにくじらひげがある）・ハクジラ類（歯がある）に大別される。現存する動物中最大。特に、シロナガスクジラは体長三〇メートルに達する。参考「一頭…」と数える。❷「鯨尺」の略。

くじら・じゃく【鯨尺】昔の、ものさしの一種。また、それで計った長さ。おもに布を計るのに使った。一尺は曲尺の一尺二寸五分（約三七・九センチ）に当たる。鯨差。くじら。

くじら・まく【鯨幕】黒布と白布を交互にぬい合わせた幕。また、そのように染めた幕。葬儀用。

くじ・る【×抉る】《他四》❶ものをさしこみ、穴をあける。えぐる。❷えぐって物を取り出す。

くしろ【×釧】古代の装身具の一つ。貝・青銅・石などで作られた腕輪。

く・しん【苦心】《名・自サ》〔ある目的をとげるため〕いろいろに心を使って苦労すること。ほねおり。「人知れず—する」「—惨憺」類語 苦慮。腐心。

ぐ・しん【具申】《名・他サ》〔文〕〔事情・意見・希望などを〕〔上役に〕くわしく述べること。「私見を—する」

ぐ・じん【愚人】〔文〕おろかな人。愚者。対 賢人。

くす【×樟・×楠】↓くすのき。

***くず【×屑】**❶〔くだけたり、ちぎれたりして〕不用になったもの。類語 お払い（物）。ごみ。ちり。反故。がらくた。屑物。廃品。廃物。瓦礫。残骸。❷必要な部分をとりさった残り。「野菜の—」類語 かす。❸何の役にもたたないもの。「人間の—」

***くず【×葛】**❶マメ科のつる性多年草。秋、赤紫色の花を房状につける。根から葛粉をとり、茎の繊維から葛布を作る。秋の七草の一つ。❷「くずこ」の略。

ぐ・す【具す・×倶す】《自他五》↓具する。

ぐず【愚図】《名・形動》動作・決断などがにぶく、何事にものろのろすること（人）。「—で仕事がのろい」表記「愚図」は当て字。多くかな書き。

くず・あん【×葛×餡】砂糖・しょうゆなどで味付けした汁を煮たてて、葛粉を水にといて入れ、どろりとさせたもの。あんかけ料理に用いる。くずだまり。

くず・いと【×屑糸】使い残した糸。短くなって使いものにならず、くずになった糸。

ぐ・ずう【×弘通】《名・他自サ》仏教の教えが広まること。また、教えを広めること。表記 現代仮名遣いでは「ぐづう」も許容。

くずお・れる【×頽れる】《自下一》❶くずれるように倒れる（すわりこむ）。❷張りつめていた気力を失う。「妻をなくして心が—・れる」表記 ①②とも、「くず折る」と書くこともある。文 くづほ・る《下二》

くず・かけ【×葛掛(け)】くずあんをかけること。また、その料理。あんかけ。

くず・かご【×屑×籠】紙屑などを入れるかご。

くず・きり【×葛切(り)】和菓子の一つ。葛粉を水でとき、砂糖を加えて蒸してから、うどんのように切ったもの。黒砂糖で作ったみつに浸しながら食べる。

くす・くす《副》《「—と」の形も》ひそかに笑うようす。声をこらえて笑うようす。「—と忍び笑いをする」

ぐず・ぐず【愚図愚図】一《副》《「—と」の形でも》❶《自サ》はっきりせず、決断・行動がにぶいようす。「—して話が進まない」❷《自サ》のんびり構えているようす。「—してはいられない」❸はっきり言わず、〔陰で〕ぶつぶつ不平を言うようす。「—言う」❹《自サ》鼻がつまって音をたてるようす。「風邪を引いて鼻が—する」二《形動》〔俗〕ゆるいようす。「包み方が—だ」表記「愚図愚図」は当て字。多くかな書きにする。

くすぐった・い【×擽ったい】《形》❶むずむずする感じだ。こそばゆい。❷てれくさい。きまりがわるい。こそばゆい。「—・い褒め言葉」文 くすぐつた・し《ク》

くすぐり【×擽り】❶俳優・芸人などが客を笑わせようとして、ことさらに行う動作や話術。「—を入れる」❷文学で、ことさらに読者を笑わせようとする試み。

くすぐ・る【×擽る】《他五》❶〔わきの下や足の裏などの〕皮膚を刺激して、むずむずする、笑いたい状態にする。❷人を笑わせようとして、こっけいなことを言ったりしたりする。「いくら—・っても客に受けない」❸人の心

を〔軽く〕刺激する。動揺させる。「旅心を—・る」「母性本能を—・る」≒こそぐる。文《四》。

くず‐こ【×葛粉】 クズの根からとった白い粉。でんぷん質にとみ、栄養食やあんかけ料理に使われる。くず。

くず‐ざくら【×葛桜】 のり状にねったくずであんを包み、サクラの葉で包んだ和菓子。

くす‐し【▽薬師】《「くすりし」の転》〔古〕医者。

くずし‐がき【崩し書き】 ❶草書や行書で書くこと。また、その字。❷略字。

くずし‐じ【崩し字】 くずし書きにした字。

くず・す【崩す】《他五》❶〔まとまった形のあるものを〕くだいてこわす。正しくない形にする。「山を—・す」類語 潰す。押し潰す。(する)破壊。❷〔整った状態を〕乱す。見苦しくする。「ひざを—・す」❸〔正しくない形に〕変化させる。「伝統を—・さずに守る」❹書体を行書や草書にしたり、字画を略したりする。くずし書きにする。「字を—・さずに書く」❺同額の細かい貨幣にかえる。「一万円札を—・す」❻〈「顔を—・す」の形で〉顔をほころばせる。笑顔になる。「顔を—・して笑う」❼〈「身を—・す」の形で〉堕落する。身を落とす。「ギャンブルで身を—・す」文《四》。

くす‐だま【▽薬玉】 香料を入れた袋を造花などで飾り、五色の糸を長く垂らしたもの。五月五日の節句に、厄よけに飾った。参考 現在では、開店祝い・進水式などに、紙・布・造花などで作られる。

ぐず‐つ・く【愚図付く】《自五》❶のろのろして、行動・態度がはっきりしない。ぐずぐずする。❷〔赤ん坊・子どもなどが〕きげんが悪く、すねる。ぐずる。❸天気の状態がはっきりしない。「—・いた天気が続く」表記「愚図」は当て字。多く、かなで書く。

くず‐てつ【×屑鉄】 ❶鉄製品を作るときにでる、鉄くず。❷廃品になった鉄製品。スクラップ。

くす・ねる《他下一》〔俗〕ごまかして、他人のものをこっそり自分のものにする。ひそかに盗む。「売り上げの一部を—・ねる」類語 ちょろまかす。

くす‐の‐き【×樟・×楠・×楠(の)木】 クスノキ科の常緑高木。暖地に自生。材は堅く、芳香がある。しょうのうの原料、家具の材料などに用いる。くす。

くすぶ・る【×燻る】《自五》❶炎を出さずに燃えて、煙ばかり出る。いぶる。❷すすがついて黒くなる。「—・った天井」❸以前に起こったことが、ひそかにあとをひく。ある物事や事態が、起こりそうで、まだ表だたないでいる。「不満が—・る」❹とじこもって、なすことなく暮らす。また、地位・状態が停滞して向上しない。「二軍で—・っている」同①〜④ふすぶる。くすぼる。文《四》。

くす・べる【×燻べる】《他下一》炎を出さないようにして燃やす。ふすべる。文 くす・ぶ《下二》。

くず‐まい【×屑米】 精米するときに砕けた米や、虫のついた米。類語 砕け米。

くす・む《自五》❶〔色が〕落ち着いて地味になる。また、色がさえなくなる。❷〔人の存在・地位などが〕地味で目立たなくなる。「—・んだ存在の人」文《四》。

くず‐もち【×葛×餅】 水にといたくず粉を加熱してのり状にし、型に流して固めた食品。きな粉・みつなどをかけて食べる。東京の名物。

くず‐もの【×屑物】 ❶使い古して役にたたなくなったもの。くず。「—を整理する」類語 廃物。廃品。❷よい物を選び出したあとに残ったがらくた。

くず‐や【×屑屋】 再利用するための物を売買する職業(の人)。参考 現在では「廃品回収業」と呼ばれる。

くず‐ゆ【×葛湯】 くず粉などのでんぷんに砂糖を加え、熱湯をそそいでかきまぜてのり状にしたもの。

くすり【薬】 ❶病気や傷などをなおすため、また、病気の予防や栄養の補給などのために、飲んだり塗ったり注射したりするもの。医薬。薬剤。「—より養生」❷防虫・消毒などのために使うもの。「—をまく」❸〔やきものの〕うわぐすり。「—をかけて焼く」❹火薬。❺心やからだのために役だつ物事。「苦労は身の—」

—が効・く《句》しおき・見せしめなどの効果がある。

—九層倍《句》薬の値段が、原価にくらべて非常に高いこと。暴利をむさぼることのたとえ。

—にしたくも無・い《句》ほとんどない。

くすり‐ぐい【薬食い】 昔、寒い時期に、滋養・保温のためイノシシやシカなどの獣の肉を食べたこと。

くすり‐づけ【薬漬(け)】 長期にわたり、過度に薬を服用させられること。また、その状態。

くすり‐ばこ【薬箱】 ❶いろいろな薬を入れておく箱。❷昔、医者が薬を入れて持ち歩いた箱。

くすり‐や【薬屋】 薬を売る店。類語 薬局。

くすり‐ゆ【薬湯】 ❶薬品や薬草を入れたふろの湯。❷薬効のある温泉。注意「やくとう」と読むと別語。

くすり‐ゆび【薬指】 親指から四番めの指。無名指。紅差し指。名無し指。

ぐ・する【具する・×倶する】 一《自サ変》〔文〕❶〔自然に〕そなわる。❷つれだつ。つれそう。「二人の兵が親王に—・する」二《他サ変》〔文〕❶そなえる。ととのえる。「書類を—・して申請する」❷つれて行く。ともなう。「供を—・して行く」

ぐず・る【愚図る】《自五》❶ぐずぐずする。❷〔機嫌が悪くて〕ぐずぐず言う。だだをこねる。むずかる。ぐずつく。「赤ん坊が—・る」「時給が少ないといって—・る」❸〔俗〕いいがかりをつける。「不良に—・られる」表記「愚図」は当て字。多くかな書きにする。

くずれ【崩れ】 一《名》❶くずれること。また、くずれた部分。「土塀の—」「化粧の—を直す」❷集会を解散した人々。「デモ隊の—」二《接尾》《身分・職業などを表す語について》「以前は…だったが今はおちぶれている者」の意。「ボクサー—」「特攻—」参考→あがり。

くず・れる【崩れる】《自下一》❶〔まとまって形をなしていたものが〕くだけこわれる。崩壊する。「長雨で山が—・れた」類語 潰れる。潰える。(する)崩落。❷整った状態にあるものが乱れる。見苦しくなる。「列が—・れる」「姿勢が—・れる」「天気が—・れる」❸同額の細かい貨幣になる。小銭に替えられる。「一万円札がなかなか—・れない」❹相場が急落する。

くすん‐ごぶ【九寸五分】〔長さが九寸五分であったことから〕短刀。あいくち。類語 どす。

***くせ【▽曲】** 謡曲で、曲舞の節でうたう、曲の中の重要な部分。謡曲のきかせ所。

***くせ【癖】** ❶無意識に行う、かたよった言動・考え・好み・習慣。「なくて七—」「—になる(＝そのことが当然であるかのようになる)」類語 習癖。❷ふつうと異なった(いやな)性質・傾向。「ひと—もふた—もある男」❸曲がったり折れたりしたあと。「髪にへんな—がついた」参考→くせに・そのくせ。

ぐ‐せ【▽救世】 ❶世の人々の苦しみを救うこと。❷「仏・菩薩」の通称。また、特に「聖観世音」の別名。＝救世・救世。

ぐ・せい【愚生】《代名》〔文〕自分を謙遜して言う語。小生。拙生。

ぐ・ぜい【×弘誓】衆生を救おうとする、仏や菩薩の広大な誓い。

くせ・げ【癖毛】ちぢれてはえてくる毛髪。ちぢれげ。

くせ・して【癖して】《連語》↓くせに。表記ふつう、仮名書き。

く・せつ【苦節】〔文〕苦しみに負けず自分の信念や態度を守り通す・こと(心)。「―一〇年」

く・ぜつ【口舌・口説】❶〔話をするときの〕ことば。口舌。「恋の―」❷言い争い。口げんか。参考特に男女間の口げんかなどにいう。「―が絶えない」

ぐ・せつ【愚説】❶とるにたりないばかげた説。対卓説。❷自分の説を謙遜して言う語。

くせ・に【癖に】《接助》《「癖」＋助詞「に」》ある事柄を事実として述べ、それから導かれる事実が後件として成立しない意を表す。…のに。…にもかかわらず。〔非難・難詰の意がこもる。口頭語的な言い方〕「子供のくせに生意気な口を利く」「約束したくせに買ってくれない」参考(ア)「くせに」は、前件と後件の主語が一致するが、「のに」にはそうした制約がない。「雨が降ったのに出かけた」(イ)「のに」と同様に終助詞的にも使う。(ウ)類似の表現に「くせして」がある。「弱いくせして強がるな」表記ふつう、仮名書き。

くせ・もの【▽曲者】❶正体がわからず、あやしい者。「城に―が忍びこむ」類語賊。❷〔他と変わらないようだが〕油断のできない者。ひとくせある者。したたか者。「彼はなかなかの―だ」❸一見何事もなさそうであって、油断のできないこと。「その親切が―だ」

く・せん【苦戦】《名・自サ》〔不利な状態で〕苦しい戦いをすること。また、その戦い。「今回の選挙では―を強いられそうだ」類語苦闘。悪戦。

くそ【×糞・×屎】一《名》❶肛門から出る、食物のかす。大便。便。うんこ。糞。❷分泌したものや、物のかす。〔接尾語的に使う〕「鼻―」「たもと―」❸〈「…も―もない」の形で〉…など全く無い。「あいさつも―もない」二《感》〔男が〕人を強くののしるとき、自分を奮起させようとするとき、くやしいときなどに発する語。くそっ。「―、あのやろう」三《接頭》❶人を軽べつしたり、ののしったりする意。「―おやじ」「―坊主」❷「度のすぎた」「はなはだしい」などの意。「―まじめ」「―度胸」❸その語を強める語。「―暑い」「―おもしろくもない」四《接尾》〔軽べつの気持ちを含めて〕その語を強める語。「へた―」「やけ―」

―も味噌も一緒《句》↓味噌も糞も一緒。

ぐ・そう【愚僧】《代名》僧が自分を謙遜して言う語。拙僧。

くそ・おちつき【×糞落(ち)着き】〈多く、「―に落ち着く」の形で〉いやに落ち着きはらっていること。「期限が迫っているというのに―に落ち着いている」

***ぐ・そく【具足】**〔文〕❶《名・自サ》ある物事が十分にそなわっていること。「諸々の条件が―する」「円満―」❷《名・他サ》ある物事を十分にそなえていること。「資格を―する」❸甲冑。〔古風な言い方〕

***ぐ・そく【愚息】**〔文〕自分の息子を謙遜して言う語。類語倅。

くそ・くらえ【×糞食らえ】《連語》ある物事や人、また、相手の行為などをののしって言う語。また、自分の思いどおりにならないことに対し、やけになって言う語。勝手にしろ。どうともなれ。「勉強など―だ」

くそ・たれ【×糞垂(れ)】〔俗〕人をいやしめ、ののしって言う語。くそったれ。

くそ・ぢから【×糞力】なみはずれて強い、〔人の〕力。ばかぢから。「いざとなると―が出る」

くそ・どきょう【×糞度胸】並外れてずぶとい度胸。

くそ・ばえ【×糞×蠅】「金蠅」の俗称。

くそ・みそ【×糞味×噌】《形動》❶〔くそもみそも一緒にする意から〕価値のあるものとないものとの区別がつかないようす。「天才も凡人も―に扱う」❷ひどいものにするようす。めちゃくちゃ。さんざん。ぼろくそ。「―にけなす」「―にやっつける」同①②みそくそ。

くだ【管】❶中がからになっている細長いもの。管。❷機の部品の一つ。機を織るときに、横糸をまいて梭に入れるもの。❸糸車のつむにさして、糸をまきつける軸。車をまわすとぶんぶん音をたてる。

―を巻・く《句》〔くだ③がぶんぶん音をたてるように〕酒に酔って、とりとめもないことをくどくど言う。

く・だい【句題】詩歌の題の一つ。古い漢詩や和歌などの一句をとって題としたもの。

ぐ・たい【具体】〔物事が考えの上だけでなく〕はっきりした形・形態を備えていること。具象。対抽象。**―か【―化】**《名・自他サ》具体的に・なること(すること)。具象化。「原案を―する」対抽象化。**―てき【―的】**《形動》〔ある物事が一つの考えや概念としてあるだけでなく〕はっきりした形を備えているようす。具象的。「計画を―に説明する」対抽象的。

くた・かけ【▽鶏】〔雅〕ニワトリ。

くだ・く【砕く】《他五》❶〔固まっている物に圧力を加えて〕細かい破片にする。「骨を―・く」「ダイナマイトで岩を―・く」類語熟す。碾く。(す)圧砕。破砕。爆砕。粉砕。❷〈「心を―・く」などの形で〉あれこれと思案を重ねて頭をなやます。「事件の解決に心を―・く」❸〔勢い・計画などを〕くじく。ひしぐ。「野望を―・く」❹むずかしい表現などを、わかりやすい形になおす。やさしく説く。「―・いて説明する」文《四》。

くた・くた一《形動》❶〔布・衣服などが〕使い古して、はりをなくしたようす。よれよれ。❷ひどく疲れたようす。「―に疲れる」二《副》(「―と」の形も)〔煮物などが〕さかんに煮えるようす。類語ぐつぐつ。

くだ・くだ《副》(「―と」の形も)〔同じようなことを〕くりかえし、長々と述べるようす。くどくど。「―不平をいう」**―し・い**《形》長たらしくて、わずらわしい。細かすぎて、わずらわしい。くどくどしい。「いちいち例を挙げるのも―・い」類語くどい。

くだけ・まい【砕け米】もみすりや、米つきのときに、粒がくだけ細かくなった米。類語屑米。

くだ・ける【砕ける】《自下一》❶〔固まっている物が圧力を加えられて〕細かい破片になる。「玉と―・ける(＝名誉などのために潔く死ぬ)」「腰が―・ける(＝腰で上体を支えられなくなる。転じて、勢いがなくなり続かなくなる)」類語↓砕く。❷勢いが衰え弱る。くじける。「意志が―・ける」❸〈「―・けた」の形で〉〔態度などが〕堅苦しくならないで、うちとける。さばける。「―・けた態度で話す」類語開ける。(す)軟化。文くだ・く《下二》。

くださ・い【下さい】《「くださる」の命令形。本来、動詞「下す」の連用形の音便形「ください」＋「ませ」の省略された形》㊀《他五》「くれ」の尊敬・丁寧語。相手にある物・物事を願い求める意を表す。ちょうだいしたい。「お手紙を—」「しばらくの猶予を—」㊁《補動》⦅「お」+動詞の連用形、「ご」+漢語、または、動詞連用形+「て(で)」の形について⦆相手に要望・懇願する意を表す。「お乗り—」「ごらん—」「ご検討—」「どうか行かせて—」表記㊁は、ふつうかな書き。

くださ・る【下さる】㊀《他五》「与える」「くれる」の尊敬語。❶〔目上の人が目下の人に〕お与えになる。下賜なさる。賜る。「殿様が褒美を—・る」❷〔目上の人または相手が、自分に〕お与えになる。「あの方は私に宝石を—・った」文《四》。㊁《補動》⦅「お」+動詞の連用形、「ご」+漢語、または動詞連用形+「て(で)」の形について⦆ある主体が、他の人物のために何らかの動作をすることを表す。「おほめ—・る」「ご注文—・った品」表記㊁は、ふつうかな書き。=くだされる。文《四》。

くだされ・もの【下され物】いただいた物。いただき物。賜り物。ちょうだい物。

くださ・れる【下される】《他下一》くださる。参考「くださる」よりさらに尊敬の意が強い。文くださ・る《下二》。

くだし・ぐすり【下し薬】下剤(げざい)。

くだ・す【下す】㊀《他五》❶〔文〕〔地位を〕低いところに移す。さげる。「階級を—・す」表記①は「降す」とも書く。対のぼす。❷〔文〕〔目下の者に〕与える。下げ渡す。下賜する。「褒美を—・す」「神の—・し給うた恵み」❸〔命令・判決などを〕申し渡す。「厳命を—・す」❹〔判断・評価などを〕みずからさだめ置く。「定義を—・す」❺〔文〕流れにのせて下流へ移動させる。「いかだを—・す」❻攻め落とす。降参させる。「敵を—・す」表記⑥は「降す」とも書く。❼排泄(はいせつ)器官を通って体外へ出させる。特に、下痢する。「腹を—・す」❽〈「手を—・す」などの形で〉みずから処理する。直接実行して、ある処置を取る。「手の—・しようがない」❾〈筆を—・す〉執筆する。文《四》。㊁《接尾》「物事を一度に続けてし終える」意。「読み—・す」「書き—・す」文《四》。

くだ・たま【管玉】直径五ミリ、長さ一五ミリぐらいの管のような形をした細長い玉。古代の装身具の一つ。

くだっ・て【下って・▽降って】《連語》〔文〕手紙文で、自分のことを述べる文章の前に書いて、へりくだった気持ちを表す語。〔接続詞的に用いる〕「—私ともども家内一同…」表記「降而」とも書く。

くたに【九谷】「九谷焼」の略。九谷〔石川県南西部の町〕を中心に作られる色絵磁器。

くたば・る《自五》❶くたびれる。へたばる。❷死ぬ。〔ののしって乱暴に言う語〕文《四》。

くたびれ・もうけ【▽草×臥×儲け】疲れただけで、何の利益にもならないこと。「骨折り損の—」

くたび・れる【▽草×臥れる】㊀《自下一》❶体を使いすぎて、これ以上働いたり動いたりするのがいやになる。疲れる。疲労する。「歩きすぎて—・れた」類語↓疲れる。❷長い時を経て若々しさがなくなり、気力がおとろえる。無気力になる。「人生に—・れる」❸〔俗〕長く使ったため、古ぼけてみすぼらしくなる。「—・れたスーツ」=くたぶれる。文くたび・る《下二》。㊁《接尾》…しすぎていやになる。いやになるほど…する。くたぶれる。「待ち—・れる」文くたび・る《下二》。

＊**くだ・もの【〈果物〉】**〔リンゴ・カキ・ナシ・イチゴなど〕食用となる水分(と甘み)の多い草木の実。生で食用になり、菓子の一種として食べる物を言う。水菓子。フルーツ。類語果実。漿果(しょうか)。青果。美果。百果。

＊**くだ・もの【管物】**菊の園芸品種で、花弁が管状のもの。対厚物・平物。

くだら・な・い【下らない】《連語》❶取るにたりない。ばからしく、つまらない。くだらぬ。❷その数量以下ではない。くだらぬ。「二万を—・い観衆」

＊**くだり【下り】**❶上から下へ移ること。さがること。表記「降り」とも書く。❷都から地方へ行くこと。特に、東京から地方へ行くこと。「週末には—の列車が混雑する」❸「下り坂」の略。❹「下り列車」の略。対①〜④上(のぼ)り。❺「くだりばら」の略。

＊**くだり【▽件・▽条】**❶文章の中で、あることについて述べている一部分。「この本は合戦の—がおもしろい」❷前文で述べたこと。くだん。「—の如(ごと)し」

＊**くだり【▽行】**文書中の縦の行。参考↓三行半(みくだりはん)。

くだり・あゆ【下り×鮎】落ち鮎。

くだり・ざか【下り坂・▽降り坂】❶進むにつれてさがっている坂。くだり。❷物事の盛りがすぎて、おとろえてゆく傾向にあること。また、天候が悪くなること。「営業成績が—になる」対①②上り坂。

くだり・ばら【下り腹】下痢(げり)。はらくだし。くだり。

くだり・れっしゃ【下り列車】中央から地方へむかって行く列車。下り。対上り列車。

くだ・る【下る】《自五》❶低い所に移る。㋐下の方に行く。おりる。「峠を—・る」表記㋐は「降る」とも書く。㋑流れにのって下流へ移動する。川下へ進む。「利根川を—・る」対のぼる。❷〈野(や)に—・る〉官職をやめて民間人になる。また、政権を離れて野党になる。「野に—・って権力と闘う」❸〈獄(ごく)に—・る〉牢獄(ろうごく)にはいって刑に服する。❹都〔古くは京都、今は東京〕から地方へ行く。「北国に—・る」対のぼる。❺時が移って、のちの時代になる。「時代が—・る」表記⑤は「降る」とも書く。❻〔命令・判決などが〕申し渡される。「辞令が—・る」❼〔判断・評価などが〕おのずからさだめ置かれる。決定される。❽戦いに負ける。降伏する。「敵の軍門に—・る」表記⑧は「降る」とも書く。❾排泄(はいせつ)器官を通って体外へ出る。特に、下痢(げり)をする。「腹が—・る」❿ある基準(量)以下になる。下まわる。「気温が零度以下に—・る」参考↓下(くだ)らない②。対のぼる。文《四》。

くだん【▽件】⦅「くだり」の音便⦆❶〈「(依(よ)って)—の如(ごと)し」の形で〉記載したとおりである。〔証文の終わりなどに書くことば〕❷〈「—の」の形で〉以前に述べたところの。例の。かの。「—の男」「—の話」

くち【口】㊀《名》❶動物が食物をとり入れ、それを消化器官に送りこむ、あな状の器官。人では、顔の下部にあって音声を発する所となる。「—をとがらす(=不満の気持ちを表情に出す)」❷ものを言うときに使うものとしての口①。「—をつぐむ」㋐口①を使って言い表すこと。また、そのことば。「—がうまい(=人の気に入るようなことをうまく言う)」「—が堅い(=言ってはならないことは決して言わない)」「—が重い(=ことば数が少ない)」「—が軽い(=よく考えず、言ってはならないことでも軽々しく言う)」「—が減(へ)らない(=口が達者である)」「—が過ぎる(=言い過ぎる)」「—が悪い(=あからさまに人や物をけなすくせがある)」「—程にも無い(=ことばで言っているほどのことはない)」「—を酸っぱくして言う(=同じ注意を何度も繰り返して言う)」「—を滑らす(=言ってはならないことをうっかり言ってしまう)」「—を揃える(=多くのものが同時に同じことを言う)」「—を出す(=口をはさむ)」「観念して—を割る(=白状する)」㋑うわさ。風説。「人の—がうるさい」㋒〔芸人などに対する〕客の呼び出し・注文。「—が掛かる(=招きをうける)」「友人にも—を掛ける(=さそう)」❸飲食するときに使うものとしての口①。㋐特に、暮らしてゆくために、飲食する口①。また、その人の数。食べる量。「—が干上がる(=生活ができなくなる)」「—を糊する(=やっと暮らしをたてる)」「—を減らす」㋑食べるときに感じる、うまいとかまずいとかの感じ。味に対する感覚。味覚。「—が肥えている」「—が奢る(=うまい物を食べなれていて、食べ物にぜいたくである)」「—に合う(=飲食物が自分の好みにあう)」❹〔口①が食物を入れたり、音声を出したりする所から〕物を出し入れする所。「—の大きいびん」「傷の—があく」❺〔口①が食物を入れるはじめの所であることから〕㋐物の端。「折れ—」「切り—」㋑物事のはじめ。「序の—」「宵の—」❻馬などを引くためにその口①に当てるひも。「馬の—を取る」❼器物などの入り口をふさぐ、せん・ふた。「—をしめる」「—を取る」❽はいりこむべき、地位・場所。㋐〔就職・縁組などで〕落ち着く先。「仕事の—がない」㋑物事をいくつかに分けたうちの、同じ種類にはいるものの一つ。たぐい。類。「この—は前に飲んだことがある」⇩【類語と表現】

二《助数》❶ものを食べるときの口(一)①に入れる回数を数える語。「一—食べる(=転じて、ほんの少し食べる)」❷申し込む金額・数量などの単位の数を数える語。「一—一万円」

—が煩さ・い《句》❶細かいことをいろいろ言う。❷世間の噂になってわずらわしい。「世間の—・い」

—が腐っても《句》絶対に人に言わないという決意の強さを形容することば。口が裂けても。「—言わない」

—が曲が・る《句》〔神仏や目上の人に無礼なことを言うと、ばちが当たり、口がゆがむ意で〕無礼をたしなめるときのことば。「神様の悪口を言うと—・るぞ」

—から先に生ま・れる《句》口数の多い人をあざけって言うことば。

—に・する《句》❶食べる。また、飲む。「肉を—・しない人」❷言う。しゃべる。口に出す。

類語と表現
「口」
＊口をすすぐ・口を大きく開ける・口をすぼめる・口でくわえる／口に出す・口を開く・口を閉ざす・口をつぐむ・口で伝える・口から口へ伝わる／瓶の口を閉める。
◆[…くち(ぐち)]大口・受け口・おちょぼ口・一口・一人口・二人口・早口・無口・悪口・仲人口・憎まれ口・悪たれ口・入り口・出口・出入り口・門口・戸口・表口・裏口・にじり口・上がり口・登り口・登山口・降り口・通用口・勝手口・非常口・逃げ口・汲み取り口・焚き口・落ち口・窓口・改札口・傷口・切り口・切れ口・袖口・筒口・鯉口・蛇口・吸い口・歌口・川口・滝口・勧め口・儲け口・捌け口・序の口
◆[…こう]火口・河口・湾口・開口・箝口・経口・鶏口・虎口・糊口・坑口・港口・銃口・人口・突破口・噴火口

—は災いの門《句》〔何げなく話したことが原因になって、災いが身にふりかかることから〕話すことには、十分気をつけるべきだという戒め。

—を利・く《句》❶ものを言う。話をする。❷両者の間をとりもつ。「有力者に—・いてもらう」

—を切・る《句》❶最初に発言する。話し始める。「まず住民の代表者が—・った」❷〔密封したびんやかんの〕封をきる。口をあける。使い始める。

—を叩・く《句》言いたいことを言う。かってなことを言う。参考ふつう、「大きな口を叩く」「大口を叩く」「減らず口を叩く」などの形で使う。

—を拭・う《句》❶盗み食いをしたあと、口をふいて知らん顔をする。❷人に知られぬようにあることをして、知らん顔をする。「使い込みをして—・う」
＊ぐち【口】《接尾》❶《「一人」「二人」などの語について》「…のくらし」の意。「ふたり—」❷「あることをする場所」「出入りする所」「…し始める所」などの意。「就職—」「非常—」「登山—」
＊ぐ-ち【愚痴】言ってもかいのないことをくどくど言ってなげくこと。また、そのことば。「—をこぼす」「—を聞かされる」参考もと、仏教語で、真理を理解する能力がないおろかなことの意。類語苦情。—っ-ぽ・い《形》言ってもしかたがないことをくどくど言う。

くち-あい【口合(い)】—ひ❶双方の話がよく合うこと。あいくち。❷仲介人。❸地口。語呂。
くち-あけ【口開け】❶封をした口を開くこと。また、開いたばかりであること。その時。❷ある物事を行う最初。かわきり。口切り。「—(=店を開いたばかり)なのでお安くします」「—の客」
くち-あたり【口当(た)り】❶〔飲食物を〕口に入れたときの〔舌に感じる〕感じ。口ざわり。「—のいい酒」❷相手に対する物の言い方や人あしらいの感じ。「—のいい人」類語人あたり。
くち-あらそい【口争い】—そひ 口げんか。言い争い。
くち-い《形》〔俗〕腹がいっぱいである。満腹だ。
くち-いれ【口入れ】《名・自サ》〔口だし・仲介(人)の意から〕奉公口・金融などの世話をすること(人)。周旋。「—屋」
＊**くち-うつし**【口写し】話し方やその内容が、ほかの人の話にそっくりであること。「評論家の—にすぎない」
＊**くち-うつし**【口移し】❶飲食物をいったん自分の口にふくんでから相手の口に直接移し入れること。「—で水を飲ませる」❷容器の口から直接飲むこと。「びんから—で飲む」❸ことばだけで直接伝えること。口伝え。「—で秘伝を教える」類語口授。口伝。
くち-うら【口▽占・口裏】相手の思っていることや、物事の事情を察することができるような話しぶり。「—から推察するに…」「仲間で—を合わせる(=ふたり以上の間で、話の筋道が合うようにする)」
くち-うるさ・い【口▽煩い】《形》わずかなことにも小言を言うようす。くちやかましい。「—・く注意する」
くち-え【口絵】書籍や雑誌の最初にある絵。
くち-おし・い【口惜しい】—しい《形》〔物事が〕思うとおりにならず、残念だ。また、しゃくにさわる。くやしい。〔古風ないい方〕「誠意が通じないのが—・い」
くち-おも【口重】《名・形動》❶口のきき方がおそいこと。すらすらとしゃべれないこと。類語無口。❷慎重で軽々しくしゃべらないこと。対①②口軽。
くち-がき【口書(き)】❶江戸時代、尋問の供述を記したもの。また、罪人の白状書に爪印をおさせたもの。❷口に筆をくわえて、書画をかくこと。

くち-かず【口数】 ❶ふだん、ものを言う回数。ことば数。「―の多い(=よくしゃべる)人」 ❷人数。頭数。「家族の―が減る」 ❸事件・物事の数。

くち-がた・い【口堅い】《形》❶言うことが確かである。❷〔秘密などを〕やたらに人にしゃべらない。口がかたい。「―・い人だから信用できる」

くち-がため【口固め】《名・自サ》❶〔秘密などを〕他人にしゃべらないようにすること。口どめ。「金を与えて―する」 ❷口頭で約束をすること。「夫婦の―」

くち-がね【口金】 器物の口につける金具。「ビールびんの―」

くち-がる【口軽】《名・形動》❶すらすらとしゃべること。❷分別なしに軽々しくしゃべること。「すぐに秘密をもらす―な男」 対 ①②口重(くちおも)。

くち-き【朽ち木】 腐った(立ち)木。 類語 うもれ木。

くち-きき【口利き】 ❶〔勢力があって〕交渉や談判がうまい・こと(人)。顔きき。顔役。「土地の―」 ❷〔相談・交渉などをまとめるため〕二者の間をとりもつ・こと(人)。「叔父の―で就職が決まる」 類語 仲介。調停。斡旋(あっせん)。周旋。世話。

くち-ぎたな・い【口汚い】《形》❶ものの言い方が乱暴で下品である。「―・くののしる」 ❷食べ物に対していやしい。くいいじがはっている。

くち-きり【口切り】 ❶(はじめて)物の口をあけること。❷その物事をはじめて行うこと。また、物事の最初。「―の仕事」「余興の―は手品だった」 ❸旧暦一〇月ごろに、新茶のつぼの封を切って行う茶会。

く-ちく【駆逐】《名・他サ》〔害になるものなどを〕追いはらうこと。「敵艦を―する」 注意 「駆遂」は誤り。

くち-ぐせ【口癖】 ❶そう言うのが癖になっていること。また、そのことば。「―になる」 類語 きまり文句。常套(じょうとう)語。❷言いまわしの特徴。「師匠の―をまねる」

くち-ぐち【口口】 ❶あちこちの出入り口。❷〈―に〉おおぜいがめいめいに言うようす。「―に不平を言う」

くち-ぐるま【口車】〔相手をだますための〕うまい言いまわし。「うっかり―に乗せられて(=たくみな言いまわしにだまされて)ひどい目にあった」

くち-げんか【口×喧×嘩】 言い争い。口論。口争い。

くち-ごうしゃ【口巧者】《名・形動》〔説得したりほめたりする〕言いまわしがじょうずな・こと(人)。口じょうず。口達者。「―に説き伏せる」「―な人」

くち-ごたえ【口答え】《名・自サ》目上の人にさからい、言い返すこと。口返答。「親に―する」

くち-コミ【口コミ】〔俗〕人の口から口へ伝えられる情報の伝達。「―で売れるようになった商品」

くち-ごも・る【口×籠もる】《自五》❶ことばが口の中にこもってはっきりしない。❷話したいと思うことばがすらすら出ない。「返答に困って―・る」

くち-さがな・い【口さがない】《形》〔批評やうわさをするようすが〕無遠慮で慎みがない。「世間は―・い」

くち-さき【口先】 ❶口の先。口のそば。「―でくわえる」 ❷口で言うことば。特に、まごころのこもらないうわべだけのことば。「―だけの約束」

くち-ざみし・い【口▽寂しい】《形》食べたり口に入れたりするものがほしい感じである。口さびしい。

くち-ざわり【口触り】 →くちあたり①。

くち-しのぎ【口×凌ぎ】 ❶食べ物を少し食べて、空腹を一時がまんすること。また、一時しのぎの食べ物。「―にお菓子をつまむ」 ❷どうにか生活してゆくこと。一時しのぎの暮らし。「当座の―」

くち-じゃみせん【口〈三味線〉】 ❶〔チントンツンなど〕口で三味線の音色や高低をわけて言うこと。「―に合わせて歌う」 ❷口先で相手をだますこと。口ぐるま。「―にのせる」 = 口三味線(くちざみせん)。

くち-じょうず【口〈上手〉】《名・形動》〔説得したりほめたりする〕言い方がうまい・こと(人)。口巧者(くちごうしゃ)。口達者。「―にだまされる」 対 口べた。

くち-ずから【口ずから】《副》直接自分の口またはことばを使ってするようす。自分の口から。「―極意を伝授する」

くち-すぎ【口過ぎ】 毎日暮らして行くこと。生計。くらし。口過ごし。「これでは―がやっとだ」

くち-ずさ・む【口▽遊む・口▽吟む】《他五》〔詩・歌などを〕心に浮かぶまま、軽く声に出す。くちずさぶ。

くち-すす・ぐ【×嗽ぐ・×漱ぐ】《自五》〔文〕口の中を洗い清める。口をすすぐ。うがいをする。

くち-ずっぱく【口酸っぱく】《副》同じ忠告・注意などを何度も言うようす。口をすっぱくして。ことばをつくして。「自動車に気をつけるよう―言う」

くち-ぞえ【口添え】《名・他サ》〔交渉・依頼などをしている時に〕そばからことばをそえて、うまくいくようにとりなすこと。「叔父の―で許可がおりた」

くち-だし【口出し】《名・他サ》〔他人の話に〕横から口をさしはさむこと。さしで口。「余計な―はするな」

くち-だっしゃ【口達者】《名・形動》❶口先のうまい・こと(人)。口じょうず。口調法。口巧者(くちごうしゃ)。「―で人をまるめこむ」 ❷よくしゃべる・こと(人)。

くち-ぢゃ【口茶】 一、二度煎(せん)じ出した茶を捨てずに新しい茶を加えること。また、その加えた茶。

くち-つき【口付き】 ❶口・口もとの形。「―が母親にそっくりだ」 ❷〔話しているときの〕ことばの感じ。ものの言い方。口ぶり。口吻(こうふん)。「不満そうな―」 表記 ①②は「口つき」と書くことが多い。

くち-づけ【口付け】《名・自サ》〔愛情・敬意などを表すため〕自分の唇で相手の唇・肌などにふれること。接吻(せっぷん)。キス。ベーゼ。 表記 「接吻」とも当てる。

くち-づたえ【口伝え】 ❶人から人へ口で直接語り伝えること。くちづて。❷直接、口で教えさずけること。「奥義を―に授ける」 類語 口授(くじゅ)。口伝。

くち-づて【口▽伝】〔用件などを文書に書かず〕人の口から口へ伝えること。口伝え。「様子を―に聞く」

くち-どめ【口止め】《名・他サ》ある物事を他人に言うことを禁じること。また、そのために与える金品。「他言しないように―する」「―料」 類語 箝口(かんこう)。

くち-とり【口取(り)】 ❶牛・馬の口⑥を取って引いて歩く職業。また、その人。❷「口取り肴(ざかな)」の略。かまぼこ・きんとん・だて巻きその他季節感のある品を皿に盛り合わせたもの。❸「くちとり菓子」の略。茶会で、茶を出す前に器に盛って出す菓子。

くち-なおし【口直し】 ある物を飲食した後、別の物を飲食して口の中をさっぱりさせること。また、その飲食物。 参考 新たに出した飲食物をすすめるときのあいさつにも使う。「お―にお一つどうぞ」

くち-なし【×梔▽子・▽山×梔▽子】 アカネ科の常緑低木。夏、白くて香りの強い花を開く。果実は、秋、黄色に熟し、染料・薬などに用いる。

くち‐なめずり【口×舐(め)(ず)り】―なめづり《名・自サ》舌なめずり。

くち‐ならし【口慣(ら)し・口×馴(ら)し】❶その物の味に舌をなれさせること。❷すらすら話せるように口をなれさせること。「―に早口ことばを言う」

くち‐な・れる【口慣れる・口×馴れる】《自下一》❶口ぐせになる。言いなれる。❷〔何度か食べて〕味が自分の舌になれる。食べつけて味がわかるようになる。

くち‐なわ【▽蛇】ヘビの古称。

くち‐の‐は【口の端】ことばのはし。また、うわさ。話題。口端(くちは)。「口さがない世間の人の―に掛かる(=うわさの種になる)」

くち‐ば【朽(ち)葉】❶〔落ちて〕くさった木の葉。❷「朽ち葉色」の略。赤みをおびた黄色。

くち‐ばし【×嘴・×喙】鳥の口器。上下のあごがのびて、角質のさやをかぶったもの。嘴(し)。類語 口。
―が黄色・い《句》年が若く、経験が浅いことを見下して言うことば。未熟である。
―を容(い)・れる《句》自分とは関係のないことに干渉する。ことばをはさむ。口出しする。くちばしをはさむ。容喙(ようかい)する。「第三者が―・れることではない」

くち‐ばし・る【口走る】《他五》〔よけいなこと、心にもないことなどを〕無意識に言う。うっかりしゃべる。「あらぬことを―・る」類語 (する)失言。

くち‐はっちょう【口八丁】弁舌がたくみな・こと(人)。―てはっちょう【―手八丁】しゃべることも腕前もたっしゃな・こと(人)。口も八丁手も八丁。

くち‐は・てる【朽ち果てる】《自下一》❶すっかり腐ってしまう。「住む人もなく―・てた家」❷世に知られないままで死ぬ。また、物事が世に知られずに終わる。「田舎で―・てる」「研究が―・てる」

くち‐はばった・い【口幅ったい】《形》ことばや言いぐさが身分不相応で生意気だ。「―・いことを言う」

くち‐ばや【口早・口速】《名・形動》ものの言い方が早いこと。早口。「―に言う」

くち‐び【口火】❶爆薬に点火するための火。また、〔ガス器具などで〕すぐに火を移すために常に点火しておく小さな火。❷ある物事の起こるきっかけ・動機。「反対運動の―を切る(=最初に始める)」

くち‐ひげ【口×髭】鼻の下にはやしたひげ。

くち‐びょうし【口拍子】口で拍子をとること。また、その拍子。「―をとる」

くち‐びる【唇・×脣】《「口縁(くちべり)」の意》上下から口をかこむ器官。飲食・発音の役をする。口唇。「もの言えば―寒し」「―を尖らす(=不平らしくものを言う)」
―を噛(か)・む《句》くやしさをがまんする。

くち‐ふうじ【口封じ】《名・他サ》秘密などを口外されないようにする・こと(手段)。類語 口止め。口ふさぎ。

くち‐ぶえ【口笛】唇をすぼめて息を吹き出し、笛のように音をたてること。また、その音。「―を吹く」

くち‐ふさぎ【口×塞ぎ】❶口をふさぐ・こと(もの)。特に、口どめ。「―のわいろ」❷〈お―〉客に出す料理・菓子などの謙遜(けんそん)した言い方。お口よごし。

くち‐ぶちょうほう【口不調法】《名・形動》〔思っていることを〕口で言い表すのがへたなこと。口べた。「―で損をする」類語 訥弁(とつべん)。

くち‐ぶり【口振り】❶ものを言う時のようす。口つき。「偉そうな―」❷内容が感じられるような話し方。話のようす。ことばつき。「出席してもよいというような―だった」類語 語調。口吻(こうふん)。

くち‐べた【口〈下手〉】《名・形動》〔思っていることを〕口で言い表すのがへたな・こと(人)。話しべた。口不調法。「生来の―」対 口じょうず。

くち‐べに【口紅】化粧品の一つ。くちびるに塗る紅。リップスティック。ルージュ。

くち‐べらし【口減(ら)し】《名・自サ》〔家計を楽にするため〕家族の人数をへらすこと。「―に奉公に出す」

くち‐まえ【口前】―まへ 話しぶり。いいまわし。

くち‐まかせ【口任せ】口から出まかせに言うこと。

くち‐まね【口真▽似】他人の声・ことば・言いまわしなどをまねること。

くち‐まめ【口▽忠▽実】《名・形動》よくしゃべる・こと(人)。「―な子ども」

くち‐もと【口元・口▽許】❶口のあたり(のようす)。「―がかわいい」❷出入り口のあたり。

くち‐やかまし・い【口×喧しい】《形》❶よくしゃべってうるさい。❷細かいことにまでいろいろ注文をつける。こごとが多い。口うるさい。「―・い上司」

くち‐やくそく【口約束】《名・他サ》〔文書をとりかわさず〕ことばだけでする約束。口約(こうやく)。

くちゃ‐くちゃ ㊀《副》《「―と」の形も》口の中で音をたててものをかむようす。また、その音の形容。くしゃくしゃ。「ガムを―かむ」㊁《形動》〔紙・布などが〕もまれてしわだらけになるようす。くしゃくしゃ。しわくちゃ。

ぐちゃ‐ぐちゃ《形動》❶水分をふくんで形のくずれたようす。「雨で道が―だ」❷整っているものがくずれて、めちゃくちゃになるようす。「列が―になる」

*__く‐ちゅう__【苦×衷】苦しい立場。苦しい胸のうち。「―を述べる」「―を察する」

*__く‐ちゅう__【駆虫】《名・自サ》〔薬品などを使って〕害虫や寄生虫を取りのぞくこと。「―剤」

クチュリエ 高級衣装店の男性デザイナー。参考 女性はクチュリエールという。▽フランス couturier

く‐ちょう【口調】❶ことばに出したときの調子。「―のいい一節」「―を整える」類語 語調。❷話すときの調子。「演説―」類語 話しぶり。

ぐ‐ちょく【愚直】《名・形動》〔文〕極端に正直で融通のきかないこと。ばか正直。「―な男」

くち‐よごし【口汚し】〔口をよごす程度の意から〕❶飲食物の量が少なく物たりないこと。「これでは―にしかならない」❷〈お―〉客に出す飲食物の謙遜(けんそん)した言い方。お口ふさぎ。

くち‐よせ【口寄せ】〔死者の〕霊をまねき、そのことばを自分の口から人に伝えること(巫女(みこ))。いちこ。

く・ちる【朽ちる】《自上一》❶〔木・草・木材などが〕くさって役に立たなくなる。「―・ちかけた橋」「田舎で―・ちる(=零落する)」❷〔名声などが〕おとろえ滅びる。「―・ちることのない名を残す」文 く・つ《上二》。

ぐち・る【愚痴る】《他五》〔俗〕ぐちを言う。文《四》。

ぐ‐ちん【具陳】《名・他サ》〔文〕〔意見などを〕詳しく述べること。「状況を―する」類語 詳述。

*__くつ__【×窟】《接尾》あなぐらのような所、ある種の〔よくない〕ものが集まる場所の意。「貧民―」「アヘン―」

*__くつ__【靴・×沓】履物の一種。革・ゴム・ビニール・布などで作り、その中に足を入れてはく。

く‐つう【苦痛】肉体・精神に感じる痛みや苦しみ。

ぐ‐づう【×弘通】《名・他自サ》➡ぐずう(弘通)。

クッカー なべなどの調理器具。▽cooker

くつがえ・す【覆す】（くつがえす）《他五》❶ひっくりかえす。うらがえす。「盆を—・したような大雨」❷〔政権・国などを〕うちたおす。滅ぼす。❸〔今まで続いてきたこと、今まで認められてきたことなどを〕根本からすっかり改める。変革する。「定説を—・す」文《四》。

くつがえ・る【覆る】（くつがえる）《自五》❶ひっくりかえる。うらがえる。「前車の—・るは後車の戒め」❷〔政権・国などが〕倒れる。滅びる。「クーデターにより政権が—・った」❸〔それまでのことが〕根本からすっかり改まる。革新される。「判決が—・る」文《四》。

クッキー ❶小麦粉・バター・卵・砂糖を主材料として焼いた洋菓子。脂肪分が多い。❷ホームページのサーバーが、アクセスしてきたパソコンを識別するためのしくみ・記録。▽cookie

*__くっ・きょう【▽究×竟】__《「くきょう(究竟)」の変化した語》一《副・自サ》〔文〕つまるところ。結局。畢竟（ひっきょう）。二《名・形動》❶ひじょうに都合のよいこと。究竟（きゅうきょう）。「—の機会を逃す」「—な隠れ家」❷きわめて力が強く、すぐれていること。屈強。

*__くっ・きょう【屈強】__《形動》体力がすぐれていて力の強いようす。究竟（くっきょう）。「—の若者」

くっ・きょく【屈曲】《名・自サ》〔長くつづいているものが〕折れまがること。「—して流れる川」類語 屈折。

くっきり《副・自サ》《副詞は「—と」の形も》〔物の形が〕はっきりしていて、きわだってあざやかなようす。「日本アルプスが—と見える」

クッキング 料理。また、料理法。▽cooking

くつ・くつ《副》《「—と」の形も》❶ひそかに小さな声で笑うようす。❷物がにえる音の形容。ぐつぐつ。「豆を—煮る」

ぐつ・ぐつ《副》《「—と」の形も》ものが煮え立つようす。また、そのときの音の形容。

くっ・さく【掘削・掘×鑿】《名・他サ》〔機械で〕岩・土などを掘り、穴をあけること。また、岩石・土砂などを掘りとること。「運河の—」表記「掘削」は代用字。

くっ・し【屈指】 多くの中から特に指を折って数え上げられるほどすぐれていること。ゆびおり。「—の強打者」

くつ・した【靴下】 足にはく、洋風の衣料。「絹の—」

くつ・じゅう【屈従】《名・自サ》自分の意志に反して従うこと。「涙をのんで—する」類語 屈服。

くつ・じょく【屈辱】〔権力・勢力などで〕おさえつけられてうける恥。はずかしめ。「—を受ける」「—感」「—的譲歩」類語 恥辱。汚辱。

ぐっしょり《副》《「—と」の形も》ひどくぬれるようす。びっしょり。「—汗をかく」

クッション ❶椅子（いす）の背にあてがって、当たりをやわらかくする洋風の座布団。❷椅子などで、座ったときの固さをやわらげるために、弾力性を持たせた部分。また、その弾力性。「—のきいたソファー」❸間にあって緩衝の役目をするもの。「ワン—置く(=滑らかに事が運ぶように、直接的方法を避けて間に一段階を設ける)」❹玉つき台の内側にあるゴム製のへり。▽cushion

*__くっ・しん【屈伸】__《名・自他サ》かがむことと、のびること。また、かがめることと、のばすこと。のびちぢみ。「ひざを—させる」「—運動」類語 伸縮。

*__くっ・しん【掘進】__《名・自サ》〔文〕〔機械で〕土砂・岩石・石炭などを掘り進むこと。

グッズ 商品。品物。「スキー—」▽goods

くつ・ずみ【靴墨】〔革ぐつにぬって〕革を保護したり、つやを出したりするためのクリーム。くつクリーム。

ぐっすり《副》《「—と」の形でも》深く寝入るようす。熟睡するようす。「昨夜は—と眠れた」

くっ・する【屈する】《自他サ変》〔文〕❶曲がる。曲げる。「指を—・する」❷元気をなくす。くじく。くじける。「失敗にも—・しない」❸〔負けて〕服従する。〔勝って〕服従させる。「強敵に—・する」

くつ・ずれ【靴擦れ】〔足にあわないため〕くつと足の皮膚とがすれあうこと。また、そうしてできた傷。

くっ・せつ【屈折】《名・自サ》❶折れ曲がること。「—した長い道」❷本来あるべき状態がゆがめられること。「—した対日感情」❸光・音などの波が、ある媒質から他の媒質にはいるとき、そのさかいめで進路がかわる現象。参考→回折（かいせつ）。 **—ご【—語】** 言語を形態的に分類したものの一つ。主として語尾の変化によって、性・数・格などを表す言語。参考→膠着（こうちゃく）語。

くっ・たく【屈託・屈×托】《名・自サ》❶気にかけてくよくよすること。「陽気な—のない性格」❷つかれてあきること。「顔に—の色が表れる」 **—な・い【—無い】**《形》さっぱりして気にかけない。「—・く笑う」

ぐったり《副・自サ》《副詞は「—と」の形も》弱って力がなくなるようす。「疲れて—となる」

くっ・つ・く《自五》❶〔二つのものがすきまをあけず〕ぴったりと接する。密着する。接合する。「傷口が—・く」❷〔小さいものが大きなものに〕付着する。「岩に貝が—・く」❸触れる。「ヤナギの枝先が地面に—・く」❹身を寄せる。そばにつき従う。離れずにいる。「母に—・いて買い物に行く」❺〔俗〕男女がなれあって・夫婦になる(関係する)。「仲人もなく—・いた仲」

くっ・つ・ける《他下一》❶〔二つのものをすきまをあけず〕ぴったりと接するようにする。密着させる。接合させる。「接着剤で—・ける」❷〔小さいものを大きなものに〕付着させる。添付する。「ランドセルに名札を—・ける」❸触れさせる。「両手を地面に—・ける」❹〔一方の勢力の中へ〕引き入れる。味方にする。「政界の大物を味方に—・ける」❺〔俗〕男女を親しくさせ、夫婦にする。「むりやり二人を—・ける」

くって・かか・る【食って掛かる】《自五》はげしい口調・態度で相手に向かってゆく。「親に—・る」

ぐっ・と《副》❶ある物事を力を入れてするようす。「—こらえる」❷それまでとはひどく異なるようす。一段と。ぐんと。「輸入品が—安くなる」❸〔感動したり困ったりして〕ことばや息がつまるようす。「胸に—くる」

グッド 一《感》その物事を「よし!」と感じたときに発する語。類語 ナイス。二《造語》「良い」「優れた」などの意。「—タイミング」「—センス」▽good **—バイ**《感》さようなら。グッバイ。▽good-bye

くつ・ぬぎ【×沓脱ぎ】❶玄関・縁側などのあがり口にある、履物をぬぐ所。❷①に置く石。くつぬぎ石。

クッパ 朝鮮料理で、ごはんに具や薬味をのせて肉汁をかけたもの。▽朝鮮 kukpap

グッピー メダカ科の熱帯魚。メダカに似た形で、雄は色彩が美しい。卵胎生（らんたいせい）。観賞用。▽guppy

くっ・ぷく【屈伏・屈服】《名・自サ》〔相手の勢いなどに〕まけて服従すること。「独裁者に—する」類語 屈従。

くつ・べら【靴×箆】 くつをはくとき、はきやすくするために、かかとにあてるへら。

くつ-みがき【靴磨き】くつをみがくこと。また、それを職業とする人。

くづめ-らくがみ【苦×爪楽髪】苦労している時はつめが早く伸び、安楽な時は髪が早く伸びるということ。楽髪苦爪。参考「苦髪楽爪」の考え方もある。

くつろ・ぐ【▽寛ぐ】《自五》❶身も心も楽になるようにする。また、体を休めて、ゆったりした気分になる。「ゆったりと一・ぐ」❷姿勢をくずしたり衣服をゆるめたりして、楽にする。「あぐらを組んで一・ぐ」文《四》。

くつろ・げる【▽寛げる】■一《他下一》姿勢をくずしたり、衣服などをゆるめたりして、楽にする。「襟元を一・げる」文くつろ・ぐ《下二》。■二《自下一》《「寛ぐ(くつろぐ)」の可能形》ゆっくりできる。「客が一・げる場所」

くつわ【×轡】《「口の輪」の意》たづなをつけるため、馬の口にかませてとりつける金具。くつばみ。

―をかま・す《句》わいろを贈って、口止めをする。くつわをはめる。

―を並・べる《句》❶馬の頭を並べて進む。❷多くの人がそろって同じことをする。

くつわ-がた【×轡形・×轡型】円の中に十の字をおいた形。

くつわ-むし【×轡虫】キリギリス科の昆虫。からだは緑色か枯れ葉色。秋に大きなはねをこすり合わせて、「ガチャガチャ」と鳴く。俗に「ガチャガチャ」ともいう。

ぐ-てい【愚弟】〔愚かな私の弟の意で〕自分の弟を謙遜(けんそん)して言う語。対愚兄。賢弟。

く-てん【句点】日本語の文の終わりにつける点。また、「。」。「一を打つ(=物事にくぎりをつける)」

く-でん【口伝】《名・他サ》秘伝を口だけで教え授けること(もの)。また、その教えをしるした書物。「師から一を受ける」類語口授(くじゅ・こうじゅ)。

ぐでん-ぐでん《形動》ひどく酒に酔って正体をなくしたようす。「一に酔っぱらう」

くど【×竈】❶かまどの後ろにある煙を出す口。❷かまど。へっつい。

くど・い【×諄い】《形》❶〔何度もくり返して言って〕わずらわしく感じられるようすだ。しつこい。「話が一・い」「描写が一・い」❷物の味や色などが濃厚でくせがある。しつこい。「一・い味」文くど・し《ク》。

***く-とう**【句読】❶文章の句点・読点(とうてん)で区切った部分。また、文章の区切り方、読みとり方。「一を切る」❷「句読点」の略。―てん【―点】文章を読みやすくするためにうつ符号。句点「。」と読点「、」。

***く-とう**【苦闘】《名・自サ》苦しみにたえて・戦う(努力する)こと。「悪戦一」類語苦戦。

く-どう【駆動】《名・他サ》エンジンの動力を車に伝えて動かすこと。「前輪一」「四輪一車」

ぐ-とう【愚答】つまらない答え。対愚問。

ぐ-どう【▽求道】〔仏教で〕仏の教えを得ようと願い、求めること。求法(ぐほう)。「一心」「一者」参考→きゅうどう(求道)。

くどき【口説き】❶くどくこと。また、そのことば。❷謡曲・浄瑠璃(じょうるり)などで、めんめんと心の中の思いをのべる部分。また、その文句。さわり。❸民謡などで、叙事的な長い詞章をもつ歌。

くどき-おと・す【口説き落とす】《他五》〔承知しない相手を〕めんめんと説いて納得させる。

***く-どく**【功徳】❶幸福をもたらすもとになる、〔道徳的・宗教的な〕よい行い。「一を積む」「一を施す」❷神仏のご利益(りやく)。「法華経(ほけきょう)の一」❸ある物事によって得られるよい結果。「正直の一で信用を得る」

***くど・く**【口説く】■一《自五》同じことを何度もうるさく言う。くどくどと、ぐちを言う。「不漁(しけ)続きだと一・く」文《四》。■二《他五》自分の思いどおりにしようとしていろいろに言う。特に、異性に対して愛情をうちあけて、うったえる。「女を一・く」文《四》。

ぐ-とく【愚×禿】《代名》〔文〕僧が自分を謙遜(けんそん)して言う語。愚僧。拙僧。類語貧道。

くど-くど【×諄×諄】《副》《「一と」の形も》同じことを何度もしつこくいうようす。「一と愚痴を言う」―し・い《形》いかにもくどい。「一・く弁解する」

ぐ-どん【愚鈍】《名・形動》頭が悪く、行動もにぶくて間の抜けていること。魯鈍(ろどん)。類語愚昧(ぐまい)。

くない-ちょう【宮内庁】行政機関の一つ。皇室に関することや天皇の国事行為に関する事務などを処理する役所。もとの宮内省に当たる。

くな-くな《副》《「一と」の形も》❶しなやかにたわむようす。❷急に力がぬけるようす。「一としゃがみこむ」

く-なん【苦難】苦しみ・難儀。「一の人生」

くに【国】❶一定の土地・人々を有し、他と異なる統治上の組織をもっているところ。また、その組織体。国家。国土。「一を治める」表記①は「邦」とも書く。❷昔(江戸時代まで)の日本の行政区画の一つ。「武蔵(むさし)の一」❸昔、都または中央政府の所在地以外におかれた、任地。任国。領地。❹自分の生まれ育った土地。郷里。故郷。ふるさと。「一から母が上京する」表記④は「郷里」「故郷」などとも当てる。

―破れて山河在り《句》国は戦乱によって滅びたが、自然の山河は昔と変わらぬ姿で存在している。参考「国破れて山河在り、城春にして草木深し〈杜甫・春望〉」より。

くに-いり【国入り】《名・自サ》❶昔、領主が自分の領地に行くこと。❷〈お一〉〔身分の高い人が〕故郷に行くこと。「大臣のお一」

くに-おもて【国表】❶大名などの領国。対江戸表。京表。❷〔自分の〕生まれ育った所。生まれ故郷。「一に母がいる」同①②国もと。

くに-がら【国柄】❶ある国家が成立するときの状態。国体。「社会主義の一」❷〈多く「お一」の形で〉その・国(土地)の特色。国民性。「陽気な一」

くに-がろう【国家老】江戸時代、藩主が江戸詰で留守の間、領地で藩政を預かる家老。対江戸家老。

く-にく【苦肉】〈一の策〉敵をだますために、または窮地を脱するために、いろいろ考えたあげくに出した策。

くに-ことば【国言葉】〈多く「お一」の形で〉その地方特有のことば。方言。さとことば。類語くになまり。

くに-ざかい【国境】(―ざかひ)❶もと日本国内で分かれていた、国と国との境界。また、今の県境。「一の川」❷ある国家と他の国家との境界。=国境(こっきょう)。

くに-ざむらい【国侍】(―ざむらひ)❶江戸時代、大名の家来で地方の領地に住む侍。❷地方の侍。田舎侍。

くに-つ-かみ【国つ神】《「つ」は上代の助詞で、「の」の意》〔文〕❶国土を守護する神。地神。対天つ神。❷天孫降臨以前から、この国土に住んで領地をおさめた神。国神。

くに-づくし【国尽(く)し】昔、日本の国を構成していた六六国の名を列挙したもの。また、その国名をよみこんだ調子のよい文。

くに-づめ【国詰】 江戸時代、大名が自分の領地にいてその土地を統治すること。また、家臣が主君の領地でつとめること。対江戸詰(えどづめ)。

くに-なまり【国×訛(り)】 その地方特有のなまり。方言。「お—が出る」類語くにことば。

くに-の-みやつこ【国▽造】 大和時代、世襲で地方官の地位についていた豪族。

くに-はら【国原】〔文〕広々とした国土。国原(くにばら)。

くに-ひき【国引き】 八束水臣津野命(やつかみずおみつののみこと)が、国の狭いのを補うため、海のかなたの土地に綱をうちかけて引き寄せ、出雲に結びつけたという伝説。

くに-びと【国人】〔文〕❶国民。人民。❷その地方に住んでいる人。土着民。

くに-ぶり【国振り・国▽風】 ❶〈多く「お—」の形で〉その国特有の風俗・習慣。❷地方の風俗歌・民謡。

くに-もち【国持(ち)】 室町・江戸時代、大名が一国以上の領土をもっていること。また、その大名。

くに-もと【国元・国▽許】 ❶本国。領地。「殿様のお供で—へ帰る」❷故郷。同①②国表(くにおもて)。

ぐにゃ-ぐにゃ《副・自サ》《副詞は「—と」の形も》❶やわらかくて、曲がったり変形したりしやすいようす。❷力がなく、手ごたえや張りのないようす。「—した体」

くぬぎ【×櫟・×橡・×椚・×櫪・×檪】 ブナ科の落葉高木。樹皮には不規則な縦のさけ目がある。果実を「どんぐり」という。材は良質の木炭になる。

くね-くね《副・自サ》《副詞は「—と」の形も》❶ゆるやかに何度も曲がっているようす。「道が—と続く」類語うねうね。❷〔女性が〕気取って、しなをつくるようす。また、男性の動作が女性的で、しまりのないようす。

く-ねつ【苦熱】 はげしい暑さ。類語焦熱。酷暑。

くね・る《自五》〔長いものが〕ゆるやかに何度も折れ曲がる。「幾重にも—・る山道」文《四》。

くねんぼ【九年母】 ミカン科の常緑低木。原産地はインドシナ。初夏、香りの高い白い花を開く。果実は秋に黄色く熟し、香りと甘みをもつ。食用。

く-のう【苦悩】《名・自サ》苦しみ悩むこと。また、その苦しみ・悩み。煩悶(はんもん)。「—の色」類語懊悩(おうのう)。

く-はい【苦杯・苦×盃】〔文〕〔にがい飲み物を入れたさかずきの意から〕不快なつらい経験。にがい経験。「—を喫する」「—をなめる」

ぐ-はつ【×倶発】《名・自サ》〔物事が〕一時に発生すること。一時に表面化すること。

くば・る【配る】《他五》❶〔物をそれぞれの人や場所に〕わりあてて渡す。わけてわたす。配分する。「新聞を—・る」類語(るす)配付。配布。頒布。配達。配給。❷〔心・注意などを〕行き渡らせる。行き届くようにする。「気を—・る」❸それぞれを適当な所に置く。配置する。「庭に石を—・る」文《四》。

ぐはん-しょうねん【▽虞犯少年】〔法〕日常の言動やその性格・環境などから判断して、将来、法にふれる行為をするおそれのある未成年者。

く-ひ【句碑】 俳句を彫りつけた石碑。類語歌碑。

くび【首・×頸】 ❶㋐頭と胴とをつなぐ、やや細くくびれた部分。頸部(けいぶ)。「—をしめる」類語首っ玉。項(うなじ)。首筋。首根っ子。襟首。㋑物の、くび①㋐の形のように細くくびれた部分。「とっくりの—」㋒衣服のくび①㋐に当たる部分。「セーターの—」❷㋐からだのくび①㋐より上の部分。あたま。また、それに似たもの。「—を縦に振る(=承知する。賛成する)」「—を横に振る(=承知しない。賛成しない)」㋑命。また、命にかかわるほど大切なもの。「—を懸けてもよい(=強く請け合うときのことば)」「もし間違っていたら—をやろう(=同上)」㋒免職。解雇。馘首(かくしゅ)。「部下を—にする(=解雇する)」「—がつながる(=解雇されるところを、されずにすむ)」「—が飛ぶ(=解雇される)」表記①は元来「頸」と書くが、今では、ふつう「首」と書く。②は「首」と書く。特に②㋒は「馘首」とも当てる。

—が回らな・い《句》借金が多くてやりくりがつかない。

—を傾(かし)・げる《句》不審に思う。変だと考える。

—を切・る《句》❶打ち首にする。「盗賊の—・る」❷免職・解雇する。馘首(かくしゅ)する。

—を挿(す)げ替・える《句》重要な役職についている人を改め変える。人事の更迭(こうてつ)をする。

—を突っ込・む《句》ある事に〔興味をもって〕関係したり、それに深入りしたりする。「芸能界に—・む」

—を長く・する《句》今か今かと待ちわびる。

—を捻(ひね)・る《句》疑問に思って考え込む。

ぐ-び【具備】《名・自他サ》〔必要なものを〕じゅうぶんに備えること。じゅうぶんに備わること。「条件を—する」類語完備。具有。

くび-おけ【首×桶】 昔、討ちとった武士の首を入れたおけ。

くび-かざり【首飾り・×頸飾り】 宝石・貴金属などをつないで首にかける装身具。ネックレス。

くび-かせ【首×枷・×頸×枷】 ❶昔、罪人の首にはめて、自由に動きまわれないようにした刑具。くびかし。❷自由をうばうもの。自由な行動を束縛するもの。ほだし。「子は三界の—」類語手枷(てかせ)。足枷(あしかせ)。

くび-がり【首狩り】 未開社会で、宗教的儀式を行うために、他部族の人間の首を切ること。

くび-き【×頸木・×軛】 ❶馬車や牛車のながえの先につける横木。牛馬の首にあてて車をひかせる。❷思考・行動の自由を束縛するもの。

くび-きり【首切り】 ❶〔人間の〕首をきる・こと(人)。「—台(=断頭台)」❷雇っている人をやめさせること。免職。解雇。馘首(かくしゅ)。「—反対」

くび-くくり【首×縊り】 首をくくって死ぬこと。また、首をくくって死んだ人。くびつり。縊死(いし)。

ぐび-ぐび《副》《「—と」の形も》〔酒などを〕のどを鳴らして飲むようす。「—と酒をあおる」類語ぐいぐい。

くび-じっけん【首実検】《名・自サ》❶昔、戦場で討ち取った敵の首の真偽を検査したこと。❷実際に見て、本人かどうかたしかめること。「犯人の—をする」

注意「首実験」は誤り。

ぐびじん-そう【▽虞美人草】「ひなげし」の別称。参考「虞美人」は、中国の武将項羽(こうう)の愛人の名で、代表的な美人といわれる。

くびす【×踵】〔文〕かかと。踵(きびす)。「—を返す(=引き返す。あともどりする)」「—を接して(=あとからあとから続いて)事故が起こる」

くび-すじ【首筋・×頸筋】 首の後ろの部分。えりくび。うなじ。「—のきれいな人」「—をつかむ」

くび-っ-たけ【首っ丈】《名・形動》《「くびだけ」の転》〔俗〕〔ある異性に〕ほれこんでひどく夢中になること。「彼女に—だ」「—になる」参考もと、足から首までの高さの意。首まで深くはまる意から。表記ふつう、「首ったけ」と書く。

くび-っ-たま【首っ玉・×頸っ玉】〔俗〕くび。

くび-っ-ぴき【首っ引き】《「くびひき」の転》つねに、あるものを参照して事を行うこと。「辞書と━で書く」

くび-つり【首×吊(り)】❶《名・自サ》首をくくって死ぬこと。首くくり。縊死(いし)。❷〔俗〕既製服。つるし。

くび-なげ【首投げ】相撲のわざの一つ。相手の首に腕をまきつけ投げ倒すもの。

くび-ねっこ【首根っ子・×頸根っ子】首の後ろの部分。首根。「━を押さえる」

くび-ひき【首引き】むかいあったふたりが、輪にしたひもを互いに首にかけ、引き合う遊び。

くび-まき【首巻(き)・×頸巻(き)】→えりまき。

*__くび・る__【▽括る】《他五》〔あるものの中ほどをひもなどで〕くくってしめる。「荷物を━る」文《四》。

*__くび・る__【×縊る】《他五》首をしめて殺す。文《四》。

くびれ【▽括れ】中ほどが細くなっていること。また、その部分。「ウエストの━」

*__くび・れる__【▽括れる】《自下一》物の一部分が・くくられて(くくられたように)細くなる。「胴が━れる」文くび・る《下二》。

*__くび・れる__【×縊れる】《自下一》首をくくって死ぬ。「━れて死ぬ」文くび・る《下二》。

くび-わ【首輪・×頸輪】❶首飾り。ネックレス。❷犬や猫などの首につける輪。

ぐ-ぶ【▽供奉】《名・自サ》〔文〕〔天皇・上皇など高貴な人の〕おともの行列に加わること(人)。

*__く-ふう__【工夫】❶《名・他サ》あれこれと手段や方法を考え、試みること。また、その考えた手段・方法。「━をこらす」「創意━」❷《名・自他サ》〔仏〕精神の修養に心を用いること。

*__く-ふう__【句風】俳句の作風。

ぐ-ふう【×颶風】〔文〕強風。大風。

くぶ-くりん【九分九厘】ほぼまちがいないこと。ほとんど。〔副詞的にも使う〕「成功は━だいじょうぶだ」 類語 十中八九(じっちゅうはっく)。

ぐ-ぶつ【愚物】〔文〕ばかもの。愚人。愚者。

くぶ-どおり【九分通り】《副》十のうち九まで。ほとんど。おおかた。「━仕上がった作品」

く-ぶん【区分】《名・他サ》❶〔大きなものを〕くぎってわけること。「土地を━する」❷〔ごちゃごちゃになっているものを〕ある性質・種類などによってわけること。分類。「資料をテーマによって━する」 類語 区別。

く-べつ【区別】《名・他サ》あるものと他のものとのちがい。差異。また、そのちがいによってわけること。「男女の━なく」「━がつかない」 類語 差別。類別。区分。

> **類義語の使い分け　区別・区分**
> 〔区別・区分〕土地の境界線を区別(区分)する
> 〔区別〕事のよしあしの区別がつかない困った人／男女の区別なく応募できるし参加できます
> 〔区分〕業務を区分して担当する／建物の区分所有

く・べる【▽焼べる】《他下一》もやすために火の中に入れる。「暖炉に薪(まき)を━べる」文く・ぶ《下二》。

くぼ【▽凹・×窪】くぼんだ所。くぼみ。「道の━」

く-ほう【句法】詩・俳句などの、語句の用い方。

く-ぼう【▽公方】〔文〕❶朝廷。❷おおやけ。公事。❸鎌倉から江戸時代における、幕府・将軍(の敬称)。

ぐ-ほう【×弘法】《名・自サ》仏法を世に広めること。

くぼ-ち【▽凹地・×窪地】〔周囲より〕低くなっている土地。くぼんでいる土地。「━に水がたまる」

くぼま・る【▽凹まる・×窪まる】《自五》おちこんで低くなる。へこむ。「━った土地」文《四》。

くぼ・む【▽凹む・×窪む】《自五》おちこんで、まわりより低くなる。「目が━む」文《四》。

く-ほん【九▽品】〔仏〕極楽浄土の九種類の等級。上品・中品・下品の三品(さんぼん)を、それぞれ上生・中生・下生(げしょう)の三等に分ける。

*__くま__【×熊】㊀《名》クマ科の哺乳(ほにゅう)動物。大形の食肉獣。日本には、ヒグマ・ツキノワグマの二種を産する。胆嚢(たんのう)は熊の胆(い)といい、健胃薬にする。㊁《接頭》「強い」「大きい」などの意。「━ぜみ」「━ばち」

*__くま__【×隈】❶曲がって入り込んだり、奥まってかくれたりした所。ものすみ。片隅。「残る━なく」❷物陰になって暗い所。「机の━になった所」❸光と陰とが、また、濃い色と淡い色とが接する所。また、陰。色の濃い部分。❹つかれたときなどに目のまわりにできる、黒ずんだ部分。「目の縁に━ができる」❺〔心の〕秘密。秘めた思い。「心の━」❻くまどり①。

く-まい【供米】神仏にそなえる米。

*__ぐ-まい__【愚妹】〔おろかな私の妹の意で〕自分の妹を謙遜(けんそん)して言う語。対 愚姉(ぐし)。

*__ぐ-まい__【愚×昧】《名・形動》おろかで、物の道理のわからないこと。「━な人の考え」 類語 愚鈍(ぐどん)。

くま-ぐま【×隈×隈】すみずみ。「━をさがす」

くまこう-はちこう【×熊公八公】教養はないが、善意の庶民を親しんで言う語。くまさん、はっつぁん。

くま-ざさ【×隈×笹】イネ科の常緑の竹。ふつう観賞用として庭園に栽培する。葉は長楕円(だえん)形で、長さは一五〜二五チセンになる。 表記「熊笹」とも当てる。

くま-ぜみ【×熊×蟬】セミ科の昆虫。日本で最大のセミ。関東から南にすむ。「シャアシャア」と鳴く。「しゃしゃぜみ」とも呼ばれる。うまぜみ。やまぜみ。

くま-そ【×熊▽襲】古代、九州南部に住んだ部族。

くま-たか【×熊×鷹】❶タカ科の大きな鳥。頭部の羽はさか立ち、くちばし・つめが鋭い。高山の森林にすむ留鳥。尾ばねは、古くから矢羽として用いられる。❷性質が荒っぽく、欲深い人。

くま-で【×熊手】❶昔の武器の一つ。長い棒の先にクマの手の形に作った鉄のつめをつけたもの。❷竹の先をまげてクマの手の形に作った、物をかき集める道具。「━で落ち葉を集める」❸とりの市で売る縁起物。くまで②の形をした竹に稲穂やおかめの面をつけたもの。

くま-どり【×隈取(り)】❶歌舞伎(かぶき)で、役がらの性格・表情を強く表すために、役者が紅・青色などで顔を彩ること。また、その模様。くま。❷日本画の技法の一つ。遠近・凹凸を表すために、色の濃淡をつけること。ぼかし。

隈取①

くま-ど・る【×隈取る】《他五》❶〔色で〕濃淡をつける。陰影をつくる。「ろうそくの光が表情を新鮮に━る」❷〔役者が〕顔にくまどり①をする。

くま-なく【×隈無く】《副》❶かげりや曇りがなく、はっきりとしているようす。「━晴れた空」❷隅々までゆきわたるようす。余すところなく。「家中を━さがす」

くま-の-い【×熊(の)▽胆】クマの胆嚢(たんのう)を乾燥させたもの。非常に苦い。漢方で胃の薬。熊胆(ゆうたん)。

くま-ばち【×熊×蜂】ミツバチ科の昆虫。からだは黒く、胸から背に黄色い毛がある。性質は温和。参考クマンバチは別種。

くま-まつり【×熊祭(り)】アイヌの神事の一つ。クマの子をとらえ二～三年大切に育て、のちに殺すときに行う盛大な儀式。イヨマンテ。

くま-ん-ばち【×熊ん×蜂】「すずめばち」の俗称。

*__くみ__【組】一《名》❶幾つかのものをとり合わせて、一そろいになるもの。そろい。対(つい)。「五個ずつ―にして売る」❷同じ目的に向かって事を行う人々の集まり。グループ。特に、学校で、クラス(学級単位)。「紅白の―に分かれる」❸同じ部類にはいるとみなされる仲間(の一人)。「どちらかといえば怠け者の―だ」❹原稿どおりに活字を並べて版にすること。「―が雑だ」表記④は「組(み)」と送る。二《助数》そろいになったものを数える語。「記念品三―」

*__く-み__【苦味】にがいあじ。にがみ。「―チンキ(＝黄褐色のにがみのある薬液)」

ぐみ【×胡×頽▽子・×茱×萸】グミ科に属する低木の総称。果実は小さな球形で、赤く熟し、食用となる。

くみ-あい【組合】(ーあひ)❶(法)共通の利害・目的をもつ多くの人々が集まり、たがいに助け合って活動する組織。特に、労働組合。「生活協同―」「―運動」❷組み合って争うこと。とっくみあい。「―のけんかになる」表記②は「組(み)合い」と送る。

くみ-あ-う【組み合う】(ーあふ)一《自五》❶たがいに組みつく。とっくみあう。「強敵と―う」❷(二人以上が)一つの組になる。合同する。仲間になる。「―って要求を出す」二《他五》たがいに腕を組む。「肩を―う」

くみ-あ-げる【×汲み上げる】《他下一》❶(液体を)くんで高い所に上げる。❷(末端の意見などを)上部の人が取り上げる。「大衆の声を―げる」

くみ-あわせ【組(み)合(わ)せ】(ーあはせ)❶組にすること。また、組にしたもの。「紅白の―」❷ある競技者と他の競技者とを、勝負を争わせるためにとりあわせること。また、とりあわせたもの。「くじで―を決める」❸(数)ある個数のものの中からいくつかのものを順序に関係なくとり出して作った組。コンビネーション。「順列と―」表記③は「組合せ」と送る。

くみ-あわ-せる【組み合わせる】(ーあはせる)《他下一》❶(二つ以上のものを)たがいにからみ合わせたり、交差させたりして、つながるようにする。「材木を―せる」「両手を―せる」❷とり合わせて一組にする。組み合うようにする。「強い者と弱い者を―せる」

くみ-いと【組糸】組み合わせた糸。

*__くみ-い-れる__【×汲み入れる】《他下一》❶(大量の液体を)くんで中に入れる。「わき水をボトルに―れる」対くみ出す。❷(ある物事を)考えに入れる。考慮する。「諸般の事情を―れる」

*__くみ-い-れる__【組み入れる】《他下一》(ある物を一つづきのものの中にその一部分として)組んで入れる。組みこむ。編入する。「スケジュールに―れる」

くみ-うた【組歌・組×唄】琴や三味線の歌の一種。内容の関連しないいくつかの短い歌詞を組み合わせて一曲としたもの。箏(そう)組唄。三味線組唄。

くみ-うち【組(み)討ち・組(み)打ち】❶たがいに組みついて争うこと。「大将同士の―になる」類語格闘。❷戦場で、組みついて敵を討ち取ること。

くみ-お【組緒】(ーを)組紐(くみひも)。

くみ-おき【×汲(み)置き】《名・他サ》水をくんでおいておくこと。また、その水。「飲み水を―する」

くみ-か-える【組み替える】(ーかへる)《他下一》改めて組む。組み直す。「メンバーを―える」

くみ-がしら【組頭】組の長。「鉄砲組の―」

くみ-かわ-す【×酌み交わす】(ーかはす)《他五》たがいにさかずきをやりとりして酒を飲む。「酒を―す」

くみ-きょく【組曲】器楽曲の一形式。いくつかの小曲を集めて一曲にまとめたもの。

くみ-こ【組子】❶昔、弓組・鉄砲組などの組頭(くみがしら)の支配下にあった人々。組下(くみした)。❷格子・窓・障子などで、細い木や鉄を縦横に組み合わせたもの。桟。

*__くみ-こ-む__【×汲み込む】《他五》(大量の水などを)くんで中にいれる。「温泉を浴槽(よくそう)に―む」

*__くみ-こ-む__【組み込む】《他五》組み入れる。

くみ-さかずき【組(み)杯・組(み)×盃】(ーづき)大小いくつか重ねて一組となるさかずき。重ねさかずき。

くみ-し-く【組み敷く】《他五》組みふせる。

くみし-やす-い【▽与し▽易い】《形》(相手として)扱いやすい。相手にしやすい。「―いと見てあなどる」

くみ-じゅう【組(み)重】いくつもつみ重ねるように作った重箱。かさね重。「―におせち料理を詰める」

くみ-する【▽与する】《自サ変》❶(賛成して)味方になる。仲間に加わる。「与党に―する」❷力をかす。「天は正しき者に―する」参考→くみしやすい。

くみ-だ-す【×汲み出す】《他五》(液体を)くんで外へ出す。「池の水を―す」対くみ入れる。

くみ-たて【組(み)立て】❶(いくつかの部分を集めて)組み立てること(方法)。「―式の住宅」❷組み立てられた物の、その部分部分の構造。組織。構成。「論理の―」❸組んでからまだ間がないこと。

くみ-た-てる【組み立てる】《他下一》(ばらばらなものを)組んで一つのものに作りあげる。

くみ-ちょう【組長】❶組の長。また、暴力団の組の長。❷もと、小中学校で、組の代表者。級長。

くみ-つ-く【組み付く】《自五》相手のからだに手足をからめて取りつく。「互いに武器をすてて―いた」

くみ-てんじょう【組天井】細い木材を格子(こうし)の形に細かく組んである天井。

くみ-とり【×汲(み)取り】❶くみ出すこと。特に、大小便をくんで出すこと(人)。「―口」❷(水洗式に対して)くみ取る方式の便所。くみ取り便所。

くみ-と-る【×汲み取る】《他五》❶(液体を)くんで取り出す。❷おしはかる。推察する。また、事情や気持ちをおしはかって、思いやる。「心中を―る」「誠意が―れる応対」

くみ-はん【組(み)版】(原稿の指定どおりに)活字を組み、版を作ること。また、その版。

くみ-ひも【組×紐】糸を組んで作ったひも。組緒(くみお)。

くみ-ふ-せる【組み伏せる】《他下一》組みついて相手を自分のからだの下に押さえる。組みしく。

くみ-ほ-す【×汲み干す・×汲み▽乾す】《他五》水や酒などの液体を全部くみ出す。「一樽(たる)の酒を―す」

くみ-もの【組(み)物】❶組み合わせて作った物。特に、糸を組んで作ったもの。❷(建)柱の上にあって軒をささえる部分。ます組み。斗栱(ときょう)。

ぐ・みん【愚民】〔文〕〔批判する力をもたない〕おろかな人民。「ー政策」

***く・む【×汲む】**《他五》❶液体をすくい取る。また、すくい取って容器に入れる。「バケツに水をー・む」類語 掬(すく)う。掬い上げる。掬(きく)する。杓(しゃく)う。杓る。❷受け入れて、自分のものとする。摂取する。「ー・めども尽きぬ深い味わい」❸酒・茶などをうつわにつぐ。特に、酒をついで(いっしょに)飲む。「旧友と酒をー・む」表記 酒の場合には、「酌む」と書く。❹〔人の気持ちや立場を察して〕理解する。おしはかる。親身になっておもいやる。「先方の事情をー・む」文《四》。

***く・む【組む】**㊀《他五》❶細長い物同士を・交差させる(からみあわせる)。「丸太をー・む」❷交差するようにして作り構えたり、編んだりする。「いかだをー・む」「ひもをー・む」❸部分をまとめあわせて、全体を形づくる。㋐組織する。構成する。編成する。「予算をー・む」「徒党をー・む」㋑原稿の指定どおりに活字を並べて版にする。㋒為替(かわせ)を送る手続きをする。文《四》。㊁《自五》❶たがいに、手足などをからみ合わせて争う。取り組む。とっくみあう。「四つにー・む」❷〔ある事をするために〕仲間になる。組になる。協同する。また、共謀する。「友人とー・む」文《四》。

ぐ・む《接尾》《名詞について五段活用の動詞を作る》「少し出る」「きざす」などの意。「涙ー・む」「芽ー・む」

く・めん【工面】❶《名・自他サ》努力して都合をつけること。特に、まとまった金銭をそろえようと、工夫すること。算段。やりくり。「なんとか資金をーする」「材料のー」❷金まわり。ふところぐあい。「きょうはーが悪い」

***くも【×蜘×蛛】**クモ類に属する節足動物。頭胸部から四対のあしが出ている。多く、糸を出してあみを張り、巣をつくる。種類が非常に多い。ささがに。

ーの子を散ら・す《句》たくさんの人が四方八方へ散らばるたとえ。「ー・すように逃げ去る」参考 クモの子のはいっている袋を破ると、多くのクモの子が出てきて四方に散ることから。

***くも【雲】**❶大気中の水蒸気が凝結して、きわめて小さな水滴や氷の粒となり、それらがたくさん集まってできたもの。空に、うかんだり動いたり、広がったり消えたりする。類語 雲の峰。雲影。雲海。雲形。雲容。❷《雲①の状態や位置から連想した、ひゆ的用法》㋐はっきりした形・位置・行動をもたない、つかみ所のない物事のたとえ。「ーをつかむような(=つかみ所のない)話」㋑きわめて高い・場所(地位)のたとえ。「ー(を)つくばかりの大男」「ーの上(=宮中)」㋒(一面に)たなびくように見えるもののたとえ。「花のー」㋓〔気持ち・表情などの〕はればれしない状態のたとえ。「心のーが晴れる」

ーを霞(かすみ)と《句》いちもくさんに逃げて行って姿が見えなくなるようす。「ー逃げ出した」

くも・あい【雲合い】（ーあひ）〔天候の前ぶれとなる〕雲の状態。雲ゆき。空もよう。「いまにも降りそうなー」

くも・あし【雲脚】❶雲の流れ動く速さ。「ーが速い」類語 雲行き。❷低くたれさがって見える雨雲。❸テーブル・机など調度品の、雲形にまがって作られたあし。

くも・い【雲居・雲井】（ーゐ）〔文〕❶雲のあるあたり。空。「ーをしのぐ富士の山」❷はるか・高い(遠い)ところ。「ーはるかに鳴くヒバリ」❸宮中。皇居。表記「井」は当て字。

くも・がくれ【雲隠れ】《名・自サ》❶〔月が〕雲の中にかくれること。❷逃げて、姿をかくすこと。また、物がみえなくなること。「容疑者がーする」

くも・がた【雲形】雲のたなびいている形。 **ーじょうぎ【ー定規】**いろいろな曲線をかくのに使う定規。

雲形定規

くも・じ【雲路】（ーぢ）〔文〕❶鳥が飛んで行く、空中の道。雲居路(くもいじ)。❷〔空を流れる〕雲のゆくえ。

くも・すけ【雲助】❶江戸時代、宿場や街道にいて荷物の運搬、かごかきなどをした住所不定の人足。参考 人の弱みにつけこむ、たちの悪い者が多かった。❷ならずもの。

く・もつ【供物】神仏に供える物。お供え。

くも・で【×蜘×蛛手】〔ものの形が〕クモの足のように八方に分かれていること。また、物事がいりくんだり、交差したりしていること。「ーに縛る」

くも・の・うえ【雲の上】（ーうへ）〔非常に高い所の意から〕❶宮中。禁中。❷大衆とは無縁の所。

くも・の・うえびと【雲の上人】（ーうへー）〔文〕天皇・皇族、また、宮中に仕える人など、高貴な身分の人の総称。大宮(おおみや)人。殿上(てんじょう)人。

くも・の・みね【雲の峰】〔文〕夏、山のみねのように高くもり上がる雲。ふつう、入道雲をさす。

くも・ま【雲間】雲の切れた所。雲ぎれ。類語 晴れ間。

くも・まく【×蜘×蛛膜】脳や脊髄(せきずい)を包む三層の髄膜のうち、中間の膜。蜘蛛膜(ちしゅまく)。「ー下出血」

くも・ゆき【雲行き】❶雲の流れ動いて行くありさま。「ーを見る」類語 雲脚。雲気。❷物事のなりゆき。形勢。「両国間のーがあやしい」

くもら・す【曇らす】《他五》❶〔透明なもの、つやのあるものなどを〕くもるようにする。はっきり見えなくする。「涙で目をー・す」❷心がぼやけてはっきりしないようにする。判断力を鈍らせる。「判断をー・す」❸悲しそうな、または心配そうな・表情(声)をする。「涙に声をー・す」同 ①〜③曇らせる。文《四》。

くもり【曇り】❶雲やかすみが広がって、空をおおっている状態。気象学上では雲量九以上。「晴れのちー」類語 曇り空。曇天。対 晴れ。❷〔透明なものや、反射するものなどが〕水滴やほこりでおおわれてよく見えない・こと(状態)。「窓ガラスのーをぬぐう」「ーガラス(=不透明なガラス)」❸〔気持ちなどが〕晴れ晴れしないこと。すっきりしないこと。ふさぎ。また、〔人格上・人道上の〕うしろめたさ。「ーのない心」「ーなき身」

くも・る【曇る】《自五》❶雲やかすみで空がおおわれる。対 晴れる。❷〔透明なものや、反射するものなどが〕水滴やほこりなどにおおわれて、はっきり見えなくなる。「鏡がー・る」❸〔気分・表情などが〕憂いのためにはれやかでなくなる。「顔がー・る」文《四》。

く・もん【苦×悶】《名・自サ》苦しみもだえること。「ーの表情を浮かべる」

ぐ・もん【愚問】つまらない質問。「ーを発する」対 愚答。

くやし・い【悔しい・口▽惜しい】《形》❶自分のしたこと、しなかったことが腹立たしくなる。残念だ。「投資しなかったことがー・い」❷〔自分が劣っていること、相手に負けたことなどに対して〕不快である。しゃくにさわる。残念だ。「ー・いが、私の負けだ」同 ①②口惜(くちお)し

い。文くや・し《シク》。⇩〘類語と表現〙

類語と表現

「**悔しい**」

＊負けて悔しい・一勝もできず悔しい・ばかにされて悔しい・失敗したことが悔しい・悔しかったらもっと頑張ることだ。

◆口惜しい・恨めしい・情けない・残り多い・残り惜しい・心残り・残念・無念・遺憾・未練・心外・不本意・恨事・痛恨／悔しがる・胸が詰まる・胸が一杯になる・歯ぎしりする・地団駄を踏む／残念無念口惜しや

くやし・が・る【悔しがる・口▽惜しがる】《他五》悔しく思う。悔しいと思うようすを見せる。「試合に負けて—・る」

くやし・なき【悔し泣き】《名・自サ》くやしがって泣くこと。

くやし・なみだ【悔し涙】くやしくて流す涙。くやしなきして出る涙。「—にくれる」

くやし・まぎれ【悔し紛れ】《名・形動》くやしさのあまりに理性や分別を失うこと。「—に悪口を言う」

くやみ【悔(や)み】❶くやむこと。後悔。❷人の死を惜しみ、とむらう・こと(ことば)。「お—に行く」類語 弔問。弔辞。

くや・む【悔やむ】《他五》❶〔十分にできなかったことやすでに終わったことを〕くやしく思う。残念に思う。後悔する。「力をつくせなかったことを—・む」❷人の死を惜しみ悲しむ。「友の死を—・む」文《四》。

ぐ・ゆう【具有】《名・他サ》〔文〕〔性質・条件などを〕そなえもつこと。「詩才を—する」「両性—」類語 具備。

くゆら・す【×燻らす・▽薫らす】《他五》煙をゆるやかにたてる。くゆらせる。「たばこを—・す」文《四》。

＊**く・よう**【九曜】❶「九曜星」の略。日・月・火・水・木・金・土の七曜星に、羅睺と計都という二つの星を加えた九つの星の呼び名。人の生年月日に配して運命を占う。❷「九曜紋」の略。紋所の名。

＊**く・よう**【供養】《名・他サ》仏や死者の霊に物を供えたり、経を読んだりして回向すること。「先祖の霊を—する」「永代—」

くよ・くよ《副・自サ》《副詞は「—と」の形も》こだわって、いつまでも心配するようす。「—と思い悩む」

＊**くら**【倉・蔵・▽庫】家財・商品・穀物などを安全にしまっておくための建物。類語 倉庫。⇩〘使い分け〙

使い分け

「**くら**」

倉〔▽庫〕〔穀物を納めるくらで、広く物品をたくわえておく建物〕穀物倉・倉荷証券・倉敷料・倉渡し・武器倉(庫)・宝物倉(庫)

蔵〔大事なものを隠ししまうくら〕お蔵にする・蔵が建つ・蔵屋敷・蔵出し・蔵開き・蔵元・酒蔵・蔵払い

参考「庫」は兵車を納めるなやの意から、兵器・書物や財宝を収納するくら。「蔵」は土蔵など食品ぐらで古風な慣用語が多い。「蔵が建つ／倉が建つ」では、前者が主として土蔵を指し財産をつくる意、後者は物品を納める倉庫の意で、今日的な表記といえる。

＊**くら**【×鞍】人や荷物をのせやすくするために、ウマ・ウシなどの背におくもの。革・木などで作る。

クラーレ フジウツギ科に属する植物の樹液からとる猛毒物質。南米の先住民などが毒矢に用いる。薬理学の実験や麻酔剤として利用。▽curare

＊**くらい**【位】(《「座居」の意》)❶人の身分などにともなう地位。「—が上がる」「—人臣をきわめる」「—をゆずる」類語 階級。職階。階層。位階。ポスト。ポジション。❷物の等級、人や芸術作品などの品位。優劣。品格。「—をつける」❸十進法で、一〇倍ごとに段階をつけて数を表す名称。けた。「千の—」

＊**くら・い**【暗い】《形》❶見た全体が、黒っぽい感じだ。㋐光がじゅうぶんでない。また、そのために物が(よく)見えない状態だ。「月もない—・い夜」㋑色がくすんでいる。黒ずんでいる。「—・い茶色」❷〔人・物、あるいは人によって表現されたものなどに対する〕印象が陰気である。「根が—・い」「—・い音楽」❸物事が・思わしく(好ましく)ない状態だ。〔希望が持てない、公明さを欠く、不吉である、などの状態をいう〕「—・い政治」「見通しが—・い」❹〔気持ち・表情などが〕沈んで、晴れ晴れしない。重くるしい。「目つきが—・い」❺知識が乏しい。事情に通じていない。不案内である。「その方面の事情に—・い」対 ①〜⑤明るい。文くら・し《ク》。⇩〘類語と表現〙

類語と表現

「**暗い**」

＊部屋の中が暗い・辺りが暗くなる・暗い夜道・暗い緑色／表情が暗い・顔が暗くなる・暗い声・暗い世相・暗い感じの絵・暗い過去をもつ男／情勢に暗い・世事に暗い。

◆薄暗い・小暗い・ほの暗い・暗がり・薄暗がり・手暗がり・真っ暗・暗黒・暗澹・闇・暗闇・真っ暗闇・常闇・薄暮・暁闇・夕闇・宵闇・夜陰・幽冥・晦冥・冥暗

◇〔心理・性格〕陰湿・陰気・陰気臭い・陰鬱・暗鬱

◇〔知識が乏しい〕疎い・不案内・不明・無知・無学・蒙昧

＊**くらい**《副助》《名詞「位」の転》〔一般に、体言につくときは「ぐらい」、「この」「その」などの連体詞につくときは「くらい」となる。用言につくときは「くらい・ぐらい」ともに使う〕❶ある事柄を例示して、その程度であることを表す。特に、極端な例として提示して、その程度が相当に高い(低い)ことを表す。「成績はまん中ぐらいだ」「彼女ぐらいの美人」「このくらいの問題ならすぐ解ける」「泣きたいくらいうれしい」❷〈「…くらい…はない」の形で〉極端な例としてあげて、それが一番である意。「彼ぐらい努力する人はいない」❸〔数量を表す語につけて〕およその数量。「二十歳ぐらい」参考 名詞類に直接つく場合以外は形式名詞ともする。

ぐらい《副助》➡くらい(副助)。

クライアント 広告主。依頼主。顧客。▽client

くらい・こ・む【食らい込む】㊀《自五》〔俗〕刑務所・留置場に入れられる。㊁《他五》〔俗〕面倒なことをおしつけられる。「他人の借金を—・む」

クライシス ❶危機。重大な時局。❷経済上の危機。恐慌。▽crisis

くらい・・する【位する】《自サ変》ある場所をしめる。ある地位にいる。「日本はアジアの東方に—・する」

グライダー エンジンのない航空機。上昇気流を利用して飛ぶ。スポーツ・研究用。滑空機。▽glider

くらい・つ・く【食らい付く】《自五》❶くいつく。

かみつく。「イヌが足に━・く」❷くっついてはなれない。「一日中机に━・いて勉強する」

くらい・どり【位取り】 数値の位を定めること。また、その定め方。位づけ。「━をまちがう」

くらい・まけ【位負け】《名・自サ》❶地位だけが高すぎて、実力がそれにともなわないこと。❷相手の地位・品位などに圧倒されて不利になること。「先輩に━して思うように話せなかった」

クライマックス 最も盛り上がり、緊張した状態・場面。頂点。最高潮。やま。「芝居はいよいよ━に達した」▽climax

クライミング〔山などを〕よじ登ること。特に、ロッククライミング。▽climbing

くら・いれ【蔵入れ・倉入れ】《名・他サ》蔵の中にしまうこと。また、その品物。「━した米」[対]蔵出し。

グラインダー 円形の砥石(といし)を回転させ、物の表面をけずって磨きあげる機械。研削盤。▽grinder

くら・う【食らう・×喰らう】《他五》❶「食べる・飲む」の粗野な言い方。「大酒を━・う」❷〔好ましくないものを〕うける。こうむる。「小言を━・う」[文]《四》

クラウン ❶王冠。❷イギリスの旧五シリング白銅。王冠の模様がある。▽crown

グラウンド 運動場。競技場。グランド。「━コンディション」▽ground **━マナー** 試合中の選手の態度。▽ground と manners からの和製語。

くら・がえ【×鞍替え】《名・自サ》❶遊女・芸者が、他の店につとめがえをすること。❷それまでしていたことや、商売・勤めなどを別のものにかえること。「給料のよい会社に━する」[類語]転業。転職。

くら・がり【暗がり】 ❶光が少なく、くらい所。「━でよく見えない」❷人目につかない所。「━に隠れる」

く・らく【苦楽】 苦しみと楽しみ。[類語]哀楽。

クラクション 自動車の警笛。[参考]もと、商標名。▽klaxon

くら・くら《副》《副詞は「━と」の形も》❶《自サ》めまいがして倒れそうになるようす。「派手な照明で頭が━する」❷湯が盛んに煮え立っているようす。

ぐら・ぐら《副》《副詞は「━と」の形も》❶《自サ》ものが大きくゆれ動いて不安定なようす。「地震で家が━ゆれた」❷湯がさかんに煮えたぎるようす。「━と煮え立つ湯」[参考]「くらくら」よりはげしいようすに言う。

くらげ【▽水▽母・▽海▽月】 有櫛(ゆうしつ)動物と刺胞(しほう)動物ハチクラゲ類のうち、浮遊生活をするもの。からだは寒天質。触手でえさをとる。種類が多い。

くら・ざらえ【蔵×浚え】《名・他サ》蔵払い。

くらし【暮(ら)し】 ❶くらすこと。月日をすごすこと。❷生計。生活。「ぜいたくな━」「━が立たない」

グラジオラス アヤメ科の多年草。夏、多数のつぼみを穂状につけ、下の方から開花する。花の色は種々。球根でふえる。オランダアヤメ。▽gladiolus

くらしき・りょう【倉敷料】 貨物や商品を倉庫にあずけたときにとられる保管料。倉敷。敷料。

クラシック ━《名》❶学問・芸術で、その分野を代表し、のちの世まで伝えられる立派な著述・作品。古典。❷「クラシック音楽」の略。━《形動》古典的。伝統的。「━な文体」「━カー」▽classic **━おんがく【━音楽】** ❶〔ハイドン、モーツァルトなど〕古典派の音楽。❷〔ジャズ・歌謡曲・ポピュラー音楽などに対して〕西洋の伝統的・芸術的な音楽。

くらし・むき【暮(ら)し向き】 生活のようす。特に、経済的な面からみた生活状態。「━が楽でない」

***くら・す【暮(ら)す】** ━《自五》❶生活する。生計をたてる。「左うちわで━・す(=安楽に暮らす)」[類語]口を糊(のり)する。明け暮れ。消光。❷日がくれるまでの時間を過ごす。また、年月をおくる。「待てど━・せど便りがない」[文]《四》━《接尾》「(一日中)ずっとそのことをしつづける」意。「遊び━・す」[文]《四》

***クラス** ❶学級。組。「━メート(=同級生)」❷階級。等級。級。「一万トン━のタンカー」▽class **━マガジン** 特定の読者層を対象に発行する専門誌。▽class magazine

グラス ❶洋酒用のガラス製のさかずき。❷ガラス(器)。「カット━」❸めがね。「サン━」❹双眼鏡。「オペラ━」▽①② glass ③④ glasses **━ウール** 羊毛状のガラス繊維。断熱材・電気絶縁材などに使う。▽glass wool **━ファイバー** とけたガラスを長い繊維状にしたもの。電気の絶縁材料や、スキー・つりざおの材など、用途が広い。ガラス繊維。▽glass fiber

グラス・コート テニスで、芝生のコート。ローンコート。▽grass court

くら・だし【蔵出し・倉出し】《名・他サ》しまってある商品を蔵から出すこと。また、その品物。[対]蔵入れ。

グラタン ホワイトソースで煮込んだ材料を焼き皿に入れ、粉チーズなどをふりかけてオーブンで蒸し焼きにした料理。「マカロニ━」[類語]コキール。▽(フランス) gratin

クラッカー ❶ビスケットの一種。小麦粉に塩で味をつけ、薄く堅く焼いたもの。❷先のとがった、紙製の小さな筒形のおもちゃの花火。ひもを引っぱると、大きな音とともに紙テープが飛びでる。▽cracker

ぐら・つ・く《自五》ゆれうごく。ぐらぐらする。動揺する。「屋台骨が━・く」「決心が━・く」[文]《四》

クラッシャー 鉱石・岩石などを適当な大きさにくだく機械。破砕機。粉砕機。▽crusher

クラッシュ ❶自動車競技などの衝突事故。❷《名・自サ》コンピューターで、ハードウエアなどの故障によってシステムの実行ができなくなること。作動停止。▽crash

グラッセ《名・他サ》〔フランス料理で〕❶焼き色をつけたり、煮込んでつやをつけたりすること。また、その料理。❷核になるものを、ゼリーや砂糖の衣で包むこと。また、その食品。「マロン━」▽(フランス) glacé

***クラッチ** ❶二つの軸を連結し、一方の動力を他方に断続して伝える装置。❷自動車の、エンジンの動力を車輪に伝えるためのクラッチ①を動かす踏み板。クラッチ板。❸起重機のつめ。▽clutch **━バッグ** 取っ手やひものない、抱え型のかばん。▽clutch bag

***クラッチ** ボートの舷(げん)にある、オールをささえるふたまたの金具。▽crutch

くら・つぼ【×鞍×壺】 ❶鞍で、人のまたがる平らなところ。❷〔馬術で〕鞍の前か後ろに少しもたれかかること。

グラデーション ❶テレビ画面などの、濃淡・色調・明暗の度合い。❷絵画・写真で、色彩・色調をぼかすこと。濃淡法。▽gradation

グラニュー・とう【グラニュー糖】〔granulated sugar〕粒が非常に細かく、さらさらしている白砂糖。

くら・ばらい【蔵払い】《名・他サ》蔵に残っている商品を安い値ですっかり売りはらうこと。蔵ざらえ。

グラビア ❶写真製版による凹版印刷の一つ。色の濃淡をよく表現し、写真や画の複製などに適する。❷雑誌・書籍で、グラビア①によって印刷したページ。「新人歌手が巻頭の―をかざる」▽フラ gravure

くら・びらき【蔵開き】《名・自サ》新年の吉日（多くは一月一一日）に、その年になって初めて蔵を開くこと。

クラブ ❶同じ目的を持った人々が集まって作る団体。また、その集会所。「囲碁―」「記者―」表記「倶楽部」とも当てる。❷会員制のバー。「銀座の―で働く」❸ゴルフの球を打つ棒。❹トランプで、三つ葉の模様「♣」。また、その模様のついた札。▽club **―ハウス** クラブ①が所有する会館。特に、ゴルフクラブのシャワー・ロッカールームをもつ建物。

グラフ ❶二つ以上のものの数量関係を図に表したもの。図表。「人口の推移を示す―」❷写真を主にした雑誌。画報。グラフィック。▽graph

グラブ ↓グローブ。▽glove

グラフィック ㊀《名》写真を主とした雑誌。画報。グラフ。「―デザイナー」㊁《形動》写真を主として、視覚的によくわからせようとするようす。「―なデザイン」▽graphic **―デザイン** 新聞雑誌の広告、ポスター、カタログなどのデザイン。▽graphic design

グラフィティー ❶大昔の、岩などにほった絵や文字。❷（壁などの）落書き。▽graffiti

クラブサン ハープシコード。▽フラ clavecin

クラフト ❶手工芸（品）。❷技能。▽craft

クラフト・し【クラフト紙】(kraft paper)硫酸パルプでつくった、茶色の強い紙。包装紙などに用いる。

くらべ【比べ・▽競べ・▽較べ】❶くらべること。比較。「せい―」「高さ―」❷優劣を争うこと。競争。「力―」「腕―」［①②とも名詞の下につける］

くらべ・もの【比べ物・▽較べ物・▽競べ物】 比較するにたりるもの。「―にならない」

くら・べる【比べる・▽較べる・▽競べる】《他下一》❶二つ以上のものをひきあわせて、同じ点や異なる点、まさる点や劣る点などを調べる。比較する。「A書とB書（と）の特徴を―・べる」❷優劣を争う。競争する。「成績を―・べる」文くら・ぶ《下二》

***グラマー**（外国語の）文法。文法書。▽grammar

***グラマー** ㊀《形動》女性の肉体が豊かで（性的な）魅力があるようす。㊁《名》「グラマーガール」の略。肉体が豊かで、（性的な）魅力のある若い女性。▽glamour（＝魅力。魔力）

くら・まい【蔵米・倉米】❶蔵にたくわえてある米。❷江戸時代、幕府が浅草の米蔵に、また、諸大名が大坂の蔵屋敷にたくわえ、売買した米。

くらま・す【×晦ます】《他五》❶見つからないように隠す。「容疑者が姿を―・す」❷ごまかす。「真相を―・す」表記①②は「暗ます」とも書く。文《四》。

クラミジア 生きた細胞の中でのみ増殖する微生物。オウム病・トラコーマなどの病原体。▽chlamydia

くら・みせ【蔵店】 土蔵のようなつくりの店。

くら・む【×眩む】《自五》（「暗む」の意）〈多く「目が―・む」の形で〉❶（強い光や、刺激をうけたりして）目先がぼうっとなって見えにくくなる。目まいがする。❷ある物事にまどわされて理性を失う。頭がぼうっとなって考えが混乱する。「金に目が―・む」表記①②は「暗む」とも書く。文《四》。

グラム《助数》メートル法による質量の単位。国際キログラム原器の一〇〇〇分の一の質量。記号g。表記「瓦」とも当てた。▽フラ gramme

クラム・チャウダー ハマグリが入った、アメリカ風のクリームスープ。▽clam chowder

くら・もと【蔵元】❶蔵を管理する者。❷酒・しょうゆなどの醸造元。❸江戸時代、蔵屋敷に出入りして蔵物の出し入れや販売を行った商人。

くら・やしき【蔵屋敷】 江戸時代、大名などが、領内の年貢米や特産物を貯蔵したり売りさばいたりするため、江戸・大坂・長崎などに設けた邸宅。

くら・やみ【暗×闇】❶光がなく、くらい・こと（所）。「停電で―になる」❷人目につかない・こと（所）。「―に葬る」❸物事の見通しがたたず、希望がもてないこと。「この世は―だ」

―から牛を引き出・す《句》❶動作がにぶくてのろいたとえ。❷物事の区別があいまいなたとえ。

―の鉄砲《句》むこうみずに物事を行うことのたとえ。また、物事を行っても手ごたえのないことのたとえ。闇に鉄砲。闇夜の鉄砲。

ぐらり・と《副》急に大きくゆれ動くようす。ぐらっと。「大きなゆれが―きた」

クラリネット 木管楽器の一つ。一枚のリードを持ち、たてにかまえて吹く。広い音域と豊かな音色が出る。クラリオネット。▽clarinet

くらわ・す【食らわす】《他五》❶「食べさせる・食わす」のぞんざいな言い方。❷人に（好ましくないものを）受けさせる。こうむらせる。特に、打撃を受けさせる。なぐる。「一発―・す」＝食らわせる。文《四》。

くら・わたし【倉渡し・蔵渡し】 売手が、商品を倉庫に寄託したままで買手にわたすこと。

クランク ❶ピストンなどの往復運動を回転運動に、または、回転運動を往復運動にかえる装置。内燃機関・自転車・ミシンなどに使う。❷映画撮影機のハンドル。また、それをまわすこと。転じて、映画撮影。「―イン（＝撮影を開始すること）」▽crank

クランケ 患者。▽ドイ Kranke

グランド ↓グラウンド。▽ground

グランド・オペラ 声楽と管弦楽とからなるせりふのない、劇的な内容をもつオペラ。おもに悲劇的な結末のものをいう。▽grand opera

グランド・スラム ❶トランプのブリッジで、一三組全部を取ること。❷野球で、満塁本塁打。❸ある競技の主な大会の優勝を独占すること。▽grand slam

グランド・ピアノ 大型の平たい、三つ脚のピアノ。平台ピアノ。▽grand piano

グラン・プリ（芸能や競技会で）大賞。特に、国際映画祭で与えられる大賞。▽フラ grand prix

***くり【×刳り】** くること。丸みをつけること。また、その程度（部分）。「そでつけの―を大きくする」

***く・り【庫裏・庫×裡】**❶寺の台所。❷住職や、その家族の居間。対本堂。

***くり【×栗】** ブナ科の落葉高木。果実はいがにつつまれており、秋に熟すと、褐色のいががさけてとび出す。食用。材は堅く、船材・まくら木などに用いる。

***くり【繰り】** 糸などを繰ること。

クリアー ㊀《形動》くもりのないようす。冴えているようす。明晰。「―な頭脳」㊁《名・他サ》❶棒高とび・走り高とびなどで、バーを落とさずにとびこすこと。転じて、難問・難関などを切り抜けること。「試験を—する」❷サッカーで、ボールをけり返したりけり出したりして、敵の攻撃からのがれること。❸〔不必要なものを〕とりのぞいて、きれいにすること。「前に入れたデータを—する」=クリア。クリヤー。▽clear

くり・あ・げる【繰り上げる】《他下一》❶〔きまった順番を〕順々に前にする。引き上げる。「次点の人を—・げる」❷予定の日時を早める。「出発の日を—・げる」対①②くりさげる。

クリアランス「クリアランスセール」の略。在庫一掃の大安売り。▽clearance(=取り除くこと)

くり・あわ・せる【繰り合わせる】（—あはせる）《他下一》〔糸などを繰って合わせる意から〕時間・仕事などのつごうをつける。やりくりする。「万障—・せてご出席ください」

クリーク 小川。枝川。参考 特に、中国の上海（シャンハイ）付近のものを呼ぶことが多い。▽creek

グリー・クラブ 男声合唱団。▽glee club

くり・いし【×栗石】 クリの実ぐらいの小さな丸い石。庭園の敷石などに利用する。

グリース のり状の潤滑剤。おもに、摩擦の多い部分に使う。グリス。▽grease

グリーティング・カード 誕生日・クリスマスなどに贈る、お祝いのカード。▽greeting card

クリーナー 掃除のための器具・機械。掃除機。また汚れを落とすための薬剤。▽cleaner

クリーニング ❶洗濯屋が行う、西洋式の洗濯。特に、ドライクリーニングを言う。❷機器類の汚れを取り除くこと。「ビデオヘッドを—する」▽cleaning

クリーム ❶牛乳から作る淡黄色の脂肪質。乳脂。洋菓子や料理に使う。❷化粧品の一種。髪・肌などにつける。❸くつにぬるクリーム。くつずみ。❹「クリーム色」の略。淡黄色。❺「アイスクリーム」の略。▽cream

くり・い・れる【繰り入れる】《他下一》❶順々に送り入れる。また、順にたぐって引き入れる。「網を—・れる」対くり出す。❷ある物(事)を他の物(事)の間に組み入れる。編入する。「元金に利子を—・れる」

くり・いろ【×栗色】 こげ茶色。「—の髪」

クリーン《形動》❶清潔な。きれいな。「—な選挙」❷みごとな。「—ヒット」▽clean **—アップ** 野球で、快打を放ち、走者を全部ホームインさせること。また、その力をもつ三人の強打者(打順の3、4、5番)。クリーンアップトリオ。クリーンナップ。「—を組む」▽cleanup **—エネルギー** 環境汚染物質を出さないエネルギー。風力・地熱・太陽熱など。▽clean energy **—ルーム** 特別な空調設備を用いて塵（ちり）をなくした、清浄な部屋。半導体集積回路などの製造に使われる。無塵（むじん）室。▽clean room

グリーン ❶緑色。❷草地。しばふ。❸ゴルフ場で、球を入れる穴の付近で、刈り込んだしばのある部分。▽green **—しゃ【—車】** JR各社で、特別料金を必要とする客車。グリーン。**—ピース** ↓グリンピース。▽green peas **—ベルト** ❶都市計画で、防災・衛生・美観のために設けた、緑地帯。❷道路の中央部で、草木の植えてある一画。▽green belt

クリエーター ❶創造的な仕事にたずさわる技術者。❷造物主。神。▽①creator ②Creator

クリエーティブ《形動》創造的。独創的。「—なセンス」「—な仕事」▽creative

クリエート《名・他サ》つくりだすこと。▽create

くりかえし・ふごう【繰り返し符号】（—かへし—）↓踊り字。

くり・かえ・す【繰り返す】（—かへす）《他五》また同じことをする。反復する。「失敗は二度と—・すな」

くり・か・える【繰り替える】（—かへる）《他下一》❶あるものを他のものとかえる。交換する。振り替える。「時間を—・える」❷やりくりしてつごうをつける。流用する。

くり・かた【×刳(り)形】 ❶えぐってあけた穴(の形)。❷建物の家具・装飾などで、突出部やふちの断面がどこも同じ形になるようにけずった、凹凸（おうとつ）の面。

くりから【×倶×梨×伽羅】「倶梨伽羅竜王（くりからりゅうおう）」の略。竜王の一つ。その形像は、岩の上に立てた剣に黒竜が巻きつき、その背後に火炎が燃え上がっている。不動明王の変化した姿。参考 梵語 kulika の音訳。

倶梨伽羅

—もんもん【—紋紋】 背中にほった「倶梨伽羅竜王」の入れ墨。また、一般に、入れ墨(をした人)。

く・りき【功力】（くりき） 修行によって得た不思議な力。功徳（くどく）の力。

くり・くり《副・自サ》《副詞は「—と」の形も》❶〔小さなものが〕すばやくなめらかに・動く(回る)ようす。「目を—させる」❷丸くてかわいいようす。まるまるとしているようす。「—した目」「頭を—に刈る」

ぐり・ぐり 一《名》リンパ腺（せん）がはれたもの。瘰癧（るいれき）。また、筋肉などのこりかたまったもの。二《副・自サ》《副詞は「—と」の形も》❶強くおしつけながら回すようす。「ひじで—と押す」❷いかにも丸くて大きいようす。「目が—した子供」

くり・げ【×栗毛】〔馬の〕くり色の毛。また、その馬。

クリケット 櫂（かい）の形をしたバットで木製のたまを打つ、野球に似た競技。一一人ずつの二チームで行う。イギリスで行われる。クリッケット。▽cricket

グリコーゲン 動物の肝臓・筋肉にたくわえられる炭水化物の一種。エネルギーのもとになる。糖原質。▽ドイツ Glykogen

くり・こし【繰(り)越(し)】 繰り越すこと。「次年度に—をする」**—きん【繰越金】** ❶予算が余って、次の会計時期に引き継ぐ金銭。❷会社などで、決算の結果、準備金・配当金・賞与金など損益金処分をした残りの額の、次期に繰り越すもの。

くり・こ・す【繰り越す】《他五》〔残ったものを〕順に次に送る。「残金を次年度に—・す」類語 くりいれる。

くり・ごと【繰(り)言】 繰り返していう同じことば。特に、ぐち・不平など。「返らぬ—」

くり・こ・む【繰り込む】 一《自五》〔大ぜいの人が〕(順に)勢いよくはいりこむ。のりこむ。「開場と同時に二万人の観客が—・んだ」二《他五》❶〔ひも・つななどを〕手もとへたぐる。「網を—・む」❷他のものの中へくみ入れる。「訪問の日を日程に—・む」❸〔大ぜいの人を〕はいりこませる。投入する。「応援団を—・む」❹端数を切り上げて上の位に入れる。

くり・さ・げる【繰り下げる】《他下一》❶〔きまった順番を〕順々におくらせる。引き下げる。「順に番号を—・げる」❷予定の日時をおくらせる。「出発を一時間

—・げる」対①②くりあげる。

クリスタル ❶水晶。❷「クリスタルガラス」の略。食器・工芸品・装飾品などに使われる、無色透明で良質のガラス。クリスタルグラス。❸結晶。▽crystal

クリスチャニア スキーで、滑走中急速に方向をかえる技術。急速回転。▽ドイツ Kristiania

クリスチャン キリスト教の信者。▽Christian

クリスマス イエス＝キリストの誕生日を祝う日(＝一二月二五日)。降誕祭。聖誕祭。ノエル。表記「Xマス」とも。▽Christmas, Xmas **—イブ** クリスマスの前夜(＝一二月二四日の夜)。聖夜。▽Christmas Eve **—カード** クリスマスを祝って交換しあうカード。▽Christmas card **—カロル** クリスマスを祝い歌う讃美歌(さんびか)。クリスマスキャロル。▽Christmas carol **—ツリー** クリスマスの飾り木。ヒイラギ・モミなどの常緑樹に、豆電球・人形・贈り物などを飾りつける。▽Christmas tree

グリセード 〔冬山登山などで〕ピッケルなどを斜めうしろにつきながら、体のバランスを保って雪の斜面をすべりおりること。▽glissade

グリセリン 脂肪・油脂からとる、ねばりけの多い無色透明の液体。ダイナマイトの主原料。甘味剤・医薬品・化粧品の原料などにも使う。グリセロール。グリスリン。リスリン。▽glycerin

くり・だ・す【繰り出す】 一《他五》❶繰って順に出す。「管の先から糸を—・す」対繰り入れる。❷次々に送り出す。「応援を—・す」❸〔やり・棒などを〕一度引いて、すぐつき出す。二《自五》〔大ぜいで〕出かける。次々に出ていく。「花見に—・す」

クリック 《名・他サ》❶かちっと音をさせて、スイッチやノブを操作すること。❷コンピューターで、ディスプレー上の対象を選択するとき、マウスのボタンを指で押すこと。▽click

グリッド 電子管の陰極と陽極との中間にある、格子状・網状の電極。電子流を制御する。▽grid

クリップ ❶物をはさむための小さな器具。紙挟み用・髪どめ用など。❷筆記具のキャップについている、とめ具。▽clip

グリップ 〔ラケットやバットなどの〕にぎり方。また、そのにぎる部分。にぎり。▽grip

くり・ど【繰(り)戸】 ひとすじのほそいみぞの上をすべらして、戸袋から一枚ずつ繰ってあけたてする戸。

クリトリス 陰核。さね。▽clitoris

クリニック 診療所。医療相談所。▽clinic

グリニッジ・じ【グリニッジ時】 イギリスのグリニッジ天文台のあった所を通る子午線をもとにした時刻。グリニッジ標準時。参考現在では、原子の振動をもとにした、協定世界時(UTC)が採用されている。

くり・ぬ・く【×刳り▽貫く】 《他五》えぐって穴をあける。えぐって中身をぬき出す。「リンゴのしんを—・く」

くり・の・べる【繰り延べる】 《他下一》❶順々にのばす。延長する。「ロープを—・べる」❷予定した日時をのばす。延期する。「会合を来月に—・べる」

クリノメーター 地層の走向や傾斜、機械部品の傾きなどを測定する器具。傾斜計。▽clinometer

ぐり・はま 《「はまぐり」の倒語》〔俗〕物事がくいちがうこと。思うようにいかないこと。ぐれはま。

くり・ひろ・げる【繰り広げる】 《他下一》❶〔巻物などを〕繰ってひろげる。順にひろげる。❷大規模に行う。展開する。「連日熱戦を—・げる」

くり・ぶね【×刳(り)舟】 ↓丸木舟。

くり・まわ・す【繰り回す】(—まはす)《他五》〔金銭などを〕うまくやりくりする。「資金を—・す」

くり・まんじゅう【×栗×饅▽頭】 クリをまぜた白あんを入れ、上部をくり色に焼いたまんじゅう。

くり・めいげつ【×栗名月】 陰暦九月一三日の月。豆名月。のちの月。参考月に、クリ・豆などを供える。↓いも名月。

くりや【×厨】 〔文〕台所。厨房(ちゅうぼう)。

く・りょ【苦慮】 《名・自サ》事のなりゆきを心配しさまざまに考えること。「難局の打開に—する」類語苦心。

くり・よ・せる【繰り寄せる】 《他下一》たぐって手もとへ移動させる。「投げた網を—・せる」

グリル ❶焼き網。また、焼き網料理。❷ガス器具や電子レンジの、上から熱をあてる部分。❸手軽な洋風一品料理店。また、ホテルなどに付属している食堂。グリルルーム。▽grill

くり・わた【繰(り)綿】 綿繰り車にかけて、種をとりのぞいただけの綿。精製していない綿。

く・りん【九輪】 塔の露盤(ろばん)の上にたっている柱のかざり。水煙と請花(うけばな)との間にある九つの輪。宝輪。参考相輪全体をもいう。表記「空輪」とも書く。

クリンチ 《名・自サ》ボクシングで、組みついて相手の攻撃を一時防御すること。クリンチング。▽clinch

グリン・ピース 青豌豆(えんどう)。グリーンピース。▽green peas

***くる【来る】** 一《自カ変》距離的・時間的に、話し手の現在の位置、または話し手の気持ちが移った位置に向かって動く。また、近づく。❶空間的に、離れたところからこちら(自分の方)に近づく。㋐来訪する。こちらに・到着(到達)する。「客が**来る**」「汽車が**来る**」㋑手紙・小包などがこちらに届く。「速達が**来る**」㋒敷設物などがこちらに通ずる。「電気が**来る**」❷時間が経過して、季節・時期・順番などがこちら(自分の方)に近づく。「春が**来る**」「朝が**来る**」❸風・雨・雪などが、ある時期にこちらに達する。「台風が**来る**」❹あることが原因で、ある状態になる。また、ある状態が引き起こされる。「不注意から**来る**事故」❺こちら(自分の方)に現れ出る。自分の心の上に生じる。「彼を見てぴんと**来る**(＝すぐ気づく)」「そう**来**なくちゃおもしろくない」❻〈「…とくると」「…ときては」「…ときたら」などの形で〉…を取り上げて言うと。特に…の場合には。「パソコンの話と**来る**と、よくわからない」「この子と**来**たら、まったく意気地がない」文く《カ変》。⇩〔類語と表現「行(ゆ)く・来る」〕 二《補動》❶空間的に、話し手の方に向かって動く意。こちらへ…する。…してこちらへもどる。…しながらこちらへ近づく。「帰って**来る**」「行って**来る**」❷時間が経過して、ある現象が話し手の方に近づく意。㋐動作・作用がひきつづいて今におよぶ意。(今まで)ずっと…する。「暮らして**来る**」㋑ある状態から別の状態に変化する意。しだいに…の状態になる。「はっきりして**来る**」㋒ある現象が現れ出る意。…の状態が起こる。「いい考えが浮かんで**来る**」表記二は、かな書きも多い。文く《カ変》。

***く・る【×刳る】** 《他五》〔刃物や器械などで〕えぐって穴をあける。「えりを大きく—・る」文《四》。

***く・る【繰る】** 《他五》❶〔細長いものやつながっているものを〕しだいに引き出したり、他のものに巻き取ったりす

る。「糸を―・る」「巻物を―・る」❷〔並んでいるものなどを〕順に動かして移動させる。「雨戸を―・る」❸書物などを、順にめくってゆく。「ページを―・る」❹順に数えてゆく。「日数を―・る」❺綿繰り車にかけて綿の種を取り去る。「綿を―・る」文《四》。

ぐる〔俗〕悪いことをする仲間。共謀者。

くるい【狂い】 狂うこと。「見る目に―はない」

ぐるい【狂い】《接尾》「ひどく夢中になる・こと（人）」の意。「女―」「役者―」「競馬―」

くるい-ざき【狂い咲き】 ❶花がその時期でないのに咲くこと。また、その花。類語 返り咲き。❷盛りを過ぎたものが一時期だけ急に勢いをとりもどすこと。

くるい-じに【狂い死に】《名・自サ》気が狂って死ぬこと。狂死。

＊**くる・う【狂う】**《自五》❶精神が正常でなくなる。気がちがう。気がふれる。❷理性をうしなうほど夢中になる。おぼれる。「ギャンブルに―・う」❸〔物事の状態や機械の調子などが〕正常でなくなる。「世の中が―・っている」❹予定どおりにいかなくなる。あてがはずれる。「計画が―・う」文《四》。

＊**クルー** 船・飛行機などの乗組員。特に、ボートレースで、チームを組んで乗り組む選手。▽crew

クルーザー（外洋を航海できる）巡航型のヨット・モーターボート。▽cruiser

クルージング 巡航。特に、ヨット・モーターボートや客船などで航海すること。▽cruising

クルーズ 観光船などを使った船旅・船遊び。▽cruise

グルーピー 人気タレントなどにつきまとう、熱狂的ファンの女の子。▽groupie

グループ 集団。なかま。組。「―活動」▽group

グルーミー《形動》陰気なようす。暗いようす。陰鬱なようす。「―な色」「―な時代」▽gloomy

くるおし・い【狂おしい】《形》気が狂ってしまいそうである。くるわしい。文くるほ・し《シク》。

くる-くる《副》（「―と」の形も）❶物が軽やかに何度も回るようす。「―回る風車」❷長いものを幾重にも巻くようす。「掛軸を―と巻く」❸身軽によく働くようす。「―と働く」❹物事が何度もかわるようす。

ぐる-ぐる《副》（「―と」の形も）❶物が何度も回るようす。「プロペラが―と回る」❷長いものを幾重にも巻くようす。「ロープを―と巻きつける」参考 ①②とも「くるくる」より重い感じのときに使う。

くるし・い【苦しい】 一《形》肉体的または精神的に我慢するのがつらい、という気持ちを起こさせるほどの不快を感じるようす。❶からだに圧迫を加えられて我慢しにくいほどだ。「息が―・い」❷思い悩んだり非常な努力を要したりして、我慢できないほどだ。「―・い胸のうち」❸物や金銭が不足して、我慢しにくいほどだ。「―・い生活」❹解決できないくらいむずかしくて、無理がある。「―・い説明」「―・い言い訳」❺〈―・しゅうない〉差しつかえない。かまわない。「―・しゅうない、面をあげよ」文くる・し《シク》。二《接尾》《動詞の連用形につき、「…ぐるしい」の形で》「…するのがいやだ」「…しにくい」などの意を表す。「見―・い」「聞き―・い」文くる・し《シク》。⇩〔類語と表現〕

―い時の神頼み《句》ふだんは信心をしたことのない者が、病気になったり困ったりすると神仏に祈って助けを求めること。参考 人間のえてかってな心を言う。

> **類語と表現**
>
> 「苦しい」
>
> ＊苦しい・足が痛くて苦しい・息が苦しくなる／苦しい試練に耐える／生活が苦しい・市の財政が苦しい／苦しい釈明をする・苦しい立場に置かれる。
>
> ◆痛い・辛い・苦い・切ない・息苦しい・胸苦しい・寝苦しい／胸が痛む・胸が裂ける・胸がつかえる・胸が詰まる・胸が締めつけられる・胸が焼ける・胸が悪い・胸にやすりをかける・息が切れる・息が詰まる・むかつく・むかむかする／苦痛・業苦・惨苦・三重苦・痛苦・病苦・四苦八苦

くるし-まぎれ【苦し紛れ】《名・形動》苦しさのあまりに夢中で行うこと。「―のうそ」

くるしみ【苦しみ】 苦しむこと。苦痛。「生みの―」

くるし・む【苦しむ】《自五》❶〔肉体的に〕苦しいと思う。苦痛に感ずる。「持病のぜんそくで―・む」❷心を使って苦労する。思い悩む。「かなわぬ恋に―・む」類語（する）苦悩。四苦八苦。千辛万苦。❸思うようにならず困る。窮する。「理解に―・む」文《四》。

くるし・める【苦しめる】《他下一》〔肉体的・精神的に〕苦しくさせる。苦痛を与える。困らせる。「拷問にかけて―・める」「無理を言って親を―・める」文くるし・む《下二》。

クルス 十字。十字架。▽ポルトガル・スペイン cruz

グルタミン グルタミン酸の誘導体。アミノ酸の一種。植物性たんぱく質に最も多く含まれている。▽glutamine

―さん【―酸】 アミノ酸の一種。白色の結晶で、水にとける。化学調味料の原料。

グルテン 小麦・大麦・トウモロコシに多く含まれる、ねばりのあるたんぱく質の混合物。麩・グルタミン酸調味料などの原料。麩素。▽ドイツ Gluten

クルトン 細かく、さいの目に切ったパンをバターや油で揚げたもの。スープにうかす。▽フランス croûton

くる-びょう【×佝×僂病・×痀×瘻病】 ビタミンDの欠乏によって起こる、幼児に多い骨の発育障害。

くる-ぶし【×踝】 足首の関節の左右にある突起。

くるま【車】 ❶一本の軸を中心にしてまわる輪。車輪。❷〔自動車・人力車・荷車など〕輪の回転によって進み、ものを運ぶ機械。参考 明治・大正のころは人力車をさし、現在では自動車をさす。❸輪のかたち。輪状。表記 人力車は多く「俥」の字をあてた。

―の両輪《句》❶どちらが欠けても成り立たない事柄のたとえ。両方が密接な関係にあるたとえ。❷二つの重要な・もの（人）。二本柱。

くるま-いす【車×椅子】 歩行が困難な人が乗って自由に移動できる、車のついたいす。

くるま-いど【車井戸】 滑車につるしたつるべをあげさげして水をくむ井戸。車井。

くるま-えび【車×蝦・車▽海▽老】 クルマエビ科のエビ。腹部に暗紫色のしまがある。てんぷらなどにする。

くるま-ざ【車座】 おおぜいの人がまるく内がわをむいてすわること。「―になって話し合う」

くるま-だい【車代】 ❶自動車・電車などに乗ったときに支払う代金。車賃。❷〈お―〉人にわざわざ来てもらった時などに出す（わずかな）謝礼金。類語 足代。

くるま-どめ【車止め】 ❶車が通ることを禁じること。また、その標識。❷線路の末端にとりつけ、惰性による列車の進行などをふせぐしくみ。❸自動車が、傾斜のある道で停車する際、車輪にあてがって車体が動かないようにする・こと(物)。

くるま-よせ【車寄せ】 車を玄関に近づけて乗り降りできるようにした、屋根つきの張り出した所。ポーチ。

くるま・る【▽包まる】《自五》体に巻きつけるようにしてすっぽりと包まれる。「毛布に―・る」文《四》

グルマン 食いしんぼう。大食漢。▽(フランス) gourmand

くるみ【×胡▽桃】 クルミ科の落葉高木。山地に自生する。果実は黄緑色で中に堅い核をもつ。種子は食用、また、油をとる。材は器具用。**―わり【―割り】** クルミの実を割る道具。ナットクラッカー。

ぐるみ《接尾》「…もあわせて」「…と一緒に」「…のこらず」の意。ぐるめ。「町―」「家族―」

くる・む【▽包む】《他五》巻くようにして包みこむ。巻きこむ。くるめる。「新聞紙で野菜を―・む」文《四》

グルメ 美食家。食通。▽(フランス) gourmet

くるめ-がすり【久留▽米×絣】 福岡県久留米地方で織る、紺地にかすり模様の丈夫な手織り綿布。

くるめ・く【▽転く・×眩く】《自五》❶物がくるくるまわる。❷〔病気・おどろき・おそろしさで〕目がまわる。「目も―・くばかりの猛スピード」表記①は「転」、②は「眩」を使うことが多い。文《四》

くる・める【▽包める】《他下一》❶一つにまとめる。いっしょにする。ひっくるめる。「全部―・めておいくら？」❷うまくごまかす。言いくるめる。❸くるむ。「赤ん坊をタオルに―・める」文くる・む《下二》

くるり《副》《多く「―と」の形で使う》❶急にかるく一回まわるようす。「風車が―と回る」❷〔物事(の状態)が〕急にかわるようす。「計画を―と変える」

ぐるり 一《名》まわり。周囲。「家の―は畑だ」二《副》《多く「―と」の形で》❶ものが一回まわるようす。「腕を―と回す」参考「くるり」より重い感じにいう。❷周囲をすっかりとりまくようす。「―と取り囲む」

くるる【▽枢】 ❶開き戸の回転軸の軸端で、座の中にはめ込まれる部分。また、そのしくみ。❷戸の桟から敷居に差しこんで戸締まりをする装置。おとし。

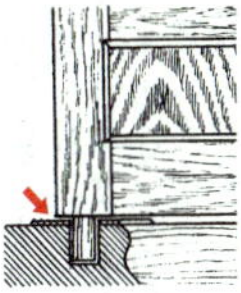
枢①

くるわ【▽郭・×廓・▽曲輪】 ❶都市・城・とりでなどのまわりにめぐらした土塁や石垣のかこい。❷城・とりでの内部で、周囲を土塁や石垣でかこった一区画の地域。一般に、地域。区域。❸遊郭。遊里。「―通い」

くるわ・せる【狂わせる】(くるはせる)《他下一》❶正常でなくする。「体調を―・せる」「人生を―・せる」❷〔予定していたことなどを〕はずれさせる。変更する。「敵の作戦を―・せる」＝くるわす。文くるは・す《下二》

くれ【暮(れ)】 ❶夕方。日暮れ。「―の鐘」対明け。❷季節のおわり。特に、一年のおわり。年末。年の暮れ。年の瀬。歳末。歳暮。「―も押し詰まる」類語大晦日(おおみそか)。大晦(おおつごもり)。年の夜。除夜。節季。

クレー ❶粘土。土。「―コート」❷クレー射撃で、射撃の的にする粘土製の皿。❸「クレー射撃」の略。▽clay **―しゃげき【―射撃】** 射撃競技の一種目。粘土製の皿状のものを空中にとばし、散弾銃でうちおとし、その命中得点を競う。オリンピック種目の一つ。

グレー ねずみ色。灰色。グレイ。▽gray **―カラー** オートメーション化された職場やコンピューター関係で働く、神経の集中力が必要な労働者。ホワイトカラーとブルーカラーの中間職種。▽gray-collar **―ゾーン** どっちつかずの領域。あいまいな、はっきりしない部分。「科学と宗教との間の―」▽gray zone

クレージー《形動》正常さを失ったようす。ばかげているようす。「―な相場」▽crazy

クレーター 月や火星にみられる、噴火口のような地形。▽crater(＝噴火口)

グレード 等級。「―が高い」「―アップ」▽grade

クレープ ❶ちぢみ。また、表面にちぢみのようなしわが出ている織物。クレップ。❷小麦粉を牛乳などでといて薄く焼いた菓子。ジャム・マーマレード・クリームなどをくるんで食べる。▽(フランス) crêpe

グレープ 一《造語》「ぶどう」の意。「―ジュース」二《名》ぶどう色。▽grape **―フルーツ** 柑橘(かんきつ)類の一種。北米南部の特産。実は夏ミカンに似、味は夏ミカンとちがって甘く、水分が多い。参考ブドウのように房状に実がつくことから。▽grapefruit

クレーム ❶〔商取引などで〕契約違反に対する損害賠償の請求。❷苦情。文句。「―がつく」▽claim

クレーン 起重機。▽crane

グレーン《助数》ヤードポンド法で、重さの単位。一グレーンは約〇・〇六四八グラム。記号gr。▽grain

クレオソート ブナ材のタールを分留してとれる油のような物質。殺菌力が強く去痰(きょたん)剤や胃腸の薬として用いる。木材の防腐剤にも使う。▽creosote

くれ-がた【暮(れ)方】 太陽が沈むころ。夕方。たそがれ時。類語夕暮れ。薄暮。対明け方。

くれ-ぐれ【▽呉▽呉】《副》〈多く「―も」の形で〉何度も念をいれて・たのむ(忠告する)ようす。「―もおからだを大切に」類語重々。かさねがさね。

グレゴリー-れき【グレゴリー暦】(Gregorian calendar)一五八二年、ローマ教皇グレゴリオ一三世がユリウス暦を改めてつくった暦。現行の太陽暦。

グレコ-ローマン レスリングの種目の一つ。上半身で戦い、腰から下の使用を禁ずるもの。オリンピック競技の一種目。▽Greco-Roman

クレシェンド「だんだん強く」の意味で、楽曲の強弱を表す語。符号は「<」。クレッシェンド。対デクレシェンド。▽(イタリア) crescendo

クレジット ❶ある国の政府・銀行・会社などが他の国の政府・銀行・会社などに対し、必要なときに一定の金額を借り入れる契約をすること。借款。❷信用販売。❸新聞などの外電記事の最初につける通信社名。❹新聞・雑誌などに明示する著作権者や資料提供者の名。「―を入れる」▽credit(＝信用) **―カード** 銀行と小売店・信販会社などと提携して発行するカード。カードで買い物ができ、代金は銀行口座から引き落とされる。▽credit card **―タイトル** 映画やテレビなどの字幕で、題名・出演者名・スタッフ名・スポンサー名などを示したもの。▽credit title

グレシャム-の-ほうそく【グレシャムの法則】(Gresham's law)イギリスのグレシャムが唱えた、「悪貨は良貨を駆逐(くちく)する」という法則。

クレゾール 木タールやコールタールからとれる、無色または褐色の液体。強力な消毒・殺菌剤。メチルフェノール。オキシトルエン。▽(ドイツ) Kresol

クレソン アブラナ科の多年草。葉はセリに似、ほろ苦

く、辛みがあり、サラダ・冷肉などにそえる。オランダガラシ。ウオータークレソン。▽cresson

くれ‐たけ【▽呉竹】❶「はちく」の古称。葉が細かく、節が多い。❷「まだけ」の別称。**—の**《枕》〔竹の縁語「節(よ)」「節(ふし)」から〕「世」「夜」「伏し」などにかかる。

ぐ‐れつ【愚劣】《形動》ばかばかしく、くだらないようす。また、おろかなようす。「—な行為」[類語]下劣。

クレッシェンド↓クレシェンド。▽crescendo

クレッセント アルミサッシなどに取り付ける、半月形の締め金具。クレセント。▽crescent(=三日月)

くれ‐ない【紅】❶「べにばな」の古称。❷〔ベニバナでそめたような〕あざやかな赤い色。「—のバラ」

くれ‐なず・む【暮れ▽泥む】《自五》日が暮れそうでいてなかなか暮れないでいる。「—・む空」

くれ‐のこ・る【暮れ残る】《自五》太陽がしずんだあとも、明るさがぼんやりと残る。日が暮れてもなおぼんやりと見える。「—・る西の空」[対]明け残る。

クレバス 氷河や雪渓の深い割れめ。▽crevasse

くれ‐むつ【暮(れ)六つ】〔文〕夕方の六つ時。とりの刻。現在の午後六時。[対]明け六つ。

クレムリン モスクワにあるクレムリン宮殿。転じて、旧ソ連政府。▽Kremlin

クレヨン 棒状の絵の具。石けん・ろう・あぶらなどに色素をまぜてつくる。クレオン。▽crayon(=鉛筆)

***く・れる【暮れる】**《自下一》❶太陽がしずんで暗くなる。「日が—・れないうちに家へ帰ろう」[類語]暮れ残る。暮れ泥む。たそがれる。[対]明ける。❷〔時が経過して、年・月・日・季節などが〕終わりになる。末になる。「年が—・れる」❸ある一つのことにとらわれて長い時をすごす。「悲しみに—・れる」❹どうしてよいかわからなくなる。「途方に—・れる」[文]く・る《下二》。

***く・れる【▽呉れる】**■一《他下一》❶〔相手が自分に〕ものを与える。よこす。「手紙を—・れる」[尊敬]下さる。[参考]命令形は多く「くれ」。「明日電話を—・れ」❷〔自分が相手に〕ものを与える。また、動作を加える。やる。くらわす。「金なら—・れてやる」「平手打ちを—・れる」[類語]①②授ける。下げ渡す。授与(する)。親授。付与。賦与。下付。[文]く・る《下二》。■二《補動》ある主体が、話し手または話題の人物のために何らかの恩恵的な動作をすることを表す。「連れていって—・れる」「よくも損をさせて—・れたな」[参考]命令形は多く「くれ」。「お茶をもってきて—・れ」[文]く・る《下二》。

ぐ・れる《自下一》❶〔予想したことが〕くいちがう。みこみがはずれる。「何もかも—・れる」❷〔生活態度が〕だらくする。正道からはずれる。不良になる。

ぐ‐れん【▽紅×蓮】❶〔文〕まっかなハスの花。「—白蓮」❷「紅蓮地獄」の略。八寒(はちかん)地獄の一つ。罪人が落ちると、ひどい寒さのために皮膚が裂けて血が流れ、赤いハスの花びらのようになるという。❸〔文〕まっかな色。ふつう、猛火の炎の色にたとえる。「—の炎」

クレンザー〔洗剤入りの〕みがき粉。▽cleanser

クレンジング‐クリーム 肌の汚れや化粧を落とすクリーム。クリンシンクリーム。▽cleansing cream

ぐれん‐たい【愚連隊】 定まった職がなく、町をうろついて、ゆすり・たかりなどをする不良仲間。[参考]「ぐれる」から出たことば。[表記]「愚連」は当て字。

***くろ【▽畔】** 田や畑の境に作った細い土手。あぜ。

***くろ【黒】**❶墨のような暗い色。また、その色をした物。黒色。[類語]黒み。薄墨。墨色。墨。濡(ぬ)れ羽色。暗黒。漆黒。深黒。ブラック。❷黒い碁石。❸容疑者が、犯罪の事実があると判定されること。また、その容疑者。犯人。「あいつは—だ」[対]①〜③白。

グロ《形動》「グロテスク」の略。

くろ・い【黒い】《形》❶黒の色である。「—・い髪」「目の玉の—・いうちは(=生きているうちは)」[類語]↓黒。❷黒に近い色をしている。濃い褐色である。「色の—・い人」❸〔皮膚、衣服、白いものなどが〕よごれている。❹暗くて、輪郭がはっきりしない。「やみの中を—・い人影が動く」❺悪・不正・不吉などの感じがする。「腹が—・い」「—・い死の影」[文]くろ・し《ク》。

くろい‐きり【黒い霧】 政・財界人が職権を乱用して不正を行っているような気配のあることのたとえ。[参考]松本清張の「日本の黒い霧」に由来する語。

クロイツフェルト‐ヤコブ‐びょう【クロイツフェルト・ヤコブ病】⇩巻末付録(CJD)。

く‐ろう【苦労】《名・形動・自サ》〔何かをしようとして〕精神的・肉体的に苦しむこと。骨おり。また、あれこれと心を用いること。心配。「世間の—を知らない」「—を掛ける」**—しょう【—性】** ちょっとしたことまで気にかけて、苦労する性質。**—にん【—人】** 多くの苦労を経験して、世事・人情に通じている人。

***ぐ‐ろう【愚×弄】**《名・他サ》〔人を〕ばかにしてからかい、その価値を認めないような扱いをすること。

***ぐ‐ろう【愚老】**《代名》〔おろかな老人の意で〕老人が自分のことを謙遜(けんそん)して言う語。

くろうと【〈玄人〉】❶あることを専門的に研究し、よく知っている人。また、その知識・技術・技芸を生かした職業についている人。専門家。「—はだし」❷水商売をしている女。[対]①②素人(しろうと)。

クローク「クロークルーム」の略。ホテル・劇場などで、コートや身のまわり品を一時あずかる所。▽cloak

クロース❶布地。❷書物の装丁に使う布。「革装と—装」❸「テーブルクロース」の略。=クロス。▽cloth

クローズ‐アップ《名・他サ》❶映画・テレビで、〔顔などの〕大写し。アップ。❷ある物事を特に大きくとりあげること。「貿易の不均衡が—される」▽close-up

クローズド‐ショップ 労働協約上の規定の一種。全労働者が一つの組合に加入し、使用者はその組合員以外の労働者をやとうことができず、労働者が組合を脱退するか除名されたときは、使用者はその労働者を解雇しなくてはならない制度。[参考]↓オープンショップ・ユニオンショップ。▽closed shop

クローゼット 衣服の収納室。衣装だんす。納戸(なんど)。クロゼット。▽closet(=私室。小部屋)

クローネ《助数》ノルウェー・デンマークの通貨単位。▽Krone

クローバー マメ科の多年草。葉はふつう三小葉から成り、茎は地をはう。牧草・肥料などに用いる。しろつめくさ。うまごやし。クローバ。[参考]四つ葉のものは、「希望」「信仰」「愛情」「幸福」を表し、それを発見すると幸運がおとずれるという。▽clover

グローバル《形動》地球的規模の。世界的(規模)の。「—な観点」▽global **—スタンダード** 世界標準。世界共通の基準。特に、企業活動や金融システムでの、世界基準をいう。▽global standard

クローブ 丁子(ちょうじ)。また、丁子のつぼみを乾燥させたもの。薬品・香辛料に用いる。▽clove

く

***グローブ** 球。球体。特に、電球をすっぽり包む球形の電灯がさ。▽globe

***グローブ** 野球・ボクシング・フェンシングなどで、選手がはめる革製手袋。グラブ。類語ミット。▽glove

グロー-ランプ 低圧のガスを封じこめた電球。蛍光灯の点灯などに使う。▽glow lamp

グローリア →グロリア①。▽（ポルト）gloria

クロール 泳ぎ方の一つ。スピードが出る。両手で交互に水をかき、ばた足で進む。▽crawl

クロール-せっかい【クロール石灰】消石灰に塩素を吸収させたもの。漂白・殺菌・消毒に使う。さらし粉。クロールカルキ。

クローン 無性生殖によって細胞や個体から作りだされた、同じ遺伝子型をもつ細胞や個体。「―人間」「―技術」▽clone

くろ-がね【▽鉄】《「黒金」の意》〔文〕鉄。まがね。

くろ-かび【黒×黴】コウジカビ科のカビ。パンやもちによくはえ、胞子でふえる。発酵生産に利用。

くろ-かみ【黒髪】黒いかみの毛。特に、つやのあるまっ黒な美しいかみの毛。「緑の―」

くろ-き【黒木】❶皮をつけたままの材木。対赤木。❷生木をかまどで蒸し焼きにした薪。❸黒檀（こくたん）。

くろ-くま【黒×熊】黒いクマ。特に、日本産のツキノワグマ。

くろ-くも【黒雲】❶〔雨をふらせそうな〕黒い雲。❷〔何か起こりそうな〕不安なふんいき・情勢。暗雲。「戦乱の―が全土をおおう」

くろ-ぐろ【黒黒】《副・自サ》《副詞は「―と」の形も》非常に黒い（くらい）ようす。「―した闇（やみ）」

くろ-こ【黒子・黒▽衣】芝居（特に歌舞伎（かぶき）・浄瑠璃（じょうるり））で、役者や踊り手の後見役。また、後見役が着る黒い衣服。黒具（くろぐ）。くろご。

くろ-こげ【黒焦げ】黒く焼けこげること。また、そのもの。「料理が―になる」

くろ-ごめ【黒米】玄米（げんまい）。対白米（しろごめ）。

くろ-ざとう【黒砂糖】精製していない黒褐色の砂糖。おもに菓子類の風味づけに使う。対白砂糖。

くろ-じ【黒字】❶黒い色で書いた文字。❷収入が支出より多いこと。「家計が―になる」対赤字。

くろ-しお【黒潮】「日本海流」の通称。フィリピンから台湾の東岸を通り、日本列島にそって太平洋を北上する暖流。参考→親潮。

くろ-しょうぞく【黒装束】黒一色の服装（をした人）。「―に身をかためる」対白装束。

***クロス** →クロース。▽cloth

***クロス** ❶十字形。また、十字架。❷《名・自サ》交差すること。「道が―する」▽cross **―オーバー** ❶ジャズ・ロック・ソウルなど、さまざまな音楽を混合させた演奏形式。❷《名・自サ》異なる分野のものが組み合わさって、新しいものを作りだすこと。▽crossover **―カントリー-レース** 原野・丘陵地・森林などを横断して走る競技。クロスカントリー。▽cross-country race **―ワード-パズル** ごばんの目のようにしきったますの中に、与えられた条件から推理したことばを入れて、たてよこにつながることばをつくる遊び。クロスワード。▽crossword puzzle

グロス [一]《助数》一二ダースを一として数える単位。鉛筆・ペン先などを数えるのに使う。[二]《名》❶ゴルフで、ハンディキャップを差し引かない総計のスコア。❷マージンを差し引かない料金。▽gross

クロス-ゲーム 優劣の判定をしかねるような試合。白熱戦。接戦。「逆転また逆転の―」▽close game

クロス-プレー スポーツで、判定のむずかしいもつれたきわどいプレー。▽close play

くろ-ずむ【黒ずむ】《自五》黒みをおびる。黒っぽくなる。「ワイシャツが―む」表記「黝む」ともあてる。類語黒む。くすむ。煤（すす）ける。煤（すす）ばむ。黒変（す）る。

くろ-そこひ【黒▽内▽障】外見上異状はないが、視力がなくなる病気。黒内障（こくないしょう）。

くろ-た【黒田】稲の植え付け前の田。参考→青田（あおた）・白田（しろた）。

くろ-だい【黒×鯛】タイ科の海魚。体色が黒い。釣魚として珍重され、食用。ちぬだい。ちぬ。

くろ-ダイヤ【黒ダイヤ】❶不純物を含んでいるために黒みをおびたダイヤモンド。❷「石炭」の美称。

くろ-ち【黒血】〔はれ物などから出る〕黒ずんだ血。

クロッカス アヤメ科の多年草。高さ一〇センチ前後。葉は細く、早春に紫・黄・白などの花を開く。観賞用。クローカス。花サフラン。▽crocus

クロッキー 単純な線で、はやくかく絵。モデルにいろいろな姿態をさせながら、つぎつぎに手早く写生していく。略画。速写画。▽（フランス）croquis（＝写生）

グロッキー《形動》ボクシングで、ひどく疲れたり強いパンチをうけたりして、ふらふらになるようす。一般に、ひどく疲れて、ふらふらになるようす。グロッギー。「今日は少々―だ」▽groggy

くろ-づくり【黒作り】❶イカの塩辛を、イカの墨ぶくろもまぜてつくること。また、その塩辛。❷〔家具・調度などで〕材料や塗料に黒いものを用いること。また、その家具・調度など。

クロッケー 球技の一つ。木のボールを長い柄のついた木槌（きづち）で打って芝生上に設けた数個の鉄門を通過させ、得点を争う。ゲートボール。▽（フランス）croquet

くろ-つち【黒土】❶〔腐敗した植物を含んで〕黒い色をした、肥えた土。耕作に適する。❷焼け土。

くろっ-ぽ-い【黒っぽい】《形》❶黒に近く見える。「―い洋服」❷〔俗〕玄人（くろうと）の域に近い。❸〔俗〕真犯人に近く見える。

グロテスク《形動》ぶきみで、異様なようす。奇怪なようす。グロ。「―な生物」「―な絵」▽（フランス）grotesque

くろ-てん【黒×貂】イタチ科の哺乳（ほにゅう）動物。ネコぐらいの大きさで、毛色は黒から淡灰色まである。参考日本では北海道だけにすみ、禁猟となっている。

クロニクル 年代記。編年史。▽chronicle

くろ-ねずみ【黒×鼠】❶黒い毛のネズミ。❷主人にとって不利益なことをする雇い人。対①②白ねずみ。

クロノメーター ❶温度・湿度・気圧などの影響を受けない、精密な携帯用ぜんまい時計。天体観測や航海に用いる。❷公式の検定規格に合格した、精度の高い時計に与えられる名称。▽chronometer

くろ-はえ【黒▽南▽風】〔文〕つゆの初めのころに吹く南風。参考→白南風（しらはえ）。

くろ-はちじょう【黒八丈】黒い無地の絹布。地が厚く、主として男子の和服に使う。参考もと八丈島で産したが、現在は東京都五日市でも産するので、「五日市」ともいう。

くろ-パン【黒パン】❶ふすまをとり除かないライ麦や、

あまり精白しない小麦などの粉で作った色の黒いパン。❷カラメルなどを加えた褐色の、あまいパン。

くろ・ビール【黒ビール】こがした大麦麦芽を使って作ったビール。黒褐色をしている。

くろ・びかり【黒光り】《名・自サ》黒くて、つやがあること。「—のするテーブル」

くろ・ふね【黒船】船体を黒くぬった船。特に、江戸時代末、日本へやってきた欧米の船。

くろ・ぼし【黒星】❶黒くてまるいしるし。対白星。❷的の中心の黒い丸。転じて、ねらったところ。図星。「—を射抜く」❸相撲の星取り表で、「負け」を表す印(●)。転じて、相撲や試合に負けること。負け星。「—が続く」参考ひゆ的に、「失敗」「失策」の意でも使う。「あの発言は大臣の—だ」対白星。

くろほ・びょう【黒穂病】ムギ・トウモロコシなどの穂が細菌のために黒くなる病気。くろぼびょう。

くろ・まく【黒幕】❶黒い幕。❷自分は表面に出ず、かげで計画し、指図する人。「政界の—」類語策士。

くろ・まつ【黒松】マツ科の常緑高木。海岸に自生する。樹皮が黒っぽく、樹脂が多い。雄松。

くろ・まめ【黒豆】大豆の一種。皮が黒く、正月料理のにまめに用いる。

くろ・み【黒み】黒いこと。黒っぽい感じ。黒い部分。

くろ・みずひき【黒水引】黒と白に半分ずつ染めわけた水引。凶事用。参考黒の部分に紺を用いることもあるので、「青水引」とも。

***くろ・む**【黒む】《自五》黒くなる。文《四》。

***クロム** 金属元素の一つ。銀白色で硬く、空気中でさびない。合金として、ニクロム・高速度鋼などに使う。クローム。元素記号Cr。▽chrome

くろ・め【黒目】〔白目に対して〕眼球の黒っぽい部分(=虹彩の部分)。**—がち**【—勝ち】《形動》目の白目の部分にくらべて、黒目の部分が大きいようす。〔目のぱっちりとして美しいさまに言う〕「—の少女」

くろ・もじ【黒文字】❶クスノキ科の落葉低木。山地に自生する。幹に黒い斑点がある。樹皮に芳香があり、つまようじ・箸などを作る。❷つまようじ。

くろ・やき【黒焼(き)】〔薬に使うため〕動植物を黒くなるまでむしやきにすること。また、そのもの。

くろ・やま【黒山】たくさんの人が一か所に寄り集まっているようすの形容。「—の人だかり」

くろ・ゆり【黒▽百▽合】ユリ科の多年草。高山や寒い地方に自生。夏、暗紫色のつり鐘形の花を開く。

グロリア ❶キリスト教で、主の御栄。栄光。また、それを賛美する歌。グローリア。❷経または緯は梳毛糸で織った布。婦人服や傘に使う。類語毛繻子。▽ラテン・英① Gloria ② gloria

クロレラ 緑藻類クロレラ科の藻。単細胞植物で、淡水中にある。たんぱく質を合成するので、食糧資源としての利用が研究されている。▽chlorella

クロロフィル 植物細胞の葉緑体にふくまれる、緑色の色素。葉緑素。▽chlorophyll

クロロホルム 無色透明の揮発性の薬品。麻酔剤・溶剤用。クロロフォルム。▽ドイツ Chloroform

クロロマイセチン 抗生剤の一つ。腸チフス・パラチフス・赤痢・百日ぜき・つつがむし病などの特効薬。クロマイ。参考商標名。▽Chloromycetin

くろ・わく【黒枠・黒×框】❶〔死亡通知の文章などを囲む〕黒いわく。「—の付いた葉書」❷死亡通知状。

クロワッサン 三日月形の小型のパン。脂肪分を多くふくみ、やわらかい。▽フランス croissant(=三日月)

ぐ・ろん【愚論】❶つまらない議論。ばかばかしい議論。❷自分の意見をけんそんしていう語。類語暴論。

くろん・ぼう【黒ん坊】❶〔卑称〕黒色人種。❷皮膚の色の黒い人。❸舞台で役者について世話をする黒い衣装をつけた人。くろこ。=黒ん坊。

***くわ**【桑】クワ科の落葉高木。山地に自生し、また栽培される。果実は熟すと暗赤色になり、甘い。葉はカイコの飼料。材は家具用。樹皮は紙の原料。

***くわ**【×鍬】田畑を耕したり、ならしたりする農具。一枚の平らな鉄板に柄をつけたもの。参考「一丁(挺)…」と数える。

くわい【▽慈×姑】オモダカ科の多年草。水田に栽培する。葉は長いくきをもち、矢形で、秋、白色の小さい花を開く。地下の球茎は食用。

ぐ・わい【具合・▽工合】—は↓ぐあい。

くわ・いれ【×鍬入れ】❶昔、農家で行った行事の一つ。正月の吉日(多くは一一日)に恵方に当たる畑に出て、初めて鍬を入れ、もちなどをそなえて祝った。くわ初め。❷土木・建築の着工の際、また植樹の時に初めて鍬を入れること。また、その儀式。

くわうる・に【加うるに】《接続》そのうえ。それだけでなく。類語あまつさえ。

くわえ・こ・む【×銜え込む】《他五》❶〔深く〕くわえる。❷〔俗〕〔みだらな関係を結ぶために〕連れこむ。ひっぱりこむ。参考下品な言い方。「客を—む」

くわえ・ざん【加え算】たし算。よせ算。

***くわ・える**【加える】《他下一》❶今までのものに新しいものを合わせて、数量を多くする。足す。加算する。❷新たにつけ足して、程度を大きく(はなはだしく)する。増す。「円熟味を—える」❸〔ある人を〕同じ範囲に含める。仲間に入れる。「会員に—える」❹ある物事に他の物事をつけ足す。付加する。「辞書に新語を—える」「かてて—えて…」❺ある動作・作用を他に及ぼす。与える。施す。「治療を—える」「手心を—える(=手加減をする)」文くは・ふ《下二》。

***くわ・える**【×銜える・×啣える】《他下一》口で物をはさむ。また、はさんで、落ちないようにする。「たばこを—える」類語しゃぶる。文くは・ふ《下二》。

くわ・がた【×鍬形】❶かぶとの前に〔二本の〕つののようにつけたかざり。金属や革で作る。❷太刀の頭・こじりを鍬形①に似せて作ったもの。❸「くわがたむし」の略。**—むし**【—虫】クワガタムシ科の昆虫の総称。雄の頭部は大きく、あごは長く、くわ形状をしている。クヌギ・ヤナギなどの樹液を好む。くわがた。

く・わけ【区分け】《名・他サ》くぎってわけること。区分。「宅地を—する」「書類を—する」類語類別。

くわし・い【詳しい・▽精しい・▽委しい】《形》❶ごく細かい部分までも尽くしている。詳細である。「この辞典は意味の記述が—い」「真相を—く話す」類語詳らか。事細か。つぶさ。精細。明細。子細。巨細。詳密。❷細かい部分までよく知っている。精通している。「この辺の地理に—い」文くは・し《シク》。

くわ・す【食わす】《他五》↓くわせる。文《四》。

くわず・ぎらい【食わず嫌い】❶〔ある食品を〕食べてみないで、きらいだと決めてしまうこと(人)。❷物事の実情を知ろうともしないできらうこと(人)。

くわせ‐もの【食わせ物】うわべだけよくみせて、内容のよくない・こと（物・人）。「とんだ―を買わされた」表記 人の場合は、多く「食わせ者」と書く。

くわ‐せる【食わせる】《他下一》❶食べ物をとらせる。「腹一杯―せる」❷（うまい物を食わせる意から）思わず手を出して食べたくなるほど味がよい。参考 ふつう終止形と連体形を用いる。「―せる味」類語 食える。❸人に、（害を）受けさせる。こうむらせる。くらわす。「びんたを―せる（＝平手でなぐる）」「いっぱい―せて（＝だまして）やった」❹生活が成り立つようにする。養う。「家族を―せる」文 くは・す《下二》。

くわだ‐てる【企てる】《他下一》❶あることをしようと計画する。もくろむ。「金もうけを―てる」類語 たくらむ。（する）企画。❷試みる。「自殺を―てる」文 くはだ・つ《下二》。

グワッシュ→ガッシュ。▽フランス gouache

くわ‐ばら【桑原】❶クワ畑。❷雷をさけるために唱える、まじないのことば。❸不吉なこと、いやなことをさけるために唱える、まじないのことば。参考 ②③とも、ふつう、「くわばらくわばら」と二度言う。

く‐わり【区割り】《名・他サ》くぎること。区わけ。

くわわ‐る【加わる】《自五》❶今までのものに新しいものが合わさって、その数量が多くなる。「料金に延滞料が―る」❷新たにつけ足されて、その程度が・大きく（はなはだしく）なる。「速度が―る」❸参加する。仲間にはいる。「会議に―る」❹ある物事に他の物事が付加される。「思惑が―る」文《四》。

***くん【勲】**《接頭》勲章の等級の上につける語。「―一等」

***くん【君】**《接尾》友だちや目下の人の姓や名、または姓名の下につけて、親しみや軽い敬意などを表す。

***くん【訓】**漢字をその意味にあたる日本語のよみ方でよむこと。また、そのよみ方。和訓。国訓。対 音。

***ぐん【群】**一《名》多くのものの集まり。むれ。「―をなす」「―を抜く（＝多くの中でとびぬけてすぐれている）」二《接尾》「…の集まり」「…のむれ」の意。「流氷―」

***ぐん【軍】**一《名》❶戦争をするための兵隊の集まり。軍隊。「―を率いる」❷〔文〕戦争。いくさ。「―に従う」二《接尾》「軍隊」「チーム」「集まり」などの意。「革命―」「女性―」

***ぐん【郡】**❶昔、大化の改新で制定された地方行政区画の一つ。❷明治以後大正一二年まで、県と市町村との中間に位した地方団体。❸都・道・府・県の市以外の地域をいくつかに分けた、便宜的な地理上の区画。

くん‐い【勲位】❶勲等と位階。❷勲等。明治以後、一等から八等まで定められた。

ぐん‐い【軍医】軍隊に籍をおき、軍隊内の衛生・診察・治療などに従事する人。位は将校に相当する。

***くん‐いく【薫育】**《名・他サ》徳をもって教えみちびくこと。人格によって感化し教育すること。「―を重んじる」「生徒を―する」類語 教育。訓育。

***くん‐いく【訓育】**《名・他サ》子どもの人格や品性をよりよいものに育てること。しつけること。「児童を―する」類語 教育。薫育。

ぐん‐えい【軍営】陣をしいている所。兵営。陣営。

ぐん‐えき【軍役】❶（軍人として）軍隊でつとめること。軍隊の服役。「―に服する」❷戦争。戦役。

くん‐えん【×燻煙】〔文〕物がくすぶって出る煙。また、煙でいぶすこと。

くん‐おん【君恩】主君からうけた恩。「―に報じる」

くん‐か【薫化】《名・他サ》〔文〕徳によって人を感化し、導くこと。

***ぐん‐か【軍歌】**❶兵士の士気をたかめるための勇ましい内容の歌。❷軍国思想・愛国心などをうたった歌。

***ぐん‐か【軍靴】**軍隊用のくつ。「―の音」

くん‐かい【訓戒・訓×誡】《名・他サ》（心得などについてその理非を説き）いましめさとすこと。また、そのことば。「―を垂れる」「生徒を―する」類語 懲戒。

ぐん‐かく【軍拡】「軍備拡張」の略。兵隊の数や軍事上の設備を多くし、充実させること。対 軍縮。

***ぐん‐がく【軍学】**戦いの方法について研究する学問。兵学。類語 兵法。

***ぐん‐がく【軍楽】**軍の楽隊が演奏する音楽。また、その曲目。「―隊」

ぐん‐かん【軍艦】戦闘力をそなえ、水上の戦闘に従事する艦艇。「―旗」

くん‐き【勲記】〔文〕叙勲者に対し、勲章とともに与えられる証書。

くん‐ぎ【訓義】漢字の訓読みとその意味。類語 音義。

***ぐん‐き【軍旗】**旧日本陸軍で、連隊のしるしとして天皇から賜った旗。連隊旗。

***ぐん‐き【軍機】**軍事上の機密。戦機。「―をもらす」

***ぐん‐き【軍紀・軍規】**軍隊を統制するための規律や風紀。「―がゆるむ」「―を乱す」

***ぐん‐き【軍記】**〔昔の〕戦争の話をしるした書物。軍書。類語 戦記。 **―ものがたり【―物語】**鎌倉・室町時代に、戦いを中心として叙事的に作られた物語。平家物語・太平記など。戦記物語。

ぐん‐きょ【群居】《名・自サ》❶群がっていること。❷〔同類の生物が〕群がってすむこと。群棲。

ぐん‐ぐん《副》（「―と」の形も）❶物事を勢いよくするようす。「―ひっぱる」❷物事の進み方が速いようす。また、勢いのはげしいようす。「背が―のびる」

くん‐こ【訓×詁】〔文〕字句の読みや意味の解釈（を研究すること）。「―学」

***くん‐こう【勲功】**〔文〕国や主君のためにつくしたてがら。「―を立てる」類語 いさお。功績。功労。

***くん‐こう【君公】**〔文〕自分の主君を尊敬していう語。主君。きみ。類語 大君。

***くん‐こう【薫香】**❶よいかおりを立てるためにくゆらすもの。たきもの。香。❷よいかおり。芳香。

***ぐん‐こう【軍功】**戦争での手柄。戦功。武勲。

***ぐん‐こう【軍港】**海軍の根拠地とした港。

くん‐こく【訓告】《名・他サ》❶教えさとす・こと（ことば）。❷公務員などに対する懲戒処分の一つ。ふつう戒告より軽く、口頭注意より重い。

ぐん‐こく【軍国】❶軍隊と国家。また、軍事と国政。❷戦争が行われている国。「―の花嫁」❸軍事を特に重んじ、これをおもな政策とする国家。 **―しゅぎ【―主義】**一国の政治・経済・法律・教育などの組織を戦争のために活用し、軍事力によって国家の発展をとげようとする主義。ミリタリズム。

くん‐し【君子】行いが正しく徳のある人。人格者。「聖人―」類語 聖人。 **―らん【―×蘭】**ヒガンバナ科の多年草。五～六月（温室栽培では一二～四月）ごろ、ユリに似た朱紅色の六弁花を十数個開く。

―は危うきに近寄らず《句》君子は思慮深く、身を慎んで、危険なことはこれをさけるものである。

―は豹変(ひょうへん)す《句》君子はまちがいとさとればすぐに改め、善に移ることが非常にはっきりしている。参考 俗に、態度や思想が・急に（悪く）変わる意にも使う。〈易経・革卦〉

*くん-じ【訓示】《名・他サ》〔注意などを〕目上の人が目下の人に教え示すこと。また、そのことば。「部下を集めて―する」

*くん-じ【訓辞】教えいましめることば。「校長の―」

*ぐん-し【軍使】交戦中に、軍の使命をおびて敵の軍隊に行く使者。参考 ふつう白旗をかかげて行く。

*ぐん-し【軍師】❶昔、主将の下で作戦をねった人。今の参謀。❷はかりごとのじょうずな人。類語 策士。

ぐん-じ【軍事】軍備・軍隊・戦争などに関する事柄。「―費」 ―きょうれん【―教練】もと、学校で行われた、軍事に関する知識・技術の教育・訓練。

ぐんし-きん【軍資金】❶戦争をするために必要な資金。類語 軍費。軍事費。❷ある計画を実行するために必要な費用。「海外旅行の―」同 ①②軍用金。

くん-しゃく【勲爵】勲等と爵位。「―を授与する」

*くん-しゅ【君主】世襲によって国を統治する最高位の人。王。天子。 ―せい【―制】（monarchy）君主を元首としていただく政治の形態。君主政体。王制。対 共和制。

*くん-しゅ【×葷酒】〔文〕ネギ・ニラなどの、くさいにおいのする野菜と酒。 ―山門に入るを許さず《句》くさいにおいの野菜はけがれており、酒は心を乱すので、清浄な寺の中に持ち込むことを許さない。参考 禅宗の寺の門前に「不許葷酒入山門」と記す。

ぐん-じゅ【軍需】軍事上必要とする・こと（物資）。軍事上の需要。「―工場」

*ぐん-しゅう【群衆】一か所に群がり集まっている人人。「―の一人」「―が殺到する」類語 衆人。

*ぐん-しゅう【群集】《名・自サ》〔多くの人・物が〕一か所に群がり集まること。また、その集まり。「興奮した―が押し寄せる」 ―しんり【―心理】〔心〕群集の一員になったときに生ずる特殊な心理。興奮しやすく、反省力を失って他人に同調しがちになる。注意「群衆心理」は誤り。

ぐん-しゅく【軍縮】「軍備縮小」の略。兵隊の数や軍事上の設備をへらすこと。「―会議」対 軍拡(ぐんかく)。

くん-しょう【勲章】国家の発展や人々の福祉につくした功をたたえて与えられる記章。「文化―」

くん-じょう【×燻蒸】《名・他サ》❶いぶし、蒸すこと。❷〔消毒・殺虫などのため〕薬などでいぶすこと。

ぐん-しょう【群小】❶たくさんの小さいもの。「―諸国」❷たくさんのつまらない・もの（人）。

ぐん-じょう【群青】あざやかな、藍色(あいいろ)がかった青色の鉱物性絵の具。また、その色。「―の空」

くん-しん【君臣】君主とその臣下。「―義あり」 ―水魚《句》君主と臣下の関係は水と魚との関係のように非常に密接であること。

*ぐん-しん【群臣】たくさんの臣下。多くの家来。

*ぐん-しん【軍神】❶戦争に行った時の運命を守る神。いくさ神。❷すばらしいてがらをたてて戦死した軍人を尊敬していう語。

*ぐん-じん【軍人】軍隊に籍があり、実戦に参加する人。類語 武人。対 文民。

*ぐん-じん【軍陣】❶軍隊の陣営。軍営。❷軍隊の陣立て。「―を立て直す」

くんず-ほぐれつ【組んず▽解れつ】（二づ）《連語》取り組んだり離れたり。ついたり離れたり。参考 はげしく動き回ったり戦ったりするようすを言う。「―の格闘」表記 現代仮名遣いでは「くんづほぐれつ」も許容。

*くん-ずる【薫ずる】《自他サ変》〔文〕かおる。におう。また、かおらせる。におわせる。「香を―・ずる」

*くん-ずる【訓ずる】《他サ変》〔文〕漢字を訓でよむ。訓読する。

くん-せい【薫製・×燻製】塩づけにした魚介や獣肉を木くずなどでいぶし、乾燥させて貯蔵食品とすること。また、その食品。表記「薫製」は代用字。

*ぐん-せい【群×棲】《名・自サ》同じ種類の動物が、一か所にむらがってすんでいること。群居。「タンチョウヅルの―地」類語 群生(ぐんせい)。

*ぐん-せい【群生】《名・自サ》同じ種類の植物が、一か所にむらがってはえること。「山腹に―する高山植物」類語 群棲(ぐんせい)。群居。

*ぐん-せい【軍制】❶軍事上の制度。「―にのっとる」❷軍隊の編制・経理などに関する規則。

*ぐん-せい【軍政】❶〔明治憲法で〕軍事に関する一般行政から軍令②の事項を除いたもの。参考 ↓軍令。❷軍事に関する政務一般。❸〔戦争や内乱などの時に〕軍隊の力で行う政治。「―をしく」対 民政。

ぐん-ぜい【軍勢】❶〔兵隊の数、武器の装備などから見た〕軍の勢力。「五万の―」❷軍隊。「敵の―」

ぐん-せき【軍籍】軍人としての地位・身分。

くん-せん【薫染】《名・自他サ》〔文〕（よい）感化を・受ける（与える）こと。

ぐん-せん【軍扇】〔文〕昔、大将が軍隊を指揮するときに使ったおうぎ。

*ぐん-そう【軍曹】旧陸軍軍人の位の一つ。曹長の下、伍長の上。「鬼―」

*ぐん-そう【軍装】〔文〕❶軍人の服装。❷戦場に出るときの服装。

ぐん-ぞう【群像】〔彫刻・絵画で〕一定の主題のもとに緊密な構成をもって人物群を表した作品。また、文学・映画などに描かれたたくさんの人の姿。「青春―」

くん-そく【君側】〔文〕主君のそば。君主のそば。「―の奸(かん)を斬(き)る」

ぐん-ぞく【軍属】軍人ではないが、軍隊に属して軍務についている人。

*ぐん-たい【群体】分裂または出芽によって生じた動物の個体が、はなれずにたくさん集まって一個の結合体をつくり、たがいに依存し合って生活するもの。サンゴ・海綿などに見られる。コロニー。

*ぐん-たい【軍隊】一定の秩序・規律によって組織された兵士の集まり。「―に入る」「―生活」

ぐん-だい【郡代】❶〔室町・戦国時代の〕守護代の別名。❷江戸時代、幕府直轄地の代官。

くんだり《接尾》（「くだり」の転）《国または都市の中心からはなれた所の地名につけて》「そのあたり」「…のように遠い所」の意。〔自嘲(じちょう)的・やゆ的な言い方〕「奥州―まで逃げのびる」

*ぐん-だん【軍団】軍隊の組織で、軍と師団との中間の単位。歩兵二個師団以上が一つにまとまった部隊。

*ぐん‐だん【軍談】❶戦争の話。❷昔のいくさを題材にした、江戸時代の通俗小説。❸「太平記」などの軍記物語に、節をつけて読みきかせる講談。

くん‐ちょう【君×寵】〔文〕主君にかわいがられること。主君の寵愛。「―を受ける」

くん‐づけ【君付け】人の名の下に「くん」をつけてよぶこと。〔同輩以下の待遇を表す〕類語さん付け。

くんづ‐ほぐれつ【組んづ▽解れつ】《連語》〔「組む」「解る」の連用形「組ん(音便)」「解れ」に接続助詞「つ」がついた形〕➡くんずほぐれつ。

ぐん‐て【軍手】太い白もめんであんだ作業用手袋。左右の別がない。もと、軍隊用。

くん‐てん【訓点】漢文を訓読するためにつける送りがな・ヲコト点・返り点などの総称。

くん‐でん【訓電】《名・他サ》電報で命令や指図をすること。また、その電報。電訓。

ぐん‐と《副》❶強く力を入れるようす。「―おす」❷他のものや以前の状態と比べて、差が大きいようす。一段と。「実力のほどは―落ちる」❸強い感動を受けるようす。「―胸にこたえる」類語じんと。=ぐっと。

*くん‐とう【勲等】国家が与える勲章の等級。勲一等から勲八等まである。

*くん‐とう【薫陶】《名・他サ》〔香をたいて香気をしみこませ、粘土を焼いて陶器とする意から〕徳によって人を感化し教育すること。「師の―を受ける」「―よろしきを得る」類語薫育。陶冶。

くん‐どう【訓導】❶《名・他サ》教えみちびくこと。❷旧制小学校の教師のよび名。

*ぐん‐とう【群島】❶むらがり集まった多数の島。対孤島。❷ある一定の海域にある多数の島の総称。「マリアナ―」参考「諸島」の旧称。

ぐん‐とう【群盗】〔文〕集団をなしている盗賊。

*ぐん‐とう【軍刀】軍人が持ち、戦闘に使うかたな。

くん‐とく【君徳】君主として持つべき徳。

くん‐どく【訓読】《名・他サ》❶漢文を、訓点をつけ日本語の文法に従って読み下すこと。❷漢字・漢語を訓で読むこと。訓読み。類語和訓。国訓。対音読。

くん‐のう【君王】〔文〕天子。君主。

ぐん‐ば【軍馬】軍隊で軍事に用いる馬。軍用馬。

ぐん‐ばい【軍配】❶《名・他サ》〔文〕軍隊を配置し指揮すること。転じて、指図。❷「軍配うちわ」の略。「―を上げる(=一方を勝ちと判定する)」 ―うちわ【―▽団▽扇】❶昔、大将がいくさの指揮をとるときに使った、うちわ形の道具。❷相撲の試合で行司が持つ、うちわ形の道具。

ぐん‐ばつ【軍閥】軍部を中心とする政治的集まり。

ぐん‐ぱつ【群発】《名・自サ》特定の場所でしばしば起こること。 ―じしん【―地震】特定の地域にしばしば起こる、一連の小さな地震。群生地震。

ぐん‐び【軍備】❶軍事上の設備。「―を増強する」「―縮小」❷戦争の準備・用意。類語戦備。

ぐん‐ぴょう【軍票】戦地・占領地などで、軍隊が通貨代用として使用する特別の手形。軍用手形。

*ぐん‐ぶ【群舞】《名・自サ》大ぜいでむらがりおどること。また、その踊り。「白鳥の―」類語乱舞。

*ぐん‐ぶ【軍部】陸軍・海軍・空軍の総称。軍当局。

*ぐん‐ぶ【郡部】郡③に属する地域。対市部。

くん‐ぷう【薫風】〔文〕〔若葉の香りを含んだ〕さわやかな初夏の風。「―かおる五月」類語青嵐。

ぐん‐ぷく【軍服】軍人の制服。類語兵衣。軍衣。

ぐん‐ぼう【軍帽】軍人の制帽。

ぐん‐ぽう【軍法】❶戦争の仕方。戦術。兵法。❷軍隊のおきて。軍隊の刑法。「―会議(=軍人の裁判をする、軍の特別刑事裁判所)」

ぐん‐む【軍務】軍事上の事務・勤務。「―に服する」

くん‐めい【君命】主君の命令。類語主命。

ぐん‐もう【群盲】〔―象を評す〕凡人が大事業や大人物を批評しても、それは一面についてであって、全体を批評することはできないというたとえ。群盲象を撫ず。

ぐん‐もん【軍門】陣営の出入り口。「敵の―に降る(=降参する)」類語陣門。

くん‐ゆ【訓諭】《名・他サ》教えさとすこと。

*ぐん‐ゆう【群遊・群×游】《名・自サ》❶群がり遊ぶこと。❷群れをなして泳ぐこと。「―するカツオ」

*ぐん‐ゆう【群雄】たくさんの英雄。 ―かっきょ【―割拠】たくさんの英雄が各地に地盤をはり、互いに勢力を争うこと。また、多数の実力者が互いに勢力を争うことのたとえ。「―の高校球界」

ぐん‐よう【軍用】軍隊で使うこと。「―機」「―地」

くん‐よみ【訓読み】《名・他サ》訓読②。対音読み。

ぐん‐らく【群落】❶同じ生育条件を好む植物がある地域に集まり生えているもの。ある地域に群生する植物集団。「ミズバショウの―」❷多くの村落。

*ぐん‐りつ【群立】《名・自サ》〔文〕〔組織・建物などが〕群れをなしてできること。

*ぐん‐りつ【軍律】❶軍隊のなかの規律。「―が厳しい」類語軍紀。❷軍人に適用する法律。

ぐん‐りゃく【軍略】軍事上の計略。類語戦略。

ぐん‐りょ【軍旅】❶戦場に出ている軍隊。❷戦争。

くん‐りん【君臨】《名・自サ》❶君主として国民を治めること。「―すれど統治せず」❷ある分野において・大きな(絶対的な)勢力をもつこと。「文壇に―する」

くん‐れい【訓令】《名・他サ》❶訓示して命じること。また、その命令。❷〔法〕内閣や各省が下級官庁に対して命令を下すこと。また、その命令。「内閣―」 ―しき‐ローマじ【―式ローマ字】ローマ字のつづり方の一つ。一九三七(昭和一二)年、内閣訓令で発表されたもの。オ・ヲ、ジ・ヂ、ズ・ヅなどの区別をやめ、シ・チ・ツを si・ti・tu と書き表す。国定式。訓令式。参考➡ヘボン式ローマ字。

ぐん‐れい【軍令】❶軍事上の命令。❷〔明治憲法で〕軍事のうち、作戦・用兵に関する事項。天皇親裁の統帥事務。「―部」参考➡軍政。

くん‐れん【訓練】《名・他サ》習熟させるために、教えて練習させること。「よく―されたチーム」「―飛行」類語修練。習練。教練。

くん‐わ【訓話】〔上の者が下の者に〕口頭で教えさとすこと。また、その話。「学長の―」類語訓辞。

け

计―計

*け【家】《接尾》〔姓・官職名・称号などにつけて〕その一族・家族全体を表す。また、敬意を添える。「山本―」「将軍―」類語氏。

け

＊け【×卦】 易(えき)で、うらなったときに算木(さんぎ)に現れる形。乾(けん)・兌(だ)・離(り)・震(しん)・巽(そん)・坎(かん)・艮(ごん)・坤(こん)の八種がある。

＊け【毛】 ❶動物の皮膚や植物の表面に生える糸状のもの。また、それに似たもの。❷髪(かみ)。髪の毛。毛髪。❸鳥の羽毛。「—をむしる」❹羊毛をつむいだ糸。また、それでつくった製品。毛糸。毛織物。「—のシャツ」 類語 ウール。 類語 黒髪。地髪。

—の生えたよう《句》〈「…に—」の形で〉その物よりわずかにすぐれているようす。「民宿に—な旅館」

—を吹いて疵(きず)を求める《句》強いて人の欠点を探そうとするたとえ。また、人の欠点を探そうとしてかえって自分の欠点をさらけだすたとえ。〈漢書・景帝紀〉

＊け【気】 ━《名》〔その要素が〕そこにあると感じられる様子や気分。気配。「火の—」 ━《接頭》《形容詞・形容動詞、また動詞について》「何となく」「どことなく」の意を添えたり、意味を強めたりする語。「—だるい」「—おされる」 ━《接尾》《名詞、動詞連用形、形容詞・形容動詞の語幹などについて》そのような気配・傾向が感じられる意を添える語。「人—」「寒—」「眠(ね)む—」 参考 名詞につくときは、「っけ」の形になることも多い。「女っ—」「商売っ—」「ちゃめっ—」 表記 形容詞・形容動詞語幹につくときは、多くかな書き。

＊け【×笥】〔古〕❶食器。❷物を入れるうつわ。

＊け【×褻】〔晴れに対して〕改まった晴れがましい場合でなく、ふだんの場合。日常。平生(へいぜい)。

—にも晴れにも《句》ふだんにも晴れがましいときにも。いつでも。年中。

＊け《終助》《文語助動詞「けり」の転》〔過去の助動詞「た」、断定の助動詞「だ」につき、「たっけ」「だっけ」の形で使う〕❶話し手の回想を表す。また、回想による確認、感動・詠嘆を表す。「そうそう、今日は例会があったっけ」「子供のころは、よくけんかしたっけなあ」❷回想による確認の形で問いかけるのに使う。「それ、何だっけ。教えてくれよ」 参考 ①②とも、主に親しい間柄で男性が使う。ただし、初めて会う人に対しても、「どちら様でしたっけ？」のように、回想による確認の形で問いかけることもできる。その場合、すでに承知しているべきだったのにという話し手の心遣いが示されるため、柔らかい響きの質問となる。

＊げ《接尾》《形容詞の語幹、体言、動詞の連用形について、形容動詞の語幹または名詞を作る》「…そうだ」「…のふうだ」「…らしいようす」などの意。「さびし—」「得意—」「恐れ—」 表記「気」と書くこともある。

＊げ【下】 ❶価値・階級・順位・地位などが一番低いこと。下(し)た。「子供をだますなど—の—だ(＝最悪だ)」❷〔二冊または三冊に〕わかれている書物の最後のもの。下巻。 対 ①②上・中。

＊げ【×偈】 仏の徳・教えをたたえる詩。 参考 梵語 gāthā の音訳の略。

ケア《名・他サ》❶〔社会的弱者・老人などの〕世話をすること。介護。看護。「—付き老人ホーム」「在宅—」❷手入れ。「スキン—」▽ care

—プラン 専門家がたてる、介護サービスの計画。▽ care と plan からの和製語。

—マネージャー 介護支援専門員。介護の計画・認定などにあたる専門家。資格試験がある。▽ care manager

—ワーカー 介護福祉士。障害者や寝たきりの高齢者の介護にあたる資格者。▽ care と worker からの和製語。

け・あげ【×蹴上げ】 段ばしごや階段の一段の高さ。

け・あ・げる【×蹴上げる】《他下一》けって上へあげる。上の方向にける。

け・あし【毛脚・毛足】 ❶毛布や絨毯(じゅうたん)などの表面の毛のようなもの。「—を揃(そろ)える」❷毛が伸びていくようす。「—が早い」❸毛がたくさん生えた足。

け・あな【毛穴・毛▽孔】 皮膚の表面にある、毛の生える小さな穴。

ケアレス・ミス 不注意による間違い。軽率な誤り。▽ careless mistake から。

＊けい【軽】《接頭》「大がかりでない」「簡単である」「軽い」などの意。「—工業」「—装備」 対 重。

＊けい【型】《接尾》「かた」「タイプ」「パターン」「スタイル」などの意。「理念—」 参考 ↓かた(型)。

＊けい【形】《接尾》「かたち」「図形」などの意。「三角—」 参考 ↓かた(形)。

＊けい【渓】《接尾》《固有名につけて》景色のよい深い谷の意。「耶馬(やば)—」「寒霞(かんか)—」

＊けい【茎】《接尾》「くき」の意。「地下—」「地上—」

＊けい【兄】 ━《名》〔文〕あに。 対 弟(てい)。 ━《代名》《対称の人代名詞》〔文〕親しい先輩・同輩に対する敬称。きみ。〔男同士の手紙で使う〕 ━《接尾》〔文〕親しい先輩・友人の姓名などにつけて敬意を表す語。〔男同士の手紙で使う〕 参考「君(くん)」より敬意が高い。 対 姉(し)。

—たり難く弟(てい)たり難し《句》二人の間の能力が拮抗(きっこう)して、優劣がつけにくい。負けず劣らずである。

＊けい【刑】 法律にそむいた者に科する罰。刑罰。しおき。「—に服する」 参考 自由刑と財産刑とがある。

＊けい【×卿】 ━《名》〔文〕❶三位(さんみ)以上の貴族。卿(きょう)。❷大臣。朝廷に仕える高官。 ━《代名》《対称の人代名詞》〔文〕❶君主が身分のある臣下によびかけることば。❷〔男が〕同輩を呼ぶ敬称。

＊けい【啓】〔文〕❶上の身分の人に奉る文書・意見書。❷手紙の始めに書く尊敬語。 参考「拝啓」より敬意が少ない。

＊けい【径】〔文〕❶道。こみち。蹊(けい)。❷〔円などの〕さしわたし。直径。「—三メートル」

＊けい【景】 ━《名》〔文〕けしき。風景。「水陸の—」 ━《接尾》芝居で、一幕に演じる場面を、情景によってさらに細かく分けたものを表す。「第一幕第一—」

＊けい【×桂】 ❶クスノキ科の常緑高木。けいのき。❷かつら。❸「桂馬(けいま)」の略。

＊けい【系】 ━《名》❶〔文〕すじみち。系統。❷一つの定理からただちに推定・証明される命題。❸地層区分の一つ。地質時代の区分の一つである「紀」に対応する。「カンブリア—」 ━《接尾》「一つづきの関係」「系統」「すじ」などの意。「ラテン—」「外資—」

＊けい【経】 ❶縦。また、織物の縦糸。❷「経度」の略。 対 ①②緯。

＊けい【×罫】 ❶文字の列をそろえて書くのに便利なように、縦または横に一定の間隔で引いた細い直線。❷印刷で、活字と併用して輪郭や線を表す板状の凸版。また、それで印刷したもの。 参考 凸版以外の印刷にも言う。❸碁・将棋の盤面に引いた縦横の線。

＊けい【計】 ━《名》❶〔文〕計画。はかりごと。「一年の—は元旦にあり」❷二つ以上の数・量を加えた数。合計。総計。「—二万円」 ━《接尾》「ものをはかるための器具」の意。「速度—」「湿度—」

＊げい【芸】 ❶習って身につける技(わざ)。特に、役者の演技

や技能。「名優の—にみとれる」「—は一生」❷見せ物で、動物が見せる技。「—を仕込む」

—が細か・い《句》小さな行動にも細かい注意が行きとどいている。やることに念が入っている。

—が無・い《句》ありふれていて、変わったところやすぐれたところがない。くふうが足りない。

—は身を助・く《句》道楽で身につけていた芸が、生活に困ったとき、生計をたてるもとになる。

***ゲイ** 男性の同性愛者。ホモ。「—バー」▽gay **—ボーイ**〔俗〕男性でありながら女性のように外見を装う者。男性の同性愛者。▽gay boy

けい・あい【敬愛】《名・他サ》〔ある人を〕尊敬し、親しみの情をいだくこと。愛敬(あいけい)。「—する恩師」

けい・あん【×桂×庵・慶×庵・慶安】❶〔江戸時代の医者、大和(やまと)桂庵が縁談の仲介を好んだことから〕縁談の仲介者。仲人。❷奉公人・雇い人を周旋する職業(の人)。口入れ屋。〔❶❷とも古風な言い方〕

***けい・い【敬意】**尊敬する気持ち。「—を払う」

***けい・い【経緯】**〔文〕❶縦糸と横糸。また、縦と横。❷地球の経度(経線)と緯度(緯線)。❸〔事件・物事などの〕事情。いきさつ。「事の—を説明する」

***けい・い【軽易】**〔文〕《名・形動》〔方法・事がらなどが〕てがるでたやすいこと。「—な作業」

げい・いき【芸域】❶芸または芸術の領域。❷〔その人が〕演じることができる、芸の広狭・深浅の範囲。

けい・いん【契印】数枚からなる一連の公文書などで、それらが関連していることを証明するため、それぞれの紙面にまたがらせて押す印。割り印。

げい・いん【鯨飲】《名・他サ》〔クジラが海水を飲むように〕酒を多量に飲むこと。牛飲。「—馬食」

***けい・えい【形影】**〔文〕ものの形と、その影。**—相弔・う**《句》〔自分の体とその影とが互いに様子をたずね慰め合う意で〕孤独であることのたとえ。**—相伴・う**《句》〔形とその影のように〕夫婦などがむつまじくいつも離れないでいることのたとえ。

***けい・えい【経営】**《名・他サ》❶〔なわばりをして基礎を固め、建築することの意から〕〔営利的・経済的目的のために〕事業を運営すること。「会社を—する」❷計画を立て、工夫して物事を行うこと。「学級—」

***けい・えい【継泳】**〔文〕水泳のリレー競技。

***けい・えい【警衛】**《名・他サ》〔文〕〔ある人の身のまわりを〕警戒し護衛すること(人)。警護。護衛。

***けい・えん【敬遠】**《名・他サ》❶表面では、尊敬しているような態度をとりながら、心の中では嫌って相手にしないこと。また、面倒な事態になることを嫌うなどして、わざと避けること。❷野球で、投手が打者との勝負を避け、四球で一塁に歩かせること。「—策」

***けい・えん【×閨×怨】**〔文〕夫または恋人と離れている女が、ひとり寝のさびしさをうらみ悲しむこと。

げい・えん【芸×苑】〔文〕文学者や芸術家の仲間・社会。芸林。類語 文壇。

けい・えんげき【軽演劇】軽い気分で楽しめる、おもに娯楽を目的とした演劇。

けい・おんがく【軽音楽】〔ジャズ・歌謡曲・シャンソンなど〕クラシック以外の大衆向きの軽い娯楽音楽。類語 ポピュラーミュージック。セミクラシック。

けい・か【経過】❶《名・自サ》ある場所・段階を通りすぎること。❷《名・自サ》年月・時間がすぎてゆくこと。「二〇年が—する」❸時間が過ぎるのにしたがって進行し、変化してゆくものごとのありさま・状態。「手術後の—は順調だ」類語 過程。道程。

けい・が【慶賀】《名・他サ》〔文〕〔めでたい事がらを〕喜び祝うこと。「—の至り」類語 祝賀。慶祝。奉賀。

げい・か【×猊下】〔文〕❶高僧や宗派の管長の敬称。❷僧に送る手紙の脇付(わきづけ)に用いる語。参考「猊」は獅子(しし)の意で、仏を人間の中の獅子にたとえた。

***けい・かい【啓開】**《名・他サ》水面や水中にある障害物を取り除いて、安全に航行できるようにすること。

***けい・かい【警戒】**《名・他サ》〔犯罪・災害などの好ましくないことが起こらないように〕用心し備えること。「—に当たる」「—警報」類語 戒心。警備。**—しょく【—色】**毒や悪臭をもつ動物に多く見られる、鮮明な色彩や模様のある体色。他の動物が警戒して近よらないので、身を守るのに役だつ。参考→保護色。**—せん【—線】**❶河川で、防災のために警戒を要する限界の水位。❷非常線。

***けい・かい【軽快】**《名・形動》❶〔動作が〕かるがるとして気持ちがよいこと。「—に走る」「—なリズム」❷心がはればれとしてたのしいこと。「—な気分」

***けい・がい【形×骸】**〔文〕❶精神の働きや生命を失った体。また、実質的な部分を失った建物などの骨組み。「—もとどめず焼失する」❷実質的な内容を失って形だけになったもの。「—化した民主主義」

***けい・がい【×謦×咳】**〔文〕せき。せきばらい。しわぶき。「—に接する(=親しくお目にかかる)」

げい・かい【芸界】〔文〕芸人の仲間・社会。

***けい・かく【×圭角】**〔文〕〔玉の、とがった角の意から〕言語・動作・性格などが角ばっていて親しめないこと。「—が取れる(=角がとれて人柄が円満になる)」

***けい・かく【計画】**《名・他サ》ある物事を行うための方法・段どりなどをあらかじめ考えること。また、その考え。プラン。「—を立てる」「—的」「—倒れ」類語 企画。企図。画策。企て。もくろみ。謙譲 愚計。愚策。⇩

【類義語の使い分け「企画」】

けい・がく【経学】経書(四書五経)を研究する学問。

けい・かん【×挂冠・▽掛冠】《名・自サ》〔「かいかん」の慣用読み〕〔文〕官職をやめること。致仕(ちし)。退官。参考 脱いだ冠を城門にかけて国を去るの意から。

***けい・かん【景観】**〔風情のある〕けしき。ながめ。

***けい・かん【×桂冠】**「月桂冠(げっけいかん)」の略。**—しじん【—詩人】**(poet laureate)イギリスで、王室に属し、その優遇をうける名誉ある詩人。王室詩人。

***けい・かん【×荊冠】**いばらの冠。参考 キリストがはりつけになったときかぶらされた。受難のたとえに使う。

***けい・かん【警官】**「警察官」の略称。

***けい・かん【鶏冠】**❶〔文〕ニワトリのとさか。❷「鶏冠花」の略。「けいとう」のこと。

***けい・がん【×慧眼】**《名・形動》〔かしこい目の意〕〔文〕炯眼(けいがん)❷。対 凡眼。

***けい・がん【×炯眼・×烱眼】**《明らかな目の意》〔文〕❶鋭く光る眼。「—人を射る」❷《名・形動》〔物事の本質を見抜く〕鋭い眼力。慧眼(けいがん)。対 凡眼。

***けい・き【京×畿】**〔文〕❶皇居に近い地域。みやこ。❷京都に近い国々。畿内(きない)。

***けい・き【刑期】**〔刑務所で〕刑の執行を受ける期間。

***けい・き【契機】**❶(ドイ Moment)〔哲〕物事の変化・発展・発生などをうながす本質的要素。また、物事の

発展過程の一段階。参考ヘーゲルの弁証法の用語。❷きっかけ。「転職を—に引っ越す」類語転機。

*けい‐き【景気】❶好況・不況などの経済活動の状況。「—が回復する」「好—」「—変動」❷特に、経済活動が活発で金回りがよいこと。「オリンピックで大変な—だ」❸物事の活動状態や威勢(がよいこと)。「—のいい声を出す」**—づ・く【—付く】**《自五》❶景気②が盛んな状態になる。上景気になる。❷景気③が盛んになる。「お酒が入ると—・く」

*けい‐き【継起】《名・自サ》〔文〕〔同じような事がらが〕引き続いて起こること。「凶悪犯罪が—する」

*けい‐き【計器】長さ・重さ・速さなど数量をはかる器具の総称。計量器械。メーター。**—ひこう【—飛行】**計器の指示によって速度・位置などを判断しながら飛行すること。対有視界飛行。

げい‐ぎ【芸×妓】〔文〕芸者。芸子。類語酌婦。

けい‐きかんじゅう【軽機関銃】ひとりで操作・運搬のできる小型の機関銃。軽機。対重機関銃。

けい‐ききゅう【軽気球】気球。

けい‐きへい【軽騎兵】軽装をした騎兵。軽騎。

けい‐きょ【軽挙】《名・自サ》〔文〕よく考えないで、軽率に行動すること。軽はずみな行動。**—もうどう【—妄動】**《名・自サ》〔文〕深く考えず、かるがるしく行動を起こすこと。軽はずみな行動。

けい‐きょう【景況】〔文〕❶景気の状態。「通信業界の—」❷その場のありさま・様子。

けい‐きょく【×荊×棘】〔文〕❶いばら。また、いばらがはえた荒れた土地。❷乱れて騒然とした状態。また、苦しみや困難にみちた状態。「—の道を歩む」

けい‐きんぞく【軽金属】比重四～五以下の金属。マグネシウム・アルミニウムなど。対重金属。

けい‐く【警句】人生や社会に対する真理を鋭くつき、奇抜ですぐれた考えなどをふくんだ、短い語句。エピグラム。アフォリズム。類語金言。

*けい‐ぐ【刑具】体刑に用いる道具。むち・かせなど。

*けい‐ぐ【敬具】《感》〔文〕〔「つつしんで申し上げます」の意で〕手紙文の終わりに書くあいさつの語。参考「拝啓」「謹啓」と対応して用いる。類語敬白。拝具。頓首(とんしゅ)。再拝。草々。不一。

けい‐ぐん【鶏群】〔文〕ニワトリの群れ。「—の一鶴(いっかく)」(=凡人の中にすぐれた人が一人いるたとえ)

けい‐けい【×炯×炯・×烱×烱】《形動タリ》〔文〕目などが鋭く光るようす。「—たる眼光」類語爛々(らんらん)。

けいけい‐に【軽軽に】《副》〔文〕十分に注意を払わないで、物事をかるがるしくするようす。「—論ずべきではない」類語軽率。

げい‐げき【迎撃】《名・他サ》攻めて来る敵を迎え撃つこと。邀撃(ようげき)。「—ミサイル」対出撃。

けい‐けつ【経穴】〔漢方で〕灸(きゅう)をすえ、鍼(はり)をうつときの、身体の要所。つぼ。

*けい‐けん【経験】❶《名・他サ》生きていて、五官によって実際に見たり聞いたりこころみたりすること。「貴重な—をする」「—を積む」類語体験。❷経験①によって得た知識や技術。「—がものを言う社会」**—そく【—則】**経験的に得た法則。経験的法則。**—てき【—的】**《形動》頭の中で考えることよりも、経験して得た知識や印象を重くみるようす。**—ろん【—論】**❶〔哲〕真の知識は経験によってのみ得られるという考え方。経験主義的認識論。経験主義。対合理論。❷経験をもとにしてできた議論。

*けい‐けん【敬×虔】《名・形動》深く敬い、つつしみ深いこと。特に、神仏を敬いつつしんで仕えること。「—なキリスト教徒」類語敬恭(けいきょう)。

けい‐げん【軽減】《名・他自サ》〔負担・苦痛などを〕へらして軽くすること。また、へって軽くなること。

けい‐こ【×稽古】《名・他サ》❶〔学問・武術・芸能などを〕習うこと。「—をつける」❷〔演劇・映画・放送などの〕予行演習。リハーサル。類語練習。学習。

*けい‐ご【敬語】相手や第三者に対して、話し手の敬意を表すために使うことば(ことばづかい)。ふつう、尊敬語・謙譲語・丁寧語の三種に分ける。敬語法。

*けい‐ご【警固】《名・他サ》〔ある場所を〕警戒して守り固めること(設備)。また、その人。

*けい‐ご【警護】《名・他サ》〔ある場所・人などの付近を〕警戒して守ること(役)。「重要人物を—する」類語警備。護衛。

げい‐こ【芸子】芸者。芸妓(げいぎ)。〔多く関西で使う〕

*けい‐こう【傾向】❶〔物事の性質・状態などが〕ある方向にかたむいていること。そうなりそうなけはい。「物価は上昇の—にある」類語動向。風潮。趨勢(すうせい)。❷左翼的な方向にかたむいていること。「—文学」

*けい‐こう【径行】〔文〕思ったとおりのことを直ちに行うこと。「直情—」

*けい‐こう【携行】《名・他サ》〔品物を〕持って行くこと。たずさえて行くこと。「食糧を—する」類語携帯。

*けい‐こう【景仰】《名・他サ》〔文〕人格の高い人を敬い慕うこと。景慕(けいぼ)。景仰(けいぎょう)。類語敬仰。欽慕(きんぼ)。

*けい‐こう【経口】〔薬・細菌などが〕口を通って体内にはいること。「—感染」「—避妊薬」

*けい‐こう【蛍光】❶〔文〕ホタルの光。ほたるび。❷〔理〕ルミネセンスの一種。ある種の物質が光・紫外線・X線・電子線などの電磁波によって刺激を受けたときに発する、高熱を伴わない光。**—とう【—灯】**ガラス管の内側に蛍光物質をぬり、水銀灯の放電によって生じる紫外線をあてて発光させる照明灯。

*けい‐こう【鶏口】ニワトリの口。**—となるも牛後となる勿(なか)れ**《句》大きな団体のしりにつくよりは小さな団体の長になれ。〈史記・蘇秦伝〉

けい‐ごう【契合】《名・自サ》〔文〕〔割り符を合わせたように〕二つのものが一致すること。類語符合。

げい‐ごう【迎合】《名・自サ》相手の気に入るように調子を合わせて、自分の態度や考え方を変えること。「時の権力に—する」類語阿諛(あゆ)。追従(ついしょう)。

けい‐こうぎょう【軽工業】〔食品・繊維品・雑貨など〕おもに消費財を生産する工業。対重工業。

けい‐ごうきん【軽合金】アルミニウム・マグネシウムなどを主成分にした合金。軽くて強い。自動車・航空機などの材料に使う。ジュラルミンなど。

*けい‐こく【傾国】〔文〕❶〔王が国政をおこたり、国をあやうくするほどの〕非常に美しい女性。❷遊里の女性。遊女。同①②傾城(けいせい)。

*けい‐こく【渓谷・×谿谷】〔川が流れている〕深い谷。谷間。「—美」類語峡谷。

*けい‐こく【経国】〔文〕国を治め経営すること。「文章は—の大業」「—済民」類語治国。

*けい‐こく【警告】《名・他サ》〔危険や不都合が起こりそうなため〕注意するように告げ知らせること。また、そ

の知らせ。「━を発する」類語戒告。忠告。

*けい‐こつ【×脛骨】すねの内側の細長い骨。

*けい‐こつ【×頸骨】くびの骨。

げい‐ごと【芸事】〔日本舞踊・音曲など〕芸能・遊芸に関する事柄。「━を習う」

*けい‐さい【掲載】《名・他サ》〔文章や写真を〕新聞・雑誌などに載せること。類語記載。登載。連載。

*けい‐さい【継妻】〔文〕後妻。のちぞい。継室。

*けい‐さい【×荊妻】〔文〕自分の妻をへりくだっていう語。愚妻。参考「荊」はいばらの意。故事後漢の梁鴻(りょうこう)の妻が、いばらのかんざしをさしていた故事による。

けい‐ざい【経済】《「経世済民」または「経国済民」の略から》❶人間の生活に必要な物資を生産・分配・交換・消費する行為。「━政策」「━成長率」❷金銭のやりくり。「家の━が成り立たない」❸《名・形動》費用・時間などが節約できること。「時間の━を考える」━がく【━学】社会科学の学問分野の一つ。経済現象を支配する原理・法則を研究する。━さんぎょう‐しょう【━産業省】内閣各省の一つ。通商貿易・商工鉱業などに関する仕事を行う中央官庁。参考旧称は「通商産業省」。━すいいき【━水域】領海の外側に設けられ、沿岸国が資源の探査・開発・保存・管理などの権利をもつ水域。領海の基線から二〇〇海里まで。排他的経済水域。━てき【━的】《形動》❶経済に関係のあるようす。「━に苦しい」❷むだがはぶけて、費用・時間などが少なくてすむようす。

けい‐さつ【警察】❶社会公共の秩序を維持し、国民の生命・財産を保護するために、国の統治権に基づいた機能を行使する行政。❷警察①の働きを受け持つ組織。❸「警察署」の略。━かん【━官】警察の執行機関の公務員。警官。━しょ【━署】都道府県のそれぞれの受け持つ区域内で、警察①の仕事を行う役所。警察。━ちょう【━庁】国の警察に関する事務をあつかう最高機関。警察庁長官を長とし、国家公安委員会に管理される。

けい‐さん【計算】《名・他サ》❶数量をはかりかぞえること。特に、数学で法則にしたがって数値を求めたり、式を簡単にしたりすること。❷〔結果・なりゆきなどを〕予想して、考えを推し進めること。また、その予想。「風をーに入れる」「事が━通りに運ぶ」━き【━器・━機】いろいろな計算を速く正確に行うための機械。計算尺・卓上計算器・コンピューターなど。━じゃく【━尺】対数理論を応用して乗除・平方・立方・開平・開立(かいりゅう)などの計算を簡単に行う器具。━ずく【━▽尽く】なにもかも予定したり、考えたりした上で決めること。表記現代仮名遣いでは「計算づく」も許容。━だか‐い【━高い】《形》金銭の計算が細かくて、けちなようすだ。打算的である。勘定高い。算盤(そろばん)高い。

けいさん‐えん【×珪酸塩】二酸化珪素と金属酸化物とからなる化合物の総称。地殻の主成分をなす。ガラス・セメント・陶磁器などの原料。

けいさん‐ぷ【経産婦】出産したことのある女性。

*けい‐し【京師】〔文〕〔「京」は大、「師」は衆の意〕皇居や行政府のある都市。みやこ。帝都。帝京。

*けい‐し【兄姉】〔文〕あにと、あね。対弟妹。

*けい‐し【刑死】《名・自サ》死刑に処せられて死ぬこと。類語獄死。

*けい‐し【継嗣】〔文〕〔家の〕あとつぎ。あととり。よつぎ。相続人。類語後継者。

*けい‐し【継子】〔文〕ままこ。対実子。

*けい‐し【×罫紙】〔縦または横に〕罫(けい)が引いてある紙。罫紙(けいがみ)。

*けい‐し【警視】警察官の階級の一つ。警部の上で、警視正の下の地位。━そうかん【━総監】警視庁の長官。━ちょう【━庁】東京都の警察の本部。

*けい‐し【軽視】《名・他サ》ある物事のねうちを軽く考えること。軽んずること。「結論を━する」類語無視。対重視。

*けい‐じ【兄事】《名・自サ》〔文〕兄のように尊敬し親しく接すること。「山田氏に━する」類語師事。

*けい‐じ【刑事】❶刑法にふれる事件。刑法で処理される事項。「━上の責任」対民事。❷「刑事巡査」の略。犯罪の捜査、犯人の逮捕を専門にする巡査。━さいばん【━裁判】犯罪の有無を確かめ、その責任者を処罰するための裁判。

*けい‐じ【啓示】《名・他サ》キリスト教で、神が人知をこえた真理を人間にあらわし示すこと。黙示。

*けい‐じ【慶事】〔文〕〔結婚・出産など〕よろこぶべき、めでたい事がら。吉事。おめでた。対弔事。

*けい‐じ【掲示】《名・他サ》〔多くの人またはその関係者に知らせるため〕紙などに書いてかかげること。また、その文書。「今週の目標を━する」「━板」

*けい‐じ【×繋辞】〔(ラテ) copula〕〔論〕命題の主辞と賓辞を結びつけ、肯定または否定を表す語。日本語の「人は動物である」の「である」、英語の be 動詞の類。

*けい‐じ【計時】《名・自サ》〔文〕〔競技などで〕ストップウオッチなどを使って経過した時間を計ること。

けいじ‐か【形×而下】❶形のあるもの。有形のもの。❷(the physical)〔哲〕時間・空間の中に形をそなえているもの。感性的経験によって知りうる自然的存在。対形而上。

*けい‐しき【型式】↓かたしき。

*けい‐しき【形式】❶物事が存在するときに外に現れているもの。外形。❷その物事の様式としてあらかじめ決められている形・方法。参考内容がなく見かけだけである、という意味をこめて使うことがある。「規定の━を踏む」「━にとらわれる」類語外観。様式。方式。対内容。━しゅぎ【━主義】形式を重視して、内容を軽くみる立場。━てき【━的】《形動》内容よりも形式を重んじるようす。対実質的。━ば‐る【━張る】《自五》〔内容に心をくばらず〕表面上のやり方にこだわる。━めいし【━名詞】名詞のうち、それ自体には実質的な意味がきわめて薄く、形式的にのみ用いられるもの。上に常に実質的内容を示す連体修飾語を必要とする。「こと」「もの」「はず」「ため」「わけ」「とき」「ところ」「うち」「あいだ」など。

けいじ‐じょう【形×而上】❶形を離れたもの。無形のもの。❷(the metaphysical)〔哲〕感覚ではその存在を知ることができなくて、思考でのみ知ることができる超自然的なもの。対形而下(けいじか)。━がく【━学】経験の世界を超えた、物事の存在の究極的・絶対的な根本原理を研究する学問。メタフィジック(ス)。

*けい‐しつ【形質】❶形態と実質。❷ある生物の特徴となる形態や性質。「獲得━」「遺伝━」

*けい‐しつ【継室】〔文〕後妻。のちぞい。継妻。

けい‐じつ【×頃日】〔文〕このごろ。近ごろ。

*けい‐しゃ【傾斜】《名・自サ》❶傾いてななめになるこ

と。また、その度合い。傾き。「鉄塔が右に―する」❷心がその方向に動くこと。「神秘主義に―する」

*けい・しゃ【×珪砂】二酸化珪素の砂。花崗岩などの風化によってできる。陶磁器・ガラスなどの原料。

*けい・しゃ【鶏舎】〔文〕ニワトリを飼うための小屋。にわとりごや。

げい・しゃ【芸者】❶酒宴の席で、歌・踊り・三味線などで客を楽しませることを職業とする女性。芸妓。芸子。❷遊芸にすぐれている人。芸の達者な人。

けい・しゅ【警手】鉄道で、旅客の案内や事故防止などに従事する職員。

*けい・しゅう【軽舟】〔文〕軽そうに速く走る小舟。

*けい・しゅう【×閨秀】〔文〕学問・芸術にすぐれた女性。〔接頭語的に使う〕「―作家」類語 才女。才媛。

けい・じゅう【軽重】→けいちょう(軽重)。

けい・しゅく【慶祝】《名・他サ》〔文〕めでたいこととして喜び祝うこと。「―行事」類語 祝賀。慶賀。

けい・しゅつ【掲出】《名・他サ》〔文〕掲示して見せること。かかげて示すこと。「通告を―する」

げい・じゅつ【芸術】ある様式・技巧などによって美を追究し創造し表現する、人間の活動。また、その結果つくり出されたもの。文学・音楽・絵画・彫刻・演劇・映画など。「―家」 ―いん【―院】美術・文芸・音楽・演劇・舞踊の分野での第一人者によって組織される機関。日本芸術院。 ―しじょうしゅぎ【―至上主義】芸術は他のもののためにあるのではなく、芸術自身が目的であり価値であるとする考え方。

けい・しゅん【慶春】〔文〕新春をよろこぶこと。参考 年賀状などで、新年のあいさつとして用いられる。

げい・しゅん【迎春】〔文〕新年を迎えること。参考 年賀状などで、新年のあいさつとして用いられる。

けい・しょ【経書】昔の中国で、儒学の基本的原理をしるした経典。四書(大学・中庸・論語・孟子)・五経(詩経・書経・易経・礼記・春秋)など。経籍。経。

*けい・しょう【形勝】〔文〕城などを築くのに便利な、天然の要害の地。「―要害の地」

*けい・しょう【形象】〔文〕❶ある形をとって外に現れている、物の姿。類語 形態。❷観念などをある表現手段によって具象的に表したもの。「芸術的―」「理想を―化する(=具体的イメージとして表現する)」

*けい・しょう【敬称】❶氏名の下につけて敬意を表すことば。「さん」「様」「氏」「殿」の類。❷敬意を表して姓名や名称の代わりに用いる、特別な言い方。「教師」を「先生」、「あなた」を「貴殿」、「相手の会社」を「貴社」という類。尊称。対 謙称・卑称。

*けい・しょう【景勝】けしきがすぐれていること。また、その土地。「―の地」類語 勝景。佳景。好景。

*けい・しょう【継承】《名・他サ》〔前代の人の財産・地位・権利・義務や仕事などを〕受けつぐこと。承継。「王位を―する」類語 後継。

*けい・しょう【警鐘】〔文〕❶危険が迫っていることを知らせ、警戒をうながすために打ち鳴らす鐘。類語 半鐘。❷警告として人々の注意をよびおこすもの。「政治のあり方に―を鳴らす」

*けい・しょう【軽傷】すぐ治るような軽いけが。軽い傷。類語 かすり傷。あさで。対 重傷。

*けい・しょう【軽症】病気のあらわれ方が軽いこと。軽い症状。対 重症。

*けい・しょう【軽少】《形動》〔数量・額・価値などが〕ほんの少しであるようす。わずか。「被害は―だ」類語 僅少。軽微。些少。対 多大。

*けい・しょう【軽×捷】《形動》〔文〕身のこなしが軽くすばやいようす。「―な動作」類語 敏捷。

*けい・じょう【刑場】死刑を執行する場所。死刑場。しおきば。「―の露と消える(=死刑に処せられて死ぬ)」

*けい・じょう【啓上】《名・他サ》〔文〕「言うこと」の謙譲語。〔手紙文で使う〕「一筆―」

*けい・じょう【形状】〔文〕物の形・ありさま。類語 形態。 ―きおく【―記憶】一定の形を覚えると、変形しても加熱すれば元の形にもどること。「―樹脂」

*けい・じょう【敬譲】〔文〕相手を尊敬して、自分がへりくだること。敬ってゆずること。「―語」

*けい・じょう【経常】いつも一定の状態で続いていて変動のないこと。「―収支」類語 不変。恒常。 ―ひ【―費】毎年決まって支出する経費。対 臨時費。

*けい・じょう【計上】《名・他サ》全体の計算の中にくみ入れて、かぞえあげること。「予算に―する」

*けい・じょう【警乗】《名・自サ》〔文〕警官などが、列車や船などに乗りこんで警戒にあたること。

*けい・しょく【慶色】〔文〕喜びの表れているようす。特に、その顔色。「―面にあふれて…」

*けい・しょく【軽食】〔サンドイッチなど〕簡単な食事。軽い食事。「―レストラン」

けい・じょし【係助詞】〔文法で〕係り助詞。

*けい・しん【敬信】《名・他サ》〔文〕敬い信じること。

*けい・しん【敬神】〔文〕神を敬うこと。「―の念」

*けい・しん【軽信】《名・他サ》〔文〕かるがるしく信じること。

*けい・しん【軽震】戸・障子がわずかにゆれる程度のかるい地震。参考 もと使われた語。

けい・ず【系図】❶先祖からの代々の人名とそれらの血縁関係を記した表。系譜。「―買い(=身分の低い者が貧乏な貴族の系図を買うこと)」❷あるものごとの現在に至るまでの流れ。由来。「自然主義文学の―」

けい・すい【軽水】重水に対して、普通の水。

*けい・すう【係数】❶〔数〕単項式があるとき、記号文字以外の数字。また、その中のある変数に対してそれ以外の数。参考 $3axy$ があるとき、「係数は3」「xy の係数は $3a$」「x の係数は $3ay$」などという。❷〔理〕Aの数がBの数の増減によって一定の割合で変化するとき、AとBの比。「膨張―」「エンゲル―」類語 率。

*けい・すう【計数】❶〔文〕計算すること。また、計算した結果出た数。類語 算用。❷経理・計算・経済などに関すること。「―に明るい」

けいず・かい【×窩主買い】盗んだ品物であることを知りながら売買すること(商人)。故買。表記 同音であるところから「系図買い」とも書く。

*けい・・する【刑する】《他サ変》〔文〕〔法に基づいて〕刑を科する。特に、死刑にする。

*けい・・する【啓する】《他サ変》〔文〕〔身分の高い人に〕申し上げる。言上する。

*けい・・する【慶する】《他サ変》〔文〕〔めでたい事として〕喜び祝う。類語 賀する。

*けい・・する【敬する】《他サ変》〔文〕敬う。 ―して遠ざ・ける《句》❶敬って近づくのをさける。❷うわべは敬ったような態度をして実はうとんじてさける。敬遠する。参考「鬼神を敬して之を遠ざく〈論語・雍也〉」か

ら。

＊けい‐せい【傾▽城・契情】〔文〕❶〔城主がその色香に迷い城をあやうくするほどの〕非常に美しい女性。❷遊女。女郎。「―買い」同①②傾国(けいこく)。

＊けい‐せい【形勢】〔対立して〕変化して行く物事・局面の、その時々のありさま。なりゆき。「―をうかがう」「―不利」「―逆転」類語 情勢。雲行き。

＊けい‐せい【形成】《名・他サ》ととのった形に作り上げること。「人格―」「―外科(＝先天的・後天的な奇形や変形を正常にする外科)」類語 成立。構成。

＊けい‐せい【形声】漢字の六書(りくしょ)の一つ。発音を表す文字と、意味を表す文字とを組み合わせて、新しい文字を作る方法。金属であることを表す「金」と、音「ドウ」を表す「同」とから「銅」を作るなど。諧声(かいせい)。―もじ【―文字】形声による文字。諧声文字。

＊けい‐せい【渓声・×谿声】〔文〕谷川の水の音。

＊けい‐せい【経世】〔文〕世の中をおさめること。「―家」類語 政治。治政。―さいみん【―済民】〔文〕世の中をおさめ、人民をすくうこと。類語 経国済民。

＊けい‐せい【警世】〔文〕社会や世間の人のあやまりをいましめ、警告を与えること。「―の書」

＊けい‐せい【警×醒】《名・他サ》〔文〕〔眠りをさます意から〕人々の迷いをさますように、いましめ注意すること。「市民を―する」

＊けい‐せき【×珪石】珪酸を主成分とする鉱物の総称。陶磁器・ガラスなどの原料。

＊けい‐せき【形跡・形×迹】ある物事の行われたことを示すあとかた。「窓から入った―がある」類語 痕跡(こんせき)。

けい‐せつ【蛍雪】〔文〕苦労して学問をすること。苦学。故事 昔、中国で、貧しさのため、車胤(しゃいん)が蛍の光、孫康(そんこう)が雪明かりを灯火のかわりにして書を読んだという故事から。〈晋書・車胤伝／孫康伝〉―の功《句》苦学した末の成果。「―を積む」

げい‐せつ【迎接】《名・他サ》〔文〕人を出迎えて応対すること。応接。

＊けい‐せん【係船・×繫船】《名・自サ》❶船を港につなぎとめること。❷海運業の不況などで就航させると損をするようなとき、船主が船の使用を一時中止すること。また、その船。表記「係船」は代用字。

＊けい‐せん【経線】地球の両極を縦に結ぶ仮想の線。子午線。参考 イギリスのグリニッジ天文台跡を通る本初(ほんしょ)子午線が経度を計る基準。対 緯線(いせん)。

＊けい‐せん【×罫線】❶罫(けい)。❷株式相場の高低を方眼紙に書いたもの。罫線表。

けい‐そ【×珪素】褐色の粉末または暗灰色の結晶をなす非金属元素。珪酸塩などの酸化物となって土砂・岩石などの主要な成分となる。シリコン。元素記号 Si。

＊けい‐そう【係争・×繫争】《名・自サ》当事者が訴訟をおこして争うこと。「―中の事件」

＊けい‐そう【形相】❶〔文〕物・物事の外からみた形やありさま。❷〔ギリシア eidos 英 form〕〔哲〕ある種類の事物を他から区別する本質的な特徴。アリストテレス哲学の基本概念。対 質料。

＊けい‐そう【継走】〔文〕リレーレース。

＊けい‐そう【軽装】《名・自サ》身軽な服装(をすること)。活動しやすい身じたく。「―で旅にでる」

＊けい‐そう【軽×躁】《形動》〔文〕落ち着きがなく、軽はずみにさわぐようす。対 沈着。

けい‐ぞう【恵贈】《名・他サ》〔文〕人から物を贈られることにいう尊敬語。恵与。恵投。〔手紙などで用いる〕「御―にあずかった品」参考 ↓恵存(けいそん)。

けいそう‐ど【×珪藻土】珪藻類の死骸(しがい)が海・沼・湖などの底につみかさなってできた灰白色の岩石。

けいそう‐るい【×珪藻類】淡水・海水中に生活する単細胞の微小な藻類。植物性プランクトンの主要なもので、細胞膜に珪酸質の殻をかぶる。珪藻植物。

けい‐そく【計測】《名・他サ》〔文〕〔数量・長さなどを〕器械を使ってはかること。「速度を―する」類語 計量。

＊けい‐ぞく【係属・×繫属】《名・自他サ》❶つながりがあること。つながりをつけること。❷「訴訟係属」の略。訴訟事件が裁判所で審理中であること。表記「係属」は代用字。

＊けい‐ぞく【継続】《名・自他サ》〔ある状態・行為などが〕前から引き続いて行われること。また、行うこと。「審議を―する」「―期間」類語 続行。継承。

けい‐そつ【軽率】《形動》深く考えずに行動するようす。軽はずみ。「―な判断」「―のそしりを免れない」類語 軽佻(けいちょう)。軽薄。対 慎重。注意「軽卒」は誤り。

けい‐そん【恵存】〔文〕〔「手元に置いて保存して下さい」の意で〕自分の著書などを贈るとき、相手の名前のわきに書きそえる語。恵存(けいぞん)。参考 ↓恵贈。

＊けい‐たい【形態】❶物の形。特に、組織立って組み立てられているものの、外に現れた形。「財団法人の―をとる」類語 形状。❷ゲシュタルト。

＊けい‐たい【携帯】❶《他サ》〔品物を〕身につけて持ちあるくこと。「雨具を―する」「―品に注意する」類語 携行。❷「携帯電話」の略。表記 多く「ケータイ」と書く。―でんわ【―電話】移動電話の一種で、個人が携帯して使用する小型電話機。また、その移動通信サービス。無線を使い中継基地を経由して相手の電話機に接続する。携帯。

＊けい‐たい【敬体】口語で、文末に「です」「ます」「でございます」「であります」を用いて、丁寧な表現がなされた文体。対 常体。

けい‐だい【境内】〔「境の内側」の意から〕神社・寺院などの敷地のなか。類語 構内。

けい‐たく【恵沢】〔文〕恩や、めぐみ。なさけ。恩沢(おんたく)。「―に浴す」類語 恩恵。

げい‐だん【芸談】芸術・芸道上の秘訣(ひけつ)や修業上の苦心についての話。

けい‐ちつ【啓×蟄】二十四節気の一つ。陰暦の二月の前半。太陽暦の三月六日ごろ。参考 冬ごもりしていた虫が地上に出てくる意。

けい‐ちゅう【傾注】《名・他サ》一つのことに心を打ちこむこと。「全力を―する」類語 傾倒。集中。専心。

＊けい‐ちょう【傾聴】《名・他サ》気持ちを集中して話を熱心に聞くこと。「―に値する話」類語 静聴。謹聴。

＊けい‐ちょう【慶兆】〔文〕めでたい兆し。吉兆。

＊けい‐ちょう【慶弔】よろこび祝うべきことと、悲しみとむらうべきこと。慶事と凶事。「―電報」「―費」

＊けい‐ちょう【敬弔】《名・他サ》〔文〕死者をつつしんでとむらうこと。

＊けい‐ちょう【敬重】《名・他サ》〔文〕うやまって重んじること。類語 尊重。

＊けい‐ちょう【軽重】軽いことと重いこと。重大なことと、重大でないこと。軽重(けいじゅう)。「人命に―はない」

＊けい‐ちょう【軽×佻】《形動》〔文〕考えがあさはかで

け

落ち着きがなく、すぐ調子にのるようす。軽薄。[類語]軽率。 ―ふはく【―浮薄】《名・形動》落ち着きがなく軽はずみなこと。上っ調子。軽浮。「―な風潮」

*けい・つい【×頸×椎】脊椎(せきつい)の最上部の七個の骨。

*けい・てい【兄弟】〔文〕兄と弟。きょうだい。 ―牆(かき)に鬩(せめ)ぐ《句》兄弟でうちわげんかをする。

けい・てい【径庭・×逕庭】〔文〕へだたり。違い。差異。「両者の実力には―がない」[参考]「径」「逕」は狭い道、「庭」は広場の意。

けい・てき【警笛】警戒や注意をよびおこすために鳴らす笛やらっぱ。また、その音。

*けい・てん【恵展】〔文〕封書のあて書きに添える語。[参考]「どうぞお開き下さい」という意味。

*けい・てん【経典】❶聖人・賢人が書きあらわした書物。❷宗教の教義・道理などの基本原理を書いた書物。[参考]→経典(きょうてん)。

*けいでん・き【継電器】接点を動かして電気回路を接続したり切ったりする器具。リレー。

*けい・でんき【軽電機】重量が軽く、構造も簡単な電気機器。掃除機・電気炊飯器の類。[対]重電機。

け・いと【毛糸】羊などの毛をつむいだ糸。毛織物・編み物などの材料に使う。

*けい・ど【経度】地球上のある地点を通る経線を含む平面と本初(ほんしょ)子午線を含む平面とが地球の中心に対してなす角度。地球の表面を東西にそれぞれ一八〇度にわけ、東経何度、西経何度とよぶ。経度が一五度違うと時刻は一時間ずれる。[対]緯度。

*けい・ど【軽度】《名・形動》程度が軽いこと。「―の発作」「―の刺激」[対]強度。

*けい・とう【傾倒】《名・自サ》ある事に熱中し、全精神をそれに向けること。「英文学に―する」[類語]傾注。

*けい・とう【恵投】《名・他サ》〔文〕人から物を贈られることにいう尊敬語。恵贈。恵与。〔手紙文で用いる〕

*けい・とう【系統】❶一定の順序によって統一されたつながり・筋道。「―をたてて研究する」❷(一族の)血統。血筋。「源氏の―」❸ある原理・主義に属しているもの。また、その流れ。「社会主義の―」[類語]系列。 ―てき【―的】《形動》系統だっているようす。

*けい・とう【継投】《名・自サ》野球で、前の投手のあとを受け継いで投球すること。「―策」[対]続投。

*けい・とう【鶏頭・鶏▽冠】ヒユ科の一年草。夏、茎の先に赤または黄色の多数の小さな花をとさか状につける。鶏冠花(けいかんか)。「韓藍(からあい)」は古称。

げい・とう【芸当】❶演芸。特に、特殊な能力・訓練を必要とする職業的な演技。曲芸。❷〔危険や困難などが伴う〕ふつうではできないような行為。はなれわざ。

げい・どう【芸道】芸能・技芸の道。

けい・どうみゃく【×頸動脈】大動脈から分かれた動脈の一つ。首の左右にあり、頭に血液を送る。

げい・なし【芸無し】芸をなにも身につけていないこと。また、その人。[類語]無芸。

けい・にく【鶏肉】ニワトリの肉。かしわ。

げい・にん【芸人】❶遊芸・芸能を職業とする人。俳優・落語家・歌手など。芸能人。「旅―」「―に年なし」❷しろうとで、遊芸のたくみな人。また、多芸な人。

けい・ねん【経年】年月が過ぎていくこと。「―変化」

げい・のう【芸能】映画・演劇・音楽・落語・講談など、大衆的娯楽の総称。「―界」「民俗―」「―人」

けい・ば【競馬】馬に騎手が乗って、一定のコースで競走する競技。また、それによって行う賭(か)け。

げい・は【鯨波】〔文〕❶〔海にたつ〕大きな波。大波。巨浪。❷ときの声。[類語]喊声(かんせい)。

*けい・はい【×珪肺】鉱山労働者などに多い職業病。遊離珪酸(けいさん)を吸いこむために肺のなかに硬い結節が無数にできる。俗に「よろけ」という。

*けい・はい【軽輩】〔文〕身分・地位などが低い人。〔自分のことをへりくだって言うときにも用いる〕

けい・ばい【競売】《名・他サ》〔法〕さしおさえた品物を法律に従った方法で売ること。競売(きょうばい)。

*けい・はく【啓白】〔文〕〔神仏に〕申し上げること。また、その文章や言葉。啓白(けいびゃく)。

*けい・はく【敬白】〔文〕〔つつしみうやまって申し上げる意で〕手紙などの終わりにそえる語。[類語]敬具。

*けい・はく【軽薄】㊀《形動》〔言動や性格に〕慎重さがなく、うわついているようす。「―な発言」[類語]浅はか。軽率。[対]重厚。㊁《名》〔文〕おせじ。「―を言う」⇩〔類義語の使い分け「浅はか」〕

けい・ばく【×繋縛】《名・他サ》〔文〕❶つなぎしばること。また、そのためのもの。「―を解く」❷自由を奪うこと。[類語]制限。束縛。

けい・はつ【啓発】《名・他サ》一般の人の気づかない点について知識を与え、より高度の認識に導くこと。「先生の話に―される」[類語]啓蒙(けいもう)。⇩〔類義語の使い分け「啓蒙」〕

*けい・ばつ【刑罰】刑と罰。とがめ。特に、法律をおかしたものに対して国家が与える制裁。

*けい・ばつ【×閨閥】〔文〕妻の実家・親類などを中心とした勢力・派閥。親族閥。姻族閥。「―政治」

*けい・ばつ【警抜】《形動》〔文〕〔着想や表現が〕するどくたくみで、すぐれているようす。「―な文章」

けい・はん【京×阪】京都と大阪。上方(かみがた)。

けい・はんざい【軽犯罪】公衆道徳にそむく程度の軽い犯罪。「―法」

けい・はん・しん【京×阪神】京都と大阪と神戸。

*けい・ひ【×桂皮】肉桂(にっけい)の樹皮。赤褐色で、芳香がある。健胃剤・調味料・桂皮油などに利用。

*けい・ひ【経費】あることを行うために必要な費用。「―がかさむ」「必要―」[類語]出費。入費。

*けい・び【警備】《名・他サ》〔危急や変事にそなえて〕警戒し、守ること。「―に当たる」[類語]警護。守護。

*けい・び【軽微】《形動》程度が軽く、重大な結果や影響を与えないようす。わずか。「―な損害」[類語]軽少。

*けい・ひん【京浜】東京と横浜。

*けい・ひん【景品】❶商品などにそえて、客に無料で贈る品物。景物。❷催しの参加者に配る品物。

げい・ひん【迎賓】〔外国からの〕重要な客を丁重に迎え、もてなすこと。「―館」

*けい・ふ【系譜】❶血縁関係・師弟関係などの順を追ったつながり。また、それを系統的に記録したもの。系図。「先祖代々の―」❷次々に同じ関係をもって続く物事のつながり。「黒人霊歌の―」

*けい・ふ【継父】〔子からみて〕母の夫であるが、血のつながりのない父。ままちち。[類語]養父。[対]継母。

*けい・ぶ【警部】警察官の階級の一つ。警視の下、警部補の上の地位。

*けい・ぶ【軽侮】《名・他サ》〔文〕〔人を〕軽く見て、あなどること。「―の目で見る」[類語]軽蔑(けいべつ)。侮蔑(ぶべつ)。

け

***けい・ぶ**【×頸部】くびの部分。また、くびのように細くなってつながっている部分。

げい・ふう【芸風】ある人独特の芸のやり方・持ち味。

***けい・ふく**【慶福】〔文〕めでたくて、よろこばしいこと。幸い。[類語]祥福(しょうふく)。

***けい・ふく**【敬服】《名・自サ》感心し尊敬の念をもつこと。「彼の努力には一する」[類語]推服。感服。心服。

けい・ぶつ【景物】❶〔自然の風景に〕四季折々の趣を添えるもの。「春の一」[類語]風物。❷その場に興味・風情を添えるもの。「一に手品を披露する」❸景品①。

けい・ふん【鶏×糞】ニワトリのふん。窒素(ちっそ)・りん酸を多く含むので肥料にする。

げい・ぶん【芸文】〔文〕芸術と文学。また、学問と文芸。「一国の一」

けいへい・き【経閉期】閉経期(へいけいき)。

けい・べつ【軽×蔑】《名・他サ》軽んじばかにすること。見下げること。「一の目」[類語]軽侮(けいぶ)。侮蔑(ぶべつ)。

けい・べん【軽便】[一]《形動》〔扱い方・方法などが〕手軽で便利なようす。「一な洗面用具」[類語]簡便。[二]《名》「軽便鉄道」の略。**一てつどう**【一鉄道】規模の小さい鉄道。軌道は幅がせまく、車両は小型。

***けい・ぼ**【敬慕】《名・他サ》〔文〕尊敬し、したうこと。「一の念」[類語]景仰。敬仰。仰慕。

***けい・ぼ**【継母】〔子からみて〕父の妻であるが血のつながらない母。ままはは。[類語]養母。義母。[対]継父。

***けい・ほう**【刑法】犯罪の種類とそれに対する刑罰についてとりきめた法律。

***けい・ほう**【警報】大きな危険や災害が迫ったとき、人々に警戒や用心をうながすための報知。「暴風一」「一器」[類語]注意報。

***けい・ぼう**【警棒】警察官が腰にさげる堅い木の棒。

***けい・ぼう**【警防】〔災害や変事を〕警戒し防ぐこと。

***けい・ぼう**【×閨房】〔文〕❶寝室。❷女性の居間。

けい・ま【×桂馬】❶将棋のこまの一つ。前方へ盤の目を一つとんで左右斜めに進める。桂(けい)。❷囲碁で、一目あるいは二目へだてて斜めに石を打つこと。

けい・みょう【軽妙】《形動》〔技術・文章・話などが〕軽い感じで、うまみのあるようす。「一な筆致」**一しゃだつ**【一×洒脱】《名・形動》軽やかであかぬけしていること。

けいむ・しょ【刑務所】監獄の一つ。懲役・禁錮(きんこ)などの刑に処せられた者を収容する施設。俗に、「むしょ」ともいう。[参考]→拘置所(こうちしょ)。

けい・めい【鶏鳴】〔文〕❶〔夜明けに鳴く〕ニワトリの声。❷夜明け。あけがた。[参考]もと、一番どりが鳴くころ〔丑(うし)の刻。今の午前二時ごろ〕を言った。**一くとう**【一×狗盗】鶏の鳴きまねをして人をだましたり、犬のまねをして物を盗んだりする卑しい者。[故事]中国の斉(せい)の孟嘗君(もうしょうくん)が秦(しん)の国に軟禁された時、食客の中の、こそどろや鶏の鳴き声をうまくまねる者などを使って脱出したという故事から。〈史記・孟嘗君伝〉

げい・めい【芸名】芸能人などが、その職業上で本名以外に使う仮の名前。

けい・もう【啓×蒙】《名・他サ》〔英 enlightenment ドイツ Aufklärung〕〔思想・学問などについて〕知識の乏しい人々を新しい知識で導き、より知的な判断ができるようにすること。「一書」[類語]啓発。

> **類義語の使い分け　啓蒙(けいもう)・啓発**
> [啓蒙・啓発] 人々を啓蒙(啓発)するすぐれた書
> [啓蒙] 各地に啓蒙運動が起こる／啓蒙思想
> [啓発] 彼の前向きの考え方に大いに啓発される

けい・やく【契約】《名・他サ》約束すること。特に、法律的に効果を発生させる目的で約束すること。また、その約束。「一を交わす」「一を結ぶ」

***けい・ゆ**【経由】《名・自サ》❶〔目的の場所に行く時〕途中で、ある地点を通過して行くこと。「ホンコンを一してインドへ行く」❷〔ある物事を行う時〕中間の手続き・機関を経ること。「庶務部を一して書類が回る」

***けい・ゆ**【軽油】❶原油を沸点〔摂氏二〇〇〜三五〇度〕で分留して得る油。重油より軽く、灯油より重い。発動機の燃料にする。石油軽油。❷コールタールを分留してとれる油。溶剤用。コールタール軽油。

げい・ゆ【鯨油】クジラの脂肉・内臓などからとった油。

***けい・よ**【刑余】〔文〕以前に刑罰を受けた身であること。前科のあること。「一の人」「一の身」

***けい・よ**【恵与】《名・他サ》〔文〕❶めぐみ与えること。❷人から物を贈られることにいう尊敬語。〔おもに手紙文などで用いる〕「御一に感謝いたします」恵贈。恵投。

***けい・よう**【京葉】東京と千葉。「一工業地帯」

***けい・よう**【形容】❶〔文〕ものの姿・形〔をあらわしたもの〕。❷《名・他サ》ものの形・ありさまをいろいろな言いまわし・たとえなどで言い表すこと。「巧みな一」**一し**【一詞】品詞の一つ。事物の性質・状態などを表す単語。用言に属し、活用を行う。言い切りの形が、口語では「白い」「美しい」のように「い」で終わり、文語では「白し」「美し」のように「し」で終わる。**一どうし**【一動詞】品詞の一つ。事物の性質・状態などを表す単語で、言い切りの形が、口語では「静かだ」のように「だ」で終わり、文語では「静かなり」「堂々たり」のように「なり」「たり」で終わる。用言に属する。

日本語

形容動詞

「静か」とか「親切」とかは形容動詞の語幹だが、これは「静かな」「親切な」のように名詞を修飾することができ、文の終止に用いるときは「静かだ」「親切だ」のように「だ」をつけた形になる。この「だ」は英語のbe動詞に当たるもので、英語のアジェクティブは、日本語の形容詞よりもこの形容動詞の方に似ている。英語のアジェクティブを形容詞と訳すならば、形容動詞こそそれに当たるものである。

形容動詞は、形容詞と異なり、連体形と終止形とで形が違い、また、「静かです」「静かでした」のような丁寧体でも自由に作ることができるので、形容詞よりも便利である。形容詞は終止形も連体形も「一い」で、形の上では区別しにくい。形容詞の丁寧体は、現在形はとにかく、過去形は作りにくい。「美しかったです」「美しいでした」はどうも落ち着かない。

形容詞はあまり増えないが、形容動詞は、「最低」「デリシャス」などと幾らでも増えていくのは、こっちの方が使い方が便利なせいもあるようだ。

*__けい・よう__【掲揚】《名・他サ》〔旗などを〕棒や塔の上などの高い所にかかげること。「国旗の―」

__けい・ら__【警×邏】《名・自サ》〔文〕警戒のため見まわること(人)。巡警。巡回。巡邏(じゅんら)。パトロール。

*__けい・らく__【京×洛】〔文〕みやこ。特に、京都。きょうらく。

*__けい・らく__【競落】《名・他サ》↓きょうらく(競落)。

*__けい・らく__【経絡】〔文〕❶物事の筋道。❷血液の流れる経路。参考 漢方で「経」は動脈、「絡」は静脈の意。

__けい・らん__【鶏卵】ニワトリのたまご。

*__けい・り__【刑吏】刑場の役人。刑の執行をする官吏。

*__けい・り__【経理】〔おさめととのえる意〕財産の管理や会計・給与などに関する事務(を処理すること)。

__けいり・し__【計理士】「公認会計士」の旧称。

*__けい・りゃく__【経略】《名・他サ》〔文〕❶国家を統治すること。❷他国の領土を攻めとり支配すること。

*__けい・りゃく__【計略】〔自分の計画を実現するためのはかりごと。「―をめぐらす」類語 謀略。策略。

*__けい・りゅう__【係留・×繫留】《名・他サ》船などを、つなぎとめること。表記「係留」は代用字。

*__けい・りゅう__【渓流】谷を流れる川。谷川の流れ。

*__けい・りょう__【計量】《名・他サ》分量・目方などをはかること。「―カップ」

*__けい・りょう__【軽量】目方が軽いこと。対 重量。

*__けい・りん__【競輪】職業選手が自転車を走らせてその速さを競う競技。また、それによって行う賭(か)け。

*__けい・りん__【経×綸】〔文〕国家を統括し治めてゆくこと。また、その方策。類語 経略。国政。政策。

__げい・りん__【芸林】〔文〕芸術家や文学者のなかま・社会。芸苑(げいえん)。

__けい・るい__【係累・×繫累】両親・妻子など面倒を見なければならない家族。

__けい・れい__【敬礼】《名・自サ》敬意を表した礼(をすること)。〔立ってする礼や挙手の礼などに多く言う〕

__けい・れき__【経歴】❶それまでに経てきた学業・職業・仕事・身分・地位などの事がら。履歴。「―に傷がつく」❷《名・自サ》〔文〕経てくること。「一〇〇年を―する」類語 来歴。

__けい・れつ__【系列】組織として統一され、つながりをもっているものごと。また、その順序。「新感覚派の―に属する」「―会社」類語 序列。系統。

__けい・れん__【×痙×攣】《名・自サ》筋肉が発作的に収縮・する(して激しく痛む)こと。

*__け・いろ__【毛色】❶髪の色。羽毛の色。毛の色。❷性質。様子。「―の変わった人」類語 けなみ。

*__けい・ろ__【経路・径路】ある物事がその目的とする所に到着するまでの筋道。「入手―」「流通―」

__けい・ろう__【敬老】老人をうやまい、いたわること。「―の精神」 __―の・ひ__【―の日】国民の祝日の一つ。老人をうやまい、その長生きを祝う日。九月第三月曜日。

__けい・ろうどう__【軽労働】体力をあまり必要としない、比較的軽度の労働。対 重労働。

__けい・ろく__【鶏×肋】〔文〕〔「ニワトリのあばら骨」の意から〕たいして役には立たないが、捨てるには惜しいもの。

__け・う__【▽希有・×稀有】《形動》他に類がなく、珍しいようす。まれなようす。「―な才能」類語 希代。希少。

__け・うと・い__【気疎い】《形》〔見たり聞いたりするのがうとましく不愉快である。いとわしい。

__け・うら__【毛裏】衣服の裏に毛のついたもの。うらけ。

__ケー・オー__【KO】ノックアウト。「―シーン」「―勝ち」▽knockout の略。

__ケーキ__(やわらかい)西洋風の生菓子。▽cake

__ケー・ケー__【KK】「株式会社」の略語。▽kabushiki と kaisha の略。

__ゲージ__ ❶長さ・太さなどを計る測定器具の総称。❷鉄道のレールの幅。軌間。❸編み物で、一定の大きさを編む基準となる目数と段数。▽gauge

__ケース__ ❶箱。入れもの。❷事例。「この事件は特殊な―です」❸〔英文法で〕格。▽case __―スタディー__ 個々の事例に基づく研究。事例研究。▽case study __―バイ・ケース__ 個々の場合に応じて、そのつど処理すること。▽case by case __―ワーカー__ 精神的・肉体的・社会的に問題を抱えた人の相談相手となって、その解決をはかる仕事を行う人。ソーシャルワーカー。▽caseworker

__ケーソン__〔土木工事の〕潜函(せんかん)。▽caisson

__ケータリング__ パーティーなどに出向いて、料理を提供したり、給仕をしたりするサービス。ケータリングサービス。▽catering

__ゲート__ 門。出入り口。▽gate __―ボール__ 日本で考案された、高齢者向けのスポーツ。五人編成の二チームで争う。木製のボールを木製のスティックで打ち、三つの門を次々とくぐらせ、ゴールポールに当てて上がりとする。▽gate と ball からの和製語。

__ゲートル__ 足首からひざまでまきつけて使う細長い巻き脚絆(きゃはん)。▽(フランス) guêtres

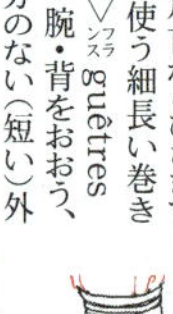
ゲートル

__ケープ__ 肩・腕・背をおおう、その部分のない(短い)外とう。主に乳児の外出着、海浜での遊び着。▽cape

__ケーブル__ ❶多数の電線を一束にして、その上を絶縁物で包んだもの。地下電線・架空線・海底電線などに用いる。❷麻・針金で作った太い綱。物を運搬する時などに用いる。索道。❸「ケーブルカー」の略。▽cable __―カー__ ❶急勾配(きゅうこうばい)の斜面にしいたレールの上を、巻揚機で鋼索を引っぱって車両を上下させる鉄道。鋼索鉄道。ケーブル。❷↓ロープウエー。▽cable car __―テレビジョン__ ↓CATV②。

__ゲーム__ ❶競技。試合。❷〔勝ち負けを争う〕あそび。「―ソフト」▽game __―セット__〔球技で〕試合が終わること。試合終了。対 プレーボール。▽game and set から。 __―センター__ いろいろなゲーム機を備えた遊戯場。参考 俗に、「ゲーセン」と略す。▽game と center からの和製語。

__け・おさ・れる__【気▽圧される】《自下一》〔「け」は接頭語〕〔相手のもつ勢い・気迫などに〕なんとなく圧倒される。勢いにおされる。「意気込みに―・れる」

__け・おと・す__【×蹴落とす】《他五》❶けって下へ落とす。❷〔自分がある地位につくため〕人をその地位から退かせる。失脚させる。「ライバルを―・す」

__け・おり__【毛織(り)】毛糸で織ってあること。毛織物。

__け・が__【▽怪我】❶〔不注意などで〕からだに傷を受けること。また、その傷。負傷。❷過ち。過失。「株で大―をする」 __―の・こうみょう__【―の功名】《連語》❶なにげなくしたことが、思いがけずよい結果になること。❷過失・災難が思いがけずよい結果を生むこと。

__げ・か__【外科】❶身体の外部の損傷や、腫瘍(しゅよう)・結石など体内の疾患を手術により治療する医学分野。❷外科①を専門とする医局・医院。[対]①②内科。

げ・かい【下界】〔天上から地上を見おろした世界の意で〕❶人間の住んでいる世界。人間界。この世。[対]上界。天上界。❷〔山や空など〕高い所から見た地上。

け・かえし【×蹴返し】(―かへし)❶相撲のきまり手の一つ。相手のくるぶしのあたりを内から外へけって手ではたきこむ技。❷歩くとき、着物のすそが開くこと。

け・かえ・す【×蹴返す】(―かへす)《他五》❶けってもとの所へもどす。❷けってひっくりかえす。けって倒す。❸けられたしかえしにける。❹もう一度ける。

け・がき【×罫書(き)・×罫▽描(き)】機械工作などで、工作材料に、加工するときの目安となる点や線の印をつけること。

けが・す【汚す・×穢す】《他五》❶清いもの、美しいものをきたなくする。よごす。「純真な心を―・す」[対]清める。❷名誉・地位にきずをつける。「家名を―・す」❸暴行などで女性の純潔をきずつける。「操を―・す男」❹実力や人格に不相応な〔高い〕地位につく。自分がある集団の一員として加わることや席に連なることを、へりくだってもいう。「重役のいすを―・す」[文]《四》。

け・がに【毛×蟹】クリガニ科のカニ。からだに短い毛がたくさんはえている。北海に多く産する。食用。

けが・まけ【▽怪我負け】《名・自サ》実力では勝つはずの相手にうっかり負けること。[対]けが勝ち。

けがらわし・い【汚らわしい・×穢らわしい】(けがらはしい)《形》きたなくて、自分までよごれるようである。「聞くのも―・い」[文]けがらは・し《シク》。

けがれ【汚れ・×穢れ】❶俗世間の悪習に染まって、心が純粋でないこと。「―を知らない子供」❷〔忌服(きぶく)・出産・月経などで〕からだが不浄になること。神仏に対してつつしむべき状態になること。「―をはらう」

けが・れる【汚れる・×穢れる】《自下一》❶きたなくなる。よごれる。❷正しさを失う。不道徳になる。「―・れた金」❸〔女性が〕貞操を失う。❹〔忌服(きぶく)・出産・月経などで〕〔精神的に〕体が不浄になる。神仏に対して慎むべき状態になる。[文]けが・る《下二》。

け・がわ【毛皮】(―がは)毛のついたままのけものの皮。衣服・敷物などに使う。「―のえりまき」

***げ・かん【下×浣・下×澣】**毎月の二一日以降。下旬。かかん。[対]上浣・中浣。

***げ・かん【下×疳】**性病の一種。陰部に潰瘍(かいよう)を生じる。「軟性―」

***げき【劇】**演劇。芝居。「―に出る」「モリエールの―」

***げき【×檄】**❶昔、中国で政府が出した、人を呼び集めるための文書。木札に書いたと言われる。❷人の攻撃・弁護や自分の主張などを書き、多くの人々に訴えて決起をうながす文書。檄文。「―を飛ばす」

***げき【×隙】**〔文〕❶すきま。すき。❷心と心の隔たり。不和。「―を生じる」❸機会。すき。「―に乗ずる」

***げき【×闃】**《形動タト》〔文〕静かでひっそりとしているようす。しんとしているようす。「会場―として声なし」

げき・えいが【劇映画】〔記録映画などに対して〕物語としての筋を持った映画。

げき・えつ【激越】《形動》〔文〕〔感情や声などが〕高ぶって荒々しいようす。「―な非難の声」[類語]激烈。

***げき・か【劇化】**《名・他サ》〔小説・事件などを〕演劇として上演できるように脚色すること。[類語]映画化。

***げき・か【激化】**《名・自サ》〔ある物事の情況、戦いなどが〕激しくなること。激化(かげき)。「―の一途をたどる」

げき・が【劇画】こっけいを中心とした漫画に対し、現実的な物語性や動的な描写を特徴とする漫画。

げき・かい【劇界】演劇の社会。演劇界。劇壇。

げき・げん【激減】《名・自サ》数・量などが急激に減ること。「人口が―する」[対]激増。

げき・ご【激語】《名・他サ》〔文〕〔興奮のあまり〕激しい口調で物を言うこと。また、その言葉。「―を放つ」

げき・こう【激×昂】《名・自サ》激しく興奮すること。いきり立つこと。激昂(げっこう)。「彼の―を買う」[表記]「激高」で代用することもある。

げき・さい【撃砕・撃×摧】《名・他サ》〔文〕〔敵を〕攻めてすっかりうちくだくこと。[類語]撃破。撃滅。

げき・さく【劇作】《名・自サ》演劇の脚本をかくこと。作劇。また、その脚本。

げき・し【劇詩】劇の形式になっている詩。叙情詩・叙事詩とともに詩の三大部門の一つ。[参考]→詩劇。

げき・しゅう【激臭・劇臭】刺激の強い不快なにおい。「―が鼻をつく」

げき・しょ【激暑・劇暑】〔文〕激しい暑さ。酷暑。

***げき・しょう【激症・劇症】**〔文〕症状がひどいこと。

***げき・しょう【激賞】**《名・他サ》非常によくほめたたえること。「―を受ける」[類語]絶賛。激賛。

***げき・じょう【劇場】**演劇や映画を見せるため客を入れる建物。シアター。

***げき・じょう【激情】**激しくわきおこる感情。また、激しくおさえにくい欲情。「―にかられる」[類語]熱情。

げき・しょく【激職・劇職】〔仕事が多く〕非常にいそがしい職務。「―につく」[類語]激務。[対]閑職。

げき・しん【激震・劇震】家が三〇パーセント以上倒れ、地われ・山くずれなどがおこるほどの、非常に激しい地震。震度七。[参考]もと使われていた名称。

げき・じん【激甚・劇甚】《形動》〔文〕〔損害・被害などの程度が〕きわめてはなはだしいようす。「―な被害」[類語]甚大。

げき・・する【激する】㊀《自サ変》〔文〕❶あらあらしくなる。激しくなる。「戦闘が―・する」❷〔気持ちが〕興奮してあらあらしくなる。「感情が―・する」❸〔波・流れなどが〕激しくつき当たる。「岩に―・する大波」㊁《他サ変》〔文〕はげます。「友を―・する」

げき・ぜつ【×鴃舌】〔文〕〔鴃(もず)のさえずりの意から〕外国人が話す意味の通じない言葉をいやしめていう語。

げき・せん【激戦・劇戦】《名・自サ》死力を尽くして激しく戦うこと。また、その戦い。「―を勝ち抜く」「―区」[類語]熱戦。熱闘。死闘。

げき・ぞう【激増】《名・自サ》数・量などが急激にふえること。「犯罪が―する」[対]激減。

げき・たい【撃退】《名・他サ》〔攻めてくる敵などを〕戦ってしりぞけること。一般に、害をなすものなどを追い払うこと。「押し売りを―する」「ゴキブリの―法」

げき・たん【激×湍】〔文〕〔岩石などにあたって〕勢いが激しく、流れのはやい瀬。「―岩をかむ」[類語]急湍。

***げき・だん【劇団】**演劇を上演する人たちの団体。

***げき・だん【劇壇】**〔演出家・劇作家・俳優など〕演劇関係者の社会。劇界。[類語]文壇。歌壇。

***げき・だん【劇談】**❶激しい談判。[表記]「激談」とも書く。❷演劇についての話。

げきちゅう・げき【劇中劇】ある劇の中でその劇の一

場面として演じる、他の劇。

げき-ちん【撃沈】《名・他サ》〔敵の軍艦・船舶を〕砲撃・爆撃・雷撃などによって沈めること。[類語]轟沈(ごうちん)。

げき-つい【撃墜】《名・他サ》〔敵の〕飛行機を撃ち落とすこと。

*__げき-つう__【劇通】演劇や演劇界の内情に明るい・こと(人)。芝居通。

*__げき-つう__【激痛・劇痛】〔たえられないほどの〕激しい痛み。「―が走る」[対]鈍痛。

げき-てき【劇的】《形動》劇の場面に現れるような、激しい感動・緊張を起こさせるようす。ドラマチック。

げき-ど【激怒】《名・自サ》激しく怒ること。また、激しい怒り。[類語]憤怒(ぬ・ふんど・ふん)。憤激。瞋恚(しんい)。

げき-とう【激闘】《名・自サ》激しく戦うこと。また、その戦い。[参考]ふつう「激戦」は軍隊などの戦いに使い、「激闘」は個人的な戦いに使う。[類語]死闘。

げき-どう【激動】《名・自サ》〔社会・人心などが〕激しく変動すること。「―する世界情勢」[類語]激変。

げき-どく【劇毒】激しい毒。猛毒。

げきと-して【×闃として】《連語》↓げき(闃)。

げき-とつ【激突】《名・自サ》激しい勢いでぶつかること。また、激しく対立すること。「与野党の―」

げき-は【撃破】《名・他サ》攻撃して相手をうち負かすこと。「敵の戦艦を―する」[類語]撃砕(げきさい)。

*__げき-はつ__【撃発】弾丸を発射するため、引き金を引いて火薬に点火すること。「―装置」

*__げき-はつ__【激発】《名・自他サ》激しい勢いで、また、つぎからつぎへと続いて・起こる(起こさせる)こと。「交通事故が―する」「怒りを―させる」

げき-ひょう【劇評】上演された演劇についての批評。

げき-ぶつ【劇物】医薬品以外で、法や政令で指定される、毒性の強い物質。クロロホルム・アンモニアなど。

げき-ふん【激憤】《名・自サ》〔文〕激しくいきどおること。また、激しいいきどおり。憤激。「不正に―する」

げき-ぶん【×檄文】〔文〕檄②。檄書(げきしょ)。

げき-へん【激変・劇変】《名・自サ》〔情勢・状態などが〕急激に変わること。「環境の―」[類語]急変。

げき-む【激務・劇務】非常にいそがしいつとめ。激しい職務。「―に耐える」「―をこなす」[類語]激職。

げき-めつ【撃滅】《名・他サ》〔敵を〕攻めて滅ぼすこと。[類語]殲滅(せんめつ)。

げき-やく【劇薬】使い方・使用量などをまちがうと生命にかかわる、激しい作用をもった薬。[類語]毒薬。

け-ぎらい【毛嫌い】(―ぎらひ)《名・他サ》〔ある人・物事などを〕はっきりした理由もなく嫌うこと。

げき-りゅう【激流】勢いの激しい(川の)流れ。「―にのまれる」[類語]急流。奔流(ほんりゅう)。

げき-りょ【▽逆旅】〔文〕〔旅人をむか(逆)える所の意から〕宿屋。旅館。

げき-りん【▽逆×鱗】〔文〕〈「―に触れる」の形で〉天子の怒りを買う。転じて、目上の人の怒りを買う。[故事]竜のあごの下に逆さに生じたうろこがあって、これにふれた者は殺されるという中国の故事による。

げき-れい【激励】《名・他サ》はげまして元気づけること。「叱咤(しった)―」[類語]鼓吹(こすい)。鼓舞(こぶ)。

げき-れつ【激烈・劇烈】《形動》非常に激しいようす。「―な争い」[類語]猛烈。強烈。熾烈(しれつ)。苛烈(かれつ)。

*__げき-ろう__【激浪】〔文〕激しく大きい波。[類語]怒濤(どとう)。狂瀾(きょうらん)。

*__げき-ろう__【▽逆浪】〔文〕さかまく波。逆浪(ぎゃくろう)。

げき-ろん【激論】《名・自他サ》互いに意見を主張し、激しく議論すること。また、その議論。「―を戦わす」

げ-くう【外▽宮】伊勢(いせ)神宮の一つである、豊受大神(とようけのおおかみ)をまつる。三重県伊勢市にある。「豊受(とようけ)大神宮」の別称。五穀の神である、豊受(とようけ)大神宮」の別称。

げ-げ【下下】もっとも下等で劣っていること。もっとも下劣なこと。下(げ)の下(げ)。「―の下(げ)(=最下等)」

げ-けつ【下血】《名・自サ》種々の内臓疾患により消化管内に出た血が肛門(こうもん)から排出されること。

*__け-げん__【化現】神仏が姿をかえてこの世に現れること。

*__け-げん__【▽怪×訝】《形動》理由やわけがわからず、いぶかるようす。「―な顔をする」[類語]不審。

け-ご【毛▽蚕】卵からかえったばかりのカイコ。長いまっくろな毛がはえている。蟻蚕(ぎさん)。

げ-こ【下戸】酒のきらいな人。酒がほとんどのめない人。[類語]甘党(あまとう)。[対]上戸。

*__げ-こう__【下向】《名・自サ》❶都から地方へ行くこと。❷神社・寺から参詣(さんけい)をすませて帰ること。

*__げ-こう__【下校】《名・自サ》〔生徒が〕学校から家に帰ること。「―時刻」[対]登校。

げ-こく【下刻】昔、一刻(現在の二時間)を上中下に三等分した最後の時刻。「午(うま)の―」[対]上刻・中刻。

げ-ごく【下獄】《名・自サ》牢獄(ろうごく)にはいって刑に服すること。[類語]入獄。入牢。

げ-こくじょう【下×剋上・下克上】〔文〕下の者が上の者を押しのけて勢力・権力をもつこと。[参考]「下が上に剋(か)つ」の意。[表記]「下克上」は代用字。

け-こみ【×蹴込(み)】❶玄関の敷台とその下の部分との間の垂直な部分。また、階段の踏み板と踏み板をつなぐ垂直の部分。❷人力車で、客が足をのせる所。

け-こ・む【×蹴込む】《他五》❶蹴って中に入れる。❷〔商売で〕元手の一部を使いこんで損失となる。

け-ごろも【毛衣・×裘】〔文〕❶毛皮で作った衣服。かわごろも。❷鳥の羽毛で作った衣服。羽衣(うい)。

け-ごん【華厳】❶「華厳経」の略。釈尊が悟りを開いてから最初の説法を記したもの。❷「華厳宗」の略。華厳経を根本とする仏教の一派。

げ-こん【下根】❶〔仏〕仏道を修行する能力が劣っている者。[対]上根・中根。❷いやしい根性。

*__けさ__【〈今朝〉】きょうの朝。今朝(こんちょう)。

*__けさ__【×袈×裟】❶〔仏〕僧が衣の上に左肩から掛ける長方形の布(ぬの)。[参考](ア)梵語 kaṣāya の音訳。(イ)「一領(いちりょう)」「一帖(いちじょう)」「一具(いちぐ)・一揃(ひとそなえ)」と数える。❷「けさがけ」の略。

―がけ【―懸け】❶〔けさ①のように〕一方の肩から他方のわきの下へ物をかけること。❷一方の肩から他方のわきにかけて切り下ろすこと。けさぎり。

げ-ざ【下座】❶《名・自サ》貴人に対して座を下がって平伏すること。❷しもざ。末座。[対]上座。❸〔芝居・寄席などで〕舞台に向かって左手の観客の目に直接ふれない場所。囃子方(はやしかた)の控える場所。また、その囃子や音楽。[表記]③は「外座」とも書く。

げ-ざい【下剤】便通をよくするために飲む薬。一時的な下痢を起こさせる。通じ薬。下し薬。「―をかける」

*__げ-さく__【下策】〔文〕へたなはかりごと。まずい策略。[類語]愚策。[対]上策。

*__げ-さく__【▽戯作】❶〔文章などを〕戯れに作ること。また、その作品。❷江戸時代の通俗的娯楽小説。洒落

本・滑稽本・人情本・読本・黄表紙の類。

げ・さん【下山】《名・自サ》❶登った山をおりること。げざん。❷修行を終えて、寺から家に帰ること。

け・し【×芥子・×罌×粟】❶ケシ科の二年草。五月ごろ、白・赤などの四弁花を開く。白花の品種の未熟な果実から阿片をとる。❷カラシナの種子。かいし。

―つぶ【―粒】ケシの種子。参考 非常に小さいもののたとえに使う。**―にんぎょう**【―人形】衣服を着せた、非常に小さい人形。**―ぼうず**【―坊主】❶外皮のままのケシの実。❷〔子供の〕頭髪を中央の部分だけ丸く残して、まわりをそったもの。けしあたま。

げ・し【夏至】二十四節気の一つ。太陽暦の六月二一日ごろ。この日、北半球では昼がいちばん長く、夜がいちばん短くなる。対 冬至。

げ・じ【下知】〔文〕❶鎌倉・室町時代の裁判の判決。また、その文。❷《名・他サ》さしずをすること。命令。表記 現代仮名遣いでは、「げぢ」も許容。＝下知。

けし・いん【消印】郵便局で、使用したしるしとしてはがき・切手に押す、日付・局名のはいった印。スタンプ。

けしか・ける【×嗾ける】《他下一》❶〔動物を〕相手に向かって攻撃するようにしむける。❷人をあおって、自分に都合のいいような行為を起こすようにしむける。「けんかを―・ける」類語 そそのかす。(る)(す)扇動。教唆。文 けしか・く《下二》。⇩〔類義語の使い分け「そそのかす」〕

けしから・ん【▽怪しからん】《連語》《「けしからぬ」の変化》道理や礼儀にはずれていて、許しがたい。不当である。よくない。「約束を破るとは―・ん」

***け・しき**【〈景色〉】山・野原・川・海など、自然を中心としたながめ。類語 風景。風光。景観。⇩〔類義語の使い分け「風景」〕

***け・しき**【気色】❶〔何かをしようとする、または何かが起ころうとする〕様子。きざし。けはい。❷〔外面にあらわれた〕態度。そぶり。特に、顔色。表情。「反省する―さえない」**―ば・む**《自五》心中の思いや怒りを表情にあらわす。「―・んで詰め寄る」

げじ・げじ【×蚰×蜒】❶「ゲジ(蚰蜒)」の通称。ゲジ科の節足動物。ムカデに似るが小形で、一五対の長い足ですばやく動く。❷きらいな人を悪く言う語。**―まゆ**【―×眉】げじげじ①の形に似た太くて濃いまゆ。

けし・ゴム【消しゴム】鉛筆などで書いたあとをこすって消すためのゴム(状のもの)。ゴム消し。

けし・ずみ【消(し)炭】まきの燠火を消して作った炭。やわらかくて、火がつきやすい。おき炭。

けし・つぼ【消(し)×壺】もえているまき・炭などをいれて消すつぼ。火消しつぼ。

けし・て【決して】《副》↓けっして。

けし・と・ぶ【消し飛ぶ】《自五》勢いよくとんでなくなる。急にすっかりなくなる。ふっとぶ。「不安が―・ぶ」

けし・と・める【消し止める】《他下一》❶火がもえ広がろうとするのを消して防ぐ。「火事を―・める」❷噂などが他に広がるのを防ぐ。「醜聞を―・める」

けじめ ある物事と他の物事の区別。特に、社会規範における善悪などの区別。「公私の―をつける」

げ・しゃ【下車】《名・自サ》電車・自動車などからおりること。「途中―」類語 降車。対 乗車。

げ・しゅく【下宿】《名・自サ》〔部屋代・食費などを払い、ある程度の長い期間を定めて〕他人の家の部屋をかりて宿泊すること。また、その家。「―屋」

け・じゅす【毛×繻子】縦糸に綿糸、横糸に毛糸を使って綾織りにした、なめらかでつやのある織物。

ゲシュタポ ドイツのナチス政権時代の秘密国家警察。ナチスに反対する者やユダヤ人の摘発に暴威をふるった。一九四五年消滅。▽ドイツ Gestapo

ゲシュタルト 部分の集合体としてではなく、一つの統一体としての機能的構造をもったものとしてとらえた枠組み。体制。形態。「―心理学」▽ドイツ Gestalt

げしゅ・にん【下手人】犯罪(特に殺人)を犯した人。〔古風な言い方〕類語 犯人。ほし。

げ・じゅん【下旬】月の二一日から末日までの約一〇日間。対 上旬・中旬。

げ・じょ【下女】炊事・雑用などをする下働きの女。〔古風な言い方〕類語 女中。下婢。対 下男。

***け・しょう**【化生】《名・自サ》❶〔仏〕四生の一つ。母胎や卵から生まれるのではなく、超自然的にいきなり生まれること。❷〔仏〕仏が形をかえて現れること。化身。❸ばけること。ばけもの。変化。

***け・しょう**【化粧】《名・自他サ》❶〔顔を美しく見せるために〕おしろい・紅などを塗ること。また、塗ったもの。「―を直す」「―を落とす」❷ものの外観を美しくかざること。「―板」**―しつ**【―室】❶化粧をするための部屋。❷洗面所。トイレ。**―ばこ**【―箱】❶化粧道具・化粧品などをしまっておく小箱。❷進物用の商品などをつめる美しくかざった箱。**―まわし**【―回し】相撲で、十両以上の力士が土俵入りに着用する、ししゅうなどで美しく飾った回し。

***げ・じょう**【下乗】《名・自サ》〔文〕❶馬・乗り物からおりること。❷神社・寺などの境内へ車馬を乗り入れることを禁じること。下馬。

***げ・じょう**【下城】《名・自サ》〔文〕城から退出すること。対 登城。

け・じらみ【毛×虱】ケジラミ科の昆虫。かぎ形の爪をもち、わきの下や陰部に寄生し、吸血する。

け・しん【化身】《名・自サ》❶〔仏〕〔民衆を救おうとして〕神仏が姿をかえて現れること。また、その姿をかえたもの。化生。❷芝居で、妖怪変化の隈取り。❸無形のものが形をとって現れること。また、その時の何かの生まれかわり。「美の―」

げ・じん【外陣】神社・寺の本殿や本堂の内部で、内陣の外にあって一般の人々が立ち入りを許される場所。外陣。参考 ↓内陣。

け・す【消す】《他五》❶火・熱・光を発しているものを発しないようにする。「つやを―・す」❷スイッチを切って、その器具の使用をやめる。「テレビを―・す」❸形を見えなくする。人目につかないようにする。「消しゴムで―・す」「姿を―・す」❹なくならせる。除き去る。また、聞こえなくする。「毒を―・す」「うわさを―・す」「録音を―・す」類語 (る)(す)抹消。消去。抹殺。❺〔俗〕殺す。「じゃま者は―・してしまえ」文《四》。

***げ・す**【下▽司】〔文〕身分の低い役人。下役人。下司。類語 小役人。

***げ・す**【下▽種・下▽衆】❶身分の低い人。❷《名・形動》心の卑しいこと(人)。「―な考え」表記 ①②は「下司」とも書く。**―ば・る**【―張る】《自五》卑しい根性をあらわす。

―の後知恵《句》愚かな者は必要なときにはいい考えが出ず、事が終わった後になってやっと考えつくということ。下種の後思案。

―の勘繰り《句》心の卑しい者は、とかく気をまわして邪推するものだということ。また、その邪推。

***げ・す**【解す】《他五》〔物事の事情を〕理解する。納得する。参考 (ア)ふつう、「―・しがたい」「―・しかねる」「―・しにくい」などの形で使う。(イ)↓げせる。文《四》。

***げす**《助動：特殊型》〔「でげす」の形で〕「です」の意を表す。「お国はどちらでげす」参考「ございます」の転。もと江戸語で、明治以降も東京下町などで、くだけた口頭語として使われた。

げ・すい【下水】❶使った後、流されるよごれた水。❷「下水道」の略。「―がつまる」対上水。―**どう**【―道】下水①を流すみぞ。下水。対上水道。

け・すじ【毛筋】❶〔一本一本の〕髪の毛。「―ほどの(=わずかの)良心もない」❷髪を櫛でとかしたあとの筋。くしあと。

ゲスト ❶パーティーなどに招かれた客。対ホスト。❷ラジオ・テレビなどの連続番組で、常連の出演者のほかに臨時に出演する人。対レギュラーメンバー。▽guest

け・ずね【毛×脛・毛×臑】毛が多く生えているすね。

けずり・ぶし【削り節】かつおぶしなどを削ったもの。調味用。

***けず・る**【削る】《他五》❶〔刃物で〕物の表面を薄くそぎとる。「鉛筆を―・る」❷〔全体を構成している中の〕一部分をとり除く。「文章の一部を―・る」「予算を―・る」類語（する）削減。削除。文《四》。

***けず・る**【×梳る】《他五》〔文〕櫛で髪をとかす。くしけずる。文《四》。

げ・せる【解せる】《自下一》《「解す」の可能形》〔物事の事情が〕理解できる。納得できる。参考 ふつう「―・せない」の形で使う。「何とも―・せない話だ」

ゲゼルシャフト〔会社・労働組合など〕共通の利益を目的として結びついた集団。利益社会。対ゲマインシャフト。▽ドイ Gesellschaft

げ・せわ【下世話】〔文〕世間で一般の人がよく口にすることわざやことば。「―にも言うとおり」

***げ・せん**【下船】《名・自サ》〔客や船員が〕乗っていた船をおりること。対乗船。

***げ・せん**【下×賤】《名・形動》身分の低いこと。「―の身」類語 卑賤。微賤。

げそ〔俗〕すし屋などで、イカの腕の部分。参考 一般には足と呼ぶので、「下足」の意からいう。

け・そう【懸想】《名・自サ》異性に思いをかけること。恋すること。〔古風なことば〕「―文」

げ・そく【下足】脱いだ履物。「―札」

け・ぞめ【毛染め】髪を染めること(薬品)。ヘアダイ。

けた【×桁】❶建造物の柱の上に横に渡して、その上のものを支える材。「―を渡す」❷数の位取り。〔助数詞的にも使う〕「五―の数」❸〔比較したときの〕規模。「―が違う」❹そろばんのたまを通してある縦の棒。

げ・た【下▽駄】❶木をくりぬいて歯を作りつけ、その台木にあけた三つの穴に鼻緒をすげた履物。❷校正刷りで、必要な活字のないときに不要な活字をさかさにして仮に入れておくもの。刷ると「〓」のようにげたの歯の形をしている。表記 ②はふつう「ゲタ」と書く。―**ばき**【―履(き)】❶下駄をはいていること。❷〔俗〕「げたばき住宅」の略。高層の集合住宅で、一階が商店や事務所、他が住宅になっているもの。

―**を預・ける**《句》相手にその事の処理を一任する。

―**を履か・せる**《句》実際より高く、または良くみせかける。水増しする。

け・たい【×懈怠】《名・自サ》〔文〕〔学問・仏道の修行などを〕なまけること。おこたること。懈怠。「―の心」類語 怠慢。怠惰。遊惰。

げ・だい【外題】❶表紙にかかげる題。特に、書名。対内題。❷歌舞伎・浄瑠璃などの標題。

け・たお・す【×蹴倒す】《他五》❶けって、倒す。❷借金を返さないままにする。ふみたおす。

け・だか・い【気高い】《形》上品でおかしがたい風がある。品格が高い。「―・い精神」類語 崇高。高潔。

け・たぐり【×蹴手繰り】相撲で、相手の足をはらうと同時に相手の手をたぐって倒す技。

***け・だし**【×蹴出し】女性が和服を着るとき、腰巻の上に重ねてつける布。すそよけ。

***けだし**【×蓋し】《副》〔文〕かなり確かであると推定して言う語。思うに。おそらく。多分。「―名言である」

け・だ・す【×蹴出す】《他五》❶けって出す。❷費用を節約して予算の余りを出す。

けたたまし・い《形》高い音や声が不意におこって騒がしい。「―・い警笛」文けたたま・し《シク》。

けた・ちがい【×桁違い】《名・形動》程度・規模などのちがいがはなはだしいこと。「―の強さ」類語 段違い。桁はずれ。格段。

げ・だつ【解脱】《名・自サ》煩悩の束縛からのがれて悟りの世界にはいること。涅槃。

け・た・てる【×蹴立てる】《他下一》❶勢いよく進んで、うしろへけるようにして土煙や波を起こさせる。❷勢いよくけるような動作をする。「席を―・てて去る」

けた・はずれ【×桁外れ】《名・形動》標準からはるかに離れていること。なみはずれ。「―に小さい」類語 桁違い。

け・だま【毛玉】毛糸の編み物などの表面の一部分が寄り集まってできる小さな玉。

け・だ・もの【▽獣】《「毛のもの」の意》❶全身が長い毛でおおわれ、四足で歩く哺乳動物。けもの。❷人としての道をわきまえない人をののしって言う語。

けた・ゆき【×桁行(き)】建物のけた①が渡されている(方向の)長さ。対梁間。

け・だる・い【気▽怠い】《形》〔からだや気分が〕何となくだるい。かったるい。「―・い夏の昼下がり」

げ・だん【下段】❶〔いくつかある段の〕下の段。❷〔武術で〕刀や槍の先を低く下げた構え。対中段・上段。

けち ❶《名・形動》物惜しみをすること(人)。しみったれ。吝嗇。❷《名・形動》みすぼらしく、価値のないこと。粗末。貧弱。ちゃち。「―な家」❸《名・形動》考え・気持ちなどがせまくいやしいこと。「―な考え」❹悪い縁起。不吉な運。「―のつき始め」

―**が付・く**《句》縁起の悪いことが起き、出足が悪くなる。

―**を付・ける**《句》❶縁起の悪いことを言って出足を悪くする。❷欠点をあげてけなす。わざと悪く言う。

げ・ち【下知】↓げじ(下知)。

けち・えん【▽結縁】〔仏〕仏道に縁を結ぶこと。結縁。

けち・がん【▽結願】〔仏〕日数を定めて行う法会・立願・修法などが終わること。満願。結願。

けち・くさ・い【けち臭い】《形》《「くさい」は接尾語》❶けちけちしている。❷〔みなり・様子などが〕みすぼらしくそまつである。「―・い宿屋」❸考え・気持ちなどがせまく、価値が低い。「―・い考えは捨てろ」

けち-けち《副・自サ》《副詞は「―と」の形も》金銭や物品を出し惜しみするようす。「―するな」

ケチャップ トマト・キノコなどを煮つめて作った調味液。ふつう、トマトケチャップをさす。▽ketchup

けちょん-けちょん《形動》〔俗〕余すところなく徹底的にやりこめるようす。「―に言いまかされる」

け-ちら・す【×蹴散らす】《他五》❶けって散乱させる。❷追い散らす。「敵を―・す」=けちらかす。

けち・る《他五》《「けち」を動詞化した語》〔俗〕けちけちする。出し渋る。「交際費を―・る」

けちん-ぼう【けちん坊】けちな人。類語 しみったれ。しわんぼう。にぎりや。吝嗇。

*__けつ__【欠・×缺】欠けること。足りないこと。不足。「三名の―」「―をおぎなう」「ガス―」表記「缺」は旧字体。

*__けつ__【決】〔ある議案などに対する〕賛成・不賛成の決定。「―をとる」

*__けつ__【穴】〔俗〕❶〔「あな」の意から転じて〕尻。❷順番などの最後。びり。どんじり。「―から五番目」参考 ①②とも、ふつう男性が使う。

―の穴が小さ・い《句》けちである。また、度量が狭い。けつの穴が狭い。

―を捲る《句》↓尻をまくる。

―を割・る《句》悪事を暴露する。尻を割る。

げつ【月】❶〈「…か―」の形で〉一年を一二等分した一期間の意を表す。「十一か―」❷「月曜日」の略。

けつ-あつ【血圧】心臓からおしだされる血液が血管の壁におよぼす圧力。「―が上がる」

けつ-い【決意】《名・他サ》自分の意志をはっきりときめること。また、その意志。決心。「引退を―する」

けつ-いん【欠員・×闕員】定員にみたないこと。また、足りない人数。「―の補充」

けつ-えき【血液】動物の体内をめぐり、栄養分・酸素を供給し、炭酸ガスなどの老廃物を運び去る液体。血漿と血球から成る。血。**―がた**【―型】赤血球中の血球凝着反応を起こす凝集原の種類によって分類した、血液の型。ABO式(A・B・AB・Oの四分類)・Rh式(+と−の二分類)などがある。

けつ-えん【血縁】〔親・兄弟など〕血筋につながりがあること。また、その人。「―関係」類語 血族。

げつ-おう【月央】〔文〕月のなかば。

*__けっ-か__【欠課】《名・自サ》授業・講義に欠席すること。

*__けっ-か__【決河】〔文〕川の水が堤防を破って勢いよく流れ出ること。「―の勢い(=猛烈な勢い)」

*__けっ-か__【結果】❶《名・自サ》〔文〕植物が実を結ぶこと。また、その結んだ実。結実。❷ある原因によってもたらされた最終の事柄・状態。「―を報告する」類語 結末。対 原因。❸《上に原因を述べる連体修飾語を受けて接続助詞的に用いて》その原因によってある事態がもたらされることを表す。「相談の―、決行と決まった」

―ろん【―論】結果だけに基づいてそのものごとの是非・善悪を論じる議論。

げっ-か【月下】〔文〕月光の下。**―びじん**【―美人】サボテン科の多肉植物。夏の夜、白色で芳香のある花がさき、早朝にしぼむ。月下香。**―ひょうじん**【―氷人】〔文〕男女の縁をとりもつ人。仲人。

*__けっ-かい__【決壊・決×潰】《名・自他サ》〔堤防などが〕破れてくずれること。また、きりくずすこと。

*__けっ-かい__【結界】〔仏〕修法を行って修行のさまたげとなるものの侵入を防ぐこと。また、その侵入を防ぐため一定の地域をきめること。「女人―(=女人禁制)」

*__けっ-かく__【欠格】必要な資格を備えていないこと。「―者」対 適格。

*__けっ-かく__【結核】結核菌によって起こる病気の総称。特に、肺結核。

げつ-がく【月額】ひと月当たりの金額。

けっか-ふざ【結×跏×趺×坐】座禅の組み方の一つ。あぐらをかき、右足を左ももの上に、左足を右ももの上に置き、足の裏を上にむける。

結跏趺坐

けつか・る《補動五》〔俗〕「…ている」をいやしめていう語。…ていやがる。「何言って―・る」文《四》。

*__けっ-かん__【欠陥】欠けてたりないところ。不備な点。「エンジンに―がある」「―商品」類語 欠点。不足。

*__けっ-かん__【血管】体内の血液がとおる管。動脈・静脈・毛細血管の総称。

けつ-がん【×頁岩】粘土が水底につみ重なってかたまった岩。板状でたいらにはがれる。泥板岩。

*__げっ-かん__【月刊】〔出版物などを〕毎月一回、定期的に刊行すること。類語 日刊。週刊。季刊。年刊。

*__げっ-かん__【月間】一か月の間。また、特別な行事などが行われる一か月間。「―の生産高」「能率向上―」

*__けっ-き__【決起・×蹶起】《名・自サ》強く決心して、新たに行動を起こすこと。「憲法を守るため国民が―する」類語 奮起。表記 もと、もっぱら「蹶起」と書いた。

*__けっ-き__【血気】むこうみずに事を行う、激しやすい意気。盛んな意気。「―にはやる」類語 若げ。はやりぎ。

―の-ゆう【―の勇】《連語》血気にかりたてられた、一時の勇気。あとさきのことを考えない勇気。

けつ-ぎ【決議】《名・他サ》〔会議で〕あることがらに対する意見を決めること。また、決定した意見や条項。「スト断行を―する」「―文」類語 議決。

*__けっ-きゅう__【結球】《名・自サ》〔キャベツなどのように〕葉が重なり合って球状になること。

*__けっ-きゅう__【血球】血液中にある球形の成分。赤血球と白血球とがある。

げっ-きゅう【月給】一か月ごとに支払われる給料。月俸。サラリー。類語 時給。日給。週給。年給。

けっ-きょ【穴居】《名・自サ》ほら穴や、地中に掘った穴にすむこと。また、その住居。

けっ-きょく【結局】━《名》❶碁の対局で、一局打ち終わること。終局。❷〔いろいろな過程を経た〕結果。結論。終わり。「―のところは失敗に帰した」━《副》〔いろいろなことを経て〕行きつくところ。あげくのはて。とうとう。結句。「―(は)仲直りした」

けっ-きん【欠勤】《名・自サ》〔病気や事故で〕勤めを休むこと。「長期―」対 出勤。

げっ-きん【月琴】薄い円形の胴に短い棹がついた、中国伝来の四弦八柱の楽器。琵琶に似ている。

けっ-く【結句】━《名》詩歌の最後の句。結びの句。━《副》けっきょく━。〔やや古風な言い方〕

け-づくろい【毛繕い】動物が、手足・舌などを使って、毛や体の部分をきれいに整えること。

*__げっ-けい__【月×桂】❶中国の伝説で月にはえていると

いう桂の木。つきのかつら。❷月。月光。**―かん【―冠】**月桂樹の枝葉でつくった冠。桂冠。参考古代ギリシアで、競技の優勝者にかぶらせた。**―じゅ【―樹】**クスノキ科の常緑高木。春、淡黄色の小さい花を開く。葉・果実はよいかおりがあり、香料にする。

***げっ-けい【月経】**成熟した女性の子宮から、約二八日の間隔で周期的に出血する現象。月のもの。メンス。

げっけい-うんかく【月×卿雲客】〔文〕公卿と殿上人。卿相雲客。

けっけい-もじ【×楔形文字】↓せっけいもじ。

けつ-ご【結語】❶結びのことば。結言。❷手紙で、結びに使うことば。「敬具・草々」の類。対頭語。

***けっ-こう【欠航】**《名・自サ》〔暴風雨などで〕定期発着の船舶・航空機などが運航を中止すること。

***けっ-こう【決行】**《名・他サ》思いきって行うこと。「スト―中」類語断行。

***けっ-こう【結構】**㊀《名》〔文〕〔結び構える意から〕物の構造・組み立て。「文章の―」㊁《形動》❶すばらしくて、申し分がないようす。「―な出来映え」❷十分満足して、それ以上必要としないようす。「ほんの少しで―です」「お小言はもう―です」㊂《副》不完全だがどうにかうまく行くようす。かなり。なんとか。相当。「―おいしい」「―通じるものだ」**―ずくめ【―▽尽くめ】**すべてがよいことばかりであること。「―のもてなし」表記現代仮名遣いでは「結構づくめ」も許容。参考婉曲に断るときにも言う。

***けっ-こう【血行】**血が体内をめぐること。血液の循環。血のめぐり。「―を良くする」「―障害」

けつ-ごう【結合】《名・自他サ》二つ以上のものが結びついて一つになること。また、一つに結び合うこと。

***げっ-こう【月光】**月の光。つきかげ。類語月明。

***げっ-こう【激×昂】**《名・自サ》↓げきこう(激昂)。

***けっ-こん【結婚】**《名・自サ》男女が夫婦になること。類語縁組。嫁入り。婿入り。嫁取り。婿取り。輿入れ。婚姻。丁寧尊敬おめでた。

***けっ-こん【血×痕】**血の(ついた)あと。

***けっ-さい【決済】**《名・他サ》〔代金や証券などの受け渡しによって〕売買の取引を終えること。「手形の―」

***けっ-さい【決裁】**《名・他サ》権限を持つ人が物事の可否を決めること。「首相の―を仰ぐ」類語裁決。

***けっ-さい【潔×斎】**《名・自サ》〔神仏に仕える前などに〕けがれを避け、欲望を絶ち、水浴して心身を清めること。精進。ものいみ。「精進―」

けっ-さく【傑作】㊀《名》〔芸術作品で〕特別すぐれたすばらしい作品。対駄作。㊁《形動》〔俗〕ひどくこっけいで愉快であるようす。「―な話じゃないか」

けっ-さつ【結×紮】《名・他サ》血管など、生物体内の管状の部分をしばりくくること。

けっ-さん【決算】《名・自サ》一定期間内の収入・支出の総計算をすること。また、その数値。「―報告」

げっ-さん【月産】一か月間の生産量・生産高。

***けっ-し【傑士】**〔文〕非常にすぐれた人物。傑物。

***けっ-し【決死】**〔ある事を行うのに〕死を覚悟すること。類語必死。

> **類義語の使い分け　決死・必死**
>
> [決死・必死]　決死(必死)の覚悟でこの大事に臨む
> [決死]　決死の勇を奮って戦う／決死隊を結成する
> [必死]　必死の抵抗を試みる／必死で修業する

けつ-じ【欠字・×闕字】❶文章中、文字が欠けていること。また、その文字。脱字。❷昔、文章の中で帝王や貴人に敬意をあらわすため、その称号の上を一字分ほどあけて書いたこと。欠如。

げつ-じ【月次】毎月(の)。「―報告」

けっ-しきそ【血色素】↓ヘモグロビン。

けつ-じつ【結実】《名・自サ》❶植物が実を結ぶこと。❷〔努力した末に〕立派な結果となって現れること。「多年の努力が―する」

けっ-して【決して】《副》《下に打ち消し・禁止の語を伴う》どんなことがあっても。断じて。けして。「御恩は―忘れません」「―疑うな」類語全く。絶対に。

けっ-しゃ【結社】何人かの人が同じ目的のために集まり、団体をつくること。また、その団体。「―の自由」

げっ-しゃ【月謝】〔教授料・指導料として〕月ごとに支払う謝礼金。

けっ-しゅ【血×腫】内出血によって、多量の血液が体内の一部分にたまってこぶのようになったもの。

けっ-しゅう【結集】《名・他自サ》ちりぢりになっているものを一つにまとめ集めること。また、まとまり集まること。「総力を―する」

げっ-しゅう【月収】月々の収入。また、その月の収入。類語日収。年収。

けっ-しゅつ【傑出】《名・自サ》他のものよりもぬきんでてすぐれていること。「―した人物」類語抜群。

けっ-しょ【血書】《名・自サ》〔決意を示すため〕自分の血で文字を書くこと。また、その文字や文書。

けつ-じょ【欠如・×闕如】❶《名・自サ》〔あるべきものが〕欠けて足りないこと。「注意力の―」❷欠字②。

***けっ-しょう【決勝】**最終的に勝負を決めること。また、その競技。**―てん【―点】**❶競走で、勝ち負けをきめる場所。ゴール。❷勝負を決める得点。注意「欠除」は誤り。

***けっ-しょう【結晶】**《名・自サ》❶〔鉱〕質が平均していて、原子の配列が規則正しい固体。また、その形をつくること。❷努力や苦労が、りっぱな結果となってあらわれること。また、そのもの。「血と汗の―」

***けっ-しょう【血×漿】**血液の成分の一つ。血液を凝固させるフィブリノーゲンを主成分とする液体。

***けつ-じょう【×楔状】**〔文〕くさびがた。

***けつ-じょう【欠場】**《名・自サ》試合や公の場に出る予定の人が出ないこと。類語休場。対出場。

げっ-しょう【月商】一か月の商取引の総額。

けっ-しょうばん【血小板】血液中の有形成分の一つ。出血時に血液を固まらせる働きをもつ。

***けっ-しょく【欠食】**《名・自サ》〔貧乏などのために〕食事を十分に取れないこと。「―児童」

***けっ-しょく【血色】**顔のいろつや。「―がよい」

***げっ-しょく【月色】**〔文〕月の色。また、月の光。

***げっ-しょく【月食・月×蝕】**太陽と月のあいだにきた地球の影の中にはいるため、月の全部または一部が欠けてみえる現象。表記「月食」は代用字。類語日食。

げっ-しるい【×齧歯類】哺乳類の一目。犬歯をもたず、先のとがった門歯が物をかじるのに適する。リス・ネズミ・ヤマアラシなど。齧歯目。

***けっ-しん【決心】**《名・他サ》ある事をしようと心を決めること。また、その決めた心。「―がつく」

＊けっ-しん【結審】《名・自サ》訴訟の審理がおわること。

けつ-じん【傑人】〔文〕とびぬけてすぐれた人。

けっ-する【決する】《自他サ変》❶〔文〕堤が切れて水が流れ出る。また、堤を切って水を流し出す。❷あることが決まる。また、あることを決める。「運命が—する」「雌雄を—する」

＊けっ-せい【結成】《名・他サ》〔有志や団体が集まって〕会・組織などをつくること。「労働組合を—する」

＊けっ-せい【血清】血液からとり出した、黄色みをおびたすんだ液体。免疫体をもつ。「—療法」「—肝炎」

けつ-ぜい【血税】❶〔血の出るような苦労をして納める税金の意で〕重く尊い税を言う語。❷〔身血を国にささげて税とする意から〕兵役義務。

げっ-せかい【月世界】月の世界。月界。

＊けっ-せき【欠席・×闕席】《名・自サ》ある集まりの席に出ないこと。また、学校などを休むこと。対出席。

—さいばん【—裁判】❶被告人が出席しない法廷で行われる刑事裁判。❷本人のいない所でその人に関係のあることを決めてしまうこと。

＊けっ-せき【結石】臓器内で、排出物・分泌物などが固まって石のようになったもの。胆石(たんせき)など。

けっ-せつ【結節】❶《名・自サ》〔文〕結ばれてふしになること。また、そのふし。❷炎症などによって皮膚や体内にできる、ふし状の硬いはれもの。

＊けっ-せん【決戦】《名・自サ》最後の勝敗を決めるために戦うこと。また、その戦い・試合。「—を挑む」

＊けっ-せん【血戦】《名・自サ》〔血みどろになって〕激しく戦うこと。また、その戦い。類語激戦。死闘。

＊けっ-せん【血栓】血管の中で血液が固まったもの。

＊けつ-ぜん【決然】《形動タルト》きっぱりと覚悟を決めるようす。「—とした態度」

＊けつ-ぜん【×蹶然】《形動タルト》〔文〕勢いよく立ち上がるようす。激しく事をおこすようす。「—として起(た)つ」

けっせん-とうひょう【決選投票】一定数以上の得票数を必要とする選挙で、必要得票数をえた者がないとき、上位二人の得票者についてもう一度行う投票。注意「決戦投票」は誤り。

けっ-そう【血相】顔いろ。顔の表情。「—を変える」

けっ-そく【結束】《名・自他サ》❶ひもなどでたばねむすぶこと。また、ひもを結ぶこと。❷同じ志をもつ者が団結すること。また、団結させること。「—をはかる」

けつ-ぞく【血族】血すじがつながっている一族。また、法的に血縁関係にある人々。「—結婚」類語血縁。

げっそり《副・自サ》《副詞は「—と」の形も》❶からだが急にやせておとろえるようす。「—(と)やせる」❷がっかりして急に元気がなくなるようす。

けっ-そん【欠損】❶《名・自サ》一部分が欠けてなくなること。❷金銭上の損失。赤字。「五万円の—」

＊けっ-たい【結滞】《名・自サ》心臓の脈搏(みゃくはく)が一時的にとまったり、不規則になったりすること。

＊けっ-たい《形動》《「希代(けたい)」の促音化》〔関西方言〕変である。おかしい。奇妙。「—な話や」

けっ-たく【結託】《名・自サ》〔悪事を行うため〕たがいに心を通じ合い力を合わせること。ぐるになること。

けっ-たん【血×痰】血液のまじったたん。

＊けつ-だん【決断】《名・他サ》迷わず自分の考えをきっぱりと決めること。また、その考え。「—を下す」

＊けつ-だん【結団】《名・他サ》〔正式に〕団体をつくること。「遠征チームを—する」「—式」対解団。

げっ-たん【月×旦】〔文〕❶月のはじめの日。ついたち。❷人物批評。月旦評。「人物—」故事後漢の許劭(きょしょう)が毎月一日に人物評をしたという故事から。

けっ-ちゃく【決着】《名・自サ》きまりがついて終わりになること。「—がつく」類語落着。

けっ-ちょう【結腸】盲腸・直腸をのぞいた、大腸の大部分をしめる部分。おもに水分を吸収する。

けっ-ちん【血沈】「赤血球沈降速度」の略。

ゲッ-ツーダブルプレー。▽get two

けっ-てい【決定】《名・自他サ》ある物事をはっきりと決めること。はっきりと決まること。「優勝が—する」「—が下される」類語確定。**—てき【—的】**《形動》そうなることが動かしがたいほど確実であるようす。「遭難は—となった」「—な証拠」**—ばん【—版】**❶それ以上に修正を必要としない正確な書物・出版物。❷同種のものの中で最高のもの。「小型車の—」**—りょく【—力】**物事を決める力。特に、サッカーなどで、シュートを決める能力。「—不足」**—ろん【—論】**(determinism)〔哲〕人間の意志・行為や事象はすべて何らかの原因によってあらかじめ決定されているとする説。必然論。

けってい-そしき【結締組織】動物の器官・組織の間を連絡・結合・支持している組織。結合組織。

けっ-てん【欠点】❶不十分なところ。短所。類語弱点。対美点。❷合格点に達しない点数。落第点。

ケット毛布。▽blanket から。

ゲット《名・他サ》❶手に入れること。「賞金を—する」❷〔アイスホッケーなどで〕得点すること。▽get

＊けっ-とう【決闘】《名・自サ》争いなどを解決するために、約束した方法で命をかけて勝負をすること。

＊けっ-とう【結党】《名・自サ》仲間をつくり党派を結ぶこと。特に、政党を正式に組織すること。対解党。

＊けっ-とう【血糖】血液中に含まれている糖類(特にぶどう糖)。「—値が高い」

＊けっ-とう【血統】祖先からの血のつながり。血すじ。

ゲットー❶ヨーロッパで、ユダヤ人が強制的に居住させられた地区。また、ユダヤ人の居住区。❷アメリカで、貧困な人々が集中して居住する(スラム化した)地区。▽イタリア ghetto

け-っ-とば-す【×蹴っ飛ばす】《他五》《「けとばす」の促音化》➡けとばす。

げつ-ない【月内】その月のうち。

けつ-にく【血肉】❶血と肉。❷〔親子・兄弟など〕血のつながったもの。血族。肉親。骨肉。「—の争い」

けつ-にょう【血尿】血のまじった尿。

ケッパー南ヨーロッパ原産のフウチョウソウ科の常緑低木。つぼみをピクルスにしたものをそのまま食べたり香辛料にしたりする。ケーパーズ。ケイパー。▽caper

けっ-ぱい【欠配】《名・自他サ》配給や給与の支給がとまること。また、とめること。

けっ-ぱく【潔白】《名・形動》心や行いが正しく、うしろ暗いところがないこと。「身の—を証明する」

けっ-ぱつ【結髪】《名・自サ》髪をゆうこと。また、ゆった髪。尊敬御髪上(おぐしあげ)。

けつ-ばん【欠番】〔連続した番号のうち〕ある番号(に当たるもの)が欠けていること。また、その番号。

けっ-ぱん【血判】〔決意・誠意などを示すため〕指先を

切って、その血で署名の下に印を押すこと。また、その印。「―状」

けつ・び【結尾】〔文〕終わり。結び。[類語]掉尾(とうび)。

けっ・ぴょう【結氷】《名・自サ》氷が張ること。また、張った氷。

げっ・ぴょう【月評】毎月、その月のできごとや作品について批評すること。また、その批評。「短歌―」

*__げっ・ぷ__ 胃の中のガスが口からでたもの。おくび。

*__げっ・ぷ【月賦】__ 代金を何回かに割って、ひと月ごとに支払うこと。月賦払い。[類語]年賦。

けつ・ぶつ【傑物】なみはずれてすぐれた人物。傑士。

けつ・ぶん【欠文・×闕文】書いてあるはずなのに、その部分だけ脱落していること。また、その文章。

げっ・ぺい【月×餅】油・クルミなどをまぜたあんを小麦粉で包んで焼いた中国の菓子。

けっ・ぺき【潔癖】《名・形動》不潔や不正などをひどく嫌うこと(性質)。「金銭に―な人」「―性(しょう)」

けつ・べつ【決別・×訣別】《名・自サ》別れること。別れ。「―の辞」[表記]「決別」は代用字。

ケッヘル・ばんごう【ケッヘル番号】一九世紀、オーストリアの音楽研究家ケッヘル(Köchel)がモーツァルトの作品を整理して、年代順につけた通し番号。ケッヘル。KまたはKVと略記される。

けつ・べん【血便】血のまじった大便。

けつ・ぼう【欠乏・×闕乏】《名・自サ》必要な物が不足すること。「資金―」「困苦―にたえる」

*__げっ・ぽう【月俸】__ 毎月の給料。月給。[類語]年俸。

*__げっ・ぽう【月報】__ 毎月の報告・通知。また、その印刷物。「文壇―」「全集の―」[類語]週報。年報。

けっ・ぽん【欠本・×闕本】一そろいの本で、ある巻が欠けていること。また、その巻。零本(れいほん)。端本(はほん)。[対]完本。

けつ・まく【結膜】まぶたの内面と眼球の表面とをおおう粘膜。「―炎」

け・つまず・く【×蹴×躓く】(―つまづく)《自五》❶歩く時、足先が物に突っかかってのめる。〔「つまずく」を強めた言い方〕❷障害があって途中で失敗する。しくじる。

けつ・まつ【結末】〔何かの結果が出る〕ものごとの終わり。最後のしめくくり。「事件の―」「―をつける」

げつ・まつ【月末】ある月の終わり。月末(つきずえ)。

けつ・みゃく【血脈】❶血管。〔古い言い方〕❷血のつながり。血統。血すじ。

け・づめ【×蹴×爪・▽距】❶キジ科の鳥の雄の足の後方にある角質の突起物。たたかいの武器になる。❷牛・馬などの足の後方にある小突起物。かけづめ。

*__けつ・めい【結盟】__《名・自サ》同盟・誓いを結ぶこと。また、結んだ同盟。

*__けつ・めい【血盟】__〔同志が〕血判などをして、たがいに固く誓うこと。「―団」

げつ・めい【月明】〔文〕月が照って明るいこと。明るい月の光。月あかり。

げつ・めん【月面】月の表面。

けつゆう・びょう【血友病】出血しやすく、また出血がとまりにくい、遺伝性の病気。

げつ・よ【月余】〔文〕ひと月あまり。「―に及ぶ」

げつ・よう【月曜】週の第二日。日曜の翌日。月曜日。

げつ・らい【月来】〔文〕数か月以来。つきごろ。

けつ・らく【欠落】《名・自サ》欠けおちること。また、不足すること。「判断力が―している」[類語]脱落(だつらく)。

げつ・り【月利】一か月単位の利率・利息。[対]年利。

けつ・りゅう【血流】血液の流れ。血液の循環。

げつ・りん【月輪】〔文〕月。[類語]日輪。

けつ・るい【血涙】〔「血の涙」の意で〕はげしい悲しみや憤りのために出る涙。「―を絞る」[類語]紅涙。

けつ・れい【欠礼】《名・他サ》つきあいの上でのあいさつなどをせずにすますこと。「喪中につき―いたします」

*__げつ・れい【月例】__ 毎月きまって(定期的に)行うこと。「―報告」

*__げつ・れい【月齢】__ ❶新月を零として数えた日数。月の満ち欠けを表す。[参考]満月は月齢一五日。❷満一歳に満たない子の、生まれてからの月の数。

けつ・れつ【決裂】《名・自サ》会議・交渉などで、意見がまとまらず物別れに終わること。「交渉が―する」

*__けつ・ろ【結露】__《名・自サ》冷えた壁などの表面に大気中の水蒸気が凝結して水滴となってつくこと。

*__けつ・ろ【血路】__ ❶敵の包囲した囲みを切り抜けてにげる道。❷困難を切り抜ける方法。活路。「―を開く」

けつ・ろう【欠漏・×闕漏】〔文〕〔必要な部分の一部が〕欠けおちていること。また、そのもの。

けつ・ろん【結論】❶《名・他サ》論議・考察の末に決定された判断(を出すこと)。「―が出る」❷〔論〕前提となる命題から導き出された判断。断案。断定。

げて・もの【下手物】❶安価で粗末な品物。[対]上手物(じょうてもの)。❷ひどく風がわりなもの。「―趣味」

*__げ・てん【下天】__ 仏教で、下層の天。特に、六欲天の下層の四王天を指す。[参考]四王天の一昼夜は人間界の五〇年に当たるとされる。

*__げ・てん【外典】__ 仏教の経典以外の書籍。外典(げでん)。[対]内典。

げ・でん【下田】やせて作物のできが悪い田地。下等な田地。[対]上田(じょうでん)。

*__け・ど__《接続》↓けれども(接続)。

*__け・ど__《接助》↓けれども(接助)。

け・とう【毛唐】〔毛深い外国人の意で〕欧米人を卑しめて言った語。[参考]「毛唐人」の略。

げ・どう【外道】❶〔仏教の信者からみて〕仏教以外の諸宗教や思想(を信じる者)。❷真理にはずれた道(を説く者)。異端。邪道。❸人の道に反する邪悪な心を持った人。人でなし。〔ののしっていう〕❹釣りで、目的の魚と違った種類の魚を釣ったときのその魚。

げ・どく【解毒】《名・自サ》体内にはいった有毒物の毒作用を、消したり弱めたりすること。「―剤」

け・とば・す【×蹴飛ばす】《他五》❶けってとばす。❷「ける」を強めた言い方。❸〔問題にせず〕拒否する。はねつける。「申し出を―・した」=けっとばす。

*__け・ども__《接続》↓けれども(接続)。

*__け・ども__《接助》↓けれども(接助)。

ケトル やかん。ケットル。▽kettle

け・ど・る【気取る】《他五》〔相手の態度やあたりのようすなどから〕ある事情に気づく。〔多く、「けどられる」の形で使う〕「敵に―・られる」

げ・な《助動：特殊型》伝聞の意を表す。…そうだ。…ということだ。「とんと昔にあったげな」「夜な夜な現れるげに言いよります」[参考]様態の接尾語「げ」+助動詞「なり」の転。室町時代に出現、明治以降も古風かつ方言的な文体で用いられる。方言としては西日本に多い。

活用語の終止形につく。

け‐な‐げ【▽健気】《形動》《「異(け)なり」+「げ」からの転》〔年齢や外見の弱さに似合わず〕勇気をもって困難な事に立ち向かうようす。「—な心構え」「—に努力する」

け‐な・す【×貶す】《他五》悪く言う。そしる。くさす。[対]ほめる。[文]《四》。⇩〔類語と表現「褒(ほ)める・貶(なけ)す」〕

け‐なみ【毛並み】❶毛のはえているぐあい。毛の並びぐあい。❷種類。性質。特に、血統・家柄・育ち・学歴などの質。「—の変わった人」「—がよい」

げ‐なん【下男】やとわれて雑用をする男。下僕。〔古風な言い方〕[対]下女。

けに《接助》〔西日本の方言〕原因・理由を表す。…から。〔終助詞的にも使う〕「私からもよう言うとくけに安心しいな」「いろんな人間のおるけに」[参考]中国・九州あたりでは、「け(え)」「けん」とも。

げ‐に【▽実に】《副》〔文〕❶現に。実際に。❷なるほど。まことに。いかにも。「—すさまじきものだ」

け‐にん【家人】❶代々仕えてきた家来・奉公人。家の子。郎等(ろうとう)。❷御家人(ごけにん)。

げ‐にん【下人】〔文〕❶身分の低い者。❷使用人。しもべ。[類語]下男。

け‐ぬき【毛抜(き)・×鑷▽子】毛・ひげ・とげなどを抜き取る道具。 —あわせ【—合(わ)せ】(あはせ)二つの物を、ふちをそろえて密接に合わせること。

げ‐ねつ【解熱】《名・他サ》高い体温をさげること。「—剤」[注意]「下熱」は誤り。

け‐ねん【懸念】《名・他サ》❶先の事がどうなるかと気がかりで不安に思うこと。また、その思い。「—を抱く」❷〔仏〕執念(しゅうねん)。執着(しゅうじゃく)。

ゲノム 個々の生物体が持つ一組の染色体。また、そこに含まれる全遺伝子。「ヒトー」▽(ドイツ) Genom

け‐ば【毛羽・×毳】❶〔こすれて〕紙や布などの表面にできる細く柔らかい毛のようなもの。けばけば。❷地図などで、山の形・傾斜・高低などを表すのに使う小さな線。

*__げ‐ば__【下馬】❶悪い馬。下等な馬。駄馬。[対]上馬(じょうめ)。❷《名・自サ》馬からおりること。下乗。❸「下馬先(げばさき)」の略。社寺・城門などの、馬を下りるべき場所。 —ひょう【—評】〔昔、下馬先で主人を待つ間に供の者がいろいろ批評をしたことから〕第三者の間で行われる批評・評判。「—に上る」

*__ゲバ__「ゲバルト」の略。「実力闘争」「実力行動」の意。「内—」「—棒」

け‐はい【気配】(—はひ)《もと「けわい」》❶周囲の状況から、そうらしいとおぼろげに察せられるようす。「春の—がする」❷株価の相場。取引の景気。きはい。

けば・い《形》〔俗〕けばけばしい。「—・い化粧だ」

けば‐けば【毛羽毛羽・×毳×毳】〔俗〕けば(毛羽)①。また、けば立っていること。「—のひも」

けばけばし・い《形》ひどくはでで人目をひくようすである。〔品がなくいやな感じの時に使う〕「—・い服装」

けば‐だ・つ【毛羽立つ・×毳立つ】《自五》〔こすれて〕布や紙などの表面に毛羽①ができる。そそける。

け‐ばり【毛×鉤】鳥の羽毛をつけて、虫のようにみせかけた釣り針。アユ・ヤマメ・イワナなどを釣るのに使う。

ゲバルト 学生運動で、実力闘争。ゲバ。▽(ドイツ) Gewalt(=力。権力。暴力)

げ‐はん【下版】《名・他サ》印刷で、校了になった組版を製版・紙型どりなどのために次の工程に移すこと。

けびい‐し【▽検非違使】平安時代初期に起こり、京中の治安・風俗・犯罪などを取りしまった官。

け‐びょう【仮病】〔病気でないのに〕病気のふりをすること。にせ病。「—を使う」

げ‐び・る【下卑る】《自上一》〈「—・びた」「—・びている」の形で〉品がなくいやしくみえる。「—・びた目つき」

げ‐ひん【下品】《形動》品がなく、いやしいようす。「—なことばを使う」[類語]粗野。[対]上品。

け‐ぶか・い【毛深い】《形》からだに毛が多くはえている。からだの毛が濃い。

*__け‐ぶり__【気振り】〔自然に外にあらわれる〕それらしいようす。そぶり。「反省の—も見せない」

*__けぶり__【▽煙・×烟】けむり。〔古風で方言的な言い方〕

けぶ・る【▽煙る・×烟る】《自五》《「けむる」の古形》→けむる。[文]《四》。

げ‐ぼく【下僕】雇われて下働きをした男。下男。[類語]召使。しもべ。

け‐ぼり【毛彫り】毛のような細い線で模様・文字などを彫ること。また、その彫り物。

げ‐ぼん【下▽品】❶〔仏〕極楽往生するときの九つの階級のうち下位の三つ、下品上生・下品中生・下品下生の総称。[参考]→九品(くほん)。❷下等なこと。下級。

ゲマインシャフト 共同社会。共同体。[対]ゲゼルシャフト。▽(ドイツ) Gemeinschaft

け‐まり【×蹴×鞠】革製のまりを数人でけって受け渡し、地面に落とさないようにする、昔の貴族の遊び。また、それに使うまり。蹴鞠(しゅうきく)。

け‐まん【華×鬘】仏前にかざる道具。金銅・革などでうちわの形をつくり、中に天女・花・鳥などの模様をすかしぼりにしたもの。

華　鬘

け‐み【毛見・▽検見】〔稲の毛を見る意から〕昔、稲の収穫前に役人が出張して、作柄をしらべ、年貢量(ねんぐ)を定めたこと。

ケミカル《造語》「化学の」「合成の」の意を表す。「—シューズ」▽chemical

けみ・する【▽閲する】㊀《他サ変》〔文〕調べて改める。検査する。「文書を—・する」㊁《自サ変》〔文〕時をすごす。「四半世紀の歳月を—・する」=閲(けみ)する。

けむ【▽煙・×烟】〔俗〕けむり。けぶ。 —に巻・く《句》大げさなことや訳の分からないことを言って相手を混乱させる。

けむ・い【煙い・×烟い】《形》けむたい①。[文]けむ・し《ク》。

けむくじゃら【毛むくじゃら】(—ぢやら・—じやら)《名・形動》〔俗〕からだに濃い毛がたくさん生えていること。

け‐むし【毛虫】❶ガやチョウの幼虫で、長い剛毛(ごうもう)をもつものの総称。葉を食害したり、人を刺したりする。[類語]青虫。芋虫。❷きらわれ者。

けむた・い【煙たい・×烟たい】《形》❶煙のために涙が出たり息苦しかったりするようすである。けむい。❷親しみがもてず、気がねする感じである。けむったい。「—・い存在」

けむたが・る【煙たがる・×烟たがる】《他五》❶煙

がけむいと思う。けむがる。「たばこを―る」❷親しめず、近づくのをさけたいと思う。「上司を―る」

けむ・だし【▽煙出し・×烟出し】❶屋内にこもった煙を外に出すための通気孔。けむりだし。❷煙突。

けむり【煙・×烟】❶物が焼ける時に出る色のついた気体。類語のろし。煙火。煙柱。煙幕。❷煙①のように見えるもの。「湯の―」

―になる《句》❶死んで火葬される。「鳥辺山の―る」❷焼けてなくなる。また、消えさってあとかたもなくなる。＝煙と化す。

けむ・る【煙る・×烟る】《自五》❶煙がたくさん出る。「たき火が―る」❷〔煙①があるかのように〕かすんで見える。かすむ。「雨に―る国道」＝けぶる。文《四》。

げ・めん【外面】〔文〕うわべ。そとがわ。特に、顔つき。顔色。外面。「―似菩薩内心如夜叉（＝顔は柔和だが、心は邪悪であるとして、仏道のさまたげになる女性を言う）」

けもの【獣】《〔毛物〕の意》けだもの。じゅう。

けもの・みち【獣道】獣が通ることによって自然にできた山中の小道。

***げ・や**【下屋】母屋に差しかけて作った小屋根。また、その下の部分。対本屋。

***げ・や**【下野】《名・自サ》〔文〕官職をやめて民間の人となること。また、政権を失って野党になること。

けやき【×欅】ニレ科の落葉高木。高さ二〇メートル以上になる。材は堅く、木目が美しい。建築・器具材用。

け・やぶ・る【×蹴破る】《他五》❶けって破る。❷勢いよくあいてを負かす。けちらす。「敵を―る」

け・やり【毛×槍】さやを鳥のはねで飾ったやり。大名行列の先頭などでやり持ちが振り歩くのに用いる。

***けら**【×啄▽木▽鳥】「きつつき」の別称。

***けら**【×螻×蛄】ケラ科の昆虫。体長三センチ前後。土中にすみ、夜活動する。農作物の根を食う。「ジー」と低い声で鳴き、俗にミミズの鳴き声とする。おけら。

ゲラ ❶活字の組版を入れるふちの浅い木製の箱。組盆。❷「ゲラ刷り」の略。校正刷り。▽galley

け・らい【家来】主君や主人に忠誠を誓って従い仕える者。特に、武家の家臣。従者。表記古くは「家礼」「家頼」などと書いた。

け・らく【▽快楽】→かいらく(快楽)。

げ・らく【下落】《名・自サ》❶物の価値・値段が下がること。対騰貴。❷等級・品格などが下がること。

けら・けら《副》《「―と」の形も》かん高い声をあげて笑うようす。

げら・げら《副》《「―と」の形も》大きな声であけっぴろげに笑うようす。

ケラチン 高たんぱく質の一種。角質。▽ドイ Keratin

***けり**〔和歌・俳句などが助動詞「けり」で終わることが多いことから〕物事の終わり。結末。しめくくり。「―が付く（＝決着する）」表記「鳧」の字をあてる。

―を付・ける《句》物事の結末をつける。終わりにする。

***けり**【×鳧】チドリ科の渡り鳥。チドリの中では最も大形で、ハトと同じぐらい。背は灰色、腹は白色。山に近い水辺にすみ、小動物をたべる。

***けり**《助動・ラ変型》文語❶過去の回想や、〔それと気づいた〕現在の事実に対する詠嘆を表す。…た(のである)。…たのだなあ。「昔、男ありけり」「赭土の山の日かげ田にげんげの花咲く見れば春たけにけり（赤彦）」❷単に過去の動作・状態を表す。…た。「その間には幾千の昆虫…飛びかひて鳴きけり（鷗外）」

げ・り【下痢】《名・自サ》便が液状または液状に近い状態になって排泄されること。腹くだし。くだりばら。

ゲリマンダー 選挙区を自分の党に有利なようにかえること。▽gerrymander

げ・りゃく【下略】《名・他サ》〔文〕あとにつづく文章・語句を略すこと。下略。対上略・中略。

ゲリラ 小人数で組織し、奇襲を行い、作戦を妨害し、敵陣を混乱させる戦法。また、その部隊・兵隊。遊撃隊。「―戦」▽スペ・英 guerrilla

け・る【×蹴る】《他五》❶〔勢いをつけて〕足で物を突きやる。また、はねとばす。類語蹴飛ばす。足蹴にする。❷〔要求や提案などを〕うけつけないではねつける。拒絶する。「申し出を―る」対のむ。

***ゲル** コロイド溶液中のコロイド粒子（＝ゾル）が流動する性質を失い、ゼリーのように固化したもの。寒天・ゼラチン・豆腐など。▽ドイ Gel

***ゲル**〔俗〕お金。参考→ゾル。「―ピン（＝一文無し）」▽ドイ Geld から。

ゲルマニウム 希元素の一つ。灰白色で、もろい結晶をなす。半導体として整流器・トランジスターなどに使う。元素記号 Ge。▽ドイ Germanium

ゲルマン ゲルマン語を用いる、金髪・青眼・長身などの特徴を持った民族。ローマ帝政期に中央ヨーロッパに住む。ドイツ民族の祖先とされる。▽ドイ Germane

ケルン 道しるべのために山頂や登山路に積み上げた石。▽cairn

げ・れつ【下劣】《名・形動》性質・態度・ものの考え方などが劣悪で品位に欠けること。「―なやり口」「品性―」類語卑劣。

***けれ・ど**《接続》→けれども(接続)。

***けれ・ど**《接助》→けれども(接助)。

***けれ・ども**《接続》《接続助詞の用法から転じたもの》しかし。だが。

***けれ・ども**《接助》《文語形容詞の已然形語尾「けれ」＋接続助詞「ども」》〔くだけた言い方では、「けれど」「けども」「けど」となる〕❶後件が、前件から予想される事柄とは、逆の展開であることを対比的に示す。また、単に、前件と後件とを対比的に示す。「確かに失敗だったけれども、絶望はしていない」「値は張るけれども、質もいい」「パリもいいけれども、ウィーンもいい」❷断りを前置きとして述べ、話の導入とするのに使う。「いつものことだけれども、実はお金がない」参考言いさしの形で、終助詞的にも使う。「何と言っていいか分かりませんけれども…」

け・れん【▽外連】❶浪花節や義太夫節などで正法を破って客に受けるように語ること。また、歌舞伎などで、俗受けするような演出や演技。「―みがない」❷ごまかし。はったり。「一点の―とてない」

ゲレンデ スキーの滑走場。▽ドイ Gelände（＝土地）

げろ ❶〔俗〕嘔吐。へど。❷《名・自サ》〔隠〕自白。〔刑事・犯人などの間で使う〕「早く―してしまえ」

ケロイド 赤みを帯びて硬い皮膚の隆起。やけど・潰瘍などの治ったあとにできるものなど。▽ドイ Keloid

***げ・ろう**【下×﨟】❶〔仏〕年功が浅く地位の低い僧。❷〔文〕一般に、官位の低い者。対①②上﨟。

***げ・ろう**【下郎】❶人に使われている、身分の低い男。類語下人。❷男をののしって言う語。類語野郎。

けろり・と《副》〔俗〕❶何事もなかったように平然とし

ているようす。「—うそをつく」❷あとかたもなく消え去るようす。「—忘れる」＝けろっと。

け・わい【気▽配】「けはい(気配)」の古い言い方。

けわし・い【険しい・×嶮しい】《形》❶〔地勢の〕傾斜が急である。「—・いのぼり道」❷荒削りでかどばっている。「—・い巌」❸〔ことば・目つき・顔つき・態度などに〕怒りを含んでいて、荒々しくきつい。きびしい。「—・い顔つき」❹危険や困難な事態が予想されるようすである。「前途は—・い」文けは・し《シク》。

*__けん__【圏】《接尾》「(ある事の及ぶ)限られた区域」「一定の範囲」の意。「勢力—」「首都—」

*__けん__【犬】《接尾》「いぬ」の意。「盲導—」「警察—」

*__けん__【軒】《接尾》❶《助数》建物を数える語。「家が五—並んでいる」❷雅号・屋号を表す。「来来—」

*__けん__ 料理のつけあわせ。さしみのつまなど。

*__けん__【件】㊀《名》事柄。事。「例の—」㊁《助数》同じものごと・事柄・事件などの数を数える語。「事故三—」

*__けん__【兼】ある・もの(役)と他の・もの(役)を兼ねること。〔接続詞的に使う〕「作家—医者」「書斎—寝室」

*__けん__【券】あることのできる資格を表示した紙片。切符。「芝居の—」参考 接尾語的にも使う。「入場—」

*__けん__【剣】❶両側に刃のある刀。もろはの刀。つるぎ。「—の使い手」類語 かたな。❷剣①を使うわざ。剣術。剣道。「—をよくする」❸銃の先につける短い刀。銃剣。❹蜂のしりにある刺し針。

*__けん__【堅】〔文〕かたい・こと(もの)。「敵の—を破る」

*__けん__【×妍】〔女性の容貌・容姿などが〕あでやかで美しいこと。「—を競う」

*__けん__【×拳】❶拳法。❷手や指でいろいろな形を表して勝負を争う遊び。じゃん拳・狐拳など。

*__けん__【権】㊀《名》〔文〕支配し従わせる力。「兵馬の—」㊁《接尾》「権利・権力」の意。「著作—」「統治—」

*__けん__【県】〔政〕日本の地方行政区画の一つ。地方公共団体の最上級のもの。「都道府—」

*__けん__【×腱】筋肉と骨とを結びつけている白い繊維性の強じんな組織。「アキレス—」

*__けん__【見】〔文〕見方。考え方。見解。「皮相の—」

*__けん__【賢】〔文〕❶《名・形動》学徳のすぐれている・こと(人)。かしこい・こと(人)。「言うところ—にして行うところ愚なり」❷〔聖(＝清酒)に対して〕濁酒。

*__けん__【×鍵】ピアノ・オルガン・タイプライターなどの、指でたたく部分。キー。

*__けん__【間】㊀《名・助数》碁盤・将棋盤の上にかいた線の目。また、その目を数える語。「一—とび」㊁《助数》尺貫法で、長さの単位。建物・土地などに用いる。ふつう一間は曲尺の六尺で、約一・八二メートル。

*__けん__【険・×嶮】❶けわしいこと。けわしい所。難所。「天下の—」❷目つき・顔つき・ことばなどに表れる、すごみやとげとげしさ。「言葉に—がある」

*__けん__《助動：特殊型》文語 過去の事実の〔原因・理由などの〕推量を表す。けむ。

*__げん__【原】《接頭》❶「もとにあったもの」「もとからあるもの」の意。「—判決」「—住民」❷〔著作などで〕「最初の姿」の意を表す。「—ファウスト」

*__げん__【現】《接頭》「現在の」「今の」の意。「—時点」

*__げん__【源】《接尾》「もと」「みなもと」の意。「資金—」

*__げん__【元】㊀《名》❶〔歴〕中国の昔の王朝の一つ。元朝。❷〔数〕方程式の未知数の数を表す語。「一—方程式」㊁《助数》中国の貨幣の単位。

*__げん__【弦】❶弓のつる。❷弓状の月の形。❸〔数〕円周上の二点を結ぶ直線。また、直角三角形の斜辺。❹〔バイオリン・ギター・琴などの〕弦楽器に張りわたした糸。表記 ④は、もともっぱら「絃」と書いた。

*__げん__【減】へること。また、へらすこと。「三割の—」「収穫—」「自然—」対 増。

*__げん__【玄】〔文〕❶赤や黄を含む黒色。❷微妙で奥深いこと。「—のまた—」❸老荘の道徳。「よく—を談ず」

*__げん__【×舷】船の側面。ふなばた。ふなべり。

*__げん__【言】〔口から出した〕ことば。言語。語句。「人の将に死なんとする其の—や善し」「—を左右にする(＝はっきりした答えをしない)」

*__げん__【験】❶修行・祈願などによるふしぎなしるし。また、一般に、ききめ。「—が現れる」❷前途のよしあしを示す物事。縁起。「—がよい」「—をかつぐ」

*__げん__【厳・×儼】《形動タルト》態度・処置などがきびしいようす。また、おごそかで動かしがたいようす。「—たる態度」「—として存在する」

けん・あく【険悪】《形動》❶道がけわしく歩きにくいようす。❷顔つき・態度などが、とげとげしいようす。「—な目つき」対 柔和。❸天候・情勢などがあぶなくて、油断のできないようす。「—な空気が漂う」

げん・あつ【減圧】《名・自他サ》圧力が減ること。また、圧力を減らすこと。

*__けん・あん__【懸案】〔会議・話題などにとりあげられながら〕まだ解決されていない問題。「—事項」

*__けん・あん__【検案】《名・他サ》〔調べただす意〕死体について、死亡の事実を確認すること。「—書」

げん・あん【原案】〔会議に提出し討議の対象となる〕最初の案。もとになる案。「—どおり実行する」

*__けん・い__【健胃】胃のはたらきをよくすること。また、胃がじょうぶなこと。「—剤」

*__けん・い__【権威】❶〔絶対的なものとして〕他をおさえ従わせる力。「—が失墜する」❷〔学問・技術などの〕ある分野においてぬきんでてすぐれた専門家。オーソリティー。「航空学界の—」類語 大家。泰斗。

げん・い【原意】もとの意味。本来の意味。原義。

*__けん・いん__【検印】❶検査した証拠として押す印。❷著者が自分が書いた書物の奥付に押す印。「—省略」

*__けん・いん__【×牽引】《名・他サ》〔文〕❶〔重いものや大きなものを〕引っぱること。引きよせること。「—車」❷大勢の人の先頭に立って引っぱって行くこと。

*__げん・いん__【原因】《名・自サ》ある物事がおこるもとになる・こと(事柄)。「—の究明」類語 起因。対 結果。

*__げん・いん__【減員】《名・自他サ》〔あることをする〕人員を減らすこと。また、減ること。対 増員。

*__げん・いん__【現員】現在の人員。現在員。

けん・うん【▽巻雲・絹雲】上層雲の一つ。うすい絹をのばしたようにみえる白雲。一〇〇キロメートルぐらいの高さにうかぶ。すじ雲。まき雲。表記「絹雲」は代用字。

げん・うん【×眩×暈】〔文〕めまい。

*__けん・えい__【兼営】《名・他サ》本業のほかに他の営業も行うこと。「—事業」

*__けん・えい__【献詠】《名・他サ》〔文〕〔宮中・神社・寺などに〕詩歌を作って献上すること。また、その詩歌。

げん・えい【幻影】〔空想や幻覚によって〕実在しないのに実在するように感じるもの。まぼろし。

*__けん・えき__【検疫】《名・自他サ》感染症のひろがるのを

防ぐため、その有無について他の地域〈特に外国〉から出入りする人や物を検診・検査すること。

***けん・えき【権益】**〈国の〉権利とそれに伴う利益。「―を守る」

***げん・えき【原液】**うすめたり他のものを混ぜたりしていない〈薬品などの〉液。もとになる液体。

***げん・えき【減益】**収益が減ること。「一億円の―」

***げん・えき【現役】**❶現在、軍務についている・こと〈軍人〉。対予備役。❷現在、ある社会の第一線で活躍している・こと〈人〉。「―の部長」❸大学受験などで、高校卒業見込みの状態で受験する・こと〈人〉。

けん・えつ【検閲】《名・他サ》国家機関が、思想の統制や治安の維持などの名目で、強制的に新聞・雑誌・映画・郵便物などの内容をしらべて、とりしまること。参考日本国憲法では、これを禁じている。

***けん・えん【嫌×厭】**《名・他サ》〔文〕きらいいやがること。嫌悪。「―の情」

***けん・えん【嫌煙】**近くで他人がたばこを吸うのを嫌うこと。「―運動」「―権」

***けん・えん【犬猿】**犬と猿(さる)。参考仲が悪いことのたとえに用いる。「―の仲」

***けん・えん【×慊×焉】**《形動タルト》〔文〕❶あきたらず思うようす。「―たるものがある」❷満足に思うようす。参考「慊」には満足と不満足の二つの意がある。②はふつう打ち消しの語を伴う。「―たらざるものがある」

げん・えん【減塩】《名・他サ》病気の治療や予防のためなどに、食物の塩分をひかえめにすること。「―食」

けん・お【嫌悪】《名・他サ》ひどくきらいいやがること。「―の情を抱く」「―感」類語憎悪(ぞうお)。注意「けんあく」は読み誤り。

げん・おう【玄奥】《名・形動》〔文〕〔ものごとの意味などが〕奥深くはかりしれないこと。

げん・おん【検温】《名・自サ》体温を計ること。

げん・おん【原音】❶外来語などの、原語での発音。❷〔再生音に対して〕もとの音。❸〔理〕基音。

***けん・か【×喧×嘩】**《名・自サ》互いに自分の主張をゆずらずに口論やなぐり合いをすること。あらそい。いさかい。「―を売る〈=けんかをしかける〉」**―ごし【―腰】**今にもけんかをはじめそうなようす。「―で物を言う」**―りょうせいばい【―両成敗】**けんかは悪いことだとして、その両方を処罰すること。**―を買・う**《句》❶しかけられたけんかの相手をする。❷他人のけんかを引き受ける。

***けん・か【堅果】**成熟すると果皮が堅くなって、裂開しない果実。カシ・クリなどの実の類。

***けん・か【献花】**神前・霊前などに花をささげること。

***けん・か【県下】**県の行政権内にある地域。県内。

***けん・か【×鹼化】**《名・自サ》エステル類が、カルボン酸とアルコールとに加水分解されること。油脂を加水分解して、グリセリンとせっけんを作る反応など。

けん・が【懸河】早く激しく流れる川。「―の勢い〈=激しい勢い〉」「―の弁〈=よどみない弁舌〉」

***げん・か【原価・元価】**❶商品や製品を製造するために使った単位当たりの費用。「―計算」❷仕入れ値。

***げん・か【弦歌・×絃歌】**〔文〕三味線・琴などをひき、歌を歌うこと。また、その音や歌。

***げん・か【現下】**〔文〕今。現在。目下。「―の情勢」

***げん・か【言下】**ものを言い終わってすぐあと。言い終わるか終わらないうち。「―に答える」「―に断る」

げん・が【原画】〔複製・印刷する〕もとの絵画。

***けん・かい【見解】**ものの見方・考え方。「―の相違」「公式―」類語所見。所存。意見。

***けん・かい【×狷介】**《名・形動》〔文〕がんこで自分の意志をまげず、人と和合しないようす。「―孤高」

***けん・がい【圏外】**ある事のできる資格・条件などの、わくの外。範囲外。「優勝の―に去る」対圏内。

***けん・がい【懸×崖】**❶〔文〕切りたったがけ。きりぎし。類語絶壁。❷盆栽などで、茎や枝が根よりも下に垂れるように作ったもの。「―づくり」

***けん・がい【遣外】**〔文〕外国へ派遣すること。

***げん・かい【厳戒】**《名・他サ》〔文〕きびしくまたは厳重に警戒すること。きびしい警戒。「―体制を敷く」

***げん・かい【限界】**それ以上〈以下〉ではありえない、ぎりぎりのさかいめ。かぎり。「能力の―にいどむ」「―状況」**―こうよう【―効用】**〔経〕ある財の消費量を増大させるとき、財の最後の一単位から得る、人間の欲望を満たし得る程度。

***げん・かい【幻怪】**《形動》〔文〕人をまどわすようなあやしいようす。不思議なようす。

***げん・がい【言外】**直接ことばに表されていない部分。「―にほのめかす」「―の意味」

***げん・がい【限外】**制限された範囲の外。「―発行」

***けん・かく【剣客】**剣術にすぐれた人。剣道の達人。剣士。剣術使い。剣客(けんきゃく)。類語剣豪。

***けん・かく【懸隔】**《名・自サ》〔文〕〔両方の程度・力などの差が〕かけはなれていること。かけへだて。へだたり。「実力に―がある」

***けん・がく【兼学】**《名・他サ》〔文〕二つ以上の学問をあわせて学ぶこと。「八宗―」類語兼修。

***けん・がく【建学】**学校を設立すること。「―の精神」

***けん・がく【見学】**《名・他サ》〔あるものについての知識を得るため〕実際に見て学ぶこと。「工場―」

***げん・かく【幻覚】**実際には存在しないのに、知覚として存在するように感じること。また、その内容。幻視・幻聴・幻触など。「―に襲われる」類語錯覚。

***げん・かく【厳格】**《形動》きびしくて、少しの誤りもおろそかにしないようす。「―な父親」「―にしつける」

***げん・がく【弦楽・×絃楽】**弦楽器で演奏する音楽。「―四重奏」

***げん・がく【減額】**《名・他サ》金額を減らすこと。「補助金を―する」対増額。

***げん・がく【×衒学】**〔文〕知識や学問のあることをひけらかすこと。「―趣味」「―的〈=ペダンチック〉な表現」

げんか・しょうきゃく【減価償却】使用したり時がたつにつれて古くなったりして生じる、固定資産の減少分を決算期ごとに償却費としてつみたてること。

けんか・しょくぶつ【顕花植物】「種子植物」の旧称。対隠花植物。

げん・がっき【弦楽器・×絃楽器】弦を振動させて音を発する楽器の総称。バイオリン、チェロ、ギター、琴など。類語管楽器。打楽器。

けん・が・みね【剣が峰】❶火山の噴火口のまわり。❷相撲で、土俵の内と外のさかいめ。❸ものごとの成功・不成功のさかいめ。「ここが勝負の―」

***けん・かん【兼官】**《名・他サ》〔文〕その人本来の官職のほかに他の官職を兼ねること。また、その官職。

***けん・かん【顕官】**〔文〕地位が高く重要な官職〈につい

ている人〕。「要路の―」類語高官。対微官。

＊けん・がん【検眼】《名・自サ》視力を検査すること。

＊げん・かん【厳寒】〔文〕きびしい寒さ。極寒。酷寒。「―の候」対厳暑。

＊げん・かん【玄関】❶建物の正面の入り口。❷〔仏〕禅寺の客殿にはいる門。転じて、禅学に入門するいとぐち。 ―ばらい【―払い】訪問客を、玄関で応対して帰すこと。また、面会せずに追い返すこと。

けん・き【嫌忌】《名・他サ》〔文〕いみ嫌うこと。

＊けん・ぎ【嫌疑】〔悪事を犯したのではないかという〕うたがい。「―を受ける」「―がかかる」類語容疑。被疑。

＊けん・ぎ【建議】《名・他サ》❶ある事に関する意見を申し立てること。また、その意見。❷旧憲法で、議会がある問題について、政府に意見や希望をのべること。また、その意見や希望。類語建言。建白。

＊げん・き【元気】[一]《名》活動のもとになる気力。「―がある」「―を出す」「―をつける」[二]《形動》❶体の状態がよくて健康なようす。「お―で何よりです」❷〔気持ちや行動が〕はつらつとしているようす。「―な子供」

＊げん・き【原器】❶同じ種類のものの標準となる器物。❷度量衡の基本・標準となる器。「キログラム―」

＊げん・き【×衒気】〔文〕自分の才能・知識などを誇り、人に見せびらかしたがる気持ち。てらい。

げん・ぎ【原義】〔あることばが〕最初に持っていた意味。本来の意義。原意。

けん・ぎかい【県議会】県の議決機関。県会。

＊けん・きゃく【健脚】《名・形動》足の力が強くよく歩けること。また、そのような足。「―を誇る」

＊けん・きゃく【剣客】→けんかく(剣客)。

けん・きゅう【研究】《名・他サ》問題となる事柄について、学問的に深く調べ考えて、その内容や理論などを明らかにすること。また、その内容。「―室」

けん・ぎゅう【×牽牛】けんぎゅう星。対織女。 ―せい【―星】わし座の首星アルタイルの漢名。織女星と天の川を隔てて一年に一回会うという七夕伝説で名高い。対織女星。

＊げん・きゅう【原級】❶進級できずにもう一度くり返す学年。「―に留め置く」❷〔英語・ドイツ語などで、比較級・最上級に対して〕形容詞・副詞の基本形。

＊げん・きゅう【減給】《名・自他サ》給料が減ること。また、給料を減らすこと。「―処分」対増給。

＊げん・きゅう【言及】《名・自サ》話の中である事柄に触れること。言い及ぶこと。「環境問題に―する」

＊けん・きょ【検挙】《名・他サ》犯罪事実を取り調べるため、容疑者を警察署へつれていくこと。

＊けん・きょ【謙虚】《形動》自分の能力・才能・知識などを誇らずへりくだってひかえめなようす。「―な態度」類語謙譲。謙遜。対横柄。傲慢。

げん・きょ【原拠】〔文〕その事柄を成立させるもとになるよりどころ。「その学説の―」

＊けん・きょう【検鏡】《名・他サ》〔文〕顕微鏡で検査すること。

＊けん・きょう【×牽強】《名・他サ》〔文〕むりにこじつけること。 ―ふかい【―付会】《名・他サ》〔文〕自分に都合がいいように、道理・事実に合わない理屈をつけること。「―の言辞」

＊けん・きょう【謙恭】《名・形動》〔文〕へりくだってうやうやしくすること。恭謙。「―な態度」

＊けん・きょう【堅強】《形動》〔文〕堅くて強いようす。「―な意志」類語堅固。

＊けん・ぎょう【兼業】《名・他サ》本業とともに他の事業をしていること。また、その事業。「―農家」

＊けん・ぎょう【検▽校・×撿×挍】昔、盲人に与えられた最高の官名。

＊けん・ぎょう【顕教】〔教義のわかりやすい仏教の意で〕密教以外の仏教をいう語。顕宗。顕教。対密教。

＊げん・きょう【元凶・元×兇】❶悪事の中心人物。❷悪い状態を作り出すもとになるもの。「公害の―」

＊げん・きょう【現況】現在の状況。現状。「―報告」

げん・ぎょう【現業】❶〔管理・事務ではなく〕工事場・作業場などで行う肉体労働。現場作業。「―員」❷国、または地方公共団体が行う公共事業。

＊げん・きょく【原曲】編曲する前の、元の曲。

＊げん・きょく【限局】《名・他サ》〔文〕内容・意味をせまく限ること。局限。

＊けん・きん【兼勤】《名・他サ》〔文〕本来の役目以外に他の役目を兼ねること。類語兼務。兼任。

＊けん・きん【献金】《名・自他サ》ある目的を援助するためにすすんで金銭を差し出すこと。また、その金銭。「政治―」類語寄付。醵金。

＊げん・きん【厳禁】《名・他サ》〔ある行為などを〕きびしく禁じること。厳重な禁止。「火気―」

＊げん・きん【現金】[一]《名》❶その時、その場にもっている金銭。有り金。「―が乏しい」❷〔小切手・手形・為替・債券・証券などでなく〕現在通用している貨幣。「―書留」❸〔経〕貨幣や、すぐ貨幣に交換できる小切手・為替などの総称。[二]《形動》利害の関係によってすぐに態度や主張を変えるようす。「―な男」

けん・ぐ【賢愚】〔文〕賢いこととおろかなこと。また、賢い人とおろかな人。

＊げん・くん【元勲】国のためになる大きな働きをした老臣。また、その勲功。「明治の―」

＊げん・くん【厳君】〔文〕他人の父の敬称。厳父。

げんげ【▽紫▽雲▽英】「れんげそう」の別称。

＊けん・けい【県警】県の警察本部。「神奈川―」

＊けん・けい【賢兄】[一]《名》〔文〕賢い兄。また、他人の兄に対する尊敬語。「―愚弟」類語大兄。対愚兄。[二]《代名》《対称の人代名詞》〔文〕男同士の間で、同輩または先輩などに対して使う敬称。〔手紙文などで用いる〕類語大兄。貴兄。

＊げん・けい【原型】〔彫像や鋳物などの〕製作物のもとになった型。「ブロンズ像の―」

＊げん・けい【原形】はじめの形。もとの形。「―をとどめない」「―を保つ」 ―しつ【―質】生物体の細胞を構成する物質類の総称。細胞質や核をつくり、細胞のあらゆる生活を支配する基礎的な物質。

＊げん・けい【厳刑】きびしい刑罰。「―に処する」

＊げん・けい【減刑】《名・自サ》❶刑罰をかるくすること。「―を嘆願する」❷恩赦の一つで、政令によって、確定している刑をかるくすること。

＊げん・けい【現形】現在の形・ありさま。

＊けん・げき【剣劇】刀剣を持って戦う場面を中心とする芝居や映画。ちゃんばら劇。剣劇物。

＊けん・げき【剣×戟】〔文〕〔「つるぎ」と「ほこ」の意から〕武器。また、それによる戦い。「―の響き」

けん・けつ【献血】《名・自他サ》輸血用の血液を無償で提供すること。参考→預血。類語売血。

*げん・げつ【弦月】上弦・下弦の月。ゆみはりづき。

*げん・げつ【限月】先物(さきもの)取引で、受け渡し期限とする(月末の)日。

けん・けん 一《名》片足とび。「―をする」「―遊び」 二《副・自サ》《副詞は「―と」の形も》態度がとげとげしいようす。「―した物言い」

*けん・げん【建言】《名・他サ》〔文〕(官庁・上司などに)ある問題についての意見を申し述べること。また、その意見。建白。類語 建議。進言。

*けん・げん【権原】ある行為を正当化する法律上の原因。権利の原因。

*けん・げん【権限】❶公的に職権・権能の及ぶ範囲。「職務―」❷〔法〕国または公共団体が、法令にもとづいて、その職権を実行することのできる範囲。

*けん・げん【献言】《名・他サ》〔文〕(目上の人に)意見を申しのべること。また、その意見。

*けん・げん【顕現】《名・自他サ》〔文〕はっきりと形に現れること。また、明らかに現すこと。「理想を―する」

*げん・げん【×舷×舷】〔文〕ふなばたとふなばた。「―相摩(ま)す(=水上での激しい戦いを言うことば)」

*げん・げん【言言】〔文〕話すことの一語一語。「―肺腑(はいふ)をつく」「―句々(=一語一句)」

けんけん・ごうごう【×喧×喧×囂×囂】《形動タルト》(たくさんの人が)やかましくさわぐようす。「―たる非難」

けんけん・ふくよう【×拳×拳服×膺】《名・他サ》〔文〕命令や訓戒などを胸中にいだき持ち、心をつくして守り行うこと。「師の教えを―する」

けん・こ【×眷顧】《名・他サ》〔文〕なさけをかけること。目をかけること。ひいき。愛顧。「―にあずかる」

けん・ご【堅固】《形動》❶しっかりしていて、簡単に動いたりくずれたりしないようす。「―な城」「志操―」❷健康で丈夫なようす。「―で暮らす」対 ①②脆弱(ぜいじゃく)。

*げん・こ【×拳固】〔俗〕にぎりこぶし。げんこつ。

*げん・こ【×儼×乎】《形動タルト》〔文〕おごそかでいかめしいようす。「―たる人生」

*げん・ご【原語】もとの語。特に、訳す前の外国語。また、外来語になる前の外国語。

*げん・ご【言語】音声(またはその代用の文字)によって、心の中で思ったり感じたりしたことを外に表したり人に伝えたりする行為。また、その手段として用いられる音声や文字。言葉。「―表現」「―明瞭(めいりょう)」 ―がく【―学】言語について、音韻(おんいん)・文字・文法・意味などの構造を地域的・歴史的・理論的に研究し、明らかにする学問。 ―に絶・する《句》あまりのはなはだしさに、ことばで言い表すことができない。言語を絶する。

*げん・ご【×諺語】〔文〕❶俗語。❷ことわざ。

*けん・こう【健康】一《名》身体や心の状態。「―診断」 二《形動》すこやかで病気などがないようす。達者。「―な精神」 ―ほけん【―保険】労働者またはその家族が病気・負傷・死亡・分娩(ぶんべん)などをした場合、その損害・出費を国や会社がおぎなう保険。健保。

*けん・こう【兼行】❶《名・自サ》二日かかる行程を(夜も歩いて)一日で行くこと。また、昼夜にわたって急いで仕事をすること。「昼夜―」❷《名・他サ》〔文〕同時に二つ以上のことをかね行うこと。

*けん・こう【権衡】〔文〕(はかりのおもりとさおの意から)つりあい。バランス。「―を保つ」

*けん・こう【軒×昂】《形動タルト》〔文〕(意気・気持ちが)奮い立つようす。「意気―」表記「軒高」で代用することもある。

けん・ごう【剣豪】剣術の達人。類語 剣客。

*げん・こう【原稿】印刷したり、口頭で発表したりするときに、そのもとになるもの。草稿。尊敬 玉稿。

*げん・こう【原鉱】鉱山から掘り出したままの、不純物を含んでいて製錬されていない鉱石。原石。

*げん・こう【現行】現在、行われていること。「―の法規」「―犯(=目の前で行われた犯罪)」

*げん・こう【言行】言ったり、それに応じて行ったりすること。ことばと行い。「―一致」「―をつつしむ」

げん・ごう【元号】年号。「―を改める」

けんこう・こつ【肩甲骨・肩×胛骨】両肩のうしろにあって・腕(前足)と胴体とを結合する骨。かいがらぼね。表記「肩甲骨」は代用字。

*けん・こく【圏谷】氷河の浸食によってできた半円状のくぼ地。カール。

*けん・こく【建国】《名・自他サ》新たに国家をつくること。肇国(ちょうこく)。類語 立国。 ―きねん・の・ひ【―記念の日】国民の祝日の一つ。建国をしのび、国を愛する心をやしなう日。二月一一日。建国記念日。

*げん・こく【原告】民事訴訟で、訴訟を起こして裁判を請求する当事者。対 被告。

*げん・こく【厳酷】《形動》〔文〕厳しくてむごいようす。「―な処罰」

けん・こつ【×顴骨】〔生理〕ほおぼね。

げん・こつ【×拳骨】にぎりこぶし。こぶし。げんこ。類語 鉄拳(てっけん)。

げんごろう【源五郎】❶ゲンゴロウ科の昆虫。だえん形で、体色は黒褐色。池や沼にすみ、肉食で養魚を害する。げんごろうむし。❷「げんごろうぶな」の略。琵琶(びわ)湖に産する大形のフナ。

けん・こん【▽乾×坤】〔文〕❶〔易で〕卦(け)の乾(=天)と坤(=地)。❷天地。❸陰陽。❹乾(いぬい)(=西北)と坤(ひつじさる)(=西南)。 ―いってき【―一×擲】〔文〕運命をかけて、いちかばちかの大勝負をやってみること。

げん・こん【現今】〔近い過去も含めた〕いま。現在。「―の世界情勢」類語 昨今。

けん・さ【検査】《名・他サ》適不適・異常の有無などを、ある基準に従って調べあらためること。点検。

けん・さい【賢才】〔文〕すぐれた才知・才能。また、それを有する人。

*けん・ざい【健在】《名・形動》❶丈夫で元気に暮らしていること。「両親とも―です」類語 壮健。❷もとのまま、十分に機能を果たしていること。「ベテラン―」

*けん・ざい【建材】建造物を作る材料。建築資材。

*けん・ざい【顕在】《名・自サ》物事がはっきりした形をとってあらわれること。「―化する」対 潜在。

げん・さい【減殺】《名・自他サ》〔文〕(程度や量を)へらすこと。また、へること。「請求額を―する」参考「殺」もへらす意。類語 削減。

*げん・ざい【原罪】(original sin)キリスト教で、アダムとイブが禁断の木の実を食べた結果、人間が生まれながらにして負わされているという罪。

*げん・ざい【現在】❶過去と未来をつなぐ時間の一点。今。また、今を含めた、ある範囲の時間。〔副詞的にも使う〕「―、生活に困っている」対 過去・未来。❷〔仏〕現世。この世。❸〔文法で〕動詞が、今の状態、

または現に行われている動作を表す形。❹《名・自サ》〔文〕現に今存在すること。「―する諸問題」 ―かんりょう【―完了】英文法などの時制の一つ。過去に起こった動作や状態などが現在に続いているものとして述べるときに用いられる。

げん・ざいりょう【原材料】〔ある製品の〕原料となる材料。

けん・ざお【間×竿】間数（けんすう）を測るのに使う、目盛りのついたさお。

*けん・さく【検索】《名・他サ》〔辞書・パソコンなどで〕それがどこに書いてあるかを調べてさがすこと。

*けん・さく【献策】《名・他サ》〔文〕計画や方策などを上の人に申し述べること。また、その計画や方策。

*けん・さく【研削】《名・他サ》砥石（といし）で工作物の表面をなめらかに仕上げること。「―盤」類語 研摩。

*げん・さく【原作】❶〔訳したり書きかえたりする前の〕もとの作品。もとの著作。❷映画・演劇の脚本のもとになった小説・戯曲など。「―に忠実な脚色」

*げん・さく【減作】作物の収穫高がふつうよりへること。また、その作柄。

*けん・さつ【検察】《名・他サ》とり調べて事情を明らかにすること。特に、犯罪をとり調べ、証拠を集めてその事実を明らかにすること。 ―かん【―官】検事総長・次長検事・検事長・検事・副検事の総称。犯罪を捜査し、公訴を行い、裁判所に法の正当な適用を請求する。 ―ちょう【―庁】検察官が行う事務を統括する役所。法務省に属する。最高検察庁・高等検察庁・地方検察庁・区検察庁の区別がある。

*けん・さつ【検札】《名・自他サ》〔列車・電車などで〕係員が乗客の乗車券などを調べること。車内改札。

*けん・さつ【賢察】《名・他サ》「推察」の尊敬語。御推察。お察し。「御―のとおり」

けん・さん【研×鑽】《名・他サ》〔文〕〔技芸・学問などを〕深くきわめようと努力を重ねること。「―を積む」

*けん・ざん【剣山】いけ花で、花を固定する道具。鉛板に太い針を多数植えつけてある。主に水盤用。

*けん・ざん【検算・験算】《名・他サ》計算をしたあとでその正誤を調べる・こと（計算）。ためし算。

*けん・ざん【見参】《名・自サ》↓げんざん（見参）。

*げん・さん【原産】ある物が最初に産出されたこと。また、最初に産出されたもの。「熱帯―の植物」「―地」

*げん・さん【減産】《名・自他サ》生産高が減ること。また、減らすこと。「冷害で大豆が―する」対 増産。

*げん・ざん【減算】《名・他サ》引き算。対 加算。

*げん・ざん【▽見参】《名・自サ》〔文〕❶目上の者が目下の者に対面・面会すること。「―に入る（＝対面させる）」❷目下の者が目上の者に対面・面会すること。「大将に―致す」＝見参（けんざん）。

*けん・し【剣士】剣道にたくみな人。剣客。

*けん・し【検使】検視①のために遣わされる使者。

*けん・し【検死・検×屍】《名・他サ》〔死亡の原因などを調べるために〕変死者の死体を調べること。検視。

*けん・し【検視】《名・他サ》❶事実を調べるため、事件の現場などを調査すること。❷検死。

*けん・し【犬歯】門歯の左右にある、上下おのおの二本の、丈の高い先のとがった歯。類語 糸切り歯。牙（きば）。

*けん・し【献詞】著者・発行者がその本を他人に献呈するために〔その本に〕書いたことば。献辞。献題。

*けん・し【絹糸】❶きぬいと。❷生糸（きいと）を精練して撚糸（よりいと）にしたもの。

*けん・し【繭糸】まゆと糸。また、まゆからとった糸。

*けん・じ【健児】〔文〕血気盛んな若い男子。類語 若人（わこうど）。若者。

*けん・じ【堅持】《名・他サ》〔ある考えや態度を〕堅く守り続けること。「公正な立場を―する」

*けん・じ【検事】❶検察官の階級の一つ。検事長の下位。❷「検察官」の旧称。 ―せい【―正】〔法〕検事の職名の一つ。地方検察庁の長官。 ―そうちょう【―総長】最高検察庁の長官。

*けん・じ【検字】漢字の字書で、求める漢字を総画数順に並べた索引。

*けん・じ【献辞】献詞（けんし）。

*けん・じ【謙辞】〔文〕へりくだっていうことば。

*けん・じ【顕示】《名・他サ》〔文〕他人にわかるようにはっきり示すこと。「―欲」

*げん・し【元始】物事のはじめ。おこり。はじまり。

*げん・し【原始】❶物事のはじめ。もと。元始。❷自然のままで進歩や変化がないこと。「―林」「―時代」「―人」類語 原生。 ―てき【―的】《形動》自然のままで進歩・発展がないようす。

*げん・し【原子】それ以上分割すると物質の特性を失う最小の粒子で、分子を組みたてているもの。一つの原子核と、その周囲をまわるいくつかの電子からできている。大きさは約一億分の一センチ。アトム。 ―かく【―核】原子の構造の中心となるもの。陽子と中性子から成る。原子の質量の大部分を占める。 ―ばくだん【―爆弾】原子核が分裂するときのエネルギーを利用した爆弾。破壊力はふつうの爆弾の数万倍。原爆。 ―ばんごう【―番号】元素の周期律表における順位を表す番号。原子核の陽子の数または核外電子の数に相当する。 ―りょく【―力】原子核の分裂や融合によって放出されるエネルギー。原子エネルギー。「―発電」 ―ろ【―炉】ウランやプルトニウムの核分裂の連鎖反応を、制御しながら行わせる装置。

*げん・し【原糸】織物の原料となる糸。

*げん・し【原紙】❶コウゾの皮を原料としてすいた厚くてじょうぶな紙。蚕卵紙に用いる。❷謄写版の原版にする、蠟（ろう）引きのうすい紙。「―を切る」

*げん・し【原詩】翻訳や改作した詩に対して、そのもとになった詩。

*げん・し【原資】❶もとで。資金。❷財政投融資のもとになる資金。

*げん・し【幻視】実際には存在しないものが存在するかのように見えること。視覚にあらわれた幻覚。

*げん・し【減資】《名・他サ》資本金を減らすこと。対 増資。

*げん・じ【源氏】❶源（みなもと）姓の氏族。❷「源氏物語」の略。また、その主人公の名。 ―ぐるま【―車】「牛車（ぎっしゃ）」の別称。御所車（ごしょぐるま）。 ―な【―名】源氏物語の巻名にちなんでつけた女官・奥女中の名。転じて、遊女や芸者などの本名以外の名。 ―ぼたる【―蛍】日本で最大のホタル。体長一・五センチから二センチ。さなぎ・幼虫・卵も光を放つ。全体は黒い。

*げん・じ【現時】〔文〕現在の時点。「―の情勢」

*げん・じ【言辞】〔文〕ことば。ことばづかい。「不穏な―を弄（ろう）する」

けん・しき【見識】❶ある物事を見通す、すぐれた判断力。識見。「—が高い」「優れた—を持つ」❷気ぐらい。みえ。自尊心。〔古い言い方〕—ばる【—張る】《自五》見識があるように見せかける。見識ぶる。

けん・じつ【堅実】《名・形動》〔考え方・行いなどが〕手堅くあぶなげのないこと。「—な考え方」[類語]着実。

＊**げん・しつ【玄室】**古墳などの、棺をおさめる部屋。

＊**げん・しつ【言質】**《「げんち」の誤読が慣用化したもの》↓げんち(言質)。

げん・じつ【現実】今、現に事実として存在している事柄。「—に即して考える」[対]理想。**—しゅぎ【—主義】**❶主義・理想・夢などを追うことなく現実を理解し、その事態に即して事を処理しようとする考え方。リアリズム。[対]理想主義。❷写実主義。**—てき【—的】**《形動》現実に即しているようす。また、目前の利益のみにかたむくようす。「—な方針」

げん・じてん【現時点】時間の流れの上での、今、この時。現在。現在の段階。「—では明言をさける」

＊**けん・しゃ【検車】**《名・他サ》電車・汽車・自動車などの車両の故障の有無を検査すること。

＊**けん・しゃ【県社】**旧制度の社格の一つ。県から奉幣した神社。国幣社の下で、郷社の上の位。

けん・じゃ【賢者】❶〔道理に通じ俗世間にまどわされない〕賢い人。賢人。「—も千慮の一失(=どんな賢者にも考え違いや失敗がある)」[対]愚者。❷仏道を修行中で、まだ悟りをひらいていない者。=賢者(けんじゃ)。

げん・しゃ【減車】《名・自他サ》車両の数をへらすこと。また、運転回数をへらすこと。[対]増車。

けん・じゃく【間尺】一間(けん)ごとにしるしをつけたなわ。けんなわ。

げん・しゃく【現尺】原物どおりの寸法。[対]縮尺。

＊**けん・しゅ【堅守】**《名・他サ》〔文〕陣地などを堅く守ること。固守。[類語]死守。

＊**けん・しゅ【賢主】**〔文〕賢明な君主。明君。

けん・じゅ【犬儒】犬儒学派の哲学者。**—がくは【—学派】**ギリシア哲学の一派。克己・禁欲による簡素な生活様式をむねとし、文明社会の制度・慣習を無視する生活態度をとった。キニク学派。

＊**げん・しゅ【元首】**国際法上、外国に対して国家を代表する人。君主国では君主、共和国では大統領。

＊**げん・しゅ【原種】**❶種をとるために植える種。品種改良以前の動植物のもとになっている、野生の動植物。[対]改良種。❷ある動植物のもとになっている、野生の動植物。品種改良以前の動植物。[対]改良種。変種。

＊**げん・しゅ【原酒】**❶どぶろく。❷醸造したままで他のものを混ぜていない日本酒。❸蒸留後、木の樽(たる)につめて一定期間貯蔵し熟成させたウイスキーの原液。

＊**げん・しゅ【厳守】**《名・他サ》〔規則・命令などを〕堅く守ること。「出勤時刻を—のこと」[類語]遵守。

＊**けん・しゅう【兼修】**《名・他サ》〔文〕二つ以上の学問や芸事を一度に習い修めること。[類語]兼学。

＊**けん・しゅう【献酬】**《名・他サ》たがいに杯をやりとりして、酒をくみかわすこと。

＊**けん・しゅう【研修】**《名・他サ》学問や技芸などを習い修めること。特に、職務に必要な知識・技能を身につけるために学習すること。「社員—」「—プログラム」

けん・じゅう【×拳銃】片手で発射できる小型で軽便な銃。短銃。ピストル。

＊**げん・しゅう【減収】**《名・自サ》収入や収穫が減ること。また、減った収入や収穫。[対]増収。

＊**げん・しゅう【現収】**現在の収入。

＊**げん・じゅう【現住】**《名・自サ》現在そこに住んでいること。「—所」

＊**げん・じゅう【厳重】**《形動》いい加減にせず、きびしい態度で物事を行うようす。「—な警戒」

げんじゅう・みん【原住民】その土地にもとから住んでいる民族。[類語]土着民。

げん・しゅく【厳粛】《形動》❶おごそかで心がひきしまるようす。「—に式を執り行う」❷〔ものごとの存在が〕きびしく動かしがたいようす。「死は—なる事実」

けん・しゅつ【検出】《名・他サ》いろいろ調べて、ある物の中にかくれまじっている(少量の)成分をとり出すこと。「井戸水から有毒物を—する」「指紋の—」

けん・じゅつ【剣術】刀剣を使って闘う武術。撃剣(げきけん)。剣法(けんぽう)。[類語]剣道。

げん・しゅつ【現出】《名・自他サ》〔文〕実際にあらわれ出ること。また、実際にあらわし出すこと。「平和な世界が—する」

げん・じゅつ【幻術】❶人の目をくらますふしぎな術。[類語]妖術(ようじゅつ)。魔術。魔法。❷奇術。

けん・しゅん【険×峻・×嶮×峻】《名・形動》〔文〕〔山や岩壁などが〕高くけわしいこと。また、その場所。

げん・しゅん【厳×峻】《名・形動》〔文〕おごそかできびしいこと。「—な審判が下る」

けん・しょ【険所・×嶮所】〔文〕けわしく危険な所。

けん・じょ【賢女】〔文〕かしこい女性。[対]愚女。

＊**げん・しょ【原初】**〔文〕物事の起こりはじめ。

＊**げん・しょ【原書】**❶写したり、改めたり、翻訳したりしたものに対して、そのもとになった本。[類語]原本。底本。❷外国語で書かれた書物。特に、欧米の書物。

＊**げん・しょ【厳暑】**〔文〕非常にきびしい暑さ。極暑(ごくしょ)。酷暑。「—の折」[対]厳寒。

＊**けん・しょう【健勝】**《名・形動》〔文〕健康がすぐれて元気であること。すこやか。〔手紙文で「御—」の形で相手・第三者の健康について言う〕「ますます御—のことと存じ上げます」[類語]清勝。清栄。

＊**けん・しょう【憲章】**〔国家などが理想として定めた〕重要な原則。「児童—」「国連—」

＊**けん・しょう【懸賞】**〔優秀な作品や正しい答えを出した人などに与えるために〕賞金や賞品をかけること。また、その賞金・賞品。「—金」「—募集」

＊**けん・しょう【検証】**《名・他サ》❶実際に物事を調べて事実を明らかにすること。❷証拠となる資料について裁判官などが直接調べること。「現場—」

＊**けん・しょう【肩章】**〔官職・階級などを示すために〕制服・礼服などの肩につける徽章(きしょう)。[類語]襟章。腕章。

＊**けん・しょう【×腱×鞘】**腱のまわりを取り巻いている鞘(さや)状の結合組織。中に滑液が入っている。**—えん【—炎】**腱鞘の炎症。化膿菌の感染や、指の過労などが原因。

＊**けん・しょう【謙称】**他人に対してけんそんした気持ちを表す言い方。「小生」「愚妻」などの類。[対]敬称。

＊**けん・しょう【顕彰】**《名・他サ》〔善行・功績などを〕(表彰して)広く世間に知らせること。「功労を—する」

＊**けん・しょう【顕正】**正しい仏の道理を明らかにあらわし示すこと。「破邪—」

＊**けん・じょう【健常】**心身に障害や異常がないこと。「—者」

＊**けん・じょう【堅城】**〔文〕守りの固い城。

*けん・じょう【献上】❶《名・他サ》〔身分の高い人に〕品物を差し上げること。「—品」類語献呈。奉呈。進上。呈上。❷「献上博多［けんじょうはかた］」の略。独鈷［とっこ］形の模様を織り出した博多織の、高級な帯地。

*けん・じょう【謙譲】《名・形動》〔文〕へりくだりゆずること。「—の美徳」類語謙遜［けんそん］。 —ご【—語】敬語の一つ。聞き手・第三者またはそれらに関する事柄に対して、話し手のへりくだった気持ちを表す語。「拙宅」「小生」「伺う(=訪問する)」の類。謙遜語。

*げん・しょう【減少】《名・自他サ》減って少なくなること。また、減らして少なくすること。対増大。増加。

*げん・しょう【現象】❶〔経験できる〕いっさいの出来事。実際に形をとって現れる物事。「自然の—」❷〔哲〕人間の感覚によってとらえられ、経験しうる対象。 —かい【—界】人間の感覚によってとらえることができる世界。 —ろん【—論】❶認識しうるのは現象だけで、本体は認識できないとする説。❷本体の存在を認めず、現象だけが実在であるとする説。

*げん・じょう【原状】変化する以前の状態・形。「—回復」

*げん・じょう【現場】現場［げんば］①。〔警察などで使う〕

*げん・じょう【現状】〔ものごとの〕現在の状態・状況。現況。「—を維持する」「—を打破する」

けんじょう・しゃ【健常者】〔身体(精神)障害者に対し〕体のはたらきがふつうである人。

*けん・しょく【兼職】《名・他サ》本務以外に、他の職務を兼ねること。また、その職務。類語兼務。兼任。

*けん・しょく【顕職】〔文〕地位の高い官職。類語要職。高官。

*げん・しょく【原色】❶いろいろな色のもとになる色。一般に、赤・青・黄の三色で、これらの組み合わせによりいろいろな色をつくることができる。参考→三原色。❷原色①またはそれに近い、強い刺激を与える色。❸〔写真・絵画などの複写で〕もとのままの色。

*げん・しょく【減食】《名・自サ》食事の量を減らすこと。「—療法」類語節食。ダイエット。

*げん・しょく【現職】❶現在ついている職。対前職。❷現在、その職についていること。類語現役。

けん・じる【献じる】《他上一》→献ずる。

*げん・じる【減じる】《自他上一》→減ずる。

*けん・しん【健診】「健康診断」の略。健康であるかないかを調べる医師の臨床検査。「定期—」

*けん・しん【検診】《名・他サ》病気にかかっているかどうかを調べるために診察すること。「結核の—をする」

*けん・しん【検針】《名・自他サ》〔ガス・水道・電気などの〕メーターの針が示す目盛りを調べること。

*けん・しん【献身】《名・自サ》〔他人やある物事のために〕自分の利害を考えず力を尽くすこと。

*けん・しん【見神】〔キリスト教で〕神の本体・示現を心に感じること。

*けん・じん【堅陣】防備の堅い陣地。「—を抜く」

*けん・じん【県人】その県の出身者。「—会」

*けん・じん【賢人】❶かしこい人。また、聖人につぐすぐれた人。賢者。対愚人。❷濁り酒のこと。賢酒。

げん・しん【原審】上訴審において上訴前に行われた裁判。「—を破棄する判決」

げん・じん【原人】現在の人類より以前に地球上にいた原始的な人類。化石人類。原始人。「北京—」

げん・ず【原図】複写・模写などの、もとになる図。

*けん・すい【建水】《「建」は水をこぼす意》茶道で、茶わんをすすいだ水を入れるうつわ。水こぼし。

*けん・すい【懸垂】❶《名・自他サ》〔文〕まっすぐに垂れ下がること。また、垂れ下げること。❷鉄棒などにぶら下がり、腕の力で体を上げ下げする運動。

*げん・すい【元帥】軍人の最高の位。参考旧陸軍・海軍の大将のうち元帥府に列せられた者に与えられた。

*げん・すい【減水】《名・自サ》水量が減ること。対増水。

*げん・すい【減衰】《名・自サ》しだいに減少してゆくこと。また、しだいにおとろえてゆくこと。

げん・すいばく【原水爆】原子爆弾と水素爆弾。

*けん・すう【件数】事件・ことがらなどの数。

*けん・すう【軒数】家の数。戸数［こすう］。

*けん・すう【間数】間［けん］(=約一・八［メートル］)を単位とした長さ。「間口［まぐち］の—は二間」

げん・すう【減数】❶引き算で、引く方の数。❷《名・自他サ》数が減ること。また、数を減らすこと。

*けん・・する【検する】《他サ変》〔文〕❶取り調べる。検査する。「数を—・する」❷取り締まる。

*けん・・する【験する】《他サ変》〔文〕❶ためす。試みる。試験する。「薬の効果を—・する」❷験算する。

けん・・ずる【献ずる】《他サ変》〔目上の人などに〕物を差しあげる。たてまつる。献上する。献じる。

*げん・・ずる【減ずる】一《自サ変》〔文〕〔数量・程度などが〕減る。減じる。二《他サ変》〔文〕❶〔数量・程度などを〕減らす。少なくする。「一〇から四を—・ずる」=減じる。「罪一等を—・ずる」❷引き算をする。

*げん・・ずる【現ずる】《自他サ変》〔文〕現れる。また、現す。現じる。「効果を—・ずる」

げん・すん【原寸】実物と同じ寸法。現尺。「—大」

げん・せ【現世】現在の世の中。この世。げんせい。参考仏教語では「げんぜ」。「—利益［りやく］(=信仰によって現実的な利益を受けること)」

*けん・せい【憲政】憲法にもとづいて行う政治。立憲政治。「—擁護」

*けん・せい【権勢】支配的な権力を持ち、それによって勢力をふるうこと。権力と威勢。「—を誇る」

*けん・せい【×牽制】《名・他サ》ある行動によって相手の気持ち・注意などを引きつけ、その自由な行動を抑えること。「走者を—する」類語抑制。妨害。

*けん・せい【県勢】県の政治・文化・経済・人口などの総合的な状態。「—総覧」

*けん・せい【県政】県の行政。「—要覧」類語都政。市政。町政。

*げん・せい【原生】発生したままで進化や変化などをしていないこと。 —どうぶつ【—動物】単一細胞からなる最下等の動物。アメーバ・ゾウリムシなど。原虫。対後生動物。 —りん【—林】太古以来、人手の加えられていない、自然のままの森林。原始林。

*げん・せい【厳正】《名・形動》〔行為・行動などが〕きびしく公正なこと。「—に審査する」「—中立」

*げん・せい【現世】→現世［げんせ］。

*げん・せい【現勢】〔文〕現在の勢力または情勢。

げん・ぜい【減税】《名・他サ》税金の額を減らすこと。対増税。

けん・せき【×譴責】《名・他サ》❶〔文〕〔悪い行為・過失を〕とがめ責めること。❷「戒告」の旧称。「—処分」

*げん・せき【原石】❶原料となる鉱石。原鉱。❷加工する前の宝石。「ダイヤモンドのー」

*げん・せき【原籍】❶転籍する以前の籍。もとの籍。❷本籍。

*げん・せき【言責】〔文〕自分の言ったことばに対する責任。「ーを果たす」類語 文責。

けんせき・うん【▽巻積雲・絹積雲】上層雲の一つ。五～一三キロの高さに斑点(はんてん)のように浮かぶ雲。いわし雲。うろこ雲。さば雲。表記「絹積雲」は代用字。

*けん・せつ【兼摂】《名・他サ》〔文〕本来の職務のほかに他の職務を兼ね行うこと。兼任。

*けん・せつ【建設】《名・他サ》❶〔大きな組織を〕新しくつくり上げること。「文化国家をーする」❷建物を築くこと。類語 建造。 ーてき【ー的】《形動》物事をよくしていこうとするようす。「ーな意見」対 破壊的。

けん・ぜつ【懸絶】《名・自サ》〔文〕〔程度が〕他と非常にかけはなれていること。隔絶。「ーした実力」

げん・せつ【言説】〔文〕ことばで述べられた考えや意見。「不穏当なーを弄(うろ)する」

*けん・ぜん【健全】《名・形動》❶〔精神や肉体が〕すこやかで異常がないこと。❷〔思想・物事の〕状態が偏らず正常で、あぶなげないこと。「ーな財政」 ーか【ー化】《名・他サ》健全な状態にすること。「経営のー」

*けん・ぜん【顕然】《形動タルト》〔文〕はっきりとしているようす。「責任の所在はーとしている」対 隠然。

*げん・せん【厳選】《名・他サ》〔ある規定・基準に従って〕きびしく選ぶこと。「作品をーする」

*げん・せん【源泉・原泉】❶水のわき出るみなもと。❷物事の起こるみなもと。「生命力のー」類語 ①②源流。 ーかぜい【源泉課税】所得税に対する課税で、給料、株式の配当、印税などの所得に対し、天引きにして納税するもの。源泉徴収制度。

*げん・ぜん【現前】《名・自サ》目の前に・ある〔現れる〕こと。「ーする諸問題」「ーの事実」

*げん・ぜん【厳然・×儼然】《形動タルト》おごそかで、いかめしく動かしがたいようす。「ーたる事実」

けん・そ【険阻・×嶮×岨】《名・形動》〔山・道などが〕けわしいこと。また、その場所。

げん・そ【元素】ある一つの原子番号を有する原子のみからなる物質。どんな化学的手段によってもそれを二種以上のものに分解できない。化学元素。 ーきごう【ー記号】元素の種類を表す記号。H(=水素)、O(=酸素)の類。原子記号。

*けん・そう【×喧×噪・×喧騒】《名・形動》さわがしいこと。やかましいこと。「ーの巷(ちまた)」

*けん・そう【険相】《名・形動》すごみのある顔つき。険悪な人相。また、顔つきがけわしいこと。

けん・ぞう【建造】《名・他サ》〔建物・船舶など大きなものを〕つくること。類語 建築。建設。

*げん・そう【幻想】《名・他サ》〔現実に起こりそうもないことを〕とりとめもなく想像すること。また、想像されたもの。「ーを抱く」類語 妄想。 ーきょく【ー曲】次々と浮かんでくる楽想をもとにして、自由な形式でかかれた器楽曲。ファンタジア。ファンタジー。 ーてき【ー的】《形動》現実から離れて、物語や空想の世界にいるような感じがするようす。ファンタジック。ファンタスティック。「ーな物語」

*げん・そう【×舷窓】〔文〕船体の側面に付けた小窓。

*げん・ぞう【幻像】実際には存在しないのに、あたかも存在するように見える形・姿。類語 まぼろし。幻影。

*げん・ぞう【現像】《名・他サ》写真で、感光させたフィルム・乾板などを薬品で処理して画像を現すこと。

けんそう・うん【▽巻層雲・絹層雲】上層雲の一つ。高空一面にひろがり、太陽や月をおおって暈(かさ)をつくる。氷の結晶から成る。うす雲。表記「絹層雲」は代用字。

けん・そく【検束】《名・他サ》❶〔文〕自由な行動や欲求などを抑制して慎むこと。❷〔法〕もと、社会の秩序をみだすおそれのある者、保護を必要とする者などを行政権によって連行し、一時とどめておいたこと。

けん・ぞく【×眷属・×眷族】〔文〕❶親族。一族。「一家ー」❷配下の者。家の子。郎等。

*げん・そく【原則】〔特別な場合を除き〕大部分の場合に適用される基本的な規則・法則。本来的な規則。「民主主義のー」「ーとして」

*げん・そく【減速】《名・自他サ》〔動いているものの〕速力が落ちること。また、速力を落とすこと。対 加速。

*げん・そく【×舷側】〔文〕船の側面。ふなばた。

げん・ぞく【▽還俗】《名・自サ》僧侶(そうりょ)・尼僧が僧籍を離れて、俗人にかえること。復飾(ふくしょく)。

けん・そん【謙×遜】《名・自サ・形動》へりくだること。ひかえめにふるまうこと。類語 謙譲。謙虚。恭謙。

*げん・そん【厳存・×儼存】《名・自サ》〔文〕厳として確かに存在すること。「事実がーする」

*げん・そん【減損】《名・自他サ》〔文〕減ること。また、減らすこと。「価値のー」

*げん・そん【玄孫】〔文〕孫の孫。やしゃご。

*げん・そん【現存】《名・自サ》現実に存在すること。現在あること。現存(げんぞん)。「ーする人」

*けん・たい【×倦怠】《名・自サ》❶あきていやになること。「ー期」類語 退屈。倦惰(けんだ)。アンニュイ。❷心身が疲れてけだるいこと。「ー感」類語 疲労。

*けん・たい【兼帯】《名・他サ》〔文〕❶一つの物で二つ以上の用をたすこと。兼用。「朝食ーの昼食」❷二つ以上の職務を兼ねること。兼任。兼務。

*けん・たい【検体】科学的に分析・検査しようとする対象になる物。

*けん・たい【献体】《名・自サ》死後、遺体を無報酬で医学生の解剖実習に使わせるように約束すること。

*けん・だい【兼題】和歌・俳句の会などで、題を前もって出しておくこと。また、その題。対 即題。席題。

*けん・だい【献題】献詞(けんし)。

*けん・だい【見台】「書見台」の略。書物を載せて読むための台。また、謡曲・浄瑠璃(じょうるり)などを語るとき譜面・台本などを置く台。

*けん・だい【賢台】〔文〕同輩またはそれ以上の人に対する尊敬語。あなた様。貴台。尊台。〔手紙文などで用いる〕

*げん・たい【原隊】〔軍隊で〕入隊して最初に配属された部隊。「ーへ復帰する」

*げん・たい【減退】《名・自サ》〔意欲や体力が〕減りおとろえること。「食欲がーする」対 増進。

*げん・だい【原題】〔翻訳したり改めたりした題に対して〕そのもとになった題。

*げん・だい【現代】❶今の世。現今。❷時代区分の一つ。日本史では、太平洋戦争以後現在までの時代。参考 広義には明治維新以後をさす。 ーかなづかい【ー〈仮名〉遣(い)】現代語音に基づいて現代語を

かなで書き表す時の準則。昭和二一年一一月、内閣告示によって定められた。昭和六一年七月に現代語の音韻に従って書き表す旨、改定された。新かなづかい。対歴史的かなづかい。 **ーてき【ー的】**《形動》現代にふさわしいようす。当世ふう。「ーな生活」

げん・たいけん【原体験】 その人の、以後の思想を支配するほどの重要な体験。

けん・だか【権高・見高】《形動》気位が高く、相手を見下すような態度で対するようす。「ーに出る」

げん・だか【現高】 現在ある、数量・金額。現在高。

げん・たつ【厳達】《名・他サ》〔文〕命令などを絶対に守るようにきびしく通達すること。また、その通達。

けん・だま【剣玉・×拳玉】 両端を皿のようにくりぬいた胴体につき通した柄の一方をとがらせ、他の一方をくぼませ、それに穴をあけた木の球を糸で結びつけた玩具。球を皿のようなくぼみに受けとめたり、棒の先を球の穴につきさしたりして遊ぶ。日月ボール。

***けん・たん【健×啖】**《名・形動》食物をたくさん(気持ちよく)食べること。「ー家」

***けん・たん【検×痰】**《名・自サ》菌、おもに結核菌の有無を調べるため、痰の検査をすること。

***げん・たん【厳探】**《名・他サ》〔文〕きびしくさがすこと。

***げん・たん【減反・減▽段】**《名・自他サ》農作物の作付面積を減らすこと。「米のー」対増反。

げん・だん【厳談】《名・他サ》〔文〕手きびしく談判すること。また、その談判。「ーに及ぶ」

***けん・ち【検知】**《名・他サ》検査して、成分・混入物などの有無や量を知ること。「有毒ガスをーする」 **ーき【ー器】** 検知に用いる機器。センサー。

***けん・ち【検地】**《名・他サ》近世、年貢高などの算定のために、田畑の面積・境界・地味のよしあしなどを測量・検査したこと。竿入れ。縄入れ。「太閤ー」

***けん・ち【×硯池】** すずりの、水をためるくぼみ。

***けん・ち【見地】** ❶物事を観察・判断する場合のよりどころとなる立場。観点。「教育的なーから発言する」 ❷《名・他サ》〔文〕土地を検分すること。

***けん・ち【軒×輊】**《名・自サ》〔文〕あがりさがり。上下。高低。また、優劣。参考「軒」は車の前が高く上がる意。「輊」は車の前が低く下がる意。

***げん・ち【現地】** ❶自分が現在いる土地。当地。❷ある事が実際に現在行われている場所。また、現在話題になっている場所。現場。「ーへ急行する」

***げん・ち【言質】** のちの証拠となることば。ことばじち。言質。「ーを取る」

けん・ちく【建築】《名・他サ》建物・橋など、建造物をつくること。また、建てられた物。「木造ー」類語 建設。造営。普請。

けん・ちじ【県知事】 県の行政上の最高責任者。

けん・ちゃ【献茶】《名・自サ》神仏に茶をそなえること。また、その茶。

けん・ちゅう【繭×紬・絹×紬】 柞蚕(=山まゆ)の糸で織った薄茶色の絹織物。布団・衣服などに用いる。

***げん・ちゅう【原注・原×註】** 本が書かれた時につけられた注釈。原本にある注。対訳注。

***げん・ちゅう【原虫】** 原生動物。

けん・ちょ【顕著】《形動》〔物事の程度や状態が〕他とくらべてきわ立ってめだつようす。「ーな効果」

げん・ちょ【原著】〔翻訳や改作をした作品に対して〕もとになった著作。原作。

***けん・ちょう【堅調】** ❶堅実な調子。❷相場が値上がりする調子(にあること)。参考↓強調③。対軟調。

***けん・ちょう【県庁】** 県知事を長とする、県の行政事務を処理する役所。

げん・ちょう【幻聴】 実際には音がしていないのに、音が聞こえるように感じること。

けん・ちん【▽巻▽繊】(「ちん」は「繊」の唐音)❶豆腐・ニンジン・ゴボウ・シイタケなどを油でいため、酒・みりん・しょうゆなどで味をつけた料理。❷「けんちん汁」の略。けんちん①を具にしたすまし汁。

げん・つき【原付き】 原動機がついていること。「ー自転車」

けん・つく【剣突】〔俗〕あらっぽく叱りつけること。ひどい小言。「ーを食う」表記「剣突」は当て字。

***けん・てい【検定】**《名・他サ》ある基準を定めて検査し、合否などをきめること。「学力ー」類語 査定。

***けん・てい【献呈】**《名・他サ》〔文〕〔目上の人などに〕物をさしあげること。「ー本」類語 献上。進呈。謹呈。

***けん・てい【賢弟】** 一《名》〔文〕❶かしこい弟。対愚弟。❷他人の弟に対する尊敬語。類語 令弟。二《代名》《対称の人代名詞》〔文〕年下の男性に対する尊敬語。〔手紙文で男性が使う〕

***げん・てい【×舷×梯】**〔文〕乗り降りするため、船の側面に設けるはしご。ふなばしご。タラップ。

***げん・てい【限定】**《名・他サ》〔物事の範囲・数量などを〕限り定めること。「議題を人事問題にーする」

***けん・てき【×涓滴】** 水のしたたり。「ー岩をうがつ(=努力を続ければどんな困難なことでもなしとげられる)」

***けん・てき【×硯滴】**〔文〕❶すずりにたらす水のしずく。すずりの水。❷すずりの水さし。

けん・てつ【賢哲】〔文〕❶賢人と哲人。❷賢明で道理に通じている・こと(人)。

けん・てん【圏点】 注意をうながすなどのために文字のわきにつける、まる印。傍点。「ーを打つ」

けん・でん【×喧伝】《名・他サ》〔世間に〕盛んに言いふらすこと。「世間にーされる」注意「せんでん」は誤読。

***げん・てん【原典】** 翻訳・改作・引用などのもとになった書物・文献。「ーに当たって調べる」

***げん・てん【原点】** ❶土地測量などの基準とする点。❷〔問題の〕根拠・根源となるところ。「ーに戻って考える」❸〔数〕(original point)座標軸の交点。

***げん・てん【減点】**《名・他サ》点数を減らすこと。また、その減らした点数。対加点。

げん・ど【限度】〔それ以上は許されない〕限られた程度・範囲。限り。「常識のーを超える」類語 限界。

***けん・とう【健闘】**《名・自サ》精いっぱい頑張ってたたかうこと。「ーむなしく敗れる」類語 善戦。

***けん・とう【×拳闘】**〔文〕ボクシング。

***けん・とう【検討】**《名・他サ》ある物事を多方面からよく調べ研究すること。「懸案事項をーする」「再ー」

***けん・とう【献灯】**《名・自サ》神社や寺に灯明・灯籠を奉納すること。また、その灯明・灯籠。奉灯。

***けん・とう【見当】** 一《名》❶だいたいの方向・方角。「学校はあっちのーにあたる」❷まだわかっていない事柄について、多分こうであろうと判断すること。また、その判断。「ーがはずれる」二《接尾》だいたいの数量を表す。…ぐらい。「一万円ーの品」 **ーしき【ー識】** 時間・場所・周囲の状況などを正しく認識する感覚。見当感。

け

*けん・とう【賢答】〔文〕かしこい(りっぱな)答え。参考相手の答えを尊敬していう場合にも使う。

*けん・とう【軒灯】軒(のき)や家の入り口にかかげる灯火。

*けん・どう【剣道】〔スポーツとしての〕剣術(けんじゅつ)。

*けん・どう【権道】〔文〕手段としては正しくないが、目的をとげるためにとる便宜上の手段。

*けん・どう【県道】県の費用でつくり維持・管理する道路。類語国道。私道。

*げん・とう【厳冬】寒さのきびしい冬。

*げん・とう【幻灯】フィルム・絵・実物などに光線を当て、それを映写幕などにレンズによって拡大して映す装置。また、それで映し出された像。スライド。

*げん・とう【×舷灯】〔文〕夜、進行する船が進行方向などを知らせるため、両舷側につける灯火。

*げん・とう【×舷頭】〔文〕ふなばた。

*げん・どう【原動】運動や活動を起こすもととなるもの。
―き【―機】自然に存在するさまざまなエネルギーを機械的エネルギーに変える装置。蒸気機関・内燃機関など。 ―りょく【―力】❶機械に運動を起こさせる力。❷活動を起こすもとになる力。

*げん・どう【言動】言ったりしたりすること。ことばと行動。言行。「―を慎む」

けんとう・し【遣唐使】奈良時代から平安時代初期にかけて、日本から唐(=今の中国)に遣わした使節。

ケント・し【ケント紙】製図や絵画用の、純白・厚手の洋紙。参考イギリスのケント州原産。

げんと・して【厳として・×儼として】《連語》↓げん(厳)。

けんど・じゅうらい【×捲土重来】《名・自サ》一度敗れたものが、いったん引き下がりふたたび勢力をもりかえしてくること。捲土重来(けんどちょうらい)。「―を期する」

*けん・どん【倹×飩】❶江戸時代、うどん・そば・飯などを一杯ずつ盛りきりにして売ったもの。❷「けんどん箱」の略。倹飩(けんどん)①を持ち運びする時に用いた箱。口の上下・左右に溝があって、ふたが取り外しできる。

*けん・どん【×慳×貪】《名・形動》〔文〕❶欲が深くて、飽くことなくほしがること。貪欲。❷無慈悲なこと。じゃけん。つっけんどん。「―に追っ払う」

*けん・ない【圏内】あることのできる資格・条件などの、わくの内。また、力などの及ぶ範囲。範囲内。「当選―」「暴風雨の―にはいる」対圏外。

*けん・ない【県内】県の行政権内にある管轄地域。県下。対県外。

げん・なおし【験直し】悪いきざしをなくすために、縁起のよくなることをすること。縁起直し。

げん・なま【現生】〔俗〕現金。キャッシュ。表記「現なま」と書くことが多い。

げんなり《副・自サ》《副詞は「―と」の形も》〔俗〕❶身心が疲れてすっかり元気がなくなるようす。「暑さで―する」❷飽きていやになるようす。「同じうわさ話に―する」

けん・なわ【間縄】❶一間ごとにしるしをつけたなわ。種まきや苗の植え付けなどで、間隔を整えるために使う。❷一間ごとに目盛りをつけた測量用・検地用のなわ。検縄。同①②間尺(けんじゃく)。

*けん・なん【剣難】刃物で殺傷される災難。「―の相」

*けん・なん【険難・×嶮難】〔文〕❶《名・形動》進むのに困難なこと。また、そのような難所。「―な世を渡る」❷悩みや苦しみ。

*げん・に【厳に】《副》厳重に。きびしく。「―戒める」

*げん・に【現に】《副》実際に。まのあたりに。目の前に。「―この目で見た」

けん・にょう【検尿】《名・自サ》診断の手がかりとして、尿を調べること。

*けん・にん【兼任】《名・他サ》二つ以上の地位・職務などを兼ねること。兼務。類語兼職。対専任(せんにん)。

*けん・にん【堅忍】《名・自サ》〔文〕がまん強くこらえること。 ―ふばつ【―不抜】《名・形動》がまん強くこらえて、心を変えないこと。「―の精神」

*けん・にん【検認】❶《名・他サ》検定して認めること。❷家庭裁判所が遺言書の存在および内容を確認するために調査する手続き。

*げん・にん【現任・▽見任】現在ある役に任命されていること。また、その役。「―の局長」

*げん・にん【現認】《名・他サ》実際のようすを現場にいて確認すること。「事件を―する」

けんにんじ・がき【建▽仁寺垣】割り竹の表を外にむけて並べ、結んだ垣。建仁寺。参考京都の建仁寺で初めて作ったことから。

*けん・のう【権能】権利を主張し、行使することのできる能力。権限。「国政に関する―」

*けん・のう【献納】《名・他サ》〔神仏・国家などに〕金銭や品物を差しあげること。類語奉納。献金。献上。

げん・のう【玄翁】《「げんおう」の連声(れんじょう)》大型の金槌(かなづち)。参考玄翁和尚(おしょう)がこれで殺生石(せっしょうせき)をくだいたことからこの名があるという。表記「玄能」とも当てる。

げん・の・しょうこ【現の証拠】フウロソウ科の多年草。茎・葉を乾燥して、下痢(げり)止めの薬にする。参考のむとすぐにその証拠としてのききめが現れる意から。

けん・のん【剣×呑・険×呑】《形動》あぶなっかしいようす。〔古風な言い方〕「それは―な話だ」参考「険難」の転という。

けん・ば【犬馬】〔文〕犬と馬。
―の労《句》他人のために精いっぱい力を尽くすこと。〔へりくだった言い方〕「―を執る」

けん・ぱ【検波】《名・他サ》❶特定の波長の電波のあるなしを調べること。❷高周波電流から信号電流や音声電流をとりだすこと。復調。 ―き【―器】検波に用いる装置・回路。

げん・ば【現場】❶事件・事故などが実際に・行われている(行われた)場所。現場(げんじょう)。「殺人の―」❷作業・工事などを行っている場所。「―監督」

けん・ぱい【献杯・献×盃】《名・自サ》〔敬意を表して〕さかずきを相手に差し出すこと。類語献酬(けんしゅう)。

げん・ぱい【減配】《名・他サ》❶配給の数量を減らすこと。❷株主への配当金を減らすこと。対①②増配。

けんばい・き【券売機】切符を売る自動販売機。

けん・ぱく【建白】〔文〕❶《名・他サ》政府や上役に自分の意見を申し述べること。また、その意見。❷「建白書」の略。建白①を書き記した文書。

*げん・ばく【原爆】「原子爆弾」の略。

*げん・ばく【原麦】〔パン・うどんなどの〕原料になる、加工していない麦。

*げん・ばく【玄麦】精白していない麦。

げん・ばつ【厳罰】きびしい処罰。「―に処する」

げん・ぱつ【原発】「原子力発電所」の略。原子力を利用した発電所。

*けん・ばん【検番・見番】遊里で、芸者屋の取り締ま

りや芸者の客席への取り次ぎなどをする事務所。

***けん・ばん【×鍵盤】** ピアノ・オルガン・タイプライターなどで、指先でたたいたり押したりする部分。キー。

げん・ばん【原盤】 みぞの形に音を刻み込んだ円形の板状のもの。これを鋳型としてレコードを作る。

***げん・ぱん【原板】** 〔写真で〕陽画をつくるもとになる現像したフィルム・乾板など。陰画。ネガ。

***げん・ぱん【原版】** ❶印刷で、紙型・鉛版(えんばん)のもとになる、活字の組版。❷複製版・翻刻版などのもとの版。

げん・はんけつ【原判決】 原裁判の判決。

けん・び【兼備】 《名・他サ》〔二つ以上の事柄・才能などを〕同時にかねそなえること。「才色—」類語 兼有。

けん・ぴ【建碑】 《名・自サ》〔文〕石碑を建てること。

***げん・ぴ【原皮】** 皮革製品の原料とする皮。

***げん・ぴ【原肥】** もとごえ。

***げん・ぴ【厳秘】** 〔文〕固く秘密にすること。また、厳重に守るべき秘密。「—に付する」類語 極秘。

けんび・きょう【顕微鏡】 微小なものをレンズで拡大してみる光学器械。

けん・ぴつ【健筆】 ❶字を書くのがじょうずなこと。類語 達筆。能書。❷文章・詩歌などを盛んな意欲でたくみに書くこと。「—をふるう」類語 才筆。

けん・ぴょう【堅氷】 〔文〕〔厚く張りつめた〕堅い氷。

けん・ぴん【検品】 《名・他サ》品物、特に製品を検査すること。

げん・ぴん【現品】 実際の品物。現物。「—先渡し」

けん・ぶ【剣舞】 剣をぬき、詩吟に合わせて舞う舞。

***けん・ぷ【絹布】** 〔文〕絹糸で織った布。絹織物。

***けん・ぷ【賢婦】** 〔文〕賢婦人。

***げん・ぷ【原譜】** 編曲する前の、元の譜面。

***げん・ぷ【厳父】** 〔文〕❶きびしい父。❷他人の父に対する尊敬語。

げん・ぷう【厳封】 《名・他サ》厳重に封をすること。

げん・ふうけい【原風景】 原体験を想起させる情景。その人の心の奥底にある風景。「日本人の—」

げんぶ・がん【玄武岩】 暗黒色で緻密(ちみつ)な火山岩。斜長石・輝石などから成る。

げん・ぷく【元服】 《名・自サ》平安時代以後、公家・武家の男子が成人したことを示す儀式。公家では冠(かんむり)を、武家では烏帽子(えぼし)をかぶった。元服(げんぷく)。

***けん・ぷじん【賢夫人】** 考え方や行いのしっかりした賢い夫人。

***けん・ぷじん【賢婦人】** 考え方や行いのしっかりした賢い女性。賢婦。

けん・ぶつ【見物】 《名・他サ》ある物事や場所などを見て楽しむこと(人)。「高みの—」類語 物見。観光。

***げん・ぶつ【原物】** ❶〔模造品・写真などに対する〕もとの品物。❷原料になる物。

***げん・ぶつ【現物】** ❶現在ある物品。実際の物。❷〔金銭に対して〕物品。品物。❸取引所で取引の対象となる、株式・債券・商品などの現品。対 先物(さきもの)。

***けん・ぶん【検分・見分】** 《名・他サ》実際に立ち会って調べ、見とどけること。「実地—」

***けん・ぶん【見聞】** 《名・他サ》見たり聞いたりすること。また、それによって得られる経験・知識。「—を広める」

***げん・ぶん【原文】** 〔訳したり改めたりした文章の〕もとの文章。「—にあたって確かめる」「—のまま」

***げん・ぶん【言文】** 話しことばと文章語。「—一致」

***けん・ぺい【憲兵】** 旧陸軍兵科の一つ。主として軍事警察を任務とした。

***けん・ぺい【権柄】** 〔文〕権力。また、権力でおさえつけること。「—ずくで(=権力にまかせて)実行を迫る」

げん・ぺい【源平】 ❶源氏と平氏。❷〔源氏の白旗と平氏の赤旗から〕白と赤。また、敵と味方。

けんぺい・りつ【建×蔽率】 敷地面積に対する建築面積の割合。表記「建坪率」で代用することもある。

けん・ぺき【×痃癖・肩癖】 〔文〕❶くびから肩にかけてすじがひきつること。肩こり。❷あんま術。

けん・べん【検便】 《名・自サ》病菌・寄生虫卵・出血などの有無をみるため大便を検査すること。

けん・ぼ【賢母】 かしこく、立派な母。「良妻—」

***けん・ぽ【健保】** 「健康保険(けんこうほけん)」の略。

***けん・ぽ【兼補】** 《名・他サ》〔文〕本職のほかに、兼務として他の職につくこと。

げん・ぼ【原簿】 〔写しや抜粋をする〕もとになる帳簿。類語 元帳(もとちょう)。

けん・ぼう【権謀】 その場、その時に応じたはかりごと。臨機応変の謀略。**—じゅっすう【—術数】** 巧みにあざむきだますためのはかりごと。「—をめぐらす」

***けん・ぽう【剣法】** 〔文〕剣術。剣道。

***けん・ぽう【憲法】** 国家の存立の基本的条件を定めた根本法。国の最高法規。**—きねんび【—記念日】** 国民の祝日の一つ。日本国憲法の施行を記念する日。五月三日。

***けん・ぽう【×拳法】** こぶしで突いたり、足で蹴ったりして格闘する中国の武術。類語 空手(からて)。

***げん・ぽう【減俸】** 《名・自他サ》給料を減らすこと。減給。「—処分」対 増俸。

***げん・ぽう【減法】** 引き算。対 加法。

***げん・ぽう【現俸】** 現在支給されている俸給。

けんぼう・しょう【健忘症】 記憶障害の一つ。一定期間の経験の一部または全部をあとで思い出せない状態。また、一般に、物忘れの激しいこと。

けん・ぽく【×硯北・研北】 〔文〕〔南向きの机ですずりの北側にすわる相手の意で〕手紙で、あて名のわきに添えて書き、敬意を表す語。類語 机下。案下。

げん・ぼく【原木】 まだ加工していない木。

***けん・ぽん【献本】** 《名・自他サ》書物を進呈すること。また、その書物。

***けん・ぽん【絹本】** 書画をえがく時に用いる絹地(きぬじ)。また、それに描いた書画。

げん・ぽん【原本】 ❶おおもと。根本。根源。❷〔写したり、訳したりしたものの〕もとの書物・文書。

けん・ま【研磨・研摩】 《名・他サ》❶〔刃物・レンズ・宝石などの硬い物を仕上げるために〕とぎみがくこと。類語 研削。❷深く研究し、才能をみがききたえること。

げん・ま【減摩】 ❶《名・自サ》すり減ること。❷《名・他サ》摩擦を少なくすること。「—剤」「—油」

げん・まい【玄米】 もみがらを取り去っただけの、まだ精白していない米。くろごめ。対 白米。

けん・まく【剣幕・見幕】 怒って興奮したときの、激しい顔つきや態度。「物すごい—で食ってかかる」

げん・まん【×拳万】 《名・自サ》約束を必ず守るしるしとして、たがいに小指と小指をかけあわせてひっぱりあうこと。ゆびきり。「指切り—」

げん・みつ【厳密】 《形動》手おちのないように細かい所まできびしく行うようす。「—に取り調べる」

け

けん-みゃく【検脈・見脈】 脈の数や打ち方などの状態を診察すること。

げん-みょう【玄妙】《名・形動》〔文〕〔道理やわざが〕奥深く微妙なこと。「そのわざは―であった」

けん-みん【県民】 その県の住民。「―性」

けん-む【兼務】《名・他サ》本来の職務以外の職務を兼ねること。また、その職務。兼任。類語 兼職。

*__けん-めい【懸命】__《形動》持っている力を出しきって、命がけでがんばるようす。一所懸命。「―な努力」

*__けん-めい【賢明】__《形動》正しい判断力があり道理にかなっているようす。「―な方法」類語 利発。利口。

*__げん-めい【原名】__〔訳したり改めたりしたものの〕もとの名前。類語 原題。

*__げん-めい【厳命】__《名・他サ》きびしく命令すること。また、その命令。厳令。「―を下す」類語 厳達(げんたつ)。

*__げん-めい【言明】__《名・他サ》ことばに出してはっきりと言うこと。明言。「―を避ける」類語 断言。

げん-めつ【幻滅】《名・自サ》幻想から覚めて現実を意識すること。また、理想と違うことを知ってがっかりすること。「―の悲哀」

けん-めん【券面】 金額が書いてある、証券の表面。また、そこに書かれている金額。

*__げん-めん【原綿・原×棉】__ 綿糸の原料にする綿花。

*__げん-めん【減免】__《名・他サ》〔課すべき負担を〕減らすことと、免除すること。「税金が―される」

*__げん-もう【原毛】__ 毛織物・毛糸などの原料にする羊毛などの獣毛。

*__げん-もう【減耗】__《名・自他サ》(「げんこう」の慣用読み)〔文〕すり減ること。また、すり減らすこと。

けん-もつ【献物】〔神仏・皇室などに〕さしあげたてまつる品物。献上品。〔古風な言い方〕

けん-も-ほろろ《形動》人の頼みなどを全くとりあわず断るようす。そっけなく冷淡なようす。「―に断られる」

*__けん-もん【検問】__《名・他サ》〔疑わしいことがあるかどうかを〕問いただして調べること。「―所」

*__けん-もん【権門】__〔文〕身分・官位などが高く、権勢のある家柄。権家。「―の誉れが高い」「―に媚(こ)びる」

げん-もん【×舷門】〔文〕船の上甲板の側面にある出入り口。

げん-や【原野】 野原。特に、未開拓の広い野原。

けん-やく【倹約】《名・他サ》金や物を無駄づかいしないこと。浪費しないこと。節約。「―家」

げん-ゆ【原油】 地中からくみあげたままで、精製していない石油。特有のにおいがあり、多くは暗緑色。

けん-ゆう【兼有】《名・他サ》〔二つ以上の物事を〕あわせ持つこと。類語 兼備。

げん-ゆう【現有】《名・他サ》現在持っていること。「―勢力」「―議席数」

けん-よ【権×輿】〔文〕〔中国で、はかりはおもり(権)から、車は車の底(輿)から作り始めるところから〕物事の始まり。起こり。起源。

*__けん-よう【兼用】__《名・他サ》一つのものを二つ以上の目的に使うこと。「台所と食堂を―する」類語 両用。

> **類義語の使い分け　兼用・両用**
>
> [兼用・両用] 晴雨兼用(両用)の便利な折り畳み傘
>
> [兼用] 妹と兼用している部屋／男女兼用のジーンズ
>
> [両用] 水陸両用の自動車や飛行機がある

*__けん-よう【険要】__《名・形動》〔文〕地勢がけわしくて、敵を防ぐのに適していること。「―の地」

*__けん-よう【顕揚】__《名・他サ》〔文〕世間に、名声・ほまれなどをあらわし高めること。「国威を―する」

*__けん-よう【顕要】__《名・形動》〔文〕地位が高くかつ重要なこと(人)。また、そのような地位。「―の位置」

げん-よう【幻×妖】〔文〕❶ばけもの。妖怪。❷《名・形動》ふしぎなこと。「さても―な話」

けんよう-すい【懸×壅垂】「口蓋垂(こうがいすい)」の旧称。

けん-よく【謙抑】《名・他サ》〔文〕へりくだって、出すぎた言動などをさしひかえること。

けん-らん【×絢×爛】《形動タト・タル》❶きらびやかで美しいようす。「豪華―」❷詩文などの字句がはなやかで美しいようす。「―たる美辞を駆使する」

けん-り【権利】❶ある物事を自由に自分の意志で行い得る資格。対 義務。❷〔法〕一定の利益を自分のために主張することができる、法律上の能力。参考 私権と公権とがある。**―きん【―金】** 土地・建物などを借りる人がその権利に対して支払う金銭。

げん-り【原理】 物事の根本にあって、それをつらぬき成り立たせている基本的な理論・道理。「パスカルの―」「多数決の―」類語 原則。

けん-りつ【県立】 県でつくり、管理運営している・こと(もの)。「―体育館」

げん-りゅう【源流】❶ある川のもとになっている水の流れ。水源。「多摩川の―」❷物事の起こり。始まり。起源。「文化の―をたずねる」類語 ①②源泉。

けん-りょ【賢慮】〔文〕❶賢明な考え。❷他人の考えをいう尊敬語。お考え。

けん-りょう【見料】❶見物料。観覧料。〔やや古風な言い方〕❷手相・人相・運勢などを見てもらったときにその報酬として払う料金。

*__げん-りょう【原料】__ 品物を作ったり加工したりするもとになるもの。参考 製品になったとき、その性質・形状などをとどめないものにいう。類語 材料。素材。

*__げん-りょう【減量】__《名・自他サ》❶分量・重量が減ること。また、減らすこと。対 増量。❷体重を減らすこと。

けん-りょく【権力】 他人を支配し、強制的に服従させる力。「国家―」「―をふるう」

けん-るい【堅塁】〔文〕❶守りの堅いとりで。「―を抜く」❷簡単にはくずれないもの。

けん-れい【県令】❶「県知事」の旧称。明治一九年以前に使われた。❷もと、県知事の発した命令。

げん-れい【厳令】《名・他サ》〔文〕きびしく命令すること。また、その命令。厳命。

げん-れつ【厳烈】《名・形動》〔文〕きびしくはげしいこと。類語 峻烈(しゅんれつ)。

けん-れん【×眷恋】《名・自他サ・形動タト・タル》〔文〕恋いこがれること。

けん-ろ【険路・×嶮路】〔文〕けわしい道。険道。類語 難路。

けん-ろう【堅×牢】《形動》作りが堅くて丈夫なようす。がんじょう。「―な仕上げ」類語 堅固。

げん-ろう【元老】❶年齢・官位・声望が高く経歴もすぐれ、国家に功労のあった政治家。元勲。❷ある分野で長く活躍し功労のあった老年者。**―いん【―院】**❶古代ローマで、おもに貴族によって構成され、政務官を指揮し、内政・外交を指導した国家機関。❷一八七五(明治八)年に設置された明治政府の立法機関。一八九〇(明治二三)年国会の開設で廃止。

げんろく-そで【元×禄×袖】 女性用和服のそでの形の一つ。たもとの丸みが大きく、そでたけが短い。

げんろく-もよう【元×禄模様】 元禄時代に流行した大柄で派手な着物の模様。市松模様・弁慶縞(べんけいじま)など。

***げん-ろん【原論】** ある事柄の根本となる理論(をのべたもの)。「経済学—」

***げん-ろん【言論】** 言語によって意見や思想を発表し論ずること。また、その議論。「—の自由」

***げん-わく【幻惑】** 《名・他サ》ありもしないことで、目さきをまどわすこと。「奇術に—される」[類語]眩惑(げんわく)。

***げん-わく【×眩惑】** 《名・他サ》〔目がくらんで惑う意〕あるものに心が奪われて、本来的なものを見えなくすること。「彼女の魅力に—される」[類語]幻惑。

けんわん-ちょくひつ【懸腕直筆】 書道で、筆をまっすぐに持ち、腕を上げてひじを脇(わき)につけないで筆を運ぶこと。大きな字を書くのに適する。

こ

己—こ

***こ【古】** 《接頭》「昔の」「古い」の意。「—武士」「—美術」

***こ【小】** 《接頭》❶「形の小さい」意。「—刀」「—柄」❷「数量・程度の少ない」意。「—銭」「—人数」❸「ややそれに近い」意。約。ほとんど。「—一時間」「—一里」❹《形容詞・形容動詞・副詞などについて》㋐「その状態・動作をちょっと…に思う」意。「—にくらしい」「—うるさい」㋑「何となくそのような感じがする」意。「—ぎれい」「—ざっぱり」❺《名詞について》「大したものではない」「つまらない」の意。「—むすめ」「—才覚」❻《多くは体の部分を表す名詞について》その名詞に続くあとの動詞に「ちょっと」の意味をそえる語。「—手をかざす(=手をちょっとかざす)」❼前の語と同じひびきをもつ意味のないことばに添えて、語調をととのえる語。「おお寒—寒」「夕焼け—焼け」

***こ【故】** 《接頭》人の名・称号などにそえて、その人がすでに死んでいることを表す。「—芥川龍之介氏」

***こ【濃】** 《接頭》「色の濃い」意。「—緑」「—紫」

***こ** 《接尾》❶《名詞または動詞の連用形につけて》「…こと」の意。「うそっ—」「慣れっ—」❷《多く動詞の連用形につけて》「互いに同じ動作をする」「相競う」などの意。「睨(にら)めっ—」「駆けっ—」❸《擬声語・擬態語などの副詞につけて》「…の状態」の意。「ぺしゃん—」「どんぶり—」❹《多く名詞につけて》親しみの気持ちを表す。「べこっ—」[参考]④は東北地方の方言などで多く用いる。❺《名詞につけて》話し言葉や、俗な言い方の語を作る。「ぜに—」「端っ—」

***こ【庫】** 《接尾》物をたくわえておく建物・設備の意。「貯蔵—」「冷蔵—」「火薬—」「格納—」

***こ【湖】** 《接尾》《名詞につけて》「みずうみ」の意。「摩周—」「山中—」「火口—」「人造—」

日本語

「小」という接頭語

「小股の切れ上がったいい女」というが、「小股」とはどこのことだと論じてもはじまらない。この「小」は「股」にかかっているのではなく、「切れ上がった」にかかる。「小股の切れ上がった」は「股が普通よりちょっと切れ上がった」の意で、普通の人より足がすらりと長い女性の形容なのだ。

「小」という接頭語は、形や規模が小さい意(小石・小皿・小部屋…)や、量などが少ない意(小雨(こさめ)・小降り・小銭(こぜに)…)を表すが、身体の一部を表す名詞に付く場合は、しばしばそれに続く動作などが「ちょっと」である意味を表すようになる。「小手をかざす」は「手をちょっとかざす」動作をいうのであって、小さな手をかざすことではない。「小耳にはさむ」は「聞くともなしに、ちょっと聞く」の意、「小鬢(こびん)をかすめる」は「耳ぎわの髪をちょっとかすめる」の意なのである。

***こ【個・箇】** ❶《名》一つ。個人。「—に徹する」❷《助数》物の数を数える語。「リンゴ一〇—」

***こ【子・▽児】** ❶《名》❶産んだ人に対して、その人から生まれた人。子供。「可愛い—には旅をさせよ」[対]親。❷まだ一人前にならない幼い者。子供。「男の—」❸動物の生まれて間もないまだ小さいもの。「犬の—」[参考]植物にも言う。「竹の—」❹〈魚の〉卵。「ニシンの—」❺少女。若い娘。「あの喫茶店にいい—がいる」❻かかえている芸者・遊女。「置屋の—」「若い—を呼ぶ」[表記]⑤は「娘」とも当てる。❼利子。利益。「元が—を産む」[表記]⑥は「妓」とも当てる。❽主なものに対して従属的なもの。[対]親。❷《接尾》❶《名詞や動詞の連用形について》「人」「物(ふつう小さな物)」の意。「売り—」「江戸っ—」「振り—」❷女性の名前の最後にそえる語。「あき—」「雪—」

—は鎹(かすがい) 《句》子どもは鎹のようなもので、わが子への共通の愛情が夫婦の間をなごやかに保ち、夫婦仲をつなぎとめるということ。

—は三界の首っ枷(くびっかせ) 《句》親は子どものことを思う心に引かれて一生自由を束縛されることのたとえ。子は三界の首枷(くびかせ)。

—を持って知る親の恩 《句》自分が親になってはじめて親のありがたさがわかるということ。

***こ【孤】** 〔文〕❶みなしご。孤児。「—を養う」❷ひとりぼっち。孤独。「徳は—ならず」

***こ【弧】** ❶弓。弓形。「—を描く」❷円周またはある曲線の一部分。

***こ【戸】** ❶《名》❶家の出入り口。とぐち。❷(一軒一軒の)家。❷《助数》家の数をかぞえる語。軒。

***こ【粉】** ❶《名》こまかくくだけたもの。こな。「身を—にして(=非常に苦労をして)働く」❷《接尾》「…のこな」の意。「かたくり—」「小麦—」

***こ【▽蚕】** 〔文〕かいこ。

***こ【▽是・×此】** 《代名》《近称の指示代名詞》〔古〕話し手に近いものをさす語。これ。「—は如何(いか)に」

***ご【御】** ❶《接頭》❶《おもに漢語の名詞につけて》尊敬・丁寧の意をそえる。「—両親」「—神体」❷《自分の行為を表す語につけて》けんそんの気持ちを示す。「—案内いたします」[参考]→御(ぎょ)。❷《接尾》《人を表す語につけ

て》尊敬の気持ちをそえる。「母―」

***ご【五】** 一の五倍の数。いつつ。いつ。表記 証書などでは、「伍」と書く。

***ご【×伍】** ❶昔、中国の軍隊で、五人から成る一組。❷なかま。くみ。❸隊列。

***ご【期】** 〔文〕❶時。おり。❷〈「この―に及んで」「この―になって」の形で〉この時期・局面になって。〔事態・状況がさし迫っている場合に使う〕

***ご【碁・×棊】** 囲碁。

***ご【語】** 一《名》ことば。単語。「―の意味」 二《接尾》❶《助数》単語の数をかぞえる語。❷「一つの言語体系」の意。「中国―」「現代―」「標準―」

コア ❶核。中心部。「―タイム」❷変圧器やコイルなどの中の鉄心。❸地表から二九〇〇キロ以深にある、地球の中核部分。❹建物の中核部分。▽core

ご-あいさつ【御×挨×拶】 ❶「あいさつ」の丁寧語。❷〔俗〕あきれた言いざま。「もう帰れとは―だね」 参考 ②は、「とんだ御挨拶」「恐れ入った御挨拶」の意。

こ-あきない【小商い】 少ない資本でする商売。

ご-あく【五悪】 五戒で禁じられている五つの悪事。殺生・偸盗・邪淫・妄語・飲酒。参考 ↓五戒。

こ-あざ【小字】 〔町村の〕大字をさらに小分けした区域。対 大字。

こ-あじ【小味】 どこか趣のあるいい味。微妙な味。「―がきいている」 対 大味。

こ-あたり【小当(た)り】 《名・自サ》ちょっと人の心中をさぐってみること。ひとあたり。「―に当たる」

コアラ オーストラリア南東部の森林にすむ哺乳動物。木の上で生活することが多く、ユーカリの葉を食べる。こもりぐま。ふくろぐま。コアラベア。▽koala

***こ・い** 《接尾》❶《名詞につき形容詞をつくる》「濃い」「そのものが多く含まれている」の意。「油っ―」「やにっ―」❷《性質・状態を表す語につき形容詞をつくる》「その性質・状態がはなはだしい」の意。「粘っ―」 参考 多く促音が介入する。

***こい【恋】** 〔男女間で〕相手を自分のものにしたいと思う愛情をいだくこと。また、その状態。恋愛。参考 多く上の語が促音化する。

―は思案の外 《句》恋は常識では考えられない判断・行動をさせるものである。

―は盲目 《句》恋をすると、常識的な判断力を失うものである。

***こ-い【故意】** ❶わざとすること。「―に枝を折る」❷〔法〕自分の行動が他人の権利をおかすことを知りながらその行動をとる意思。「未必の―」 対 過失。

***こい【請い・×乞い】** 〔文〕願うこと。こうこと。頼み。「―に応ずる」

***こい【×鯉】** コイ科の淡水魚。二対の口ひげがあり、フナより細長くて、大きくなる。食用・観賞用。

―の滝登り 《句》人の立身出世することのたとえ。「竜門の滝登り」とも。故事 中国の黄河中流にある竜門の滝を登った鯉は竜になるという伝説から。

***こ・い【濃い】** 《形》❶その色を含む度合いが強い。「墨が―・い」 対 あわい。❷あるものが含まれている割合が多い。成分が強い。「―・いお茶」「塩分の―・い水」❸すきまが少なく、多量である。密である。「ひげが―・い」「化粧が―・い」❹程度・度合いが強い。「情が―・い」「敗色が―・い」「殺人の疑いが―・い」 対 ①～④うすい。❺関係などが密接である。「―・い仲」 文 こ・し《ク》。

***ご-い【語×彙】** ある範囲（言語体系・分野・作品など）で使われる単語全体。また、その一つ一つを集めたもの。ボキャブラリー。「―が少ない」「基本―」

***ご-い【語意】** ことば・単語の意味。語義。類語 字義。

こい-うた【恋歌】 恋心をよみ込んだ和歌・詩。恋歌。類語 相聞歌。

こい-かぜ【恋風】 〔文〕恋しいと思う心の切なさ。参考 恋心を、風が身にしみわたるのにたとえた語。

こい-がたき【恋敵】 〔自分と〕同じ人を恋している人。恋の競争相手。ライバル。

こ-いき【小▽粋】 《形動》どことなくちょっといきである。「―な着物」 表記 「小意気」と書くことも多い。

こい-くち【濃口】 〔醤油などの〕味や色が濃いこと。また、そのもの。対 薄口。

こい-ぐち【×鯉口】 〔形がコイのひらいた口に似ていることから〕刀のさやの口。「―を切る(=刀がすぐ抜けるように鯉口をゆるめる)」

こい-こが・れる【恋い焦がれる】 《自下一》苦しいほど恋しく思う。恋に思い悩む。

こい-こく【×鯉▽濃】 「鯉濃漿」の略。コイを

日本語

語彙の数

日本語は多くの語彙をもつ言語である。フランス語は単語を一千覚えると、日常の会話は八三・五パーセント理解できるというが、日本語は一千語覚えても六〇パーセントしか理解できない。フランス語は五千語覚えると、会話は九六パーセント理解できるが、日本語では会話を九六パーセント理解するためには、二万二千の単語をマスターしなければならないという。

単語の数としては、戦前に出た『大辞典』という国語辞典には七二万語が載っていると言われた。しかし、アメリカの大辞典『ウェブスター』には六十万語しか載っていないという。

なぜ日本語は単語が多いかというと、日本語は新しい単語を作りやすいからである。たとえば、「娘」とか「育ち」とかいう言葉は、前に理論的に結び付けられる言葉なら、結び付いてどんどん新語として通用する。「村娘」「十八娘」「浜育ち」「マンション育ち」等、等。

漢語は新しい単語を一番作りやすい。「校」という字が一字あれば、学校に関することはどんどん一語で言うことができ、生徒が学校へ行くことは「登校」、学校から帰ることは「下校」、遠足などから学校へ帰って来ることは「帰校」で、先生が学校に来ることは「出校」、学校に今いることは「在校」、お客さまが学校に見えることは「来校」などである。外国語ではこんなことをいちいち別の単語では言いにくい。

また、外国語は、似た発音をかたかなで書けば、そのまま新しい日本語として通用する。「インターネット」「アロマセラピー」などである。

その点、中国では漢字で書けなければいけないが、同じ発音の漢字が多く、また、漢字は意味をも表してしまうので、日本ほど簡単にはいかないようだ。

輪切りにして、赤みそのみそ汁にした料理。

こい‐ごころ【恋心】こひ―〔異性を〕恋いしたう心。

こい‐さん《「小娘(こいとさん)」の意》〔関西方言〕末の娘をさす呼称。末のおじょうさん。

こい‐じ【恋路】こひぢ 恋心が男女の間をかよいあうことを道にたとえた語。恋のみち。恋。「しのぶ―」

ご‐いし【碁石】碁をうつときに使う、白および黒のまるく平たい小さな石。

こいし‐い【恋しい】こひしい《形》〔ある人・場所・時などが〕慕わしい。なつかしい。「母が―・い」「火が―・い季節」 文こひ・し《シク》。

こい‐した・う【恋い慕う】こひしたふ《他五》恋しくなつかしく思う。「母を―・う」

こい‐・する【恋する】こひ―《自他サ変》恋の気持ちをいだく。「―・する乙女」 類語 ほれる。

こ‐いそぎ【小急ぎ】少し急ぐこと。 対 大急ぎ。

こい‐ちゃ【濃茶】❶樹齢の多いチャの若芽から製したひき茶。また、それを使ってたてた色の濃い茶。❷こい茶色。 対 ①②薄茶(うすちゃ)。

こいつ【×此▽奴】《代名》《「こやつ」の転》《他称の人代名詞・近称の指示代名詞》〔俗〕この人。この物。〔憎しみ・けいべつ、または親しみをこめた呼び方〕

ご‐いっしん【御一新・御▽維新】明治維新。

こい‐なか【恋仲】こひ― 恋しあっている男女の間がら。恋愛関係。 類語 相思(相愛)。

こい‐にょうぼう【恋女房】こひ―バウ 恋愛結婚をして、深く愛している妻。 類語 愛妻。

こい‐ねが・う【▽希う・×冀う・▽庶▽幾う】こひねがふ《他五》《「請い願う」の意》強く希望する。切に望む。〔古風な言い方〕「平和を―・う」

こいねがわく‐は【▽希くは・×冀くは・▽庶▽幾くは】こひねがはく― 《副》〔文〕他に対し強く希望する意を表す語。何とぞ。どうか。「―幸(さち)多からんことを」

こい‐のぼり【×鯉×幟】こひ― 紙・布などでコイをかたどって作ったのぼり。端午の節句にたてる。さつきのぼり。

こい‐びと【恋人】こひ― 恋している相手の人。 類語 意中の人。愛人。思い人。情人。

こい‐ぶみ【恋文】こひ― 恋している心を書きつづった手紙。色文(いろぶみ)。ラブレター。〔古風な言い方〕 類語 艶文(えんぶん)。艶書(えんしょ)。つけぶみ。

こい‐め【濃いめ】《名・形動》〔味・色などが〕ふつうより濃いこと。 対 薄め。

こ‐いも【子芋】❶親芋から生じた小さな芋。 対 親芋。❷「さといも」の別称。

コイル 導線をらせん状に巻いたもの。巻き線。線輪。捲線(けんせん)。▽coil

こい‐わずらい【恋煩い・恋患い】こひわづらひ 恋が思い通りにならないために悩んだり気分がふさいだりして、病気のような状態になること。恋病み。恋病(こいやまい)。

***こ‐いん【雇員】**官庁や会社などで、正規の職員・社員などの仕事を手伝うためにやとわれた人。

***コイン** 硬貨。「―ランドリー」「―ロッカー」▽coin

コイン‐トス《名・他自サ》コインを投げ上げ、出た面の裏表で物事を決めること。▽coin と toss からの和製語。

ご‐いん【誤飲】《名・他サ》異物を誤って飲むこと。

***こう【好】**《接頭》「よい」「このましい」などの意。「―条件」「―成績」

***こう【後】**《接頭》「のち」「あと」「うしろ」の意。「―車輪」「―半生」 対 前。

***こう【抗】**《接頭》「…に反抗する」「…を防ぐ」の意。「―ヒスタミン剤」「―毒素」

***こう【工】**《接尾》「工員」「職工」の意。「仕上げ―」「印刷―」「熟練―」

***こう【港】**《接尾》「みなと」の意。「貿易―」

***こう【溝】**《接尾》「みぞ」「どぶ」などの意。「下水―」

***こう【口】**《助数》人数・刀剣・器具などをかぞえる語。「伴僧二十―」「名刀一―」「つぼ一―」

***こう【交】**〔文〕❶まじわり。「―を絶つ」❷時代・季節・月日のかわりめ。「春夏の―」

***こう【侯】**❶大名・小名。諸侯。❷「侯爵(こうしゃく)」の略。

***こう【候】**〔文〕気候。時候。季節。「初夏の―」

***こう【公】**一《名》〔文〕❶個人的なことではなく社会の広い範囲の人々に関係したこと。おおやけ。 対 私。❷「公爵」の略。二《接尾》❶公爵や身分の高い人の名につける語。「信長―」❷人の名につけて、親しみ・けいべつの気持ちを表す語。「八―」

***こう【功】**〔文〕❶てがら。功績。「―を立てる」❷〔あることを行った〕効果。ききめ。「労多くして―なし」

―成り名遂・げる《句》功績をあげて名誉も得る。

―を奏・する《句》成功する。効果をあらわす。効を奏する。

***こう【×劫】**❶〔仏〕非常に長い時間。劫(ごう)。「―を経る(=年功を積む)」 対 刹那(せつな)。❷碁で、一目(いちもく)の石を取ったり取られたりする形のとき、取られたものが、他に一手打ってからでないと取り返せないきまり。

***こう【効】**ききめ。しるし。「薬石―なく…」

―を奏・する《句》〔あることをした結果〕ききめがあらわれる。功を奏する。

***こう【孝】**〔文〕父母によくつかえること。孝行。「―を尽くす」「忠ならんとすれば―ならず」

***こう【巧】**〔文〕うでまえのよいこと。 対 拙(せつ)。

***こう【幸】**幸福。さいわい。「―か不幸か」

***こう【×庚】**十干(じっかん)の七番めの名称。かのえ。

***こう【更】**一夜を五等分した時刻のよび名。「―たけて(=夜がふけて)」 参考 初更から五更まである。

***こう【校】**一《名》学校。「わが―」二《助数》校正の回数を数える語。「初―」「三―」

***こう【甲】**❶よろい。具足(ぐそく)。❷こうら。「かめの―より年の功」❸てのひら・足のうらの反対がわ。「手の―」❹十干(じっかん)の一番めの名称。きのえ。❺等級・順位などの第一位。❻〔乙・丙などとともに〕物・人の名の代わりに使う語。「―は、乙にかわって弁済する」

***こう【稿】**〔文〕詩文の下書き。原稿。「―を起こす(=原稿を書きはじめる)」「―を改める」

***こう【綱】**生物を分類する上の一単位。門(もん)と目(もく)の中間に位する。

***こう【考】**一《名》〔文〕なくなった父。亡父。「先―」 対 妣(ひ)。二《接尾》「考察した・もの(結果)」の意。「万葉―」「国号―」 参考 論文の題名や書名に用いられる。 表記「攷」とも書く。

***こう【×膏】**❶〔文〕脂肪。❷膏薬(こうやく)。「消炎―」

***こう【行】**一《名》❶〔文〕行くこと。出かけること。旅。❷〔文〕行い。行動。「―を共にする」❸漢詩の一体。楽府(がふ)から転じたもの。「琵琶(びわ)―」二《接尾》「旅に行くこと」「紀行」の意。「単独―」「ヒマラヤ―」

***こう【講】**❶仏教の講演・講義を聴いたり、神仏にまいったりするために作る信者の集まり。「伊勢(いせ)―」「大

師―」❷貯蓄やお金の融通をするためにつくる組合。頼母子(たのもし)講・無尽(むじん)講など。

*こう【鋼】鋼鉄。はがね。

*こう【項】❶箇条書きなどのように分けて記述したものの一つ一つ。項目。類語 箇条。件(くだ)り。❷数式を組み立てている一つ一つの要素。「定数―」「同類―」

*こう【香】❶におい。かおり。❷燃やすとよいにおいがするように香料をまぜて作ったもの。また、香木。「―を聞く(=香をたいてその香りをかぐ)」

*こう【高】━《名》❶〔文〕高い所。対 低。❷「高等学校」の略。━《接頭》「高い」意。「―原価」対 低。

*こう【×斯う】(かう)《副》(「かく」の音便)このように。かように。「―いう(=このような)場合」「―まで(=これほど)上手にはできない」

*こ・う【恋う】(こふ)《他五》(《上二段動詞「恋ふ」から転じた語》)恋しく思う。思い慕う。「亡き母を―・う」

*こ・う【請う・×乞う】(こふ)《他五》〔人に対して〕ある物を求める。また、あることをしてくれるように求める。「案内を―・う」「許しを―・う」参考「乞う」と書く場合は「ねだる」の意が強い。

*ごう【剛】強いこと。「柔(じゅう)よく―を制す」対 柔。文《四》。

*ごう【号】━《名》文筆家・画家などが本名のほかにつける名。雅号。ペンネーム。「本名は金之助、―は漱石」━《接尾》❶乗り物・動物などの名にそえて呼称を表す語。「ひかり―」❷《助数》順序・大きさなどを表す語。「第一―」「五十―のカンバス」

*ごう【合】━《名》〔哲〕対立するものを一つに統一すること。総合。「正反―」━《助数》❶尺貫法で、容量の単位。升(しょう)の一〇分の一。一合は約〇・一八リットル(リッ)。❷尺貫法で、面積の単位。坪(つぼ)の一〇分の一。一合は約〇・三三平方メートル(メー)。❸〈「…合目」の形で〉ふもとから頂上までを一〇としてわけた登山路の単位。「富士山の五―目」❹ふたのあるいれ物を数える語。「長びつ一―」❺〔古〕試合・合戦の回数、また真剣勝負で刀を合わせる度数を数える語。「数―切りむすぶ」

*ごう【×壕】塹壕(ざんごう)。

*ごう【業】❶〔仏〕未来に報いを引きおこす善悪の行い。❷〔仏〕前世の悪行によって現世で受ける報い。「―が深い」

―を煮や・す《句》腹を立てて、いらいらする。

*ごう【×毫】━《名》❶〔文〕細い毛。筆の穂先。❷きわめてわずかなこと。「―も案ずることはない」━《助数》目方・長さの単位。厘(りん)の一〇分の一。

*ごう【郷】〔文〕いなか。里。「白川―」「―に入(い)っては―に従え(=新たにその土地に住む人は、その土地の風俗・習慣に従うべきだ)」

こう・あつ【高圧】気圧・水圧・電圧などが高いこと。対 低圧。 ―てき【―的】《形動》〔力・権力などを背景にして〕頭から抑えつけるようす。「―な態度」

こうあつ・ざい【降圧剤】血圧を下げるための医薬品。血圧降下剤。

*こう・あん【公安】社会が安定していて安全なこと。公共の安全。 ―いいん・かい【―委員会】内閣府の外局の一つ。警察運営事項の統括と警察行政の調整を行い、警察庁を管理する。

*こう・あん【公案】❶役所の調書。「―文書」❷禅宗で、さとりに導くために修行者に与える問題。

*こう・あん【考案】《名・他サ》〔品物・手段などをあらたに〕くふうして考え出すこと。「新しい機種を―する」類語 工夫(くふう)。立案。⇩〔類義語の使い分け「発明」〕

*こう・い【厚意】おもいやりのある心。情に厚い心。厚情。類語 厚志。⇩〔使い分け〕

*こう・い【好意】〔ある人にもつ〕好感・親しみの気持ち。親切な心。類語 善意。⇩〔使い分け〕

使い分け「コウイ」

厚意〔情にあつい心で「好意」よりさらに思いやりの心が深い。厚情〕厚意を無にする・厚意を受ける・厚意を喜ぶ・厚意に感謝する

好意〔ある人に対して持つ好感・親しみなどの気持ち〕好意を抱く・ほのかな好意を感じている・好意に甘える・好意を示す

参考「好意」は自分にも他人に対しても用いるが、一般的に、「厚意」は自分の気持ちには用いない。しかし、意味の重なる部分も多く、新聞では「好意」を統一表記として採用している。

*こう・い【更衣】❶〔古〕宮廷で女御(にょうご)の次の位にある女官。尊敬 御息所(みやすどころ)。❷《名・自サ》衣服をきかえること。「―室」

*こう・い【校異】文章の異同を比較して正しくすること。「源氏物語―」

*こう・い【校医】児童・生徒の身体検査や治療などを学校が依頼している医者。学校医。

*こう・い【皇位】天皇の位。「―継承」類語 王位。

*こう・い【行為】〔目的のある〕行い。類語 行動。

*こう・い【高位】〔文〕高い位置。高い地位。また、その地位にある人。「―高官」対 低位。

ごう・い【合意】《名・自サ》たがいの意志が一致すること。一致した意見。「―に達する」類語 同意。

こう・いき【広域】広い区域。「―捜査」

こうい・しょう【後遺症】病気やけがが回復したあとにまで残る障害・症状。「交通事故の―」

こう・いつ【後逸】《名・他サ》野球で、たまをとりそこなって後方へそらすこと。類語 トンネル。

ごう・いつ【合一】《名・自他サ》〔いくつかに分かれているものが〕一つにまとまること。また、一つに合わせること。「知行(ちこう)―」類語 合同。合併。合致。

こう・いっつい【好一対】よく調和している一組。よく似合っている一対。「―の夫婦」

こう・いってん【紅一点】〔一面の青草の中に赤い花が一輪さいている意から〕多くの男性の中にただひとり女性がいること。また、その女性。参考 王安石「石榴(ざくろ)の詩」の「万緑叢中紅一点」より。

*こう・いん【光陰】〔文〕〔「光」は日、「陰」は月の意から〕時間。月日。年月。 ―矢の如(ごと)し《句》月日のたつのが早いことの形容。

*こう・いん【公印】公務で使用する印章。特に、官公署またはその長の官職名を刻印したもの。対 私印。

*こう・いん【×勾引】《名・他サ》被告人・証人などを警察や裁判所に強制的に連れていくこと。表記「拘引」で代用することも多い。

*こう・いん【工員】工場の現場で働く労働者。職工。

*こう・いん【後×胤】〔文〕子孫。後裔(こうえい)。

*こう・いん【荒×淫】〔文〕ひどく色事にふけること。

*こう・いん【行員】「銀行員」の略。

ごう・いん【強引】《形動》〔自分の考え・意志をおし通

して〕むりやりに物事をするようす。「—にやめさせる」

こう‐う【降雨】雨が降ること。降る雨。「—量」

ごう‐う【豪雨】勢いよく降る雨。一度に大量に降る雨。大雨。「—におそわれる」「集中—」

***こううつ‐ざい**【抗×鬱剤】うつ病を抑える薬。

***こう‐うん**【幸運・好運】《名・形動》運のよいこと。よい巡り合わせ。「—に恵まれる」対不運。非運。

***こう‐うん**【耕×耘】田畑をたがやすこと。「—機」表記「耕耘機」は「耕運機」で代用することもある。

こううん‐りゅうすい【行雲流水】〔空を動いて行く雲と、地を流れる水の意から〕とどまることなく移り変わることのたとえ。また、ある物事や場所に執着せず自然のままに行動することのたとえ。

***こう‐えい**【光栄】《名・形動》名誉に感じること。「—の至り」「身に余る—」類語誉れ。光輝(こうき)。

***こう‐えい**【公営】国家や地方公共団体が経営すること。「—の事業」対私営。

***こう‐えい**【後衛】❶〔陣地などの〕後方を守る・人〔部隊〕。❷〔テニスやバレーボールなどで〕後方を守る役〔の人〕。対前衛。

***こう‐えい**【後×裔】〔文〕〔ある人の〕血筋をひいている人。子孫。後胤(こういん)。「貴族の—」対祖先。

***こう‐えい**【高詠】〔文〕❶《名・他サ》声高く朗詠すること。❷すぐれた詩歌。❸他人の詩歌の尊称。

***こう‐えき**【交易】《名・自サ》互いに品物の交換や売買をすること。また、その商い。「外国と—する」

***こう‐えき**【公益】社会一般のためになる、公共の利益。「—をはかる」「—事業」対私益。—**ほうじん**【—法人】営利を目的としない法人。学校法人・宗教法人・社会福祉法人など。対営利法人。

***こう‐えつ**【校閲】《名・他サ》原稿や印刷物を読んで誤りや不備を調べ正すこと。類語校正。

***こう‐えつ**【高閲】相手が校閲することを尊敬していう語。「御—を賜りたい」

***こう‐えん**【講×筵】〔文〕講義をする場所・席。「—に列する」参考「筵」は下に敷くむしろの意。

***こう‐えん**【香煙・香×烟】〔文〕〔仏前などでたく〕香のけむり。線香のけむり。

***こう‐えん**【光炎・光×焔】〔文〕光と炎。光り輝く炎。「—を放つ」

***こう‐えん**【公園】一般の人々のいこいの場所として作られた庭園ふうの場所。また、自然保護・レクリエーションなどを目的として定められた、山・川・林などを含む広大な地域。「国立—」

***こう‐えん**【公演】《名・他サ》〔芝居・演芸・舞踊などを〕公開して演じること。「地方—」類語上演。

***こう‐えん**【口演】《名・他サ》〔浪曲・講談などを〕語り演じること。口でのべること。

***こう‐えん**【好演】《名・他サ》じょうずな演技・演奏をすること。「脇役(わきやく)の—がひかる」類語熱演。

***こう‐えん**【後援】❶《名・他サ》かげの力となって助けること。「—会」類語後ろ楯(だて)。尻押(しりお)し。協賛(きょうさん)。❷〔文〕うしろにひかえている援兵。「—続かず」

***こう‐えん**【講演】《名・他サ》前もって題目をきめておき、公衆に対して〔学問的な〕話をすること。また、その話。「近代文学について—する」類語講義。演説。

***こう‐えん**【広遠・×宏遠】《形動》〔文〕〔物事の規模などが〕広く大きいようす。「—な計画」

***こう‐えん**【高遠】《形動》〔文〕〔考え・理想などの〕程度が高くまた規模が大きくて非凡なようす。「—な理想」類語高大。遠大。高邁(こうまい)。

こう‐お【好悪】好むこととにくむこと。すきなこときらいなこと。「—の念がはげしい」

こう‐おつ【甲乙】《十干(じっかん)の順の一番目と二番目であることから》❶第一と第二。「—の二組に分ける」❷すぐれていることと劣っていること。また、二つのものの優劣の差。「—つけがたい」類語優劣。⇩〔類義語の使い分け「優劣」〕

***こう‐おん**【厚恩】〔文〕厚い恩義。類語高恩。

***こう‐おん**【恒温】〔文〕温度が一定であること。定温。「—で保存する」—**どうぶつ**【—動物】周囲の温度変化に関係なく、体温がほぼ一定に保たれている動物。鳥類・哺乳(ほにゅう)類など。定温動物。対変温動物。

***こう‐おん**【高恩】〔文〕〔親・師・身分の高い人などから受ける〕高大な恩。「—を受ける」類語厚恩。大恩。

***こう‐おん**【高温】温度が高いこと。対低温。

***こう‐おん**【高音】❶高い調子の音・声。❷声楽で、もっとも高い音域。ソプラノ。対①②低音。

***こう‐おん**【×鴻恩・洪恩】〔文〕〔親・師などから受ける〕大きなめぐみ。大恩。

***ごう‐おん**【号音】信号や合図の音。「—一発」

***ごう‐おん**【×轟音】とどろきわたる大きな音。「—とともに爆発する」「大砲の—がとどろく」

***こう‐か**【公課】❶国税・地方税など、国家・公共団体が国民に割り当てる公法上の負担。公租。❷国家・公共団体から割り当てられる租税以外の金銭負担。

***こう‐か**【功科】〔勤務上での〕功績。成績。「—表(=公務員・会社員などの勤務成績表)」

***こう‐か**【効果】❶よい結果。ききめ。「—が現れる」「—的」類語成果。効能。効力。❷〔劇・映画などで〕擬音を使って実感を出すこと。音響効果。「—音」

***こう‐か**【工科】❶工学・工業関係の学科・学問。❷総合大学の工学部。

***こう‐か**【後架】❶禅寺で、僧堂のうしろに設けられた洗面所。❷便所。かわや。雪隠(せっちん)。〔古風な言い方〕

***こう‐か**【校歌】校風を発揚するため、その学校が制定した歌。「—斉唱」

***こう‐か**【硬化】《名・自サ》❶〔やわらかな物が〕かたくなること。「動脈が—する」❷〔意見・態度などが〕強硬になること。「野党は態度を—させた」対①②軟化。

***こう‐か**【硬貨】金属を鋳造(ちゅうぞう)して作った貨幣。「百円—」対紙幣。

***こう‐か**【考課】勤務成績を考えて優劣をきめること。「人事—」

***こう‐か**【×膠化】《名・自サ》物質が変化してゼリー状にかたまること。

***こう‐か**【降下】《名・自サ》❶高い所からおりること。「飛行機が急—する」類語下降。低下。沈下。❷〔命令などが高い地位の人から〕くだること。「大命—」

***こう‐か**【降嫁】《名・自サ》〔文〕皇女が皇籍をはなれて、臣下に嫁入りすること。「臣籍—」

***こう‐か**【高価】《名・形動》〔品物の〕ねだんが高いこと。「—な宝石」対廉価(れんか)。安価。

***こう‐か**【高架】〔線路・橋・電線などを〕高くかけわたすこと。「—線(=地上より高い支台に敷設した鉄道)」

***こう‐か**【高歌】《名・自他サ》声高く歌うこと。

***こう‐か**【黄禍】❶黄色人種が栄えることによって白色

人種に及ぼすわざわい。「—論」参考ドイツ皇帝ウィルヘルム二世らが唱えた。❷〔俗〕列車の便所からまきちらされる汚物などによっておこった迷惑・被害。

***こう・が【公×衙】**〔文〕公共団体の事務をあつかう役所。官公庁。県庁・市役所など。

***こう・が【高雅】**《形動》〔文〕けだかく上品なようす。高尚優雅。「—なふるまい」「—な装い」

***ごう・か【×劫火】**❶〔仏〕人の住む世界を焼きつくすという大火。❷消す方法のないような大火災。

***ごう・か【業火】**❶〔文〕地獄で罪人を焼くという火。❷心身を苦しめ滅ぼす悪業の働きのたとえ。

***ごう・か【豪家】**財産があり、勢力のある家がら。

***ごう・か【郷家】**〔文〕さとの家。いなかの家。

***ごう・か【豪華】**《形動》はででぜいたくなようす。「—な衣装」類語豪奢。豪勢。**—ばん【—版】**❶装丁・造本などが豪華な本。対普及版。❷〔俗〕もののありさまがぜいたくなこと。「料理は—で行こう」

***こう・かい【公会】**〔文〕❶公式の会議。❷一般に公開する会。❸国際間の重大な問題について討議するためにひらく国際会議。**—どう【—堂】**公衆の集会のためにつくった建物。

***こう・かい【公海】**どこの国にも属さず、世界各国が自由に使用できる海域。対領海。

***こう・かい【公開】**《名・他サ》〔自由に見たり聞いたりできるように〕一般に開放すること。「御苑を—する」

***こう・かい【後会】**〔文〕後日また会うこと。「—を期す」

***こう・かい【後悔】**《名・他サ》自分が前にしたことについて非をさとり、後で心を痛めること。「—先に立たず(=事が終わった後でくやんでも取り返しがつかない)」

***こう・かい【更改】**《名・他サ》❶〔慣習や制度などを〕あらためかえること。❷〔法〕新しい債務を発生させて、古い債務をなくすこと。「契約—」

***こう・かい【航海】**《名・自サ》船で海をわたること。「遠洋—」類語航行。渡海。船旅。渡航。

***こう・かい【降灰】**〔地〕火山が噴火して灰が降ること。また、その灰。参考気象学では「こうはい」という。

***こう・かい【×狡×獪】**《形動》ずるがしこいようす。狡猾。「—な策略」

***こう・がい【公害】**諸産業や交通量の激増など、人為的な生活活動が原因となって、不特定多数の一般住民の健康や生活環境を直接・間接におびやかす現象。大気汚染・汚水・騒音・悪臭・地盤沈下など。**—びょう【—病】**公害が原因でおこる病気。法律に基づき発生地域が指定され、患者が認定される。気管支ぜんそく・水俣病・イタイイタイ病など。

***こう・がい【口外】**❶口の外。対口内。❷《名・他サ》〔秘密などを〕他人に話すこと。他言。「—無用」

***こう・がい【口×蓋】**〔文〕口の中の上側の部分。**—すい【—垂】**のどの上部、軟口蓋の中央からたれ下がるやわらかい突起。のどびこ。のどちんこ。参考「懸壅垂」の新しい呼称。

***こう・がい【×慷慨】**《名・自他サ》〔文〕〔世間の不正などを〕いきどおりなげくこと。「悲憤—」

***こう・がい【校外】**学校の外。「—学習」対校内。

***こう・がい【×梗概】**〔文〕事件・物語などの大体のすじ。大要。あらすじ。あらまし。「—を記す」

***こう・がい【構外】**ある建物・施設のある区域の囲いの外。対構内。

***こうがい【×笄】**《「髪掻き」の転》❶昔、男女が髪をかきあげるために用いた細長い箸状の道具。❷日本髪のまげにさす装飾品。類語簪。

***こう・がい【郊外】**都会の周辺で、田畑・野原などが多くある地域。「—に家を建てる」類語近郊。市外。

***こう・がい【鉱害】**鉱山・炭鉱・製錬所の操業によって周辺の住民・動植物・土地などに及ぼされる害。

ごう・かい【豪快】《形動》〔人の動作、物事のやり方などが〕小さいことにこだわらず堂々としていて心地よいようす。「—な飲みっぷり」類語豪放。

ごう・がい【号外】〔新聞社などが〕突発的な事件を至急に報道するために臨時に発行するもの。

こう・かがく【光化学】光と物質との相互作用を研究対象とする物理化学の一部門。**—スモッグ**公害の一つ。自動車などの排気ガスに含まれる炭化水素と窒素の酸化物が、太陽の紫外線を受けて化学反応を起こし、オキシダント(=強酸化性物質)を発生した状態。目・のどに刺激を与えるなどの被害を及ぼす。

***こう・かく【口角】**〔文〕くちびるの両わきの部分。「—泡を飛ばす(=勢いはげしく議論するようす)」

***こう・かく【広角】**広い角度や視野。また、レンズの光を収集する角度が広いこと。

***こう・かく【降格】**《名・自他サ》地位が下がること。また、地位を下げること。格下げ。「—人事」対昇格。

***こう・かく【高角】**地平面とのなす角度が大きいこと。仰角が大きいこと。「—砲」

***こう・かく【高閣】**〔文〕❶屋根を高くかまえた建物。高楼。❷高く作った棚。「—に束ねる(=書物などを高い棚にのせたままで、活用しない)」

***こう・がく【光学】**物理学の一部門。光に関する現象や作用を研究する学問。**—きかい【—器械・—機械】**光の反射・屈折などの諸性質を応用した装置。鏡・レンズ・プリズムなどを使う。望遠鏡・写真機など。

***こう・がく【向学】**学問に心を向け、はげもうと思うこと。「—の念」「—心に燃える」

***こう・がく【好学】**〔文〕学問をこのむこと。「—の士」

***こう・がく【好楽】**〔文〕音楽をこのむこと。「—家」

***こう・がく【工学】**物理学・化学・数学などの基礎的科学を工業生産に応用するための学問。「人間—」

***こう・がく【後学】**❶〔文〕後進の学者。また、学者が自分をさしていう謙遜語。対先学。❷将来、自分のために役だつ知識・学問。「—のために聴講する」

***こう・がく【高額】**❶大きな金額。「—所得者」対低額。❷単位の大きい金額。「—の紙幣」対小額。

ごう・かく【合格】《名・自サ》定められた条件・資格にかなうこと。また、試験に通ること。「入試に—した」

こうかく・か【好角家】相撲を見るのが好きな人。相撲好き。参考相撲を「角力」とも書くことから。

こう・がくねん【高学年】〔小学校で〕順位の高い方の学年。参考おもに五、六年。対中学年・低学年。

こうかく・るい【甲殻類】からだが、厚くて堅い甲羅で包まれている節足動物の一群。エビ・カニなど。

こう・がけ【甲掛(け)】手足の甲の保護につける布。

***こう・かつ【広×闊】**《形動》〔文〕ひろびろとして、遠くまでひらけているようす。「—な平地が続く」

***こう・かつ【×狡×猾】**《形動》悪がしこいようす。悪知恵が働くようす。狡獪。「—な手口」類語老獪。

***こう・かん【交感】**《名・自サ》互いに感じあうこと。

「神との魂の―を体験した」 ―しんけい【―神経】心臓などの不随意の臓器を支配する自律神経。

*こう‐かん【交換】《名・他サ》互いにとりかえること。やりとりすること。「―学生」「―条件」「物々―」

*こう‐かん【交歓・交款・交×驩】《名・自サ》親しく交わり、うちとけて楽しむこと。「―会」

*こう‐かん【公刊】《名・他サ》出版物を広く世の中に発行すること。「研究の成果を―する」

*こう‐かん【公館】❶公衆のための建物。❷官庁の建物。特に、領事館・公使館・大使館の称。

*こう‐かん【向寒】〔文〕寒い季節に向かうこと。〔手紙文で時候のあいさつに使う〕「―のみぎり」対向暑。

*こう‐かん【好感】〔人に対してもつ〕好ましいと思う気持ち。よい感じ。好感情。「―を与える」

*こう‐かん【好漢】〔文〕頼もしく、感じのいい男。愛すべきりっぱな男。快男児。「―よく自重せよ(=調子に乗って失敗しないようにせよ)」

*こう‐かん【×巷間】〔文〕ちまた。世間。まちなか。「―に伝えられるうわさ」

*こう‐かん【後患】〔文〕そのことが原因になって後日に生じるうれい。のちのちの心配。「―を断つ」

*こう‐かん【校勘】《名・他サ》〔文〕〔古い書物・文書などの〕刊本や写本を比べ合わせてその異同を研究すること。勘校。「今昔物語の―」類語校合。校訂。

*こう‐かん【×槓×杆・×槓×桿】〔文〕梃子。

*こう‐かん【鋼管】鋼鉄で作った管。

*こう‐かん【高官】位の高い官職(についている人)。「高位―」「政府―」類語顕職。大官。顕官。

*こう‐かん【×浩×瀚】《形動》〔文〕❶書物がたくさんあるようす。「―な蔵書」❷書物の巻数・ページ数が多いようす。「―な著書」

*こう‐がん【抗×癌】癌細胞の増殖や転移をおさえること。「―剤」

*こう‐がん【×睾丸】男子の生殖器官の一部。精子を作り、男性ホルモンを分泌する。精巣。きんたま。

*こう‐がん【紅顔】年若くて血色のいい顔。「―の美少年」

*こう‐がん【厚顔】《形動》あつかましく、恥を知らないようす。ずうずうしいようす。鉄面皮。「―無恥」

*ごう‐かん【合歓】〔文〕❶《名・自サ》よろこびや楽しみを共にすること。❷《名・自サ》男女が一緒に寝ること。❸「合歓木」の略。ネムノキ。

*ごう‐かん【強×姦】《名・他サ》暴力によって女性をおかすこと。暴行。てごめ。レイプ。「―罪」対和姦。

ごう‐がん【×傲岸】《形動》〔文〕気ぐらいが高く人にへりくだらないようす。傲慢。「―不遜」類語尊大。不遜。高慢。

*こう‐き【光輝】〔文〕❶ひかり。かがやき。❷〔かがやかしい〕名誉。栄光。「―ある母校の伝統」

*こう‐き【公器】〔文〕国家・公共のために使うべき機関・もの。「―たる官職」「社会の―としての新聞」

*こう‐き【口気】❶口から出る息。「酒臭い―」❷物の言い方。口ぶり。言葉つき。「非難の―」

*こう‐き【好奇】珍しいもの、未知のものに興味をもつこと。「―の目を向ける」類語粋狂。数奇。好事。 ―しん【―心】珍しいものや未知のものに対して興味をもつ心。ものずきな心。「―が強い」

*こう‐き【好機】ちょうどよい機会。よいおり。チャンス。「―が到来する」「―を逸する」

*こう‐き【工期】工事の行われる期間。

*こう‐き【広軌】レールの間隔が国際標準軌間(一・四三五メートル)より広い鉄道。対狭軌。

*こう‐き【後期】〔ある期間を二つまたは三つに分けたときの〕あとの期間。「―の試験」対前期。

*こう‐き【後記】❶後世の記録。❷あとがき。「編集―」❸《名・他サ》文章で、あとに書くこと。また、そのことがら。「応募要領は―のとおり」対前記。

*こう‐き【校紀】学校内の風紀。「―が乱れる」

*こう‐き【校規】学校の規則。校則。

*こう‐き【皇紀】神武天皇即位の年を元年とする紀元。西暦紀元前六六〇年が皇紀元年にあたる。

*こう‐き【綱紀】〔大づな(=綱)と小づな(=紀)の意から〕国家を治める大もとの規律。紀綱。「―粛正(=乱れた規律をきびしく引き締めること)」

*こう‐き【興起】《名・自サ》❶物事の勢いがさかんになること。「国勢―」❷心がふるいたつこと。「感奮―」

*こう‐き【香気】〔上品な〕よいにおい。かおり。「―をただよわせる」類語芳香。薫香。対臭気。

*こう‐き【高貴】《形動》❶身分が高くとうといようす。「―の人」❷気高く上品であるようす。「―な精神」❸内容などがすぐれ、値段が高いようす。「―薬」

*こう‐ぎ【交×誼】〔文〕〔友人としての〕交わり。よしみ。「―をかたじけなくする」類語情誼。友誼。好誼。

*こう‐ぎ【公儀】〔文〕❶朝廷。幕府。御公儀。〔古風なことば〕「―隠密」❷おもてむき。おおやけ。

*こう‐ぎ【厚×誼】〔文〕真心からの親しい交わり。あつい、よしみ。「父生前の御―に深く感謝いたします」類語厚情。

*こう‐ぎ【好×誼】参考→高誼。〔文〕〔好意にもとづく〕親しい交わり。「御―の程、深謝いたします」類語交誼。友誼。

*こう‐ぎ【巧技】〔文〕たくみなわざ・技術。対拙技。

*こう‐ぎ【広義】ある概念を広い範囲に解釈した場合の意味。広い意味。「―では詩もふくまれる」対狭義。

*こう‐ぎ【抗議】《名・他サ》相手の言動・考えなどに対して、反対意見を(強く)主張すること。また、その反対意見。「審判の判定に―する」「―が相次ぐ」

*こう‐ぎ【講義】《名・他サ》研究の成果、学説、書物の内容などについて人々に説明すること。また、その内容。「学生に物理学を―する」類語講演。

*こう‐ぎ【高×誼】〔文〕なみなみならぬ親しい交わり。参考手紙文で、人からの厚誼を尊敬していう。

*ごう‐き【剛×毅】《名・形動》〔文〕意志が強く、たやすくくじけないこと。 ―木訥仁に近し《句》意志が強く無欲で飾りけのないということは、そのまま道徳の理想である仁に近い。〈論語・子路〉

*ごう‐き【豪気】《形動》❶気性が大きく、こまかいことにこだわらないようす。❷→ごうぎ(強気)②。

*ごう‐ぎ【合議】《名・自他サ》集まって相談すること。「―に入る」「―で決定する」類語協議。

*ごう‐ぎ【強気・豪気・豪儀】《形動》❶勢いがはげしいようす。❷することがはでで、すばらしいようす。ごうき。「豪華客船で旅行とは―だ」

こう‐きあつ【高気圧】大気中で、周囲に比べて気圧の高いところ。北半球では右まわりに風が周囲に吹きだす。その区域内は天気がよい。対低気圧。

こう‐きぎょう【公企業】国家や地方自治体・公社・

公団などの公共団体が経営する企業。対私企業。

*こう・きゅう【公休】❶おおやけに決められた休日。❷同業者などが協定して休業すること(日)。

*こう・きゅう【好球】〔球技で、打ったり受けたりしやすい〕いいたま。「—をねらって打つ」

*こう・きゅう【後宮】❶皇后・妃などの住む奥御殿。❷後宮①に住む后妃・女官などの総称。

*こう・きゅう【恒久】〔文〕長く変わらないこと。永久。「—の平和」「—的」類語永遠。久遠。

*こう・きゅう【攻究】《名・他サ》〔文〕〔物事の道理・学芸などを〕学びきわめること。「真理を—する」類語講究。研究。考究。

*こう・きゅう【硬球】野球・テニスなどで使う、かたいボール。対軟球。

*こう・きゅう【考究】《名・他サ》〔文〕物事を深く考え研究すること。「古代史を—する」類語攻究。研究。講究。考察。

*こう・きゅう【講究】《名・他サ》〔文〕物事を深くしらべ研究すること。「源氏物語の—」類語攻究。考究。

*こう・きゅう【購求】《名・他サ》〔文〕買い求めること。

*こう・きゅう【降給】《名・他サ》〔罰などのため〕給料をさげること。類語減給。対昇給。

*こう・きゅう【高級】《名・形動》❶高い等級。「—官僚」類語上級。上等。❷品質などの程度が高く、すぐれていること。「—な品物」類語高価。対①②低級。

*こう・きゅう【高給】高い給料。「—取り」「—優遇」類語高禄。対薄給。

*ごう・きゅう【剛球】野球の投球で、スピードのある重い球。「—投手」表記「強球」とも書く。類語速球。

*ごう・きゅう【号泣】《名・自サ》大声をあげて泣くこと。「天を仰いで—する」類語慟哭。

*ごう・きゅう【強弓】張りが強く、引くときに強い力を必要とする弓。また、その弓を引く人。つよゆみ。

*こう・きょ【公許】《名・他サ》おおやけに許されること。官公庁の許可。官許。「—を得て販売する」

*こう・きょ【抗拒】《名・他サ》〔文〕てむかって拒むこと。「公務員の職務執行を—する」

*こう・きょ【溝×渠】〔文〕給排水のために掘ったみぞ。

*こう・きょ【皇居】天皇が住んでいる所。「—へ参内する」類語宮城。御所。尊敬大宮。

*こう・きょ【×薨去】《名・自サ》〔文〕皇族または三位以上の人が死ぬこと。薨逝。

こう・ぎょ【香魚】〔文〕あゆ。

*こう・きょう【交響】たがいにひびきあうこと。—がく【—楽】交響曲・交響詩など、管弦楽のための音楽の総称。—きょく【—曲】管弦楽のために作られたソナタ形式の大規模な楽曲。ふつう四楽章からなる。シンフォニー。—し【—詩】標題音楽の一種。詩的・文学的内容をもつ自由な形式の管弦楽曲。

*こう・きょう【公共】社会一般。民衆全体。おおやけ。「—の福祉」—しょくぎょうあんてい・じょ【—職業安定所】厚生労働大臣の管理に属し、労働者のあっせん・職業紹介・職業指導・雇用保険などの事業を行う施設。職安。愛称、ハローワーク。—だんたい【—団体】国から事務を委任され行政を行う機関。地方公共団体・公共企業体など。—ほうそう【—放送】商品広告の放送を行わず、視聴者の支払う受信料によって経営される放送。わが国のNHK、イギリスのBBCなど。対商業放送。—りょうきん【—料金】交通・電話・水道・ガスなど、国民生活に重要なかかわりのある事業の使用・利用料金。

*こう・きょう【口供】《名・他サ》❶〔文〕〔意見などを〕直接、口頭で述べること。❷〔法〕裁判官の問いに対して、被告・証人・鑑定人などが答えること。また、それを記録したもの。供述。「—書」

*こう・きょう【好況】生産がふえ、経済活動が活発になること。好景気。「—を呈する」対不況。

*こう・きょう【広狭】〔文〕ひろいこととせまいこと。

*こう・きょう【高教】〔文〕相手から受ける教訓を尊敬していう語。お教え。「御—肝に銘じておきます」

*こう・ぎょう【功業】〔文〕❶功績。てがら。❷〔功績のある〕事業。勲業。「—半ばにして倒れる」

*こう・ぎょう【工業】原料や粗製品などを加工して、生活に必要なものをつくる産業。「—製品」

*こう・ぎょう【興業】〔文〕新しく事業を起こすこと。⇩〖使い分け〗

*こう・ぎょう【興行】《名・他サ》入場料を取って映画・演芸・スポーツなどを見せること。⇩〖使い分け〗

使い分け「コウギョウ」

興行〔入場料をとって演芸・スポーツなどをみせる〕顔見世興行・引退興行・興行界・興行師・興行を打つ・各地を興行して回る

興業〔新しく事業や産業をおこす〕殖産興業・地域の興業を図る・興業会社・興業銀行・興業債券

参考「興業」は広く産業一般の興起を指すが、今日では土地・建築方面の社名に多用される。

*こう・ぎょう【鉱業・×礦業】鉱物を採掘したり精錬したりする産業。

こう・きょういく【公教育】公に管理運営される公共的な教育。国立・公立学校で行われる教育など。

こう・きょく【好局】〔碁・将棋で〕よい対局。

*こう・ぎょく【硬玉】アルカリ輝石の一種。色は緑・青緑・白などで透明または半透明の鉱物。宝石として珍重される。玉。参考濃い緑のものを翡翠という。

*こう・ぎょく【紅玉】❶赤い色の宝石。特に、ルビー。❷リンゴの品種の一つ。皮はつやのある濃い赤色。

*こう・ぎょく【鋼玉】ダイヤモンドについで硬い鉱物。美しいものは宝石として珍重される。ガラス切り・研摩材などに使う。コランダム。参考赤色のものをルビー、青色のものをサファイアという。

*こう・きん【公金】国家・公共団体の所有する金銭。おおやけの金。「—を横領する」類語公費。官金。

*こう・きん【抗菌】有害な細菌の発育を抑え、活動を封じること。「—作用」「—剤」「—グッズ」

*こう・きん【拘禁】《名・他サ》人を捕らえて、ある場所にとじこめておくこと。監禁。「不法に—される」

こう・ぎん【高吟】《名・他サ》〔詩や歌を〕声をはりあげてうたうこと。「放歌—」類語高唱。高詠。朗詠。

ごう・きん【合金】ある金属に、他の金属または非金属を融合させてできる金属。真鍮・洋銀など。

*こう・ぐ【工具】工作に使用する道具。特に、機械工作で使用する刃物。

*こう・ぐ【耕具】田畑をたがやすための道具。すき・くわの類。類語農具。

ごう・く【業苦】〔仏〕前世の悪業によって、この世で受ける苦しみ。

*こう-くう【口×腔】《「こうこう」の慣用読み》→こうこう(口腔)。

*こう-くう【航空】〔航空機で〕空をとぶこと。類語飛行。—き【—機】人が乗って空中を飛行する機械の総称。特に、飛行機。—びん【—便】「航空郵便」の略。航空機で郵便物を送る制度。また、その郵便物。エアメール。—ぼかん【—母艦】航空機を搭載し、発着させる広い甲板・設備をもった軍艦。空母(くうぼ)。

*こう-くう【高空】空の高いところ。対低空。

*こう-ぐう【厚遇】《名・他サ》てあつくもてなすこと。十分な給料・地位などを与えること。「破格の—を受ける」類語優遇。対薄遇。冷遇。注意「好遇」は誤り。

*こう-ぐう【皇宮】〔文〕天皇の住む宮殿。皇居。宮城。「—警察」

こう-くん【校訓】その学校で生徒を指導する根本方針として定めた教訓。類語校則。

*こう-ぐん【皇軍】天皇のひきいる軍隊。参考もと、日本の軍隊の称。

*こう-ぐん【行軍】《名・自サ》軍隊が徒歩で長い距離を移動すること。「強—」

*こう-げ【香華】仏前に供える香(こう)と花。こうばな。「—をたむける」「—料」

*こう-げ【高下】❶高いことと低いこと。「身分の—」類語高低。尊卑。❷《名・自サ》上がることと下がること。「物価が—する」

*こう-けい【光景】〔その場で〕目に見えるありさま。「惨憺(さんたん)たる—」「仲むつまじい—」類語情景。

*こう-けい【口径】〔銃砲・カメラなど〕筒状のものの口の内がわの直径。「—一〇〇ミリの望遠鏡」

*こう-けい【後景】❶うしろの光景。特に、絵画・写真などで、主要な題材のうしろにある部分。バック。対前景。❷舞台の背景にかいた絵。書き割り。

*こう-けい【後継】ある人・役などのあとをつぐ・こと(もの)。跡継ぎ。「—内閣」「—者」類語継承。

*こう-けい【肯×綮】〔文〕〔「肯」は骨についた肉、「綮」は肉と骨のつなぎめの意から〕物事の急所。大切な所。事の要所。類語要点。—に中(あた)・る《句》急所をつく。「—った批評」

こう-げい【工芸】〔織物・染め物・塗り物・焼き物などの〕美術的な製品を工業的に生産する技術。また、その製品。「—品」「伝統—」

ごう-けい【合計】《名・他サ》二つ以上の数量を加え合わせること。また、その総量。類語合算。総計。

こう-けいき【好景気】金銭・物資の動きが活発で経済状態がよくなること。好況。対不景気。

こう-げき【攻撃】《名・他サ》❶〔積極的に〕敵をせめうつこと。また、試合・競技などで相手をせめること。対守備。❷〔相手の不正・誤りなどを〕非難すること。「野党が与党を—する」類語論難。論詰。

こう-けち【×纐×纈】布を糸でくくって模様を染め出す染色技法。こうけつ。参考「しぼり染め」の奈良時代の呼称。

*こう-けつ【×膏血】〔文〕〔人間の脂(あぶら)と血の意から〕苦労して得た利益。—を絞・る《句》人が苦労して得たものを権力などで取りたてる。重税を課して取りたてる。

*こう-けつ【高潔】《形動》精神がけだかく清らかなようす。潔白なようす。「—な人格」

ごう-けつ【豪傑】❶力が強く武芸にすぐれた、ふとっぱらの人。❷〔俗〕一風変わった行動を大胆にしてのける人。「酔って線路にねるとは—だ」

こう-けつあつ【高血圧】安静にしていても、血圧が異常に高い状態。高血圧症。血圧亢進(こうしん)症。

*こう-けん【公権】公法上できめられた、国家または個人がもつ権利。国家の、納税義務を履行させる権利や、個人の参政権などがある。対私権。

*こう-けん【効験】結果としてあらわれるききめ。よいしるし。「—あらたか」参考「こうげん」とも。

*こう-けん【後件】後記の箇条。後述の事項・物件。対前件。

*こう-けん【後見】❶《名・他サ》主君・主人などが幼少のとき、うしろだてとなって補佐する・こと(人)。❷〔法〕親権者のない未成年者や禁治産者の法律上の行為の代理や財産管理の代行などをすること。「—人」❸〔能・歌舞伎(かぶき)などで〕舞台に出て役者の衣装の乱れを直したり早変わりの手だすけをしたりする人。黒子(くろこ)など。

*こう-けん【貢献】《名・自サ》〔貢ぎ物をさしあげる意から〕ある物事や社会のために、力をつくし役にたつこと。「世界平和に—する」「—度」類語寄与。

*こう-けん【高見】〔文〕❶すぐれた意見。りっぱな識見。❷相手の意見を尊敬していう語。「御—を承る」

*こう-げん【光源】光を発するみなもと。

*こう-げん【公言】《名・他サ》かくさず公衆の面前で堂々と言うこと。「—してはばからない」

*こう-げん【巧言】〔文〕巧みに言いまわすこと。また、口さきだけのことば。類語甘言(かんげん)。—れいしょく【—令色】〔文〕ことばを巧みに飾り、顔つきをやわらげてうまくとりつくろうこと。参考「巧言令色すくなし仁」〈論語・学而〉より。

*こう-げん【広原・×曠原】〔文〕広々とした野原。

*こう-げん【広言】《名・他サ》〔文〕無責任なことをあたりはばからずに言うこと。また、そのことば。「—を吐く」類語大言。放言。

*こう-げん【後言】❶《名・他サ》終わったあとであれこれ言うこと。また、そのことば。❷かげぐち。

*こう-げん【抗原・抗元】からだの中にはいると抗体を作らせ、免疫を成立させる物質。免疫原。

*こう-げん【抗言】《名・他サ》相手にさからって言うこと。また、そのことば。

*こう-げん【荒原】荒れはてた野原。あらの。あれの。

*こう-げん【高原】標高の高い平原。「妙高—」

*こう-げん【高言】《名・他サ》うぬぼれて大きなことを言うこと。また、そのことば。「自ら天才と—する」類語大言。壮語。豪語。

*ごう-けん【剛健】《名・形動》〔心やからだが〕男らしく強くてたくましいこと。「質実—」類語強健。

*ごう-けん【合憲】〔法律・命令などが〕憲法の規定や精神に合っていること。「—の判決がくだる」対違憲。

こうげん-がく【考現学】現在の社会現象を研究し、現代という時代を考える学問。モデルノロジー。参考「考古学」をもじってできたことば。

こうけん-てき【後験的】《形動》→アポステリオリ。対先験的。

こうげん-びょう【×膠原病】人体の骨・関節などをつなぐ結合組織の中の膠原繊維に異常が起こる病気。全身の発熱、白血球異常、皮膚発疹、関節炎などの

こ

症状を伴う。原因不明の難病とされる。

こう-けんりょく【公権力】 国や地方公共団体が国民に対し命令・強制する権力。また、その公の権力をもつ国や地方公共団体。

*__こう-こ【公庫】__ 国の資金で融資する政府の金融機関。

*__こう-こ【好個】__ 〈「―の」の形で〉ちょうどよい。てごろな。「―の研究材料」類語うってつけ。恰好(かっこう)。

*__こう-こ【好古】__ 〔文〕昔の事物・習慣などを好むこと。「―趣味」類語懐古。

*__こう-こ【後顧】__ 〔文〕❶後ろをかえりみること。❷あとのことを気にすること。「―の憂いがない」

*__こう-こ【×曠古】__ 〔文〕〔古をむなしゅうする意から〕前例のないこと。「―の偉業」類語未曽有(みぞう)。空前。

*__こう-こ【江湖】__ 〔文〕〔中国にある「揚子江(ようすこう)」と洞庭湖(どうていこ)」の意から〕世の中。世間。「―の批評に待つ」

*__こう-こ【香▽香】__ 《「こうこう」の下の「う」が脱落したもの》→こうこう(香香)。

*__こう-ご【交互】__ 〈「―に」の形で〉二つの物事がたがいちがいになっているようす。かわるがわる。「―に意見をのべる」

*__こう-ご【口語】__ ❶話すときに使われることば。口頭語。話しことば。また、これをもとにした書きことばをも合わせて言うことがある。❷話しことばに使われる言語体系。「―体」「―文」対①②文語。

*__こう-ご【向後・×嚮後】__ 〔文〕いまから後。これからさき。以後。今後。向後(きょうこう)。

ごう-ご【豪語】 《名・他サ》自信たっぷりに大きなことを言うこと。また、そのことば。類語大言。壮言。高言。

*__こう-こう【口×腔】__ 消化管の最先端部で、口からのどまでの空間。消化器官の一部をなすとともに、発声器の一部ともなる。参考医学では「こうくう」という。

*__こう-こう【坑口】__ 〔鉱山などの〕坑道の入り口。

*__こう-こう【孝行】__ 《名・形動・自サ》❶子が親に愛情をもって尽くすこと。親孝行。孝。「―のしたい時分に親はなし」対不孝。❷ある人に尽くすこと。「女房―」

*__こう-こう【後攻】__ 《名・自サ》〔スポーツの試合などで〕後から攻めること(チーム)。後攻め。対先攻。

*__こう-こう【後項】__ ❶後にある条項。❷〔数〕一つの数式に二つ以上の項があるときの、後の項。特に、比を表す式で、後の項。対①②前項。

*__こう-こう【港口】__ 港の出入り口。

*__こう-こう【皇考】__ 〔文〕なくなった先代の天皇。

*__こう-こう【硬×膏】__ 常温ではとけないが、体温に接すると粘着性が出る膏薬(こうやく)。対軟膏(なんこう)。

*__こう-こう【×膏×肓】__ 〔文〕からだの最も奥深い部分で、治療がおよばないところ。「病(やまい)―に入る」参考(ア)「膏」は胸の下の部分、「肓」は胸部と腹部のあいだの薄い膜。(イ)俗に誤読から「こうもう」とも。

*__こう-こう【航行】__ 《名・自サ》〔船舶や航空機が〕航路に従って進むこと。類語航海。

*__こう-こう【鉱坑】__ 鉱物を採掘するためにほった穴。

*__こう-こう【香香】__ 生の野菜をぬかみそ・しおなどにつけた食べ物。つけもの。香の物。おしんこ。こうこ。

*__こう-こう【高校】__ 「高等学校」の略。

*__こう-こう【×煌×煌】__ 《形動タルト》〔文〕〔強い光が〕きらきらとかがやくようす。「―と輝く電灯」類語明々(あかあか)。

*__こう-こう【×皓×皓・×皎×皎】__ 《形動タルト》〔文〕❶〔月光が〕白く明るいようす。「月が―と照る」類語明々(あかあか)。❷むなしく広がったようす。「―たる不毛の原野」

*__こう-ごう【交合】__ 《名・自サ》〔文〕男女の肉体的なまじわり。交接。性交。媾合(こうごう)。交媾(こうこう)。

*__こう-ごう【×咬合】__ 上下の歯のかみ合わせ。

*__こう-ごう【×媾合】__ 《名・自サ》〔文〕→交合。

*__こう-ごう【校合】__ 《名・他サ》→きょうごう(校合)。

*__こう-ごう【皇后】__ 天皇・皇帝の正妻。きさき。

*__こう-ごう【香合・香×盒】__ 香を入れる箱。香箱。

ごう-こう【×毫光】 仏の眉間(みけん)にある白毫(びゃくごう)から四方にさす光。

*__ごう-ごう【×囂×囂】__ 《形動タルト》〔多くの意見・非難などを〕やかましく言いたてるようす。「―たる非難を浴びる」「喧々(けんけん)―」類語囂然(ごうぜん)。

*__ごう-ごう【×轟×轟】__ 《形動タルト》非常に大きな物音がとどろきひびくようす。「―たる爆音」類語轟然。

こう-こうがい【硬口×蓋】 上あごの前半分にあるかたい骨質の部分。対軟口蓋。

こうごう-し・い【神神しい】 (かうがうし・い)《形》《「かみがみしい」の音便》神が宿っているような感じである。とうとくておごそかである。「―・い御来光」

こう-ごうせい【光合成】 緑色植物が光のエネルギーを用いて、二酸化炭素と水分からでんぷん・糖などの有機化合物を合成すること。炭酸同化作用の一形式。

こうこう-や【好好×爺】 円満で人のよいおじいさん。

こうこ-がく【考古学】 遺跡や遺物にもとづいて古い時代の人間の生活・文化などを研究する学問。

*__こう-こく【公告】__ 《名・他サ》国家・公共団体・官庁などが広告・掲示などによって、広く一般大衆に知らせること。また、そのもの。「官報に―する」類語告示。

*__こう-こく【公国】__ 〔dukedom〕元首を「公」と呼ぶヨーロッパの小国。モナコ・ルクセンブルクなど。

*__こう-こく【広告】__ 《名・他サ》世の中に広く告げ知らせること。特に、商品や興行物などについて広く知らせること(もの)。「新聞―」類語宣伝。

類義語の使い分け　広告・宣伝

［広告・宣伝］タレントを起用して広告(宣伝)する
［広告］雑誌に新製品の広告を載せる／新聞に求人広告を出す／誇大広告と批評される／広告塔
［宣伝］選挙の宣伝カーが走り回る／宣伝びらをまく／尾ひれを付けて宣伝して回る／宣伝効果抜群

*__こう-こく【抗告】__ 《名・自サ》裁判所または行政官庁の決定・命令に対する不服をそれより上級の裁判所・官庁に申し立てること。また、その手続き。

*__こう-こく【皇国】__ 〔文〕〔天皇がおさめる国の意〕日本。すめらみくに。「―史観」

*__こう-こく【興国】__ 国の勢いを盛んにすること。また、勢いの盛んな国。「―の基を固める」対亡国。

*__こう-こく【×鴻×鵠】__ 〔文〕❶大きな鳥。大形の鳥。❷大人物。「―の志」対①②燕雀(えんじゃく)。

*__こう-こつ【硬骨・×鯁骨】__ ❶かたい性質の骨。「―魚類」対軟骨。❷《名・形動》〔権力などに屈しない〕強い意志や信念をもっていること。「―の人」「―漢」

*__こう-こつ【×恍×惚】__ 《形動タルト》❶心をうばわれて、うっとりするようす。「名曲に―とする」❷意識がはっきりしないようす。「―の人(=年をとってぼけた人)」

こうこつ-もじ【甲骨文字】 古代中国の象形(しょうけい)文字。カメの甲やけものの骨などにきざまれ、占卜(ぼく)の記録をとどめたもの。殷墟文字。甲骨文。

こう-こん【黄×昏】〔文〕夕暮れ。たそがれ。

ごう-コン【合コン】〔俗〕「合同コンパ」の略。異なる学校や異なる職場の若い男女が集まってする懇親会。

***こう-さ【交差・交×叉】**《名・自サ》二つ以上の線状のものが十文字に交わること。「道路が―する」表記「交差」は代用字。**―てん【―点】**鉄道・道路などが十文字に交わっている所。類語 四つ辻。十字路。

***こう-さ【公差】**❶〔数〕等差数列のとなりあう二項の差。❷貨幣・度量衡器・工業製品などで、規定の重さ・大きさに対して、公式に許容された誤差の範囲。

***こう-さ【考査】**❶《名・他サ》〔人の性質・能力などを〕考えしらべること。「人物―」❷学校で、生徒の学力・能力などをしらべ評価するための試験。「期末―」

***こう-さ【▽較差】**最高と最低、最大と最小などの差。「一日の気温の―」参考「かくさ」は慣用読み。

***こう-さ【黄砂・黄×沙】**❶黄色の砂。❷春先に中国北部で、黄土が吹き上げられて空をおおう現象。

***こう-ざ【口座】**❶帳簿で、資産・負債の増減や損益などを項目別に書き入れるところ。勘定口座。❷「振替口座」の略。❸「預金口座」「貯金口座」の略。

***こう-ざ【講座】**❶大学で、講義する学科に教授・助教授を配し、教授事項を分担した・もの（組織）。❷講座①の形式をまねた啓蒙的な講習会。また、その形式をもった出版物・放送番組。「近代文学―」

***こう-ざ【高座】**❶高い位置の席。❷寄席などで、芸を演じるために客席より一段高く設けた場所。

***こう-さい【交際】**《名・自サ》〔人と〕つきあうこと。まじわり。「―が広い」「―費」「―家」類語 交遊。

***こう-さい【光彩】**〔文〕あざやかに輝くきらびやかな光。「―を放つ」**―りくり【―陸離】**《形動タルト》〔文〕❶美しい光が入り乱れているようす。❷物事が〔かがやかしく〕すばらしいようす。「―たる功績」

***こう-さい【公債】**国家や地方公共団体が負う金銭債務。また、そのために発行する証書。

***こう-さい【×虹彩】**眼球の瞳をとりまく円盤状の膜。筋肉のはたらきによって伸縮し、入ってくる光の量を調節する。参考 俗に「くろめ」と呼ばれる部分。

***こう-さい【鉱×滓】**《「こうし」の慣用読み》鉱石を製錬するとき、表面にうかぶ滓。鍰。スラグ。

***こう-さい【高裁】**「高等裁判所」の略。

***こう-ざい【功罪】**〔文〕功績と罪過。てがらと罪。また、一つの物事のよい面と悪い面。「―相半ばする（＝よいとも悪いともいえない）」

***こう-ざい【鋼材】**板・棒・管に加工した鋼鉄。建築・機械などの基礎材料になる。

ごう-さい【合祭】二柱以上の神や霊を一つの神社に祭ること。合祀。

ごう-ざい【合剤】水に溶解または混和した薬物。

こうざい-しっそく【高材疾足】才能がすぐれていて、敏腕である・こと（人）。

こう-ざいりょう【好材料】❶ちょうど都合のよい材料。❷相場を上げる原因となる条件。対 悪材料。

***こう-さく【交錯】**《名・自サ》〔いくつかのものが複雑に〕入り交じること。「期待と不安が―する」

***こう-さく【工作】**《名・他サ》❶〔材料を切ったり削ったりして〕物をこしらえること。また、それを学ぶ学科。類語 製作。製造。❷ある目的のために他に対して前もってはたらきかけること。「和平―」「裏面―」**―きかい【―機械】**おもに金属を切ったり削ったりみがいたりする機械の総称。旋盤・フライス盤など。

***こう-さく【耕作】**《名・他サ》田畑を耕して作物を栽培すること。類語 農作。農耕。

***こう-さく【鋼索】**鋼鉄の針金をよりあわせて作った綱。ワイヤロープ。参考 ロープウエーなどに用いる。

***こう-さく【高作】**〔文〕相手の作品を尊敬していう語。お作。「御―を拝読いたしました」

***こう-さつ【絞殺】**《名・他サ》首をしめて殺すこと。

***こう-さつ【考察】**《名・他サ》〔物事の道理・本質などを〕調べて考えること。「―を加える」類語 考究。

***こう-さつ【高察】**〔文〕相手の推察を尊敬して言う語。賢察。お察し。「御―の如く」

***こう-さつ【高札】**❶昔、禁令や重罪人の罪状などを書いて、人目につく所に掲示した板。高札。類語 制札。たてふだ。❷入札の中で、いちばん価格の高い札。❸〔文〕相手の手紙を尊敬していう語。

こう-ざつ【交雑】❶《名・自サ》〔いろいろな種類が〕入り交じること。❷《名・他サ》ちがった種類の生物を結合させて雑種を作ること。類語 交配。

ごう-ざらし【業×曝し・業×晒し】❶前世でおかした悪業の報いとして、現世で恥をさらす・こと（人）。❷意地の悪い人や冷酷な人などをののしって言う語。恥さらし。「この―め」＝ごうさらし。

***こう-さん【公算】**ある状態になるだろうという見込み。「成功の―が大きい」類語 確率。可能性。

***こう-さん【恒産】**〔文〕安定した財産や一定の職業・収入。「―無き者は恒心無し（＝一定の財産や収入・職業のない者は心も正しく安定しない）」

***こう-さん【鉱産】**鉱業による生産（物）。

***こう-さん【降参】**《名・自サ》❶戦争や争いに負けて敵に従うこと。類語 降服。降下。帰順。投降。❷どうにも方法がなく困りきること。「水不足には―する」

***こう-ざん【鉱山】**（有用な）鉱物を産し、それをほりだす設備のある山。

***こう-ざん【高山】**高い山。「―植物」**―びょう【―病】**急に高い山に登った時などに、気圧の低下や酸素の欠乏によっておこる病気。はきけ・耳なり・頭痛・心悸亢進などの症状があらわれる。山岳病。

***こう-し【光子】**光の粒子。光量子。フォトン。

***こう-し【公使】**特命全権公使・弁理公使・代理公使の総称。特に、「特命全権公使」の略称。

***こう-し【公司】**〔中国の〕会社。コンス。クンス。

***こう-し【公子】**〔文〕貴族の子。貴公子。きんだち。

***こう-し【公私】**公の生活に関したことと、自分の生活だけに関したこと。公事と私事。「―にわたりお世話になりました」「―混同」

***こう-し【厚志】**〔文〕てあついこころざし。親切な気持ち。〔相手の好意に対し感謝の気持ちを示すときに使う〕「御―かたじけなく存じます」類語 厚情。厚意。

***こう-し【×嚆矢】**〔文〕❶かぶら矢。❷ある物事のはじめ。「この技術の導入は当社をもって―とする」参考 昔、中国でかぶら矢を射て開戦の合図としたことから。類語 濫觴。権輿。

***こう-し【孝子】**〔文〕〔その親に対して〕孝行な子。参考 女性の場合、特に「孝女」と言うこともある。

***こう-し【後嗣】**〔文〕あとつぎ。世継ぎ。子孫。

***こう-し【後肢】**〔文〕〔動物の〕あとあし。対 前肢。

*こう‐し【格子】❶細い木をすきまをあけて縦横に組み合わせたもの。建具として、窓・出入り口などに取りつける。❷「格子戸」の略。格子に作った戸。❸「格子縞(こうしじま)」の略。縦横の線が碁盤の目のように交差している縞もよう。―づくり【―造(り)】家の建て方の一つ。表の窓や戸に格子をとりつける。

*こう‐し【皇嗣】〔文〕皇位継承の第一順位の人。天皇の世継ぎ。類語 皇太子。

*こう‐し【×皓歯】〔文〕白く美しい歯。「明眸(めいぼう)―」

*こう‐し【紅紫】〔文〕❶くれないと、むらさき。❷さまざまの美しい色。

*こう‐し【考試】学力・資格を検査し、及落・採否を判定すること。試験。

*こう‐し【行使】《名・他サ》〔権力・権利などを〕実際に使うこと。「武力―」「実力―」

*こう‐し【講師】❶講演・講義をする人。❷〔大学・高等学校などで〕正規の教員の補助として嘱託をうけて授業をする教師。参考 →講師(こうじ)。

*こう‐し【鉱×滓】→こうさい(鉱滓)。

*こう‐し【高士】〔文〕❶人格の高潔な人。また、志が高くて世俗に追従しない人。❷社会的な名誉・地位をきらって、山林などに隠れ住むりっぱな人。隠君子。

*こう‐し【高師】「高等師範学校」の略称。旧制度で、師範学校・中学校・高等女学校の教員を養成するための専門学校。

*こう‐じ【公示】《名・他サ》〔決定事項などを〕公の機関が一般の人々に広く知らせること。また、その内容。「投票日を―する」類語 公表。公布。告示。

*こう‐じ【好事】〔文〕❶めでたく、よろこばしいこと。❷よい行い。「―門を出(い)でず(=よい行いは世に知られにくい)」類語 善行。対 ①②悪事。注意「こうず」と読むと意味が異なる。

―魔多し《句》よいことやめでたいことには、じゃまがはいりやすい。

*こう‐じ【好字】〔人・物などの名前をつけるときに好まれる〕めでたい文字。縁起のよい文字。

*こう‐じ【好×餌】〔文〕〔うまいえさの意から〕❶人をひきつけてうまくさそいこむ手段。「―をもってさそい出す」類語 おとり。❷欲望の対象として犠牲にされやすいもの。「暴漢の―となる」類語 えじき。

*こう‐じ【小路】《「こみち」の転》〔両側を家にかこまれた〕幅のせまい道。参考 他の語について街路や区画をあらわす固有名詞をつくる。「袋―(=先が行きどまりになっているせまい道)」「狸(たぬき)―」対 大路(おおじ)。

*こう‐じ【工事】《名・自サ》土木・建築などの仕事・作業。「地下鉄―の現場」「土木―」

*こう‐じ【後事】〔文〕〔その人が去った〕のちに生じてくること。特に、死後のこと。「―を妻に託す」

*こう‐じ【×柑子】❶「からたちばな」の別称。❷「こうじみかん」の略。ミカンの一品種。実は小さく、皮がうすくて酸味が強い。❸みかん。

*こう‐じ【硬磁】高温で焼きあげた硬質の磁器。

*こう‐じ【講師】❶宮中などで行われる歌会・歌合わせの時、歌を読みあげる役の人。❷法会(ほうえ)の時に経文を講じる僧。参考 →講師(こうし)。

*こう‐じ【高次】❶程度が高いこと。❷〔数〕次数が高いこと。「―方程式」参考 ふつう三次以上をいう。

*こうじ【×麹・×糀】米・麦・大豆などを蒸し、それにこうじ菌(きん)を繁殖させたもの。これをもとにして、酒・みそ・しょうゆ・甘酒などを作る。

*ごう‐し【合×祀】《名・他サ》〔文〕二柱以上の神・霊を一つの神社に合わせまつること。合祭。

*ごう‐し【合資】《名・自サ》資本を出し合うこと。―がいしゃ【―会社】無限責任社員と有限責任社員とで組織された会社。前者が事業を経営し、後者は資本を提供するのみ。

*ごう‐し【郷士】農村に土着し、平時は農耕に従事した武士。また、農民で武士の待遇をうけていた者。

こうじ‐かび【×麹×黴】→こうじきん。

*こう‐しき【公式】❶おおやけにきめられている方式・形式。「―に通達する」「―の場」類語 正式。対 非公式。❷〔数〕一般法則を数学上の記号で表した式。たとえば、$(a+b)^2=a^2+2ab+b^2$など。―しゅぎ【―主義】現実に即して処理せずに、公式どおりに処理しようとする考え方。―てき【―的】《形動》何事に対しても公式をあてはめて処理しようとするようす。

*こう‐しき【硬式】かたい材料を使用する方式。特に、野球・テニスなどでかたいボールを使う競技。対 軟式。

こう‐じき【高直】《名・形動》値が高いこと。また、高い値段。〔古風な言い方〕類語 高価。対 下直(げじき)。

こうじ‐きん【×麹菌】子のう菌類に属するかびの一種。でんぷんを糖化し、たんぱく質を分解する。こうじを作るのに利用。こうじかび。

こう‐しせい【高姿勢】人を頭からおさえつけるような強い態度。「―に出る」対 低姿勢。

*こう‐しつ【後室】❶家の後方にある部屋。後房。❷身分の高い人の未亡人。

*こう‐しつ【皇室】天皇およびその一族。類語 王室。―てんぱん【―典範】皇位の継承など、皇室に関する事項を規定した法律。

*こう‐しつ【硬質】〔ふつうのものより〕質がかたいこと。「―ガラス」対 軟質。

*こう‐しつ【×膠漆】にかわと、うるし。参考 非常に親しい間柄のたとえに用いる。「―の交わり」

*こう‐しつ【×膠質】〔文〕コロイド。

*こう‐しつ【高湿】湿度が高いこと。類語 多湿。

*こう‐じつ【口実】〔自分の行いなどを〕正当化する言い訳の材料。また、その言葉。「―を設ける」

*こう‐じつ【好日】❶平穏であったり天気がよかったりして気持ちのよい日。❷充実していて、人生に満足を得られる日々。「日々(にちにち/ひび)是(これ)―」

*こう‐じつ【×狎×昵】〔文〕なれ親しむこと。親しく交わること。

こうじつ‐せい【向日性】屈光性の一種。植物が日光のくる方向にのびる性質。向光性。対 背日性。

こうじつ‐びきゅう【×曠日×弥久】〔文〕むだに日を費やして、物事がながびくこと。

こうじ‐ばな【×麹花】❶蒸した米にこうじ菌が繁殖して淡黄色になったもの。❷「ははこぐさ」の別称。

*こう‐しゃ【公舎】〔国家・地方公共団体の所有する〕公務員の宿舎。「知事―」類語 官舎。

*こう‐しゃ【公社】❶国が資金の全額を出して作り、公共のための事業を行う企業体。参考 民営化以前の日本国有鉄道(現JR)・日本専売公社(現JT)・日本電信電話公社(現NTT)など。❷地方公共団体が財政援助をする、公共のための企業体。

*こう‐しゃ【巧者】《名・形動》物事に手なれていて、た

くみな・こと(人)。「試合―」類語巧手。達者。

*__こう・しゃ【後者】__ ❶〔文〕後に続いて来るもの。「志を―に託す」 ❷二つとりあげたもののうちの後のもの。対①②前者。

*__こう・しゃ【後車】__〔二台つづいて走っている車の〕後の車。「前車の覆るは―の戒め」対前車。

*__こう・しゃ【校舎】__ 学校の建物。

*__こう・しゃ【講社】__ 講中(こうじゅう)の団体。講。

*__こう・しゃ【降車】__《名・自サ》車からおりること。「―口」類語下車。対乗車。

*__ごう・しゃ【豪×奢】__《名・形動》非常にぜいたくで、はでなこと。「―な大邸宅」類語豪侈(ごうし)。豪華。

*__ごう・しゃ【郷社】__ もと、神社の格の一つ。府県社の下、村社の上。

*__こう・しゃく【侯爵】__ もと、爵位の一つ。五等爵(公爵・侯爵・伯爵・子爵・男爵)のうち第二の位。侯。

*__こう・しゃく【公爵】__ もと、爵位の一つ。五等爵(公爵・侯爵・伯爵・子爵・男爵)のうち第一の位。公。

*__こう・しゃく【講釈】__ ❶《名・他サ》文章や語句の意味を説明してきかせること。「論語の―」 ❷《名・他サ》もったいぶって説明すること。また、その説明。「えらそうに―を並べたてる」 ❸講談。「―師」

__こう・しゃさい【公社債】__ ❶公債・社債の総称。❷公社で発行する債券。

__こうしゃ・ほう【高射砲】__ 航空機を射撃するための砲身の長い大砲の称。仰角が大きい。

*__こう・しゅ【好守】__〔球技などで〕よく守ること。上手な守備。好守備。「―好打の応酬」対拙守。

*__こう・しゅ【巧手・好手】__ ❶〔文〕たくみなわざ。また、たくみな人。「弓の―」 ❷囲碁・将棋などで、うまい打ち方。うまい手。「名人戦で―を打つ」表記②は、ふつう「好手」と書く。類語巧者。達者。

*__こう・しゅ【×拱手】__《名・自サ》(「きょうしゅ」の慣用読み)→きょうしゅ(拱手)。

*__こう・しゅ【攻守】__ 攻めることと守ること。
__―所を変・える__《句》これまで守り手にいた者が攻め手に、攻め手にいた者が守り手にまわる。互いの立場がそれまでと反対になる。

*__こう・しゅ【甲種】__ ❶甲の種類。第一等の・もの(種類)。❷「甲種合格」の略。旧軍隊の徴兵検査で、甲・乙・丙の三段階のうちの第一級で合格すること。

*__こう・しゅ【絞首】__ 首をしめること。首をしめて殺すこと。「―刑」類語絞殺。

*__こう・しゅ【耕種】__〔文〕田畑を耕し、作物を作ること。

*__こう・じゅ【口受】__《名・他サ》直接その人の口から聞き、教えを受けること。口受(くじゅ)。〔古風なことば〕

*__こう・じゅ【口授】__《名・他サ》口でのべて教えをさずけること。口授(くじゅ)。〔古風なことば〕類語口伝(くでん)。

__ごう・しゅ【強酒・豪酒】__《名・形動》酒に強く、酒を多量に飲む・こと(人)。「―家」類語大酒。酒豪。

*__こう・しゅう【公衆】__〔国民・県民・町民などとして互いに連帯意識をもった〕社会一般の人々。__―どうとく【―道徳】__ 社会生活を行ううえで、一人一人が守らなければならない道徳。

*__こう・しゅう【口臭】__ 口の中から出る悪臭。

*__こう・しゅう【向州】__「日向(ひゅうが)の国」の唐風の呼び名。

*__こう・しゅう【甲州】__「甲斐(かい)の国」の唐風の呼び名。

*__こう・しゅう【講習】__《名・他サ》一定期間を限って学問・技芸などを教え指導すること。「―会」

__こう・じゅう【講中】__ ❶頼母子(たのもし)講にはいっている人。❷神仏に参詣(さんけい)するための団体にはいっている人々。＝講中(こうちゅう)。表記現代仮名遣いでは「こうぢゅう」も許容。

*__ごう・しゅう【▽江州】__「近江(おうみ)の国」の唐風の呼び名。

*__ごう・しゅう【豪州・×濠×洲】__ オーストラリア。

__こう・しゅうは【高周波】__ 比較的高い周波数。また、周波数の高い電波・電流。対低周波。

*__こう・じゅく【紅熟】__《名・自サ》果実などが真っ赤に熟すこと。「―したリンゴ」

*__こう・じゅく【黄熟】__《名・自サ》果実などが黄色く熟すこと。「―したミカン」

*__こう・じゅつ【公述】__《名・他サ》〔公聴会などの〕おおやけの席で意見を述べること。「―人」

*__こう・じゅつ【口述】__《名・他サ》〔文字で記述することがらを〕直接口で述べること。「―筆記」「―試験」

*__こう・じゅつ【後述】__《名・他サ》〔ある演説・論文などの〕後の部分で述べること。後で述べてあることがら。「―のように…」対前述。

__こう・しゅん【高×峻】__《名・形動》〔文〕❶〔山が〕高くけわしいこと。❷人格がけだかくすぐれていること。

__こう・じゅん【公準】__ 証明はできないが、学問上・実践上、原理として承認されている根本命題。

*__こう・しょ【公署】__〔市役所・町村役場など〕地方公共団体の事務をとる役所。類語官署。

*__こう・しょ【向暑】__〔文〕暑い季節に向かうこと。〔手紙で時候のあいさつなどに使う〕「―の砌(みぎり)」対向寒。

*__こう・しょ【講書】__《名・自他サ》〔文〕書物を講義すること。「御―始め」

*__こう・しょ【高所】__ ❶〔見通しのきく〕高い場所。「―恐怖症」類語高み。❷〔物事を考えるときの〕高い立場。高い見地。「大所(たいしょ)―から物を考える」

*__こう・しょ【高書】__〔文〕他人の手紙・著書などを尊敬して言う語。「御―拝見いたしました」

*__こう・じょ【公序】__ 社会一般の人が守らなければならない秩序。公共の秩序。__―りょうぞく【―良俗】__ 公共の秩序と善良な風俗。「―に反する行為」

*__こう・じょ【孝女】__ 親孝行な娘。「―白菊」

*__こう・じょ【控除・×扣除】__《名・他サ》〔計算の対象から或る金額を〕さしひくこと。「印税から一割を―する」

*__こう・じょ【皇女】__ 天皇の娘。対皇子(おうじ)。

*__こう・じょ【高女】__「高等女学校」の略称。旧制度で、尋常小学校の課程を終了した女子に、さらに高度な普通教育をほどこすための学校。

__ごう・しょ【×劫初】__〔仏〕この世のはじめ。対劫末。

*__こう・しょう【交渉】__ ❶《名・自他サ》〔希望や要求を示して〕相手にかけあうこと。「―がまとまる」「団体―」類語談判。折衝(せっしょう)。❷〔人と人との〕関係をむすぶこと。まじわること。「没―」類語かかわりあい。

*__こう・しょう【公傷】__ 公務に従事しているときに受けた傷。対私傷。

*__こう・しょう【公×娼】__ おおやけに営業を許可された売春婦。対私娼。

*__こう・しょう【公称】__《名・他サ》世間一般に対して、表向きに言っていること。「―三万の発行部数」

*__こう・しょう【公証】__〔いろいろな登記・証明書の下付など〕官・公吏が職権によって行う証明。__―にん【―人】__ 民事に関する公正証書を作成したり、私署した証

書を認証したりする権限をもつ公吏。

*こう・しょう【口承】《名・他サ》〔物語・詩などを〕人の口から口へ、代々語り伝えること。「—文学」

*こう・しょう【口×誦】《名・他サ》〔文〕〔文章などを〕声を出して読んだり口ずさんだりすること。

*こう・しょう【×咬傷】〔犬などに〕かまれてできた傷。

*こう・しょう【×哄笑】《名・自サ》〔文〕大口をあけて笑うこと。大きな声で笑うこと。大笑い。類語 高笑。

*こう・しょう【好尚】〔文〕❶好み。嗜好(しこう)。「上品な—」❷はやり。流行。「時代の—に合わせる」

*こう・しょう【工匠】❶〔大工や職人などのように〕工作を職業とする人。〔古風な言い方〕❷〔文〕工作物の意匠。デザイン。

*こう・しょう【工×廠】兵器・弾薬などの軍需品を製造する工場。参考 旧陸海軍に直属した。

*こう・しょう【校章】学校の記章。

*こう・しょう【考証】《名・他サ》古い物事について、文献・事物などを調べて実証し、説明・解釈すること。「元禄期の風俗を—する」「時代—」

*こう・しょう【行賞】〔おさめたてがらに対し〕賞を与えること。参考 →論功(ろんこう)行賞。

*こう・しょう【鉱床】地中で、有用鉱物が一か所に多量に集まっている場所。「ウランの—」

*こう・しょう【高唱】《名・他サ》〔文〕〔詩などを〕声高らかにうたうこと。また、〔万歳などを〕声高らかにとなえること。類語 高歌。高吟。対 低唱。

*こう・しょう【高笑】《名・自サ》〔文〕大声で笑うこと。高笑い。類語 哄笑(こうしょう)。大笑。

*こう・しょう【高尚】《形動》俗っぽくなく、精神的に程度が高く上品なようす。「—な趣味」対 低俗。

*こう・じょう【交情】❶親しみの気持ち。また、友達としての親しい交際。「ほのぼのとした—」「—を深める」類語 交誼(こうぎ)。❷男女が情をかわすこと。情交。

*こう・じょう【厚情】心からの親切。あついなさけ。厚意。〔相手の厚意に対して使う〕「御—を賜る」類語 厚志。厚誼(こうぎ)。

*こう・じょう【口上】❶口で言う、型どおりのあいさつ。「お祝いの—を述べる」❷興行物で、俳優の襲名披露や興行番組の子細を述べること。「真打(しんうち)昇進の—」—しょ【—書】外交文書の形式の一つ。相手国との協議の記録や相手国への問題提起などを、口述するかわりに筆記したという形にしたもの。

*こう・じょう【向上】《名・自サ》現在よりもよい方に発展すること。「—心」類語 進歩。前進。対 低下。

*こう・じょう【工場】〔機械などを設備し〕物の製造・加工・修理などをする所。また、その建物。工場(こうば)。

*こう・じょう【恒常】一定していて変わらないこと。ふつう。「温度を—に保つ」「—的な設備」「—性」

*こう・じょう【×膠状】〔文〕にかわのように半透明でねばりけのある状態。

*こう・じょう【荒城】〔文〕あれはてた城。類語 古城。

*ごう・しょう【号鐘】〔文〕合図にならす鐘。

*ごう・しょう【豪商】大資本をもち、手広く商売をしている商人。大商人。

ごう・じょう【強情・剛情】《名・形動》意地をはって自分の考えや行動をどこまでも押し通そうとすること。「—をはる」「—な子供だ」類語 頑固(がんこ)。

こうじょう・せん【甲状×腺】のどの前下部、気管上部の左右にある、馬蹄(ばてい)に似た形の内分泌腺。心身の発育・新陳代謝に必要なホルモンを分泌する。

*こう・しょく【交織】種類の異なる二種以上の糸をまぜて織ること。また、その織物。まぜおり。類語 混紡。

*こう・しょく【公職】国家や公共団体などの職務。おおやけの職務。「—につく」「—選挙法」

*こう・しょく【好色】《名・形動》異性との〔みだらな〕情事を好むこと。いろごのみ。「—な男」

*こう・しょく【紅色】べに色。赤い色。くれない色。

*こう・しょく【降職】《名・他サ》職務上の地位を引きさげること。降任。「—処分」類語 左遷。

*こう・しょく【黄色】〔文〕きいろい色。黄色(きいろ・おうしょく)。

ごうじょっ・ぱり【強▽情っ張り】《名・形動》〔人の言うことにしたがわないなど〕意地を張ってがんこな・こと(人)。意地っ張り。

*こう・じる【▽困じる】《自上一》→困(こう)ずる。

*こう・じる【高じる・×嵩じる・×昂じる】《自上一》→高ずる。

*こう・じる【講じる】《他上一》→講ずる。

*こう・しん【×亢進・×昂進】《名・自サ》❶〔ある気持ち・病勢などが〕高くなっていくこと。「心悸(しんき)—」❷〔物価などが〕高くなっていくこと。「インフレがさらに—する」表記 ㋐多く、①は「亢進」、②は「昂進」と書く。㋑「高進」で代用することもある。

*こう・しん【交信】《名・他サ》信号をとりかわすこと。特に、無線などで通信をとりかわすこと。

*こう・しん【功臣】国家や主君に対し、てがらをたてた臣下。「—に報いる」類語 忠臣。

*こう・しん【口唇】〔文〕〔人間の〕くちびる。

*こう・しん【孝心】孝行をしようという心。孝志。

*こう・しん【×庚申】❶干支(えと)の一つ。かのえさる。❷「庚申待ち」の略。かのえさるの夜、仏教では帝釈天(たいしゃくてん)および青面金剛(しょうめんこんごう)を、神道では猿田彦命(さるだひこのみこと)を祭って徹夜する祭事。庚申。庚申会(え)。庚申講。❸庚申待ちに祭る、青面金剛のこと。—づか【—塚】庚申待ちの祭神を祭った塚。多く、青面金剛と三猿(さんえん)の像を石に刻み、道ばたに立てた。

*こう・しん【後身】〔生まれ変わった身の意から〕発展・改革して、境遇・組織などがすっかり変わった後のもの。「東京専門学校の—が早稲田大学」対 前身。

*こう・しん【後進】❶〔あるものの〕後から進んでくる・こと(もの)。また、その人。「—に道をゆずる」「—を激励する」類語 後人。後続。後輩。対 先進。❷《名・自サ》〔車などが〕後へ進むこと。類語 後退。対 前進。

*こう・しん【恒心】〔文〕つねに正しさを失わない、しっかりした心。「恒産無き者は—無し」

*こう・しん【更新】《名・他サ》❶《自サ》新しく改まること。また、新しく改めること。「記録を—する」類語 更始。改新。刷新。❷〔法〕一定の存続期間を定めた契約で、その期間が満了する際に、契約の同一性を保ちながら期間だけを延長すること。—せい【—世】地質時代区分の一つ。新生代第四紀前半の氷河時代。今から一七〇万～一万年ぐらい前の期間。人類が出現し、火山ができた時期。もと、洪積世といった。

*こう・しん【紅唇】〔文〕赤いくちびる。また、美人の〔べにをつけた〕くちびる。

*こう・しん【行進】《名・自サ》〔大勢の人や乗り物などが〕隊をなして進むこと。「—曲」

*こう・しん【降神】〔祈禱(きとう)やまじないによって〕神霊を

招くこと。かみおろし。「―術」

*こう・じん【公人】〔官吏・公務員など〕公職についている人。「―として発言する」対私人。

*こう・じん【×巷×塵】〔文〕俗世間の汚れ。俗塵。

*こう・じん【幸甚】《名・形動》〔文〕非常にありがたく幸せに思うこと。〔相手の行為などに感謝するときに使う〕「御承諾くだされ―に存じます」類語至幸。至福。

*こう・じん【後人】〔文〕後の人。後世の人。「伝統芸能を―に伝える」類語後進。対先人。前人。

*こう・じん【後×塵】〔文〕人や車馬の走った後にたつ土けむり。

―を拝・する《句》❶地位・権力のある人を・仰ぎ敬服する(うらやましく思う)。❷人に一歩をゆずる。人に先んじられる。類語風下に立つ。

*こう・じん【後陣】〔戦争で〕後方にある陣地。後方に控えた軍勢。後ぞなえ。後陣。対先陣。

*こう・じん【荒神】❶「三宝荒神」の略。❷かまどの神。参考三宝荒神と混同して、火を防ぐ神、また、農業の神として祭る。❸かげにいて人を保護する者。

*こう・じん【行人】〔文〕❶道を歩いて行く人。❷旅をしている人。旅人。過客。類語遊子。旅客。

*こう・じん【黄×塵】❶空が黄色に見えるほどのはげしい土けむり。「―万丈」❷世間のわずらわしい俗事。俗塵。「―にまみれる」

こうしん・じょ【興信所】依頼に応じて、ある人物や企業の内部事情などを秘密に調査・報告する機関。

こう・じんぶつ【好人物】人柄が穏やかで、気だてのいい人。「夫婦そろって―だ」類語お人よし。

こうしん・りょう【香辛料】料理によい香りや辛みをつけるための、植物性の調味料。からし・こしょう・にっけい・さんしょうなど。スパイス。

こうしん・りょく【向心力】↓求心力。

こうしん・ろく【興信録】ある人・会社・商店などの信用程度を明らかにするため、その資産・営業状態などを調査し紹介した書物。

*こう・ず【公図】土地登記簿につける、地名・面積などを示す地図。登記所が作成・保管する。

*こう・ず【好事】変わった・もの(物事)を好むこと。―か【―家】❶ものずきな人。❷風流なことを好む人。

*こう・ず【構図】芸術作品を制作するとき、主題・材料などの効果があがるように考えた配置。参考物事の全体の姿の意にも用いる。「未来社会の―」注意「こうじか」は誤読。

*こう・すい【硬水】カルシウム塩類・マグネシウム塩類を多く含んだ水。洗濯には適さない。対軟水。

*こう・すい【鉱水】❶鉱物質を多量に含む水。薬用・飲料用。❷鉱山などから排出される鉱毒を含む水。

*こう・すい【降水】〔雨・雪などとして〕地上へ降った水。―かくりつ【―確率】ある時間内に、ある地域に雨などが一ミリ以上降る確率。―りょう【―量】降水の量。そのたまった高さをミリメートルで表す。

*こう・すい【香水】化粧品の一つ。よいにおいの香料をアルコールにとかした液体。肌や衣服につける。

*こう・ずい【洪水】❶川の水があふれ、家屋・田畑などが水びたしになること。類語大水。氾濫。❷一度に多くのものが出ていっぱいになること。「自動車の―」

*こう・ずい【香水】❶仏具などを清めたりからだに注ぎかけたりするために、種々の香りをまぜて作った水。❷仏前に供える水。

ごう・すう【号数】〔大きさ・順番などの〕番号を表す数。号を表す数。「―活字」

こうずけ【▽上▽野】《「かみつけ」の転》旧国名の一つ。今の群馬県。上州。

*こう・・する【抗する】《自サ変》〔文〕〔あるものに反対して〕さからう。抵抗する。「官憲の弾圧に―・する」

*こう・・する【航する】《自サ変》〔文〕船・航空機で行く。航行する。「内海を―・する汽船」

*こう・・ずる【▽困ずる】《自サ変》こまる。苦しむ。なやむ。困じる。「思案に―・ずる」

*こう・・ずる【×薨ずる】《自サ変》〔文〕〔皇族・三位以上の人が〕死ぬ。薨去する。

*こう・・ずる【高ずる・×嵩ずる・×昂ずる】《自サ変》〔ある気持ち・病状などの程度が〕激しくなる。ひどくなる。高じる。「持病が―・ずる」「わがままが―・ずる」

*こう・・ずる【講ずる】《他サ変》❶学問や書物などについて説明する。「英文学を―・ずる」❷〔適当な方法・処置を〕いろいろ考えて行う。「対策を―・ずる」❸敵と和解する。表記③は「媾ずる」とも書く。＝講じる。

ごう・・する【号する】《他サ変》〔文〕❶〔価値・力などを誇って〕言いふらす。「世界一と―・する巨船」❷雅号をつける。号として用いる。「芭蕉と―・する」

*こう・せい【公正】《名・形動》公平で正しいこと。「―な取引」⇩〘使い分け〙―しょうしょ【―証書】公証人の作成した、民事上の法律行為・権利などに関する証書。―とりひき・いいんかい【―取引委員会】国の行政機関の一つ。企業の私的な独占や不当な取引を排除する役目をもつ。公取委。

*こう・せい【厚生】健康を増進し、生活を豊かにすること。「―施設」⇩〘使い分け〙―ねんきん【―年金】給与所得者が老齢・病気・けがなどで働けなくなったり、死亡・退職したりしたときに支給される年金。―ろうどう・しょう【―労働省】社会福祉・社会保険・公衆衛生、および労働者の福祉・職業の確保などに関する事務をあつかう国の行政機関。

*こう・せい【好晴】〔文〕晴れ渡っている空。快晴。

*こう・せい【後世】〔その人が死んだ〕後にくる時代。後の世。「―に名を残す」類語後代。後年。末代。

*こう・せい【後生】〔文〕❶後に生まれてくる人。後代の人。対先生。❷自分より後から学ぶ人。類語後輩。後進。注意「ごしょう」と読むと意味が異なる。

―畏るべし《句》自分より若い人は努力しだいでどんなにもすぐれた人物になる可能性があるから、おそれつつしむ気持ちで扱うべきだ。〈論語・子罕〉

*こう・せい【恒星】星座を作っている天体。天球上でほとんど互いの位置を変えない。太陽と同じようにそれ自身で光る。参考太陽も恒星の一つ。対惑星。

*こう・せい【攻勢】〔戦い・試合などで〕積極的にせめる態勢。「―に転じる」「―をかける」対守勢。

*こう・せい【×曠世】〔文〕〔すぐれて〕世にまれなこと。「―の才」類語希代。絶世。

*こう・せい【更正】《名・他サ》誤りを改め、正しくすること。類語訂正。修正。⇩〘使い分け〙―けってい【―決定】納税者が所得を実際より少なく申告したり、全く申告しなかったりしたとき、税務署が正しい申告額を訂正または決定して納税者に示すこと。

*こう・せい【更生】❶《名・自サ》生きかえること。蘇生。表記「甦生」とも書く。❷《名・自サ》〔精神や性格

が〕もとの正常な状態にもどること。「悪の道から―する」「―施設」類語 再起。❸《名・他サ》役にたたなくなったものに手を加えて再び使えるようにすること。「古い洋服を―する」類語 再生。⇩〔使い分け〕

使い分け「コウセイ」

厚生〔「厚」はゆたかにする意。健康を増進し生活を豊かにする〕厚生労働省・福利厚生施設・厚生年金

更生〔「更」はあらためる、新しくする意。もとの正常な状態にもどる。不用のものを再生する〕会社更生法・前非を悔い更生する・自力更生・古着を更生する

更正〔税額などの誤りをあらため正しくする〕更正決定・更正予算・登記事項を更正する

公正〔公平で正しい〕公正な判断・不公正・公正証書・公正取引委員会

参考「更生」には生き返る意もあり、「甦生(そせい)」の慣用読み「甦生(こうせい)」を同じように用いる(生死の境から更生／甦生する)が、「ソセイ」では「蘇生」が、「コウセイ」では「更生」が一般的。

***こう・せい【校正】**《名・他サ》校正刷りと原稿を比べ合わせて、活字の組み誤り・不備などを正すこと。類語 校閲。**―ずり【―刷(り)】**校正のために仮に刷った印刷物。ゲラ刷り。ゲラ。

***こう・せい【構成】**《名・他サ》〔いくつかの要素を〕あるまとまったものに組みたてること。また、組みたてられたもの。「全体の―を考える」類語 構造。組成。

***ごう・せい【剛性】**物体の、形の変化に対する弾性。外力に対して、物体がもとの形を保とうとする性質。

***ごう・せい【合成】**《名・他サ》❶二つ以上のものをいっしょにして、一つのものを作ること。「―写真」❷元素から化合物を作ること。また、簡単な化合物から複雑な化合物を作ること。**―ご【―語】**複合語。**―じゅし【―樹脂】**プラスチック。**―せんい【―繊維】**石油・石炭・カーバイドなどを原料とし、化学的に合成して作った繊維。ナイロン・ビニロン・テトロンなど。合織。参考 →化学繊維。

***ごう・せい【豪勢】**《形動》非常にぜいたくで素晴らしいようす。「―なディナー」類語 豪華。

こうせいしん・やく【向精神薬】精神状態に影響を与える薬物の総称。鎮静剤・睡眠剤・幻覚剤など。

こうせい・ぶっしつ【抗生物質】ある種の微生物が合成する抗菌作用のある物質。ペニシリン・ストレプトマイシン・クロロマイセチンなど。抗生剤。

***こう・せき【光跡】**光って動いているものを見た(写した)ときに、目や画面に映る光の筋。「星の―」

***こう・せき【功績】**すぐれた働き。てがら。「医学の進歩に―を残す」類語 いさお。功労。功勲(こうくん)。勲功。注意「功積」は誤り。

***こう・せき【口跡】**〔文〕ものの言い方。ことばづかい。特に、歌舞伎(かぶき)役者のせりふの言い方。こわね。

***こう・せき【航跡】**船が通った後にできる、波や泡(あわ)のすじ。みお。

***こう・せき【鉱石】**有用な金属を多くふくむ鉱物。

こう・せきうん【高積雲】中層雲の一つ。大きく丸みのある雲のかたまり。高さ二～八キロの所に浮かぶ。むら雲。ひつじ雲。

こうせき・せい【洪積世】→更新世。

***こう・せつ【交接】**《名・自サ》〔文〕性交すること。

***こう・せつ【公設】**〔機関・施設などが〕国や公共団体の設立・運営であること。「―市場」対 私設。

***こう・せつ【巧拙】**じょうずなことと、へたなこと。じょうずへた。「作品の―は問わない」

***こう・せつ【×巷説】**〔文〕町なかの評判。世間のうわさ。巷語(こうご)。「―に惑わされる」類語 風説。浮説。

***こう・せつ【後節】**〔文章・詩などを前後に分けたときの〕あとの節。対 前節。

***こう・せつ【講説】**《名・他サ》〔文〕〔教義などを〕ときあかすこと(講義)。講説(こうぜつ)。「仏典の―をきく」

***こう・せつ【降雪】**雪が降ること。また、降った雪。「一メートルの―」「―量」類語 積雪。

***こう・せつ【高説】**❶すぐれた説。❷〔文〕他人の説を尊敬して言う語。「御―を拝聴する」

***こう・ぜつ【口舌】**〔文〕(口先だけの)ことば。口舌(くぜつ)。「―の徒(＝口が達者で実行力が伴わない人)」

ごう・せつ【豪雪】〔被害を与えるような〕大雪。「―地帯」

***こう・せん【交戦】**《名・自サ》戦いをまじえること。互いに戦争をすること。「―国」

***こう・せん【光線】**光のすじ。光。「一条の―」「太陽―」「可視―」類語 光芒(こうぼう)。

***こう・せん【公選】**《名・他サ》公共の職務につく者を一般住民の投票によって選挙すること。「知事―」

***こう・せん【口銭】**売買の仲介をした手数料。コミッション。「一割の―をとる」

***こう・せん【好戦】**戦争が好きなこと。すぐに武力にうったえようとすること。「―的な政治家」対 厭戦(えんせん)。

***こう・せん【工船】**漁獲物を海上ですぐに缶詰・魚油などに加工する工場設備をもった船。「かに―」

***こう・せん【工銭】**仕事の手間賃。工賃。〔古風な言い方〕「わずかな―を稼ぐ」

***こう・せん【抗戦】**《名・自サ》敵に抵抗して戦うこと。「徹底―をさけぶ」類語 応戦。防戦。

***こう・せん【鉱泉】**鉱物性物質を多く含む泉。参考 摂氏二五度以下を冷泉、それ以上を温泉と呼び、特に前者をさして言うことが多い。

***こう・せん【鋼線】**鋼鉄製のはりがね。

***こう・せん【鋼船】**鋼鉄を主材料として造った船。

***こう・せん【香×煎】**❶米をいって粉にし、香料をまぜ合わせたもの。白湯(さゆ)に入れて飲む。こがし。❷「むぎこがし」の別称。

***こう・せん【高専】**「高等専門学校」の略称。

***こう・せん【黄泉】**〔文〕❶地下にある泉。❷人が死後に行くという世界。黄泉(よみ)。「―の客となる(＝死ぬ)」類語 よみじ。あの世。冥土(めいど)。冥界(めいかい)。冥府。

***こう・ぜん【公然】**《副・形動タル》隠しだてせず、おおっぴらであるようす。「―の秘密(＝表向きは秘密であるのに、すでに広く知られてしまっていること)」

***こう・ぜん【×昂然】**《形動タル》自信にみちて、意気のさかんなようす。「―と胸を張る」

***こう・ぜん【×曠然】**《形動タル》〔文〕広々としたようす。

***こう・ぜん【×浩然】**《形動タル》〔文〕心が広くゆったりしているようす。**―のき【―の気】**《連語》❶天地にはじない剛健の精神。❷おおらかで、のびのびした気持ち。「―を養う」同 ①②浩気。

ごう・せん【合繊】「合成繊維」の略。

***ごう・ぜん【×傲然】**《形動タル》おごりたかぶって人をみさ

げるようす。「—と構える」類語 傲慢。尊大。

*ごう・ぜん【×囂然】《形動タルト》いろいろな物音がしてやかましいようす。「—たる店内」類語 囂々。

*ごう・ぜん【×轟然】《形動タルト》〔急に〕大きな音がとどろきひびくようす。「—たる汽笛」類語 轟々。

*こう・そ【公租】おおやけの目的のために課せられる税金。国税・地方税の総称。「—公課」

*こう・そ【公訴】《名・他サ》検察官が刑事事件について、調べた事実に基づいて裁判所に起訴状を提出し、刑の適用を求めること。

*こう・そ【控訴】《名・自サ》第一審の判決に不満なとき、上級裁判所に裁判の再審を要求すること。

*こう・そ【皇祖】天皇の先祖。参考 天照大神または神武天皇、また、天照大神から神武天皇までの代々の神・天皇をさす。類語 皇宗。世祖。

*こう・そ【皇×祚】〔文〕天皇の位。皇位。宝祚。「—を践む(=皇位につく。践祚)」類語 帝祚。

*こう・そ【酵素】生物の体内で作られ、体内におこる化学変化の触媒作用をするコロイド物質。ペプシン・リパーゼ・カタラーゼなど。生理作用にもっとも重要。

*こう・そ【高祖】❶〔文〕四代前の祖先。祖父母の祖父母。❷〔文〕遠い祖先。❸中国で、王朝をはじめた天子。「漢の—劉邦」❹一宗をひらいた高僧。

こう・ぞ【×楮】クワ科の落葉低木。枝が多く、葉はクワに似る。樹皮は和紙の原料。

ごう・そ【強訴・×嗷訴】《名・自サ》〔手続きをふまず〕集団を組んで実力で訴えること。「代官に—する」

*こう・そう【好走】《名・自サ》〔野球などで〕〔適切なときに〕うまく走ること。「—して大飛球をとる」

*こう・そう【後送】《名・他サ》❶〔戦場などで〕前線から後方に送ること。「戦傷者を—する」❷後から送ること。おくれて送ること。「原稿は—する」

*こう・そう【抗争】《名・自サ》〔武力や腕力に対し〕手むかい争うこと。「縄張りをめぐる暴力団の—」

*こう・そう【構想】《名・他サ》〔ある物事の、全体の内容や実現する方法などについて〕考えをめぐらしまとめること。また、その考え。「小説の—を練る」

*こう・そう【皇宗】天皇の代々の先祖。類語 皇祖。

*こう・そう【航走】《名・自サ》〔文〕船が水上を走ること。類語 航海。航行。

*こう・そう【航送】《名・他サ》〔文〕〔荷物などを〕船・航空機によって輸送すること。

*こう・そう【×訌争】〔文〕内部の者が互いに争うこと。うちわもめ。内紛。

*こう・そう【鉱層】おもに海底や湖底で、水中の鉱物成分が沈殿してできた層状の鉱床。成層鉱床。

*こう・そう【降霜】霜がおりること。また、おりた霜。

*こう・そう【香草】よいにおいのする草。

*こう・そう【高僧】❶修行をつみ、知徳のすぐれた僧。高徳の僧。類語 聖僧。名僧。❷位の高い僧。

*こう・そう【高層】❶空の非常に高い所。類語 高空。❷〔建物などの〕層をなしてつみ重なり高くなったもの。「—ビル」—うん【—雲】中層雲の一つ。灰色または薄墨色の雲で幕のように全天にひろがる。二〜七キロぐらいの高さに浮かぶ。おぼろ雲。

*こう・そう【高燥】《名・形動》土地が高い所にあって、大気が乾燥していること。「—の地」対 低湿。

*こう・そう【広壮・×宏壮】《形動》〔建物が〕ひろびろとしていてりっぱなようす。「—な邸宅」類語 豪壮。

こう・ぞう【構造】〔あるもの・組織などの〕全体を形づくっている仕組み。くみたて。「二重—」「—改革」類語 機構。構成。組成。結構。—しき【—式】化学式の一つ。分子内原子の結合の様子を図で示したもの。元素記号と化合の手を使ってあらわす。

ごう・そう【豪壮】《形動》❶力強くりっぱなようす。❷〔建造物などの〕かまえが大きくりっぱなようす。「—な劇場」類語 広壮。

こうそう・るい【紅藻類】藻類の一つ。根・茎・葉の区別がはっきりせず、色は紅色系のものが多い。アサクサノリ・テングサなど。紅藻植物。

*こう・そく【拘束】《名・他サ》権力・規則などによって行動・意志の自由を制限すること。「身柄を—する」類語 束縛。—じかん【—時間】労働者が出勤してから退社するまでの、休憩時間を含む労働時間。

*こう・そく【校則】生徒が守るべき学校の規則。「—に違反する服装」類語 校訓。学則。校規。

*こう・そく【×梗×塞】《名・自サ》ふさがって通じないこと。「心筋—」「脳—」類語 閉塞。

*こう・そく【高足】〔文〕おもだった弟子。特にすぐれた弟子。高弟。「顔回は孔子の—」

*こう・そく【高速】非常に速度がはやいこと。高速度。ハイスピード。「—道路(=高速で走れるようにつくった自動車専用道路)」対 低速。

*こう・ぞく【後続】《名・自サ》〔ある人・ものの〕後に続くこと。また、その人・もの。「—部隊」類語 後進。

*こう・ぞく【皇族】天皇の一族。皇后・太皇太后・皇太后・親王・親王妃・内親王・王・王妃・女王の総称。

*こう・ぞく【航続】船舶や航空機が、途中で燃料の補給をせず、航行を続けること。「—距離」

ごう・ぞく【豪族】ある地方に土着し、大きな財力・権力をもってその地方に勢力をはる一族。

*こう・そくど【光速度】光の速度。真空中では一秒間に約三〇万キロとされている。光速。

*こう・そくど【高速度】速度が非常にはやいこと。高速。—さつえい【—撮影】映画で、カメラの回転速度を普通より速くして撮影すること。参考 これを普通に映写すると、動きは実際よりゆっくり見える。

こう・そつ【高卒】「高等学校卒業」の略。高等学校を卒業している・こと(人)。

こう・そふ【高祖父】祖父母の祖父。

こう・そぼ【高祖母】祖父母の祖母。

*こう・そん【公孫】〔文〕❶王侯の孫。❷貴族の血すじ・子孫。—じゅ【—樹】〔孫の代に実がなるという意から〕「いちょう」の別称。

*こう・そん【皇孫】〔文〕天皇の孫。また、天皇の子孫。類語 皇胤。

*こ・うた【小×唄】❶室町時代の小歌の流れを引いて、江戸初期に流行した俗謡小曲の総称。隆達節・投げ節など。❷江戸末期から明治初期にかけて端唄から起こった三味線小歌曲。江戸小唄。

*こ・うた【小歌】対 大歌。❶平安時代に民間で歌われた歌謡。今様など。❷室町時代に民間で流行した短い歌謡。

こう・だ【好打・巧打】《名・他サ》〔野球・テニスなどで〕たまをうまく打つこと。

*こう・たい【交替・交代】《名・自サ》仕事・位置などをかわり合うこと。いれかわること。「選手が—する」

***こ-うたい**【小謡】謡曲のなかから独吟(どくぎん)に適するような短い一部分をぬき出して一曲としたもの。

***こう-たい**【後退】《名・自サ》❶後ろの方へさがること。あとずさり。類語 後進。対 前進。❷力や勢いがおとろえて低い段階にさがること。また、悪い状態になること。類語 退歩。衰退。

***こう-たい**【抗体】動物のからだが病原体におかされたとき、その体内でそれに抵抗して生ずる物質。再び発病するのを防ぐ。免疫体(めんえきたい)。

***こう-だい**【後代】〔ある時より〕のちの世。後世(こうせい)。「名を—に残す」対 前代。先代。

***こう-だい**【広大・×宏大】《形動》広くて大きなようす。「—無辺(=広くて果てのないこと)」対 狭小。

***こう-だい**【洪大】《形動》〔文〕非常に大きいようす。「—な恵み」

***こう-だい**【高大】《形動》〔文〕高く大きなようす。また、すぐれてりっぱなようす。「—な理想」類語 高遠。

ごう-たい【剛体】どんな大きな力が作用しても体積や形が変わらない物体。参考 力学上で仮想する。

こう-たいごう【皇太后】先帝のきさき。おおきさき。類語 国母(こくぼ)。尊敬 大宮。

こう-たいし【皇太子】将来天皇の位を受けつぐべき皇子。東宮。ひつぎのみこ。

こう-だか【甲高】《名・形動》❶足・手の甲が高く出ていること。❷〔はきもので〕甲を高く作ったもの。

こう-たく【光沢】〔物の表面にでる〕つややかな輝き。つや。「—のある布」

こう-だく【黄濁】《名・自サ》〔文〕〔水が〕黄色ににごること。

***こう-たつ**【公達】政府や官庁から出すおおやけの通知。たっし。

***こう-たつ**【口達】《名・他サ》〔文〕〔通達・命令などを〕口頭で言いわたすこと。「命令を—する」

ごう-だつ【強奪】《名・他サ》暴力によって無理にうばうこと。「現金を—する」類語 略奪(りゃくだつ)。窃取(せっしゅ)。

***こう-たん**【荒誕】《名・形動》〔文〕おおげさで事実でないこと。荒唐。

***こう-たん**【降誕】《名・自サ》〔聖人・偉人などが〕生まれること。**—え**【—会】❶四月八日に釈迦(しゃか)の誕生を記念する法会(ほうえ)。灌仏会(かんぶつえ)。❷高僧・宗祖の誕生を記念して祝う祭り。**—さい**【—祭】❶聖人・偉人などの誕生を祝う祭り。❷一二月二五日のキリストの誕生を祝う祭り。クリスマス。

***こう-だん**【公団】国家的事業を行うための特殊法人の一つ。政府の出資と民間からの資金借り入れによって運営する。

***こう-だん**【×巷談】〔文〕世間のうわさ話。巷説。

***こう-だん**【後段】〔文章などを前後に分けたときの〕後の部分。「詳しくは—に述べる」類語 後章。対 前段。

こう-だん【講壇】講演・講義などをするためにのぼる壇。参考 大学の講義でしか通用せず、実際的でないの意で、やゆ的にも用いる。「—批評家」類語 演壇。

***こう-だん**【講談】寄席(よせ)演芸の一つ。軍記・武勇談・あだ討ちなどの話を独特な調子をつけておもしろく物語るもの。「—師」参考 古くは「講釈」といった。

***こう-だん**【降壇】《名・自サ》〔演説・講義などを終わって〕壇上からおりること。対 登壇。

***こう-だん**【高段】〔武道・将棋(しょうぎ)・囲碁などで〕高い段位。高段位。「—者」対 低段。

***こう-だん**【高談】❶《名・自サ》無遠慮に大声で話すこと。❷他人の談話の尊敬語。類語 高説。高話。

ごう-たん【剛胆・豪胆】《形動》肝っ玉が太く、物事に動じないようす。類語 剛腹。剛勇。大胆。

ごう-だん【強談】《名・自サ》〔おどしながら〕むりやりに話をつけようとすること。強談判(こわだんぱん)。「—におよぶ」

こう-だんし【好男子】❶顔立ちの美しい男。美丈夫。美男子。類語 いろおとこ。❷性格が明るくて気持ちのよい男。類語 好漢。快男子。

***こう-ち**【公知】世間によく知られていること。周知。

***こう-ち**【巧知・巧×智】〔物事に〕巧みでさといこと。

***こう-ち**【巧×緻】《名・形動》〔細工などが〕非常にこまかく巧みなこと。「—を極めた作品」類語 精緻(せいち)。

***こう-ち**【巧遅】〔文〕仕事はじょうずではあるが、やり方がのろいこと。「—は拙速に如(し)かず」対 拙速。

***こう-ち**【拘置】《名・他サ》❶人をとらえて一定の場所にとどめておくこと。❷〔法〕刑事被告人や死刑の言い渡しを受けたものを監獄に拘禁すること。**—しょ**【—所】〔法〕監獄の一つで、拘置②だけを取り扱うもの。東京・大阪・名古屋など七か所にある。

***こう-ち**【×狡知・×狡×智】悪がしこいことにはたらく知恵。悪知恵。「—にたけた男」類語 奸知(かんち)。

***こう-ち**【耕地】耕作して農作物を作る土地。

***こう-ち**【高地】標高が高い土地。対 低地。

ご-うち【碁打ち】❶碁を打つ・こと(人)。また、碁の上手な人。❷碁を打つことを職業にしている人。

こう-ちく【構築】《名・他サ》くみたててきずくこと。「城を—する」「理論の—」類語 築造。

こうち-せい【向地性】発芽した植物の根が下方に向かって伸びる性質。正の屈地性。対 背地性。

こう-ちゃ【紅茶】茶の一種。茶の若葉を発酵させて作る。湯を注ぐと紅褐色で香りのよい飲み物になる。

こう-ちゃく【×膠着】《名・自サ》❶〔にかわでつけたように〕粘りつくこと。類語 粘着。❷物事がある状態のまま固定して動きのとれないこと。「予算審議は—状態に陥った」**—ご**【—語】言語の形態上の類型の一つ。ある語にそれ自身は独立して使われない別の語〔助辞・接辞など〕をつけ、それの働きによって、文法上の関係を示す言語。日本語・朝鮮語などにみられる。参考 ↓屈折語・孤立語。

***こう-ちゅう**【口中】〔文〕口のなか。口内。

***こう-ちゅう**【校注・校×註】〔古典などの〕文章を校訂し注釈を加えたもの。また、その注釈。「—万葉集」

***こう-ちゅう**【甲虫】鞘翅(しょうし)目の昆虫の総称。コガネムシ・カミキリムシ・カブトムシなど種類が多い。堅い前ばねで膜質のはねやからだを保護している。

こう-ちょ【高著】〔文〕他人の著書を尊敬していう語。「御—拝読いたしました」

***こう-ちょう**【候鳥】〔ツバメ・ガンなど〕季節によってすむ場所をかえる鳥。渡り鳥。対 留鳥。

***こう-ちょう**【校長】学校の最高責任者。学校長。

***こう-ちょう**【硬調】❶取引市場で、相場が上がる傾向にあること。❷写真の原板・印画で、黒白の対照がはっきりしていること。対 ①②軟調。

***こう-ちょう**【紅潮】《名・自サ》〔興奮や緊張で〕顔に赤みがさすこと。「頰(ほお)が—する」

***こう-ちょう**【高潮】❶満潮の頂点に達したもの。対 低潮。❷《名・自サ》物事の勢いが高まり、はげしくなる

こと。「最—」類語絶頂。極点。

***こう‐ちょう【高調】**❶音の調子の高いこと。❷《名・自サ》その場の気分や意気が高まること。「会は—のうちに幕をとじた」対低調。

***こう‐ちょう【好調】**《形動》思いどおりに調子よくいくようす。「—な売れ行き」類語快調。対不調。

こうちょう‐かい【公聴会】国会で重要案件を議決する前に、それに利害関係をもつ人や中立者・学識経験者などに参考意見を聴く会合。

こうちょう‐どうぶつ【×腔腸動物】刺胞動物の別称。からだは円筒形またはつぼ形の、下等な水中動物。ヒドラ・イソギンチャク・サンゴ・クラゲなど。

こうちょう‐りょく【抗張力】材料が外部からのひっぱる力に耐えられる最大の力。

こう‐ちょく【硬直】《名・自サ》〔からだなどが〕かたくなって、しなやかに曲がらないこと。こわばって柔軟性にとぼしくなること。「手足が—する」「財政の—化」

ごう‐ちょく【剛直】《形動》気性が強くて、曲がったことをしないようす。「—な人物」

こう‐ちん【工賃】物を製作・加工する労力に対して職工や職人に支払われる賃金。工銭。

ごう‐ちん【×轟沈】《名・他自サ》艦船を砲撃・爆撃などによって短時間で沈めること。また、艦船が砲撃を受けたり自爆したりして沈むこと。類語撃沈。

こう‐つう【交通】《名・自サ》❶人・乗り物などが道路を行き来すること。❷人の行き来、物資の輸送、通信などの総称。類語往来。「国際間の—」**—きかん【—機関】**船・航空機・鉄道・自動車・道路などの輸送機関と、郵便・電信・電話などの通信機関の総称。また、特に、乗り物。**—じこ【—事故】**交通機関の衝突・墜落・脱線など、交通に関する事故。参考一般には道路上の事故をいう。

***ごう‐つくばり【強突張り】**《名・形動》非常に強情で、我をはる・こと（人）。参考「業突張り」と混同して使われ、また、人をののしる語としても使う。

***ごう‐つくばり【業突張り】**《名・形動》非常に欲が深くいじきたない・こと（人）。参考「強突張り」と混同して使われ、また、人をののしる語としても使う。

こう‐つごう【好都合】《名・形動》〔条件や要求にかなっていて〕都合がいいこと。「いっしょに行ければ—です」類語好適。

***こう‐てい【公定】**《名・他サ》政府・公共団体できめること。「—価格」**—ぶあい【—歩合】**国の中央銀行が金融機関に対して適用する、貸し出しの金利歩合。基準歩合。

***こう‐てい【公廷】**公判のために開かれる法廷。

***こう‐てい【公邸】**最高裁判所長官など高級公務員のための公務用の邸宅。類語官邸。対私邸。

***こう‐てい【孝弟・孝×悌】**〔文〕よく父母につかえ、兄弟の仲がよいこと。

***こう‐てい【工程】**〔工場などで〕作業の進行する順序・過程。また、作業の進行程度。「製造—」

***こう‐てい【更訂】**《名・他サ》〔本の内容などを〕あらためただすこと。類語改訂。

***こう‐てい【校定】**《名・他サ》書物の文章・文字などを比べ合わせ、文の意味を考えて本文を決定すること。

***こう‐てい【校庭】**学校の庭や運動場。

***こう‐てい【校訂】**《名・他サ》古典などの文章を他の伝本と比べ合わせ、正しいものにするために文字・文句などをなおすこと。類語校合（きょうごう）。校勘。

***こう‐てい【皇帝】**帝国の君主。類語帝王。尊敬大帝。

***こう‐てい【考訂】**《名・他サ》〔文〕史料などを、考えて正しい形に直すこと。

***こう‐てい【肯定】**《名・他サ》〔ある物事・考え・説などを〕そのとおりであると認めること。「うわさを—する」類語首肯。対否定。

***こう‐てい【航程】**ある船・飛行機の航行する距離。また、その過程。「五〇〇〇キロの—」

***こう‐てい【行程】**❶目的地までの道の長さ。みちのり。「五キロの—」❷〔旅行などの〕日程。❸〔ピストンなどの〕往復距離。

***こう‐てい【高低】**〔価値・位置・地位・音などの〕高いことと低いこと。たかひく。「—差」類語高下。

***こう‐てい【高弟】**弟子のうちで特にすぐれた弟子。高足（こうそく）。「ソクラテスの—」類語一番弟子。

こう‐でい【拘泥】《名・自サ》〔あることに〕気持ちがとらわれること。こだわること。「地位に—する」

ごう‐てい【豪邸】りっぱな邸宅。大邸宅。

こうてい‐えき【口×蹄疫】家畜の感染症の一つ。主に牛・豚・羊など、偶蹄目の動物に伝染する。口内粘膜や蹄（ひづめ）の間などに水疱（すいほう）ができる。

***こう‐てき【公的】**《形動》社会一般に関係しているようす。おおやけであるようす。「—な立場」対私的。**—ふじょ【—扶助】**公的機関が生活困窮者の暮らしを助けること。

***こう‐てき【好適】**《形動》ちょうど適しているようす。「住宅には—な立地条件」類語好都合。

ごう‐てき【号笛】合図のために吹き鳴らす笛。

こう‐てきしゅ【好敵手】〔勝負などで〕実力・勢力などがちょうど同じぐらいの、よい相手。ライバル。

***こう‐てつ【更迭】**《名・自他サ》ある役・地位についている人を変えること。また、変わること。「外務大臣の—」類語解職。解任。注意「こうそう」は誤読。

***こう‐てつ【鋼鉄】**❶炭素を少し含んだ弾力のあるかたい鉄。はがね。鋼（こう）。スチール。❷非常にかたいこと。非常に丈夫なこと。「—の意志」「—の肉体」

***こう‐てん【交点】**❶二つ以上の線がたがいに交わる点。参考線と面の交わる場合にもいう。❷惑星や彗星（すいせい）などの軌道面が黄道面と交わる点。

***こう‐てん【公転】**《名・自サ》ある天体が他の天体のまわりを一定の周期で回ること。対自転。

***こう‐てん【好天】**よい天気。好天気。「—に恵まれる」類語晴天。対悪天。

***こう‐てん【好転】**《名・自サ》〔悪い情勢・状態などが〕よい方にむかうこと。「景気が—する」対悪化。

***こう‐てん【後天】**生まれてから後に身につけること。対先天。**—せい‐めんえきふぜんしょうこうぐん【—性免疫不全症候群】**→エイズ。**—てき【—的】**《形動》❶〔生まれつきでなく〕後になって身にそなわるようす。「—な性格」❷→アポステリオリ。対①②先天的。

***こう‐てん【荒天】**〔文〕雨風がはげしい荒れた天候。悪天候。「—をついて出航する」

***こう‐でん【公電】**官庁で出す公用の電報。

***こう‐でん【香典・香×奠】**死者の霊前に香の代わりに供える金銭。香料。「—をつつむ」「—返し」参考金

銭・供物を包む上書きに用いる語には「御香料」「御霊前」「御仏前」などがある。[表記]「香典」は代用字。

こうでん・かん【光電管】光の強弱を電流の強弱に変える真空管。電送写真・テレビジョンなどに利用。

ごう・てんじょう【▽格天井】正方形の格子のように桟(さん)を組んで、その裏に板をはった天井。

こう・でんち【光電池】光のエネルギーを電流に変える装置。照度計・露出計などに利用。

***こう・と【後図】**〔文〕将来のことを考えてたてた計画・はかりごと。「―をはかる」

***こう・と【江都】**〔文〕「江戸」の別称。

***こう・と【洪図・×鴻図】**〔文〕大きな計画。大きなはかりごと。「―を固める」

***こう・と【×狡×兎】**〔文〕すばしこいウサギ。**―死して走狗(そうく)烹(に)らる**《句》〔ウサギが死ねば猟犬は不用となるので煮て食われるの意〕敵国が滅びると軍事につくした功臣も無用視されて殺されることのたとえ。また、功績のあった人も、事が済んで不用になると除かれてしまうことのたとえ。

***こう・ど【光度】**❶発光体が出す光の強さ。単位はカンデラ(記号 Cd)。[類語]照度。❷恒星が出す光の、地球上での見かけの明るさ。ふつう、一等星から六等星までの等級であらわす。視光度。

***こう・ど【硬度】**❶物体のかたさの度合い。特に金属・鉱物について言う。❷水に含まれる、塩類の度合い。硬度一〇以上を硬水という。

***こう・ど【耕土】**たがやして農作に利用できる土地。また、その上層部の耕作に適する土。作土。[対]心土。

***こう・ど【荒土】**荒れたままの土地。不毛の地。

***こう・ど【高度】**❶海水面からはかった(空間の)高さ。❷地平線から天体までの角距離。❸《名・形動》程度が高いこと。「―の技術」[類語]高級。高等。

***こう・ど【黄土】**❶〔特に中国大陸に多い〕黄色の土。❷〔文〕あの世。黄泉(こうせん)。よみの国。

***こう・とう【公党】**主義・主張を世間に発表し、活動を公に認められた政党・党派。[対]私党。

***こう・とう【×勾当】**〔文〕❶僧職の一つ。別当に属して寺務をつかさどる。❷摂関家の雑事をとりしきる役(の人)。❸盲人の官名。検校(けんぎょう)の次の位。

***こう・とう【×叩頭】**《名・自サ》〔文〕〔頭で地面を叩(たた)く意から〕頭が地につくほど深くおじぎをすること。叩首(こうしゅ)。[類語]平伏。平身低頭。

***こう・とう【口答】**口で答えること。[対]筆答。

***こう・とう【口頭】**口で述べること。「―試問(=口頭で質問し、それに口頭で答える試験)」

***こう・とう【×喉頭】**気道の一部。気管の上部にあり咽頭(いんとう)につづく。「―癌(がん)」

***こう・とう【好投】**《名・自サ》〔野球で投手が〕相手に点を入れさせないようにうまく投球すること。

***こう・とう【後頭】**頭の後ろの部分。「―部」

***こう・とう【皇統】**〔文〕天皇の系統。血すじ。

***こう・とう【紅灯】**〔文〕❶あかいあかり。「―の巷(ちまた)(=いろまち。歓楽街)」❷ほおずきぢょうちん。

***こう・とう【荒唐】**《名・形動》〔文〕〔言説に〕とりとめがないこと。荒誕。**―むけい【―無×稽】**《名・形動》〔言説に〕根拠がなくでたらめなこと。「―な話」

***こう・とう【高等】**《名・形動》〔知能・等級・品位などの〕程度の高いこと。「―な教育」[類語]高級。高度。[対]下等。**―がっこう【―学校】**中学校を卒業した者に高等普通教育や専門教育を施す学校。高校。**―けんさつちょう【―検察庁】**高等裁判所に対する検察事項を扱う官庁。高検。**―さいばんしょ【―裁判所】**地方裁判所の上、最高裁判所の下にある裁判所。高裁。**―せんもんがっこう【―専門学校】**科学技術者を養成する教育機関。中学卒業後入学し、修業年限は五年。**―べんむかん【―弁務官】**被保護国・被占領国・従属国などに派遣され、特別な外交事務をあつかう公務員。

***こう・とう【高踏】**〔文〕俗世間から離れて自らを高く清らかに保つこと。**―てき【―的】**《形動》高踏の傾向があるようす。「―な文学」

***こう・とう【高騰・×昂騰】**《名・自サ》物価が上がること。騰貴。「地価が―する」[類語]急騰。[対]低落。

***こう・どう【公道】**❶〔文〕世間一般に通用する道理。正しい道理。❷公衆が通る道。特に、国家・公共団体などがつくり、管理・維持する道路。[対]私道。

***こう・どう【坑道】**地下に作った通路。特に、鉱山で通行や鉱石の運搬などのために掘った通路。

***こう・どう【行動】**《名・自サ》〔人間が意志をもって〕あることを行うこと。行い。「すぐ―に移す」「自由―」[類語]行為。動作。**―しゅぎ【―主義】**刺激に対する反応としておこる行動から人間の心理を客観的に観察しようとする一派。行動心理学。**―はんけい【―半径】**❶車・船・飛行機などが、燃料をいっぱいに使って往復できる、その片道の距離。❷動き回る場所。行動の範囲。「―の広い人」

***こう・どう【講堂】**❶〔仏〕七堂伽藍(しちどうがらん)の一つ。講義・説教などをするための建物。❷学校などで、式・講演などを行うための大きな部屋・建物。

***こう・どう【香道】**香木をたいてその香りを楽しむ芸道。香。[類語]香あわせ。聞香(ぶんこう・もんこう)。

***こう・どう【高堂】**〔文〕❶高くて、りっぱな家。❷〔文〕相手の家やその家人を尊敬していう語。貴家。尊家。〔手紙文などで多く使う〕

***こう・どう【黄道】**❶地球からみて太陽が運行するようにみえる見かけの軌道。❷「黄道吉日(にち)」の略。**―きちにち【―吉日】**陰陽道(おんみょうどう)で、何事を行うにもよいとされる日。黄道。

***ごう・とう【強盗】**暴力や脅迫(きょうはく)によって他人の持ち物を奪うこと(人)。[類語]窃盗(せっとう)。

***ごう・とう【×鼇頭】**❶書物の、本文の上部の空白部分。❷本文の上部におさめた注。頭注。

***ごう・とう【豪×宕】**《形動》〔文〕気持ちが大きく、小さなことにこだわらず大胆にふるまうようす。[類語]豪放。

ごう・どう【合同】❶《名・自他サ》独立している二つ以上のものが一つにまとまること。また、一つにまとめること。「全学年―マラソン」「―演奏会」[類語]合流。合一。合併。合体。❷《名・形動》〔数〕二つ以上の図形の形・大きさが全く同じであること。[類語]相似。

***こう・とく【公徳】**社会生活をする上で守るべき道徳。公衆道徳。「―心」

***こう・とく【高徳】**すぐれて高い徳。「―の僧」

***こう・どく【講読】**《名・他サ》書物を読んでその意味・内容などについて講義すること。また、その講義。

***こう・どく【購読】**《名・他サ》新聞・雑誌・本などを買って読むこと。「文芸雑誌を―する」「―料」

***こう・どく【鉱毒】**鉱山や製錬所で採掘(さいくつ)・精製の際

に出る水・ガスなどに含まれる毒物。「—による公害」

こう-どくそ【抗毒素】 ある毒素が動物の体内にはいったとき、その毒素と結合して中和し、無毒にする物質。免疫血清中に含まれる。

***こう-ない【坑内】** 炭坑・鉱山の坑道のなか。[対]坑外。

***こう-ない【口内】** 〔文〕口のなか。「—炎」[対]口外。

こう-とり-い【公取委】 ↓公正取引委員会。

***こう-ない【校内】** 学校のなか。「—放送」[対]校外。

***こう-ない【構内】** 〔公共の〕建築物・施設などがある区域の中。かこいの中。「駅の—」[対]構外。

***こう-ない【港内】** 〔防波堤・埠頭などで囲まれている〕港のなか。[対]港外。

こうなご【小▽女子】 ↓いかなご。

***こう-なん【後難】** 後になって自分の身にふりかかる災難。「—を恐れる」[類語]後患。

***こう-なん【硬軟】** ❶かたいことと、やわらかいこと。❷硬派と軟派。

こう-にち【抗日】 日本に対する抵抗。「—運動」[類語]反日。排日。

こう-にゅう【購入】 《名・他サ》買い入れること。「家具を—する」「共同—」「—価格」[類語]購買。[対]販売。

***こう-にん【公認】** 《名・他サ》国家・官庁・団体などが正式に認めること。「党が—した候補者」 **—かいけいし【—会計士】** 国家試験に合格して資格をもち、企業の財産目録・貸借対照表・損益計算書など財務書類の監査・証明をすることを職業とする人。

***こう-にん【後任】** 前の人にかわってその任務につく・こと(人)。「局長の—が決まる」[対]先任。前任。

***こう-にん【降任】** 《名・他サ》下級の任務・地位にさげること。降職。「部長から課長に—する」

***こう-ねつ【光熱】** 灯火と燃料。「—費」

***こう-ねつ【高熱】** ❶高い温度。「—で溶解する」❷〔発熱した〕高い体温。「—にうなされる」

***こう-ねん【光年】** 《助数》天文学で使う距離の単位。一光年は光が一年間にすすむ距離で、約九兆四六〇〇億キロ。

***こう-ねん【後年】** ❶〔あることがあって〕何年かを経た後。〔副詞的にも使う〕[対]先年。前年。❷晩年。

***こう-ねん【行年】** 〔文〕〔死んだ人の〕この世に生きていた年数。享年。行年。「—七五歳」

***こう-ねん【高年】** 年齢の高いこと。高齢。

こうねん-き【更年期】 人体が成熟期から老年期に移る時期。ふつう四二歳ごろから五〇歳ぐらいまでで、体のはたらきにいろいろな変調をきたす。特に女性では月経が閉止する。「—障害」

***こう-のう【効能・功能】** よい結果。ききめ。[類語]効果。効用。「薬の—」 **—がき【—書(き)】** 薬などのききめを書きしるしたもの。能書き。

***こう-のう【後納】** 《名・他サ》代金・費用などを後で納めること。[対]前納。

***こう-のう【行×囊】** 郵便物を入れて送ったり運んだりするふくろ。郵便袋。郵袋。

***こう-のう【貢納】** 《名・他サ》貢ぎ物をさし出すこと。

ごう-のう【豪農】 多くの土地・財産をもち、その地方に勢力をもつ農家。[類語]富農。大農。

こう-の-とり【×鸛】 コウノトリ科の鳥。羽毛は大部分白色、羽は黒色で、足が赤い。日本では特別天然記念物。[参考]西欧で赤ん坊を運んでくると伝えられるコウノトリは、アカハシコウのこと。

こう-の-もの【香の物】 野菜をぬか・塩・みそ・酒かすなどに漬けた食べ物。つけ物。こうこ。しんこ。

ごう-の-もの【剛の者】 力がすぐれ、非常に強い者。勇ましい人。[表記]「強の者」「豪の者」とも書く。

***こう-は【光波】** 光の波動。

***こう-は【硬派】** ❶極端な意見を主張し、激しい行動に走る党派。❷恋愛や花柳界などに縁の遠い人。また、女性関係よりも粗野な格好・言動、暴力などを好む一派。❸新聞・放送などで、政治・経済など、硬い内容の記事を扱う記者・部門。[対]①〜③軟派。

こう-ば【工場】 ↓こうじょう(工場)。

***こう-はい【交配】** 《名・他サ》雌雄二個体の間で人工的に受粉や受精を行うこと。その結果できる雑種を品種改良に利用する。「—種」[類語]交雑。

***こう-はい【光背】** 仏像のうしろにたてて光明をあらわすかざり。後光。[類語]光輪。

***こう-はい【向背】** 〔文〕❶従うことと、そむくこと。「—を明らかにする」❷物事のようす。なりゆき。

***こう-はい【好配】** ❶〔文〕よい配偶者。よいつれあい。❷株などの配当がよいこと。よい配当。❸配合がよいこと。また、配置がよいこと。

***こう-はい【後背】** うしろ。背後。 **—ち【—地】** 一般に港のうしろにひかえ、産業・経済の上でその港と密接なつながりをもつ地域。ヒンターランド。

***こう-はい【後輩】** 年齢・地位・経験年数などが下の人。また同じ学校・職場などで、後からはいった人。[類語]後進。[対]先輩。

***こう-はい【興廃】** 《名・自サ》〔国家の勢いなどが〕さかんになることと、ほろびること。「皇国の—この一戦にあり」[類語]盛衰。興亡。

***こう-はい【荒廃】** 《名・自サ》❶あれはてること。「大噴火で—した島」❷うるおいを失い、なごやかな状態でなくなること。「—した家庭」「人心が—する」

***こう-はい【降灰】** ↓こうかい(降灰)。

***こう-はい【高配】** ❶相手の配慮をいう尊敬語。「御—をたまわる」❷率の高い配当。高配当。

***こう-ばい【公売】** 《名・他サ》差し押さえたものなどを、せり・入札などの方法で一般に公開して売ること。

***こう-ばい【×勾配】** ❶〔平面の〕傾いている度合い。傾斜。「—の急な坂」❷斜面。「—を滑りおりる」

***こう-ばい【紅梅】** ❶濃い桃色の花をつける梅。❷紅梅色。濃い桃色。また、紫紅色。

***こう-ばい【購買】** 《名・他サ》〔商品を〕買い入れること。買うこと。「—力」「—部」[類語]購入。

こう-ばいすう【公倍数】 二つ以上の整数に共通の倍数。「最小—」[参考]↓公約数。

***こう-はく【厚薄】** 厚いことと、薄いこと。「愛情の—」[参考]ふつう、物の厚さについては使わない。

***こう-はく【紅白】** 赤と白。赤組と白組。「—の餅」

***こう-はく【黄白】** 〔文〕❶金と銀。❷金銭。お金。「—を散じる(=大金を使う)」

こう-ばく【広漠・×宏漠】 《形動タルト》〔文〕非常に広いようす。はてしなく広がっているようす。「—たる平原」

こう-ばこ【香箱】 香を入れる箱。香合。

こうばし・い【香ばしい・▽芳ばしい】 《形》〔こんがりとやけたような、または煎ったような〕よいかおりがする。かんばしい。「—・いお茶」[文]かうば・し《シク》。

こ

こう‐はつ【後発】《名・自サ》❶おくれて出発すること。[対]先発。❷後から開発すること。「―メーカー」

ごう‐ばつ【×劫罰】キリスト教などで、限りなく長い年月の間受け続ける罰。

こう‐ばな【香花・香華】仏に供える香と花。こうげ。

ごう‐はら【業腹】《形動》しゃくにさわるようす。「あんなやつに先をこされるとは―だ」
＊こう‐はん【公判】公開の法廷で行う刑事裁判。
＊こう‐はん【孔版】〔文〕謄写版。「―印刷」
＊こう‐はん【後半】〔あることがらを前後に分けたときの〕後の半分。「―戦」[対]前半。
＊こう‐はん【×攪×拌】《名・他サ》➡かくはん（攪拌）。
＊こう‐はん【甲板】➡かんぱん（甲板）。
＊こう‐はん【広範・広×汎】《形動》〔力・勢いなどの及ぶ〕範囲が広いようす。広範囲。「―に及ぶ影響」[表記]もと、もっぱら「広汎」と書いた。
＊こう‐ばん【交番】❶《名・自サ》〔文〕交替で番に当たること。また、役割・位置などが入れかわること。「世代―」❷要所に設けられた警官の詰め所。交番所。[参考]➡駐在所。
＊こう‐ばん【鋼板】鋼鉄の板。鋼板。
＊こう‐ばん【降板】《名・自サ》〔野球で〕投手交替で、投手が投手板（＝マウンド）から降りること。[対]登板。
ごう‐はん【合板】厚さ約一ミリの単板（薄板）を何枚か繊維が交差するようにはり合わせた板。特に、ベニヤ板のこと。合板。「プリント―」

こう‐はんい【広範囲】《名・形動》範囲が広いこと。広い範囲。広範。「被害が―にわたる」
＊こう‐ひ【公費】国・公共団体などの費用。「―を乱費する」[類語]公金。官費。[対]私費。
＊こう‐ひ【口碑】人々の口から口に伝えられて残っているもの。古くからの言いつたえ。伝説。
＊こう‐ひ【后妃】きさき。皇后。
＊こう‐ひ【工費】工事に必要な費用。
＊こう‐ひ【高×庇】〔文〕他人から受ける恩恵・庇護を尊敬していう語。「師の御―を謝す」
＊こう‐ひ【高批】〔文〕〔自分に対する〕他人の批判・批評を尊敬していう語。「御―を請う」
＊こう‐び【交尾】《名・自サ》動物の雌雄が行う交接。つがうこと。つるむこと。
＊こう‐び【後備】うしろの方に待機している部隊。あとぞなえ。
＊こう‐び【後尾】〔列などの〕うしろ（の方）。[対]先頭。
ごう‐ひ【合否】合格と不合格。「―を決める」

こうヒスタミン‐ざい【抗ヒスタミン剤】体内でのヒスタミンの作用を消すための薬。アレルギー性の疾患である、ぜんそく・じんましんなどに用いる。

こう‐ひつ【硬筆】〔毛筆に対して〕先のかたい筆記用具。鉛筆・ペンの類。「―習字」
＊こう‐ひょう【公表】《名・他サ》〔一般に知られていないことを〕おおやけに発表すること。「調査結果を―する」[類語]公開。
＊こう‐ひょう【好評】〔あることに対する〕評判がよいこと。よい評判。「―を博した作品」[対]悪評。不評。
＊こう‐ひょう【講評】《名・他サ》理由をあげ説明しながら批評すること。また、その批評。「論文を―する」
＊こう‐ひょう【降×雹】〔文〕ひょうが降ること。
＊こう‐ひょう【高評】❶評判が高いこと。高い評判。❷〔文〕相手の行う批判を尊敬していう語。高批。
ごう‐びょう【業病】〔悪業の報いとしてかかるとされた〕治りにくい病気。難病。[類語]悪疾。悪病。

こう‐ひん【公賓】政府の賓客として閣議で認めた外国人。[類語]国賓。
＊こう‐びん【幸便】〔文〕❶〔そこへ・行く（届ける）〕都合のよいついで。「―に託する」❷人にことづける手紙に書き添える語。
＊こう‐びん【後便】これから後のたより。次のたより。後信。「詳しくは―で」[対]先便。
＊こう‐ふ【交付】《名・他サ》国や官庁などから書類・物品・金銭などを一般の人にわたすこと。「―金」
＊こう‐ふ【公布】《名・他サ》❶広く一般に知らせること。❷〔法〕新しく定められた法律・条約などを広く国民に知らせること。「新憲法を―する」[類語]告示。
＊こう‐ふ【坑夫】〔卑称〕炭坑や鉱山で鉱石を掘る作業に従事する労働者。
＊こう‐ふ【工夫】〔卑称〕土木工事などに従事する労働者。作業員。「道路―」
＊こう‐ふ【鉱夫】〔卑称〕鉱山で鉱石を掘る労働者。
＊こう‐ぶ【公武】公家と武家。「―合体」
＊こう‐ぶ【後部】〔あるものを前後に分けたときの〕後ろの部分。「―座席」[類語]後方。[対]前部。
＊こう‐ぶ【荒×蕪】〔文〕土地が荒れ、草がおい茂っていること。「―地」
＊こう‐ふう【光風】〔文〕❶春の晴れた日に吹く、ここちよい風。❷雨あがりに、光をおびた草木を吹きわたるさわやかな風。―せいげつ【―×霽月】〔文〕〔さわやかな風と雨あがりに出る明るい月の意から〕心が清らかで後ろぐらいことがないこと。「―の心境」
＊こう‐ふう【校風】その学校の特色とする気風。スクールカラー。
＊こう‐ふう【高風】〔文〕❶すぐれた人格。けだかい風格。❷相手の人格・態度を尊敬して言う語。
ごう‐ふう【業風】地獄で吹くというものすごい大風。
＊こう‐ふく【口腹】〔文〕❶口と腹。❷のみくいすること。また、食欲。「―をみたす」❸口に出して言っていることと、腹の中で思っていること。「―が違う」
＊こう‐ふく【幸福】《名・形動》すべてのことにみちたりていて、心がおだやかなこと。しあわせ。[対]不幸。
＊こう‐ふく【降伏・降服】《名・自サ》負けて相手に服従すること。「無条件―」[類語]降参。
＊ごう‐ふく【剛×愎】《名・形動》強情でかたいじなこと。自信が強く、めったに人に従わないこと。
＊ごう‐ふく【剛腹】《名・形動》度胸があって小さなことにこだわらない・こと（人）。[類語]剛胆。
ごう‐ぶく【▽降伏】《名・他サ》神仏に祈って悪魔や敵をおさえしずめること。[注意]「こうふく」と読むと別語。
＊こう‐ぶつ【好物】❶すきな飲食物。「大―」❷〔趣味などで〕すきなもの・事柄。このみ。
＊こう‐ぶつ【鉱物】地殻の中に含まれている天然の無機物。固体の岩や石の類。
＊こう‐ふん【公憤】公共のために感じる憤り。正義の憤り。「汚職には―を覚える」[類語]義憤。[対]私憤。
＊こう‐ふん【口×吻】❶口さき。❷〔ある気持ちを含んだ〕話しぶり。くちぶり。「不満の―をもらす」
＊こう‐ふん【興奮・×昂奮・×亢奮】《名・自サ》❶刺激によって感情が高ぶること。エキサイト。「プロレスを見て―する」[類語]激昂。❷〔生理〕神経が刺激をう

けて、肉体的機能が活発になること。「ー剤」

*こう-ぶん【構文】文または文章の構成。「この英文はーがおかしい」文または文章をくみたてるしくみ。

*こう-ぶん【行文】〔文〕文章を書き進めていくぐあい。文字や語句のつかい方。「巧みなー」「ー流麗」

こう-ぶんし【高分子】分子量の非常に大きい分子。

こう-ぶんしょ【公文書】国・地方公共団体の機関、または公務員がその職務上作成した文書。類語 勅書(ちょくしょ)。対 私文書。

こうべ【▽首・▽頭】(かうべ)〔文〕あたま。くび。「正直のーに神宿る(=正直な人には神の加護がある)」

ーを回(めぐ)ら・す《句》❶後ろをふり返って見る。❷過ぎ去ったことを思い出す。

*こう-へい【公平】《名・形動》〔いくつかのものに、ある判断・行為などを行うとき〕どれにもかたよらないこと。「ー無私」「ーを期す」類語 公正。不偏。平等。

*こう-へい【工兵】もと、陸軍の兵科の一つ。戦場で、陣地や道路の敷設、架橋、爆破工事などの特殊な作業に従事するもの。

*こう-へん【口辺】〔文〕口のあたり。口もと。「ーに笑みを浮かべる」

*こう-へん【後編・後×篇】〔書物・映画などを〕二つまたは三つに分けた場合の最後の編。対 前編・中編。

こう-べん【抗弁・抗×辯】《名・他サ》❶相手に反対して弁論すること。❷民事訴訟法で、相手方の申したてを否定するために別の主張をすること。

ごう-べん【合弁・合×辦】外国資本と共同で事業を経営すること。「ー会社」表記「合弁」は代用字。

ごうべん-か【合弁花・合×瓣花】花冠を構成する花弁の全部または一部が一つに合着している花。キキョウ・アサガオの類。対 離弁花。

こう-ほ【候補】❶ある地位・身分などを得る資格や可能性をもち、それに選ばれる範囲にはいっている・こと(人)。「ー者」❷その中から選ぶようにあらかじめ挙げられたもの。「贈り物のーに本をあげる」

*こう-ぼ【公募】《名・他サ》一般から募集すること。「ドラマの主役をーする」

*こう-ぼ【酵母】「酵母菌」の略。子嚢菌(しのうきん)類に属する、単細胞のかび。醸造(じょうぞう)・製パンなどに利用する。イースト菌。イースト。

*こう-ほう【公報】❶公の機関が一般に知らせるために発行する文書。特に、地方公共団体の発行する文書。❷官庁から国民個人への公式の通知。

*こう-ほう【公法】国・地方公共団体相互の関係、またはそれらと個人との権力関係などについて規定した法律。憲法・行政法・刑法など。対 私法。

*こう-ほう【工法】工事の方法。

*こう-ほう【広報・×弘報】〔役所・会社が〕一般の人々に広く知らせること。また、その知らせ。「ー課」

*こう-ほう【後方】うしろの方。類語 後部。対 前方。

*こう-ほう【攻法】敵を攻める方法。攻撃法。

*こう-ほう【航法】船舶または航空機を目的の地点まで正確にまた、安全に操縦する技術。

*こう-ほう【高峰】高くそびえるみね。高嶺(たかね)。「アルプス一のー」参考 ある一群の中で、特にすぐれたものの意にも使う。「演劇界のー」類語 高山。

*こう-ぼう【光×芒】〔文〕〔さっと輝くときの〕光のほさき。光のすじ。「ーを放つ」類語 光線。

*こう-ぼう【工房】美術家・工芸家などが仕事をする部屋・建物。「彫刻家のー」類語 アトリエ。スタジオ。

*こうぼう【×弘法】「弘法大師」の略。空海の諡号(しごう)。参考 空海は真言宗の開祖で、三筆の一人。

ーにも筆の誤り《句》〔書道にすぐれた弘法大師でも書き損じることもある意から〕その道に長じた人でも時には失敗することもあるというたとえ。類語 孔子(くじ)の倒れ。

ー筆を択(えら)ばず《句》書の名人の弘法大師は筆の良し悪しを問わない。名人や達人はどんな道具であっても上手に仕上げることのたとえ。能書筆を択ばず。

*こう-ぼう【攻防】攻めることと防ぐこと。攻撃と防御。「必死のーを繰り返す」「ー戦」類語 攻守。

*こう-ぼう【興亡】〔国・民族などが〕興りさかえることとほろびること。「国家のー」類語 盛衰。興廃(こうはい)。

*ごう-ほう【号俸】〔国家公務員の〕職階制によってきめられた俸給。また、その等級。

*ごう-ほう【号砲】合図としてうつ大砲・鉄砲。また、その音。「ー一発走りだす」

*ごう-ほう【合法】《名・形動》法律に許された範囲にあること。法規に反しないこと。「ー的」類語 適法。

*ごう-ほう【業報】前世におこなった悪業(あくごう)によって受ける報い。業果(ごうか)。

*ごう-ほう【豪放】《名・形動》気持ちが大きく、小さなことにこだわらないこと。「ー磊落(らいらく)」類語 豪快。

こう-ほうじん【公法人】国家的・公共的な特定の目的を遂行するために設立された法人。公共組合・公団・金庫・公庫・公共企業体など。また、広義には、国家ならびに地方公共団体も指す。対 私法人。

*こう-ぼく【公僕】〔一般国民に奉仕する人の意から〕公務員のこと。

*こう-ぼく【坑木】炭坑で、坑道を補強する材木。

*こう-ぼく【香木】香としてたく、かおりのよい木。沈香(じんこう)・竜脳(りゅうのう)・伽羅(きゃら)など。

*こう-ぼく【高木】❶高くそびえている木。❷直立して三メートル以上に生長し、木質の堅い幹をもち、幹と枝との区別がはっきりしている木。ケヤキ・イチョウ・マツの類。参考「喬木(きょうぼく)」の新しい呼称。対 ①②低木。

こう-ほね【▽河骨】(かうーー)スイレン科の多年生水草。根茎は水底にあり、サトイモに似た長卵形の葉は水上にある。夏、水上に黄色の花を開く。河骨(かわほね)。

*こう-ほん【校本】〔古書などで〕伝本による本文の違いを一覧できるようにまとめた本。「ー万葉集」

*こう-ほん【稿本】❶したがき。原稿本。❷筆写された本。手書きの文書。類語 写本。対 ①②刊本。

こう-ま【黄麻】「つなそ」の別称。おうま。

ごう-ま【▽降魔】悪魔を降伏(ごうぶく)すること。

こう-まい【高×邁】《形動》〔精神が〕けだかく、すぐれているようす。「ーな識見をもつ」類語 英邁。高遠。

ごう-まい【豪×邁】《名・形動》〔文〕気性がはげしく人よりすぐれていること。

ごう-まつ【×毫末】〔文〕〔毛の先端の意から〕ごくわずかなこと。「ーの邪心もない」

こう-まん【高慢】《形動》〔自分の才能・地位に〕うぬぼれて人をあなどるようす。「ーの鼻をくじく」類語 不遜(ふそん)。傲岸(ごうがん)。尊大。

ーちき《形動》高慢でこにくらしいようす。「ーな小娘」

ごう-まん【×傲慢】《形動》えらぶって相手をばかにした態度をとるようす。傲岸(ごうがん)。「ーな態度をとる」「ー不遜(ふそん)」類語 傲然。横柄。対 謙虚。

こう・み【香味】飲食物のにおいと味。「―料」

こう・みゃく【鉱脈】有用鉱物が、地中で板状になっている鉱床。

＊こう・みょう【光明】❶〔くらやみにさしこむ〕明るい光。「一条の―がさす」❷将来に対する明るい希望。「前途に―を見いだす」

＊こう・みょう【功名】てがらをたてて有名になること。また、そのてがら。「―心」「怪我の―」

＊こう・みょう【高名】〔文〕❶《名・形動》名高いこと。高名。❷戦場でたてたてがら。武功。「―だて」

＊こう・みょう【巧妙】《形動》〔手段・方法・技巧などが〕非常に巧みなようす。「―な手口」対拙劣。

こう・みん【公民】国・地方公共団体の政治に参加する権利と義務をもつ者。―かん【―館】市町村などで、住民の教養・文化の向上、住民の集会などのためにもうけられた施設。―けん【―権】公民としての権利・資格。参政権。「―の停止」

＊こう・む【公務】❶おおやけのつとめ。類語公用。❷国・地方公共団体などの業務。公務員の職務。「―執行妨害」―いん【―員】国・地方公共団体に雇われ、その職務を行う人。国家公務員と地方公務員。

＊こう・む【工務】土木・建築などの工事に関する仕事。「―店」

こうむ・る【被る・×蒙る】《他五》❶〔恩恵または被害などの作用を〕受ける。「おかげを―る」「迷惑を―る」❷〔目上の人の動作を〕身に受ける。「官命を―る」❸〈「御免(を)―る」の形で〉㋐お許しいただく。「御免―って帰らせていただきたい」㋑ことわる。「そんな役割は御免を―る」〔文〕《四》

＊こう・めい【公明】《名・形動》公平で、はっきりしていること。―せいだい【―正大】《形動》〔いつでも他人に堂々と示せるように〕心が公平で片寄らず、やましいところがなく正しいようす。「―にふるまう」

＊こう・めい【高名】❶《名・形動》名高いこと。高名。「―な作曲家」類語盛名。❷相手の名前を尊敬していう語。「御―はかねがね承っております」

ごう・めい【合名】〔共同で責任を負うために〕名前を書きつらねること。連名。「―会社(＝無限の責任を負う社員で構成する会社。多くは個人企業的)」

こう・めん【後面】後方の面。後方。対前面。

ごう・も【×毫も】《副》《打ち消しの語をともなう》少しも。ちっとも。「―恥じるところはない」

＊こう・もう【紅毛】❶赤い髪の毛。❷江戸時代、オランダ、またはオランダ人の別称。❸欧米人。―じん【―人】江戸時代、オランダ人の別称。また、欧米人の別称。紅毛。―へきがん【―×碧眼】〔文〕〔赤い髪の毛と青い目の意から〕西洋人。欧米人。

＊こう・もう【×膏×肓】《「膏肓」の誤読から》→こうこう(膏肓)。

＊こう・もう【×鴻毛】〔文〕おおとりの羽毛。参考きわめて軽いもののたとえに使う。「死は―より軽し」

ごう・もう【剛毛】〔文〕かたい毛。

＊こう・もく【綱目】〔一つの物事の〕あらすじと細目。

＊こう・もく【項目】〔一つの物事を〕一定の基準で小分けにした一つ一つの部分。類語箇条。条項。細目。

ごうもくてき・てき【合目的的】《形動》〔ある事柄・行動などが〕目的にかなっているようす。

こうもり【×蝙×蝠】《「かわほり」の転》❶コウモリ目に属する哺乳動物の総称。前あしの指の間に皮膜があり、空中を飛ぶ。夕方や明け方に活動する。かわほり。❷「こうもりがさ」の略。金属製の骨に布やビニールなどを張った、雨天用のかさ。洋がさ。

＊こう・もん【校門】学校の門。

＊こう・もん【×肛門】大腸の末端にあって、ふんを排出する部分。しりのあな。

＊こう・もん【×閘門】❶運河・貯水池などで水量を調節するための堰。❷高低の差の大きい二つの水面をもつ運河で、船を昇降させる装置の水門。

＊こう・もん【黄門】❶「中納言」の唐風のよび名。❷中納言であった「徳川光圀」の別称。「水戸―」

ごう・もん【拷問】《名・他サ》種々の方法で肉体に苦痛を与え、むりに白状させようとすること。責問。「―にかける」類語折檻。

＊こう・や【広野・×曠野】広々とした野原。広野。表記「広野」は代用字。

＊こう・や【紺屋】染物屋。紺屋。―の明後日《句》〔客に催促され、あさってになれば染めあがると言いわけしても、天気次第で先に延ばすのが紺屋のつねであることから〕期日のあてにならない約束のたとえ。類語医者のただ今。―の白袴《句》〔紺屋なのに、客の仕事で忙しく自分の袴まで染める暇がないということから〕他人のことで忙しく、自分自身のことをする暇がないことのたとえ。また、人にはうるさく言うが自分に関しては何もできていないことのたとえ。こうやのしらばかま。類語髪結いの乱れ髪。医者の不養生。

＊こう・や【荒野】あれはてた野原。あれの。類語原野。

＊こうや【高野】「高野山」の略。和歌山県にある山。真言宗の寺、金剛峯寺がある。―どうふ【―豆腐】豆腐を小形に切り、凍らせたのち乾燥したもの。湯でもどし、精進料理などに使用。氷豆腐。しみ豆腐。参考高野山で作りはじめたといわれる。―ひじり【―▽聖】教化したり寺の寄付をつのったりするため諸国を行脚した高野山の僧。

＊こう・やく【公約】《名・他サ》政府・政党・政治家などが国民に対して自らの打ち出した政策を実行すると約束すること。また、その約束。「―を果たす」

＊こう・やく【口約】《名・他サ》〔文書に記さず〕口だけで約束すること。また、その約束。口約束。

＊こう・やく【×膏薬】〔外傷・できものにつける〕動物のあぶらでねった薬。多く紙や布にぬりつけてある。

こう・やくすう【公約数】二つ以上の整数のいずれをも割り切れる数。共通の約数。「最大―」参考→公倍数。

＊こう・ゆ【鉱油】鉱物性の油。石油など。

＊こう・ゆ【香油】髪につける、においのよい油。

＊こう・ゆう【交友】友達として交際する・こと(人)。「―の範囲が広い」「―関係」

＊こう・ゆう【交遊】《名・自サ》〔人と〕親しくまじわりつきあうこと。類語交際。

＊こう・ゆう【公有】《名・他サ》国や地方公共団体が持っていること。「―地」類語国有。官有。対私有。

＊こう・ゆう【校友】❶同じ学校で学ぶ友達。❷同じ学校の卒業生。「―会」

＊ごう・ゆう【剛勇】《名・形動》ものに動ぜず強く勇ましいこと。「―無双」類語勇猛。剛胆。

＊ごう・ゆう【豪勇】《名・形動》すぐれた勇気を持ってい

ること。［類語］剛胆。大勇。

＊ごう-ゆう【豪遊】《名・自サ》金銭をたくさん使ってぜいたくに遊ぶこと。

＊こう-よう【公用】❶国・地方公共団体などが使用すること（費用）。「―の建物」❷国・地方公共団体の用事・事業。「―で出張する」❸公の用事。［類語］公務。［対］①〜③私用。 ―ご【―語】❶行政・教育・裁判など、その国の公の場で使うことが認められている言語。❷国際機関で正式の会議や文書に使用される言語。 ―ぶん【―文】国や地方公共団体が出す文書や法令などの文章。形式が決まっている。

＊こう-よう【効用】❶役に立つ、また、効果のある使い道。「道具の―」❷役に立ち、ききめがあること。「新薬の―」［類語］効果。効能。

＊こう-よう【孝養】《名・他サ》親を養い孝行すること。「―を尽くす」［類語］孝行。

＊こう-よう【後葉】〔文〕後の世。また、子孫。

＊こう-よう【紅葉】《名・自サ》〔秋になって〕植物の葉が赤く変わること。また、その葉。もみじ。

＊こう-よう【綱要】物事のたいせつなところ。要点。「物理学―」［参考］書名にも用いる。

＊こう-よう【航洋】〔文〕広い海を航行すること。航海。

＊こう-よう【高揚・×昂揚】《名・自他サ》〔ある気分・精神などが〕高まり強くなること。また、高め強くすること。「民族意識の―」「士気を―する」［表記］「高揚」は代用字。［類語］向上。

＊こう-よう【黄葉】《名・自サ》〔秋になって〕植物の葉が黄色に変わること。また、その葉。

こうよう-じゅ【広葉樹】幅の広い葉をつける樹木。［参考］「闊葉樹（かつようじゅ）」の新しい呼称。［対］針葉樹。

ごう-よく【強欲・強×慾】《名・形動》非常に欲が深いこと。「―非道」［類語］貪欲（どんよく）。胴欲（どうよく）。

こう-ら【甲羅】❶カメ・カニなどのからだを包むかたい殻。こう。❷背中。背。「浜辺で―を干す（=うつぶせになって背中に日光を浴びる）」❸年功。「功」「劫」にかけていう〕「―を経る（=長く生きて経験をつむ）」

＊こう-らい【光来・高来】〔文〕〈御―〉他人の来訪を尊敬していう語。光臨。「御―を仰ぐ」［類語］来駕。

＊こう-らい【後来】〔文〕こののち。将来。〔副詞的にも使う〕「―を語る」「―疑念を抱くようになった」

＊こう-らく【攻落】《名・他サ》〔敵陣などを〕攻めおとすこと。［類語］攻略。

＊こう-らく【行楽】遠く山野に出かけて遊び楽しむこと。「―の秋」「―地」「―シーズン」［類語］遊山（ゆさん）。

＊こう-らん【×攪乱】《名・他サ》→かくらん（攪乱）。

＊こう-らん【高欄・×勾欄】〔神社・宮殿などの〕縁側や廊下についている端のそりまがった手すり。［類語］欄干（らんかん）。

＊こう-らん【高覧】〔文〕他人が見ることを尊敬していう語。「御―に供する」［類語］御覧。

＊こう-り【公利】社会全体にとっての利益。公共の利益。公益。［対］私利。

＊こう-り【公吏】地方公務員。吏員。〔古い言い方〕

＊こう-り【公理】❶一般に認められ通用する道理。❷〔数〕他の命題から証明できないが、一般に自明な真理とされ、他の命題を証明する前提になる原理。

＊こう-り【功利】功名と利益。「―に走る」「―打算」 ―しゅぎ【―主義】多くの人の利益と幸福とを求めることが、人生・社会の最大の目的であるとする思想的立場。功利説。［参考］特にベンサム、ミルなどが唱えた「最大多数の最大幸福」を道徳の指標とする考え方。 ―てき【―的】《形動》功名や利益を第一に重んじるようす。「あまりに―な考え」［類語］打算的。

＊こ-うり【小売（り）】《名・他サ》卸商から仕入れた商品を消費者に売ること。「―店」［類語］卸売り。

＊こう-り【行×李】❶旅行の荷物。❷旅行の荷物を入れる、竹・柳を編んで作った、ふたのある四角な箱。衣類などの保存にも使われる。「柳―」

＊こう-り【高利】❶〔文〕高額の利益。巨利。❷率の高い利息。また、その貸し金。「―貸し」［対］低利。

ごう-り【合理】論理の法則にかなっていること。また、理屈に合っていること。「―性を欠く意見」［対］不合理。 ―か【―化】《名・他サ》❶理由をつけて、自分が正しいとすること。「自分の行動を―する」❷むだを省いて能率をよくすること。「経営の―」 ―しゅぎ【―主義】❶真の認識は経験によらず、理性のみによって得られるとする思想的立場。デカルト、スピノザ、ライプニッツらが代表者。理性論。合理論。ラショナリズム。［対］経験主義。❷合理的に物事を割り切って考える態度。 ―てき【―的】《形動》❶道理にかなっているようす。また、理論に基づいているようす。❷理論に合っていてむだがないようす。「―な方法で能率を高める」

＊ごう-りき【合力】《名・他サ》金品をめぐみ与えること。〔古風な言い方〕「なにぶんかの―を頼む」

＊ごう-りき【強力・剛力】❶《名・形動》力が強い・こと（人）。また、強い力。「―無双」❷修験者（しゅげんじゃ）の荷を運ぶ下男。❸登山者の荷物を運び案内する人。 ―はん【強力犯】暴行・脅迫を手段にして行われる犯罪。殺人・強盗など。［対］知能犯。

＊こう-りつ【公立】地方公共団体が設立し、管理・維持する・こと（施設）。「―の学校」「国―大学」

＊こう-りつ【効率】❶〔理〕機械がはたらいた有効な仕事の量と、機械に加えたエネルギーとの比。❷あることをするために費やした労力・時間と、その成果との割合。「―の良い仕事」

＊こう-りつ【工率】力が単位時間にする仕事の量。実用単位にはワット・馬力を使う。仕事率。工程。

＊こう-りつ【高率】《名・形動》率が高いこと。高い率。「―の収益」「―配当」［対］低率。

＊こう-りゃく【後略】《名・他サ》〔文章を引用するとき〕後の部分をはぶくこと。［対］前略・中略。

＊こう-りゃく【攻略】《名・他サ》❶〔敵陣や敵地を〕攻めてうばいとること。「要塞（ようさい）を―する」❷いろいろな手段を使って相手の気持ちを自分の望むように変えさせること。「彼女を―する」［類語］説得。

＊こう-りゅう【交流】❶一定の時間ごとに流れの方向と大きさを変える電流。記号AC。［対］直流。❷《名・自サ》〔異なった系統・組織に属するものが〕たがいに行き来すること。「世代間の―をはかる」「文化―」

＊こう-りゅう【×勾留】《名・他サ》〔法〕逃亡や証拠の湮滅（いんめつ）を防ぐため、裁判所が被疑者・被告人を一定の場所にとどめておくこと。拘置（こうち）。「―状」［参考］「拘留（こうりゅう）」と区別するため、「未決勾留」とも言う。

＊こう-りゅう【拘留】《名・他サ》❶捕らえて、とどめておくこと。❷〔法〕刑罰の一つ。犯罪者を一日以上三〇日未満の間、拘留場にとどめておくこと。

＊こう-りゅう【興隆】《名・自サ》物事がおこり、勢いがさかんになること。「文化の―」［類語］興起。［対］衰亡。

ごう-りゅう【合流】《名・自サ》❶二つ以上の川が合わさり一つの川となって流れること。❷二つ以上に分かれて独立していたものがまとまって、一つのものになること。「先発隊に—する」類語 合同。合併。

***こう-りょ【考慮】**《名・他サ》〔あることについて〕よく考えること。「—の余地なし」類語 配慮。思慮。

***こう-りょ【高慮】**〔文〕相手の考えを尊敬していう語。「御—の程深謝奉り候」

***こう-りょう【×亢▽竜】**〔文〕天高くのぼりつめた竜。栄達を極めた者のたとえに使う。亢竜（こうりゅう）。対 蛟竜（こうりょう）。—の悔い《句》物事が最盛をきわめると、あとは必ず衰え滅びるというたとえ。

***こう-りょう【口糧】**〔文〕兵士の一人分の食糧。「携帯—」

***こう-りょう【広量・×宏量】**《名・形動》細かい事にこだわらず気持ちが大きいこと。類語 雅量。対 狭量。

***こう-りょう【校了】**校正が全部終わること。

***こう-りょう【稿料】**原稿料。類語 印税。

***こう-りょう【綱領】**〔文〕❶おおもとになる要点。眼目。「哲学の—」❷〔政党・団体などの〕政策・運営方針のよりどころを示したもの。類語 スローガン。

***こう-りょう【考量】**《名・他サ》他のこととくらべて考えはかること。「比較—」

***こう-りょう【×蛟▽竜】**中国の想像上の動物で、まだ竜にならないもの。水中にすみ、雲と雨に会うと天に上って竜になるという。まだ時を得ない英雄・豪傑などのたとえに使う。蛟竜（こうりゅう）。対 亢竜（こうりょう）。

***こう-りょう【香料】**❶〔食品・化粧品などに入れる〕よいにおいを出す物質。❷死者の霊前に線香の代わりとして供える金銭。香典（こうでん）。「—を供える」

***こう-りょう【黄×粱】**→粟（あわ）①。

***こう-りょう【荒涼・荒×寥】**《形動タルト》❶〔広い土地・風景などが〕荒れはててさびしいようす。「—たる原野」❷〔生活・精神を〕充実し満足させるものが何もなく、むなしいようす。「—とした日々を送る」

***こう-りょく【光力】**光の強さ。光度。

***こう-りょく【効力】**あるもの・事柄に作用して効果を及ぼすことができる力・働き。「条約が—を発する」

***こう-りょく【抗力】**❶物体が面に力をおよぼすとき、その反作用として面が物体をおす力。❷物体が流体中を運動するとき、流体が、物体の運動と反対方向に働いて物体におよぼす抵抗力。

ごう-りょく【合力】〔理〕二つ以上の力を合成した力。二つの物体に同時に働く二つ以上の力を合成した力。対 分力。

***こう-りん【光臨】**〔文〕他人が来訪することを尊敬していう語。光来。「御—の栄を賜る」

***こう-りん【光輪】**❶キリスト教芸術の絵画・彫刻などで、聖人であることを表すため、頭のまわりに描く輪。類語 光背。❷太陽や月の周囲に現れる、暈（かさ）。

***こう-りん【後輪】**後ろの方の車輪。対 前輪。

***こう-りん【降臨】**《名・自サ》〔文〕❶神・仏などが天から下ってこの世に現れること。あまくだること。「天孫の—」❷〔王・天皇など〕貴人の来訪をさす尊敬語。

こう-るい【紅涙】〔文〕❶血の涙。血涙。❷〔若く美しい〕女性が流す涙。「—をしぼる」

こ-うるさ・い【小▽煩い】《形》《「こ」は接頭語》ちょっとうるさい。気にかかってうるさい。「—・い女」

***こう-れい【交霊】**死者の霊魂が、生きている者と交通すること。「—現象」

***こう-れい【好例】**〔ある物事を具体的に説明するのに〕ちょうどよい例。適例。「失敗の—」

***こう-れい【恒例】**きまった行事・儀式などがいつもと同じに行われること。また、その行事・儀式。「—の文化祭」類語 常例。定例。慣例。慣行。

***こう-れい【皇霊】**〔文〕歴代の天皇の霊。

***こう-れい【高齢】**非常に年をとっていること。高い年齢。高年。老齢。「九〇歳の—」「—者」⇩〔類義語の使い分け「老齢」〕 **—か・しゃかい【—化社会】**総人口のうち高齢者の割合が高くなっていく社会。参考 一般に六五歳以上の人口が七パーセントをこえると「高齢化社会」、一四パーセントをこえると「高齢社会」という。

ごう-れい【号令】❶大声でかける指図のことば。「—をかける」❷《名・他サ》〔支配者が〕人を動かすため命令すること。また、その命令。「天下に—する」

こう-れつ【後列】うしろの列。対 前列。

***こう-ろ【航路】**❶〔定期的に〕船や飛行機が通る一定の道すじ。「ハワイ—」❷船の通る水路。類語 海路。

***こう-ろ【行路】**〔文〕❶道を歩いて行くこと。また、その道。❷生きてゆく方法。世わたり。「人生の—をあやまる」❸「行路の人」の略。面識のない他人。**—びょうしゃ【—病者】**病気・飢えなどのため道に倒れて、引き取り人のない人。行き倒れ。

***こう-ろ【香炉】**香をたくときに使うい れ物。参考「一基（いっき）…」と数える。

香　炉

***こう-ろう【功労】**てがらと、そのためのほねおり。「—者」類語 功績。

***こう-ろう【高楼】**〔文〕高く構えた建物。たかどの。

こう-ろく【高×禄】多額の禄高。高額の給与。大禄。「—をはむ」表記「厚禄」とも書く。類語 高給。対 小禄。微禄。

***こう-ろん【公論】**❶一般の人々の支持する議論。世論。「万機—に決すべし」❷公平な議論。

***こう-ろん【口論】**《名・他サ》〔感情的になって〕口で言い争うこと。「はげしく—する」類語 舌戦。論争。

***こう-ろん【抗論】**《名・他サ》ある議論に対して自説をたてて対抗すること。はりあって論じること。

***こう-ろん【硬論】**強い意見。強硬な意見。対 軟論。

***こう-ろん【高論】**❶〔文〕すぐれた立派な議論・意見。「—卓説」❷他人の議論・意見を尊敬していう語。

こうろん・おつばく【甲論乙×駁】《名・自サ》〔甲が論ずれば乙がそれに反駁する意で〕たがいにあれこれ論じ合い反対し合って、意見がまとまらないこと。

***こう-わ【講和・×媾和】**《名・自サ》❶〔文〕仲直りすること。❷交戦国が戦争を終結し、条約を結んで平和な状態にもどること。「—条約」類語 停戦。終戦。

***こう-わ【講話】**《名・他サ》ある問題についてわかりやすく説いて話すこと。また、その話。類語 講演。説教。

***こう-わ【高話】**他人の話を尊敬していう語。「御—を拝聴する」類語 高説。高談。

こう-わん【港湾】船が停泊し、乗客・積み荷のあげおろしができる設備をもった水域。みなと。

ごう-わん【豪腕・剛腕】腕力が強いこと。また、強い腕っぷし。「—投手」「—を振るう」

ご-うん【五×蘊】〔仏〕人間の心身をかたちづくる五つ

の要素。色（＝肉体）・受（＝感受）・想（＝表象）・行（＝心の作用）・識（＝意識）のこと。

＊**こえ【声】** こゑ ❶人や動物が発声器官を使って出す音。ものを言ったり歌を歌ったり泣いたりするときに出る。「大きな―」「―を励ます」参考 一般には、秋の虫などが、はねやあしなどをこすりあわせてたてる音にもいう。「コオロギの―」❷物が振動して発する音。おと。〔文学的な表現に用いる〕「波の―」「鐘の―」❸ことば。「神の―」❹考え。意見。「読者の―を聞く」「不満の―があがる」❺〈「…の―をきく」の形で〉〔ある季節や月などの〕近づいてくる気配を感じる。また、ある状態になる。「師走の―をきく」**―の・した【―の下】**《連語》話がすむとすぐにある動作をするようす。言下。「もう発言しないという―から口を出す」

―を掛・ける《句》呼びかける。話しかける。誘う。

―を尖ら・す《句》とげとげしい口調で言う。

―を呑・む《句》極度の緊張・感動のために声が出なくなる。「すばらしい演技に思わず―む」

＊**こえ【肥】** 田畑の地質をよくするために施すもの。特に、大小便をくさらせた肥料。こやし。しもごえ。

ごえ【越え】《接尾》《多く、国名や山・峠などの名の下につけて》「…を越えて行く・こと（道）」の意。「伊賀―」「箱根―」

こ‐えい【孤影】〔文〕ひとりぼっちでさびしそうな姿。「―悄然として立ち去る」

ご‐えい【護衛】《名・他サ》ある人や大事なものにつきそってその安全を守る・こと（人）。類語 保護。掩護。

ご‐えいか【御詠歌】 霊場めぐりの巡礼が鈴を振りながらとなえる、仏をたたえる歌。巡礼歌。

こえ‐がかり【声掛（か）り・声懸（か）り】 こゑ 身分の上の人や勢力のある人の直接の命令・口ぞえ。また、それをうける人。参考 多く「お―」の形で使われる。「社長のお―で出世する」

こえ‐がら【声柄】 こゑ 声の質。声のようす。

こえ‐がわり【声変（わ）り】 こゑがはり《名・自サ》思春期に声帯が成長し声が変わること。また、その時期。特に男性に著しく、声帯が発達して声が低く太くなる。

こえごえ‐に【声声に】 こゑごゑ《副》多くの人がめいめいに声に出して言うようす。くちぐちに。「―非難する」

こえ‐たご【肥▽担×桶】 肥料にする大小便を入れて運ぶおけ。こえおけ。

こえ‐だめ【肥×溜（め）】 肥料にする大小便をくさらせるためにためておく所。こやしだめ。

ご‐えつ【呉越】 昔の中国で、仲が悪かった呉の国と越の国。**―どうしゅう【―同舟】** 仲の悪い者同士や敵味方が同じ場所にいたり、共通の利害のためにいっしょに行動したりすること。〈孫子・九地〉

こえ‐つき【声付き】 こゑ 声のようす。

ごえもん‐ぶろ【五▽右▽衛門風×呂】 かまどの上にすえた鉄の湯船を直接温めるふろ。うき蓋を底板とする。かまぶろ。長州ぶろ。参考 盗賊の石川五右衛門がかまゆでの刑に処せられたということから。

＊**こ・える【肥える】**《自下一》❶からだの肉がふえる。ふとる。〔やや方言的な言い方〕❷地味がゆたかになる。「―えた土地」対①②やせる。❸資産などが増大する。「戦争で―えた財閥」❹よいわるいの識別力が向上する。「舌が―える」「目が―える」文こ・ゆ《下二》

＊**こ・える【越える】**《自下一》❶物の上を通り過ぎて向こう側へ行く。「国境を―える」❷ある時間・時期を過ごす。「―えて翌年」❸ある基準・数量を上回る。「三〇度を―える暑さ」❹まさる。「人に―えた才能をもつ」❺ある立場にこだわらないで先へ進む。超越する。「利害を―えて話し合う」表記 ③～⑤は「超える」とも書く。文こ・ゆ《下二》⇩〔使い分け〕

使い分け「こえる・こす」

越える〔ある地点や物の上、時期を過ぎて先に行く意で、一般に広く〕山を越える・障害物を越える・国境を越える・難関を乗り越える・権限を越える

超える〔一定の分量・限界を過ぎて先に行く〕基準を超える・一万人を超える・六〇歳を超える・想像を超える・目標を超える・党派を超える・予算の枠を超える

越す〔地点や時期をとびこえる、追いこす、まさる、転居するなどの意で、一般に広く〕峠を越す・冬を越す・慎重であるに越したことはない・先を越す・下宿を越す・お越し下さい

超す〔基準を上回る〕十万人を超す・百万円を超す・度を超す

参考「超える・超す」は、「『異字同訓』の漢字の用法」〔国語審議会〕では、一般的な「越」を使うこともできるとする〔例：現代を超（越）える・人間の能力を超（越）える・百万円を超（越）える額・一千万人を超（越）す人口〕。複合語には、一般に「越」を用いる〔乗り越える・踏み越える・追い越す・勝ち越す〕。また、年齢は一般に「六〇を超す」と書くとされるが、比喩的な表現では「六〇の坂を越す」と書いて使い分けることもできる。同様に、「国境を越える／国境を超える愛」では、前者は文字どおり越境の意、後者は抽象的な一定の枠を超越した意。「理解を超えた存在〔＝超越的存在〕」などは、「超」が落ち着く。

ご‐えん【誤×嚥】《名・自サ》飲食物がうまくのみ込めず、あやまって気管に入ってしまうこと。誤嚥下。

ゴー 交通信号などで、「進め」の意を表す標語。対 ストップ。▽go **―カート** エンジン付きの小型の遊技用自動車。遊園地などにある。▽go-cart **―サイン**「行け」「進め」などの合図。また、実行の許可。「新規事業に―が出る」▽go と sign からの和製語。**―ストップ** 交通信号（機）。▽go と stop からの和製語。

ゴーイング‐マイ‐ウエー《句》他人に左右されず自分の思いどおりに行う。わが道を行く。参考 アメリカ映画の題名から。▽going my way

こ‐おう【呼応】《名・自サ》❶〔呼びかけと応答の意から〕一つの物事に対応する形である物事を行うこと。「実績に―して昇格する」❷文中で、ある語が用いられると、それに応じてあとの方で必ず他のきまった語を伴って、特定の意味をもつように関係し合うこと。「決して…ない」「たとえ…とも」など。

ご‐おう【五黄】 九星の一つ。土星にあたる。生まれた年がこれで、特に寅と重なる場合〔五黄の寅〕は、運勢が強く気性も強いという。

こおう‐こんらい【古往今来】《副》〔文〕昔から今まで。開闢以来。古来。

コーキング《名・自サ》水漏れなどを防ぐために継ぎ目や裂け目などに詰め物をすること。また、その詰め物。▽caulking

コークス 石炭を乾留して揮発分をのぞいたもの。無煙

で火力が強い。燃料・鋳物・ガス製造などに用いる。骸炭。▽ドイツ Koks 英 cokes

ゴーグル 防水また、風・紫外線・ちりなどを避けるための眼鏡。水中眼鏡や防風眼鏡。▽goggles

ゴージャス 《形動》豪華なようす。「―な部屋」「―な晩餐会」▽gorgeous

コース ❶進路。道筋。「ハイキング―」❷陸上競技の競走路。水上競技の競泳路。ゴルフの競技路。❸方向・方針。「進学の―」❹課程。「博士―」❺経過。過程。「平凡な―を経て定年を迎える」❻西洋料理で、一組になった料理。「フル―」▽course

コースター ❶急勾配の惰性を利用して走る娯楽用の乗り物。ジェットコースター・ローラーコースターなど。❷グラスなどの下に敷く物。▽coaster

ゴースト ━《造語》「幽霊」「目に見えないもの」「かげにかくれたもの」などの意。━《名》「ゴーストイメージ」の略。テレビの画像の輪郭が二重・三重に見える現象。また、その画像。▽ghost **―タウン** 住民が他の土地へ移り、人のいなくなった町。▽ghost town(=幽霊町) **―ライター** 代筆作者。政治家・芸能人などの文章の代筆をする人。▽ghost writer

コーダ 曲のしめくくりを効果的に強調した部分。楽曲の結尾部。▽イタリア coda

コーチ 《名・他サ》スポーツの技術などを指導すること。また、それを専門に行う人。「ピッチング―」▽coach

コーチゾン 副腎皮質から分泌されるホルモンの一つ。これを主成分とした薬はリューマチ性関節炎・ぜんそくなどの特効薬。コルチゾン。▽cortisone

コーチャー ❶コーチする役めの人。❷野球で、試合中に打者や走者に指示をあたえる人。▽coacher

コーチン ニワトリの一品種。肉用種。名古屋コーチンなど。[表記]「交趾」と当てた。▽cochin

コーディネーター ❶仕事の流れがスムーズにいくように間にはいって調整する人・機関。❷ファッションのコーディネートを職業とする人。▽coordinator

コーディネート 《名・他サ》調整すること。特に、ファッションでまとまりをもたせて組み合わせること。▽coordinate(=統合する)

コーティング 《名・他サ》物質の表面を他の物質でおおうこと。被覆加工。レンズの反射の防止、錠剤などの耐食性・耐湿性の付加、布地の防水・耐熱加工などのために行う。「ビニール―」▽coating(=上塗り)

コーデュロイ 織物の一つ。うね状のすじを織り出したビロード。コールテン。▽corduroy

＊**コート** ❶寒さ・雨・よごれなどを防ぐため、外出のとき衣服の上から着るもの。オーバーコート・レインコートなど。❷背広などの上着。▽coat

＊**コート** テニス・バレーボールなどの競技場。▽court

＊**コード** 音楽で、和音。和弦。▽chord

＊**コード** ❶規定。「プレス―」「放送―」❷電信用の略号。電信符号。❸コンピューターなどに記憶させるための符号(の体系)。「情報を―化する」▽code

＊**コード** ❶ゴム・ビニール・綿糸などで周囲をくるんで絶縁した電線。❷細いロープ。ひも。「―でくくる」▽cord **―レス** 電気機器などで、コードが・ない(不要である)こと。「―電話」▽cordless

こ-おとこ【小男】(―をとこ) ふつうよりせたけの低い男。小さい男。[類語]小兵。[対]大男。

コードバン ❶スペインのコルドバ産のやぎ皮。❷馬のしりや背からとった高級ななめし革。▽cordovan

こ-おどり【小躍り・×雀躍り】(―をどり) 《名・自サ》喜んでとんだりはねたりすること。また、おどりあがらんばかりに喜ぶこと。雀躍。「合格の報に―して喜ぶ」

コーナー ❶物のすみ。また、曲がりかど。「部屋の―に置かれたテーブル」❷アルバムに写真をはるときに、四すみにつけてとめるもの。❸野球で、本塁のかど。アウトコーナー・インコーナーの総称。❹デパートなどの売り場の一区画。「婦人物の―」❺競馬場・競技場の競走路で、湾曲した部分。「第三―を回る」▽corner

コーヒー ❶コーヒー豆をいって粉にしたもの。また、それから作った香りのよい飲み物。カフェインをふくむ。❷コーヒー豆。コーヒーの木の種子。[表記]「珈琲」と当てる。▽オランダ koffie 英 coffee **―ブレーク** コーヒーを飲む短い休憩時間。▽coffee break

コーポラス 鉄筋建てのアパート。コーポ。[類語]マンション。▽corporate と house からの和製語。

コーポレーション 株式会社。▽corporation

コーラ コーラの木の果実などを原料とした清涼飲料。▽cola

コーラス ❶合唱。❷合唱団。合唱隊。❸合唱曲。「ハレルヤ―」▽chorus

コーラン イスラム教の聖典。▽Koran

＊**こおり【氷】**(こほり) ❶氷点下の温度で水が固体になったもの。透明で、かたく冷たい。[参考]冷たいものや鋭いもののたとえに用いる。「―のような手」「―のやいば」[類語]つらら。銀盤。氷河。氷塊。氷海。氷原。氷山。氷晶。氷雪。氷霜。氷柱。氷壁。氷霧。アイス。ダイヤモンドダスト。❷氷水②。

＊**こおり【▽郡】**(こほり) 昔の行政区画の一つ。国を小さく分けた区画で郷・村を含む。

こおり-がし【氷菓子】(こほりグワ―) 果汁・糖蜜などに香料を加えて凍らせた食べ物。シャーベット・アイスキャンデーなど。〔古風な言い方〕

こおり-ざとう【氷砂糖】(こほり―タウ) まざりけのない砂糖を氷片のように大きく結晶させたもの。

こおり-つ・く【凍り付く】(こほり―) 《自五》凍ってくっつく。また、かたく凍る。いてつく。凍結する。

こおり-どうふ【氷豆腐】(こほり―) ➡高野豆腐。

こおり-ぶくろ【氷袋】(こほり―) 氷嚢。

こおり-まくら【氷×枕】(こほり―) 中に氷・冷水を入れて使う、ゴム製のまくら。病気で高熱が出たときなどに頭部をひやすのに用いる。水枕。

こおり-みず【氷水】(こほりみづ) ❶水に、氷のかけらを入れて冷たくしたもの。❷氷を細かくけずり、糖蜜・果汁などをかけた食べ物。かきごおり。氷。氷水。

コーリャン【高×粱】 モロコシの一種。中国東北部・朝鮮北部に産する。こうりょう。▽中国 gao-liang

＊**こお・る【凍る・▽氷る】**(こほる) 《自五》温度が低いため、液体が固体に変わる。特に、水が固まって氷になる。[参考]ひゆ的に、冷たく(感じられるように)なる意でも用いる。「血も―・る恐怖」[類語]凍いて付く。凍てる。凍しみる。凍り付く。凍える。結氷。凍結。氷結。冷凍。凍上。[文]《四》。

＊**コール** ❶金融・保険・証券業者の間で貸借される短期の資金。短資。[参考]借り手側からは「コールマネー」、貸し手側からは「コールローン」という。❷《名・自サ》トランプで、相手札の提示を要求すること。また、ストップを

宣言すること。また、その合図。▽call —**ガール** 電話の呼び出しなどに応じてくる売春婦。▽call girl —**サイン** 放送局や無線局に固有についている、電波呼び出し符号。JOAK(＝NHK東京第一放送局)の類。▽call sign

ゴール ❶競走の勝負を決める一番最後の線・点。決勝線。決勝点。❷《名・自サ》サッカー・バスケットボール・ホッケーなどでボールを入れて得点になる所。また、そこへボールを入れて得点すること。▽goal —**イン** 《名・自サ》❶ゴール①にはいること。❷〔俗〕結婚すること。▽goal と in からの和製語。—**キーパー** サッカー・ホッケーなどで、ゴールを守備する役(の人)。キーパー。▽goalkeeper

コールスロー 千切りのキャベツを、フレンチドレッシングなどであえたサラダ。▽coleslaw

コール・タール 石炭を乾留したときにできる、黒い油のような液体。染料・爆薬・医薬・防腐剤などの原料。石炭タール。コールタ。▽coal tar

コールテン →コーデュロイ。[表記]「コール天」とも当てる。▽corded velveteen から。

ゴールデン 《造語》「黄金に匹敵するほど価値が高い」の意。▽golden —**アワー** 〔ラジオやテレビの放送で〕視聴率が一番高い放送時間。午後七時から九時ごろまで。ゴールデンタイム。▽golden と hour からの和製語。—**ウイーク** 〔四月の末から五月の上旬にかけての〕一年中で休日のいちばん多い週。黄金週間。▽golden と week からの和製語。

コールド 《造語》「つめたい」の意。[対]ホット。▽cold —**クリーム** 油脂が多く含まれている化粧用クリーム。化粧落とし、マッサージなどに使う。[類語]バニシングクリーム。▽cold cream —**チェーン** 野菜・魚・肉などの生鮮食料品を生産地から消費者に渡るまで連続的な低温設備によって運搬・保管する、流通の仕組み。低温流通機構。▽cold chain

ゴールド 金。黄金。「—メダリスト」▽gold —**ラッシュ** ❶新しく発見された金の産地へ人々が殺到すること。黄金狂。[参考]一九世紀のアメリカにおける用語。❷金の価格の上がることを予想して人々が金の投機に殺到すること。▽gold rush

コールド・ゲーム 野球で、五回終了後、日没・降雨などのために試合の続行が不可能になったときや、(大差のために)試合続行の必要がなくなったときなどに、それまでの得点で勝負をきめること。また、その試合。▽called game

こおろぎ【×蟋×蟀】(こおろぎ) コオロギ科の昆虫。体色は黒褐色で、長い触角をもつ。雄は夏の終わりごろから秋にかけ美しい声でなく。いとど。

***コーン** ❶ソフトアイスクリームを入れる、円錐(えんすい)形の入れ物。穀物の粉で作り、そのまま食べられる。❷拡声器の円錐形の部分。▽cone

***コーン** トウモロコシ。「—スープ」▽corn —**スターチ** トウモロコシのでんぷん。食品・のりに用いる。▽cornstarch —**フレークス** トウモロコシを加熱して平らにつぶした簡易食品。牛乳や砂糖をかけて食べる。▽cornflakes

***ご-おん【呉音】** 漢字音の一つ。昔の中国の呉(ご)・越(えつ)地方の発音で、日本に伝わってきて国語化したもの。「一」を「いち」、「地」を「じ」、「白」を「びゃく」と読む類。仏教語で多く使う。[参考]→漢音・唐音。

***ご-おん【語音】** 〔文〕ことばを構成する音声。ことばの音。音韻。「—明瞭」

ごおん-おんかい【五音音階】 一オクターブの間に五つの音をもっている音階。日本古来の音楽は、だいたいこの音階によっている。[類語]七音音階。

***こ-か【古歌】** 昔の和歌。古人の作った歌。

***コカ** コカ科の常緑低木。原産地は南米ペルー・ボリビア地方。長楕円(だえん)形の葉からコカインをとる。▽coca

***こ-が【個我】** 他と区別された自我。個としての自我。

***こ-が【古画】** 古い絵。昔の人がかいた絵。

***こ-が【古雅】** 《名・形動》古風で上品なようす。「—な水墨画」

***こ-がい【子飼(い)】**(こがひ) ❶鳥やけものを生まれた時から育てること。「—のタカ」❷子供の時からめんどうをみて一人前にすること。また、そうして一人前に育て上げられた人。「—の番頭」「—者(もの)」

***こ-がい【戸外】** 家の外。屋外。「—で遊ぶ」

***ご-かい【五戒】** 〔仏〕在家(ざいけ)の信者が守るべき五つのいましめ。五悪のそれぞれについて禁じた五つのいましめ。

***ごかい【×沙▽蚕】** ゴカイ科の環形動物。体は平らで長く、浅い海の泥の中にすむ。つりのえさに使う。

***ご-かい【誤解】** 《名・他サ》まちがって理解すること。思いちがい。「—を招く言動」「—を解く」[類語]曲解。

こ-がいしゃ【子会社】 法律上は別個の会社となっているが、実質上は資本その他の点で、他の会社の支配を受けている会社。[対]親会社。

ご-かいしょ【碁会所】 碁盤・碁石をそなえ、席料をとって碁をうたせる所。また、碁を教える所。

ご-かいどう【五街道】 江戸時代、江戸の日本橋を起点とした五つの街道。東海道・中山(なかせん)道・奥州街道・日光街道・甲州街道。

コカイン コカの葉にふくまれているアルカロイド。無色無臭。局部麻酔薬などに使用する。習慣性による中毒症状を起こすので麻薬に指定されている。▽cocaine

こ-がき【小書き】 《名・他サ》文章の中に注などを小さく書きこむこと。また、その書きこんだもの。

***こ-かく【古格】** 古い格式。昔のやり方。[類語]古式。

***こ-かく【孤客】** 〔文〕ひとりで旅をしている人。

***こ-かく【顧客】** →こきゃく。

***こ-がく【古学】** ❶儒学の一派。江戸時代、朱子学・陽明(ようめい)学に反対して、直接儒教の経典を研究し、明らかにしようとした学派。山鹿素行(やまがそこう)・荻生徂徠(おぎゅうそらい)などに代表される。❷国学。

***こ-がく【古楽】** 古代の音楽。日本では、多く王朝時代までのものをさす。

***ご-かく【互角・▽牛角】** 《名・形動》たがいの力に差がなく優劣をつけにくいこと。五分五分。「—の勝負」[類語]対等。伯仲(はくちゅう)。[注意]「互格」は誤り。

***ご-かく【碁客】** 〔文〕碁をうつ人。碁打ち。

ご-がく【語学】 ❶言語を研究する学問。[類語]言語学。❷外国語の勉強。外国語を学ぶ学科。

こ-がくれ【木隠れ】 〔景色が〕重なりあった木の陰にかくれていること。木(こ)の間がくれ。「—に見える山」

***こ-かげ【小陰・小×蔭】** ちょっとしたものかげ。

***こ-かげ【木陰・木×蔭】** 木の下で日や雨の当たらないところ。木のかげ。[類語]樹下。樹陰(じゅいん)。

こがし【焦(が)し】 穀物をいって粉にしたもの。香煎(こうせん)。「麦—」

こ

ごかし《接尾》《動詞「こかす」の連用形「こかし」の濁音化したもの》「自分の利益をはかるため…にかこつける」の意。「御為(おため)ー」「親切ー」

こか・す【▽転す・▽倒す】《他五》〔方言〕ころがす。たおす。文《四》

こが・す【焦がす】《他五》❶物を火や熱で焼いて黒く(茶色に)する。「御飯をー・す」「夜空をー・す炎」類語 燻(いぶ)す。焦げ付く。焦げる。焦げ目を付ける。❷切ない思いで心を悩ます。「胸をー・す」文《四》

こ・かた【子方】❶能楽などで子供が演ずる役(人)。類語 子役。❷手下。子分。対 親方。

*__こ・がた__【小型】型が小さいこと。「ー車」対 大型。

*__こ・がた__【小形】形が小さいこと。「ーの虫」対 大形。

ご・がたき【碁敵】〔力量が同程度の〕碁のよい相手。

こ・がたな【小刀】〔細工などに使う〕小さな刃物。ナイフ。 **ーざいく**【ー細工】❶小刀で木にこまかい細工をすること。❷物事の大もとを解決せず、一時的に見せかけだけをつくろうこと。「環境問題はーでは解決できない」類語 小細工(こざいく)。小策。

こ・かつ【枯渇・×涸渇】《名・自サ》❶水などがかれてなくなること。❷つきはててなくなること。欠乏すること。「資金がーする」「資源のー」

ご・がつ【五月】一年の五番目の月。さつき。 **ーにんぎょう**【ー人形】五月五日の端午の節句にかざる、武者や鍾馗(しょうき)などの人形。

*__こ・がね__【小金】少しばかりまとまった金銭。小銭。

*__こ・がね__【黄金】❶金(きん)。くがね。類語 しろがね(=銀)。くろがね(=鉄)。あかがね(=銅)。❷「こがね色」の略。美しく輝く金のような色。やまぶき色。金色。❸金貨。=黄金(おうごん)。 **ーむし**【ー虫】コガネムシ科の昆虫。からだは多く緑色で金色に光る。幼虫は土中にすみ植物の根をくいあらす。害虫。

ごか・の・きゅうあもう【呉下の旧×阿×蒙】《連語》〔文〕いつまでたっても少しも進歩しない人。呉下の阿蒙。故事 呉国の呂蒙(りょもう)に再会した人が、その学問の上達に驚き、「君はもう、以前の阿蒙(阿は親しみを添える発語)ではない」と言ったことから。〈三国志〉

こ・かぶ【子株】❶植物の、もとになる株から分かれてできた株。❷増資して新しく発行した株式。新株。対 ①②親株。

こ・かべ【小壁】天井と鴨居(かもい)の間などにある、幅のせまい小さな壁。

*__こ・がら__【小×雀】シジュウカラ科の鳥。背は緑褐色で、腹は白く、頭が黒い。五、六月ごろ木の幹に穴をあけて産卵する。昆虫を食べる益鳥。

*__こ・がら__【小柄】《形動》❶からだがふつうより小さいようす。「ーな男」類語 小づくり。小粒。❷着物のしまや模様がこまかいようす。対 ①②大柄。

こ・がらし【木枯(ら)し・×凩】秋の末から初冬にかけて強く吹くかわいた冷たい風。「ーの吹きすさぶ夜」

こがれ・じに【焦がれ死に】《名・自サ》〔ある人を〕深く恋い慕って、そのために病気になって死ぬこと。

こが・れる【焦がれる】㊀《自下一》❶いちずに強く思い望む。「名誉にー・れる」❷いちずに深く恋い慕う。文こが・る《下二》。㊁《接尾》どうしようもなくなるほどその気持ちを強くもつ。切に…する。「待ちー・れる」「思いー・れる」文こが・る《下二》。

こ・かん【×股間・×胯間】〔文〕またの間。またぐら。

*__こ・がん__【孤×雁】〔文〕群れから離れた、一羽の雁。

*__こ・がん__【湖岸】みずうみの岸。

*__ご・かん__【五官】五感を感じる感覚器官。目(視覚)・耳(聴覚)・鼻(嗅覚)・舌(味覚)・皮膚(触覚)のこと。

*__ご・かん__【五感】視覚・聴覚・嗅覚(きゅうかく)・味覚・触覚の五つの感覚。感覚の総称。

*__ご・かん__【互換】たがいに取り換えること。また、取り換えがきくこと。「ー性」

*__ご・かん__【×冱寒・×沍寒】〔文〕〔凍りとざされて〕非常に寒いこと。また、きびしい寒さ。類語 極寒。

*__ご・かん__【語幹】活用語で、変化しない部分。「およぐ」の「およ」、「おそい」の「おそ」など。語根。対 語尾。

*__ご・かん__【語感】❶ある語の持つ特別な感じ。参考 その語の本来の意味以外に、人に与える感じをいう。「そのことばにはどこか温かいーがある」❷語のニュアンスや、ことばに対する感覚。「ーが鋭い」

ご・がん【護岸】川岸・海岸などが水流や波によってくずれるのを防ぐこと。「ー工事」

こ・かんせつ【×股関節】骨盤の臗骨(かんこつ)と大腿骨(だいたいこつ)をつなぐ関節。「ー脱臼(だっきゅう)」

*__こ・き__【古希・古×稀】七〇歳のこと。「ーを祝う」参考「人生七十古来稀(まれ)なり〈杜甫・曲江詩〉」から。

*__こ・き__【呼気】〔口から〕はき出す息。対 吸気。

*__こ・ぎ__【古義】〔ある語の〕古い意味。昔の解釈。

*__こ・ぎ__【×狐疑】《名・他サ》〔文〕〔キツネは疑い深いということから〕いろいろ疑うこと。「ー逡巡(しゅんじゅん)」

*__ご・き__【御器・五器】《「合器(ごうき)」の転》〔文〕昔、食べ物を盛った、ふたつきのいれもの。わん。

*__ご・き__【御忌】皇族・貴人・祖師など身分の高い人の年忌をさす尊敬語。御忌(ぎょき)。

*__ご・き__【語気】話すことばの調子・勢い。語勢。「ーを強める」「ー鋭く詰め寄る」類語 語調。口ぶり。

*__ご・き__【誤記】《名・他サ》〔字句を〕まちがえて書くこと。書きあやまり。

ご・ぎ【語義】ある語の持つ意味。語意。

コキーユ ↓コキール。▽フランス coquille(=貝がら)。

コキール 魚介・鶏肉・野菜などをホワイトソースであえ、ホタテ貝の貝がらやその形をした皿に盛ってオーブンで焼いた西洋料理。コキーユ。▽coquille

こき・おろ・す【▽扱き下ろす】《他五》❶しごいて落とす。こきおとす。❷ひどくけなす。欠点などを指摘してきびしく非難する。「政策をー・す」

ご・きげん【御機嫌】❶「きげん」の尊敬語。「ーをとる」「ーななめ」❷《名・形動》〔俗〕非常にきげんがいいこと。上きげん。「きょうはばかにーだね」 **ーよう**《感》人に会ったとき、また別れるときに、相手の健康を祝して(祈って)言うあいさつのことば。参考「よう」は「よい」の連用形「よく」の転。

こ・きざみ【小刻み】《名・形動》❶間隔を・細かく(速く)きざむこと。「ーにふるえる」❷何度にもくぎって少しずつ行うこと。「ーに値上げする」

こ・ぎたな・い【小汚い】《形》〔「こ」は接頭語〕なんとなくきたならしい。うすぎたない。対 こぎれい。

こき・つか・う【▽扱き使う】《他五》〔人を〕遠慮きがねなしにあらっぽく使う。類語 酷使。

こぎ・つ・ける【×漕ぎ着ける】《他下一》❶船をこいで目的地に着ける。❷《自動詞的に用いて》努力して目標まで到達する。「やっと完成にー・ける」

こ・ぎって【小切手】当座預金者が、一定金額を受取人や、その指図人または持参人に支払うように銀行に委託して振り出す有価証券。「ーを切る」

ごきぶり【×蜚×蠊】ゴキブリ科の昆虫。からだは、光沢のある黒褐色で、足が早い。感染症を媒介する害虫。アブラムシ。参考「御器嚙（ごきかぶり）」の転という。

こき-ま・ぜる【▽扱き混ぜる・▽扱き▽雑ぜる】《他下一》〔二種類以上のものを〕まぜ合わせる。

こ-きみ【小気味】《「こ」は接頭語》「気味」①を強めたいい方。**ーよ・い**【ー▽好い】《形》胸がすっとするように気持ちがよい。痛快である。「ー・く働く」

こ-きゃく【顧客】〔文〕いつも〔買いに〕来てくれる客。おとくい。常とくい。顧客（こかく）。類語ひいき。常連（じょうれん）。

ご-ぎゃく【五逆】〔仏教信者にとって〕もっとも重い五つの罪悪。すなわち、父・母・阿羅漢（あらかん）（=出家した人）を殺すこと、仏の身体を傷つけること、僧団の和合を破ること。五逆罪。五無間業（ごむけんごう）。

こ-ギャル〔俗〕派手な姿で街中を遊ぶ中高校生ぐらいの少女。表記多く「コギャル」と書く。

コキュ 妻を寝とられた男。コキュー。▽（フランス）cocu

*__こ-きゅう__【呼吸】❶《名・自他サ》〔息を〕吸ったりはいたりすること。「ーが荒い」類語息。❷《名・自サ》生物が体内に空気中の酸素をとり入れ、炭酸ガスを体外に出すこと。❸ある物事を〔うまく〕行う微妙な調子。こつ。「ーをつかむ」❹〔共同で一つのことをするときの〕たがいの間の気分の調子。「ーが合わない」**ーき**【ー器】呼吸作用をいとなむ器官。水の中にすんでいる動物ではえら、空気の中にすんでいる動物では肺や気管。

類義語の使い分け　呼吸・息

［呼吸・息］呼吸（息）を整える／二人の呼吸（息）がぴったり合う／呼吸（息）が乱れる

［呼吸］呼吸困難に陥る／仕事の呼吸を呑のみ込む／バッティングの呼吸をつかむ／腹式呼吸

［息］息をゆっくりと吸う／息を弾ませる／息の長い番組／息を引き取る／虫の息／鼻息が荒い

*__こ-きゅう__【故宮】もとの宮殿。今は宮殿としては使わない建物。

*__こ-きゅう__【故旧】〔文〕昔からのなじみ。古くからの友人。古なじみ。「ー忘れ難し」類語旧知。旧友。

*__こ-きゅう__【×胡弓・鼓弓】日本や中国で使われる弦楽器。形は三味線に似て小形。弦は二～四本で、馬の尾の毛を張った弓でこすって鳴らす。

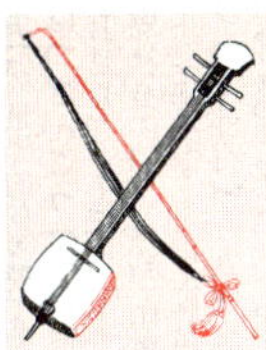

胡弓

こ-きょう【故郷】自分の生まれ育った土地。郷土。郷里。ふるさと。〔ふつう、その土地を離れているときに使う〕「遠くーをしのぶ」類語くに。くにもと。対異郷。

ーへ錦（にしき）を飾・る《句》立身出世して故郷へ帰る。故郷へ花を飾る。

こ-ぎよう【小器用】《形動》《「こ」は接頭語》少しばかり・手先（目先）がきくようす。ちょっと器用なこと。小器用（こきよう）。

ご-きょう【五経】儒学（じゅがく）で四書とともに尊ぶ、五つの経書（けいしょ）。易経（えききょう）・詩経・書経・礼記（らいき）・春秋。「ーに立ち回る」

*__ご-ぎょう__【五行】古代中国の哲学で、万物を構成・支配する五つの元素。木（もく）・火（か）・土（ど）・金（ごん）・水（すい）。

*__ご-ぎょう__【御形】「ははこぐさ」の別称。おぎょう。

こ-きょく【古曲】古代に作られた楽曲。昔の曲。

こ-ぎれ【小切れ・小▽布】布の小さなきれはし。

こ-ぎれい【小奇麗・小×綺麗】《形動》《「こ」は接頭語》きちんとしていて、清潔であるようす。また、気がきいていて、きれいなようす。「ーな部屋」「ーに暮らす」類語こざっぱり。対こぎたない。

こきん-ちょう【古今調】古今和歌集にみられる和歌の歌風。万葉集に比べて優雅で、理知的・技巧的な傾向が強い。

こきん-わかしゅう【古今和歌集】平安初期の勅撰（ちょくせん）和歌集。醍醐（だいご）天皇の命により、紀貫之（きのつらゆき）・紀友則らによって撰せられた。全二〇巻。古今集。

*__こく__【国】《接尾》「くに」の意。「共和ー」「先進ー」

*__こく__【石】《助数》❶尺貫法による容積の単位。一石は一〇斗、約一八〇リットル。❷積載量で和船の大きさを表すときの単位。一石は一〇立方尺。「千ー船（ごくぶね）」❸材木・石材の容積の単位。一石は一〇立方尺。❹大名・武家の知行高（=禄高）を表す単位。

*__こく__《形容詞「濃い」の連用形の転か》❶濃厚な味。深みのある味。「ーのある酒」❷深みがあって味わいごたえのする面白さがあること。「ーのある文章」

*__こく__【刻】〔文〕❶刻み込むこと。彫刻すること。❷漏刻（ろうこく）に刻んである目もり。一昼夜を四八等分してある。❸〈「…のー」の形で〉十二支に配した、昔の時刻のよび方。一昼夜を一二等分する。一刻はおよそ二時間。参考一刻をさらに三等分して上刻・中刻・下刻と呼ぶ。「子（ね）の上ー」

*__こ-く__【古句】昔の人が作った俳句。古人の句。

*__こ・く__【▽扱く】《他五》物の間にはさんで、むしるように落とす。しごく。「稲をー・く」文《四》。

*__こ・く__【▽放く】《他五》〔俗〕❶〔大小便などを〕からだの外へ出す。〔下品な言い方〕「屁（へ）をー・く」類語たれる。❷言う。ぬかす。〔下品で乱暴な言い方〕「ばかをー・くな」文《四》。

*__こく__【酷】《形動》度をこしてむごいようす。きびしくひどいようす。「そこまでやらせるのはーだ」「ーな批評」

*__こ・ぐ__【▽扱ぐ】《他五》〔方言〕根もとからひきぬく。根こぎにする。「庭の雑草をー・ぐ」文《四》。

*__こ・ぐ__【×漕ぐ】《他五》❶舟を進めるために櫓（ろ）・櫂（かい）を動かす。参考「舟をー・ぐ」の形で、上体を前後に動かして居眠りをする意にも用いる。「会議中に舟をー・ぐ」❷〔乗り物を進ませたり、ものを振動させたりするために〕足を屈伸させる。「自転車をー・ぐ」文《四》。

*__ごく__【極】❶《名》「極上」の略。最良。❷《副》この上なく。非常に。きわめて。「ー上等の酒」「ー親しい人」表記❷は、ふつうかな書きにする。

*__ご-く__【語句】語と句。また、ことば。

*__ごく__【獄】〔文〕❶罪人をとじこめておく場所。牢獄。「ーにつながれる」❷判決。さばき。「ーを決する」

ごく-あく【極悪】《名・形動》残忍（ざんにん）で非常に悪いこと。「ー非道」「ー人」類語悪逆。大悪。凶悪。

*__こく-い__【国威】国の威光・威力。「ー発揚」

*__こく-い__【黒衣】黒い着物。特に、僧の着る黒い衣服。黒衣（こくえ）。対白衣。

*__ごく-い__【極意】〔芸道・武術などで〕最高の技術を得るための最も重要な奥深い事柄。奥義（おうぎ）。

*ごく・い【獄衣】囚人が着る着物。囚人服。

こく・いっこく【刻一刻】《副》(「―と」の形も)〔ある状態に向かって〕時が次第に進むようす。次第次第に。刻々。「―別れの時が近づく」

こく・いん【刻印】❶《名・他サ》〔文〕印をほること。また、その印。❷《名・他サ》刻みつけること。また、刻みつけたあと。「イニシアルを―した指輪」❸極印②。

ごく・いん【極印】❶昔、品質を保証し偽物を防ぐために、金銀の貨幣や物品に押した印。❷消しがたい証拠・証明。刻印。「裏切者の―を押される」

*こく・う【穀雨】〔春雨が百穀をうるおす意〕二十四節気の一つ。太陽暦で四月二〇日ごろ。

*こ・くう【虚空】〔文〕〔何も存在しない〕空間。空。大空。 ―ぞう・ぼさつ【―蔵×菩×薩】〔虚空に物を入れるように〕限りない知恵と慈悲をそなえ持ち、衆生のあらゆる願いをかなえるという菩薩。

―を摑・む《句》手を上にのばして指をかたくにぎりしめる。〔断末魔の苦しみの形容〕「―・んで倒れる」

ご・くう【御▽供】神や仏に供える物。御供物。お供え物。御供。「人身―」

こく・うん【国運】〔文〕国の運命。国家の将来。「―の隆盛」「―が傾く」[類語]国歩。

こく・え【黒▽衣】→こくい(黒衣)。

こく・えい【国営】事業を国家が経営すること。また、その事業。「―の工場」[類語]官営。

こく・えき【国益】国家にとっての利益。

*こく・えん【黒煙・黒×烟】まっくろなけむり。黒煙。「―が空を覆う」[対]白煙。

*こく・えん【黒鉛】石墨。

こく・おう【国王】王制国家の君主。王。[類語]天子。天皇。皇帝。帝王。

こく・おん【国恩】自分の国から受ける恩。

こく・がい【国外】国の領土・領海の外。「―に逃亡する」「―追放」[類語]海外。[対]国内。

こく・がく【国学】江戸時代、日本の古典を研究し、日本古来の思想・精神を明らかにしようとした学問。皇学。古学。

こく・ぎ【国技】その国特有の〔伝統的な〕スポーツ・武術。[参考]日本では相撲。

こく・ぐう【酷遇】《名・他サ》〔文〕残酷な取り扱い。ひどい待遇。[類語]冷遇。[対]優遇。厚遇。

こく・ぐら【穀倉・穀蔵】穀物を蓄える倉。穀倉。

ごく・げつ【極月】〔文〕(陰暦)一二月の別称。師走。ごくづき。

こく・げん【刻限】〔文〕❶きめられた時刻。定刻。「―に遅れる」❷時刻。時間。「辰の―」

こく・ご【国語】❶その国で広く使われている言語。❷日本語。❸学校の教科の一つ。国語②についての、読む・書く・話すなどの能力をつけることを目的とする。国語科。 ―がく【―学】日本語の、音韻・文法・語彙などを科学的・歴史的に研究する学問。 ―じてん【―辞典】日本語の単語・句などを集めて一定の順序に並べ、その意味・用法・語源などを解説した書物。

こく・ごう【国号】国の称号。国名。

こく・こく【刻刻】㊀《名》時間の一くぎり一くぎり。その時その時。「―の時」㊁《副》(「―と」の形も)次第に時間がたってゆくようす。一刻ごとに。刻一刻。＝刻々。「―と危機が迫る」

ごく・ごく【極極】《副》(「ごく」を強めたことば)非常に。この上なく。「―上等の品」[表記]かなで書くことが多い。

*こく・さい【国債】❶国家の信用を基として国家が負う金銭上の債務。❷「国債証券」の略。国家が国債を証明するために、債権者に対して発行する証券。

*こく・さい【国際】国と国との間に関係していること。多くの国にかかわりがあること。 ―けっこん【―結婚】国籍のちがう男女の結婚。 ―しょく【―色】諸国人や、諸国の物産などがいりまじって作り出される雰囲気。「―豊かな会場」 ―つうかききん【―通貨基金】→アイエムエフ。 ―てき【―的】《形動》諸国に関係のあるようす。また、世界的な規模であるようす。 ―ふっこうかいはつぎんこう【―復興開発銀行】⇩巻末付録(IBRD)。 ―ほう【―法】国家を構成単位とする国際社会の法。条約・国際慣習など諸国家間の合意によって成立する。国際公法。[対]国内法。 ―れんごう【―連合】一九四五年、世界の平和と安全を守り、種々の問題について国際的に協力することを目的としてできた国際組織。国連。略号UN。

ごく・さいしき【極彩色】〔絵・装飾などの〕はでで美しく精密な色どり。濃厚な色彩。「―の絵巻」

こく・さく【国策】〔ある目的のためにたてた〕国の政策。「―にそった事業」[類語]国是。

こく・さん【国産】自分の国で生産・産出すること。特に、日本で生産すること。また、その産物。「―品」

*こく・し【国史】❶ある国の歴史。❷日本の国の歴史。日本歴史。日本史。「―年表」

*こく・し【国士】❶自分のことは省みないで国のために活躍する人。❷その国の中で最もすぐれた人物。 ―むそう【―無双】❶〔文〕国の中にくらべる者のないほどすぐれた人物。❷マージャンの役の一つ。

*こく・し【国師】国家の師とあおがれる高僧に朝廷から賜った称号。「夢窓―」

*こく・し【酷使】《名・他サ》〔人や物を〕手加減せずはげしく使うこと。「肉体を―する」[類語]虐使。

*こく・じ【告示】《名・他サ》〔選挙の投票期日・新条例・命令などを〕公共の機関が、一般の人に広く告げ知らせること。また、その手続き・内容。[参考]→公示。[類語]告知。布告。公布。公告。

*こく・じ【国事】国の政治に関する事柄。[類語]国務。国政。 ―こうい【―行為】日本国憲法で定められた、天皇が行う国事に関する一定の行為。 ―はん【―犯】国の政治秩序を侵害する犯罪。政治犯。

*こく・じ【国字】❶その国の国語の表記に用いることが正式に認められている文字。❷漢字に似せて日本で作られた文字。「峠」「裃」「畑」など。和字。❸かな文字。和字。

*こく・じ【国璽】国家のしるしとしての印。国の印。

*こく・じ【酷似】《名・自サ》〔区別ができないほど〕非常によく似ていること。「―した事件」[類語]類似。相似。

ごく・し【獄死】《名・自サ》〔刑をうけて〕監獄に入れられている間に死ぬこと。牢死。獄中死。

こくし・びょう【黒死病】ペスト。〔古風な言い方〕[参考]皮下出血のため死体が黒くみえることからいう。

ごく・しゃ【獄舎】囚人を入れておく所。また、その建物。牢獄。[類語]監獄。刑務所。

*こく・しゅ【国主】❶一国の統治者。一国の君主。

類語 国王。皇帝。❷「国主大名」の略。江戸時代、一国または一国以上を領有した大名。国大名（くにだいみょう）。

*こく‐しゅ【国手】〔文〕❶〔国を医する名手の意から〕すぐれた医者。また、医者の敬称。❷囲碁の名人。

ごく‐じゅう【極重】〔文〕〔罪などが〕非常に重いこと。「―悪人」

*こく‐しょ【国初】〔文〕建国のはじめ。

*こく‐しょ【国書】❶国の名で出す外交文書。❷日本語で書かれた日本の書物。和書。対 漢書・洋書。

*こく‐しょ【酷暑】〔真夏の〕きびしい暑さ。「―の砌（みぎり）」類語 苦熱。猛暑。炎暑。対 酷寒（こっかん）。

ごく‐しょ【極暑】非常に暑いこと。最高の暑さ。類語 猛暑。炎暑。対 極寒（ごっかん）。

こく‐じょう【国情・国状】一国の政治・経済・文化などのありさま。国内の状態・事情。「―が不安定だ」

ごく‐じょう【極上】《名・形動》〔品質が〕きわめて上等なこと。また、そのもの。「―の酒」類語 最上。

こく‐しょく【黒色】〔すみのような〕黒い色。―じんしゅ【―人種】世界の三大人種の一つ。黒色または黒褐色の皮膚とちぢれた頭髪をもつ人種群。ネグロイド。参考 →白色人種。

こく‐じょく【国辱】国や国民全体にかかわる恥。国の恥。国恥（こくち）。

こく‐じん【黒人】皮膚の色が黒褐色の人種に属する人。黒色人種（の人）。ニグロ。―れいか【―霊歌】アメリカの黒人の間で歌われる宗教歌。ニグロスピリチュアルズ。

こく‐すい【国粋】その国に固有の物心両面の長所・美点。―しゅぎ【―主義】自国の伝統や文化を他の国よりもすぐれたものと信じ、それだけを守り広めようとする主義。参考「ナショナリズム」の訳語の一つ。対 国際主義。

*こく‐する【克する・×剋する】《他サ変》〔文〕他のものをしのぐ。負かす。「下が上を―する」

*こく‐する【×哭する】《自サ変》〔文〕声をたてて泣く。慟哭（どうこく）する。「墓前に―する」

*こく‐する【刻する】《他サ変》〔文〕❶きざみつける。彫刻する。❷強くしるしをつける。しるす。

こく‐ぜ【国是】〔文〕国家や国民がよいと認めた国政上の基本方針。「民主主義を―とする」類語 国策。

*こく‐せい【国勢】❶〔人口・産業などを中心とした〕国のありさま。❷国の勢力。類語 国力。―ちょうさ【―調査】人口および国民の生活状態などを、日をきめて全国一斉に調査すること。センサス。参考 日本では大正九年に第一回の調査が行われた。

*こく‐せい【国政】国をおさめていくこと。国の政治。「―を担当する」類語 国務。国事。

*こく‐ぜい【国税】国家の財政をまかなうため国が国民に割り当てて取り立てる税。参考 直接税・間接税・流通税の三種に分かれる。対 地方税。

*こく‐ぜい【酷税】重い租税。重税。苛税（かぜい）。

ごく‐せい【極製】〔文〕極上の製造（品）。

こく‐せき【国籍】❶その国の国民としての身分・資格。❷航空機・船舶などの、ある特定の国への所属。

こく‐せん【国選】国でえらぶこと。官選。―べんごにん【―弁護人】被告人が貧困その他の事由により、弁護人を選任できないとき、それを保護する目的で国家が選任する弁護人。対 私選弁護人。

こく‐そ【告訴】《名・他サ》被害者が検察官または司法警察員に犯罪事実を申告し、犯人を裁判にかけるよう訴えること。「―状」類語 告発（こくはつ）。

*こく‐そう【国葬】〔国家に功労のあった人などに対し〕国家の儀式として、国費によって行う葬儀。

*こく‐そう【穀倉】❶穀物をたくわえておく倉。穀倉（こくぐら）。❷穀物を多く産する土地。「―地帯」

ごく‐そう【獄窓】牢獄の窓。また、獄中。

こくぞう‐むし【穀象虫】ゾウムシ科の昆虫。体長四ミリ前後で、黒褐色。米・麦などの穀物をくいあらす害虫。こめむし。こめのむし。こくぞう。

こく‐ぞく【国賊】自国の利益に反する事をする人。類語 非国民。売国奴（ばいこくど）。漢奸（かんかん）。

ごく‐そく【獄則】牢獄内のきまり。

ごく‐そつ【獄卒】❶獄で、囚人を直接取り扱う下級役人。獄丁（ごくてい）。類語 獄吏。牢番。❷〔仏〕地獄で死者を苦しめるという鬼。

こく‐たい【国体】❶〔文〕国家の体面・尊厳。❷国の状態。くにがら。くにぶり。❸主権がどこにあるかによって区別される、国家の政治形態。❹「国民体育大会」の略。全国各都道府県から選ばれた選手が参加して毎年開催される体育競技会。

こく‐だか【石高】❶穀類〔おもに米〕の数量。❷〔米で与えられた〕武士の給料の高。扶持高（ふちだか）。禄高（ろくだか）。

こく‐だち【穀断ち】《名・自サ》〔修行・祈願のため〕ある期間穀類を食べないこと。類語 茶だち。塩だち。

こく‐たん【黒×檀】カキノキ科の常緑高木のうち、材の中心部が黒いものの総称。質が堅く、みがくと光沢がでるので高級家具などを作る。黒木（くろき）。

こく‐ち【告知】《名・他サ》告げ知らせること。「受胎―」「がんの―」類語 告示。通知。通告。

*こ‐ぐち【小口】❶〔棒状のものを〕横に切った切り口。横断面。❷書物の背を除いた三方の紙の断面。特に、背の反対側の小口。対 のど。❸いとぐち。「話の―」❹数量・金額などが少ないこと。「―の注文」対 大口。―がき【―書（き）】書物の小口に題名・巻号などを書きつけること。また、書きつけたもの。

*こ‐ぐち【木口】木材を横に切った切り口。木口（きぐち）。

ごく‐ちゅう【獄中】〔囚人として過ごす〕ろうやの中。獄内。牢中。獄裡（ごくり）。「―記」類語 獄窓。

*こく‐ちょう【国鳥】その国を代表するものとして定められた鳥。参考 日本の国鳥はキジ。

*こく‐ちょう【黒鳥】カモ科の水鳥。全身が黒く、形は白鳥に似る。観賞用。ブラックスワン。

ごく‐つぶし【▽穀×潰し】何の能力もないのに、飯だけは一人前に食う者。何もしないで遊び暮らす人。なまけ者。〔ののしって言う語〕類語 徒食者。

こく‐てい【国定】〔ある基準を設けて〕国家が定める・こと（もの）。「―教科書」―こうえん【―公園】国立公園に準ずる公園。国が指定し、所在地の都道府県が管理する。

こく‐てつ【国鉄】「国有鉄道」の略。国が所有し、経営する鉄道。特に、JRの前身「日本国有鉄道」の略。対 私鉄。

*こく‐てん【国典】〔文〕❶国の法典。類語 国法。❷国が行う儀式。❸日本の古典。日本の典籍。

*こく‐てん【黒点】❶黒い色の点。類語 黒星（くろぼし）。❷太陽の表面に現れる、黒い斑点（はんてん）。極光を出現させ、地磁気を乱すなど、地球にいろいろな影響を与える。

こく‐でん【国電】「国鉄電車」の略称。もと、日本国有鉄道の経営した電車(線)。

***こく‐と【国都】**〔文〕一国の政府のある都市。首都。

***こく‐ど【国土】**❶その国の統治権の及ぶ地域。くに。[類語]領土。❷その国の大地・土地。「―開発」

***こく‐ど【国×帑】**〔文〕〔「国のかねぐら」の意から〕国家の財産・財貨。国財。[類語]内帑。

***こく‐ど【黒土】**腐敗した植物を多くふくむ、黒色の肥えた土。作物に適する。黒土(くろつち)。

こく‐どう【国道】国家の費用で建設し、管理・維持する道路。幹線道路に多い。[類語]県道。市道。

ごく‐どう【極道・獄道】❶《名・形動》悪事を働いたり、女・酒・ばくちなどにふけったりする・こと(人)。「―者」「―息子」「―(=やくざ)の世界」[類語]放蕩(ほうとう)。❷品行の悪い人をののしって言う語。

こくど‐こうつう‐しょう【国土交通省】国土計画・都市計画・水防・運輸事業などに関する行政事務をあつかう国の行政機関。

こく‐ない【国内】国の領土のなか。[対]国外。**―そうせいさん【―総生産】**一国の経済活動で、年間の生産総額から原材料・中間生産と海外での生産分を控除したもの。略語GDP。

***ごく‐ない【極内】**きわめて内密なこと。極秘。

***ごく‐ない【獄内】**牢獄の中。

こく‐ないしょう【黒内障】→くろそこひ。

こく‐なん【国難】〔存立があやぶまれるほどの〕国家の大きな危難。国の災難。「―に殉(じゅん)ずる」

ごく‐ねつ【酷熱】きびしい暑さ。[類語]酷暑。炎熱。

ごく‐ねつ【極熱】きわめて暑いこと。非常な暑さ。

***こく‐はく【告白】**《名・他サ》〔心に秘めていたことを〕ありのままにうちあけて言うこと。「愛の―」「罪を―する」[類語]自白。白状。

***こく‐はく【酷薄・刻薄】**《名・形動》〔文〕むごく思いやりのないこと。残酷で薄情なこと。「―非道」

こく‐はつ【告発】《名・他サ》❶〔悪事・不正などを〕あばいて訴えること。「内部―」❷〔法〕犯人と被害者以外の第三者が、犯罪事実について警察官または検察官に申し立て、起訴をもとめること。[類語]告訴。

こく‐ばん【黒板】白墨で字や絵を書く(黒い)板。

こく‐ひ【国費】国家が出す経費。国の費用。「―留学」[類語]公費。官費。

こ‐くび【小首・小×頸】《「こ」は接頭語》首。〔首に関するちょっとした動作について言う語〕「―をひねる」

―を傾ける《句》❶首をちょっと曲げる。＝小首をかしげる。❷ちょっと考え込む。不審に思う。

ごく‐ひ【極秘】絶対に秘密であること。極内(ごくない)。「―に調査を進める」「―文書」[類語]機密。奥秘(おうひ)。

ごく‐び【極微】〔文〕❶《名・形動》非常に小さいこと。極微(きょくび)。❷微妙な道理。奥義。

こく‐びゃく【黒白】❶黒い色と白い色。黒いものと白いもの。❷正しいことと、正しくないこと。正邪。

[参考]白をよい方にたとえる。

―を争う《句》対決して物事の正邪・善悪をはっきりさせる。

―を弁ぜず《句》物事の是非・善悪の区別ができない。

こく‐ひょう【酷評】《名・他サ》手きびしく批評すること。また、その批判。「―を浴びせる」

こく‐ひん【国賓】国家が客として待遇する外国人。国の客。「―待遇」[類語]公賓。

ごく‐ひん【極貧】このうえなく貧しいこと。「―にあえぐ」[類語]赤貧(せきひん)。

***こく‐ふ【国富】**〔文〕国の財政上の力。国家の富(とみ)。

***こく‐ふ【国父】**国民が父として敬愛する統治者。

こく‐ふう【国風】❶その国特有の風俗・習慣。「―文化」❷その国・地方の風俗をうたった詩歌・俗謡。＝くにぶり。

***こく‐ふく【克復】**《名・他サ》悪い状態をのりこえてもとの状態をとりもどすこと。「平和を―する」

***こく‐ふく【克服】**《名・他サ》〔悪条件や困難に〕うちかって自分の思うとおりにすること。「がんを―する」

ごく‐ぶと【極太】非常に太い・こと(もの)。[対]極細。

こく‐ふん【穀粉】〔文〕穀物をひいて粉にしたもの。

***こく‐ぶん【告文】**〔文〕❶神にささげる文。❷上の人または役所に申し立てる文書。上告文。

***こく‐ぶん【国文】**❶日本語で書かれた文章。和文。邦文。❷「国文学」の略。❸「国文学科」の略。大学で、日本の文学を研究・教授する学科。「―の学生」

―がく【―学】❶日本の文学。日本文学。国文。❷日本の文学を研究する学問。

こくぶん‐じ【国分寺】奈良時代、聖武(しょうむ)天皇の勅願により、諸国に建立された官寺。僧寺と尼寺(国分尼寺)とがある。

こく‐ぶんぽう【国文法】日本語の文法。

こくへい‐しゃ【国幣社】旧社格の一つ。官幣社につぐ社格の神社。国庫から幣帛(へいはく)をたてまつった。

こく‐べつ【告別】《名・自サ》〔死者、または遠くへ行く人などに〕別れを告げること。「―の辞」**―しき【―式】**❶別れて行く人を送る儀式。[類語]送別式。❷死んだ人に別れを告げる儀式。

こく‐ほ【国歩】〔文〕国家のあゆみ。国家の前途。「―艱難(かんなん)」[類語]国運。

こく‐ぼ【国母】〔文〕❶天皇の母。皇太后。❷〔国民の母の意から〕皇后。＝国母(こくも)。

***こく‐ほう【国宝】**❶国のたから。❷国家が特に指定して法律によって保護・管理をする、すぐれた建築物・美術品・工芸品・技術・文書など。「―の仏像」

***こく‐ほう【国法】**国の法律。特に憲法。[類語]国典。

こく‐ぼう【国防】外国からの攻撃に対する国の守り。「―態勢」**―しょく【―色】**黄みどり色がかった茶褐色。カーキ色。[参考]もと、陸軍の軍服の色。

ごく‐ぼそ【極細】非常に細い・こと(もの)。[対]極太。

こく‐ほん【国本】〔文〕国家を成り立たせる基礎。国のもとい。国基。「農は―なり」

こく‐みん【国民】その国の統治権の下にあって、その国を構成する人々。その国の国籍を有する人。[類語]人民。臣民。[尊敬]大御宝(おおみたから)。**―しんさ【―審査】**最高裁判所の裁判官としてその人が適当であるか否かを、国民が投票によって審査する制度。**―せい【―性】**その国の国民が共通してもっている特有の性質・感情。**―そうせいさん【―総生産】**一国において一定期間(通常一年)に生産された財貨とサービスの総額。略語GNP。**―ねんきん【―年金】**社会保険制度の一つ。厚生年金保険・共済組合保険などの公的年金制度の適用を受けない一般国民に対して、老齢・廃疾・死亡などに際して給付される年金。**―の‐しゅくじつ【―の祝日】**全国民が祝い、感謝し、また記念する日として、法律で定められた日。休日となる。現在、一四日ある。

こく・む【国務】 国家の政治上のつとめ。国家の政務。類語 国政。国事。 **ーしょう【ー省】** アメリカ合衆国の政府機関の一つ。外交関係をとりあつかう省。日本の外務省にあたる。 **ーだいじん【ー大臣】** 内閣総理大臣、およびその他の大臣。また、内閣総理大臣以外の大臣。 **ーちょうかん【ー長官】** アメリカ合衆国国務省の長官。閣僚の首席で外交を担当する。

***こく・めい【国名】** 国のなまえ。国号。

***こく・めい【克明】** 《形動》一つ一つにくわしく丁寧であるようす。「ーな描写」「ーに調べ上げる」

こく・もつ【穀物】 〔イネ・ムギ・アワ・ヒエなど〕人間の主食となる作物。穀類。

ごく・もん【獄門】 ❶〔文〕ろうやの門。❷昔、斬罪(ざんざい)になった罪人の首を獄門①や刑場近くの木や台にかけてさらしたこと。さらし首。梟首(きょうしゅ)。

ごく・や【獄屋】 〔文〕ろうや。監獄。獄舎。

こく・やく【国訳】 《名・他サ》外国語で書かれた文章を国語に訳すこと。邦訳。〔古風な言い方〕

ごく・やす【極安】 値段が非常に安いこと。

こく・ゆ【告諭】 《名・他サ》〔文〕〔目下の者などに〕告げさとすこと。また、そのことば。類語 説諭。説教。

こく・ゆう【国有】 国家が所有していること。「ー財産」「ー地」類語 公有。対 民有。

こくよう・せき【黒曜石】 溶岩が急に冷えてかたまってできた、火山岩の一種。半透明のガラス質で暗緑色または黒色。装飾用石材・印材・文鎮などに使う。

こくら【小倉】 「小倉織」の略。太い糸で厚地に織った綿織物。帯・はかま・洋服などを作る。

***こ・ぐら・い【小暗い】** 《形》〔「こ」は接頭語〕少し暗い。どことなく暗い。ほの暗い。うす暗い。おぐらい。

***こ・ぐら・い【木暗い】** 《形》木の葉が茂っているために暗い。「公園のー・い道」「ー・い明かり」

こ・ぐらがり【木暗がり】 木が茂って暗い・こと〔場所〕。こぐれ。木の下闇(やみ)。

ごく・らく【極楽】 ❶「極楽浄土」の略。❷非常に楽しく平和な境遇・場所。パラダイス。対 ①②地獄。 **ーおうじょう【ー往生】** 《名・自サ》❶この世の生を終えた後、極楽浄土に生まれること。❷安らかに死ぬこと。大往生。「百歳でーする」 **ーじょうど【ー浄土】** 人間界から西方に十万億の仏土をすぎた所にある、阿弥陀如来(あみだにょらい)のいる世界。すべてが満ちたりていて、清浄・平和で苦しみのない世界。西方(さいほう)浄土。安楽浄土。安楽世界。極楽。 **ーちょう【ー鳥】** フウチョウ科の鳥の総称。雄は非常に美しい飾りばねをもつ。ニューギニア、オーストラリアに分布。風鳥(ふうちょう)。 **ーとんぼ【ー×蜻×蛉】** 〔俗〕先のことを考えない、のんきな人をあざけっていう語。のんき者。

***こく・り【国利】** 〔文〕国の利益。国益。「ー民福」

***こく・り【酷吏】** 〔文〕人情をわきまえず、無慈悲な処置をする官吏。

***こくり** 《副》〔「ーと」の形も〕居眠りして思わず首が前へうごくようす。また、承諾の意を表して首を縦にふるようす。こっくり。「ーとうなずく」

***ごく・り【獄吏】** 〔文〕監獄で、囚人を取り扱う役人。牢役人(ろうやくにん)。類語 獄卒。看守。

***ごくり** 《副》〔「ーと」の形も〕液体や小さな物を一気にのみこむようす。また、その音の形容。

こく・りつ【国立】 国家の費用で設立し、運営すること。「ー劇場」類語 官立。 **ーこうえん【ー公園】** 規模が大きく自然の景観がすぐれている地をえらび、その自然保護と維持のために国が指定し管理する公園。参考 →国定公園。

こく・りょく【国力】 〔経済・軍事・文化などを総合した〕国の力。特に、国の経済力。類語 国威。国勢。

こく・る 《接尾》《動詞の連用形について五段活用の動詞をつくる》「はげしく…する」「どこまでも…する」意。「塗りーる」「黙りーる」類語 まくる。文《四》。

こく・るい【穀類】 穀物の種類にはいるもの。

こく・れつ【酷烈】 《形動》〔文〕むごいほど、厳しく激しいようす。「ーな批評」類語 苛烈。峻烈(しゅんれつ)。

こく・れん【国連】 「国際連合」の略。

ご・くろう【御苦労】 《名・形動》「苦労」の丁寧語。参考 他人の骨折りをねぎらうことばとして、また、他人の行為・努力をあざけることばとしても使う。「ーさま」「一銭にもならないのに、ーなこった」注意 目上の人に対して言う場合は「お疲れさま」が一般的。

こく・ろん【国論】 〔文〕国民一般の議論・意見・主張。「ーが沸騰する」類語 世論(せろん)。輿論(よろん)。公論。

こ・くん【古訓】 ❶〔文〕昔の人のいましめ。❷〔漢字・漢文などの〕古い時代のよみ方。

こ・ぐん【孤軍】 戦場で味方から離れ孤立した軍隊。 **ーふんとう【ー奮闘】** 《名・自サ》力をかすものがなく、ただひとりで戦う〔努力する〕こと。

***こけ【×苔・×蘚】** コケ植物の通称。

***こ・け【虚仮】** ❶〔仏〕真実でないこと。うそ。いつわり。❷おろかな・こと〔者〕。〔古風な言い方〕「人をーにする」(=ばかにする) **ーおどし【ー▽威し】** 〔おろかな人をおどろかすにすぎない〕見かけだおしのばからしい・方法〔もの〕。こけおどかし。「ーのファッション」

***ご・け【後家】** ❶夫に死別して再婚せずにいる女性。未亡人。寡婦(かふ)。やもめ。❷対(つい)や組になっている物の片方がなくなって、残った一方のもの。「ーぢゃわん」

***ご・け【碁×笥】** 碁石を入れる〔木製の〕まるい容器。

***こ・けい【古形】** 古い形。古い形式。

***こ・けい【固形】** 一定の形に固まったもの。「ー燃料」

***こ・けい【孤×閨】** 〔文〕〔「ひとり寝の部屋」の意から〕夫が長く不在で、妻がひとりさびしく寝る部屋。「ーを守る」類語 空閨。

***ご・けい【互恵】** 〔国家間で〕互いに特別の便宜や恩恵を与えたり受けたりし合うこと。「ー条約」

***ご・けい【語形】** ことばの形。〔語の意味・内容に対していう〕 **ーへんか【ー変化】** 文法のきまりによって、ことばの形が変化すること。たとえば「読む」が「ない」につながって、「読ま」となるなど。

こげ・くさ・い【焦げ臭い】 《形》物がこげるにおいがする。きなくさい。

こ・けし【小×芥子】 〔「小さな芥子(けし)人形」の意〕円筒形の胴にまるい頭がついている木製の人形。もと、東北地方の郷土玩具。こけし人形。

こけ・しみず【×苔〈清水〉】 コケの生えている岩の間などを伝わって流れる、澄んだ水。類語 岩清水。

こげ・ちゃ【焦〔げ〕茶】 黒っぽい茶色。褐色(かっしょく)。焦げ茶色。

こ・けつ【×虎穴】 〔文〕虎(とら)のすんでいる岩穴。 **ーに入らずんば虎子(こじ)を得ず** 《句》〔虎穴にはいらなけれ

こ

ば虎の子を得られないように〕危険をおかさなければ大成功は得られない。〈後漢書・班超伝〉

こげ-つ・く【焦げ付く】《自五》❶〔煮物などが〕黒くやけて物にくっつく。「なべが一・く」❷貸した金が回収できないままになる。「融資した五千万円が一・く」

コケット ㊀《名》男に巧みに媚(こび)をうる女性。色っぽい女性。㊁《形動》↓コケティッシュ。▽(フランス) coquette

コケットリー 色っぽいこと。なまめかしいこと。媚態(びたい)。▽(フランス) coquetterie 英 coquetry

こけつ-まろびつ【▽倒けつ▽転びつ】《連語》倒れたりころがったり。〔あわてて走るようすをいう〕

コケティッシュ《形動》なまめかしく色っぽいようす。コケット。「一な笑みを浮かべる」▽coquettish

ご-けにん【御家人】❶鎌倉・室町時代、将軍と主従の関係を結んだ武士。幕府より領地の承認をうけた。❷江戸時代、将軍直属ではあるが、将軍に拝謁(はいえつ)する資格のない下級武士。旗本の下に位する。

こけ-む・す【×苔▽生す・×苔▽産す・×苔蒸す】《自五》〔文〕古くなって、コケが生える。転じて、長い年月をへる。「一・す岩」「一・した寺院」類語 草むす。

こげ-め【焦げ目】 焦げたあと。「もちに一をつける」

こけ-もも【×苔桃】 ツツジ科の小低木。初夏、紅白色の小花を開く。赤く熟した果実は甘酸っぱく、生食するほか、果実酒などにする。

***こけら【×柿・×杮】**❶木のけずりくず。こっぱ。❷ヒノキ・マキなどの木材を薄くはいで作った板。屋根をふくのに用いる。こけら板。「一ぶきの本殿」

***こけら【×鱗】**〔魚の〕うろこ。こけ。

こけら-おとし【×杮落(と)し】 新築した劇場の開場を祝う最初の興行。

***こ・ける**《接尾》《動詞の連用形について下一段活用の動詞をつくる》その動作の程度がはなはだしい意。「笑い一・ける」「眠り一・ける」

***こ・ける【×痩ける】**《自下一》〔肉が落ちて〕やせほそる。「夏ばてで頬(ほお)が一・ける」文 こ・く《下二》。

***こ・ける【▽転ける・▽倒ける】**《自下一》❶〔方言〕ころぶ。たおれる。❷〔映画・芝居などの〕興行があたらず不評に終わる。文 こ・く《下二》。

こ・げる【焦げる】《自下一》〔火や日に〕焼けて・黒く（茶色に）なる。類語 ↓焦がす。文 こ・ぐ《下二》。

こ-けん【×沽券】❶昔、土地などの売り渡しを証明した文書。❷物や人の値うち。体面。品位。

一に関(かか)わ・る《句》体面や品位を左右する。〔悪い結果になる場合に言う〕「ここで引き下がっては一・る」

こ-げん【古×諺】〔文〕古いことわざ。

ご-けん【護憲】〔改革しようとする力に対して〕現行の憲法・立憲政治を守ること。「一運動」

***ご-げん【五弦・五×絃】**❶弦楽器の五本の糸。❷弦が五本ある、琵琶(びわ)の一種。

***ご-げん【語源・語原】** ある語が現在の形や意味になる前の、もとの形・意味。

***こ-こ【個個】**〔たくさんあるものの〕一つ一つ。ひとりひとり。おのおの。「一の意見を聞く」**一じん【一人】** ひとりひとりの人。**一べつべつ【一別別】**《名・形動》一つ一つ違っていること。一つ一つ別にすること。「一に考える」類語 別個。

***こ-こ【×呱×呱】**〔文〕〈一の声〉〔生まれたばかりの〕赤ん坊の泣き声。類語 うぶ声。

一の声をあ・げる《句》❶〔赤ん坊が〕生まれる。❷新しく物事が発足する。「新しい国が一・げた」

***こ-こ【戸戸】** 一戸一戸。家ごと。戸ごと。

***こ-こ【×此▽処・×此▽所】**《代名》《近称の指示代名詞》❶話し手が、自分の現にいる、または自分に最も近い関係にある場所を指し示す語。この場所。「一で待っています」❷話し手が、現に話題としている場面や事柄、また、取り上げようとするものを指し示す語。「一が大事な点です」「事一に至る」❸現在に近い時間を指し示す語。また、現在を含めて・現在に至るまで（現在からのち）の時間の範囲を指し示す語。「一二、三日がやま場です」表記「是」「茲」なども書く。

一で逢(あ)ったが百年目《句》めぐりあうことが最後となる機会。〔つかまえようとしてさがしていた人に会ったときなどに言うことば〕

一を先途(せんど)と《句》ここが物事を決する大切なせとぎわだと、いっしょうけんめいになるようす。

こ-ご【古語】 昔のことばで、現在ではほとんど使われない意味や形をもつことば。古代のことば。「一辞典」

ご-ご【午後】 正午から夜の一二時まで。特に、正午ごろから夕方まで。類語 昼過ぎ。昼下がり。対 午前。

ココア カカオの実をいり、こなにしたもの。飲み物・洋菓子の材料などに使われる。▽cocoa

ここ-いちばん【×此▽処一番・×此▽所一番】 もっとも重要な局面。大きな山場。「一に強い」

ここ-いら【×此▽処いら】《代名》《近称の指示代名詞》このあたり。このへん。ここら。〔「ここ」より少し広い範囲の場所・時・程度をばくぜんとさしていう。「ここら」よりも俗語的〕「一に本屋はないか」

***こ-こう【孤高】**《名・形動》〔文〕ひとりだけ他をよせつけず、けだかくすぐれていること。「一を持する」

***こ-こう【戸口】**〔文〕戸数と人口。「一調査」

***こ-こう【×糊口・×餬口】**〔文〕〔口を糊(のり)するの意から〕生計をたてていくこと。くらし。口過ぎ。「一の資」「一を凌(しの)ぐ（＝やっと生計を立ててゆく）」

***こ-こう【×股×肱】**〔文〕〔「もも」と「ひじ」の意から〕その人の手足となって働く、最も頼りになる部下。腹心。片腕。「一の臣」

***こ-こう【×虎口】**〔文〕〔虎(とら)の口の意から〕非常に危険な場所・状態。絶体絶命の危機。「一を脱する」

一を逃れて竜穴に入る《句》〔虎に食われる危険から逃れて今度は竜の穴に入り込む意〕災難が次々におこるたとえ。類語 一難去って又一難。

***こ-ごう【古豪】**〔試合・競技などの〕経験が豊富で強い力を持っている人。類語 古強者(ふるつわもの)。対 新鋭。

***こ-ごう【呼号】**《名・他サ》〔文〕❶大声で呼び叫ぶこと。❷大げさに言い立てること。「難攻不落の城と一する」類語 誇称。豪語。

***ご-こう【五更】**❶昔、一夜（＝今の午後七時～午前五時）を初更・二更・三更・四更・五更の五つに分けたものの総称。一更は約二時間。❷五番目の更。今の午前三時～五時にあたる。寅(とら)の刻。後夜。類語 五夜。

***ご-こう【後光】** 仏や菩薩(ぼさつ)のからだから発するという光。また、それをかたどって仏像の背につけたもの。光背(こうはい)。「一が差す」

***ご-こう【御幸】**〔文〕上皇・法皇・女院(にょいん)などのおでまし。御幸(みゆき)。類語 行幸。行啓。

ごこう-ごみん【五公五民】 江戸時代の租税徴収の割合。全収穫の五割を年貢(ねんぐ)として公におさめ、残りの五割を農民のものにすること。

＊ご‐こうりょう【御香料】「香料②」の丁寧語。

こ‐ごえ【小声】小さな声。また、低い声。小声。類語 低声。微声。しのび声。対 大声。

こごえ‐じに【凍え死に】《名・自サ》寒さのために、からだがひえきって死ぬこと。凍死。

こご・える【凍える】《自下一》寒さのために体がひえきって感覚を失い、自由がきかなくなる。「手足が―える」類語 かじかむ。縮かむ。文 こご・ゆ《下二》

ここ‐かしこ【×此▽処×彼▽処】《代名》〔この所やあの所の意で〕あちらこちら。そこかしこ。〔副詞的にも使う〕「―をさまよう」

＊こ‐こく【故国】❶ふるさと。故郷。故山。❷自分が生まれ育った国。母国。「―の土を踏む」

＊こ‐こく【×胡国】❶昔、中国北方にあった異民族の国。❷やばんな国。

＊ご‐こく【五穀】五種類の穀物。コメ・ムギ・アワ・キビ・マメのこと。転じて、主要な穀類の総称。「―豊穣」

＊ご‐こく【後刻】今より少しあとの時。のちほど。〔やや古風な言い方〕「―通知します」対 先刻。

＊ご‐こく【護国】〔文〕〔内外の災いを防ぎ〕国家の平安・繁栄を守ること。「―の華と散る」「―神社」

こ‐ごし【小腰】《「こ」は接頭語》腰。〔腰に関するちょっとした動作について言う語〕「―をかがめる」

ここ‐ち【〈心地〉】〔ある刺激に対して起こる〕心の状態。気分。感じ。「恐ろしくて生きた―がしない」参考 動詞の連用形および名詞について複合名詞をつくる場合は「…ごこち」と濁る。「住み―」「夢見―」類語 心境。 ―よ・い【―▽好い】《形》気持ちがよい。気分がよい。快適である。「―い眠りにつく」

こ‐こつ【枯骨】〔文〕❶死人の、時がたって朽ちた骨。類語 骸骨。❷死んだ人。死者。

＊こ‐ごと【小言】❶不平不満などをぶつぶつ言うこと。また、そのことば。「―を並べる」❷人を叱ったり、注意したりすることば。「―を食う」「お―をちょうだいする」類語 叱責。訓戒。説教。

＊こ‐ごと【戸▽毎】〔多くの家の〕一軒一軒。一軒ごと。戸々。戸別。「―に調査する」

ココナッツ ココやしの実。ココナツ。▽coconuts

ここ‐に【×爰に・×此▽処に】一《副》〔文〕この時に。この所に。「国を追われてより―二十余年」二《接続》〔文〕❶話題の転換を示す。さて。それで。❷先に述べた事柄の当然の結果であることを示す。それゆえ。このように。「―謹んでお知らせいたします」参考 一二とも、漢文訓読から出た語。 ―おいて【―×於(い)て】《連語》〔文〕❶この時にあたって。❷こういうわけで。「―決意せざるを得なかった」

ここの‐え【九重】❶物が九つ重なること。また、重なったもの。❷天子の御所。宮中。皇居。転じて、皇居のある所。帝都。都。「―の奥」

ここの‐か【九日】❶月の九番めの日。「一月―」❷日数の数え方で、九つ。九つの日数。「船で―かかる」

ここの‐つ【九つ】❶一の九倍。く。きゅう。❷九歳。❸昔の時刻の呼び名の一つ。子の刻または午の刻。今のおよそ午前または午後一二時。九つ時。

ここ‐の‐ところ【×此▽処の所】《副》ここしばらく。今のところ。ここんところ。

こ‐こまい【古古米】古米のうち、特に、二年前に収穫して貯蔵してある米。

こご・む【▽屈む】《自五》❶かがむ。しゃがむ。「地面に―む」❷肩をすくめ、背中をまるくした格好になる。〔①②とも、やや古風な言い方〕文《四》

こ‐ごめ【小米・粉米】精米するときに砕けた米。砕米。

こご・める【▽屈める】《他下一》かがめる。〔やや古風な言い方〕「身を―める」文 こご・む《下二》

ここ‐もと【×此▽処▽許】《代名》〔古〕《自称の人代名詞》〔「自分の方」の意から〕わたくし。

ココ‐やし【ココ×椰子】ヤシ科の常緑高木。実はココナッツ。実の胚乳を乾燥させたものをコプラといい、その油は石けん・マーガリンなどの原料となる。

ここ‐ら【×此▽処ら・×此▽所ら・×此▽辺ら】《代名》《近称の指示代名詞》このあたり。このへん。ここいら。参考 場所・程度・時間などを漠然とさすときに言う。「―でちょいとひと休み」

こご・る【▽凝る】《自五》〔冷えて〕かたまる。凝固する。「ラードが―る」「煮―る」文《四》

こころ【心】❶人間の体に宿り、知識・感情・意志などの働きのもとになると考えられるもの。また、その作用。ア 心①の奥底。うそいつわりのない本当の気持ち。「―から詫びる」イ 心①の持ち方。「―が狭い（=他人のことについてちょっとしたことも許さない。狭量だ）」ウ 思慮。考え。「―が変わる」「―を砕く（=あれこれ考えたり心配したりする）」「―に任せる（=自由にふるまう）」エ 思いやり。また、まごころ。「―をこめてもてなす」オ 情趣を解する感性。「―ある人」❷芸能などのもつ、深い意味。理念。「能楽の―」「茶の―」❸〔なぞで〕問いに対する答えの意味。「破れ障子とかけて谷間のうぐいすと解く。―はハルを待つ」⇩【類語と表現】

―とも‐なく《連語》無意識に。〔副詞的に用いる〕「―空を見上げる」

―の‐たけ【―の丈】《連語》思うことのすべて。「―を打ち明ける」表記 ふつう、「心のたけ」と書く。

―が騒・ぐ《句》気持ちが動揺する。胸騒ぎがする。

―に掛か・る《句》〔あることがらがどうなるか〕心配でしかたがない。気にかかる。「子の行く末が―る」

―に垣をせよ《句》油断をせず用心せよ。

―に掛・ける《句》念頭におく。心にとめる。気にする。

―にも無・い《句》❶思ってもいない。不本意である。「―い結婚を強いられる」❷自分の本心でない。口先だけである。「―いおせじを言う」

―を致・す《句》心をこめる。心をつくす。気をつける。「看病に―す」「―すべき点は多々ある」

―を痛・める《句》どうしたらよいかと心配する。

―を動か・す《句》❶関心をもつ。❷感動する。

―を置・く《句》心にかける。心配する。

―を鬼に・する《句》かわいそうだと思う気持ちをおさえて、相手に対する態度をきびしくする。

―を配・る《句》いろいろなこと〔場合〕を考える。配慮する。気を配る。

―を許・す《句》信頼して警戒しない。気を許す。

類語と表現

「心」

＊心と体・心から愛する・心から感謝する／心の豊かな人・広い心の持ち主／心を痛める・心のままにふるまう・心がぐらつく／心のこもったプレゼント／和歌の心にふれる。

[精神一般] 気持ち・心持ち・心地・思い・考え・感

じ・気・気分・念・精神・魂・霊・霊魂・精霊・魂魄・ハート・スピリット

◆[認識の作用]意識・無意識・知覚・思考・思惟・認識・理性・感性・感覚・直感・直覚・直観・勘・第六感／違和感・虚無感・親近感・疎外感／世界観・人生観・無常観

◆[知情意など]知・英知・知恵・知識／情・感情・心情・情け・思いやり・愛・仁／愛情・友情・人情・旅情／意・意志・意思・意欲・根性・気骨・意地・意気地・心意気・気概・気迫・やる気・性根・土性骨／心掛け・心構え・心柄・心変わり・心配り・心遣い・心尽くし・心根／真心・気心・男心・女心・親心・子供心・恋心・旅心・里心・仏心・出来心／心魂・精魂・闘魂／向上心・向学心・自尊心・道徳心・老婆心

◆[精神の傾向]性質・性格・気性・気風・気質・気質・気っぷ／大和魂・記者魂／島国根性・野次馬根性／職人気質・江戸っ子気質

◆[体と心]頭・心頭・脳・脳中・脳裏・念頭・眼中・心胆・心裏・心底・心奥・心中・胸・胸の内・胸中・胸裏・胸間・胸襟・方寸・懐・腹・腸・腹中・胆・度肝・肝胆・肺肝・肺腑

こころ-あたたま・る【心温まる・心暖まる】《自五》〔よい話をきいたり、よいことを見たりして〕心があたたかくなる思いがする。「—・る話」

こころ-あたり【心当(た)り】心にそれと思い当たる・こと(ところ)。「—を尋ねてみる」類語見当。

こころ-あて【心当て】❶見当をつけること。当て推量。「—に山路を行く」❷それとなく期待すること。心だのみ。「—に待つ」

こころ-ある【心有る】《連体》❶深い思慮や分別がある。「国の将来を、—人は心配している」❷〔文〕物事の風情・情趣がわかる。対①②心無い。

こころ-いき【心意気】〔ある物事に対して積極的にはたらく〕いさぎよい気持ち。「男の—を見せる」

こころ-いれ【心入れ】気をつけること。心づかい。

こころ-いわい【心祝い】大げさでなく気持ちの上だけで祝いをすること。心ばかりの祝い。

こころ-うれし・い【心×嬉しい】《形》〔何ともいえず〕うれしい。喜ばしい。「—・い便り」

こころ-え【心得】❶基本的なこととして、注意し、知っておかねばならないことがら。「登山の—」❷ある技術・技能を習得し、身につけていること。たしなみ。「茶道の—がある」❸《会社・役所などの役職名に付いて》下級の者がその職務を代行するときの役職名。「課長—」類語扱い。—がお【—顔】《名・形動》〔ある事情・事柄などを〕よく知っているような顔つき・ようす。「—にうなずく」—ちがい【—違い】❶道理にはずれた考え・行い。❷思い違い。誤解。

こころ-・える【心得る】《他下一》❶〔物事の事情などを〕理解する。「万事—・える」❷たしなみがある。「茶道を—・えている」❸よく慣れて知っている。「手順を—・える」❹承知する。「おっとがってん—・えた」

こころ-おき【心置き】心づかい。気がね。遠慮。—なく【—無く】《副》❶気がねや遠慮をしないで。「—酔う」❷不安なことや気にかかることがなく。心配なく。「これで—出かけられる」

こころ-おとり【心劣り】《名・自サ》予想したよりも劣って感じられること。

こころ-おぼえ【心覚え】❶心に覚えている・こと(もの)。「—のある風景」類語記憶。❷忘れないようにつけたしるし。控え。メモ。

こころ-がかり【心掛(か)り・心懸(か)り】《名・形動》あることが気になって心配であること。

こころ-がけ【心掛け】〔ふだんから注意を払っている〕心の持ち方。「平素の—がよい」類語心構え。

こころ-が・ける【心掛ける】《他下一》〔ある事を〕常に思って忘れずにいる。常に注意して努力する。

こころ-がまえ【心構え】〔物事をするときの〕心の準備。覚悟。「試験の—」類語心掛け。

こころ-から【心から】《副》〔かりそめの気持ちでなく〕心の底から。本心から。「—お礼申し上げます」

こころ-がら【心柄】その人のもって生まれた気持ちの持ち方。気だて。性質。「—のいい人」

こころ-がわり【心変(わ)り】《名・自サ》それまでもっていた気持ちが変わること。また、他のものへ感情が移ること。変心。「—を責める」

こころ-くばり【心配り】気をつかうこと。心づかい。

こころ-ぐみ【心組(み)】〔ある物事に対する積極的な〕心の持ち方。心構え。類語意気込み。

こころ-ぐるし・い【心苦しい】《形》❶心に苦しく感じる。つらい。❷〔他人に対して〕すまないような気持ちである。「約束を守れなくて—・い」

こころ-ざし【志】❶こころざす事柄。心の中でたてた目標。「—を立てる」「—を得る(=めざしていた職業や地位を得る)」❷親切な心。厚意。「人の—を無にする」❸自分の気持ちをあらわした贈り物。謙譲寸志。

こころ-ざ・す【志す】《他五》❶将来あることをしようと心にきめる。「画家を—・す」「学問に—・す」❷あるところを目あてにして進む。

こころ-さびし・い【心寂しい・心×淋しい】《形》なんとなくさびしい。うらさびしい。ものさびしい。

こころ-しずか【心静か】《形動》おちついておだやかな気持ちでいるようす。平静。「—に暮らす」

こころし-て【心して】《副》《動詞「心する」の連用形+助詞「て」》〔文〕注意を払って。気をつけて。十分に心構えをして。「—行きなさい」「—耳を傾ける」

こころ-じょうぶ【心丈夫】《形動》〔頼るものがあって〕安心できるようす。心づよいようす。

こころ-・する【心する】《自サ変》心を構える。心を向ける。気をつける。用心する。参考↓心して。

こころ-せ・く【心▽急く】《自五》気があせる。心が・せかせか(いらいら)する。「—・くままに旅立つ」

こころ-ぞえ【心添え】〔相手のために〕注意を与えること。忠告。「お—ありがとうございます」

こころ-だのみ【心頼み】心の中で(ひそかに)あてにして頼ること。参考はっきりとしたあてのないときに使う。「全員の合格を—にする」

こころ-づかい【心遣い】《名・自サ》あれこれとこまかく気をくばること。心をくばること。気くばり。心くばり。配慮。「温かい—」

こころ-づ・く【心付く】《自五》❶気がつく。悟る。❷〔古〕ものごころがつく。

こころ-づくし【心尽(く)し】気をくばり、心をこめて他のためをはかること。「—のご馳走が並ぶ」

こころ-づけ【心付け】祝儀。チップ。類語酒手。

こころ-づもり【心積(も)り】《名・自サ》あらかじめ

心の中で考えておくこと。類語 胸算用。

こころ‐づよ・い【心強い】《形》❶気持ちがしっかりしている。類語 気丈(きじょう)。対 心弱い。❷〔頼るものがあって〕安心である。「―・い味方」対 心細い。

こころ‐な・い【心無い】《形》❶ものの情趣を解さない。風流な心がない。❷深い思慮・分別がない。思いやりがない。「―・い仕打ち」対 ①②心ある。

こころなし‐か【心成しか】《副》そう思うせいか。気のせいか。いくぶん。思いなし。心なし。「―顔色が悪い」表記「なしか」はかなで書くことが多い。

こころ‐ならず【心ならず】《副》自分の本心に反した言動をするようす。不本意ながら。心ならずも。**―も**《副》心ならず。「―友を裏切る」「―家を手離す」

こころ‐にく・い【心憎い】《形》〔相手が〕すぐれていて憎らしく感じられるほどである。「―・い演技」

こころ‐ね【心根】❶心の底にある本当の気持ち。「―がつかめない」❷根性。性質。「―のやさしい人」

こころ‐のこり【心残り】《名・形動》あることをおこなったあとまで心配や未練が残ること。また、その心配・未練。「会えなかったのが―だ」類語 思い残し。

こころ‐ばえ【心▽延(え)】(へ―ば) ❶心の向かう所。心構え。配慮。❷性質。気だて。「―のよい人」

こころ‐ばかり【心▽許り】自分の気持ちが伝わる程度であること。〔贈り物をするときなどに、けんそんして言う語。副詞的にも使う〕「―の贈り物です」

こころ‐ばせ【心×馳せ】〔平素からの〕心づかい。心くばり。「―のありったけを尽くす」

こころ‐はやり【心▽逸り】心がはやること。気がせくこと。あせること。

こころ‐ひそかに【心▽密かに】《副》〔口に出さず〕心の中でこっそりと思うようす。「―に喜ぶ」

こころ‐ぼそ・い【心細い】《形》頼りになるものがなく不安である。「ひとりで行くのは―・い」対 心強い。

こころ‐まかせ【心任せ】〔自分または他人の〕思うままにすること。気まかせ。「―の旅」

こころ‐まち【心待ち】《名・他サ》〔そうなることを〕心の中で〔ひそかに〕望み待つこと。「朗報を―にする」

こころ‐み【試み】実際におこなってみること。ためし。「新しい―」**―に**《副》どんな結果になるかわからないが一応やってみるようす。ためしに。「―使ってみる」

こころ‐・みる【試みる】《他上一》〔どんな結果になるか〕実際にやってみる。また、能力・効力などを、実地について試験する。ためしてみる。「反論を―・みる」注意 送りがなは「試る」としない。

こころ‐もち【心持ち】㊀《名》物事に対して感じ、変化する心の状態。気持ち。心地(ここち)。「酒を飲んでいい―になる」㊁《副》そのような気持ちがわずかにする程度であるようす。ほんの少し。「―顔をあげる」

こころもと‐な・い【心▽許無い】《形》〔物事の状態、人の心などがはっきりせず〕たよりにならないようで、不安だ。気づかわしい。「彼の案内では―・い」

こころ‐やす・い【心安い】《形》❶特に親しく、遠慮のいらない間柄である。懇意である。「―・い店」❷心配ない。安心である。❸たやすい。簡単である。

こころやす‐だて【心安立て】〔他人に対し〕親しさになれ過ぎて、無遠慮なこと。「―に留守番を頼む」

こころ‐やすらか【心安らか】《形動》〔心配事がなく〕心がおだやかであるようす。「―に眠りにつく」

こころ‐やり【心▽遣り】気ばらし。うさばらし。

こころ‐ゆ・く【心行く】《自五》気がはれる。気がすむ。十分に満足する。**―く‐まで**【―く×迄】《副》気がすむまで。心ゆくばかり。「―休日を楽しむ」

こころ‐よ・い【快い】《形》❶気持ちよく感じる。気分がよい。「―・く(=いやな顔をせずに)引き受ける」❷気楽しく愉快である。「―・く飲み明かす」❸病状がよくなる。〔③は古風な言い方〕注意「心良い」は誤り。

こころ‐よわ・い【心弱い】《形》意志が弱く情に流されやすい。対 心強い。

こ‐こん【古今】昔と今。また、昔から今まで。**―とうざい**【―東西】昔から今までと、東西四方すべてのところ。いつでもどこでも。「―に例を見ない豪華さ」

ご‐こん【語根】❶単語で、意味の構成上、それ以上に分けられない最小の要素。「ほのめく」「ほのぐらい」の「ほの」の類。単語の基体になる。❷語幹。

ご‐ごん【五言】一句が五音節(=五字)からなる漢詩の句。また、その句から成る漢詩の形式。「―絶句」「―の詩」参考「言」は「文字」の意。

こ‐ざ【×胡×坐・×胡座】《名・自サ》〔文〕あぐらをかくこと。あぐら。

ご‐さ【誤差】❶真の値と、測定・計算して得た近似値との差。❷くいちがい。くるい。

ご‐ざ【×茣×蓙・×蓙】イグサの茎で編んだ敷物。うすべり。類語 むしろ。こも。

コサージュ 女性の胸飾りなどにする小さな花束。コサージ。コルサージュ。「バラの―」▽(フランス) corsage

*__こ‐さい__【小才】目先のちょっとしたことを巧みに処理する才能。「―が利く(=ちょっとした機転がきく)」

*__こ‐さい__【▽巨細】〔文〕❶大きいことと小さいこと。細大。一部始終。「―もらさず記入する」❷《名・形動》こまかくくわしいこと。「―に描写する」=巨細(きょさい)。

*__ご‐さい__【五彩】❶五色(ごしき)。❷中国産の磁器の一種。白磁の器面に、赤・緑・黄・藍(あい)・黒などの上絵の具で文様を表し、低い温度の火で焼いたもの。

*__ご‐さい__【後妻】〔死別・離婚などによって〕妻と別れた男がその後で結婚した妻。のちぞい。対 先妻。

こ‐ざいく【小細工】(「こ」は接頭語)❶手先でする、ちょっとした細工。❷《名・自サ》目先の小さな点を変えるなどして人目をあざむこうとする、けちな策略。また、その策略を用いること。「―を弄(ろう)する」

ござい‐ま・す【御座います】(「ござります」の転)㊀《連語》「ある」の最上の丁寧語。「本ならここに―・す」㊁《補動》(「…てございます」「…でございます」「…にございます」の形で、また形容詞連用形のウ音便の形を受けて)補助動詞「ある」の最上の丁寧語。「結構な日和(ひより)で―・す」「恐縮至極に―・す」参考 ㊀㊁とも「ありまする」よりも丁寧な言い方。表記 ふつうかな書き。

コサイン 三角関数の一つ。直角三角形において、底辺の斜辺に対する比を、そのはさむ角で表すもの。余弦。記号 cos。▽cosine

こさ・える【×拵える】(こさへる)《他下一》〔俗〕こしらえる。

こ‐ざかし・い【小▽賢しい】《形》(「こ」は接頭語)❶〔人に対する言動が〕利口ぶってなまいきである。「―・い口をきく」❷わる賢くて抜け目がない。「―・い男」

こ‐ざかな【小魚】小さい魚。類語 雑魚(ざこ)。

こ‐さく【小作】借地料を払って土地を借り、農業をいとなむこと(人)。下作(したさく)。「―農」対 自作。

ござ‐そうろ・う【御座候】(―さうらふ)《自四・補動》〔古〕い

らっしゃいます。ございます。〔候文の書簡に用いる〕

***こ-さつ**【古×刹】〔文〕由緒ある古い寺。類語古寺。

***こ-さつ**【故殺】《名・他サ》❶〔文〕故意に人を殺すこと。❷旧刑法で、計画してではなく、一時の激情から人を殺すこと。

コサック ロシア南部に住んだ戦士集団。帝政ロシア時代に勇敢な騎兵として勇名をはせた。カザック。コザック。▽Cossack

こ-ざっぱり《副・自サ》《「こ」は接頭語》《副詞は「―と」の形も》どことなく清潔でよい感じを与えるようす。「―した身なり」「―とした服装」類語こぎれい。

こ-さめ【小雨】雨が少し降ること。小降りの雨。また、細かに降る雨。小雨。類語こぬか雨。対大雨。

こ-ざら【小皿】小さな皿。てしおざら。

ござ・る【御座る】《「ござある」の転》━《自五》❶「居る」「行く」「来る」の尊敬語。いらっしゃる。おいでになる。「ようこそ―・った」❷「ある」の丁寧語。あります。「ちと用が―・る」━《補動》〔「…てござる」「…でござる」「…にござる」の形で、また形容詞連用形のウ音便の形を受けて〕補助動詞「ある」「いる」の丁寧・尊敬語。〔━━とも古風な言い方〕表記ふつうかな書き。

こ-さん【古参】ずっと以前からその職や身分についていること(人)。古顔。「―の社員」対新参。

こ-ざん【故山】〔文〕ふるさとの山。転じて、故郷。

***ご-さん**【午×餐】〔文〕昼の食事。〔改まった言い方〕「―会」対晩餐。

***ご-さん**【誤算】《名・自他サ》❶計算をまちがうこと。計算ちがい。❷ちがった推測・予測をたてること。見込みちがい。「値がつくと思ったのは―だった」

ご-ざん【五山】中国の制度をまねて足利義満の時代に定めた、禅宗の五大寺。京都では天竜寺・相国寺・建仁寺・東福寺・万寿寺。鎌倉では建長寺・円覚寺・寿福寺・浄智寺・浄妙寺。ごさん。

ご-さんけ【御三家】❶江戸時代、親藩大名のうち尾張・紀伊・水戸の三家。❷ある方面で有名であったり、代表したりする三つのもの。「歌謡界の―」

ござん・す【御座んす】《「ございます」の転》━《自特活》「ある」の丁寧語。ございます。━《補動》〔「…てござんす」「…でござんす」「…にござんす」の形で、また形容詞連用形のウ音便の形を受けて〕補助動詞「ある」の丁寧語。ございます。「お懐かしゅう―・す」参考古い文体の会話に使う。表記ふつうかな書き。

ござん-なれ《連語》《「にこそあるなれ」の転の「こさんなれ」の転》〔文〕さあこい。〔手ぐすねひいて待つようすに言う〕「よき敵―」

***こ-し**【古×址・古×趾】〔文〕昔、建造物・都市などがあったあと。また、昔の建造物の土台石。類語遺跡。

***こ-し**【古詩】❶古い時代に作られた詩。❷漢詩の一形式。唐初以前のもので、平仄や句数にきびしい規則や制限がないもの。古体詩。

***こ-し**【故紙】〔文〕使い古した不用紙。ほご。

***こ-し**【枯死】《名・自サ》草木が枯れてしまうこと。

***こし**【腰】━《名》❶人体の脚のつけねのあたりの称。「―をおろす」「―を曲げる」類語尻。腰回り。腰付き。❷衣服の腰①に当たる部分。腰部。腰間。ヒップ。❸物の中ほどより下の部分。特に、壁・障子などの中ほどより下の部分。❹物の台・脚の部分。❺和歌の第三句。「―折れ歌」❻外からの力に対して、その状態を持ちこたえようとする力。粘り。弾力。「―のある紙」❼ある物事をしようとする(している)時の勢い・いきごみ。参考↓腰を折る②。━《接尾》❶「ある事をするときの(ような)姿勢・態度」の意を表す。参考「…ごし」と濁る。「逃げ―」「喧嘩―」❷《助数》〔はかま・刀などの〕腰におびたりつけたりする物を数える語。「大刀一―」

―が重・い《句》なかなかその気にならない。なかなか行動を起こそうとしない。

―が据わ・る《句》そこに落ち着いて仕事をする。

―が高・い《句》他人に対してへりくだらない。態度が横柄である。対腰が低い。

―が強・い《句》❶気が強く、たやすく他人に屈しない。❷〔餅・糊などの〕粘りけが強い。また、しなやかで折れにくい。「―・いうどん」対①②腰が弱い。

―が抜・ける《句》〔腰に力がなくなったり、ひどく驚いたりして〕立っていたり立ち上がったりすることができなくなる。腰をぬかす。「おどされて―・ける」

―が低・い《句》他人に対して丁寧でいばらない。態度がひかえめである。対腰が高い。

―が弱・い《句》❶気が弱く、いくじがない。がんばりぬく力がない。また、弾力性が少ない。❷〔餅・糊などの〕粘りけが少なくてよくのびない。「―・い筆」対①②腰が強い。

―を上・げる《句》❶立ち上がる。❷仕事などにとりかかる。また、そのために場を立つ。

―を入・れる《句》〔物事に対して〕しっかりした態度でかまえる。本気になる。本腰になる。

―を浮か・す《句》〔立ち上がろうとして〕腰を上げる。中腰になる。

―を落ち着・ける《句》❶安心してすわる。「―・けて飲む」❷安んじて生活の場とする。「都会に―・ける」

―を折・る《句》❶腰をかがめる。また、人に屈伏する。❷〔物事の〕勢いをくじく。また、中途でさまたげる。「話の―・る」「計画の―・られる(=邪魔されて途中でだめになる)」

―を据・える《句》物事にじっくりと落ちついて対処する。「―・えて仕事にかかる」

―を抜か・す《句》❶腰骨のつがいめが外れて立てなくなる。❷〔ひっくり返って立ちあがれなくなるほど〕非常にびっくりする。「雷鳴に―・す」「政変の報に―・す」

***こ-し**【×虎視】〔文〕虎のように鋭い目つき。また、その鋭い目で見つめること。―たんたん【―×眈×眈】《形動タルト》〔虎が鋭い目つきで獲物をねらっているように〕他に先んじようと、油断なく機会をねらっているようす。〈易経・頤卦〉

***こし**【越】北陸道の古称。越路。「―の国」

***こし**【×輿】❶昔の乗り物の一つ。屋形の中に人をのせ、下にとりつけた二本の長柄をかついで運ぶもの。参考貴人の乗り物であった。❷みこし。神輿。

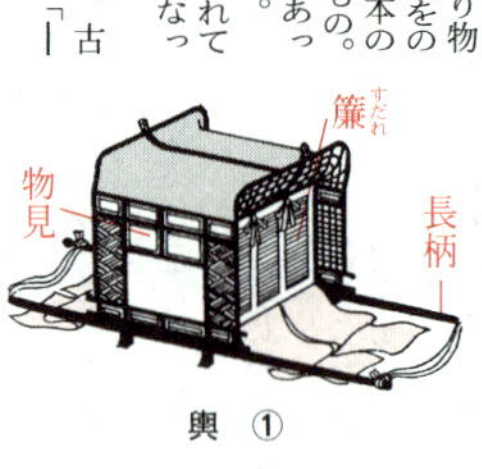

輿 ①

***こ-じ**【古字】昔使われていて、今は使われなくなった字。

***こ-じ**【古寺】古い寺。古寺。「―名刹」「―巡礼」類語古刹。

***こ-じ**【固持】《名・他サ》〔自分の信じていること・考え

などを〕かたく守って変えないこと。「自説を—する」「—して譲らない」類語 固執。堅持。

***こ-じ【固辞】**《名・他サ》〔他からのすすめなどを〕かたく辞退すること。「知事選への出馬を—する」

***こ-じ【孤児】**❶両親をなくした子。みなしご。「戦災—」❷仲間のない人。「財界の—」

***こ-じ【〈居士〉】**❶出家せず、俗世間にあるままで仏門に帰依した男子。また、その称号。❷男子の戒名の下につける称号の一つ。対 大姉。

***こ-じ【故事・古事】**❶昔あった事実。❷〔ある物・ことばなどについて〕古くから伝えられているいわれ・物語。—**らいれき【—来歴】**古くから伝わっている事物についてのいわれと歴史。由緒。

***こ-じ【×虎児・×虎子】**〔文〕虎の子。虎子。

***こ-じ【誇示】**《名・他サ》得意そうに見せびらかすこと。誇り示すこと。「国力を世界に—する」

***ごし【越し】**《接尾》❶「その物を隔てて(…する)」意。「襖—」「眼鏡—」❷《時間を表す語について》同じ状態がその期間続いていることを表す。「三年—の交際」

***ご-し【五指】**❶〔手の〕五本の指。❷五つ。〔特に、すぐれたものを選び出して指をおって数えるときに言う〕「—に入る高額所得者」「—に余る会社を経営する」

***ご-し【互市】**〔文〕互いに物をあきなうこと。交易。

***ご-し【語誌・語史】**一つのことばの意味・使用法の変化など、語の歴史をしるしたもの。

***ご-じ【誤字】**まちがった字。「—脱字」対 正字①。

***ご-じ【護持】**《名・他サ》〔文〕大切に守り保つこと。「国体を—する」類語 守護。

こし-あげ【腰揚げ】〔大きめに作った〕和服のたけを調整するための、腰の部分の縫いあげ。

こじ-あ・ける【×抉じ開ける】《他下一》〔すきまに棒などをさし込んで〕無理にあける。こじってあける。

こし-あん【×漉(し)×餡】餡の一種。煮たあずきをつぶし、こして皮などをのぞいたもの。類語 つぶしあん。

こし-いた【腰板】❶かべ・障子などの下の部分にはった板。❷袴の後ろの腰にあたる部分につける板。

こし-いれ【×輿入れ】《名・自サ》〔嫁の乗った輿を婿の家に担ぎ入れることから〕嫁入り。

こ-しお【小潮】潮の満ち干の差がもっとも少ないこと(時)。月の上弦・下弦のころに起こる。対 大潮。

こし-おび【腰帯】❶帯。❷女性が和服を着るときに帯の下にむすぶ、細いひも。こしひも。

こし-おれ【腰折れ】❶年老いて、腰がまがること。また、腰のまがった人。❷へたな和歌・文章。こしおれ歌。こしおれ文。参考 自作の和歌・文章をけんそんして言う場合にも使う。「—を一首よむ」

こし-がき【腰垣】人の腰ぐらいの高さの垣。

こし-かけ【腰掛(け)】❶腰をかける台。❷希望どおりの職につくまで、仮につとめる・こと(職)。「—仕事」

こし-か・ける【腰掛ける】《自下一》ものの上に腰をおろす。腰をかける。

こし-かた【来し方】〔文〕❶過ぎ去った時。過去。「—行く末」❷通り過ぎて来た方向・場所。

こし-がたな【腰刀】〔武士が〕常に腰にさしている短い刀。わきざし。さやまき。

***こ-しき【古式】**〔儀式などの〕昔からの方式。古来の方式。「—にのっとる」「—ゆかしいいでたち」類語 古格。注意「古式豊かに」は誤り。

***こしき【×甑】**米・豆などをふかすのに使うかわら製の器具。参考 現在の「せいろう」にあたる。

***こしき【×轂】**車輪の中心の太くまるい部分。そこに輻があつまり、中を車軸がとおっている。

こ-じき【×乞食】《「こつじき」の転》道ばたにすわったり家々をまわったりして、他人から金銭や食物を恵んでもらって生活する・こと(人)。ものもらい。—**こんじょう【—根性】**他人からほどこしを受けることだけを望む、いやしい心持ち。

ご-しき【五色】❶五種類の色。赤・青・黄・白・黒。五彩。❷いろいろな色。また、いろいろな種類。

こし-ぎんちゃく【腰×巾着】❶腰にさげるきんちゃく。❷ある人にいつもつき従って離れない人。〔そのような人をそしって言う語としても使う〕「部長の—」

こし-くだけ【腰砕け】❶上半身を支える腰の力が抜けて、体勢がくずれること。❷物事の途中で勢いがなくなり、あとが続かなくなること。「計画が—になる」

こし-け【腰気・▽帯▽下】女性の性器から分泌される液体。生理的なものと、膣内の炎症による病的なものとがある。おりもの。白帯下。

ごし-ごし《副》《「—と」の形も》〔力を入れて〕物をこするようす。また、その音の形容。「床を—こする」

こし-じ【越路】北陸道の古称。越。また、越へ行く道。

こし-だか【腰高】❶《名・形動》〔人や物の〕腰の位置がふつうより高いこと。「力士が—に仕切る」❷《名・形動》〔人に対する態度が〕おうへいなこと。「—なあいさつ」❸器物で、腰の位置を高くつくった物の総称。特に、高坏。❹「腰高障子」の略。高さ二～三尺(約六〇～九〇チセン)の腰板のある障子。

こし-だめ【腰×撓め】❶銃などをうつとき、腰のあたりにかまえ、大体のねらいをつけること。❷大体の見込みで物事を行うこと。「—で予算を要求する」

ごしち-ちょう【五七調】和歌や詩で、語句を五音・七音の順でくりかえす句調。対 七五調。

ごしち-にち【五七日】ある人が死んだ日から三五日目。法要を行う。

***こ-しつ【個室】**〔病室・寮などの〕個人用の部屋。

***こ-しつ【固執】**《名・自他サ》自分の考え・意見などにこだわり、かたくなに守って譲らないこと。こしゅう。「どこまでも自説に—する」類語 固持。

***こ-しつ【×痼疾】**〔文〕何年もの長い間なおらない病気。宿痾。「—の胃病に悩む」類語 持病。

こ-じつ【故実】法令・儀式・作法・服装などについての古代のならわし。「—に明るい」「有職—」

ご-じつ【後日】❶今からのちの日。今後。将来。❷ある事件などのおこった、そのあと。「—談」

こし-つき【腰付き】〔ある動作をするときの〕腰のかっこう。腰のあたりのようす。「妙な—で歩く」

ゴシック❶活字の字体の一つ。全体が角ばって肉太の活字。ゴジック。❷「ゴシック式」の略。ロマネスクのあとをうけてルネサンスまで、フランスを中心にはやった美術様式。先のとがったアーチと弓状の天井を主とした建築物に特色を示す。＝ゴチック。▽Gothic

こじ-つ・ける《他下一》〔ある物事を合理化するために、本来関係のないことを〕むりに他の事がらにむすびつける。無理に理屈をつける。付会する。

ゴシップ〔興味本位の〕うわさ話。▽gossip

ごじっぽ-ひゃっぽ【五十歩百歩】少しの違いは

こ

あっても・本質的（結果的）にはほとんど同じであること。故事 戦いのとき、五〇歩逃げた者が一〇〇歩逃げた者を笑ったが、逃げたことに変わりはないということから。〈孟子・梁恵王〉 類語 大同小異。似たり寄ったり。

こし-なわ【腰縄】❶〔用のある時のために〕腰につけて持ち歩くなわ。❷軽い罪人に対して、腰だけになわをかけること。また、そのなわ。「ーをうつ」

こし-ぬけ【腰抜け】❶腰の力がぬけてたてない・こと（人）。❷いくじのない・こと（人）。おくびょうな・こと（人）。〔人をののしって言う〕「ー侍」

こし-の-くに【越の国】現在の新潟県から福井県に至る、北陸道七か国の古称。越路（こしじ）。

こし-の-もの【腰の物】❶〔武士が〕腰にさす刀。また特に、さやまきの短刀。❷腰につけるものの総称。刀・印籠（いんろう）・巾着（きんちゃく）など。❸女性の腰巻。

こしば-がき【小×柴垣】丈の低い、細いしばで作った垣。小柴。

こし-ばり【腰張り】壁・ふすまなどの下の方を紙や木ではること。また、そのはった紙や木。

こし-ひも【腰×紐】〔女性が和服を着るとき、着くずれしないように〕腰にしめるひも。腰おび。

こし-びょうぶ【腰×屏風】人の腰ぐらいの高さの、丈の低いびょうぶ。類語 まくらびょうぶ。

こし-べん【腰弁・腰×辨】〔俗〕《「腰弁当」の略》❶腰に弁当をさげること。また、その弁当。❷〔毎日弁当をさげて勤めに行くような〕安月給とり。

こし-ぼね【腰骨】❶腰の骨。❷がまんし、物事を押しとおす気力。忍耐力。「ーのある人」

こし-まき【腰巻（き）】❶女性が和服を着るときに腰に巻き、腰から下のはだを直接おおう布。ゆもじ。❷本の下部に巻いてある紙。おびがみ。

こし-みの【腰×蓑】〔猟師・漁夫などが〕腰のまわりにつけた短いみの。

こし-もと【腰元】❶腰のあたり。❷昔、身分の高い人のそばに仕えて雑用をした女性。侍女（じじょ）。

ご-しゃ【誤写】《名・他サ》〔文章などを〕まちがえて書き写すこと。写しちがえること。

こ-しゃく【小×癪】《名・形動》《「こ」は接頭語》〔言動が〕なまいきで、しゃくにさわるような感じを与えること。こなまいき。「ーな娘だ」「なにをーな」

ご-しゃく【語釈】単語や句などの意味の解釈。

ごしゃ-ごしゃ《副・形動・自サ》《副詞は「ーと」の形も》いろいろの物が入り乱れて混じっているようす。ごちゃごちゃ。ごたごた。「集めた資料がーになる」

こし-ゆ【腰湯】腰から下だけ湯につかること。座浴（ざよく）。「ーを使う」類語 足湯。

***こ-しゅ**【古酒】❶火入れをしたのち一定期間貯蔵した日本酒。対 新酒。❷貯蔵期間の長い古い酒。

***こ-しゅ**【固守】《名・他サ》かたくしっかりと守ること。「自分の理論をーする」類語 固持。堅持。

***こ-しゅ**【戸主】❶一家の主人。家長。❷民法旧規定で、一家の長として戸主権をもつ人。現行民法の戸籍筆頭人にあたる。

***こ-しゅ**【故主】〔文〕もと仕えていた主人。旧主。

***こ-しゅ**【鼓手】太鼓や鼓（つづみ）をたたく役の人。

こ-じゅ【古樹】〔文〕老木。古木。「松のー」

ご-しゅ【御酒】「酒」の丁寧語。おさけ。

ご-しゅいん【御朱印】将軍の押す朱印。また、それが押してある札・証書など。「ー船（＝近世初期、海外渡航を公認する朱印状をもって外国貿易をした船）」

***こ-しゅう**【呼集】《名・他サ》〔分散している人々を〕呼び集めること。〔おもに旧軍隊で使った〕「非常ー」

***こ-しゅう**【固執】《名・自他サ》↓こしつ（固執）。

***こ-しゅう**【孤愁】〔文〕ただひとりでもの悲しい思いにふけること。また、その思い。「ーの思いに耐える」

***こ-しゅう**【孤舟】〔文〕〔広い水上に〕ぽつんと浮かんでいる一せきの舟。類語 孤帆（こはん）。

こ-じゅう【×扈従】《名・自サ》〔文〕身分の高い人のおともをする・こと（人）。扈従（こしょう）。類語 随従。随行。

ご-じゅう【後住】後から寺をついだ住職。対 先住。

ごじゅう-おん【五十音】❶かなで表記する「あ・い・う…ゑ・を」の五〇の音。❷「五十音順」の略。五十音図の順番。❸「五十音図」の略。ーず【ー図】母音の種類によって五段に、子音の種類によって一〇行に、五十音①を分類して配列した表。五十音。

ごじゅう-かた【五十肩】五〇代におこる肩の痛み。

ごじゅうさん-つぎ【五十三次】「東海道五十三次」の略。昔、東海道にあった五三の宿駅。

ごしゅうしょう-さま【御愁傷様】↓しゅうしょう（愁傷）②。

こ-じゅうと【小×舅】配偶者の兄弟。参考 広義には、配偶者の姉妹をもいう。表記 姉妹をさす場合には「小姑」とあてることが多い。

こ-じゅうとめ【小×姑】配偶者の姉妹。こじゅうと。

ごじゅう-の-とう【五重（の）塔】屋根を五重に作った塔。地・水・火・風・空の五大をかたどり、中に仏舎利（ぶっしゃり）をおさめる。五層の塔。

こ-じゅけい【小×綬鶏】キジ科の鳥。ウズラに似るが少し大きい。背は淡褐色にこげ茶色の羽紋があり、腹は黄褐色で美しい。かん高い声で鳴く。

ご-しゅでん【御守殿】江戸時代、将軍の娘で、三位（さんみ）以上の大名にとついだ者の敬称。また、その住居。

ご-じゅん【語順】語が文や句の中でならべられる順序。語序。「ーを変えると意味が変わる」

こ-しょ【古書】❶古い時代に書かれた書物。古い書籍。類語 古文書。❷〔文〕すでにだれかが読み古したあとの本。古本（ふるほん）。「ー市」

ご-しょ【御所】❶天皇の御座所。禁中。内裏。転じて、天皇の尊称。❷上皇・三后などの居所。また、それらの人の尊称。❸昔、将軍・大臣およびその一族の居所。また、それらの人々の尊称。ーがき【ー×柿】大和柿（やまとがき）。カキの一品種。果実はへんぺいな四角形で美味。ーぐるま【ー車】「牛車（ぎっしゃ）」の別称。

***ご-じょ**【互助】〔文〕互いに助け合うこと。相互扶助（そうごふじょ）。「ーの精神」「ー年金」

***ご-じょ**【語序】〔文〕語順（ごじゅん）。

***こ-しょう**【古称】〔文〕古い時代の呼び名。〔今は使われない〕古い名称。類語 旧称。

***こ-しょう**【呼称】❶《名・他サ》〔文〕名まえをつけて呼ぶこと。また、その名まえ。❷体操をするときにかける、「一、二、三…」などのかけ声。

***こ-しょう**【小姓】昔、将軍・大名などのそば近く仕えて、身辺の雑用をした少年。

***こ-しょう**【故障】❶《名・自サ》機械の一部分が壊れて正常に働かなくなること。また、人体のある器官の機能が損なわれること。❷物事の正常な進行を妨げるも

の。さしさわり。「計画に―が入る」類語支障。❸不服を申し立てること。異議。「―を申し立てる」

*こ-しょう【湖沼】〔文〕水をたたえたくぼ地のうち面積の大きいもの。みずうみと、ぬま。

*こ-しょう【×胡×椒】コショウ科のつる性の常緑低木。原産地はインド。実は熟すと黒くなり、乾燥して粉状にし、香辛料・薬などに用いる。ペッパー。

*こ-しょう【誇称】《名・他サ》〔文〕自慢して大げさにいうこと。「日本一の名手と―する」類語呼号。

*こ-じょう【古城】古い城。古びた城。類語荒城。

*こ-じょう【孤城】〔文〕❶ただ一つだけ離れてぽつんとある城。❷孤立して援軍がない城。 ―らくじつ【―落日】勢いがおとろえて、心細くたよりないことのたとえ。

*こ-じょう【弧状】弓の形のようにゆるく曲がっていること。弓形。「―列島」

*こ-じょう【湖上】みずうみの水面。湖面。「―の舟」

*ご-しょう【五障】❶女性が生まれつき身に備えていて成仏することを妨げているという、五つの障害。そのために、梵天・帝釈・魔王・転輪聖王・仏の五者にはなることができないとされる。❷修行する上での五つの妨げ。煩悩障・業障・生障・法障・所知障。

*ご-しょう【後生】❶〔仏〕人が死後生まれ変わって行くという世界。類語来世。対今生。❷〔仏〕死後の世界で安楽であること。「―を願う」❸相手に哀願するときに使うことば。お願い(だから)。「―だから助けてくれ」注意「こうせい」と読むと意味が異なる。 ―いっしょう【―一生】現世にも後世にもただの一度きりであること。「―のお頼みです」 ―だいじ【―大事】❶〔仏〕後生の幸福を大切に思って信仰にはげむこと。❷非常に大事にすること。「―に育てる」 ―らく【―楽】❶〔仏〕後生は安楽だと考えて、安心すること。❷物事を大げさに考えず、のんびりしていること。

*ご-しょう【誤称】〔文〕あやまった言い方・呼び名。

*ご-じょう【五常】儒教で、人として守るべき五つの道徳。㋐漢書で、仁・義・礼・智・信。㋑孟子で、父子の親、君臣の義、夫婦の別、長幼の序、朋友の信。五倫。㋒書経で、父・母・兄・弟・子が、それぞれ守るべき義・慈・友・恭・孝。五典。

*ご-じょう【互譲】〔文〕〔有利な立場・利益などを〕互いにゆずり合うこと。交譲。「―の精神」

*ご-じょう【御×諚】〔文〕貴人の命令。おおせ。おことば。「ありがたい―を賜る」

こ-しょうがつ【小正月】一月一五日、または一月一四日から一六日までの称。二番正月。対大正月。

*こ-しょく【個食・孤食】《名・自サ》一人で食事をすること。特に、家族が個々に別の時間に食事をすること。「児童の―」

*こ-しょく【古色】〔文〕古びたものに自然についた色つや・趣。 ―そうぜん【―×蒼然】《形動タルト》〔文〕いかにも古びていて、色つやなどにくすんだ趣のあるようす。転じて、古めかしいようす。「―とした神社」

ご-しょく【誤植】印刷で、まちがった活字を組みこむこと。また、印刷された誤字。ミスプリント。

こし-よわ【腰弱】《名・形動》❶腰の力が弱い・こと(人)。❷強い意志や粘り強さなどがない・こと(人)。❸餅などに粘りのないこと。また、そのもの。

こしらえ【×拵え】❶物のできあがりのようす。つくり。「純日本風の―の家」❷準備。用意。「夕飯の―をする」❸身なりをつくること。よそおい。「弁慶の―で登場する」❹刀の柄・金具・塗りなどの細工。

こしら-える【×拵える】《他下一》❶手を加えて・形の整った(機能をもった)物に仕上げる。「橋を―・える」「会社を―・える」❷(利用するために)整えそろえる。「腹を―・える(=食事をして腹を満たしておく)」❸〔子供・友人・情人などを〕持つ。「子供を―・える」❹美しく飾る。よそおう。「顔を―・える(=化粧する)」❺〔作り構える意から〕ないことをあるように見せかける。「話を―・える」文こしら・ふ《下二》

こじら-す【×拗らす】《他五》〔無理をして〕物事を処理しにくい・めんどうな(悪い)状態にする。こじらせる。「風邪を―・す」文《四》

こじら-せる【×拗らせる】《他下一》➡こじらす。文こじら・す《下二》

*こ-じり【湖×尻】湖の水が川となって流れ出る付近。

*こじり【×鐺】❶刀のさやの先端。また、そこにつける金属製の飾り。さやじり。❷垂木の末端。また、そこにつける飾り。

こじ-る【×抉る】《他五》〔もののすき間・穴に〕棒などをつっこんで強く・えぐる(ねじる)。文《四》

ご-じる【呉汁・▽豆汁】水につけて柔らかくした大豆をすりつぶし、みそをいれて味をつけた汁。

こじ-れる【×拗れる】《自下一》❶ねじれる。ひねくれる。「性質が―・れる」❷〔無理などをしたりしたために〕病気やけがが悪くなり、なおりにくくなる。「風邪が―・れる」❸食い違いがあって、しっくりいかなくなる。「話が―・れる」文こじ・る《下二》

こ-じわ【小×皺】〔皮膚・布などにできる〕細かいしわ。

こ-しん【湖心】〔文〕湖のまん中。湖面の中心。

*こ-じん【個人】〔ある社会・集団を構成する〕個々別別の人間。一個の人間。 ―さ【―差】各個人の精神的・肉体的な能力・機能などの違い。 ―しゅぎ【―主義】❶個人の価値を尊び、その自由と独立を重んじる立場。❷〔俗〕利己主義。 ―てき【―的】《形動》個人に関係しているようす。「―な悩み」 ―プレー 団体スポーツの競技中に、一人だけで行うプレー。転じて、共同作業などで周囲との連係を無視した行動。「―に走る」対チームプレー。

*こ-じん【古人】昔の人。類語古代人。対今人。 ―の糟魄《句》昔の聖人のことばやその著書。故事聖人の道は言語や文章で伝えることはできず、書物に残されている聖人の言はそのかすであるということから。〈荘子・天道〉表記「古人の糟粕」とも書く。

*こ-じん【故人】❶〔文〕古くからの友人。旧知。旧友。類語故親。古旧。❷死んでしまって今はこの世にいない人。なき人。「―の冥福を祈る」

*ご-しん【誤信】《名・他サ》まちがって信じること。また、誤ったことを正しいと信じこむこと。「コンピューターを万能と―する」

*ご-しん【誤審】《名・他サ》判定をまちがえること。また、その判定。

*ご-しん【誤診】《名・他サ》〔医者が〕病気の診断をまちがえること。また、その診断。

*ご-しん【護身】危険から身を守ること。「―術」

*ご-じん【後陣】➡こうじん(後陣)。

*ご-じん【御仁】他人をさす尊敬語。お人。お方。〔古風な言い方。現在では多少ふざけた言い方、皮肉めいた言い方にも使う〕「どうも扱いにくい―だ」

こ

*ご‐じん【×吾人】《代名》《自称の人代名詞の複数》〔文〕われわれ。われら。〔論説文・演説などで使う〕

ご‐しんえい【御真影】天皇・皇后などをうつした写真の尊称。

ご‐じんか【御神火】火山の噴火・噴煙。〔神聖視して言う〕「―茶屋」

ご‐しんぞう【御新造】〔中流社会で〕他人の妻をさす尊敬語。御新造ごしんぞ。〔古風な言い方〕

ご‐しんとう【御神灯】❶「神灯」の尊称。❷職人・芸人などが縁起をかついで家の戸口につるした灯火。

ご‐しんぷ【御親父】相手の父親をさす尊敬語。御父君。〔改まった場合や手紙文などで使う〕

*こ・す【越す】《自五》《本来は「越ゆ」に対する他動詞形であったものが自動詞化したもの》❶物の上を通り過ぎて向こう側へ行く。「峠とうげを―・す」❷ある時間・時期を過ぎる。「冬を―・す」❸ある基準を上回る。「三〇人を―・す応募者」表記③は「超す」とも書く。❹追い抜く。「先せんを―・す」❺まさる。「慎重であるに―・したことはない」❻引っ越す。転居する。「お隣へ―・して参りました」❼〈「お―・し」の形で〉「行く」「来る」の丁重な表現。「どうぞまたお―・しください」参考→御越し。文《四》。⇩〔使い分け「こえる・こす」〕

*こ・す【×濾す・×漉す】《他五》〔液体などにまじっているかすを取り除くため〕こまかいすきまをくぐらせる。濾過ろかする。「煮汁にじるを―・す」文《四》。

ご‐す【呉×須】❶陶磁器のうわぐすりに使う、青藍せいらん色の顔料。天然のものは「呉須土」という。❷「呉須焼」の略。染付焼の中国陶磁器の一種。呉須①を使った藍あい色の絵模様を下絵にする。

ご‐ず【▽牛頭】体は人で、頭は牛の形をしている、地獄の獄卒。牛頭羅刹ごずらせつ。 ―めず【―▽馬頭】体は人で頭は牛や馬の形をしている、地獄の獄卒。

*こ‐すい【湖水】〔文〕みずうみ(の水)。

*こ‐すい【鼓吹】《名・他サ》〔文〕❶太鼓や笛ではやしたてること。❷はげまし、元気づけること。鼓舞こぶ。「士気を―する」❸〔ある思想・意見などを〕さかんに宣伝し、吹きこむこと。「民権主義を―する」

*こす・い【×狡い】《形》〔俗〕❶〔自分が損をしないよう〕ずるくたちまわるようす。わるがしこく、ずるい。「―・い手口」❷けちけちしている。文こす・し《ク》。

*ご‐すい【五衰】〔仏〕天人が死ぬときにそのからだに現れるという、五つの衰弱の相。天上の五衰。

*ご‐すい【午睡】《名・自サ》〔文〕ひるね。

*こ‐すう【個数・▽箇数】〔一個・二個…と数えられる〕物の数。

*こ‐すう【戸数】家の数。所帯の数。やかず。

ご‐すう【語数】ことばの数。

こ‐ずえ【×梢・×杪】《「木の末」の意》〔高い〕樹木の幹・枝の先端。類語木末こぬれ。

コスチューム 服装。衣装。特に、民族・地方・時代・階級などの風俗をあらわす服装。▽costume

こすっ‐から・い【×狡っ辛い】《形》〔俗〕ずるくてけちである。こすからい。

コスト ❶物を生産するのに必要な費用。原価。「新薬開発の―」❷〔一般に〕物の値段。費用。▽cost ―パフォーマンス ❶投入される費用や労力と、成果とのつりあい。費用対効果。❷機械などの、価格に対する性能。処理能力と費用とのつりあい。コンピューターの評価によく用いる。▽cost performance

コスメチック 男性が毛髪を整えるのに用いる、棒状の固形化粧料。チック。▽cosmetic

コスモス ❶キク科の一年草。秋、赤・うすべに・白などの花を開く。観賞用として栽培。秋桜。▽cosmos ❷秩序と調和をもつ世界。宇宙。「ミクロ―(=小宇宙)」対カオス。▽ギリシアKosmos 英cosmos

コスモポリタン ❶国家を超越して、全世界を一国と考える人。世界主義者。❷外国人との交際が広かったり、諸国を転々としたりして、民族的な偏見を持たない人。国際人。▽cosmopolitan

コスモロジー 宇宙論。▽cosmology

こすり‐つ・ける【▽擦り付ける】《他下一》❶こすってくっつける。❷〔体などを〕こするようにして近寄せる。すりよせる。❸〔責任・罪などを〕他人に負わせる。なすりつける。類語(す)転嫁てんか。❹強くこする。

*こす・る【▽擦る】《他五》物を、他の物に強く押しつけたままで動かす。強く押して擦する。「目を―・る」「布でからだを―・る」類語なする。(す)摩擦まさつ。文《四》。

*こ‐・する【鼓する】《他サ変》〔文〕❶〔太鼓などを〕打ちならす。❷ふるいおこす。「勇を―・する」

*ご・する【×伍する】《自サ変》〔文〕〔あるものと〕同じ地位に立つ。仲間にはいる。「列強に―・する」

*ご・する【期する】《他サ変》〔文〕❶予想して、覚悟する。予期する。「前途の多難を―・する」❷期待する。類語①②期きする。

こす・れる【▽擦れる】《自下一》〔物と物とが〕すれあう。すれる。「綱が―・れる」文こす・る《下二》。

ごすん‐くぎ【五寸×釘】長く太いくぎ。もとは五寸(=約一五センチ)のものを言ったが、現在ではふつう二寸五分(=約七・五センチ)のものをさす。

ご‐せ【後世】死後に行くという世界。来世。後の世。後生ごしょう。「―をとむらう」

*ご‐ぜ【御▽前】《接尾》〔古〕女性を表す名詞について尊敬の意を表す。「母―」「姫―」

*ご‐ぜ【×瞽女】しゃみせんをひいたり歌を歌ったりして物ごいをして歩く、盲目の女性。「―歌」

こ‐せい【個性】その人・物だけにそなわった特有の性格・性質。パーソナリティー。「―が強い」「―のない味」類語特性。 ―てき【―的】《形動》その人・物の個性が強くあらわれているようす。「―な人」「―な作品」

こ‐ぜい【小勢】少ない人数。小人数。「―と見てあなどる」類語無勢ぶぜい。寡勢かぜい。対大勢おおぜい。

*ご‐せい【互生】《名・自サ》〔キク・バラなどのように〕植物の葉や枝などが、各節に一つずつ互いちがいに生じること。対対生たいせい・輪生。

*ご‐せい【悟性】❶論理的に物事を考える能力。理解力。❷〔哲〕感性や理性と区別された知力。特に、経験界に対する推理的な思考の働き。

*ご‐せい【語勢】〔話しているときの〕ことばの勢い。語気。「―を強めて抗議する」類語語調。

こせい‐だい【古生代】地質時代の区分の一つ。原生代と中生代の間の時代で、約五億七〇〇〇万年前から二億三〇〇〇万年前まで。

こせい‐ぶつ【古生物】〔恐竜・マンモスなど〕地質時代に生存していて現在は絶滅した生物。

こ‐せがれ【小×倅】❶自分のむすこを謙遜けんそんして言う語。せがれ。❷年の若い者を、ののしり・軽べつの気持ちを含めて言う語。こわっぱ。類語弱輩。

*こ-せき【古昔】〔文〕遠い過去の時代。むかし。いにしえ。往昔。往古。

*こ-せき【古跡・古×蹟】〔文〕歴史上の事件・建物などがあったあと。類語 旧跡。遺跡。史跡。

*こ-せき【戸籍】夫婦を中心にその家族の氏名・本籍地・続き柄などを記した、公式の書面。

こせ-こせ《副・自サ》《副詞は「ーと」の形も》❶心にゆとりがなく、つまらない小さなことに気をとられるようす。また、落ち着きなく始終動きまわるようす。「ーした性格」「ーと歩き回る」❷〔部屋・街などが〕細かく区切ってあり、狭苦しいようす。「ーした家並み」

こ-せつ【古拙】《名・形動》〔文〕〔彫刻・絵画・建築などで〕技術がへたで劣っているようだが、古風で素朴な趣があるようす。アルカイック。「ーな書体」

こ-ぜつ【孤絶】《名・自サ》〔文〕他との関係を絶たれて孤立すること。「ーした城」

こせ-つ-く《自五》こせこせする。

ご-せっく【五節句】昔、一年間の季節の折り目とした、五つのおもな節句。人日(一月七日)・上巳(三月三日)・端午(五月五日)・七夕(七月七日)・重陽(九月九日)。

ご-せっけ【五摂家】鎌倉時代以後、藤原氏のうちで摂政・関白になる資格のあった、五つの家柄。近衛・鷹司・九条・二条・一条の各家。

こ-ぜに【小銭】❶額面の小さい貨幣。こまかいお金。小金。「ーをためこむ」❷ちょっとした、まとまった金。

こ-ぜりあい【小競り合い】❶小部隊同士の小さな戦闘。全体の戦局に影響しない小さな戦い。❷小さなもめごと。いさかい。「警官とのー」

*こ-せん【古銭】昔、使われ通用した硬貨。特に、寛永通宝以前の銭。

*こ-せん【弧線】弓の形をした線。弓なりの線。

*ご-せん【五線】楽譜を作るとき、音符を書き入れるために横に引く五本の平行線。「ー紙」「ー譜」

*ご-せん【互選】《名・他サ》〔特定の人々が〕自分たちの中から互いに選び出すこと。また、その選挙。「委員の中から委員長をーする」

*ご-ぜん【午前】夜中の零時から正午までの間。特に、夜が明けてから正午ごろまでの間の称。ひるまえ。対 午後。ーさま【ー様】〔俗〕〔飲んだり遊んだりしていて〕午前零時すぎに帰宅する・こと(人)。参考「御前様」をもじった語。

*ご-ぜん【御前】一《名》❶天皇など、身分の非常に高い人の〔座席の〕前。御前。❷身分の高い人を尊敬して言う語。❸〔古〕身分の高い人の妻を尊敬して言う語。二《代名》《対称の人代名詞》身分の高い人に対して、その家臣・従者などから敬ってよぶ語。三《接尾》昔、身分の高い人〔特に女性〕や白拍子の名前の下につけた敬称。「静ー」ーかいぎ【ー会議】旧憲法下で、国家の重大な問題について天皇の前で重臣・大臣などが集まり行う会議。

*ご-ぜん【御×膳】「食膳」「飯」「食事」の丁寧語。

こせん-きょう【×跨線橋】鉄道線路の上にまたがってかけわたした橋。ブリッジ。渡線橋。類語 陸橋。

こせん-じょう【古戦場】昔、〔大きな〕合戦の行われた場所。「川中島のー」

こそ《係助》《文語では係助詞。口語では副助詞とも》❶ある語句をとり立てて強調するのに使う。〔口語では、ふつう、断定の助動詞「だ」、あるいは推量・意志・義務・勧誘などの気持ちの表現を伴う〕「彼こそ真の英雄だ」「今日こそ頑張るぞ」「愛すればこそ別れねばならぬ」参考 文語では、文末の活用形を已然形で結ぶ。「今こそ別れめ、いざさらば」❷〔「こそすれ」「…にこそなれ」の形や、下に逆接の接続助詞「が」「けれども」などを伴う形で〕いったんはある事柄を強く肯定し、「が、しかし」と、次にそれと対立・対比する事柄を予告する意味合いで、二つの事柄を対比的に示す。…だとしても。…だが、しかし。「愉快な気分にこそなれ、不愉快になることはない(=もっぱら愉快になるだけだ)」「言葉遣いこそ慇懃であるが、無礼なことこの上ない」参考「こそすれ」「…にこそなれ」は、文語表現の名残。❸〔動詞未然形＋「ばこそ」の形で言いさして〕あの状況を仮想し、そうであればいいが、実相は全くそうではないの意を表す。「人の注意も聞かばこそ、なりふり構わぬ傍若無人」参考 文語表現の名残。

こぞ〔雅〕❶昨夜。ゆうべ。❷去年。昨年。「ーの夏」

こ-そ-あ-ど〔文法で〕代名詞・副詞・連体詞などで、指示機能を持つ語の体系。「これ」「こう」「この」、「それ」「そう」「その」、「あれ」「ああ」「あの」、「どれ」「どう」「どの」などが、それぞれ「コ」「ソ」「ア」「ド」という共通の頭音の系列に整理されたものをいう。

こ-そう【枯燥】《名・自サ》〔文〕枯れかわくこと。物事に生気・おもむきなどがなくなること。類語 乾燥。

こ-ぞう【小僧】❶年少の僧。子どもの僧。小坊主。❷昔、商店などで雑用に使った少年の店員。「酒屋のー」類語 でっち。❸年少の男子をあなどった言い方。「生意気なーだ」参考 したしみの気持ちをこめて、接尾語的にも使う。「いたずらー」「小便ー」

ご-そう【護送】《名・他サ》❶あるものにつき添い、それを盗難・損傷などから守って送り届けること。❷囚人・犯罪容疑者などにつき添い、逃亡しないように見張りながら送り届けること。

ご-ぞう【五臓】〔漢方で〕心臓・肺臓・肝臓・腎臓・脾臓の五つの内臓。また、内臓の総称。五内。「夢はーの疲れ」ーろっぷ【ー六×腑】❶五臓と六腑。❷腹の中。「酒がーにしみわたる」

こ-そく【×姑息】《形動》根本的な解決をせずに、その場だけのまにあわせにするようす。一時しのぎ。一時逃れ。「ーな手段をとる」

こそ-ぐ【×刮ぐ】《他五》こそげる。文《四》。

こ-ぞく【古俗】〔文〕昔から続いている風俗。

ご-ぞく【語族】同じ言語を祖先として派生したと考えられる言語の一群。「ウラルアルタイー」

こそぐ-る【×擽る】《他五》くすぐる。文《四》。

ご-そくろう【御足労】相手にわざわざある場所へ出向いてもらうことの尊敬語。「ーをおかけしました」

こそ-げる【×刮げる】《他下一》物の表面をけずりとる。また、表面に付着している物をこすってはがす。こそぐ。「赤さびをーげる」文 こそ・ぐ《下二》。

こそ-こそ《副・自サ》《副詞は「ーと」の形も》人に気づかれないように、かくれて行動をするようす。こっそり。「ーと逃げだす」ーばなし【ー話】こっそり小声でする話。ひそひそ話。

ごそ-ごそ 一《副・自サ》《副詞は「ーと」の形も》こわばった物などがふれ合う音。また、そのような音をたててうごめくようす。二《形動》〔ごそごそという音がしそうに〕こわばっているようす。「ーの紙」類語 ごわごわ。

こ‐そだて【子育て】子を育てること。

こぞっ‐こ【小▽僧っ子】〔未熟な〕若い男をあなどって言う語。「―のくせに何を言うか」

こぞっ‐て【▽挙って】《副》《「こぞりて」の音便》ある行動をひとり残らずするようす。あげて。「全校生徒が―参加する」

ごそっ‐と《副》一度にたくさん。類語ごっそり。

こ‐そで【小×袖】❶昔、広口袖の表着（うわぎ）の下に用いた、袖口の小さい下着。参考江戸時代には表着となった。現在の和服の原型。❷袖口を小さく仕立てた着物。❸絹の綿入れの着物。対布子（ぬのこ）。

こそ‐どろ【こそ泥】〔他人の家に〕こそこそと入り、わずかなものをとるどろぼう。

こそばゆ・い《形》❶くすぐられるような感じである。むずむずする。くすぐったい。❷〔実際より良く評価されるなどして〕てれくさい。くすぐったい。「そんなにほめられると―・い」文こそばゆ・し《ク》

こぞ・る【▽挙る】一《自四》〔古〕残らずいっしょになる。残らずそろう。参考→こぞって。二《他五》〔文〕残らず集める。残らずそろえる。文《四》

ご‐ぞんじ【御存じ】「存じ」の尊敬語。御承知。表記「御存知」とも書く。

*こ‐たい【個体】❶〔哲〕→個物。❷必要な器官を備え、独立して生活を営む生物体。

*こ‐たい【古体】❶〔文〕昔の形態・様式。❷唐初以前に行われた漢詩の詩体。律詩・絶句以外の詩体。古詩・楽府（がふ）など。対近体。

*こ‐たい【固体】一定の形と容積をもっていて、容易に変形しない物体。結晶したものと、結晶していないものとがある。対気体・液体。

*こ‐だい【古代】❶古い時代。❷歴史の時代区分の一つ。中世の前の時代。ふつう日本では平安時代まで、西洋ではローマ帝国滅亡までの時代。―むらさき【―紫】少し赤みをおびた、くすんだ紫色。

*こ‐だい【誇大】《形動》実際以上におおげさであるようす。「―広告」―もうそう【―妄想】ある物事や自分の能力・身分などを実際以上のものに空想し、それを事実と信じこむこと。

ご‐たい【五体】❶人体を構成する五つの部分。㋐漢方で、筋・脈・肉・骨・毛皮のこと。㋑頭・両手・両足のこと。また、頭・首・胸・手・足のこと。転じて、全身。からだ。「―満足」❷書道で、篆（てん）・隷（れい）・楷（かい）・行（ぎょう）・草（そう）の五つの書体。

ご‐だい【五大】〔仏〕万物を構成するという五つの元素。地（ち）・水（すい）・火（か）・風（ふう）・空（くう）。

こ‐だいこ【小太鼓】小型の太鼓。対大太鼓。

ご‐だいしゅう【五大州】地球上の五つの大陸。アジア・アフリカ・ヨーロッパ・アメリカ・オーストラリアの総称。オーストラリアのかわりにアメリカを南北に分けていうこともある。五大陸。

ご‐たいそう【御大層】《形動》〔俗〕わざとらしくおおげさなようす。〔からかいの気持ちを含んだ言い方〕「ずいぶんと―な身じたくだね」

*こたえ【▽応え】（こたへ）他から与えられた作用・刺激に対する反応。参考多く接尾語的に用い、「…ごたえ」となる。「手―」「歯―」類語感応。反響。

*こたえ【答（え）】（こたへ）❶よびかけや質問に対してことばで応じること。返答。「よんでも―がない」❷ある問題をといて得た結果。解答。対①②問い。

*こた・える【▽堪える】（こたへる）《自下一》❶たえしのぶ。こらえる。我慢する。「この寒さなら―・えられる」❷保つ。「持ち―・える」文こた・ふ《下二》―えられ‐ない《連語》このうえなくすばらしい。「―・いうまさ」

*こた・える【▽応える】（こたへる）《自下一》❶他からの働きかけに対して、それにむくいる。応じる。「期待に―・える」❷〔他からの刺激などを〕強く感じる。「今年の暑さは―・える」表記②は「徹える」とも書く。文こた・ふ《下二》

*こた・える【答える】（こたへる）一《他下一》相手からことばをかけられたのに対して、ことばを返す。返事をする。対問う。文こた・ふ《下二》。二《自下一》問題を解いて答えを出す。解答する。「次の文章を読み、あとの問いに―・えよ」対問う。文こた・ふ《下二》

こ‐だか・い【小高い】《形》〔周囲より〕少し高い。やや高い。「―・い丘」「―・く盛り上がった乳房」

こ‐だから【子宝】〔子は親にとっては何よりもまさった宝である意から〕大切な子ども。「―に恵まれる」

ご‐たく【御託】《「御託宣」の略》〔不平・不満などを〕くどくどと言うことば。「―を並べる」

こ‐だくさん【子沢山】〔自分の〕子どもが多い・こと（人）。「律義者（りちぎもの）の―」

ごた‐ごた 一《副・自サ》《副詞は「―と」の形も》〔いろいろな多くの物が〕秩序なく入りまじっているようす。「机の中が―だ」類語乱雑。混雑。二《名》❶《自サ》面倒なもめごとが起こっていること。また、そのもめごと。「―が起こる」類語紛争。トラブル。❷《自サ》整理がつかず混雑すること。「引っ越しの―もようやく収まった」❸こまごました雑多なもの。「―を片付けてしまおう」⇩〔類義語の使い分け「いざこざ」〕

こ‐だし【小出し】少しずつ出すこと。また、そのもの。「預金を―にする」「情報を―にする」

*こ‐だち【小〈太刀〉】❶小形の太刀。わきざし。対大太刀。❷小さな刀で行う剣術。

*こ‐だち【木立】樹木が何本かかたまって生えている所。また、その木々。「―に囲まれた神社」

こ‐たつ【×炬×燵・▽火×燵】和室用の暖房装置の一つ。熱源の上にやぐらをおき、ふとんをかけたもの。

ご‐たつ【悟達】《名・自サ》仏教で、悟りに達すること。

ご‐だつ【誤脱】文章中の誤字と脱字。また、誤ったところと脱けたところ。「―の多い文章」

ごた‐つ・く《自五》❶〔いろいろなことが起こって〕整理がつかず混雑する。「引っ越しで―・いた」❷もめごとが起こってもつれる。紛糾する。「後継者争いで―・く」

*こ‐だて【小×楯・小盾】《「こ」は接頭語》〈「―に取る」〉❶〔身を守るため、あるものを〕まにあわせにたての代わりにする。❷〔他人を〕自分の都合のいいように使う。「何も知らない親を―に取る」

*こだて【戸建て】家を一戸ごとに独立して建てること。また、その家。「―に住む」

こ‐だな【▽蚕棚】カイコを飼う、たな。かいこだな。

こ‐だね【子種・子×胤】❶子となるべきもとのもの。精子。❷〔家をつぐべき〕子ども。子孫。「―を授かる」

こ‐たび【×此度】〔文〕このたび。今度。今回。

ご‐たぶん【御多分】〈「―に漏れず」〉世間一般の多くの例と同じに。例外でなく。「彼も―にもれず失敗した」注意「御多聞」は誤り。

こ‐だま【木霊・木▽魂・木▽精・×谺】❶〔文〕樹木に

宿るたましい。木の精。❷《名・自サ》音が山や谷などに反響すること。また、その音。山びこ。

ごた・まぜ〔いろいろなものが〕秩序なく乱雑にまじること。ごちゃまぜ。ごったまぜ。

こだわ・る《自五》❶つまらないことに気持ちがとらわれて、そのことに必要以上の気をつかう。拘泥する。「形式に―・る」❷細かいことなどに特に気をつかう。〔新しい言い方〕「味に―・る」文《四》。

*__こ-たん__【古×譚】〔文〕古いはなし。昔話。

*__こ-たん__【枯淡】《名・形動》あっさりとした中にしぶみがあるようす。俗っぽさがとれて淡々としているようす。〔人柄や芸術作品などに言う〕「―の趣がある絵」

*__ご-だん__【後談】〔文〕ある事件がおさまったあとの話。後日談。

*__ご-だん__【誤断】《名・他サ》誤った判断を下すこと。また、その判断。「―をおかす」

ごだん-かつよう【五段活用】口語動詞の活用形式の一つ。語尾が五十音図の五段にわたって変化するもの。「読む」「泣く」などの活用。参考 文語では、「読もう」の形は「読まむ」、その歴史的かなづかいは「読まう」となり、オ段に活用する形がないので四段活用となる。

*__こ-ち__【故地・古地】ゆかりのある土地。「万葉の―」

*__こ-ち__【故知・故×智】〔文〕昔の人が用いた(すぐれた)知略・はかりごと。「―に倣う」

*__こち__【▽東▽風】〔雅〕春、東から吹いてくる風。春風。こちかぜ。東風。

*__こち__【×鯒】コチ科の海魚。頭が大きく尾部は細い。浅い海の砂泥地にすむ。食用。

こ-ぢから【小力】《「こ」は接頭語》ちょっとした力。

こち-こち ㊀《副》《「―と」の形も》堅い物をたたく音の形容。また、堅いものがふれあう音の形容。㊁《形動》❶〔乾燥したり、凍ったりして〕非常に堅くなるようす。❷緊張して動作がぎこちなくなるようす。「ステージで―になる」❸がんこで融通のきかないようす。「―の石頭」

ご-ちそう【御×馳走】《名・他サ》「ちそう」の丁寧語。豪華な食事。また、食事・酒などをふるまうこと。もてなすこと。―さま【―様】《感》❶飲食物をふるまわれたあとで言うあいさつのことば。❷〔俗〕のろけ話を聞かされたときなどにふざけて言うことば。

ゴチック→ゴシック。▽Gotik

こち-とら【×此▽方▽人▽等】《代名》《自称の人代名詞》〔俗〕自分たち。われわれ。また、自分。おれ。

こ-ちゃく【固着】《名・自サ》❶堅くぴったりとくっつくこと。また、一定の状態のまま落ちつくこと。❷一定の所にとどまること。「考えが―する」類語 ①②定着。

ごちゃ-ごちゃ《副・形動・自サ》《副詞は「―と」の形も》非常に乱雑に入り混じっているようす。「―言うな」

ごちゃ-まぜ《形動》〔俗〕種々のものが秩序なく入り混じっているようす。「いろいろな記憶が―になる」

*__こ-ちゅう__【古注・古×註】古い時代の人がつけた注釈。対 新注。

*__こ-ちゅう__【×壺中】つぼの中。「―の天地(=俗界とかけはなれた別天地)」

*__こ-ちょう__【古調】〔文〕〔歌などの〕古い調子。昔の調子。また、昔のおもむき・風情。

*__こ-ちょう__【×胡×蝶・×蝴×蝶】蝶の古称。―の夢《句》現実の世界と夢の世界とが区別できない境地のたとえ。また、この世がはかないことのたとえ。故事 荘周(=荘子)は自分が蝶になった夢を見たが、目が覚めて後、蝶になった荘周が本当の自分なのか、蝶ではない荘周という人間が本当の自分なのかわからなくなったということから。〈荘子・斉物〉

*__こ-ちょう__【誇張】《名・他サ》実際以上に大げさに表現すること。「事件を―して伝える」「―表現」

*__ご-ちょう__【×伍長】〔旧軍隊で〕陸軍下士官の位の一つ。下士官のうち最下級で、軍曹の下に位する。

*__ご-ちょう__【語調】〔話すときの〕ことばの調子。「―が鋭い」類語 ことばつき。語勢。語気。

こち-ら【×此▽方】《代名》❶《近称の指示代名詞》話し手がいる方向、また話し手が関係している方向をさす。また、その場所、そこにある物をさす。ここ。これ。「―へいらっしゃい」「―を見る」❷㋐《自称の人代名詞》話し手をさす。単数にも複数にも用いる。わたし。われわれ。「―からお電話いたします」㋑《他称の人代名詞。近称》話し手に近い関係にある人をさす。同等以上の人に対していう。この人。「「こちらさん」の形でも使う」「―が木下さんです」参考 ①②とも「こっち」に比べて丁寧な言い方。

こちん《副》《多く「―と」の形で》❶冷たく凝固するようす。❷頑固で融通性のないようす。❸堅い物がぶつかるようす。また、その音の形容。―と来る《句》ちょっとしゃくにさわる。こつんとくる。「その一言が―・来た」

こ-ぢんまり《副・自サ》《副詞は「―と」の形も》〔造作・顔つきなどが〕小さいなりに、ほどよくまとまっているようす。「―した家」「―とした目鼻だち」類語 ちんまり。注意「こじんまり」は誤り。

こつ【骨】❶〔人間や動物の〕ほね。❷特に、火葬にした死者のほね。おこつ。「―を拾う」❸動かし難い気質。「―のある人物」❹ある物事をうまくしとげるための、かんどころ。「―をつかむ」「―を覚える」表記 ④は、ふつうかな書き。類語 急所。要領。⇩〔類義語の使い分け「要領」〕

こつ-あげ【骨揚げ・骨上げ】《名・自サ》火葬にした死者の骨を拾って骨壺に入れること。こつ拾い。

ごつ・い《形》〔俗〕❶〔大きくて〕やわらかみがなく、かどばってごつごつしている。「―・い手」❷〔動作・態度などが〕ぎこちなく硬い。無骨である。「―・い男」

こつ-えん【×忽×焉】《形動タルト》〔文〕急にある状態になるようす。にわかに。「―と消える」類語 忽然。

*__こっ-か__【刻下】〔文〕現在の時点。現下。目下。

*__こっ-か__【国家】❶くに①。❷一定の領土と、そこに住む一定の住民から成り、主権による統治組織をもっている社会集団。参考 特に近代の国家をさす。―こうむいん【―公務員】国の公務に従事する職員。類語 地方公務員。―しけん【―試験】国が一定の資格を認定するために行う試験。公務員・裁判官・外交官・司法書士・医師・薬剤師・弁護士・公認会計士などに適用される。―しゅぎ【―主義】個人はその属している国家によって存在しているから、個人を犠牲にしても国家のことを優先させるべきであるとする考え方。参考「ナショナリズム」の訳語の一つ。

*__こっ-か__【国歌】❶和歌。やまとうた。❷国家的な儀式などで、その国家・国民を象徴するものとして歌う歌。「―を斉唱する」参考→君が代。

*__こっ-か__【国花】国民がもっとも愛し、その国の象徴とする花。参考 日本では桜の花。

こ-づか【小▽柄】脇差のさやの外側にそえてさす、小さい刀。小刀。

***こっ-かい**【告解】《名・他サ》カトリックで、洗礼を受けたあとに犯した罪を司祭に告白して、神の許しを求めること。類語 懺悔。

***こっ-かい**【国会】国の議会。日本では国権の最高機関で唯一の立法機関。衆議院と参議院から成る。**―ぎいん**【―議員】国民を代表し、国会を組織する議員。衆議院議員と参議院議員。**―ぎじどう**【―議事堂】国会の議事を行うための建築物。議事堂。

***こっ-かい**【国界】〔文〕国ざかい。国境。

***こ-づかい**【小使】〔昔、学校・会社などで〕雑用をした人。参考 現在、学校では「用務員」と呼ぶ。

***こ-づかい**【小遣(い)】「小遣い銭」の略。日常のこまかい買い物・支払いなどにあてる金銭。

こっ-かく【骨格・骨×骼】❶高等動物で、種々の骨が組み合わさって、からだをささえ、内臓を保護し、筋肉のつけねとなる器官。骨組み。❷〔骨格①を基準として見たときの〕からだ全体の与える感じ。骨組み。「―のがっちりした男」❸物事の全体を形作り、それを保っていく上で大切なもの。「プランの―をつくる」

こつ-がら【骨柄】❶〔人間や動物などの〕骨組み。からだつき。❷〔人相・服装などに現れる〕人柄。〔ふつう、男性について言う〕「人品―いやしからぬ人」

***こっ-かん**【酷寒】〔真冬の〕きびしい寒さ。ひどい寒さ。「―の候」類語 厳寒。対 酷暑。

***こっ-かん**【骨幹】〔文〕❶からだの骨組み。骨格。❷ものごとの中心・基となるだいじな点・部分。「日中友好の―となる条約」類語 骨子。

ごっ-かん【極寒】非常に寒いこと。最高の寒さ。「―の地」類語 厳寒。対 極暑。

***こっ-き**【克己】《名・自サ》〔意志の力で〕自分のためにならない欲望や邪念をおさえ、それにうちかつこと。「―の精神」「―心」類語 自制。**―ふくれい**【―復礼】私欲をおさえて礼儀にのっとるようにすること。

***こっ-き**【国旗】国のしるしと定められ、その国を象徴する旗。参考 日本の国旗は「日の丸」。

こづき-まわ・す【小突き回す】《他五》❶〔人のからだを〕つっついたり、引っぱったり、ゆすったりする。❷あれこれ意地悪をしていじめ苦しめる。

こっ-きゅう【×哭泣】《名・自サ》〔文〕〔悲しみのため〕大きな声をあげて泣くこと。類語 号泣。慟哭。

***こっ-きょう**【国境】❶国と国とのさかいめ。国境。「―線」「―を越える」類語 辺境。❷〔法〕一国の領土主権の及ぶ範囲の限界とするところ。隣接国の領土および公海との境界。

***こっ-きょう**【国教】広く国民に信仰させるため、国家が法律などで特に保護している宗教。国家宗教。

こっきり《接尾》〔俗〕《数量・回数などを表す語について》「ちょうど…だけ」「…かぎり」の意。「一度―」

こっ-きん【国禁】〔文〕〔国家が〕国法によって禁じていること。また、その禁制。「―の書」

***こっ-く**【刻苦】《名・自サ》心身を苦しめるほど、はげしく努力すること。「―勉励」

***コック**〔水道・ガス管など〕管状のものに取り付け、ひねって、中を流れるものの量を調節する栓。▽cock

***コック** 料理人。▽オランダ kok

こ-づ・く【小突く】《他五》❶〔人のからだなどを〕指先などで少し突く。また、おさえてゆすぶる。「頭を―・く」❷意地悪くいじめて苦しめる。

コックス ボートレースで、舵手。▽cox

コックピット ❶航空機の操縦室。❷競走用自動車の運転席。▽cockpit

こっくり《副・自サ》《副詞は「―と」の形も》❶いねむりをして、頭が前後に動くようす。また、いねむりをすること。❷〔幼児などが〕頭をたてにふってうなずくようす。また、その動作。

こ-づくり【小作り】《名・形動》❶ふつうより小さく作られていること。❷顔やからだつきが小さいこと。「どちらかといえば―の男」類語 小柄。

こっ-くん【国訓】❶訓。和訓。よみ。❷漢字の、中国での用法と合致しない日本独自の用法。「断」を「ことわる」の意に用いるなど。

***こっ-けい**【酷刑】〔文〕厳しい刑罰。「―に処す」

***こっ-けい**【▽滑×稽】《名・形動》❶おどけていておもしろおかしいこと。「―なしぐさ」類語 剽軽。❷ふざけていて、ばからしい感じがすること。「あれでも歌手とは―だ」類語 笑止。**―ぼん**【―本】江戸時代の小説の一種。都会（＝江戸）人の日常生活の卑俗なおかしさを書いた娯楽的な読み物。「東海道中膝栗毛」「浮世風呂」など。

こっけい-せつ【国慶節】中華人民共和国の建国記念日。一〇月一日。

***こっ-けん**【国憲】〔文〕国家の根本となる憲法。

***こっ-けん**【国権】〔文〕国家の意思または統治権。国家権力。「―の発動」

***こっ-けん**【黒×鍵】ピアノやオルガンで、嬰変音を弾くときに使う黒い鍵盤。対 白鍵。

こっ-こ【国庫】❶財産権を持つ主体としての国家。❷国家の所有する貨幣を保管する機関。国家金庫。

ごっこ《接尾》「…のまねをしてする遊び」の意。「プロレスー」

こっ-こう【国交】国と国との間の交際。国家間の交際。「―を開く」「―を断絶する」

ごつごう-しゅぎ【御都合主義】定見や計画を持たず、その場の情勢に応じて自分に都合よく行動する節操のない態度。オポチュニズム。類語 日和見主義。

こっ-こく【刻刻】《名・副》→こくこく（刻刻）。

***こつ-こつ**《副》《「―と」の形も》堅い物が軽くふれ合うようす。また、その音の形容。「―と戸をたたく」

***こつ-こつ**【×兀×兀・×矻×矻】《副・形動タルト》〔文〕〔ある一つの物事に対して〕休まず目だたない努力を続けるようす。「―と勉強をする」類語 孜々。

ごつ-ごつ《副》《副詞は「―と」の形も》❶《自サ》物の表面などがでこぼこして堅いようす。「―した手」❷《自サ》〔性格・態度などが〕無骨で荒っぽいようす。「―した男」❸堅い物がぶつかり合ってにぶい音を出すようす。また、その音の形容。

こつ-ざい【骨材】コンクリートやモルタルを作るのに使用する砂・砂利・砕石などの総称。

こっ-し【骨子】物事・話などを構成する中心となるもの。おもな内容。「法案の―」類語 骨組み。骨幹。

こつ-じき【×乞食】❶〔仏〕托鉢。❷こじき。〔古風な言い方〕

こっ-しつ【骨質】❶動物の硬骨を構成する物質。骨のうち、骨膜と骨髄とを除いた部分。❷動物の骨のようなかたい物質。また、そのような性質。

こ‐つ‐ずい【骨髄】❶骨の中心部の空洞をみたしている、やわらかい組織。赤血球・白血球・血小板などがここで作られる。「―移植」❷〔「骨の奥」の意から〕心の奥。「恨み―に徹する(=深く心の底までしみこむ)」

こつ‐せつ【骨折】《名・他サ》体の骨が折れること。

こつ‐ぜん【×忽然】《副》《「―と」の形も》〔文〕〔現れたり消えたりするのが〕急なようす。にわかに。突然。忽然。「―と姿を消す」類語 忽焉。

こっ‐そう【骨相】〔からだの〕骨組みのありさま。また、顔や頭の骨の形に現れたその人の性質・運命。「―学」類語 人相。手相。

こつそしょう‐しょう【骨粗×鬆症】骨をつくる組織がもろくなった状態。閉経後の女性に多くおこる。

こっそり《副》《「―と」の形も》他人に気づかれないようにものごとをするようす。ひそかに。そっと。「―話す」「―と部屋を出る」類語 ひっそり。静かに。秘密に。

ごっそり《副》《「―と」の形も》〔俗〕一つも残さず全部。ねこそぎ。「あり金を―盗まれた」類語 ごそっと。

ごった《形動》〔俗〕いろいろなものが秩序なく入りまじって乱雑なようす。ごっちゃ。「本を―に積み上げる」

ごった‐がえ・す【ごった返す】《自五》秩序なく混乱する。非常に混雑する。「見物人で―・す」

ごった‐に【ごった煮】❶いろいろなものを入れて煮ること(もの)。❷〔ひゆ的に〕いろいろの事柄を秩序なくまぜ入れること。

こっ‐ち【×此▽方】㊀《代名》《「こち」の促音化》→こちら。〔「こちら」よりもぞんざいな言い方〕㊁《名》ある時から今に至るまでの間。以来。「就職してから―」

こ‐づち【小×槌】小さな槌。「打ち出の―」

こっち‐の‐もの【×此▽方の物】《連語》❶自分の物。❷自分の思い通りになるもの。「試合は―だ」

ごっちゃ《形動》〔俗〕〔種類の違う物が〕入りまじって乱雑なようす。ごちゃごちゃ。ごった。「話が―になる」

こっ‐ちょう【骨頂・骨張】程度が一番上であること。〔ふつう、好ましくないことに言う〕「愚の―」

こ‐づつ【小筒】❶水や酒を入れる小さな竹筒。❷昔、小銃をさして言った語。対①②大筒。

こつ‐つぼ【骨×壺】火葬にした死者の骨を入れるつぼ。骨がめ。

こ‐つづみ【小鼓】小型の鼓。左手で調べの緒をにぎり、右肩に乗せて右手で打つ。対大鼓。

こ‐づつみ【小包(み)】❶小さな包み。❷「小包郵便」の略。品物を小さく包装して送る・郵便(郵便物)。

こってり《副》《副詞は「―と」の形も》〔俗〕❶《自サ》味・色などが濃くてしつこいようす。「―した料理」対あっさり。❷物事の程度がはなはだしいようす。いやというほど。「親父に―と油をしぼられた」

ゴッド 神。造物主。▽God ―ファーザー ❶秘密組織マフィアの首領。❷大組織を自由に操る人。黒幕。類語 ドン。ボス。▽godfather(=名付け親)

こっ‐とう【骨×董】❶美術的・歴史的に価値のある古道具・古美術品。骨董品。❷古いばかりで役にたたないもの。「―的存在」

こつ‐どう【骨堂】遺骨を納める堂。納骨堂。

コットン ❶わた。❷綿布。もめん。〔おもに布地の材質を言うときに使う〕❸カタン糸。❹「コットン紙」の略。もめんの繊維やソーダパルプを原料とした厚くて柔らかな軽い紙。▽cotton

こつ‐にく【骨肉】❶骨と肉。❷互いに血のつながりのある者。親子・兄弟など。肉親。血族。「―の争い」

―相食む《句》一族で殺し合いをする。また、同じ組織の中で激しく権力を争う。類語 血で血を洗う。

こつ‐ねん【×忽然】《副》→こつぜん(忽然)。

こっ‐ぱ【木(っ)端】❶〔必要な用材をとったあとの〕木のきれはし。木くず。❷とるにたりない、つまらないもの。「―役人」 ―みじん【―微×塵】❶一度に細かく砕け散った状態。こなみじん。こなごな。「―に吹き飛ぶ」❷徹底的に(ひどく)やられること。「―にやっつけられる」

こっ‐ぱい【骨×牌】〔文〕❶かるた。❷獣の骨で作ったマージャン用の牌。

こつ‐ばこ【骨箱】遺骨を納める白木の箱。

こつ‐ばん【骨盤】からだの下の方にあって、腹部の内臓をささえる、ろうと状の大きく平たい骨。

こっ‐ぴど・い【こっ▽酷い】《形》〔俗〕手きびしい。「ひどい」を強めて言う語。「―・く叱られた」

こつ‐ひろい【骨拾い】骨揚げ。

こ‐つぶ【小粒】《名・形動》❶物のつぶが小さいこと。「山椒は―でもぴりりと辛い」対大粒。❷からだつきが小さいこと。「―な選手」

コップ ガラスなどでできている円筒形の水のみ。カップ。「―の中の嵐(=なかまうちの争い)」▽オランダ kop

こっ‐ぷん【骨粉】動物の骨を砕いて粉にしたもの。りん酸肥料として利用する。

コッペ‐パン 紡錘形で底が平たいパン。コッペ。参考 コッペは、フランス coupé(=切られた)のなまり。また、ドイツ Kopf(=頭)からともいう。

コッヘル 登山用品の一つ。携帯用の組立て式炊事道具。アルコールなどの燃料を用いる。▽ドイツ Kocher

こっ‐ぺん【骨片】骨のかけら。

こっ‐ぽう【骨法】〔文〕❶骨組み。骨柄。❷礼儀作法。すじみち。❸物事をする上の要領。こつ。調子。「―をつかむ」

こつ‐ぼとけ【骨仏】❶骨になった人。死人。❷火葬したあとの首の骨。参考 仏の形をしているのでいう。

こ‐づま【小×褄】《「こ」は接頭語》〈―を取る〉褄②。

こつ‐まく【骨膜】骨の外面をおおっている、白色のじょうぶな膜。骨の成長や栄養を支配する。

こ‐づめ【小×爪】❶つめのはえぎわにある、三日月形の半透明の白い部分。❷つめの切りくず。

―を拾・う《句》ささいな言葉じりをとらえて非難する。

ご‐づめ【後詰め】先陣の軍勢の後にひかえている軍勢。後陣。あとぞなえ。類語 後衛。後軍。

こ‐づらにく・い【小面憎い】《形》顔を見るのもしゃくにさわるほどにくらしい。

こ‐づれ【子連れ】子供を連れていること。「―パパ」

こつん《副》《多く「―と」の形で》❶小さな物が軽くぶつかるようす。また、その時の音の形容。❷げんこつで一回軽くなぐるようす。また、その時の音の形容。

ごつん《副》《多く「―と」の形で》❶重い物が強くぶつかるようす。また、その時の音の形容。❷げんこつで一回なぐるようす。また、その時の音の形容。

*こ‐て【小手】❶ひじと、手首との間の部分。手先。「高手―に縛る」対高手。❷《「こ」は接頭語》手。〔手に関するちょっとした動作に言う語〕「―をかざす」

*こ‐て【×籠手】❶よろいの付属品の一つ。腕をおおう防具。❷剣道で、小手をおおう防具。また、その部分を

こ

打つこと。❸弓を射るとき、袖(そで)が弓にあたるのを防ぐために、左の手首から肩のあたりにかけるおおい。ゆごて。

*こて【×鏝】❶しっくい・セメントなどを塗る左官道具。金篦(かなべら)。❷熱して、布地のしわのしなどに用いる裁縫用具。❸熱して、毛髪をちぢらせ整えるのに使うはさみ状の道具。❹熱して、はんだ付けなどに使う道具。

ご-て【後手】❶相手に先を越され、受け身になること。「対策が―に回る」❷碁・将棋(しょうぎ)で、あとからせめる番(の人)。後手番。また、相手に勝負の主導権を握られ、守りの立場になること。対①②先手(せんて)。

*こ-てい【固定】《名・自他サ》ある物の位置・形・状態が一定で動かないこと。また、動かないようにすること。類語固着。**―かんねん【―観念】**そうだと思い込んで、容易に変えることのできない考え。固着観念。「―にとらわれる」**―しさん【―資産】**土地・建物・機械・特許権などのように、流通を目的とせず長い期間にわたって消耗する資産。対流動資産。**―しほん【―資本】**工場・建物・機械などのように、生産過程で価値が部分的に減少していく、耐久性のある資本。対流動資本。

*こ-てい【湖底】みずうみの底。対湖面。

*こ-てい【小体】《形動》〔住居・生活・商売などが〕こぢんまりして、つつましいようす。「―な料理店」

コテージ 避暑地などにある、西洋風の小さな〔木造の〕建物。コッテージ。▽cottage(=小屋)

こ-てき【鼓笛】太鼓と笛。「―隊」

こて-こて《副・自サ》《副詞は「―と」の形も》数量・分量が度をこえて多いようす。「ポマードを―とぬる」

ごて-ごて《副・自サ》《副詞は「―と」の形も》❶しつこいほど分量・数量の多いようす。〔「こてこて」を強めた語〕「料理を―と並べる」❷〔文句・不平などを〕くどく言うようす。「上役の悪口を―言う」❸多くの物が整理されないで乱雑になっているようす。ごたごた。

こて-さき【小手先】❶〔細工などをするとき動かす〕手先の部分。❷〔小手先①でするような〕ちょっとした才知。また、ちょっとした細工。「―の仕事」

こて-しらべ【小手調べ】〔物事を始める前に〕ちょっとやってみて、調子を見ること。「―に軽く走る」

ごて-つ・く《自五》〔俗〕❶〔物事が〕ごたごたする。ごたつく。❷ぐずぐずと文句を言う。ごてる。

ごて-どく【ごて得】《動詞「ごてる」の連用形＋名詞「得」》〔俗〕〔交渉などで〕すなおに承知せず、あれこれ文句や不平を言って相手に譲歩させ、その分だけ余計に得をすること。参考俗に「ごねどく」と言う。

こ-でまり【小手×毬】バラ科の落葉低木。春、白い小さい花が多数集まって、まりのような形にさく。

こ-てまわし【小手回し】《「こ」は接頭語》❶前もって準備しておくこと。手まわし。「―のいい人」❷〔その場に応じて〕機転をきかすこと。

ご-て・る《自下一》〔俗〕文句や不平をくどくど言う。ぐずぐずだだをこねる。ごてつく。「最後まで―・てる」

*こ-てん【個展】その人の作品だけを集めた展覧会。

*こ-てん【古典】❶古い時代にあらわされた書物。❷古い時代に作られ、長い時代を経て、現在なお高く評価されている芸術作品。クラシック。「―音楽」**―しゅぎ【―主義】**一七〜一八世紀のヨーロッパで、ギリシア・ローマの芸術を模範とし古代に題材を求めておこった芸術上の立場・流派。クラシシズム。**―てき【―的】**《形動》❶古典②としての価値をもっているようす。また、古典のもつ趣を備えているようす。「―な名曲」❷古典を重んじるようす。「―な作風」

こ-でん【古伝】〔文〕❶昔からの言い伝え。古い伝説。❷昔の記録。

ご-てん【御殿】身分の高い人の住む〔りっぱな〕邸宅の敬称。転じて、造りの大きい豪華な邸宅。**―い【―医・御典医】**徳川幕府おかかえの医者。参考町医者に対していう。**―じょちゅう【―女中】**宮中・将軍家・諸大名の家に仕え、家庭生活に関する仕事に携わった女性。

ご-でん【誤伝】《名・自他サ》〔文〕誤って・言い伝える〔言い伝わる〕こと。また、まちがって伝えられた話。「死亡説は―だった」類語誤報。訛伝(かでん)。

こてん-こてん《副》《多く「―に」の形で》〔俗〕〔勝負ごと・論争などで〕手ひどくやっつけられるようす。また、やっつけるようす。さんざん。こてんぱん。「昨日の試合は―に負けた」

*こと【事】《「言(こと)」と同語源》人間が思ったり考えたりする対象の中で、「物」のようなはっきりした存在でない種類を言うことば。❶ことばで言い表される内容。意味。わけ。「以上述べた―をまとめると…」「本当の―を話してくれ」❷世の中に現れる事象・現象・事件。「―の真相を調べる」❸特に取り上げられるようなできごと。変事。大事件。「それは―だ」❹ある対象に関連する事柄。「将来の―を考える」❺事態。事情。ようす。「そんな―になっているとは知らなかった」❻行為。ふるまい。「そんな―をしてはいけない」❼《自称の代名詞について》「…に関して言えば」の意。〔あらたまった言い方〕「わたくし―このたび結婚いたし…」❽《通称と実名との間において》前後の語の実体が同一であることを示す。すなわち。つまり。「鷗外―森林太郎」❾《活用語の連体形について》その活用語を名詞化する。「書く―ができる」参考その応用として次のような意を表す。(ア)経験。「まだだれにも話した―がない」(イ)習慣。「寝る前に歯をみがく―にしている」(ウ)場合。可能性。「早く行かない―には…(=早く行かなければ…)」(エ)仮定の事柄。「叱(しか)られる―はあるまい」(オ)必要。「人を恨む―はない」(カ)事実。「不思議な―には…」(キ)「それが最上の方法」の意を表す。「まじめに勉強する―だ」(ク)伝聞。「よろしく伝えてくれという―だ」❿《形容詞の連体形について》全体で連用修飾語をつくり、副詞的な働きをする。「うまい―処理する」⓫《文末に添えて》拘束や、間接的な命令を表す。「朝は早く起きる―」参考(ア)①④⑤⑨⑩⑪は多く形式名詞的に使う。(イ)ふつうかな書き。

―ここに至・る《句》事態が悪化して、今さらどうにもならない状態になる。「―・っては万事休すだ」

―志と違(たが)・う《句》結果が、意図していたことと食い違う。現実と理想とが食い違う。

―と次第によっては《句》〔今はまだ決められないが〕これからの様子いかんでは。「―出かけてもいい」

―と・する《句》専念すべき仕事ときめる。つとめて…する。「医学の研究を―・する」

―とせ・ず《句》〔危険などを〕全然気にしない。問題にしない。「暴風雨も―・ず」

―なきを・得る《句》大事にいたらないですむ。問題とはならずにすむ。

―に当た・る《句》その事に従事する。

―を欠・く《句》→事と欠く。

―を構・える《句》争いを起こそうとする。事を荒立てようとする。「好んで―・えるつもりはない」

―を好・む《句》平穏であることを喜ばず、事件や変革が起こるのを待ち望む。

*こ-と【古都】❶古い歴史をもつ都。❷旧都。

*こと【琴・×箏】細長い桐の板をはり合わせた中空の胴の上面に弦を張り、ことづめを用いてひく弦楽器。十三弦のものが代表的。箏。参考「一面…」または「一張…」と数える。

*こと【異】〈「…を―にする」の形で〉…をちがえる。…を別々にする。「考えを―にする」

*こ-と【×糊塗】《名・他サ》〔文〕一時しのぎにとりつくろってごまかすこと。「その場を―する」類語 弥縫。

*こと【言】《「事」と同語源》〔文〕口に出して言うこと。また、ことば。「―を食む(=うそをつく。食言する)」

*こと《終助》《「事」と同語源》余情をこめて、軽い感動や問いかけを表す。〔対等(以下)の相手との会話に、女性が使う〕「まあ、きれいだこと」「いいこと。よく聞いて頂戴」「一緒にいらっしゃらないこと」

こ-ど【弧度】《助数》角の単位。円の半径に等しい長さの弧に対する中心角を一弧度とする。ラジアン。

*ごと《接尾》「…も一緒に」「…ぐるみ」の意。「皮―たべる」「丸―」

*ごと【▽毎】《接尾》《「―に」の形も》《名詞または動詞の連体形などにつけて》「…のたびにいつも」「どの…もみな」の意。「グループ―に発表する」

*ごと【▽如】《助動》《文語助動詞「ごとし」の語幹》…(の)ように。「雲のごと散りのこりたる山桜ばな〈茂吉〉」

こと-あげ【言挙(げ)】《名・他サ》ことばに出して言いたてること。「あえて―しない」

こと-あたらし・い【事新しい】《形》❶今までのものとくらべて新しい。「―・い学説」❷とりたててわざとらしくするようす。ことさらしい。「―・く言いたてる」

*こ-とう【古刀】古い刀。特に、慶長年間以前に作られた古い刀。対 新刀。

*こ-とう【孤島】遠く離れて海上にただ一つある島。はなれ小島。「絶海の―」類語 離島。対 群島。

*こ-とう【孤灯】〔文〕ただ一つともっている灯火。

こ-どう【鼓動】《名・自サ》❶〈ある活気・エネルギーによって、人の心や物などが〉ふるえ動くこと。「大地が―する」❷心臓が血液を送りだすために動くこと。脈うつこと。また、その音。「―が乱れる」

*ご-とう【×梧×桐】〔文〕アオギリ。

*ご-とう【語頭】単語のはじめの部分。対 語尾。

*ご-とう【誤答】《名・他サ》まちがって答えること。また、まちがった答え。「うっかり―する」対 正答。

ご-どう【悟道】仏の教えの真理をさとること。

こ-どうぐ【小道具】芝居・踊りなどの舞台で使用する、こまごました道具類。対 大道具。

こと-うた【琴歌】琴に合わせて歌う歌。

ご-とうち【御当地】他からその土地へ来た人が、その土地をさしていう尊敬語。「―ソング(=その土地をテーマとした歌謡曲)」類語 御地。貴地。

こと-おさめ【事納(め)】❶物事のしおさめ。❷昔、陰暦二月八日に正月の行事を終えること。❸昔、陰暦一二月八日にその年の農事を終えること。対 ①~③事始め。

こと-か・く【事欠く】《自五》❶〔必要なものが手にはいらず〕不自由する。「生活費にも―・く」対 事足りる。❷〈「…(する)に―・いて」の形で〉ほかに適当な方法もあるだろうに、よりによってこのようなことをする。〔非難の意を含めて言うことば〕「言うに―・いて人の秘密までしゃべらなくてもいいものを」=事を欠く。

こと-がら【事柄】物事。また、物事のようす・内容・事情。「重要な―」「見てきた―を話す」

こと-き・れる【事切れる】《自下一》息が絶える。息をひきとる。死ぬ。

こ-どく【孤独】❶〔文〕みなし子と独り者。❷《名・形動》身寄りや頼るものがなくひとりぼっちであること。他人と精神的なつながりがなくさびしい状態であること。「―な老人」「―を愛する」「―死」

*ご-とく【五徳】❶〔文〕〔儒教で〕人のそなえるべき温・良・恭・倹・譲の五つの徳。❷三本または四本脚の、金属または陶器でできた輪形の道具。炉や火ばちの灰の中においてやかんなどをのせる。

五 徳 ②

*ご-とく【悟得】《名・他サ》悟りをひらくこと。開悟。類語 悟入。悟了。

ご-どく【誤読】《名・他サ》〔漢字などを〕まちがった読み方で読むこと。また、まちがった読み方。

ごとく-なり【▽如くなり】《助動:ナリ型》文語《助動詞「ごとし」の連用形+断定の助動詞「なり」。漢文訓読体から》…のようだ。「三年ばかりは夢のごとくにたちしが…〈鷗外〉」参考 接続は「ごとし」に同じ。

こと-こと《副》《「―と」の形も》❶物をかるくたたいたり、小さな物がかるくふれあったりするときの音の形容。また、とろ火で煮るようす。「豆を―と煮る」「―回る水車」❷ものが静かに煮えるときの音の形容。

ごと-ごと《副》《「―と」の形も》❶重いものが何度もふれあうときの音の形容。〔「ことこと」より重い感じのものに言う〕「風で戸が―いう」❷大きな物や大量の物が煮えるときの音の形容。

ことごとく【▽尽く・×悉く】《副》〔そこにあるものの〕全部。一つ残らず。すべて。「―失敗に終わる」類語 挙げて。すっかり。みな。一切。悉皆。

ことごとし・い【事事しい】《形》〔言動・態度などが〕もったいぶっておおげさである。「―・い出迎え」類語 仰々しい。

ことごと-に【事▽毎に】《副》ことがあるたびに。すべてのことにつけて。いつも。「―注意をうながす」

こと-こまか【事細か】《形動》小さなことも落とさず詳しいようす。「―に説明する」類語 詳細。子細。

こと-さら【殊更】《副》《「―に」の形も》❶〔心に思うところがあって〕普通の程度をこえて特にある物事をするようす。わざと。故意に。わざわざ。「彼女は―陽気にふるまった」❷中でも。特に。とりわけ。「彼には―難しい問題だ」

こ-とし【〈今年〉】現在経過している年。いまの年。本年。当年。今年。

こと-じ【琴▽柱】琴の胴の上に立てて弦をささえる器具。移動させて、音の高低を調節する。「―に膠す(=融通がきかないことのたとえ)」

琴 柱

ごとし【▽如し】《助動・ク型》文語 ❶類似している意を表す。「動かざること山のごとし」 ❷内容の具体的な解説を表す。「校則を以下のごとく定める」 ❸例示を表す。「信玄・謙信のごとき名将」 ❹推量、不確かな断定を表す。「戦線は膠着(こうちゃく)状態に陥りたるがごとし」 参考 口語の「ようだ(推量・比況)」に相当する。連用形「ごとく」、連体形「ごとき」は、現在でもよく使われる。 接続 体言+「の」、体言+「が」、あるいは動詞連体形(+「が」)につく。

こと-だま【言霊】古代、ことばがもつと信じられた神秘的な霊力。 **ーの-さきわうくに**【ーの▽幸わう国】(ーさきはふー)言霊が幸福をもたらす国。日本のこと。

こと-た・りる【事足りる】《自上一》十分に用がたりる。「一人千円もあればー・りる」 対 事欠く。

こと-づか・る【言付かる・▽託る】《他五》(ある人から他の人への伝言・用事・届け物などを)頼まれる。託される。ことづけられる。「品物を届けるようにー・る」

こと-づけ【言付け・▽託け】ことづけること。また、そのことがら。伝言。ことづて。「ーを頼まれる」

こと-づ・ける【言付ける・▽託ける】《他下一》人に頼んで伝えてもらう。また、人に託して届けてもらう。「手紙をー・ける」「おみやげをー・ける」

こと-づて【言▽伝】❶ことづけ。伝言。「友人にーを頼む」 ❷間接に伝え聞くこと。伝聞。「ーに耳にする」

こと-づめ【琴×爪】琴をひくときに指にはめる、つめ形の道具。

こと-と・う【言問う】(ーとふ)《自四》〔古〕❶話しかける。物を言う。❷たずねる。問う。

こと-とて《連語》《名詞「こと」+接続助詞「とて」》〔文〕…なので、それだけ。「彼のー油断はできぬ」

ことなかれ-しゅぎ【事×勿れ主義】よくも悪くも身のまわりに事件が起こらず平穏無事であることを望む、消極的な考え方・態度。

こと-な・る【異なる】《自五》同じでない。別のものである。「性格がー・る」 類語 違う。 文《四》。

こと-に【殊に】《副》多くのものとは違って特別であるようす。とりわけ。特に。「桜はー美しい」

ことに・する【異にする】《連語》➡こと(異)。

ことにふれ-て【事に触れて】《連語》何か事が起こるたびに。事あるごとに。「ー思い出す」

ことによる-と【事に▽依ると】《連語》もしかすると。ひょっとすると。あるいは。ことによったら。「ー来ないかもしれない」

こと-の-ついで【事の▽序で】《連語》何かをするそのついで。何かの機会。「ーに話しておこう」

こと-の-は【言の葉】〔雅〕❶(「口の端から出たもの」の意で)ことば。文句。❷和歌。

こと-の-ほか【殊の外】《副》❶予想していたのとひどく差のあるようす。思いのほか。「ー遅くなった」 ❷とりわけ一層。特に。「ー夏が好きだ」

ことば【言葉・▽辞・▽詞】❶人がものを言うときに使う、社会的にきめられた音の組み合わせ。広くは、音声による表現ばかりでなく文字による表現をもさす。言語。❷単語。また、語句。「別のーに言いかえる」 ❸ものを言った結果、耳に聞こえる音。言。「ーに角がある」 尊敬 咳唾(がいだ)。❹(小説・戯曲の中で)地(じ)の文に対して、会話の部分。❺(語り物の中で)歌のような節(ふし)をつけず、会話のように語る部分。 表記 ④⑤は多く「詞」と書く。 **ーがき**【▽詞書(き)・言葉書(き)】❶和歌の初めに、その歌をよんだ趣意を書きそえた文章。和歌の前書き。❷絵巻物で、絵と絵の間に書いた説明の文章。❸絵本などで、画中の人物の対話を記した文章。絵詞(えことば)。 **ーかず**【ー数】❶ことばの数。語数。❷物を言う分量。口かず。「ーの少ない人」 **ーじち**【ー質】言質(げんち)。「ーをとられる」 **ーじり**【ー×尻】❶(話したときの)ことばの終わり。 類語 語尾。❷ことばの端々。特に、言いそこなったことばの一部分。「ーをとらえて反論する」 **ーずくな**【ー少な】《形動》物を言う分量の少ないこと。口かずの少ないこと。「ーに思い出を語る」 **ーづかい**【ー遣(い)】(ーづかひ)ことばの使い方。 **ーつき**【ー付き】ものの言い方。話すことばの調子。「たのしげなー」 類語 語調。 **ーの-あや**【ーの×綾】《連語》(微妙な意味あいをもつように)ことばをかざり、巧みに表現した言いまわし。 **ーが過・ぎる**《句》度を超して言う。また、失礼な物言いをする。 **ーに甘・える**《句》相手の親切な申し出や勧めを受け入れる。〔多く「おことばに甘えて…」の形で、相手の申し出などを受け入れるときのあいさつとして使う〕 **ーに余・る**《句》ことばでは言い尽くせない。 **ーを返・す**《句》❶返事をする。答える。❷言った相手のことばに反対して言い返す。口答えをする。 **ーを尽く・す**《句》納得するように、あらんかぎりのことばを用いてさまざまに言う。「ー・して引きとめる」 **ーを濁・す**《句》(事情などを)はっきり言わない。

こと-はじめ【事始(め)】❶新しく物事を始めること。新しい物事の始まり。「蘭学(らんがく)ー」 ❷昔、陰暦一二月八日にすす払いなどをして、正月の準備を始めたこと。正月事始。❸江戸時代、陰暦二月八日に初めてその年の農事に着手したこと。 対 ①〜③事納め。

こと-ぶき【寿】(《「ことほぎ」の転》)❶めでたいできごとを祝うこと。また、その祝いのことば。❷命の長いこと。長寿。長命。「ーを保つ」 ❸めでたいこと。また、めでたいできごと。祝い。「新年のー」

こと-ふ・る【事▽古る・事▽旧る】《自上二》〔古〕事がらが古くさくなる。古めかしくなる。

こと-ぶれ【事触れ・言触れ】(物事を)広くふれて歩くこと。「梅は春のー(=春が来たことの知らせ)」

ごと-べい【五斗米】(「年に五斗の扶持米(ふちまい)」の意から)わずかな俸給のたとえ。「ーのために腰を折る(=わずかな俸給をもらうために人の機嫌をとる)」

こと-ほ・ぐ【▽寿ぐ・言▽祝ぐ】《他五》〔文〕祝いのことばを述べる。ことぶく。「長寿をー・ぐ」

ことほど-さように【事程左様に】《副》以上、述べてきたように。「ー難しい」 参考 英語の so…that の訳語という。

こ-ども【子供】❶(《「ども」は接尾語》)〔文〕多くの子。子ら。❷自分の子。自分のむすこ・むすめ。❸年の幼い人。少年・少女。「十六にもなればもうーではない」 対 大人(おとな)。❹生物のまだ十分に成熟しないもの。「カエルのー」 **ーあつかい**【ー扱い】(ーあつかひ)❶子供の世話。育児。❷(おとなを)みくびって、子供のように扱うこと。 **ーごころ**【ー心】まだ子供で、物事の深い意味が理解できない心。「ーにも悲しかった」 類語 童心(どうしん)。 **ーだまし**【ー×騙し】みえすいた幼稚なこしらえごと。みせかけだけの、くだらないこと。こどもたらし。「ーの計画」 **ーの-つかい**【ーの使い】(ーつかひ)《連語》要領を得ない使い。また、用が十分に果たせない使い。「—じゃあるまいし」—の・ひ【こどもの日】国民の祝日の一つ。子供の人格を重んじ、その幸福をはかる日。五月五日。[参考]もとの端午(たんご)の節句に当たる。—の喧嘩(けんか)に親が・出る《句》子供同士のけんかにその親たちが干渉する。〔非難して言うことば〕—は風の子《句》子供は活発で、どんなに寒い風が吹いていても戸外で元気に遊び回るものだということ。

こともあろう・に【事もあろうに】(—あらう—)《連語》ほかにも適当なやり方がありそうなものなのに、わざわざ。よりによって。「—殴り合いになるとは」

こと・も・おろか【事も▽疎か】《連語》言うまでもない。もちろんである。

こと・も・なげ【事も無げ】《形動》難しいことや重大な事態に際して、何事もないかのように平気でいるようす。「—にやり終える」[表記]ふつうかな書きにする。

こと・よ・せる【事寄せる】《他下一》ほかのことに託してする。かこつける。「病気に—・せて断る」

*こ・とり【小鳥】形の小さな鳥。スズメ・メジロの類。

*ことり《副》《多く「—と」の形で》小さな硬いものが当たる音の形容。「戸だなの中で—と音がする」

ごとり《副》《多く「—と」の形で》重いものが動いたときの音の形容。また、重いものが動き出すときの音の形容。「積んだ石が—と動く」「汽車が—と動いた」

こと・わけ【事訳】事の理由。事情。〔古風な言い方〕「—を言って辞退する」[類語]事由。所由。

こと・わざ【×諺】世間に言い伝えられてきた、教訓・風刺などを短く表現した文句。「急がば回れ」「負けるが勝ち」など。[類語]金言。格言。警句。俚諺(りげん)。

*こと・わり【断り】❶〔依頼・申し出などを〕断ること。また、そのことば。「—の手紙を出す」[類語]拒絶。拒否。辞退。❷前もって了承を得ておくこと。「なんの—もなく使用する」❸過ちをわびること。「不始末の—を言う」[類語]謝罪。言い訳。—がき【—書(き)】本文についての説明や条件・例外などをつけくわえた文章。[類語]ただし書き。

*こと・わり【▽理】〔文〕❶筋道・道理。「人の世の—」❷当然の理由。もっともなこと。「喜ぶのも—だ」

こと・わ・る【断〈わ〉る】《他五》❶〔頼み・申し出などを〕受けいれられないという態度をとる。拒絶する。辞退する。「協力を—・る」「誘いを—・る」[謙譲](る)(す)拝辞。❷〔許可を得る目的で〕前もってそのことを知らせる。また、前もって知らせて許しを得る。「先生に—・って外出する」❸念のために言う。「—・るまでもない」

こな【粉】非常に小さい粒になっている固体。粉末。粉(こ)。パウダー。[参考]特に、穀物の粉を言う。[類語]粒(つぶ)。

こないだ【×此▽間】(こなひだ)《「このあいだ」の転》数日まえ。先日。〔副詞的にも使う〕「—は楽しかったね」

こな・おしろい【粉▽白▽粉】粉状のおしろい。

こ・なか【子中・子仲】子供のある夫婦なか。「—を成す」(=子のある夫婦となる)

こ・なから【小▽半・▽二▽合▽半】〔「四分の一」の意で〕一升の四分の一。二合五勺。〔おもに酒にいう〕

こな・ぐすり【粉薬】粉状になっている(飲み)薬。散薬。粉薬(こぐすり)。

こな・ごな【粉粉】《形動》非常に細かく砕けるようす。「—に割れる」[類語]こなみじん。こっぱみじん。

こなし【熟し】❶こなすこと。「着—」「腹—(はらごなし)」❷〔ある動作をする時の〕からだの動かし方。[参考]多く「身の—」の形で使う。「身の—が軽い」[類語]ものごし。

こな・す【▽熟す】㊀《他五》❶〔固体を〕砕いて細かくする。粉砕する。〔古風な言い方〕「土を—・す」❷〔食物を〕消化する。❸〔技術などを習得して〕自由に使用する。「ロシア語を—・す」❹〔仕事などを〕してのける。処理する。「二人分の仕事を—・す」❺商品を売ってしまう。捌(さば)く。「たくさんの品物を一日で—・す」[文]《四》。㊁《接尾》その動作を巧みにする。うまく…する。「着—・す」「乗り—・す」[文]《四》。

こなた【×此▽方】《代名》《「このかた」の転》〔古〕❶《近称の指示代名詞》㋐話し手に近い場所・方向などを指す語。こちら。㋑あるものより話し手に近いところを指す語。「山の—」㋒過去のある時から現在までの間を指す語。㋓未来のある時から現在までの間を指す語。❷《他称の人代名詞。近称》今、話題にのぼっている人を指す語。この人。❸《自称の人代名詞》わたくし。自分。❹《対称の人代名詞》あなた。そなた。

こ・なまいき【小生意気】《形動》《「こ」は接頭語》生意気で、しゃくにさわるようす。「—なことを言う」

こな・みじん【粉▽微×塵】〔硬い物が一瞬の間に〕非常に細かく砕けること。[類語]こっぱみじん。

こな・ミルク【粉ミルク】牛乳を濃縮乾燥させて粉状にしたもの。粉乳。ドライミルク。

こな・ゆき【粉雪】さらさらして細かい雪。粉雪(こゆき)。

こな・れる【▽熟れる】《自下一》❶〔硬い物が〕砕けて粉になる。細かくなる。❷〔食べた食物が〕消化される。❸〔知識・技術などを〕習得して思うとおりに使えるようになる。「よく—・れた文章」❹〔人柄などが〕世事になれて、角がなくなる。[文]こな・る《下二》。

ご・なん【御難】「困難」「災難」「難儀」などの尊敬語。〔からかい・自嘲(じちょう)の気持ちを含めるときにも言う〕「落第に失恋と—続きだ」

コニーデ 長期間にわたって同じ噴火口から流出した溶岩が堆積(たいせき)してできた火山。錐状(すいじょう)火山。[参考]富士山はその代表的な例。▽(ドイツ) Konide

こ・にくらし・い【小憎らしい】《形》《「こ」は接頭語》〔小生意気で〕憎らしくて、しゃくにさわる。

ご・にち【後日】後の日。後日(ごじつ)。[類語]他日。

こ・にもつ【小荷物】手に持てるほどの小さい荷物。

コニャック フランスのコニャック地方産の高級ブランデー。▽(フランス) cognac

ご・にゅう【悟入】《名・自サ》さとりをひらくこと。悟道(ごどう)に入ること。[類語]悟了。

ご・にん【誤認】《名・他サ》他のものを、まちがえてそれであると認めること。「事実—を主張する」

こ・にんずう【小人数】人数がわずかなこと。少ない人数。小人数(こにんず)。[対]大人数。多人数。

ごにん・ばやし【五人×囃子】❶能楽で、地謡(じうたい)・大鼓(おおつづみ)・小鼓(こつづみ)・笛・太鼓(たいこ)の五つを用いて行う演奏。❷五人囃子①をかたどったひな人形。

こ・ぬか【小×糠・粉×糠】《「こ」は接頭語》玄米をついて白米にするときに出る粉。ぬか。[参考]多く他の語とともに用い、「こまかい」意を表す。「—雪」—あめ【—雨】細かく降る雨。ぬか雨。きりさめ。

こぬれ【木▽末】《「このうれ」の転》〔雅〕木の先。梢(こずえ)。

コネ「コネクション」の略。「—を利用して就職する」

こね・あ・げる【×捏ね上げる】《他下一》❶十分にこねて作り上げる。❷あれこれやって、いいかげんに作り上げる。「徹夜で論文を—・げる」

こね・かえ・す【×捏ね返す】《他五》❶何回もこねる。こねくり返す。❷こねて裏返しにする。❸〔もめごとなどを〕混乱させて、ひどくする。こねくり返す。「和解しかけた事件を—・す」〔類語〕かきまわす。

コネクション〔物事をうまく運ぶ上で役に立つ〕親しい関係。縁故関係。コネ。▽connection

コネクター 連結器。接続プラグ。接続装置。▽connector

こねくり・かえ・す【×捏ねくり返す】《他五》❶何度もこねる。❷ああでもない、こうでもないといじりまわす。「草案を—・して台なしにする」=こねかえす。

こね・く・る【×捏ねくる】《他五》くり返しこねる。

ごね・どく【ごね得】↓ごてどく。

こね・どり【×捏ね取り】もちつきのとき、きねをもつ人のわきに立って、もちをこね返す・こと(人)。うすどり。あいどり。あととり。

こね・まわ・す【×捏ね回す】《他五》❶何回もこねる。❷必要以上にいろいろと取り扱う。いじりまわす。「法案を—・す」

こ・ねる【×捏ねる】《他下一》❶粉・土などに水を加えてねる。「うどん粉を—・ねる」❷くどくどと言う。「理屈を—・ねる」「だだを—・ねる」〔文〕こ・ぬ《下二》。

ご・ねる《自下一》〔俗〕❶《「御涅槃(ごねはん)」(=死ぬこと)」を動詞化したものか》死ぬ。くたばる。❷《「こねる」と「ごてる」の混同から》文句や不平をくどくど言う。ごてる。

ご・ねん【御念】「念」の尊敬語。〔嘲笑(ちょうしょう)して言う場合にも使う〕「—には及びません」「—のいった失敗」

こ・の【×此の】《連体》❶話し手に近い事物を指し示すことば。また、今述べた物・事柄、または、これから述べようとしている物・事柄をさすことば。「—本はおもしろい」❷〔時を表す語につけて〕現在からさかのぼったその期間の意を表す。「—一年の苦しみ」

この・あいだ【×此の間】今日より少し前。先日。このあいだ。〔副詞的にも使う〕〔類語〕先般。過日。

この・うえ【×此の上】《連語》これより以上(の程度)。—**とも**《連語》今まではもちろん、これからあとも。今後とも。「—お引きたてのほどお願いいたします」—**な・い**【—無い】《連語》これ以上のことはない。たいへん結構である。この上もない。「—・い幸せ」—**は**《連語》こうなったからには。もはや。「—あきらめるほかない」〔古い言い方〕

この・え【▽近▽衛】《「こんゑ」の転》❶「近衛府」の略。六衛府の一つ。古代、宮中内の警備に当たった役所。❷「近衛師団」の略。もと皇居の守備や儀仗(ぎじょう)に当たった旧陸軍の一団。❸「近衛兵」の略。天皇・君主のそば近くつかえ、その身辺を警護する、天皇・君主の親兵。また、近衛師団に属する兵。

この・かた【×此の方】■一《名》あるできごとのあった後ずっと。ある年月の間ずっと。「三年—病床にある」■二《代名》《他称の人代名詞。近称》↓このひと。〔参考〕「この人」より敬意が強い。「—は私の先輩です」

この・かん【×此の間】《連語》❶ある時点から他の時点のあいだ。その間(かん)。「—二年を要した」❷ある事柄が推移していくあいだ。「—の事情」

この・ご【×此の期】このような時・局面。〔参考〕多く、せっぱ詰まった状況で使う。「—に及んで何を言うか」

この・ごろ【×此の×頃】少し以前から現在を含めた期間を漠然とさす語。近ごろ。最近。〔類語〕昨今。

この・さい【×此の際】〔ある事態に至った〕こういう場合。〔副詞的にも使う〕「—あきらめたほうがよい」

この・さき【×此の先】《連語》❶〔空間的に〕この場所から進んで行く先の方。❷〔時間的に〕現在から後。今後。「—どうなることやら」〔類語〕将来。未来。

こ・の・した【木の下】〔雅〕木(き)の下。こかげ。樹下。—**かげ**【—陰・—×蔭】木陰(こかげ)。—**やみ**【—×闇】木が茂って、その下が暗くなっていること。また、暗くなった所。木下闇(こしたやみ)。

このしろ【×鰶】コノシロ科の海魚。黒い斑点(はんてん)が多く、背びれの最後部が一本の長い糸状になっている。食用。〔参考〕小さいものをコハダと言う。

この・せつ【×此の節】現在に近い時を漠然とさす語。当節。〔世相などについていう。やや古風なことば〕「—は物価の上がり方がはげしい」〔類語〕当今。昨今。

この・たび【×此の度】最近、身近にあることが起こった、その時をさす語。今度。〔改まった言い方。副詞的にも使う〕「—はおせわになりました」〔類語〕この程。

この・だん【×此の段】〔文〕手紙文・口上文などで、前にのべたことを受けてそれを指し示す語。「—お知らせ申し上げます」

この・て【×此の手】❶この方法。この手段。「—で攻めよう」❷この種類。「—の品はまだありますか」

この・ところ【×此の所】最近。昨今。〔副詞的に使う〕「—体調をくずした」〔表記〕かなで書くことが多い。

この・のち【×此の後】《連語》ある時から後を漠然とさす語。これ以後。〔副詞的にも使う〕〔類語〕その後。

こ・の・は【木の葉】❶樹木の葉。きのは。〔参考〕「一葉(よう)…」「一枚…」と数える。❷軽いもの、小さいものや、つまらないもののたとえ。「—侍」—**ずく**【—▽木×菟(づく)】フクロウ科の鳥。小形のミミズクで体色は黄褐色。森林にすんで夜間に活動する。「ぶっぽうそう」と鳴く。〔表記〕現代仮名遣いでは「—づく」も許容。—**ちょう**【—×蝶】タテハチョウ科の大形のチョウ。はねの裏が枯れ葉に似ている。—**てんぐ**【—天×狗】小さく弱い天狗。こっぱてんぐ。〔類語〕からすてんぐ。

この・ひと【×此の人】《代名》《他称の人代名詞。近称》話し手に近い所にいる人、話し手側に関係のある人をさす。〔参考〕「こちら」「この方(かた)」より敬意が薄い。

この・ぶん【×此の分】現在の状態・調子。この調子。「—ならうまくいくだろう」

この・ほう【×此の方】■一《連語》こちらのほう。■二《代名》《自称の人代名詞》おもに目下の者に対して自分をさして言う語。われ。〔男性が使う古風な言い方〕

この・ほど【×此の程】このたび。今度。〔副詞的にも使う〕「—はうまく成功した」

こ・の・ま【木の間】木と木の間。樹間(じゅかん)。「—隠れ(=木々の間から見えたり隠れたりすること)」

このまし・い【好ましい】《形》❶よい感じで心がひかれる。好きである。「—・い女性」〔対〕うとましい。❷思いどおりで満足すべきである。のぞましい。「—・い成果が得られた」=このもしい。〔文〕このま・し《シク》。

この・まま【×此の×儘】現状が変わらないこと。また、現在の状態どおり。今のまま。〔副詞的にも使う〕「—ではまずい」

*__このみ__【好み】❶好むこと。嗜好(しこう)。「—が合う」「—のタイプ」〔参考〕接尾語的に使われるときは「ごのみ」と濁る。「女性—のデザイン」❷気に入るように望むこと。

希望。注文。「ーのままに旅に出る」

***こ-の-み**【木の実】木にみのる実。果実。参考 特に、堅い皮をもった実をさす場合が多い。

この・む【好む】《他五》❶好きだと思う。愛する。「花をー・む」「静けさをー・む」❷趣味とする。たしなむ。「音楽をー・む」参考 ↓好んで。文《四》。

こ-の-め【木の芽】木の若い芽。きのめ。特に、サンショウの若芽。〔「きのめ」よりも雅語的な言い方〕**ーあえ**【ー▽和(え)】(へあ) ↓きのめあえ。**ーどき**【ー時】木の芽が出る早春のころ。きのめどき。参考 心身の変調が起こりやすい時期とされる。

このもし・い【好もしい】《形》❶↓このましい①。〔古風な感じの言い方〕対 うとましい。❷↓このましい②。文 このも・し《シク》。

この-よ【×此の世】現在、生きて住んでいる世の中。現世。類語 うきよ。娑婆(しゃば)。対 あの世。彼(か)の世。

この-よう【×此の様】《形動》このとおり。こういうふう。かよう。表記 かな書きにすることが多い。

こ-の-わた【▽海×鼠▽腸】ナマコのはらわたを塩づけにして作った塩辛(しおから)。酒のさかなとして好まれる。

このん-で【好んで】《副》❶好きであるために進んで。のぞんで。「ーこの道を選ぶ」参考「好き好んで」の形で用いられることも多い。❷〔気に入って〕ある事をしばしば行うようす。よく。「ー山歩きをする」

こ-ば【木端・木羽】❶材木のきれはし。こっぱ。❷屋根をふくために使う、薄くそいだ板。こけら。

ご-ば【後場】取引所で、午後の売買取引。対 前場。

こ-ばい【故買】〔文〕盗品と知っていながらそれを買うこと。窩主(けいず)買い。「贓物(ぞうぶつ)ー」「ー者」

ご-はい【誤配】《名・他サ》郵便物などを、あて先をまちがえて配達すること。「ーされた手紙」

こは-いかに【×此は▽如▽何に】《連語》〔文〕これはまあどうしたことか。参考「コワイカニ」と発音する。

こ-ばか【小馬×鹿】《「こ」は接頭語》〈ーにする〉相手をみくびった態度をとる。ばかにする。

こ-はく【×琥×珀】❶地質時代の植物の樹脂が化石化したもの。透明または半透明で、色は黄・赤・褐色など。装飾品に使う。❷「琥珀織り」の略。絹織物の一種。平織りでななめに織り目を出したもの。帯・はかまなどに用いる。**ーいろ**【ー色】茶色をおびた黄色。

ご-はさん【御破算】❶そろばんで、入れた数を払ってゼロにすること。参考「御破算で願いましては…」の形で、次の計算に移る用意をすることをいう。❷物事を、それがおこる前の最初の状態にもどすこと。白紙の状態にもどすこと。「この話はーにしよう」

こ-ばしり【小走り】《「こ」は接頭語》小またで急いで歩くこと。「ーに歩く」「ーにやってくる」

こ-はずかし・い【小恥ずかしい】(ーはづかしい)《形》《「こ」は接頭語》少しきまりがわるい。

こはぜ【×鞐】たび・きゃはん・帙(ちつ)などの合わせめをとめるための、つめ形のもの。

こ-はだ【木肌・木▽皮・×樸】《「木の肌」の意》木の皮。

ご-はっと【御法度】「法度」の尊敬語。御禁制。転じて、禁じられていること。タブー。「酒はーだ」

こ-ばな【小鼻】鼻柱の下端の両側の少しふくらんだ所。「ーをうごめかす(=得意そうな顔をする)」「ーを膨らます(=不愉快な顔をする。不満を顔に表す)」

こ-ばなし【小話・小×咄】しゃれた短い(笑い)話。一口話。コント。

こ-ばなれ【子離れ】《名・自サ》親が子供の世話をやくのをやめ、子供の自主性を尊重し自立させること。「母親がーする」対 親離れ。

こ-はば【小幅】㊀《名》反物の幅で、大幅(おおはば)の半分のもの。約三六(セン)(チ)。並幅(なみはば)。対 大幅・中幅。㊁《形動》数量・価格などの変動の差が小さいようす。「ーな値上げ」対 大幅。

こば・む【拒む】《他五》❶〔要求・依頼などを〕承知しない。拒否する。「申し出をー・む」❷〔進んでくるものを〕さまたげとどめる。はばむ。「侵入をー・む」文《四》。

こ-ばや【小早】《形動》〔動作が〕少し速いようす。また、少し急ぐようす。小急ぎに。「ーに歩きだす」

こ-ばら【小腹】《「こ」は接頭語》腹。〔腹に関するちょっとした動作・状態について言う語〕「ーが立つ(=少ししゃくにさわる)」「ーが減る(=ちょっと腹がすく)」

ご-ばらい【後払い】(ーばらひ)〔先に品物を受け取って〕代金を後で支払うこと。後(あと)払い。対 先払い。前払い。

こ-はる【小春】〔文〕陰暦一〇月の別称。小春(しょうしゅん)。**ーびより**【ー〈日和〉】冬の初めのころの、のどかでぽかぽかと暖かい天気。注意「春の暖かい天気」の意とするのは誤り。

コバルト ❶金属元素の一つ。鉄に似て灰白色でかたい。合金・めっきに使う。元素記号 Co。❷コバルト色。淡い群青色。空色。▽cobalt **ーブルー** ❶青色顔料の一つ。絵の具に利用する。❷やや紫色を帯びたあざやかな青色。▽cobalt blue

***こ-はん**【古版】❶古い版木。旧版。❷古版本。鎌倉から江戸初期に発行された版本。

***こ-はん**【孤帆】〔文〕〔大海・大河に〕たった一そう浮かんでいる帆かけ船。

***こ-はん**【湖畔】湖のほとり。湖のあたり。「ーの宿」

こ-ばん【小判】❶江戸時代に使われた楕円(だえん)形の金貨。参考 一枚が一両にあたる。❷〔紙などの〕判(ばん)の小さいもの。小さい判。対 ①②大判。

***ご-はん**【御飯】「めし」「食事」の丁寧語。**ーむし**【ー蒸(し)】冷や飯を蒸して温める用具。蒸し器。

***ご-はん**【誤判】〔文〕あやまった判断・判決。

ご-ばん【碁盤】囲碁に使う方形の盤。表面に縦横一九本ずつの線が平行にひいてある。参考「一面(めん)…」と数える。**ーごうし**【ー格子】碁盤縞(ごばんじま)。**ーじま**【ー×縞】布地のがらで、格子縞の一種。細い直線が碁盤の目のように縦と横にとおったもの。碁盤格子。**ーの-め**【ーの目】碁盤の上の縦横各々一九本の線からできる三六一の交点。参考 縦横に整然とならんでいるものの形容にもいう。「ーのように整理された道路」**ーわり**【ー割(り)】〔市街・紙面などを〕碁盤の目のように縦横に規則正しく分割すること。

こ-はんとき【小半時】❶昔の一時(いっとき)(=二時間)の四分の一。半時(はんとき)の半分。現在の約三〇分にあたる。❷《「こ」は接頭語》およそ半時。約一時間。

こ-はんとし【小半年】❶一年の四分の一の月日。❷《「こ」は接頭語》ほとんど半年の間。約半年。=小半年(こはんねん)。

こ-はんにち【小半日】《「こ」は接頭語》ほとんど半日。約半日。「ーかけて部屋を片づける」

こび【×媚】こびること。特に、女が男の心をひくために見せる、なまめかしい様子。「ーを示す」「ーを売る(=

相手の機嫌をとる。へつらう」

ご-び【語尾】❶〔話すときの〕ことばの終わりの部分。ことばじり。「―が聞きとれない」❷単語の末尾の音節。語末。対語頭。❸後につづく他の語によって変化する単語の末尾の部分。活用語尾。対語幹。

コピー❶《名・他サ》〔原稿・書類・美術品などの〕写し。模写。複写。また、それを作ること。「―をとる」❷広告文案。「―ライター」▽copy **―しょくひん【―食品】**外見や味は本物に似せているが、別の原料で作った食品。ゼラチンや海草を使ったイクラなど。**―ライト** 著作権。版権。記号©。▽copyright

こ-びき【木×挽(き)】木材をのこぎりでひき切ること。また、それを職業とする人。

こ-ひざ【小×膝】《「こ」は接頭語》ひざ。〔ひざに関するちょっとした動作について言う語〕「―を打つ」

こ-ひつ【古筆】〔書道で〕古人、特に平安・鎌倉時代の人のすぐれた筆跡。**―ぎれ【―切(れ)・―▽裂】**古人のすぐれた筆跡の断片。古筆の断片。参考巻子本や冊子の形で伝えられていたものを、掛け軸や手鑑などにするために切りはなしたもの。

こ-ひつじ【小羊・子羊・×羔】❶小さなヒツジ。表記「小羊」と書く。❷ヒツジの子。❸キリスト教で、苦悩から脱却できない人。参考イエス＝キリストを羊飼いにたとえるのに対して言う。「迷える―」

こ-びと【小人】❶背の非常に低い人。朱儒。❷童話・物語に登場する、からだの非常に小さい人間。

こび-へつら-う【×媚び×諂う】《自五》〔おせじを言ったり、機嫌をとったりして〕相手の気に入るようにふるまう。類語おもねる。追従(ついしょう)(する)。

ごひゃく-らかん【五百羅漢】釈迦の弟子である、五〇〇人の聖者。また、その像。五百阿羅漢。

ご-びゅう【誤×謬】〔文〕〔論理・知識などの〕あやまり。「―を犯す」

こ-ひょう【小兵】体の小さい・こと(人)。〔兵士などに言う〕「―力士」類語小柄。小男。対大兵(だいひょう)。

こびり-つ-く《自五》かたくくっついて離れなくなる。参考ある考え・印象などが記憶に残って忘れられない意にも使う。「その一言が耳に―・く」類語(する)付着。

こ-ひる【小昼】❶昼に近い時間。❷朝食と昼食の間にたべる食事。転じて、おやつ。＝小昼(こびる)。

こ-びる【×媚びる】《自上一》❶〔おせじを言ったり、機嫌をとったりして〕気に入られるようにふるまう。「上役に―・びる」「権勢に―・びる」類語へつらう。おもねる。❷〔女が男の心をひくために〕なまめかしいようすをする。文こ・ぶ《上二》

こ-びん【小×鬢】《「こ」は接頭語》頭髪の左右両側の耳のあたりの部分。びん。「―をかすめる(＝鬢をちょっとかすめる)」

こ-ふ【誇負】《名・他サ》〔文〕誇りとすること。自慢すること。「力量を―する」類語自負。

***こ-ぶ【昆布】**→こんぶ。

***こぶ【×瘤】**❶皮膚に盛りあがってできたしこり。たんこぶ。「―ができる」❷ものの表面に一部分だけ隆起したもの。「ラクダの―」❸足手まといになるもの。特に、子供。「―付き」❹ひもなどの結び目。「―をとく」

***こ-ぶ【鼓舞】**《名・他サ》〔「つづみを打って舞う」意から〕人をはげまし勢いをつけること。「士気を―する」類語激励。鞭撻(べんたつ)。鼓吹(こすい)。

ご-ふ【護符・御符】神仏の力のこもった札。紙片に神仏の名やまじないの文句などが記してあり、災厄をのがれるといわれる。お守り。護符(ごふう)。

ご-ぶ【五分】❶〔尺貫法で〕一寸の半分の長さ。約一・五センチ。❷一割の半分の割合。一〇〇分の五。❸二つのものの間に優劣がないこと。五分五分。「―に戦う」**―がり【―刈り】**頭髪を長さ五分ぐらいにかること。また、その頭。**―ごぶ【―五分】**〔二つのものの〕可能性・能力などが、ほぼ同じであること。五分。「勝つか負けるかは―だ」

こ-ふう【古風】━《名》ものごとの昔の流儀・習慣。類語古態。古意。━《形動》時代にあわず、古めかしいようす。「―な座敷」参考奥ゆかしい意にも使われる。

ごふう-じゅうう【五風十雨】五日目ごとに風がふき、一〇日目ごとに雨がふること。農作物によい天候で、世の中が平穏であることのたとえ。

こ-ぶか-い【木深い】《形》木がおい茂って奥深い。

こ-ふく【鼓腹】《名・自サ》〔文〕腹つづみを打つこと。転じて、世の中が平和で、生活が安楽で、食に満ち足りているありさま。**―げきじょう【―撃壌】**《名・自サ》〔文〕〔腹つづみを打ち、土くれを打って、歌う意から〕生活が安楽で、世の太平を楽しむ・こと(ありさま)。

ご-ふく【呉服】❶和服用の織物。反物(たんもの)。「―屋」❷絹織物。参考古代、呉の国から織物の技術者、呉服(くれはとり)が渡来し、これを音読したもの。

こぶく-しゃ【子福者】〔よい〕子どもをたくさん持っていて、しあわせな人。

ご-ぶさた【御無×沙×汰】《名・自サ》「無沙汰」の丁寧語。長い間、たよりや訪問をしないこと。また、久しぶりにたよりや訪問をするときの挨拶(あいさつ)のことば。「―お許し下さい」類語無音(ぶいん)。疎音(そいん)。久闊(きゅうかつ)。

***こ-ぶし【古武士】**〔信義を重んじ威厳のあった〕古い時代の武士。「―の風格」

***こ-ぶし【小節】**歌〔特に民謡や演歌〕で、譜には表せない微妙な節回し。「―がきいている」

***こぶし【×拳】**手の五本の指を全部折りまげて堅くにぎりしめたもの。にぎりこぶし。げんこつ。げんこ。「―をかためる」類語双拳。鉄拳。対平手(ひらて)。

***こぶし【▽辛×夷】**モクレン科の落葉高木。早春、葉が出る前に白い大形の花を多数開く。参考つぼみの形が子どものこぶしに似ていることからこの名がある。

ご-ふじょう【御不浄】《「ご」は接頭語》「便所」の意の丁寧語。お手洗い。はばかり。〔古風な言い方〕

***こ-ぶつ【個物】**〔哲〕感覚で認識される、一つ一つの事物。個体。対普遍。

***こ-ぶつ【古物】**❶使って古くなった品物。古物(ふるもの)。類語中古(ちゅうこ)。セコハン。対新品。❷年代を経て古くなった品物。「―を収集する」類語骨董(こっとう)。**―しょう【―商】**古物の売買・交換をする職業(の人)。

こぶ-つき【×瘤付き】行動のじゃまになる厄介者〔特に子ども〕を伴っている・こと(人)。「―でかける」

ご-ぶつぜん【御仏前】「仏前」の尊敬・丁寧語。

こ-ぶとり【小太り・小▽肥り】《名・形動》《「こ」は接頭語》少しふとっていること。「―の男」

コブラ 爬虫(はちゅう)類コブラ科の毒ヘビ。インド・台湾などに産する。おこるとめがね形の模様のある首をふくらませる。めがねへび。▽cobra

コプラ ココ椰子(やし)の種子の胚乳(はいにゅう)を乾燥したもの。乳白色で脂肪が多く、そのまま食用とするほか、しぼって

やし油をとる。▽copra

***こ-ぶり【小振り】**❶小さく振ること。また、振りが小さいこと。❷《名・形動》ものの形が他にくらべて小さめなこと。「—の茶わん」[対]①②大振り。

***こ-ぶり【小降り】**雨や雪の降り方が弱いこと。少し降ること。[類語]小雨。小雪。[対]大降り。本降り。

ご-ふれい【御不例】「不例」の尊敬・丁寧語。

こ-ふん【古墳】❶〔文〕古人の墓。また、古い墓。❷土を小山のようにもりあげた、日本古代の墓。形によって円墳・方墳・前方後円墳などに分けられる。

***こ-ぶん【古文】**❶中国古代の、篆字以前の古い漢字。科斗文字。❷〔江戸時代以前の〕古い文体・語句を用いた文章。特に、平安時代以前の文章。[類語]文語文。擬古文。[対]現代文。❸高等学校で、国語科のうちの古典の一分野。江戸時代までの詩文を教材とするもの。

***こ-ぶん【子分】**❶〔文〕かりに子としての身分を与えた者。[類語]義子。養子。❷〔盗賊・やくざなどで〕ある人の配下に属し、服従する者。手下。[類語]部下。配下。[表記]②は「乾児・乾分」とも書く。[対]①②親分。

ご-ふん【×胡粉】貝がらを焼いて作った白色の顔料。絵の具・塗料の材料。

ご-ぶん【誤聞】《名・他サ》〔文〕❶内容をまちがって聞くこと。聞きあやまり。❷事実とちがった報道(をすること)。「—が流れる」[類語]誤報。

***ご-へい【御幣】**《「幣帛」の尊敬語》神にそなえる道具の一つ。白色・金銀・五色などの紙をたたんで切り、幣串にはさんだもの。ぬさ。**—かつぎ【—担ぎ】**縁起を気にかける・こと(人)。縁起担ぎ。[類語]迷信家。

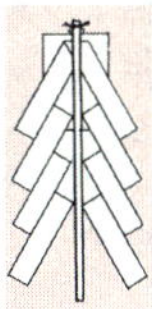
御幣

***ご-へい【語弊】**適切でない語句を用いたためにおこる誤解・弊害。「無知だと言っては—があるが」

***こ-べつ【個別・▽箇別】**一つ一つ別にすること。一つ一つ。「—に検討する」「—的」[類語]別個。個個。

***こ-べつ【戸別】**家ごと。一軒一軒。戸々。「—に調査する」[類語]世帯別。家並み。軒並み。

コペルニクスてき-てんかい【コペルニクス的転回】考えや態度ががらりと正反対にかわること。一八〇度の転回。[参考]カントが、従来の学説に対する自説を、天動説を覆して地動説を発表したコペルニクスの業績になぞらえて言ったことば。

こ-へん【子偏】漢字の部首の一つ。「孫」「孔」「孤」などの「孑」の部分の称。

こ-ほう【孤峰】〔文〕❶一つだけそびえる山。❷仲間を組まずに独立した道をあゆむ、才能のある人。

***ご-ほう【午砲】**昔、正午を知らせた号砲(の音)。どん。

***ご-ほう【語法】**❶ある言語の構造上のきまり・法則。文法。「英語の—」❷〔文章を書くときや話をするときの〕ことばの使い方。表現のしかた。

***ご-ほう【誤報】**《名・他サ》まちがった内容や、ありもしないことを報道すること。また、その知らせ。「遭難機発見は—だった」[類語]虚報。誤伝。

***ご-ほう【護法】**❶法律を擁護すること。❷〔仏〕教法を守護する・こと(鬼神)。❸〔仏〕化け物や病気などを追いはらう法力。

***ご-ぼう【御坊・御房】**❶「寺院」の尊敬語。❷「僧侶」の尊敬語。「師の—」

***ご-ぼう【▽牛×蒡】**キク科の二年草。根は褐色で、食用。種子は利尿剤。**—ぬき【—抜き】**❶太くて長いものを一気に抜くこと。❷無造作に力で抜き出すこと。また、かってにえらんで抜き取ること。「すわりこんだデモ隊員を—する」❸〔俗に〕競走で数人を次々に抜くこと。「ゴール近くで三人を—にする」

こ-ぼうず【小坊主】❶少年の僧。❷男の子供。〔ぞんざいな、また、親しみをこめた言い方〕

ご-ほうぜん【御宝前】「宝前」の丁寧語。神仏の前。また、神社・寺院の、さいせん箱のある所。

***こ-ぼく【古木】**長い年月を経ている立ち木。老木。

***こ-ぼく【枯木】**〔文〕枯れ木。[類語]枯樹。—花開・く《句》老人や不遇だった人が、思いがけない幸福に恵まれることのたとえ。枯れ木に花開く。

こぼし【▽零し】❶こぼすこと。❷茶道で、茶わんを洗った水などを流し入れる器。水こぼし。建水。

こぼ・す【▽零す・×溢す】《他五》❶〔液体や粉状・粒状のものを〕ひっくり返したり、あふれさせたりして外に落ちるのにまかせる。「涙を—・す」❷容器を傾けて流し出す。「少しずつ水を—・す」❸〔不平・ぐちなどを〕口に出して言う。「生活が苦しいと—・す」[文]《四》。

こぼ・つ【×毀つ】《他五》〔文〕こわす。やぶる。[文]《四》。

こ-ぼね【小骨】❶〔魚などの〕小さい骨。❷《「こ」は接頭語》少しの苦労。ちょっとした労力。「細かい仕事なので—が折れる(=ちょっと苦労をする)」

こぼれ-だね【▽零れ種】❶自然に地面におちこぼれた植物の種。❷男が妻以外の女に産ませた子。おとしだね。[類語]落胤。❸こぼれ話。

こぼれ-ばなし【▽零れ話】ある事件・問題の本筋には関係ないが、それに付随して生じた(短い)話。余聞。余話。こぼれ種。「事件の—」[類語]挿話。

***こぼ・れる【×毀れる】**《自下一》一部分がくずれたり欠けたりする。「刃が—・れる」[文]こぼ・る《下二》。

***こぼ・れる【▽零れる・×溢れる】**《自下一》❶〔液体や粉状・粒状のものが〕あふれて落ちる。「バケツの水が—・れる」❷一定の範囲から外へ(もれて)出る。「明りが—・れる」❸あふれ出る。あふれるように表にあらわれる。「笑みが—・れる」[文]こぼ・る《下二》。

こ-ぼんのう【子煩悩】《名・形動》自分の子どもをひどくかわいがる・こと(親)。

***こま【▽独▽楽】**円盤状の厚い金属や木などの材の中心に心棒をさし、これを軸としてまわるように作ったおもちゃ。こまつぶり。

***こま【×駒】**❶《「子馬」の転》馬。〔古風な言い方〕❷将棋で、盤上に並べ動かして使う木片。将棋のこま。[参考]ひゆ的に、自分の手中にあって自由に動かせる・もの(人)の意にも用いる。「部下を—とする」❸三味線などの弦楽器で、胴と弦の間において弦をささえるもの。❹物と物の間にはさむ小さな木片。「—をかう」

***こま【×齣】**映画のフィルムの一つの画面。〔数えるときにも使う〕「一秒間に二四—のスピード」

***ご-ま【×胡麻】**ゴマ科の一年草。種子は小さく、油を含む。食用。**—あえ【—▽和(え)】**いったゴマの種子をすりつぶし、野菜などにまぜた料理。ごまよごし。**—しお【—塩】**❶いったゴマの種子に焼き塩をまぜたもの。❷黒と白の入りまじったもの。❸しらがのまじった頭髪・ひげ。「—頭」**—すり【—×擂(り)】**自分の

利益をはかるため、他人の機嫌をとる・こと（人）。―の・はえ【―の×蠅】→護摩の灰。
―を擂る《句》自分の利益になることをあてにして、他人の機嫌をとり、へつらう。

*ごま【護摩】密教の修法の一つ。不動尊・愛染明王などを本尊とし、その前に壇を設け火をたいて祈ること。―の・はい【―の灰】昔、旅人のふりをして、道中で他の旅人の金品をだましとった賊。参考もとは、「弘法大師の護摩の灰」と称してにせものを押し売りした者の意。

コマーシャリズム 商業主義。営利主義。▽commercialism

コマーシャル 一《造語》商業上の。宣伝のための。「―ソング」「―アート」二《名》❶宣伝すること。❷「コマーシャルメッセージ」の略。テレビなどで、番組の前後や途中などにいれて行う宣伝の文句。また、その宣伝。略称CM。▽commercial

*こ・まい【古米】収穫してから一年以上たった米。ひねごめ。ひねまい。陳米。ふるごめ。対新米。

*こ・まい【木舞】❶壁をぬるときに下地とする、方眼に組んだ細い竹・木。表記「小舞」とも書く。❷軒の垂木にわたした細長い木材。こまいぬき。

*こま・い【細い】《形》〔主として西日本の方言〕❶こまかい。小さい。「―・い魚」❷けちけちしている。

こま・いぬ【×狛犬】神社の社殿の前面におく、阿・吽一対の向かいあっている獣の像。魔除けのためといわれる。からいぬ。参考高麗から伝来したという。

こま・おち【×駒落ち】将棋で、対局者間に力の差があるとき、上位の者がいくつか駒をはぶいてさすこと。

こま・か【細か】《形動》❶形が非常に小さいようす。❷物事の内容がくわしいようす。詳細。「―な調査」❸〔心づかいなどが〕よく行き届くようす。綿密。「―な心づかい」❹勘定高いようす。「金に―な人」

こまか・い【細かい】《形》❶いくつか集まって一つにまとまっている物の、一つ一つの形が非常に小さい。「―・い粒」対あらい。❷物事の内容がくわしい。詳細だ。「―・く調べる」❸〔心づかいなどが〕よく行き届いている。綿密である。「芸が―・い」❹取るに足りない。些細だ。「―・い事を気にかける」❺勘定高い。「商売にかけてはなかなか―・い」文こまか・し《ク》。

ごまか・す《他五》❶人の目をまぎらして、悪いことをする。うそを言ってだます。「勘定を―・す」❷他人に見やぶられないように、その場をとりつくろう。「決まりわるさを―・す」類語つくろう。言いつくろう。(する)糊塗。弥縫。表記①②ともに「誤魔化す」と当てる。

こま・ぎり【細切り】細かく切ること。また、細かく切ったもの。「肉を―にする」

こま・ぎれ【細切れ】細かく切った切れはし。

こ・まく【鼓膜】外耳道の一番奥にあり、中耳との境をなす薄い膜。空気の振動をうけて音をつたえる。

こま・ぐみ【×駒組(み)】将棋で、駒を動かして陣形を組み立てること。また、その陣形。

こま・げた【×駒下×駄】一つの材から、歯と台をつづけてくりぬいて作ったげた。参考最も一般的なげた。

こま・ごま【細細】《副・自サ》〔副詞は「―と」の形も〕❶細かいものがいろいろあるようす。❷細かいところまで行き届くようす。くわしく丁寧なようす。「―と世話をやく」「―と書き記す」―し・い《形》こまごまとしている。

こましゃく・れる《自下一》子どもがませていて、大人のようなふるまいをする。こまっちゃくれる。

こま・す《他五》〔関西の方言〕…(して)やる。〔乱暴な言い方〕文《四》。

こ・また【小×股】❶〔「こ」は接頭語〕股。〔股に関するちょっとした動作について言う語〕「―をすくう」❷またを小さくひろげること。歩幅のせまいこと。「―に歩く」対大股。―すくい【―×掬い】❶相撲で、相手の内またを手ですくってたおす技。❷相手のすきにつけこみ、自分の利益をはかること。
―が切れ上がる《句》〔女性の〕足が長くすらりとしたいきな姿を形容することば。「小股の切り上がる」とも。「―・ったいい女」

こまち【小町】〔その土地で〕評判の美しい娘。類語素股が切れ上がる。小町娘。〔古風な言い方〕参考平安時代の歌人、小野小町が絶世の美人であったことから。

ご・まつ【語末】語の終わりの部分。語尾。

こま・づかい【小間使】主人の身のまわりの雑用をした女。女の召使。

こまつ・な【小松菜】アブラナの変種。葉を浸し物などにする。参考東京の小松川で多く産した。

こま・どり【×駒鳥】ヒタキ科の鳥。ウグイスぐらいの大きさで、雄は背面が赤褐色。深山にすむ夏鳥。参考声が馬のいななきに似ているのでこの名があるという。

こまぬ・く【×拱く】《他五》❶〔腕を〕組み合わせる。❷〔「腕を―・く」「手を―・く」の形で〕何もせず、はただ見ている。「手を―・いて待つ」＝こまねく。文《四》。

こまね・く【×拱く】《他五》→こまぬく。文《四》。

こま・ねずみ【▽独▽楽×鼠・▽高▽麗×鼠】平面をくるくる回る習性をもつネズミ。ナンキンネズミの一変種で、全身が白く体長約六センチ。まいねずみ。「―のよう(＝まめに働くことのたとえ)」

こま・むすび【小間結び・細結び】ひもの両端を二度打ち違えてからませ、しっかりとむすぶ結び方。結んだひもの先は、ひもと平行になる。まむすび。

こ・まめ【小▽忠▽実】《形動》労苦をいとわず気軽によく動くようす。まめまめしいようす。「―に働く」

ごまめ【×鱓・▽田▽作】カタクチイワシを干したもの。祝いごとや正月料理の材料にする。たづくり。
―の魚交じり《句》→雑魚の魚交じり。
―の歯軋り《句》実力のないものがいたずらに憤慨し、くやしがることのたとえ。

こま・もの【小間物】女性の化粧品・装身具や、こまごまとした日用品など。類語雑貨。対荒物。―や【―屋】小間物を売る店。「―を開く(＝へどを吐く)」

こま・やか【細やか・▽濃やか】《形動》❶細かいようす。❷〔色・密度などが〕濃いようす。「緑―な松」❸心がこもっているようす。「―な愛情」❹微妙なおもむき・味わいのあるようす。「―な味」

こまり・き・る【困り切る】《自五》どうしていいかわからないほど困る。困り果てる。困りぬく。

こまり・ぬ・く【困り抜く】《自五》困り切る。

こまり・は・てる【困り果てる】《自下一》ひどく困る。困り切る。困り抜く。「問い詰められて―・てる」

こま・る【困る】《自五》❶どうしてよいかわからず苦しむ。「返答に―・る」類語よわる。❷貧乏で生活に苦しむ。「暮らしに―・る」❸害をこうむる。迷惑する。「なまけ者で―・った奴だ」文《四》。

こ・まわり【小回り】❶少し回り道をすること。❷

〔曲がり角を〕小さな半径で回ること。対大回り。❸細かな身のこなし。

―が利・く《句》❶車などが狭い所でも自由に回れる。❷状況に応じて即座に適当な処置がとれる。

ごまん-と《副》〔俗〕非常にたくさんあるようす。「証拠なら―ある」

***コマンド** 命令。指示。特に、コンピューターに与えるさしず。▽command

***コマンド** 奇襲部隊。また、その隊員。類語レーンジャー。▽commando

こみ【込み】❶一種類だけでなく、いろいろとりまぜること。「大小―にして千円」❷《名詞の下につけて》そのものをふくめて計算すること。「サービス料―で一泊八千円」❸囲碁で、互先(たがいせん)でうつとき、先手が負うハンディキャップ。「四目半の―」

***ご-み【五味】**辛(しん)(=からい)・甘(かん)(=あまい)・鹹(かん)(=しおからい)・酸(さん)(=すっぱい)・苦(く)(=にがい)の五種の味。

***ごみ【×塵・×芥】**〔紙くず・ほこり・食べかす・物の破片など〕きたならしく、役にたたない物。また、不要になって・捨てる(捨てられた)もの。ちり。あくた。類語がらくた。くず。食べかす。塵埃(じんあい)。塵芥(じんかい)。厨芥(ちゅうかい)。瓦礫(がれき)。残骸(ざんがい)。駄物(だもの)。

こみ-あ・う【込み合う】(―あふ)《自五》〔多くの人・物が〕入り込んで混雑する。「場内が―・う」類語たてこむ。

こみ-あ・げる【込み上げる】《自下一》❶笑い・泣き声・涙などが抑えきれずに外に出てくる。❷心にある感情がわいてきて、あふれ出そうになる。「喜びが―・げる」❸胃の中のものをはき出しそうになる。

こみ-い・る【込み入る】《自五》❶〔多数の人・物が〕むりやりに入りこむ。❷〔物事の事情、物の構造などが〕複雑に入り組む。「―・った話」「―・った事情」

コミカル《形動》滑稽(こっけい)であるようす。おかしみのあるようす。コミック。「―な歌」▽comical

ごみ-ごみ《副・自サ》〔副詞は「―と」の形も〕狭苦しく雑然とつまっているようす。「―した町」

***こ-みだし【子見出し】**辞書で、独立した親見出しに付随する形でもうけた見出し。対親見出し。

***こ-みだし【小見出し】**❶文章全体につける大きな見出しに対し、その文章の途中につける小さな見出し。「―をつける」❷新聞記事などで、大きな見出しのわきにそえる小さな活字の見出し。対①②大見出し。

ごみ-ため【×塵×溜(め)・×芥×溜(め)】ごみを捨てて集めておく所。はきだめ。類語ごみ箱。

―に鶴(つる)《句》→掃き溜めに鶴。

こ-みち【小道・小▽路】❶はばのせまい道。小路(こうじ)。また、横道。わきみち。類語小径。隘路(あいろ)。❷六町を一里とする里程。対①②大道(おおみち)。

コミック ㊀《形動》喜劇的。滑稽。コミカル。「―ソング」対トラジック。㊁《名》❶「コミックオペラ」の略。喜劇的な内容をもつ歌劇。喜歌劇。❷漫画・劇画(本)。コミックス。▽comic

コミッショナー プロ野球・プロボクシングなどで、その統制をとる最高権威者。また、その機関。▽commissioner

コミッション ❶商売・取引などの仲介をした手数料。周旋料。口銭。「一割の―をとる」❷わいろ。❸委員会。=コンミッション。▽commission

コミット《名・自サ》ある物事に関わりあうこと。「市民運動に―する」▽commit

こ-みどり【濃緑】〔夏の木の葉のような〕濃い緑色。深緑。濃緑(のうりょく)。対うす緑。

こ-みみ【小耳】〔「こ」は接頭語〕耳。〔耳に関するちょっとした動作についていう語〕「―にする」「―に挟む(=話の一部分などを、聞くともなしに聞く)」

ご-みゃく【語脈】文中の主語・述語などのつづきぐあい。類語文脈。

コミューター-こうくう【コミューター航空】小型の航空機を使う、定期的な近距離航空輸送。参考「コミューター(commuter)」は通勤者の意。

コミュニケ ❶公式の会議の経過を発表する声明書。❷〔外交上の〕国家の意思を文書によって表したもの。公文書。▽フランス communiqué

コミュニケーション ❶ことばや文字などで、意思の伝達を行うこと。「―をはかる」❷交通や通信。また、その機関。▽communication

コミュニスト 共産主義者。▽communist

コミュニズム 共産主義。▽communism

コミュニティー ❶人間の一般的な共同生活のための地域集団。村・町・府・県など。❷一定の地域に居住し、共通の感情をもつ人々の集団。地域社会。「ユダヤ人の―」「―センター」▽community

こ・む【込む】㊀《自五》❶多すぎる物がはいる(集まる)。特に、建物・乗り物などの中に、多すぎる人がはいる。混雑する。「電車が―・む」表記「混む」とも書く。❷〔仕組みが〕複雑に入り組む。「手の―・んだ仕事」文《四》。㊁《接尾》❶「中にはいる」意。「プールに飛び―・む」❷「中に入れる」意。「仲間に誘い―・む」❸その動詞の意味を強めて、「丁寧に…する」「すっかり…する」「強く…する」などの意を表す。「眠り―・む」「みがき―・む」「信じ―・む」文《四》。

ゴム ❶植物の分泌液から得られる無定形の高分子多糖類。アラビアゴムなど。❷「ゴムの木」の樹皮から出る液で作った物質。弾力性が強く、タイヤ・靴など用途が多い。❸ゴムの木。表記もと、「護謨」とあてた。▽オランダ gom

―けし【―消し】消しゴム。

―テープ 平打ちにしたゴムひも。▽オランダ gom と英 tape からの和製語。

―とび【―跳(び)・―飛(び)】子供の遊戯の一つ。ゴムひもを張ってとび越える高さを競う。

―なが【―長】ゴム製の長靴。ゴム長靴。

―の-き【―の木】樹皮を傷つけてゴム②の原料を採る植物の総称。ゴム。

―びき【―引(き)】〔防水などのために〕布などの表面にゴムを塗ること。また、ゴムを塗ったもの。

こ-むぎ【小麦】イネ科の植物。重要な穀物で、種子は小麦粉・みそ・しょうゆの原料。

―いろ【―色】つやのある薄い茶色。〔日に焼けた健康そうな肌色に言うことが多い〕「―の肌」

―こ【―粉】小麦の種子をひいて粉にした物。パン・菓子・うどんなどの材料。メリケン粉。うどん粉。

こ-むずかし・い【小難しい】(―むづかし)《形》〔「こ」は接頭語〕なんとなくむずかしい。いささかめんどうである。「―・い理屈を並べる」類語しちめんどうくさい。

こ-むすび【小結】相撲で、力士の階級の一つ。関脇(せきわけ)の次の位。三役の一ばん下位。

こ-むすめ【小娘】まだ一人前になっていない、子供っぽいようすの娘。一四、五歳ぐらいの少女。参考若い娘をさげすんでいう場合にも使う。

こむ-そう【虚無僧】禅宗の一派の普化(ふけ)宗の僧。僧衣をつけず、深編みがさをかぶって尺八をふき、諸国をまわって修行する。普化僧。ぼろんじ。

***こ-むら**【木×叢】〔文〕木の枝がしげっているところ。

***こむら**【×腓・×腨】脛のうしろがわのふくれたところ。ふくらはぎ。こぶら。

こむら-がえり【×腓返り・×腨返り】こむらの筋肉が急にけいれんを起こすこと。こぶら返り。

こ-むらさき【濃紫】少し黒みをおびた濃い紫色。類語 深紫。暗紫。対 薄紫。

ごむり-ごもっとも【御無理御×尤も】《名・形動》道理に合わないと思いながらも相手をおそれてさからわずに従うこと。「—と引き下がる」

こめ【米】外皮をとりのぞいた稲の実。五穀の一つ。精白し、主食として用いる。また、酒の原料。

こめ-かみ【×顳×顬・×蟀▽谷】耳の上の髪のはえぎわのところ。ものをかむときに動く部分。

こめくい-むし【米食(い)虫】❶「こくぞうむし」の別称。❷食べるだけは人なみだが、何の役にも立たない人。ごくつぶし。類語 米の虫。

こめ-ぐら【米蔵】米をたくわえておく倉庫。よねぐら。類語 穀倉。

こめ-だわら【米俵】〔貯蔵や運搬のため〕米を入れる、わらであんだ俵。また、米のはいった俵。

こめ-つき【米×搗き】玄米をついて白米にすること。また、それを業とする人。類語 精米。精白。**—ばった**【—▽飛×蝗】❶「しょうりょうばった」の別称。❷頭をぺこぺこ下げて人のきげんをとる人。〔あざけっていう語〕 **—むし**【—虫】コメツキムシ科の甲虫の総称。全身黒または褐色。あおむけにすると頭で地をたたき、とび上がって起きる。こめふみむし。

こめ-つぶ【米粒】米のつぶ。

コメディアン 喜劇俳優。喜劇役者。▽comedian

コメディー 喜劇。特に、かるい大衆向きの喜劇。▽comedy

こめ-どころ【米所】〔良質の〕米がたくさんとれる土地・地方。「—の新潟」類語 穀倉地帯。

こめ-ぬか【米×糠】玄米を精白するときに、米の皮や胚がつぶれて出る、うす黄色の粉。家畜の飼料、肥料、油の原料、つけ物などに利用する。ぬか。

こめ-の-めし【米の飯】《連語》米をたいた飯。米飯。

こめ-びつ【米×櫃】❶日常使う米を入れる箱。❷生活費の出どころになる・もの(人)。類語 ドル箱。参考 何度接しても飽きのこないものにたとえる。

こ・める【込める・×籠める】㊀《他下一》❶いっぱいになるように入れる。つめる。「銃に弾丸を—・める」❷その物事の中に十分に含ませる。「満身の力を腕に—・める」❸ある気持ちなどを十分に注ぎ入れる。「心を—・めてもてなす」❹合算する。「税金を—・めた料金」文こ・む《下二》。㊁《自下一》霧・煙などがあたりいっぱいに広がる。たちこめる。「押し—・める」文こ・む《下二》。㊂《接尾》「中に入れる」意。

こ-めん【湖面】みずうみの表面。湖上。対 湖底。

ご-めん【御免】㊀《名》❶「免許」の尊敬語。「苗字帯刀—」❷「免官」「免職」などの尊敬語。「お役—になる」❸「許し」「容赦」の尊敬語。「—を請う」❹いやで拒否する気持ちを表す語。「戦争は二度と—だ」㊁《感》❶訪問・辞去のときに言うあいさつの語。〔現在は、多く「—下さい」「—なさい」の形で使う〕「お先に—下さい」❷相手に許しを求めるときに言う語。〔丁寧に言うときは「—なさい」などの形で使う〕類語 許して下さい。恐れ入る。痛み入る。恐縮する。面目ない。合わせる顔がない。御容赦(御海容)下さい。御寛恕(御宥恕・御諒恕)を請う。

ご-めんそう【御面相】〔俗〕顔だち。容貌。〔からかったり、あざけったりしていう〕「たいした—だ」

コメンテーター 解説者。特に、ラジオ・テレビなどのニュース解説者。▽commentator

コメント《名・他サ》〔ある問題や事件に対して〕意見や見解をのべること。論評。見解。説明。「—を発表する」「—を求める」「ノー—」▽comment

こも【▽薦・×菰】❶「まこも」の古称。❷粗く織ったむしろ。類語 ござ。表記「菰」と書く。

こも-かぶり【▽薦▽被り】こも❷で包んだ、四斗(=約七二・一五リットル)入りの酒だる。

ご-もく【五目】❶いろいろなものが入りまじっている・こと(物)。❷「五目鮨」の略。❸「五目飯」の略。❹「五目並べ」の略。**—ずし**【—×鮨】すし飯の上に魚肉・貝・野菜などいろいろな具を盛り合わせた物。また、いろいろな具をまぜ入れたすし。ちらしずし。五目。**—ならべ**【—並べ】交互に碁盤の目の上に石を置き、先に五つ一列に並べた方を勝ちとする遊び。連珠。五目。**—めし**【—飯】味をつけて魚肉・貝・野菜などをたきこんだ飯。かやく飯。五目。

こも-ごも【▽交▽交】《副》〔文〕❶入り交じっているようす。また、つぎつぎに現れてくるようす。「悲喜—」❷かわるがわる。たがいに。「—立って演説をする」

こ-もじ【小文字】❶小さい文字。❷ローマ字の字体の一つ。小さい字。「a」「b」など。対 ①②大文字。

こ-もち【子持ち】❶幼い子をもっている・こと(人)。❷魚などが卵をはらんでいること。また、その魚。「—シシャモ」❸大きなもののそばに小さなものがそえられて、一そろいになっている・こと(もの)。「—縞」

ご-もっとも【御×尤も】《形動》「もっとも」の丁寧語。〔感動詞的にも使う〕「お怒り—です」

***こ-もの**【小物】❶こまごまとした物・道具。おもに、付属品。「—入れ」❷釣りで、あまり大きくない魚。小魚。類語 雑魚。❸能力や勢力がなくたいしたことができない人物。小人物。対 大物。

***こ-もの**【小者】❶年若く、体の小さな者。❷昔、武家で雑役に使われた者。

こ-もり【子守】小さい子どもの世話をしたり遊ばせたりする・こと(人)。もり。**—うた**【—歌・—×唄】❶子守をする者が子どもを寝つかせるために歌う歌。「五木の—」❷西洋音楽で、子どもを眠らせるために歌うように作られた静かなやさしい歌曲。「シューベルトの—」

こも・る【×籠(も)る・▽隠る】《自五》❶人が中にはいったきり、外に出ないでいる。ひきこもる。「家に—・って仕事をする」❷まわりをかこまれた中にはいったままの状態で、外から中のようすがはっきりしないでいる。「声が—・る」❸〔気体などが〕その場に満ちる。「たばこの煙が—・る」❹〔ある感情・力などが〕いっぱい含まれる。「心の—・ったもてなし」文《四》。

こもれ-び【木漏れ日・木×洩れ日】茂った木々の葉の間からさしこんでくる日光。

***こ-もん**【小紋】布地一面に染め出した細かい形の模様。また、その模様に染めた布地。「—染め」

***こ-もん**【顧問】〔会社や団体などで〕相談にあずかり、

助言を与える役目(の人)。「―弁護士」「技術―」

こ-もんじょ【古文書】〔昔の手紙・証書など〕史料となる古い文書・記録。類語 文献。古書。注意「こぶんしょ」は誤読。

コモン-センス 良識。常識。▽common sense

こ-や【小屋】❶小さくて粗末なつくりの建物。「山―」❷芝居・見せ物などを興行するための建物。劇場。

*__ご-や【五夜】__昔、一夜を甲夜・乙夜・丙夜・丁夜・戊夜の五つに分けたものの総称。また、特に、戊夜(=午前三時から午前五時)のこと。類語 五更。

*__ご-や【後夜】__❶一夜を初・中・後の三つに分けたときの最後の区分にあたる時間。夜半から明け方までの間。対 初夜・中夜。❷五更②。寅の刻。午前三時～五時。❸〔仏〕後夜②に行う勤行。

こや-がけ【小屋掛け】《名・自サ》〔芝居・見せ物などのために〕かりに小屋をつくること。また、その小屋。

こ-やかまし-い【小×喧しい】《形》〔「こ」は接頭語〕小さな事にもいちいち口をだしてうるさい。

こ-やく【子役】テレビ・映画・演劇などで、子どもの役。また、それを演じる子どもの役者。類語 子方。

ご-やく【誤訳】《名・他サ》まちがった翻訳をすること。また、その訳。

こ-やくにん【小役人】地位の低い役人。〔多少軽べつした言い方〕類語 小吏。下級官吏。下司。

こやし【肥(やし)】農作物の生長を助けるために耕地にまくもの。こえ。肥料。

*__こ-やす【子安】__❶〔文〕楽なお産。安産。❷「子安地蔵」の略。❸「子安貝」の略。**―がい【―貝】**タカラガイ科の貝類の俗称。巻き貝。殻は黒褐色・くり色で美しい。子安。参考 安産のお守りにする。**―じぞう【―地蔵】**安産を守護する地蔵尊。子安。

*__こや-す【肥やす】__《他五》❶栄養を与えてふとらせる。「馬を―す」❷肥料などを入れて地味をよくする。「やせた土地を―す」❸〔ものの良さを判断する〕力をつける。「目を―す」❹〔正当でない〕利益をえさせる。「私腹を―す」文《四》。

こ-やつ【×此▽奴】《代名》《他称の人代名詞。近称》こいつ。このやつ。近くにいる自分と同等またはそれ以下の人をぞんざいにいやしめて言う。〔古風な言い方〕

こ-やみ【小▽止み・小×歇み】雨・雪などがしばらくやむこと。おやみ。「雨が―になる」「雪が―なく降る」

こ-ゆう【固有】《名・形動》そのものだけにあること。特有。「人それぞれに―の性格」類語 独特。特異。注意「個有」は誤り。**―めいし【―名詞】**〔地名・人名などのように〕そのものにだけついている名称を表す名詞。対 普通名詞。

*__こ-ゆき【小雪】__少し降る雪。少しの雪。対 大雪。

*__こ-ゆき【粉雪】__→こなゆき。

こ-ゆび【小指】手足の指のうち、一番外側の最も小さい指。参考 手の小指を立てて、「恋人・配偶者」などの意を表すことがある。

こ-よい【▽今宵】〔文〕今日のよい。今夜。今晩。

*__こ-よう【小用】__❶ちょっとした用事。「―があって外出する」❷小便をすること。小便。=小用。

*__こ-よう【雇用・雇×傭】__《名・他サ》ある労働に従事させるため、報酬を与えて人をやとうこと。「終身―制度」表記「雇用」は代用字。**―ほけん【―保険】**社会保険の一つ。労働者が失業したとき、失業給付金の給付や雇用機会の増大や能力開発を進める制度。

*__ご-よう【御用】__❶相手の用を処理することをさす尊敬語。「何か―ですか」❷「用事」「用件」などの尊敬・丁寧語。❸宮中・政府などの用務・用命。❹昔、官命で犯人などをつかまえること。また、その時のかけ声。転じて、官憲につかまること。「すりが―になった」❺政府や、ある権力などの意思どおり動くものを形容する語。〔名詞の上につけて接頭語的に使う〕「―学者」❻「御用聞き」の略。**―おさめ【―納(め)】**〔官庁で〕一二月二八日にその年の仕事を終わりにすること。対 御用始め。**―きき【―聞き】**❶商人などが得意先の用事・注文などを聞いてまわること。また、その役(の人)。用聞き。御用。❷江戸時代、町人で、十手・捕り縄をあずかり、犯人の捜査・逮捕を手伝った人。**―しょうにん【―商人】**江戸時代、幕府・諸藩に出入りして、その御用をたした商人。御用達。明治維新以後、宮中・官庁に商品を納める商人。**―たし【―▽達】**宮中・官庁に商品を納入すること(もの)。御用商人。御用達。「宮内庁―」**―てい【―邸】**皇室の別邸。**―はじめ【―始(め)】**〔官庁で〕一月四日に、その年初めての仕事を始めること。対 御用納め。

*__ご-よう【誤用】__《名・他サ》方法をまちがって使うこと。また、誤った使い方。「慣用句を―する」

こ-ようじ【小×楊枝】つまようじ。

ごよう-まつ【五葉松】❶裸子植物マツ科の常緑高木。葉は針形で、五本ずつ束になってはえる。本州中部以北、北海道の山地に自生する。建築材。キタゴヨウ。❷「ひめこまつ」の別称。

こよ-な-し《形ク》〔「越えなし」の転という〕〔古〕〔くらべるものがないほど〕かけはなれている。はなはだしい。〔優劣どちらにも使う〕「―く愛する」

こよみ【暦】一年間の月日・曜日・祝祭日・干支・月の満ち欠け・日の出・日の入りなどを日をおって記したもの。日めくり。日よみ。「―をめくる」類語 カレンダー。

こ-より【▽紙×縒・▽紙×捻・▽紙×撚】和紙などを細長く切り、よって細い紐のようにしたもの。ものをとじたり束ねたりするのに使う。かんぜより。

こら《感》❶しかったりおどしたりするため、相手に強く呼びかけることば。こらっ。「―待て!」❷相手に軽く呼びかけて注意をむけさせることば。ほら。

コラーゲン 硬たんぱく質の一種。動物の体皮・軟骨・腱などを構成する。にかわやゼラチンの原料。膠原質。▽ドイ Kollagen

コラージュ シュールレアリスムの一手法。画面に壁紙、古書のさし絵、写真などをはりつけ、筆を入れたりして、画面を構成する。▽フランス collage(=のりづけ)

コラール ドイツのルター教会の、簡素な讃美歌。衆賛歌。▽ドイ Choral

こ-らい【古来】《副》〔文〕古い昔から今までつづいているようす。昔から。「―の風習」類語 旧来。

ご-らいこう【御来光】高山で見る、美しく荘厳な日の出。また、転じて、日の出。御来迎。

ご-らいごう【御来▽迎】❶〔仏〕「来迎」の尊敬語。❷日の出・日没時に、高山の頂上に立つと、前方の霧の中に、弥陀が美しい光の輪を負って極楽浄土から迎えにくるような像が見えること。山の御光。ブロッケンの妖怪。❸御来光。参考 太陽を背にして頂上に立ったときおこる。

こ

こらえ・しょう【▽堪え性・×怺え性】(こらへシヤウ) 苦しい事やつらい事をがまんする気力・性分。「―がない」

こら・える【▽堪える・×怺える】(こらへる)《他下一》❶〔苦しみや痛みなどを〕しんぼうする。がまんする。「頭痛を―・える」❷〔感情などを〕おさえて外に出さない。「怒りを―・える」文こら・ふ《下二》。

ご・らく【娯楽】〔仕事・勉学を離れた余暇などに〕心を楽にして、楽しみやなぐさみを与えるもの。「―映画」類語 歓楽。悦楽(えつらく)。遊興(ゆうきょう)。

こらし・める【懲らしめる】《他下一》制裁を加えて、二度とやるまいと思わせる。こらす。「悪漢を―・める」文こらし・む《下二》。

***こら・す【凝らす】**《他五》❶〔あるものを〕一つの所・ものに集中させる。「目を―・す」「息を―・す」❷あることに心・考えを集中させ、それを一生懸命する。「工夫を―・す」「数寄を―・す」文《四》。

***こら・す【懲らす】**《他五》こりるようにする。こらしめる。「いたずら小僧を―・す」文《四》。

コラム 新聞・雑誌などで、ちょっとした短い記事をのせるかこみの欄。また、その記事。かこみ。▽column

コラムニスト コラムの執筆者。▽columnist

ご・らん【御覧】㊀《名》❶「他人が見ること」の尊敬語。「―のとおり」類語 高覧。❷《「御覧なさい」の略された形》「見ろ」の尊敬・丁寧語。見なさい。「あれを―」㊁《補動》《「御覧なさい」の略された形》「…してみろ」の意の尊敬・丁寧語。…してみなさい。「食べて―」

***こり【凝り】** からだの一部の血行が悪くなり、筋肉がかたくなって痛むこと。「肩の―」「―をほぐす」

***こり【×垢離】**〔宗〕神仏に祈願するとき、水をあびて心身をきよめ雑念をとり払うこと。水ごり。「―をとる」

***こり【×梱】**㊀《名》❶荷造りした荷物。❷行李(こうり)。㊁《助数》荷造りした貨物をかぞえる語。「綿糸一―」

***こ・り【×狐×狸】**〔文〕❶キツネとタヌキ。❷人をだまし、こそこそと悪事を働くもの。

ごり【×鮴】「鰍(かじか)」の別称。

ごり・おし【ごり押し】《名・他サ》〔俗〕理不尽な要求などを力で押し通すこと。「―で議案を通す」

こり・かたま・る【凝り固まる】《自五》❶〔かわいたり、冷えたりして〕固くなる。また、多くのものが一つに集まって固くなる。「怪しげな宗教に―・る」❷一つのことに熱中し、他のことを受けつけない。「怪しげな宗教に―・る」

こ・りこう【小利口】《名・形動》《「こ」は接頭語》ちょっと目先がきいてかしこそうなこと。こざかしいこと。「―に立ち回る」〔少し非難・軽べつの意を含んで使う〕

こり・こり《副・自サ》《副詞は「―と」の形も》❶かたく歯ぎれのよいようす。また、かたい物を歯切れよくかむ音の形容。「たくあんを―とかじる」❷筋肉などがかたくなっているようす。「リンパ腺(せん)が―する」

こり・ごり【懲り懲り】《副・形動・自サ》二度としたくないほどこりるようす。「失恋はもう―だ」

こり・しょう【凝り性】《名・形動》ある物事に熱中すると、自分の気にいるまで徹底的にする性質(の人)。

ご・りしょう【御利生】「利生」の尊敬語。人々が神仏から受ける恵み。御利益(ごりやく)。

こ・りつ【孤立】《名・自サ》多くの中で一つだけ離れて存在すること。「―無援」「―した村落」**―ご【―語】**言語の形態的分類の一つ。単語に語尾変化がなく、語法上の関係はたんに語の配列の位置によって示される言語。中国語・タイ語などが代表的とされる。

ごりむ・ちゅう【五里霧中】〔霧が深くて方角がわからないことから〕物事の判断に迷い、見込みや方針が全く立たないこと。注意「五里夢中」は誤り。

こりゃ《感》《「これは」の転》❶目下の者などに威張って呼びかけることば。〔古風な言い方〕「―、よく聞け」❷〔俗〕軽い驚きを表すことば。「―、驚いた」

ご・りやく【御利益】「利益(りやく)」の尊敬語。御利生(ごりしょう)。霊験(れいげん)。「―のある寺」「―を授かる」

こ・りゅう【古流】 古風な流儀。

こ・りょ【顧慮】《名・他サ》気にかけてあれこれと考えること。「客の意向を―する」類語 考慮。配慮。

***ご・りょう【御寮】**❶他人の妻・娘などをさす尊敬語。〔古風な言い方〕「花嫁―」❷「御寮人」の略。**ごりょ・ん**。〔多く「―はん」の形で使う〕**―にん【―人】**〔関西で〕中流家庭の若い妻をさす尊敬語。

***ご・りょう【御料】**〔文〕❶「料」の尊敬語。お使いになるもの。〔飯・食物・衣服・器物などに言う〕❷皇室の財産。特に、御料地。「―牧場」**―ち【―地】**皇室の所有する土地。

***ご・りょう【御陵】** 天皇・皇后などの墓。ふつう丘のように小高く築く。陵墓。山陵。皇陵。陵(みささぎ)。帝陵。

こ・りょうり【小料理】《「こ」は接頭語》ちょっとした手軽な料理。手間のかからない料理。「―屋」

ゴリラ 類人猿中最大の動物。西アフリカの森林にすみ、植物を食べる。興奮すると胸をたたき、鋭い声でほえる。オオショウジョウ。▽gorilla

こ・りる【懲りる】《自上一》失敗などを悔いて二度とすまいと思う。「ばくちに―・りる」文こ・る《上二》。

***ご・りん【五倫】** 儒教で説く、人として守るべき五つの道。五常。参考 ↓五常㋑。

***ご・りん【五輪】**❶〔仏〕万物を生成する、地・水・火・風・空の五つの元素。五大。❷「五輪塔(ごりんとう)」の略。❸オリンピックの大会旗に描かれた、五大州をかたどる五つの輪。転じて、近代オリンピック。「―大会」**―とう【―塔】**〔仏〕五輪①をかたどって五個の石をつんで作った塔。五輪。

五輪塔

コリント・しき【コリント式】 ギリシアのコリント市からおこった建築様式の一つ。アカンサスの葉を彫った柱頭の装飾が特色。

こ・る【凝る】《自五》❶寄り集まって固まる。❷興味をひかれて夢中になる。熱中する。「映画に―・る」❸〔意匠を〕いろいろと工夫する。「―・った芝居」❹筋肉が張って固くなる。「肩が―・る」文《四》。

こ・るい【孤塁】❶孤立したとりで。❷ある勢力に残された、ただ一つの根拠地。「―を守る」

コルク ❶樹木の表皮の内側にある組織。層をなし、液体や空気を通さず、弾力がある。❷コルクガシのコルク層をはぎとって加工したもの。保温材・吸音材・密閉装置などに用いる。キルク。▽(オランダ) kurk 英 cork

コルセット ❶女性の洋装用の下着の一つ。腹部や腰部をしめて形を整える。❷医療器具の一つ。脊柱(せきちゅう)や骨盤を固定しておくために用いる。▽corset

コルト 連発ピストル。参考 アメリカのサミュエル＝コルトが考案した。▽Colt

コルネット トランペットに形が似て柔らかい音を出す金

管楽器。吹奏楽に使われる。▽イタリア cornetto

ゴルフ 広い芝生の競技場で、クラブで球をうって一八個の穴の中にいれることを競う競技。総打数の少ないものを勝ちとする。▽golf

ゴルファー ゴルフをする人。▽golfer

こ-るり【小×瑠×璃】 ヒタキ科の美しい小鳥。雄は上面青色、下面純白色で、雌は上面オリーブ色。夏、シベリア・日本などで繁殖し、冬、東南アジアに渡る。

***これ【×此(れ)・▽是(れ)・×之(れ)】**《代名》❶《近称の指示代名詞》㋐話し手が、自分に最も近い関係にある物を指し示す語。「—をください」㋑話し手が、自分のいる場所・位置またはそれに近い場所・位置を指し示す語。「—より五キロ」㋒話し手が、より自分に近い話題として取り上げ(ようとし)ている事柄を指し示す語。「—は大変な仕事だ」㋓話し手がすでに取り上げた話題で、まだ相手には親しく感じられないだろうと思われるものを指す語。「きのう競馬へ行ったのですが、—は失敗でした」㋔話し手が、現に存在している時を指し示す語。現在。「—から先が思いやられる」❷《人代名詞的に用いて》㋐話し手が相手に対して、自分の身内の者や、自分の側の目下の者を指し示す語。「—がご案内します」㋑この人。「—が彼の恋人だろう」❸ある動作を伴って、その動作が意味するところの人・物・事柄を指し示す。「わたしの—は歌手なのよ」❹《感動詞的に用いて》提示した語を強め、口調をととのえるのに使う語。「相違—無く」 表記 もと、漢文訓読体の文章に用いられたもの。「是」「之」「惟」などと書く。❺文頭に提示された内容の代わりに用いる語。「学問の自由は、—を保障する」

***これ**《感》《代名詞「これ」と同語源》しかったり注意したりする時に発する語。〔同等以下の者に対していう〕「こら。「—、何をする」「—、およし」

***こ-れい【古例】** ❶昔行われた例。古いためし。❷古い時代からのならわし。「—に従う」 類語 先例。旧例。

***こ-れい【古礼】** 昔行われた礼式・作法。

ご-れい【語例】 例としてあげる語句。「—を示す」

ご-れいぜん【御霊前】「霊前」の尊敬語。死んだ人の霊の前。 参考 →香典。

これ-から【×此(れ)から】《代名詞「これ」+助詞「から」が一語化したもの》今からのち。今後。将来。〔副詞的にも使う〕「—の日本」「—寒くなる」

これ-きり【×此(れ)切り・×此(れ)▽限り】《副》これと指すことが限度であるようす。これだけ。これぎり。これっきり。「もう—で終わりだ」「もう—しかない」

コレクション 美術品・骨董品・切手などを(趣味で)集めること。また、その集めたもの。収集品。「コインの—」「松方—」▽collection

コレクト《名・他サ》〔書物・切手などを趣味として〕収集すること。「切手を—する」▽collect **—コール** 相手に料金を支払ってもらう電話。料金着信人払い通話。▽collect call

***これ-これ【×此(れ)×此(れ)・▽是(れ)▽是(れ)】** 多くの事柄を一つ一つ数えあげたり、くり返し説明したりせず、一つにまとめていうことば。しかじか。かくかく。

***これ-これ**《感》人をとがめたり、注意を促したりするときに呼びかけることば。〔多く目下の者に対して使う。「こらこら」よりやわらかい〕「—、静かになさい」

これ-しき【×此(れ)式・▽是(れ)式】〔俗〕たったこれぐらい。〔物事の程度を軽んじる気持ちを表す〕「—のことで騒ぐな」 表記 かな書きにすることが多い。

コレステロール 脳・神経組織・臓器・胆汁に含まれる、脂肪に似た物質。血管壁に付着すると動脈硬化症を起こすとされる。コレステリン。▽cholesterol

これ-っ-ぽっち【×此(れ)っぽっち】 物の量・かさなどの少ないこと。また、物事の程度の小さいこと。これぐらい。こればかり。これぽっち。「—しかないのか」

これ-ばかり【×此(れ)▽許り・▽是(れ)▽許り】 ❶これと示すわずかな程度。これっぱかし。「—の出来事で驚くな」❷〈—は〉このことだけは。「—は言えない」

これは-これは《感》感嘆したり、驚いたりしたときに発することば。〔「これは」を強めた言い方〕「—、みごとなできばえ」「—、ようこそ」

これは-したり《感》〔意外な事に〕驚いたり、あきれたり、自分のあやまりに気づいたりしたときに発することば。〔古風な言い方〕

これ-ほど【×此(れ)程・▽是(れ)程】《副》こんなにまで。〔程度がはなはだしい場合に使う〕「—注意してもきかないのか」 表記 ふつうかな書きにする。

これ-まで【×此(れ)×迄・▽是(れ)×迄】 ❶現在の状態にいたるまで。今まで。「—の苦労がむだになる」❷この位置・時まで。ここまで。「きょうは—」❸〈「もはや—」「今は—」の形で〉事態がさしせまって最悪の状態になり、最後の決意をしたことを表すことば。「今は—と覚悟をきめる」

これみよ-がし【×此(れ)見よがし】《形動》《「がし」は接尾語》〔これを見よと言わんばかりに〕得意になって見せつけるようす。「—に新車を乗り回す」

コレラ 二類感染症の一つ。コレラ菌によって小腸がおかされる急性感染症。嘔吐、激しい下痢、高熱、口のかわきなどを伴う。三日ころり。コロリ。 表記 古く、「虎列剌」と当てた。▽オランダ・英 cholera

***ころ** 重い物を動かすときに、まさつを少なくするためその物の下にいれてころがす、円形の棒。 類語 ごろた。

***ころ【×頃・▽比】** ❶〔文〕時候。時節。 類語 時。時分。時期。❷特定の時の前後をばくぜんとさす語。「まだ若かった—」 類語 頃おい。時代。❸ある事によい時機。「—をみて船を出す」 類語 折。好機。チャンス。

***ごろ【×頃・▽比】**《接尾》〔年・月・日・時刻など〕時を表すことばにつけて、「だいたい…の時分」の意。「三時—」

***ごろ**「ごろつき」の略。〔他の語につけて使う〕「政治—」

***ご-ろ【語×呂・語路】** ❶ことばの続きぐあいから生じる調子。語調。口合い。「—が悪い」 類語 口調。❷「ごろあわせ」の略。 **—あわせ【—合(わ)せ】** ことわざ・成句などの音をまねて、意味がちがう別の新しい句を作り、こっけいをあらわす、言葉のしゃれ。「ねこに小判」に対し、「下戸に御飯」という類。地口。

***ゴロ** 野球で、打たれて地上をころがるたま。 参考 グラウンダー(grounder)のなまりといわれる。

ころ-あい【×頃合(い)・▽比合(い)】 ❶ちょうどよい時機。「—をみて料理を出す」❷ちょうどよい程度。「—の大きさ」 類語 手ごろ。適当。

コロイド ある物質が非常にこまかい粒子になって溶液中に分散し、沈殿しないで浮きただよう状態になったもの。膠質。コロイド。▽colloid 参考 寒天・せっけん・ゼラチンなどの水溶液はコロイド。

***こ-ろう【固×陋】**《名・形動》〔文〕見聞がせまく、古いしきたりや考えにとらわれてがんこなこと。「頑迷—」

こ

【類語】片意地。依怙地(いこじ)。

＊こ-ろう【孤老】〔文〕ひとり暮らしの老人。

＊こ-ろう【故老・古老】〔文〕昔のことをよく知っている老人。年寄り。【類語】旧老。宿老。元老。

＊こ-ろう【×虎×狼】〔文〕❶トラとオオカミ。❷貪欲(どんよく)で残忍な・こと(人)。

ごろう・じる【御▽覧じる】《他上一》《サ変動詞「ごらんず」の音便「ごろうず」が、さらに上一段活用に変化したもの》ごらんになる。〔古風な言い方〕「細工は流々、仕上げを―じろ」

ころ-おい【×頃おい・▽比おい】(―ほひ)〔文〕ある時期・時間などを漠然とさす語。ころ。「人の寝静まった―に」

ころ-がき【▽転×柿・枯露×柿】渋がきの皮をむき、ほして甘くしたもの。ほしがき。つるしがき。

ころがし【転がし】ころがすこと。特に、利益を得るために土地や品物を転売すること。「土地―」

ころが・す【転がす】《他五》❶まわして、また、まわすようにして、ちがう位置に行かせる。回転させる。「玉を―すような声(＝美しい声)」❷倒す。ひっくりかえす。「花瓶を―す」【同】①②ころばす。❸転売を重ねる。「土地を―す」【文】《四》。

ころがり-こ・む【転がり込む】《自五》❶ころがって、また、ころがるようにして、なかにはいりこむ。「追われて寺に―む」❷思いがけなく手にはいる。「思わぬ遺産が―む」❸〔くらしに困ったり家を追われたりして〕人の家にやっかいになりにくる。「友人のアパートに―む」【同】①～③ころげこむ。

ころが・る【転がる】《自五》❶〔丸みのあるものが〕回転しながら進む。ころげる。❷立っているべきものが横倒しに倒れる。ころぶ。ころげる。「とっくりが―る」❸からだを横たえる。「ベッドに―って本を読む」❹〔「―っている」の形で〕物が無造作に置かれている。「庭先に植木鉢が―っている」❺〔「―っている」の形で〕容易に手にはいる所にいくらでもある。「チャンスはいたる所に―っている」❻物事のなりゆきが変わる。「事態はどっちに―るかわからない」【文】《四》。

ご-ろく【語録】〔文〕大学者・高僧などが説いたことばを集めた・もの(書物)。「毛沢東―」

こ-ろくがつ【小六月】〔文〕陰暦一〇月の別称。小春。

ころげ-こ・む【転げ込む】《自五》→ころがりこむ。

ころ・げる【転げる】《自下一》❶ころころと回転しながら動く。❷立っているものが横倒しになる。ころぶ。転倒する。【同】①②ころがる。

ころ-ころ《副》《「―と」の形も》❶小さな物が軽そうにころがるようす。❷笑い声、コオロギの鳴き声、鈴の鳴る音などの形容。「―と笑う」❸《自サ》かわいらしく、まるまるとふとっているようす。「―とした子熊」

ごろ-ごろ 一《名》「かみなり」の幼児語。二《副》《副詞は「―と」の形も》❶大きな物が重そうにころがるようす。また、その音の形容。❷《自サ》ころがってたくさんあるようす。「石が―している」❸《自サ》あちこちにたくさんあるようす。「そんな話ならどこにでも―している」❹《自サ》〔俗〕何もせずひまを持てあましているようす。「家で―している」【類語】ぶらぶら。❺雷が鳴りひびく音の形容。❻猫などがのどを鳴らす音の形容。

コロシアム ❶古代ローマの円形闘技場。コロセウム。❷〔規模の大きい〕競技場。「有明(ありあけ)―」▽① Colosseum ② colosseum

ころ-し-も【×頃しも】《副》《「し」は強意、「も」は感動の助詞》〔文〕ちょうどそのころ。「―師走(しわす)の初め」

ころし-もんく【殺し文句】その一言で相手の心をすっかりひきつけてしまう巧みなことば。「―に弱い」

＊ころ・す【殺す】《他五》❶相手の生命を絶つ。【参考】自分ではどうすることもできないうちに他の者が死ぬ場合にも用いる。「息子を肺炎で―した」【対】生かす。❷おさえつけて、活動しないようにする。「感情を―す」「才能を―す」❸〔野球で〕アウトにする。「走者を二塁で―す」❹碁で、相手の打つ石が生きて働かないようにする。❺〔勢いを〕弱める。「スピードを―す」❻〔男女関係で〕相手を悩殺する。「目で―す」【文】《四》。

＊コロス 古代ギリシア劇の合唱隊。俳優のせりふの合間に状況説明をするなど、劇の進行に大きな役割を果たす。▽ギリシア khoros

ころ-た【▽転太】❶丸太。特に、物を移動させるときに下に敷く丸太。ころ。❷「ごろたいし」の略。道などにころがっている小さな丸い石。石ころ。

コロタイプ 写真製版による印刷の一つ。ガラス板に写真を焼きつけて版をつくる。写真・絵画などの精巧な複製に適する。玻璃(はり)版。▽collotype

ごろ-つき〔定職がなく、住所も不定で〕盛り場などをうろつき、悪事をはたらくならず者。無頼漢(ぶらいかん)。【表記】「破落戸」と当てた。【類語】やくざ者。与太者。

ごろ-つ・く《自五》❶物がごろごろところがっている。❷〔きまった仕事がなく〕ぶらぶらしている。また、ごろつきの行いをする。「盛り場を―く」

コロッケ 西洋料理の一つ。ゆでてつぶしたジャガイモの中に、タマネギ・ひき肉などをまぜて丸め、小麦粉・卵・パン粉をつけて油で揚げたもの。▽フランス croquette

コロナ 太陽のいちばん外がわの部分で、皆既日食のとき真珠色に光る部分。高温のガスの層。▽corona

コロニー ❶植民地。また、植民地での植民者の集落。❷一種あるいは数種の生物がつくる集団で、一地域をしめるもの。細菌の場合は「集落」ともいう。❸→群体。❹〔療養者・芸術家などの〕集団居住地。▽colony

ごろ-ね【▽転寝】《名・自サ》〔ねまきに着かえず、ふとんも敷かずに〕ごろりと横になって寝ること。

ころば・す【転ばす】《他五》❶回転させる。❷〔立っているものを〕倒す。【同】①②ころがす。【文】《四》。

ころ・ぶ【転ぶ】《自五》❶丸いものがころころと回って行く。❷安定を失い、横にたおれる。「つまずいて―ぶ」❸江戸時代、キリシタンが改宗する。❹威力に負ける。「金に―ぶ」❺芸者などが、〔金銭で〕客に身をまかせる。❻物事のなりゆきが変化する。「どちらに―んでも損はない」【文】《四》。

―ばぬ先の杖(つえ)《句》失敗しないように前もって十分用心することが大切である。【類語】ぬれぬ先の傘。

―んでもただは起きぬ《句》たとえ失敗をした場合にでも何か利益を得ようとする。要領がよくて強欲な・こと(者)をいう。「倒れても土を摑(つか)め」とも。

ころも【衣】❶人がからだに着るものの総称。❷僧が身にまとう衣服。法衣。僧衣。❸菓子・天ぷらなどで、種をつつむ皮。

ころも-がえ【衣替え・衣▽更え】(―がへ)《名・自サ》❶別の衣服に着かえること。特に、季節のかわりめに、季節にあった着物に着かえること。【参考】昔は、陰暦四月一日と一〇月一日に行った。【表記】「更衣」とも書く。❷

《他サ》〔店などの〕外側のかざり・よそおいなどがすっかり変わること。また、変えること。

ころり《副》《多く「―と」の形で》❶〔軽そうなものが〕急に倒れたり、ころがったりするようす。❷〔あるものごとが〕簡単に行われるようす。「脳卒中で―と死ぬ」

ごろり《副》《多く「―と」の形で》〔重そうなものが〕急に倒れたり、ころがったりするようす。また、むぞうさに寝ころがるようす。「―と横になる」

コロン 欧文や横書きの文の句読点の一つ。ピリオドとセミコロンの中間の切れめに用いる。「:」▽colon

コロンブス-の-たまご【コロンブスの卵】《連語》一見だれでも思いつき、できそうなことだが、実際に最初にすることは至難だということ。故事 アメリカ大陸の発見はだれにでもできると評されたコロンブスは、それでは卵を立ててみろといい、だれもできなかった後に卵の尻をつぶして立ててみせたということから。

***こわ・い【▽強い】**《形》❶抵抗力がつよい。容易に屈服しない。「情の―・い人」❷ごわごわしている。かたい。「のりが―・い」❸歯ごたえがある。かたい。「ご飯が―・い」文こは・し《ク》。

***こわ・い【怖い・▽恐い】**《形》強そうで、あるいは正体がはっきりしなくて、危害を加えられそうな気がする。また、結果が不安で、それをさけたい感じである。「―・い顔をする」「失敗が―・い」類語 恐ろしい。文こは・し《ク》。⇩〔類義語の使い分け「恐ろしい」〕

―いもの知らず《句》自信にあふれて何物も恐れないこと(人)。

―いもの無し《句》恐ろしいと思うものがない。参考 勝手気ままにふるまう様子にいう。

―いもの見たさ《句》恐ろしいものはかえって好奇心を刺激して、見たくなること。

こわ-いけん【▽強意見】〔強い態度で行う〕手きびしい意見。強いいましめ。

こわ-いろ【声色】❶〔話すときの〕声の調子。声のようす。こわね。「―がやさしい」❷他人、特に役者や芸人のせりふのくせや声の調子をまねること。また、まねたその声。「―を使う」

こわ-が・る【怖がる・▽恐がる】《他五》こわいようすを見せる。おそろしがる。おそれる。「犬を―・る」

こ-わき【小×脇】《「こ」は接頭語》わき。〔わきに関するちょっとした動作についていう〕「―にはさむ(=わきにちょっとはさむ)」「―にかかえる」

こ-わく【×蠱惑】《名・他サ》〔文〕人の心をひきつけて乱し、たぶらかすこと。「男を―する姿態」類語 魅惑。

―てき【―的】《形動》〔その姿・動作に〕心をまどわされそうな、あやしい魅力をたたえているようす。

こ-わけ【小分け】《名・他サ》小さくいくつかに分けること。また、分けたもの。類語 細別。細分。小区分。

こわ-ごわ【怖怖・▽恐▽恐】《副》非常に恐ろしく思いながら物事をするようす。おそるおそる。「―近づく」「―のぞき込む」表記 かなで書くことが多い。

ごわ-ごわ《副・形動・自サ》《副詞は「―と」の形も》紙・布などがかたくて張りがあるようす。「―したシャツ」

こ-わざ【小技】相撲・柔道などで、ちょっとしたわざ。「―がきく」対 大技。

こわ・す【壊す・×毀す】《他五》❶〔破ったり砕いたりして〕そのものの形や働きをなさないようにする。破壊する。「家を―・す」⇩〔類語と表現〕❷〔使いすぎたり乱暴にあつかったりして〕機能をそこなう。「からだを―・す」「誤操作で機械を―・す」❸物事のまとまっている状態をくずす。「夫婦仲を―・す」「縁談を―・す」❹高額の貨幣を小額の貨幣にかえる。くずす。「一万円札を千円札に―・す」文《四》。

類語と表現

「壊す・壊れる」

＊ドアを壊す・おもちゃを壊す・橋を壊す・ビルを壊す/腹を壊す・テレビが壊れる/計画を壊す・和解の話が壊れる。

◆破る・破く・崩す・潰す・拉ぐ・砕く・割る・裂く・損なう・損ねる・損じる・傷める・打ち割る・打ち壊す・取り壊す・取り崩す・切り崩す・突き崩す・掘り崩す・押し潰す・握り潰す・ひねり潰す・噛み潰す・踏み潰す・すり潰す・すり砕く・取り拉ぐ・踏みしだく・踏みにじる・傷付ける/(する)破壊・破損・破棄・破砕・爆砕・爆破・粉砕・損壊・毀損・汚損

◆破れる・崩れる・潰れる・潰える・拉げる・拉げる・砕ける・割れる・ひび割れる・破ける・裂ける・傷付く・傷む・欠ける・毀れる/(する)損壊・決壊・倒壊・崩壊・壊滅・全壊・半壊・損傷・瓦解・パンク

ござ・す ㊀《自特活》〔活用は助動詞「ます」と同じ〕「ある」の丁寧語。ございます。㊁《補動》補助動詞「ある」の丁寧語。ございます。参考 鹿児島地方の方言。

こわ-だか【声高】《形動》話し声が高く大きいようす。声高。「―に話す」「―にののしる」類語 大声。

こ-わたり【古渡り】古い時代に外国から渡ってきたこと。特に、室町時代またはそれ以前に外国から渡ってきた珍しい布地・美術工芸品など。「―更紗」

こわ-だんぱん【▽強談判】〔自分の主張を通すため〕強硬な態度で行う談判。「―に及ぶ」

ごわ-つ・く【▽強付く】《自五》ごわごわする。

こ-わっぱ【小▽童】《「こわらは」の転》少年や未熟な年少者をばかにして言うことば。こぞっこ。類語 青二才。

こわ-ね【声音】❶声の音色。❷〔話すときの〕声の調子。こわいろ。

こわ-ば・る【▽強張る・▽硬張る】《自五》〔柔らかいものが〕つっぱったようになる。「表情が―・る」

こわ-めし【▽強飯】もち米をしばらく水につけておき、水気をきって蒸した飯。あずきをまぜて赤く色をつけた赤飯をさすことが多い。おこわ。強飯。

こわ-もて【▽強▽面・怖▽面】《名・形動》《「こわおもて」の約》こわい表情をすること。また、相手に対して、自分の意見などをむりに押しつけるような、強い態度に出ること。「―に出る」

こわれ-もの【壊れ物・×毀れ物】❶こわれたもの。❷〔ガラス・陶器など〕こわれやすいもの。

こわ・れる【壊れる・×毀れる】《自下一》❶〔破れたり砕かれたりして〕形が変わり、そのものの働きをしないようになる。破損する。「地震で家が―・れた」⇩〔類語と表現「壊す・壊れる」〕❷〔使いすぎたり乱暴に扱ったりして〕機能がそこなわれる。故障する。「からだが―・れる」「テレビが―・れる」❸物事のまとまった状態がくずれる。「縁談が―・れる」文こは・る《下二》。

***こん【婚】**《接尾》「結婚」「婚姻」の意。「かよい―」

***こん【献】**《助数》杯に酒をさしてすすめる度数を表す。

***こん【根】**❶あきずに一つの物事をし続ける気力。根気。「―を詰める(=一つの物事をあきずに熱心にする)」

❷〔数〕ある数Aを何乗かして得た数Bの、その元の数A。べき根。「平方―」「立方―」❸〔数〕方程式を解いて得られる、未知数を満足させる数。❹〔理〕基のうち、特にイオンになる傾向のあるもの。

***こん**【紺】青と紫がまざりあった色。紺色。

***こん**【今】《連体》「現在の」「いまの」「このたびの」「今日の」などの意。「―国会の会期」

ごん【金】五行の第四位。方位で西、時節では秋、天体の五星では金星、十干では庚・辛に当たる。

こん-い【懇意】《形動》互いに心やすくつきあっているようす。「―な間柄」類語 親密。親近。昵懇。

こん-いつ【混一】《名・他自サ》〔文〕まぜて一つにすること。また、まじって一つになること。類語 合一。

こん-いん【婚姻】《名・自サ》正式に男女が結婚すること。〔多く、法律的な面から言う〕「―届」

こん-か【婚家】嫁入り、または、婿入りした先の家。対 実家。生家。

こん-かい【今回】〔何回か行われる、ある催し・会合などの〕現在の回。この回。類語 今次。今般。

こん-かぎり【根限り】《副》気力の続くかぎり懸命にするようす。根気の続く限り。「―書き続ける」

こん-がすり【紺×絣・紺▽飛▽白】紺色の地に白いかすりをつけた模様。また、その模様のある綿織物。

こんがらか・る《自五》❶もつれてごちゃごちゃにからまりあう。「毛糸が―る」❷〔物事が〕いりくんで複雑になる。混乱する。紛糾する。「話が―る」＝こんぐらかる・こんがらがる。

こんがり《副》《「―と」の形も》ちょうどよい程度に褐色に焼けるようす。「もちが―と焼けた」

こん-かん【根幹】〔木の根と幹の意から〕物事のもとになる、いちばん大切な部分。根本。「民主主義の―をなす理念」類語 基本。中枢。根源。対 枝葉。

***こん-がん**【懇願・×悃願】《名・他サ》切にのぞみ願うこと。「協力を―する」類語 切願。哀願。懇望。

***こん-き**【今期】〔いくつかの期間に分けたときの〕現在の期間。この期間。「―最高の売り上げ」

***こん-き**【今季】〔季節に分けてものごとをするときの〕今の季節。現在のシーズン。「―最高の人出」

***こん-き**【婚期】〔主に女性にとって〕結婚するのにちょうどよい年ごろ。結婚適齢期。「―を逸する」

***こん-き**【根気】❶〔一つの物事を〕あきずに熱心に続けていく気力。根。「―のいる仕事」類語 精根。気力。❷〈―よく〉一つの物事をあきずに熱心にするようす。「―よく調査を続ける」

こん-ぎ【婚儀】〔文〕結婚の儀式。婚礼。

こん-きゃく【困却】《名・自サ》〔文〕困りはてること。「事態の複雑さに―する」類語 困惑。困窮。

こん-きゅう【困窮】《名・自サ》❶〔行きづまって〕困り苦しむこと。「対策に―する」類語 困却。❷貧しくて生活に困ること。「生活―者」類語 困苦。

こん-きょ【根拠】❶ある行動を起こす際の基地になる場所。ねじろ。「―地」❷ある言動の理由や考えの基盤となるもの。よりどころ。「なんの―もなく反対する」

こん-ぎょう【今暁】〔文〕けさの暁のころ。きょうの夜あけ方。類語 今朝。

ごん-ぎょう【勤行】仏前で読経や回向をすること。おつとめ。参考 一日のうち時を定めて行う。

こん-く【困苦】《名・自サ》〔物が乏しくて〕困ったり苦しんだりすること。「―欠乏」類語 困窮。辛苦。

***ごん-ぐ**【×欣▽求】《名・他サ》〔悟りの道を〕よろこんで願い求めること。まごころから求めること。**―じょうど**【―浄土】極楽浄土に往生することを心から願い求めること。参考 ↓厭離穢土。

***ゴング** ❶どら。❷ボクシングで、試合の開始や各ラウンドの開始・終了をしらせる鐘。▽gong

コンクール 映画・音楽・美術などの競技会。「合唱―」類語 コンテスト。▽フランス concours

こんぐらか・る《自五》こんがらかる。こんぐらがる。

こん-くらべ【根比べ・根▽競べ】忍耐力や根気の強さをくらべ競うこと。根気くらべ。

コンクリート セメント・水・砂・砂利を適当な割合でねりかためたもの。土木・建築工事の材料。表記「混凝土」と当てた。▽concrete

コングロマリット 異なる業種の企業を次々に吸収合併して巨大化した、特殊な企業形態の会社。複合企業。▽conglomerate

ごん-げ【権化】❶仏や菩薩が人々を救うために、仮に姿をかえてこの世に現れること。また、その仏や菩薩の化身。権現。参考「権」は「仮」の意。❷ある抽象的なものがはっきりした具体的な形をもって現れたように思える・もの（人）。「悪の―」

こん-けい【根茎】地下茎の一種。一般に地中を長く横に走る、根に似た茎。タケ・ハスなどにある。

こん-けつ【混血】人種のちがう者同士の間に生まれた子に両方の人種の特質がまじりあうこと。「―児」

こん-げつ【今月】現在の月。この月。本月。当月。

こん-げん【根源・根元】〔あるものごとを成り立たせる〕いちばんもとになっているもの。おおもと。根本。「諸悪の―」「―的」類語 本源。根底。

ごん-げん【権現】❶↓権化①。❷仏や菩薩が仮に、日本の神に姿をかえて現れること。また、その神。参考 本地垂迹の思想にもとづく。❸神の尊号の一つ。「箱根―」❹〈―さま〉江戸時代、徳川家康の死後の尊称。東照大権現。**―づくり**【―造(り)】神社の建築様式の一つ。拝殿と本殿を接近して建て、その間を廊下状の石の間でつないで一棟のようにしたもの。石の間造り。

こん-ご【今後】これからのち。〔副詞的にも使う〕類語 以後。自今。将来。向後。

類義語の使い分け　今後・以後

[今後・以後] 今後（以後）過ちを犯さないことを誓います／今後（以後）は後進の指導に当たる

[今後] 今後の計画を立てる／今後ともよろしく

[以後] 以後連絡がない／以後の消息は知りません

ごん-ご【言語】《「言語」の呉音読み》〔文〕ことば。言語。**―どうだん**【―道断】❶〔仏〕教えの奥深い真理はことばでは表現しきれないこと。❷《名・形動》ひどくて批評・非難のことばも出ないほどであること。「―な振る舞い」注意「げんごどうだん」は誤読。

こん-こう【混交・混×淆】《名・自サ》〔いろいろなものが〕ごちゃごちゃに入りまじっていること。「玉石―」表記「混交」は代用字。類語 混合。

***こん-ごう**【根号】平方根・立方根などの累乗根を表す記号。√。ルート。

***こん-ごう**【混合】《名・自他サ》まじり合うこと。まぜ

合わせること。「―ダブルス」「―物」[類語]混交。

***こん・ごう**【金剛】❶「金剛石」の略。❷非常にかたくて・破れない（こわれない）こと。「―の体」❸「金剛神」の略。[参考]「金剛」は「金属中で最もかたい物」の意。
―しゃ【―砂】粒状をした不純な鋼玉。不透明で黒色。金剛石に次いでかたく、研摩用。エメリー。**―しん**【―心】かたく、くじけない信仰心。金剛力士。**―せき**【―石】ダイヤモンド。**―づえ**【―×杖】修験者・巡礼などが持つ、切り口が八角または四角の白木のつえ。金剛杖。**―ふえ**【―不▽壊】非常にかたく、ぜったいこわれないこと。**―りきし**【―力士】仏法を守護する力の強い神。筋骨たくましく、怒りの相を表している。その像は寺の門の左右に安置される。仁王。金剛神。金剛。

コンコース 公園などの中央広場。また、駅・空港内などの中央にある、通路を兼ねた広場。▽concourse

***こん・こん**《副》（「―と」の形も）❶咳をするときに発する声の形容。❷雪・あられなどの降るようす。❸キツネの鳴き声の形容。❹硬い物をつづけてたたくようす。また、硬い物が当たって出る、乾いた音の形容。

***こん・こん**【懇懇】《形動タルト》〔心をこめて〕丁寧に何度もくり返し説くようす。「―とさとす」

***こん・こん**【×昏×昏】《形動タルト》❶〔文〕暗くて物の区別が明らかでないようす。また、道理に暗いようす。❷すっかり意識を失っているようす。また、深くねむっているようす。「―と眠り続ける」

***こん・こん**【×滾×滾・×渾×渾】《形動タルト》〔水などが〕盛んに流れるようす。また、盛んに湧きでるようす。「―と泉がわく」

コンサート 音楽会。演奏会。▽concert

こん・さい【根菜】おもに根を食べる野菜の総称。ダイコン・ニンジン・ゴボウなど。[類語]果菜。葉菜。花菜。

こん・ざい【混在】《名・自サ》〔二種類以上の物が〕まじって存在すること。「異なる思想が―する」

ごん・さい【権妻】めかけ。〔明治初期に使われた語〕

こん・さく【混作】《名・他サ》一つの耕地に二種以上の作物を同時に栽培すること。

こん・ざつ【混雑】《名・自サ》多くの人や物が秩序なくいりまじってこみあうこと。「―を避ける」[類語]雑踏。

コンサルタント ❶ある物事に関する相談相手となることを職業とする人。❷特に、企業の依頼を受け、その経営・管理について診断と指導を行う人。マネージメントコンサルタント。「経営―」▽consultant（=顧問）

こん・し【懇志】〔文〕親切で行き届いた志。ねんごろな志。「御―かたじけなく存じます」[類語]懇情。

***こん・じ**【今次】〔文〕このたび。今回。今度。「―の大戦」[類語]今般。

***こん・じ**【恨事】〔文〕うらめしく思うほどひどく残念なこと。痛恨事。「千載の―」

***こん・じ**【根治】《名・自他サ》〔病気やよくない事が〕根本からすっかりなおること。また、すっかりなおすこと。根治。「水虫を―する」[類語]全治。

こん・じき【金色】黄金のような色。こがね色。やまぶき色。金色。「―に輝く」

こん・じゃく【今昔】〔文〕現代の世の中と昔の世の中。今と昔。今昔。**―の・かん**【―の感】《連語》今と昔を思いくらべて、その相違の大きいのに驚いておこす感慨。「―に堪えない」

こん・しゅう【今週】現在の一週間。この週。

コンシューマー 消費者。▽consumer

こんしゅ・ご【混種語】互いに異なった言語に由来する二つ以上の要素の結合からなる単語。たとえば、和語と外来語、漢語と外来語の結合など。また、和語と漢語の結合にも言う。

こんじゅ・ほうしょう【紺×綬褒章】→褒章。

こん・しょ【懇書】〔文〕親切で行き届いた手紙。〔相手の手紙を敬って言う語〕

***こん・じょう**【今生】この世に生きている間。一生の間。この世。「―の思い出」[対]後生。他生。

***こん・じょう**【懇情】〔文〕親切で、行き届いた心もち。ねんごろな志。[類語]懇志。

***こん・じょう**【根性】❶〔その人が生まれつき持っている〕根本的な性質・考え方。性根。「―が曲がっている」「役人―」[類語]気性。気質。心根。きだて。❷物事をやり通そうとする強い気力。「―がある」

***こん・じょう**【紺青】あざやかな明るい青色。また、その色の顔料。[類語]紺碧。

ごん・じょう【言上】《名・他サ》〔身分の高い人に意見などを〕申し上げること。[類語]進言。具申。上申。

こん・しょく【混食】《名・自他サ》❶米に他の穀物をまぜて主食とすること。❷動物性・植物性の食品をかたよらず食べること。[参考]→雑食。

***こん・じる**【混じる】《自他上一》→こんずる。

***こん・しん**【懇親】〔多くの人たちが〕互いにうちとけて親しくすること。親睦。「―会」[類語]親交。親善。

***こん・しん**【混信】《名・自サ》〔無電・ラジオ・テレビなどの無線通信で〕受信しようとする送信局以外の局の電波がまじってはいること。[類語]混線。

***こん・しん**【×渾身】からだ全体。からだじゅう。全身。満身。「―の力をこめる」

こん・すい【×昏睡】《名・自サ》❶ぐっすりと眠りこむこと。❷〔医〕意識がなくなって、外から強い刺激を与えても目ざめないこと。「―状態」[類語]人事不省。

ごんすけ【権助】〔俗〕下男。飯たき。[参考]昔、下男の名として多く使われたことから。

コンスタント ❶《形動》一定しているようす。「―な打率」❷《名》〔数〕常数。定数。▽constant

コンストラクション ❶組み立て。構成。構造。❷建設。建造。▽construction

こん・ずる【混ずる】《自他サ変》〔文〕〔ある物に他の物が〕まじる。まざる。また、まぜる。混じる。「不純物が―じている」

***こん・せい**【懇請】《名・他サ》〔礼を尽くして〕ていねいに頼むこと。ひたすら頼むこと。[類語]懇願。懇望。

***こん・せい**【混成】《名・自他サ》まじりあってできていること。また、まぜあわせてつくること。「―チーム」

***こん・せい**【混生】《名・自サ》〔二種以上の植物が〕いりまじって生えること。

***こん・せい**【混声】男声と女声によってうたうこと。「―合唱団」

***こん・せき**【今夕】〔文〕きょうの夕方。今、過ごしている夕方。今夕。[類語]今晩。今夜。こよい。

***こん・せき**【×痕跡】以前に何かあったことを表すもの。形跡。「―をとどめる」[類語]残痕。

***こん・せつ**【今節】❶〔文〕このごろ。いまどき。❷〔競馬・野球などで〕今の節。今回の節。[類語]①②当節。

***こん・せつ**【懇切】《名・形動》こまかく行き届き、非常

に親切なこと。「―丁寧」[類語]懇篤。懇々。

こん・ぜつ【根絶】《名・他サ》根本からすっかり絶やすこと。根絶やし。「悪習を―する」[類語]絶滅。全滅。

コンセプト ❶〔哲〕概念。❷全体をつらぬく、根本の考え方・ねらい。「企画の―」▽concept

***こん・せん【混戦】**〔敵味方が〕入り乱れて戦うこと。「三つ巴の―」「―状態」[類語]乱戦。乱闘。

***こん・せん【混線】**《名・自サ》❶〔電信・電話で〕信号・通話がいくつもまじって聞こえること。[類語]混信。❷話の筋が混乱すること。

こん・ぜん【×渾然】《形動タルト》❶〔異なるものが〕互いにとけあって一つになり区別がないようす。「―一体となる」❷〔性質などに〕かど立った所や欠点のないようす。[表記]「混然」とも書く。

コンセンサス 意見の一致。合意。▽consensus

コンセント 電気の配線とコードをつなぐために壁・床などに取りつける、プラグのさしこみ口。[参考]concentric plug から転じた語という。

コンソール ❶テレビ・ステレオなどで、脚がついたキャビネットに収められたもの。「―タイプ」❷スイッチや計器類を一か所にまとめたもの。また、電子機器で、その制御を一か所で行うための台。▽console

コンソメ すましのスープ。牛肉・野菜を煮出して作った液(=スープストック)を布でこし、好みの実を浮かせたもの。[対]ポタージュ。▽consommé

こん・だく【混濁・×溷濁】《名・自サ》〔文〕❶にごっていること。「―した水」❷〔記憶・意識などが〕乱れてはっきりしていないこと。「意識が―する」

コンダクター ❶オーケストラなどの指揮者。❷「ツアーコンダクター」の略。団体旅行の添乗員。▽conductor

コンタクト ❶《名・自サ》交渉・かかわり合いをもつこと。接触。「―をとる」❷「コンタクトレンズ」の略。眼球に直接かぶせて視力の矯正に用いる、プラスチック製などの薄いレンズ。▽contact

こん・だて【献立】 ❶料理の種類・品目。また、その取り合わせ・順序。メニュー。❷ある事をするための準備・手配。「会議の―をする」

こん・たん【魂胆】 ❶きもったま。たましい。❷心中にかくされたたくらみ・意図。策略。「なにか―がありそうだ」[類語]陰謀。秘計。秘策。

こん・だん【懇談】《名・他サ》打ちとけて親しく話し合うこと。懇話。「首相と―する」「―会」[類語]歓談。

こん・ち【根治】《名・自他サ》→こんじ(根治)。

コンチェルト 協奏曲。コンツェルト。「バイオリン―」▽concerto

こん・ちくしょう【こん畜生】《「こん」は連体詞「この」の転》㊀《名》自分のそばにいる人をさして、その人をののしっていう語。㊁《感》人をののしったり、ひどく腹が立ったりしたときに発する語。=こんちきしょう。

コンチネンタル 《造語》ヨーロッパ大陸風の。「―スタイル」「―タンゴ」▽continental

こん・ちゅう【昆虫】 節足動物のうち昆虫類に属する動物の総称。体は頭・胸・腹の三部に分かれ、頭部に複眼と触角が一対ずつ、胸部に三対の足と普通は二対のはねがある。全動物の四分の三を占める。

コンツェルト →コンチェルト。▽Konzert

コンツェルン 独占企業形態の一つ。同一系統の大資本によって支配・統制されている、多数の企業の結合体。[参考]→トラスト。カルテル。▽Konzern

***コンテ** 〔映画・放送で〕画面の構成、人物の動き、音響、カメラの位置など演出上の指定をくわしく書き入れたもの。撮影台本。演出台本。[参考]「コンティニュイティー(continuity)」の略。

***コンテ** クレヨンの一種。鉛筆よりもやわらかく描け、濃淡がはっきり出る。写生・デッサン用。[参考]商標名。▽Conté

こん・てい【根底・根×柢】 一番もとになる・もの(所)。土台。根本。「―からくつがえる」[表記]もと、もっぱら「根柢」と書いた。[類語]根源。本源。

こん・でい【金泥】 金粉をにかわにとかしたもの。書・日本画や装飾などに用いる。金泥。

コンディショニング コンディションをととのえること。調整。「エア―」「スキン―」▽conditioning

コンディション 〔何かをするための〕健康・天候・場所などの状態・調子。「ベスト―」▽condition

コンテキスト 文章の前後の関係。文脈。コンテクスト。▽context

コンテスト あることについて、優劣をきそいあう競技会・競演会。「美容―」[類語]コンクール。▽contest

コンテナー ❶機械・器具などの容器。❷鉄道の同一区間を往復する、大型の簡易輸送箱。❸貨物の運送に用いる、組立式の金属製の箱。梱包がいらず、積み降ろしが簡単。=コンテナ。▽container

コンデンサー ❶蓄電器。❷蒸気機関の使用ずみの蒸気を冷やしてふたたび水にする装置。凝縮機。復水器。❸集光器。▽condenser

コンデンス・ミルク 牛乳に砂糖を加え、煮つめて濃縮したもの。加糖練乳。▽condensed milk から。

コンテンツ ❶中身・内容。❷目次。❸マルチメディアでとりあつかわれる情報の中身・内容。▽contents

コンテンポラリー 《名・形動》現代であること。同時代であること。▽contemporary

コント ❶風刺と機知に富んだ小話。❷軽妙でこっけいな寸劇。▽conte

こん・ど【今度】 ❶何回かくり返し行われるものごとの中で、現在に一番近い時に・行われた(行われる)ものをさして言う語。このたび。今回。今次。「―のオペラは新作だ」❷新しく・起こった(決まった)ものごとに対して言う語。最近。「―部長に昇進した」❸近い将来に行われることを言う語。この次。次回。「―いっしょに行こう」〔①～③は副詞的にも使う〕

こん・とう【×昏倒】《名・自サ》目まいがして意識がなくなりたおれること。[類語]卒倒。失神。

***こん・どう【混同】**《名・他サ》区別すべきものを区別せずに、同じものとして・扱う(考える)こと。「公私を―する」「政治と宗教の―」

***こん・どう【金堂】** 寺院の建物の中で、本尊を安置してある堂。本堂。「法隆寺の―」[参考]堂内を金色に飾ったことからこの名があるといわれる。

***こん・どう【金銅】** 銅・青銅に金めっきをしたもの。

コンドーム 薄いゴムで作ったサック。男性が避妊などに用いる。ルーデサック。スキン。▽condom

こん・とく【懇篤】《形動》〔文〕心がこもっていて、ていねいなようす。〔他人がしてくれた行為などに対して使う〕「―な説明」[類語]懇々。懇切。親切。

コンドミニアム・ほうしき【コンドミニアム方

式】〔アパートなどの〕分譲共有方法。また、保養地のホテルなどで、各室の利用権を分譲・販売し、その管理・運営をホテルに委託する方式。参考「コンドミニアム（condominium）」は共同所有の意。

ゴンドラ ❶イタリアのベニスにある、名物の細長い小舟。❷気球・飛行船・ロープウエーなどにとりつけるつりかご。表記「画舫」と当てる。▽イタリア・英 gondola

コントラスト 〔対立する〕二つのものをくらべたときの違い。また、その違いからくる効果。対照。対比。「ーの妙」▽contrast

コントラバス バイオリンに似た形で、最も低い音を出す、大形の弦楽器。バス。ベース。ダブルベース。▽ドイツ Kontrabass 英 contrabass

コントラルト →アルト。▽イタリア contralto

コンドル コンドル科の鳥。南アメリカ・中央アメリカ産。頭部は裸出する。飛ぶ鳥の中では最大。死肉を食べる。ハゲタカ。▽condor

コントロール 《名・他サ》❶程度がすぎないように調節すること。また、自分の思うままに支配すること。制御。統制。「感情をーする」❷野球で、投手が自分の思う所に自由に球を投げられること。また、その技量。制球力。▽control **ータワー** 飛行場にあって、航空交通を管理指導する設備をそなえた塔。▽control tower

こん-とん【混×沌・×渾×沌】 ❶天地創造のはじめの、天と地がまだ分かれていない状態。カオス。❷《名・形動トタル》入りまじって区別がつかないこと。なりゆきがわからないこと。「ーたる政局」類語 渾然（こんぜん）。

こんな 《形動》《連体形「こんな」は接続助詞「のに」「ので」に続く場合にのみ用いられて、体言に続くときは、語幹「こんな」が用いられる。そのため「こんな」を連体詞とする説もある》状態や程度・数量が、このようであるようす。このよう(な)。「ー所に寝てはいけない」参考 文脈によって、その程度・数量をとりたてて強調することがある。こんなにまで。「ー(に)多くの人が集まるとは思わなかった」

こん-なん【困難】 ❶《名・自サ》困り苦しむこと。困苦。❷《名・形動》実行や解決がむずかしいこと。「ーな問題」「ーを極める」「呼吸ー」類語 ①②難儀。

こん-にち【今日】 ❶今過ごしている一日。本日。きょう。〔「きょう」よりも改まった場合に用いる〕「ーの催し物」❷現在を含めて現在に近い範囲の時。このごろ。現今。「ーの世相」類語 今時。**ーさま【ー様】** 太陽をさす尊敬語。おてんとさま。**ーは** 《感》昼間、人に会ったり、訪問したりしたときに言うあいさつのことば。参考「今日は…」のあとの部分が略された形。類語 こんばんは。お早う。

こん-にゃく【×蒟×蒻】 ❶サトイモ科の多年草。球茎はやや平たい球状で、こんにゃく玉とよばれる。❷こんにゃく玉の粉を煮て固めた食品。

こん-にゅう【混入】 《名・自他サ》〔ある物が他の物の中に〕まじってはいること。また、まぜて入れること。「毒物がーしている」

こん-ねん【今年】 今過ごしている一年。ことし。

コンパ たがいに費用をだしあってする〔学生の〕懇親会。参考「コンパニー（company）」の略。

コンバーター ❶周波数変換装置。❷電流を交流から直流、直流から交流に変換する装置。変流器。❸原子炉の一種。転換炉。❹コンピューターで、コンバートを行うソフトウエア。▽converter

コンバーチブル ❶折り畳み式のほろが付いたオープンカー。❷いろいろな形に変えて着られる服。▽convertible（＝変換できる）

コンバート ❶ラグビーで、トライ後にキックした球がクロスバーの上を越えてゴールすること。❷《名・他サ》選手の専門の守備位置を転向させること。「二塁手を外野へーする」❸《名・他サ》コンピューターで、あるプログラム用につくられたデータを別のプログラムでも動くように変換すること。▽convert（＝転換する）

コンパートメント 〔汽車や喫茶店などの〕仕切った席。コンパート。▽compartment（＝区画）

こん-ぱい【困×憊】 《名・自サ》〔文〕ひどくつかれ、心身が弱りはてること。困弊（こんぺい）。過労。「疲労ー」

コンバイン 稲・麦などを刈り取りながら、同時に脱穀を行う農業用の機械。▽combine（＝組み合わせる）

こん-ぱく【魂×魄】 〔文〕〔死んだ人の〕たましい。霊魂。「ーこの世にとどまりて…」

コンパクト ❶鏡のついた、携帯用のおしろい・パフ入れ。

日本語 **いろいろな「コン」**

外来語には長い語（多拍語）が多いので、しばしば省略された形で使われる。テレビジョンはテレビとなり、プロフェッショナルはプロとなる。すると、パンストのストはストッキングだが、ハンストのストはストライキというように、もとの語は違うのに省略形は同じ音になる語が続々と生まれてくる。なかでも最も多いのは「コン」だろう。

パソコンのコンはコンピューター、リモコンのコンはコントロールだが、エアコン（エアコンディショナー）・生コン（生コンクリート）・ツアコン（ツアーコンダクター）・ミスコン（ミスコンテスト）・ボディコン（ボディーコンシャス）・合コン（合同コンパ）・駅コン（駅コンサート）など、省略語がひとり歩きをして、もとの語が何であったか分からなくなりそうな語も少なくない。こうした現象は「コン」ばかりではないが、それだけ、外来語が日本語化したのだとも言えるだろう。

❷《名・形動》小型で、きちんとまとまって中身が充実していること。また、持ち歩きに便利な大きさ・形であること。「ーサイズ」「ーカメラ」▽compact **ーディスク** デジタル方式で記録・再生する光ディスクの総称。音楽CD・CD-ROMなど。略語 CD。▽compact disc

コンパス ❶製図用具の一つ。円を描いたり、線の長さをうつしとったりするのに用いる、開閉自由の二本脚の道具。ぶんまわし。両脚規。❷磁石の針が北をさす性質を利用して方位を知る装置。羅針盤（らしんばん）。❸〔俗〕〔歩くときなどの〕両脚を開く幅。歩幅。「ーが長い」▽オランダ kompas 英 compass

コンパニオン 接待役の女性。▽companion

こん-ばん【今晩】 きょうの晩。今夜。こよい。類語 本夕。今夕。**ーは** 《感》夜、人に会ったり、訪問したりしたときに言うあいさつのことば。参考「今晩は…」の

こ

あとの部分が略された形。

こん・ぱん【今般】〔文〕今回。 [類語]今日は。今度。このたび。〔副詞的にも使う〕「―の事件」 [類語]今次。 [対]先般。

コンビ《「コンビネーション」の略》❶二人で組むこと。また、その組み合わせ。「名―」 ❷コンビネーション③。

コン・ビーフ 塩・硝石で処理したのち、さらに塩づけした牛肉。コーンビーフ。▽corned beef から。

コンビナート 生産過程で相互に関連のあるさまざまな生産部門を、地域的に結合させた企業集団。結合企業。結合生産。「石油―」▽ロシア kombinat

コンビニ「コンビニエンスストア」の略。

コンビニエンス・ストア 無休で深夜まで営業する、小型のスーパー店。コンビニ。▽convenience store

コンビネーション ❶組み合わせ。取り合わせ。「―が悪い」 ❷女性・子ども用の上下の続いた下着。 ❸二色の革、または、材質の異なる革と布を組み合わせて作ったくつ。コンビ。 ❹スポーツで、同一チームの選手間の連係動作。 ❺野球で、投手が種類の異なった投球を組み合わせる技術。「カーブとシュートの―」 ❻〔数〕組合せ③。▽combination

コンピューター 電子計算機。コンピュータ。▽computer **―ウイルス** 病原体のように、コンピューターの記憶装置などに入りこみ、データを破壊したりソフトウエアを異常に作動させたりするプログラム。ウイルス。▽computer virus **―グラフィックス** コンピューターで図形や画像を作ること。略語CG。▽computer graphics **―だんそうそうち【―断層装置】**↓シーティー(CT)。 **―ネットワーク** 離れた場所に置かれている複数のコンピューターを通信回線でつなぎ、効率的に情報を交換したり共同利用したりするための通信網・システム。▽computer network **―リテラシー** コンピューターを使いこなす能力。▽computer literacy(=読み書き能力)

コンピューターリゼーション コンピューター利用による合理化。また、コンピューターが普及して、社会に欠かせなくなること。▽computerization

コンピュートピア コンピューターを利用した、理想の未来社会。[参考] computer と utopia(=理想郷)からの合成語。▽computopia

こんぴら【金×毘羅・金比羅】❶もとインドの神。仏教で薬師十二神将の一つ。仏法を守護する神。日本では航海の安全を守る神として信仰される。 ❷香川県琴平(ことひら)にある、「金刀比羅宮(ことひらぐう)」の俗称。

こん・ぶ【昆布】 褐藻(かっそう)類に属する多年生の海藻。寒い海の深いところにはえる。褐色で、帯状をなす。食用、または、ヨード・カリなどの原料となる。こぶ。

コンファレンス↓カンファレンス。▽conference

コンプレックス ❶〔心〕現実意識に抑圧されて無意識下にある、感情的経験の記憶。人間の意識的思考・行動に影響を与える。 ❷「インフェリオリティーコンプレックス」の略。劣等感。▽complex

コンプレッサー 空気・ガスを必要な圧力にまで圧縮する機械。圧縮機。▽compressor

コンペ ❶(ゴルフの)競技会。 ❷(設計などの)公開競技。[参考]「コンペティション(competition)」の略。

コンペイトー ケシの種に糖みつをかけて固めた、小粒の菓子。全体に小突起がある。▽ポルトガル confeito [表記]「金米糖」「金平糖」などと当てる。

こん・ぺき【紺×碧】〔晴れた日の海のような〕ふかい青色。「―の空」 [類語]紺青(こんじょう)。

コンベヤー 工場などで、材料や製品を連続して自動的に運ぶ帯状の装置。伝送帯。コンベヤ。「ベルト―」「―システム」▽conveyor

コンベンション 国際的な会議。見本市。学会。「―シティー」「―ホール」▽convention(=習慣)

コンポ ❶「コンポーネント」の略。ステレオの構成部分。 ❷「コンポーネントステレオ」の略。アンプ・チューナー・プレーヤー・スピーカーがそれぞれ独立した機器として構成されているステレオ。▽stereo component system から。

***こん・ぼう【×棍棒】** ❶〔手で持てるぐらいの〕長い棒きれ。棒。[参考]「警棒」を言う場合もある。 ❷新体操で使う徳利の形をした木製の手具。二本一組。クラブ。

***こん・ぼう【混紡】** 種類のちがう繊維をまぜて糸をつむぐこと。「綿と麻の―」 [類語]混織。交織。

こん・ぽう【×梱包】《名・他サ》むしろやなわをかけて荷造りすること。また、その荷物。

コンポート ❶果物をシロップなどで煮たもの。 ❷果物などを盛る足つきの皿。▽compote

コンポジション ❶作文。特に、英語の作文。 ❷作曲。 ❸絵画・写真などの構図。▽composition

コンポスト 家庭の生ごみや下水の汚泥などからつくる有機肥料。▽compost(=堆肥(たいひ))

こん・ぽん【根本】 ある物事のなりたちを支える、最も基礎になるもの。おおもと。根源。「―原理」 [類語]土台。 **―てき【―的】**《形動》物事のおおもとになっているようす。また、事が物事のおおもとにまで及んでいるようす。「―に改革する」 [類語]抜本的。徹底的。

コンマ ❶欧文、横書きの文などの句読点の一つ。カンマ。「,」 ❷小数点。 ❸標準的なもの。普通のもの。人並みなもの。「―以下の作品」▽comma

こん・まけ【根負け】《名・自サ》根くらべに負けて、はりあうのをあきらめること。根気負け。

こん・みょうにち【今明日】 きょうかあす。きょうあす。「―中にできあがります」

***こん・めい【×昏迷・混迷】**《名・自サ》〔文〕❶物事の道理にくらく、分別に迷うこと。心が乱れ惑うこと。 ❷意識が朦朧(もうろう)として、精神活動が停止すること。 [類語]昏惑(こんわく)。 [表記]「混迷」は代用字。

***こん・めい【混迷】**《名・自サ》〔文〕物事が複雑にいりまじって見通しがつかなくなること。「―に陥った政局」

***こん・もう【懇望】**《名・他サ》〔他人に対してあることをしてくれるよう〕切に望むこと。懇望(こんぼう)。「―黙(だ)もしがたく引き受ける」 [類語]熱望。切望。懇請。懇願。

***こん・もう【根毛】** 若い根の先端から表皮細胞の外膜が糸状に伸び出たもの。養分や水分を吸収する。

こんもり《副・自サ》《副詞は「―と」の形も》❶木が生い茂っていて奥深い感じがするようす。「―とした森」 ❷〔山・丘などが〕丸くもりあがっているようす。

***こん・や【今夜】** 今、過ごしている夜。きょうの夜。当夜。今晩。こよい。 [類語]今夕。

こん・や【紺屋】 染物屋。[参考]↓こうや(紺屋)。

***こん・やく【婚約】**《名・自サ》結婚する約束をかわすこと。また、その約束。「―がととのう」「―を解消する」

こん・ゆう【今夕】〔文〕今、過ごしている夕方。きょうの夕方。今夕(こんせき)。 [類語]今夜。今晩。こよい。

こん・よう【混用】《名・他サ》〔二つ以上のものを〕まぜて使用すること。また、混同して用いること。

こん・よく【混浴】《名・自サ》男女が一つの浴場で入浴すること。「露天風呂でーする」

こん・らん【混乱】《名・自サ》種々のものが入り乱れて、秩序を失うこと。「政界のー」「ー状態」

***こん・りゅう【建立】**《名・他サ》寺院・堂塔などをたてること。「本堂をーする」

***こん・りゅう【根粒・根×瘤】**マメ科の植物の根に多く見られるこぶ。根毛から内部に侵入した根粒細菌の刺激によって根の細胞が増殖してできる。

こん・りん【金輪】〔仏〕大地の下にあって世界をささえているという三輪（金輪・水輪・風輪）の一つで、その最上層のもの。**ーざい【ー際】** ㊀《名》〔仏〕大地の底の金輪のある所。転じて、大地の最下底。㊁《副》《下に打ち消しの語をともなって》あくまでも。断じて。絶対に。「ー口をきかない」

こん・れい【婚礼】結婚の儀式。結婚式。婚儀。類語 華燭の典。

こん・ろ【×焜炉】持ち運びのできる炊事用の小さな炉。「石油ー」類語 七輪。

***こん・わ【懇話】**〔文〕互いにうちとけて話し合うこと。懇談。「ー会」

***こん・わ【混和】**《名・自他サ》まじりあうこと。また、まぜあわせること。

こん・わく【困惑】《名・自サ》どうしたらよいか判断がつかず、困ること。「ーした表情」類語 困却。

さ

さ ← 左

***さ**《接頭》《名詞・動詞・形容詞などの上につけて》語調をととのえる。「ー(小)夜」「ー(狭)霧」「ー迷う」

***さ【▽早・▽五・▽月】**《接頭》《名詞の上につけて》「五月の候に関係が深い」「時期が早く若々しい」などの意。「ー(五月)蠅」「ー(早)わらび」「ー(早)乙女」

***さ**《接尾》❶《形容詞・形容動詞の語幹につけて名詞をつくる》その形容詞・形容動詞の属性や、属性の程度を表す。「深ー」「はなやかー」❷《動詞につけて名詞をつくる》〔古〕…の折。…の時。「行くー」「帰るー」

***さ【左】**〔文〕縦書きにした文章で、それよりひだりの方（にくる文句）。以下。次。「ーのごとし」対 右。

***さ【差】**❶〔性質・状態・数量などをくらべたときの〕へだたり。「ーをつける(=優位に立つ)」類語 差異。相違。❷ある数から他のある数を引いた残り(の数)。対 和。

***さ【▽然】**《副》〔文〕前にのべたことばを受けて、その事態を指示する語。そう。そのよう(に)。「ーにあらず」

***さ**《感》❶人をさそったり、促したりするときに呼びかける語。❷物事の状態がせっぱつまったときに発する語。「ー、どうしよう」類語 ①②さて。同 ①②さあ。

***さ** ㊀《間投助》話はまだ終わっていないという気持ちで、相手の注意を引きつけるのに言う。〔親密な間柄のくだけた会話に使う〕「それがさ、困ったことになったんだ」㊁《終助》❶このことは決定的で、それ以外にはありえないという気持ちを、軽い詠嘆を込めて言い放つのに使う。〔文脈によって、相手を突き放す態度や話し手のあきらめ・自嘲などが表れる〕「人間、男でも女でも同じことさ」「断られたのなら、しかたないさ」❷〔主に疑問の意を表す語とともに使って〕疑問やとがめだての語勢を強め、非難や反論の気持ちを表す。「何さこれ」「じゃ、どうすればいいのさ」❸〈「…とさ」「…ってさ」の形で〉伝え聞いた事柄を突き放すような気持ちで示すのに使う。「これを期に一層努力したいとさ」㊂《格助》〔東北方言〕方角を表す。…へ。「どこさ行った」

ざ【座】 ㊀《名》❶すわる場所。すわる位置。「ーにつく」尊敬 御座。❷支配関係や身分関係の中でしめる地位。「首相のー」「妻のーを守る」❸大ぜい集まっている席・場所。「ーがしらける」❹物をすえる台。「仏のー」❺芝居を演じる団体。❻鎌倉・室町時代の商工業者の組合。❼江戸時代、貨幣を鋳造したり度量衡などの免許品を製造したりした、公設の機関。「金ー」㊁《接尾》❶劇場・劇団などの名にそえる語。「歌舞伎ー」❷星座の名にそえる語。「オリオンー」❸《助数》祭神、仏の座像、芝居の劇場、高峰などを数える語。

***さあ**《感》❶人をさそったり、促したりするときに呼びかける語。「ー、一休みしよう」❷物事が急に困難な状態になったり、驚いたり、喜んだりするときに発する語。「ー大変だ」同 ①②さ。❸危ぶむとき、疑うとき、ためらうときなどに発する語。類語 ①〜③さて。

***サー** 英国で、準男爵またはナイトの称号を持つ人の名前の前につける敬称。卿。▽Sir

サーカス 動物や人間の曲芸などをする、見せ物。また、その一座。曲馬(団)。曲芸(団)。▽circus

サーキット ❶〔電気の〕回路。❷オートレース・オートバイレースなどを行う環状コース。▽circuit **ートレーニング** 基礎体力をつけるために、平行棒やバーベルなど、きめられた種目の訓練を繰り返し行うこと。循環訓練(法)。▽circuit training

サーキュレーション ❶循環。流通。❷媒体による広告宣伝の浸透の度合い。新聞・雑誌の発行部数、テレビ・ラジオの視聴率など。▽circulation

サークル ❶円。円形。❷範囲。周囲。❸〔ある物事を共に行う〕仲間。「ー活動」類語 クラブ。同好会。▽circle

ざあ・ざあ《副》《「ーと」の形も》雨がはげしく降るようす。また、大量の水が勢いよく流れ落ちるようす。類語 じゃあじゃあ。ざんざん。

ザーサイ【搾菜】中国の漬物の一種。四川省に産するカラシナの根の塩づけ。ザーツァイ。▽中国 zha-cai

サージ 綾織りの洋服地。毛・綿・絹・ナイロンなどを使い無地の物が多い。▽serge

サーズ【SARS】⇩巻末付録。類語 セル。

サーチ・ライト 特殊な反射鏡を用いて、夜、遠くの方まで照らす大形の電灯。探照灯。参考「サーチ」はさがす意。▽searchlight

サード ❶第三。第三位。❷〔野球で〕「サードベース」の略。三塁。または、三塁手。▽third

サーバー ❶テニス・バレーボール・卓球などで、プレーのはじめにボールを打つ人。対 レシーバー。❷西洋料理で、取りわけるための、大形のスプーンとフォーク。「サラダー」❸コーヒー・紅茶などをカップに分配するために使う容器。❹ネットワーク上でデータやプログラムを供給するコンピューターやソフトウエア。サーバ。▽server

サービス ❶《名・自サ》客をもてなすこと。もてなし。接待。応接。「ーのよい旅館」❷《名・自他サ》商店などで、値段を安くしたり景品をつけたりして商品を売ること。奉仕。「モーニング―」❸《名・自サ》報酬を問題にしないで人のために働いたり楽しませたりすること。奉仕。「旺盛(おうせい)な―精神」❹↓サーブ。＝サーヴィス。▽service ―エリア❶一つの放送局の電波がとどく範囲。視聴可能地域。❷高速自動車道路で、給油所・食堂・手洗い所・休憩所などの設備のある場所。▽service area ―ぎょう【―業】生産や商品の流通に直接関係がなく、労務・便宜などを提供する職業の総称。旅館・理容・広告・医療・保険・娯楽など。―ステーション❶自動車の給油所。❷メーカーが自社の商品のアフターサービスのために設けた出張所。▽service station

サーブ《名・自サ》テニス・バレーボール・卓球などで、プレーを開始する際、攻撃側から球を打ちはじめること。また、その球。サービス。対レシーブ。▽serve

サーファー サーフィンをする人。「―ルック」▽surfer

サーフィン サーフボードを使って波に乗って進み、スピードや技術を楽しむスポーツ。波乗り。▽surfing

サーベル 西洋ふうの長い剣。洋剣。洋刀。参考もと、日本では巡査がつけていた。▽オラ sabel

ざあます《助動：特殊型》〔「ざます」の転〕…(で)ございます。「―言葉」

ザーメン 精液。▽ドイ Samen

サーモスタット バイメタルなどを利用した、温度を一定に保つ自動温度調節装置。▽thermostat

サーモン❶サケ。特に、薫製にしたサケ。❷「サーモンピンク」の略。赤みを帯びた淡いもも色。▽salmon

さ-あらぬ【▽然有らぬ】《連体》〔文〕何げない。さらぬ。「―体(てい)」参考「そうでない」の意から。

サーロイン 牛肉の部位の一つ。ロースのうちで尾に近い方の部分の肉。「―ステーキ」▽sirloin

***さい**【再】《接頭》《主に漢語につけて》「ふたたび」「あらためて」などの意。「―発行」「―軍備」「―登場」

***さい**【祭】《接尾》❶「宗教上の・儀式(を行う日)」「まつり」の意。「大嘗(だいじょう)―」「神嘗(かんなめ)―」「降誕―」❷「記念して行うにぎやかな催し」の意。「学園―」「文化―」「十年―」「パリー―」類語フェア。フェスティバル。

***さい**【斎】《接尾》雅号・部屋の名などに添える語。「一刀―」「六無―」

***さい**【歳】《助数》年齢を数える語。表記「才」は代用字。小学校で使う。

***さい**【妻】〔自分の〕つま。女房。家内。

***さ-い**【差異・差違】ちがい。へだたり。「人によって人生観に―がある」類語相違。差。径庭(けいてい)。

***さい**【才】㊀《名》〔すぐれた〕知能のはたらき。才能。「―におぼれる」「―たける(＝頭のはたらきがよい)」㊁《助数》❶尺貫法で、石材・船の積み荷などの単位。一才は一立方尺。❷尺貫法で、容積の単位。勺(しゃく)の一〇分の一。❸材木の体積の単位。一才は、一寸(＝約三センチ)角で一間(＝約一八二センチ)の長さ。

***さい**【×犀】サイ科の哺乳(ほにゅう)動物。アフリカ・アジアの熱帯地方の湿地や草原にすむ。ゾウについで大きい。角は「犀角(さいかく)」と称し、漢方では解熱剤。

***さい**【細】〔文〕詳しいこと。細かいこと。「―にわたる」

***さい**【菜】〔ごはん・酒などの〕おかず。副食物。「お―」

***さい**【×賽・×采】さいころ。―は投げられた《句》事はすでに始まって、もう引き返せない。事ここに至っては断行するほかない。▽ラテ Alea jacta est.から。

***さい**【際】《形名》ある事に直面している、その時。おり。機会。場合。「この―、言っておきたい」

***さい**【最】㊀《形動タル》程度の、この上なくはなはだしいようす。第一に数えられるようす。〔現在では、多く「―たる」の形で連体詞的に用いる〕「核兵器の使用は非人道的行為の―たるものだ」㊁《接頭》《名詞の上につけて》「もっとも…」「いちばんの…」「この上ない…」の意。「―先端」「―右翼」「―高潮」

***ざい**【剤】《接尾》❶《助数》調合した薬の数を数える語。「三―」❷「くすり」の意。「止血―」「栄養―」

***ざい**【罪】《接尾》「…のつみ」の意。「横領―」

***ざい**【在】❶都市から少しはなれた土地。いなか。在所。「浜松の―」❷その人がその場所にいること。「―、不在」「―パリ(＝パリにいる)山田特派員」

***ざい**【材】❶材木。木材。❷原料。材料。「印の―には角(つの)を使う」❸才能や能力(をもった人)。人材。

***ざい**【財】❶財産。富。「一代で―をきずく」❷人間の生活に役だつもの。価値のあるもの。「文化―」❸〔経〕人間の欲望を満たすもの。財貨。「生産―」

さい-あい【最愛】最も愛していること。最もかわいがっていること。「―の妻」「―の弟子」

さい-あく【最悪】《名・形動》〔物事の状態・性質などが〕最も悪いこと。「―の事態に陥る」対最良。最善。

ざい-あく【罪悪】〔道徳や宗教上の教えにそむく〕悪い行い。つみ。とが。「―感」類語悪事。

ざい-い【在位】《名・自サ》皇帝・国王などがその位についていること。また、その期間。「天皇―六〇年」

さい-いき【西域】↓せいいき(西域)。

さい-う【細雨】〔文〕粒のこまかい雨。霧雨(きりさめ)。ぬかあめ。微雨(びう)。

さい-うよく【最右翼】〔競争しあう中で〕最も有力なもの。「芥川(あくたがわ)賞候補の―と目されている」

さい-うん【彩雲】〔文〕美しくいろどられた雲。

さい-えい【才英・才×穎】〔文〕才知が非常にすぐれ、ぬきんでている・こと(人)。

ざい-えき【在役】《名・自サ》❶懲役刑を受けてそれに服していること。類語在監。❷軍籍にあって軍務に従事していること。類語現役。対退役。❸任務に服していること。類語在任。

***さい-えん**【再演】《名・他サ》〔前回と〕同じ劇などを、〔同じ劇団で〕もう一度上演すること。また、その劇で、前回と同じ人が同じ役を演ずること。対初演。

***さい-えん**【再縁】《名・自サ》二度めの結婚をすること。〔ふつう、女性の場合にいう〕類語再婚。再嫁。

***さい-えん**【才×媛】すぐれた才能(特に文才)のある女性。「大学を首席で卒業した―」類語才女。対才子。

***さい-えん**【菜園】野菜をつくる畑。野菜畑。

サイエンス❶科学。学問。❷自然科学。「―の分野で活躍する」▽science ―フィクション↓エスエフ(SF)。▽science fiction

ざい-おう【在欧】《名・自サ》〔文〕ヨーロッパに・在住(滞在)していること。「―中の思い出を語る」

さいおうがうま【×塞翁が馬】《句》人生における幸・不幸の予測しがたいことのたとえ。人間万事塞翁が馬。故事中国の北辺の塞(とりで)にすむ老人の馬が逃げた(＝不幸)が、のちにその馬は駿馬(しゅんめ)を連れて帰ってきた(＝幸)。老人の息子はその駿馬に乗り、落ちて脚を折った

(=不幸)が、そのために戦争に行かずにすんだ(=幸)という故事による。〈淮南子・人間訓〉

***さい・か【再嫁】**《名・自サ》〔文〕女性が二度めの結婚をすること。類語再縁。再婚。

***さい・か【最下】**いちばん下。また、最も劣っていること。対最上。

***さい・か【災禍】**地震・台風・火事などによってうける災いや損害。災害。「―に見舞われた地方」類語災難。

***さい・か【細×瑕】**〔文〕細かなきず。また、小さな欠点。類語細疵。細瑾。

***さい・か【裁可】**《名・他サ》君主が臣下から出された議案に許可を与えること。「法案を―する」類語裁許。

***さい・か【西下】**《名・自サ》〔文〕首都から西の地方へ行くこと。「公用で―する」対東上。

***ざい・か【罪科】**❶法律、道徳、その他のおきてにそむく行い。つみ。とが。❷犯した罪に対して、法律によって処罰すること。しおき。刑罰。「―に処する」

***ざい・か【罪過】**罪や、あやまち。犯罪や過失。

***ざい・か【財貨】**❶金銭と品物。財物。類語財宝。❷→ざい(財)③。

***さい・かい【再会】**《名・自サ》〔長く別れていた人と〕ふたたび会うこと。「四年後の―を誓う」

***さい・かい【再開】**《名・他自サ》〔物事を〕再び始めること。また、再び始まること。「審議を―する」

***さい・かい【斎戒】**《名・自サ》神聖な仕事をする人が、飲食や行いをつつしみ、心身を清めること。類語精進。

―もくよく【―×沐浴】《名・自サ》斎戒し、からだを洗って、身も心も清らかにすること。

***さい・かい【西海】**❶西のほうの海。❷「西海道」の略。五畿七道の一つ。今の九州地方。

***さい・かい【際会】**《名・自サ》〔文〕〔重大な事件や時機に〕たまたまであうこと。でくわすこと。「革命に―して失脚する」類語逢着。

***さい・がい【災害】**台風・地震・大雨・洪水・旱魃・大火・感染症などによって受ける、不時のわざわい。また、それによる損害。類語災難。

―は忘れた頃にやってくる《句》前の災害から時がたって気がゆるむのを戒めたことば。

***さい・がい【際涯】**〔文〕〔ひろい土地などの〕はて。限り。参考多く、「ない」を伴って使われる。「―もなく砂漠が続く」類語辺際。際限。

ざい・かい【財界】その国の代表的な資本家・実業家・金融業者などの社会。経済界。「―人」

ざい・がい【在外】外国にいる(ある)こと。「―邦人」

さい・かく【才覚】❶〔物事をするときの〕すばやい頭のはたらき。「―のある人」❷《名・他サ》いろいろくふうしたり苦労したりして金や品物を集めること。くめん。「資金を―する」

さい・がく【才学】〔文〕才知と学問。「―豊かな人」

ざい・がく【在学】《名・自サ》〔学生・生徒・児童として〕その学校に籍をおいていること。在校。「―生」

ざい・かた【在方】いなか。在所。〔古風な言い方〕

さいかち【×皀×莢】マメ科の落葉高木。幹や枝にはとげがある。材は器具に、果実は漢方薬に使う。

***さい・かん【再刊】**《名・他サ》❶中止・休止していた(定期)刊行物を再び刊行すること。類語復刊。対初刊。❷再び同じ内容の本を発行すること。類語再版。

***さい・かん【彩管】**〔文〕えふで。画筆。「―をふるう(=絵をかく)」「余生を―の誘いに託す」

***さい・かん【才幹】**〔文〕物事をじょうずに処理する才能。材幹。「―のある人」

***さい・かん【菜館】**中華料理店。〔店の名につける〕

***ざい・かん【在官】**《名・自サ》官職についていること。「―二五年で局長になった」類語在職。

***ざい・かん【在監】**《名・自サ》〔文〕罪をおかして、刑務所に入れられていること。類語収監。

***さい・き【債鬼】**〔文〕〔返済をしつこくせまる〕借金とり。「―に責められる」

***さい・き【再起】**《名・自サ》事故・災害・病気などによって打撃をうけた悪い状態から、再びもとの状態にたち直ること。「―を図る」「―不能」類語再興。復興。

***さい・き【才気】**〔すばやく適切な判断ができる〕すぐれた頭のはたらき。「―あふれる人」類語才知。機知。機転。

―かんぱつ【―×煥発】《名・形動・自サ》きわだった才知のひらめきが外にあらわれること。**―ばしる【―走る】**《自五》才走る。

***さい・き【×猜忌】**〔文〕ねたみきらうこと。「―の念」

***さい・き【祭器】**宗教の行事に使う器具。類語祭具。

***さい・ぎ【再議】**《名・他サ》〔同じ問題を〕再び審議すること。相談しなおすこと。「一事不―の原則」

***さい・ぎ【×猜疑】**《名・他サ》疑ったりねたんだりすること。「―心」「―深い」類語邪推。疑念。

***さい・ぎ【祭儀】**神仏を祭る儀式。類語祭式。祭礼。

***さい・きょ【再挙】**《名・自サ》いちど失敗した事業・計画などをもう一度興すこと。「―を図る」類語再起。

***さい・きょ【裁許】**《名・他サ》〔役所や上位の者が〕審査した上で許可すること。「―を請う」類語裁可。

***さい・きょう【最強】**〔多くの中で〕最も強いこと。

***さい・きょう【西京】**西の都。特に、京都。

***ざい・きょう【在京】**《名・自サ》みやこ(古くは京都、現在は東京)に滞在(居住)すること。類語滞京。

***ざい・きょう【在郷】**《名・自サ》郷里にいること。ざいごう。「―の同級生」

***さい・きん【最近】**現在にごく近い、ある時。少し以前から現在までの時。近ごろ。「―ようやく元気になった」「―の社会」類語現時。

***さい・きん【細×瑾】**〔文〕〔「細謹(=細かなことに注意すること)」の誤記から転じて〕ちょっとしたきず。わずかな過失。「大行は―を顧みず(=仕事は大筋が肝心で、小さな欠点はどうでもよい)」類語小疵。細疵。

***さい・きん【細菌】**植物に属する微細な単細胞生物の通称。病原体となるものや、発酵作用を起こして工業的に利用されるものなどがある。バクテリア。

ざい・きん【在勤】《名・自サ》ある職について勤務していること。類語在職。在任。

さい・く【細工】《名・他サ》❶手先で器物・調度・小道具などの細かい物を作ること(技術)。また、その作られた物。❷《自サ》人目をごまかしたり、全体を取り繕ったりするために、細かい所で工夫すること。また、そのための工夫。たくらみ。「陰で―する」

―は流流仕上げを御覧じろ《句》やり方はいろいろあるから、やり方だけをとやかく言わずに、結果を見て批評しなさいの意。

さい・ぐ【祭具】神仏の祭りに使う道具。類語祭器。

さい・くつ【採掘】《名・他サ》地中にある有益な鉱物などを、掘って取り出すこと。類語採鉱。発掘。

サイクリング 自転車で遠乗りすること。自転車旅行。

▽cycling

サイクル ❶ある状態からいくつかの変化をへて再びもとと同じ状態になり、それをくり返すこと。また、その一つのくり返しの間の期間や過程。「流行には―がある」[参考]くり返しの数を数える語としても使う。❷《名・助数》「サイクル毎秒」の略。音波・電磁波・交流波などの一秒間の振動数(を表す単位)。[参考]➡ヘルツ。❸自転車。「―ショップ」▽cycle

サイクロトロン イオン加速装置。原子核の人工破壊や変換、同位体の製造などに使う。▽cyclotron

サイクロン アラビア海周辺、インド洋で発生する強い熱帯低気圧。▽cyclone

さい‐くん【細君・妻君】 ❶〔親しい人に対して〕自分の妻をさすことば。女房。❷〔同輩以下の〕他人の妻をさすことば。「A氏の―」[類語]妻女。ワイフ。

さい‐ぐんび【再軍備】 《名・自サ》〔いったん軍備をもつことをやめた国家が〕再び軍備をもつこと。

サイケ 《形動》「サイケデリック」の略。「―調」

ざい‐け【在家】 ❶僧籍にはいっていない人。俗人。在俗。在家人(ざいけにん)。[対]出家。❷在郷の家。いなかにある家。いなかや。在家(ざいか)。

さい‐けい【歳計】 一年、または一会計年度中の収入(=歳入)・支出(=歳出)の総計。

さい‐げい【才芸】 〔文〕才能と技芸。

さいけい‐こく【最恵国】 〔法〕その国と通商航海条約を結ぶ国々の中で、最も有利な取り扱いを受ける国。

ざいけい‐ちょちく【財形貯蓄】 「財産形成貯蓄」の略。勤労者の財産を増加させるために税法上の優遇措置がとられる貯蓄。

さい‐けいれい【最敬礼】 《名・自サ》最もていねいなお辞儀。最上の敬礼。

***さい‐けつ【採決】** 《名・他サ》議長が、取りあげた議案の可否を会議構成員の賛否によって決定すること。

***さい‐けつ【採血】** 《名・自他サ》〔検査や輸血などの目的で〕静脈などをとおして体内から血液をとること。

***さい‐けつ【裁決】** 《名・他サ》❶ある物事が正しいかどうかを、さばいて決めること。また、決めた事柄を申し渡すこと。「―を下す」「―を仰ぐ」[類語]処断。❷〔法〕訴願または申請に対して、行政庁がその処分を決定すること。また、その処分。

さい‐げつ【歳月】 としつき。年月。月日(つきひ)。

―人を待たず 《句》時は、人の都合に関係なく過ぎて行き、とどまることがない。光陰人を待たず。過ぎて行く時間の非情さを嘆じた句。〈陶淵明・雑詩〉

サイケデリック 《形動》麻薬によって生じる、幻覚や陶酔の状態に似ているようす。サイケ。「―な演奏をするバンド」▽psychedelic

***さい‐けん【債券】** 国家・公共団体・銀行・会社などが、事業に必要な資金を借りるために法律にもとづいて発行する有価証券。国債・社債など。[類語]公社債。

***さい‐けん【債権】** 〔法〕財産権の一つ。特定の人(=債務者)に対し、ある行為(=給付)を請求することのできる権利。[対]債務。

***さい‐けん【再建】** 《名・他サ》❶建造物を建てなおすこと。[参考]神社・寺院については「さいこん」と言うことが多い。❷滅びたり衰えたりしたものを、またもとの状態に作り上げること。「会社を―する」

***さい‐けん【再検】** 《名・他サ》再び検討・検査すること。再検討。再検査。「機体の各部を―する」

***さい‐けん【再見】** 《名・他サ》一度見たものをもう一度見ること。また、新しい目で見直すこと。「日本―」

***さい‐けん【細見】** ❶《名・他サ》〔文〕くわしく見ること。くわしく示すこと。❷くわしくわかるように作った地図・絵図・案内書。「銀座―」

***さい‐げん【再現】** 《名・自他サ》一度生じて消えうせてしまった物事が、再び現れること。また、再び現すこと。「往年の名場面を―する」「逆転劇の―成らず」

***さい‐げん【際限】** 物事がこれ以上変化・発展しないという、最終のところ。かぎり。〔多く、「ない」を伴って使われる〕「―のない欲望」[類語]際涯。

ざい‐げん【財源】 〔あることを行うための〕金銭のでどころ。支出をうみだすもと。

さい‐けんとう【再検討】 《名・他サ》再び検討すること。検討し直すこと。再検。

さい‐こ【最古】 最も古いこと。[対]最新。

***さい‐ご【最後】** ❶一続きの物事の、いちばん終わり。また、その位置にあるもの。「列の―につく」「―の手段」[類語]最終。[対]最初。❷〈「…したら―」「…したが―」の形で〉いったん…したら、それきり。…したら、その後どんなことがあっても。「沈んだら―、浮かび上がれない」⇩[使い分け] **―つうちょう【―通×牒】** ❶〔政〕外交交渉で、平和的解決の話し合いを打ち切り、自国の最後の要求を相手国が認めない場合は実力行使や自由行動をとる旨を述べた外交文書。❷交渉している相手に示す最後の要求・通告。 **―っ‐ぺ【―っ×屁】** ➡鼬(いたち)のさいごっぺ。

***さい‐ご【最期】** 命の終わり。死にぎわ。臨終。終焉(しゅうえん)。「あえない―を遂げる」⇩[使い分け]

使い分け「サイゴ」

最後〔「後」はあとの意〕物事の一番あと。最後の審判・最後のチャンス・これを最後と飛び込む・最後の頼み

最期〔「期」は限られた期間の意〕死にぎわ。はかない最期・最期を飾る・非業の最期を遂げる・最期の言葉

[参考]そのつもりでなくとも、人生には〈最後〉が何回か訪れる。「最後の言葉・最後の頼み」は何回かあろうが、「最期の言葉・最期の頼み」は一回きりのもの。

ざい‐こ【在庫】 〔まだ売れていない〕商品が倉庫にあること。また、その商品。[類語]在荷。滞貨。ストック。

サイコアナリシス 精神分析。▽psychoanalysis

***さい‐こう【再校】** 二回めの校正。また、その校正刷り。

***さい‐こう【再考】** 《名・他サ》〔同じことがらについて〕もう一度考えること。考えなおすこと。「―を促す」

***さい‐こう【再興】** 《名・自他サ》おとろえていたものが再び盛んになること。また、再び盛んにすること。「途絶えた家を―する」[類語]再起。復興。

***さい‐こう【最高】** ❶〔高さ・位置・程度などが同種の物の中で〕最も高いこと。「日本で―の山」「―のスタッフ」❷《名・形動》〔俗〕この上なくよいこと。「―に面白い」[類語]至上。至高。最上。[対]①②最低。 **―がくふ【―学府】** 程度のいちばん高い学校。[参考]ふつう、大学をいう。 **―けんさつちょう【―検察庁】** 最高裁判所が管轄している検察事項をとりあつかう官庁。最高検。 **―さいばんしょ【―裁判所】** 司法権を行使する最高機関。いっさいの法律・命令・規則または

さ

処分が憲法に適合するかどうかを最終的に決定する。最高裁。 ーほう【ー峰】❶〔ある地域の中で〕最も高い山。❷ある分野・社会の中で最もすぐれた人・物。「日本文学のー」

*さい・こう【採光】《名・自サ》室内に日光などの光線をとりいれて明るくすること。「天窓を作ってーする」

*さい・こう【採鉱】《名・自他サ》鉱山で、鉱床から鉱物をとりだすこと。類語 採掘。

*さい・こう【砕鉱】《名・自サ》目的の鉱物をとりやすくするために鉱石をくだくこと。

ざい・こう【在校】《名・自サ》❶〔学生・生徒・児童として〕その学校に籍があること。在学。「ー生」❷〔その学校の学生・生徒・児童・教師などが〕学校の構内にいること。「五時までーする」

*ざい・ごう【在郷】❶都市から少し離れた土地。いなか。在。❷《名・自サ》→ざいきょう(在郷)。 ーぐんじん【ー軍人】ふだんは社会で生業についていて、戦争が起こった時などに必要に応じて国防に従事した、予備役または退役の軍人。郷軍(ごうぐん)。

*ざい・ごう【罪業】〔仏〕罪となる、悪い行い。

さい・こうちょう【最高潮】ある雰囲気・感情などが最も高まること。また、その状態・時期・場面。クライマックス。「場内の興奮がーに達する」注意「最高調」は誤り。

さい・こく【催告】《名・他サ》❶催促の旨をつげること。❷〔法〕相手方に対して一定の行為をするように請求すること。特に、債務の履行をうながすこと。また、その通知。類語 請求。

さい・ごく【西国】❶西の方にある国。❷関西以西の諸国。特に、九州地方をさすことが多い。対①②東国(とうごく)。❸「西国三十三所」の略。畿内(きない)とその周辺にある三三か所の観音巡礼の霊場。「ー巡礼」＝西国(さいこく)。

ざい・こく【在国】《名・自サ》〔文〕❶郷里にいること。在郷。❷江戸時代、大名やその家臣が国もとにいること。対 在府。

サイコパス 精神病質者。▽psychopath

さい・ころ【×賽▽子・×骰▽子】すごろく・ばくちなどで使う、小さな立方体の遊び道具。各面に一から六までの点が刻んである。さい。「ーを振る」

サイコロジー 心理。心理学。▽psychology

*さい・こん【再婚】《名・自サ》二度めの結婚をすること。参考 三度以上にも言う。類語 再縁。対 初婚。

*さい・こん【再建】《名・他サ》神社・寺院などの建物をふたたび建てること。

*さい・さい【再再】《副》ある言動をくり返すようす。いく度も。たびたび。再三。「ー家を留守にする」

*さい・さい【歳歳】《副》〔文〕毎年。年ごと。「年々ー」

*さい・さい【済済】《形動タルト》〔文〕《「済済(せいせい)」の慣用読み》数が多く盛んなようす。「多士ー」

さい・さき【▽幸先】《「さきさき」の音便》❶めでたいことが起こる前兆。❷これから物事を行おうとする際の前じらせ。「ーがよい」類語 縁起。

*さい・さん【採算】利益があるかどうかという点からみた、収入と支出とのつりあい。「ーが合う」

*さい・さん【再三】《副》二度も三度も。たびたび。再再。「ー注意を促した」 ーさいし【ー再四】《副》「再三」を強めていう語。何度も。「ー催促する」

ざい・さん【財産】個人や団体などがもつ、金銭・土地・建物・品物など経済的に価値があるもの(の総体)。資産。身代。「ー目録」参考 権利・顧客関係・労働力など、無形のものを含むことがある。

*さい・し【再思】《名・他サ》〔文〕再び考えること。もう一度よく考え直すこと。「ー三考」

*さい・し【妻子】妻と子。妻子(つまこ)。

*さい・し【才子】❶頭がよく、すぐれた才能がある人。才人。注意 男性にいう。「ー佳人(＝才知のすぐれた男と、美しく心のやさしい女)」「ー多病」類語 才物。英才。対 才女。才媛。❷ぬけめのない人。「軽薄ー」 ー才に倒れる《句》才子はとかく自分の才能にたより過ぎて失敗しがちである。才子策におぼれる。

*さい・し【祭司】❶〔ユダヤ教で〕宗教上の職務を専門に受け持つ者。❷祭りをとり行う神官。

*さい・し【祭×祀】〔文〕神を祭ること。祭り。祭典。「ー料」類語 祭儀。祭式。

*さい・じ【催事】〔商業的な〕もよおし。「商店街のー」

*さい・じ【祭事】祭り。神事。「神社のー」

*さい・じ【細事】❶ちょっとした、つまらない事がら。❷くわしい事がら。「ーにわたって書きこむ」

*さい・じ【細字】細かい文字。また、細い文字。

*さい・しき【彩色】《名・自サ》色をぬること。いろどること。また、いろどり。彩色(さいしょく)。「ー本」類語 着色。

*さい・しき【才識】〔文〕才知と識見。「ーの豊かな人」類語 識才。

さい・しき【祭式】祭りの儀式。また、祭りの作法・方式。類語 祭儀。祭祀(さいし)。

さいじ・き【歳時記】❶一年中の自然現象や生活行事を季節別および分野別に整理して記した本。表記「歳事記」とも書く。❷俳句の季語をあつめて季節別および分野別に整理・分類し、各季語に解説・例句をほどこした本。俳諧(はいかい)歳時記。参考 →季寄せ。

さい・じつ【祭日】❶神社で、祭りを行う日。❷「国民の祝日」の通称。「日曜ーは休業します」❸神道で、死者の霊を祭る日。十日祭・五十日祭など。

*ざい・しつ【在室】《名・自サ》へやの中にいること。

*ざい・しつ【材質】❶木の幹の皮の内側の部分。木質部。❷木材の性質。「堅いー」❸材料の性質。

さいし・て【際して】《連語》《「…にー」の形で》…の場合や事態に出あって。…にあたって。…のおりに。「出発にー各自荷物を確かめる」

ざい・しゃ【在社】《名・自サ》❶会社に籍があって勤めていること。❷会社の中にいること。

*さい・しゅ【採取】《名・他サ》有用な鉱物・植物などを選んで拾いとること。また、研究・調査などで、必要な物を選びとって手に入れること。「指紋をーする」

*さい・しゅ【採種】《名・自他サ》たねをとること。

*さい・しゅ【祭主】❶伊勢(いせ)神宮の神官の長。❷祭事を行うとき、中心になる人。祭りの主宰者。

*さい・しゅう【最終】❶いちばん終わり。「ー的」「ー回」類語 最後。対 最初。❷その日一日の、最後のバス・電車・列車。同①②終発。終便。対 始発。

*さい・しゅう【採集】《名・他サ》研究・調査などの資料や標本にするため、とり集めること。「昆虫ー」

ざい・じゅう【在住】《名・自サ》その土地に〔長く〕住んでいること。「ハワイーの邦人」類語 居住。在留。

さい・しゅつ【歳出】国家や公共団体などの、一会計年度内における支出の総額。対 歳入(さいにゅう)。

*さい・しょ【最初】いちばんはじめ。対 最後。最終。

*さい-しょ【細書】《名・他サ》❶小さな文字で書くこと。また、その文字。細字。❷〔文〕くわしく書くこと。また、その書いたもの。

*さい-じょ【妻女】〔文〕❶妻と娘。❷その人の妻。

*さい-じょ【才女】才知(特に文才)のすぐれた女性。[類語]才媛(さいえん)。[対]才子。

ざい-しょ【在所】❶住んでいる所。❷都会を離れた地方。いなか。在。❸故郷。国元。郷里。

*さい-しょう【最小】〔いくつかのものの中で〕最も小さいこと。[対]最大。 ―げん【―限】最小限度。[対]最大限。[注意]「最少限」は誤り。 ―げんど【―限度】〔ある範囲・条件の中で〕それ以上小さくならないぎりぎりのところ。最も小さいところ。「損害を―にとどめた」[対]最大限度。 ―こうばいすう【―公倍数】二つ以上の自然数の公倍数のうちで最小のもの。LCMと略記する。[参考]⇩巻末付録(LCM)。

*さい-しょう【最少】❶〔数・量などが〕最も少ないこと。「―の人数で戦う」[対]最多。❷いちばん年齢が低いこと。最も若いこと。最年少。[対]最長。

*さい-しょう【妻×妾】〔文〕妻と、めかけ。

*さい-しょう【宰相】❶〔文〕内閣総理大臣。首相。❷昔、中国で、天子をたすけて政治を行う者。

*さい-しょう【細小】〔文〕細かく、小さいこと。

*さい-じょう【最上】いちばん上にあること。また、この上ないこと。最もすぐれていること。「―階」「―の菓子」[類語]最高。無上。極上。至上。[対]最下。

*さい-じょう【祭場】〔神道で〕祭りを行う清らかな場所。斎場。

*さい-じょう【斎場】❶祭場(さいじょう)。❷葬式を行う場所。葬儀場。「青山―」

ざい-しょう【罪障】〔仏〕悟りのじゃまになる罪。極楽往生のさまたげとなる悪い行い。

ざい-じょう【罪状】犯罪の具体的な事実。犯罪が行われたときの状況や成り行き。「―を明らかにする」

*さい-しょく【彩色】《名・自サ》➡さいしき(彩色)。

*さい-しょく【才色】〔女性の〕すぐれた才能と美しい顔かたち。 ―けんび【―兼備】才能がすぐれているうえに顔かたちも美しいこと。〔ふつう、女性に言う〕

*さい-しょく【菜食】《名・自サ》〔副食物として〕野菜類だけを常食とすること。「―主義」[対]肉食。

ざい-しょく【在職】《名・自サ》その職についていること。「―二〇年の表彰」[類語]在勤。在任。

*さい-しん【再審】《名・他サ》❶もう一度審査すること。審査しなおすこと。再審査。❷〔法〕裁判が終了して判決が確定した事件について、その判決の取り消しと再度審判をやりなおすことを求める申立て・手続き。また、その審判。「死刑囚が―を請求する」

*さい-しん【再診】初診のあと、二度め以降の診察。

*さい-しん【最新】最も新しいこと。また、最も進歩していること。「―流行の服」「―の情報」[対]最古。

*さい-しん【最深】最も深いこと。「―部」

*さい-しん【細心】《名・形動》細かな点まで心を配ること。「―の注意を払う」「―な計画」[類語]綿密。

*さい-じん【才人】才子。

*さい-じん【祭神】その神社に祭ってある神。

サイズ 大きさ。寸法。「団地―の六畳」〔多く、既製品について言う〕「ワイシャツの―」「A4―」▷size

ざ-いす【座×椅子・×坐×椅子】和室などで使う、背もたれ用の脚のない椅子。

さい-する【際する】《自サ変》〔あるできごとに〕出会う。〔ある機会に〕当たる。➡際して(連語)。

さい-すん【採寸】《名・自サ》服を作るときなどに、体の各部の寸法をはかること。

*ざい-せ【在世】➡ざいせい(在世)。

*さい-せい【再生】❶《名・自サ》死にかけていたものが生気をとりもどすこと。生きかえること。蘇生(そせい)。❷《名・自サ》心を入れかえて、正しい生活をはじめること。「―の恩人」[類語]新生。更生。❸《名・自他サ》生物体が、その失った部分をまた新たに作りだすこと。「トカゲの尾は―する」❹《名・自他サ》〔心〕以前に経験したことを意識の中に再現すること。思い出すこと。❺《名・他サ》録音・録画したものから音や画像を再現すること。❻《名・他サ》使えなくなった物を原料にして、もう一度使える物に作りかえること。「―紙」[類語]リサイクル。 ―いりょう【―医療】医学の治療を目的に、人間の細胞や遺伝子を使って、人工的に組織や器官をつくり出す技術。また、それを治療に生かすこと(研究)。

*さい-せい【再製】《名・他サ》❶廃物を作り直すこと。❷製品に手を加えて別の物を作ること。

*さい-せい【最盛】〔ものごとの勢いが〕最も盛んなこと。[類語]全盛。 ―き【―期】勢いが最も盛んな時期。「出荷の―を迎える」

*さい-せい【済世】〔文〕〔社会の弊害を除き〕世の中の人々を救うこと。「―救民」

*さい-せい【祭政】祭事と政治。[類語]政教。 ―いっち【―一致】祭事と政治とは一致するという思想。また、その政治形態。[類語]政教一致。

*ざい-せい【在世】《名・自サ》人がこの世に生きていること。また、生きている間。在世(ざいせ)。[類語]存命。

*ざい-せい【財政】❶国や地方公共団体が、みずからを維持するために行う経済上の行為。❷個人または家庭の経済状態。かねまわり。〔やや俗な言い方〕

さい-せいさん【再生産】《名・他サ》❶生産された物が消費され、また新たな生産が行われること。❷生産によって得た利益をもとにして、新たな生産を行うこと。

*さい-せき【採石】《名・自他サ》石材を切りだすこと。

*さい-せき【砕石】《名・自他サ》岩石を細かくくだくこと。また、その石。くだけた石。

*ざい-せき【在席】《名・自サ》その人が職場の自分の席についていること。「外出中で―していない」

*ざい-せき【在籍】《名・自サ》ある学校・団体などに所属して、その成員としての籍があること。「―簿」

*ざい-せき【材積】木材・石材などの体積。

*ざい-せき【罪責】罪を犯した責任。犯罪の責任。

*ざい-せき【罪跡】犯罪の証拠になる痕跡(こんせき)。犯跡。

*さい-せつ【再説】《名・他サ》くりかえして言うこと。また、くりかえして説明すること。

*さい-せつ【細説】《名・他サ》〔細かな部分まで〕くわしく説明すること。詳説(しょうせつ)。[類語]詳述。

*さい-せん【再選】《名・他サ》選挙などで、同じ人をひきつづいてもう一度選ぶこと。「―のあかつきには」

*さい-せん【×賽銭】〔もと、祈願がかなった時の神仏へのお礼に奉納する金銭〕〈多く「お―」の形で〉神仏に参拝したとき奉納する金銭。 ―ばこ【―箱】神社や寺院に設けて、参拝者の賽銭を受ける箱。

*さい-ぜん【最前】❶〔いくつか並んでいるものの〕いちばん先。最もまえ。❷ほんの少し前。さっき。先ほど。先

刻。「―は失礼しました」

*さい・ぜん【最善】❶最もよいこと。最もすぐれていること。「―の策」類語最上。最良。対最悪。❷できるかぎりの方法・努力。ベスト。「―を尽くす」

*さい・ぜん【×截然】《形動タト・タル》(「せつぜん」の慣用読み)↓せつぜん(截然)。

さい・ぜんせん【最前線】❶戦場で、敵に最も近いところにある戦線。❷〔ひゆ的に〕競争のはげしい、直接にその物事を行うところ。「販売の―」

さい・せんたん【最先端・最×尖端】時代・流行などのいちばん先頭。その分野で現在最も進んでいるところ。「時代の―を行く研究」

*さい・そう【彩層】太陽の光球とコロナとの間の太陽大気の層。皆既日食のときに紅色をおびて見える。

*さい・そう【才藻】〔文〕才知と文藻。詩歌・文章を作る才能。文才。「―豊かな人」

*さい・そう【採草】《名・自他サ》〔家畜の飼料・しき草・堆肥などにする〕草をかりとること。草刈り。

さい・ぞう【才蔵】❶三河万歳で、太夫の相手をして、こっけいなしぐさで人を笑わせる者。❷調子を合わせてあいづちをうつ人をののしっていう語。

*さい・そく【催促】《名・他サ》早くするように要求すること。うながすこと。「返金の―をする」類語督促。

*さい・そく【細則】法律・規約などの、主となる条文に述べられていない細かい事柄を定めた規則。参考総則。

ざい・ぞく【在俗】〔仏〕僧侶にならず、俗人の姿のままでいること。在家。対出家。

さい・た【最多】最も多いこと。「―出場」対最少。

ざ・いた【座板】❶いすの、腰をかける平らな部分の板。❷床板。

サイダー 炭酸ソーダにシロップや香料をいれて作った清涼飲料。シャンペンサイダー。▽cider(=りんご酒)

*さい・たい【妻帯】《名・自サ》妻をもつこと。「―者」

*さい・たい【×臍帯】哺乳類の胎児と母体の胎盤とをつないでいる細長い管。へそのお。臍帯。「―血」

*さい・だい【最大】最も大きいこと。「史上―の作戦」「攻撃は―の防御」類語至大。対最小。―げん【―限】最大限度。対最小限。―げんど【―限度】〔ある範囲・条件の中で〕それ以上大きくならないぎりぎりのところ。最も大きいところ。対最小限度。―こうやくすう【―公約数】❶公約数のうちで絶対値が最大のもの。また、整式では、次数が最大のもの。GCMと略記する。参考⇩巻末付録(GCM)。❷いくつかのもののなかに見られる共通な点。「三人の意見の―」

*さい・だい【細大】細かい事柄と大きい事柄。「―漏らさず記述する」注意「最大漏らさず」は誤り。

さい・たく【採択】《名・他サ》〔同種のものの中から〕適当なものとして選びとること。「提案を―する」

ざい・たく【在宅】《名・自サ》〔外出しないで〕自分の家にいること。在宿。「―勤務」―ケア 高齢者・病人などを、自宅で介護すること。

さい・たる【最たる】《形動タト・タル》《形容動詞「最たり」の連体形》↓さい(最)。

*さい・たん【最短】〔同種のものの中で〕最も短いこと。「―のコース」「今季―の試合時間」対最長。

*さい・たん【採炭】《名・自他サ》石炭を掘りとること。

*さい・たん【歳×旦】〔文〕❶一月一日の朝。元旦。また、元日。❷新年。対歳暮。

*さい・だん【祭壇】祭事を行うための壇。神仏・死者の霊などを祭り、また、供え物・祭具などをおく壇。

*さい・だん【裁断】《名・他サ》❶〔ある形に〕たち切ること。特に、布や紙を型に合わせてたち切ること。❷〔正邪・適否などを〕判断してはっきりきめること。「―を下す」類語処断。裁定。「輸出禁止の―を下す」

ざい・だん【財団】〔法〕❶一定の目的に使用するために結合され、法律上一個の物権とみなされる財産の集団。類語社団。❷「財団法人」の略。―ほうじん【―法人】〔法〕一定の目的のために供出された財産にもとづいて設立され、法律によって独立の権利・能力・運用をみとめられた公益法人。類語社団法人。

*さい・ち【才知・才×智】すぐれた才能と、鋭い頭のはたらき。「―に長ける」類語才気。

*さい・ち【細×緻】《名・形動》〔文〕きめ細かくゆきとどいていること。細密。綿密。類語精緻。緻密。

さい・ちく【再築】《名・他サ》もう一度建てること。

*さい・ちゅう【最中】〔ある動作・状態などが〕最も盛んな時。また、盛んに行われている時。さなか。「勉強の―にじゃまするな」参考強調した形は「真っ最中」。類語直中。酣。盛り。

*さい・ちゅう【細注・細×註】❶くわしい注釈。❷細かい字で書いてある注釈。

ざい・ちゅう【在中】《名・自サ》〔文〕〔封筒・箱・包みなどの〕中にその物がはいっていること。「請求書―」

*さい・ちょう【再調】《名・他サ》〔文〕もう一度調べること。調べなおすこと。再調査。

*さい・ちょう【最長】❶〔同種のものの中で〕最も長いこと。「―不倒距離」対最短。❷最も年長であること。最年長。対最少。

さい・ちん【最賃】〔「最低賃金」の略〕法律によって保障された最低額の賃金。

さい・づち【才×槌】小形の木製のつち。―あたま【―頭】〔才槌の頭に似ることから〕後頭部と額とがつき出た頭。類語福助。

*さい・てい【再訂】《名・他サ》もう一度訂正すること。「自著の―にとりかかる」類語改訂。

*さい・てい【最低】❶〔高さ・位置・程度などが同種の物の中で〕最も低いこと。「―の生活」❷《名・形動》〔俗〕〔性質・品質・言動などが〕この上なく悪いこと。非常に劣っていること。「あの男は―だ」対①②最高。―げん【―限】最低限度。「―の要求」対最高限。―げんど【―限度】最も低い限界。それ以上低くできない限界。対最高限度。

*さい・てい【裁定】《名・他サ》理非・善悪をさばいて決めること。「総裁の―にゆだねる」類語裁断。

さい・てき【最適】《名・形動》最も適していること。最もよくかなっていること。類語うってつけ。

ざい・テク【財テク】〔「財務テクノロジー」の略〕企業や個人が株式・不動産などに投資して、資金の運用の効率化をはかること。

*さい・てん【再転】《名・自サ》〔一転した情勢が〕もう一度かわること。ふたたびかわること。類語再変。

*さい・てん【採点】《名・他サ》〔成績・実績などを評価し、その優劣を表すため〕点数をつけること。「―簿」

*さい・てん【祭典】祭りの儀式。祭り。「民族の―」

さい・でん【祭殿】祭りを行うための建物。

ざい・てん【在天】《名・自サ》〔文〕〔神・霊魂などが〕

さ

天にいること。天上にあること。「―の霊」

サイト ❶敷地。用地。「ダム―」 ❷インターネット上で、サーバーからの情報提供などのサービスが行われる場所。情報が保有されている場所。「ウェブ―」▽site

***さい‐ど【再度】** 同じ行為をまたくり返すようす。再び。もう一度。「―に及ぶ請求」類語 両度。二度。

***さい‐ど【彩度】** 色の三属性の一つ。色のあざやかさの度合い。色の純粋度。参考 →明度・色相。

***さい‐ど【済度】**《名・他サ》仏が迷い苦しんでいる衆生(しゅじょう)をすくい、悟りの境地に至らせること。「―し難(がた)い(＝愚かで、正しいことを教えようもない)」

***サイド** 一《名》❶(物の)側面。横(のほう)。わき。❷(相対立する)一方の側。またその一方の側にあること。「官庁―の見解」❸ラグビー、テニスなどで敵・味方それぞれの陣地。二《造語》「副次的」「補助的」の意を表す。「―ワーク」▽side **―カー** オートバイの横につけた車両。側車。また、それがついたオートバイ。▽side-car **―スロー** 野球で、投手が腕を水平に振る投げ方。横手投げ。サイドハンド。▽side arm throw から。**―ビジネス** ↓サイドワーク。参考 side と business からの和製語。**―ボード** 食器・装飾品などを並べて(飾って)置く、棚を備えた家具。脇棚(わきだな)。▽sideboard **―ライン** ❶競技場・コートなどをしきる縦の線。側線。❷縦書きの文章にそえる傍線。▽sideline **―ワーク** 副業。内職。サイドビジネス。サイドジョブ。▽side と work からの和製語。

さい‐とく【才徳】〔文〕才知と仁徳。

さい‐どく【再読】《名・他サ》もう一度読むこと。読み返すこと。「―するたびに感動する」**―もじ【―文字】** 漢文訓読で、二度読む特定の漢字。「いまだ…ず」と読む「未」、「すべからく…べし」と読む「須」など。

さい‐とり【才取り】〔取引所などで〕売買の仲介をすることによってその口銭(こうせん)を得ること。また、それを職業としている人。さや取引。

さいな・む【×苛む・×嘖む】《他五》❶責めしかる。「良心に―・まれる」❷苦しめ悩ます。いじめる。「不安に―・まれる」文《四》。

さい‐なん【災難】〔不意におこる〕不幸なできごと。わざわい。「―続き」類語 災禍。災厄。尊敬 御難。

ざい‐にち【在日】《名・自サ》外国から来て日本に住んでいること。「―韓国人」

さい‐にゅう【歳入】 国家や公共団体などの、一会計年度内における収入の総額。対 歳出。

さい‐にん【再任】《名・自他サ》もう一度、前と同じ任務・地位につくこと。また、つけること。

***ざい‐にん【在任】**《名・自サ》任務・役職についていること。また、任地にあること。類語 在勤。在職。

***ざい‐にん【罪人】** つみを犯した人。有罪の確定判決をうけた人。つみびと。類語 犯人。犯罪人。科人(とがにん)。

サイネリア 花の「シネラリア」の別称。参考「シネラリア」の「シネ」が「死ね」に通じ、言いかえた語という。

さい‐ねん【再燃】《名・自サ》❶消えていた火が再び燃えだすこと。❷解決した物事が、再び問題としてもちあがること。「紛争が―する」

***さい‐のう【才能】**(すぐれた)才知の働き。ある物事を巧みになしとげる能力。「―のある人」類語 能力。

> **類義語の使い分け　才能・能力**
>
> 【才能・能力】才能(能力)を生かして存分に活躍する
>
> 【才能】音楽の才能に恵まれる／才能豊かな建築家
>
> 【能力】やや運動能力に欠ける／ちと能力が足りない

***さい‐のう【採納】**《名・他サ》〔文〕〔役に立つものとして〕とりいれること。採用すること。

ざい‐のう【財×嚢】〔文〕さいふ。「―をはたく」

さい‐の‐かみ【×塞の神】 ↓さえのかみ。

さい‐の‐かわら【×賽の〈河原〉】 ❶死んだ子供が行くという三途(さんず)の河原。参考 ここで、死んだ子供が、父母の供養のため石を積んで塔を作ると、鬼がかたはしからくずしてしまう。しかしやがて地蔵菩薩(じぞうぼさつ)に救われるという。❷〔ひゆ的に〕いくらやっても元の状態にもどってしまう、むだな努力。賽の河原の石積み。

さい‐の‐め【×賽の目・×采の目】 ❶さいころの各面に記してある数を表す点。❷さいころほどの大きさの、小さな立方体。また、その形。「豆腐を―に切る」

サイノロジー〔俗〕妻に対して態度が甘く、何でも言いなりになること。また、そういう男。妻のろ。参考「サイコロジー(psychology)」をもじった語。

サイバー《造語》「コンピューターの」「人工頭脳の」「インターネットの」の意を表す。▽cyber- **―スペース** コンピューターのつくり出す仮想空間。電脳空間。サイバー空間。▽cyberspace **―テロ** インターネットなどを通じて他のコンピューターに不正侵入し、システム破壊を行うこと。電脳テロ。▽cyberterrorism から。

***さい‐はい【再拝】** 一《名・他サ》続けて二度おがむこと。二《感》〔文〕手紙の結びのあいさつとして記し、相手に敬意を表すことば。「頓首(とんしゅ)―」類語 敬具。

***さい‐はい【×采配】** ❶昔、大将が戦場で軍陣を指揮するために用いた道具。厚紙を細く切ってふさにし、柄をつけたもの。「―を振る(＝さしずする。指揮をとる)」❷さしず。指揮。命令。「監督の―に従う」

さい‐ばい【栽培】《名・他サ》野菜・草木などを植えて育てること。参考 魚や藻類の養殖の意に用いられることもある。「―漁業」類語 育成。

さい‐ばし【菜×箸】 料理を作るときや、その料理をめいめいの皿にとりわけるときに使うはし。

さい‐はじ・ける【才▽弾ける】《自下一》〈「―・けた」「―・けて」の形で〉才にまかせて不相応なことを言ったりしたりする。また、利発そうにふるまう。こまっしゃくれる。「―・けた子供」

さい‐ばし・る【才走る】《自五》才能が満ちあふれている。また、利口すぎる。才気走る。〔多く、よくない意味に用いる〕「―・った男」

さい‐はつ【再発】《名・自サ》❶治った病気がまた起こること。❷同じ出来事がまた発生すること。「事故の―を防ぐ」

ざい‐ばつ【財閥】 ❶大資本・大企業を独占的または系列的に支配している資本家の一族・一団。「―の解体」「ロックフェラー―」❷〔俗〕金持ち。

さい‐はて【最果て】 ❶最後。最終。❷いちばん・はずれ(はし)の土地。文化や国土の中心から最も遠かったところ。「―の地」

サイバネティックス 通信と制御を統一的・総合的に取り扱おうとする学問。情報理論・自動制御理論・自動計算機理論に大別される。▽cybernetics

***さい‐はん【再版】**《名・他サ》❶前に出版した本を、版を改めて出版すること。類語 再刊。❷同じ版で二度

めに出版すること。また、その本。重版。対初版。

*さい-はん【再犯】❶再び罪をおかすこと。❷〔法〕懲役に処せられて釈放された者が、その日から五年以内に、また懲役に当たる罪をおかすこと。類語累犯(るいはん)。対初犯。

*さい-はん【再販】「再販売価格維持契約制度」の略。商品の生産者が小売業者などに、その商品の販売価格を指示し、守らせる制度。

*さい-ばん【歳晩】〔文〕一年の終わりのころ。年の暮れ。年末。歳暮(さいぼ・せいぼ)。「—の肌寒さを感ずる」

*さい-ばん【裁判】《名・他サ》❶さばくこと。さばき。❷裁判所または裁判官が紛争や訴訟に対して、法律に照らして判断を下すこと。—かん【—官】裁判所で、裁判を行うことを職務とする国家公務員。—しょ【—所】裁判を行う国家の機関。日本では最高・高等・地方・家庭・簡易裁判所の五種がある。

*さい-ひ【採否】〔提案・応募者などの〕採用と不採用。採用するかしないかということ。「—を決定する」

*さい-ひ【歳費】❶一年間に使う費用。❷国が衆議院議員・参議院議員に支給する一年間の給与。参考地方議員の給与は「報酬」と呼ぶ。

さい-び【細微】《形動》〔文〕❶〔物の形・変化などが〕ごく小さいようす。非常に細かいようす。微細(びさい)。「—な観察」❷身分のいやしいこと。微賤(びせん)。

*さい-ひつ【才筆】〔文〕すぐれた文章。また、すぐれた文章を書く能力。「—を示す」類語健筆。文才。

*さい-ひつ【細筆】❶細字用の、穂の細い筆。ほそふで。❷細かい字で書くこと。細書。

さい-ひょう【砕氷】《名・自他サ》〔広い水面にはりつめた〕氷をくだくこと。また、砕けた氷。「—船」

さい-ひょうか【再評価】《名・他サ》一度評価が定まったものを、もう一度評価しなおすこと。

*さい-ふ【採譜】《名・他サ》〔民謡などの〕曲調・旋律を楽譜に書きとること。

*さい-ふ【財布】布や革などで作った、金銭を入れる小さな入れ物。金入れ。「—の底をはたく(=所持金の全部を出す)」「—の紐(ひも)を締める(=むだな金銭を使わないようにする。倹約する)」類語札入れ。銭入れ。がまぐち。ドル入れ。

さい-ぶ【細部】細かな部分。「—にわたる説明」

ざい-ふ【在府】《名・自サ》江戸時代、大名やその家臣が江戸で勤務すること。対在国。

サイフォン↓サイホン。▽siphon

さい-ふく【祭服・斎服】祭主や神主(かんぬし)が祭礼のときに着る衣服。類語礼服。

さい-ぶつ【才物】〔文〕すぐれた才能をもった人物。類語才子。才人。

ざい-ぶつ【財物】〔文〕金銭と品物。また、〔財産としての〕宝物。財貨。財物(ざいもつ)。

サイプレス↓糸杉。▽cypress

*さい-ぶん【祭文】祭りのときに神に告げる文。また、神式の葬儀で死者の霊に告げる文。さいもん。

*さい-ぶん【細分】《名・他サ》〔一つのまとまったものを〕細かくわけること。「—化」類語細別。

ざい-べい【在米】《名・自サ》他国から来てアメリカに住んでいること。「—邦人」

さい-べつ【細別】《名・他サ》細かく区別すること。また、そのようにした物。類語細分。

*さい-へん【再編】《名・他サ》編成や編集をやり直すこと。再編成。再編集。「チームを—する」

*さい-へん【砕片】くだけたかけら。類語破片。細片。

*さい-へん【細片】細かいかけら。類語砕片。破片。

さい-ぼ【歳暮】〔文〕❶一年の終わりのころ。年末。歳晩。対歳旦(さいたん)。❷歳末の贈り物。=歳暮(せいぼ)。

*さい-ほう【再訪】《名・他サ》再び訪れること。二度訪れること。「一〇年ぶりに北京(ペキン)を—した」

*さい-ほう【才鋒】〔文〕するどい才気。「—を現す」

*さい-ほう【採訪】《名・他サ》民俗学・歴史学などで、研究資料を得るために、辺地に出かけたり社寺や旧家をたずねたりすること。「民話—の旅」

*さい-ほう【裁縫】《名・自サ》布を裁断して、衣服などに縫いあげること。〔多く、和裁を言う〕類語縫い物。お針。針仕事。

*さい-ほう【西方】西の方角(にある国)。西方(せいほう)。—じょうど【—浄土】阿弥陀如来(あみだにょらい)の支配する安楽な世界。極楽浄土。西方極楽。西方安楽国。西方十万億土。

さい-ぼう【細胞】❶生物体を構成し、からだのはたらきのもとになる最小単位。形・大きさは種類によって違うが、原則として核・細胞質・原形質膜がある。参考動物学では「さいぼう」、植物学では「さいほう」という。❷ある組織や団体を作っている個々の単位(人)。特に、職場や地域などを単位として設けられる、共産党の末端組織。=細胞(さいほう)。—ぶんれつ【—分裂】細胞①が増殖のために二個の新しい細胞にわかれること。この二個の細胞がそれぞれ同じことをくり返してふえてゆく。

ざい-ほう【財宝】財産や宝となるもの。金銭や金銀、高価な宝石・美術品など。類語財貨。財物。

サイボーグ 人工臓器をつけるなどして作り変えられた人間。SFに登場する。改造人間。▽cyborg

サイホン❶液体を一度高いところにあげてから低いところに移すのに使う、曲がった管。❷水蒸気の蒸気圧を利用した、ガラス製のコーヒーわかし。=サイフォン。▽siphon

さい-まつ【歳末】一年の終わりごろ。年のくれ。年末。歳暮(さいぼ)。歳晩。「—助け合い運動」

さい-みつ【細密】《名・形動》〔観察や注意などが〕行きとどいて細かいこと。「—画」類語精密。綿密。

*さい-みん【催眠】〔薬物・暗示などによって〕眠けをもよおさせること。眠くさせること。「—状態」—じゅつ【—術】特殊な暗示によって大脳の働きを弱らせ、半ば眠った状態にさせる術。精神分析や悪癖の治療などに利用する。

*さい-みん【済民】〔文〕人民の難儀を救うこと。救民。せいみん。「経世—」

*さい-みん【細民】〔文〕貧しい人々。貧民。「—街」

さい-む【債務】〔法〕ある人(=債権者)に対し金銭の支払いや品物の引き渡しを行わなければならない法律上の義務。多く、借金を返すべき義務。対債権。

ざい-む【財務】〔国家・法人などの〕財政上の事務。

ざいむ-しょう【財務省】国の行政機関の一つ。国の財務・通貨・金融・証券取引などを扱う。参考旧称「大蔵省」。

*ざい-めい【在銘】書画・刀剣・工芸品などの製作物に、その作者の名が記してあること。対無銘。

*ざい-めい【罪名】❶犯した罪の種類を表す名称。❷

さ

罪を犯したといううわさ。「—をすすぐ」

さい‐もく【細目】〔規則・計画などの〕細かい部分に関する項目・箇条。「—にわたって検討する」

ざい‐もく【材木】 建築物・器具などの材料にするため、使いやすいように切ってある木。木材。

さい‐もん【祭文】 ❶→さいぶん(祭文)。❷→うたざいもん(歌祭文)。 **—かたり【—語り】** 江戸時代、歌祭文を語って歩いた職業の人。祭文読み。

ざい‐や【在野】 ❶公職につかず、民間人でいること。「—精神」対在朝。❷政党が野党の立場にあること。

さい‐やく【災厄】 不幸なできごと。わざわい。災禍。「—が降りかかる」類語災難。災害。

さい‐ゆ【採油】《名・自他サ》❶〔植物の実などから〕油をとること。類語搾油。❷石油を掘りとること。

さい‐ゆう【西遊】《名・自サ》西の方へ旅行すること。特に、ヨーロッパへ旅行すること。せいゆう。

さい‐よう【採用】《名・他サ》人材・意見・方法などをとりあげて用いること。「— 試験」「彼の案を—する」

さい‐らい【再来】《名・自サ》❶前と同じ状態が再び現れること。「黄金時代の—」❷過去の偉人・英雄などが、再びこの世に生まれ出ること。うまれかわり。「双葉山の—といわれた大力士」類語再臨。

類語任用。登用。

ざい‐らい【在来】 これまで(普通に)行われ続けてきたこと。「—の方法」「—種」類語従来。従前。既存。

さい‐らん【採卵】《名・自他サ》卵を産ませてとること。

さい‐り【×犀利】《形動》❶〔武器などが〕堅固で鋭いこと。❷文章などの筆致が鋭いこと。❸頭の働きが鋭くて真実を的確にとらえるようす。「—な研究」

さい‐りゃく【才略】〔文〕❶才知とはかりごと。❷才知を用いて巧みに仕組んだはかりごと。類語知謀。

さい‐りゅう【細流】〔文〕ほそい(川の)流れ。幅のせまい川。「大河は—を選ばず」類語小川。

ざい‐りゅう【在留】《名・自サ》一時、その土地(特に外国)にとどまって住むこと。「ベトナム—の邦人」類語逗留。駐留。

***さい‐りょう【最良】**〔ものごとの状態・性質などが〕最もよいこと。「—の治療法」類語最善。対最悪。

***さい‐りょう【宰領】**《名・他サ》〔古風な言い方〕❶〔多くの者を〕とりしまる・こと(役・人)。❷荷物の運搬の管理や作業員の監督をする・こと(人)。❸団体旅行などで、旅行者の世話や監督をする・こと(人)。「お伊勢参りの—をつとめる」類語幹事。

***さい‐りょう【裁量】**《名・他サ》自分の考えで判断し処理すること。「君の—に任せる」類語処断。

ざい‐りょう【材料】 ❶その物ができ上がるもとになっている物。「トウモロコシを—とした飼料」類語原料。❷研究・実験などの手段として使われる物。「研究の—」❸物事を判断する場合の資料となるもの。「無罪と推定する—は十分ある」類語根拠。❹芸術作品のうまれるもとになる題材。「小説の—」類語素材。

さい‐りょく【才力】〔文〕物事を的確に判断し、おし進めてゆく才知のはたらき。

ざい‐りょく【財力】 ❶財産があるために生じる勢力。金銭の威力。経済力。「—に物を言わせる」類語金力。❷費用を負担できる能力。類語資力。

さい‐りん【再臨】《名・自サ》キリスト教で、世界の終わりの日にキリストが、もう一度この世に現れること。類語再来。

ザイル 〔登山のときに用いる〕つな。ロープ。▽ドイツ Seil

さい‐るい【催涙】〔文〕〔毒ガス・薬品などで〕涙を出させること。「—弾」「—ガス」

さい‐れい【祭礼】〔神社などの〕祭りの儀式。祭り。「鎮守さまの—」類語祭儀。祭典。

サイレン ❶ギリシア神話中、半人半鳥で声の美しい海の魔女。セイレン。❷穴のあいた円板を高速度で回転させて、大きな音を出す装置。警報、時報などに使う。「試合開始の—」▽①Siren ②siren

サイレント ❶無声映画。対トーキー。❷英語などのつづり字の中で、ある文字を発音しないこと。また、その文字。例、knife の k など。▽silent(=沈黙の)

サイロ ❶石・れんが・コンクリートなどで作った円筒形・塔状の倉庫。中を気密にして、冬季間に与える家畜の飼料を発酵させながら保存する。❷サイロ①の形をした貯蔵庫。「ミサイルの—」▽silo

さい‐ろう【×豺×狼】〔文〕ヤマイヌとオオカミ。残酷で貪欲なけものの称。参考残酷で欲の深い人にたとえていう。「—の徒」類語鬼畜。

***さい‐ろく【再録】**《名・他サ》再び・記録(登載・録音・録画)すること。また、その文章。

***さい‐ろく【採録】**《名・他サ》取り上げて記録すること。また、そのもの。「発言の要点だけ—する」

***さい‐ろく【載録】**《名・他サ》書物・記録などに、書いてのせること。「交友会誌に—される」類語掲載。

***さい‐ろん【再論】**《名・他サ》同じ事がらについて、もう一度論ずること。また、その論。「—を要せず」

***さい‐ろん【細論】**《名・他サ》事細かに論ずること。また、その論。類語詳論。

さい‐わ【再話】 昔話・伝説などを、それが語り伝えられてきたままの形ではなく、現代的な用語で文学的に表現すること。また、そのように表現したもの。

さいわい【幸い】《「さきはひ」の音便》 ━《名・形動》❶〔精神的・物質的に満ちたりて〕苦しみや悩みがなく、自分にとって望ましい状態であること。しあわせ。幸福。「—な一生を送る」類語幸。福。福祉。福利。果報。多幸。幸甚。至福。大福。万福。浄福。清福。ハッピー。❷運がいいこと。都合がいいこと。「—なことに間に合った」類語福運。利運。開運。冥加。僥倖。間がいい。ラッキー。 ━《副》運よく。折よく。都合よく。「—、旅行は好天に恵まれた」 **—する**《自サ変》運よく作用する。都合のよい結果をもたらす。「何が—するかわからない」 **—に・して**《連語》運よく。〔副詞的に使う〕

さい‐わん【才腕】 頭のはたらきがするどく、物事を処理する、すぐれたうでまえ。「—をふるう」類語敏腕。

***サイン**《名・自他サ》❶自分の名前を書くこと。署名すること。また、その名前。自署。「旅券に—する」❷合図。暗号。特に、野球で、バッテリー同士がとりかわしたり監督が打者に送ったりする、秘密の動作による合図。シグナル。「—を交わす」▽sign **—プレー** スポーツで、味方同士が合図を交わし、連係して行うプレー。▽sign と play からの和製語。

***サイン** 三角関数の一つ。直角三角形において、垂線の斜辺に対する比を底辺と斜辺のはさむ角で表すもの。正弦。記号 sin。▽sine

***ざ‐いん【座員】** 芝居・演芸などの一座の人。

***ザイン**〔哲〕〔あるべきことに対して〕実際にあること。実

在。存在。対ゾルレン。▽ドイツ Sein

ざ・う【座右】→ざゆう。

サウスポー ❶左ききのボクサー。❷左腕投手。また、左ききのスポーツ選手。▽southpaw

サウナ 熱気と蒸気の両方を利用した、フィンランドふうのむしぶろ。▽フィンランド sauna

サウンド 音。音響。▽sound **—トラック** 映画フィルムのへりに帯状に音を記録した部分。サントラ。▽sound track

*__さえ__【×冴(え)・×冱(え)】❶〔音・光・色などが〕すみきること。❷〔頭の働き・腕前などが〕あざやかなこと。

*__さえ__（さへ）《副助》〈「そへ（添）」が原義という。係助詞ともする〉❶同じ傾向の事柄が加わり、程度や範囲がさらに進む意を表す。そのうえ…までも。〔やや文語的な言い方〕「父はもちろん、母**さえ**同意しない」❷極端な例をあげて、他はましてと事柄の甚だしいさまを強調的に暗示するのに使う。〔「さえも」の形で使うことも多い〕「お礼の言葉**さえ**ない」❸〈「さえ…ば」の形で〉ある条件が成立すれば、十分な結果が得られる場合、その条件を強く提示するのに使う。「健康で**さえ**あれば、いいではないか」 参考→すら。

さえ・かえ・る【×冴え返る】（—かへる）《自五》❶あざやかにさえている。「冬空に—る星」❷よく晴れて寒さが厳しくなる。寒さがぶり返す。「—る朝」

さ・えき【差益】差し引きの利益。売買の収支として生じた利益。「円高—」対差損。

さえぎ・る【遮る】（さへぎる）《他五》〈「さいぎる」の転〉❶むこうがわを見えなくする。「雲が日を—る」❷〔人の言動や物の動きなどを〕じゃまして途中でとめる。妨げる。「話を—る」文《四》。

さえず・る【×囀る】（さへづる）《自五》❶小鳥がしきりに鳴く。❷やかましくしゃべり立てる。文《四》。

さ・えつ【査閲】《名・他サ》❶実際に調べること。❷軍事教育の成果を実地に調べること。「—官」

さえ・の・かみ【×塞の神・×障の神・▽道▽祖神】（さへ—）道路を守り、悪霊の侵入をふせぐ神。また、旅人を守る神。道祖神（どうそじん）。さいのかみ。

さ・える【×冴える・×冱える】《自下一》❶〔文〕寒さがきびしくなる。また、冷え冷えと感じる。「—えた冬の朝」❷月・星などの光が、寒空に澄んで見える。「—えた月の光」❸音が澄んだひびきをもって、はっきりと聞こえる。「—えた笛の音」❹色があざやかに感じられる。特に、顔色などが生き生きとする。「顔色が—えない」❺頭がはっきりする。頭脳が明晰（めいせき）である。㋐頭の働きがするどくなる。「夜中になって頭が—えてきた」㋑〈「目が—える」の形で〉神経が興奮して、ねむけがなくなる。❻技術・腕前などが、きわだってあざやかである。「腕が—える」❼〈「—えない」の形で〉〔俗〕物事が暗く沈んで引きたたない。物足りない感じである。ぱっとしない。「—えない男だ」文さ・ゆ《下二》。

さえ・わた・る【×冴え渡る】《自五》❶〔文〕あたり一面が冷え冷えとする。❷〔光・音・色などの調子が〕一面に澄みきる。くまなく澄む。〔「さえる」を強めた語〕

さお【×竿・×棹】（さを）㊀《名》❶種々の用にあてるために、竹の幹から枝・葉を取り去って作った、細長いもの。物干しざお・旗ざお・つりざおなど。〔近年はプラスチックや金属などの製品が多い〕❷水底や岸につっぱって船を進ませる長い棒状の道具。❸さおばかりの棒。❹三味線で、胴から上の糸を張る細長い柄の部分。転じて、三味線。「さえた音じめの—の音」❺たんす・長持などの上にさしてかつぐ棒。表記②〜⑤は多く「棹」と書く。❻〔隠〕陰茎。㊁《助数》❶旗を数える語。「国旗二—」❷たんす・長持などを数える語。❸ようかん・すはまなど、棒状の菓子を数える語。表記②③は多く「棹」と書く。

さお・さ・す【×棹差す・×棹刺す】（さを—）《自五》❶さおをあやつって舟をすすめる。「流れに—す（＝流れに乗って舟をはやめる）」❷時の流れにうまくのる。乗じる。

さお・だけ【×竿竹】（さを—）〔枝・葉をはらって〕竿にした竹。竿として使う竹。類語竹竿（たけざお）。

さお・だち【×竿立ち】（さを—）〔馬などが〕竿のように〔後ろ足だけで〕まっすぐ立つこと。類語棒立ち。

さ・おとめ【〈早乙女〉・▽早▽少女】（—をとめ）〈「さ」は「稲」を表す接頭語〉❶田植えをする若い女。❷おとめ。

さお・ばかり【×竿×秤・×棹×秤】（さを—）はかりの一種。支点を固定した目盛りのついた棒の一端に物をつるし、他の一端に分銅をつるし、その分銅をうごかして重さをはかるはかり。類語天秤（てんびん）。

さお・ひめ【佐▽保姫】（さほ—）奈良にある佐保山の女神の名。春をつかさどる神。参考→竜田姫。

さお・もの【×棹物】（さを—）「棹物菓子（さおものがし）」の略。ようかん・ういろうなど、棒状の和菓子。棹菓子（さおがし）。

*__さか__【坂】❶道路・線路などで、上下に傾斜してこうばいのあるところ。類語坂道。胸突き八丁。斜面。急坂（きゅうはん）。峻坂（しゅんぱん）。スロープ。❷人生の区切りとなるところ。ふしめ。「四〇の—にさしかかる」

*__さ・か__【茶菓】茶と菓子。茶菓（ちゃか）。

*__さか__【逆・▽倒】㊀《名》さかさま。ぎゃく。反対。「—を行く」㊁《造語》〈名詞や動詞の上に付いて〉普通と方向がぎゃくであることを表す。「—子」「—恨み」「—立つ」

さが【▽性】〔文〕❶もってうまれた性質。うまれつき。「女の—」❷ならわし。習慣。「この世の—」

ざ・か【座下】〔文〕手紙の脇付（わきづけ）の一つ。あて名の左下に書きそえて敬意を表す語。類語足下。机下。

ざ・が【×坐×臥・座×臥】〔文〕❶《名・自サ》すわることと、ねること。起き伏し。日常生活。類語起居。❷いつも。ふだん。平生。「行住—」

さか・あがり【逆上(が)り】→尻（しり）上がり④。

*__さかい__【境・▽界】（さかひ）❶物が互いに接している部分。境界。「政治学と社会学の—」類語分界。❷土地を区切っているもの。❸物事の状態の変わり目。ある事態と別の事態との分かれ目。境目。「生死の—をさまよう」❹〔文〕限定された、特定の場所。「神秘の—」❺〔文〕心境。境地。「悟道の—」

*__さかい__（さかひ）〔関西方言〕《接助》《名詞「境」が助詞化したものという》原因・理由を表す。から。ので。「はっきりせんさかいよう分からへん」

さかい・め【境目】（さかひ—）境になる部分。分かれめ。境。

さか・うらみ【逆恨み】《名・他サ》❶恨んでいいはずの相手から逆に恨まれること。「—をうける」❷他人の好意を曲解して、かえって恨みに思うこと。

さか・える【栄える】《自下一》勢力が強くなる。盛んになる。繁栄する。「国家が—える」対衰える。文さか・ゆ《下二》。

さか・おとし【逆落(と)し】❶物をさかさまに落とすこと。❷絶壁などを一気にかけおりること。「鵯越（ひよどりごえ）の—」表記②は「坂落(と)し」とも書く。

さ

さか-き【×榊】❶ツバキ科の常緑亜高木。葉は長楕円形で、表面は光沢がある。枝葉を神事に用いる。❷〔古〕神域に植えられる常緑樹の総称。参考「玉串」は「さかき」の美称。

さ-がく【差額】ある金額から他の金額を引いて残った額。差し引きした金額。**—ベッド** 病院で、入院患者が自分の希望で個室などを使用した場合、その病室の費用と医療保険の給付との差額を患者が負担する・病室(ベッド)。差額徴収ベッド。「—代」

さか-ぐら【酒蔵】酒を醸造する、くら。また、酒をたくわえておくくら。さけぐら。

さか-げ【逆毛】❶ふつうとは逆向きにはえている毛。❷髪の毛先から根元に向かって逆さにとかした毛。ふくらませた髪型を作るときに用いる。「—を立てる」

さか-ご【逆子・逆▽児】異常出産の一つ。赤ん坊がふつうとは逆に、足やしりの方から先に生まれること。また、そのようになって生まれた赤ん坊。

さか-さ【逆さ・▽倒さ】《名・形動》「さかさま」の略。

さかさ-ことば【逆さ言葉・▽倒さ言葉】❶意味を反対にして使うことば。「かわいい」を「にくい」というたぐい。反語。❷一つの語の音節の順序を、上下反対にしていうことば。「はまぐり」を「ぐりはま」、「種」を「ねた」、「これ」を「れこ」というたぐい。倒語。

さかさ-ふじ【逆さ富士・▽倒さ富士】水面に、さかさまに映った富士山。

さか-さま【逆様・▽倒】《名・形動》物事の位置・状態・順序などが、反対になっていること。ぎゃく。さかしま。さかさ。「上下が—になる」

さかさ-まつげ【逆さ×睫・▽倒さ×睫】→さかまつげ。

さがし-あ-てる【捜し当てる・探し当てる】《他下一》方々をさがして見つけ出す。「宝島を—てる」

さかし-い【▽賢しい】《形》〔文〕❶頭の働きがするどい。かしこい。さとい。「—い生き方」❷りこうぶってなまいきである。こざかしい。文さか・し《シク》

さか-しお【酒塩】煮物の味をよくするため、調味料として加える酒。

さか-しま【逆しま・▽倒】《名・形動》さかさま。

さがし-もの【捜し物・探し物】物のありかをさがすこと。また、その目当ての物。類語 尋ね物。失せ物。

さかし-ら【▽賢しら】《名・形動》〔文〕かしこそうにして余計なふるまいをすること。りこうぶること。「—顔」

ざ-がしら【座頭】❶上座にすわっている人。首座の人。❷芝居の一座の長。

さが-す【捜す・探す】《他五》見つけ出そうとして、たずねもとめる。「人を—す」「落とし物を—す」「家を—す」類語 探る。探し求める。探し回る。漁る。(手)探り。物色。渉猟。捜査。捜索。検索。模索。博捜。文《四》。⇩〖使い分け〗

使い分け「さがす」

探す〔欲しい物を見つけ出そうとする〕古書店で初版本を探す・宝物を探す・職を探す・借家を探す・人のあらを探す・探し物を見つける

捜す〔見えなくなった物を見つけ出そうとする。捜査。捜索〕犯人を捜す・落とし物を捜す・財布が見当たらないといって家ゃ捜しする・迷子を捜す

参考 元来「探」は奥深く手を入れてさがす意で、「捜」は細かなすき間を手さぐりでさがす意で、大差はない。近年、右のように使い分けるが、混用されることも多い。「家探し／家捜し」では、規範的には、前者は住むべき家をさがす意、後者は家じゅうをくまなくさがす意で使う。「人探し／人捜し」では、主に前者は求人の意で、後者は行方不明者の捜索の意で使う。「探し物／捜し物」「探し当てる／捜し当てる」なども同様に使い分ける。

さか-ずき【杯・×盃】❶酒をついで飲む(小さな)うつわ。杯(はい)。「—を干す」類語 玉杯。酒盞。酒杯。大杯。猪口。❷さかずきごと❷。「夫婦の—をかわす」表記 現代仮名遣いでは「さかづき」も許容。**—ごと**【—事】❶さかずきをとりかわして飲むこと。酒宴。❷夫婦・兄弟分・親分子分などの約束をかためるために、同じさかずきの酒をくみかわすこと。

さか-ぞり【逆×剃り】《名・他サ》ひげや毛髪の生えている方向と逆に刃をあててそること。さかずり。

さか-だい【酒代】酒手。さかしろ。

さか-だち【逆立ち】《名・自サ》❶手を地につけて体を支え、両足を上に伸ばして立つこと。しゃっちょこだち。倒立。「どう—してもかなわない」❷物の上下の位置が反対になっていること。さかさま。参考 精一杯がんばることのたとえにも使う。

さか-だ-つ【逆立つ】《自五》〔下や横に向いたものが〕上に向かって立つ。また、逆さまになって立つ。「髪の毛が—つ」

さか-だ-てる【逆立てる】《他下一》逆さまに立つようにする。「たてがみを—て突進する」

さか-だる【酒×樽】酒を入れておく、(大きな)たる。

さか-づき【杯・×盃】→さかずき。

***さか-て**【逆手】❶ふつうと反対の向きに手を使うこと。㋐刃物の持ち方で、刃が小指の方に出るように柄をにぎること。「短刀を—にとって…」㋑鉄棒・平行棒などのにぎり方で、手を下から回して手のひらが自分の方へ向くようににぎること。対 順手。❷相手の攻撃を逆に利用して攻めること。逆手。「—にとる」

***さか-て**【酒手】❶酒を買う(飲む)ための代金。❷〔雇い人などに〕約束の賃金以外に与える金。「—をはずむ」＝さかで。類語 心づけ。同 酒代。

さか-とび【逆飛び】頭の方から水中へとびこむこと。

さか-とんぼ【逆×蜻×蛉】「さかとんぼがえり」の略。頭から後ろの方向にひっくりかえること。

***さかな**【×肴】《「さか」は酒、「な」は「菜(＝おかず)」の意》❶酒を飲むときに添えて食べるもの。酒のさかな。つまみ。❷酒を飲むときに、その場に興を添えるもの。

***さかな**【魚】食用とする魚。また、魚類の総称。参考 ㋐さかな(＝酒のさかな)に魚を用いることが多かったところから。㋑「一尾…」または「一匹…」と数える。類語 魚類。魚介。魚族。

さか-なで【逆×撫で】《名・他サ》❶毛などを、生えている方向と逆の方向になでること。❷人のしゃくにさわるような言動をとること。「神経を—する放言」

さか-なみ【逆波・逆▽浪】〔文〕〔強い風などのため〕流れにさからって立つ波。さかまく波。「—が立つ」

ざ-がね【座金】❶ねじで物をしめつけるとき、ねじがゆるまないように、ねじの下にあてるうすい金属の板。ワッシャー。❷器具などの表面を保護したりくぎの頭をかくしたりするために、飾りとしてうちつける金物。

さか-ねじ【逆×捩じ】❶逆にねじること。❷〔相手

の非難や抗議を〕逆にやりこめること。「—を食う」

さか-のぼ・る【×遡る・×遡る】《自五》❶川の流れにさからって上流へのぼる。❷〔ある物事を〕系統的にたどってその根本や過去にもどる。「本源に—・る」

さか-ば【酒場】客に酒を飲ませる店。のみ屋。参考ふつう、バーなども含む。類語居酒屋。

さか-ぶとり【酒太り・酒▽肥り】《名・自サ》↓さけぶとり。

さか-ま・く【逆巻く】《自五》〔文〕❶流れにさからうように波が激しく立つ。わきあがるように波が巻きかえる。「—・く怒濤(どとう)」❷煙や火が激しく巻きあがる。

さか-まつげ【逆×睫】ふつうとは反対に、眼球に向かって生えるまつげ。さかさまつげ。

さがみ【▽相▽模】旧国名の一つ。今の神奈川県の大部分。相州。

さか-みち【坂道】坂になっている道。

さか-むけ【逆×剝け】つめの生えぎわの皮膚が、指のつけ根に向かって細くむけること。ささくれ。

さか-むし【酒蒸(し)】魚・貝を酒にひたして蒸すこと。また、その料理。「鯛(たい)の—」

さか-もぎ【逆茂木】〔文〕敵の侵入を防ぐため、とげのある枝を陣地の外に向けて並べ、垣としたもの。

さか-もり【酒盛り】《名・自サ》多くの人が集まって酒を飲み、楽しむこと。酒宴。類語宴会。うたげ。

さか-や【酒屋】❶酒を売る・店(人・商売)。酒類販売業。酒家(しゅか)。類語酒舗。❷酒を作っている店。つくりざかや。酒造業者。

—へ三里豆腐屋へ二里《句》日用品を買うのにも遠くへ行かなければならないほど不便な所であることのたとえ。

さか-やき【▽月▽代・▽月▽額】❶中古以来、男子が冠のあたるひたいぎわの頭髪を半月形にそったこと。また、その部分。❷江戸時代、男子が前額から頭の中央へかけて頭髪をそったこと。また、その部分。＝月代(つきしろ)。

さか-やけ【酒焼け】《名・自サ》常に酒を飲んでいて、顔や胸などが日焼けしたように赤らんでいること。

さか-ゆめ【逆夢】夢で見たことが現実では反対のこととして起こったとき、その夢のこと。対正夢(まさゆめ)。

さから・う【逆らう】(さからふ)《自五》❶〔物事の勢い・順序などと〕反対の方向に向かう。逆行する。「風に—・って進む」❷〔意見・命令などに〕反対する。反抗する。はむかう。「親の意見に—・う」文《四》。

さかり【盛り】❶物事の勢いが最も・強い(盛んな)こと。また、その時期。「夏の暑い—」❷人の一生で、精神的・肉体的に最も元気があり、充実していること。また、その時。年盛り。「男—」❸鳥獣が一定の時期に発情すること。参考①②は接尾語的にも使われ、多く「ざかり」となる。「花—」「働き—」「育ち—」

さがり【下がり】❶位置・程度・数値などが低くなること。対上がり。❷一定の時刻を少し過ぎること。また、その時。〔時を表す語につけて接尾語的に使うことが多い〕「昼—」❸↓おさがり。❹すもう取りが締め込みの前にはさんでさげるもの。「—をさばく」

さかり-ば【盛り場】商店や娯楽場などが多く、いつも人が大勢集まってにぎわう場所。類語繁華街。

さがり-め【下がり目】❶目じりの下がった目。たれ目。❷勢いが衰えかかる時期。また、値段などが下がりかかる時期。さがりぐち。対①②上がり目。

さか・る【盛る】《自五》❶勢いがさかんになる。たけなわになる。流行する。〔現代では、多く接尾語的に用いる〕「火が燃え—・る」❷〔商売などが〕繁盛する。「店が—・る」❸鳥獣が発情して交尾する。文《四》。

さが・る【下がる】《自五》❶〔何かに・付いて(属して)いる〕ものの位置が低くなる。㋐位置が上から下へかわる。「ズボンが—・る」「目尻(めじり)が—・る」㋑上部が固定されて、下方へたれる。「幕が—・る」❷中心となる場所から位置が移る。㋐目上の人のいる所などからしりぞく。特に、主人の家から暇を取る。「控え室に—・った」㋑京都市内で、南へ行く。「河原町通二条—・る」参考御所と反対の方向であることから。㋒うしろへ位置が移る。うしろへしりぞく。「三尺—・って師の影をふまず」㋓目上の人から物が渡される。下付される。「恩給が—・る」❸ものの段階・程度・数値が低い所に移る。㋐地位などが低くなる。「位が—・る」㋑高低の度合いが低くなる。「熱が—・る」「打率が—・る」㋒品質・価値などが低くなる。劣る。悪くなる。「成績が—・る」㋓値段などが低くなる。安くなる。対①～③上がる。❹時が移る。「時代が—・る」文《四》。

さか-ろ【逆×艪・逆×櫓】船首にも船尾にも艪(ろ)をとりつけ、船をまわさずに後ろへも進めるようにすること。また、その艪。参考ひゆ的に、なりゆきに応じてどちらへも進めるようにした仕組みの意でも使う。「インフレに対応できるよう、景気浮揚策に—をつけておく」

*__さ-かん__【佐官】旧軍隊で、大佐・中佐・少佐の総称。将官の下、尉官の上。参考↓尉官・将官。

*__さ-かん__【左官】壁をぬる職人。壁ぬり。「—屋」

*__さかん__【盛ん】《形動》(「盛り」の音便)❶勢いのいいようす。「—な拍手」❷熱心に物事が行われるようす。「—に宣伝する」類語盛大。旺盛(おうせい)。

*__さ-がん__【左岸】川下に向かって左側の岸。対右岸。

*__さ-がん__【砂岩】堆積岩(たいせきがん)の一種。砂の粒が水底で固まってできた岩。建築用材などに使う。

ざ-かん【座棺・×坐棺】死んだ人をすわらせた姿勢にして入れるように作った棺。対寝棺(ねかん)。

*__さき__【先】❶空間的・時間的に、順序が前であるところ。㋐物の、いちばん前の部分。突端。「葉の—」㋑いちばん前。いちばん始め。先頭。㋒〔時間的に〕より早いこと。あることよりも前。「兄より—に寝る」㋓現在よりも前。以前。過去。「—に聞いたことのある話」表記㋓は「前」とも書く。❷空間的に、物・事が向かうところ。㋐物や人が進んで行くところ。視線などの向かうところ。前方。「—をよく見ろ」㋑行き着くところ。目的地。「車を回す—を決める」㋒自分とかかわりをもつ。相手。先方。「就職した—」❸時間的に、未来に向かって生きてゆくところ。将来。前途。「—が楽しみな子」❹〔進行する〕物事の、残り・続きの部分。「話の—を続ける」対①④後(あと)。

—に立・つ《句》❶〔ある行動をするときに〕先頭に立つ。自分から率先してある事を行う。「—・って案内する」❷他のことよりも順序が先になる。特に、ある感情が、まず心を占める。さきだつ。「心配が—・つ」

—を争・う《句》人より有利になろうとして争って進む。我先にと進む。「—・って出口に向かう」

*__さき__【崎・×埼・×碕・▽岬】❶海に突き出た陸地の端。みさき。参考ふつう、他の語について固有名詞を作る。「観音崎」「犬吠(いぬぼう)埼(千葉)」「日御(ひのみ)碕(島根)」❷山や丘の突き出た先端。でばな。

*__さ-き__【左記】右から左へ縦書きにした文章で、それよ

り左の方に書いてある事柄を示す。以下にしるした文句。「―の要領で会を開く」[類語]下記。後述。

*さ・ぎ【詐欺】人をだまして、金銭や品物をうばったり損害を与えたりすること。「―師」[類語]詐取。騙取(へんしゅ)。

*さぎ【×鷺】サギ科の鳥の総称。くちばし・首・足が長くツルに似ているが、それよりやや小さい。頭にかんむり状の毛がある。ゴイサギ・アオサギ・ササゴイなど。

―を烏(からす)と言いくる・める《句》見えすいた嘘(うそ)を真実であると、あるいは逆に真実を嘘であると言い曲げること。道理を曲げて主張すること。

さき・いき【先行き】→さきゆき。

さき・おくり【先送り】《名・他サ》実際に行うことを先へ延ばすこと。「解決を―にする」

さき・おととい【▽一▽昨▽昨▽日】―をとひ おとといの一日前の日。三日前。一昨昨日(いっさくさくじつ)。さきおとつい。

さき・おととし【▽一▽昨▽昨▽年】―をとし おととしの一年前の年。三年前。一昨昨年(いっさくさくねん)。

さき・がけ【先駆け・先×駈け・×魁】《名・自サ》❶他の者に先んじて敵陣に攻め入ること。また、その人。前駆。[類語]先陣。ぬけがけ。❷同種の物事の中で、いちばんはやく始める・こと(人・物)。先んずること。「日本の新聞の―は『もしほ草』だ」[同]①②先駆。

さき・が・ける【先駆ける・先×駈ける・×魁ける】《自下一》❶他に先んじて敵中に攻め入る。❷〈多く、「―けて」の形で〉他に先んじて事を始める。「春に―けて咲く花」

さき・がし【先貸し】《名・他サ》〔給料・代金など〕支払うべき金銭を期日より前に支払い、形の上で貸したことにすること。前貸し。[類語]前払い。[対]先借り。

さき・がり【先借り】《名・他サ》〔給料・代金など〕受けとるべき金銭を期日より前に受け取り、形の上で借りたことにすること。前借り。前借(ぜんしゃく)。[対]先貸し。

さき・ぎり【先▽限】長期清算取引の一つ。売買の契約と商品の実際の受け渡しとの間の期間が最も長い取引。また、その商品。先物。[対]当限(とうぎり)。中限(なかぎり)。

さき・くぐり【先▽潜り】❶先まわりしてひそかに事を行うこと。❷人の言うことを推量して早合点すること。「多くは、相手の言うことを悪くとったり疑ったりすることをいう」＝先繰(さきぐ)り。

さき・こぼ・れる【咲き×溢れる】《自下一》花が枝や茎からこぼれ落ちるくらい、いっぱい咲く。

さき・ごめ【先込(め)】銃口から弾丸を込めること。前装。また、そのような銃。前装銃。[対]元込め。

さき・ごろ【先×頃】現在からあまり遠くない過去。このあいだ。せんだって。先日。「つい―」[類語]先般。

さき・ざき【先先】❶〔ずっと先の〕将来。行く末。「子供の―を心配する」❷現在よりずっと以前。「―から考えていた」[類語]まえまえ。❸行く方々の場所。旅行などで立ち寄る、方々の場所。「行く―」❹〔物の〕すべての端(の方)。「手足の―まで緊張する」

さき・さま【先様】先方の人に対する敬称。

さき・ぞなえ【先備え】―ぞなへ 先頭に立つ軍隊。先陣。先鋒(せんぽう)。

サキソホン→サクソホン。▽saxophone

さき・そろ・う【咲き×揃う】―そろふ《自五》〔ある範囲の〕花が残らず全部咲く。「庭のチューリップが―う」

さき・だか【先高】値段が将来高くなる見込みであること。「土地の―を見こす」[対]先安。

さき・だ・つ【先立つ】《自五》❶〔ある行動をするときに〕〔他人の〕先頭に立つ。先行する。「衆に―つ」❷ある物事より以前に・起こる(行われる)。「開会式に―って入場行進がある」❸ある人より前に死ぬ。❹何よりもまず必要である。「―つもの(＝お金)がない」

さき・だ・てる【先立てる】《他下一》❶〔他の人より〕先に行かせる。先行させる。「偵察隊を―てる」❷先に死なせてしまう。「子を―てた悲しみ」

さぎ・ちょう【左義長・▽三×毬×杖】昔、一月一五日に宮中で行われた、悪魔を払う火祭りの儀式。民間の「どんど」に当たる。[参考]→どんど。

さき・づけ【先付(け)】❶その日より後の日付。「―の小切手」❷料理屋などで、本料理の前に出す簡単な料理。突き出し。お通し。

さき・どり【先取り】《名・他サ》❶他人より先に物を取ること。他人よりはやく事を行うこと。「時代を―する」❷将来行われるのを見通して、それ以前にその事を行うこと。❸代金や利子などを先に受け取ること。

さき・に【先に・▽前に・×嚮に・×曩に】《副》まえに。以前に。「―申し上げましたように…」

さき・にお・う【咲き×匂う】―にほふ《自五》〔たくさんの花が〕美しくはなやかに咲く。「桃の花が―う」

さき・のこ・る【咲き残る】《自五》❶散らずに咲いている。❷〔他の花より〕おくれて咲く。❸〔他の花は咲いたのに〕咲かずに残っている。

さき・のり【先乗り】❶隊列の先頭に立つ騎馬の人。前駆。[対]後乗(あとの)り。❷《名・自サ》仲間より先に目的地に行って準備する・こと(人)。「合宿地に―する」

さき・ばしり【先走り】《名・自サ》〈「お―」の形で〉先ばしる・こと(人)。「いつものお―だから信用できない」

さき・ばし・る【先走る】《自五》他より先に物事をする。特に、先になろうとして、ひとりよがりに判断したり行動したりする。はやまる。「―って失敗する」

さき・ばらい【先払い】―ばらひ ❶《名・他サ》昔、貴人が通行するとき、行く手の通行人を退かせた・こと(人)。先追い。❷郵便料金や荷物の送料などを受取人が支払うこと。[対]元払い。❸《名・他サ》品物を受け取る前に代金を支払うこと。前払い。[対]後払(あとばら)い・後払(こうばら)い。

さき・ぶと【先太】《名・形動》棒状のものなどの先端が太い・こと(もの)。「―のつえ」[対]先細。

さき・ぶれ【先触れ】前もって知らせること。また、来るべき物事をあらかじめ感じさせる・こと(もの)。前ぶれ。きざし。[類語]前兆。予告。予報。

さき・ぼう【先棒】❶二人が棒で物を担ぐとき、前の方を担ぐ・こと(人)。[対]後棒(あとぼう)。❷→おさきぼう。

さき・ほこ・る【咲き誇る】《自五》誇らしげに咲く。みごとにいっぱい咲く。満開になる。「吉野に―る桜」

さき・ぼそ【先細】《名・形動》棒状のものなどの先端が細い・こと(もの)。「―の筆」[対]先太。

さき・ぼそり【先細り】《名・自サ》❶先端にいくほど細くなること。❷勢いや数量があとになるほど衰えたりへったりしていくこと。「景気は―だ」

さき・ほど【先程】現在より少し前。今しがた。先刻。「―は失礼致しました」[参考]「さっき」よりも改まった言い方。[対]のちほど。

さき・まわり【先回り】―まはり《名・自サ》❶他人より早く目的地に行っていること。先行。❷相手がするべきことを自分が先にしてしまうこと。「話の―をする」

さき・みだ・れる【咲き乱れる】《自下一》〔たくさん

さ

の花が」いちめんに美しく咲く。類語 咲きこぼれる。

さき‐もの【先物】 値段と数量だけを決めて、品物と代金の受け渡しはあとで行う取引。また、その品物。「―取引」対 現物。 **―がい【―買い】**《名・他サ》❶先物を買うこと。❷まだ評価が定まらないものを、将来を見込んで手に入れること。類語 青田買い。

さき‐もり【▽防▽人】 上代、九州北辺の地の防備にあたった兵士。東国出身の兵士が主であった。

さき‐やす【先安】 値段が将来安くなる見込みであること。対 先高。

さき‐やま【先山・▽前山】 鉱山・炭坑で、採掘に従事する、経験が豊かな労働者。対 後山。

さ‐きゅう【砂丘】〔砂漠や海岸などで〕風で運ばれた砂が積みかさなってできた丘。「鳥取の―」

さき‐ゆき【先行き】 ❶先に行く・こと（人）。先発。❷前途の見通し。将来。ゆくすえ。「交渉の―が読めない」❸景気・相場などの将来の動き。＝先行き。

さ‐ぎょう【作業】《名・自サ》〔頭脳やからだを働かせて〕実際に仕事をすること。また、その仕事。「―員」

ざ‐きょう【座興】 ❶〔宴席などで〕興をそえる、ちょっとした芸・遊戯。❷その場の一時のたわむれ。

ざ‐ぎょう【座業・×坐業】 すわったままでする仕事・職業。げた屋など。類語 居職。座職。

さ‐ぎり【▽狭霧】《「さ」は接頭語》〔雅〕霧。

さき‐わけ【咲（き）分け】 同じ株から出た枝に異なった色や形の花が咲くこと。また、その草木。

さき‐わたし【先渡し】《名・他サ》❶取引で、契約後一定期間をおいて商品を引き渡すこと。❷商品を代金の支払い前に引き渡すこと。また、代金を商品の引き取り前に支払うこと。❸貨物を到着先で相手に渡すこと。❹月給や賃金を期限前に支払うこと。前渡し。

*__さ‐きん【差金】__ ある金額から他の金額を引いた金額。類語 差額。残金。

*__さ‐きん【砂金】__ 砂のような形で産する金。

さきん‐じる【先んじる】《自上一》↓さきんずる。

さきん‐・ずる【先んずる】《自サ変》《「先にする」の転》❶他の者より先に行く。先に事を行う。❷他よりも進んだ段階にある。すぐれている。「宇宙開発ではA国がB国に一歩―・じている」＝さきんじる。 **―ずれば人を制す**《句》人より先に行えば有利な立場に立つことができる。先手必勝。〈史記・項羽本紀〉

*__さく__ （マグロなどの）大きな魚をさしみにできるように、縦長に切った肉のかたまり。

*__さく【作】__ ❶作品を作ること。また、その作品。「会心の―」「雪舟―」❷農作物のできぐあい。

*__さく【×朔】__〔文〕❶陰暦で、月の最初の日。ついたち。❷新月。対 望。

*__さく【×柵】__ ❶木や竹を立て並べ、横木や綱・鎖などをとりつけて作ったかこい。❷昔、木・竹などをめぐらして作った陣地。とりで。❸しがらみ①。

*__さく【策】__ はかりごと。計画。また、はかりごとや計画がうまくゆくようにするための手段・方法。「―をねる」「―を弄する（＝正々堂々とは言えない手段を用いる）」

*__さく【索】__（ふとい）綱。なわ。ロープ。

*__さ・く【咲く】__《自五》花のつぼみが開く。「話に花が―・く（＝話題がつきず、いろいろな話が次々に出る）」類語 綻びる。微笑む。咲き初める。咲き匂う。咲き誇る。咲き揃う。咲き溢れる。咲き残る。咲き乱れる。満開。（する）開花。文《四》。

*__さ・く【裂く・割く】__《他五》きっちりとした境界を設けて、二つ（以上）に強引に離す。❶引き破る。引っぱって離す。また、刃物などで切り割る。「魚の腹を―・く」❷二人の間を無理にへだてて、関係させないようにする。「夫婦の仲を―・く」❸〔すでに予定している〕場所・時間・金などの一部を、他と区別して別の用にあてる。「紙面を―・いて広告をのせる」表記 ③はもっぱら「割く」と書く。文《四》。⇩〔使い分け〕

使い分け　「さく・さける」

割く〔刀で切り分ける。一部を分けて他の用にあてる〕腹を割く・鶏を割く・時間を割く・領土を割く・人員を割く・紙面を割く

裂く〔布をたちきる。強引にさきやぶる〕布を裂く・生木を裂く・夫婦仲を裂く・やみを裂く声・引き裂く

裂ける〔線状に切れて離れる〕木の幹が裂ける・岩の裂け目・地面が裂ける・張り裂ける

参考 一般に「割」は分割、「裂」は分裂の意だが、「木を割く・仲を割く」と書くこともできる。その場合、「割」は、「裂」よりも強いニュアンスをもった表現となる。

ざく 鍋料理で、肉・魚などと煮るネギなどの野菜。

*__さく‐い【作意】__ ❶わざとすること。たくらみ。故意。「―があってしたことではない」❷〔ある芸術作品を〕制作した意図。類語 モチーフ。

*__さく‐い【作為】__《名・自サ》❶〔文〕自然の状態に手を加えること。類語 人工。対 無為。❷何かに見せかけようとして、わざと手を加えること。つくりごと。こしらえごと。「―のあとが目立つ」❸〔法〕〔意思をもって行う〕積極的な行為。対 不作為。

*__さく・い__《形》〔俗〕❶〔性格が〕あっさりしている。きさくである。「―・い人だ」❷もろい。こわれやすい。

さく‐いん【索引】 書物の中にある事項・語句などを、容易に捜し出せるように一定の順序に並べ、そのページ数などを記した表。インデックス。「総画―」

さく‐おう【策応】《名・自サ》〔文〕〔二つの物事を二人以上で行うとき〕双方で互いに策をたて合い、助け合って行うこと。しめし合わせること。類語 共謀。

さく‐おとこ【作男】〔農家などで〕やとわれて耕作に従事する男。

さく‐がら【作柄】 ❶農作物のできぐあい。作況。❷芸術作品のできばえ。でき上がりぐあい。

さくがん‐き【×鑿岩機】〔工〕岩石に穴をあける機械。おもに鉱山・土木工事に用いる。ドリル。表記 代用字として「削岩機」を用いる。

さく‐ぎょう【昨暁】〔文〕きのうの明け方。

さく‐ぐ【索具】〔帆綱など〕船で使う、綱で作った道具。綱具。

*__さく‐げん【削減】__《名・他サ》〔それまでの数量・額などを〕けずりへらすこと。「経費―」類語 減殺。

*__さく‐げん【×遡源・×溯源】__《「そげん」の慣用読み》↓そげん。

さく‐ご【錯誤】 ❶〔事実に対する〕まちがい。あやまり。類語 誤認。❷事実と観念の不一致。「時代―」

*__さく‐さく__《副》《「―と」の形も》❶霜柱・砂・雪などを踏む時の音の形容。❷ダイコン・ハクサイなどをきざんだり、かんだりする時の軽快な音の形容。

*__さく‐さく【×啧×啧】__《形動タルト》〔文〕口々にほめそやす

さ

ようす。「好評—」注意「悪評—」は誤り。悪い意味のときは「(悪評)紛々(ふんぷん)」「(非難)囂々(ごうごう)」などを使う。

ざく-ざく《副》(「—と」の形も)❶小石の上などを踏むときの音の形容。❷野菜などを大きくきざむ音の形容。❸金銭・宝物などが数限りなくあるようす。

さく-ざつ【錯雑】《名・自サ》〔文〕いろいろなことがらが複雑に入りまじっていること。こみいっていること。「—した中東問題」類語 錯綜(さくそう)。錯乱。

***さく-さん【×柞蚕】**ヤママユガ科の褐色で大形の蛾(が)。まゆからじょうぶで安価な絹糸がとれる。

***さく-さん【酢酸・×醋酸】**刺激性のあるにおいと酸味をもった無色の液体。酒類の発酵、木材の乾留などで作る。食用酢の主成分。薬品の原料にもなる。表記「酢酸」は代用字。

***さく-し【作詞】**《名・自他サ》歌曲などの文句を作ること。また、その文句。「土井晩翠—、滝廉太郎作曲」

***さく-し【作詩】**《名・自他サ》詩を作ること。詩作。

***さく-し【策士】**はかりごとの巧みな人。また、事あるごとにはかりごとを好んで用いる人。術士。

—策に溺(おぼ)・れる《句》策士はあまり策略を使いすぎて、かえって失敗する。

***さく-じつ【昨日】**きょうの前の日。きのう。〔「きのう」よりも改まった言い方〕「—は失礼いたしました」

***さく-じつ【×朔日】**〔文〕その月の第一日。ついたち。「葉月—」対 晦日(かいじつ・みそか)。

さく-しゃ【作者】❶芸術作品を作った人。類語 作家。❷歌舞伎(かぶき)などの脚本の作り手。

さく-しゅ【搾取】《名・他サ》❶〔文〕しぼりとること。❷資本家・地主などが労働者・農民などに労働価値に見合った賃金を支払わず、その利益を独占すること。

さく-じょ【削除】《名・他サ》〔文章などの一部を〕けずりとること。削除(さんじょ)。「名簿から—する」類語 抹消。

***さく-じょう【作条】**種まきをするため、畑の表面に一定のはばで平行に掘った浅いみぞ。

***さく-じょう【索条】**→ワイヤ②。

さく-ず【作図】《名・他サ》❶図面を作ること。類語 製図。❷幾何学で、定規とコンパスを用いて、条件に適する図形をえがくこと。また、その図形。

さく-・する【策する】《他サ変》〔文〕はかりごとをめぐらす。計略を立てる。画策する。「改革を—・する」

***さく-せい【作成】**《名・他サ》文書・計画などを作りあげること。「予算案を—する」⇩〖使い分け〗

***さく-せい【作製】**《名・他サ》製作。⇩〖使い分け〗

> **使い分け**「サクセイ」
> 作成〔書類・図表・計画などをつくり上げる〕レポートを作成する・法案を作成する・入試問題を作成する
> 作製〔物をつくる。製作。工作〕模型飛行機を作製する・本棚を作製する・昆虫標本を作製する
> 参考 法令では、書類などの内容に注目して言うときに「作成」、物としての書類の実体に注目して言うときに「作製」と書いて使い分けた(伝票の作成にあたっての心得/伝票は五部作製しなければならない)が、近年「作成」に統一されている。見取り図・予定図などは、両者をあてて用いる(地図の作製/作成)。

***さく-せい【×鑿井】**《名・自サ》〔文〕〔地下水・原油などをとるために〕地中深く穴を掘ること。ボーリング。

サクセス・ストーリー 成功物語。▽ success story

さく-せん【作戦】❶軍隊が計画にしたがって行う、敵に対する戦闘行動。「陽動—」❷戦闘や試合をうまく進めていく上での方法・計画。「—を立てる」類語 戦術。戦略。❸ある目的を達するための方法・計画。「選挙の—がうまい」

さく-ぜん【索然】《形動タル》〔文〕空虚でおもむきがないようす。興ざめのするようす。「興味—とする」

さく-そう【錯×綜】《名・自サ》〔文〕〔物事が〕複雑に入りくんでいること。交錯。「—した事件」類語 錯雑。

サクソホン 木管楽器の一つ。広い音域と豊かな音量をもち、吹奏楽・ジャズ演奏には欠かせない。サキソホン。サクソフォーン。サックス。参考 金属製だが、構造上木管楽器に入れる。▽ saxophone

さく-ちょう【昨朝】〔文〕きのうの朝。対 昨晩。

さく-づけ【作付(け)】《名・他サ》作物を田畑に植えつけること。さくつけ。「—面積」表記「作付面積」は「け」を送らない。

さく-てい【策定】《名・他サ》〔文〕計画を十分に練ってきめること。「人員合理化案を—する」

さく-てき【索敵】敵の位置を捜したり、敵の兵員の配置や兵力の状況を探ったりすること。類語 偵察。

さく-ど【作土】耕土。

***さく-どう【策動】**《名・自他サ》〔好ましくないことを〕ひそかに計画し行動すること。策略をめぐらして行動すること。「反対派の—」類語 暗躍。画策。

***さく-どう【索道】**空中に鋼鉄の綱を張り、運搬器をつるして人や貨物を運ぶ設備。架空索道。空中ケーブル。ロープウエー。

さく-にゅう【搾乳】《名・自他サ》〔乳牛やヤギなどの〕乳をしぼって取ること。

さく-ねん【昨年】ことしのまえの年。去年。類語 こぞ。客年。客歳。旧年。

さく-はく【削×剝】〔文〕❶けずり、はぐこと。❷河川・氷河・波などが地盤をけずりとって平らにすること。

さく-ばく【索×莫・索×寞・索漠】《形動タル》〔心をうるおすものがなく〕ものさびしいようす。物足りなく気がめいるようす。「—とした光景」類語 落莫(らくばく)。寂寞(せきばく)。

さく-ばん【昨晩】きのうの夜。ゆうべ。昨夜。

さく-ひん【作品】〔人間が〕作ったもの。特に、芸術的な意図をもって作ったもの。「文芸—」類語 作。製作物。謙譲 愚作。拙作。

***さく-ふう【作風】**芸術作品に現れる、その時代・作者などの傾向・特徴。「桃山時代の—」類語 手法。

***さく-ふう【×朔風】**〔文〕北の方から吹いてくる風。北風(きたかぜ・ほくふう)。

さく-ぶつ【作物】〔文〕絵画・彫刻・小説・詩歌などの作品。注意「さくもつ」と読めば別語。

さく-ぶん【作文】❶《名・自サ》文章を作ること。また、その文章。特に、学校の教科で、文章を作ること。また、その文章。参考 かつては「綴(つづ)り方」と言った。❷体裁だけは一応ととのっているが、独創性に欠けていて内容の乏しい文章。「報告書は役人の—だった」

***さく-ぼう【×朔望】**陰暦で、一日と十五日。

***さく-ぼう【策謀】**《名・自他サ》はかりごと。また、はかりごとをめぐらすこと。類語 策略。陰謀。画策。

さく-ほく【×朔北】〔文〕北方。特に、中国の北方にある辺地。「—の広野」

さく-ま【作間】 ❶作物の植えてあるうねとうねの間。❷農業のひまなとき。農閑期。

さく-もつ【作物】 田畑で栽培する植物。農作物。〔園芸作物も含めて言う〕 注意 「さくぶつ」と読めば別語。

さく-や【昨夜】 きのうの夜。ゆうべ。昨晩。前夜。〔「ゆうべ」よりも改まった言い方〕「—来の雨」

さく-やく【×炸薬】 爆弾・砲弾・魚雷などの中につめて、それを爆発させるための火薬。

さく-ゆ【搾油】《名・自他サ》〔植物の種子・果実などから〕油をしぼりとること。類語 採油。

さく-よう【×腊葉】《「せきよう」の慣用読み》標本用の押し葉。

***さくら**〔俗〕❶客の購買心をそそるために、客のふりをして商品をほめたり買ってみせたりする、大道商人の仲間。❷講演者や芸人などと共謀し、聴衆の中にまじってわざと賛成したりほめたりする人。参考 ただで見る意で、「桜」から出た語という。

***さくら【桜】** ❶バラ科の落葉高木。淡紅色または白色の花は、春を一面にいろどる花として古くから親しまれ、「花」といえばサクラの花をさすことが多い。また、散りぎわの美しいことから武士道の象徴とされ好まれた。現在は日本の国花。材は建築・家具用。類語 桜花。❷「桜色」の略。桜の花のような色。淡紅色。❸→桜肉。

さくら-えび【桜×蝦・桜▽海▽老】 エビの一種。体長五センチ前後で、桜色。干して食用にする。

さくら-がい【桜貝】 ニッコウガイ科の海産の二枚貝。貝がらは長さ二〜三センチで薄く、美しい桜色の光沢があるので貝細工などに用いる。

さくら-がみ【桜紙】 薄くやわらかい小形のちり紙。

さくら-がり【桜狩(り)】 桜の花を観賞してまわること。花見。

さくら-ぎ【桜木】 ❶桜の木。「花は—、人は武士」❷桜の木材。

さくら-ぜんせん【桜前線】 桜の開花日の等値線。ふつう、ソメイヨシノの開花日を基準にする。

さくら-そう【桜草】 サクラソウ科の多年草。春、桜に似た紅紫色の小さな花を多数開く。

さくら-だい【桜×鯛】 ❶桜の花の咲くころ、内湾に産卵に来て漁獲されるタイ。全身が紅色で美しい。❷ハタ科の海魚。形はタイに似て、全身が紅色で美しい。

さくら-づけ【桜漬(け)】 桜の花の塩づけ。熱い湯をそそいで桜湯として飲む。

さくら-にく【桜肉】 馬肉の別称。さくら。

さくら-めし【桜飯】 しょうゆと酒を入れてたいた味付け飯。茶飯。

サクラメント キリスト教で、神のめぐみを信徒に与える儀式。洗礼・聖餐など。秘跡。▽sacrament

さくら-もち【桜×餅】 水でといた小麦粉を焼いた皮であんを包み、塩づけした桜の葉を巻いた和菓子。

さくら-ゆ【桜湯】 塩づけにした桜の花に、熱湯をそそいだ飲み物。参考 多く祝賀の際に用いる。

さく-らん【錯乱】《名・自サ》〔感情・思考などが〕いろいろ入り乱れて統一を失うこと。こんがらがってわからなくなること。「精神—」類語 混乱。錯雑。

さくらん-ぼう【桜ん坊・桜▽桃】 ❶桜の実の総称。❷桜桃①の実。初夏に熟す。甘ずっぱい味がする。桜桃。＝さくらんぼ。

さぐり【探り】 さぐること。「—を入れる(＝それとなく相手の事情などを聞いてみる)」

さぐり-あし【探り足】〔視界のきかない所を〕足で行き先をさぐりながら歩くこと。「暗やみを—で歩く」

さぐり-あ・てる【探り当てる】《他下一》❶〔手足などで〕さわって見つけ出す。❷いろいろと調べたり探したりして見つけ出す。「犯人の隠れ家を—・てる」

さく-りつ【冊立】《名・他サ》〔文〕❶勅命によって、皇太子・皇后などを正式に定めること。❷昔、中国で、天子が諸侯を封じること。

さく-りゃく【策略】 物事を自分につごうよく動かしたり、相手を巧みにあやつったりする、はかりごと。「—をめぐらす」「—を用いる」「—家」類語 計略。謀略。

さぐ・る【探る】《他五》❶手足などでさわって、物をさがしたり物のようすを感じ取ったりする。「ポケットを—・る」❷ひそかにようすを調べる。「ことばの裏を—・る」類語 調査。踏査。探査。❸未知のものをさがし求める。探求する。「人生の目標を—・る」類語 ↓捜す。❹美しい風景や人に知られていない土地などをたずね求める。「秘境の温泉を—・る旅」文《四》。

さく-れい【作例】 ❶〔文章・詩などの〕作り方の実例・手本。❷辞書で、その語の用法の例として作った文。

さく-れつ【×炸裂】《名・自サ》〔爆弾・砲弾などが〕爆発してはじけ散ること。破裂。

ざく-ろ【▽石×榴・×柘×榴】 ザクロ科の落葉小高木。六月ごろ、赤いつつ形の花を開く。果実は熟して自然に裂け、赤い多数の種子を露出する。種皮は甘ずっぱく食用。根皮は駆虫剤。 **—いし【—石】** 珪酸塩鉱物の一群。色は赤・茶・黄・緑・黒などで、美しいものは宝石にする。一月の誕生石。ガーネット。 **—ぐち【—口】** 江戸時代の浴場で、湯ぶねへの入り口。湯ぶねの前に下部をあけた板戸を立て、かがんで出入りするようにした所。

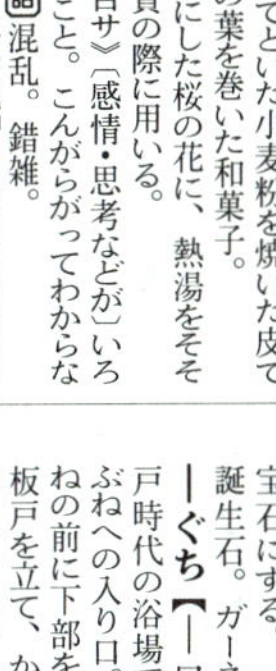
石榴口

***さけ【酒】** ❶アルコール分を含む飲み物の総称。❷白米を発酵させて作った、日本独特のアルコール飲料。日本酒。みき。ささ。⇩〔使い分け〕

—に呑のま・れる《句》酒を飲みすぎてひどく酔い、正気・自制心をうしなう。

—の酔い本性に違わず《句》酒に酔っても、その人の性質は変わらない。酒飲み本性違わず。

—は憂いの玉箒《句》酒を飲めば心の憂さを忘れるということ。

—は百薬の長《句》酒は、適度に飲めばどんな薬にもまさる最良の薬である。〈漢書・食貨志〉

使い分け 「酒(さけ／さか)」

＊「酒」は古くは「さか」と言った。現代語でも複合語の語頭に来るときは「さか…」となる語が多く、古風な響きがある。語末では例外なく「…ざけ」となる。

◆[さけ…]酒粕・酒利き・酒臭い(息)・酒肴・酒好き・酒飲み・酒酔い運転 ◇[「さか」とも]酒癖・酒造り・酒どころ・酒太り・酒断ち・酒浸り

◆[さか…]酒息・酒気・酒代・酒手・酒杜氏・酒店・酒樽・酒場・酒みずく・酒屋・酒蒸し・酒室・酒盛り ◇[「さけ…」とも]酒瓶・酒機

嫌・酒蔵・酒壺・酒煮・酒升・酒饅頭・酒焼け ◆[…ざけ]朝酒・甘酒・祝い酒・大酒・聞き酒・コップ酒・地酒・卵酒・茶碗酒・濁り酒・寝酒・梯子酒・花見酒・冷や酒・深酒・振舞酒・升酒・迎え酒・やけ酒・雪見酒

***さけ**【×鮭】サケ科の海魚。北の海で育ち、秋に生まれた川をさかのぼって上流の砂地に産卵し、のち死ぬ。孵化した稚魚は翌春海に下る。肉は淡紅色で美味。卵も、すじこ・イクラなどとして食用。しゃけ。あきあじ。

さげ【下げ】❶さげること。さげたもの。❷相場が安くなること。下落すること。対①②上げ。❸落語などの結びで、気のきいた面白みをもたせてしめくくる・文句(部分)。落ち。❹「下げ緒」の略。

さ-けい【左傾】《名・自サ》〔文〕❶(物体が)左の方にかたむくこと。❷(共産主義や急進社会主義など)急進的な思想傾向になること。左翼化。対①②右傾。

さげ-お【下げ緒】刀のさやにつけて下げるくみひも。ふつう、刀を帯に結びつけるために用いる。さげ。

さげ-かじ【下げ×舵】航空機や潜水艦を下降させる、かじのとり方。対上げ舵。

さけ-かす【酒×粕・酒×糟】「もろみ」から酒を搾りとった後に残ったもの。漬物・かす汁などに使う。

さげ-がみ【下げ髪】女の髪型の一つ。髪全体をうしろで一つに束ねてたれ下げるもの。すべらかし。

さけ-ぐせ【酒癖】酒に酔ったときに出る(悪い)くせ。さかぐせ。酒癖。「―の悪い人」

さげ-しお【下げ潮】ひき潮。おち潮。対上げ潮。

さげす・む【×蔑む・×貶む】《他五》能力・人格などが劣っているものとして、ばかにする。みさげる。軽蔑する。蔑視する。「―・んだような目つき」類語あなどる。なめる。文《四》。

さけ-のみ【酒飲み】酒が好きで、たくさん、あるいは、たびたび飲む人。類語酒好き。上戸。酒豪。

―本性違わず《句》↓酒の酔い本性に違わず。

さけ-びたり【酒浸り】絶えず酒を飲んでいることを、酒に浸っていることにたとえていう語。さかびたり。

さけ・ぶ【叫ぶ】■一《自他五》大声を出す。わめく。「火事だと―・ぶ」類語怒鳴る。がなる。声を張り上げる。声を振り絞る。(る・す)絶叫。文《四》。■二《他五》世間に対し、意見を強く主張する。「死刑廃止を―・ぶ」類語(る・す)提唱。唱道。文《四》。⇩〖類義語の使い分け「わめく」〗

さけ-ぶとり【酒太り・酒▽肥り】《名・自サ》いつも酒を飲んでいるためにふとっていること。さかぶとり。

さけ-め【裂け目】(物などの)さけた部分。類語割れ目。亀裂。

さげ-もどし【下げ戻し】民間から政府にさし出された願書などをそのまま本人に返すこと。却下。

***さ・ける**【裂ける】《自下一》一つのものが、(線状に鋭く)切れて分かれる。「地面が―・ける」文さ・く《下二》。

***さ・ける**【避ける】《自他下一》都合の悪い物・事から自分の位置を離す。❶都合の悪い人や物に近よらないようにする。また、かかわりを持たないようにする。よける。「彼は私を―・けている」❷都合の悪い時に重ならないようにする。「食事時を―・けて会う」❸都合の悪い行動をひかえる。「対決を―・ける」文さ・く《下二》。⇩〖使い分け「さく・さける」〗

さ・げる【下げる】《他下一》❶(何かに付いている、また、何かに属している)物の位置を低くする。㋐位置を上から下へかえる。「機首を―・げる」㋑一定の場所にかけてたらす(つるす)。「風鈴を―・げる」㋒携帯・携行するために・手にもって(身につけて)ぶらぶらさせる。「かごを―・げた女性」表記㋒は「提げる」と書く。❷中心となる場所から位置を移す。㋐(目上の)人の前から、(目下の)人や物をしりぞかせる。「膳を―・げる」㋑後ろへ位置を移す。後ろへしりぞかせる。「車を―・げる」㋒目上の人から目下の人に物を渡す。さげ渡す。下付する。「免状を―・げる」㋓(貯金などを)引き出す。おろす。❸ものの段階・程度・数値を低い所に移す。㋐地位などを低くする。「位を―・げる」㋑高低の度合いを低くする。「温度を―・げる」㋒質・価値を低くする。劣らせる。悪くする。「男を―・げる」㋓けなす。「人をあげたり―・げたりする」㋔値段などを低くする。安くする。対①～③上げる。文さ・ぐ《下二》。⇩〖使い分け〗

使い分け　「さげる」

下げる〔位置を低くする。位置を移す〕上げ下げ・看板を下げる・頭を下げる・値段を下げる・評価を下げる

提げる〔手にもつ。ひきつれる〕手提げかばん・かばんを手に提げる・手なべ提げても・手にカメラを提げて散歩する・大作を引っ提げて登場

参考「手に下げる／提げる」と両様の表記があるが、後者は物をぶらぶらさせている情景が浮かぶ。

さげ-わた・す【下げ渡す】《他五》官庁から民間へ、または目上の者から目下の者へ、物品などを与える。

さ-げん【左×舷】船尾から船首の方に向いて左側のふなばた。対右舷。

ざ-こ【〈雑魚〉】(「雑喉」の転)❶いろいろな種類の入りまじった小ざかな。じゃこ。❷地位の低い、つまらない者。したっぱの人。小物。(さげすんで言う)

―**ね**【―寝】《名・自サ》(せまい部屋などに)大勢が入りまじって雑然と寝ること。

―**の魚交じり**《句》身分・能力にふさわしくない高い地位にいることのたとえ。ごまめの魚交じり。参考「とと」は「ざこ」に対して「大きな魚」の意。

ざ-こう【座高・×坐高】背筋をまっすぐにして、椅子に腰かけたときの、座面から頭の頂点までの高さ。

さこ-うべん【左顧右×眄】《名・自サ》↓右顧左眄。

さ-こく【鎖国】《名・自サ》政府が他国との通商・交通などを禁止(制限)すること。特に、江戸幕府がオランダ・中国以外との交通・通商を禁止したこと。対開国。

さ-こそ《連語》(《副詞「さ」＋係助詞「こそ」》)〔文〕さだめし。さぞ。きっと。どんなに。(下に推量の表現をともなうことが多い)「悲嘆に暮れるのも―と思われる」

さ-こつ【鎖骨】胸部左右の上部にあって、横方向にややまがった長い骨。胸骨と肩とをつないでいる。

ざ-こつ【座骨・×坐骨】臀部の下部にあって骨盤を形づくる、左右一対の骨。いすにすわるとき、からだをささえる。

―**しんけい**【―神経】下肢の運動および知覚を支配する神経。腰部から大腿の後側を通る。人体中最も太く長い神経。「―痛」

さ-こん【左近】「左近衛府」の略。平安時代、右近衛府とともに、宮中の警護や行幸の随行をつとめた機関。左近府。対右近。

―**の-さくら**【―の桜】紫宸殿の正面階段のわき、殿舎から見て左側に植

えてある桜。南殿(なでん)の桜。[対]右近の橘(たちばな)。

*ささ【×笹】タケ類のうち、丈の低い小形のものの総称。葉は、ちまきなどに用いる。ささたけ。

*ささ【▽酒】〔文〕酒(さけ)。[参考]女房ことばから。

*さ-さ【×些×些】《形動タルト》〔文〕〔取りあげる必要もないほど〕ほんのわずかなようす。少しばかりのようす。[参考]ほとんど連体形だけを用いる。「ーたる言動を非難するのもおとなげない」[類語]微々。些細。些少。

さ-さい【×些細・×瑣細】《形動》取るに足りないほどわずかであるようす。たいしたことではないようす。「ーなことで争う」[類語]些々(ささ)。微々。

ささえ【支え】(ささへ)ささえる・こと（もの）。「子どもが心のーだ」[類語]支柱。

さざえ【▽栄×螺】サザエ科の巻き貝。貝殻は厚く、こぶし状にふくらむ。多くは、表面にいくつもの突起がある。肉は食用、貝殻は装飾細工用。さざい。

ささ・える【支える】(ささへる)《他下一》《力を働かせて、同じ状態をたもつ意》❶上または横の方向に力を働かせて、物が落ちたり倒れたりさがったりしないようにする。「倒れかかってきた人をー・える」❷物事の現在の状態がくずれないように、もちこたえる。維持する。「生計をー・える」❸〔攻撃などを〕くいとめる。防ぎとめる。「敵の進撃をー・える」[文]ささ・ふ《下二》

ささ-おり【×笹折(り)】(ーをり)❶ササの葉で食物を包んだもの。❷経木(きょうぎ)で作った折り箱。折り。

ささ-がき【×笹×掻き】ゴボウ・ニンジンなどを、ササの葉に見立ててそぎ切りにすること。また、そのもの。

ささ-がに【▽細×蟹】「蜘蛛(くも)」の別称。[参考]小さなカニに似ていることから。

ささ-ぐり【▽小×栗・×笹×栗】「しばぐり」の別称。

ささく・れる《自下一》❶物の先端などが細かく裂け分かれる。❷爪(つめ)のはえぎわの皮膚が小さくむけてめくれる。さかむけになる。ささくれができる。❸〔気持ちが〕荒っぽくかどだつ。怒りっぽくなる。「ー・れた気分」

ささげ【×豇▽豆・▽大▽角▽豆】マメ科の一年草。茎はつる性のものが多いが、直立のものもある。若いさや、熟した種子は食用。ささぎ。

ささ・げる【×捧げる】《他下一》❶〔物を〕両手で目の前に高くさし上げる。❷神仏、または尊敬すべき人に物を献上する。さしあげる。「先生に花束をー・げる」❸〔相手に〕真心・愛情・生命などをさしだす。「文学に一生をー・げる」[文]ささ・ぐ《下二》。

ささ-たけ【×笹竹】小形の竹の総称。ささ。

さ-さつ【査察】《名・他サ》調査・視察すること。行政などが基準どおり行われているかどうか調べること。「空中から基地をーする」

ささ-なき【▽小鳴き・×笹鳴き】冬、鳥（特にウグイス）が舌鼓を打つように鳴くこと。また、その鳴き声。

さざ-なみ【▽小波・▽細波・×漣】❶細かく立つ波。ささなみ。❷心の中の小さな動揺。❸物事がしっくりせずに起こる、小さな争い事。「日米間にーが立つ」

ささ-ぶき【×笹×葺(き)】ササの葉で屋根をふくこと。また、その屋根や家。

ささ-ぶね【×笹舟】ササの葉を折って舟の形に作ったもの。小川などで流して遊ぶ。

ささ-べり【×笹▽縁】衣服・敷物・袋物などの端を布・ひもで細くふちどること。また、ふちどったもの。

ささ-み【×笹身】ニワトリの胸のあたりからとった、やわらかい肉。[参考]ササの葉の形をしていることから。

ささ-め・く《他五》〔文〕小声でひそひそ話す。

ざざ-め・く《自五》❶ざわざわと音がする。「松風がー・く」❷大勢が声をたててにぎやかにさわぐ。さんざめく。「笑いー・く」[同]①②ざわめく。

ささめ-ごと【▽私▽語】〔雅〕ひそひそと小声でする話。ないしょ話。ひそひそ話。ささめきごと。

ささめ-ゆき【▽細雪】〔雅〕こまかに降る雪。また、まばらに降る雪。さざめゆき。

ささ-やか【▽細やか】《形動》❶規模などが小さくほそぼそとしているようす。こぢんまりとして目立たないようす。「ーな楽しみ」❷形ばかりで、そまつなようす。また、わずかなようす。〔他に示す自分の好意などをけんそんしていう〕「ーな贈り物をする」

ささ-や・く【×囁く・▽私▽語く】《自・他五》❶声をひそめて話す。ひそひそと話す。「恋をー・く」❷こそこそうわさする。「引退がー・かれる」[類語]つぶやく。(する)私語。耳語(じご)。

ささ-やぶ【×笹×藪】ササがいちめんにしげっている所。[類語]篠(しの)やぶ。竹やぶ。笹生(ささふ)。笹原。

ささら【×簓】❶竹を細く割って片端を束ねたもの。㋐田楽や歌祭文などに用いられる楽器の一種。すりささら。㋑なべ・かま・めしびつなどを洗う道具。❷→びんざさら。❸先が細かく割れている・こと（もの）。

ささ・る【刺さる】《自五》先のとがったものが、他の物に突き立つ。「指にとげがー・る」[文]《四》。

さざれ-いし【▽細石】〔文〕小さな石。さざれ。

さざん-か【▽山▽茶花】《字音「さんさか」の転》ツバキ科の常緑小高木。日本の特産。秋から冬にかけて、紅色・うす紅色・白色などの五弁花を開く。ひめつばき。

*さし【▽止し】《接尾》《動詞の連用形につけて名詞をつくる》動作を中途でやめている・こと（もの）の意を表す。「マッチの燃えー」「読みーの新聞」

*さし【刺(し)】❶俵の中の米を調べるため、俵にさし入れて米を少しとりだす道具。筒の先端を斜めにそいだ形のもの。米さし。❷「刺身」の略。「いかー」❸針でぬうこと。「足袋(たび)ー」

*さし【▽尺】ものさし。[表記]「指し」「差し」とも書く。

*さし【差し】■《名》❶ふたりだけで向かいあうこと。さしむかい。「ーで飲む」❷〔一つの物を〕ふたりでかつぐこと。さしにない。「荷物をーで運ぶ」■《接頭》《動詞の上につけて》その意味を強めたり、語調をととのえたり、動作・作用に積極性を与えたりする。「ー招く」「ー置く」「ーもどす」■《助数》舞の曲数を数える語。[参考]多く「一(ひと)ー」の形で使う。「一ー舞う」

*さ-し【×渣×滓】〔文〕液体の底に沈んだ、かす。

*さ-し【砂×嘴】潮流によって運ばれてきた土砂が、入り江・湾口の一端から鳥の嘴(くちばし)のように細長くのびる形で堆積(たいせき)し、堤状に海中に突き出たもの。天橋立(あまのはしだて)などがその類。[類語]砂州(さす)。

*さじ【×匙】少量の粉末・液体などをすくい取る器具。スプーン。[参考]「茶匙(さじ)」の字音に基づく語。

ーを投・げる《句》❶医者が病人を見放す。❷物事に〔救いや成功の〕見込みがないとあきらめて、手を引く。

*さ-じ【×瑣事・×些事】〔文〕本質にかかわりのない、こまごましたこと。取るに足りないこと。つまらないこと。小事。「ーにこだわる」[類語]枝葉末節。瑣末事(さまつじ)。

ざ-し【座視・×坐視】《名・他サ》〔身近な出来事を〕黙って見ているだけで積極的にかかわりをもたないこと。

「ーするに忍びない」[類語] 傍観。拱手(きょうしゅ)。黙過。

さし・あい【差(し)合い】ーあひ ❶さしつかえがあること。さしさわり。当たりさわり。「ーがあって伺えない」

さし・あ・げる【差し上げる】[一]《他下一》❶手で持って高く上げる。❷「上げる」より、動作を受ける人をさらに尊敬していう語。「お手紙をー・げます」[二]《補動》「(…して)あげる」をさらに尊敬していう語。「お茶を入れてー・げる」「手伝ってー・げる」

さし・あし【差し足】❶足音を立てないように、つま先のほうからそっと足をおろして歩くこと。「ぬき足、ー、しのび足」❷競馬で、馬の走り方の一つ。他の馬を追い込んでゆくときの走り方。「ーが鋭い」

さしあたっ・て【差(し)当(た)って】《副》さしあたり。「ー生活には困らない」

さし・あたり【差(し)当(た)り】《副》〔将来は別として〕現在のところ。今この場合。当面。さしあたって。「ー問題はない」[類語] 目下。さしむき。

さし・あみ【刺(し)網】海中に長い帯のようにはりめぐらし、魚を網の目に刺しからませて捕らえる網。

さし・いれ【差(し)入れ】《名・他サ》❶〔あるものの中に〕さし入れること。❷刑務所などに入れられている人に、外部から食べ物・衣類などを届けてやること。また、その品物。❸〔ある場所にとじこもっている人などに〕好意として飲食物を届けること。また、その飲食物。

さし・い・れる【差し入れる】《他下一》❶さしこんで中に入れる。さしこむ。❷さしいれ②③をする。

さし・え【挿(し)絵】新聞・雑誌・書物などの文章の中に入れ、その内容の理解を助けたり、興味をもたせたりするための絵。挿画(そうが)。[類語] カット。イラスト。

サジェスチョン 示唆(しさ)。暗示。サゼスチョン。サゼッション。[類語] ヒント。▽suggestion

サジェスト《名・他サ》示唆(しさ)・暗示すること。また、示唆・暗示。「いろいろーをくれる」▽suggest

さし・お・く【差し置く・差し▽措く】《他五》❶〔他の事をするために、今している事を〕そのままにして放っておく。保留する。「議論はー・いて早く災害に対処せよ」[類語] 捨て置く。❷〔当事者・関係者などを〕ないがしろにして行う。「先輩をー・いて生意気だ」

さし・おさえ【差(し)押(さ)え】ーおさへ ❶民事訴訟法で、債権者の訴訟によって、国家の執行機関が債務者の財産・権利の処分を禁止すること。特に、国家が債権者となって、税金の滞納者に対し、その財産の使用・処分を禁止すること。❷刑事訴訟法で、証拠物などを国家機関が強制的にとりあげること。[類語] 領置(りょうち)。

さし・おさ・える【差し押さえる】ーおさへる《他下一》おさえとめる。おしとどめる。特に、差し押さえをする。

さし・か・える【差し替える・差し換える】ーかへる《他下一》❶とりかえる。交換する。「記事をー・える」❷差す位置をかえる。位置をかえて差す。

さし・かか・る【差し掛かる】《自五》❶そこを通ろうとしてすぐその前まで行く。「店の前にー・る」❷ちょうどその時期になる。ちょうどその状況・場面に臨む。「山場にー・る」❸上からおおいかぶさる。

さし・か・ける【差し掛ける】《他下一》〔かさなどを〕他の物の上へ、おおうようにさし出す。

さじ・かげん【×匙加減】❶薬を作るときの調合のぐあい。❷料理の味つけのぐあい。味加減。❸〔ある物事・人などに対して〕状況に応じた配慮のしかた。「上役のー一つで決まる」[類語] 手加減。手心(てごころ)。

さし・かざ・す【差し×翳す】《他五》〔手のひらや、手に持った扇やかさを〕頭の上にさしかける。

さし・かた・める【差し固める・▽鎖し固める】《他下一》❶〔門などを〕かたくとざす。しっかりと戸じまりをする。❷〔出入り口・周囲などを〕厳重に警戒する。

さし・がね【差し金】❶大工などが使う、直角に曲がった金属製のものさし。かねじゃく。❷芝居・踊りなどの小道具の一つ。客に見えないように、作り物の鳥やチョウなどを動かす針金。❸かげで人を指図して思い通りに動かすこと。いれぢえ。「だれのーか、ばかに強気だ」

さし・き【挿(し)木】植物の枝・茎などを切り取って地中にさし、根づかせて完全な個体に再生させること。

さ・じき【〈桟敷〉】❶祭りの行列などを見るために、道路のわきなどに仮に作った見物席。❷芝居小屋・相撲場などで、一段高く作った(上等の)見物席。

ざ・しき【座敷】❶畳を敷いた部屋。特に、来客を通すための日本間。❷宴会の席。また、その座の取りもち。「ーが長い」❸〈おー〉芸人・芸者などが客席に呼ばれること。また、その席。「おーがかかる」 **ーろう【ー×牢】**昔、罪人などをとじこめておいた座敷の一室。

さし・き・る【差し切る】《他五》競馬で、ゴールの直前に他の馬を追い抜いて勝つ。

さし・ぐすり【差し薬】目にさして使う薬。点眼薬。

さし・ぐ・む【差しぐむ】《自五》〔文〕〔差しふくむ意から〕涙がわいてくる。涙が出そうになる。涙ぐむ。

さし・く・る【差し繰る】《他五》〔予定などを〕やりくりして都合をつける。繰り合わせる。「日程をー・る」

さし・げ【差(し)毛】動物の毛並みで、ちがった色の毛がまじってはえること。また、その毛。「ーの馬」

さし・こ【刺(し)子】綿布を重ね合わせ、一面に細かく刺し縫いした衣服。丈夫で、柔道着などに使う。

さし・こ・える【差し越える】《自下一》〔当然あるべき〕順序を踏まずに行う。特に、他人をさしおいて、自分が先に出る。でしゃばる。

さし・こみ【差(し)込み】❶さしこむ・こと(もの)。❷差し込みプラグ。また、コンセント。❸胃・腸などに急におこる激しい痛み。しゃく。

さし・こ・む【差し込む】[一]《自五》❶〔月や太陽の〕光がはいりこむ。[表記]「射し込む」とも書く。❷胃・腸などが急に激しく痛みだす。しゃくを起こす。[二]《他五》つきさすように入れる。さし入れる。「かぎをー・む」[類語] はさみこむ。つっこむ。

さし・さわり【差(し)障り】ーさはり ある事を行う際に、その事をさまたげるような、都合の悪い事情。さしつかえ。支障。不都合。「業務にーがない限り」[類語] 妨げ。

さし・しお【差し潮】ーしほ 潮が満ちてくること。満ちてくる潮。あげ潮。みち潮。[対] 引き潮。

さし・しめ・す【指し示す】《他五》❶指さして示す。指示する。❷「示す」を強めた形。

さし・ず【指図】《名・他サ》人に言いつけて、ある事をさせること。また、その言いつけ。「お前のーは受けない」[類語] 指揮。命令。差配。指命。

さし・ずめ【差し詰め】ーづめ《副》❶現在の状態では。当面。さしあたって。「ー食べていくだけの金はある」❷つまるところ。結局。つまり。「熱海はー日本のナポリだ」[表記] (ア)現代仮名遣いでは「さしづめ」も許容。(イ)かなで書くことが多い。

さし・せま・る【差し迫る】《自五》〔ある事態・期限な

どが〕まぢかにせまる。切迫する。時間の余裕がなくなり、どうにもならなくなる。「―・った情況」

さし-ぞえ【差(し)添え】 ❶《名・自サ》〔世話をするため〕つきそうこと。また、その人。さしぞい。❷大刀にそえてさす短い刀。わきざし。小刀(しょうとう)。

さしだし-にん【差出人】 郵便物などを出す人。対受取人。

さし-だ・す【差し出す】《他五》❶〔手・首などを〕のばして前へ出す。つきだす。「窓から首を―・す」❷〔値打ちのあるものを与える気持ちで〕前に出す。「命を―・す」❸提出する。「書類を―・す」❹〔郵便物などを〕発送する。送り出す。「年賀状は早めに―・す」

さし-た・てる【差し立てる】《他下一》❶〔つきさすようにして〕立てる。「旗を―・てる」❷送り出す。発送する。❸人をさし向ける。つかわす。「使者を―・てる」

さ-したる【▽然したる】《連体》〔文〕《下に打ち消しの語を伴う》特にこれというほどの。これといった。さほどの。たいした。「―用はない」「―違いはない」

***さし-ちが・える【刺し違える】**《自他下一》〔刀などで〕たがいに相手のからだを刺しあう。

***さし-ちが・える【差し違える】**《他下一》相撲で、行司が誤って、負けた力士に軍配を上げる。

さし-つか・える【〈差(し)支える〉】《自下一》ある事を行う際に、そのさまたげになる。都合の悪い事情が起こる。支障をきたす。さしさわる。

さし-つかわ・す【差し遣わす】《他五》使者として行かせる。つかわす。類語派遣する。

さし-つぎ【刺(し)継ぎ】 布地の弱った部分を、同質・同色の糸でさしぬいして丈夫にすること。

さし-つ・ける【差し付ける】《他下一》❶物に押しあてる。押しつける。❷目の前にさしだす。つきつける。

さ-して《副》《下に打ち消しの語を伴う》これといって。大して。それほど。さほど。「―面白くはない」

さしで-がまし・い【差し出がましい】《形》でしゃばっている感じである。「―・い口をきく」

さしで-ぐち【差し出口】 よけいな口出しをすること。また、そのことば。

さし-・でる【差し出る】《自下一》❶前へ出る。❷身の程を超えた言動をする。「―・でた口をきく」

さし-とお・す【刺し通す】《他五》〔先のとがった物で〕刺して突きとおす。さし貫く。

さし-と・める【差し止める】《他下一》〔権力などによって〕ある行為をやめさせる。禁止する。

さし-ぬい【刺(し)縫い】 ❶布を幾枚も重ねて、一針抜きに縫うこと。また、その縫った物。❷日本刺しゅうの技法の一つ。外側は輪郭(りんかく)どおりに針目をそろえ、中側は針目をそろえずに刺して縫いつぶすこと。

さし-ぬき【指▽貫】 はかまの一種。すそのまわりにひもを通して、足首で結ぶようにしたもの。平安時代、衣冠(いかん)・直衣(のうし)・狩衣(かりぎぬ)のときなどに着用した。さしぬきのはかま。参考→衣冠(図)。

さし-ね【指(し)値】 取引所で、取引員などに客が売買の委託をするときにその値段を指定すること。また、その値段。「一一八〇円の―で売る」

さし-の・べる【差し伸べる・差し延べる】《他下一》❶〔ある方向に〕のばして出す。さし出す。❷〈手を―〉助けるために力をかす。「救いの手を―・る」

さし-のぼ・る【差し上る・差し昇る】《自五》〔文〕〔太陽・月などが〕のぼる。

さし-ば【差(し)歯】 ❶足駄(あしだ)の台に入れかえた歯。❷歯の根だけ残して、それについだ人工の歯。

さし-はさ・む【差し挟む】《他五》❶物と物の間に入れる。はさみこむ。さしこむ。さし入れる。❷〔疑いや不満を〕心にふくみもつ。❸他人の話・考えなどに別の話・考えなどを途中から割りこませる。「異議を―・む」

さし-ひか・える【差し控える】 一《自下一》〔主君・師匠などの〕そばにいる。控える。「後ろに―・える」二《他下一》❶程度をひかえめにする。内輪(うちわ)にする。❷遠慮して、やめる。また、一時見合わせる。「係争中なので、コメントは―・えたい」「酒を―・える」

さし-ひき【差(し)引(き)】 ❶《名・他サ》ある数量から他の数量を引き去ること。また、金銭を計算して差額を出すこと。また、その結果。「―一〇〇円の損」❷《名・自サ》潮が満ち引きすること。潮の満ち干。❸体温が上下すること。体温の上がり下がり。

さし-ひ・く【差し引く】《他五》❶ある数量から他の数量を引き去る。また、金額の大きい方から小さい方を引いてその差を出す。❷〔すぐれている点を有利なものとし〕劣っている点を不利なものとして評価する。「欠点を―・いても立派な人物だ」＝さっぴく。

さし-まね・く【差し招く・×麾く】《他五》〔人を〕手でまねく。手で呼び寄せる。手まねきする。

さし-まわ・す【差し回す】《他五》ある場所から別の場所へ、必要な物や人を指示して向かわせる。「使者を―・す」「迎えの車を―・す」類語差し向ける。

***さし-み【刺身】** なまの魚肉などをひと口大にうすく切ったもの(料理)。つくり。

―のつま《句》あってもなくても大して影響のないもののたとえ。そえもの。

***さし-み【差(し)身】** 相撲で、自分の得意な方の差し手を、早く相手のわきに入れる体勢になること。

さし-みず【差(し)水】《名・自サ》❶井戸などに外から悪い水がしみこむこと。また、その水。❷水をそそぎたすこと。水を加え入れること。また、その水。

さし-むかい【差(し)向(か)い】〔二人が〕むかい合っていること。さし。「夫婦―の夕食」類語対座。

さし-むき【差(し)向き】《副》とりあえず。いまのところ。目下。「―金銭には困らない」類語さしあたり。

さし-む・ける【差し向ける】《他下一》❶その方向にむかせる。「銃口を―・ける」❷〔使者などを〕ある指定した場所へ行かせる。派遣する。類語差し回す。

さ-しも《副》〔文〕〈多く、「―の」の形で〉あれほどまで。あんなに。〔意外な結果になることを示す〕「―の横綱もあえなく敗れた」

さし-もどし【差(し)戻し】 ❶一度提出された書類・問題などをもとへもどすこと。❷〔法〕上級審が原判決を取り消した場合、審理をやり直すために原裁判所に事件を送り返すこと。

さし-もど・す【差し戻す】《他五》❶位置または状態をもとへもどす。「案件を起案者に―・す」❷〔法〕差しもどし判決のために事件をもとの裁判所へ送り返す。

さし-もの【指(し)物】 ❶武士が戦場で、よろいの背にさしたり従者にもたせ

指物①

たりした小旗・飾り物。旗指物(はたさしもの)。❷机・たんす・箱など、木の板材を組み合わせて作った家具。「―師」

さ・しゅ【詐取】《名・他サ》金銭・品物などをだまして取ること。「株券を―する」類語 詐欺(さぎ)。騙取(へんしゅ)。

さ・しゅう【査収】《名・他サ》〔文〕書類・品物・金銭などをよく調べて受け取ること。

***さ・じゅつ【詐術】**〔文〕人をだます手段・方法。

***さ・しょう【×些少・×瑣少】**《名・形動》数量・程度などがきわめてわずかなこと。ほんの少し。「―ですが、お受け取り下さい」参考 けんそんして使うことが多い。類語 僅少(きんしょう)。些細。

***さ・しょう【査証】**《名・他サ》❶調査して証明すること。❷旅券の裏書き。入国査証。ビザ。

***さ・しょう【詐称】**《名・他サ》〔住所・氏名・職業・経歴などを〕いつわっていうこと。類語 偽称。

さ・じょう【砂上】〔文〕砂の上。**―の楼閣**《句》基礎がしっかりしていないためにすぐこわれてしまう物事のたとえ。また、実現の可能性のない計画のたとえ。類語 夢物語。空中楼閣。

***ざ・しょう【座礁・×坐礁】**《名・自サ》船が暗礁や浅瀬に乗りあげて動けなくなること。擱坐(かくざ)。

***ざ・しょう【×挫傷】**〔医〕打撲・転倒などによって、皮膚の表面はそこなわれず、内部の組織に傷を受けること。また、その傷。うちみ。打撲傷。挫創(ざそう)。

ざ・じょう【座乗・×坐乗】《名・自サ》〔海軍で〕司令官などが艦船に乗りこんで指揮をとること。

***ざ・しょく【座職・×坐職】**すわったままでする〔職人的な〕仕事。類語 座業。居職(いじょく)。

***ざ・しょく【座食・×坐食】**《名・自サ》〔文〕無職のまま、働かずにくらすこと。類語 居食(いぐい)。徒食。

さし・りょう【差(し)料】自分が腰にさすための刀。腰差しとして用いる自分の刀。差し前。佩刀(はいとう)。

さし・わたし【差(し)渡し】直径。「―一メートルの大木」表記「直径」とも当てる。

さ・じん【砂×塵・×沙×塵】〔文〕すなぼこり。すな煙。

***さ・す【▽止す】**《接尾》《動詞の連用形について、五段活用の動詞をつくる》途中でやめる。「言い―・す」「読み―・す」文《四》。⇩〔使い分け〕

***さ・す【砂州・砂×洲】**海岸のやや沖合や河口・湾口の近くに、潮流・風などによって運ばれた砂や小石が細長く積もって水面上に現れたもの。類語 砂嘴(さし)。

***さ・す【差す】**《自五》事物が・外から内(内から外)に向かって直線的に進む。❶光線が・あたる(照り込む)。「朝日が―・す」類語 照らす。照射。直射。投射。反射。輻射(ふくしゃ)。放射。表記「射す」とも書く。❷ある現象が現れる。きざす。㋐潮がみちてくる。㋑水がはいり込む。「氾濫(はんらん)した水が床下まで―・してきた」㋒姿などが現れる。「うわさをすれば影が―・す」㋓〔色などが〕表面に出てくる。「顔に赤みが―・す」㋔ある気持ちが生じる。「眠気が―・す」㋕〈気が―・す〉うしろめたい気持ちになる。気がとがめる。「あまりしかったので気が―・す」㋖〈魔が―・す〉心に魔物がはいり込む。よくない思いが生じる。文《四》。⇩〔使い分け〕

***さ・す【刺す】**《他五》❶あるものの内部に向かって、かたくて細長いものや、先のするどいものを突き入れる。「指にとげを―・す」㋐虫が針をからだに突き入れて、毒を注いだり血を吸ったりする。㋑針でぬいつづる。「雑巾(ぞうきん)を―・す」㋒船を進ませるために、さおを水中に突き入れる。表記 ㋒は「差す」とも書く。❷〔①から転じて〕もちざおで小鳥を捕らえる。❸〔①から転じて〕野球で、走者をタッチアウトする。❹肌・目・耳・鼻・舌に強烈な刺激を与える。「北風が肌を―・す」「ワサビが舌を―・す」❺心の中に、思わず痛みを感じさせるような衝撃を与える。「その一言が私の胸を―・した」文《四》。⇩〔使い分け〕

***さ・す【差す・指す】**《他五》動作を、ある方向に向けて直線的に進める。❶目標とする事・物を、それだと示す。㋐指をのばして(または他の物を動かして)、その方を示す。「東を―・す」㋑特定の事物を取り上げて示す。名ざしする。指摘する。「時計が十時を―・す」「生徒を―・して答えさせる」❷ある方向へ向かう。㋐ある場所の方向へ向かう。めざす。「山を―・して進む」㋑ある目的の方向へ向かう。こころざす。「未来を―・して邁進(まいしん)する」❸物を、前方にのばすように出す。㋐舞で、手を前へのばす。㋑将棋で、こまを進める。将棋をする。参考→差す手。「一番―・しませんか」㋒〔杯に〕酒をそそぎ入れる。❹物を、手で上方へあげる。笠(かさ)・傘などを頭の上におおう。かざす。文《四》。⇩〔使い分け〕

***さ・す【挿す】**《他五》あるもののすきまに向かって、細長いものをはさむように突き入れる。❶物の中にはめこむ。物の中に入れこむ。「門にかんぬきを―・す」❷髪の間にくし・かんざしなどを入れる。「頭にかんざしを―・す」❸さし木、さし花をする。「ツツジの枝を―・す」❹刀剣などを帯の間にはさみ入れる。表記 ❹は「差す」とも書く。文《四》。⇩〔使い分け〕

***さ・す【▽注す・▽点す】**《他五》ある物に他の物を加え入れる。❶液体をそそぎ入れる。「機械に油を―・す」❷加え入れる。まぜ入れる。「赤い絵の具に少し黄色を―・す」❸いろどりをする。色をつける。「ほおに紅を―・す」表記 ①は「注す」、②③は「点す」と書く。また、①～③は、「差す」とも書く。文《四》。⇩〔使い分け〕

使い分け 「さす」

差す〔▽射〕(はいりこむ。ある現象が現れる)光が差(射)す・傘を差す・刀を差(挿)す・流れにさおを差(刺)す・潮が差す・影が差す・魔が差す・差し替える・差し上げる・差し込む・差し伸べる

刺す〔×螫〕〔先のとがった細いもので突く。刺激や衝撃を与える〕針で刺す・虫が刺(螫)す・とどめを刺す・走者を三塁に刺す・鼻を刺すにおい・寸言胸を刺す

指す〔指で、ある方向をさし示す〕北を指す・後ろ姿を指す・未来を指す・将棋を指す・指し物師・旗指物

挿す〔すきまに細長いものを突き入れる〕かんざしを挿す・髪に花を挿す・バラを挿し木する・挿し絵

さす〔▽注・▽点〕〔そそぐ。加える。色をつける〕花瓶に水をさ(注)す・お茶をさ(注)す・紅をさ(点)す・二人の仲に水をさ(注)す

さす〔▽止〕〔しかけてやめる〕読みさす・言いさす

参考「刀を差す/挿す」「さおを差す/刺す」は、同義で両用される。「注」は一気にそそぐのではなく、液体を続けてつぎこむ意。「点」はいろどる意で、「差」で代用することもある。「指さす・人さし指」は「差」も使うが、慣用としてかな書きにすることが多い(ふつう「指指す」とはしない)。

***さす**《助動:下二型》**文語**《文語助動詞「す」が、一段・二段・カ変・サ変動詞につくときの形。意味は「す」に同

じ》「菓子を食べさせしも喜ばず」〔使役〕、「師は我に人生をば教へさせ給ふ」〔高い尊敬〕、「好むがままに寝させておかん」「敵の矢に馬の脚を射させしに」〔不本意の〕許容・放任〕 参考 →す。

*ざ-す【座主】❶大寺の事務を統轄する最高位の僧職〔僧〕。❷特に、比叡山の延暦寺の長。天台座主。

*ざ-す【座州・×坐×洲】《名・自サ》船が浅瀬に乗り上げること。

さすが【▽流▽石】《副》《「—に」の形も》❶そうはいうもののやはり。「ずうずうしい彼も—に遠慮する」❷やはりそういわれるだけあって。なんといってもやはり。「—名人の作だ」❸〈「—(の)…も」の形で〉いくら…でも、やはり。あれほどの。さしもの。「—の彼も説明に困った」

さずかり-もの【授かり物】神仏が授けてくださる、ありがたいもの。天から与えられるもの。たまわりもの。参考 特に、子供のことをさす。

さずか-る【授かる】《他五》〔神などから〕大切なものが与えられる。賜る。文《四》。

さず-ける【授ける】《他下一》❶〔目上の者が〕金では買えないような大切なものを与える。授与する。「神通力を—ける」尊敬 賜う。❷〔特別な知識・技法などを〕師から弟子に教え伝える。「秘法を—ける」類語 伝授。文さづ・く《下二》。

さす-て【差す手】舞で、手を前にのばして出す・こと〔手ぶり〕。「—引く手」対 引く手。

サス-プロ サステイニングプログラム（sustaining program）の略。民間放送で、スポンサーのつかない自主番組。

サスペンション 自動車の車体懸架装置。車体と車軸の間にあるばね状の構造物で、路面からの衝撃を吸収する。▽suspension〔=つるすこと〕

サスペンス 映画・劇・小説などで、筋のはこびによって、観客・読者がひきつけられてはらはらする〔不安な〕感情。緊張感。また、そうさせる技巧や、その傾向の強い作品。▽suspense

サスペンダー ❶ズボンやスカートがずり落ちないようにするための、肩からつり下げるベルト。ズボンつり。❷くつ下どめ。ガーター。▽suspenders

さす-また【刺×股】江戸時代、犯罪人を捕らえるのに用いた道具。長い柄の先にU字形金具をつけたもの。

さすら-う【▽流▽離う】《自五》住む所を定めず、また、どこへ行くあてもなくさまよい歩く。漂泊する。流浪する。放浪する。「異郷を—う」文《四》。

さす-る【▽摩る・▽擦る】《他五》軽くなでる。「優しく背を—る」類語 擦る。撫でる。文《四》。

ざ-する【座する・×坐する】《自サ変》〔文〕❶すわる。❷〔ある事件などに〕関係する。まきぞえを食う。連座する。表記 ①②とも、本来は「坐する」と書く。

さ-すれば【▽然すれば】《接続》〔文〕〔前に述べた内容を受けて〕とすれば。そうすると。

さ-せい【×嗄声】〔文〕しわがれ声。かれ声。かせい。

ざ-せき【座席】〔乗り物・劇場などの中で〕すわる席。腰かける場所。席。「バスの—」

サゼスチョン→サジェスチョン。

さ-せつ【左折】《名・自サ》左へまがること。対 右折。

ざ-せつ【×挫折】《名・自サ》計画・事業などが途中でだめになること。また、そのためにやり遂げようとする気力を失うこと。「—感」類語 蹉跌。頓挫。

*させる《助動：下一型》《助動詞「せる」が、上・下一段動詞、カ変・サ変動詞につくときの形。サ変動詞には「せ」の形につく》「生徒自身に調べさせる」「子供にご飯を食べさせる」〔使役〕、「時が悲しみを忘れさせる」「不気味な沈黙が人々を恐れさせた」〔状態・作用を引き起こす意〕、「やめたいのなら、やめさせるんだな」「心ならずも、あいつを来させて〔=あいつに来られて〕しまったよ」〔不本意の〕許容・放任〕、「お恵みをたれさせたまう」〔高い尊敬〕参考 →せる。

*さ-せる《連語》《サ変動詞の未然形「さ」＋使役の助動詞「せる」》❶〔他人に対して〕あることを行わせる。「予習・復習を—せる」❷他人の行為を黙認する。するにまかせる。参考 本来、サ変動詞の未然形「せ」に使役の助動詞「さす」がついた「せさす」がつまって「さす」の形になり、それが口語化したもの。

さ-せん【左遷】《名・他サ》〔左にうつす意から〕ある人をそれまでよりも低い地位・官職に移すこと。「支社に—になる」参考 むかし、中国で、左より右を尊いとしたことから。類語 左降。降職。対 栄転。

ざ-ぜん【座禅・×坐禅】静座して精神を集中し、無心無言のうちに悟りを求める修行。また、その姿勢。おもに禅宗で行う。「—を組む」

さぞ【×嘸】《副》《下に推量を表す語を伴う》自分がその場にいるかのように、相手の心情を察したり未経験の事柄を想像したりする気持ちを表す。さだめし。さぞかし。どんなにか。きっと。「—気持ちよかろう」

さそい【誘い】さそうこと。勧誘。「—をかける」

さそい-こ-む【誘い込む】《他五》誘って〔人を〕ある場所・状態にひき入れる。「仲間に—む」

さそい-だ-す【誘い出す】《他五》❶人を誘って外に出す。類語 おびき出す。❷あることをするように仕向ける。「話を—す」

さそい-みず【誘い水】❶井戸のポンプから水が出ないとき、水を導き出すためにポンプの上から注ぐ水。❷あることがらをひき起こす原因となるもの。「彼の一言が—になって論争になる」同 ①②呼び水。

さそ-う【誘う】《他五》❶いっしょに・ある所へ行く〔ある事をする〕ようにすすめる。❷〔ある物事が人の心に働きかけて〕ある気分を起こすようにする。また、ある行為をするようにさせる。「同情を—う涙」文《四》。⇩〔類語と表現〕

類語と表現

「誘う」

＊お茶に誘う・ドライブに誘う・友人を誘って泳ぎに行く／悪の道に誘われる／滑稽な仕草が笑いを誘う・暖気が眠気を誘う・観衆の涙を誘うドラマ。

◆誘う・促す・勧める・語らう・誘い掛ける・働き掛ける・持ち掛ける・呼び掛ける・連れ出す・水を向ける／勧誘・勧奨・推奨・奨励・誘致・誘導・誘引・誘惑・勧告・慫慂

ざ-そう【×挫創】→挫傷。

ざ-ぞう【座像・×坐像】すわっている姿を彫刻した像。「ほとけの—」対 立像。

さぞ-かし【×嘸かし】《副》《下に推量を表す語を伴う》「さぞ」を強めた言い方。「—おつかれでしょう」参考「かし」は、もと強めの文語終助詞。

さぞ-や【×嘸や】《副》「さぞ」に詠嘆を含めた言い方。

さだめしまあ。きっとまあ。[参考]「や」は詠嘆の助詞。

さそり【×蠍】クモガタ類サソリ目の節足動物の総称。熱帯・亜熱帯にすむ。四対の足と、頭部に一対の大きなはさみと、尾端に毒針をもつ。

さ-そん【差損】売買の収支で生ずる損失。[対]差益。

さ-た【×沙×汰】❶《名・他自サ》物事の是非・善悪を論じ定めて処置すること。評定。裁断。裁判。また、その結果について指図・命令すること。指図。命令。下知。「追ってーする」❷話題や問題として取り上げるような事柄・行為・しわざ。また、世間の注目をあびるような事件。「色恋のーとはちがう」[参考]接尾語的にも使い、その場合「ざた」と濁音化する。「警察ーにしてはまずい」「刃傷ー」❸知らせ。たより。消息。連絡。音沙汰。❹評判。うわさ。 **ーの-かぎり**【ーの限り】《連語》〔是非・善悪を〕論じる余地がないほど、けしからぬこと。もってのほか。論外。言語道断。「試験を控えての夜遊びとはーである」 **ーやみ**【ー▽止み】計画などがなんとなく立ち消えになること。[類語]お流れ。うやむや。

さ-だいじん【左大臣】太政官の長官。太政大臣の次位で、右大臣の上位。太政官のすべての政務を総括する。ひだりのおとど。左府。[対]右大臣。

さだ-か【定か】《形動》はっきりしているようす。たしかなようす。「その後の消息はーでない」

ざ-たく【座卓・×坐卓】和室などで、すわって使う机。座敷用のテーブル。

さだま・る【定まる】《自五》物事が、変化・移動しないようになる。❶きまる。決定する。「方針がー・る」❷〔荒天・動乱・さわぎなどが〕おさまる。しずまる。落ち着く。おだやかになる。「足もとがー・る」[文]《四》。

さだめ【定め】❶〔物事の状態が〕定まっていて変わらないでいること。安定。❷とりきめ。おきて。規定。規則。〔古風な言い方〕「法のーに従う」❸〔前世から〕定まっている運命。宿命。「はかないーを嘆く」

さだめ-し【定めし】《副》《下に推量を表す語を伴う》確かにそうであろうと想像して言うことば。きっと。さぞかし。さだめて。「ーつらかったろう」

さだめ-て【定めて】《副》さだめし。〔古風な言い方〕

さだめ-な・い【定め無い】《形》〔文〕物事が一定しない。無常である。「ー・い世」

さだ・める【定める】《他下一》物事を、変化・移動しないようにする。❶きめる。決定する。また、落ち着かせる。「ねらいをー・める」「居をー・める」❷〔動乱・さわぎなどを〕おさめる。しずめる。おだやかにする。「天下をー・める」[文]さだ・む《下二》。

***さ-たん**【×嗟嘆・×嗟×歎】《名・自他サ》〔文〕❶なげくこと。❷感心してほめること。[同]感嘆。

***さ-たん**【左×袒】《名・自サ》〔文〕味方すること。賛成すること。加担。加勢。[参考]「左袒」は左の片肌をぬぐ意。[故事]前漢の周勃が漢王朝に味方するものは左袒せよと言ったことから。〈史記・呂后本紀〉

***サタン** キリスト教で、悪魔。魔王。▽Satan

ざ-だん【座談】《名・他サ》その場にいる何人かがたがいに楽な気持ちで自由に話しあうこと。「ー会」[類語]対談。鼎談。

さち【幸】〔文〕❶海や山でとれる獲物。〔特に食用になるものをいう〕「海のー、山のー」❷さいわい。しあわせ。「ー多かれと祈る」

ざ-ちゅう【座中】❶集会の席。列席者中。「ーみな爆笑した」❷芸人の一座のなかま。

ざ-ちょう【座長】❶座の名称をもつ劇団のかしら。一座の長。❷会議や座談会で議事の進行をつかさどる人。[類語]司会者。議長。

***さつ**〔隠〕警察。〔やくざ・犯罪人などが使う〕[表記]「サツ」と書くことが多い。

***さつ**【札】《名》紙幣。[類語]札びら。金券。銀行券。[丁寧]御札。

ざつ【雑】㊀《名》いろいろなものがまとまりなく入りまじっていること。はっきりと分類しにくいこと。雑。「ーの部(=歌集などで四季の部や恋の部などに入らないものを集めた部分)」㊁《形動》粗雑でいいかげんなようす。ぞんざいで大まかなようす。「ーな仕事」

さつ-い【殺意】ある人を殺そうとする意思。

さつ-いれ【札入れ】紙幣をはさんでポケットなどに入れて持ち歩くもの。紙入れ。[類語]財布。

さつ-えい【撮影】《名・他サ》写真・映画をとること。「ー所」[注意]「撮映」は誤り。

ざつ-えい【雑詠】和歌・俳句などを、題をきめずに自由によむこと。また、その和歌・俳句。

ざつ-えき【雑役】こまごました種々雑多な労働。

ざつ-おん【雑音】❶不愉快な音。さわがしい音。[類語]騒音。噪音。ノイズ。❷ラジオ・テレビ・電話などに入る余計な音。❸周囲の人の余計な意見や批判。「ーにまどわされる」

***さっ-か**【作家】〔職業として〕芸術作品を作る人。特に、戯曲・小説を作る人。小説家。劇作家。[類語]文筆家。文士。作者。

***さっ-か**【作歌】《名・自他サ》和歌を作ること。また、その和歌。

***さっ-か**【擦過】《名・他サ》〔文〕〔物の表面を〕かすること。 **ーしょう**【ー傷】かすり傷。すり傷。

ざっ-か【雑貨】いろいろな種類の、こまかな日用品。「ー店」「ー商」[類語]小間物。荒物。雑品。

サッカー 一一人ずつ二組に分かれ、ゴールキーパー以外は手や腕を使わずに、ボールを相手方のゴールに入れて得点をきそう競技。(アソシエーション)フットボール。蹴球。ア式蹴球。▽soccer

さつ-がい【殺害】《名・他サ》〔人間が〕人間を殺すこと。殺害。

さっ-かく【錯覚】《名・他サ》❶〔心〕外界の事物を実際の形・色・音などとちがえて感じること。幻覚もその一つ。❷実際とはちがうのに本当にそうであるかのように思うこと。思いちがい。かんちがい。「ーにおちいる」

ざつ-がく【雑学】いろいろな分野にわたるまとまりのない知識・学問。また、学問的に体系化・組織化されていない雑多な知識。「ーを仕入れる」

サッカリン 人工甘味料の一つ。半透明の結晶体。砂糖の数百倍の甘みをもつ。▽saccharin

さっ-かん【錯簡】〔文〕❶書物や原稿が、とじちがいのために、ページの順序がくるっていること。❷文字・文章が前後入れちがって乱れていること。

ざっ-かん【雑感】まとまりのない、いろいろな感想。

さ-つき【〈五月〉・×皐月】❶〔雅〕陰暦五月。[参考]太陽暦の五月にも言う。❷「さつきつつじ」の略。ツツジ科の常緑低木。五〜六月ごろ、紅・白・紅紫色や絞りなどの花を開く。 **ーあめ**【ー雨】〔雅〕陰暦五月(=今の六月)ごろに降る雨。さみだれ。 **ーばれ**【〈五月晴れ〉・×皐月晴(れ)】❶さみだれの晴れ間。つゆばれ。❷五月の、さわやかにはれわたった・天気(空)。参考 現在は多く②に用いる。 ―やみ【―×闇】〔雅〕さみだれの降るころの夜が暗いこと。また、そのくらやみ。

―の鯉の吹き流し《句》さっぱりとして心にたくらみやわだかまりをもたないことのたとえ。参考 こいのぼりは口を開けているが、腹の中は空であることから。

*さっき《「さき」の促音化》今より少し前。さきほど。いましがた。先刻。「つい―来たところだ」

*さっ-き【殺気】❶〔文〕草木を枯らす寒冷の気。❷〔殺し合いでも始まりそうな〕敵意にみちたあらあらしい気分。今にも人を殺しそうな緊迫したけはい。「会場に―がみなぎる」❸自分が殺されそうな予感。 ―だ・つ【―立つ】《自五》殺気②が顔色・態度にあらわれる。興奮して荒々しい態度になる。

ざ-つき【座付(き)】役者・作者などが、ある一座の専属となること。また、その役者・作者。「―作者」

*ざっ-き【雑器】❶雑多な器物。特に、日常つかう食器類。❷供物を盛って神棚に供える小さい皿。

*ざっ-き【雑記】まとまりのない、いろいろの事を書き記すこと。また、書き記したもの。「―帳」「身辺―」

ざつ-ぎ【雑技・雑×伎】❶雑多な技芸。雑芸。❷中国の軽業・曲芸。「―団」

*さっ-きゅう【早急】《名・形動》〔ある物事をするのに〕非常にいそぐこと。急を要すること。早急。「―に処理したい」類語 至急。緊急。早速。

*さっ-きゅう【×遡及・×溯及】《名・自サ》《「そきゅう」の慣用読み》→そきゅう。

ざっ-きょ【雑居】《名・自サ》いろいろの人が一つの場所に入りまじって住むこと。㋐国内に、異人種どうしや内外人が入りまじって住むこと。㋑一つの家・建物に何世帯・何家族もの人が住むこと。「―ビル」

さっ-きょう【作況】農作物のできぐあい。作柄。「―指数」

さっ-きょく【作曲】《名・自他サ》❶楽曲を創作すること。「ベートーベン―の『運命』」❷〔特に作詞に対して〕詩や歌にふしをつけること。「『冬の旅』に―する」

さっ-きん【殺菌】《名・自他サ》細菌など、病原体となる微生物を殺して、そのものを無菌の状態にすること。滅菌。「熱湯で―する」「―剤」類語 消毒。

ざっ-きん【雑菌】種々雑多な細菌。

サック ❶物を保護するためにかぶせるふくろ状のもの。さや。「めがねの―」❷→コンドーム。▽sack

ザック →リュックサック。▽ドイツ Sack

サックス サクソホン。▽sax

ざっく-ばらん《形動》〔俗〕気取ったりかくしたりせずに、自分の心中を遠慮なくさらけ出すようす。あけすけ。「今後の経営計画を―に話す」類語 率直。

ざっくり《副》《「―と」の形も》❶物を力を込めて、一気に切ったり割ったりするようす。❷《自サ》布地や編物などの目が粗いようす。「―した感じ」

*ざっ-けん【雑件】〔主要でない〕こまごました事件・用件。種々雑多な事件・用件。「―をかたづける」

*ざっ-けん【雑犬】雑種の犬。

さっ-こう【作興】《名・自他サ》〔精神が〕ふるいたつこと。また、ふるいたたせること。「民族精神を―する」

ざっ-こく【雑穀】米・麦以外のいろいろな穀類。アワ・キビ・豆など。

さっ-こん【昨今】〔文〕きのうきょうというような、現在に近い過去から現在までの時をばくぜんと言う。ちかごろ。このごろ。「―の出版事情」

ざっ-こん【雑婚】特定の相手を定めずに多数の男女が夫婦の関係を結ぶこと。乱婚。類語 集団婚。

さっ-さつ【×颯×颯】《形動タルト》〔文〕風がさっと吹くようす。また、その音の形容。「―たる松風」類語 颯然。

さっさ-と《副》すばやく何かをするようす。ためらわず、また、てまどらずに行うようす。「―帰ろう」

ざっ-さん【雑×纂】〔文〕種々雑多の記録・文書を集めること。また、そうしてまとめた書物。

*さっ-し【冊子】❶簡単にとじた本。とじ本。「小―」❷書物。

*さっ-し【察し】察すること。思いはかること。推察。「―がいい(=事情を察するのが巧みである)」

*サッシ ガラス戸などに用いられる、金属製のわく。サッシュ。「アルミ―」▽sash

サッシュ ❶→サッシ。❷柔らかい布で作る、幅広で帯状の布。サッシュベルト。▽sash

ざっ-し【雑誌】〔ある一定の書名で〕号を追って定期的に刊行する簡単な書物。マガジン。尊敬 貴誌。

ざつ-じ【雑事】本務以外の雑多な用事。雑用。

ざっ-しゅ【雑種】❶いろいろと入りまじった種類。❷動植物で、種族・品種のちがう雌雄の間に生まれたもの。類語 混血。

ざっ-しゅうにゅう【雑収入】❶収入の区分けのどの項目にも属さない収入。❷定収入やおもな収入以外の、こまごました収入。「赤字を―でおぎなう」

ざっ-しょ【雑書】❶書物の分類上、どの分類項目にもはいらない書物。❷〔学術書などに対し〕種々雑多な知識を寄せ集めてまとまりなく書いた(軽い感じの)書物。同 ①②雑本。

さっ-しょう【殺傷】《名・他サ》〔人を〕殺したり、傷つけたりすること。「五人を―した凶悪犯」

*ざっ-しょく【雑色】いろいろな色がまじった色。さまざまな色。「―の雲」

*ざっ-しょく【雑食】《名・自他サ》❶動物性・植物性の両方の食べ物を、かたよることなく食べること。「―の動物」参考「肉食」「草食」に対していう。❷いろいろのものをとりまぜて食べること。混食。

さっ-しん【刷新】《名・他サ》〔制度や精神状態の〕悪い点をきれいに取り除いて、まったく新しくすること。「人心を―する」類語 革新。一新。更新。

*さつ-じん【殺人】〔人間が〕人間を殺すこと。 ―てき【―的】《形動》人の命を奪おうとするかのように、激しくものすごいようす。「―な混雑ぶり」

*さつ-じん【殺陣】→たて(殺陣)。

さっ-すい【×撒水】《名・自サ》→さんすい(散水)。「―車」参考「さんすい」は慣用読み。

さっ-する【察する】《他サ変》❶状況・雰囲気などから、事情をそれと知る。推し測って知る。「ただならぬ気配を―・する」❷思いやる。同情する。「―・するに余りある(=いくら同情しても同情しきれない)」

ざっ-せつ【雑節】旧暦で、二十四節気以外の節。節分・八十八夜・入梅・半夏生・二百十日・土用・彼岸など。

ざつ-ぜん【雑然】《形動タルト》種々のものがまとまりなく入りまじってあるようす。「―とした室内」類語 雑多。

さっ-そう【×颯×爽】《形動タルト》〔人のみなり・態度・行

動などが〕きびきびしていて、見た目に気持ちのよいようす。「文壇に―と登場する」

ざっ-そう【雑草】 自然に生える、価値のない草。農作物や園芸草花以外のじゃまな草。参考 生命力の強いもののたとえにもいう。「―のような生活力」

さっ-そく【早速】《副》時間をおかずにすぐ行うようす。すぐさま。すぐに。すみやかに。参考 名詞的にも使う。「―のご返事、ありがとう」類語 ↓直(す)ぐ。

ざっ-そく【雑則】 主要な規則以外の、さまざまな細かい規則。

ざっ-そん【雑損】 こまごました、いろいろな損失。

ざっ-た【雑多】《形動》いろいろな種類のものが入りまじっているようす。「―な品物」類語 雑然。雑駁(ざっぱく)。

さつ-たば【札束】〔同種の〕紙幣をたくさん重ねてたばねたもの。また、多額の金銭。「―をつむ(=金を出す)」「―で横つらをたたく(=金銭の力で従わせる)」

ざつ-だん【雑談】《名・他サ》特にこれという目的や話題を決めずに、いろいろなことを気楽に話しあうこと。また、その話。とりとめのない話。類語 よもやま話。閑話。世間話。茶話(ちゃばなし)。雑話。

さっ-ち【察知】《名・他サ》〔ある物事を〕推しはかって知ること。「動きを事前に―する」類語 探知。

さっ-ちゅう【殺虫】〔人体や農作物などに対する〕害虫を殺すこと。「―効果」「―剤」類語 駆虫(くちゅう)。

さっ-と【×颯と】《副》❶風が急に吹いたり、雨が急に降ったりするようす。「一陣の風が―吹き過ぎた」❷動作が急にすばやく行われるようす。瞬間的に変化・移動するようす。「―立ち上がって質問する」

ざっ-と《副》❶物事をおおまかに行うようす。おおざっぱに。❷〔前に簡単に説明した事柄を受けて〕あらまし。おおよそ。「―、こんな調子だ」❸数量などのおおよその見当をつけるようす。おおよそ。「――万」

さっ-とう【殺到】《名・自サ》ある場所へ多くのものが一度に〔勢いよく〕押し寄せること。「注文が―する」

ざっ-とう【雑踏・雑×沓・雑×閙】《名・自サ》多くの人でこみあうこと。人ごみ。「盛り場の―」類語 混雑。

ざつ-ねん【雑念】 精神の集中をさまたげるいろいろな思い。気を散らすもととなる種々雑多な思い。「―を払う」類語 雑慮。妄想。余念。他念。煩悩(ぼんのう)。

ざつ-のう【雑×嚢】 いろいろのものを入れて肩からかけ、腰のあたりにさげるズック製のかばん。

さっ-ぱ【×撒×播】《名・他サ》広い田畑に種を一面にまくこと。また、そのようなまき方。さんぱ。

ざっ-ぱい【雑俳】 俳諧(はいかい)から転じた、ざっぱくな形式と内容をもつ遊戯化した句の総称。前句付(まえくづけ)・冠付(かんむりづけ)・折句(おりく)など。ぞうはい。

ざっ-ぱく【雑×駁】《名・形動》〔知識・思想などが〕入りまじっていて不統一なこと。雑然としてまとまりがないこと。「―な議論」類語 粗雑。雑多。雑然。

さつ-ばつ【殺伐】《形動(タルト)》〔雰囲気などが〕すさんで荒々しいようす。「―たる気風」参考「殺伐な」の形でも使うことがある。「犯罪が多発する―な大都会」

さっぱり《副》(「―と」の形も)❶《自サ》余計なわずらわしいものをとどめず、さわやかであるようす。㋐すっきりして清潔で気持ちがいいようす。ごてごてとしないようす。㋑味・気性・態度などが、あっさりして気持ちがいいようす。しつこくないようす。「―したいい男」類語 あっさり。淡泊。㋒あとをひかず気持ちがいいようす。わだかまり・こだわりがなくなり、気分が晴れるようす。「借金を返して―した」❷《下に多く打ち消しの語を伴う》いっこうに。まるで。少しも。まったく。「近ごろ―便りがない」「成績は―(=全然だめ)だ」

ざっ-ぴ【雑費】 主要な項目以外に使う、こまごまとした費用。わざわざ項目を立てようがない費用。「困ったら―に組み入れておく」類語 諸費。

さっ-ぴ・く【差っ引く】《他五》〔俗〕差し引く。

さつ-びら【札▽片】〔俗〕〔何枚もの〕紙幣。「―を切る(=大金を惜しげもなくはでに使う)」

ざっ-ぴん【雑品】 こまごまとした、いろいろな品物。

ザッピング テレビのチャンネルを次々と切り換えたり、リモコンのボタンなどを次々に押すこと。▽zapping

さっ-ぷ【×撒布】《名・他サ》↓さんぷ(散布)。参考「さんぷ」は慣用読み。

さっ-ぷうけい【殺風景】《形動》(「風景をそこなう」の意)❶景色や風景に興趣がないようす。❷おもしろみがなく、興ざめがするようす。情趣を解する心が欠けているようす。無風流。「―な話」

ざつ-ぶん【雑文】〔正式の論文・小説などに対して〕気楽に書き流した軽い内容の文章。

ざっ-ぽう【雑報】 あまり重要でない種々の細かな出来事についての報道。世間の雑多な出来事に関する報告。また、古くは、新聞の社会面の記事。

ざつ-ぼく【雑木】 用材として、また観賞用としてあまり役立たない木。ぞうき。

ざっ-ぽん【雑本】 雑書(ざっしょ)。

さつま【×薩摩】 旧国名の一つ。現在の鹿児島県西部に当たる。薩州(さっしゅう)。 **―あげ【―揚(げ)】** すりつぶした魚肉に細かく切った野菜などをまぜて、油で揚げた食品。 **―いも【―芋・▽甘×藷】** ヒルガオ科のつる性植物。根は塊状ででんぷん質にとみ、食用。また、でんぷん・アルコールの原料。甘藷(かんしょ)。からいも。 **―じる【―汁】** 鳥肉または豚肉に、ダイコン・ゴボウ・ニンジン・イモ・ネギ・こんにゃくなどをまぜて煮込み、みそなどで味つけしたしるもの。 **―の-かみ【―の▽守】**〔俗〕無賃乗車をする・こと(人)。ただ乗り。参考 平忠度(たいらのただのり)が薩摩守だったことから、「ただのり」をかけたことば。 **―はやと【―×隼▽人】** 薩摩の国の武士の美称。参考 ㋐上代、薩摩地方に住んでいた勇猛な隼人族に擬していう。㋑鹿児島県出身の武骨な青年にもいう。 **―びわ【―×琵×琶】** 一六世紀末薩摩でおこり、発達した琵琶歌。また、これに用いる楽器。

ざつ-む【雑務】〔本来の仕事以外の〕いろいろな細かい事務・仕事。類語 雑用。雑事。

さつ-よう【撮要】〔文〕要点をぬき出して簡潔に書くこと。また、その書物。「論理学―」類語 概論。

ざつ-よう【雑用】〔あまり重要でない〕こまごました用事。つまらない用事。「―に追われる」類語 雑務。

さつ-りく【殺×戮】《名・他サ》〔文〕多くの人をむごたらしく殺すこと。殺害。類語 誅戮(ちゅうりく)。

ざつ-ろく【雑録】 いろいろな事柄を、まとまりなく書きしるすこと。また、その記録。

ざつ-わ【雑話】〔文〕〔きまった主題のない〕いろいろな話。いろいろな事柄について、あれこれとまとまりなく述べた話。また、その記録。よもやま話。類語 雑談。

さて【×扨・×扠・×偖】 一《接続》❶今までの話から別の話題に転じるときに使う語。ところで。「―話変わって」❷すでに起こった事態を軽く受けて、その後に続く事態を導く語。そうして。それから。その後。「出国手続きもすみ、―飛行機に乗ろうというとき」㊁《感》❶あらためて何かを始めようとするときに、自問したり相手に呼びかけたりする語。さあ。「―、そろそろ始めようか」❷相手のいうことに納得いかないことを示す語。はて。

さで-あみ【×叉手網】すくい網の一つ。竹や木を交差させて三角形のわくを作り、袋状の網を取りつけたもの。小魚や小えびをとるのに使う。さで。

叉手網

さ-てい【査定】《名・他サ》調査した上で金額・等級・合否などをきめること。「中古車を―する」

サディズム ❶異性の体をいためつけることによって性的満足を得る異常性欲。虐待性淫乱(いんらん)症。サド。対マゾヒズム。❷一般に、残虐を好む傾向。▽sadism

さて-お・く【×扠置く・×扠▽措く】《他五》〔ある事柄・話などを〕ひとまずそのままにしておく。「冗談は―・いて」

さて-こそ ㊀《接続》そうしてこそ。だからこそ。道理で。「この選挙には負けられない。―、首相じきじきの応援演説だった」㊁《副》思ったとおり。案のじょう。やっぱり。〔古風な言い方。古くは感動詞的に用いた〕「―逃げたか」参考「こそ」は強めの助詞。

さて-さて《感》非常に感心した時、困った時、あきれた時などに発する語。なんとまあ。それにしてもまあ。

***さ-てつ**【砂鉄】風化・浸食で崩れた岩石中の磁鉄鉱が、河床や海岸に砂状にたまったもの。しゃてつ。

***さ-てつ**【×蹉×跌】《名・自サ》〔文〕〔つまずく意から〕失敗や手違いのため、物事が行きづまること。「―をきたす」類語挫折(ざせつ)。蹉跎(さだ)。

さて-は ㊀《接続》それればかりではなく、それ以外にもあることを表す。さらにその上。あるいは。「天ぷら、すき焼き、―大福まで平らげた」㊁《感》正体・原因などに気づいたときに発する語。そういうところをみると。それではきっと。「―だまされたか」

さて-も《感》物事に感じ入ったときに発する語。さてさて。何ともはや。〔古風な言い方〕「―みごとな腕前だ」

サテライト ❶衛星。人工衛星。❷衛星のような関係にあるもの。❸サッカーで、トップチームの傘下に属するチーム。▽satellite ―**スタジオ** 本局から離れた所に設けた、ラジオ・テレビの中継放送用の小スタジオ。ガラス張りにし、観衆に放送の実際を見せる。▽satellite studio

サテン 繻子(しゅす)織の布地。特に、絹繻子。▽(オランダ) satijn 英satin

さと【里】❶人家が集まって、小集落をなしている所。㋐人ざと。村落。㋑いなか。在(ざい)。❷その人が〈生まれ〉育った家。㋐奉公人の実家。「やぶ入りで―に帰る」㋑妻・養子の実家。丁寧御里(おさと)。㋒〈お―が知れる〉生まれや育ちのよくないことが明らかになる。❸養育料をそえて、こどもを他家にあずけること。また、その家。「―にやる」表記①は「郷」とも書く。

***さど**【佐渡】旧国名の一つ。日本海にある島。今の新潟県の一部。佐州(さしゅう)。

***サド**「サディズム」「サディスト(=サディズムの人)」の略。対マゾ。

さと・い【×聡い・▽敏い】《形》物事を理解するのが早い。判断力がするどく的確である。かしこい。敏感である。「利に―・い商人」文さと・し《ク》。

さと-いも【里芋】サトイモ科の多年草。茎は地中で褐色の繊維をかぶった節の多い球茎となり、食用。葉柄は「ずいき」と呼ばれ、食べられる。

***さ-とう**【左党】❶革新的な政党。左翼政党。類語左派。❷〔俗〕酒を飲むのが好きな人。酒飲み。ひだりとう。類語辛党(からとう)。左きき。対①②右党。

***さ-とう**【差等】〔文〕〔同種のものの間で〕ある一定の基準によってつける差。ちがい。等差。「―をつける」

***さ-とう**【砂糖】蔗糖(しょとう)を主成分とする代表的な甘味料。サトウキビの茎やサトウダイコンの根を原料とする。

―**きび**【―×黍】熱帯・亜熱帯で栽培される、イネ科の多年草。茎のしぼり汁から砂糖をとる。甘蔗(かんしょ・かんしゃ)。

―**だいこん**【―大根】アカザ科の越年草。根から砂糖をとる。甜菜(てんさい)。ビート。

***さ-どう**【作動】《名・自サ》機械の運動部分が動くこと。「凍ったエンジンが―する」

***さ-どう**【茶道】❶茶の湯の道。茶道(ちゃどう)。❷近世、茶坊主のこと。茶頭(さどう)。茶道坊主(さどうぼうず)。参考→茶道(ちゃどう)。

ざ-とう【座頭】❶昔、盲人の琵琶(びわ)法師の官名で、四官の最下位。勾当(こうとう)の下。❷昔、盲目で頭をそり、あんま・鍼灸(しんきゅう)をしたり、琵琶・箏(こと)・三味線などをひいたり語り物を語ったりすることを職業にした者。

さと-おや【里親】他人の子どもをあずかり、親がわりとなって育てる人。里子を育てる人。対里子(さとご)。

さと-がえり【里帰り】(―がへり)《名・自サ》❶他家にとついだ女性が、結婚後はじめて実家に帰ること。❷嫁・奉公人などがしばらくの間実家に帰ること。

さと-かぐら【里〈神楽〉】〔宮中で行われる御神楽(みかぐら)に対して〕各地の神社で行われる民間のかぐら。村里で祭礼などに行うひなびたかぐら。

さと-かた【里方】嫁・養子などの実家(の親類)。

さと-ご【里子】子どもを他人にあずけて育ててもらうこと。また、その子ども。「―に出す」対里親。

さと-ごころ【里心】〔よその家・土地などにいる人が〕親もとや故郷や自分の家を恋しがる気持ち。ホームシック。「―がつく」類語望郷。郷愁。

さと-ことば【里言葉】❶いなかで使われる(地方なまりのある)ことば。くにことば。いなかことば。類語方言。❷江戸時代、もっぱら遊里で使われたことば。「ありんす」「行きゃんせ」のたぐい。

さと・す【諭す】《他五》物事の道理を、よくわかるように言いきかせる。「不心得を―・す」文《四》。

さと-びと【里人】❶その里に住んでいる人。その土地の人。❷いなかの人。

さと-やま【里山】人里に近く、雑木林・わき水・湿地などがある自然環境。

さとり【悟り・▽覚り】❶理解すること。また、思いあたること。感づくこと。「―がはやい」❷迷いを去って人生の真理を会得(えとく)すること。また、その会得した真理。「―を開く」類語悟道。得道。正覚(しょうがく)。

さと・る【悟る・▽覚る】㊀《自他五》心の迷いを去り真理を会得(えとく)する。文《四》。㊁《他五》〔物事の意味・事情などを〕はっきりと理解する。また、〔かくされていた事柄に〕感づく。「とても勝てないと―・る」文《四》。

サドル 自転車やオートバイなどの腰をかける部分。鞍(くら)。▽saddle

さ-なえ【〈早苗〉】(―なへ) 苗代(なわしろ)から田に移し植えるころ

の稲のなえ。〔参考〕夏の季語。

さ-なか【▽最中】〔ある物事や状態の〕最も盛んなとき。まっさいちゅう。まっただなか。最中(さいちゅう)。「忙しい—に休むな」

さ-ながら【×宛ら】《副》〔文〕ある事物・状態を他の事物・状態になぞらえていうときに、両者が非常によく似ているようすを表す。ちょうど。まるで。あたかも。…そっくり。…そのまま。「実戦—のすさまじさ」

さなぎ【×蛹】完全変態する昆虫の、幼虫期と成虫期との間にある発育段階。食物をとらず、外見上は多く静止している。蛹虫(ようちゅう)。

さなき-だに《連語》《副詞「さ」＋形容詞「なし」の連体形「なき」＋助詞「だに」》〔文〕そうでなくてさえ。「—さびしいのに」

さなだ-ひも【▽真田×紐】太いもめん糸で平たく編んだひも。

さなだ-むし【▽真田虫】主として脊椎(せきつい)動物の腸内に寄生する、帯状の虫。形は「さなだひも」に似て、長さは数メートルにも及ぶ。条虫(じょうちゅう)。

サナトリウム 高原・海辺などに設け、新鮮な空気や日光を利用して自然療法を行う(主として結核の)療養施設。療養所。結核療養所。▽sanatorium

サニタリー ❶建物の水回り。❷生理用品。▽sanitary(＝衛生上の)

さぬき【×讃岐】旧国名の一つ。現在の香川県。讃州(さんしゅう)。

***さね【▽実・▽核】**❶木の実・果実などの心(しん)にある堅い部分。核(かく)。種。❷板をつなぎ合わせるとき、一方の板の凹部にかみ合わせるため他方の板に作る細長い突出部。❸〔俗〕陰核(いんかく)。

***さね【▽札】**よろいの材料の一つ。鉄・なめし革などの板状の小片で、糸や革緒でうろこ状につづって作る。

***さ-のう【左脳】**大脳の左半分。言語や論理的思考に関わるとされる。〔対〕右脳。

***さ-のう【砂×嚢】**❶砂をいれた袋。陣地を築いたり堤防の決壊箇所の応急修理をしたりするのに使う。砂袋。❷鳥類の胃の一部分。のみこんだ砂・小石などをたくわえていて、これで食物を砕く。すなぎも。砂袋(すなぶくろ)。

さ-のみ《副》〔文〕《下に打ち消しの語を伴う》それほど(…でない)。そんなに(…でない)。たいして(…でない)。「—高いものではない」

さ-は【左派】一つの団体や政党の中で、急進的な考えをもつ人たちの一派。また、その人。〔類語〕左党。左翼。〔対〕右派。

さば【×鯖】サバ科の海魚。背部には青緑色の地に黒色の波形のしま模様がある。重要な食用魚。青魚。

—の生き腐れ《句》サバは、特に傷みが早いということ。

—を読・む《句》都合のいいようにごまかして、実際の数よりも多く言ったり少なく言ったりする。さばよみする。

さ-はい【差配】《名・他サ》❶とりさばくこと。あれこれ世話すること。周旋。❷何人かの人に手分けして仕事をさせること。〔類語〕手配。❸持ち主に代わって貸家・貸地などの管理をする・こと(人)。「アパートを—する」

サバイバル 最悪の条件のもとで、それを克服して生存を続けること。また、そのための方法や技術。生き残り術。▽survival

—ゲーム ❶生き残り競争。勝ち抜き競争。❷敵味方に分かれてエアガンなどを使ってする、実践さながらの戦争ゲーム。▽survival game

さば-おり【×鯖折り】相撲の技の一つ。相手に体を密着させてまわしを強く引き、相手の腰を砕いて土俵に膝(ひざ)をつかせる。

さばき【裁き】❶裁くこと。裁判。裁定。審理。「—の庭(＝法廷)」❷キリスト教で、神の審判。

***さ-ばく【佐幕】**《「幕府を佐(たす)ける」の意》江戸時代の末、尊皇攘夷(じょうい)派に反対して幕府を支持したこと。また、その一派。〔参考〕→勤皇。

***さ-ばく【砂漠・×沙漠】**❶大陸の中で、雨量が少なく、岩や砂ばかりの広大な土地。サハラ、アラビア、ゴビの砂漠など。〔類語〕砂海。❷人間的な潤いがほとんど感じられない所。「東京—」

***さば・く【×捌く】**《他五》❶〔からまったりくっついたりしているものを〕解き分ける。解きほぐす。「着物のすそを—・く」❷〔乱れやすいものを〕手で巧みに扱う。「袱紗(ふくさ)を—・く」❸〔いり乱れている物事を〕手ぎわよく処理する。「仕事を—・く」❹〔商品を〕売りこなす。売ってしまう。「在庫品を—・く」〔文〕《四》。

***さば・く【裁く】**《他五》争い事・訴訟などを処理するため、理非・曲直をはっきりさせる。裁判する。「けんかを—・く」〔文〕《四》。

さば-ぐも【×鯖雲】「巻積雲(けんせきうん)」の通称。うろこ雲。いわし雲。〔参考〕サバの体側の斑点(はんてん)に似ることから。

さば・ける【×捌ける】《自下一》❶乱れたりもつれたりしていたものが、解け分かれて整う。❷商品が売れてなくなる。はける。「一日に一〇〇個は—・ける」❸世慣れていて、物事に理解がある。気どり・こだわりがなく、ざっくばらんな態度である。「—・けた人」

さば-さば《副・自サ》《副詞は「—と」の形も》❶〔性格などが〕さばけているようす。さっぱりしているようす。「—した人」❷気持ちがさっぱりするようす。さわやかになるようす。「借金がなくなって—した」

さば-よみ【×鯖読み】数をごまかして言うこと。さばをよむこと。〔参考〕→鯖を読む。

さはん-じ【茶飯事】ふだんありふれたできごと。ざらにある珍しくないこと。〔「日常—」の形で使うことが多い〕「彼の無断欠席は日常—だ」

サバンナ 雨季と乾季のはっきりした熱帯地方の草原。耐乾性の低木林を交え、雨季には丈の高い草が茂り、乾季には枯れる。熱帯草原。サバナ。〔類語〕ステップ。プレーリー。パンパ。▽savanna

***さび** 「わさび」の略。「—抜きのにぎり鮨(ずし)」「—を利かす」

***さび【寂】**❶古びて落ち着いた趣のあること。枯れて地味なあじわいがあること。「—のある庭」❷さび声。「声に—をきかす」〔表記〕②は「錆」とも書く。❸芭蕉(ばしょう)俳諧(はいかい)の根本理念とされるもので、古びて趣のある美しさが芸術的に高められたもの。閑寂(かんじゃく)・枯淡(こたん)の情調。〔参考〕→しおり。ほそみ。わび。

***さび【×錆・×銹】**❶金属が空気・水などにふれて表面に生じた、酸化物。特に、赤茶色の鉄さび。〔類語〕緑青(ろくしょう)。❷悪い報い。悪い結果。「身から出た—」

さび-あゆ【×錆×鮎】秋、産卵期が近づいて体色が黒褐色をおびたアユ。産卵のために川の下流域に下る。おちあゆ。下りあゆ。〔参考〕秋の季語。

さび-いろ【×錆色・×銹色】鉄さびのような赤茶色。

さび-ごえ【寂声・×錆声】〔謡(うたい)などの修練を積んだ結果生じた〕かすれて低いが、老成して趣のある声。しわがれて渋みのある声。

さびし・い【寂しい・×淋しい】《形》あるはずのものが

なくて、それを求めていながら、心が満たされないままの状態である。❶ほしい物が得られず、物足りない。「口が—・い(=何か口に入れる物がほしい)」「ふところが—・い(=所持金が少ない)」❷心が満たされず、楽しい気分になれない。「独り住まいの—・い境遇」❸ひっそりしていたり、数が少なかったり、内容がとぼしかったりして、心細い。にぎやかさがなく、気が滅入るようだ。「—・い通り」対にぎやか。文さび・し《シク》。⇩〖類語と表現〗

類語と表現 「寂しい」
*独り暮らしは寂しい・この絵はどことなく寂しい・寂しい夜道・寂しい裏町・山間の寂しい村・知らない土地で寂しく暮らす。
◆もの寂しい・うら寂しい・わびしい／閑散・閑寂・閑静・貧寒・寂寞・寂寥・寂然・寂々・寥々・落莫・索漠・蕭然・蕭々・蕭条・蕭殺・荒涼・殺風景／門前雀羅を張る

さび-つ・く【×錆び付く】《自五》❶(金属が)はなはだしくさびる。また、さびて他の物にくっつく。さびて離れなくなる。「ねじが—・く」❷長いあいだ動かさなかったため、働きがにぶる。「腕が—・く」

さび-どめ【×錆止め】金属がさびるのを防ぐため、塗装やめっきをほどこすこと。また、その塗料やめっき。類語 防錆

ざ-ひょう【座標】❶直線・平面・空間などにおける任意の点の位置を数または数の組で表したもの。❷何らかのよりどころに従った位置づけ。また、そのよりどころとなるもの。「青春の—」 **—じく【—軸】**❶座標①を決めるための基準となる直線。❷基準となるもの。「日本の進路を予測する—を決める」

***さ・びる【▽寂びる】**《自上一》❶古びて趣が出る。ものしずかなあじわいがある。「—・びた芸」❷古くなって荒れた状態になる。文さ・ぶ《上二》

***さ・びる【×錆びる】**《自上一》❶さびが生ずる。❷声が低く太くなる。声に渋みがある。文さ・ぶ《上二》

さび・れる【寂れる】《自下一》❶盛んであった人の行き来が衰える。人気がなくなりさびしくなる。すたれる。「—・れた町」❷勢いが衰える。「虫の声がめっきり—・れる」文さび・る《下二》

さ-ふ【左府】「左大臣」の別称。対右府。

サブ ㊀《名》(正式・首位のものに対して)控えのもの。次位のもの。特にスポーツで、補欠選手。㊁《接頭》「補助の」「副…」の意。「—リーダー」▽sub **—カルチャー** 伝統的な文化には属さず、独自性を主張する、新しい文化。参考 社会の中心となっている文化のまわりにあって、新しい問題提起をする文化の意味で使われることが多い。▽subculture **—タイトル** ❶書籍・論文などの副題。❷映画で、画面だけではわからない内容を説明する字幕。▽subtitle

サファイア 鋼玉の一種。多くは青色で透明。九月の誕生石。青玉。▽sapphire

サファリ 狩猟旅行。特に、アフリカでの探検遠征・猛獣狩り。「—ルック」▽safari

サブジェクト ❶主題。❷主語。主格。❸(哲)主観。主体。対オブジェクト。▽subject

ざ-ぶとん【座布団】すわるときに敷く(ふつう正方形の)小さなふとん。

サブマリン ❶潜水艦。潜航艇。❷野球で、下手投げ投手。▽submarine

サフラン アヤメ科の多年草。秋、赤紫色のかおりの高い六弁の花を開く。めしべの花柱を乾燥したものを薬用のほか、着色・香味料として用いる。▽(オランダ) saffraan

サプリメント 栄養補助食品。ビタミンなどの特定の栄養成分を錠剤や飲料などにしたもの。▽supplement(=付録。補遺)

さ-べつ【差別】《名・他サ》❶(種類・性質・状態などの違いによって)扱い方に違いをつけること。また、その違い。分け隔て。差別。「大人と子供を—しない」❷偏見などによって、他よりも低い価値のものとして扱うこと。「人種—」「女性—」「—撤廃」

さ-へん【左辺】等式や不等式で、等号や不等号の左がわにある数式。対右辺。

***サボ** 「サボタージュ」の略。

***サボ** (西欧の)木ぐつ。サボー。▽(フランス) sabot

さ-ほう【作法】❶(日常生活や儀式などにおける)言語・起居・動作などの、礼儀にかなった正しいしかた・きまり。「礼儀—」類語 行儀。礼法。❷俳句・和歌・小説などの、きまった作り方。作法。「小説—」

***さ-ぼう【砂防】**(山地・海岸・川岸などの)土砂がくずれ流れるのを防ぐこと。また、その設備。「—ダム」

***さ-ぼう【茶房】**紅茶・コーヒーなどの軽い飲み物をのませる店。喫茶店。(古風な言い方)

サポーター ❶運動選手などが、関節や筋肉を保護するためにつける、ゴム入りのほうたいや股あて。❷支持者。特に、サッカーで、応援する人。▽supporter

サポート《名・他サ》支えること。支援すること。「発展途上国の貿易を—する」▽support **—こう【—校】**不登校の生徒や中退者のための民間の教育支援組織。通信制・単位制高校などと協力し合い、高校の卒業資格単位の取得を支援する。

サボタージュ《名・自サ》❶労働争議の手段の一つ。労働者が、仕事についていながら作業の能率を低下させ、経営者に損害を与えること。怠業。サボ。❷(俗)(仕事などを)なまけること。▽(フランス) sabotage

さぼてん【▽仙▽人▽掌】サボテン科に属する植物の総称。常緑多年草。原産地は中・南米地方。葉は多く針状。茎は柱状・扁平状・塊状の多肉植物。夏、赤・白・黄色などの花を開く。覇王樹。しゃぼてん。

さ-ほど【▽然程】《副》(下に打ち消しの語を伴って)それほど。大して。「—立派ではない」類語 さまで。さして。表記 かなで書くことが多い。

サボ・る《自五》(「サボタージュ」の略「サボ」を動詞化して活用させた語)(俗)なまける。なまけて欠席する。「仕事を—・る」

ザボン ミカン科の常緑高木。初夏白い花を開く。果実はミカン類では最も大きい。果肉は水分が少なく甘ずっぱい。果皮は砂糖づけにする。文旦。表記「朱欒」ともあてて書く。▽(ポルトガル) zamboa

さま【様】㊀《名》ちゃんとした体裁。恥ずかしくないかっこう。「—をつくる」㊁《形名》(ある物事・人の)ありさま。ようす。状態。「静かな—」㊂《接尾》❶(名詞につけて)その方向・方面の意を添える。「さか—」「よこ—」❷(動詞の連用形につけて)「…しようとするとき」「…と同時に」「…や否や」の意。「寝起き—」「倒れ—に送球する」❸(動詞の連用形につけて)「…するぐあい」「…しかた」「…ぶり」「…のようす」の意。「その働き—はなん

さ

だ」参考①～③は「ざま」とにごることが多い。❹《人名または人を表す名詞などにつけて》その人に対する尊敬の意。「木村ー」「お客ー」❺《接頭語「ご」「お」のついた体言につけて》相手に対するあいさつとして、その事をていねいにいう。「おつかれー」

ーにな・る《句》かっこうがついて、それらしくなる。「舞台衣装を着せればなんとかー・る」

ざま【▽様・▽態】《「さま」の転》〔俗〕(人の)みっともないようすをあざけったり、ののしったりしていう語。ていたらく。醜態。「そのーはなんだ」

ーは無・い《句》〔俗〕体裁が悪い。みっともない。だらしがない。「模範演技を失敗してー・かった」

ーを見ろ《句》〔俗〕人をだしぬいた時、人が失敗した時などに、相手をあざけって言うことば。それ見たことか。ざまあみろ。ざまあみやがれ。

サマー 夏。▽summer **ータイム** 夏の一定期間、標準時刻を一～二時間繰り上げる制度。日照時間を有効に利用し、仕事の能率を上げるために行う。夏時刻。夏時間。▽summer time

さま-がわり【様変(わ)り】《名・自サ》様子・情勢が変わること。「ーした駅前通り」

さま-さま【様様】《接尾》自分にとって大変ありがたい物・人の名につけて、この上ない感謝の気持ちなどを表す語。「居間での観戦とは全くテレビーだ」

さま-ざま【様様】《形動》種類・性質・形などが、いろいろであるようす。それぞれちがっているようす。種々。「雲の色がーに変化する」「世はーだ」類語 各様。とりどり。

***さま・す【冷ます】**《他五》熱、あるいは熱意をなくす。❶熱いものの温度をさげて、熱くなくする。また、体温を平熱にする。「熱をー・す薬」類語 冷やす。解熱。❷高ぶっていた感情・興味をおとろえさせる。「興奮をー・す」類語 静める。表記 ②は「醒ます」とも書く。文《四》。⇩〖使い分け「さめる・さます」〗

***さま・す【覚ます・×醒ます】**《他五》本来そなわっている、正常な意識や能力を取りもどす。❶眠っていた状態から、意識のはっきりした状態にもどす。「目をー・す」「眠りをー・す」❷酒の酔いを消す。❸心の迷いを解く。「怠惰な生活から目をー・す」文《四》。⇩〖使い分け「さめる・さます」〗

ざます《助動：特殊型》…(で)ございます。参考 動詞・補助動詞としても使う。「ここにざますよ」「洗濯ならやってざますのよ」

さまた・げる【妨げる】《他下一》❶物事の進行のじゃまをする。妨害する。阻害する。「眠りをー・げる」❷〈「…をー・げない」の形で〉…しても差し支えない。…であってもかまわない。〔多く法令文などに用いる〕「再任をー・げない」文 さまた・ぐ《下二》。

さ-まつ【×瑣末・×些末】《名・形動》〔文〕重要でない、ちょっとしたこと。取るに足りないこと。些細。「ーなことにとらわれる」類語 末梢。

さ-まで【▽然×迄】《副》〔文〕それほどまで。そんなに。〔多く、下に打ち消しの語を伴う〕「ー深く考える必要はない」類語 さほど。

さ-まよ・う【さ迷う・×彷×徨う】《自五》《「さ」は接頭語》❶あてもなく歩きまわる。さすらう。「町をー・う」❷ある場所にとどまらないで、あちこち動く。また、ある状態に定まらないでいる。「生死の境をー・う」

サマリー 要約。概略。「ーを添付する」▽summary

さみし・い【▽寂しい・×淋しい】《形》さびしい。

さみ-せん【▽三味線】↓しゃみせん。

さみだれ【〈五月雨〉】〔雅〕陰暦五月ごろに降る長雨。五月雨。つゆ。参考 だらだらと断続的に続くことのたとえにもいう。「ースト」 **ーしき【ー式】** 物事を、つゆどきの雨のように、断続的にくり返すこと。また、そういうやり方。

サミット 主要国首脳会議。▽summit(=頂上)

さ-みどり【さ緑】《「さ」は接頭語》〔雅〕若草や若葉の生き生きとした緑色。

さむ・い【寒い】《形》❶気温が低くて、からだがちぢこまるくらいに、体温が奪われるようす。「北向きのー・い部屋」参考 ↓暖かい②。❷寒い①と感じる場合と似た気持ちを表す。㋐恐ろしさなどのために、気持ちがちぢこまる思いである。ぞっとする。「ことばの乱れに背筋がー・くなる」㋑貧しかったり、乏しかったりして、心細い(情けない)感じである。「ふところがー・い」「彼のギャグはー・い」参考 ↓お寒い②。文 さむ・し《ク》。⇩〖類語と表現〗

類語と表現

「**寒い**」

＊足もとが寒い・朝晩めっきり寒くなる・寒い朝・寒い国／心が寒くなる・心胆を寒からしめる事件／お寒い福祉施設・お寒い内容の報告書。

◆寒々しい・寒々とした・薄寒い・薄ら寒い・うそ寒い・肌寒い・冷たい・冷ややか・冷やっこい・冷や冷や・冷え冷え／ひんやりする・すうすうする・ぞくぞくする・かじかむ・凍える・身を切る・吐く息が白くなる・身が縮こまる／寒さ・寒気・冷気・寒冷・冷涼・清涼・爽涼・厳寒・向寒・酷寒・極寒・残寒・春寒・小寒・大寒・凍寒・余寒・冷寒

さむ-え【作務▽衣】 僧などが着る作業着。上下に分かれており、筒そで、前合わせをひもで結ぶ上着と、もんぺに似た形のズボンを組み合わせる。

さむ-がり【寒がり】《名・形動》普通の人とくらべて、特に寒がる・こと(人)。

さむ-け【寒気】 病気で熱があるときや、恐ろしい(いやな)思いをしたときに感じる、気持ちの悪い寒さ。悪寒。「風邪をひいてーがする」「深い谷間にーを覚える」表記「寒け」と書くことが多い。 **ーだ・つ【ー立つ】**《自五》❶さむけを感ずる。❷おそろしく感ずる。ぞっとする。類語 身の毛立つ。総毛立つ。

さむ-ざむ【寒寒】《副・自サ》❶いかにも寒そうなようす。❷情趣がなく寂しいようす。**ーし・い**《形》❶いかにも寒そうな感じである。「ーした心象風景」❷まるで趣がなくて寂しい。何もなくて殺風景である。

さむ-ぞら【寒空】 寒さを強く感じる、冬の空・気候。

さむらい【侍】❶昔、高貴な人のそばに仕え、身辺を警固した人。さぶらい人。❷武術をもって朝廷・貴族・武家などに仕えた人。武士。もののふ。❸〔俗〕普通ではできない思い切ったことをする男。ずぶとく自分の意志をつらぬく男。「彼はなかなかのーだ」

さめ【×鮫】 海産の軟骨魚の一つ。からだの表面はざらざらしている。歯は鋭く強い。凶暴で人を襲う種類もある。肉はかまぼこの材料、ひれは乾かして中華料理の材料(=ふかひれ)などにする。皮は研磨用。ふか。

さめ‐ざめ《副》《「―と」の形も》涙をしきりに流して静かに泣くようす。

さめ‐はだ【×鮫肌・×鮫▽膚】サメの皮のように、生まれつききめのあらい、乾燥してざらざらした人のはだ。

さめ‐やら‐ぬ【覚め▽遣らぬ・冷め▽遣らぬ】《連語》まだ完全にさめていない。「眠り―ぬ早朝」

***さ・める**【冷める】《自下一》熱、あるいは熱意がなくなる。❶〔熱い液体などの〕温度がさがって、熱くなくなる。ぬるくなる。「ほとぼりが―・める」類語冷える。❷高まっていた感情・興味がうすらぐ。「興が―・める」類語静まる。表記②は「醒める」とも書く。文さ・む《下二》。⇩〔使い分け〕

***さ・める**【×褪める】《自下一》色が光沢を失ってうすくなる。あせる。「色の―・めた着物」文さ・む《下二》。⇩〔使い分け〕

***さ・める**【覚める・×醒める】《自下一》本来の正常な意識にもどる。❶眠っていた状態から、意識のはっきりした状態にもどる。「昼寝から―・める」類語起きる。覚醒。❷夢・物思いなど、何かに心がうばわれている状態から、現実にたちかえる。めざめる。「空想から―・める」類語気が付く。我に返る。❸酒の酔いがなくなる。表記③は「醒める」と書く。文さ・む《下二》。⇩〔使い分け〕

使い分け「さめる・さます」

覚める（×醒）〔正常な意識にもどる〕目が覚める・迷いが覚（醒）める・目覚め・覚めた目・夢から覚める

冷める（×醒）〔熱または熱意がなくなる〕湯が冷める・冷めた紅茶・冷（醒）めた仲・興が冷（醒）める

さめる（×褪）〔色があせる〕色がさめる・さめた赤の洋傘・青ざめた顔

覚ます（×醒）〔本来の正常な意識や能力をとりもどす〕目を覚ます・眠りを覚ます・呼び覚（醒）ます・迷いを覚（醒）ます

冷ます（×醒）〔熱または熱意をなくす〕湯を冷ます・冷（醒）めた顔・興奮を冷（醒）ます・吹き冷ます

さます・さめる（×醒）〔酔いが去る〕酔いをさます・二日酔いがさめる

参考「醒」は酔いからさめて心がはっきりする意から、睡眠や夢・迷いなどからさめる「覚」と同様に用いられた。今では、「酔いをさます」などを除き、おおむね「覚」でまかなうことができる。

さ‐も【▽然も】《副》《副詞「さ（然）」に助詞「も」がついてできた語》❶そのようにも。そうも。〔やや古風な言い方〕「―あろう（＝当然だ。もっともだ）」❷まさにそれらしくふるまうようす。いかにも。「―気持ちよさそうに眠っている」「―元気そうだが、実は病気なのだ」

さもあらば‐あれ【▽遮×莫】《連語》〔文〕それならそれでしかたがない、なりゆきにまかせようという気持ちを表す。どうにでもあれ。どうあろうとも。ままよ。

さも‐ありなん【▽然も有りなん】《連語》〔文〕人からきいた話に同意する気持ちを表す。確かにそうであろう。それももっともである。さもあらん。「話を聞いて―とうなずく」

さもし・い《形》心がいやしい。いじきたなく、あさましい。卑劣である。「―・い根性」文さも・し《シク》。

ざ‐もち【座持ち】〔集会・宴会などの〕座のふんいきをよくするために、その場に興を添えること。また、その人。座のとりもち。「―のうまい芸者」

ざ‐もと【座元】〔芝居・見せ物などの〕興行主。また、興行場の持ち主。大夫元。

さも‐ないと【▽然も無いと】《接続》もしその通りにしないと。そうでないと。さもなければ。さもなくば。

さも‐なくば【▽然も無くば】《接続》〔文〕❶そうでないとするならば。そうでなければ。「繁栄か―破滅かのわかれ道だ」❷さもないと。同①②さもなければ。

さも‐なければ【▽然も無ければ】《接続》さもないと。「金を出せ、―殺す」同さもなくば。

サモワール ロシアの（お茶用の）金属性湯わかし器。中央のパイプに炭火を入れ、そのまわりの水を熱する仕組み。▽ロシア samovar

さ‐もん【査問】《名・他サ》〔ある事件の関係者などを呼び〕問いただして調べること。「―委員会」

***さや**【×莢】マメ科植物の種子をおおっている、長い殻。熟すと、裂けて種子を外にはじきだす。

***さや**【×鞘】❶筒形のおおい。㋑筆・鉛筆などの先を保護するためにかぶせる細長い筒。㋐刀剣の刀身を入れる細長い筒。キャップ。❷商品の売買によって生じるもうけなど、価格や利率のちがいによる差額。また、取引所で、相場間の値段の開き。「―をかせぐ」

―を取・る《句》売買の仲介をして価格の差額の一部を利益として自分のものにする。

さや‐あて【×鞘当（て）】❶昔、行き違った武士が互いの刀のこじりが触れたのをとがめて争ったこと。転じて、互いの面目や意地に関係したけんか。❷一人の女性をめぐって二人の男性が争うこと。「恋の―」

さや‐いんげん【×莢隠元】種子が未熟なうちに、さやごと食べるインゲンマメ。

さや‐えんどう【×莢×豌豆】種子が未熟なうちに、さやごと食べるエンドウ。

さや‐か【▽明か・▽清か】《形動》《「か」は接尾語》〔文〕❶物がはっきりとよく見えるようす。「月は―に照り」❷音が澄んではっきりとよくきこえるようす。「―な瀬音」

さや・ぐ【▽騒ぐ】《自四》〔古〕ざわざわと音をたてる。

ざ‐やく【座薬・×坐薬】肛門などにさしこんで使用する薬。体温で溶けるようにしてある。座剤。

さや・け・し【▽明けし・×爽けし・▽清けし】《形ク》〔古〕〔視覚的・聴覚的に〕さえて、はっきりしている。よくすんでいる。「月影―・く、空の色青し」

さや‐さや《副》《「―と」の形も》物が軽くふれあって音を出すようす。「風で竹やぶが―と鳴る」

さや‐どう【×鞘堂】堂・蔵などを保護するためにその外側をおおうようにして造った建物。

さや‐ばし・る【×鞘走る】《自五》刀身がさやからひとりでに抜けて出る。

さや‐まき【×鞘巻（き）】〔大刀にそえて腰にさす〕つばのついていない短刀。腰刀。

さ‐ゆ【▽白湯】〔お茶などに対して〕わかしただけで、何もいれない（飲料用の）湯。

さ‐ゆう【左右】❶ひだりとみぎ。両横。「言を―にする（＝いろいろに言って、はっきり答えない）」❷自分のすぐそば。かたわら。「―にそなえておく」類語座右。❸そばに仕える者。側近。「―の意見を聞く」❹《名・他サ》ある物事を思いのままに動かすこと。決定的な影響を与えること。「勝負を―する一手」 ―**そうしょう**

【—相称】ある線や平面を中心にして左右の形が同じであること。特に、生物の体の左右が同形なこと。左右対称。左右同形。シンメトリー。

ざ-ゆう【座右】〔文〕❶〔座の右の意から〕身近な場所。身辺。座右(ざう)。❷手紙で、相手を尊敬して直接指すのを避けて言う語。御許(おんもと)・おもと。おそば。参考 あて名の脇付(わきづけ)にも使う。類語 机下。**—の-めい【—の銘】**いつもおぼえていて、日常の戒めとする言葉。

さ-ゆり【▽小▽百▽合】《「さ」は接頭語》〔雅〕ユリ。

さ-よ【▽小夜】《「さ」は接頭語》〔雅〕よる。「—嵐(あらし)」

***さ-よう【作用】**《名・自サ》❶ある物の力が働いて、他の物に影響を与えること。また、その力の働き。「薬の—で痛みがとまる」❷生物の自然のいとなみ。「呼吸—」❸力学で、二つの物体が互いに力をおよぼし合うときの、一方の力。対 反作用。**—てん【—点】**〔理〕てこやそれを応用した道具で物体を動かすとき、物体に作用をおよぼす箇所。対 力点・支点。

***さ-よう【左様・▽然様】**■一《形動・副》《相手の話の内容を受けていう》そのよう。その通り。そう。〔古風な、また丁重な言い方〕「—なことは存じません」「—でしたか」表記 かなで書くことが多い。■二《感》相手の話を肯定する語。そのとおりだ。そうだ。しかり。〔やや古風な、また、やや堅苦しい言い方〕**—しからば【—▽然らば】**《連語》それならば。〔武士などが使った、四角ばった言い方〕参考「さよう」と受けて「しからば」と切り出す口上の文句から。

さよう-なら【左様なら・▽然様なら】■一《接続》〔文〕《「さようならば」の略》それなら。それでは。■二《感》〔「さようならば、別れよう」の意で〕別れるときに言うあいさつ語。さよなら。グッドバイ。表記 多く、かな書き。

さよ-きょく【▽小夜曲】セレナーデ。

さ-よく【左翼】❶左のつばさ。❷〔隊列・座席など〕左右にひろがったものの、左側の部分。❸急進的・過激な思想。また、そのような思想をもつ人々の集まり。参考 一八世紀末のフランス議会で急進派が議長席からむかって左側に席をしめていたことによる。類語 左派。❹野球で、本塁からむかって左側の外野。また、そこを守る役の人。レフト。対 ①〜④右翼。

ざ-よく【座浴・×坐浴】《名・自サ》病人が腰のあたりから下だけを温湯につけて行う治療法。腰・下腹部の血行をうながす。腰湯(こしゆ)。

さよ-なら■一《感》→さようなら。■二《名・自サ》〔俗〕別れること。■三《接頭》〔俗〕《名詞につけて》それで・終わりとなる(決着がつく)もの、の意。「—ホームラン」

さより【▽細▽魚】サヨリ科の海魚。からだは細長く、下あごが長く突き出ている。背は青緑色で腹は銀白色。食用とし、淡泊な味が好まれる。

***さら【皿】**❶食物などを盛る、浅くて平たい入れ物。❷さら①にもって出す料理。「次から次に—が出る」❸さら①のような形をしたもの。「ひざの—」

***さら【▽新】**《形動》一度も使っていないこと。新しいこと。おはつ。まっさら。「—のシャツを着る」

ざら■一《名》❶「ざら紙」の略。❷「ざらめ」の略。■二《形動》〔俗〕幾らでもあって珍しくないようす。「—にある」

さ-らい【再来】《接頭》《「週」「月(げつ)」「年(ねん)」の上につけて》「次の次の」「翌々」の意。「—月」

***さら・う【▽復▽習う】**《他五》教えられたことをくりかえして勉強する。復習する。さらえる。参考 名詞形は「おさらい」が普通。多く芸事について言う。表記「温習う」とも書く。文《四》。

***さら・う【×攫う・×掠う】**《他五》❶〔すきを見て〕急に奪い去る。「子供を—・う」「鳶(とんび)に油揚(あぶらげ)を—・われる」❷〔その場にある物を〕残らず持ち去る。また、ひとり占めにする。「人気を—・う」文《四》。

***さら・う【×浚う・×渫う】**《他五》中にたまった物をきれいに取り除く。特に、川・井戸・堀などの底にたまった物を掘り除いて、深くする。さらえる。「おひつの飯を残らず—・う(=食べてしまう)」文《四》。

ざら-がみ【ざら紙】表面がざらざらした、あまり質のよくない西洋紙。わら半紙。ざら。

サラ-きん【サラ金】「サラリーマン金融」の略。消費者金融の一種。無担保だが、金利が高い。

さらけ-だ・す【×曝け出す】《他五》〔ふだん見えないものを〕すっかり出してしまう。「弱点を—・す」

さらさ【更×紗】❶人物・花・鳥・幾何模様などを独特の色調で捺染(なっせん)した綿布・絹布。花布(かふ)。参考 もと、インドやペルシアから渡来した。「オランダ—」「ジャワ—」❷花の色で、紅白がまじってさらさ①に似たもの。表記「更紗」は当て字。▽ポルトガル saraça

***さら-さら**《副》《「—と」の形も》❶乾いたものが軽くすれ合う音の形容。❷浅い川の水がよどみなく流れる音、また、お茶漬けをよどみなく流し込む音の形容。❸物事がつかえないで進むようす。特に、筆やペンなどでよどみなく書くようす。❹《自サ》湿りけや粘りけのないようす。(手触りが)べとべとしないようす。「—した砂」

***さら-さら【更更】**《副》《下に打ち消しの語を伴う》少しも。まったく。決して。「自信など—ない」

ざら-ざら《副》《「—と」の形も》❶《自サ》物の表面が細かくでこぼこしていて、さわった感じが滑らかでないようす。❷小さな堅い物が一時にふれ合う音の形容。

さらし【×晒(し)】❶さらすこと。さらしたもの。❷さらして白くした麻布・綿布。特に、さらしもめん。❸江戸時代、罪人をしばって市中におき、世人に見せた刑罰。❹さらしくび。

さらし-あめ【×晒(し)×飴】水あめの水分やまじりものを少なくして、白く作ったあめ。

さらし-あん【×晒(し)×餡】あずきのこしあんを天日・風にさらしてかわかし、粉にしたもの。ほしあん。

さらし-くび【×晒(し)首・×曝(し)首】江戸時代、罪人の首を切り、市中にさらして世人に見せた刑罰。また、その首。さらし。梟首(きょうしゅ)。類語 獄門(ごくもん)。

さらし-こ【×晒(し)粉】❶水にさらして白くした米の粉。❷→クロール石灰。

さらし-もの【×晒(し)者】❶さらし③の刑に処された罪人。❷多くの人の前で笑い物にされたり、恥をかかされたり、批評の対象にされたりする人。

さら-じゅ【×沙羅樹】フタバガキ科の常緑高木。原産地はインド。夏、芳香のある黄色の小花を多数つける。さらのき。しゃら。参考 →沙羅双樹(さらそうじゅ)。

さら・す【×晒す・×曝す】《他五》❶〔戸外に出して〕風雨や日光の当たるままにしておく。「風雨に—・された家」❷日光や風に当てて、湿りけをとりのぞく。虫ぼしをする。「蔵書を—・す」類語 さぼす。❸〔布・繊維などを〕薬品を使ったり日に当てたりして、白くする。漂白する。❹かくすところなく、(広く)人々の目に触れるようにする。「恥を—・す」❺危険な状態の中におく。「危険に身を—・す」❻〈目を—・す〉じっと見る。目を凝ら

す。❼さらし③④の刑に処する。文《四》

さら・そうじゅ【×沙羅双樹】釈迦が入滅(＝死去)したときにその地にはえていた沙羅樹。入滅の床の四方に二本ずつあったので「双」という。しゃらそうじゅ。参考 現在、日本で沙羅(双)樹とされるものは別種。

サラダ 新鮮な生野菜や果物を主にして、ドレッシングやマヨネーズなどであえる料理。▽salad **—な**【—菜】半結球性のチシャのこと。サラダに使う。

さら・ち【▽新地・更地】手入れをしていない土地。特に、建造物・立ち木などを取り除いた宅地。「—としての地価」表記「さら地」と書くことが多い。

ざら・つ・く《自五》ざらざらする。

さらで・だに【▽然らでだに】《副》〔文〕そうでなくてさえ。ただでさえ。さなきだに。

さらで・も【▽然らでも】《副》〔文〕そうでなくても。さらでだに。

さら・なる【更なる】《連体》いっそうの。ますますの。「—発展を望みます」

さら・に【更に】《副》❶同じ物事を、重ねてするようす。そのうえに。重ねて。「—災難が続く」❷今までより一段と。いっそう。ますます。もっと。「—速い球」❸〔文〕《下に打ち消しの語を伴って》少しも。ちっとも。いっこうに。「反省の色は—ない」

さら・ぬ【▽然らぬ】《「さあらぬ」の転》㊀《連語》〔文〕そうでない。㊁《連体》《「体」「様」「顔」などの語につけて》なんでもない。平気である。「—体をよそおう」

さら・ば【▽然らば】《「さあらば」の転》㊀《接続》〔文〕そうならば。それでは。㊁《感》〔文〕別れるときに言うあいさつ語。さようなら。「今こそ別れめ、いざ—」㊂《名・自サ》別れること。別れ。「「お—」の形で使われることも多い」「この世からお—する(＝死ぬ)」

さらば・える《自下一》《文語四段動詞「さらぼふ」から転じた語》❶〔雨風にさらされて〕骨ばかりになる。❷やせおとろえる。「老い—える」

さら・ばかり【皿×秤】はかる品物をのせる皿がついている、はかり。

サラファン ロシアの民族衣装の一つ。はなやかなししゅうをほどこした、袖なしの婦人服。▽ロシア sarafan

サラブレッド ❶馬の一品種。イギリス産の馬にアラビア系の馬を交配して改良した、競馬・乗馬用の優良種。❷血統・家柄のすぐれた人。毛なみのよい人。「財界の—」▽Thoroughbred

さら・まわし【皿回し】さらを指や棒などの先でまわす曲芸(をする人)。

サラミ 塩・ニンニクで味をつけたソーセージ。乾燥のみでつくる。サラミソーセージ。▽イタリア salami

ざら・め【▽粗目】❶「ざらめ糖」の略。結晶の粗い(あめ色をした)砂糖。❷「ざらめ雪」の略。積もった雪が日中とけ、夜間に凍ってざらめ糖のように粒状になったもの。

さら・ゆ【▽新湯】水を新しく入れてわかしたままで、まだだれもはいっていないふろの湯。あらゆ。

さらり《副》《「—と」の形で使う》❶手ざわりが軽くなめらかなようす。❷湿りけやねばりけのないようす。❸物事にこだわらず、あっさりしているようす。思いきりのよいようす。さっぱり。「うらみを—と流す」❹とどこおりなく進行するようす。「刀を—と抜く」

サラリー 月給。給料。▽salary **—マン** 給料生活者。月給取り。▽salaried man から。

サリー インドで、主としてヒンズー教徒の女性が着る衣装。腰から肩にまきつける、長い布。▽sari

ざり・がに【×蜊×蛄】❶ザリガニ科の節足動物。淡水にすむエビの一種。一対の大きなはさみをもつ。北海道・東北地方にすむ。食用。❷アメリカザリガニ。原産地はアメリカ南部で、一九三〇年ごろ日本にはいってきた。水田などにすみ、稲に害を与える。えびがに。

さりげ・な・い【▽然り気無い】《形》《「さありげない」の約》気持ちや考えを態度に表さず、何事もない風である。そんなようすを見せない。「—・い顔」

さり・じょう【去り状】昔、夫が妻を離縁する旨をしるした手紙。離縁状。三行半。

さり・とて【▽然りとて】《接続》《「さありとて」の転》〔文〕〔上の文の内容を受けて〕そうだからといって。だが。「—許すわけにはいかない」類語 さればとて。

さり・とは【▽然りとは】《接続》《「さありとは」の転》〔文〕〔上の文の内容を受けて〕そうであるとは。そうとは。「—気づかなかった」「—つらいね」

サリドマイド 睡眠薬の一種。妊娠初期にのむと、正常でない子が生まれることがわかり、日本など各国で製造・販売が禁止された。▽thalidomide

さり・ながら【▽然り×乍ら】《接続》《「さありながら」の転》〔文〕そうではあるが。しかしながら。

さ・りょう【茶寮】〔文〕❶茶の湯をおこなうへや。茶室。❷喫茶店。茶房。〔料理屋や喫茶店の名に添えて使う〕＝茶寮。

***さる**【猿】❶サル目のヒト以外の哺乳動物の総称。全世界の温帯・熱帯に分布し、種類は非常に多い。狭義には、特にニホンザルをさす。類語 えて。えて公。猿。猿猴。野猿。狒々。猩々。モンキー。❷ずるくて小才のきく人。〔人をあなどった言い方〕「—知恵」❸雨戸などの桟の上下や横にとりつけ、かもい・しきい・柱などにあけた穴にさしこみ、戸をさしかためるもの。❹自在かぎをあげてとめておく道具。参考→自在かぎ(図)

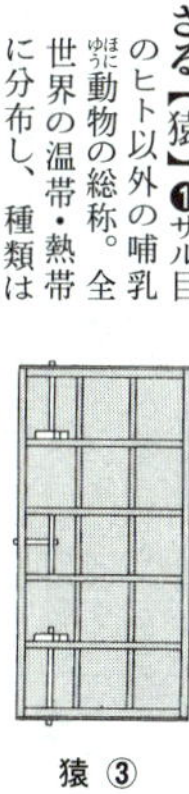

猿 ③

—に烏帽子《句》人柄にふさわしくない服装やふるまいをすることのたとえ。また、外見はりっぱだが、心の卑しいことのたとえ。類語 沐猴にして冠す。

—の人真似《句》よく考えずに人のまねをすることをあざけることば。類語 鵜の真似をする烏。

—も木から落ちる《句》その道にすぐれた者でも、時には失敗することがあるというたとえ。類語 弘法にも筆の誤り。河童の川流れ。孔子の倒れ。

***さる**【▽申】❶十二支の九番め。猿。❷昔の時刻の名。現在の午後四時、または、午後三時から五時の間。❸昔の方位の名。西南西。

***さる**【去る】《連体》過ぎ去った。「—八日」対 きたる。

***さる**【▽然る】《連体》《「さあり」の連体形から》❶〔文〕そのような。「—話は聞かず」類語 しかる。❷具体的な名前・場所を示さないで、ばくぜんとそれをさして言う語。ある。とある。「昔—所に」❸それ相応の。したたかな。「敵も—者」

***さ・る**【去る】㊀《自五》❶ある場所から離れて行く。いなくなる。「その場を—る」謙譲 (する)拝辞。❷時が過ぎて、それまでの状態ではなくなる。㋐ある時期・季節などが過去へ遠のく。「昭和の時代が—る」㋑ある状態

が・終わりになる(消えうせる)。「苦しみが―・る」❸〔空間的・時間的に〕へだたる。距離がある。㋐ある所からへだたる。㋑ある時から過去へ・へだたる(さかのぼる)。❹〔古〕…の時期が近づく。時分・季節がいたる。「春―・れば」参考↓去る《連体》。文《四》。㊁《他五》離れさせる。遠ざける。捨てる。「俗念を―・る」文《四》。㊂《接尾》見事に…してのける。完全に…する。「全聴衆を魅了し―・る」文《四》。

―る者は追わず《句》離れ去って行く人は無理にひきとめず、去るままにしておく。参考「来たる者は拒まず、去る者は追はず〈公羊伝〉」から。

―る者は日日に疎し《句》親しかった者でも、遠く離れるにしたがって、しだいに親しみがうすれていく。また、死者は月日がたつにしたがって、しだいに忘れられていく。参考「去る者は日に以て疎く、来たる者は日に以て親しむ〈文選〉」から。

ざる【×笊】❶細く裂いた竹などで編んだ(浅い)容器。水を切るときなどに使う。参考〔ざるから水がもれるように〕粗雑なもの、手ぬかりの多いことの意にも使う。「―法」❷「ざるそば」の略。❸「ざる碁」の略。

さる-がく【猿楽・▽散楽・▽中楽】日本の中古・中世に行われた民衆的演芸の一つ。中国の散楽から転化したもので、こっけいなものまね・曲芸などを主とした。能楽・狂言などのもととなった。猿楽。

さる-ぐつわ【猿×轡】声を立てさせないために、口に押しこんだりかませたりするもの。てぬぐいなどの布を用いる。「―をはめる」

ざる-ご【×笊碁】〔すきまだらけの意で〕へたな(あらっぽい)囲碁。へぼ碁。ざる。

さる-しばい【猿芝居】❶猿をならして芝居のまねをさせる見せ物。❷へたな芝居。〔あざけって言う語〕❸浅はかでおろかな行動。見えすいたしわざ・たくらみ。「そんな―にはだまされない」類語茶番。田舎芝居。

さる-すべり【▽百▽日▽紅・猿滑】ミソハギ科の落葉高木。樹皮は褐色でつやがあり、(サルも滑りそうなほど)なめらか。夏から秋にかけて白色または紅色の小花をひらく。材は細工用。百日紅。参考花期の長いことから「百日紅」と書く。

ざる-そば【×笊×蕎▽麦】すのこをしいた容器やざるなどに盛ったゆでそば。多く、細く切った焼きのりがかかっている。ざる。参考「一枚…」と数える。

サルタン イスラム教国の君主。特に、トルコの皇帝。スルタン。▽sultan

さる-ぢえ【猿知恵】気がきいているようで、肝心のところが抜けているあさはかな知恵。〔軽べつして言う〕類語浅知恵。

さる-ど【猿戸】❶庭園の出入り口に設ける簡素な木戸。❷内側の横木を柱の穴に差してしめる戸。

さる-の-こしかけ【猿の腰掛】担子菌植物多孔菌科に属する木質のキノコ類の総称。多くは、扁平な半月形で茎はなく、木の幹から水平に棚状に発育する。細工物の材料や、薬用にする。

サルバルサン 梅毒その他のスピロヘータ感染症の特効薬。六〇六号。ヒ素剤のため、激しい副作用をおこすことがある。参考㋐商標名。㋑各種抗生剤の出現で、現在は使用されなくなった。▽Salvarsan

サルビア ❶シソ科の多年草。夏、紫色の唇形の花を穂のように開く。葉は興奮剤・うがい薬・西洋料理の香料として用いる。セージ。❷シソ科の一年草または多年草。秋、赤い花を開く。観賞用として栽培。ひごろもそう。▽salvia

サルファ-ざい【サルファ剤】(sulfa drugs) 化膿性の病気やりん病・肺炎などの化学療法剤の総称。スルフォンアミド剤。スルファ剤。

サルベージ 海難救助。特に、沈没船などを引き上げる作業。「―船」▽salvage

ざる-ほう【×笊法】大ざっぱで抜け穴だらけの法律。

さる-ほどに【▽然る程に】《接続》《「さあるほどに」の転》〔文〕❶そうしているうちに。そのうちに。❷さて。ところで。

さる-また【猿×股】腰から股をおおうための、男子用の短い下着。パンツ。

さる-まね【猿真▽似】しっかりした考えを持たずに、やたらに他人のまねをすること。本質をとらえないで、うわべばかりをまねすること。

さる-まわし【猿回し】猿に芸をさせて見せ物にする職業の人。猿引き。猿つかい。

ざる-みみ【×笊耳】聞いてもすぐに忘れてしまうこと。

さる-めん【猿面】❶猿に似ている顔。❷猿の顔にかたどった面。

―かんじゃ【―冠者】❶猿の顔に似ている若者。❷豊臣秀吉の若いころのあだ名。＝猿面冠者。

サルモネラ-きん【サルモネラ菌】(salmonella) 腸チフス・パラチフス・食中毒などの原因となる、腸内病原菌の一群。ネズミなどに寄生して運ばれる。

さる-もの【▽然る者】《連語》ぬけめのない人。油断のできない人。したたか者。「敵も―、ひっかくもの」

さ-れき【砂×礫】〔文〕砂と小石。砂石。しゃれき。

され-こうべ【×髑×髏】《「曝され頭」の意》風雨にさらされて皮肉が落ち、白骨になった頭蓋骨。しゃれこうべ。しゃりこうべ。どくろ。類語野ざらし。

***ざれ-ごと【▽戯(れ)事】**本気でなく、ふざけ半分にすることがら。〔古風なことば〕類語たわむれ。お遊び。

***ざれ-ごと【▽戯(れ)言】**ふざけて言うことば。じょうだん。〔古風なことば〕「―の好きな人だ」

され-ど【▽然れど】《接続》《「さあれど」の転》〔文〕前の事柄と後の事柄とが対立関係にあることを表す。そうではあるが。しかし。だが。「たかが野球、―野球」

され-ば【▽然れば】《接続》《「さあれば」の転》〔文〕❶前の事柄を受けて後の事柄がその帰結として起こることを表す。そうであるから。だから。「―といって、うまい方法もない」❷話題を転じるときに用いる。さて。ところで。〔古風な言い方〕参考「―も」の形をとることもある。

ざ・れる【▽戯れる】《自下一》ふざける。たわむれる。じゃれる。〔古風な言い方〕文ざ・る《下二》。

***サロン** ❶〔西洋風邸宅の〕客間・応接間。広間。サルーン。❷美術などの展覧会。また、その展覧室。❸〔上流社会の〕社交的な集まり(の場)。❹喫茶店・美容院・バーなどの名として用いられる語。▽フランス salon

***サロン** インドネシア・スリランカなどの民族衣装。たけ一メートル前後、幅二メートル以上の布を腰に巻きつけるもの。おもに女性用。▽オランダ・英 sarong

***さわ【沢】**❶低地で、浅く水がたまり草がしげっている所。「しぎ立つ―」類語湿原。湿地帯。❷源流に近い、山あいの谷川。「―歩き」「―登り」

***さ-わ【茶話】**〔文〕〔何人かが集まって〕お茶などをのみ

ながら、気軽にする話。茶話(ちゃわ)。「―会」類語雑談。

さわがし・い【騒がしい】《形》❶大きな物音・人声がして何か事が起こっているようである。やかましくて落ち着いていられないほどである。「―・い工事の音」類語うるさい。❷〔世の中が〕平静でない。おだやかでない。「世情が―・くなってきた」文さわが・し《シク》

さわが・せる【騒がせる】《他下一》騒ぐようにする。騒ぎをおこす。騒がしい状態にする。騒がす。「世間を―・せた怪事件」文さわが・す《下二》

さわ・がに【沢×蟹】サワガニ科に属するカニの総称。谷川の清流にすみ、甲の色は青・紫・褐色など。

さわぎ【騒ぎ】❶騒ぐこと。❷事件。騒動。「とんだ―がもちあがった」類語波乱。狂騒。❸〈「…どころの―」の形で〉…程度の事情。〔下に打ち消しを伴って〕「とんでもない」の意。「ゴルフどころの―じゃない」

さわぎ・た・てる【騒ぎ立てる】《自下一》騒いで人に知れるようにする。大きく騒ぐ。

さわ・ぐ【騒ぐ】《自五》❶やかましく声を立てる。また、ざわざわと音を立てる。類語騒ぎ立てる。はしゃぐ。ざわつく。ざわめく。さざめく。さんざめく。沸(わ)き立つ。沸(わ)き返る。鼎(かなえ)の沸(わ)くが如(ごと)し。❷多くの人が、ある特定の人・事物に向かって、いろいろと言い立てる。㋐もてはやす。「若者に―・がれている歌手」㋑うるさく抗議・反対・要求などをして、秩序をみだす。「民衆が―・ぐ」❸〔不安・心配などのため〕心がおだやかでなくなる。「うわさに胸が―・ぐ」「心が―・ぐ」❹驚いたりおそれたりして、あわてふためく。うろたえる。「少しも―・がずに処置する」文《四》

ざわ・ざわ《副》〔「―と」の形も〕❶《自サ》多くの人が小声で話し合ったり動いたりして、落ちつかないようす。❷木の枝や葉がふれ合ってたてる音の形容。

さわ・す【×醂す】《他五》❶柿(かき)の実の渋をぬく。あわす。参考秋の季語。❷水につけてさらす。❸黒漆をつやの出ないように薄くぬる。文《四》

ざわ・つ・く《自五》ざわざわする。ざわめく。

さわ・べ【沢辺】さわ❶のほとり。さわの近く。

ざわ・め・く《自五》〔小さな物音や人の話し声などで〕さわがしくなる。ざわざわする。ざわつく。「教室が―・く」

さわ・やか【×爽やか】《形動》❶さっぱりして心地よいようす。すがすがしいようす。「―な朝」❷声などがよどみなく、はっきりしているようす。「弁舌―」

***さわら【×椹】**ヒノキ科の常緑高木。ヒノキに似ている。材は良質で、風呂桶(ふろおけ)や建具を作る。さわらぎ。

***さわら【×鰆】**サバ科の海魚。からだは細長く、背はうすい灰青色で斑紋(はんもん)が多い。食用。

さ・わらび【▽早×蕨】〔雅〕芽を出したばかりのワラビ。

***さわり【触り】**❶さわった感じ。また、人に接したときの感じ。類語あたり。感触。❷義太夫節や浄瑠璃(じょうるり)で、一曲のうち一番よい聞かせどころ。くどき。❸小説や話のかんじんなところ。「演説の―の部分」

***さわり【障り】**❶さしつかえ。さしさわり。故障。支障。また、じゃまになるもの(こと)。❷病気。「お―ありませんか」❸月経。月のさわり。

***さわ・る【触る】**《自五》触覚でそのものの存在がわかる位置に近づく。ふれる。「足が何かに―・った」文《四》。⇩〔使い分け〕

―らぬ神に祟(たた)り無し《句》よけいなことには手を出すなというたとえ。

***さわ・る【障る】**《自五》❶さしつかえる。害になる。「おなかに―・る」「就職に―・る」❷〈「気に―・る」「神経に―・る」などの形で〉気分を害する。感情を害する。文《四》。⇩〔使い分け〕

> **使い分け「さわる」**
>
> **触る**〔そっとふれる〕手で肩に触る・触らぬ神にたたりなし・寄ると触ると・肌触り［舌触り・口触り・歯触り・手触り・人触り］がよい・触りを聞かせる
>
> **障る**〔さしつかえる。気分を害する〕おなかに障る・縁談に障る・健康に障る・気に障る・神経に障る・癪(しゃく)に障る・差し障りがある・当たり障りがない・目障りな人・耳障りな言葉・気障りなことを言う
>
> 参考「気にさわる・神経にさわる」など感情を害する意では「触る」とも書くことがあるが、これは当用漢字表の「障」に「さわる」の訓が認められていなかったころの名残であろう。「〜ざわり」の形では、「〜触り」はよい意味に、「〜障り」は悪い意味に使う。

さ・わん【左腕】左のうで。「―投手」対右腕。

***さん**《接尾》〔「さま」の転〕❶〔人名や人を表す語などにつけて〕軽い尊敬や親愛の意を表す。また、動物名などにつけて親愛の意を表すこともある。「山田―」「八百屋―」「おさる―」❷〔あいさつのことばなどにつけて〕ていねいな気持ちを表す。「ご苦労―」「お早う―」参考「様」よりも親しみのある言い方。

***さん【山】**《接尾》❶やまの名につける語。「富士―」❷〔寺の名前に重ねて〕その寺の別称としての山号を表す。「高野(こうや)―金剛峯寺(こんごうぶじ)」

***さん【散】**《接尾》「こなぐすり」の意。「胃―」

***さん【桟】**❶板が反るのを防ぐために打ちつける細い木。❷戸・障子・格子窓などの骨。❸はしご・やぐら・土台などの横木。❹〔文〕かけ橋。❺戸の、猿(さる)❸。

***さん【産】**㊀《名》❶子をうむこと。分娩(ぶんべん)。出産。❷その土地で生まれる(とれる)こと。生まれ。出身。産出。「山形の―」❸〔文〕財産。「―を成す(=財産を作る)」「―を破る(=破産する)」㊁《接尾》〔地名につけて〕「…でとれる」の意。「信州―のリンゴ」

―を傾・ける《句》❶全財産を仕事などにつぎ込む。「村のために―・ける」❷財産を使ってなくしてしまう。

***さん【算】**㊀《名》❶占いに使う算木。転じて、占い。❷和算に使う木。❸〔算木やそろばんを使って〕かぞえること。計算すること。「―を入れる」「―が合う」「―無し(=かぞえきれないほど多い)」❹もくろむこと。はかること。手だて。算段。見込み。「―が立たない」類語目算。㊁《接尾》「計算(方法)」「勘定」の意。参考多く、「ざん」となる。「つるかめ―」

―を乱・す《句》〔算木を乱したように〕ばらばらになる。ちりぢりになる。

***さん【賛・×讃】**❶漢文の一体。人物・事物をほめたたえる韻文。❷画面にその絵に関した詩・歌・文章などを書きつけること。また、その詩・歌・文章。画賛。

***さん【酸】**❶すっぱい味(のする液体)。酢(す)。❷水にとけて酸性の反応を示す水素化合物の総称。水にとけると水素イオンができて青色のリトマス試験紙を赤くかえる。硫酸・塩酸・硝酸など。対アルカリ。

***さん【惨】**《形動タリ》〔文〕みじめで痛ましいようす。心を痛めるようす。ひどく悲しむようす。

***さん【×燦】**《形動タリ》〔文〕鮮やかにきらきら輝くようす。「―たる光景」

また、際だって輝かしいようす。「―として輝く」

***ざん【残】** 残り。特に、差引勘定をしたあとに残った金高。残金。残高。「三〇〇円の―」

***ざん【×讒】** 〔文〕人をおとしいれるために言う作りごと。悪意のあるかげ口。讒言。「―にあって左遷される」

さん-い【賛意】 〔他人の意見・議案などに〕賛成する気持ち。賛成の意志。「提案に―を表す」類語 同意。

さん-いつ【散逸・散×佚】 《名・自サ》〔まとまっていた書物・書類などが〕ちりぢりになってなくなること。ちりうせること。散失。「―した古文書」「資料が―する」

***さん-いん【参院】** 「参議院」の略。対 衆院。

***さん-いん【山陰】** ❶〔文〕山のかげ。山の北側。対 山陽。❷「山陰道」の略。❸「山陰地方」の略。 **―ちほう【―地方】** 中国地方の北側で、日本海に面する地方。 **―どう【―道】** 五畿七道の一つ。現在の中国地方の日本海沿岸地方。

***さん-いん【産院】** 出産に関する医療を行う医院。

さん-う【山雨】 〔文〕山の方から降ってくる雨。また、山中であう雨。 **―来たらんとして風楼に満つ** 《句》何か事が起ころうとする直前、まわりのようすが何となくおだやかでないたとえ。〈許渾・咸陽城東楼〉

ざん-えい【残映】 ❶夕焼け。夕ばえ。❷消えかけたものの最後のかがやき。「江戸文化の―」類語 名残。

さん-えん【三猿】 両手で、それぞれ目・耳・口をおさえている三びきの猿の像。「見ざる・聞かざる・言わざる」の意を表す。

ざん-えん【残炎・残×焔】 〔文〕❶消え残っているほのお。参考 ひゆ的に、消え残っているわずかな勢いの意にも使う。「革命後も王党派が―を保っていた」❷秋になってもなお残っている暑さ。残暑。

***さん-か【傘下】** 〔「からかさの下」の意から〕大きな勢力をもつ人物・団体などの下に属し、支配・指導を受ける立場にあること。翼下。「大企業の―に入る」

***さん-か【参加】** 《名・自サ》なかまに加わること。「デモに―する」類語 参列。加入。参与。参画。対 脱退。

***さん-か【参稼】** 〔文〕組織や団体の中で、自分の特殊な能力・技術を生かした仕事をすること。「―報酬」

***さん-か【山×窩】** 山間・河原などを転々と移動して自然人のような生活を送り、独自の社会を作っていた民。竹細工・狩猟などを業とした。山窩。参考 明治以後、定住奨励政策がとられた。

***さん-か【惨禍】** 〔天災・火事・戦争などによる〕むごたらしくいたましい不幸。思わず目をそむけたくなるような災難。「原爆の―を受けた広島・長崎」類語 惨害。

***さん-か【産科】** 妊娠・出産・新生児を対象とする医学の一分科。

***さん-か【賛歌・×讃歌】** ある物事をほめたたえる歌。賛美する詩(的なもの)。「愛の―」類語 頌歌。

***さん-か【酸化】** 《名・自他サ》物質が酸素と化合すること。また、物質から水素を奪うこと。「―物」対 還元。

***さん-が【参賀】** 《名・自サ》〔新年または宮中の祝事などのとき〕皇居に行き、天皇に賀意を表し、また祝いの言葉を申し上げること。また、その記帳をすること。

***さん-が【山河】** 〔文〕❶山と川。❷山や川が形づくっている自然。風土。「国破れて―あり」類語 ①②山川。江山。山水。＝山河。

***ざん-か【残火】** 〔文〕❶消えないで残っている火。残り火。❷暁の茶会で、前夜からの灯籠の火が露地〔茶庭〕を照らしているもの。残灯。

***ざん-か【残花】** 〔文〕散り残っている花。

***さん-かい【参会】** 《名・自サ》会合に出席・参加すること。「懇親会に―する」類語 参列。参集。

***さん-かい【山塊】** 〔断層の結果できた〕山脈から分かれて孤立している一群の山。参考 ↓山脈。

***さん-かい【山海】** 山と海。 **―の-ちんみ【―の珍味】** 《連語》山や海でとれる珍しい食べ物。

***さん-かい【散会】** 《名・自サ》会合が終わること。また、会合が終わって出席した人々が立ち去ること。

***さん-かい【散開】** 《名・自サ》❶〔集まった人などが〕ちらばりひろがること。「道いっぱいに―したデモ」❷〔軍隊の戦闘隊形で〕兵隊が一定の距離をおいて広くちらばること。また、その隊形。

***さん-がい【三界】** [一]《名》❶一切の衆生が生死をくり返す三つの迷いの世界。欲界・色界・無色界をいう。❷三千世界。全世界。[二]《接尾》《地名につけて》「…のような遠い所」の意。くんだり。〔古風な言い方〕「アメリカ―を放浪する」 **―の首枷** 《句》のがれることのできない、人間世界の束縛・苦悩。「子は―」

***さん-がい【惨害】** 〔天災や事故などによる〕むごくいたましい被害・損害。「台風による―」類語 惨禍。

ざん-がい【残×骸】 ❶〔戦場・被災地などに〕とり残されている死体。むくろ。❷〔戦闘・災害・事故などで〕元の形をとどめないほどめちゃめちゃに焼けたりこわれたりした物の残りの部分。「墜落した旅客機の―」

さんかい-き【三回忌】 人の死後満二年めにあたる年忌。三周忌。三年忌。

***さん-かく【三角】** ❶三つの角を持った形。三角形。❷「三角法」の略。 **―かんけい【―関係】** 三人の男女の間にむすばれる、もつれた恋愛関係。「―を清算する」 **―かんすう【―関数】** 直角三角形の直角でない一角の大きさによって定まる関数。三角比。 **―きん【―×巾】** 正方形の布を対角線のところで二つに切った形のもの。ほうたいに用いたり、調理・掃除などのとき頭にかぶったりする。 **―けい【―形】** 一直線上にない三点を結ぶ三つの線分が作る図形。三つの角をもつ図形。また、それに似た形(のもの)。さんかっけい。 **―す【―×州】** 上流から流されてきた土砂が河口のあたりに堆積してできた、三角形の砂地。デルタ。 **―すい【―×錐】** 底面が三角形の錐体。四面体。 **―そくりょう【―測量】** 地上に設定したいくつかの点を結んで三角形の網の目を作り、各頂角の大きさを測って、計算により各辺の長さや各点の位置を求めていく測量法。地図の作成に用いる。 **―ちゅう【―柱】** 底面が三角形である角柱。プリズムなど。 **―てん【―点】** 三角測量の際に基準とする定点。また、そこに設けた、かこう岩の角柱の標識。 **―なみ【―波】** 方向の異なる二つ以上の波が重なってできる、〔三角形の〕高い波。外洋で暴風の中心部や、海岸で絶壁になっている所などにできる。さんかくは。 **―ひ【―比】** 三角関数。 **―ほう【―法】** 三角関数の性質や、その応用を研究する数学の一分野。

***さん-かく【参画】** 《名・自サ》〔政策・事業などの〕計画に加わること。「緑化事業に―する」類語 参与。

***さん-がく【参学】** 《名・自サ》仏の正しい教えを学ぶこと。仏学を修めること。

***さん‐がく**【山岳】〔文〕山。特に、高くて険しい山。「―地帯」**―しんこう**【―信仰】山岳を霊的なもの、神聖なものとして信じたっとぶこと。

***さん‐がく**【産額】生産・産出される、製品や原料の数量。また、それを金額で表したもの。類語 生産高。

ざん‐がく【残額】ある金額・数量からさし引いて、残った金額・数量。残。類語 残高。

さんがく‐きょうどう【産学協同】産業界と大学および研究機関が力を合わせること。研究資金・技術開発・開発成果の活用などで協力し合う関係。

さん‐がつ【三月】一年の三番めの月。弥生。

さんかっ‐けい【三角形】→さんかくけい。

さんが‐にち【三箇日】正月元日から三日までの三日間。表記「三が日」と書くことが多い。

***さん‐かん**【参看】《名・他サ》〔文〕照らし合わせて見くらべること。参照。「前章―のこと」

***さん‐かん**【参観】《名・他サ》〔第三者が〕その場に出向いて行って実況を見ること。「授業を―する」

***さん‐かん**【山間】山と山との間。山の中。また、その土地。山あい。「―僻地」類語 山中。

さんかん‐しおん【三寒四温】冬、三日ほど寒い日が続いた後四日ほど暖かい日が続き、これがくり返される現象。参考 冬の季語。

ざんかん‐じょう【×斬×奸状】悪人を切り殺す場合に、相手の罪状と自分の意図をしるした文書。

さん‐き【山気】〔文〕山に特有の、ひえびえとした空気。山にたちこめる霧・もやなどのひんやりとした気。

***さん‐ぎ**【参議】❶《名・自サ》国家の政治に関する議事に参与する・こと(人)。❷昔、太政官の中に置かれた官職。大・中納言につぐ重要な職。宰相。❸明治の初期、太政官の左右大臣の次に位して、朝政に参与した官職。**―いん**【―院】衆議院とともに国会を構成する一院。衆議院に対して補正・抑制の機能をもつ。解散はない。参院。

***さん‐ぎ**【算木】❶易でうらないに使う、長さ九センチぐらいの角柱状の六個の木。❷中国から伝わり、和算で運算に使われた角柱状の小さな木。算。

ざん‐き【×慚×愧・×慙×愧】《名・自サ》〔文〕〔かえりみて〕みずから心に深く恥じること。「―にたえない」

ざん‐ぎく【残菊】菊の節句、すなわち重陽(陰暦九月九日)過ぎまで咲いている菊の花。また、秋の末から冬の初めのころまで咲き残っている菊の花。

さん‐きゃく【三脚】❶三本の足。「二人―」❷開閉・伸縮の自由な三本脚のついた台。カメラ・望遠鏡・カンバスなどをのせる。三脚架。❸三本脚で、折りたたみができる携帯用のこしかけ。三脚いす。

ざん‐ぎゃく【残虐】《名・形動》〔生き物に対してなす行為が〕むごたらしいこと。「―な行為」「―の限りをつくす」類語 残酷。残忍。苛虐。

***さん‐きゅう**【産休】「出産休暇」の略。女性が出産のためにとる、出産前後の有給休暇。

***サンキュー**《感》ありがとう。▽Thank you.

***さん‐きょ**【山居】《名・自サ》〔文〕山の中に住むこと。また、その住まい。山ずまい。

***さん‐きょ**【散居】《名・自サ》〔集落を作らず〕互いに散らばって住むこと。対 群居。

さん‐きょう【山峡】〔文〕山と山とにはさまれた、せまい所。谷間。山峡。類語 峡谷。渓谷。山谷。

***さん‐ぎょう**【三業】料理屋・待合・芸者屋の三種の営業。「―組合」「―地」

***さん‐ぎょう**【産業】人間がその生活に必要ないろいろな財貨を生産する事業。広義には、生産に直接結びつかない商業・運輸業・金融業・サービス業なども含める。「―の振興」「第一次―」**―かくめい**【―革命】(industrial revolution)手工業から機械工業へ、マニュファクチュアから工場制へ移りかわっていった、技術上・産業上の諸変革。これによって封建制度が打破され、資本主義制度が確立されていった。一八世紀末のイギリスに起こり、のち各国に及んだ。**―しほん**【―資本】商品の生産に投じられる資本。**―はいきぶつ**【―廃棄物】汚泥・廃油など、生産活動によって生じた廃棄物。**―よびぐん**【―予備軍】資本主義社会で生み出される失業労働者群。

***さん‐ぎょう**【蚕業】養蚕と、関連する製糸の事業。

***さん‐ぎょう**【賛仰・×鑽仰・×讃仰】《名・他サ》〔文〕〔聖人・偉人の〕徳をあおぎたっとぶこと。ほめたたえること。賛仰。表記 本来は「鑽仰」。

ざん‐きょう【残響】ある音が鳴りやんだあとまで、(壁や天井に反射して)持続して聞こえる音響。

ざん‐ぎょう【残業】《名・自サ》勤務時間をこえて、あとに残って仕事をすること。また、その仕事。

さん‐きょく【三曲】琴・三味線・尺八(あるいは胡弓)の三つの楽器。また、それらによる合奏。

ざん‐ぎり【▽散切(り)】髪をそらずに長くのばしてうしろへなでつけ、端をそろえて切った髪型。特に、明治の初め、月代をそらずに西洋風に短く切った髪。ざんぎりあたま。斬髪。散髪。

散切

***さん‐きん**【参勤・参×覲】《名・自サ》❶出仕して主君に目通りすること。❷江戸時代、大名が江戸に出て将軍に謁見し幕府に出仕したこと。参府。**―こうたい**【―交代】江戸時代、幕府が諸大名を江戸に参勤させた制度。江戸在府と在国を一年おきにくりかえすことを原則とした。

***さん‐きん**【産金】〔金鉱から〕金を産出すること。また、産出された金。

ざん‐きん【残金】❶支出後に手元に残っている金。類語 差金。❷未払いになっている金。また、その金額。類語 ①②残額。

さん‐く【惨苦】悲惨な苦しみ。「人生の―をなめる」

さん‐ぐう【参宮】《名・自サ》神社、特に伊勢神宮に参拝すること。

サンクスギビング‐デー 米国の祝祭日の一つ。一年の収穫を祝い、神に感謝する日。一一月の第四木曜日。感謝祭。参考 七面鳥、かぼちゃのパイなどを食べる。▽Thanksgiving Day

サンクチュアリ ❶侵してはならない神聖な場所。聖域。❷戦争で攻撃を控える地域。また、ゲリラ戦で安全な隠れ場所となる地域。❸鳥獣の保護区域。「バード―」▽sanctuary

サン‐グラス まぶしい光を防いで、紫外線などから目を保護する、色つきのめがね。▽sunglasses

さん‐ぐん【三軍】❶昔、中国周代の制度で、戦争の時に大国が出す、上軍・中軍・下軍の大軍。転じて、軍隊全体。全軍。❷陸軍・海軍・空軍の総称。

さん-け【産気】今にも子どもが生まれそうなけはい。

さん-げ【散華】❶仏を供養して仏前に花をまきちらすこと。特に、法会のとき、行列を作って読経しながらハスの花びらをかたどった紙をまくこと。❷《名・自サ》〔「花と散る」意で〕(はなばなしく)戦死すること。

ざん-げ【×懺▽悔】《名・他サ》過去に犯した罪過を悔い、神仏や人々の前で告白してわびること。また、心の中の真実を包みかくさず打ち明けること。「―録」 参考 古くは「さんげ」。仏教では「さんげ」と言う。

***さん-けい**【三景】景色の最もすぐれた三か所。 参考 日本三景は、宮城県の松島、広島県の厳島、京都府の天橋立。

***さん-けい**【参×詣】《名・自サ》神社・寺などにまいること。参拝。お参り。ものもうで。「―人」

***さん-けい**【山系】二つ以上の山脈が接近して、全体で一つの系列をなしているもの。「ヒマラヤ―」

さん-げき【惨劇】❶むごたらしい内容の劇。 類語 悲劇。❷むごたらしい事件。悲惨な出来事。 類語 惨事。

***さん-けつ**【三傑】〔その分野で〕特に優れた三人。「維新の―(=西郷隆盛・大久保利通・木戸孝允)」

***さん-けつ**【酸欠】「酸素欠乏」の略。ある場所の空気中の酸素の量が欠乏すること。「―状態」

ざん-けつ【残欠・残×闕】一部が欠けていて不完全なこと。また、そのもの。「古写本の―が発見された」

ざん-げつ【残月】〔文〕明け方の空に消えずに残っている月。有明の月。残んの月。 参考 秋の季語。

***さん-けん**【三権】〔法〕立法権・司法権・行政権の三種の国家統治権の総称。「―分立」

***さん-けん**【散見】《名・自サ》〔同種のものが〕あちこちに少しずつ見えること。「誤植が―されるのは残念だ」

さん-げん【三弦・三×絃】❶雅楽で使う三種の弦楽器。琵琶・和琴・箏。❷「三味線」の別称。

ざん-げん【×讒言】《名・自サ》人をおとしいれるために、事実をまげたり、ありもしない悪事をこしらえたりして、目上の人に告げること。また、その言葉。讒口。讒。 類語 中傷。告げ口。

さん-げんしょく【三原色】適当に配合することによってすべての色を表現することができる、三つの基本的な色。絵の具では赤・黄・青、光では赤・緑・青。

さん-こ【三顧】〔文〕目上の人が、あるすぐれた人に仕事を引き受けてもらうために、何度も訪問してじゅうぶんに礼儀をつくして頼むこと。三顧の礼。「―の礼をつくす」 故事 中国の蜀の劉備が諸葛孔明を三度も訪問して軍師に迎え得た故事から。

***さん-ご**【三五】❶〔三と五の積から〕十五夜。特に、八月十五夜。三五夜。「―の月」❷〔三と五の意から〕まばらなこと。ちらばっていること。三三五五。

***さん-ご**【×珊×瑚】❶サンゴチュウが海底の岩に着生して群体を作ったのち、個体が死んであとに残った石灰質のほねぐみ。樹枝状または塊状をなす。美しいものは加工して装飾品にする。❷「珊瑚虫」の略。❸「珊瑚珠」の略。「金銀―綾錦」 **―じゅ**【―珠】さんご①を加工・細工した装飾用の玉。さんご。 **―じゅ**【―樹】❶木の枝の形をしたさんご①。❷スイカズラ科の常緑小高木。実は熟すと赤くなる。生垣などにする。 参考 赤い実をさんごにみたてた名。 **―しょう**【―礁】おもにサンゴチュウの群体の遺骸がつもってできた岩礁や島。熱帯・亜熱帯地方の浅い澄んだ海に発達する。 **―ちゅう**【―虫】花虫綱に属する刺胞動物の一群。微小な虫で、常に群体をなし、海底に付着して「さんご」を形成する。

***さん-ご**【産後】子どもを産んだあと(しばらくの間)。お産のあと。「―の肥立ち(=回復)が悪い」 対 産前。

***さん-こう**【三后】太皇太后・皇太后・皇后の総称。三宮。

***さん-こう**【三更】昔の時刻の呼び名。五更の第三で、今の午後十一時ごろから午前一時ごろまでの間。子の刻。丙夜。

***さん-こう**【三皇】中国古代の伝説上の、理想的な三人の君主。伏羲・神農・黄帝、伏羲・神農・女媧、伏羲・神農・燧人、または天皇・地皇・人皇。

***さん-こう**【参向】《名・自サ》〔文〕位の高い人のところへ出向くこと。参上。

***さん-こう**【参考】〔他の物事を〕ひきあわせて自分の考えを決める際の足しにすること。また、その材料。「―文献」 類語 参照。 **―にん**【―人】〔法〕❶犯罪捜査上、警察などによって取り調べを受ける者のうち、被疑者以外の者。❷国会の委員会で、審査または調査のため意見を求められる人。

***さん-こう**【山行】〔文〕❶山に(遊びに)行くこと。山歩きに行くこと。山行き。「ヒマラヤ―」❷山を越えて行くこと。山の中を旅すること。

***さん-こう**【散光】表面で乱反射して散乱した光。

***さん-こう**【×鑽孔】《名・自サ》あなをあけること。パンチを入れること。「―カード」

さん-ごう【山号】寺院の名称の上につける「山」の称号。金竜山浅草寺の「金竜山」の類。

ざん-こう【残光】〔文〕消え残っている光。 参考 多く、日没後の夕日の光などにいう。 類語 残照。

ざん-ごう【×塹×壕】野戦で、敵弾をさけるためにみぞを掘り、周囲に土や土嚢を積み上げたもの。

さん-ごく【三国】❶三つの国。「―同盟」❷昔、日本・唐(中国)・天竺(インド)の三つの国。 参考「全世界」の意味で用いた。❸中国で、後漢が滅亡後におこって天下を三分した魏・蜀・呉の三つの国。「―志」 **―いち**【―一】三国②で、いちばんすぐれていること(もの)。世界一。「―の花嫁」 **―でんらい**【―伝来】インドから、中国を経て日本に伝わって来たこと。三国相伝。

ざん-こく【残酷・残刻・惨酷】《名・形動》〔物事の状態や人の行為・性質などが〕むごたらしいようす。やり方があまりにもひどいと感じさせるようなようす。「―な仕打ち」「―を極める」 類語 苛酷。残虐。残忍。

***さん-こつ**【山骨】山の表面の土砂がくずれて岩石のむきだしになった所。また、その岩石。

***さん-こつ**【散骨】《名・自他サ》細かく砕いた遺骨を海や山にまくこと。また、そうして葬ること。

さん-こん【三献】昔、正式の酒宴の礼法で、酒肴を出し酒を三杯飲ませて膳を下げることを一献といい、これを三回くり返すこと。式三献。

ざん-こん【残×痕】〔文〕残っているあと。痕跡。

さん-さ【三×叉】〔文〕三筋に分かれている・こと(所)。みつまた。 **―ろ**【―路】道が三方向に分かれているところ。みつまたになった道。 類語 丁字路。

さん-ざ《副》〔「さんざん」の略〕〔俗〕はなはだしく。思いきり。さんざん。「―遊んだ末に飲み逃げした」

ざん-さ【残×渣】〔文〕濾過したあとに残った不純物。

残りかす。[類語]残滓。

*さん‐さい【三彩】三色のうわぐすりをかけて焼いた陶磁器。[参考]「唐三彩」が有名。

*さん‐さい【三才】❶〔世界を形成する主な要素としての〕天・地・人。三極。三儀。三元。❷宇宙間に存在する万物。「—図会」

*さん‐さい【山×塞・山×砦】〔文〕❶〔地形を利用して〕山の中に築いたとりで。❷山賊のすみか。

*さん‐さい【山菜】山に自生する植物のうち、食用になるもの。ワラビ・ゼンマイ・サンショウ・タラの芽など。

*さん‐ざい【散剤】粉状のくすり。こなぐすり。

*さん‐ざい【散在】《名・自サ》〔同種のものが〕あちこちに広くちらばってあること。まばらにあること。散点。点在。「山のふもとに農家が—する」[対]密集。

*さん‐ざい【散財】《名・自サ》多くの金銭を・つかう〔浪費する〕こと。「旅行先で—する」「とんだ—をかける」

ざん‐さい【残×滓】《「ざんし」の慣用読み》→ざんし（残滓）。

ざん‐ざい【×斬罪】首を切り落として殺す刑罰。斬首。断首。打ち首。

さん‐さく【散策】《名・自サ》〔文〕はっきりした目的をもたず気のむくままにぶらぶらと歩くこと。そぞろ歩き。散歩。逍遥。[類語]漫歩。

さん‐ざし【山査子・山×樝子】バラ科の落葉低木。原産地は中国。春、ふさのように小さな白い花を開く。枝にはとげがある。果実は消化剤など薬用。

*ざん‐さつ【惨殺】《名・他サ》〔人を〕むごたらしい方法で殺すこと。むごたらしく殺すこと。虐殺。「—死体」

*ざん‐さつ【×斬殺】《名・他サ》刀などの刃物で人を切り殺すこと。

さんざっ‐ぱら《副》〔俗〕「さんざ」を強めて言う語。

さんざ‐め・く《自五》《「さざめく」の転》大勢で、にぎやかに騒ぎたてる。「酔客が—・く夜の盛り場」

*さん‐さん【×潸×潸】《形動タルト》〔文〕❶さめざめと涙を流すようす。潸然。「—と涙がほおを伝う」❷静かにたえまなく雨が降るようす。「—と雨が降る」

*さん‐さん【×燦×燦】《形動タルト》〔文〕〔太陽の光などが〕きらきらと明るくかがやくようす。「—と注ぐ陽光」

さん‐ざん【散散】《形動》❶《副》物事の程度・状態が非常にはなはだしいようす。「—しかりつける」❷物事の結果・状態などが非常に悪いようす。「—な目にあう」

さんさん‐くど【三三九度】結婚式で行う献杯の礼。夫婦になる男女が三つ組の杯を用い、一つの杯で酒を三回ずつ、合計九度飲みあう。三三九献。

さんさん‐ごご【三三五五】《副》〔あちらに三人、こちらに五人というように〕少しずつ集まって・歩いていく〔ちらばっている〕ようす。「—集まってくる」

*さん‐し【三思】《名・他サ》〔文〕〔ある事について〕何度もよく考えること。「—三省」[類語]熟慮。熟考。

*さん‐し【蚕糸】❶カイコの繭からとった糸。絹糸。生糸。❷養蚕と製糸。「—業」「—試験場」

*さん‐し【蚕紙】蚕卵紙。

*さん‐じ【三時】❶一時から数えて三番目の時刻。❷おやつ。おさんじ。

*さん‐じ【参事】ある〔高度な〕事務に参与する役職・職級〔の人〕。

*さん‐じ【惨事】むごたらしく悲惨なできごと。目をおおうようないたましいできごと。[類語]惨劇。

*さん‐じ【産児】❶子どもを産むこと。❷生まれてくる子ども。また、生まれたばかりの子ども。—せいげん【—制限】人口増加や貧困の防止、母体の保護などのため、人為的に受胎または出産をさけること。産制。出産制限。産児調節。バスコントロール。

*さん‐じ【蚕児】〔文〕かいこ。

*さん‐じ【賛辞・×讃辞】〔業績などを〕ほめたたえることば。賛詞。「—を呈する」[類語]賞辞。頌辞。

*ざん‐し【惨死】《名・自サ》むごい死に方をすること。

*ざん‐し【×慙死・×慚死】《名・自サ》〔文〕ある事を深く恥じて死ぬこと。また、死ぬほど深く恥じること。愧死。「—を遂げる」「彼の行為は—に価する」

*ざん‐し【残×滓】〔文〕残りかす。また、ひゆ的に、改革したあとに残っている旧来のもの。「封建主義の—」[参考]「ざんさい」は慣用読み。

ざん‐じ【暫時】《副》しばらくの間。すこしの間。〔やや改まった言い方〕「—休憩」[注意]「ぜんじ」は読み誤り。

サンジカリスム ゼネストなど労働組合自身の直接行動の力によって、政党政治を排し資本主義体制を打倒しようとする主張。急進的労働組合主義。サンディカリスム。▽フランス syndicalisme

さん‐しき【算式】加減乗除などの記号を用いて、計算の順序や方法を表した式。[類語]数式。

さんしき‐すみれ【三色×菫】スミレ科の一、二年草。春から夏に、紫・白・黄などの大形の五弁花を開く。パンジー。さんしょくすみれ。

さん‐じげん【三次元】縦・横・高さの三つの次元を持つこと。縦・横・高さの三つの方向に広がっていること。すなわち立体的空間をいう。[参考]→二次元・四次元。

さんし‐すいめい【山紫水明】〔文〕山は紫色にかすみ、川の水は清らかに澄んでいること。山や川のある自然の景色が美しく清らかなこと。「京都は—の地」

さん‐した【三下】「三下奴」の略。ばくち打ちなどのなかまで最も身分の低い者。

さんしち‐にち【三七日】〔三と七の積から〕❶二十一日間。また、二十一日目。❷人の死後二十一日目。また、その日に行う仏事。三七忌。三七日。❸

*さん‐しつ【産室】出産をするためのへや。産屋。産所。

*さん‐しつ【蚕室】カイコを飼うへや。

さんし‐の‐れい【三枝の礼】《句》〔鳩は、親鳥のいる枝から三本下の枝にとまるということから〕子が親をうやまう態度をたとえたことば。[参考]→反哺。

*さん‐しゃ【三舎】昔、中国で軍隊の三日間の行軍距離。約九〇里〔日本の一五里、約六〇キロ〕の行程。—を避・ける《句》〔三舎の距離の外に退く意から〕相手を恐れてしりごみする。また、相手に一目おく。

*さん‐しゃ【三社】三つの神社。ふつう、伊勢神宮・石清水八幡宮・賀茂神社〔または春日神社〕をさす。さんじゃ。

*さん‐しゃ【三者】❶三人の者。また、三つのもの。「—三様」「—面談」❷第三者。

さん‐しゃく【参酌】《名・他サ》〔他と〕照らしあわせて参考にすること。斟酌。「事情を—する」

さん‐じゃく【三尺】❶一尺の三倍。ふつう、約九〇センチ。❷「三尺帯」の略。男性・子供用の短い帯。兵児帯。❸長さが三尺ぐらいの刀剣。—の‐しゅうすい【—の秋水】《連語》〔文〕長さ三尺ほどの、とぎすまされた刀剣。三尺の剣(つるぎ)。 参考 「秋水」は、とぎすまされた日本刀をいう。 **ーの・どうじ【ーの童子】**《連語》(身長が三尺ほどの)幼児。

ー去って師の影を踏まず《句》弟子は先生を尊敬し、礼儀を忘れてはいけないということ。

***さん・しゅ【三種】** ❶三つの種類(の物)。 ❷「第三種郵便物」の略。定期刊行の新聞・雑誌など。 **ーの・じんぎ【ーの神器】** ❶皇位のしるしとして代々の天皇が受け継ぐ三つの宝物。八咫鏡(やたのかがみ)・天叢雲剣(あめのむらくものつるぎ)・八坂瓊勾玉(やさかにのまがたま)(八尺瓊曲玉)。 ❷〔俗〕〔あこがれる〕三つの貴重な持ち物のたとえ。

***さん・しゅ【蚕種】** カイコの卵。

さん・じゅ【傘寿】〔「傘」の略字「仐」が「八十」と読めることから〕八〇歳(の祝い)。 参考 ↓賀の祝い。

ざん・しゅ【×斬首】《名・他サ》〔文〕刀などで首をきり落とす・こと(刑)。 類語 打ち首。

***さん・しゅう【三秋】**〔文〕 ❶秋の三か月。初秋(孟秋)・仲秋・晩秋(季秋)を言う。陰暦七月・八月・九月。 ❷秋を三回迎えること。三か年。

***さん・しゅう【参集】**《名・自サ》〔目的をもって〕寄り集まってくること。「演説会にーする人々」 類語 参会。

さん・じゅう【三重】 三つ重なっていること。三つ重ねること。みかさね。「ー苦」 **ーしょう【ー唱】** 三人が異なる声部をうたい合わせる重唱。トリオ。 **ーそう【ー奏】** 三種類の楽器で行う演奏。ピアノ・バイオリン・チェロによるピアノ三重奏、バイオリン・ビオラ・チェロによる弦楽三重奏などがある。トリオ。

さんじゅういち・もじ【三十一文字】↓みそひともじ。

さんしゅう・き【三周忌】↓三回忌。

さんじゅうさん・しょ【三十三所】 観音巡礼をする三三か所の霊場。特に、西国(さいごく)三十三所。

さんじゅうに・そう【三十二相】 ❶仏の身体各部にそなわっている三二のすぐれた外見的特徴。 ❷女性のすがた・顔かたちに関するいっさいの美しい相。

さんじゅうろっ・かせん【三十六歌仙】 藤原公任(きんとう)が選んだという、三六人のすぐれた歌人。

さんじゅうろっ・けい【三十六計】 ❶昔の兵法にある三六の計略。 ❷「三十六計逃げるに如かず」の略。「ーを決め込む(=逃げ出す)」

ー逃げるに如(し)かず《句》不利になった際には、あれこれと手段を使うよりも逃げるのが最良である。

***さん・しゅつ【産出】**《名・他サ》物を生み出すこと。ある土地から産物をとり出すこと。また、物を作り出すこと。「石油をーする」「チーズのー国」

***さん・しゅつ【算出】**《名・他サ》計算して、数値を出すこと。「データをーする」

さん・じゅつ【算術】 ❶計算のしかた。算法。 ❷もと、初等教育で教えた初歩の数学。また、その教科名。現在の算数。 **ーきゅうすう【ー級数】** 等差級数。 対 幾何級数。 **ーへいきん【ー平均】** 相加平均。

さん・しょ【山×椒】「さんしょう」の転。

***さん・じょ【産所】** 子を産むへや。うぶや。産室。

***さん・じょ【賛助】**《名・他サ》ある事業などの趣旨に賛成して(間接的に)手助けすること。「ー会員」

ざん・しょ【残暑】 立秋を過ぎてもまだ残っている、夏のような暑さ。「ーお見舞い申し上げます」

***さん・しょう【三唱】**《名・他サ》三度くりかえして(大声で)となえること。「万歳ー」

***さん・しょう【参照】**《名・他サ》他のものとてらし合わせて参考にすること。「文献をーする」 類語 参看(さんかん)。

***さん・しょう【山×椒】** ミカン科の落葉低木。幹・枝にとげがあり、小さな実を結ぶ。若葉は「木の芽」とよんで香辛料に、果実は香辛料・回虫駆除剤に用いられる。さんしょ。 **ーうお【ー魚】**(を う) 両生類のサンショウウオ科とオオサンショウウオ科に属する動物の総称。形はイモリに似る。谷川・湿地などにすむ。

ーは小粒でもぴりりと辛・い《句》からだは小さくても、気性や才能が非常に鋭く、また、すぐれていてばかにできないたとえ。さんしょは小粒でぴりりと辛い。

***さん・じょう【三乗】**《名・他サ》同じ数(式)を三回かけ合わせること。立方。

***さん・じょう【参上】**《名・自サ》「その人のもとに行くこと」「訪問すること」の意の謙譲語。伺うこと。参ること。「明日ーします」

***さん・じょう【惨状】** ❶〔事故現場などの〕むごたらしいありさま。 ❷〔貧乏暮しなどの〕みじめなありさま。

ざん・しょう【残照】〔文〕夕日が沈んであたりが暗くなってからも(山頂や空の一部に)なお残っている太陽の光。夕日の光。 類語 残光。夕焼け。

***さん・しょく【三色】** ❶三種類の色。 ❷赤・黄・青の三原色。 **ーき【ー旗】** 三色に染めた旗。特に、フランス共和国の国旗をいう。 **ーすみれ【ー×菫】**↓さんしきすみれ。

***さん・しょく【山色】**〔文〕山の色。山の景色。

***さん・しょく【蚕食】**《名・他サ》〔カイコがクワの葉をたべるように〕他の領域を片はしから侵していくこと。「国内の市場(しじょう)がーされる」

さん・じょく【産×褥】 出産のとき、産婦が用いるねどこ。 **ーねつ【ー熱】** 出産時にできた生殖器内の傷に細菌が入って起こる、発熱性の病気。

***さん・じる【参じる】**《自上一》↓参ずる。

***さん・じる【散じる】**《自他上一》↓散ずる。

***さん・しん【三振】**《名・自サ》野球で、打者がストライクを三つとられてアウトになること。ストラックアウト。

***さん・しん【三▽線】** 沖縄の、ヘビ皮をはった三弦の民俗楽器。三味線(しゃみせん)のもとになった。蛇皮(じゃび)線。

***さん・じん【山人】** 俗世間をはなれて山の中にかくれ住む人。 参考 文人などが雅号(がごう)にそえて接尾語としても用いる。「風来ー」「紅葉ー」

***さん・じん【山神】** 山の神。「ーの祟(たた)り」

***さん・じん【散人】** 世間の雑事をはなれて気楽にくらす人。散士。 参考 文人などが雅号(がごう)にそえて接尾語的にも用いる。「荷風ー」

ざん・しん【×斬新】《形動》〔趣向や思いつきなどが〕きわだって新しく珍しいこと。「アイディアはーだ」

さんしん・せいど【三審制度】 同一事件について、三段階の審理を認める制度。三審制。

さん・しんとう【三親等】〔法〕自分または自分の妻や夫から、三代へだたった親族。曾祖(そうそ)父母・曾孫・おじ・おば・おい・めいなど。

ざんす《助動・特殊型》…(で)ございます。〔江戸時代の吉原の遊女語からという〕 参考 動詞・補助動詞としても使う。

***さん・すい【山水】** ❶山や川・湖などのある自然の風景。「ーに遊ぶ」 類語 山河。 ❷山水画。 ❸築山(つきやま)と

池水がある庭園。「枯れ―」 ―が【―画】東洋画で、自然の風景をえがいた絵。山水。

*さん・すい【散水・×撒水】《名・自サ》〔道・庭などに〕水をまくこと。「―車」 参考「撒水(さっすい)」の慣用読み。 表記「散水」は代用字。

さん・すう【算数】小学校の教科の一つ。数量や図形の基礎的な原理・法則を教える初歩的な数学。

さん・すくみ【三×竦み】〔例えばヘビがナメクジを恐れ、ナメクジはカエルを恐れ、カエルはヘビを恐れてすくむというように〕ある物事をめぐって三者が互いに牽制(けんせい)し合って、だれも自由な行動がとれないこと。

サンスクリット 古代インドで用いられた、俗語に対して雅語を意味する文章語。梵語(ぼんご)。▽Sanskrit(=完成された言語)

さん・すけ【三助】〔卑称〕ふろ屋で、湯をわかしたり客の背中を洗ったりする男。

さんず・の・かわ【三▽途の川・三▽途の河】人が、死んであの世へ行く途中で渡るという川。みつせ川。三途の大河。三途。

*さん・・する【産する】㊀《自サ変》❶うまれる。❷〔ある物が〕作り出される。とれる。「バターは牛乳から―・する」㊁《他サ変》❶うむ。出産する。❷〔ある物を〕作り出す。生産する。「石油から合成樹脂を―・する」

*さん・・する【算する】《他サ変》〔文〕数える。また、数えて、ある数・量に至る。「一〇万を―・する人出」

*さん・・する【賛する・×讃する】《他サ変》〔文〕❶〔事業などに〕力を貸す。❷〔ある意見に〕賛成する。「趣旨に―・する」❸ほめたたえる。「徳を―・する」❹〔画面に〕賛のことばを書く。

*さん・・ずる【参ずる】《自サ変》〔文〕❶「その人のもとに・行く(来る)」意の謙譲語。まいる。参上する。「馳(は)せ―・ずる」❷参禅(さんぜん)する。❸参加する。=参じる。

*さん・・ずる【散ずる】《自他サ変》〔文〕❶ちる。ちらす。「会合が―・じた」❷なくなる。なくす。「財を―・ずる」❸〔思いつめていた気持ちなどが〕はれる。はらす。「酔って憂さを―・ずる」=散(さん)じる。

*ざん・・する【×竄する】《他サ変》〔文〕流罪(るざい)にする。島流しにする。

*ざん・・する【×讒する】《他サ変》〔文〕〔人をおとしいれるために〕事実とちがう悪口を言う。讒言する。

さん・ずん【三寸】❶一寸(=約三センチ)の三倍。❷短いことのたとえ。「舌先―」「胸―」

さん・ぜ【三世】❶三つの世。三際。前世・現世・来世(後世(ごせ))。また、過去・現在・未来。❷親・子・孫の三代。―の・えん【―の縁】主従の深い関係。

*さん・せい【三省】《名・他サ》〔文〕日に三回反省すること。何度も反省すること。

*さん・せい【三聖】❶世界の三大聖人。釈迦(しゃか)・孔子(こうし)・キリスト。❷その道で特にすぐれた三人の人。

*さん・せい【参政】政治に参与すること。―けん【―権】国民が政治に直接または間接に参加する権利。選挙権、被選挙権、公務員となる権利など。

*さん・せい【賛成】《名・自サ》他人の意見や態度をよいと認めて支持すること。類語 同意。賛同。対 反対。

*さん・せい【酸性】酸の性質。また、ある物質が酸の性質を示すこと。リトマス試験紙を赤変させる。対 アルカリ性。―う【―雨】大気汚染物質の硫黄酸化物や窒素酸化物が雨に溶けて、有害な強酸性の雨となって降るもの。―し【―紙】インキのにじみ止めとして硫酸アルミニウムを使用した紙。劣化しやすい。

ざん・せい【残生】〔文〕老いて残り少ない人生。余生。

*さん・せき【三跡・三×蹟】和風書道を大成した、平安中期の三人の能書家。小野道風(みちかぜ)・藤原佐理(すけまさ)・藤原行成(ゆきなり)。 表記 もと、もっぱら「三蹟」と書いた。

*さん・せき【山積】《名・自サ》山のように高くつもること。また、たくさんたまること。山づみ。「難問が―する」

ざん・せつ【残雪】〔春になっても〕消えずに残っている雪。「―の山」 参考 春の季語。 類語 宿雪(しゅくせつ)。

*さん・せん【三遷】三度移りかわること。―の教え《句》昔、中国で孟子(もうし)の母が子の教育のために住居を三回かえたこと、子供の教育には環境が大切であるという教え。「孟母(もうぼ)三遷の教え」とも。

*さん・せん【参戦】《名・自サ》戦争に参加すること。

*さん・せん【山川】〔文〕山と川。「―草木(=自然の景色)」 類語 山河。

*さん・ぜん【三千】❶一千の三倍。❷数の非常に多いことのたとえ。―せかい【―世界】「三千大千世界」の略。―だいせんせかい【―大千世界】❶古代インドで説かれた想像上の宇宙。須弥山(しゅみせん)を中心にした一世界の千倍を小千世界、その千倍を中千世界といい、さらにそれを千倍した大千世界のこと。仏の教化がとどく範囲とされる。❷広い世界。全世界。世間。

*さん・ぜん【参禅】《名・自サ》禅門にはいって禅を修めること。また、座禅をくむこと。

*さん・ぜん【産前】出産のまえ(の期間)。対 産後。

*さん・ぜん【×潸然】《形動タルト》〔文〕さめざめと涙を流すようす。潸々(さんさん)。「―として泣く」

*さん・ぜん【×燦然】《形動タルト》〔文〕きらきらと光り輝くようす。きらびやかなようす。「金色―たる仏像」

ざん・ぜん【×嶄然】《形動タルト》〔文〕他より一段とぬきんでるようす。「―頭角を現す」

さん・そ【酸素】無色・無臭の非金属元素。空気中には体積で約五分の一含まれる。物の燃焼や生物の呼吸に欠くことができない。元素記号O。

ざん・そ【×讒訴】《名・他サ》人をおとしいれるために、目上の人に事実とちがうことを言って訴えること。いわれのない訴え。 類語 讒言(ざんげん)。誣告(ぶこく)。

*さん・そう【山相】〔文〕山のすがた・ようす。山の地質・形状・気象など。

*さん・そう【山荘】山の中にある別荘。 類語 山家(やまが)。

さん・ぞう【三蔵】❶仏典を三種に分類した、経蔵(きょうぞう)(=仏の説法集)・律蔵(りつぞう)(=僧の戒律集)・論蔵(ろんぞう)(=経についての論釈集)の総称。❷三蔵①に精通した高僧の敬称。三蔵法師。「玄奘(げんじょう)―」

ざん・ぞう【残像】外部からの刺激が去ったあとも、感覚が残っている現象。おもに視覚についていう。

さん・ぞく【山賊】山中に根城(ねじろ)を構え、通行人などをおそう盗賊。 対 海賊。

*さん・そん【山村】山中の村。「―留学」 類語 山里。

*さん・そん【散村】人家が広い範囲に散在している村落。 対 集村。

さん・ぞん【三尊】寺院などで祭るときに中心となる、三体の仏。主になる仏とその左右にある脇士(きょうじ)の総称。三尊仏。

ざん・そん【残存】《名・自サ》〔なくなりきらずに〕残っていること。ざんぞん。「―する勢力」

さ

サンタ ㊀《接頭》「聖」「聖なる」の意。セント。セイント。▽ポルトガル・イタリア Santa ㊁《名》「サンタクロース」の略。**―クロース** クリスマスの前夜、煙突からはいってきて、子供の靴下の中に贈り物を入れて歩くという老人。白いひげをはやし、赤い帽子・外套(がいとう)をつけて、トナカイがひくそりに乗ってくる。サンタ。▽ Santa Claus **―マリア** イエス=キリストの母マリアの敬称。聖マリア。▽ポルトガル Santa Maria

***さん・だい**【三代】❶親・子・孫の三つの世代。三世(さんぜ)。❷三番目の世継ぎ。三代目。第三代。

***さん・だい**【参内】《名・自サ》宮中にあがること。参朝。

***さん・だい**【散大】《名・自サ》〔死亡時などの〕ひとみが異常にひらくこと。瞳孔(どうこう)散大。

さんだい・ばなし【三題×噺】落語の一種。客から自由に三つの題を出させ、その場で一つの落語にまとめて演ずるもの。

ざん・だか【残高】収支または貸借の計算をして、残った金額。残金。「預金―」類語 残額。

さん・だつ【×簒奪】《名・他サ》君主の位を奪い取ること。また、政権・支配権を奪うこと。類語 簒位。

さんだゆう【三太夫】昔、華族・金持ちなどの家で、家事や会計の仕事をまかされていた男の通称。執事(しつじ)・家令・家扶(かふ)など。

サンダル 足の甲の部分にひもをわたしたり、幅広のベルトをつけたりした履物の総称。▽ sandal

さんだろう【三太郎】愚かな者をあざける語。

さん・だわら【桟俵】米俵の両はしに当てる、藁(わら)で編んだまるいふた。さんだらぼうし。さんだらぼっち。

***さん・たん**【三嘆・三×歎】《名・自サ》〔文〕❶くりかえし〔声にだして〕嘆くこと。非常に嘆くこと。❷非常に感心すること。「一読―の名論文」

***さん・たん**【賛嘆・×讃嘆・×讃×歎】《名・他サ》深く感心してほめること。「―の声をあげる」類語 賞賛。賞揚。賞美。

***さん・たん**【惨×憺・惨×澹】《形動タルト》❶〔状態が〕いたましく見るにしのびないようす。「―たる敗北」❷心をなやまし、苦労するようす。「苦心―」

***さん・だん**【散弾・×霰弾】筒形の薬莢(やっきょう)にこめられた多数の細かい鉛のたまが、発射と同時にあられのように飛び散るしかけの弾丸。ばらだま。「―銃」

***さん・だん**【算段】《名・他サ》❶〔ある物事をなしとげるため〕方法や手段をあれこれ・考えること〔講じること〕。「雑誌創刊の―をつける」❷特に、金銭を調えるためにくふうすること。都合をつけること。工面(くめん)。才覚。「やりくり―」類語 調達。捻出(ねんしゅつ)。

さんだん・とび【三段跳(び)】陸上競技の一つ。走ってきて片足でふみきってとびあがり(=ホップ)、ふみきった足でさらにふみきり(=ステップ)、次に別の足でとびあがり(=ジャンプ)、最後に両足をそろえて着地し、全体の距離を競う。トリプルジャンプ。ホスジャンプ。

さんだん・ろんぽう【三段論法】形式論理学の推論の基本的な形で、三つの命題(大前提・小前提・結論)の組み合わせからなる形式。たとえば「動物には生命がある(大前提)」と「犬は動物である(小前提)」から「犬には生命がある(結論)」を導く推論の形式。

***さん・ち**【山地】❶山の多い土地。山の中の土地。❷山が連なった広い地域。丘陵地・台地などと比べて、大きい起伏・傾斜をもつ。「北上―」対 平地。

***さん・ち**【産地】❶ある品物を産出する土地。「青森県はリンゴの―である」❷〔俗〕出生地。生産地。

***サンチ**《助数》「センチメートル」と同じ。主として大砲の口径を表すのに用いる。センチ。表記「糎」「珊」と当てた。▽フランス centimètre から。

サンチーム《助数》フランスやスイスの貨幣単位。一サンチームは一フランの一〇〇分の一。▽フランス centime

さん・ちゃく【参着】《名・自サ》〔文〕到着すること。先方へ行きつくこと。

さん・ちゅう【山中】山のなか。山間。やまあい。**―暦日無し**《句》山の中に静かに暮らしていると、のんびりしていて月日のたつのに気がつかない。〈唐詩選・太上隠者答人詩〉

さん・ちょう【山頂】山のいただき。山の頂上。山巓(さんてん)。類語 山上。対 山麓(さんろく)。

さん・ちょく【産直】〔「産地直結」「産地直送」「産地直売」の意〕生鮮食料品を、安く早く入手する目的で、産地と直接取引をすること。

さん・づけ【さん付け】人の名に敬称「さん」をつけて呼ぶこと。類語 君付け。

さん・てい【算定】《名・他サ》〔費用や数量などを〕計算して決定すること。「経費を―する」「―方式」

ざん・てい【暫定】〔決定を一時見合わせて〕仮の措置として定めること。確定するまでの間、仮に決めること。「―措置」「―内閣」類語 臨時。**―てき**【―的】《形動》一時、仮に決めるようす。「―な取り決め」

サンデー 日曜日。▽ Sunday

ざん・てき【残敵】討ちもらされて、残っている敵兵。

サン・デッキ 船の上甲板。▽ sun deck

***さん・てん**【山×巓】〔文〕山のいただき。山頂。

***さん・てん**【散点】《名・自サ》〔同種のものが〕あちこちに散らばってあること。散在。点在。「―する民家」

さん・でん【参殿】《名・自サ》❶御殿に参上すること。❷相手を敬って、その家を訪ねることの謙譲語。参堂。

さん・と【三都】京都・大阪・東京(江戸)の総称。

***さん・ど**【三度】❶三回。みたび。「仏の顔も―」❷西洋音階で、ある音と、それから数えて三番目の音との間の音程。❸「三度飛脚」の略。**―がさ**【―×笠】江戸時代、江戸と京・大坂の間を月に三度往復した町飛脚。**―がさ**【―×笠】江戸時代、旅人や渡世人が用いた菅笠(すげがさ)。はじめ浅く、のち、顔が隠れるほど深く作った。**―目の正直**《句》占いや勝負などで、一度目や二度目の結果は当てにならないが、三度目は確実であるということ。「三度目は定(じょう)の目」とも。

***さん・ど**【酸度】❶酸性または酸っぱさの度合い。❷塩基(えんき)一分子の中にふくまれる水酸基の数。

***サンド**「サンドイッチ」の略。「野菜―」

***サンド** 砂。▽ sand **―バッグ** 砂をつめた袋。特に、ボクシングの練習でたたくもの。▽ sandbag **―ペーパー** 紙やすり。▽ sandpaper

ざん・ど【残土】土木工事で穴を掘ったときなどに出た、不要の土。「―処理」

サンドイッチ ❶薄く切った二きれのパンの間に肉・魚介・野菜・卵などをはさみこんだ食べ物。サンド。サンドウィッチ。❷両側からはさまれている・こと(もの)。「右派と左派の間で―になる」類語 板ばさみ。▽ sandwich **―マン** 広告板をからだの前後にぶらさげ、街頭を宣伝して歩く人。▽ sandwich man

さん-とう【三冬】〔文〕❶冬季の三か月。初冬(孟冬)・仲冬・晩冬(季冬)をいう。陰暦一〇・一一・一二月。❷三回の冬を経ること。三年。

***さん-どう【参堂】**《名・自サ》❶神仏をまつった堂にまいること。❷相手を敬って、その家を訪問することをいう謙譲語。参殿。

***さん-どう【参道】**神社・寺に参詣するための道路。

***さん-どう【山道】**山中にある道。山道。

***さん-どう【桟道】**木材・綱などを用いて、山のがけの縁にたなのように張り出したり、がけからがけへ橋のようにかけ渡したりして作った道。かけはし。

***さん-どう【産道】**出産のとき、胎児が通過する母体内の経路。

***さん-どう【賛同】**《名・自サ》人の意見・主張などをよしとして同意すること。「―の意を表す」類語賛成。

ざん-とう【残党】うち滅ぼされた一党の中で、滅ぼされずに生き残っている徒党。余党。類語残徒。

さん-とうしん【三等親】〔俗〕三親等。

さんとう-せいじ【三頭政治】古代ローマ共和制末期に行われた、三人の有力政治家による政治。

さんとう-な【山東菜】ハクサイの一品種。中国山東省原産。漬物にする。山東白菜。さんとうさい。

さん-とく【三徳】❶三つの徳目。知・仁・勇、天徳・地徳・人徳など。❷三つの用途があること。三通りに使えること。三つの利点。「―ナイフ」

サントニン 代表的な回虫駆除剤。シナヨモギ・ミブヨモギなどのつぼみからとれる。▽santonin

さん-ない【山内】❶山のなか。❷寺の境内。寺内。

***さん-にゅう【参入】**《名・自サ》❶〔文〕〔貴人のいる場所などに〕まいること。参上。❷はいってくること。参加してくること。「新規企業の―を好まない」

***さん-にゅう【算入】**《名・他サ》〔費用・予算などを〕計算に加え入れること。「予備費に―する」

ざん-にゅう【×竄入】《名・自サ》〔文〕❶逃げこむ。❷〔文中に原作以外のものが〕誤ってまぎれこむこと。「この写本は―部分が多い」

さん-にん【三人】人の数え方で、三。**―かんじょ【―官女】**桃の節句にかざる雛人形のうち、官女の姿をした、三つ一組になった人形。**―寄れば文殊の知恵**《句》平凡な人間でも、三人集まって考えれば、知恵をつかさどる文殊菩薩のようなよい知恵が出るものだ、ということ。

ざん-にん【残忍・惨忍】《名・形動》平気でむごいことをすること。無慈悲なことを行うようす。「―酷薄」「―きわまりない犯行」類語残酷。残虐。

さん-にんしょう【三人称】➡他称。対一人称・二人称。

さん-ぬる【去んぬる】《連体》《「去りぬる」の音便形》〔文〕過ぎ去った。前の。去る。「―年」

ざん-ねん【残念】《形動》❶期待(希望)どおりにいかず、ものたりなく心残りがするようす。「―ながら欠席します」❷くやしく思うようす。「―無念」類語無念。地団太を踏む。切歯扼腕する。

さん-の-とり【三の×酉】一一月の三回めの酉の日。また、その日に行われる酉の市。参考三の酉のある年は火災が多いという俗信がある。

さん-の-まる【三の丸】城の中心から数えて三番目の外郭。二の丸をかこんで設けられた外郭。

***さん-ば【産婆】**「助産師」の旧称。出産を助け、また、妊婦や新生児の世話などをする女性。

***サンバ** ブラジルの舞踊音楽。四分の二拍子で、テンポが速く、情熱的で陽気なリズムをもつ。▽ポルトガル samba

***さん-ぱい【三拝】**《名・自サ》三度拝礼すること。特に、仏家では身・口・意の三業に敬意を表して行う拝礼にいう。**―きゅうはい【―九拝】**一《名・自サ》敬意を表すため何度も拝礼すること。また、何度も頭をさげて人に物をたのむこと。「―してノートを借りた」二《感》手紙文の末尾にしるして深い敬意を表す語。

***さん-ぱい【参拝】**《名・自サ》神社・寺などにおまいりして神仏をおがむこと。「神社に―する」類語参詣。

***さん-ぱい【酸敗】**《名・自サ》油脂が貯蔵中に加水分解や酸化などの反応を起こし、不快なにおいや味を生じたり変色したりすること。また、一般に、食べ物が腐敗してすっぱくなること。

ざん-ぱい【惨敗】《名・自サ》一方的でみじめな負け方をすること。さんぱい。「―を喫する」対快勝。

サン-バイザー ❶自動車のフロント部に取り付けてある、日よけの板。遮光板。❷前びさしとバンドでできている、日よけ用の帽子。サンシェード。▽sun visor

さんばい-ず【三杯酢】酢・しょうゆ(または塩)・みりん(または砂糖)を適量にまぜ合わせた調味料。また、それで味つけした料理。参考➡二杯酢。

さんば-がらす【三羽×烏】門人や部下の中や、ある部門で、特にすぐれた三人。「角界の―」類語三傑。

さんぱく-がん【三白眼】黒目が上に寄っていて、左右と下部に白目が多いこと。三白。

さん-ばし【桟橋】❶埠頭の一種。船を横づけにできるように岸から水上につき出して作った構築物。❷建築現場などで、上り下りのために設けられた、傾斜のついた板の足場。

さんば-そう【三▽番×叟】❶能の「翁」すなわち「式三番」の後半部。また、その部分の舞い手である狂言方の役名。❷歌舞伎で、能の三番叟の部分をとり入れて舞踊化したもの。三番叟物。参考芝居の幕あけに祝儀として舞う。

***さん-ぱつ【散発】**《名・自サ》❶弾丸が間をおいて発射されること。❷物事が、間をおいてとぎれとぎれに起こること。「―的に拍手が起きる」

***さん-ぱつ【散髪】**《名・自他サ》(のびた)髪を刈ること。また、刈ってととのえること。類語調髪。理髪。

さんばら《名・形動》結っていた髪などがくずれて、振り乱れているようす。ざんばら。**―がみ【―髪】**乱れた髪。ざんばら髪。

ざん-ぱん【残飯】食べ残しためし。残りめし。

***さん-び【賛美・×讃美】**《名・他サ》美しいものとして、ほめたたえること。「青春を―した映画」類語称賛。礼賛。賞揚。**―か【―歌】**(hymn)キリスト教で、神やキリストの徳をほめたたえる歌。聖歌。参考ふつうプロテスタントでいう語。

***さん-び【酸鼻】**《名・形動》むごたらしく、いたましいこと。ひどくむごいこと。「墜落現場は―をきわめた」

さん-ぴ【賛否】賛成と不賛成。賛成か不賛成かということ。「―を問う」「―両論」注意「賛非」は誤り。

さん-ぴつ【三筆】日本の書道史上で特にすぐれている三人の能書家。ふつう、平安初期に現れた空海・嵯峨天皇・橘逸勢の三人をさす。

さんびゃく-だいげん【三百代言】❶明治初期、

資格をもたない代言人(=今の弁護士)。転じて、いいかげんな弁護士をののしって言う語。❷へりくつを押し通す・こと(人)。

さん・ぴょう【散票】❶選挙で、票が特定の政党や候補者に集中せず、何人かの候補者に分散して入れられること。また、その票。❷選挙で、ある候補者に対して、あちこちの投票所で少しずつ入れられる票。

さん・びょうし【三拍子】❶一小節が三拍からなり、はじめの拍にアクセントがある拍子の形。❷囃子などで、三種類の打楽器(小鼓・大鼓・太鼓など)でとる拍子。❸必要とされる三つの基本的な条件。「攻・走・守ー揃った選手」

***さん・ぴん【三▽一】**❶すごろくなどで、二つのさいころの目に三と一とが出ること。参考「ぴん」はポルトガル pinta(=点)から転じた語で、「一」の意。❷〔俗〕「三一侍」または「三一奴」の略。江戸時代、身分の低いさむらいをさげすんで呼んだ語。

***さん・ぴん【産品】**生産される品物。「一次ー」

ざん・ぴん【残品】売れ残った品物。類語 残り物。

***さん・ぷ【参府】**《名・自サ》江戸時代、諸国の大名が江戸に出て幕府につかえたこと。参勤交代の制度により、参勤。

***さん・ぷ【散布・×撒布】**《名・他サ》いちめんにまきちらすこと。振りまくこと。「農薬をーする」参考「撒布」の慣用読み。表記「散布」は代用字。

***さん・ぷ【産婦】**出産前後の女性。出産間近の、または産後間のない女性。類語 妊産婦。

ざん・ぶ【残部】❶残っている部分。❷〔印刷物・書物の〕売れ残りの部数。

***さん・ぷく【三伏】**❶夏至の後の第三の庚の日(初伏)と、第四の庚の日(中伏)と、立秋の後の第一の庚の日(末伏)のこと。❷夏の暑い盛りのころ。「ーの候(=真夏)」=三伏。

***さん・ぷく【山腹】**山の中ほどの部分。山頂と山麓との間。山の中腹。

さんぷく・つい【三幅対】❶三つで一つの組になっている掛け物。❷三つで一そろいになるもの。

さんぶ・さく【三部作】小説・戯曲・音楽などで、三つの部分に分かれていながら、それらが内容的に関連しあって全体として統一のとれている作品。

さん・ふじんか【産婦人科】産科と婦人科。妊娠や分娩、女性特有の病気などを扱う医学の一分科。

さん・ぶつ【産物】❶その土地で・できる(とれる)物。その土地で産出する物。類語 物産。❷ある物事の結果として得られるもの。「努力のー」「時代のー」

ざん・ぶつ【残物】〔使いきれずに〕残ったもの。残りもの。あまりもの。

サンプリング《名・他サ》多くの調査対象の中から見本をぬき出すこと。標本抽出。▽sampling

サンプル❶見本。❷サンプリング調査のため、全体から抽出された調査対象。標本。▽sample

さん・ぶん【散文】〔小説・随筆・論文など〕韻律・音節数などにとらわれずに自由に書かれた文章。対 韻文。ーし【ー詩】散文の形式により詩的な内容を表現した文学作品。ーてき【ー的】《形動》❶散文のような趣であるようす。❷平凡でおもしろみのないようす。うるおいにとぼしいようす。「ーな性格」類語 無風流。対 詩的。

さん・ぺき【三×碧】九星の一つ。方位は東。木星にあたる。

さん・べん【三遍】三回。三度。ー回って煙草にしょ《句》休むことを急がず、念には念を入れて手落ちがないように気をつけよう。

ざん・ぺん【残片】〔文〕〔こまかく破壊された物の〕残りのかけら。残ったきれはし。

さん・ぽ【散歩】《名・自サ》気分転換・健康などのために、ぶらぶらと歩きまわること。そぞろあるき。散策。

***さん・ぼう【三宝】**三つの最も大切な宝。仏宝(=釈迦)・法宝(=説法)・僧宝(=修法者)の総称。仏・法・僧。ーこうじん【ー荒神】三宝を守護する神。修験道などで祭る。民間では、かまどの守り神。

***さん・ぼう【三方】**❶三つの方角。三方面。さんぽう。❷白木の四角形の台。三方に穴がある。神仏・貴人に物を供するときなどに使う。三宝。

***さん・ぼう【参謀】**❶司令官の作戦・用兵などの計画に加わって指揮を助ける将校。類語 幕僚。❷ある人の下で、助言や指導をする人。「選挙ー」類語 軍師。

***さん・ぼう【山房】**〔文〕❶山の中にある風流な家。山荘。❷雅号などの下につけて「書斎」の意。「玄鶴ー」

***さん・ぽう【山砲】**山地での戦闘に使う小形の大砲。分解して運べるようにしてある。

***さん・ぽう【算法】**❶計算の方法。算術。❷江戸時代、数学。

ざん・ぼう【×讒×謗】《名・他サ》〔文〕他人のことをわるく言うこと。そしること。また、そのことば。悪口雑言。「罵詈ー」

サンボリスム象徴主義。▽フランス symbolisme

さん・ぼん【三盆】白砂糖をさらに精製した、上等の砂糖。三盆白。

さんま【▽秋▽刀▽魚】サンマ科の海魚。体は細長い。秋の代表的な味覚とされる。さいら。参考 秋の季語。

***さんまい【三×昧】**㊀《名》雑念を捨て、精神を集中して乱さないこと。「ーの境地で仕事に没入する」参考 梵語 samādhi の音訳。㊁《接尾》《多く名詞につけて》あることに熱中する意。余念のない意。また、とかくその方に一方的に心が傾き、心のおもむくままにそれをするようすを表す。「読書ー」「刃物ー」「贅沢ー」参考 ㊁は連濁で「ざんまい」となることが多い。

***さん・まい【三枚】**❶一枚の三倍。❷魚の切り方の一つ。頭を除き中央の骨に沿って包丁を入れ、骨とその両側の肉と三つの部分にわけること。「アジをーにおろす」ーめ【ー目】❶芝居で、こっけいな役。また、それを演じる俳優。参考 もと、歌舞伎の番付の三番めにしるされたことから。❷わらいものになる役目。また、その人。「とんだーにさせられた」

***さん・まい【散米】**神事で、お清めに神前にまく米。

***さん・まい【産米】**生産された米。できた米。

さん・まん【散漫】《名・形動》集中力に欠け、まとまりのないこと。また、しまりのないこと。「ーな文章」

***さん・み【三位】**《「さんい」の連声》❶位階の第三。正三位または従三位。また、その位についている人。❷キリスト教で、父なる神(天帝)・子なる神(キリスト)・聖霊の三つの総称。ーいったい【ー一体】❶キリスト教で、三位②は唯一の神が三つの姿となって現れたものであり、もとは一体のものであるという考え方。トリニティー。❷三つの異なるものが、一つに統一されること。また、三者が心を合わせて一つになること。

*さん-み【酸味】すっぱい味。すっぱみ。すみ。

*さん-みゃく【山脈】多くの山が細長くつらなって、脈状をなしているもの。「飛驒(ひだ)―」類語 山系。

さんみん-しゅぎ【三民主義】孫文が唱えた中国民主主義革命の政治理論。民族・民生・民権の三主義から成り、中国の革命運動の指導原理となった。

*ざん-む【残務】〔終わった事業や解散した会社・団体などの〕あとに残った未処理の仕事。「―整理」

*ざん-む【残夢】〔文〕目がさめてのちに、まだ意識に残っている夢。見残した夢。

さん-めん【三面】❶〔立体の〕三つの面。三つの平面。❷一体で頭部に三つの顔があること。❸三つの方面。三つの分野。「生産・販売・広告の―に重点をおく」❹〔もと、新聞が四ページであったとき、社会記事を三ページめにのせたことから〕新聞の社会面。社会面記事。雑報。―きじ【―記事】新聞で、社会の雑事を報じた記事。―ろっぴ【―六×臂】❶顔が三つで手が六本の仏像。❷ひとりで何人分もの活躍をすることのたとえ。八面六臂。「―の大活躍」

さんもう-さく【三毛作】一年間に三種類の作物を同じ土地に次々と作ること。参考 →一毛作・二毛作。

*さん-もん【三文】❶一文の三倍。❷きわめて安価なこと。また、ねうちの非常に少ないこと。「―小説(=通俗的で文学的価値のない小説)」「―文士(=つまらない、または売れない小説ばかり書いている小説家)」―ばん【―判】安くて粗末な、できあいの印判。

*さん-もん【三門】❶中央の大きな門とその左右の小さな門と、三つ連なった門。❷寺院の本堂の前にある、三つのとびらを持つ楼門。寺の正門。

*さん-もん【山門】❶寺の正門。特に、禅宗寺院の楼門。参考 寺院は多く山に建てられたところから。❷寺。特に、禅宗の寺院。「葷酒(くんしゅ)―に入(い)るを許さず」❸「比叡山(ひえいざん)延暦寺(えんりゃくじ)」の別称。

さん-や【山野】〔文〕山と野原。のやま。

*さん-やく【三役】❶相撲で、大関・関脇(せきわけ)・小結の総称。参考 現在では横綱も含めていう。❷政党・団体などで、三つの重要な役職。また、その地位の人。

*さん-やく【散薬】粉状のくすり。こなぐすり。散剤。

さん-よ【参与】❶《名・自サ》ある事業などに加わってそれに協力すること。ある事にかかわり合うこと。「福祉事業に―する」類語 参加。参画。❷学識経験者を、ある行政事務などに起用するときの役職名。「内閣―」参考 会社などの団体で、職級名としても使われる。

ざん-よ【残余】〔文〕残り。余り。「予算の―」

*さん-よう【山容】山のかたち・すがた。「―美」「―水態(=山水の景色)」

*さん-よう【山陽】❶〔文〕山の南がわ。対 山陰。❷「山陽道」の略。❸「山陽地方」の略。―ちほう【―地方】中国地方の南側で、瀬戸内海に面する地方。―どう【―道】五畿(ごき)七道の一つ。現在の中国地方南部の瀬戸内海沿岸地方。

*さん-よう【算用】❶《名・他サ》ある数・量を計算すること。かんじょう。❷見積もり。目算。「建築費の―」―すうじ【―数字】筆算に用いる数字。アラビア数字のこと。0・1・2・3…などの一〇個。

さん-らく【惨落】《名・自サ》相場が〔一時に〕ひどく下落すること。崩落。暴落。

*さん-らん【散乱】《名・自サ》ものがばらばらに散りみだれること。散らばること。「書類が―する」

*さん-らん【産卵】《名・自サ》卵を産むこと。

*さん-らん【蚕卵】カイコの卵。―し【―紙】カイコガに卵を産みつけさせる紙。種紙(たねがみ)。蚕紙。

*さん-らん【×燦×爛】《形動タルト》〔文〕きらきらとかがやくようす。まばゆいばかりにはなやかなようす。きらびやかなようす。燦然(さんぜん)。「―とかがやく電飾」

さん-り【三里】❶一里(=約三・九二七キロメートル)の三倍。❷灸点(きゅうてん)の一つ。ひざがしらの下の、外側のすこしくぼんだ所。ここに灸をすえると万病にきくという。

さん-りく【三陸】陸前(りくぜん)(=宮城県)・陸中(りくちゅう)(=岩手県)・陸奥(むつ)(=青森県)の総称。また、特に、これらの太平洋沿岸地方。「―海岸」

さん-りつ【×簒立】《名・自サ》〔文〕臣下が君主の位を奪い、その位につくこと。類語 簒位(さんい)。簒奪(さんだつ)。

さん-りゅう【三流】❶三つの流派。❷三つののぼり。❸第三等の階級・地位。二流にもおよばない、かなり低い等級。「―会社」

ざん-りゅう【残留】《名・自サ》〔ある場所に〕残りとどまること。あとに残っていること。「―農薬」

*さん-りょう【山×稜】山の頂上から頂上につづく峰すじ。尾根(おね)。「―をつたって頂上に至る」

*さん-りょう【山陵】❶山と丘。❷天皇・皇后の墓。みささぎ。御陵(ごりょう)。

さん-りん【山林】❶山と林。また、山中にある林。❷樹木の多く生えている山(の土地)。

さんりん-しゃ【三輪車】三つの車輪のついた車。子どもが乗るものや、運搬用のオート三輪車など。

さんりん-ぼう【三隣亡】九星に関する迷信の一つ。この日に建築をはじめると火災などの災いを起こし、隣近所をほろぼすとして忌む日。

さん-るい【酸類】酸性をもったものの総称。硝酸・硫酸・塩酸・酢酸など。

ざん-るい【残塁】❶〔文〕攻め落とされず、残っているとりで。❷《名・自サ》野球で、攻守交替のとき塁上のランナーが生還しないままに残っていること。

サン-ルーム 日光浴をするためのガラス張りの部屋。また、温室。▽sunroom

*さん-れい【山×嶺】〔文〕〔高い〕山の峰。

*さん-れい【山霊】山を支配する神。山の神。山のぬし。山精。

*さん-れつ【参列】《名・自サ》式などに出席すること。「葬儀の―者」類語 参加。参会。出席。列席。

*さん-れつ【惨烈】《名・形動》〔物事のありさまが〕ひどくむごたらしいこと。きびしいこと。「―な戦闘」

さん-ろう【参×籠】《名・自サ》〔ある願い事の成就や修養のために〕神社・寺などに一定の期間とじこもって祈ること。おこもり。

さん-ろく【山×麓】山のふもと。山すそ。対 山頂。

さん-わおん【三和音】一つの楽音と、それから三度および五度の音程をもつ音を重ねて作った和音。

し

し ― 之

*し【使】《接尾》「つかい」「使節」などの意。「遣唐―」

*し【司】《接尾》職務を行う人の意。「保護―」

*し【×址・×趾】《接尾》昔、建物のあったあとの意。「平城宮—」「住居—」

*し【姉】《接尾》〔文〕同輩(以上)の女性の氏名につけて敬意を表す。「小山孝子—」対兄。

*し【志】《接尾》記録の意。「三国—」「刑法—」

*し【氏】一《接尾》❶姓名につけて敬意を表す。うじ。「川上—」❷氏族の名につけて同じ血族の系統であることを表す。「藤原—」❸《助数》〔漢数字につけて〕人数を表す「人」の尊敬語。「受賞の六—」二《代名》《他称の人代名詞》かれ。あの人。〔おもに男子をさし、二度目以後よぶときに使う〕「—は大阪の出身」

*し【紙】《接尾》「新聞」の意。「地方—」「日刊—」

*し【視】《接尾》《おもに漢語につけて名詞およびサ変動詞の語幹をつくる》「…とみなすこと」「…として扱うこと」の意。「異端—」「過大—」「重要—」

*し【誌】《接尾》❶「雑誌」の意。「機関—」「週刊—」❷記録した文書の意。「郷土—」「植物—」

*し【歯】《接尾》「歯」の意。「永久—」

*し【糸】《助数》数または貨幣・価格の単位。一の一万分の一。毛の一〇分の一。

*し【刺】〔文〕名刺。「—を通ずる(=取りつぎの人に自分の名刺を出して、相手に面会を求める)」

*し【枝】《助数》〔文〕花のついた枝や細長いものを数える語。「梅一—」「長刀一—」

*し【史】一《名》歴史。「—をひもとく」二《接尾》「…の歴史(を書いたもの)」の意。「世界—」「映画興亡—」

*し【嗣】〔文〕あとつぎ。よつぎ。「皇帝の—」

*し【四】数の名。三の次。よ。よん。よっつ。よつ。

*し【士】一《名》❶教養や学徳を持った立派な男子。「同好の—」「篤学の—」「—をもって遇する」❷江戸時代における身分階級の一つ。武士。「—農工商」二《接尾》《専門の職につく》〔法律上の〕資格をもっている人の意。「弁護—」「栄養—」

*し【子】一《名》❶こ。子供。特に、むすこ。「—女」❷「子爵」の略。「公・侯・伯・—・男の五つの爵位」❸師の尊称。特に、孔子のこと。「—曰く」二《代名》《対称の人代名詞》〔文〕親しい同輩や同輩以下の男性を呼ぶときの称。三《接尾》❶「(男の)人」の意。「編集—」「読書—」❷小さなものを表す。「中性—」「遺伝—」❸《助数》囲碁で、碁石の数を数える語。

*し【市】❶〔文〕まち。市街。❷地方公共団体の一つ。人口五万以上を有し、都市としての一定の条件をそなえているもの。自治権をもつ。

*し【師】一《名》❶先生。師匠。「—と仰ぐ」❷宗教上の指導者。❸軍隊で、「師団」の略。❹〔文〕軍隊。また、いくさ。「追討の—をおこす」二《接尾》❶特定の技能を身につけている人の意。「美容—」「薬剤—」❷宗教家・芸能人などの名まえにそえて、敬意を表す。「一竜斎貞山—」

*し【×梓】〔文〕アズサの木。

—に上せる《句》出版する。上梓する。参考 昔、アズサの木で版木を作ったことから。

*し【死】一《名》❶死ぬこと。「—に至らしむ」「従容として—に就く」対生。❷ひどく不気味で・静かな(危険な)こと。「—の闇」「—の山」❸〔文〕死罪。「—を賜る(=主君などから切腹を命じられる)」二《助数》野球で、「アウト」の意。「二—満塁」

*し【詞】〔文〕ことば。また、詩文。

*し【詩】❶心に生まれてくるさまざまな感情・思想を、リズムをもった言語形式で表した文学。❷漢詩。参考「一編(篇)…」と数える。

*し【試】一《名》〔文〕試験。「進士の—に応じる」二《接頭》ためすこと。こころみること。「—運転」

*し【資】〔文〕❶もとで。資本。資金。「—を投ず」❷資料。材料。「研究の—に供する」❸うまれつきの性質。天性。資性。「英邁の—にめぐまれる」

*し【×駟】〔文〕四頭だての馬車(の馬)。

—も舌に及ばず《句》いちど言ったことは、速い四頭だての馬車でも追いつけない。ことばはつつしまなければならないという教え。〈論語・顔淵〉

*し 一《間投助》文語上の語を強く指示して意味を強め、また語調を整えるのに使う。「ああ、大和にしあらましかば、いま神無月〈泣菫〉」参考 口語では、「今しも」「誰しも」「必ずしも」「ただし」などの語に残る。二《接助》《間投助詞「し」から。また、文語形容詞の活用語尾「し」からとも》❶二つ以上の共存する事柄を積み重ねるように並べあげるのに使う。「酒は飲むし、たばこは吸うし、おまけに朝寝坊ときた」❷(主に「…し…し(するから)」などの形で)他にも、同類の事柄があることを述べ(ほのめかし)ながら、理由を述べるのに使う。「暇もないしお金もないし(するから)旅行は取りやめだ」「暗くはなるし、探すのはあきらめよう」❸(「まいし」の形で)さげすみの気持ちを込めて理由を述べるのに使う。「子供じゃあるまいし、自分に責任をもちなさい」

*じ【次】一《接頭》❶「次の」「二番めの」の意。「—年度」❷中心元素が同じ酸素酸のうち、酸化の程度が低いことを表す。「—亜塩素酸」❸塩基性塩であることを表す。「—酢酸鉛」二《助数》回数・度数・順番などを表す。「第三—越冬隊」

*じ【自】《接頭》「自分の」の意を表す。「—意識」

*じ【事】《接尾》「物事」「事柄」の意。「関心—」「不祥—」

*じ【児】《接尾》❶「子ども」「児童」の意。「健康—」「未熟—」❷「男の人」の意。「風雲—」「反逆—」

*じ【寺】《接尾》「てら」の意。「寛永—」「法華—」

*じ【時】《接尾》❶《助数》時間の単位。一日の二四分の一。六〇分。〔古風な言い方〕❷《助数》時刻を表す語。「午前七—」❸「とき」「おり」の意。「空腹—」

*じ【路】《接尾》❶《日本の旧国名につけて》その地方の道、その地方、また、そこへ向かう道の意。「信濃—」❷その日数で行くことができる行程の意。「三日—」❸《助数》〔文〕《十を単位にした数につけて》そのくらいの年齢の意。「五十—」

*じ【地】❶土地。地面。地。「雨ふって—かたまる」❷その土地。その地方。「—のタケノコ」❸囲碁で、碁石でかこんでとった部分。❹生まれつきの性質。本性。「—が出る」❺現実に行うこと。実際。実地。「秀吉を—で行くような出世ぶり」❻織物などの生地。❼素地。したじ。また、地色。「紫の—に白でぬいとる」❽引用文・会話文などをのぞいた主体となる文章。「—の文」❾「地謡」の略。❿日本舞踊の伴奏の音曲。また、伴奏する人。⓫「地紙」の略。⓬「地髪」の略。

*じ【字】❶〔絵・図に対して〕文字。特に、漢字。「—が読めない」❷文字の書きぶり。筆跡。「—がうまい」

*じ【持】〔歌合わせや囲碁などで〕引きわけ。持ちあい。

*じ【▽柱】弦楽器の胴の上に立てて弦をささえ、弦の音

の高さを調節するもの。特に、琴柱。

*じ【璽】❶天子の印章。「御—」❷三種の神器の一つ。八尺瓊曲玉。神璽。

*じ【×痔】肛門およびその付近におこる病気の総称。いぼ痔・きれ痔・痔瘻など。痔疾。

*じ【磁】〔文〕やきもの。「青—」「白—」参考ガラス化して吸水性のないものをいう。

*じ【辞】〔文〕ことば。また、文章。「送別の—」

—を低く・する《句》ことばづかいを丁寧にして相手に敬意を表する。転じて、へりくだる。「—・して頼む」

*じ《助動：無変化型》文語❶打ち消しの推量を表す。…ないだろう。…まい。「冬来たりなば春遠からじ」❷打ち消しの意志などを表す。…ないつもりだ。…まい。「負けじと頑張る」参考「む」の否定にあたる語。

し-あい【試合・仕合】《名・自サ》(「為し合い」の意)スポーツや武術などで、わざをくらべ、勝敗を争うこと。類語勝負。手合わせ。競技。

*じ-あい【地合(い)】❶布地の質・品質。織り地。❷〔浄瑠璃で〕地の文。❸〔取引所で〕相場の状態。「—が悪い」❹囲碁のある局面で、両者の占める地の大きさの比較。「—では黒がまさる」

*じ-あい【慈愛】いつくしみ、愛すること。また、その心。「—に満ちたまなざし」

*じ-あい【自愛】《名・自サ》〔文〕❶自分で自分の体をたいせつにすること。〔ふつう、手紙文などで使う〕「御—ください」類語自重。❷〔他人よりも〕自分の利益を考えること。利己。対他愛。

し-あがり【仕上(が)り】できあがること。また、その結果・具合。できばえ。「—が遅い」「—がよい」

し-あが・る【仕上がる】《自五》仕事ができあがる。完成する。「注文どおりに—・る」

し-あげ【仕上げ】《名・他サ》❶仕上げること。また、仕上がった具合。できばえ。「—を急ぐ」「—を御覧じろ」❷仕事を完成させる最後の工程。「—工」

じ-あげ【地上げ・地揚げ】❶土を盛って土地を高くすること。❷地権者が分かれている土地の権利を入手するため、各地権者と交渉して一つ一つ買収し、一定の規模にまとめること。「—屋」

し-あ・げる【仕上げる】《他下一》仕事を完成させる。なしとげる。「工事を—・げる」「宿題を—・げる」

し-あさって【▽明▽明▽後▽日】あさっての次の日。

ジアスターゼ でんぷんを糖化する酵素。動物の消化液や植物の発芽中の種子などに多くふくまれる。消化剤として使用される。アミラーゼ。▽ドイツ Diastase

シアター 劇場。▽theater

し-あつ【指圧】《名・他サ》手の指や手のひらで強く押したりたたいたりすること。また、その療法。

じ-あまり【字余り】俳句(五・七・五)・和歌(五・七・五・七・七)などで、音数が規定の数よりも多いこと。

じ-あめ【地雨】同じ強さで、長く降りつづく雨。

し-あわせ【幸せ・仕合(わ)せ】(「為し合わせ」の意)❶運。めぐりあわせ。「有難き—」❷《名・形動》よい運にめぐまれていること。好運。幸福。「—な生活」表記②はふつう「幸せ」と書く。また「倖せ」とも書き、「幸福」とあてることもある。

*し-あん【思案】❶《名・他サ》〔どうしたらよいかと〕考えをめぐらすこと。「—に余る(=いくら考えてもよい考えが浮かばない)」「—に暮れる」「—のしどころ」❷心配すること。物思い。「—の種」—どころ【—所】考えどころ。思案のしどころ。—なげくび【—投げ首】思い余って首をたれ、深く考え込むこと。

*し-あん【私案】個人的な計画・考え。「—を述べる」

*し-あん【試案】こころみに作った仮の計画・意見。「改革の—を発表する」対成案。

*シアン 炭素と窒素の化合物で、特有の臭気がある有毒気体。青素。▽オランダ cyaan —か-カリウム【—化カリウム】白色で針状の結晶。水にとけやすい。猛毒。金・銀の冶金、めっきなどに使う。青酸カリ。—か-すいそ【—化水素】猛毒で、特異な臭気をもつ無色の液体または気体。殺菌・有機物合成などに利用。青酸。

じ-あん【事案】問題とされている事がら。類語案件。

*し・い《接尾》《名詞や動詞の未然形などについて形容詞をつくる》「…のようである」「…と思われる」の意。「疑わ—・い」「軽々—・い」文し《シク》。

*し-い【四囲】〔文〕まわり。周囲。「—の情勢」

*し-い【思×惟】《名・他サ》〔論理的に〕考えること。思考。「哲学者の—するところは…」参考→思惟。

*し-い【×恣意・×肆意】〔文〕自分だけの勝手な考え。「選択が—的だ」類語気まま。随意。任意。

*しい【×椎】ブナ科の常緑高木。暖地に自生する。六月ごろ白い花を穂状につける。実はかたく、食用。材は建築・器具用。椎茸栽培の原木。

*し-い【私意】❶自分一人の考え。類語私見。❷自分だけの利益をはかる気持ち。類語私情。私心。

*し-い【紫衣】〔文〕〔地位の高い僧が着る〕むらさき色の僧衣。昔、勅許によって着た。しえ。

*し-い【×緇衣】〔文〕❶〔僧が着る〕墨染めの衣。黒衣。❷僧。=しえ。

*じ-い【侍医】身分の高い人の主治医。

*じ-い【次位】次の位。特に、二番めの位。

*じい【×爺】〔俗〕年老いた男。特に、下働きをする年寄りの男。じいや。〔親しみをこめてよぶ場合に使う〕

*じ-い【示威】《名・自他サ》相手に気勢や威力を示すこと。「—行進」—うんどう【—運動】大勢で行列・集会などを行い、意志や気勢を示して相手に心理的影響を与える行動。デモンストレーション。デモ。

*じい【▽祖▽父】〔俗〕父母の父。そふ。

*じ-い【自慰】《名・自サ》❶自分を自分でなぐさめること。❷性器を手などで刺激して、自分で性的快感を味わうこと。手淫。自瀆。オナニー。

*じ-い【辞意】その職をやめたいという意志。「—をほのめかす」「—を表明する」

シーアールティー-ディスプレー【CRTディスプレー】コンピューターで、ブラウン管(CRT)を用いて文字や図形を画面に映し出す装置。▽cathode-ray tube display の略。

シー-アイ【CI】⇩巻末付録。

ジー-アイ【GI】アメリカの徴募兵。また、アメリカ兵の俗称。▽government issue の略。

シー-アイ-エー【CIA】アメリカ中央情報局。諜報を収集・調査・分析する大統領直属の機関。▽Central Intelligence Agency の略。

シー-エー-ティー-ブイ【CATV】❶テレビ電波の届きにくい地域で、共同でアンテナを設け、良好な画面を各家庭に送る方式。▽community antenna television の略。❷同軸ケーブルを使って、本来のテレビ電波以外に自主番組も加入者に送信できる有線テレビジョン。ケーブルテレビ(ジョン)。▽ cable television の略。

ジー・エス【GS】 自動車の給油や洗車などをする所。ガソリンスタンド。参考 gasoline と stand の略から。

ジー・エヌ・イー【GNE】 国民総支出。国民総生産を支出面からとらえたもの。国民が一定期間に購入した財貨やサービスの合計で、国民総生産と同額。▽ gross national expenditure の略。

ジー・エヌ・ピー【GNP】 国民総生産。▽ gross national product の略。参考 ⇩巻末付録(GDP)。

シー・エフ【CF】 テレビコマーシャルのために作った短い映画。▽ commercial film の略。

シー・エム【CM】〔民間放送などで放送する〕広告の文句。コマーシャル(メッセージ)。「―を流す」▽ commercial message の略。

しい・か【詩歌】《「しか」の延音》漢詩と和歌。詩や短歌。「―の道」「―管弦」

し・いき【市域】 市を形成する区域。

しい・ぎゃく【×弑逆・×弑虐】《名・他サ》《「しぎゃく」の延音》〔文〕主君や父を殺すこと。しいすること。

し・いく【飼育】《名・他サ》〔家畜などを〕飼ってそだてること。「鶏を―する」

シークレット・サービス アメリカで、国家要人・外国要人などの警護や偽造紙幣の取り締まりなどを担当する機関。また、その係官。▽ Secret Service

ジー・コード【Gコード】 テレビ番組を八桁(けた)以内の数字にコード化した、録画予約コード。参考 商標名。▽ Gemstar Code の略。

シー・シー【cc】《助数》立方センチメートル。「二〇〇〇―」▽ cubic centimeter(s)の略。

シージーエス・たんいけい【CGS単位系】 長さにセンチメートル(c)、質量にグラム(g)、時間に秒すなわちセコンド(s)を用いて、物の面積・体積・速度などを表す基本単位系。

じ・いしき【自意識】 自分自身についての意識。自己意識。「―過剰」

シース ❶万年筆・鉛筆などを数本さして持ち歩くための懐中用のいれもの。❷体にぴったり密着したドレス。シースドレス。▽ sheath(=鞘(さや))

しい・する【×弑する】《他サ変》《「しい」は「弑(し)」の延音。また、古語「殺(し)す」の変化とも》〔文〕主君や父を殺す。弑逆(しいぎゃく)する。「親王を―する」

シーズン ❶季節。時季。❷さかんに行われる時期。また、絶好の時期。「台風―」「野球―」▽ season

―オフ シーズン②以外の時期。季節はずれ。オフシーズン。▽ season と off からの和製語。

シーソー 中央を支えた長い板の両端に人が乗り、交互に上下させる遊び。また、その道具。ぎっこんばったん。▽ seesaw **―ゲーム** 一進一退の、白熱した試合。▽ seesaw game

しい・そさん【×尸位素×餐】 能力もないのに高位につき、ただ給与をもらっている・こと(人)。「―の輩(やから)」

しい・たけ【×椎×茸】〔しひ―〕担子菌類キシメジ科のキノコ。シイ・カシ・クヌギなどの枯れた木に生える。独特の香りがある。干して保存する。食用。

しいた・げる【虐げる】〔しひたげる〕《他下一》〔人・動物などを〕むごくとりあつかう。虐待する。「奴隷を―・げる」文 しいた・ぐ《下二》。

シーツ 敷きぶとんの上に敷く布。敷布。▽ sheet

しい・て【強いて】〔しひ―〕《副》《動詞「しいる」の連用形＋助詞「て」》❶むりやりに。おして。「―勉強しろとは言わない」「―言えば」❷《あとに打ち消しの語を伴って》必ずしも(…ない)。「―お金を出すこともない」

シー・ティー【CT】 患者の体を輪切りにした形で観察する方法。人体に各方面からエックス線を当て、コンピューターで処理して画像を作る。コンピューター断層撮影法。「―スキャン」「―スキャナー」。▽ computerized tomography の略。

シー・ディー【CD】 ❶↓コンパクトディスク。❷キャッシュディスペンサー。現金自動支払い機。▽ cash dispenser の略。

ジー・ティー【GT】 高速・高性能で、長距離走行に適した普通乗用車。GT車。グランドツーリングカー。参考 grand touring car の略。

シー・ティー・シー【CTC】 列車集中制御装置。列車の運行状況と信号の状態を一か所の指令室に集め、一括して制御する装置。▽ centralized train (または traffic) control の略。

シーディー・ロム【CD-ROM】 書き込まれたデータを読み出して利用する、コンピューター専用のコンパクトディスク。▽ compact disc read-only memory の略。

***シート** ❶席。座席。「ロマンス―」❷野球で、守備位置。「―ノック」▽ seat **―ベルト** 飛行機や自動車で、体を座席に固定するベルト。▽ seat belt

***シート** ❶一枚の紙。❷自動車や荷物をおおう防水した布。「―をかぶせる」▽ sheet

シード《名・他サ》勝ちぬき試合で、強いと思われる選手・チームを最初から組み合わせないようにすること。また、その選手やチーム。「―校」「第一―」▽ seed

シードル《「サイダー」と同語源》リンゴの汁を発酵させて作る酒。りんご酒。▽(フランス) cidre

しいな【×粃・×秕】〔しひな〕❶殻ばかりで実のはいっていないもみ。❷よく実らないうちにしなびた果実。

シー・ハイル《感》スキーヤーのあいさつのことば。参考「スキー万歳」の意。▽(ドイツ) Schi Heil

ジー・パン 丈夫で軽快なデニムの長ズボン。作業用・スポーツ用に使う。ジーンズ。参考「ジーンズ(jeans)パンツ(pants)」の略。表記 俗に「Gパン」とも書く。

シー・ピー・ユー【CPU】 中央処理装置。主記憶装置・演算装置・制御装置など、コンピューターの主要機能部分。▽ central processing unit の略。

ジープ 多用途小型自動車。四輪駆動で、けわしい道がのぼれる。参考 もと商標名。第二次世界大戦中、アメリカの軍用車として使われた。▽ jeep

シー・フード〔西洋料理で〕海産の食品。▽ seafood

ジー・マーク【Gマーク】 経済産業省が優秀なデザインであると認めた商品にはることが許されるマーク。グッドデザインマーク。参考 Gは good design の頭文字をとったもの。

シームレス 女性用のストッキングで、うしろの縫い目のないもの。▽ seamless

ジー・メン【Gメン】 アメリカの連邦捜査局(FBI)の捜査官。参考 (ア)日本では、警察官以外で麻薬などの捜査・摘発を行う役人。(イ)Government men ま

たは gun men の略といわれる。▽G-men

シーラカンス 古生代から中生代に栄えた硬骨魚類シーラカンス目の魚の総称。絶滅したと考えられていたが、マダガスカル島付近の海で捕らえられた。体長約一・五メートル。「生きた化石」として知られる。▽coelacanth

シーリング（予算などを）制限する枠。上限。「ゼロー」▽ceiling（=天井）

*__し・いる【強いる】__《他上一》むりやりにさせる。おしつける。強要する。「寄付をー・いる」文しふ《上二》。

*__し・いる【×誣いる】__《他上一》（「強いる」と同語源）事実をまげて人を悪くいう。こじつける。「人をー・いる」文しふ《上二》。

*__シール__ ❶封筒や包装紙の封じ目にはる、切手大の紙。❷アザラシの毛皮（に似せた布地）。スキーで登高するときに、滑らないようにスキーの裏につける。▽seal

シールド・こうほう【シールド工法】 トンネルの工事で、シールド（shield=盾（たて））という円筒形の鋼製の枠を、押しこむようにして掘削する工法。

シー・レーン 船舶の海上航路。特に、有事の際に物資の輸送に必要な航路帯。▽sea lane

し・い・れる【仕入れる】《他下一》❶（商品や原料などを）買い入れる。しこむ。「米をー・れる」❷新しく自分のものにする。とりいれる。「新しいねたをー・れる」

じ・いろ【地色】（織物などの）下地の色。

*__し・いん【子音】__（唇・歯・舌などの）発音器官のどこかの部分で呼気が妨げられて出る音。[k, s, t, g, z, d]などの音。ふつうにはそれだけでは音節を構成しない。子音（しおん）。対母音。

*__し・いん【死因】__ 死んだ原因。「ーはガス中毒」

*__し・いん【私印】__ 私人の用いる印章。対官印。公印。

*__し・いん【試飲】__《名・他サ》（飲み物の味の良否などをみるために）ためしに飲むこと。「新発売のワインをーする」参考「試食」にならって作られた語。

*__シーン__ ❶風景。光景。❷映画や芝居の場面。また、小説や事件の場面。「ラストー」▽scene

じ・いん【寺院】 てら。「ヒンズー教のー」

ジーンズ ❶丈夫な細綾（あや）織りの綿布。❷ジーパン。▽jeans

しいん・と《副》静まりかえって物音一つしないようす。

じいん・と《副》心をゆり動かされたり、痛みが極度に達したりして、からだがしびれるように感じるようす。「親子別れの場面でーきた」

じ・う【慈雨・滋雨】（日照り続きのときなどに降る）めぐみの雨。「干天のー」類語おしめり。甘雨。

じ・うた【地歌・地×唄】 ❶ある地方だけで歌われる小唄（こうた）・民謡などの俗歌。❷江戸時代に上方で歌われた三味線歌。上方歌。京唄。「ー舞（まい）（=上方舞）」

じ・うたい【地謡】（ぢうたひ） 謡曲の地の文を大勢で歌うこと（謡）。また、その人々。

し・うち【仕打ち】（他人に対する）ふるまい。扱いぶり。「ひどいー」参考ふつう、悪い場合に使う。

し・うん【紫雲】（文）むらさき色の雲。「ーたなびく」参考仏がこの雲に乗って現れるというのでめでたいしるしとされる。類語瑞雲（ずいうん）。

じ・うん【時運】 時のまわり合わせ。時の運。「ーに恵まれる」「ーに任せる」類語時勢。

し・うんてん【試運転】《名・他サ》新しくできた機械や乗り物をためしに運転すること。「モノレールのー」

*__し・え【紫▽衣】__→しい（紫衣）。

*__し・え【×緇▽衣】__→しい（緇衣）。

シェア「マーケットシェア」の略。商品の市場占有率。▽share（=分け前。割当）

*__し・えい【市営】__ 市が経営すること。「ーのバス」

*__し・えい【私営】__ 民間の会社・個人などが経営すること。「ー鉄道」対公営。

*__じ・えい【自営】__《名・他サ》独立して自分の力で経営すること。「ー業」

*__じ・えい【自衛】__《名・自他サ》他からの攻撃などに対して、自分の力で自分を守ること。「ー手段」

シェイプ・アップ《名・他サ》運動や食事制限などにより、体形を整えること。「ーに励む」▽shape-up

ジェー・アール【JR】 日本国有鉄道の分割・民営化によって生まれた六旅客鉄道会社と日本貨物鉄道会社との共通の呼称。「JR北海道」「JR貨物」などと略称する。参考Japan Railway の頭文字から。

ジェー・オー・シー【JOC】 日本オリンピック委員会。国際オリンピック委員会の日本支部。▽Japan Olympic Committee の略。

シェーカー カクテルを作るために洋酒などを入れて振る、金属製の容器。▽shaker

シェード ❶電灯や電気スタンドのかさ。❷日よけ。ひさし。▽shade

シェーバー 電気かみそり。▽shaver（=かみそり）

ジェー・リーグ【Jリーグ】 一九九三年に発足した日本プロサッカー・リーグの通称。▽J league

*__し・えき【使役】__ ❶《名・他サ》他人を使ってあることをさせること。「奴隷をーする」❷動詞の未然形に助動詞「（さ）せる」「しめる」（口語）、「（さ）す」「しむ」（文語）をつけて使役①を表す用法。

*__し・えき【私益】__ 自分だけの利益。個人の利益。私利。「私利ーを貪（むさぼ）る」対公益。

ジェスチュア→ゼスチュア。▽gesture

ジェット ❶流体（=気体・液体）を、高速でふき出させること。また、その流体。噴流。❷「ジェット機」の略。▽jet **ーエンジン** 高温・高圧のガスを高速で噴出させ、その反作用により推進力を得る内燃機関。おもに、航空機に用いる。噴射式推進機関。▽jet engine **ーき【ー機】** ジェットエンジンによって飛ぶ航空機。高速度で飛行し、音速よりも速い速度で飛べる。**ーきりゅう【ー気流】** 北緯三〇〜四〇度付近で、一万メートルぐらいの上空を海流のように流れている、強い偏西風。ジェットストリーム。**ーコースター** 遊園地などで、起伏の激しいレール上を急速度で走らせる、娯楽用の乗り物。▽jet と coaster からの和製語。

ジェネレーション 世代。ゼネレーション。「ヤングー」「ーの交代」▽generation

シェパード 犬の一品種。大形犬で警察犬・軍用犬などに有用。セパード。▽shepherd（=羊飼い）

シェフ 料理長。コック長。▽フランス chef（=長）

ジェラシー 嫉妬（しっと）。やきもち。ねたみ。▽jealousy

シェリー 南スペイン産の白ぶどう酒。白樫（しらかし）のたるに詰めて発酵させる。シェリー酒。▽sherry

シェル 貝殻。▽shell

シェルター ❶防空壕（ごう）。❷核戦争や原発事故などに

し

備えるため地下に作った避難所。▽shelter

シェルパ ヒマラヤ山中に住む蒙古系の一種族。特に、ヒマラヤ登山の案内や荷物運搬などを職業としている人。▽Sherpa

*__し・えん__【支援】《名・他サ》力をそえて助けること。援助。「—を受ける」「—団体」

*__し・えん__【私×怨】個人的なうらみ。私恨。「—を買う」 類語 私憤。

*__し・えん__【紫煙・紫×烟】〔文〕むらさき色の煙・もや。特に、たばこの煙。「—をくゆらす」

*__し・えん__【試演】《名・他サ》演劇などを本格的に上演する前にためしに演じてみること。

じ・えん【自演】《名・自他サ》自分の作品に自分が出演したり、自分で演出したりすること。「自作—」

ジェンダー ❶英文法などで、性。❷〔生物学的な性(＝セックス)に対して〕文化的・社会的に形成される性別。▽gender

ジェントルマン 紳士。ゼントルマン。対 レディー。▽gentleman

*__しお__【潮・×汐】しほ ❶満ちたり引いたりする海の水。また、単に、海の水。うしお。参考「—がひく(ような)」などの形で、物事の衰退、減少などの形容に用いる。「場内は—が引いたように静まり返った」❷ちょうどいい時。おり。しおどき。しおあい。「電話を—に席を外す」 表記 (ア)①で「汐」は夕しおに使う。(イ)②は「機」「機会」などと当てる。

*__しお__【塩】しほ ❶しおからい味がする白色の食品。塩化ナトリウムの細かい結晶体で、海水から産し、また、岩塩としても産出する。調味料・防腐剤として用いる。食塩。波の花。❷塩味のぐあい。しおかげん。「—があまい」「—がきいている」

しお・あい【潮合(い)】しほあひ しおどき。

しお・あし【潮足】しほ— 潮の満ち干の速さ。「速い—」

しお・いり【潮入り】しほ— ❶海の近くの湖や川に海水が流入すること。また、その場所。❷船の積み荷が海水につかること。また、その積み荷。

しお・おし【塩押し・塩▽圧し】しほ— 野菜・肉などを塩につけ、おもしでおさえておくこと。

し・おお・せる【▽為▽果せる】—おほせる《他下一》最後までなしとげる。「困難な仕事を—・せる」

しお・かげん【塩加減】しほ— 塩でつけた味のぐあい。

しお・がしら【潮頭】しほ— 上げ潮のとき、沖から寄せてくる潮のさき。しおさき。なみがしら。

しお・かぜ【潮風】しほ— ❶海の上をわたってくる潮けをふくんだ風。❷潮時に吹く風。「—に乗る」

しお・がま【塩×竈・塩×釜】しほ— ❶海水を煮て塩を作るかまど。❷みじん粉に砂糖をまぜて押しかため、方形に切った干菓子。

しお・から【塩辛】しほ— 魚介類の肉・内臓・卵などを細かく切って塩づけにし、発酵させた食品。おもに酒のさかなにする。—ごえ【—声】かすれた太い声。しわがれ声。—とんぼ【—×蜻×蛉】日本で最もふつうに見られるトンボ。雄は灰白色で、腹部先端は黒い。雌は黄褐色で、腹部に黒い二本の線がある。しおとんぼ。参考 雌をムギワラトンボと言う。

しお・から・い【塩辛い】しほ—《形》塩分が多く舌を刺激する味がする。しょっぱい。

し・おき【仕置(き)】《名・他サ》〔処置することの意から〕❶江戸時代、人を処罰すること。特に、死刑にすること。「—場」❷〈多く「お—」の形で〉いたずらをした子供などをこらしめること。「悪さをするとお—ですよ」

しお・くみ【潮×汲み】しほ— 製塩や潮湯用の海水をくむ・こと(人)。

しお・ぐもり【潮曇り】しほ— 潮気で海上がくもること。

し・おくり【仕送り】《名・他サ》生活費や学費を補助するために、金などを送ること。また、その金銭。

*__しお・け__【潮気】しほ— 海上や海べの塩分を含んだ湿りけ。「—を帯びた風」

*__しお・け__【塩気】しほ— 食べ物などに含まれている塩(の分量)。塩分。

しお・けむり【潮煙・潮×烟】しほ— 海水がくだけ散って煙のように見える水しぶき。しおけぶり。「—が立つ」

しお・さい【潮▽騒】しほさゐ 海水が満ちてくるときなどに聞こえる波のざわめく音。しおざい。「—が聞こえる」

しお・ざかい【潮境】しほざかひ ❶暖流と寒流、沿岸水と外洋水など、異なる水塊が接してできる海水の境界。両側の水の色がちがう。❷物事のさかい目。境界。

しお・ざかな【塩魚】しほ—〔保存のために〕塩をふったり、または塩づけにしたりしたさかな。しおうお。

しお・さき【潮先】しほ— ❶満ちてくる海水の波の先。また、潮が満ちてくる時。❷物事の始まる時。

しお・ざけ【塩×鮭】しほ— 内臓を取り除き、塩づけにしたサケ。塩びき。塩じゃけ。類語 あらまきざけ。

し・おさめ【仕納め】—をさめ ある物事をやめようとするとき、最後に一度だけそれを行うこと。「スキーの—」

しお・じ【潮路】しほぢ ❶海流が流れてゆく道すじ。❷船の通る道すじ。海路。ふなじ。航路。「はるかな—」

しお・しお【×悄×悄】しをしを《副》(「—と」の形も)がっかりして元気のないようす。「—と引き返す」類語 しょんぼり。悄然。

しお・ぜ【塩瀬】しほ— はぶたえに似た厚地の絹織物。多く帯地に用いる。

しお・せんべい【塩×煎×餅】しほ— 米を原料として、しょうゆで塩からい味をつけたせんべい。

しお・だし【塩出し】しほ—《名・自サ》塩づけにした食品の塩分を抜くこと。「塩かずのこの—」

しお・だち【塩断ち】しほ—《名・自サ》〔神仏に願をかけた時や病気の時など〕ある期間、塩けのある食物を食べないこと。類語 茶断ち。

しお・だまり【潮×溜(ま)り】しほ— 引き潮のあと海水が残る、岩場のくぼみ。

しお・た・れる【潮垂れる】しほ—《自下一》〔海水にぬれてしずくがたれる意から〕身なりなどが貧弱で、みすぼらしいようすになる。また、態度がうちひしがれて元気がなくなる。「—・れた姿」

しお・づけ【塩漬(け)】しほ—〔長期間の保存のため、また味つけのため〕野菜・肉・魚などを塩をふりかけてつけること。また、その食品。

しお・どき【潮時】しほ— ❶海水が満ち引きする時。❷〔あることを始めたり、やめたりするのに〕ちょうどよい時機。機会。チャンス。「このへんが引退の—だ」

しお・なり【潮鳴(り)】しほ— 潮の寄せては返す音。

しお・ばな【塩花】しほ— ❶けがれを清めるためにまく塩。❷料理屋などの入り口に、縁起をかついで小さく盛りあげておく塩。盛り塩。

しお・はま【塩浜】しほ— 塩田。

しお・ひ【潮干】しほ— 海水が引くこと。—がり【—狩

（り）】引き潮の砂地で貝などをとって遊ぶこと。

しお-びき【塩引き】しほー〔サケ・マス・タラなどの〕魚類を塩づけにすること（魚）。特に、塩鮭。

しお-ふき【潮吹（き）】しほー❶バカガイ科の二枚貝。からは丸みをおびた三角形で、淡褐色の地に横筋がいくつもある。食用。❷クジラが海面に出て呼吸するとき、鼻孔から湿気・水分のある空気を出すこと。参考 海水を噴き上げるように見える。

ジオプトリー《助数》レンズの屈折力の大きさを表す単位。焦点距離をメートル単位ではかった数値の逆数。眼鏡による視力の補正の程度を示す。ディオプター。記号 Dptr. またはD。▽ドイツ Dioptrie

しお-ぼし【塩干し・塩▽乾し】しほー《名・他サ》〔おもに魚・貝などを〕塩づけにし、さらに日干しにすること。また、その食品。干物。「アジをーにする」

しお-ま【潮間】しほー海水の引いている間。しおがい。

しお-まち【潮待ち】しほー《名・自サ》❶〔舟などを出すために〕海水が満ちてくるのを待つこと。❷よい時機を待つこと。潮時を待つこと。

しお-まねき【潮招（き）】しほースナガニ科の小さなカニ。南日本の海浜の砂地に多くすむ。しおまねぎ。参考 雄のはさみは一方だけが大きく、これを上下に動かす姿が潮を招いているように見えることからいう。

しお-まめ【塩豆】しほーエンドウなどを乾燥させ、塩水につけてから炒ったもの。

***しお-みず**【潮水】しほみづ 海水。うしお。

***しお-みず**【塩水】しほみづ 塩分を含んだ水。また、食塩をとかしこんだ水。類語 鹹水。対 真水。

しお-むし【塩蒸し】しほー《名・他サ》〔魚などを〕塩気をつけて、蒸すこと。また、その料理。

しお-め【潮目】しほー二つの異なった潮の流れが接するときに海面にできる、帯状のすじ。しおの目。類語 潮境。

しお-もの【塩物】しほー塩づけにした魚。しおびき。

しお-もみ【塩×揉み】しほー《名・他サ》生野菜などに塩をふりかけて、もむこと。「キュウリのー」

しお-やき【塩焼（き）】しほー肉や魚に塩をふりかけて焼くこと。また、そのようにした料理。「アユのー」

しお-やけ【潮焼け】しほー《名・自サ》❶太陽の光によって、海面から立ちのぼる水蒸気が赤く見えること。❷潮風に吹かれ太陽にあたって、皮膚が赤黒く日焼けすること。「ーした顔」

しおらし-い しをらしい《形》ひかえめで、いじらしい。〔「かわいそうだ」という気持ちを含む〕「いつになくー・いことを言う」文 しをら・し《シク》。

***しおり**【×撓】しをり《「撓る（＝たわませる）」の連用形から》芭蕉の俳諧の根本理念の一つ。作者の心が繊細さをもって余情的に自然に句にあらわれたもの。参考↓さび・ほそみ・わび。

***し-おり**【枝折（り）・×栞】ーをり ❶昔、山道などを行くとき、木の枝を折って帰り道の目じるしにしたこと。❷読みかけの本の間にはさんで目じるしにするもの。❸あることをはじめてする人に説明する本。案内書。手引書。「旅行のー」❹「しおり垣」の略。❺「しおり戸」の略。
ーがき【枝折（り）垣・×柴折（り）垣】折った木の枝などで作った簡素な垣。**ーど**【枝折（り）戸・×柴折（り）戸】細い木の枝や竹をたばねて作った簡単な戸。多く庭の出入り口などに設ける。

しお・れる【×萎れる】しをれる《自下一》❶草花などが生気を失ってしぼむ。❷力がぬけて弱る。元気がなくなる。「しかられてー・れる」文 しを・る《下二》。

***し-おん**【四恩】〔仏〕人がこの世で受けるという、父母・国王・衆生・天地（または三宝）の四つの大恩。

***し-おん**【子音】↓しいん（子音）。

***し-おん**【師恩】〔文〕先生から受ける恩。師の恩。

***し-おん**【紫×苑】キク科の多年草。秋、淡紫色のキクに似た小さな花を多数開く。根は、せきどめ薬。

***し-おん**【歯音】歯または歯茎と舌の先とを用いて発する子音。［t, d, s, z, n］など。歯茎音。

じ-おん【字音】日本に伝わってきて、国語化した漢字の読み方。漢音・呉音・唐音など。漢字音。音。対 字訓。**ーかなづかい**【ー〈仮名〉遣（い）】ーづかひ 漢字の字音をかなで書きあらわすときの、かなの使い方。

***し-か**【史家】歴史の研究者。歴史家。歴史学者。

***し-か**【市価】商品が一般の市場で売買される値段。市場価格。「ーの半値で取引する」

***し-か**【糸価】糸の値段。特に、生糸の値段。

***し-か**【紙価】紙の値段。「洛陽のーを高める」

***し-か**【詞花・詞華】〔詩歌・文章などの〕美しくかざったことば。すぐれた詩や文章。**ーしゅう**【ー集】名詩・名歌の選集。アンソロジー。

***し-か**【詩歌】↓しいか（詩歌）。

***し-か**【賜暇】〔文〕昔、官吏などが、休暇を取ることを許されること。また、その休暇。「ーを乞う」

***しか**【×鹿】ウシ目シカ科の哺乳動物。雄は多く頭上に角があり、毎年生えかわる。性質はおとなしく、草食性。群れをなしていることが多い。
ーを逐う《句》帝位や政権を得ようとして争う。中原に鹿を逐う。〈史記・淮陰侯伝〉
ーを追う者は山を見ず《句》利益を得ることに夢中になっている者は、周囲の情勢に気づかないものだ。
ーを指して馬と為す《句》間違いを押し通すたとえ。また、作りごとをして人をおとしいれるたとえ。故事 秦の始皇帝の死後、実権を得た趙高が、馬だと偽って鹿を二世皇帝に献じ、その後鹿だといった者を罪におとしいれたことから。〈史記・秦始皇本紀〉

***し-か**【歯科】歯に関する病気を診察・治療する医学の一分科。「ー医」

***しか**【▽然・×爾】《副》〔文〕そのように。そう。

***しか**《係助》〔「…しか…ない」の形で〕特定の物事・事柄以外は全面的に否定される意を表す。〔数値につくときは、「わずか」の意が添えられる〕「鉛筆と筆箱しか持ってこなかった」「こうなったらやるしかない」「一〇人しかいない（＝たったの一〇人だ）」参考 くだけた言い方には、「しきゃ」「っきゃ」がある。「やるっきゃない」

し-が【歯×牙】〔文〕歯と、きば。また、歯。「ーにもかけない（＝とり上げて論議の対象としない）」

***じ-か**【時下】〔文〕ちかごろ。目下。〔手紙文の最初において副詞的に使う〕「ーますます御清栄の段…」

***じ-か**【時価】その時々の値段・相場。「ー五〇万円」

***じか**【▽直】《「直」の転》間に他のものを入れないこと。直接。「ーの取引」「ー談判」参考↓じかに。

***じ-か**【磁化】《名・自他サ》物体が磁気をおびること。また、そのようにさせること。帯磁。

***じ-か**【自家】〔文〕自分（の家）。「ー用」**ーじゅふん**【ー受粉】《名・自サ》同一種または同一株の間で行われる受粉。また、同一の花のおしべとめしべの間の受粉。同一の花の場合は、自花受粉ともいう。ー

せい【―製】自分の家で作ること。また、作ったもの。ホームメード。「―のハム」 ―どうちゃく【―×撞着】《名・自サ》言動が矛盾すること。自己矛盾。「―に陥る」 ―はつでん【―発電】《名・他サ》自家用の電気を自分の所で起こすこと。 ―薬籠中(やくろうちゅう)の物《句》〔自分の薬箱の中の薬のように〕いつでも自分の思いのままになる・もの（人）。

*じ・か【自火】〔文〕自分の家から出した火事。

じ・が【自我】❶〔哲〕認識・行動・意欲の主体が、他から区別したものとしての自分。自己。エゴ。対非我。❷自分自身に対する意識。「―が強い」

シガー 葉巻たばこ。▽cigar

*し・かい【司会】《名・他サ》会や番組などの進行をつかさどる・こと（役）。「―者」「結婚式の―をひきうける」

*し・かい【四海】〔文〕❶四方の海。❷世界。天下。世の中。「―波静か（＝天下がよく治まって平和なことのたとえ）」 ―けいてい【―兄弟】世界じゅうの人々はみな平等で、兄弟のように親しくすべきであるということ。四海同胞。〈論語・顔淵〉

*し・かい【市会】「市議会」の旧称、または通称。

*し・かい【×斯界】〔文〕この（専門の）社会・分野。この方面。「―の権威」

*し・かい【死灰】〔文〕〔火の気がなくなった〕冷たい灰。参考生気のないものの形容に用いる。「―同然に」

*し・かい【視界】❶一定の位置から見わたすことのできる範囲。眼界。視野。「―が開ける」「濃い霧で―がきかない」❷知識・考えなどの及ぶ範囲。「―を広げる」

*し・がい【市街】人家や商店などが多くたっている所。街(まち)。また、まちの（にぎやかな）通り。ちまた。「―地」

*し・がい【死×骸・×屍×骸】死んだ人・動物のからだ。類語死体。注意人の場合で丁重にいうときは「遺体」「遺骸」を使う。⇩〔類義語の使い分け「死体」〕

*じ・かい【字解】《名・他サ》文字（特に漢字）の解釈。

*じ・かい【持戒】〔仏〕戒めを固く守ること。対破戒。

*じ・かい【次回】次の回。次の機会。対前回。

*じ・かい【磁界】磁気作用がおよぶ範囲。磁場。

*じ・かい【耳介】↓じかく（耳殻）。

*じ・かい【自壊】《名・自サ》〔組織などが〕ひとりでにこわれること。「内部対立から政党が―する」類語自滅。

*じ・かい【自戒】《名・自他サ》〔文〕自分で自分をいましめること。自警。「日々―する」類語自粛。

じ・がい【自害】《名・自サ》自分で自分の身を傷つけて命を絶つこと。類語自殺。自刃(じじん)。自決。

しがい・せん【紫外線】波長が可視光線より短く、エックス線より長い、電磁波。太陽スペクトルで紫の外側に現れる。光電効果や化学作用がある。略語UV。

し・かえし【仕返し】(しかへし)《名・自サ》❶やりなおし。❷〔負けたり、辱めを受けたりした相手に〕うらみやあだを返すこと。報復。復讐(ふくしゅう)。類語敵討ち。はらいせ。

じ・がお【地顔】(ぢがほ)化粧などをしていない、自然のままの顔。すがお。類語素っぴん。

しかかり・ひん【仕掛（か）り品】製造工程の途中にあって、商品として完成していないもの。しかけ品。

し・かか・る【仕掛かる・仕懸かる】《他五》❶〔ある物事を〕しはじめる。とりかかる。❷〔ある仕事を〕途中までしている。「―・った仕事をかたづける」表記簿記では「仕掛品」と書く。

*し・かく【刺客】《「せきかく」の慣用読み》暗殺者。しきゃく。〔古風なことば〕「―をさしむける」

*し・かく【四角】《名・形動》❶四すみに角(かど)があること。また、その形。方形。❷〔形が〕かどばっていること。「―な文字」 ―・い《形》形が四角である。 ―ごうま【―号×碼】漢字検索法の一つ。漢字の四すみの形によって番号（＝号碼）をきめ、すべての漢字を四けたの数字で表したもの。 ―しめん【―四面】《名・形動》❶真四角なこと。❷非常に四角ばっていること。「―に考え過ぎる」 ―ば・る【―張る】《自五》❶形が四角形をなす。❷かしこまって、まじめくさった態度をとる。

*し・かく【死角】❶弾丸をうちこめる範囲にありながら、銃砲の構造や角度の関係で弾丸が届かない範囲。「―に入る」❷物にさえぎられて、その角度からでは見えない範囲。また、身近にあっても・目が届かない（気がつかない）範囲。「犯人に防備の―をつかれた」

*し・かく【視覚】五感の一つ。光の刺激を網膜にうけて起こる感覚。事物を見る感覚の作用。視感。 ―か【―化】《名・他サ》目で見てわかるようにすること。

*し・かく【視角】❶物体の両端から目まで引いた二つの直線が作る角。❷見る目の角度・方向。見方。

*し・かく【資格】❶〔ある組織の中での〕地位・身分。「委員の―で発言する」❷ある身分・地位・任務などについたり、ある一定の行動をしたりするのに必要な条件。「教員になる―をもっている」

*しか・く【▽然く・×爾く】《副》〔文〕そのように。そんなに。「何故に―失敗を恐るるや」

*し・がく【史学】歴史を研究する学問。歴史学。

*し・がく【志学】〔文〕「一五歳」の別称。参考「吾(われ)十有五にして学に志す〈論語・為政〉」から。⇩〔類語と表現「年(とし)」〕

*し・がく【×斯学】〔文〕この学問。「―の権威」

*し・がく【私学】私立の学校。対官学。

*し・がく【視学】旧教育制度で、その地域の学校教育の状況を視察し、指導・監督した官職。「―官」

*し・がく【詩学】詩の原理や方法を研究する学問。

*じ・かく【字画】漢字を組み立てている点や線。また、その数。「―をかぞえる」類語画数。

*じ・かく【寺格】寺の格式。寺の地位の等級。「―が高い」参考門跡(もんぜき)・本山・別院・末寺などがある。

*じ・かく【×痔核】肛門(こうもん)の周囲および直腸の血管（静脈）がうっ血して、こぶのようになる病気。いぼ痔。

*じ・かく【耳殻】外耳の一部。頭の両側にある、貝殻の形をしたもの。おもに軟骨からできている。耳介。

*じ・かく【自覚】《名・他サ》❶自分のおかれている状態・地位・立場などを自分でよく知ること。「成人としての―をもつ」❷自分で感じとること。「―症状」

じがく・じしゅう【自学自習】《名・他サ》〔他から教えてもらわず〕自分ひとりで学習すること。

し・かけ【仕掛（け）】❶途中までするること。やりかけ。❷他に働きかけること。「相手の―を待つ」❸〔たくみに作った〕しくみ。からくり。また、装置。「種も―もない」❹釣りで、道糸の先に鉤素(はりす)・つり針・おもり・浮きなどを仕組んだもの。 ―はなび【―花火】いろいろな形が現れるように装置した規模の大きい花火。

し・か・ける【仕掛ける】《他下一》❶し始める。やりはじめる。特に、仕事を始める。❷途中までする。やりかける。「質問を―・けてやめる」❸〔動作を〕しむける。やり他に働きかける。「論争を―・ける」❹〔装置を〕とりつける。仕掛けをする。「わなを―・ける」

し-かざん【死火山】 歴史上、噴火などの火山活動をした記録が全くない火山。↓活火山。参考 現在は合理的でないとして、使われていない。

しかし【▽然し・▽併し】《接続》❶前に述べたことがらを受けて、それと対比するようなことがらを述べ始めるときに使う語。そうではあるが。けれども。だが。「品物は良い。―値段が高い」❷以上述べられたことはわきにおいて、これから述べることが大切だという意を表す語。それはともかく(として)。「あなたも大変ですね。―これからどうなさるつもりですか」

しか-じか【▽然▽然・×云×云】《副》長い話や文章(の末尾)を略すときに使う語。「かくかく―の理由で」

じが-じさん【自画自賛・自画自×讃】 ❶自分のかいた絵に自分で賛を書くこと。自画賛。❷《名・他サ》自分で自分のことをほめること。自賛。

しか-して【▽然して・×而して】《接続》《「しか」+文語動詞「す」の連用形+助詞「て」》〔文〕そうして。

しかし-ながら【▽併し×乍ら・▽然し×乍ら】《接続》そうではあるが。しかし。

しか-しゅう【私家集】 個人の和歌や詩を選び集めた書物。家集。

しか-・ず【▽如かず・▽若かず】《連語》〔文〕《動詞「しく」の未然形+助動詞「ず」》❶及ばない。かなわない。「百聞は一見に―・ず」❷…するに越したことはない。…が最もよい。「三十六計逃げるに―・ず」

じか-せん【耳下×腺】 耳の前下部にある唾液腺(だえきせん)。**―えん【―炎】** ウイルスによって起こる、感染性の耳下腺の炎症。はれて痛み、発熱する。幼児に多い。流行性のものを俗に「おたふくかぜ」という。

じが-ぞう【自画像】 自分で描いた自分の肖像画。

し-かた【仕方】《「為(し)方」の意》❶ある物事をする方法・形式。やりかた。「あいさつの―」❷(他人に対する)ふるまい。しうち。「無法な―」**―ばなし【―話・―×咄】** 手まね・身ぶりを入れて話す落語。**―が無・い**《句》(やり方がない意から)❶どうにもならない。救いようがない。「―・い奴(やつ)だ」❷しようがない。「ないなら―・い」❸たまらない。「暑くて―・い」

じ-かた【地方】 ❶江戸時代、町方に対する農村の称。❷(「立方(たちかた)」に対して)舞踊などで、伴奏者の称。

じか-たび【地下〈足袋〉・▽直〈足袋〉】 力仕事をするときにはく、厚いゴム底をつけたたび。参考 元来「じか」は「直」で、「直接」の意。

じ-がため【地固め】《名・自サ》❶建物をたてる前に、地面をならし固めること。じならし。地形(じぎょう)。❷物事の下準備。基礎工作。「優勝への―」

じか-だんぱん【▽直談判】《名・他サ》当事者同士が直接話をしあうこと。直談(じかだん)。直談判(じきだんぱん)。「―に及ぶ」類語 膝詰(ひざづ)め談判。

し-がち【仕勝ち】《形動》とかく、そのような行動・動作をする傾向があるようす。「仕事のない日は寝坊―だ」表記 かなで書くことが多い。

し-かつ【死活】 死ぬことと生きること。死ぬか生きるか。生き死に。「―を制する」「―問題」

し-がつ【四月】 一年の四番目の月。うづき。**―ばか【―馬×鹿】** エープリルフール。万愚節。

じ-かつ【自活】《名・自サ》(他人の援助・保護を受けないで)自分の力で自分の生活をささえて行くこと。「アルバイトで―する」類語 自立。独立。

しかつめ-らし・い《形》❶(態度や顔つきが)緊張して、まじめそうである。「―・い態度をとる」❷(話などが)形式的で、かたくるしい。もっともらしい。「―・いあいさつ」表記「鹿爪らしい」と当てる。

***しかと**《名・他サ》〔俗〕人を無視すること。「―される」

***しか-と【▽確と・×聢と】**《副》〔文〕❶たしかに。「―相違はないか」❷しっかりと、かたく。「―約束した」

しが-な・い《形》《「さがない」の転という》とるにたりない。つまらない。「―・いサラリーマン」「―・い暮らし」

じか-に【▽直に】《副》間に他のものを入れないで。直接に。「―火にかける」

じ-がね【地金】 ❶(めっき・細工品などの)下地になっている金属。❷生まれつきもっている(悪い)性質・性格。「―が現れる」「―が出る」

し-かね-な・い【仕兼ねない・▽為兼ねない】《連語》《「する」の連用形+「兼ねる」の未然形+打ち消しの助動詞「ない」》…しないとは言い切れない。…するかもしれない。「人殺しさえ―・い男」

しか-のみ-ならず【▽加×之】《接続》〔文〕そればかりでなく。そのうえ。

じか-ばき【▽直×穿(き)】(くつ下・たびなどをつけず)履物を素足に直接はく・こと(もの)。

じが-ばち【似我×蜂】 ジガバチ科の昆虫。小形で、腰がくびれている。アオムシなどを捕らえ、毒で麻痺(まひ)させて産卵する。すがる。こしぼそばち。

し-かばね【×屍・×尸】《「しにかばね」の転》死んだ人間のからだ。死体。なきがら。「生ける―」**―に鞭打(むちう)・つ**《句》↓死屍(しし)に鞭打(むちう)つ。

しか-ばん【私家版】 ↓私版❷。

じか-び【▽直火】 料理などで、直接材料に火をあてること。また、その火。

じか-まき【▽直×播(き)】 ↓じきまき。

***じ-がみ【地紙】** ❶傘(かさ)・扇子などに張る厚紙。❷(金や銀の箔(はく)を張りつける)下地の紙。

***じ-がみ【地髪】**(入れ髪・かつらなどに対して)もともとはえている髪の毛。地毛(じげ)。

しがみ-つ・く《自五》しっかりとすがりつく。参考 ひゆ的に、ある特定の物事にこだわったり執着したりする意にも用いる。「過去の思い出に―・く」

しかめ-っ-つら【×顰めっ面】 しかめた顔つき。しかみづら。しかめづら。「―をする」

しか-・める【×顰める】《他下一》顔・額の皮をちぢめて、しわを寄せる。(不快な感情の表現として用いる)「顔を―・める」文 しか・む(下二)

しか-も【▽然も・×而も】《接続》❶前述の事柄にさらに他の事柄が加わる意。そのうえ。「頭がよく、―健康だ」❷次に述べる事柄が、前述の事柄に対比される意。それにもかかわらず。「しかられて、―反省しない」

しから-し・める【▽然らしめる】《他下一》〔文〕そうさせる。そのような結果に至らせる。「情勢の―・める所」参考 文語連体形「しからしむる」の形も使う。

しからずん-ば【▽然らずんば】《接続》〔文〕そうでないならば。さもなくば。「降伏か―死か」

しから-ば【▽然らば】《接続》〔文〕それならば。それでは。「金を出せ、―許してやろう」

しがらみ【×笧・×柵】 ❶水流をせきとめるために杭(くい)を打ち並べて、木や竹を横にからみつかせたもの。❷まとわりついて、じゃまするもの。「人情の―」「恋の―」

しか-り【▽然り】《自ラ変》《「しかあり」の約》〔文〕その

とおりである。「小林君ー・り田中君ー・り」「ー・り而して」参考 終止形を感動詞的にも使う。

しかり・つ・ける【×叱り付ける】《他下一》強くしかる。「規則を守らない生徒をー・ける」

しか・る【×叱る】《他五》〔目下の人に対し〕口に出して他人の悪い点を責めとがめる。叱責する。「聞き分けのない子をー・る」文《四》。⇩〔類語と表現〕

類語と表現

「叱る」

*先生が生徒を叱る・部下の不手際を叱る・芝生に入ってはいけないと子どもを叱る・やさしく叱る・大声で叱る・悪戯をして父親に叱られる。

◆叱りつける・叱り飛ばす・咎める・窘める・苛む・絞る・絞り上げる・油を絞る・とっちめる・どやす・どやしつける・責める・責め立てる・責めつける・責め苛む・怒鳴る／（す）る）叱責・譴責・詰責・面責・問責・一喝・叱咤・大喝・折檻／小言・剣突く・勘気・勅勘・お目玉・大目玉

しかる・に【▽然るに】《接続》〔文〕そうであるのに。「何度も手紙を出した。ー何の返事もない」

しかる・べき【▽然る▽可き】《連語》❶当然である。そうあるべき。「あやまってーだ」❷それにふさわしい。適当な。〔連体詞的に用いる〕「ー人を仲にたてる」

しかる・べく【▽然る▽可く】《連語》適当に。よいように。〔副詞的に用いる〕「ー処理してください」

シガレット 紙巻きたばこ。巻きたばこ。▽cigarette

しかれ・ども【▽然れども】《接続》〔文〕そうではあるが。しかしながら。「死者多し。ー士気いよいよ高し」

*__し・かん__【仕官】《名・自サ》〔文〕❶官吏として職につくこと。❷〔召しかかえられて〕武士が主君につかえること。「松平家にーする」

*__し・かん__【史観】歴史の見方。歴史観。「唯物ー」

*__し・かん__【士官】旧軍隊で、将校の総称。卜士官の上の位。特に、少尉・中尉・大尉。「ー候補生」

*__し・かん__【子×癇】妊娠・分娩・産褥期に突然けいれんを起こし、失神する病気。死亡率が高い。

*__し・かん__【×屍×諫・×尸×諫】《名・他サ》〔文〕一命をすてて主君をいさめること。

*__し・かん__【×弛緩】《名・自サ》〔文〕ゆるむこと。たるむこと。転じて、だらしなくなること。「精神のー」参考「ちかん」は慣用読み。対 緊張。

*__し・かん__【止観】天台宗の教義で、心の散乱を統一し、正しい精神によって仏法を会得すること。

*__し・かん__【×祠官】〔文〕かんぬし。神官。

*__し・かん__【私感】〔文〕個人としての立場での感想。

*__し・がん__【志願】《名・自他サ》自分から進んで願いでること。「海外勤務をーした」類語 志望。希望。

*__し・がん__【×此岸】〔仏〕〔涅槃の世界を彼岸というのに対して〕悩みや迷いの多い世界。この世。対 彼岸。

*__じ・かん__【字間】〔文章などの〕文字と文字との間（の幅）。「ーを一字分あける」類語 行間。

*__じ・かん__【時間】一《名》❶ある時刻と他の時刻との間。ある長さを持つ時。「ーが足りない」類語 間。暇。光陰。一時・一時・一時。片時・片時。一刻。寸時。寸刻。寸陰。一朝。アワー。❷ある物事をするために区切った、一定の長さの時。「算数のー」「就業ー」❸時 一①。対 空間。❹俗に、時刻①。「約束のー」「ー厳守」類語 刻限。時点。時限。時分。定時。定刻。タイム。二《助数》時間①の長さの単位。一時間は、一日の二四分の一。「一日八ー働く」

ーきゅう【ー給】仕事の量ではなく労働の時間数に応じて支払われる賃金。時給。

ーつぶし【ー×潰し】❶時間をむだなことに使うこと。❷〔ちょっとしたことをしながら〕ひまな時間を退屈せずに過ごすこと。退屈しのぎ。

ーわり【ー割(り)】仕事や学校の授業の予定を、それぞれの時間に割り当てて書き表した表。時間表。

類義語の使い分け 時間・時刻

[時間・時刻] 寝坊して約束の時間（時刻）に遅れる

[時間] 時間をつぶす／時間の観念のない人／もう時間がない／時間的にむりだろう／睡眠時間が短い

[時刻] 試合開始の時刻が刻々と迫る／時刻はまもなく三時になる／時刻到来、今こそ絶好のチャンスだ

*__じ・かん__【次官】二〇〇一年の中央省庁再編以前に、各省で、大臣（または長官）の次に位して補佐した役。参考→副大臣・政務官。

*__じ・がん__【慈眼】→じげん（慈眼）。

*__し・き__【四季】春・夏・秋・冬の四つの季節。「ここはーを通じて温暖である」「ー咲き」類語 四時。四節。

*__し・き__【士気】兵士の、〔集団として〕戦おうとする意気ごみ。一般に、やる気。モラール。「ーを鼓舞する」「ーが阻喪する」参考→しき（志気）。

*__し・き__【始期】物事の初めの時期。特に、法律行為の効力が発生する時期。対 終期。

*__し・き__【子規】〔文〕ほととぎす。

*__しき__【式】一《名》❶一定の作法に従って多くの人が集まって行う改まった行事。特に、結婚式。「ーを挙げる」類語 儀式。式典。典礼。盛儀。盛典。栄典。大典。大礼。大儀。祝典。華燭の典。❷いくつかある方法・形式の種類。かた。「いつものーでやればいい」類語 類型。様式。方式。タイプ。パターン。スタイル。❸平安時代、律令の施行について定めた細則。「延喜ー」❹計算のしかたを数字や符号で表したもの。「ーを立てる」二《接尾》方法・形式・流儀などの意。「欧米ー」「ドーリアー」

*__し・き__【志気】あることをしとげようとする気力。意気ごみ。「ーが高まる」参考「士気」は集団（の一員）としての意気ごみに、「志気」は主として個人の場合に言う。

*__し・き__【指揮】《名・他サ》〔全体の統一をとるために〕多くの人々をさしずすること。「ーをとる」「ー官」

*__しき__【敷(き)】❶物の下にしくもの。〔ふつう接尾語的に使う〕「どびんー」「なべー」❷「敷金」の略。

*__し・き__【死期】❶死ぬ時。寿命がつきる時。「ーが迫る」❷死ぬべき時。「ーを得る」「ーを失う」

*__し・き__【私記】その人自身の個人的な記録。

*__し・き__【紙器】紙製の容器。紙コップ・ボール箱など。

*__しき__【色】〔仏〕宇宙において、色・形をもったもの。物質。また、生成し変化する物質現象。「ー即是空」

*__しき__【識】❶〔仏〕五蘊の一つ。物事を認識・理解する心の働き。❷〔文〕知り合っていること。面識。「一面のーもない」

*__し・ぎ__【仕儀】〔思わしくない〕物事のなりゆき、結果。事の次第。〔古風な言い方〕「このようなーになり…」

*__し・ぎ__【私議】〔文〕❶自分だけの意見。私見。❷《名・

他サ》かげで論議・批評すること。

*し-ぎ【試技】陸上の跳躍・投てき競技や重量挙げなどで、選手が行う一定回数の演技。トライアル。

*しぎ【×鴫・×鷸】シギ科の鳥の総称。くちばし・足が長い。水辺の小魚・貝などを食べる。大部分が旅鳥で、日本には春秋二回、渡来する。

*じ-き【時期】とき。おり。期日。⇩〖使い分け〗 ―しょうそう【―尚早】《名・形動》〔あることを行うのにまだその時ではないこと。

*じ-き【時機】〔あることを行うのに〕ちょうどいい時。適当な機会。しおどき。チャンス。⇩〖使い分け〗

*じ-き【時季】〔あることに適した、また、あることが盛んに行われる〕季節。シーズン。⇩〖使い分け〗

> **使い分け**　「ジキ」
>
> **時期**〔「期」は一定の期間の意。物事を行うとき〕試験の時期・花見の時期・時期尚早・時期が早い
>
> **時機**〔「機」はしおどきの意。特定の事を行う場合のころ合い〕攻撃の時機が熟す・時機到来・時機を失う・時機に投ずる・時機をうかがう
>
> **時季**〔ある物事に適した季節。シーズン〕時季外れ・紅葉の時季・はぜ釣りの時季
>
> 参考「時季／時期」は、「紅葉の時季／時期」のように二様の表現ができる。前者は字義どおり季節を重視した表現となるが、句全体の表す意味に大差はなく、季節感を表す連体修飾語がくるときは、おおむね「時期」で代用できよう。

*じ-き【次期】次の期間・時期。次の折。「―知事選」

*じき【直】一《名》間に何もはさまないこと。直接。「―の返答」二《副》❶距離が短いようす。すぐ。「―そこだ」❷時間が短いようす。すぐ。「もう―夏休みだ」参考→じきに。三《接頭》「直接の」の意。「―取引」

*じ-き【磁器】うわぐすりをかけて高温で焼いた焼き物。素地はガラス化して半透明。参考(ア)中国の磁州（=今の河北省の磁県）で多く作られたことから。(イ)→陶器。

*じ-き【磁気】磁石が鉄を吸いつけたり、磁石の同極同士が互いに反発したりする作用。また、そのような作用を起こすもの。―あらし【―×嵐】地磁気が異常に変化する現象。地球上全体にわたって電波通信が乱される。太陽面の爆発と深い関係がある。―カード 磁性表面層をもつカード。プリペイドカード・キャッシュカードなどが代表的。―テープ 磁性材料を塗布したテープ。録音・録画やコンピューターの記憶媒体に用いる。

*じ-き【自棄】〔文〕〔どうなってもかまわないと〕自分で自分を見はなすこと。すてばち。やけ。「自暴―」

*じ-き【自記】《名・他サ》❶自分でしるすこと。❷機械が自動的に記録すること。〔多く、計器名などにつけて接頭語的に使う〕「―風力計」

*じ-ぎ【児戯】子どもの遊び・いたずら。参考謙遜したり軽べつしたりしていう。「―に等しい行為」

*じ-ぎ【字義】ある漢字の意味。「―どおりに解釈する」

*じ-ぎ【時宜】〔あることをする〕時期が適当であること。ほどよいころあい。「―をはかる」「―を得た処置」

*じ-ぎ【辞儀・辞宜】《名・自サ》❶〔多く「お―」の形で〕頭をさげてあいさつすること。❷遠慮して辞退すること。「―には及ばぬ」「湯（=風呂）の―は水になる」

しき-い【敷居・×閾】―日本風の建物で、部屋をしきる障子・ふすまなどをのせて開け閉てする、溝のある横木。参考古くは「しきみ」。対鴨居。―が高・い《句》相手に不義理なことなどをしていて、その人の家に行きにくい。「借金をしたままで―・い」

しき-いき【識×閾】→いき(閾)②。

しき-いし【敷石・×甃石・×舗石】〔その上を歩くように〕玄関先などの通路や庭に敷き並べた平らな石。

しき-いた【敷板】❶物の下に敷く板。底板。❷ねだの上にはる板。ねだ板。❸〔便所などの〕ふみ板。

しき-うつし【敷(き)写し】《名・他サ》❶書画などの上に薄紙を置いて上からすかして模写すること。透き写し。引き写し。❷他のものをそっくりまねること。

しき-かく【色覚】視覚の一部で色を識別する感覚。―しょうがい【―障害】すべての、または一部の色の違いの識別が困難な状態（の人）。多くは先天性で、男性に多い。色盲。

しき-がみ【敷紙】物の下に敷く紙。

しき-がわ【敷皮】敷物にする毛皮。

しき-かん【色感】❶ある色から受ける感じ。「暖かい―」❷色を識別する感覚。色覚。また、その能力。

し-きぎょう【私企業】民間の出資・経営による企業。対公企業。

しき-きん【敷金】❶取引所で、売買・委託などの証拠金。❷家屋・部屋を借りるときの保証金。

しき-けん【識見】物事を正しく判断する力。また、それにもとづく意見。学識と意見。見識。「―が高い」

しき-ご【識語】《「しご」の慣用読み》写本・刊本などで、書写の来歴・年月・氏名などをしるしたもの。

しき-さい【色彩】❶いろ。いろどり。いろあい。「はなやかな―の絵」❷傾向や性質。「政治的―を持つ」

じき-さん【直参】江戸幕府に直属した、一万石以下の武士。旗本・御家人など。

しき-さんば【式三▽番】❶能楽の「翁」の古名。式三番。三番叟。❷能楽の「翁」を歌舞伎にうつした儀式舞踊。

しき-し【色紙】和歌・俳句などを書きしるす、〔色・模様のついた〕四角な厚紙。類語短冊。

*しき-じ【式次】式次第。「開校式の―」

*しき-じ【式辞】式場で、その式の趣旨などを述べるあいさつのことば。式言。「校長先生の―」

*しき-じ【識字】文字を知らない人が、文字が読めるようになること。「―率を高める」

じき-じき【直直】《副》《「―に」の形も》間に人をいれず、直接。じか。「社長に―に談判する」

しき-しだい【式次第】儀式を進める順序。式次。

しき-じつ【式日】儀式を行うその当日。

しき-しま【敷島】「大和の国」の別称。また、広く「日本国」の別称。―の《枕》「大和」にかかる。「―大和心を人問はば…」―の-みち【―の道】〔日本古来の道の意から〕和歌の道。歌道。

しき-しゃ【識者】知識が深く、物事を正しく判断する力がある人。有識者。見識者。「―に意見を聞く」

しき-じゃく【色弱】色覚障害で、程度の弱いもの。

じき-しょ【直書】《名・他サ》本人が直接に書くこと。また、その文書。自筆。直筆。「将軍の―」

*しき-じょう【式場】儀式を行う場所。「結婚―」

*しき-じょう【色情】男女間の性的欲望。欲情。「―を催す」類語性欲。色欲。

しき-そ【色素】物が色をおびるもとになる物質。

じき-そ【直訴】《名・他サ》定められた手続きをふまず、主君・上役などに直接訴えること。「―状」

しき-そう【色相】色の三要素の一つ。色あい。色調。参考→彩度・明度。

じき-そう【直奏】《名・他サ》取り次ぎを通さず、直接身分の高い人(特に天皇)に申し上げること。

しき-そく-ぜ-くう【色即是空】〔仏〕この世に存在する一切のものは空(くう)であるということ。参考→空即是色(くうそくぜしき)。

しき-だい【式台・敷台】和風の玄関で、上がり口に一段低くつくった板敷き。主人がここで客の送り迎えをする。

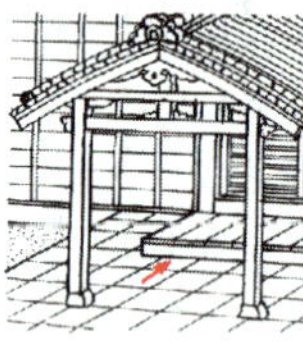

式台

し-きたり【仕来(た)り・▽為来(た)り】〔「してきたこと」の意で〕以前から続いている、ならわし。慣例。慣習。習慣。風習。「―を守る」表記 かな書きにすることが多い。⇩〔類義語の使い分け「習わし」〕

ジギタリス ゴマノハグサ科の多年草。葉は、強心剤になる。きつねのてぶくろ。ジキタリス。▽オランダ digitalis

じき-だんぱん【直談判】《名・他サ》→じかだんぱん。

しき-ち【敷地】建物を建てたり、庭や通路などに当てたりするための土地。「工場の―」類語 用地。

しき-ちょう【色調】色彩の強弱・濃淡の調子。色あい。トーン。「明るい―の絵」「柔らかい―の壁」

しき-つ-める【敷き詰める】《他下一》すきまなく一面に敷く。「じゅうたんを―める」

じき-でし【直弟子】直接指導をうけている弟子。

しき-てん【式典】〔祝賀・祭典などの〕儀式。式。

じき-でん【直伝】奥義(おうぎ)などを師が弟子に直接伝えること。「師匠―の製法」

しき-どう【色道】色恋に関することがら。

じき-とう【直答】《名・自サ》→ちょくとう(直答)。

じき-に【直に】《副》すぐに。まもなく。「―治るよ」

しき-ねん【式年】〔「式」はさだめの意〕神宮などで祭りの儀式を行うことに定められている年。「―遷宮」

しき-のう【式能】儀式として行われる能楽。特に、江戸時代、将軍宣下・普請祝いなどに行ったもの。

しき-び【式微】《名・自サ》〔文〕非常におとろえること。「文学の―極まれり」参考「式」は発語で、意味はない。

じき-ひ【直披】〔文〕〔他人に見せず、直接に封を開いてご覧くださいの意〕封書のあて名のわきに書きそえる語。親展。親披。ちょくひ。

じき-ひつ【直筆】自分で直接に書くこと。また、書いた物。「空海の―」類語 自筆。親筆。対 代筆。

しき-ふ【敷布】敷きぶとんの上に敷く布。シーツ。

しき-ふく【式服】儀式のときに着る衣服。モーニングコート・フロックコートなど。礼服。対 平服。

しき-ぶとん【敷(き)布団】寝るときにからだの下に敷くふとん。対 掛け布団。

しき-べつ【識別】《名・他サ》物事の性質・種類などを見分けること。「善悪を―する」類語 鑑別。

しき-ま【色魔】多くの女性を誘惑し、もてあそぶ男。

じき-まき【直×播(き)】田畑に直接種をまくこと。じかまき。直播(ちょくは)。「―栽培」

しきみ【×樒・×梻】シキミ科の常緑小高木。早春、淡黄色の花を開く。果実は有毒。枝を仏前にそなえる。葉に香気があり、抹香(まっこう)・線香の材料。しきび。

しき-もう【色盲】色覚障害。類語 色弱。

しき-もく【式目】❶武家時代、箇条書きの法規・制度。「貞永(じょうえい)―」❷連歌・俳諧(はいかい)についての規則。

しき-もの【敷物】床の上に敷くもの。また、物の下に敷くもの。じゅうたん・ござ・花びん敷きなどの類。

じき-もん【直門】〔文〕先生から直接教えを受けること(人)。直弟子(じきでし)。

しきゃ《係助》→しか。

しぎ-やき【×鴫焼(き)】ナスを縦に二つ割りか輪切りにして油をぬって焼き、ねり味噌(みそ)をつけた料理。

し-きゃく【刺客】→しかく(刺客)。

***し-ぎゃく【×嗜虐】**〔文〕むごいことを好むこと。「―性」「―的行為」

***し-ぎゃく【×弑逆・×弑虐】**《名・他サ》→しいぎゃく。

じ-ぎゃく【自虐】《名・自サ》自分で自分をいじめること。「―趣味」「―的な性格」

***し-きゅう【四球】**〔文〕野球で、投手が一人の打者にボールの球を四回投げること。フォアボール。

***し-きゅう【子宮】**哺乳(ほにゅう)動物の雌性生殖器の一部で、胎児がやどり、発育するところ。

***し-きゅう【支給】**《名・他サ》〔特定の条件の人に〕金銭や品物をあてがい渡すこと。特に、官庁・会社などで給与などを支払うこと。「学費を―する」類語 給付。

***し-きゅう【死球】**〔文〕野球で、投手の投げた球が直接打者の体にあたること。デッドボール。

***し-きゅう【至急】**〔時間的に余裕がなく〕非常に急ぐこと。大急ぎ。〔副詞的にも使う〕「―帰ってください」「―の用」「大―」類語 火急。緊急。早急。

***じ-きゅう【持久】**《名・自サ》〔ある状態を〕長くもちこたえること。「―力」「―戦」類語 耐久(たいきゅう)。

***じ-きゅう【時給】**時間給。「―一〇〇〇円」

***じ-きゅう【自給】**《名・他サ》必要なものを他との交換・交流によって得るのではなく、自分の力でまかなうこと。「食糧の―率」**―じそく【―自足】**《名・他サ》交換にたよらず、自分(自国)に必要なものをすべて自分(自国)の生産でまかなうこと。「―経済」

しきゅう-しき【始球式】野球で、試合開始前に、来賓・主催者などの代表者が投手の位置などから本塁へ球を投げる行事。

し-きょ【死去】《名・自サ》〔人が〕死ぬこと。死んでこの世を去ること。「交通事故で―する」

じ-きょ【辞去】《名・自サ》〔文〕訪ねて行った人の家を、あいさつをして立ち去ること。

***し-きょう【司教】**カトリック教の聖職の一つ。大司教の次、司祭の上に位する。司教区の長。

***し-きょう【市況】**株式・商品などの取引の状況。「株式―」類語 景気。

***し-きょう【示教】**《名・他サ》〔文〕具体的に示し教えること。教示(きょうじ)。じきょう。「―を乞(こ)う」

***し-きょう【至境】**〔文〕〔芸道などの〕到達できる最高の境地。「芸の―に達する」

***し-きょう【詩境】**詩に描き出された境地や世界。

***し-きょう【詩興】**詩を作りたくなるような気持ち。また、詩を読んで呼びさまされる感興。「―が湧(わ)く」

***し-ぎょう【始業】**《名・自サ》❶〔その日の〕業務や授業を始めること。「九時―」❷〔一定期間の〕授業を開

始すること。「―式」対①②終業。

*し‐ぎょう【×斯業】〔文〕この事業・業務。「―の発展に努力する」

*じ‐きょう【持経】〔仏〕常に身から離さないで持ち、読誦する経典。特に、法華経。

*じ‐きょう【自供】《名・他サ》容疑者・犯人が、取り調べに対し、自分の〔犯罪〕行為を述べること。また、その申し述べた事柄。「犯行を―する」類語自白。

*じ‐きょう【自×彊】《名・自サ》〔文〕自分からすすんでつとめはげむこと。「―やまず」

*じ‐ぎょう【事業】❶〔規模の大きい〕社会的な仕事。「慈善―」「公共―」❷生産・営利を目的とする経済的な仕事。「小資本で―を興す」類語企業。実業。

*じ‐ぎょう【地形】❶建築をする前に地面をならしかためること。地がため。❷建築物を安全に支えるための基礎工事。

しきょう‐ひん【試供品】試しに使ってもらうために無料で客に提供する、見本の商品。

しき‐よく【色欲・色×慾】❶〔異性に対する〕性的な欲望。色情。類語情欲。❷色情と利欲。いろとよく。

*し‐きょく【支局】本社・本局の管理のもとに各地方に置かれて、その地区の業務を取り扱う所。「ロンドンに―を置く」類語分局。支社。対本局。

*し‐きょく【私曲】〔文〕公正でないこと。また、自分勝手な不正。よこしま。「一点の―なし」

*じ‐きょく【時局】〔ある国家・社会などの〕時勢のなりゆき。時事の局面。「重大な―を迎える」

*じ‐きょく【磁極】❶磁石の両端に近い部分で、鉄・ニッケルを吸いつける力が最も大きい所。正極(N極)と負極(S極)。❷地球上で磁気力が最も大きい所。磁針が鉛直方向を指す地点。北磁極と南磁極。

じき‐らん【直覧】〔文〕文書を直接見ることの尊敬語。参考手紙の脇付としても用いる。類語親展。

し‐きり【仕切り】❶しきり隔てること。また、それに使ったもの。❷取引や帳簿のしめくくり。決算。❸相撲で、立ち合いの身構え。「―に入る」―しょ【―書】❶取引の決算の明細をしるして荷物とともに買い主へ送る書類。送り状。❷売り上げの計算書。

しきり‐に【▽頻りに】《副》❶続けて繰り返されるようす。たびたび。しばしば。「―時計を気にする」類語繰り返し。繁々。絶え間なく。再々。再三。再三再四。頻々。頻繁。❷程度が強いようす。盛んに。むやみに。ひどく。「―懇願する」「―粉雪が舞う」類語切に。ひたすら。熱心に。

*し‐き・る【仕切る】一《他五》❶境をつけて、分ける。「大部屋をついたてで―・る」❷取引や帳簿をある時点でしめくくる。決算をする。「月末で―・る」❸とりしきる。二《自五》相撲で、力士が立ち合うために身構える。

*しき・る【▽頻る】《接尾》「さかんに…する」の意。「鳴き―・る」「降り―・る」文《四》。

じき‐わ【直話】《名・自サ》〔本人が〕直接話をすること。また、その話。直接きいた話。「体験者の―」

*し‐きん【至近】《名・形動》〔ある地点に〕もっとも近いこと。また、非常に近いこと。「―距離」類語咫尺。

*し‐きん【試金】鉱石や合金の成分を分析すること。また、それによって品位・品質を定めること。―せき【―石】❶貴金属の品位決定に使った、黒色の硬い石。かねつけ石。つけ石。❷価値や能力を評価する基準となる物事。「プロ入りへの―」

*し‐きん【資金】事業などのもとで。「―不足」―ぐり【―繰り】資金のやりくり。金繰り。「―に困る」

*し‐きん【賜金】天皇・国家などからたまわる金銭。

*し‐ぎん【市銀】「市中銀行」の略。

*し‐ぎん【詩吟】漢詩にふしをつけてうたうこと。

*し‐ぎん【歯×齦】〔文〕口の中の歯の付近の粘膜とその下の組織。歯肉。歯ぐき。

*し‐く【四苦】〔仏〕人生における四つの苦しみ。生・老・病・死の四つ。―はっく【―八苦】❶〔仏〕四苦に、愛別離苦(愛する人と別れる苦しみ)・怨憎会苦(にくむ人と会う苦しみ)・求不得苦(求めてえられぬ苦しみ)・五陰盛苦(ものに執着する苦しみ)の四つを加えたもの。❷《名・自サ》事がうまく運ばず非常に苦しむこと。「資金繰りに―する」

*し‐く【死苦】〔文〕死の苦しみ。死ぬほどの苦痛。

*し‐く【詩句】詩に書かれたことば。詩の文句。

*し・く【▽如く・▽若く】《自五》〔文〕《多く、下に打ち消しの語を伴う》匹敵する。また、まさる。「百聞は一見に―・かず」「学ぶに―・くはない」文《四》。

*し・く【敷く】一《他五》❶平らに広げ延べる。「布団を―・く」❷一面に並べる。「砂利を―・く」❸配置する。設備する。「陣を―・く」「鉄道を―・く」❹広く行き渡らせる。「戒厳令を―・く」表記③④は、「布く」とも書く。❺下に当てる。「座布団を―・く」❻おさえて自由を奪う。「組み―・く」文《四》。二《自五》一面に散らばる。「花が散り―・く」文《四》。

*じ‐く【字句】〔文章の中の〕文字と語句。

*じく【×舳】船首。へさき。

*じく【軸】一《名》❶車や巻物・掛け軸などまるい物の中心にあってそれを支えている棒。❷巻物。掛け軸。❸物事の中心となるもの。「防衛・外交問題を―とする与野党の攻防」❹〔先端の主要部分の支えとなっている〕棒の形をした部分。「マッチの―」「ペン―」❺俳句や川柳集の最後にある選者の句。❻対称図形や座標の中心となる線。「対称―」❼物体の回転運動の中心となる線。二《助数》巻物や掛け軸を数える語。

じく‐あし【軸足】❶自分の体の支えとなる方の足。❷判断や行動の支えとなるもののたとえ。「政党が市民サイドに―を移した」

じ‐くう【時空】〔文〕時間と空間。時空間。

じく‐うけ【軸受(け)・軸▽承(け)】❶機械の回転軸を支えるもの。ベアリング。❷扉などの軸を支える部分。

しく‐かつよう【シク活用】文語形容詞の活用形式の一つ。「しく―しく―しき―しけれ―○」と活用する。「うれし」「悲し」の類。参考補助活用に「しから」(未然形)、「しかり」(連用形)、「しかる」(連体形)、「しかれ」(命令形)がある。↓ク活用。

じく‐ぎ【軸木】❶掛け物の軸に用いる木の棒。❷マッチの軸にする細い木。

し‐ぐさ【仕▽種・仕草・▽科】❶〔あることをするときの〕しかた。やりかたのぐあい。「かわいらしい―」「―が気にいらぬ」❷俳優の動作。身ぶり。

ジグザグ《名・形動》右に左に折れまがっている・こと(線)。いなずま形。「―デモ」▽zigzag

じく‐じ【×忸×怩】《形動タルト》〔文〕心の中ではずかしく思うようす。「内心―たるものがある」

しく‐しく《副》《副詞は「―と」の形も》❶力なく泣くようす。「―と泣く」❷《自サ》〔腹が〕たえず刺すようににぶく痛むようす。「おなかが―痛む」

じく・じく《副・自サ》《副詞は「―と」の形も》水分を多く含み、絶えずじわじわとにじみ出るようなようす。

しくじ・る《他五》❶しそこなう。失敗する。「仕上げを―る」「女で―る」類語(るす)失策。粗相。ミス。❷過失などで出入りを禁止されたり解雇されたりする。「師匠を―る」「会社を―る」文《四》。

じ・くずれ【地崩れ】《名・自サ》〔雨などで〕山の斜面などがくずれること。類語がけ崩れ。

ジグソー・パズル 小さく切り分けた絵や写真を、元の形に組み直す遊び。はめ絵。▽jigsaw puzzle

じ・ぐち【地口】 よく知られたことわざ・成語などとよく似た発音の文句を作って言う、しゃれ。「鶴は千年、亀は万年」を「露は天然、雨は万遍」と表す類。口合。類語語呂合わせ。

し・くつ【試掘】《名・他サ》鉱物の埋蔵量・質などを調べるため、ためしに掘ること。

シグナル ❶合図。しるし。信号。「―をおくる」❷〔鉄道などの〕信号機。▽signal

じ・くばり【字配り】〔書くときの〕文字の配置。

し・くみ【仕組(み)】 ❶〔物事の〕構造。組み立て。からくり。「エンジンで動く―になっている」「社会の―」❷計画。くわだて。「このような―で事をはこぶ」❸〔戯曲・小説などの〕筋の組み立て。「複雑な―の劇」

し・く・む【仕組む】《他五》❶〔その目的に合うように、機械・道具などを〕工夫して組み立てる。❷〔わからないように〕悪いことを計画する。たくらむ。「―・まれた罠に陥る」❸〔小説・戯曲の〕筋を組み立てる。

じ・ぐも【地×蜘×蛛】 節足動物ジグモ科のクモ。体長一・五センチ。網を張らず、木の根もと・石がきなどの地中に巣を作る。あなぐも。つちぐも。

じく・もの【軸物】 床の間などにかけるように表装した、東洋風の書画。掛け物。掛け軸。

シクラメン サクラソウ科の多年草。葉は心臓形で厚く、初春に白・赤・紫などの花を開く。観賞用。ぶたのまんじゅう。かがりびばな。▽cyclamen

しぐれ【〈時雨〉】 ❶晩秋から初冬にかけて降ったりやんだりする、にわか雨。❷「しぐれ煮」の略。ハマグリ・アサリのむきみやカツオ・マグロの角切りの、つくだ煮。

しぐ・れる【▽時▽雨れる】《自下一》しぐれが降る。また、雨が降ったりやんだりする。文しぐ・る《下二》。

じく・ろ【×舳×艫】〔文〕舳と艫。船首と船尾。

―相銜・む《句》〔文〕〔船首と船尾がふれあう意から〕多くの船が次から次へと並んで進む。

―千里《句》〔船尾と船首とが接して、千里も続く意で〕たくさんの船が連なるようす。〈蘇軾・赤壁賦〉

じ・くん【字訓】 漢字の意味が国語の発音と結びついて固定化したもの。訓読み。「男」を「おとこ」と読む類。対字音。

***し・くんし【四君子】** 中国の絵(特に南画)でえがかれる、蘭・竹・梅・菊の総称。参考上品で清らかなようすを君子にたとえた語。

***し・くんし【士君子】**〔文〕学問があって徳の高い人。

し・け【▽時化】 ❶海が荒れること。「大―で漁船が難破する」参考→なぎ。❷海が荒れて、魚がとれないこと。類語不漁。❸興行場の入りが悪いこと。また、商品などの売れゆきの悪いこと。不景気。表記②は「不漁」とも書く。

***じ・げ【地下】** ❶昔、昇殿を許されなかった官人。一般には六位以下。対殿上。堂上。❷昔、宮中に仕える人が、それ以外の人をさしていった語。

***じ・げ【地毛】** 地髪。

***し・けい【死刑】** 犯罪人の生命を絶つ刑罰。「―囚」

***し・けい【私刑】** 個人が勝手に加える制裁。リンチ。

***し・けい【紙型】** 活版印刷の鉛版を作るために、特殊な紙に押しつけてとった活字組版の型。

***し・けい【詩形・詩型】** 詩の形式。「五七五の―」

し・げい【至芸】 最高の芸。芸の極致。

***じ・けい【字形】** 文字の形。類語字体。書体。

***じ・けい【次兄】** 二番目の兄。

***じ・けい【自警】**《名・自他サ》❶〔文〕自戒。「先人の言を―の句とす」❷〔警察などにたよらず〕自分の力で自分のまわりを警戒すること。「―団」

し・けいと【×絓糸】 繭の外側から取った粗悪な生糸。絓糸。

じ・けいれつ【時系列】 時間の経過に従って、確率的な現象を観測して得た値の系列。時間数列。「首都圏の人口密度の変化を―的にとらえる」

***し・げき【刺激・刺×戟】**《名・他サ》❶外界から生体に働き、その感覚に作用して何らかの反応を生じさせるもの。「大脳に―を与える」❷気持ちをたかぶらせること。「―の強い映画」表記「刺激」は代用字。

***し・げき【史劇】** 歴史上の事実に材をとった戯曲。

***し・げき【詩劇】** 韻文で書かれた戯曲。

しげく【▽繁く】《副》《文語形容詞「しげし」の連用形から》しばしば。しきりに。「足―かよう」

しけ・こ・む《自五》〔俗〕❶〔遊び場などに〕入り込んでしばらく遊興する。「麻雀屋に―・む」❷〔金まわりが悪かったりして〕気がめいって閉じこもる。

しげ・しげ【▽繁▽繁】《副》《「―と」の形も》❶たび重なるようす。特に、同じ場所に何度も通うようす。しきりに。たびたび。「―出入りする」❷念入りに見るようす。よくよく。つくづく。「―とながめる」

し・けつ【止血】《名・自他サ》出血がとまること。また、出血をとめること。「―法」

じ・けつ【自決】《名・自サ》❶〔他人の指図などによらず〕自分のことを自分できめること。「民族の―」❷〔軍人などが〕自殺すること。

しげ・み【茂み・▽繁み】 草木がおいしげっている所。

***し・け・る【▽時化る】**《自下一》❶雨・風が強く、海が荒れる。❷海が荒れて不漁である。❸〔俗〕不景気である。金まわりが悪い。「―・けた顔をしているな」「ふところが―・けている」文し・く《下二》。

***し・け・る【▽湿気る】**《自下一》湿気をおびる。しめる。しっける。「せんべいが―・ける」文し・く《下二》。

しげ・る【茂る・▽繁る】《自五》草木が伸びて、枝・葉がたくさん出る。繁茂する。「―・った木々」文《四》。

***し・けん【私権】** 私法上の、身分や財産について認められる権利。人格権・財産権・相続権など。対公権。

***し・けん【私見】** 一個人としての意見。「―によれば」

***し・けん【試験】**《名・他サ》物の性質・力などをためし調べること。特に、人の才能・知識などを、問題に答えさせて調べ評価すること。テスト。「―を受ける」「―官」

―かん【―管】 化学の実験などに使う、円筒状のガラス製容器。―てき【―的】《形動》試しに行うようす。「―な販売」

***し・げん【始原】**〔文〕物事のはじめ。もと。原始。

*し-げん【至言】〔文〕本質を言いあてたことば。「けだし一と言うべきだ」

*し-げん【資源】生産のもとになる物資。「地下一」「天然の一を活用する」「観光一」参考天然資源のほか、労働力・資本・技術などもいう。「人的一」

じ-けん【事件】〔日常生活からみて〕変わった出来事。「殺人一」 一きしゃ【一記者】〔警視庁などに詰めて〕社会面の記事を取材する新聞記者。

*じ-げん【字源】一つ一つの字の起こり。「休」の字は「人」が「木」のかげでやすむようすと説明されるたぐい。

*じ-げん【慈眼】仏・菩薩(ぼさつ)の慈悲の目。じがん。

*じ-げん【時言】〔文〕時局を論じた言葉。

*じ-げん【時限】❶〔あることを行う〕時間の限界。❷〔授業などを行う〕時間のくぎり・単位。「第一一」

*じ-げん【次元】❶線・面・空間などの広がりを表すもの。その中にあるものの位置を表すのに必要とする実数の数(座標軸の数)をいう。ディメンション。参考線は一次元。面は二次元。空間はふつう三次元。❷物事を感じたり考えたりする場合の立場。また、その高低の程度。「一の異なる問題」「一の低い話」

*じ-げん【示現】《名・自他サ》〔衆生の救済や教化のために〕仏や菩薩(ぼさつ)がいろいろな形に身を変えて現れること。また、神仏がふしぎな霊験を現すこと。

*し-こ【四×股】〈一を踏む〉力士が土俵上で、高く片足ずつ上げ、力強く地面を踏む。力足(ちからあし)を踏む。

*し-こ【四顧】〔文〕❶《名・他サ》四方を見まわすこと。「座して一する」❷あたり。付近。「一茫々(ぼうぼう)」

*し-こ【指呼】〔文〕❶《名・他サ》指さして呼ぶこと。❷〈一の間(かん)〉指さして呼べば答えるほどの近い距離。指顧の間(かん)。「一の間にある」

*し-ご【死後】死んだのち。「一硬直」対生前。

*し-ご【死語】❶昔は使われていたが、現在は使われていない言語。古代ギリシア語・ラテン語など。❷現在使われなくなった語。類語廃語。対活語。

*し-ご【私語】《名・他サ》〔公の場での私的な〕ささやき。ひそひそ話。「授業中は一を禁じる」

*し-ご【詩語】詩に用いる、特別のことば。類語雅語。

*じ-こ【事故】〔物事に支障をきたす〕悪い出来事。特に、不注意などによって起こる災害・災難。「自動車で一を起こした」「人身一」類語事件。

*じ-こ【自己】自分自身。おのれ。また、自我。「一を卑下する」 一あい【一愛】→ナルシシズム。 一あんじ【一暗示】自分自身が、一つの考えを深く思いつめることによって、ある信念をもつようになること。「一にかかる」 一けんお【一嫌悪】自分で自分がいやになること。「一におちいる」 一けんじ【一顕示】自分が目立つようにふるまうこと。自分をひけらかすこと。「一欲」 一じつげん【一実現】《名・自サ》自己の本来持っている可能性を実現すること。自我実現。 一しょうかい【一紹介】《名・自サ》初対面の人に対して、自分で自分の姓名・経歴・職業などを紹介すること。 一せきにん【一責任】自分自身の責任。また、自分自身が責任を負うこと。「投資の一原則」 一はさん【一破産】債務者が自ら裁判所に申し立てる破産。 一ひはん【一批判】《名・他サ》自分で自分のこれまでの行動や思想を〔誤っていたとして〕批判すること。 一まんぞく【一満足】《名・自サ》〔他人から見れば、よい状態ではないのに〕自分のことについて自分一人で満足すること。 一りゅう【一流】〔他人に指導されない、また一般とはちがった〕自分だけの独特な方法。

*じ-ご【事後】ある物事が終わったあと。対事前。 一しょうだく【一承諾】〔前もって承諾を得ておくべきことを〕終わったあとで承諾・を求める(する)こと。

*じ-ご【持碁】勝負がきまらず、引きわけになった碁。

*じ-ご【×爾後】〔文〕それ以来。以後。〔副詞的にも使う〕「一一〇年に及ぶ」

*じ-ご【耳語】《名・他サ》〔文〕他人の耳もとで小声で話すこと。耳うち。

*し-こう【伺候・×祗候】《名・自サ》〔文〕❶貴人のそば近くに仕えること。❷ごきげん伺いに行くこと。

*し-こう【×嗜好】《名・他サ》〔飲食物などを〕たしなみ、好むこと。特に、各自が持つ好み。「一品」

*し-こう【志向】《名・他サ》精神・意識がある一定の目的・目標にむけられること。また、心がある目的に向かって動くこと。「意識の一性」「平和国家の建設を一する」「アウトドア一の若者」表記「指向」とも書く。

*し-こう【思考】《名・他サ》考えること。また、考えられた事柄。考え。「一力」「主観的一」類語思惟(しい)。

*し-こう【指向】《名・他サ》ある方向・目的に向かって進むこと。「一性アンテナ」

*し-こう【施工】《名・自他サ》施工(せこう)。

*し-こう【施行】《名・他サ》❶〔文〕実際に行うこと。実施。「入学試験を一する」❷発布された法令が実際に有効なものとして用いられること。「新憲法を一する」参考官庁用語では「施行(せこう)」。

*し-こう【私考】〔文〕自分ひとりの考え。類語私見。

*し-こう【私行】個人としての行為。「一に立ち入る」

*し-こう【至高】〔文〕この上なくすぐれていること。「芸の一に達する」「一の技」類語最高。

*し-こう【詩稿】〔文〕詩の草稿。詩の下書き。

*し-こう【試行】《名・他サ》ためしにやってみること。「一期間」 一さくご【一錯誤】ためすことと失敗することのくり返しによって、目的に進んで行くこと。「一を重ねる」注意「思考錯誤」は誤り。

*し-こう【歯×垢】歯にこびりついた異物。歯くそ。プラーク。参考固着すると歯石になる。

*し-ごう【師号】〔仏〕徳の高い僧侶(そうりょ)に対して、朝廷から賜る称号。大師・国師・禅師など。

*し-ごう【×諡号】〔文〕おくり名。

*じ-こう【事項】〔ある大きな事柄を組み立てている〕一つ一つの事柄・項目。箇条。「注意一」「特記一」

*じ-こう【侍講】君主、天皇などに学問の講義をすること。また、その役(の人)。侍読。

*じ-こう【時候】四季それぞれの気候。「一の挨拶(あいさつ)」

*じ-こう【時効】❶〔法〕一定の期間が過ぎたため、権利が消滅したり生じたりすること。「一にかかる」「一が成立する」❷広く、長期間が過ぎて約束などが無効になること。「あの約束はもう一だよ」

*じ-こう【時好】〔文〕その時代の好み・流行。「一に投ずる(=うまく一致する)」類語時流。

*じ-ごう【寺号】寺の名。比叡山(ひえいざん)延暦寺(えんりゃくじ)の「延暦寺」の類。参考多く山号とともに用いる。

*じ-ごう【次号】〔定期刊行物で〕次の号。「一予告」

しこう-して【×而して】《接続》(「しかくして」の音便)〔文〕そうして。そして。

じごう-じとく【自業自得】〔仏〕自分がした(悪い)行いの報いを自分の身にうけること。

しこう-ひん【紙工品】 紙を加工して作った製品。

じ-ごえ【地声】(ぢごゑ) 生まれつきの声。また、意識しないで、自然に出す声。「ーが大きい」対裏声。

しごき【▽扱き】 ❶しごくこと。❷きびしく鍛えること。激しい訓練。「死のー事件」❸「しごき帯」の略。**ーおび【ー帯】** ❶長い着物の余った部分をはしょりあげてしめる帯。❷両端に飾りふさをつけた帯。花嫁衣装や女児の盛装に用いる。同①②しごき。

***し-ごく【至極】** ㊀《接尾》《状態性の名詞につけて、形容動詞語幹をつくる》「…であること、この上もない」「まったく…である」の意。「迷惑ー」「残念ー」類語千万(せんばん)。㊁《副》この上もなく。極めて。至って。「ーまじめな人物」「ーごもっとも」

***しご・く【▽扱く】** 《他五》❶細長い物を片方の手で握ってもう一方の手で引き抜くように強くひく。「やりをー・く」❷〔俗〕激しくきたえる。文《四》。

***じ-こく【▽二黒】** 九星(きゅうせい)の一つ。方向は南西。土星にあたる。にこく。

***じ-こく【時刻】** ❶時間の流れの、ある瞬間。「集合のーは九時」類語↓時間。❷〔何かをするための〕時期。また、機会。時機。「ー到来」⇩〔類義語の使い分け「時間」〕 **ーひょう【ー表】** 列車・電車・バス・航空機などの発着の時刻を記した表。

***じ-こく【自国】** 自分の国。自分の生まれた国または自分の国籍のある国。対他国。

じ-ごく【地獄】 ❶(梵語 naraka, niraya)〔仏〕三悪道(あくどう)・六道・十界の一つ。現世で悪業を重ねた者が、死後にその報いとして落ちて責め苦を受けるという所。地獄界。地獄道。奈落(ならく)。対極楽(ごくらく)。❷キリスト教で、救われない魂の落ちるとされる世界。対天国。❸ひどく苦しい・こと(状態)。「通勤ー」対極楽。❹地中からたえず噴煙・熱湯をふきだしている所。「ー谷」**ーみみ【ー耳】** ❶他人の秘密・情報などをいちはやく聞き込む耳(をもった人)。❷一度聞いたら忘れない・こと(人)。袋耳(ふくろみみ)。**ーで仏に会・う**《句》困っているときなどに思いがけない助けにあう。地獄で仏。地獄で仏に会ったよう。**ーの一丁目**《句》極めて恐ろしい所のたとえ。また、物事が破滅や困難に向かって進んでゆく最初の段階。参考地獄には一丁目があって二丁目はないという。**ーの釜(かま)の蓋(ふた)も開・く**《句》〔盆と正月の一六日は、閻魔(えんま)の庁でさえ休暇であるの意から〕盆と正月の一六日は皆仕事を休めということ。**ーの沙汰(さた)も金次第**《句》〔地獄の裁判でも金がものをいうの意から〕何事も金の力でどうにでもなるというたとえ。

しこ-しこ 《副》《副詞は「ーと」の形も》❶《自サ》かんで、歯ごたえのあるようす。「ー(と)したそば」❷〔俗〕地味な仕事などを持続的に行うようす。

しご-せん【子午線】 〔天〕❶天の北極から天頂を通り、天の南極にいたる天球上の最短の線。❷経線。

しこたま 《副》〔俗〕たくさん。どっさり。「ーもうける」参考①を「天球子午線」、②を「地球子午線」という。

し-ごと【仕事・▽為事】 ❶〔しなければならない務めとして〕すること。また、職業。職務。「ーに精を出す」「よくーをする(=よく働く)人」「立派なー(=業績)を残す」❷〔理〕ある物体に力がはたらいて、その位置が移動すること。また、その変化した程度。「ー量」**ーし【ー師】** ❶土木工事の労働者。鳶職(とびしょく)。❷うまく事業を計画・経営する人。やりて。

しこ-な【▽醜名・四×股名】 力士のよび名。「双葉山」「栃錦(とちにしき)」など。

し-こな・す【▽為▽熟す】 《他五》〔ある物事を〕うまくやりとげる。「割り当てられた仕事をー・す」

し-こみ【仕込み】 ❶仕込むこと。「母親のーがいい」「材料のーを終える」参考「…じこみ」の形で接尾語的にも使う。「パリーのセンス」❷〔芝居を行うための〕資金。❸「仕込みづえ」の略。中に刀を作り入れた杖(つえ)。

し-こ・む【仕込む】 《他五》❶教え込んで訓練する。「芸をー・む」❷中に作り入れる。「刀を杖(つえ)にー・む」❸商人が商品を仕入れる。また、飲食店などで材料を買い入れて営業の準備をする。「材料をー・む」❹酒・しょうゆの原料をまぜて醸造のための処置をする。

しこ-め【▽醜女】 器量の悪い女。醜女(しゅうじょ)。〔古風な言い方〕

しこり【×痼・▽凝】 ❶筋肉・皮膚・皮下組織の一部にできた、かたまり。「ーができる」❷事件・物事が過ぎ去った後まで残る、気まずいわだかまり。「ーが解ける」

しころ【×錏・×錣】 かぶと・頭巾(ずきん)などで、左右・後ろに垂れて首をおおいまもるもの。

ジゴロ 女に養われている男。類語ひも。▽(フランス) gigolo

***し-こん【士魂】** 〔文〕武士の精神。「ー商才」

***し-こん【紫根】** ❶ムラサキの根を干した物。染料や外用薬などとした。❷濃い暗紫色。紫根色(いろ)。

***し-こん【紫紺】** 紫がかった紺色。「ーの優勝旗」

***し-こん【詩魂】** 〔文〕詩を作ろうとする心。また、詩の中にあふれる情感。「ーがみなぎる」

***し-こん【歯根】** 歯の、歯茎の中にうまった部分。

じ-こん【自今・×爾今】 《副》〔文〕今後。以後。

***し-さ【示唆】** 《名・他サ》それとなく示すこと。サジェスチョン。じさ。「ーに富む話」「ーを与える」類語暗示。

***し-さ【視差】** ❶両眼で物体を見るときの視線が交差する角度。❷カメラで、ファインダーに映る像とフィルム面に映る像との写角の差。パララックス。

し-ざ【視座】 〔文〕〔主に社会的・人文的な事柄を〕観察する姿勢・立場。「ーを異にする」類語視点。観点。

じ-さ【時差】 ❶ある地方の標準時と、他の地方の標準時との差。「ーぼけ」参考経度一五度につき時差は一時間。❷基準の時刻をずらすこと。「ー出勤」

***し-さい【司祭】** カトリック教の僧職の一つ。司教の次の位。一般に「神父」と呼ばれる。

***し-さい【子細・×仔細】** ❶《名・形動》詳しいこと。また、詳しい事情。一部始終。「ーに検討する」「事のーを述べる」❷《打ち消しの語を伴う》具合の悪いことがら。さしつかえ。「欠席してもーはない」

***し-さい【詩才】** 詩を作る才能。「ーのある人」

***し-ざい【死罪】** ❶死刑。また、死に値する罪悪・犯罪。〔古風な言い方〕❷〔文〕書簡文・批評文などの終わりに記す語。「頓首(とんしゅ)ー」参考死に値するほどの失礼をお許しくださいの意。

***し-ざい【私財】** 個人の財産。私産。「ーを抛(なげう)つ」

***し-ざい【資材】** 材料となる物資。「建築ー」

***し-ざい【資財】** 〔生活や事業の〕もとでになる財産。

じ-ざい【自在】 ❶《名・形動》〔束縛・じゃまなどがなく〕思いのままであること。「ーに操る」「自由ー」類語勝手。❷「自在鉤」の略。

自在鉤

在かぎ」の略。 **―が**【―画】定規・コンパスなどを用いずに描く絵。対用器画。 **―かぎ**【―×鉤】いろりの上に天井からつりさげた棒の先に取り付け、なべ・鉄びんなどを引っかけて自由に上下できる鉤。自在。

じ・ざかい【地境】(チザかひ)土地のさかいめ。

***し・さく**【思索】《名・他サ》〔筋道をたてて〕考えをめぐらすこと。また、その内容。「―にふける」類語 思惟。

***し・さく**【施策】〔政治家・行政官庁などが〕現実の出来事についてたてる、計画・対策。また、それを実施すること。「―を講ずる」

***し・さく**【詩作】詩を作ること。作詩。

***し・さく**【試作】《名・他サ》〔本格的に作る前に〕ためしに作ってみること。また、その物。「―品」

じ・さく【自作】❶自分で作ること。また、その物。「―の戯曲」「―自演」 ❷自作農。対小作。 **―のう**【―農】農業経営に必要な土地の全部、あるいはそのほとんどを自分で所有する農家。対小作農。

じ・ざけ【地酒】その土地で作られ、主にその土地で飲まれる酒。

***し・さつ**【刺殺】《名・他サ》〔文〕❶刃物などで刺し殺すこと。❷野球で、走者の体に直接ボールをつけてアウトにすること。

***し・さつ**【視察】《名・他サ》〔公の立場で〕その場所へ行って、実際のようすをみること。「海外へ―に行く」

じ・さつ【自殺】《名・自サ》自分で自分の生命を絶つこと。自尽。「―行為(=自殺に等しいばかげた行為)」 類語 自害。自決。自刃(じじん)。自裁。対他殺。

しさ・る【▽退る】《自五》前を向いたまま後ろへさがる。しりぞく。ひきさがる。しざる。〔古風な言い方〕「こわごわと後ろへ―・る」文《四》。

***し・さん**【四散】《名・自サ》〔集まっていたものが〕四方にちらばること。ちりぢりになること。「一家―の悲劇」 類語 分散。離散。

***し・さん**【私産】〔文〕私有の財産。私財。

***し・さん**【試算】《名・他サ》❶試しに計算すること。また、その計算。「工費を―する」 ❷計算に誤りがないかどうかを確かめること。また、その計算。検算。

***し・さん**【資産】❶土地・建物・金銭などの財産。身代(しんだい)。「子孫に―を残す」 ❷〔法〕金銭とみなすことのできる財産。債務の担保や資本にすることができる財産。

し・ざん【死産】《名・自サ》胎児が死んで生まれること。しさん。参考 妊娠四か月以上に言う。類語 流産。

***じ・さん**【持参】《名・他サ》〔必要なものとして〕持って行くこと。持って来ること。「書類を―する」「印鑑を御―下さい」類語 携行。携帯。 **―きん**【―金】嫁入り、または婿入りするときに実家から持参するまとまった金銭。類語 嫁資(かし)。化粧料。

***じ・さん**【自賛・自×讃】《名・他サ》❶〔自分のかいた絵に〕自分で賛を書くこと。また、その賛。❷自分のことを自分でほめること。「自画―」

***し・し**【刺史】中国の隋・唐代の州の長官。

***し・し**【史詩】〔文〕歴史上の事柄を題材とした叙事詩。

***し・し**【嗣子】〔文〕家の跡継ぎ。類語 嫡子。世子(せいし)。

***し・し**【四肢】〔文〕両手と両足。手足。「―を伸ばす」

***し・し**【師資】〔文〕❶師としてたのむ・こと(人)。先生。「―相承(=師から教えを受けつぐこと)」 ❷師弟。

***し・し**【志士】国家・民族のために尽くそうとする高い志をもつ人。「勤皇の―」類語 国士。義士。

***し・し**【死×屍】〔文〕しかばね。「―累々(るいるい)」 **―に鞭打(むちう)・つ**《句》故人の悪口を言う。死屍を鞭打つ。屍(しかばね)に鞭打つ。

***し・し**【×獅子】❶ライオンのこと。図像では、変形した形で示される。唐獅子(からじし)。「―に牡丹(ぼたん)(=見事な取り合わせ)」 ❷「獅子舞」の略。 **―がしら**【―頭】〔獅子舞に用いる〕木を刻んで作った獅子の頭。 **―く**【―×吼】《名・自サ》❶〔文〕ししがほえること。❷〔仏〕釈迦(しゃか)の説法が、外道(げどう)・悪魔を恐れさせ退散させること。また、その説法。❸〔文〕大いに熱弁をふるうこと。大演説。「聴衆を前に―する」 **―とう**【―唐】「獅子唐辛子(ししとうがらし)」の略。ピーマンの一品種。果実は小形で細長い。 **―ばな**【―鼻】低くて小鼻が開いた鼻。ししっぱな。 **―ふんじん**【―奮迅】《名・自サ》〔獅子が怒り狂うように〕猛烈な勢いで動きまわること。「―の働き」 **―まい**【―舞】獅子の頭を模したかぶり物をつけて行う、祝儀の舞。ししおどり。しし。おしし。 **―身中の虫**《句》〔獅子の体にすんで利益をうけている虫がかえって獅子に害を与える意〕❶仏の弟子でありながら仏法を害する者。❷味方でありながら、味方のためにならない者。また、恩をあだで返す者。

***しし**【▽獣・×猪】《「しし(肉)」と同語源》「けもの」の古称。特に、いのしし(猪)・かのしし(鹿)。「―なべ」 **―食った報い**《句》悪いことをしたためにうける当然の報い。参考 仏教で肉食を禁じていたところから。

***し・し**【×孜×孜】《形動タルト》〔文〕熱心に励むようす。せっせと。「―として励む」類語 営々(えいえい)。

***し・じ**【四時】〔文〕❶春・夏・秋・冬の四つの季節。四季。しいじ。「―の眺め」 ❷〔仏〕旦(たん)(朝)・昼・暮(ぼ)(夕方)・夜。一日の四つの時。

***し・じ**【師事】《名・自サ》先生として仕え、その教えを受けること。「有名な作家に―する」

***し・じ**【指事】漢字の六書(りくしょ)の一つ。抽象的な事柄(性質・位置・数量など)を、ある約束によって示す漢字の組み立て方。「一」「上」「下」「本」「末」など。

***し・じ**【指示】《名・他サ》❶さし示すこと。指図。「先生の―で行動する」 ❷〔他人の言動に〕命令を与えること。 **―ご**【―語】〔文法で〕話し手(または、相手)と事物の位置関係・距離などを指し示す語。「これ・それ・あれ・どれ」「こっち・そっち・あっち・どっち」など。こそあど語。指示詞。 **―だいめいし**【―代名詞】〔文法で〕話し手が自分を中心にして、人以外の事物・場所・方角などを指し示す代名詞。「これ・それ・あれ・どれ」「ここ・そこ・あそこ・どこ」「こちら・そちら・あちら・どちら」の類。 **―やく**【―薬】〔理〕ある成分の、溶液中に含まれる量を判定するのに使う試薬。インジケーター。

日本語

指示代名詞

英語では、物や場所を指すのに、近いもの・ところはジス・ヒヤ、遠いもの・ところはザット・ゼアで、二種類の違いしかない。日本語では、近いもの・ところは「これ・ここ」、遠いもの・ところは「あれ・あそこ」と言い、さらに、その中間のもの・ところは「それ・そこ」と言って、三種類の違いを区別する。

これを近称・中称・遠称と言う。しかし、やかましく言うと、これは話し手と聞き手が一緒にいて、窓の外のものなどを指して言うときにはいいが、二人が離れている場合は、話し手にとっては自分に近いもの・ところが「これ・ここ」、相手に近いもの・ところが「それ・そこ」で、両者から遠いもの・ところが「あれ・あそこ」である。
だから、東京からニューヨークにいる人に電話するときは、東京は「ここ」、ニューヨークは「そこ」でいいが、以前京都に行ったときのことを話す場合には、京都はニューヨークより話し手に近いが、京都を指して遠称の「あそこ」を使い、「もう一度あそこに行ってみたいね」などと言う。

***し・じ【支持】**《名・他サ》❶支えて、もちこたえること。❷他人の意見・言動に賛成して力になること。また、そのような援助。「A党を―する」類語 支援。

***し・じ【死児】**〔文〕死んだ、(自分の)子ども。「―の齢を数える(＝悔いてもしかたのない過去のことをぐちる)」

***し・じ【私事】**個人的な事柄。私ごと。また、内緒ごと。「―で恐縮ですが…」「―をあばく」対 公事。

***じ・し【侍史】**〔文〕❶貴人のそばに仕える書記。祐筆。❷手紙の脇付に使う語。参考「直接渡すことをはばかり、その書記を通してお渡しする」の意。類語 机下。足下。尊下。

***じ・し【次子】**〔文〕二番目の子。次男・次女。

***じ・し【自死】**《名・自サ》〔文〕自殺。自決。

***じ・じ【時事】**現代の社会的現象。「―問題」

***じ・じ【自×恃】**〔文〕自負。「―の心」

じじい【×爺】《「じじ(爺)」の長音化》年をとった男。参考 ののしって言う。「たぬき―」対 婆。

しし・おき【▽肉置(き)】〔文〕肉づき。

しし・おどし【×鹿▽威し】田畑を荒らす鳥獣を追い払うための装置。↓添水。

じじ・こくこく【時時刻刻】《副》❶時をおって。その時々。「―に移りかわる景色」❷次第次第に。だんだん(と)。「発車の時が―に迫る」＝時々刻々。

しし・そんそん【子子孫孫】のちのちの子孫。子孫の代々。〔子孫を強めた言い方〕「―に伝える」

***し・しつ【私室】**〔公共の建物などの中で〕ある個人が専用に使う部屋。「学長の―」

***し・しつ【紙質】**紙の品質。「―が良い」

***し・しつ【資質】**生まれつき(もっている性質・才能)。天性。資性。「指導者としての―」類語 性向。

し・じつ【史実】歴史上の事実。「―に基づく小説」

***じ・しつ【地質】**織物の生地の質。地合い。

***じ・しつ【×痔疾】**〔文〕痔。

***じ・しつ【自失】**《名・自サ》〔大きな驚きなどのため〕われを忘れてぼんやりすること。「茫然―する」

***じ・じつ【事実】**一《名》実際に・あった(起こった)事柄。また、実在する事柄。「―を語る」類語 真実。現実。真相。実状。実体。実態。二《副》ほんとうに。たしかに。「―そのように聞いている」⇩〔類義語の使い分け「真実」〕 **―じょう【―上】**事実ではないが、事実に近いこと。現実的には。実質的には。「―の夫婦」「―、廃部である」 **―むこん【―無根】**事実としての根拠がないこと。「―のうわさ」
―は小説よりも奇なり《句》実生活上で起こる事柄は、しくまれた小説よりも不思議で面白いものだ。

***じ・じつ【時日】**日にちと時間。「一日の―を残すのみ」

しじま〔文〕❶口をとじてものを言わないこと。沈黙。❷静まりかえっていること。「夜の―を破る」表記 ①は「無言」、②は「静寂」と当てる。

しじみ【×蜆】シジミ科の二枚貝。アサリより小さく、殻は黒茶色でつやがある。淡水や河口にすむ。食用。

じじ・むさ・い【×爺むさい】《形》〔姿や服装が〕年寄りじみている。「―・い身なり」

しし・むら【▽肉×叢】〔文〕肉の塊。また、肉体。

***し・しゃ【使者】**命令や依頼によって使いにたつ人。使いの者。「和解の―を送る」「天皇の―(＝勅使)」

***し・しゃ【支社】**❶大きな神社から分かれた神社。末社。分社。❷会社などで、本社から分かれて他の地方に設けられた事業所。類語 支局。対 本社。

***し・しゃ【死者】**死んだ人。死人。対 生者。

***し・しゃ【試写】**《名・他サ》完成した映画を一般に公開する前に特定の人にみせるため映すこと。また、その映画。「―会」「新作の―をみる」

***し・しゃ【試射】**《名・他サ》銃砲をためしに撃つこと。

***じ・しゃ【侍者】**〔文〕貴人のそばに仕えて身のまわりの世話などの雑用をする者。

***じ・しゃ【寺社】**寺と神社。社寺。「―奉行」

し・しゃく【子爵】もと、五等爵位の第四位。伯爵の下、男爵の上。

じ・しゃく【磁石】❶磁鉄鉱。磁石。❷鉄を吸いつける性質をもつもの。マグネット。「棒―」❸南北の方位を示す機器。磁針。コンパス。羅針盤。

***じ・じゃく【示寂】**《名・自サ》〔仏〕菩薩や高僧が死ぬこと。

***じ・じゃく【自若】**《形動タルト》〔文〕〔大事にあたっても〕落ちついて、あわてないようす。「泰然―」

ししゃ・ごにゅう【四捨五入】《名・他サ》計算で端数を処理するとき、求める桁の下の桁が四以下のときはその端数を切り捨て、五以上のときは切り上げて求める桁に一を加え、概数を求めること。

ししゃも【▽柳▽葉▽魚】キュウリウオ科の魚。北海道南東部の沿海に生息し、産卵のために川をのぼる。丸干しにして食べる。▽アイヌ susam

***し・しゅ【死守】**《名・他サ》必死に守ること。「先取点を―する」

***し・しゅ【詩趣】**詩的な趣。詩情。「―に富んだ文体」

***じ・しゅ【自主】**他からの保護・干渉をうけず独立して物事を行うこと。「―管理」「―外交」「―性」

***じ・しゅ【自首】**《名・自サ》犯罪人が、犯した罪を警察などへ申し出ること。

***し・しゅう【刺×繡】**《名・他サ》布地に絵・模様・文字などを糸で刺して表す・こと(技法)。また、その表したもの。「ハンカチに―する」「フランス―」類語 ぬいとり。

***し・しゅう【四周】**〔文〕まわり。めぐり。周囲。

***し・しゅう【死臭・×屍臭】**死体が腐敗して発する、いやなにおい。「―がただよう」

***し・しゅう【詩集】**詩を集めた書物。「―を刊行する」

し・じゅう【始終】一《名》〔文〕あることの始めから終わりまでのすべて。「一部―」二《副》たえず。いつも。常に。「―もめごとがある」類語 しょっちゅう。常々。

***じ・しゅう【時宗】**鎌倉時代、一遍上人が開いた、浄土教の一宗派。平生を臨終の時として常に念仏をとなえ、諸国を遊行したので「遊行宗」ともいう。

***じ・しゅう【自修】**《名・他サ》〔人から教えられず〕自分で学問・技術などを身につけること。「―本」

*じ-しゅう【自習】《名・他サ》〔学問を〕自分で学び習うこと。「―時間」

*じ-じゅう【侍従】宮内庁の職員で、天皇・皇太子のそばに仕える役目の人。

*じ-じゅう【自重】〔乗員や積み荷などの重さを除いた〕航空機・車両などの本体の重さ。

しじゅう-から【四十×雀】シジュウカラ科の小鳥。スズメより小さい。頭が黒く、ほおは白い。胸に黒い帯状の模様がある。

しじゅうく-にち【四十九日】〔仏〕人の死後四九日めの日。また、その日に行う法会(ほうえ)。七七日(しちしちにち)。

しじゅう-しょう【四重唱】四声部からなる重唱。混声と同声とがある。カルテット。

しじゅう-そう【四重奏】四つの楽器で行う合奏。カルテット。「弦楽―」

しじゅうはっ-て【四十八手】❶相撲で四八種の決まり手。参考 現在は日本相撲協会が八十二手と定めている。❷いろいろのかけひきや手段。「恋の―」

ししゅう-びょう【歯周病】歯周組織(=歯のセメント質・歯根膜・歯肉・歯槽骨の総称)が炎症を起こす病気。歯周炎。

*し-しゅく【止宿】《名・自サ》〔文〕旅館に泊まること。また、下宿すること。「知人の家に―している」

*し-しゅく【私淑】《名・自サ》ひそかに師として尊敬し、模範として学ぶこと。「私が―する作家」

し-じゅく【私塾】❶〔儒学者や洋学者が開いた〕私設の学校。家塾。❷生徒を集めて特別の技術や学問を教える小規模の施設。そろばん塾・学習塾の類。

じ-しゅく【自粛】《名・他サ》〔他から強制されず〕自分からすすんで言動をつつしむこと。「報道を―する」

し-しゅつ【支出】《名・他サ》金銭・物品を支払うこと。また、その支払い額。「予算外の―」対 収入。

し-じゅつ【施術】《名・自サ》〔文〕医術をほどこすこと。特に、手術を行うこと。

しじゅ-ほうしょう【紫×綬褒章】→褒章。

し-じゅん【至純・至×醇】《名・形動》〔文〕この上なく純粋なこと。「―な愛」

じ-じゅん【耳順】〔文〕六〇歳。参考「六十にして耳順(したが)ふ〈論語・為政〉」から。修養が進み、他人のことばがさまたげにならないの意。⇩〖類語と表現「年(とし)」〗

ししゅん-き【思春期】体の機能、特に、生殖・生理機能が成人としてほぼ完成する時期。一二歳から一七歳ごろで、異性に対する関心や自我意識が強くなる。

*し-しょ【司書】図書館などで書物の整理・保管などの専門的な事務を扱う職。「―教諭」

*し-しょ【史書】歴史を書いた書物。歴史書。史籍。

*し-しょ【四書】儒教のよりどころとなっている四つの書物。大学・中庸・論語・孟子(もうし)の総称。「―五経」

*し-しょ【支所】会社・役所などで、中央から分かれて設けられた事務所。類語 支店。支部。

*し-しょ【支署】〔警察署・税務署などの〕本署から分かれて、設けられた出張所。対 本署。

*し-しょ【死所・死処】〔文〕❶死んだ場所。「―さえわからない」❷死にがいのある場所。「―を得る」

*し-しょ【私書】〔文〕❶個人の手紙。私信。❷内密の手紙。―ばこ【―箱】一定の料金を払って郵便局内に備えつけておく、個人・会社・団体専用の郵便箱。郵便私書箱。私書函(かん)。

*し-じょ【士女】〔文〕男と女。紳士と淑女。

*し-じょ【子女】〔文〕❶息子と娘。子供。「―の教育」「帰国―」❷女の子。女子。「良家の―」

*じ-しょ【地所】〔建物の敷地・用地・財産などとしての〕土地。地面。「―を管理する」

*じ-しょ【字書】❶多くの漢字を集めて一定の順序にならべ、その発音・意味・用法などを説明した書物。字典。❷辞書。同①②字引。

*じ-しょ【自署】《名・他サ》自分で自分の名を書き記すこと。また、自分で書いた署名。対 代署。

*じ-しょ【辞書】多くのことばを集め一定の順序にならべ、その発音・意味・用法などを説明した書物。辞典。字引。字書。「国語―」「英語の―」

*じ-じょ【侍女】小間使の女。腰元。

*じ-じょ【児女】〔文〕❶女や子供。女子供。「―の手なぐさみ」❷男の子と女の子。子女。特に、女の子。

*じ-じょ【次女】女の子のうち二番めに生まれた子。二番めの娘。対 次男。

*じ-じょ【×爾×汝】相手を遠慮なく呼び捨てにすること。「―の交わり(=親密な交際)」参考「爾」「汝」ともに「なんじ」の意。

*じ-じょ【自助】〔文〕〔自分の向上・発展などを〕自分の力でやりぬくこと。「―努力」「―自立の精神」

*じ-じょ【自叙】〔文〕自分で自分に関することについて述べること。―でん【―伝】自伝。

*じ-じょ【自序】著者みずからが書いた序文。

*し-しょう【刺傷】《名・他サ》〔文〕人を刺して傷つけること。また、その傷。「―を負う」

*し-しょう【×嗤笑】《名・他サ》〔文〕あざ笑うこと。嘲笑(ちょうしょう)。もの笑い。「人の―を買う」

*し-しょう【師匠】❶学問・技芸などを教える人。特に、日本的な遊芸を教える人。先生。〔やや古風な言い方〕「おどりの―」対 弟子。❷芸人に対する敬称。

*し-しょう【支障】〔物事を進めるうえでの〕さしつかえ。さしさわり。「何ら―はない」類語 隘路(あいろ)。

*し-しょう【死傷】《名・自サ》人が死んだり傷ついたりすること。「列車事故で多くの人が―した」「―者」

*し-しょう【私傷】公務外で受けた傷。対 公傷。

*し-しょう【私×娼】公認されていない売春婦。「―窟(くつ)」対 公娼。

*し-しょう【私消】《名・他サ》〔文〕公の金品を勝手に使いこむこと。「公金を―する」

*し-しょう【視床】間脳の大部分を占める灰白質の部分。感情の発現や運動の促進・抑制に関与する。

*し-しょう【詞章】〔文〕詩歌や文章の総称。

*し-しょう【詩抄・詩×鈔】多くの詩の中から一部を抜き出して作った詩集。詩選集。「藤村―」

*し-じょう【史上】歴史上。「―空前の豊作」

*し-じょう【史乗】〔文〕事実の記録。歴史。参考「乗」は「記録」の意。

*し-じょう【市場】❶需要と供給との間における交換関係。国際市場など。特に、売手と買手が集まって取引を行う所。「―を開拓する」❷市場(いちば)①。「青果―」

―けいざい【―経済】市場機構によって需要と供給のつり合いが保たれる経済体制。計画経済に対する。

―せんゆうりつ【―占有率】→マーケットシェア。

―ちょうさ【―調査】販売活動の前提として、ある商品の販売量・販売方法・価格などについて行う分析的・統計的な調査。

*し-じょう【私情】個人として持つ感情。「仕事に―をさしはさむ」「―にかられる」「―を捨てる」類語私意。

*し-じょう【紙上】❶紙の上。❷新聞の記事の中。新聞の紙面。「―討論会」「―をにぎわす」

*し-じょう【至上】〔物事の状態が〕この上ないこと。「―の光栄」類語最上。最高。 ―めいれい【―命令】絶対に従わなければならない命令。

*し-じょう【至情】〔文〕❶〔この上なくりっぱな〕まごころ。「―を尽くす」「愛国の―」❷ごく自然な人情。

*し-じょう【詩情】❶詩的な気分や趣。詩趣。「―あふれる風景」❷詩興。「―がわく」

*し-じょう【試乗】《名・自サ》ためしに乗ること。

*し-じょう【誌上】雑誌の記事の中。誌面。「―対談」

*じ-しょう【事象】観察できる形をとって現れる事柄。事実と現象。「天然の―」

*じ-しょう【時鐘】〔文〕時刻を知らせる鐘。

*じ-しょう【自傷】《名・自サ》故意に自分の体を傷つけること。また、その傷。「―行為」

*じ-しょう【自照】《名・自サ》〔文〕自分で自分の心を観察し、反省すること。「―文学(=自照する精神から生まれた文学。日記・随筆など)」

*じ-しょう【自称】❶《名・他サ》自分で自分のことを…だと言うこと。「―天才」「旧皇族と―する」❷人称の一つ。文中で話し手が自分自身をさしていうもの。(第)一人称。「―の代名詞」参考↓対称・他称。

*じ-じょう【事情】ある物事がそう・なった(なる)わけ。また、進行中の状態。事の次第。「深い―がある」

*じ-じょう【自乗・▽二乗】《名・他サ》同じ数・式二つをかけあわせること。平方。二乗(にじょう)。「三の―は九」

*じ-じょう【自浄】〔文〕それ自体の働きで、きたないものがきれいになること。「―能力」「川の―作用」

じじょう-じばく【自縄自縛】〔自分のなったなわで自分をしばる意から〕自分の言動で、自分自身の動きがとれなくなること。「―に陥る」

し-しょうせつ【私小説】作者自身を主人公とし、その生活や経験を材料にして書いた小説。日本独特の小説の一形式。私小説(わたくししょうせつ)。

*し-しょく【紙×燭・脂×燭】↓しそく(紙燭)。

*し-しょく【試食】《名・他サ》味などをみるために、試しに食べてみること。「―会」類語毒見。試飲。

*じ-しょく【辞職】《名・自サ》自分から職をやめること。「一身上の都合で―する」類語退職。辞任。

*じ-しょく【辞色】〔文〕ことばづかいと顔色。「―を柔らげる」

*し-しん【使臣】〔文〕君主や国家の命をうけて、外国に派遣される使者。大使・公使など。「国王の―」

*し-しん【指針】❶磁石盤・計器などの針。❷物事を進めるべき方針。手引き。道標。「―を与える」

*し-しん【私信】❶私用の手紙。❷内密のしらせ。

*し-しん【私心】自分の利益を考える心。利己心。また、自分ひとりの考え。私意。「―を去る」

*し-しん【至心】〔文〕まごころ。「―天に通ず」

*し-しん【視診】《名・他サ》目で見て、患者を診断すること。

*し-しん【詩心】〔文〕詩を理解し、味わう心。

*し-じん【士人】〔文〕❶さむらい。❷教育や地位のある人。人士。

*し-じん【私人】〔文〕おおやけの立場を離れた個人。「―として発言する」対公人。

*し-じん【至人】〔文〕最高の道徳を身につけた人。参考老子・荘子の学で言われた語。

*し-じん【詩人】詩を作ることを業とする人。また、詩的な感受性を持つ人。

*じ-しん【侍臣】〔文〕君主のそば近く仕える人。近侍。

*じ-しん【地震】地殻の急激な変動、火山の爆発などで、地面がゆれ動く現象。「―で家屋が倒壊する」

*じ-しん【時針】時計の時(じ)を示す針。短針。

*じ-しん【磁針】〔方角を知るのに使う〕磁石の針。

*じ-しん【自信】自分の能力・価値などを信じる気持ち。「―がない」「―家」「―満々」類語自負。

*じ-しん【自身】❶自分。みずから。おのれ。「―の考えがある」類語自己。❷《多く代名詞とともに用い》その人・ものを特に強める語。そのもの。「われら―」

*じ-じん【時人】〔文〕同時代の人々。「―の目をみはらしめる」

*じ-じん【自刃】《名・自サ》〔文〕刀を用いて自分の命を絶つこと。「―して果てる」類語自害。自決。自尽。

*じ-じん【自尽】《名・自サ》〔文〕自殺。

*じ-じん【自陣】❶自分の陣地。味方の陣地。対敵陣。❷スポーツなどで、味方のゴール寄りの場所。

し-しんけい【視神経】網膜から脳へつながる束になった太い神経。網膜がうけた光の刺激を脳に伝える。

ししん-でん【紫×宸殿】平安京大内裏(だいだいり)の正殿。朝賀・即位などの儀式を行う。南殿(なでん)。ししいでん。

*じ-す【辞す】《自五》↓辞する。

*ジス【JIS】日本工業規格。▽Japanese Industrial Standard の略。 ―かんじ【―漢字】JISで情報交換用漢字符号として定めた漢字の通称。 ―コード⇩巻末付録(JISコード)。 ―マーク JISに従って作られた鉱工業製品に標示する、㋜のしるし。ジス。▽JIS mark

し-すい【止水】〔文〕とどまって流れない水。静かにたたえた水。「明鏡―の境地」対流水。

*し-ずい【雌×蕊・雌×蘂】めしべ。対雄蕊(ゆうずい)。

*し-ずい【歯髄】歯の中の空所を満たす柔らかな組織。血管や神経が集まり、感覚がするどい。「―炎」

じ-すい【自炊】《名・自サ》〔独身者などが〕自分の食事を作るために、自分で炊事をすること。「―生活」

*し-すう【指数】❶〔数〕ある数・文字の右肩に記して、その数の累乗を示す数字・文字。指標。❷〔統計で〕同種・同質のものの時間的な変動を、ある時期を一〇〇としてそれと比較して表す数。比率。「物価―」

*し-すう【紙数】紙の枚数。特に、雑誌・新聞などの、一つの記事に与えられる原稿の量。「―が尽きる」

しず-か【静か】(しづ―)《形動》❶〔予想される物音がしなかったり動くべきものが動かなかったりして〕ひっそりとしているようす。「―な夜」類語密(ひそ)やか。しめやか。ひっそりかん。しんと。深々(しんしん)。森閑。清閑。静閑。閑静。閑寂。寂(じゃく)・寂(せき)。寂然(じゃくねん・せきぜん)。静寂。静粛。粛粛(しゅくしゅく)。粛々(しゅくしゅく)。粛然(しゅくぜん)。水を打ったよう。音もなく。❷〔物事の状態や動きが〕おだやかで、ゆったりしているようす。「―な湖面」「車が―に動き出す」表記②は、「―に」の形で使うときは「徐かに」と書くことも多い。❸〔人の心や態度が〕落ち着いているようす。「―に考える」❹おとなしいようす。「―な人」

しずく【滴・×雫】(しづく)水・液体の、ぽつぽつと落ちる一粒一粒。水・液体のしたたり。「―が落ちる」

しずけ・さ【静けさ】 静かなこと。また、その程度。「嵐の前の―」類語しじま。

しず・こころ【静心】 〔文〕静かに落ち着いた心。しずごころ。

しず・しず【静静】 《副》（「―と」の形も）動きが落ち着いて静かなようす。しとやか。「―と歩く」

シスター ❶カトリック教の修道女。尼僧。❷女学生間で、同性愛の相手。エス。▽sister

システマチック 《形動》体系的。組織的。また、秩序正しいようす。「―な研究」▽systematic

システム あるきまりに従って順序だてて並べたもの。体系。また、そのような秩序のある全体。系統。組織。体制。制度。「運営―」▽system **―アナリスト** コンピューターでの効果的な処理方法を研究・分析する人。▽system analyst **―エンジニア** システム工学関係の技術者。特に、コンピューターの利用法を開発する技術者。▽system engineer **―キッチン** 流し台・ガス台・調理台などの基準寸法の部品を利用者の好みに合わせて構成したもの。▽system と kitchen からの和製語。**―てちょう【―手帳】** 用紙の抜き差しが自由にできる手帳。

ジステンパー 犬（特に子犬）に発生する熱性の急性感染症。死亡率が高い。▽distemper

ジストマ 扁形動物吸虫綱の寄生虫。人・馬などの肺・肝臓に寄生し害をあたえる。▽ラテ distoma

じ・すべり【地滑り・地×辷り】 地盤がゆるんで地面の一部が傾斜面にそってすべり落ちる現象。雪どけのころや長雨のあとに多くおこる。参考ひゆ的に、防ぎようのない社会現象にも使う。「株価の―的大暴落」

し・すま・す【▽為済ます】 《他五》❶〔文〕なしとげる。❷うまくやってのける。まんまと、し終える。「―・したり、とばかりの得意顔」

しずまり・かえ・る【静まり返る】 《自五》すっかり静かになる。「―・った場内」

しずま・る【静まる・鎮まる】 《自五》❶物音がやんで静かになる。「話し声が―・る」「風がやんで、あたりが―・る」類語潜まる。静まり返る。❷〔騒ぎや乱れた状態などが〕おさまって静かになる。「内乱が―・る」❸〔乱れた感情が〕落ち着く。「怒りが―・る」❹〔神が〕鎮座する。「神の―・る森」文《四》。⇩〖使い分け〗

使い分け 「しずまる・しずめる」

静まる〔物音や動きがやんでしずかになる。心が落ち着く〕風が静まる・あらしが静まる・気が静まる・怒りが静まる・寝静まる・静まり返る

鎮まる〔物事がおさえられてしずかになる。神が鎮座する〕内乱が鎮まる・騒ぎが鎮まる・モルヒネで痛みが鎮まる・神鎮まります宮居

静める〔物音がしないようにしずかにさせる。落ち着かせる〕鳴りを静める・気を静める・心を静める

鎮める〔おさえて動かないようにする〕乱れた呼吸を鎮める・痛みを鎮める・暴動を鎮める

参考「鎮」は外圧的、人為的な事象に使い、「静」は内面的、自然的な事象に使う。

しずみ【沈み】 ❶沈むこと。「浮き―」❷魚網のすそや釣り糸の先につけるおもり。

しずみ・うお【沈み魚】 底魚。対浮き魚。

しず・む【沈む】 《自五》❶水面から水底に向かって行く（行き着く）。「船が―・む」類語没する。沈下。沈降。沈没。沈潜。沈殿。水没。自沈。陥没。対浮く。浮かぶ。❷下の方へ行く（行き着く）。「夕日が―・む」❸活発な動きがなくなる。活気がなくなる。「―・んだ目の色」❹〔悩み・悲しみのために〕気がふさいで、元気がなくなる。「物思いに―・む」❺社会の低く卑しい境遇や失意の境遇におちる。おちぶれる。「不運に―・む」❻麻雀などで、点がマイナスになる。

＊**しず・める【沈める】** 《他下一》〔水中などに〕沈むようにする。「海底に船を―・める」「どん底の生活に身を―・める」対浮かべる。文しづ・む《下二》

＊**しず・める【静める・鎮める】** 《他下一》❶物音がしないように、静かにさせる。「鳴りを―・める」類語潜める。❷〔騒ぎや乱れた状態を〕おさめて、静かにさせる。「内乱を―・める」❸〔乱れた感情を〕落ち着かせる。「さわぐ心を―・める」❹〔神を〕鎮座させる。「山の頂に神を―・める」文しづ・む《下二》。⇩〖使い分け「しずまる・しずめる」〗

＊**し・する【死する】** 《自サ変》〔文〕死ぬ。「人の―・する時」

＊**し・する【資する】** 《自サ変》〔文〕ある物事の助けとなる。役に立つ。「参考に―・する」

＊**じ・する【侍する】** 《自サ変》〔文〕〔身分の高い人の〕そば近く仕える。はべる。

＊**じ・する【治する】** 一《自サ変》〔文〕病気がなおる。二《他サ変》〔文〕❶病気をなおす。❷〔混乱した状態・社会を〕おさめる。「天下を―・する」

＊**じ・する【辞する】** 《自サ変》〔文〕❶いとまをつげて帰る。「五時に山口家を―・する」❷役・職をやめる。辞任する。「会長の任を―・する」❸〔すすめられたことなどを〕辞退する。「申し出を―・する」❹〔「…を（も）―・せず」の形で〕遠慮せず…する。恐れず…する。「ストライキをも―・さず」「死をも―・さず戦う」

＊**じ・する【持する】** 《他サ変》〔文〕守り保つ。かたく守る。「自説を―・する」「満を―・する」

＊**し・せい【刺青】** 〔文〕いれずみ。

＊**し・せい【四姓】** ❶昔の日本で、源・平・藤原・橘の四氏。❷インドに古代からある、バラモン（僧侶）・クシャトリヤ（王侯・武人）・バイシャ（平民）・シュドラ（奴隷）の四つの階級。カースト。＝しょう。

＊**し・せい【四聖】** 釈迦・キリスト・孔子・ソクラテスの四人の聖人。

＊**し・せい【四声】** 中国語の音節の高低変化の面からみた四つの区別。㋐平声・上声・去声・入声の四種。㋑現代中国語（標準語）では、一声（上平声）、二声（下平声）、三声（上声）、四声（去声）に分ける。＝ししょう。類語平仄。

＊**し・せい【姿勢】** ❶〔ある形にかまえたときの〕体の格好。すがた。「不動の―」「―を正す」類語姿態。❷〔あるものに対する〕精神的な態度。心の持ち方。「積極的な―」「前向きの―」「低―」

＊**し・せい【市井】** 〔文〕人家が集まっている所。ちまた。また、俗世間。「―の徒」参考昔、中国で、井戸のある所に人が集まり町ができたことから。

＊**し・せい【市制】** 地方自治体の市としての制度。「―を敷く」

＊**し・せい【市勢】** 市の人口・産業・財政・施設などのあり

さま。特に、市の経済情勢。「ー総覧」

*し・せい【市政】〔地方自治体としての〕市の政治。「ーをつかさどる」「ー通信」類語 町政。県政。

*し・せい【施政】実際に政治を行うこと。また、その政治。「ー方針を述べる」

*し・せい【死生】〔文〕死ぬことと、生きること。死ぬか生きるか。生死。「ーを共にする」「ー観」

ー命あり《句》人間の生死は、天の与える運命であって、人間の意志や努力ではどうすることもできないものである。死生は命なり。〈論語・顔淵〉

*し・せい【私製】個人または民間が作ること。また、そのもの。「ーはがき」対 官製。

*し・せい【至誠】〔文〕この上なく誠実な心。まごころ。至心。「ー天に通ず」

*し・せい【詩聖】非常にすぐれた大詩人。詩仙。参考 詩仙李白に対して、杜甫のこと。

*し・せい【試製】《名・他サ》〔文〕〔本格的に作る前に〕ためしに作ってみること。試作。「ー品」

*し・せい【資性】〔文〕生まれつきそなわっている才能・性質。天性。「ーに恵まれる」

*じ・せい【時世】現在の移り変わる世の中。時代。時世。⇩〖使い分け〗

*じ・せい【時制】印欧諸語やセム語で、過去・現在・未来など、動作・作用などの時間的関係を表現しわける文法組織。テンス。

*じ・せい【時勢】世の中の移り変わる勢い。時代の流れ。世のなりゆき。時流。⇩〖使い分け〗

使い分け「ジセイ」

時世〔移り変わる世の中。ときよ〕結構な御時世・嫌な時世に際会する・時世が違う・時世にかなう

時勢〔世の中の移り変わる流れ〕時勢にさおを差す・時勢に乗る・時勢に乗じる・時勢に流される

参考「時世」は現在の時点における世の中の状況を、「時勢」は世の中の大勢を言う。同音語「時制」は文法用語（時制の一致）、「辞世」はこの世の終わり（辞世の句）。

*じ・せい【磁性】磁気をおびた物体が示す、鉄・ニッケルなどを吸いよせる性質。

*じ・せい【自制】《名・他サ》自分の感情や欲望を自分でおさえること。「ー心」類語 抑制。克己。

*じ・せい【自生】《名・自サ》〔植物が〕人手によらず、自然にはえ育つこと。「山野にーする植物」類語 野生。

*じ・せい【自省】《名・他サ》〔文〕〔自分の言動などを〕自分で反省すること。「ーの念」「深くーする」

*じ・せい【自製】《名・他サ》〔品物を〕自分で作ること。また、その品物。「ーの菓子」類語 手製。自家製。

*じ・せい【辞世】❶この世を去ること。❷死ぬときにのこす和歌・俳句など。「ーを詠む」「ーの句」

し・せいかつ【私生活】個人としての生活。

しせい・し【私生子】旧民法で、正式な婚姻によらずに生まれ、父親に認知されない子。私生児。参考 父親に認知された子は「庶子」と言った。現在の民法では「庶子」も含めて「嫡出でない子」と言う。

しせい・じ【私生児】私生子。

*し・せき【史籍】〔文〕歴史を記した書籍。史書。

*し・せき【史跡・史×蹟】歴史に残る事件や建造物があった場所。「ーをめぐる旅」

*し・せき【×咫▽尺】〔文〕❶ごく近い距離。「ーの間」「ーを弁ぜず（=視界がきかず、近くのものも見分けがつかない）」❷《名・自サ》貴人に間近で会うこと。「ーの栄を得る」

*し・せき【歯石】歯のまわりに沈着して固まった石灰分。参考 ↓歯周病。

*じ・せき【事績】〔文〕ある人がなしとげた〔立派な〕仕事。業績。事業と功績。「ーを残す」

*じ・せき【事跡・事×蹟】〔文〕〔長い期間にわたって行われた〕事件・事柄のあと。「歴史上のーをたずねる」

*じ・せき【次席】二番目の地位〔の人〕。「ー検事」

*じ・せき【自席】〔文〕自分の〔座っている〕席。

*じ・せき【自責】《名・他サ》自分で、自分の失敗やあやまちを責めること。「ーの念にかられる」

*し・せつ【使節】国や君主の命をうけて他国にその国の代表として派遣される人。「親善のーを送る」

*し・せつ【施設】❶《名・他サ》ある目的のための建物や設備を設けること。また、その建物・設備。「厚生ー」❷各種の「福祉施設」を略した呼称。

*し・せつ【私設】〔ある機関・設備などを〕個人・民間で設立し経営すること。「ー図書館」対 公設・官設。

*じ・せつ【持説】平素から主張し、持ちつづけている意見。持論。「ーを固守する」

*じ・せつ【時節】❶季節。時候。「新緑のー」❷よい機会。時機。チャンス。「ー到来」❸世の中の情勢。「時世ー」類語 時勢。 ーがら【ー柄】《副》時節にふさわしいようす。時節が時節だけに。時分柄。「ーおからだをお大切に」

*じ・せつ【自説】自分の意見。「ーをまげない」

*し・せん【支線】❶〔鉄道で〕主要な線から分かれた線。対 本線。幹線。❷物を支えとする線。特に、電柱などの支えに上部から地上に張った斜めの線。

*し・せん【死線】❶捕虜収容所や牢獄の周りにめぐらして、そこを越えて逃走しようとすると射殺される限界の線。❷生きるか死ぬかの境目。「ーをさまよう」

*し・せん【私×撰】〔詩歌集などを〕個人が編集すること。また、その編集したもの。「ー集」対 勅撰。

*し・せん【私選】《名・他サ》個人の考えでえらぶこと。「ー弁護人」

*し・せん【視線】❶眼球の中心点と外界の対象とをむすぶ線。❷〔ものを見るときの〕目の方向・向き。「ーが合う」「ーをそらす」参考 ↓目線。

*し・せん【詩仙】〔文〕すぐれた大詩人。参考 詩聖杜甫に対して、李白のこと。

*し・ぜん【自然】━《名》❶人間の手を加えない、そのもののありのままの状態。天然。「ーの驚異」「ーを愛する」類語 造化。万象。万有。森羅万象。山川草木。花鳥風月。❷人や物に本来そなわっている性質。━《形動》❶ありのままであるようす。むりがないようす。「ーな動き」❷ひとりでにそうなるようす。おのずと。「ーに戸が開く」「ーに体がよくなる」━《副》ひとりでに。おのずと。「ー笑みがこぼれる」 ーかい【ー界】❶天地万物の存在する範囲。❷〔感情・論理などの世界に対し〕人間をとりまく世界。❸人間界・生物界以外の世界。 ーかがく【ー科学】人間を含めた、自然界に起こる現象を研究する学問。自然現象のあいだにある関係・原因などをしらべ、その法則をもとめようとするもの。科学。参考 ↓社会科学・人文科学。 ーしゅぎ

【―主義】(naturalism) ❶自然を最高の価値とみて、自然のままに行動することを最上の徳とする立場。❷人間の自然的行動から善を説明する立場。❸文学で、現実をありのままに描こうとする立場。[参考]西洋ではフランスを中心に一九世紀の後半に起こり、日本では明治三〇年代の末に起こった。 ―じん【―人】❶社会・文化の影響を受けていない、生まれたままの本性をもつ人間。❷〔法〕権利・義務の主体として、等しくその能力・資格を認められている個人。[対]法人。 ―すう【―数】一・二・三・四…のように、一に一を順に加えてできる数。正の整数。 ―たい【―体】からだの一部分に力を入れずに自然に立った姿。柔道で基本とされる。 ―とうた【―×淘×汰】《名・自サ》生物のうち、外界に適応するものは栄え、適応しないものは滅びるということ。自然選択。[参考]ダーウィンの進化論の根拠になっている。 ―ほう【―法】自然や人間の本性に基づき、時代と場所とにかかわらず永久不変の効力をもつと考えられる普遍的な法。人為的な実定法の上に位置する。

*し-ぜん【至善】〔文〕この上ない善。「至高―の人」

*じ-せん【自×撰】《名・他サ》↓自選②。

*じ-せん【自薦】《名・自サ》自分で自分を推薦すること。[対]他薦。

*じ-せん【自選】《名・自サ》❶〔選挙のとき〕自分で自分を選ぶこと。❷《他サ》自分の作品の中から自分で選ぶこと。自撰(じせん)。「―歌集」

*じ-ぜん【事前】ある事柄が・起こる(行われる)前。「事故を―に防止する」「―に知らせる」[類語]未然。[対]事後。 ―うんどう【―運動】きめられた期限より前に行う選挙運動。[参考]公職選挙法違反になる。

*じ-ぜん【慈善】困っている人々をあわれみ助けること。「―事業」「―興行」

*じ-ぜん【次善】最善のものに次いでよいこと。また、そのような手段・方法。「―の策」

*し-そ【始祖】❶ある物事を最初に始めた人。元祖。また、最初のもの。先祖。「哲学の―ソクラテス」❷〔禅宗で〕達磨大師(だるまだいし)のこと。

*し-そ【紫×蘇】シソ科の一年草。葉は緑または暗紫色で、よい香りがある。暗紫色の葉(アカジソ)は梅干とともにつけ、緑の葉(アオジソ)は薬味に用いる。

*し-そ【×緇素】〔文〕〔「緇」は黒、「素」は白で、黒衣と白衣の意から〕僧と俗人。僧俗。

*し-そう【使×嗾・指×嗾】《名・他サ》〔文〕そそのかすこと。けしかけること。[類語]教唆(きょうさ)。扇動。

*し-そう【師僧】〔ある僧の〕師である僧。師匠の僧。

*し-そう【志操】〔自分の考え・主義・信条などを〕堅く守りつづける気持ち。「―の堅固な人」

*し-そう【思想】❶〔哲〕思考作用によって生じた意識の内容。❷人生・社会などに対する考え。特に、政治的・社会的な考え方。「―の弾圧」[類語]主義。思潮。

*し-そう【死相】❶死に顔。❷死の迫ったようすが人相に現れていること。また、その人相。「―が漂う」

*し-そう【詞宗】〔文〕詩文にすぐれた人。詩文の大家。また、文士・詩人の敬称。

*し-そう【詞藻】〔文〕❶文章をかざることば。ことばのあや。「―の豊かな文」❷詩歌・文章。また、詩歌・文章を作るすぐれた才能。

*し-そう【詩宗】〔文〕すぐれた詩人。詩の大家。また、詩人の敬称。

*し-そう【詩想】❶詩を作るもとになる着想。❷詩の中にあらわされた思想・感情。「―豊かな作品」

*し-そう【試走】《名・自サ》❶性能などを調べるために自動車を試験的に走らせてみること。❷〔競走で〕調子をみるために、競技の前にためしに走ること。

*し-そう【歯槽】上下のあごの骨にある、歯の根がはまっている穴。 ―のうろう【―×膿漏】歯の周囲の組織の炎症などによって、歯槽からうみが出る疾患。

*し-ぞう【死蔵】《名・他サ》〔役にたつものを〕むだにしまっておくこと。「書物を―する」[類語]退蔵。

*し-ぞう【私蔵】《名・他サ》〔価値の高いものを〕個人が所有すること。また、その物。「初版本を―する」

じ-そう【寺僧】寺に住んでいる僧。寺の僧。

じ-ぞう【地蔵】「地蔵菩薩(じぞうぼさつ)」の略。釈迦(しゃか)の死後、弥勒(みろく)菩薩が現れるまでの間、衆生(しゅじょう)を救う菩薩。俗に、賽(さい)の河原で子供を守るといわれる。

シソーラス ❶単語を意味によって分類した用語集。❷コンピューターに記憶された情報を検索するためのキーワードと、それに対応する主題との関連を示した一覧表。▽thesaurus

*し-そく【四則】〔数〕加法・減法・乗法・除法の総称。

*し-そく【子息】息子(むすこ)。せがれ。〔他人の子を指して言う語〕「御―」

*し-そく【紙×燭・脂×燭】❶昔、宮中などで用いた灯火の一種。❷こよりに油をしみ込ませて火をつけ、明かりとしたもの。＝紙燭(ししょく)。

紙燭②

*し-ぞく【士族】❶武士の家柄。❷明治維新後に、もとの武士階級に与えられた族称。華族の下で、平民の上に位した。 ―の商法《句》明治維新後、俸禄(ほうろく)をはなれた武士が、慣れない商売をして、多く失敗したこと。転じて、地位や身分のあったものが、急に慣れないことをしても失敗するというたとえ。武士の商法。

*し-ぞく【氏族】同一の先祖をもつという観念によって結ばれている一族。

*じ-そく【時速】一時間に進む距離。

*じ-そく【自足】《名・自サ》〔文〕❶〔ある境遇・状態などに〕自分で満足していること。「現状に―する」❷必要なものを自分で都合し間に合わせること。「自給―」

じ-ぞく【持続】《名・自他サ》〔ある状態が〕長い間続くこと。また、保ち続けること。「―力」「友好関係を―する」[類語]保持。継続。

し-そこな-う【▽為損なう】(―そこなふ)《他五》しようとして失敗する。しそんじる。「計算を―う」

*し-そつ【士卒】〔文〕下士官と兵卒。また、兵士。

*し-そん【子孫】ある人を祖先として血筋がつながって生まれる人々。また、自分たちのあとの世代の人々。「源義家の―」[参考]強調した言い方として「子々孫々」がある。[類語]末葉。後裔(こうえい)。後胤(こういん)。末流。苗裔(びょうえい)。[対]祖先。先祖。

*し-そん【至尊】〔文〕❶もっとも尊いこと。また、そのような人。❷天皇。

*じ-そん【児孫】〔文〕こどもや孫。子孫。「―のために美田を残さず」

*じ-そん【自存】〔文〕❶自分の生存。自分の存在。❷《名・自サ》自分の力で生きること。「―自衛」

＊じ・そん【自尊】❶自分で自分が偉いと考えること。❷自分自身の人格を尊び、誇りと品位をもつこと。類語うぬぼれ。自分を偉いものだと思う気持ち。「独立―」**―しん【―心】**自分の品位・人格を保とうとする気持ち。プライド。「―を傷つける」

＊じ・そん【自損】自分の責任で、自分自身が傷害・損害を受けること。「―事故」対他損。

し・そん・じる【仕損じる・▽為損じる】《他上一》→しそんずる。

し・そん・ずる【仕損ずる・▽為損ずる】《他サ変》しそこなう。しくじる。「急せいては事を―・ずる」

＊した【下】■一《名》❶位置が低い所。「―へおりる」「―の部屋」❷物がおおいかぶさって、そのかげになっている所。物の内側。「木の―」「上着の―に着る物」❸程度・地位・等級などが他より低いこと。また、他より低い地位(にいる人)。「温度が八度も―になる」「部長より―の人」「―のクラス」❹年齢が少ないこと。年下。「三つ―の妹」❺順序があとの部分。「―に述べるように…」対①〜⑤上。❻その人の支配の及ぶ所。「あの人の―で働く」❼すぐあと。直後。「笑う―からせきこむ」■二《接頭》《名詞の上につけて》「あらかじめする」の意。「―ごしらえ」「―げいこ」

―にも置かない《句》〔下座につかせない意から〕人を非常に大切にもてなす。「―・いもてなし」

＊した【×簧】《「舌」の意》ひちりき・クラリネット・ハーモニカなどの楽器につけ、その振動によって音を出す薄片。リード。表記「舌」とも書く。

＊した【舌】❶動物の口の中にあって自由に運動できる、筋肉質の器官。人間では、味覚、発声の調節をつかさどる。べろ。類語舌の根。❷しゃべること。ことばづかい。「駟しも―に及ばず」類語口くち。

―が回る《句》よどみなくよくしゃべる。

―の先《句》ことばの上だけ。口先。「―でものを言う」「―でまるめこむ」類語舌(先)三寸。

―を出す《句》❶〔陰で〕相手をばかにする。❷〔失敗したりしたときの〕きまり悪さをまぎらすようす。

―を鳴らす《句》舌を上あごにつけて音を出す。参考(ア)けいべつ・不満の気持ちを表す動作。(イ)おいしい物を食べて非常に満足している気持ちを表す動作。(ウ)犬・猫などを呼ぶときの動作。

―を巻く《句》ひどく驚き、感心する。

しだ【▽羊▽歯・歯×朶】❶シダ類に属する植物。胞子によってふえる。ワラビ・ゼンマイなどは食用、タマシダ・シノブなどは観賞用。❷「うらじろ」の別称。

じ・た【自他】❶自分と他人。「―共に許す(=だれもがそうだと認める)」❷自動詞と他動詞。❸自称と他称。

じ・だ【耳×朶】〔文〕❶みみたぶ。❷〔聴覚を持つものとしての〕耳。「―を打つ」「―に触れる(=聞き及ぶ)」

した・あご【下×顎】上下に分かれたあごの、下の部分。かがく。対うわあご。

した・あじ【下味】料理の材料に前もってつけた塩・しょうゆなどの味。「―をつける」

＊し・たい【四×諦】〔仏〕迷いと悟りの因果を説明する四つの真理。苦・集・滅・道の四つ。四聖諦ししょうたい。

＊し・たい【姿態】〔ある動作をしたときの〕すがた。体のかたち。体つき。ポーズ。「なまめかしい―」類語容姿。

＊し・たい【死体・×屍体】命の絶えたからだ。しかばね。「―を遺棄する」類語死骸しがい。遺体。対生体。

類義語の使い分け　死体・死骸しがい・遺体

[死体・死骸] 累々るいるいと死体(死骸)の横たわる戦場
[死体・遺体] 遭難者の死体(遺体)が山中で発見された
[死体] 死体を解剖する／死体遺棄の罪に問われる
[死骸] 野犬の死骸に蝿はえがたかる／鳥の死骸を葬る
[遺体] 遺体を火葬にする／遺体にすがって泣く

＊し・たい【肢体】手足。また、手足とからだ。

＊し・だい【四大】❶〔仏〕万物を構成する元素と考えられている、地・水・火・風。❷人間の肉体。四大①から成るといわれる。❸〔老子の思想で〕宇宙にある四つの大きなもの。道・天・地・王。

＊し・だい【次第】■一《名》❶〔式などの〕順序。「式―」❷〔ある物事の〕事情。なりゆき。由来。経過。「事と―によっては許さない」「お恥ずかしい―です」類語理由。■二《接尾》❶「なすまま」「なるがまま」の意。「言いなり―になる」❷「…によってきまる」の意。「力―で出世できる」「地獄のさたも金―」❸《動詞の連用形について》「…するとすぐ」の意。「着き―連絡する」参考サ変動詞では語幹に直接つくこともあるが、やや崩れた感じがある。「到着―報告する」**―しだい・に【―次第に】**《副》だんだんに。少しずつ。おいおいに。**―に**《副》ある状態が少しずつ変化するようす。徐々に。だんだん。「―晴れてきた」類語順次。逐次。

＊し・だい【私大】「私立大学」の略。

＊し・だい【至大】《名・形動》〔文〕この上なく大きいこと。「―の犠牲をはらう」類語最大。至高。

＊じ・たい【事態・事体】物事の状態。事のなりゆき。〔よくないことに使う場合が多い〕「―が急変する」「―の収拾をはかる」類語局面。形勢。

＊じ・たい【字体】❶発音・意味・用法などを同じくする二種類以上の異形の文字がある場合に、それぞれの字がもつ形。新字体・旧字体など。❷〔俗に〕書体。

＊じ・たい【自体】■一《名》〔自分のからだの意から〕そのもの自身。それ自身。「計画―に問題がある」参考ふつう他の名詞の下につけて接尾語的に用い、その意味を明示し、強める。■二《副》もとはといえば。そもそも。どだい。元来。「―、君が悪い」

＊じ・たい【辞退】《名・自サ》〔他人のすすめ、自分に与えられた権利などを〕断って引き下がること。「その任ではないので―する」類語遠慮。謙譲拝辞。

＊じ・だい【事大】〔文〕弱いものが強いものにつき従うこと。「―思想」**―しゅぎ【―主義】**〔自分を安全に保つため〕自分の意見や信念によらず、勢力の強い者につき従う主義。注意「時代主義」は誤り。

＊じ・だい【地代】❶土地の借用料。借地料。❷売買する土地のねだん。地価。=地代ちだい。

＊じ・だい【時代】❶〔長い〕年月の流れ。「―のために枯れた趣を添えた阿弥陀あみだ堂」❷人の生存期間をある基準によって区切ったときの一時期。「少年―」「青春―」❸歴史上、ある基準によって区切られた〔長い〕一定の年月。年代。「天平てんぴょう―」「貴族の―」❹その当時。当代。「―の先端を行く」❺《名・形動》長い年月がたって、古びた、また、古めかしい感じがすること。〔いい意味にも、また、やゆ的な意味にも使う〕「―のついた茶碗ちゃわん」❻「時代物」の略。**―おくれ【―後れ・―遅れ】**その時代の傾向・風潮などにおくれていること。

―がか・る【―掛かる】《自五》昔ふうに見える。現代離れする。古びている。「―・った大みえをきる」 **―げき**【―劇】明治以前の時代、特に武家時代の事柄を扱った演劇・映画。まげもの。 **―さくご**【―錯誤】異なる時代のものを混同すること。転じて、時代おくれ。アナクロニズム。「民意と遊離した―の思想」 **―しょく**【―色】その時代特有の傾向・風潮。 **―せいしん**【―精神】その時代の社会・人心をひろく支配し、またその時代を特徴づけている、思想・感情など。 **―そう**【―相】その時代特有の様相・傾向。 **―もの**【―物】❶長い年月を経て古くなったもの。「―の家具」❷歌舞伎・人形浄瑠璃などで、江戸時代以前の歴史や伝説から取材した史劇。時代狂言。一番目物。[対]世話物。

***じ-だい**【次代】次の時代・世代。「―をになう若者」

した・う【慕う】《他五》❶恋しく思う。なつかしく思う。「故郷を―・う」❷会いたくてあとを追う。「母のあとを―・う」❸その人の学問・人徳を尊敬して、それにならおうとする。「先師を―・う」[文]《四》。

した-うけ【下請(け)】❶《名・他サ》引きうけた仕事の一部または全部をさらに他の人が引き受けること。下請負。「―に出す」❷下請け①をする人。下請け人。

した-うち【舌打ち】《名・自サ》上あごを舌ではじいて「ちぇっ」などと音をたてること。

した-うちあわせ【下打(ち)合(わ)せ】正式の打ち合わせの前に行う内々の打ち合わせ。下相談。

した-え【下絵】❶下がきの絵。❷ししゅう・彫刻・版画などをするとき、材料の上にかく絵。「―を描く」

した-えだ【下枝】木の下のほうの枝。

した-おし【下押し】❶下のほうへ押し下げること。❷取引・売買の値段が下落する傾向にあること。

した-おび【下帯】❶昔、装束の下、小袖の上にしめた帯。下ひも。❷ふんどし。また、腰巻。〔やや上品な言い方〕❸〔女が〕長襦袢の上にしめる帯。

したが・う【従う・▽随う】《自五》❶〔自分よりもまさっているものの〕あとについて行く。「部長に―・って出張する」❷他の意向のとおりになる。従順になる。また、服従する。「目上の人に―・う」「老いては子に―・え」❸定めのとおりにする。「慣習に―・う」[表記]③は「遵う」とも書く。❹〔川・道などの〕進む方向に沿う。「流れに―・って下る」❺〈「…に―・い」「…に―・って」などの形で〉…につれて。…とともに。…に応じて。「成長するに―・い美術に関心を示した」「時間がたつに―・って空は明るくなった」[文]《四》。

したが・える【従える・▽随える】《他下一》❶ひきつれる。つれて行く。「従者を―・える」❷服従させる。したがわせる。また、征服する。「諸国を―・える」[文]したが・ふ《下二》。

した-がき【下書(き)】❶《名・他サ》〔書道などで〕清書の前に練習として書くこと。また、書いたもの。❷〔絵などを〕本格的に描く前におおよその形などをかくこと。❸書いただけで、修正などの手をいれていない文章。「論文はまだ―の段階だ」[類語]草稿。草案。

したがっ-て【従って】《接続》だから。それゆえに。「豪雨になった。―中止とする」

した-がり【下刈り】植林した若木を守るために、木の下の雑草を刈ること。

した-ぎ【下着】肌に直接つける衣服。シャツ・スリップ・ズボン下など。肌着。[対]上着。

***し-たく**【支度・仕度】《名・自他サ》ある物事を行うのに必要なものを準備、または用意すること。「朝食の―をする」「―金」「旅―」

***し-たく**【私宅】❶一個人の家。[類語]私邸。❷自分の住んでいる家。自宅。[謙譲]拙宅。

しだ・く【×拉く】《他五》砕く。つぶす。ひしぐ。[参考]多く「踏み―・く」「噛み―・く」の形で接尾語的に使う。[文]《四》。

じ-たく【自宅】自分が住んでいる家。私宅。[謙譲]荒家。陋屋。陋宅。拙宅。

した-くさ【下草】木陰にはえている草。特に、林の中に一面にはえている雑草。したぐさ。

した-くちびる【下唇・下×脣】下側のくちびる。[対]上唇。

した-げいこ【下×稽古】あらかじめしておくけいこ。前げいこ。「スピーチの―をする」

した-けんぶん【下検分】前もってしらべておくこと。下見。「演説会場の―をする」[類語]下調べ。

した-ごころ【下心】❶ひそかに持っている本心。特に、かねてからの悪いたくらみ。「―を見すかす」❷漢字の部首の一つ。「恭」「慕」などの「⺗」の称。

した-ごしらえ【下×拵え】❶〔本番の前に〕前もって準備をしておくこと。下準備。「研究発表の―をする」❷〔ある物を作るとき〕前もってだいたい作っておくこと。下づくり。「料理の―をする」

した-さき【舌先】❶舌の先。舌尖。❷〔巧みな〕ことば。口先。弁舌。「―で人をあやつる」 **―さんずん**【―三寸】口先だけでたくみにことばを操ること。また、そのことば。舌三寸。

した-ざわり【舌触り】舌に受ける感じ。

した-さんずん【舌三寸】→したさきさんずん。

した-じ【下地】❶ある物事が成り立つ土台となるもの。素地。「商売の―はできている」❷壁土をぬりつけるための基礎の骨組み。壁下地。[表記]②は「助枝」とも書く。❸生まれつき備えている(かくれた)性質・才能。素質。「悪の―が出てしまった」❹〔吸い物の基礎を作ることから〕しょうゆ。「お―」

し-だし【仕出し】❶注文に応じて料理を作り、配達すること。出前。「―の弁当」❷芝居の幕開きで、場面のふんいきをつくったり、主役登場までをつないだりする軽い役。通行人・群衆など。「―の役者」

したし・い【親しい】《形》❶血筋が近い。「―・い縁者」❷心にへだてがなく、仲がよい。親密である。「―・い友人」「―・くつきあう」「―・き中にも礼儀あり」❸なじみが深い。「本によく出てくる―・い地名」[参考]→親しく。[文]した・し《シク》。

した-じき【下敷(き)】❶物の下に敷くもの。特に、字を書くときに紙の下に敷くうすい板状のもの。❷〔大きな〕物の下に敷かれること。「倒れた木の―になる」❸〔模倣するための〕手本となるもの。「名作を―にする」

したしく【親しく】《副》《文語形容詞「親し」の連用形から》❶身分の高い人などが自分から働きかけるようす。自分で。みずから。「―お手植えになる」❷じかに経験するようす。直接。「ロンドンを―見てきた」

した-しごと【下仕事】❶下ごしらえ。下準備。❷下請負の仕事。

したしみ【親しみ】親しむ気持ち。親近感。「―をこめたまなざし」

した・し・む【親しむ】《自五》❶心に隔てをおかず仲よくする。「幼いときからー・んだ友」❷常に接してなじむ。「自然にー・む」「灯火ー・むの候」文《四》。

した・じゅんび【下準備】あらかじめ大まかな準備をしておくこと。「研究発表のーに取りかかる」

した・しょく【下職】下請けの仕事(をする人)。したじょく。

した・しらべ【下調べ】《名・他サ》❶あらかじめ調べておくこと。「ロケ現場をーする」類語下検分。❷学習する部分を前もって調べておくこと。予習。

した・ず【下図】下がきの図。下絵。

し・だ・す【仕出す】《他五》❶〔物事を〕しはじめる。取りかかる。❷注文に応じて料理を作って配達する。

した・そうだん【下相談】あらかじめしておく相談。「進行についてーをする」類語打ち合わせ。

した・だい【舌代】〔口で言う代わりのものの意で〕料理屋などで、客に対する挨拶・断り書きなどを記したもの。口上書き。ぜつだい。

したたか【▽強か・▽健か】㊀《形動》手ごわくて、思うままに扱えないようす。「ーな奴」㊁《副》(「ーに」の形も)程度のはなはだしいようす。ひどく。強く。「頭をー打つ」「酒をー(に)飲む」

したた・める【▽認める】《他下一》❶〔文〕書きしるす。「手紙をー・める」❷食事をする。〔古風な言い方〕「夕食をー・める」文したた・む《下二》。

したたら・す【滴らす】《他五》したたるようにする。「汗をー・す」文《四》。

した・たらず【舌足らず】《名・形動》❶舌がよくまわらず、発音がはっきりしないこと。❷表現が不十分なこと。「ーな論説」

したた・る【滴る】《自五》(「下垂る」の意)❶しずくになって落ちる。滴下する。「汗がー・る」❷あふれるばかりにみちみちている。「緑ー・る候」文《四》。

した・たる・い【舌▽怠い】《形》ものの言い方があいまいで、あまえたような調子である。したったるい。

じ・たつ【示達】《名・他サ》上級官庁から下級官庁に対し、注意事項・指示事項などを通達すること。また、その通達。示達。

した・つづみ【舌鼓】おいしいものを食べて舌を鳴らすこと。したづつみ。「ーを打つ」

した・っ・ぱ【下っ端】身分や地位が低い・こと(人)。〔けいべつした言い方〕「ーの役者」

した・づみ【下積み】❶〔他の物の〕下に積み置くこと。また、そのもの。対上積み。❷才能・能力などが、認められない・こと(人)。「ー時代をすごす」

＊**した・て**【下手】❶下の方向・場所。しもて。「ーから攻める」❷川の下流。しもて。❸へりくだること。したで。「ーに出る(=へりくだった態度を取る)」❹相撲で組み合ったとき、相手の腕の下に自分の腕を入れること。また、その腕(で取ったまわし)。「ーを取る」対③④上手。ーなげ【ー投げ】❶相撲で、決まり手の一つ。四つに組んで、下手で相手のまわしをつかみ投げる技。対上手投げ。❷〔野球で〕アンダースロー。

＊**し・たて**【仕立(て)】❶〔工夫して〕作り上げること。特に、裁縫。❷〔ある目的のため〕準備してととのえること。「特別のーを施す」参考①②とも上に他の語が付いた場合、多く「じたて」と濁る。「特別ー」ーおろし【ー下(ろ)し】新調の衣類(を身につけること)。ーもの【ー物】❶裁縫。ぬいもの。「ーをする」❷縫うための布。また、縫いあがった衣服。

し・た・てる【仕立てる】《他下一》❶〔工夫して〕作り上げる。こしらえる。特に、着物を作りあげる。「事件を小説にー・てる」❷手をつくしてそれらしく見せる。「教祖にー・てる」❸準備する。用意してさし向ける。「馬車をー・てる」❹〔仕事などを〕教えこんで一人前にする。養成する。「立派な役者にー・てる」

した・どり【下取(り)】《名・他サ》新品の代金の一部として割り引く目的で、売手が同種の中古品をある値段で引き取ること。「車をーに出す」

した・なが【舌長】《名・形動》身のほどをわきまえないで大きなことを言うこと。

した・なめずり【舌×舐(め)(ず)り】❶舌を出して唇をなめること。❷〔食べ物やほしい物などを〕しきりに待ちかまえること。「獲物を前にしてーをする」

した・ぬり【下塗り】《名・他サ》塗る物に下地を塗ること。また、塗ったもの。対上塗り・中塗り。

した・ね【下値】相場で、それまでの値段より安い値段。やすね。対上値。

した・の・ね【舌の根】舌のつけね。ーの乾かぬうちに《句》あることばを言ったすぐあとで。〔そのことばと矛盾することを言ったときに非難して使う〕「うそは言わないと言ったーまたうそをついた」

した・ばえ【下生え】木の下にはえている雑草。下草。また、木の下にはえていること。

＊**した・ばき**【下履き】地面を歩くとき使うはき物。対上履き。

＊**した・ばき**【下×穿(き)】〔パンツ・ズボン下など〕腰から下につける下着。

じた・ばた《副・自サ》(副詞は「ーと」の形も)❶〔手足をばたばたさせて〕しきりに抵抗するようす。「ーするな」❷〔悪い状態からのがれようとして〕あせってもがくようす。「ーしても間に合わない」

した・ばたらき【下働き】❶〔ある人の〕部下になって仕事をする・こと(人)。❷〔料理屋などで〕炊事・雑用などをする・こと(人)。下回り。参考→仲働き。

した・はら【下腹】腹の下の部分。下腹部。したっぱら。したばら。

した・ばり【下張り・下×貼り】《名・他サ》〔壁紙やふすま紙をはるとき〕上張りの下地としてはること。また、その紙。対上張り。

した・び【下火】❶火の勢いが弱くなること。「火事がーになる」❷勢いが衰えること。「風邪の流行がーになる」❸〔天火などで〕下からあてる火。対上火。

した・びらめ【舌平目・舌×鮃】ウシノシタ科の海水魚の総称。からだは平たく木の葉形。食用。

した・まえ【下前】衣服、特に和服の前を重ねたときに、内側になる部分。下交。対上前。

じ・たまご【地卵】その土地で産する鶏卵。じたま。

した・まち【下町】〔大都会の中で〕土地の低い地域にある町(の一帯)。ふつう、商店や工場などが密集し、商工業者が多く住む。対山の手。

した・まわり【下回り】❶他人の下について、雑用を行う・こと(人)。類語下働き。❷歌舞伎などで、地位が低い役者。類語大部屋。

した・まわ・る【下回る】《自五》基準の数・量・評価より下になる。「昨年の実績をー・る」参考「上回る」が流布してからできた語。対上回る。

した・み【下見】❶家のまわりなどにはる、横板張りの板壁。下見張り。❷《名・他サ》前もって見て調べておくこと。下検分。下調べ。「試験場の―をする」❸《名・他サ》下読み。「英語のテキストを―しておく」

した・む【×湑む・×釃む】《他五》《「下」＋動詞を作る接辞「む」》〔文〕しずくをたらしきる。こす。文《四》。

した・むき【下向き】❶下の方を向くこと。❷物事の勢いが衰えはじめること。「輸出が―になる」❸相場・物価が下がる傾向にあること。対①～③上向き。

した・め【下目】❶ひとみを下の方に向けること。また、そのような目つき。「―で話す」対上目(うわめ)。❷〔相手を〕見下げること。「―にかける」「―に見る」

した・もえ【下×萌え】〔文〕春に地中から草の芽が出ること。また、その芽。

した・もつれ【舌×縺れ】舌が自由に動かないため、ことばがはっきりしないこと。

した・やく【下役】❶組織の中で、地位や職務が自分より下の人。部下。類語配下。対上役(うわやく)。❷〔職務上の〕地位の低い人。下っ端(ぱ)。

した・よみ【下読み】《名・他サ》書物・原稿などを前もって読んでおくこと。類語下調べ。下見。

じ・だらく【自堕落】《名・形動》〔生活態度が〕だらしないようす。ふしだら。「―な生活」

し・たり《感》〔文〕《サ変動詞「す」の連用形＋助動詞「たり」》❶物事がうまくいったときに言う語。してやったり。「―とばかり攻め込む」❷物事をやりそこなったときに言う語。しまった。「これは―」**―がお【―顔】**得意そうな顔つき。得意顔。「―で話す」

し・だれ・ざくら【枝垂れ桜・▽垂れ桜】サクラの一品種。エドヒガンの一変種で、枝がたれさがる。糸桜。

しだれ・やなぎ【枝垂れ柳・▽垂れ柳】ヤナギ科の落葉高木。枝は細くしなやかにたれさがる。多く街路樹として植える。糸柳(いとやなぎ)。しだりやなぎ。垂柳(すいりゅう)。

し・だ・れる【枝垂れる・▽垂れる】《自下一》〔細い枝などが〕長くたれさがる。

したわし・い【慕わしい】(したは/しい)《形》〔ある人に〕心がひきつけられる気持ちである。「お―い人」類語恋しい。なつかしい。文したは・し《シク》。

し・たん【紫×檀】マメ科の常緑高木。熱帯アジアに産する。材は堅く、特に心材は赤紫色で香気がある。高級家具材用。

＊**し・だん【史談】**〔文〕歴史上の話。史話。「―会」

＊**し・だん【師団】**❶旧陸軍の軍隊編制上の単位。連隊が集まって構成され、司令部があり独立で作戦行動ができる。❷陸上自衛隊の部隊の一つ。参考①②とも「一個…」と数える。

＊**し・だん【指弾】**《名・他サ》〔文〕のけものにすること。また、非難すること。つまはじき。「世の―を受ける」

＊**し・だん【詩壇】**詩人の社会。「―の新人」

＊**じ・たん【事端】**〔文〕事件の発端・糸口。

＊**じ・たん【時短】**「労働時間短縮」の略。年間・週・一日あたりの労働時間を短縮すること。

じ・だん【示談】〔民事上の事件を〕裁判にかけず、双方の話し合いで解決すること。「―が成立する」

したん・かい【試胆会】度胸をためすための催し。肝試し。

じ・だんだ【地団太・地団駄】《「じたたら」の転》足を強く何回も踏みならすこと。「―を踏む(＝ひどくくやしがる。腹を立てる)」

＊**しち**《接頭》《ある種の形容詞・形容動詞の上につけて》「はなはだしく」「ひどく」の意。ひち。〔不快感を伴うような場合に使う〕「―面倒くさい」「―くどい」

＊**しち【七】**六の次の数。ななつ。なな。

＊**し・ち【死地】**〔文〕❶死に場所。「―を求める」❷生命が危険にさらされる場所・状態。「―を脱する」

＊**しち【質】**❶約束を果たさないときには相手のものになるという条件で、人にあずけるもの。「家財を―に取る」❷質屋に借金の保証として品物をあずけること。また、その品物。「宝石を―に置く」「―に入れる」

じ・ち【自治】❶自分(たち)の事を、自分(たち)で処理すること。類語自主。❷地方公共団体や学校などが、その許される範囲内で行政・事務運営などを行うこと。「地方―」**―たい【―体】**自治団体。地方公共団体。**―だんたい【―団体】**国家から自治権を認められた、公の団体。地方公共団体・公共組合など。自治体。

しち・いれ【質入れ】《名・他サ》借金の保証として質屋に品物をあずけること。対質請け。

しちかい・き【七回忌】人の死後満六年の祥月(しょうつき)命日。また、その時に行う法事。七年忌。七周忌。

しち・がつ【七月】一年の七番目の月。文月(ふみづき・ふづき)。

しち・く【紫竹】❶イネ科の常緑の竹。若い茎は緑色で、やがて黒紫色から黒色になる。観賞用、また細工用。くろちく。❷「寒竹(かんちく)」の別称。

しち・ぐさ【質▽種・質草】〔借金をするために〕質に入れる品物。質物(しちもつ)。質だね。

しち・くど・い【しち×諄い】《形》非常にくどい。「―い味」「―い話」

＊**しち・けん【質券】**→しちふだ(質札)。

＊**しち・けん【質権】**〔法〕債権者が、債務の弁済があるまで債務者から担保として物件を受け取り、それを占有することによって優先的に弁済を受ける権利。

しち・ご・さん【七五三】❶子供の成長をいのる祝い。男子は三歳と五歳、女子は三歳と七歳の年の一一月一五日に氏神などに参拝する。❷祝い事に使うめでたい数。❸本膳(ほんぜん)に七菜、二の膳に五菜、三の膳に三菜をつけたりっぱな祝宴。❹「しめなわ」の別称。

しちご・ちょう【七五調】韻文で、七音・五音で一まとまりになる調子をくり返すもの。対五七調。

しち・ごん【七言】一句が七字で作られている漢詩の一体。「―古詩」

しち・さい【七彩】〔文〕七つの色どり。七色。転じて、美しい色どり。

しち・さん【七三】❶〔ものを分けるときの〕七と三の割合。❷左右の髪を七分と三分に分けること。❸芝居の花道で舞台へ三分、揚げ幕へ七分の場所。

しちしち・にち【七七日】人の死後四九日めの日。また、その日に行う法事。四十九日(しじゅうくにち)。参考九九の七七、四十九から。

しち・しょう【七生】❶〔仏〕この世に七度生まれ変わること。転じて、この世に生まれ変わる限り。「―報国」❷七代。「―までたたる」

しち・しょく【七色】❶七種の色。❷太陽の光をスペクトルで分けたときにあらわれる、赤・橙(だいだい)・黄・緑・青・藍(あい)・菫(すみれ)の七つの色。七色(なないろ)。

しち・せき【七赤】九星(きゅうせい)の一つ。方位は西。金星にあたる。

しちてん-はっき【七転八起・七×顛八起】《名・自サ》ななころびやおき。

しちてん-ばっとう【七転八倒・七×顛八倒】《名・自サ》〔何度もころびたおれる意から〕苦しみのためのたうちまわること。七転八倒(しってんばっとう・しちてんはっとう・しってんばっとう)。「—の苦しみ」

*しち-どう【七堂】「七堂伽藍(がらん)」の略。—がらん【—×伽×藍】正式な寺院の建築として備えるべき七つの建物。金堂(こんどう)・講堂・塔・鐘楼(しょうろう)・経蔵(きょうぞう)・僧房(そうぼう)・食堂(じきどう)。七堂。

*しち-どう【七道】昔、畿内(きない)と北海道以外の諸国を、東海・東山・北陸・山陰・山陽・南海・西海の七つに分けたもの。

しち-ながれ【質流れ】請け出す期限が切れて、質に入れた物が質屋の所有となること。また、その品物。質流れ品。流質(りゅうしち)。

しち-なん【七難】❶〔仏〕火難・水難など、七種類の災難。❷多くの欠点。「色の白いは—かくす」

しちねん-き【七年忌】→しちかいき(七回忌)。

しち-ふくじん【七福神】俗に福徳の神として信仰されている七人の神。大黒天・恵比須(えびす)・毘沙門天(びしゃもんてん)・弁財天・福禄寿(ふくろくじゅ)・寿老人・布袋(ほてい)。

しち-ふだ【質札】質物をあずかったしるしに質屋が出す証書。質券。

しちぶ-づき【七分×搗(き)】玄米をついて、まわりについているうす皮の七割をとること。また、その米。

しち-ほう【七宝】〔仏〕七種の珍しい宝。ふつう金(こん)・銀(ごん)・瑠璃(るり)・玻璃(はり)(水晶)・硨磲(しゃこ)・赤珠(しゃくしゅ)(さんご)・瑪瑙(めのう)の七種。七珍(しっちん)。七宝(しっぽう)。

しち-み【七味】「七味唐辛子」の略。—とうがらし【—唐辛子】薬味の一種。唐辛子をはじめ胡麻(ごま)・陳皮(ちんぴ)・罌粟(けし)の実・菜種・麻の実・山椒(さんしょう)の粉をくだいてまぜたもの。七色唐辛子。しちみ。

しち-むずかし-い【しち難しい】(—むづかしい)《形》〔俗〕むずかしくて扱いにくい。「—い議論」

しちめん-ちょう【七面鳥】キジ科の鳥。頭と首には羽毛がなく、皮膚の色がいろいろに変わるのでこの名がある。クリスマスの料理に使う。

しち-めんどう【七面倒】《形動》〔俗〕やっかいで手数がかかるようす。「—な手続き」表記「七」は当て字。—くさ-い【—臭い】《形》非常にめんどうくさい。

しち-もつ【質物】債務の担保に提供した物。特に、質に入れる品物。質草。質物(しちもの)。類語 抵当物。

*しち-や【七夜】❶七日めの夜。また、七日間の夜。❷お七夜。「—の祝い」

*しち-や【質屋】品物をあずかって金を貸す商売(の人)。質店(しちみせ)。ななつや。しち。一六(いちろく)銀行。

し-ちゃく【試着】《名・他サ》体に合うかどうかためしに着てみること。「水着を—する」

*し-ちゅう【支柱】❶〔倒れないように〕物をささえる柱。つっかいぼう。「塀の—」❷〔生活や心の〕ささえになる重要なもの(人)。「一家の—を失う」類語 大黒柱。

*し-ちゅう【死中】〔文〕死・破滅を待つ以外に方法がないような境地。「—に活を求める」類語 死地。

*シチュー 牛・ブタの肉などを、野菜といっしょに、とろ火で長く煮込んだ西洋料理。▽stew

じ-ちゅう【寺中】〔文〕❶寺院の中。また、寺の境内。❷本寺に付属して境内にある小寺。子院。

しちゅう-ぎんこう【市中銀行】❶政府で運営する中央銀行に対し、民間で銀行業務を行う普通銀行。❷都市銀行。対 地方銀行。

シチュエーション ❶局面。状況。❷映画などで、主人公の置かれた境遇。▽situation

じ-ちょ【自著】自分の著書。「—にサインをする」

しち-よう【七曜】❶〔昔の中国の天文学説で〕日・月と火星・水星・木星・金星・土星の五星。❷一週七日の各日のよび名に七曜①をわりあてたもの。日曜・月曜・火曜・水曜・木曜・金曜・土曜の総称。「—表」

*し-ちょう【市庁】「市役所」の別称。「—舎」

*し-ちょう【市長】市民によって選挙され、市を代表し、市政をつかさどる職。また、その人。

*し-ちょう【師長】〔文〕先生および目上の人。

*し-ちょう【×弛張】《名・自サ》〔文〕❶ゆるむことと張ること。❷寛大と厳格。=弛張(ちちょう)。

*し-ちょう【思潮】ある時代の社会一般に行きわたっている思想(の傾向)。「一八世紀の—」類語 風潮。

*し-ちょう【支庁】都道府県庁の下級の役所。交通の不便な地や、北海道の市部以外などにおかれる。

*し-ちょう【視聴】《名・他サ》〔文〕❶見ることと聞くこと。聴視。「—者」❷関心。注目。「世界の—を集めた大事件」—りつ【—率】テレビで、ある番組がどれだけ視聴されているかを示す割合。聴視率。

*し-ちょう【試聴】《名・他サ》〔音質や演奏のぐあいなどをみるため、CD・録音テープなどを〕ためしに聞くこと。「新譜を—する」「—室」

*し-ちょう【×輜重】〔旧陸軍で〕軍隊が輸送・補給すべき兵器・弾薬・食糧などの軍需物資の総称。「—兵」

*じ-ちょう【次長】〔役所・会社などで〕長の次の地位役(の人)。

*じ-ちょう【自×嘲】《名・自サ》自分で自分をけいべつし、あざけること。「—するように笑う」

*じ-ちょう【自重】《名・自サ》❶〔自分自身を重んじる意から〕自分の品位を保って、軽はずみな行動をつつしむこと。「隠忍—」「—自戒」❷自分で自分のからだに注意して健康を保つこと。自愛。「御—下さい」

し-ちょうかく【視聴覚】視覚と聴覚。—きょういく【—教育】映画・テレビ・スライドなど、目や耳に訴える教具を利用する教育法。AV教育。

し-ちょう-そん【市町村】市と町と村。

し-ちょく【司直】〔文〕〔公明・正直(せいちょく)をつかさどる意から〕法にしたがって物事の正否をさばく人。裁判官。「—の手にゆだねる」

しちり-けっかい【七里結界】❶〔仏〕悪魔の侵入をさけるため、七里四方に境界を作ること。❷ひどく嫌って寄せつけないこと。=七里結界(しちりけっぱい)。

しち-りん【七輪・七厘】料理のための炭火をおこす、土で作ったこんろ。かんてき。参考 価が七厘ほどの炭で煮物ができる意から。

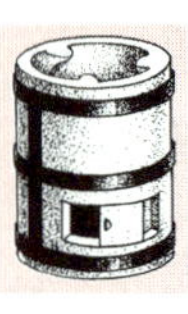

七輪

じ-ちん【自沈】《名・自サ》〔文〕自分が乗る艦船を自分の手で沈没させること。類語 自爆。

じちん-さい【地鎮祭】建物の基礎工事にかかる前に、その土地の神を祭って平安無事を祈る儀式。

*しつ【失】〔文〕❶失うこと。損失。「得と—とあい半ばす」対 得。❷あやまち。過失。「—を責む」「遊撃—(=遊撃手のエラー)」❸欠点。きず。

し

*しつ【室】〔文〕❶部屋。❷妻。「徳川氏の―」

*しつ【質】❶内容。実質。「量より―」❷〔生まれつきの〕性質。たち。もちまえ。「天成の―」

じつ【実】㊀《名》❶内容。中身。実質。「名を捨てて―を取る」❷真心。誠意。「―のない人」❸充実した成果。実績。「―があがる」❹実際。ほんとう。真実。「―の親子」❺〈「―を言うと」「―を言えば」の形で〉実際のことを言うと。「―を言うと、辛かったんだ」㊁《接頭》「実際の」の意。「―生活」「―利益」

じつ・あく【実悪】歌舞伎(かぶき)で、残忍な悪人の役。代表的な敵役(かたきやく)。立敵(たてがたき)。対色悪(いろあく)。

しつ・い【失意】期待がはずれて望みがかなわず、がっかりすること。失望。「―の底に沈む」対得意。

じつ・い【実意】❶本心。「―をただす」❷誠実な心。真心。「―を示す」類語誠意。誠心。

しつ・いん【室員】〔研究室などの〕室に属する人。

*じつ・いん【実印】役所に届け出て、登録してある正式の印判。印鑑。対認め印。

*じつ・いん【実員】〔そこにいる〕実際の人員。

*し・つう【止痛】〔文〕痛みをとめること。「―剤」

*し・つう【私通】《名・自サ》夫婦でない男女がひそかに肉体関係をもつこと。密通。

*し・つう【歯痛】歯が痛むこと。歯の痛み。はいた。

しつう・はったつ【四通八達】《名・自サ》〔文〕道路・交通などが四方八方に通じて、交通の便が良いこと。「―の地」「高速道路の―した巨大都市」

じつ・えき【実益】実際の利益。実利。「趣味と―をかねる」類語純益。実収。

じつ・えん【実演】《名・他サ》❶あることを実際にやってみせること。「料理の―をする」「―販売」❷映画俳優・歌手などが、舞台で直接演じること。

しつ・おん【室温】室内の温度。「―を調節する」

*しっ・か【失火】《名・自サ》過失で火災をおこすこと。また、その火災。「―で全焼する」対放火。

*しっ・か【×膝下】〔文〕❶ひざもと。❷庇護(ひご)の及ぶ範囲。「父母の―を離れ上京する」❸親などに出す手紙の脇付(わきづけ)に書く語。「父上様―」

*じっ・か【実家】❶その人の生まれた家。生家。❷婚姻・養子縁組などのために他家の籍にはいった人の、もとの家。里方(さとかた)。「―に帰る」対婚家。

*じっ・か【実科】〔図工・音楽など〕技芸の実際を学ぶ科目。実用的なことを学ぶ科目。

しっ・かい【×悉皆】《副》〔文〕すべて。ことごとく。「―見当がつかぬ」

*じっ・かい【十戒】〔仏〕仏道修行の上で守らなければならない一〇の戒律。

*じっ・かい【十×誡・十戒】〔キリスト教で〕モーゼが神から与えられたという一〇箇条の啓示。モーゼの十誡。表記「十戒」は代用字。

じつ・がい【実害】実際に害があること。実際の損害。また、実質的な損害。「―の多い作業」対実利。

しつがい・こつ【×膝×蓋骨】ひざの関節の前側にある平たい皿状の骨。ひざざら。

しっ・かく【失格】《名・自サ》〔規定・手続きなどに違反して〕資格を失うこと。「期限に遅れて―した」

じつ・がく【実学】現実の社会・産業を直接発展させる、実利的な学問。実用的な学問。

しっか・と【▽確と・×聢と】《副》《「しかと」の転》しっかりと。「大地に―根をはる」

しっかり【▽確り・×聢り】《副・自サ》《副詞は「―と」の形も》❶堅固なようす。たしかなようす。「かばんを―と持つ」❷〔性質・行い・考えなどが〕堅実で信用できるようす。「―した人物」❸気持ちがたしかで緊張するようす。気丈なようす。「―やれ」❹〔肉体的機能が〕丈夫なようす。「足は―している」❺《形動》商取引で、市場に活気があり、相場が高いようす。

しつ・かん【質感】〔文〕物の材質・性質などの違いから受ける感じ。「―を活かしたデザイン」

*しっ・かん【失陥】《名・自サ》〔文〕攻め落とされて土地を失うこと。類語陥落。

*しっ・かん【疾患】病気。疾病。「腹部の―」

*じっ・かん【十干】木(き)・火(か)・土(ど)・金(ごん)・水(すい)の五行を兄(え)・弟(と)に分けたもの。甲(きのえ)・乙(きのと)・丙(ひのえ)・丁(ひのと)・戊(つちのえ)・己(つちのと)・庚(かのえ)・辛(かのと)・壬(みずのえ)・癸(みずのと)。参考(ア)十二支と組み合わせ、年・月・日・時・方向を表す。(イ)↓えと。

*じっ・かん【実感】《名・他サ》❶実際に見たり聞いたりしているように感じること。また、その感じ。現実感。「―のある情景描写」❷体験してほんとうに感じること。また、その感情。「まだ優勝の―がわかない」

*しっ・き【湿気】↓しっけ(湿気)。

*しっ・き【漆器】漆を塗って仕上げた器具。塗り物。

しつ・ぎ【質疑】〔文〕〔不明な点、疑わしい点などを〕人に問いただすこと。質問。「―応答」

*じ・つき【地付き】❶その土地に、昔から住んでいること。土着。「―の江戸っ子」❷魚がある場所にすみつくこと。「―のタイ」

*じ・つき【地突き・地×搗(き)】建築のはじめに土地を突き固めること。地がため。地形(じぎょう)。

じっ・き【実記・実紀】〔文〕事実の記録。実録。

じつ・ぎ【実技】〔体を動かしたり声を出したりして〕実際に行う技術。「体育の―」類語実習。

しっ・きゃく【失脚】《名・自サ》〔足をふみはずす意から〕失敗して、今までの地位や立場を失うこと。「―した大臣」「大統領の―をねらう」

しつ・ぎょう【失業】《名・自サ》職業を失うこと。失職。特に、働く能力と意志があるのに職が得られないでいること。「会社が倒産して―する」「―保険」「―対策」「―人口」類語離職。対就業。

じっ・きょう【実況】ある物事が実際に行われているありさま・状況。「―放送」類語実情。実景。

じつ・ぎょう【実業】〔農業・工業・商業・水産業など〕生産・売買に関する事業。「―界」 ―か【―家】〔規模の大きな〕生産・経営などの経済的事業をいとなんでいる人。類語事業家。

しっ・きん【失禁】《名・自サ》神経障害・老衰などのため、大小便を抑制することができず、もらすこと。

*しっ・く【疾駆】《名・自サ》車・馬などに乗って速く走ること。「馬で草原を―する」類語疾走。

*シック《形動》あかぬけして上品なようす。▽(フランス) chic

しっ・くい【漆×喰】《「石灰」の唐音》石灰に粘土・ふのりなどをまぜてねりあわせたもの。壁・天井などを塗り固める材料。「―壁」表記「漆喰」はあて字。

シックハウス・しょうこうぐん【シックハウス症候群】新築の住宅に住む人に見られるさまざまな健康障害。建材に含まれるホルムアルデヒドなどが原因。

しっくり《副・自サ》《副詞は「―と」の形も》〔性格や調子が〕よく合うようす。折り合いのよいようす。「夫婦の間が—としない」類語ぴったり。

じっくり《副》(「—と」の形も)物事を落ちついてゆっくりとするようす。「一つの問題に—取り組む」

し・つけ【仕付け】❶本縫いの前に、着物の仕立てが狂わないように糸で粗く縫っておくこと。また、その糸。「—糸」❷礼儀・作法を身につけさせること。また、その礼儀・作法。表記②は「躾」とも書く。

しっ・け【湿気】しめりけ。しっき。「—が高い」

しっ・けい【失敬】㊀《名》❶《自サ・形動》作法や礼儀を欠くこと。「—な男だ」「—して膝(ひざ)をくずす」❷《自サ》〔親しい男同士が〕気軽く別れること。「それでは—する」類語①②失礼。❸〔多く会話の中で用いられる〕《他サ》〔気軽く〕ぬすむこと。無断で借りたり使ったりすること。「隣家の柿(かき)を—する」㊁《感》〔男性が〕気軽く別れるとき、また、あやまりの気持ちを含めたあいさつをするときなどに言う語。「では諸君、—」類語失礼。

***じっ・けい【実兄】**同じ両親から生まれた兄。実の兄。対義兄。

***じっ・けい【実刑】**〔執行猶予でなく〕実際に受ける体刑。「懲役五年の—」「—判決」

***じっ・けい【実景】**実際の景色・情景。

しっ・けつ【失血】《名・自他サ》出血のため、体内の血を失うこと。「交通事故で大量に—する」

じつ・げつ【日月】❶〔文〕太陽と月。❷年月。歳月。月日(つきひ)。にちげつ。「多くの—を費やす」

し・つ・ける【仕付ける】《他下一》❶するのに慣れている。「—けないことをしたので疲れた」類語しなれる。❷しつけ糸をかける。❸〔子供に〕日常生活での礼儀・作法などを身につけさせる。「子供を—ける」表記③は「躾ける」とも書く。

***しっ・けん【執権】**〔政権をとる意〕❶鎌倉幕府で、将軍を助けて内外の政務をつかさどった重職。執権職。❷室町時代の管領(かんれい)の別称。

***しっ・けん【失権】**《名・自サ》権利や権力を失うこと。

***しっ・げん【失言】**《名・自サ》言ってはいけないことを、ついうっかり言ってしまうこと。また、そのことば。「大臣の—」類語放言。

***しつ・げん【湿原】**湿地や高山に発達する、しめりけが多い草原。谷地(やち)。「—植物」「尾瀬の—」

***じっ・けん【実検】**《名・他サ》事実か否か本物か否かを検査すること。「首—」

***じっ・けん【実権】**実際の権力。「会社の—を握る」

***じっ・けん【実見】**《名・他サ》実際にそのものを見ること。「—談」

***じっ・けん【実験】**《名・他サ》❶理論や仮説が実際に正しいかどうかためすこと。「—室」❷〔まだわからないことを〕実際に行ってみること。実地の経験。「どれだけ飲めるか—してみる」 **—だい【—台】**❶実験室にある、実験用の器具などをのせる台。❷実験の対象・材料になるもの。「—になる」類語モルモット。

じつ・げん【実現】《名・自他サ》〔予想・期待などが〕実際の事として現れること。また、現すこと。「夢が—する」「国際平和の—に努力する」類語出現。

しっ・こ【疾呼】《名・他サ》〔文〕早口であわただしく呼ぶこと。「部下の名を—する」

しつ・ご【失語】脳の障害などで、ことばを忘れたり、正確に発音できなかったりすること。「—症」

しつこ・い《形》❶〔色・におい・味などが〕濃厚である。「この料理は—い」❷〔不快なほど〕くどくどしい。うるさい。「—く言い訳をする」❸うるさくつきまとうようす。「—い子供」=しつっこい。文しつこ・し《ク》。

***しっ・こう【執行】**《名・他サ》❶〔きめられたことを〕実際にとり行うこと。「予算通り—する」❷〔法〕法律・命令・処分などの内容を実際に行うこと。 **—きかん【—機関】**法人・団体などで、その議決・意思決定を実施する機関。公益法人の理事、地方公共団体の長など。 **—ぶ【—部】**政党や労働組合などで、実際の運営を行う中枢機関。 **—ゆうよ【—猶予】**刑の判決を受けた者に対し、一定期間(=一年以上五年以下)刑の執行をのばし、その期間を事故なく過ごしたときは刑の言い渡しはなかったものとする制度。

***しっ・こう【失効】**《名・自サ》〔法律・権利などが〕効力を失うこと。「免許証が—する」対発効。

***しっ・こう【×膝行】**《名・自サ》〔文〕〔神前や貴人の前などで〕ひざがしらをついて進退すること。

***じっ・こう【実効】**〔文〕実際にあらわれる効力・効果。実際のききめ。「—があがらない」「—性」

***じっ・こう【実行】**《名・他サ》〔計画・約束などを〕実際に行うこと。「計画を—に移す」「—力」「不言—」類語実践。実施。履行。

***しっ・こく【×桎×梏】**〔文〕❶手かせと足かせ。❷行動などの自由をさまたげるもの。「家庭が—となる」類語束縛。拘束。

***しっ・こく【漆黒】**〔文〕うるしをぬったように、黒くてつやのあること。また、その色。「—の髪」「—の夜」

しっ・こし【×尻腰】(「しりこし」の促音便)度胸。意気地。根気。「—がない人だ」

じつ・ごと【実事】歌舞伎(かぶき)で、実直で分別に富んだ役柄。「—師」対和事(わごと)・荒事。

***じっ・こん【▽入魂・×昵懇】**《名・形動》(「入魂(じゅこん)」の音転)親しくつきあっていること。懇意。「—の間柄」

***じっ・こん【実根】**方程式の根で、実数が含まれているもの。対虚根。

じっ・さい【実際】㊀《名》〔想像・仮定でなく〕実地の場合。現実のありさま・事柄。「戦争の—を知る」「—問題として」㊁《副》本当に。「—美しい人だ」 **—か【—家】**実情に応じて物事を判断・処理する能力のある人。 **—てき【—的】**《形動》実地や現実によくあうようす。「—な考え方」類語現実的。対観念的。

じつ・ざい【実在】《名・自サ》❶〔想像や幻ではなく〕実際に存在すること。「その人物は—した」❷〔哲〕われわれが知覚できるものの背後に、われわれの認識や経験とは別に独立して存在すると考えられるもの。 **—ろん【—論】**認識論において、意識や主観から独立して存在するもののあることを認める立場。対観念論。

しっ・さく【失策・失錯】《名・他サ》❶やりそこなうこと。しくじり。失敗。「—をやらかす」❷野球で、エラー。「三塁手の—」

じっ・さく【実作】《名・他サ》芸術作品などを実際に作ること。また、実際にできた作品。「—者」

しっ・し【×嫉視】《名・他サ》〔文〕ねたましく思って見ること。うらめしく思うこと。

しつ・じ【執事】❶貴人の側近にいて、事務や家政を担当する役(の人)。❷〔文〕貴人にあてた手紙のあて名のわきづけに使う語。

***じっ・し【十指】**〔両手の〕一〇本の指。「—に余る(=両手の指を折って数えても足りない。一〇以上である)」

「―の指す所(=多くの人が正しいとみとめる点)」

*じっ‐し【実姉】同じ両親から生まれた姉。実の姉。対義姉。

*じっ‐し【実子】自分が血をわけた子。産みの子。実の子。対養子。義子。継子。

*じっ‐し【実施】《名・他サ》〔計画などを〕実際に行うこと。施行。「―に踏み切る」類語実行。実践。

じつ‐じ【実字】❶漢文で、形象を持った具体的なものを表す文字。「人」「山」「川」など。❷漢文で、文法上の形式的意味を表す文字に対して、実際的な意味を表す文字。対①②虚字。

しっ‐しき【湿式】液体を使う方式。対乾式。

しつ‐じつ【質実】《名・形動》かざりけがなく、まじめなこと。「―剛健」「―な人柄」類語質素。質朴。

じっ‐しつ【実質】実際の内容・性質。「外見より―を重んじる」 ―ちんぎん【―賃金】貨幣額だけではなく、その時の実質的な購買力で見積もった賃金。対名目賃金。 ―てき【―的】《形動》❶内容が充実しているようす。「―なお祝い」❷実質そのものに注目するようす。「―には値下げになる」対形式的。

じっ‐しゃ【実写】《名・他サ》〔模型やセットを使わず〕実際の状況や景色をフィルムに写すこと。また、その写真・映画など。「風景を―する」

じっ‐しゃかい【実社会】〔小説の中や頭の中で描いたものではない〕現実の社会。「裸一貫で―にとびこむ」

*じっ‐しゅう【実収】〔税金・必要経費などを除いた〕実際の収入。手取り。また、実際の収穫(量)。

*じっ‐しゅう【実習】《名・他サ》〔技術などを〕実際におこなって学ぶこと。「料理の―」「教育―」

じっしゅ‐きょうぎ【十種競技】男子の陸上競技種目の一つ。一〇〇メートル走・走り幅跳び・砲丸投げ・走り高跳び・四〇〇メートル走・一一〇メートル高障害・円盤投げ・棒高跳び・やり投げ・一五〇〇メートル走の一〇種目を一人で行い、その総得点を競うもの。デカスロン。

しつ‐じゅん【湿潤】《名・形動》しめりけをおびること。また、湿気が多いこと。「―の地」

しっ‐しょう【失笑】《名・自サ》〔我慢できずに〕思わず笑うこと。ふきだすこと。「―を買う(=おろかな言動のために笑われる)」「―を禁じえない」類語噴飯。

じっ‐しょう【実証】❶確かな証拠。確証。「―のない言説」❷《名・他サ》確かな事実や証拠によって証明すること。「自説を―する」 ―しゅぎ【―主義】〔フランス positivisme〕〔哲〕知識の真偽は感覚的な経験によって判定されるべきもので、形而上学的理論によるものではないという立場。 ―てき【―的】《形動》〔思考だけでなく〕経験した事実によって研究し、証明するようす。「―な研究家」

じつ‐じょう【実情】❶〔文〕偽りのない真実の気持ち。真情。「―を吐露する」❷実際の事情や状況。「交渉成立の―」表記②は「実状」とも書く。

しっ‐しょく【失職】《名・自サ》職業を失うこと。失業。「会社が倒産し―する」

*しっ‐しん【失神・失心】《名・自サ》〔強い衝撃などを受けて〕意識を失うこと。気を失うこと。「殴られて―する」類語卒倒。人事不省。昏倒。

*しっ‐しん【湿×疹】皮膚の表面におこる炎症。かゆみをともない、水疱・膿などを生じる。

じっしん‐ほう【十進法】記数法の一つ。1から9までの数を基数とし、さらに0を用いて一〇ずつまとめて位を上げてゆく、数の表し方。

じっ‐すう【実数】❶〔数〕有理数と無理数の総称。対虚数。❷実際に確かめられた数。「参加者の―」

しっ‐する【失する】━《自サ変》〔文〕〈「…に―・する」の形で〉あまり…にすぎる。失策と思われるほど…すぎる。「遅きに―・する」「寛大に―・する処置」━《他サ変》〔文〕❶〔あるべきものを〕なくす。失う。「礼を―・する」「機を―・する」❷わすれる。類語①②逸する。

*しっ‐せい【×叱正】《名・他サ》〔文〕❶しかって、誤りや不備な点を直させること。「師の―を受ける」類語叱責。❷詩文の添削・批評を人にたのむとき、謙遜して言う語。斧正。「御―を仰ぐ」

*しっ‐せい【執政】国家の政務をとること。また、その役目(の人)。「―官」

*しっ‐せい【失政】政治の方法をまちがえること。また、その政治。悪政。「行政府の―を正す」

*しっ‐せい【湿性】湿った、水分の多い性質。湿りやすい性質。「―肋膜炎」対乾性。 ―しょくぶつ【―植物】湿った場所にはえる植物。セリ・ヨシなど。

じっ‐せい【実勢】実際の勢力・勢い。「経済の―」

じっ‐せいかつ【実生活】実際の日常生活。

*しっ‐せき【×叱責】《名・他サ》〔文〕過失をとがめてしかること。「叔父に―される」類語譴責。叱正。

*しっ‐せき【失跡】《名・自サ》〔人の〕行方が知れなくなること。「―した犯人」「幼児の―」参考「失踪」の言いかえ語。新聞などで使う。

じっ‐せき【実績】〔仕事などの〕実際の功績・成績。「―をあげる」注意「実積」は誤り。

しつ‐ぜつ【湿舌】水蒸気をたくさん含んだ気団。日本に集中豪雨を降らせる原因となる。参考天気図に表すと、舌状にのびた形になることから。

じっ‐せつ【実説】〔脚色などしていない〕本当の話。事実のままの話。実話。「―日本人物史」

*じっ‐せん【実戦】〔演習・練習でなく〕実際の戦い。実際の試合。「―で鍛える」「―部隊」

*じっ‐せん【実線】〔製図などで〕途中に切れた箇所がない線。「―で表示する」対点線・破線。

*じっ‐せん【実践】《名・他サ》自分で実際に行うこと。実行。「理論を―に移す」「―家」対理論。 ―きゅうこう【―×躬行】《名・他サ》〔文〕実際に自ら率先して行い、行為としてあらわすこと。

しっ‐そ【質素】《形動》❶〔身なりなどが〕かざりけのないようす。「―な服装」❷〔生活などが〕つつましいようす。倹約しているようす。「―に暮らす」類語地道。

*しっ‐そう【失×踪】《名・自サ》行方をくらますこと。所在・生死が不明になること。失跡。「―事件」「経営者が突然―した」類語出奔。逐電。蒸発。

*しっ‐そう【疾走】《名・自サ》速く走ること。「全力―」類語疾駆。

じっ‐そう【実相】❶物事の実際のありさま。実情。真相。「―をあばく」「社会の―」❷〔仏〕万物の、移り変わる仮の世界を離れた真実の姿。真如。

じつ‐ぞう【実像】❶レンズや球面鏡で屈折または反射した光が実際にある場所に集まって作る像。❷風説や外見によらぬ真の姿。「社会の―」対①②虚像。

しっ‐そく【失速】《名・自サ》❶航空機が飛行に必要な速度・浮力を失うこと。❷上り調子の物事の勢いが、急激に弱まること。「景気が―する」

じっ・そく【実測】《名・他サ》〔距離・面積・深度などを測定器などを使って〕実際にはかること。類語目測(もくそく)。

じつ・ぞん【実存】《名・自サ》(ドイツ Existenz)〔哲〕「(どんなもの)である」と把握される抽象的な本質に対して、「…がある」というような具体的・個別的な存在。特に、人間の主体的・自覚的存在。 **―しゅぎ【―主義】**(フランス existentialisme)〔哲〕人間の主体的・自覚的存在を本質に先立つものと考える立場。ハイデッガー、サルトルらに代表される。実存哲学。

しっ・た【×叱×咤・×叱×咜】《名・他サ》〔文〕大声でしかりつけること。また、励ますこと。「―激励」

しっ・たい【失態・失体】面目や体裁を失うような失敗。「―を演じる」類語醜態(しゅうたい)。

***じっ・たい【実体】**❶(substance)〔哲〕われわれの感覚に現れるものの背後にあり、そのものの基盤となっている普遍的なもの。❷〔現象や形式など外に現れたものに対して〕〔具体性をもった〕事物の本体。「―のない組織」⇩〖使い分け〗

***じっ・たい【実態】**実際のありさま・状態。実情。「これが政治の―だ」⇩〖使い分け〗

使い分け 「ジッタイ」

実体〔現象や作用の背後にあって基盤となる普遍的なもの。事物の本質〕生命現象の実体・教育の実体を問う・組織の実体とは何か・実体のない一経済現象

実態〔ありのままの姿。実情〕政治の実態を探る・実態調査・赤字経営の実態・現下の教育行政の実態

参考「実体」は現象の背後にひそむ本質、「実態」は現象そのもの。

しった・か・ぶり【知ったか振り】知らないのに、知っているようなふりをすること。「―をして恥をかく」

しっ・たん【×悉▽曇】❶梵語の字母。梵字。古く日本に伝えられ、五十音図などに影響を与えた。❷梵語。梵語学。参考梵語 siddham の音訳。

じつ・だん【実弾】❶実際に人を傷つけたり殺したりできる、本物の弾丸。実包。「―射撃」対空包。❷〔買収するときなどの〕現金。「―をばらまく」

***しっ・ち【失地】**❶戦争などで失った領土。❷失った地位・立場・地盤。「―を回復する」

しっ・ち【湿地】湿りけの多い、じめじめした土地。

***じっ・ち【実地】**❶ある事が実際に行われている場所。現場。「電力開発の―調査」❷〔理論・考えなどでなく〕ある物事の実際の場合。「―訓練」

じっちゅう・はっく【十中八九】〔予想したことの起こる割合が〕一〇のうち八か九。転じて、ほとんど。〔副詞的にも使う〕「―間違いない」類語九分九厘。

しっ・ちょう【失調】調和を失うこと。「栄養―」

じっ・ちょく【実直】《名・形動》まじめで正直なこと。りちぎ。「―な性質」「謹厳―」類語忠実。誠実。

しっ・ちん【七珍】→七宝(しっぽう)

しっ・つい【失墜】《名・自他サ》〔信用・権威などが〕なくなること。また、なくすこと。「権威を―する」

じ・つづき【地続き】〔海や川などで区切られず〕土地が一続きになっていること。「隣の村まで―だ」

じっ・て【十手】江戸時代、捕吏(=今の警官)が使った、手もと近くにかぎのある四五(センチ)余りの鉄棒。刀剣をたたきおとしたりするのに用いた。じゅって。

***じっ・てい【実体】**《名・形動》正直でまじめなこと。実直。〔古風ない方〕「―な男」「長年―に働いてきた」

***じっ・てい【実弟】**同じ両親から生まれた弟。実の弟。対義弟。

じってい・ほう【実定法】人為的にきめられ、社会で現実に制定・実施されている法。憲法・法律・判例など。参考→自然法。

しっ・てき【質的】《形動》内容・性質に関するようす。「―にすぐれている」対量的。

しっ・てん【失点】❶試合・競技などで失った点。「大量―」対得点。❷失敗。失策。「―を重ねる」

しつ・でん【湿田】水はけが悪く、水分の多すぎる田。対乾田(かんでん)。

しってん・ばっとう【七転八倒・七×顛八倒】→七転八倒(しちてんばっとう)

しっ・と【×嫉×妬】《名・自他サ》❶自分の愛している人が他へ愛情を移すのを、うらめしく思うこと(気持ち)。やきもち。悋気(りんき)。「―心」「二人の仲に―する」❷自分よりすぐれた人をうらやむ・こと(気持ち)。ねたみ。そねみ。「出世した友人を―する」

しつ・ど【湿度】空気中に含まれる水蒸気の度合い。しめりけ。「―が高い」

じっ・と《副》❶《自サ》〔からだや視線などを〕動かさないようす。「隠れて―している」❷がまんして、たえしのぶようす。「痛さを―こらえる」

***しっ・とう【執刀】**《名・自サ》メスを持って、手術・解剖を行うこと。「―医」

***しっ・とう【失投】**《名・他サ》野球で、投手があやまって打者に打ちやすい球を投げること。「痛恨の―」

***しっ・とう【失当】**《名・形動》〔文〕正当でないこと。不当。「―な要求」「―な処分」

じつ・どう【実働】《名・自サ》実際に労働すること。「―時間」

じっ・とく【十徳】昔、儒者や医者などが着た、素襖(すおう)に似た羽織のような衣服。

しっ・とり《副・自サ》《副詞は「―と」の形も》❶少し湿りけを含んだようす。「―とした髪」❷〔雰囲気や性格が〕落ちついて静かなようす。「―とした感じの店」

じっ・とり《副・自サ》《副詞は「―と」の形も》〔不快に感じるほど〕湿っているようす。「汗でシャツが―とする」

しつ・ない【室内】部屋の中。「―競技」類語屋内。対室外。 **―がく【―楽】**おもに重奏などの、小規模な合奏。また、そのための曲。

じつ・に【実に】《副》本当に。全く。「―面白い」

しつ・ねん【失念】《名・他サ》うっかり忘れること。もの忘れ。「名前を―してしまった」類語度忘れ。

じつ・ねん【実年】〔実りある年齢の意で〕およそ五〇歳から六九歳までの、壮年と老年の間〔にある中高年層〕。参考一九八五年、旧厚生省が公募したものの中から選んだことば。

じつ・の【実の】《連体》❶本当の。実際の。「―話」❷血のつながりのある。「―妹」

じつ・は【実は】《副》事実を言えば。本当は。「―以前から知っていた」

ジッパー ファスナー。参考もと商標名。▽zipper

しっ・ぱい【失敗】《名・自サ》試みて、目的が果たせないこと。しそこなうこと。「交渉に―する」類語不成功。対成功。⇩〖類語と表現「成功」〗

じっぱ‐ひとからげ【十把一▽絡げ】 多くの種類のものを価値の低いものとして一まとめにして扱うこと。「—にして批判する」

***しっ‐ぴ【失費】**〔あることに〕使った費用。ついえ。ものいり。「—がかさむ」類語 出費。

***しっ‐ぴ【×櫛比】**《名・自サ》〔文〕〔建物などが〕くしの歯のようにぎっしり並んでいること。「商店が—する」

***じっ‐ぴ【実否】**〔文〕事実であるかないか。じっぷ。「うわさの—を確かめる」類語 真偽。

***じっ‐ぴ【実費】** 実際にかかった費用。「—負担」

しっ‐ぴつ【執筆】《名・他サ》〔筆をとって〕文字・文章を書くこと。「原稿を—する」

しっ‐ぷ【湿布】《名・自他サ》湯・水・薬液などで湿した布を患部に当てて、炎症をおさえる治療法。また、その布。罨法(あんぽう)。「捻挫(ねんざ)した足首に—する」

じっ‐ぷ【実父】 血がつながった父。実の父。対 義父。

しっ‐ぷう【疾風】 はげしく速く吹く風。はやて。「—のごとく走りぬける」 **—じんらい【—迅雷】**〔速い風とはげしい雷の意から〕勢いなどが非常にすばやくはげしいこと。「—の進軍」類語 疾風怒濤(どとう)。破竹。

しっぷう‐もくう【×櫛風×沐雨】〔文〕〔風で髪をくしけずり、雨で水浴する意から〕外に出て苦労しながら、休みなく奔走すること。「—二〇年」類語 苦節。

じつ‐ぶつ【実物】〔模型・見本・写真などでなく〕実際の物。ほんもの。「写真と—はひどく違う」 **—だい【—大】** 実物と同じ大きさ。「—の写真」

***しっ‐ぺい【疾病】**〔文〕病気。疾患(しっかん)。「—の予防」

***しっ‐ぺい【▽竹×篦】** ❶禅宗で、修行者の雑念や居眠りなどを戒めてたたく、平たい竹の棒。❷人さし指と中指をそろえて、人の手首などを打つこと。しっぺ。

しっぺ‐がえし【▽竹×篦返し】(—がへし)《名・自サ》〔しっぺい①でたたかれたのをたたきかえす意から〕受けた仕打ちに対して、すぐ〔同じような〕仕返しをすること。しっぺいがえし。仕返し。「手ひどい—を受ける」

しっ‐ぽ【×尻▽尾】《「しりお」の転》❶動物の尾。「—を出す(=ごまかしていたことがばれる)」「—を摑(つか)む(=ごまかしの証拠をおさえる)」「上役に—を振る(=気に入られようとしてごきげんをとる)」「—を巻く(=降参する)」❷魚の尾びれ。❸〔糸・綱など〕細長いものの端。「糸の—を結ぶ」「大根の—」❹順位の後の方。

***じ‐つぼ【地坪】** 地面の坪数。対 建坪。

***じつ‐ぼ【実母】** 血のつながりのある母。産みの母。実の母。対 義母。

しつ‐ぼう【失望】《名・自サ》❶希望を失うこと。「人生に—する」類語 失意。❷あてがはずれてがっかりすること。落胆。「実物を見て—した」類語 ①②絶望。

しっ‐ぽう【七宝】 ❶〔仏〕七宝(しちほう)。❷「七宝焼」の略。 **—やき**…… 参考 七種の珍宝をちりばめたように美しいということから。

金・銀・銅や陶磁器・ガラスなどの素地(きじ)に、いろいろな色のほうろうを施して焼きつけるもの。

***じっ‐ぽう【十方】**〔文〕❶四方(東西南北)・四隅・上下の全部。❷あらゆる場所・方角。「—世界」

***じっ‐ぽう【実包】** 実弾。対 空包。

しつ‐ぼく【質朴・質×樸】《名・形動》自然のままで、かざりけがないこと。「—な青年」類語 質実。実直。

しっ‐ぽく【▽卓×袱】 ❶中国風の朱塗りの食卓。❷めん類に、野菜・きのこ・かまぼこなどの具をのせて汁をかけたもの。❸「卓袱料理」の略。長崎から広まった、和風の中華料理。数人で卓袱①を囲んで食べる。

しっぽり《副》(「—と」の形も)❶〔小雨などで〕静かにすみずみまでぬれるようす。しっとり。「小雨に—ぬれる」❷男女が情愛こまやかにうちとけているようす。

じつ‐まい【実妹】 同じ両親から生まれた妹。実の妹。対 義妹。

じつ‐みょう【実名】↓じつめい(実名)。

しつ‐む【執務】《名・自サ》事務・業務などについていること。「—中」「自宅で—する」

じつ‐む【実務】 実際の事務・業務。「—に従事する」

じ‐づめ【字詰(め)】〔原稿用紙・印刷物などの〕一行または一ページに並べる文字の数。

***しつ‐めい【失名】**〔文〕名まえがわからないこと。「—氏(=氏名不詳のときや氏名を隠したいときに使う語)」

***しつ‐めい【失明】**《名・自サ》目がみえなくなること。

じつ‐めい【実名】〔雅号・通称などではない〕本当の名まえ。本名。じつみょう。「—で報道する」

しつ‐もん【質問】《名・他サ》〔不明・疑問の点を〕問いただすこと。また、その内容。問い。「不審の点は—してください」類語 質疑。尋問。諮問。

しつ‐よう【執×拗】《形動》❶自分の意見を通そうとして、意地をはるようす。かたいじ。「—に主張する」❷しつこいようす。「—に追及する」

じつ‐よう【実用】 実際に使って役に立つこと。「—の学問」「—書」「—的」 **—しゅぎ【—主義】**↓プラグマティズム。 **—しんあん【—新案】** 既存の物品の形状・構造などに改良を加え、実用上・産業上利用できるものにする考案。

じ‐づら【字面】 ❶一つ一つの文字の形や配列のぐあい。また、それからうける感じ。「—が悪い」❷文字や文章の表面上の意味。「手紙の—から想像する」

しつら‐える【▽設える】(しつらへる)《他下一》設けととのえる。用意する。また、かざりつける。〔古風な言い方〕「部屋に床の間を—える」文 しつら・ふ《下二》。

***じつ‐り【実利】** 実際の利益や効用。実益。「名誉より—をとる」対 実害。

***じつ‐り【実理】**〔文〕実際に即した理論や道理。「—に基づいて行動する」対 空理。

しつ‐りょう【質量】 ❶質と量。「—ともに充実している」❷〔理〕物体が有する物質の量。物体の慣性および重量(=重さ)の本質となる。「—保存の法則」

じつ‐りょく【実力】 ❶〔地位・名目などにかかわりのない〕実際の能力。「数学の—をつける」「—伯仲」❷腕力。武力。「—に訴える」「—行使」

しつ‐れい【失礼】 一《名・自サ》❶《形動》礼儀に反するふるまいをすること。無作法。「—な人ね」「あの人—しちゃうわ」類語 不躾(ぶしつけ)。無礼。非礼。❷人と別れること。〔多く、会話の中で使う〕「これで—します」類語 ①②失敬。 二《感》人と別れるとき、軽くあやまるとき、許しを請うときなどに言う語。「じゃあ、—」「あっ、—」「—、ちょっと火を貸してください」類語 失敬。

じつ‐れい【実例】〔仮に作ったものではなく〕実際にあった例。実際の例。「—をひく」

しつ‐れん【失恋】《名・自サ》恋にやぶれること。対 得恋(とくれん)。

じつ‐ろく【実録】 事実をありのままに記録したもの。また、そうすること。実記。「—忠臣蔵」

じつ‐わ【実話】〔創作などでなく〕実際にあった話。

***し‐て【仕手】** ❶あることを行う(相手の)人。「相談の

―がない」【表記】「為手」とも書く。❸能楽や狂言の主役(を演じる人)。❷相場で、大きな思惑買いをする人。【表記】③は「シテ」と書く。【対】ワキ・ツレ・アド。

*し・て《接続》そして。それで。「―、その後は」

*し・て《サ変動詞「す」の連用形「し」＋接続助詞「て」》■一■《格助》文語 ❶手段・方法・材料・原因・理由などを表す。で。「霜やけの小さき手して蜜柑むく我が子しのばゆ風の寒きに〈落合直文〉」「二人して談笑にふける」❷〔「(を)して」＋動詞未然形＋「しむ」の形で〕命じられてそのことをさせられる人、あるいはそうすることを認めてもらった人を表す。「人をして行かしむ」「私をして言わしむれば…」■二■《接助》文語〔形容詞・形容動詞、断定・打ち消しの助動詞などの連用形について〕「そういう状態・状況にあって」の意。「若くして死ぬ」「人間は動物にして(＝であって)動物にあらず」「寸暇を惜しまずして(＝ないでいて)何をかなさん」「それなくして(＝それがなくて)は済まされない」■三■《副助》〔格助詞「から」「より」などについて〕語調を強める。〔やや古風な言い方〕「子供の時分からして正直者だった」【参考】「一つとして」も強意で、「一つたりと(も)」の意。

*しで【▽垂・四手】《動詞「しづ(垂)」の連用形名詞化》玉ぐし・しめなわなどにたれさげるもの。【参考】(ア)昔は木綿、今は紙を用いる。(イ)→玉ぐし(図)

*し・で【死出】「死出の山」「死出の旅」の略。

*し・てい【使丁】〔文〕小使。用務員。使丁。

*し・てい【子弟】〔保護を必要とする〕年少者。「―の教育」「良家の―」【対】父兄。

*し・てい【師弟】師と弟子。先生と生徒。「―関係」

*し・てい【指定】《名・他サ》❶はっきり、それと指し定めること。「―した場所」【類語】指示。所定。❷〔語学〕文法で、ある事物に対して、それが何であるか、あるいは、どんな性質であるかを示すこと。指定の助動詞といわれる文語の「なり」「たり」、口語の「だ」「です」をつけた形で表される。断定。―とし【―都市】政令により特に指定された、人口五〇万以上の都市。

*し・てい【私邸】個人が持っている屋敷。「首相の―」【類語】私宅。【対】公邸。官邸。

*し・てい【視程】見通しのきく距離。視程距離。【参考】大気の汚染の程度を表す尺度の一つ。【類語】視界。

じ・てい【自邸】自分の屋敷。

シティー■一■《名》市。都市。■二■《造語》「都市の」「都会的」などの意をあらわす。「―ボーイ」▽city

し・でか・す【仕出▽来す・▽為出▽来す】《他五》〔俗〕〔悪いこと、大がかりなことなどを〕する。やらかす。「失敗を―・す」【表記】かなで書くことが多い。

して・かぶ【仕手株】〔経〕仕手②が売買の対象としてとり上げる株式。

して・から・が《連語》〈「に―」の形で〉…がまず第一に。でさえも。「この私に―とんと気づかなかった」

*し・てき【指摘】《名・他サ》〔物事の重要な点や悪い点などを〕とり上げて示すこと。また、示しあばくこと。「重要な―」「誤りを―する」【類語】指示。

*し・てき【史的】《形動》歴史に関係があるようす。歴史的。「―事実」「―な意義」

*し・てき【私的】《形動》個人に関係するようす。プライベート。「―な発言を禁ずる」【類語】個人的。【対】公的。

*し・てき【詩的】《形動》詩の趣があるようす。「―な文章」【対】散文的。

じ・てき【自適】《名・自サ》〔文〕何事にも束縛されず心のなすままに、のんびりと楽しむこと。「悠々―」

し・てつ【私鉄】民間の会社で経営する鉄道。私営鉄道。【対】国鉄。

じ・てっこう【磁鉄鉱】金属性の光沢がある黒色の鉱物。鉱物中でいちばん磁性が強い。製鉄の重要な原料。磁石。マグネタイト。

しで・の・たび【死出の旅】〔仏〕死出の山へ行くこと。死ぬこと。「―に出る」

しで・の・やま【死出の山】〔仏〕死後、閻魔の庁へ行く途中にあるという、けわしい山。

して・や・る【▽為て▽遣る】■一■《連語》他の人・物のためにする。してあげる。〔同輩以下の人や人間以外の動物などに対して使う〕「友人に忠告―・る」■二■《他五》〔俗〕思いどおりにうまくやりおおせる。また、たくらんで、うまくだます。「まんまと―・られた」【参考】「してやったり」の形で感動詞的にも使う。

*し・てん【支店】本店からわかれて別の所に作られた店。分店。【対】本店。

*し・てん【支点】てこを支える固定した点。【対】力点・作用点。

*し・てん【視点】❶絵画の遠近法で、視線と直角をなす地平線上の仮定の一点。❷目のつけどころ。また、ものを考える立場。見地。観点。「―を変える」

*し・でん【史伝】❶歴史と伝記。❷歴史上に伝えられた事柄をもとにして、考証をまじえた伝記。

*し・でん【市電】市で経営する電車。市営電車。また、市街を走る路面電車。

*し・でん【師伝】〔秘伝・極意などを〕師匠から伝授されること。また、伝授されたもの。「―の技」

*し・でん【紫電】〔文〕❶紫色の電光。❷するどい眼光。❸とぎすました刀の、するどい光。「―一閃」

*じ・てん【事典】いろいろな事物・事項の語を一定の順序に配列し、解説した書物。百科事典。エンサイクロペディア。【参考】「ことてん」ということもある。

*じ・てん【字典】漢字とその熟語を一定の順序に配列し、音・訓・意味などを解説した書物。字書。字引。

*じ・てん【時点】時間の流れの上の一点。「現在の―でものを言う」

*じ・てん【次点】当選者や入賞者に次いで位置が高いこと。また、その人。「惜しくも―だった」

*じ・てん【自転】《名・自サ》天体がその直径の一つを軸として回転すること。「地球の―」【対】公転。―しゃ【―車】乗った人がペダルを踏んで、車輪を回転させて走る二輪の車。

*じ・てん【辞典】ことばを一定の順序に配列し、発音・意味・用法などを解説した書物。辞書。字引。【参考】(ア)広義では字典・事典を含む。(イ)事典と区別するために、「ことばてん」ということもある。

じ・でん【自伝】自分で書いた自分の伝記。自叙伝。

してん・のう【四天王】❶〔仏〕帝釈天に仕え、仏法・出家を守るという四人の天王。持国天王・増長天王・広目天王・多聞天王。❷特にすぐれた四人の部下・門人・弟子など。「立浪部屋の―」

*し・と【使徒】❶キリストが福音を伝えるために選んだ十二人の弟子。十二使徒。❷社会や人々の救済などに努力する人に対する敬称。「平和の―」

*し・と【使途】金銭・物品の使いみち。「―不明金」

し・ど【示度】〔理〕計器の針が示す目盛り数。特に、気圧計が示す気圧の高さ。「気圧の中心ー」

*し-とう【指頭】〔文〕手の指の先。

*し-とう【死闘】《名・自サ》死にものぐるいで戦うこと。「ーをくり広げる」

*し-とう【私党】個人的な利害関係でできた人々の集団。「ーを組む」類語 徒党。対 公党。

*し-とう【私闘】《名・自サ》〔文〕個人的な利害や感情のために戦うこと。「ーを繰り返す」

*し-とう【至当】《名・形動》きわめて適当・当然であること。もっとも。「ーな理由」「ーな処置」類語 妥当。

*し-どう【士道】〔文〕武士道。「ーを貫く」

*し-どう【始動】《名・他自サ》〔機械を〕動かし始めること。また、動き始めること。「エンジンがーする」

*し-どう【師道】〔文〕師として守り行うべき道。

*し-どう【指導】《名・他サ》ある目的・方向にそって教えみちびくこと。「生徒をーする」「絵のーにあたる」「ー者」類語 教導。教育。指南。

*し-どう【×斯道】〔文〕その方面。この道。「ーの大家」

*し-どう【×祠堂】〔文〕❶家の中などで祖先の霊をまつった所。みたまや。❷小さいやしろ。ほこら。

*し-どう【私道】私設の道路。対 公道。

じ-とう【地頭】❶平安時代、荘園を管理した荘官。❷鎌倉・室町幕府が全国の荘園に置いた官職。荘園の管理、租税の徴収、治安の維持などに当たり、のちに領主化した。参考 →泣く子と地頭には勝てぬ。

*じ-どう【児童】子供。特に、小学校に在学する子供。学童。「ー劇」「ー文学」 ーじりつしえん-しせつ【ー自立支援施設】不良行為をしたり、その恐れのある児童、また生活指導を必要とする児童を、入所させて自立を支援する公的施設。旧称「教護院」。

*じ-どう【自動】❶〔機械などが〕自身の力で・動く〔働く〕こと。「ードア」「ー券売機」対 手動。❷「自動詞」の略。対 他動。 ーしゃ【ー車】原動機を用いて車輪を回転させ、道路上を運転する車。多く四輪車。くるま。 ーせいぎょ【ー制御】《名・他サ》〔機械の働きを〕条件の変化に応じて自動的に調整すること。オートマチックコントロール。 ーてき【ー的】《形動》❶ひとりでに・動く〔働く〕ようす。❷当然の成り行きとしてそうなるようす。「ーに成立する」 ーはんばい-き【ー販売機】→自販機。

しとう-かん【四等官】大宝令(たいほうりょう)で定めた官吏の四つの等級。長官(かみ)・次官(すけ)・判官(じょう)・主典(さかん)。四部官。参考 役所によって使用する漢字が異なる。

じどう-し【自動詞】その動作・作用が直接に影響を及ぼす対象を持たない動詞。「水が流れる」「山を歩く」などの「流れる」「歩く」など。対 他動詞。

しとぎ【×粢・×糈】神前に供える、米の粉を水で練り固めた長円形のもち。しとぎもち。

し-どく【死毒・×屍毒】人や動物の死体に、細菌などの作用によって発生する有毒物質の総称。

*じ-とく【自得】〔文〕❶〔悪い報いなどを〕自分に受けること。「自業ー」❷《名・他サ》自分で会得(えとく)すること。また、自分で悟ること。「新しい方法をーする」類語 自覚。❸自分で満足して、得意になること。また、うぬぼれること。「ーの色」

*じ-とく【自×瀆】《名・自サ》〔文〕手淫(しゅいん)。

じ-どく【侍読】天皇に学問を教える学者。侍講。

しどけ-な・い《形》〔服装などが〕乱れてだらしがない。「ー・い寝姿」

し-と・げる【▽為遂げる】《他下一》最後までして、完成させる。なしとげる。「難工事をー・げる」

し-どころ【▽為所】するべき場合。また、やりがいのあるところ。「辛抱のー」

しと-しと《副》〔「ーと」の形も〕〔雨などが〕静かに降るようす。「雨がーと降る」

じと-じと《副・自サ》〔副詞は「ーと」の形も〕〔不快に感じるほど〕しめりけを帯びるようす。じめじめ。「ーとした梅雨時」類語 びしょびしょ。じっとり。

じとっ-と《副・自サ》湿っていて不快なようす。じっとり。「ーした天気」

しと-ど《副》〔「ーに」の形も〕〔文〕ひどくぬれるようす。びっしょり。

しとね【×茵・×褥】〔文〕〔ふとん・ざぶとんなど〕すわったり寝たりするとき、下にしくもの。「草をーとする」

しとみ【×蔀】〔昔風の建物で〕日光や風雨を防ぐために作りつけた戸。格子組みにし、裏に板を張る。しとみ戸。

し-と・める【仕留める・▽為留める】《他下一》❶刃物・鉄砲・弓矢などの武器を使って確実に殺す。❷〔俗〕ねらっていたものを完全に自分のものにする。「彼女をとうとうー・めた」表記 かなで書くことが多い。類語 ①②射止める。

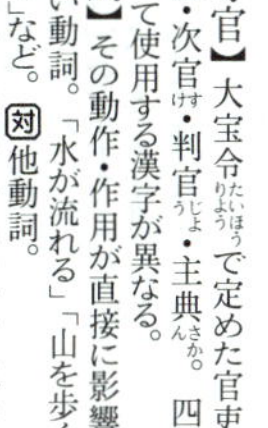

蔀

しと-やか【▽淑やか】《形動》ことばや動作が落ちついていて上品なようす。〔多く、女性に対して言う〕「ーな令嬢」類語 貞淑。優雅。典雅(てんが)。

*じ-どり【地取り】❶建築で、土地の区画をすること。❷囲碁で、地(じ)(=領地)を広く取ること。

*じ-どり【地鳥・地▽鶏】日本在来の鶏で、古いかたちを保ち、古くからその土地で飼われている鶏。

しどろ《形動》〔文〕秩序なく乱れているようす。「筆もーに書き連ねる」 ーもどろ《形動》〔「しどろ」を強めた語〕あわてたり驚いたりして、ことばの調子や動作などがたいそう乱れるようす。「ーに応対する」

シトロン フランス・英 citron レモン汁などに炭酸水を加えた清涼飲料。▽

*しな《接尾》《動詞の連用形について》「…の時」「…のついで」の意。…がけ。「帰りー」「来ー」「寝ー」

*しな【品】❶〔文〕家柄や才能などの等級。「ー高く生まれる」「ーを定める」❷しなもの。物品。特に、商品としての物品。「お祝いのー」「あの店はーがそろっている」類語 物件。謙譲 粗品(そしな・そひん)。❸物の性質・種類。品質。「ーがよい」「所変わればー変わる」

*しな【支×那】「中国」の旧称。〔他国人が使った〕参考「秦(しん)」のなまりといわれる。 ーちく【ー竹】→メンマ。

*しな【▽科】❶体裁ぶった身ぶり。特に、女性が男性に対して示す、色っぽくこびるしぐさ。「ーを作る(=色っぽい、こびるようなようすをする)」❷シナノキ。

しない【〈竹刀〉】剣道の練習で使う道具。四つ割りにした竹を四本合わせて刀に似せたもの。

*じ-ない【地内】一定区域の土地のうち。

*じ-ない【寺内】寺の境内。寺の建物の中。

しな・う【×撓う】(しなふ)《自五》弾力があってやわらかに曲がる。たわむ。しなる。「よくー・う体」文《四》

しな・うす【品薄】《名・形動》需要に対して品物が不足すること。品不足。「ぶた肉がー」類語品枯れ。

し・なお・す【▽為直す】《他五》〔一度したことを改めるために〕もう一度同じことをする。「化粧をー・す」

しな・がき【品書(き)】品物の名を書き並べたもの。「そば屋のー」類語目録。

しな・かず【品数】品物の数。また、品物の種類。

しな・がら【品柄】品物の性質。品質。しな。

しな・がれ【品枯れ】需要量のわりに商品が不足がちなこと。「人気機種がーになる」類語品薄。

じ・なき【地鳴き】鳥の、ふだんの鳴き方。参考繁殖期の「さえずり」と区別していう。

しな・ぎれ【品切れ】売りつくして、商品(の在庫)がなくなること。「猛暑でクーラーがーだ」

しな・さだめ【品定め】品質・優劣を批評して、そのものの等級などを定めること。品評。「新人のーをする」

しな・しな《副・自サ》《副詞は「ーと」の形も》しなやかなようす。「ーと体をくねらせる」

しな・だま【品玉】❶玉をいくつも空中に投げては受け止めてみせる曲芸。玉とり。❷手品。❸おてだま。

しな・だ・れる【×撓垂れる】《自下一》❶〔重みで〕しなってたれる。しなって傾く。「酔うほどにー・れる」❷甘えたりして人に寄りかかる。「恋人にー・れる」

しなの【▽信▽濃】旧国名の一つ。今の長野県。信州。

しな・の・き【▽科の木・▽級の木】シナノキ科の落葉高木。樹皮をひも・かごなどに用いる。しな。

しな・びる【×萎びる】《自上一》生き生きしたようすがなくなってしぼむ。また、植物などが水分を失ってしおれる。「ー・びた手」文しな・ぶ《上二》。

しな・もの【品物】品なし②。

シナモン ニッケイの皮をかわかして作った香辛料。辛みと甘みがある。にっけい。▽cinnamon

しな・やか《形動》❶弾力に富んで、やわらかに曲がるようす。たわみしなうようす。「ーな指」❷動作や姿態がなめらかでやわらかいようす。「ーに踊る」

じ・ならし【地▽均し】❶《名・自他サ》地面をたいらにならすこと(道具)。「荒れ地をーする」❷物事の下準備。事前工作。「与野党間の交渉のー」

じ・なり【地鳴り】〔地震・火山爆発などで〕地面が鳴りひびくこと。また、その音。「ーがする」類語地響き。

シナリオ ❶映画の場面構成やせりふなどを順序立てて書きあらわしたもの。映画の脚本。❷意図されたもくろみ・筋書き。「ー通りに事が運ぶ」▽scenario

しな・わけ【品分け・品▽別け】《名・他サ》品物を分類すること。「収集品をーする」

***し・なん**【指南】《名・他サ》〔指南車が方向を示すことから〕武芸などを教え導く・こと(人)。「柔道をーする」類語指導。教授。注意「師南」は誤り。 ーしゃ【ー車】❶中国上代の車の一つ。歯車を利用して車上の人形の手がいつも南をさすようにした車。方向を示すのに用いた。❷手引となるもの。「研究のーとなる」 ーばん【ー番】昔、大名に仕えて、武芸を教えた者。指南役。

指南車①

***し・なん**【至難】《名・形動》この上もなくむずかしいこと。「ーのわざ」

じ・なん【次男】二番めに生まれた息子。対次女。

シニア ❶年上の人。年長者。❷上級生。対①②ジュニア。▽senior

しに・いそ・ぐ【死に急ぐ】《自五》まだ死ぬ年齢ではないのに死のうとする。

しに・おく・れる【死に後れる・死に遅れる】《自下一》❶自分だけ死なないで生き残る。〔身内などが死んだ場合に言う〕「妻にー・れる」❷死ぬべき機会を失って生き残る。「ー・れて生き恥をさらす」

しに・がお【死(に)顔】死んだときの顔つき。

しに・がくもん【死(に)学問】役にたたない学問。

しに・か・ける【死に掛ける】《自下一》死にそうになる。「交通事故でー・ける」

しに・がね【死(に)金】❶ためておくだけで有効に使われない金。❷役にたたないことに使う金。むだがね。

しに・がみ【死(に)神】人を死へさそうという神。「ーにとりつかれる」

シニカル《形動》冷笑的。皮肉。シニック。「他人の善意をーに見る」▽cynical

しに・かわ・る【死に変わる】《自五》❶死んで姿を変える。❷死んで別のものに生まれ変わる。

しに・ぎわ【死(に)際】死ぬまぎわ。往生ぎわ。「ーに言い残した言葉」類語今際の際。臨終。

***し・にく**【死肉・×屍肉】死体の肉。

***し・にく**【歯肉】歯茎。「ー炎」

しに・ざま【死(に)様】〔人間が〕死ぬ時のようす。死んだ時のありさま。死に様。「無様なーだ」

シニシズム 既成社会の権威を軽べつし無視する人生観。シニスム。▽cynicism(=犬儒主義)

しに・しょうぞく【死(に)装束】❶死者に着せる着物。❷死ぬとき、特に切腹するときに着る白い着物。

しにせ【▽老▽舗】《「為し似せ」すなわち祖先からの家業を守り継ぐの意》先祖代々続き、客の信用を得て繁盛している店。老舗。「京都のー」

しに・そこない【死に損(な)い】〔死ぬはずであったのに〕死ねなかった人。「あのーめ」

しに・そこな・う【死に損なう】《自五》〔死ぬはずであったのに〕死ねずに生き残る。

しに・たい【死に体】相撲で、力士の体勢がくずれて、反撃に転じる可能性のない状態。対生き体。

しに・た・える【死に絶える】《自下一》一家・一族の者や同じ種族の動物などが全部死んで血統が絶える。

シニック→シニカル。▽英 cynic フランス cynique

しに・どき【死(に)時】死ぬべき時機。「ーを得る」

しに・どころ【死(に)所・死(に)▽処】死ぬのに好都合の場所。死に場所。死所。「ここをーと定める」

しに・はじ【死(に)恥】死にぎわの恥。また、死んでも残っている恥。「ーをさらす」対生き恥。

しに・ばしょ【死(に)場所】死に所。「ーを得る」

しに・ばな【死(に)花】死にぎわの名誉。「ーを咲かせる(=りっぱな死に方をして、死後にほまれを残す)」

しに・み【死(に)身】❶死ぬべき身。また、死んだ(ような生気のない)身。対生き身。❷決死の覚悟を持つこと。捨て身。「ーになって働く」

しに・みず【死(に)水】臨終に唇をぬらしてやる水。末期の水。「ーを取る(=臨終の面倒をみる)」

しに・め【死(に)目】人の死にぎわ。臨終。「親の

―に会えない」

しに-ものぐるい【死(に)物狂い】 死んでもよいつもりで努力すること。必死。「―で働く」

し-にょう【×屎尿】〔文〕大便と小便。排泄物。「―処理」類語 汚物。

しに-わか・れる【死に別れる】《自下一》人に死なれて、永久の別れとなる。死別する。参考 親子・夫婦・兄弟などの一方が死んだ場合に使う。対 生き別れる。

し-にん【死人】 死んだ人。死者。

―に口無し《句》死んだ人は何も言わないということ。参考 死人を証人とすることができないことや、死人に無実の罪を着せることなどに言う。

***じ-にん【自任】**《名・他サ》❶〔ある仕事や役目を〕自分で自分の任務だとすること。❷自分で自分をそれにふさわしい資格をもっているものと思い込むこと。「ベテランだと―する」類語 自負。⇩〖使い分け〗

***じ-にん【自認】**《名・他サ》〔自分のしたことを〕自分で認めること。「あやまりを―した」⇩〖使い分け〗

使い分け「ジニン」

自任〔自分で、それにふさわしい資格や能力があると思い込む〕幹事役を自任する・第一人者と自任する・天才を(もって)自任する

自認〔自分がしたことを自らが認める〕失政を自認する・過失を自認する・権力の濫用を自認する

参考「自任」は自分の能力以上の思い上がりに、「自認」は自分の犯した失策などについて言う。

***じ-にん【辞任】**《名・自サ》自分から任務・職務をやめること。「委員を―する」類語 辞職。対 就任。

し・ぬ【死ぬ】《自五》❶生物の呼吸がとまり、命が終わる。対 生まれる。❷生気・生彩がなくなる。「演出がへたで主役が―・んでいる」「―・んだ目」❸働きを示さなくなる。役に立たなくなる。「努力なくんば才能が―・ぬ」「―・んだ金の使い方」❹囲碁で、相手に囲まれた一連の石に二つの目がなくてとられる。❺〔野球で〕アウトになる。対 ②～⑤生きる。文《ナ変》。⇩〖類語と表現〗

―ぬ者貧乏《句》生きていればよい目を見ることができたのだから、死んだ者がいちばん不幸だということ。「死ぬ者は損」「死ぬ者が貧乏くじ」とも。

―んで花実が咲くものか《句》人は、死んでしまったら万事おしまいで、生きているうちがよいのである。「死んで花が咲かぬ」「死んで骨は光るまい」とも。

類語と表現「死ぬ」

*病気で死ぬ・車に轢かれて死ぬ・世をはかなんで死ぬ・畳の上で死ぬ・死ぬ覚悟で事に当たる・死ぬほどの苦しみ・死んでも言えない秘密。

◆死す・亡くなる・没する・逝く・果てる・身罷る・くたばる・息を引き取る・息が絶える・心臓が止まる・絶え入る・絶え果てる・眠る・永遠の眠りに就く・世を去る・冷たくなる・露と消える・仏になる・骨になる・灰になる・土になる・土に返る・煙になる・鳥辺野［鳥辺山］の煙となる・お陀仏になる・めでたくなる・朽ち果てる・こと切れる・目をつぶる・はかなくなる・空しくなる・瞑する・寂する・卒する・亡き数に入る・鬼籍（簿）に入る・過去帳［点鬼簿］に載る・不帰の客となる・帰らぬ人となる・あの世にゆく・黄泉の客となる・幽明境を異にする・三途の川を渡る・お迎えが来る・神に召される・巨星墜つ・将星隕つ・天寿を全うする・命運［命数・命脈］が尽きる／(する)死亡・死去・死没・物故・往生・成仏・絶命・絶息・永眠・瞑目・長逝・逝去・他界・昇天／心中する

◇［若くして死ぬ］(する)若死に・早死に・早世・夭死・夭逝・夭折

◇［貴人が死ぬ］薨ずる・崩ずる・お隠れになる／(する)卒去・登仙・薨去・崩御

◇［聖者・高僧が死ぬ］(する)入寂・寂滅・入滅・遷化／仏滅・涅槃

◆［…死（死に）］病死・老死・圧死・餓死・水死・溺死・凍死・焼死・縊死・戦死・獄死・慙死・刑死・惨死・頓死・横死・情死・憤死・狂死・殉死・客死・変死・脳死・仮死・自然死・事故死・安楽死／犬死に・相対死に・飢え死に・溺れ死に・狂い死に・凍え死に・野垂れ死に

◆挨拶 御臨終です／お悔やみ申し上げます・御愁傷様です・お力落としのことと思います・御冥福をお祈りします

じ-ぬし【地主】 土地を持っている人。

じ-ねずみ【地×鼠】 トガリネズミ科の動物。モグラに似て鼻先がとがり、昆虫やミミズなどを食べる。

じ-ねつ【地熱】 地球の内部の熱。ちねつ。「―発電」

シネマ 映画。キネマ。▽英 cinema フランス cinéma ―**コンプレックス** 一つの建物の中に複数のスクリーンを設置した映画館。シネプレックス。シネコン。▽cinema complex ―**スコープ** ワイドスクリーン映画の一つ。横を二分の一に圧縮撮影したものを横に広い弓なりの画面に拡大映写するもの。シネスコ。参考 商標名。▽CinemaScope

シネラマ ワイドスクリーン映画の一つ。三台の特殊カメラで撮影し、これを横長のスクリーンに三台の映写機で同時に映写するもの。参考 商標名。▽Cinerama

シネラリア キク科の一年草または二年草。初夏に白・べに・青などの菊に似た花を開く。鉢植えにする。参考「シネ」が「死ね」に通じるとして、「サイネリア」とも。▽cineraria

し-ねん【思念】《名・他サ》〔文〕心の中で思うこと。思い。「―をめぐらす」

じ-ねん【自然】〔文〕しぜん。―**じょ【―×薯】**《「自然生」の転》やまのいも。参考 栽培するナガイモに対して言う。

しの【×篠】 ❶しのだけ。❷「しの笛」の略。

―を突・く《句》雨が激しく降るようすの形容。

し-のう【詩×嚢】〔文〕〔詩の原稿を入れる袋の意から〕詩人の作詩のもとになる思想・感情。詩想。「―を肥やす〔=詩想を豊かにする〕」

し-のう-こう-しょう【士農工商】 職業によって分けた、江戸時代の封建社会を構成する四つの階級。武士と農民と職人(工人)と商人。

***しのぎ【×凌ぎ】**〔苦しさ・つらさを〕がまんして切りぬけること。「―がつかない」「退屈―」

***しのぎ【×鎬】** 刀剣で、刃と峰との中間の小高くもりあがっている部分。

―を削・る《句》〔鎬を削るほど刀で斬り合うことから〕激しく争いあう。「―・る販売競争」

しの・ぐ【×凌ぐ】《他五》❶〔程度や力が〕他のものの先を越して優位に立つ。凌駕(りょうが)する。「富士山をはるかに―・ぐ山」❷〔苦しさ・つらさを〕がまんして切りぬける。「飢えを―・ぐ」「雨露を―・ぐ」文《四》。

しの-ごの【四の五の】《連語》面倒なことをなんのかのと言うようす。つべこべ。〔副詞的に使う〕「―ぬかすな」「―言わずについてこい」

しの-だけ【×篠竹】茎が細く、むらがってはえる竹の総称。庭などに植え、茎をつりざおなどに利用。篠。篠の小笹(おざさ)。篠の葉草(はぐさ)。しのざさ。

しのだ-ずし【▽信太×鮨・▽信田×鮨】いなりずし。信太の森の白狐(しろぎつね)の伝説と、狐は油揚げを好むということから、参考「しのだ」は大阪府泉北郡にあった地名。「しのだ」は油揚げ料理の名につけられる。

しのだ-まき【▽信太巻(き)・▽信田巻(き)】油揚げの三方の端を切り開き、ゼンマイ・ゴボウ・湯葉・豆腐などを詰めてかんぴょうで結んだ精進料理。

しのつく-あめ【×篠突く雨】《連語》〔シノダケを束ねて突きおろすように降る雨の意〕激しく降る雨。

シノニム 同義語。同意語。「いす」に対する「こしかけ」などの類。対アントニム。▽synonym

しののめ【▽東▽雲】〔雅〕明け方。また、あかつき。

し-の-はい【死の灰】―は ひ 核爆発などによって生じる核分裂生成物の俗称。白灰色の微粒子で、強い放射能を帯びる。多量にあびると生命にも危険がある。

しのば・せる【忍ばせる】《他下一》隠すようにしてこっそり行う。特に、隠し持つ。「声を―・せる」「懐に短刀を―・せる」文しのば・す《下二》。

しの-はら【×篠原】シノダケが茂っている原。ささ原。

しのび【忍び】❶人にさとられないですること。「お―の旅行」❷ひそかに敵の中にはいりこむ・こと(術)。忍びの術。❸「忍びの者」の略。忍者。「甲賀の―」

しのび-あ・う【忍び×逢う・忍び会う】―あ ふ《自五》〔相愛の男女が〕人目をさけてこっそりと会う。

しのび-あし【忍び足】こっそり歩く足どり。「抜き足、差し足、―」「―で後をつける」

しのび-がえし【忍び返し】―が へし〔どろぼうなどが忍びこまないように〕塀などの上に先のとがった竹・木・金物・ガラスなどを並べて取り付けた設備。

しのび-こ・む【忍び込む】《自五》こっそり入り込む。しのびいる。「敵陣に―・む」

しのび-な・い【忍びない】《形》〔多く「…するに―・い」の形で〕がまんできない。「見捨てるに―・い」

しのび-なき【忍び泣き】《名・自サ》〔他人に知られないように〕そっと泣くこと。「ふとんの中で―する」

しのび-ね【忍び音】❶忍び泣きの声。「―をもらす」❷陰暦四月ごろに鳴くホトトギスの声。

しのび-やか【忍びやか】《形動》〔動作・物音が〕人目にたたず、ひそやかであるようす。「―な笛の音(ね)」

しのび-よ・る【忍び寄る】《自五》〔気づかれないように〕そっと近づく。「―・る黒い影」文《四》。

しのび-わらい【忍び笑い】―わ らひ《名・自サ》〔他人に気づかれないように〕声をひそめて笑うこと。

***しの・ぶ【×偲ぶ】**《他五》❶〔過去や遠く離れた人・物事を〕なつかしく思い出す。「故郷を―・ぶ」「遺徳を―・ぶ」❷想像してしたう。したわしく思う。「教養のほどが―・ばれる」文《四》。

***しの・ぶ【忍ぶ】**㊀《他五》我慢する。「笑いを―・ぶ」「恥を―・ぶ」文《四》。㊁《自五》❶かくれる。「床下に―・ぶ」「人目を―・ぶ」❷かくれて人に知られないようにする。「世を―・ぶ」文《四》。

しの-ぶえ【×篠笛】シノダケで作った穴の七つある横笛。獅子舞(ししまい)・里神楽(さとかぐら)などに使う。しの。

しのぶ-ぐさ【忍草】シノブ科のシダ植物。山野の岩や木の上に生える。根・茎などをからませて「つりしのぶ」を作る。しぬびぐさ。しのぶ。

シノプシス シナリオなどのあらすじ。梗概(こうがい)。「映画の―」▽synopsis

***しば【×柴】**山野に生える小さい雑木。また、それを折ったもの。まき・垣根などに使用する。

***し-ば【死馬】**〔文〕死んだ馬。

―の骨《句》かつては優秀であったが、現在では何の値打ちもないもののたとえ。

―の骨を買・う《句》才能のない人をまず先に優遇すれば、すぐれた人が自然に集まってくる。〈戦国策〉

***しば【芝】**イネ科の多年草。茎は細く地面をはい、節から根が出て広がる。植えて芝生とする。芝草。

***じ-ば【地場】**地元(じもと)。「―消費」「―産業(=その土地特有の産業)」

***じ-ば【磁場】**↓じかい(磁界)。

***し-はい【支配】**《名・他サ》勢力・権力をもって上に立ち、命令・指図して従わせること。「官僚による―」類語管理。取り締まり。―にん【―人】〔商店などで〕店主に代わって営業に関するいっさいの業務を取り締まる役目(の人)。マネージャー。

***し-はい【紙背】**〔文〕紙の裏。「眼光―に徹(てっ)す」

***し-はい【賜杯】**天皇や皇族などから試合・競技の勝者に贈られる優勝杯。「―を手にする横綱」

しば-い【芝居】―ゐ ❶演劇。特に、歌舞伎(かぶき)・文楽など、日本特有の演劇。参考古く、芝生の上で行ったことから言う。❷〔俳優の〕演技。「あの女優は―がへただ」❸人をだますための作りごと。たくらみ。「一―打つ」「あの涙はお―だよ」類語狂言。⇩〔類義語の使い分け「演劇」〕 ―がか・る【―掛かる】《自五》ことばや動作が、芝居でもしているようにわざとらしくなる。「―・った泣き声」 ―ぎ【―気】芝居じみた大げさなふるまいをたくらむ心。しばいけ。しばいっけ。「―たっぷり」 ―ごや【―小屋】芝居を興行する小さい建物。

しば-いぬ【×柴犬】純日本犬の一種。小形で、耳が立ち、尾は巻いている。

しば-えび【芝×蝦・芝▽海▽老】クルマエビ科の海産のエビ。体長約一五(センチ)。おもに南日本の内湾の砂底に群れをなしてすむ。食用、また、つりのえさにする。

しば-がき【×柴垣】柴(しば)を編んで作った垣根。

***しば-かり【×柴刈(り)】**柴(しば)を刈る・こと(人)。

***しば-かり【芝刈(り)】**芝生などの芝を刈りそろえること。「―機」

じ-はく【自白】《名・他サ》隠しごとなどを自分から白状すること。「犯行を―する」類語告白。自供。

***じ-ばく【自爆】**《名・自サ》自分の乗っている飛行機・艦船などをみずから爆破すること。また、目標物に体当たりさせて爆死すること。「―装置」「―を遂げる」「―テロ」類語自沈。

***じ-ばく【自縛】**自分の主張した意見に拘束されて自由を失うこと。参考↓自縄自縛(じじょうじばく)。

しば-くさ【芝草】↓しば(芝)。

しば-ぐり【×柴×栗】クリの一品種。実は小粒で、美味。小栗(ささぐり)。

しば・ざくら【芝桜】 ハナシノブ科の多年草。春に紅色・白色・淡青色などの小花をつける。はなつめくさ。

しばし【▽暫し】《副》〔文〕しばらく。「—待て」

しば・しば【×屡・×屡×屡】《副》数多くくり返すようす。たびたび。何度も。「—訴えてきた」

しはす【〈師走〉】 ➡しわす。

じ・はだ【地肌・地▽膚】 ❶〔化粧で隠されていない〕生地(きじ)のままの肌。「クリームを—に塗る」❷〔草木に覆われていない〕大地の表面。「山腹の—が現れる」

しば・たた・く【▽瞬く】《他五》〔「屡叩(しばただ)く」意〕さかんにまばたきをする。「目を—く」

し・はつ【始発】 ❶その日一日の、最初に発車する・こと〔電車・列車・バス〕。「—は五時三〇分だ」対終発。❷その場所を起点として発車する・こと〔電車・列車・バス〕。「東京—」対終着。

じ・はつ【自発】 ❶自分から進んでする・こと。〔多く「—的」「—性」の形で使う〕「—的に勉強する」❷〔文法で〕動作・作用が意志に関係なく自然に生じる意を表す用法。「生まれる」「思われる」の類。「—の助動詞」

しば・はら【芝原】 一面に芝の生えた野原。

しば・ふ【〈芝生〉】 芝が一面に生えている所。芝地。ローン。

しば・ぶえ【×柴笛】 カシ・シイなどの木の若葉をくちびるにあてて笛のように吹き鳴らすもの。

じ・ばら【自腹】 ❶自分の腹。❷自分が負担する費用。類語 自弁。自前。自費。

—を切・る《句》〔負担しなくてもよい費用を〕自分の金で支払う。身銭を切る。「—って接待する」

し・はらい【支払(い)】 代金・料金など金銭をはらうこと。「—をすませる」

しばらく【▽暫く】《副》❶少ししか時間が経過しないようす。しばし。暫時(ざんじ)。一時。「今—(=ちょっと)お待ち下さい」❷少し長く時間が経過するようす。いくばくかの月日が経つようす。「—会わなかったね」 **—ぶり【—振り】**《名・形動》久し振り。

しばり・あ・げる【縛り上げる】《他下一》〔動けないように〕しっかりとしばる。「犯人を—げる」

しばり・くび【縛り首】 首つりの刑。

しばり・つ・ける【縛り付ける】《他下一》❶あるものにしばって離れないようにする。「大木に—ける」❷自由をうばって、ある場所・状態から離れないようにする。「子供を机に—ける」

しば・る【縛る】《他五》❶動かないようにするため、縄(なわ)・紐(ひも)などを巻きつけて締め、結ぶ。「本を一〇冊ずつ—る」「傷口を包帯で—る」類語 くくる。束縛する。ゆわえる。❷自由な行動が取れないようにする。「他人の行動を—る」「時間に—られる」文《四》。

じ・ばれ【地×腫れ】《名・自サ》できもの・傷などのまわりの皮膚が一面にはれあがること。

しば・れる《自下一》〔東北・北海道地方の方言〕非常に冷えこむ。

***し・はん【四半】** ❶四分の一。〔接頭語的に使う〕「—世紀(=二五年)」❷「四半敷き」の略。正方形の石を斜めに敷きつめたもの。❸正方形に切った布。 **—き【—期】** 一年を四等分した、それぞれの期間。三か月間。 **—ぶん【—分】** 四分の一。

***し・はん【市販】**《名・他サ》一般の小売店で売ること。「—の商品」

***し・はん【師範】** ❶手本。模範。❷他の模範となって学問・技芸を教える人。「柔道の—」❸「師範学校」の略。もと、初等教育の教員を養成した公立学校。 **—だい【—代】** 師範②の代わりとなって教える人。

***し・はん【死×斑・×屍×斑】** 死後、身体の下面の皮膚にできる紫色の斑点(はんてん)。

***し・はん【私版】** ❶民間で出版すること。また、その本。対官版。❷〔商業出版に対して〕個人が自費で出版すること。また、その本。私家版。自家版。

***し・はん【紫×斑】** 皮内・皮下の出血によって皮膚に現れる紫色の斑点(はんてん)。

じ・はん【事犯】〔法〕刑罰に処せられるべき行為。「暴力—」

***じ・ばん【地盤】** ❶〔建造物などの土台となる〕土地。「—が沈下する」❷根拠地。足場。また、勢力の及ぶ範囲。「選挙の—をきずく」

***じばん【×襦×袢】** ➡じゅばん。▽ポルトガル gibão

じはん・き【自販機】「自動販売機」の略。一定の金額を投入すると自動的に品物が出てくる機械。

***し・ひ【私費】** 自分で払う費用。自費。「—を投じて作る」「—留学」対公費。官費。

***し・ひ【詩碑】** 詩文を刻んだ石碑。「白秋の—が建つ」

***しび【×鮪】** ❶ホンマグロの、特に大きいもの。マグロの成魚。❷〔西日本の方言〕キハダマグロ。

***し・び【×鴟尾・×鵄尾】** 宮殿・仏殿などの大建築物の棟(むね)の両端にとりつける、鳥や魚の尾をあげた形の飾り。沓形(くつがた)。

鴟　尾

***じ・ひ【慈悲】** ❶〔苦しみ悩むものを〕あわれみいつくしむこと。なさけ。「—の心」類語 仁愛。❷仏が衆生(しゅじょう)をあわれみ、楽を与え苦を除くこと。 **—しん・ちょう【—心鳥】** ジュウイチの別称。参考 鳴き声が「じひしん」ときこえることからいう。

***じ・ひ【自費】** 自分で払う費用。私費。「—出版」類語 自弁。自腹。自前。

じ・び【耳鼻】 耳と鼻。「—科の医師」

シビア《形動》条件や批判などがきびしいようす。容赦のないようす。「—な論評」▽severe

じ・ビール【地ビール】 その土地で生産されるビール。

じ・びき【字引】 ❶漢字を集めて、音訓・意味・用法を説明した書物。字書。字典。❷「辞典」の俗称。

じびき・あみ【地引(き)網・地×曳(き)網】 引き網の一種。遠浅の海岸の沖合に弧をえがくように網をはり、陸へ引きよせて魚をとる。地引き。

***し・ひつ【紙筆】**〔文〕紙と筆。筆紙。

***し・ひつ【試筆・始筆】**《名・自サ》〔文〕新年になって初めて字を書くこと。かきぞめ。「新年の—」

じ・ひつ【自筆】〔代筆や印刷でなく〕本人が自分で書くこと。また、本人自身が書いたもの。「作者—の色紙」類語 肉筆。自書。真跡(しんせき)。直筆(じきひつ)。

し・びと【死人】 死んだ人。死人(しにん)。〔古風な言い方〕

じ・ひびき【地響き】 ❶重い物が落ちたり重い車などが通ったりして、その音が地面を伝わってひびくこと。「—をたてて戦車が通る」❷地震などの地鳴り。

しひゃくし・びょう【四百四病】〔仏〕人間がかかる

あらゆる病気。「―の外(=恋わずらいにいう)」

*し‐ひょう【師表】〔文〕学徳などがすぐれ、人々の模範となる・こと(人)。人々の手本。「―と仰がれる」

*し‐ひょう【指標】❶〔目的の基準とする〕めじるし。「学習効果の―とする」類語目標。❷〔数〕指数。

*し‐ひょう【死票】落選した候補者に入れられて、むだになった投票。

し‐びょう【死病】かかれば必ず死ぬと考えられている病気。「昔は結核は―と考えられていた」

*じ‐ひょう【時評】世の中のその時々のできごとについての評論。「社会―」

*じ‐ひょう【辞表】職を辞める旨を書いてさし出す文書。「―を出す」

じ‐びょう【持病】❶なおりきらず、ときどき起こる病気。慢性の病気。類語宿痾・痼疾。❷なかなかなおらない悪いくせ。「すぐ泣き出すのは彼女の―だ」

し‐びょうし【四拍子】❶一小節が四拍からなり、強・弱・中強・弱のアクセントをくり返す拍子の形。四拍子。❷囃子などで、四種類のおもな楽器。笛・太鼓・大鼓・小鼓の四つ。

シビリアン❶一般市民。民間人。❷文官。▽civilian ―コントロール 軍人ではなく、一般人が軍隊に対する統制権・指揮権をもつこと。文民支配。文民統制。▽civilian control

しびれ【×痺れ】しびれること。

―を切ら・す《句》❶長く座っていたため、足の感覚がなくなる。しびれが切れる。❷長く待たされて我慢しきれなくなる。待ちくたびれる。「―・して口をはさむ」

しび・れる【×痺れる・×痹れる】《自下一》❶〔強い刺激などによって〕体の感覚を失う。麻痺する。「足が―・れる」❷電気などに触れて、びりびりっとふるえる。「コードにふれて―・れた」❸〔俗〕陶酔する。「舞台の熱演に―・れる」文しび・る《下二》

し‐びん【×溲瓶・▽尿瓶】《「しゅびん」の転》寝たままで小便をするのに使う容器。

*し‐ふ【師×傅】〔文〕貴人のもり役。「―に就く」

*し‐ふ【師父】〔文〕❶師匠と父。❷父のように敬い親しむ師匠。「―と仰ぐ」

*し‐ふ【詩賦】〔文〕〔古代中国の代表的な韻文である〕詩と賦。転じて、詩。韻文。

*し‐ぶ【四部】四つの部分・部門。「混声―合唱」

*し‐ぶ【市部】市に属する地域。対郡部。

*し‐ぶ【支部】本部から分かれて、離れた地域の事務をとりあつかう所。対本部。

*しぶ【渋】❶味覚の一つ。渋み。「―をぬく」❷茶などからしみ出て器物についたあか。「茶―」❸渋柿からとる渋みのある液。塗料にする。柿渋。

*じ‐ふ【慈父】〔文〕❶思いやりのあるやさしい父。❷父親を敬愛していう語。対①②慈母。

*じ‐ふ【自負】《名・他サ》自分で自分の才能・学問・仕事などに自信をもち、誇る・こと(心)。「研究者としての―」「―心」類語自慢。自賛。自任。誇負。

しぶ・い【渋い】《形》❶〔十分に熟さない柿を食べたときのように〕舌をしびれさせるようないやな味がする。「―・い茶」類語えぐい。えがらい。苦い。❷不愉快そうなようすである。「文句を言われて―・い顔をする」類語苦い。苦々しい。❸目立たぬ中に落ち着いた深い美しさがある。地味な中に粋な(老巧な)ところがある。「―・い色」「―・い芸」類語枯淡。❹出し惜しみをして、けちである。「金に―・い」文しぶ・し《ク》

しぶ‐いろ【渋色】柿渋のような色。赤茶色。

し‐ふう【士風】〔文〕武士の気風・風紀。

しぶ‐うちわ【渋▽団▽扇】柿渋を塗った赤茶色の丈夫なうちわ。しぶせん。

しぶ‐がき【渋×柿】熟しても渋い味のする柿。渋ぬきをしたり、干し柿にしたりして食べる。対甘柿。

しぶ‐がみ【渋紙】はりかさねて、柿渋を塗り、丈夫にした紙。包み紙や敷物に使う。しぶかみ。

しぶ‐かわ【渋皮】木・果実の外皮の内側にある薄い皮。「―が剝ける(=あかぬけする)」類語甘皮。

しぶき 激しい勢いで細かく飛びちる水。「―があがる」類語水煙。水沫。飛沫。表記「飛沫」と当てる。

*し‐ふく【私服】❶〔官庁・会社・学校などで定めた服でなく〕個人の立場で着る衣服。❷「私服刑事」の略。私服①を着て職務についている刑事。

*し‐ふく【私腹】自分の財産・利益。私利。「―を肥やす(=公の地位を利用して、自分の財産をふやす)」

*し‐ふく【紙幅】〔文〕❶紙のはば。❷割り当てられている、執筆原稿の枚数。「―が尽きる」

*し‐ふく【至福】〔文〕この上ない幸福。「―のひととき」

*し‐ふく【雌伏】《名・自サ》〔文〕実力を保ちながら、活動の機会をじっと待っていること。「―二〇年」「―してチャンスを待つ」対雄飛。

しぶ・く《自五》❶雨まじりの風が激しく吹きつける。❷しぶきが飛びちる。「波が―・く」文《四》。

じ‐ぶくろ【地袋】違いだなの下につけた、小さな袋戸だな。類語天袋。

ジプシー❶ヨーロッパ各地を流浪している少数民族。音楽・踊りを好み、占い・鋳かけなどによって生計をたてる。チゴイネル。自称ロマ。❷放浪生活をすること。また、その人。ボヘミアン。▽Gypsy

しぶ‐しぶ【渋渋】《副》(「―と」の形も)いやいやながら。不承不承。「―承諾した」

しぶ‐ぞめ【渋染(め)】〔柿渋を用いて〕渋色に染めること。また、染めたもの。

しぶ‐ちゃ【渋茶】〔出すぎて〕味が渋くなった茶。また、下等な茶。

しぶ‐ちん【渋ちん】《名・形動》〔俗〕金を出し惜しむ・こと(人)。けち。「会社が―で月給が安い」

*し‐ぶつ【死物】〔文〕本来は役に立つのに、利用しないために役に立っていないもの。「―と化する」

*し‐ぶつ【私物】〔会社・官庁などが貸与したものでなく〕個人の所有である物。「―化」対官物・公物。

*じ‐ぶつ【事物】〔有形的な〕物事。〔特に、「こと」よりも「もの」に重点を置いた言い方〕「現実の具体的な―」

*じ‐ぶつ【持仏】❶常に身近におき、守り本尊として信仰する仏像。念持仏。❷「持仏堂」の略。持仏や祖先の位牌を安置する堂。

ジフテリア 二類感染症の一つ。ジフテリア菌によってのどに白い義膜ができ、高熱を発する。一〇歳以下の子供に多い。飛沫感染する。▽diphtheria

シフト《名・自他サ》❶〔位置・状態や態勢を〕変更すること。「夜勤に―する」「―キー」❷自動車で、ギアの入れかえをすること。「―レバー」❸球技・ボクシングなどで、選手が位置をかえること。野球で、特定の打者に備える変形守備。「バント―を敷く」▽shift

しぶと・い《形》〔困難・苦境などに〕たやすく屈しない。

し

ねばり強い。「—い打者」「—く生きる」「—く踏ん張る」文しぶと・し〈ク〉

じぶ-に【じぶ煮】 鳥の肉に小麦粉かそば粉をまぶして、だし・酒・醤油(しょうゆ)などを合わせた煮汁で煮た料理。

じ-ふぶき【地〈吹雪〉】 地上に降り積もった雪が激しい風にあおられて空中を乱れ飛ぶ現象。

し-ぶり【仕振り】 物事をするときのようす。しかた。

しぶり-ばら【渋り腹】 下痢の症状の一つ。しきりに痛みと便意をもよおすが、ほとんど便が出ない症状。

しぶ-る【渋る】 ㊀《自五》❶すらすらとはかどらない状態にある。停滞する。「筆が—る」類語とどこおる。❷下腹が痛み、便意がありながら通じがとまる。「腹が—る」文《四》。㊁《他五》気が進まず、容易に事をしようとしないようすを見せる。いやがる。〔接尾語的にも使う〕「返事を—る」「出し—る」文《四》。

しぶ-ろく【四分六】「四分六分」の略。物事の見込みが、四分（割）対六分（割）であること。「—で有利だ」

***し-ふん【私憤】**〔文〕私事についてのいきどおり。「—をいだく」「—を晴らす」類語私怨。私恨。対公憤。

***し-ふん【脂粉】**〔文〕紅(べに)とおしろい。転じて、女性の〈なまめかしい〉化粧。「—の香(か)」

***し-ぶん【士分】**〔文〕武士の身分。「—に取り立てる」

***し-ぶん【×斯文】**〔文〕この学問。この道。参考特に儒学にいう。

***し-ぶん【死文】** ❶〔法令や規則で〕条項として書かれているが実際上は効力がない条文。空文。「—と化した法律」❷内容のないつまらない文章。

***し-ぶん【詩文】** 詩と文章。転じて、文学作品。

***じ-ふん【自×刎】**《名・自サ》〔文〕自分で自分の首をはねて死ぬこと。自剄(じけい)。

***じ-ふん【自噴】**《名・自サ》〔文〕〔温泉・石油などが〕それ自身の力でふき出ること。

***じ-ぶん【時分】** ❶〔はっきりいつというのではない〕時期。とき。ころ。「そこは子供の—よく行った」❷〔何かをするのに〕適当な時期。ころあい。折。「—はよしと出かける」**—がら【—柄】** 時節がら。**—どき【—時】**〔ちょうどよい時刻の意から〕食事どき。

***じ-ぶん【自分】** ㊀《名》何かをする、当の本人。その人自身。自己。おのれ。「—の事は—でしなさい」㊁《代名》《自称の人代名詞》わたくし。〔軍隊の用語。また、男性が多少あらたまったときに使う〕**—かって【—勝手】**《名・形動》自分の都合だけを考えて物事をすること。てまえがって。身がって。「—な考え」**—し【—史】** 自分自身に関わる記録を時間の経過に沿ってまとめたもの。類語自伝。**—じしん【—自身】**「自分」を強めていう語。

しぶん-ごれつ【四分五裂】《名・自サ》〔文〕ばらばらに分かれること。また、そのために秩序・統一がなくなること。「いまや党内は—の状態だ」

し-ぶんしょ【私文書】 ❶個人の文書。❷公務員でない者が作成した文書。対公文書。

しべ【×蕊・×蕋・×蘂】 おしべとめしべの総称。ずい。

***し-へい【私兵】** 個人が養成する兵士。対官兵。

***し-へい【紙幣】** 紙の貨幣。さつ。軟貨。対硬貨。

じ-へい【時弊】〔文〕その時代の弊害。「—の改革」

じへい-しょう【自閉症】 脳の機能障害による発達障害。他人との間に、共感・共鳴を感じることに困難をともなう。

じ-べた【地べた】〔俗〕地面。土の上。

し-べつ【死別】《名・自サ》死に別れ。参考多く、家族などに使う。類語永別。永(なが)の別れ。対生別。

***し-へん【四辺】** ❶四つの辺。「—形」❷〔文〕あたり。近所。周囲。周辺。「—蕭々(しょうしょう)」❸〔文〕四方の境。「国の—を固める」

***し-へん【紙片】**〔文〕紙切れ。

***し-へん【詩編・詩×篇】** ❶詩を集めた書物。詩集。また、詩。❷旧約聖書の一部。神を賛美する歌と祈りからなる。表記もと、もっぱら「詩篇」と書いた。

***し-べん【思弁・思×辨】**《名・他サ》実証・経験によらず、論理的に物事を判断すること。「—哲学」

***し-べん【支弁・支×辨】**《名・他サ》〔文〕金銭を支払うこと。「日当を—する」類語支出。支給。

***し-べん【至便】**《名・形動》〔文〕非常に便利であること。「交通—の住宅地」

じ-へん【事変】 ❶ただごとでない、変わった出来事。変事。❷警察力ではしずめられないほどの騒ぎ。❸宣戦布告なしで行われる国家間の武力行為。「満州—」

じ-べん【自弁・自×辨】《名・他サ》自分にかかる費用を自分で負担すること。自分持ち。「交通費は—」

し-ほ【試補】 官庁で、ある官に任命されるまでの一定期間、その事務を実習する職（の人）。「司法官—」

***し-ぼ【思慕】**《名・他サ》なつかしく思うこと。したわしく思うこと。「故郷の母を—する」類語愛慕。恋慕。

***しぼ【×皺】** ❶糸のよりぐあいで織物の表面に表れるでこぼこ。❷革などに加工してつけたでこぼこ。エンボス。

***じ-ぼ【字母】** ❶ことばをつづるもとになる文字。かな・アルファベットなど。❷活字のもとになる型。活字母型。

***じ-ぼ【慈母】**〔文〕❶やさしく思いやりのある母。「—の情」❷母親を敬愛していう語。対①②慈父。

***し-ほう【仕法】**〔文〕やりかた。方法。特に、証券の取引や注文の方法。

***し-ほう【司法】** 国家が法律に基づいて行う、民事・刑事の裁判。また、それに関した国家の行為。**—かん【—官】** 司法権の執行と、それに関する事務を扱う公務員。特に、裁判官。参考検察官をも含めることもある。**—けん【—権】** 国家の統治作用の一つとして、司法を行う権能。参考立法権・行政権に対するもの。

***し-ほう【四方】** ❶東西南北の四つの方角。❷〔あるものの〕周囲すべて。「—を敵に囲まれる」❸正方形の各辺。「二メートル—」**—はい【—拝】** 宮中の年中行事の一つ。一月一日の朝、天皇が四方の神をおがんで、豊作と国家の平安を祈る。**—はっぽう【—八方】** あらゆる方角・方面。「—を捜す」

***し-ほう【私法】** 個人の義務・権利について定めた法律の総称。民法・商法など。対公法。

***し-ほう【至宝】**〔文〕❶この上なく貴重な宝。「法隆寺の—」❷非常に貴重な才能・技能などを持っている人物。「歌舞伎(かぶき)界の—」

***し-ほう【詩法】** 詩の作り方。詩の表現方法。

***し-ぼう【子房】** 被子植物で、めしべの下部のふくらんだ袋状の部分。

***し-ぼう【志望】**《名・他サ》〔自分の将来などについて〕こうしたい、こうありたいと望むこと。また、その望み。こころざし。「科学者を—する」類語希望。志願。

***し-ぼう【死亡】**《名・自サ》死ぬこと。〔死を事務的・客観的に述べるときに用いる〕「—通知」対出生。

***し-ぼう【脂肪】** 栄養素の一つ。常温では、ふつう固

し

体をなす。動物のたいせつなエネルギー源。脂(あぶら)。―ゆ【―油】油脂のうち、常温で液状をなしているもの。オリーブ油・種油・肝油など。

じ・ほう【時報】❶ある分野のその時々の出来事などを報道する新聞雑誌の類。また、その報道。「経済―」❷〔ラジオやテレビなどで〕標準の時刻を一般の人に知らせること。また、その知らせに用いる音。

じぼう・じき【自暴自棄】〔自分で自分の身をすてる意から〕なげやりになること。やぶれかぶれ。やけ。

し・ほうじん【私法人】会社・社団法人・財団法人など、私法上の法人。対 公法人。

しほう・どうぶつ【刺胞動物】無脊椎(むせきつい)動物の一門。ヒドラ・イソギンチャク・クラゲなど。参考 もと、腔腸動物といった。

し・ぼつ【死没・死×歿】《名・自サ》〔人が〕死ぬこと。死亡。死去。「―者」

しぼ・む【×萎む・×凋む】《自五》〔開いたり、ふくらんでいたりしたものが〕しおれちぢむ。また、勢いがなくなる。「花が―・む」「夢が―・む」対 ふくらむ。文《四》。

しぼり【絞り】❶カメラなどで、入射光線の量を制限する装置。「―を合わせる」❷花弁などで、絞り染めのように色がまだらになっているもの。❸「絞り染め」の略。

しぼり・あ・げる【絞り上げる・搾り上げる】《他下一》❶すっかりしぼる。しぼり終わる。「洗濯物を―・げる」❷声をせいいっぱい張りあげる。「声を―・げて応援する」❸ひどく責める。ひどくしかる。「悪童を―・げる」❹金品をむりに出させてとりあげる。表記 ①②は「絞」、④は「搾」を用いることが多い。

しぼり・ぞめ【絞(り)染(め)】布の図案の部分を糸でかたく縫いしぼり、全体を染料にひたして地の色を残す染め方。しぼり。くくり染め。参考 →纐纈(こうけち)。

しぼり・だし【搾り出し】ビニールなどの管につめたクリーム状のものを、管の一端を押して口から出るようにしたもの。絵の具やねり歯みがきなどのチューブの類。

しぼり・だ・す【搾り出す・絞り出す】《他五》❶ある物の中に含まれている物を、ねじったり押したりして外に出す。「チューブから絵の具を―・す」❷〔出にくいものを〕努力して外に出す。「良い知恵を―・す」表記 ①は「搾」、②は「絞」を用いることが多い。

しぼり・と・る【搾り取る】《他五》❶〔牛乳や油などを〕しぼって取る。❷少ないものの中から無理に取り立てる。搾取(さくしゅ)する。「国民から税金を―・る」

しぼ・る【絞る・搾る】《他五》❶強くねじったり押しつけたりして、水分を取り去る。「洗濯物を―・る」❷強く押して液を取り出す。「乳を―・る」❸絞り染めにする。「鹿(か)の子に―・る」❹出せないものを無理に出させる。Ⓐ〔声や考えなどを〕無理に出すようにする。「知恵を―・って考える」Ⓑ〔金銭などを〕無理に責めて出させる。「農民を―・って年貢をとりたてる」❺しぼりとる。きびしく責める。きつく叱(しか)る。きびしくきたえる。「部長に―・られた」「ランニングで―・る」❻張り広がっているものを押し縮めて、一方に寄せる。「すそを―・る」❼カメラなどのレンズのしぼりを小さくする。❽音量を小さくする。「テレビの音を―・ってきく」❾ある基準から整理して、範囲を限定する。「人数を―・る」「問題点を―・る」❿相撲で、自分のわきに相手の手をはさんでしめつける。文《四》。⇩〔使い分け〕

使い分け「しぼる」

絞る〔ねじって水分をとったり、範囲を限定したりする〕
手ぬぐいを絞る・絞り染め・涙を絞る・問題を絞る・音量を絞る・声を振り絞る・弓を引き絞る・生徒を絞(搾)り上げる

搾る〔押してしめつけ水分をとる。無理に出させる〕乳を搾る・油を搾る・搾りかす・金を搾る・税金を搾り取る・絵の具を搾り出す

参考 しぼり方の違いで書き分けるが、「絞」が広い範囲に使われる。「油を搾る」は油の製造に、「油を絞る」はきつくしかる意に使い分ける。また、「絞り上げる／搾り上げる」では、「洗濯物を絞り上げる・声を絞り上げる／お金を搾り上げる」のように、「絞り出す／搾り出す」では、「言葉を絞り出す・知恵を絞り出す／練り歯みがきを搾り出す」のように使い分けるのが一般的。「生徒を絞り上げる／搾り上げる」はともに用いるが、後者の方に残忍の度合いが強い。

し・ほん【資本】❶事業を営むもととなる金銭。また、利子・利潤を得るもととなる金。もとで。資金。❷生産の三要素(=土地・資本・労働)の一つ。新たに生産活動を行うために用いられる(過去の労働の生産物としての)財貨。―か【―家】資本を所有し、労働者を雇い事業を営み利潤を得る人。また、事業の出資者。対 労働者。―きん【―金】営利を目的とした会社を経営するもとになる金銭。―しゅぎ【―主義】生産手段を持つ資本家階級が労働者階級から労働力を商品として買い、生産活動を行うことによって利潤を追求してゆく経済体制。キャピタリズム。

しほん・ばしら【四本柱】相撲で、土俵の四すみに立てた四本の柱。それぞれに四神を配した。参考 大相撲では、現在は柱のかわりに四色の房を下げる。

*__しま__【島】❶まわりを水で囲まれた(小さな)陸地。島嶼(とうしょ)。類語 ❷なわ張りとする地域。「―を荒らす」❸周囲から隔絶してそこだけ独立している土地。❹頼れるもの。よすが。「とりつく―もない」

*__しま__【志摩】旧国名の一つ。三重県志摩半島の東部。志州(ししゅう)。

*__し・ま__【×揣摩】《名・他サ》〔文〕あれこれとおしはかること。推測。―おくそく【―×臆測】《名・他サ》〔文〕当て推量。「―を控える」

*__し・ま__【死魔】❶〔文〕死を魔物化して言う語。「―におそわれる」❷〔仏〕四魔(=煩悩魔・五陰(ごおん)魔・天魔・死魔)の一つ。死が仏道修行のさまたげとなること。

*__しま__【×縞】布に、二種以上の染め糸で縦や横に織り出した筋。また、そのような模様。「格子―」

*__し・まい__【仕舞】〔ひ―ま〕能楽で、シテ(主役)が装束(しょうぞく)をつけず、地謡(じうたい)だけで舞う略式の舞。

*__し・まい__【仕舞(い)・▽終い】〔ひ―ま〕❶〔物事が〕終わること。終了。「今日はこれでお―」「仕事を―にする」❷物事の最後。「ひやかされて―に泣き出した」表記 かなで書くことが多い。参考 →じまい。

*__し・まい__【姉妹】❶姉と妹。女のきょうだい。「三人―」❷同じ系統で、互いに似ている点を多く持つ、二つ以上のもの。〔多く、他の語に冠して用いる〕「―品」「―会社」⇩〔類語と表現「兄弟・姉妹」〕

じ・まい〔ひ―ま〕《接尾》❶《名詞につけて》それを終える意。「仕事―」「店―」❷《動詞＋打ち消しの助動詞「ず」につけて》「…せずに終わってしまった(まま)」の意。「さよ

ならを言わずーだった」

し-ま・う【仕舞う・▽了う・▽終う】一《自五》終わりになる。すむ。「仕事が早くーった」二《他五》❶〔ある仕事などを〕なし終える。すませる。「店をーってから出かける」❷〔事業などを〕やめる。「経営不振で店をーう」❸〔使った物や大切な物などを〕入れ物などに納め入れる。「道具を箱にーう」「秘密を胸にーう」三《補動》❶〈多く「…て(で)ーう」の形で〉㋐その動作が完全に〔終わりまで〕行われる意。…しおえる。「食べてーう」「書いてーう」㋑その動作が行われて、もとへもどらない意。「忘れてーう」「死んでーう」参考くだけた言い方では「…(っ)ちまう」「…じまう」などの形になる。❷〈「…ずにーう」の形で〉…ないで終わる意。「何もせずにーった」「話もせずにーう」表記 一～三はかなで書くことが多い。

じま・う《連語》《「でしまう」の転。「で」は、接続助詞「て」が撥音便の関係で「で」となったもの》「…てしまう」の意の口頭語。…じゃう。「死んーう」「転んーう」参考「てしまう」から転じたものは、「ちまう」となる。「行っちまう」

しま-うま【×縞馬】ウマの一種。全身に白と黒のしまがある。アフリカの原野に群れをなしてすむ。ゼブラ。

じ-まえ【自前】❶自分の費用などを自分で持つこと。「旅行の費用はーだ」類語 自弁。自腹。❷芸者が独立して営業すること。また、その芸者。対 抱え。

*__しま-かげ__【島影】島のすがた。「船もーも見えない」

*__しま-かげ__【島陰・島×蔭】島に隠れて見えない所。また、島の入り江などにあって外から見えない所。「ーに船をとめる」「ーの港」

しま-がら【×縞柄】しまの模様。

じ-まく【字幕】映画やテレビで、題名・配役・説明・会話などを文字で映し出すもの。特に、外国映画の会話などの翻訳を映し出したもの。スーパーインポーズ。

しま-ぐに【島国】四方が海に囲まれている国。**ーこんじょう**【ー根性】島国で外国との接触が少ないため起こる、視野が狭くこせこせした気質。

しまだ【島田】「島田髷」の略。おもに未婚の女性や花嫁などが結う日本髪。

しま-だい【島台】婚礼など、めでたい儀式に用いる飾り物。洲浜形の台の上に松・竹・梅・鶴・亀・尉・姥などを飾り、蓬萊山をかたどったもの。また、蓬萊。

し-まつ【始末】❶物事の始めと終り。また、事の成行き。顚末。いきさつ。「事のーを語る」❷最終的なありさま。〔多く悪い場合に使う〕「酔って倒れるーだ」❸《名・他サ》〔きちんと〕処理すること。しめくくりをつけること。「ごみのー」「ーをつける」「ーに負えない」❹《名・他サ》倹約して使うこと。「買い物にーして暮らす」注意「仕末」は誤り。**ーしょ**【ー書】過失をわびるために、事情を書いて差し出す文書。**ーや**【ー屋】無駄遣いをしない人。倹約家。締まり屋。

しまっ-た《感》失敗したときなどに、それを残念がって発する語。しくじった。

しま-づたい【島伝い】島から島へ渡り伝ってゆくこと。「瀬戸内海をーにまわる」

しま-ながし【島流し】❶昔、罪人を遠方の島や土地に送り居住地を制限した刑罰。遠島。流罪。流刑。❷遠い不便な土地に行かされること。〔左遷されて転勤になったときなどに使う〕「ーに遭う」

しま-ぬけ【島抜け】《名・自サ》昔、島流しの罪人がその島を抜け出たこと。また、その罪人。島破り。

しま-へび【×縞蛇】日本固有のヘビ。褐色で、背に黒い縦のしまが四本ある。無毒。

じ-まま【自×儘】《名・形動》気まま。〔古風な言い方〕「ーなくらし」類語 自分勝手。

しま-め【×縞目】しまの、色と色とのさかいめ。

しま-もの【×縞物】しまの模様を織り出した織物。縞織物。縞織り。

しま-もり【島守】〔文〕島の番人。

しま-やま【島山】❶全体が山の形をしている島。❷庭園の池の中に造った山。

しまら-な・い【締まらない】《連語》きりっとしたところがない。だらしない。「なんともーい話だ」

しまり【締(ま)り】❶ゆるみなく、ひきしまっていること。緊張。「ーがない(=肉体的にも精神的にも、たるんでいる。だらしがない)」❷とりしまり。とりしきり。「店のーをまかせる」❸戸じまり。❹倹約。しまつ。「ー屋」❺しめくくり。「ーをつける」

*__しま・る__【絞まる】《自五》首のまわりに強い力が加えられて、息ができない状態になる。「首がーる」文《四》。⇩〖使い分け〗

*__しま・る__【締まる】《自五》❶ゆるんだところがなくなる。かたくしめられる。「ひもがーる」❷からだ(の一部)がたるみのない状態にある。「ウエストがーっている」❸心がゆるみのない状態にある。緊張する。「ーっていこう」対 だらける。❹金銭のむだをなくする。倹約する。「ーった生活」❺〔取引で〕相場が堅実になる。❻〔戸・窓・門などが〕とざされる。とじられる。「ドアがーる」「店がーっている」表記 ❻は「閉まる」とも書く。対 あく。文《四》。⇩〖使い分け〗

> **使い分け**「しまる・しめる」
>
> **締まる**〔かたくしめられる。ゆるみがなくなる。広く一般に〕ひもが締まる・締まった体・生活が締まる・身が引き締まる
>
> **閉まる**〔開いていたものがとじられる〕戸が閉まる・店が閉まる・窓口が閉まる
>
> **絞まる**〔首の回りがしめつけられる〕首が絞まる
>
> **締める**(×〆)〔ひもなどをきつくしめまわして、広がらないようにする。区切りをつける。広く一般に〕帯を締める・ガス栓を締める・財布のひもを締める・出費を締める・心を引き締める・抱き締める・締め(〆)て五万円・酢で魚を締める・会を手拍子で締め(〆)る
>
> **閉める**〔開いているものをとじる〕窓を閉める・瓶の栓を閉める・ふたを閉める・店を閉める
>
> **絞める**〔しぼるようにしてしめる〕首を絞める・鶏を絞める・ネクタイで絞める・のどを絞める
>
> 参考「戸を閉める／締める」は両用されるが、前者は戸をぱたんととじる、後者は錠をかけるなどしてきちんとしめる意味合いをもつ(従って、「戸締まり」と書いても、「戸閉まり」とは書かない)。「栓をしめる」も「締／閉」が併用されるが、水道のようにねじる栓と、瓶などのふた状の栓とで「締／閉」を使い分ける(水道の蛇口をきつく締める／瓶の口を閉める)。

じ-まわり【地回り】❶都市に近い町村から物品を送ってくること。また、その物品。〔野菜・米・酒などについていう〕「ーの米」❷都市や、そのまわりの町村を

回って商売をする・こと〈人〉。❸その土地に住みつき、盛り場などをうろつくならず者。

じ・まん【自慢】《名・他サ》自分で自分のことや自分に関する事柄をほこらしげにいばって見せること。「家柄を―する」参考 接尾語的にも使う。「腕―」「のど―」類語 自負。自賛。 ―たらし・い《形》いかにも自慢しているようすである。「―・く子供のことを話す」

しまんろくせん・にち【四万六千日】七月一〇日の観世音菩薩の縁日。この日に参詣すると、四万六〇〇〇日参詣したのと同じ功徳があるといわれる。

*しみ【▽凍み】こおること。また、きびしい寒さ。「―豆腐」「たいそう―が強い」

*しみ【染み】❶液体などがしみこんでできた汚れ。また、汚点。不名誉。「ズボンの―をぬく」「経歴に―がつく」❷皮膚にできる茶色の斑点。

*しみ【▽紙▽魚・▽衣▽魚】シミ科の昆虫。はねがなく、全身銀白色の鱗粉でおおわれている。体長約一センチ。書物・衣類などののりを食いあらす。

*じ・み【滋味】〔文〕❶深みのあるうまい味わい。「―に富む料理」❷心を豊かにする、芸術作品などの深い味わい。「―掬すべし」「―にあふれた作品」

*じ・み【地味】《形動》〔物の外観・色あいや、性格・行動などが〕ひかえめで落ちついているようす。「―な色柄」「性格が―だ」類語 質素。対 派手。

しみ・い・る【染み入る】《自五》深くしみとおる。しみこむ。「心に―・る話」

しみ・こ・む【染み込む】《自五》深く中までしみる。しみとおる。しみいる。「冷気が肌に―・む」

しみ・じみ《副》(「―と」の形も)❶心の底から深く感じるようす。「―と絵に見入る」❷〔話などを〕静かに落ち着いてするようす。「思い出を―と語る」類語 しんみり。

し・みず【〈清水〉】地中や岩の間からわき出るきれいな水。「山の―」

じ・みち【地道】《形動》(「普通の速さで歩く」「馬を並み足で進ませる」意から)あぶない事や変わった事などをせず物事を堅実にするようす。「―な努力」「―に暮らす」「―に稼ぐ」類語 地味。着実。質素。

しみ・つ・く【染み付く】《自五》❶におい・色・汚れなどがついて、容易にとれなくなる。そまりつく。「汚れが―・く」「石油のにおいが―・く」❷〔悪い〕習慣が身について、とれなくなる。「貧乏性が―・く」

しみ・っ・たれ《名・形動》〔俗〕物おしみをする・こと〈人〉。「あいつは―だ」

しみ・どうふ【▽凍み豆腐】→こうやどうふ。

しみ・とお・る【染み▽透る】《自五》❶〔液体などが〕中までしみこむ。「寒さが骨の髄まで―・る」❷〔ある思想・信念などが〕心の奥まで入りこむ。

しみ・ぬき【染(み)抜き】〔薬品などを使って〕布地や衣服についたしみを取り去ること。また、それに使用する薬品など。「服の―をする」

*し・みゃく【支脈】山脈・鉱脈・葉脈などで、大もとから分かれたもの。分脈。「金山の―」対 主脈。

*し・みゃく【死脈】❶死に近づいたときの、弱い脈拍。❷鉱物の出なくなった鉱脈。

シミュレーション コンピューターなどで、実際の現象に似たモデルを作って実験・研究すること。模擬装置を使って飛行士・運転士などの訓練をするなど。「―ゲーム」▽simulation 注意「シュミレーション」は誤り。

シミュレーター シミュレーションに使う機器・装置。▽simulator

し・みょう【至妙】《名・形動》〔文〕〔技芸などが〕この上なく巧みなこと。極妙。「―のわざ」類語 巧妙。

*し・みる【▽凍みる】《自上一》きびしい寒さのために、ものがこおりつく。また、こおりつくように寒く感じる。「道路が―・みる」文 し・む《上二》。

*し・みる【染みる】《自上一》❶液体・においなどが物の中に吸い取られるように通ってはいる。「雨が上衣に―・みる」類語 染み込む。染み透る。染み入る。染み渡る。浸透。❷痛いほどの刺激がからだ(心)をつき通る。「心に―・みる悲しい話」「目に―・みる」❸よくない影響を受けて、そのようになる。そまる。「悪習に―・みる」参考 文語は古くは四段活用であった。表記 物にしみ入る意では「滲」「浸」、心にしみる意では「沁」、物からしみ出る意では「泌」を用いることが多い。また、「染」は一般に広く用いる。文 し・む《上二》。

じ・みる【染みる】《接尾》《名詞について上一段動詞をつくる》❶「しみこむ」「しみつく」意を表す。「汗―・みる」❷《多く、好ましくないことの意に使う》「…らしく見える」「…のようになる」意を表す。「年寄り―・みる」

しみ・わた・る【染み渡る】《自五》❶〔液体などが〕すみずみまでしみて広がる。「五臓六腑に酒が―・る」❷〔思想などが〕すみずみまで行きわたる。

*し・みん【×嗜眠】高熱や高度の衰弱などのため、強い刺激を与えても目ざめない状態。

*し・みん【四民】江戸時代の、士・農・工・商の四つの階層。転じて、すべての階層の人。「―平等」

*し・みん【士民】〔文〕❶武士と庶民。❷士族と平民。

*し・みん【市民】❶市に住んでいる人。「鎌倉―」❷国政に参加できる権利・資格をもつ国民。公民。❸〔西洋史で〕ブルジョア。中産階級。 ―かいきゅう【―階級】ブルジョアジー。 ―けん【―権】❶市民としての思想・財産・職業・信仰・居住の自由が保障され、国政に参加することのできる権利。❷世に広く認められること。「この言葉はすでに―を得た」

*し・む【染む】《自五》〔文〕染みる。「寒風が身に―・む」文《四》。

*しむ《助動：下二型》文語《口語助動詞「しめる」の文語形》❶使役を表す。…させる。「私をして言は**しむれ**ば…」❷〔他の尊敬語とともに用いて〕動作主に対する尊敬を表す。「な**さしめ**給ふ」「取ら**しめ**給ふ」

*じ・む【事務】とりあつかう仕事。つとめ。特に、書類の作成や計算など、おもに机の上で処理する仕事。「会社で―をとる」 ―かん【―官】国の行政機関で、一般行政事務を担当する役人。 ―じかん【―次官】各省や大臣が長である各庁で、大臣を助け、各部局・機関の事務を監督する国家公務員。 ―てき【―的】《形動》感情をまじえず、規定どおりに物事を行うようす。「―に話す」

*じ・む【寺務】〔文〕寺の事務(を扱う人)。「―所」

*ジム ボクシングの練習場。▽gym(=体育館)

し・む・ける【仕向ける】《他下一》❶人を、ある特定の行動をする気持ちにさせる。働きかける。「勉強するように―・ける」❷商品などを人にあてて送る。

じ・むし【地虫】❶コガネムシ・クワガタムシなどの幼虫。ウジムシに似る。土や堆肥の中にすみ、植物の根を食べる。根切虫。❷地中にすむ虫の総称。

*しめ【▽標・▽注▽連】❶場所を限るため、木を立てた

り、なわを張ったりしてする、しるし。❷しめなわ。

***しめ【締め】** ㊀《名》❶合計。総計。「一月分の―はいくらか」❷手紙の封に書く「〆」のしるし。封。緘。㊁《助数》❶束にした紙をかぞえる語。一しめは二〇〇〇枚。❷たばねたものをかぞえる語。たば。

***し-めい【使命】** 使者として与えられた任務・命令。また、与えられた重要な任務。「―を帯びる」「―感」

***し-めい【指名】** 《名・他サ》〔ある仕事・職務などをするように〕特定の人の名を指定すること。名ざし。「議長に―する」 **―だしゃ【―打者】** 野球で、投手に代わって打席に立つ打撃専門の打者。参考「DH」ともいう。 **―てはい【―手配】** 《名・他サ》警察が、犯人の名を広く知らせて、つかまえる手配をすること。

***し-めい【死命】** 死といのち。死ぬか生きるか。「―を制する(=生き死にをきめるような急所をおさえる)」

***し-めい【氏名】** 名字と名まえ。姓名。

じ-めい【自明】 《名・形動》あらためて証明するまでもなく、明らかなこと。「身の潔白は―だ」「―の理」

しめ-かざり【▽注▽連飾り】 〔正月などに〕しめなわをかざること。また、その物。

しめ-がね【締(め)金】 帯・ひもなどの一端に取りつけて締める金具。尾錠。「ベルトの―」

しめ-きり【締(め)切(り)】 ❶〔窓・扉などを〕しめたままにすること。「―の戸」❷期日をきめて物事を打ち切ること。また、その期日。「原稿の―」表記①は「閉(め)切(り)」、②は「〆切」とも書く。

しめ-き・る【締め切る】 《他五》❶〔窓・扉などを〕すっかり閉じる。全部しめる。また、長くしめたままにする。「窓を―・る」「部屋を―・る」❷〔募集・受け付けなどを〕打ち切りにする。終わりにする。「申し込みを―・る」表記①は「閉め切る」、②は「〆切る」とも書く。

しめ-くく・る【締め▽括る】 《他五》❶〔長く続いた物事の〕まとまりをつける。結末をつける。「話を短く―・る」❷監督する。取りしまる。「若者を―・る」

しめこ-の-うさぎ【占め子の×兎】 物事が思いどおりになったことを表す言い方。参考「うまくいった」の意の「しめた」を「ウサギを絞める」にかけたしゃれ。感動詞的に用いることが多い。

しめ-こみ【締(め)込み】 力士がしめるまわし。

しめ-ころ・す【絞め殺す】 《他五》首をしめて殺す。絞殺する。「ひもで―・される」類語(る)(す)絞首。扼殺。

しめ-さば【締(め)×鯖】 三枚におろして塩をふり、酢をしみ込ませた、サバの身。

しめし【示し】 ❶神仏のさとし。「キリストのお―」❷手本としての教え。戒め。また、他に対するみせしめ。「―がつかない(=しつけるための見本にならない)」

しめ-じ【湿地・占地】 キシメジ科のキノコ。秋、山林中の湿地に群がってはえる。茎は白色で、かさは灰色。食用。ほんしめじ。

しめし-あわ・せる【示し合わせる】 《他下一》❶前もって相談しあう。「―・せて逃げ出す」❷たがいに合図して知らせあう。同①②示し合わす。

しめ-しめ 《感》物事が思いどおりに運んだことを喜んで言う語。「―うまくいった」参考「しめた」の略「しめ」の畳語。

じめ-じめ 《副・自サ》《副詞は「―と」の形も》❶不快にしめっているようす。「―した空気」❷〔性格などが〕陰気で、はっきりしないようす。「―した性格」

***しめ・す【湿す】** 《他五》〔少し〕水分を含ませる。「タオルを―・す」「一筆―・す(=手紙を書く)」湿らせる。類語ぬらす。うるおす。文《四》。

***しめ・す【示す】** 《他五》❶実際に出して見せる。「定期券を―・す」「実物を―・す」❷指さして教えたり、記号・表情・しぐさなどによって表して見せたりする。「方向を―・す」「答えを―・す」「難色を―・す」文《四》。

しめ-た 《感》《「占める」の連用形＋「た」》物事が自分の思いどおりになって喜ぶとき思わず発する語。「―、きっとうまくいくぞ」類語しめしめ。

しめ-だか【締(め)高】 合計した額。総額。合計高。表記「〆高」とも書く。

しめ-だ・す【締め出す】 《他五》❶〔門・戸・とびらなどをしめて〕外の者を中へ入れないようにする。「遅刻した者を―・す」表記①は、「閉め出す」とも書く。❷〔外部の者を〕仲間に入れないようにする。また、仲間はずれにする。「部外者を―・す」

し-めつ【死滅】 《名・自サ》死に絶えること。死んで滅びること。「ニホンオオカミは―した」

じ-めつ【自滅】 《名・自サ》❶自然に滅びること。❷自分がしたことがもとで、滅びること。「エラーで―する」

じめ-つ・く 《自五》❶湿気が多くてじめじめする。「たたみが―・く」❷〔性格などが〕陰気で明るさがない。

しめ-つ・ける【締め付ける】 《他下一》〔動いたりゆるんだりしないように〕強く締める。また、圧迫する。おさえつける。「厳しい管理で―・ける」

しめ-っ-ぽ・い【湿っぽい】 《形》❶湿りけがある。「部屋が―・くて気持ちが悪い」❷気分が沈んで、陰気である。「―・い話はやめよう」

しめ-て【締めて】 《副》〔数量・金額などを〕合計して。都合。「―五〇〇〇円」表記「〆て」とも書く。

しめ-なわ【▽注▽連縄】 神前などに不浄なものの侵入を避けるためにはる縄。しめ。表記「標縄」「七五三縄」とも書く。

しめ-やか 《形動》❶ひっそりとしてもの静かなようす。「―に降る雨」❷悲しみに気分が沈んでいるようす。「―な葬儀の列」

しめり【湿り】 ❶水分をふくむこと。湿気。うるおい。「―を帯びる」類語湿潤。多湿。❷→おしめり。

しめり-け【湿り気】 湿気。〔わずかな〕水分。

***しめ・る【湿る】** 《自五》❶少し水気を含む。湿気を帯びる。「―・った空気」「布が―・る」類語ぬれる。うるおう。じめつく。じとつく。湿気る。湿る。べとつく。(る)(す)しっとり。じっとり。じとじと。じめじめ。❷活気がなく、意気があがらなくなる。「打線が―・る」「―・った雰囲気」文《四》。⇩〔類義語の使い分け「濡れる」〕

***し・める【占める】** 《他下一》〔その場所・地位・物などを〕自分の所有とし、そこをふさぐ。占有する。占拠する。「中央に場所を―・める」「首席を―・める」「さびしさが心を―・める」文し・む《下二》。

***し・める【絞める】** 《他下一》❶首のまわりに強く力を加えて、息ができないようにする。「首を―・める」❷ニワトリなどの首をひねって殺す。「鶏を―・める」文し・む《下二》。⇩〔使い分け〕

***し・める【締める】** 《他下一》❶ひも状・帯状のものを・巻きつけて〔強く結んで〕、ゆるまないようにする。「勝ってかぶとの緒を―・めよ」「帯を―・める」❷ねじったり押さえつけたりして、ゆるまないようにする。「水道の栓を

ー・める」❸強く押さえつけて苦しめる。「腕をー・める」❹心のゆるみをなくさせる。「気持ちをー・めてかかる」❺金銭のむだがないようにさせる。倹約させる。「出費をー・める」❻〔戸・窓・門などを〕とざす。とじる。「窓をー・める」「店をー・める」表記⑥は「閉める」とも書く。対あける。❼その時点で打ち切って、金銭の合計を出す。「売り上げを月末でー・める」表記⑦は「〆る」とも書く。❽しめくくりがついたのを祝って、一同で手を打つ。「本日の会はこのへんでー・めます」文し・む《下二》。

***しめる**《助動：下一型》主に「…させる」の意。〔文語的な、あるいは形式的な感じの文章に使う〕「私に言わしめれば…」「人に不快を感ぜ**しめる**」「軽率のしから**しめる**ところ」接続主に五段・サ変動詞の未然形につく。サ変の場合は「せしめる」の形となる。
⇩〖使い分け「しまる・しめる」〗

***し-めん【四面】**❶四つの面。四方の面。「ー体」❷四つの方面。まわり。「ーを敵に囲まれる」類語周囲。❸奥行きと間口との長さが等しいこと。「一間ー」

ーそか【ー楚歌】まわりがすべて敵で、完全に孤立すること。反対者ばかりで、ひとりも味方や助けがないこと。故事漢の高祖が軍中で楚の歌を歌わせたので、包囲された楚の項羽は、楚はすでに漢に降伏して自分は孤立したと思い嘆いたことから。〈史記・項羽本紀〉類語孤立無援。

***し-めん【紙面】**❶紙の表面。特に、新聞記事が印刷されている紙の面。紙上。「ーをにぎわす」表記雑誌の場合は「誌面」と書く。❷手紙。書面。

じ-めん【地面】❶大地の表面。じべた。「でこぼこのー」類語地表。❷〔建築・耕作などをする〕土地。

ーし【ー師】他人の土地をごまかして売買するさぎ師。

***しも【下】**❶〔上(かみ)・源などからへだたった〕低い方。下の方。㋐川の下流。㋑腰から下の部分。特に、陰部。「ーの病」㋒大小便。「ーの世話」❷中心部からはなれたところ。㋐都から遠い方。〔古い用法で、現在では地名などに残っている〕「ーの村」㋑唐の都(みやこ)長安および京都で、御所の南の方。「ーの京」❸〔ひとつづきの〕物事の後の部分。㋐文章の後続の部分。「この文のーに述べる」㋑和歌の後半の二句。下(しも)の句。㋒ある期間のうち後半の部分。「ー半期」❹身分・地位などの系列の中で低い方(にいる人)。㋐〔君主に対して〕人民。㋑〔雇い主に対して〕使用人。「上(かみ)は主人からーは召使まで」㋒〔奥向きに対して〕台所。「ー女中」㋓下座。末席。「ーにすわる」❺舞台で、客席から見て左の方。下手(しもて)。対①〜⑤上(かみ)。

***しも【霜】**❶地面や物の表面に生ずる、細かい氷の集まり。空気中の水蒸気が地面や物にふれてこおったもの。「ーがおりる」類語霜柱。霜の花。霜畳(しもだたみ)。❷白髪(しらが)。「かしらにーをおく」

***し-も**《係助》文語《強意の間投助詞「し」＋係助詞「も」》❶上に来る語・文節をとり立てて強める。「今はしもかぎりと見るにをさな顔あなあざやかに笑顔とはすや〈空穂〉」参考口語には、「だれしも」「今しも」「折しも」「ましも」などの形で残る。❷〔下に打ち消しの語を伴い〕部分的否定を表す。「それとしも見えず」参考口語では、「必ずしも」の形で使う。

しもいちだん-かつよう【下一段活用】国語の動詞の活用形式の一つ。語尾変化が、五十音図のエ段だけに終始するもの。文語では「蹴(け)る」の一語。口語では「出る」「受ける」など。参考文語の下二段活用の語が、口語では下一段活用となる。

しもうさ【下▽総】旧国名の一つ。今の千葉県の北部と茨城県の南西部。しもつさ。しもつふさ。

しも-がか・る【下掛かる】《自五》〔下半身に関する意から〕話が下品でみだらな方面のことになる。

しも-がこい【霜囲い】ーがこい。しもよけ。

しも-がれ【霜枯れ】霜のために、草木が枯れしぼむこと。「ーの野原」

ーどき【ー時】❶草木が霜枯れてさびしい景色になる時節。❷年の暮れなどの、商売の景気の悪い時節。

しも-き【下期】〔会計年度などで〕一年を二期に分けたときの後の半期。下半期。後期。対上期。

***じ-もく【耳目】**〔文〕❶耳と目。転じて、聞くことと見ること。見聞。視聴。「ーを広める」❷多くの人々の注意・関心。「世界のーを集める事件」類語注目。

***じ-もく【除目】**平安時代、大臣以外の各官職を任命した儀式。春の県召(あがためし)と秋の司召(つかさめし)の二回。

しも-ごえ【下肥】人の大小便を肥料としたもの。

しも-ざ【下座】地位の低い者がすわる座席。末席。末座。下座(げざ)。対上座(かみざ)。

しも-じも【下下】支配者階級ではない、一般の人民。〔古風な言い方〕「ーの生活」

しもた-や【しもた屋】《「仕舞うた屋」の転》❶商売をやめた家。❷市街中で、商店でない普通の家。

しも-つき【霜月】〔雅〕陰暦一一月。参考太陽暦の一一月にも言う。

しもつけ【下▽野】旧国名の一つ。今の栃木県。野州(やしゅう)。

しも-て【下手】❶下の方向・場所。したて。❷〔風・川の〕流れて行く方。したて。対①②上手(うわて)。❸舞台で、観客席から見て左の方。対①〜③上手(かみて)。

じ-もと【地元】❶そのことや人に直接関係のある土地・地方。その土地。「ーのファンの歓迎をうける」❷自分の住んでいる土地。「ーの発展のために尽くす」❸その人の勢力範囲である地域。「ーの票を集める」

しも-どけ【霜解け・霜▽融け】気温があがって〔地面の〕霜がとけること。「ーの道」

しもにだん-かつよう【下二段活用】国語の文語動詞の活用形式の一つ。五十音図のエ・ウ二段にわたって語尾変化するもの。「出(い)づ」「越ゆ」「捨つ」など。参考口語では下一段活用となる。

しも-ねた【下ねた】〔俗〕性にかかわる下品な話題。

じ-もの【地物】その土地の産物。〔おもに食べ物について言う〕「ーの大根」

しも-の-く【下の句】短歌で、後半の七・七の二句。しも。対上(かみ)の句。

しも-ばしら【霜柱】冬、土の中の水分がこおって、氷が細い柱状になって並んだもの。

しも-はんき【下半期】一年を二期に分けたときの後の方の期。下期(しもき)。対上半期。

しも-ぶくれ【下膨れ・下▽脹れ】顔の下の方が、肉づきがよくてふくらんでいること。また、その顔。

しも-ふり【霜降り】❶霜がおりること。❷白い細かい斑点(はんてん)のある模様(の布地)。❸脂肪が白い斑点状に細かく入りまじっている、上等の牛肉。❹魚や貝や鳥の肉に熱湯をかけ白くして刺身にしたもの。

しも-べ【▽僕・下▽部】〔身分の低い者の意〕召使。

しも-やけ【霜焼け】寒さのために手・足・耳などに部

分的に起こる皮膚血管の麻痺。血のめぐりが悪くなり、かゆくなる。しもくち。しもばれ。凍瘡。

しも‐やしき【下屋敷】 江戸時代、大名が江戸の郊外や町はずれに作った別邸。㊜上屋敷。

しも‐よ【霜夜】 霜のおりる寒い夜。

しも‐よけ【霜▽除け】 農作物や庭木などを霜の害から防ぐため、わら・よしずなどで覆いをかけること。また、その覆い。しもがこい。

＊**し‐もん【指紋】** 手の指先の内側の皮膚にある、多くの線から成る紋様。また、その跡。「―を採る」「―を照合する」参考 同形のものは二つとなく、一生不変のため個人の識別に使われる。

＊**し‐もん【試問】**《名・他サ》〔学力などを知るため〕質問して試験すること。また、その質問。「口頭―」

＊**し‐もん【諮問】**《名・他サ》〔下位のものに〕相談して意見を求めること。特に、政府などが政策決定に先立って、その専門的見解を学識経験者などに相談すること。「総理大臣の―機関」類語 諮詢。㊜答申。

＊**じ‐もん【地紋】** ❶布地に織り(染め)出した模様。❷工芸品・印刷物などの、地に描いた模様。

＊**じ‐もん【寺門】** 寺の門。転じて、寺。

＊**じ‐もん【自問】**《名・他サ》自分で自分の心に問いかけること。**―じとう【―自答】**《名・他サ》自分の問いに自分で答えること。

し‐や【視野】 ❶一目で見わたせる範囲。視界。眼界。「頂上にでると―がひらけた」❷ものを見、考えることのできる範囲。識見。「―が広い人」❸〔望遠鏡・顕微鏡などで〕レンズにうつって見える範囲。

＊**しゃ【者】**《接尾》「…する人」「…である人」の意。「参会―」「出席―」類語 人。

＊**しゃ【車】**《接尾》「くるま」の意。「高級―」「人力―」

＊**しゃ【舎】** ㊀《名》「寄宿舎」の略。「―にもどる」㊁《接尾》家・商店・建物などの名にそえる語。「落柿―」

＊**しゃ【斜】** ななめ。はす。

―に構・える《句》❶刀を斜めに構える。❷改まって身構える。❸〔物事にまともに対処しないで〕皮肉やからかいの気持ちをもってのぞむ。「―・えて人生を送る」

＊**しゃ【社】** ❶やしろ。ほこら。神社。❷「会社」「新聞社」などの略。「―を出る」

＊**しゃ【×紗】** 目があらく、軽くて薄い、生糸の織物。夏羽織・かやなどに用いる。紗織り。うすぎぬ。

＊**じゃ【蛇】**〔文〕大きなヘビ。おろち。うわばみ。

―の道は蛇《句》同類のものは互いにその同類のする(悪い)ことによく通じているたとえ。

―は一寸にして人を呑む《句》すぐれた人は幼少から常人とは違ったところがあるたとえ。類語 竜は一寸にして昇天の気あり。栴檀は双葉より芳し。

＊**じゃ【邪】**〔文〕よこしまで正しくないこと。㊜正。

＊**じゃ**《接続》《接続詞「では」がなまった形》それなら。それでは。「―さようなら」「―次に進もう」

＊**じゃ**《助動・形動型》「だ」の古風で方言的な言い方。「これが娘のお光じゃ」「そうじゃ、そのとおりじゃ」

＊**じゃあ**《連語》《「では」の転》❶《「で」は、接続助詞「て」が撥音便の関係で「で」となったもの》「では㊀②」の意の口頭語。じゃ。「死んじゃあだめだよ」参考「ては」から転じたものは、「ちゃ(あ)」となる。「見なくちゃ(あ)損だ」❷《「で」は断定の助動詞「だ」の連用形、または格助詞「で」》「では㊂」の意の口頭語。じゃ。「きっと喜ぶのじゃあないか」「こんな安物じゃあいやだ」

＊**ジャー** 魔法びんと同じ構造をもった口の広い容器。類語 ポット。▽jar(=水差し)

じゃ‐あく【邪悪】《名・形動》心がねじけていて悪いこと。よこしま。「―なふるまい」「―な心」㊜正善。

シャークスキン ❶表面を、鮫の皮のようにざらざらに仕上げた織物。❷対照的な二種の色糸を綾織りにした毛織物。▽sharkskin(=鮫の皮)

ジャージー ❶細い毛糸でメリヤス編みに厚く編んだ洋服地。❷メリヤス編みのスポーツシャツ。また、特に、サッカー・ラグビーのユニホームのシャツ。❸イギリスのジャージー島産の乳牛。▽①② jersey ③ Jersey

しゃあ‐しゃあ《副・自サ》《副詞は「―と」の形も》ずうずうしくかまえて、恥を知らないようす。あつかましいようす。「失敗しても―としている」

ジャーナリスチック《形動》新聞・雑誌・放送などのマスコミにかかわるようす。「―な話題」▽journalistic

ジャーナリスト ジャーナリズムの仕事にたずさわる人。新聞・雑誌・ラジオ・テレビなどの記者・編集者・寄稿家など。「国際―」▽journalist

ジャーナリズム 新聞・雑誌・ラジオ・テレビなど、活字や電波を媒体とする報道その他の伝達活動、およびその経営体。また、その世界。▽journalism

ジャーナル 新聞・雑誌など、報道を中心にする定期刊行物。▽journal

シャープ ㊀《形動》鋭いようす。鋭敏なようす。直截的・鋭角的なようす。「―な頭」「―な(=鮮明な)映像」㊁《名》❶半音あげる記号。嬰記号。「♯」。㊜フラット。❷「シャープペンシル」の略。▽sharp **―ペンシル** しんを繰り出して使う鉛筆。シャープ。シャーペン。▽ever-sharp pencil から。

シャーベット 果汁に砂糖・ゼラチン・くえん酸・香料などを加えてまぜ、凍らせた氷菓子。▽sherbet

シャーマニズム シャーマン(=呪師・みこ)が神がかりの状態になってする予言や託宣を信じる原始的宗教。シャマニズム。巫術。▽shamanism

シャーリング 洋裁で、布地を縫い縮めて模様を浮き上がらせたり、陰影を出したりすること。▽shirring

シャーレ 細菌の培養などに用いる底の浅いガラス製のふたつき容器。ペトリ皿。結晶皿。▽ドイツ Schale

＊**しゃ‐い【謝意】**〔文〕❶感謝の心。感謝の念。「御指導に―を表する」❷あやまる気持ち。おわびの心。「事故に対して深く―を表します」

＊**シャイ**《形動》内気なようす。「―な男性」▽shy

ジャイアント ❶巨人。大男。❷人並みはずれたすぐれた能力をもつ人。偉人。▽giant

ジャイロコンパス ジャイロスコープを利用した羅針儀。回転羅針儀。▽gyrocompass

ジャイロスコープ 自由な回転方向をとれるようにした、こま。こまを高速回転させると、台がどのように傾いてもこまの回転軸の方向は変わらない。羅針儀や船体の動揺防止に利用。回転儀。▽gyroscope

しゃ‐いん【社員】 ❶社団法人を構成する人。「赤十字社の―」❷会社に籍のある人。「新入―」

じゃ‐いん【邪×淫】〔文〕❶よこしまでみだらなこと。❷社会通念として認められない、みだらな情事。「―の道」「―戒」参考 仏教では五戒・十悪の一つ。

じゃ‐う《連語》《「でしまう」の転。「で」は、接続助詞「て」が撥音便の関係で「で」となったもの》「…てしまう」の意の口頭語。…じまう。〔東日本的な言い方〕「つれなくすると死ん―・うから」「もう読ん―・ったの」[参考]「てしまう」から転じたものは、「ちゃう」となる。「とっくに食べちゃったよ」

しゃ・うん【社運】 会社の運命。「―を賭けた企画」

***しゃ・えい【射影】** 《名・他サ》❶物体の影をうつすこと。また、その影。投影。❷〔数〕平面α上に図形Fがあるとき、α上にない一点Sと、Fを構成している一つ一つの点を結ぶ直線をすべて作ること。

***しゃ・えい【斜影】** 〔文〕ななめにうつる影。

しゃ・おく【社屋】 会社の建物。

***しゃ・おん【謝恩】** 《名・自サ》〔日ごろ受けた〕恩に感謝すること。「―セール」「―会」

***しゃ・おん【遮音】** 《名・自サ》〔壁などで〕音をさえぎること。「―装置」

しゃか【▽釈×迦】 ❶古代インドの種族の名。[参考]梵語Śākya(＝能力ある人)の音訳。❷「釈迦牟尼」の略。❸→おしゃか。**―さんぞん【―三尊】** 中央に釈迦、左右に文殊菩薩・普賢菩薩を配した三つの像。**―むに【―×牟尼】** 仏教の開祖。釈尊。ゴータマ＝シッダルタ。**―に説法** 《句》すでによく知りつくしている人に対して教えを説くおろかさのたとえ。

じゃが 「じゃがいも」の略。「お―」「新―」

ジャガー ネコ科の哺乳動物。ヒョウに似た猛獣で、斑紋がヒョウより大きい。北米南部から中南米にすむ。アメリカひょう。▽jaguar

ジャカード 紋織機で織った複雑な模様の紋織物。[参考]紋織機の発明者の名から。▽jacquard

しゃ・かい【社会】 ❶何らかの結びつきによって寄り集まり共同生活をする人々の集団。「地域―」「資本主義―」[参考]人間以外の動物の集団を人間の社会になぞらえていうことがある。「ミツバチの―」❷一般の人々と異なり、自分たちだけが同類であるという意識を持つ人々の集団。「学者の―」❸独り立ちして実生活をする場。世の中。世間。「―に出る」「―の荒波にもまれる」**―あく【―悪】** 社会がその内に含み持つ矛盾から生じる悪弊・害悪。貧困・犯罪など。「―と戦う」**―うんどう【―運動】** ❶社会制度の欠陥など、社会上の問題を解決しようとする組織的な活動。❷社会主義運動。**―か【―科】** 小・中・高等学校の教科の一つ。社会人として必要な知識や社会生活に適応する能力などを身につけるための教科。**―かがく【―科学】** 人間の現実的な活動から成り立っている社会の現象を研究対象とする科学の総称。経済学・法学・社会学・政治学など。[参考]自然科学・人文科学と区別されるが、人文科学との境界は必ずしもはっきりしない。**―きょういく【―教育】** 社会人として必要な事柄について、学校教育以外で行われる組織的な教育活動。実社会に働く一般社会人を対象とする。**―じぎょう【―事業】** 社会福祉に関する事業。**―しゅぎ【―主義】** 土地や資本などの生産手段を社会全体が共同で持ち、富を民主的に分配して貧富の差がない平等な社会を作ろうとする思想。**―じん【―人】** ❶社会の成員としての個人。❷実社会で活動する人。**―せい【―性】** ❶集団を作って生活しようとする人間本来の性質。[類語]社交性。❷社会生活と密接な関係を持っている性質・傾向。「―のあるドラマ」**―てき【―的】** 《形動》社会に関係があるようす。「―な責任」**―ふくし【―福祉】** 国民生活の向上と幸福を目的とするさまざまな方策。特に、めぐまれない人々の救済・援護・厚生をはかること。「―事業」**―ほけん【―保険】** 労働者などの事故に際して、本人または家族の生活を保障するための公共的な保険。法律により、強制的に加入させられる。健康保険・厚生年金保険・雇用保険など。**―ほしょう【―保障】** 国民のすべてが健康で文化的な生活をおくれるように、国家が国民の生活を保護し保障する制度。**―めん【―面】** 新聞で、社会の一般的な出来事を載せる紙面。三面。

> **類義語の使い分け　社会・世界**
>
> [社会・世界] 歌舞伎の社会(世界)／政治家たちの社会(世界)／動物の社会(世界)
>
> [社会] 大学を卒業して社会に出る／日本はまだ学歴社会だ／社会人になる／社会的信用を得る
>
> [世界] 世界で最も高い山／私とあなたとでは住む世界が違います／未知の世界に挑む／世界的な作家

じゃが・いも【じゃが芋】 《「ジャガタラ芋」の略》ナス科の多年草。根茎はにぎりこぶしぐらいの大きさで澱粉に富み、食用。馬鈴薯。[参考]ジャガタラ(＝インドネシア共和国の首都ジャカルタの古称。またはジャワ島)から渡来したのでいう。

しゃ・かく【社格】 ❶神社の格式。[参考]昔、官幣社・国幣社などの別があった。❷会社の格式・品格。

じゃ・かご【蛇×籠】 円筒状のかごに石を詰めたもの。河川の護岸・水流の調節などに用いる。

蛇　籠

しゃが・む 《自五》ひざと腰を曲げ低い姿勢になる。かがむ。うずくまる。「道ばたで―・む」[文]《四》。

しゃかりき 《形動》〔俗〕仕事に打ち込んでいるようす。「―に働いている」[類語]がむしゃら。大車輪。大童。

しゃがれ・ごえ【×嗄れ声】 しわがれ声。かすれ声。

しゃが・れる【×嗄れる】 《自下一》《「しわがれる」の転》声がかすれる。「風邪で声が―・れる」

しゃ・かん【舎監】 寄宿舎の監督をする人。

***しゃ・がん【斜眼】** 〔文〕❶横目でみること。❷やぶにらみ。斜視。

***しゃ・がん【×赭顔】** 〔文〕あからんだ顔。あからがお。

じゃ・かん【蛇管】 放熱または吸熱のため、らせん状にまげて面積を大きくした管。蒸気などを通す。

しゃかん・きょり【車間距離】 前後して走る車の間のへだたり。「―をとる」

しゃ・き【社旗】 その会社のしるしの旗。

しゃ・ぎ【謝儀】 〔文〕謝意をあらわす・こと(贈り物)。

じゃ・き【邪気】 ❶昔、病気の原因となると信じられた悪い気。「―を払う」❷悪意のある気持ち。悪気。「子供のように―がない」[類語]邪心。邪念。

シャギー 毛足の長い毛織物。▽shaggy

しゃき・しゃき 《副》《副詞は「―と」の形も》❶《自サ》明朗・活発な動作で、てきぱきと物事を行ってゆくようす。「―と仕事を片づける」❷《自サ》物をかむときの歯ざわりのよいようす。また、その音の形容。❸軽快に物を切りきざんでゆくようす。また、その音の形容。

しゃきっ・と 《副・自サ》❶気持ちがすっきりとして元気

が出てくるようす。「顔を洗いーする」❷歯ごたえのあるさわやかな感じの形容。「ーした歯ざわり」❸〔姿・態度などが〕きちんとしていて気持ちのいいようす。「背筋をーのばす」また、粋で、ひきしまっているようす。

しゃ-きょう【写経】《名・自他サ》経文を書き写すこと。また、書き写した経文。「供養のためにーする」

しゃ-ぎょう【社業】会社の事業。「ーが発展する」

じゃ-きょう【邪教】〔人心をまどわしたり、社会道徳に反したりする〕不正な宗教。邪宗。参考 他の宗教を異端として非難するときにも使う。

じゃ-きょく【邪曲】《名・形動》〔文〕心がねじけていること。不道徳。不正。よこしま。対 正教。

しゃぎり 歌舞伎で、最後の幕を除き、各幕の終わりごとに笛・太鼓・大太鼓などで演奏するはやし。

しゃ-きん【謝金】謝礼のおかね。礼金。

し-やく【試薬】❶化学分析で、ある物質が含まれているかどうかをしらべるために使う薬。フェノールフタレインなど。❷試しに使う見本薬。

***しゃく【勺】**《助数》❶尺貫法の容積・容量の単位。升の一〇〇分の一。合の一〇分の一。一勺は約〇・〇一八リットル。❷尺貫法の土地の広さの単位。坪の一〇〇分の一。一勺は、約〇・〇三三平方メートル。＝勺。

***しゃく【尺】**■一《助数》尺貫法の長さの単位。一尺は一〇寸。尺。参考 かね尺とくじら尺とがあり、かね尺の一尺は約三〇・三センチ、くじら尺では約三七・九センチ。■二《名》❶長さ。たけ。身長。❷ものさし。〔職人などが言う〕「ーを取る(＝ものさしで長さを測る)」

***しゃく【×杓】**水などをくむ、長い柄のついた道具。ひしゃく。

***しゃく【爵】**❶古代中国で、諸侯の世襲的階級。❷日本で、もと華族の世襲的階級。参考 公・侯・伯・子・男の五階級で、昭和二〇年に廃止された。

***しゃく【×癪】**❶腹・胃などに起こる激しい痛み。胃けいれんなど。さしこみ。〔古い言い方〕「持病のーがおこる」❷《名・形動》不愉快で、腹がたつこと。「ーの種」ーに障・る《句》腹が立つ。類語 癇にさわる。

***しゃく【×笏】**昔、束帯を着るときに右手にもった、長さ一尺二寸(約三六センチ)の細長い板。今日では神主などが使用する。参考「笏」の音「こつ」が「骨」に通じるのをきらって、その長さを表す「尺」の音を借りたもの。

***しゃく【酌】**酒(特に日本酒)をつぐこと。「ーをする」

***しゃく【釈】**《接頭》〔釈迦の弟子であることを表すため〕僧が名の上につけて姓として用いる語。「ー空海」

***しゃく【×錫】**「錫杖」の略。

じ-やく【持薬】常用の薬。

***じゃく【弱】**■一《接頭》「よわい」意。「ーアルカリ性」■二《接尾》数を表す語につけて端数を切り上げたことを表す語。…足らず。「二メートルー」対 強。

***じゃく【寂】**《形動タルト》〔文〕さびしいほど静かでひっそりしているようす。寂。「ーとした寺の庭」

しゃく-い【爵位】❶爵と位。❷〔公爵・子爵など〕爵②の階級。

しゃく・う【×杓う】《他五》〔俗〕すくう。しゃくる。文《四》。

じゃく-おん【弱音】弱い音。また、音を弱くすること。「ー器」

しゃく-ぎ【釈義】語句・文章などの意味を解釈し説明すること。また、その解釈。「万葉集ー」類語 注釈。

しゃく-ざい【借財】《名・自他サ》〔多額の〕金銭を借りること。また、借りた金銭。「ーがかさむ」「ばく大なーを残して死んだ」類語 借銭。借金。

じゃく-さん【弱酸】酸性度の弱い酸。炭酸・ほう酸など。対 強酸。

***しゃく-し【×杓子】**飯をよそったり汁をすくったりする、柄のついた道具。類語 しゃもじ。ーじょうぎ【ー定規】《名・形動》きまったただ一つの形式・基準で律しようとして応用や融通のきかないこと。「ーな役所仕事」類語 画一的。ーな【ー菜】アブラナ科の越年草。葉は杓子の形をし、おもに漬物にする。体菜。ーで腹を切る《句》不可能なことのたとえ。また、形式だけのことをするたとえ。すりこぎで腹を切る。

***しゃく-し【釈氏】**〔文〕❶釈迦。❷僧侶。

***じゃく-し【弱志】**弱い意志。

***じゃく-し【弱視】**眼鏡をかけても矯正できないほど、視力が弱いこと。また、その目。

じゃく-しゃ【弱者】権力・勢力のない者。対 強者。

しゃく-しゃく【×綽×綽】《形動タルト》〔文〕落ちついていて、ゆとりのあるようす。綽然。「余裕ー」

じゃく-じゃく【寂寂】《形動タルト》〔文〕❶ひっそりして寂しいようす。寂々。「ーとして人影を認めず」❷無心なようす。「空々ー」

し-やくしょ【市役所】市の行政事務をあつかう役所。市庁。

しゃく-じょう【×錫×杖】僧侶・修験者の持ち歩くつえ。頭部に大きな円環があり、それに数個の小さな環がついていて、振ると鳴る。

じゃく-しょう【弱小】《名・形動》❶勢力などが弱く、小さいこと。「ー国家」対 強大。❷年が若いこと。弱年。年少。「ーのころから秀でていた」

じゃく-じょう【寂静】❶《名・形動》〔文〕ひっそりとしてもの静かなこと。❷〔仏〕煩悩を離れ、苦しみを絶つこと。涅槃の境地。

じゃく-しん【弱震】程度の弱い地震(のゆれ)。参考 もと使われていた名称。対 強震。

しゃく-・する【釈する】《他サ変》〔文〕〔文意・語意を〕説き明かす。解釈する。

じゃく-・する【寂する】《自サ変》〔文〕僧が死ぬ。入寂する。

しゃく-すん【尺寸】〔文〕〔一尺と一寸の意〕長さ・広さがほんのわずかであること。尺寸。「ーの地」

しゃく-せん【借銭】借金。〔古風な言い方〕

***しゃく-ぜん【×綽然】**《形動タルト》〔文〕落ち着いていて、ゆとりのあるようす。綽々。「ーとして事にあたる」

***しゃく-ぜん【釈然】**《形動タルト》疑い・迷い・恨みなどが解けて、心がさっぱりするようす。「ーとしない結末」

じゃく-そつ【弱卒】弱い兵。「勇将の下にーなし」

しゃく-そん【釈尊】「釈迦牟尼」の尊称。

じゃく-たい【弱体】❶弱いからだ。「ーに鞭打つ」❷《名・形動》組織・構造・体制などがよわよわしく、他に対抗しきれないこと。「陣営がーだ」

しゃく-ち【借地】《名・自サ》土地を借りること。また、借りた土地。借り地。「ー料」

じゃ-ぐち【蛇口】水道管の先にとりつけた金属製の流出口。

じゃく-てき【弱敵】〔文〕力の弱い敵。弱い相手。「ーと思ってあなどる」対 強敵。

じゃく-てん【弱点】❶〔力が不足して〕不完全なとこ

ろ。「ーをさらけ出す」❷暴露(ばく)されると困る、よわみ。「ーを握る」同①②ウイークポイント。

じゃく・でん【弱電】通信機・電話機など比較的弱い電流を扱う電気機器部門の通称。対強電。

しゃく・ど【尺度】❶〔文〕ものの長さをはかる道具。ものさし。「ーをあてる」❷長さ。寸法。「ーをはかる」❸〔①から転じて〕物事を評価・批判する標準・基準。めやす。「人物評価のー」

しゃく・どう【赤銅】❶銅に少量の金と銀を加えた合金。ある種の液で煮ると、黒みがかった紫色になる。装飾に用いる。❷「赤銅色」の略。**ーいろ【ー色】**つやのある、赤黒い色。赤銅。参考 多く、日に焼けた肌の色などにいう。「ーの肌」

しゃくとり・むし【尺取虫・尺×蠖】シャクガ科の昆虫の幼虫。色・形が細い枝に似ている。桑・梅などの葉を食う害虫。えだしゃくとり。参考 人が指で尺をはかるような形で進むところからこの名がある。

しゃく・なげ【石南▽花・石×楠▽花】ツツジ科の常緑低木。葉は厚く光沢がある。初夏、うす紅色または白色のツツジに似た花をつける。

じゃくにく・きょうしょく【弱肉強食】弱い者は強い者のために滅ぼされること。また、強い者の繁栄は弱い者の犠牲によって築かれること。参考 生存競争のはげしさを表す語。「ーの世の中」

しゃく・ねつ【×灼熱】❶《名・自サ》〔金属などが〕高熱によって熱くなること。類語 白熱。❷焼けつくように暑いこと。「ーの太陽」「ーの砂漠」類語 極熱。焦熱。❸《名・自サ》はげしい情熱をもつこと。「ーの恋」

***じゃく・ねん【弱年・若年】**年が若い・こと(人)。弱齢。「ー労働者」「ー層」類語 弱冠(じゃっかん)。

***じゃく・ねん【寂然】**《形動タルト》〔文〕寂然(せきぜん)。

しゃく・の・たね【×癪の種】腹立たしい気持ちをおこさせる原因。「見るもの聞くものーだ」

じゃく・はい【弱輩・若輩】年が若い者。転じて、経験が浅く、未熟な者。「ーをよろしく御指導下さい」「ーのくせに生意気だ」類語 青二才。参考 自分については謙遜(けんそん)、他人については軽べつの意を表す。

しゃく・はち【尺八】竹製のたて笛。長さが一尺八寸(=約五五チセン)ある。表に四つ、裏に一つの穴がある。

しゃく・ふ【酌婦】〔小料理屋などで〕客を接待し、酒の相手などをつとめる女。

しゃく・ぶく【▽折伏】《名・他サ》〔仏〕悪法を打ちくだいて、仏道に帰依(きえ)させること。

しゃく・ほう【釈放】《名・他サ》捕らえられていた者を放して、自由にさせること。「容疑者をーする」

しゃく・ま【借間】間借り(した部屋)。

じゃく・まく【寂×寞】《名・形動タルト》〔文〕寂寞(せきばく)。

しゃく・めい【釈明】《名・他サ》事情をはっきり説明して了解を求めること。「ーを求める」「もはやーの余地はない」類語 弁明。弁解。

じゃく・めつ【寂滅】《名・自サ》❶〔仏〕迷いから離れ、悟りの境に入ること。「ー為楽」❷死ぬこと。

***しゃく・もん【借問】**《名・他サ》→しゃもん(借問)。

***しゃく・もん【釈門】**〔仏〕釈尊の教え。また、僧。

しゃく・や【借家】家賃を払って借りる家。借家(しゃっか)。「ーずまい」「ー人」対 貸家。

しゃく・やく【×芍薬】キンポウゲ科の多年草。五月ごろ、ボタンに似た、白または紅の大形の花を開く。根は漢方で、鎮痛薬に用いる。かおよぐさ。「立てばー、座れば牡丹(ぼたん)、歩く姿は百合(ゆり)の花」

じゃく・やく【×雀躍】《名・自サ》〔文〕こおどりして喜ぶこと。「欣喜(きんき)ー」

しゃく・よう【借用】《名・他サ》〔金銭や物品を〕借りて使うこと。借りること。「ー証書」

じゃく・ら【×雀羅】〔文〕スズメなどの小鳥をとらえる網。とりあみ。参考 →門前(もんぜん)雀羅を張る。

しゃく・らん【借覧】《名・他サ》〔本などを〕借りて見ること。「大辞典をーする」

しゃくり・あ・げる【×噦り上げる】《他下一》声や息を何回もひき入れるようにして泣く。「激しくー・げる」

***しゃく・りょう【借料】**〔文〕借り賃。「土地のー」

***しゃく・りょう【酌量】**《名・他サ》事情をくみとること。また、事情を考えて手ごころを加えること。斟酌(しんしゃく)。「情状をーする」類語 手加減。

しゃく・る【×杓る】《他五》❶中がくぼむようにえぐる。❷〔ひしゃくなどで液体を〕すくいあげる。すくう。しゃくう。「水をー・って出す」❸下あごを軽く上へあげる。参考 人に命令したり、ある物を見させたりするときの動作。「あれだとあごをー・る」文《四》。

じゃく・れい【弱齢・若齢】〔文〕年が若いこと。弱年。

しゃく・れる《自下一》〔顔などの〕中ほどがくぼんで弓なりになる。「ー・れたあご」

***しゃ・け【社家】**先祖代々の神職の家柄。

しゃけ【×鮭】鮭(さけ)。〔主に、加工した物に言う〕

しゃ・けい【舎兄】〔文〕自分の兄。実兄。対 舎弟。

しゃ・げき【射撃】《名・他サ》〔目標を定めて〕銃や砲などでうつこと。「ー訓練」類語 砲撃。

しゃ・けつ【×瀉血】《名・自サ》〔治療法として〕静脈から、ある量の血液を取りさること。

ジャケツ ❶ジャケット①。❷毛糸の上着。▽jacket から。

ジャケット ❶コートに似て、たけの短い(前あきの)上着。❷レコードを入れる袋。曲名・解説などが印刷されている。レコードカバー。▽jacket

***しゃ・けん【車券】**競輪で、勝者を予想して買う投票券。「ー売り場」

***しゃ・けん【車検】**「自動車検査」「自動車検査証」の略。道路運送車両法に基づく自動車の車体検査。また、検査合格のしるしに陸運局長から交付される証書。

***じゃ・けん【邪見】**仏教で、因果の道理に反する、誤った考え方。一般に、まちがった考え方。「ーの徒」

***じゃ・けん【邪険・邪×慳】**《形動》〔人に対する態度などが〕冷たくて意地の悪いようす。「ーに扱う」「そんなにーにするな」類語 冷酷。薄情。

***しゃ・こ【×硨×磲】**熱帯産のシャコガイ科の大きな二枚貝。殻は厚く、内側は真珠色で、水盤・置物などにする。肉は食用。しゃこがい。

***しゃ・こ【×蝦×蛄】**シャコ科の節足動物。エビに似る。浅い海の泥の中にすむ。肉は食用。

***しゃ・こ【車庫】**電車・汽車・自動車などの車両を入れておく建物。「電車のー」類語 ガレージ。

***しゃ・こう【射幸・射×倖】**〔文〕可能性の少ない偶然の成功を得ようとすること。「少年のー心をあおる」類語 射利。表記 もと、もっぱら「射倖」と書いた。

***しゃ・こう【斜光】**〔文〕ななめから照らす光。

***しゃ・こう【斜坑】**地表に対してななめに掘った坑道。

[対]縦坑・水平坑。

***しゃ・こう【社交】**〔社会生活のために必要な〕人と人との交際。世間のつきあい。「—のうまい人」「—辞令（=儀礼的な言葉）」 **—か【—家】**社交性に富んだ人。 **—かい【—界】**上流階級の人たちが集まって交際をする世界。 **—せい【—性】**❶社会を形成しようとする、人間の特性。[類語]社会性。❷社交のうまい性質。「—に富む」 **—ダンス** 舞踏会などで、男女が組んで、音楽に合わせて踊るダンス。ソーシャルダンス。 **—てき【—的】**《形動》社交のうまいようす。

***しゃ・こう【×藉口】**《名・自サ》〔文〕あることを口実にすること。かこつけること。「業務に—して遊興する」

***しゃ・こう【遮光】**《名・自サ》光をさえぎること。「—眼鏡」「—栽培」

じゃ・こう【×麝香】ジャコウジカのおすの腹部の麝香腺からとれる、黒褐色の香料。 **—じか【—×鹿】**シカ科の哺乳動物。シベリア・チベットなどの森林にすむ。おすの麝香腺を干して麝香をとる。

しゃ・こく【社告】会社・新聞社などが広く一般に知らせるため社の名前で出す知らせ。「—を掲載する」

しゃ・さい【社債】株式会社が資金を借りるために発行する証券。

***しゃ・ざい【×瀉剤】**くだしぐすり。下剤。

***しゃ・ざい【謝罪】**《名・自他サ》自分が犯した罪やあやまちをわびること。「被害者に—する」

しゃ・さつ【射殺】《名・他サ》〔人間やけものを〕銃・ピストルなどでうち殺すこと。また、弓で射殺すこと。

***しゃ・し【×奢×侈】**《名・形動》〔文〕度を過ぎてぜいたくなこと。おごり。「—な生活」「—に流れる」

***しゃ・し【斜視】**物を見るとき、左右の視線が平行しないこと(目)。眼筋の障害による。やぶにらみ。

***しゃ・し【社司】**❶神主。神官。❷もと、府社・県社・郷社の神職。

***しゃ・じ【写字】**経文などの文字を書き写すこと。

***しゃ・じ【社寺】**神社と寺。寺社。

***しゃ・じ【謝辞】**お礼のことば。また、おわびのことば。「—を述べる」

しゃ・じく【車軸】車の心棒。「—が折れる」 **—を流・す**《句》激しい雨の形容。「—すような豪雨」

***しゃ・じつ【写実】**❶《名・他サ》物事の実際のありさまをありのまま表すこと。「—に徹する」❷「写実主義」の略。 **—しゅぎ【—主義】**自然や人生のありのままの姿を忠実にえがき出そうとする芸術上の立場。リアリズム。[対]浪漫主義。

***しゃ・じつ【社日】**→しゃにち。

じゃじゃ・うま【じゃじゃ馬】〔俗〕❶暴れ馬。❷わがままで扱いにくい女。おてんば。

しゃしゃ・らくらく【×洒×洒落落】《形動タト》〔文〕性質・態度があっさりしていて、物事にこだわらないようす。[参考]「洒落」の強調表現。

しゃしゃり・でる【しゃしゃり出る】《自下一》〔俗〕得意そうな顔をして出しゃばる。

***しゃ・しゅ【射手】**❶弓を射る人。射手。❷銃・鉄砲をうつ人。射撃手。うちて。[類語]砲手。

***しゃ・しゅ【社主】**〔会社・結社など〕社と名のつくものの持ち主。「新聞社の—」[類語]社長。

***しゃ・しゅ【車種】**〔動力・用途や形などで分けた〕自動車の種類。「—別の交通規制」

じゃ・しゅう【邪宗】邪教。特に、江戸時代に禁止されたキリシタン宗の称。邪宗門。

しゃ・しゅつ【射出】《名・他サ》❶矢・弾丸などを勢いよくうち出すこと。発射。❷《自サ》液体を細い口から勢いよく出すこと。また、出ること。[類語]噴出。❸《自サ》一点から諸方向にまっすぐ出すこと。また、出ること。放射。「—する光線」

***しゃ・じゅつ【射術】**弓を射る術。弓術。

しゃ・しょう【捨象】《名・他サ》〔哲〕いくつかの事物がもっている共通の性質をとりあげて、個々の特殊な性質を考慮の対象からはずすこと。

***しゃ・しょう【社章】**会社・結社などの記章。

***しゃ・しょう【車掌】**汽車・電車・バスなどの車内で、車内の管理・事務をあつかう乗務員。

***しゃ・じょう【写場】**〔文〕写真館や結婚式場などで、写真を撮るために設けた部屋。フォトスタジオ。

***しゃ・じょう【射場】**❶〔練習のために〕弓を射る場所。矢場。❷射撃の練習をする場所。射撃場。

***しゃ・じょう【謝状】**〔文〕❶お礼の手紙。礼状。感謝状。❷おわびの手紙。わび状。

***しゃ・じょう【車上】**車の上。「—の人となる（=車などに乗る）」

***しゃ・しょく【写植】**「写真植字」の略。

***しゃ・しょく【社×稷】**〔文〕❶昔の中国で、土地の神（=社）と五穀の神（=稷）。❷国家。「—の安危」

***しゃ・しん【写真】**❶写真機で物体の像を画像として写すこと。また、写真機で感光材料に写した物体の像を印画紙に焼き付けたもの。「報道—」「—を撮る」❷〔俗〕映画。 **—き【—機】**レンズを通して物体の像をフィルムや乾板などに投影する機械。カメラ。 **—しょくじ【—植字】**印刷で、文字の母型をうつした写真によって印刷版をつくる技法。また、その印刷版で印刷する技法。写植。 **—でんそう【—電送】**写真・文字・絵画などを電気的信号にかえ、有線または無線で遠くへ送り、再現する方法。 **—ばん【—版】**❶銅板・亜鉛板などの表面に写真を焼きつけてつくった印刷版。❷新聞・雑誌などに印刷された写真。

***しゃ・しん【捨身】**〔仏〕❶仏の供養や仏道修行のために、身命を投げ出すこと。「—の行」❷出家すること。

***じゃ・しん【邪心】**よこしまな心。[類語]邪気。悪意。

***じゃ・しん【邪神】**人にわざわいを与えると信じられた悪い神。よこしまな神。悪神。[類語]邪鬼。魔神。

ジャス【JAS】日本農林規格。▽Japanese Agricultural Standards の略。 **—マーク** 日本農林規格に合格した、農産品・畜産品・水産品につけるマーク。▽JAS mark

ジャズ アメリカの黒人の音楽をもとにして発達した音楽。多く軽快なリズムを持ち、即興的演奏を特色とする。「—バンド」「—ダンス」▽jazz

じゃ・すい【邪推】《名・他サ》悪い方向に推察すること。「友人の言葉を—する」

ジャスト 時間や金額などの数値がきりのよいこと。ちょうど。ぴったり。「一二時—」[類語]フラット。▽just

ジャスミン ❶モクセイ科のオウバイ・ソケイ・マツリカなど、芳香をもつ植物の総称。花から香料をとる。❷ジャスミン①の花からとった香料。▽jasmine

しゃ・する【謝する】[一]《自サ変》〔文〕いとまごいをして立ち去る。謝す。[二]《他サ変》〔文〕❶感謝の気持ちを述べる。礼を言う。「恩を—する」[類語]有り難がる。

し

恩に着る。多とする。徳とする。謝意を表す。（るす）多謝。深謝。感佩。三拝九拝。❷謝罪する。わびる。あやまる。「不心得を―・する」❸（ていねいに）ことわる。「固く―・して受けない」＝謝す。

しゃ‐ぜ【社是】 会社の基本的な経営方針（それを表す標語）。「誠実・努力がわが社の―だ」

*__しゃ‐せい【写生】__《名・他サ》自然や事物などのありさまを見たままに写しとること。スケッチ。〔文章などにも言う〕「風景を―する」「―文」

*__しゃ‐せい【射精】__《名・自サ》精液を射出すること。

しゃ‐せつ【社説】 新聞・雑誌などで、その社の主張として掲載する論説。

しゃ‐ぜつ【謝絶】《名・他サ》（ていねいに）ことわること。「面会―」[類語]拒絶。辞退。

じゃ‐せつ【邪説】〔文〕〔人の心をまどわすような〕まちがった説。異端の説。[類語]邪論。

*__しゃ‐せん【斜線】__ ななめに引いた直線。

*__しゃ‐せん【社線】__ 民間会社の経営する鉄道やバスの路線。会社線。

*__しゃ‐せん【車線】__ ❶《名》自動車を走らせる路線。「―を延長する」❷《助数》自動車が並んで走れるレーン。「追い越し―」「片道三―の幹線」

しゃ‐そう【車窓】 汽車・電車・自動車などの窓。〔車内から窓を通してながめるときに言う〕「―からの眺め」

しゃ‐たい【車体】〔電車・自動車などの〕車台によってささえられた、人や荷物をのせる部分。ボディー。

しゃ‐だい【車台】 ❶車体をささえ、車輪につながっている鉄製の台。シャシー。❷車両の数。「―の増加」

しゃ‐たく【社宅】 社員やその家族を住まわせるために、会社がもっている住宅。[類語]社員寮。

しゃ‐だつ【×洒脱】《形動》俗気がなくさっぱりしているようす。「軽妙―」「―な人柄」[類語]洒落。

しゃ‐だん【遮断】《名・他サ》〔交通・連絡など、流れ続いていたものを〕さえぎりとめること。「交通を―する」[類語]遮蔽。―き【―機】鉄道踏切の開閉機。

しゃだん‐ほうじん【社団法人】 一定の目的のために組織され、独立の権利・義務の主体であることを民法上みとめられている団体。[類語]財団法人。

しゃち【×鯱】 ❶イルカ科の哺乳動物。体長は九メートル前後。背は黒く、腹部は白く、目の後方に半月形の白い斑点がある。鋭い歯をもち、クジラやイルカを襲う。サカマタ。❷「しゃちほこ」の略。

じゃ‐ち【邪知・邪×智】〔文〕よこしまな知恵。悪知恵。奸知。狡知。「―にたけた人物」

しゃちこ‐ば・る【しゃちこ張る】《自五》《「しゃちほこばる」の転》→しゃちほこばる。

しゃち‐ほこ【×鯱】 ❶想像上の動物。海にすむ魚で頭は虎に似ていて、尾はそり上がっている。❷しゃちほこ①をかたどったもの。防火の効があるとして、宮殿・城などの棟の両端に飾る。「天守閣の―」「金の―」―だち【―立ち】《名・自サ》さかだち。倒立。しゃっちょこだち。「―しても（＝どんなにがんばって努力してみても）」―ば・る【―張る】《自五》❶いかめしくかまえる。❷緊張してからだがかたくなる。「―・ったお辞儀」＝しゃっちょこばる・しゃちこばる。

*__しゃ‐ちゅう【社中】__ 同門・結社の仲間。〔多く、邦楽・文芸などの社会で使う〕

*__しゃ‐ちゅう【車中】__ 汽車・電車・自動車などの中。車内。「―談」[類語]車上。

しゃ‐ちょう【社長】 会社・社団などの最高責任者。

シャツ ❶上半身に着る下着。❷ワイシャツ。▽shirt [類語]社主。

しゃっ‐か【借家】〔法〕借家。「借地―法」

じゃっ‐か【弱化】《名・自他サ》勢力・実力などがしだいに弱くなること。また、弱くすること。「投手陣が―する」[類語]弱体化。軟化。[対]強化。

しゃっ‐かん【借款】 資金の貸借。特に、国際間の資金の貸借。「円―」

*__じゃっ‐かん【若干】__《名・副》少し。いくらか。多少。「―の資金を援助する」「―余裕がある」[参考]数量・程度などが明示しにくい場合にも使う。「―名（＝二、三人または四、五人）」[類語]そこばく。

*__じゃっ‐かん【弱冠】__ ❶〔文〕男子二〇歳の称。[参考]古代中国で、男子は二〇歳で元服し、冠をかぶったことから。❷男子で、年の若いこと。「―一七歳の投手」[注意]「若冠」は誤り。

しゃっかん‐ほう【尺貫法】 長さに尺、重さに貫、容積に升、面積に坪を基本単位とした、日本古来の度量衡。

*__じゃっ‐き【×惹起】__《名・他サ》〔問題・事件などを〕ひきおこすこと。「大混乱を―する」

*__ジャッキ__ 持ち運びのできる簡単な起重機。歯車・ねじ・水圧などを利用して、わずかな力で重い物を持ち上げる。ジャック。▽jack

じゃっ‐きゅう【若朽】 年が若いのに覇気がない・こと（人）。[参考]「老朽」のもじり。

しゃっ‐きょう【釈教】〔文〕仏教。また、仏教的なことばの入っている歌や句。「―の歌」「神祇―恋無常（＝和歌や連歌に詠まれる、もろもろの事柄）」

しゃっきり《副・自サ》《副詞は「―と」の形も》気持ちなどがしっかりしていて物事に動じないようす。「年はとってもーしている」

しゃっ‐きん【借金】《名・自サ》金銭を借りること。また、その金銭。「膨大な―」[類語]負債。借財。―を質に置・く《句》❶借金を質にいれるほど貧乏である。❷無理に金銭を工面する。

しゃっ‐く【赤口】 陰陽道で、仏滅とともに、すべてが凶であるとされる日。しゃっこう。赤口日。

*__じゃっ‐く【×惹句】__〔文〕人の心をひきつける、短い文句。特に、宣伝文句。うたい文句。キャッチフレーズ。[参考]catch phrase の訳語。

*__ジャック__ ❶水兵。❷トランプの絵札で、兵士の絵がかいてあり、クイーンの次に位する札。❸ジャッキ。▽②Jack ①③ jack ―ナイフ 大型の折りたたみ式ナイフ。[参考]もと、水兵が用いた。▽jackknife

しゃっくり【×吃▽逆・×噦】 横隔膜のけいれんによっておこる、空気を激しく吸いこむ反射運動。

ジャッグル《名・他サ》野球で、捕球のとき、ボールをとりそこねてグローブの中ではずませること。▽juggle

しゃっ‐けい【借景】 庭の外に見える樹木や山などの自然の景色を、その庭の一部としてとりいれること。「富士山を―とした庭園」

*__じゃっ‐こう【寂光】__〔仏〕寂静の真理から発する真智の光。―じょうど【―浄土】〔仏〕寂光によって照らされる浄土。寂光土。

*__じゃっ‐こう【弱行】__ 実行力や活動力が弱いこと。「薄志―」

じゃっ‐こく【弱国】 国力の弱い国。対強国。

しゃっ‐こつ【尺骨】 小指側にある細長い管状の骨。

ジャッジ ❶審判員。❷レスリング・ボクシングなどの副審。参考→レフェリー。❸《名・他サ》判定(すること)。「―は厳正」▽judge

シャッター ❶写真機の光線のはいる穴を瞬間的に開閉する装置。「―を切る」❷巻上げ式の鉄板製とびら。よろい戸。「―を閉じる」▽shutter

しゃっちょこ‐だち【しゃっちょこ立ち】 《名・自サ》《「しゃちほこだち」の転》〔俗〕さかだち。

しゃっちょこ‐ば・る【しゃっちょこ張る】 《自五》《「しゃちほこばる」の転》〔俗〕しゃちほこばる。

シャット‐アウト 《名・他サ》❶しめだすこと。しめだし。閉鎖。「報道陣を―する」❷野球で、相手に一点も与えずに負かすこと。完封。▽shutout

シャッポ 帽子。シャポー。「―を脱ぐ(=敬服する)」▽フランス chapeau

***しゃ‐てい【舎弟】** ❶〔文〕自分の弟。実弟。「―が世話になる」対舎兄。❷〔俗〕弟分。

***しゃ‐てい【射程】** ❶鉄砲の弾丸が届く水平距離。射距離。「敵が―に入る」「―距離」❷力の及び得る範囲。「前のランナーを―内にとらえる」

しゃ‐てき【射的】 ❶〔練習などのため〕的をねらって銃を撃つこと。❷コルクの弾をこめた空気銃で人形などの的をねらって打ち倒し、賞品をもらう遊び。

しゃ‐でん【社殿】 神社で、神体を安置してある建物。

***しゃ‐ど【斜度】** 斜面の傾いた度合い。勾配。

***しゃ‐ど【×赭土】** 〔文〕あかつち。

しゃ‐とう【社頭】 〔文〕神社の境内で、社殿のあたり。また、神社の付近。類語社前。宮前。

しゃ‐どう【車道】 道路を区分して車両などが通るように定めた部分。「―を横切る」対人道。歩道。

じゃ‐どう【邪道】 ❶道徳からはずれた行い。よこしまな道。「―におちいる」❷道理にあわない不正な方法。「そのやり方は―だ」類語①②外道。対①②正道。

シャトー ❶城。宮殿。❷邸宅。▽フランス château

シャドー 影。「アイ―」▽shadow

シャトル ❶近距離の路線をくり返し往復する、交通機関。「―バス」「スペース―」❷「シャトルコック」の略。バドミントンで、羽根。❸→杼。▽shuttle

***しゃ‐ない【社内】** ❶神社の境内。また、神社の建物の中。❷会社の建物の中。❸会社の内部。「―での評判」「―結婚」対①～③社外。

***しゃ‐ない【車内】** 〔電車・汽車・自動車などの〕車両の中。車中。「―禁煙」類語車上。対車外。

しゃなり‐しゃなり 《副・自サ》《副詞は「―と」の形も》〔女が〕身のこなしがしなやかで、気取っているようす。しゃならしゃなら。「貴婦人が―と歩く」

しゃにく‐さい【謝肉祭】 カトリックで、肉を食べてはいけない四旬節(=復活祭前の四〇日間)に先立って行う祭り。肉を食べ、歌い踊る。カーニバル。

しゃ‐にち【社日】 春分または秋分に最も近い戊の日。土の神を祭る。社日。

しゃに‐むに【遮二無二】 《副》前後のことを考えないで強引に物事をするようす。がむしゃらに。「―働く」表記かなで書くことが多い。

じゃ‐ねん【邪念】 ❶道徳に反したよくない考え。「一点の―もない」類語邪気。❷目的にはずれた不純な考え。「―を払う」類語雑念。妄想。

じゃ‐の‐ひげ【蛇の×鬚】 ユリ科の常緑多年草。日陰などに群がってはえる。初夏、淡紫色または白色の小さな花をふさ状に開く。リュウノヒゲ。

じゃ‐の‐め【蛇の目】 ❶〔ヘビの目をかたどった〕太い輪の形。紋所などにする。❷「蛇の目傘」の略。中心部を白く、そのまわりを紺または赤で塗り、じゃのめ①の形を表した紙製のからかさ。

***しゃば【×娑婆】** ❶〔仏〕種々の苦しみを耐え忍ばなければならない、この世。「―苦」参考梵語 sahā の音訳。類語俗世。❷〔俗〕〔牢獄・軍隊などの束縛された世界に対して〕一般の人の暮らす自由な世界。「―の空気を吸う」**―け【―気】** 俗世間の名誉や利益に執着する心。しゃばき。しゃばっけ。「―を起こす」**―ふさぎ【―×塞ぎ】** 無益に生きながらえていて、他人のじゃまになる・こと(人)。しゃばふさげ。類語ごくつぶし。

***しゃ‐ば【車馬】** 車と馬。また、乗り物。「―代」

ジャパニーズ ❶日本人。また、日本語。❷日本式。「―イングリッシュ」▽Japanese

じゃ‐ばら【蛇腹】 〔ヘビの腹の意〕写真機・ちょうちん・アコーディオンなどの、ひだで自由に伸縮できる部分。

しゃ‐はん【×這般】 〔文〕これら。この辺。《「―の」の形で連体詞的に用いる》「―の状況を考慮する」

ジャパン 日本。▽Japan

***しゃ‐ひ【舎費】** 寄宿舎などを維持するために必要な経費。また、そこにはいっている人がおさめる費用。

***しゃ‐ひ【社費】** ❶神社の費用。❷会社・社団がその業務のために使う費用。「―で支払う」

じゃびせん【蛇皮線】 「三線」の俗称。

しゃ‐ふ【車夫】 人力車をひく職業の人。人力車夫。

ジャブ ボクシングで、重心をのせず、腕だけで小きざみに打って出鼻をくじく攻撃法。「―を繰り出す」▽jab

しゃぶ‐しゃぶ 薄切りの牛肉などを鍋にわかした熱湯にくぐらせ、たれをつけて食べる料理。

じゃぶ‐じゃぶ 《副》《「―と」の形も》水をかきまわしたり水中を歩いたりするときの音の形容。類語ざぶざぶ。

しゃ‐ふつ【煮沸】 《名・他サ》〔文〕〔水などを〕煮え立たせること。「―消毒」

シャフト ❶動力を伝える回転軸。心棒。軸。❷ゴルフ用のクラブの柄。▽shaft

しゃぶり‐つ・く 《自五》❶しゃぶって離さないようにする。❷取りついて離れない。しっかりとしがみつく。

しゃぶ・る 《他五》口の中に入れて、なめたり吸ったりする。ねぶる。「あめを―る」文《四》。

しゃ‐へい【遮×蔽】 《名・他サ》〔文〕おおいをして見えないようにすること。また、そのもの。「―物」

***しゃべ・る【×喋る】** 《他五》ものを言う。特に、口数多くものを言う。〔俗語的な言い方〕「よく―・るやつだ」「よけいなことを―・るな」文《四》。

***シャベル** 土・砂などを、掘りおこしたりすくったりするさじ形の道具。ショベル。参考→スコップ。▽shovel

しゃ‐へん【斜辺】 直角三角形の直角に対する辺。

じゃ‐ほう【邪法】 人をまよわせる悪い教え。

しゃぼてん【▽仙▽人▽掌】 →さぼてん。

ジャポニカ 米の種類の一つ。短粒で炊くと粘りがある。日本で栽培される米は、この種。ジャポニカ米。参考→インディカ。▽ラテン japonica

しゃ‐ほん【写本】 書物を書き写すこと。また、書き写した書物。「平安期の―」対刊本。版本。

シャボン せっけん。「―入れ」「―玉」▽ポルトガル sabão

じゃ・ま【邪魔】〔仏道修行の妨げをする悪魔の意〕❶《名・形動・他サ》妨げとなる・こと(もの)。「―が入る」「二人の仲を―する」❷〈「お―(を)する」の形で〉他人の家・居所などを訪問する。伺う。**―っ・け【―っ気】**《形動》じゃまに感じるようす。「―な箱」

しゃ・まく【紗幕】 舞台用の、紗でつくった薄い幕。

しゃ・み【沙弥】 仏門に入ったばかりで修行をつんでいない僧。沙弥。参考 梵語 śrāmaṇera の音訳。

しゃみ・せん【三味線】 邦楽で使う三弦の弦楽器。猫の皮を張った胴の部分と、細長いさおの部分からなり、ばちでひく。しゃみ。三弦。三筋。さみせん。参考「一棹…」「一丁(挺)…」と数える。

*__しゃ・む【社務】__ ❶神社の事務。「―所」❷会社の事務。また、会社に関する職務。類語 社用。

*__シャム__ 「タイ国」の旧称。▽ Siam **―そうせいじ【―双生児】** 身体の一部が互いに癒着・連結した一卵性双生児。参考 タイ(旧シャム)で生まれた双生児に由来する名。**―ねこ【―猫】** ネコの一品種。短毛でからだは細長い。胴はクリーム色で、顔・耳・足・尾などの末端部は暗褐色。目は青い。愛玩用。参考 シャム(今のタイ)の王宮で保護されてきたといわれる。

ジャム リンゴ・イチゴなどの果実を砂糖で煮詰めてやわらかくした食品。「イチゴ―」▽ jam

ジャム・セッション ジャズの演奏家が数人集まり、簡単な打ち合わせだけで即興的な競演を楽しむこと(会)。▽ jam session

*__しゃ・めい【社名】__ 神社・会社・結社などの名称。

*__しゃ・めい【社命】__ 会社から社員に出す命令。「―によって海外駐在員となる」

*__しゃ・めん【赦免】__《名・他サ》〔文〕罪をゆるすこと。過失・あやまちをゆるすこと。「―を請う」類語 放免。

*__しゃ・めん【斜面】__ 傾いている面。傾斜面。「山の―」

*__しゃ・も【軍鶏】__ ニワトリの一品種。原産地はシャム。気性が荒く闘鶏用とするほか、観賞用・食肉用にもする。参考「シャムロ(=シャムの古名)」の転。

*__シャモ__ アイヌが、日本人をさして言う語。和人。▽アイヌ sisam(=隣人)から。

しゃ・もじ【杓文字】 汁や飯をすくう、柄のついた道具。特に、飯をよそう道具。表記 かなで書くことが多い。参考 もと、「しゃくし」の女房ことば。

*__しゃ・もん【借問】__《名・他サ》〔文〕試しにものをたずねてみること。借問。類語 試問。

*__しゃ・もん【沙門】__ 仏門にはいって修行する人。僧侶。沙門。参考 梵語 śramaṇa の音訳。

じゃ・もん【蛇紋】 ヘビの皮にある斑紋に似た模様。「―岩」

しゃ・ゆう【社友】 ❶社員以外で、その会社の業務に協力し、特別の待遇をうけている人。❷同じ会社・結社の仲間。会社の友人。類語 学友。

*__しゃ・よう【斜陽】__ ❶〔文〕西に傾いた太陽。夕日。❷〔俗〕時勢の変化で没落しかかること。「―の産業」**―ぞく【―族】**〔俗〕時勢の変化によって没落した上流階級。参考 太宰治の小説「斜陽」から出た語。

*__しゃ・よう【社用】__ ❶神社の用務。❷会社の用事。**―ぞく【―族】**〔俗〕社用②にかこつけて、会社の費用で飲食・遊興する人々。参考「斜陽族」のもじり。

じゃ・よく【邪欲・邪慾】 不正な欲望。また、みだらな欲情。「―にかられる」類語 肉欲。淫欲。

しゃら【沙羅】 →さらじゅ(沙羅樹)。

しゃ・らく【洒落】《形動》性質がさっぱりして、物事にこだわらないようす。洒々落々。類語 洒脱。

しゃら・くさ・い【洒落臭い】《形》〔俗〕〔えらそうにしたり、出過ぎたまねをしたりして〕なまいきである。こしゃくである。「―・いことを言う」

じゃら・じゃら《副・自サ》《副詞は「―と」の形も》❶色っぽくたわむれて、いやらしいようす。「人前で―する」❷堅い小さなものが触れ合って出る音の形容。

じゃら・す《他五》じゃれるようにする。じゃれさせる。「ネコを―・す」文《四》。

*__しゃり【舎利】__ ❶仏陀または聖者の遺骨。仏舎利。参考 梵語 śarīra の音訳「舎利羅」の略。❷火葬にしたあと残った骨。おこつ。❸〔俗〕米の飯。〔舎利①に色・形が似ていることから〕「銀―」

*__しゃ・り【射利】__〔文〕ひたすら利益のみを得ようと事を運ぶこと。また、偶然の利益をねらうこと。「―の念が強い」類語 射幸。

じゃり【砂利】 ❶岩石がこまかく砕け、角がとれて丸くなった小石。砂利。「玉―」類語 砂。砂礫。❷〔俗〕劇場などで、子どもの観客。転じて、子ども。表記 ②はふつうかな書き。

しゃり・かん【しゃり感】 布の風合の一つ。握ったときにやや硬い手ごたえがあり、肌につかず涼感がある。

しゃ・りょう【車両・車輛】 汽車・電車・自動車などの車。〔車台・車体を一まとめにして言う〕「―の検査」

しゃ・りん【車輪】 ❶車の輪。車。「前の―」❷〔俗〕大車輪。「―になって働く」

シャルマン《形動》チャーミング。▽フランス charmant

しゃれ【洒落】 ❶〔同じ音や似た音のことばを使って〕座興に言う、機知にとんだこっけい味のある文句。「越後屋のイチゴや」の類。類語 語呂合わせ。地口。❷《名・形動》気のきいた身なりをしたり化粧したりすること。また、その人。「当世の―をつくす」参考 多く「お―」の形で使う。「お―をして出かける」「お―な人」類語 おめかし。注意「酒落」は誤り。**―っ・け【―っ気】** ❶よそおいをこらして自分を美しく見せようとする気持ち。❷気の利いたことをして人を感心させようとする気持ち。「―の多い男」❸こっけいなことを言ったりしたりして人を笑わせようとする気持ち。「謹厳実直のようだが、なかなか―もある」**―のめ・す【―のめす】**《自五》むやみにしゃれを言い続ける。**―ぼん【―本】** 江戸後期に刊行された、花柳界を題材にした小説。蒟蒻本。小本。

しゃ・れい【謝礼】《名・自サ》感謝の気持ちを表すことばや贈り物。お礼。「―金」「個人指導の―」

しゃ・れき【社歴】 ❶その会社に勤めている年数。「―一〇年の女子社員」❷その会社の歴史。

しゃれ・こうべ【髑髏】 →されこうべ。

しゃ・れる【洒落る】《自下一》❶美しく見せようとして、はでな身なりや化粧をする。おしゃれをする。「厚化粧をして―・れて出かける」❷風変わりで、気が利いている。現代的で、あかぬけしている。「―・れた言い回し」「ちょっと―・れた建物」❸なまいきなところがある。「―・れたことをぬかすな」❹しゃれ①を言う。

じゃ・れる【戯れる】《自下一》(「ざれる」の転)〔小さな動物などが〕まつわりついてたわむれる。「猫が足元で―・れる」文 じや・る《下二》。

じゃ・れん【邪恋】 不倫の恋。「ーを清算する」

シャワー 水や湯をじょうろのような噴水口から出して浴びる装置。また、そこから出る水や湯。▽shower

シャン 《名・形動》〔女性の〕容貌の美しいこと。また、美人。対ウンシャン。▽schön

ジャンク【×戎克】 中国の沿海・河川で、旅客や貨物の輸送に使う小型の帆船。▽junk(もと、ジャワ語)

ジャンクション ❶連結。接合。❷高速道路どうしの合流地点。▽junction

ジャンク・フード カロリーばかり高く、栄養のバランスの悪い食品。即席食品やスナック菓子など。▽junk food

シャングリラ 地上の楽園。理想郷。参考イギリスの作家ヒルトンの小説「失われた地平線」に出てくる架空の地名から。▽Shangri-la

ジャングル 〔熱帯地方の〕草木がすきまのないほど茂っている原生林。密林。▽jungle **ージム** 金属の管などを組み合わせてやぐら型に作った、子どもの遊び道具。公園などにある。▽jungle gym

じゃん・けん【じゃん×拳】 拳の一つ。二人以上の人が、片手で石・紙・はさみの形の一つを同時に出し合って勝負をきめる遊び。いしけん。参考「じゃんけんぽん」のかけ声をかけて行う。

しゃん・しゃん 《副》《「ーと」の形も》❶たくさんの鈴がそろって鳴る音の形容。❷手拍子の音の形容。「ー総会(=根回しがしてあって、承認中心で進められる総会)」❸《自サ》〔年齢のわりに〕元気なようす。「祖父は八〇に近いがーしています」

じゃん・じゃん 《副》《「ーと」の形も》❶半鐘を連打する音の形容。❷次から次へと盛んに行われるようす。「ー水を流す」「ー応募する」類語どしどし。どんどん。

シャンソン フランスの世俗的歌謡。▽chanson

シャンツェ スキーのジャンプ競技の競技場。助走路・踏切台・着陸斜面・圏外から成る。▽Schanze

シャンデリア 洋間の天井からつるす、はなやかな装飾のある電灯。▽chandelier

しゃん・と 《副・自サ》❶きちんとしてみだれないようす。ちゃんと。「ーして出掛ける」❷〔年のわりに〕元気なようす。しゃんしゃん。「年をとってもーしている」

ジャンパー ❶作業・運動用などのゆったりした上着。すそをゴムなどでしぼる。参考なまって「ジャンバー」とも。❷〔スキー・陸上競技などの〕跳躍選手。▽jumper

シャンパン フランスのシャンパーニュ地方産の、炭酸ガスを含む白ぶどう酒。祝宴で用いられる。シャンペン。表記「三鞭酒」とあてた。▽champagne

シャンピニオン マッシュルーム。シャンピニョン。▽champignon

ジャンプ ❶《名・自サ》とび上がること。特に、陸上競技やスキー競技の種目としての跳躍。❷三段跳びの最後の跳躍の呼び名。「ホップ・ステップ・ー」▽jump

シャンプー ❶毛髪を洗う洗剤。洗髪剤。❷《名・他サ》〔シャンプー①で〕髪を洗うこと。▽shampoo

シャンペン→シャンパン。▽champagne

ジャンボ ■一《造語》「特大の」「巨大な」の意。「ーサイズ」■二《名》「ジャンボジェット」の略。長距離用の超大型ジェット旅客機。▽jumbo

ジャンボリー ボーイスカウトの大会。▽jamboree

ジャンル 種類。部門。特に、芸術作品(特に文芸作品)を形態・内容によって区分したもの。文芸様式。「新しいーの文学」「ー別に分ける」▽genre

***しゅ【手】** 《接尾》ある仕事を担当する人の意。「運転ー」「操舵ー」「外野ー」

***しゅ【首】** 《助数》漢詩・和歌を数える語。

***しゅ【×銖・朱】** 《助数》❶昔の目方の単位。一銖は一両の二四分の一。❷昔の貨幣の単位。一銖は一両の一六分の一。❸昔の利率の単位。一銖は一割の一〇分の一。

***しゅ【主】** ❶ぬし。あるじ。主人。対客。❷主君。国主。主。「ーに忠をつくす」「ーを取る(=新しい主君に仕える)」対従。❸中心となる(たいせつな)事柄。中心。「勉強をーにする」「家庭をーにして考える」対従。❹〔キリスト教で〕天主・神とよばれるエホバ。天帝。また、その子キリスト。「ーの教え」

***しゅ【朱】** ❶すこし黄色がかった赤色。また、その色の顔料。❷朱①の粉で作った墨。朱墨。「原稿にーを入れる(=加筆・訂正する)」「満面にーを注ぐ(=顔がまっかになる)」

ーに交われば赤くなる 《句》人は交わる友人によって善人にも悪人にもなる。

***しゅ【種】** ❶種類。「このーの犯罪」❷生物を分類する上での基礎単位。属の下。形態などから別の群と容易に区別できる個体の集まりをいう。「絶滅したー」

***じゅ【従】** 《接頭》位階で、同等級において正の下に位する意を表す。従。「ー五位」対正。

***じゅ【樹】** 《接尾》「木」「立ち木」などの意。「針葉ー」「記念ー」「街路ー」

***じゅ【×呪】** 〔文〕❶のろい。❷まじない。❸「陀羅尼」の別称。

***じゅ【寿】** 〔文〕❶長命。長寿。❷〔人間の〕とし。年齢。「百年のー」❸〔長命を〕祝うこと。賀。

***じゅ【×綬】** 勲章・褒章などを身につけるひも。

***じゅ【×頌】** 〔仏〕「偈頌」のこと。仏の徳や法門を賛嘆する韻文。偈。参考梵語 gāthā の訳。

し・ゆい【思×惟】 《名・他サ》〔仏〕対象を分別すること。参考→思惟。

***しゅ・い【主位】** 中心となる地位。「ー概念」対客位。

***しゅ・い【主意】** 〔文〕❶中心となる重要な意味・考え。主眼。「立法のーを汲む」❷感情や理性よりも意志を重くみて、それを中心とすること。「ー主義」対主情・主知。❸主君の考え・意志。「ーに従う」

***しゅ・い【趣意】** ある物事を行おうとするときの考え・目的。また、文章・談話などで、表そうとしている意味。「会のー」「ー書」

***しゅ・い【首位】** 〔競技・競争などで〕第一の地位。一位。「ーを争う」類語首席。対末位。

***しゅ・いん【主因】** 〔文〕おもな原因。「死亡のーを調べる」「実験失敗のーは何か」対副因。

***しゅ・いん【手×淫】** 自分の性器を手などで刺激し、性的興奮を得る行為。自瀆。自慰。オナニー。

***しゅ・いん【朱印】** ❶朱肉で押した印。❷武家時代、武将が命令・認可の証として文書に朱肉で押した印。また、その印のある文書。御朱印。「ー状」

じゅ・いん【樹陰・樹×蔭】 〔文〕木の陰。こかげ。

***し・ゆう【師友】** ❶先生と友人。「ーの交わり」❷先生として尊敬する友人。「ーと仰ぐ」

***し・ゆう【私有】** 《名・他サ》個人が持っていること。個人が持つこと。「ー地」対公有。

*し-ゆう【雌雄】❶めすと、おす。「—を見分ける」「—異株(いしゅ)」❷勝ちと、負け。優劣。勝負。「—を決する(=優劣をきめる。戦って勝負をつける)」

*しゅう【臭】《接尾》❶「(いやな)におい」の意。「刺激—」❷「…らしい(いやな)感じ」の意。「官僚—」

*しゅう【囚】《接尾》「囚人」の意。「死刑—」

*しゅう【▽主】〔文〕主(しゅ)②。

*しゅう【周】一《名》❶物の回り。めぐり。周囲。❷〔数〕多角形または、曲線で囲まれてできた図形の回り(の長さ)。❸昔の中国の王朝名。二《助数》その回りをまわる回数を表す。「一—」

*しゅう【宗】一《名》〔文〕宗旨。宗派。宗門。「—を同じくする」二《接尾》「宗旨」「宗派」の意。「一向—」

*しゅう【州】一《名》❶連邦国家の行政区画の称。「—政府」❷昔の中国の行政区画の称。二《接尾》「地球上の大陸」の意。「アジア—」表記二は、もと多く「洲」と書いた。

*しゅう【秀】〔文〕すぐれていること。「成績は—」参考優・良などの評価の記号としては最上を表す。

*しゅう【衆】❶〔文〕多くの人々。「—に先んずる」「—に抜きんでる」❷ある特定の人々を親しみをこめて言う語。また、丁寧に言う語。衆(ゆし)。参考単数にも用いる。また、接尾語的にも用いる。「皆の—」「若い—」「近所の—」「旦那—」「関取—」❸〔文〕人数の多いこと。「—を頼んでせめる」対寡(か)。

*しゅう【週】一《名》日曜から土曜までの七日間。一週間。ウイーク。二《助数》一週間をひとまとめとして(その月の中での)順序を表す語。「九月の第二—」

*しゅう【集】〔文〕詩歌・文章などを集めた書物。「私撰(しせん)—」「勅撰—」

*しゅう【醜】〔文〕❶みにくい・こと(もの)。対美。❷恥ずべきこと。恥。「—をさらす」

*じ-ゆう【事由】〔文〕❶ある出来事・事柄の理由。わけ。「—の如何(いかん)を問わず」❷直接の原因・理由となっている事実。また、理由。

*じ-ゆう【自由】《名・形動》〔意志や行動を決定するときに〕他から支配や強制を受けず自分の思いどおりにできること。「言論の—」「—の身となる」—いし【—意志】他人から干渉されずに、自由に自分で決めた考え。—がた【—形】水泳競技で、泳ぐ形に制限がなく、各人の自由にまかせた泳ぎ方。一般には「クロール」をさす。フリースタイル。—ぎょう【—業】勤務時間などにしばられず、独立して営む職業。医者・弁護士・著述家など。—けい【—刑】犯罪者の身体の自由をうばう刑罰。懲役・禁錮・拘留の三種がある。—けいざい【—経済】企業や個人の経済活動が自由に認められ、国家や公共団体の干渉・統制を受けない経済。—し【—詩】伝統的な形式にとらわれず、自由な内容・形式で作った詩。対定型詩。—じざい【—自在】《形動》〔自分の〕思いのままにするようす。思いのままにできるようす。「—に馬を乗りこなす」—しゅぎ【—主義】個人の自由を尊重し、国家権力の干渉をできるだけ排そうとする思想。リベラリズム。—ほうにん【—放任】各自の思いのままにさせて、干渉しないこと。「—主義」—みんけん-うんどう【—民権運動】明治初期、専制的な藩閥政府を攻撃し、民主主義・人権の確立、国会の開設などを目ざして起こった国民的政治運動。民権運動。—りつ【—律】短歌・俳句の様式で、伝統的な形式にとらわれずに自由な音数律で表現しようとするもの。

*じゅう【中】《接尾》❶あることが一定の期間続く意。…の間ずっと。「一日—」❷「ある範囲の全部」の意。…のうちで、残らず。…全部。「世界—」「家—」表記現代仮名遣いでは「…ぢゅう」も許容。

*じゅう【住】すみか。すまい。住居。「衣・食・—」

*じゅう【十】九に一を加えた数の名。とお。表記証書などに金銭の額を書くときは「拾」と書く。

*じゅう【従】一《名》❶とも。けらい。「主と—」❷中心となるおもなものに次ぐもの。「勉強を主にし運動を—にする」対①②主。二《接頭》→従(じゅ)。

*じゅう【柔】〔文〕やわらかい・こと(もの)。おだやかな・こと(もの)。対剛(ごう)。—よく剛を制す《句》柔弱そうな者がかえって剛強な者に勝つ。

*じゅう【獣】けもの。けだもの。「肉食—」

*じゅう【重】一《名》❶〔文〕大切なこと。「任務は—かつ大」❷〈お—〉重箱。二《接頭》❶「重い」「はげしい」などの意。「—金属」「—労働」対軽。❷「酸性を表す水素原子を多くふくむ」意。「—炭酸ソーダ」「—クロム酸」三《助数》ものの重なりを数える語。「五—の塔」

*じゅう【銃】小銃・ピストル・猟銃など、手で持ちはこべる銃器の総称。参考それに似た形状・用途をもつ物にも言う。「放水—」「光線—」

しゅう-あく【醜悪】《名・形動》非常にみにくくて汚らわしいこと。「金銭に関した—な争い」

じゅう-あく【十悪】〔仏〕身(からだ)・口(く)(ことば)・意(心)の三業(さんごう)が犯す一〇種の罪悪。殺生(せっしょう)・偸盗(ちゅうとう)・邪淫(じゃいん)・妄語(もうご)・両舌・悪口(あっく)・綺語(きご)・貪欲(とんよく)・瞋恚(しんい)・邪見の一〇の罪。十悪業。対十善(じゅうぜん)。

じゅう-あつ【重圧】強い力で圧迫すること。また、その圧力。「—を加える」「入試の—に耐える」

*しゅう-い【周囲】❶物のまわり。周。「池の—」類語周辺。

*しゅう-い【拾遺】〔文章・歌などで〕漏れ落ちたものを拾い補うこと。また、そうしてつくったもの。「—集」

*じゅう-い【獣医】動物、特に家畜の病気を治療する医者。獣医師。

*じゅう-い【重囲】幾重にも取り巻き、囲むこと。また、その囲み。「敵の—を脱する」

じゅういち【じふいち】カッコウ科の小鳥。カッコウよりやや小さい。他の鳥の巣に卵を産んで育てさせる。慈悲心鳥。参考鳴き声が「じゅういち」「じひしん(慈悲心)」と聞こえる。

じゅういち-がつ【十一月】一年の一一番めの月。表記「十一」とも当てる。霜月(しもつき)。

しゅう-いつ【秀逸】《名・形動》〔多くの(同類の)ものの中で〕とりわけすぐれている・こと(もの)。「—な表現力」参考特に、入選作の次にすぐれている作品にいうこともある。類語秀抜。卓抜。

じゅう-いつ【充×溢】《名・自サ》〔文〕みちあふれること。「闘志が—している」類語充満。

しゅう-いん【衆院】「衆議院」の略。対参院。

じゅう-いん【充員】《名・自他サ》不足した人員を補うこと。また、その人員。補充人員。類語補充。

*しゅう-う【秋雨】〔文〕秋に降る雨。秋雨(あきさめ)。

*しゅう-う【×驟雨】にわか雨。通り雨。「—に見舞われる」類語急雨。夕立。

しゅう・うん【舟運】〔文〕舟による運送・交通。「―の便がある」類語水運。

*しゅう・えき【囚役】〔文〕囚人に課せられる労役。

*しゅう・えき【収益】〔事業・仕事などによって〕利益をおさめること。また、利益としてはいる金銭。もうけ。「一日五〇万円の―」類語利得。利潤。

*しゅう・えき【就役】《名・自サ》❶任務・職務につくこと。類語就業。❷新建造の軍艦が任務につくこと。

*じゅう・えき【汁液】〔文〕〔植物、特にくだものなどをしぼったときの〕しる。つゆ。「―で布を染める」

*じゅう・えき【獣疫】〔文〕動物、特に家畜の感染症。

*しゅう・えん【周縁】〔文〕物のまわり。ふち。周囲。「都市の―」

*しゅう・えん【終演】〔その日の〕芝居・演劇の上演が終わること。はね。「―は九時」参考芝居では「終幕」とも言う。対開演。

*しゅう・えん【終×焉】〔文〕❶命が終わること。臨終。最期。末期(まつご)。「―記」❷老後の身を落ち着けること。「―の地」

じゅう・えん【重縁】親類関係にある者どうしの間で行う縁組・結婚。

じゅう・おう【縦横】❶縦と横。また、〔地図上で〕東西と南北。参考四方八方の意にも用いる。「都心を―に走る道路」❷思いのまま。自由自在。「ハンドルを―にあやつる」―むじん【―無尽】自由自在に行うこと。思う存分。「―の大活躍」

じゅう・おん【重恩】〔主君などから〕重ねて受ける恩。重い恩義。厚い恩。「―に報いる」類語大恩。

*しゅう・か【秀歌】すぐれた和歌。「万葉―」

*しゅう・か【衆寡】人数の多いことと少ないこと。―敵せず《句》少数と多数では戦いにならない。「寡は衆に敵せず」とも。「―敗走する」

*しゅう・か【集荷・×蒐荷】《名・自他サ》〔農・水産物の〕荷物が一か所に集まること。荷を集めること。また、その荷。「市場に―する」

*しゅう・か【集貨】《名・自他サ》貨物や商品が集まること。集めること。また、その貨物や商品。

*じゅう・か【住家】〔文〕人が住むための家。住宅。

*じゅう・か【銃火】❶銃器をうつときに出る火。❷銃器による射撃・攻撃。「―を浴びる」類語①②砲火。

*しゅう・かい【周回】〔文〕❶物のまわり。周囲。「―一五キロの島」類語周辺。❷《名・自サ》まわること。めぐること。「―道路」

*しゅう・かい【集会】《名・自サ》〔共同の目的をもって〕ある場所に一時的に多くの人が集まること。また、その集まり。「定例―」

*しゅう・かい【醜怪】《名・形動》みにくく不気味なようす。「―な容姿」

しゅう・かいどう【秋海×棠】シュウカイドウ科の多年草。秋、淡紅色の花を開く。観賞用。根を漢方薬にする。断腸花。

じゅうかがく・こうぎょう【重化学工業】重工業に化学工業を含めたときの言い方。

*しゅう・かく【収穫】❶《名・他サ》農作物を取り入れること。また、取り入れたもの。「―の秋」「米を―する」❷あることを行って得たよい結果。「登山での―」表記釣りや狩りの場合などには多く「収獲」と書く。

*しゅう・かく【臭覚】「嗅覚(きゅうかく)」の言いかえ語。

*しゅう・がく【就学】《名・自サ》〔教育を受けるため〕学校に入ること。「―年齢」「―児童」類語進学。

*しゅう・がく【修学】《名・自サ》学問をおさめ習うこと。「―年限」―りょこう【―旅行】名所・旧跡などを実地見学させるため、教員が児童・生徒を引率して行う団体旅行。

じゅう・かさんぜい【重加算税】加算税の一つ。納税義務者が事実の隠蔽(いんぺい)・仮装をして、正しく納税申告をしなかった場合に制裁として課せられるもの。

じゅう・かしつ【重過失】厳重に注意されている事柄を守らないためにおかした過失。「―罪」

じゅうか・ぜい【従価税】品物の価格を基準として税率をきめる税。関税・物品税など。対従量税。

じゅう・がつ【十月】一年の一〇番めの月。神無月(かみなづき・かんなづき・かみなしづき)。

*しゅう・かん【収監】《名・他サ》人を刑務所に収容し監禁しておくこと。「受刑者を―する」

*しゅう・かん【終刊】新聞や雑誌などの刊行をやめること。また、最後の刊行。「―号」対創刊。発刊。

*しゅう・かん【終巻】〔文〕〔全集などの〕最後の巻。最終巻。また、書物の終わりの部分。対首巻。

*しゅう・かん【習慣】長い間くり返し行われて、きまりのようになった事柄。ならわし。〔多く個人的なならわしをいう〕「早起きの―」類語しきたり。慣習。風習。

⇩【類義語の使い分け「慣習」】

*しゅう・かん【週刊】一週に一回刊行すること。「―誌」注意「週間誌」は誤り。

*しゅう・かん【週間】■《名》〔特別な行事の行われる〕一週の間。七日間。「交通安全―」■《助数》七日を一単位にして日数を数える語。「卒業式まで二―ある」

*じゅう・かん【縦貫】《名・他サ》〔広い土地などを〕縦(南北)につらぬくこと。「本州を―する道路」

*じゅう・かん【重患】重い病気。重病。また、その患者。重病患者。「―の付きそい」

*じゅう・がん【銃丸】小銃の弾丸。銃弾。

*じゅう・がん【銃眼】敵を監視したり、射撃したりするため、城壁などにあけた〔小さな〕穴。

*しゅう・き【周忌】《助数》人の死後、その命日が回ってくる回数を表す。回忌。年忌。参考一年めを一周忌、二年めを三周忌などのように言う。「祖母の七―」

*しゅう・き【周期】あるきまった時間をおいて、同じ運動・現象がくり返されるときの、一回の運動・現象に要する時間。「自転の―」―てき【―的】《形動》あるきまった時間をおいて、同じ事がおこるようす。「痛みが―におこる」

*しゅう・き【宗規】〔文〕宗教、特に仏教のそれぞれの宗派できめられている規則。

*しゅう・き【秋期】秋の期間。「―講習会」

*しゅう・き【秋気】〔文〕❶秋らしい気配。「―山野に満ちる」❷秋の冷たい空気。「―が身にしみる」

*しゅう・き【秋季】秋の季節。あき。「―大運動会」

*しゅう・き【終期】❶続いていた物事の終わる時期。「国会の―」❷法律行為の効力のなくなる期限。「契約の―を待つ」対始期。

*しゅう・き【臭気】くさいにおい。いやなにおい。くさみ。「―が鼻をつく」「―止め」類語悪臭。対香気。

*しゅう・ぎ【祝儀】❶祝いの儀式。祝典。祝賀式。❷結婚式。祝言。❸お祝いのときに贈る金品。ひきでもの。❹心づけ。チップ。はな。「―をはずむ」

し

*しゅう・ぎ【衆議】多人数で相談すること。また、その時に出る人々の意見。「ー一決する（=多くの人々の意見が一致して、ただちにそれを決定する）」類語合議。

ーいん【ー院】参議院とともに日本の国会を構成する議院。国民によって選挙された議員で組織される。先議権・決議権などで参議院に優越する。衆院。

*じゅう・き【×什器】日常使う家具・道具類の総称。

*じゅう・き【銃器】小銃・機関銃・ピストルなどの総称。

じゅう・きかんじゅう【重機関銃】数人で操作する大型の機関銃。長時間の連続射撃にたえる。重機。対軽機関銃。

しゅう・きゃく【集客】《名・自他サ》客を集めること。「ー能力」

*しゅう・きゅう【×蹴球】革製のボールをけって相手のゴールにいれ、得点を争う競技。フットボール。参考ふつうはサッカーをさす。サッカー・ラグビー・アメリカンフットボールがあるが、

*しゅう・きゅう【週休】一週間のうちにきまった休みの日があること。「ー二日制」

*しゅう・きゅう【週給】一週間単位で支給される給料。類語月給。年給。

じゅう・きょ【住居】〔人が〕住んでいるところ。すまい。すみか。「ー変更」類語住所。住宅。

しゅう・きょう【宗教】神仏などの超自然的・超人間的なものを信仰・畏怖(ふい)・尊崇することによって、心のやすらぎを得ようとすること。また、その信仰の体系的なまとまり。

ーかいかく【ー改革】一六〜一七世紀にかけてヨーロッパで起こった、キリスト教改革の運動。多くの争乱の後、ローマ教皇を認めないプロテスタント（新教）が確立した。

*しゅう・ぎょう【就業】《名・自サ》❶〔会社・商店などで働く人が〕仕事をし始めること。業務につくこと。「ー時間」「午前九時にーする」類語従業。就役。❷〔ある一定の〕職業をもっていること。「ー人口」対失業。

*しゅう・ぎょう【修業】《名・自他サ》学問・技芸などをならいおさめること。修業(しゅぎょう)。「ーの年限は三年」類語修行(しゅぎょう)。

*しゅう・ぎょう【終業】《名・自サ》❶《他サ》その日の仕事・業務が終わること。また、終えること。「六時ー」❷学校で一定期間の学業がおわること。「ー式」類語卒業。対①②始業。

じゅう・ぎょう【従業】《名・自サ》〔会社・商店などの組織の一員として〕業務に従事すること。「ー員」

*しゅう・きょく【終局】❶碁・将棋をさし終わること。❷物事の終末。事件の終わり。「事件はーを告げた」⇩〘使い分け〙

*しゅう・きょく【終曲】いくつかの曲から成る楽曲の、最後の曲。フィナーレ。⇩〘使い分け〙

*しゅう・きょく【終極】物事のいちばん終わり。最後。果て。「ーの目的」⇩〘使い分け〙

使い分け「シュウキョク」
終局〔「局」は部分で物事のなりゆきの意。事件の終わり〕終局裁判・終局まで見通す・戦争が終局を迎える
終曲〔フィナーレ〕終曲を奏し終える・第二幕の終曲
終極〔「極」はきわまり・はての意。物事のいちばん終わり〕終極の目標・終極の目的

*しゅう・きょく【×褶曲】《名・自サ》平らな地層が地殻の変動によって横から圧力をうけ、波形にまがって山や谷ができること。「ー山脈」

しゅうぎょ・とう【集魚灯】夜、魚群をさそい集めて一度にとるために、海上や海中にともすあかり。

しゅう・きん【集金】《名・自他サ》品物の代金や貸金などを集めること。また、集めた金。「ー人(にん)」

しゅう・ぎん【秀吟】〔文〕すぐれた詩歌。

じゅう・きんぞく【重金属】比重四以上の金属。白金・イリジウム・金・銀・銅・鉄など。対軽金属。

しゅう・く【秀句】❶すぐれた・俳句（文句）。佳句。名句。対駄句。❷同音異義を利用して、うまく言いかけたしゃれ。地口(じぐち)・口合(くちあい)などの類。

しゅう・ぐ【衆愚】〔文〕多くのおろかな人々。ーせいじ【ー政治】おろかな大衆によって行われる政治。民主主義をあざけって言う語。

じゅう・く【重苦】重い苦しみ。「ーにあえぐ」

ジューク・ボックス 料金を入れて聞きたい曲のボタンを押すと、自動的にレコードが回って音楽が聞ける装置。▽jukebox

シュークリーム 小麦粉・卵・バターなどをまぜて焼いてふくらませた皮の中に、クリームをつめた洋菓子。▽フランス chou（=キャベツ）à la crème から。

じゅう・ぐん【従軍】《名・自サ》軍隊について戦地に行くこと。「ー記者」「軍属としてーする」

しゅう・けい【集計】《名・他サ》寄せ集めた数を合計すること（したもの）。「寄付金をーする」類語合計。

*じゅう・けい【従兄】〔文〕いとこで、自分より年上の男。対従弟。

*じゅう・けい【重刑】刑期の長い、重い刑罰。重科。「ーに処せられる」類語厳刑。極刑。厳罰(げんばつ)。

*じゅう・けい【銃刑】銃で射殺する刑罰。銃殺刑。

しゅう・げき【襲撃】《名・他サ》敵を不意におそってうつこと。「ーに備える」類語不意うち。

じゅう・げき【銃撃】《名・他サ》小銃・機関銃などで射撃・攻撃すること。「ー戦」類語砲撃。

*しゅう・けつ【終結】❶《名・自サ》物事のおさまりがついて終わること。おわり。「戦争がーする」類語終止。終了。❷〔論〕仮設から推論して得る結論。対仮設。

*しゅう・けつ【集結】《名・他自サ》散らばっていたものを一か所に集めること。また、集まること。結集。「中央広場にーさせる」

しゅう・げつ【秋月】〔文〕秋の夜の月。

じゅう・けつ【充血】《名・自サ》血管、特に動脈のある部分に異常に血液が増すこと。「目がーする」参考静脈の場合は「鬱血(うっけつ)」という。

しゅう・けん【集権】権力を一か所に集めること。「中央ー」対分権。

しゅう・げん【祝言】結婚式。婚礼。〔やや古風なことば〕「ーを挙げる」

じゅう・けん【銃剣】❶銃と剣。❷小銃の先につける剣。また、それをつけた小銃。剣つき鉄砲。「ー術」

じゅう・げん【重言】❶同意の語を重ねて使う言い方。「半紙がみ」「馬から落馬する」の類。重言(じゅうごん)。❷同じ語を重ねた熟語。「堂堂」「国国」の類。畳語。

じゅう・こ【住戸】集合住宅の一戸一戸を言う語。

じゅう・ご【銃後】〔戦場の後方の意で〕直接戦闘に参加していない一般国民。また、戦場となっていない国内。「ーの守り」

*しゅう-こう【周航】《名・自サ》〔文〕あちらこちらを船でめぐること。「瀬戸内海を―する」

*しゅう-こう【就航】《名・自サ》船舶・飛行機などが航海や航空の途につくこと。「遊覧船は来月から―する」

*しゅう-こう【修好】《名・自サ》〔文〕国家間でたがいに好意をもってまじわること。「―条約」

*しゅう-こう【舟航】《名・自サ》〔文〕航海。

*しゅう-こう【舟行】〔文〕❶《名・自サ》舟に乗って行くこと。船旅。❷舟遊び。

*しゅう-こう【衆口】〔文〕多くの人々のことば。万口(ばんこう)。「―が一致する」

*しゅう-こう【集光】《名・自サ》光線を一か所(一方向)に集めること。「―レンズ」

*しゅう-こう【醜行】〔文〕恥ずべき行い。類語 醜態。

*しゅう-ごう【秋×毫】〔文〕《多く、下に打ち消しの語を伴う》〔秋に抜け変わる、獣の細い毛の意から〕非常に少ないこと。わずか。「―のやましさもない」

*しゅう-ごう【習合】《名・他サ》いくつかの教義・主義などを取り入れて一つに結びつけること。「神仏―」

*しゅう-ごう【集合】❶《名・自サ》一か所に集まること。〔ふつう、人について使う〕「八時に―する」対 解散。❷〔数〕範囲の確定しているものの集まりを一つの全体として見たもの。「偶数の―」

*じゅう-こう【銃口】小銃・拳銃(けんじゅう)・機関銃などの弾丸を発射する筒口(つつぐち)。「―を突き付ける」

*じゅう-こう【重厚】《形動》〔態度や性質が〕どっしりと落ちついているようす。「―な人物」対 軽薄。

じゅう-ごう【重合】同一物質の二個以上の分子が結合し、幾倍かの分子量をもつ物質(=高分子化合物)をつくる化学反応。広義には、高分子を生成する化学反応の総称。「―体(=重合によりできた化合物)」

じゅう-こうぎょう【重工業】生産に必要な機械や設備(=生産財)をつくる工業。広義には、大きくて重量のある製品をつくる工業をさす。製鉄業・製鋼業・造船業など。対 軽工業。

しゅう-ごく【囚獄】〔文〕牢獄(ろうごく)。牢屋。

しゅう-こつ【収骨】《名・自他サ》❶火葬のあとに残った骨を、つぼなどに収めること。❷戦場などに広く散らばった遺骨を、埋葬するために集めること。

じゅうご-や【十五夜】❶陰暦の一五日の夜。満月の夜。❷特に、陰暦八月一五日の夜。観月の宴をもうけ、ススキ・だんご・イモなどを月に供える。参考 十五夜の月を「中秋の名月」「いも名月」とも言う。

じゅう-こん【重婚】《名・自サ》配偶者のある者が、さらに他の人と結婚すること。二重結婚。「―罪」

しゅう-さ【収差】レンズや鏡などによって物体の像をつくるとき、一点から出た光線が完全に一点に集まらないため、像がぼけたり曲がったりする現象。

じゅう-ざ【銃座】機関銃などで射撃するとき、動かないように銃身をすえておく台。

ジューサー 野菜やくだものの汁をとる家庭電気器具。類語 ミキサー。▽juicer

*しゅう-さい【収載】《名・他サ》書物や文書などに載せること。「その句は文中に―されていない」類語 所載。記載。登載。所収。

*しゅう-さい【秀才】❶学問における才能が人並み以上にすぐれた人。英才。「全国の―を集めた学校」類語 逸才。天才。俊才。俊秀。❷中国唐代で科挙(=官吏登用試験)の一科目。また、その合格者。その後、その科目の受験資格をもさした。

類義語の使い分け　秀才・天才

[秀才・天才] まれに見る秀才(天才)と評価が高い
[秀才] 本校随一の秀才/秀才が目白押しの名門校
[天才] 天才的なピアニスト/天才肌のバッター

じゅう-ざい【重罪】おもい罪。重科。類語 大罪。

*しゅう-さく【秀作】すぐれた作品。「近年の―」

*しゅう-さく【習作】〔芸術や文芸などで〕練習や試みのためにつくった作品。試作。エチュード。〔完成した作品に対して言う〕「無名時代の―」

*じゅう-さつ【重刷】《名・他サ》増刷。増しずり。

*じゅう-さつ【銃殺】《名・他サ》❶銃でうち殺すこと。❷〔軍隊で〕処刑として小銃で射殺すること。「―刑」

*しゅう-さん【秋蚕】秋に飼うカイコ。あきご。

*しゅう-さん【×蓚酸】二塩基性カルボン酸。無色柱状の結晶で、有毒。染色・漂白・洗浄などに使用。

*しゅう-さん【集散】《名・自他サ》集まったり散ったりすること。また、集めたり散らしたりすること。「離合―」「米の―地」

じゅうさん-や【十三夜】❶陰暦の毎月一三日の夜。❷特に、陰暦九月一三日の夜。参考 十五夜についで月が美しいと言われ、十三夜の月を「後(のち)の月」「豆名月」「栗(くり)名月」ともいう。

じゅうさん-り【十三里】〔「クリより(=九里四里)うまい」というしゃれから〕焼きいも。

*しゅう-し【収支】収入と支出。「―があわない」

*しゅう-し【宗旨】❶宗教・宗派の中心となる教え。「―を説く」❷宗派。宗門。「―が違う」❸最上のものとして信じ尊ぶ、主義・主張・好みなど。「自由放任を―とする」

*しゅう-し【修史】〔文〕歴史を編修すること。

*しゅう-し【修士】大学院に二年以上在学して、一定の単位を修め論文の審査に合格した人に与えられる学位。マスター。「―論文」参考 ➡学士・博士。

*しゅう-し【愁思】〔文〕思いわずらうこと。うれい。

*しゅう-し【秋思】〔文〕秋に感じる、ものさびしい思い。対 春愁。

*しゅう-し【終始】㊀《名》❶始めと終わり。首尾。❷《自サ》始めから終わりまで変わらずに続くこと。「研究生活に―した一生」㊁《副》始めから終わりまでずっと。始終(しじゅう)。「―沈黙をまもる」―いっかん【―一貫】《名・自サ》始めから終わりまで変わらないこと。〔副詞的にも使う〕「―した態度」

*しゅう-し【終止】《名・自サ》終わること。類語 終了。終結。―けい【―形】文法で、活用形の一つ。文をふつうに言い切るときの形。辞典で見出しとして使われる。―ふ【―符】欧文で、文の終わりに打つ点。ピリオド。「.」。「―を打つ(=終わりにする)」

*しゅう-じ【修辞】ことばをうまく使って、美しくたくみに表現すること。また、その技術。レトリック。「―法」

*しゅう-じ【習字】文字の書き方を(毛筆で)習うこと。手習い。書き方。「ペン―」参考 もと小・中学校の国語科の一分野。現在は「書写」と呼び、硬筆・毛筆によって指導する。類語 書道。

*じゅう-し【従姉】〔文〕いとこで、自分より年上の女性。対 従妹(じゅうまい)。

*じゅう-し【獣脂】獣類からとる脂肪。

*じゅう-し【重視】《名・他サ》重要・重大なこととしてみること。重くみること。「事態を―する」対軽視。

*じゅう-じ【住持】寺の長である僧。住職。

*じゅう-じ【十字】漢字の「十」の字の形。十文字。

―か【―架】❶昔、罪人をはりつけにした十字形の柱。❷キリスト教徒が礼拝の対象として尊ぶ十字の形。参考イエス＝キリストが十字架①にはりつけになったことから、苦難、犠牲、消えることのない罪などの象徴とされる。「―を背負う」 ―ぐん【―軍】一一世紀末より一三世紀にかけて、ヨーロッパのキリスト教徒が、イスラム教徒に支配された聖地エルサレムを奪い返すために起こした義勇軍。 ―ろ【―路】道が十字形に交差している所。四つつじ。四つかど。類語交差点。

*じゅう-じ【従事】《名・自サ》ある仕事にたずさわること。「ダム建設に―する」

ジューシー《形動》果汁・肉汁などを多く含むようす。▽juicy

じゅうしち-もじ【十七文字】〔五・七・五の一七音でできていることから〕「俳句」の別称。参考「みそひともじ」は和歌の別称。

*しゅう-じつ【秋日】〔文〕❶秋の日。❷秋の季節。

*しゅう-じつ【終日】朝から晩まで。一日じゅう。〔副詞的にも使う〕「―を読書で過ごす」「―机に向かう」

*しゅう-じつ【週日】❶一週間の日。七日間。❷一週間のうち日曜を除いた日。ウイークデー。参考土曜日も除いて言うことがある。

じゅう-じつ【充実】《名・自サ》〔力や内容が〕ゆたかに十分にそなわっていること。「―した生活」「―感」

じゅう-しまい【従姉妹】〔文〕従姉と従妹。女のいとこ。対従兄弟(じゅうけいてい)。

じゅう-しまつ【十姉▽妹】参考↓いとこ。カエデチョウ科の小鳥。純白や白に黒や茶のまだらのものなど、種類が多い。愛玩(あいがん)用。繁殖力が強く、ひなを育てるのがうまいので、他の鳥の仮親としても使われる。十姉妹(じゅうしまい)。

しゅう-しゃ【終車】その日最後に出る電車・バス。類語終電車。終バス。

じゅう-しゃ【従者】主人の供をする者。おとも。

しゅう-じゃく【執着・執▽著】《名・自サ》執着(しゅうちゃく)。〔元来、仏教語。古風な言い方〕

しゅう-しゅ【×袖手】《名・自サ》〔「ふところで」の意〕自分からすすんで行う労をいとうこと。 ―ぼうかん【―傍観】《名・他サ》「拱手(きょうしゅ)傍観」に同じ。

しゅう-じゅ【収受】《名・他サ》〔文〕〔物品・金銭・利益などを〕受け取り収めること。「料金を―する」

*しゅう-しゅう【修習】《名・他サ》学問などを習い修めること。「司法―生」

*しゅう-しゅう【収拾】《名・他サ》〔混乱した状態を〕おさめまとめること。拾収。「―策」⇩〖使い分け〗

*しゅう-しゅう【収集・×蒐集】《名・他サ》❶〔ある物を〕集めること。「ごみ―車」❷趣味・研究などのため、ある種の品物を集めること。また、その集めた品物。コレクション。「茶器を―する」⇩〖使い分け〗

使い分け「シュウシュウ」

収拾〔乱れた状態をおさめまとめる〕混乱した事態を収拾する・収拾がつかない

収集〔物を集める。趣味・研究用に特定の品物を集める〕ごみの収集日・切手を収集(蒐集)する・資料を収集(蒐集)する

参考「切手の収集」などにおける「収集」は、もともっぱら「蒐集」と書いた。「収集」は「同音の漢字による書きかえ」(国語審議会)による表記。

*しゅう-しゅう【×啾×啾】《形動タルト》〔文〕小声でしくしく泣くようす。「鬼哭(きこく)―」

しゅう-じゅう【▽主従】〔文〕主従(しゅじゅう)。「―の関係」

じゅう-じゅう【重重】《副》❶〔文〕幾重(いくえ)にもかさなるようす。❷十分なようす。「事情は―承知している」類語くれぐれも。よくよく。

しゅう-しゅく【収縮】《名・自他サ》ひきしまって縮まること。また、ひきしめて縮めること。「筋肉が―する」

しゅう-じゅく【習熟】《名・自サ》よくなれてじょうずになること。「編集技術に―する」類語熟練。熟達。

じゅう-しゅつ【重出】《名・自サ》同じものがまた出ること。重出(ちょうしゅつ)。「問題文が―している」

じゅう-じゅつ【柔術】日本古来の武道の一つ。拳法(けんぽう)と相撲から考案されたもの。相手の力を利用して相手を倒す。柔(やわら)。参考これを改良したのが柔道。

*じゅう-じゅん【従順】《形動》すなおで人の言うことにさからわないようす。「―な家来」類語柔順。

*じゅう-じゅん【柔順】《形動》〔性格が〕おだやかで人にさからわないようす。「―な性格」類語従順。温順。

しゅう-じょ【醜女】〔文〕〔顔かたちの〕みにくい女。醜婦。しこめ。対美女。

じゅう-しょ【住所】〔その人の〕生活の本拠となっている場所。また、その所番地。「―不定」類語居所。

*しゅう-しょう【周章】《名・自サ》〔文〕あわてふためくこと。 ―ろうばい【―×狼×狽】《名・自サ》〔文〕大いにうろたえさわぐこと。〔「周章」を強めた言い方〕「突然の事故に―する」

*しゅう-しょう【就床】《名・自サ》〔文〕寝床にはいること。「一〇時―」類語就寝。就眠。対起床。

*しゅう-しょう【愁傷】❶《名・自サ》〔文〕なげき悲しむこと。愁嘆。❷〈御(ご)―さま〉相手の不幸に対するくやみのことば。また、相手を気の毒に思うあいさつのことば。「このたびは御―さまです」

*しゅう-しょう【秋宵】〔文〕秋の宵(よい)。

*しゅう-しょう【終章】論文や小説などの最後の章。

しゅう-じょう【醜状】下劣でみにくいありさま。「―をあばく」類語醜態(しゅうたい)。

*じゅう-しょう【重傷】大けが。ふかで。対軽傷。

*じゅう-しょう【重唱】《名・他サ》各声部を一人ずつがうけもって歌い合わせること。二重唱・三重唱など。

*じゅう-しょう【重症】〔症状の〕重い病気。「―の患者」類語重病。重患。対軽症。

*じゅう-しょう【銃傷】小銃などの銃弾で受けた傷。たまきず。銃創。「―の跡」

*じゅう-しょう【銃床】〔小銃で〕銃身をとりつけてある木製の部分。

じゅうしょう-しゅぎ【重商主義】輸出の増大をはかって国を豊かにしようとする経済政策。マーカンティリズム。参考一七世紀の初めから一八世紀半ばにかけてヨーロッパで行われた。対重農主義。

*しゅう-しょく【就職】《名・自サ》〔新しく〕職業につくこと。「商社に―する」「―口をさがす」対退職。

*しゅう-しょく【修飾】《名・他サ》❶つくろいかざるこ

と。「―された話」❷文法で、次にくる語句の上について、その語句の意味を詳しく説明・限定すること。―ご【―語】文の成分の一つで、次にくる語句を修飾する文節。連体修飾語と連用修飾語とがある。「赤い花」の「赤い」、「どんどん進む」の「どんどん」など。

*しゅう-しょく【愁色】〔文〕心配そうな顔つき。悲しそうな表情。「遭難の報道に―を濃くする」類語 憂色。

*しゅう-しょく【秋色】〔文〕❶秋のけしき。❷秋のけはい。秋らしい感じ。「日ごとに―が深まる」

しゅう-じょく【就×褥・就×蓐】《名・自サ》〔文〕寝床につくこと。特に、病気で床につくこと。

*じゅう-しょく【住職】寺の長である僧侶。住持。

*じゅう-しょく【重職】〔ある会社・分野における〕大切で、責任のある職務。要職。「会長の―につく」

しゅう-じょし【終助詞】国語の助詞の一つ。文や句の終わりに用いられて、感動・願望・禁止・疑問などの意を表すもの。口語では「い」「よ」「さ」「か」など、文語では「か」「かな」「かも」「ばや」「なむ」など。

*しゅう-しん【執心】❶《名・自サ》〔文〕物事に深く心をひかれて思い切れないこと。「金銭に―する」類語 執着。❷〈ご―〉異性を熱烈に恋い慕うこと。〔からかって言う〕「すっかり彼女にご―だ」

*しゅう-しん【就寝】《名・自サ》〔文〕寝床にはいって寝ること。「一〇時―」類語 就眠。就床。対 起床。

*しゅう-しん【修身】❶身をおさめて正しい行いをするように努力すること。❷旧制度の小・中学校で行われた教科で、道徳を身につけさせるためのもの。参考 現在は「道徳」という。

*しゅう-しん【終審】判決が確定する最終の審理。原則として最高裁判所が行う。

*しゅう-しん【終身】〔生まれた時から〕死ぬまでの間。一生の間。一生涯。終生。〔副詞的にも使う〕「―独身ですごす」「―刑」「―保険」

*しゅう-じん【囚人】〔法律上の罪を犯して〕刑務所に入れられている人。服役者。類語 罪人。獄囚。

*しゅう-じん【衆人】大勢の人。「―の注目を集める」「―環視」類語 大衆。群衆。注意「衆人監視」は誤り。

*しゅう-じん【集×塵】ごみを一か所に集めること。「―機」「―袋」

*じゅう-しん【獣心】〔けだもののように〕道理・道徳をわきまえない、卑劣・野蛮な心。「人面―」

*じゅう-しん【重心】❶〔理〕物体の各部分に作用する重力の合力が、ある一点に作用すると考えたときのその一点。重力の中心点。「船の―が傾く」❷物事の中心となる点。たいせつな所。「経営の―」

*じゅう-しん【重臣】〔主君のそばに仕え〕重要な職務についている臣下。また、国が必要とする重要な人物。

*じゅう-しん【銃身】〔銃器の〕射撃したときに弾丸が通る、鋼鉄製の筒の部分。

シューズ 短ぐつ。くつ。類語 ブーツ。▽shoes

*ジュース テニス・バレーボール・卓球などで、双方があと一点で一ゲームまたは一セットを取れるというところで同点になること。その後は続けて二点先取した方を勝ちとする。▽deuce

*ジュース くだもの・野菜などをしぼった汁。また、それを加工した飲み物。「トマト―」▽juice

しゅう-すい【秋水】〔文〕❶秋の、清い澄みきった水。❷とぎすました、くもりのない刀。「三尺の―」

じゅう-すい【重水】重水素を含む水。ふつうの水より分子量が大きい。原子炉で中性子の速度をおそくするもの(=減速材)として重要な材料。「―炉」対 軽水。

じゅう-すいそ【重水素】水素の同位元素。水素爆弾・核融合反応の実験などに使う。

しゅう-すじ【▽主筋】主人・主君の血筋(をひく人)。〔古風なことば〕

しゅう-・する【修する】《他サ変》〔文〕❶〔悪い状態・態度などを〕直す。正しくする。「身を―・する」❷〔身につけ〕習い覚える。おさめる。しゅする。「学を―・する」❸修理する。❹〔仏事を〕とり行う。しゅする。「法会を―・する」❺かざる。修飾する。「辺幅を―・する(=外見だけ立派に見せかける)」

*しゅう-せい【修整】《名・他サ》〔写真の原板などに〕映像の不完全な点を補い直すこと。「ネガを―する」

*しゅう-せい【修正】《名・他サ》不十分な点やよくない点をなおして正しくすること。「語句のまちがいを―する」

*しゅう-せい【秋声】〔文〕秋風の吹く音。秋風。「―野に満つ」

*しゅう-せい【終生・終世】生きている限り。一生。生涯。終身。〔副詞的に使う〕「―忘れ得ぬ思い出」

*しゅう-せい【習性】❶長い間の習慣によってできてしまった性質。くせ。「朝寝坊の―」❷その種類の動物が持つ特有の性質。「クマは冬眠する―がある」

*しゅう-せい【集成】《名・他サ》多くの同じ種類のものを集めて、一つのまとまったものにすること。また、まとめたもの。集大成。「古典文学を―する」

しゅう-ぜい【収税】税金を取りたてること。徴税。

*じゅう-せい【獣性】❶けものの持つ性質。❷人間の性質の中で、他の動物と変わりのない醜い一面。肉体的な欲望などをさす。「―をむきだしにする」

*じゅう-せい【銃声】小銃・ピストルなどを撃ったときに出る音。「森の中で―がした」類語 砲声。

じゅう-ぜい【重税】負担の重い税金。「―に苦しむ」

しゅう-せき【集積】《名・自他サ》多くの物が一か所に集まり積み重なること。また、集めてつみ重ねること。「材木を―する」―かいろ【―回路】多くの回路素子を一つの基盤に結合させた超小型電子回路。略語 IC。

じゅう-せき【重責】大きな責任。重い責任。「議長の―を果たす」「―をになう」

*しゅう-せん【周旋】《名・自他サ》〔物の売買・貸借・人の雇用などで〕間にはいって取り持つこと。なかだち。斡旋。「先生の―で職に就く」「土地を―する」

*しゅう-せん【終戦】戦争が終わること。参考 特に、第二次世界大戦におけるわが国の敗戦を指して言うことが多い。「―記念日」対 開戦。

*しゅう-ぜん【修繕】《名・他サ》〔壊れたり悪くなったりした部分を〕つくろい直すこと。修理。類語 補修。

*しゅう-ぜん【愁然】《形動タルト》〔文〕うれえ悲しんで元気のないようす。「―として頭をたれる」

*じゅう-ぜん【十善】❶〔仏〕十悪を行わないこと。十戒を守り保つこと。対 十悪。❷〔文〕〔前世で十善を行った功徳によって現世で王の位を受けるというところから〕天子の位。また、天皇の敬称。「―の君」

*じゅう-ぜん【十全】《名・形動》欠けた所がなく、十分にととのっていること。「―の策」類語 万全。完全。

*じゅう-ぜん【従前】今より前。以前から今まで。これまで。従来。「―通りに進める」類語 在来。

*しゅう‐そ【宗祖】ある宗派を開いた人。開祖。類語 祖師。教祖。開山。

*しゅう‐そ【愁訴】《名・自サ》〔文〕〔苦しみ・悲しみなどを〕訴えること。また、その訴え。「不定―」類語 哀訴。嘆願。

*しゅう‐そ【臭素】ハロゲン元素の一つ。常温では赤褐色で刺激性のにおいがある重い液体。揮発しやすく、蒸発したガスは有毒。酸化剤、殺菌剤、写真の感光材料、医薬などに使う。ブロム。元素記号 Br。

じゅう‐そ【重×祚】→ちょうそ(重祚)。

しゅう‐そう【秋霜】〔文〕❶秋の霜。参考 秋の霜が草木を枯らすほど厳しいものであることから、厳しい刑罰・権威や、堅い信念・意志などのたとえに使う。「喜びは春陽のごとく、怒りは―のごとし」❷〔とぎすました〕するどい刀剣。―れつじつ【―烈日】〔文〕〔秋の冷たい霜と、夏の激しい太陽の意から〕刑罰・権力・威厳・信念などが非常に厳しいことのたとえ。

*しゅう‐ぞう【修造】《名・他サ》神社や寺院などの建築物を修繕すること。類語 修復。改修。

*しゅう‐ぞう【収蔵】《名・他サ》❶物を手もとに置いて保存すること。「―庫」「古書を―する」❷農作物を取り入れて貯蔵すること。

*じゅう‐そう【縦走】《名・自サ》❶山脈などが、地形の長い方向(南北の方向)につらぬくように連なっていること。「けわしい山脈が―している」❷〔登山で〕尾根づたいに歩くこと。「槍(やり)・穂高―」

*じゅう‐そう【重奏】《名・他サ》各楽器がそれぞれ異なる声部を受け持って演奏すること。二重奏・三重奏・四重奏などがある。「ピアノ三―」「弦楽四―」

*じゅう‐そう【重層】幾つもの層になって重なり合うこと。「―的な構造」

*じゅう‐そう【重曹】「重炭酸ソーダ(=炭酸水素ナトリウム)」の略。水にとかすと、弱いアルカリ性を示す無色の結晶。医薬・漂白剤・ふくらし粉などに使う。参考 「曹」は「ソーダ」の当て字「曹達」から。

*じゅう‐そう【銃創】銃弾にあたって受けたきず。銃傷。「貫通―」「盲管―」

*しゅう‐そく【収束】❶《名・他サ》集めて束にすること。❷《名・自他サ》おさまりがつくこと。また、しめくくりをつけること。「事態が―に向かう」❸《名・自サ》〔数〕ある規則によって変化する数が、ある一定の値に限りなく近づくこと。収斂(しゅうれん)。❹《名・自サ》〔理〕光線などが一点に集まること。集束。収斂。対 ③④発散。

*しゅう‐そく【終息・終×熄】《名・自サ》〔戦乱・事変・悪疫の流行などの混乱状態が〕すっかり終わりになること。「インフレが―する」「動乱が―する」

*しゅう‐ぞく【習俗】〔ある社会や地域の〕習慣と風俗。ならわし。風習。「津軽地方の―」類語 慣習。

*しゅう‐ぞく【衆俗】〔文〕多数の俗人。大衆。

*じゅう‐そく【充×塞】《名・自他サ》満ちていっぱいにふさがること。また、いっぱいに満たしてふさぐこと。

*じゅう‐そく【充足】《名・他自サ》十分におぎない満たすこと。また、満ちたりること。「―した生活」

*じゅう‐ぞく【従属】《名・自サ》〔権力者などに〕つき従い依存すること。「支配者に―する」類語 隷属(れいぞく)。

じゅう‐そつ【従卒】将校について身のまわりの世話をする兵士。将校当番兵。従兵。

しゅう‐そん【集村】多くの人家が一か所に密集して村落をなしているもの。対 散村。

しゅう‐たい【醜態】見苦しい態度・行動。「―を演ずる」類語 醜状。醜行。失態。

*じゅう‐たい【渋滞】《名・自サ》〔物事が〕とどこおってはかどらないこと。すらすら進まないこと。「事故で交通が―する」類語 停頓(ていとん)。停滞。

*じゅう‐たい【縦隊】縦に並ぶ隊形。対 横隊。

*じゅう‐たい【重態・重体】病気・負傷の容体が重く危険な状態。「―に陥る」類語 危篤(きとく)。重篤(じゅうとく)。

*じゅう‐だい【十代】❶〔役職・家系などの〕初代からかぞえて一〇番目の代。「―将軍」❷一二、三歳から一九歳までの、少年少女時代。また、その時代の少年少女。ティーンエージャー。「夢多き―」

*じゅう‐だい【重代】〔文〕先祖代々。累代(るいだい)。「―の家宝」

*じゅう‐だい【重大】《形動》❶軽々しくあつかえば失敗・破滅に至るほど、大切なようす。「―な危機」類語 重要。❷ふつうの事柄でないようす。「―な過ち」

しゅう‐たいせい【集大成】《名・他サ》ばらばらのものを集めて整理し、一つのものにまとめ上げること。また、そのまとめたもの。集成。「研究の―」

じゅう‐たく【住宅】人の住む家。住まい。「―地」類語 住居。

しゅう‐だつ【収奪】《名・他サ》〔文〕〔財貨などを〕うばいとること。「財産を―する」

しゅう‐たん【愁嘆・愁×歎】《名・自サ》〔文〕なげき悲しむこと。悲嘆。―ば【―場】人形浄瑠璃(じょうるり)・歌舞伎(かぶき)などで、登場人物がなげき悲しむ場面。参考 広く実生活上での悲劇的局面にも言う。「―を演じる」

しゅう‐だん【集団】多くの人・動物・物の、集まり。群れ。グループ。「―行動」類語 団体。

じゅう‐たん【×絨×毯・×絨×緞】床の敷物などに使う厚い毛織物。カーペット。―ばくげき【―爆撃】ある地域を残す所なく一面に爆撃すること。

*じゅう‐だん【縦断】❶《名・他サ》たてに断ち切ること。❷《名・自サ》たて、または南北に通り抜けること。「大陸を―する」対 ①②横断。

*じゅう‐だん【銃弾】ピストル・小銃などのたま。「敵の―に倒れる」類語 弾丸。

*しゅう‐ち【周知】《名・他サ》広く世間に知れわたること。公知。「―の事実」「部下に―させる」「―徹底」

*しゅう‐ち【×羞恥】はずかしく感じること。はにかみ。はじらい。「―の念」「―心」

*しゅう‐ち【衆知・衆×智】多くの人がもっている知恵。「―を集める」

しゅう‐ちく【修築】《名・他サ》建築物のこわれた部分をつくろいなおすこと。「橋を―する」

*しゅう‐ちゃく【執着】《名・自サ》あることに強く心がとらわれて離れないこと。思いきれないこと。執着(しゅうじゃく)。「食べ物に―する」「―心」類語 執心。愛着。

*しゅう‐ちゃく【祝着】〔文〕〔相手のことを〕喜び祝うこと。めでたく思うこと。「―至極(しごく)に存じます」

*しゅう‐ちゃく【終着】❶〔ある路線の汽車・電車・バスなどが〕終点に着くこと。「―時刻」「―駅」❷その場所に最後に到着すること。「―列車」対 ①②始発。

しゅう‐ちゅう【集中】《名・自他サ》一か所に集まること。また、集めること。「―豪雨」「質問が―する」「指先に神経を―させる」対 分散。―ちりょう‐しつ【―治療室】→アイシーユー(ICU)。

しゅう-ちょう【×酋長】部族や氏族などの長。

じゅう-ちん【重鎮】〔「重いおもし」の意から〕ある集団・社会・分野などで重要な地位をしめる人物。「経済界の—」類語 大立て者。

しゅうちん-ぼん【×袖珍本】そで・ポケットなどに入れられるくらいの小型の本。ポケット判。袖珍。

じゅう-づめ【重詰(め)】重箱に料理などをつめること。また、その料理。

*__しゅう-てい__【修訂】《名・他サ》書物などの誤りを直し正すこと。「—版」

*__しゅう-てい__【舟艇】小型の舟。「上陸用—」

*__じゅう-てい__【従弟】〔文〕いとこで自分より年下の男。対 従兄。

*__じゅう-てい__【重訂】《名・他サ》一度訂正した書物などの誤りをもう一度直し正すこと。再訂。

しゅう-てき【×讐敵】〔文〕深い恨みのある相手。かたき。仇敵(きゅうてき)。

しゅう-てん【終点】ある物事の終わりとなるところ。特に、汽車・電車・バスなどの路線で、最後に到着する停留所や駅。類語 終着駅。対 起点。

しゅう-でん【終電】「(最)終電車」の略。

*__じゅう-てん__【充×塡】《名・他サ》物をつめて、欠けた所やすきまなどをうめること。「火薬を—する」「—剤」

*__じゅう-てん__【重点】❶物事の重要な点。たいせつな点。「語学に—を置く」❷てこを使って物体を動かそうとするとき、その物体の重さがかかる点。荷重点。作用点。 —しゅぎ【—主義】重要な所を優先する主義。 —てき【—的】《形動》重要な所を優先するようす。「文法を—に学ぶ」

じゅう-でん【充電】《名・自サ》❶蓄電池・蓄電器に電気をみたすこと。蓄電。対 放電。❷後の活動のために心身の休養や知識の拡充をはかること。「—期間」

じゅう-でんき【重電機】大型の電気機械器具。発電機・電動機など。重電。対 軽電機。

しゅう-でんしゃ【終電車】その日最後に発車する電車。終発電車。最終電車。終電。類語 赤電車。

*__しゅう-と__【囚徒】〔文〕刑罰を受けるために拘置されている者。囚人。めしゅうど。

*__しゅうと__【×姑】(しゅうと)↓しゅうとめ。

*__しゅう-と__【宗徒】ある宗派の信者。類語 信徒。

*__しゅうと__【×舅】(しゅうと) 夫または妻の父。

*__しゅう-と__【衆徒】〔文〕❶多くの僧。❷僧兵。＝衆徒(しゅと)。

*__シュート__ ❶《名・自サ》野球で、投手の利き腕側に鋭く曲がること(投球)。❷《名・他サ》バスケットボール・サッカー・ホッケーなどで、球を投げたりけったり打ったりして、相手のゴールに入れること。「ロングーを決める」▽shoot

じゅう-ど【重度】〔心身障害などの〕程度が重いこと。対 軽度。

しゅう-とう【周到】《名・形動》〔準備などが〕すみずみまで行きとどいていて手落ちのないこと。「—な計画」「用意—」類語 綿密。周密。丹念。

しゅう-どう【修道】《名・自サ》宗教・学問・技芸などを学び、身におさめること。 —いん【—院】カトリック教で、きびしい規律のもとで共同生活を行い、禁欲して修行をする僧または尼僧の住む寺院。

*__じゅう-とう__【充当】《名・他サ》〔不足している部分に〕あてはめてみたすこと。「残額は雑費に—する」

*__じゅう-とう__【重盗】〔文〕野球で、二人の走者が同時に盗塁をすること。ダブルスチール。

じゅう-どう【柔道】日本で発達した格技の一つ。素手でとり組み、相手の力に順応して攻撃したり防御したりするもの。参考 ↓柔術。

*__しゅう-とく__【収得】《名・他サ》受けおさめること。とって自分の物にすること。「利益を—する」「—税」

*__しゅう-とく__【修得】《名・他サ》〔文〕〔学問・技芸・技術などを〕学んで身につけること。「医学を—する」

*__しゅう-とく__【拾得】《名・他サ》落とし物をひろうこと。「—物」

*__しゅう-とく__【習得】《名・他サ》〔技術などを〕ならって覚え、身につけること。「ことばを—する」

じゅう-とく【重篤】〔文〕病気・けがが著しく重いこと。「—の患者」類語 危篤(きとく)。重態。

しゅうと-め【×姑】(しゅうとめ) 夫または妻の母。姑(しゅうと)。

しゅう-どり【▽主取り】〔武士などが〕新しく主人につかえること。

じゅう-なん【柔軟】《形動》❶〔動作などが〕やわらかく、しなやかなようす。「—な体」❷〔考え方などが〕その場に応じてうまく変えられるようす。「—な態度」

じゅうに-がつ【十二月】一年の十二番め(最後)の月。極月。臘月(ろうげつ)。しわす。

じゅうに-きゅう【十二宮】春分点を起点として黄道を十二等分し、その各区分内にある星座につけた名称。白羊宮・金牛宮など。黄道十二宮。

じゅう-にく【獣肉】けものの肉。

じゅうに-し【十二支】昔、動物の名にあてはめて時間・方角を表したよび名。また、十干(じっかん)と組み合わせて年や日を表す。子(ね)・丑(うし)・寅(とら)・卯(う)(＝ウサギ)・辰(たつ)・巳(み)(＝ヘビ)・午(うま)・未(ひつじ)・申(さる)・酉(とり)(＝ニワトリ)・戌(いぬ)・亥(い)(＝イノシシ)の十二。

じゅうにし-ちょう【十二指腸】小腸が胃の幽門(ゆうもん)に続く部分。参考 指を十二本横に並べたくらいの長さがあるので言う。 —ちゅう【—虫】袋形動物線虫綱の寄生虫。小腸上部に寄生して吸血し、貧血を起こさせる。鉤虫(こうちゅう)。

じゅうに-ひとえ【十二▽単】〈—〉平安朝時代の女官の正装。女房装束。参考 唐衣(からぎぬ)・裳(も)の下に何枚もの袿(うちぎ)を重ねて着たことから言う。

じゅうに-ぶん【十二分】《名・形動》十分すぎるほどたっぷりしていること。〔十分を強めた言い方〕「もう—にいただきました」

しゅう-にゅう【収入】他からはいってきてその・人(企業・国家)の所有になる金銭・物品。対 支出。 —いんし【—印紙】国庫の収入となる手数料・税金などを徴収するため、証書などに貼付(ちょうふ)させる政府発行の証票。印紙。 —やく【—役】市町村の出納その他の会計事務を取り扱う特別職の公務員。

しゅう-にん【就任】《名・自サ》ある(重要な)職務につくこと。「支店長に—する」対 辞任。

*__じゅう-にん__【住人】〔その土地や家に〕住んでいる人。「アパートの—」類語 住民。居住者。

*__じゅう-にん__【重任】❶重要な任務。また、重大な任務。「—を果たす」類語 大任。❷《名・自サ》任期が終わった後、ひきつづいて同じ職務・役目につくこと。「大臣の—を妨げない」類語 留任。

じゅうにん-といろ【十人十色】服装・好み・考え

方・性格などが人によってそれぞれちがうこと。

じゅうにん-なみ【十人並み】《名・形動》能力・顔だちなどが、ふつうであること。一般の人と変わらないこと。人並み。「―の容姿」「―の仕事ぶり」

***しゅう-ねん【周年】** ■一《名》〔文〕まる一年。[参考]「一年中」の意で、副詞的にも使う。■二《接尾》《数字の下につけて》「…回めの年」の意。「創立二五―」

***しゅう-ねん【執念】** 一つのことにとらわれて、そこから動かない心。「―を燃やす」 **―ぶか・い【―深い】**《形》執念が強い。なかなかあきらめない。

***じゅう-ねん【十年】** 一年の一〇倍の年月。ととせ。 **―いちじつ【―一日】**〔一〇年間が一日と感じられるほどに〕長い年月の間同じ状態で、少しも変わらないこと。「―の如(ごと)く出勤する」 **―ひとむかし【―一昔】** 世の中は変化が激しくて、わずか一〇年前でも昔と感じられる過去になってしまうということ。

***じゅう-ねん【十念】** ❶「南無阿弥陀仏(なむあみだぶつ)」の名号(みょうごう)を一〇回となえること。十念称名(しょうみょう)。❷浄土宗で「南無阿弥陀仏」の名号を信者に授けること。

しゅう-のう【収納】《名・他サ》❶〔役所が〕金銭・品物などを受け取りおさめること。❷作物をとりいれること。❸〔箱・棚に〕物をしまいこむこと。「―箱」

じゅう-のう【十能】 炭火を持ち運ぶ道具。金属製の容器に木の柄をつけたもの。

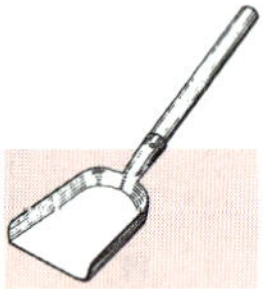
十　能

じゅうのう-しゅぎ【重農主義】 農業こそが生産的な経済活動であり、農業の発展が国富を増大させ国家の繁栄を実現させるという経済思想。[参考]一八世紀、重商主義に対してフランスにおこった。[対]重商主義。

***しゅう-は【周波】** あるきまった時間をおいて同じ振動をくりかえす波。また、波の一周期。 **―すう【―数】** 交流電波・音波・光などが一秒間に方向をかえる度数。波動の周期の数。振動数。単位はヘルツ。

***しゅう-は【宗派】** ❶同じ宗教の中での分派。[類語]宗門。❷〔技芸などの〕流派。流儀。

***しゅう-は【秋波】**〔秋の澄みきった波の意から〕❶〔文〕美人の澄んだ目もと。❷色っぽい目つき。色目。ながしめ。「―を送る(=色目を使って気のあることを相手に知らせる)」[類語]ウインク。

しゅう-はい【集配】《名・他サ》〔郵便物・貨物などを〕集めたり、配達したりすること。

しゅう-ばく【就縛】《名・自サ》〔文〕〔罪人として〕とらえられること。とらえられてしばられること。「―人(にん)」[類語]捕縛。

じゅう-ばこ【重箱】 食べ物を入れて、いくえにも重ねられる箱。 **―よみ【―読み】**〔「重箱(じゅうばこ)」のように〕二字でできている漢字の熟語で、上の字を音、下の字を訓で読む読み方。「総身(そうみ)」「粗品(そしな)」「役割(やくわり)」など。合羽(かっぱ)読み。[対]湯桶(ゆとう)読み。 **―の隅を楊枝(ようじ)でほじく・る**《句》非常に細かい事にまで気を配って口うるさく言うことのたとえ。

しゅう-バス【終バス】 その路線で、その日の最後に運行されるバス。最終バス。終発バス。[類語]終車。

じゅうはち-ばん【十八番】 ❶歌舞伎(かぶき)十八番。歌舞伎の市川家に伝わる、一八の得意な狂言。❷いちばん得意とする物事・芸。おはこ。

しゅう-はつ【終発】 汽車・電車・バスなどの、その日の最後の発車。また、その列車やバスなど。[対]始発。

***しゅう-ばつ【修×祓】**《名・自サ》《「しゅうふつ」の慣用読み》➡しゅうふつ。

***しゅう-ばつ【秀抜】**《名・形動》他のものより、ぬきんでてすぐれていること。「―な成績」[類語]秀逸。抜群。

じゅう-ばつ【重罰】 重い刑罰。重刑。[類語]厳罰。

***しゅう-ばん【終盤】** ❶碁・将棋などで、勝負の終わりに近い局面。❷物事の終わりのころ。「選挙戦も―にはいる」[類語]終局。[対]①②序盤・中盤。

***しゅう-ばん【週番】** 一週間ずつ交替して特定の勤務につくこと。また、その週の勤務につく人。

***じゅう-はん【従犯】** 正犯を手助けする犯罪。また、その犯罪人。共犯。幇助(ほうじょ)犯。[対]正犯。主犯。

***じゅう-はん【重版】**《名・他サ》一度出版した物をまた印刷して出版すること。版数をかさねること。再版。[対]初版。

***じゅう-はん【重犯】** ❶重い犯罪。❷二度以上重ねて犯罪をおかすこと。累犯(るいはん)。

しゅう-び【愁×眉】〔文〕心配そうにひそめたまゆ。心配顔。「―を開く(=心配がなくなってほっとする)」

しゅう-ひょう【衆評】 多くの批評・評判。

じゅう-びょう【重病】 重い病気。大病。[類語]重症。

しゅう-ふ【醜婦】 みにくい女。しこめ。醜女。

しゅう-ふう【秋風】〔文〕秋に吹く風。秋声。あきかぜ。 **―さくばく【―索×莫】**《形動タルト》〔文〕物事の勢いがなくなってものさびしいようす。

しゅう-ふく【修復】《名・他サ》こわれた所をつくろい、もとどおりになおすこと。修復(しゅふく)。「壁画の―」

じゅう-ふく【重複】《名・自サ》➡ちょうふく(重複)。

しゅう-ふつ【修×祓】《名・自サ》〔神道で〕おはらいの儀式をすること。みそぎをすること。[参考]「しゅうばつ」は慣用読み。

***しゅう-ぶん【秋分】** 二十四節気の一つ。太陽が秋分点をとおる時刻。太陽暦の九月二三日ごろに当たり、昼と夜の長さが等しくなる。[対]春分。 **―の-ひ【―の日】** 国民の祝日の一つ。九月二三日または二四日。秋の彼岸の中日にあたる。[対]春分の日。

***しゅう-ぶん【醜聞】** ある人の品行などについてのよくない評判やうわさ。スキャンダル。[類語]汚名。

***じゅう-ぶん【重文】** ❶二つ以上の並立する句から成る文。「血湧(わ)き、肉躍(おど)る」の類。[対]単文・複文。❷「重要文化財」の略。

***じゅう-ぶん【十分・充分】**《副・形動》みちたりて、不足のないようす。「―な食事」[類語]十二分。

じゅう-へい【従兵】 従卒(じゅうそつ)。

***しゅう-へき【周壁】** まわりにめぐらした壁。「城の―」

***しゅう-へき【×皺×襞・×褶×襞】**〔文〕❶〔皮膚の〕しわ。「大脳の―」❷〔衣服・山脈などの〕ひだ。

***しゅう-へき【習癖】**〔文〕〔身についてしまった〕くせ。〔ふつう、悪い意味に使う〕[類語]性癖。

しゅう-へん【周辺】〔ある地域・人・物事をとりかこむ〕まわりの部分。「空港の―」[類語]周囲。

じゅう-べん【重弁・重×瓣】 おしべやめしべが花弁に変化して幾重にも重なったもの。複弁。[対]単弁。

しゅう-ほ【修補】《名・他サ》〔文〕欠けている所やこわれた所などをつくろい補うこと。補修。[類語]修理。修繕。修復。

じゅう・ぼいん【重母音】 一音節の中に、二つの母音が連続しているもの。二重母音。take の[ei]の類。

***しゅう・ほう【宗法】** 宗門・宗派のおきて。

***しゅう・ほう【週報】** ❶一週間ごとにする報告・報道。❷毎週定期的に発行される報道的な内容の刊行物。ウイークリー。類語 日報。月報。

しゅう・ぼう【衆望】 多くの人の期待・信頼。「ーをになう」

***じゅう・ほう【×什宝】** 宝としてたいせつにしまってある道具類。秘蔵の器物。「家代々のー」

***じゅう・ほう【重宝】** たいせつな宝物。類語 秘宝。

***じゅう・ほう【重砲】** 口径が大きく強力な大砲。

***じゅう・ほう【銃砲】** ❶小銃と大砲。❷銃器類の総称。「ー店」

じゅう・ぼく【従僕】 男の召使。下男。下僕。

シューマイ【焼売】 中華料理の一つ。豚・ニワトリなどのひき肉とみじん切りにしたネギを混ぜ、小麦粉の薄い皮でつつみ、蒸したもの。▽中国 shao-mai

じゅう・まい【従妹】 〔文〕自分より年下の女のいとこ。対 従姉(じゅうし)。

しゅう・まく【終幕】 ❶芝居の最後の一幕(場面)。対 序幕。初幕。❷芝居が終わること。はねること。閉幕。類語 終演。❸出来事・事件などが終わること。終局。おおづめ。「捜査がーを迎える」対 序幕。

***しゅう・まつ【終末】** 〔文〕物事の終わり。はて。しまい。終尾。「事件のー」「ー観」類語 結末。対 発端。

***しゅう・まつ【週末】** 一週間の終わり。ウイークエンド。参考 土曜日、または土曜日・日曜日をいう。

じゅう・まん【充満】 《名・自サ》〔ある限られた所に、気体やある種の雰囲気(ふんいき)などが〕いっぱいに満ちること。「ガスがーする」類語 充溢(じゅういつ)。

じゅうまんおく・ど【十万億土】 現世から極楽浄土の間にある多くの仏の国土。転じて、極楽浄土。

しゅう・み【臭味】 ❶くさいにおい。臭気。❷身に付いている、よくない感じ。「官僚的なーがある」＝臭(くさ)み。

しゅう・みつ【周密】 《名・形動》〔注意・心づかいなどが〕広く、また、細かい所まで行きわたっていること。「ーに計画を練る」類語 周到。綿密。

しゅう・みん【就眠】 《名・自サ》ねむりにつくこと。ねむること。「ー時刻」類語 就寝。就床。

じゅう・みん【住民】 その土地に住む人。類語 住人。

***しゅう・む【宗務】** 宗教上の事務。

***しゅう・めい【襲名】** 《名・他サ》〔歌舞伎(かぶき)俳優などが〕親・師匠などの芸名をつぐこと。「ー披露興行」

***しゅう・めい【醜名・臭名】** 〔文〕恥となるような評判。不名誉な評判。「ーをのこす」類語 醜聞。汚名。

じゅう・めん【渋面】 不愉快そうな顔つき。にがにがしい表情。しかめつら。しかめっつら。「ーを作る」

じゅう・もう【×絨毛】 ❶内臓の粘膜(ねんまく)にある、こまかい毛のような突起。❷植物の葉・花弁などにある、こまかい毛のような突起。突起毛。

しゅう・もく【衆目】 世間の多くの人の見る目。多くの人の観察・見方。十目。「ーの一致する所」

じゅう・もく【十目】 〔文〕〔「一〇人の目」の意で〕多くの人の見る目。多くの人の見方。衆目。
ーの視(み)る所十手の指す所 《句》だれもが一致して認めること。世間の人々の判断や評価が一致すること。

しゅう・もち【▽主持ち】 仕える主人のある身。主人に仕える身分。主人持ち。〔古風ないい方〕

じゅう・もつ【×什物】 ❶日常生活に使う道具類。什器。❷秘蔵の宝物。什宝。「神社のー」

しゅう・もん【宗門】 同じ宗教の中での分派。宗派。「ー改め」類語 宗旨。

じゅう・もんじ【十文字】 ❶十の字の形。❷〔十の字のように〕まっすぐ縦横に交わった形。

***しゅう・や【秋夜】** 〔文〕秋の夜。秋のよい。

***しゅう・や【終夜】** 一晩じゅう。夜通し。よもすがら。〔副詞的にも使う〕「ー、工事を行う」

じゅう・や【十夜】 「十夜念仏」の略。**ーねんぶつ【ー念仏】** 浄土宗(じょうどしゅう)で、陰暦一〇月六日から一五日までの十昼夜、念仏をとなえる法要。十夜。

しゅう・やく【集約】 《名・他サ》多くのものを寄せ集めて一つにまとめること。「意見をーする」**ーのうぎょう【ー農業】** 一定の土地に比較的多くの資本と労働力を使い、できるだけ多くの生産をあげようとする農業経営のしかた。対 粗放(そほう)農業。

***じゅう・やく【重役】** ❶〔文〕責任の重い役め(の人)。類語 重職。❷株式会社の取締役・監査役の通称。

***じゅう・やく【重訳】** 《名・他サ》原文を翻訳したものを、さらに別の外国語に翻訳すること。また、その翻訳したもの。重訳(ちょうやく)。

じゅう・ゆ【重油】 石油の原油から揮発油・灯油・軽油を蒸留したあとに残る黒い油。おもにディーゼル機関などの燃料にする。

しゅう・ゆう【周遊】 《名・自サ》〔ある地方を〕あまねく旅行してまわること。「ー券」類語 回遊。

***しゅう・よう【収容】** 《名・他サ》〔人や物を〕引きとって一定の場所に入れること。「難民を施設にーする」

***しゅう・よう【収用】** 《名・他サ》公共のために、ある物の所有権を強制的にとりあげ、国・公共団体などに移すこと。「土地のー」類語 接収。

***しゅう・よう【修養】** 《名・自サ》学問をおさめ心をみがいて人格を高めること。「ーを積む」「ーが足りない」

***しゅう・よう【襲用】** 《名・他サ》〔これまでの方法などを〕そのまま受け継いで使うこと。「前例をーする」

***じゅう・よう【充用】** 《名・他サ》〔人などを〕その事にあてて用いること。「渉外係にーする」

***じゅう・よう【重用】** 《名・他サ》責任のある地位を与えて人を使うこと。ちょうよう。「腹臣をーする」

***じゅう・よう【重要】** 《名・形動》〔物事の本質・なりたちなどに関係があって〕大事であること。たいせつ。「ー書類」類語 重大。肝要。貴重。⇩〔類義語の使い分け「貴重」〕**ーし【ー視】** 《名・他サ》重要とみなすこと。重視。重大視。**ーぶんかざい【ー文化財】** 文化財保護法によって、文化財保護委員会が歴史的・芸術的に重要なものとして指定した建物・書籍・美術品など。重文。

じゅう・よく【獣欲・獣×慾】 〔人間の心にある〕けもののような欲望。特に、性的な欲望。肉欲。

しゅう・らい【襲来】 《名・自サ》はげしくおそいかかってくること。せめてくること。来襲。「敵機がーする」

じゅう・らい【従来】 前から今まで。これまで。従前。〔副詞的にも使う〕「ー通り実施する」類語 在来。

しゅう・らく【集落・×聚落】 ❶人家が集まっている所。村落。部落。❷〔生〕細菌などが固体培養基の上につくった集団。コロニー。

しゅう・らん【収×攬】 《名・他サ》〔文〕〔多くの人の心

し

を〕とらえること。「人心を―する」類語 把握。

じゅう・らん【縦覧】《名・他サ》〔文〕〔ある場所・物などを〕自由に見ること。「就業中―謝絶」

しゅう・り【修理】《名・他サ》つくろいなおすこと。修繕。〔多く、建築物・道具などに言う〕類語 補修。

*__しゅう・りょう【収量】__〔農作物の〕収穫の分量。

*__しゅう・りょう【修了】__《名・他サ》〔一定の学業・技芸などの課程を〕おさめ終えること。「―証書」

*__しゅう・りょう【秋涼】__〔文〕❶秋の涼しい風（気候）。「―の候」類語 爽秋(そうしゅう)。秋冷。新涼。❷「陰暦八月」の別称。

*__しゅう・りょう【終了】__《名・自他サ》ある物事が終わること。また、ある物事を終えること。「試合―」類語 終結。終止。対 開始。

*__じゅう・りょう【十両】__❶一両の一〇倍。❷相撲で、力士の階級の一つ。幕内(まくうち)の下で、幕下の上。十枚目。参考 昔、その給金が年一〇両であったことから。

*__じゅう・りょう【重量】__❶〔理〕物体に働く重力の大きさ。質量に重力加速度をかけたもの。❷重さ。目方。❸重さが重いこと。「―級の選手」対 軽量。 **―あげ【―挙げ】**バーベルを持ち上げて力の強さをきそう競技。ウエートリフティング。

じゅうりょう・ぜい【従量税】品物の重さ・長さ・容積などを基準として税額をきめる税。対 従価税。

しゅう・りょく【衆力】〔文〕多くの人の力。

じゅう・りょく【重力】地球上の物体が地球の中心に向かって引きつけられる力。

しゅう・りん【秋×霖】〔文〕秋の長雨。類語 秋雨。

じゅう・りん【×蹂×躙・×蹂×躪】《名・他サ》ふみにじること。特に、暴力や権力で他人の権利・社会秩序などをおかし、ふみにじること。「人権を―する」

シュール [一]《造語》「超」「…をこえた」の意を表す。[二]《名》「シュールレアリスム」の略。[三]《形動》超現実的なようす。「―な世界」▽(フランス) sur **―レアリスム** 一九二〇年代にフランスにおこり広まった芸術思潮の一つ。写実的な表現を否定し、無意識・夢の世界など、作者の主観による自由な表現をめざす。超現実主義。シュールリアリズム。▽(フランス) surréalisme

じゅう・るい【獣類】哺乳(ほにゅう)類の通称。けもの。けだもの。

*__しゅう・れい【秀麗】__《名・形動》他のものより整い、すぐれて美しいこと。「眉目(びもく)―」

*__しゅう・れい【秋冷】__〔文〕秋のひえびえとした気候。「―の候」類語 爽秋(そうしゅう)。秋涼。対 春暖。

じゅう・れつ【縦列】たてに並んだ列。対 横列(おうれつ)。

しゅう・れっしゃ【終列車】その日の最後に出発（通過）する列車。最終列車。類語 終電車。

*__しゅう・れん【収×斂】__❶《名・自他サ》〔血管などが〕ちぢみひきしまること。ちぢめひきしめること。「―剤」類語 収縮。❷《名・自他サ》一か所に集まる（集める）こと。❸《名・自サ》「収束④」の旧称。❹《名・自サ》「収束③」の旧称。❺《名・他サ》〔税を〕とりたてること。

*__しゅう・れん【修練・修錬】__《名・他サ》〔精神や技術を〕みがききたえること。「心身の―」類語 鍛練。

*__しゅう・れん【習練】__《名・他サ》〔文〕練習。「水泳の―」「―を積む」

しゅう・ろう【就労】《名・自サ》労働に従事すること。仕事につくこと。「―時間」類語 従業。

じゅう・ろうどう【重労働】肉体的にはげしい力を必要とする労働。対 軽労働。

*__しゅう・ろく【収録】__《名・他サ》❶〔新聞・雑誌・書物などに〕とりあげてのせること。「―作品」❷録音・録画すること。「録音テープに―した声」

*__しゅう・ろく【集録・×輯録】__《名・他サ》〔いくつかの文章を〕集めて記録すること。また、記録したもの。

じゅうろく・ささげ【十六×豇▽豆・十六▽大▽角▽豆】マメ科の一年生つる草。さやは細長く、十数個の種子をもつ。さやごと食べる。じゅうはちささげ。

じゅうろく・むさし【十六六指・十六武▽蔵】新年などの遊びの一つ。盤の中央に親石を一つ、周囲に子石を一六ならべ、一画ずつ動かして石をとりあう。

じゅうろく・や【十六夜】陰暦一六日の夜。いざよい。

じゅうろく・らかん【十六羅漢】釈迦(しゃか)の命令で長くこの世に存在し、正法を守るという一六人の羅漢。

*__しゅう・ろん【宗論】__異なる宗派の間で行われる教義上の論争。

*__しゅう・ろん【衆論】__多くの人の議論。「―の一致」

しゅう・わい【収賄】《名・自他サ》わいろをうけとること。「―罪」対 贈賄(ぞうわい)。

ジューン・ブライド 幸福を約束されるという、六月に結婚する花嫁。▽June bride

しゅ・えい【守衛】❶〔官庁・学校・会社・工場など〕大きな建物の中を警備したり、人の出入りを監視したりする役（人）。❷「衛視」の旧称。

じゅ・えい【樹影】〔文〕樹木の・かげ（姿）。

*__じゅ・えき【受益】__利益を受けること。「―者」参考 多く、法律や公文書などで使う。

*__じゅ・えき【樹液】__❶地中から吸収されて樹木の養分となる液体。❷樹木の皮などから分泌する液。

ジュエリー 宝石類。また、宝石を用いた装身具。宝飾品。▽jewelry

*__しゅ・えん【主演】__《名・自サ》映画や演劇などで、主役になって演じること（人）。主役の俳優。対 助演。

*__しゅ・えん【酒宴】__飲酒を主にした宴会。さかもり。

*__しゅ・おん【主恩】__主人・主君から受けた恩。

*__しゅ・おん【主音】__(tonic)その音階の基礎となる第一音。ハ長調ではハの音。主調音。キーノート。

*__しゅ・か【主家】__〔文〕主人・主君の住む家。

*__しゅ・か【酒家】__〔文〕❶酒店。酒屋。❷おおざけのみ。類語 酒客。酒豪。上戸(じょうご)。

*__しゅ・が【主我】__❶〔哲〕思考し経験する主体である我。自我。エゴ。❷考え・行動などが自分本位で、他人を顧みないこと。利己。「―主義」

*__しゅ・が【珠芽】__ヤマユリなどの、りん片葉が肥大したもの。類語 肉芽。むかご。ぬかご。

*__じゅ・か【儒家】__〔文〕儒学者（の家柄）。

*__じゅ・か【樹下】__〔文〕〔大きな〕木の下。類語 木陰(こかげ)。対 樹上。

シュガー 砂糖。「―レスガム」▽sugar

しゅ・かい【首×魁】〔文〕❶〔物事の〕さきがけ。先駆。❷悪事の首謀者。張本人。類語 首領。

しゅ・がい【酒害】飲酒によって健康がそこなわれること。また、その害。

*__じゅ・かい【受戒】__《名・自サ》〔信者または僧になるために〕仏の定めた戒律をうけること。

*__じゅ・かい【授戒】__《名・自サ》〔信者や出家する者に〕

戒律をさずけること。

*じゅ・かい【樹海】〔高い所から見ると海のように見えるところから〕青々と茂った広大な森林。

*しゅ・かく【主客】❶主人と客。❷重要なものと、そうでないもの。「ー転倒」❸文法で、主語と客語。❹〔哲〕主体と客体。主観と客観。＝主客(しゅきゃく)。

*しゅ・かく【主格】文法で、主語を示す格。

*しゅ・かく【酒客】〔文〕酒好きな人。酒飲み。類語 酒家。上戸(じょうご)。

じゅ・がく【儒学】孔子の思想を基とし四書五経を経典として説く、中国の政治・道徳の教え。中国の思想の中心を成す。

*しゅ・かん【主幹】中心となってある仕事を行いしめくくる役(の人)。主任。「編集ー」

*しゅ・かん【主管】《名・他サ》中心になって管理すること。また、その役(の人)。「財務省のー」

*しゅ・かん【主観】(subject)❶〔哲〕いろいろな現象を意識し、物事を考える心の動き。❷自分だけにかたよった考え。「ーに基づく意見」対①②客観。ーせい【ー性】主観にもとづいていること(性質)。対客観性。ーてき【ー的】《形動》❶主観によるようす。「ー観念論」❷自分だけの考えや感じにかたよるようす。「好き嫌いはーなものである」対客観的。

*しゅ・かん【手簡・手×翰】〔文〕手紙。書簡。

*しゅ・かん【酒間】〔文〕酒を飲む間。「ーを周旋する(＝酒宴の座のとりもちをする)」

*しゅ・かん【首巻】〔文〕〔全集などの〕はじめの巻。第一巻。また、書物の初めの部分。巻頭。対終巻。

しゅ・がん【主眼】〔ある物事の〕一番たいせつなところ。眼目。かなめ。「平和の維持にーを置く」

*じゅ・かん【儒官】昔、大名などに召し抱えられて儒学を教えた人。

*じゅ・かん【樹幹】〔文〕大きな、みき。

*しゅ・き【手記】自分で書くこと。また、自分の体験やその感想などを自分でしるしたもの。「戦没学生のー」

*しゅ・き【酒器】〔さかずき・とっくりなど〕酒を飲むときに使う器。

*しゅ・き【酒気】❶〔酒をのんだ人の〕酒くさいにおい。さかけ。「ーを帯びる」❷酒の酔い。「ーをさます」

*しゅ・ぎ【主義】〔その人が〕常に持っていて、行動の方向をきめる際の基準にする主張・考え。類語 思想。ーしゃ【ー者】一定の主義を持つ人。特に、社会主義・共産主義・無政府主義などを主張する人。

*しゅ・ぎ【手技】〔編み物または手術・マッサージなど〕手で行う技術。手先のわざ。類語 手芸。

*しゅ・きゃく【主客】❶↓しゅかく(主客)。❷客の中でいちばんおもだった人。主賓(しゅひん)。正客(しょうきゃく)。

*しゅ・きゅう【守旧】〔文〕昔からの風習・制度などを守って続けて行くこと。「ー派」類語 保守。墨守。

*しゅ・きゅう【首級】〔文〕討ち取った敵の首。しるし。「ーを挙げる」参考 昔、中国で、敵の首を一つとるごとに階級が一つ上がったことから。

*じゅ・きゅう【受給】《名・他サ》❶配給をうけること。❷給与・年金を受けること。「ー者」

*じゅ・きゅう【需給】需要と供給。「ーを調整する」

*しゅ・きょう【主教】キリスト教、特にイギリス国教会や東方正教会の、最高級の聖職。ビショップ。

*しゅ・きょう【酒興】〔文〕❶酒の席を楽しくするなぐさみごと。酒宴の座興。「物まねでーをそえる」❷酒に酔った楽しい気分。「ーにまかせて歌い出す」

*しゅ・ぎょう【修業】《名・自他サ》学問・技術・芸事などをならいおぼえて、身につけること。修業(しゅうぎょう)。「花嫁ー」類語 修行。⇩〔使い分け〕

*しゅ・ぎょう【修行】《名・自他サ》❶〔仏〕仏の教えを身につけ、悟りをひらくために努力すること。また、そのために托鉢(たくはつ)・巡礼などを行うこと。❷学問・技芸・武芸などをおさめみがき自己をきたえること。「武者ー」類語 鍛練。修業(しゅぎょう・しゅうぎょう)。⇩〔使い分け〕

使い分け 「シュギョウ」

修行〔仏道を実践することから、学芸・武芸を修めみがく意に〕仏道を修行する・修行僧・学問の修行・武者修行

修業〔「業」はわざの意。学芸・技術などをならい覚え身につける〕板前の修業をする・花嫁修業・生け花を宗家で修業する

参考 本来「修業」をあてる技芸の場合に、精神性・求道性を強調して「茶の修行」などとあてる場合がある。また、本来「修行」をあてていた学問に、最近「修業」を用いる傾向が強い。その場合は、「しゅぎょう」ではなく、「しゅうぎょう」と読み、学問における精神性・求道性を排した表記となった(学問の修業にいそしむ・修業の年限は三年とする)。現在、「学問の修行」と書けば、古風な趣が出る。

*じゅ・きょう【儒教】孔子の思想をもとにした教え。儒学の教え。参考↓儒学(じゅがく)。

*じゅ・きょう【×誦経】《名・自サ》声を出して経文を読むこと。読経(どきょう)。誦経(ずきょう)。

じゅ・ぎょう【授業】《名・自サ》〔学校などで〕学問・技術などを教えさずけること。「数学のー」ーりょう【ー料】授業を受けるため、学校などに納める金。

しゅ・ぎょく【珠玉】❶真珠と宝石。❷すぐれているもの、美しいものなどのたとえ。「ーの短編」

しゅ・きん【手×巾】〔文〕てぬぐい。ハンカチーフ。

*しゅく【宿】㊀《名》〔文〕❶やどること。宿泊。また、やどや。旅館。「ーにつく」❷宿駅。宿場。「三島のー」㊁《助数》宿泊の回数を表す語。「一ー一飯」

*しゅく【粛】《形動タルト》❶つつしむようす。おごそかなようす。❷静まりかえっているようす。「ーとして声なし」参考 ①②とも「ーとして」の形で多く副詞的に使う。

じゅく【塾】❶若い人や子どもを集めて学問や技芸を教える個人の学校。私塾。「そろばんのー」❷修学中の学生が寄宿する所。寄宿舎。〔古い言い方〕

しゅく・あ【宿×痾】〔文〕長くなおらない病気。年来の病気。痼疾(こしつ)。類語 持病。宿病。

しゅく・あく【宿悪】❶以前におかした悪事。また、以前から重ね続けてきた悪事。古い悪事。旧悪。❷〔仏〕前世でおかした悪事。対宿善。

*しゅく・い【宿意】❶以前から持っている・意見〔望み〕。「ーがかなう」❷以前からいだいている恨み。旧怨(きゅうえん)。宿怨(しゅくえん)。宿恨。「ーを晴らす」

*しゅく・い【祝意】祝う気持ち。賀意。「ーを表す」

しゅく・う【宿雨】〔文〕❶降り続いてやまない雨。ながあめ。霖雨(りんう)。❷前夜から続く雨。

しゅ・ぐう【殊遇】特別によい待遇。「ーを受ける」

しゅく・うん【宿運】〔文〕前世から定まっている運命。

宿命。

しゅく-えい【宿営】《名・自サ》〔文〕❶軍隊が営所で宿泊すること。また、その営所。❷軍隊がテントなどを張って兵営以外で宿泊すること。類語 露営。

しゅく-えき【宿駅】 昔、街道の要所で、客を泊めたり、馬・人足・かごなどの乗り継ぎをしたりする設備のあった所。うまや。宿場。宿(しゅく)。

*__しゅく-えん【宿×怨】__〔文〕ずっと前からいだいている恨み。「—を晴らす」類語 遺恨(いこん)。鬱憤(うっぷん)。積怨。

*__しゅく-えん【宿縁】__ 前世からの因縁(いんねん)。宿縁(すくえん)。

*__しゅく-えん【祝宴】__ 祝いの宴会。「—をはる」

しゅく-が【祝賀】《名・他サ》よろこび祝うこと。「—会」類語 慶賀。

*__しゅく-がく【宿学】__〔文〕長年学問を積んだすぐれた学者。また、以前から名声の高い学者。

*__しゅく-がく【粛学】__《名・自サ》学校、特に大学の内部の不正・腐敗などを粛清すること。

しゅく-がん【宿願】❶〔仏〕前世に起こした誓願。❷以前からの願い。「—をはたす」類語 宿望。念願。

じゅく-ぎ【熟議】《名・他サ》〔ある事柄をきめるため〕十分に議論・相談すること。「—をこらす」

しゅく-けい【粛啓】《感》〔文〕〔「つつしんで申しあげる」の意で〕手紙文の書き出しに使うあいさつのことば。謹啓。粛白。

しゅく-げん【縮減】《名・他サ》〔計画・予算などの〕規模を小さくし、量をへらすこと。類語 削減。

じゅく-ご【熟語】❶〔単純語に対して〕複合語。❷二字以上の漢字が結合して一つの単語となった漢語。熟字。「書物」「売店」など。❸慣用句。成句。イディオム。「英単語—集」

しゅく-ごう【宿業】〔仏〕前世で行った善悪の行為に対して現世でうけるむくい。現世での果をもたらす原因(となる行為)。宿業(すくごう)。

しゅくこん-そう【宿根草】↓たねんそう(多年草)。

しゅく-ざい【宿罪】〔仏〕前世で犯した罪。

しゅく-さいじつ【祝祭日】 祝日と祭日。特に、旧制で国家がきめた祝日と祭日。参考 現在の「国民の祝日」にあたる。

しゅく-さつ【縮刷】《名・他サ》版の大きさを、以前に印刷したものより小さくして印刷すること。また、その印刷物。「新聞の—版」

*__しゅく-し【宿志】__〔文〕以前からの希望。かねてからのこころざし。「ついに—をとげた」類語 宿望。

*__しゅく-し【祝詞】__〔文〕❶のりと。❷祝いの気持ちをのべることば。祝辞。対 弔詞。

しゅく-じ【祝辞】 祝いの気持ちをのべることば。祝詞(しゅくし)。「来賓の—」対 弔辞。

*__じゅく-し【熟思】__《名・他サ》前後の事情や場合などをいろいろと考えること。熟考。熟慮。

*__じゅく-し【熟×柿】__ よく熟してやわらかくなった柿(かき)の実。熟柿(じゅくし)。—くさ・い【—臭い】《形》熟した柿(かき)の実のようなにおいがする。参考 酒くさい息の形容。

*__じゅく-し【熟視】__《名・他サ》じっと見つめること。つくづくと見ること。類語 凝視(ぎょうし)。熟覧。注視。

じゅく-じ【熟字】 熟語②。—くん【—訓】二字以上のまとまった漢字に対して与えられる一定の訓。「昨日」に対する「きのう」、「海苔」に対する「のり」など。

しゅく-じつ【祝日】 祝いをする日。特に、国家がきめた祝いの日。参考 ↓国民の祝日。類語 祭日。

*__しゅく-しゃ【宿舎】__❶宿泊する所・建物。やど。「国民—」❷寄宿舎。

*__しゅく-しゃ【縮写】__《名・他サ》〔写真・地図などの〕原形を縮めて写すこと。また、その写したもの。

じゅく-しゃ【塾舎】 塾生の寄宿舎。

しゅく-しゃく【縮尺】《名・他サ》製図で、実物より小さく書くこと。また、そのときの実際の長さを縮める割合。「五万分の一の—」対 現尺。

しゅく-しゅ【宿主】 寄生生物に寄生される生物。宿主(やどぬし)。「中間—」

しゅく-しゅく【粛粛】《形動(タルト)》〔文〕静かでおごそかなようす。「—として進む行列」

しゅく-しょ【宿所】 泊まる場所。宿泊所。宿舎。

しゅく-じょ【淑女】 しとやかで上品な女性。レディー。類語 貴婦人。対 紳士。

*__しゅく-しょう【宿将】__〔文〕年をとって経験を積んだ大将。参考 老練な人のたとえにも使う。「財界の—」

*__しゅく-しょう【祝勝・祝×捷】__〔戦争・試合などの〕勝利をよろこび祝うこと。「—会」

*__しゅく-しょう【縮小】__《名・自他サ》縮んで小さくなること。また、縮めて小さくすること。「—コピーをとる」類語 短縮。圧縮。対 拡大(かくだい)。注意「縮少」は誤り。

しゅく-・す【祝す】《他五》↓祝(しゅく)する。

しゅく-ず【縮図】❶原形を縮小してえがいた図。❷ある物事を端的に表現したもの。「人生の—」

じゅく-・す【熟す】《自五》❶〔果実などが〕十分にみのる。うれる。類語 熟(う)む。(する)成熟。完熟。爛熟(らんじゅく)。❷〔あることをするのに〕ちょうどよい状態になる。「機が—す」❸〔芸・技(わざ)などが〕十分に上達する。熟達する。「—した芸の力」

しゅく-すい【宿酔】〔文〕二日酔い。

じゅく-すい【熟睡】《名・自サ》ぐっすりねむること。熟眠(じゅくみん)。類語 安眠。

しゅく-・する【祝する】《他サ変》〔文〕祝う。ことほぐ。祝す。

じゅく-・する【熟する】《自サ変》↓熟(じゅく)す。

しゅく-せ【宿世】〔仏〕❶現世に生まれてくる前の世。前世。宿世(すくせ)。❷前世からの因縁。

*__しゅく-せい【粛正】__《名・他サ》きびしく不正をとりしまって正しくすること。「不正を—する」「綱紀—」

*__しゅく-せい【粛清】__《名・他サ》きびしくとりしまって、内部の異分子・反対者を追放・暗殺などによってのぞくこと。「血の—」「反対派を—する」

*__じゅく-せい【塾生】__ 塾で学ぶ生徒。塾の学生。

*__じゅく-せい【熟成】__《名・自サ》熟して十分にできあがること。「酒が—する」

*__しゅく-ぜん【宿善】__〔仏〕前世で行ったよい行い。参考 現世でそのよいむくいを受けるとする。対 宿悪。

*__しゅく-ぜん【粛然】__《形動(タルト)》〔文〕❶静まりかえっているようす。また、整っておごそかなようす。「—と式典を行う」❷心をひきしめ、かしこまるようす。「—として襟(えり)を正す」

しゅく-だい【宿題】❶教師が前もって生徒に与えておき、自宅でやらせる課題。❷解決されずに、あとに持ちこされた問題。「早急な解決は政府の—である」

じゅく-たつ【熟達】《名・自サ》〔技術・芸などに〕なれてじょうずになること。「英会話に—する」「—の士」類語 熟練。上達。習熟。

じゅく‐だん【熟談】《名・自サ》十分相談すること。なっとくのゆくまで相談すること。

じゅく‐ち【熟知】《名・他サ》くわしく知っていること。よく知っていること。「敵の手の内はーしている」

じゅく‐ちょう【塾長】❶塾生の中から選ばれ、教師に協力して塾生のめんどうを見る人。塾頭。❷塾の最高責任者。

しゅく‐ちょく【宿直】《名・自サ》交替で勤務先に宿泊して夜の警戒にあたること。また、その人。対日直。

しゅく‐つぎ【宿継ぎ・宿次ぎ】昔、人や馬を継ぎかえながら、宿場から宿場へと荷物などを送ったこと。

しゅく‐てき【宿敵】古くからの敵。年来の敵。

しゅく‐てん【祝典】祝いの儀式。祝賀式。

しゅく‐でん【祝電】祝いの電報。対弔電。

じゅく‐でん【熟田】〔文〕よく耕作してある田。

***しゅく‐とう【祝×禱】**❶神官に依頼して神に祈ること。❷キリスト教で、牧師が礼拝に来た人々を祝福して神に祈ること。また、その祈り。祝福の祈禱。

***しゅく‐とう【粛党】**《名・自サ》〔政党が〕党の内部の不正などを正すこと。党の内部を粛正すること。

じゅく‐とう【塾頭】❶塾長。❷塾生の長。

しゅく‐とく【淑徳】〔文〕上品で貞淑な女性の美徳。「ー高き令夫人」

じゅく‐どく【熟読】《名・他サ》文章の意味をよく考えてじっくりと読むこと。「ー玩味する(=よく読み味わうこと)」類語精読。味読。耽読。

しゅくと‐して【粛として】《連語》↓しゅく(粛)。

じゅく‐ねん【熟年】人生を十分に経験して円熟した年ごろ。参考(ア)一九七〇年代後半から「中高年」に代わることばとして使われ始めた。(イ)↓実年。

しゅく‐ば【宿場】↓宿駅。

しゅく‐はい【祝杯・祝×盃】祝いの酒をつぐさかずき。祝いのさかずき。「ーをあげる」

しゅく‐はく【宿泊】《名・自サ》〔旅先で〕宿屋などに泊まること。やどること。

しゅく‐ふ【叔父】〔文〕父母の弟。おじ。対叔母。

しゅく‐ふく【祝福】《名・他サ》❶キリスト教で、神が信者に幸いを与えること。❷幸福を喜び祝うこと。

しゅく‐へい【宿弊】〔文〕〔社会などに〕古くからある弊害・悪習。「ーを一掃する」「積年のー」類語積弊。

しゅく‐べん【宿便】排泄されずに腸の中に長い間たまっていた大便。

しゅく‐ぼ【叔母】〔文〕父母の妹。おば。対叔父。

しゅく‐ほう【祝砲】〔国家的な行事などで〕祝いの気持ちを表すためにうつ空砲。類語礼砲。対弔砲。

***しゅく‐ぼう【宿坊】**❶他の寺の僧や参詣人などが宿泊する、寺の建物。寺の宿泊所。宿院。❷檀徒が自分の属している寺院をさしていう語。❸僧坊。

***しゅく‐ぼう【宿望】**ずっと以前から持っている望み。宿望。「ーを遂げる」類語宿願。宿志。念願。

じゅく‐みん【熟眠】《名・自サ》〔文〕ぐっすりねむること。熟睡。

しゅく‐めい【宿命】生まれる前からきまっていて、避けることのできない運命。宿運。類語天命。⇩〖類義語の使い分け「運命」〗 **ーろん【ー論】**〔哲〕世の中のすべての現象はあらかじめきまっていて、人間の力では変えることができないとする考え。運命論。宿命観。

しゅく‐やく【縮約】《名・他サ》規模を縮めて簡単にすること。「機構をーする」「大辞典のー版」

しゅく‐ゆう【祝融】〔文〕❶中国で、火の神。❷火事。「ーの災い」

じゅく‐らん【熟覧】《名・他サ》〔文〕くわしく見ること。心をこめてよく見ること。類語熟視。

じゅく‐りょ【熟慮】《名・他サ》〔時間をかけて〕十分に考えをめぐらすこと。熟考。熟思。「ーの末、決断する」類語沈思。深慮。三思。

しゅく‐りょう【宿料】旅館・下宿などに泊まって支払う料金。宿賃。宿銭。宿代。宿料。

じゅく‐れん【熟練】《名・自サ》〔ある仕事・技術などに〕なれていてじょうずなこと。練熟。「ーを要する仕事」「ー工」類語習熟。熟達。老練。

しゅく‐ろう【宿老】❶〔文〕経験をつんでその道にすぐれている老人。類語故老。❷武家時代の高官。江戸幕府の老中、大名家の家老など。❸江戸時代、町内の年寄役。

***しゅ‐くん【主君】**自分が仕えている大名・殿様。〔武家社会で使われた語〕類語君主。尊敬君公。

***しゅ‐くん【殊勲】**非常にすぐれたてがら。抜群の功績。「ーをたてる」「ー賞」

じゅ‐くん【受勲】《名・自他サ》勲章を受けること。

しゅ‐けい【主計】❶会計をつかさどること。また、その係(の人)。類語経理。❷もと日本の軍隊で、会計をつかさどった官。また、その人。「ー中尉」

しゅ‐げい【手芸】手先で小さな物を作る技芸。特に、編み物・ししゅうなど。類語手技。

じゅ‐けい【受刑】《名・自サ》〔裁判によって決定した〕刑罰の執行をうけること。「ー者」

しゅ‐けん【主権】国をおさめる最高の権力。統治権。「ー者」 **ーざいみん【ー在民】**主権が国民にあること。国民主権。

しゅ‐げん【修験】❶「修験者」の略。❷「修験道」の略。 **ーじゃ【ー者】**修験道をおさめる人。山野をめぐり歩き修行する。験者。山伏。 **ーどう【ー道】**日本古来の山岳信仰に仏教や道教などが加わってできた宗教の一派。役小角が開祖。

***じゅ‐けん【受検】**《名・自サ》検査を受けること。

***じゅ‐けん【受験】**《名・他サ》(入学)試験を受けること。「国立大学をーする」

***じゅ‐けん【授権】**《名・他サ》特定の人に、ある権利・権限などを与えること。特に、代理権を与えること。

***しゅ‐ご【主語】**❶文中の動作・状態などの主体を表す語。「何がどうする」「何がどうである」などの「何」にあたる語で、助詞「が」をつけて表す。たとえば「太陽がしずんだ」の「太陽」、「花が美しい」の「花」など。対述語。❷↓しゅじ(主辞)。

***しゅ‐ご【守護】**❶《名・他サ》まもること。「ー神」類語警護。護持。❷鎌倉・室町時代の職名の一つ。諸国におかれて軍事・警察の役にあたった。守護職。

***しゅ‐こう【手交】**《名・他サ》〔文〕〔公式の文書などを〕直接手から手に渡すこと。「要望書をーする」

***しゅ‐こう【手工】**❶〔木・紙・竹などを使って〕手先でする工芸。手工芸。❷もと、小・中学校の教科の一つ。今の、小学校の工作、中学校の技術に当たる。

***しゅ‐こう【手稿】**〔文〕手書きの原稿。

***しゅ‐こう【趣向】**かわった感じやおもしろみを出すための工夫。「ーをこらす」

***しゅ‐こう【酒×肴】**酒と、それに添えてだす料理。酒

し

と、酒のさかな。「ーをととのえる」 ーりょう【ー料】酒肴の代わりに出す金銭。慰労金。

*しゅ・こう【首肯】《名・自他サ》〔文〕うなずくこと。もっともだと納得し、承知・賛成すること。「ーしかねる提案」類語肯定。

しゅ・ごう【酒豪】非常に酒に強い人。大酒飲み。類語酒仙(しゅせん)。上戸(じょうご)。酒家。

じゅ・こう【受講】《名・自他サ》講義や講習を受けること。「ー生」類語聴講。

しゅ・こうぎょう【手工業】かんたんな道具を使い、注文をうけて仕事をする、規模の小さな工業。おもに家内工業で行われる。対機械工業。

しゅ・こうげい【手工芸】機械を使わず、手先によって行われる工芸。「ー品」

じゅ・ごん【儒×艮】ジュゴン科の哺乳(ほにゅう)動物。形はクジラに似ている。体長二・五～三メートル。インド洋・太平洋の熱帯にすむ。参考昔はこれを人魚と考えていた。

しゅ・さ【主査】中心となって調査や審査をする役(の人)。調査の主任。「会計ー」

しゅ・ざ【首座】❶第一位の席。上座。首席。❷首座①にすわる資格のある人。❸→しゅそ(首座)。

*しゅ・さい【主催】《名・他サ》〔会・催し物などを〕中心となって開くこと(人・団体)。「ー者」

*しゅ・さい【主宰】《名・他サ》大勢の人の中心となって、ある物事をつかさどり、まとめ行うこと(人)。

*しゅ・さい【主祭】〔キリスト教で〕祭事をつかさどる役(の人)。

*しゅ・さい【主菜】→メーンディッシュ。対副菜。

*しゅ・ざい【主剤】二種類以上調合した薬の中で、主成分となっている薬。主薬。

*しゅ・ざい【取材】《名・自他サ》報道記事・芸術作品などの材料・題材を、ある事件や物などからとること。「事件の現場でーする」「民話にーした小説」

*しゅ・ざい【首罪】❶首を切られる罪。一般に、犯罪の中でもっとも重い罪。斬罪(ざんざい)。❷首謀者。主犯。

しゅ・ざん【珠算】そろばんでする計算。たまざん。

じゅ・さん【授産】〔おもに女子の〕失業者・貧しい人または身体障害者などを一定の場所に集めて仕事を与え、暮らしがたつようにさせること。「ー所」「ー金」

*しゅ・し【主旨】〔文章などの〕中心となる意味。おもな意味。「論文のー」

*しゅ・し【種子】種子植物で、受精した後の胚珠(はいしゅ)が発達したもの。たね。 ーしょくぶつ【ー植物】植物分類上の一門。花を咲かせ、種子を作る植物の総称。裸子植物と被子植物とに大別される。

*しゅ・し【趣旨】その事をする・わけ(目的)。その事をする中心的なねらい。趣意。「クラブ設立のー」

*しゅ・じ【主事】公務員の職名の一つ。学校・官庁・自治団体などでその長の命令をうけて、ある一定の業務を責任をもってあつかう役。また、その人。「指導ー」

*しゅ・じ【主辞】〔論〕主題の概念を表す語。主語。主体。主概念。対賓辞。

*じゅ・し【樹脂】樹木の樹液がかたまったもの。ワニスの製造や絶縁材料などに使う。天然樹脂。やに。

*じゅ・し【×豎子・×孺子】〔文〕〔子どもの意から〕未熟な者。青二才。〔青年を軽べつして言う〕 ーの名を成・す《句》ばかにしていた者にてがらをたてさせる。〔つまらない相手に負けたことを悔やむことば〕

しゅじ・い【主治医】❶多くの医者の中心となって治療に当たる医者。❷かかりつけの医者。

しゅし・がく【朱子学】中国宋代に朱熹(しゅき)が大成した儒学。儒教の礼を根本原則とし、これを実践に導くことによって天の理につながると説いた。宋学。道学。

しゅ・じく【主軸】❶いくつかの軸をもつ図形や物体での、いちばん中心になる軸。❷原動機から直接に動力を受けて他に伝える軸。❸〔ある団体などで〕中心になって活動する人(組織)。「チームのー」

*しゅ・しゃ【取捨】《名・他サ》取ることと捨てること。特に、良いものや必要なものを取り、悪いものや不要なものを捨てること。「ー選択」

*しゅ・しゃ【手写】《名・他サ》直接自分の手で書きうつすこと。「経文をーする」

じゅ・しゃ【儒者】儒学を修めた人。また、儒学を教える学者。儒学者。

じゅ・しゃく【授爵】《名・自サ》〔文〕爵位を授けること。

しゅ・しゅ【守▽株】《名・他サ》〔文〕いたずらに古い習慣を守ること。また、古い習慣にこだわり、少しの進歩もないこと。株(くいぜ)を守る。故事ウサギが切り株にぶつかって死んだのを見た農夫が、切り株のそばにいて、またウサギを得ようと待っていたという中国の故事による。〈韓非子・五蠹〉

*しゅ・じゅ【朱儒・×侏儒】〔文〕❶背の非常にひくい人。小人(こびと)。❷見識のない人をあざけって言う語。

*しゅ・じゅ【種種】《名・形動》種類・方法などの多いこと。いろいろ。さまざま。〔副詞的にも使う〕「ーの意見がある」 ーざった【ー雑多】《形動》いろいろな種類のものがいりまじっているようす。「ーな商品」 ーそう【ー相】さまざまなすがた。「社会のー」

じゅ・じゅ【授受】《名・他サ》授けることと受けること。やりとり。うけわたし。「金銭のー」

しゅ・じゅう【主従】❶主たるものとそれに従うもの。❷主君とそのけらい。主人とその使用人。主従(しゅうじゅう)。類語主僕(しゅぼく)。君臣。

しゅ・じゅつ【手術】《名・他サ》医者が患部を切開(せっかい)・切断して処置をすること。

じゅ・じゅつ【×呪術】種々の超自然的現象を起こさせようとする神秘的な術。まじない。類語妖術(ようじゅつ)。魔法。魔術。

*しゅ・しょ【手書】❶《名・他サ》自分の手で書くこと。また、その書いたもの。❷〔自筆の〕手紙。

*しゅ・しょ【朱書】《名・他サ》〔訂正や注釈などを〕朱で書くこと。また、朱で書いた文字。朱書き。

*しゅ・しょう【主唱】《名・他サ》〔ある意見や主張を〕人々の中心となってとなえること。「改革をーする論客」

*しゅ・しょう【主将】❶〔軍隊で〕全軍の総大将。首将。❷〔スポーツで〕そのチームのかしら。キャプテン。

*しゅ・しょう【手抄】《名・他サ》自分の手で抜き書きする(書き写す)こと。また、その書いたもの。

*しゅ・しょう【首唱】《名・他サ》他のものに先んじてとなえること。「進化論をーした人」

*しゅ・しょう【首相】「内閣総理大臣」の通称。

*しゅ・しょう【殊勝】《形動》❶〔仏〕最もすぐれているようす。❷〔行いなどが〕けなげで感心なようす。「ーな心がけ」類語神妙。

*しゅ・じょう【主上】天皇の尊称。類語おかみ。

*しゅ・じょう【主情】〔知(＝理性)・情(＝感情)・意(＝

意志）の中で）感情を主にすること。〔ふつう、他の語につけて使う〕「―的」「―主義」対主知・主意。

*しゅ・じょう【衆生】〔仏の救済の対象である〕すべての生き物。「一切―（=すべての生き物）」「―済度（さいど）」

*じゅ・しょう【受章】《名・他サ》勲章などを受けること。対授章。⇩〔使い分け〕

*じゅ・しょう【受賞】《名・他サ》賞を受けること。対授賞。⇩〔使い分け〕

*じゅ・しょう【授章】《名・他サ》勲章などをさずけること。対受章。⇩〔使い分け〕

*じゅ・しょう【授賞】《名・他サ》賞をさずけること。対受賞。⇩〔使い分け〕

使い分け　「ジュショウ」

受賞〔「賞」は賞状・賞金・賞杯などの褒美の品の意。賞を受ける〕芥川（あくたがわ）賞の受賞者・新人賞受賞作品・吉川英治文学賞を受賞する

授賞〔賞を渡す〕授賞式

受章〔「章」は勲章や褒章などの意。勲章や褒章を受ける〕文化勲章を受章する・紫綬（しじゅ）褒章の晴れの受章

授章〔勲章や褒章などを渡す〕文化勲章の授章式

じゅ・じょう【樹上】〔文〕（大きな）木の上。対樹下。

*しゅ・しょく【主食】ふだんの食事の中心となる食物。主食物。「パンを―とする」類語常食。対副食。

*しゅ・しょく【酒色】飲酒と、女遊び。「―に耽（ふけ）る」

*しゅ・しょく【酒食】酒と食物。「―のもてなし」

*しゅ・しん【主審】審判員の中で、主となって審判する人。参考野球では球審を言う。対副審。

*しゅ・しん【主神】二柱以上の神をまつってある神社で、主となってまつられている神。

*しゅ・しん【朱唇・朱×脣】〔文〕❶赤く美しいくちびる。❷口べにをつけたくちびる。同①②紅唇（こうしん）。

しゅ・じん【主人】❶家族の長。一家のあるじ。❷自分が仕えている人。類語だんな。やとい主。❸妻が他人に自分の夫をさしていうことば。おっと。―こう【―公】❶「主人」の尊敬語。また、親しみをこめた言い方。❷小説・映画・しばいなどの中心人物。

*じゅ・しん【受信】《名・他サ》〔電信・放送など〕他からの通信をうけとること。類語着信。対送信。発信。

*じゅ・しん【受診】《名・自サ》診察をうけること。

しゅ・す【×繻子・朱子】表面に縦糸または横糸を浮かせて織った織物。表面が滑らかで光沢に富む。帯・半襟・高級服の裏地などに用いる。サテン。

じゅ・ず【〈数珠〉】小さなたくさんのたまを糸でつないで輪にしたもの。仏をおがむときに手にかけたり、念仏をとなえるときにつまぐってその回数をかぞえたりする。念珠。数珠（ずず）。参考(ア)たまの数は、人間の煩悩の数を表す一〇八を基本とする。(イ)「一連（いちれん）…」「一具（いちぐ）・（ひとそなえ）…」と数える。―だま【―玉】❶じゅずにする玉。草木の実や水晶などを使う。❷イネ科の多年草。初秋、穂のようにかたまった小さな花が咲き、卵形のかたい実がなる。=ずだま。―つなぎ【―×繫ぎ】〔多数のじゅず玉を一本の糸につなぐように〕多くの人（物）をひとつなぎにすること。また、そうなったもの。ずずつなぎ。「高速道路で車が―になる」

しゅ・すい【取水】《名・自サ》〔川や湖から〕水を取り入れること。「―口」

じゅ・すい【▽入水】《名・自サ》〔文〕〔川・池・海など〕水にとびこんで自殺すること。入水（にゅうすい）。類語投身。

しゅ・ずみ【朱墨】朱の粉をにかわでかためて作った墨。朱書きに用いる。

しゅ・する【修する】《他サ変》〔文〕❶〔仏〕仏事をとり行う。また、仏道を学びおさめる。❷〔学問・技術などを〕身につける。学ぶ。同①②修（しゅう）する。

じゅ・する【×誦する】《他サ変》〔文〕〔詩歌・経文などを〕声を出して読む。誦（ず）する。「経を―する」

*しゅ・せい【守勢】〔戦争・競技などで〕相手の攻撃をふせぎ守る受け身の状態。「―に立つ」対攻勢。

*しゅ・せい【守成】《名・他サ》〔文〕創業者のあとをついで、事業の基礎を固めまもること。

*しゅ・せい【酒精】〔文〕アルコール。

しゅ・ぜい【酒税】間接税の一つ。酒類にかかる税。

*じゅ・せい【儒生】〔文〕❶儒学者。儒者。❷儒学を学ぶ学生。

*じゅ・せい【受精】《名・自サ》❶雌（めす）の卵子と雄（おす）の精子とが一つになること。「―卵」❷種子植物で、花粉から管がでて子房の方へのび、花粉管内の雄精核と子房内の卵核とが一つになること。

*じゅ・せい【授精】《名・自サ》人工的に精子と卵子とを結合させること。「人工―」

しゅぜい・きょく【主税局】財務省の内局の一つ。国税の割り当て・徴収などを扱う。

しゅ・せいぶん【主成分】ある物質を形づくっている物質の中の、おもな成分。「酒の―」対副成分。

*しゅ・せき【主席】❶〔客をむかえるときの〕主人の席。❷会議・委員会などを代表（主宰）する第一位の人。「国家―」類語首班。

*しゅ・せき【手跡・手×蹟】その人が書いた文字。筆跡。「みごとな―」

*しゅ・せき【酒席】酒盛りの席。酒の席。類語宴席。

*しゅ・せき【首席】第一位の席次。一番。「大学を―で卒業した」「―奏者」類語首位。

しゅせき・さん【酒石酸】酒石（=ぶどう酒を作るとき、発酵液の中にできる褐色の沈殿物）から採った無色透明で柱状の結晶。ブドウなどの果実の中に多く含まれ、薬用、清涼飲料の酸味剤などに利用する。

*しゅ・せん【主戦】❶〔解決の方法として〕戦争をすることを主張すること。「―論」❷〔戦争や競技で〕主力となってたたかうこと。「―投手」

*しゅ・せん【酒仙】俗事を気にせず、ただ楽しんで酒をのむ人。また、非常に酒がすきな人。類語酒豪。

しゅ・ぜん【×鬚×髯】〔文〕あごひげと、ほおひげ。また、ひげ。

じゅ・せん【受洗】《名・自サ》〔キリスト教で〕洗礼を受けること。

じゅ・ぜん【受禅】《名・自サ》〔文〕前の天皇の譲位を受けて即位すること。

しゅせん・ど【守銭奴】金銭をためるだけで、使おうとしない欲深い人。類語けちんぼ。吝嗇家（りんしょくか）。

しゅ・そ【首▽座】禅宗で、その寺の修行僧のうちで第一位の者。首座（しゅざ）。

じゅ・そ【×呪×詛・×呪×咀】《名・他サ》〔うらみに思う相手に〕わざわいが起こるようにと祈ること。のろい。表記「呪咀」は本来誤用された表記。

しゅ・ぞう【酒造】酒をつくること。造酒。「―元」

じゅ・そう【樹霜】霧氷の一種。大気中の水蒸気が

し

し

昇華し、枝について霜の結晶になったもの。類語樹氷。

*じゅ・ぞう【受像】《名・他サ》放送されたテレビ電波をうけて像をうつすこと。「―機」対送像。

*じゅ・ぞう【受贈】《名・自サ》〔文〕贈り物を受けること。「―図書」

*じゅ・ぞう【寿像】存命中につくっておくその人の像。

*しゅ・そく【手足】❶手と足。❷部下。けらい。「―となって働く」(=手足(てあし))。

*しゅ・そく【首足】首と足。「―処(ところ)を異にする(=首を切られて、首と足とがばらばらになる)」

しゅ・ぞく【種族】❶同じ種類に属する生物。「―保存の本能」❷同じ祖先から出て、同じ系統の言語・文化・風俗などを持つ人間の集まり。参考「部族」と同義に使われることも多い。

しゅそ・りょうたん【首×鼠両端】〔文〕心をきめかねてぐずぐずしていること。「―を持す」参考ネズミが穴から首を出して左右をうかがうようすからと言われる。

しゅ・たい【主体】❶〔哲〕(積極的に)行いやはたらきをするもの。対客体。❷物事のおもな部分。組織などの中心となるもの。❸〔論〕主辞。―せい【―性】自分の考え・立場をはっきり持って行動する性質。「―のない人」類語自主性。―てき【―的】《形動》(他にたよらず)自分から活動してゆくようす。「―行動」類語自主的。

*しゅ・だい【主題】❶おもな題目。中心の題目。❷〔芸術作品で〕作者の表そうとする中心の思想。テーマ。❸音楽の中心となる旋律。テーマ。―か【―歌】映画・ドラマなどの中で使われ、その作品の主題などを印象づける歌。テーマソング。

*しゅ・だい【首題】❶〔仏〕経典の最初にしるされた文句。❷〔文書などの〕最初にしるされた題目。「―の件につき回答を求める」

じゅ・たい【受胎】《名・自サ》❶受精卵が子宮内膜にくっつくこと。❷体内に子をやどすこと。妊娠(にんしん)。懐胎(かいたい)。懐妊(かいにん)。「―調節」

じゅ・だい【▽入内】《名・自サ》皇后・中宮・女御(にょうご)などにきまった人が正式に内裏に入ること。

しゅ・たく【手沢】〔文〕❶つね日ごろよく手にするためについた、手のあかや脂のつや。❷死んだ人が生前よく手にしていた品。遺愛の品。―ぼん【―本】ある人が(生前)愛読して、その手あかのついている本。転じて、(故人の)愛読書。愛蔵書。

じゅ・たく【受託】《名・他サ》❶〔物品・金銭などの扱いを〕他からたのまれること。委託・嘱託(しょくたく)をうけること。「―収賄(しゅうわい)」❷〔物品・金銭などを〕他からあずかること。寄託(きたく)をうけること。

じゅ・だく【受諾】《名・他サ》〔他からのたのみごと・申しこみなどを〕引き受けること。類語承諾。対拒絶。

しゅ・たる【主たる】《連体》おもな。「―目的」

しゅ・だん【手段】〔ある目的をなしとげるための〕方法。てだて。「目的のためには―を選ばず」類語方策。

*しゅ・ち【主知】〔知(=理性)・情(=感情)・意(=意志)の中で〕理性・知性を重んじること。〔ふつう、他の語につけて使う〕「―的」「―主義」対主意・主情。

*しゅ・ち【趣致】〔文〕〔物事の〕おもむき。ふぜい。おもしろみ。「―に富んだながめ」

しゅ・ちく【種畜】良い品種をとるため、また、繁殖させるための雄の家畜。たねうし・たねうまなど。

しゅち・にくりん【酒池肉林】非常にぜいたくな酒盛り。豪華なうたげ。参考「酒を以(も)って池となし、肉を懸けて林となす〈史記・殷本紀〉」より。

*しゅ・ちゅう【主柱】全体のささえとなる最もたいせつなもの。「教育を―とする施策」

*しゅ・ちゅう【手中】手のうち。手のなか。「―におさめる(=自分のものとする)」

じゅ・ちゅう【受注・受×註】《名・他サ》注文を受けること。「―が生産を上まわる」「―生産」対発注。

しゅ・ちょ【主著】その人の代表的な著書。

*しゅ・ちょう【主張】《名・他サ》自分の意見・説を強く言いはること。また、その意見・説。「権利を―する」

*しゅ・ちょう【主潮】ある時代・社会などの中心となっている傾向・思想。「近代文学の―」

*しゅ・ちょう【主調】❶主となる調子。基調。❷〔音〕一楽曲を通じて、その曲のもとになる調子。「―音」

*しゅ・ちょう【×腫脹】《名・自サ》腫瘍(しゅよう)・炎症による充血などのため、特定の組織や器官の一部または全部がはれあがること。

*しゅ・ちょう【首長】〔ある組織・団体などを〕支配し統率する人。「市町村の―選挙」類語首脳。

しゅ・ちん【朱珍・×繻珍】繻子地(しゅすじ)に金糸・銀糸などの横糸を使って模様を浮き出させた厚地の絹織物。うちかけ・女帯・袋物などに使う。

*じゅつ【×戌】〔文〕十二支の一一番目。いぬ。

*じゅつ【術】❶(身につけた特別の)わざ。技術。「護身の―」❷方法。手段。「世を渡る―」❸はかりごと。たくらみ。計略。「―におちいる」❹魔術(まじゅつ)・妖術(ようじゅつ)などの類。「―をかける」

*しゅつ・えん【出×捐】《名・他サ》〔文〕金銭や品物を寄付すること。

*しゅつ・えん【出演】《名・自サ》舞台・映画・放送などに出て、しばい・演芸などの演技をすること。「―者」

*しゅっ・か【出火】《名・自サ》火事を出すこと。「―現場」「―原因」

*しゅっ・か【出荷】《名・他サ》荷物を送りだすこと。特に、商品を市場へ送りだすこと。対入荷。着荷。

しゅつ・が【出芽】《名・自サ》❶植物が芽をだすこと。発芽。❷無性生殖の一種。下等な生物で、からだの一部がふくらみ、突起ができること。これが成長して母体からはなれ新しい個体になる。

じゅっ・かい【述懐】《名・他サ》〔心中で考えている〕気持ち・思いを述べること。また、述べたもの。「母は新婚生活の苦労を―する」

しゅっ・かく【出格】〔文〕格式にはずれること。通例からはずれていること。破格。類語別格。

しゅっ・かん【出棺】《名・自サ》葬式のとき、棺を家・式場などから火葬場などに向けて送り出すこと。

しゅつ・がん【出願】《名・自他サ》〔役所・学校などに〕願いを出すこと。願書を出すこと。類語申請。

*しゅつ・ぎょ【出御】《名・自サ》〔会場・式場などに〕天皇・皇后などがおでましになること。対還御。

*しゅつ・ぎょ【出漁】《名・自サ》→しゅつりょう(出漁)。

*しゅっ・きょう【出京】《名・自サ》❶都を出て地方へゆくこと。類語退京。離京。対入京。❷地方から都へゆくこと。上京。類語出府。

*しゅっ・きょう【出郷】《名・自サ》故郷を出て他の土地へ行くこと。

＊しゅっ-きん【出勤】《名・自サ》職場に出てはたらくこと。「ー簿」類語 出社。対 欠勤。退勤。

＊しゅっ-きん【出金】《名・自他サ》〔支払い・貸し付けなどのために〕金銭を出すこと。また、その金銭。「ー伝票」類語 支出。対 入金。

しゅっ-け【出家】《名・自サ》俗世をすて、仏門にはいること。また、その人。僧。対 在家(ざいけ)。在俗。

じゅっ-けい【術計】〔文〕〔相手をだますための〕はかりごと。たくらみ。術策(じゅっさく)。「敵のーにおちいる」類語 策略。計略。術数(じゅっすう)。

しゅつ-げき【出撃】《名・自サ》敵を攻撃するため、陣地や基地から出て行くこと。類語 進撃。対 迎撃。

＊しゅっ-けつ【出欠】出席と欠席。「ーをとる」

＊しゅっ-けつ【出血】《名・自サ》❶血管が破れて血が出ること。「ー多量で死亡する」❷人員・金銭などの損害・犠牲(ぎせい)があること。「ー大サービス」

しゅつ-げん【出現】《名・自サ》〔かくれていたものや、今まで知られていなかったものなどが〕現れ出ること。現出。「新人類のー」類語 台頭。

しゅっ-こ【出庫】《名・他サ》❶くら・倉庫から出すこと。くらだし。❷《自サ》電車・自動車などが車庫から出ること。また、出すこと。対 ①②入庫。

＊じゅつ-ご【術後】手術をしたあと。対 術前。

＊じゅつ-ご【術語】学問上の専門用語。学術用語。テクニカルターム。

＊じゅつ-ご【述語】❶文の成分の一つ。主語について、その動作・状態・作用などを述べる語。「何がどうする」「何がどんなだ」「何が何である」などの「どうする」「どんなだ」「何である」にあたる語。「花が咲く」「空が青い」の「咲く」「青い」など。対 主語。❷→ひんじ(賓辞)。

＊しゅっ-こう【出向】《名・自サ》❶出むいて行くこと。❷他の場所、特に他の会社に行って仕事につくこと。「子会社へーする」類語 出張。

類語 出頭。

＊しゅっ-こう【出校】《名・自サ》❶学校に行くこと。登校。❷《他サ》印刷物の校正刷りを出すこと。また、校正刷りが出ること。

＊しゅっ-こう【出港】《名・自サ》船が港を出て行くこと。類語 出帆。船出(ふなで)。対 入港。帰港。

＊しゅっ-こう【出航】《名・自サ》❶船が航海に出ること。類語 出帆。船出(ふなで)。❷飛行機が出発すること。

＊しゅっ-こう【出講】《名・自サ》〔教師が〕他の学校へ出むいていって講義をすること。

じゅっ-こう【熟考】《名・他サ》おちついてよく考えること。深く考えをめぐらすこと。熟慮(じゅくりょ)。熟思。「ーの末の判断」類語 深慮。三思。

しゅっ-こく【出国】《名・自サ》その国を出て外国へ行くこと。しゅつごく。「ー手続き」対 入国。

しゅつ-ごく【出獄】《名・自サ》囚人が許されて刑務所を出ること。出牢。出所。対 入獄。

＊じゅっ-さく【術策】〔よくない〕はかりごと。たくらみ。術計。「敵のーに陥る」類語 術数。策略。策謀。

＊じゅっ-さく【述作】《名・他サ》〔自分の考えなどを〕本に書き著すこと。また、その本。著述。著作。

しゅっ-さつ【出札】《名・自サ》〔駅で〕乗車券などのきっぷを売ること。「ー口」類語 改札。

しゅっ-さん【出産】《名・自他サ》❶子どもが生まれること。また、子どもをうむこと。お産。類語 出生(しゅっしょう)・出生(しゅっせい)。分娩(ぶんべん)。丁寧 おめでた。❷〔その土地の〕産物が出ること。また、産物を出すこと。産出。「ー地」「ー額」類語 生産。

＊しゅっ-し【出仕】《名・自サ》❶官庁に勤めること。〔古風な言い方〕❷勤めの場所に出ること。出勤。

＊しゅっ-し【出資】《名・自他サ》❶資金を出すこと。❷会社などの共同事業に資本を出すこと。類語 投資。

しゅつ-じ【出自】その人の出た家柄。生まれ。身もと。素姓。出所。

しゅっ-しゃ【出社】《名・自サ》〔勤めるために〕会社へ出ること。「早朝ー」類語 出勤。対 退社。

＊しゅっ-しょ【出処】❶〔文〕官職や公務に就くことと、民間にいること。参考「処」は、とどまっている意。❷出所②。 ーしんたい【ー進退】官職や公務に就くことと、民間に退くこと。また、その職にとどまることと、退くこと。転じて、事にあたっての身の処し方。

＊しゅっ-しょ【出所】❶生まれた土地。出生地。❷あるものの出どころ。出処。「情報のー」❸《名・自サ》〔刑をおえて〕刑務所から出ること。出獄。対 入所。

「ーを明らかにする」注意「出所進退」は誤り。

しゅっ-しょう【出生】《名・自サ》❶子どもが生まれること。「ー届」類語 出産。誕生。対 死亡。❷その土地の生まれであること。「北海道のー」＝出生(しゅっせい)。 ーりつ【ー率】ある国またはある地域の、一年間の出生数とその年の全人口との割合。人口一〇〇〇人についての値で示す。参考 死産は含めない。

しゅつ-じょう【出場】《名・自サ》❶その場所に出ること。類語 入場。対 退場。❷運動競技などに参加すること。「決勝戦にーする」対 欠場。

しゅっ-しょく【出色】《形動》他よりめだってすぐれているようす。「入賞作中ーのできばえ」類語 抜群。傑出(けっしゅつ)。圧巻。

しゅっ-しん【出身】生まれた土地、卒業した学校、経て来た身分などがそこであること。「ー地」「ー校」

しゅつ-じん【出陣】《名・自サ》〔敵と戦うために〕戦場に出て行くこと。「学徒ー」類語 出馬。出征。

＊しゅっ-すい【出水】《名・自サ》大水が出ること。出水(でみず)。「集中豪雨によるー」類語 洪水。

＊しゅっ-すい【出穂】〔稲・麦などの〕穂が出ること。出穂(でほ)。「ー期」

じゅっ-すう【術数】〔文〕はかりごと。たくらみ。「権謀(けんぼう)ー」類語 謀略(ぼうりゃく)。策略(さくりゃく)。術計。術策。

しゅっ-せ【出世】《名・自サ》❶〔仏〕衆生(しゅじょう)を迷いから救うために、仏が仮にこの世に現れること。❷〔仏〕世をすてて仏道にはいること。出世間。出家。❸〔地位・身分などのなかった人が〕社会的な名誉ある地位・身分を得ること。「立身ー」類語 立身。 ーうお【ー魚】❶成長とともによび名の変わる魚。ボラ・スズキ・ブリなど。❷「鯉(こい)」の別称。参考 鯉の滝登りの故事から。 ーがしら【ー頭】同族・同級生などの中で、一番出世した人。 ーさく【ー作】その人が世間に認められるきっかけになった作品。類語 処女作。 ーばらい【ー払い】出世してから返せばよいという約束で、借金の取り立てをしないこと。 ーりきし【ー力士】相撲の番付にはじめて名を加えられた力士。

＊しゅっ-せい【出征】《名・自サ》軍隊にはいり、その一員として戦地に行くこと。「ー兵士」類語 出陣。

＊しゅっ-せい【出生】《名・自サ》→しゅっしょう(出生)。

＊しゅっ-せい【出精】《名・自サ》〔文〕精を出して一生

懸命つとめはげむこと。「学問に━する」

しゅっ‐せき【出席】《名・自サ》授業・会合などに出ること。類語 列席。参列。尊敬 御成り。御出座(おでまし)。対 欠席。⇩『類義語の使い分け「列席」』

しゅっ‐せけん【出世間】〔仏〕この世の迷いを断ち切って悟りの境地にはいること。また、俗世間を離れて僧になること。出世。同 出離。対 俗世間。

じゅつ‐ぜん【術前】手術をする前。対 術後。

しゅっ‐そう【出走】《名・自サ》❶その場を出て走り去ること。走ってにげ去ること。類語 出奔(しゅっぽん)。❷〔競馬・競輪などで〕競走に出ること。「━馬」「━の選手」

しゅっ‐たい【出▽来】《名・自サ》〔「しゅつらい」の転〕❶事件・事故などがおこること。「大事件━」類語 勃発(ぼっぱつ)。突発。発生。❷〔物事が〕できあがること。「近日━予定の工事」類語 完成。成就。参考 ①②とも古風な言い方。＝出来(しゅつらい)。

しゅつ‐だい【出題】《名・自他サ》❶〔文〕詩や歌の題を出すこと。❷〔試験などの〕問題を作って出すこと。「━範囲」「過去三年間の━傾向」類語 設問。設題。

しゅっ‐たつ【出立】《名・自サ》❶旅行に出かけること。旅立ち。出(い)で立ち。類語 かしま立ち。❷〔ある所・ものを基点として〕物事をし始めること。参考 ①②とも古風な言い方。類語 ①②出発。門出(かどで)。首途。

しゅっ‐たん【出炭】《名・自他サ》❶石炭をほり出すこと。類語 採炭。❷木炭を生産すること。

じゅっ‐ちゅう【術中】〔その人の〕はかりごとの中。計略のうち。「敵の━に陥る」

＊しゅっ‐ちょう【出張】《名・自サ》〔官庁・会社などに勤めている者が〕公務や社用で臨時に他の地域・場所へ出かけること。類語 出向。

＊しゅっ‐ちょう【出超】「輸出超過」の略。対 入超。

しゅっ‐ちん【出陳】《名・他サ》〔展覧会・展示会などに〕品物や作品を出して陳列すること。類語 出品。

しゅっ‐てい【出廷】《名・自サ》〔被告・原告・証人などが〕裁判のために法廷に出ること。対 退廷。

＊しゅっ‐てん【出典】故事・成語・引用文などの最初の出どころとなった書物。類語 典拠(てんきょ)。原拠。

＊しゅっ‐てん【出店】《名・自他サ》店を出すこと。「駅前に洋品店を━する」「バザーに━する」

＊しゅっ‐てん【出展】《名・他サ》展覧会・展示会などに作品・展示物を出すこと。

しゅつ‐ど【出土】《名・自サ》考古学の資料となる古代の遺物が土の中から出ること。「━品」

しゅっ‐とう【出頭】《名・自サ》〔命令・よび出しに応じて〕きめられた所に出向くこと。「任意━」類語 出向。

しゅつ‐どう【出動】《名・自サ》〔軍隊・警察・機動隊・消防隊などが〕出かけて行って活動すること。また、活動するために出かけること。「パトカーが━する」

じゅつ‐な‐い【術無い】《形》❶どうにもする方法がない。すべがない。「防御の━く降伏する」類語 しかたない。❷〔どうしようもなく〕心がつらく苦しい。せつない。〔古風な言い方〕

しゅつ‐にゅう【出入】《名・自サ》出ることとはいること。また、出たりはいったりすること。出はいり。

しゅつ‐ば【出馬】《名・自サ》❶〔身分の高い人が〕馬にのって出かけること。❷大将がみずから〔馬にのって〕戦場におもむくこと。類語 出陣。❸〔地位の高い人などが〕その場所に乗りこむこと。「総裁にご━願う」❹〔選挙などに〕立候補すること。「地元から━する」

しゅっ‐ぱつ【出発】《名・自サ》❶目的の場所に向かって出かけること。類語 発向。尊敬 御立ち。渡御(とぎょ)。対 到着。❷〔ある所・ものを基準として〕物事をしはじめること。「新しい人生に━する」類語 ①②出立(しゅったつ)。首途。門出。旅立ち。

＊しゅっ‐ぱん【出帆】《名・自サ》〔帆をあげて出発する意で〕船が航海のため港を出発すること。船出(ふなで)。類語 出航。出港。出船(でふね)。

＊しゅっ‐ぱん【出版】《名・他サ》書物などを印刷して世間に出すこと。類語 刊行。発行。発刊。上梓(じょうし)。

しゅっ‐ぴ【出費】《名・自他サ》費用を出すこと。また、その費用。「━がかさむ」類語 入費。失費。

しゅっ‐ぴん【出品】《名・他サ》〔展覧会場・陳列(ちんれつ)場などに〕品物・作品を出すこと。類語 出陳。

しゅっ‐ぷ【出府】《名・自サ》❶江戸時代、地方から、幕府のあった江戸に出ること。❷〔文〕地方から都会に出ること。類語 上京。出京。

じゅつ‐ぶ【述部】文の中で、述語とそれを修飾する語のある部分。対 主部。

しゅっ‐ぺい【出兵】《名・自他サ》〔戦争・事変などが起こったとき〕軍隊を出動させること。軍隊が出動すること。「シベリアに━する」類語 派兵。対 撤兵。

じゅっ‐ぺい【×恤兵】〔文〕戦地にいる兵士に金銭や品物を贈って慰めること。「━金」

しゅつ‐ぼつ【出没】《名・自サ》現れたりかくれたりすること。時々現れること。「タヌキが人里に━する」

しゅっ‐ぽん【出奔】《名・自サ》逃げ出してゆくえをくらますこと。「故郷を━する」類語 逐電(ちくでん)。出走。逃亡。失踪(しっそう)。脱走。

しゅつ‐らん【出×藍】〈━の誉れ〉弟子がその先生よりもすぐれているという名誉・評判。参考「青は藍(あい)より出でて藍より青し〈荀子・勧学〉」より。

しゅつ‐り【出離】〔仏〕❶迷いが多くわずらわしい俗世間から離れること。「━解脱」❷出家すること。僧になること。同 ①②出世間。

＊しゅつ‐りょう【出漁】《名・自サ》漁に出かけること。出漁(しゅつぎょ)。

＊しゅつ‐りょう【出猟】《名・自サ》狩りに出かけること。

しゅつ‐りょく【出力】❶《名・他サ》機械や機構が入力を受けて変換・処理を行い、結果を外部に出すこと。また、その結果。アウトプット。❷機械や機構がはたらき、その結果として外部へ出し得るエネルギー・動力・仕事率など。ワット・馬力などで表す。対 ①②入力。

しゅつ‐るい【出塁】《名・自サ》野球で、安打・四球・死球などで打者が塁へ出ること。

しゅつ‐ろ【出×廬】《名・自サ》〔文〕〔隠者が廬(いおり)を出る意から〕引退した人が再び活動するため、世に出ること。故事 諸葛孔明(しょかつこうめい)が劉備(りゅうび)の再三の懇請に感激して出仕したということから。

しゅ‐でい【朱泥】❶赤褐色の泥。❷鉄分の多い土を用いた赤褐色の陶器。

しゅ‐てん【主点】その物事の中心になるだいじな箇所。要点。重点。

じゅ‐でん【受電】《名・自他サ》❶電報を受け取ること。類語 入電。❷電力を受けること。対 送電。

＊しゅ‐と【衆徒】昔、大寺に集まり修行していた多くの僧。転じて、僧兵。衆徒(しゅうと)。

*しゅ・と【酒徒】〔文〕❶酒飲み仲間。酒の好きな仲間。❷酒ばかり飲んでいる人。

*しゅ・と【首途】〔文〕❶旅に出ること。❷新たに物事をし始めること。＝首途。[類語]①②出発。出立。

*しゅ・と【首都】その国の中央政府のある都市。首府。「日本の―は東京」

*しゅ・とう【手×套】〔文〕手ぶくろ。

*しゅ・とう【種痘】痘瘡(＝天然痘)の予防のため、毒力を弱めた病原体を皮膚にうえつけて、人体に免疫を得させること。うえぼうそう。

*しゅ・とう【酒盗】カツオの塩辛。[参考]これを肴にすると酒がすすむ、ということから。

*しゅ・どう【主動】〔物事の〕中心になって行動すること。「―的」「―力」[類語]能動。

*しゅ・どう【主導】《名・他サ》〔他をおさえて〕中心になって指導すること。「―性を発揮する」「―権」

*しゅ・どう【手動】器械などを、動力を使わずに手で動かして作用させること。「―式」「―信号機」

*じゅ・どう【儒道】❶儒学の道。儒教で説く道徳。❷儒教と道教。儒家と道家。

*じゅ・どう【受動】他からのはたらきを受けること。受け身。「―性」「―的」[対]能動。―きつえん【―喫煙】↓間接喫煙。―たい【―態】〔文法で〕主語がある動作の対象となり、その作用を受けるという関係を示す動詞の様態。受け身。[対]能動態。

しゅ・とく【取得】《名・他サ》〔権利・資格・物品などを〕自分のものとして手にいれること。「運転免許を―する」[類語]獲得。所得。

しゅと・して【主として】《副》大部分をしめているようす。おもに。もっぱら。「この店には―学生が来る」

じゅ・なん【受難】❶《名・自サ》苦難・災難にあうこと。❷キリスト教で、キリストが十字架にかけられ刑をうけた苦難。「―曲」[類語]受苦。

ジュニア ❶年少者。❷下級生。[対]①②シニア。❸中・高校生ぐらいの少女。「―向けの雑誌」❹息子。「―が生まれた」▽junior

*しゅ・にく【朱肉】朱色の印肉。

*しゅ・にく【酒肉】酒とそれにそえる動物の肉。転じて、酒とさかな。酒肴。「―に溺れる」

じゅ・にゅう【授乳】《名・自他サ》〔赤んぼうに〕乳を飲ませること。「―時間」「―期」

しゅ・にん【主任】ある範囲の仕事を主になって受け持つ役(人)。「英語科の―」「販売―」

じゅ・にん【受忍】《名・他サ》我慢して受け入れること。「―限度(＝迷惑をこうむっても我慢すべき範囲)」

しゅ・ぬり【朱塗り】〔道具や建造物などを〕朱色にぬること。また、朱色にぬったもの。「―の門」

しゅ・のう【首脳・主脳】❶〔組織・集団などの〕指導的立場で活躍する人。おもだった人。「政党の―」[類語]巨頭。領袖。首長。❷物事の主要な部分。主眼。[表記]多く、①は「首脳」、②は「主脳」と書く。

じゅ・のう【受納】《名・他サ》〔贈り物の金品などを〕受けとっておさめること。受け入れること。[類語]受領。

シュノーケル ❶潜水艦で、潜航したまま水面上に通気管を出して自由に吸排気を行う装置。❷顔を水につけたまま呼吸し泳ぐのに用いる曲がった管。一端を水面上に出し、他の一端を口にくわえて息をする。[参考]②は商標名。＝スノーケル。▽ドイツ Schnorchel

しゅ・はい【酒杯・酒×盃】さかずき。「―を傾ける」

じゅ・はい【受配】《名・他サ》配給・配布・配当などを受けること。

じゅ・ばく【×呪縛】《名・他サ》他人にまじないをかけてそのからだを動けなくすること。転じて、心理的に他人の心の自由をうばうこと。「―をとく」

*しゅ・はん【主犯】ふたり以上で行った犯罪で、その犯行の実行の中心となった者。[類語]正犯。[対]従犯。

*しゅ・はん【首班】❶第一の席次・地位。❷特に、内閣の中で第一の地位。内閣総理大臣。「―指名」

じゅばん【×繻×袢】〔襟のある〕和服用の下着。はだじゅばん・半じゅばん・長じゅばんなどがある。＝じばん。▽ポルトガル gibão

*しゅ・ひ【守秘】《名・自他サ》〔公務員などが〕仕事上で知りえた秘密を守ること。「―義務」

*しゅ・ひ【種皮】種子の外側を包んでいる皮膜。

*しゅ・び【守備】《名・他サ》〔せめてくる敵に対して〕陣地を守り攻撃を防ぐこと。守り。「―をかためる」「―範囲」[類語]防衛。防護。防御。[対]攻撃。

*しゅ・び【首尾】❶〔動物の「くび」と「お」の意から〕物事の始めと終わり。終始。❷物事の経過・結果。「―は上々だ」[類語]顚末。―いっかん【―一貫】《名・自サ》始めから終わりまで、筋が通っていること。「彼の主張は―している」―よく《副》〔望んでいた通り〕都合よく。うまいぐあいに。「―本懐を遂げる」

じゅ・ひ【樹皮】樹木のいちばん外側の部分にある組織。樹木のかわ。木皮。「白樺の―」

ジュピター ❶ローマ神話で、最高の神。天を支配する。ユピテル。ギリシア神話のゼウスにあたる。❷木星。▽Jupiter

*しゅ・ひつ【主筆】新聞社・雑誌社の記者のなかで、首席をつとめる人。重要な記事や論説などを書く。

*しゅ・ひつ【朱筆】❶朱墨をつけた筆。朱筆。❷朱で書き入れをすること。「原稿に―を入れる」

しゅ・びょう【種苗】植物のたねとなえ。

じゅ・ひょう【樹氷】霧氷の一種。氷点以下にひえた濃霧が、木の枝などにこおりついたもの。ほそい氷の層が花のように美しく見える。[類語]樹霜。

しゅ・ひん【主賓】❶客の中でいちばんおもだった人。正客。正賓。❷〔文〕主人と客。主客。

しゅ・びん【×溲瓶】↓しびん。

*しゅ・ふ【主婦】〔妻であって〕一家の家事を中心になってきりまわしている女性。「家庭の―」「専業―」

*しゅ・ふ【首府】首都。

しゅ・ぶ【主部】❶物事のおもな部分。❷文の中で、主語とそれを修飾する語のある部分。[対]述部。

じゅ・ふ【×呪符】わざわいを防ぐ力があるとして身につけるまじないの札・お守りなどの類。[類語]護符。

シュプール スキーですべった跡。▽ドイツ Spur

*じゅ・ぶつ【儒仏】〔文〕儒教と仏教。「―の教え」

*じゅ・ぶつ【×呪物】未開人の間で、呪力があると信じられ神聖視される物。ある種の動植物・岩石・人形など。「―崇拝」

シュプレヒコール ❶演劇で、一つのせりふを多くの人が同時に朗唱する表現形式。❷集会やデモなどで、要求やスローガンを大勢で一斉に叫ぶこと。「戦争反対の―が響く」▽ドイツ Sprechchor

しゅ・ぶん【主文】❶文章の中の主要な部分。❷〔法〕裁判の判決文の、結論となる部分。判決主文。

じゅ・ふん【受粉】《名・自サ》種子植物のおしべの花粉がめしべの柱頭につくこと。「人工―」表記「授粉」とも書く。

***しゅ・へい【守兵】** 守備にあたる兵。

***しゅ・へい【手兵】** 部下として手もとにおき、直接指揮する兵。手勢。「―を率いて攻撃する」

しゅ・へき【酒癖】 酒によったときのくせ。酒癖。

しゅ・べつ【種別】《名・他サ》種類によって分けること。また、その区別。種類分け。類別。類語 分類。

しゅ・ほ【酒保】〔酒を売る人の意から〕兵営の中にあって酒・日用品などを扱う売店。類語 PX。

***しゅ・ほう【主峰】** その山脈の中で一番高い山。

***しゅ・ほう【主砲】** ❶その軍艦にある大砲のうち、もっとも口径が大きく威力のある大砲。❷野球やバレーボールなどで、攻撃の主力となる強打者。

***しゅ・ほう【修法】** 密教で、加持祈禱の行法。すほう。ずほう。

***しゅ・ほう【手法】** 芸術品などを作るときの技術上の方法。また、物事のやりかた。技法。類語 作風。

しゅ・ぼう【首謀・主謀】 悪事・陰謀などを中心になって企てる・こと(人)。「反乱軍の―者」

じゅ・ほう【×呪法】 ❶呪文を唱えて行う法式や祈禱。〔多く、人をのろう場合に行われる〕❷呪術。

じゅぼく・どう【▽入木道】「書道」の別称。故事 中国の王羲之が木に字を書いたところ、筆勢が強くて墨が三寸の深さまでしみこんだということから。

しゅ・み【趣味】 ❶〔感興をわかせる、品のよい〕おもむき。おもしろみ。「―ある庭園」類語 情趣。風趣。❷物事の、あじわい・おもしろみを理解する力。「高尚な―」「―がいい」❸〔専門や職業でなく〕楽しみとして興味を持つ事柄。また、好んですること。このみ。「―と実益を兼ねる」「―が広い」類語 道楽。嗜好。⇩

〔類義語の使い分け「道楽」〕

シュミーズ 女性の洋装用の下着の一つ。ひもで肩からつり、胸から股までをおおうもの。ふつう、そでがない。シミーズ。類語 スリップ。▽フランス chemise

しゅみ・せん【×須×弥▽山】 世界の中心にあるという非常に高い山。日月がその周囲をまわり、頂上に帝釈天、中腹に四天王が住むという。すみせん。蘇迷盧。参考 梵語 Sumeru(＝妙高)の音訳。

しゅみ・だん【×須×弥壇】 寺院の仏殿に設けられた、仏像を安置する壇。もと、須弥山をかたどったという。仏座。すみだん。

しゅ・みゃく【主脈】 ❶山脈・鉱脈・水脈などで、主要なもの。❷〔葉の中央をつらぬく〕最も太い葉脈。❸主要な系統・系列。「日本産業の―」対 ①～③支脈。

じゅ・みょう【寿命】 ❶いのちの長さ。命数。「平均―」❷その物が使用にたえる期間。「機械の―」

しゅ・む【主務】 ❶中心となってその事務をあつかう・こと(人)。「―大臣」❷主要な任務。

しゅ・めい【主命】 主君・主人の命令。主命。類語 君命。

じゅ・めい【受命】《名・自サ》〔文〕❶命令をうけること。❷〔中国古代の思想で〕天の命令をうけて天子になること。「―の君」

***しゅ・もく【×撞木】** 仏具の一つ。鐘・鉦などをたたき鳴らすためのT字形のぼう。かねたたき。撞木。

***しゅ・もく【種目】** 種類によっていくつかに分けた項目。種類の名目。「競技の―」

じゅ・もく【樹木】 木。特に、立ち木。

しゅ・もつ【×腫物】〔文〕できもの。腫物。

じゅ・もん【×呪文】 まじないやのろいの効果があるとされる・ことば(文句)。「―を唱える」

***しゅ・やく【主役】** ❶演劇・映画などで、中心となる主要人物の役柄。主人公の役。また、それを演じる役者。「―を演ずる」対 端役。❷ある物事をするときの、主要な役め。また、それをする人。対 ①②脇役。

***しゅ・やく【主薬】** 幾種類かの薬物を調合した薬の中で、その主要成分をなす薬物。主剤。

しゅ・ゆ【×須×臾】〔文〕ほんのわずかの時間。しばし。しばらく。暫時。須臾。「―にして消える」

じゅ・よ【授与】《名・他サ》〔改まった場で〕さずけ与えること。「卒業証書を―する」

***しゅ・よう【主用】** ❶主君・主人の用事。❷おもな用事。「―を果たす」

***しゅ・よう【主要】**《名・形動》おもだってたいせつなこと。「財界の―な人物」類語 肝要。重要。肝心。

***しゅ・よう【×腫×瘍】** からだの中の細胞の一部が、周囲の組織と関係なく、異常なふえ方をして大きくなるもの。悪性のものに癌・肉腫などがある。

***じゅ・よう【受容】**《名・他サ》〔他人の気持ち・考えなどを〕受け入れること。「申し入れを―する」

***じゅ・よう【需用】**〔電気・ガスで〕用いる需要があること。入用。「―電力」

***じゅ・よう【需要】** ❶〔物品を〕もとめること。いりよう。❷〔経〕購買力のある人が商品に対してもつ購買の欲望。また、その量。表記 電気・ガス関係では「需用」と書く。対 ①②供給。

しゅ・よく【主翼】 飛行機に揚力を与える大きなつばさ。胴体から左右両側に張り出している。

しゅら【修羅】 ❶「阿修羅」の略。↓阿修羅。❷戦争。闘争。「―の巷(＝修羅場)」❸大木や大石を運ぶ車。修羅車。石車。

―じょう【―場】 戦争や闘争の行われる血なまぐさい悲惨な場所。修羅道。修羅場。

―ば【―場】 ❶演劇・講談などで、はげしく悲壮な争いの場面。❷↓しゅらじょう(修羅場)。

―を燃や・す《句》ねたみ・うらみ・にくしみ・怒りなどの心をさかんにおこす。

シュラーフ「シュラーフザック」の略。

―ザック 登山用具の一つ。羽根・真綿などを入れた袋状の布団。頭だけ外に出るようになっている。寝袋。スリーピングバッグ。シュラフ。シュラーフ。▽ドイツ Schlafsack

じゅ・らく【▽入×洛】《名・自サ》〔高貴な人が〕京都に入ること。上洛。入洛。参考「洛」は古代中国の都の洛陽のことで、転じて京都をさす。

ジュラルミン アルミニウムに少量の銅・マンガン・マグネシウムをまぜた白色の軽合金。軽くて強い。飛行機・自動車・建築物などの重要な材料。▽duralumin

しゅ・らん【酒乱】 酒に酔うと前後のみさかいがなくなり、言動が荒々しくなること。また、その人。

じゅ・り【受理】《名・他サ》〔願書・届けなどの書類を〕受けつけること。「申請を―する」類語 受領。

しゅり・けん【手裏剣】 片手の中に持って、敵に投げつける小剣。

じゅ・りつ【樹立】《名・自他サ》しっかりとうちたてること。また、しっかりとたつこと。「超人的な記録を―する」「国交を―する」類語 確立。

しゅ・りゅう【主流】 ❶〔いくつかの支流が合流してできた〕川の中心をなす流れ。本流。❷〔同一分野の学問・思想などの中で〕中心となっている傾向・流派。「現代文学の―」対①②支流。

しゅりゅうだん【手×榴弾】 手で投げる小型の爆弾。手投げ弾。手榴弾。

***しゅ・りょう【狩猟】**《名・自サ》山野で野生の鳥や獣をとらえること。かり。りょう。類語 遊猟。

***しゅ・りょう【酒量】**〔一人が〕飲む酒の量。

***しゅ・りょう【首領】**〔くびの意から〕集団をなすもののかしら。主領。〔ふつう、悪党などのかしらに対して使う〕「海賊の―」類語 首魁。親分。ボス。

じゅ・りょう【受領】《名・他サ》〔正式の手続きを経て〕金や物を受けとること。「代金を―する」「―証」類語 領収。受理。受納。

しゅ・りょく【主力】 ❶〔ある勢力の〕中心を形成している力。「敵艦隊の―」❷〔物事の〕中心となっている傾向。大勢。趨勢。「輸出品では半導体が―だ」❸もっている力の大部分。「英語に―をそそぐ」

じゅ・りょく【×呪力】〔文〕まじないやのろいの力。

じゅ・りん【樹林】 樹木の特に多くはえている林。類語 森林。叢林。

しゅ・るい【種類】 ある基準によって区別した、一つ一つの集まり。類語 類。仲間。種。種目。部門。部類。範疇。ジャンル。カテゴリー。

***じゅ・れい【寿齢】**〔文〕長生きした人の年齢。

***じゅ・れい【樹齢】** 樹木の年齢。「―一〇〇年」

シュレッダー 不要になった紙を細かく切り刻む機械。極秘書類の処理などに用いる。▽ shredder

しゅ・れん【手練】〔文〕〔技芸・武術などで〕熟練してたくみな手ぎわ・腕まえ。「―の早わざ」類語 老手。 注意「てれん」と読むと意味が異なる。

しゅ・ろ【×棕×櫚】 ヤシ科の常緑高木。幹の先から長い葉柄を多数出し、細くわかれたかたい葉をうちわ状に開く。幹をつつむ褐色の繊維質「しゅろの毛」から、なわ・ほうきなどを作る。 **―ちく【―竹】** ヤシ科の常緑低木。葉はシュロに似、幹は竹に似るが通常黒褐色の繊維でおおわれる。観賞用。

しゅ・ろう【▽鐘楼】 →しょうろう。

じゅろうじん【寿老人】 七福神の一つ。長寿をさずけるという神。頭が細長く、白いひげをたらし、つえとうちわを持つ短身の老人の姿でえがかれている。

しゅ・わ【手話】 手まねの組み合わせによって、意志の伝達を図る聾唖者の会話法。手話法。

じゅわ・き【受話器】 電話機の受信するがわの器具。参考 一般に電話機のことをも言う。対 送話器。

しゅ・わん【手腕】 物事をたくみに処理・実行する腕前。「政治的な―を発揮する」類語 技量。才腕。

しゅん【▽旬】 ❶魚・野菜・くだものなどの出さかりの最も味のよい時期。出さかり期。「―の野菜」❷ある物事を行うのに最もよい時期。また、さかりの時期。「―の女優」「―の過ぎたアイドル」

***じゅん【準・准】**《接頭》「それにならう」「それに次ぐ」「それに近い取り扱いを受ける」などの意。「―急行」「―会員」

***じゅん【純】** ━《接頭》「まじりけがない」「純粋な」の意。「―文学」「―日本式」 ━《形動》〔性格・気持ちなどに〕かざりけがなく、素直なようす。純粋なようす。「―な童心を傷つける」類語 初心。

***じゅん【旬】** ━《名》一〇日間。特に、一か月を三分した一〇日間。上・中・下にわける。「九月上―」 ━《助数》〔古〕一〇年をひとくぎりとして年齢を数える語。「齢八―（＝八〇歳）」

***じゅん【×醇】**《名・形動》〔文〕❶〔日本酒などが〕まじりけがなく味にこくがあること。「―なる酒」❷まじりけがないこと。純粋なこと。純。「―なる詩境」

***じゅん【順】** ❶ある一定のきまりによってきめられた配列。順序。順番。〔接尾語的にも使う〕「到着した―に並ぶ」「五十音―」類語 順位。序列。❷《名・形動》物事のやり方や順序が、正しくて適当であること。順当。「まず謝罪するのが―だ」❸《名・形動》すなおにしたがうこと。柔順。「長上には―な人」

じゅん・あい【純愛】 真心からの愛情。純粋な愛情。〔ふつう、男女間の愛情について言う〕「―物語」

***じゅん・い【准尉】** ❶旧日本陸軍で、曹長の上、少尉の下の階級。准士官。❷自衛隊で、「准陸尉」「准海尉」「准空尉」の通称。

***じゅん・い【順位】** ある基準にもとづく順番によってきめられた地位。順番で表した位置。類語 順序。

じゅん・いつ【純一】《形動》まじりけがないようす。いつわりやかざりけがないようす。「―な思い」類語 純粋。

しゅん・えい【俊英】 才知がすぐれてひいでている・こと（人）。俊才。俊秀。秀才。類語 俊逸。

じゅん・えき【純益】 総収益からいろいろな経費を引いた、残りの利益。純粋の利益。類語 実益。

***じゅん・えん【巡演】**《名・自サ》〔芝居などを〕あちこち場所をかえて、上演してまわること。類語 巡業。

***じゅん・えん【順延】**《名・他サ》〔行事の開催期日などを〕順ぐりにのばすこと。「雨天―」

***じゅん・えん【順縁】** ❶善事が仏道に入る縁になること。❷年をとった者から順に死ぬこと。子が父を、また、年少者が年長者を弔うこと。対①②逆縁。

じゅん・おう【順応】《名・自サ》→じゅんのう（順応）。

じゅん・おくり【順送り】 順を追って次から次へと送ること。「書類を―にする」

しゅん・が【春画】 性行為をえがいた絵。まくら絵。

***じゅん・か【純化】**《名・他サ》❶まじりものをなくし、純粋にすること。「気持ちを―する」❷醇化②。

***じゅん・か【×醇化】**《名・他サ》❶人を徳などによって教え導き、心を正しく美しいものにすること。❷雑多なものを整理して組織だて、不純な要素を取り去ること。純化。「詩の形式を―する」

***じゅん・か【順化・×馴化】**《名・自サ》気候や環境の異なる所へ移された生物が、それに適する性質を持つようになること。「高度―」表記「順化」は代用字。

じゅん・かい【巡回・巡×廻】《名・自サ》❶ある場所から次の場所へ順次にまわって移って行くこと。「―図書館」❷〔ある限られた区域などを〕見まわること。類語 巡視。巡察。巡閲。

しゅん・か・しゅう・とう【春夏秋冬】 春と夏と秋と冬。四季。〔「一年中」「一年を通して」の意で、副詞的にも使われる〕「―、出回っているトマト」

じゅん・かつ【潤滑】《形動》うるおいがあって、なめらかなようす。 **―ゆ【―油】** ❶摩擦による機械の焼き付き・摩耗を防ぐために、摩擦部分にさす油。❷物事が円滑に運ばれる仲立ちとなるもの。「労使間の―となる」

***しゅん・かん【春寒】**〔文〕春さきに残る寒さ。春寒

はるさむ。〔手紙文・俳句などで使う〕「—の候」

***しゅん-かん【瞬間】**〔またたきをする間の意から〕非常に短い時間。また、何かをしたすぐあと。…したとたん。「—の出来事」「打った—、勝ったと思った」類語 瞬時。一瞬。刹那(せつな)。咄嗟(とっさ)。

***じゅん-かん【循環】**《名・自サ》めぐってもとにかえり、それをくり返すこと。「市内を—するバス」「悪—」**—き【—器】**血液やリンパ液をめぐらせて、各器官に栄養を補給したり、不要になったものを運び去ったりする器官。心臓・血管・リンパ管など。

***じゅん-かん【旬刊】**〔新聞・雑誌などを〕一〇日ごとに刊行すること。類語 季刊。年刊。

***じゅん-かん【旬間】**〔ある行事などを行うために特別にきめた〕一〇日間。「交通安全—」

***しゅん-き【春期】**春の期間。春の間。「—講習会」

***しゅん-き【春機】**〔文〕異性に対する性的な欲情。いろけ。色情。**—はつどうき【—発動期】**異性に対する関心があらわれてくる年ごろ。思春期。青春期。

***しゅん-き【春季】**春の季節。〔特別の行事などを表す語につけて使う〕「—運動会」

しゅん-ぎく【春菊】キク科の一年草または二年草。若葉は食用。よいにおいがする。菊菜(きくな)。

じゅん-ぎゃく【順逆】〔文〕❶道理にあったことと、道理にそむいたこと。「事の—をわきまえる」類語 正邪。是非。曲直。❷順当なことと、さかさまなこと。❸したがうことと、さからうこと。恭順(きょうじゅん)と反逆。

じゅん-きゅう【準急】「準急行列車」の略。急行につぐ列車・電車。普通列車よりも停車駅が少ない。

しゅん-きょ【×峻拒】《名・他サ》〔文〕きびしい態度でことわること。「申し出を—する」類語 拒絶。拒否。

じゅん-きょ【準拠】《名・自サ》ある標準的なものをよりどころとしてそれに従うこと。また、よりどころとなるもの。「教科書に—した問題集」

しゅん-ぎょう【春暁】〔文〕春の夜明け。

***じゅん-きょう【殉教】**《名・自サ》信仰する宗教のために命をすててつくすこと。「—者」

***じゅん-きょう【順境】**物事がつごうよく運び、不幸なことなどのない境遇。「—に育つ」対 逆境。

じゅん-ぎょう【巡業】《名・自サ》〔相撲(すもう)・芝居などを〕あちこち興行してまわること。類語 巡演。

じゅん-きん【純金】不純物をふくまない金。まじりけのない金。金無垢(きんむく)。二十四金。本金。

じゅん-ぎん【純銀】不純物をふくまない銀。まじりけのない銀。銀無垢(ぎんむく)。

じゅん-きんちさん【準禁治産】〔法〕判断能力の欠如、または浪費癖のため、自分で財産を管理する能力のない者の取引上の利益を保護するために、その行為能力を制限する・こと(制度)。じゅんきんじさん。

じゅん-ぐり【順繰り】次々に順を追ってすること。順々。〔「—に」の形で副詞的に使う〕「—に答える」

じゅん-けい【純系】遺伝子に雑種・異種のまじっていない純粋の系統。

しゅんけい-ぬり【春慶塗】堺(さかい)の漆工、春慶がはじめたという漆塗りの一種。下地を黄色または赤色に染め、木目(もくめ)が見えるように透明な漆をかける。

しゅん-けつ【俊傑】才知が多くの人よりずばぬけてすぐれている人。英傑。「維新の—」類語 俊豪。

***じゅん-けつ【純潔】**《名・形動》❶心にけがれがなくて清らかなこと。類語 純真。純情。清純。無垢(むく)。❷異性との性的なまじわりがなくて、からだが清らかなこと。「—を守る」「—教育」

***じゅん-けつ【純血】**同種のおすとめすの間に生まれたもの。純粋な血すじ。「—のシェパード」「—種」

じゅん-げつ【旬月】〔文〕❶一〇日間と一か月。❷短い日数。わずかな日数。「—の間にせまる」類語 旬日。❸一〇か月。

しゅん-けん【×峻険・×峻×嶮】《形動》❶《名》〔文〕〔山などが〕高くけわしいこと。「—な山岳地帯」❷〔態度などが〕きびしく近づきがたいようす。

しゅん-げん【×峻厳】《形動》〔文〕❶非常にいかめしく、きびしいようす。「—な態度で臨む」類語 厳格。冷厳。❷〔山などが〕非常にけわしいようす。また、自然などがきびしいようす。

***じゅん-けん【純絹】**→しょうけん(正絹)。

***じゅん-けん【巡検】**《名・他サ》取り調べてまわること。

***じゅん-けん【巡見】**《名・他サ》見まわること。見まわり。「各地区を—する」類語 巡視。

じゅん-こ【×醇×乎・純×乎】《形動タル》〔文〕純粋ですぐれているようす。〔多く、精神的・文化的なものに言う〕「—たる武士の精神」

***しゅん-こう【春光】**〔文〕❶春の日光。類語 春日。❷〔のどかな〕春のけしき。春景。春色。類語 春情。

***しゅん-こう【春耕】**春に田畑をたがやすこと。

***しゅん-こう【春郊】**〔文〕春の郊外。

***しゅん-こう【×竣工・×竣功】**《名・自サ》工事ができあがること。類語 竣成。落成。対 着工。起工。

***じゅん-こう【巡幸】**《名・自サ》天皇が各地を旅行されること。

***じゅん-こう【巡航】**《名・自サ》船・飛行機などで各地をめぐりまわること。「—船」**—ミサイル** 低空をジェットエンジンで飛ぶ長距離誘導ミサイル。

***じゅん-こう【巡行】**《名・自サ》〔見学・参拝などのため〕あちこちをめぐり歩くこと。「史跡—の旅」類語 漫遊。歴遊。遍歴。巡遊。巡覧。

***じゅん-こう【順行】**《名・自サ》❶〔順序に従って〕さからわずに行くこと。対 逆行。❷〔天〕太陽から見て、天体が地球と同方向に進むこと。また、その運動。

じゅん-こく【殉国】〔文〕国家の大事に際し、命を捨ててはたらくこと。国に殉じること。

じゅん-さ【巡査】❶警察官の階級の一つ。巡査部長の下位。❷警官。ポリス。おまわり(さん)。

しゅん-さい【俊才・×駿才】すぐれた才知。また、その持ち主。英才。秀才。俊英。俊秀。

じゅん-さい【×蓴菜】スイレン科の多年生水草。茎は水中にあって、楕円(だえん)形の葉を水面に浮かべる。粘液質でおおわれた若芽・若葉は食用。ぬなわ。

じゅん-さつ【巡察】《名・他サ》〔文〕〔役目・つとめとして〕実地に見てまわって事情をしらべること。巡回して視察すること。類語 巡視。巡閲。巡回。

しゅん-じ【瞬時】〔文〕またたきをする時間。転じて、きわめてわずかな時間。瞬刻。「—も目をはなせない」類語 瞬間。一瞬。刹那(せつな)。寸時。

***じゅん-し【殉死】**《名・自サ》〔忠節を示すため〕死んだ主君の後を追って自殺すること。追い腹。

***じゅん-し【巡視】**《名・他サ》〔警戒したり監督したりするために〕見まわって歩くこと。「—船」類語 視察。巡察。巡閲。巡回。巡見。巡邏(じゅんら)。

じゅん‐じ【順次】《副》《「—に」の形も》順番に従って物事をするようす。順ぐり。順々。「—答える」

しゅん‐じつ【春日】〔文〕〔うららかな〕春の日。春の日ざし。春日（はるひ）。「—遅々」 類語 春光。春陽。

じゅん‐じつ【旬日】〔文〕一〇日間。また、一〇日間に近い日数。一旬。「—を出ない」

じゅん‐しゃく【巡×錫】《名・自サ》身分の高い僧が各地をめぐり歩いて人を教化すること。 参考 僧は行脚（あんぎゃ）の際は必ず錫杖（しゃくじょう）をたずさえていたことから。

じゅん‐しゅ【遵守・順守】《名・他サ》法律・教え・言いつけなどに従い、それを守ること。「法を—する」 表記 「順守」は代用字。 類語 遵奉。服膺（ふくよう）。

***しゅん‐しゅう【俊秀】**《名・形動》〔文〕才知がすぐれて、人よりひいでている・こと（人）。 類語 俊逸。

***しゅん‐しゅう【春愁】**〔文〕春の日の、なんとなく憂うつな、もの思い。 類語 春恨。 対 秋思。

しゅん‐じゅう【春秋】❶春と秋。❷〔文〕一年。歳月。特に、未来の歳月。「—に富む（＝年齢が若く将来が長い）」❸〔文〕年齢。とし。「—高し（＝年をとっている）」❹五経の一つ。中国周代、魯（ろ）の国の年代記。魯の史官が書いたものに孔子が筆をくわえ整理したという。 **—の‐ひっぽう【—の筆法】**《連語》〔中国の経書「春秋」で行われた筆法の意〕❶ある事実の記述のなかに（自分の）価値判断をいれて書く書き方。❷間接的な関係にある原因と結果とを直接結びつけて、物事をきびしく批判するやり方。

しゅん‐じゅん【×逡巡】《名・自サ》〔文〕〔なかなか決心がつかずに〕ためらうこと。しりごみすること。「決定に—する」「狐疑（こぎ）—」 類語 躊躇（ちゅうちょ）。

***じゅん‐じゅん【順順】**順序を追ってすること。順ぐり。〔「—に」の形で副詞的に使う〕「—に話をする」

***じゅん‐じゅん【×諄×諄】**《形動タト・タル》相手が十分納得するように、すじ道をたてて、ていねいに説ききかせるようす。「—とさとす」 類語 ねんごろ。懇切。

じゅん‐じょ【順序】❶ある一定のきまりによってきめられた配列。順番。順。「—不同」 類語 順位。序列。❷〔物事を行う〕手順。段どり。「—を踏む」 **—だ・てる【—立てる】**《他下一》一定の順序にする。すじ道を立てる。「—・てて述べる」

***しゅん‐しょう【春宵】**〔文〕春のよい。 類語 春夜。 **—一刻直（あたい）千金**《句》春の夜はおもむきが深く、その一刻は千金のねうちがある。〈蘇軾・春夜詩〉

***しゅん‐しょう【×峻×峭】**《形動》〔文〕❶〔山などが〕けわしいようす。❷〔性質などが〕きびしくむごいようす。❸けだかくすぐれているようす。

しゅん‐じょう【春情】〔文〕❶春らしいようす・雰囲気（ふんいき）。 類語 春景。春光。❷異性に対する性的欲望。色情。いろけ。春機。「—を催す」 類語 劣情。

じゅん‐しょう【准将】↓だいしょう（代将）。

***じゅん‐じょう【殉情】**感情にすべてをゆだねること。感情に殉じること。

***じゅん‐じょう【準縄】**〔水盛りとすみなわの意から〕〔文〕手本。おきて。規則。「規矩（きく）—」

***じゅん‐じょう【純情】**《名・形動》素直で邪心のない心。また、そのような心をもっていること。「—な少女」 類語 無垢（むく）。清純。純真。純潔。

しゅん‐しょく【春色】〔文〕❶春のけしき。春景。❷春のけはい。「—濃い北海道」

***じゅん‐しょく【殉職】**《名・自サ》職責を果たすために命をすてること。職務の遂行中に死ぬこと。

***じゅん‐しょく【潤色】**《名・他サ》〔色をつけてつやを出す意から〕❶表面をつくろって飾ること。❷事実を誇張したり変えたりしておもしろくすること。「事実を—して語る」 類語 脚色。

***じゅん‐しょく【純色】**一つの色相の中で最も彩度の高い色。

***じゅん‐じる【殉じる】**《自上一》↓殉ずる。

***じゅん‐じる【準じる・准じる】**《自上一》↓準ずる。

じゅん‐しん【純真】《名・形動》けがれやいつわりがなくきよらかなこと。「子供の—な心」 類語 純情。無垢（むく）。清純。純潔。

しゅん‐すい【春水】〔文〕春、〔氷がとけて〕流れ出る水。「—四沢に満つ」

***じゅん‐すい【純水】**〔理〕純度のきわめて高い水。 参考 イオン交換樹脂により精製する。

***じゅん‐すい【純粋】**《名・形動》❶そのものだけで、まじりけのないこと。「—のアルコール」 類語 生粋（きっすい）。純然。❷〔気持ちや考えに〕利害・かけひきなどがなく、ひたむきなこと。 類語 純一。 **—ばいよう【—培養】**《名・他サ》❶細菌を観察するため、他の菌が混じらないようにしてその細菌をふやすこと。❷子供や若者を、社会の悪い空気から引き離して育てること。

***じゅん‐・ずる【殉ずる】**《自サ変》❶主君・主人などのあとを追って死ぬ。殉死する。❷物事をなすために自分の命を投げ出す。「国難に—・ずる」＝じゅんじる。

***じゅん‐・ずる【準ずる・准ずる】**《自サ変》❶〔あるものを手本として〕それと同等の扱いをする。ならう。のっとる。「正会員に—・ずる資格」❷〔あるものを基準にして〕それとのつりあいをとる。応じる。なぞらえる。「収入に—・じた負担金」＝じゅんじる。

しゅん‐せい【×竣成】《名・自サ》〔大規模な〕建造物などができあがること。 類語 完成。落成。竣工。

***じゅん‐せい【準星】**星や星雲と異なった性質をもち、非常に強い光と電波を出している特殊な天体。

***じゅん‐せい【純正】**《名・形動》❶純粋で正しいこと。❷理論を主にして、応用・実用面は考えないこと。

***しゅん‐せつ【春雪】**〔文〕春にふる雪。春の雪。

***しゅん‐せつ【×浚×渫】**《名・他サ》水底にたまった土砂・岩石などをさらって取りのぞくこと。「—船」

じゅん‐せつ【順接】《名・自サ》〔文法で〕二つの文または句の接続のしかたの一つ。前文（前句）と後文（後句）とが意味の上で順当につながるもの。「水清ければ魚すまず」の「ば」のように接続助詞を用いる場合や、「事故があった。それで遅れた」の「それで」のように、接続詞を用いる場合がある。 対 逆接。

じゅん‐ぜん【純然】《形動タト・タル》❶余分な物を全く含まないようす。「—たる水」 類語 純粋。生粋（きっすい）。❷完全にその状態にあるようす。全くそれにちがいないようす。「—たる争議行為」

しゅん‐そう【春草】〔文〕春にはえる草。春草（はるくさ）。

しゅん‐そく【×駿足】❶馬の足が速いこと。また、足の速い馬。 類語 駿馬（しゅんめ）。良馬。❷すぐれた才能を持っている・こと（人）。❸足が速い・こと（人）。「—をほこる」 表記 ②③は「俊足」とも書く。

じゅん‐そく【準則】基準とすべき規則。また、その規則にのっとること。

じゅん‐たく【潤沢】《名・形動》❶うるおいがあるこ

と。❷豊富にあること。「資金は―だ」「―な資源」

しゅん-だん【春暖】〔文〕春になって感じるあたたかさ。〔手紙文のあいさつで使う〕「―の候」[対]秋冷。

じゅん-ち【×馴致】《名・他サ》❶〔動物などを〕なれさせてなつくようにすること。❷しだいにある状態になるようにすること。

＊じゅん-ちょう【順潮】船が進む方向にむかって流れる、潮の流れ。[対]逆潮。

＊じゅん-ちょう【順調】《名・形動》物事が調子よく進むこと。「事が―に運ぶ」[類語]好調。[対]逆調。

じゅん-て【順手】鉄棒などで、手を上から回して手の甲が上または自分の方へ向くようににぎる、ふつうのにぎり方。[対]逆手(さかて)。

しゅん-でい【春泥】〔文〕〔雪どけ・霜どけなどのためにできる〕春のぬかるみ。[参考]春の季語。

しゅん-と《副・自サ》気落ちするようす。「しかられて―なる」

じゅん-ど【純度】品質の純粋さの程度。「金の―」

しゅん-とう【春闘】「春季闘争」の略。労働組合が毎年春に、賃上げ要求を中心として行う闘争。

しゅん-どう【×蠢動】《名・自サ》❶〔虫が〕うごめくこと。❷つまらない者がかげでこそこそ活動すること。「反対派が―する」

じゅん-とう【順当】《形動》順序や道理にかなっていて、正しいようす。「―に勝ち進む」[類語]妥当。至当。

じゅん-なん【殉難】《名・自サ》国難や宗教的・社会的な災難などで一身を犠牲(ぎせい)にすること。「―者」

じゅん-のう【順応】《名・自サ》環境・刺激などの変化に従って性格・行動が変わり、それに適するようになること。順応(じゅんおう)。「職場に―する」[類語]適応。

しゅん-ば【×駿馬】→しゅんめ(駿馬)。

じゅん-ぱい【巡拝】《名・他サ》あちこちの神社や寺院を参拝して回ること。[類語]巡礼。

じゅん-ぱく【純白】《名・形動》❶まっ白なこと。また、まっ白。「―の花嫁衣装」❷けがれがなく清らかなこと。「―な乙女心」[類語]潔白。

しゅんぱつ-りょく【瞬発力】〔スポーツで〕瞬間的に、ばねがはじけるように働く筋肉の力。

じゅん-ばん【順番】定められた順序に従ってその事にあたること。また、その順序。「―が狂う」[類語]輪番。

じゅん-び【準備】《名・他サ》ある物事をするとき、あらかじめ用意をしてそれにそなえること。そなえ。

じゅん-ぴつ【潤筆】〔文〕〔筆をぬらす意から〕書や絵を書くこと。[類語]揮毫(きごう)。

しゅん-びん【俊敏】《名・形動》頭の働きが鋭く、行動がすばしこいこと。「―な記者」

しゅん-ぷう【春風】〔文〕〔あたたかい〕春の風。春風(はるかぜ)。

―たいとう【―×駘×蕩】《形動タトル》❶春の風がおだやかに吹くようす。❷態度や性格がのんびりしておおらかなようす。「―たる人物」

＊じゅん-ぷう【×醇風・×淳風】人情のあつい風俗・習慣。

―びぞく【―美俗】人情のあつい、美しい風俗・習慣。良風美俗。

＊じゅん-ぷう【順風】船の進む方向にむかってふく風。追い風。おいて。[対]逆風。

―まんぱん【―満帆】《形動》❶船が帆にいっぱいの追い風を受けること。❷社会での活動などが順調で、なんの障害もないようす。「―の人生」[注意]「じゅんぷうまんぽ」は誤読。

じゅん-ふどう【順不同】順序が一定の基準によっていないこと。順序不同。

しゅん-ぶん【春分】二十四節気の一つ。太陽が春分点を通る時刻。この日、昼と夜の長さが等しくなる。太陽暦の三月二一日ごろに当たる。[対]秋分。

―の-ひ【―の日】国民の祝日の一つ。三月二〇日または二一日。春の彼岸の中日に当たる。[対]秋分の日。

じゅん-ぶん【純分】〔金貨・銀貨・地金などの中に〕純金・純銀のふくまれている分量。

じゅん-ぶんがく【純文学】〔日本の近代文学で〕純粋な文学思想を表現し、芸術性を第一の目的として創作される文芸作品(特に小説)。[対]大衆文学。

しゅん-べつ【×峻別】《名・他サ》けじめをつけて、はっきりと区別すること。「公私を―する」

＊じゅん-ぽう【旬報】一〇日めごとに出す報告・報道。また一〇日めごとに出す、新聞・雑誌などの刊行物。[類語]日報。週報。月報。

＊じゅん-ぽう【遵奉】《名・他サ》法律・命令・教えなどに忠実に従い、固く守ること。[類語]遵守(じゅんしゅ)。服膺(ふくよう)。[表記]「順奉」で代用することもある。

＊じゅん-ぽう【遵法・順法】法律や規則に従い、固く守ること。「―精神」[表記]「順法」は代用字。

じゅん-ぼく【純朴・純×樸・×醇朴・×淳朴】《形動》すなおで飾りけのないようす。人情が厚く素朴なようす。「―な土地がら」

しゅん-ぽん【春本】男女のまじわりのようすを興味本位にかいた本。猥本(わいほん)。エロ本。秘本。

しゅん-みん【春眠】〔文〕春の夜のねむり。

―暁を覚えず《句》春の夜は短く、その上眠り心地がよいので明け方になっても目がさめない。〈孟浩然・春暁〉

しゅん-め【×駿▽馬】足の速い、すぐれた馬。汗馬(かんば)。駿馬(しゅんば)。[類語]良馬。名馬。[対]駑馬(どば)。

じゅん-めん【純綿】〔化学繊維などをまぜずに〕綿花だけで作った木綿糸。また、綿糸だけで織った織物。

じゅん-もう【純毛】〔化学繊維などをまぜずに〕動物の毛だけで作った毛糸・毛織物。

じゅん-ゆう【巡遊】《名・自サ》〔文〕あちこち旅行してまわること。[類語]巡歴。周遊。巡行。巡覧。

じゅん-よ【旬余】〔文〕一〇日余り。

しゅん-よう【春陽】〔文〕春の日ざし。春の時節。

じゅん-よう【準用】《名・他サ》あるものに適用する法律・規則などを他のものにも適用すること。

じゅんよう-かん【巡洋艦】戦艦より速く、駆逐艦より航続力がある軍艦。

じゅん-ら【巡×邏】《名・他サ》〔警戒のために〕見まわってあるくこと。警邏(けいら)。[類語]巡視。巡警。

しゅん-らい【春雷】〔文〕春に鳴るかみなり。

しゅん-らん【春×蘭】ラン科の常緑多年草。早春、やや大形でうすい黄緑色の花をひらく。ほくろ。

じゅん-らん【巡覧】《名・他サ》〔文〕各地をまわって見物して歩くこと。[類語]巡遊。巡歴。巡行。

＊じゅん-り【純利】総収入から諸経費をさし引いて残った利益。純粋の利益。純益。

＊じゅん-り【純理】純粋の理論・学理。

＊じゅん-りょう【×淳良】《形動》かざりけがなくて善良なようす。素朴で善良なようす。「―な学生」

＊じゅん-りょう【純良】《形動》〔加工品などで〕不純物がはいっていなくて質がよいようす。「―バター」

＊じゅん-りょう【順良】《形動》すなおで善良なようす。

「ーな市民」

しゅん‐れい【×峻×嶺】〔文〕けわしくて高いみね。類語 危峰(きほう)。峻峰(しゅんぽう)。絶峰(ぜっぽう)。

じゅん‐れい【巡礼・順礼】《名・自サ》宗教上の聖地や霊場をめぐり歩いておがむこと(人)。「ー者」

じゅん‐れき【巡歴】《名・自サ》〔ある目的をもって〕各地をめぐり歩くこと。遍歴(へんれき)。類語 巡遊。巡覧。

しゅん‐れつ【×峻烈】《形動》〔文〕〔人に対する言動・態度などが〕きびしくはげしいようす。「ーな批評」類語 苛烈(かれつ)。苛酷(かこく)。酷烈(こくれつ)。厳烈。

じゅん‐れつ【順列】❶順序。序列。❷〔数〕〔いくつかある物の中から〕異なるいくつかの物をとりだして一列に並べる配列のしかた。

じゅん‐ろ【順路】〔ある地点から他の地点に行く〕順序のある道すじ。道順。「見学のーを示す」

*しょ【初】㊀《接頭》「はじめての」「最初の」などの意。「ー対面」「ー一念」㊁《接尾》「…のはじめ」の意。「明治ー」

*しょ【諸】《接頭》「いろいろの」「多くの」などの意。「ー問題」「ー経費」「ー外国」

*しょ【所】《接尾》ある事を行うための、場所・施設・機関などの意。所(じょ)。「研究ー」「派出ー」「出張ー」

*しょ【署】㊀《接尾》役所であることを表す。「税務ー」㊁《名》「警察署」の略。「ーまで同行してください」

*しょ【暑】❶〔文〕夏の暑さ。❷二十四節気のうち、大暑と小暑。立秋前の三〇日間。また、夏の土用の一八日間のこと。対 ①②寒。

*しょ【緒】〔文〕〔物事の始まる〕いとぐち。端緒。緒(ちょ)。「ーに就く(=物事に着手する)」

*しょ【書】㊀《名》❶書いた文字。筆跡。「空海のー」❷文字の書き方。書道。「ーを習う」❸手紙。書簡。「ーを送る」❹書物。本。「ーをひもとく」㊁《接尾》「書物」「文書」などの意。「参考ー」「履歴ー」

*じ‐よ【時余】〔文〕一時間あまり。

*じ‐よ【自余・×爾余】〔文〕それ以外。そのほか。〔多く、「ーの」の形で使われる〕「ーの問題は無視する」

*じょ【助】《接頭》「力をそえて(主となるものを)助ける」の意。「ー教授」「ー監督」「ー動詞」

*じょ【女】㊀《接頭》「おんなの」「女性の」の意。「ー教師」「ー店員」㊁《接尾》❶《数を表す語について》「…人のむすめ」の意。「一男三ー」対 男(なん)。❷〔文〕女性の名前・号などにそえる語。「千代ー」㊂《名》〔文〕❶おんな。女性。〔性別を記すときなどに使う〕❷むすめ。「藤原為時ー、紫式部」対 ①②男(だん)。

*じょ【所】《接尾》→しょ(所)。

*じょ【序】❶〔文〕順序。「長幼ーあり」❷〔文〕いとぐち。❸書物のはじめに書く文。はしがき。類語 序文。序言。緒言。対 跋(ばつ)。❹序詞(じょし)。❺舞楽・能楽で、序・破・急の一つ。最初の部分で、無拍子。対 破・急。

*じょ【除】わりざん。除法。「加・減・乗・ー」対 乗。

しょ‐あく【諸悪】さまざまな悪いこと。「ーの根源」

しょ‐い【所為】〔文〕〔「なすところ」の意から〕❶しわざ。ふるまい。行い。類語 所作(しょさ)。所業。行為。❷〔その行為の〕原因となっていること。せい。ゆえ。

*じょ‐い【叙位】〔文〕位を授けられること。類語 叙勲。

*じょ‐い【女医】女性の医者。

しょい‐こ【▽背▽負子】物を運ぶため肩にかけて背負う木のわく。せおいばしご。しょいご。

しょい‐こ・む【▽背▽負込む】《他五》(「せおいこむ」の転)〔重荷になることを〕不本意ながら身に引きうける。「やっかいな問題をーむ」

しょ‐いちねん【初一念】最初からかたく心に決めた考え・決心。初志。「ーを貫く」類語 宿望。宿願。

しょい‐なげ【▽背▽負投げ】(「せおいなげ」の転)せおい投げ。「ーを食う(=信用していた人に裏切られ、ひどいめにあう)」参考 柔道のわざの名は「せおいなげ」と言う。

*しょ‐いん【所員】〔事務所・研究所など〕「所」と名のつく場所につとめている人。

*しょ‐いん【署員】〔警察署・営林署など〕「署」と名のつく場所につとめている人。

*しょ‐いん【書院】㊀《名》❶読書や書き物をするための和風の部屋。書斎。❷書院造りの座敷。㊁《接尾》出版社・書店などの名まえの下につける語。「日本ー」

ーづくり【ー造(り)】桃山時代に完成した住宅建築の様式。玄関・床の間・違い棚・ふすま・障子などがある。現在の一般の和風住宅はこの様式をひく。

じょ‐いん【女陰】女性の陰部。女性の性器。

ジョイント《名》❶継ぎ目。❷列車の連結装置。❸《名・他サ》合同。連携。「ーコンサート」▽joint

*し‐よう【仕様】❶〔ある物事を行う〕方法。しかた。類語 手段。❷「仕様書き」の略。

ーがき【ー書(き)】❶やりかたの順序を書いた文書。次第書き。❷注文品の内容や、工事・工作の内容・手順などをくわしく書いた書類。=仕様書(しようしょ)。

ーがな・い《句》ほどこすべき方法・てだてがない。どうにもならない。参考 ふつう、「しょうがない」という。

*し‐よう【使用】《名・他サ》〔物・人などを〕使うこと。

ーしゃ【ー者】❶その物を使う人。「図書のー」❷人を雇い使う人。「ー側の主張」

ーにん【ー人】雇われて使われている人。

*し‐よう【史要】歴史の要点。また、それを書き抜いたもの。参考 書名などに使われる。「世界ー」

*し‐よう【姿容】〔文〕すがたかたち。みめかたち。容姿。「富士山の端麗なー」類語 容貌(ようぼう)。

*し‐よう【子葉】種子の中にあり、発芽したとき最初に出る葉。あとに出る本葉とは形が違う。

*し‐よう【枝葉】❶枝と葉。❷〔物事の〕たいして重要でない、こまかい部分。=枝葉(えだは)。対 ①②根幹。

ーまっせつ【ー末節】物事の中心でない、つまらない・事柄(部分)。「ーにこだわる」類語 瑣事(さじ)。

*し‐よう【止揚】《名・他サ》(ドイツ Aufheben)→アウフヘーベン。

*し‐よう【私用】❶自分個人の用事。「ーで休む」「ー電話」類語 私事。対 公用。❷《名・他サ》〔公の物を〕自分個人のことに使うこと。「会社の封筒をーする」

*し‐よう【至要】《名・形動》〔文〕この上もなく重要であること。肝要。緊要。「肝心ーの大事」

*し‐よう【試用】《名・他サ》ためしに使うこと。「薬をーする」「ー期間」

*し‐よう【飼養】《名・他サ》〔文〕〔動物を〕飼って育てること。飼育。

*しょう【正】《接頭》❶《数量・時刻などを表す語につけて》「ちょうど」「きっかり」の意。「ー一合」❷《位階を表す語につけて》同位の位階のうち、上の位であることを表す。「ー一位」対 従(じゅ・じゅう)。

*しょう【症】《接尾》「病気の性質」「症状」などの意。「不眠ー」「胃酸過多ー」

*しょう【証】㊀《接尾》「証明する書類」の意。「学生ー」「免許ー」㊁《名》〔文〕事実のよりどころとなる物事。証拠。「ーとするに足る」

*しょう【勝】㊀《助数》〔試合などで〕勝った回数を表す語。「六戦五ー」対敗。㊁《名》〔文〕地勢・けしきなどがすぐれている・こと（所）。「天下のー」

*しょう【升】《助数》尺貫法による容積の単位。合の一〇倍。一升は約一・八リットル。

*しょう【床】《助数》病人用のベッドの数を数える語。

*しょう【商】❶〔文〕あきない。商売。商業。また、それをする人。商人。〔接尾語的にも使う〕「貴金属ーを営む」❷〔数〕わり算をして得た値。対積。

*しょう【将】軍隊を指揮する人。

ーを射んとせば先ず馬を射よ《句》大きな目的を達するには、対象に直接当たるより、その周辺にある難問を解決する方が先だ。ある人物を説得するには、その人に影響力を持つ人を先に説得すべきだ。

*しょう【小】㊀《名》❶小さい・こと（物）。「大はーを兼ねる」❷一か月の日数が、陰暦で二九日、陽暦で三〇日または二八日（うるう年は二九日）である月。小の月。❸わきざし。対❶〜❸大。㊁《接頭》「小さい」「わずかの」の意。「ー都市」「ー休止」対大。

ーの虫を殺して大の虫を助ける《句》一部を犠牲にすることによって全体を生かすことのたとえ。

*しょう【少】❶すくない・こと（物）。対多。❷〔文〕若い・こと（者）。おさない・こと（者）。

*しょう【性】㊀《名》❶〔仏〕万物の本体。❷〔生まれつきの〕性質。気質。気性。「ーに合わない」❸その物の性質。品質。たち。❹性根。根性。❺陰陽道で、木・火・土・金・水の五行を人の生年月日に配したもの。運命・禍福などを決定するという。㊁《接尾》「…する性質」「…の性質」などの意。「苦労ー」

*しょう【承】→承句。

*しょう【抄・×鈔】㊀《名》❶一部をぬきだして書くこと。また、書いたもの。「平家物語ー」❷文章中の語句に注釈をつけること。また、その注釈をつけたもの。注釈書。抄物。「史記ー」〔❶❷とも接尾語的に使い、書名に用いる〕㊁《助数》尺貫法による容積の単位。勺の一〇分の一。合の一〇〇分の一。

*しょう【×牆・×墻】かきね。かき。また、壁。「糞土のーは杇るべからず（＝性根のだめなものは、いくら教えてもだめだ）」

*しょう【生】〔文〕生きていること。いのちのあること。いのち。「ーあるものは必ずほろぶ」

*しょう【相】〔文〕君主をたすけて政治を行う職。宰相。大臣。

*しょう【省】❶律令制の太政官に属した八つの官庁。❷内閣のもとで行政をつかさどる中央官庁。大臣を長とする。❸〔文〕はぶくこと。また、倹約すること。〔接頭語的に使う〕「ーエネルギー」「ー資源」

*しょう【称】❶よびな。類語称号。❷評判。「日本一のーがある」類語名声。

*しょう【章】❶文章・楽曲などを内容によって大きく分けたくぎり。〔接尾語的にも使う〕「四つのーに分ける」❷〔文〕首尾の整った、ひとまとまりの文章・詩歌。❸しるし。記章。〔接尾語的にも使う〕「会員ー」

*しょう【×笙】雅楽に用いる管楽器の一つ。吹き口のついたつぼのふちに、長さの異なる細い竹の管を一七本環状に立て、管の下にリードをつけたもの。笙の笛。

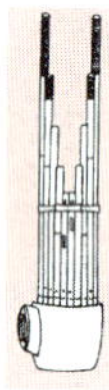
笙

*しょう【衝】〔文〕❶〔ある事をするために必ずそこを通る〕重要な場所・地点。要所。「交通のーに当たる」❷重要な立場。重要な役目。「外交政策のーに当たる」

*しょう【象】❶〔文〕すがた。かたち。❷易のうらないに出たかたち。占形。

*しょう【賞】〔成績・行いなどに対する〕ほうび。また、ほうびの金品。対罰。

*しょう【×鉦】中国・日本・東南アジアなどで用いられている、銅・青銅製のさら形の打楽器。かね。

*しょう【×頌】❶漢詩の六義の一つ。主君のすぐれた徳をたたえ神に告げる詩。❷〔文〕人の美徳や成功をほめたたえることば。また、そのことばを入れた詩歌。

*しょう【×妾】㊀《代名》《自称の人代名詞》〔文〕〔身分の高い〕女性が自分をけんそんして言う語。わらわ。㊁〔文〕めかけ。

*しょ・う【▽背▽負う】㊀《他五》❶せなかに乗せる。せおう。❷〔めんどうな事などを〕引き受ける。「借金をー・う」文《四》。㊁《自五》〔俗〕うぬぼれる。参考→しょってる。文《四》。

*じ・よう【次葉】次の紙面。次のページ。対前葉。

*じ・よう【滋養】からだの栄養となる・こと（もの）。「ーをとる」類語栄養。養分。

*じょう【城】《接尾》城の名まえにそえる語。「江戸ー」

*じょう【乗】㊀《助数》❶同じ数をかけ合わせる回数をかぞえる語。「三の三ー」❷〔文〕車をかぞえる語。「万ー」㊁《名》かけざん。乗法。対除。

*じょう【×帖】《助数》❶びょうぶ・楯などをかぞえる語。❷一定の枚数にまとまった紙・海苔などをかぞえる語。参考美濃紙では四八枚、半紙では二〇枚、西洋紙では一二枚を一帖とする。海苔は一〇枚で一帖。❸折り本の巻をかぞえる語。「宇治十ー」

*じょう【畳】《助数》畳をかぞえる語。「八ーの間」表記「帖」とも書く。

*じょう【上】㊀《名》❶価値・階級・順位・地位などが一番高いこと。すぐれていること。上。❷〔二冊または三冊にわかれている〕書物の最初のもの。上巻。対❶❷中・下。㊁《接尾》❶「…の上で」「…に関する」などの意。「立場ーやむを得ない」❷「…の上」の意。「道路ー」㊂《接頭》❶「よい」「すぐれた」などの意。「ー天気」「ー機嫌」❷「上部の…」の意。「ー半身」対下。

*じょう【丈】㊀《助数》尺貫法で、長さの単位。尺の一〇倍。一丈は約三・〇三メートル。㊁《接尾》歌舞伎俳優などの芸名にそえる敬称。「市川団十郎ー」

*じょう【▽判▽官】大宝令の官制で、四等官のうちの第三位の官。公文書の審査をつかさどる。判官表記役所によって「掾」「尉」「丞」「佑」などと書き分けた。

*じょう【場】〔文〕場所。会場。「ーの内外」

*じょう【嬢】㊀《名》むすめ。未婚の女性。〔多く「〔お〕ーさん」「おー」の形で使う〕㊁《接尾》❶未婚の女性の名まえにそえる敬称。「山田ー」❷〔職名を表す語などにつけて〕その職についている女性であることを表す。「受付ー」「案内ー」

*じょう【定】〔文〕❶必ずそうなること。必定。また、いつもそうなること。参考→案の定。❷禅定。

*じょう【▽尉】❶→判官。❷能楽で、翁。老人。また、その能面。対姥。❸炭火が燃えきったあとに残る白い灰。参考老人の白髪になぞらえていう。

*じょう【情】❶物事に感じる心の動き。感情。「ーに流される」対知・意。❷他人を思いやる心。なさけ。情愛。人情。「ーが深い」❸まごころ。誠意。「ーを立てる」❹異性を愛する心。「ーを交わす(=男女が愛し合う)」❺〔文〕ありさま。事情。実情。「ーを明かす」❻意地。〔古風な言い方〕「ーを張る」❼〔文〕あじわい。おもむき。「春風駘蕩の一があふれる」

*じょう【×掾】❶→判官。❷江戸時代以後、浄瑠璃の太夫にたまわる称号。国名とともに用いる。「井上播磨ー」

*じょう【条】㊀《名》項目ごとにいくつかに分けて書いた、一つ一つのもの。箇条。㊁《形名》〔文〕❶《接続助詞的に用いて》…によって。…なので。〔候文で使う〕「申しあげたく候ー、…」❷《接続助詞的に用いて》…ながら。…ても。「知らぬこととは言いー、…」㊂《助数》❶行・筋をなすものをかぞえる語。「一ーの光線」❷帯・幕など、細長いものをかぞえる語。

*じょう【状】㊀《名》〔文〕❶ようす。ありさま。「困惑のー」❷手紙。㊁《接尾》❶性質や形が「…のようである」「…に似る」などの意。「のりー」❷「手紙」「文書」などの意。「見舞いー」「告訴ー」

*じょう【錠】㊀《名》❶戸・ふたなどが容易にあかないようにするためにつける金属の器具。錠前。表記「鎖」とも書く。❷「錠剤」の略。〔接尾語的に使う〕「糖衣ー」㊁《助数》錠剤をかぞえる語。「一回に二ーのむ」

しょう-あい【×鍾愛】《名・他サ》〔愛情をあつめる意から〕たいそうかわいがること。類語溺愛。

*じょう-あい【情合(い)】❶人情のぐあい。❷たがいの気持ちがしっくりととけあうこと。「親子のー」

*じょう-あい【情愛】〔深いこまやかな〕愛情。なさけ。いつくしみ。「夫婦のー」類語慈愛。

しょう-あく【掌握】《名・他サ》〔手に握る意から〕物事を、自分の思いどおりに動かせるようにすること。「部下の心をーする」類語把握。

*しょう-い【傷×痍】〔文〕きず。けが。「ー軍人」

*しょう-い【小異】〔文〕〔くらべたときの〕ごくわずかな違い。「大同ー」

ーを捨てて大同に就・く《句》意見の小さな違いはあっても、大筋で一つにまとまる。

*しょう-い【少尉】旧陸海軍の将校の階級の一つ。将校の最下位。対大尉・中尉。

*じょう-い【上位】上の位置。上のくらい。また、優位な立場にあること。「成績がーの者」対中位・下位。

*じょう-い【上意】❶主君・支配者など上位の者の意志・意見・命令。類語御諚。上旨。君命。主命。対下意。❷特に、江戸時代、将軍の命令・意見。

ーかたつ【ー下達】上位の者、また、組織の上層部の考えや命令を下に伝えること。対下意上達。

*じょう-い【情意】感情と意志。心持ち。「ー投合」

*じょう-い【×攘×夷】〔夷を攘う意で〕外国人を排撃し、その入国・往来を許さないこと。「尊皇ー論」参考江戸幕府の末期に使われたことば。

*じょう-い【譲位】《名・自サ》帝王や天皇がその位をゆずること。禅位。禅譲。類語譲国。

じょう-いき【浄域】〔けがれのない清らかな場所の意で〕神社・寺院の境内。類語霊域。霊地。霊場。

しょうい-だん【焼×夷弾】家屋などを焼きはらうために、高熱を発してもえる物質を装置した爆弾・砲弾。

*しょう-いん【小引】〔文〕短いはしがき。短い序文。

*しょう-いん【勝因】勝利に導いた原因。対敗因。

*しょう-いん【承引】《名・他サ》聞き入れて引き受けること。承知。承諾。「御ー下さい」類語了承。

*しょう-いん【松韻】〔文〕松に吹く風の音。松籟。

*しょう-いん【証印】《名・自サ》〔文書などに〕証明としておす印。また、その印をおすこと。

*じょう-いん【上院】二院制の議会で、下院に対する一方の議院。日本の参議院に当たる。対下院。

*じょう-いん【乗員】列車・船・飛行機などに乗って勤務する人。乗組員。乗務員。搭乗員。

*じょう-いん【冗員】なくてもすむ人員。むだな人員。

*じょう-いん【畳韻】漢字二字の熟語で、二字の韻が同じであること。「逍遥」「艱難」など。

しょう-う【小雨】こさめ。「ー決行」対大雨。

じょう-うち【常打ち】《名・他サ》きまった演劇・演芸などがきまった場所で興行されること。「ー小屋」

しょう-うちゅう【小宇宙】❶宇宙の一部でありながら、それ自体一個のまとまった宇宙の観を呈するもの。特に、それを代表するものとしての人間。ミクロコスモス。対大宇宙。❷銀河系および銀河系と同様の規模と構造をもつ星雲の総称。島宇宙。

*しょう-うん【勝運】勝負に勝つべき運命。勝ち運。

*しょう-うん【商運】商売が繁盛するかどうかの運。

しょう-えい【照影】〔文〕❶光の照らすかげ。❷絵や写真による肖像。肖像画。肖像写真。

じょう-えい【上映】《名・他サ》〔観客のために〕映画をスクリーンにうつすこと。「近日ー」類語上演。

しょう-えき【×漿液】〔文〕動植物が分泌する、粘度のすくない液。対粘液。

しょう-エネ【省エネ】「省エネルギー」の略。エネルギーを節約すること。

*しょう-えん【小宴】小人数の宴会。類語小飲。

*しょう-えん【招宴】〔文〕宴会に人を招くこと。また、人を招いて開く宴会。

*しょう-えん【消炎】炎症を消しのぞくこと。「ー剤」

*しょう-えん【硝煙・硝×烟】鉄砲や大砲の発射、弾丸の爆発などによって発生する煙。「ー弾雨」

*しょう-えん【▽荘園・×庄園】奈良時代から室町時代にかけて貴族や社寺などが諸国に私有した広大な土地。荘。荘園。

*じょう-えん【上演】《名・他サ》〔観客にみせるため〕劇を舞台で演じること。類語上映。公演。

*じょう-えん【情炎・情×焔】火のように燃えあがる〔男女間の〕はげしい欲情。情火。「ーを燃やす」

しょう-おう【照応】《名・自サ》二つの部分がたがいに関連し対応しあうこと。「首尾ー」

しょう-おく【小屋】〔文〕小さな家。小舎。参考自分の家を謙遜していうときにも使う。類語小宅。

しょう-おん【消音】《名・自他サ》爆音や雑音をやわらげ消すこと。「ー器」

じょう-おん【常温】❶いつもきまっている温度。類語定温。❷一年間の平均温度。❸〔特に熱したり冷やしたりしない〕ふつうの温度。「ーで保存する」

*しょう-か【上下】〔文〕上と下。上の人と下の人。支配者と被支配者。上下。「ー心を一にする」

***しょう-か**【商家】商売をして生活している家。商人の家。類語商店。

***しょう-か**【商科】商業に関する学問を研究する学科。または、商学部。「—大学」「大学の—」

***しょう-か**【唱歌】❶節をつけて歌をうたうこと。また、その歌。❷旧制小学校の教科の一つ。現在の音楽にあたる。また、その教材にした歌曲。「文部省—」

***しょう-か**【×娼家】〔文〕遊女をかかえておいて客をあそばせる家。遊女屋。女郎屋。

***しょう-か**【将家】〔文〕武将の家がら。武家。

***しょう-か**【小過】〔文〕小さなあやまち。

***しょう-か**【昇華】《名・自サ》❶〔理〕固体が液体にならずに、直接気体になること。また、その逆の現象。「ドライアイスが—して白いけむりになった」❷〔心〕性的な欲望や願望が、高尚な芸術や宗教活動に転じはたらくこと。❸《他サ》物事がより純粋な状態に高められること。また、高めること。

***しょう-か**【消化】《名・他サ》❶《自サ》たべた物を分解して、からだに取り入れやすい状態にするはたらき。こなすこと。こなれること。❷取り入れた知識を十分に理解して自分のものとすること。同化。❸〔商品・仕事を〕残さず処理すること。「ノルマを—する」 **—えき**【—液】食物を消化するために消化腺(せん)から消化管内に分泌される液体。消化酵素を含む。唾液(だえき)・膵液(すいえき)・胃液・胆液(たんえき)・腸液など。 **—き**【—器】食物を摂取し、栄養分を消化・吸収する器官。口・咽頭(いんとう)・食道・胃・腸・肝臓など。消化器官。 **—せん**【—×腺】摂取した食物の消化を助ける液を分泌する腺の総称。唾腺(だせん)・胃腺・腸腺など。 **—ふりょう**【—不良】❶食物の消化・吸収が十分にできなくなる、消化器の病気。❷むずかしすぎて、取り入れた知識を理解し自分のものにすることができないでいること。

***しょう-か**【消夏・×銷夏】〔文〕夏の暑さをしのぐこと。暑さよけ。「真夏の—法」類語避暑。

***しょう-か**【消火】《名・自サ》火・火事を消すこと。「—器」類語鎮火(ちんか)。 **—せん**【—栓】消火用に設置されている水道のせん。

***しょう-か**【×頌歌】〔文〕神の栄光、偉人のてがらなどをほめたたえる歌。類語賛歌。

***しょう-が**【小我】❶〔仏〕自分の感情・欲望・立場などにとらわれた、せまい自我。❷〔哲〕宇宙の唯一で絶対の我と区別される、自我。対①②大我。

***しょう-が**【生×薑・生×姜・×薑】ショウガ科の多年草。地下茎は淡黄色の塊状で、食用。辛みが強い。

***じょう-か**【上下】❶→しょうか(上下)。❷上院と下院。「—両院」

***じょう-か**【城下】大名の城を中心にしてその家臣などの住む地域。 **—まち**【—町】室町時代以後、守護・大名の城や館(やかた)を中心に発達した市街。

***じょう-か**【情歌】❶異性を恋する思いをのべた歌。こいうた。❷「都都逸(どどいつ)」の別称。

***じょう-か**【情火】〔文〕もえさかる火のようにはげしい、(男女間の)情欲。情炎(じょうえん)。

***じょう-か**【浄化】《名・他サ》❶よごれを取り除き、きれいにすること。清浄にすること。「—設備」❷ある社会・風習の悪い点をあらため、正しく明るい状態にすること。「政治の—」❸→カタルシス。 **—そう**【—槽】❶河川の水、地下水などをきれいにして飲料水とするための水槽。❷水洗便所からの汚水を浄化して下水道に放出するための装置。屎尿(しにょう)浄化槽。

***じょう-か**【浄火】〔文〕きよらかな火。神前にともす火や、寺内でもやす火など。類語聖火。

***しょう-かい**【×哨戒】《名・他サ》軍隊で、敵の攻撃を警戒してみはりをすること。警戒。「—機」

***しょう-かい**【商会】商業を行っている会社。〔多く、会社・商店の名につけて用いる〕「本田—」類語商事。

***しょう-かい**【照会】《名・他サ》〔くわしい事情や不明な点などを〕問い合わせること。「—状」

***しょう-かい**【紹介】《名・他サ》知らない人どうしの間にたって双方を引き合わせること。「自己—」参考人間関係以外についてもいう。「日本文学をヨーロッパに—する」類語とりもち。なかだち。媒介(ばいかい)。仲介(ちゅうかい)。

***しょう-かい**【詳解】《名・他サ》くわしく解釈すること。くわしい解釈。「西洋史—」類語精解。対略解。

***しょう-がい**【傷害】《名・他サ》〔人体に〕けがをさせること。けがをすること。⇩〔使い分け〕 **—ほけん**【—保険】被保険者が事故によって身体に傷害を受けたとき、一定の保険金または医療費がもらえる保険。

***しょう-がい**【渉外】外部や外国との連絡・交渉。「—係」類語外交。

***しょう-がい**【生害】《名・自サ》〔文〕〔刃物などを使って〕自殺すること。自害。類語自刃(じじん)。自決。

***しょう-がい**【生涯】❶この世に生きている間。一生。「—を閉じる」類語終生。終身。❷一生のうちのある特別な期間。「教育家としての—」 **—がくしゅう**【—学習】ひとりひとりが自己の実現をはかるために生涯を通じて行う、主体的な学習活動。 **—きょういく**【—教育】学校を卒業した後も、よき社会人として充実した人生を送るために続けられる教育・訓練。

***しょう-がい**【障害・障×碍・障×礙】❶〔ある事を行うのに〕さまたげとなるもの(事情)。障碍(しょうげ)。類語隘路(あいろ)。❷〔身体上の〕故障。「胃腸—」❸「障害競走」の略。「四〇〇メートル—」⇩〔使い分け〕 **—きょうそう**【障害競走】❶競馬で、コースの途中に障害物をおき、それをとびこして競う競走。❷陸上競技種目の一つ。一定の間隔でおいた障害物(=ハードル)をとびこして走り、速さを競う競技。ハードル競走。

使い分け「ショウガイ」

傷害〔「傷」はきずつける意。人にきずを負わせる〕傷害事件・傷害致死・傷害保険

障害〔障×碍・障×礙〕〔「障」はさしさわり、さしつかえる意。じゃまになる。体の故障〕障害を取り除く・障害(物)競走・胃腸障害・更年期障害

じょう-かい【常会】❶定期的に開く集会。定例の会議。❷〔法〕通常国会。対臨時会・特別会。

じょう-がい【場外】ある場所・会場の外。対場内。

しょう-かき【小火器】〔大砲などに対して〕小銃・軽機関銃など、口径の小さい武器。類語軽火器。

しょう-かく【昇格】《名・自他サ》資格や格式があがること。また、あげること。類語昇任。対降格。

***しょう-がく**【商学】商業について研究する学問。

***しょう-がく**【奨学】学問をすすめはげますこと。「—金」「—生」

***しょう-がく**【小学】❶漢学で、文字について研究する学問。❷「小学校」の略。「—二年生」

*しょう‐がく【小額】単位が小さい金額。「―紙幣」対高額。

*しょう‐がく【少額】〔合計として〕すくない金額。「―の寄付」類語低額。対多額。

*しょう‐がく【正覚】〔仏〕あらゆる妄想をたち切って得た、正しい悟り。仏教における最高の悟り。

*じょう‐かく【乗客】→じょうきゃく(乗客)。

*じょう‐かく【城郭・城×廓】❶城のいちばん外側の囲い。❷城。城塞。❸他の人の干渉を許さない態度・構え。「部外者に対して―を構える」

*じょう‐かく【城閣】城の、ものみやぐら。また、城。

じょう‐がく【上×顎】〔文〕うわあご。対下顎。

しょう‐がつ【正月】❶一年の一番はじめの月。一月。むつき。祝い月。❷新年の祝い。また、その祝いをする期間。類語新年。新春。初春。年頭。年始。元日。元旦。三が日。松の内。❸はなやかで、楽しく喜ばしいこと。「目の―」

しょう‐がっこう【小学校】満六歳以上の児童に、義務教育として六年間の初等普通教育を行う学校。

*しょう‐かん【傷寒】漢方で、はげしい熱病。チフスの類。

*しょう‐かん【償還】《名・他サ》❶つぐない返すこと。❷〔法〕金銭債務を返済すること。「社債を―する」類語返還。返済。返却。

*しょう‐かん【召喚】《名・他サ》官庁、特に裁判所が被告人・証人などに対して、一定の日時に指定の場所へ出頭するように命じること。呼び出し。「―状」

*しょう‐かん【召還】《名・他サ》〔つかわした人を〕よびもどすこと。「大使を本国へ―する」

*しょう‐かん【商館】商業を営む建物。特に、外国商人の建物。〔古風な言い方〕「オランダ―」

*しょう‐かん【将官】旧軍隊の階級で、士官の最上級。大将・中将・少将の総称。参考→尉官・佐官。

*しょう‐かん【小寒】二十四節気の一つ。寒の入りから寒あけまでの三〇日間のうち、前半の一五日間。太陽暦では一月六日ごろから始まり、寒さが一段ときびしくなる。対大寒。

*しょう‐かん【小官】㊀《名》〔文〕地位の低い官職(の人)。対大官。㊁《代名》官吏や軍人が自分をけんそんして言う語。

*しょう‐かん【小閑・少閑】〔文〕少しのひま。「―を得る」

*しょう‐かん【消閑】〔文〕退屈しのぎ。「―の具」

*しょう‐がん【賞×玩・賞×翫】《名・他サ》《古くは「しょうかん」》❶物の美しさやよさを味わうこと。❷食べ物の味のよさをほめ味わうこと。類語賞味。玩味。

*じょう‐かん【上官】〔官吏・軍人で〕その人より上級の官(の人)。類語上役。上司。

*じょう‐かん【上×浣・上×澣】〔文〕月の初めの一〇日間。上旬。対中浣・下浣。

*じょう‐かん【乗艦】《名・自サ》軍艦に乗りこむこと。また、乗りこんでいる軍艦。

*じょう‐かん【冗官】〔文〕あっても役に立たない官職。また、その役人。

*じょう‐かん【情感】〔あるものに接したときに起こる〕感情。感じ。「―をこめて語る」「―に満ちた曲」

しょう‐かんぜおん【▽聖観世音】本来の姿の観世音。宝冠中に無量寿仏を安置し、手に蓮華を持つ。普通にいう観音のこと。聖観音。

しょう‐かんのん【▽聖観音】「聖観世音」の略。

じょう‐かんぱん【上甲板】船の一番上の甲板。

*しょう‐き【勝機】勝負に勝てる機会。「―をつかむ」

*しょう‐き【匠気】〔文〕〔芸術家などが〕好評を得ようとする気持ち。「―の見えすいた作品」

*しょう‐き【商機】❶商売をする上でよい機会。「―をのがす」❷商売上の機密。「―をもらす」

*しょう‐き【将器】〔文〕大将になり得るほどすぐれた器量(人物)。「―をそなえる」

*しょう‐き【小器】〔文〕❶小さいうつわ。❷〔転じて〕度量のせまいこと(人)。小人物。対①②大器。

*しょう‐き【正気】《名・形動》理性や感情、または意識が正常である状態。「―に戻る」対狂気。

*しょう‐き【×瘴気】〔文〕ふれると熱病を起こすもとになるという、山川の毒気。

*しょう‐き【詳記】《名・他サ》くわしく書きしるすこと。くわしく書いた記録。「―した報告書」対略記。

*しょう‐き【×鍾×馗】中国で、疫病神を追い払うという神。日本ではその像を端午の節句にかざる。

*しょう‐ぎ【商議】《名・他サ》〔文〕〔会議を開いて〕相談すること。評議。「―をこらす」

*しょう‐ぎ【×娼×妓】もと、公認された特定の地域内で売春をした女。公娼。遊女。女郎。

*しょう‐ぎ【将棋】ふたりが縦横各一〇本の線をひいた盤の上に王将・金・銀など二〇枚ずつのこまを並べ、交互に動かして相手の王将をせめる遊戯。「―を指す」

―だおし【―倒し】〔一定の間隔で立て並べた将棋のこまの一端を倒すと、こまが次々に倒れることから〕一端から他の端へと折り重なって次々に倒れること。また、一端のくずれが全体にまで及ぶこと。

*しょう‐ぎ【床×几・床×机】❶昔、陣中・狩り場などで使った、折りたたみ式のこしかけ。❷細長い板にあしをつけた簡単なこしかけ。

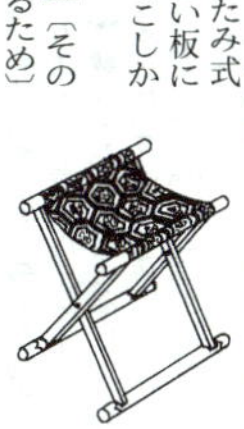
床几①

*しょう‐ぎ【省議】〔その省の意思を決定するため〕内閣の各省内で行う会議。また、その議決。

*じょう‐き【上気】《名・自サ》〔興奮・はげしい運動などのために〕のぼせること。また、逆上すること。

*じょう‐き【上記】前に書き記してあること(文句)。前記。「日程は―の通り」類語上述。前述。対下記。

*じょう‐き【常軌】ふつうの人がすべき行い・やり方。常道。「―を逸する(=常識を外れた行いをする)」

*じょう‐き【条規】条文・法令に示された規定。

*じょう‐き【浄机・浄×几】〔文〕ちりやよごれなどがついていない、清らかなつくえ。「明窓―」

*じょう‐き【蒸気】❶〔理〕液体の蒸発または固体の昇華によってできる気体。❷水蒸気。❸〔小型の〕蒸気船。「ぽんぽん―」表記③は「蒸汽」とも書く。

*じょう‐ぎ【定規・定木】❶直線・曲線・角度などを書くときにあてがう道具。「雲形―」❷〔物事の〕手本。模範。また、物事を判断する時の基準。

*じょう‐ぎ【情義】人情と義理。「―を欠く」

*じょう‐ぎ【情×誼・情×宜】人とつきあううえでの義理・情愛。「―に厚い人」類語交誼。表記「情義」で代用することもある。

じょう‐きげん【上機嫌】《名・形動》非常にきげんが

よいこと。「酒に酔ってーになる」対不機嫌。

*しょう-きゃく【償却】❶《名・他サ》〔借金などをすっかり〕つぐない返すこと。❷「減価償却」の略。

*しょう-きゃく【正客】いちばん主になる客。主客。主賓(しゅひん)。正客(せいきゃく)。類語上客。

*しょう-きゃく【消却・×銷却】《名・他サ》〔文〕❶けしてなくすこと。消去。❷使ってなくすこと。ついやすこと。❸〔何回かに分けて〕かりた金銭・物品を返すこと。返済。「建築費を二年でーする」類語償却。

*しょう-きゃく【焼却】《名・他サ》焼き捨てること。「ごみをーする」「不要な原稿をーする」

*じょう-きゃく【上客】❶上座につかせるべき、おもな客。類語正客(しょうきゃく)・正客(せいきゃく)。❷〔商売の上で〕たいせつな客。上得意。「ーを失う」

*じょう-きゃく【乗客】〔代金を払って〕乗り物に乗る客。また、乗り物に乗っている客。乗客(じょうかく)。

*じょう-きゃく【常客】〔店に〕よく来る客。なじみの客。常連。

*しょう-きゅう【昇級】《名・自サ》等級があがること。「ー試験」類語昇進。進級。

*しょう-きゅう【昇給】《名・自サ》給料があがること。「定期ー」類語増給。対降給。

じょう-きゅう【上級】❶上の等級・階級。「ー官庁」「ー職」「ー学校」類語高級。対中級・下級。❷上の学級。「彼は私より一年ーだ」対下級。

しょう-きゅうし【小休止】《名・自サ》〔仕事などの間に〕少しの時間休むこと。少憩(しょうけい)。対大休止。

しょう-きょ【消去】《名・他サ》〔書いた文字・物のあとなどを〕消してなくすこと。ーほう【ー法】❶〔数〕複数の未知数を含む連立方程式で、順に未知数を減らし、最後に未知数が一つだけの方程式にして解く方法。❷いくつかある想定から可能性のないものを順に消し、最後に残ったものを正しいとする推理。

しょう-きょう【商況】商売上の取引がさかんであるかどうかのありさま。商売の状況。

しょう-ぎょう【商業】作った品物や仕入れた品物を売って利益をえる事業。あきない。類語商売。

*じょう-きょう【上京】《名・自サ》地方から都〔特に東京〕へ行くこと。類語上洛。

*じょう-きょう【状況・情況】〔刻々と変化する〕物事のその時々のありさま。「ー判断」類語情勢。状態。

類義語の使い分け 状況・情勢

[状況・情勢] 状況(情勢)判断を誤る／注意深く状況(情勢)を見守る／状況(情勢)が激変する

[状況] 事態は予断を許さない状況を呈する／災害の状況を伝えるニュースがテレビで流れる

[情勢] 論説委員が政治情勢について解説する／国際情勢が日増しに緊迫の度を増す

*しょう-きょく【小曲】短い楽曲。対大曲。

*しょう-きょく【消極】自分から進んでは働きかけないこと。ひかえめなこと。〔ふつう、単独では使わない〕「ー策」対積極。ーてき【ー的】《形動》自分から進んでは物事をしないようす。ひかえめなようす。類語受動的。退嬰(たいえい)的。対積極的。

*しょう-きん【償金】あいてに与えた損害をつぐなうために払う金銭。賠償金。

*しょう-きん【奨金】奨励のために与える金銭。奨励金。

*しょう-きん【正金】❶〔補助貨幣の紙幣に対して〕正貨(せいか)。多く金貨・銀貨をさす。❷現金。「ー取引」

*しょう-きん【賞金】賞として与える金銭。

じょう-きん【常勤】《名・自サ》〔臨時ではなく〕毎日一定の時間、そのつとめに従事すること。「ーの講師」

*しょう-く【承句】漢詩で、絶句の第二句、または律詩の第三・四句。承。

*しょう-く【章句】❶文章の章と句。また、文句。❷文章の段落。

じょう-く【冗句】❶〔文章中の〕不必要な文句。むだな句。類語冗語。❷ふざけていう文句。参考「ジョーク(joke)」のもじりから。類語冗談。

じょう-くう【上空】空の上の方。また、ある地点の上の空。

しょうくう-とう【照空灯】夜間の防空のため、飛行中の航空機を照らし出す大型の投光器。

しょう-ぐん【将軍】❶全軍を指揮・統率する軍人。❷もと、陸海軍の将官の敬称。❸「征夷(せいい)大将軍」の略。尊敬上様。

しょう-げ【障×碍・障×礙】〔文〕障害①。

じょう-げ【上下】❶〔位置・身分などの〕うえと、した。「ーの別なく扱う」❷上と下で対になったものの両方。「せびろのー」❸《名・自サ》あがったりさがったりすること。のぼったりくだったりすること。「株価がーする」ーどう【ー動】〔地震などで〕上下すなわち鉛直方向に起こる振動。対水平動。

*しょう-けい【勝景】〔文〕すぐれたけしき。非常によいけしき。絶景。類語景勝(けいしょう)。

*しょう-けい【小径・小×逕】〔文〕細い道。こみち。

*しょう-けい【小景】ちょっとしたけしき。ちょっと印象に残った風景。〔絵の題などに添えて用いる〕

*しょう-けい【小計】《名・他サ》一部分を合計すること。「半月の売上高をーする」対総計。

*しょう-けい【少憩・小憩】《名・自サ》〔仕事・運動などの間に〕少し休むこと。小休止。「ーを取る」

*しょう-けい【×憧×憬】《名・自他サ》〔文〕あこがれること。あこがれ。憧憬(どうけい)。「ーの的」

*しょう-けい【承継】《名・他サ》〔文〕〔地位・役職・事業・財産などを〕うけつぐこと。継承。

*しょう-けい【×捷径】〔文〕❶近道。❷ある物事に通達する、てっとり早い方法。早道。「出世のー」

*しょう-けい【象形】❶物の形をかたどること。❷六書(りくしょ)の一つ。物の形をかたどって作る造字法。「日」「月」などがこれによる。ーもじ【ー文字】表意文字の一つ。物の形をかたどって作った文字。エジプト・中国の古代の文字など。

*じょう-けい【場景】その場のありさま。

*じょう-けい【情景・状景】〔見る人にある心の動きを起こさせる〕ありさま。けしき。「悲惨なー」類語光景。

*しょう-げき【笑劇】喜劇の一種。もっぱら観客を笑わすことを目的とする劇。ファース。

*しょう-げき【衝撃】❶急につきあたったときの激しい打撃。「ーをうける」「ー音」❷激しい心の動き。激しい感動。「大統領の暗殺は全世界にーを与えた」❸〔理〕物体に急にくわえられる力・刺激。同①〜③ショック。ーは【ー波】〔理〕流体に急激な圧力変化が生じ、それが音速以上の速さで伝わる現象。

しょう-けつ【×猖×獗】《名・自サ》〔文〕〔悪いものが〕はびこり勢いが盛んになること。猛威をふるうこと。「流感が—を極める」

***しょう-けん**【商圏】その会社・商店などの営業範囲。固定客のいる区域。

***しょう-けん**【商権】商業上の権利・権力。

***しょう-けん**【正絹】まじりもののない・絹（絹織物）。本絹。純絹。「—のネクタイ」[対]人絹。

***しょう-けん**【証券】財産に関する権利や義務を示す文書。特に、有価証券。「—アナリスト」「—取引所」

***しょう-げん**【証言】《名・他サ》ことばで事実を証明すること。また、そのことば。「被告に有利な—」

***しょう-げん**【象限】❶円の四分の一。❷平面上を直角に交わる二直線で四等分したときの各部分。

じょう-けん【条件】❶ある行為をさせるために前提として必要な事柄。また、ある行為に制約を与えるための事項。「—を満たす」「契約の—」❷あることが成り立つために必要な事柄。「立地—」**—はんしゃ**【—反射】動物がAの刺激に対して無条件にBの反応をおこすとき、別の刺激Cを最初のAの刺激と同時に与えて（=条件づけ）これをくりかえすと、Cの刺激（=条件）を与えただけでも反射的に同じBの反応をおこすようになること。[対]無条件反射。

***じょう-げん**【上弦】新月から満月になるまでの間（陰暦で毎月七、八日ごろ）の月。[参考]月の入りの時、直径を上に向けて半円形をつくる。[対]下弦。

***じょう-げん**【上限】❶上の方の限界。「価格の—をきめる」❷〔時代の〕古い方の限界。「この語の発生の—は万葉集の時代に求められる」[対]①②下限。

***しょう-こ**【商×賈】〔文〕❶商人。❷商売。

***しょう-こ**【尚古】〔文〕古い時代の文化・制度などをよいとしてたっとぶこと。「—趣味」[類語]懐古（かいこ）。

***しょう-こ**【称呼】〔文〕よび名。となえ。呼称。

***しょう-こ**【証拠】ある事実を証明するよりどころとなるもの。証左。あかし。「—をあげる」「動かぬ—」**—だ・てる**【—立てる】《他下一》〔事実であることを〕証拠をあげて証明する。

***しょう-こ**【×鉦鼓】❶仏具の一つ。念仏のときにたたく丸い青銅製のかね。❷昔、軍中の合図に使った、たたきがねと太鼓。❸雅楽に使う打楽器の一つ。金属製のさら形のかねで、つるしてばちでたたく。

***しょう-こ**【鐘鼓】〔文〕かねと、たいこ。

しょう-ご【正午】昼の一二時。午後零時。

じょう-こ【上古】❶大昔。上代。❷日本史の時代区分の一つ。ふつう、大和（やまと）朝廷の時代を言う。

***じょう-ご**【上戸】❶酒が好きで、多量に飲める人。酒飲み。[対]下戸（げこ）。❷酒を飲んだ時のくせを言う語。〔接尾語的に用いる〕「泣き—」「おこり—」

***じょう-ご**【冗語・剰語】むだなことば。よけいなことば。「—をはぶく」[類語]冗句。

***じょう-ご**【▽漏▽斗】口の小さな容器に液体をつぎ入れる時に使う、アサガオの花の形をした用具。漏斗（ろうと）。

***じょう-ご**【畳語】複合語の一つ。同じ単語や語根を重ねて一語としたもの。「われわれ」「あかあか」の類。

***しょう-こう**【商工】商業と工業。また、商人と職人。「—会議所」

***しょう-こう**【商港】商船が出入りして、旅客の乗り降り、貨物の積みおろしができる設備のある港。

***しょう-こう**【将校】旧軍隊で、少尉以上の軍人。士官。

***しょう-こう**【小康】〔文〕❶悪かった病状がすこしよくなること。❷物事の悪い状態がしばらくおさまること。「—を保つ」「—状態」

***しょう-こう**【昇×汞】「塩化第二水銀」の医薬品名。猛毒。染色・水銀化合物の製造・消毒などに使う。**—すい**【—水】昇汞の水溶液。

***しょう-こう**【昇降】《名・自サ》あがったりおりたりすること。のぼりくだり。「—機（=エレベーター）」「—口」

***しょう-こう**【消光】《名・自サ》〔文〕月日を過ごすこと。暮らすこと。消日。〔手紙などで自分について使う〕「つつがなく—しております」

***しょう-こう**【消耗】《名・自他サ》↓しょうもう（消耗）。

***しょう-こう**【焼香】《名・自サ》香をたくこと。特に、葬式や法事で香をたいて仏にたむけること。

***しょう-こう**【症候】病気にかかったとき、からだに現れる異常なしるし。**—ぐん**【—群】いくつかの症候が常に重なって起こるが、その原因が不明であるときに、病名に準じて使われる語。シンドローム。[参考]ある集団や階級によく見られる傾向の意にも言う。「ピーターパン—（=成人しても少年のままでいたいという傾向）」

***しょう-ごう**【商号】商人が営業上、自分を表すために使う名称。屋号の類。[参考]↓商標。

***しょう-ごう**【照合】《名・他サ》てらし合わせてしらべること。「原稿と校正刷りを—する」[類語]参照。

***しょう-ごう**【称号】よび名。また、ある資格などを表す名称。「名誉教授の—」[類語]尊号。

***じょう-こう**【上皇】位をゆずった後の天皇の尊称。太上（だいじょう）天皇。「後鳥羽（ごとば）—」

***じょう-こう**【乗降】《名・自サ》〔乗り物に〕のることとおりること。のりおり。「大阪駅で—する人々」「—客」

***じょう-こう**【情交】親しいまじわり。特に、男女間の〔肉体的な〕まじわり。「—を結ぶ」[類語]交情。

***じょう-こう**【条項】箇条書きにした一つ一つの項目。箇条。[類語]条目。

しょう-こうい【商行為】〔物品の売買・交換・仲介・賃貸しなど〕営利を目的として行われる行為。

しょうこう-ねつ【×猩紅熱】四類感染症の一つ。高熱を発し、全身に赤い発疹（はっしん）が現れる。子どもが多くかかる。病原菌は溶血性連鎖球菌。

***しょう-こく**【小国】❶国土の小さな国。❷〔経済力・武力などの〕力の弱い国。[類語]弱国。[対]①②大国。

***しょう-こく**【生国】〔その人が〕生まれた国。出生地。しょうごく。〔古風なことば〕「—は紀州（きしゅう）」

***しょう-こく**【相国】《〔国政を相（たす）ける人の意〕》❶古代中国で、宰相（さいしょう）のこと。❷日本で、太政（だじょう）大臣・左大臣・右大臣の唐名。「入道—（=平清盛の称）」

***じょう-こく**【上刻】昔、一刻（=現在の二時間）を上中下に等分した、最初の時刻。[対]中刻・下刻。

***じょう-こく**【上告】《名・他サ》❶上に申したてること。❷〔法〕上訴の一種。第二審の判決に対し上級の裁判所へ不服を申し立てること。**—しん**【—審】〔法〕上告された訴訟事件について行う審判。第三審。

しょうことなし-に【しょうこと無しに】《副》ほかにてだてがなく。しかたなくて。やむをえず。「—参加した」[参考]「しょうこと」は「せむこと」の転。

じょう-ごや【定小屋】❶〔その劇団が上演するため

の〕常設の劇場・興行場。❷〔その俳優・芸人などが出演するための〕きまった劇場・興行場。

しょう-こり【性懲り】ひどくこりること。心から後悔すること。「―もなく同じ失敗を繰り返す」

じょう-ごわ【情▽強(ジャウごは)】《名・形動》がんこで情に動かされない・こと(人)。強情。〔古風なことば〕

*しょう-こん【傷×痕】〔文〕傷を受けたあと。きずあと。創痕(そうこん)。「戦争の―もなまなましい町」

*しょう-こん【商魂】商売を繁盛させてもうけようとする気がまえ。「―たくましい店主」

*しょう-こん【性根】あることをしとげようとする元気。根気。「―がつき果てる」 注意 「しょうね」と読むと別語。

*しょう-こん【招魂】死者の魂をこの世にまねいて祭ること。「―の儀」「―祭」

しょう-ごん【▽荘厳】❶《名・他サ》〔仏〕寺や仏像を美しくおごそかに飾ること。また、その飾り。荘厳(そうごん)。❷《名・形動》→そうごん(荘厳)①。

*じょう-こん【上根】〔仏の教えを受け入れて発心しうる〕すぐれた性質。対中根・下根。

*じょう-こん【条×痕】❶〔文〕かすって筋になった傷痕(きずあと)。❷鉱物を素焼きの磁器にすりつけたときに生ずる筋。その色で鉱物の種類を鑑定する。

*しょう-さ【小差】少しの差。わずかなちがい。「―でやっと勝った」対大差。

*しょう-さ【少佐】旧陸海軍将校の階級の一つ。中佐の下、大尉の上の位。佐官の最下位。対中佐・大佐。

*しょう-さ【証左】〔文〕ある事実を証明するよりどころとなるもの。証拠。「確かな―をつかむ」

しょう-ざ【正座】正面の座席。正客(しょうきゃく)のすわる座。

*じょう-ざ【上座】〔目上の人、地位の高い人などのすわる〕上位の座席。上座(かみざ)。類語上席。対下座。

*じょう-ざ【常座】能舞台で、演者が登場してまず立ち止まる場所。舞台の左すみにある。シテの常座。

*しょう-さい【商才】商売をする才能。「―にたける」

*しょう-さい【小才】少しばかりの才知・才能。小才(こさい)。「―を鼻にかける」対大才。

*しょう-さい【詳細】《名・形動》こまかい所までくわしいこと。つぶさ。「計画の―」「―にわたって報道する」類語委細。詳密。精細。

*じょう-さい【城×塞・城×砦】〔文〕しろ。とりで。類語城塁(じょうるい)。

*じょう-さい【定斎】せんじぐすりの一つ。夏季のいろいろな病気にきくといわれた。「―屋」

*じょう-ざい【浄罪】罪をきよめること。

*じょう-ざい【浄財】宗教的な事業や社会事業などのために寄付される金品。「全国から寄せられた―」

*じょう-ざい【錠剤】粉末状のものを小さくまるい形にかためて飲みやすくした薬。タブレット。類語丸薬。

しょう-さく【小策】ちょっとした知恵で考えた、つまらないはかりごと。小手先の策略。「―を弄(ろう)する」類語小刀細工(こがたなざいく)。小細工(こざいく)。

*じょう-さく【上作】❶〔作品などの〕すぐれたできばえ。類語上出来。傑作(けっさく)。対下作(げさく)。❷農作物のみのりがよいこと。豊作。「今年の米は―だ」

*じょう-さく【上策】(最も)すぐれたはかりごとや方法。「逃げるが―」対下策(げさく)。

じょう-さし【状差し】〔柱・かべなどにかけて〕手紙やはがきをさしいれておくもの。

*しょう-さつ【小冊】小形の書物、または薄い書物。小冊子。対大冊。

*しょう-さつ【笑殺】《名・他サ》❶大いに笑うこと。❷笑って問題にしないこと。一笑に付すこと。「彼の発言は―された」類語黙殺(もくさつ)。

*しょう-さつ【×蕭殺】《形動タルト》〔文〕秋風が草木を枯れさせて、ものさびしいようす。粛殺(しゅくさつ)。「満目―たる広野」類語蕭条(しょうじょう)。

しょう-さっし【小冊子】〔小形の〕うすい書物。パンフレット。小冊。

じょう-さま【上様】領収書・勘定書きなどで、相手の名まえの代わりに書く敬称。上様(うえさま)。

*しょう-さん【勝算】相手に勝てそうな見こみ。勝ち目。「―のない選挙に出る」「われに―あり」

*しょう-さん【消散】《名・自他サ》散って消えること。また、散らし消すこと。「霧が―する」

*しょう-さん【硝酸】無色ではげしいにおいがあり、湿度の高い空気中で煙をだす液体。セルロイド・爆薬などの重要な原料。―えん【―塩】金属、およびその酸化物などを硝酸にとかしてできる化合物の総称。酸化剤・火薬・肥料などにする。―カリウム 無色で光沢のある水溶性の針状結晶。天然には硝石として産出。黒色火薬・花火・マッチ・ガラスなどに用いる。硝酸カリ。煙硝。―ぎん【―銀】無色透明な板状の結晶。銀を硝酸にとかすと得られる。有毒。写真のフィルム・銀めっき・分析試薬・医薬などに用いる。

*しょう-さん【賞賛・賞×讃・称賛・称×讃】《名・他サ》ほめたたえること。「口をきわめて―する」類語絶賛。称誉。賛美。賛嘆。賞美。

じょう-さん【蒸散】《名・自サ》植物が体内の水分を体の表面から水蒸気として排出すること。また、その現象。「―作用」類語発散。

じょう-ざん【乗算】かけ算。乗法。対除算。

*しょう-し【将士】将校・将軍と兵士。将兵。将卒。

*しょう-し【小史】❶かんたんに述べた歴史。「日本開化―」❷作家などが雅号に添えることば。「鏡花―」

しょう-し【小子】㊀《名》〔文〕❶こども。❷でし。㊁《代名》《自称の人代名詞》〔文〕目上の人に対して自分をけんそんして言う語。

*しょう-し【小×祠】〔文〕小さなやしろ・ほこら。

*しょう-し【小誌】❶小さな雑誌。❷自分または自社の出版している雑誌をけんそんして言う語。

*しょう-し【尚歯】〔文〕老人をうやまうこと。敬老。「―会」参考「尚」はとうとぶ、「歯」は年齢の意。

*しょう-し【焼死】《名・自サ》火に焼かれて死ぬこと。焼け死に。「―体」

*しょう-し【生死】❶生きることと死ぬこと。また、生まれることと死ぬこと。生と死。生死(せいし・しょうじ)。❷→しょうじ(生死)①。

*しょう-し【笑止】《名・形動》❶笑うべきこと。おかしいこと。「―千万(せんばん)(=非常にばかげていておかしいこと)」類語滑稽(こっけい)。❷気の毒なこと。〔古風な言い方〕

*しょう-し【証紙】商品の品質、代金の支払いなどを証明するため、その商品や書類にはる紙。類語印紙。

*しょう-し【賞詞】〔文〕人の功績などをほめることば。賞辞。賛辞。類語頌詞。褒詞(ほうし)。

*しょう-し【×頌詞】〔文〕人徳・功績などをほめたたえることば・文章。頌辞。類語賞詞。褒詞(ほうし)。

*しょう-し【×頌詩】〔文〕人徳・功績などをほめたたえる

詩。

*しょう-じ【商事】❶商業・商売に関することがら。❷商事会社。「東京―」類語商会。―がいしゃ【―会社】社団法人で、商行為を業務とするもの。

*しょう-じ【小事】重要でないちょっとしたこと。ささいなこと。「大事の前の―」対大事。

*しょう-じ【少時】〔文〕❶幼いとき。子どものころ。幼時。❷しばらくの間。暫時(ざんじ)。〔副詞的に使う〕

*しょう-じ【正時】〔分・秒などのつかない〕ちょうどの時刻。一時・二時など。

*しょう-じ【生死】❶〔仏〕生・老・病・死の苦しみをうける迷いの世界。生死(しょうじ)。❷→しょうし（生死）①。

*しょう-じ【賞辞】〔文〕賞詞(しょうし)。類語頌辞。

*しょう-じ【障子】建具の一つ。格子(こうし)に組んだ木のわくに白い紙をはったもの。へやと縁側のしきりなどに用いる。明かり障子。

*しょう-じ【×頌辞】〔文〕頌詞(しょうし)。類語賛辞。賞辞。

*じょう-し【上使】江戸時代、幕府から諸大名に派遣され、将軍の意を伝えた使者。

*じょう-し【上司】〔法〕指揮・監督の権限をもつ、その・官庁（官吏）より上級の・官庁（官吏）。参考一般には、会社などの上役にも言う。「直属の―」

*じょう-し【上×巳】五節句の一つ。陰暦三月の最初の巳(み)の日。後世は陰暦三月三日。女子の祝日としてひな祭りを行う。桃の節句。上巳(じょうし)。

*じょう-し【上×梓】《名・他サ》〔文〕〔絵や文字を版木に刻む意から〕書物を出版すること。参考昔、版木に梓(あずさ)の木を多く使ったことから言う。

*じょう-し【上肢】〔文〕手足のうち上部にあるもの。人間では腕、他の動物では前肢。対下肢(かし)。

*じょう-し【城×址・城×趾】しろあと。城跡(じょうせき)。

*じょう-し【情史】〔文〕ある男女間の恋愛・情事に関することを書いた小説・読物。

*じょう-し【情死】《名・自サ》恋愛関係にある男女が合意の上でいっしょに自殺すること。「―を遂げる」類語心中(しんじゅう)。双死(そうし)。相対死(あいたいじに)。

*じょう-じ【常時】ふだん。平生(へいぜい)。つねに。いつも。〔副詞的にも使う〕「―携帯する」

*じょう-じ【情事】男女間の愛情に関する事柄。いろごと。〔特に、肉体関係のある場合について言う〕

*じょう-じ【畳字】踊り字。

しょうじ-い・れる【▽請じ入れる・招じ入れる】《他下一》まねき入れる。家の中・座敷に案内する。

しょうし-か【少子化】《名・自サ》出生率が下がり、子どもの数が減っていくこと。

しょう-じき【正直】■一《名・形動》うそやごまかしがないこと。正しく隠し立てのないこと。「―者」類語誠実。篤実。朴直。真率。実直。■二《副》いつわりなく。本当のところ。「―半信半疑だった」

―の頭(こうべ)に神宿る《句》正直な人はおのずから神が守ってくれる。「神は正直の頭(こうべ)に宿る」とも。

じょう-しき【常識】一般の社会人が共通に・持っている（持つべき）知識あるいは判断力。コモンセンス。「そんなことぐらい―だ」「―のない人」類語良識。

じょうしき-まく【定式幕】歌舞伎(かぶき)の舞台で、黒・柿(かき)・もえぎの三色で縦じまをえがいた引き幕。

じょうし-ぐん【▽娘子軍】女性だけの部隊。また、俗に、女性の集団。参考慣用読みは「ろうしぐん」。

しょう-しげん【省資源】資源を節約すること。

*しょう-しつ【消失】《名・自サ》消えてなくなること。〔力・権利などが〕自然にその効力を失うこと。「大金が―した」「権力の―」類語消滅。

*しょう-しつ【焼失】《名・自他サ》焼けてなくなること。また、焼いて失うこと。「国宝が―した」

じょう-しつ【上質】品質が上等なこと。「―の和紙」

じょう-じつ【情実】個人的な感情がからんでいて、公正を欠いた事がら。「人事に―がからむ」

しょう-しみん【小市民】〔社会的地位・財産・思想などが〕資本家と労働者の中間の階級にある人々。サラリーマン・自由業者など。中産階級。プチブル。

*しょう-しゃ【勝者】〔競争・試合などに〕勝った・人〔団体〕。勝利者。対敗者。

*しょう-しゃ【×廠舎】〔文〕軍隊が演習先などで宿泊する簡単な建物。

*しょう-しゃ【商社】商業上の目的のために作った結社。特に、貿易商社。

*しょう-しゃ【小社】❶小さなやしろ・神社。対大社。❷小さな会社。小会社。❸自分の会社をけんそんしていう語。「―の出版物」類語弊社(へいしゃ)。

*しょう-しゃ【照射】《名・自他サ》❶日光などが照りつけること。また、光線や放射線などを当てること。「エックス線を―する」❷物事の内面やかくれた部分を明らかにすること。

*しょう-しゃ【×瀟×洒・×瀟×灑】《形動》かざりけがなく、すっきりしてあかぬけているようす。「―な洋館」

*しょう-じゃ【生者】〔仏〕生きているもの。命のあるもの。生者(せいじゃ)。対死者。

―必滅《句》〔仏〕一切の生きものは必ず死ぬということ。〔世の無常を表すことば〕「―会者定離(えしゃじょうり)」

*しょう-じゃ【▽盛者】〔文〕勢いが盛んで栄えている者。参考古くは「じょうしゃ」と言った。

―必衰《句》〔仏〕現在勢いの盛んな者もやがて必ず衰えるということ。〔世の無常を表すことば〕

*しょう-じゃ【精舎】〔仏〕僧侶(そうりょ)が仏道を修行する所。寺院。てら。

*じょう-しゃ【乗車】❶《名・自サ》車に乗ること。対下車。降車。❷〔ある人が〕乗っている車。乗る車。

―けん【―券】汽車・電車などの乗客が、運賃の支払いと引き替えに受けとる切符。乗車切符。

*じょう-しゃ【浄写】《名・他サ》きれいに書き写すこと。清書。浄書。

*しょう-しゃく【小酌】〔文〕❶小人数でする酒もり。小宴。小飲。❷ちょっと酒を飲むこと。

*しょう-しゃく【焼×灼】《名・他サ》病気の組織を電気などで焼いて破壊する外科的な治療法。

*しょう-しゃく【照尺】ねらいを正確にするため小銃・大砲などの、銃身または砲身の手もとにつける装置。

*じょう-しゅ【城主】❶城のあるじ。城の持ち主。❷江戸時代、城を持っている大名の格式。国持ち・准国持ちに次ぐ。

*じょう-しゅ【情趣】しみじみとしたおもむき。あじわい。「―に富む庭」類語風情(ふぜい)。情致。情味。

じょう-じゅ【成就】《名・自他サ》なしとげること。できあがること。また、願い事などが思ったとおりに実現すること。「大願が―する」類語達成。出来(しゅったい)。

*しょう-しゅう【召集】《名・他サ》❶〔上位者が多くの人を〕呼び出して集めること。❷もと、戦時その他の

必要に応じて在郷軍人・国民兵などをよびだして軍隊に集めたこと。「―令状」[類語]徴集。❸〔法〕国会を開くために国会議員に対して一定の期日に各議院に集まることを命じること。⇩〖使い分け〗

＊**しょう・しゅう【招集】**《名・他サ》〔多くの人を〕まねき集めること。集まってもらうこと。⇩〖使い分け〗

使い分け「ショウシュウ」
招集〔多くの人をまねき集める〕会議を招集する・役員に招集をかける・株主を招集する
召集〔地位の上の者が下の者たちを特定のところへ呼び出し集める〕召集令状・〔旧軍隊の〕教育召集・国会議員の召集・国会の召集
[参考]強制的、高圧的な「召集」は国会（議員）の召集と旧憲法下の兵役関係に限られ、一般には「招集」が用いられる（自衛隊員の招集）。

＊**しょう・しゅう【消臭】**〔文〕においを消すこと。「―剤」

しょう・じゅう【小銃】携帯用の小型の銃。ピストルよりも銃身が長い。鉄砲。

じょう・しゅう【常習】いつもしなれている（悪い）こと。いつもの（悪い）習慣。**―はん【―犯】**❶〔法〕同じ犯罪を何度も行う・こと（人）。「とばくの―」❷好ましくないことをくりかえし行う人。「遅刻の―」

じょう・じゅう【常住】[一]《名・自サ》❶〔仏〕過去・現在・未来にわたってかわりなく存在する・こと（もの）。[対]無常。❷いつも住んでいること。[二]《副》〔文〕いつも。ふだん。「―災害に備える」**―ざが【―×坐×臥】**〔文〕すわったり寝たりの、日常のふるまい。ふだん。いつも。〔副詞的にも使う〕[参考]「行住坐臥」の「行住」との混用からできた語。

しょう・しゅつ【抄出】《名・他サ》ある書物から一部分をぬき出して書くこと。また、そのぬき書き。

しょう・じゅつ【詳述】《名・他サ》くわしくのべること。[類語]詳言。詳説。細説。[対]略述。

じょう・じゅつ【上述】《名・他サ》〔書かれた文章などの〕上または前にのべたこと。前述。「式は―の通りとり行う」[類語]上記。前記。

じょう・しゅび【上首尾】《名・形動》物事がうまくいって、よい結果になること。「―に終わる」[対]不首尾。

しょう・しゅん【×頌春】〔文〕新春をほめたたえること。賀春。[参考]年賀状などに書くあいさつのことば。

しょう・じゅん【照準】弾丸が目標に命中するように、銃砲のねらいを定めること。「―を定める」

じょう・じゅん【上旬】月の一日から一〇日までの一〇日間。初旬。上浣。[対]中旬・下旬。

＊**しょう・しょ【小暑】**〔文〕二十四節気の一つ。陰暦六月の節。太陽暦の七月七日ごろ。

＊**しょう・しょ【消暑・×銷暑】**〔文〕暑さをしのぐこと。消夏。[表記]「消暑」は代用字。

＊**しょう・しょ【証書】**ある事実を証明する文書。証文。証状。「卒業―」「借用―」

＊**しょう・しょ【詔書】**天皇のことばをしるした公文書で、一般に公示されるもの。勅諭。[類語]勅書。

＊**しょう・じょ【少女】**〔十代くらいまでの〕年わかい女。女の子。おとめ。[対]少年。

＊**しょう・じょ【昇叙・×陞叙】**《名・自他サ》〔文〕上級の官位に任命すること。また、任命されること。「―の栄」[表記]もと、多く「陞叙」と書いた。

＊**じょう・しょ【上書】**《名・自他サ》〔文〕意見をしためた書面を主君・役所・上官などに差し出すこと。また、その書面。[類語]上表。

＊**じょう・しょ【情緒】**→じょうちょ。

＊**じょう・しょ【浄書】**《名・他サ》〔下書きしたものなどを〕きれいに書きなおすこと。清書。

じょう・じょ【乗除】乗法と除法。かけ算と割り算。「加減―」[対]加減。

＊**しょう・しょう【小照】**❶〔文〕小さな肖像画・肖像写真。❷自分の肖像画をへりくだっていう語。

＊**しょう・しょう【少将】**❶昔、近衛府の次官。❷旧陸海軍で、軍人の階級の一つ。将官の最下位。中将の下で、大佐の上。[対]大将・中将。

＊**しょう・しょう【少少】**[一]《名》❶〔数・量などが〕すくないこと。「胡椒―」❷〔程度が〕たいしたことではないこと。普通。「―のことでは驚かない」[二]《副》❶すこしばかり。「点が―あまい」[対]多々。❷しばらく。「―お待ちください」

＊**しょう・しょう【×蕭×蕭】**《形動タルト》〔文〕❶ものさびしいようす。蕭条。「―とした枯れ野」❷風（雨）がものさびしく・吹く（降る）ようす。「―と吹き渡る風」

＊**しょう・じょう【商状・商情】**❶商業が行われている状況。商況。❷〔株式や商品市場の〕取引の状況。

＊**しょう・じょう【小乗】**自己の解脱を目的とする仏教の流派。上座部仏教。[参考]仏教の二大流派の一つで、「小乗」は小さな乗り物の意。人間全般を救おうとする大乗を奉ずるものがけなして言った語。[対]大乗。

＊**しょう・じょう【清浄】**《名・形動》❶〔文〕けがれがなく清らかなこと。清浄。「―無垢」[対]不浄。❷〔仏〕煩悩・私欲がなく清らかなこと。「六根―」

＊**しょう・じょう【×猩×猩】**❶〔文〕オランウータン。❷中国で、想像上の動物。顔の形は人に似て、毛は赤褐色で長く、酒を好むという。❸酒好きの人。また、大酒のみ。**―ひ【―×緋】**やや黒みをおびたあざやかな紅色。また、その色をした舶来の毛織物。

＊**しょう・じょう【症状】**病気やけがなどの状態。「―を呈する」「自覚―」[類語]病状。⇩〖類義語の使い分け「病状」〗

＊**しょう・じょう【賞状】**ある行い・業績などをほめたたえることばをしるして、それを行った人に与える書状。

＊**しょう・じょう【×霄壌】**〔文〕天と地。「―の差（＝天と地ほどの大きな差）」

＊**しょう・じょう【×蕭条】**《形動タルト》〔文〕〔風景などが〕ひっそりとしてものさびしいようす。蕭々。「秋色―たる山村」「―と雨が降る」[類語]蕭殺。蕭然。

＊**じょう・しょう【上昇】**《名・自サ》のぼること。あがること。「物価が―する」「―気流」[対]下降。低下。

＊**じょう・しょう【上声】**漢字の四声の一つ。しり上がりに高く発音するもの。じょうせい。

＊**じょう・しょう【×丞相】**〔文〕❶昔の中国で、天子をたすけて国政をとった大臣。❷昔の日本で、「大臣」の別称。＝丞相。

＊**じょう・しょう【城将】**〔文〕城を守る大将。

＊**じょう・しょう【常勝】**戦うたびに勝つこと。「―軍」

＊**じょう・じょう【上上】**《名・形動》この上もなくよいこと。最上。上乗。「―のできばえ」**―きち【―吉】**❶この上もなく縁起のよいこと。❷芸事の位づけで、で

きばえが最もすぐれていること。転じて、結果などがこの上もなくよいこと。「縁談もまとまってーだ」

＊**じょう-じょう【上乗】** ❶〔仏〕最もすぐれた教え。大乗。❷《名・形動》最もよいこと。最上。上々。

＊**じょう-じょう【上場】**《名・他サ》❶〔経〕〔株式・商品などを〕取引所における取引物件として登録すること。「ー会社」❷演劇などを演じること。上演。

＊**じょう-じょう【情状】**〔文〕参考にされるべき具体的な事情。 **ーしゃくりょう【ー酌量】**《名・自サ》〔法〕裁判官が判決に際して、犯罪の事情の同情すべき点をくみとって、刑罰を軽くすること。

＊**じょう-じょう【条条】**〔文〕一つ一つの箇条。箇条箇条。また、箇条書きされた一つ一つの事柄。

＊**じょう-じょう【×嫋×嫋・×裊×裊】**《形動タルト》〔文〕❶風がそよそよと吹くようす。「ーたる微風」❷なよなよとしたようす。「ーとした美少女」❸声・音などが細く長く続くようす。「ーたる鐘の音」「余韻ー」

しょうじょう-るてん【生生流転】〔仏〕万物がたえず生まれては変わっていくこと。せいせいるてん。

＊**しょう-しょく【小職】** ━《名》〔文〕地位の低い官職。━《代名》〔文〕職(特に官職)についている人が、自分をけんそんしていう語。

＊**しょう-しょく【小食・少食】** 食事の量が少ないこと。小食(こじょく)。

じょう-しょく【常食】《名・他サ》日常の食事として食べること。また、その食べ物。「日本人は米をーとする」類語 主食。

＊**しょう-じる【生じる】**《自他上一》↓生(しょう)ずる。

＊**しょう-じる【▽請じる・招じる】**《他上一》↓請(しょう)ずる。

じょう-じる【乗じる】《自他上一》↓乗(じょう)ずる。

＊**しょう-しん【傷心】**《名・自サ》心をいためること。悲しむこと。また、傷ついた心。「ーを抱く」類語 痛心。

＊**しょう-しん【小心】**《名・形動》気が小さくて、おく病なこと。「ー者(もの)」類語 小胆(しょうたん)。 **ーよくよく【ー翼翼】**《形動タルト》❶〔うやまいつつしんで〕こまかいところまでよく気をくばるようす。〔古風な言い方〕❷気が小さくて、びくびくしているようす。「ーと暮らす」

＊**しょう-しん【小身】** 身分が低くて俸禄(ほうろく)の少ないこと(人)。対 大身(たいしん)。

＊**しょう-しん【昇進・×陞進】**《名・自サ》〔官庁・会社などでの〕地位があがること。類語 昇級。

＊**しょう-しん【正真】** 偽りや見せかけでないこと。間違いないこと。 **ーしょうめい【ー正銘】** 間違いなく本物であること。〔正真を強めた言い方〕「ーの秋田犬(あきたいぬ)」

＊**しょう-しん【焼身】**〔文〕自分のからだを火で焼くこと。「ー自殺」

＊**しょう-しん【焦心】**《名・自サ》〔文〕思い悩んで心をいらだたせること。また、その心。類語 焦燥(しょうそう)。

＊**しょう-しん【衝心】**《名・自サ》脚気(かっけ)がひどくなって急激に心臓の障害をおこすこと。脚気衝心。

＊**しょう-じん【小人】** ❶子ども。小人(しょうにん)。「ーは半額」参考 ↓大人(だいにん)。❷こびと。「ー国」対 巨人。❸度量のせまい人。小人物。「女子とーは養いがたし」対 ①～③大人(たいじん)。 **ー閑居して不善をなす**《句》小人物はひまができるとつい悪いことをしがちである。〈大学〉

＊**しょう-じん【消尽】**《名・他サ》〔文〕使い切ること。消耗(しょうもう)しつくすこと。「精力をーする」

＊**しょう-じん【焼尽】**《名・自他サ》〔文〕焼きつくすこと。すっかり焼けてしまうこと。「家屋がーする」

＊**しょう-じん【精進】**《名・自サ》❶〔仏〕雑念を捨てて一心に仏道を修行すること。❷身をきよめ行いを慎むこと。類語 潔斎。斎戒。❸肉類を食べず野菜類だけを食べること。また、精進料理。❹ある事に心を打ちこんで努力すること。「学業にーする」 **ーあげ【ー揚(げ)】** 野菜を衣(ころも)をつけてあげたもの。野菜の天ぷら。 **ーおち【ー落ち】** 精進③の期間が終わって、ふつうの食事にかえること。精進明け。精進落とし。 **ーけっさい【ー潔斎】**《名・自サ》肉食をやめて身を清めること。 **ーもの【ー物】** 肉類を使わない食べ物。対 生臭(なまぐさ)物。 **ーりょうり【ー料理】** 肉類を使わず、野菜類だけを材料とする料理。斎(とき)。対 生臭(なまぐさ)料理。

じょう-しん【上申】《名・他サ》上役・上官などに意見や事情を申し述べること。「ー書」類語 進言。言上。

＊**じょう-じん【常人】**〔才能・考え方などが〕ふつうの人。じょうにん。「ーの及ばざる所」類語 凡人。凡俗。

＊**じょう-じん【情人】** 恋愛関係にある人。愛人。じょうにん。〔古風な言い方〕

しょう-じんぶつ【小人物】 気が小さく、こせこせした人。人格の劣った人。小人。対 大人物。

＊**じょう-ず【上図】** 上にかかげた図。対 下図。

＊**じょう-ず【〈上手〉】**《名・形動》❶ある物事をしたり、物を作ったりする技術がすぐれている・こと(人)。「ーにピアノをひく」「名人ー」類語 うまい。巧み。器用。達者。堪能。巧妙。絶妙。至妙。精妙。巧者。巧手。対 下手(へた)。❷相手が喜ぶようなことを言う・こと(人)。おせじ。「ーを言う」「おー者」 **ーの手から水が漏・る**《句》上手な人でも時には失敗することがあるたとえ。

＊**しょう-すい【将帥】**〔文〕軍隊を指揮・統率する将軍。

＊**しょう-すい【小水】** 小便。〔古風なことば〕「おー」

＊**しょう-すい【×憔×悴】**《名・自サ》〔心配・悲しみ・病気などで〕やつれおとろえること。「ーした顔」

しょう-ずい【祥×瑞】〔文〕めでたいことのおこる前ぶれ。めでたいきざし。吉兆。吉祥。瑞祥。

＊**じょう-すい【上水】** ❶飲料などとして使うため、上水道によってひかれた水。❷「上水道」の略。「神田ー」対 ①②下水。 **ーどう【ー道】** 飲料などに使う水を導いて給水する設備。上水。水道。対 下水道。

＊**じょう-すい【浄水】** ❶けがれのない、清らかな水。清水。❷手を洗う水。手水(ちょうず)。❸《名・自他サ》濾過(ろか)したり薬品を入れたりして水を清浄にすること。また、その水。対 汚水。 **ーち【ー池】** 水道設備で、濾過池から出てくるきれいな水をためておく池。

＊**しょう-すう【小数】** ❶ちいさい数。わずかな数。また、少数。❷〔数〕絶対値が一より小さい実数。対 整数。 **ーてん【ー点】**〔数〕〔小数②をもつ数を表す時に〕小数の部分と整数の部分とを区別するために、一の位のあとにうつ点。注意「少数点」は誤り。

＊**しょう-すう【少数】** 数が少ないこと。「ー意見」対 多数。

＊**じょう-すう【乗数】** かけ算で、かけるほうの数。対 被乗数。

＊**じょう-すう【常数】** ❶一定の数。❷〔理〕ある状態での物質の性質に関する特有な数値。❸〔数〕常にきまっ

ていて変わらない数。恒数(こうすう)。 定数(ていすう)。 参考 現在では「定数」を多く使う。対 変数。

*しょう-・する【称する】《他サ変》❶名のる。名づける。「小林と―・する男」 ❷いつわって言う。「腹痛と―・して休む」 ❸〔文〕ほめたたえる。「功績を―・する」

*しょう-・する【証する】《他サ変》〔文〕❶証明する。証拠(しょうこ)だてる。「無実を―・する」 ❷保証する。うけあう。「生命の安全を―・する」

*しょう-・する【×誦する】《他サ変》〔文〕〔詩文などを〕声を出してよむ。となえる。「李白の詩を―・する」

*しょう-・する【賞する】《他サ変》〔文〕❶ほめる。たたえる。「勇気ある退却を―・する」 対 罰する。 ❷〔おもむきなどを〕愛し楽しむ。めでる。「秋の月を―・する」

*しょう-・する【×頌する】《他サ変》〔文〕てがらや徳などを〔文章につづって〕ほめたたえる。

*しょう-・ずる【生ずる】《自他サ変》❶はえる。はやす。「かびが―・ずる」 ❷おこる。おこす。発生する。発生させる。「不測の事態が―・ずる」 ❸〔自然に〕できる。「首にでき物が―・ずる」＝生じる。

*しょう-・ずる【▽請ずる・招ずる】《他サ変》〔人を〕まねく。招待する。案内して通す。〔古風な言い方〕「客間に―・ずる」＝請じる。

じょう-・ずる【乗ずる】■一《自サ変》❶のる。〔古風な言い方〕「馬に―・ずる」 ❷都合よく利用する。つけこむ。つけいる。「相手のすきに―・ずる」 ❸夢中になる。「興に―・ずる」 ■二《他サ変》〔数〕数をかけあわせる。「三に五を―・ずる」 対 除する。 ＝乗じる。

*しょう-せい【勝勢】〔文〕勝ちそうな形勢。また、勝った勢い。「―に乗じて一気に攻め落とす」 対 敗勢。

*しょう-せい【将星】〔文〕❶昔、中国で、大将にみたてた星。 ❷将軍。

―隕(お)つ《句》大将が陣中で死ぬ。〈蜀志・諸葛亮伝〉 転じて、英雄や偉人が死ぬ。類語 巨星墜(お)つ。

*しょう-せい【小成】〔文〕少しばかりの成功。「―に安んずる(＝少しばかりの成功に満足する)」

*しょう-せい【招請】《名・他サ》たのんで来てもらうこと。「講師として―する」 類語 招聘(しょうへい)。

*しょう-せい【焼成】《名・他サ》原料に高熱を加えてあるものをつくり出すこと。

*しょう-せい【照星】銃口の先端にある三角形の小さな突起。照尺(しょうしゃく)と併用してねらいを定める。

*しょう-せい【笑声】〔文〕わらい声。類語 歓声。

*しょう-せい【鐘声】〔文〕かねの鳴る音。かねのね。

*しょう-せい【小生】《代名》〔文〕〔手紙文などで〕男性が自分をけんそんしていうことば。類語 愚生。

*じょう-せい【上世】大昔。上代。上古。

*じょう-せい【上声】↓じょうしょう(上声)。

*じょう-せい【上製】上等につくること。また、上等につくったもの。「―本」 類語 特(別)製。対 並製。

*じょう-せい【情勢・状勢】物事が変化し進んでゆくありさま。「―を判断する」 類語 状況。形勢。⇩〖類義語の使い分け「状況」〗

*じょう-せい【醸成】《名・他サ》❶〔酒・しょうゆなどを〕かもしつくること。類語 醸造。 ❷ある雰囲気・気分・状態などをつくりだすこと。「質実の気風を―する」

*しょう-せき【硝石】天然に産する硝酸カリウムの鉱物名。参考 チリ硝石が有名。

*しょう-せき【証跡】〔文〕証拠(しょうこ)となるあとかた。

*じょう-せき【上席】❶正客や地位の高い人がすわる上位の席。類語 上座(じょうざ)・上座(かみざ)。対 末席。 ❷階級・席次が上であること。類語「―の判事」

*じょう-せき【定席】❶いつもすわる席。きまった座席。 ❷常設の寄席(よせ)。

*じょう-せき【定石】❶囲碁で、ある局面で攻守ともに最もよいとされる、きまった形のうち方。 ❷ある物事をするときの、きまった仕方。「―通りの行動」

*じょう-せき【定跡】将棋で、ある局面において、攻守ともに最もよいとされている、きまった形のさし方。

*しょう-せつ【小節】❶小さいふし。 ❷文章の短いひとくぎり。 ❸ちょっとした節操・義理。「―にこだわる」 ❹楽譜で、縦線と縦線でくぎられた間の部分。

*しょう-せつ【小説】近代文学の一形式。作者のつくりだした人物・筋(すじ)を通して、人生の真実をえがき出そうとする散文体の文学。ノベル。ロマン。参考「一編(篇)(いっぺん)…」と数える。

*しょう-せつ【小雪】二十四節気の一つ。陰暦一〇月の中(ちゅう)。太陽暦で一一月二三日ごろにあたる。

*しょう-せつ【章節】〔論文など〕長い文章をいくつかに区切ったものの一つのまとまり。章と節。

*しょう-せつ【詳説】《名・他サ》くわしく説明すること。また、くわしい説明。類語 詳述。詳論。対 略説。

じょう-せつ【常設】《名・他サ》〔ある施設・機関などを〕常に設けてあること。常置。類語 常備。 ―かん【―館】演芸・映画などを常に継続して興行・上映するために設けられた建物。

じょう-ぜつ【×饒舌】《名・形動》よくしゃべること。口数が多いこと。おしゃべり。「―を弄(ろう)する」 類語 多弁。多言。表記「冗舌」で代用することもある。

しょう-せっかい【消石灰】生石灰に水を作用させて得られる白色の粉末。さらし粉・しっくいなどの材料や肥料・消毒剤などに使う。水酸化カルシウム。

しょう-せっこう【焼石×膏】石膏を熱した、白色の粉末。水を加えると固まる。白墨・壁の原料、また、彫刻の材料。焼き石膏。

*しょう-せん【商戦】商売上の競争。「―たけなわ」

*しょう-せん【商船】商業目的で客や貨物を運ぶ船。

*しょう-せん【省線】もと、鉄道省の経営していた鉄道・電車線の通称。「―電車」

*しょう-ぜん【小善】〔文〕小さな善行。ちょっとしたよい行い。「―を積む」

*しょう-ぜん【承前】〔文〕前文を受けつぐこと。参考 文章の始めに書いて、前文の続きであることを表す語。

*しょう-ぜん【×悄然】《形動タルト》〔文〕しおれて元気のないようす。しょんぼり。「孤影―」

*しょう-ぜん【×悚然・×竦然】《形動タルト》〔文〕恐れてぞっとするようす。「―として目をおおう」

*しょう-ぜん【×蕭然】《形動タルト》〔文〕〔風景などが〕ひっそりとしてものさびしいようす。「―たる冬の原野」 類語 蕭条(しょうじょう)。

じょう-せん【乗船】❶《名・自サ》船に乗りこむこと。上船。対 下船。 ❷乗っている船。

しょう-せんきょく【小選挙区】狭い範囲に分け、議員の定員を一名とする選挙区。対 大選挙区。

しょう-そ【勝訴】《名・自サ》訴訟で勝つこと。対 敗訴。

じょう-そ【上訴】《名・自他サ》❶上位の者に訴えること。 ❷〔法〕未確定の裁判に対して、上級の裁判所に裁判のやりなおしをもとめること。また、その手続き。控訴・上告・抗告の三種がある。

*しょう-そう【少壮】《名・形動》年が若くて意気盛んなこと(人)。「—の研究者」「—気鋭」

*しょう-そう【尚早】《名・形動》〔文〕時期がまだ早すぎること。まだその時期になっていないこと。「時期—」

*しょう-そう【焦燥・焦×躁】《名・自サ》あせっていらいらすること。いらだつこと。「—に駆られる」表記「焦燥」は代用字。類語 焦心。

しょう-ぞう【肖像】ある人の顔やすがたを絵・写真・彫刻などにうつした像。「—画」尊敬 御影(みかげ・みえい)。御真影(ごしんえい)。尊体(そんたい)。

*じょう-そう【上奏】《名・他サ》〔文〕天皇に意見・報告などを申しあげること。奏上。「—文」類語 上聞。

*じょう-そう【上層】❶〔積み重なってできているものの〕上の方の部分。上部の層。「地殻の—」❷上の階級(の人々)。「—部」類語 上流。対 ①②下層。

*じょう-そう【情操】人間の高等で複雑な感情。「—教育」

じょう-ぞう【醸造】《名・他サ》微生物の発酵(はっこう)作用を利用して、酒・酢・アルコール・みそ・しょうゆなどをつくること。「—酒」類語 醸成。

しょう-そく【消息】❶たより。音信。連絡。「—を絶つ」❷ある人・物事のようす。事情。「会社の—に詳しい」 —すじ【—筋】(ぢす) ある事の実情・なりゆきなどをよく知っている方面(の人)。「政界の—」 —つう【—通】ある事の実情・なりゆきなどをよく知っている人。

しょう-ぞく【装束】〔ある事をするため〕よそおうこと。また、そのための着物。「旅の—に身をつつむ」

じょう-ぞく【上×簇】《名・自サ》まゆを作らせるため、成熟したカイコを簇(まぶし)の上にのぼらせること。

しょう-そつ【将卒】〔文〕将校と兵卒。将兵。

*しょう-たい【小隊】❶小人数の隊。❷軍隊の、部隊の編制単位の一つ。「一個—」対 大隊・中隊。

*しょう-たい【招待】《名・他サ》〔客として〕まねきもてなすこと。招待(しょうだい)。「落成式に—される」

*しょう-たい【正体】❶そのものの本当の姿・身分。「—をあばく」類語 本性。❷正常な心持ち・意識。正気。「—なく眠りこける」

しょう-だい【昭代】〔文〕よく治まっている御世(みよ)。太平の御世。

*じょう-たい【上体】体の腰から上の部分。上半身。

*じょう-たい【上×腿】〔文〕脚のひざから上の部分。対 下腿。

*じょう-たい【常体】口語で、文末を「だ」「である」で終える文体。書きことばに多い。対 敬体。

*じょう-たい【常態】普通の状態。「—に復する」

*じょう-たい【状態・情態】〔ある時における〕人や物事のありさま。「仮死の—」「生活—」類語 状況。

*じょう-だい【上代】❶大昔。太古。❷日本史の時代区分の一つ。大和(やまと)・奈良時代。または、奈良・平安時代。上古。上世。

*じょう-だい【城代】❶城主が出陣したあとなどに、城主に代わって城をあずかり守る役め(人)。❷江戸時代、大坂城・駿府(すんぷ)城などにおかれた、将軍に代わって城をあずかる重職。❸「城代家老」の略。江戸時代、大名の留守中、その城を守り政務をとる職。

*しょう-たく【小宅】〔文〕小さな家。参考 自宅を謙遜(けんそん)していうときにも使う。類語 小屋(しょうおく)。

*しょう-たく【×妾宅】めかけを住まわせている家。

*しょう-たく【沼沢】〔文〕沼と沢。「—地」

*しょう-だく【承諾】《名・他サ》〔他人のたのみごと・要求などを〕引き受けること。ききいれること。「事後—」「先方の—を得る」類語 承知。受諾。承認。

じょう-たつ【上達】《名・自サ》❶学術・技芸などが進んで、うまくなること。「そろばんが—する」類語 熟達。❷〔文〕下の者の意志が上の者に通じること。「下意—」対 下達。

じょう-だま【上玉】❶上等の宝石や品物。類語 逸物(いちもつ)。上物(じょうもの)。❷〔俗〕美人。

*しょう-たん【小胆】《名・形動》〔文〕度量がせまいこと。また、気が小さくて臆病なこと。小心。対 大胆。

*しょう-たん【賞嘆・賞×歎・称嘆・称×歎】《名・他サ》〔文〕感心してほめること。ほめそやすこと。

*しょう-だん【商談】商売・取引上の相談。

*しょう-だん【昇段】《名・自サ》剣道・柔道・碁・将棋などで、段位があがること。「五段に—する」

じょう-たん【上端】物の上のはし。対 下端。

*じょう-だん【上段】❶上の段。「寝台車の—」対 下段。❷身分などの上位の人がつく座席。上座。上席。❸へやの中で床(ゆか)を一段高くしてあるところ。❹剣道の構えの一つ。刀を頭上に高くふりかざして敵にむかう姿勢。「—の構え」対 下段・中段。

*じょう-だん【冗談】❶ふざけて言う話・ことば。「—半分」❷ふざけてすること。たわむれにすること。「—にも程がある」 —ぐち【—口】ふざけた、こっけいなことば・話。「—をたたく」 —から駒(こま)が出る《句》ふざけて言ったことが、本当になる。参考「ひょうたんから駒が出る」のもじり。 —じゃない《句》相手がふざけすぎたり出すぎたりしたときにたしなめることば。また、相手の言ったことが自分の意に反するときに言うことば。とんでもない。

*じょう-だん【常談】〔文〕日常の談話。また、日常ありきたりの話。

*しょう-ち【召致】《名・他サ》〔文〕〔目下の人を〕命令してよびよせること。「部下を—する」

*しょう-ち【承知】《名・他サ》❶〔相手の依頼・要求・命令などを〕聞いて引き受けること。納得すること。「その条件では—できない」類語 承諾。謙譲 拝承。❷〔事情などを〕知っていること。「委細は—している」類語 存知。❸〈—しない〉許さない。勘弁しない。「だましたら—しないぞ」 —の-すけ【—の助】〔俗〕承知したことを人名になぞらえていうことば。「合点—だ」

*しょう-ち【招致】《名・他サ》〔文〕自分の所で何かをしてもらうために、まねくこと。まねいて来てもらうこと。「オリンピックを—する」「参考人—」類語 招聘(しょうへい)。

*じょう-ち【上知・上×智】〔文〕知恵がすぐれていること(人)。対 下愚(かぐ)。

*じょう-ち【常置】《名・他サ》〔文〕いつでも利用できるようにもうけておくこと。常設。「委員会を—する」

*じょう-ち【情痴】〔文〕理性を失うほど色情にまようこと。痴情。「—の限りをつくす」

*じょう-ち【情致】〔文〕物事に感じておこる心の動き。おもむき。類語 風情(ふぜい)。情趣。

しょう-ちく-ばい【松竹梅】松と竹と梅(うめ)。参考 めでたいものとして祝い事のかざりなどに使う。

*しょう-ちゅう【掌中】〔文〕❶てのひらの中。手中。

し

❷〔物事が〕自分の思いどおりになる範囲。「全権を—におさめる」 —の・たま【—の▽珠】《連語》最も大事にしているもの。特に、最愛の子。

＊しょう・ちゅう【焼×酎】米・麦・サツマイモなどを原料とした蒸留酒。アルコール分が強い。

＊じょう・ちゅう【常駐】《名・自サ》〔きまった場所に〕いつも駐在していること。「ロンドン—の特派員」

＊じょう・ちゅう【条虫・×絛虫】《「じょう(絛)」は「とう」の慣用読み》さなだむし。表記もと、もっぱら「絛虫」と書いた。

しょう・ちょ【小著】❶ページ数の少ない著作。対大著。❷自分の著作をけんそんしていう語。

じょう・ちょ【情緒】《「じょうしょ」の慣用読み》❶ある事柄・場所にふれて起こるさまざまな感情。また、その感情を起こさせる独特な雰囲気。「湯の町の—」「—豊かな城下町」❷喜び・悲しみ・怒り・恐れなど、一時的に急激に起こる感情。情動。「—不安定」

＊しょう・ちょう【小腸】腸の一部。胃と大腸の間にあって、長さは六〜七メートル。食物を消化し、栄養を吸収する。十二指腸・空腸・回腸にわかれる。

＊しょう・ちょう【消長】《名・自サ》〔物事の勢いが〕おとろえることと、盛んになること。「総選挙に党の—をかける」類語盛衰。栄枯。隆替(りゅうたい)。

＊しょう・ちょう【象徴】《名・他サ》目に見えない物事を、形のある別のもので端的に表すこと。また、その表されたもの。「ハト」が平和を表す類。表徴。表象。シンボル。 —し【—詩】自己の思想・生命感・情調などを音楽的・暗示的な表現によって表そうとする詩。象徴主義の詩。 —しゅぎ【—主義】芸術上の表現として象徴を重視する立場。一九世紀後半から二〇世紀初頭にかけて、フランスにおこった。サンボリスム。シンボリズム。 —てき【—的】《形動》ある抽象的な物事を・まざまざと表す〔連想させる〕ようす。シンボリック。「現代の社会を—に示す事件」

＊じょう・ちょう【上長】❶年上の人。年長者。❷目上の人。長上。

＊じょう・ちょう【情調】❶おもむき。気持ち。気分。類語情緒。❷感覚にともなって起こるいろいろな感情。

＊じょう・ちょう【冗長】《形動》むだが多く、ながたらしいようす。くどくどと長いようす。「—な演説」

しょう・ちょく【詔勅】天皇が公に意思表示する文書。詔書と勅書と勅語。みことのり。「—がくだる」

しょう・ちん【消沈・×銷沈】《名・自サ》❶〔文〕きえてなくなること。❷気力がおとろえしずむこと。ふさぎこむこと。「意気—」表記「消沈」は代用字。

しょう・つき【祥月】ある人の一周忌(いっしゅうき)以後の、その死んだ当月。 —めいにち【—命日】ある人の死んだ月日に当たる毎年の同じ月日。忌辰(きしん)。

＊じょう・づめ【定詰(め)】《名・自サ》ある場所につめっきりで勤めること(人)。

＊じょう・づめ【常詰(め)】《名・自サ》〔勤務の場所に〕いつもつめて、勤めること(人)。

しょう・てい【小弟・少弟】■一《名》〔文〕❶おさない弟。❷自分の弟をへりくだっていう語。対大兄(たいけい)。■二《代名》〔文〕〔年長者に対して〕自分をへりくだっていう語。対大兄(たいけい)。

＊じょう・てい【上帝】〔文〕天の神。天上にあって万物を支配する神。天帝。また、造物主。

＊じょう・てい【上程】《名・他サ》議案を会議にかけること。付議。「補正予算案を—する」類語上議。

しょう・てき【小敵】❶少人数の敵。「—たりともあなどらず」表記「少敵」とも書く。対衆敵。❷弱い敵。対①②大敵。

じょう・でき【上出来】《形動》できぐあいがすぐれているようす。「今年の米は—だ」類語上作。対不出来。

じょうて・もの【上手物】精巧に作られた、高価な工芸品。対下手物(げてもの)。

＊しょう・てん【商店】商品を売るみせ。類語商家。

＊しょう・てん【小店】〔文〕❶小さな店。❷自分の店をへりくだっていう語。

＊しょう・てん【小×篆】漢字の書体の一つ。大篆(だいてん)を簡単にしたもの。印鑑などに使われる。

＊しょう・てん【昇天】《名・自サ》❶天に高くのぼること。「旭日(きょくじつ)—の勢い(=勢いがよいこと)」❷キリスト教で、信徒が死ぬこと。〔一般の人の死に対しても言う〕

＊しょう・てん【焦点】❶〔数〕楕円(だえん)・双曲線・放物線をつくる基本になる点。❷〔理〕鏡またはレンズで、平行な入射光線が反射または屈折して集まる点。❸人々の注意や関心が集まるところ。中心点。目標。「話の—」 —きょり【—距離】レンズまたは球面鏡の中心から焦点までの距離。

＊しょう・てん【声点】漢字の四すみにつけて、その漢字の清濁・四声を表した点。

＊しょう・てん【衝天】〔文〕〔天をつく意から〕勢いがさかんなこと。「意気—」

＊しょう・でん【招電】〔文〕人をまねく電報。

＊しょう・でん【昇殿】《名・自サ》❶神社の奥の神殿などにのぼること。❷〔歴〕平安時代以後、宮中の清涼殿の殿上の間にのぼること。

＊しょう・でん【詳伝】くわしい伝記。対略伝。小伝。

じょう・てん【上天】〔文〕❶天。そら。対下土(どか)。❷天の神。天帝。上帝。❸《名・自サ》キリスト教で、死んで魂が天にのぼること。昇天(しょうてん)。

じょう・でん【上田】地味(ちみ)が肥えて作物がよく実る田。対下田(げでん)。

じょう・てんき【上天気】よく晴れたいい天気。

しょう・てんち【小天地】せまい世界。小さい社会。参考広い宇宙に対する人間界をさす。

＊しょう・ど【焦土】❶焼けて黒くなった土。❷多くの建物が焼けてあとかたもなくなった土地。「—と化す」

＊しょう・ど【照度】一定の面積が一定の時間に受ける光の量の度合い。単位はルクス。

じょう・と【譲渡】《名・他サ》〔財産・地位・権利などを〕ゆずりわたすこと。「土地を—する」類語譲与(じょうよ)。

＊じょう・ど【壌土】〔農〕適度の砂と粘土(ねんど)をふくむ、さらさらした黒色の土。作物の栽培に適している。

＊じょう・ど【浄土】❶仏・菩薩(ぼさつ)のいる、悩み・苦しみのない清らかな世界。特に、阿弥陀(あみだ)仏のいる西方(さいほう)浄土。極楽浄土。対穢土(えど)。❷「浄土宗」の略。 —しゅう【—宗】仏教の一宗派。浄土三部経をよりどころとし、阿弥陀仏の本願を信じ、その名号を唱えることで浄土に往生すると説く。法然(ほうねん)を開祖とする。 —しんしゅう【—真宗】→真宗。

＊しょう・とう【小党】構成する人数の少ない政党・党派。勢力の弱い政党・党派。「—乱立」

＊しょう・とう【小刀】❶脇差(わきざし)。類語短刀。対大刀。❷こがたな。

し

*しょう‐とう【松×濤】〔文〕松風の音を波音にたとえた語。類語 松籟(しょうらい)。

*しょう‐とう【×檣頭】〔文〕ほばしらの先。

*しょう‐とう【消灯】《名・自サ》〔電灯などの〕あかりを消すこと。「十時に—する」「—時間」対 点灯。

*しょう‐どう【商道】〔文〕商売をする上での道徳。

*しょう‐どう【唱導】《名・他サ》❶〔文〕〔ある思想などを〕先に立ってとなえ、人をみちびくこと。「改革を—する」類語 唱道。❷仏教の教えを説いて仏道に引き入れること。「—師」

*しょう‐どう【唱道】《名・他サ》〔文〕〔ある思想などを〕人より先に立ってとなえること。類語 唱導。

*しょう‐どう【×聳動】《名・自他サ》〔文〕おそれ驚いて動くこと。また、驚かして動揺させること。

*しょう‐どう【衝動】❶心をはげしく動かすこと。急激な心の動揺。類語 衝撃。❷善悪などの判断を伴わないで反射的・本能的に物事を行おうとする急激な心の動き。「—にかられる」「—買い」

*じょう‐とう【上棟】〔文〕むねあげ。「—式」

*じょう‐とう【上等】❶等級が上であること(もの)。類語 高級。特級。極上。最上。ハイクラス。対 中等・下等。❷《名・形動》物事がすぐれていること。「—のできばえ」—へい【—兵】旧陸軍の階級の一つ。一等兵の上、兵長の下。

*じょう‐とう【常×套】きまりきったやりかた。ありふれていること。ありきたり。「—手段」類語 慣用。常用。

*じょう‐どう【常道】❶〔文〕常に人が守り行うべき道徳。❷きまっていて変わらないやり方。「政治の—」

*じょう‐どう【情動】情緒(じょうちょ)②。

*じょう‐どう【成道】《名・自サ》《成仏得道の意》さとりを開くこと。得道(とくどう)。

*しょう‐とく【生得】〔文〕〔ある性質を〕うまれつき持っていること。生得(せいとく)。〔副詞的にも使う〕「—の癇癪(かんしゃく)持ち」「—お人よしだ」類語 生来(せいらい)。天性。

*しょう‐とく【×頌徳】〔文〕ある人の徳をほめたたえること。「—の碑(ひ)」

しょう‐どく【消毒】《名・他サ》病原菌を薬品・熱・光などで殺すこと。「—薬」「日光—」類語 滅菌。殺菌。

*じょう‐とくい【上得意】商品をたくさん買ってくれるよい客。たくさんもうけさせてくれる客。

*じょう‐とくい【常得意】→顧客(こきゃく)。

しょう‐とつ【衝突】《名・自サ》❶ぶつかること。つきあたること。類語 追突。激突。❷〔立場の対立したものがぶつかりあい〕互いに争うこと。「意見の—」

しょう‐とりひき【商取引】商業上の売ったり買ったりする行為。

しょう‐どん【焼鈍】→やきなまし。

*じょう‐ない【城内】城の中。城中。また、城壁で囲まれた区域の内。対 城外。

*じょう‐ない【場内】ある場所・会場の内。対 場外。

しょう‐なごん【少納言】太政官(だじょうかん)におかれ、小事を奏したり官印などの管理をした三等官。

しょう‐なん【小難】ちょっとした災難。対 大難。

しょう‐に【小児】(おさない)子供。—か【—科】小児の病気を専門に扱う医学の一分科。—びょう【—病】❶乳幼児・学童に特有の病気。はしか・百日ぜきなど。❷幼稚で極端な行動・思想。「—的」—まひ【—麻×痺】小児に多い、神経中枢をおかされて病後に手足のまひを起こす病気の通称。脳性と脊髄(せきずい)性とがある。脊髄性は急性灰白髄炎・流行性小児麻痺・ポリオなどといわれ、二類感染症の一つ。

しょうにゅう‐せき【×鍾乳石】鍾乳洞(しょうにゅうどう)の天井からつらら状にたれさがった、石灰質の結晶。

しょうにゅう‐どう【×鍾乳洞】石灰岩でできている土地が、雨水や地下水の溶解作用を受けてできたほら穴。石灰洞(せっかいどう)。参考 内部は、上から鍾乳石がたれ下がり、下には石筍(せきじゅん)が立ち並ぶ。

*しょう‐にん【上人】❶知徳のすぐれた僧。❷「法橋上人位(ほっきょうしょうにんい)」の略。僧の位の一つ。法眼(ほうげん)の次に位し、律師に相当するもの。❸僧侶(そうりょ)の敬称。

*しょう‐にん【商人】物の売買を職業とする人。あきんど。

*しょう‐にん【小人】〔文〕〔中人(ちゅうにん)・大人(だいにん)に対して〕乳児から小学校に入る前ぐらいまでの子供。〔風呂(ふろ)屋・鉄道などの料金の区分に多く使う〕注意「しょうじん」と読むと異なる意味が加わる。

*しょう‐にん【承認】《名・他サ》❶正当であるとみとめること。❷同意してみとめゆるすこと。「条例の改正を—する」類語 承諾。了承。❸〔法〕国家・政府などについて、その国際法上の地位・資格などを認めること。

*しょう‐にん【昇任・×陞任】《名・自他サ》〔職業上の〕地位・役などが上にあがること。類語 昇格。

*しょう‐にん【▽聖人】❶知徳にすぐれ、慈悲の心の深い人。❷徳の高い僧侶(そうりょ)。また、その尊称。

*しょう‐にん【証人】❶ある事実を証明する人。❷ある人の身元などを保証する人。保証人。❸〔法〕裁判所から、過去に経験した事実の報告を求められる人。

*じょう‐にん【常人】→じょうじん(常人)。

*じょう‐にん【常任】《名・自サ》いつもその任務についていること。「—の委員」「—指揮者」

*じょう‐にん【情人】→じょうじん(情人)。

しょう‐ね【性根】心の奥底にもっている根本的な心がまえ。こころね。「—をすえる」類語 たましい。根性。

しょう‐ねつ【焦熱】❶〔文〕焼けこげるような暑さ。類語 炎熱。灼熱(しゃくねつ)。苦熱。❷「焦熱地獄」の略。—じごく【—地獄】〔仏〕八大地獄の一つ。殺生(せっしょう)・偸盗(ちゅうとう)・邪淫(じゃいん)・飲酒(おんじゅ)・妄語(もうご)の罪を犯した亡者(もうじゃ)が、猛火の中で責め苦しめられるという所。

じょう‐ねつ【情熱】〔あることをなしとげようとして〕はげしく燃えあがる感情。熱情。「—家」「—をもやす」

*しょう‐ねん【少年】❶七、八歳から一七、八歳ごろまでの、おとなになりきらない人。❷特に、十代の男子。対 少女。参考 少年法では二〇歳未満の者。—いん【—院】家庭裁判所から保護処分を受けた少年を収容し、矯正(きょうせい)教育を行う国の施設。—老い易(やす)く学成り難し《句》年が若いと思っていても、年月のたつのは早くてすぐ老人になってしまい、それに反して学問は容易に究め得ないから、時間を惜しんで勉強すべきである。〈朱子・偶成詩〉

*しょう‐ねん【正念】❶〔仏〕仏の教えを常に心にとどめ忘れないこと。❷〔仏〕心を乱さず一心に念仏をすること。❸正気。本気。—ば【—場】❶歌舞伎(かぶき)・浄瑠璃(じょうるり)で、主人公がその役柄の根本的な性格を発揮する最も重要な場面。性根場(しょうねば)。❷その人の真価を発揮すべき大事な場面。物事の成否をきめるような重要な局面。「—を迎える」

*しょう‐ねん【生年】〔文〕生まれてからの年月。年

し

齢。注意「せいねん」と読むと異なる意味が加わる。

***じょう‐ねん**【情念】さまざまな感情(にともなって起こる、おさえがたい思い)。「—がわく」「—を払う」

***しょう‐のう**【小脳】脳髄の一部。大脳の後下方にある。からだの各部の運動と平衡をつかさどる。

***しょう‐のう**【小農】〔家族だけでする〕規模の小さい農業。また、その農民。小百姓。対中農・大農。

***しょう‐のう**【×樟脳】クスノキからとる無色半透明の結晶。独特のにおいがある。防虫剤・医薬などに使う。

***しょう‐のう**【笑納】《名・他サ》〔文〕〈多く「御—ください」の形で〉贈り物をするとき、つまらない物だから笑って納めてくださいという気持ちで用いることば。

じょう‐のう【上納】《名・他サ》政府・官庁へ物品を納めること。「—金」対下付。

しょう‐の‐つき【小の月】陽暦で三一日未満の月、また陰暦で三〇日未満の月。対大の月。

***しょう‐は**【小破】《名・自他サ》少し破損すること。〔おもに乗り物・機械類に使う〕対大破。

***しょう‐は**【照破】《名・他サ》仏が、無知の闇につつまれている人の心を知恵の光明で照らすこと。

***しょう‐は**【×翔破】《名・自サ》〔文〕鳥・航空機などが、長い距離をみごとに飛びきること。

じょう‐は【条×播】〔文〕平行した浅いみぞを畑地につくり、これにたねをまくこと。すじまき。

じょう‐ば【乗馬】❶《名・自サ》馬に乗ること。❷乗るための馬。

***しょう‐はい**【勝敗】勝ちと負け。類語勝負。

> **類義語の使い分け　勝敗・勝負**
> 〔勝敗・勝負〕勝敗(勝負)は時の運である
> 〔勝敗〕大関の今場所の勝敗は一一勝四敗だった／この試合の勝敗によってチームは勝率第一位になる
> 〔勝負〕簡単に勝負がつく／相手が弱くて勝負にならない／勝負に出る／勝負師／勝負事／真剣勝負

***しょう‐はい**【賞杯・賞×盃】ほうびとして与えるさかずき。カップ。トロフィー。

***しょう‐はい**【賞×牌】ほうびとして与える記章。メダル。類語褒章。

しょう‐ばい【商売】❶《名・自サ》利益を得るために品物を仕入れて売ること。あきない。「—繁盛」類語商業。❷〔俗〕生活をしていくための仕事。職業。「—替え」❸芸者や遊女などの職業。「—女」—**がら**【—柄】❶商売の種類・性質。❷その商売で養われた独特の習性。〔多く副詞的に用いる〕「—、他人の服装が気になる」—**ぎ**【—気】❶〔どんなことでも抜けめなく商売に利用して〕金もうけをしようとする性質・気持ち。「—丸出し」❷その職業の人に特有な心の働き。職業意識。「つい—が出る」=商売っ気。—**にん**【—人】❶商業に従事する人。商人。❷〔生活のために〕そのことを専門にしている人。くろうと。❸芸者・遊女など水商売の女。商売女。くろうと。

しょう‐はく【松×柏】〔文〕❶〔松と児手柏の意から〕ときわぎ。常緑樹。参考松・児手柏は常緑樹。❷操を守って変えないことのたとえ。「—の操」

***じょう‐はく**【上白】❶上等の白米。❷上等の白砂糖。

***じょう‐はく**【上×膊】〔文〕腕のひじから上の部分。二の腕。上腕。対下膊。

じょう‐ばこ【状箱】手紙を入れておく箱。また、手紙を入れて、使いに持たせる小箱。文箱。

しょう‐ばつ【賞罰】賞と罰。「—無し」

じょう‐はつ【蒸発】《名・自サ》❶〔理〕液体がその表面から気化すること。❷〔俗〕人・物が、消えたように・いなくなる(なくなる)こと。「妻が—する」

じょう‐はり【浄×玻×璃】❶〔すきとおった水晶の意から〕くもりのない透明なガラス。❷〔仏〕浄玻璃の鏡。—**の‐かがみ**【—の鏡】❶〔仏〕地獄のえんまの庁にあって、死者の生前の善悪の行為を映し出すという鏡。❷悪事をするどく見ぬく眼識。

しょう‐ばん【相伴】《名・自サ》❶連れて歩くこと。また、その連れ。❷客の相手などをして、いっしょにもてなしを受けること(人)。「ご—にあずかる」類語伴食。陪食。

じょう‐ばん【上番】役人が当直などの勤務につくこと。対下番。

じょう‐はんしん【上半身】からだの腰から上の部分。対下半身。

しょう‐ひ【消費】《名・他サ》❶金や物、また時間や力などを、使ってなくすこと。「体力を—する」類語消耗。❷〔経〕欲望をみたすために財貨を使いなくすこと。対①②生産。—**ざい**【—財】〔経〕個人の欲望をみたすのに、直接役だつもの。参考食物などの一時的消費財と住宅・乗用車などの耐久消費財とがある。対生産財。—**しゃ**【—者】生産された物を使ったり食べたりする側の人。対生産者。—**ぜい**【—税】国税の一つ。すべての商品やサービスの消費に対して課せられる間接税。一般消費税。参考納税義務者は、生産や流通を含むすべての取引の各事業者。

***しょう‐び**【焦×眉】〔文〕〔眉をこがすほどに火が近づいている意で〕危難・災いが身に迫ること。「—の急(=目の前にさし迫った危難)」類語危急。緊急。

***しょう‐び**【×薔×薇】〔文〕ばら。そうび。

***しょう‐び**【賞美・称美】《名・他サ》〔文〕ほめたたえること。すばらしいものとして、それをあじわい楽しむこと。「紅葉を—する」類語賞賛。

じょう‐ひ【冗費】むだな費用。むだづかい。「—を省く」類語浪費。徒費。

じょう‐び【常備】《名・他サ》〔すぐ使えるように〕いつも準備しておくこと。「—薬」類語常設。常置。

しょう‐ひつ【省筆】《名・自他サ》〔文〕❶文章中のむだな語句を省略すること。❷文字の字画を省略して書くこと。=省筆。

***しょう‐ひょう**【商標】営業者や生産者が自分の商品や製品であることを表すために、その品物につける文字・図形・記号などの標識。トレードマーク。「登録—」

***しょう‐ひょう**【証×憑】〔文〕事実を証明するよりどころ。証拠。「—書類」

***しょう‐ひょう**【証票】証明のためのふだ。

しょう‐びょう【傷病】負傷と病気。「—兵」

じょう‐ひょう【上表】〔文〕《名・他サ》君主に意見書を差しだすこと。また、その文書。類語上書。

***しょう‐ひん**【商品】売るために作られた品物。—**けん**【—券】デパートなどが発行する、記載した金額と同額の品物と引き換えることができる証券。

***しょう‐ひん**【小品】絵画・彫刻・音楽・文学作品などのちょっとした作品。

＊しょう-ひん【賞品】〔競技・コンクールなどで成績のよかった者に〕ほうびとして与える品物。

じょう-ひん【上品】《形動》品のよいようす。「―にふるまう」類語優雅。都雅。典雅。高尚な高雅。優美。対下品。

＊しょう-ふ【×娼婦】金銭で操を売る女。売春婦。

＊しょう-ふ【正×麩】小麦粉から麩を作るときにできるでんぷん。煮て糊にする。

＊しょう-ふ【生×麩】小麦粉からでんぷんを除いただけで、まだ焼いたり乾かしたりしていない麩。なまふ。

＊しょう-ぶ【勝負】❶勝ち負け。勝敗。「―をつける」❷《名・自サ》勝ち負けを争うこと。「実力で―する」類語試合。⇩〔類義語の使い分け「勝敗」〕 **―ごと【―事】**❶勝ち負けを争うわざ。❷かけごと。ばくち。 **―し【―師】**❶ばくちうち。❷きわどい事を大胆に処理する人。 **―は時の運**《句》勝ち負けはそのときの運次第で、力のまさる者が勝つとは限らない。勝敗は時の運。

＊しょう-ぶ【尚武】〔文〕武術や勇気を尊ぶこと。

＊しょう-ぶ【×菖×蒲】❶サトイモ科の多年草。初夏、黄緑色の小花が穂のようにかたまって咲く。かおりがよい。悪をよけるといわれ、端午の節句に軒にさしたり湯にいれたりする。葺草。「―湯」参考↓あやめ(菖蒲)。❷「はなしょうぶ」の通称。

＊じょう-ふ【上布】上等の麻織物。たて糸・よこ糸ともに麻糸を用い平織りにしたもの。

＊じょう-ふ【丈夫】〔文〕男子。おおしく、りっぱな男。ますらお。丈夫。〔男子の美称〕「偉―」

＊じょう-ふ【城府】〔文〕❶中国で、都市のまわりにめぐらしたかこい。「―を設けず(=人とつき合うのにわけへだてをしない)」❷町なか。都会。

＊じょう-ふ【情夫】(夫のある女が)こっそり関係をむすんでいる男。また、内縁関係にある男。間夫。

＊じょう-ふ【情婦】(妻のある男が)こっそり関係をむすんでいる女。また、内縁関係にある女。

＊じょう-ぶ【上部】上の部分。対下部。 **―こうぞう【―構造】**史的唯物論で、社会の経済機構(下部構造)を基盤として、その上に築かれた政治・法律・学問・宗教・道徳・芸術などの社会的な観念や意識の諸形態、およびそれに照応する組織・制度。対下部構造。

＊じょう-ぶ【丈夫】一《形動》❶体が、病気になりにくいようす。健康。達者。類語元気。❷しっかりしていて、こわれたりくずれたりしにくいこと。「―なくつ下」類語堅固。堅牢。強靱。頑丈。強固。牢固。牢乎。二《名》↓じょうふ(丈夫)。

＊しょう-ふう【正風】❶〔文〕〔物事の〕正しい姿。正しい風体。❷蕉風。

＊しょう-ふう【×蕉風】江戸時代の俳人、松尾芭蕉およびその門人の俳風。閑寂・しおり・ほそみ・わびなどを重んじた。正風。

＊しょう-ふく【×妾腹】〔文〕めかけから生まれた・こと(子)。めかけばら。

＊しょう-ふく【×慴服・×慴伏・×慴伏】《名・自サ》〔文〕勢いにおそれて屈服すること。

＊しょう-ふく【承服・承伏】《名・自サ》承知して相手に従うこと。「その意見には―しかねる」

＊じょう-ふく【条幅】書画で、画仙紙を縦に半分にした半切を掛軸に作ったもの。

＊じょう-ふく【浄福】❶〔文〕きよらかな幸福。❷〔仏〕仏教を信じることによって得られる幸福。

じょう-ぶくろ【状袋】封筒。〔古風なことば〕

しょう-ふだ【正札】かけねのないねだんを書いて、品物に付ける札。また、そのねだん。 **―つき【―付(き)】**❶正札の付いていること。また、その商品。❷定評のある物・人。「―の悪党」参考②は、多く悪い意味で使われる。

じょう-ぶつ【成仏】《名・自サ》❶人間としてのまよいをはなれ、さとりをひらいて仏果を得ること。❷死んでこの世に未練を残さずに仏になること。同①②札付き。

＊しょう-ぶん【小文】❶短い文章。ちょっとした文。❷自分の文章をへりくだっていう語。

＊しょう-ぶん【性分】生まれつきの性質。たち。

＊じょう-ぶん【上聞】〔文〕天皇や君主に申しあげること。また、天皇や君主の耳にはいること。「―に達する」類語上奏。奏上。

＊じょう-ぶん【条文】〔法律・規則など〕箇条書きにした文。「憲法の―」

じょう-ふんべつ【上分別】最もよい考え。

＊しょう-へい【傷兵】戦争で負傷した兵士。

＊しょう-へい【×哨兵】見張りの兵士。歩哨。

＊しょう-へい【将兵】将校と兵士。将士。将卒。

＊しょう-へい【招×聘】《名・他サ》〔文〕〔ある事をしてもらうために〕礼をつくして人をまねくこと。「有名大学の教授を―する」類語招請。招致。招来。

＊しょう-へい【障×屏】❶しきり。へだて。❷障子と屏風。 **―が【―画】**襖・屏風・衝立など、間仕切りの建具などに描かれた絵。参考↓障壁画。

じょう-へい【城兵】城を守る兵士。

＊しょう-へき【×牆壁・×墻壁】〔文〕❶垣根とかべ。❷障壁②。

＊しょう-へき【障壁】❶しきりのかべ。❷〔人の交通・交際、また物事の進行などをさまたげる〕しきり。へだて。「言語の―をのりこえる」 **―が【―画】**壁画と障屏画をあわせて呼ぶ語。特に、安土桃山時代から江戸初期にかけての豪華なものをさすことがある。

じょう-へき【城壁】城のかべや石垣。塁壁。

＊しょう-へん【小変】❶わずかな変化。「体に―が認められる」❷小さな事変。

＊しょう-へん【小片】小さなきれはし。かけら。

＊しょう-へん【小編・小×篇】短い文学作品。短編。

＊しょう-へん【掌編・掌×篇】ごく短い文学作品。コント。参考短編よりもさらに短い。「―小説」

しょう-べん【小便】《名・自サ》❶体内の老廃物をふくんだ液体。腎臓で作られ、膀胱から尿道を通って体外に排出される。また、それを体外に排出すること。尿。小水。おしっこ。いばり。小用。対大便。❷〔俗〕売買契約をしたあとでその契約をやぶること。「―をかけられる」 **―くさ・い【―臭い】**《形》〔言動が〕未熟で子供じみている。

しょう-ぼ【召募】《名・他サ》〔文〕よびよせ、つのること。よび集めること。

じょう-ほ【譲歩】《名・他サ》〔人に道をゆずる意から〕自分の主張をひっこめて、相手の主張を入れること。おりあうこと。「―を迫る」類語妥協。

＊しょう-ほう【勝報・×捷報】〔文〕戦争や競技に勝ったしらせ。「―に湧く」対敗報。

＊しょう-ほう【商法】❶商売のしかた。「悪徳―」❷

〔法〕営利を目的とする事業について規定した法律。

*しょう-ほう【詳報】くわしいしらせ。「—を待つ」

*しょう-ぼう【正法】❶仏の説いた正しい教え。仏法。❷釈迦の死後五〇〇年、または一〇〇〇年の間。正法①が行われるという。正法時。対像法・末法。

*しょう-ぼう【消防】火事を消したり防いだりすること。火消し。「—署」「—団」—し【—士】消防の現場に当たる公務員。

*しょう-ぼう【焼亡】《名・自サ》〔文〕焼けてなくなること。焼失。焼亡。

*じょう-ほう【上方】上のほう。対下方。

*じょう-ほう【乗法】かけ算。対除法。

*じょう-ほう【定法】❶いつも適用される、きまった規則。「—通りに処理する」❷きまったやりかた。

*じょう-ほう【情報】❶事件や物事の事情・内容などの知らせ。「台風—」❷適切な判断を下し、行動の意志決定をするために役立つ資料・知識。「—を収集する」「—公開法」❸通信で伝達される信号(文字・音声・電気的インパルスなど)のうち、ある種の秩序・規則性・パターンを備えたもの。「—を入力する」—かがく【—科学】機械、生物体、人間社会などの各組織における情報の発生・伝達・処理・蓄積などに関する理論や技術を研究する学問。—か-しゃかい【—化社会】コンピューターによって大量の情報が収集・処理・蓄積され、その情報の価値を中心として発展してゆく社会。情報社会。—けんさく【—検索】コンピューターなどを使って各種の情報を収集・蓄積し、必要な情報を必要に応じて取り出すこと。また、そのシステム。略語IR。—こうかい【—公開】《名・他サ》行政機関などが、請求に応じて一般に情報を公開すること。ディスクロージャー。—さんぎょう【—産業】❶情報を集め、整理して提供する産業。新聞・出版・放送など。❷コンピューターと通信を結合して情報をサービスする産業。—しょり【—処理】集められた情報を利用しやすい形に加工すること。特に、コンピューターを利用して行うものをいう。—スーパーハイウエー 国、またはある地域に敷設された光ファイバー網。光ファイバーを企業・病院・学校・家庭などに張りめぐらし、情報を高速で伝送する。

*しょう-ほん【抄本】❶必要な部分だけをぬき書きした本。❷原本の書類から一部分をぬき書きしたもの。「戸籍—」対謄本。表記①は「鈔本」とも書く。

*しょう-ほん【正本】❶根拠となる原本。対副本。❷歌舞伎狂言の脚本。芝居の台本。台帳。❸〔浄瑠璃などの〕省略のない完全な本。丸本。

*しょう-ほん【証本】ある事の証拠・根拠となる本。

じょう-ぼん【上▽品】〔仏〕極楽往生するときの階級で、九品のうちの上位三つの総称。参考→九品。

しょう-ま【消磨・×銷磨】〔文〕《名・自他サ》すりへること。また、すりへらすこと。

じょう-まえ【錠前】戸や蓋などに付けて、自由にあけられないようにする金具。錠。

しょうま-きょう【照魔鏡】❶悪魔の本性を照らし出すという鏡。❷隠れた悪い面をあばくもの。

しょう-まん【小満】二十四節気の一つ。太陽暦の五月二一日ごろにあたる。

じょう-まん【冗漫】《名・形動》表現がだらだらしてしまりがないこと。「—な解説」

*しょう-み【正味】❶余分なものをのぞいた中身。❷風袋をひいた中身だけの目方。正目。「—二〇〇グラム」❸実際の有効な数量。「—四時間みっちり働く」注意「正身」は誤り。

*しょう-み【賞味】《名・他サ》〔食べ物の味を〕ほめあじわうこと。「—期間」

*じょう-み【上×巳】→じょうし(上巳)。

*じょう-み【情味】❶あじわい。おもむき。類語情趣。❷心のあたたかみ。人情味。「—のあることば」

しょう-みつ【詳密】《形動》詳しく細かいようす。

じょう-みゃく【静脈】老廃物をうけとってよごれた血液を、毛細血管から心臓へはこぶ血管。対動脈。

*しょう-みょう【小名】武家時代、特に平安中期以降から室町時代にかけて、名田(=領地)をあまり多くもたなかった領主。対大名。

*しょう-みょう【称名・唱名】《名・自サ》仏の名号をとなえること。また、その名号。念仏。

*しょう-みょう【声明】法要・仏会に用いられる歌。仏の徳をほめたたえる。梵唄。

*じょう-みょう【定命】〔仏〕前世からの因縁で定められている寿命。「—とあきらめる」

*じょう-みょう【常命】〔文〕人間としてふつうの寿命。

じょう-みん【常民】〔民俗学で〕民間伝承のにない手である、世間一般の人々。庶民。「—文化」

しょう-む【商務】商業上の事務。

*じょう-む【乗務】《名・自サ》交通機関に乗りこんで、運転その他の業務につくこと。「—員」

*じょう-む【常務】❶日常のふつうの業務。❷「常務取締役」の略。株式会社の取締役のうち、特に日常の業務の執行にあたる役職。また、その人。常務取締。

しょう-め【正目】入れ物の目方を引いた、中身だけの目方。正味。「—五〇〇グラム」

*しょう-めい【正銘】〔正しい銘がある意から〕まさにその名で呼ばれるものであること。「正真—」

*しょう-めい【照明】❶《名・他サ》人工の光でてらして明るくすること。「夜間—」❷舞台や撮影の効果を高めるために使う光線。「—係」

*しょう-めい【証明】《名・他サ》❶〔ある事実や結論が〕正しいことを明らかにすること。「身分—書」❷〔数〕ある命題・判断を根本原理から導き出すこと。❸〔法〕裁判のもととなる事実をはっきりさせること。

*しょう-めつ【消滅】《名・自他サ》〔自然に〕消えてなくなること。また、消してなくすこと。「権利が—する」類語湮滅。

*しょう-めつ【生滅】《名・自サ》〔文〕生まれることと死ぬこと。生じることと滅びること。「—滅已(=生滅の世界から超脱すること)」類語生死。

しょう-めん【正面】❶物の前にあたる面。まむき。「—玄関」類語前面。対側面・背面。❷正しく向きあう方向。「—の座席」❸まともに向かうこと。まっこう。「—から不正に立ち向かう」—きっ-て【—切って】《連語》あらたまった、きびしい態度で。「—批判する」

しょう-もう【消耗】《名・自他サ》(「しょうこう」の慣用読み)❶使って・なくなる(なくす)こと。「タイヤの—」類語消費。❷体力や気力を使い果たすこと。「—した顔」—せん【—戦】人員・兵器・物資を大量に消耗する戦闘。—ひん【—品】〔紙・鉛筆などのように〕使うにつれてなくなるもの。

じょう-もく【条目】箇条書きにした各項目。

しょう-もつ【抄物】❶抜き書きにしたもの。❷歌作・詩作のための参考書。❸↓しょうもの。

しょう-もの【抄物】室町時代、京都五山の禅僧らが行った仏典・漢詩文の講釈の筆記録。しょうもつ。

じょう-もの【上物】上等（で高価）な品物。「絹の―」類語 上玉。対 安物。

*__しょう-もん__【掌紋】てのひらにある、皮膚の隆起線。その形は一人一人異なり、一生変わらない。

*__しょう-もん__【照門】小銃などの照尺につけるV字形のきりこみ。参考 ↓照尺。

*__しょう-もん__【声聞】〔声を聞いて悟りを開く者の意で〕仏の説法を聞き、またはその教えを学ぶことによって四諦の理を観じて阿羅漢となる仏道修行者。

*__しょう-もん__【×蕉門】江戸時代の俳人、松尾芭蕉の門人。また、その流派。「―の十哲」

*__しょう-もん__【証文】金品を借りたときや、約束ごとをしたときなどの証拠にする文書。特に、訴訟において証拠として裁判所に提出される文書。証書。

―の出し遅れ《句》手おくれでききめがないこと。

*__じょう-もん__【定紋】その家によってきまっている紋。

*__じょう-もん__【縄文】（古代の土器に施された）縄やむしろの編み目のような模様。「―時代」「―土器」

しょう-や【×庄屋】江戸時代、村の長として年貢の徴収や村政の責任をおった者。参考 西国での称。東国では「名主」、北陸・東北では「肝煎」。

*__しょう-やく__【抄訳】《名・他サ》原文の一部分を翻訳すること。また、その訳文。対 全訳。完訳。

*__しょう-やく__【生薬】草根・木皮・果実・犀角・麝香など、動植物の全体または一部を材料とし、簡単な加工をした薬。きぐすり。

*__しょう-やく__【硝薬】〔文〕火薬。

じょう-やく【条約】〔国際上の権利・義務に関して〕国家間で文書によってとりきめた約束。また、その文書。「―を締結する」

じょう-やど【定宿・常宿】とまりつけの宿。

じょう-やとい【常雇（い）】〔長期にわたって〕いつもきまってやとわれること（人）。対 臨時雇い。

じょうや-とう【常夜灯】〔神社や寺などで〕一晩じゅうつけておくあかり。常灯。常灯明。

しょう-ゆ【×醬油】日本独特の調味料の一つ。ふつう、大豆や小麦を原料として、こうじ・食塩などを加え発酵させて作る。したじ。むらさき。

しょう-ゆう【小勇】〔文〕血気にはやった、つまらない勇気。類語 猪勇。対 大勇。

しょう-よ【賞与】❶賞として金品を与えること。また、その金品。❷〔役所・会社などで〕俸給以外に支給する一時金。ボーナス。

*__じょう-よ__【丈余】一丈（＝約三メートル）あまり。「―の仏像」

*__じょう-よ__【剰余】❶余り。残り。余剰。「―金」❷〔数〕わり算で、わり切れずに残った数。あまり。

*__じょう-よ__【譲与】《名・他サ》物品や権利を他人に無償でゆずり与えること。「財産を―する」類語 譲渡。

*__しょう-よう__【商用】商売上の用事。

*__しょう-よう__【小用】❶ちょっとした用事。❷小便（をしに行くこと）を遠回しに言う語。＝小用。

*__しょう-よう__【×慫×慂】《名・他サ》〔文〕そばからさそいすすめること。「知事選への立候補を―する」

*__しょう-よう__【賞揚・称揚】《名・他サ》ほめあげること。ほめそやすこと。類語 賞賛。賞美。賛嘆。賛美。

*__しょう-よう__【×逍×遥】《名・自サ》〔文〕気のむくままにぶらぶらと歩くこと。そぞろ歩き。散歩。散策。「山林を―する」

*__しょう-よう__【従容】《形動タルト》〔文〕ゆったりとして、落ち着いたようす。「―として死地に赴く」

*__じょう-よう__【乗用】《名・他サ》人が乗るために使うこと。「―馬」「―車」

*__じょう-よう__【常×傭】《名・他サ》〔文〕〔長期にわたって〕いつもやとっていること。常雇い。「―の作業員」

*__じょう-よう__【常用】《名・他サ》❶ふだん使っていること。「―句」類語 愛用。❷あるものを続けて使うこと。「睡眠薬を―する」

―かんじ【―漢字】一九八一（昭和五六）年、内閣が国語審議会の答申を採用して告示した、一九四五字の漢字。一般の社会生活における漢字使用の目安とされる。

しょうよう-じゅりん【照葉樹林】亜熱帯から温帯にかけて見られる、カシ・シイ・クスノキなどの常緑広葉樹を主体とする樹林。参考「照葉」は緑の葉につやがあることからいう。

しょう-よく【小欲・少欲・小×慾・少×慾】欲が少ないこと。寡欲。類語 無欲。対 大欲。多欲。

じょう-よく【情欲・情×慾】❶男女間の肉体的な欲望。類語 色欲。愛欲。❷〔仏〕むさぼり執着する心。

*__しょう-らい__【将来】❶これから先。未来。前途。〔副詞的にも使う〕「―に備える」「―有望」類語 今後。❷《名・他サ》ある結果をもたらすこと。招来。「幸運を―する」

―せい【―性】将来が期待されるという見込み。「―がある」

*__しょう-らい__【招来】《名・他サ》❶まねきよせること。「外国の学者を―する」類語 招聘。❷↓将来②。

*__しょう-らい__【松×籟】〔文〕松の梢を吹く風（の音）。松風。松韻。「―の響き」類語 松濤。

*__しょう-らい__【生来】〔文〕❶生まれつき。「―のなまけもの」❷生まれてからこれまで。「―病気を知らない」〔①②とも副詞的にも使う〕＝生来。

*__しょう-らい__【▽請来】《名・他サ》〔文〕仏像・経典などを、請いうけて外国から持ってくること。

じょう-らく【上×洛】《名・自サ》〔文〕〔中国の都、洛陽にのぼる意から〕地方から京都へ行くこと。類語 上京。入洛。

*__しょう-らん__【照覧】《名・他サ》〔文〕❶はっきりと見ること。❷神仏がごらんになること。「神も御―あれ」

*__しょう-らん__【笑覧】《名・他サ》〔文〕〔笑いながら見る意から〕自分のものを人に見てもらうときにけんそんして言う語。「御―を請う」「御―ください」

*__じょう-らん__【上覧】《名・他サ》〔文〕天皇や身分の高い人が見ること。上覧。「―相撲」類語 天覧。

*__じょう-らん__【×擾乱】《名・自他サ》〔文〕安定した静かな状態がみだれること。また、かきみだすこと。騒乱。「大会場を―する」類語 騒動。紛乱。

*__しょう-り__【勝利】《名・自サ》〔戦い・試合などに〕勝つこと。かち。「―を目前にする」対 敗北。

*__しょう-り__【小利】わずかな利益。対 大利。巨利。

*__しょう-り__【小吏】〔文〕地位の低い役人。小役人。

*__しょう-り__【掌理】《名・他サ》〔文〕取りあつかって、管理・処理すること。

*じょう‐り【場裏・場×裡】ある場所・会場の内。また、あることが行われる範囲の内。「国際—」

*じょう‐り【情理】人情と道理。「—を尽くす(=相手の気持ちや立場を十分考慮に入れながら、物事のすじみちを立てる)」

*じょう‐り【条理】物事のすじみち。道理。「—にかなう」「—を尽くす(=すじみちをきちんとたてる)」

じょう‐りく【上陸】《名・自サ》❶水上から陸にあがること。揚陸。「敵前—」❷海上を進んで来た台風が、初めてその地をおそうこと。

*しょう‐りつ【勝率】試合などに勝った割合。

*しょう‐りつ【×聳立】《名・自サ》〔文〕高くそびえ立つこと。「—する老樹」

*しょう‐りゃく【商略】〔文〕商売上の策略・かけひき。「—に長(た)ける」類語 商計。商策。

*しょう‐りゃく【省略】《名・他サ》簡単にするために、ある物事・文章などの一部を省くこと。「以下—」

じょう‐りゃく【上略】《名・自サ》〔文を引用するときなどに〕前の文をはぶくこと。対 中略・下略。

*じょう‐りゅう【上流】❶川上(かわかみ)。❷社会で、地位・生活程度・教養などの高い階級。上流階級。類語 上層。名流。対 ①②中流・下流。

*じょう‐りゅう【蒸留・蒸×溜】《名・他サ》液体を熱して蒸気にし、それを冷やしてふたたび液体にすること。表記「蒸留」は代用字。類語 乾留。—しゅ【—酒】発酵による酒を蒸留した、アルコール分の多い酒。ウイスキー・ジン・しょうちゅう・ブランデーなど。—すい【—水】天然水を蒸留してほとんど純粋にした水。各種の試薬や注射液などの調製に用いる。

しょう‐りょ【焦慮】《名・自サ》〔文〕あせること。心配でいらいらすること。「—にかられる」

*しょう‐りょう【商量】《名・他サ》心の中であれこれと考えはかること。「比較—」類語 忖度(そんたく)。斟酌(しんしゃく)。

*しょう‐りょう【将領】〔文〕将軍・首領など、人々を指揮・統率する人。

*しょう‐りょう【小量】❶少しの分量。少量。対 大量。❷《名・形動》心がせまいこと。狭量(きょうりょう)。

*しょう‐りょう【少量】少しの分量。小量。「—の酒」対 多量。

*しょう‐りょう【渉猟】《名・他サ》〔文〕❶広い範囲をあさり歩くこと。「山野を—する」❷広く書物を読みあさること。「古今東西の書籍を—する」

*しょう‐りょう【×秤量】《名・他サ》→ひょうりょう(秤量)。

*しょう‐りょう【精霊・▽聖霊】死者の霊魂。みたま。—え【—会】❶聖徳太子の御忌(ぎょき)法会。太子会。❷盂蘭盆(うらぼん)。—だな【—棚】盂蘭盆に、祖先の霊をまつり飲食物などを供える棚(たな)。—ながし【—流し】盂蘭盆の行事の一つ。祖先の霊をあの世に送るときに、小さな舟(=精霊舟)に供物などをのせて川や海に流す行事。灯籠(とうろう)流し。—ばった【—▽飛×蝗】バッタ科の昆虫。頭がとがり前方に突き出している。こめつきばった。

しょう‐りょく【省力】〔機械の導入などで〕人手をはぶくこと。作業の手間をはぶくこと。「—化」

じょう‐りょく【常緑】冬でも落葉せず一年中葉が緑であること。—じゅ【—樹】一年中緑の葉をつけている木。ときわぎ。対 落葉樹。

しょう‐るい【生類】〔文〕生き物。動物。

じょう‐るい【城塁】〔敵の攻撃をふせぐ〕城やその周囲に築くとりで。類語 城塞(じょうさい)。

じょう‐るり【浄×瑠×璃】❶〔仏〕けがれなく澄みきった瑠璃(るり)。❷三味線を伴奏楽器とする語り物の総称。清元・常磐津(ときわず)など。特に、義太夫節の通称。

*しょう‐れい【奨励】《名・他サ》〔よいことだとして〕すすめはげますこと。「倹約を—する」「—金を出す」

*しょう‐れい【症例】病気や傷の症状の例。

*しょう‐れい【×瘴×癘】〔文〕気候・風土のためにおこる感染性の熱病。マラリアなど。感染性風土病。

*しょう‐れい【省令】内閣の各省大臣がその所管の事務について発する命令。

じょう‐れい【条例】❶箇条書きにした法規。表記「条令」とも書く。❷〔法〕都道府県・市町村などの地方自治体が制定した法規。

じょう‐れん【常連・定連】❶いつも連れだって行動する仲間。❷一つのきまった興行場や飲食店などによく出入りする客。常客。「—をつかむ」類語 顧客。

しょう‐ろ【松露】❶ショウロ科のキノコ。多く、海岸の黒松林に自生する。直径二センチほどの白い袋状の球形で、中に胞子がある。食用。❷松の葉におく露。

じょうろ 草花や植木などに水をかけるための園芸用具。じょろ。参考 ポルトガル jorro(ジャルロ)のなまり。表記「如雨露」と当てる。

しょう‐ろう【鐘楼】寺院の境内にあるかねつき堂。鐘楼(しゅろう)。

じょう‐ろう【上×臈】〔古〕❶年功を積んだ高僧。のち、一般に官位の高い者。対 下臈。❷「上臈女房」の略。宮中に仕えた身分の高い女官。

*しょう‐ろう‐びょう‐し【生老病死】→四苦(しく)。

*しょう‐ろく【抄録】《名・他サ》必要な部分をぬき書きすること。また、ぬき書きしたもの。類語 抜粋(ばっすい)。

*しょう‐ろく【詳録】《名・他サ》くわしく記録をとること。また、くわしい記録。類語 詳述。

じょう‐ろく【丈六】❶立像のたけが一丈六尺(=約五メートル)の仏像。参考 座像の場合は八尺のものをいう。❷〔俗〕あぐらをかくこと。

*しょう‐ろん【小論】❶小規模の論文・論説。小論文。❷自分の論文・論説をけんそんしていう語。

*しょう‐ろん【詳論】《名・他サ》くわしく論ずること。また、くわしい論説。「—を避ける」類語 細論。

*しょう‐わ【唱和】《名・自サ》❶《他サ》ひとりの声に合わせておおぜいがとなえること。「万歳を—する」❷相手の詩歌にあわせて詩歌を作ること。

*しょう‐わ【小話】ちょっとした短い話。こばなし。

*しょうわ【昭和】昭和天皇時代の元号。一九二六年一二月二五日〜一九八九年一月七日。

*しょう‐わ【笑話】こっけいな話。笑い話。

じょう‐わ【情話】〔文〕❶人情のこもった話。❷恋愛の情をえがいた物語。「佐渡—」❸男女が情愛をこめて交わす話。睦言(むつごと)。

しょう‐わくせい【小惑星】火星と木星の軌道のあいだにあって、太陽をまわる多数の小天体。小遊星。

しょう‐わる【性悪】《名・形動》性質の悪い・こと(人)。性悪(しょうあく)。類語 悪性(あくしょう)。

じょう‐わん【上腕】肩の関節と肘(ひじ)の関節との間の部分。上膊(じょうはく)。二の腕。「—二頭筋」

*しょ‐えん【初演】《名・他サ》ある演劇・音楽などを初

めて公の場で上演・演奏すること。「本邦―」対再演。

*しょ-えん【所縁】〔文〕ゆかり。縁故。

じょ-えん【助演】《名・自サ》舞台・映画で、主役を助けて出演する・こと(人)。「―女優賞」対主演。

ショー ❶見せ物。興行。「ワンマン―」❷人に見せるための催し。展覧会。展示会。「モーター―」▽show (=見せる) ―アップ《名・他サ》工夫をこらして、催し物などが楽しく盛り上がるように構成すること。「―されたステージ」▽show up ―ウインドー 商品などの陳列窓。▽show window ―ケース 陳列棚。▽showcase ―マン ❶芸人。❷場あたりをねらう人。はったり屋。▽showman ―マン・シップ ❶観客を少しでも喜ばせようとする、芸人根性。❷自分を目立たせる才能。▽showmanship ―ルーム 陳列室。展示室。▽showroom

じょ-おう【女王】❶女の王。参考ひゆ的に、花形・第一人者などの意でも用いる。「銀幕の―」類語女帝。クイーン。❷皇族で、三世以下の嫡男系嫡出の子孫である女子。対①②王。参考「じょうおう」とも言う。

ジョーカー トランプで特別な働きをもつ番外のカード。参考俗に「ばば」とも言う。▽joker (=道化者)

しょ-おく【書屋】〔文〕書斎。

ジョーク 冗談。しゃれ。▽joke

ジョーゼット 強いよりをかけた縦糸・横糸を使って、ちりめん状に仕上げた薄地の絹または綿織物。夏の婦人服地。▽georgette

ショーツ ❶短ズボン。ショートパンツ。❷女性用パンティー。▽shorts

ショート ㊀《造語》「短い」の意。「―カット」「―パンツ」「―タイム」対ロング。㊁《名》❶《自サ》電気回路の両極が絶縁不良などをおこし、接続すること。短絡(たんらく)。参考「ショートサーキット(short circuit)」の略。❷「ショートストップ」の略。野球で二塁と三塁の間を守る内野手。また、その守備範囲。遊撃手。▽short ―ケーキ スポンジケーキを台にし、それに果物やクリーム・チョコレートなどをあしらった洋菓子。▽short-cake ―ショート 意外な結末でしめくくるごく短い小説。▽short short story から。―ステイ ❶〔留学先などへの〕短期滞在。❷寝たきり老人などの介護を、特別養護老人ホームなどの施設が一週間程度引き受ける制度。▽short stay

ショービニスム 自国の利益ばかり主張する極端な愛国主義。ショービニズム。▽(フランス) chauvinisme

ショール 女性用の肩かけ。防寒用・装飾用として使われる。類語マフラー。▽shawl

*しょ-か【初夏】夏のはじめ。初夏(はつなつ)。孟夏。対晩夏。

*しょ-か【書家】❶字のじょうずな人。能書家。能筆家。❷書道の専門家。

*しょ-か【書架】本をならべるたな。本だな。

*しょ-か【諸家】❶多くの人々。特に、自ら中心となって一家をなしている専門家・研究者の人々。❷「諸子百家(しょしひゃっか)」の略。

しょ-が【書画】書と絵画。「―骨董(こっとう)」

じょ-か【序歌】❶はしがき・ことばがきをそえた歌。❷序文のかわりの歌。

*しょ-かい【初会】❶ある人に初めて会うこと。初対面。❷初めての会合。❸遊女が初めての客の相手をすること。また、その客。

*しょ-かい【初回】最初の回。第一回。

*しょ-かい【所懐】〔文〕心の中で思っている事柄。思い。感懐。「―の一端を述べる」類語感想。所感。

じょ-がい【除外】《名・他サ》ある範囲・規定などの外におくこと。とりのぞくこと。「対象から―する」

しょ-がく【初学】ある学問を初めて学ぶ・こと(人)。

じょ-がくせい【女学生】❶女学校の生徒。〔おもに旧制の高等女学校の生徒に対して用いられた〕❷女子の学生・生徒。〔おもに高校生以下にいう〕

しょ-かつ【所轄】《名・他サ》権限によって支配監督すること。また、その範囲。管轄(かんかつ)。「―の警察署に出頭する」類語所管。

じょ-がっこう【女学校】❶女子だけを教育の対象とする(中・高等)学校。❷旧制度の「高等女学校」の略称。↓高女。

*しょ-かん【初刊】初めての刊行。また、その刊行物。初版。対再刊。

*しょ-かん【所感】心に感じた事柄。感想。「年頭―」類語所懐。

*しょ-かん【所管】《名・他サ》ある事務を管理すること。また、その範囲。「―する官庁」類語所轄。

*しょ-かん【書簡・書×翰】〔文〕てがみ。書状。―せん【―×箋】手紙を記す紙。びんせん。

しょ-がん【所願】〔文〕願うところ。願い。「―成就」

じょ-かん【女官】宮中に仕えている女性。にょかん。

*しょ-き【初期】物事のはじめの時期。「がんの―症状」類語初頭。当初。対末期。―か【―化】《名・他サ》フロッピーディスクなどの磁気記憶媒体を、使用できる状態にすること。フォーマット。

*しょ-き【所期】《名・他サ》期待すること。また、期待している事柄。「―の目的を達する」

*しょ-き【暑気】夏の暑さ。対寒気。―あたり【―▽中り】夏の暑さに負けて、からだをこわすこと。暑さ負け。―ばらい【―払い】夏の暑さを避けること。暑さよけ。暑さしのぎ。

*しょ-き【庶幾】《名・他サ》〔文〕こいねがうこと。

*しょ-き【書記】〔記録をとるために〕文字を書きしるす・こと(役)。―きょく【―局】労働組合や政党などの団体で、一般の事務をあつかう機関。

しょ-きゅう【初級】〔学問・技芸などで〕初歩の等級。いちばん低い等級。「英会話の―クラス」

じょ-きゅう【女給】カフェーやバーなどで客を接待する女性。〔古風ないい方〕参考現在の「ホステス」。

じょ-きょ【除去】《名・他サ》〔いらないものを〕とりさること。とりのぞくこと。「不純物を―する」

*しょ-ぎょう【所行・所業】行ったこと。行い。ふるまい。しわざ。「悪魔の―」

*しょ-ぎょう【諸行】〔仏〕宇宙間にあるすべてのもの。すべての移り変わるもの。万物(ばんぶつ)。―むじょう【―無常】〔仏〕この世のすべての物はたえず移り変わっていて常住するもののないということ。仏教の根本思想。

じょ-きょうじゅ【助教授】大学・高等専門学校で、教授の下で学生の教育や学術研究に従事する教員。

じょ-きょく【序曲】❶歌劇などが始まる前に、管弦楽だけで演奏する音楽。❷物事のはじめ。前ぶれ。「革命の―」

ジョギング〔準備運動や健康増進などのために〕自分なりの速さで軽く走ること。▽jogging

し-よく【私欲・私×慾】 自分の利益だけを考えた欲望。「私利―」

***しょく【色】**《接尾》❶「いろ」「色彩」の意。「淡紅―」「天然―」❷「ようす」「ありさま」「傾向」などの意。「地方―」「政党―」「政治―」

***しょ-く【初句】** ❶和歌・俳句の最初の句。第一の句。❷漢詩の起句。

***しょく【×燭】** ■一《名》〔文〕〔ろうそくなどの〕あかり。ともしび。■二《助数》光度の旧単位。燭光。

***しょく【職】** ■一《名》❶つとめ。職務。「―を解く」❷仕事。職業。「―を失う」❸仕事の技術。「手に―をつける」■二《接尾》職業・職人などの意。「事務―」

***しょく【食】** ■一《名》❶たべること。また、食事・食物。「―が細い(=小食だ)」「―が進む」「―を断つ」❷ある天体が他の天体にさえぎられて見えなくなる現象。日食・月食など。表記 ②は元来「蝕」と書く。「食」は代用字。■二《助数》食事の回数をかぞえる語。「一日に三―」

しょく-あたり【食▽中り】 食物による急性の中毒。嘔吐(おうと)・下痢・腹痛などを起こす。食中毒。

しょく-あん【職安】「公共職業安定所」の略。

しょく-い【職位】 官職と官位。

しょく-いき【職域】 ❶ある職業の範囲。仕事の受け持ち範囲。❷職業に従事している場所。職場。

***しょく-いん【職印】** 職務上または公務上用いる印。

***しょく-いん【職員】** 役所・学校・会社などで職務についている人。「―録」

しょ-ぐう【処遇】《名・他サ》ある人の地位・待遇などをきめて、それに応じてあつかうこと。また、そのあつかい方。「役員として―する」

しょく-えん【食塩】 精製して食用にしたしお。

しょく-がい【食害・×蝕害】《名・他サ》害虫・ネズミなどが、植物・毛織物などを食い荒らして害を与えること。また、その害。

しょく-ぎょう【職業】 生計のためにする仕事。職。「―に就く」「―訓練」類語 生業。 **―いしき【―意識】** 自分の職業に対する自覚。また、それぞれの職業に特有の感覚・注意力など。 **―びょう【―病】** その職業の特殊な環境・作業が原因でおこる病気。鉱山労働者の珪肺(けいはい)、森林労働者の白蠟(はくろう)病など。

しょく-げん【食言】《名・自サ》〔文〕〔一度口から出したことばをまた口に入れる意から〕うそをつくこと。約束を守らないこと。「―行為」

しょく-ご【食後】 食事のあと。「―のデザート」参考 ↓食間(しょっかん)。対 食前。

しょく-さい【植栽】《名・他サ》草木を植えること。

***しょく-ざい【×贖罪】**《名・自サ》〔金品を出したり善行を積んだりして〕犯した罪をつぐなうこと。特に、キリスト教で、キリストが神に対する人類の罪をつぐなうために十字架上で死んだこと。

***しょく-ざい【食材】**「食品材料」の略。食用として料理の材料になるもの。〔主に料理人が使う〕

しょく-さん【殖産】 ❶生産物をふやすこと。産業をさかんにすること。「―興業」❷財産をふやすこと。「―株」

***しょく-し【食思】**〔文〕食欲。くいけ。

***しょく-し【食指】**〔文〕人さし指。しょくじ **―が動・く**《句》❶食欲がおこる。故事 昔、中国で、鄭(てい)の公子の宋という人が、人さし指が動くと必ずごちそうにありついたということから。〈春秋左氏伝・宣公四年〉❷あることをしたいという気持ちがおこる。「新事業に―・く」

***しょく-じ【植字】**《名・自サ》活版印刷で、文選工(ぶんせんこう)がひろった活字を並べて、組版を作ること。ちょくじ。「―工」

***しょく-じ【食事】**《名・自サ》〔生きていくのに必要な栄養をとるために〕一日に何度か食物を食べること。また、その食べ物。丁寧 御飯。謙譲 粗飯。

***しょく-じ【食×餌】**〔病気の治療に役立てるものとしての〕食べ物。「―療法」注意「食事療法」は誤り。

***しょく-しゅ【職種】** 職業・職務の種類。

***しょく-しゅ【触手】** 下等動物の口の近くにある、細い棒状の突起。触覚をつかさどり食べ物を捕らえる。 **―を伸ば・す**《句》あることをしようとして、またある物を手に入れようとして働きかける。

しょく-じゅ【植樹】《名・自サ》樹木を植えること。「―祭」

しょく-じょ【織女】 ❶〔文〕機(はた)を織る女。❷「織女星」の略。 **―せい【―星】** 琴座の首星ベガの漢名。七夕の伝説で名高い。おりひめぼし。対 牽牛星(けんぎゅうせい)。

***しょく-しょう【職掌】** 担当している役目・職務。「―柄(がら)(=職務をなしとげる関係上)」

***しょく-しょう【食傷】**《名・自サ》❶〔文〕食中毒をおこすこと。食あたり。❷食べあきること。転じて、同じことがたび重なってあきること。「スイカは―気味だ」

しょく-しん【触診】《名・他サ》患者のからだを手でさわってその触感や反応によって診察すること。

しょく-じん【食人】 人肉を宗教上の儀式または実利上の目的で食うこと。 **―しゅ【―種】** 人肉を食べる習慣がある人種。人食い人種。

しょく-ず【食酢】 食用に使う酢(す)。

***しょく-・する【×嘱する】**《他サ変》❶たのむ。期待する。属(しょく)する。「将来を―・する」❷〔文〕ことづける。

***しょく-・する【食する】** ■一《他サ変》〔文〕たべる。■二《他自サ変》〔文〕ある天体が他の天体をさえぎって見えなくする。また、他の天体にさえぎられて見えなくなる。「月が太陽を―・する」表記 ㊁は元来「蝕する」と書く。

じょく-せ【▽濁世】〔仏〕にごりけがれた世。末世。濁世(だくせ)・濁世(だくせい)。「―にまみれる」

***しょく-せい【植生】** ある地域・場所に生育する植物の集まりの全体。「―図」

***しょく-せい【職制】** ❶職務を分担する上での制度。❷係長・課長以上の管理職(にいる人)。

***しょく-せい【食性】** 動物が何をどう食べるかの習性。草食性・肉食性・雑食性・腐食性など。

しょく-せいかつ【食生活】 食物に関する方面での生活。「―を改善する」

しょく-せき【職責】 職務上の責任。「―を全うする」

***しょく-ぜん【食前】** 食事をとる前。参考 ↓食間(しょっかん)。対 食後。

***しょく-ぜん【食×膳】** 食事のとき料理をのせる台。「―に供す(=料理して出す)」

じょく-そう【×蓐×瘡・×褥×瘡】〔文〕とこずれ。

しょく-たい【食滞】《名・自サ》食物がよく消化されずに胃にとどまること。食もたれ。

しょく-だい【×燭台】 火をともしたろうそくを立てる台。灯台。類語 ろうそく立て。

***しょく-たく【嘱託・▽属託】** ❶《名・他サ》頼んで、あ

し

る仕事をしてもらうこと。❷正式の社員・職員ではないが、特殊な技能などを生かして、会社・官庁などの仕事にたずさわる人。また、その身分。「―医」

*しょく‐たく【食卓】食事をするときに使う机。ちゃぶ台。食台。テーブル。

*しょ‐くち【初口】〔物事の〕はじめ。はじまり。

*しょ‐くち【諸口】❶いろいろの口座・項目。❷簿記の仕訳(しわけ)で、勘定科目が二つ以上になっているもの。

じょく‐ち【辱知】《知を辱(かたじけな)くする意から》〔文〕自分がその人と知り合いであることをへりくだっていう語。辱交。「大臣とは―の間柄だ」

しょくちゅう‐しょくぶつ【食虫植物】葉の変形した捕虫葉で小さな虫をつかまえて養分の一部としている植物。モウセンゴケ・ウツボカズラなど。食肉植物。

しょく‐ちゅうどく【食中毒】飲食物によって起こる中毒。食あたり。食品中毒。

しょく‐ちょう【職長】〔工場などの〕職場の長。職工の長。類語 場長。

しょく‐つう【食通】食べ物の味・風味などについてくわしく知っている・こと(人)。

しょく‐ど【×埴土】粘土が多くて、水はけや通気性の悪い土。

*しょく‐どう【食堂】❶食事をするための部屋。「ホテルの―」類語 茶の間。❷簡単な食事をさせる店。「大衆―」類語 レストラン。

*しょく‐どう【食道】消化器官の一つ。食べた食物の通路となる、のどから胃までの筋肉性の管。

しょく‐にく【食肉】❶〔猛獣などが〕他の動物の肉を食べること。肉食。「―類」❷食用にする〔鳥獣の〕肉。―しょくぶつ【―植物】食虫植物。

しょく‐にん【職人】〔大工・左官・庭師など〕手先の技術で物を作る職業の人。―かたぎ【―▽気▽質】職人に特有の、自分の腕前を信じ、頑固だが実直で、仕事を入念にやりとげる気質(きしつ)。

しょく‐のう【職能】❶その職務をはたすうえでの能力。「―給」❷〔社会に対し〕その職業の持つ機能。「―別組合」❸そのもののはたらき。「議会の―」

しょく‐ば【職場】職務に従事する場所。「―結婚」「―復帰」類語 仕事場。作業場。

しょく‐ばい【触媒】❶〔理〕それ自身は化学的変化をうけないで、他の物質の化学変化の速度をはやめたり遅らせたりするはたらきをもつ物質。❷ある物事の進行や達成をはやめる助けとなるもの。

しょく‐はつ【触発】❶《名・自サ》ものにふれて発射したり爆発したりすること。「―水雷」❷《名・他サ》何らかの刺激を与えて、ある行動をさそい起こすこと。「先輩のことばに―される」

しょく‐パン【食パン】箱形に焼いた主食用のパン。

*しょく‐ひ【植皮】《名・自他サ》外傷・やけどなどによる皮膚の欠損部に、からだの他の部分の健康な皮膚を移植すること。「―術」

*しょく‐ひ【食費】食事をするために必要な費用。

しょく‐ひん【食品】食物とする品物。「インスタント―」「―加工業」類語 食料品。

*しょく‐ぶつ【植物】生物の二大区分の一つ。主に無機物を養分として生長する。草・木・藻類・菌類・細菌類など。対 動物。―えん【―園】多種の植物を集めて栽培展示し、その知識の普及や研究を行う施設。―しつ【―質】❶植物体を作っている物質。❷↓植物性。―せい【―性】❶植物に特有の性質であること。❷植物から作られるものであること。「―の油」―にんげん【―人間】〔呼吸・血液の循環・消化・排出などの機能は残るが〕脳の障害で意識と運動能力を失ったまま生存している人。―ゆ【―油】種子や果実から採った油。つばき油・やし油・ごま油など。

*しょく‐ぶつ【食物】↓しょくもつ（食物）。

*しょく‐ぶん【職分】その職に就いている者がつとめとしてなすべきこと。職務上の本分。類語 職務。役目。

*しょく‐ぶん【食分・×蝕分】日食や月食のとき、太陽や月が欠ける度合い。表記「食分」は代用字。

しょく‐べに【食紅】食品に赤い色をつけるための紅色の染料。食用紅。

しょく‐ぼう【嘱望・▽属望】《名・他サ》将来・前途に望みをかけること。「将来を―される」類語 期待。

しょく‐み【食味】食べたときの味。料理の味。

しょく‐みん【植民・殖民】《名・自サ》新しい土地をきり開いたり市場を開拓したりするために、ある国の国民が本国以外の土地へ移住すること。また、その移住者。類語 移民。―ち【―地】❶植民によって、新しく開発された土地。❷新しくその国の領土となって、本国の支配をうける地域。

しょく‐む【職務】〔会社・団体などにおいて〕各人がうけもつ仕事・任務。つとめ。類語 職分。

しょく‐めい【職名】職務・職業の名称。

しょく‐もう【植毛】《名・自サ》毛のないところに毛を植えつけること。「―術」「ブラシの―」

しょく‐もく【嘱目・▽属目】《名・自サ》〔文〕❶〔人の言動などを〕関心をもって見守ること。注目。「将来が―される選手」類語 注視。❷自然に視界にはいってくること。「―吟（＝俳諧(はいかい)で、目に触れたものを即興的に吟ずること）」類語 触目。

しょく‐もたれ【食×靠れ】食べ物が消化しないで、胃の中にたまっていること。食滞(しょくたい)。

しょく‐もつ【食物】たべもの。食い物。しょくぶつ。参考 広い意味では、飲み物も含む。類語 飲食物。―せんい【―繊維】食品中に含まれている繊維成分。体内では消化されないが、有害物質を吸着して排泄(はいせつ)する働きがある。

しょく‐やすみ【食休み】《名・自サ》食事をしたあとで休息をとること。また、その休息。

しょく‐よう【食用】食べ物として用いること。食物として使えること。「ユリの根は―になる」

しょく‐よく【食欲・食×慾】❶食物を食べたいという欲望。食いけ。食思。「―不振」❷ある事をしたいという気持ち。興味。「芝居には―がわかない」

*しょく‐りょう【食料】食べ物〔の材料〕。⇩〔使い分け〕―ひん【―品】食べ物とする品物。参考 おもに販売されている副食品を言う。類語 食品。

*しょく‐りょう【食糧】主食となる食べ物。特に、ある人数・日数などに必要な食べ物。類語 糧食。⇩〔使い分け〕

使い分け 「ショクリョウ」

食料〔肉・野菜・果物・缶詰など、主食以外のもの。食品〕生鮮食料・携帯食料・多くの食料を買い込む・食料品(店)

食糧〔生命の維持に必須(ひっす)の食物の意。米・麦などの

主食物〕食糧事情・食糧難・食糧の自給策・食糧庁・食糧管理法

参考「何人分・何日分のショクリョウを確保する」といった場合は、一般に「食糧」を用いる。

しょく・りん【植林】《名・自他サ》〔森林を育てるために〕山野に木を植えること。類語 植樹。

しょく・れき【職歴】職業についての経歴。「ーなし」

しょく・ろく【食×禄】武士の給料。俸禄。

しょ・くん【諸君】㊀《名》同輩以下の多数の人をさす語。「若いーが活躍している」㊁《代名》〔集まっている〕多くの同輩以下の人々を親しんで呼ぶ語。みなさん。きみたち。〔ふつう男性が使う〕「紳士淑女ー」類語 諸兄。諸姉。諸氏。

じょ・くん【叙勲】《名・他サ》勲等を授け、勲章を与えること。「生存者ー」「秋のー」

しょ・け【所化】〔仏〕〔教化される者の意から〕❶仏・菩薩に教化される衆生。❷僧侶の弟子。寺で修行中の僧。対 能化。

***しょ・けい**【処刑】《名・他サ》刑(特に死刑)をとり行うこと。「戦犯としてーされた」類語 処罰。

***しょ・けい**【初経】初潮。

***しょ・けい**【書契】〔文〕文字で書きしるす・こと(もの)。また、文字。「ー以前(=文字のない大昔)」

***しょ・けい**【書×痙】一般に、書写を職業としている人に起こりやすい職業病。字を書こうとすると、指にけいれん・痛みなどが起こって書けなくなる。

***しょ・けい**【諸兄】《代名》〔文〕大勢の男性に対する尊敬語。みなさん。「ーの健闘を祈る」参考 ふつう男性が使い、「諸君」より改まった言い方。対 諸姉。

***じょ・けい**【叙景】景色を文章や詩に書き表すこと。

***じょ・けい**【女系】〔家系で〕女の方の系統。母方の血統。母系。「ー家族」対 男系。

しょげ・かえ・る【×悄気返る】(ーかへる)《自五》すっかりしょげてしまう。しょげこむ。「仕事でミスをしてー・る」

しょ・けつ【処決】《名・他サ》〔文〕❶処置をはっきりきめること。「懸案をーする」❷態度や覚悟をきめること。「進退をーする」

じょ・けつ【女傑】度量が広く知恵や勇気のすぐれた女性。男まさりの女。類語 女丈夫。

しょ・げる【×悄気る】《自下一》〔失望して〕元気がなくなる。類語 しずむ。表記「悄気る」は当て字。

***しょ・けん**【初見】❶初めて見ること。特に、楽譜を初めて見ながら演奏すること。「ーで弾く」❷初めて会う・こと(人)。初対面。

***しょ・けん**【所見】❶見た所。見た事柄。「医師の診察ー」❷考え。意見。「この問題についてーを述べよ」

***しょ・けん**【書見】《名・自サ》書物を読むこと。「ー台」類語 読書。

***しょ・けん**【諸賢】㊀《名》〔文〕多くの賢い人。㊁《代名》〔文〕〔自分に力をかしてくれる〕多くの人々に対していう尊敬語。皆様。あなたがた。諸彦。「ーのご理解に訴える」類語 諸公。

しょ・げん【緒言】〔文〕書物の本文の前に書く文。はしがき。前書き。序文。序言。緒言。

じょ・けん【女権】〔社会上・政治上・法律上の〕女性の権利。「ーの拡張」

***じょ・げん**【助言】《名・他サ》わきからことばをそえて助けること。また、そのことば。「ーを与える」類語 アドバイス。口添え。忠告。

***じょ・げん**【序言】〔書物の〕序文。緒言。序。

しょ・こ【書庫】書物をしまっておく建物。

***しょ・こう**【初更】〔文〕五更の最初の更。戌の刻。今の午後七時ごろから九時ごろまで。

***しょ・こう**【×曙光】〔文〕❶夜明けにさす太陽の光。夜明けの光。類語 暁光。❷〔悪い状態の中に〕わずかに見えはじめた希望のきざし。「紛争解決のー」

***しょ・こう**【諸侯】封建時代、武士で、一定の土地を領有し、領内の人民を支配した者たち。諸大名。列侯。注意「諸候」は誤り。

***しょ・こう**【諸公】㊀《名》〔政治家など〕地位のある人々をさす尊敬語。「大臣ー」㊁《代名》多くの人々に対する尊敬語。みなさん。諸君。

しょ・ごう【初号】❶雑誌などの第一号。❷「初号活字」の略。号数活字のなかで最も大きいもの。

***じょ・こう**【女工】女子工員の古い呼称。対 男工。

***じょ・こう**【徐行】《名・自サ》〔車などが〕速度をおとしてゆっくり進むこと。「ー運転」類語 緩行。注意「除行」は誤り。

しょ・こく【諸国】多くの国々。列国。

しょ・こん【初婚】初めての結婚。対 再婚。

しょ・さ【所作】❶しぐさ。身のこなし。類語 動作。❷「所作事」の略。**ーごと**【ー事】❶歌舞伎で、おもに長唄を伴奏にした舞踊・舞踊劇。振事。❷芝居にしくまれた、特殊な表情を表す踊り。

***しょ・さい**【所載】〔文〕本などに掲載されていること。「前号ーの論文」類語 所収。

***しょ・さい**【書斎】〔個人の住宅で〕読書・書き物などをする部屋。文房。書屋。注意「書斉」は誤り。

しょ・ざい【所在】❶あるものや人が現在どこに・あるか(いるか)ということ。そのあり場所。居場所。「書類のーが不明だ」❷していること。行い。**ーな・い**【ー無い】《形》することがなくて退屈である。手持ちぶさただ。

***じょ・さい**【助祭】カトリック教で、司祭の次の位。

***じょ・さい**【如才】〔もと、神が眼前にあるがごとく、手落ちなく祭る意の「如在」から〕手落ち。手抜かり。参考 ふつう、否定や反語を伴う。「ーのないあいさつ」**ーな・い**【ー無い】《形》手抜かりがなかったり、愛想がよかったり、気がきいていたりするようすだ。如才がない。「ー・くふるまう」

***しょ・さつ**【書冊】〔文〕書物。本。「ーを繰る」

***しょ・さつ**【書札】〔文〕書き付け。また、手紙。

***しょ・さん**【初産】初めてのお産。初産。

***しょ・さん**【所産】〔ある行為・状態などの結果として〕作り出されたもの。「研究のー」

***じょ・さん**【助産】出産を助け、産婦・新生児のせわをすること。**ーし**【ー師】「助産婦」の改正資格名。**ーぷ**【ー婦】もと、助産を職業とした女性。また、その職業・資格。参考 古くは「産婆」と言った。

***じょ・さん**【除算】わり算。除法。対 乗算。

***しょ・し**【処士】〔文〕官につかえたことがない民間人。

***しょ・し**【初志】事を始めるに当たって思い立った純真な志・希望。「ー貫徹」類語 初心。素志。

***しょ・し**【所思】〔文〕心の中に持っている思い・考え。「ーの一端を述べる」類語 所感。所存。

***しょ・し**【庶子】❶めかけの子。妾腹の子。❷民法旧規定で、男が本妻以外の女に生ませた子で、自分

の子としてみとめた子。対嫡子(ちゃくし)。

*しょ‐し【書×肆】〔文〕本屋。書店。「古―」

*しょ‐し【書誌】❶ある人・題目などに関する文献目録。❷ある書物の体裁・成立・伝来の事情など。また、それを記述したもの。❸書物。図書。―がく【―学】図書を科学的に研究する学問。図書の材料・形態・装丁(そうてい)、成立・伝来・異本の研究などを行う。

*しょ‐し【諸子】㊀《名》中国の春秋戦国時代に、孔子・孟子(もうし)以外で一家の学説をたてた人々。また、その著書・学説。㊁《代名》〔文〕同輩以下の人々をさすことば。諸君。君たち。「―の健闘を祈る」参考ふつう男性が使う。―ひゃっか【―百家】中国で、春秋戦国時代の多くの学派の総称。諸家。

*しょ‐し【諸姉】《代名》〔文〕大勢の女性に対する尊敬語。みなさん。「諸兄―に申し上げる」参考ふつう男性が使う。対諸兄。

*しょ‐し【諸氏】《代名》❶すでに述べた何人かの人をさす語。❷多くの人々に対する尊敬語。諸兄姉。〔「諸君」より改まった言い方〕「先輩―のおかげです」

*しょ‐じ【所持】《名・他サ》身につけて持っていること。「免許証を―する」「―品」類語所有。携帯。

*しょ‐じ【書字】〔文〕文字を書くこと。「―能力」

*しょ‐じ【諸事・庶事】〔文〕いろいろなこと。多くのことがら。「―万端失敗のないように行う」類語万事。

*じょ‐し【助士】〔鉄道などで〕業務の正式の担当者を補助する役(の人)。助手。「機関―」

*じょ‐し【助詞】品詞の一つ。付属語で活用しないもの。かならず自立語または自立語に助詞・助動詞のついたものにつけて用い、語と語との関係を示したり、意味をそえたりする。てにをは。

*じょ‐し【女史】《名・接尾》社会的な地位・名声をもっている女性を敬って言う語。また、その女性の名の下にそえる語。〔代名詞的にも使う〕「山川―」

*じょ‐し【女子】❶女の子ども。むすめ。女児。「―を出産」類語子女。❷おんな。女性。「―校」「―百メートル競走」「―従業員」類語婦人。対①②男子。

*じょ‐し【序詞】❶序のことば。はしがき。序言。❷和歌などで、語呂(ごろ)・連想などによって、ある語句をひきだすために前置きとして使うことば。枕詞(まくらことば)と同じ働きをするが、歌や文におもむきをそえたり、調子をととのえたりする。序詞(じょことば)。参考たとえば、「あしひきの山鳥の尾のしだりをのながながし夜をひとりかもねん」の「あしひきの山鳥の尾のしだりをの」の部分。

*じょ‐し【序詩】序として添えた詩。プロローグ。

*じょ‐じ【助字】漢文で、語句の終わりについてその語句にいろいろな意味をそえる文字。「矣(い)」「乎(や・か)」など。置き字。虚字(きょじ)。助辞。

*じょ‐じ【助辞】❶助詞と助動詞。❷助字。

*じょ‐じ【叙事】〔文章・詩などで〕起こったことがらをのべること。対叙情。―し【―詩】民族・国家・社会集団などの歴史的な事件や英雄の行為をのべうたった詩。エピック。対叙情詩。

*じょ‐じ【女児】女の子ども。「―出産」対男児。

*じょ‐じ【序次】〔文〕順序。次第。

*しょ‐しき【書式】〔証書・願書・届書など〕公式の書類のきまった書き方。「―を整える」

*しょ‐しき【諸式・諸色】〔文〕❶各種の品物。「―屋(=よろず屋)」❷物の値段。物価。「―が上がる」

しょし‐だい【所司代】❶室町時代、所司(=侍所(さむらいどころ)の長官)の代理として事務をとった役。❷江戸時代、京都におかれ、朝廷に関する事務や近畿地方の民政などをつかさどった職。

じょ‐しつ【除湿】《名・自サ》室内などの湿気を取りのぞくこと。「―機」対加湿。

しょ‐しゃ【書写】❶《名・他サ》筆で書き写すこと。❷小中学校の国語科の一分科。習字。

じょ‐しゃく【叙爵】❶昔、従(じゅ)五位下(げ)に叙せられること。❷爵位を授けられること。「―の栄をうける」

しょ‐しゅ【諸種】いろいろな種類。種々。類語各種。

じょ‐しゅ【助手】❶ある人の研究や仕事の手助けをする人。❷大学で、教授・助教授・講師などの下に属し、その仕事を助ける職(の人)。

*しょ‐しゅう【初秋】秋のはじめのころ。早秋。孟秋。初秋(はつあき)。参考九月ごろをいう。対晩秋。

*しょ‐しゅう【所収】〔文〕〔作品が〕本などに収められていること。「九月号に―」類語所載。

じょ‐しゅう【女囚】女の囚人。対男囚。

*しょ‐しゅつ【初出】《名・自サ》最初に出ること。初めて現れること。「―の漢字」

*しょ‐しゅつ【所出】〔文〕❶生まれた所。生まれ。❷出てきた所。出どころ。「資料の―」類語出所。

*しょ‐しゅつ【庶出】〔文〕正妻以外の女から生まれた・こと(人)。妾腹(しょうふく)。めかけばら。対嫡出。

じょ‐じゅつ【叙述】《名・他サ》ある物事のありさまを順序をおって・のべる(しるす)こと。また、その・のべた(しるした)もの。「事件を―する」類語記述。

しょ‐しゅん【初春】❶春のはじめのころ。早春。孟春。初春(はつはる)。対晩春。❷陰暦正月の別称。

しょ‐じゅん【初旬】月の初めの一〇日間。上旬。

*しょ‐しょ【処暑】二十四節気の一つ。太陽暦の八月二三日ごろにあたる。

*しょ‐しょ【所所・処処】ところどころ。あちこち。こかしこ。〔副詞的にも使う〕「―方々(=いろいろな場所・方面)」類語各所。

*しょ‐しょ【諸処・諸所】多くの場所。方々。

しょ‐じょ【処女】㊀《名》《家に処(い)る女の意》男性との肉体的な交わりを経験していない女性。また、その状態。バージン。類語きむすめ。おとめ。対童貞。㊁《接頭》❶「まだ人間の手のはいらない」「まだ人が足を踏み入れていない」の意。「―峰」「―林」❷「はじめての」「最初の」などの意。「―出版」―ち【―地】❶まだ開墾されていない土地。❷人跡未踏の土地。❸まだ調査・研究されていない分野。未開拓の分野。

*しょ‐しょう【所掌】ある事務を行う行政機関が法令により定まっていること。類語所管。管轄。

*しょ‐しょう【書証】裁判で、書面の内容を証拠とすること。

しょ‐じょう【書状】手紙。書簡。〔古風な言い方〕

*じょ‐しょう【女将】〔文〕料亭・旅館・待合などの女主人。おかみ。類語マダム。ママ。

*じょ‐しょう【序章】❶〔論文・小説などの〕序に当たる章。❷物事のはじめ。「地球誕生の―」

*じょ‐じょう【叙情・×抒情】〔文章・詩などで〕感情や情緒をのべること。「―的」表記もと、もっぱら「抒情」と書いた。対叙事。―し【―詩】作者の感情や情緒をのべうたった詩。リリック。対叙事詩。

*じょ・じょう【如上】〔文〕〈「—の」の形で〉前に述べた（ような）。「—の方針」類語上記。

じょ・じょうふ【女丈夫】気丈で、ふつうの男以上のことをやりとげる女性。類語女傑。

じょ・しょく【女色】❶女性の性的な魅力。女の色香（いろか）。❷女性との情事。いろごと。「—に迷う」「—にふける」＝にょしょく。

じょじょ・に【徐徐に】《副》ゆるやかに変化するようす。ゆっくりと。だんだんに。「—回復する」類語緩慢（かんまん）。遅々。

*しょ・しん【初審】第一回の審判。一審。

*しょ・しん【初心】❶その事をしようと思いたったときの、最初の真剣な心がまえ。「—に返る」「—を貫く」❷《名・形動》習いはじめたばかりで未熟なこと。初学。「—者」類語初志。素志。

—忘るべからず《句》物事を始めるときの真剣な気持ちをいつまでも持ち続けなければならない。

*しょ・しん【初診】初めての診察。「—料」

*しょ・しん【所信】自分が信じ考えているところ。「—表明演説」「—を披瀝（ひれき）する」類語信念。信条。

しょ・しん【書信】〔文〕手紙。手紙によるたより。

じょ・しん【女神】女性の神。めがみ。

じょ・すう【除数】わり算で、割る数。対被除数。

*じょ・すうし【助数詞】数を表す語の下につけて、ものの種類を表す接尾語。「一枚」「二台」などの「枚」「台」の類。

*じょ・すうし【序数詞】物事の順序を示す数詞。「第一」「二番め」などの類。対基数詞。

*しょ・・する【処する】㊀《自サ変》〈「…に—・する」の形で〉ある事柄・情勢に対して、適宜な態度をとる。対処する。「難局に—・する」㊁《他サ変》❶処理する。とりさばく。「難事を—・する」❷〈「…に—・する」の形で〉…という刑罰を与える。「死刑に—・する」＝処す。

*しょ・・する【署する】《他サ変》〔文〕〔自分で〕自分の名まえを書く。署名する。

*しょ・・する【書する】《他サ変》〔文〕〔文字を〕書く。

*じょ・・する【叙する】《他サ変》〔爵位・勲等などを〕授ける。叙す。「正二位に—・する」

*じょ・・する【叙する・序する】《他サ変》〔文〕❶〔詩・歌・文章などで〕述べ表す。「心中を—・する」❷序文を書く。序文で述べる。＝叙す・序す。

*じょ・・する【除する】《他サ変》❶とりのぞく。❷〔数〕割り算をする。割る。対乗ずる。＝除す。

*しょ・せい【処世】社会の中で生活してゆくこと。世渡り。「—の道」「—訓」「—術」

*しょ・せい【初生】〔文〕初めて生まれること。生まれたばかりであること。「—児」

*しょ・せい【所生】〔文〕❶〔その人の〕産みの親。両親。❷産みの子。❸生まれた所。出生地。

*しょ・せい【庶政・諸政】各方面の政治。「—を一新する」

*しょ・せい【書生】❶「学生」の意の古風な表現。❷他人の家の世話になり、家事などを手伝いながら勉強する人。

—かたぎ【—▽気▽質】学生に特有な、快活、一本気、明朗などの気性。

*しょ・せい【書聖】書道の名人。

*じょ・せい【助勢】《名・自サ》〔肉体的・精神的に〕力を添えてたすけること。類語加勢。助力。

*じょ・せい【助成】《名・他サ》ある研究や事業などが完成するように〔経済面で〕力を添えること。「教育—金」

*じょ・せい【女婿・女×壻】〔文〕むすめの夫。むすめむこ。女婿（にょせい）。

*じょ・せい【女性】〔成人の〕おんな。婦人。女子。対男性。

—ご【—語】女性特有のことば。「おぐし」「おみあし」や、手紙文に使われる「かしこ」、感動詞の「あら」「まあ」、終助詞の「わ」「よ」などの類。

—てき【—的】《形動》❶女性らしいようす。女性を思わせるようす。「—なしぐさ」❷〔風景などが〕おだやかでやさしい感じを与えるようす。「—な山」対①②男性的。

*じょ・せい【女声】〔声楽で〕女性の声。対男声。

しょ・せき【書籍】書物。本。図書。参考「一冊（いっさつ）…」「一部（いちぶ）…」と数える。

じょ・せき【除籍】《名・他サ》名簿・学籍・戸籍などから名を除き、身分をとりあげること。類語除名。

*しょ・せつ【所説】〔文〕〔あることに関して〕主張している事柄。説。「師の—に異を唱える」

*しょ・せつ【諸説】〔ある一つのことに対する〕いろいろな意見・説・うわさ。「—入り乱れる」「—紛々」

*じょ・せつ【序説】本論にはいる前の準備として述べる、説明・論説。序論。参考本の標題などにも用いる。「哲学—」類語緒論。

*じょ・せつ【×絮説】《名・他サ》〔文〕くどくどと述べること。類語縷説（るせつ）。

*じょ・せつ【除雪】《名・自サ》ふりつもった雪をとりのけること。「屋根の—」「—車」

*しょ・せん【緒戦】戦争がはじまったばかりのころの戦い。また、はじまったばかりの試合。初戦。緒戦（ちょせん）。

*しょ・せん【所×詮】《副》〔詮ずるところの意から〕「あれこれ考えてみたが結局は…だ」の意。〔下に否定的判断を表す語を伴う〕「—かなわぬ夢だ」「—で勝利を決定的にする」

日本語

助数詞

英語では、数える場合、数えられるものが人でも犬でも文字でも机でも、ワン、ツー、スリーと数えるが、日本語では、人なら「ひとり、ふたり」、犬なら「一匹、二匹」とそれぞれ違う。ヨーロッパの言語では、ドイツ語でもフランス語でもそういう区別はないから、日本語だけの特徴かと思うが、実は中国語をはじめとして、朝鮮語・タイ語・ベトナム語・ビルマ語など、東南アジアの言語には共通に見られる性格である。

日本では、昔は、たんすや三味線は「一棹（ひとさお）・二棹（ふたさお）」と数え、琴や鏡は「一面・二面」と数えるのが正しい数え方で、これがちゃんと言えるのが、その人の教養と考えられていた。イカは動物であるが、「一杯（いっぱい）・二杯（にはい）」が正しく、ウサギは獣であるが、「一羽・二羽」が正しく、蝶（ちょう）は「一頭・二頭」が正しいなどと、びっくりするような数え方もあるが、今はすたれつつある。

助数詞の種類が多いのは中国で、人は「一個・二個」と数えられて物並み、犬は「一条・二条」とあたかも紐（ひも）のように数えている。

しょ・そう【諸相】〔ある物事にあらわれる〕いろいろなすがた・ありさま。「現代の若者の―」 類語 種々相。

しょ・ぞう【所蔵】《名・他サ》自分のものとしてしまってもっていること。また、その物。「某氏―」 類語 所有。

***じょ・そう【助奏】** 伴奏つきの独唱・独奏に、さらに他の独奏楽器を加えて旋律的な伴奏をすること。また、その伴奏。オブリガート。

***じょ・そう【助走】**《名・自サ》陸上競技や体操などで、勢いをつけて・とぶ(投げる)ために踏み切りのところまで走ること。「―路」

***じょ・そう【女装】**《名・自サ》男が女の服装をすること。 対 男装。

***じょ・そう【序奏】** 楽曲のはじまりに、その曲の前ぶれを表すために奏する、短い(ゆるやかな)部分。導入部。イントロダクション。イントロ。

***じょ・そう【除草】**《名・自サ》〔庭園・田畑などにはえた〕雑草をとりのぞくこと。草取り。「―剤」

***じょ・そう【除霜】** ❶《名・自サ》植物などを霜の害から守ること。しもよけ。❷電気冷蔵庫の霜とり。

しょ・そく【初速】〔理〕ある物体が運動をおこしたときの、はじめの速度。初速度。

しょ・ぞく【所属】《名・自サ》〔ある物・人が〕ある団体・組織などに属していること。「編集部に―する」

しょ・ぞん【所存】〔文〕こうしようと心の中で思っている事柄。考え。「努力する―でございます」 類語 所思。

じょそん・だんぴ【女尊男卑】 女を尊び男を卑しめること。女性の社会的地位が男性のそれよりも高いとする風潮にいう。 参考 「男尊女卑」のもじり。

***しょ・たい【所帯・▽世帯】**〔もと、身に帯びている財産・官職などの意から〕❶一戸を構えて営まれる独立の生計。「―が苦しい」❷一つの独立した住居や生計の下に営まれる生活体。ふつう、夫婦とその家族で構成される。「大―」「男―」 **―じ・みる【―染みる】**《自上一》考え方・態度・姿かたちなどが、所帯をもった苦労がにじみでて、やつれて見える。 **―どうぐ【―道具】** 所帯をもって生活するのに必要な道具。なべ・かま・たんすなど。 **―もち【―持ち】** ❶所帯をもって生活をする人。家族持ち。❷生計のたて方。「―のいい女」 **―やつれ【―×窶れ】**《名・自サ》所帯の苦労に追われてやつれること。 **―を持・つ**《句》一家を構えて、独立の生計をいとなむ。また、結婚して、家庭をつくる。

***しょ・たい【書体】** ❶文字を書き表すときの様式。漢字の楷書・行書・草書、活字の明朝・清朝、欧文活字のイタリック・ローマン・ゴシックなどの別をいう。 参考 俗に「字体」とも言う。❷〔その人特有の〕文字の書きぶり。書風。

しょ・だい【初代】 ある役職・家・芸道などの系統の最初の代(の人)。第一代。「―の団十郎」

***じょ・たい【女体】** 女のからだ。女の肉体。女体。

***じょ・たい【除隊】**《名・自サ》〔現役の兵が〕兵役を解除されること。 対 入隊。

しょ・たいめん【初対面】〔ある人と〕はじめて(正式に)会うこと。初会。初見。「―のあいさつを交わす」

しょ・だち【初〈太刀〉】〔切りつけるために〕最初に振り下ろした、たち。また、その一振り。最初の一刀。

しょ・だな【書棚】 書物をのせて整理しておくたな。本棚。書架。 参考 「一架…」と数える。

***しょ・だん【処断】**《名・他サ》〔文〕〔処決裁断の意で〕理非・曲直などをさばいてきめること。処置をきめること。 類語 裁決。裁断。決断。裁量。

***しょ・だん【初段】** 柔道・剣道・碁・将棋・珠算などの技術を表す段位で、最初の段階のもの。

じょ・たん【助炭】 火もちをよくするため、わくに紙を張って火ばちをおおう道具。

しょ・ち【処置】《名・他サ》❶〔物事を〕とりはからって、しまつをつけること。「―を講ずる」 類語 処理。措置。❷傷などの手当てをすること。「応急―」

***しょ・ちゅう【暑中】** ❶夏の(最も)暑い時期。「―休暇」 対 寒中。❷夏の土用の一八日間。七月二〇日ごろから八月七日ごろまで。

***しょ・ちゅう【書中】** 手紙の文章の中。また、手紙。「―をもって申し上げます」

***じょ・ちゅう【女中】** ❶〔卑称〕他人の家庭・旅館などに住み込みで雇われて、炊事その他の雑用をする女性。 参考 現在、家庭の場合は「お手伝いさん」「住み込みの家政婦さん」などと言う。❷〔古〕女性。「お―」

***じょ・ちゅう【除虫】**《名・自サ》農作物などに害を与える虫をとりのぞくこと。 類語 駆虫。 **―ぎく【―菊】** キク科の多年草。花は殺虫剤の原料になる。

***しょ・ちょう【初潮】** 初めての月経。初経。

***しょ・ちょう【所長】**〔事業所など〕「所」と名のつく所の一番上位の役職。また、その人。

***しょ・ちょう【署長】**〔警察署・税務署など〕「署」と名のつく役所の一番上位の役職。また、その人。

じょ・ちょう【助長】《名・他サ》ある働きかけによって、その傾向などがよりいっそう盛んになるようにすること。また、そうした結果にしてしまうこと。「非行を―する」

しょっ・かい【職階】〔役所・会社などで〕職務の種類や責任の度合いに応じて分類される、職員の階級。

***しょっ・かく【触覚】** 五感の一つ。ものにふれて起こる皮膚の感覚。触感。

***しょっ・かく【触角】** 昆虫などの頭の先にある、ひげのような器官。嗅覚・触覚などをつかさどる。

***しょっ・かく【食客】** ❶他人の家で、客の待遇を受けて生活している人。❷他人に食わせてもらっている人。いそうろう。＝食客。

***しょっ・かん【触感】** ❶手などで物にさわったときの〔ざらざらしたとか暖かいとかの〕感じ。❷触覚。

***しょっ・かん【食感】** 食べたときに口の中で感じる感触。「―がよい」

***しょっ・かん【食間】**〔食前・食後に対して〕食事と食事との間。「―に服用」

***しょっ・き【織機】** 布を織る機械。はたおりき。はた。

***しょっ・き【食器】** 食事につかう器具。ちゃわん・はし・皿など。

ジョッキ ビールなどをのむための、取っ手のついた大型の容器。▽jug(＝水さし)から。

ジョッキー 競馬の騎手。▽jockey

しょっ・きゃく【食客】→しょっかく(食客)。

しょ・っ・きり【初っ切り】 興行相撲で、余興に行うこっけいな相撲。

ショッキング《形動》どきっとするようなようす。驚くべきようす。「―なニュース」「―な発見」▽shocking

ショック〔物理的・精神的に〕急激な強い打撃を受けること。衝撃。「―死」▽shock **―りょうほう【―療法】** ❶医学で、人体に電流・薬物などの刺激を加えて治療する方法。衝撃療法。❷思い切った手段を使って事態を変えようとすること。

*しょっ-けん【職権】〔公務員などが〕その職務をはたすためにもっている権限。職務上の権限。ーらんよう【ー濫用】〔法〕公務員が範囲をこえてその職権を使用すること。「ー罪」表記「乱用」で代用することもある。

*しょっ-けん【食券】食堂などで発行し、それと引きかえに注文した飲食物を渡す札。

*しょっ-こう【×燭光】━《名》〔文〕ともしびの光。━《助数》光度の旧単位。しょく。

*しょっ-こう【職工】工場で製造・修理などを行う労働者。工員。〔古い言い方〕

しょっこう-の-にしき【×蜀江の×錦】❶昔、中国の蜀(しょく)から産出した、精巧で美しい錦。❷京都の西陣で織る、①を模した美しい錦。同①②蜀錦(しょっきん)。

しょっちゅう《副》〔俗〕常に。たえず。いつも。「ー先生にしかられている」

しょっつる 秋田地方特産の調味料。ハタハタ・イワシなどを塩づけにして自然としみだしてきた上澄みの汁。「ーなべ(=しょっつるで魚介類や野菜を煮るなべ料理)」

しょって-た-つ【▽背▽負って立つ】《連語》自分の責任として引き受ける。また、組織などの中心・支柱となって働く。双肩にになう。「会社をー・つ」

しょっ-てる【▽背▽負ってる】《自下一》(「しょっている」の転)〔俗〕自分で自分をかいかぶっている。うぬぼれている。「彼はずいぶんとー・てるね」

ショット❶〔ゴルフ・テニスなどで〕たまを打つこと。また、打ったたま。打球。「ミスー」❷銃などを撃つこと。射撃。❸映画で、カメラが回転しはじめてから終わるまでの一場面。「ロングー」▽shot

しょっぱ・い【▽塩っぱい・×鹹っぱい】《形》〔俗〕❶塩からい。「海水はー・い」❷〔出しおしんで〕けちである。しみったれている。

しょ-っ-ぱな【初っ▽端】〔俗〕物事の最初。「試合のーに負けた」表記かなで書くことが多い。

しょ-っ-ぴ・く《他五》〔俗〕むりに連れて行く。特に、犯人などを警察署へひっぱって行く。しょびく。

ショッピング 買い物をすること。「ーセンター」「ーバッグ」「気軽にーが楽しめる店」▽shopping

ショップ 店。小売店。「メンズー」▽shop

しょ-て【初手】〔碁・将棋で最初に打った手の意から〕物事のしはじめ。最初。「ーから無理だとあきらめる」

しょ-てい【所定】〈「ーの…」の形で〉「形式として決められた…」の意を表す。「ーの手続きをとる」

じょ-てい【女帝】女性の皇帝。類語女王。

しょ-てん【書店】❶書物を売る店。本屋。❷出版社。〔店の名称に使う〕

*しょ-でん【初伝】〔学問・芸道などで〕最初の段階に伝授する事柄。最下級の伝授。対奥伝(おくでん)。

*しょ-でん【所伝】〔文〕❶口頭・文書などで伝えられたこと(もの)。伝え。❷〈「…ーの」の形で〉「…に伝わった」の意。「三条西家ーの資料」

しょ-ど【初度】〔文〕最初。初回。

*しょ-とう【初冬】❶冬のはじめ(のころ)。対晩冬。❷陰暦一〇月の別称。同①②孟冬(もうとう)。=はつふゆ。

*しょ-とう【初等】〔学問・技術などを習得する際の〕最初の等級・段階。初級。類語初歩。対中等・高等。ーきょういく【ー教育】小学校の教育。

*しょ-とう【初頭】〔継続する期間・時代の〕はじめ。はじめのころ。「二一世紀ー」類語初期。劈頭(へきとう)。

*しょ-とう【×蔗糖】(「しゃとう」の慣用読み)サトウキビからとる砂糖。

*しょ-とう【諸島】❶いくつかの島。多くの島。❷〔地〕一定水域にかたまって数多く存在する島々。「フィリピンー」参考もと「群島」といった。

*しょ-どう【初動】❶最初の行動。「ー捜査」「ー態勢」❷地震の最初の震動。

*しょ-どう【書道】〔毛筆で書く〕文字の書き方を学ぶ芸道。入木道(じゅぼくどう)。類語習字。

*しょ-どう【諸道】❶いろいろな芸道。類語諸芸。❷いろいろな方面。諸方面。万事。

じょ-どうし【助動詞】品詞の一つ。付属語で活用があるもの。用言や他の助動詞について、それに意味を加えて叙述を助けたり、体言その他の語について、その文節に叙述の意味を加えたりする。文語で「けり」「なり」、口語で「たい」「だ」など。

*しょ-とく【所得】❶その人のものになる・こと(もの)。類語取得。❷ある個人・法人が一定期間に得た財貨。給料・利子・家賃など。「国民ー」ーぜい【ー税】個人・法人の一年間の所得に対して課せられる国税。

*しょ-とく【書×牘】〔文〕手紙。書簡。

しょ-なぬか【初七日】ある人の死んだ日からかぞえて、七日めに当たる日。また、その日に行う仏事。一七日(ひとなのか)・ひとなぬか。初七日(しょなのか)・しょしちにち。

しょ-なのか【初七日】↓しょなぬか(初七日)。

じょ-なん【女難】女性との関係がもとになって、男性がこうむるわざわい。「ーの相」

じょ-にだん【序二段】相撲の番付で、序の口の上、三段目の下の地位(の力士)。

しょ-にち【初日】❶〔芝居・相撲・展覧会など〕何日もつづく興行・催し物の最初の日。第一日。❷〈「ーが出る」「ーを出す」の形で〉相撲で、負けつづけていた力士がはじめて勝つ。「片目があく」とも言う。

しょ-にん【初任】はじめて職(特に官職)に任じられること。ーきゅう【ー給】就職・任官してはじめてもらう給料。また、その金額。類語初給。

じょ-にん【叙任】《名・他サ》〔文〕位をさずけ、官に任命すること。

しょ-ねつ【暑熱】夏のきびしい暑さ。炎熱。炎暑。

しょ-ねん【初年】❶最初の年。第一年。❷はじめのころ。「昭和のー」

じょ-の-くち【序の口】❶〔ある物事が〕始まったばかりで本格的でないこと。「寒さはまだーだ」類語発端。❷相撲の番付で、一番下の位(の力士)。

しょ-は【諸派】❶いろいろな派。❷国会などで、議席をもたない政党や、少数の議席しかもたない政党をまとめたよび方。「ーが連合する」

しょ-ば(「場所」の倒語)〔俗〕場所。特に、露店などのなわばり。「ー代」

じょ-は-きゅう【序破急】❶舞楽・能楽を構成する表現形式の三段階。「序」は最初の部分で無拍子。「破」は中間の部分でゆるやかで変化のある拍子。「急」は最後の部分で速い拍子。❷緩急(かんきゅう)の変化。「ーをつけて演奏する」❸物事のはじめと、なかと、おわり。

しょ-はつ【初発】❶〔ある物事が〕はじめておこること。はじまり。❷〔汽車・電車などの〕始発。

しょ-ばつ【処罰】《名・他サ》刑罰に処すること。罰すること。「—を受ける」「違反者を—する」類語処刑。

*しょ‐はん【初版】ある書籍の最初の版(による出版)。また、その本。第一版。対再版。重版。

*しょ‐はん【初犯】〔その人の〕はじめての犯罪。対再犯。

*しょ‐はん【諸般】いろいろ。種々。もろもろ。「—の事情」類語各般。万般。

じょ‐ばん【序盤】❶碁・将棋で、試合をはじめたころの盤面の情勢。❷ある物事のはじまって間もないころ〔の情勢〕。「選挙の—戦」対①②中盤・終盤。

しょ‐ひ【諸費】いろいろな費用。類語雑費。

しょび‐く《他五》〔俗〕しょっぴく。

しょ‐ひょう【書評】〔新聞・雑誌などで〕新刊の書物・雑誌の内容を紹介・批評すること。また、その文章。

じょ‐びらき【序開き】〔ある物事を始めるための糸口として〕最初に行うこと。はじまり。発端。

しょ‐ふう【書風】〔書いた人の性格や流派の特色の出た〕毛筆の文字の書きぶり。「豪快な—」

しょ‐ふく【書幅】〔詩句などの〕文字を書いた掛け軸。かけじ。類語画幅。

じょ‐ぶく【除服】〔文〕❶喪に服する期間が終わって喪服を脱ぐこと。❷喪に服する期間が終わること。除喪。忌明け。忌み明け。＝じょふく。

しょ‐ぶん【処分】《名・他サ》❶〔売りはらったり、捨てたりして〕不要なもの、余分なものなどをしまつすること。「古本を—する」❷〔ある組織・団体などで規則に反した者などを〕罰すること。「違反者を厳重に—する」

じょ‐ぶん【序文】〔本文・跋文に対して〕書物で、本文の前にしるす文章。はしがき。序。序言。

しょ‐へき【書癖】〔文〕❶読書を好むくせ。❷書物を集めるくせ。❸書きぐせ。筆ぐせ。

ショベル シャベル。「—カー」参考主として機械関係でいう。▽shovel

しょ‐ほ【初歩】〔学問・技術などの〕習いはじめの段階。てはじめ。「運転の—」「—的」類語初等。入門。

しょぼ‐い《形》〔俗〕しみったれたようすだ。

*しょ‐ほう【処方】医師が患者の病状に応じて薬とその服用法を指示すること。注意「処法」は誤り。—せん【—×箋】医師が処方を記した文書。参考ひゆ的に、物事の処理法・解決法の意にも使う。「非行防止の—」

*しょ‐ほう【書法】〔筆順・はね方など〕〔毛筆で〕文字を書くときの方法。また、文章の書き方。

*しょ‐ほう【諸方】いろいろな方面。あちらこちら。

*しょ‐ほう【諸法】〔仏〕宇宙に存在するすべての事物・現象。万法。

しょ‐ぼう【書房】〔文〕❶書斎。❷書店。書林。〔接尾語的に使って店の名称ともする〕「井上—」

*じょ‐ほう【叙法】〔文章での〕言い表し方。のべ方。

*じょ‐ほう【除法】わり算。対乗法。

しょぼ‐くれる《自下一》〔俗〕しょぼたれる②③。

しょぼ‐しょぼ《副》《(「—と」の形も)》❶小雨が降り続くようす。しとしと。❷《自サ》目がはっきりあけられず、まばたきをするようす。「目を—させる」❸《自サ》力が弱ってさびしそうなようす。「—と歩く」類語しょんぼり。

しょぼ‐た‐れる《自下一》❶〔雨などに〕びしょびしょにぬれる。しょぼぬれる。❷〔俗〕力が抜け気が弱る。みじめな気持ちになる。しょぼくれる。❸〔俗〕〔服装などが〕古かったりよごれていたりして、みすぼらしく見える。しょぼくれる。「—れた格好」類語しみったれる。

しょぼ‐つ‐く《自五》目がしょぼしょぼする。

しょぼ‐ぬ‐れる【しょぼ×濡れる】《自下一》びしょびしょにぬれる。しょぼたれる。そぼぬれる。

じょ‐ぼん【序▽品】《「品」は「章」の意》❶経典の、序の部分。❷法華経二十八品中の第一品。

しょぼん‐と《副》がっかりして元気がなくなったようす。「逆転されて—なる」

*じょ‐まく【序幕】❶芝居・歌劇などのはじめの一幕。❷ある物事の始まりの部分。口あけ。類語開幕。幕あけ。対①②終幕。

*じょ‐まく【除幕】《名・自サ》銅像・記念碑などが完成したとき、幕をはずして披露すること。「—式」

しょ‐みん【庶民】一般の国民。一般大衆。「—の声」「—的(＝考え方や態度などが庶民らしく、親しみがもてるようす)」類語平民。民衆。

*しょ‐む【処務】〔文〕事務を処理すること。

*しょ‐む【庶務】〔会社などの仕事で〕特定の名まえをつけられない、いろいろな事務。「—課」類語雑務。

*しょ‐めい【署名】《名・自他サ》自分の姓名を書きしるすこと。また、その書きしるした姓名。サイン。「—運動」類語記名。

*しょ‐めい【書名】書物の名まえ。

*じょ‐めい【助命】〔殺されることになっている人の〕命を助けること。「—を嘆願する」類語救命。

*じょ‐めい【除名】《名・他サ》〔団体・会などの〕名簿から名前をのぞくこと。特に、その団体から脱退させること。「—処分」類語除籍。

しょ‐めん【書面】❶文書・手紙などに書かれた内容。文面。❷文書。手紙。類語書状。書簡。

じょ‐も【除喪】〔文〕喪に服する期間を〔繰り上げて〕終わること。除服。

しょ‐もう【所望】《名・他サ》〔文〕ほしい、また、してほしいと望むこと。また、その望みのもの。類語注文。

しょ‐もく【書目】❶書物の目録。図書目録。❷〔文〕書物の題名。書名。

しょ‐もつ【書物】本。書籍。類語図書。

しょ‐や【初夜】❶一夜を初・中・後に分けたときの、最初の時間。夕方から夜半にかけての間。対中夜・後夜。❷戌の刻。午後七時ごろから午後九時ごろまで。初更。❸〔仏〕戌の刻に行う読経。❹初めての夜。特に、新婚の夫婦が初めていっしょに寝る夜。「新婚—」

じょ‐や【除夜】一年の最後の日(＝一二月三一日)の夜。おおみそかの夜。年越しの夜。「—の鐘(＝人間の煩悩を取り除くため、一〇八回つく鐘)」

じょ‐やく【助役】❶主任者を助けてその仕事を行う役(の人)。❷市・町・村で、市長・町村長を助けてその仕事を行う役(の人)。❸鉄道で、駅長を助けてその仕事を行う役(の人)。

しょ‐ゆう【所有】《名・他サ》自分のものとして持っていること。「—権」「土地を—する」類語所蔵。所持。

じょ‐ゆう【女優】女性の俳優。対男優。

しょ‐よ【所与】与えられる・こと(もの)。特に、推理・研究などの出発点として与えられ、または仮定される、事実・原理。与件。「—の条件」

*しょ‐よう【所用】❶ある用事・用件。「—で上京する」❷必要なこと。入用。「—があってお借りします」

*しょ・よう【所要】ある事をするのに必要な・こと(もの)。「―時間」「―の経費」

しょ・り【処理】《名・他サ》〔仕事や事件などを〕とりさばいて始末をつけること。「事務―」類語 処置。処分。

じょ・りゅう【女流】女性。婦人。「―歌人」「―作家」「―文学」類語 閨秀(けいしゅう)。

しょ・りょう【所領】〔王・大名などが〕領有している土地。「―を賜る」類語 領地。

じょ・りょく【助力】《名・自サ》〔他人の仕事・事業などに〕力をそえて手伝うこと。「―を乞(こ)う」「―を仰ぐ」「―を惜しまない」類語 加勢。援助。助勢。

しょ・りん【書林】〔文〕❶多くの書物のある所。❷書店。書房。〔接尾語的に使って店の名称ともする〕

じょりん・もく【如輪木・如×鱗木】うろこまたは輪のような形をしている木目(もくめ)。

しょ・るい【書類】事務上の文書・書きつけ。参考「一通(いっつう)…」「一札(いっさつ)…」と数える。

ショルダー・バッグ 肩にかけて持ち歩く〈小型の〉かばん。ショルダー。▽shoulder bag

じょ・れつ【序列】〔年齢・官位・成績など〕一定の基準に従ってならべた順序。「年功―」

じょ・れん【×鋤×簾】土・小石などをかき集める農具。長い柄の先に箕(み)をつけたもの。

鋤簾

じょ・ろ【如露】↓じょうろ。

*しょ・ろう【初老】中年から老年にはいる年ごろ。参考 もと四〇歳の別称。現在では六〇歳前後を指す。

*しょ・ろう【所労】〔文〕病気。つかれ。

じょ・ろう【女郎】遊女。「―屋」類語 おいらん。―ぐも【―×蜘×蛛】コガネグモ科の節足動物。腹部に黄色と青黒色の帯がある。

*しょ・ろん【所論】〔論ずるところ(のもの)の意で〕その人のとなえている意見・理論。類語 持論。持説。

*しょ・ろん【緒論】序論。

じょ・ろん【序論】〔論文などで〕本論にはいる前にのべるおおよその・論(文章)。緒論(しょろん・ちょろん)。類語 序説。

しょ・わけ【諸訳・諸分(け)】〔文〕❶いろいろとこみいった事情・事柄。❷いろいろの費用。諸雑費。

ジョン・ブル 典型的なイギリス人を指す俗称。▽John Bull

しょんぼり《副・自サ》《副詞は「―と」の形も》さびしそうで元気のないようす。「―とうつむく」類語 悄然(しょうぜん)。しょぼしょぼ。しおしお。

しら【白】㊀《接頭》❶色が白い意。「―帆」❷〔そめたりぬったりせず〕生地(きじ)のままである意。「―木」㊁《名》〈―を切る〉知らないふりをする。しらばくれる。表記 ㊁はかな書き。⇩〔使い分け「白(しろ/しら)」〕

しら・あえ【白▽和(え)】―あへ 豆腐と白ごまをすりまぜ、にんじん・こんにゃくなどをゆでてあえた料理。類語 黒あえ。

*じ・らい【地雷】地中に埋めておき、その上を車や人が通った時に爆発するしくみの爆薬。地雷火(じらいか)。

*じ・らい【×爾来】《副》〔文〕〔その前にのべた事柄を受けて〕それ以後。その後。「―音信がない」

しら・いと【白糸】❶染めていない白い糸。しろいと。❷生糸(きいと)。参考 滝などのたとえに使う。

しら・うお【白魚】―うを シラウオ科の近海魚。細長く、すきとおっている。川の下流で産卵し、海へ下って成長する。食用。参考 女性のすんなりとのびた白い指のたとえに使う。「―のような指」

しら・うめ【白梅】白い花が咲く梅。また、白い梅の花。白梅(はくばい)。

しら・が【〈白髪〉】年をとるなどして、色素がなくなって白くなった頭髪。白髪(はくはつ)。「―染め」類語 半白。胡麻塩(ごましお)。銀髪。頭に霜を置く。ロマンスグレー。

しら・かし【白×樫】ブナ科の常緑高木。材はかたく、白い。器具の材料・炭などにする。

しら・かば【白×樺】↓しらかんば。

しら・かゆ【白×粥】白米だけのかゆ。参考「雑炊(ぞうすい)」に対して言う。

しらかわ・よふね【白河夜船・白川夜船】しらかは― 故事 何がおこっても気づかないほど、ぐっすりねこむこと。京をみたといつわりを言った人が、京都の白河(=土地の名)のことを聞かれて川の名と思いこみ、「夜、船で通ったから知らぬ」と答えたという話から。

しら・かんば【白×樺】カバノキ科の落葉高木。高原などにはえる。外皮は白く紙のようにうすくはげる。木は細工物・建築材にする。しらかば。かば。

しら・き【白木】皮をはいだり、けずったりしたままで塗料をぬっていない木材。「―の箱」

*しら・くも【白×癬】白癬(はくせん)菌によって多く子どもの頭にできる感染性の皮膚病。皮膚白癬症の一つ。

*しら・くも【白雲】〔青い空に浮かぶ〕白い雲。白雲(しろくも・はくうん)。

しら・ける【白ける】《自下一》❶〔色があせて〕白くなる。❷〔高まっていた〕興がさめる。その場が気まずくなる。「座が―・ける」文 しら・く《下二》。

しら・げる【▽精げる】《他下一》❶玄米をついて白くする。❷みがいて仕上げる。文 しら・ぐ《下二》。

しら・こ【白子】❶雄の魚にある、白い精液のかたまり。食用。対 真子(まこ)。❷皮膚の色素が欠乏して、全体または局部が白く見える人・動物。＝白子(しろこ)。

しら・さぎ【白×鷺】サギ科の鳥の中で全身が純白な種類の総称。チュウサギ・コサギ・アマサギなど。

しら・さや【白×鞘】白木のままで何も塗っていない、刀のさや。また、さやを白木で作ってある刀。

しら・しら【白白】《副》《「―と」の形も》❶夜があけて、しだいに空が明るくなってゆくようす。❷いかにも白くみえるようす。「―と氷がかがやく」＝しらじら(と)。―あけ【―明け】東の空が少しずつ明るくなってくるころ。夜明けのころ。しらじらあけ。類語 暁(あかつき)。薄明。早暁。鶏鳴。払暁(ふつぎょう)。朝まだき。

しら・じら【白白】《副》《「―と」の形も》❶しらじらしいようす。❷しらしら(と)②。❸しらしら(と)①。―あけ【―明け】↓しらしらあけ。―し・い《形》❶うそであるとか真心がないとかいうさまが、見てとれるようす。「―・くお世辞を言う」❷知っていて知らないふりをするようす。「―・い態度をとる」❸興ざめがするようす。「―・い思いがする」

*しら・す【白子】❶イワシ類・シラウオ類・アユなどの幼魚。色素細胞が発達せず透明。ゆでると白くなる。❷「しらすぼし」の略。カタクチイワシの幼魚を干した食品。❸ウナギの稚魚。しらすうなぎ。

し

***しら・す**【白州・白×洲】❶庭・玄関前などの、白い砂をしきつめた所。❷能舞台と観客席との間の、白い砂・小石をしきつめてある所。❸〔白い砂が敷いてあったことから〕昔、奉行所で犯人をとりしらべた場所。おしらす。表記 ③はもと、もっぱら「白洲」と書いた。

***しら・す**【白▽砂】火山灰や砂などからできた堆積(たいせき)層。崩壊しやすい。九州南部の台地を形成している。「―台地」表記 ふつう「シラス」と書く。

しら・ず【知らず】《「知る」の未然形＋打ち消しの文語助動詞「ず」》㊀《連語》〔文〕〈「…は―」の形で〉「…を問題にしないでおく」の意。…は知らないが。「他の人は―、私は行く」㊁《接尾》《名詞について、名詞・形容動詞語幹を作る》「…を経験することがない」「…に対して無感覚である」の意。「寒さ―」「はじ―」**―しらず**【―知らず・―▽識らず】《副》自分で気づかないうちに。無意識のうちに。「―真似(まね)をする」

じら・す【▽焦らす】《他五》〔相手の期待することをなかなかしないで〕いらいらするように仕向ける。じれったがらせる。じらせる。文《四》。

しらせ【知らせ】❶知らせること。また、その内容。通知。報知。「よい―が届く」尊敬 貴報。御報。❷何かが起こるきざし・前兆。「虫の―」⇩〔類語と表現〕

しら・せる【知らせる】《他下一》〔出来事・考えなどを言ったり書いたりして〕他人が知るようにする。「会合の日時を―・せる」「答えを―・せる」文 しら・す《下二》。⇩〔類語と表現〕

類語と表現

「**知らせる**」

*急を知らせる・近況を知らせる・転居先を知らせる・手紙で無事を知らせる・事故を警察に知らせる・終業を告げるチャイム。

◆報じる・伝える・通じる・告げる・宣する・達する・広める・触れる・触れ回る・触れ込む・言い触らす・言い広める・言い付ける・言付(ことづ)ける／(する)報道・特報・通報・速報・急報・続報・屢報(るほう)・予報・報知・報告・一報・内報・内通・通知・公告・告知・通告・布告・急告・予告・密告・通達・連絡・示達(じたつ)・布達・厳達・口達・下達・令達・案内・注進・広告・宣伝・喧伝(けんでん)・鼓吹・吹聴／謹告

◇〔知らせ〕報・情報・飛報・既報・昨報・雑報・詳報・勝報・敗報・公報・広報・警報・時報・確報・誤報・虚報・快報・朗報・吉報・凶報・悲報・訃報・訃音・社告・ニュース・インフォメーション

しら・た【白太】❶材の色が白い杉。❷木材の、樹皮に近い色のうすい部分。対 赤身②。

しら・たき【白滝】❶まっ白に見える滝。❷糸のように細く作ったこんにゃく。糸ごんにゃくの特に細いもの。

しら・たま【白玉】❶白い玉。❷白い宝玉。特に、真珠。❸白玉粉で作っただんご。❹「白玉椿(しらたまつばき)」の略。白い花の咲くツバキ。**―こ**【―粉】もち米を冷水にさらし、かわかしてひいた粉。

しら・ちゃ【白茶】白っぽい茶色。うすい茶色。

しらちゃ・ける【白茶ける】《自下一》色があせて白くなる。しらっちゃける。

しら・つち【白土】❶色の白い土。❷〔陶器などの原料になる〕白いねんど。陶土。❸しっくい。

しら・っ・ちゃ・ける【白っ茶ける】《自下一》➡しらちゃける。

しら・つゆ【白露】〔「光って白く見える露」の意から〕「露」の美的な表現。「秋草に置く―」

しら・とり【白鳥】❶羽の白い鳥。❷➡はくちょう。

しら・なみ【白波・白▽浪】❶〔川・海などで〕あわだって白く見える波。❷どろぼう。盗賊。「―五人男」参考 中国の白波谷にいた盗賊の名「白波賊(はくはぞく)」から。

しらぬ・い【▽不▽知▽火】九州の有明海・八代(やつしろ)海に、陰暦七月ごろの夜見える無数の火。漁船の光がいくつにも屈折しておこるという。

しらぬ・かお【知らぬ顔】知っていながら、知らないふりをすること。また、その顔つき。知らん顔。**―の半兵衛**(はんべえ)《句》知らん顔をしていて少しもとりあわないようす(人)。「―をきめこむ」

***しら・は**【白刃】さやからぬいた刃。ぬきみ。白刃(はくじん)。

***しら・は**【白羽】矢につけたまっ白い羽。**―の矢が立・つ**《句》多くの中から、特に選び出される。「白羽の矢を立てる(＝特に選び出す)」ともいう。

しら・はえ【白▽南▽風】〔文〕つゆ明けのころ吹く南風。また、六月ごろ吹く南西風。参考 ➡黒南風(くろはえ)。

しら・ばく・れる《自下一》〔俗〕知っているのに知らないふりをする。しらばっくれる。類語 そらとぼける。

しら・はた【白旗】白色の旗。㋐〔平氏の赤旗に対して〕源氏の旗。対 赤旗。㋑降服を表す旗。㋒軍使の目印にする旗。㋓安全信号の旗。＝白旗(しろはた)。

しら・はだ【白肌・白▽膚】❶色白の肌。❷➡しろなまず。

しら・はり【白張り】❶〔昔、下僕などが着た〕のりをたくさんつけた白い狩衣(かりぎぬ)。白丁(はくちょう)。❷白い紙を張ること。❸「白張り提灯(ちょうちん)」の略。**―ぢょうちん**【―▽提▽灯】文字や絵をかかず、白紙をはっただけの提灯。葬式に使う。白提灯。

しら・びょうし【白拍子】❶雅楽の拍子の名。❷平安時代末期の歌舞の一つ。また、それを舞う遊女。

しら・ふ【▽素▽面・白▽面】酒によっていない状態。「―では歌えない」

ジラフ きりん(麒麟)。▽giraffe

シラブル 音節。▽syllable

しらべ【調べ】❶しらべること。研究・調査・尋問など。「―がつく」❷音律の調子をととのえること。❸詩歌・音楽などの調子。特に、歌のふし。音律。「琴の―」

しらべ・おび【調べ帯】原動機の働きを他に伝えるためのベルト。

しらべ・ぐるま【調べ車】調べ帯を掛けて動力を伝える車。プーリー。ベルト車。

しら・べる【調べる】《他下一》❶わからない点、不確かな点などを、見比べたり、さがしたり、問いただしたりする。また、そのようにして、はっきりさせる。調査する。点検する。研究する。尋問する。「事故の原因を―・べる」「疑問点を―・べる」「犯人を―・べる」❷楽器の調子を整える。「琴を雲井の調子に―・べる」❸〔雅〕音楽を奏する。「琵琶(びわ)を―・べる」文 しら・ぶ《下二》。

しら・ほ【白帆】船に張った白い帆。また、〔遠くに見える〕白い帆を張った船。

しら・まゆみ【白真弓】㊀《名》センダンの木で作った丸木の弓。㊁《枕》「張る」「射る」などにかかる。

しらみ【×虱・×蝨】シラミ科の小さな昆虫。からだは平たく、はねはない。哺乳(ほにゅう)類・鳥類に寄生し血を吸い、発疹(はっしん)チフスなどを媒介する。白虫。半風子(はんぷうし)。

しらみ・つぶし【×虱×潰し】〔たくさんのシラミを一匹ずつつぶしていくように〕物事をかたはしから手おちなく処理するようす。「ーに犯人をさがす」

しら・む【白む】《自五》❶白くなる。特に、夜が明けて、〔あたりが〕ほの明るくなる。「山の端はがーむ」❷興がさめる。しらける。「座がーむ」文《四》。

しら・やき【白焼(き)】《名・他サ》魚肉などを調味料をつけずに焼くこと。また、焼いたもの。「鰻うなぎのー」

しら・ゆき【白雪】〔降りつもった〕まっしろな雪。白雪はくせつ。「富士のー」

し・らん【紫×蘭】ラン科の多年草。初夏に紅紫色または白色の花を六、七個総状につける。観賞用。

しらん・かお【知らん顔】ほーか 知らぬ顔。

しらん・ぷり【知らん振り】《「しらぬふり」の転》知らず顔。知らぬ顔。知らん顔。「会ってもーをする」

***しり**【×尻・×臀・▽後】❶動物の肛門こうもん、およびその付近の肉の豊かな部分。腰の後ろ下の部分。けつ。「頭隠してー隠さず」「ーを上げる(=立ち上がる)」類語 腰。尻付き。おいど。臀部でんぶ。ヒップ。❷物のしり①に相当する部分。ア容器などの外側の底面。「なべのー」イ人・物のうしろ。「人のーにつく」ウ後ろのはし。最後の部分。「ーから三番め」エ収拾すべき事態。あとしまつすべき事柄。「けんかのーを持って行く」

ーが暖まる《句》同じ所に長く勤めて落ち着く。また、同じ場所に長い間いる。「ーーる間もない」

ーが重・い《句》容易に物事をしようとしない。

ーが軽・い《句》❶〔女が〕浮気である。❷ふるまいが軽率である。❸物事を気軽にする。

ーがこそばゆ・い《句》きまりが悪かったり、もじもじしたりして落ち着かない。「ほめられてーーい」

ーが据わる《句》一つの所に落ち着いている。

ーが長・い《句》人の家で長居をするくせがある。

ーが割・れる《句》隠している悪事が発覚する。

ーに敷・く《句》家庭内で、妻が夫よりも強い発言力・支配力を持つ。

ーに付・く《句》❶人の後ろについて行く。❷人の配下になる。❸人のまねをする。

ーに火が付・く《句》物事が切迫してくる。

ーに帆を掛・ける《句》急いで逃げ出す。

ーの毛まで抜か・れる《句》利用されて、財産などを徹底的にしぼり取られる。

ーを据・える《句》一か所に長くとどまる。ゆっくりそこに落ち着く。

ーを拭ぬぐ・う《句》他人の失敗などの、あと始末をする。

ーを捲まく・る《句》どうでもよいと、ふてぶてしく構える。居直る。けつをまくる。

ーを持ち込・む《句》責任者のところへ問題を持って行き、解決を要求する。

***し・り**【私利】自分だけの利益。自分個人の利益。自利。「ー私欲にはしる」参考 ふつう、悪い意味に使う。類語 我利。私益。対 公利。

じ・り【事理】❶物事のすじみち。道理。「ーを明らかにする」❷〔仏〕いろいろな現象(=事)と、一定不変の唯一の真理(=理)。

しり・あい【知(り)合い】ひーぁ たがいに知りあっていること。また、その相手。知人。類語 知友。知己ちき。

しり・あがり【×尻上(が)り】❶後ろのほうが上がっていること。❷語尾を高く発音すること。❸物事の情勢が後になるにつれてよくなっていくこと。「ーによくなる」対①〜③尻下がり。❹器械体操の一つ。鉄棒で、両足を前方から上にあげ、体を後ろに一回転させて尻の方から鉄棒の上にあがる。さかあがり。

しり・あし【×尻足・▽後足】あとあし。後ろあし。「ーを踏む(=ためらう)」

シリアス《形動》❶まじめなようす。本気であるようす。「ーなテーマ」❷重大なようす。深刻なようす。「戦局はかなりーだ」▽serious

しり・あて【×尻当(て)】衣服の尻にあたる部分の裏に補強のための布をあてること。また、その布。

シリーズ❶〔書物や映画などで〕形式や傾向の似た一続きのもの。「純愛ー」「ー物」❷野球の特別の組み合わせによる一連の試合。「ワールドー」▽series

シリウス 春、西の空にかがやく大犬座の首星。恒星のうちで最も明るい。天狼てんろう星。▽ラテ Sirius

しり・うま【×尻馬】人の乗った馬の後ろに乗ること。また、前を行く馬の後を行くこと。

ーに乗・る《句》他人の言動に簡単にうごかされて、かるはずみな行動をする。

しり・え【▽後▽方・▽後】へー〔文〕後ろのほう。うしろ。

しり・おし【×尻押し】《名・他サ》❶後ろから他人の尻しりを押すこと。❷後ろだてとなって助けること。類語 援助。後援。

しり・おも【×尻重】《名・形動》動作がにぶく、物事をなかなかはじめないこと。対 尻軽しりがる。

しり・がい【×鞦】〔鞍くらを安定させるために〕馬の尾のつけ根から鞍にかけるひも。

しり・かくし【×尻隠し】自分の悪事・あやまちなどをかくすこと。

しり・からげ【×尻▽絡げ】《名・自サ》着物の後ろのすそをまくって帯にはさむこと。尻はしょり。尻っぱしょり。

しり・がる【×尻軽】《名・形動》❶動作がきびきびして、物事をおっくうがらずすること。対 尻重しりおも。❷言動に落ち着きがなく、かるがるしいこと。❸〔女が〕うわきっぽいこと。「ー女」

***じ・りき**【地力】その人(もの)に、もともと備わっている力・能力。実力。「ーを発揮する」

***じ・りき**【自力】❶自分のもっている力。自分だけの力。「ーで立ちなおる」類語 独力。❷〔仏〕自分の力で修行して悟りを開こうとすること。対①②他力たりき。

しりきり・ばんてん【×尻切(り)半×纏】すそが腰のあたりまでの、たけの短いはんてん。

しり・きれ【×尻切れ】❶後ろの方が切れていること。❷「しりきれぞうり」の略。また、物事が途中で終わっていること。

ーぞうり【ー〈草履〉】❶かかとのあたる部分がない短いぞうり。あしなか。❷はき古して、かかとがすりきれたぞうり。

ーとんぼ【ー×蜻×蛉】物事が途中でとだえて後が続かないこと。「話がーになる」

しり・くせ【×尻×癖】大小便などをもらすくせ。

しり・げ【×尻毛】しりにはえている毛。「ーを抜く(=他人の油断につけこんで突然に事をしでかして驚かす)」

シリコーン 珪素けいそに炭素・水素などを化合させた有機物。低温・高温に強く、水をはじき、電気を絶縁する。「ーゴム」「ー樹脂」▽silicone

しり・こそばゆ・い【×尻×擽い】《形》意外なほめ方をされて、はずかしくていたたまれない。しりこそばい。

しりこ・だま【×尻子玉】肛門こうもんの口にあると想像されていた玉。参考 古来、河童かっぱが抜くと考えられ、溺死の原因とされていた。

しり・ごみ【▽後込み・×尻込み】《名・自サ》❶顔は前にむけたまま、後ろへ少しずつさがること。あとじさり。あとずさり。❷あることをするのをためらうこと。ちゅうちょ。類語 逡巡(しゅんじゅん)。遠慮。

シリコン ❶〔理〕珪素(けいそ)。半導体やシリコーンの材料になる。❷➡シリコーン。▽① silicon ② silicone

しり・さがり【×尻下(が)り】❶後ろのほうが下がっていること。❷語尾・文末を低く発音すること。❸物事の情勢が後になるにつれて悪くなっていくこと。「―に売り上げが落ちている」対 ①～③尻上がり。

じり・じり《副》《「―と」の形も》❶ある物・状態にむかって、ゆっくりと確実に近づいていくようす。「敵を―と追いつめる」類語 じわじわ。じわりじわり。❷《自サ》次第に心がいらだってくるようす。「―しながら知らせを待つ」❸脂(あぶら)などが少しずつもえたり焼けたりするようす。また、毛・布などが焼けちぢれるようす。❹〔夏の〕太陽が強く照りつけるようす。

しり・すぼまり【×尻×窄まり】《名・形動》❶下になるにしたがって細くなっている・こと(もの)。❷はじめは勢いがよく、後になるにしたがって勢いがおとろえること。＝しりすぼみ。しりつぼみ。類語 竜頭蛇尾。

しりぞ・く【退く】《自五》❶後方に行く。後ろへさがる。「陣地から―く」対 進む。❷身分の高い人の所から帰る。退出する。「御前を―く」❸〔ある職・社会などから〕身をひく。引退する。「政界を―く」❹〔対象から〕距離をおく。「―いて考える」文《四》

しりぞ・ける【退ける・▽斥ける】《他下一》❶後ろへさがらせる。〔人を〕遠ざける。「人を―けて二人だけで話す」❷追い返す。追い払う。「敵軍を―ける」❸〔相手の申し出や他の思想などを〕こばむ。「要求を―ける」❹職などをやめさせる。また、地位をさげる。「役員の地位から―ける」文 しりぞ・く《下二》

じり・だか【じり高】〔ぢり〕〔経〕相場が少しずつ高くなること。対 じり安。

しり・だこ【×尻×胼×胝】サルのしりの、皮が厚く毛のない部分。

＊**し・りつ【市立】**市で設立・経営している・こと(もの)。「―病院」参考「私立(しりつ)」と区別するため「いちりつ」ともいう。類語 県立。

＊**し・りつ【私立】**個人や法人で設立・経営している・こと(もの)。特に、私立学校。参考「市立(しりつ)」と区別するため「わたくしりつ」ともいう。

＊**じ・りつ【侍立】**《名・自サ》〔文〕貴人のそばに(従者として)立つこと。おそばに立つこと。

＊**じ・りつ【×而立】**〔文〕「三〇歳」の別称。参考「三十にして立つ〈論語・為政〉」より。⇩〔類語と表現「年(とし)」〕

＊**じ・りつ【自律】**《名・自サ》〔他からの支配・命令によらず〕自分で自分の気持ちをおさえたり、自分の規範に従って行動したりすること。類語 自主。対 他律。**―しんけい【―神経】**大脳から命令をうけず独自に働く神経。不随意筋の運動や腺(せん)の分泌をうけもつ。

＊**じ・りつ【自立】**《名・自サ》他のものの力や支配をうけず、それ自身の力で物事を行ってゆくこと。「―心」「経済的に―する」類語 独立。**―ご【―語】**文法的機能上から分けた単語の二大別の一つ。それ自身で、ある概念を表し、単独で文節を構成することのできる単語。名詞・代名詞・動詞・形容詞・形容動詞・副詞・連体詞・接続詞・感動詞の総称。対 付属語。

しり・つき【×尻付き】しりのかっこう。表記「付き」はかなで書くことが多い。

しり・とり【×尻取り】前の人の言ったことばの最後の音節をことばの最初の音節にして、次々に物の名をあげてゆく遊び。「たぬき、きつね、ねこ」とする類。

しり・ぬ・く【知り抜く】《他五》〔ある物事について〕何から何まで十分に知っている。知りつくす。

しり・ぬぐい【×尻×拭い】〔―ぬぐひ〕他人の失敗・不始末のあとしまつをすること。

しり・ぬけ【×尻抜け】❶聞くはしからすぐ忘れる・こと(人)。❷物事のしめくくりをしっかりつけない・こと(人)。❸手ぬかりがあること。不備。「―の法律」

しり・はしょり【×尻▽端▽折り】《名・自サ》《「しりはしおり」の転》しりからげ。参考「しりっぱしょり」とも。

しり・びと【知り人】知っている人。しりあい。知人。〔古風な言い方〕

じり・ひん【じり貧】〔ぢり〕❶しだいに・貧乏(悪い状態)になっていくこと。対 どか貧。❷〔経〕じり安。

しり・め【×尻目・▽後目】❶ひとみだけを動かして、横または後ろの方をちらっと見る・こと(見方)。❷〈「…を―に(かけて)～する」の形で〉…を(ちらっと見て)問題にせず～をする。「騒ぐ人々を―に立ち去る」**―に掛・ける**《句》そのものを問題にしない態度をとる。人をさげすんだり、軽視・無視の気持ちで見る。

しり・めつれつ【支離滅裂】《形動》ばらばらでまとまりのないようす。筋道の通らないようす。「―な話」

しり・もち【×尻×餅】〈―をつく〉後ろにころんでしりを地にうちつける。

じり・やす【じり安】〔ぢり〕〔経〕相場が少しずつ下がること。じり貧。「A社の株は―をたどっている」対 じり高。

し・りゅう【支流】❶本流にそそぐ川。また、本流から分かれ出た川。えだ川。対 本流。❷大もとのものから分かれた系統。類語 分派。分家。対 ①②主流。

じ・りゅう【時流】その時代の社会一般の風潮・流行。「―に乗る」「―に投ずる」類語 時好。

し・りょ【思慮】《名・他サ》注意深く考えること。また、その考え。「―分別」類語 考慮。分別(ふんべつ)。⇩〔類義語の使い分け「分別」〕

＊**し・りょう【史料】**歴史の研究に使う材料。文献・遺物など。「古代史の―」

＊**し・りょう【思量・思料】**《名・他サ》〔文〕思いはかること。あれこれと考えること。「―をめぐらす」

＊**し・りょう【死霊】**〔たたりをするという〕死んだ人の怨霊(おんりょう)。また、単に、死人の魂。死霊(しれい)。類語 悪霊(あくりょう)・悪霊(あくれい)。対 生霊(いきりょう)。

＊**し・りょう【試料】**化学分析などの材料。サンプル。

＊**し・りょう【資料】**研究・判断のもとになる材料。「研究―を集める」

＊**し・りょう【飼料】**家畜に与えるえさ。類語 かいば。

じ・りょう【寺領】寺院の領地。

＊**し・りょく【死力】**死にものぐるいで出す、激しい力。ありったけの力。必死の力。「―を尽くして闘う」

＊**し・りょく【視力】**物の形を見わける目の能力。「―が弱い」「―を失う」「―検査」

＊**し・りょく【資力】**金銭を出資しうる能力。「―にものを言わせる」類語 財力。経済力。

じ・りょく【磁力】磁石の二つの極が互いにしりぞけ合い、またひきつけ合う力。磁気力。

し‐りん【四隣】〔文〕❶周囲の家々・人々。隣近所。❷四方の国々。近くの国々。

＊**じ‐りん【字林】**〔文〕漢字を集めて、その読み方・意味などを記した書物。字書。

＊**じ‐りん【辞林】**〔文〕ことばを集めて、その意味・用法などを記した書物。辞書。辞典。

シリンダー その中でピストンが往復運動を行う機関の円筒形部分。気筒。▽cylinder

＊**しる【汁】**❶物に含まれた液体。物からにじみ出たり、しぼり取った液体。類語 つゆ。液汁。果汁。肉汁。乳汁。エキス。ジュース。❷水分を主にし、その中に具を入れた料理。すましじる・みそしるなど。❸他人の労苦や犠牲で得る利益。「うまい―を吸う」

＊**し・る【知る】**《他五》❶他の存在を心にとらえる。認識する。「―・らないうちに時が過ぎた」類語 存知。認知。察知。知悉。謙譲 存ずる。❷〈多く「―・っている」の形で〉心にとどめている。記憶する。「彼の幼時を―・っている」❸ものの意味・内容などをさとる。理解する。「一を聞いて十を―・る」❹経験する。体得する。「剣道を―・っている」❺交わりをもつ。面識がある。「―・らない男」表記 ③〜⑤は「識る」とも書く。❻関係する。関知する。「おれの―・ったことか」文《四》。

―らぬが仏《句》知っていれば腹も立つが、知らないから仏のように心を動かさずにいられる。

―る人ぞ知る《句》❶わかってくれる人はわかってくれる。❷その道では有名である。「―政界の黒幕」

シルエット ❶輪郭の内側を黒く塗りつぶした横顔の絵・画像。影絵。また、影絵の技法を用いた図案。参考 影絵のように黒く浮かんだ実景にも言う。❷影ぼうし。❸洋服の立体的な輪郭。▽フランス silhouette

シルク 絹。絹糸。また、絹織物。▽silk **―ハット** 男子の礼装用の(絹の)帽子。山(=クラウン)が高く円筒形で、周囲につばがある。▽silk hat **―ロード** 中国から内陸アジアを横断し西方に通じていた、古代の交通路。東西貿易の幹線で、中国特産の絹が運ばれた。絹の道。絹街道。▽Silk Road

しる‐こ【汁粉】 あずきで作ったあんをとかしたしるに、餅や白玉だんごなどを入れたあまい食べ物。

ジルコニウム 銀白色の金属元素。原子炉材・合金添加材のほか、酸化物は白色顔料や耐火材に用いる。元素記号 Zr。▽ドイツ Zirkonium

ジルコン 柱状の結晶をした鉱物。透明または半透明で、黄色・褐色・無色など。美しいものは宝石にする。風信子鉱。▽ドイツ Zirkon

＊**しるし【印・▽記・▽標】**❶他のものと区別するための心覚えとするもの。また、その形。めじるし。「―をつける」❷証拠・象徴として形に表れたもの。「友情の―」

＊**しるし【▽徴】** 前兆。きざし。「大雪は豊年の―」

＊**しるし【▽首・▽首▽級】**〔文〕〔えらい人の〕首。首級。「―をあげる」参考 昔、戦場などで敵の大将の首をとって、そのてがらのしるしとした。

＊**しるし【▽験】** ききめがあったと認められる現象。ききめ。「祈った―が現れる」類語 効果。

じるし【印】《接尾》《ある語の後半を略した形などにつけて》あからさまに表現するのがはばかられるとき、遠まわしにそのものをさしていう語。「丸―(=おかね)」

しるし‐ばかり【印▽許り】《副》少しばかり。わずか。「―の品ですが、お世話になったお礼です」

しるし‐ばんてん【印半×纏】 背や襟に屋号や紋を染めぬいた、はんてん。多く職人が用いる。はっぴ。

＊**しる・す【▽印す・▽標す】**《他五》しるしをつける。目じるしとする。「足跡を―・す」文《四》。

＊**しる・す【記す】**《他五》❶書きつける。記録する。❷記憶にとどめる。「心に―・す」文《四》。

ジルバ テンポの早い社交ダンスの一種。自由な動作を加味しうる陽気なもの。第二次世界大戦後アメリカの黒人の間でおこり、流行した。▽jitterbug から。

シルバー ❶銀。❷銀色。❸銀製品。❹(造語)老人。〔他の語の上につけて使う〕「―コーナー」▽silver **―シート** 電車やバスに設けられた高齢者と身体障害者のための優先席。▽silver と seat からの和製語。

＊**しる‐べ【知る辺】** 知り合い(の人)。知人。〔古風な言い方〕「先からの―を頼る」

＊**しるべ【▽導・▽標】**〔文〕導くもの。手引きをするもの。「道―」類語 案内。道案内。

しる‐もの【汁物】 汁を主にした料理。つゆもの。

しる‐わん【汁×椀】 汁物を盛る器。

ジレ ❶そでなしの胴着。チョッキ。❷女性がスーツの下に着る、胸もとを飾るそでなしの衣服。▽フランス gilet

＊**し‐れい【司令】**《名・他サ》軍隊・艦隊をひきいてその行動を指揮すること(人)。「―長官」「―部」

＊**し‐れい【指令】**《名・他サ》〔官庁・団体などで〕上部から下部に命令・通知を出すこと。また、その命令・通知。「―室」

＊**じ‐れい【事例】**❶〔前例となる〕事件や事実。❷場合に応じた実例。ケース。「―研究」

＊**じ‐れい【辞令】**❶人あるいは国・団体などに応対するときのことば・あいさつ。「外交―」❷官職・役職などを任免することばを書いて、本人に渡す文書。

＊**し‐れつ【歯列】** 歯ならび。歯なみ。「―矯正」

＊**し‐れつ【×熾烈】**《名・形動》〔戦いなどの〕勢いがはげしく盛んなこと。「―をきわめた爆撃」類語 激烈。猛烈。

じれ‐った・い【▽焦れったい】《形》〔物事が思うようにならないで〕いらだたしい。はがゆい。もどかしい。

ジレッタント ↓ディレッタント。▽dilettante

しれっ‐と《副・自サ》〔俗〕何があっても平気でいるようす。「怒られても―している」類語 けろりと。けろっと。

しれ‐もの【▽痴れ者】〔文〕おろかもの。ばかもの。

＊**し・れる【知れる】**《自下一》❶容易にわかる。自然に察せられる。「気心が―・れる」❷〈「―・れた」の形で〉わかりきっていて言うに及ばない。たいしたことはない。「彼の実力など―・れたものだ」❸他の人に知られる。「世間に―・れては困る」文し・る《下二》。

＊**し・れる【▽痴れる】**《自下一》〔一時の間〕心を奪われる。「酒に酔い―・れる」文し・る《下二》。

じ・れる【▽焦れる・×懊れる】《自下一》〔思うようにならないで〕いらいらする。心がせく。「―・れて待つ」

し‐れん【試練・試×煉】 信仰・決心の強さ、実力の程度などをきびしくためすこと。また、そのための苦難。「今が―の時だ」「―にたえる」

ジレンマ ❶相対する二つの事柄の間にあって、どちらともきめかねている状態。板ばさみになって苦しんでいる状態。「―に陥る」❷〔論〕両刀論法。=ディレンマ。▽dilemma

＊**しろ【代】**〔文〕❶材料。もと。「薪の―」❷代用。「借金の―」❸代金。「翻訳の―」「飲み―」❹田。苗代。「―を掻く」

***しろ**【城】昔、敵を防ぐために築いた堅固な建物。［参考］ひゆ的に、他人の侵入をゆるさない自分だけの領域の意にも使う。「自分の—にとじこもる」

***しろ**【白】❶雪・塩・紙のような色。物理学的には、すべての可視光線を反射することによって目に感じられる色。白色。［参考］潔白・清浄の語感をもつ。［類語］真っ白。白々・しらじら。純白。雪白。乳白色。蒼白。皚々。ホワイト。［対］黒。❷白①の色をしたもの。特に、白色の碁石(を持つ人)、紅白に分けた白組など。「—(=白色の衣服)を着る」「赤勝て—勝て」❸何も書き入れてないこと。また、印刷のあとがないこと。「答案を—のまま出す」❹〔俗〕犯罪の容疑が晴れること。無罪。無実。「彼は—です」［対］黒。⇩【使い分け】

使い分け　「白(しろ／しら)」

*「白」を語頭に持つ語は「しろ…」と言ったり、「しら…」と言ったりして、使い分けが紛らわしい。「しら」は古い形が複合語に残ったもので、地名・人名のほか一般語にも見られる。「しら…」には古風で優雅な響きが感じられる(「白壁・白菊」を「しろかべ・しろぎく」と言う場合と、「しらかべ・しらぎく」と言う場合などを比較)。語末に来るときは、一部の例外を除いて「…じろ」となる。

◆［しろ…］白蟻・白餡・白石(碁)・白兎・白馬・白瓜・白襟・白帯・白絣・銀・白砂糖・白地・白々とした・白そこひ・白田売買・白タク・白縮緬・白詰草・白袴・白房・白葡萄酒・白蛇・白星・白身・白味噌・白無垢・白目／素魚・素人

◇［「しら…」とも］白鹿毛・白装束

◆［しら…］白和え・白糸の滝・白魚・白梅・白髪・白樫・白樺・白粥・白鷺・白鞘・白々明け・白々しい・白子・干し・白州・白太・白滝・白玉・白茶ける・白鳥・白波・白煮・白刃・白羽の矢・白南風・白浜・白拍子・白帆・白む・白蒸し・白焼き・白雪／シラス(白砂)台地・素面　◇［「しろ…」とも］白壁・白木・白菊・白絹・白砂・白土・白旗

◆［…しろ／じろ］黒白・清白／色白・裏白・三盆白(砂糖)・白々・鼻白・頰白・目白

しろ-あと【城跡・城×址】昔、城のあったあと。城址。

しろ-あり【白×蟻】シロアリ目の昆虫。白色で、形はアリに似ているが別種。建築材を食いあらす害虫。

しろ-あん【白×餡】白いんげん・白ささげなどで作った白いあん。「—入りの最中」

しろ・い【白い】《形》白の色である。「雪のように—・い肌」［類語］白っぽい。［文］しろ・し《ク》。

—い歯を見せな・い《句》笑顔を見せないで、むずかしい顔つきをする。

—い歯を見・せる《句》〔心を許して〕笑顔を作る。にっこり笑いかける。

しろい-め【白い目】冷淡な、また、憎しみのある目つき。「—で見る(=冷淡な態度をとる)」

しろい-もの【白い物】❶雪。「—が落ちてきた」❷しらが。「頭に—がまじる」❸おしろい。

し-ろう【×屍×蠟】死体現象の一つ。死体が腐敗しないで原形を保ち、蠟のように変化したもの。長く水中や水分の多い地中に置かれたときなどになる。

***じ-ろう**【×痔×瘻】痔の一種。肛門の付近にあながあいて膿が出る、悪性の病気。あなじ。

***じ-ろう**【耳漏】中耳炎や外耳にできたできものなどのために、耳から膿が出てくる症状。みみだれ。

しろ-うお【▽素魚】ハゼ科の魚。からだは細長く円筒状。淡黄色でうろこがなく、腹部に赤い斑点がある。春、小石の多い川口をさかのぼり産卵する。

しろうと【〈素人〉】❶〔その物事に〕経験の少ない人。また、専門家でない人。❷〔ホステスや芸者などを玄人と言うのに対して〕一般の女性。［対］①②玄人。

—くさ・い【—臭い】《形》いかにもしろうとらしい。「—・い演技」**—ばなれ**【—離れ】《名・自サ》専門家ではないのに(技術・知識などが)専門家のようであること。**—め**【—目】専門家でない者が見た場合の評価・判定。「—にはよく見える」

しろ-うま【白馬】❶毛の色の白い馬。白馬。［参考］→あおうま。❷「にごり酒」の別称。どぶろく。

しろ-うり【白×瓜】ウリ科の一年生つる植物。果実は、緑白色の長球形で、つけ物などにする。

しろ-かき【代×掻き】田植えの前などに田の土をすき起こし、水を入れて土の面を平らにならすこと。

しろ-がすり【白×絣・白▽飛▽白】白地に紺・黒などのかすりを表した模様。また、その織物。

しろ-がね【▽銀】《「しろかね」》〔文〕❶銀。また、銀貨。［類語］あかがね(=銅)。くろがね(=鉄)。こがね(=黄金)。❷銀色。《「白金(=白い金属)」の意。古くは「しろかね」》

し-ろく【四緑】九星の一つ。木星にあたり、方位は南東。

しろくじ-ちゅう【四六時中】《名・副》二四時間中。一日中。いつも。つねに。「—忘れることがない」［参考］「四六二四」の算式から。昔の「二六時中」にならった新しい言い方。→二六時中。［類語］始終。

しろく-ばん【四六判】書物の大きさの一つ。縦六寸(約一八・二センチ)、横四寸(約一二・一センチ)。現在のB6判に近い。

しろ-くま【白×熊】クマ科の哺乳動物ホッキョクグマの通称。クマ類中で最も大きく、全身が白くて鼻先だけ黒い。魚やアザラシなどをとってたべる。

しろ-くろ【白黒】❶白と黒。❷物事の是非。善悪。無罪か有罪か。「—をはっきりさせる」［同］①②黒白。❸写真・映画などで、色彩のついていないもの。モノクロ。モノクローム。❹〈「目を—させる」の形で〉〔おどろいたり、苦しんだりして〕目玉をきょろきょろ動かす。

しろ-こ【白子】→しらこ。

しろ-ざけ【白酒】蒸したもち米にみりんを加え、すりつぶした、どろりとしたあまい酒。ひな祭りに供える。

しろ-ざとう【白砂糖】精製した白い砂糖。［対］黒砂糖。

しろ-じ【白地】〔紙や布などの〕地の白い・こと(もの)。［類語］無地。

しろ-した【白下】白砂糖に精製する前の、茶色っぽい半流動体のもの。［参考］白砂糖の下地の意。

しろ-しょうぞく【白装束】まっ白な(和風の)服装。［参考］切腹するときなどに、身を清めるために用いた。［対］黒装束。「—に身をかためる」

しろ-じろ【白白】《副・自サ》《副詞は「—と」の形も》きわだって白いようす。まっしろいようす。「—した顔」

じろ-じろ《副》《「—と」の形も》無遠慮に人の顔などを見るようす。「人の身なりを—と見る」

しろ‐ずみ【白炭】❶かたく焼いた木炭。火力は弱いが火もちはよい。堅炭かたずみ。白炭はくたん。参考表面が白く見えるところから。❷石灰などで白く色をつけた枝炭えだずみ。茶の湯に使う。

しろ‐そこひ【白▽内▽障】→はくないしょう。

しろ‐た【白田】❶（「畠はた」の字を「白」と「田」に分けた語）畠。❷雪のある冬期の田。参考→青田・黒田。

しろ‐たえ【白×栲・白▽妙】━たへ〔古〕❶カジノキなどの繊維で織った白い布。❷白いこと。白い色。━の《枕》「ころも」「たもと」「そで」「たすき」「ひも」「ひれ」「おび」「くも」「ゆき」などにかかる。

しろ‐タク【白タク】〔俗〕白ナンバー乗用車で無許可のタクシー業をする車。また、その営業行為。

しろ‐ぢょうちん【白▽提▽灯】白張しらはり提灯ぢょうちん。

シロップ ❶こい砂糖水。❷果汁に砂糖・香料を加えた液体。清涼飲料・アイスクリーム・カクテルなどに用いる。▽オランダ siroop 英 syrup

しろ‐っ‐ぽ・い【白っぽい】《形》❶白みがかっている。「━い服装」❷しろうとくさい。「━い芸」

しろ‐つめくさ【白詰草】→クローバー。

しろ‐ながすくじら【白長×須鯨】━くぢら 哺乳ほにゅう類ナガスクジラ科の動物。現存動物中最大で、体長三〇メートル、体重一〇〇トン以上に達する。ヒゲクジラ類に属する。

しろ‐なまず【白×癜】━なまづ 色素が欠乏して皮膚に白い円形の斑紋はんもんが広がる病気。白斑はくはん。白肌しらはだ。

しろ‐ナンバー【白ナンバー】〔白地のナンバープレートの意から〕自家用車の俗称。また、特に、自家用車で違法の営業行為を行うもの。

しろ‐ぬき【白抜き】〔染色や印刷などで〕文字・しるしなどをきわ立たせるため、その部分だけ地色にせずに白く残すこと。また、白く残ったもの。

しろ‐ねずみ【白×鼠】❶毛色の白いネズミ。ドブネズミ・ハツカネズミの白変種。実験用動物にする。❷「こまねずみ」の別称。❸主家に忠実で、繁栄をもたらす雇い人、特に番頭。対①③黒ねずみ。

しろ‐バイ【白バイ】交通取り締まりにあたる警察官が使用する、白塗りのオートバイの通称。

しろ‐はた【白旗】→しらはた。

しろ‐ば・む【白ばむ】《自五》❶白い色を帯びる。白っぽくなる。❷夜が明けかかる。

しろ‐ぶどうしゅ【白×葡×萄酒】透明に近い淡黄色のぶどう酒。おもに黄・緑・薄紫色のブドウから作る。魚や貝の料理に合うとされる。白ワイン。対赤葡萄酒。

しろ‐ぼし【白星】❶中を塗りつぶしていない、星または丸形の図形（☆○）。❷相撲の星取り表で「勝ち」を表す図形（○）。転じて、相撲に勝つこと。勝ち星。「━をあげる（＝勝つ）」参考「成功」「手柄」の意でも広く用いる。対①②黒星。

シロホン〔音〕木琴もっきん。シロフォン。▽xylophone

しろ‐み【白身】❶〔食用の〕肉の白い部分。特に、魚の白い肉。対赤身。❷卵の白い部分。卵白らんぱく。対黄身。❸材木の木質の白い部分。しらた。

しろ‐みず【白水】━みづ 米をといで白くにごった水。

しろ‐みそ【白味×噌】米こうじと白豆で作った黄白色のみそ。塩分が少なく甘い。類語赤みそ。

しろ‐みつ【白×蜜】❶白砂糖を煮つめた液体。対黒蜜。❷〔黒砂糖の蜜に対して〕蜂蜜はちみつの別称。

しろ‐むく【白無×垢】上着も下着も白だけの衣服。

＊**しろ‐め【白目・白▽眼】**❶眼球の白い部分。❷白目①を出した冷たい目つき。白い目。白眼はくがん。「人を━で見る（＝悪意のある見方をする）」

＊**しろ‐め【白×鑞】**→はんだ。

しろ‐もの【代物】〔俗〕物。または、人。「とんだ━をつかまされた」「彼の兄貴は、大した━だ」参考その物・人を高くまたは低く評価した言い方。

じろり《副》《多く「━と」の形で》目を動かしてにらむように見るようす。気味の悪い目つきで見るようす。

＊**し‐ろん【史論】**歴史についての評論・理論。

＊**し‐ろん【私論】**自分だけの個人的な意見・評論。

＊**し‐ろん【至論】**〔文〕至極しごくもっともな議論。だれも反対できないような論。

＊**し‐ろん【詩論】**詩についての評論。また、詩の本質・作法などについての理論。

＊**し‐ろん【試論】**試みにのべた論説・評論。参考「エッセー」の訳語として使うことも多い。

＊**じ‐ろん【持論】**〔ある事に関して〕その人がいつも主張する意見・説。持説。「━を披露する」類語所論。
注意「自論」は誤り。

＊**じ‐ろん【時論】**〔文〕❶時事に関する議論。❷その当時の世論。類語輿論よろん。公論。

＊**し‐わ【史話】**歴史上の事実・逸話などについての話。

＊**しわ【×皺・×皴】**皮膚・布・紙などの表面にできた、細かい筋目。「みけんに━をよせる」

＊**し‐わ【詩話】**詩についての談話や、随想的評論など。

しわ・い【×吝い・×嗇い】しはい《形》けちである。しみったれている。〔古風な言い方〕文しは・し《ク》。

しわ‐が・れる【×嗄れる】━しは《自下一》声がかすれる。声がかれる。しゃがれる。

しわ‐くちゃ【×皺くちゃ】《形動》しわだらけなようす。一面にしわがよっているようす。「紙が━になる」

し‐わけ【仕分け・仕訳】《名・他サ》❶〔品物・物事などを〕分類・区別すること。❷簿記上の取引を貸方と借方に分けて、それぞれの勘定科目をきめて記入すること。表記②は「仕訳」と書く。

し‐わざ【仕業】〔結果から見た〕行為。したこと。所業。〔ふつう、よくないことに言う〕「だれの━だ」

じわ‐じわ《副》《「━と」の形も》❶物事がゆっくりとしだいに進むようす。「━と敵の陣地に迫る」類語じりじり。❷液体がゆっくりと・しみ込む（にじみ出る）ようす。「水が━としみ込む」

しわす【〈師走〉】しはす 陰暦一二月の別称。極月ごくげつ。しはす。参考太陽暦の一二月にも言う。

しわ‐のばし【×皺伸（ば）し】❶しわをのばすこと。❷〔老人の〕気晴らし。「━に温泉に出かける」

しわ‐ばら【×皺腹】しわのよった腹。〔老人が自分の腹について言う〕「━を切ってわびる」

しわ‐ぶき【×咳】しはぶき〔文〕せき。せきばらい。

しわ・む【×皺む】《自五》しわがよる。文《四》。

しわ‐よせ【×皺寄せ】〔一部分にしわをよせる意から〕物事を無理にしたために生じた矛盾や不利を、他におしつけること。「国民に━がくる」

＊**じ‐わり【地割り】**《名・自他サ》〔境界・区分などをきめて〕土地をわりふること。地所の区画。

＊**じわり**《副》《多く「━と」の形で》物事がゆっくりと進むようす。「━と圧力をかける」

じわり‐じわり《副》《「━と」の形も》ゆっくりと休みなく行われるようす。「━と攻め立てる」類語じりじり。

しわ・る【×撓る】《自五》〔重さなどのために〕たわむ。しなう。「雪で枝が―る」文《四》。

じ・われ【地割れ】《名・自サ》地震・ひでりなどのため、地面に割れ目ができること。また、その割れ目。

しわん・ぼう【×吝ん坊】ひどく物惜しみをする人。けちんぼう。しみったれ。〔古風な言い方〕類語 にぎりや。守銭奴(しゅせんど)。吝嗇漢(りんしょくかん)。しまりや。

*__しん__【信】㊀《名》〔文〕❶うそのないこと。まこと。「―を示す」❷信頼すること。信用。「―のおける人」❸信仰(の心)。信心。「―を起こす」㊁《助数》特定の発信人からの通信の着順を表す。「南極からの第一―」

*__しん__【寝】〔文〕ねること。ねむり。「―に就く」

*__しん__【心】❶こころ。精神。「―・技・体」❷人を精神の内奥において支えると思われるもの。また、心の底。「―の強い人」「―から愛する」❸ものの根本・中心。表記 ③は「芯」とも書く。❹→芯(しん)。

*__しん__【新】㊀《名》❶新しい・こと(もの)。「―を好む」対 古。❷「新暦」の略。「―の正月」対 ①②旧。㊁《接頭》「新しい」の意。「―時代」「―幹線」

*__しん__【真】❶〔文〕いつわりやまちがいがないこと。真実。対 偽(ぎ)。❷〔「―の…」の形で〕真正の意味(での)。〔連体詞的に使う〕「―の友人」❸〔論〕ある命題が真理であること。対 偽(ぎ)。❹漢字の書き方の一つ。字体をくずさない書き方。楷書(かいしょ)。「―で書く」

―に迫・る《句》表現されたものが、現実のものと全く同じであると感じさせる。また、表現のしかたに真心がこもっていて説得力がある。「―った演技」

*__しん__【神】❶かみ。〔ふつう単独では使わない〕「守護―」「人格―」❷〔文〕精神。心。

―に入・る《句》技術などが非常にすぐれて、人間業とは思えない境地に達する。「技芸―る」

*__しん__【臣】㊀《名》主君に仕える者。家来。対 君。㊁《代名》〔古〕臣下が主君・天皇に対して使う自称。

*__しん__【×芯】❶〔「芯」は「とうしんぐさ」の意。その茎の髄を灯心としたことから〕ランプ・ろうそく・石油ストーブなどの、火をつける糸の部分。❷物の中心。㋐物の中心にある固い部分。「リンゴの―」「鉛筆の―」㋑形を整えるために、帯・えりなどに入れる布。「帯―」㋒体の中心部。「体の―まであたたまる」表記 ②は別語であった「心」と「芯」が一語化したもので、「心」とも書くが、「芯」が優勢。

*__しん__【親】〔文〕❶親しいこと。対 疎(そ)。❷〔親子・兄弟など〕血のつながりのある人。みうち。みより。

―は泣き寄り他人は食い寄り《句》不幸が起こると、身内の者は悲しみのために集まるが、他人は出されるごちそうを食べるために集まる。

*__しん__【×讖】〔文〕未来の吉凶・禍福を知らせることば。予言。また、その記録。未来記。

*__じん__【人】㊀《名》評点や書物の内容の分類などで天・地・人の三段階に分けたときの、第三。対 天・地。㊁《接尾》「…出身の人」「…(の分野)に属す人」「…をもつ人」などの意。「東北―」「映画―」「常識―」

*__じん__【仁】❶儒教で、慈愛の心をもとにして自己を完成する最高の徳。❷他をおもいやり、いつくしむ心。❸「人(ひと)」の敬称。かた。御仁(ごじん)。「物のわかった―だ」❹果実の核の内部。仁(にん)。

*__じん__【刃】〔文〕やいば。はもの。

*__じん__【尽】〔文〕みそか。月末。尽日(じんじつ)。「四月―」

*__じん__【陣】㊀《名》❶軍隊が集結している所。陣地。陣営。類語 軍営。「―をはる」❷戦闘のために兵士を配置すること。また、その配置。「―をたて直す」❸戦い。いくさ。〔古風な言い方〕「大坂冬の―」類語 合戦(かっせん)。㊁《接尾》ある共通した行動を行う人々の意。「第一―が出発する」「報道―」「教授―」

*__ジン__ 洋酒の一種。大麦・ライ麦などの穀類を発酵させ、ネズの実でかおりをつけた蒸留酒。無色で透明。▽gin

しん・あい【親愛】《名・形動》人を愛し、親しみを感じていること。また、その気持ち。「―の情」

*__じん・あい__【仁愛】〔文〕思いやりやなさけをもって人を愛すること。また、その心。類語 慈愛。仁慈。慈悲。

*__じん・あい__【×塵×埃】〔文〕❶ほこり。ちり。類語 塵芥(じんかい)。❷汚れ。また、汚れたもの。特に、俗世間的なもの。「都会の―にまみれる」

しん・あん【新案】新しい工夫・思いつき。「―特許」

*__しん・い__【深意】〔文〕〔内部に含まれた〕深い意味。

*__しん・い__【真意】ほんとうの気持ち。本心。また、物事の真実の意味。「―を探る」「―をつかむ」

*__しん・い__【×瞋×恚】〔文〕❶激しい怒り。「―のほむらを燃やす」❷〔仏〕十悪または三毒の一つ。自分の心に逆らうものを激しくにくみ怒ること。＝瞋恚(しんに)。

*__しん・い__【神威】神の威力・威光。

*__しん・い__【神意】〔ある事に対する〕神の意志。神の心。「―にしたがう」類語 天意。神慮。

じん・い【人為】❶人間の力ですること。❷〔自然の状態・変化などに〕人間の力を加えること。「―による淘汰(とうた)」「―的」類語 人工。人造。

*__しん・いき__【神域】神社の(神聖な)境内(けいだい)。また、神聖な領域。「―をけがす」

*__しん・いき__【震域】地震のときに震動した地域。

*__しん・いり__【新入り】ある仲間に新しくはいること。また、はいった人。類語 新米(しんまい)。新参。新人。

*__しん・いん__【心因】心理的なことによる原因。精神的な原因。「―性の病気」

*__しん・いん__【真因】〔事件などの〕ほんとうの原因。

*__しん・いん__【神韻】詩文などの芸術作品が言いようがなくすぐれていて、神のわざかと思われるような趣。「―縹渺(ひょうびょう)(＝たとえようもないほど趣が深いようす)」

じん・いん【人員】〔ある団体・集団などを構成する〕人々。また、その数。「―を点呼する」「―整理」

じん・う【×腎×盂】腎臓の中にあるふくろ状のもの。腎臓から排泄(はいせつ)される尿をあつめ、輸尿管によってぼうこうへ送る。「―炎」

しん・うち【真打(ち)・心打(ち)】落語・講談などの寄席(よせ)で最後に演じる、いちばん芸のすぐれた人。また、それに相当する資格。

しん・うん【進運】〔文〕〔世の中の〕進歩・発達・向上に向かうなりゆき。「時勢の―」「技術の―」

*__しん・えい__【新鋭】新しく現れてきて、勢いが強く力がすぐれている・こと(人)。また、そのもの。新進気鋭。「期待の―」「―チーム」対 古豪。

*__しん・えい__【真影】その人の実物そのままの絵姿。また、その人の写真。参考 →御真影。

*__しん・えい__【親衛】天子・元首などのそばにつきそってその身辺を守ること。「―隊」類語 護衛。守護。警護。

*__じん・えい__【人影】〔文〕人の姿・形。人影(ひとかげ)。

*__じん・えい__【陣営】❶戦線で、軍隊が攻撃・守備の態勢をとって集まっている所。陣所。陣。「―をたて直

す」［類語］陣地。軍営。❷〔反対勢力などに対して〕結束している、階級・党派などの集まり。「革新―」

しん・えつ【親閲】《名・他サ》〔文〕〔国王・元首などが〕みずから検閲・閲兵すること。

***しん・えん【心猿】**〔文〕人間の欲情・欲望などが抑えにくいことを、わめき騒ぐ猿にたとえたことば。「意馬（いば）―」

***しん・えん【深×淵】**〔文〕深いふち。［参考］深い精神の内奥にたとえる。「虚無の―」「悲しみの―」［類語］煩悩（ぼんのう）の犬。

―に臨（のぞ）むが如（ごと）し《句》〔一歩まちがえばとり返しがつかないような〕非常に危険な立場にあるたとえ。

***しん・えん【深遠】**《名・形動》奥深くてはかり知れないこと。深奥（しんおう）。「―な思想」［類語］高遠。

じん・えん【人煙・人×烟】〔文〕人家から立ちのぼる炊事のけむり。［参考］人家・人里から離れた所であることを表すのに用いる。「―まれなる森林地帯」

***しん・おう【心奥】**〔文〕心の奥(にある考え・気持ち)。「わが―を明かす」［類語］心底（しんてい）。胸裏。胸中。

***しん・おう【深奥】**〔文〕❶《名・形動》深遠（しんえん）。❷奥深い所。奥底。「心の―に秘める」

***しん・おう【震央】**震源の真上にあたる地点。

じん・おく【人屋】〔文〕人の住んでいる家。人家。

***しん・おん【唇音】**くちびるで調音される音。両唇音〔p, b, m, w〕と歯唇音〔f, v〕がある。

***しん・おん【心音】**心臓がのびちぢみするたびにおこる音。鼓動（こどう）の音。

***しん・か【心火】**〔文〕心の底から激しくわきあがってくる、怒り・嫉妬（しっと）・憎しみなどの感情。

***しん・か【深化】**《名・自他サ》❶〔理解などが〕深くなること。深めること。「内容を―させる」❷深刻になること。深刻化。「労使の対立が―する」

***しん・か【真価】**ほんとうのねうち。「―が問われる」「―を発揮する」［類語］本領。真骨頂。

***しん・か【神化】**〔文〕《名・自他サ》神になること。神にすること。特に、神とみなしてあがめること。

***しん・か【神火】**〔文〕❶〔神域などでたく〕けがれのない火。神聖な火。❷不思議な火。

***しん・か【臣下】**天子・君主に仕える人。臣。［類語］家来。家臣。

***しん・か【進化】**《名・自サ》❶生物が長い年月の間に少しずつ変化して、より複雑・高級なものになってゆくこと。❷物事が、よりすぐれたものに発展すること。「技術の―」［類語］進歩。発展。［対］①②退化。 **―ろん【―論】**生物はすべて下等なものから進化して現在の形態になったとする学説。ダーウィンによって発表された。

じん・か【人家】〔生活するために〕人が住む家。

シンカー 野球で、投手の投げる変化球の一種。打者の近くで急に沈むように落ちるたま。▽sinker

シンガー 歌手。「ジャズ―」▽singer **―ソングライター** 自分で作詞・作曲したポピュラー曲を歌う人。▽singer-songwriter

***しん・かい【新開】**〔人が住むために、また農耕地にするために〕荒れた土地を新しく切り開くこと。**―ち【―地】**❶新しく切り開いた土地。❷新しく開けて市街となった土地・地域。

***しん・かい【深海】**❶海の深い所。深い海。❷〔地〕二〇〇メートル以上の深さのある海。「―魚」［対］①②浅海（せんかい）。

***しん・がい【侵害】**《名・他サ》他人の権利・領域などをおかして害を与えること。「領土を―する」

***しん・がい【震×駭】**《名・自サ》〔文〕〔多くの人が〕驚きふるえあがること。「国中を―させる」［類語］震撼（しんかん）。

***しん・がい【心外】**《形動》予想もしないことなので、裏切られたような気持ちになるようす。「そんなことを言われては―だ」［類語］意外。慮外。

***じん・かい【人海】**多くの人の集まり。**―せんじゅつ【―戦術】**多くの人間をくり出し、人数で敵を圧倒しようとする戦術。転じて、機械力などを利用せずに、大勢の人間を動員して物事にあたらせる方法。

***じん・かい【人界】**〔文〕人間の住む世界。

***じん・かい【×塵界】**〔文〕けがれたこの世。俗界。［対］天界。「―を離れる」［類語］穢土（えど）。濁世（じょくせ）。

***じん・かい【×塵×芥】**〔文〕ごみ。ちり。あくた。「―を焼却する」［類語］厨芥（ちゅうかい）。塵埃（じんあい）。

***じん・がい【人外】**〔文〕人の住む世界の外。「―境」

***じん・がい【×塵外】**〔文〕俗世間のけがれやわずらわしさなどをはなれた所。「―の地に遊ぶ」

しん・がお【新顔】（―がほ）新しくその社会に現れた人。新しく仲間にはいった人。［参考］新しくでてきたものの意にも使う。「―の医薬品」［類語］新入り。新人。［対］古顔。

しん・かき【真書(き)】穂先の細い小筆。楷書（かいしょ）の細字を書くときに使う。

***しん・かく【神格】**神としての資格・地位。「―化」

***しん・がく【心学】**❶心を正しくし、身を修める学問。おもに朱子学・陽明学をさす。❷江戸時代の中期から末期にかけて、庶民の間に行われた道徳教育。儒教・仏教・神道の教えを融和し、平易なことばで実践をといた。石門心学。［参考］石田梅岩（ばいがん）が始めた。

***しん・がく【神学】**キリスト教で、神と神事とに関する学問。特に、教理や信仰に関して体系的・歴史的・実践的に研究する学問。

***しん・がく【進学】**《名・自サ》❶学問が進むこと。❷上級の学校に進むこと。［類語］入学。就学。

じん・かく【人格】❶ひとりの人間としての価値をもち、独立して存在するための(精神的)資格。ひとがら。❷〔心〕個人の多様な特性を統一している全体的特性。❸〔法〕法律上の行為をなしうる主体。**―か【―化】**《名・他サ》人間以外のものを、仮に意思ある人間とみなすこと。［類語］擬人化。**―しゃ【―者】**常識をもち、道徳をわきまえ、多くの人の模範とされるりっぱな人。

じん・がさ【陣×笠】❶戦国時代、足軽（あしがる）など下級の武士が、戦場でかぶとの代わりにかぶったかさ。❷「陣笠連」の略。**―れん【―連】**❶陣がさ①をかぶるような下級の武士。雑兵（ぞうひょう）。❷幹部でない者。下っぱ。特に、そのような代議士。

しん・がた【新型】今までの物と違った、新しい型。ニュータイプ。「―の電車」［類語］新式。

しん・がっこう【神学校】キリスト教で、神学を教えて伝道者を養成する学校。

しん・かなづかい【新〈仮名〉遣(い)】（―づかひ）現代仮名遣い。［対］旧仮名遣い。

じん・がね【陣鐘】昔、陣中でいろいろな合図のために打ちならした鐘。どら、または半鐘を用いた。

しん・かぶ【新株】株式会社が増資するとき、新しく発行する株式。子株。［対］旧株。

しん・から【心から】《副》心の底から。本心から。「―残念に思う」

しん・がら【新柄】新しい柄。「―の着物」

しん‐がり【▽殿】《「後駆(しりがり)」の音便》❶軍隊が退却するとき、最後尾にいて追ってくる敵を防ぐこと(部隊)。❷〔列・順番などの〕いちばんあと。「—に控える」

＊**しん‐かん【信管】**弾丸・爆弾などの火薬に点火して爆発させるため、弾頭や弾底につける装置。

＊**しん‐かん【×宸×翰】**〔文〕天皇がみずから書いた文書。類語 宸筆(しんぴつ)。

＊**しん‐かん【心肝】**〔文〕〔心臓と肝臓の意から〕こころ。また、心の底。「—に徹する」類語 心胆。

＊**しん‐かん【新刊】**〔書物を〕新しく発行すること。また、新しく発行した書物。新版。「—案内」類語 新本。

＊**しん‐かん【新患】**❶新しく発病した患者。新患者。❷その病院に新しく来た(入院した)患者。

＊**しん‐かん【新館】**もとの建物とは別に新しく建てた建物。対 旧館。

＊**しん‐かん【神官】**神社で、神に仕え神を祭る職(の人)。神主(かんぬし)。

＊**しん‐かん【震×撼】**《名・自他サ》ふるえ動くこと。ふるえ動かすこと。また、その世界にある人々をおそれ驚かすこと。「世界を—させたクーデター」類語 震駭(しんがい)。

＊**しん‐かん【森閑・深閑】**《形動タリ》〔人けがなく〕あたりがひっそりと静まりかえっているようす。「—とした館内」類語 閑静。静寂。

＊**しん‐がん【心眼】**物事の本質をするどく見わける力をもつ心を目に見立てた語。心の目。「—を開いて見よ」

＊**しん‐がん【心願】**〔神仏に対して〕心の中で願(がん)をたてること。また、心の中で真剣に願うこと。類語 念願。

＊**しん‐がん【真×贋】**本物と、にせもの。「—の区別」

＊**じん‐かん【人間】**人の住む世界。世間。

—到(いた)る処(ところ)青山(せいざん)有り《句》人間はどこで死んでも骨を埋める所はある。故郷を出て大いに活躍すべきであるということ。参考 ㋐幕末の僧、月性(げっしょう)の詩から。㋑「にんげん到る処…」とも言う。

＊**しん‐き【心×悸】**心臓の鼓動。「—亢進(こうしん)(=自分自身に心臓の鼓動が激しく感じられる症状)」

＊**しん‐き【心機】**心の働き。心の動き。気持ち。**—いってん【—一転】**《名・自サ》ある事をきっかけとして、気持ちがすっかり(よい方向に)変わること。注意「心気一転」は誤り。

＊**しん‐き【心気】**〔文〕気持ちのありかた。こころもち。「—を静める」

＊**しん‐き【新奇】**《名・形動》新しくて目先が変わっていること。「—をてらう」対 陳腐。

＊**しん‐き【新×禧】**〔文〕新年のよろこび。新年の祝い。「恭賀(きょうが)—」

＊**しん‐き【新規】**❶新しい規則。対 旧規。❷《名・形動》今までのものとは別に、新しく物事をすること。「—に契約する」**—まきなおし【—×蒔(き)直し】**〔今までのことはなかったものとして〕最初から新しくやりなおすこと。注意「新規巻き直し」は誤り。

＊**しん‐き【神気】**〔文〕❶万物のもとになる気。❷精神。気力。「—充実」❸すぐれたおもむき。

＊**しん‐き【辛気】**《名・形動》何か気になることがあって心がはればれしないこと。歯がゆくじれったいこと。**—くさ・い【—臭い】**《形》じれったくてやりきれない。いらだたしい。〔おもに関西で使う〕

＊**しん‐ぎ【信義】**約束した事を必ず守り、人としてのつとめを忠実にはたすこと(心)。「—に厚い人柄」

＊**しん‐ぎ【審議】**《名・他サ》提出された案を会議にかけて検討し、その可否を相談すること。「—を重ねる」

＊**しん‐ぎ【心技】**精神力と技術。「—一体」

＊**しん‐ぎ【心木】**❶車の中心となる棒。心棒。❷ある物事の中心となるもの。

＊**しん‐ぎ【▽清規】**《清浄な規則の意》〔禅宗で〕僧侶(そうりょ)の行うべき、日常の動作・作法についての規則。

＊**しん‐ぎ【真偽】**本当かうそか、また、正しいかまちがいかということ。「—のほどはわからない」類語 虚実。真贋(しんがん)。真否。実否。

＊**しん‐ぎ【真義】**〔文〕ほんとうの意義。「人生の—」

＊**しん‐ぎ【神技】**人間とは思えないほど、あざやかなわざ。きわだった腕前。神わざ。

じん‐き【人気】その地方一帯の気風・気質。にんき。

＊**じん‐ぎ【仁義】**❶儒教で、教えの中心となる仁と義。❷人として行うべき道徳。転じて、礼儀上すべきこと。義理。「—にもとる」❸やくざ仲間などの、特殊な形式・作法をそなえた初対面のあいさつ。「—をきる」❹やくざ仲間などの社会に特有の道徳・おきて。「渡世の—」参考 ③④は「辞儀(じぎ)」の転といわれる。

＊**じん‐ぎ【神器】**神から授けられた宝物。特に、三種の神器。

＊**じん‐ぎ【神×祇】**〔文〕天の神と地の神。天神地祇。

しん‐きげん【新紀元】新しい時代の始め。

しん‐きじく【新機軸】それまでのものと異なる新しい工夫。新しい方法。「機構の改正に—を打ち出す」

＊**しん‐きゅう【新旧】**❶新しいものと古いもの。「—勢力の対立」❷新暦と旧暦。

＊**しん‐きゅう【進級】**《名・自サ》等級・学年などが上級に進むこと。「三年に—する」

＊**しん‐きゅう【×鍼×灸・針×灸】**はりときゅう。「—術」

しん‐きょ【新居】❶新しく建てた住居。類語 新宅。対 旧居。❷〔結婚して〕新しく住む家。「—を構える」

じん‐きょ【×腎虚】漢方の病名。房事過度により、男子のからだが衰弱して精力・根気がなくなる状態。

＊**しん‐きょう【信教】**ある宗教を信仰すること。「—の自由」類語 信心。信仰。

＊**しん‐きょう【心境】**〔そのときの〕心の状態。気持ち。「—の変化をきたす」「現在の—を語る」

＊**しん‐きょう【新教】**「プロテスタント」の通称。「—徒」対 旧教。

＊**しん‐きょう【神橋】**神社の境内や神殿にかけた橋。

＊**しん‐きょう【神鏡】**❶三種の神器の一つ。八咫鏡(やたのかがみ)。❷神社で御神体の前にかけておく鏡。❸神霊としてまつる鏡。

＊**しん‐きょう【進境】**〔技術・知識などの〕進歩した程度。上達のぐあい。「—がいちじるしい」

しん‐ぎょう‐そう【真行草】❶漢字の書体で、真書(楷書(かいしょ))・行書・草書。❷絵画・いけ花・俳諧(はいかい)の形式。真は正格、草は崩した風雅、行はその中間。

しん‐きょく【新曲】新しく作った歌曲・楽曲。

しん‐きろう【×蜃気楼】空気の密度のちがいによって、光線が異常に屈折し、そこに実際にはない物があるように見える現象。空中楼閣。海市(かいし)。参考 昔、蜃(おおはまぐり)が吐く気によって生ずると考えられたことから。

＊**しん‐きん【×宸襟】**〔文〕天子の心。「—を悩ます」

＊**しん‐きん【心筋】**心臓のかべを作っている筋肉。「—梗塞(こうそく)」

＊**しん‐きん【親近】**❶《名・自サ》〔文〕身近な者として

近づき親しくすること。類語懇意。❷そば近くに仕える臣下。類語側近。❸身より。近親。 ーかん【ー感】親しみ、近づきたいと思う気持ち。「ーをいだく」

しん‐ぎん【×呻吟】《名・自サ》〔文〕苦しくてうめくこと。また、なやみ苦しむこと。「病苦にーする」

*しん‐く【深紅・真紅】濃いべに色。まっか。

*しん‐く【辛苦】《名・自サ》〔文〕つらいことや難儀なことにあって苦しむこと。苦辛。「艱難(かんなん)ー」

*シンク 台所や調理場の流し。また、洗面台。▽sink

しん‐ぐ【寝具】寝るときに使う用具。布団・まくら・寝巻きの類。夜具。

じん‐く【甚句】民謡の一つ。七・七・七・五の四句からなる。米山(よねやま)甚句・越後(えちご)甚句などが有名。

しん‐くい【身口意】〔仏〕日常生活の基本である、身(=すべての行動)・口(=言語)・意(=精神)。

しん‐くう【真空】❶〔理〕空気などの物質が全く存在しない空間。❷〔仏〕この世の実相は空であるということ。❸作用・活動などが全く停止したり、他の勢力の全く及ばなかったりする状態。からっぽの状態。「ー地帯」 ーかん【ー管】真空にしたガラス管などの中にいくつかの電極を入れたもの。整流・検波・増幅などの作用があり、電気機器に利用される。

しん‐ぐう【新宮】本宮(ほんぐう)から神霊を分けて祭った神社。若宮(わかみや)。対本宮。

じん‐ぐう【神宮】❶伊勢(いせ)皇大神宮のこと。❷「神宮」の称号のついた格式の高い神社。熱田(あつた)神宮・明治神宮・鹿島(かしま)神宮など。❸神の宮殿。神の宮。

ジンクス 縁起の悪いもの。また、縁起の悪い言い伝え。「初日は勝てないというーがある」▽jinx

シンク‐タンク 種々の分野に属する専門家を集め、企業や官庁から依頼された課題に対して調査・分析・研究・開発をおこない、その知識・技術を提供する企業組織。頭脳集団。▽think tank

シングル ❶ひとり用(のもの)。対ダブル。❷独身(者)。「ーライフ」❸「シングル幅」の略。対ダブル。❹「シングルブレスト」の略。上着やコートで、前合わせが浅くボタンが一列のもの。片前。対ダブル。▽single(=一つ。対をなさないもの) ーはば【ー幅】服地の幅で、七一(センチ)(=二八(インチ))幅のもの。参考最近では、九〇(センチ)幅のものにもいう。対ダブル幅。 ーばん【ー盤】歌謡曲などを片面に一曲ずつ吹き込んだ小型レコード。S盤。 ーヒット 野球で、打者が一塁まで行く安打。単打。ワンベースヒット。対ロングヒット。▽single hit ーベッド 一人用の寝台。類語ダブルベッド。ツインベッド。▽single bed ーマザー 結婚していない母親。また、一人で子育てをしている母親。シングルママ。▽single mother

シングルス テニス・卓球・バドミントンなどで、一人対一人の試合。単(試合)。対ダブルス。▽singles

シンクロナイズ《名・自他サ》❶同時に起こる(起こす)こと。❷写真を撮影するとき、閃光(せんこう)電球の発光とシャッターの開く瞬間とを一致させること。❸映画で、画面の撮影と同時に音をふきこむこと。また、映像と音とを一致させること。▽synchronize

シンクロナイズド‐スイミング 音楽に合わせて泳ぎ、演技の美しさ・正確さを競う競技。水中バレエ。▽synchronized swimming

しん‐くん【神君】〔文〕❶功績が大きく徳の高い君主に対する尊称。❷徳川家康の死後の尊称。

しん‐ぐん【進軍】《名・自サ》〔敵を撃ち破りながら〕軍隊が進むこと。「ーラッパ」類語行軍。

*じん‐くん【人君】〔文〕きみ。君主。

*じん‐くん【仁君】〔文〕仁徳の高い君主。

しん‐け【新家】分家。別家。新家(しんや)。

*しん‐けい【×晨鶏】〔文〕夜明けを告げる鶏。

*しん‐けい【神経】❶動物の体内にある繊維状の器官。外界からの刺激を中枢部(脳(のう)・脊髄(せきずい))につたえ、また中枢部に起こった興奮をからだのいろいろな器官につたえるはたらきをする。❷物事に感じ、それに応じる心のはたらき。「ーがにぶい男」❸気。また、必要以上に気にかけること。「病気はーのせいだ」 ーかびん【ー過敏】《名・形動》わずかな刺激にも強く感じて、神経系統が不安定であること。 ーしつ【ー質】《名・形動》ささいな物事にも感じやすく、また、情緒が不安定で気分が変わりやすい性質・状態。 ーしょう【ー症】ノイローゼ。 ーすいじゃく【ー衰弱】過労などのため神経系統のはたらきが弱くなり、刺激に対してひどく敏感になる病気。不眠、頭痛、めまい、注意力の散漫などを起こす。類語ノイローゼ。 ーせん【ー戦】謀略・宣伝などによって敵を刺激し、不安を与え、動揺を起こさせる戦法。 ーつう【ー痛】知覚神経の刺激によって発作的に起こる、激しい痛み(を伴う病気)。

*じん‐けい【仁恵】〔文〕いつくしみめぐむこと。「ーを施(ほどこ)す」

*じん‐けい【陣形】戦闘をするため軍隊を配置した形。参考碁・将棋などの構えの形にもいう。

*しん‐げき【新劇】日本の近代劇の一つ。歌舞伎(かぶき)・新派などに対して、西欧の近代演劇の影響をうけて、明治末期から起こった新しい傾向の演劇。

*しん‐げき【進撃】《名・自サ》〔軍隊が〕敵陣へ向かって前進して攻撃すること。「快ー」類語進攻。出撃。突撃。対退却。

しん‐けつ【心血】ありったけの精神力。「ーを注ぐ」

しん‐げつ【新月】❶陰暦で、月の第一日。ついたち。朔(さく)。❷〔天〕太陽と月の黄経が等しくなって、月が暗い面を地球に向けたとき。対満月。❸陰暦で、月のはじめのころ出る月。三日月。

*じん‐けつ【人傑】〔文〕知能や才能が非常にすぐれた人。英傑。傑人。傑物。類語大器。偉人。

*じん‐けつ【人血】人間の血液。

*しん‐けん【真剣】一《名》〔木刀や竹刀(しない)に対し〕ほんものの刀剣。二《形動》まじめで、心がこもっているようす。いっしょうけんめいにするようす。本気。「ーな目つき」 ーしょうぶ【ー勝負】❶ほんものの刀剣で行う勝負。❷本気になってする勝負。

*しん‐けん【神剣】❶神からさずかったという剣。また、神に供える剣。❷三種の神器の一つ。天叢雲剣(あめのむらくものつるぎ)(草薙剣(くさなぎのつるぎ))。

*しん‐けん【神権】❶神の権威。❷神から授けられたとされる権力。「帝王ー説」

*しん‐けん【親権】〔法〕親が未成年の子に対して持つ、保護・監督・教育などの権利・義務。「ー者」

*しん‐げん【×箴言】人生における教訓やいましめとなる短いことば。「ー集」類語金言。格言。金句。

*しん‐げん【進言】《名・他サ》地位・身分などが上の人に意見を申しのべること。類語建言。建白。上申。

*しん‐げん【震源】地球内部において地震の起こった

し

場所。「―地」参考 ↓震央(しんおう)。

*しん・げん【森厳】《形動》〔文〕秩序正しくおごそかなようす。いかめしくおごそかなようす。「―な神域」

*じん・けん【人権】〔法〕人間が人間として生まれながらに持っている、生命・自由・平等などを保障される権利。基本的人権。天賦人権。「―を擁護する」 ―じゅうりん【―×蹂×躙】〔権力などを用いて〕人権を不法にふみにじること。類語 人権侵害。

*じん・けん【人絹】「人造絹糸」の略。対 正絹(しょうけん)。本絹。

しん・けんざい【新建材】新しい材料・技術で作られた建築材料。プリント合板・石膏(せっこう)ボードなど。

じんけん・ひ【人件費】経費のうち、人の労働に対して支払う費用。給料・手当など。対 物件費。

しんげん・ぶくろ【信玄袋】長円形の底の、布製の大きな手さげ袋。口をひもでしめる。明治時代、旅行のときなどに使った。合切袋(がっさいぶくろ)。

*しん・こ【新▽香】↓しんこう(新香)。

*しん・こ【真個・真▽箇】〔文〕まこと。ほんと。〔副詞的にも使う〕「―の天才」

*しん・こ【×糝粉】❶白米を水にさらし、日光でかわかして粉にしたもの。糊(のり)や菓子の材料に使う。❷「しんこもち」の略。しんこ①を水でこね、むしてついた餅。 ―ざいく【―細工】しんこ餅に色づけをして花・鳥・人物などの形を作ること。また、そのもの。

しん・ご【新語】❶新しく作られたり外国からはいってきたりして、新しく使われ出したことば。新造語。❷教科書の中などで新しく習うことば。新出語。

*じん・ご【人後】〔文〕他人のうしろ。他人の下。 ―に落・ちる《句》一般の人にくらべて、おとる。人に負ける。ひけをとる。参考 打ち消しの形で使う。「読書量においては―・ちない」

*じん・ご【人語】〔文〕❶〔動物などの声に対して〕人間のことば。「―を解する動物」❷人の話し声。

*しん・こう【信仰】《名・他サ》神・仏などをかたく信じ、その教えを守り、それに従うこと(心)。「キリスト教を―する」「―を深める」類語 信心。信教。

*しん・こう【侵攻】《名・他サ》他国や他の領域に攻め入ること。「―作戦」類語 侵寇(しんこう)。

*しん・こう【侵×寇】《名・他サ》〔文〕他国に侵入して害を与えること。「敵の―を受ける」類語 侵攻。

*しん・こう【振興】《名・他自サ》学術・産業などを力を入れて盛んにすること。また、学術・産業などが盛んになること。「産業の―をはかる」類語 振起。

*しん・こう【新興】〔もとからある物に対抗して〕強い勢力をもって新たにおこること。「―財閥」「―宗教」

*しん・こう【新香】《新しい香の物の意》つけもの。香の物。こうこ。おこうこ。新香(しんこ)。

*しん・こう【深交】〔文〕〔心にかくしだてのない〕深い交際。「―のある友」「―を結ぶ」類語 親交。

*しん・こう【深更】〔文〕夜ふけ。真夜中。深夜。「会議は―に及んだ」

*しん・こう【深紅】❶濃いくれない。また、その色。深紅(しんく)。❷濃いくれない色の絵の具。

*しん・こう【深耕】《名・他サ》田畑を深くたがやすこと。

*しん・こう【親交】親密な交際。親しい交わり。「―を結ぶ」類語 深交。

*しん・こう【進攻】《名・他サ》前進して敵を攻めること。「敵地深く―する」

*しん・こう【進航】《名・自サ》船が進んで行くこと。

*しん・こう【進行】《名・自サ》❶〔乗り物・人(の列)などが〕目的地に向かって進んで行くこと。❷物事が時の経過とともに、様相を変えながら進んで行くこと。特に、病状が悪化すること。「がんが―する」❸物事が予定された時間の中ではかどること。「会議が―する」「―係」参考 まれに、サ変他動詞として用いることもある。「議事を―する(=はかどらせる)」

*しん・こう【進講】《名・他サ》〔天皇・皇族など身分の高い人に〕講義すること。

*しん・こう【深厚】《名・形動》〔文〕〔ある人に対する情けや気持ちなどが〕深くてあついこと。「―の同情」

*しん・ごう【信号】❶一定の符号としてきめた光・音・形・色などを使い、はなれた地点の人に意志を伝えること(方法)。また、その符号。❷鉄道・道路などで、通行の可否を指示する機械。信号機。シグナル。

*しん・ごう【神号】〔皇大神(こうたいじん)・大御神(おおみかみ)・明神など〕神の称号。

*じん・こう【人口】❶〔文〕人の口。世の人のうわさ。「―にのぼる」❷〔町村・国など〕一定の地域に住んでいる人の数。「―が増加する」 ―に膾炙(かいしゃ)・する《句》〔なます(膾)やあぶりにく(炙)が美味で多くの人の口に合うことから〕広く世間の人に知れわたる。有名である。

*じん・こう【人工】人間の力を加えること。また、人間の力で作り出すこと。類語 人造。人為。対 天然。 ―えいせい【―衛星】惑星(特に、地球)の周囲を回る軌道に打ち上げられた人工の物体。科学・気象・通信・軍事など広く使われる。 ―えいよう【―栄養】❶普通の食事をとることが不十分あるいは不可能なとき、注射などによって栄養物を体内に入れること。また、その栄養物。❷母乳以外の牛乳・粉乳などで乳児を育てること。また、その栄養物。 ―こきゅう【―呼吸】仮死状態の者を、人工的に生き返らせる・こと(方法)。口から空気を吹き込んだり、胸部を手で運動させて空気を肺に流通させたりする。 ―じゅせい【―授精】《名・自サ》人為的に精子と卵子を結合させること。家畜の品種改良や、不妊症治療などに行う。表記「人工受精」とも書く。 ―ぞうき【―臓器】人工材料で臓器の機能を代行させる装置。人工心肺・人工腎臓(じんぞう)など。 ―ちのう【―知能】(artificial intelligence)コンピューターに体系的な知識をもたせ、学習・判断・推論などの人間の知能の働きを行うシステム。略語AI。 ―てき【―的】《形動》人の手を加えたようす。自然のままでないようす。「―に作りだす」類語 人為的。 ―とうせき【―透析】人工腎臓(じんぞう)を用いて、腎臓障害の患者の血液を浄化すること。

*じん・こう【▽沈香】❶ジンチョウゲ科の常緑高木。熱帯地方に産し、樹脂から香料がとれる。きゃら。❷香料の一種。じんこう①を土に埋めたりくさらせたりして作った樹脂から取る。良質のものを「伽羅(きゃら)」という。 ―も焚(た)かず屁(へ)もひらず《句》特によいところもなければ悪いところもなく、平凡である。

しん・こきゅう【深呼吸】《名・自サ》肺の中にできるだけ多くの空気を出し入れするため、大きく息をはいたりすったりすること。

*しん・こく【新穀】その年にとれた穀物。特に、米。

*しん・こく【申告】《名・他サ》❶〔上司などに〕申し出

し

ること。❷〔法〕国民が、役所へ一定の事実を明らかにして申し出ること。「所得を―する」

*しん-こく【神国】神が作り神が守っているという国。神州。参考もと、日本の美称であった。「―日本」

*しん-こく【親告】《名・他サ》他人を通さず本人みずからつげること。特に、法律で、被害者が告訴すること。―ざい【―罪】検察官が起訴するにあたって、被害者の告訴を必要とする犯罪。強姦（ごうかん）罪など。

*しん-こく【深刻】《形動》❶重大な事態がさしせまってきて、悲観的・絶望的であるようす。「水不足が―になる」❷重大な意味をもつようす。「―な発言」

じん-こつ【人骨】人間のほね。

じんこっ-き【人国記】都道府県別にその地方出身の著名人物を紹介・評論した記事・書物。じんこくき。

しん-こっちょう【真骨頂】本来持っている真の姿・ようす。真面目（しんめんもく）。「―を発揮する」類語真価。

シンコペーション アクセントの位置をずらして、リズムに変化を与えること。ジャズに多く用いられる。切分法。▷syncopation

*しん-こん【心魂・神魂】〔文〕たましい。心。全精神。「―を傾ける」

*しん-こん【新婚】結婚して間がないこと。結婚したばかりであること。「―生活」「―旅行」「―ほやほや」

*しん-こん【身魂】〔文〕身体と心。全身全霊。「―をなげうつ」

しん-ごん【真言】❶真実を伝える仏のことば。❷祈禱（きとう）の際に唱える呪文（じゅもん）。陀羅尼（だらに）。❸「真言宗」の略。―しゅう【―宗】陀羅尼の加持の力で即身成仏（そくしんじょうぶつ）させるのを宗旨とする、仏教の一派。平安時代の初めに空海（くうかい）が中国から伝えた。密教。

しん-さ【審査】《名・他サ》成績・経歴などをよく調べ、ある基準に従って優劣・適否などを定めること。「書類―」「―にパスする」類語鑑査。検査。

*しん-さい【神祭】神道にのっとって行う祭り。

*しん-さい【親祭】《名・自サ》〔文〕天皇がみずから神を祭ること。

*しん-さい【親裁】《名・他サ》〔文〕天皇・貴人が自身で裁断を下すこと。

*しん-さい【震災】地震によって起こる災害。特に、大正一二年九月一日の関東大震災。「―記念日」

*しん-ざい【心材】樹木の中心に近い材。緻密（ちみつ）で堅い。赤身。対辺材。

*しん-ざい【浸剤】細かく切った生薬に熱湯を注いで成分をにじみ出させ、布ごしした水薬。ふりだし。

じん-さい【人災】人間の不注意・怠慢などが、その大きな原因となる災害や災難。「水害も半ば以上は―である」参考「天災」にならって作られた語。対天災。

じん-ざい【人材】才能のすぐれた役に立つ人物。有能な人物。人才。「―不足」「―を育てる」

*しん-さく【振作】《名・他サ》〔文〕人心に刺激を与えて盛んな状態にさせること。「人心の―」類語振起。

*しん-さく【新作】《名・他サ》作品を新しく作ること。また、新しく作られた作品。「―の発表」

しん-さつ【診察】《名・他サ》医師が患者のからだをしらべ、病気の有無、病状、病因などを判断すること。

*しん-さん【心算】〔文〕(自分の)心の中だけで考えている計画。心づもり。胸算用。「―が狂う」

*しん-さん【神算】〔文〕非常に巧妙な計略。思いもよらないような巧みなはかりごと。「―鬼謀」

*しん-さん【辛酸】〔文〕精神的につらいことや苦しいこと。いろいろさまざまな苦労。「―を嘗（な）める(=さまざまな苦労を経験する。つらいめにあう)」

*しん-ざん【新参】❶新しく仕えること。また、その人。❷新しく仲間に加わってから日が浅い・こと(人)。類語新米。新顔。新人。対①②古参。―もの【―者】新たに仕えた者。また、新たに仲間に加わった者。しんざもの。

*しん-ざん【深山】人里離れた、山の奥の方。奥深い山。奥山。深山（みやま）。「―幽谷（ゆうこく）」

*しん-し【伸子・×籡】洗い張りや染めるときに、布の両端をぴんと張るために使う竹串（たけぐし）状の道具。

*しん-し【振子】→ふりこ。

*しん-し【紳士】❶上流社会の男子。類語貴紳（きしん）。貴顕（きけん）。搢紳（しんしん）。❷気品や教養をそなえ、礼儀正しく道義を重んじる男子。ジェントルマン。対①②淑女。❸男子の尊称。「―服」対婦人。―きょうてい【―協定】互いに相手を信頼しあって正式の手続きをとらずに定めたとりきめ。―てき【―的】《形動》紳士らしく道義を重んじ、礼儀正しいようす。「―な態度」―ろく【―録】地位や資産のある人々の姓名・職業・住所・経歴などをしるした名簿。

*しん-し【臣子】〔文〕主君や親に仕える身分のもの。また、家来。

*しん-し【親子】〔文〕親と子。親子（おやこ）。

*しん-し【▽参▽差】《形動タルト》〔文〕高低・長短の差があって、ふぞろいなようす。

*しん-し【真×摯】《形動》まじめでひたむきなようす。また、心をこめて物事に取り組むようす。「―な態度」

*しん-じ【信士】❶出家せず俗人のままで受戒した男子。うばそく。信士（しんし）。❷仏式で葬った男子の戒名に添える語。参考居士（こじ）より低い。対①②信女（しんにょ）。

*しん-じ【心事】〔文〕心の中で考え思う事柄。「その―は察するに余りある」

*しん-じ【心耳】❶〔文〕心で聞きとること。「心眼―」❷心臓の心房の一部が、前方に耳状に突き出した部分。参考「心房」の意で用いられることもある。

*しん-じ【新字】❶新たに作られた文字。❷〔国語教科書などに〕初めて出てくる漢字。新出漢字。

*しん-じ【神事】神をまつる儀式。祭り。

*しん-じ【神璽】〔文〕❶三種の神器（じんぎ）の一つ。八坂瓊勾玉（やさかにのまがたま）。参考三種の神器の総称として用いることもある。❷天皇の印。玉璽。

*しん-じ【臣事】《名・自サ》〔文〕臣下として仕えること。「大名に―する」

*しん-じ【×芯地・心地】帯・えり・洋服などのしんにする布地。ふつう、厚く織りめがあらい。

じん-し【人士】〔文〕地位や教養のある人。「風流―」

*じん-じ【人事】❶人間の力でできる事柄。「―を尽くす」❷人間社会に起こる出来事。「―にわずらわされる」❸〔俳句の分類で〕人間の社会・生活などに関する事柄。❹〔会社や組織内の〕成員個人の地位・能力・異動などに関する事柄。「―課」―いん【―院】国家公務員の人事や給与に関する仕事を扱う行政機関。―ふせい【―不省】意識がなくなること。昏睡（こんすい）状態になること。「―に陥る」類語失神。
―は棺を蓋（おお）うて定まる《句》人間の真の評価は、その人の死後になって初めてきまる。

―を尽くして天命を待つ《句》力の限り努力し、それ以上は天命に任せて焦らない。〈胡寅・読史管見〉

*じん-じ【仁慈】〔文〕〔上のものが下のものに与える〕いつくしみ。思いやり。類語 慈愛。仁愛。

しんじ-いけ【心字池】草書の「心」の字の形に作られた日本庭園の池。また、一般に、複雑に入りくんだ形の、奥行きを感じさせる池。

*しん-しき【新式】《名・形動》〔もとからあるものに工夫を加えた〕新しい方法・様式。類語 新型。対 旧式。

*しん-しき【神式】神道(しんとう)のしきたりによって行う儀式。「―の結婚式」類語 仏式。

シンジケート ❶市場の独占を目的として共同販売を行う同業者の連合組織。また、その中央機関。❷国債・公社債・株式などが発行されるとき、その募集・販売を引きうける金融団体。❸〔俗〕大規模な犯罪組織。「麻薬―」▽syndicate

*しん-しつ【寝室】寝るときに使う部屋。ねや。ねま。

*しん-しつ【心室】心臓内部の下半部。左心室と右心室にわかれる。対 心房。

*しん-じつ【信実】《名・形動》〔文〕正直でいつわりのないこと。また、その心。まごころ。「―を尽くす」

*しん-じつ【真実】一《名》❶《形動》うそいつわりがないこと。ほんとうのこと。「―を語る」類語 事実。対 虚偽。❷〔仏〕絶対の真理。真如。二《副》ほんとうに。まったく。「―怒りを覚えた」類語 心底(しんそこ)。

類義語の使い分け　真実・事実

【真実・事実】真実(事実)が明るみに出る／あの話は単なるうわさではなくて真実(事実)だった

【真実】真実を探求する／真実味のある人／彼のずうずうしさには真実あきれたね／真実一路

【事実】検察が贈収賄の行われた事実をつかむ／既成事実をこしらえる／うん、事実そうらしいね

*しん-じつ【親×昵】《名・自サ》〔文〕したしみなじむこと。昵懇(じっこん)。「―の間柄」

*じん-じつ【人日】五節句の一つ。陰暦正月七日の称。七草がゆを食べる風習がある。ななくさ。

*じん-じつ【尽日】〔文〕❶一日じゅう。終日。❷月の最終日。みそか。尽。❸一年の最終日。大みそか。

しんし-ほしゃ【唇歯×輔車】《「輔」はほお骨、「車」は歯ぐきの意》〔文〕利害関係が密接で、たがいに助け合わなければ共だおれになるような関係。「―の間柄」

*しん-しゃ【新車】真新しい車。人が使ったことのない自動車。対 中古車。

*しん-しゃ【深謝】《名・他サ》〔文〕❶深く感謝すること。「お力添えを―いたします」❷心からわびること。「不始末を―する」

*しん-しゃ【親×炙】《名・自サ》〔文〕親しく接して直接その感化を受けること。「師に―する」

しん-じゃ【信者】ある宗教を信仰している人。信徒。宗徒。参考 ひゆ的に、ある人・思想などの信奉者・ファンの意でも使う。「ビートルズの―」

じん-しゃ【仁者】〔文〕❶儒教の仁の道をきわめ、道徳を完成した人。仁人。❷情け深い人。

じん-じゃ【神社】〔神代の神など神道の〕神をまつってある所。また、その建物。やしろ。「―仏閣」参考「一社(しゃ)…」と数える。尊敬 大宮。丁寧 お宮。

ジンジャー ❶ショウガ科の多年草。夏から秋にかけ、茎の先に芳香のある白い花をつける。観賞用として栽培される。❷干したショウガの粉。香辛料の一つ。▽ginger ―エール ショウガを主な香料とした炭酸飲料水。▽ginger ale

しん-しゃく【×斟酌】《名・他サ》❶事情や心情をくみとること。「年少の点を―して処分を決める」類語 酌量。❷条件などを考えあわせて適当に取捨・処置すること。参酌。「両者の主張を―する」❸ひかえめにすること。遠慮。「忠告するのに何の―がいるものか」

じん-しゃく【人爵】〔文〕爵位・官位など、人が定めた栄誉。対 天爵。

*しん-しゅ【新種】❶今までになかった新しい種類。❷新たに発見された(改良されて人工的に作られた)生物の種(しゅ)。「稲の―」

*しん-しゅ【新酒】その年に蔵から出したばかりで、殺菌のための火入れをしていない清酒。対 古酒。

*しん-しゅ【神酒】神にそなえる酒。おみき。

*しん-しゅ【進取】〔文〕自分から進んで新しい物事をすること。「―の精神に富む」対 退嬰(たいえい)。

*しん-じゅ【真珠】アコヤガイなどの貝殻の内側や肉の中にできる小さな丸いたま。銀色で美しいつやがあるので宝石として貴ばれる。パール。参考 六月の誕生石。―がい【―貝】「あこや貝(がい)」の別称。

*しん-じゅ【神授】神からさずかること。「―の鏡」「王権―説」類語 天与。

*しん-じゅ【神樹】神社の境内にある樹木。特に、神霊がのりうつっているとされる樹木。神木。霊木。

*しん-じゅ【親授】《名・他サ》〔文〕〔天皇などが〕みずから授けること。「―式」

じん-しゅ【人種】❶人類を骨格、皮膚の色、髪の色など身体の諸形質の違いによって分けた種別。黄色人種・黒色人種・白色人種に大別される。❷人を社会的身分・生活環境などで分けた種別。

*しん-しゅう【新秋】〔文〕❶秋のはじめ。初秋。孟秋。❷陰暦七月の別称。

*しん-しゅう【真宗】鎌倉時代に親鸞(しんらん)を開祖として浄土宗から分かれた、仏教の一派。阿弥陀(あみだ)仏を念ずることで往生成仏できると説く。浄土真宗。一向宗。

*しん-しゅう【神州】〔文〕❶神が作り、神が守っているという国。神国。参考 昔、日本・中国などが自国の美称として使った。❷神・仙人の住む国。

*しん-じゅう【心中】❶〔文〕相手に対する義理をたてること。❷《名・自サ》相愛の男女がこの世で添えないことを悲観して、合意の上で一緒に自殺すること。情死。❸《名・自サ》複数の人間が合意的または強制的に一緒に自殺すること。「親子―」「無理―」❹《名・自サ》ある仕事や団体などと運命を共にすること。「会社と―する」表記 現代仮名遣いでは「しんぢゅう」も許容。注意「しんちゅう」と読めば別語。―だて【―立て】《名・自サ》人への義理を守り通すこと。また、その人。

*しん-じゅう【神獣】❶神と獣。「―鏡」❷霊妙な動物。竜・麒麟(きりん)など。類語 霊獣。

*しん-じゅう【臣従】《名・自サ》臣下として従うこと。

しん-しゅく【伸縮】《名・自他サ》のびたりちぢんだりすること。のばしたりちぢめたりすること。「―自在」

*しん-しゅつ【新出】《名・自サ》〔教科書などに〕はじめて出ること。「―漢字」

し

*しん・しゅつ【浸出】《名・自他サ》液体にひたっている物質の成分が溶け出ること。また、物を液体にひたして溶け出させること。「―液」

*しん・しゅつ【×滲出】《名・自サ》液体がにじみ出ること。「―物」 表記 「浸出」で代用することもある。

*しん・しゅつ【進出】《名・自サ》〔新しい分野・方面などに〕勢力をのばして進み出ること。「政界へ―する」

しん・じゅつ【×鍼術・針術】古く中国から伝わった医学の一つ。神経の経穴（俗に、つぼ）に細い金属製の針をさしこんで病気をなおす方法。はり。

じん・じゅつ【仁術】〔儒教の道徳である〕仁を施す方法。「医は―」

しんしゅつ・きぼつ【神出鬼没】〔神や鬼のように〕出没が自由自在でその所在が容易につかめないこと。

しん・しゅん【新春】新年。正月。初春。

しん・じゅん【浸潤】《名・自サ》❶液体が次第にしみこむこと。❷思想・勢力などが次第にゆきわたること。「人心に―した気風」❸〔医〕炎症をおこした細胞・組織・器官などに、異常液がしみこんでゆくこと。「肺―」

*しん・しょ【信書】〔文〕個人の手紙。 ―の・ひみつ【―の秘密】自由権の一つ。出し手が相手以外に見せたくない手紙を、第三者が勝手に開けられないこと。日本国憲法では「通信の秘密」として規定。

*しん・しょ【心緒】〔文〕思いのはし。心の動くすじみち。こころもち。しんちょ。「―を述べる」

*しん・しょ【新書】❶新しく刊行された書物。新刊書。❷新書判の判型で、比較的軽い教養物・読み物をおさめた叢書。 ―ばん【―判】書物の判型の一つ。B6判よりやや小型で文庫本より縦が長い。

*しん・しょ【親署】《名・自サ》〔文〕〔天皇など身分の高い人が〕自分で名を記すこと。また、記した名。

*しん・しょ【親書】❶《名・他サ》〔文〕手紙を自分自身で書くこと。また、その手紙。自筆の手紙。❷天皇・元首の書いた手紙・文書。

*しん・じょ【寝所】寝る所。寝室。ねま。

*しん・じょ【神助】〔文〕〔正しい者に与えられる〕神の助け。神佑。「天佑―」 類語 天佑。

*しん・じょ【×糝×薯】魚・鳥肉などをすり身にし、すりおろした山芋などを加えて蒸すかゆでるかした食べ物。

じん・しょ【陣所】〔文〕〔戦線の近くで〕軍隊が配置され、たむろしているところ。陣営。陣屋。

じん・じょ【仁×恕】〔文〕❶情け深くて思いやりのあること。❷あわれんで罪を許すこと。

*しん・しょう【心証】❶相手の言動から心にうける印象。「―を害する」❷〔法〕裁判官が事件の審理によって心中にえた確信。

*しん・しょう【心象】見聞きしたものが基になって心の中にえがき出されたもの。イメージ。「―風景」

*しん・しょう【真症】感染症などで、検査によってたしかにそうであると診断された病気。 対 疑似症。

しん・しょう【紳商】〔文〕教養や品位のあるりっぱな商人。大商人。

*しん・しょう【身上】❶財産。身代。「―をつぶす」❷家計のやりくり。「―の苦労」〔①②とも古風な言い方〕 注意 「しんじょう」と読めば別語。 ―もち【―持（ち）】❶財産家。金持ち。❷身上②。「―がいい」

*しん・しょう【辛勝】《名・自サ》〔競技などで〕苦戦しながらもやっと勝つこと。「最下位チームに―する」

*しん・じょう【信条】❶信仰の教義。❷ふだんからかたく信じ従っている考え。「生活―」 類語 所信。

*しん・じょう【心情】心の中で感じているもの。心中の思い。「友の―を察する」 ―てき【―的】《形動》理屈ではなく、人情に基づいているようす。「法律的にはともかく、―には理解できる」

*しん・じょう【真情】❶純粋でいつわりのない、ほんとうの気持ち。まことの心。まごころ。「―を吐露する」 類語 実意。❷真実の情況。実情。

*しん・じょう【身上】❶身のうえ。その身に関する事柄。「―書」「―を調査する」❷〔その人・もののもっている〕存在価値。とりえ。「いきのよさが彼の―だ」 注意 「しんしょう」と読めば別語。

*しん・じょう【進上】《名・他サ》〔人に物を〕さしあげること。進呈。〔古風な言い方〕 類語 献上。呈上。

じん・しょう【人証】裁判所で、証人・被告人などの供述内容を証拠とする手段。人証。 対 物証。

じん・じょう【尋常】《形動》❶特に異なったり目立ったりせず、ふつうであるようす。あたりまえ。「―の手段では通じない」 類語 正常。❷〔容貌などが〕特にみにくくなく、十人並みであるようす。「―な顔立ち」❸〔文〕道理にかなった、ふつうの態度をもつようす。卑怯でないようす。「―に勝負せよ」 ―いちよう【―一様】《形動》ふつうのものと変わりのないようす。ありふれているようす。「―な方法では勝てない」

しんしょう・しゃ【身障者】「身体障害者」の略。体のはたらきに障害のある人。

しんしょう・ひつばつ【信賞必罰】手がらのあった者は必ずほめ、罪過のあった者は必ず罰すること。賞罰を厳正にまた確実にすること。「―で臨む」

しんしょう・ぼうだい【針小棒大】《名・形動》〔針のように小さいことを棒のように大きく言う意から〕ちょっとした事を大げさに言うこと。誇張して言うこと。「―に言いふらす」

*しん・しょく【侵食・侵×蝕】《名・他サ》❶他の領域をじわじわとおかし、そこなうこと。「領地を―される」 表記 「侵食」は代用字。❷浸食②。

*しん・しょく【寝食】寝ることと、食べること。転じて、日常生活。「―を忘れて仕事に励む」

*しん・しょく【浸食・浸×蝕】《名・他サ》❶水がしみこんで物をそこなうこと。❷流水・海水・雨水・氷河・風などが陸地や岩石を少しずつ崩してゆくこと。「―作用」 表記 (ア)「浸食」は代用字。(イ)②は「侵食」とも書く。

*しん・しょく【神職】〔神社に属し〕神に奉仕する職業（の人）。神官。神主。 類語 僧職。

*しん・しょく【神色】〔文〕〔精神状態の表れた〕顔色。「―自若（＝非常のときも顔色を変えないようす）」

しん・じる【信じる】《他上一》→信ずる。

*しん・しん【心神】〔文〕精神。心。 ―こうじゃく【―耗弱】心神喪失ではないが、自分の行為の結果についての合理的な判断能力が劣っていること。 ―そうしつ【―喪失】自分の行為の結果についての判断能力をまったく欠いているか、著しく欠いていること。

*しん・しん【心身・身心】心とからだ。精神と肉体。 ―しょう【心身症】心理的な原因によって起こる疾患群。喘息・じんま疹・消化性潰瘍など。

*しん・しん【×搢紳・×縉紳】《笏を紳（＝おおおび）に搢（＝はさ）む人の意》〔文〕官位・身分の高い男の人。社会的地位を有するりっぱな人。 類語 紳士。貴紳。

*しん・しん【新進】新たにその分野に現れ出てきて、将来の活躍が期待されること。「―作家」 ―きえい【―気鋭】新たにその分野に現れ出てきて、勢いが盛んなこと。また、その人。「―の学者」

*しん・しん【森森】《形動トタル》〔文〕木がたくさん茂っているようす。「高山―として」

*しん・しん【津津】《形動トタル》〔文〕〔ある気持ちが〕たえず盛んにわきでるようす。「興味―」

*しん・しん【深深】《形動トタル》❶静かに夜がふけていくようす。深沈。「秋の夜は―とふける」 ❷寒さが次第に身にしみるようす。「―と冷えこむ」

*しん・しん【×駸×駸】《形動トタル》〔文〕〔馬が速く走るようすから〕ものごとの発達・進歩が速いようす。

*しん・じん【信心】《名・他サ》神仏の存在を信じたっとぶ・こと(心)。信仰心。「―深い」 類語 信仰。信教。

*しん・じん【新人】❶〔ある社会・団体などに〕新しく仲間入りした(若い)人。 類語 新入り。新顔。新参。 対 旧人。 ❷人類の進化過程で、旧人に次ぐ更新世の化石人類、ならびに現世の人類。ホモサピエンス。

*しん・じん【真人】〔文〕❶まことの道を体得し、完全な道徳を身につけた人。 ❷「仙人」の別称。

*しん・じん【神人】〔文〕❶神と人。 ❷神のように何でもできる能力を身につけた人。 ❸神のように気高い人。 ❹神主。神官。 ❺「キリスト」の別称。

*しん・じん【深甚】《形動》〔文〕〔意味・気持ちが〕非常に深いようす。甚深。「―なる謝意を表す」

*じん・しん【人心】人の心。特に、(世間の)人々の心。民衆の心。「―が離反する」 類語 人意。

*じん・しん【人臣】〔文〕主君に仕える人。臣下。「位(くらい)―を極(きわ)める(=臣下として最高の地位につく)」

*じん・しん【人身】❶人間の体。 ❷個人の身の上。身分。 ―こうげき【―攻撃】人の私的な行為や身の上をあばき、非難すること。 ―じこ【―事故】人の死傷を伴う(交通)事故。 ―ばいばい【―売買】人を品物のように売ったり買ったりすること。

じんじん・ばしょり 着物の後ろすそから少し上のところをつまんで帯にはさむこと。 参考 「爺端折(じじばしおり)」の転という。

*しん・すい【心酔】《名・自サ》❶ある物事に心をうばわれうっとりすること。「絶妙の演技に―する」 ❷ある人の人格・能力などを心から尊敬して何から何まで見習おうとすること。「ドストエフスキーに―する」

*しん・すい【浸水】《名・自サ》大量の水がはいりこむこと。水びたしになること。「床下―」 類語 冠水(かんすい)。

*しん・すい【深×邃】《名・形動》〔文〕❶その土地のようすが奥深く、静かなこと。「―の境に遊ぶ」 ❷学問・芸術などが奥深いこと。深遠。

*しん・すい【神水】〔文〕❶神前にそなえる清らかな水。 ❷神の霊験があるという水。 =神水(じんずい)。

*しん・すい【薪水】〔文〕たきぎと水。転じて、炊事。「―の労をとる(=炊事のための苦労をする)」

*しん・すい【進水】《名・自サ》新しく造った船を初めて水上に浮かべること。「―式」

*しん・すい【親水】❶水との親和性があること。「―コロイド」 ❷水に親しみ、水と共存すること。「―権」

*しん・ずい【心髄】❶物の中心にある、しん。 ❷物事の中心になる最もだいじな所。「法の―」 ❸心の底。

*しん・ずい【神髄・真髄】〔精神と骨髄の意から〕物事の本質的なもの。その道の奥義。「文学の―を学ぶ」

じん・すい【尽×瘁】《名・自サ》(「瘁」は病み疲れる意)〔文〕身も心も疲れはてるほど、一生懸命に力を尽くすこと。ほねおり。尽力。「仕事に―する」

じん・ずう【神通】霊妙不可思議で、何でも自由自在にできる・こと(力)。神通(じんつう)。 表記 現代仮名遣いでは「じんづう」も許容。 ―りき【―力】ふつうの人間ではできない事をなしうる不思議な力。神通力(じんつうりき)。

じん・すけ【甚助】〔俗〕しっとの気持ち。また、多情で、しっと深い性質(の男)。「―を起こす」

*しん・・ずる【信ずる】《他サ変》❶真実である・正しい・確実である、と強く心に思う。信用する。信頼する。「霊魂の不滅を―・ずる」「彼の愛を―・ずる」 類語 真(ま)に受ける。(確信(す)る)確信。過信。盲信。 ❷信仰の心を持つ。信仰する。信心する。「仏教を―・ずる」=信じる。

*しん・・ずる【進ずる】 ㊀《他サ変》〔人にものを〕差し上げる。 ㊁《補動》…て差しあげる。「貸して―・ぜよう」=進ぜる。

*しん・せい【心性】❶心のありかた。精神。「日本人の―」 ❷生まれつき。天性。

*しん・せい【新制】新しい制度。特に、学校教育の新しい制度。「―大学」 対 旧制。

*しん・せい【新政】〔機構・法令などを改めた〕新しい政治(体制)。「―をしく」

*しん・せい【新星】❶〔天〕星が急に明るく輝き、のち少しずつ暗くなってゆく現象。 ❷ある社会(特に芸能界など)に現れて、急に人気を集めた人。新しいスター。

*しん・せい【新生】《名・自サ》❶新しく生まれること。 類語 再生。 ❷それまでとはすっかり変わった新しい生活にはいること。また、その新しい生活。「―日本」 参考 信仰生活にはいる場合にもいう。 ―じ【―児】生まれてから一～四週間までの小児。新産児。初生児。 ―だい【―代】地質時代の区分のうち最も新しい時代。約六五〇〇万年前から現代に至る時代。

*しん・せい【新製】《名・他サ》新しく製作すること。

*しん・せい【深省】《名・他サ》〔文〕深く反省すること。「堕落した生活を―する」

*しん・せい【申請】《名・他サ》〔国や公共団体などの機関に認可・許可などを〕願い出ること。「ビザを―する」 類語 請願。出願。

*しん・せい【真性】❶生まれつきの性質。天賦の性質。 ❷まちがいなくその病気であること。「―コレラ」 対 疑似・仮性。

*しん・せい【真正】《名・形動》ほんもので正しいこと。真正(しんしょう)。「語の―の意味において」

*しん・せい【神性】神としての性格・性質。

*しん・せい【神聖】《名・形動》清らかでけがれがないこと。尊くておかしがたいこと。「―なる霊山」 類語 清浄。

*しん・せい【親政】天子みずから政治をとり行うこと。また、その政治。

*じん・せい【人世】〔文〕人のすむ世。この世の中。世間。うきよ。「―を活写する」

*じん・せい【人性】〔文〕人間が本来もっている性質。

*じん・せい【人生】❶人間がこの世で生きている期間。人の一生。 類語 生涯(しょうがい)。 ❷人間がこの世に生を受け、生活して行くこと。人間の生活。「―論」 ―かん【―観】人生の意義・目的・価値などについての考え方。 ―もよう【―模様】人生の種々相を織物の模様に見立てた語。

—意気に感ず《句》人間は、金銭や名誉のためにではなく、人の意気に感じて仕事をするものである。

—七十古来稀なり《句》七〇歳まで生きる人は昔からまれである。〈杜甫・曲江詩〉参考→古希。

—朝露の如し《句》人生は、朝日が出ると蒸発してしまう露のようなものである。人生のはかないことのたとえ。〈漢書・蘇武伝〉

*じん‐せい【仁政】国民のためを思いやるよい政治。人民をいつくしむ政治。「—をしく」対悪政。

じん‐ぜい【人税】人や法人の居住・所得など、物にもとづかない所得に課せられる租税の総称。所得税・法人税・相続税など。対物税。

しん‐せいしゅ【新清酒】米以外の材料で、清酒に似た風味をもつようにつくった酒。合成酒。

しん‐せいめん【新生面】〔その専門についての〕新しい分野・方面。「日本文学に—を開く」

しん‐せかい【新世界】❶新しく発見された地域・世界。特に、南北アメリカ。新大陸。対旧世界。❷新しく生活し活動する場所。新天地。「—をひらく」

*しん‐せき【真跡・真×蹟】ほんとうにその人自身が書いた筆跡。真筆。「弘法大師の—」表記もと、もっぱら「真蹟」と書いた。類語肉筆。直筆。

*しん‐せき【臣籍】明治憲法のもとで、皇族以外の臣民としての身分。「—に降下する」対皇籍。

*しん‐せき【親×戚】血すじや婚姻によってつながっている・こと(人)。親類。類語身内。親族。

じん‐せき【人跡】〔文〕人の足あと。人が通ったあと。「—未踏」類語足跡。

シンセサイザー いろいろな音を合成できる電子回路によって音楽を演奏する装置。▽synthesizer

*しん‐せつ【新設】《名・他サ》〔設備・施設などを〕新しく作り設けること。新しく設けること。「—の高校」

*しん‐せつ【新説】❶新しく立てられた意見・考え。対旧説。❷はじめて聞く話・意見。

*しん‐せつ【新雪】新しくふりつもった雪。

*しん‐せつ【深雪】深くつもった雪。深雪。

*しん‐せつ【親切・深切・心切】《名・形動》❶〔利害を考えず〕相手の身になってつくすこと。人情の厚いこと。「—な人」類語懇切。懇篤。❷行きとどいて、ていねいであること。「—な仕事」 —ごかし《名・形動》親切そうに見せかけること。

しん‐せっきじだい【新石器時代】磨製石器を使うようになった、石器時代最後の段階。土器・骨角器も用い、オリエントなどでは農耕・牧畜も始まった。日本では縄文時代にあたる。対旧石器時代。

しん‐・ぜる【進ぜる】[一]《他下一》進ずる[一]。[二]《補動》進ずる[二]。

*しん‐せん【新×撰】《名・他サ》新しく〔えりすぐって〕書物を編集すること。〔多く書名として用いられる〕「—姓氏録」表記「新選」で代用することも多い。

*しん‐せん【深浅】❶深いことと浅いこと。「理解に—がある」❷〔色の〕濃いことと薄いこと。

*しん‐せん【神仙】〔文〕神通力を持っている仙人。

*しん‐せん【神×饌】〔神にささげるために〕神前にそなえる飲食物。お供え物。「—を供する」類語神供。

*しん‐せん【新鮮】《形動》❶〔野菜・肉などが〕新しくて生き生きとしているようす。類語生鮮。生新。❷よごれがなく、すがすがしいようす。「—な空気」❸今までになかった新しさが感じられるようす。「—な感覚」

*しん‐せん【浸染】❶《名・他サ》繊維類を染料に浸して無地に染める・こと(方法)。❷《名・自サ》〔文〕液体がしみこんで、それに染まること。❸《名・自サ》〔文〕しだいにゆきわたること。「仏教が人心に—する」

*しん‐ぜん【神前】まつってある神霊のまえ。「—で誓う」「—結婚」

*しん‐ぜん【親善】〔国家や団体が〕互いに親しくつきあい、理解を深め、なかよくすること。「—訪問」「国際—」類語友好。懇親。親睦。

じん‐せん【人選】《名・自サ》〔多くの者の中から〕〔その仕事をするのに〕ふさわしい人をえらぶこと。「閣僚の—にあたる」類語選考。選抜。

じん‐ぜん【×荏×苒】《形動タルト・副》〔文〕月日がいたずらに過ぎていくようす。また、物事がはかどらずのびのびになっていくようす。「—と日を送る」

しん‐ぜんび【真善美】人間が最高の理想とする三つのもの。認識上の真、道徳上の善、審美上の美。

*しん‐そ【神祖】❶偉大な功績のあった祖先の尊称。特に、徳川家康の尊称。❷天照大神の尊称。

*しん‐そ【親疎】つきあいの親しい・こと(人)と、あまり親しくない・こと(人)。「—の別なく対する」

しん‐ぞ【新▽造】《〔「しんぞう」の転〕明治・大正期まで使った語》他人の若い妻を呼ぶ語。転じて、他人の妻の敬称。〔ふつう「ご—」の形で使う〕＝新造。

*しん‐そう【新装】〔新しい服装の意から〕建物などの外観・設備を新しくすること。「—開店」

*しん‐そう【深層】深い層。奥深く隠れた所。「—心理」

*しん‐そう【深窓】〔文〕〔家の奥深い所にある窓の意から〕大きな屋敷にある、人目にふれない奥の部屋。「—に育つ」「—の令嬢」参考上流階級の環境にいう。

*しん‐そう【真×槍】実戦に用いるほんもののやり。

*しん‐そう【真相】真実のすがた。事件などのほんとうの内容・事情。「—を究明する」類語実情。実態。

*しん‐そう【真草】真書(＝楷書)と草書。

*しん‐そう【神葬】神道の儀式による葬儀。 —さい【—祭】神葬。

*しん‐ぞう【心像】過去の経験などから具体的・感覚的に意識に現れる像。記憶像・直観像など。表象。イメージ。

*しん‐ぞう【心臓】❶内臓の一つ。血液循環の原動力となる器官。ふつう、左胸の乳の下あたりにある。類語心の臓。胸。ハート。❷物事の一ばん大切な部分。「社会の—部」❸〔俗〕〔「—だ」などの形で〕あつかましく、ずうずうしい。参考慣用句「心臓が強い」から。

—が強・い《句》物おじしない、気の強い性格である。特に、あつかましく、ずうずうしい。強心臓だ。

—が弱・い《句》気が弱く、神経質な性格である。

*しん‐ぞう【新造】❶《名・他サ》新しくつくること。「—の客船」❷→新造。

*じん‐ぞう【人造】天然のものに似せてつくること。また、そのつくった物。「—皮革」類語人工。対天然。

—けんし【—絹糸】絹糸に似せてつくった糸。綿花・木材パルプなどの繊維素からつくる。人絹。レーヨン。

—にんげん【—人間】ロボット。

*じん‐ぞう【×腎臓】内臓の一つ。脊柱の両側に一対あり、尿の排泄をつかさどる。

しん‐そく【神速】《名・形動》〔文〕〔人間わざとは思わ

れないくらい〕行動などが非常にすばやいこと。「—果敢」

しん・ぞく【親族】❶血統・結婚によってつながりのある人々。「—会議」類語 親類。親戚しんせき。❷〔法〕六親等内の血族および配偶者と、三親等内の姻族。

じん・そく【迅速】《形動》〔行動や動作などが〕非常に速いようす。すばやいようす。「—に処置する」類語 敏速。敏捷びんしょう。

しん・そこ【心底・真底】㊀《名》〔気持ちが宿る〕心の底。心の奥底。心底しんてい。「—から願う」類語 心奥。㊁《副》心の底から。本当に。「—ほれた」類語 真実。

***しん・そつ【新卒】**《「新しい卒業(生)」の意》その年に学校を卒業した・こと(人)。「—の採用状況」

***しん・そつ【真率】**《名・形動》かざりけがなく、きまじめなこと。正直で率直なこと。「—な性格」類語 実直。

じんた〔俗〕宣伝や、映画館・サーカスなどの景気づけに使われる、小人数の吹奏楽隊。また、その音楽。

***しん・たい【神体】**神の霊が宿るものとして、礼拝の対象となるもの。御神体。みたましろ。参考「一柱ひとはしら…」「一座いちざ…」「一体いったい…」と数える。

***しん・たい【身体】**人間のからだ。類語 肉体。人体。五体。体軀たいく。**—はっぷ【—髪膚】**〔からだと髪と皮膚の意から〕からだ全体。「—これを父母に受く」

***しん・たい【進退】**❶《名・自サ》前に進むことと、後ろにさがること。動くこと。❷《名・自サ》〔日常の〕一つ一つの動作。たちいふるまい。「挙措—」❸職をはなれるかとどまるかというような、自分の身の置き方を決める行動。身の処置。「出処—」**—うかがい【—伺(い)】**〔公務員などが〕職務上の過失があった場合、責任をとってその地位をやめるべきかどうかについて上役の処置をあおぐ・こと(文書)。

—谷きわまる《句》進むことも退くこともできない窮地におちいる。どうしてよいかわからない状態になる。

***しん・たい【真×諦】**仏教で、絶対的・究極的真理。転じて、芸道・思想などの真髄。しんてい。対 俗諦ぞくたい。

***しん・だい【寝台】**洋式の家具の一つ。上に布団を敷いて寝る台。ベッド。

***しん・だい【身代】**その人の一身に属する財産。資産。身上しんしょう。〔古風な言い方〕「—を築く」類語 私財。

—かぎり【—限り】❶江戸から明治時代にかけて、借金が返せないとき、財産の全部を債権者に提供して債務にあてたこと。❷破産。〔古風な言い方〕

***じん・たい【人体】**〔生理学的な立場から見た〕人間のからだ。「—の解剖」「—実験」類語 身体。

***じん・たい【×靱帯】**おもに骨と骨を結びつけ、関節の運動を調節する、弾力性のある帯状の結合組織のたば。

***じん・だい【人台】**洋裁で、デザイン・仮縫いなどに使う胴体の模型。ボディー。

***じん・だい【神代】**神話に出てくる有史以前の時代。日本では神武天皇の即位以前の時代。神代かみよ。**—すぎ【—杉】**長い年月、水中や土中に埋もれていた青黒くかたい、杉材。工芸品・装飾品の材料になる。**—もじ【—文字】**わが国で漢字の渡来以前に用いられていたという文字。後世の偽作。

***じん・だい【甚大】**《形動》〔物事の程度が〕非常に大きいようす。「—な被害」類語 多大。

じん・だいこ【陣太鼓】昔、戦場などで進退の指揮をとるための合図として打ち鳴らしたたいこ。軍鼓。

しんたい・し【新体詩】明治初期、西欧の詩の技法や発想を取り入れて創始された新しい形式の詩。多くは七五調。参考 漢詩を「詩」というのに対していう。

しん・たいそう【新体操】手で用具をあやつりながら音楽のリズムに合わせ、独創性と芸術性を競う体操。用具には縄・輪・こん棒・リボン・ボールの五種がある。

じん・だいめいし【人代名詞】人をさす代名詞。自称・対称・他称の区別がある。「私」「あなた」「かれ」「だれ」など。人称代名詞。参考 →指示代名詞。

しん・たいりく【新大陸】新世界。対 旧大陸。

***しん・たく【信託】**《名・他サ》❶相手を信用してたのみまかせること。「国民の—にこたえる」❷〔法〕一定の目的に従って自分の財産の管理・処分を他人にたのむこと。「—銀行」**—とうち【—統治】**国際連合の信託をうけた国が国際連合の監督のもとに、ある一定の地域の統治にあたること。

***しん・たく【新宅】**❶〔すまいとして〕新しく建てた家。類語 新居。対 旧宅。❷本家からわかれて独立した家。分家。別家。同 ①②新家しんや。

***しん・たく【神託】**神のお告げ。託宣たくせん。

日本語

人代名詞じんだいめいし

日本語の人代名詞（人称代名詞）は、英語のそれとははなはだしく違う。第一人称は英語ではＩ一語であるのに対して、日本語には「わたくし」「わたし」「ぼく」「おれ」…とたくさんあることはだれでも知っている。第二人称は使うことは割合少なく、たとえば、両親とか兄・姉に対してyouに当たる第二人称の代名詞は使わない。「おかあさん」とか「おねえさん」とか、名詞を代名詞の代わりに使う。また、電話で「だれだ？」と聞かれて、名前を言わずに「わたしよ」と代名詞で答える人があるが、こんなことは英語ではないであろう。

日本語の人代名詞は、英語の代名詞に比べ、一般名詞に近いのである。英語では代名詞に修飾語がつけられないが、日本語では、川端康成氏の講演の題「美しき日本の私」のように、代名詞にも修飾語がつけられる。

***しん・たつ【申達】**《名・他サ》〔文〕上級官庁から下級官庁へ文書で指令を出すこと。

***しん・たつ【進達】**《名・他サ》〔文〕下からの文書などを官庁に取りつぐこと。「—書(=上申書)」

シンタックス 文法で、単語の連結による文の構成を取り扱う部門。また、それの研究。構文論。文論。統辞論。統語論。シンタクス。▽syntax

じん・だて【陣立て】戦いをするための軍勢の配置・編制。陣ぞなえ。〔古風なことば〕類語 配陣。

じんだ・みそ【×糂×粏味×噌】ぬかみそ。じんだ。

***しん・たん【心胆】**〔文〕心。きもったま。「—を寒からしめる(=心から恐れ驚かせる)」類語 心肝。

***しん・たん【×滲炭・浸炭】**鋼に炭素を浸入させ、品質をよくすること。表記「浸炭」は代用字。

***しん・たん【薪炭】**〔文〕たきぎと、すみ。燃料。

***しん・たん【震×旦】**昔、インドから中国をさした称。

しん・だん【診断】《名・他サ》❶医師が患者を診察し

し

てその病状を判断すること。❷物事に欠陥があるかどうかを調べて先行きを判断すること。「企業を―する」

しん・ち【新地】❶新しく開けた土地。新開地。❷新開地にできた遊里。「曾根崎―」❸新しくえた領地。

*じん・ち【人知・人×智】人間の知恵。「―の及ぶ所ではない」

*じん・ち【陣地】戦闘にそなえて軍隊を配置してある地帯。陣を作った場所。類語 陣営。

しん・ちく【新築】《名・他サ》建物を新しく建てること。また、その建物。「―の家」「―祝い」

じん・ちく【人畜】❶人間と家畜。「―無害」❷恩しらずな人や不人情な人をののしって言う語。

しん・ちゃ【新茶】その年に出た新芽をつんでつくった(初夏のころの)緑茶。対 古茶。

しん・ちゃく【新着】《名・自サ》(品物が)ごく最近に到着したこと。また、その品物。「―の雑誌」

*しん・ちゅう【心中】心の中(の気持ち・思い)。「―穏やかならざるものがある」類語 胸中。内心。注意「しんじゅう」と読めば別語。

*しん・ちゅう【真×鍮】銅と亜鉛との合金。黄色で、展性・延性に富み、用途が広い。黄銅(おうどう・こうどう)。

*しん・ちゅう【進駐】《名・自サ》軍隊が他国の領土に進入し、一定期間とどまること。「―軍」類語 駐留。

しん・ぢゅう【心中】↓しんじゅう(心中)。

*じん・ちゅう【尽忠】〔文〕忠義をつくすこと。

*じん・ちゅう【陣中】❶陣地のなか。❷戦場(で戦っている間)。―みまい【―見舞(い)】❶戦地で戦っている兵士たちを慰問すること。❷選挙戦や忙しい仕事場の人を激励すること。また、その贈り物。

しん・ちょ【心緒】《「しんしょ」の慣用読み》↓しんしょ(心緒)。

*しん・ちょう【伸張】《名・自他サ》(勢力や物の大きさなどが)のびて広がること。のばし広げること。「国威を―する」類語 伸展。表記「伸長」で代用することもある。

*しん・ちょう【伸長・伸×暢】《名・自他サ》(力や長さが)のびること。のばすこと。「体力の―」表記「伸長」は代用字。

*しん・ちょう【慎重】《名・形動》大事をとって注意深く物事をすること。軽はずみな行動をしないこと。「―を期する」「―に事を運ぶ」対 軽率。

*しん・ちょう【新調】❶《名・他サ》(衣服などを)新しくこしらえること。また、新しくこしらえた物。「背広を―する」❷(音楽などの)新しい調子。

*しん・ちょう【身長】からだの高さ。せたけ。

*しん・ちょう【深長】《形動》意味が深くて含みのあるようす。「意味―」

じんちょう・げ【▽沈丁▽花】ジンチョウゲ科の常緑低木。早春、枝先にうす紫色または白色の、香りのよい小花が集まってさく。庭木用。ちんちょうげ。

しん・ちょく【進×捗・進×陟】《名・自サ》(物事が)すすみはかどること。「工事が―する」類語 進展。進行。注意「進渉」「しんしょう」は誤記誤読。

しん・ちん【深沈】《形動(タルト)》〔文〕❶落ち着いて、物事に動じないようす。軽々しくないようす。沈着。「―たる態度」❷夜が静かにふけてゆくようす。深々。

しんちん・たいしゃ【新陳代謝】《名・自サ》❶生物が生きるために必要なものを体内にとりいれ、不必要なものを体外に出すこと。物質交代。物質代謝。❷古いものが去り、新しいものがこれに代わって現れること。「婦人服の流行は―がはげしい」

しん・つう【心痛】《名・自サ》心配して心を痛めること。「―の余り病床に就く」類語 心労。

*じん・つう【神通】↓じんずう。―りき【―力】↓じんずうりき。

*じん・つう【陣痛】❶分娩(ぶんべん)のとき、間をおいてくりかえし起こる腹部の痛み。子宮の収縮によって起こる。❷ある物事が成しとげられるまでの苦しみ。「成功には―がともなうものだ」

しん・づけ【新漬(け)】新しくつけること。また、そのつけもの。対 古づけ。

しん・て【新手】新しい手段・方法。あらて。

*しん・てい【心底・真底】心の底(にある本当の気持ち)。心底(しんそこ)。「―見届けたり」類語 心奥。

*しん・てい【新帝】新たに即位した天子。対 前帝。

*しん・てい【進呈】《名・他サ》(人に物を)さしあげること。進上。「粗品を―する」類語 献上。贈呈。呈上。

じん・てい【人定】❶人が定めること。❷法律で、本人であることを確認すること。「―質問」

ジンテーゼ ❶〔哲〕テーゼ(=正)とアンチテーゼ(=反)を媒介として、新たにできた高次概念(=合)。また、それによって矛盾を解決すること。総合。参考 弁証法の用語。❷概念・判断の結合。▽(ドイツ) Synthese

しん・てき【心的】《形動》心に関するようす。「―現象」対 物的。

じん・てき【人的】《形動》人間に関するようす。「―交流」対 物的。―しげん【―資源】人間の能力や労働力を生産要素の一つである資源とみなした語。

シンデレラ ❶ヨーロッパ民話に出てくる主人公の少女。継母たちにいじめられているうち、ガラスの靴のふしぎな縁で王子と幸福な結婚をする。❷一躍有名になった人、幸福をつかんだ人。「―ボーイ」▽ Cinderella(=灰まみれの娘)

*しん・てん【伸展】《名・自他サ》(物の勢い・規模などが)発展してのび広がること。また、広げること。類語 伸張。「事業の―」⇩〔使い分け〕

*しん・てん【神典】❶神のことを書きしるした書物。❷神道の聖典。古事記・日本書紀など。

*しん・てん【親展】〔あて名の人が自分で開封して読んでほしい意で〕封書のあて名のわきに書く語。直披(じきひ)・親披(しんぴ)。類語 直覧(じきらん)。

*しん・てん【進展】《名・自サ》(事件などが)進行し、局面が展開すること。また、物事が進歩し発展すること。「交渉が―する」⇩〔使い分け〕

使い分け「シンテン」
進展〔「進」は時間的な進行の意。事件などが進行し局面がひろがる〕事件が進展する・戦局の進展とともに・捜索の進展に伴って・文化の新しい進展
伸展〔「伸」はのびる意。勢力・規模などが発展しひろがる〕屈葬に対する伸展葬・事業の伸展・経済力の伸展・貿易が伸展する

*しん・でん【寝殿】❶昔、宮中で天皇が日常寝起きした御殿。南殿(なでん)。❷寝殿造りの建物で、主人の居間となる一番おもな建物。正殿。―づくり【―造(り)】平安時代に成立した、貴族の住宅の建築様式。中央に寝殿(正殿)をおき、その両側・後方に対屋(たいのや)が

あり、南の庭に池を作り、これに臨んで泉殿・釣殿(つりどの)などを配し、各殿舎を廊下でつないだ。

*しん・でん【新田】埋めたてたり切り開いたりして新しく作った田。「―開発」

*しん・でん【神殿】神を祭る殿堂。神社の本殿。

*しん・でん【神田】その収穫を神社の諸経費にあてるためのものとして、神社に付属している田地。

しんでん【親電】国の元首が自分の名でうつ電報。

*しんでん・ず【心電図】心臓の運動によって起こる電流を、心電計によって曲線として記録したもの。心臓病の診断に不可欠。

しん・てんち【新天地】いままで知られなかった新しい土地。また、新しい活躍の場所。

しんてん・どうち【震天動地】〔天をふるわせ地を動かす意で〕異変・大事件が起こって世間の人々を非常に強く驚き恐れさせること。驚天動地。「―の大事件」

*しん・と【信徒】ある宗教を信仰しているもの。信者。

*しん・と【新都】〔今までとは別の所に〕新しく定められた都。対旧都。

*しん・と《副・自サ》物音一つせず、静かなようす。ひっそりと。「会場が―なる」「―静まり返る」

*しん・ど【心土】表土の下層の土壌(どじょう)で、耕されない部分。肥料分・有機物が少ない。対耕土。

*しん・ど【深度】〔海や地中などの〕深さの度合い。深さ。「―八〇メートルまで潜水する」

*しん・ど【進度】物事のすすみぐあい。進行の程度。はかどりぐあい。「工事の―」

*しん・ど【震度】ある地点での、地震のゆれの度合い。参考 日本では、震度0・1・2・3・4・5弱・5強・6弱・6強・7の一〇段階に分けている。

じん・と《副》❶あることに心を強く動かされて、胸がしめつけられるように感じるようす。「胸に―くることば」❷体にしびれや痛みを強く感じるようす。

しんど・い《形》〔関西方言〕❶つかれてだるい。つかれて苦しい。❷骨が折れる。難儀だ。めんどうだ。参考「辛労」のなまりか。

*しん・とう【心頭】〔文〕心。念頭。心中。「怒り―に発する(=激しく怒る)」

―を滅却すれば火もまた涼し《句》〔精神を集中して心に何事も思わなければ火の熱ささえも忘れてしまう意から〕どんな苦しみにあっても、心をきたえてそのことを超越すれば、苦しさを感じなくなるものである。

*しん・とう【振×盪・震×盪】《名・自他サ》〔文〕〔左右または上下に、はげしく〕ふり動かすこと。また、ふるえ動くこと。ゆれ動くこと。「脳―」

*しん・とう【新刀】新しく作った刀。特に、慶長年間〔一五九六〜一六一五〕以後の日本刀。対古刀。

*しん・とう【浸透・×滲透】《名・自サ》❶液体がしみとおること。❷ある勢力がしだいにゆきわたること。「民主主義が―する」❸〔理〕濃度の異なる二つの液体を半透膜でさえぎったとき、一方の液体が他方の液体の中にひろがってゆくこと。表記「浸透」は代用字。

*しん・とう【神灯】神前に供えるともしび。みあかし。

*しん・とう【神道】日本民族の伝統的信仰で、祭祀(さいし)を重んずる多神教の宗教。祖先崇拝が中心となっている。かんながらの道。神道(しんどう)。

*しん・とう【親等】〔法〕親族の間で血すじの遠近を区別する等級。等親(とうしん)。参考 親子は一親等、祖父母・兄弟・孫は二親等。

*しん・どう【振動】《名・自他サ》❶ふれ動くこと。ふり動かすこと。「―の少ない高級車」❷〔理〕位置・量などが周期的に変化する現象。振り子の運動や音波・電波など。「―数」

*しん・どう【新道】新しく作った道路。対旧道。

*しん・どう【神童】人並みはずれて、才知のすぐれている子ども。「十で―、十五で才子、二十(はたち)過ぎては只(ただ)の人」類語 麒麟児(きりんじ)。天才児。

*しん・どう【震動】《名・自サ》〔大きな物体が〕ふるえ動くこと。「大地が―する」

*じん・とう【人頭】人の頭数。〔古風な言い方〕 ―ぜい【―税】原始的租税形態の一つ。国民一人一人に対して一律に同額を課する租税。

*じん・とう【陣頭】戦闘をしている部隊のまっさき。転じて、仕事・活動などの場の最先端。「―指揮をとる」

じん・どう【人道】❶人間がふみ行うべき道。人の道。「―に反する」類語 人倫(じんりん)。❷人が歩くようにきめられた道。類語 歩道。対車道。 ―しゅぎ【―主義】人間愛を基調に、すべての人に平等な人格を認め、人類全体が幸福になることを最高の理想とする主義。人本主義。ヒューマニズム。類語 博愛主義。 ―てき【―的】《形動》人道主義の立場にかなうようす。「―な処置」

しん・とく【神徳】〔文〕神の功徳・威徳。

しん・どく【真読】《名・他サ》〔仏〕経文の全文を省略せずに読むこと。対転読。

*じん・とく【人徳】その人に本来そなわっている徳。「―のある人」

*じん・とく【仁徳】〔文〕〔弱い人や困っている人などを〕思いやりの心をもって愛する徳。仁愛の徳。

じん・とり【陣取り】こどもの遊びの一つ。二組に分かれて自分の陣地を定め、相手の陣地を奪い合う。

じん・ど・る【陣取る】《自五》❶〔ある場所に〕陣地をかまえる。❷〔あることをするための〕場所をしめる。「客席の最前列に―る」

シンドローム 症候群(しょうこうぐん)。▽syndrome

シンナー ペンキ・ラッカーなどをうすめるのに使う揮発性の液体。衣服のしみぬきにも用いる。▽thinner

しんない【新内】「新内節」の略。 ―ながし【―流し】新内を語りながら町なかを歩き、心付けをもらうこと(人)。 ―ぶし【―節】豊後(ぶんご)節から分かれた浄瑠璃(じょうるり)の一種。江戸時代に鶴賀新内(つるがしんない)が語りだした。官能的で哀調に富む。新内。

しんなり《副・自サ》〔副詞は多く「―と」の形で〕しなやかなようす。「上体を―とそらす」

しん・に【真に】《副》ほんとうに。まことに。また、真剣に。「―偉大な人物」「―国を思う」

しん・にち【親日】日本または日本人に好意を寄せ親しくすること。「―家」類語 知日。対反日。

*しん・にゅう【×之×繞】〔「しんにょう」の転〕→しんにょう。

―を掛・ける《句》事を大げさにする。わをかける。

*しん・にゅう【侵入】《名・自サ》〔他国の領土や他人の家など〕はいってはならない所に不法な手段を用いてはいりこむこと。「不法―」⇩〔使い分け〕

*しん・にゅう【新入】その組織の一員として新しくはいってくること。また、新しくはいった人。新入り。「―社員」類語 新米。新参。

*しん・にゅう【浸入】《名・自サ》〔建物や土地に〕水がはいりこむこと。⇩〔使い分け〕

*しん・にゅう【進入】《名・自サ》〔多くの人などが〕進んで行ってその場所にはいること。⇩〔使い分け〕

使い分け「シンニュウ」

侵入〔「侵」はおかす、他の領分にはいる意。相手方の中へ不法に入る〕隣国に侵入する・家宅侵入罪・不法侵入

進入〔「進」は前にすすむ意。特定の場所へむかって人や車が進み入る〕車の進入禁止・会場に進入する人々の群れ・旅客機が滑走路に進入する

浸入〔「浸」は水にひたる、水がしみこむ意。建物や土地に水がはいりこむ〕泥水が家の中に浸入する・濁水の浸入を防ぐ

*しん・にょ【信女】❶尼にならないで受戒した女性。うばい。❷仏式で葬った女子の戒名に添える語。対①②信士(しんじ)。

*しん・にょ【真如】〔仏〕宇宙万物の本体で、絶対不変の真理。法性(ほっしょう)。

しん・にょう【×之×繞】《「しにょう」の撥音(はつおん)化》漢字の部首の一つ。「道」「進」「辿」などの「辶・辶」の称。しんにゅう。

*しん・にん【信任】《名・他サ》その人を信用して物事をまかせること。⇩〔使い分け〕 ―じょう【―状】外交使節が正当な資格をもつことをしるした文書。

*しん・にん【新任】ある職務に新しく任ぜられること。また、任ぜられた人。「―のあいさつ」「―の教師」

*しん・にん【親任】《名・他サ》〔文〕もと、天皇みずから(高官を)任命したこと。「―式」⇩〔使い分け〕

使い分け「シンニン」

信任〔その人を信用して物事をまかせる〕社長の信任が厚い・信任状・信任投票・内閣不信任案の上程・信任を得る・部下を信任する

親任〔旧憲法下で、天皇みずからが官を任命する〕親任官・大臣の親任式・親任されて晴れの国務大臣に

参考「親任式」は今日の「任命式」。新聞では、間違いないと考えてよいとする意の「信認」はドルの信認などのほかは「信任」を用いる。

しん・ねこ〔俗〕男女がさしむかいで人目をさけてむつまじく語り合うこと。

しんねり・むっつり《副・自サ》《副詞は「―と」の形も》思っていることをはっきり言わず、態度もはっきりしないようす。「―とした男」

*しん・ねん【信念】その事をかたく信じてうたがわない心。自信の念。「―を曲げない」類語 信条。所信。

*しん・ねん【新年】《新しい年の意》❶新しく来る年。「―を迎える」❷新しく来た、祝うべき年。「―おめでとう」「謹賀―」対旧年。⇩〔類語と表現〕

類語と表現「新年」

*新年を祝う〔寿(ことほ)ぐ〕・新年の挨拶(あいさつ)を交わす・新年の抱負を述べる・新たな気持ちで新年に臨む・新年早々嬉(うれ)しい知らせが届く。

◆〔年の初め〕正月・小正月・七日正月・元日・元旦・元朝・年始・年頭・新春・初春(はつはる)・初春(しょしゅん)・三が日・松の内・来る年

◇〔新年のイメージ〕初日(の出)・若水・初詣(はつもうで)・恵方(えほう)参り・四方拝・年賀状・年始回り・雑煮・屠蘇(とそ)・お節料理・門松・鏡餅(かがみもち)・注連(しめ)飾り・初夢・お年玉・書き初(ぞ)め・新年会・かるた・百人一首・羽子板・追い羽根・凧(たこ)揚げ・双六(すごろく)・こま・獅子(しし)舞・福寿草・初荷・出初め式・御用始め・仕事始め・初場所

◆挨拶 明けましておめでとう・新年おめでとう・新年のお慶(よろこ)びを申し上げます・謹賀新年・恭賀新年・恭賀新禧(しんき)・賀正・賀春・迎春・頌春(しょうしゅん)

しん・のう【親王】嫡出の皇子、ならびに嫡男系嫡出の皇孫中の男子の称。対内親王。

じん・のう【人皇】〔文〕神武(じんむ)天皇以後の天皇。人皇(にんのう)。参考 神代と区別して言う。

*しん・ぱ【新派】❶新しくできた流派・流儀。新式のやり方。対旧派。❷「新派劇」の略。歌舞伎(かぶき)(=旧劇・旧派)に対抗して、明治の中ごろから発達した演劇。世相・風俗を主題にしたものが多い。

*シンパ「シンパサイザー」の略。左翼運動に直接参加しないが、背後で援助する人。共鳴者。

*じん・ば【人馬】人と馬。「―一体となって進む」

*しん・ぱい【心配】《名・他サ》❶《形動》心にかけて思いわずらうこと。気がかり。「入試の結果を―する」「―性」類語 心痛。対安心。❷心をくばって・努力する(世話する)こと。「就職の―をする」類語 配慮。

*しん・ぱい【親拝】《名・他サ》〔文〕天皇がみずから参拝すること。

じん・ばおり【陣羽織】昔、陣中でよろい・具足の上に着た、そでなしの羽織。

陣羽織

しん・ぱく【心×搏・心拍】心臓の搏動。「―数」類語 鼓動。表記「心拍」は代用字。

シンパサイザー→シンパ。▽sympathizer(=同情者。共鳴者)

しん・ばしら【真柱・心柱】❶仏塔などの中心になる柱。❷天理教の首長。表記②は「真柱」と書く。

しん・ばつ【神罰】神が与える罰。天罰。「―が下る」

しん・ぱつ【進発】《名・自サ》〔部隊が〕出発すること。

しんばり・ぼう【心張り棒】戸と柱などの間に内側から斜めにささえて戸締まりを厳重にするつっかい棒。

シンバル 打楽器の一つ。一対の、中央がへこんだ金属製の円盤。両手で打ち合わせる。▽cymbals

*しん・ぱん【侵犯】《名・他サ》他国の・領土(領空・領海)や権利などをおかすこと。「領空―」類語 侵略。

*しん・ぱん【審判】《名・他サ》❶事件を審理し、正否の判決を下すこと。類語 裁判。❷第三者的立場から物事の正否の判断を下すこと。また、その人。❸競技で反則・不正などを判断し勝敗・優劣などを決めること。また、その役(の人)。審判員。❹キリスト教で、神がこの世をさばくこと。「最後の―」=審判(しんぱん)。

*しん・ぱん【新版】❶新しく刊行された書物。新刊。❷以前に出版した書物の版・体裁を新しくして出版したもの。対旧版。

*しん・ぱん【親藩】江戸時代、将軍家の近親者が治

めた藩。尾張(おわり)・紀伊・水戸など。対譜代・外様(とざま)。

*しん・び【審美】美と醜とをはっきり識別すること。「—学」「—眼」

*しん・ぴ【真否】ほんとうか、ほんとうでないかということ。まことと、うそ。真実か否か。「事の—を確かめる」類語真偽。実否。

*しん・ぴ【真皮】脊椎(せきつい)動物の表皮の下にある強じんな層。表皮とともに、皮膚を形成する。対表皮。

*しん・ぴ【神秘】《名・形動》人間の知恵でははかり知れない、不思議なこと。「—的」「宇宙の—」類語霊妙。
—しゅぎ【—主義】〔哲〕最高実在(神・絶対者など)は理性ではとらえることができないとして、瞑想(めいそう)や直観などでとらえようとする立場。ミスティシズム。

*しん・ぴ【親披】「親展」に同じ。

じん・ぴ【×靭皮】樹木の外皮の内側で形成層の外側にある、柔らかい組織。あま皮。

シンビジウム ラン科の多年草。園芸用に栽培され、洋ランの中で最も育てやすい。▽ラテ Cymbidium

*しん・ぴつ【×宸筆】〔文〕天皇の筆跡。類語宸翰(しんかん)。

*しん・ぴつ【真筆】まちがいなくその当人が書いた筆跡。真跡(しんせき)。〔ふつう、古人の書いたものについて言う〕「弘法大師の—」類語直筆(じきひつ)。対偽筆。

*しん・ぴつ【親筆】〔文〕身分の高い人が自分自身で書いた筆跡。「大臣の—」

しん・ぴょう【信×憑】《名・他サ》〔文〕信じてよりどころにすること。確かさが信頼できること。「—性」

*しん・ぴん【新品】使っていない新しい品物・製品。「—同様のタオル」対中古品。古物。

*しん・ぴん【神品】〔文〕芸術作品などで、人間のものとは思えないほど、けだかくりっぱな品位(のある作品)。

じん・ぴん【人品】❶その人にそなわっている気品・品位。人がら。「—骨柄(こつがら)いやしからず」❷その人の品位を表す、なりふり。

しん・ぶ【深部】奥深い所。

*しん・ぷ【新婦】花嫁。対新郎(しんろう)。

*しん・ぷ【新譜】❶新しい曲の楽譜。❷新曲を吹き込んだレコード。また、新発売のレコード。新盤。

*しん・ぷ【神父】カトリック教の司祭。参考→牧師。

*しん・ぷ【神符】神社から氏子に与えるまもり札。お札(ふだ)。護符(ごふ)。

*しん・ぷ【親父】〔文〕〈御(ご)—〉相手の父親をさす尊敬語。「御—様」

しん・ぷう【新風】〔新鮮な風の意から〕古い因習に支配されたやり方・考え方に対して、それまでになかった新しいやり方・考え方。「詩壇に—を吹きこむ」

シンフォニー 交響曲。シンホニー。▽symphony

*しん・ぷく【信服・信伏】《名・自サ》相手を信じきって服従すること。「朝廷に—する」

*しん・ぷく【心服】《名・自サ》心から尊敬して従うこと。「師の教えに—する」類語感服。

*しん・ぷく【心腹】〔文〕❶胸と腹。❷心。まごころ。「—の友」

*しん・ぷく【振幅】振動する物体の、静止する位置から振動の左または右の極点までの距離。

*しん・ぷく【臣服】《名・自サ》〔文〕〔ある人の〕臣下として服従すること。

*しん・ぷく【震幅】地震計で記録された、地震の波のはば。

しん・ふぜん【心不全】心臓の機能が衰えて、血液の循環が不完全になった状態。

じん・ふぜん【×腎不全】腎臓機能が低下し、体内の老廃物を尿として排出することが困難な状態。

しん・ぶつ【神仏】❶神と仏。❷神道(しんとう)と仏教。

じん・ぶつ【人物】〔評価・描写の対象として客体化された個人に言う〕❶人間。ひと。また、その性質・人柄。「偉大な—」「重要—」「—を見込む」❷人格・能力などのすぐれた人。「—を集める」類語人材。❸小説・劇などに描かれた人間。「登場—」❹写生・撮影などの対象となる人。また、その絵・写真。「—画」

シンプル《形動》❶単純なようす。素朴なようす。「—な柄」❷質素・簡素なようす。「—な生活」▽simple

しん・ぶん【新聞】社会の新しいできごとや話題を印刷して早く知らせる、定期刊行物。多くは日刊。参考「一部(いちぶ)…」と数える。尊敬貴紙。
—じれい【—辞令】官吏の任免などについて新聞社側が、世評や探知した材料をもとに臆測(おくそく)して報道したもの。参考特に、うわさだけで事実に反するときに言う。
—だね【—種】新聞記事の材料になるようなことがら。

じん・ぶん【人文】❶人間と文化。❷人類の作った文化。=人文(じんもん)。
—かがく【—科学】❶〔広義では〕文化現象を対象とする学問の総称。文化科学。❷〔狭義では〕文化科学の中で、文芸学・言語学・歴史学・哲学など。
—しゅぎ【—主義】中世の神中心主義に対して、ルネサンス期にイタリアに起こり欧州にひろまった、人間中心の思想運動。古代ギリシア・ローマを理想とし、人間性の解放・向上をはかった。人本主義。ヒューマニズム。ユマニスム。

じん・ぷん【人×糞】人間が排泄(はいせつ)したふん。

しん・ぶんすう【真分数】分子が分母より小さい分数。対仮分数。

しん・ぺい【新兵】新しく兵隊になった者。入隊したばかりの兵士。対古兵。

じんべえ【甚▽兵▽衛】❶男子や幼児の夏の家庭着。筒袖(つつそで)で、身たけはひざぐらいまでの短いもの。つけひもで結ぶ。❷袖無(そでな)し羽織の一種。=じんべ。甚平(じんべい)。

*しん・ぺん【新編】新しい編集・編成。また、新しく編集した書物。「—水滸伝(すいこでん)」

*しん・ぺん【神変】〔文〕人間の知恵でははかり知れない、物事の不思議な変化。「—不可思議」

*しん・ぺん【身辺】身のまわり。「—を整理する」

*しん・ぽ【進歩】《名・自サ》物事がよい(望ましい)ほうにしだいにすすんで行くこと。「科学の—」類語発展。向上。進化。対退歩。
—てき【—的】《形動》❶進歩の方向にあるようす。❷進歩した思想をもつようす。特に、旧来の思想・制度などの矛盾を改革していこうとするようす。「—な教育」対保守的。

*しん・ぼう【信望】信頼と尊敬。また、信用と人望。「部下に—がある」「—を集める」類語声望。

*しん・ぼう【心房】心臓内部の上半部。左心房と右心房にわかれる。静脈の血液を心室に送る。対心室。

*しん・ぼう【心棒】❶回転するものの中心となる軸。回転軸。しんぎ。❷ある活動の中心になるもの。

*しん・ぼう【深謀】深く考えたはかりごと。類語深慮。
—えんりょ【—遠慮】よく計画し遠い将来のことまで考えること。深慮遠謀。

*しん・ぼう【辛抱】《名・自他サ》❶〔いやなことやつらいことを〕がまんすること。「泣きたいのを—する」❷がまん

し

して働くこと。「―のかいがあって店がもてた」⇩〖類義語の使い分け「忍耐」〗 ―づよ・い【―強い】《形》よく辛抱する。がまん強い。「―・く待つ」

*しん・ぽう【信奉】《名・他サ》〔ある思想・教えなどを〕信じてそれに従うこと。「師の学説を―する」

*しん・ぽう【新法】❶新しい法令。❷新しい方法。対①②旧法。

*じん・ぽう【神宝】❶神社の宝物。❷神聖な宝物。

じん・ぼう【人望】りっぱな人、好ましい人として、多くの人から尊敬・信頼の気持ちをもって仰がれること。「―を集める」「―が厚い」類語人気(にんき)。

*しん・ぼく【神木】神樹。

*しん・ぼく【親×睦】《名・自サ》飲食などを共にして、互いに親しみ合うこと。「―会」類語懇親。親善。

シンポジウム ある特定の問題について何人かが意見をのべ、それらの意見をもとに参会者が加わって質疑応答を行う形式の討論会。▽symposium

しん・ぼち【新▽発▽意】発心(ほっしん)して新しく僧になった人。出家したばかりの人。青道心。しぼち。

じん・ぼつ【陣没・陣×歿】《名・自サ》〔文〕戦地で死ぬこと。出征中に死ぬこと。戦没。類語戦死。

しん・ぼとけ【新仏】❶死んで間もない人。また、葬って日数のたっていない死者。❷その年の盆にはじめて霊が迎えられる仏(ほとけ)。=新仏(にいぼとけ・あらぼとけ)。

シンボライズ《名・他サ》形のないものの概念を具体的に表すこと。象徴すること。▽symbolize

シンボリズム 象徴主義。▽symbolism

シンボリック《形動》象徴的。▽symbolic

シンボル ❶任意に作った、意味をもつ記号。作為的記号。言語など。❷象徴。「平和の―」▽symbol ―マーク 主義・団体・行事などの性格を象徴する図案。▽symbolとmarkからの和製語。

しん・ぽん【新本】❶発売後、まだ人手にわたっていない新しい本。対古本。❷新刊書。

じんぽん・しゅぎ【人本主義】❶人道主義。❷人文主義。❸人間および人間の生活を最も大切なものとする実用主義的な思想。

*しん・まい【新米】❶ことし収穫した米。類語新穀。対古米。❷《「新前(しんまえ)」のなまりから》新たに従事したばかりで、まだその事に十分慣れていない・こと(人)。「―教師」類語新入り。

*しん・まい【神米】神に供える(洗った)米。洗米(せんまい)。

しん・まえ【新前】(―まへ)→しんまい(新米)②。

しん・まく【心膜】心臓全体をつつんでいるふくろ状の膜。心嚢(しんのう)。

じんま・しん【×蕁麻×疹】強いかゆみをともなって、急に皮膚が赤く発疹する病気。

*しん・み【新味】今までにない、新しい感じ・趣。新しみ。「―のない小説」

*しん・み【親身】❶非常に血筋の近い身うち。近親。❷《名・形動》〔肉親に対するように〕親密・親切であること。「―になって世話をする」

しん・みち【新道】❶新しく通じた道。新道(しんどう)。❷町家の間の狭い道。小路(こうじ)。表記「新路」とも書く。

しん・みつ【親密】《名・形動》交際が深くて親しい関係にあること。「―な間柄」類語懇意。対疎遠。

じん・みゃく【人脈】ある組織の中などで、利害・主義・主張などの立場を同じくする人々のつながり。「―をたどる」「法曹界に―を持つ」

しん・みょう【神妙】《形動》❶《名》〔文〕人の知恵では考えられない不思議な・こと(現象)。❷けなげで感心な行いをするようす。殊勝。「―に働く」❸すなおで、おとなしいようす。「―になわをうける」=しんびょう。

しんみり《副・自サ》《副詞は「―と」の形も》❶心静かに落ちついているようす。しみじみ。「―語り合う」❷心が沈んでさびしいようす。「―とした通夜」

しん・みん【臣民】君主国の国民。特に、明治憲法下で、日本の国民。

じん・みん【人民】社会を構成している人々。特に、政府の支配下にある人々。類語御民(みたみ)。国民。―せんせん【―戦線】ファシズムに反対して民主主義を守ろうとする政党・団体・市民などによる共同戦線。

*しん・め【新芽】新しく出てきた芽。わかめ。

*しん・め【神▽馬】〔神の乗用に供する馬の意から〕神社に奉納する馬。しんば。じんめ。かみうま。かみこま。

*しん・めい【神明】〔文〕神。「天地―に誓う」

*しん・めい【身命】からだと、いのち。身命(しんみょう)。「―をなげうつ」「―を賭(と)する(=命をかける)」

*じん・めい【人名】人の名。「―録」 ―ようかんじ【―用漢字】法律で戸籍上の人名に用いることができるとして定められた、二八五字の漢字。字体は決められているが、読み方には特別の制限はない。参考⇩付録一四六三ページ。

*じん・めい【人命】人のいのち。「―救助」

シンメトリー 左右のつりあいがとれていること。左右同形。左右対称。対称。▽symmetry

じんめん・じゅうしん【人面獣心】〔顔は人間だが、心はけものと同じである意から〕冷酷な人、恩義を知らない人をののしっていう語。にんめんじゅうしん。

しん・めんもく【真面目】〔文〕そのもののもつ本来の姿・力。真価。本領。真面目(しんめんぼく)。「―を発揮する」

しん・もつ【進物】〔慶事・歳暮(せいぼ)・中元などの時に〕他人に贈る品物。類語つかいもの。贈り物。

しん・もん【審問】《名・他サ》❶事情を明らかにするために、くわしく問いただすこと。❷〔法〕裁判所が、書類または口頭で当事者や利害関係のある人などに陳述の機会を与えて聞くこと。

*じん・もん【人文】→じんぶん。

*じん・もん【尋問・×訊問】《名・他サ》〔裁判官・警察官などが〕口頭で問いただすこと。「不審―」表記もと法令では、もっぱら「訊問」と書いた。

*じん・もん【陣門】陣屋の出入り口。軍門。―に下・る《句》戦いに敗れて敵に降伏する。軍門にくだる。

*しん・や【新家】〔文〕❶新しく建てた家。❷本家から独立した家。分家。しんけ。同①②新宅(しんたく)。

*しん・や【深夜】よふけ。真夜中。「―放送」類語深更(しんこう)。

じん・や【陣屋】〔文〕❶軍勢が宿営する所。陣所。軍営。❷城を持たない大名の居所。❸郡代・代官などの居所。❹衛兵の詰め所。

*しん・やく【新約】❶新しくきめた約束・契約。❷「新約聖書」の略。対旧約。―せいしょ【―聖書】(The New Testament)キリスト教の聖典の一つ。イエス=キリストの生涯の記録、使徒たちの手紙など二七巻より成る。参考 神と人との新しい契約をしるした聖典の意。

対旧約聖書。

*しん-やく【新薬】新しく作られ、発売された薬。

*しん-やく【新訳】新しい翻訳・現代語訳。新しく訳された書物。「源氏物語の一」類語新釈。対旧訳。注意「新訳聖書」は誤り。

しん-やま【新山】新しく材木や鉱物を採る山。

*しん-ゆう【心友】〔文〕たがいに心をうちあけ、深く理解しあい、信じあっている友。心の友。

*しん-ゆう【深憂】〔文〕なみなみでない大きな心配・なやみ。深い憂い。「一にたえない」

*しん-ゆう【神×佑・神×祐】〔文〕神のたすけ。天佑。神助。「一天助」

*しん-ゆう【親友】うちとけてつき合っている友。非常に仲のよい友。「無二の一」

しん-よ【神×輿】〔文〕みこし。

しん-よう【信用】❶《名・他サ》確かだと信じて疑わないこと。信じて受け入れること。「話を一する」類語信頼。信認。❷《名・他サ》それまでの業績・行為から、まちがいを起こさないだろうと思う(思われる)こと。よいという評判。「店の一にかかわる」❸取引で、相手の経済状態が確実だと判断して、代金の支払いが一定期間猶予される関係のこと。信用取引。 一がし【一貸(し)】貸し手が借り手を信用して担保や保証なしで金品を貸すこと。 一きんこ【一金庫】中小商工業者を対象とする、組合組織の金融機関。 一くみあい【一組合(ひ)】中小商工業者などが共同で出資して、組合員の相互扶助的金融を行うために設立した非営利的組合。 一じょう【一状】銀行がその取引先の依頼によってその信用を保証するために発行する証書。

じん-よう【陣容】❶軍隊の配置。陣構え。「一を立て直す」❷ある会社・団体・組織などを構成している顔ぶれ。「編集部の一を改める」

しんよう-じゅ【針葉樹】針のような形の葉をもつ樹木。おもに裸子植物のマツ科・モミ科に属す。マツ・スギ・ヒノキ・モミなど。対広葉樹。

*しん-らい【信頼】《名・他サ》信じてたよりにすること。信じてまかせること。「一にこたえる」類語信用。

*しん-らい【新来】〔文〕新しく来た・こと(人)。

じん-らい【迅雷】急にはげしく鳴る雷。「疾風(しっぷう)一」

しん-らつ【辛×辣】《名・形動》〔ひりひりとからい意から〕批評や言い方が非常にきびしいこと。痛烈。「作品に対する一な批評」

しんら-ばんしょう【森羅万象】《「森」は茂る、「羅」はつらなる意。「万象」はさまざまな形の意》宇宙間に存在する数限りないすべてのもの。

*しん-り【審理】《名・他サ》❶事実やことの筋道をくわしく調べて処理すること。❷〔法〕訴訟事件において、事実関係・法律関係を明らかにするため、裁判所などで取り調べること。

*しん-り【心理】〔意識に現れた〕心の働き。心の状態。 一がく【一学】生物の意識現象や行動を研究する学問。 一しょうせつ【一小説】事件の筋を追うことよりも、作中人物の心の動きの分析を主眼として描写した小説。 一てき【一的】《形動》心の働きに関係のあるようす。「一効果」

*しん-り【心裏・心×裡】〔文〕心のうち。心の中。心の底。「一に焼きつく思い出」

*しん-り【真理】❶普遍妥当性をもった知識・認識。❷〔論〕ある命題が論理の法則にかなっていること。また、それが事実に一致していること。真。❸正しい道理。「彼の言うことにも一面の一がある」

じん-りき【人力】❶人間の力。人力(じんりょく)。❷「人力車」の略。 一しゃ【一車】人を乗せ、車夫が引っぱって走らせる二輪車。俥(くるま)。人力。参考日本独特のもので、明治・大正時代に盛んに用いられた。

しん-りゃく【侵略・侵×掠】《名・他サ》他国に攻め入って領土などを奪い取ること。「一戦争」類語侵犯。

*しん-りょ【深慮】〔文〕深くめぐらした考え。「一遠謀」類語深謀。対浅慮。

*しん-りょ【神慮】〔文〕❶神のみ心。❷天皇の心。天子の心。「一を煩わす」

*しん-りょう【新涼】〔文〕秋のはじめの涼しさ。〔手紙文などで使う〕「一の候」類語秋涼。

*しん-りょう【診療】《名・他サ》病人を診察し治療すること。診察と治療。「一所」

*しん-りょく【心力】〔文〕心のはたらき。精神の力。

*しん-りょく【新緑】〔初夏のころの〕みずみずしい若葉のみどり。「一の候」

*しん-りょく【深緑】〔文〕〔茂った草木などの〕こいみどり。ふかみどり。

*じん-りょく【人力】人間のもつ力・能力。人間の出す力。人力(じんりき)。「一で動く」

*じん-りょく【尽力】《名・自サ》〔ある目的の実現のために〕努力すること。「会の発展に一する」

*しん-りん【森林】木が多く集まってはえている所。大きな森。「一地帯」類語樹林(じゅりん)。 一よく【一浴】森林に入って、清浄な空気を吸い、樹木の出す芳香性物質を浴びること。

*しん-りん【親臨】《名・自サ》〔文〕天皇・皇族などがその会場・式場に出席すること。「一の栄をたまう」

じん-りん【人倫】〔文〕❶〔親子・夫婦など〕人と人との秩序関係。❷人間として守り行うべき道。「一にもとる行為」類語人道。❸人間。人。

*しん-るい【親類】血縁・婚姻などによってつながりをもっている人で、同じ家族に属さない人。親戚(しんせき)。「一縁者」類語身内。親族。 一づきあい【一付(き)合い(ひ)】❶親類との交際。❷他人であるが親類同様に親しくつきあうこと。

*しん-るい【進塁】《名・自サ》野球で、走者が次の塁へ進むこと。

じん-るい【人類】人間。ヒト。〔ほかの動物と区別していうことば〕「一の進化」「一の未来」

*しん-れい【心霊】〔肉体を離れても存在すると考えたときの〕心の主体。たましい。霊魂。「一現象(=不思議な精神の現象。テレパシー・千里眼など)」「一術」

*しん-れい【振鈴】〔文〕〔合図をするために〕すずやかねを振って鳴らすこと。また、その音。

*しん-れい【新令】新たに出された法令。

*しん-れい【浸礼】キリスト教の洗礼の一方法。全身を水にひたして罪を清める儀式。バプテスマ。

*しん-れい【神霊】〔文〕❶神のみたま。❷霊妙な神の徳。「一の御加護」

しん-れき【新暦】太陽暦。陽暦。対旧暦。

*しん-ろ【進路】これから進んで行く道。「卒業後の一」対退路。⇩〖使い分け〗

*しん-ろ【針路】〔羅針盤(らしんばん)の針が示す方向の意から〕船舶・航空機などの進むべき方向。参考ひゆ的に、行動すべき方向の意でも用いる。⇩〖使い分け〗

使い分け「シンロ」

進路〔車や人の進んで行く方向〕進路を妨げる・進路を切り開く・進路指導・台風の進路

針路〔羅針盤の針が指す方向の意から、あらかじめ定められている方向〕針路を誤る・針路を西に取る・正しい針路に沿って進む・日本の針路

*しん-ろう【心労】《名・自サ》心づかいをすること。あれこれと心配し、心をいためること。また、精神的な疲れ。「―の末、病気になった」類語 心配。

*しん-ろう【新郎】花婿。対 新婦。

*しん-ろう【辛労】《名・自サ》ひどくつらい苦労。骨おり。「―辛苦」

じん-ろう【×塵労】❶〔文〕俗世間のわずらわしい苦労。「―に疲れる」❷〔仏〕煩悩(ぼんのう)。

じん-ろく【甚六】〔俗〕のろまでお人好しの人。参考 多く、大事にのんびりと育てられ、世間を知らない長男をばかにしていう。「総領の―」

*しん-わ【神話】❶その氏族・民族などの神を中心として伝えられた伝説・説話・物語。❷根拠もなく絶対的なものと信じられている事柄。「マルクス主義の―」「土地―が崩壊する」

*しん-わ【親和】《名・自サ》❶なかよく親しむこと。親睦(しんぼく)。「会員の―を図る」対 不和。❷〔理〕物質の化合。「―力」

す

す―寸

*す【素】《接頭》❶「何もつけない」「かざらない」「ありのままの」などの意。「―焼き」「―顔」「―手」「―足」❷「地位も財産もない」「見すぼらしい」「つまらない」などの意。「―浪人」❸ある物事の状態が、普通の程度を越えておどろくほどである意。「―早い」❹単にそれだけをする意。「―泊まり」

*す【子】《接尾》漢字一字からなる漢語に添えてことばの調子を整える。「金―」「扇―」

*す【州・×洲】〔川・湖・海などの〕水底に土砂がたまり、水面に現れて島のようになったもの。中州(なかす)。表記 もともっぱら「洲」と書いた。

*す【巣】❶鳥・獣・虫・魚などがこもりすむ場所。「クモの―」❷人が住みついている所。「愛の―」〔悪者が集まる所の意味で使うことが多い〕「不良の―」類語 すみか。たまり場。

*す【×簀】竹・葦(あし)などをあらく編んだむしろ。日よけやかこいに用いる。「―を掛ける」

*す【×簾】〔文〕すだれ。「―を下ろす」

*す【酢・×醋】酸味をつけるのに使う、液体の調味料。

*す【×鬆】❶ダイコン・ゴボウの中心や、煮すぎた豆腐などにできる、細かに通ったたくさんのすき間やあな。「―が入る」「―が立つ」❷鋳物(いもの)にできた空洞(くうどう)。

*す《助動：下二型》〔口語助動詞「せる」の文語形〕❶使役を表す。…させる。「否とは言はせぬ」❷〔「せ給ふ」「せらる」など、尊敬を表す語とともに用いて〕動作主に対する高い尊敬を表す。…なさる。お…になる。「古(いにしえ)の帝王たちも書かせ給ふ」❸他の動作に対する〔不本意の〕許容・放任を表す。…にまかせる。やむなく…させる。…される。「好むがままに言はせておかん」「いとし子を死なせしぞ悲しき」参考 四段・ナ変・ラ変動詞の未然形につく。その他の動詞には、「さす」がつく。↓さす。

*ず【図】❶物の形・ありさまに似せてえがいたもの。特に、〔芸術的な〕絵。絵画。「樹下美人の―」❷〔数〕面・線・点などからなる形。図形。❸ある物事のありさま・状態。「みっともない―」❹考えたとおり。思うつぼ。「―に当たる(=予想したとおりになる)」

―に乗・る《句》自分の思いどおりになってつけあがる。

*ず【頭】〔人間の〕あたま。〔古風なことば〕

―が高・い《句》人に対する態度が高慢無礼である。

*ず《助動・特殊型》文語 打ち消しを表す。…ない。…ぬ。「白鳥は哀しからずや空の青海のあをにも染まずただよふ〈牧水〉」「口には出さねど」参考 活用語の未然形につき、「ず・ざら―ず・ざり―ず―ぬ・ざる―ね・ざれ―ざれ」と活用する。連体形「ざる」は、「言わざるをえない」などの形で口語文中でも使う。「ぬ(=文語では連体形)」は、口語では終止形となる。「ず(=文語では未然・連用・終止形)」は、口語では連用形のみとなる。なお、連用形につく「ぬ」は、完了の「ぬ」。↓ぬ・ず。

*ず《助動》〔打ち消しの助動詞「ぬ」の連用形〕打ち消しの意を伴って、文を中止する。あるいは、後の動詞を修飾する。「食が進まず、元気がない」「取るものもとりあえず駆けつけた」参考「ずに」の形をとることも多い。「予習もせずに授業を受けた」↓ぬ・ずに。

す-あえ【酢▽和(え)・酢×韲】(―あへ) 新鮮な魚介類や野菜を酢でまぜ合わせること。また、その料理。

す-あげ【素揚(げ)】ころもをつけないで油だけで揚げること。また、その料理。

す-あし【素足】❶靴下・たびなどをはいていない、肌がむきだしの足。❷はだし。

す-あま【素甘】上しん粉に白砂糖をまぜ、蒸して円筒形にし、たて目の筋をつけた和菓子。

す-あわせ【素×袷】(―あはせ) じゅばんを着ないで、素肌にあわせの着物を着ること。

ず-あん【図案】美術品・工芸品を作るときの、色や模様の組み合わせや配置などを図に表したもの。デザイン。

*すい【水】㊀《名》❶五行(ごぎょう)の一つで、第五位。方位では北、時節では冬、天体の五星では水星、十干では壬(みずのえ)と癸(みずのと)に当たる。❷「水曜日」の略。㊁《接尾》水・液体などの意。「飲料―」「化粧―」

*すい【粋】❶まじりけがない・こと(もの)。❷ぬきんでてすぐれている・こと(もの)。「技術の―を尽くす」❸《名・形動》世間の人情に通じていて物わかりのよいこと。特に、男女間の愛情に理解があること。「―をきかす」❹《名・形動》花柳界や芸人社会の事情を知ること。また、そのために言動があかぬけていること。

―が身を食・う《句》花柳界の事情などに通じている人は、その道にふけって身をほろぼす。

*す・い【酸い】《形》酢のような味である。すっぱい。文 す・し〈ク〉。

―いも甘いも噛(か)み分・ける《句》多くの人生経験を経て、世情・人情に通じている。

*ずい【×蕊・×蘂】おしべとめしべの総称。しべ。

*ずい【髄】❶動物の骨の中の空所をみたしているやわらかい組織。❷茎や根の中心部にあり、環状の維管束によって囲まれた部分。❸〔文〕物事の中心となる所。要

所。「人情の―を穿(うが)つ」

すい・あ・げる【吸い上げる】(すひ)〔他下一〕❶〔液体や気体を〕吸って上へあげる。❷他人の得た利益を自分のものとしてとる。搾取する。「稼ぎを―げる」

すい・あつ【水圧】水が他の物体または水自体に及ぼす圧力。「―機」「―が下がる」

*すい・い【推移】〔名・自サ〕時がたつにつれて物事のありさまがうつり変わること。「時世が―する」

*すい・い【水位】ある面を基準にして測った、ダム・湖沼・川・海などの水面の高さ。「―が上がる」

ずい・い【随意】〔名・形動〕束縛・制限などを受けないこと。自分の思うままになること。勝手。「―に食べる」 類語 任意。恣意(しい)。自由。自在。 ―きん【―筋】意志によって動かすことのできる筋肉。一般に横紋筋繊維からなる。骨格筋など。 対 不随意筋。

すい・いき【水域】海・湖などの水面に定められた、ある一定の範囲。「危険―」

ずい・いち【随一】同類の中で、第一番に位置づけられること(もの)。第一等。随一(ずいつ)。「当代―の歌手」

*スイート ホテルで、居間・寝室が一続きになった豪華な部屋。「―ルーム」▽suite

*スイート〔形動〕甘いようす。また、甘美なようす。気持ちがよいようす。「―な気持ち」▽sweet ―ピー マメ科のつる性一年草。園芸品種が多く、五月ごろ白・淡紅・紅紫・青色などの花をつける。観賞用。▽sweet pea ―ホーム〔新婚の〕楽しい家庭。楽しいわが家。▽sweet home ―ポテト ❶サツマイモ。❷サツマイモを主材料にし、サツマイモの形にして焼いた洋菓子。▽sweet potato

ずい・いん【随員】身分・地位などの高い人につき従って行く人。特に、外交使節につき従って行く人。

*すい・うん【水運】船で人や貨物を運ぶこと。水路による交通・運送。「―の便」 対 陸運。

*すい・うん【衰運】〔文〕〔物事が〕おとろえてゆく運命・傾向。「―をたどる」 類語 衰勢。 対 盛運。

ずい・うん【×瑞雲】〔文〕めでたいことの起こる兆しとされる雲。「―がたなびく」 類語 祥雲。紫雲。

すい・えい【水泳】〔名・自サ〕〔人が〕スポーツとして水中を泳ぐこと。また、その技術。 類語 遊泳。

すい・えき【×膵液】膵臓(すいぞう)で作られる消化液。導管を通って十二指腸に分泌される。

*すい・えん【垂×涎】〔名・自サ〕《「すいぜん」の慣用読み》→すいぜん。

*すい・えん【水煙】❶みずけむり。 類語 しぶき。❷〔仏〕塔の九輪(くりん)の上部にある、ほのおをかたどった飾り。 参考 「火焔(かえん)」の語を忌み、同時に火を調伏(ちょうぶく)する縁起から。

水煙②

*すい・えん【炊煙・炊×烟】〔文〕炊事をするときの煙。

すい・おん【水温】水の温度。

*すい・か【垂下】〔名・自他サ〕〔文〕たれさがること。また、たらしさげること。

*すい・か【水火】〔文〕❶水と火。❷水難と火難。洪水と火事。「―の難」❸水におぼれ、火にやかれるような苦しみ。「―も辞せず(=どんな苦しみや危険もいとわない)」❹ひどく仲が悪いことのたとえ。「―の仲」

*すい・か【水禍】〔文〕❶出水によってうける災害。 類語 水害。❷水におぼれること。 類語 ①②水難。

*すい・か【▽西×瓜・水×瓜】ウリ科の一年生つる草。茎は地上をはう。雌雄異花。夏、緑色で球形の大きな実をむすぶ。果肉は水分が多くて甘い。

*すい・か【×誰何】〔名・他サ〕〔文〕〔警備の人が〕「だれか」と声をかけて名や身分を問いただすこと。「―の声」

すい・がい【水害】〔洪水・高潮などの〕出水によってうける害。 類語 水禍。水難。

すい・かく【酔客】〔文〕酒に酔った人。酔客(すいきゃく)。 類語 酔漢。

すい・かずら【▽忍▽冬】(すひかづら) スイカズラ科の常緑のつる性低木。初夏、筒形の二個ずつ並んだ、白またはうすべに色のよいにおいの花を開くが、のち黄色にかわる。干した葉を漢方薬に使う。にんどう。

すい・がら【吸(い)殻】(すひ) たばこの吸いさした残りかす。

*すい・かん【吹管】化学・鉱物学の実験用具。直角にまがった金属製の管で、ほのおに空気を吹きつけ、金属の分析に都合のよい酸化炎や還元炎をつくる。

*すい・かん【水干】❶のりを使わず、水につけて板に張って干した絹。❷狩衣(かりぎぬ)を簡単にしたもの。菊綴(きくとじ)と呼ばれる装飾をつけ、胸ひもをつける。はじめ一般の人のふだん着。のち、少年の晴れ着や公家の平服。

*すい・かん【水管】❶水を通すくだ。❷軟体動物の呼吸器で、呼吸口の部分が管状になったもの。

*すい・かん【酔漢】〔文〕酒に酔った男。酔っぱらい。 類語 酔客。

*すい・がん【酔眼】〔文〕酒に酔ってとろんとした目つき。 ―もうろう【―×朦×朧】〔形動タル〕酒に酔ってはっきり見えないようす。

*すい・がん【酔顔】酒に酔った顔。

ずい・かん【随感】おりにふれて得た感想。「―録」 類語 随想。

すい・き【水気】〔文〕❶しめりけ。水気(みずけ)。❷水蒸気。❸水腫(すいしゅ)。むくみ。

*ずい・き【×瑞気】〔文〕めでたい雲。また、めでたく神々しい雰囲気。「―がたちこめる」

*ずいき【▽芋▽苗・▽芋▽茎】サトイモの茎。食用。

*ずい・き【随喜】〔名・自サ〕❶〔仏〕仏を信じ、その徳をありがたく感じること。❷非常に喜んでありがたいと思うこと。 ―の・なみだ【―の涙】〔連語〕喜び、ありがたく思って流す涙。ありがた涙。

すい・きゃく【酔客】❶酔ったお客。❷→酔客(すいかく)。

すい・きゅう【水球】七名ずつの二組が、泳ぎながらボールを相手のゴールに投げいれる競技。ウオーターポロ。

すい・ぎゅう【水牛】ウシ科の哺乳(ほにゅう)動物。水辺にすむ。耕作・運搬用の家畜として使われる。角は印材。

すい・きょ【推挙】〔名・他サ〕ある人をその地位・職務にふさわしい人としておし、すすめること。「彼を役員に―する」 類語 推薦。推輓(すいばん)。

すい・ぎょ【水魚】みずと、さかな。 ―の交わり〔句〕〔水と魚がきりはなせないように〕離れることのできない非常に親密な交わり。 故事 中国古代の国、蜀(しょく)の国王劉備(りゅうび)が「孤(こ)(=私)の孔明(こうめい)有るは猶(なお)魚の水有るがごとし」といったことから。〈蜀志・諸葛亮伝〉 類語 刎頸(ふんけい)の交わり。

*すい・きょう【水郷】水郷(すいごう)。水郭。

*すい・きょう【酔狂】❶酒に酔って狂ったようになるこ

と。❷《名・形動》ものずきな・こと(人)。「—にもほどがある」 表記 ②は「粋狂」とも書く。

すい・ぎょく【×翠玉】↓エメラルド。

すい・きん【水×禽】〔文〕みずとり。

すい・ぎん【水銀】金属元素の一つ。常温で液体状をした、ただ一つの金属。色は銀白色。多くの金属と合金を作り、この合金をアマルガムという。温度計・気圧計・医薬・水銀灯などに用いられる。元素記号 Hg。 **—ちゅう【—柱】**気圧や温度を示す、ガラス管内の水銀の細い柱。 **—とう【—灯】**水銀蒸気を入れた放電管。医療・照明用。水銀弧光灯。水銀弧灯。

すい・くち【吸(い)口】❶口で吸う道具の、口をつける部分。「パイプの—」❷吸い物にそえてかおりをつける香辛料。ユズの皮の細切り、木の芽など。

すい・くん【垂訓】〔文〕目下に教え示すこと。また、その教え。垂教。「山上の—」

すい・ぐん【水軍】昔、水上で武力的活動を行ったもの。「村上(むらかみ)—」

***すい・けい【推計】**《名・他サ》〔ある事実をもとにして〕数量をおしはかって計算すること。「人口を—する」

***すい・けい【水系】**河川など、地表の水の流れの系統。河川の本流とそれに合流するすべての支流、およびそれに付属する湖・沼などを含む。「利根川—」

すい・けん【水圏】地球表面上で水の占める部分。その大部分は海で、陸地面積の約二・五倍。水界(すいかい)。

すい・げん【水源】❶川・地下水などの水が流れ出てくるもと。みなもと。「—をさがす」「—地」❷用水を供給するもと。「—開発」「—池」

***すい・こう【推×敲】**《名・他サ》詩や文を作るとき、字句を何度も練り直すこと。「—に—を重ねる」 故事 中国の唐の詩人賈島(かとう)が「僧は推(お)す月下の門」の句を作り、「推す」を「敲(たた)く」にするかどうか考え迷って何度も練り直したということによる。

***すい・こう【推考】**《名・他サ》〔ある事柄をもとにして〕他の事柄をおしはかって考えること。 類語 推察。推理。

***すい・こう【遂行】**《名・他サ》〔与えられたこと、志したことなどを〕しとげること。「任務を—する」 注意 「ついこう」は誤読。

すい・ごう【水郷】川の下流や湖沼などのほとりにある〔けしきのよい〕村や町。水郷(すいきょう)。水郭。

***ずい・こう【×瑞光】**〔文〕めでたいことのきざしを示す光。

***ずい・こう【随行】**《名・自サ》目上の人などにつき従って行くこと。供をすること。また、その人。「—員」

すいこう・ほう【水耕法】土壌を使わず、栄養分を溶かした溶液で植物を育てる方法。水栽培(みずさいばい)。

すい・こみ【吸(い)込み】(すいこみ)❶吸い込むこと。❷吸って中に入れるしくみ。下水管の流入口など。

すい・こ・む【吸い込む】(すいこむ)《他五》❶〔気体・液体などを〕吸って中に入れる。❷〔暗やみ・奥深い穴・底深く水をたたえた所などが人や物を〕中にひき入れる。

すい・さい【水彩】水でといた絵の具でかくこと。また、その絵の具でかいた絵。水彩画。 対 油彩。

すい・さつ【推察】《名・他サ》〔他の事情や他人の気持ちなどを〕おしはかって見当をつけること。また、そのようにして得られた考え。想察。「胸中を—する」 類語 推量。推考。 尊敬 賢察。 謙譲 恐察。拝察。

***すい・さん【推参】**〔文〕❶《名・自サ》〔相手の都合などをきかず〕自分の方からおしかけて訪れること。〔多くへりくだった意味で使う〕「突然—に及び失礼いたしました」❷《名・形動》無礼なこと。さしでがましいこと。〔相手のふるまいをとがめて言う〕「—者(もの)」

***すい・さん【推算】**《名・他サ》おしはかって大体の数量を計算すること。また、その内容。 類語 概算(がいさん)。

***すい・さん【水産】**〔海・川・湖沼などの〕水中でき、とれる・こと(もの)。 類語 海産。 対 陸産。 **—ぎょう【—業】**水産物の漁獲・養殖・加工などを行う産業。 **—ちょう【—庁】**水産業の振興と水産物増産のための行政事務を扱う、農林水産省の外局。 **—ぶつ【—物】**海・川・湖沼などから産出する魚介・海藻などの総称。 類語 海産物。 対 陸産物。

***すい・さん【炊×爨】**《名・自他サ》〔文〕飯をたくこと。食事のしたくをすること。炊事。「飯盒(はんごう)—」

すい・ざん【衰残】〔文〕衰弱しきってただ生きているだけであること。「—の身をさらす」 類語 老残。

すいさんか・ぶつ【水酸化物】水酸基(—OH)をもつ無機化合物の総称。

***すい・し【出師】**〔文〕戦いをするため、軍隊をくり出すこと。出兵。「—の表(ひょう)」

***すい・し【水死】**《名・自サ》水におぼれて死ぬこと。溺死(できし)。「—者」

すい・じ【炊事】《名・自サ》食物のにたきや、食事の支度・後片づけなどをすること。 類語 調理。

ずい・じ【随時】《副》❶〔適当な時に〕ときどき。おりおり。「—薬を配布する」❷〔必要な時に〕いつでも。「本校は—入学を許可する」

すい・しつ【水質】水の品質・成分。「—検査」

すい・しゃ【水車】❶流水や流れ落ちる水で羽根車を回転させて、水のエネルギーを機械的エネルギーに変える原動機。製粉用のみずぐるまや、水力発電用の水力タービンなど。❷水路に設置し、足でふんで車をまわして田などに水を引きこむ装置。また、その車。

***すい・じゃく【垂×迹】**仏・菩薩(ぼさつ)が衆生(しゅじょう)を救うために仮に神の姿で現れること。 参考 ↓本地垂迹(ほんじすいじゃく)。

***すい・じゃく【衰弱】**《名・自サ》〔肉体的な力が〕おとろえて弱くなること。「体が—する」「神経—」

すい・しゅ【水×腫】組織液・リンパ液が組織の間隙(かんげき)にたまった状態。むくみ。 参考 ↓浮腫(ふしゅ)。

ずい・じゅう【随従】《名・自サ》〔文〕❶身分の高い人に〔家来として〕つき従う・こと(人)。とも。❷人の意見をうけ入れてそれに従うこと。

すい・じゅん【水準】❶土地・建築物などの水平をしらべさだめること。みずばかり。❷物事の価値・等級・品質などの〔標準となる〕程度。レベル。「—をこえる」 **—き【—器】**面の水平をしらべる器具。ガラス管に気泡をのこしてアルコールなどを封じこんだもの。

ずい・じゅん【随順】《名・自サ》〔文〕〔人の言うことなどに〕さからわずに従うこと。

すい・しょ【水書】《名・他サ》泳ぎながら扇などに筆で絵や字をかくこと。

ずい・しょ【随所・随処】いたる所。あちこち。方々。「—に誤りの見られる文」 類語 各所。

***すい・しょう【推奨】**《名・他サ》ある物・人などのすぐれている点をのべて、その物・人を他の人にすすめること。「成長株を彼に—する」

***すい・しょう【推賞・推称】**《名・他サ》ある物・人などのよい点を人に向かってほめたたえること。「—に値する」

*すい・しょう【水晶】六角柱状の石英。純粋なものは無色透明で、光学器機などに用いられる。不純物をふくむものは印材・装飾品などに用いる。水玉。 ―たい【―体】眼球内で虹彩(こうさい)とガラス体の間にある凸レンズ形の透明な組織。光の屈折率を変えて網膜上に像を結ばせる。 ―どけい【―〈時計〉】水晶発振子に交流電圧を加えて得られる安定した振動を利用した時計。精度が高い。クォーツ(時計)。

*すい・じょう【水上】❶〔海・川・湖・プールなどの〕水の上。水の表面。「―スキー」類語 水面。対 陸上。❷〔文〕水のほとり。 ―きょうぎ【―競技】競泳・飛び込み・水球など、水上で行われる競技。

*すい・じょう【穂状】植物の穂のような形状。「―花序」

ずい・しょう【×瑞祥・×瑞象】〔文〕めでたいことの起こるきざし。吉兆。吉瑞。「勝利の―があらわれる」

すい・じょうき【水蒸気】水が蒸発して気体になったもの。蒸気。

*すい・しょく【水色】❶〔湖沼・海などの〕水の色。❷〔文〕海・川・湖などのある、水辺の景色。

*すい・しょく【水食・水×蝕】《名・他サ》波・流水・雨水などが地表を浸食すること。表記「水食」は代用字。

*すい・しょく【×翠色】〔文〕みどりいろ。

*すい・しん【推進】《名・他サ》❶力を加えて物を前へおしすすめること。「―力」❷物事をはかどらせ、前進させること。「予定通り計画を―する」 ―き【―器】❶スクリュー①。❷プロペラ。

*すい・しん【水深】〔海・川・湖などの〕水面からの深さ。特に、水面から水底までの深さ。

*すい・じん【水神】水をつかさどり、水難・火災から守る神。水伯。水祇(すいき)。

*すい・じん【粋人】❶趣味が広く、風流を好む人。❷世情・人情などに通じて物わかりのよい人。特に、花柳界・芸人の社会などの事情にくわしい人。通人。

ずい・じん【随身】❶《名・自サ》〔文〕目上の人に供(とも)としてつき従っていくこと(人)。❷平安時代、上皇や貴人が外出するとき、護衛のためにつき従った近衛府(このえふ)の舎人(とねり)。兵仗(ひょうじょう)。＝随身(ずいしん)。

すい・すい《副》《「―と」の形も》❶小さな動物が水中や空中を軽やかに進むようす。「魚が―と泳ぐ」❷〔俗〕物事がすみやかに、はかどるようす。「―事が運ぶ」

すい・・する【推する】《他サ変》〔文〕おしはかる。思いやる。推察する。「これを―・するに」

*すい・せい【×彗星】太陽を焦点とする細長い楕円(だえん)・放物線などの軌道をまわる天体。ふつう、長く白い尾を引く。ほうきぼし。「―のごとく(＝突然)現れる」参考 昔は、この星が現れると不吉のきざしとされた。

*すい・せい【水勢】〔文〕水の流れる勢い。「大雨で川の―が増す」類語 流勢。

*すい・せい【水性】❶水に溶けやすい性質。水溶性。「―塗料」「―のサインペン」❷水の性質。水質。

*すい・せい【水星】太陽系で、もっとも小さく、もっとも太陽に近い軌道をまわる惑星。公転周期は約八八日。マーキュリー。

*すい・せい【水生・水×棲】《名・自サ》水中で生活すること。「―動物」対 陸生。表記「水生」は代用字。

*すい・せい【水生】《名・自サ》水中に生え育つこと。「―植物」

*すい・せい【水声】〔文〕〔川などの〕水が流れる音。

*すい・せい【衰勢】おとろえていく勢い。また、勢いがおとろえた状態。「―を挽回(ばんかい)する」類語 退勢。衰運。

すいせい・がん【水成岩】岩石の破片や生物の死骸(しがい)などが水底につもってできた堆積(たいせき)岩。

すいせい・むし【酔生夢死】〔文〕〔酒に酔い、夢を見て一生を終える意から〕これといった仕事もせず、無意味に一生を送ること。

*すい・せん【垂線】一つの直線または平面と直角に交わる直線。垂直線。

*すい・せん【推薦】《名・他サ》ある人・物を、適当なもの・すぐれたものとして人にすすめること。「委員長に―する」「―入学」類語 推選。推挙。推輓(すいばん)。

*すい・せん【水仙】ヒガンバナ科の多年草。早春、長い茎の先に白・黄などの六弁花を開く。種類が多い。

*すい・せん【水洗】《名・他サ》水で洗うこと。また、水で洗い流すこと。「―便所」

すい・ぜん【垂×涎】《名・自サ》〔文〕〔食べたくてよだれをたらす意から〕非常にほしがること。垂涎(すいえん)。参考「すいえん」は慣用読み。 ―の・まと【―の的】《連語》だれもがほしがりうらやましがるもの。

すい・そ【水素】非金属元素の一つ。物質中でもっとも軽く、無色・無味・無臭。酸素と化合して水になる。元素記号H。 ―ばくだん【―爆弾】水素の原子核が融合したときのエネルギーを利用した爆弾。原子爆弾の一〇〇〇倍の威力をもつという。水爆。

*すい・そう【吹奏】《名・他サ》笛・ラッパなどの管楽器を吹いて曲を演奏すること。 ―がく【―楽】木管楽器・金管楽器・打楽器の編成によって演奏する音楽。

*すい・そう【水槽】水をたくわえておく容器。「防火―」「―で熱帯魚を飼う」類語 水桶(みずおけ)。

*すい・そう【水草】❶水と草。❷水中や水べに生えている草。＝水草(みずくさ)。

*すい・そう【水葬】《名・他サ》死体を水中に投じてほうむること。参考 →火葬・土葬・風葬・鳥葬。

すい・ぞう【×膵臓】胃の背後にある消化腺(しょうかせん)。膵液(すいえき)とホルモンを分泌(ぶんぴつ)し、消化と糖分の代謝を行う。

*ずい・そう【×瑞相】〔文〕❶めでたいことが起こるしるし・前ぶれ。吉兆。瑞兆。❷福々しい人相。

*ずい・そう【随想】おりにふれて心に浮かぶ思い。また、それを記した文章。類語 随感。偶感。感想。

すい・そく【推測】《名・他サ》ある物事の状態・なりゆきなどをおしはかること。また、その内容。「株価の動きを―する」類語 推定。推知。推量。

すいぞく・かん【水族館】水中にすむ生物を飼育・陳列し、その生態を観覧・研究できるようにした施設。

*すい・たい【推×戴】《名・他サ》〔文〕おしいただくこと。特に、組織の長としてあおぐこと。「総裁として―する」

*すい・たい【×翠×黛】〔文〕❶緑色のまゆずみ。❷緑色にかすんで見える遠くの山。また、その色。

*すい・たい【衰退】《名・自サ》おとろえて勢いがなくなること。「―の一途をたどる」類語 凋落(ちょうらく)。衰微。

*すい・たい【衰×頽】《名・自サ》〔組織などが〕おとろえくずれること。表記「衰退」で代用することもある。

すい・たい【酔態】酒に酔ったようす。「―をさらす」

すい・たく【水沢】〔文〕土地が低く、浅く水がたまっている所。「―植物」

すい・だ・す【吸い出す】《他五》〔中にはいっているものを〕吸って外へ出す。「ポンプで水を―・す」

すい‐だま【吸(い)玉】つり鐘形のガラス器具の一端にゴム球をつけたもの。うみなどを吸い出す。

すいたらし・い【好いたらしい】《形》〔俗〕なんとなく感じがよい。好ましい。「―・い人」

すい‐だん【推断】《名・他サ》ある事をもとにして他の事をおしはかり判断すること。また、その判断。

すい‐ち【推知】《名・他サ》〔文〕〔他の事から〕おしはかって知ること。「心情を―する」類語 推測。

すい‐ちゅう【水中】水の中。対 水面・水底。 **―か**【―花】水の中に入れると開いて草花などの形になる造花。 **―よく‐せん**【―翼船】船底の下に水中翼を取りつけた船。水中翼の揚力によって船体を水面上にもち上げ、抵抗を少なくして高速で航行する。

すい‐ちょう【水鳥】〔文〕みずとり。

*__ずい‐ちょう__【×瑞兆】〔文〕めでたいことの起こる前ぶれ。瑞相。吉兆。

*__ずい‐ちょう__【×瑞鳥】めでたいしるしとしてあらわれる鳥。鳳凰(ほうおう)など。

すいちょう‐こうけい【×翠帳紅×閨】〔文〕緑色のとばりと紅色のねや。貴婦人の寝室をいう。

すい‐ちょく【垂直】《名・形動》(「まっすぐにたれる」意)❶〔数〕二つの直線(平面)どうし、および一つの直線と一つの平面が交わるとき、たがいに直角であること。❷水平面に直角をなす方向。また、その方向にあること。「棒を―に立てる」「―尾翼」対 水平。

すい‐つ・く【吸い付く】《自五》吸って、また、吸うようにしてぴったりとつく。「磁石に鉄粉が―・く」

すいつけ‐たばこ【吸(い)付(け)▽煙▽草】吸って火をつけてから人に渡すたばこ。

すい‐つ・ける【吸い付ける】《他下一》❶吸って、または吸うようにして引きつける。「磁石は鉄を―・ける」❷たばこを火に近づけ、吸いながらつける。❸いつも吸う。吸いなれている。「―・けたたばこ」

スイッチ ❶電気回路の開閉や切り換えを行う器具。開閉器。点滅器。❷鉄道の軌道の切り換え装置。転轍(てんてつ)機。ポイント。❸《名・他サ》他のものに切り換えること。「第二案に―する」▽ switch **―バック**《名・自サ》列車が、山道などでジグザグに折り返しながら進行すること。また、その線路。▽ switchback **―ヒッター** 野球で、右打席でも左打席でも同じように打てる打者。▽ switch hitter

すいっちょ「うまおいむし」の別称。

*__すい‐てい__【推定】《名・他サ》❶〔はっきりわからないことを〕他の物事からおしはかって仮に決めること。「死後二時間と―する」類語 推測。推理。推量。❷〔法〕はっきりしない事実を、反対の証拠がでるまで一定の事実であると仮定すること。

*__すい‐てい__【水底】〔川・海などの〕水の底。水底(みずそこ)。対 水面・水中。

すい‐てき【水滴】❶水のしずく。❷すずりにさす水を入れておく小さな容器。水注(すいちゅう)。水さし。

すい‐でん【水田】水を引き入れて稲などを栽培する耕地。水田(みずた)。「―地帯」

すいてん‐ぐう【水天宮】水天(=水中にいて水をつかさどる神)を祭った神社。安産の神、水難よけの神として信仰されている。

すいてん‐ほうふつ【水天×彷×彿】《形動タルト》〔文〕遠い海上などで、水面と空と接するあたりの区別がはっきりしないようす。

ずい‐と《副》わきに気をとられず、急に大きく(一歩を)進み出るようす。「―前へ出る」

*__すい‐とう__【出納】《名・他サ》金銭や商品などを出し入れすること。特に、金銭の出し入れ。「―係」

*__すい‐とう__【水痘】子供に多い急性感染症。熱がでて、皮膚に赤い斑点(はんてん)ができ、それが水疱(すいほう)になる。水ぼうそう。

*__すい‐とう__【水稲】水田に栽培するイネ。みずいね。対 陸稲(りくとう)。

*__すい‐とう__【水筒】飲料水を入れて携行する容器。

*__すい‐どう__【水道】❶上水道・下水道の総称。❷水源から飲料水・工業用水などを導き供給する設備。上水道。❸海峡。特に、航路としての海峡。「豊後(ぶんご)―」

*__すい‐どう__【×隧道】〔文〕トンネル。ずいどう。

ずいとく‐じ【随徳寺】〔俗〕あとのことなどかまわずに姿をくらますこと。参考「ずいと行く」を寺の名めかして言った語。「一目山―(=一目散に逃げ出すこと)」

すいとり‐がみ【吸(い)取(り)紙】インキ・墨汁などで書いたばかりの紙面におしあて、かわいていないところを吸い取らせる吸水性のある紙。すいとりし。

すい‐と・る【吸い取る】《他五》❶吸い出して取る。吸収する。❷他の物に吸い込ませて取る。「電気掃除機でほこりを―・る」❸他人の利益などを取りあげる。しぼり取る。「税金として―・られる」

すい‐とん【水団】小麦粉を水でねって適当な大きさにし、野菜などを入れた汁におとして煮た食べ物。

すい‐なん【水難】❶〔洪水・高潮などの〕出水によってうける災難。類語 水害。❷〔溺死(できし)・難船など〕水上で受ける災難。類語 ①②水禍。

すい‐にん【推認】《名・他サ》推測して認定すること。

すい‐のう【水×嚢】❶細かく編んだふるい。食品の水を切る。みずこし。❷帆布製の携帯用バケツ。

すい‐のみ【吸(い)飲(み)・吸×呑】吸い口の長い、きゅうすに似た容器。寝たまま水などをのむときに使う。

すい‐ば【酸葉・酸▽模】タデ科の多年草。葉や茎は少し酸味があり、若いものは食用になる。すかんぽ。

すい‐ばく【水爆】「水素爆弾」の略。

すい‐はん【垂範】《名・自サ》〔文〕〔指導すべき立場の人が〕模範を示すこと。「率先―」

*__すい‐ばん__【推×輓・推×挽】《名・他サ》〔文〕〔車を押(=推)したり、引(=輓・挽)いたりする意から〕人をある地位や職につけるように、ことばを添えてすすめること。「会長に―する」類語 推挙。推薦。

*__すい‐ばん__【水盤】花をいけたり盆石をかざったりするための、陶製または金属製の底の平らな浅い容器。

ずい‐はん【随伴】《名・自サ》❶〔身分の高い人などに〕つき従って行くこと。供をすること。随行。❷ある物事にともなって起こること。「―現象」

すいはん‐き【炊飯器】飯を炊く器具。電気・ガスなどによって自動的に炊けるものをいう。

すい‐はんきゅう【水半球】地球を水陸の分布状態から二分したとき、できるだけ海洋の面積を広く含むようにとった半球。対 陸半球(りくはんきゅう)。

すい‐ひ【水肥】液状の肥料。液肥。みずごえ。

すい‐び【衰微】《名・自サ》盛んであったものがおとろえて弱くなること。「国勢が―する」類語 衰退。

すい‐ひつ【水筆】穂に芯(しん)を入れてない、根元まで墨を含ませて書く筆。

ずい・ひつ【随筆】 体験・感想・意見などを思いつくままに自由な気持ちで書いたもの。エッセー。

すい・ふ【水夫】 船乗り。船員。特に、雑役に従事する下級船員。〔参考〕現在はふつう「水手」と言う。

すい・ふく【推服】《名・自サ》〔文〕尊んで心からその人に従うこと。心服すること。「師に—する」〔類語〕敬服。

すい・ぶん【水分】〔成分として〕ある物の中に含まれている水・液体。みずけ。

ずい・ぶん【随分】 一《副》〔「—と」の形も〕❶《形動》普通の程度を超しているようす。非常に。かなり。「—酒が強い」〔類語〕だいぶ。❷せいぜい。くれぐれも。〔別れのあいさつに使う、古風な言い方〕「—お大切に」 二《形動》《俗》〔「ずいぶんひどい」の意で〕相手のひどい態度を非難するようす。「—なことを言う」

***すい・へい【水兵】** 海軍の兵士。〔類語〕海兵。 **—ふく【—服】** ❶水兵の軍服。❷水兵の軍服の上着をまねた形の女性・子供用の服。セーラー服。

***すい・へい【水平】** ❶《名・形動》うごかない水面のように平らなこと。❷《名・形動》地球の重力の方向と直角に交わる方向(であること)。「—飛行」〔対〕垂直。❸あがりさがりのないこと。「成績は—を保つ」❹水準器の一つ。みずもり。 **—しこう【—思考】** 問題の解決に際して一つの支配的アイディアのわくをもたず、いろいろの角度から思考の源をひき出してくる方法。 **—せん【—線】** ❶海上で、水面と空との境として見える線。❷地球の重力の方向に直角に交わる線。〔類語〕地平線。 **—どう【—動】**〔地震などで〕水平方向に起こる振動。〔対〕上下動。

すい・へん【水辺】〔文〕みずべ。

すい・ほ【酔歩】〔文〕酒に酔ってよろめきながら歩く足どり。千鳥足。

***すい・ほう【水泡】**〔文〕水のあわ。 **—に帰・する**《句》〔失敗などによって、今まで続けてきたものが〕むだになる。むなしく終わる。

***すい・ほう【水×疱】** 発疹(はっしん)の一種。表皮下に漿液(しょうえき)がたまり、半球状にふくれあがるもの。水ぶくれ。

***すい・ぼう【水防】** 水による災害を防ぐこと。

***すい・ぼう【衰亡】**《名・自サ》おとろえて、ほろびること。「ローマ帝国の—」〔類語〕衰滅。〔対〕興隆。

すいぼく・が【水墨画】 墨だけでかいた絵。山水を題材とするものが多い。すみえ。水墨。

すい・ぼつ【水没】《名・自サ》〔出水などのため〕その物が水面より下に隠れてしまうこと。「—家屋」

***すい・ま【水魔】**〔文〕水害。「荒れ狂う—」〔参考〕おそってくる水を魔物にたとえた語。

***すい・ま【睡魔】**〔ひどい〕ねむけ。「本を前に—と闘う」〔参考〕おそってくるねむけを魔物にたとえた語。

ずいまく・えん【髄膜炎】 脳と脊髄(せきずい)を包む髄膜が細菌・ウイルスなどにおかされて炎症を起こす病気の総称。脳脊髄膜炎。

すい・みつ【水密】 水槽・管・隔壁などが水を漏らさず、水圧に耐えること。「—扉」

すいみつ・とう【水×蜜桃】 モモの一品種。果実は大きく、甘くて水分が多い。原産地は中国。水蜜。

すい・みゃく【水脈】 ❶地下水が流れているみち。❷〔河川・海などで〕船の通るみち。水路。ふなみち。

すい・みん【睡眠】《名・自サ》❶ねむること。ねむり。「—をとる」❷休眠②。

ずい・むし【×螟虫】 メイガの幼虫。稲などの植物のずいを食い荒らす害虫。めいちゅう。

***すい・めい【吹鳴】**《名・他サ》〔文〕楽器を吹きならすこと。また、汽笛などを高くならすこと。「号笛—」

***すい・めい【水明】**〔文〕〔川・湖などの〕澄んだ水が日光をうけて美しく輝くこと。「山紫—の地」

すい・めつ【衰滅】《名・自サ》〔文〕しだいにおとろえて、やがてほろびること。〔類語〕衰亡。

すい・めん【水面】〔たたえられた〕水の表面。水のおもて。〔類語〕水上。〔対〕水中・水底。

すい・もの【吸(い)物】 すひ こんぶ・かつおぶしなどでだしをとり、塩・しょうゆなどで味をつけ、魚肉や野菜などを入れた汁物。すましじる。すまし。

すい・もん【水門】 水の流れや水量を調節するために、貯水池や水路に設けてある門。

すい・やく【水薬】 みずぐすり。

***すい・よ【睡余】**〔文〕ねむりからさめたあと。

***すい・よ【酔余】**〔文〕〔ある言動が〕酒に酔ったあとであること。酒に酔ったあげく。〔副詞的にも使う〕「—の繰り言」「—口論に及ぶ」

***すい・よう【水曜】** 曜日の一つ。日曜からかぞえて週の四日め。火曜の次の日。水曜日。

***すい・よう【衰容・×悴容】**〔文〕やつれた姿・顔。

***すいよう・えき【水溶液】** ある物質を水にとかした液。

***すいよう・えき【水様液】** ❶水のような無色・透明の液体。❷眼球の水晶体と角膜との間にある無色・透明なリンパ液。眼房水(がんぼうすい)。眼房液。

すい・よく【水浴】《名・自サ》〔からだを洗うなどのため〕水をあびること。みずあび。

すい・よ・せる【吸(い)寄せる】 すひ《他下一》❶吸って、また、吸うようにしてごく近くへ寄せる。「磁石が鉄片を—せる」❷気持ち・注意などをひきつける。

すい・らい【水雷】 水中で爆発させて艦船を破壊する兵器。魚形水雷(魚雷)や機械水雷(機雷)など。

すい・らん【×翠×巒】〔文〕青々とした山の峰。

***すい・り【推理】**《名・他サ》わかっている事実をもとにして、まだわからない事柄をおしはかること。「—をはたらかせる」〔類語〕推定。推考。 **—しょうせつ【—小説】** 事件のなぞを推理によって解くことを中心にした小説。ミステリー。〔参考〕「探偵(たんてい)小説」にかえた言い方。

***すい・り【水利】** ❶船で人や荷物を運ぶ便利。❷灌漑(かんがい)・飲料・消火などのための水の利用。「—権」

すい・りく【水陸】 水と陸。水上(水中)と陸上。水路と陸路。「—両用自動車」〔類語〕海陸。

***すい・りゅう【垂柳】**〔文〕しだれやなぎ。

***すい・りゅう【水流】**〔川などの〕水の流れ。

***すい・りゅう【×翠柳】**〔文〕葉の青々とした柳。

***すい・りょう【推量】**《名・他サ》はっきりわからない物事の事情や、人の考え・感情などを、こう言うはずだ、こうなるだろうと、おしはかること。「胸のうちを—する」〔類語〕推測。推定。推察。忖度(そんたく)。

***すい・りょう【水量】**〔川・湖・貯水池などの〕水の分量。水かさ。「大雨で川の—が急に増した」

***すい・りょく【推力】** おし進める力。推進力。〔参考〕ロケットやジェットエンジンの推進力に用いられる語。

***すい・りょく【水力】** 水の力。水の勢い。特に、水の流れや落下によって生じるエネルギー。「—発電」

すい・れい【水冷】〔内燃機関のシリンダーなどを〕水で冷やすこと。「—式エンジン」〔対〕空冷。

*すい・れん【水練】❶水泳(の練習)。「畳の上の―(＝実際の役には立たないこと)」❷水泳のじょうずな・こと(人)。「―の者」〔①②とも古風なことば〕

*すい・れん【睡×蓮】スイレン科の多年生水草。池・沼などにはえ、水面に円形または楕円形の葉を広げる。夏、白や赤のハスに似た花を開く。ひつじぐさ。

すい・ろ【水路】❶水が流れる通路。❷水を送るために作った溝や管の総称。送水路。❸船の航行する通路。また、それを利用した交通。参考 副詞的に用いて、「船に乗って」の意を表す。「―ナホトカへ向かう」〔ふつう、単独では使わない〕「長―」類語 海路。対 陸路。❹競泳をするプールのコース。

すい・ろん【推論】《名・他サ》論理的なすじみちをたどって、ある事柄を推理し、説明すること。また、そのようにして説明されたもの。「―の域を出ない」

スイング ❶《名・他サ》大きく振り動かすこと。❷《名・他サ》野球・ゴルフなどで、バットやクラブを大きく振ること。「―アウト(＝空振りの三振)」❸《名・他サ》ボクシングで、相手を打つために腕を大きく横に振ること。❹ジャズの演奏形式の一つ。心身ともにゆれるような軽いリズムをもつもの。▽swing

*すう【数】❶物の多い少ないを客観的に記号的に表すために考えられたもの。かず。❷〔数〕整数・分数・小数・無理数・虚数・複素数の総称。❸〔文〕物事のなりゆき。運命。「自然の―」❹インドヨーロッパ語族などの言語で、かずの概念が名詞・代名詞・形容詞・動詞などの語形変化に表されるもの。ふつう、単数と複数とがある。ナンバー。❺「二、四から五、六の」の意を表す語。「―人」「―回」「十―人」「―十回」

*す・う【吸う】《他五》❶気体を口または鼻から、また、液体を口から体内に引き入れる。「汁を―・う」「息を―・う」類語 吸する。(る)吸引。❷〔水分などを〕しみ込ませる。吸収する。「湿気を―・う」文《四》。

スウェット・シャツ 保温や汗の吸収にすぐれている、袖付きのトレーニングシャツ。スエットシャツ。類語 トレーナー。▽sweat shirt

すう・がく【数学】数や図形の形式的性質・関係を研究する学問。代数・幾何・解析などの学問の総称。

*すう・き【数奇】《名・形動》《「数」は運命、「奇」はちぐはぐの意》❶ふしあわせ。不運。❷運命がはげしく変化すること。「―な運命をたどる」

*すう・き【枢機】〔文〕❶物事の一番大切なところ。かなめ。類語 枢軸。❷政治上の最も重要な仕事。「国政の―に参与する」 ―きょう【―×卿】カトリック教会の高位聖職者。教皇の最高顧問。枢機卿。

すう・けい【崇敬】《名・他サ》〔文〕あがめうやまうこと。心から尊敬すること。「―の念」類語 崇拝。尊敬。

*すう・こう【崇高】《名・形動》気高く貴いこと。「―な理想」類語 荘厳。

*すう・こう【×趨向】〔文〕ある物事のなりゆきが、ある方向に向かうこと。また、その方向。「時の―にはさからい得ない」類語 傾向。趨勢。動向。

すう・し【数詞】名詞のうち、数量や順序を表す語。「一」「一つ」「一本」「一枚」「一番」「幾つ」「第一」「二倍」「二分の一」など。

*すう・じ【数字】数を表すのに使う文字。参考 アラビア数字(1・2・3…)・ローマ数字(Ⅰ・Ⅱ・Ⅲ…)・漢数字(一・二・三…)などがある。

*すう・じ【数次】数回。数度。「―の調査」

すう・しき【数式】数・量を表す数字や文字を計算記号で結びつけ、全体が数学的に意味をもつ式。

すう・じく【枢軸】❶物事の中心となる大切な部分。特に、政治活動・政治権力の中心。類語 中枢。枢機。❷第二次世界大戦前から戦時中にかけて、連合国に対立して、日本・ドイツ・イタリアおよびその同盟国相互に結ばれた、友好・協同の関係。「―国」

すう・すう《副・自サ》《副詞は「―と」の形も》❶鼻息が軽い音を立てるようす。「―と眠る」❷隙間から風が通るようす。❸冷たくさわやかな感じのするようす。「のどが―する飴」❹とどこおらず進むようす。すいすい。

ずうずう・し・い【▽図▽図しい】《形》他人の意向にかまわず、自分のやり方を押し通して行うようすである。あつかましい。「―・い奴だ」類語 ずぶとい。

ずうずう・べん【ずうずう弁・ずうずう×辯】〔俗〕東北地方の人に特有の、鼻にかかるような発音のしかた。「じ」を「ず」、「じゅう」を「ずう」に近い音で発音することからいう。

すう・せい【×趨勢】〔文〕〔その時の〕ある物事の傾向・流れ。「時代の―」類語 傾向。趨向。動向。

すう・た【数多】〔文〕数の多いこと。たくさん。あまた。

す・うたい【素謡】能の略式演奏形式の一つ。囃子も舞もなく謡曲だけをうたうもの。

ずう・たい【▽図体】〔俗〕からだ。なり。参考 特に、大きいからだをさしていう。「―だけ大きい」

すう・だん【数段】《名・副》程度・段階に差がある・こと(ようす)。はるかに。数等。「彼の方が―上だ」

すう・ち【数値】❶文字で表した数式の中の、その文字にあてはまる数。❷計算・測定して得た数。

スーツ 洋服の上下を同じ布で作った一そろい。「―を着こなす」参考 男子服では背広上下(とチョッキの三つぞろい)、婦人服ではスカートと上着またはコートと組み合わせたそろいをいう。▽suit ―ケース〔衣類などを入れて持ち歩く〕旅行用のかばん。▽suitcase

すう・とう【数等】《副》程度・段階に差のあるようす。ずっと。はるかに。数段。「―すぐれている」

す・うどん【素×饂×飩】ゆでたうどんに味つけした汁をかけただけのもの。かけうどん。うどんかけ。

スーパー ㊀《接頭》「とびぬけて(すぐれて)いる」「超…」の意を表す。「―モデル」「―タンカー」㊁《名》❶「スーパーインポーズ」の略。「字幕―」❷「スーパーマーケット」の略。▽super ―インポーズ 映画・テレビなどで、画面の端などに出る訳文や解説文。字幕。スーパー。▽superimpose ―コンピューター 大規模な科学技術計算などを高速で行う大型コンピューター。スパコン。▽supercomputer ―マーケット 主に食料品や日用品などを中心に現金販売・廉価販売を行う、セルフサービス方式の大規模な小売店。スーパー。▽supermarket ―マン なみはずれた能力をもった人。超人。▽superman

すう・はい【崇拝】《名・他サ》立派な人・物だとして、あがめうやまうこと。「英雄―」類語 崇敬。

スープ 西洋料理で、肉・野菜などを煮出して味をつけた汁。コンソメ、ポタージュなど。▽soup

スーブニール 記念(品)。みやげ(物)。また、思い出。スーベニール。スーベニア。▽フランス souvenir

スーベニア ↓スーブニール。▽souvenir

ズーム ❶「ズームレンズ」の略。焦点距離を連続的に変化させ、画像の大きさを自由に変えることができるレンズ。可変焦点レンズ。❷ズームレンズを用いて画像の大きさを変化させること。「—アップ」▽zoom

すう-よう【枢要】《名・形動》中心となる最も大切なこと・所・事柄。かなめ。「—の地位を占める」

すう-り【数理】❶数学の理論。「—言語学」❷計算。また、計算の方法。「—に明るい」

すう-りょう【数量】数と量。また、量。分量。

すう-れつ【数列】一定の規則に従って並べられた数の列。等差数列・等比数列など。

すえ【末】すゑ ❶物のはしの部分。末端。先端。また、つまらぬこと。瑣事(さじ)。「棒の—の方」❷しも。下流。「この川の—にある村」❸〔ある期間の〕終わり。「今月の—」「明治の—」❹《形式名詞的に用いて》〔ある事をした(のあった)〕あと。…のあげく。「考えた—行くのをやめた」❺今よりのち。未来。将来。行く末。「—は博士か大臣か」❻子孫。後裔(こうえい)。「西郷隆盛の—」❼一番下の子。末っ子。末子(ばっし)。「—の妹」❽政治・道徳がおとろえすたれた時代。末世。「世も—だ」

***ず-え【図会】**特別の種類の図や絵を集めたもの。「江戸名所—」

***ず-え【図絵】**絵。図画。〔古風なことば〕

スエード 子やぎや子牛などの皮の裏をけば立てて、ビロードのようにしたもの。また、それに似せて作った布。手袋・くつ・ジャンパーなどに用いる。▽(フランス) suède

すえ-おき【据(え)置き】すゑ— ❶本来・手をつける(変える)べきものを、そのままの状態にしておくこと。「料金が—になる」❷〔貯金・債券・年金などを〕一定の期間、払いもどしたり、償還したりしないでおくこと。

すえ-おそろし・い【末恐ろしい】すゑ—《形》将来が思いやられて、おそろしい。「—・い子供たち」

すえ-ずえ【末末】すゑずゑ ❶遠い将来。のちのち。さきざき。〔副詞的にも使う〕「—のことまで考える」「—どうなることかと案じられる」❷子孫。❸身分の低い人々。庶民。しもじも。〔古風な言い方〕

すえ-ぜん【据(え)×膳】すゑ— 食事を調えた膳を人の前に出すこと。また、その膳。「上げ膳—」

—食わぬは男の恥《句》女の方から情事の誘いをかけられて、それに応じないのは男として恥であるということ。

すえ-たのもし・い【末頼もしい】すゑ—《形》将来が期待される。将来有望である。「—・い青年」

すえ-つ-かた【末つ方】すゑ—《「つ」は口語の「の」に当たる格助詞》〔文〕❶末のころ。終わりごろ。❷末の方。終わりの部分。末端。

すえ-つ・ける【据え付ける】すゑ—《他下一》動かないようにしっかりと置く。固定する。

すえ-っ-こ【末っ子】すゑ— 兄弟姉妹のうち、いちばん最後に生まれた子。いちばん下の子。末子(まっし・ばっし)。

すえ-ひろ【末広】すゑ— 末広がり。

すえ-ひろがり【末広がり】すゑ— ❶末になるにつれて広がっていること。❷物事が次第に栄えて行くこと。「将来は—だ」❸「扇子(せんす)」「中啓(ちゅうけい)」の別称。=末広。

すえ-ふろ【据(え)風×呂】すゑ— 大きな桶(おけ)にかまどを取り付けたふろ。

***す・える【×饐える】**《自下一》飲食物などが腐ってすっぱくなる。「—・えたにおい」文す・ゆ《下二》

***す・える【据える】**すゑる《他下一》❶〔場所を設けて〕物を置く。「カメラを—・える」「灸(きゅう)を—・える」「印を—・える(=印を押す)」❷人をある席・地位につかせる。「恩師を上座に—・える」「専務を社長のあとがまに—・える」❸しっかりと落ち着かせる。「胆(きも)を—・える」「腰を—・える」❹一か所に定めて動かさないようにする。「目を—・えて見る」文す・う《下二》

***すおう【▽周▽防】**すはう 旧国名の一つ。今の山口県の東部。防州(ぼうしゅう)。

***す-おう【素×袍・素×襖】**直垂(ひたたれ)の少し変化した衣服で、同色の麻地で作り、家紋を染めだしたもの。室町時代は武士の常服、江戸時代には武士の礼服。

***す-おう【×蘇▽芳・×蘇▽方】**❶マメ科の落葉小高木。枝にとげがあり、春、黄色の五弁の花をつける。古くは材から染料をとった。❷すおう①の材から得た染料で染めた色。黒っぽい赤色。

す-おどり【素踊り】—をどり 衣装やかつらを着けずに、踊ること。また、その踊り。

すか〔俗〕❶あてがはずれること。見当ちがい。「—を食う」❷つまらないもの。かす。「—みたいな講演」

ず-が【図画】絵。また、絵をかくこと。類語 絵画。

スカート 洋装で、女性が腰から下の部分をおおって着る、衣服。「ミニ—」「タイト—」▽skirt

スカーフ 首に巻いたり頭にかぶったりする、方形の薄地の布。参考→ネッカチーフ。▽scarf

スカーレット 緋(ひ)。深紅色。▽scarlet

スカイ 天。大空。▽sky **—ダイビング** 飛行中の飛行機からとびおり、途中でパラシュートを開いて目標地点に向かって降下し、着地の正確さを競う競技。▽skydiving **—ブルー** 空色。▽sky blue **—ライン** ❶空を背景として見た時の山・建物などの輪郭線。❷山・高原などの見晴らしのよい所につくった観光用のドライブウエー。▽skyline(=地平線)

す-がい【酢貝・×醋貝】—がひ ❶リュウテンサザエ科の小形の巻き貝。食用。❷貝、特にアワビの酢の物。

ず-かい【図解】《名・他サ》図などを用いてわかりやすく説明すること。また、図で表した解説。「機械の構造を—する」類語 図説。

ずがい-こつ【頭×蓋骨】顔面骨とともに頭蓋(とうがい)を構成する骨。頭骨。とうがいこつ。

スカウト《名・他サ》有望な新人や有能な人を見つけだしたり引き抜いたりすること。また、それを仕事にする人。「—されてモデルになる」▽scout

す-がお【素顔】—がほ ❶〔俳優の〕ふんそうをしていない時の顔。❷〔女性の〕化粧をしていない顔。地顔。「—が美しい」❸酒気を帯びていない顔。しらふ。❹虚飾のないありのままの状態。「都会の—」

すかさ-ず【透かさず】《副》ある事が終わると時間をおかないで、すぐに他の事をするようす。すぐさま。「—次の策を講じる」表記 かなで書くことが多い。

すかし【透(か)し】❶すきまを作ること。また、すきまを作った部分。❷漉(す)き入れ紙を明るい方に向けて、光を通したときに見える模様・文字。

すかし-ぼり【透(か)し彫(り)】彫刻で、木や板金などをくりぬいて模様を表すこと。また、そのもの。欄間(らんま)の装飾や刀剣の鍔(つば)などにほどこす。

***すか・す【▽空かす】**《他五》〈腹を—・す〉空腹にする。また、空腹になる。

***すか・す【×賺す】**《他五》❶だます。❷きげんをとってなだめる。「おどしたり、—・したりする」文《四》

***すか・す【透かす】**《他五》❶すきまをつくる。間隔をお

く。「間を—して板を張る」❷〔密なものを〕まばらにする。「庭木の枝を—す」❸透き通らせる。物を通して向こう側を見る。「ガラス窓を—して見る」類語透す。（るす）透過。透徹。↓透く。❹透かし彫りを作りつける。「雲の形を—した欄間」❺〔俗〕相手にすかを食わす。タイミングをはずす。「相手の攻撃を—す」❻〔俗〕音のしない屁をする。❼〔俗〕きどる。すます。〔けいべつして言う〕「—したやつだ」文《四》。

すか-すか《名・形動》すきまが多いこと。「—のすいか」

ずか-ずか《副》《「—と」の形も》あらあらしく進み出るようす。無遠慮にはいりこむようす。「—と座敷に上がりこむ」類語つかつか。

すがすが-し・い【▽清▽清しい】《形》さっぱりとしていて気持ちがよい。さわやかで気持ちがよい。「—・い朝」

すがた【姿】❶人の体の全体的なかっこう。また、物の〔全体的な〕形。「均斉のとれた—」「—の美しい山」❷みなり。ふうさい。「みすぼらしい—」❸《「現す」「見える」「隠す」「消す」などの動詞とともに用いて》見え隠れするものとしての人の体。「—を隠す」「いつの間にか—を消した」❹〔物事の〕ありさま・状態。「世の—」

すがた-み【姿見】全身をうつす大型の鏡。

す-がたり【素語り】❶三味線の伴奏なしに浄瑠璃を語ること。❷人形をあやつらずに、浄瑠璃だけを語ること。同①②素浄瑠璃。

すか-たん〔俗〕❶とんま。まぬけ。❷むだ。くいちがい。「—をくらう」❸見当はずれ。とんちんかん。

スカッシュ ❶くだものの汁にソーダ水を加え、砂糖や香料などで味を付けた飲料。「レモン—」❷四方を壁で囲んだコートで、二人の競技者が壁面を利用してラケットでボールを打ち合う競技。▽squash

すかっ-と《副・自サ》❶〔気分などが〕すがすがしくさっぱりしたようす。さわやかなようす。「—した服装」❷気持ちよく物が切れるようす。「—した切れ味」

すが-め【×眇】〔卑称〕❶斜視。また、横目。❷片方の目が不自由であること。

すが・める【×眇める】《他下一》〔物を見るとき〕片目を細くする。また、片目を細くしてねらい見る。「ためつ、—・めつ見る」文すが・む《下二》。

すがら《接尾》《名詞につけて》❶「初めから終わりまで」「…の間ずっと」の意。「夜も—」❷「そのまま」の意。「身—」❸「…の途中」「…のついでに」の意。「道—」

ず-から《接尾》《「の」の意の助詞「つ」＋名詞「から」から。体の一部分を表す名詞について》「…から」「自身の…によって」の意。「手—賞を与える」

ず-がら【図柄】〔織物などの〕図案の構図。模様。

スカラップ ❶ホタテガイ。また、そのから。❷襟・そでロなどをホタテガイのからに似た波形にふちどること。また、そのもの。「—縫い」❸ホタテガイのから(に似たなべ)に入れた西洋料理。＝スカロップ。▽scallop

すがり-つ・く【×縋り付く】《自五》頼りにしてしっかりとりつく。「父親に—・く」「柱に—・く」

***すがる**【×蜾×蠃】「じがばち」の古称。

***すが・る**【×縋る】《自五》❶〔頼りとする人・物などに〕身をもたせるような形でつかんで、離すまいとする。とりつく。しがみつく。「杖に—・って歩く」❷〔同情・援助などの〕助けを求める。また、それをたよりとする。「人の情けに—・る」文《四》。

すが・れる【×闌れる】《自下一》《「末枯れる」の意》❶〔冬が近づいて〕草木や花が枯れ始める。「菊が—・れる」❷人の盛りの時が衰える。文すが・る《下二》。表記「末枯れる」「素枯れる」とも書く。

ず-かん【図鑑】同じ種類のものの図や写真を集めて説明した書物。「鳥類—」「植物—」

スカンク イタチ科の哺乳動物。白黒の体色をもち、敵に襲われると肛門から激しい悪臭を放って身を守る。肉食性。南北アメリカに産する。▽skunk

ずかん-そくねつ【頭寒足熱】頭を冷やして、足を暖めること。よく眠れ、健康によいという。

す-かんぴん【素寒貧】《名・形動》〔俗〕無一物であること(人)。表記かなで書くことが多い。

すかんぽ【▽酸▽模】↓すいば(酸葉)。

***すき**【好き】《名・形動》❶〔ある物・物事・人に〕心を引かれること。好むこと。「私には—な人がいる」「演劇が—だ」類語好み。選り好み。お気に入り。愛好。嗜好。好尚。対嫌い。❷変わったことを好むこと。物好き。「—でなければとてもできない」❸好色。いろごのみ。❹気まま。勝手。「—なようにする」

—こそ物の上手なれ《句》何事によらず好きだからこそ、自然に上達もするのだ。

***すき**【〈数寄〉・〈数奇〉】❶風流を好むこと。また、風流の道。「—を凝らす(＝風流な工夫を施しつくす)」❷茶の湯・和歌などを好むこと。表記「好き」の当て字。

***すき**【×犂・×鋤】❶牛馬や機械に引かせて田畑の土を掘り起こす農具。からすき。❷柄の末端にとっ手があり、手や足を使って刃を地中にさしこみ、田畑の土を掘り起こす農具。参考②は「一丁(梃・挺)…」と数える。表記①は「犂」、②は「鋤」と書く。

***すき**【透き・×隙】❶物と物との間。すきま。「戸の—」❷あいている場所。余地。あき。「足を踏み入れる—もない」❸続いている物事のきれめ。ひま。いとま。「仕事の—をみて電話をかける」❹気のゆるみ。油断。また、つけ込むべき機会。「—を見せる」「—をねらう」

***すぎ**【過ぎ】《接尾》ある時刻・年齢または物事などの程度が基準を超えていることを表す。「食べ—」

***すぎ**【杉】スギ科の常緑高木。幹はまっすぐにのび、葉は小さな針状で密生する。日本特産で、多く山地に自生する。材は建築・造船などに用いる。

すぎ-あや【杉×綾】「杉綾織」の略。杉の葉のような縞に織るあや織り(の布地)。ヘリンボーン。

スキー ❶両足にはいて雪の上を歩いたりすべったりする、細長い板状の道具。左右一対になっている。❷スキー①をつけて行うスポーツ。▽ski

スキーヤー スキーをする人。▽skier

すき-いれ-がみ【×漉(き)入れ紙】文字・模様・他の材料などの透かしをすき込んだ紙。漉入れ。

すき-うつし【透き写し】《名・他サ》うすい紙などを書画・図面の上に置き、上から透かして写し取ること。しきうつし。トレース。

すき-おこ・す【×鋤き起こす】《他五》〔田畑の〕土を鋤やくわで掘り起こす。

すぎ-おり【杉折(り)】杉の薄い板で作った折り箱。料理や菓子を入れる。

すき-かえし【×漉(き)返し】ほご紙をすきなおして再生すること。また、その紙。

すき-かえ・す【×鋤き返す】《他五》〔田畑の〕土を鋤やくわで掘り返す。

すき-かげ【透き影】❶すきまから見える姿・形。❷

〔障子・ガラスなど〕薄い物を隔てて、暗い所から明るい方を透かして見たときに見える姿・形。

すき-かって【好き勝手】《名・形動》自分の思いどおりにふるまうこと。また、自分勝手。「—な行動」

すき-きらい【好き嫌い】好きであることと、きらいであること。また、えりごのみ。好き不好き。「食べ物の—がはげしい」類語 好悪。

すき-ぐし【×梳(き)×櫛】髪の毛をすく、歯の目の細かいくし。

すき-げ【×梳(き)毛】頭髪を整えるために中に入れる毛のたば。

すき-ごころ【好き心】❶好色な心。「—が動く」❷風流な心。❸物好きな心。好奇心。表記 ②は「数寄心」「数奇心」とも書く。

すぎこし-かた【過(ぎ)来し方】《連語》〔文〕通り過ぎてきた方向。また、過ぎ去った昔。こしかた。表記 当て字で、「過(ぎ)越し方」とも書く。

すき-この・む【好き好む】《他五》特に好む。特に望む。〔「好く」を強めた言い方。多く「—・んで」の形で用いる〕「—・んで無理をすることはない」

すぎ-さ・る【過ぎ去る】《自五》❶〔ある地点を〕通り越してしまう。❷〔月日が〕過ぎてしまう。「—・った日々」❸〔物事が〕終わってしまう。「—・ったこと」

すき-しゃ【〈数寄〉者・〈数奇〉者】〔文〕❶風流な人。❷茶道を好む人。茶人。

すぎ-じゅう【杉重】杉の薄い板で作った重箱。

すき-ずき【好き好き】人それぞれに好みがちがうこと。「蓼で食う虫も—」

ずき-ずき《副・自サ》《副詞は「—と」の形も》〔はれものや傷などで〕からだの一部が脈を打つように絶えず痛むようす。ずきんずきん。「頭が—する」

スキッパー ヨットなどの船長。艇長。▽skipper

すき-っ-ぱら【▽空きっ腹】〔俗〕空き腹。

スキップ《名・自サ》左右数歩ずつかわるがわるに片足で軽く跳びながら進むこと。▽skip

すぎ-ど【杉戸】杉の板を張って作った戸。

すき-とお・る【透き通る・透き▽徹る】《自五》❶物を通して、その物の中または向こうにある物が見える。透明である。「—・った池の水」❷〔声・音が〕高くはっきりと聞こえる。澄んでよく通る。

すぎ-な【杉菜】トクサ科の多年草。茎は細く、葉は退化して節ごとに枝が輪生している。地下茎から胞子茎を出す。参考 胞子茎を「つくし」と言う。

すき-なべ【×鋤×鍋】すき焼きに使う、底の浅い鉄のなべ。すき焼きなべ。

すぎ-なり【杉▽形】〔杉の木の形から〕上がとがって下が広がった形。ピラミッド形。

すき-はら【▽空き腹】腹がすいていること。また、その腹。空腹。すきばら。すきっぱら。

すき-ほうだい【好き放題】《名・形動》自分の好きなようにすること。類語 したい放題。

すき-ま【透き間・▽空き間・×隙間】❶物と物との間の、あいている場所。すき。❷物事のきれめ。あいた時間。ひま。「—をぬって休む」**—かぜ【—風】**戸・障子などのすきまから吹き込んでくる風。

すき-み【透き見】《名・他サ》物の間から中をのぞいて見ること。のぞき見。

スキム-ミルク 牛乳から脂肪を取り去ったもの。そのまま飲んだり、脱脂粉乳・ヨーグルトなどの原料にしたりする。脱脂乳。▽skim milk

すぎ-むら【杉×叢】杉の木が群がってはえている所。類語 杉林。

すき-もの【好き者】❶物好きな人。好事家。❷色好みの人。好色家。すきしゃ。

***すき-や【〈数寄屋〉・〈数奇屋〉】**❶茶の湯を行うための、母屋から独立した小さな建物。❷数寄屋造りの建物。**—づくり【—造(り)】**茶室風の上品な建て方。また、その建物。数寄屋普請。

***すきや【透×綾】**《「すきあや」の転》非常に薄い絹織物。

すき-やき【×鋤焼(き)】牛肉などに、ネギ・豆腐・しらたきなどを加え、しょう油・みりん・砂糖などで味付けして鉄のなべで煮ながら食べる日本料理。参考 鋤の上で焼いて食べたことからとも、肉をすき身にして焼くことからともいわれる。

スキャット 歌詞の代わりに、意味のない音節をくり返して歌うこと。また、その歌。▽scat

スキャナー ❶コンピューターに画像を取り込む装置。イメージスキャナー。❷バーコードの読み取り装置。▽scanner

スキャンダル ❶醜聞。❷醜い事件。特に、汚職などの不正事件。「政界の—」▽scandal

スキューバ ↓アクアラング。▽scuba **—ダイビング** スポーツ・レジャー・海底調査などのために、スキューバをつけて水中に潜ること。類語 スキンダイビング。▽scuba diving

すぎ-ゆ・く【過ぎ行く】《自五》❶〔ある場所を〕通り過ぎて行く。❷時がたって行く。「—・く夏を惜しむ」

ず-きょう【×誦経】《名・自サ》経文を(そらんじて)声を出してよむこと。読経。誦経。

スキル 熟練。特殊技能。技量。手腕。▽skill

す・ぎる【過ぎる】㊀《自上一》❶〔ある場所を〕通って行く。通過する。「川のほとりを—・ぎる」類語 通る。過ぎる。過ぎ去る。過ぎ行く。抜ける。通り抜ける。通り越す。経由。❷時がたつ。経過する。過去となる。「事件から三日が—・ぎた」類語 去る。移る。時を刻む。❸盛りの時が終わっておとろえる。「紅葉はもう—・ぎた」❹〔物事がある数量・程度を〕こえる。度が過ぎる。「冗談が—・ぎる」❺まさる。すぐれる。「あの男には—・ぎた女房だ」❻〈「…に—・ぎない」の形で〉程度が低いことをいう語。…以上のものではない。ただ…であるだけだ。「この事件は氷山の一角に—・ぎない」文 す・ぐ《上二》。㊁《接尾》〔物事がある数量・程度を〕こえる。度を超える。「働き—・ぎる」「やさし—・ぎる」「知らな—・ぎる」文 す・ぐ《上二》。

—ぎたるは猶及ばざるが如し《句》やり過ぎることは、足りないのと同様に正しくないことだ。程々が肝心だ。過ぎたるは及ばざるが如し。〈論語・先進〉

すぎ-わい【▽生▽業】〔古〕生業。なりわい。

スキン ㊀《造語》❶「はだ・皮膚」などの意。「—ローション」「—ミルク」❷「皮・皮革」などの意。「バックー」㊁《名》コンドーム。▽skin **—シップ** 親と子の肌の触れ合いを重んじ、親近感を持って子を育てること。▽skin と ship からの和製語。**—ダイビング** 水中眼鏡・潜水ひれをつけ、シュノーケルを装備して水中にもぐって泳ぐスポーツ。▽skin diving **—ヘッド** つるつるに剃り上げた頭。▽skinhead

ず-きん【頭×巾】〔防寒・変装などのため〕頭や顔をおお

う袋形の布。

*す・く【▽空く】《自五》❶中にあるものが少なくなる。減る。「電車が—・く」「腹が—・く」［表記］「透く」とも書く。❷〈胸が—・く〉〔悩みや恨みなど〕心中のつかえがなくなってさっぱりする。❸〈手が—・く〉するべき用がなくなる。ひまになる。あく。［文］《四》。

*す・く【透く】《自五》❶すきまができる。まばらになる。「雨戸と雨戸の間が—・いている」［表記］「空く」とも書く。❷物を通して、中の物や向こう側の物が見える。透ける。「人影が—・いて見える」［類語］透る。透き通る。すけすけ。透明。シースルー。［文］《四》。

*す・く【×剝く】《他五》薄く切る。「牛肉を—・く」［文］《四》。

*す・く【好く】《他五》❶「すき」という気持ちをいだく。好む。「どうも—・かない〔=感じが悪い・気に入らない〕人だ」「パン食が—・かれる」［類語］好き好む。愛する。気に入る。目が無い。(する)愛好。［対］嫌う。❷〔異性に〕愛情を感じる。「—・いた同士」❸〈「—・いた」の形で〉好感の持てる。心を引かれる。感じのよい。〔連体詞的に用いる〕「—・いた娘」［文］《四》。

*す・く【梳く】《他五》髪の毛をくしでとかす。くしけずる。「髪を—・く」［文］《四》。

*す・く【×漉く・▽抄く】《他五》〔紙・海苔などの原料を水に溶かして簀の上に〕薄く平らにしきのばす。また、しきのばすようにして作る。「紙を—・く〔=紙を作る〕」「海苔を—・く〔=海苔を作る〕」［文］《四》。

*す・く【▽結く】《他五》糸で網を編む。「魚網を—・く」［文］《四》。

*す・く【×鋤く】《他五》〔鋤などで〕田畑の土を掘り起こす。「田を—・く」［類語］耕す。起こす。［文］《四》。

すぐ【▽直ぐ】㊀《形動》まっすぐなようす。また、心がまっすぐなようす。〔古風なことば〕「—な性格」㊁《副》〈「—と」「—に」の形も〉❶時間の間をおかないようす。「—出発する」「意味は—〔=容易に〕わかる」［類語］直に。直ちに。直ぐ様。只今。逸早く。忽ち。急に。俄かに。立ち所に。見る見る内に。見る間に。瞬く間に。時を移さず。即座に。早急に。早々に。急遽。至急。即刻。即時。緊急。早速。❷距離の間をおかないようす。「—近くにいる」

*ずく【▽尽く】《接尾》《名詞に添えて》❶それの力を働かせる意を表す。「金—」「腕—」❷それだけを目的とする意を表す。「面白—」「欲得—」［表記］現代仮名遣いでは「…づく」も許容。

ずく【▽木×菟】「みみずく」の古名。

すくい【救い】❶救うこと。助け。「—の手を差しのべる」❷気持ちが明るくなって、ほっと安心・安堵させられること。「君の笑顔が—だ」

すくい-あ・げる【×掬い上げる】《他下一》物をすくって、持ち上げる。

スクイズ 野球で、無死または一死のとき、打者のバントによって三塁にいる走者を生還させる戦法。スクイズプレー。▽squeeze〔=搾り取る〕

すくい-なげ【×掬い投げ】相撲の決まり手で、相手のわき下に腕を差し入れて投げたおす技。

すくい-ぬし【救い主】❶救ってくれた人。❷〔キリスト教で〕救世主。メシア。

*す・く・う【巣くう】《自五》❶鳥などが巣をつくる。巣をつくってすむ。❷〔悪者などが〕あるところをたまり場にする。「ゲームセンターに—・う」❸よくない考え方などが心の中に、また、病気などが体内に、位置を占め動こうとしないでいる。「邪悪な思いが—・う」

*す・く・う【×掬う】《他五》❶〔液体や粉状のものを〕手・さじ・網などで軽くかすめるようにして上へ取り出す。また、液体からその表面や中にある物を軽く取り上げる。「清水を手で—・って飲む」「金魚を—・う」❷下から上へさっと持ち上げる。「足を—・う」［文］《四》。

*す・く・う【救う】《他五》❶危機にあるものを危難からのがれるようにする。助ける。「遭難者を—・う」［類語］(する)救出。救助。救済。救護。済度。救援。ヘルプ。リリーフ。❷〔困難・貧苦などで〕苦しんでいる人の苦痛を取り去る。「飢えに苦しむ人を—・う」❸罪を犯したり、堕落したりした人を正しい道にもどるように指導する。「信仰によって—・われる」［表記］②③は「済う」とも書く。❹解決する。「出窓でへやのせまさが—・われる」［文］《四》。

スクーター 原動機が座席の下にあり、運転する者が腰かけて走らせる小型の自動二輪車。▽scooter

スクープ《名・他サ》ある新聞社・雑誌社などが、他社にさきがけて大きなニュースをさぐりだし報道すること。また、その記事。特種。▽scoop

スクーリング 通信教育で、学生・生徒が一定期間登校して受ける授業。面接授業。▽schooling

スクール《造語》「学校」「学校の」の意。「クッキング—」「—バス」「—ゾーン」▽school —カラー ❶学校の気風。校風。「質実剛健の—」❷学校を象徴して校旗などに使われる色。▽school color

スクエア-ダンス ふたりずつ組になった四組が、正方形を作って踊るフォークダンス。▽square dance

す・ぐき【酸茎】スグキナ〔=カブの一種〕の漬物。京都市の特産で、独特の酸味と香味がある。すぐき漬け。

すぐ-さま【▽直ぐ様】《副》ただちに。すぐに。「—返事を出した」

すく-すく《副》〈「—と」の形も〉子供が元気にのびやかに成長するようす。「—と育つ」

すく-せ【▽宿世】〔仏〕前世。また、前世からの因縁。宿世。

ずく-てつ【▽銑鉄】「銑鉄」の俗称。ずく。

すくな・い【少ない】《形》同類の他のものにくらべて、数量・程度・割合などが小さい。少ししかない。「報酬—・い仕事」［対］多い。［文］すくな・し《ク》。

すくなから-ず【少なからず】《副》たくさん。たいそう。はなはだ。非常に。〔「多く」より強い言い方〕「—驚いた」

すくなく-とも【少なくとも】《副》❶〔数量を〕いくら少なく見積もっても。最小限。「—一キロはある」❷ほかのことはさておいて、せめて。少なくも。「—これだけはやり遂げる」

すぐ・に【▽直ぐに】《副》→すぐ㊁。

ずく-にゅう【▽木×菟入】僧やぼうず頭の人をののしっていう語。［参考］「ずく入道」の略という。

すく・む【×竦む】《自五》❶〔驚きや恐れで〕からだが自由に動かなくなる。「足が—・む」❷からだを小さくする。ちぢこまる。「身を—・ませる」［文］《四》。

ずくめ【▽尽め】《接尾》《名詞の下について》「…ばかりである」の意を表す。「いいこと—」「規則—」［表記］現代仮名遣いでは「…づくめ」も許容。

すく・める【×竦める】《他下一》❶〔驚きや恐れで〕から

だの自由をきかなくさせる。❷からだをちぢめて小さくさせる。「首を―・める」文すく・む《下二》。

すく・よか【▽健よか】《形動》❶すくすく育つようす。すこやか。❷健康なようす。丈夫。達者。

スクラップ ❶新聞・雑誌などの記事の切り抜き。「―帳」❷くず鉄。「自動車を―にする」▽scrap

スクラム ❶ラグビーで、プレー再開法の一つ。両チームのフォワードが隊形を組んで押し合い、ボールを取り合うこと。また、その体勢。「―を組む」❷肩と肩(または腕と腕)を組んで人がきをつくること。▽scrum

スクランブル ❶緊急出動。緊急発進。「―をかける」❷交差点で、一時的にすべての車を止め、歩行者がどの方向にも自由に行き来できること。「―方式」「―交差点」❸「スクランブルエッグ」の略。西洋風のふわふわした、いり卵。スクランブルドエッグ。▽scramble(=よじのぼる。急いでかき集める。かきまわす)

すぐり【酸▽塊】❶ユキノシタ科の落葉低木。秋に赤褐色で楕円(だえん)形の甘ずっぱい実をつける。果実は食用。❷ユキノシタ科スグリ属に属する落葉低木の小果樹の総称。グーズベリー。西洋すぐり。

スクリーン ❶映画やスライドを映す幕。映写幕。エクラン。❷映画(界)。「―の花形」❸写真で、撮影用のフィルター。❹枠に布を張った間仕切り。▽screen

スクリプター 映画の撮影に立ち会って、進行上の細かい事項を記録する係。記録係。▽scripter

スクリプト 映画・放送などの台本。各場面ごとに、人物の動き・せりふなどを細かく指定したもの。上演台本。▽script

スクリュー ❶「スクリュープロペラ」の略。扇風機の羽根の形をした、船を推進させる機械。❷ねじ。また、らせん状のもの。「―ドライバー(=ねじ回し)」▽screw

すぐ・る【▽選る】《他五》〔多くのものの中から〕よいものをえらびとる。「実力者を―・る」文《四》。

すぐれ・て【優れて・▽勝れて】《副》特に。とりわけて。特に目だって。「―まれなケースだ」

すぐ・れる【優れる・▽勝れる】《自下一》❶〔能力・価値などが〕他のものよりまさっている。「―・れた素質」❷〈―・れない〉〔気分・健康・天候などが〕普通の時よりもよくない状態である。「顔色が―・れない」文すぐ・る《下二》。⇩〖類語と表現〗

> **類語と表現**
>
> 「優れる」
>
> *語学に優れる・理解力に優れる・優れた人物・優れた技術・優れた作品・人に優れた色彩感覚・人並み優れた脚力。
>
> ◆勝(まさ)る・秀でる・長じる・長(た)ける・凌(しの)ぐ・目立つ・際立つ・水際立つ・引き立つ・抜け出る・抜きんでる・図抜ける・ずば抜ける・右に出る・一頭地を抜く・頭角を現す・比倫(ひりん)を絶する／(する)傑出・特出・卓出・卓絶・卓抜・卓越・超越・優越・凌駕(りょうが)・穎脱(えいだつ)
>
> ◆〔優れている〕素晴らしい・目覚ましい・輝かしい・華々しい・鮮やか・尤(ゆう)なる・優秀・優等・秀逸・最高・至高・結構・上々・見事・立派・素敵・天晴れ・上出来・上手(うわて)・一枚上手

スクロール 《名・他サ》コンピューターのディスプレー装置の画面を上下・左右に移動させて、必要な情報部分を映し出すこと。▽scroll(=巻く)

すけ【助】㊀《名》❶たすけること。加勢。手伝い。「―に来る」❷子どもを負う帯。❸寄席(よせ)で、真打(しんうち)の補助をする、真打同様の資格がある人。❹〔隠〕情婦。いろ。㊁《接尾》〔俗〕他の語につけて人名のようにいう語。「承知の―」「飲み―」「ちび―」「雲―」

すげ【×菅】カヤツリグサ科スゲ属の植物の総称。多くは多年草。葉は細長く堅い。

ず・けい【図形】❶物の形をかいた図。図の形。また、図式やグラフなど。❷〔数〕面・線・点などが集まってある一定の形を表したもの。「平面―」「立体―」

スケート ❶氷の上をすべるため、くつの底に取りつける刃(は)形の金具。❷スケート①をつけたくつをはいて氷の上をすべるスポーツ。アイススケート。❸ローラースケート。▽①skate ②skating から。**―ボード** 細長い板に二個のローラーをつけたもの。乗って滑りながら遊びや競技をする。サーフローラー。略して「スケボー」ともいう。▽skateboard **―リンク** スケートをする場所。スケート場。▽skating rink から。

スケープ・ゴート 〔他人の罪を負わされて〕いけにえに供されるヤギ。転じて、他人の罪を負う、身代わりの犠牲者。▽scapegoat

スケール ❶目盛り。尺度。「五万分の一の―」❷長さや角度などをはかる器具。物差しなど。❸大きさ。規模。「―が大きい」❹〔音〕音階。▽scale **―アップ** 《名・自他サ》規模が大きくなること。また、規模を大きくすること。▽scale up **―メリット** 大量生産・大量仕入れなど、規模が大きいことによって得られる利益。▽scale とmerit からの和製語。

すげ・か・える【▽挿げ替える】(―かへる)《他下一》❶とりかえてすげる。つけかえる。「下駄(げた)の鼻緒を―・える」「人形の首を―・える」❷ある人をその役からはずしてかわりの人をつける。更迭(こうてつ)する。「部長を―・える」

すげ・がさ【×菅×笠】〔日よけなどのためにかぶる〕スゲの葉を編んで作ったかぶりがさ。すがさ。

スケジュール 予定(表)。日程(表)。▽schedule

ずけ・ずけ(づけづけ)《副》(「―と」の形も)遠慮せずに言うようす。つけつけ。「―(と)ものを言う」類語ずばずば。

すけそう・だら【助宗×鱈】↓すけとうだら(介党鱈)。

すけ・だち【助〈太刀〉】《名・自サ》❶仇(あだ)討ちや果たし合いなどをする人に加勢すること。また、その人。❷力を貸すこと。また、その人。

スケッチ ❶写生。写生画。「―ブック(=写生帳)」❷《名・他サ》その場で感じた大体の印象を簡単に絵・文章・曲などに表すこと。また、その作品。▽sketch

すけ・っ・と【助っ▽人】《「すけびと」の転》力を貸してくれる人。手助けする人。加勢。すけて。

すけとう・だら【▽介党×鱈】タラ科の深海魚。北太平洋・日本海・オホーツク海などに分布。タラより小さい。卵は「たらこ」。食用。めんたい。すけそうだら。

すげ・な・い《形》〔言動が〕冷淡である。そっけない。つれない。「―・い返事」「―・く断られる」

すけ・ばん【助番】❶当番になったものが休みのとき、その代わりをつとめる・こと(人)。「―にあたる」❷〔隠〕不良青少年グループの女性リーダー。女番長。

すけ・べえ【助▽兵▽衛】《名・形動》〔俗〕好色な・こと(人)。また、みだらで下品な・こと(人)。すけべ。助平(すけべい)。**―こんじょう**【―根性】❶好色な心。❷気が多く、もしかしたらいい目にあうのではないかと思って、いろいろな物事に手を出したがること。

す

スケ・ボー 「スケートボード」の略。

*す・ける【透ける】《自下一》物を通して向こう側が見える。透く。「紙が薄くて下の字が―・ける」

*す・ける【▽助ける】《他下一》手つだう。手助けをする。「仕事をちょっと―・けてくれ」文す・く《下二》。

す・げる【▽挿げる・×箝げる】《他下一》はめこんだり、さしこんだりしてとりつける。「下駄(げた)の鼻緒を―・げる」「人形の首を―・げる」文す・ぐ《下二》。

スケルツォ 速い三拍子の陽気で軽快な器楽曲。諧謔(かいぎゃく)曲。▽(イタリア) scherzo(=冗談。ひやかし)

スケルトン ❶骨格。骨組み。「―タイプ(=機械などの、透明・半透明で中の骨組みが見えるデザイン)」❷ガスストーブで、炎を放射熱に変える器具。❸腹ばいになって乗る、小型のそり。また、それを使った滑走競技。❹「スケルトンブラシ」の略。目の粗いヘアブラシ。▽skeleton(=骸骨(がいこつ))

スコア ❶運動競技の得点。また、その記録。❷合奏・合唱曲で、全声部の楽譜をひとまとめにしたもの。総譜。▽score ―ブック 競技の得点や経過を記録する帳面。試合経過記録表。▽score book ―ボード〔球技などで〕競技の得点・経過を表示する掲示板。スコアボールド。▽score board

スコアラー 得点や試合の経過などを記録する係。記録員。特に、プロ野球の公式記録員。▽scorer

スコアリング・ポジション 野球で、一本のヒットが出れば走者がホームインできる塁。二塁・三塁、特に二塁をさす。得点可能圏。▽scoring position

すご・い【×凄い】《形》❶ぞっとするほど恐ろしい〔気味が悪い〕。「―・い目つきでにらむ」❷けたはずれの事に接して、感心したりあきれたりする気持ちである。感慨にたえない。「彼は学問だけでなく、どの方面でも―・い人だ」❸程度がはなはだしい。「―・い迫力」❹〔俗〕〔連用形を副詞的に用いて〕たいそう。とても。「―・くうれしい」文すご・し《ク》。

ず・こう【図工】❶〔学科で〕「図画工作」の略。❷図をかく職人。類語 画工。

すご・うで【×凄腕】〔俗〕〔「すごい腕きき」の意から〕ある分野で、他の人には不可能なことをやってのけるすぐれた腕まえ。「―の経営者」類語 敏腕。辣腕(らつわん)。

*スコール 乾杯。また、乾杯の掛け声。▽(デンマーク) skål

*スコール 熱帯地方特有の激しいにわか雨。▽squall

すこし【少し・×些し】《副》数量・程度などが少ないようす。わずか。ちょっと。「―寒い」「もう―食べたい」

すこしく【少しく】《副》すこし。わずかに。「―狼狽(ろうばい)する」参考 古く「すこしき」という副詞があり、それを形容詞連体形と誤認し、その類推によって生じた語。

すこし・も【少しも】《副》〔下に打ち消しの語を伴って〕ちっとも…しない。全然〔…しない〕。「―騒がない」「―眠れない」類語 毫(ごう)も。些(いささ)かも。

すご・す【過ごす】一《他五》❶時間をついやす。転じて、くらす。「一日を―・す」❷適当な程度を超す。「酒を―・す」文《四》。二《接尾》「…するままにしておく」の意。「やり―・す」「見―・す」文《四》。

すご・すご《副》〔「―と」の形も〕元気なく立ち去るようす。「―と引き返す」類語 しおしお。悄然(しょうぜん)。

スコッチ ❶「スコッチウイスキー」の略。スコットランド産のウイスキー。▽Scotch whisky から。❷「スコッチツイード」の略。スコットランド産の羊毛で織った手ざわりの荒い毛織物。▽Scotch tweed から。

スコップ〔柄の短い〕シャベル。▽(オランダ) schop

すこぶる【×頗る】《副》普通の状態からかけ離れているようす。非常に。たいそう。「―元気である」類語 はなはだ。 ―つき【―付き】〔俗〕「すこぶる」ということばがつくほど、非常にすぐれていること。「―の美人」

すご・み【×凄み】表情やことばなどに表れる、ぞっとするような恐ろしさや不気味さ。「―のある顔つき」 ―を利か・せる《句》〔相手をおどすような態度やことばで〕脅迫する。「どすのきいた声で―・せる」

すご・む【×凄む】《自五》すごみのある態度やことばつきをする。おどすようなようすを見せる。文《四》。

す・ごも・る【巣×籠(も)る】《自五》❶〔ひなをかえすために〕鳥が巣の中にはいり込む。巣につく。❷〔冬を越すために〕虫が土中にもぐり込む。

すこ・やか【健やか】《形動》❶健康で、丈夫なようす。「―に育つ」類語 達者。❷心が正しく、しっかりしているようす。「―な精神」類語 健全。

すご・ろく【▽双六】「ふりだし」から「あがり」までの順に絵を描き、ふったさいころの目数でこまを進め、上がりをきそう遊び。また、その遊具。

スコンク〔俗〕競技などで零敗(れいはい)すること。徹底的に負けること。「―負け」▽skunk

すさ【×苆・▽寸×莎】わら・あさ・紙などをこまかくきざんだもの。壁土にまぜてひび割れをふせぐつなぎにする。

すさび【▽遊び】〔文〕心のおもむくままに行うなぐさみごと。「筆の―」「老いの―」

すさ・ぶ【▽荒ぶ】《自五》→すさむ。文《四》。

すさまじ・い【×凄まじい】《形》❶〔勢い・程度が〕恐ろしいほどはげしい。「戦後の社会の―・い変わり方」❷何ともいえずおそろしい。「―・い光景」❸あきれはてるほどひどい。余りに非常識だ。「これで観光都市とは―・い」=すさましい。文すさま・じ《シク》。

すさ・む【▽荒む】《自五》❶気持ちにゆとり〔やさしさ〕がなく、とげとげしくなる。「―・んだ表情」❷あれて粗雑になる。「芸が―・む」=すさぶ。文《四》。

すさ・る【▽退る】《自五》うしろへさがる。しりぞく。すざる。しさる。しざる。文《四》。

ず・さん【×杜×撰】《名・形動》〔「ずざん」の転〕❶〔著作などの〕よりどころがふたしかなこと。❷物事の仕方がぞんざいで手おちの多いこと。「―な工事」類語 粗雑。粗漏(そろう)。粗末。故事 中国の詩人杜黙(ともく)の作品に規則はずれが多く、律に合わなかったという故事から。

すし【×鮨・×鮓・▽寿司】《文語形容詞「酸(す)し」の転》❶魚介類を塩づけにしたり、それに飯を加えてつけこんだりして発酵させた食品。なれずし。❷塩・砂糖・酢で味をつけた飯に、魚肉・貝・卵・野菜などをそえた食品。にぎりずし・押しずし・巻きずし・ちらしずしなど。

すじ【筋】一《名》❶筋肉の繊維。また、筋肉。「首の―をちがえる」❷〔一般に〕繊維。「大根の―」❸細長く一続きになっているもの。線。「―を引く」「手の―」表記 ③は「条」とも書く。❹血管。「青―を立てる」❺血すじ。家系。「平家の―を引く家柄」❻たち。素性。性質。素質。品質。「おどりの―がいい」❼物事の道理。確かな理由・根拠。筋合い。「―の通った話」「恨まれる―はない」❽小説・劇・話などのしくみ。あらすじ。すじがき。❾道・川などに沿った所。〔多く、接尾語的に使う〕「街道―」「大川―の町」❿囲碁で、最も効果のある打ち方。手筋。また、相手の石に対する攻撃の急所。㊁《形名》ある物事に関係のある・事(人)をばくぜんとさす語。…の方面。…関係の人。〔接尾語的にも使う〕「その―からの情報」「政府―」㊂《助数》細長い物を数える語。「帯一―」「槍一―」

＊**ず・し**【図示】《名・他サ》図によって示すこと。

＊**ず・し**【×厨子】❶物を入れる二枚とびらの戸棚。❷仏像・経巻などを安置するための、堂の形をした仏具。龕(がん)。参考「一基…」と数える。

すじ・あい【筋合(い)】たしかな理由や根拠や、すじみちの通った関係。道理。「拒絶できる―はない」

すじ・かい【筋交い・筋▽違い】❶ななめ(に交差すること)。はすかい。❷建造物の耐震・耐風力を強めるために、柱と柱の間にななめにとりつける木材。

すじ・がき【筋書(き)】❶物事の大体の内容を書いたもの。特に、小説・劇・映画などの内容の一応の経過を書きしるしたもの。すじ。類語 梗概。❷前もって仕組んだ計画。「―どおりに事が運ぶ」類語 シナリオ。

すじ・がね【筋金】❶物を丈夫にするために中に入れる補強用の金属の線・棒。❷その人の思想・意志などをしっかりとささえているもの。**―いり**【―入り】❶すじがね①がはいっていること。❷〔人体や物などが〕構造的に強固なこと。「―の腕」❸十分にきたえられた、確固とした信念をもっていること。「―の党員」

ず・しき【図式】物事の関係などを図で整理する様式。また、その図。

すじ・こ【筋子】サケ・マスの卵を卵巣膜にはいったまま塩づけにしたもの。すずこ。類語 イクラ。

すじ・だて【筋立て】〔物語・脚本などの〕筋を立てること。また、その立て方や内容。

すじ・ちがい【筋違い】❶ななめ向かい。すじかい。❷筋肉の筋がもとの位置からはずれて痛むこと。❸《名・形動》道理にはずれること。「―な行い」❹《名・形動》見当ちがい。「私を責めるのは―だ」

すし・づめ【×鮨詰(め)】〔すしを折箱につめるように〕多くの人や物がせまい場所にぎっしりはいっていること。「―の列車」「―教室」

すじ・ば・る【筋張る】《自五》❶体内の筋が硬くつっぱったように表面にうきでる。「―った手」❷〔話や態度が〕かたくるしくなる。四角ばる。「話が―る」

すじ・ぼね【筋骨】❶すじとほね。筋肉と骨格。転じて、体格。きんこつ。❷軟骨。

すじ・まき【筋×播(き)・▽条×播(き)】条播。

すじ・みち【筋道】物事の道理。また、物事を行うときの正しい順序。「―を踏んで話す」類語 条理。

すじ・むかい【筋向(か)い】ななめに向かい合うこと。なめむかい。すじむこう。「―の家」

すじ・むこう【筋向(こ)う】すじむかい。

すじ・め【筋目】❶面と面とが交わる線。折り目。❷物事の筋道。条理。「―を立てて話す」❸家柄。血すじ。血統。「―の正しい家系」

す・じょう【素性・素姓・素生・▽種姓】❶人の生まれながらの血筋・家柄や生まれ育った環境・経歴。「―を明かす」「氏―」❷由緒。由来。「―のたしかな品」

ず・じょう【頭上】あたまの上。あたまの上の方。

ずしり《副》(「―と」の形も)からだに物の重さを(重く)感じるようす。また、重い物をおくようす。ずっしり。「―と重い財布」

すす【×煤】❶燃料が不完全燃焼したときにできる黒い粉末。類語 灰。煤煙。油煙。❷すす①やほこり・ちりがいっしょになって、天井や壁などに付着したもの。

＊**すず**【鈴】鳴り物の一つ。球形で割れ目があり、中空部に小さな球などを入れて振って鳴らす。

―を転がすよう《句》澄んでよく通る美しい声の形容。玉を転がすよう。

＊**すず**【×錫】銀白色で光沢がある金属元素。展性・延性に富み、さびにくい。食器・錫箔や、めっき・合金などに用いる。元素記号 Sn。

ず・ず【▽数▽珠】→じゅず(数珠)。**―だま**【―玉】→じゅずだま(数珠玉)。

すず・かけ【鈴掛・×篠懸】❶山伏が衣服の上にまとう麻の法衣。❷すずかけのき。**―の・き**【―の木】スズカケノキ科の落葉高木。大形の葉は、てのひら状。秋、球形の果実が鈴のようにたれ下がってなる。多く街路樹として植える。プラタナス。

すず・かぜ【涼風】すずしい風。特に、秋のはじめごろ吹く、すずしい風。涼風。「―が立つ」

すすき【▽薄・×芒】イネ科の多年草。葉は細長い。黄褐色の花穂を尾花といい、秋の七草の一つ。かや。

すすぎ【▽濯ぎ】❶すすぐこと。そそぎ。「―がたりない」❷足を洗うこと。また、そのための湯や水。洗足。

すずき【×鱸】スズキ科の近海魚。背部は青緑色で、口が大きい。特に夏に美味。参考 出世魚で、満一歳未満を「せいご」、それ以後成魚になるまでの間を「ふっこ」、成魚は「すずき」と呼ぶ。

＊**すす・ぐ**【×漱ぐ】《他五》水などで口を洗い清める。口をゆすぐ。うがいをする。文《四》。

＊**すす・ぐ**【▽濯ぐ】《他五》❶水でよごれを(ざっと)洗い落とす。❷〔恥・汚名などを〕のぞき去る。「恥辱を―ぐ」表記 ②は「雪ぐ」とも書く。＝濯ぐ。文《四》。

すす・ける【×煤ける】《自下一》すすがついてうす黒くなる。また、古くなってうすぎたなくなる。「―けた壁」類語 くすぶる。文 すす・く《下二》。

すずし【▽生▽絹】練らない生糸で織った、軽くて薄い絹織物。きぎぬ。

すずし・い【涼しい】《形》❶ほどよくひややかで、気持ちがよい。「―い風」参考 →暖かい②。❷すんでいて美しい。さわやかな感じだ。「目もとの―い女性」❸〈「―い顔」〉自分に関係がないように、平気な顔つきである。文 すずし〈シク〉。⇩〔類語と表現〕

類語と表現

「涼しい」

＊高原の夏は涼しい・涼しい部屋・涼しい木陰・涼しい風が吹く・朝晩涼しくなる・涼しくて気持ちがよい。

◆冷たい・冷ややか・冷え冷え・冷やっこい・ひやり〔ひんやり〕とした／涼気・涼味・清涼・爽涼・秋冷・寒冷

すず・しろ【▽清白・×蘿×蔔】「大根」の古名。参考 春の七草として称える時に使う。

すす・たけ【×煤竹】❶すすで赤黒い色になった竹。❷すすはらいに使う、先に葉のついた竹。＝すすだけ。

すすど・い【▽鋭い】《形》❶動作がすばしっこい。❷するどい。〔古風なことば〕文 すすど・し〈ク〉。

すずな【×菘】「かぶ」の古名。かぶら。参考 春の七草として称える時に使う。

すず・なり【鈴▽生り】❶〔神楽鈴が小さい鈴をたくさんつけているように〕果実がたくさん集まってなってい

す

ること。また、多くの物が一か所にぶら下がっていること。❷一か所に多くの人がとりついていること。「ビルの窓という窓は野次馬が―だった」

すす・はき【×煤掃き】家の中のすすやほこりをはらってきれいにすること。すすはらい。［参考］多く年末に行う大掃除を言う。

すす・はらい【×煤払い】―はらひ すすはき。

すす・ほこり【×煤×埃】すすと、ほこり。すすのまじったほこり。

すずみ・だい【涼み台】〔庭さきなどに置いて〕涼むときに使う簡単な腰かけ台。縁台。

すす・む【進む】《自五》❶前方へ行く。前に出る。前進する。「一歩―・む」［対］退く。❷現在より上の段階・地位にのぼる。昇進する。「位が―・む」❸物事の状態・程度がはなはだしくなる。㋐能力・技術の程度が高くなる。上達する。進歩する。「研究が―・む」㋑〔病気などの〕程度がひどくなる。悪化する。㋒〈気が―・む〉積極的にしようという気持ちになる。〔多く、打ち消しの形で用いられる〕「彼に会うのは気が―・まない」㋓〈食(事)が―・む〉食事の量がふえる。食欲が増す。❹物事がはかどる。進行する。「工事が―・む」❺ある目標を目指して乗り出す。志した方向に行く。「役者の道に―・む」❻時計の針が、正しい時刻より先の所をさすようになる。［対］遅れる。❼〈「―・んで…する」の形で〉自分から積極的に行う。「―・んで勉強する」［文］《四》。

⇩〖類語と表現〗〖使い分け〗

類語と表現

「**進む**」

＊行列が広場に向かって進む・北へ進む／高校へ進む・決勝戦に進む・管理職まで進む／工事が進む・開発が進む・世の中が進む・進んだ考え・文明の進んだ国。

◆［**前方へ進む**］突き進む／（する）前進・進出・急進・突進・猪突・猛進・盲進・驀進(ばくしん)・邁進(まいしん)・挺進(ていしん)・漸進・直進・転進・東進・西進・北上・南下

◆［**上の段階・地位にのぼる**］成り上がる・のし上がる・浮かび上がる／（する）昇進・昇格・昇任・昇級・昇段・栄進・栄達・進学・進級・累進・特進・立身・出世・大成

◆［**程度・状態の度合いが増す**］伸(の)す・伸びる／（する）進歩・進化・発達・発展・進展・進捗(しんちょく)・増進・亢進(こうしん)・躍進・飛躍・日進月歩・生々発展

使い分け「**すすむ・すすめる**」

進む〔前のほうへ移動する。上の段階に地位がのぼる。状態・程度がひどくなる。はかどる〕時計が進む・足の進む方角・高学年に進む・進んだ文化・病状が進む・気が進まぬ・話が進む・法曹界に進む・進んで財産を放棄する・突き進む

進める〔前のほうへ移動させる。はかどらせる〕車を進める・時計の針を進める・膝(ひざ)を進める・歩一歩と進める・地位を進める・縁談を進める・議事を進める

勧める〔たすけてつとめさせる意から、～するように誘いかける〕入会を勧める・節約を勧める・食事を勧める・お茶を勧める

薦める〔神にそなえすすめる意から、ほめて説得する。推薦する〕良書を薦める・学長に佐藤教授を薦める・結婚の相手に姪(めい)を薦める

［参考］「縁談を進める」は話としての縁談を進行させる意、「結婚を勧める」は結婚の美点をとり上げて結婚するように誘う意、「結婚相手としてA氏に姪(めい)を薦める」は特にA氏に姪を称揚し、A氏に姪を推薦する意。

すず・む【涼む】《自五》暑さを避けて涼しい風にあたる。「川原で―・む」［類語］夕涼み。納涼。［文］《四》。

すず・むし【鈴虫】❶コオロギ科の昆虫。雄は「リーンリーン」と澄んだ音を出す。❷「まつむし」の古名。で黒褐色。長い触角をもつ。平たい卵形

すずめ【×雀】❶ハタオリドリ科の小形の野鳥。人家の近くにむらがってすむ。穀物や草の実、虫などを食べる。❷よくしゃべる人。❸あちこちに出入りして、その世界の事情にくわしい人。〔接尾語的に使う〕「楽屋―」

―の涙《句》非常に少ないもののたとえ。

―百まで踊り忘れず《句》幼いとき身についた習慣は年をとっても忘れない。

すずめ・いろ【×雀色】スズメの羽のような茶褐色。

すずめ・おどり【×雀踊り】―をどり 編み笠(がさ)をかぶり、奴(やっこ)姿でスズメのかっこうをまねておどる郷土舞踊。

すずめ・ずし【×雀×鮨】すずめ開き(＝頭をつけたまま背開きにすること)にした小鯛(こだい)などに飯を詰めた押しずし。［参考］形がスズメのように見えることから。

すずめ・ばち【×雀×蜂・×胡×蜂】日本最大のハチ。性質は攻撃的で針に猛毒がある。木のほらなどに大きな巣を作る。おおきばち。くまんばち。

＊**すす・める**【勧める】《他下一》❶〔自分がよいと思うことを〕他人がするように、さそいかける。「入会を―・める」［類語］働きかける。（する）勧告。勧誘。慫慂(しょうよう)。❷〔飲食または使用するように〕相手の前に差し出す。「いすを―・める」❸〔ほめたり、はげましたりして〕その事を実行するように働きかける。奨励する。「発明を―・める」［表記］❸は「奨める」とも書く。［文］すす・む《下二》。⇩〖使い分け「すすむ・すすめる」〗

＊**すす・める**【薦める】《他下一》〔人・物・事の美点をのべて〕採用するように、他人に説きつける。推薦する。「先生が―・めてくれた本」［類語］（する）推奨。［文］すす・む《下二》。⇩〖使い分け「すすむ・すすめる」〗

＊**すす・める**【進める】《他下一》❶前に出す。前方へ行かせる。前進させる。「将棋のこまを―・める」❷現在より上の段階・地位にのぼらせる。昇進させる。「子どもを大学に―・める」❸物事の状態・程度を高める。「理解を―・める」❹物事をはかどらせる。進行させる。「話を―・める」❺時計の針を動かして現在より先の時刻をさすようにする。「五分ほど―・めておく」［対］遅らせる。［文］すす・む《下二》。⇩〖使い分け「すすむ・すすめる」〗

すず・やか【涼やか】《形動》❶涼しそうなようす。「―な顔」❷さっぱりとしてさわやかなようす。「―な服装」

すず・らん【鈴×蘭】ユリ科の多年草。寒地や高山の草原に自生する。初夏、茎の先に白いつりがね形の小花を並べてつける。きみかげそう。

すずり【×硯】《「すみすり」の転》墨を水ですりおろすための道具。墨をする平らな所(＝陸(おか))と、水をためるくぼみ(＝海(うみ))とがある。［参考］「一面(いちめん)…」と数える。

すすり・あ・げる【×啜り上げる】㊀《他下一》息を急に強く吸って、外へ出た鼻汁をふたたび鼻に入れる。㊁《自下一》鼻汁をすすって泣く。しゃくりあげる。

すすり・な・く【×啜り泣く】《自五》〔声をおさえて〕すすりあげて泣く。しゃくりあげて泣く。

すずり・ばこ【×硯箱】すずり・筆・墨などを入れておく

箱。あたり箱。

すずり-ぶた【×硯×蓋】❶すずり箱のふた。❷口取り肴などをのせる盆状のうつわ。また、その肴。

硯蓋②

すす・る【×啜る】《他五》❶口で息とともに吸いこむ。また、そうしながら少しずつ飲む。「そばを―」「茶を―・る」類語 吸う。❷〈洟を―・る〉鼻汁を息といっしょに吸いこむ。文《四》。

ず-・する【×誦する】《他サ変》〔文〕〔詩・歌・経などを〕声を出し、簡単に節づけして読む。誦する。

ず-せつ【図説】《名・他サ》図・写真などによって説明すること。また、説明したもの。類語 図解。

すそ【×裾】❶衣服の下端部分。❷山や丘のふもと。また、川しも。❸物の下の方の部分。特に、頭髪のえりくびに近い部分。

すそ-うら【×裾裏】裾回し。

すそ-がり【×裾刈り】髪のすそを刈ること。

すそ-ご【×裾濃】ぼかし染めの一種。上の方を薄く下の方へゆくにしたがってだんだん濃く染める。

すそ-さばき【×裾×捌き】和服のすそが乱れない身のこなし。また、和服での立ち居振る舞い。「優雅な―」

すそ-の【×裾野】山のふもとに広がった野原。

すそ-まわし【×裾回し】和服のすその裏側につける布。すそうら。八掛。

すそ-もよう【×裾模様】和服のすそにつけた模様。また、すそに模様のある和服。対 総模様。

すそ-よけ【×裾▽除け】↓蹴出し。

すそ-わた【×裾綿】和服のすそに綿を入れて仕立てること。また、その綿。

ずだ【頭×陀】❶衣・食・住の三種の欲を払いのけて仏道を修行すること。特に、その修行のための行脚。頭陀行。類語 托鉢。❷頭陀①を行う僧。参考 梵語 dhūta の音訳。 **―ぶくろ**【―袋】❶頭陀の僧が経文や布施などを入れて首から前に掛ける袋。❷何でも入れられる、だぶだぶした大きな袋。

スター 人気のある俳優・歌手・運動選手。花形。「―プレーヤー」▽ star(=星) **―ダム** 花形としての地位。「―にのし上がる」▽ stardom

スターター ❶競走などの出発の合図をする人。❷〔自動車・航空機などの〕起動装置。▽ starter

スターティング 開始。出発。発進。▽ starting **―メンバー** 競技で、試合開始時から出場する選手。先発メンバー。スタメン。▽ starting と member からの和製語。

スタート《名・自サ》❶出発すること。また、出発点。「―を切る」❷開始すること。発足すること。「新会社として―する」▽ start **―ライン** ❶競走で、スタートする地点にひいた白線。❷物事の出発点。「人生の―に立つ」▽ start と line からの和製語。

スターリング イギリスのポンド貨幣の別称。▽ sterling

スタイリスト ❶風采・服装に特に気をくばる人。気どり屋。おしゃれ。❷文章をこって書く人。美文家。❸形式主義者。❹モデルなどの服装・髪型・装身具などに関する選定・指導をする職業(の人)。▽ stylist

スタイル ❶からだつき。かっこう。姿。❷文章の様式・型。文体。❸美術・建築などの様式・型。「ゴシック―」❹服装の型。「最新流行の―」▽ style **―ブック** ❶流行服の型を図や写真で示した本。ファッションブック。❷文体や表記法の約束、あるいは活字の書体などを示した本。▽ stylebook

スタウト 黒ビールの一種。麦芽のかおりが高く、ホップの苦みもアルコールの度も強い。▽ stout(=強い)

スタカート 一つ一つの音を、短く切って・歌う(奏する)こと。また、その記号。音符の上に「・」をつけて示す。スタッカート。対 レガート。▽イタリア staccato

すだ・く【▽集く】《自五》〔文〕❶たくさんあつまる。むらがる。❷虫などがむらがって鳴く。「草むらに―・く虫の音」文《四》。

スタグフレーション〔経〕景気が停滞しているのに物価の上昇が続くこと。不況インフレ。▽ stagflation

す-だこ【酢×蛸】ゆでたタコを、甘酢につけた食品。

すた-こら《副》(「―と」の形も)〔俗〕わき目もふらず急いで歩いていくようす。特に、去っていくようす。「―逃げて行く」「―さっさ」類語 すたすた。

スタジアム〔観覧席をそなえた〕運動競技場。野球場・陸上競技場など。▽ stadium

スタジオ ❶〔画家・彫刻家などの〕仕事場。類語 アトリエ。❷写真・映画・テレビジョンなどの撮影所。❸放送局の演奏室・放送室。❹写真館。▽ studio

すた-すた《副》(「―と」の形も)わき目もふらず急ぎ足で歩くようす。「―と歩き去る」類語 すたこら。

ずた-ずた《形動》こまかく・切れた(裂けた)ようす。「―に切り裂く」

***す-だち**【巣立ち】❶ひな鳥が巣立つこと。巣ばなれ。❷子どもが親もとや学校をはなれて世に出ること。

***す-だち**【酸×橘・×酢×橘】ミカン科の常緑高木。ユズの一品種。青い実の汁を賞味する。徳島県の特産。

す-だ・つ【巣立つ】《自五》❶ひな鳥が成長して、巣から飛び去る。❷子どもが親もとや学校からはなれて世に出る。「学窓を―・つ」

スタッカート ↓スタカート。▽イタリア staccato

スタッフ ❶何人かで一つの仕事をする場合の、担当者全員。陣容。❷企業の経営組織で、製造・販売を行う部門に対し、企画・人事・調査などを行う部門。対 ライン。❸映画・演劇で、俳優以外の製作担当者。演出・装置・照明・音楽などの担当者。▽ staff

す-だて【×簀立(て)】潮の干満を利用して、内湾の波の静かな浅い所に竹すを張り、囲いの中に魚を追いこんで捕らえる装置。また、その漁法。

スタティック《形動》静的。「―な美」対 ダイナミック。▽ static

す-だま【×魑▽魅・▽霊】〔古〕山林・木石の精気。また、それから生ずるというばけもの。魑魅。

スタミナ 元気を長く持ちこたえられること。肉体的なねばり強さ。持久力。「―がない」▽ stamina

スタ-メン「スターティングメンバー」の略。

すた・る【廃る】《自五》↓すたれる。

す-だれ【×簾】(「簀垂れ」の意)細く割った竹やアシなどをならべて糸で編んで、つないだもの。つりさげて、日よけ・部屋のしきりなどにする。簾。みす。参考 蒸籠の底に敷いて用いるものもいう。類語 よしず。

すた・れる【廃れる】《自下一》❶〔世間に〕用いられなくなる。使われなくなる。「―・れたことば」❷おとろえる。勢いがなくなる。また、価値が下落する。「—・れた町」「—・れた風習」❸はやらなくなる。「去年の流行色はもう—・れた」文すた・る《下二》。

スタン・ガン 護身用器具の一つ。瞬間的に高電圧を出して相手に衝撃を与える。▽stun gun

スタンザ 詩の一節。一定の韻律的構成をもち、ふつう四行以上から成る。▽stanza

スタンス ❶野球・ゴルフなどで、ボールを打つときの足の位置や開きぐあい。❷物事に対する立場・態度。「積極的な—をとる」「—を広くとる」▽stance

スタンダード 《名・形動》標準(型)。標準的。「—サイズ」▽standard(=基準。規範) **—ナンバー** ジャズ・ポピュラー音楽で、長年親しまれ、流行にかかわりなく演奏される曲。▽standard number

スタント 離れ業。特に、自動車を用いておこなう離れ業。▽stunt **—マン** 映画などで、危険を伴う演技。また特殊な技術を要する演技を出演者に代わってする職業(の人)。▽stunt man

スタンド ❶物を載せたり立てたりする台。「エッグ—」❷競技場などの階段式の観覧席。「—からやじがとぶ」「メーン—」「アルプス—」❸飲食店・酒場などで、カウンターに向かい合わせていすを設けた席。❹カウンターで飲み食いさせる形式の店。また、小規模で簡易な飲食店。「—バー」❺駅・街路などに設けられた売店。「ガソリン—」❻「電気スタンド」の略。▽stand **—イン** 俳優の代役。替え玉。ふきかえ。▽stand-in **—プレー** ❶競技者などが観衆を意識して行うはでな動作・行動。❷めだつための、わざとらしい動作・行動。▽grandstand play から。

スタン・バイ ❶《名・自サ》航海で、すぐにでも行動できるような態勢をとること。用意。待機。❷放送で、予定番組の取り消しにそなえてあらかじめ用意された番組。❸本番前の準備。また、その準備完了を示す合図。▽stand-by(=そばに立つ)

スタンプ ❶印。特に、ゴム印。「—台」❷観光地などで記念に押すはんこ。「—帳」❸郵便物などの消印。❹切手。収入印紙。証紙。▽stamp **—ラリー** 所定の場所に用意されたスタンプを集めて回るゲーム。▽stamp と rally からの和製語。

スチーム ❶蒸気。ゆげ。「—アイロン」❷蒸気を使って室内をあたためる装置。蒸気暖房装置。▽steam

＊**スチール** 《名・自サ》野球で、盗塁。「ホーム—」▽steal(=盗む)

＊**スチール** はがね。鋼。鋼鉄。▽steel

＊**スチール** 宣伝用に映画の一画面を大きく焼きつけた写真。スチール写真。▽still(=静止写真)

スチュワーデス 旅客機の中で乗客へのサービスにあたる女性の乗務員。エアホステス。参考 今は性差のない「キャビンアテンダント」を用いる。▽stewardess

スチロール 〔理〕❶エチルベンゼンを脱水素してつくる無色の液体。スチロール樹脂の原料などに使う。スチレン。❷「スチロール樹脂」の略。スチロールの重合体。容器・玩具に用いるほか、発泡させて断熱材・包装材料などにする。スチレン樹脂。ポリスチレン。「発泡—」▽ドイツ Styrol

すっ【素っ】 《接頭》〔俗〕《名詞・動詞・形容動詞の上につけて》下にくる語の意味を強める語。「—ぱだか」「—とんきょう」「—飛ぶ」

ずつ【×宛】 《副助》〔分量を表す語につく〕等量の物をいくつかに割り当てる意。また等量の物として、それがくり返される意。「千円**ずつ**渡す」「少し**ずつ**大きくなる」表記 現代仮名遣いでは「…づつ」も許容。

ず・つう【頭痛】 ❶頭が痛むこと。また、その症状。「頭痛—がする」❷心配。なやみ。「—の種」

スツール 背のないひとり用の腰かけ。▽stool

すっからかん 《形動》〔俗〕中のものがすっかりなくなるようす。「—の財布」類語 すってんてん。

すっかり 《副》❶何もかもすべて。余す所なく。一つ残らず。「—忘れていた」類語 ことごとく。❷ある状態になり切ってしまうようす。「—慣れる」❸〈「—です」の形で〉全部なくなる。皆になる。

ず・つき【頭突き】 相撲やけんかなどで、自分の頭で相手の胸などを突くこと。

すっきり 《副・自サ》《副詞は「—と」の形も》❶気分がよいようす。「よく寝たので頭が—した」❷むだなものがなく、あかぬけしているようす。「—した文章」

ズック ❶太い亜麻糸・もめん糸を斜文織りにした厚くて丈夫な布。テント・帆・袋などに用いる。❷「ズックぐつ」の略。ズック①で作った運動靴。▽オランダ doek

すっく・と 《副》〔意を決して〕勢いよく立ち上がるようす。また、〔物に動じないで〕直立しているようす。

す・づけ【酢漬(け)】 魚肉や野菜類などを酢につけること。また、その食品。

ずっ・こ・ける 《自下一》〔俗〕〔「ずりおちる」意から〕常道からはずれた行いをする。はめをはずす。また、まともな状態でなくなる。

ずっしり 《副》《「—と」の形も》→ずしり。

すった・もんだ【擦った×揉んだ】 《名・副・自サ》〔俗〕物事がもめて、なかなかまとまらないこと。さんざんごたつくこと。「—の挙句、中止になった」

すってん・ころり 《副》《「—と」の形も》〔俗〕勢いよくころぶようす。すってんころりん。

すってんてん 《形動》〔俗〕金や品物がすっかりなくなること。「遊びすぎて—になる」類語 すっからかん。

すっ・と 《副》❶《自サ》ほっそりと形よくのびているようす。「—伸びた枝」❷動作が軽くすばやく行われるようす。「本を—とる」❸物事がとどこおりなく進むようす。「大学へ—はいる」❹《自サ》気持ちや気分がさっぱりするようす。「言いたいことを言って—した」

ずっ・と 《副》❶比較してひどく差があるようす。ずいぶん。非常に。「こちらの方が—重い」❷時間のへだたりが大きいようす。「—昔の思い出」❸ためらわずにそのまま進んでいくようす。「奥へ—通る」❹ある状態を長く続けるようす。その間じゅう。「—待っていた」

すっ・と・ぶ【素っ飛ぶ】 《自五》《「すっ」は接頭語》〔俗〕勢いよく飛ぶ。勢いよく飛び出る。また、〔飛ぶような勢いで〕一直線に行く。「—・んで家に帰る」

すっ・とんきょう【素っ×頓狂】 《形動》《「すっ」は接頭語》〔俗〕ひどく調子はずれでまのぬけたようす。「—な声を上げる」

すっぱ・い【酸っぱい】 《形》❶酸い。酸味がある。❷〈「口を—・くして」「口が—・くなるほど」などの形で〉小言などをいやになるほどしつこく言うようすの形容。❸不快である。「—・い思いをする」

すっ・ぱだか【素っ裸】 《「すっ」は接頭語》❶身に何もつけていないこと。❷何も所持しないこと。「—の再出発」同 ①②まるはだか。まはだか。すはだか。

すっぱ‐ぬ・く【すっぱ抜く】《他五》〔俗〕人の秘密などをだしぬけにあばく。「内情を―・く」

すっぱり《副》《「―と」の形も》❶あざやかに断ち切るようす。「スイカを―と割る」❷すっかりやめてしまうようす。きっぱり。「―とあきらめる」

すっ‐ぴん【素っぴん】〔俗〕化粧をしていない・こと（顔）。類語 地顔。素顔。

すっ‐ぽか・す《他五》《「すっ」は接頭語》〔俗〕❶〔しなければならない仕事などを〕手をつけずにそのままにしておく。「当番を―・す」❷約束をやぶる。「待ち合わせを―・す」＝すっぽらかす。

すっぽ‐ぬ・ける【すっぽ抜ける】《自下一》❶すっぽりと抜ける。急に抜ける。❷野球で、（ボールが指のかかりからはずれ）投球が思わぬコースにそれる。

すっぽり《副》《「―と」の形も》❶全体にかぶせておおうようす。「―と雪につつまれた町」❷さしこんだ物がたやすく抜けたり、また、くぼみにうまくはまったりするようす。「―さやにおさまる」

すっぽん【×鼈】カメの一種。こうらは丸みを帯び柔らかく、肉は美味。物にかみついたらなかなか離れない。どろがめ。

すっぽんぽん《名・形動》〔俗〕まるはだか。

す‐で【素手】❶手に何も・おおっていない（持たない）こと。「―で魚をつかむ」「―で（＝手ぶらで）帰る」❷特に、手に武器を持たないこと。「―で立ち向かう」

ステアリング 自動車の方向変換装置。また、ハンドル。ステアリングホイール。▽steering

すて‐いし【捨(て)石】❶和風の庭で、趣を添えるために置く石。❷水底に投げ入れて、土木工事の基礎にする石。❸囲碁で、作戦のために相手に取らせる石。❹当座の役には立たないが、他日のためになると予測して行う行為・投資。「社会改善の―となる」

スティック ❶棒。棒状のもの。❷ホッケー・アイスホッケー用の木製の打球棒。▽stick

すて‐いん【捨(て)印】証書などの欄外に押しておく印。訂正や抹消の箇所に押す必要の出た場合にそなえるもので、その書類に用いたものと同じ印を用いる。

すて‐うり【捨(て)売り】《名・他サ》損を承知の上で安く売ること。捨て値で売ること。投げ売り。

ステーキ ❶焼き肉。あぶり肉。❷特に、ビーフステーキのこと。ビフテキ。テキ。▽steak

ステージ 舞台。演壇。▽stage

ステーショナリー 文房具。▽stationery

ステーション ❶停車場。駅。「―ホテル」「―ビル」❷ある仕事を集中的に受け持ってする所。「キー―」「サービス―」「ナース―」▽station

ステータス 社会的地位や身分。▽status **―シンボル** それを持つ（行う）人の社会的地位・経済力を表すのに役立つ具体的な物事。▽status symbol

ステートメント 政府・政党・団体などが発表する声明文。▽statement

ステープル‐ファイバー→スフ。▽staple fiber

すて‐お・く【捨て置く】《他五》そのままにして、かまわないでおく。放置する。ほっておく。

すて‐おぶね【捨(て)小舟】―を〔文〕❶乗り捨てた小舟。❷たよりのない境遇の身の上。

すて‐がな【捨(て)〈仮名〉】送り仮名。

すて‐がね【捨(て)金】❶使って役だたない金。むだ金。死に金。❷利益・返済を期待しないで貸す金。

す‐てき【素敵】《形動》心をひきつけられるようす。非常にすぐれているようす。すばらしいようす。「―なドレス」「―な人」表記「素的」「素適」などとも書く。

すて‐ご【捨(て)子・▽棄(て)▽児】育てる義務のある子を捨てること。また、その捨てられた子。

すて‐さ・る【捨て去る】《他五》思い切りよくほうり出す。「余分なものはすべて―・る」

すて‐ぜりふ【捨(て)▽台▽詞】❶役者が舞台の雰囲気（ふんいき）などによってその場かぎりに言う、台本にないせりふ。❷立ち去るとき、勝手に言い捨ててゆく乱暴でいやしいことば。「―を吐く」

ステッカー ものにはりつける、注意書き・広告などを刷り込んだのりつきの小紙片。「駐車違反の―をはられる」▽sticker

ステッキ 〔西洋風の〕つえ。▽stick

ステッチ ❶刺しゅう・編み物・手縫い・ミシン縫いなどの、針目・編み目・縫い目。「クロス―」「アフガン―」❷《名・自サ》衣服のふちなどに、飾りのための縫い目をつけること。▽stitch

***ステップ** ❶〔目標に近づく〕一段階。「大学合格への―」❷バス・汽車などにある、乗降口のふみ段。❸足の運びぐあい。特に、ダンスの足どり。「ジルバの―」❹《名・自サ》三段とびで、二番目の跳躍。「ホップ、―、ジャンプ」❺登山で、雪や氷の斜面を登るときに作る足場。❻野球で、投手・野手が投球の際に、また打者が打撃の際に足をふみ出すこと。▽step

***ステップ** 湿潤な森林地帯と乾燥した砂漠との中間の（雨の少ない）地域にある草原。特に、中央アジアからシベリアにかけて広がる草原。▽steppe

すててこ ❶男子の下ばきの一つ。ひざの下まであるゆったりとした、長いさるまた状のもの。❷「すててこ踊り」の略。寄席（よせ）演芸で、鼻をつまんで捨てるまねをしておどる、滑稽（こっけい）・卑俗なおどり。

すて‐どころ【捨(て)所】物を捨ててよい場所・時期。また、単に、捨てる場所。「心の憂さの―」

すで‐に【既に・×已に】《副》❶前に。以前から。「―結婚している」❷〔今となっては〕もはや。もう。「―手遅れだ」❸何よりも明らかに。「その事が―彼の無実を証明している」 **―して**《接続》〔文〕かくするうちに。

すて‐ね【捨(て)値】損を承知でつけた安い値段。

すて‐ばち【捨(て)鉢】《名・形動》〔自信や希望を失って〕やけになること。自暴自棄。やけくそ。やけ。

すて‐ぶち【捨(て)扶▽持】❶江戸時代、由緒ある家の老幼・婦女・病人などを救済するために与えた、わずかな扶持米。❷役にたたない者に、捨てたつもりで払う賃金・給料。

すて‐み【捨(て)身】命をすてるほどの覚悟で物事にあたること。「―の戦法」

す・てる【捨てる・▽棄てる】《他下一》❶不用のものとして投げ出す。「ごみを―・てる」❷見限って、かまいつけなくなる。見放す。見捨てる。「恋人を―・てる」❸あきらめて手を引く。投げ出す。放棄する。「希望を―・てるな」「武士を―・てる」❹乗って来た物から降りる。「車を―・てて歩く」❺〈「…て―・てる」の形で〉始末をつける。処置する。「斬（き）って―・てる」❻〈「―・てて置く」〉かまわずにそのままにしておく。ほうっておく。放置する。「―・てて置くわけにもいかず、声をかけた」文す・つ《下二》。⇩〔類語と表現〕

―てたものではない《句》〔捨てるのはまだ早いということから〕まだ見込みがある。まだ使える。

―てる神あれば拾う神あり《句》一方で見捨てられても、他方で救いの手がさしのべられることがある。世間は広いからくよくよする必要はないということ。

類語と表現「捨てる」
＊不用品を捨てる・バケツの水を捨てる・武器を捨てて投降する／妻子を捨てる・家業を捨てて遊び歩く・世を捨てて隠棲する／勝負を捨てる・国のために命を捨てる。
◆打ち捨てる・投げ出す・投げ捨てる・振り捨てる・取り捨てる・焼き捨てる・掃き捨てる・切り捨てる・かなぐり捨てる・ふるい落とす・うっちゃる・抛（なげう）つ・手放す・ほかす・無にする／廃棄・投棄・破棄・遺棄・放棄・棄権・放置・焼却・放擲（ほうてき）・一擲（いってき）

ステレオ ㊀《造語》「立体の」「立体的」「立体音響の」などの意。「―スコープ」㊁《名》❶立体感を出せるしくみの音響装置。ステレオ装置。❷「ステレオレコード」の略。立体的な音響が再生できるように録音したレコード。▽stereo **―タイプ** きまりきった形式・方法。紋切り型。ステロタイプ。▽stereotype

ステロイド・ホルモン 副腎皮質（ふくじんひしつ）ホルモンなど、ステロイド核をもつホルモンの総称。炎症の治療・拒絶反応の抑制などに使われる。▽steroid hormone

ステロ・タイプ 「ステレオタイプ」のなまり。▽stereo-type から。

ステン・カラー 前の部分が少し首にそって立っている襟。折り立て襟。▽（フランス）soutien と英 collar から。

ステンド・グラス 色ガラスを組み合わせて、絵や模様をあらわしたガラス板。▽stained glass

ステンレス 「ステンレススチール」の略。**―スチール** 鋼鉄にクロム、またはクロムとニッケルなどをまぜて作った、さびにくい合金。機械類・家庭用品・建築用。不銹鋼（ふしゅうこう）。ステンレス鋼。ステンレス。▽stainless steel（＝さびない鋼鉄）

スト 「ストライキ」の略。**―やぶり【―破り】** ストライキをしている仲間をうらぎる行為をすること。また、その人。スキャップ。

ストア《造語》「店」「商店」「販売店」などの意。「チェーン―」「ドラッグ―」▽store

ストイック《形動》〔ストア派の哲学者の思想から〕禁欲的。克己的。「―な生活」▽stoic

す・どうふ【酢豆腐】〔俗〕知ったかぶり。半可通。参考 知ったかぶりが、腐ってすっぱくなった豆腐をこれは酢豆腐という料理だといったという落語から。

ストーカー 好きな異性など特定の人をしつこくつけ回す人。▽stalker

す・どおし【素通し】 ❶間にさえぎるものがなく、先方がすっかり見えること。❷眼鏡に度がついていないこと。また、その眼鏡。

ストーブ 室内をあたためる暖房器具。「石油―」類語 暖炉。▽stove **―リーグ** プロ野球で、シーズンオフに行われる選手の争奪戦。▽stove league

ストーム ❶あらし。暴風雨。❷〔俗〕夜、学生たちが寄宿舎の中などを集団でさわぎ歩くこと。旧制高等学校の学生がよく行った。▽storm

す・どおり【素通り】《名・自サ》立ち寄らずその前をとおり過ぎること。

ストーリー ❶物語。話。❷物語・小説・脚本・映画などのすじ。すじ書き。▽story

ストール 女性用の細長い肩かけ。▽stole

ストッキング 長くつ下。特に、薄手の女性用長くつ下。類語 ソックス。▽stockings

＊**ストック** ❶《名・他サ》ためておくこと。また、ためてあるもの。「食糧を―する」❷商品の在庫。在庫量。❸スープの原料にする肉の煮出し汁。スープストック。❹→アラセイトウ。▽stock

＊**ストック** スキーのつえ。▽（ドイツ）Stock

ストック・オプション 企業が役員や従業員に対し、一定期間後に自社株を一定価格で購入する権利を与えること。業績向上への意欲をもたせるために行われる。▽stock option

ストッパー ❶〔機械などの〕停止装置。栓。❷サッカーで、相手のフォワードをマークする守備の選手。❸野球で終盤に登場する抑え役の投手。救援投手。▽stopper

ストップ ❶《名・自他サ》止まること。また、止めること。❷交通信号などの「止まれ」のしるし。停止信号。対 ゴー。❸停留所。「バス―」▽stop **―ウオッチ** 自由に針を発進・停止させて、秒以下の時間が正確にはかれる時計。▽stopwatch

す・どまり【素泊（ま）り】《名・自サ》食事をとらずに、寝るだけのために旅館にとまること。

ストライキ ❶労働者がその要求をとおそうとして行う争議行為の一つ。全員が職場を放棄する。同盟罷業（どうめいひぎょう）。❷学生・生徒が申し合わせて授業・試験を放棄すること。同盟休校。≡スト。▽strike

ストライク ❶野球で、投手が打者に対して投げたたまがストライクゾーンをとおったもの。参考 から振り、ツーストライク前のファウルボール・ファウルチップもストライクと判定される。対 ボール。❷ボウリングで、第一投で全部のピンを倒すこと。▽strike

ストライド 競走で、走るときの足の幅（が大きいこと）。「―走法」▽stride

ストライプ 縞（しま）。縞模様。▽stripe

ストラップ ❶ドレス・下着などの肩ひも。❷カメラ・携帯電話などの提げひも。▽strap

ず・どり【図取り】《名・他サ》物の形・配置などを図にうつしとること。

ストリート 街路。通り。「メーン―」▽street **―チルドレン** 住む家を失い、路上で物売りや物乞（ものご）いをしながら暮らす子供。▽street children

ストリキニーネ フジウツギ科の植物マチンの種子にふくまれるアルカロイド。苦みと猛毒をもつ。神経刺激剤として有効。ストリキニン。▽（オランダ）strychnine

ストリッパー ストリップショーに出演するおどり子。ストリップガール。▽stripper

ストリップ ❶裸になること。❷「ストリップショー」の略。▽strip **―ショー** 〔おどり子が〕音楽に合わせておどりながら、衣装を一枚ずつぬいでいって裸を見せる演芸。ストリップティーズ。▽strip show

ストレート ㊀《形動》まっすぐなようす。また、言い方などが単刀直入なようす。「―に物を言う」㊁《名》❶野球で、直球。❷ボクシングで、腕をまっすぐのばして打つこと。「右―をあびせる」❸同じことが連続していることと。「―のフォアボール」「―で(=一回の受験で)合格する」❹氷を入れたり水や炭酸水でうすめたりしない生(き)のままの洋酒。また、その状態。「ウイスキーを―でのむ」❺ポーカーの役の一つ。マークに関係なく五枚の札の番号がひと続きになっているもの。▽straight

ストレス ❶〔語学〕強さのアクセント。語勢。強勢。❷〔医〕生体に物理的・精神的な刺激が加えられたとき、その生体が示す防衛反応。適応が破れると、種々の病的な変化が起こる。▽stress

ストレッチ ❶〔競馬場・競技場などの〕直線コース。ストレートコース。「ホーム―」❷全身の筋肉と関節を伸ばす柔軟体操。ストレッチング。▽stretch

ストレッチャー 傷病者用の移動式寝台。▽stretcher(=担架)

ストレプトマイシン 土中の放線菌からとった抗生物質の一つ。赤痢・結核・チフスなどによくきく。ストマイ。▽streptomycin

ストロー ❶麦わら。「―ハット(=麦わら帽)」❷飲み物を吸うのに使う細い管。▽straw

ストローク ❶オールで水をかく動作。❷水泳で、腕で水をかく動作。❸〔テニス・ゴルフなどで〕球を打つこと。〔①②③ともに、助数詞的にも使う〕▽stroke

ストロフルス 乳幼児にみられる皮膚疾患。じんましんに似た紅斑(こうはん)の上に水疱(すいほう)・小丘疹(しょうきゅうしん)ができる。▽(ラテン)strophulus

ストロベリー いちご。「―ジャム」▽strawberry

ストロボ 写真撮影用の補助光源として閃光(せんこう)を得る装置。放電管で瞬間的に多量の光を発光させる。参考 商品名が一般化したもの。↓フラッシュ。▽strobo

ストロンチウム アルカリ土類金属元素の一つ。銀白色でやわらかい。元素記号 Sr。参考 同位元素の「ストロンチウム九〇」は、原子爆弾や水素爆弾の爆発によってできる。半減期が長く、有害。▽strontium

すな【砂・×沙】 自然にある鉱物質の非常に小さなつぶ。いさご。まさご。砂子。類語 砂礫(されき)。砂利。
―を嚙(か)・む 《句》あじわい・おもしろみが少しもなく、無味乾燥に感じる。味気ない思いをする。〔多く「砂をかむよう」の形で使う〕

すな-あらし【砂×嵐】 砂漠(さばく)地方で、突風によって起こる砂をまじえたあらし。

すな-え【砂絵】 地面などに、手ににぎった五色の砂を少しずつ落としてえがく絵。参考 大道芸人の芸。

す-なお【素直】(ほ―な)《形動》❶〔性格・態度に〕飾りけがなく、ひねくれていないようす。「―な人柄」類語 質朴。温順。❷人にさからわないようす。「―に言うことを聞く」類語 おとなしい。円満。❸〔物の形が〕ねじまがっていないようす。「―な髪」❹〔技芸などで〕癖がなく、のびのびとしているようす。「―な字」

すな-かぶり【砂▽被り】 相撲で、土俵際の見物席。

すな-ぎも【砂肝】 ↓砂嚢(さのう)②。

すな-けむり【砂煙】 砂が空中にまい上がって、煙のように見えるもの。砂塵(さじん)。類語 水煙(みずけむり)。

すな-ご【砂子】 ❶すな。❷蒔絵(まきえ)や色紙などに模様としてふきつける金箔(きんぱく)・銀箔の粉。

すな-じ【砂地】 砂の多い土地。また、砂ばかりの土地。砂地(すなち)。

すな-ずり【砂▽摩り】 魚の腹の下面の脂肪分に富むところ。

スナック ❶軽い食事。❷「スナックバー」の略。軽い食事を出すスタンド形式の店。また、軽い食事もとれる酒場。▽snack

スナップ ❶衣服の合わせ目をとめる、凹(おう)部と凸(とつ)部が対になった金具。押し合わせてとめる。ホック。❷投げたり打ったりするとき、手首の力をきかせること。❸「スナップショット」の略。「―写真」▽snap **―ショット** ある瞬間の動作をすばやく写真にとること。また、その写真。スナップ。▽snapshot

すな-どけい【砂〈時計〉】 砂を小さな穴から均一に落として時間をはかる、簡単なしかけの時計。

すな-ど・る【▽漁る】《他五》〔文〕魚や貝をとる。漁(りょう)をする。

すな-ば【砂場】 ❶いちめんに砂のある所。砂地。砂原。❷〔跳躍競技や砂遊び用の〕砂を入れて区切った場所。

すな-はま【砂浜】 砂地の海岸。

すな-はら【砂原】 広い砂地。

すな-ぶくろ【砂袋】 ❶砂を多量に入れた袋。消火用・防水用。サンドバッグ。❷「砂嚢(さのう)②」の俗称。

すな-ぶろ【砂風×呂】 〔温泉の蒸気などで〕適度にあたためた砂にからだをうずめて、疲れなどをとる設備。

すな-ぼこり【砂×埃】 こまかい砂のほこり。土ぼこり。砂塵(さじん)。

すな-やま【砂山】 砂でできた山。類語 砂丘(さきゅう)。

すなわち【▽即ち】(すなはち)《接続》❶上に述べたことを、さらに別の語で説明する時に使う。いいかえれば。「詩、―韻文というものは…」❷上に述べたことと次のことがぴったり一致する意味を表す。ほかのものではなく。まさしく。「それが―愛情だ」❸上を受けて下に続け、ある条件があれば当然ある結果に至ることを示す。そうすれば(かならず)。「戦えば―勝つ」表記 ③は「則ち」とも書く。❹上を受けて、さらにことばを続ける。そこで。そして。「川沿いの道を行き、―花を見、句を吟じた」表記 ④は「乃ち」とも書く。

ず-に 《連語》《打ち消しの助動詞「ぬ」の連用形「ず」＋格助詞「に」》❶打ち消しの意を伴って、文を中止する。あるいは、後の動詞を修飾する。…ないで。…ず。「気がつかー、そのまま行ってしまった」❷〔「ある・いる・おく・済む」などの動詞に続けて、補助動詞的に使う〕打ち消しの意を伴った動作の具体的な内容を示す。…ないで。「深くは事情を聞かーおいた」「怒られー済んだ」参考 二重否定「～ずに(は)…ない」などの形では、その動作についての肯定的な気持ちが強調される。「愛さーはいられない」「怒られーは済むまい」

スニーカー 〔音を立てずに歩ける〕ゴム底の運動靴の総称。▽sneakers

ず-ぬ・ける【図抜ける・頭抜ける】《自下一》〔多くのものの中で〕とびはなれる。なみはずれる。ずばぬける。抜群である。「―・けて勉強ができる」

すね【×脛・×臑】 ひざから足首までの部分。下腿(かたい)。はぎ。類語 弁慶の泣き所。
―に傷を持・つ 《句》やましいところがある。特に、〔以前の悪事など〕人に知られては困る事がある。
―を齧(かじ)・る 《句》↓親の脛を齧る。

すね-あて【×脛当(て)・×臑当(て)】 ❶鎧(よろい)の付属具。すねにつけて足を保護するもの。鉄または革で作る。❷↓レガーズ。

スネーク-ウッド ブラジル原産のクワ科の樹木。材は密で堅く、ヘビに似たはん紋がある。材で装飾品・ステッキなどを作る。▽snakewood

すね-かじり【×脛×齧り・×臑×齧り】 親などから学資や生活費をもらっている・こと（人）。類語 親がかり。

すね-もの【×拗ね者】 ひねくれていて他人のいうことを受け入れない人。つむじまがり。

す・ねる【×拗ねる】《自下一》すなおに従わず、ぐずぐずと我を張る。また、そのようにして世間から遠ざかった態度をとる。「世を―・ねる」類語 ひねくれる。へそを曲げる。旋毛(つむじ)を曲げる。文 す・ぬ《下二》。

スノー《造語》「雪の」「雪のときの」の意を表す。「―タイヤ」▽snow **―ボード** 幅広の板に両足を固定して、体を横向きにし、雪の斜面を滑るスポーツ。また、その板。スノボ。▽snowboard **―モービル** 前がそりで、後ろにキャタピラーを持った小型の雪上車。スノーモビル。▽snowmobile

***ず-のう【図×嚢】** 地図などを入れて腰に下げる、革製箱形の小さなかばん。〔旧軍隊の用語〕

***ず-のう【頭脳】** ❶脳。脳髄(のうずい)。❷物事を判断する力。頭のはたらき。知力。「―明晰(めいせき)」❸優秀な知力をもった人。「―の流出」❹〔組織の〕中心になる人(たち)。首脳(部)。「わが社の―」類語 知恵袋。

スノーケル ➡シュノーケル。▽snorkel

す-の-こ【×簀の子】 ❶細い竹を横に並べて編んだもの。❷「すのこ縁」の略。竹や細長い板を少しずつすきまをあけて打ちつけた縁。❸細長い板をすきまをあけて枠に張ったもの。土間や水の流れる所に敷く。

スノッブ 紳士気取り。俗物。えせ紳士。▽snob

スノビズム 紳士気取り。俗物根性。▽snobbism

す-の-もの【酢の物】 生のままの新鮮な魚介類や野菜を酢にひたした料理。

ず-ば《連語》**文語**《打ち消しの助動詞「ず」＋接続助詞「ば」》打ち消しの意を伴った仮定条件を表す。もし…ないならば。「静かにせ**ずば**聞こえまい」参考 強調して「ずんば」とも。「会わ**ずんば**心休まらず」

スパーク《名・自サ》電気のプラスとマイナスがふれあって火花を出すこと。また、その火花。▽spark

スパート《名・自サ》競走・競泳などで、急に速度をまし、全力をふりしぼること。「ラスト―」▽spurt

スパーリング《名・自サ》ボクシングで、重いグローブをつけて試合形式で行う練習。▽sparring

スパイ《名・他サ》敵側の機密情報をさぐり出す・こと（人）。間諜(かんちょう)。密偵。「産業―」▽spy

スパイク ❶〔すべらないように〕競技用の靴の底につける金具。❷「スパイクシューズ」の略。底にスパイク①のとりつけてある靴。❸《名・他サ》スポーツで、スパイク①で他の選手を傷つけること。❹《名・他サ》バレーボールで、打ち上げたボールをジャンプして相手のコートに強く打ちこむこと。▽spike

スパイス 香辛料。薬味。「―をきかせる」▽spice

スパイラル ❶らせん（状のもの）。❷〔経〕悪循環。「デフレ―」▽spiral

スパゲッティ パスタの一つ。細い棒状の、穴のないめん。スパゲティ。▽(イタリア) spaghetti

す-ばこ【巣箱】 小鳥が巣を作りやすいように、人がこしらえてかけておく箱。

す-ばしこ・い《形》〔動作が〕非常に速いようす。敏捷(びんしょう)である。すばしっこい。類語 すばやい。

すぱ-すぱ《副》(「―と」の形も)❶物を続けて勢いよく切るようす。「大根を―切る」❷たばこを続けて勢いよく吸うようす。

ずば-ずば《副》(「―と」の形も)遠慮なく、また容赦(ようしゃ)なく言ったりしたりするようす。類語 ずけずけ。

す-はだ【素肌・素×膚】 ❶化粧をしないそのままの肌。「―が美しい」❷下着などをつけない肌。

スパッツ ❶細身で脚をぴったり包む、タイツのようなパンツ。❷くつの上部に付けるおおい。足首をおおい、保温・どろよけなどに用いる。▽spats

スパナ ボルトやナットの頭をはさんで、しめつけたりゆるめたりする器具。レンチ。▽spanner

す-ばなし【素話】 ❶酒食・茶菓などを供さず話だけをすること。❷鳴り物のはいらない落語。

す-ばなれ【巣離れ】《名・自サ》ひなが成長して巣から出て行くこと。巣立ち。

スパニッシュ《造語》❶スペイン（人）の。❷スペインふうの。「―料理」▽Spanish

ずば-ぬ・ける【ずば抜ける】《自下一》ふつうの程度をはるかにこえる。ずぬける。「―・けて足が速い」

す-はま【州浜・×洲浜】 ❶海に突き出た州(す)のある、曲線状の浜べ。❷州浜①の形に作り、上に木石・花鳥などをかざった台。宴席などにかざる。すはまだい。❸大豆粉・水あめ・砂糖などを練り込んだ棒状の和菓子。

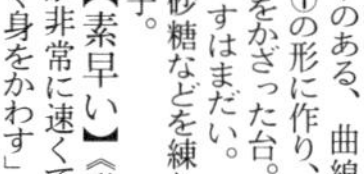
州 浜 ②

す-ばや・い【素早い】《形》動作や頭の働きが非常に速くて見事である。「―・く身をかわす」類語 手早い。すばしこい。

すばらし・い【素晴らしい】《形》❶心をときめかすばかりに、非常にすぐれている。「―・い発想」❷程度がはなはだしい。「―・く速い」文 すばら・し《シク》。

ずばり《副》(「―と」の形も)❶刀などで一気に気持ちよくたち切るようす。❷物事の急所を正確につくようす。単刀直入にはっきり言うようす。ずぱり。「言いにくいことを―と言う」「欠点を―と指摘する」

すばる【×昴】(「統(す)ばる（＝一つにまとまる）」から)〔天〕おうし座にある「プレアデス星団」の和名。二十八宿の一つ。すばる星。六連星(むつらぼし)。

スパルタ-きょういく【スパルタ教育】〔古代ギリシアの都市国家スパルタで行われた厳格な鍛錬を主とする教育から〕きびしい教育。スパルタ式教育。

スパン ❶橋脚間の距離。径間。❷ある一定の期間。「長い―で考える」▽span（＝全長）

ず-はん【図版】 書物の中に印刷してある図。

スパンコール ❶金属やプラスチック製の小さな薄片。光を反射して輝くので舞台衣装や夜会用の衣服などに縫いつけて飾りとする。＝スパングル。▽spangle から。❷ストリッパーが乳首につける銀紙。

スピーカー ❶テレビ・ラジオ・オーディオ装置などで、電気信号を音波にかえる装置。❷「ラウドスピーカー」の略。拡声器。❸うわさ話を広める人。▽speaker

スピーチ 人の前でする話。（短い）演説。特に、テーブルスピーチ。▽speech

スピーディー《形動》動きがはやいようす。敏速。「問題を―に処理がてきぱきと行われるようす。また、物事

する」▽speedy

スピード ❶速さ。速度。速力。「―をあげる」❷速度のはやいこと。「―写真」▽speed **―アップ**《名・自他サ》速度がはやまること。また、速度をはやめること。「作業の―を図る」対スピードダウン。▽speed-up

***す-びき【巣引き】**《名・自サ》飼っている鳥が飼育箱の中に巣を作ってひなを育てること。

***す-びき【素引き】**《名・他サ》矢をつがえないで、弓の弦を引いてその強さをためすこと。

す-びつ【▽炭×櫃】〔古〕いろり。炉。また、一説に火鉢の類を指すともいう。

スピッツ ドイツ原産の小形犬。毛は白くて長い。かん高い声でよくほえる。愛がん用。▽(ドイツ) Spitz

ず-ひょう【図表】 数量の関係などを直線・曲線・数字などによって表したもの。グラフ。

スピリット 精神。「ファイティング―」▽spirit

スピロヘータ ❶糸状のらせん形をした微生物の総称。❷梅毒などの病原体スピロヘータパリダの俗称。▽(ラテン) spirochaeta

スピン ❶テニス・卓球・ボウリングなどで、球に回転をあたえること。「―をかける」❷きりもみ降下。❸フィギュアスケート・ダンスなどで片足先で立って一か所でこまのように回転すること。❹《名・自サ》自動車で、急ブレーキ・急ハンドルなどのため、後輪が空転して車体が横すべりすること。▽spin

スピンドル ❶旋盤などの主軸。また、機械類の小軸。❷紡績機械で、糸を巻きとるボビンをはめる小軸。錘。❸「スピンドル油」の略。透明で比較的粘度が低い潤滑油。軸受けなどに用いる。▽spindle

スフ「ステープルファイバー」の略。化学繊維からつくる短い紡績用繊維。また、それを原料にして織った布。

ず-ふ【図譜】 同類のものの図を広く集めて説明をほどこし、書物にまとめたもの。「服飾―」

ずぶ《副》《多く「―の」の形で使う》全く。全然。まるっきり。「―の素人」

スフィンクス ❶古代エジプトやアッシリアなどで、王宮・墓・神殿などの入り口にたてられた、顔は人間で、からだがライオンの形をしている巨大な石像。❷ギリシア神話の怪物。通行人になぞをかけ、そのなぞがとけない者を殺したという。▽① sphinx ② Sphinx

スプーン ❶さじ。❷ゴルフのクラブで、ウッドの三番の通称。▽spoon

す-ぶた【酢豚】 中国料理で、揚げたぶた肉と、油でいためた野菜類とを甘酢あんでからめたもの。

ず-ぶと・い【図太い】《形》神経が太くて、何事にもびくともしないようす。のぶとい。類語ずうずうしい。

ずぶ-ぬれ【ずぶ×濡れ】 びしょぬれ。

す-ぶり【素振り】 ❶剣・木刀・竹刀などを大上段から中段まで上下に振ること。❷ボールを用いず、バットだけ振ること。注意「そぶり」と読めば別語。

ずぶり《副》《「―と」の形も》〔やわらかいものに〕物が勢いよくつきささるようす。

スプリット・タイム 長距離のスピード競技で、一定距離ごとの所要時間。▽split time

スプリング ❶ばね。❷春。「―セール」❸「スプリングコート」の略。春・秋に着る薄手のコート。▽spring **―ボード** ❶跳躍・飛びこみの踏み切りに使う板。飛び板。❷物事の発展するときや飛躍するときの契機。「転職が―となる」▽springboard

スプリンクラー ❶天井などにとりつける自動消火装置。火災のときに自動的に散水する。❷畑・庭園などに立てて灌漑用の水を周囲に吹き出させる装置。同①②散水器。▽sprinkler

スプリンター 陸上競技や水上競技などの短距離選手。▽sprinter

スプリント ❶短距離競技。❷短い距離を全力を出して走る(泳ぐ)こと。また、その技術。▽sprint

スフレ 卵白を泡立て、ソースなどを加えて天火で焼いた料理や洋菓子。▽(フランス) soufflé

スプレー ❶《名・他サ》液体を霧状にして吹きつけること。❷噴霧器。霧吹き。❸〔噴霧式の容器に入った〕吹きつけて使う薬剤・整髪料。「ヘアー―」▽spray

すべ【▽術】 手段。方法。〔古風な言い方で、ふつう下に否定の語を伴う〕「なす―を知らない」

スペア ❶予備(の品)。補充品。かえ。❷ボウリングで、二回目の投球で全部のピンを倒すこと。▽spare

スペアリブ 豚の肉付きあばら骨。▽spareribs

スペース ❶あいている場所。空間。❷宇宙空間。❸紙面の余白。❹紙面。「―をさく」▽space **―シャトル** アメリカが開発した、くり返し使用できる有人宇宙船。▽space shuttle

スペード トランプで、黒い♠形をえがいた札。また、その形。▽spade

すべからく【×須(らく)】《副》〔文〕なすべきこととして。ぜひとも。当然。「―努められんことを」参考多く、下を「べし」でむすぶ。「―勉励すべし」

スペキュレーション ❶投機。思わく買い。❷トランプで、スペードのA(エース)。▽speculation

すべ-くく・る【統べ▽括る】《他五》全体をまとめてとりしまる。統括する。

スペクタクル ❶壮観。美観。見もの。❷映画・演劇で、大がかりで、はでな場面。また、そのような場面の多い映画。「一大―」▽spectacle

スペクトル ❶可視光線その他の光を、プリズムや回折格子で分解したとき得られる成分が、波長の順にならんだもの。❷複雑な組織をもつ対象を単純な成分に分けて質量などの順に配列したもの。▽(フランス) spectre

ずべ-こう【ずべ公】〔俗〕不良少女。

スペシャリスト 特殊な技術・技能をもった人。専門家。▽specialist

スペシャル《造語》特別の。特製の。「―ランチ」「―メニュー」▽special

すべ-すべ《副・自サ》《副詞は「―と」の形も》〔つやがあり〕なめらかなようす。「―した肌」

すべた〔俗〕❶顔のみにくい女。〔ののしって言うことば〕❷節操のない女。ぶおんな。しこめ。

スペック 仕様書。また、仕様。▽specification の短縮形 specs から。

すべ-っ-こ・い【滑っこい】《形》〔俗〕すべすべしている。なめらかである。滑りやすい。「―・い手ざわり」

すべ-て【▽総て・▽凡て・▽全て・×渾て】 ㊀《名》たくさんあるものの全部。「―の権利を放棄する」㊁《副》ことごとく。どれもこれも。「計画は―だめになった」

すべり-こ・む【滑り込む】《自五》❶滑ってはいる。滑るようになめらかにはいる。「電車がホームに―・む」❷きまった時間にやっと間にあうように着く。「集合時間ぎりぎりに―・む」❸〔スキー・スケートなどで〕練習のため、よく滑ってからだをならす。

すべり・だい【滑り台】 傾斜をつけたなめらかな板の上を滑り下りるように作った、遊戯用の設備。

すべり・だし【滑り出し】〔物が滑り始めることから〕物事の始め。ではじめ。でだし。「試合の━は上々だ」

すべり・どめ【滑り止め】 ❶滑るのを防ぐためのもの。特に、階段のかどにとりつけて足が滑るのを防止するもの。❷〔俗〕目的の学校以外に別の学校も受験しておき、どこの学校にも入学できなくなることを防ぐこと。

スペリング アルファベットで書く、ことばの字のつづり(方)。つづり字(法)。スペル。▽spelling

＊す・べる【滑る・×辷る】《自五》❶物の表面をなめらかに動いて行く。「雨戸がよく━・る」❷雪や氷などの上をスキー・スケートなどをはいて滑走する。「雪山を━・って降りる」❸踏みつけた足が移動してよろける。「雪道で━・って骨折した」❹つかもうとする物が、うまくつかめず手をはなれる。「手が━・る」❺言ってはいけないことをうっかり言う。「口が━・る」❻〔俗〕試験に落ちる。落第する。「大学入試に━・る」文《四》。**━・ったのころんだの【━ったの転んだの】**《連語》〔言い訳や文句を〕ああでもないこうでもないと、うるさく言い続けること。

＊す・べる【統べる・▽総べる】《他下一》〔多くの物の全体をまとめて一つにする意から〕支配する。統一する。治める。「全軍を━・べる」文す・ぶ《下二》。

スペル スペリング。▽spell

スポイト 端にゴムのふくろがついたガラスの管。インクや薬品などを吸いあげ、他の入れ物に移し入れるのに使う。▽(オランダ)spuit

スポイル《名・他サ》〔性質・気持ちなどを傷つけて〕人を台無しにすること。〔甘やかして〕だめな人間にすること。「母親に━された一人っ子」▽spoil

スポーク 自転車などの車輪を軸から支えている放射線状の細い棒。輻(や)。▽spoke

スポークスマン 政府・団体の意見を報道機関へ発表する担当者。また、代弁者。▽spokesman

スポーツ 運動競技の総称。▽sports **━マン** スポーツ選手。また、スポーツの愛好者。▽sportsman **━マン・シップ** 明るく正々堂々とたたかうスポーツマンの態度・精神。▽sportsmanship

スポーティー《形動》〔服装などが〕活動しやすいようす。「━なブラウス」対ドレッシー。▽sporty

す・ぼし【素干し・素▽乾し】《名・他サ》〔野菜などを〕日光や火にあてないでかわかすこと。類語陰干し。

ず・ぼし【図星】〔的の中心の黒い点の意から〕目あての所。大事な点。「━をさされる(=思わくが指摘どおりである)」

スポット ❶空港で、旅客が乗降したり貨物の積みおろしをしたりするために飛行機がとまる場所。駐機場。❷「スポットライト」の略。❸「スポットアナウンス」の略。▽spot(=点。地点) **━アナウンス** 放送で、番組と番組の間、または番組中にいれる短いアナウンス。スポット。▽spot announcement から。**━ライト** 舞台の一部分だけを集中して照らし出すためにあてる光線。「世間の━をあびる(=世間の注目をうける)」▽spotlight

すぼま・る【×窄まる】《自五》よりすぼんだ状態になる。文《四》。

すぼ・む【×窄む】《自五》❶ふくらんだ物が、ちぢんで小さくなる。しぼむ。「風船が━・む」❷〔広がった物の〕先が細くなる。せまくなる。「口の━・んだびん」❸〔勢いが〕おとろえる。「勢力が━・む」文《四》。

すぼ・める【×窄める】《他下一》すぼむようにする。「口を━・めて笑う」文すぼ・む《下二》。

ずぼら《名・形動》〔俗〕仕事や生活にけじめをつけず、だらしがないこと。「━な性格」

ズボン 男子の洋服で、下半身にはくもの。筒形で、股(また)から下が二つに分かれ、両足を別々におおう。参考→スラックス。▽(フランス)jupon

スポンサー ❶商業放送で、番組を提供する広告主。❷資金を出してくれる人。出資者。▽sponsor

スポンジ ❶海綿。❷海綿状のゴム。また、弾力のある多孔質の合成樹脂。▽sponge **━ケーキ** 泡立てた卵、砂糖、小麦粉などをまぜて海綿状にふんわり焼き上げた洋菓子。▽sponge cake **━ボール** 軟式野球などで使うゴム製のボール。軟球。▽sponge ball

スマート《形動》❶〔現代風で〕洗練されているようす。あかぬけしているようす。「━に着こなす」「━な会話をたのしむ」❷からだつきやものの形がすらりとして美しく、格好がよいようす。「━な女性」▽smart

すまい【住(ま)い】 ❶住むこと。参考多く、接尾語的に「…ずまい」の形で使う。「一人━」「借家━」「わび━」❷住んでいる所。家。「静かで落ちついた━」「仮の━」類語住所。表記②は「住居」とも当てる。

スマイル 微笑。ほほえみ。▽smile

す・まう【住まう】《自五》場所をきめて、そこに〔ずっと〕住みつく。住みつづける。住む。文《四》。

す・まき【×簀巻(き)】 ❶簀で巻くこと。❷昔の私刑で、簀で人間のからだを巻いて水中に投げこむもの。

すまし【澄(ま)し・▽清し】 ❶「すましじる」の略。表記「清汁」とも当てる。❷酒席で杯を洗うための水。❸きどること。態度などを改めること。「━屋」「━顔」

す・まじき《連語》〔文〕してはいけない。すべきではない。〔連体詞的に使う〕「━ものは宮仕え」

すまし・じる【澄(ま)し汁・▽清(し)汁】 吸い物。すまし。

＊す・ます【済ます】 ㊀《他五》❶なしとげる。し終える。「食事を━・す」❷〔借りを〕返す。返済する。「借金を━・す」❸おさめる。解決する。「笑いごとでは━・されない」❹それでよいとする。間に合わせる。「朝飯はパン一きれで━・す」=済ませる。文《四》。㊁《接尾》「すっかり…する」「うまく…しおおせる」の意。「し━・す」「成り━・す」文《四》。

＊す・ます【澄ます・▽清ます】 ㊀《他五》❶液体の濁りを除いて、澄んだ状態にする。「水を━・す」❷心を落ち着かせて、注意を集中する。「耳を━・して聞く」文《四》。㊁《自五》まじめそうな顔つきをする。知らん顔をする。「つんと━・す」類語気取る。文《四》。㊂《接尾》❶「精神を集中して…する」の意。「行い━・す」❷「すっかり…する」の意。「研ぎ━・す」文《四》。

スマッシュ《名・他サ》テニス・卓球などで、たまを上から強くたたきつけるように相手のコートに打ちこむこと。また、その打球。スマッシング。▽smash

すま・な・い【済まない】《連語》謝罪や感謝や依頼の気持ちを表すときに使うことば。申し訳ない。すまん。「本当に━・い」「席を譲ってもらって━・い」「━・いけれど手伝ってくれないか」参考→すむ(済む)④。

＊すみ【墨】 ❶東洋ふうの書画をかくのに使う材料で、質

のよい油煙を、にかわで固めたもの。また、それを硯で すった黒い汁。「―をする」[参考]「一丁（梃・挺）…」と数える。[類語]墨汁。❷黒い色。すみ色。「―一色」❸〔イカ・タコなどが出す〕黒い汁。❹すす。「なべ底の―」❺「すみいと」の略。「―を打つ」

*すみ【済み】物事がすんでいること。「代金は―」[参考]多く、接尾語的に「…ずみ」の形で使う。「売約―」

―と雪《句》性質が正反対のもののたとえ。氷と炭。

*すみ【炭】❶木が焼けて黒く残ったもの。❷木炭。

*すみ【隅・▽角】囲まれた平面・空間のかど。中央ではない所。「―から―まで」「四―」[類語]一隅。一角。

―に置けな・い《句》思いのほかに力量・技量・知識があって、あなどれない。[類語]抜け目がない。

すみ-いと【墨糸】大工道具の墨壺についている、墨汁を含ませる糸。材木の面にまっすぐ張り、指ではじいて黒い線をつける。すみなわ。すみ。

すみ-いろ【墨色】❶黒い色。すみ。❷書いたり、染めたりした墨の濃淡・色つや。墨色。

すみ-うち【墨打(ち)】墨糸で線をつけること。

すみ-え【墨絵】水墨画。

すみ-か【住▽処・×栖・住家・×棲家】❶住んでいる所。すまい。[類語]住所。❷特に、良くないものの住む所。「悪霊の―」[表記]「住家」「棲家」は当て字。

すみ-か・える【住み替える】《他下一》❶住む・場所（家）をかえる。❷住み込みの使用人・芸者などが雇い主をかえる。

すみ-かき【炭×掻(き)】炭をかきよせる道具。鉄製で、先がかぎ状になっている。

すみ-がき【墨書(き)】《名・他サ》❶墨だけで絵をかくこと。また、その絵。❷日本画の下絵として墨で線がきをすること。また、その絵。

すみ-がね【墨金】❶金属製で直角に曲がったものさし。まがりがね。かねじゃく。❷すみがね①を使って木材に工作用の墨付けをする技術。規矩術。

すみ-がま【炭窯・炭×竈】炭焼きがま。

すみ-き・る【澄み切る】《自五》少しのくもりもなく晴れわたっている。「―・った空」「―・った心境」

すみ-こみ【住(み)込み】雇われて、その家で寝起きして働くこと。「―の店員」[対]通い。

すみ-ずみ【隅隅】あちこちの隅。すべての隅。また、あらゆる方面。「―まで掃除する」

す-みそ【酢味×噌】酢をまぜてすったみそ。あえものに使う。

すみ-ぞめ【墨染(め)】❶黒い色に染めること。❷黒い色の僧衣。❸ねずみ色の喪服。

すみ-つき【墨付き】❶墨のつきぐあい。❷墨でかいた筆のあと。筆跡。❸→おすみつき。

すみ-つぎ【墨継ぎ】❶筆にふくませた墨が少なくなったとき、さらに筆に墨をふくませて書くこと。❷短くなった墨をはさんで磨するためのもの。すみばさみ。

すみ-つ・く【住み着く】《自五》そこをすみかとして落ちつく。「当地に―・いて三十年」

すみ-っ-こ【隅っこ】すみ。〔くだけた言い方〕

*すみ-つぼ【墨×壺】❶墨汁を入れるつぼ。❷大工道具で、木材・石材などに直線をつけるもの。車に巻かれた墨糸が、墨汁にひたした綿の中を通って外に出るようにし、その墨糸を指ではじいて線をつける。

*すみ-つぼ【炭×壺】炭火を入れ、ふたをして消すつぼ。火消しつぼ。

すみ-てまえ【炭手前】茶の湯で、炉に炭をついだり、火をかき立てたりする・こと（作法）。

すみ-とり【炭取(り)】炭を小出しにして入れておくかご・箱。すみとりかご。すみかご。

すみ-ながし【墨流し】墨や染料を水面におとした時にできる乱れた波状のもように紙や布をあててうつしとり、そめつける・こと（方法）。また、その模様。

すみ-な・れる【住み慣れる・住み×馴れる】《自下一》長く住んで、その家・土地になれる。

すみ-なわ【墨縄】墨糸。

すみ-び【炭火】木炭でおこした火。炭の火。

すみ-ぶくろ【墨袋】イカの墨がはいっているところ。

すみ-ませ-ん【済みません】《連語》「済まない」の丁寧語。「御迷惑をかけてどうも―」[参考]（ア）なまって、「すいません」とも言う。（イ）→すむ（済む）④。

すみ-やか【速やか】《形動》物事の行われ方がてまどらず、はやいようす。「―に事を運ぶ」

すみ-やき【炭焼(き)】木炭を作る・こと（人）。

すみよし-づくり【住▽吉造(り)】神社建築の一様式。切妻造りで、屋根にそりがなく、むねに千木と鰹木を置く。

すみれ【×菫】スミレ科の多年草。根元から多数の葉が出る。春、こい紫色のかわいらしい花を開く。

すみ-わけ【×棲み分け】《名・自サ》生活様式の似た生物同士が、空間的・時間的な重なりを持たないようにして同じ生活環境を分け合うこと。

すみ-わた・る【澄み渡る】《自五》〔空や広い水面が〕一面に澄む。「青く―・った秋の空」

*す・む【住む・×棲む】《自五》❶居所を定めて、そこで生活をする。住まう。「静岡に―・む」[類語]住み着く。居着く。在住。定住。現住。寄留。居留。❷〔ある領域の中に〕身をおく。「我々とは―・む世界が違う人間」❸〔動物が〕巣を作ってすみかとする。生息する。「熱帯地方に―・む鳥」[表記]③は「棲む」と書くか、かな書きにすることが多い。[文]《四》。

―めば都《句》どんな所でも住みなれると、それなりに結構よい所だと思うようになるということ。

*す・む【済む】《自五》❶物事が終わる。完了する。「授業が―・む」❷かたがつく。解決する。「金で―・む問題ではない」❸用が足りる。間に合う。「電話で―・む話だ」❹申し訳が立つ。義理が立つ。〔多く打ち消し・反語の形で使う〕「そんなことで世話になった人に―・むか」[参考]→すまない・すみません。[文]《四》。

*す・む【澄む・▽清む】《自五》❶濁りがなく、すきとおる。「―・んだ水」[対]濁る。❷曇りがなく、はっきりする。「―・んだ秋の空」❸雑音がまじらず、音がさえる。「―・んだ笛の音」[対]濁る。❹心配・邪念がなく、心がすがすがしくなる。「心が―・んでさわやかだ」❺〔濁音を「濁る」と言うのに対し〕清音である。「『百代』の『だい』は、昔は―・んで読んだ」[対]濁る。[文]《四》。

スムーズ《形動》物事がとどこおらずすらすらと運ぶようす。スムース。「式は―にとりおこなわれた」▽smooth

すめら-みこと【▽皇▽尊・▽天▽皇】〔文〕天皇。すめらぎ。

す-めん【素面】❶〔剣道で〕面をつけないこと。❷酒を飲んでいないこと。また、そのときの顔。しらふ。

ず-めん【図面】土木工事・建築物・機械などの構造・設計を明らかにした図。設計図。[類語]青写真。

すもう【〈相撲〉・▽角▽力】❶土俵の内で二人が組み合ったり押し合ったりして倒すか土俵外に出すかで勝負を争う競技。日本の国技とされる。「―を取る」❷「すもう取り」の略。すもうをとることを職業とする人。力士。

―に勝って勝負に負・ける《句》相撲の取り口では相手を圧倒していながら、結局負けてしまう。

―にならな・い《句》力の差が大きすぎて勝負にならない。

スモーキング たばこを吸うこと。喫煙。「ノー―（＝禁煙）」▽smoking

スモーク ㊀《名》❶けむり。❷舞台などで使う発煙筒。また、その煙。❸煙のような灰色。▽smoke ㊁《造語》「煙でいぶした」「薫製の」の意。「―サーモン」「―チーズ」▽smoked から。

す-もじ【酸文字】「すし」の女房ことば。〔多く「お―」の形で使う〕

スモック ゆったりした上っ張り。女性・子供用、あるいは作業着・事務服として用いる。▽smock

スモッグ 大都会で、工場や車などから出る煙やすすなどの汚染物質が原因となって大気中に発生する、霧のようなもの。煙霧。「―に覆われた空」▽smog

す-もどり【素戻り】目的・用事を果たさないで帰ってくること。

す-もも【×李】バラ科の落葉小高木。春、葉よりも先に白い花をひらく。果実は赤または黄赤色で、すっぱい。食用・薬用。

スモン-びょう【スモン病】「非特異性脳脊髄炎症」の通称。大腸炎症ののち、しびれが足先から始まり上方へ進行し、視力も減退する。キノホルム剤の服用による。参考 スモン(SMON)は、subacute（＝亜急性）myelo（＝脊髄）-optico（＝視神経）-neuropathy（＝末梢神経症）の頭文字をとったもの。

す-やき【素焼（き）】❶陶器で、うわぐすりをかけないで、低い温度で焼くこと。また、その陶器。「―の皿」❷魚肉などを調味料を何もつけずに焼くこと。また、その魚肉。しら焼き。

すや-すや《副》（「―と」の形も）静かによく眠っているようす。「―と眠る」

ず-よう【図様】〔文〕図がら。もよう。

す-よみ【素読み】《名・他サ》❶素読。❷原稿と照合せず、校正刷りだけを読んで校正すること。

すら《副助》❶予想外の甚だしい事例をあげるのに使う。「頼りなげにすら見える」❷〔「…すら…ない」の形で〕極端な事例を示して、「だから、他はまして」と、その事柄の甚だしいさまを暗示するのに使う。「当人すら気づかなかった」「一粒の涙すら流さない」参考「さえ」よりは文語的。また、「さえ」と異なり、仮定条件句の中で使う用法はない。↓さえ③。

スラー 楽譜で、音の高さの異なる二つ以上の音符を結んだ弧線状の記号。「滑らかに演奏せよ」の意を表す。参考↓タイ③。▽slur

スライス《名・他サ》うすく切ること。また、その切った一片。「レモンの―」▽slice

スライダー 野球で、変化球の一種。打者のそばで水平に外角にすべるように曲がるたま。▽slider

スライディング《名・自サ》❶（滑らかに）すべること。滑走。❷野球で、すべりこみ。「ヘッド―」▽sliding

―システム 物価の動きに応じて賃金を上げ下げする制度。スライド。スライド制。▽sliding system

スライド ❶《名・自他サ》すべること。また、すべらせること。❷《名・自他サ》ある数量に対応して他の数量を移動させること。また、移動すること。「年金を物価上昇に―させる」❸幻灯機。また、幻灯機の、フィルムをすべらせて投影する装置。また、それに用いるフィルム。❹スライドガラス。顕微鏡で観察材料をのせる透明のガラス板。❺スライディングシステム。▽slide **―せい**【―制】↓スライディングシステム。

ずらか・る《自五》〔俗〕逃げて姿をかくす。

ずら・す《他五》❶物をすべらせるようにして少し位置をかえる。「机を―・す」❷〔日時・日程を〕重ならないように他に動かす。「集合時刻を一時間―・す」文《四》。

すら-すら《副》（「―と」の形も）物事が順調に行われるようす。「文章を―書く」「―と答える」

スラッガー 野球で、長打力のある打者。長距離打者。強打者。▽slugger

スラックス ズボン。特に、替えズボン。参考 男性用・女性用ともにいう。▽slacks

スラッジ ❶汚泥。へどろ。❷タンクやボイラーなどの底にたまる沈殿物。▽sludge

スラッシュ ❶文章中で使う斜線の記号。「／」。区切りや「または」の意などをあらわす。スラッシ。❷裏地・下着を見せるために入れる上着の切り込み。▽slash

スラブ ヨーロッパ東部・中部に住む、インドヨーロッパ語族のスラブ語派に属する民族の総称。ロシア人・ポーランド人・ブルガリア人など。▽Slav

スラム 大都市で、所得の低い人々が密集して住む区域。貧民街。「―街」「―化」▽slum

すらり《副》（多く「―と」の形で）❶物事がとどこおりなく進むようす。❷刀を一息に抜くようす。❸背が高く、スタイルのよいようす。「―とした容姿」

ずらり《副》（「―と」の形も）〔同じようなものが〕たくさん並ぶようす。「強打者が―と並ぶ」

スラローム スキーで、回転競技。▽slalom

スラング 特定の社会集団だけで通用する俗語。類語 隠語。▽slang

スランプ 心身の調子が一時的におちてふるわなくなること。また、仕事などが一時的に行きづまり、順調に進まなくなること。「―に陥る」▽slump

***すり**【刷り】❶印刷すること。❷印刷したもの。また、印刷のできばえ。「―の具合をみる」「多色―」

***すり**【×掏×摸】他人の懐中物・携帯品などをこっそりとすばやく盗み取る・こと（人）。きんちゃく切り。ちぼ。類語 箱師。ごまの灰。

ずり〔北海道で〕採鉱・選鉱の際に除去される、不用のまたは価値のない鉱物や岩石。

ずり-あが・る【ずり上がる】《自五》❶ずれて少し上に上がる。❷少しずつ高い地位に上がる。

すり-あし【×摺（り）足】足を地面にすりつけるようにして静かに歩くこと。また、その歩き方。

すり-あわせ【擦り合（わ）せ・×摺り合（わ）せ】❶機械で、ぴったりと接触するように部品をやすりなどでみがくこと。❷〔ひゆ的に〕意見や計画などを一つにまとめるために、双方をつき合わせて調整すること。

スリー 三。みっつ。▽three **―クォーター** ❶ラグビーで、ハーフバックとフルバックとの間に位置する四人の選手。スリークォーターバック。略語 TB。❷野球で、斜め上からの投法。▽three quarters **―サ**

イズ〔人体の〕バスト(B)・ウエスト(W)・ヒップ(H)のそれぞれの寸法。▽three と size からの和製語。

スリーピング・バッグ シュラーフザックのこと。寝袋。▽sleeping bag

スリーブ 洋服の腕の部分。そで。「ノー―」▽sleeve

すり・うす【▽磨(り)×臼】 もみをすり落として玄米にするのに使う、うす。からうす。とううす。するす。

すり・え【×摺(り)×餌】(ゑ) すりつぶした小鳥のえさ。

ずり・お・ちる【ずり落ちる】《自上一》ずれて落ちる。ずれてさがる。「眼鏡が―・ちる」

すり・か・える【▽摩り替える・×掏り替える】(―かへる)《他下一》内容をわからないようにそっと別のものに取りかえる。「問題の本質を―・える」

すり・ガラス【▽磨りガラス】 表面を金剛砂(こんごうしゃ)などでこすって、光沢を消した不透明なガラス。くもりガラス。つやけしガラス。

すり・きず【擦(り)傷・擦(り)×疵】 物にすれて皮膚にできた傷。擦過傷。〔物にできたきずにも言う〕

すり・きり【×摺(り)切り】 さじや入れ物に入れた、粉状・粒状のものをたいらにならして、余りを取りさること。「―一杯」

すり・き・る【擦り切る・▽摩り切る・×摺り切る】《他五》❶こすって切る。❷金銭などを使いはたす。

すり・き・れる【擦り切れる・▽摩り切れる・×摺り切れる】《自下一》こすれて切れる。

すりこ・ぎ【×擂(り)粉木】 すりばちで物をすりつぶすときに使う木の棒。れんぎ。あたりぎ。

―で腹を切る《句》不可能なことのたとえ。

すり・こみ【刷(り)込み】(imprinting)動物の学習の一種。生後間もない時期に見聞きしたものを特別なものとして認識・記憶すること。鳥のひなが最初に見たものを親と思い込む、など。

***すり・こ・む【刷り込む】**《他五》印刷面の一部に別の要素のものを加えて刷る。「名刺の裏に英文を―・む」

***すり・こ・む【擦り込む・▽摩り込む】**《他五》❶こすりつけて中へ入れる。こすってつける。「軟膏(なんこう)を―・む」❷すりくだいて他の物とまぜる。「味噌(みそ)の中にサンショウを―・む」〔表記〕②は「擂り込む」とも書く。

スリット スカートや上着のすそなどに入れる切り込み。▽slit

スリッパ つっかけてはく、西洋ふうの室内用上ばき。▽slippers

スリップ ❶《名・自サ》すべること。特に、自動車が横すべりすること。「―事故」❷女性用の下着の一つ。肩かららつってひざの上までおおう。上着のすべりをよくし、服の形をととのえる。〔類語〕シュミーズ。▽slip

すり・つぶ・す【▽磨り×潰す・×擂り×潰す】《他五》❶すってこまかくくだく。すって形をなくす。「ジャガイモを―・す」❷財産をすっかりなくす。

すり・ぬ・ける【擦り抜ける・×摺り抜ける】《自下一》❶大勢の人の間や狭いものの間をぬって通り抜ける。「人ごみを―・ける」❷〔他のことにまぎらして〕まぬかれる。「その場はうまく―・けた」

すり・ばち【×擂(り)鉢】 すりこ木ですって食物を細かくくだくのに使うはち。〔参考〕商家では「磨(す)る」と音が通ずるのを忌んで「あたりばち」と言う。

すり・ばん【擦(り)半・×擂(り)半】 ❶「擦り半鐘」の略。❷火事が近いこと。

すり・ばんしょう【擦(り)半鐘・×擂(り)半鐘】 火事が近くであることを知らせるために半鐘をつづけざまに打ち鳴らすこと。また、その音。

すり・ひざ【擦(り)×膝・▽磨(り)×膝】 ひざがしらで、たたみをこすりながら進むこと。

すり・へら・す【▽磨り減らす・▽摩り減らす】《他五》❶他の物にすりつけたり、他の物でこすったりしてへらす。❷心身をひどく使って、つかれさせる。「神経を―・す」❸少しずつなくす。「身代を―・す」

すり・み【×擂(り)身】 魚肉をたたいて、すりつぶしたもの。「イワシの―」

スリム《形動》体つきなどが、ほっそりしているようす。細身のようす。「―な女性」▽slim

すり・む・く【擦り×剝く】《他五》物にこすって皮をむく。こすって傷がつく。「ころんでひざを―・く」

すり・もの【刷(り)物】 印刷したもの。印刷物。

ず・りょう【▽受領】〔前任者から職務を引きつぐ意〕諸国司の長官。任地に行かない名目だけの国守(=遥任)に対して、赴任して政務をとる国守。

すり・よ・る【擦り寄る】《自五》❶すれあうほど近くに寄る。❷いざって近寄る。「病床へ―・る」

スリラー〔映画・小説などで〕観客や読者をぞっとさせるように作った作品。スリラー物。「―小説」▽thriller

スリリング《形動》スリルを感じさせるようす。はらはら、またぞくぞくするようす。「―な場面」▽thrilling

スリル ぞっとして冷や汗をかくような感じ。ひやひやする気持ち。戦慄(せんりつ)。「―とサスペンス」▽thrill

***す・る【刷る・×摺る】**《他五》❶版木などに墨・絵の具などを塗って紙を当て、こすって写し取る。「版画を―・る」❷印刷する。〔文〕《四》。⇩〔使い分け〕

***す・る【×剃る】**《他五》「そる」のなまり。〔参考〕商家では「磨(す)る」と音が通ずるのを忌んで「あたる」と言いかえる。

***す・る【×掏る】**《他五》人が身につけている金品を、すばやく盗み取る。〔文〕《四》。⇩〔使い分け〕

***す・る【擦る・▽摩る・▽磨る・×擂る・×摺る】**《他五》❶物の面に他の物を触れ合わせて動かす。こする。「マッチを―・る」❷すりへらしてなくす。使いはたす。「身代(しんだい)を―・る」〔表記〕②は「磨」「摩」を用いることが多い。❸すりばち・石うすなどに入れて細かくくだく。すりつぶす。〔表記〕③は「擂」を用いることが多い。〔文〕《四》。⇩〔使い分け〕

使い分け 「する」

刷る(×摺)〔こすって写しとる。印刷する〕紙幣を刷る・良質紙に刷る・版木を刷(摺)る・版画刷(摺)りの賀状・刷り上がる

擦る(▽摩)〔こする。こすってだめにする〕マッチを擦(摩)る・傷に薬を擦り込む・擦り傷・擦りむく・擦り付ける

する(▽磨・▽摩・×摺・×擂)〔みがく・使い果たす(磨・摩)。表面をこする(摺)。細かくすりつぶす(擂)〕玉をす(磨・摩)る・墨をす(磨・摩)る・競馬です(磨・摩)る・すそを引きず(摺)る・味噌(みそ)をす(擂)る・ごまをす(擂)る

する(×掏・×掏・×摸)〔こっそり抜きとる〕財布をすられる

する(×剃)〔「そる」のなまり〕ひげをする

〔参考〕「摩」は、物と物をすり合わせてみがく意。「磨」は、強くおしつけて動かして、その部分のつやを出す意。「擂」は、強くおしつぶして細かくする意で、押しつけてこする意味では「擦」に通じるが、「墨をする・味噌を

「する」に「擦」はなじまない。

***する**【▽為る】㊀《自サ変》❶（物事やある状態が）起こる。「夕立の**した**日」❷意志・決意を行動にあらわす。…と試みる。…と努力する。…に決める。「家に帰ろうと**する**」❸感じられる。「いい香りが**する**」❹その値段である。価する。「一万円も**する**本」❺（時が）たつ。経過する。「三年ほど**して**日本に帰った」文す《サ変》。㊁《他サ変》❶ある物事を行う。「読書を**する**」尊敬 遊ばす。なさる。謙譲 仕る。❷（ある役目を）つとめる。「役員を**している**」❸ある状態にならせる。また、あるものに育てる。「娘を音楽家に**する**」❹ある用にあてる。使う。「本を枕に**して**寝る」❺（あるもの・状態に）かえる。「ビールはやめて酒に**する**」❻見なす。考える。「人をばかに**する**」文す《サ変》。㊂《補動》❶《動詞連用形に助詞「は」「も」「や」「さえ」などを伴ったものの下につけて》その動詞あるいはその動詞の打ち消しの意味を強める。「考えは**した**が…」「笑いも**し**ない」❷《「お」＋動詞連用形の下につけて》謙譲の意味を表す。「お持ち**する**」❸〈「…として」「…としては」「…とすれば」「…にしたら」などの形で〉…という立場で。…という・立場（水準）で考えると。「政治家と**して**大成した」「子どもに**し**たら泣くのも当然」❹〈「…うと—」「…ようと—」の形で〉もう少しで…しそうな状態になる。「出かけようと**する**ところだった」❺ある状態になる。ある状態にする。「読んだり書いたり**する**」文す《サ変》。
参考 名詞、動詞・形容詞の連用形、副詞などについてサ変複合動詞をつくる。「涙する」「ぼんやりする」「勝負する」「ジャンプする」など。「論ずる」「感ずる」のように、一字の漢語と複合するときなど、「ずる」と濁ることがある。表記 ふつう、かなで書く。

すまじきものは宮仕え《句》他に仕えるということはいろいろと苦労の絶えないものであるから、すべきではないということ。

***ずる**【×狡】〔俗〕ずるい・こと（人）。「—休み」

***ず・る** ㊀《自五》❶すべって移る。すべり動く。❷ゆるんで下がる。「ズボンが—・る」文《四》。㊁《他五》ひきずる。「足を—・って歩く」文《四》。

ずる・い【×狡い】《形》❶公正でない方法を用いて成功しようとする性質だ。わるがしこい。「—・くたち回る」「—・い手であがる」類語 狡い。小賢しい。狡猾。狡猾。狡悪。老獪。❷横着だ。「休んでばかりいるのは—・い」文ずる・し《ク》。

するが【×駿河】旧国名の一つ。今の静岡県の中央部。駿州。

ずる-がしこ・い【×狡賢い】《形》ずるくて悪知恵がはたらくようす。「—・く立ち回る」

ずる・ける《自下一》〔俗〕❶なまける。横着をする。サボる。「当番を—・ける」❷ずるずるとすべり動く。

する-する《副》（「—と」の形も）❶なめらかに・すべる（のびる）ようす。❷物事が、すべるようにとどこおりなく進むようす。「—と木に登る」

ずる-ずる《副》（「—と」の形も）❶物をひきずるようす。「すそを—と引きずって歩く」❷少しずつすべり・落ちる（動く）ようす。「—と成績が下がる」❸《形動・自サ》どろ・砂などのため足もとが心もとないようす。「雨で道は—だ」❹《形動・自サ》物事のきまりがつかず、そのままの状態が続くようす。「—と結論をひきのばす」**—べったり**《名・形動》けじめをはっきりさせないままに、同じような状態の物事を続けること。

ズルチン 人工甘味料の一つ。砂糖の二五〇倍の甘みがある。現在は食品への使用を禁止。▽ドイツ Dulzin

する-と《接続》❶そうすると。「—戸が開いた」類語 そこで。その時。❷それでは。それならば。「—君のおかあさんはあの人だね」

するど・い【鋭い】《形》❶（歯・爪などの）先がとがっている。また、刃物がよく切れる。鋭利だ。「—・いナイフ」❷人の皮膚や心を強く刺激するようすだ。勢いがはげしい。「—・い目つき」「—・い攻撃」❸頭脳や感覚のはたらきがはやくすぐれているようすだ。「物事の裏面を—・く見通す」文するど・し《ク》。

するめ【×鯣】イカをたてに切り開き内臓をとって干した食べ物。酒のさかななどにする。

するめ-いか【×鯣×烏▽賊】軟体動物アカイカ科のイカ。最もふつうに見られるイカ。食用。

するり《副》（多く「—と」の形で）❶なめらかにすべるようす。❷動作がすばやいようす。「—と身をかわす」

ずれ ❶ずれる・こと（程度）。❷正しい位置・状態から、少しはずれていること。くいちがい。「意味の—」

すれ・あ・う【擦れ合う】《自五》物と物とがたがいにすれる。「肩が—・う」

スレート 屋根がわらなどに使う板状のもの。天然スレート（＝粘板岩の薄板）と人造スレート（＝石綿にセメントをまぜて作った板）がある。「—ぶきの屋根」▽slate

すれ・からし【擦れ枯（ら）し】さまざまな経験をへて、わるがしこくなっている・こと（人）。すれっからし。

ずれ・こ・む【ずれ込む】《自五》（時期が）あとにくいこむ。「スタート時間が—・む」

すれ・すれ《名・形動》❶もう少しでふれそうになるくらい近づくこと。「ネット—の打球」❷ある限度をもう少しで越えること。ぎりぎり。「違法—の行為」

すれ・ちが・う【擦れ違う】《自五》❶たがいにふれるほど近くを通り過ぎて、それぞれ反対方向へ行く。「列車が—・う」❷行きちがう。「議論が—・う」

すれ・っ・からし【擦れっ枯（ら）し】→すれからし。

す・れる【擦れる・▽摩れる】《自下一》❶物が他の物の面に触れ合って動く。こすれる。「ガラスの—・れるいやな音」❷世間なれして、人柄が悪賢くなる。「—・れた感じの人」文す・る《下二》。

ず・れる《自下一》❶縦や横に・動いて（すべって）、正しい位置から少しはずれる。「机の位置が—・れる」❷（二つの物の間に）へだたりができる。くいちがう。「論点が—・れる」❸基準・標準からはずれる。「時代感覚が—・れる」文ず・る《下二》。

ず-ろう【×杜漏】《名・形動》〔文〕いいかげんでぬかりが多いこと。杜撰と脱漏。「—な計画」

す-ろうにん【素浪人】貧乏な浪人。参考 浪人をけいべつして言ったことば。

***スロー**《名・他サ》ボールを投げること。「アンダー—」「フリー—」▽throw

***スロー**《形動》動作がゆっくりしているようす。速度がおそいようす。「—テンポ」「—ボール」▽slow **—ダウン**《名・自他サ》速度が落ちること。落とすこと。▽slowdown **—モー**《名・形動》〔俗〕「スローモーション①」の略。「事務処理が—で困る」**—モーション** ❶《名・形動》動作がのろいこと。また、ゆっくりとした動作。スローモー。❷高速度撮影で、画面の動きが

実際よりゆっくり見えること。▽slow motion

スローガン 主義・主張などを短いことばで表したもの。標語。うたい文句。類語 モットー。▽slogan

ズロース 女性用のゆったりした下ばき。▽drawers

スロープ 傾斜。斜面。特に、スキー場における傾斜地。「なだらかなー」▽slope

ず-ろく【図録】 図や絵を中心にした記録や資料集。

スロット 〔自動販売機・公衆電話などの〕料金投入口。▽slot **ーマシン** 〔回転するマークの組み合わせによってコインなどがでる〕自動賭博(とばく)機。▽slot machine(=自動販売機)

すわ 《感》突然の出来事におどろいたり、突然に声をかけて相手の注意をうながしたりするときに発する語。それ。さて。そら。「ー一大事」「ー行け」

スワッピング 夫婦交換。▽swapping

すわり【座り・×坐り】 ❶すわること。〔ふつう単独では使わない〕「ー心地」❷安定。おちつき。「ーの悪い置物」表記 ②は多く「据(わ)り」と書く。

すわり-こ・む【座り込む・×坐り込む】 《自五》その場にすわったまま動かないでいる。「抗議のためー・む」

すわり-だこ【座り×胼×胝・×坐り×胼×胝】 いつもすわっているために皮膚がすれて、足の甲にできるたこ。

すわ・る【座る・×坐る】 《自五》❶ひざを折り曲げて席につく。参考 いすなどに腰をおろすことにも言う。類語 座する。(すわる)正座。端座。着席。着座。❷席を取る。「劇場のかぶりつきにー・る」❸ある地位につく。「社長の座にー・る」❹物がしっかりと位置を占める。「赤ん坊の首がー・る」❺落ち着いてものに動じなくなる。「度胸がー・る」❻一か所に定まって動かない状態になる。「酔って目がー・る」「舟がー・る(=舟の底が水底について動かなくなる)」表記 本来は「坐る」と書く。また、④〜⑥は多く「据わる」と書く。文《四》。

スワン はくちょう。▽swan

すん【寸】 ■一《助数》尺貫法による長さの単位。一寸は一尺の一〇分の一。三・〇三(セン)チ。■二《名》❶〔比較的短い〕長さ。寸法。「ー足らず」「ーづまり」❷ごくわずかなこと。「ーほどの好意もない」

すん-いん【寸陰】 〔文〕非常にわずかな時間。寸刻。

すん-か【寸暇】 わずかなひま。「ーを惜しむ」

すん-かん【寸感】 ちょっとした感想。「ーを述べる」

ずん-ぎり【▽寸切り】 《「ずん」は「ずい(髄)」の転という》まっすぐに断ち切ること。輪切り。ずんどぎり。

ずんぐり 《副・自サ》《副詞は「ーと」の形も》ふとくて短いようす。ふとって背丈の低いようす。「ーした体」対 すんなり。 **ーむっくり** 《副・自サ》《副詞は「ーと」の形も》「ずんぐり」を強めた言い方。

***すん-げき【寸劇】** 短くまとまっている演劇。

***すん-げき【寸×隙】** 〔文〕❶わずかなひま。あいているわずかな時間。❷わずかなすきま。「ーを縫って進む」

すん-けん【寸見】 《名・他サ》〔文〕ちょっと見ること。「書簡をーする」

すん-げん【寸言】 〔文〕深い意味を含んだ短いことば。

すん-ごう【寸×毫】 〔文〕非常にわずか。ほんの少し。寸分。「ーも狂いはない」類語 毫釐(ごうり)。

すん-こく【寸刻】 少しの時間。わずかの時間。寸時。寸陰。「ーを惜しむ」「ーをあらそう事態」

すん-し【寸志】 ❶少しのこころざし。〔自分のこころざしをへりくだって言う〕類語 寸心。❷心ばかりの〔ささやかな〕贈り物。〔自分の贈り物をへりくだって言う〕参考 贈り物の、のし紙の上などにも書く。注意 目上の人に使うのは、失礼とされる。

すん-じ【寸時】 ちょっとの時間。わずかな時間。「ーもおろそかにしない」「ーに解決する」類語 寸刻。寸陰。

***すん-しゃく【寸借】** 《名・他サ》ちょっとの間だけ借りること。また、少しばかり借りること。 **ーさぎ【ー詐欺】** 〔現金などを〕ちょっとの間貸してくれと言ってだまし取ること。また、その人。

***すん-しゃく【寸尺】** 〔文〕❶寸と尺。転じて、わずかな長さ。「ーをきそう」❷長さ。たけ。寸法。

すん-しょ【寸書】 〔文〕〔短い手紙の意で〕自分の手紙をけんそんして言う語。寸紙。寸楮(すんちょ)。

すん-ずん【寸寸】 《形動》物を細かく切るようす。きれぎれ。ずたずた。「ーに切り裂く」

ずん-ずん 《副》物事がとどこおりなくはかどるようす。速く進行するようす。どんどん。「ー先に行く」

すん-ぜん【寸前】 ❶〔空間的に〕ある物の少し手前。「ゴールのーで倒れる」❷〔時間的に〕ある物事が起こる少し前。「爆発のーに逃げ出す」同 ①②前。

すんぜん-しゃくま【寸善尺魔】 〔文〕世の中には良いことが少なく、悪いことが多いというたとえ。

すん-たらず【寸足らず】 《名・形動》ふつうのものに比べて少し長さが短い・こと(もの)。「ーのシャツ」

すん-だん【寸断】 《名・他サ》細かく切ること。ずたずたに切ること。「地震で幹線道路がーされる」

すん-ちょ【寸×楮】 〔文〕〔短い手紙の意で〕自分の手紙をけんそんして言う語。寸書(すんしょ)。

すん-づまり【寸詰(ま)り】 《名・形動》ふつうのものより少し短い・こと(もの)。「ーのゆかた」対 寸のび。

すん-てつ【寸鉄】 ❶短い刃物。小さな刃物。「身にーも帯びずに(=全く武器を身につけないで)」❷短いが、人の心にくい入る深い意味をもったことば。警句。 **ー人を刺す** 《句》短いことばでずばりと言いあてて、人の心に強い印象を与える。

すんで-に 《副》《「すでに」の転》もう少しのところで。あやうく。「ー命を落とすところだった」

すんで-の-こと 《副》《「ーで」「ーに」の形も》もう少しのところで。すんでのところ。「ーで助かった」

すんで-の-ところ 《副》《「ーで」の形も》すんでのこと。「ーで命拾いした」

すん-ど【寸土】 〔文〕非常にわずかな土地。寸地。尺地(せきち)。尺土(せきど)。

ずん-と 《副》〔俗〕程度の差が大きいようす。ずっと。

ずん-ど【▽寸▽胴】 《「髄胴(ずいどう)」の転という。「髄」はものの真ん中・胴中の意》❶「ずんどぎり」の略。❷《名・形動》ずんどう③。 **ーぎり【ー切り】** ❶まっすぐに断ち切ること。輪切り。ずんぎり。❷竹を一尺(約三〇セン チ)で切り取り、一つの節を残して底にした花筒。❸古い大木の幹を下だけ残して切り、茶室の庭などに植えて飾りとするもの。同 ①〜③ずんど。ずんどう。

ずん-どう【▽寸胴】 ❶ずんどぎり。❷筒形で頭部を真っすぐに断ち切った形の花器。❸《名・形動》太くて、上から下までが同じ太さであること。また、太くてかっこうの悪いこと。ずんど。

すんなり 《副》《「ーと」の形も》❶《自サ》細くてしなやかでかっこうのよいようす。「ーとした足」対 ずんぐり。❷〔俗〕物事がとどこおりなくなめらかに進むようす。「要求にー応じる」

ずん・ば《連語》文語→ずば。

*すん・びょう【寸描】かいつまんだ描写。スケッチ。「人物―」

*すん・びょう【寸秒】非常にわずかな時間。寸刻。「―を争う大けが」

すん・ぴょう【寸評】短い批評。短評。

すん・ぶん【寸分】ほんのわずか。いささか。寸毫。寸分。〔打ち消しの語をともなう〕「―たがわず」

ずんべら・ぼう《名・形動》〔俗〕❶行いがなげやりでしまりのない・こと(人)。❷なめらかで凹凸がないこと。変化がないこと。のっぺらぼう。

すん・ぽう【寸法】❶物の長さ。❷〔事を行う〕順序。計画の手順。段どり。「事後承諾ですませる―らしい」

すん・れつ【寸裂】《名・自他サ》ずたずたに裂けること。また、ずたずたに裂くこと。

すん・わ【寸話】短いはなし。「球界―」

せ

せ ― 世

*せ【世】《助数》人の一生を過去・現在・未来に区切ったときの一くぎりを単位として、時間を数える語。「親子は一―、夫婦は二―、主従は三―」

*せ【畝】《助数》尺貫法による土地の面積の単位。一畝は一反の一〇分の一。三〇歩。約一アール。

*せ【▽兄・▽夫】〔古〕女性が夫・兄弟・恋人などの男性を親しんでよんだことば。特に、夫。対妹。

*せ【瀬】❶川の流れの浅い場所。あさせ。対淵。❷川の流れの急なところ。はやせ。❸場合。機会。「逢―」「浮かぶ―」❹立場。場所。「立つ―がない」

*せ【背】❶動物の胸腹部の反対側。人間ならば、首から尻までのうしろの部分。せなか。「―を向ける(=うしろ向きになる。転じて、そむく)」❷〔ものの〕うしろ側。背面。❸せたけ。身長。また、物の高さ。せい。「―の高い人」❹〔山の〕尾根。❺書物の、のりでとじてある方の外側の部分。「―に金文字を入れる」

―に・する《句》❶背負う。❷背後にくるようにする。背後に置く。うしろにする。「窓を―・してすわる」

―に腹は替えられ・ぬ《句》さし迫った危機を回避するには少々の犠牲・損害などには構っておれない。

*ぜ【是】〔文〕道理に合っていること。正しいと認めていること。「―か非か」対非。

*ぜ《終助》《「ぞえ」(終助詞「ぞ」+終助詞「え」)の転》〔親しい間柄の男性が、くだけた表現で〕念を押したり、注意を喚起したりするのに使う。「互いに気をつけようぜ」

*せい【世】《接尾》❶《助数》〔受けついだ〕世代・地位・称号などの順序を表す。代目。「日系三―」「ナポレオン三―」❷地質時代の区分を表す。「更新―」

*せい【製】《接尾》❶〔会社名・国名などにつけて〕そのものがつくられた場所を表す。「スイス―の時計」❷つくられたものの材質・素材を表す。「木―の机」

*せい【制】㊀《名》制度。㊁《接尾》「制度」「しくみ」などの意。「封建―」「六三―」

*せい【勢】〔文〕❶〔物事の〕勢い。❷兵力。軍勢。

*せい【姓】家の名称。名字。対名。

―を冒・す《句》他人の姓を名のる。

*せい【性】㊀《名》❶生まれつきの心のはたらき。たち。性質。「―すこぶる温厚」❷万物の本質。「水の―」❸生物にある男女・雌雄の別。「―の区別」❹生殖に基づく本能の活動に関することがら。セックス。「―に目ざめる」「―教育」❺インドヨーロッパ語族の体系の中で、性別の概念が冠詞・名詞・代名詞・形容詞などの語形変化に表されるもの。ジェンダー。㊁《接尾》《名詞・形容詞の語幹につけて》「…のような性質をもつ(もの)」の意。「動物―たんぱく質」「危険―」

*せい【正】㊀《名》❶〔文〕道徳的に正しい・こと(道)。正義。対邪。❷論理にかなっていること。まちがっていないこと。類語真。対誤。❸〔書物などの〕正編の略。対続。❹主となるもの。正式なもの。「―副二通の書類」対副。❺実数が0より大きいこと。また、その数。正数。❻二種の電荷のうち負電荷に対する電荷。対⑤⑥負。㊁《接頭》❶「正式の」「かしらである」などの意。「―会員」対副。❷「まちがいなく」「正しく」などの意。「―反対」「―三角形」㊂《接尾》同じ階級の中で上位にあるものを表す語。「検事―」

*せい【生】㊀《名》❶生きること。生きていくこと。「―に執着する」対死。❷毎日のくらし。生活。❸いのち。生命。「―を受ける(=この世に生まれる)」㊁《代名》〔文〕男子が自分のことをけんそんしていう語。わたくし。㊂《接尾》❶《年数を表す語について》「…年間生長・する(した)植物」の意。「多年―の草花」❷学生・生徒の意。「研究―」❸男子が署名のとき名前に添える語。〔へりくだった使い方〕「山田―」

*せい【精】❶《名・形動》〔文〕くわしいこと。また、ていねいなこと。「―なる計画」対粗。❷まじりけがなく、そのものの本質をなすもの。❸気力。元気。「―も根も尽きる」「―を出す(=一生懸命に働く)」❹〔人間以外のものの〕たましい。精霊。「湖の―」

*せい【聖】㊀《名》聖人。ひじり。㊁《形動ナリ》清らかで尊いようす。神聖。〔ふつう、連体形「聖なる」の形で使う〕「―なる川」㊂《接頭》❶キリスト教で、その人が聖人に列せられたことを表す。人名の前につけて、その人が聖人に列せられたことを表す。セント。❷「神聖な」の意。「―家族」

*せい【背】→せ(背)③。

*せい【静】〔文〕❶静かなこと。❷動かないこと。じっとしていること。「―を保つ」対動。

*せ・い【▽所為】《形名》《「そゐ(所為)」の転か》上のことばを受けて、それがある物事をひき起こした原因・理由であることを表す語。「気の―か顔色が悪い」

*ぜい【税】国家や地方公共団体が強制的に国民・住民から徴収する財貨。税金。租税。

*ぜい【×贅】〔文〕❶むだ。余り物。❷ぜいたく。おごり。「―を尽くす」

せい・あ【井×蛙】〔文〕〔「井戸の中のカエル」の意から〕世の中の大勢を知らず見識の狭い人。参考「井蛙は以って海を語る可からず〈荘子・秋水〉」から。

せい・あい【性愛】男女間の性本能に基づく愛。

せいあく・せつ【性悪説】人の本性は生来悪であるとする説。荀子が唱えた。対性善説。

せい・あつ【制圧】《名・他サ》力ずくで抑えること。

せい・あん【成案】できあがった考え・文案。「草案はできたが―には至らない」対草案。試案。

*せい・い【勢威】権勢と威力。人を抑えつけて従わせる、強い勢力。「―を振るう」

*せい・い【誠意】〔私欲などをまじえず〕まじめに行おうと

する気持ち。まごころ。「誠心—」

***せい‐いき【聖域】**❶聖人の地位。また、聖人の境地。「—に入る」❷宗教上、神聖でおかしてはならないとされる場所・地域。サンクチュアリ。

***せい‐いき【声域】**声の出せる高低の範囲。「—を侵す」参考その範囲の高いほうから、女声はソプラノ・メゾソプラノ・アルト、男声はテノール・バリトン・バスに分ける。

***せい‐いき【西域】**古代中国人が、中国の西方諸国を指して呼んだ語。狭義には、中国の勢力の及ぶ現在の新疆ウイグル自治区一帯の地域をいう。西域(さいいき)。

***せい‐いく【成育】**《名・自サ》育ってからだの機能がととのっていくこと。「稚魚の—」類語発育。成長。

***せい‐いく【生育】**《名・自他サ》生物が生まれ育つこと。また、生まれた生物を育てること。「イネの—」

せいい‐たいしょうぐん【征×夷大将軍】❶平安時代の初め、蝦夷征伐時の臨時の総大将。❷源頼朝以後徳川慶喜まで、幕府の長の職名。

せい‐いつ【斉一】ととのっていること。ひとしいこと。

せい‐いっぱい【精一杯】〔その人が出すことができる〕力の全部。力の限り。力の限界。「—努力する」

***せい‐いん【成員】**ある団体・組織を形づくっている人。構成員。メンバー。

***せい‐いん【成因】**ある物のできた原因。「氷河の—」

***せい‐いん【正員】**ある組織の正式な人員として資格を持っている人。対客員。

せい‐う【晴雨】晴れることと雨が降ること。晴天と雨天。「—にかかわらず決行する」「—計」

セイウチ セイウチ科の大きな哺乳動物。北極海に群れをなしてすむ海獣。四肢はひれ状で、長い牙を持つ。海馬。海象。▽ロシア sivuch

***せい‐うん【星雲】**銀河系内の雲のように見える天体。

***せい‐うん【盛運】**〔物事が〕発展する方向に進んでいる状態。栄える運。「—に向かう」対衰運。

***せい‐うん【青雲】**〔文〕❶晴れた空。青空。❷高位。高官。**—の‐こころざし【—の志】**《連語》出世して高い地位につこうと願う大きな志。功名心。

***せい‐えい【清栄】**〔文〕清らかに栄えること。〔手紙文で、相手の繁栄・健康などを祝うあいさつのことば〕

***せい‐えい【盛栄】**《名・自サ》〔文〕栄えること。「—を極める」類語隆盛。繁栄。

***せい‐えい【精鋭】**❶《名・形動》才気が鋭くすぐれていること。「—の士」❷よりぬきの強い兵士。また、よりぬきのすぐれた人。「—部隊」類語猛者。

せい‐えき【精液】雄性の生殖器〔精巣または睾丸〕から分泌する精子を含んだ液。ザーメン。

***せい‐えん【清宴】**〔文〕風雅な宴会。「—を催す」

***せい‐えん【盛宴】**〔文〕盛んな宴会。「—を張る」

***せい‐えん【声援】**《名・他サ》声をかけて応援すること。「—を送る」

***せい‐えん【製塩】**《名・自サ》海水・岩塩などから食塩を製造すること。

***せい‐えん【×凄×艶】**《形動》すごみを感じるほどあでやかなようす。〔多く女性の形容に使う〕「—な美女」類語妖艶。

せい‐おう【西欧】❶〔東洋に対して〕ヨーロッパ。西洋。「—文化」❷ヨーロッパ西部の地域。西ヨーロッパ。対東欧。

***せい‐おん【清音】**❶すんだ音色。❷日本語で、濁点・半濁点をつけないかなで表す音。「バ・パ」に対して「ハ」、「ガ」に対して「カ」など。対濁音・半濁音。

***せい‐おん【聖恩】**〔文〕天子のめぐみ。

***せい‐おん【声音】**〔文〕こえ。音声。

***せい‐おん【静穏】**《名・形動》落ちついていて静かなこと。何事もなく穏やかなこと。「—な日々を送る」類語静謐。安穏。

***せい‐か【成果】**ある事をして得られた〔よい〕結果。「目覚ましい—を上げる」

***せい‐か【正価】**掛け値なしの値段。また、割引してない値段。「現金—販売」

***せい‐か【正課】**学校で、正規のものとして生徒が修めなければならない課目。類語必修科目。

***せい‐か【正貨】**その国の貨幣制度の基礎となる貨幣。本位貨幣。

***せい‐か【生家】**❶ある人の生まれた家。実家。対婚家。養家。❷〔嫁や養子の〕実の親・兄弟がいる家庭。

***せい‐か【生花】**❶いけばな。❷自然のままの生きた花。対造花。

***せい‐か【盛夏】**〔文〕夏の、いちばん暑いころ。夏の最中。暑さのさかり。真夏。

***せい‐か【精華】**〔文〕そのものの真価となる、きわだってすぐれた部分。精。「古代彫刻の—」

***せい‐か【聖歌】**神や仏をたたえる歌。特に、キリスト教で讃美歌。「—隊」

***せい‐か【聖火】**❶神にささげる神聖な火。参考神前や儀式を行う場所で燃やす。❷オリンピック大会のためにギリシアのオリンピアで採火され、競技場へ運ばれて期間中燃やし続けられるかがり火。「—ランナー」

***せい‐か【声価】**世間の〔よい〕評判・うわさ。名声。

***せい‐か【×臍下】**〔文〕へその下。下腹。**—たんでん【—丹田】**へその下三寸〔約一〇センチ〕の所。参考気力をふるいおこすときに力を入れる所。

***せい‐か【製菓】**〔職業として〕菓子をつくること。

***せい‐か【製靴】**〔職業として〕くつをつくること。

***せい‐か【青果】**「青果物」の略。野菜・果物類の総称。「—市場」

***せい‐が【清雅】**《名・形動》〔文〕清らかで上品なこと。

***せい‐かい【政界】**政治の世界。また、政治家の構成する社会。「—の動き」「—に身を置く」

***せい‐かい【正解】**正しく解釈または解答すること。また、その解釈・解答。「—を出す」類語正答。

***せい‐かい【盛会】**出席者が多く盛んな会合。

せいかい‐けん【制海権】ある海域での軍事・通商・航海などに関する事柄を支配する権力。「—を失う」

せいがい‐は【青海波】❶雅楽の曲名の一つ。❷藍色の波形模様。参考①の舞で用いた衣装の模様から。

せい‐かがく【生化学】〔理〕生物体を構成する物質や、生物の生命現象を化学的に研究する学問。生物化学。バイオケミストリー。

***せい‐かく【性格】**❶ある人物の感情や意志の動きに表れる〔特有の〕傾向。「—の不一致」❷その事物に特有な傾向。「進歩的な—の政党」

***せい‐かく【政客】**〔文〕政治に関係している人。政治家。せいきゃく。

***せい‐かく【正格】**❶〔文〕規則にあてはまっていること。❷「正格活用」の略。対①②変格。**—かつよう【—活用】**日本語の動詞の活用で、文語の四段・上二段・下二段・上一段・下一段活用、口語の五段・上一段・

下一段活用の総称。[対]変格活用。

*せい・かく【正確】《名・形動》正しくて確実なこと。正しくてまちがいのないこと。「ーを期す」「ーな時刻」

*せい・かく【精確】《名・形動》くわしくたしかなこと。「ーに調査する」

*せい・かく【製革】生皮からなめし革をつくること。

せい・がく【声楽】人の肉声による音楽。[対]器楽。

せい・かげき【正歌劇】大規模で、悲劇的で厳粛な内容をもつ、せりふを含まないオペラ。オペラセリア。

せい・かぞく【聖家族】イエス＝キリスト、その母マリア、養父ヨセフの三人の家族。神聖家族。

せい・かつ【生活】《名・自サ》❶生きて活動する・こと（ありさま）。「野生の馬のーを調べる」❷社会の中でくらしていくこと。また、その方法。くらし。「ー苦」 ーか【ー科】小学校の低学年の教科の一つ。自分を取りまく自然や社会に関心を持ち、自分自身や生活を考え、自立する人間を目指させようとする教科。 ーきゅう【ー給】労働者の生活を保障するものとして支払われる賃金。 ーきょうどうくみあい【ー協同組合】生活物資を生産者から直接手に入れて組合員に安く分け、その生活を高めようとする消費者の団体。消費生活協同組合。生協。 ーしゅうかんびょう【ー習慣病】「成人病」の新しい呼称。[参考]四〇代から増える病気の多くが、生活習慣に起因することから名づけられた。 ーねんれい【ー年齢】誕生の日から数えた、暦の上の年齢。暦年齢。[対]精神年齢。 ーはんのう【ー反応】❶瀕死(ひんし)の患者が、まだ生きているかどうかを確かめる手がかりとなる反応。心音・脈搏(みゃくはく)など。❷死体に損傷がある場合に、それが生存中のものかどうかを知る手がかりとなる反応。生体反応。 ーほご【ー保護】生活困窮者の最低生活を守るために国が行う保護。

せい・かっこう【背格好・背×恰好】せいの高さとからだのかっこう。せかっこう。「ーの似た人」

*せい・かん【性感】性的な感覚。性的な快感。

*せい・かん【清閑】〔文〕❶《名・形動》俗事にわずらわされず静かなこと。また、その心境。「ーの地に遊ぶ」❷〈「御ごー」の形で〉他人の閑暇をうやまって言う語。

*せい・かん【生還】《名・自サ》❶〔死ぬ危険のある所から〕生きてもどること。「戦地からーする」❷野球で、走者が本塁にかえって得点すること。

*せい・かん【盛観】〔文〕勢いが盛んですばらしいありさま。「行列はーをきわめた」[類語]壮観。

*せい・かん【精×悍】《名・形動》たくましく勇敢で、気力にあふれていること。特に、顔つき・目つき・動作などがたくましく鋭いこと。「ーな面構え」

*せい・かん【静観】《名・他サ》〔物事のなりゆきを〕静かに見守ること。「隣国の政変をーする」

*せい・がん【晴眼】〔文〕❶はっきり見える目。また、その人。晴眼者。〔盲人の側から言う語〕❷正眼。

*せい・がん【正眼】刀のきっ先を相手の目の高さにおく構え方。中段の構え。[表記]「青眼」「晴眼」とも書く。

*せい・がん【誓願】《名・他サ》自分が行おうとすることを神や仏に誓い、成就を願うこと。また、その願い。

*せい・がん【請願】《名・他サ》❶請い願うこと。もとめ願うこと。❷国民が国会・地方議会・官公署に対し、希望を文書で申し出ること。「ー権」

*せい・がん【青眼】❶正眼。❷親しい人を喜んで迎える目つき。[対]白眼。

ぜい・かん【税関】港・空港・国境などで、輸出入品に税金をかけたり、船舶や貨物を取り締まる役所。

*せい・き【世紀】■一《助数》イエス＝キリスト誕生の年を起点とし、一〇〇年を単位として数えた時代の区切りを表す。「二〇ー」■二《名》❶世紀■一を単位とする一〇〇年間。「次のー」❷〔ある物事が盛んに行われる〕まとまった長さをもった時間の一くぎり。時代。「デカルトのー」❸〈「ーの」〉一〇〇年に一度しか・起こらない（現れない）ほどの。「ーの偉業」 ーまつ【ー末】一九世紀末のヨーロッパ（特にフランス）で、病的・退廃的な気分が社会を支配した時代。転じて、ある社会に病的・退廃的な傾向の起こる時期。[参考]→デカダンス。

*せい・き【性器】生殖器。

*せい・き【×旌旗】〔文〕はた。はたじるし。

*せい・き【正気】〔文〕❶天地に本来存在すると考えられる、物事の根本となる力。❷正しい意気。

*せい・き【正規】《名・形動》正式に決められた規則。また、規則にかなって正しいこと。「ーの手続きを取る」[類語]正式。

*せい・き【生気】生き生きした気力・感じ。「ーのない顔」「ーにあふれる」[類語]活気。元気。

*せい・き【生起】《名・自サ》〔文〕〔ある事件・現象などが〕あらわれ起こること。「民族としての自覚がーする」

*せい・き【盛期】〔文〕〔ある物事の〕盛んな時期。

*せい・き【精気】❶万物に備わる純粋な力・気。「大地のー」[類語]霊気。❷心身を活動させるもとになる力。また、生き生きした気力。「ーに満ちた体」

*せい・き【西紀】「西洋紀元」の略。西暦。

*せい・ぎ【正義】道徳・道理にかなっていて正しいこと。

*せい・ぎ【盛儀】〔文〕大がかりで盛んな儀式。盛典。

せい・きゃく【政客】→せいかく（政客）。

*せい・きゅう【制球】野球で、投手が球を思いどおりに投げられるように調節すること。コントロール。

*せい・きゅう【性急】《名・形動》落ち着きがなく、あわただしいこと。「ーな処置」「ーに事を運ぶ」

*せい・きゅう【請求】《名・他サ》〔当然の権利として〕相手に対してある行為をするよう要求すること。「商品の代金をーする」「ー書」[類語]要求。催告。

*せい・きょ【盛挙】りっぱな仕事。また、そのための計画。「ーをたたえる」[類語]壮挙。

*せい・きょ【逝去】《名・自サ》死ぬこと。なくなること。〔尊敬した言い方〕「御ーを悼(いた)む」[類語]他界。

*せい・ぎょ【制御・制×禦・制×馭】《名・他サ》❶自分の思うままにおさえつけあやつること。「欲望をーする」「人心をーする」❷機械・電子回路などを、適当な状態に保って作動させること。コントロール。

*せい・ぎょ【成魚】稚魚・幼魚から成熟して生殖機能をもつようになった魚。[対]幼魚。稚魚。

*せい・ぎょ【生魚】❶生きているうお。❷〔塩づけや日干しにしたものに対して〕なまの魚肉。なまざかな。❸〔とりたての〕新鮮なうお。鮮魚。

*せい・きょう【政教】政治と宗教。[類語]祭政。

*せい・きょう【正教】❶正しい教え。正しい宗教。[対]邪教。❷キリスト教の東方正教会。「ギリシアー」

*せい・きょう【生協】「生活協同組合」の略。

*せい・きょう【盛況】〔会合・催し物などの〕盛んなありさま。盛大に行われていること。「大入り満員のー」

*せい・きょう【精強】《名・形動》すぐれて強いこと。

「―を誇るチーム」

*せい‐ぎょう【成業】《名・自サ》学問・事業などをなしとげること。「研究の―の暁には」

*せい‐ぎょう【正業】正当な職業。まともな仕事。かたぎの仕事。「―に就く」

*せい‐ぎょう【生業】生活費を得るための仕事。なりわい。「大工を―とする」類語 職業。

*せい‐ぎょう【盛業】〔文〕事業や商売がさかえていること。また、盛んな事業や商売。「御―を祝す」

せい‐きょういく【性教育】青少年の発達段階に応じ、性の正しい知識を与えて、それを知らないことから生じる弊害をとりのぞこうとする教育。純潔教育。

せい‐きょうと【清教徒】一六世紀後半に英国教会に対抗しておこった新教徒の一派。主の教えの厳守と清浄な生活を主張した。ピューリタン。「―革命」

せい‐きょく【政局】ある時点における政治・政界の動き。政治的局面。「不安定な―」類語 政情。

せい‐きん【精勤】《名・自サ》(ほとんど)休まず出勤し、与えられた仕事に励むこと。「―賞」類語 精励。

ぜい‐きん【税金】国や地方公共団体が税として徴収する金銭。

せい‐く【成句】❶二語以上から成り、その結びつきが習慣的に固定していて、ある一つの意味をもっている句。「癖はだれにでもあるものだ」を「無くて七癖」と言う類。❷古人の作った詩文の句で、広く世に知られているもの。「出藍(しゅつらん)のほまれ」など。

ぜい‐く【×贅句】むだなことば。不必要なことば。冗語。類語 冗句。蛇足(だそく)。

せいくう‐けん【制空権】〔軍事上の目的で〕ある地域の上空を(航空兵力によって)支配する権力。

せい‐くらべ【背比べ・背▽競べ・背▽較べ】《名・自サ》せいの高さをくらべあうこと。たけくらべ。

せい‐くん【請訓】《名・自サ》外国にいる外交官などが、本国政府に指示を求めること。対 回訓。

*せい‐けい【成型】《名・他サ》型にはめて物を作ること。「―加工」⇩〖使い分け〗

*せい‐けい【成形】《名・他サ》❶形をつくること。形成。❷「胸郭成形術」の略。もと行われた肺結核の治療法の一つ。肋骨(ろっこつ)の一部を切り取り、胸部を縮めて肺の患部を圧迫する手術。⇩〖使い分け〗

*せい‐けい【政経】政治と経済。「―学部」「―分離」

*せい‐けい【整形】《名・他サ》手術によって、からだの異常な部分を正しい形に整えること。⇩〖使い分け〗

使い分け　「セイケイ」

成形〔「成」はつくり上げる意。形をつくる〕陶土を成形する・胸郭成形術

整形〔「整」は正しくそろえる意。形を整える〕整形外科・整形手術・美容整形・顔を整形する

成型〔型にはめて同じ形の物を作る〕圧縮成型・成型加工・プラスチックを成型する

参考 「整形外科」は正式の医学用語で、「整形手術」は整形外科による手術。「美容整形・顔を整形する」における「整形」は俗用で、医学的には「形成外科」に含められる。

*せい‐けい【生計】〔社会で〕生活していく方法。くらし。活計。「―をたてる」「―を保つ」

*せい‐けい【西経】地球の西半球上の位置を表す座標の一つ。イギリスのグリニッジ天文台跡を通る子午線を零度としてその西側一八〇度までの経度。対 東経。

せい‐けつ【清潔】《名・形動》汚れがないこと。また、心が清くていさぎよいこと。「―な選挙」対 不潔。

*せい‐けん【政権】❶政治を行う権力。政治上の権力。❷特定の性格の権力を持った政府。「傀儡(かいらい)―」

*せい‐けん【政見】〔政治家・政党がもつ〕政治についての意見。「―放送」

*せい‐けん【聖賢】聖人と賢人。また、徳が高く知恵の深い人。「―の教え」

*せい‐げん【制限】《名・他サ》認められる限界を定めること。また、その限界。「年齢―」「―を加える」

*せい‐げん【西×諺】〔文〕西洋のことわざ。

*せい‐げん【誓言】《名・他サ》↓せいごん。

*ぜい‐げん【税源】租税の支払われる財源となる、納税者の所得・財産。

*ぜい‐げん【×贅言】《名・他サ》〔文〕言う必要のないむだなことばを言うこと。また、そのことば。無用の言。贅語。冗語。「―を要しない」類語 多言。

せい‐こ【世故】↓せこ(世故)。

*せい‐ご【成語】❶昔の人によって作られ、きまった形で言いならわされてきたことば。「故事―」❷熟語。

*せい‐ご【正誤】❶正しいこととあやまっていること。「―を見わける」❷あやまりをなおすこと。「―表」

*せい‐ご【生後】生まれてからのち。〔ふつう、期間を表す語の上につけて使う〕「―三か月の乳児」

*せいご【×鮬】スズキの幼魚。長さ約二五チセンまでのもの。

ぜい‐ご【×贅語】〔文〕言う必要のないむだなことば。贅言(ぜいげん)。冗語。

*せい‐こう【性交】《名・自サ》男女の肉体的なまじわり。性的なまじわり。交接。媾合(こうごう)。交合。

*せい‐こう【性向】〔その人や物事の〕性質上の傾向。気質。「消費―」

*せい‐こう【性行】性質と行い。「―不良」

*せい‐こう【成功】《名・自サ》❶目的を達して予想した結果になること。「実験は―を収めた」対 失敗。❷高い地位や財産を得て社会的に認められること。「―者」⇩〖類語と表現〗

類語と表現　「成功・失敗」

*実験に成功する・新事業が成功を収める・画家として成功する・公演は成功だった／着陸に失敗する・失敗を重ねる・失敗を演じる・計画は失敗だった／失敗は成功のもと。

◆［成功］実る・実を結ぶ・物になる・うまくいく・やってのける・当たる／合格・成就(じょうじゅ)・完遂・完成・貫徹・達成・小成・大成・晩成・大当たり・大願成就・大団円・ハッピーエンド・有終の美・怪我(けが)の功名／金的を射当てる・蛍雪の功を積む・日の目を見る・まるくおさまる・終わりよければすべてよし

◆［失敗］しくじる・し損なう・やり損なう・し損じる・とちる・躓(つまず)く・間違える・間違う・抜かる・誤る・過つ／味噌(みそ)を付ける・前轍(ぜんてつ)を踏む・棒に振る・水泡に帰する・無に帰す・九仞(きゅうじん)の功を一簣(いっき)に欠く・敗軍の将は兵を語らず・骨折り損のくたびれ儲(もう)け・虻蜂(あぶはち)取らず・千慮の一失／間違い・誤り・過ち・過失・失策・失脚・失格・失態・失墜・蹉跌(さてつ)・挫折(ざせつ)・錯誤・大過・粗相・手落ち・落ち度・手抜かり・抜かり・不首尾・不

手際・遺漏・空振り・命取り・へま・どじ・ぽか・エラー・ボーンヘッド・ミス・ちょんぼ

*せい‐こう【政綱】〔政府・政党がうち立てた〕政治のもとになる大筋の方針。政策の要綱。

*せい‐こう【生硬】《名・形動》〔文章や態度などが〕十分にこなれずぎこちないようす。「—な訳文」

*せい‐こう【盛行】《名・自サ》盛んに行われること。

*せい‐こう【精巧】《名・形動》〔機械・細工物などが〕細かい点まで注意が払われてよくできていること。精密。「—なからくり人形」類語 緻密ちみつ。

*せい‐こう【精鋼】精錬した鋼鉄。

*せい‐こう【製鋼】《名・自サ》鋼鉄をつくること。また、つくられた鋼鉄。

*せい‐ごう【整合】《名・自他サ》ぴったりと合うこと。きちんと合わせること。また、理論などの内容に矛盾がないこと。「—の美」「—を保つ」

*せい‐ごう【正号】「正の数」を示す記号。プラスを示す記号。「+」。対 負号。

せいこうい‐かんせんしょう【性行為感染症】性行為で感染する病気の総称。性感染症。性病。略語STD。

せいこう‐うどく【晴耕雨読】《名・自サ》晴れた日は畑を耕し、雨の日は家にいて読書をすること。のんびりと気ままに生活するようすをいう。

せいこう‐ほう【正攻法】はかりごとを用いず、堂々と攻める方法。「—で敵をくだす」

せい‐こく【正×鵠】〔文〕❶まとのまん中の黒い点。❷物事のいちばん大切な点。要点。急所。「—を失する（=要点をはずれる）」参考「せいこう」は慣用読み。

—を得る《句》物事の急所をつく。正鵠を射る。

せい‐こつ【整骨】骨が折れたり、関節がはずれたりしたものを治療すること。骨つぎ。接骨。「—師」

ぜい‐こみ【税込（み）】〔賃金や料金に〕税金が含まれていること。また、その税金を含んだ金額。

*せい‐こん【成婚】結婚が成立すること。「御—」

*せい‐こん【精根】〔物事をしようとする〕心身の力。気力。精力と根気。「—尽き果てる」

*せい‐こん【精魂】〔物事にうちこむ〕たましい。精神。「—込めて仏像を彫る」「—を傾ける」

せい‐ごん【誓言】《名・他サ》〔文〕ことばに出して〔神仏に〕誓うこと。また、誓いのことば。誓言せいげん。類語 誓詞。誓文。宣誓。

せい‐さ【精査】《名・他サ》〔細かな点まで〕くわしく・調査（検査）すること。精密な・調査（検査）。

*せい‐ざ【星座】天球上の恒星の群れをある形に見立てて区分したもの。

*せい‐ざ【正座・正×坐】《名・自サ》ひざを折ってそろえ、姿勢正しくきちんとすわること。端座。「かしこまって—する」

*せい‐ざ【静座・静×坐】《名・自サ》心を落ちつけて静かにすわること。

*せい‐さい【制裁】《名・他サ》〔道徳・慣習・法など〕集団の一員として守るべき規範にそむいた者をこらしめること。また、その罰。「—を加える」「鉄拳てっけん—」

*せい‐さい【正妻】正式に法律の手続きを取って結婚した妻。本妻。対 内妻。権妻ごんさい。

*せい‐さい【生彩】精彩②。

*せい‐さい【精彩】❶美しい色どり・つや。❷力がこもっていきいきしていること。いきいきとしてあざやかなこと。生彩。「—を放つ（=めだってすぐれて見える）」

*せい‐さい【精細】《名・形動》細かく注意が行きとどいてくわしいこと。精密。「—に描く」類語 詳細。

*せい‐さい【聖祭】〔カトリック教の〕祭りの儀式。聖体と聖血を神にささげる儀式。

*せい‐ざい【製剤】《名・自他サ》薬剤を製造すること。また、製造して製品とした薬剤。類語 製薬。

*せい‐ざい【製材】《名・自他サ》山から切り出したままの原木を切って、一定寸法の板材や角材にすること。

*せい‐さく【制作】《名・他サ》❶〔法文などを〕定めつくること。❷〔絵画・彫刻などの〕芸術作品をつくること。また、その作品。「出品作品を—する」参考 →製作。類語 作成。作製。⇩〔使い分け〕

*せい‐さく【政策】政治を行う上での方針・手段。

*せい‐さく【製作】《名・他サ》❶物品をつくること。作製。類語 製造。❷映画・演劇・放送番組などを作ること。特に、それらを企画立案し、その統括にあたること（役）。プロデュース。表記 放送関係では「制作」の表記を用いることが多い。⇩〔使い分け〕

使い分け「セイサク」

制作〔芸術的な作品をつくる〕絵画の制作・彫刻の制作・工芸品の制作

製作〔主として道具・機械などの実用品をつくる。プロデュースする〕本の製作・航空機を製作する・放送番組の製作者

参考「制作」は芸術的な作品に限られていたが、近年芸術の語にひかれて「制作」を使うことが多い。本来、映画・演劇・放送などの企画立案では「製作（=プロデュース）」を当てたが、「映画制作・番組制作」、はては「本の制作」と拡大する傾向にある。

*せい‐さつ【制札】〔文〕禁止する事がらを簡潔にしるして、道ばたや神社の境内などに立てる札。禁札。

*せい‐さつ【省察】《名・他サ》〔文〕自分のことをかえりみてよく考えること。省察しょうさつ。類語 自省。反省。

*せい‐さつ【精察】《名・他サ》注意してくわしく調べること。くわしく観察・視察すること。

せいさつ‐よだつ【生殺与奪】相手を生かすも殺すも、物を与えるも奪うも自分の思いどおりであること。相手を自分の思うままにすること。「—の権を握る」

*せい‐さん【×凄惨・×悽惨】《名・形動》〔死に方や傷つき方が〕目をおおうほどむごたらしいこと。また、そのようす。「—な事故」類語 凄愴せいそう。陰惨。

*せい‐さん【成算】〔ある事を行うときの〕成功の見通し。成功する見込み。「優勝の—はある」

*せい‐さん【正×餐】〔文〕〔洋食で〕正式の献立で行う食事。ディナー。参考 和食の本膳ほんぜん料理にあたる。

*せい‐さん【清算】《名・他サ》❶貸し借りを計算して、その支払いをすませること。「借金を—する」❷〔法〕会社や組合などが解散したとき、あとの財産を整理し処分すること。❸これまでの〔よくない〕関係・状態に結末をつけること。「過去の関係を—する」

*せい‐さん【生産】《名・他サ》❶あるものを新しく作り出すこと。❷〔経〕人間が自然物を加工して、生活に必要なものをつくり出すこと。また、その効用を増すこと。「大量—」対 ①②消費。—ざい【—財】生産の手

段として使われる財。原料・機械など。[対]消費財。

せい【―性】生産に費やされるものの生産上の効果。―てき【―的】《形動》直接、新しいものをつくり出すことにつながるようす。「―な意見」

*せい・さん【精算】《名・他サ》最終的に細かく計算しなおし、(支払うべき)金銭の過不足などを正すこと。「着駅で運賃を―する」[対]概算。

*せい・さん【聖×餐】キリスト教で、聖餐式の食事。―しき【―式】キリスト教で、キリストが礫になる前夜の最後の食事を記念して行う儀式。ぶどう酒とパンをキリストの血と肉にたとえて人々に分け与える。

*せい・さん【青酸】↓シアン化水素。―カリ↓シアン化カリウム。[参考]商標名。

せい・ざん【青山】〔文〕❶遠く青々として見える山。また、木が青々と茂っている山。❷死んで骨を埋める所。墳墓の地。[参考]↓人間到る処青山有り。

*せい・し【世子・世嗣】〔文〕諸侯・大名などのあとつぎのむすこ。世継ぎ。[類語]嗣子。嫡子。

*せい・し【制止】《名・他サ》〔他人の言動を〕おしとどめること。「―を振り切る」[類語]抑止。禁止。

*せい・し【姓氏】〔文〕名字。うじ。姓。氏姓。[参考]もと、「姓」は職業の別で、「氏」は血族の別。

*せい・し【正使】使者のうち主となる者。[対]副使。

*せい・し【正史】❶国家や政府の事業として編まれた歴史書。[対]野史。外史。❷事実を正確にしるした歴史(の書)。[参考]↓稗史。

*せい・し【正視】《名・他サ》真正面から見ること。まともに見ること。直視。「―にたえない」

*せい・し【生死】❶生と死。生きていることと死んでいること。生き死に。生死・生死。「―不明」❷〔生き死ににかかわる〕運命。「師と―を共にする」

*せい・し【精子】雄の生殖細胞。卵子と結合して新しい個体が生まれるもととなる。精虫。[対]卵子。

*せい・し【聖旨】〔文〕天皇の考え。聖慮。叡慮。

*せい・し【製糸】❶糸を作ること。紡績。❷繭から生糸をとること。

*せい・し【製紙】パルプから紙を作ること。「―工場」

*せい・し【誓紙】誓いのことばを書きつけた紙。誓書。[類語]起請文。

*せい・し【誓詞】〔文〕誓いのことば。また、それを書きつけたもの。「―を交わす」[類語]誓言。誓文。

*せい・し【青史】〔文〕〔昔、紙のない時代に青竹に書きしるしたことから〕歴史(書)。記録(書)。

*せい・し【静思】《名・他サ》〔文〕心を落ちつけて静かに考えること。[類語]沈思。黙想。黙思。黙考。

*せい・し【静止】《名・自サ》❶じっとして動かないこと。とまって動かないこと。[類語]停止。❷物体の速度がゼロである状態。[対]①②運動。

*せい・じ【政事】〔文〕政治上の事柄。まつりごと。

*せい・じ【政治】国家の主権者がその権力にもとづいて、領土・人民をおさめる全活動。国の立法・司法・行政の統治作用。まつりごと。―か【―家】❶国家の政治にたずさわる人。❷〔俗〕政治的手腕のある人。ごたごたした物事の調整・交渉などをうまくやってのける人。また、策略をめぐらす人。―けっしゃ【―結社】政治上の権力をにぎり、それを維持・拡大することを目的として結成された集団。[参考]政党はその代表的なもの。―てき【―的】《形動》❶政治に関係のあるようす。❷理論だけによらず、実情に応じて判断するようす。「―に解決する」―はん【―犯】国家の基本的な政治秩序を侵害する犯罪。また、その犯人。国事犯。―りょく【―力】❶政治をうまく進めていく力量。政治上の手腕。❷〔策略などを使って望む方向に〕うまく物事をさばいていく力。

*せい・じ【正字】❶正しく用いられた字。[対]誤字。❷点画をかえたり省いたりしない、字源的に正統と認められる字。「桜」に対する「櫻」など。[対]俗字。略字。

*せい・じ【盛事】〔文〕盛んな行事・事業。

*せい・じ【盛時】〔文〕❶若くて元気盛んな時。❷国やある物事の勢力が盛んで栄えている時。

*せい・じ【青磁・青×瓷】鉄分を含んだ青緑色または淡青色のうわぐすりをかけて焼いた磁器。あおじ。

*せい・しき【制式】定められた様式。きまり。

*せい・しき【正式】《名・形動》きまりどおりの正しいしかた・方法。また、それに・合っている(従っている)こと。「―に辞退する」[類語]正規。本式。[対]略式。

*せい・しき【清×拭】《名・他サ》病気などで入浴できない人の体をふき清めること。

*せい・しつ【性質】❶その人に〔生まれつき〕備わっている気質。たち。性分。⇩〘類語と表現〙❷ある物に本来備わっている、他の物と区別できる特色。「油には燃えやすい―がある」[類語]属性。特性。通性。特質。

類語と表現

「性質」

*性質がよい〔悪い〕・素直な性質・温厚〔温和〕な性質・明るい〔暗い〕性質・熱しやすく冷めやすい性質・すぐかっとなる性質・父は怒りっぽい性質だ。

◆質・性・性・性分・性合い・真性・天性・稟性・資性・個性・性格・性向・性情・本性・気性・気象・素質・資質・天資・気立て・パーソナリティー

◇〔色々な性質・気質〕人性・人間性・父性・母性・野性・獣性・社交性・外向性・内向性・悪性・魔性・凝り性・飽き性・堪え性・苦労性・貧乏性・美質・麗質・変質・多血質・粘液質・胆汁質・憂鬱質・躁鬱質・分裂質・癲癇質・ヒューマニティー

*せい・しつ【正室】〔文〕❶表座敷。❷〔身分の高い人の〕本妻。正妻。嫡室。[対]側室。

*せい・じつ【聖日】キリスト教で、日曜日。

*せい・じつ【誠実】《名・形動》いつわりがなく、まごころがこもっていること。まじめ。「―な人柄」[類語]忠実。

せいし・ぼさつ【勢至×菩×薩】阿弥陀三尊の一つ。阿弥陀仏の右脇士。知恵を表し、知恵の光で衆生を救うという菩薩。大勢至菩薩。勢至。

せい・しゃ【生者】〔文〕生きている人。命ある者。生者・生者。[対]死者。

*せい・じゃ【正邪】〔道徳的に〕正しいことと不正なこと。また、正しい人と悪人。「―の別」[類語]善悪。

*せい・じゃ【盛者】↓しょうじゃ。

*せい・じゃ【聖者】❶聖人。❷その宗教で、偉大な業績を残した人。また、すぐれた信者。特にキリスト教で、殉教者や偉大な信者。聖徒。

せい・じゃく【静寂】《名・形動》ひっそりとして静かなこと。「―な環境」[類語]閑寂。閑静。

ぜい・じゃく【×脆弱】《名・形動》〔からだ・器物・組織などが〕もろくて弱いこと。「―な体質」[類語]柔弱。[対]

堅固。

せい-しゅ【清酒】❶澄んだ良質の酒。対濁酒(だくしゅ)。❷米からつくる日本固有の酒。日本酒。類語合成酒。

せい-じゅ【聖寿】〔文〕天子または天皇の年齢・寿命。類語宝算。聖算。

***せい-じゅう【製×絨】**〔文〕毛織物を製造すること。

***せい-じゅう【西×戎】**古代の中国人が西方の異民族をえびすとして卑しめて呼んだ語。参考→東夷(とうい)。

ぜい-しゅう【税収】税金によって得る〔国家・地方公共団体などの〕収入。

***せい-しゅく【星宿】**昔、中国で定めた星座。星の宿り。参考黄道にそって二八に分ける。

***せい-しゅく【静粛】**《名・形動》声や音をたてず、静かにつつしんでいること。「御―に願います」

せい-じゅく【成熟】《名・自サ》❶〔農作物・果実などが〕十分に実ること。❷〔心や体が〕一人前に成長すること。❸経験や習練を積んで、うまくなること。「―した演技」類語円熟。❹〔事をおこすための〕適当な時期になること。機が熟すること。「条件が―するのを待つ」

せい-しゅつ【正出】〔文〕法律上正式な夫婦の間に生まれること。また、その子。嫡出(ちゃくしゅつ)。

せい-しゅん【青春】人生の、若く元気な時代。「―を謳歌(おうか)する」「―の日々」参考古代中国の五行思想で「青」は春を表す。

***せい-じゅん【正×閏】**〔文〕❶平年とうるう年。❷正しい系統と正しくない系統。正統とそうでないもの。また、それをあきらかにすること。〔ふつう、皇位の系統などについていう〕「南北―論」

***せい-じゅん【清純】**《形動》〔心や行いが〕清らかでけがれのないようす。「―なおとめ」類語清楚(せいそ)。清潔。

***せい-しょ【清書】**《名・他サ》改めてきれいに書き直すこと。また、書き直したもの。浄書。清書(きよが)き。

***せい-しょ【盛暑】**〔文〕夏の暑いさかり。「―の候」

***せい-しょ【聖書】**キリスト教の聖典。バイブル。参考旧約聖書と新約聖書がある。

***せい-しょ【誓書】**誓紙。

***せい-じょ【整除】**《名・他サ》整数を他の整数で割ったとき、その商が整数となって余りが出ないこと。

***せい-じょ【聖女】**知徳がすぐれ、言行が神のようにりっぱな女性。

***せい-しょう【制勝】**《名・自サ》〔文〕〔他の者をおさえて〕勝ちを得ること。

***せい-しょう【政商】**政府当局者または有力な政治家と結んで権益を得る商人。

***せい-しょう【星章】**星形のしるし。星形の記章。

***せい-しょう【清勝】**〔文〕相手が健康で暮らしていることを祝う語。〔手紙文で使う〕類語健勝。

***せい-しょう【清祥】**〔文〕相手が元気で幸せに暮らしていることを祝う語。〔手紙文で使う〕「時下ますます御―のこととお慶(よろこ)び申し上げます」

***せい-しょう【斉唱】**《名・他サ》❶〔同じことばを〕声をそろえて一斉にとなえること。「万歳―」❷一つの旋律を二人以上で一緒に歌うこと。「国歌―」類語合唱。

***せい-じょう【性情】**❶〔人間の〕性質と心情。❷生まれつきの性質。

***せい-じょう【性状】**❶〔物の〕性質と状態。❷〔人の〕性質と日々の行い。性行。「彼の―を調べる」

***せい-じょう【政情】**❶政治のありさま。政治のなり行き。「―不安」類語政局。❷政界のようす。「―に通じている」

***せい-じょう【正常】**《名・形動》変わったところがなく、ふつうであること。「―に復する」類語尋常。対異常。

***せい-じょう【清浄】**《名・形動》よごれがなく清らかなこと。清浄(しょうじょう)。「―無垢(むく)」類語清潔。対不浄。

―やさい【―野菜】生育促進剤などを使わず、無農薬で栽培した、野菜。生食に適する。

***せい-じょう【聖上】**〔文〕現在の天皇を尊敬していう語。主上。

せいじょう-き【星条旗】アメリカ合衆国の国旗。参考一三本の赤と白の横線で独立当時の州の数を、左肩の青地に白い星で現在の州の数を表す。

せい-しょうねん【青少年】青年と少年の総称。ふつう、一二歳ぐらいから二五歳ぐらいまでの男女。

***せい-しょく【生殖】**生物が自分の種族を維持・繁栄させるため、自分と同じ種の新しい個体をつくりだすこと。また、その働き。「―機能」**―き【―器】**生物が有性生殖を行うための器官。生殖器官。性器。

***せい-しょく【生色】**いきいきした顔色。また、元気そうなようす。「―を取りもどす」類語精彩。

***せい-しょく【生食】**《名・他サ》なまで食べること。

***せい-しょく【星食】**〔地〕地球と恒星・惑星の間に月が入り、その恒星や惑星をさえぎり隠すこと。掩蔽(えんぺい)。

***せい-しょく【聖職】**〔人を導き教える〕神聖な職業。教師・神官・僧、特に、キリスト教の僧職。「―者」

***せい-しょく【声色】**〔文〕❶〔物を言う時の〕声と顔色。転じて、ようす。態度。「―をやわらげる」❷〔退廃的なものとしての〕音楽と女色。「―にふける」

せいしょ-ほう【正書法】ある言語を文字で書き表す場合の、社会一般に正しいと認められている書き方。また、その体系。正字法。オーソグラフィー。

***せい-しん【星×辰】**〔文〕ほし。また、星座。星宿。

***せい-しん【精神】**❶〔思考・感情の働きなどを総括しているものとして考えた〕人間の心。類語心神。対肉体。❷物質的なものを超越した宇宙の根源的存在。対物質。❸〔物事に対する〕心の持ち方。たましい。意気。「―がたるんでいる」❹物事の根本をなす意義・目的。「立法の―」**―えいせい【―衛生】**精神病・神経症などの予防・処置・治療、また積極的には精神的健康の保持・向上をはかるための、実践的理論と方法。**―かがく【―科学】**人間の精神活動の所産としての文化現象〔芸術・宗教・社会・歴史など〕を理論的に解明する学問の総称。**―かんてい【―鑑定】**裁判の審理過程で、被告の責任能力などの有無を判断するために行う精神状態の診察・検査。**―しゅぎ【―主義】**物質的なものよりも精神的なものを重視する考え方。**―しょうがい【―障害】**〔医〕精神に異常がある状態の総称。知的障害・性格異常〔精神病質〕・統合失調症・そううつ病・神経症など。**―ちたい【―遅滞】**「知的障害」の旧称。参考「精神薄弱」のかわりに、一時使われた語。**―てき【―的】**《形動》精神のことに関するようす。また、精神に重点を置くようす。「―疲労」対物質的。肉体的。**―ねんれい【―年齢】**❶〔心〕知能検査ではかったある個人の知能の発達程度を、生活年齢を基準にはかった一般の知能の平均値をもとにして、その何歳にあたるかを示したもの。対生活年齢。❷ものの考え方や行為などからみた年齢の程度。**―はくじゃく【―薄弱】**「知的障害」の旧称。

称。—ぶんせき【—分析】〔心〕夢・空想・連想などを分析して、意識の奥にある無意識の領域を明らかにしようとすること。サイコアナリシス。—ぶんれつ・びょう【—分裂病】「統合失調症」の旧称。—りょく【—力】精神を支える力。精神の強さ。気力。—ろうどう【—労働】おもに頭脳を使ってする労働。頭脳労働。対肉体労働。

—一到何事か成らざらん《句》全精神を傾けて一つの事に当たれば、どんな困難な事でも必ず成し遂げることができるものである。〈朱子語類〉

*せい・しん【西進】《名・自サ》西へ進むこと。対東進。

*せい・しん【誠心】まじめな心。まごころ。誠意。—せいい【—誠意】《副》「まごころをもって」の意を強調していう語。「—仕える」

*せい・しん【清新】《形動》〔感覚・気分などが〕新しくてすがすがしいようす。「—な文体」

*せい・しん【生新】《形動》いきいきして新しいようす。生気があふれて新しいようす。類語新鮮。生鮮。

*せい・じん【成人】❶心身ともに成長し一人前の人間になった人。おとな。「—男子」❷《名・自サ》おとなになること。成長すること。—の・ひ【—の日】国民の祝日の一つ。一月第二月曜日。過去一年の間に満二〇歳を迎えた青年男女を祝福し激励する日。—びょう【—病】四〇歳以上の人におこりやすい病気の総称。一般に、癌（がん）・心臓病・高血圧などをいう。現在は、「生活習慣病」という。

*せい・じん【聖人】知識・言行・人柄などが人なみはずれてりっぱで、世間の人々から理想的な人物と仰がれる人。聖者。「—君子」類語君子。聖哲。

*せい・ず【星図】天球上の恒星の位置や明るさを地図のように平面上に表した図。恒星図。

*せい・ず【製図】《名・他サ》〔設計するために〕器具を使って図面をえがくこと。また、その図面。類語作図。

*せい・すい【清水】〔文〕澄んだきれいな水。しみず。「—に魚棲（す）まず」対濁水。

*せい・すい【盛衰】〔文〕〔勢いが〕盛んになることとおとろえること。「栄枯—」類語興亡。興廃。消長。

*せい・すい【精粋】〔不純なものを除き去ったあとの〕まじりけがなく、最もよいところ。「元禄文化の—」

*せい・すい【静水】静止して動かない水。対流水。

せい・ずい【精髄】物事の本質をなす、最もすぐれたところ。いちばん重要なところ。「茶道の—」類語神髄。

*せい・すう【整数】0およびそれに1を順次に加えてできる数（1・2・3…）と、引いてできる数（−1・−2・−3…）。対分数。小数。

*せい・すう【正数】実数で0より大きい数。プラスの数。参考符号は「＋」。対負数。

*せい・する【制する】《他サ変》❶〔おきてを〕定める。制定する。❷おしとどめる。「はやる気持ちを—・する」❸支配する。「先んずれば人を—・する」＝制す。

*せい・する【征する】《他サ変》〔文〕従わない者を平らげようとして攻めうつ。「外敵を—・する」

*せい・する【製する】《他サ変》〔文〕つくる。こしらえる。製造する。「紙を—・する」

ぜい・する【×贅する】《他サ変》〔文〕むだ口をきく。よけいな物言いをする。贅す。

*せい・せい【整斉・斉整】《名・形動タルト・他サ》〔文〕〔多くの物の集まりが〕ととのいそろっていること。また、ととのえそろえること。「—たる天体の運行」

*せい・せい【生成】❶《名・自サ》〔自然に〕物ができあがること。物が生じること。「火山の—」類語発生。❷《名・他サ》〔人工的に〕物をつくりあげること。

*せい・せい【生生】〔文〕❶《形動タルト》いきいきしているようす。❷《名・自サ》万物がうまれ育つようす。物がたえず生じて変化していくようす。「—発展」—るてん【—流転】→しょうじょうるてん。

*せい・せい【精製】《名・他サ》❶〔品物を〕こまかい点まで気を配ってつくること。念入りにつくること。類語特製。対粗製。❷〔粗製品に手を加えたり不純物などを取り除いたりして〕純粋な品質のものにすること。

*せい・せい【清清】《副・自サ》❶〔文〕はればれして清らかなようす。「—と晴れ渡る」❷気分がはればれするようす。さっぱりとして快いようす。「気分が—した」

*せい・せい【▽済▽済】《形動タルト》〔文〕多くて盛んなようす。「多士—」参考「さいさい」は慣用読み。

せい・ぜい【精精】《副》❶力の及ぶ範囲内で努力するようす。できるだけ。せいいっぱい。「—お力添えしよう」❷多く見積もったとしても。たかだか。「—五人来れば上出来だ」表記かな書きにすることが多い。

*ぜい・せい【×噬×臍】〔へそをかもうとしても口が届かない意から〕後悔しても間に合わないこと。「—の悔い」

*ぜい・せい【税制】租税のかけ方、取りたての方法などについての制度。「—の改革」

*ぜい・せい【税政】租税に関する行政。

せいせい・どうどう【正正堂堂】《形動タルト》❶〔文〕〔軍勢などの〕勢いが盛んなようす。「—の陣」❷態度や手段が正しく立派なようす。「—と戦う」

*せい・せき【成績】❶おこなった仕事・事業などの結果。類語業績。実績。「営業—」❷学業や試験のできぐあい。注意「成積」は誤り。

*せい・せき【聖跡・聖×蹟】❶宗教上、神聖なできごとのあったあと。神聖な遺跡。類語聖地。❷以前に天皇が訪れたり、都があったりした場所。

せい・ぜつ【×凄絶・×悽絶】《名・形動》ぞっとするほどものすごいこと。「—な死を遂げる」類語凄然。

せい・せっかい【生石灰】石灰岩を焼き炭酸ガスを除いてつくる、白色のかたまり。水をよく吸収する。酸化カルシウム。生石灰（きいしばい）。

*せい・せん【征戦】出かけて行って敵と戦うこと。

*せい・せん【生鮮】《名・形動》〔魚・野菜などが〕新しくていきがよいこと。「—食料品」類語新鮮。生新。

*せい・せん【精選】《名・他サ》特にすぐれたものを選び出すこと。えりぬき。「—された問題」

*せい・せん【聖戦】神聖な目的のために行う戦い。

*せい・ぜん【生前】生きていた時。在世中。対死後。

*せい・ぜん【西漸】《名・自サ》〔文〕しだいに西の方へ移っていくこと。「インド文明の—」対東漸。

*せい・ぜん【整然・井然】《形動タルト》❶区画が正しく整っているようす。「—とした町並み」❷秩序・筋道がきちんと整っているようす。井々。「理路—」

せいぜん・せつ【性善説】人の本性は生来善であるとする説。孟子が唱えた。対性悪説。

*せい・そ【清×楚】《名・形動》かざりけがなく、さっぱりして清らかなこと。「—な身なり」類語清純。

*せい・そ【精粗】〔文〕こまかいことと、あらいこと。くわしいことと、大ざっぱなこと。

*せい・そう【×凄×愴・×悽×愴】《名・形動タルト》〔文〕すさ

まじく、いたましいこと。「—きわまる死闘が展開される」参考「凄愴な」の形で使うこともある。

*せい-そう【成層】層をなして重なっていること。また、そのようなもの。 —けん【—圏】対流圏の上にある空気の層。地表から約一〇〜五五キロで、気象の変化がなく、風向きも気温もほぼ一定している。対対流圏。

*せい-そう【政争】〔主義・主張をめぐっての〕政治上のあらそい。政権の奪い合い。政戦。「—の具」

*せい-そう【星霜】〔文〕〔星は一年で天を一めぐりし、霜(しも)は年ごとに降ることから〕年月。歳月。「幾—を重ねる」類語春秋。

*せい-そう【正装】《名・自サ》公式の場所や場合にかなった正式の服装。また、それを着ること。対略装。

*せい-そう【清掃】《名・他サ》掃除をしてきれいにすること。さっぱりと払い除くこと。「—工場」「—車」

*せい-そう【盛▽粧】《名・自サ》〔文〕人目を引くような華やかな化粧をすること。また、そのような化粧。

*せい-そう【盛装】《名・自サ》〔女性が〕美しくはなやかに着かざること。また、その服装。「—して出かける」

*せい-そう【精巣】雄の生殖腺(せん)。精子をつくる器官。対卵巣。

*せい-そう【清×爽】《形動》〔文〕清らかでさわやかなようす。「—の気がみなぎる」類語爽快。

*せい-ぞう【聖像】❶天皇の肖像。❷聖人の像。

*せい-ぞう【製造】《名・他サ》品物をつくること。原料や半製品を加工して商品をつくること。「—業」類語生産。製作。謙譲謹製。 —ぶつ-せきにん-ほう【—物責任法】製品の欠陥による被害に対して製造業者が負う損害賠償責任について規定した法律。一九九五年施行。PL法。

*せい-そく【×棲息・×栖息】《名・自サ》〔ある場所に動物が〕すんで生活すること。生息。「サルの—地」

*せい-そく【正則】❶正しい規則。❷《名・形動》規則にかなっていること。類語正規。正式。対変則。

*せい-そく【生息】《名・自サ》❶〔ある環境の中で〕生物が生きて、繁殖すること。「—状況」❷棲息(せいそく)。

せい-ぞく【聖俗】〔文〕❶聖人と俗人。❷宗教的なことと、世俗的なこと。

*せい-ぞろい【勢×揃い】ーぞろひ《名・自サ》❶軍勢が集まりそろうこと。❷〔仲間などが〕ある目的で一か所に集まること。「スター選手が—する」類語集結。

せい-ぞん【生存】《名・自サ》生きていること。また、生きながらえること。生き残ること。生存(せいそん)。「—者」 —きょうそう【—競争】自分が生きのびるために住居や食物などを得ようとして行われる生物間の争い。参考ひゆ的に、人が生活してゆくための激しい競争の意でも使う。「企業の間の—」

*せい-たい【成体】成長して生殖可能となった生物体。おや。

*せい-たい【政体】❶国家の組織形態。君主制・貴族制・民主制の三種、また、君主制・共和制の二種に分ける。❷国家の主権の運用形式。立憲政体・専制政体の二種に分ける。

*せい-たい【整体】骨格のゆがみを矯正し、健康増進をはかる民間療法。

*せい-たい【生体】❶生きているもの。生物。❷生きている体。「—実験」類語生身(なまみ)。対死体。

*せい-たい【生態】❶〔生物が自然界の中で〕生活しているありさま。「サルの—を調べる」❷〔活動しているものの〕ありのままの状態。「若者の—を探る」 —がく【—学】(ecology)生物学の一分野。生物の個体・集団の生活、および同じ環境に生活する他の生物との関係などを研究する。エコロジー。 —けい【—系】動物・植物と、それらに影響を与える環境とからなる、自然のしくみ。

*せい-たい【聖体】❶神聖な体。特に、天皇の体。玉体。❷〔キリスト教で〕キリストの体。

*せい-たい【声帯】のどの中央部にある発声器官。二すじの靭帯(じんたい)から成る。 —もしゃ【—模写】人物・鳥獣などの声をまねる演芸。こわいろ。

*せい-たい【×臍帯】→さいたい(臍帯)。

*せい-たい【青×黛】〔文〕❶青いまゆ墨。また、それでかいたまゆ。❷まゆ墨のような色。こい青色。

*せい-たい【静態】〔本来動きのあるものの〕静止している状態。また、いつも活動しているものを、仮に静止したものとしてとらえて見た状態。対動態。

*せい-だい【盛代】〔文〕国力が栄え発展する時代。

*せい-だい【聖代】〔文〕すぐれた天子が治める時代。〔その時代を尊んだ言い方〕「明治の—」

*せい-だい【正大】《形動》〔文〕〔態度や行動が〕正しく堂々としているようす。かたよらず規模が大きいようす。〔多く他の語につけて使う〕「天地—」「公明—」

*せい-だい【盛大】《形動》〔集会・儀式などが〕大じかけでりっぱなようす。盛んなようす。「—な祝宴」

せい-たく【請託】《名・他サ》内々で特別のはからいを頼み込むこと。「—を強要する」

せい-だく【清濁】❶澄んでいることと、濁っていること。❷清音と濁音。❸君子と小人。善人と悪人。 —併せ呑(の)む〈句〉心がひろく、善人でも悪人でもかまわず来るものすべてを受け入れる。

ぜい-たく【×贅沢】《名・形動》❶《自サ》必要以上に費用をかけること。「—を尽くす」類語贅。奢侈(しゃし)。驕奢(きょうしゃ)。豪奢。❷必要な限度や身の程をわきまえないこと。「—三昧(ざんまい)」

せい-たけ【背丈】→せたけ。

せい-だ-す【精出す】《自五》ほねおしみせずはげむ。一生懸命つとめる。精を出す。「仕事に—す」

せい-たん【生誕】《名・自サ》〔文〕〔人が〕生まれること。誕生。〔偉人について使う〕「ゲーテ—二百年祭」

*せい-だん【政談】❶〔その時行われている〕政治についての議論・談話。「盛んに—をたたかわす」❷ある時代の政治・裁判事件などを題材とした物語。「大岡(おおおか)—」

*せい-だん【星団】恒星(こうせい)の集団。「プレアデス—」

*せい-だん【清談】〔文〕❶昔、中国で、俗世の混乱を避けて行われた、老荘思想にもとづく談論。❷俗世間を離れた、学問・芸術などに関する高潔な談話。

*せい-だん【聖断】〔文〕天皇が下す裁断。聖裁。

せいたん-きょく【聖×譚曲】オラトリオ。

せいたん-さい【聖誕祭】クリスマス。

*せい-ち【整地】《名・他サ》〔作物の植え付けや建築などができるように〕土地をならすこと。地ならし。

*せい-ち【生地】生まれた土地。出生地。

*せい-ち【精×緻】《名・形動》非常にこまかい所まで注意が行き届き、よくととのっていること。「—な調査」「—な銀細工」類語精巧。精密。綿密。精細。

*せい-ち【聖地】❶〔神・仏・聖人に関係があって〕神聖とされる土地。霊地。「—巡礼」❷特に、キリスト教

で、キリスト教発祥の地パレスチナのこと。

ぜい-ちく【×筮竹】 易(えき)の占いに使う、細い竹の棒。

せい-ちゃ【製茶】 つみとった茶の葉を飲料用に加工すること。また、その茶。

せい-ちゃく【正嫡】 〔文〕❶本妻。正妻。正室。❷本妻が産んだ子。嫡子(ちゃくし)。嫡出子。＝正嫡(せいてき)。

***せい-ちゅう【成虫】** 成長して生殖能力をもつようになった昆虫。対 幼虫。

***せい-ちゅう【×掣×肘】** 《名・他サ》〔文〕〔肘(ひじ)を掣(ひ)く意から〕わきから干渉して自由な行動を妨げること。「―を加える」 類語 制約。拘束。抑制。

***せい-ちゅう【正中】** ❶〔物を二等分する〕まんなか。物の中心。「―線」❷中正であること。不偏不党。「―を保つ」❸《名・自サ》天体が真南または真北にくること。❹《名・自サ》正しくあたること。的中。

***せい-ちゅう【精虫】** 「精子」の別称。

***せい-ちょう【性徴】** 男女・雌雄の別による性的な特徴。参考 生まれつきのものを第一次性徴、成熟にともなって現れるものを第二次性徴という。

***せい-ちょう【成長】** 《名・自サ》〔人間や動物が〕育って大きくなること。一人前に成熟すること。おとなになること。参考 肉体的・精神的なことにも、また物事がより高い段階に発展することにも言う。「つとめに出てから一段と―した」「経済―」 類語 成育。 **―かぶ【―株】** ❶将来大きく発展する見込みのある産業や会社の株。❷将来性のある人。将来を期待される人。

***せい-ちょう【成鳥】** 成長して生殖能力のある鳥。

***せい-ちょう【政庁】** 政務を取り扱う役所。

***せい-ちょう【整調】** ❶《名・他サ》調子を整えること。❷ボートで、舵手(だしゅ)(＝コックス)と向かいあい、こぎ手全体の調子を整えること。また、そのこぎ手。

***せい-ちょう【正調】** ❶その物本来の正しい調子。❷その曲本来の調子。特に、日本の民謡で、伝統的に受け継がれてきた正しい調子。「―おけさ節」

***せい-ちょう【清朝】** 「清朝体」の略。活字の書体の一つ。毛筆でくずさずに書いたような書体。清朝活字。

***せい-ちょう【清聴】** 《名・他サ》自分の講演・演説などを相手がきいてくれることを言う尊敬語。「御―を感謝します」

***せい-ちょう【生長】** 《名・自サ》〔植物が〕伸び育つこと。「稲の苗が―する」

***せい-ちょう【声調】** ❶〔歌うときの〕声の調子。ふしまわし。❷詩歌の調子。「万葉の―を模す」

***せい-ちょう【静聴】** 《名・他サ》〔人の話・講演などを〕静かにきくこと。「御―を願います」

***せい-ちょう【清澄】** 《形動》清らかに澄んでいるようす。「―な空気」 類語 澄明(ちょうめい)。

せい-つう【精通】 ❶《名・自サ》〔ある事柄について〕こまかい所までよく知っていること。「英文学に―する」 類語 熟知。通暁。❷男子が初めて経験する射精。

***せい-てい【制定】** 《名・他サ》法律や規則をつくり定めること。公のものとしてきめること。「国歌を―する」

***せい-てい【聖帝】** 〔文〕徳のすぐれた天子。聖天子。

***せい-てき【政敵】** 政治のうえで対立する相手。政治的な問題で争う相手。「―を倒す」

***せい-てき【清適】** 《名・形動》〔文〕〔心身が〕すがすがしく安らかなこと。〔多く手紙文で、相手の無事・健康を祝っていう語〕「貴下ますます御―の段」

***せい-てき【性的】** 《形動》男女の性に関するようす。また、性欲に関するようす。「―な魅力」

***せい-てき【静的】** 《形動》動かないようす。動きが感じられないようす。「―な美しさ」 対 動的。

***せい-てつ【聖哲】** 〔文〕知徳がすぐれ、物事の道理に通じている人。 類語 聖人。

***せい-てつ【製鉄】** 鉄鉱石を製錬して銑鉄をつくること。「―所」

***せい-てつ【西哲】** 西洋の（すぐれた）哲学者・思想家。

***せい-てん【性典】** 〔文〕性に関して解説した本。

***せい-てん【晴天】** 晴れた空。また、天気がよいこと。「―に恵まれる」 類語 好天。 対 雨天・曇天。

***せい-てん【盛典】** 〔文〕大がかりでりっぱな儀式。盛大な儀式。盛儀。「即位式の―」

***せい-てん【聖典】** ある宗教の教義・戒律、教祖の言行などをしるした書物。参考 キリスト教の聖書、イスラム教のコーランなど。

***せい-てん【青天】** 〔文〕晴れわたった空。青空。碧天(へきてん)。碧空。 **―はくじつ【―白日】** ❶晴れわたった青空に日がかがやいていること。よい天気。❷心にやましいところがないこと。「―の身となる」また、疑いがはれ無罪が明らかになること。注意 「晴天白日」は誤り。 **―の霹靂(へきれき)** 《句》〔青空に突然おこる雷の意から〕突然おこる思いがけない出来事・大事件。

せい-でん【正殿】 ❶宮殿の中心となる建物。表御殿。❷神社で、神を祭ってある建物。本殿。

せい-てんかん【性転換】 《名・自他サ》性別が逆になること。また、逆にすること。「―手術」

せい-でんき【静電気】 物の表面または内部にあって電流とならずに静止している電気。 対 動電気。

***せい-と【征途】** 〔文〕戦争や競技にむかう旅の道。遠征への道。「声援に送られて―につく」

***せい-と【生徒】** 中学校・高等学校・各種学校に籍をおいて教育を受ける人。児童。学生。

***せい-と【聖徒】** ❶キリスト教の信徒。キリスト教徒。❷カトリック教で、徳を認められた信徒。

***せい-ど【制度】** 社会やある団体などの秩序を保ち、（うまく）運営してゆくためのきまりや仕組み。

***せい-ど【精度】** 測定機器などの精密さの度合い。また、仕事などの精確さの程度。「―の高い器械」

***せい-ど【西土】** 〔文〕❶西方の地・国。❷西洋。また、インド。

***せい-とう【征討】** 《名・他サ》〔反逆者や服従しないものを〕攻めうつこと。征伐。 類語 退治。討伐。

***せい-とう【政党】** 政治上同じ考え・理想をもつ人々が集まり、政権を取ってその考え・理想を実現するためにつくった団体。「保守―」 **―せいじ【―政治】** 議席数の最も多い政党が内閣を組織して行う政治。 **―ないかく【―内閣】** 立憲政体のもとで、主に政党の首班が首相となり、閣僚の全部または大部分をその政党員で組織する内閣。

***せい-とう【正当】** 《名・形動》正しくて、道理または法律にかなっていること。「―な理由」 対 不当。 **―ぼうえい【―防衛】** 〔法〕急に不法な暴行などを受けたとき、自分または他人の生命・権利を守るために、やむをえず相手に害を加える行為。参考 刑法でも民法でも責任を問われない。

***せい-とう【正答】** 《名・自サ》正しい答えを出すこと。また、正しい答え。 類語 正解。 対 誤答。

せ

***せい・とう**【正統】❶最も正しい血筋・系統。❷始祖の教えや学説を忠実に受け伝えていること。「—派」

***せい・とう**【精糖】粗糖から純粋な白砂糖を精製すること。また、その白砂糖。対粗糖。

***せい・とう**【精到】《名・形動》〔文〕こまかく十分に行き届いていること。「—な研究報告」

***せい・とう**【製糖】サトウキビ・テンサイなどをしぼった液を煮つめ、結晶させて砂糖をつくること。

***せい・どう**【制動】《名・他サ》運動する物体を止めたり、速度を落としたりすること。「—をかける」「—機」

***せい・どう**【政道】政治のしかた。〔古風なことば〕

***せい・どう**【正道】正しい道理。また、それに従ったやり方。正しい行為。「—を歩む」対邪道。

***せい・どう**【生動】《名・自サ》生き生きと動き出すこと。また、そのような感じがあること。「気韻—」

***せい・どう**【精銅】精錬した銅。また、銅を精錬すること。「—所」

***せい・どう**【聖堂】❶聖人、特に孔子をまつった建物。聖廟。❷〔キリスト教で〕教会堂。礼拝堂。

***せい・どう**【青銅】銅を主成分とした、錫との合金。機械部品・美術品などに用いられる。唐金。ブロンズ。「—のキリスト像」「—器」

***せい・とく**【生得】生まれつき。生得。「—の性格」

***せい・とく**【盛徳】〔文〕すぐれた徳。「—の君子」

***せい・とく**【聖徳】〔文〕❶天皇・天子の徳。❷もっともすぐれた徳。

せい・どく【精読】《名・他サ》〔内容をよく理解できるように〕細かい所まで丁寧に読むこと。類語熟読。

せい・とん【整×頓】《名・他自サ》〔乱れている物の位置などを〕ととのえ、かたづけること。また、その状態になること。「整理—」類語整理。整備。

せい・なん【西南】西と南との中間の方角。南西。西南。対東北。

せい・にく【精肉】品質をよくえらんだ、上等の肉。

ぜい・にく【×贅肉】からだに必要以上についた、脂肪の多い肉。ふとりすぎの余分な肉。「—がつく」

***せい・ねん**【成年】心身が発達し、一人前の能力をもつ者と認められる年齢。成人に達する年齢。

***せい・ねん**【生年】❶生まれた年。対没年。❷生まれてからその時までの年数。生年。「—七歳」

***せい・ねん**【盛年】〔文〕若い盛りの元気な年ごろ。
—重ねて来たらず《句》若い盛りは一生に二度はないから、むなしく過ごしてはいけない。〈陶淵明・雑詩〉

***せい・ねん**【青年】青春期にある男女。一四、五歳から二四、五歳ごろの人。若人。若者。「—期」

***せい・のう**【性能】〔器具・機械などの〕仕事をする上で認められる性質や能力。「—のよい自動車」

***せい・のう**【精農】〔文〕よくはたらき、農業に熱心な農民・農家。類語篤農。対惰農。

***せい・は**【制覇】《名・自サ》❶他の勢力をおさえて、権力をにぎること。類語征服。❷競技・試合などで、優勝すること。「三年連続—の偉業」類語制勝。

***せい・は**【政派】政党の中の派閥。「政党—」

せい・はい【成敗】〔文〕成功と失敗。また、成功するか失敗するか。成敗。「—は時の運」

せい・ばい【成敗】〔文〕❶↓せいはい（成敗）。❷《名・他サ》さばくこと。裁決すること。裁判。❸《名・他サ》こらしめること。処罰すること。「喧嘩両—」

せい・はく【精白】❶《名・他サ》米や麦などをついてうす皮をとり、白くすること。❷「精白米」の略。

せい・ばく【精麦】《名・自サ》麦をついてうす皮をとり、白くすること。また、ついて白くした麦。

せい・はつ【整髪】《名・自サ》髪の形を整えること。〔ふつう、男性についていう〕「—料」類語調髪。理髪。

せい・ばつ【征伐】《名・他サ》〔悪者や反逆者などを〕攻めてうちたいらげること。征討。類語退治。

***せい・はん**【正犯】〔法〕直接、刑事上の責任を問われる犯罪行為を実行した者。対従犯。

***せい・はん**【製版】《名・自他サ》印刷するための版をつくること。「写真を—する」

せい・はん・ごう【正反合】〔哲〕ヘーゲルの弁証法における論理展開の三つの過程。ある一つの判断（正または定立）と、それに対立・矛盾する別の判断（反または反定立）とが、さらに高い段階の総合された判断（合または総合）へと統合されてゆくとする。

せい・はんたい【正反対】《名・形動》完全に反対であること。まったくあべこべであること。

***せい・ひ**【成否】成功と失敗。また、成功するかどうか。「手術の—」

***せい・ひ**【正否】正しいことと、正しくないこと。また、正しいかどうか。「事の—を問う」

***せい・ひ**【正比】❶〔数〕逆比に対して、そのもとになるふつうの比。比。❷「正比例」の略。対①②逆比。反比。

***せい・び**【整備】《名・他自サ》〔機械・道具などを〕すぐ使える〔行動できる〕ように準備しととのえること。また、準備がととのっていること。「環境の—」

***せい・び**【精微】《名・形動》細かい所まで詳しいこと。「—を尽くす」類語精緻。精巧。精密。精細。

***せい・び**【精美】《名・形動》〔文〕❶精巧で美しいこと。❷純粋で、美しいこと。

せい・ひつ【静×謐】《名・形動》〔文〕〔世の中やまわりの雰囲気が〕静かでおだやかなこと。「町は元の—にもどった」類語平穏。静穏。

***せい・ひょう**【製氷】《名・自サ》氷をつくること。

***せい・ひょう**【青票】国会で記名投票による表決の時に使う、反対を表す青色の票。青票。対白票。

***せい・びょう**【性病】性交によってうつる感染症の総称。花柳病。参考医学上は「性行為感染症」という。

***せい・びょう**【聖×廟】聖人の霊をまつるみたまや。参考特に孔子や菅原道真の廟をいう。聖堂。

せい・ひれい【正比例】《名・自サ》❶一方が二倍・三倍…となれば、他方も二倍・三倍…となるような、二つの量の関係。比例。正比。対反比例。逆比例。❷二つのものが関連しあって同じ割合で増減すること。

***せい・ひん**【清貧】〔文〕行いが正しく、私利を考えないために貧乏であること。「—に甘んじる」

***せい・ひん**【製品】〔商品としてまた、その原料で〕つくった品物。「—を問屋におろす」「ビニール—」

***せい・ふ**【政府】国家を統治する最高の機関。日本では、内閣、または内閣のもとにある行政機関の全体。
—かいはつえんじょ【—開発援助】⇩巻末付録（ODA）。

***せい・ふ**【正負】正と負。プラスとマイナス。㋐数学で、正数と負数。正号（＋）と負号（−）。㋑〔電気・磁気の〕陽性と陰性。陽極と陰極。

*せい・ぶ【声部】〔合唱や合奏などの〕多声楽曲を構成する個々の旋律。ソプラノ・テノールなど。パート。

*せい・ぶ【西部】❶西の部分。対東部。❷アメリカ合衆国で、太平洋沿岸の比較的新しく開けた地方。

*せい・ふう【清風】すがすがしい風。さわやかな風。参考ひゆ的に、人の気持ちをすがすがしくさせるような新鮮みのあるものの意にも使う。「棋界に—を送る」

*せい・ふう【西風】❶西の方から吹く風。にしかぜ。対①②東風。❷〔五行説で西は秋に当たることから〕秋風。

*せい・ふく【制服】ある団体・学校などに属する人が着る定められた服装。ユニフォーム。対私服。

*せい・ふく【征服】《名・他サ》❶〔武力などによって敵を〕うち負かして従えること。支配下におさめること。類語制覇。❷〔ひゆ的に〕困難なことがらをなしとげること。「冬山を—する」

*せい・ふく【整復】《名・他サ》骨折したり脱臼したりした部分をもとの正常な状態にもどすこと。

*せい・ふく【清福】〔文〕精神的な幸福。清らかな幸福。〔手紙文で、相手の幸福を祝う語〕「御—を祈る」

*せい・ぶつ【生物】生命をもち、成長・繁殖するもの。動物と植物の総称。生き物。対無生物。

*せい・ぶつ【静物】❶動かないもの。❷絵画の題材としての、静止している物。また、それを描いた絵。

ぜい・ぶつ【×贅物】〔文〕❶あっても役にたたない物。よけいな物。むだな物。❷ぜいたくな物。

せい・ふん【製粉】《名・自サ》穀物（特に小麦）をひいて粉にすること。「—所」

*せい・ぶん【成分】❶まじり合ってある物を組み立てている、その各部分・物質。構成要素。「薬品の—」❷〔主語・述語・修飾語など〕一つの文を構成する各部分。

*せい・ぶん【成文】文章として書き表されたもの。「慣習法を—化する」 —ほう【—法】〔法〕文書の形式を備えた法。成文律。対不文法。不文律。

*せい・ぶん【正文】❶〔写し・翻訳文などに対して〕もとになる文書・文章。「条約の—を保管する」類語原文。❷〔添えられた説明書などに対して〕文書の本文。

せい・へい【精兵】よりぬきの強い兵。精兵。類語強兵。精鋭。

せい・へき【性癖】性質上に見られる偏り。くせ。「—は問わない」

*せい・べつ【性別】男女・雌雄の区別。

*せい・べつ【生別】《名・自サ》本来共にいるべき関係のものが、たがいに生きたまま会えずにいること。生き別れ。対死別。

*せい・へん【政変】❶急激におこる政権の移動。「軍部のクーデターによる—」❷内閣が変わること。

*せい・へん【正編・正×篇】書物の主要部分として最初に編集されたもの。本編。対続編。

*せい・ぼ【歳暮】❶年の暮れ。年末。歳末。❷〈多く、「お—」の形で〉〔その年世話になった感謝の気持ちで〕年末に贈り物をすること。また、その贈り物。＝歳暮。

*せい・ぼ【生母】その人を産んだ母。実母。対継母。

*せい・ぼ【聖母】❶聖なる母。また、聖人の母。「—マリア」❷〔キリスト教で〕キリストの母、マリアのこと。

*せい・ほう【製法】物品をつくる方法。製造方法。

*せい・ほう【西方】西の方角。西の方面。西方。対東方。

*せい・ぼう【制帽】ある団体・学校などに属している人がかぶる定められた帽子。「制服—」

*せい・ぼう【声望】〔多くの人からうける〕よい評判や人気。名声と人望。「—が高い」「—家」類語信望。

ぜい・ほう【税法】租税に関する法規の総称。

せい・ほうけい【正方形】四つの辺の長さが等しく、四つの角が直角の四辺形。正四角形。真四角。

せい・ほく【西北】西と北との中間の方角。西北。「都の—」対東南。

せい・ぼく【清×穆】〔文〕❶清らかにやわらぐこと。❷相手の幸福・健康を祝っていう語。「御—の段…」

*せい・ほん【正本】❶公文書の原本にもとづいて作成した文書。原本と同じ効力をもつ。❷写しとったものや副本のもとになったもの。原本。対副本。

*せい・ほん【製本】《名・他サ》印刷物や原稿などをとじて、本の形につくること。「—所」

せい・まい【精米】《名・自他サ》玄米をついてうす皮をとり、白くすること。また、ついて白くした米。精白（米）。「—所」

せい・みつ【精密】《形動》❶細かい所まで巧みにつくられているようす。精巧。「—機械」❷細かい所まで注意が行き届いているようす。精細。「—に測定する」類語①②緻密。

せい・みょう【精妙】《形動》細かい所までたくみにできているようす。「—な細工」

せい・む【政務】政治を行う上での仕事。行政事務。 —かん【—官】大臣のもとで、副大臣とともに大臣を助けて種々の政務に従事する特別職。

ぜい・む【税務】租税の賦課・徴収に関する行政事務。「—署」

*せい・めい【姓名】みょうじと名まえ。氏名。

*せい・めい【清明】❶《名・形動タリ》〔文〕清らかではっきりしていること。❷二十四節気の一つ。春分からかぞえて一五日目。太陽暦で四月五日ごろ。

*せい・めい【生命】❶生物が活動する根本の力。いのち。「—力」❷寿命。「政治—（＝政治家としての寿命）を犠牲にする」❸ある物事を成り立たせていく上で、最も大切なもの。「新聞の—は報道の中立にある」 —せん【—線】❶そのものが・生きる（存立する）ためにはどうしてもゆずれない限界線。❷手相で、その人の寿命をうらなうことができるとされる、手のひらの筋。 —ほけん【—保険】被保険者の死亡、または一定の年齢に達するまで生存したことに対して一定の金額が支払われる保険。

*せい・めい【盛名】〔文〕〔業績などによる〕りっぱな評判。盛んな名声。「—を馳せる」類語高名。

*せい・めい【声名】〔文〕よい評判。名声。

*せい・めい【声明】《名・他サ》自分の意見などを広く世間につげ知らせること。また、その文章。「共同—」「反対—」「抗議—」「—文」類語宣言。公言。

*せい・めい【誓盟】〔文〕ちかい。盟誓。

*せい・めん【生面】〔文〕❶新しい方面。新生面。「—を開く」❷初めて会うこと。初対面。「—の客」

*せい・めん【製×麺】《名・自他サ》めん類を作ること。

せい・もく【井目・聖目】❶碁盤の目にしるした九つの黒い点。❷囲碁で、ハンディーをつけるために、腕の劣る者が最初に井目①に一つずつ碁石をおくこと。

ぜい・もく【税目】租税の種目。所得税・法人税・酒税・自動車税など。

せ

*せい・もん【正門】正面にある門。表門。対裏門。

*せい・もん【声紋】声を周波数分析装置によって分析し、その結果を複雑なしま模様に描いたもの。指紋と同様に各人ごとに異なり、犯罪捜査などに利用する。

*せい・もん【声門】左右の声帯の間にある狭いすきま。

せい・もん【誓文】誓いを書いた文書。誓書。類語誓詞。—ばらい【—払(い)】〔関西地方で〕年末に行う、呉服の安売り。転じて、安売り。

*せい・や【征野】〔文〕戦いの行われている山野。戦野。類語戦場。

*せい・や【星夜】〔文〕よく晴れて星がかがやいている夜。星月夜(ほしづきよ・ほしづくよ)。

*せい・や【晴夜】〔文〕晴れて気持ちのよい夜。

*せい・や【清夜】〔文〕よく晴れてすがすがしい夜。

*せい・や【聖夜】クリスマス(=イエス生誕の日)の夜。また、クリスマスイブ。

*せい・やく【制約】《名・他サ》条件をつけて範囲をせばめること。また、その条件。「時間の—を受ける」

*せい・やく【成約】《名・自他サ》契約が成り立つこと。「部品の輸出が—する」

*せい・やく【製薬】薬品をつくること。類語製剤。

*せい・やく【誓約】《名・他サ》誓いをたてること。かたく約束すること。また、その誓い・約束。「—書」

*せい・ゆ【精油】❶《名・自他サ》石油を精製すること。また、精製した石油。❷ある種の植物から採取・精製した芳香・揮発性の油。樟脳(しょうのう)油など。

*せい・ゆ【製油】《名・自他サ》原油を加工・精製して石油製品をつくること。また、動植物体から食用油などをつくること。

*せい・ゆう【清遊】《名・自サ》〔文〕❶〔詩歌・管弦など〕上品で世俗をはなれた遊び。風流な遊び。❷相手の遊び・旅行などを敬って言う語。「当地に御—の節」

*せい・ゆう【声優】〔「声の俳優」の意で〕アニメや洋画などの声の吹き替えに出演する俳優。

せい・よ【声誉】〔文〕よい評判。ほまれ。名声。

*せい・よう【整容】〔文〕すがたを整えること。また、姿勢を正しくすること。

*せい・よう【西洋】日本や中国から、ヨーロッパ・アメリカ諸国をさして言う語。泰西(たいせい)。西欧。対東洋。

*せい・よう【静養】《名・自サ》〔病気の治療や休息のため〕しずかにして心身を休めること。類語休養。保養。

*せい・よく【制欲・制×慾】《名・自サ》欲情または欲望をおさえること。

*せい・よく【性欲・性×慾】異性の肉体を求める欲望。性的な欲望。肉欲。類語情欲。色欲。愛欲。

せい・らい【生来】❶生まれつき。「—の怠け者」表記「性来」とも書く。❷生まれてからこのかた。「—病弱であった」=生来(しょうらい)。

*せい・らん【晴×嵐】〔文〕晴れた日に山にかかる霞(かすみ)。

*せい・らん【清覧】〔文〕相手が見ることを敬って言う語。「御—に供したくお送り申しあげます」

*せい・らん【青×嵐】〔文〕❶青々とした山のようす。❷→あおあらし(青嵐)。

*せい・り【整理】《名・他サ》❶乱れているものを秩序正しくすること。「区画—」類語整頓(せいとん)。❷むだなものを処分すること。「人員を—する」❸〔新聞社などで〕記事を取捨選択し、紙面をまとめること。「—部」

*せい・り【生理】❶生物が生きてゆくための体の働き。また、その原理。❷月経。❸「生理学」の略。—がく【—学】生物体の各器官の機能や生活現象を科学的に研究する学問。—てき【—的】《形動》❶身体の組織・機能の面に関するようす。また、生理にかかわりをもつほどの物事であるようす。「—要求」❷〔理屈ではなく〕本能的にそうであるようす。「—に嫌う」

ぜい・り【税吏】税務署に勤務する役人。税金をとりたてる役人。

ぜいり・し【税理士】〔税務書類の作成や税務相談など〕納税に関する仕事を専門に行う職業(の人)。

せい・りつ【成立】《名・自サ》物事がなりたつこと。〔とりきめなどが〕まとまること。「契約が—する」

ぜい・りつ【税率】税金を割り当てる割合。課税率。

せい・りゃく【政略】❶政治上のはかりごと。特に、政権をとるための策略。❷利益を得るためのかけひき。「—結婚」

*せい・りゅう【整流】《名・他サ》交流電流を直流電流にかえること。「—器」

*せい・りゅう【清流】〔川などの〕澄んだ流れ。対濁流。

せいりゅう・とう【青竜刀】昔、中国で使われた刀。刀身は先が幅広く、全体に湾曲している。柄(つか)に青い竜のかざりがついている。青竜刀(せいりょうとう)。

*せい・りょう【清涼】《名・形動》さわやかですずしいこと。さっぱりしてすがすがしいこと。「—の秋気」類語清爽(せいそう)。—いんりょう【—飲料】さわやかさを感じさせる飲み物。清涼飲料水。—ざい【—剤】❶気分をさっぱりさせるために飲む薬。❷心をすがすがしくさせるもの(できごと)。「一服の—」

*せい・りょう【精良】《名・形動》〔文〕優れてよいこと。

*せい・りょう【声量】〔その人がもっている〕声の大きさや豊かさの程度。「—のある声」

*せい・りょく【勢力】他をおさえ、自分が自由に行動できる力。「—を伸ばす」「—範囲」類語威力。威勢。

*せい・りょく【精力】心身の活動の原動力。類語活力。—ぜつりん【—絶倫】《名・形動》精力がなみはずれて強いこと。—てき【—的】《形動》疲れをみせず、物事を積極的に行うようす。「日程を—にこなす」

せい・るい【声涙】〔文〕こえと、なみだ。—倶(とも)に下る《句》〔感情が激して〕涙を流しながら話すようすの形容。

*せい・れい【政令】❶政治上の命令や法令。❷〔政〕憲法・法律の規定を実施するために内閣が出す命令。—していとし【—指定都市】→していとし。

*せい・れい【清麗】《名・形動》清らかでうるわしいこと。清潔で美麗なこと。

*せい・れい【精励】《名・自サ》〔仕事などに〕精を出してつとめ励むこと。「学業に—する」類語精勤。勉励。

*せい・れい【精霊】❶人間・動植物をはじめ、自然物すべてのものに宿っているという神霊。❷肉体から解放された自由な魂。死者の魂。

*せい・れい【聖霊】キリスト教で、キリストを信じて洗礼を受けた人に宿り、その人の精神活動をおこさせる神聖な魂。参考三位(さんみ)②の第三位。

せい・れき【西暦】キリスト生誕の年を元年として数える西洋の年の数え方。西紀。参考実際は生後四年目が元年となっている。

*せい・れつ【×凄烈】《名・形動》すさまじく激しいこと。「—な闘い」

***せい-れつ【整列】**《名・自サ》列を作って正しく並ぶこと。正しく列を作ること。「グラウンドにーする」

***せい-れつ【清×冽】**《形動》〔文〕〔水が〕清らかに澄んで、つめたいようす。「ーな流れ」

***せい-れん【清廉】**《名・形動》心や行いが清く正しく、物欲などに動かされないこと。廉潔。「ーの士」 **ーけっぱく【ー潔白】**《名・形動》心が清く行いが正しいこと。うしろめたいところが一つもないこと。

***せい-れん【精練】**《名・他サ》❶動植物の繊維から混じり物をとり除くこと。❷〔訓練して〕きたえあげること。よく練りきたえること。精錬。類語鍛錬。

***せい-れん【精錬】**《名・他サ》❶鉱石からとり出した金属の不純物をとり除いて純度を高めること。❷精練②。

***せい-れん【製錬・製×煉】**《名・他サ》鉱石から金属をとり出すこと。類語冶金。

***せい-ろ【世路】**↓せろ(世路)。

***せい-ろ【▽蒸×籠】**↓せいろう(蒸籠)。

***せい-ろう【▽蒸×籠】**食物を蒸す、木製の道具。角形または丸形のわくの底にすのこが敷いてあり、釜の上などに置いて蒸気を通して蒸す。せいろ。

***せい-ろう【青楼】**〔文〕遊女屋。妓楼。

***せい-ろう【晴朗】**《形動》〔文〕空がさわやかに晴れわたって、明るいようす。「天気ーなれど波高し」 注意「晴郎」は誤り。

ぜい-ろく【×贅六】関東人が、抜け目のない関西人をあざけって言う語。参考「才六」のなまりと言う。

***せい-ろん【政論】**時の政治に直接関係する議論。

***せい-ろん【正論】**道理にかなった正しい意見・議論。

ゼウス ギリシア神話で、最高の神。ローマ神話のジュピターに当たる。▽Zeus

セージ シソ科の多年草。葉を興奮剤や西洋料理の香料などに用いる。薬用サルビア。▽sage

セーター 毛糸などであんだ上着。特に、かぶって着るもの。スウェーター。▽sweater

セーフ ❶野球で、走者・打者が塁を得ること。❷テニス・バレーボール・卓球で、打ち込んだたまが相手コートのきめられた線内にはいること。イン。❸〔俗〕成功すること。また、間に合うこと。「B校を受けた人はみんなーだった」 対①〜③アウト。▽safe(=安全な)

セーブ《名・他サ》❶ゆきすぎないようにおさえること。抑制。「力をーする」❷野球で、勝っているチームの救援投手がリードを守り切ること。「ーポイント」▽save

セーフティー 安全。「ーゾーン」▽safety **ーネット** ❶転落防止のための安全網。❷安全策。また、危険などに対する備え。▽safety net

セーラー 船乗り。また、水兵。水夫。▽sailor **ーふく【ー服】**❶水兵の軍服。水兵服。❷セーラー服①の型をまねた(女子学生用の)衣服。

セーリング ❶帆に風を受けて船を走らせること。帆走。航海。❷帆走の技術。▽sailing

セール 販売。売り出し。特に、特売。▽sale

セールス ❶《名・他サ》外交しながら販売すること。外交販売。売り込み。「車のー」「ートーク」❷「セールスマン」の略。販売人。特に、外交販売人。▽sales

せおい-なげ【背負い投げ】柔道の技の一つ。相手の腕と柔道着の襟をつかみ、体をひきつけて肩に背負うようにして投げるもの。参考↓しょいなげ。

せ-お・う【背負う】《他五》❶〔物を〕せなかにのせてもつ。背負う。❷〔負担となることや苦しい仕事などを〕引き受ける。背負いこむ。「一国の運命をー・う」

せ-おと【瀬音】浅瀬を流れる水の音。

せ-およぎ【背泳ぎ】あおむけになって泳ぐ泳ぎ方。背泳。バックストローク。

セオリー 理論。学説。▽theory

せ-かい【世界】❶〔あらゆる時・所を通じて〕衆生が住む所。参考「世」は過去・現在・未来、「界」は東西南北上下の意。❷地球を中心として見た宇宙全体。天地。「星のー」❸地球上のすべての地域。すべての国。万国。「ー地図」❹(人の)生活の場。世の中。世間。「ーの狭い人」❺ある特定のものの限られた範囲。「学問のー」❻〔何らかの秩序をもった〕同類のものの集まり。「芸能人のー」類語社会。⇩〔類義語の使い分け「社会」〕 **ーかん【ー観】**世界およびその中に住む人間(とはどういうものか)についての見方・考え方。類語人生観。 **ーぎんこう【ー銀行】**⇩巻末付録(IBRD)。 **ーてき【ー的】**《形動》❶世界全体に関係しているようす。また、世界じゅうで最もすぐれているようす。❷世界じゅうに知られ有名であるようす。「ーな名画」類語国際的。

せ-がき【施餓鬼】法会の一つ。餓鬼道におちて苦しむ亡者や、とむらう人のない亡者のために行う供養。

せか・す【▽急かす】《他五》早くするようにうながす。いそがせる。「仕事をー・す」文《四》。

せか-せか《副・自サ》《副詞は「ーと」の形も》〔動作が〕あわただしく落ち着かないようす。「ー(と)歩く」

せか・せる【▽急かせる】《他下一》↓せかす。文せか・す《下二》。

せ-かっこう【背格好・背×恰好】↓せいかっこう。

せが・む《他五》むりに頼む。しつこく頼む。「送金をー・む」類語ねだる。せびる。(る)無心(す)。文《四》。

> **類義語の使い分け　せがむ・ねだる**
> [せがむ・ねだる] お小遣いが欲しいと親にせがむ(ねだる)
> [せがむ] せがまれて娘を遊園地に連れていく
> [ねだる] あのおもちゃが欲しいと娘が母親にねだる

せがれ【×倅・×伜・×悴・×忰】❶むすこ。〔「むすこ」よりも古風な言い方〕❷自分のむすこをけんそんしていう語。類語愚息。❸〔隠〕陰茎。

せ-がわ【背皮・背革】洋とじの本の背にはる、なめし革。また、それで製本した本。

セカンド ❶第二のもの。二番め。「ーハウス(=別荘)」❷野球で、二塁(セカンドベース)。また、二塁手。❸セコンド②。▽second **ーオピニオン** 医療で、主治医以外の医者に意見を求めること。また、その診断。▽second opinion **ーハンド** ↓セコンドハンド。▽secondhand **ーライフ** 第二の人生。特に、退職後の生活。▽second と life からの和製語。

***せき【赤】**《接頭》「赤い」の意。「ー十字」

***せき【石】**《助数》❶時計の軸受けに使う宝石の数。❷ラジオなどに使うトランジスター・ダイオードなどの数。

***せき【▽勺】**《助数》↓しゃく(勺)。

***せき【隻】**《助数》❶対になっているものの片方を数える語。「びょうぶ一ー」❷船を数える語。「貨物船二ー」参考小さな船を数える時には多く「艘」を使う。

***せき【▽尺】**《助数》↓しゃく(尺)㊀。

***せき【×咳】**のどや気管の粘膜が刺激をうけて、肺の中

の空気が急激にはき出される現象。しわぶき。

*せき【×堰】水流をとめたり調節したりするために、川の中や湖・池などの流出口につくる、しきり。

―を切・る《句》おさえられていた動作や物事が急に激しくおこるようす。「―・ったように話し出した」

*せき【席】■一《名》❶人がすわる場所。座席。また、その人が(いつも)すわることになっている位置。座。「―を外す」「―を蹴(け)る(=はげしく怒って席を立って出て行く)」❷地位。身分。「部長の―を譲る」❸〔多くの人が集まり〕会をする場所。会場。「祝賀会の―で祝辞をのべる」❹寄席(よせ)。講釈場。「昼―」■二《助数》成績や地位の順位。「入選第一―」

*せき【積】かけ算によって得た値。[対]商。

―の暖まる暇もな・い《句》一か所にじっとしていられないほどいそがしい。「講演に引っ張りだこで―・い」

*せき【籍】❶戸籍。「―を入れる」❷学校やある団体の一員としての正式の身分。「演劇部に―をおく」

*せき【責】〔文〕任されて、しとげなければならないつとめ。責務。「委員長の―を果たす」

*せき【関】❶関所。❷〔人の行動などを〕さえぎるもの。しきり。「人目の―(=恋路のじゃまをする人目)を忍ぶ」

*せき【寂】《形動(タルト)》〔文〕ひっそりとしているようす。「―として声なし」

ぜき【関】《接尾》力士のしこ名に添える敬称。

せき-あく【積悪】〔文〕長い間に行ってきた多くの悪事。「―の余殃(よおう)(=悪事を積み重ねた結果として必ず災いがある)」[対]積善。

せき-あ・げる【×咳き上げる】《自下一》❶激しく続けてせきをする。せきいる。せきこむ。❷息を吸い込むようにして泣く。しゃくり上げる。

せき-いり【席入り】《名・自サ》茶道で、茶会の席にはいること。また、その作法。

せき-い・る【×咳き入る】《自五》続けて激しくせきをする。せきこむ。せきあげる。

せき-いん【石印】石の面に彫刻してつくった印。多く、ろう石などを用いる。

せき-うん【積雲】ドーム形に発達した厚い雲。主に夏の炎天に上昇気流によって生ずる。綿雲。つみ雲。

*せき-えい【隻影】〔文〕ただ一つだけの物の姿。

*せき-えい【石英】二酸化けい素から成り、ガラスのような光沢をもつ鉱物。純粋なものを水晶と呼ぶ。陶磁器・ガラスの原料。

せき-えん【積×怨】〔文〕〔長い間に〕積もり重なったうらみ。積もるうらみ。「―を晴らす」[類語]宿怨(しゅくえん)。

せき-が【席画】集会の席や客の前で即席に絵をかくこと。また、その絵。[類語]席書き。

せきがい-せん【赤外線】スペクトルの赤色の外側にある、目に見えない電磁波。透過力が大きく、蛍光作用・写真作用がある。また、熱作用も大きく、熱線ともいう。写真および医療に利用する。

せき-がき【席書(き)】集会の席や客の前などで即席に書画をかくこと。また、その書画。[類語]席画。

せき-がく【×碩学】学問を広く深く身につけること。また、その人。「当代の―」[類語]大家。権威。

せき-がし【席貸(し)】料金を取り、時間を区切ってへやを貸すこと。また、その商売。

せきがはら【関ケ原】勝敗や運命の定まる大事な場合。[参考]昔、徳川方と豊臣(とよとみ)方の天下分け目の合戦が行われた、岐阜県の地名から。

せき-がん【隻眼】〔文〕❶片目。独眼。また、片方の目がだめな・こと(人)。[対]双眼。❷〈「一―」の形で〉〔人とはちがった〕すぐれた見識。ひとかどの見識。

せき-ご【隻語】〔文〕ちょっとしたことば。「片言(へんげん)―」

*せき-こ・む【×咳き込む】《自五》続けてはげしくせきをする。せきいる。せきあげる。

*せき-こ・む【▽急き込む】《自五》急ぎあせる。ひどく急ぐ。心がせいていらだつ。「―・んで話す」

せき-さい【積載】《名・他サ》〔船・車などに〕荷物を積みのせること。「トラックに資材を―する」[類語]搭載。

せき-ざい【石材】土木建築や彫刻の材料にする石。

せき-さく【×脊索】動物の発生の途中で背部にできる、からだをささえる棒状の器官。魚類以上の脊椎(せきつい)動物では成長するにつれて脊椎に置き換えられる。

せき-さん【積算】《名・他サ》❶次々に加算していくこと。「―電力計」❷費用の見積もりを計算すること。

せき-し【赤子】〔文〕❶生まれたばかりの子。ちのみご。赤子(あかご)。❷〔君主を親にたとえて〕人民。国民。

*せき-じ【席次】❶〔会合などで〕座席の順序。席順。「披露宴の―」❷成績の順位。「―を争う」

*せき-じ【昔時】〔文〕遠い昔。いにしえ。往時。

せき-しつ【石室】❶石でつくったへや。石室(いしむろ)。❷古墳で、周囲を石で積みかためたへや。

せき-じつ【昔日】〔文〕むかし。いにしえ。往時。往年。「―の面影が残る」

*せき-しゅ【隻手】〔文〕片方の手。片手。また、片方の手がない・こと(人)。[類語]隻腕。[対]双手。

*せき-しゅ【赤手】〔文〕手に何も持っていないこと。素手(すで)。空手(からて)。「―空拳(くうけん)」

せき-じゅうじ【赤十字】❶白地に赤い十字をえがいた赤十字社の記章。❷「赤十字社」の略。戦時には傷病者の救護、平時には災害・病気・貧困などに苦しむ人々を救う社会事業を行う国際的な民間組織の団体。

せき-しゅつ【析出】《名・自他サ》溶液から固体が分離して出てくること。また、化合物を分析して、ある物質を取り出すこと。

せき-しゅん【惜春】〔文〕春が過ぎ去るのを惜しむこと。また、青春が過ぎ去るのを惜しむこと。「―の情」

*せき-じゅん【席順】座席の順序。席次。

*せき-じゅん【石×筍】鍾乳洞(しょうにゅうどう)の床に天井から滴り落ちた炭酸石灰が積もって、たけのこ状になったもの。

せき-しょ【関所】❶昔、交通の要所や国境に設けて見張りをおき、通行人を調べたり、通行料を徴収したりした所。関。❷通り抜けるのがむずかしい所。

せき-じょう【席上】❶座席の上。❷ある集会・会合の場。また、その席。「会議の―で質問をする」

せき-しょく【赤色】❶赤い色。❷共産主義。「―テロ」「―革命」

せき-しん【赤心】〔文〕〔主君などに対する〕いつわりのない心。まごころ。丹心(たんしん)。[類語]誠心。至誠。

せき-ずい【×脊髄】脊椎(せきつい)の中を通って脳につづき、延髄とともに中枢神経系を構成する、ひも状の器官。

せき-せい【赤誠】〔文〕うわべをかざらず、いつわりのない心。まごころ。[類語]至誠。誠意。誠心。丹心(たんしん)。

せきせい-いんこ【×脊黄青×鸚×哥】オウム科の尾の長い小鳥。頭は黄色、胸・腹は緑色で美しい。観賞・愛玩(あいがん)用。[参考]水色・白など色の変種が多い。

せき-せつ【積雪】降り積もった雪。[類語]降雪。

*せき-ぜん【積善】〔文〕長い間に行ってきた多くの善事。「—の余慶(=善行を積み重ねた結果として幸福がおとずれること)」対積悪。

*せき-ぜん【寂然】《形動タルト》〔文〕ひっそりとしてさびしいようす。寂然。「—たる山路」類語寂寞。

*せき-ぞう【石像】石をほって造った像。

*せき-ぞう【石造】石を材料にして建築物・芸術品などを造ること。また、石材で造ったもの。石造り。

せき-ぞく【石×鏃】石器時代に、石を割ったりみがいたりして作った矢じり。石の矢じり。

*せき-だい【席代】席料。

*せき-だい【席題】歌会・句会で、その場で出す題。類語即題。対兼題。

せき-た・てる【▽急き立てる】《他下一》〔ある物事を〕早くするようにいそがせる。「連れを—・てる」

せき-たん【石炭】太古の植物が地中に堆積し、長い間に分解して炭化したもの。燃料や化学工業の原料などに使う。油石。煤炭。類語黒ダイヤ。

せき-ち【▽尺地】〔文〕わずかな土地。寸土。しゃくち。

せき-ちく【石竹】ナデシコ科の多年草。葉は細い線状をなす。五月ごろ、赤・白・うす紅の、ナデシコに似た五弁花をひらく。観賞用。からなでしこ。

*せき-ちゅう【石柱】❶石でつくった柱。❷鍾乳洞で、鍾乳石と石筍とがつながった石灰岩の柱。

*せき-ちゅう【×脊柱】脊椎動物のからだの中軸をなす骨格。多数の椎骨からなり、頭骨の後方につづく。せぼね。脊椎。脊梁。

せき-ちん【赤沈】「赤血球沈降速度」の略。

せき-つい【×脊×椎】❶脊柱を形づくっている多くの骨。椎骨。❷脊柱。—どうぶつ【—動物】動物分類上の一門。脊椎②を中軸としてからだをささえている最も高等な動物群の総称。

*せき-てい【席亭】❶〔席の亭主の意から〕寄席の主人。〔芸人の側から言うことば〕❷寄席。

*せき-てい【石庭】日本庭園で、小石や岩石を主材料として造った庭。いしにわ。

せき-とう【石塔】❶石づくりの五輪の塔。仏骨をおさめる。❷墓にたてる石。墓標の石。墓石。

せき-どう【赤道】❶地球の中心を通り、北極と南極を結ぶ線に直角な平面が、地表と天球とが交わる線。緯度をはかる基準線。❷地球の赤道面と天球とが交わる線。

せき-とく【▽尺×牘】〔文〕〔文字を書く「一尺の木の札」の意から〕手紙。書状。尺牘。

せきと-して【寂として】《連語》↓せき(寂)。

せき-と・める【×塞き止める・×堰き止める】《他下一》〔流れていく物や物事の勢いを〕さえぎって止める。防ぎ止める。はばむ。「事件の拡大を—・める」

せき-とり【関取】相撲で、十両以上の力士の敬称。

せき-にん【責任】❶まかされて、しなければならないつとめ。任務として負うべき義務。類語責務。❷償いとしてしなければならないつとめ。また、それを自分が引き受けねばならないという意識。「事故の—をとって辞職する」—かん【—感】責任を重んじる気持ち。責任を果たそうとする気持ち。「—の強い人」—しゃ【—者】万一の場合の責任を負うべき立場にある人。

せき-ねつ【赤熱】《名・自他サ》〔物体が〕まっかになるまで熱せられること。また熱すること。赤熱。

*せき-ねん【昔年】〔文〕むかし。類語昔時。昔日。

*せき-ねん【積年】〔過去の〕長い年月。つもる年月。宿年。「—の弊」「—の恨み」

せき-の-やま【関の山】〔うまくいっても〕それ以上はできないという限界。せいいっぱい。せいぜい。「実力からして一回戦突破が—だ」

せき-はい【惜敗】《名・自サ》〔競技・試合などで〕わずかな差で負けること。おしいところで負けること。参考勝った立場からは「辛勝」という。

せき-ばく【寂×寞】《名・形動タルト》〔文〕❶少しの物音もせず、しんとしてさびしいこと。類語寂然。❷気持ちが満たされず、ものさびしいこと。「—たる思い」類語①寂寥。②寂寥。=寂寞。

せき-ばらい【×咳払い】《名・自サ》わざとせきをすること。声作り。

せき-はん【赤飯】❶もち米にアズキを入れてむした飯。祝いの時などに食べる。こわ飯。おこわ。❷アズキを入れてたいた飯。

*せき-ばん【石版】平版印刷で用いた原版の一つ。板状の石灰石の表面に、せっけん・脂肪を含むインク液でかいて作る印刷板。また、その印刷。せきはん。参考現在は金属板を用いる。—が【—画】↓リトグラフ。

*せき-ばん【石盤・石板】〔黒っぽい〕粘板岩を薄い板状にして、わくをつけたもの。石筆で文字や絵をかく。参考子供の筆記練習用に使った。

せき-ひ【石碑】❶後世に伝えたいことがらや人の名などを彫って建てる石。石造りの記念碑。いしぶみ。「—の除幕式」❷墓に立てる石。墓石。

せき-ひつ【石筆】❶蠟石を加工して筆の形に作ったもの。石盤にものを書くのに使う。❷黒や赤の粘土を固めて筆の形にしたもの。書画をかくのに使う。

せき-ひん【赤貧】〔文〕ひどい貧乏。類語極貧。—洗うが如し《句》〔洗い流したように〕何もなく、ひどくまずしいようす。

せき-ふ【石×斧】原始時代に作られた、おのの形をした石器。木工具・農具や武器に使った。

せき-ぶつ【石仏】石で作った仏像。また、岩に彫りつけた仏像。石仏。

せき-ぶん【積分】《名・他サ》微分すれば与えられた関数になるような、関数を求めること。また、その計算法。対微分。

せき-へい【積弊】〔文〕長い間に積もり重なった、悪いことがら・風習。積年の悪弊。類語宿弊。

せき-べつ【惜別】別れを惜しむこと。「—の情」

せき-ぼく【石墨】最も純粋な天然の炭素。黒色または灰色で金属光沢がある。顔料・電極・鉛筆のしんのほか、原子炉の中性子減速材料などに使う。黒鉛。

せき-まつ【席末】〔文〕席順の一番終わり。末席。

せき-む【責務】責任と義務。また、責任をもってやらねばならないつとめ。「—を果たす」類語任務。

*せき-めん【石綿】↓いしわた。

*せき-めん【赤面】《名・自サ》はずかしく思って顔を赤くすること。「—の至り」類語汗顔。

せき-もり【関守】関所を守る役人。関の番人。

せき-ゆ【石油】❶天然に産する、炭化水素類の混合物の液体。精製して石油製品(ガソリン・灯油・軽油・重油など)を得る。参考精製した石油製品と区別する場合には「原油」という。❷「灯油」の別称。

セキュリティー ❶安全。安心。❷保安。保護。また、そのための要員。▽security —ポリス↓エス

ピー②。▽security police

せき‐よう【夕陽】〔文〕夕日(ゆうひ)。入り日。

せ‐ぎょう【施行】〔仏〕僧や貧民に物をほどこすこと。

せき‐らら【赤裸裸】《形動》〔文〕❶まるはだか。あかはだか。❷つつみかくさないようす。ありのままであるようす。「―な告白」[同]①②赤裸。

せきらん‐うん【積乱雲】 急激な上昇気流によって積雲が高く上がり、山や塔の形に発達したもの。夏に多く、雷雨やひょうを降らす。入道雲。

せき‐り【赤痢】 二類感染症の一つ。赤痢菌・赤痢アメーバなどによって起こる急性の大腸炎。発熱し、はげしい腹痛・下痢をともない粘液性の血便を出す。

***せき‐りょう【寂×寥】**《名・形動(タルト)》〔文〕わびしく、ものさびしいこと。「―感にたえかねる」[類語]寂寞(せきばく)。

***せき‐りょう【席料】** ❶臨時に借りる座席や会場の料金。席代。❷〔寄席の〕入場料。

せき‐りょう【×脊×梁】 せぼね。脊柱(せきちゅう)。脊梁骨。

せき‐りょく【斥力】 二つの物体が空間をへだてて、たがいにしりぞけあう力。[参考]同種の電気・磁気をおびた物体の間などにおこる。[対]引力。

せき‐りん【赤×燐】 赤褐色・無臭の粉末になった燐。無毒。安全マッチ・花火などの原料にする。

せ‐ぎ・る【瀬切る】《他五》〔流れを〕せきとめる。

せき‐れい【×鶺×鴒】 セキレイ科の小鳥。スズメぐらいの大きさで、水辺にすむ。背は灰色で腹は白い。くちばしは細く、長い尾を上下によく振る。いしたたき。

せき‐ろう【石×蠟】→パラフィン。

せき‐わけ【関×脇】《「せきわき」の転》〔「人関のわき」の意から〕力士の階級の一つ。大関の下、小結の上。

せき‐わん【隻腕】〔文〕片方の腕。かたうで。また、片方の腕がない・こと(人)。[類語]隻手。[対]双腕。

***せ・く【×咳く】**《自五》せきをする。しわぶく。[類語]咳き込む。咳き入る。咳き上げる。[文]《四》。

***せ・く【▽急く】** ㊀《自五》❶〔早くそのことをしようと〕心がいらだつ。あせる。「気が―・く」[類語]急ぐ。いら立つ。焦(じ)れる。逸(はや)る。急き込む。業をにやす。(焦(す)る)焦慮。❷〔息などが〕激しくなる。急になる。[文]《四》。㊁《他五》いそがしくうながす。急きたてる。「仕事を―・く」[文]《四》。

―いては事を仕損ずる《句》物事は、あせるとかえって失敗しやすい。

***せ・く【×塞く・×堰く】**《他五》❶〔流れなどを〕さえぎる。せきとめる。「岩に―・かれる谷川」❷〔人と人との間、特に男女の間を〕さえぎって、会わせないようにする。へだてて遠ざける。[文]《四》。

せ‐ぐくま・る【×跼る】《自五》《「背屈(せぐく)まる」の転》体を前へかがめて、背を丸くする。せぐまる。

セクシー《形動》性的魅力のあるようす。また、性的なものを感じさせるようす。セクシュアル。▽sexy

セクシュアル《形動》性的なようす。性的魅力のあるようす。セクシャル。セクシー。▽sexual ―ハラスメント→セクハラ。▽sexual harassment

セクショナリズム 組織内のある部門に属する人が、その立場だけにこもって、他からの干渉をしりぞける傾向。派閥主義。なわばり根性。▽sectionalism

セクション ❶くぎられた部分。区画。❷部門。科。節。項。「ノン―」❸〔新聞・雑誌の〕欄。▽section

―ペーパー 方眼紙。▽section paper

セクト 一つの社会・組織の中にできる、主張を同じくするものの集団。分派。「―主義」▽sect

セク‐ハラ「セクシュアルハラスメント」の略。性的いやがらせ。

セクレタリー 秘書。書記。▽secretary

せぐろ‐いわし【背黒×鰯】「かたくちいわし」の別称。

せ‐けん【世間】 ❶有情(うじょう)のものが集まって生活する境界。[類語]世の中。娑婆(しゃば)。❷人間が集まりすむ世界。社会。また、世の中の人々。「―がうるさい」❸〔自分の〕交際の範囲。つきあい。「―を狭くする(=人からきらわれるようなことをして交際の範囲を狭くする)」⇩〖類義語の使い分け「世の中」〗 ―し【―師】世渡りがうまく悪がしこい人。 ―しらず【―知らず】《名・形動》世の中の実情やしきたりに暗い・こと(人)。世間見ず。 ―ずれ【―擦れ】《名・自サ》実社会で苦労して、悪がしこくなること。 ―てい【―体】世間の人々に対する体面・ていさい。「―が悪い」 ―てき【―的】《形動》❶世間で一般的であるようす。公的。❷表向きであるようす。俗っぽいようす。世俗的。 ―なみ【―並み】《名・形動》世間一般の人々と同じ程度。ふつう。「―の暮らし」[類語]人並み。 ―ばなし【―話】世の中のできごとなどについてのありふれた話。雑談。よもやま話。

ぜ‐げん【▽女×衒】 江戸時代、女を遊女奉公に出すあっせんを職業とした人。判人(はんにん)。

***せ‐こ【世故】** 世の中の種々な事情・風俗・習慣など。世間の俗事。世故(せいこ)。「―に長(た)ける(=世の中のことをよく知っていて、世渡りがうまい)」

***せ‐こ【▽勢子】** 狩りで、大きな音や声をあげて獲物を追いたて、他へ逃げるのを防ぐ役の人。かりこ。

せこ・い《形》〔俗〕❶〔芸が〕まずい。悪い。❷〔やり方が〕汚い。みみっちい。

セコイア スギ科の巨大な常緑高木。高さ一二〇(メートル)以上、直径六(メートル)以上に達するものがある。各地で化石として発見されるが、北米西部に現存する。材は建築用。▽sequoia

せ‐こう【施工】《名・他サ》工事を実際に行うこと。施工(しこう)。「―主(ぬし)」「―式」

セコハン〔俗〕「セコンドハンド」の略。中古品。セコ。「―の時計」

セコンド ❶秒。また、時計の秒針。❷ボクシングで、選手の介添え人。セカンド。▽second ―ハンド〔他人が〕一度使ったもの。ふるもの。中古品。セコハン。セカンドハンド。▽secondhand

せ‐さい【世才】 世渡りをする才能。[類語]世知。

セ‐し【セ氏】→せっし(摂氏)。

***せ‐じ【世事】** 俗世間で行われること。世の中のできごと。「―にかまける」[類語]俗事。

***せ‐じ【世辞】**〈多く、「お―」の形で〉〔本心からではなく〕相手をうれしがらせるためのことば。「お―がうまい」

セシウム アルカリ金属の一つ。色は銀色。光電管に利用。元素記号 Cs。[参考]セシウム一三七は核分裂によってできる有害な元素。▽cesium

せし・める《他下一》うまく謀って自分のものにする。「まんまと大金を―・める」[文]せし・む《下二》。

せ‐しゅ【施主】 ❶寺や僧に金品をほどこす人。檀那(だんな)。❷葬式・法事などを行うときの主人役。[類語]喪主(もしゅ)。❸建築主。施工主。

せ‐しゅう【世襲】《名・他サ》〔その家の職業・財産・地

位などを〕家長の子孫が代々うけつぐこと。「―制」

*せ・じょう【世上】世の中。世間。類語 巷間(こうかん)。

*せ・じょう【世情】❶〔うつり変わる〕世の中の状態。世間のありさま。世間の事情。世態。「―に暗い人」類語 時勢。世相。❷世間の人の人情。

*せ・じょう【施錠】《名・自サ》鍵(かぎ)をかけること。ロック。

*せ・じん【世人】〔文〕世の中の多くの人。

*せ・じん【世×塵】〔文〕世の中のこまごましたわずらわしいことがら。「―をのがれる」「―にまみれる」

せ・すじ【背筋】(―すぢ) ❶背骨にそった筋肉。また、そのあたり。「―が寒くなる(=恐ろしくてぞっとする)」❷衣服の、背骨にあたる部分の縫いめ。

ゼスチュア ❶ことばによらず、自分の意思や感情を伝えるために行う身ぶり。手ぶり。❷本心からではない、見せかけだけの行い。「彼の同情はすべて―だった」＝ジェスチャー・ジェスチュア。▽gesture

せ・ぜ【世世】〔文〕〔前世・現世・来世などの〕それぞれの世。また、多くの世。よよ。「生々(しょうじょう)―」

ぜ・せい【是正】《名・他サ》〔不都合な点などを〕なおして正しくすること。「不公平を―する」類語 改正。

せせく・る《他五》〔俗〕せせる。文《四》。

せせこまし・い《形》❶〔周囲にものがごたごたとあって〕狭くてきゅうくつである。「―・い家」❷小さいことにこだわってゆとりがない。度量が狭い。こせこせしている。「―・い考え」文 せせこま・し《シク》。

ぜぜ・ひひ【是是非非】〔特定の利害関係や立場にとらわれず〕よいことには賛成し、悪いことには反対すること。公平無私なこと。「―主義」

せせらぎ【▽細▽流】小さな浅い川の流れ(の音)。

せせら・わら・う【×嘲笑う】(―わらふ)《他五》ばかにして〔声を立てずにちょっと〕笑う。あざけり笑う。あざ笑う。「人の失敗を―・う」類語 (るす)冷笑。

せせりばし【×挵り×箸】はしでつついたり、ほじったりして食べること。参考 無作法とされる。

せせ・る【×挵る】《他五》❶〔細いもので〕つついて中身をほりだす。ほじる。「つまようじで歯を―・る」❷もてあそぶ。いじる。同 ①②せせくる。文《四》。

せ・そう【世相】世の中にあらわれた、時代の傾向。世のなりゆき。「―を反映した事件」類語 世情。世態。

せ・ぞく【世俗】❶世間の俗人。世間。❷世の中のならわし。世間一般のありふれたこと。「―的」

せ・そん【世尊】「釈迦(しゃか)」の尊称。

*せ・たい【世帯】所帯(しょたい)。「―主(ぬし)」

*せ・たい【世態】世の中の有様。世情。類語 世相。

せ・だい【世代】❶〔親・子・孫などとつづくときの〕人の一代。「三―(＝親・子・孫)の夫婦」❷年齢が同じぐらいの人々の集まり。ある年齢層。ジェネレーション。「おじさんと僕じゃ―がちがう」

せ・たけ【背丈】❶せいの高さ。身長。せいたけ。「―が伸びる」❷着物のたけの長さ。特に洋裁で、うしろ首のつけねから胴まわりまでの長さ。「―が合わない」

セダン 乗用車の車体の型式の一つ。一般的な箱型で、四ドア二列の座席のあるもの。▽sedan

せ・ち【世知・世×智】世渡りをしてゆく才能・知恵。類語 世才。―がら・い【―辛い】《形》❶〔世の中に打算的な傾向が強く〕暮らしにくい。❷〔損得の勘定にとらわれて〕心にゆとりがない。「―・い商いをするね」

せち・え【節会】奈良・平安時代に、朝廷で節日(せちにち)や公事(くじ)のある日に行われた宴会。節(せち)。

*せつ【拙】━《名・形動》〔文〕つたないこと。へた。対 巧。━《代名》〔文〕自分をさすけんそん語。

*せつ【節】━《名》❶〔あることをする〕とき。ころ。おり。「その―はよろしく」❷自分が正しいと信じている考え。また、それを守る態度。みさお。「―を曲げる」❸〔物事の〕ほどあい。適度。❹〔文法で〕文章を構成する一部分。主語・述語があって一つのまとまりをなすもの。「条件―」❺詩や文章の一くぎり。━《接尾》❶長い文章・期間などをいくつかに分けたときの一まとまり。「第一章第二―」「Jリーグの第一―」❷祝日などの名につけた語。「天長―」「明治―」

*せつ【説】❶〔ある問題に対する、筋道の通った〕意見。主張。「―を立てる」謙譲 愚説。❷学説。

*せつ【切】《形動》〔思ったり感じたりする〕気持ちが非常に強いようす。参考 ↓切に・切なる。

せつ・あく【拙悪】《名・形動》〔文〕技巧が劣っていて質が悪いこと。「―なる文」

ぜつ・いき【絶域】〔文〕遠くはなれた土地・外国。

せつ・えい【設営】《名・他サ》ある物事のために施設・建物などをもうけること。「基地を―する」「会場の―」

せつ・えん【節煙・節×烟】《名・自サ》たばこを吸う量を適度にへらすこと。類語 禁煙。

*ぜつ・えん【絶縁】《名・自サ》❶関係をたつこと。縁をきること。「―状」類語 絶交。❷導体のあいだに不導体を入れて、電気や熱の伝導をたつこと。―たい【―体】熱または電気を伝えない物体。絶縁物。

*ぜつ・えん【絶遠】非常に遠く離れていること。

*せっ・か【赤化】《名・自他サ》❶赤くなること。また、赤くすること。❷〔赤旗を旗印とすることから〕共産主義化すること。〔資本主義の立場から言う〕

*せっ・か【赤禍】共産主義によるわざわい。〔資本主義の立場から言う〕

*ぜっ・か【絶佳】《名・形動》〔文〕〔景色が〕非常にすばらしいこと。「眺望―」類語 明媚(めいび)。絶勝。

*ぜっ・か【舌禍】❶他人から言われた悪口・中傷などによってうけるわざわい。❷話の内容が法にふれたり世間の非難をあびたりして身にうけるわざわい。類語 筆禍。

*せっ・かい【切開】《名・他サ》〔患部の治療などのために〕体の一部を切って開くこと。「―手術」

*せっ・かい【石灰】「生石灰(せいせっかい)」と「消石灰」の総称。―がん【―岩】炭酸石灰を主成分とする、白色または灰色の水成岩。耐火材・セメント・カーバイド・肥料などの原料になる。石灰石。

*せっ・かい【石階】〔文〕石で造った階段。

*せつ・がい【殺害】《名・他サ》↓さつがい。

*せつ・がい【雪害】〔農作物・交通機関などがうける〕多量の降雪やなだれなどによる損害・被害。

ぜっ・かい【絶海】陸地から遠く離れている海。陸地から遠い海域。「―の孤島」

*せっ・かく【▽刺客】↓しかく(刺客)。

*せっ・かく【折角】━《名》❶そのことのためにわざわざすること。力をつくすこと。「―の努力」❷〈「―の」の形で〉《体言について》たまにしかない…。参考 それをむだにするのが惜しい気持ちを表す。「―の休日なのに雨とは残念だ」❸〈「―だが」「―ですが」などの形で〉相手の苦労は十分わかるのだが。「―ですが、その品物は売り切れです」━《副》❶力をつくして。ほねをおって。わざわ

ざ。参考 多く「―…のに」「―…だから」などの形で、その行為を・むだにする(だめにする)のが気の毒な気持ちを表す。「―だからご招待に応じましょう」❷つとめて。せいぜい。「―ご自愛願います」表記 ㊁は多く、かな書き。

*せっ・かく【石×槨】棺(かん)を入れる石造りの箱。また、死体を納めた石造りのへや。

せっ・かち《名・形動》短気で物事の先を急ぐこと。

せっ・かっしょく【赤褐色】赤みをおびた褐色。赤褐色(せきかっしょく)。

*せっ・かん【切×諫】《名・他サ》強くいさめること。

*せっ・かん【摂関】摂政(せっしょう)と関白。「―政治」

*せっ・かん【折×檻】《名・他サ》厳しくしかること。特に、こらしめのために肉体に苦しみを与えること。

*せっ・かん【石棺】石でつくった棺。石棺(せきかん)。

*せつ・がん【切願】《名・他サ》心から願うこと。熱心な願い。「市長選への立候補を―する」類語 懇願。

*せつ・がん【接岸】《名・自サ》船が岸に横づけになること。また、岸に近づくこと。

ぜつ・がん【舌×癌】舌にできる、がん。

せつがん・レンズ【接眼レンズ】顕微鏡・望遠鏡などで、物を見るとき目に近い方にあるレンズ。像を拡大し収差を少なくする。接眼鏡。対 対物レンズ。

*せっ・き【石器】石でつくった道具。石鏃(せきぞく)・石斧(せきふ)など。参考 打製のものと磨製のものとがある。―じだい【―時代】人類が石器を使っていた時代。旧石器時代・中石器時代・新石器時代に分かれる。

*せっ・き【節気】二十四節気。

*せっ・き【節季】〔「季節の終わり」の意から〕❶商店が貸借や収支の総勘定を行う時期。盆・暮れや、各節句前。特に、決算期としての盆・暮れ。❷年末。

せつ・ぎ【節義】節操を守り、人としての正しい道を踏み行うこと。「―にもとる」

ぜつ・ぎ【絶技】〔文〕この上なくすぐれた技。

*せっ・きゃく【隻脚】〔文〕片方の足。片足。一本足。また、片方の足がない・こと(人)。対 双脚。

*せっ・きゃく【接客】《名・自サ》〔仕事などで〕客に会うこと。また、客をもてなすこと。客の接待。「―業」

*せっ・きょう【説教】《名・自他サ》❶宗教上の教えを広く人々に説くこと。❷〔目下の者に〕あらたまって意見や忠告をすること。「おやじの―」

*せっ・きょう【説経】《名・自他サ》僧が経文の内容や意味をわかりやすく説明してきかせること。類語 説法。

ぜっ・きょう【絶叫】《名・自サ》出しうるかぎりの大声で叫ぶこと。

せっ・きょく【積極】物事に対して進んで働きかけること。〔ふつう、単独では使わない〕「―性がある」対 消極。―てき【―的】《形動》自分から進んで働きかけるようす。「―に発言する」類語 能動的。対 消極的。

せっ・きん【接近】《名・自サ》近よること。近づくこと。「実力が―する」

せ・つ・く【▽責付く】《他五》はげしくせきたてる。強く催促する。せっつく。「金を返せと―・く」

せっ・く【節句・節供】五節句。また、それに当たる日。参考 現在は、特に三月三日の桃の節句と五月五日の端午(たんご)の節句をさす。―ばたらき【―働き】ふだんなまけている人が、節句の休みにかえっていそがしそうに働くこと。

ぜっ・く【絶句】❶漢詩の形式の一つ。起・承・転・結の四句からなる。各句の字数により五言絶句と七言絶句がある。絶。❷《名・自サ》話している途中でことばがつまり、続かなくなること。また、役者などがせりふを忘れて途中でつかえること。「やじられて―する」

せつ・ぐう【接遇】《名・他サ》〔文〕もてなすこと。もてなし。接待。

セックス ❶身体的な特質による男女の別。性。❷性欲。「―に目覚める年ごろ」❸《名・自サ》〔俗〕性交。▽sex ―アピール 異性をひきつける力。性的魅力。▽sex appeal ―チェック〔競技大会で〕染色体検査などで女性であるかを確認すること。

せっ・くつ【石×窟】岩にあいたほらあな。また、岩をくりぬいてつくったほらあな。いわや。

せっ・け【摂家】摂政・関白になる資格のある家柄。摂関家。参考 ↓五摂家。

ぜっ・け【絶家】《名・自サ》相続する者がなく、その家が絶えること。また、その絶えた家。ぜっか。

*せっ・けい【設計】《名・他サ》❶機械の製作や土木建築などで、完成したときの外形・構造などを考えること。また、それを図などによって具体化すること。「劇場を―する」「―図」❷ある目的を実現するための計画をたてること。「人生―」

*せっ・けい【雪景】〔文〕ゆきげしき。

*せっ・けい【雪渓】夏でも雪がとけずに残っている、高山の谷間。

ぜっ・けい【絶景】このうえなくすばらしい景色。

せっけい・もじ【×楔形文字】紀元一世紀ごろまで、西南アジアで使われた、楔(くさび)状の文字。くさびがたもじ。けっけいもじ。

せつ・げつ・か【雪月花】〔冬の雪と、秋の月と、春の花の意から〕四季おりおりの自然の美。風雅な日本の美。参考「せつげっか」とも言う。

せっ・けっきゅう【赤血球】血球の一つ。血液の主成分。ヘモグロビンをふくみ、からだの各部に酸素を供給し炭酸ガスをとりのぞく働きをする。対 白血球。―ちんこうそくど【―沈降速度】血液を細いガラス管に吸いあげたとき、赤血球が一定時間内に沈降してゆく速さ(で病状をはかる検査法)。赤沈。血沈。

*せっ・けん【席▽巻・席×捲】《名・他サ》〔席(=むしろ)を巻く意から〕ものすごい勢いでかたっぱしから領土を攻め取ること。また、転じて、ものすごい勢いで自分の勢力範囲に収めること。「アジアを―する」

*せっ・けん【接見】《名・自サ》❶〔身分の高い人が公の立場で〕人に直接面会すること。身近にひき入れて会うこと。「大統領が外国大使に―する」類語 会見。❷〔法〕弁護士と被疑者・被告人とが会うこと。

*せっ・けん【石×鹸】動植物の脂肪に苛性(かせい)ソーダなどを加えて作った、用途の広い洗剤。シャボン。

*せっ・けん【節倹】《名・他サ》むだな出費をつつしんで質素に・する(暮らす)こと。「―家」類語 節約。

*せつ・げん【切言】《名・他サ》❶心をこめて熱心に相手を説くこと。また、そのことば。類語 忠言。忠告。❷鋭く、思い切って言うこと。また、そのことば。痛切なことば。「時局批判の―をはく」

*せつ・げん【節減】《名・他サ》〔金銭や物の使用量を〕きりつめてへらすこと。節約。「経費を―する」

*せつ・げん【雪原】❶極地や雪線(せっせん)以上の高地で、一年じゅう雪におおわれている広い平地。類語 氷原。❷一面に雪が降りつもった野原。

ゼッケン 競技者が背や胸につける番号を書いた布。また、その番号。ナンバーカード。▽ドイ Decken からか。

ぜつ・ご【絶後】 ❶それ以後に同じ例が起こると考えられないこと。「空前━の偉業」❷〔文〕息がたえたあと。

＊**せっ・こう【拙攻】** まずい攻め方。対拙守。

＊**せっ・こう【拙稿】** 〔文〕❶へたな原稿。❷自分の書いた原稿をけんそんして言う語。参考 他人の原稿をうやまって言うときは「玉稿」。類語 ①②拙文。

＊**せっ・こう【斥候】** 敵軍の動静や敵地の地形などをさぐりに行くこと。また、そのための兵士・小部隊。

＊**せっ・こう【石工】** 石に細工をする職人。石工(いしく)。

＊**せっ・こう【石×膏】** 成層岩や粘土層の中に産する白色の結晶。主成分は含水硫酸カルシウム。セメントの混材などのほか、焼いて焼石膏として工芸用に使う。

せつ・ごう【接合】 《名・自他サ》つなぎあわさること。また、つなぎあわせること。「金属板を━する」

＊**ぜっ・こう【絶交】** 《名・自サ》〔仲が悪くなって〕つきあいをやめること。「友と━する」類語 絶縁。断交。

＊**ぜっ・こう【絶好】** 〔あることを行うのに〕この上なく好都合であること。「━の機会」類語 最良。

ぜっ・こうちょう【絶好調】 《名・形動》非常に調子がよいこと。対 絶不調。

せっ・こつ【接骨】 《名・自他サ》折れたりくじいたりした骨をなおすこと。ほねつぎ。整骨。「━院」

ぜっ・こん【舌根】 ❶舌のつけね。舌のね。❷六根の一つ。味を感じる力。舌(した)。

せっ・さ【切×磋・切×瑳】 《名・自サ》〔玉・石・骨などを切ったりみがいたりする意から〕努力して学問や行いを高めること。**━たくま【━×琢磨】** 《名・自サ》学問や行いをねりみがくこと。また、志を同じくする仲間などが、たがいにはげましあって努力すること。

＊**せっ・さく【切削】** 《名・他サ》金属などを切り削ること。「━工具」

＊**せっ・さく【拙作】** 〔文〕❶へたな作品。❷自分の作品をけんそんして言う語。類語 ①②愚作。

＊**せっ・さく【拙策】** 〔文〕❶まずいはかりごと・策略。❷自分のたてた策をけんそんして言う語。類語 ①②愚策。

せつ・ざん【雪山】 〔文〕❶雪が積もった山。❷一年中雪のある高山。❸ヒマラヤ山脈の別称。雪山(せっせん)。

ぜっ・さん【絶賛・絶×讃】 《名・他サ》この上なくほめること。最大級の賛美。「━を博する」類語 激賞。

＊**せっ・し【切歯】** 《名・自サ》〔文〕❶歯をきしりあわせること。歯ぎしり。歯がみ。❷非常に悔しがること。**━やくわん【━×扼腕】** 《名・自サ》〔歯ぎしりし、自分の腕をにぎりしめる意から〕非常に悔しがったり怒ったりすること。

＊**せっ・し【摂氏】** 水の氷点を零度、沸点を一〇〇度とする温度目盛り。また、それではかった温度。セ氏。記号℃。参考 →華氏(かし)。

＊**せつ・じ【接辞】** 接頭語と接尾語の総称。

＊**せつ・じ【説示】** 《名・他サ》〔文〕説明して示すこと。

せつ・じつ【切実】 《形動》❶影響をうけたり深くかかわったりして、ないがしろにできないようす。「━な問題」❷身にしみて深く感じるようす。せつ。「━な願い」

＊**せっ・しゃ【接写】** 《名・他サ》カメラを被写体に接近させて撮影すること。「━レンズ」

＊**せっ・しゃ【摂社】** 本社に付属し、本社と末社の中間の格式の神社。本社の祭神に関係の深い神を祭る。

＊**せっ・しゃ【拙者】** 《代名》〔文〕昔、武士などが自分をけんそんして言った語。わたくし。参考 同輩以下の人に対して使う。類語 身共(みども)。

＊**せっ・しゅ【拙守】** へたな守り方。対 好守。拙攻。

＊**せっ・しゅ【接種】** 《名・他サ》〔病気の予防・治療・診断などのために〕人間や動物のからだの中に、毒素や病原菌を移しうえること。「予防━」

＊**せっ・しゅ【摂取】** 《名・他サ》❶外からとり入れて自分のものにすること。「栄養を━する」類語 吸収。❷仏が慈悲の光の中に衆生をおさめとること。

＊**せっ・しゅ【窃取】** 《名・他サ》こっそりぬすみとること。ぬすんで自分の物にすること。類語 強奪。

＊**せっ・しゅ【節酒】** 《名・自他サ》飲む酒の量を適度にへらすこと。類語 禁酒。断酒。

せつ・じゅ【接受】 《名・他サ》〔文〕うけとること。また、受け入れること。「公文書を━する」

せっ・しゅう【接収】 《名・他サ》権力をもって強制的にとりあげること。「軍に家屋を━される」類語 収用。

せっ・しょ【切所】 山道などの難所。

せつ・じょ【切除】 《名・他サ》〔病気に冒された悪い部分を〕切ってとりのぞくこと。「ポリープを━する」

＊**せっ・しょう【摂政】** ❶天皇が女性・幼少であるとき、または病気のときなどに天皇に代わって政治をとる役（の人）。❷〔法〕天皇が成年（満一八歳）に達しないとき、または心身の重患や重大事故のあるとき、天皇に代わって国事を行う憲法上の機関。

＊**せっ・しょう【折衝】** 《名・自サ》〔「敵の衝(つ)いてくるほこ先をくじく」意から〕外交その他の交渉などで、利害の異なる相手と話し合って問題の解決をはかること。また、そのかけひき。「事務━」類語 交渉。談判。

＊**せっ・しょう【殺生】** ❶《名・自サ》生き物を殺すこと。❷《名・形動》むごいこと。ひどいこと。「━な話だ」「無益な━」参考 仏教では十悪の一つとされる。

＊**ぜっ・しょう【絶勝】** 景色がこの上なくすぐれていること。また、その土地。「━の地」類語 絶景。絶佳。

＊**ぜっ・しょう【絶唱】** ❶この上なくすぐれた詩や歌。❷《名・他サ》感情をこめて一生懸命に歌うこと。

＊**せっ・しょく【接触】** 《名・自サ》❶近づいて触れること。触れあうこと。❷他の人と〔親しく〕つきあうこと。また、他と交渉を持つこと。「外国と━する」

＊**せっ・しょく【摂食】** 《名・自他サ》食物をとること。食べること。「━障害(=拒食症や過食症)」

＊**せっ・しょく【節食】** 《名・自他サ》食事の量を適度にへらすこと。類語 減食。

せつ・じょく【雪辱】 《名・自サ》〔勝って〕以前の恥をそそぐこと。失った栄誉をとりもどすこと。「━戦」

ぜっ・しょく【絶食】 《名・自サ》〔病気の治療・検査などのために〕食事をしないこと。「━療法」類語 断食。

せっ・すい【節水】 《名・自他サ》水のむだ遣いをやめて使用量をへらすこと。「━を呼びかける」

＊**せっ・する【接する】** ㊀《自サ変》❶交わる。つきあう。また、応対する。「人に━する態度」❷あう。でくわす。「朗報に━する」❸〔間をおかずに〕隣り合う。また、続く。「国境に━する町」❹ある曲線・直線、または曲面・平面が、他の曲線・曲面と交差することなしに一点だけを共有する。㊁《他サ変》❶〔二つのものを〕続ける。つなぐ。❷〔くっつきそうになるほど〕近よせる。また、くっつける。「くびすを━する」

＊**せっ・する【摂する】** 《他サ変》〔文〕❶代わって行う。

せ

代行する。「まつりごとを―・する」❷兼ねる。兼務する。❸とり入れる。摂取する。「栄養を―・する」

*__せっ・する__【節する】《他サ変》へらす。制限する。また、ほどよくする。ひかえめにする。「食を―・する」

__ぜっ・する__【絶する】〖一〗《他サ変》〔文〕断つ。絶やす。とだえさせる。「ことばを―・する」〖二〗《自サ変》〈「…を―・する」「…に―・する」の形で〉そのものの範囲、または、そうできる限度を（はるかに）こえている。また、かけはなれている。「言語に―・する」

*__せっ・せい__【摂生】《名・自サ》健康を保つため、体に悪いことをつつしむこと。「―に努める」類語 養生。

*__せっ・せい__【節制】《名・他サ》〔欲望を〕適度におさえること。ひかえめにすること。「飲酒を―する」

__せつ・ぜい__【節税】《名・自他サ》合法的・合理的に税負担を軽くすること。

__ぜっ・せい__【絶世】世の中にくらべるものがないほどすぐれていること。〔ふつう、女性の容貌(ようぼう)などを形容するのに使う〕「―の美女」類語 希代。不世出(ふせいしゅつ)。

__せつ・せつ__【切切】《形動タルト》❶愛情・まごころがこもっているようす。❷〔ある感情が〕深く身にしみるようす。「―たる思いにとらわれる」類語 ひしひし。

__せっせ・と__《副》一心に物事をするようす。「―働く」

*__せっ・せん__【拙戦】〔試合などで〕へたな戦いをすること。また、その試合。

*__せっ・せん__【接戦】《名・自サ》〔両者の力が互角であるため〕勝ち負けを激しくせりあうこと。また、その戦い・試合。「―を演ずる」類語 つばぜりあい。

*__せっ・せん__【接線・切線】曲線または曲面上の一点を共有し、その点の付近ではそれと交わらない直線。

*__せっ・せん__【雪線】〔高山や極地で〕一年中雪がとけない所と、そうでない所との境界線。

__せつ・ぜん__【×截然】《形動タルト》〔文〕❶切り立っているようす。❷〔物事の〕区別がはっきりしているようす。「―と区別する」参考「さいぜん」は慣用読み。

*__ぜっ・せん__【舌×尖】〔文〕❶舌の先。❷ものの言い方。くちさき。「―鋭く詰め寄る」

*__ぜっ・せん__【舌戦】ことばに出して激しく議論すること。言い争うこと。「―をかわす」類語 口論。論戦。

*__せっ・そう__【節奏】音の長短・強弱が一定のきまりに従ってくり返される構造。リズム。

*__せっ・そう__【節操】自分の正しいと信ずる立場や主義をかたく守ること。みさお。「―を守る」類語 貞操。

*__せっ・そう__【拙僧】《代名》僧が自分をけんそんして言う語。愚僧。

__せっ・そく__【拙速】《名・形動》たくみではないが早いこと。でき上がりはまずいが仕事が速いこと。対 巧遅。

__せつ・ぞく__【接続】《名・自サ》❶《他サ》つづくこと。つながること。また、つなぐこと。❷二つの交通機関が、ある地点で（短い待ち時間で）たがいに連絡すること。「列車とバスの―が悪い」__―ご__【―語】文節の一つ。接続助詞をつけた文節または連文節。また、接続詞によって成り立っている文節。__―し__【―詞】品詞の一つ。自立語で活用がなく、前の文や語の意味を受けて後の文や語に結びつけ、どのような関係にあるかを示す語。「および」「また」「しかし」の類。__―じょし__【―助詞】助詞の一つ。用言・助動詞について、それより前の句の意味を後の句に結びつけ、どのような関係にあるかを示す語。「て」「ので」「のに」の類。

__ぜっ・そく__【絶息】《名・自サ》息がたえること。死ぬこと。絶命。

__せっそく・どうぶつ__【節足動物】動物を分類した一部門。からだと足とにたくさんの環節をもつ動物。昆虫類・クモ類・甲殻類・多足類など。

__せっ・た__【雪▽駄・雪▽踏】ぞうりの裏に革を張り、かかとの部分に薄い金物を打ちつけたはきもの。「―履き」

__セッター__ ❶イヌの品種の一つ。イギリス原産。毛が長く、耳がたれている。性質はおとなしい。猟犬として使われる。❷〔バレーボールで〕ボールを打ち込みやすいようにトスをする役の人。▽setter

__せっ・たい__【接待】《名・他サ》客をもてなすこと。また、湯茶・食事などをふるまうこと。

__せつ・だい__【設題】《名・自サ》〔解答させるための〕問題・題目を作ること。また、その問題・題目。

*__ぜっ・たい__【絶対】〖一〗《名》❶他の何物とも比較されず、同等に並ぶ物がない・こと（もの）。「神は―の存在」❷どんな制約や条件もうけつけない・こと（もの）。「―の信頼を得る」対 ①②相対。〖二〗《副》《「―に」の形も》❶なにがなんでも。必ず。「―やりとげる」❷けっして。とうてい。〔あとに打ち消しの語をともなう〕「―あり得ない」__―おんど__【―温度】摂氏零下二七三・一五度を零度（=絶対零度）とした温度。記号K。__―しゅぎ__【―主義】❶〔哲〕真理や価値の絶対性、すなわち永遠・普遍の妥当性を主張する立場。対 相対主義。❷君主が無制限の権力をもち、国家は君主に体現されているとする国家形態。__―たすう__【―多数】議決などで、どんな条件のもとでも（圧倒的な）多数をしめること。__―ち__【―値】ある実数に対して、その正負の符号をとった値。__―てき__【―的】《形動》唯一無二で、他のものと比較したり同等のものとして並立したりできないようす。また、どんな制約や条件もうけつけないようす。「―な権力」対 相対的。__―りょう__【―量】❶どうしても必要な量。❷差引勘定を含まない量。「人員の―は多いが、使える人は少ない」

*__ぜっ・たい__【舌×苔】舌の表面につく、灰白色または褐色のもの。熱病や胃腸病のときに見られる。

*__ぜつ・だい__【舌代】口で言うかわりに書きつけたという、簡単なあいさつ（文）。しただい。類語 口上書き。

*__ぜつ・だい__【絶大】《形動》〔物事が〕この上なく大きいようす。「―な権力」類語 莫大(ばくだい)。甚大。

__ぜったい・ぜつめい__【絶体絶命】《名・形動》きりぬける方法が見当たらないほど困難な立場。また、追いつめられてどうすることもできないこと。注意「絶対絶命」は誤り。

__せっ・たく__【拙宅】自分の家をけんそんしていう語。「―までおこし下さい」類語 小宅。陋宅(ろうたく)。

__せつ・だん__【切断・×截断】《名・他サ》たち切ること。切りはなすこと。「電話線を―する」類語 裁断。

__ぜっ・たん__【舌端】〔文〕❶舌の先。❷話しぶり。論じ方。「―火を吐く（=激しい勢いで論じたてる）」

*__せっ・ち__【接地】《名・他サ》↓アース。

*__せっ・ち__【設置】《名・他サ》❶〔機械・設備などを〕備えつけること。❷ある機関をつくり設けること。

__せっ・ちゃく__【接着】《名・自他サ》〔二つの物がぴったりと〕くっつくこと。また、くっつけること。「―剤」

*__せっ・ちゅう__【折衷・折中】《名・他サ》〔二つ以上の異なる物事からそれぞれのつごうのよい所だけをとって、（その中間の）新しい物事を作ること。「和洋―の旅館」

*せっ・ちゅう【雪中】〔文〕雪が降っている中。また、深く積もった雪の中。「—の登山」「—行軍」

せっ・ちょ【拙著】〔文〕〔「つたない著作」の意で〕自分が書いた書物をけんそんして言う語。

ぜっ・ちょう【絶頂】❶山のいちばん高い所。頂上。❷物事の調子が最も高まった時。頂点。「得意の—にある」類語 極点。

せっ・ちん【雪隠】《「せついん」の転》便所。かわや。〔古風な言い方〕参考 もと禅宗の用語。 —だいく【—大工】〔俗〕〔便所の工事ぐらいしかできない大工の意で〕へたな大工。〔あざけって言う語〕 —づめ【—詰(め)】❶将棋で、王将を盤のすみに追い込んでつめること。❷逃げ道のない所に追い込むこと。

せっつ【摂津】旧国名の一つ。五畿(ごき)の一国。今の大阪府の西北部と兵庫県の南東部。摂州。津の国。

せっ・つ・く【▽責っ付く】《他五》〔俗〕せつく。

せっ・てい【設定】《名・他サ》❶〔ある規則・物事などを〕設け定めること。「課題を—する」❷〔法〕ある権利を新しく発生させること。「抵当権を—する」

セッティング《名・他サ》❶家具などを配置すること。❷おぜんだて。「懇親会を—する」❸舞台やスタジオで、大道具を組み立てること。▽setting

せっ・てん【接点】❶曲線とそれに接する線との共有点。また、曲面とそれに接する平面が共有する点。表記「切点」とも書く。❷異なる物事が接する点、また、一致するところ。「議論の—を求める」

せつ・でん【節電】《名・自他サ》電力の使用を節約すること。「このエアコンは—効果が高い」

セット ❶組みになっているものの一そろい。また、組み合わせて一そろいになったもの。〔数えるときにも使う〕❷演劇・映画・テレビなどで、装置。舞台装置。❸《名・他サ》髪の形を整えること。❹《名・他サ》道具・機器などを組み立てること。また、ととのえ用意すること。「テーブルを—する」「目覚し時計を—する」❺テニスやバレーボールで、一試合中の一勝負。〔数えるときにも使う〕「三—続けて勝つ」▽set —ポジション 野球で、投手の投球姿勢の一つ。軸足を投手板の上におき、ボールを両手で体の前に保持する。▽set position

せつ・ど【節度】〔物事を行うときの、時と場合に応じた〕適当な度合い。ちょうどよい程度。「—を保つ」

ゼット【Z・z】物事の最後。「Aから—まで(=最初から最後まで。また、すべて)」 —き【Z旗】二六種ある万国ローマ字信号旗の一つ。「Z」の文字を表す。Z信号旗。参考 明治三八年の日本海海戦に際し、「皇国の興廃此(こ)の一戦にあり。各員一層奮励努力せよ」の信号として掲げた。「—を掲げる(=緊急の事態に際して全員に最大限の努力を要求する)」

せっ・とう【窃盗】《名・他サ》他人の物をこっそりぬすむ・こと(人)。どろぼう。「—罪」類語 強盗。

*ぜっ・とう【絶倒】《名・自サ》❶激しい喜び・悲しみに気絶してたおれる。❷笑い崩れること。「抱腹—」

*ぜっ・とう【舌頭】〔文〕❶舌の先。口の先。❷話しぶり。「—鋭く詰問する」

せっとう・ご【接頭語】独立しては使われず、他の語の上について、その語の意味を強めたり、調子を整えたり、ある意味をそえたりする語。「かぼそい」の「か」、「お手紙」の「お」など。接頭辞。対 接尾語。

せっ・とく【説得】《名・他サ》よく話して納得・承知させること。説き伏せること。「—力」類語 説伏。

せつな【×刹×那】非常に短い時間。瞬間。刹那(せちな)。参考 梵語 kṣaṇa の音訳。対 劫(こう)。 —しゅぎ【—主義】過去のことも未来のことも考えず、ただ現在の瞬間の快楽がすべてだとする生き方。

せつ・な・い【切ない】《形》〔悲しさ・寂しさなどで〕胸がしめつけられるようにつらい。「—胸の中」

せつ・なる【切なる】《連体》《文語形容動詞「切なり」の連体形から》ひたすらの。心からの。「—願い」

せつ・に【切に】《副》《文語形容動詞「切なり」の連用形から》心から。ひたすら。「ご健闘を—祈る」

*せっ・ぱ【切羽】日本刀のつばの両面の、柄(つか)とさやに接するところにはさむ薄い金具。 —つま・る【—詰まる】《自五》どうにもしかたのない状態になる。追いつめられる。「—って打ち明ける」

*せっ・ぱ【説破】《名・他サ》ときふせて相手の説に勝つこと。「論敵を—する」類語 論破。

*せっ・ぱく【切迫】《名・自サ》❶〔ある時刻・期限などが〕近づくこと。おしせまること。❷〔重大な事態などが近づき〕緊張した状態になること。また、追いつめられた状態になること。「—した空気」類語 緊迫。❸小刻みに速くなること。「呼吸が—する」

類義語の使い分け 切迫・緊迫

［切迫・緊迫］交渉が決裂して事態が切迫(緊迫)する
［切迫］期限が切迫して焦る／時間が切迫する
［緊迫］情勢が緊迫の度を増す／緊迫感がみなぎる

*せっ・ぱく【雪白】《名・形動》〔文〕雪のように白いこと。まっ白。純白。「—の肌」

せっ・ぱん【折半】《名・他サ》〔支払い金や品物などを〕半分ずつ分けること。二つに分けること。二等分。

ぜっ・ぱん【絶版】一度出版した本の印刷・発行をやめること。「あの本は—になった」

せつ・び【設備】《名・他サ》あることを行うために必要な物を備えつけること。また、その備えつけた物。「—の整った工場」「—投資」類語 設置。施設。

せっ・ぴ【雪×庇】雪が山稜(さんりょう)の風下側にひさしのように張り出して積もったもの。

ぜつ・び【絶美】《名・形動》〔文〕この上なく美しいこと。「風光—」

せつび・ご【接尾語】独立しては使われず、他の語のあとについて、その語の意味を強めたり、意味を添えたり、他の品詞に変えたりする語。「楽しげ」の「げ」、「子供ら」の「ら」など。接尾辞。対 接頭語。

せっ・ぴつ【拙筆】〔文〕❶へたな字。悪筆。対 能筆。❷自分の書いた字をけんそんして言う語。

ぜっ・ぴつ【絶筆】❶原稿などを書くのをやめること。❷死んだ人の、生前最後の文章・文字・絵画など。

ぜっ・ぴん【絶品】くらべるものがないほどすぐれた品物・作品。「古今の—が展示される」類語 逸品。

せっ・ぷ【節婦】〔文〕操(みさお)を堅く守る女性。貞女。貞婦。「—は二夫に見(まみ)えず」対 淫婦(いんぷ)。

*せっ・ぷく【切腹】《名・自サ》❶自分で腹を切って死ぬこと。はらきり。割腹。類語 屠腹(とふく)。❷江戸時代、武士に科した死刑の一種。

*せっ・ぷく【説伏・説服】《名・他サ》〔文〕〔相手が自分の意見に従うよう〕説き伏せること。説き伏せて従わせること。「反対派を—する」類語 説得。

せ

*せつ-ぶん【拙文】〔文〕❶へたな文章。類語悪文。❷自分の文章をけんそんして言う語。

*せつ-ぶん【節分】立春の前日。現在の暦で二月三日ごろ。いり豆をまき、わざわい・病気などを払う行事を行う。参考もとは、立春・立夏・立秋・立冬の前日。

せっ-ぷん【接×吻】《名・自サ》相手の唇・顔・手などに自分の唇をつけること。愛情や尊敬を表し、また、親愛の情を示すあいさつでもある。口づけ。キス。

ぜっ-ぺき【絶壁】切りたったけわしいがけ。断崖(だんがい)。

*せっ-ぺん【切片】❶〔文〕切れはし。❷検査するために、生体の組織の一部を薄く切り取ったもの。

*せっ-ぺん【雪片】〔文〕降ってくる雪の一ひら。

せつ-ぼう【切望】《名・他サ》しきりに望むこと。強く願うこと。「チャンスの到来を―する」類語熱望。

せっ-ぽう【説法】《名・自他サ》❶仏教の教えを説ききかせること。類語説経。❷物事の道理を言いきかせること。また、意見すること。同①②説教。

ぜつ-ぼう【絶望】《名・自サ》希望・期待が全くなくなること。望みがたえること。「人生に―する」「―的」

ぜっ-ぽう【舌×鋒】〔文〕〔議論などで〕相手をせめたてるはげしいことばつき。手きびしい弁舌。「―鋭く追及する」類語舌端。

ぜつ-みょう【絶妙】《形動》〔技術が〕この上なくすぐれているようす。非常にたくみであるようす。絶巧。「―の演技」類語巧妙。精巧。

ぜつ-む【絶無】《名・形動》全くないこと。皆無。「こんな事故は今まで―に等しかった」

せつ-めい【説明】《名・他サ》ある事柄の内容を、理由や具体例をあげて、よく分かるようにのべること。わかりやすく教えること。「―文」類語解説。

ぜつ-めい【絶命】《名・自サ》命が絶えること。死ぬこと。絶息。「病院に運ばれてからまもなく―した」

ぜつ-めつ【絶滅】❶《名・自サ》〔生物などが〕すっかり絶えほろびること。「―の危機に瀕(ひん)する」類語滅亡。❷《名・他サ》〔人の力で〕すっかりほろぼしなくすこと。「交通事故を―する」類語根絶。

せつ-もう【雪盲】積雪に反射する紫外線の刺激で起こる目の炎症。スキー・登山の際に多い。雪眼(ゆきめ)。

せつ-もん【設問】《名・自サ》問題や質問を作って出すこと。また、出された問題や質問。設題。

せつ-やく【節約】《名・他サ》〔費用などの〕むだをなくして、きりつめること。倹約。類語節倹。節用。

せつ-ゆ【説諭】《名・他サ》目下の者の悪い点・過ちなどを教えさとすこと。話していましめること。「警察で―される」類語説教。訓戒。

*せつ-よう【節用】❶費用をきりつめること。むだな費用をなくすこと。類語節約。❷「節用集」の略。昔、日常語に関して用字や簡単な語釈を記した、いろは引きの国語辞書の総称。節用集(せつようしゅう)。

*せつ-よう【切要】〔文〕《形動》きわめて大切なようす。「―の急務」

*せつ-り【摂理】❶キリスト教で、神の意志〔の中にある計画〕。これによって万物をそれぞれの目標に導かれるとする。❷自然界を支配している理法。「自然の―」

*せつ-り【節理】❶〔文〕〔物事の〕すじみち。❷岩石中にみられる〔規則正しい〕割れ目。「柱状―」

せつ-りつ【設立】《名・他サ》〔学校・会社などの〕団体や機関を新しく作ること。創立。類語設置。

せつ-りゃく【節略】《名・他サ》適当に省くこと。

ぜつ-りん【絶倫】《名・形動》人なみはずれてすぐれていること。「精力―」類語絶類。抜群。

セツルメント 貧しい人々の住む地域に住み、住民と人間的接触を重ねて、その生活の向上を図る社会運動。また、そのための施設。セツル。▽settlement

せつ-れつ【拙劣】《形動》〔技術が〕へたであるようす。「―な文章」類語劣悪。拙悪。対巧妙。

せつ-ろく【節録】《名・他サ》〔文〕適当に省略して書きしるすこと。また、その記録。

*せつ-ろん【切論】《名・他サ》〔文〕しきりに論じること。熱心に論じること。また、その論。

*せつ-ろん【拙論】〔文〕❶へたな議論。つたない論理。❷自分の議論・論理をけんそんして言う語。

せつ-わ【説話】昔から民間に語り伝えられた神話・伝説・昔話など。「民間―」「仏教―」「―文学」

せ-と【瀬戸】❶海が陸地にはさまれてせまくなっている所。小さな海峡。「音戸の―」❷「せとぎわ」の略。❸「せともの」の略。

せ-ど【背戸】家の裏側にある出入り口。また、そのあたり。裏口。裏門。背戸口(せどぐち)。

せ-どう【世道】〔文〕人が社会の中で生活するときに守るべき道徳。世道(せいどう)。

せどう-か【▽旋頭歌】和歌の歌体の一つ。上の句と下の句が共に五七七で、併せて六句からなるもの。

せと-ぎわ【瀬戸際】(―ぎは)〔瀬戸と外海との境の意から〕勝負・成否などのわかれめ。物事の重大なわかれめ。せと。「生死の―に立つ」「勝負の―」類語先途(せんど)。

せど-ぐち【背戸口】裏の出入り口。また、そのあたり。裏口。裏門。背戸。

せと-びき【瀬戸引(き)】鉄製の食器などの表面にほうろう質をかぶせること。また、そのようにした器具。

せと-もの【瀬戸物】❶瀬戸焼。❷陶磁器の通称。焼き物。同①②せと。

せと-やき【瀬戸焼】愛知県瀬戸市およびその付近から産する陶磁器。せともの。せと。

せ-なか【背中】❶〔動物の〕胴体の後ろ側。背(せ)。❷〔ある物の〕後ろの方。背後。―あわせ【―合(わ)せ】(あはせ)❶二人、または二つの物が背中または裏側を接して反対を向いていること。対向かい合わせ。❷仲が悪いこと。「―の仲」❸一見無関係のようで、背と腹のように深い関係があること。「幸と不幸は―だ」

ぜに【銭】《字音「せん」の転》お金。貨幣。特に、金属製の貨幣。〔やや俗な言い方〕「―を稼ぐ」

ぜに-がた【銭形】❶銭のかたち。❷銭のかたちに紙を切ったもの。神前に供える。

ぜに-かね【銭金】❶お金。ぜに。❷金銭上の利害。損得。「―の問題じゃない」

ぜに-がめ【銭×亀】イシガメ、あるいは、クサガメの子。参考大きさや甲羅の形が銭に似ていることから。

ぜに-こ【銭こ】《「こ」は接尾語》お金。ぜに。

ぜに-さし【銭差(し)・銭×緡】銭の穴に通してたばねるひも。さし。

セニョーラ 奥様。類語ミセス。マダム。▽(スペイン)señora

セニョール だんな様。男性の姓の前につける敬称。類語ミスター。ムッシュー。▽(スペイン)señor

セニョリータ 未婚の女性。お嬢さん。類語ミス。マドモアゼル。▽(スペイン)señorita

ぜ-にん【是認】《名・他サ》❶よいと認めてゆるすこと。

「彼の行為をーする」[類語]承認。❷そうであると認めること。「私の罪とーする」[類語]肯定。[対]①②否認。

せ・ぬい【背縫い】 衣服を背筋のところで縫い合わせること。また、その縫い目。

せ・ぬき【背抜き】 背広などの洋服で、背中に裏地を用いずに仕立てること。また、その上着。

ゼネ・コン 大手の総合建設請負業者。▽general contractor から。

ゼネ・スト「ゼネラルストライキ」の略。

ゼネラル ㊀《造語》「一般の」「全般の」の意。㊁《名》将軍。司令官。「ーマッカーサー」▽general **ースタッフ** 企業内で、最高幹部を補佐して企画・調査・調整などの職能を受け持つ人々。管理スタッフ。▽general staff(=参謀) **ーストライキ** 全国または一地方の、同じ産業またはいくつかの産業に働く労働者がいっせいに行うストライキ。総罷業。総同盟罷業。ゼネスト。▽general strike

ゼネレーション→ジェネレーション。▽generation

せ・のび【背伸び】《名・自サ》❶背をできるだけのばして背丈を高くすること。❷実力以上のことをしようとすること。「ーするのも程々になさい」

セパード→シェパード。▽shepherd

せばま・る【狭まる】《自五》〔間が〕せまくなる。「道がーる」「相手との差がーる」[対]広まる。[文]《四》。

せば・める【狭める】《他下一》〔間を〕せまくする。「調査の範囲をーめる」[対]広める。[文]せば・む《下二》。

セパレーツ ❶一組の道具を自由に組み合わせて使えるように作ったもの。❷上下に分かれた婦人服。[類語]ツーピース。❸上下に分かれた女性用の水着。ビキニより露出部分が少ない。▽separates(=分かれたもの)

セパレート・コース スピードスケートや陸上競技などで、各人の走路が明確に区分されているコース。[対]オープンコース。▽separate course

せ・ばんごう【背番号】 スポーツ選手がユニフォームの背につける番号。[類語]ゼッケン。

せ・ひ【施肥】《名・自他サ》肥料をあたえること。

ぜ・ひ【是非】 ㊀《名》❶良いことと、悪いこと。また、道理にかなっているかどうか。「事のーを問う」[類語]可否。正否。当否。理非。❷《他サ》〔文〕物事のよしあしを論じること。㊁《副》どうしても。必ず。きっと。〔あとに願望・希望を表す語を伴う〕「ーおいでください」[類語]どうか。どうぞ。呉々も。願わくは。何とぞ。特別に。希わくは。是非とも。

ーに及ばず《句》〔文〕しかたがない。やむを得ない。どうしようもない。

ーも無・い《句》良いも悪いもない。また、良い悪いを言っていられない。やむを得ない。ぜひない。

セピア 黒茶色。また、その色の絵の具。▽sepia

せ・ひょう【世評】 世間の人の評判・批評。「ーが高い」「ーを気にする」[類語]風評。

せ・びょうし【背表紙】 題名・作者名などのある、書物の表紙の背の部分。背。

せび・る《他五》〔金銭や品物を〕くれるようにむりにたのむ。せがむ。ねだる。「こづかいをーる」

せ・びれ【背×鰭】 魚の背中にあるひれ。

せ・びろ【背広】 男子用の日常の洋服。本来、共布で作った、折り襟の上着、チョッキ、ズボンの三つぞろいを指すが、チョッキを省いたものも言う。スーツ。[参考]civil clothes(=市民服)、また、Savile Row(=ロンドンの有名な洋服商街)の音訳からといわれる。

せ・ぶし【背節】 カツオの背の肉で作った、かつおぶし。本節。

せ・ぶみ【瀬踏み】《名・他サ》❶〔川などを渡る前に〕足をちょっと踏み入れて水の深さを測ること。❷あることをする前にちょっとためしてみること。ようすを見ること。「相手の誠意をーする」

ゼブラ しまうま。▽zebra **ーゾーン** 横断歩道。[参考]黒と白の縞の線で表されていることから。▽zebra と zone からの和製語。

せ・ぼね【背骨・×脊骨】→せきちゅう(脊柱)。

***せ・まい【施米】**《名・自他サ》貧しい人や困っている人に米を与えること。また、その米。

***せま・い【狭い】**《形》❶面積が小さい。「ー・い庭」❷幅が小さい。「ー・い道」❸〔活動の〕範囲が限られている。また、範囲が小さい。「文壇というー・い社会」❹〔気持ちの持ち方や考え方などに〕ゆとりがない。「心のー・い人」[対]①〜④広い。[文]せま・し《ク》。

せまき・もん【狭き門】《連語》❶天国に至る道がけわしいことのたとえ。[参考]新約聖書マタイ伝にあることば。❷競争がはげしくて突破することが困難なもの〔ところ〕。難関。〔就職・入学などに際して言う〕

せま・くるし・い【狭苦しい】《形》〔不自由なほど〕せまくて窮屈だ。「ー・い部屋」

せま・る【迫る・×逼る】 ㊀《自五》❶〔間隔が〕狭くなる。せばまる。「川の両岸がーる」❷〔ある時刻・場所などが〕近づいてくる。〔ある状態に〕近づく。「死期がーる」❸押し寄せてくる。また、せり出してくる。「敵がーる」❹余裕がなくなる。せっぱつまる。また、困窮する。「悠揚ーらず」❺呼吸が激しくなって胸が苦しくなる。また、ある強い感情がわいてきて胸をしめつける。[文]《四》。㊁《他五》強く要求する。強く催促する。強請する。「決断をーる」[文]《四》。

***せみ【×蟬】** ❶セミ科の昆虫の総称。雄には腹部に発音器があり、夏に鳴く。アブラゼミ・ツクツクボウシ・ヒグラシなど種類が多い。❷高い所に物をつり上げる、小さな滑車。帆柱や長いさおの上端などにつける。

***セミ**《接頭》「なかば」「準」などの意。▽semi- **ーコロン** 欧文の句読点の一つ。コンマとコロンの中間の切れめを表す。「;」▽semicolon **ードキュメンタリー** 映画・放送などで、記録的なものに劇的なものをからませる手法。また、その作品。セミドキュメント。▽semidocumentary **ーファイナル** ❶準決勝。❷プロボクシングなどで、メーンイベントの直前の試合。▽semifinal **ープロ** 半ば職業化したアマチュア。半くろうと。セミプロフェッショナル。▽semipro

ゼミ「ゼミナール」の略。

せみ・くじら【背▽美鯨】 クジラの一種。体長は一五メートルで、背中は黒く、腹が白い。北太平洋にすむ。

せみ・しぐれ【×蟬〈時雨〉】 多くのセミがいっせいに鳴き立てる・ようす(声)を、時雨にたとえていう語。

セミナー ❶講習会。❷→ゼミナール。▽seminar

ゼミナール 大学で、学生が小人数のグループを作り、教授の指導のもとに専門的な題目について研究する授業。演習。セミナー。ゼミ。▽(ドイ)Seminar

せ・むし【×傴×僂】〔卑称〕骨の発育障害の一つで、背骨が曲がって体が前かがみになる状態。また、そうなった人。佝僂。[参考]→くる病。

せ

*せめ【攻め】戦いやスポーツで相手を攻めること。攻撃。「―に転ずる」「―のチーム」対守り。

*せめ【責め】❶〔欠点・失敗などを〕責めること。とがめて苦しめること。「―を食う」❷責任。任務。「―を塞ぐ(=何とか責任を果たす)」類語つとめ。責務。

せめ・あぐ・む【攻め×倦む】《他五》〔効果がなく〕攻めるのがいやになる。攻めあきる。

せめ・うま【責(め)馬】馬を乗りならすこと。また、その馬。

*せめ・おと・す【攻め落とす】《他五》〔城・陣地などを〕攻めてうばいとる。攻めて負かす。攻落する。

*せめ・おと・す【責め落とす】《他五》❶責めて罪を認めさせる。❷しつこくせがんで承知させる。くどきおとす。❸責めて追いやる。「地獄に―・す」

せめ・く【責(め)苦】責めさいなまれる苦しみ。

せめ・ぐ【×鬩ぐ】《自五》〔うらみをもって〕互いに争う。「兄弟牆に―・ぐ(=うちわもめをする)」

せめ・さいな・む【責め×苛む】《他五》容赦なくいじめ苦しめる。「友の背信を―・む」「良心に―・まれる」

せめ・だいこ【攻(め)太鼓】昔、戦いで、攻めかかる合図に鳴らした太鼓。攻撃の合図の太鼓。攻め鼓。

*せめ・た・てる【攻め立てる】《他下一》続けざまに〔激しく〕攻撃する。「敵を―・てる」

*せめ・た・てる【責め立てる】《他下一》❶激しく何度も非難する。「落ち度を―・てる」❷しきりに催促する。「返済を―・てる」

せめ・つ・ける【責め付ける】《他下一》厳しく責める。

*せめ・て【攻め手】❶攻める側の人。「―にまわる」❷攻める手段。攻撃方法。攻め口。「―に詰まる」

*せめ・て《副》《文語動詞「責む」の連用形に助詞「て」がついてできた語》最小限の願望を表す。やむを得なければ、それだけでも。不満足ながら、少なくとも。「―もう一度会いたい」

*せめ・どうぐ【攻(め)道具】敵を攻めるときに使う道具。銃砲・刀剣など。攻め具。

*せめ・どうぐ【責(め)道具】拷問の道具。責め具。

せめ・よ・せる【攻め寄せる】《自下一》〔大勢が〕近くまで攻めてくる。「敵の大軍が―・せる」

*せ・める【攻める】《他下一》進んで行って敵をうつ。攻撃する。「拠点を―・める」類語出撃。進攻。進撃。襲撃。対守る。文せ・む《下二》。

*せ・める【責める】《他下一》《「攻める」と同語源》❶罪やあやまちなどを非難する。とがめる。なじる。「非を―・める」類語吊し上げる。譴責。面責。詰責。問責。❷苦痛を与える。苦しめる。悩ます。❸せきたてる。せがむ。「早くしろと―・める」❹馬を乗りならす。文せ・む《下二》。

*セメン「セメント」の略。

*セメン「セメンシナ」の略。―シナ キク科の多年草。つぼみにサントニンを含み、これを干して回虫の駆除薬を作る。▽ラテン semen cinae

セメント ❶無機質接着剤の総称。❷特に、「ポルトランドセメント」の通称。土木・建築用の接着剤。石灰石・粘土などを焼いて粉にしたもので、砂などとまぜて、水でねって使う。洋灰。セメン。▽cement

せ・もつ【施物】〔文〕〔僧や貧しい人に〕ほどこし与える品物。施物。

せ・やく【施薬】《名・自他サ》〔文〕〔貧しい病人に〕薬をほどこすこと。また、その薬。

せ・よ【施与】《名・他サ》〔文〕〔僧や貧しい人などに〕ほどこし与えること。また、そのもの。

ゼラチン 動物の皮・骨などから抽出するたんぱく質。熱にとけやすく、冷えるとゼリー状になる。食品・医薬品・写真材料などに用いる。参考不純なものを膠と呼ぶ。▽gelatine

ゼラニウム フウロソウ科の多年草。夏、白・赤などの小さな花を茎の先につける。観賞用。▽geranium

セラピー 治療。療法。テラピー。「アロマ―」▽therapy

セラピスト 治療にあたる専門家。▽therapist

セラミックス 粘土・珪砂などの天然原料を使って焼いた陶磁器・ほうろう・セメントなどの総称。陶磁質。セラミック。▽ceramics

*せり【競(り)・×糶】❶せること。せりあうこと。❷競売。せりうり。「古道具を―に出す」❸「せり市」の略。❹行商。せりうり。表記④は多く「糶」と書く。

*せり【×芹】セリ科の多年草。湿地に自生する。茎・葉はかおりがよく、食用。春の七草の一つ。

*せり【▽迫り】劇場で、舞台や花道の床の一部を角形に切りぬき、その上に役者や舞台装置の一部などをのせて上げ下げできるようにした仕掛け。

せり・あ・う【競り合う】《自他五》〔優位に立とうとして〕競いあう。「トップを―・う」類語はりあう。

*せり・あ・げる【競り上げる】《他下一》❶〔声などを〕下からだんだんに上げていく。❷〔競売で〕ふたり以上の買手がきそいあって、だんだん値段を高くする。

*せり・あ・げる【▽迫り上げる】《他下一》❶下から押してしだいに上げる。押し上げる。❷劇場で、役者や大道具などを、迫りの装置で舞台上に押し出す。

ゼリー ゼラチンや、果物からとれるペクチン質などをとかし、砂糖・香料を加えて固めた菓子。▽jelly

せり・いち【競(り)市・×糶(り)市】競り売りによって行う売買。また、それが行われる場所。せり。

セリウム 希土類元素の一つ。元素記号 Ce。鋼状の金属。発火合金の材料に利用する。▽cerium

せり・うり【競(り)売り・×糶(り)売り】《名・他サ》❶多くの買手に競争させて値段をつり上げ、最高の値段をつけた人に売る・こと(方法)。競売。〔売手の側から言うことば〕対せりがい。❷行商。表記②は多く、「糶売り」と書く。

せり・おと・す【競り落とす】《他五》競り売りで、最高の値段をつけて品物を自分のものにする。

せり・か・つ【競り勝つ】《自五》接戦の末に勝つ。「一点差で―・つ」

せり・だし【▽迫(り)出し】❶せり出すこと。上へ押し出すこと。❷劇場で、迫りの装置に役者や大道具をのせて、奈落から舞台や花道へ押し上げて登場させること。また、その装置。せりあげ。

迫出し②

せり・だ・す【▽迫り出す】一《他五》❶押し上げて出す。また、押すようにして前へ出す。❷劇場で、迫りの装置を使って、役者や大道具を舞台に登場させる。 ㊁《自五》〔後ろから押されるようにして〕前へ出る。

せりふ【▽台▽詞・▽科▽白】❶舞台で、俳優が劇中人物になって言うことば。台詞。❷人に対する言いぐさ。「きいた風なー」❸きまり文句。「別れのー」

せりふ-まわし【▽台▽詞回し】せりふの言い方。せりふの表現のしかた。「あの役者はーに味がある」

せり-もち【▽迫(り)持(ち)】↓アーチ①。

せ-りょう【施療】《名・自サ》貧しい人のために、無料で病気の治療をすること。「ー院」

***せ・る**【競る・×糶る】《他五》❶勝とうとして互いに争う。きそう。「ゴール直前までー・る」 表記「競る」と書く。❷〔取引所・競り市などで、多くの買手が〕争って値をつり上げる。また、売手の方で、買手がつくように次第に値段を下げていく。 文《四》。

***せる**《助動：下一型》❶使役を表す。「生徒にレポートを書かせる」❷〔意志を持たないものが主語に来て〕ある状態・作用を引き起こす意。「その知らせは人々を悲しませた」❸他の動作に対する(不本意の)許容・放任を表す。…にまかせる。やむなく…させる。…される。「戦争で一人息子を死なせて(=一人息子に死なれて)しまう」❹〔他の尊敬語とともに用いて〕動作主に対する高い尊敬を表す。〔文語的で古風な感じを伴う言い方〕「御健康であらせられる」 接続 五段、サ変動詞の未然形に付く。サ変動詞には「さ」の形につく(させられる)。その他の動詞には、「させる」がつく。 参考 ㋐文語助動詞の「す」にあたる。㋑↓させる(助動詞)。

***セル** 梳毛糸で織った薄地の和服用毛織物。サージ。▽オランダ serge を日本語化した「セル地」の略。 類語

セル-が【セル画】アニメーションの撮影に使う、透明なシートに描いた絵。 参考「セル」はセルロイドの略。

セルフ《造語》「自分で」「自動的」の意を表す語。▽self ーコントロール ❶自制。克己。❷自動制御。自動調整。▽self-control ーサービス 給仕や店員がすることを客が自分ですること・システム。▽self-service ータイマー カメラで、一定時間後、自動的にシャッターが切れる装置。▽self-timer

セルロイド セルロースに硫酸と硝酸を加えてできたものに、しょうのうとアルコールを入れて作った物質。燃えやすい。おもちゃ・文房具などを作った。▽celluloid

セルロース 植物の細胞膜や繊維の主要な成分。繊維素。▽cellulose

セレクト《名・他サ》選ぶこと。選択。▽select

セレナーデ ❶夜、恋人の家の窓の下などで男がうたい、また、かなでる歌曲。❷器楽形式の一つで、交響曲より小規模な娯楽音楽。 同①②小夜曲。夜曲。=セレナード・セレナータ。▽ドイツ Serenade

セレモニー 儀式。式典。会。▽ceremony

***せ-ろ**【世路】〔文〕人間が世の中で暮らしてゆく方法。世わたりの道。世路。

***セロ** ↓チェロ。▽cello

ゼロ ❶零。❷価値がないこと。❸得点がないこと。零点。「ー敗」 表記「零」とも書く。▽zero ーさい-じ【ー歳児】生後一年未満の乳児。 ーメートル 海抜〇メートル。海面の高さ。「ー地帯(=海抜〇メートル以下の地帯)」▽zero meter

セロハン ビスコースを狭いすきまから押し出して作る、無色透明で紙状の再生セルロース。包装用などに用いる。「ーテープ」▽フランス cellophane

セロリ セリ科の多年草。独特のにおいがあり、多く生のまま食べる。オランダ三葉。セルリー。▽celery

せ-ろん【世論】ある特定の問題についての、世の中の人々の総括的な意見。世論。輿論。「ー調査」「ーの動向に注意する」 参考 ↓よろん(輿論)。

せ-わ【世話】❶世間のうわさ。❷庶民的なこと。通俗・卑俗なこと。「ーにくだけて言えば」❸「世話物」の略。❹《名・他サ》気をくばって面倒をみること。「ーを焼く」 類語 肝入り。お節介。介添え。後見。看護。介抱。❺《名・他サ》中にはいってとりもつこと。「嫁をーする」 類語 周旋。紹介。❻《名・形動》手数がかかって苦労なこと。「とんだーをかけたな」 類語 面倒。厄介。 参考 ④〜⑥は「忙しい」の「せわ」からとも。 ーずき【ー好き】《名・形動》人の面倒をよくみること。また、その人。 類語 世話やき。 ーにょうぼう【ー女房】家事のきりまわしがうまく、よく夫の面倒をみる妻。 ーにん【ー人】世話をする人。世話焼き。世話役。 ーもの【ー物】歌舞伎・浄瑠璃などで、おもに江戸時代の庶民の生活から取材した作品。二番目物。世話。 対 時代物。 ーやき【ー焼き】❶人の世話をするのが好きな・こと(人)。❷おせっかいな・こと(人)。「ーが過ぎる」❸世話人。

ーがな・い《句》❶手数がかからない。❷あきれてどうしようもない。処置なしである。

せわし・い【▽忙しい】《形》❶〔することが多くて〕暇が少ない。いそがしい。❷〔動作に〕落ちつきがない。せかせかしている。気忙しい。「ー・い人」❸しきりに行われて絶え間がない。はげしい。「ー・く足を運ぶ」=せわしない。 文 せは・し《シク》。

せわし-な・い【▽忙しない】《形》せわしい。

せ-わり【背割り】❶魚の背を切り開くこと。❷衣服の背中の下の部分をぬい合わせない仕立て方。また、そのような仕立ての衣服。

***せん**【戦】《接尾》「戦争」「競争」「試合」などの意。「市街ー」「宣伝ー」「決勝ー」

***せん**【泉】《接尾》「温泉」の意。「硫黄ー」

***せん**【×箋】《接尾》「紙」「びんせん」などの意。「書簡ー」「実用ー」

***せん**【船】《接尾》「(大きな)ふね」の意。「連絡ー」

***せん**【銭】《接尾》❶《助数》昔の貨幣の単位。貫の一〇〇〇分の一。文。❷《助数》貨幣の単位。円の一〇〇分の一。 参考 利子計算などだけに用いられる。❸お金、特に、金属貨幣の意。「一文ー」

***せん**【先】❶これからさき。将来。「ーを見越す」❷あることより前。以前。「ーから知っていた」❸あるものよりも以前にあったもの。〔接頭語的にも使う〕「ー奥様」❹碁・将棋などで、さきに打つ方。先手。 ーを越・す《句》相手の先回りをして事を行う。先を取る。先を越す。

***せん**【千・×仟・×阡】百の一〇倍。 表記 書類に金額などを記載するときは、「仟」「阡」を用いる。

***せん**【×撰】〔文〕❶詩や文章を作ること。❷多くの作品の中からえらび、書物におさめること。

***せん**【栓】❶物の口にさしこんだりおおったりして、中身がもれたり、外の物が中に入ったりしないようにするもの。「耳にーをする」 類語 ふた。❷水道管・ガス管などにつける開閉装置。コック。

***せん**【×磚・×塼・×甎】中国・朝鮮・日本などで用いられ

た建築材料。粘土を焼いて作った方形または長方形の平板で、れんが・タイルに似る。

***せん【線】** ㊀《名》❶細長いすじ。また、そのような形をしたもの。❷ある物の輪郭。❸点の動いたあと。位置と長さがあって、幅と厚みのないもの。❹〔きめられた〕基準。標準。「支出はその―でおさえる」❺ある物事を進めるときの基礎となる考え方。「話をその―で進めよう」❻相手の言動・外形から受ける感じ。「―の細い人」❼鉄道線路。㊁《接尾》「道すじ」「鉄道」「航空路線」などの意。「国際―」「環状―」

***せん【×腺】** 一定の物質を皮膚または粘膜の表面に分泌したり、排泄(はいせつ)したりする器官。「甲状―」

***せん【×詮】** ❶〔ある行為に対して〕ききめのあること。しるし。「どなってみても―がない」 類語 甲斐(かい)。効果。 参考 ↓せんない。❷なすべき方法。すべ。

***せん【選】** ㊀《名》〔多くのものの中から〕えらぶこと。「―にもれる」㊁《接尾》❶「選集」の意。「名作―」❷「選挙」の意。「知事―」「市長―」

***ぜん【全】** 《接頭》「すべての」「すべてで」などの意。「―国民」「―世界」「―一二〇巻」

***ぜん【然】** 《接尾》《名詞について形容動詞をつくる》「いかにも…らしい」「…のようなようす」の意。「教師―とした態度」

***ぜん【前】** ㊀《名》❶今よりさき。以前。❷「紀元前」の略。㊁《接頭》❶「現在の一つまえの」の意を表す。「―首相」❷「…にさき立つ」「…になるまえの」の意。「―近代的」❸「二つに分けたもののまえの方」の意。「―半生」 対 後(ご)。㊂《接尾》❶「…のまえ」「…以前」の意。「戦争―」 対 後(ご)。❷《年数を表す語について》「…年まえ」の意。「五世紀―」 対 後(ご)。

***ぜん【善】** よいこと。よい行い。また、道義にかなっていること。 対 悪。

―は急げ 《句》よいことだと思ったらためらわずに急いで実行せよ。

***ぜん【漸】** 〔文〕物事が少しずつ進みはかどること。「―をもって進歩する」

***ぜん【禅】** ❶雑念を去って精神を統一し、無我の境地に達して真理をさとること。❷「禅宗」の略。「―の開祖」❸「座禅」の略。「―を組む」

***ぜん【×膳】** ㊀《名》食器や食物をのせる台。また、料理が盛りつけてある台。お膳。「二の―、三の―」㊁《助数》❶〔ご飯や汁物など〕椀(わん)に盛ったものを数える語。❷〔二本一組の〕はしを数える語。

ぜん-あく【善悪】 善と悪。よいことと悪いこと。「―の区別がつかない」 類語 正邪。是非。理非。

***せん-い【戦意】** 戦おうという意気込み。戦う気力。闘志。ファイト。「―の高揚をはかる」 類語 闘魂。

***せん-い【繊維】** ❶生物体を組織する細い糸状のもの。植物体の篩部(ぶし)・木部、動物体の筋・神経などにみられる。 表記 動物体の場合は「線維」とも書く。❷〔織物になる〕細い糸状の物質。

***せん-い【船医】** 船に乗り組んで、航海中の船員・乗客などの傷病の診察・治療にあたる医師。

ぜん-い【善意】 ❶人のためを思う心。「―の人」 類語 好意。❷ある事がらに対してもつ、よい方の見方。よい意味。「―に解する」❸〔法〕法にふれるその事実を知らないこと。 参考 この場合の行為は法的にとがめられない。 対 ①～③悪意。

ぜん-いき【全域】 ある区域・領域の全体。

せん-いつ【専一】 《名・形動》他のことをかえりみないで、一つのことだけに心や精力をそそぐこと。そのことだけにはげむこと。専一(せんいち)。「研究―に打ちこむ」

ぜん-いつ【全一】 《名・形動》〔文〕完全に統一がとれて一まとまりになっていること。

せん-いん【船員】 船に乗り組んで働く人。船の乗組員。船乗り。 類語 海員。

ぜん-いん【全員】 〔ある集団に属する〕すべての人。総員。 類語 一同。総勢。

ぜんいん-ぜんか【善因善果】 〔仏〕よい行いには、よい結果が伴うということ。 対 悪因悪果。

せん-うん【戦雲】 戦争が始まりそうな〔緊張した〕ようす。また、戦争。「―が広がる」「―急を告げる〈＝今にも戦いが始まろうとする〉」

***せん-えい【船影】** 〔遠くに見える〕船の姿。

***せん-えい【先鋭・×尖鋭】** 《形動》❶先が鋭くとがっているようす。❷思想・行動などが鋭くて激しいようす。急進的であるようす。「―分子」 表記 「先鋭」は代用字。

―か【―化】 《名・自サ》思想・行動などが過激になること。急進的になること。

ぜん-えい【前衛】 ❶前方にあって戦い、本隊の行動を容易にする部隊。❷球技で、前方を守る選手。 対 後衛。❸階級闘争の先頭に立って活動する人々。❹芸術活動で、伝統にとらわれず、時代の先頭に立つ傾向(の人々)。アバンギャルド。「―美術」

せん-えき【戦役】 戦争。戦い。〔古風な言い方〕

せん-えつ【×僭越】 《名・形動》〔言動が〕自分の身分や力をわきまえず、出過ぎていること。 参考 自分の行為について言えば謙譲(けんじょう)の気持ちを表す。「―ですが代表して」 類語 過分。不相応。越権(えっけん)。

***せん-えん【遷延】** 《名・自他サ》〔文〕〔物事が〕長びくこと。長びかせること。

***せん-えん【×嬋×媛】** 《形動タルト》〔文〕あでやかに美しいようす。上品で美しいようす。「―たる春の暮色」

***せん-おう【先王】** ❶前代の君主。❷昔の優れた君主。＝せんのう。

***せん-おう【専横】** 《名・形動》〔権力をもつ者が〕他を無視して自分の思うままにふるまうこと。わがままでかってなこと。「―なふるまい」 類語 横暴。専恣(せんし)。

ぜん-おん【全音】 半音二つを含んだ音程。 対 半音。

―おんかい【―音階】 参考 長二度に相当する。一オクターブの間が、六つの全音だけでできている音階。六全音音階。 参考 全音階とは異なる。

ぜん-おんかい【全音階】 一オクターブの間が、五つの全音と二つの半音からできている音階。長音階と短音階に分かれる。全音階的音階。

***せん-か【専科】** 〔本科・普通科などに対して〕ある分野だけを専門に学び研究する課程。「デザイン―」

***せん-か【戦果】** 戦闘で得た結果・成果。「―をあげる」

***せん-か【戦渦】** 戦争による混乱。「―に巻きこまれる」

***せん-か【戦火】** ❶戦争によって起こる火災。兵火。「―を免れた京都」❷戦争。「―を交える」

***せん-か【戦禍】** 戦争によるわざわい・被害。「―をこうむる」

***せん-か【泉下】** 〔文〕〔「黄泉(こうせん)の下」の意で〕死後に行く世界。あの世。冥土(めいど)。「―に眠る人々」

***せん-か【選果】** 果実の出荷の際、大きさ・外見・熟度など、品質に従う等級に選別すること。「―場」

***せん-か【選科】** 規定の学科の中から一部の科目だけを選択して学習する課程。「人類学―生」

***せん-か【選歌】** よい歌を選ぶこと。また、選ばれた歌。

せん-が【線画】 線だけでかいた絵。

***ぜん-か【前科】** 以前に刑罰に処せられた経歴をもつこと。「―をもつ」 参考 ひゆ的に、以前にした好ましくない行為を、からかい・自嘲の気持ちでいうこともある。「浮気についてはーがある」 類語 前歴。

***ぜん-か【善果】** 〔よい行いをした結果としてうける〕よい報い。よい果報。「善因―」 対 悪果。

***ぜん-か【全科】** 〔学校で習う〕全部の学科。全教科。

***せん-かい【仙界】** 仙人の住んでいる世界。俗界をはなれた所。仙境。「―に遊ぶ心地がする」

***せん-かい【浅海】** ❶浅い海。❷海岸に近く、深さ二〇〇メートルまでの海。対 ①②深海。

***せん-かい【旋回・旋×廻】** 《名・自サ》❶円をえがいてまわること。❷飛行中に進路を変えること。

せん-がい【選外】 選に入らないこと。類語 落選。

***ぜん-かい【前回】** この前の回。「―にまさる好成績」

***ぜん-かい【全会】** その会場・会合に出席している人全部。その会全体。「―一致」 類語 満場。

***ぜん-かい【全壊・全×潰】** 《名・自サ》〔建造物などが〕完全に壊れること。「―した家屋」 対 半壊。

***ぜん-かい【全快】** 《名・自サ》病気や傷が完全になおって、もとの体になること。本復。全癒。類語 全治。

***ぜん-かい【全開】** 《名・自他サ》〔栓・弁・戸などが〕すっかり開くこと。すっかりあけること。「エンジン―」

せん-がき【線▽描(き)】 ❶物の形を線でかき表すこと。❷〔特に日本画で〕物の形・ありさまをすべて線でかき表す技法。同 ①②線描。対 没骨。

せん-かく【先覚】 ❶物事の移り変わりを世人に先んじてさとる・こと(人)。「―者」 類語 先駆。❷学問・見識の上での先輩。類語 先学。対 ①②後覚。

***せん-がく【先学】** 学問上の先輩。「―の導き」 類語 先覚。先師。先達。対 後学。

***せん-がく【浅学】** 〔文〕❶学問・知識がまだ十分身についていないこと。未熟なこと。対 博学。❷自分の学識を謙遜していう語。「―非才の身」

***ぜん-がく【前額】** 〔文〕ひたい。おでこ。

***ぜん-がく【全学】** その大学全体。「―集会」

***ぜん-がく【全額】** 全部の金額。類語 総額。

***ぜん-がく【禅学】** 禅宗の学問。

ぜん-がく-れん【全学連】 「全日本学生自治会総連合」の略。大学自治会の全国的連合機関。

せんか-し【仙花紙・泉貨紙】 ❶コウゾを原料とした厚くて丈夫な和紙。つつみ紙・合羽などに使われた。❷くず紙をすきかえして作った質の悪い洋紙。

せん-かた【▽為(ん)方・×詮方】 《文語サ変動詞「す」の未然形＋意志を表す助動詞「む」＋名詞「方」》〔文〕なすべき方法。表記 「詮」はあて字。**―な・い【―無い】** 《形》なすべき方法がない。しかたがない。「悔やんでも―・い」

***せん-かん【専管】** 《名・他サ》一手に管理すること。「国土交通省の―事項」

***せん-かん【戦艦】** 軍艦のうち、最高の火砲と装甲の装備をもつもの。戦闘艦。

***せん-かん【潜×函】** 建物や橋などの基礎工事をするため、地下に作った鉄筋コンクリート製の箱。その中に入って作業を行う。ケーソン。

***せん-かん【×潺×湲】** 《形動タルト》〔文〕❶〔川などの〕水がさらさらと流れるようす。また、その音の形容。類語 潺潺。❷涙が流れるようす。

***せん-がん【洗眼】** 《名・自他サ》水・薬液で目を洗うこと。

***せん-がん【洗顔】** 《名・自サ》顔を洗うこと。洗面。

***ぜん-かん【全巻】** ❶何巻かに分かれている巻物・書物・フィルムなどの全部の巻。「―先渡し」❷その巻物・書物・フィルムなどの内容全体。類語 全編。

***ぜん-かん【全館】** ❶〔ある範囲の中にある〕すべての館。❷その建物(の中)全体。「―大安売り」

***せん-き【戦機】** ❶戦争が起こりそうな気配・機運。類語 戦雲。❷〔戦闘準備がととのって〕戦争を起こすのによい時機。「―が熟す」

***せん-き【戦記】** 戦争の記録。軍記。「―物」

***せん-き【×疝気】** 漢方で、腹・腰などの痛む病気の総称。**―すじ【―筋】** ❶疝気のおこる筋肉。疝気の時に痛む筋肉。❷まちがった筋道。正しくない系統。傍系。また、筋道をちがえること。

***せん-ぎ【先議】** 《名・他サ》❶他の議案・議題より先に審議すること。❷両院制の議会で、一方の議院が他に先だって法案を審議すること。「―権」

***せん-ぎ【×詮議】** 《名・他サ》❶多くの人が話し合って物事をはっきりとさせること。類語 審議。評定。❷罪人をさがすこと。また、〔罪人を〕取り調べること。〔①②とも古風な言い方〕 **―だて【―立て】** 《名・他サ》〔物事の原因や罪状を〕ことさらに詮議すること。

***せん-ぎ【×僉議】** 《名・他サ》〔文〕多くの人々が集まり、評議すること。衆議。

***ぜん-き【前期】** ❶ある期間を二つまたは三つに分けたときの、最初の期間。「―試験」 対 後期。❷現在の期間のすぐ前の期間。「―からの繰越金」

***ぜん-き【前記】** 《名・他サ》ある部分より前に書かれること。また、前に書かれている部分。「―のとおり」 類語 前述。上述。上記。対 後記。

***ぜん-き【全期】** ❶すべての期間。❷その期間全体。

***せん-きゃく【先客】** 先に来ている客。

***せん-きゃく【船客】** 船の乗客。

せんきゃく-ばんらい【千客万来】 たくさんの客が入れかわり立ちかわり来ること。千客万来。

***せん-きゅう【仙宮】** 仙人がすんでいるという宮殿。

***せん-きゅう【船級】** 船級協会が船舶に対し、その規模・構造・設備などに応じて付与する等級。海上運送・保険・売買などの国際的基準となる。

***せん-きょ【占拠】** 《名・他サ》❶ある場所を占めて〔たてこもり〕他のものを寄せつけないこと。❷占領②。

***せん-きょ【船×渠】** 〔文〕ドック①。

***せん-きょ【選挙】** 《名・他サ》❶多人数の中から〔投票などで〕選び出して推薦すること。❷ある団体・集団の役員や代表者を〔投票で〕選び出すこと。特に、国民が議員やある種の公務員を選び出すこと。**―けん【―権】** ある団体の代表者を選ぶ権利。特に、選挙によって公職につく者を選ぶ権利。対 被選挙権。**―にん【―人】** 選挙権をもつ人。対 被選挙人。

せん-ぎょ【鮮魚】 新鮮な魚。いきのいい魚。

***せん-きょう【仙境・仙郷】** 〔文〕仙界。

***せん-きょう【宣教】** 《名・自他サ》宗教上の教えを広めること。類語 伝道。**―し【―師】** 宗教の教えを広

める人。とくに、キリスト教の教えを異教国に伝え広める人。類語伝道師。

***せん・きょう【戦況】** 戦争・戦闘のありさま。戦争の情況。「前線から—を伝える」類語戦局。

***せん・きょう【船橋】** ❶船舶の上甲板の前方にあって、船長が運航中の指図をする場所。ブリッジ。類語艦橋。❷→ふなばし。

せん・ぎょう【専業】 ❶ある事業・職業を専門にすること。また、その事業・職業。「—農家」❷国家が特定の個人・法人にだけ許す事業。独占事業。**—しゅふ【—主婦】** もっぱら家事や育児を行い、他に職業をもたない主婦。

***せん・きょく【戦局】** 進展している戦争（試合）の状況。戦いのなりゆき。「—がゆきづまる」類語戦況。

***せん・きょく【選局】** 《名・自サ》ラジオ・テレビなどの受信機を調節して、ある局を選ぶこと。「—ダイヤル」

***せん・きょく【選曲】** 《名・自サ》〔ある基準に沿って〕多くの曲の中からいくつかを選び出すこと。

***ぜん・きょく【全局】** ❶物事の全体のなりゆき。「—を見渡す」❷〔碁や将棋で〕対局のすべて。

***ぜん・きょく【全曲】** ❶すべての曲。❷いくつかの楽章などからなる、ある曲の全体。「—を続けて演奏する」

せん・ぎり【千切り・繊切り】 野菜などを長めに細く切る切り方。また、そのように切ったもの。

***せん・きん【千金】** ❶千両。❷多額の金銭。また、大きな価値。「春宵(しゅんしょう)一刻直(あたい)—」

***せん・きん【千×鈞】** 非常に重いこと。「—の重みをもつことば」参考「鈞」は重さの単位。一鈞は三〇斤。

ぜん・きん【前金】 品物を受け取る前や仕事の前に代金を払うこと。また、その代金。前払い。前金(まえきん)。

***せん・く【先駆】** ❶《名・自サ》→前駆(ぜんく)。❷他に先だって物事をする・こと（人）。「—者」類語先覚。同①②さきがけ。

***せん・く【選句】** すぐれた俳句を選ぶこと。また、その選ばれた俳句。

せん・ぐ【船具】 船に必要な用具。舵(かじ)・帆・いかりなど。

ぜん・く【前駆】 《名・自サ》馬に乗って行列を先導する・こと（人）。さきのり。さきがけ。先駆。参考ひゆ的に、ある物事の前兆の意でも使う。**—しょうじょう【—症状】** ある病気の前兆として起こる症状。

せん・ぐう【遷宮】 新しい神殿に神霊を移すこと。また、神殿造営のため、神霊を一時仮殿に移すこと。「—式」類語遷座。遷御。

せん・くち【先口】 さきの順番。さきに申し込んだもの。「—の客」対後口(あとくち)。

せん・くん【先君】 〔文〕❶先代の君主。❷死んだ父。亡父。類語先考。先人。先父。

ぜん・ぐん【全軍】 ❶いくつかの部隊からなる軍隊の全部。❷軍隊・チームの全員。

せんぐん・ばんば【千軍万馬】 ❶〔文〕多くの軍兵(ぐんぴょう)と軍馬。❷何度も戦場に出て戦いの経験が豊富なこと。参考ひゆ的に、多くの経験をつんでいる意にもいう。「政界では—の強者(つわもの)たち」類語海千山千。

***せん・げ【宣下】** 《名・他サ》天皇が臣下に対してことばをのべること。宣旨(せんじ)をくだすこと。

***せん・げ【遷化】** 《名・自サ》〔この世での教化救済を終えてあの世へうつる意で〕高僧が死ぬこと。類語往生。入寂。入滅。寂滅。

ぜん・け【禅家】 禅宗の寺・僧。また、禅宗。禅家(ぜんか)。

***せん・けい【扇形】** ❶おうぎを広げた形。❷一つの円弧と、円の中心点からその両端に引いた半径とでできる図形。おうぎがた。

***せん・けい【線形】** 線のように細長い形。

***せん・けい【船型】** 船の形。また、船の外形を表すための模型。

***ぜん・けい【前傾】** 《名・自サ》体が前に傾くこと。

***ぜん・けい【前掲】** 文章中のその箇所より前にあげて示すこと。「—のグラフを参照のこと」類語前述。前記。

***ぜん・けい【前景】** ❶前に見える景色。❷絵・写真などで、手前の方に配置する小景。また、舞台で、手前の方に置く舞台装置。対後景。

***ぜん・けい【全形】** ❶全体の形。❷完全な形。

***ぜん・けい【全景】** 〔ある土地の〕全体の景色。

***せん・けつ【先決】** 《名・他サ》先にきめること。最初に解決すること。「仕事より健康の回復が—だ」「—問題」

***せん・けつ【専決】** 《名・他サ》その人だけの考えで結論を出すこと。「—事項」「独断—」

***せん・けつ【潜血】** 〔医〕肉眼では認められないが、化学的検査によってわかる微量の出血。潜出血。

***せん・けつ【鮮血】** 体から流れ出たばかりの、生々しい血。「傷口から—がほとばしる」類語生き血。なま血。

せん・げつ【先月】 現在の月のすぐ前の月。後月(あとげつ)。去月。昨月。「—の統計」類語前月。

***せん・けん【先見】** 将来起こることをあらかじめ見抜くこと。なりゆきを見通すこと。「—性」類語予見。予知。**—の・めい【—の明】** 《連語》将来のことを前もって見抜く見識・かしこさ。「—がある」

***せん・けん【先賢】** 〔文〕すぐれた業績を残した昔の人。昔の賢人。先哲。前賢。「—の偉業をたたえる」

***せん・けん【先遣】** 《名・他サ》〔全員が向かうより〕先に派遣すること。「—隊」

***せん・けん【専権】** 思うままに権力をふるうこと。

***せん・けん【浅見】** 〔文〕浅はかな意見・考え。また、自分の意見・考えを謙遜(けんそん)していう語。類語浅慮。

***せん・けん【×嬋×妍・×嬋×娟】** 《形動タルト》〔文〕顔や姿の美しくあでやかなようす。「—たる美女」

***せん・げん【宣言】** 《名・他サ》〔ある個人または団体が、実行すべき〕自分の意見や方針を公に発表すること。また、そのことば。「引退—」類語声明。

***せん・げん【×譫言】** 〔文〕うわごと。たわごと。譫語。

***せん・げん【選言】** 〔論〕二つの異なった命題が「または」「あるいは」「もしくは」などでつながっている合成命題。いずれか一方の命題が真であれば全体も真となる。「P∨Q（PまたはQと読む）」で表す。対連言。

***ぜん・けん【前件】** 前記の箇条。前述の事項・物件。対後件。

***ぜん・けん【全権】** ❶〔まかせられた〕一切の権限。❷「全権委員」の略。全権委任状をもち、国家を代表して国際会議や外交交渉に派遣される委員。**—たいし【—大使】**「特命全権大使」の略称。

***ぜん・げん【前言】** ❶前にのべたことば。「—をひるがえす」❷〔文〕前人の言ったことば。

***ぜん・げん【善言】** 教えや戒めとなることば。

***ぜん・げん【漸減】** 《名・自他サ》だんだんへること。また、だんだんへらすこと。「人員を—する」対漸増。

せんけん・てき【先験的】 《形動》〔哲〕経験に先立つようす。超越論的。アプリオリ。対後験的。

せんげん-ばんご【千言万語】〔文〕非常に多くのことば。千言万句。「ーを費やしても表せない」

せん-こ【千古】〔文〕❶大昔。太古。❷永遠。永久。「ー不変」類語①②万古。**ーふえき【ー不易】**《名・形動》永遠に変わらないこと。「ーの真理」

***せん-ご【先後】**❶さきと、あと。〔時間的にも空間的にも使う〕❷《名・自サ》物事の順序が逆になること。参考①②とも、「前後」よりやや古めかしい言い方。

***せん-ご【戦後】**戦争の終わったあと。特に、第二次世界大戦の終わったあと。「ー派」対戦中・戦前。

***ぜん-こ【前古】**〔文〕昔。いにしえ。類語太古。往昔。千古。**ーみぞう【ー未×曾有】**〔文〕昔から今までに一度もなかったこと。前例が全くないこと。古今未曾有。「ーの大災害」類語前代未聞。空前絶後。

***ぜん-こ【全戸】**❶〔ある範囲の中にある〕すべての家。「村のーをあげて祝う」❷一家の者全部。家じゅう。

***ぜん-ご【前後】**❶〔ある位置の〕まえと、あと。類語腹背。❷〔ある時刻・事がらなどの〕さきとあと。❸《時間・年齢・数量などを表す語につけて》それを中心としたあとさきの、おおよその範囲を表す。…ころ。…ぐらい。「八時ー」❹物事のまえとあとのつながり。あとさきの状況。「話のーが矛盾する」❺《名・自サ》物事の順序が逆になること。「話がーする」❻《名・自サ》間を置かずにつづくこと。「ーして父母を失う」**ーふかく【ー不覚】**前後の事がらがわからなくなるほど正気をなくすこと。正体がなくなること。「ーに眠る」

***ぜん-ご【善後】**後日のためによいようにとりはからうこと。後始末をよくすること。〔ふつう、単独では用いない〕「ー処置」**ーさく【ー策】**〔起こった事件・物事などの〕後始末をうまくするための方策。「ーを講ずる」注意「前後策」は誤り。

***せん-こう【先攻】**《名・自サ》〔スポーツの試合などで〕先に攻める・こと(チーム)。先攻め。対後攻。

***せん-こう【先考】**〔文〕死んだ父。亡父。先人。先君。先父。対先妣(せんぴ)。

***せん-こう【先行】**❶《名・自サ》〔他の人より〕先に行くこと。❷《名・自サ》〔他の事柄より〕先に行われること。「ー研究」❸〔文〕以前のおこない。前行。

***せん-こう【専攻】**《名・他サ》〔ある学問分野を〕専門に研究すること。「英文学ーの学生」類語専修。

***せん-こう【専行】**《名・他サ》自分だけの考えで行うこと。また、かって気ままに行うこと。「独断ー」

***せん-こう【戦功】**戦争でたてたてがら。軍功。

***せん-こう【潜航】**《名・自サ》❶〔潜水艦などが〕水中をもぐって航行すること。❷ひそかに航海すること。

***せん-こう【潜行】**《名・自サ》❶水の中をもぐって行くこと。❷人目をしのんで行くこと。「敵地にーする」❸〔取り締まりの目をさけて〕隠れて活動すること。「地下にーする」

***せん-こう【×穿孔】**❶《名・自サ》穴をあけること。穴があくこと。また、その穴。鑽孔(さんこう)。「ー機」❷内臓の壁・膜などが破れて穴があくこと。

***せん-こう【線香】**香料の粉をねって、細い棒状に固めたもの。火をつけ、立てて仏前に供える。**ーはなび【ー花火】**❶こよりの先に火薬をひねりこんだ、小さな花火。火をつけると細かい枝状の閃光(せんこう)を発して燃える。❷〔俗〕最初は勢いがよいがすぐおとろえるもの、また、あっけなくおわるもののたとえ。＝せんこはなび。

***せん-こう【選考・×銓衡】**《名・他サ》人柄・才能などをよく調べて、適当または適任と思われる者を選ぶこと。「ー会」類語選抜。選出。表記「選考」は代用字。

***せん-こう【選鉱】**《名・自他サ》ほりだした鉱石を有用なものと無用なものとに選びわけること。

***せん-こう【遷幸】**《名・自サ》〔文〕天皇が都から他の土地に移ること。類語遷御。遷座。

***せん-こう【×閃光】**瞬間的にきらめく光。**ーでんきゅう【ー電球】**暗い所で写真をうつすときに使う、閃光を発する電球。フラッシュ電球。フラッシュ。

***せん-こう【鮮紅】**〔文〕あざやかな赤色。

***せん-こう【繊巧】**《形動》こまかくたくみなようす。

***ぜん-こう【前項】**❶前にあげた項目・箇条。「ーを次の項目とさしかえる」❷二つの数式の中に二つ以上の項があるとき、その前の方の項。対①②後項。

***ぜん-こう【善行】**よい行い。道徳にかなった行い。「ーをつむ」対悪行(あくぎょう)。

***ぜん-こう【全校】**❶ある学校の中の全体。また、ある学校の職員・生徒の全部。「ー生徒」❷すべての学校。「県下のーに配布する」

***せん-こく【先刻】**❶さきほど。今しがた。さっき。「ー申し上げましたように…」類語最前。対後刻(ごこく)。❷すでに。とっくに。「ー御承知のとおり」

***せん-こく【宣告】**《名・他サ》❶〔公式なものとして〕告げること。言いわたすこと。「あと半年の命とーされる」❷〔法〕法廷で裁判の判決を言いわたすこと。

せん-ごく【戦国】国が乱れて英雄が各地に割拠し、勢力を競って戦っている世の中。「ーの武将」

ぜん-こく【全国】国全体。国じゅう。類語全土。**ーし【ー紙】**全国を対象として編集・発行される新聞。対地方紙。

せんごく-どおし【千石通(し)・千石×簁】(ーどほし)斜めにおいたふるいの上に籾摺(もみす)りのすんだ玄米を流して、米とぬかをふるい分ける日本特有の農具。万石通し。

せんごく-ぶね【千石船】おもに江戸時代、米千石を積むことができた大型の和船。千石積み。

せん-こつ【仙骨】❶〔文〕〔「仙人の骨相」の意から〕世俗を超越した非凡な風采(ふうさい)。「ーをおびる」❷脊椎(せきつい)の下部にあり、骨盤の一部を形成するくさび形の骨。

ぜん-こん【善根】〔仏〕よい報いをうけるもとになるよい行い。また、諸善のもとになるもの。「ーをほどこす」類語善業。功徳(くどく)。善因。表記②は「薦骨」とも書く。

せん-ざ【遷座】《名・他サ》神体・仏像・天皇の御座所などを他の場所に移すこと。類語遷御。

ぜん-ざ【前座】❶寄席(よせ)やイベントなどで、その興行の本番の前、または前半に出演する・こと(人)。「ーをつとめる」❷落語家の格付けで、前座①を演ずる最下位の者。参考二つ目・真打ちと地位が上がる。

センサー音・光・温度・ガス成分・紫外線など、さまざまな種類の物理量を感知したり、検出・判別・計測したりする装置。感知器。検出装置。▽sensor

***せん-さい【先妻】**以前に妻であった女。前の妻。前妻。対後妻。

***せん-さい【戦災】**戦争による災害。「ー孤児」類語戦禍。

***せん-さい【浅才】**〔文〕❶あさはかな才知。あさぢえ。また、とぼしい才能。❷自分の才知・才能をけんそんして言う語。「非学ー」類語非才。

*せん-さい【繊細】《形動》❶ほっそりとして優美なようす。「—な指」類語 繊弱。❷〔感情や感覚が〕鋭く細かいようす。デリケート。「—な感受性」

*せん-ざい【▽前栽】❶草木を植えてある庭。❷庭先に植えてある草木。庭先の植え込み。

*せん-ざい【千載】〔文〕千年。転じて、長い年月。千歳(せんざい)。 —いちぐう【—一遇】〔文〕千年の間にたった一度しかめぐりあえないほどまれなこと。「—のチャンス」類語 盲亀(もうき)の浮木(ふぼく)。

*せん-ざい【洗剤】衣類・野菜・食器などを洗うために用いられるものの総称。

*せん-ざい【潜在】《名・自サ》はっきりした形では外に表れず、内部にひそかに存在すること。「—化」「—する能力」対 顕在。 —いしき【—意識】〔心〕はっきりと自覚されてはいないが、心の奥で働いていて、その人の考えや行動などを左右する自我の活動。

ぜん-さい【前菜】↓オードブル。

ぜん-ざい【善×哉】㊀《名》関西地方で、つぶしあんで作った汁粉。関東地方で、濃厚なあんをもちにかけたもの。㊁《感》(「よきかな」の意)〔文〕ほめることば。

*せん-さく【×穿×鑿】《名・他サ》❶〔文〕〔硬い岩などに〕穴をほること。うがつこと。❷細かいことまでほじくり調べること。また、小さな点までとやかく言うこと。「かげであれこれ—する」類語 詮索(せんさく)。

*せん-さく【×詮索】《名・他サ》細かい点までたずね調べること。「犯人を—する」類語 穿鑿(せんさく)。

センサス ❶人口調査。国勢調査。❷一斉調査。実態調査。「賃金—」▽census

ぜん-さつ【禅×刹】〔文〕禅宗の寺。禅寺(ぜんでら)。

せんさ-ばんべつ【千差万別】《名・形動》多くのものがそれぞれ違っていること。種類が非常に多いこと。せんさまんべつ。

ぜん-ざん【全山】❶すべての山。「北アルプスの—」❷ある一つの山全体。満山。「—紅葉」

*せん-し【先史】文献によって知ることができる時代以前であること。前史。有史以前。「—時代」

*せん-し【先師】〔文〕❶すでになくなった師匠・先生。「—の教え」❷昔の賢人や聖人。先賢。先哲。

*せん-し【戦史】ある戦争の経過を書いた歴史。

*せん-し【戦士】❶戦場で戦う兵士。❷ある目標に立ち向かって第一線で活躍している人。「企業—」

*せん-し【戦死】《名・自サ》戦場に出て、戦いのために死ぬこと。「—の知らせ」「—者」類語 戦没。

*せん-し【×穿刺】《名・自サ》〔検査や治療のために〕体に注射針をさし入れること。また、そのようにして内部の液状のものを採取すること。

*せん-じ【宣旨】〔古〕昔、天皇のことばをのべ伝えること。また、そのことばを書きしるした文書。

*せん-じ【戦時】〔国家が〕戦争をしているとき。「—体制」「—下」類語 非常時。対 平時。

*ぜん-し【前史】❶ある時代の歴史を形成する原因となった、それ以前の歴史。「維新—」❷ある時代の前半の歴史。「江戸時代—」❸先史。

*ぜん-し【前肢】〔文〕〔動物の〕前あし。対 後肢(こうし)。

*ぜん-し【全姿】〔文〕全体の姿。類語 全容。

*ぜん-し【全紙】❶規格に合わせて裁ち切ったままの大きい用紙。A判とB判がある。類語 全判。❷〔ある新聞の〕紙面全体。❸すべての新聞。全新聞。

*ぜん-じ【善事】❶よい行い。「—を行う」❷めでたいことがら。対 ①②悪事。

*ぜん-じ【全治】《名・自サ》↓ぜんち(全治)。

*ぜん-じ【禅師】❶禅に深く通じた僧。❷徳の高い禅宗の僧に朝廷から与えられる称号。「一休—」

*ぜん-じ【漸次】《副》〔文〕物事がゆっくり変わるようす。だんだん。しだいに。「—後退する」類語 順次。

せんじ-ぐすり【×煎じ薬】漢方で、薬草を煮だしてつくる飲み薬。煎剤(せんざい)。煎薬(せんやく)。

注意「ざんじ」は誤読。

せん-しつ【船室】〔船客が使う〕船の中の部屋。キャビン。ケビン。

せん-じつ【先日】いく日か前のある日。この間。過日。「—はありがとう」「—お目にかかった者です」類語 往日。先般。先頃(さきごろ)。せんだって。対 後日。

ぜん-しつ【禅室】❶座禅をする部屋。❷禅僧の居室。❸〔禅宗で〕住持。❹仏門に入った貴人の尊称。

ぜん-じつ【前日】〔ある日の〕前の日。対 翌日。

ぜんじつ-せい【全日制】↓ぜんにちせい。

せんじ-つ・める【×煎じ詰める】《他下一》❶〔薬草などを〕成分がすっかりしみ出るまでせんじる。❷結論を出すところまで考える。「その問題を—・めると…」

センシティブ《形動》❶感じやすいようす。敏感。❷慎重な扱いを要するようす。「—な問題」▽sensitive

*せんし-ばんこう【千思万考】《名・他サ》〔文〕いろいろと考えをめぐらすこと。また、その考え。「—の結果」

*せんし-ばんこう【千紫万紅】〔文〕さまざまの色(の花)。また、色とりどりの花が咲きみだれているようすの形容。「—の花園」類語 百花繚乱(ひゃっかりょうらん)。

せんし-ばんたい【千姿万態】〔文〕いろいろと違った姿や形。「雲は—をなす」類語 千状万態。千態万様。

センシビリティー 感受性。▽sensibility

センシブル《形動》感受性が強いようす。▽sensible

*せん-しゃ【戦車】❶戦争に使う車。❷装甲した車体に火砲を備え、無限軌道(キャタピラー)で進む戦闘用の車両。タンク。

*せん-しゃ【洗車】《名・自サ》自動車などの車体を洗うこと。

*せん-じゃ【×撰者】〔文〕❶書物・文章などの作者。❷多くの作品の中から選んで、詩集・歌集などを作る人。「古今集の—」類語 編者。

*せん-じゃ【選者】多くの作品の中からすぐれたものを選ぶ人。「川柳欄の—」類語 審査員。

*ぜん-しゃ【前者】二つ述べた事柄のうち、はじめに述べたほうのもの。対 後者。

*ぜん-しゃ【前車】〔ある車の〕前方を進んでいる車。前の車。また、ある車より前に通過した車。対 後車。
—の覆るは後車の戒め《句》前人の失敗は後人の戒めとなることのたとえ。覆車の戒め。〈漢書・賈誼伝〉
—の轍(てつ)を踏・む《句》〔前に行く車のわだちを後車が踏んで行くの意から〕前の人の経験(特に失敗)を、後の人がくり返すことのたとえ。前轍(ぜんてつ)を踏む。

せん-じゃく【繊弱】《名・形動》〔文〕かぼそく弱々しいこと。きゃしゃなこと。孱弱(せんじゃく)。「—な体格」類語 繊細。

ぜん-しゃく【前借】《名・他サ》ある期日に受け取るべき金銭を、期日前に借りること。前借り。

せんしゃく-ていしょう【浅酌低唱】《名・自サ》程

よく酒を飲みながら歌などを小声で口ずさむこと。

せんじゃ-ふだ【千社札】 千社参りの人が参拝のしるしとして自分が巡訪した社殿の柱・梁などに貼りつける紙札。

千社札

せんじゃ-まいり【千社参り】〔ある地方の〕一千の神社に参拝し、祈願すること。千社詣で。

***せん-しゅ【×僭主】** ❶君主の名を僭称する者。力によって君主となった者。❷古代ギリシアで、非合法手段によって政権を握った支配者。タイラント。

***せん-しゅ【先取】**《名・他サ》他より先に取ること。さきどり。「二点を―する」「―点」

***せん-しゅ【繊手】**〔文〕女性のかぼそいしなやかな手。

***せん-しゅ【船主】** 船の所有者。船主。

***せん-しゅ【船首】** 船体の前の部分。へさき。みよし。対船尾。

***せん-しゅ【×腺×腫】** 腺の細胞が増殖してできる腫瘍。

***せん-しゅ【選手】** ❶競技に出るために多くの中から選ばれた人。❷職業としてスポーツを行う人。「プロ野球の―」 **―けん【―権】** ある競技・種目の最優秀選手としての地位。チャンピオンシップ。「―保持者」

***せん-しゅう【先週】** 現在の週の前の週。類語前週。

***せん-しゅう【千秋】**〔文〕千年。転じて、長い年月。千歳。「一日―の思い」 **―ばんぜい【―万歳】**〔千年・万年の意から〕長寿を祝うことば。〔古風なことば〕 **―らく【―楽】** ❶法会に奏する雅楽の曲名。常に最後に奏された。❷芝居・能楽・相撲などの興行期間の、最後の日。らく。

***せん-しゅう【専修】**《名・他サ》ある一つのことだけを専門に学ぶこと。「―科目」類語専攻。

***せん-しゅう【×撰修】**《名・他サ》書物を著すこと。撰述。また、編集すること。

***せん-しゅう【×撰集】**〔文〕詩歌・文章などを選び集めて書物を作ること。また、その書物。撰集。

***せん-しゅう【選集】**〔ある人の〕多くの作品の中から選んだ作品を集めて作った書物。「芥川龍之介―」

***せん-じゅう【先住】** ❶ある人が移り住む以前にそこに住んでいること。「―民」❷先代の住職。対後住。

***せん-じゅう【専従】**《名・自サ》その事だけを仕事として従事すること(人)。「農業―者」類語専任。

***ぜん-しゅう【全集】** ❶ある人の作品を全部集めて作った書物。全書。「国木田独歩―」❷同種類または同時代の代表作品を集めて作った書物。「世界美術―」

***ぜん-しゅう【禅宗】** 座禅によって悟りを開き、人生の真理を求めようとする仏教の一派。日本では臨済宗・曹洞宗・黄檗宗の三派がある。

せん-しゅつ【選出】《名・他サ》〔代表者などを〕選び出すこと。「委員長を―する」類語選挙。選抜。

***せん-じゅつ【仙術】** 仙人が行うといわれる、不老不死などの術。

***せん-じゅつ【戦術】** 戦闘・競技などに勝つための具体的・実際的な計画・手段。転じて、ある目的のために用いる計画・手段。「牛歩―」参考「戦略」はこれより上の段階で、全体にかかわるものをいう。類語作戦。

***せん-じゅつ【×撰述】**《名・他サ》〔文〕書物を書きあらわすこと。著作。述作。著述。

ぜん-じゅつ【前述】《名・他サ》前に述べてあること。また、その部分。先述。類語前出。対後述。

せん-しょ【選書】〔ある基準に従って〕多くの書物の中から選び集めた一連の書物。叢書。「数学―」

せん-じょ【仙女】 ↓せんにょ。

***ぜん-しょ【善処】**《名・他サ》〔ある問題を〕最もよい方法で処置すること。「―されたし」

***ぜん-しょ【善所・善処】** 死後生まれ変わって行くよいところ。極楽浄土。

***ぜん-しょ【前書】** ❶前に書いた書物・文章。❷前に出した手紙。

***ぜん-しょ【全書】** ❶ある事項や学説などを広範囲にわたって集めて作った書物。「六法―」❷全集①。

***せん-しょう【×僭称】**《名・他サ》〔文〕❶身分をこえた称号をかってにとなえること。また、その称号。僭号。「王を―する」類語自称。❷立場や実力をわきまえずに、かってにそうであるととなえること。

***せん-しょう【先勝】** ❶《名・自サ》最初の試合に勝つこと。❷「先勝日」の略。陰陽道で、急用や訴訟によいとされる日。対先負。

***せん-しょう【先×蹤】**〔文〕前人の行った事跡。前蹤。「―を踏む」類語先例。前例。

***せん-しょう【戦傷】** 戦闘中に受けた傷。「―者」

***せん-しょう【戦勝・戦×捷】**《名・自サ》戦争に勝つこと。かちいくさ。「―国」対戦敗。

***せん-しょう【船×檣】**〔文〕船の帆をあげる柱。ほばしら。マスト。

***せん-しょう【選奨】**《名・他サ》すぐれたものを選んで人にすすめること。「―作品」類語推奨。

***せん-しょう【鮮少・×尠少】**《形動》〔文〕非常に少ないようす。わずか。

***せん-じょう【×僭上】**《名・形動》〔文〕身分を超えておごりたかぶること。「―の沙汰」

***せん-じょう【戦場】** 戦争の行われている場所。戦いの場所。「―と化した村」類語戦地。戦線。戦野。

***せん-じょう【扇情・×煽情】** ある感情・欲望をあおりたてること。とくに、劣情を刺激すること。「―的」表記「扇情」は代用字。

***せん-じょう【扇状】** 扇を開いた形・状態。 **―ち【―地】** 川によって山地から運ばれてきた砂礫が河口に堆積してできた扇形の沖積地。

***せん-じょう【洗浄・洗×滌】**《名・他サ》(「洗滌」の慣用読み)薬品などで洗いすすぐこと。「胃を―する」「―器」表記「洗浄」は代用字。

***せん-じょう【線上】** ❶線の上。「―に一列に並ぶ」❷ある状態すれすれの所。「飢餓の―をさまよう」

***せん-じょう【線条】** ❶すじ。線。❷細長い金属線。

***ぜん-しょう【前×哨】** 軍隊が休止している間、警戒のためにその前方に配置される小部隊。 **―せん【―戦】** ❶前哨どうしで行われる戦闘。❷本格的な活動にはいる前の準備段階の活動。「選挙の―」

***ぜん-しょう【前生】**〔仏〕この世に生まれてくる前にいた世。前世。

***ぜん-しょう【全勝】**《名・自サ》すべての勝負・試合に勝つこと。「―優勝」「全戦―」類語完勝。対全敗。

***ぜん-しょう【全焼】**《名・自サ》〔建物が〕火事で全部焼けてしまうこと。まるやけ。「―家屋」対半焼。

***ぜん-じょう【禅定】**〔仏〕❶精神を集中して真理をさ

ぐりもとめること。また、そのための瞑想(めいそう)。❷信者が高山に登って行う修行。

*ぜん・じょう【禅譲】《名・他サ》〔文〕❶中国で、帝王が位を世襲せずに有徳の人に譲ること。❷天子または支配者が位を後継者に譲ること。譲位。

ぜんしょう・とう【前照灯】機関車・電車・自動車などの前部につけた照明灯。ヘッドライト。対尾灯。

せんじょう・ばんたい【千状万態】〔文〕さまざまなようす。いろいろなありさま。千態万様。千態万状。

*せん・しょく【染織】布を染めることと、織ること。

*せん・しょく【染色】❶《名・他サ》〔布や糸などに〕染料をしませて色をつけること。❷そめた色。そめいろ。

—たい【—体】細胞が分裂するときに現れる糸のような物質。遺伝・性の決定などに重要な役割をもつ。生物の種類により形・大きさ・数は一定。参考 塩基性色素にそまりやすいことからこの名がある。

ぜん・しょく【前職】以前に従事していた職業・職務。対現職。

せん・じる【×煎じる】《他上一》→せんずる。

*せん・しん【先進】他のものより進歩・発達している・こと(人)。「—諸国」類語 先輩。対後進。

*せん・しん【専心】《名・自サ》ある一つのことを行うために心を集中させること。専念。「一意—」「—して研究に打ち込む」類語 熱中。没頭。

*せん・しん【潜心】《名・自サ》〔文〕心をあることだけに傾けること。心をひそめること。「—熟慮」

*せん・しん【線審】テニス・サッカー・バレーボールなどでボールが規定の線外に出たかどうかを判定する人。ラインズマン。

*せん・じん【先人】〔文〕❶昔の人。前代の人。「—の足跡をたどる」対後人。❷祖先。❸死んだ父。亡父。先考。先君。先父。

*せん・じん【先陣】❶本陣の前に配置された陣。さきて。先鋒(せんぽう)。「—を承る」対後陣(こうじん・ごじん)。❷一番乗り。さきがけ。「—を切る」

*せん・じん【千尋・千×仞】〔文〕山が非常に高いこと。また、海や谷が非常に深いこと。「万丈(ばんじょう)の山、—の谷」参考「尋」「仞」は長さの単位。

*せん・じん【戦×塵】〔文〕❶戦場にまき起こる砂やほこり。❷戦争によって起こるさわぎ。「—をのがれる」

*せん・じん【戦陣】❶戦うために兵隊・銃砲などを配置してあるところ。陣。陣地。「—をしく」❷戦場。

*ぜん・しん【前審】裁判で、現在審理している事柄についての以前の審理。「—の判決をくつがえす」

*ぜん・しん【前身】❶前世のときの体。また、前世の身の上。❷ある人の以前の身分・職業。これまでの経歴。「—を隠す」類語 前歴。❸〔団体・組織などの〕以前の形態。〔その名称が変わったときに言う〕「本大学の—は師範学校である」対①〜③後身。

*ぜん・しん【前進】《名・自サ》前へ進むこと。「一歩—する」対後退。後進。

*ぜん・しん【善心】❶良心に恥じない、りっぱな心。道徳にかなった正しい心。対悪心。❷菩提心(ぼだいしん)。

*ぜん・しん【漸進】《名・自サ》段階を経て徐々に進むこと。だんだんに進むこと。「—的」対急進。

*ぜん・しん【全身】からだ全体。からだじゅう。満身。渾身(こんしん)。対半身。

—ぜんれい【—全霊】類語 からだも魂もすべて。身も心も全部。「—をささげる」

*ぜん・じん【前人】〔文〕今より以前の人。昔の人。先人。対後人。

—みとう【—未到・—未踏】今までだれも足をふみ入れていないこと。また、今まで到達していないこと。「—の記録」類語 人跡未踏。

*ぜん・じん【全人】知・情・意に欠けたところのない完全な人格をそなえた人。「—教育」

せんしん・ばんく【千辛万苦】《名・自サ》〔文〕多くのつらいことや苦しいことを経験すること。いろいろな難儀や苦労をすること。「—して今日を成す」類語 艱難辛苦(かんなんしんく)。七難八苦。臥薪嘗胆(がしんしょうたん)。

*せん・す【扇子】→おうぎ(扇)。

*センス 物事の微妙な違いや味わいを感じとる力。「—のいい服装」▽sense

—アップ《名・自他サ》センスがよくなること。また、よくすること。「—を目指す」▽sense と up からの和製語。

*せん・すい【泉水】❶泉の水。わきみず。❷庭に造った池。

*せん・すい【潜水】《名・自サ》水中にもぐること。「—服」

—かん【—艦】水中にもぐったまま行動できる軍艦。潜水したまま、敵の艦船に対する魚雷攻撃や地上目標に対するミサイル攻撃を行う。「原子力—」

ぜん・すう【全数】すべての数量。

せん・すじ【千筋】(ちすじ)細かいたてじまの模様。また、その織物。

せん・すべ【▽為(ん)▽術・×詮▽術】〔文〕ある事をする方法。仕方。「—なし」表記「詮」はあて字。

*せん・・する【×僭する】《他サ変》〔文〕身分を超え、上の位の人のまねをする。身分・力量を超えて、上の者の名を称する。また、出過ぎたふるまいをする。

*せん・・する【宣する】《他サ変》はっきりと広く告げ知らせる。宣告する。宣言する。「勝利を—・する」

*せん・・する【×撰する】《他サ変》詩歌・文章などを選び、または作って書物にする。著作する。撰ずる。〔古風な言い方〕

せん・・ずる【×煎ずる】《他サ変》薬草・茶などをよく煮つめて、成分をしみ出させる。煎じる。

せんずる・ところ【×詮ずる所】《連語》せんじつめて考えたところ。つまるところ。要するに。結局。しょせん。「—明るい材料は全くないということだ」

ぜん・せ【前世】この世に生まれる前にいた世。前の世。前生(ぜんしょう)。前世(ぜんせい)。「—の因果」対現世・来世。

*せん・せい【先制】《名・他サ》先手をとること。機先を制すること。「—の二塁打」「—点」「—攻撃」

*せん・せい【先生】❶〔文〕〔自分より〕先に生まれた人。類語 先輩。対後生(こうせい)。❷〔自分が師事する〕学問・芸術・芸能などの指導者。師匠(ししょう)。また、その人に対する敬称。❸教員・医師・作家・弁護士・代議士などの職業についている人に対する敬称。❹からかい・親しみの気持ちをこめて人をさすことば。

*せん・せい【宣誓】《名・他サ》❶〔公の場で〕誓いのことばをのべること。誓うこと。また、そのことば。「選手—」❷裁判で、証人などが供述する前に、真実をのべることを誓うこと。また、その誓いのことば。

*せん・せい【専制】ある物事、特に政治を独断で思うままに処理すること。「—君主」類語 独断専行。

*せん・ぜい【占×筮】《名・他サ》筮竹(ぜいちく)を使って吉凶を占うこと。

*せん・ぜい【×蟬×蛻】〔文〕❶セミのぬけがら。❷《名・自サ》さっぱりと抜け出ること。超然と俗世の雑事から

抜け出ること。蟬脱(せんだつ)。「塵埃(じんあい)の世を━す」

*ぜん・せい【前世】→ぜんせ。

*ぜん・せい【善政】〔人民にとって〕よい政治。「━をしく」類語仁政。徳政。対悪政。

*ぜん・せい【全盛】〔その名声・人気・力などが〕最もさかんな・時期(状態)であること。「━をきわめる」

せんせい・じゅつ【占星術】星・月・太陽などの天体の運行や天文現象によって、国家の治乱や人事の吉凶を占う術。星占い。

せん・せいりょく【潜勢力】内部にひそんでいて表面に現れない勢力。潜在勢力。

センセーショナル《形動》人々の興味を強く引くようす。また、世間を驚かせるようす。「━な事件」類語扇情的。▽sensational

センセーション 世間の注意をひくこと。大評判。「━をまきおこす」「一大━」▽sensation

*せん・せき【戦績】戦争や試合の成績・結果。

*せん・せき【戦跡】戦争の行われた跡。類語古戦場。

*せん・せき【泉石】〔文〕泉水と庭石。

*せん・せき【船籍】官庁の船舶原簿に登録された、船舶の所属(地)を示す籍。

ぜん・せつ【前節】〔文〕〔詩歌・文章・楽章や物事の区切り目などで〕その節の、前の節。対後節。

*せん・せん【先先】《接頭》前の前であることを表す。「━週」「━月」「━代」類語前々。

*せん・せん【先占】《名・他サ》❶他人より先に占有すること。❷民法上、所有者のない動産(野生の鳥獣・魚類など)を他に先んじて所有すること。先占取得。

*せん・せん【宣戦】《名・自サ》他国に対して戦争開始を宣言すること。開戦宣言。「━布告」

*せん・せん【戦線】❶戦闘を交えている地区。交戦区域。最前線。「西部━」❷政治・社会運動などで、直接闘争する場。また、その闘争の形態。「統一━」

*せん・せん【×潺×潺】《形動タルト》〔文〕水がよどみなく流れるようす。また、その音の形容。類語潺湲(せんかん)。

せん・ぜん【戦前】❶戦争が始まる前。特に、第二次世界大戦の前。対戦中・戦後。❷試合を行う前。

*ぜん・せん【前線】❶戦場で、敵と接触する最前列。戦闘の第一線。転じて、戦場。❷性質の異なる二つの気団の境界面(=前線面)が大地と交わる線。温暖前線・寒冷前線・梅雨前線など。参考→不連続線。

*ぜん・せん【善戦】《名・自サ》力を尽くしてよく戦うこと。りっぱに戦うこと。「━むなしく敗れる」類語健闘。

*ぜん・せん【全線】❶戦線の全部。全戦線。「━にわたる大攻勢」❷汽車・電車・バスなどの路線の全部。

*ぜん・ぜん【前前】《接頭》前の前であることを表す。「━日」類語先々。

*ぜん・ぜん【全然】《副》❶《下に打ち消しの語を伴って》ちっとも(…ない)。まるで(…ない)。「━おもしろくない」❷〔俗〕《下に打ち消しや否定の語を伴わずに》非常に。ものすごく。「━すばらしい」「━いい」

せんせん・きょうきょう【戦戦×兢×兢・戦戦恐恐】《形動タルト》〔あることが起こるのを〕恐れてびくびくするようす。恐れつつしむようす。「発覚を恐れて━として暮らす」表記「戦戦恐恐」は代用字。

せん・そ【践×祚】《名・自サ》〔文〕天皇が崩御(ほうぎょ)したとき、皇太子が皇位をうけつぐこと。類語即位。受禅。

せん・ぞ【先祖】❶家系の第一代。類語元祖。初祖。❷家系の第一代から死んだ先代までの人々。先祖代々。「━の霊をまつる」対子孫。━がえり【━返り(りがへ)】先祖にはあったが現在では一般に見られない形質が、突然ある個体にあらわれること。帰先(きせん)遺伝。

*せん・そう【戦争】❶《名・自サ》武器を使って争うこと。とくに武力を行使する国家間の争い。また、その状態。いくさ。対平和。❷戦争①を思わせるような激しい競争。「受験━」━はんざい・にん【━犯罪人】降伏者の殺傷、禁止兵器の使用など、戦闘法規を犯した人。また、侵略戦争の開始など、平和を侵害する行為を犯した人。戦犯。

*せん・そう【船倉・船×艙】船内で、貨物を積み入れておく場所。船倉(ふなぐら)。

*せん・そう【船窓】〔舷側(げんそく)についている〕船の窓。

*ぜん・そう【前奏】❶独唱や独奏などの前に、伴奏楽器だけで演奏する楽曲の部分。❷ある事件・物事が起こる前ぶれ。━きょく【━曲】❶㋐フーガや古典組曲などで、導入的役割を果たす楽曲。㋑一定の形式をもたない、即興的な器楽の小曲。㋒歌劇で、導入的な役割を果たす楽曲。❷ある物事の始まり。ある事件の前ぶれ。「雪どけは春の━」

*ぜん・そう【禅僧】禅宗の僧。

ぜん・ぞう【漸増】《名・自他サ》しだいに・ふえる(ふやす)こと。徐々に増加すること。類語逓増。対漸減。

ぜんそう・ほう【漸層法】修辞法の一つ。同種の語句を重ねて用い、次第に表現を強めてゆき、最大の効果をねらう方法。

*せん・そく【栓×塞】血管内の異物が、細い血管にひっかかって血管がふさがれた状態。塞栓。

*せん・そく【船側】〔文〕❶船の側面。ふなばた。❷船のそば。船のかたわら。

せん・ぞく【専属】《名・自サ》〔芸能人・商人などが〕ある一つの会社・団体などだけに属し、他と関係をもたないこと。「━歌手」「━契約」類語専従。専任。

*ぜん・そく【×喘息】呼吸困難の発作を起こす病気。

ぜん・そくりょく【全速力】そのものが出せる最大の速力。全速。フルスピード。「━で逃げる」

ぜん・そん【全損】❶〔文〕全部が損失となること。まるぞん。❷〔法〕海上保険の目的物である船体や積み荷が全部・なくなる(役だたなくなる)こと。対分損。

センター ❶中央。中心。また、中心になる・機関(場所)。「━ライン」「サービス━」「文化━」❷野球で、中堅。また、中堅手。「━フライ」❸球技で、おもに中央を守る選手。▽center ━しけん【━試験】「大学入試センター試験」の略。大学入試センターが各大学ごとの個別学力試験に先立って行う試験。国公立大学に一部の私立大学を含めた共通テスト。━ポール 競技場のバックスタンドや広場などの中央に立てた(旗をかかげるための)柱。▽center pole

*せん・たい【船体】船の、積載物・付属品を除いた部分。船の本体。船の胴体。「━を破損する」

*せん・たい【船隊】❶船で構成された軍隊。水軍。類語艦隊。❷船の集団。「━を組む」類語船団。

*せん・たい【×蘚×苔】〔植〕こけ。「━類」

*せん・だい【先代】❶現代より前の時代。前代。対当代。後代。❷現在の主人の前の主人。「━から分けてもらった暖簾(のれん)」対当代。当主。❸現在同じ芸名を受け継いでいる人の一代前の人。

*せん・だい【船台】船を造ったり修理したりするとき、

せ

船体をのせる台。

ぜん‐たい【全体】一《名》❶からだの全部。全身。❷ある物・事柄の全部。「クラスーの意見」類語総体。対部分。二《副》❶もとをただせば。もともと。「ー君が悪い」❷《下に疑問の意を表す語をともなって》そもそも。いったい。〔疑問の意を強める語〕「ーどういう考えなのだ」 ーしゅぎ【ー主義】国家や民族全体の利益を第一にはかり、そのためには個人の自由や権利をおさえつけてもよいとする政治上の思想。

ぜん‐だい【前代】❶現代より前の時代。先代。対後代。❷ある時代の一つ前の時代。 ーみもん【ー未聞】今まで聞いたこともない・変わった(珍しい)こと。「ーの出来事」

せんだい‐ひら【仙台平】仙台地方で初めて作り出された精巧な絹織物。平織りで、礼装用のはかま地に用いる。また、それで作ったはかま。

*せん‐たく【洗濯】《名・他サ》よごれた衣服などを洗ってきれいにすること。「ー機」

*せん‐たく【選択】《名・他サ》二つ以上のものの中から適当なものを選び取ること。「ーの余地がある」「取捨ー」 ーし【ー肢】質問に対して自由に選べるように用意された二つ以上の答え。

ぜん‐だく【然諾】《名・他サ》〔文〕よろしいといって引き受けること。承諾。「ーを重んずる(=いったん引き受けたことは必ず実行する)」類語快諾。

*せん‐だつ【先達】❶その方面・分野での先輩。「ーの教え」❷修験者(しゅげんじゃ)が修行のため山へ入るとき、その人々の先導をつとめる修験者。❸〔登山をするときの〕案内人。また、一般に、先導者。指導者。

*せん‐だつ【×蟬脱】《名・自サ》《「蟬蛻(せんぜい)」を誤ってできた語》→せんぜい(蟬蛻)。

せん‐だって【先達て】さきごろ。このあいだ。「ーの件」表記かな書きにすることが多い。

ぜん‐だて【×膳立て】《名・自サ》❶食事をするために膳をならべること。❷《他サ》ある物事の準備を整えること。また、その準備。「会議のおーをする」

ぜん‐だま【善玉】善人。特に、芝居などで、善人の側に立つ人。善人の役。対悪玉。

センタリング《名・自他サ》❶ワープロ・パソコンなどで、行や文字を画面の中央にそろえるように配置すること。❷サッカーなどで、攻撃する側が相手のゴールライン近くからゴール前にパスを送ること。▽centering

*せん‐たん【仙丹】飲めば不老不死となり、仙人になるという霊薬。

*せん‐たん【先端】〔棒状・糸状の〕物のはし。さき。

*せん‐たん【先端・×尖端】❶物のとがっているさき。「針のー」類語突端。❷〔時代・流行などの〕先頭。「流行のーを行く」「ー技術」表記「先端」は代用字。

*せん‐たん【戦端】戦いのいとぐち。「ーを開く」

*せん‐たん【選炭】《名・自他サ》掘り出したばかりの石炭から、不純物をとりのぞいたり、大きさによってより分けたりする作業。

*せん‐だん【専断・×擅断】《名・形動・他サ》自分一人で勝手に処理すること。独断。類語専決。専行。

*せんだん【×栴×檀】❶センダン科の落葉高木。暖かい地方に自生する。根・樹皮・果実は薬用、材は器具用。おうち。❷「びゃくだん」の別名。参考梵語 candana の音訳。 ーは双葉(ふたば)より芳(かんば)し《句》ビャクダンは芽ばえたときから香気が高いように、大成する人物は子供のときからすぐれていることのたとえ。

*せん‐だん【船団】船の集団。「輸送ー」類語船隊。

ぜん‐だん【前段】〔文〕文章の、ある段落の前の段落。また、いくつかに分けた場合の、前のひとくぎり。対後段(こうだん)。

*せん‐ち【戦地】❶戦争の行われている場所。戦場。❷戦争に軍隊が出動した土地、特に外地。

*センチ 一《造語》メートル法で、メートルなどの単位名に冠し、その一〇〇分の一をあらわす語。記号 c。「ーグラム」「ーリットル」二《助数》「センチメートル」の略。▽(フランス) centi- ーメートル《助数》メートル法による長さの単位の一つ。一メートルの一〇〇分の一。センチ。記号 cm。▽(フランス) centimètre

*センチ《形動》〔俗〕「センチメンタル」の略。〔多く「おー」の形で女性が使った〕「おーなドラマ」

*ぜん‐ち【全知・全×智】〔文〕すべての事を理解できる完全な知恵。 ーぜんのう【ー全能】すべての事を理解しあらゆる事を実行できる能力。「ーの神」

*ぜん‐ち【全治】《名・自サ》病気や傷が完全になおること。全治(ぜんじ)。「ー一週間のけが」類語全快。全癒(ぜんゆ)。

ぜんち‐し【前置詞】西欧語の文法で、品詞の一つ。名詞や代名詞の前について、その語の、他の語に対する関係を示すもの。英語の at, in, to, on など。

ぜん‐ちしき【善知識】❶人を正しく導いて仏門に入らせる高徳の僧。対悪知識。❷人を仏門や悟りの境地に入らせるきっかけとなるもの。

センチメンタリスト ものに感じやすい、感傷的な人。感傷家。▽sentimentalist

センチメンタリズム 詠嘆・悲嘆などの感情を強く表現しようとする文芸上の傾向。主情主義。感傷主義。▽sentimentalism

センチメンタル《形動》ちょっとしたことにもしんみりしたり涙を流したりして、物事に感じやすいようす。感傷的。センチ。「ーな年ごろ」▽sentimental

センチメント 感情。心情。▽sentiment

せん‐ちゃ【×煎茶】熱い湯で茶の葉を煎じ出して飲む緑茶。特に、玉露と番茶の間の中級のものをさす。

せん‐ちゃく【先着】《名・自サ》他のものより先に到着すること。先に着くこと。「ー順」

せん‐ちゅう【戦中】〔ある大きな〕戦争が行われている・時代(期間)。戦時中。参考特に第二次世界大戦中をさす。対戦前・戦後。 ーは【ー派】第二次世界大戦中に青春時代を過ごした・世代(人々)。対戦前派・戦後派。

せん‐ちょう【船長】❶船の乗組員の長として、航行の指揮や船員の監督などに当たる・職(人)。類語船頭。❷船首から船尾までの長さ。対船幅。

*ぜん‐ちょう【前兆】物事が起こる前に前触れとして現れるしるし。まえじらせ。きざし。「嵐(あらし)のー」

*ぜん‐ちょう【全長】ある物の全体の長さ。

せん‐つう【×疝痛】発作的に起こる腹部の激痛。

ぜん‐つう【全通】《名・自サ》道路や路線の全部が開通すること。全線開通。「高速道路がーした」

せん‐て【先手】❶同じ物事を他より先に行うこと。また、そうして攻撃の立場や有利な立場に立つこと。機先を制すること。「ー必勝」❷囲碁・将棋で相手より先に・うち(さし)はじめること。また、その人。先番。対

①②後手ごて。

*せん-てい【先帝】先代の天子。先代の皇帝。

*せん-てい【×剪定】《名・他サ》果樹・茶・桑などの生育や実りをよくしたり、また、樹形を整えたりするために、枝の一部を切ること。枝切り。整枝。摘枝。

*せん-てい【選定】《名・他サ》〔ある条件に合うものを〕多くの中から選んできめること。「—基準」

*ぜん-てい【前庭】家屋の前にある庭。前庭まえにわ。対後庭。

*ぜん-てい【前提】❶ある事柄が成り立つための基となる条件。前置きの条件。「結婚を—に交際する」❷三段論法で、結論を導きだすための、既知または仮定の事柄に関する判断。

せん-でき【洗×滌】《名・他サ》➡せんじょう(洗浄)。

ぜん-てき【全的】《形動》全部そうであるようす。全体に及ぶようす。全体的。全般的。「—に肯定する」

*せん-てつ【先哲】〔文〕昔のりっぱな思想家・賢者。昔の哲人。先賢。前哲。先師。「—の教え」

*せん-てつ【銑鉄】鉄鉱石を溶鉱炉でとかして作った不純な鉄。鋳物や製鋼の原料。ずく。ずく鉄。

ぜん-てつ【前×轍】〔文〕前を行く車のわだち。—を踏む《句》➡前車の轍を踏む。

ぜん-でら【禅寺】禅宗の寺。禅院。禅林。

*せん-てん【先天】❶生まれる以前からある性質・体質を身に備えていること。類語天稟てんぴん。天性。❷〔哲〕経験によって得るものでなく、経験以前に身に備わっていること。参考①②とも、ふつう単独には用いない。対①②後天。—せい【—性】生まれつきもっている性質。対後天性。—てき【—的】《形動》❶生まれつきもっているようす。生まれながらの。「—資質」❷➡アプリオリ。対①②後天的。

*せん-てん【旋転】《名・自サ》〔文〕くるくる回ること。

せん-でん【宣伝】《名・他サ》❶ある事柄についての趣旨・主張や商品の特質などを説明して、多くの人々の理解・共鳴を得るように働きかけること。プロパガンダ。ピーアール。類語広告。「—効果」❷ある物事を大げさに言いふらすこと。⇩〔類義語の使い分け「広告」〕

ぜん-てん【全店】❶〔いくつかある〕店の全部。全部の店。「大通りは—休業」❷その店の全体。

せ

センテンス 文。▽sentence

*せん-と【遷都】《名・自サ》都を他の土地に移すこと。みやこうつり。「—計画」類語奠都てんと。改都。

*セント《助数》アメリカ合衆国などの貨幣の単位。一ドルの一〇〇分の一。表記「仙」とあてた。▽cent

*セント 聖人。聖徒。〔名に冠して用いる〕参考➡聖㊂。▽Saint, St.

*せん-ど【先度】さきごろ。この間。先日。過日。「—はおおきに」参考おもに関西地方で使う。

*せん-ど【先途】❶〔文〕物事が行き着く所。物事の結果。なりゆき。「—を見とどける」❷勝敗や成否のきまる重大な時・場合。「ここを—と力をこめる」

*せん-ど【鮮度】〔野菜・魚・肉などの〕新鮮さの度合い。「—を保つ」

ぜん-と【前途】❶ある地点から目的地までの・道(道のり)。❷〔人生における〕これから先の過程。将来。「—ある青年」—りょうえん【—×遼遠】《名・形動》❶これから行く道のりがはるかに遠いこと。❷〔仕事などがはかどらず〕まだまだ先が長いこと。なかなか終わらないこと。「工事は—の感がある」類語日暮れて道遠し。

ぜん-ど【全土】ある国土・地域の全体。

*せん-とう【仙▽洞】〔文〕❶仙人のすみか。❷上皇の御所。仙洞御所。転じて、上皇の尊称。

*せん-とう【先登】❶まっ先に敵の城に攻め入ること。一番のり。さきがけ。❷いちばん先に物事を行うこと。また、最初に到着すること。〔古風な言い方〕

*せん-とう【先頭】いちばん前。さき。「—に立つ」類語真っ先。最前。陣頭。トップ。対後尾。

*せん-とう【×尖塔】〔文〕頂上がとがった塔。

*せん-とう【戦闘】《名・自サ》武器を使ってたたかうこと。また、攻撃・防御などの個々の行動。「—機」

*せん-とう【銭湯】湯銭ゆせん(=入浴料)をとって入浴させる浴場。風呂ふろ屋。湯屋ゆや。公衆浴場。

*せん-どう【先導】《名・他サ》他のものの先に立って、それをみちびくこと。「案内係が客を—する」「—車」類語案内。

*せん-どう【扇動・×煽動】《名・他サ》感情に訴えてあることを行うようにそそのかすこと。おだてあげ、あおりたてること。アジテーション。「—者」「民衆を—する」類語教唆。表記「扇動」は代用字。

*せん-どう【船頭】❶和船の指揮をとる人。ふなおさ。類語船長。❷船をこぐ職業の人。かこ。類語水夫。—多くして船山に登る《句》指図する者が多くて統一がとれず、物事が順調に進まないことのたとえ。

*せん-どう【×顫動】《名・自サ》細かくふるえ動くこと。「—音おん」

*ぜん-とう【前頭】頭の前部。ひたい。前額。「—部」対後頭・側頭。

*ぜん-とう【漸騰】《名・自サ》物価や相場が次第に高くなること。対漸落。

*ぜん-とう【全島】❶島の全体。また、その島に住む全部の人。全島民。❷〔いくつかある〕島の全部。

*ぜん-どう【善導】《名・他サ》よい方へ教えみちびくこと。類語薫化くんか。徳化。

*ぜん-どう【禅堂】禅の修行をするための建物。特に、座禅をする堂。

*ぜん-どう【×蠕動】《名・自サ》❶虫がくねってうごめくこと。❷腸・胃などが食物を送り出すために行う規則的な筋運動。蠕動運動。

セントポーリア イワタバコ科の多年草。紫・紅・白などの花をつける。主に室内の観賞用。アフリカスミレ。▽saintpaulia

セントラル-ヒーティング 建物の一か所に熱源をおき、そこから各室に蒸気・温水・温風を送り、暖房するしくみ。集中暖房。▽central heating

ゼントルマン ➡ジェントルマン。▽gentleman

せん-な・い【×詮無い】《形》してもむだである。かいがない。「言っても—いこと」

せん-なり【千▽生(り)・千成(り)】たくさん群がって実がなること。また、そのもの。「—びょうたん」

ぜん-なん【善男】仏法に帰依きえした男子。善男子ぜんなんし。「—善女ぜんにょ」対善女。

ぜん-に【禅尼】〔在家のまま〕仏門に入って髪をおろした女子。禅定尼ぜんじょうに。「松下—」対禅門。

せん-にく【鮮肉】〔食用の〕新鮮な肉。

ぜんにち-せい【全日制】毎日昼間に授業を行う通常の学校教育の課程。全日制ぜんじつせい。対定時制。

せんにち-て【千日手】将棋で、双方が同じ手順を連続して三度繰り返すこと。

*せん・にゅう【先入】〔文〕まえもって心に入っていること。 ―かん【―観】あらかじめ作り上げられている固定的な観念。先入主。先入見。 参考 ふつう、自由な思考を妨げるものとしてとらえられる。「―にとらわれて判断を誤る」 注意 「先入感」は誤り。

*せん・にゅう【潜入】《名・自サ》〔人に気づかれないよう〕こっそり入りこむこと。「敵地に―する」

せん・にょ【仙女】〔文〕女の仙人。女仙。仙女(せんじょ)。

ぜん・にょ【善女】仏法に帰依(きえ)した女子。善女人(ぜんにょにん)。 対 善男(ぜんなん)。

*せん・にん【仙人・×僊人】❶人間界をはなれて山中に住み、不老不死・神変自在の法を修め、霞(かすみ)を食って生きるという人。やまびと。仙客。神仙。 参考 道教で理想とする。❷世間ばなれした無欲の人。

*せん・にん【先任】〔ある任務に〕その人より先についていたこと(人)。前任。「―将校」 対 後任。

*せん・にん【専任】ある一つの職務だけを担当すること。「―講師」 類語 専従。 対 兼任。

*せん・にん【選任】《名・他サ》選び出して任命すること。「委員を―する」

*ぜん・にん【前任】❶〔その職務に〕その人より以前についていたこと(人)。先任。「―者」 対 後任。❷〔その人が〕以前に服務していたこと。「―地」

*ぜん・にん【善人】❶善良な人。よい人。 対 悪人。❷人の言いなりになる人をからかって言う語。お人よし。

せんにん・ばり【千人針】腹巻きの形の布に千人の女性が赤糸で一針ずつ縫って千個の縫い玉を作ったもの。出征軍人にその無事を祈って贈った。

せんにん・りき【千人力】❶千人分に相当するくらいの強い力。また、それを持っていること。❷〔千人の助力を得たほどに〕心丈夫なこと。 類語 ①②百人力。

せん・ねつ【潜熱】❶中にひそんでいて外に出ない熱。❷物質の状態が変化するときに吸収または放出される熱。気化熱・凝結熱・融解熱・凝固熱・昇華熱など。

*せん・ねん【先年】いく年か前の年。以前の年。前年。「―来(いら)の好景気」 類語 往年。 対 後年。

*せん・ねん【千年】一年の一〇〇〇倍。転じて、非常に長い年月。 類語 ちとせ。ちよ。

*せん・ねん【専念】《名・自サ》一つのことに心を集中させること。専心。「指導に―する」 類語 熱中。没頭。

> **類義語の使い分け　専念・没頭**
> [専念・没頭] 病原菌の解明に専念(没頭)する
> [専念] この際長期休暇を取って治療に専念します
> [没頭] 趣味の釣りに没頭して仕事をなおざりにする

ぜん・ねん【前年】❶今過ごしている年の前の年。昨年。去年。❷ある年の前の年。「終戦の―に生まれた」❸過ぎ去った幾年か前の年。先年。 対 後年。

*せん・のう【先王】《「せんおう」の連声》→せんおう(先王)。

*せん・のう【洗脳】《名・他サ》❶その人の思想を洗い去って、共産主義思想に変えること。❷その人の思想や考え方を根本的に改造すること。

*ぜん・のう【前納】《名・他サ》代金・費用などを前もって納めること。「会費は―のこと」 対 後納。

*ぜん・のう【全納】《名・他サ》〔納めるべき金額・数量の〕全部を納めること。すっかり納めること。完納。「滞納金を―する」 類語 皆納。 対 分納。

*ぜん・のう【全能】すべての事をなし得ること。また、その能力。「全知―の神」

ぜん・ば【前場】取引所で、午前中に開かれる売買取引。 対 後場(ごば)。

せん・ばい【専売】《名・他サ》❶ある人が独占的に売ること。❷国家が行政上の目的で特定の商品の生産・販売を独占すること。 ―とっきょ【―特許】❶「特許」の旧称。❷その人だけができる特技。おはこ。

*せん・ぱい【先輩】❶年齢・学芸・地位・経験などが上の人。 類語 先進。❷特に、同じ学校を自分よりも先に卒業した人。「―風(かぜ)を吹かす」 対 ①②後輩。

*せん・ぱい【戦敗】戦争・試合などに負けること。「―国」 類語 敗戦。敗北。 対 戦勝。

*ぜん・ぱい【全廃】《名・他サ》全部を廃止すること。

*ぜん・ぱい【全敗】《名・自サ》試合や勝負事のすべてに負けること。「五戦―」 類語 完敗。 対 全勝。

*せん・ぱく【船舶】〔文〕ふね。

*せん・ぱく【浅薄】《形動》学問や考えが浅いこと。あさはかなこと。浅膚(せんぷ)。「―な考え」 類語 軽薄。浮薄。

ぜん・はく【前×膊】ひじから手首までの間の部分。下膊(かはく)。前腕。

せん・ばつ【選抜】《名・他サ》〔ある基準に従って〕多くの中から選び抜くこと。よりぬき。「―試験」 類語 選出。選考。

*せん・ぱつ【先発】《名・自サ》❶他より先に出発すること。「―隊」 対 後発。❷スポーツで、試合の最初から出場すること。「―メンバー」「―投手」

*せん・ぱつ【洗髪】《名・自サ》髪の毛を洗うこと。

*せん・ぱつ【染髪】《名・自サ》髪の毛を染めること。

せんば・づる【千羽×鶴】❶たくさんのツルを描いた模様。❷折り紙でツルの形を折り、糸でたくさんつないだもの。 参考 病気の全快などを祈って作る。

せんぱ・ばんぱ【千波万波】〔文〕つぎつぎと絶え間なく打ち寄せる波。「―を乗り切る」「―を越える」

*せん・ばん【先番】❶〔物事を〕先にする順にあたること。また、その順。❷碁・将棋で、先にうつ、または、さすこと。先手。

*せん・ばん【千万】㊀《名》〔文〕いろいろ。さまざま。種々。「―心をくだく」㊁《接尾》《形容動詞語幹などについて、形容動詞語幹を作る》「程度のはなはだしいようす」「この上ないようす」の意。「迷惑―」「無礼―」

*せん・ばん【千番】千回。 ―に一番の兼ね合い《句》千回やっても一回成功するかどうかわからないほど困難なこと。

*せん・ばん【旋盤】工作機械の一種。加工すべき物を主軸にとりつけて回転させ、刃物(=バイト)をあてて削り取って加工する。「―工」

*せん・ぱん【先般】〔文〕さきごろ。このあいだ。過日。「―御依頼の件につき…」 類語 先日。 対 今般。

*せん・ぱん【戦犯】「戦争犯罪人」の略。

ぜん・はん【前半】〔物事を二つに分けたときの〕前の半分。前半(ぜんぱん)。 対 後半。

ぜん・ぱん【全般】〔ある物事を大づかみにした〕全体。総体。「教育の―を論ずる」「―的」

ぜん・はんせい【前半生】人の一生を二つに分けた時の前半の人生。「―を回顧する」 対 後半生。

*せん・び【戦備】戦争をするための準備。 類語 軍備。

*せん-び【船尾】船体の後部。とも。対船首。

*せん-ぴ【先×妣】〔文〕死んだ母。亡母。対先考。

*せん-ぴ【戦費】戦争に要する費用。「莫大(ばくだい)なー」

*ぜん-び【善美】❶善と美。「真ー」❷《名・形動》〔文〕美しくりっぱであること。「ーを尽くした建築」

*ぜん-び【全備】〔文〕十分そなわっていること。完全に装備すること。「ー重量」

ぜん-ぴ【前非】以前に犯した過ち。先非。「ーを悔いる」類語旧悪。

せん-びき【線引き】《名・自サ》❶線を引くこと。❷〔ある基準に従って〕線を引いて・区切る(分ける)こと。

せん-ぴつ【染筆】《名・自サ》筆に墨を含ませて書画をかくこと。また、その書画。揮毫(きごう)。

せん-びょう【線描】〔文〕線がき。「ー画」

せん-ぴょう【選評】〔多くの中から〕良いものを選んで、それについて批評すること。また、その批評。

ぜん-ぴょう【全×豹】〔文〕〔豹の皮の全体のもようの意から〕物事の全体。全体のようす。「ーを窺(うかが)う」参考→一斑(いっぱん)を見て全豹を卜(ぼく)す。

せん-びょうし【戦病死】《名・自サ》軍人や軍属が出征中に病死すること。

せんびょう-しつ【×腺病質】体格が貧弱で、貧血になりやすく神経質な(子供の)体質。

*せん-びん【先便】先に出したたより・手紙。前回のたより。前便。「ーでもお知らせしましたが…」対後便。

せん-びん【船便】船による輸送。また、船を利用した交通・輸送の便宜。船便(ふなびん)。「連絡はーによる」

ぜん-びん【前便】先便(せんびん)。

*せん-ぶ【先負】「先負日」の略。陰陽(おんよう)道で、急用・公事(くじ)に悪いとされる日。先負(せんまけ)。対先勝。

*せん-ぶ【宣×撫】《名・他サ》占領地において占領軍がその意思・方針をのべ伝えて、人心を安定させること。

*せん-ぷ【先夫】以前に夫であった男。前夫。

*せん-ぷ【宣布】《名・他サ》〔文〕❶〔政府などが〕広く一般に告げ知らせること。「大典をーする」類語宣告。❷広く一般に行きわたらせること。流布(るふ)。

*ぜん-ぶ【前部】物の前の部分。対後部。

*ぜん-ぶ【全部】❶〔ある物事の〕すべて。みな。全体。「残りのーを持ってくる」対一部。❷一揃(ろ)いになっている書物のすべて。

*ぜん-ぶ【×膳部】膳にのせて出す料理。また、料理。

せん-ぷう【旋風】❶周囲から渦巻状に吹く激しい風。つむじ風。❷突然起こって、その社会に大きな影響を与えるような出来事。「業界にーを巻き起こす」

せんぷう-き【扇風機】小型の電動機で羽根車をまわして風を吹きおくる機械。

*せん-ぷく【潜伏】《名・自サ》❶かくれひそむこと。❷感染していながら、症状が現れないこと。「ー期間」

*せん-ぷく【船幅】船のはば。対船長。

*せん-ぷく【船腹】❶船の胴にあたる所。❷船の、貨物を積みこむ部分。❸船の積載能力。

ぜん-ぷく【全幅】〔文〕❶幅一杯。❷〔ある感情や気持ちの〕あらん限り。ありったけ。「ーの信頼を寄せる」

せん-ぶり【千振】リンドウ科の二年草。全体に強い苦みがあり、煎(せん)じて胃の薬にする。

*せん-ぶん【×撰文】《名・自サ》〔文〕文章を作ること。作文。

*せん-ぶん【線分】〔数〕直線上の、二点で限られた部分。有限直線。

*ぜん-ぶん【前文】❶ある箇所より前に書いた文章。「ーを削る」❷手紙文で、最初に書く時候などのあいさつの文章。❸法令などの条項の前にある文章。前書き。「憲法のー」類語序。序文。

*ぜん-ぶん【全文】ある文章の全体。「ーを掲載する」

せんぶん-りつ【千分率】基準の量を一〇〇〇としたときの、ある量の比率。千分比。パーミル。記号‰。

せん-べい【×煎×餅】菓子の一つ。米粉または小麦粉を練り、薄くのばして焼き、味をつけた菓子。 ーぶとん【ー布団】せんべいのように薄く粗末なふとん。

せん-ぺい【×尖兵・先兵】警戒しながら本隊の前方を進む小部隊。表記「先兵」は代用字。

*せん-べつ【選別】《名・他サ》〔ある基準によって〕よりわけること。選びわけること。「りんごのー」類語選択。

*せん-べつ【×餞別】〔旅行・移転などをする人に〕別れを惜しむしるしとして金品を贈ること。また、その金品。はなむけ。「ーを贈る」「ーを包む」

せん-べん【先×鞭】〔他より先に馬にむちをあて、さきがけをなす意から〕〈「ーを着ける」の形で〉他に先んじて物事に着手すること。

*ぜん-ぺん【前編・前×篇】二つまたは三つに分かれている書物・映画などの最初の編。対中編・後編。

*ぜん-ぺん【全編・全×篇】一つの詩・文章・映画などの全体。「ーにみなぎる詩情」類語全巻。

せんぺん-いちりつ【千×篇一律・千編一律】みな同じ調子で、変化やおもしろみのないこと。一本調子。「ーの小説」表記「千編一律」は代用字。

せんぺん-ばんか【千変万化】《名・自サ》〔物事が〕さまざまに変化すること。「ーの美しさ」

せん-ぼう【×羨望】《名・他サ》〔文〕うらやましがること。「ーの的となる」

*せん-ぽう【先方】❶向こうの方。前方。❷相手の人。さきさま。「ーの言い分を聞こう」対当方。

*せん-ぽう【先×鋒】〔「鋒」はきっさきの意〕❶部隊の先頭に立つもの。さきて。「ー隊」❷ある主義・主張・行動などの先頭に立って活躍する人。

*せん-ぽう【戦法】戦争・試合などの戦いかた。戦術。

ぜん-ぼう【全×貌】物事の全体のありさま。物の全体の姿。全容。「事件のーが明らかにされた」

ぜん-ぽう【前方】前の方向。「ーに注意」対後方。

せんぼう-きょう【潜望鏡】潜水中の潜水艦から水面に垂直につき出して、海上のようすを見るしくみの望遠鏡。ペリスコープ。

ぜんぽうこうえん-ふん【前方後円墳】古墳の形式の一つ。後部が円形で、前部が台形のもの。

*せん-ぼつ【戦没・戦×歿】《名・自サ》戦場で死ぬこと。戦争で死ぬこと。「ー者の霊を慰める」類語戦死。

*せん-ぼつ【潜没】《名・自サ》水中にもぐり込むこと。特に、潜水艦が潜航すること。

ぜん-ぼん【善本】❶内容や校訂の行きとどいた本。❷〔書誌学で〕保存がよかったり、本文のもつ系統が古かったりする本。

*せん-まい【千枚】一枚の一〇〇〇倍。転じて、枚数の多いこと。 ーづけ【ー漬(け)】京都地方名産のカブの漬物。薄く輪切りにしたカブを塩づけにしたあと、こんぶ・みりん・とうがらし・塩を加えてつけなおして作る。 ーどおし【ー通し】重ねた紙にさし通して穴を明けるきり。 ーばり【ー張り】〔紙などを〕何枚も張り

重ねて厚くすること。また、そうしたもの。

*せん‐まい【洗米】〔神に供えるために〕水できれいに洗った米。洗い米（よね）。

*せん‐まい【×饌米】〔文〕神に供える米。神に供える洗米。供米（くまい）。

*ぜんまい【▽発▽条・×撥▽条】渦巻状に巻いた鋼鉄製のばね。おもちゃ・時計などの動力に使う。

*ぜんまい【×薇】ゼンマイ科の多年生シダ植物。若葉は淡赤褐色の綿毛をかぶり、渦巻形。食用。

せん‐まん【千万】一万の一〇〇〇倍。一千万。転じて、非常に数の多いこと。 ―むりょう【―無量】《名・形動》数が多くてはかりしれないこと。「―の思い」

ぜん‐み【禅味】〔禅宗にあるような〕俗世間をはなれた枯淡な趣・あじわい。「―を帯びる」

せん‐みつ【千三つ】❶〔本当のことは千に三つぐらいしか言わない者の意から〕うそつき。ほらふき。❷〔商談のまとまるのは千に三つぐらいしかない意から〕土地の売買や貸し金のあっせんをする人。「―屋」

せん‐みょう【宣命】〔漢文体で書かれた詔勅に対し〕宣命体で書かれたみことのり。 ―がき【―書き】宣命・祝詞（のりと）などを書くときに用いられた特別な表記法。国語の語格のままに、体言および用言の語幹などは漢字で大きく書き、助詞・助動詞・活用語尾などは万葉仮名で小さく書く。 ―たい【―体】宣命書きを用いた文体。参考「宣命書き」と同義にも用いる。

*せん‐みん【×賤民】身分がいやしいとされた民。参考 制度的に差別を受けてきた。上代社会では、良民（りょうみん）に対してその最下層にあった。

*せん‐みん【選民】❶すべての民族の中から選ばれて、人々を神にみちびく使命をもつとされた民族。ユダヤ民族。❷神に選ばれたすぐれた人民。

せん‐む【専務】❶一つの職務だけをつとめること。「―車掌」❷「専務取締役」の略。 ―とりしまりやく【―取締役】銀行・会社などで、社長をたすけ、その会社の業務を専一に行う取締役。専務。

*せん‐めい【×闡明】《名・他サ》〔文〕はっきりしなかった道理や意味などを明らかにすること。「国体の―化」

*せん‐めい【鮮明】《形動》あざやかではっきりしているようす。「―な印象」「―な画像」

ぜん‐めい【×喘鳴】呼吸する空気が気管を通るとき、ぜいぜい音を立てること。また、その音。

せん‐めつ【×殲滅】《名・他サ》〔文〕みなごろしにすること。残らずほろぼすこと。「敵を―する」類語 掃滅（そうめつ）。

ぜん‐めつ【全滅】《名・自他サ》全部ほろびること。また、全部ほろぼすこと。「大水で畑の作物は―だ」

*せん‐めん【扇面】扇の地紙（表面）。また、扇。

*せん‐めん【洗面】《名・自サ》顔を洗うこと。洗顔。〔「洗顔」よりも古風な言い方〕「―器」「―台」

*ぜん‐めん【前面】前のほう。表のほう。「要求を―に押し出す」類語 正面。対 後面。

*ぜん‐めん【全面】すべての面。すべての方面。すべての部門。「―降伏」 ―てき【―的】《形動》あらゆる方面にわたるようす。「―に賛成する」

*せん‐もう【旋毛】うずのように巻いた毛。つむじげ。

*せん‐もう【繊毛】❶非常に細い毛。❷生物体の細胞の表面にある細い毛のような突起。バクテリア・下等動物・下等藻類などに見られ、これを動かして運動する。

*せん‐もう【×譫妄】外界に対する意識が薄れ、妄想・錯覚が起こる症状。

せん‐もん【専門】一つの学問・仕事などを特に受け持ち、研究・従事すること。また、その学問・仕事。「―店」注意「専問」は誤り。 ―か【―家】その分野に精通・熟練した人。エキスパート。類語 くろうと。対 門外漢。

*ぜん‐もん【前門】〔文〕〔建物の〕前の方にある門。表門。対 後門。 ―の虎（とら）後門（こうもん）の狼（おおかみ）《句》一つの災難をのがれて、すぐまた他の災難にあうことのたとえ。

*ぜん‐もん【禅門】❶禅宗。❷〔在家のまま〕仏門にはいって髪をおろした男子。禅定門（ぜんじょうもん）。対 禅尼（ぜんに）。

ぜん‐もんどう【禅問答】❶禅宗で、修行僧と師とが一問一答をし、教義を会得（えとく）すること。❷わかったようなわからないような、ことばのやりとり。

*せん‐や【先夜】いく日か前の夜。また、先日の夜。

*せん‐や【戦野】〔文〕戦場となっている野原。征野。類語 戦場。

ぜん‐や【前夜】❶昨夜。類語 先夜。❷〔ある日の〕前の夜。「―祭」❸大事の起こる直前。「革命の―」

*せん‐やく【仙薬】❶飲めば不老不死の仙人になるという薬。❷不思議によくきく薬。霊薬。

*せん‐やく【先約】❶〔ほかの人と〕それより先にした約束。「その日は―がある」❷〔その人と〕以前にした約束。以前からの約束。前約。「―を果たす」

*せん‐やく【×煎薬】煎じ出して飲む薬。煎じ薬。煎剤（せんざい）。参考 漢方薬に多い。

*ぜん‐やく【前約】→せんやく（先約）❷。

*ぜん‐やく【全訳】《名・他サ》原文全部を翻訳すること。また、その訳。完訳。対 抄訳。

ぜん‐ゆ【全癒】《名・自サ》〔文〕病気や傷が完全になおること。全快。本復。類語 全治。

*せん‐ゆう【占有】《名・他サ》❶自分の所有にすること。「市場―率」❷〔法〕自分のためにする意思をもって物を所有すること。「―権」類語 保有。

*せん‐ゆう【専有】《名・他サ》ひとりじめにして所有すること。「経営権を―する」類語 独占。対 共有。

*せん‐ゆう【戦友】〔同じ部隊に属し〕戦場で行動を共にするなかま。戦場で共に敵と戦った友。

せんゆう‐こうらく【先憂後楽】国の支配者は、下の者より先に前途を心配し、下の者が安楽になってから楽しむべきだとする戒め。〈范仲淹・岳陽楼記〉

*せん‐よう【宣揚】《名・他サ》〔文〕世間に広くはっきりと示すこと。「国威を―する」類語 発揚。

*せん‐よう【専用】《名・他サ》❶限られた人だけが使うこと。「社長―の車」対 共用。❷あるきまった時・目的だけに使うこと。「夜間―電話」「水彩―の筆」❸きまった物だけをいつも使うこと。「国産品を―する」

*ぜん‐よう【善用】《名・他サ》❶よい方に使うこと。「知識を―する」対 悪用。❷じょうずに使うこと。

*ぜん‐よう【全容】あるものの全体の姿。ある物事の全体のありさま。全貌（ぜんぼう）。「事件の―が明らかになる」

ぜん‐ら【全裸】身に何もまとっていないこと。まるはだか。まっぱだか。すっぱだか。あかはだか。対 半裸。

ぜん‐らく【漸落】《名・自サ》相場や物価が次第に安くなること。対 漸騰。

せん‐らん【戦乱】戦争によって世の中が乱れること。「―の巷（ちまた）と化す」類語 戦渦。兵乱。

*せん‐り【千里】一里の一〇〇〇倍。転じて、非常に

せ

遠い道のり。「一望ー」[類語] 万里。百里。 **ーがん**【ー眼】肉眼では見えないような遠い所のできごとや他人の心中などを感知できる力(をもった人)。 **ーのこま**【ーの×駒】《連語》一日に千里を走るという馬。転じて、才能の特にすぐれた人。千里の馬。

ーの堤も蟻(あり)の穴から崩れる《句》〔大きな堤防も小さなアリの穴から崩れることがあるように〕とるに足りないことでも油断をすると大事になるというたとえ。

ーの野に虎(とら)を放つ《句》危険なものを野放しにして災いのもとを作ることのたとえ。虎を野に放つ。

ーの道も一歩より始まる《句》〔遠い旅も第一歩を踏み出すことから始まるように〕遠大な事業も手近なところから始まる。〈老子〉

***せん・り**【戦利】〔文〕❶戦争での勝利。戦勝。❷戦争で敵から品物をうばうこと。ぶんどり。「ー品」

***せん・りつ**【戦×慄】《名・自サ》恐れのためにふるえること。ふるえおののくこと。「ーを覚える」

***せん・りつ**【旋律】〔音〕高低とリズムをもった、(音楽的価値のある)音の流れ。ふし。メロディー。

ぜんりつ・せん【前立×腺】男性生殖器の一部。膀胱(ぼうこう)の下にあり、尿道を囲む腺性の臓器。精子の運動を活発にする液を分泌する。旧称、摂護腺(せつごせん)。

せん・りゃく【戦略】戦争・政治闘争などでの全体的な計画・手段。「販売ー」[参考]「戦術」は、「戦略」と違い、部分的・実際的な計画・手段をさす。[類語] 軍略。

ぜん・りゃく【前略】❶〔引用文などの〕前の部分をはぶくこと。[対] 中略・後略。❷〔季節のあいさつなど形式的な前文をはぶく意で〕手紙の最初に書きしるす語。

せんりゅう【川柳】前句付けから独立した、五・七・五の三句一七音からなる短い詩。季題や切れ字の制約がなく、生活や世態などを風刺し、ユーモアを交えて描写する。[参考] ㋐江戸時代の点者、柄井川柳(からいせんりゅう)の名にちなむ。㋑「一句…」と数える。

***せん・りょ**【千慮】〔文〕深くいろいろと考えること。また、その考え。[類語] 千思。熟慮。

ーの一失《句》すぐれた知者でも、まれには失敗があるということ。十分に配慮しても思いがけない失敗をすること。〈史記・淮陰侯伝〉[対] 千慮の一得。

ーの一得《句》愚か者でも、まれにはすぐれた考えを出すことがあるということ。〈史記・淮陰侯伝〉[対] 千慮の一失。

***せん・りょ**【浅慮】〔文〕思慮の浅いこと。あさはかな考え。「ーを恥じる」[類語] 浅見。[対] 深慮。

***せん・りょう**【千両】❶一両の一〇〇〇倍。「ー箱」❷金額の多いこと。価値の高いこと。❸センリョウ科の常緑小低木。実は小さな球形で、冬、赤く熟す。観賞用。 **ーやくしゃ**【ー役者】〔千両の給金をとる役者の意で〕技芸がすぐれ、格式の高い役者。

***せん・りょう**【占領】《名・他サ》❶ある場所を占有すること。「本で部屋がーされる」❷〔法〕他国の領土を武力で自国の勢力下におくこと。占拠。「ー地域」

***せん・りょう**【専領】《名・他サ》自分一人で領有すること。また、自分勝手に領有すること。

***せん・りょう**【染料】糸・布などを染める材料。

***せん・りょう**【線量】放射線の量。「被曝(ひばく)ー」

***せん・りょう**【選良】〔文〕❶選び出されたりっぱな人。エリート。❷〔選挙で選ばれることから〕代議士の別称。

***ぜん・りょう**【全量】全体の重量または容量。

***ぜん・りょう**【善良】《形動》〔人の性質が〕正しくすなおなようす。まじめですなおなようす。「ーな風俗」

せん・りょく【戦力】❶戦争を遂行できる能力。戦備の能力。[参考] 兵力・武器生産力・輸送力などを含む。❷〔ひゆ的に〕物事を行う上で役に立つ働き手。「彼は貴重なーだ」

ぜん・りょく【全力】もっている限りの力。出せる限りの力。「ーで走る」「ー投球」[類語] 死力。極力。

***ぜん・りん**【前輪】前後にある車輪の、前の方の車輪。[対] 後輪。

***ぜん・りん**【善隣】〔文〕隣の家・国と仲よくすること。また、その仲よくしている隣家・隣国。「ー外交」

ぜん・りん【禅林】〔文〕禅宗の寺院。禅寺。

せん・るい【×蘚類】蘚苔(せんたい)植物の一綱。苔(たい)類より進化したもので、有性世代のもの(=配偶体)は茎葉の区別がある。スギゴケ・ミズゴケなど。

***せん・れい**【先例】❶以前にあった同種の事例。[類語] 先規。旧例。先蹤(せんしょう)。前蹤(ぜんしょう)。「ーに従う」❷今後の基準となる最初の例。「ーを残す」[同] ①②前例。

***せん・れい**【洗礼】❶キリスト教で信者となるための儀式。頭上に聖水をそそいだり、水にひたったりする。❷影響をうけるほどの特別な経験。「プロのーを受ける」

***せん・れい**【船齢】ある船が進水して以来の年数。

***せん・れい**【鮮麗】《形動》〔文〕あざやかできれいなようす。「ーな色彩」

***ぜん・れい**【前例】先例。[類語] 先蹤(せんしょう)。前蹤。

***ぜん・れい**【全霊】〔ある人の〕精神のすべて。「全身ー」

せん・れき【戦歴】戦争・試合に参加した経歴。

ぜん・れき【前歴】過去にあった履歴。過去から現在までの経歴。「ーを調べ上げる」[類語] 前身。前科。

***せん・れつ**【戦列】❶戦闘に参加する部隊・艦隊などの隊列。❷闘争のために組まれた組織。

***せん・れつ**【鮮烈】《形動》〔文〕鮮やかで激しいようす。「ーな印象」

ぜん・れつ【前列】まえの列。[対] 後列。

せん・れん【洗練・洗×煉】《名・他サ》〔洗ったり練ったりしてよくする意から〕❶詩歌・文章をよく考え練ってりっぱなものにすること。「ーされた文章」❷〔趣味・人格などを〕高尚で上品なものにすること。

せん・ろ【線路】汽車・電車などを通す道筋。また、そこに敷く細長い鉄材。レール。[類語] 軌道。鉄路。

せん・ろっぽん【繊六本・千六本】大根を細長くきざんだもの。また一般に、野菜を細長くきざんだもの。せん切り。[参考]「細長く切った大根」の意の「繊蘿蔔」の唐音「せんろうぽ」の転といわれる。

ぜん・わ【禅話】禅宗の学問・修行に関する講話。

ぜん・わん【前腕】肘(ひじ)から手首までの部分。前膊(ぜんぱく)。

***そ**【疎】《名・形動》〔文〕❶〔物と物との〕間がすいていること。まばら。[対] 密。❷〔つきあいが〕親しくないこと。うといこと。疎遠。「仲がーになる」[対] 親(しん)。

***そ**【祖】❶その家系の最初の人。先祖。祖先。❷祖父。❸ある物事を最初に始めた人。開祖。始祖。元祖。「遺伝学のー」「高野山開山のー」

*そ【粗・×麁・×麤】《名・形動》〔文〕❶くわしくないこと。大ざっぱなこと。対精。❷粗末・粗悪なこと。

*そ【素】❶染めないもとのままの絹。白地の絹。しろぎぬ。❷二つの数・数式の一方が他方で整除されない関係(にあること)。「互いにーである」❸《接尾語的に用いて》元素を表す名につけて元素名であることを表す。

*そ【×其・▽夫】《代名》〔雅〕相手側の事物や人をさす。それ。そのもの。また、その人。「ーはかの人か」

*そ《係助》文語《係助詞「ぞ」の古形》→ぞ(係助)。

*そ《終助》文語〔「(な)…そ」の形で〕穏やかな禁止を表す。どうか…しないで下さい。「声をな人に聞かせ玉ひそ〈鷗外〉」「耳なきわれをとがめそよ〈藤村〉」

ぞ ㊀《係助》文語《代名詞「そ」と同源か。古くは、「そ」。これを受ける用言は連体形で結ぶ》❶文のある部分をとり立て、それと指定して強調する。「優しき詞のもれ出るぞをかしき〈一葉〉」参考 口語には、「よくぞ」などの形で残る。❷〔疑問を表す語について〕疑問、あるいは反語の意を強める。「いづくにぞ行きたる」「何人ぞ知らむ」㊁《終助》❶文語 強く指示して断定を含めるのに使う。「良家の令嬢も遊ばさるるぞかし〈一葉〉」❷文語〔疑問を表す語とともに使って〕疑問、あるいは反語の意を強める。「今あらば、何歳なるぞ」「命の惜しい男とは、どうして見えようぞ〈鷗外〉」❸〔男性用語〕㋐自分に強く言い聞かせ、自己確認するのに使う。「待てよ。馬鹿な銭は使ってはならないぞ〈鷗外〉」㋑相手に、一方通告的に指示し、念を押すのに使う。〔女性の使う「よ」にあたる〕「頼みましたぞ」㊂《副助》❶〔下に打ち消しの語を伴って〕その語を強調しながら、否定の語勢を強める。「ついぞ病気をしたことがない」❷〔不定を表す語について〕不確かの意を表す。〔やや古風な言い方〕「どこぞ具合でも悪いのか」「彼に何ぞ世話になったことがあるのか」

そ-あく【粗悪】《形動》そまつで質が悪いようす。「ーな品を買わされた」

そ-あん【素案】〔原案よりさらに前の段階で〕大もとになる案・考え。「ーをたたき台にして原案を作る」

*そ-い【粗衣】〔文〕そまつな衣服。粗服。「ー粗食」

*そ-い【素意】〔文〕もとから持っていた考え。つねづね思っている考え。素志。「ーを達する」

そいつ【×其▽奴】《代名》(「そやつ」の転)〔俗〕❶単数の人をさす。その人。その者。「うそをついたーをつれてこい」❷ある事柄や事物をさす。それ。〔ぞんざいな言い方〕「ーをとってくれ」

そい-と・げる【添い遂げる】《自下一》❶〔障害をのりこえて〕望みどおり夫婦になる。「反対を押しきってー・げる」❷夫婦として死ぬまでいっしょにくらす。

そい-ね【添(い)寝】《名・自サ》寝ている人のそばによりそってねること。そいぶし。「赤ん坊にーをする」

*そ-いん【疎音】〔文〕長い間・たより(行き来)をしないこと。無沙汰。無音。「ーにうちすぎまして」

*そ-いん【素因】❶ある事をひき起こすもと。類語 原因。❷その病気にかかりやすい、からだの素質。

*そ-いん【訴因】〔法〕刑事訴訟法で、検察官がある事実について起訴しようとするとき、その事実を一定の犯罪構成要件にあてはめた形で起訴状に記す事柄。

*そう【総】《接頭》《体言について》「すべての」「全部の」などの意。「ー選挙」「ー決算」「ーまくり」

*そう【荘】《接尾》旅館・別荘・アパートなどの名にそえる語。「湖畔ー」

*そう【葬】《接尾》「葬式」の意。「合同ー」

*そう【×艘】《助数》〔小さな〕船を数える語。類語 隻。

*そう【僧】仏門にはいった男子。僧侶。参考「僧」は梵語 saṃgha(=衆。和合衆)からでた語。類語 比丘。法師。出家。道心。坊主。尊敬 御坊。上人。貴僧。謙譲 愚僧。拙僧。愚禿。貧道。対 尼。

*そう【双】㊀《名》〔二つで一組になっているものの〕両方。二つ。「ーの脚」「ーのこめかみ」㊁《助数》対になっているものを数える語。「金びょうぶ一ー」

*そう【壮】〔文〕❶《名・形動》血気盛んで勇ましいこと。「志をーとする」❷元気盛んな年齢。また、その人。壮年。参考 三〇歳前後をさす。

*そう【宗】〔文〕❶〔分かれ出たものの〕おおもと。もと。また、芸道などの家元・宗家・本家。❷祖先。また、祖先のうちすぐれた者。

*そう【層】㊀《名》いくえにも重なって、ある厚みをもっているもの。「ーをなす」㊁《接尾》❶「上下に厚みをもっている物」の意。「電離ー」❷「地層」の意。「沖積ー」❸「階級」「階層」の意。「中堅ー」「若年ー」❹《助数》重なった物を数える語。「三ー」類語 重。

*そう【想】❶考え。思い。思想。❷〔芸術作品などを作ったり計画を立てたりするときの〕構想。「小説のーを練る」❸外界の対象を心に浮かべる精神作用。

*そう【相】❶外にあらわれた(顔の)かたち。ありさま。すがた。「死のー」❷吉凶のしるし。人相・手相・骨相など。「火難のー」

*そう【×箏】弦楽器の一つ。きり材で作った細長い胴に一三本の絹の弦を張り、柱で音階を調節し、右親指の先にはめたつめでひく。箏の琴。しょう。こと。

*そう【草】〔書道で〕草書。草体。対 楷・行。

*そう【装】〔文〕❶衣服をつけて身ごしらえをすること。よそおい。「ーをこらす」❷〔物の〕体裁。外見。「ーを改める」❸「装丁」の意。「フランスー」

*そう【×躁】気分が高揚すること。対 鬱。

*そう【▽然う】㊀《副》そのように。そんなに。「ーします」㊁《感》〔相手の言ったことに対して〕肯定の気持ちや半信半疑の気持ちを表したり、軽い感動・驚きの気持ちなどを表す語。そうだ。そうですか。「ー、ほんとかね」「今から一〇年前の、ー冬の夜だった」

ーは問屋が卸さない《句》物事は簡単には自分の思いどおりにならない。

*そ・う【沿う】《自五》そばを離れないようにして・進む(並ぶ)。また、基準となるものから離れないように進む。「鉄道にー・った町」文《四》。⇩〖使い分け〗

*そ・う【添う・▽副う】《自五》❶そばから離れずにいる。つきしたがう。❷夫婦となっていっしょに暮らす。❸期待・目的にあてはまる。合う。かなう。適応する。「目的にー・う」類語 はまる。適する。応じる。値する。似合う。即する。釣り合う。そぐう。相当。該当。適当。適合。即応。文《四》。⇩〖使い分け〗

使い分け 「そう」
沿う〔流れや基準によりそって離れないように行く〕川に沿った道・並木道に沿う商店・既定の方針に沿う
添う(▽副う)〔そのもののそばにいる。つきしたがう〕影の形に添う・夫に添う・期待に添う・趣旨に添う・提案に添う・病人に付き添う・妻と連れ添う・寄り添う二人・添え木
参考「添」はつけ加える意、「副」は刀で二つに切り開く

意から、ぴたりと合わさって対をなす、付き添うの意。従来「副」とあてたものは、おおむね「添」を用いて書くことができる。「期待に添う」は「沿う」とも書く。

***ぞう【贈】** ものをおくること。特に、下に官位を表す語を伴って、死後におくったことを表す。「―正三位」

***ぞう【像】** ❶物の形・姿。❷神仏・人・動物などの形をまねて作った彫刻や絵。「キリストの―」尊敬 尊像。❸物体から出た光が、レンズや鏡によって反射または屈折してもとの物体に対応する点に集まり、その物体と相似の形を作ったもの。「―をむすぶ」

***ぞう【増】** 〔数量・金額などが〕ふえること。また、ふやすこと。「年間五〇〇人の―」対 減。

***ぞう【蔵】** 一《名》〔自分のものとして〕持っている・こと（もの）。「山田氏の―」二《接尾》「所蔵」「所有」などの意。「薬師寺―」

***ぞう【象】** 陸上にすむ最大の哺乳動物。熱帯にすむ。全身灰色で、長い一対の牙と自由に屈伸する長い鼻をもつ。インド象・アフリカ象の二種がある。

***ぞう【雑】** 〔文〕❶ものを分類するとき、どの区分にもはいらないものをまとめていった語。「―の部」❷「雑歌」の略。→ぞうか（雑歌）。

そう‐あい【相愛】 〔一組の男女が〕たがいに愛し合うこと。「―の仲」「相思―」「―の人と結ばれた」

そう‐あげ【総揚げ】 《名・他サ》よべるだけの芸者・遊女などを全部よんで遊ぶこと。

そう‐あたり【総当(た)り】 《名・自サ》❶参加する全部の人・チームと試合すること。❷くじ引きで、からくじのないこと。どのくじでも当たること。

***そう‐あん【僧×庵】** 〔文〕僧の住むいおり。

***そう‐あん【創案】** 《名・他サ》〔それまでなかったものを〕はじめて考え出すこと。また、その考え・工夫。

***そう‐あん【草×庵】** 〔文〕〔わら・カヤなどの〕草でふいたそまつな家。草のいおり。「―を結ぶ」類語 茅屋。

***そう‐あん【草案】** 文章の下書き。参考 ふつう、事務的なものに使う。類語 草稿。原稿。原案。対 成案。

***そう‐い【僧位】** 朝廷から、学徳にすぐれた僧におくられた僧の位。法印・法眼・法橋など八段階に分かれる。法位。僧階。

***そう‐い【僧衣】** 僧侶の着る〔正式の〕衣服。法衣。僧服。僧衣。

***そう‐い【創意】** 他のもののまねでなく、新しく考え出した考え。新しい思いつき。新工夫。「―工夫」

***そう‐い【創×痍】** 〔文〕❶刃物などでうけた傷。切り傷。「満身―」❷手ひどく受けた損害。

***そう‐い【相違】** ❶《名・自サ》〔二つ以上のものが〕互いに異なっていること。同じでないこと。ちがい。「事実との―」「―点」表記「相異」と書くこともある。類語 差異。差。❷〈「…に―ない」の形で〉必ず…である。…にちがいない。「遭難したに―ない」

***そう‐い【総意】** 〔その事に関係のある〕全部の人の意見・考え。全員の意思。「―に基づいて決める」

ぞう‐い【贈位】 《名・自サ》〔文〕生前の功績をたたえて、死後に位を贈ること。また、その位。

そう‐いっそう【層一層】 《副》〔文〕さらにいっそう。ますます。参考「いっそう」を強めた言い方。「情勢は―不利になった」

***そう‐いん【僧院】** ❶寺で僧が住む建物。また、広く寺のこと。寺院。❷修道院。

***そう‐いん【総員】** 〔ある団体に属する〕全部の人。全体の人員。全員。「―五〇名」類語 総勢。

ぞう‐いん【増員】 《名・自他サ》人数・定員をふやすこと。「公務員を―する」対 減員。

そううつ‐びょう【×躁×鬱病】 精神障害の一種。異常に陽気になり興奮する状態（＝躁状態）と、異常に悲観的になりふさぎこむ状態（＝鬱状態）とが、単独にまたは交互に周期をもって現れる。

そう‐うら【総裏】 洋裁で、洋服の身ごろ・そでなどの全体に裏布をつけること。また、その洋服。

そう‐うん【層雲】 ❶〔低い所に〕層をなす雲。❷下層雲の一つ。霧のようにひろがる層状の雲。地面にいちばん近く現れ、霧雨を降らせることがある。霧雲。

そう‐え【僧▽衣】 →そうい（僧衣）。

***ぞう‐えい【造影】** 《名・他サ》薬品を使って体内の諸器官をエックス線で検査すること。「―剤」

***ぞう‐えい【造営】** 《名・他サ》神社・仏閣・宮殿などの建物を建てること。類語 築造。建築。

ぞう‐えき【増益】 《名・自サ》❶《他サ》〔文〕増し加わること。また、増し加えること。増加。❷利益がふえること。「前年度より五〇億円の―となる」対 減益。

***そう‐えん【桑園】** 〔文〕くわ畑。

***そう‐えん【×蒼鉛】** →ビスマス。

***ぞう‐えん【増援】** 《名・他サ》〔その仕事にあたる〕人数をふやして助けること。「―部隊」

***ぞう‐えん【造園】** 《名・自サ》〔石や樹木をうまく配置して〕庭園・公園などを造ること。「―業」

ぞう‐お【憎悪】 《名・他サ》にくみきらうこと。また、その心。にくしみ。「―の念を抱く」類語 嫌悪。

そう‐おう【相応】 《名・自サ・形動》〔身分や能力に〕ふさわしいこと。つりあっていること。「身分―な暮らし」「能力に―した仕事」

そう‐おく【草屋】 〔文〕❶草で屋根をふいた〔そまつな〕家。草ぶきの家。❷自分の家をけんそんしていう語。類語 茅屋。陋屋。

***そう‐おん【×宋音】** →唐音。

***そう‐おん【×噪音】** ❶〔理・音〕振動数が不規則で、高さや調子が明瞭でなく、不快に感じる音。対 楽音。❷騒音。

***そう‐おん【騒音】** やかましい音。うるさくてじゃまになる音。噪音。「バイクの―で眠れない」類語 雑音。

***そう‐か【僧家】** 〔文〕❶僧の住む家。寺院。❷僧侶。＝僧家。

***そう‐か【喪家】** 〔文〕❶家をなくすこと。宿なし。❷喪中の家。**―の‐いぬ【―の×狗】** 《連語》〔文〕❶飼い主が死んで宿をなくした犬。宿なし犬。❷やせて元気のない人のたとえ。〈孔子家語〉

***そう‐か【挿花】** 〔文〕花をいけること。いけばな。

***そう‐が【挿画】** 〔文〕文章の途中にはさんでかかれた絵。さしえ。類語 カット。

***そう‐が【×爪×牙】** 〔文〕❶〔けものの攻撃の手段となる〕つめと、きば。❷人に害を与える悪いやり方。魔手。〔多く「…の―にかかる」「…の―にかける」の形で使う〕「テロリストの―にかかる（＝犠牲になる）」❸手先となって使われる家来。「―の臣」

***そう‐が【草画】** 大まかな筆づかいでえがいた水墨画や淡彩画。参考 南画に多い。

***そう‐が【装画】** 本の装丁に用いられている絵。

***ぞう-か【増価】**《名・自サ》❶《他サ》価格が高くなること。高くすること。❷財産の時価があがること。

***ぞう-か【増加】**《名・自他サ》数や量がふえること。ふやすこと。「人口が―する」対減少。

***ぞう-か【造化】**❶天地万物を造り、主宰する神。造物主。❷天地万物。宇宙。自然。「―の妙」

***ぞう-か【造花】**紙・布・ビニールなどで本物の花を模して作った花。人工の花。つくり花。対生花。

***ぞう-か【雑歌】**和歌集の分類の一つ。万葉集では相聞・挽歌以外の大部分の歌、古今集以後の歌集では四季・哀傷などに明確に分類できない雑多な内容の歌。ぞう。ぞうのうた。雑歌。

***そう-かい【僧階】**僧位。

***そう-かい【掃海】**《名・他サ》海中にしかけられた機雷その他の危険物・障害物をとりのぞくこと。「―艇」

***そう-かい【×滄海・×蒼海】**〔文〕青々とした海。あおうなばら。大海。

―桑田《句》〔青々とした海が変じて桑畑になる意から〕世の中の変化のはげしいことのたとえ。滄桑。滄海変じて桑田と成る。

―の一粟《句》〔大海中の一粒の粟の意〕広大なものの中のきわめて小さいもののたとえ。〈蘇軾・赤壁賦〉

***そう-かい【総会】**機関・団体などの全構成員により開かれる会議。ふつう、その機関・団体の最高議決機関。「生徒―」「株主―」 **―や【―屋】**少数株を持って株主総会に出席し、いやがらせや脅迫で会社をゆすったり、会社側から要請を受けて他の株主の正当な発言を封じたりする人。類語会社ごろ。

***そう-かい【壮快】**《形動》勢いがさかんで勇ましく、見ていて気持ちがよいようす。「―なマーチ」

***そう-かい【×爽快】**《形動》さわやかで気持ちがよいようす。「―な山頂の朝」「気分―」

***そう-がい【窓外】**〔文〕窓を通して見た外。窓の外。

***そう-がい【霜害】**時期はずれにおりる霜のために農作物・樹木などがうける害。

そう-がかり【総掛(か)り】❶〔その事に関係した〕全員で事にあたること。総動員。「家族―で後片付けをする」❷総攻撃。❸ある事についやした費用のすべて。

そう-かく【総画】偏・旁に区分せずに、一つの漢字の画数すべてを数えたもの。漢字一字の全体の画数。

***そう-がく【奏楽】**❶《名・自サ》〔文〕音楽を奏すること。また、演奏する音楽。「―のひびき」❷歌舞伎下座音楽で、雅楽の音色を模した曲。

***そう-がく【相学】**人相・手相・家相などをみて、その性質・運命などを判断する学問。

***そう-がく【総額】**全体の金額。全額。「賞金―三億円の宝くじ」類語総高。

ぞう-がく【増額】《名・自他サ》金額をふやすこと。「予算は一割―された」対減額。

***そう-かつ【総括】**《名・他サ》個々のものを一つにまとめとのえること。全体を見渡してまとめをすること。「会議の発言を―する」類語一括。

***そう-かつ【総轄】**《名・他サ》全体をまとめてとりしまること。「―責任者」

そう-がな【草〈仮名〉】仮名の字体の一つ。万葉仮名を草体化したもの。平安後期に行われた。

そうか-へいきん【相加平均】二個以上の数の和を、その個数で割った値。ふつう単に「平均」と言えば、これを意味する。算術平均。対相乗平均。

そう-がら【総柄】布地などの全体に模様が描かれていること。「―の服」

***そう-かん【創刊】**《名・他サ》新聞・雑誌などの定期刊行物を新たに刊行すること。対終刊。廃刊。

***そう-かん【壮観】**規模が大きく、堂々としたすばらしいながめ。「―この上もない景色」類語偉観。盛観。

***そう-かん【相×姦】**《名・自サ》社会通念として接触を禁じられている男女が肉体関係をもつこと。血のつながりのある男女が通じ合うことなど。「近親―」

***そう-かん【相関】**《名・自サ》一方が変われば他方も変わるというように、二つの物事がたがいに関係しあうこと。たがいに影響しあうこと。「両者は密接に―している」 **―かんけい【―関係】**相関する関係。

***そう-かん【総監】**〔軍隊・警察など〕組織全体の仕事やそれに従事する人をとりしまり監督する・こと(人)。また、その官職。「警視―」類語総裁。総統。

***そう-かん【送還】**《名・他サ》〔ある人物を〕もとの所へ送り返すこと。参考多く捕虜・抑留者・密航者などに言う。「密入国者を―する」類語返還。帰還。

そう-がん【双眼】〔文〕〔人間の〕左右両方の目。二つの目。両眼。対隻眼。 **―きょう【―鏡】**二個の望遠鏡の光軸を平行に並べて一体化し、両眼で見られるようにした光学機器。

***ぞう-かん【増刊】**《名・他サ》雑誌などの定期刊行物で、きまった時期以外に臨時に刊行する・こと(もの)。

***ぞう-かん【贈官】**《名・自サ》その人の死後に朝廷から官を贈ること。また、その官。

ぞう-がん【象眼・象×嵌】《名・他サ》❶金属・陶磁器・木材などの面に模様をきざみ、そこに金・銀などの材料をはめこむ工芸技術。また、その細工物。❷印刷で、刷版の修正を要する部分を切りぬき、そこに別の字をはめこむこと。「―校正」表記「象眼」は代用字。

***そう-き【想起】**《名・他サ》思い出すこと。前にあった事を思い起こすこと。「幼時を―する」

***そう-き【早期】**ある物事がまだ十分に進まない時期。早い時期。「がんの―発見」類語初期。

***そう-き【総記】**❶〔研究書・論文などで〕全体について一通りのべた部分。類語総論。❷図書の十進分類法で、一から九までのどの類にも属さない、最初の類。

***そう-ぎ【争議】**❶ある物事に対する意見をたがいに主張し、争って議論すること。「家庭―」❷労働争議。「―権(=労働者が正当な争議行為を行う権利)」

***そう-ぎ【葬儀】**死者をほうむる儀式。葬式。葬礼。とむらい。〔改まった言い方〕「盛大な―を執り行う」

***ぞう-き【臓器】**〔高等動物の〕内臓の器官。肺・胃・腸・肝臓・腎臓など。「―を移植する」「人工―」

***ぞう-き【造機】**〔文〕機関や機械の設計や製造。

***ぞう-き【雑木】**いろいろな種類の木。また、まきなどに使い、材木にできない木。雑木。「―林」

***そう-きゅう【早急】**《名・形動》→さっきゅう(早急)。

***そう-きゅう【×蒼×穹】**〔文〕青空。碧空。蒼空。

***そう-きゅう【送球】**❶《名・自他サ》球技で、味方の選手にたまを送ること。特に、野球で、たまを塁に投げること。また、そのたま。❷ハンドボール。

ぞう-きゅう【増給】《名・自サ》給料がふえること。類語昇給。加給。対減給。

そう-きょ【壮挙】規模が大きく勇ましい企て・行為。「世界走破の―」類語壮図。雄図。快挙。

そう‐ぎょ【草魚】コイ科の淡水魚。体長は五〇(センチ)から一(メートル)以上になる。からだは円筒形で、ひげはない。中国・ベトナムに分布。食用。

そう‐きょう【×躁狂】❶《名・自サ》〔文〕狂ったようにさわぐこと。❷→そうびょう(躁病)。

*__そう‐ぎょう【僧形】__〔文〕〔頭髪をそり、墨染めの衣を着た〕僧の姿。出家姿。僧体。対 俗形。

*__そう‐ぎょう【創業】__《名・自他サ》事業を新しく始めること。特に、会社・店をおこして営業を始めること。

*__そう‐ぎょう【操業】__《名・自サ》〔工場で〕機械などを動かして作業をすること。「—短縮」

*__そう‐ぎょう【早暁】__〔文〕夜が明けるころ。明け方。夜明け。「—に起床」類語 早旦(そうたん)。早朝。払暁。

ぞう‐きょう【増強】《名・他サ》〔人員や設備などをふやして〕力を強くし機能を高めること。「輸送力を—する」類語 強化。

そう‐きょういく【早教育】❶学齢に達するより前に、〔家庭で〕特別に行う教育。❷ある特殊な才能を持つ子供に、幼いときから行う教育。類語 天才教育。

そう‐きょく【×箏曲】琴で演奏する音楽。琴を伴奏楽器とする声楽曲と、琴による器楽曲との総称。

そうきょく‐せん【双曲線】平面上で二定点からの距離の差が、一定である点を連ねた曲線。弦を外側にした二つの弓の弧を向かい合わせたような形。

そう‐ぎり【総×桐】〔和家具などの〕全体が桐材で作られていること(もの)。高級なたんすにいう。

そう‐きん【送金】《名・自他サ》金銭を送ること。また、その金銭。「故郷の母に—する」

ぞう‐きん【雑×巾】家屋のよごれた所や足などをふく布。不用の綿布などを数枚重ねてあらく縫って作る。

*__そう‐く【×痩×軀】__〔文〕やせたからだ。「長身—」

*__そう‐く【走×狗】__〔文〕❶狩りで、鳥やけものを追いたてる犬。❷人の手先として使われる者。「資本家の—」

*__そう‐ぐ【葬具・喪具】__葬儀に使う道具。

*__そう‐ぐ【装具】__〔武装用・登山用・医療用などとして〕身につける道具。

そう‐くう【×蒼空】〔文〕青空。蒼天。類語 碧空(へきくう)。

そう‐ぐう【遭遇】《名・自サ》〔ある人物やある物事に〕思いがけず出会うこと。〔ふつう、よくないことに使う〕「災難に—する」

そう‐くずれ【総崩れ】(—くづれ)《名・自サ》〔組織の〕全体のまとまりがくずれて、がたがたになること。また、試合や競技でチームの全員が敗れること。「投手陣が—した」

そう‐くつ【巣×窟】悪者などが集団でかくれすんでいる場所。「暴力団の—」類語 ねじろ。

そう‐ぐるみ【総▽包み】〔団体などが〕全体をあげて、あることをすること。「業界—の選挙運動」

*__そう‐け【僧家】__→そうか(僧家)。

*__そう‐け【宗家】__家系・芸道の流派などの、中心となる家。本家。「観世(かんぜ)流—」類語 家元。総本家。

ぞう‐げ【象×牙】ゾウのきば。淡黄白色でかたく、きめが細かくて美しいので、いろいろの細工物に使われる。参考 現在は使用禁止。**—の‐とう【—の塔】**《連語》(フランス la tour d'ivoire)俗世間をはなれてもっぱら学問や芸術を楽しむ、静寂・孤高な境地。特に、学者などが現実逃避的な態度で送る学究生活の世界。〔皮肉や、軽べつの意をも含む〕「—にこもる」「—を出る」

*__そう‐けい【早計】__はやまった考え。軽率な判断。「その決定は—にすぎる」

*__そう‐けい【総計】__《名・他サ》全部を合わせて計算すること。また、計算したもの。全体の合計。総合計。類語 総和。通算。通計。合計。対 小計。

そう‐げい【送迎】《名・他サ》帰る人を見送ったり、来る人を迎えたりすること。送り迎え。「—バス」

*__ぞう‐けい【造形・造型】__《名・他サ》ある形をつくり出すこと。形のある物をつくること。「自然の—美」

*__ぞう‐けい【造×詣】__学問・芸術などのある分野についての、〔深くすぐれている〕知識や理解。「英文学に—が深い」類語 たしなみ。知識。学識。識見。蘊蓄(うんちく)。

そう‐げいこ【総×稽古】→そうざらい②。

そうけ‐だ・つ【総毛立つ】《自五》おそろしさでぞっとする。おそろしくて、鳥はだが立つようなさむけを感じる。身の毛がよだつ。類語 寒気(さむけ)立つ。

*__ぞう‐けつ【増結】__《名・他サ》ある列車に車両をつなぎふやすこと。「寝台車を—する」類語 連結。

*__ぞう‐けつ【造血】__《名・自サ》からだの中で血液をつくりだすこと。「—作用」

そう‐けっさん【総決算】❶一定期間の収入・支出の全部を計算して、きまりをつけること。「一年の—」❷物事のしめくくりをつけること。「研究の—」

*__そう‐けん【創建】__《名・他サ》〔建物を〕はじめて造ること。はじめて建てること。類語 創設。創立。

*__そう‐けん【創見】__〔文〕今までにない新しい考え。独創的な意見。「—に富む論文」

*__そう‐けん【双肩】__〔文〕左右両方のかた。「—に担う」「国の将来はかかって君たちの—にある」

*__そう‐けん【想見】__《名・他サ》〔文〕想像すること。頭の中で考えてみること。「将来を—する」

*__そう‐けん【総見】__《名・他サ》ある団体の全員がそろって、芝居・相撲などの興行物を見物すること。総見物。「顔見世興行を友の会で—する」

*__そう‐けん【送検】__《名・他サ》犯罪者や犯罪容疑者、また、その調書などを検察庁に送ること。「書類—」

*__そう‐けん【壮健】__《形動》からだが丈夫で元気なこと。健康。たっしゃ。「御—で何よりです」

そう‐げん【草原】❶いちめんに草のはえた野原。類語 草原(くさはら)。❷乾燥地帯や寒冷地帯で、草本植物だけがはえる原野。ステップ。

*__ぞう‐げん【増減】__《名・自他サ》ふえたりへったりすること。また、ふやしたりへらしたりすること。増加と減少。「所得の—」

*__ぞう‐げん【造言】__つくりごと。うそ。「—飛語」

*__そう‐こ【倉庫】__商品・貨物などを入れて保管・貯蔵する建物。類語 倉(くら)。

*__そう‐こ【操×觚】__〔文〕〔職業として〕詩や文章をつくること。文筆の業に従事すること。「—者」「—界(=言論界。ジャーナリズム)」参考「觚」は、昔、中国で文字を書きつけた方形の木の札。「操」は手にとる意。

*__そう‐ご【壮語】__《名・他サ》〔文〕威勢のいいことば、えらそうなことば(を言うこと)。壮言(そうげん)。「大言—する」類語 豪語(ごうご)。高言。

*__そう‐ご【相互】__❶両方どちらからもそれぞれ他方の側へ働きかけがあること。また、そのそれぞれの側。たがい。「—に助けあう」❷かわるがわる。交互。「—に話す」
—ぎんこう【—銀行】もと、中小企業専門の金融機関。今は普通銀行に転換し、第二地方銀行と呼ぶ。

ぞう‐ご【造語】《名・自サ》❶すでにある単語や造語成

分を組み合わせて、新しい概念をもつ単語を作ること。また、その単語。「—力」❷新しくことばを作ること。**—せいぶん【—成分】**単語を作っている、それぞれの部分。語構成要素。「草稿」の、「草」と「稿」など。

***そう・こう【壮行】**遠くへ旅立つ人の出発を祝い、その前途のしあわせを祈りはげますこと。「—のことば」「—会」表記「送行」と書くこともある。

***そう・こう【奏功】**《名・自サ》〔文〕❶物事を目的どおりに成しとげること。成功すること。「ねばり強い説得が—した」❷功績をあらわすこと。類語①②奏効。

***そう・こう【奏効】**《名・自サ》〔文〕〔言動の〕ききめがあらわれること。効果があがること。類語奏功。効験。

***そう・こう【操行】**〔道徳的な観点からみた〕ある人の平素の行い。身もち。品行。素行。「—に難がある」

***そう・こう【×糟×糠】**〔文〕〔酒のかすとぬかの意から〕そまつな食事。また、貧乏な暮らし。「—の妻（=若く貧乏な時代から苦労を共にしてきた妻）」

***そう・こう【草稿】**〔文章の〕下書き。原稿。「文豪の—が発見された」類語草案。原案。

***そう・こう【装甲】**《名・他サ》❶よろい・かぶとで身をかためること。「—の騎士」❷弾丸をふせぐため船体や車体に厚い鋼鉄を張ること。また、そのもの。「—車」

***そう・こう【走行】**自動車などが走ること。「—距離」

***そう・こう【送稿】**《名・自他サ》〔ニュースなどの〕原稿を送ること。「取材記事を電話で本社へ—する」

***そう・こう【霜降】**二十四節気の一つ。陰暦九月の中で、太陽暦の一〇月二三日ごろにあたる。

***そう・こう【▽然う×斯う】**（さう かう）《副・自サ》ばくぜんとした行為を表す語。あれこれ。何やかや。とやかく。「—するうちに日が暮れた」

***そう・こう【倉皇・×蒼×惶】**《形動タルト》〔文〕あわただしく、おちつかないようす。ひどくあわてるようす。「—として参内する」類語あたふた。

***そう・ごう【相好】**〔感情のあらわれた〕顔つき。顔かたち。「—を崩す（=にこにこした顔つきになる）」

***そう・ごう【総合・×綜合】**《名・他サ》❶〔多くのばらばらな物を〕全体として大きく一つにまとめること。「各情報を—する」❷（ドイ Synthese）〔哲〕ばらばらの概念を統一して、より高い一つの概念を作ること。対①②分析。表記②は、もともっぱら「綜合」と書いた。**—しょく【—職】**コース別人事制度で、仕事の内容に制限がなく、企業の中心となる仕事や重要な判断を必要とする仕事を行う職。転勤を伴う。対一般職。**—だいがく【—大学】**いくつかの学部をもつ大学。対単科大学。

そう・こうげき【総攻撃】《名・他サ》全軍がいっせいに攻撃すること。また、大ぜいの人がいっせいに非難すること。総がかり。総ぜめ。「—をかける」

そう・こく【相克・相×剋】❶五行説で、木は土に、土は水に、水は火に、火は金に、金は木に剋(か)つこと。対相生(そうしょう)。表記「相克」は代用字。❷《名・自サ》対立する二つのものが、たがいに相手に勝とうとして争うこと。また、その争い。「理性と感情の—」

***そう・こん【早婚】**世間一般の結婚年齢よりも早く結婚すること。対晩婚。

***そう・こん【×爪×痕】**〔文〕爪(つめ)を立てたり、爪でひっかいたりした跡。つめあと。

そう・ごん【荘厳】❶《名・形動》おごそかで、いかめしいこと。りっぱで威厳があること。「—な儀式」類語崇高。厳粛。森厳。❷《名・他サ》→しょうごん①。

ぞう・ごん【雑言】らんぼうないろいろの悪口。雑言(ぞうげん)。「悪口—」

そうこん・もくひ【草根木皮】〔文〕草の根と、木の皮。漢方で薬剤として使う。=草根木皮(そうこんぼくひ)。

***そう・さ【捜査】**《名・他サ》❶さがしてしらべること。❷〔法〕検察官・警察官などが犯人をさがしたり犯罪の証拠を集めたりすること。「—令状」

***そう・さ【操作】**《名・他サ》❶〔機械を〕取り扱って動かすこと。「遠隔—」❷〔仕事などを〕うまくやりくりして処理すること。「資金を—する」類語運用。

***そう・さ【走査】**《名・他サ》テレビの送信で、画像の明暗を一定の順序で線に分解して電流の強弱にかえること。また、受信で、受けた電流の強弱を線の明暗にかえて像を再現すること。「—線」

ぞう・さ【造作・雑作】❶何かをするのに、手数がかかること。めんどう。てま。「—をかける」「何の—もなく（=いとも簡単に）やってのける」❷人をもてなすこと。ごちそう。〔古風な言い方〕**—な・い【—無い】**《形》手数や努力がいらない。面倒でない。たやすい。

***そう・さい【相殺】**《名・他サ》❶貸し借りなどをさし引いて、損得がないようにすること。❷良いことと悪いことをさし引きすること。帳消し。「実績は失敗で—された」参考「そうさつ」は慣用読み。

***そう・さい【総裁】**《名・他サ》ある機関・団体の長・代表者として全体をまとめ、とりしまること（人）。また、その職務。「名誉—」類語総監。

***そう・さい【葬祭】**〔文〕葬式と先祖の祭り。「—料」

そう・ざい【総菜・×惣菜】普段の食事のおかず。副食物。

***そう・さく【創作】**《名・他サ》❶〔新しいものを〕作りだすこと。類語発明。独創。❷新しい発想に基づいて芸術作品（特に小説）を作りだすこと。また、その作品。「—活動」類語創造。❸いかにも真実のように言うこと。また、その話。作り話。「事件は彼の—だった」

***そう・さく【捜索】**《名・他サ》❶〔行方のわからないものを〕さがしもとめること。「—隊」類語探索。❷〔法〕犯人または犯罪の証拠となる物件を発見するため、人の身体・物・家屋その他一定の場所を強制的に調べること。

ぞう・さく【造作】❶《名・他サ》家を建てたり、部屋を造ったりすること。「はなれを—する」類語普請(ふしん)。❷家の内部の仕上げをすること。また、その仕上げ（にとりつける、たな・建具・畳・階段など）。内装。「—付きの（=畳・建具類のついた）貸家」❸〔俗〕顔のつくり。目鼻だち。「顔の—がはでだ」注意「ぞうさ」と読めば別語。

そう・さつ【相殺】《名・他サ》《「そうさい」の慣用読み》→そうさい（相殺）。

ぞう・さつ【増刷】《名・他サ》〔一定の部数を印刷したあとで〕さらに追加して印刷すること。ましずり。

そう・ざらい【総×浚い】（ーざらひ）《名・他サ》❶それまでに学習したことを全部復習すること。「一学期分の英語を—する」❷〔演劇で〕出演者が総出で本番どおりに稽古(けいこ)をすること。総げいこ。=総ざらえ。

そう・ざん【早産】《名・自他サ》胎児が第二二〜三七週の間に生まれること。

ぞう・さん【増産】《名・他サ》生産高をふやすこと。「食糧—」対減産。

そ

*そう-し【創始】《名・他サ》だれもしていない物事や事業を新たにはじめること。また、物事の起こり。「―者」類語創造。草創。

*そう-し【壮士】〔文〕❶壮年の男子。❷意気さかんな若者。また、政治・思想に熱中して直接行動に訴える人。類語壮丁。壮者。❸一定の職業がなく、人に頼まれて脅迫や談判を行い、事件などを収める男。

*そう-し【壮志】〔文〕さかんな意志。勇壮な心。

*そう-し【相思】男女が互いに慕い合うこと。恋仲であること。相愛。「―相愛」

*そう-し【草紙・双紙・草子・▽冊子】❶紙をとじ合わせて書物の体裁にしたもの。(和風の)とじ本。冊子本(そうしぼん)。❷江戸時代の、さし絵を多くいれた大衆向けの読み物。御伽(おとぎ)草子・草双紙など。絵双紙。❸平安・鎌倉時代の物語・日記・随筆など、かな書きの文学作品の書物。❹習字に使うための、紙をとじたもの。手習い草紙。表記④は「草紙」と書く。

*そう-じ【掃除】《名・他サ》ごみやほこりや汚れを取りさって、清潔にすること。参考ひゆ的に、社会の汚濁・害悪を取り去る意にも用いる。「政界の―をする」

*そう-じ【相似】❶《名・自サ》二つの物の形や性質が、互いにそっくり写したようによく似ていること。類語酷似。❷生物の器官で、発生上は起源が別であるのに、その形態や機能が似ていること。鳥のつばさと昆虫のはねなど。参考↓相同。❸二つの図形において、一方を拡大または縮小すると他とまったく等しい図形になるような相互の関係。「―形」類語合同。

*そう-じ【送辞】送別のあいさつとして、おくることば。特に、学校の卒業式で、在校生の代表が卒業生におくることば。対答辞(とうじ)。

ぞう-し【増資】《名・自他サ》株式会社が資本金をふやすこと。また、その資本。対減資。

ぞう-じ【造次】〔文〕あわただしく過ぎる短い時間。わずかのひま。―てんぱい【―×顚×沛】〔文〕〔「顚」「沛」ともに、つまずき倒れる意〕つまずき倒れるわずかの間。非常に短い時間。とっさの場合。〈論語・里仁〉

*そう-しき【相識】〔文〕互いに相手を知っていること。また、その人。知り合い。知人。

*そう-しき【葬式】死者をほうむる儀式。とむらい。また、告別式。類語野辺の送り。葬儀。葬礼。葬送。

そう-じしょく【総辞職】《名・自サ》関係者全員がその職をやめること。特に、内閣を組織する総理大臣と国務大臣のすべてが同時に辞職すること。

そう-しつ【喪失】《名・他サ》〔気持ちや力を〕なくすこと。うしなうこと。「記憶を―する」類語阻喪(そそう)。

そう-して【▽然うして】(さう―) ━《連語》前にのべた手段・方法によって何かが行われる意。そのようにして。そうやって。「―食べてごらん」 ━《接続》❶前にのべた動作・状態を受けて、その後に次の動作・状態が起こる意。それから。そして。「彼は私をおとずれた。―謝意をのべた」❷前にのべたことにつけ加えてのべる意。それから。そして。「青く、―すき通るような宝石」

そうじ-て【総じて】《副》細かいことはともかくとして、だいたいのところ。全体として。およそ。概して。「―世間というものは」

そう-じまい【総仕舞(い)】(―じまひ)《名・他サ》❶〔予定していたことを〕全部おえること。❷〔商品などの〕全部を売りきること。また、全部を買いきること。

*そう-しゃ【壮者】〔文〕元気がよく働きざかりの人。壮年の人。「―をしのぐ勢い」類語壮丁。壮士。

*そう-しゃ【奏者】❶演奏をする人。❷事を天皇に奏上する人。また、将軍や大名に取り次ぎをする役(の人)。

*そう-しゃ【掃射】《名・他サ》機関銃などで物を掃くように、左右につづけざまに射撃すること。「機銃―」

*そう-しゃ【操車】《名・自サ》〔列車・電車・バスなどの〕車両の編成・入れ換えなどをすること。「―場」

*そう-しゃ【相者】〔文〕人相を見て、その人の運命をうらなう人。人相見。

*そう-しゃ【走者】❶〔陸上競技で〕走る人。❷野球で、攻撃側の選手で、塁に出た者。ランナー。

そう-じゃ【総社・×惣社】一定地域の神社の祭神を一か所に集めて祭った神社。

ぞう-しゃ【増車】《名・自他サ》運行する車両の台数または運転回数をふやすこと。類語増発。対減車。

*そう-しゅ【双手】〔文〕左右両方の手。もろ手。「―をあげて賛成する(=大賛成する)」対隻手(せきしゅ)。

*そう-しゅ【宗主】〔文〕❶おおもととして仰がれる長。❷西欧で、封建時代に、諸侯の上にたって権力をふるっていた盟主。―けん【―権】❶諸侯の上に立って統治の威をふるう権力。❷〔法〕従属国の内政・外政を支配・管理する権力。―こく【―国】〔政〕ある国に対して、宗主権②をもつ国家。対従属国。

*そう-しゅ【操守】〔文〕自分の信念や決心を固く守ってむやみにかえないこと。節操。みさお。

*そう-しゅ【×漕手】❶舟をこぐ人。❷特に、競技用ボートで、オールをこぐ人。対舵手(だしゅ)。

そう-じゅ【送受】《名・他サ》送り出すことと、受け入れること。送信と受信。「―器」

ぞう-しゅ【造酒】《名・自サ》酒をつくること。さかづくり。酒造。

*そう-しゅう【×爽秋】〔文〕さわやかな秋。

*そう-しゅう【早秋】秋のはじめ。初秋。対晩秋。

そう-じゅう【操縦】《名・他サ》❶思いどおりに機械をあやつり動かすこと。「旅客機を―する」❷人を思いどおりに動かし使うこと。「部下をうまく―する」―かん【―×桿】航空機の操縦席の前にあって、手で操作して補助翼や昇降舵(しょうこうだ)を動かす棒状のもの。

ぞう-しゅう【増収】《名・自サ》収入・収穫がふえること。また、ふえた収入・収穫。対減収。

ぞう-しゅうわい【贈収賄】賄賂(わいろ)を贈ることと、それを受けとること。「―事件」

そう-じゅく【早熟】《名・形動》❶果実や穀物の熟し方がふつうより早い・こと(もの)。類語早生(そうせい)。わせ。❷心身の発達が年のわりに早いこと。ませていること。「最近の子供は―だ」類語早成。老成。対晩熟。

*そう-しゅつ【創出】《名・他サ》〔文〕〔物事を〕あたらしく作り出すこと。「価値の―」

*そう-しゅつ【×簇出】《名・自サ》〔文〕むらがってたくさん出ること。簇出(ぞくしゅつ)。「新語の―」参考「簇出(ぞくしゅつ)」は慣用読み。

そう-じゅつ【×槍術】やりを使う武術。槍法(そうほう)。

そう-しゅん【早春】春のはじめ。浅春。初春。孟春。対晩春。

*そう-しょ【×叢書・双書】同一のテーマ・形式・体裁で編集・刊行した一群の書物。シリーズ。「古典文学―」類語全書。文庫。表記「双書」は代用字。

*そう-しょ【草書】漢字書体の一つ。行書をさらにくずしたもので、早くつづけて書けるようにしたもの。草体。[対]楷書・行書。

ぞう-しょ【蔵書】〔ある機関・個人が〕書物を所蔵すること。また、所蔵している書物。蔵本。

*そう-しょう【創傷】〔文〕刃物などで体に受けた傷。

*そう-しょう【宗匠】連歌・俳諧・茶道などの師匠。

*そう-しょう【相承】《名・他サ》〔文〕学問・技芸などを次々にうけついでゆくこと。「父子―の秘法」[参考]古くは、また、仏教では、「そうじょう」という。

*そう-しょう【相称】中央の直線または平面によって・左右(上下)が等しく分けられ、互いに対応していること。「左右―」[類語]対称。

*そう-しょう【総称】《名・他サ》ある共通の性質・傾向をもった個々の物を全体として一まとめにしてよぶこと。また、そのよび名。総名。

*そう-じょう【僧正】❶僧官の階級の最高位。❷後世、各宗派の僧階の一つ。

*そう-じょう【奏上】《名・他サ》天子・国王などに申しあげること。[類語]上奏。奏聞。

*そう-じょう【層状】いくえにも層になって重なっている形・状態。「―火山」

*そう-じょう【相乗】《名・他サ》二つ以上の数をかけあわせること。―こうか【―効果】相乗作用によってもたらされる効果。「順風と潮の―」―さよう【―作用】複数のものが同時に作用し、個々に作用したときの和よりも大きな効果をもたらす作用。―へいきん【―平均】n個の値を相乗してその n 乗根を求め、それを n 個の平均とすること。幾何平均。[対]相加平均。

*そう-じょう【総状】ふさのような形・状態。「―花序」

*そう-じょう【騒×擾】《名・自サ》〔文〕大勢で騒ぎを起こし、秩序を乱すこと。騒乱。「―罪」[類語]騒動。

*ぞう-しょう【増床】《名・自他サ》❶病院で、ベッドを増やすこと。❷店の売り場面積を増やすこと。

*ぞう-しょう【蔵相】〔文〕旧「大蔵大臣」の略。

そうじょう-の-じん【×宋×襄の仁】《連語》〔敵に対する〕不必要なあわれみ。無益のなさけ。[故事]中国の春秋時代、楚と争っていた宋の襄公が、「人の困っているときに苦しめてはならぬ」と言って攻めなかったため機を失い、楚に負けたという故事による。〈春秋左氏伝・僖公二二三年〉

ぞうじょう-まん【増上慢】❶まだ悟りを得ていないのに、悟ったと思っておごりたかぶる・こと(人)。❷《名・形動》実力もないのに実力があると思っていばる・こと(人)。「―になってつけ上がる」

*そう-しょく【僧職】僧の職務。僧という職業。

*そう-しょく【草食】《名・自サ》〔動物が〕草などの植物を主な食物とすること。[類語]菜食。[対]肉食。

*そう-しょく【装飾】《名・他サ》〔物を〕美しくかざること。また、そのもの。かざり。「室内―」

ぞう-しょく【増殖】《名・自サ》❶《他サ》〔財産などを〕増しふやすこと。増しふえること。❷生物の組織や細胞や個体がふえること。

*そう-しん【喪心・喪神】《名・自サ》❶正気を失うこと。心のはりを失ってぼんやりすること。気ぬけ。❷気絶。失神。

*そう-しん【×痩身】やせて、ほっそりした体。「―術」

*そう-しん【総身】からだ全体。からだじゅう。全身。総身。「―の力」[類語]渾身。

*そう-しん【送信】《名・自他サ》信号を送ること。特に、無線通信で、電波によって信号を送りだすこと。「―機」[類語]発信。[対]受信。

そう-じん【騒人】〔文〕詩や文章を作り、風流を解する人。文人や詩人。騒客。[参考]「騒」は詩歌・風流の意。

ぞう-しん【増進】《名・自他サ》〔能力などが〕増し進むこと。増し進めること。「学力―」[対]減退。

そうしん-ぐ【装身具】〔首飾り・耳飾り・指輪・ブローチなど〕体や衣服につけてかざるもの。アクセサリー。

*そう-ず【僧都】僧官の階級で、僧正の次の位。[表記]現代仮名遣いでは「そうづ」も許容。

*そう-ず【挿図】さしえ。

*そうず【添▽水】中ほどを支点にした竹筒などの一方に水を落とし、たまった水の重みで下がると水が流出して、その勢いで石を打って音を出す装置。水辺にしかけて田畑の鳥獣を追ったり、庭園に設けて音を楽しんだりする。ししおどし。ししおい。

*そう-すい【総帥】全軍を統率し指揮する人。総大将。「財閥の―」

*そう-すい【送水】《名・自他サ》水を送ること。「―管」[類語]給水。

*ぞう-すい【増水】《名・自サ》川・湖などの水量がふえること。「集中豪雨で川が―する」[対]減水。

*ぞう-すい【雑炊】野菜や魚介類などをきざみこみ、しょうゆや塩で調味したかゆ。おじや。

そう-すう【総数】全体の数。全数。

そう-すかん【総すかん】《「総好かん」の意か》〔俗〕関係者の全員からきらわれること。「彼の提案は―をくった」[表記]「総スカン」と書くことが多い。

*そう-・する【奏する】《他サ変》❶〔天皇に〕申しあげる。奏上する。❷演奏する。かなでる。「琴を―・する」❸〈「功を―・する」などの形で〉成果をもたらす。うまくなしとげる。「新人の起用が功を―・する」

*そう-・する【相する】《他サ変》〔文〕物事の姿・ありさまによって、その吉凶・なりゆきなどを判断する。特に、人相・手相・家相などから吉凶をうらなう。

*そう-・する【草する】《他サ変》〔文〕原稿を書く。下書きをつくる。「宣言文を―・する」「物語を―・する」

ぞう-・する【蔵する】《他サ変》❶〔中にしまって〕自分の持ち物として持つ。「貴重な美術品を―・する」❷〔内部に〕ふくみ持つ。「多くの問題を―・する」

*そう-せい【創世】〔文〕神が世界をはじめて造ること。世界のできはじめ。[類語]開闢。太初。―き【―記】旧約聖書の第一巻。神による天地創造からヨセフの死までを記録する。

*そう-せい【創成】はじめて作りあげること。また、はじめてできること。「―期」

*そう-せい【創製】《名・他サ》〔ある商品などを〕考案してはじめて作りだすこと。「当店―の品」[類語]創造。

*そう-せい【×叢生・×簇生】《名・自サ》〔文〕草木が群がり生いしげること。また、一般に、勢いが盛んになること。[参考]「簇生」は慣用読み。[類語]群生。

*そう-せい【奏請】《名・他サ》〔文〕〔ある事柄の実施などについて〕天皇に申しあげて許可を求めること。

*そう-せい【早世】《名・自サ》〔文〕年が若くして死ぬこと。[類語]早死に。若死に。夭折。

*そう-せい【×蒼生】〔文〕人民。あおひとぐさ。

そう-ぜい【総勢】❶一団の全部の人の数。「―一万人の大企業」類語総員。❷全体の軍勢。総軍。

ぞう-せい【造成】《名・他サ》人間がすぐ利用できるように、手を加えて作りあげること。「宅地を―する」

ぞう-ぜい【増税】《名・自サ》税金の額をふやすこと。「―に反対する」対減税。

*そうせい-じ【双生児】同じ母から同時に生まれた二人の子。一卵性と二卵性とがある。ふたご。

*そうせい-じ【早生児】出産に要する標準の期間を経ないで、早く生まれた子。月足らずの子。早産児。

*そう-せき【僧籍】ある宗派に属する僧(尼)として登録してある籍。「―にある身」「―に入る(=出家する)」

*そう-せき【×蹤跡】〔文〕❶足あと。❷行方。「―をくらます」「―をたずねる」類語蹤跡(しょうせき)。

*そう-せき【送籍】《名・自サ》旧民法で、婚姻・養子縁組などにより、籍を先方の戸籍に移すこと。

そうせき-うん【層積雲】下層雲の一つ。灰色のむらのある低い雲。雨天の前後に多い。くもり雲。

*そう-せつ【創設】《名・他サ》〔ある機関・施設を〕新たにつくり設けること。「研究所を―する」類語創立。設立。開設。創建。

*そう-せつ【総説】《名・他サ》〔論文や演説の〕全体の要旨を〔概観的に〕まとめて説くこと。また、それを著述の冒頭などに書きしるした部分。総論。対各説。

*そう-せつ【霜雪】〔文〕❶霜(しも)と、雪(ゆき)。❷髪・ひげなどの白いこと。「頭(かしら)に―をおく」

そう-ぜつ【壮絶】《名・形動》他に類がないほど非常に勇ましく意気盛んなこと。この上なく勇壮なこと。「―な戦い」類語壮烈。凄絶(せいぜつ)。

ぞう-せつ【増設】《名・他サ》施設・設備などを、さらに新たにふやし設けること。「電話を―する」

*そう-ぜん【×蒼然】《形動タルト》〔文〕❶色が(黒ずんで)青々としているようす。「顔色―」❷夕暮れになってあたり一面暗いようす。「―とした暮色につつまれる」❸すっかり古びて色あせて見えるようす。「古色―」

*そう-ぜん【騒然】《形動タルト》さわがしいようす。さわがしくて不穏なようす。「物情―」

ぞう-せん【造船】《名・自サ》船を設計して造ること。

そう-せんきょ【総選挙】❶委員・議員などの全員を一時に選ぶ選挙。❷〔政〕衆議院議員を選ぶ選挙。

そう-そ【×曾祖】祖父母の父。曾祖父。

*そう-そう【×滄桑】「滄海桑田(そうかいそうでん)」の略。「―の変」

*そう-そう【草創】〔文〕ある物事や事業の起こりはじめ。草わけ。始まり。「―期」類語創業。創始。

*そう-そう【葬送・送葬】死者をほうむり、あの世に旅立つのを見送ること。のべの送り。「―行進曲」

*そう-そう【早早】一《副》《多く「―に」の形で》〔ある動作を〕いそいでするようす。はやばや。さっさと。「―に食事を済ます」類語そこそこ。二《名》《多く他の語の下につけて用い》新しい状態になってまだ間のないこと。…して(…になって)すぐ。「新年―の惨事」

*そう-そう【▽然う▽然う】(さうさう)一《副》《下に打ち消しの語を伴う》そんなに長く。そんなに何度も。それほど。「―遊んでもいられない」二《感》❶忘れていたことを思いだしたときに発する語。「―、伝言があった」❷相手の言うことに同感の意を表す語。そうだそうだ。

*そう-そう【層層】《形動タルト》〔文〕いくえにも(高く)重なり合っているようす。「―たる高層ビル群」

*そう-そう【草草・×匆×匆】一《形動》❶簡略なようす。手みじかなようす。「―に説明をおえる」❷〔応対・もてなしなどを〕急なために十分ていねいにできないようす。「多くけんそんして使う」「お―さまでした」❸いそがしいようす。あわただしいようす。二《感》〔文〕〔いそいでしるしたの意で〕手紙文の末尾につけるあいさつのことば。「右、御礼まで。―」

*そう-そう【×蒼×蒼】《形動タルト》〔文〕❶〔辺り一帯が〕青々としているようす。❷草木がしげっているようす。

*そう-そう【×蹌×蹌】《形動タルト》〔文〕ふらふらと動くようす。よろめくようす。蹌踉(そうろう)。「―として歩む」

*そう-そう【×錚×錚】《形動タルト》〔文〕❶きたえた鉄などの音がよくひびくようす。転じて、琴・琵琶(びわ)などの弦の音がさえてひびくようす。また、その音の形容。❷多くの人の中でも、名が広く知られ、人物がすぐれているようす。「―たるメンバー」類語お歴々。

*そう-ぞう【創造】《名・他サ》❶自分の力で今までにない独自なものを造りだすこと。「―力」類語創製。創作。創始。❷神が宇宙の万物を造りだすこと。

*そう-ぞう【想像】《名・他サ》❶実際に経験していないことを、おしはかって心にうかべること。「―をたくましくする」類語揣摩(しま)。❷〔心〕すでに知っている事実・観念をもとにして、新しい事実・観念を作ること。また、その心の働き。類語推理。

*そう-ぞう【送像】《名・自他サ》〔テレビなどで〕画像を電波で送ること。対受像。

そうぞう-し・い【騒騒しい】《形》❶いろいろの音や声がして、やかましい。うるさい。さわがしい。❷事件が起こって世の中が落ち着かない。「世間が―・い」

*そう-そく【相即】《名・自サ》万物はその本体において融合し一体であるということ。また、一般に、二つのものがとけあって、一体となること。「―不離」

*そう-そく【総則】ある規則全体の根本となる規則。全体に適用する規則。類語通則。参考→細則。

*そう-ぞく【僧俗】〔文〕僧侶(そうりょ)と俗人。

*そう-ぞく【宗族】〔文〕本家と分家が一体となったもの。親族。一族。一門。

*そう-ぞく【相続】《名・他サ》❶うけつぐこと。❷〔法〕死亡した人の財産上の権利義務の一切をうけつぐこと。「―人」

そう-そつ【×匆卒・×怱卒・草卒・倉卒】《名・形動》〔文〕あわただしく落ち着かないこと。急なこと。「優劣は―に断言できない」「―の間(かん)」

そう-そふ【×曾祖父】祖父母の父。曾祖。ひいおじいさん。対曾祖母。

そう-そぼ【×曾祖母】祖父母の母。ひいおばあさん。対曾祖父。

そう-そん【×曾孫】〔文〕孫の子。ひまご。ひいまご。ひこ。

*そう-だ【操×舵】《名・自サ》〔文〕船をすすめるためにかじをあやつること。「―手」

そう-だ(さう―)《助動:形動型》❶外見から判断して、そのような様子や状態が十分に認められる意(=様態)を表す。いかにも…らしく見える。「よく切れそうなナイフ」❷現実の可能性が大きいという気持ちを表す。まさに…しようとしているように見える。…しかけているように見える。「泣き出しそうな顔」❸過去の経験やその場の状況などから導いた、主観的な判断を表す。「熱があるから休んだ方がよさ**そうだ**」 接続 (ア)動詞、助動詞「(さ)せる」「(ら)れる」の連用形につく。また、形容詞、形容動詞、助動詞「たい」「ない」の語幹につく。形容詞「ない」「よい」の場合は、「なさそうだ」「よさそうだ」のように、語幹と「そうだ」の間に「さ」が入る。(イ)丁寧語は「そうです」。

＊**そう-だ** 《助動：形動型》伝聞を表す。…ということだ。…という話だ。「北海道はもう雪だ**そうだ**」 接続 用言・助動詞「(さ)せる」「しめる」「(ら)れる」「ない」「たい」「たがる」「た」「だ」の終止形につく。参考 (ア)古くは終止形に「そうな」があった。古風な言い方として現在でも使う。「昔、この沼のほとりに美しい娘が住んでおったそうな」(イ)丁寧語は「そうです」。

＊**そう-たい**【僧体】〔頭をまるめた〕僧の姿。僧形(そうぎょう)。法体(ほったい)。対 俗体。

＊**そう-たい**【早退】《名・自サ》職場や学校などをきめられた時刻よりも早く退出すること。早びけ。早びき。

＊**そう-たい**【相対】❶むきあっていること。あい対していること。❷相互に関係しあっていて、たがいに相手方を切りはなしては成り立たないこと。「—評価」対 絶対。**—せい-げんり**【—性原理】❶種々の物理現象は特定の観測者に対して優先的である根拠はなく、個々の観測者の立場に相対的であるという原理。❷相対性理論。**—せい-りろん**【—性理論】アインシュタインがはじめて唱えた物理学上の基本理論。相対性原理を前提とする理論で、特殊相対性理論と一般相対性理論に大別される。相対論。**—てき**【—的】《形動》物事が自立的にでなく、常に他のあるものと関係し、他のあるものとの比較において規定されるようす。「価格は—に決まる」対 絶対的。

＊**そう-たい**【総体】一《名》〔ある物事の〕全体。「文化の—」二《副》(「—に」の形も)だいたいにおいて。総じて。一体に。全般的に。「—彼には向かない仕事だ」

＊**そう-たい**【草体】草書の字体。草書体。

＊**そう-だい**【総代】ある事の関係者やなかまの全員を代表する人。「卒業生—」

＊**そう-だい**【壮大】《形動》規模が大きく(さかんで)りっぱなようす。雄大。「—な計画」類語 遠大。

ぞう-だい【増大】《名・自他サ》〔数量や程度が〕ふえて大きくなること。また、ふやして大きくすること。「不安が—する」対 減少。

そう-だか【総高】すべてを合計した数。総計。〔多く金額の場合にいう〕「売上—」類語 総額。

そうだ-がつお【×惣太×鰹・宗太×鰹】(—がつを)サバ科の魚。カツオに似るが少し小さく、背部に虎斑(とらふ)の模様がある。なまりぶしにして食べる。

そう-だち【総立ち】〔興奮したり興味をもったりして〕すわっている大ぜいの人がいっせいに立ちあがること。

そう-たつ【送達】《名・他サ》❶〔文〕送りとどけること。❷〔法〕裁判所から訴訟上の書類を当事者や訴訟関係者に送ること。

そう-だつ【争奪】《名・他サ》〔少ないものを〕争ってうばいとること。「優勝杯—戦」

そう-たん【操短】「操業短縮」の略。過剰生産の対策として、作業時間や作業日数をへらしたり、機械を止めたりして生産量をへらすこと。「—勧告」

＊**そう-だん**【相談】《名・他サ》〔問題を解決するために〕他の人の意見をきいたり、自分の意見をのべて話し合ったりすること。「身の上—」**—やく**【—役】❶相談にのって助言などをする役。また、その人。❷会社などで、重要な問題についての助言やもめごとの調停などをするために設ける役。また、その人。

＊**そう-だん**【装弾】《名・自サ》銃砲に弾丸をこめること。類語 装塡(そうてん)。

＊**ぞう-たん**【増反・増▽段】《名・自他サ》作付面積をふやすこと。対 減反。

＊**ぞう-たん**【増炭】《名・自他サ》石炭の産出量をふやすこと。対 減炭。

＊**そう-ち**【装置】《名・他サ》〔ある目的のために〕機械・道具などをその場所にそなえつけること。また、その機械・道具。「安全—」

＊**そう-ち**【送致】《名・他サ》❶〔文〕送りとどけること。❷〔法〕一件書類・物件・被告人などをある場所から他の場所に送ること。

ぞう-ちく【増築】《名・他サ》今ある建物に新しくつけたして建築すること。建て増し。「社屋を—する」

＊**そう-ちゃく**【早着】《名・自サ》〔列車などが〕定刻より早く到着すること。対 延着。

＊**そう-ちゃく**【装着】《名・他サ》身につけること。また、器具などをとりつけること。「防弾チョッキを—する」

＊**そう-ちょう**【×宋朝】❶中国の宋の朝廷。また、その時代。❷「宋朝体」の略。**—たい**【—体】活字の書体の一つ。楷書(かいしょ)体で、肉が細く、たて長。宋朝活字。宋朝。参考 中国で宋の時代にできた。

＊**そう-ちょう**【早朝】朝早いころ。「—に出発する」類語 早暁(そうぎょう)。払暁(ふつぎょう)。明け方。

＊**そう-ちょう**【曹長】旧陸軍の階級の一つ。軍曹の上、准尉の下。下士官の最上級。

＊**そう-ちょう**【総長】❶〔官庁・機関などの〕全体を管理する長官。「検事—」❷総合大学の長。参考 一部の総合大学の「学長」の通称。

＊**そう-ちょう**【荘重】《形動》おごそかでおもおもしく力強い感じを与えるようす。「—な儀式」

ぞう-ちょう【増長】《名・自サ》❶〔よくない傾向が〕だんだんひどくなること。「わがままが—する」❷調子にのって高慢になること。「ちやほやされて—する」

そう-で【総出】全部の人が、そろってでること。また、でかけること。「町じゅう—で歓迎する」

＊**そう-てい**【壮丁】❶〔文〕成年に達した、一人前の男子。類語 壮士。壮者。❷もと、徴兵検査を受ける適齢者。また、徴兵の義務を負って兵役にあたる青年。

＊**そう-てい**【想定】《名・他サ》〔場面・状況・条件などを〕これこれこうだと仮に考えてみること。「万一の場合を—する」類語 仮定。

＊**そう-てい**【×漕艇】〔文〕〔特に競技用の〕ボートをこぐこと。

＊**そう-てい**【装丁・装×釘・装×幀】《名・他サ》❶本をとじて表装すること。装本。❷書物を作る上で、その形式面全般にわたって意匠をほどこす・こと(技術)。また、その意匠。特に、表紙・カバー・外箱・扉などの意匠をいうことがある。表記「装丁」は代用字。

＊**そう-てい**【送呈】《名・他サ》物を人に送って、さしあげること。「詩集を—する」類語 進呈。贈呈。献呈。

＊**ぞう-てい**【増訂】《名・他サ》〔すでに出版した書物の〕内容を増補し訂正すること。類語 改訂。

＊**ぞう-てい**【贈呈】《名・他サ》人に物をさしあげること。贈り物をすること。「花束を—する」類語 進呈。送呈。

献呈。進上。呈上。

*そう-てん【操典】旧陸軍で、教練のやり方や戦闘の原則・法則を規定した教則の書物。「歩兵―」

*そう-てん【争点】〔議論・訴訟などの〕争いの中心になっている点。争いの主要な原因。

*そう-てん【総点】全部の得点数。得点の合計。

*そう-てん【装×塡】《名・他サ》〔鉄砲に弾丸を、また、カメラにフィルムを〕つめこんで装置すること。

*そう-でん【桑田】〔文〕桑畑(くわばたけ)。

―変じて滄海(そうかい)と成る《句》〔桑畑であった所が海に変わる意から〕世の中の移り変わりがはげしいことのたとえ。「滄海桑田」に同じ。滄桑。

*そう-でん【相伝】《名・他サ》〔文〕〔ある物事を〕何代にもわたってつぎつぎとうけ伝えること。「一子―」

*そう-でん【送電】《名・自他サ》電力を発電所や変電所から電線で需要地に送ること。「―線」対受電。

*そう-と【僧徒】僧の仲間。

*そう-と【壮図】勇ましく、規模の大きな計画。壮大な計画。「宇宙旅行の―を抱く」類語雄図。壮挙。

*そう-と【壮途】〔成果が期待される〕勇ましい出発。「―に就く」

*そう-とう【双頭】❶〔一つのからだに〕二つ並んでついている頭。「―の鷲(わし)」類語両頭。❷二人の支配者。

*そう-とう【想到】《名・自サ》〔文〕〔あれこれ考えた結果〕考えがその点に及ぶこと。「原因に―する」

*そう-とう【掃討・掃×蕩】《名・他サ》〔残っている〕敵・賊などをすっかりうちはらうこと。「ゲリラを―する」

*そう-とう【争闘】《名・自サ》〔文〕あらそいたたかうこと。闘争。「権力―の場」

*そう-とう【相当】━《名・自サ》❶〔地位・働きなどが〕それにあてはまること。等しいこと。「大将に―する地位」類語該当。妥当。❷〔程度や力が〕それにふさわしいこと。つりあっていること。匹敵。相応。「それ―の報酬」━《副・形動》物事の程度が甚だしいようす。「―に厳しい」類語かなり。大分(だいぶ)。

類義語の使い分け　相当・かなり

[相当・かなり]　相手チームは相当(かなり)強そうだ／場内は相当(かなり)の混雑／相当(かなり)の利益

[相当]　五人分に相当する量／一万円相当の品

[かなり]　この地に移り住んでからかなりになる

*そう-とう【総統】ある国家・政党などをまとめてひきいること(役職)。特に、もとナチスドイツや中華民国国民政府の最高の官職。「ヒトラー―」

*そう-どう【僧堂】禅宗で、僧が座禅をしたり食事をしたりする堂。禅堂。雲堂。

*そう-どう【相同】生物の器官で、その形態や機能が似ていなくても発生の起源が同じであること。参考→相似②。

*そう-どう【草堂】〔文〕❶草ぶきの家。草庵。❷自分の家のけんそんした言い方。

*そう-どう【騒動】❶〔事件などがおこり〕大勢が騒ぎたて、秩序が乱れること。大騒ぎ。「金が紛失して―になる」類語騒擾(そうじょう)。擾乱。❷争い。もめごと。

ぞう-とう【贈答】《名・他サ》人に詩歌・手紙・贈り物をおくったり、お返しをしたりすること。「―品」

そう-どういん【総動員】《名・他サ》全員をかり集めて事にあたらせること。「従業員を―して清掃する」

そうとう-しゅう【曹▽洞宗】禅宗の一派。鎌倉時代に道元禅師が、中国の宋(そう)から日本に伝えた。本山は福井県の永平寺と神奈川県の総持寺(そうじじ)。

そう-とく【総督】❶〔多くの人を〕すべ、ひきいること。また、その役目(の人)。❷もと、植民地の政務をつかさどったこと。また、その長官。「インド―」

ぞう-とく【蔵匿】《名・他サ》〔文〕人に知られないように隠すこと。隠匿。「犯人を―する」

そう-トン【総トン】船の大きさを船舶内部の総容積で表し、容積一〇〇立方フィートを一トンとして計算するもの。〔客船・コンテナ船やふつうの貨物船などの大きさを表すときに使う〕参考→排水トン。

そう-な《助動》《伝聞の助動詞「そうだ」の古い形》→そうだ。

そう-なめ【総×嘗め】❶あるものの勢いが全体をおおいつくすこと。「火の手は町を―にした」❷〔競技などで〕対抗する相手をみんな負かすこと。

そう-なん【遭難】《名・自サ》〔登山・航行中に〕命にかかわるような災難にであうこと。事故にであうこと。

そう-に【僧尼】僧と尼(あま)。

ぞう-に【雑煮】新年を祝う日本料理の一つ。青菜・ダイコン・サトイモなどの野菜や、鳥肉・かまぼこなどを入れたすまし汁(または、みそ汁)の中にもちを入れたもの。

そう-にゅう【挿入】《名・他サ》物の中や間にさし入れること。さしこむこと。はさみこみ。「―句」

*そう-ねん【壮年】元気盛んで働き盛りの年ごろ(の人)。三〇代から五〇代前半ぐらいまで。盛年(せいねん)。壮齢。類語中年。

*そう-ねん【想念】〔文〕心に浮かぶ考え。類語思念。

*そう-は【×搔×爬】《名・他サ》体内の組織の一部を器具でかきとること。特に、人工妊娠中絶のこと。

*そう-は【争覇】《名・自サ》〔文〕❶覇者(支配者)になろうとして争うこと。❷優勝を争うこと。「―戦」

*そう-は【走破】《名・自サ》予定した(困難な)コースを全部走りとおすこと。「全コースを―する」

そう-ば【相場】❶市場で取引される商品の価格。時価。市価。❷〔経〕株券などの現物のやりとりをせず、価格の変動による売買で生じた差額で利益を得る、投機的な取引。「―でもうける」❸〔俗〕世間一般の評価。一般に妥当とされる大体の見当。通念。「仕事はつらいものと―がきまっている」

そう-ばい【層倍】《助数》《数を表す漢語につけて》「…倍」を強めた言い方。「薬九(く)―」

ぞう-はい【増配】《名・他サ》株式の配当や物資の配給量をふやすこと。類語加配。対減配。

*そう-はく【×糟×粕】〔文〕❶酒のかす。❷良いところをとりさった、役にたたない物。不用物。「古人の―(=昔の聖人のことばやその著書)」

*そう-はく【×蒼白】《名・形動》顔色があお白いこと。血の気がなくあおざめていること。「顔面―となる」

*そう-はつ【双発】飛行機で、発動機が二つついていること。また、その飛行機。「―の旅客機」対単発。

*そう-はつ【早発】《名・自サ》❶〔列車などが〕定刻より早く出発すること。対延発。遅発。❷青年時代から発病すること。

*そう-はつ【総髪】男の髪型の一つ。髪の毛を全体にのばして後ろでたばねたもの。たばねずに後ろへたらしてなでつけたものもいう。そうがみ。

ぞう・はつ【増発】《名・他サ》運行回数をふやすこと。

そう・ばな【総花】〔妓楼・料亭などで、客が芸者・使用人など一同の者に与える祝儀から〕関係のある者全部にまんべんなく、利益や恩恵を与えること。参考 ふつう「—的」「—式」の形で、悪平等、不徹底などを非難するときに使われる。「—的予算」

そう・ばん【早晩】《副》おそかれ早かれ。いつか。「—わかることだろう」

ぞう・はん【造反】《名・自サ》反逆。謀反。参考 一九六六年の中国文化大革命以後に多用された。「—有理(=反逆を起こす側には必ず道理があること)」

***そう・び【壮美】**〔文〕❶りっぱで規模の大きな美しさ。❷崇高な感じを与える美しさ。

***そう・び【×薔×薇】**〔文〕バラのこと。しょうび。

***そう・び【装備】**《名・他サ》〔物事をするのに〕必要な備品をととのえ・そなえつける(身におびる)こと。また、そのもの。「完全—」

ぞうひ・びょう【象皮病】陰嚢・外陰部・手足などの皮膚がふくれて、象の皮膚のように変形する病気。おもにフィラリアが寄生するために起こる。

そう・ひょう【総評】《名・他サ》全体について批評すること。また、その批評。概評。「審査委員長の—」

***そう・びょう【宗×廟】**〔文〕❶祖先の霊をまつる所。みたまや。❷皇室の祖先の霊をまつる所。伊勢神宮。

***そう・びょう【×躁病】**躁鬱病の一つの型。躁状態だけを周期的にくりかえすもの。異常にほがらかで楽観的になる。躁狂。参考 ↓鬱病。

ぞう・ひょう【雑兵】身分の低い、取るに足りない兵士。歩卒。

ぞう・ひん【×贓品】〔文〕贓物。

ぞう・びん【増便】《名・自他サ》〔おもに、航空機・船などの〕定期便の回数をふやすこと。

***そう・ふ【総譜】**合唱や合奏などで、各音部の譜をひとまとめにした楽譜。指揮者が用いる。スコア。

***そう・ふ【送付・送附】**《名・他サ》品物や書類を送りとどけること。〔改まった言い方〕「領収書を—する」

ぞう・ふ【臓×腑】五臓六腑。はらわた。内臓。「—が煮えくりかえる(=非常に腹がたつ)」類語 臓物。

そう・ふう【送風】《名・自サ》〔人工的に〕風を起こして空気を送ること。「—機」「—管」

***そう・ふく【僧服】**僧が(正式の場で)着る衣服。僧衣・僧衣。

***そう・ふく【双幅】**二つで一対になる掛け軸。対幅。

ぞう・ふく【増幅】《名・他自サ》❶ラジオやテレビなどで、音声電流や映像電流の振幅を大きくすること。また、大きくなること。「—器(=アンプリファイア)」❷ある物事の範囲を広げ、大きくすること。また、大きくなること。「汚職が国民の怒りを—する」

ぞう・ぶつ【×贓物】〔文〕窃盗・詐欺などの犯罪行為によって手に入れた品物。贓品。類語 盗品。

ぞうぶつ・しゅ【造物主】天地の万物を造った神。造化の神。造物者。

そう・へい【僧兵】平安時代の末期から戦国時代にかけて、寺領や仏法を守る名目で戦闘に従事した僧。

***ぞう・へい【増兵】**《名・自他サ》兵員数をふやすこと。

***ぞう・へい【造兵】**兵器を造ること。「—廠」

***ぞう・へい【造幣】**貨幣を鋳造すること。「—局」

そう・へき【双×璧】〔「一対の宝玉」の意から〕優劣のつけにくい、すぐれた二つのもの、また、ふたりの人。「王朝文学の—をなす作品」注意「双壁」は誤り。

***そう・べつ【送別】**《名・他サ》別れてゆく人を送ること。「—の辞」「—会」

***そう・べつ【総別】**《副》〔文〕総じて。おおよそ。だいたい。「—、西洋人は女性を大切にする」

ぞう・ほ【増補】《名・他サ》書物の不十分なところをおぎない、内容をゆたかにすること。「改訂—版」

***そう・ほう【双方】**対立し関係している両方。あちらとこちら。「労使—の譲歩が望まれる」

***そう・ほう【相法】**人相・家相などをみて、その運命・吉凶などを判断する法。

***そう・ほう【奏法】**楽器をかなでる方法。演奏法。

***そう・ほう【走法】**陸上競技で、(早く走るための)走り方。「ピッチ—」「ストライド—」

***そう・ぼう【僧坊・僧房】**寺院内で僧とその家族が日常住む建物。参考 もとは戒律専門の道場。

***そう・ぼう【双×眸】**〔文〕両方のひとみ。両眼。

***そう・ぼう【×怱忙】**《名・形動》〔文〕いそがしくて落ち着くひまのないこと。あわただしいこと。「—の間」

***そう・ぼう【想望】**《名・他サ》〔文〕❶思いしたうこと。❷ある事の到来を心の中にえがいて待つこと。

***そう・ぼう【相×貌】**〔文〕❶顔かたち。顔つき。❷物事のようす。状況。「陰惨な—を呈する廃墟」

***そう・ぼう【×蒼×氓】**〔文〕人民。たみ。蒼生。あおひとぐさ。参考「氓」は民の意。

***そう・ぼう【×蒼×茫】**《形動タルト》〔文〕どこまでも青々と広がっているようす。「—たる海原」

ぞう・ほう【像法】釈迦の死後を正法・像法・末法の三つの時期に分けた一つ。正法の次の五百年あるいは一千年間をいい、教説と実践はまだ存するが信仰は形式的になるという。像法時。対 正法・末法。

***そう・ほん【草本】**❶茎がやわらかく木質でない植物。地上部が一年で枯れるもの。くさ。対 木本。❷〔文〕〔原稿などの〕下書き。草稿。

***そう・ほん【装本】**《名・他サ》装丁①。

***そう・ほん【送本】**《名・自サ》書物を送ること。

***ぞう・ほん【蔵本】**〔ある機関・個人などが〕所蔵している本。蔵書。

***ぞう・ほん【造本】**本にしたてること。用紙・材料の選択、印刷・製本・装丁などの企画・設計、およびその作業をさす。本づくり。

そう・ほんけ【総本家】分かれた多くの流派・分家などの、大もとになる家。大もとの本家。類語 宗家。

そう・ほんざん【総本山】❶一つの宗派に属する各本山をすべまとめる寺。「天台宗の—」❷物事の大もとにあたる所。全体をすべまとめる所。「医学界の—」

そう・まい【草×昧】〔文〕世の中が開けず、文化も人の知恵も発達していないこと。「—の世」類語 未開。

そう・まくり【総×捲り】《名・他サ》❶残らずまくること。❷一般に知られていないことを、かたはしからあばくこと。また、残らず批評・解説すること。「球界—」

そうま・とう【走馬灯】回転するにつれて、いろいろな影絵が次々に見える仕掛けのとうろう。まわりどうろう。参考「—のように」「—のごとく」の形で、次々と過去を思い起こすことの形容に用いる。

そう・み【総身】からだ全体。全身。総身。

***そう・む【双務】**〔法〕契約した当事者双方がたがいに義務を負うこと。「—契約」対 片務。

***そう‐む【総務】**〔会社・団体などで〕全体の運営に関する事務を処理する・こと(人)。「―部庶務課」**―しょう【―省】**旧総務庁・自治省・郵政省の業務を統轄して行う。国の行政機関の一つ。

ぞう‐むし【象虫】ゾウムシ科の昆虫の総称。体長二センチ内外の甲虫で、頭部の先端がゾウの鼻のように長くつき出し、端に大あごがある。種類が多く、害虫。

***そう‐めい【×滄×溟】**〔文〕青海原。大海。大洋。

***そう‐めい【×聡明】**《名・形動》頭がよく、物事の理解が早いこと。かしこいこと。〔類語〕賢明。英明。聡悟。利口。⇩〔類義語の使い分け「利口」〕

そうめい‐きょく【奏鳴曲】器楽曲の形式の一つ。ふつう三ないし四楽章から成る。第一楽章は速いソナタ形式をとる。ソナタ。古典ソナタ。「ピアノ―」

そう‐めつ【掃滅・×剿滅】《名・他サ》〔文〕すっかりほろぼすこと。〔表記〕「掃滅」は代用字。〔類語〕殲滅。

そう‐めん【▽素×麺・▽索×麺】めん類の一つ。小麦粉を塩水でこね、植物油を引いて糸のように細く長くのばして切り、かわかした食品。ゆでて食べる。

そう‐もう【草×莽・草×莾】〔文〕❶草のおいしげっている所。草むら。草原。❷民間。在野。「―の臣(=在野の人)」

そう‐もく【草木】草や木。植物。「山川―」

ぞう‐もつ【臓物】内臓。はらわた。特に、食用にする、魚・鳥・牛・豚などのはらわた。もつ。〔類語〕臓腑。

***そう‐もよう【総模様】**女性の和服で、表面全体に模様があること(もの)。「―の訪問着」〔対〕裾模様。

***そう‐もん【僧門】**〔文〕僧の社会。仏道。仏門。

***そう‐もん【奏聞】**《名・他サ》〔文〕天皇に申し上げること。〔類語〕奏上。

***そう‐もん【桑門】**〔文〕出家して道をおさめる人。僧侶。沙門。

***そう‐もん【相聞】**万葉集の三大部立ての一つ。男女・親子・兄弟・友人の間で相思の情を述べた贈答歌。「―歌」〔参考〕古今和歌集以後の恋歌にあたる。

***そう‐もん【総門・×惣門】**❶やしきのいちばん外側にある大きな正門。❷禅宗の寺で、正門。

そう‐やく【装薬】《名・自サ》弾丸を発射するため、銃砲の薬室に火薬をつめること。また、その火薬。

そう‐ゆう【×曾遊】〔文〕以前におとずれたことがあること。かつて来たことがあること。「―の地」

ぞう‐よ【贈与】《名・他サ》❶物品を人におくり与えること。「―を受ける」❷〔法〕自分の財産を無償で相手に与える意思を表し、相手が受諾すること。また、その契約。「―税」

そう‐よう【×搔×痒】〔文〕かゆい所をかくこと。「隔靴―の感(=はがゆい感じ)」

***そう‐らん【奏覧】**《名・他サ》〔文〕天皇にお目にかけること。

***そう‐らん【争乱】**争いが起こって世の中が乱れること。争いによる乱れ。「戦国―の世」

***そう‐らん【総×攬】**《名・他サ》〔文〕一手ににぎりおさめること。全部をまとめおさめること。「権力を―する」

***そう‐らん【総覧・×綜覧】**❶《名・他サ》全体に目を通すこと。余す所なく全体を見ること。❷ある分野に関係のある事柄を一つにまとめた本。「国史―」

***そう‐らん【騒乱】**事件が起こって、世の中がさわがしくなり治安が乱れること。「各地で―が起こる」〔参考〕「騒擾」の言いかえ語として用いる。

そう‐り【総理】❶《名・他サ》〔文〕全体に関する重要な事務をとりまとめて管理する・こと(人)。「国務を―する」❷「内閣総理大臣」の略。総理大臣。首相。

ぞう‐り【〈草履〉】和装のときに着用する、足の裏を保護する履物。はなおをつけ、底は平ら。〔類語〕わらじ。
―とり【―取(り)】室町時代以後、武家で、主人の履物を持って供をした下男。ぞうりもち。

そう‐りつ【創立】《名・他サ》〔学校・会社などの組織や機関を〕初めて作り設けること。「大学の―記念日」〔類語〕創設。創建。

そう‐りょ【僧×侶】出家して仏門に入り仏道を修行する人(の集団)。沙門。桑門。僧。

***そう‐りょう【×爽涼】**《名・形動》〔文〕〔気候が〕さわやかですずしいこと。「―の気」〔類語〕清涼。

***そう‐りょう【総量】**全体の分量または重量。総分量または総重量。「―規制」

***そう‐りょう【総領・×惣領】**❶家名をつぐ者。あとつぎ。あととり。❷一番はじめの子。特に、長男。**―の甚六**《句》長子は大事にされすぎて、次子以下に比べおっとりしていて世間知らずが多いということ。

***そう‐りょう【送料】**金銭や物品を送りとどけるのに必要な料金。送り賃。「―がかかる」〔類語〕運賃。

ぞう‐りょう【増量】《名・自他サ》分量・重量がふえること。分量・重量をふやすこと。また、ふやした分量・重量。「有効成分を―する」〔対〕減量。

そう‐りょうじ【総領事】領事の中で、最上位の階級(の領事)。

そう‐りょく【総力】〔ある集団・団体などの持っている〕すべての力。あらゆる方面の力。「―戦」

***そう‐りん【僧林】**〔文〕大きな寺。叢林。

***そう‐りん【×叢林】**❶〔文〕木がむらがりはえている林。〔類語〕樹林。❷大きな寺院。僧林。特に、禅僧が集まって修行する禅寺。禅林。

***そう‐りん【相輪】**五重塔などの屋根の先端にある、金属で作ったかざり。露盤・九輪・水煙・宝珠などからなる。〔参考〕「九輪」ともいう。

ぞう‐りん【造林】《名・自サ》木を植え育てて、森林を造ること。「―事業」〔類語〕植林。

ソウル ❶たましい。霊魂。心。精神。❷「ソウルミュージック」の略。▽soul **―ミュージック** リズムアンドブルースとゴスペルソング(=黒人霊歌の一種)が影響しあってできた音楽。ソウル。▽soul music

***そう‐るい【藻類】**水中や湿地に生じる下等な植物の一群の総称。クロロフィルを含み、胞子でふえる。食用・医薬・肥料などに利用。藻。

***そう‐るい【走塁】**《名・自サ》野球で、走者が次の塁へ走ること。ベースランニング。〔類語〕盗塁。

***そう‐れい【壮麗】**《名・形動》規模が大きくて、美しいこと。「―な宮殿」

***そう‐れい【壮齢】**〔文〕働きざかりの年ごろ。壮年。

***そう‐れい【葬礼】**葬式。葬儀。〔改まった言い方〕

***そう‐れつ【壮烈】**《名・形動》勇ましくはげしいこと。「―な最期をとげる」〔類語〕壮絶。勇壮。凄絶。

***そう‐れつ【葬列】**葬式の行列。「―につらなる」

***そう‐ろ【草×廬】**〔文〕❶草ぶきのいおり。草庵。❷自分の住まいをけんそんしていう語。

***そう‐ろ【走路】**❶陸上競技で、競技者が走る、きまった道。競走路。コース。「―を妨害する」❷〔文〕

そ

逃走する道。逃げ道。「—を断つ」

*そう-ろう【早漏】性交のとき、精液を異常に早くもらすこと。対遅漏。

*そう-ろう【早老】年のわりに早くふけこむこと。

*そうろ・う【候(う)】(さうらふ) 一《自四》〔古〕❶「ある」の丁寧語。あります。おります。❷「居る」の丁寧・謙譲語。おります。二《補動》〔「に」「にて」「で」や形容詞連用形を受けて〕補助動詞「ある」の丁寧語。…であります。…です。「誠に困惑の極にて—・う」三《助動》〔動詞の連用形につく〕丁重・丁寧の意を表す。「…と存じ候ふ」

*そう-ろう【×蹌×踉】《形動タト・タル》〔文〕足どりがたしかでなく、よろめくようす。「—としてさまよう」

そうろう-ぶん【候文】(さうらふー) 文語文の書簡文体の一種。文末に「候(さうらふ)」という語を使った文章で、口語文における丁寧体の文に相当する。

*そう-ろん【争論】《名・他サ》言い争うこと。また、議論をたたかわすこと。「学者の間で—がたえない」

*そう-ろん【総論】全体のあらましをのべた論。また、それを論文などの冒頭にしるした文。総説。「民法—」類語総記。概論。対各論。

*そう-わ【挿話】文章や談話の途中にはさむ、本筋とは直接関係のない短い話。エピソード。類語逸話。

*そう-わ【総和】数量全部の合計。類語総計。

*そう-わ【送話】《名・自サ》電話などで話し声を先方へ送ること。「—器」対受話。

ぞう-わい【贈賄】《名・自他サ》賄賂(わいろ)を贈ること。「—罪」対収賄。

そう-わん【双腕】両腕。対隻腕。

そえ【添え・▽副え】(そへ) ❶そえる・こと(もの)。❷つき従わせる・こと(もの)。たすけ。補佐。❸生け花で、おもな枝にそえていける枝。❹めしの、おかず。

そえ-がき【添(え)書(き)】(そへー)《名・他サ》❶文章・書画などに、その由来・証明などをそえて書くこと。また、その文章。❷追って書き。同①②添え筆。

そえ-ぎ【添(え)木・▽副(え)木】(そへー) ❶草木などが倒れないように、木の棒などをそえてささえとすること。また、それに用いる木や竹。❷骨折などの治療で、患部を固定するために当てる木。副木(ふくぼく)。

そえ-じょう【添(え)状】(そへジヤウ) 使いをやったり品物を送ったりするとき、それにそえて先方にやる手紙。そえ手紙。添書(てんしょ)。添簡(てんかん)。

そえ-ぢ【添(え)乳】(そへー)《名・自サ》赤ん坊のそばに寝て、自分の乳をのませること。

そえ-もの【添(え)物】(そへー) ❶主となる物を引き立てるためにつけ加えたもの。❷景品。おまけ。

そ・える【添える・▽副える】(そへる)《他下一》❶そばにつけて置く。「お茶に和菓子を—・える」❷補助として加える。「案内状に地図を—・えて送る」❸つけ加える。「虫の音が興を—・えた」文そ・ふ《下二》。

そ-えん【疎遠】《名・形動》音信・行き来がとだえ、親しみがうすれること。「平素の—をわびる」対親密。

ソーサー 紅茶茶わんなどの受け皿。▽saucer

ソーシャル《造語》「社会の」「社会的」「社交的」の意。ソシアル。▽social —ダンス 社交ダンス。ソシアルダンス。▽social dance —ワーカー 貧困者・非行者などの援助・対策・調査などを専門的に行う人。▽social worker

*ソース 西洋料理で、料理をするときに加えたり食べ物にかけたりして使う、液体調味料。▽sauce

*ソース 出どころ。みなもと。「ニュース—」▽source

ソーセージ 味つけした豚・牛・羊などのひき肉を、それらの腸膜に詰めた食品。水煮にしたもの、薫製にしたものなどがある。腸詰め。▽sausage

ソーダ ❶炭酸ソーダ。ナトリウムの炭酸塩で白色の結晶。水にとけてアルカリ性を示す。ガラス・石けん・陶器などの原料。❷「ソーダ水」の略。表記①②とも「曹達」と当てた。▽soda —すい【—水】清涼飲料の一種。水に無機塩類と炭酸ガスを入れたもの。甘味料・香料などを加えたものもある。炭酸水。

ソート《名・他サ》データを分類すること。データを基準となる項目に従って並べかえること。▽sort(=種類)

ソーホー パソコンやインターネットなどを活用して自宅などで事業や仕事をすること。▽SOHO(small office, home office の略)

ソーラー《造語》「太陽の」「太陽熱を利用した」の意。▽solar —カー 太陽エネルギーを電気に変換して動力源とする自動車。▽solar car —システム 太陽熱を利用するための設備。▽solar system —パネル 太陽電池板。太陽熱集熱板。▽solar panel

ゾーン 区域。地域。地帯。範囲。「セーフティー—」「ストライク—」▽zone

そ-か【粗菓】そまつな菓子。〔贈り物にしたり客にすすめたりするときの、へりくだった言い方〕「—ですが」

*そ-かい【疎開】《名・自他サ》敵の襲撃や火災などによる被害を少なくするため、都市などに集中している人や物や建物を分散すること。また、空襲などに備えて都市の住民が地方へ移り住むこと。「学童—」

*そ-かい【租界】第二次世界大戦終了まで、中国の開港都市に設けられていた、外国人の居留地。参考警察権・行政権は租借した国がもっていた。

*そ-かい【素懐】〔文〕ふだんからもっている願い。素志。素願。特に、出家または極楽往生しようとする願い。「—を遂げる」類語宿望。宿願。

*そ-がい【疎外】《名・他サ》〔仲間から〕のけものにすること。よそよそしくして、近づけないこと。「—感」

*そ-がい【阻害・阻×碍】《名・他サ》じゃますること。さまたげること。「文明の発達を—する」

*そ-かく【疎隔】《名・自他サ》つきあいなどが、うとくなってへだたりができること。また、敬遠してへだてること。「実社会から—された別の世界」

*そ-かく【組閣】《名・自サ》内閣を組織すること。

*そ-かく【阻隔】《名・他サ》〔文〕じゃまをして間をへだてること。「二国間の友好を—する関税」

ぞ-かし《連語》文語《終助詞「ぞ」+終助詞「かし」》↓かし(終助)。

そ-がん【訴願】《名・他サ》❶うったえ願うこと。❷〔法〕違法・不当な行政処分の取り消し・変更を行政官庁にうったえでること。

そぎ-おと・す【▽殺ぎ落とす・▽削ぎ落とす】《他五》薄く削り落とす。「骨についた肉を—・す」

そ-きゃく【阻却】《名・他サ》〔文〕しりぞけること。「違法性を—する(=違法でないと認める)」

*そ-きゅう【×遡及・×溯及】《名・自サ》〔文〕過去にさかのぼって影響や効力をおよぼすこと。「四月まで—して支給する」参考「さっきゅう」は慣用読み。

*そ-きゅう【訴求】《名・他サ》宣伝や広告などで買手の

欲求に働きかけること。「消費者に—する」

そ・ぎょう【祖業】〔文〕祖先が起こした事業。また、祖先伝来の事業。

*そく【則】《助数》項目や箇条を数える語。「心得十—」

*そく【束】《助数》❶たばにした物を数える語。たば。「まき一—」❷稲十把・紙十帖を単位にして数える語。❸矢の長さをはかるときの単位。一にぎり(＝親指以外の四本の指の幅)の長さを一束とする。「十三—三伏の矢」❹百を単位にした語。

*そく【足】《助数》一対の履物を数える語。「靴二—」

*そく【息】〔文〕❶むすこ。子息。❷利息。

*そく【即】《接続》〔文〕前にあげたものと後にあげたものが同じであることを表す。すなわち。とりもなおさず。「色—是空」

そ・ぐ【▽殺ぐ・▽削ぐ】《他五》❶けずりとる。けずり落とす。❷〔物の先をとがらせるように〕刃物などで斜めにうすく切り落とす。「竹を—ぐ」❸なくすようにする。弱くする。「興を—ぐ」文《四》。

*ぞく【属】《接尾》❶旧制度で、判任官の文官。「文部—」❷生物分類上の単位。科の下で、種の上。

*ぞく【族】《接尾》❶同じ祖先から分かれたもの。同じ血統をもつもの。「アイヌ—」❷〔俗〕同じ種類の行動をする仲間。「社用—」「深夜—」「マイカー—」

*ぞく【俗】■一《名》❶世間(一般)。また、世間一般のならわし。「—に従う」❷〔僧に対して〕出家していない人。俗人。■二《形動》❶世間一般にふつうに行われているようす。「—に言う」❷低級でいやしいようす。また、利害損得にあくせくしているようす。「—な人」対雅。

*ぞく【賊】❶人の物をとる人。どろぼう。ぬす人。「—が押し入る」❷時の支配者(特に国家・政府)にそむく者。謀反人。反逆者。「西南戦争に敗れて—となる」

*ぞく【×粟】❶外皮を取り除いていない米。もみごめ。❷粟。また、粟粒に似たもの。

*ぞく【続】■一《名》「続編」の略。対正。■二《接頭》「続編」の意。続。「—赤穂浪士」

ぞく・あく【俗悪】《名・形動》低級で下品なこと。

そく・あつ【側圧】〔理〕流体が容器や物体の側面に及ぼす圧力。

*そく・い【即位】《名・自サ》❶天皇(君主)の位につくこと。「—式」対退位。❷践祚の後、即位の礼を行うこと。

そく・い【▽続▽飯】ひ《「そくいい」の転》飯粒を練りつぶして作った、ねばりけの強いのり。

そく・いん【×惻隠】〔文〕かわいそうだと思い同情すること。あわれみいたむこと。「—の情」類語 憐憫。

そぐ・う《自五》ふさわしい。似合う。つり合う。調和する。〔ふつう、打ち消しの形で使う〕「葬儀の場に—わない服装」文《四》。

ぞく・うけ【俗受け】《名・自サ》大衆の気に入ること。世間の人々の評判を得ること。「—する作品」

そく・えい【即詠】《名・他サ》〔文〕〔題を出されて〕その場で詩歌をよむこと。また、その詩歌。即吟。

ぞく・えい【続映】《名・他サ》その映画が好評のため、予定期間を延長して上映を続けること。類語 続演。

そく・えん【測鉛】水中に入れて深さを測る道具。綱の先端に鉛のおもりをつけたもの。

*ぞく・えん【俗縁】❶俗人としてのつながり。世の中の人と人とのかかわりあい。「—を絶つ」❷僧や尼が出家する前の親類・縁者。

*ぞく・えん【続演】《名・他サ》演劇の興行でその出し物が好評のため、予定した期間を延長して上演を続けること。「一か月の—」類語 再演。続映。ロングラン。

そく・おう【即応】《名・自サ》❶ある目的にそのままぴったりかなうこと。「戦況に—した作戦」類語 適応。❷情勢の変化にその場ですぐに応じてそのままついてゆくこと。「時代の流れに—する」

そく・おん【促音】日本語の発音で、一音節分、声帯をとめて発する音。「言った」「コップ」などの「つ」「ツ」を小さく書き表す部分の音。つまる音。つめる音。

そく・おんびん【促音便】音便の一つ。単語の語中・語尾の「ち」「ひ」「り」の母音が脱落して促音になるもの。「立ちて」→「立って」、「売りた」→「売った」などがあり、また、「追いつく」→「追っつく」、「取りくむ」→「取っくむ」などがある。

そく・が【側×臥】《名・自サ》〔文〕❶だれかの横に寝ること。❷脇を下にして、横に寝ること。横臥。

ぞく・が【俗画】大衆受けのする絵。ありふれた絵。俗っぽい絵。通俗画。

*ぞく・がく【俗学】世間に広く行われているが、理論的な裏づけのない浅薄な学問。世俗的な学問。類語 雑学。曲学。対雅学。

*ぞく・がく【俗楽】❶邦楽のうち、民間に発達し大衆に愛好された、通俗的な音楽。箏曲・三味線音楽などを言う。〔雅楽・能楽などに対して用いられる〕❷低俗で下品な音楽。

ぞく・がら【続柄】→つづきがら。

ぞく・がん【俗眼】〔文〕〔ある物事に対する〕一般の人の見方。俗人の見方。〔多く、けいべつ的に使う〕「彼の偉大さは—にはわからない」

そく・ぎん【即吟】《名・他サ》〔文〕即詠。

ぞく・ぐん【賊軍】支配者(特に朝廷)にそむく軍勢。「勝てば官軍、負ければ—」類語 賊徒。対官軍。

ぞく・け【俗気】世間的な名声や金銭にひかれる気持ち。俗っぽい風。ぞっけ。ぞっき。「—を出す」

そく・げん【×塞源】《名・自サ》〔文〕〔悪の生じる〕みなもとをふさぐこと。「抜本—」

*ぞく・げん【俗言】❶世間一般の人々が日常使っていることば。俗語。対雅言。❷世間のうわさ。

*ぞく・げん【俗×諺】〔文〕世間一般にふつうに使われることわざ。俚諺。「石の上にも三年」の類。

ぞく・ご【俗語】❶〔雅語に対し〕明治時代に、日常の言語生活にふつうに使われる話しことばを言った語。口語。❷〔標準的な話しことばに対し〕あらたまった場では使われない・くだけた(下品な)ことば。卑俗な日常語。スラング。「がめつい」「いけすかない」など。

そく・ざ【即座】すぐその場。〔「—に」の形で「その場で、すぐ」の意でも使う〕「—の機転」「—に応答する」類語 即席。即時。注意「速座」は誤り。

そく・さい【息災】❶仏の力で病気や災難をなくすこと。❷《名・形動》健康で無事なこと。〔古風な言い方〕「無病—」類語 達者。

*ぞく・さい【俗才】世俗的な名誉・利益などを得て、うまく世の中を渡っていく才能。世俗の才。世才。「—にたける」類語 世故。

*ぞく・さい【続載】《名・他サ》雑誌・新聞などに、その作品・記事などのあとを続けてのせること。類語 連載。

そく・さん【速算】《名・他サ》〔そろばんなどで〕てばやく

計算すること。「—表」

そく・し【即死】《名・自サ》〔事故が起こった〕その場ですぐに死ぬこと。類語 急死。頓死(とんし)。

そく・じ【即時】それをするのにてまどらないこと。すぐその時。すぐさま。即刻。〔単独で、また、「—に」の形で副詞的に使うこともある〕「—に抗議する」類語 即座。即席。

ぞく・し【賊子】〔文〕❶親不孝な子。❷主君に反逆した者。謀反人。「乱臣—」類語 逆賊。逆臣。

*__ぞく・じ【俗事】__日常生活での煩わしい用事。世間的なくだらない用事。俗用。「—に追われる」類語 俗務。

*__ぞく・じ【俗字】__漢字で、世間にふつうに用いられているが、正体でない字体。もとの字を簡略にしたものが多い。「稱」を「称」、「恥」を「耻」と書く類。対 正字。

*__ぞく・じ【俗耳】__〔文〕〔話を聞き、理解するものとしての〕世間一般の人の耳。俚耳(りじ)。「—に入り易(やす)い(=一般の人が聞いてわかりやすい)」

そく・しつ【側室】貴人のめかけ。そばめ。対 正室。

そく・じつ【即日】何か事のあったすぐその日。当日。「—開票」「—出発する」

*__そく・しゃ【速写】__《名・他サ》写真などをすばやく写すこと。「—ケース」

*__そく・しゃ【速射】__《名・他サ》弾丸を、すばやく立て続けに発射すること。「機関銃の—」「—砲」

ぞく・じゅ【俗儒】〔文〕俗受けのする、見識のせまい学者。「—と貶(おとし)められる」

そく・しゅう【束×脩】〔文〕❶たばねたほし肉。参考 昔、中国で入門の時にその礼に持参した。❷入門の時、弟子入りのしるしとして師匠に贈るお礼の金品。

*__ぞく・しゅう【俗習】__世間一般のならわし。俗世間の風習。類語 習俗。風習。

*__ぞく・しゅう【俗臭】__〔富や名誉に固執する〕いかにも俗な感じのするけはい。俗っぽさ。「—芬々(ふんぷん)たる僧」

*__ぞく・しゅう【俗衆】__〔文〕世間一般の人々。

*__ぞく・しゅつ【×簇出】__《名・自サ》《「そうしゅつ」の慣用読み》→そうしゅつ(簇出)。

*__ぞく・しゅつ【続出】__《名・自サ》〔同じようなことが〕次から次へと続いて・現れる(起こる)こと。「エラーが—する」類語 続発。頻発(ひんぱつ)。頻出。続生。

そく・じょ【息女】❶〔文〕むすめ。特に、身分のある人のむすめ。❷《御(ご)—》他人のむすめに対する敬称。

ぞく・しょ【俗書】❶〔学問的ではない〕通俗的で、くだらない書物。❷書道で、気品のない筆跡。俗筆。

*__ぞく・しょう【俗称】__❶〔正式ではなく〕世間でふつうに使っている呼び名。通称。❷俗名(ぞくみょう)①。

*__ぞく・しょう【族称】__明治政府が定め、第二次世界大戦終了時まで、国民の階級上の区別をあらわした呼称。華族・士族・平民の別があった。

そく・しん【促進】《名・他サ》物事がはかどるようにうながし進めること。「販売を—する」「経済開発の—」

*__ぞく・しん【俗信】__〔うらない・まじないなど〕世間で行われている〔迷信的な〕信仰。また、幽霊・妖怪(ようかい)・つき物などの存在を信じる迷信。

*__ぞく・しん【賊臣】__主君を滅ぼすような悪い臣下。謀反を起こした家来。乱臣。

*__ぞく・じん【俗人】__❶〔僧に対して〕世間一般の人。世俗の人。類語 凡夫。❷風流心や高尚な趣味をもたず、芸術などに無関心な人。❸名声や利害や評判ばかり考えて行動する、くだらない人。類語 俗物。

*__ぞく・じん【俗×塵】__〔文〕〔「世間のちり」の意から〕俗世間の煩わしい事柄。「—を避ける」

ぞくじん・しゅぎ【属人主義】〔法〕その人が現在どこにいるかにかかわらず、その人の国籍のある国家の法律に従うべきであるという考え方。対 属地主義。

そくしん・じょうぶつ【即身成仏】〔長い修行ののち、また死後、浄土に生まれて仏になるのではなく〕生きているままで仏になること。参考 真言密教の教義。

*__そく・・する【則する】__《自サ変》〔あることを〕基準にしてそれにならう。のっとる。「法に—・した行為」

*__そく・・する【即する】__《自サ変》〔ある事態や行為から離れず〕ぴったりつくようにする。適応する。即応する。「実情に—・した政策」「情況に—・した対策」

*__ぞく・・する【属する】__《自サ変》❶ある集団・機関などにはいる(はいっている)。「総務部に—・する」類語 (する)所属。従属。❷〔ある種類・範囲の中に〕含まれる。「日本列島に—・する島」

*__ぞく・・する【賊する】__《他サ変》〔文〕❶〔内面から〕乱し傷つける。そこなう。害する。❷〔人を〕殺す。

ぞく・せ【俗世】この世の中。俗世間。ぞくせい。

*__そく・せい【×仄声】__漢字の四声(しせい)のうち、上声・去声・入声(にっしょう)の総称。対 平声(ひょうしょう)。

*__そく・せい【促成】__《名・他サ》〔植物を〕人工的に早く生長させること。「—栽培」

*__そく・せい【即製】__《名・他サ》手間をかけず、その場ですぐに作ること。「—の棚」類語 急造。即席。

*__そく・せい【速成】__《名・自他サ》すぐにでき上がること。また、急いで仕上げること。「実力—講座」

*__ぞく・せい【俗姓】__❶僧の、出家する以前の姓。俗人としての名字。類語 俗名(ぞくみょう)。❷〔本名ではなく〕世間でふつう呼ばれている名字。類語 俗称。=俗姓(ぞくしょう)。

*__ぞく・せい【属性】__❶その物が本来もっている性質。特性。特質。❷〔哲〕〔実体に対して〕実体があれば、自然にそういう性質があると考えられる、その性質。そのものを他のものと区別する固有の性質。

*__ぞく・せい【族制】__家族・氏族などのように、血縁関係に基づいている集団制度。

*__ぞく・せい【族生・×簇生】__《名・自サ》《「簇生(そうせい)」の慣用読み》〔文〕叢生(そうせい)。

*__そく・せき【即席】__❶準備などせず、その場ですぐに・する(つくる)こと。「—の歌」類語 即座。即時。❷その場の間に合うように、手間をかけずにすぐにできること。インスタント。「—ラーメン」類語 即製。

*__そく・せき【足跡】__❶歩いたあと。足跡(あしあと)。類語 人跡。❷今まで積み上げてきて、あとに残した事業・業績。「科学の発展に偉大な—を残す」

ぞく・せけん【俗世間】❶一般の人が住む、この世の中。俗世。❷〔出家した人の住む世界に対して〕出家しない人の世界。対 出世間。

ぞく・せつ【俗説】〔学問的な根拠がなく〕世間に広く言い伝えられている説。類語 通説。俗伝。

*__そく・せん【側線】__❶鉄道線路で、貨物の積み替え・待避などのために設けた本線以外の線路。引込線など。❷〔動〕魚類や両生類の幼生などの、からだの側面に一列に並んでいる感覚器。水流や水圧を感じる働きをする。❸→サイドライン。

*__そく・せん【即戦】__〔文〕訓練を受けなくても、すぐに戦えること。「—力」

そくせん-そっけつ【速戦即決】《名・自サ》戦いで、一気に勝敗を決めてしまうこと。転じて、すみやかに物事の決着をつけること。注意「速戦速決」は誤り。

そく-そく【×惻×惻】《形動タルト》〔文〕〔人に対する〕悲しみを身にしみて感じるようす。「―として胸に迫る」

***ぞく-ぞく**《副・自サ》《副詞は「―と」の形も》❶急に鳥はだが立つほど寒けを感じてふるえるようす。「風がつめたくなって―する」❷急に恐ろしい目に出会って、こわさに身ぶるいするようす。❸急にうれしいことに出会って心の落ち着きを失うようす。「吉報に―する」

***ぞく-ぞく【続続】**《副》《「―と」の形も》次から次へと絶え間なく続くようす。「―と雑誌が創刊される」類語つぎつぎ。陸続。

そく-たい【束帯】平安時代の中ごろから、天皇はじめ文武百官が朝廷の儀式・公事(くじ)のときに着用した正式の礼服。「衣冠―」

そく-だい【即題】❶その場ですぐ作るように出された、詩歌や文章の題。「―に応じて歌一首をよむ」対兼題。❷その場で出された題に対してすぐ作曲し演奏すること。類語即興。

ぞく-たい【俗体】〔文〕❶出家していない、ふつうの人の姿。対法体(ほったい)。僧体。❷俗っぽく、風流でないようす。❸〔詩歌などの〕ありふれた形式。

そく-だく【即諾】《名・他サ》〔文〕その場ですぐ承諾すること。「就任を―する」

そく-たつ【速達】「速達郵便」の略。別料金をとって、普通郵便よりはやく配達する郵便物。

***そく-だん【即断】**《名・他サ》その場ですぐに判断し決めること。「―しかねる問題」類語即決。

***そく-だん【速断】**《名・他サ》❶すばやく判断し決めること。「―を避ける」❷はやまった判断をくだすこと。「―に過ぎる」

ぞく-だん【俗談】俗事に関する話。世間話。

そく-ち【測地】《名・自他サ》〔広さ・位置・傾斜などを知るために〕土地を測量すること。

ぞくち-しゅぎ【属地主義】〔法〕ある国内において起こったこと、または存在する物は、すべてその国の法律に従うべきであるという考え方。対属人主義。

***ぞく-ちょう【族長】**一族のかしら。

***ぞく-ちょう【続×貂】**〔文〕❶劣った者が優れた者の後に続くこと。❷他人の優れた仕事を受けついでするこことを卑下していう語。参考テンの冠をつけた立派な人に〔犬の尾の冠をつけた人が〕続く意。

ぞく-っ-ぽ-い【俗っぽい】《形》いかにもありふれている。低級で通俗的である。品のないようすである。

そく-てい【測定】《名・他サ》〔器械・器具などを使って〕長さ・重さ・深さ・速さなどをはかり求めること。

そく-てん【側転】体操で、左右に開脚した姿勢から横方向への倒立を経て回転する運動。

ぞく-でん【俗伝】世間に言い伝えられていること。世間に広く行われている言い伝え。類語俗説。

そくてん-きょし【則天去私】私情を去って公平な天の心に帰すること。参考夏目漱石(そうせき)が晩年に達した人生観・芸術観。

そく-ど【速度】❶物事の進む速さ。❷運動する物体の、単位時間における位置の変化を表す量。CGS単位で「…センチメートル毎秒」で表す。

ぞく-と【賊徒】❶盗賊の仲間。賊衆。「―の首領」❷朝廷や時の権力者にそむく者ども。賊党。類語反徒。逆徒。賊軍。朝敵。

***そく-とう【即答】**《名・自サ》聞かれて、その場ですぐに答えること。「―を避ける」

***そく-とう【速答】**《名・自サ》すみやかに答えること。早く答えを出すこと。「いかなる難問にも―する」

ぞく-とう【属島】大陸、または本島に属する島。

***ぞく-とう【続投】**《名・自サ》野球の試合で、投手が他の投手と交替せずに、続けて投げること。対継投。

そく-どく【速読】《名・他サ》本を速く読むこと。

ぞく-に【俗に】《形動》《形容動詞「俗だ」の連用形》→ぞく(俗)㈡①。「彼岸花は―死人花(しびとばな)といわれる」

ぞく-ねん【俗念】世俗的な名誉や金銭を得たいと思う心。俗人特有の、卑しい(くだらない)考え。「―を払う」類語俗情。雑念。娑婆気(しゃばけ)。

そく-のう【即納】《名・他サ》金や品物をその場ですぐに納めること。「注文を受けて―する」

そく-ばい【即売】《名・他サ》〔展示会・展覧会などをしている〕その場で品物を直接売ること。「展示―会」

ぞく-はい【俗輩】知識・教養のないくだらない連中。俗物ども。〔けいべつして言う語〕

***そく-ばく【束縛】**《名・他サ》❶たばねてしばること。❷〔条件・罰則などをつけて〕人の行動の自由を奪うこと。「行動を―する」類語拘束。桎梏(しっこく)。対解放。

***そく-ばく【▽若▽干】**《副》→そこばく。

そく-はつ【束髪】髪をたばねて結ぶこと。特に、明治一八年ごろから流行した、頭の上やえりのところなどでたばねる、女性の西洋風の髪型の一つ。

ぞく-はつ【続発】《名・自サ》〔同じような事件・事故などが〕続けざまに起こること。しばしば起こること。「殺人事件が―する」類語続出。続生。連発。頻発。

ぞく-ばなれ【俗離れ】《名・自サ》〔考えや行動が〕世間一般の人々と異なっていること。俗事に無関心で、物にこだわらない風であること。世間離れ。

そく-ひつ【速筆】書く速度がはやいこと。対遅筆。

ぞく-ぶつ【俗物】高い理想や高尚な趣味を持たない、くだらない人間。世間的な名誉や利益ばかりを求める卑しい人間。「―根性」類語俗人。

そくぶつ-てき【即物的】《形動》実際の物に即して、見たり考えたりするようす。「―な表現」

そく-ぶん【×仄聞】《名・他サ》〔文〕ほのかに聞くこと。うわさに聞くこと。「―するところでは」

そく-へき【側壁】側面のかべ。側面を作るしきり。

ぞく-へん【続編・続×篇】〔論文・小説・映画などで〕正編や本編に続くもの。類語後編。対正編。本編。

そく-ほ【速歩】はやく歩く歩き方。はやあし。

そく-ほう【速報】《名・他サ》〔ある物事のなりゆきや結果を〕定期的にではなく、すばやく知らせること。また、その知らせ。「選挙―」「ニュース―」

ぞく-ほう【続報】《名・他サ》〔前の知らせに〕続けて知らせること。また、その知らせ。「状況を―する」

そく-みょう【即妙】《名・形動》当意即妙。

ぞく-みょう【俗名】❶僧の、出家する前の名まえ。＝俗名(ぞくめい)。俗称。類語俗姓。❷生きていたときの名まえ。対①②戒名(かいみょう)。

ぞく-む【俗務】世の中で生きている以上しなければならない、日常の煩わしい務め・仕事。「―に紛れる」類語雑務。雑事。俗事。俗用。雑用。

ぞく-めい【賊名】盗賊(反逆者)であるという名。「―

そ

を着せられる」類語汚名。

そく-めん【側面】❶立体を構成する面のうち、上下を除いた横の面。❷物の、上下・前後の面を除いた面。「―に光を当てる」対正面・背面。❸わきの方。「―から援助する」❹複雑な内容をもったものの、ある一面。「彼の違った―を見る」

そく-もん【足紋】足の裏の乳頭隆線(=汗腺(かんせん)の出口がつながった隆起)が作る紋様。

そく-や【即夜】《副》〔文〕何かがあった、すぐその夜。その夜すぐに。類語当夜。

***ぞく-よう【俗用】**❶日常生活でのもろもろの煩わしい雑事。世間的なくだらない用事。俗事。「―に追われる」類語俗務。❷世間一般での用い方。「―に従う」

***ぞく-よう【俗謡】**民衆の間に歌い伝わる通俗的な歌。はやり歌や民謡などを含む。類語俗曲。俗歌。

***ぞく-り【俗吏】**❶つまらない仕事をしている役人。❷俗物である官吏。〔官吏をけいべつして言う語〕

***ぞく-り【属吏】**〔官庁で〕地位の低い公務員。下役。

***ぞく-りゅう【俗流】**〔文〕俗人の仲間。くだらない考え方をする、つまらない連中。俗物たち。俗輩。

***ぞく-りゅう【×粟粒】**❶アワの実のつぶ。粟粒(あわつぶ)。❷非常に小さいつぶ・もの。「―大の土地」

そく-りょう【測量】《名・他サ》〔器具・器械などを用いて〕地表上のある部分の位置・形・面積・高さなどを測ること。「―船」類語測定。

***ぞく-りょう【属僚】**〔文〕ある人に従って仕事をしている仲間。下役の仲間。特に、下級役人。類語属官。

***ぞく-りょう【属領】**ある国に付属した領土。属領地。類語植民地。

そく-りょく【速力】運動する物体(特に乗り物)の、進むはやさ。また、それを単位時間内に進む距離で表したもの。スピード。「―を上げる」類語速度。

ぞく-ろん【俗論】〔俗人にうけるような〕くだらない議論。見解のせまい、低級な意見。「―にまどわされる」

そぐわ-な・い《連語》《動詞「そぐう」の未然形+打ち消しの助動詞「ない」》ふさわしくない。つり合わない。「外見と中身が―・い」参考↓そぐう。

そくわん-しょう【側湾症・側×彎症】脊柱(せきちゅう)が側方に強度に湾曲する疾患。内臓圧迫などの障害を起こす。脊柱側湾症。

そ-けい【粗景】〔文〕粗末な景品。類語粗品。

そけい-ぶ【×鼠×蹊部】〔文〕下腹部の足に接する内側の所。恥骨部の両側にある三角形状の範囲をいう。ももつけね。

そ-げき【×狙撃】《名・他サ》ねらい撃つこと。「―兵」

ソケット 電球・真空管・プラグなどを、ねじこむ(さしこむ)受け口。▽socket

そ・げる【▽殺げる・▽削げる】《自下一》うすくけずられる。けずられたようにうすくなる。文そ・ぐ《下二》

***そ-けん【素絹】**❶ねらない絹。すずし。❷「素絹の衣(ころも)」の略。ねらない絹で作った、略式の僧衣。

***そ-けん【訴件】**訴訟行為の行われている事件。訴訟事件。

***そ-けん【訴権】**〔法〕裁判所に訴訟を提起する権利。

そ-げん【▽遡源・▽溯源】《名・自サ》〔文〕さかのぼって本源をきわめること。参考「さくげん」は慣用読み。

***そこ【底】**❶中のくぼんだ所や容器などの下の面。底面。「なべの―」❷水面・地面などから極限の所まで深く下がった所。「海の―」「地の―」❸一番奥深い所。「心の―」❹物事が進んでゆきつく所。きわみ。はて。「絶望の―に沈む」❺力の限界。「彼女の絵も―が見えた感じだ」❻相場の下がりきった所。

―が浅・い《句》❶内容に深みがない。「―・い小説」❷基礎がしっかりしていない。

―が知れな・い《句》❶実態がよくわからない。「―・いおそろしさ」❷際限がわからない。かぎりがない。

―が割・れる《句》かくしていたことが現れる。

―を突・く《句》❶底値になる。❷たくわえたものがすっかりなくなる。払底する。「食糧が―・く」

―を割・る《句》❶心中をうち明ける。「―・って話す」❷底値よりさらに下がる。❸芝居などで、事件の結末や仕組みを、早くから観客にさとらせてしまう。

***そ-こ【×其▽処・×其▽所】**《代名》❶話し手が、自分から少し離れていて、より相手に近い関係にあると意識している場所を指し示す語。その場所。「―をどいて下さい」❷話し手が、相手と共通に話題にしているある場所を指し示す語。その場所。「頂上へたどりついて、―で昼食にした」❸話し手が、相手と共通に話題にしているある場面を指し示す語。「―へ邪魔がはいった」❹話し手が、相手と共通の話題として取り上げ(ようとし)ている事柄を指し示す語。その点。そのこと。「―をもう少しくわしく話して下さい」

***そ-ご【祖語】**同じ系統に属する諸言語の、祖先に当たる言語。

***そ-ご【×齟×齬】**《名・自サ》〔文〕〔「歯が合わない」の意から〕意見や物事がくい違って、うまく行かないこと。「意見の―」「両者の感情に―をきたす」

そこ-あげ【底上げ】《名・他サ》最低の数値を引き上げること。「生活水準の―を図る」

そこ-い【底意】〔表情や言動に出さない〕心の奥にある考え。下心。腹の内。〔多くよくない意味に使う〕

そこ-いじ【底意地】〔おもてに表さない〕心の底に含みもつ意地・根性。「―が悪い」

そこ-いら【×其▽処いら】■一《代名》❶相手側の場所や相手との話題の場面をばくぜんと指し示す語。その辺。そのあたり。そこら。「―までいっしょに行こう」❷相手との話題の事柄をばくぜんと指し示す語。その点。その事。「―の事情はよくわかりません」■二《名》ばくぜんとした数量・程度であること。その程度。そのくらい。そこら。〔多く「数量を表す語+か(や)」の下につけて用いる〕「三万か―の出費」

そこ-いれ【底入れ】《名・自サ》相場が下がるだけ下がって、それ以上下がる見込みがない状態になること。〔景気の回復を予期して使う〕「景気の―」

***そ-こう【×遡行・×溯行】**《名・自サ》川のへりを歩いたり、船に乗ったりして、川をさかのぼって行くこと。

***そ-こう【粗×肴】**〔文〕❶そまつな、酒のさかな。「粗酒―」❷料理を客にすすめるときにへりくだっていう語。「―ではございますが」

***そ-こう【粗鋼】**製鋼炉から得られるすべての鋼。

***そ-こう【素行】**〔良い悪いという観点から見た〕ふだんの行い。平素の品行。身持ち。操行。類語行跡。

そこ-うお【底魚】海底近く、または海底の砂泥中にすんでいる魚。アンコウ・カレイなど。対浮き魚。

そこ-かしこ【×其▽処▽彼▽処】《代名》あちこち。あちらこちら。ほうぼう。「―に花が咲いている」

そこきみ-わる・い【底気味悪い】《形》何か知らな

いが、いやに気味が悪い。何となく気味が悪い。

そ-こく【祖国】 ❶先祖から住み続けて自分もそこで生まれた国。母国。❷民族が分かれ出た、もとの国。

そこ-ここ【×其▽処×此▽処】《代名》そっちこっち。参考「そこかしこ」より自分に近い場所を指す。

そこ-しれない【底知れない】《連体》➡そこしれぬ。

そこ-しれぬ【底知れぬ】《連体》際限がどこまであるかわからない。無限と思われるほどの。「—実力」

そこ-そこ 一《副》心がせいて先を急ぐようす。また、十分に事を終えるか終えないうちに急いで次の事をするようす。「仕事も—に会社を出る」類語 早々。二《接尾》《数量を表す語について》その数量に達するか達しないかというほどの程度を表す。…に足りるか足りないほど。「二十歳—の娘」

そこ-ち【底地】 借地権の設定された土地。

そこ-ぢから【底力】 奥底にひそむ、いざという時に発揮する強い力・能力。「—を発揮する」類語 地力(じりき)。

そ-こつ【粗×忽】 ❶《名・形動》言動に落ち着きがないこと。そそっかしいこと。「—者(もの)」類語 軽率。❷不注意で起こすあやまち。粗相(そそう)。「—をわびる」

そこ-つち【底土】 ❶表土より下にある土。下層の土。対 上土(うわつち)。❷水の下に・ある(たまった)土。

そこ-づみ【底積み】 ❶➡バラスト①。❷荷物を積むときに、いちばん下に積む・こと(荷物)。対 上積み。

そこ-で《接続》❶前の話を受けて、次の事柄をきり出すときに言う語。そんなわけで。それで。❷話題をかえるときに言う語。ところで。さて。

そこ-な【×其▽処な】《連体》〔文〕《「そこなる」から》そこにいる。そこにある。「—人、こちらへ参れ」

そこな・う【損なう】(そこなふ) 一《他五》❶物をこわす。傷つける。破損する。〔やや古風な言い方〕❷〔気分・健康・性質などを〕悪くする。害する。「純真な子供の心を—・う」表記 ②は「害う」とも書く。❸殺傷する。「一兵も—・うことなく勝つ」文《四》。二《接尾》❶…することに失敗する。…し損ずる。「撃ち—・う」❷間違えて…する。「問題文を読み—・う」❸…する機会をのがす。「食べ—・う」❹危うく…しそうになる。「命を落とし—・った」文《四》。

そこ-なし【底無し】 ❶底がないこと。また、そう思われるほど深いこと。「—の食欲」「—沼」❷きりがないこと。終わりがないこと。

そこ-ぬけ【底抜け】 ❶底がとれて、ないこと。また、そのもの。❷《名・形動》極端に限度をこえていて、はかり知れないこと。どこまでもきりがないこと。「—の大さわぎ」❸《名・形動》しまりのないこと。だらしのないこと。また、その人をののしって言う語。「—野郎」

そこ-ね【底値】 相場で、下がりきったときの値段。最低の値段。「今年の—を記録する」対 天井値(てんじょうね)。

そこ・ねる【損ねる】《他下一》❶人の気持ちを傷つける。「気分を—・ねる」❷体の調子を悪くする。文 そこ・ぬ《下二》。

そこ-のけ【×其▽処▽退け】《接尾》《多く名詞につけて》〔腕まえなどが〕…も及ばないほどすぐれている意。…以上。…はだし。「料理ではプロ—の腕前」

そこはか-と-な・い【そこはかと無い】《形》〔文〕はっきりした理由・場所などを表せないが、全体的にそのようなふんいきが感じられる状態を表す。どこがどうというわけでない。「—・い風情が漂う」

そこ-ばく【▽若▽干】《副》〔雅〕数量を明らかにせず、おおよそのところを表す。いくらか。いくつか。そくばく。〔名詞的にも使う〕「—の金を与える」

そこ-ひ【▽内▽障・▽内▽障▽眼】《「底翳(ひそこ)」の意》外見には異常がなく、眼球内に故障を起こす病気の総称。白そこひ・青そこひ・黒そこひなどがある。

そこ-びえ【底冷え】 からだのしんまで冷える(ように寒い)こと。「—のする朝」

そこ-びかり【底光り】 ❶奥底から光ること。また、その光。「—のする眼」❷すぐれた価値・力が深い所からにじみ出てくること。「—のする芸」

そこ-びきあみ【底引(き)網・底×曳(き)網】 引き網の一種。海底にたらし、船で引きずるように引きまわして海底近くの魚介類をとる網。

そこ-まめ【底豆】 足のうらにできるまめ。「—が痛む」

そこ-もと【×其▽処▽許】《代名》〔文〕❶そこ(のところ)。❷同輩またはそれ以下の人を呼ぶ語。おまえ。

そこ-もの【底物】 おもに、海底の近くや海底の砂の中にすむ魚。カレイ・ヒラメなど。

そこ-ら【×其▽処ら】 一《代名》❶相手側の場所や相手との話題の場面をばくぜんとさす語。そのあたり。そのへん。そこいら。「—を歩き回る」❷相手との話題の事柄をばくぜんとさす語。「—の事はよろしくたのむ」二《名》ばくぜんとした数量・程度であること。その程度。そのくらい。そこいら。〔多く「数量を表す語＋か(や)」の下につけて用いる〕「百万か—の金」

そこ-われ【底割れ】《名・自サ》それ以下に下がる見込みがない状態から、さらに悪くなること。

そ-さい【×蔬菜】〔副食物にする〕野菜。あおもの。

そ-ざい【素材】 ある物を作るときのもとになる材料。特に、芸術作品の材料(となるもの)。類語 題材。

そ-ざつ【粗雑】《形動》〔物事の考え方・やり方などが〕いいかげんで大ざっぱなようす。雑。「—な拭(ふ)き方」「—な計画」類語 雑駁(ざっぱく)。杜撰(ずさん)。対 緻密(ちみつ)。

そ-さん【粗×餐】〔文〕そまつな食事。粗飯。〔多く、他人に食事を出すとき、けんそんして言う語〕

***そ-し【祖師】** 一宗一派を開いた人。一宗一派の開祖。禅宗の達磨(だるま)、浄土宗の法然、浄土真宗の親鸞(しんらん)、日蓮(にちれん)宗の日蓮など。また、釈迦をもいう。参考 日蓮宗では、日蓮を「お祖師様」と称する。

***そ-し【素子】** まとまった電気回路や機械回路の構成要素として重要な働きをもつ、個々の単位部品。

***そ-し【素志】**〔文〕かねてからいだいているこころざし。平素からの願い。「—を貫く」類語 初志。初心。

***そ-し【阻止・×沮止】**《名・他サ》ある行為のじゃまをしてやめさせるようにすること。はばむこと。類語 防止。

***そ-じ【措辞】**〔文〕詩歌・文章などでの、ことばの使い方。辞句の置き方。「—にすぐれる」

***そ-じ【素地】** 何かをするときなどのもととなるもの。基礎。下地(したじ)。素地(そち)。「画家としての—がある」

ソシアル《造語》➡ソーシャル。▽social

そ-しき【組織】 ❶《名・他サ》組み立てること。また、組み立てられたもの。構成。くみたて。❷《名・他サ》〔ある目標を達成するために〕人または物が一定の役割や地位をもって集まり、秩序ある全体を組み立てること。また、その組み立てられたもの。「組合を—する」「—作り」類語 構成。体系。❸生物体を構成する単位の一つで、同じ形や働きをもつ細胞の集まり。—てき【—的】《形動》ある目的のために、全体が一定の秩序をもって有機的に組み立てられているようす。「―な行動」

―ろうどうしゃ【―労働者】労働組合にはいっている労働者。対 未組織労働者。

そ-しつ【素質】生まれつき備わっている性質。特に、生まれつき備わっていて、将来、ある特殊な能力を要する者に・なれる（なるのにふさわしい）性質。類語 資質。

そ-して《接続》→そうして㊁。

そ-しな【粗品】粗末な品物。粗品(そひん)。〔人に物を贈るとき、けんそんして言う語。上書きにもする〕

*そ-しゃく【×咀×嚼】《名・他サ》❶食べ物をよくかむこと。かみこなすこと。❷物事や、人の言動や文章の意味をよく考えて味わい、十分に理解すること。

*そ-しゃく【租借】《名・他サ》〔政〕条約で、ある国が他の国の領土の一部を一定の期間借りて治めること。

そ-しゅ【粗酒】〔文〕上等でない酒。〔自分の家で他人に酒をだすとき、けんそんして言う語〕

そ-しゅう【×楚囚】〔文〕他国でとらわれの身となっている人。捕虜。とりこ。「―となって故国を思う」

そ-しゅうにゅう【粗収入】細かい費用を差し引いていない、大雑把な収入。

そ-じゅつ【祖述】《名・他サ》〔文〕先人の説をもとにして・研究を進める（学説を述べる）こと。

そ-しょう【訴訟】《名・自サ》〔法〕裁判所に訴えて、裁判によって法律的判断をするように求めること。また、その手続き。「―を起こす」

*そ-じょう【×俎上】〔文〕まな板の上。「―に載(の)せる（=ある事柄を取り上げて、自由に批判し論じる）」

―の魚(うお)《句》〔まな板の上に載せられて料理されるのを待つ魚の意で〕相手の思うままに扱われるよりほか仕方がない人のたとえ。俎板(まないた)の魚。俎板の鯉(こい)。

*そ-じょう【×遡上・×溯上】《名・自サ》〔文〕流れをさかのぼって行くこと。「サケの―」

*そ-じょう【訴状】民事訴訟で、訴えの趣旨を記して裁判所に提出する文書。

そ-しょく【粗食・×麁食】《名・自サ》粗末な食事（をすること）。疎食(そしい)。「粗衣―に甘んじる」対 美食。

そ-しらぬ【素知らぬ】《連体》知っていながら知らないふりをするようす。「―ふり」「―顔ですれ違う」

そしり【×謗り・×譏り・×誹り】そしること。また、そのことば。「軽薄の―を免れない」「怠惰の―を受ける」

そし・る【×謗る・×譏る・×誹る】《他五》他人のことを悪く言いたてる。非難する。「いいかげんなやつだと―・る」類語 けなす。くさす。あざける。文《四》。

そ-しん【祖神】神としてまつった祖先。

そ-すい【疎水・×疏水】灌漑(かんがい)・発電・運輸などの目的で、川や湖などから水をひくために土地を人工的に切り開いて作った水路。表記「疏水」は代用字。

そ-すう【素数】一とその数自身以外に約数のない正の整数。二・三・五・七・一一・一三など。

*そ-せい【粗製】〔悪い材料を使ったり、手をぬいたりして〕ぞんざいに作ること。粗雑に作ること。また、そうして作ったもの。粗造。「―濫造」対 精製。

*そ-せい【組成】いくつかの要素・成分から組み立てられたもの。「化合物の―」類語 構成。構造。

*そ-せい【×蘇生・×甦生】《名・自サ》❶息の絶えたものがふたたび息をすること。生きかえること。蘇活。「―術」❷生きかえったように元気をとりもどすこと。「―の思い」類語 ①②復活。更生。回生。

そ-ぜい【租税】国家や地方公共団体がその経費をまかなうために、法律に基づいて国民から強制的にとりたてる金銭。税金。「―を課す」

そ-せき【礎石】❶建物の柱の下にすえる石。土台石。いしずえ。台石(だいし)。❷大きな事業などの基礎。また、それを作る人。「平和の―を築く」

そ-せん【祖先】❶その家系の一番はじめにあたる人。初代。類語 初祖。鼻祖(びそ)。始祖。元祖。尊敬 御祖(みおや)。❷初代から先代までの人々。対 子孫。後裔(こうえい)。

そ-そ【×楚×楚】《形動タルト》〔文〕飾りけがなく清潔で美しいようす。清らかで可憐(かれん)なようす。〔多く若い女性の形容にいう〕「―たる美人」類語 清楚。

*そ-そう【祖宗】〔「君主の始祖と中興の祖」の意から〕当代以前の代々の君主。「―の霊」

*そ-そう【粗相】《名・自サ》❶不注意やそそっかしさのために（ちょっとした）あやまちをおかすこと。また、そのあやまち。粗忽(そこつ)。「くれぐれも―のないように」❷大便や小便をもらすこと。

*そ-そう【阻喪・×沮喪】《名・自他サ》〔文〕気力がくじけて、元気がなくなること。また、元気をなくすこと。「意気―」類語 喪失。表記「阻喪」は代用字。

そ-ぞう【塑像】粘土や石膏(せっこう)で像を作ること。また、作った像。類語 銅像。木像。

*そそ・ぐ【注ぐ】㊀《自五》❶流れ入る。「大河に―・ぐ支流」❷〔雨・雪などが〕降りかかる。「さんさんと陽光の―・ぐ公園」文《四》。㊁《他五》❶〔水を引いて〕流し込む。「田に水を―・ぐ」❷液体をつぎ込む。❸涙を・流す（おとす）。❹まきちらす。ふりかける。「春の光を―・ぐ太陽」❺もっぱらその方へ向ける。集中する。「視線を―・ぐ」文《四》。表記「灌ぐ」とも書く。

*そそ・ぐ【▽濯ぐ】《他五》濯(すす)ぐ。文《四》。

そ-ぞく【×鼠賊】〔文〕こそどろ。小盗。

そそ-くさ《副・自サ》《副詞は「―と」の形も》〔動作が〕あわただしく、落ち着かないようす。いそがしそうに行動するようす。「―と立ち去る」

そそけ-だ・つ【そそけ立つ】《自五》❶そそける。❷ぞっとして震えあがる。身の毛がよだつ。「―・つ思い」

そそ・ける《自下一》❶〔髪の毛などが〕ほつれ乱れる。「鬢(びん)の毛が―・ける」❷けばだつ。そそけだつ。「―・けた毛布」文 そそ・く《下二》。

そそっかし・い《形》動作や考えに落ち着きがなく、注意が足りない。そこつだ。「会う相手をまちがえるとは―・い人だ」文 そそっか・し《シク》。

そそのか・す【唆す・×嗾す】《他五》おだてたりすかしたりして、相手が自分の望んでいるような（よくない）行為をする気になるように、さそいすすめる。「盗みを―・す」類語 けしかける。たきつける。あおる。文《四》。

類義語の使い分け　そそのかす・けしかける

[そそのかす・けしかける]　一部の住民をそそのかし（けしかけ）て、マンション建設の反対運動を起こさせる
[そそのかす]　友達にそそのかされて悪事に加わる
[けしかける]　立候補しろとけしかける／犬をけしかける

そそり-た・つ【×聳り立つ】《自五》高くそびえ立つ。高々と立つ。「立山連峰が―・つ」

そそ・る《他五》ある感情や行動をおこさせるようにさそう。もよおさせる。「興味を―・る」文《四》。

そぞろ【▽漫ろ】《副・形動》❶何ということもなく、ある

感情をもよおすようす。何となく。すずろ。「—昔を思い出す」❷何となく落ち着かないようす。そわそわするようす。「卒業式がまぢかで気も—だ」「心も—」

そぞろ-あるき【▽漫ろ歩き】 あてもなくのんびりと歩くこと。すずろ歩き。漫歩。散歩。散策。

そ-だ【粗×朶】 切り取った木の枝。薪などに使う。

そ-だい【粗大】《形動》❶〔やり方などが〕あらっぽくて大まかなようす。おおざっぱ。「—な調査」❷ごつごつして大きいようす。粗末で大きいようす。「手足が—である」「—な着衣」類語 粗雑。 **—ごみ**〔役所用語で〕家庭から出されるテレビ・家具など、大きな廃物。

そだち【育ち】 ㊀《名》育つこと。「—盛り」㋐〔その過程が順調かどうかなどで見た場合の〕育ち方。成長。生長。成育。「—が遅い」類語 肥立ち。生い立ち。発達。成熟。促成。㋑〔その環境・教育などを問題にした場合の〕育ち方。育てられ方。「—がよい」類語 生まれ。出で。出身。出自。素姓。㊁《接尾》その環境で、また、そういう人として育つ・こと(人)の意。「田舎—」「温室—」「お嬢さん—」

そだ・つ【育つ】《自五》❶生物がある環境の下で、成熟への過程を進む。また、成熟の状態に達する。また、小規模のものなどが・大きくなる(生成発展する)。成長する。成育する。「稲が—・つ」「会社が大きく—・った」類語 伸びる。生きる。茂る。長じる。巣立つ。手が離れる。❷学び、また教えられて、一人前になる(過程を進む)。「若手が—・つ」文《四》。

そだて【育て】 育てること。「—の親」

そだて-あ・げる【育て上げる】《他下一》育てて一人前にする。りっぱに成長させる。「みなし子を—・げる」

そだ・てる【育てる】《他下一》❶手をかけて、生物の成長を導き助ける。また、小規模のものなどが・大きくなる(生成発展する)ようにする。「子供を—・てる」「二人の愛を—・てる」類語 育て上げる。(るす)促成。保育。❷一人前にするために教え導く。「弟子を—・てる」文 そだ・つ《下二》。

***そ-ち【措置】**《名・他サ》ある事態が起こった時、うまく始末をつけるために、必要な方法をもって取り計らうこと。「適切な—をとる」「優遇—」類語 処置。

***そ-ち【×其▽方】**《代名》〔文〕❶方向を示す。そっち。そちら。❷目下の者を呼ぶ語。そのほう。「—は誰(だれ)じゃ」

そち-こち【×其▽方×此▽方】《代名》あちらこちら。ほうぼう。「—に釣り人がいる」

そ-ちゃ【粗茶】 上等でない茶。まずい茶。〔他人に茶を出すときにけんそんして言う語〕「—でございます」

そち-ら【×其▽方】《代名》❶㋐話し相手がいる方向、また話し相手が関係している方向をさす。「—へ目を向ける」㋑そちら㋐にあたる場所をさす。そこ。「—はもう暖かいでしょう」㋒そちら㋐にある物をさす。それ。❷㋐話し相手をさす。あなた。「御注文は—様ですか」㋑話し相手に近い関係にある人をさす。その人。参考 ①②とも「そっち」に比べて丁寧な言い方。

***そつ**〔物事をする上での〕不十分・不注意な点。手落ち。手抜かり。また、無益なこと。むだ。〔「—がない」「—のない」などの形で使う〕「万事に—がない」

***そつ【卒】**❶〔文〕下級の兵士。兵卒。❷「卒業」の略。「平成一三年—」❸卒去。死去。「昭和三年—」

そ-つい【訴追】《名・他サ》❶検察官の行う公訴の提起。起訴。❷ある地位にある人を裁判によって罷免する場合、権限のある機関がその裁判を請求すること。

そ-つう【疎通・×疏通】《名・自サ》意見・意思などが相手によく通じること。「意思の—を図る」表記「疎通」は代用字。

そつ-えん【卒園】 幼稚園・保育園を卒業すること。

そっ-か【足下】 ㊀《名》〔文〕❶〔人が立っている〕足の下。足もと。「王の—にひれ伏す」❷手紙の脇付(わきづけ)に用いる語。参考 足もとは「おそば」の意。「山田様—」類語 机下。案下。座下。㊁《代名》〔文〕同等の相手に対する敬称。あなた。貴殿。

***ぞっ-か【俗化】**《名・自サ》ありふれたものになること。俗っぽくなること。「古都の—を防ぐ」類語 通俗化。卑俗化。世俗化。

***ぞっ-か【俗歌】** 世間ではやっている歌。俗謡。

***ぞっ-かい【俗解】** 通俗的な解釈。「語源—」

***ぞっ-かい【俗界】** 世間一般の人々の住んでいる〔わずらわしい〕世の中。俗世間。類語 俗間。対 天界。

***ぞっ-かん【俗間】**〔文〕世間一般の人々の間。世間。「—に伝わる療法」類語 俗界。

***ぞっ-かん【属官】**❶〔つき従う〕下級の官吏。類語 属僚。❷旧制度で、各省の判任官の文官の称。

そっ-き【速記】❶《名・他サ》話を聞きながら、すばやく書き取ること。特に、速記術を使って書き取ること。「—係」❷「速記術」の略。特定の符号で話などを書き取り、あとでそれをふつうの文字に直す技術。

ぞっ-き【俗気】→ぞくけ(俗気)。

ぞっき-ぼん【ぞっき本】 出版元から見切り品として出され、定価よりも安い値段で売られる、売れ残りの単行本や雑誌。見切り本。ぞっき。

ぞっき-や【ぞっき屋】 ぞっき本を専門に売る書店。

そっ-きゅう【速球】 野球で、〔投手が投げる〕はやい球。スピードボール。「—投手」類語 剛球。対 緩球。

そっ-きょ【卒去】《名・自サ》〔「しゅっきょ」の慣用読み〕〔文〕四位・五位の人が死ぬこと。類語 薨去(こうきょ)。

そっ-きょう【即興】❶その場で起こる興味。類語 座興。❷起こった感興をもとにして、すぐその場で詩歌・音楽などを作ること。「—演奏」類語 即題。

そつ-ぎょう【卒業】《名・自サ》❶その学校の決められた学課を学び終えること。また、そうして学校を去ること。類語 修業。終業。対 入学。❷ある〔低い〕段階を通りすぎること。「もう少女趣味は—した」

ぞっ-きょく【俗曲】 日本の音楽の一つ。酒席・寄席などで三味線などに合わせてうたわれる、座興的な歌曲。都都逸(どどいつ)・二上がり新内(しんない)など。類語 俗謡。

***そっ-きん【側近】** 身分の高い人や権力者などのそばに親しく仕える・こと(人)。「社長の—」「—政治」

***そっ-きん【即金】** 物を買ったその場ですぐに現金で支払うこと。また、そのお金。類語 現金。キャッシュ。

ソックス くるぶしの上あたりまでの長さのくつ下。類語 ストッキング。▽socks

そ-っ-くび【素っ首】〔俗〕首。素首(そくび)。〔ののしっていう語〕「きゃつの—を打ち落としてくれる」

そっくり ㊀《副》すっかり。残らず。全部。「昔と—同じだ」㊁《形動》〔あるものが他のあるものに、また、互いに二つ以上のものが〕非常によく似ているようす。「お母さんと—だ」類語 生き写し。丸写し。ぴったり。

そっくり-かえ・る【反っくり返る】《自五》〔「そりくりかえる」の促音化〕〔俗〕❶からだを後ろにそらせ

る。そりかえる。❷ひどくいばる。類語ふんぞり返る。

*ぞっ-け【俗気】→ぞくけ(俗気)。

*そっ-けつ【即決】《名・他サ》〔議案・判決などを〕その場ですぐに決めること。「速戦―」類語即断。速決。

*そっ-けつ【速決】《名・他サ》すみやかに決めること。「―を迫る」類語即決。

そっけ-な・い【素(っ)気無い】《形》相手に対する思いやりや愛想がない。すげない。「―・い態度をとる」「―・く答える」参考「素気(げす)ない」が変わった形。

*そっ-こう【側溝】排水のために、道路や線路などのかたわらに設けたみぞ。

*そっ-こう【即効】用いるとすぐにききめがあらわれること。「―性」「―薬」

*そっ-こう【速効】ききめがはやいこと。「―肥料」

*そっ-こう【速攻】《名・他サ》すばやく攻めたてること。「―で横綱を倒す」

*ぞっ-こう【続稿】前に書いた原稿を・完成させる(補訂する)ために書き続けること。また、その続きの原稿。

*ぞっ-こう【続行】《名・他サ》〔中止されそうになった物事を〕引き続いて行うこと。「試合を―する」

そっこう-じょ【測候所】気象庁の地方出先機関。気象や地震などの観測・調査などを行い、天気予報や暴風雨警報などを出す。

そっ-こく【即刻】《副》すぐその時。ただちに。即時。「―退去を命じる」類語即座。即席。

ぞっ-こく【属国】独立せず、他の国に支配されている国。従属国。対独立国。

ぞっ-こつ【俗骨】〔文〕凡俗である・こと(人)。また、その性質。俗人(根性)。

そっ-こん【即今】〔文〕ただいま。目下。現在。

ぞっ-こん《副》〔俗〕心底から。すっかり。「―ほれこむ」

そつ-じ【卒×爾・率×爾】《名・形動》〔文〕〔言動が〕突然なこと。にわかなこと。また、軽率なこと。「―ながら(=突然で失礼ですが)ちょっとおたずねいたします」

そつ-じゅ【×卆寿・卒寿】九〇歳(の祝い)。参考「卒」の俗字「卆」が、「九」と「十」に分けられることから。

そっ-・する【卒する】《自サ変》〔文〕《「しゅっする」の慣用読み》〔身分のある人が〕死ぬ。

そっ-せん【率先】《名・自サ》人の先頭にたって物事を行うこと。「―垂範」注意「卒先」は誤り。

そつ-ぜん【卒然・率然】《副》《「―と」の形も》〔文〕〔思いがけないことが〕急に起こるようす。だしぬけ。突然。「―と逝く(=急に死ぬ)」類語俄然(がぜん)。

そ-っ-ち【×其▽方】《代名》《「そち」の促音化》→そちら。参考「そちら」よりもぞんざいな言い方。―のけ【―▽退け】❶そのことにだけ心をかけ、他のことを構いつけないこと。問題にしないこと。❷そのことが驚くほど優れていること。そこのけ。「プロ―の腕前」

そっ-ちゅう【卒中】血管の障害(出血や血栓(けっせん)など)によって、突然意識を失ったり、手足の自由がきかなくなったり、言語障害を起こしたりする病気。中風。中気。〔ふつう、脳卒中の意味に使われることが多い〕

そっ-ちょく【率直】《形動》〔言動などが〕飾ったり隠しだてしたりしないで思っているままであるようす。「―に話す」類語フランク。注意「卒直」は誤り。

そっ-と《副》❶音を立てずに、また、穏やかに物事をするようす。「―歩く」❷〈「―しておく」の形で〉気持ちをかき乱さず、静かな状態にしておく。「今日は―しておいてくれ」❸人に気づかれないように物事をするようす。こっそり。ひそかに。「―事を運ぶ」参考①②③は「そうっと」と長音化して意味を強める。

ぞっ-と《副・自サ》❶急に(不快な)寒さを感じて思わずからだがふるえるようす。「すきま風の冷たさに―する」❷恐ろしさに思わずからだがすくんだり、身の毛がよだったりするようす。参考①②は「ぞうっと」と長音化して意味を強める。―しな・い《連語》〔俗〕あまり感心しない。いい気持ちがしない。「―・い話」類語ぞくぞく。

そっ-とう【卒倒】《名・自サ》急に意識を失って倒れること。類語失神。昏倒(こんとう)。

そつ-どく【卒読】《名・他サ》❶急いでざっと読むこと。❷読み終えること。読了。対熟読・味読。

そっ-ぱ【反っ歯】《「反(そ)り歯」の転》上の前歯がふつうより前に出ている・こと(人)。出歯。

そっ-ぽ【▽外▽方】《「そっぽう」の転》〔俗〕〔相手の方向でなく〕よその方。わきの方。―を向・く《句》協調しない態度をとる。知らん顔をする。「上司の方針に皆が―・く」

そで【×袖】❶衣服の腕をおおう部分。❷和服のたもと。「まだ―を通していない(=一度も着ていない)振り袖」「―を絞(しぼ)る(=涙でびしょびしょになるほど泣く)」❸〔門のわきの垣根(ねがき)・小門、机のわきの引き出し、舞台の左右のはしの部分など〕わきについているもの。

―に縋(すが)・る《句》あわれみをこう。哀願する。

―に・する《句》じゃま者扱いする。すげなく扱う。

―触れ合うも多生の縁《句》〔そでが触れ合うようなちょっとした出来事も前世からの因縁によって起こるものだ。〕袖摺(す)り(振)り合うも多生の縁。参考「多生」は俗に「他生」とも書く。

―を連・ねる《句》❶いっしょに連れ立って行く。同行する。❷行動を共にする。

―を引・く《句》❶〔「袖を引いて連れて行く」意から〕人を誘う。❷(袖を引いて)そっと注意する。

そ-てい【措定】《名・他サ》〔英 position ドイツ Setzung〕〔哲〕❶あるものの存在を肯定し、その内容を規定すること。❷ある命題を、自明のものまたは仮定として、推理によらずに主張すること。また、推理の前提としておかれる、まだ証明されていない命題。

ソテー 西洋料理で、肉類などを少量の油でいためたもの。また、その料理法。「ポーク―」▽フランス sauté

そで-がき【×袖垣】門などに添え低く作った垣根(ねがき)。

そで-ぐち【×袖口】そでの先端。手首を出す部分。

そで-ぐり【×袖×刳り】洋服の身ごろの、そでをつけるためにくった部分。アームホール。

そで-しょう【×袖章】制服のそでにつける記章。

そで-たけ【×袖丈】❶和服で、そで山からそで下までの長さ。また、たもとの長さ。❷洋服で、そで山からそで口までの長さ。

そで-だたみ【×袖畳(み)】背を内側へ二つに折り、両そでを合わせて、そで付けのあたりでたたむこと。和服の略式のたたみ方。

そ-てつ【×蘇鉄】ソテツ科の常緑樹。暖地に自生。葉は鳥の羽のような形で、幹の先端から広がる。種子は食用・薬用。茎から澱粉(でんぷん)をとる。観賞用。

そで-つけ【×袖付け】そでが身ごろにつく部分。また、そでを身ごろにつけること。

そで-なし【×袖無(し)】❶そでのない衣服。ノースリーブ。❷そでなしばおり。ちゃんちゃんこ。

そで-の-した【×袖の下】〔そでの下に隠してひそかに渡す意から〕わいろ。「―を使う」類語 鼻薬。リベート。

そと【外】❶囲ったり仕切ったりした範囲以外の広い部分。「窓の―を見る」対 うち。❷自分の家・家庭以外の場所。また、一般に、家・家屋以外の所。屋外。戸外。「―に出て日に当たる」❸その人が属する社会以外の所。「日本の―に出てみる」❹一個体の外部。また、おもてに現れた部分。表面。外面。「怒りを―に表す」❺その事以外。ほか。「出世の―に身をおく」

そ-とう【粗糖】精製していない砂糖。対 精糖。

そとうば【▽卒塔婆】→そとば(卒塔婆)。

そと-うみ【外海】〔湾・入り江などでなく〕陸地に囲まれていない広い海。外洋。外海。対 内海。

そと-がけ【外掛け】相撲の技の一つ。四つに組んだとき自分の足を同じ側にある相手の足の外側から掛けて倒す技。対 内掛け。

そと-がこい【外囲い】〔建物などの〕外側の囲い。類語 外郭。

そと-がまえ【外構え】❶〔門・垣・へいなど〕建物の外側の構造や配置。❷外観。

そと-がわ【外側】物の、外に面している側。「箱の―」対 内側。

そ-どく【素読】《名・他サ》〔文〕意味は考えず、文章を声に出して読むこと。すよみ。「論語を―する」

そと-ぜい【外税】商品の価格表示で、消費税にあたる額が含まれていないこと。対 内税。

そと-づら【外面】❶物の外側の面。うわべ。外面。❷〔家族やうちわの人以外の〕外部の人に応対するときの態度。「―はいいが、内面は悪い」対 内面。

そと-のり【外▽法】〔厚みのある入れ物で、その厚みを加えて測った〕外側の寸法。対 内法。

そとば【▽卒▽塔婆】❶仏舎利を安置し、供養するために建てる塔。❷死者を弔うために墓のうしろに立てる、薄くて細長い板。板塔婆。塔婆。＝卒塔婆。参考 梵語 stūpa（＝高くあらわれる）の音訳。

そと-ぶろ【外風×呂】建物の外に設けた浴場。また、自分の家でわかす風呂に対して、もらい湯や銭湯のこと。対 内風呂。

そと-べり【外減(り)・外▽耗(り)】穀物をついたときの耗高の残高に対する比。対 内減。

そと-ぼり【外堀・外×濠】城の外を囲むほり。「―を埋める（＝ある目的をとげるため、まずその周りの障害をとり払う）」対 内堀。

そと-まご【外孫】〔娘の親からみていう〕結婚した娘の子として生まれた孫。外孫。対 内孫。

そと-また【外×股】足のつまさきを外側に向けて歩く歩き方。そとわ。そとわに。対 内股。

そと-まわり【外回り】❶建物などの外側の周囲。❷《名・自サ》会社などで、取引先などをまわること。また、その仕事（を担当する人）。外勤。❸環状になっている電車・バスの路線のうち、外側を回る路線。また、その電車・バス。「―循環バス」対 内回り。

そと-み【外見】〔ある人や物の〕外から見たようす・感じ。うわべ。みかけ。外目。外見。外見。「―がいい」

そと-め【外目】他人から見た感じ。外見。

そと-わ【外輪】外また。対 内輪。

ソナー 超音波を利用して水中にある物体を探知する装置。水中音波探知機。ソーナー。▽ sonar（＝sound navigation ranging の略）

***そなえ**【供え】《多く「お―」の形で》❶供えること。❷供えもの。供物。

***そなえ**【備え】❶〔非常事態に対する〕準備。用意。「消火器の―」❷防備。陣立て。「―を固める」

―あれば憂い無し《句》用意が十分できていれば、心配することはない。

そなえ-つ・ける【備え付ける】《他下一》必要なものを、ある場所に置いて使えるようにしておく。

そなえ-もの【供え物】神仏にささげ供えるもの。供え。お供え。供物。

***そな・える**【供える】《他下一》神仏・貴人などに物をさしあげる。「墓に花を―・える」類語 手向ける。奉納。献納。文 そな・ふ《下二》。⇩〖使い分け〗

***そな・える**【備える・▽具える】《他下一》❶〔これから行われること、起こることに対して〕用意する。「火災に―・える」❷〔用にあてるために〕整えておく。設備する。「電話を―・えた部屋」❸もともとその身につけたものとして持つ。自然に持つ。「動物が―・えた本能」❹りっぱに持つ。具備する。「すべての条件を―・える」

表記 ①②は「備」を、③④は「具」を用いることが多い。文 そな・ふ《下二》。⇩〖使い分け〗

使い分け「そなえる・そなわる」

備える（▽具）〔用意する。そろえ整える。ちゃんともつ。具備〕地震に備える・老後に備える・調度品を備えた部屋・美人の相を備(具)える・天分を備(具)える・特色を備(具)える・条件を備(具)え持つ

供える〔神仏・貴人に物を整えささげる〕花を供える・お神酒を供える

備わる（▽具）〔そろえ整う。自然に身についている〕設備が備わる・気品が備(具)わる・条件が備(具)わる

参考 「備」は当面予備においておく意から、心配のないように用意されている意。「具」は全体が不足なくそろう意で、必要な物のそろっていることを表す。

***そなた**【×其▽方】《代名》〔文〕❶そちらの方。そっち。❷目下の相手をよぶ語。おまえ。なんじ。

***ソナタ** ❶〔主に、古典派以前の音楽で、声楽曲をカンタータというのに対し〕器楽曲。「トリオ―」「教会―」❷→そうめいきょく。「バイオリン―」▽イタリア sonata

―けいしき【―形式】ヨーロッパの古典派以降の器楽曲に用いられた器楽形式の一つ。主題の提示・展開・再現の三部からなる。

ソナチネ 内容的にも形式的にも小規模な奏鳴曲。多くは二楽章または三楽章から成り、第一楽章も簡略なもの。小奏鳴曲。▽イタリア sonatine（＝小さいソナタ）

そなれ-まつ【×磯×馴(れ)松】〔雅〕強い潮風で地面に低く傾いて生えのびた松。いそなれまつ。そなれ。

そなわ・る【備わる・▽具わる】《自五》❶足りないものがなく、そろいととのう。「心・技・体の三拍子が―・る」❷身についたものとして持つ。「体力が―・る」「員に―・る（＝一員として加わる）」❸〔文〕その地位につく。列する。文《四》。⇩〖使い分け「そなえる・そなわる」〗

そ-にん【訴人】《名・自サ》〔奉行所や裁判所に〕訴え出た人。また、訴え出ること。〔古風なことば〕類語 原告。告訴人。

ソネット ヨーロッパの叙情詩の形式の一つ。一四行からなる短い詩。十四行詩。ソンネ。▽ sonnet

そね・む【×嫉む・×妬む・×猜む】《他五》〔他人の幸福や長所を〕うらやみ、憎む。ねたむ。嫉妬する。「友人の成功を―・む」文《四》。

***その**【園・×苑】〔雅〕❶木・花・野菜などを植えるためのくぎられた広い土地。また、(広い)庭。「桜の―」❷ある限られた場所。「女の―」「学びの―」

***その**【×其の】㊀《連体》❶聞き手に近い事物をさす語。「―場所にいてください」❷すぐ前にのべたことをさす語。「―話はやめてください」㊁《感》ことばがすらすらと出ないときなどに、つなぎとして用いる語。「あの、―」参考「そのう」と長音化することが多い。

そ・のう【×嗉×嚢】食道の一部が袋状になった器官。食物を一時的にこの中にたくわえ、胃に送る食物量を調節する。鳥類・昆虫類・軟体動物などにみられる。

その・うえ【×其の上】《接続》ある事柄に、さらにちがった事柄が加わることを表す語。それに加えて。さらに。「仕事はできるし、―趣味も広い」表記ふつう、かな書きにする。類語かつ。のみならず。

その・うち【×其の内】《副》(「―に」の形も)あまり時間のたたないうち。近いうち。「―(に)結果が出る」表記ふつう、かな書きにする。類語近々。近日。やがて。

その・かみ【×其の上】《副》〔文〕〔今では以前になってしまった〕その時。その昔。当時。昔。

その・かわり【×其の代(わ)り】《接続》前に述べたことが、次に述べることによって相殺される意を表す。そのひきかえとして。

その・ぎ【×其の儀】〔文〕その事柄。その件。

その・くせ【×其の癖】《接続》前に述べたことと、次に述べることとが矛盾している意を表す語。それなのに。「元気がよいのに、―気が弱い」

その・ご【×其の後】〔あることがあって〕それからのち。そののち。それ以来。以後。

その・じつ【×其の実】《副》〔前に述べた事柄に反して〕ほんとうのことを言えば。ほんとうは。実際は。「簡単そうだが、―むずかしい」

その・すじ【×其の筋】❶〔話題にのぼっている〕その分野(の人)。その方面(の人)。「―の意見も考慮する」類語その道。❷そのことを管轄する役所。特に、警察。〔婉曲な言い方〕「―のお達し」

その・せつ【×其の節】〔自分にかかわりのある事が行われる〕その時。その折。「―はよろしく」

その・た【×其の他】〔前に述べたものを受けて〕それ以外のもの・こと。そのほか。「―おおぜい」

その・て【×其の手】❶〔相手が実行する〕そのような手段・計略。「―は食わない(=そのような計略にはひっかからない)」❷そのような種類。「―の品」
―**は桑名の焼き蛤**《句》「その手は食わない」の「くわない」を地名の「桑名」にかけ、名物の「焼き蛤」で結んだ地口。そんな計略には乗らないぞの意。

その・でん【×其の伝】〔前に述べた事柄を受けて〕そのような考え方・やり方。「―で行こう」

その・ば【×其の場】《連語》❶〔あることが・行われる(行われた)〕その特定の場所、場面・状況。「―に居合わせる」「―をとりつくろう」❷〈「―で」の形で〉その場所ですぐ。即座に。ただちに。
―**かぎり**【―限り】その時だけで終わりになること。その時だけで、あと長続きしないこと。
―**のがれ**【―逃れ】あとのことは考えず、その場だけをとりつくろって切り抜けようとする態度。一時のがれ。
―**しのぎ**【―×凌ぎ】その場逃れ。その場しのぎ。「―の答弁」

その・はず【×其の×筈】そうあって当然なこと。もっともなこと。「それも―」

その・ひ【×其の日】㊀《連語》〔前に述べた日を受けての、〕その当日。「―は朝から雨だった」㊁《名》さしあたっての、今日という日。今日現在。一日一日。
―**かせぎ**【―稼ぎ】一定した職がなく、その日のつごうであちこちへ行って働いて生活費を得ること。
―**ぐらし**【―暮(ら)し】❶その日に得た収入全部で、やっとその日が暮らせるような貧乏な暮らし。❷さしあたって必要なことだけをして将来への計画がない、消極的な生活態度。「―の外交政策」類語出たとこ勝負。

その・ひと【×其の人】㊀《代名》すぐ前に話題になった人、また相手に近い人を指していう。「―はだれですか」参考「そちら」「その方」より敬意が薄い。㊁《名》❶《上に来る、人を表す語と同格の関係にたって、その意味を強める》ほかでもないその人。その人自身。「幼児の命をすくったのは、ほかでもない船頭さん―だったのです」❷〈「…に―あり」の形で〉その世界にその人が・すぐれた(名を知られた)存在としてある意。「財界に―ありといわれたA氏」

その・ぶん【×其の分】❶それだけのこと。その程度。「―では合格はおぼつかない」❷それに応じた分。

その・へん【×其の辺】《連語》❶話し手から少し離れた場所。「この辺」より遠く、「あの辺」より近い場所。そのあたり。「―をよく捜してください」❷それくらい。その程度。❸〔前に述べたことを受けて〕そのことに関する方面。「―の事情はよく知らない」

その・ほう【×其の方】㊀《連語》その方向。また、その方面。「―の知識はあまりない」㊁《代名》〔文〕目下の相手をさす語。おまえ。そなた。なんじ。

その・まま【×其の×儘】㊀《名》今までと同じ状態。「机の上を―にする」㊁《副》❶これまでの状態に何の変化もないようす。また、これまでの状態を変えずに何かをするようす。今のまま。もとのまま。「―ぐっとがまんする」❷何かが行われたあと、引きつづいてすぐ次の事が行われるようす。「机に向かうなり、―原稿を書き出した」❸二つのものが非常によく似ているようす。そっくり。「本物―に作る」=そのまんま。

その・みち【×其の道】❶〔話題にのぼっている〕その(専門の)方面。「―の権威」参考文語的な語に「斯道」「斯界」がある。類語その筋。❷色欲・色ごとの方面。〔婉曲な言い方〕

その・もの【×其の物】❶ほかのものではなく、問題や話題になっている、当のもの。「―ずばり」❷㋐《上に来る名詞と同格の関係にたち、その意味を強める》他の何ものでもない、まさしくそれ自身。それ自体。「人間―の価値を問う」㋑《形容動詞語幹について、接尾語的に用い》その性質・状態をとりあげて意味を強める。それ以外の何ものでもないといえるほどのようすだ。非常に…だ。「無邪気―」

***そば**【▽側・▽傍】❶ある物のすぐ横、すぐ近く。かたわら。はた。「家の―」「―から口を出す」❷《「―から」の形で、動詞連体形を受けて》…するとすぐに。「聞いた―から忘れる」

***そば**【×岨】〔文〕山の、がけが切り立ったようになった所。絶壁。岨。「―づたいの道をたどる」

***そば**【×蕎▽麦】❶タデ科の一年草。秋に白または淡紅

色の花をふさ状につける。種子は三角形で黒い皮におおわれ、粉にして食用にする。❷そば①の種子をひいた粉に、小麦粉などを加えてこね、のばして細く切った食品。そば切り。また、その料理。❸中国風の、めん。また、その料理。「焼き―」

そば‐がき【×蕎▽麦×掻き】そば粉を熱湯でかたく練った食べ物。つゆなどをつけて食べる。そばねり。

***そば‐かす**【×蕎▽麦×滓】→そばがら。

***そば‐かす**【×雀×斑】おもに顔の皮膚に現れる、褐色の斑点(はんてん)。参考「蕎麦滓(そばかす)」に似ることから言う。

そば‐がら【×蕎▽麦殻】ソバの実を粉にしたあとの、から。枕(まくら)などにつめる。そばかす。

そば‐だ・つ【×峙つ・×聳つ】《自五》《「稜(そば)立つ」の意》他よりもひときわ高く立つ。「雲に―つ山々」

そば‐だ・てる【×欹てる・×敧てる】《他下一》❶〔一方の端を〕ひときわ高く立てる。❷《慣用句的に用いて》注意して…しようとする。「耳を―てる」

そば‐づえ【▽側×杖・×傍×杖】(―づゑ) そばにいたため、自分に直接関係のないことに巻き込まれて受ける、思わぬ災難。巻き添え。とばっちり。「―を食う」

そば‐づかえ【▽側仕え】(―づかへ) 身分の高い人のそば近くに仕えること。また、その人。そば役。〔ふつう「お―」の形で、女性をいう〕類語 側近。近侍。

そば‐みち【×岨道】険しいがけが続いている道。

***そば‐め**【▽側▽妻・×妾】〔文〕〔身分の高い人の〕めかけ。てかけ。側室。

***そば‐め**【▽側目】そばにいて見える様子。はため。「―にも美しい」

そば‐・める【▽側める】《他下一》❶かたわらに寄せる。片寄せる。❷横に向ける。そむける。「目を―める」文 そば・む《下二》

そば‐ゆ【×蕎▽麦湯】そば②をゆでた湯。また、そば粉を湯でといたもの。

そば‐ようにん【▽側用人】江戸幕府の職名。将軍のそば近くに仕え、老中(ろうじゅう)に将軍の命令を伝えたり、老中などの上申を取り次いだりした要職。

そ‐はん【粗飯】そまつな食事。粗餐(そさん)。〔他人に食事を出すとき、けんそんして言う語〕

そび・える【×聳える】《自下一》〔山や建築物などが〕高く立っている。そばだつ。「斯界(しかい)に屹然(きつぜん)と―える(=群を抜いて偉大な)巨匠」文 そび・ゆ《下二》

そびやか・す【×聳やかす】《他五》❶高くなるようにする。そびえるようにする。❷〔「肩を―す」の形で〕いばって肩を高くあげる。他を威圧するような大きな態度をとる。「肩を―して席につく」文《四》

***そ‐びょう**【粗描】《名・他サ》あらましを大ざっぱに描写すること。大まかな描写。「全景を―する」

***そ‐びょう**【素描】《名・他サ》❶木炭や鉛筆で下絵を描くこと。また、その絵。デッサン。素描(すがき)。❷物事の要点をざっと書き表すこと。また、その文章。

そび・れる《接尾》《動詞の連用形について下一段活用の動詞を作る》「…する機会をにがす」「…しそこなう」の意を表す。「寝―れる」「言い―れる」

そ‐ひん【粗品】→そしな。

そ‐ふ【祖父】父母の父。おじいさん。対 祖母。

ソファー 長椅子(いす)の一種。二人以上ゆったりと腰掛けられて、背もたれがあり、両わきにひじかけがついている、クッションのついた安楽椅子。ソファ。▽sofa

ソフィスティケート《名・形動・他サ》洗練されていること。また、知的で凝っていること。「―な服装」「―された態度」「―された小説」▽sophisticate

ソフィスト 紀元前五世紀ごろ、主にギリシアのアテナイで、弁論・修辞の術などを教えた人々。詭弁(きべん)学派。転じて、詭弁家。理屈屋。▽Sophist

ソフト ㊀《形動》やわらかい(また、優しい・軽い)ようす。「―なムード」「―な感じ」㊁《名》❶「ソフト帽」の略。フェルトなどのやわらかな布で作った中折れ帽子。❷「ソフトボール」の略。❸「ソフトクリーム」の略。❹「ソフトウエア」の略。対 ハード。▽soft **―ウエア** 機械を操作する技術。特に、コンピューターの能力を効果的に利用する技術。ソフト。対 ハードウエア。▽software **―クリーム** 冷凍氷結させていない、やわらかなアイスクリーム。▽soft と cream からの和製品。**―ドリンク** アルコール分を含まない軽い飲み物。レモンスカッシュ・ジュース・コーヒー・紅茶・サイダーなど。ソフトドリンクス。参考 狭義では、清涼飲料を指す。▽soft drink **―フォーカス** 画面にやわらかみをもたせるため、特殊レンズや紗(しゃ)を使って画像にぼけたような焦点を結ばせる撮影法。また、その方法で撮影した写真。軟焦点。▽soft focus **―ボール** 野球のボールより少し大きくてやわらかいボール。また、それを使って行う、野球に似た競技。▽softball

そ‐ふぼ【祖父母】祖父と祖母。父母の父母。

ソプラノ 女声のうち、一番高い音域(を歌う声)。また、その歌手。類語 アルト。▽イタリア soprano

そ‐ぶり【素振り】〔感情などが〕表情や動作にあらわれた場合の、その表情や動作。「つれない―」類語 態度。注意「すぶり」と読めば別語。

そ‐ぼ【祖母】父母の母。おばあさん。対 祖父。

そ‐ほう【粗放・疎放】《名・形動》〔文〕〔考え方・やり方などが〕いいかげんで、大ざっぱなこと。しまりがないこと。綿密でないこと。類語 粗雑。粗大。**―のうぎょう**【―農業】一定の土地に資本と労働力の投下を少なくおさえた農業経営のしかた。対 集約農業。

そ‐ぼう【粗暴】《形動》〔性質・動作などが〕あらあらしくて乱暴なようす。「―なふるまい」類語 粗野。

そほう‐か【素封家】〔領地は持たないが〕古くから非常に多くの財産を持っている人。類語 富豪。長者。大金持ち。金満家。

そ‐ぼく【素朴・素×樸】《名・形動》❶洗練されたところや飾りけはないが、いつわりのない自然のままのよさを持つこと。「―な人柄」類語 純朴(じゅんぼく)。❷〔考え方ややり方などが〕単純で、じゅうぶん発達していないこと。「―な議論」類語 原始的。幼稚。

そぼ・つ【×濡つ】《自四・自上二》〔古〕❶〔霧・雨・涙などで〕ぬれる。参考 現代では「ぬれそぼつ」「泣きそぼつ」などの複合語に残る。❷〔雨が〕しめやかに降る。

そぼ‐ぬ・れる【そぼ×濡れる】《自下一》〔雨で〕びしょびしょにぬれる。「雨に―れて歩く」

そぼ‐ふ・る【そぼ降る】《自五》〔雨が〕しめやかに降る。しとしとと降る。「―る雨」

そぼろ ❶《名・形動》〔髪などが〕乱れてからまること。「―髪」❷タイ・タラなどの魚肉をゆでたり蒸したりして細かくほぐし、味をつけた食品。おぼろ。

そ‐ほん【粗×笨】《名・形動》〔文〕〔物事の考え方・やり方などが〕細かい所まで注意が行きとどかず、雑なこと。粗雑。「―な事業計画」

そ

そま【×杣】〔文〕❶そまやま。❷そまぎ。❸そまびと。

そま‐ぎ【×杣木】〔文〕そま山に育った、材木をとる木。また、そま山から切り出された材木。そま。

そ‐まつ【粗末】《形動》❶品質や作りが(雑で)よくないようす。「―な料理」類語ちゃち。粗雑。粗悪。❷いいかげんに扱うようす。大事に扱わないようす。「親を―にするな」類語粗略。参考↓おそまつ。

そま‐びと【×杣人】〔文〕そま木を取るきこり。そま。

そま‐やま【×杣山】〔文〕材木にするための木を植えた山。そま。

そま・る【染まる】《自五》❶色がついて、物がその色になる。「朱(あけ)に―る」類語色付く。↓染める。❷影響を受けて感化される。「悪に―る」文《四》。

そ‐まん【粗慢・疎慢】《名・形動》〔文〕やり方が荒々しいばかりで、しまりのないこと。いいかげんなこと。おろそか。類語粗放。散漫。

そ‐みつ【疎密・粗密】〔密度の〕あらいことと細かいこと。「人口の―」類語精粗。

そみん‐しょうらい【×蘇民将来】❶疫病よけの神の名。❷護符の一つ。柳の木で作った短い六角柱や長方形の紙や板に「蘇民将来の子孫也(なり)」としるしたもの。

そ・む【染む】《自五》↓染まる。参考現在では、否定の語を伴った形で用いる。「気に―まない(=心がなじまない。気にいらない)」「心に―まぬ」文《四》。

そむ・く【背く】《自五》❶背中を向ける。「明かりに―いてすわる」❷何かにさからってそれに反した行動をとる。㋐違反する。「学則に―く」㋑はむかう。反抗する。「言いつけに―く」㋒(世間やある人から)離れて行く。すてる。「世を―く(=出家する)」㋓〈「名に―く」の形で〉名と実とが一致しない。「鍾馗(しょうき)の名に―かぬ容貌(ようぼう)」文《四》。

そむ・ける【背ける】《他下一》〔顔や目を〕そのものにまともに向けていられず、それからはずして、よそに向ける。そらす。文そむ・く《下二》。

ソムリエ ホテルや高級レストランなどで、客のワイン選びの相談にのる係の人。▽ス(フランス) sommelier

そめ【染め】染めること。また、染めた色・具合。

ぞめ【初め】《接尾》《動詞の連用形につけて名詞を作る》「その年になってからはじめて…すること」「生まれてからはじめて…すること」「でき上がってからはじめて…すること」の意。「書き―」「食い―」「渡り―」

そめ‐あがり【染(め)上(が)り】染めて仕上がること(もの)。また、その出来ぐあい。「―がよい」

そ‐めい【疎明・×疏明】❶〔文〕言いわけ。申し開き。❷〔法〕裁判官に、一応たしからしいという推測をいだかせる程度の証拠をあげること。類語釈明。弁明。表記「疎明」は代用字。

そめい‐よしの【染井▽吉野】―ゐ サクラの一品種。観賞用のサクラのうちでは、全国各地で最も多く植えられる。四月ごろ、葉に先だって淡紅色の花が咲く。

そめ‐いろ【染め色】染料で染めて出した色。染色。

そめ‐かえ・す【染め返す】―かへす《他五》❶色がさめたものをもう一度、同じ色に染める。❷別の色や模様に染める。染め直す。=染め変える。

そめ‐がた【染(め)型】染め出す模様(の型紙)。

ぞめ・く【▽騒く】《自五》〔文〕大ぜいが浮かれ騒ぐ。ざわざわする。文《四》。

そめ‐こ【染(め)粉】粉にしてある染料。

そめ‐だ・す【染め出す】《他五》染めて色や模様をあらわす。「家紋を―す」

そめ‐つけ【染(め)付け】❶染めて色や模様をつけること。また、その色や模様。特に、藍色(あいいろ)に染め付けた模様。また、その布。❷藍色の模様を焼き付けた陶磁器。また、その技法。「からくさ模様の―」

そめ‐なお・す【染め直す】―なほす《他五》染め返す。

そめ‐ぬき【染(め)抜き】布に模様などを染め抜くこと。また、その染め抜いた布・模様。

そめ‐もの【染(め)物】布などを染めること。また、その布。「―を干す」

そめ‐もよう【染(め)模様】〔手で描いたり、織り出したりした模様に対して〕染めてあらわした模様。

＊**そ・める**【初める】《接尾》《「染める」と同語源》《動詞の連用形につけて下一段動詞を作る》「…し始める」「はじめて…する」の意。「思い―める」「咲き―める」文そ・む《下二》。

＊**そ・める**【染める】《他下一》❶ある色をしみ込ませて、物をその色にする。また、塗って色をつける。「布を―める」類語染め抜く。染め出す。染め做(な)す。染め付ける。染め直す。染め返す。(るす)染め付け。着色。❷〈「心を―める」「胸を―める」の形で〉深く心に感じる。印象にのこる。❸〈「筆を―める」の形で〉書き始める。初めて書く。執筆にとりかかる。「色紙に筆を―める」❹〈「手を―める」の形で〉ある物事に取りかかる。着手する。❺ある色に変える。「ほおを―める(=ほおを赤らめる)」文そ・む《下二》。

そめ‐わけ【染(め)分け】❶染め分けること。また、染め分けたもの。「―手綱(たづな)」❷花びらが染め分けたようにちがった色になる花。

そ‐も【▽抑】《接続》《「そ」は代名詞、「も」は係助詞》〔文〕次の事柄を説き起こすときに使う語。そもそも。いったいぜんたい。それにしても。「―いかに」

そ‐もう【×梳毛】〔布地に織るため〕羊などの動物の毛をすいて短い毛を除き、ちぢれをのばして長さをそろえ平行に並べること。また、そのようにした毛。「―機」

そもさん【×什×麽▽生・×作×麽▽生】《副》禅宗で、問いかけて相手の答え・説明をうながすことば。いかに。さあどうじゃ。参考もと、中国宋(そう)代の俗語。

そ‐もじ【×其文字】《代名》〔古〕女性が目下の相手を呼ぶ語。そなた。参考「其方(そなた)」の「そ」に「もじ」をつけた女房ことば。

そも‐そも【▽抑】■《名》〔物事の〕最初。初め。第一。「二人が知り合った―は…」■《接続》ある事柄を説き起こすときに使う語。いったい。そも。「―なぜ大学をめざすのか」参考「そも」を重ねて強くいう語。

＊**そ‐や**【▽征矢・▽征×箭】〔文〕戦場で使う矢。

＊**そ‐や**【粗野】《名・形動》〔性質や言動が〕荒々しく、下品なようす。「―なふるまい」類語粗暴。

ぞ‐や ■《副助》《係助詞「ぞ」＋係助詞「や」》〔不定を表す語について〕不確かの意を表す。〔古風な言い方〕「いつぞやはお世話になりました」「それきりどこぞやへ消えた」■《連語》文語《終助詞「ぞ」＋終助詞「や」》感動をこめて断言し、また強く問いかけるのに使う。「まつりの夜の所為(しょい)はいかなる卑怯(ひきょう)―〈一葉〉」

そや・す【×嗾す・×煽す・▽称す】《他五》〔文〕そそのかす。おだてる。「ほめ―す」文《四》。

そ‐やつ【×其▽奴】《代名》「その人」を軽いものと見なしていう語。そいつ。〔古風なことば〕「―をのがすな」

***そよ**《副》《多く「—と」の形で》風がかすかに吹くようす。また、草木などが微風に動くようす。「風は—とも吹かない」

***そ-よ**《連語》文語《禁止の終助詞「そ」+終助詞「よ」》➡そ(終助)。

そ-よう【素養】ふだんから練習や訓練をして身につけた(特別な)教養・技術。「ピアノの—がある」類語 心得。たしなみ。素質。

そよ-かぜ【▽微風】そよそよと静かに吹く風。微風(びふう)。参考 ふつう、春風や夏の風にいう。

そよ・ぐ【▽戦ぐ】《自五》草木などが、微風に揺れたり、かすかな音を立てたりする。また、風がそよそよと吹く。「麦の穂が風に—・ぐ」類語 なびく。文《四》。

そよ-そよ《副》《「—と」の形も》風が静かに吹くようす。また、草木などが微風に動くようす。「—と春風がふく」参考 ふつう、春風や夏の風にいう。

そよ-ふ・く【そよ吹く】《自五》風がそよそよと吹く。参考 ふつう、春風や夏の風にいう。「春風—・く空」

***そら【空】** 一《名》❶地上の空間のはるか上方に見える所。「—に月が出ている」❷空の様子。空模様。天候。「曇った—」❸心の余裕。転じて、気持ち。「生きた—もない」❹〔遠く離れた〕場所・境遇。「異国の—」❺《形動》〔ある事をしていながら〕心がその事に向いていないようす。そわそわして落ち着かないようす。「心も—な手つき」「うわの—」❻書いたもの(実物)にたよらないで、そのとおりに言う(書く)こと。「方丈記を—で言う」❼いつわり。うそ。「—を言う」二《接頭》❶《動詞・形容詞につけて》「なんとなく」「わけがわからず」などの意を添えながら意味を強める語。「—とぼける」「—おそろしい」❷「かいのない」の意。「—だのみ」❸「いつわりの」の意。「—涙」「—寝」❹「そのようでありながら真実はそうでない」意。「他人の—似」「—耳」⇩〔類語と表現〕

類語と表現

「空」
*空が青い・空が晴れる〔晴れ渡る〕・空が澄む〔澄み渡る〕・空が白む〔明るむ〕・空が曇る〔かき曇る〕・空が荒れる・空を飛ぶ・空に浮かぶ雲・空高く舞い上がる。
◆青天井・空中・大空・天・天上・天界・天球・晴天・蒼天・曇天・満天・半天・中天・東天・暁天・霜天・寒天・炎天・悪天・天心・天頂・天際・天涯・天外・蒼穹(そうきゅう)・碧落(へきらく)・高層・成層圏
◇〔…くう〕虚空(こくう)・高空・上空・蒼空・中空・低空・半空・碧空(へきくう)・領空

***そら** 一《連語》《「それは」の転》〔俗〕そりゃ。そりゃあ。「—そうだ」二《感》相手に注意をうながす語。それ。そりゃ。「—、どぶに落ちるぞ」

そら-あい【空合(い)】❶天気のようす。「雪になりそうな—だ」❷物事の成り行き。雲行き。「交渉は決裂しそうな—だ」類語 ①②空模様。

そら-いろ【空色】❶晴れた空のような色。薄い青色。みず色。❷空模様。空のけはい。

そら-うそぶ・く【空×嘯く】《自五》❶相手をばかにした態度をとる。「—・き、たばこの煙をふきかける」❷わざと知らないふりをしてとぼける。そらとぼける。

そら-おそろし・い【空恐ろしい】《形》はっきりした理由はないが、恐ろしい感じがするようすだ。「行く末の—・い子供」

そら-おぼえ【空覚え】❶書いたものを見ないで言えるように、頭の中で覚えること。暗記。「—で詩をよむ」❷たしかでない記憶。うろ覚え。「—の住所」

***そら-ごと【空事】**空想で作りあげた事柄。いわれのない話。つくり事。「事業に失敗して、夢は—となった」

***そら-ごと【空言】**偽りのことば。うそ。虚言。

***そら・す【反らす】**《他五》そるようにする。文《四》。

***そら・す【▽逸らす】**《他五》それるようにさせる。❶わきへ取りにがす。のがす。「球を—・す」❷目標とちがった方向に向ける。ねらいをはぐらかす。「目を—・す」「気を—・す」❸〈多く「人を—・さない」の形で〉相手の気持ちをうまくつかんで、気まずい思いをさせない。「客を—・さない話術」文《四》。

そらぞら-し・い【空空しい】《形》うそである、真心がこもっていない、とぼけて知らないふりをしているなどのようすが見えすいている。「—・いお世辞」

そら-だのみ【空頼み】《名・他サ》見込みのないことをたのみにすること。また、あてにならないたのみ。

そら-どけ【空解け】ひもなどが自然に解けること。

そら-とぼ・ける【空×惚ける】《自下一》知っているのにわざと知らないふりをする。そらっとぼける。

そら-なき【空泣き】《名・自サ》泣くふりをすること。泣きまね。うそ泣き。類語 空涙。

そら-なみだ【空涙】悲しくもないのに悲しそうなふりをして流す涙。うその涙。「—にだまされる」類語 空泣き。

そら-に【空似】血のつながりのない他人同士であるのに、顔かたちがよく似ていること。「他人の—」

***そら-ね【空寝】**《名・自サ》眠っているふりをすること。たぬき寝入り。そら寝入り。

***そら-ね【空音】**〔文〕❶偽ってまねる鳴き声。「鶏の—」❷偽りのことば。そらごと。うそ。「—を吐く」

そら-ねんぶつ【空念仏】念仏を唱えるふりをすること。また、信仰心を持たずに念仏を唱えること。空念誦(そらねんじゅ)。類語 から念仏。

そら-まめ【空豆・▽蚕豆】マメ科の越年草。さやの中に一個から数個の扁平(へんぺい)な腎臓(じんぞう)形の種子があり、食用。さやは空を向いてつく。

そら-みみ【空耳】❶実際には何も聞こえないのに聞こえたような気がすること。類語 聞き違い。幻聴。❷聞こえないふりをすること。「—を使う」

そら-め【空目】❶実際には何も見えないのに見えたような気がすること。類語 見違い。見誤り。ひが目。❷見て見ないふりをすること。❸ひとみを上に向けること。また、そのような目つき。上目(うわめ)。「—づかい」

そら-もよう【空模様】❶天候のようす。天気のぐあい。❷物事の成り行き。雲行き。参考 ふつう、悪くなりそうなときに使う。「両国間の—が険悪になってきた」類語 ①②空合い。

そら-ゆめ【空夢】❶実際には見ていないのに、見たかのようにかってにこしらえて話す夢。❷現実ではそうならない夢。さか夢。

そらん・じる【×諳じる】《他上一》➡そらんずる。

そらん・ずる【×諳ずる】《他サ変》《「そらにす」の転》書いたものを見なくてもそのとおり言えるように、頭の中で覚える。そらで覚える。暗記する。そらんじる。

***そり【×剃り】**❶そること。また、髪やひげをそった具合。❷かみそり。表記 ②は「剃刀」とも書く。

***そり**【反り】❶反ること。反った程度・ようす。❷刀身の峰の反り具合。
ーが合わない《句》〔刀身のそりがさやと合わない意から〕お互いの気持ち・気質がしっくりゆかない。気が合わず、仲がうまくゆかない。「相棒とー・い」

***そり**【×橇】雪や氷の上をすべらせて人や荷物を運ぶもの。底に二本の細長い金属や板が平行につけてある。遊びや競技にも用いる。

そり・おと・す【×剃り落とす】《他五》〔髪の毛・まゆ毛などを〕かみそりなどでそって落とす。

そり・かえ・る【反り返る】(ーかへる)《自五》❶そって、一方(後ろ)の方へ曲がる。また、非常によくそる。「板がー・る」❷いばって、からだをうしろへそらす。ふんぞり返る。「ー・って命令する」 類語 ①②そっくり返る。

ソリスト ❶独奏者・独唱者。また、独奏家・独唱家。ソロイスト。❷バレエで、第一舞踊手。▽(フランス) soliste

そり・はし【反り橋】弓のように、中央が高くなっている橋。類語 太鼓橋。

そり・み【反り身】胸をはって、上半身をうしろへそらすこと。参考 いばったようすを表すときにも使う。

そ・りゃく【粗略・疎略】《名・形動》〔物事や人の〕扱い方が、心がこもらずいいかげんなこと。やり方がぞんざいなこと。「客をーに扱う」 類語 おろそか。

そ・りゅうし【素粒子】物質を構成する最低単位となる、微細な粒子。電子・陽子・中性子など。

そ・りん【疎林】〔文〕木がまばらな林。対 密林。

***そ・る**【反る】《自五》❶物が一方へ弓なりに曲がる。「板がー・る」❷からだ(の一部)が弓なりにうしろへ曲がる。「指がよくー・る」 類語 ①②反り返る。反っくり返る。 文《四》。

***そ・る**【×剃る】《他五》かみそりなどで、髪やひげなどを根もとから切り取る。する。文《四》。

ゾル コロイド粒子が液体中に分散して流動性をもっている状態。参考 ↓ゲル。▽(ドイツ) Sol

ソルフェージュ ドレミファ…を用いて音程・リズム・聴覚などを練習する方法。▽(フランス) solfège

ゾルレン〔哲〕そうあるべきこと。そうすべきこと。当為(とうい)。対 ザイン。▽(ドイツ) Sollen

***それ**【×其(れ)】《代名》❶話し手が、自分から少し離れていて、より相手に近い関係にあると意識している物を指し示す語。「ーをください」❷話し手が、共通の話題として取り上げ(ようとし)ている事柄を指し示す語。その事。「ーは昨年の事だ」❸話し手が、相手と共通の話題にしているある時を指し示す語。その時。「ー以来」❹前に言ったことばをすぐり返すときの代わりに用いる語。「オルガンの奏法はピアノのーとは異なる」 参考 翻訳調の文章に多い。❺〔文〕《接続詞的に用いて》ある話題を始めるとき、発語として用いて口調をととのえる語。そもそも。いったい。「ー智(ち)は物に接して益々(ますます)広く」 参考 もと、漢文訓読体に用いられた。

***それ**《感》《代名詞「それ」と同語源》注意をうながしたり、気合いをかけたりする時に発する語。そら。「ー、進め」

それ・がし【▽某】《代名》〔古〕❶なにがし。だれそれ。ある人。❷わたくし。「ーがこの関所を守る」

それ・から《接続》❶前の事柄に続いて、後の事柄が起こる意。それに続いて。その次に。その後。それ以来。そして。「ーどうしたの」❷ある事柄に他の事柄を付加する意。それに加えて。そして。また。「鉛筆、消しゴム、ーノートがほしい」 類語 そうして。その上。それに。おまけに。かてて加えて。あまつさえ。それどころか。それればかりか。のみならず。且つ。しかも。ひいては。なお。更に。及び。ならびに。且つ又。他に。

ーそれと《副》物事が次から次へと起こるようす。それからそれへと。「ー話題は尽きない」

それ・きり【×其(れ)切り・×其(れ)▽限り】《副》それだけで終わり、あとに続くものがないようす。それを最後として。それかぎり。それっきり。「ー便りがない」

それ・ぐらい【×其(れ)位】(ーぐらゐ) 前に述べた事柄を受けて、量や程度などがそれとほぼ同じであること。その程度。そのくらい。それくらい。「ーのことでくよくよするな」 表記 ふつうかな書きにする。

それ・こそ【×其(れ)こそ】㊀《連語》代名詞「それ」を強調して言う語。㊁《副》《多く条件句を受けて》次に述べる事柄を強調して言う語。(そうなれば)まさしく。「そんなことをしたらー私がうらまれる」

それ・しき【×其(れ)式】その程度。たったそれぐらい。「ーのことがなぜできないのか」 参考 その程度を軽くみるときに使う。 表記 ふつう、かな書きにする。

それ・しゃ【×其(れ)者】〔俗〕❶その道によく通じている人。❷くろうと女。芸妓(げいぎ)・娼妓(しょうぎ)・遊女など。〔婉曲(えんきょく)な言い方〕「ー上がり」

それ・そうおう【×其(れ)相応】《名・形動》それに・つりあう(ふさわしい)こと。それなり。「ーに役に立つ」

それ・それ《感》《代名詞「それ」を重ねた語が感動詞化したもの》❶人に注意を促したり、人の行動を促したりするときに言う語。それ。さあさあ。「ー早く起きなさい」❷相手の意見に同意するときに言う語。そうだそうだ。「ーそれが正しいのだ」❸ふと思い出したときに言う語。そうそう。「ーあの時は愉快だったねえ」

それ・ぞれ【×其(れ)×其(れ)・▽夫(れ)▽夫(れ)】〔二つ以上の物・人の〕一つ一つ。ひとりひとり。おのおの。「性格はーに異なる」 類語 銘々。各々。各個。個々。逐一。個別。各自。

それ・だけ【×其(れ)丈】❶そのことだけ。そのものだけ。また、それですべて。それきり。「ーはいやだ」❷その程度。それほど。それぐらい。また、それに相応する程度。その分だけ。「ーあれば十分だ」「努力すればーのことはある」 表記 ふつうかな書きにする。

それ・で《接続》❶前に述べた事柄を受けて、それを理由として次の事柄を述べるときに言う語。それゆえ。それだから。「途中で事故があった。ー電車が一時間も遅れた」 類語 かくて。だから。❷前に述べた事柄を受けて、話を先へ進めるときに言う語。そして。それから。そのようにして。「ーどうなった?」

それで・いて《接続》前に述べた事柄を受けて、それにふさわしくないことを次に述べるときに言う語。それなのに。それでいながら。「金はないのに、ーあきらめきれない」

それ・では ㊀《連語》〔前に述べた事柄を受けて〕そういうことでは。「ー困る」㊁《接続》❶前に述べた事柄を理由・根拠として、後に何らかの判断を導くのに用いる語。そういうこと、そういうわけなら。それなら。では。「ー仕方があるまい」❷ある物事のはじめや終わりのくぎりを示すのに用いる語。「ーこれでおいとまします」 参考 ㊀㊁ともくだけて「それじゃ」とも言う。

それ・でも《接続》前の事柄を内容上相反する次の事柄に結びつけるのに用いる語。それにもかかわらず。そうであっても。「困難はあるかもしれない。ー私は行く」

それと-いうのも【×其(れ)と言うのも】《接続》前の文を受けて、その理由、解釈などをひき出すときに用いる語。ということは。それというも。「道義の退廃、―教育が悪いからだ」

それ-どころ【×其(れ)▽処】《連語》前に述べられた事柄に対し、下に否定の語や反語を伴って、その事柄よりはるかに重大であるという意を強める語。とてもその程度ではない。それぐらいのことではすまされない。「反対はしない。―か協力するつもりだ」

それと-なく【×其(れ)と無く】《副》特にそれと、はっきり示さず。遠まわしに。「―断る」表記 ふつう、かな書きにする。類語 婉曲に。

それ-とも《接続》前にあげた事柄と次にあげる事柄のうち、どちらかを選ぶときに使う語。「勉強するか、―遊ぶか」参考 前件・後件とも疑問の形をとる。類語 あるいは。または。若しくは。さもなくば。でなければ。

それ-なのに《接続》前に述べた事柄に対して、その結果がふさわしくないときに使う語。それであるのに。それにもかかわらず。それだのに。

それ-なら《接続》〔前の事柄をうけて〕そういうわけなら。それでは。「―やめよう」

それ-なり ❶《名・副》それが最後で、後の状態に変化がないようす。それっきり。そのまま。「話し合いは―になった」❷一応それ相当のものとして認められるようす。それ相応。それはそれで。「―の効果はあった」

それ-に《接続》❶ある事柄にさらに他の事柄が加わることを表す語。そのうえ。さらに。「雨が降り出した。―、風も吹きはじめた」❷前の事柄をうけて、それにふさわしくない事柄が起こる意を導くのに用いる語。それに反して。それにもかかわらず。それなのに。「病気なんでしょう。―出かけたりしていいの」

それに-しても《接続》❶前の事柄を一応認めながらも、それに反する意を導くのに用いる語。そうだとしても。それはそれとしても。「―納得できない」❷話のつぎ穂として使う語。「―寒いな」

それに-つけても《接続》前に述べた事柄と関連して、後の事柄が成立することを表す。それと関連して。それを原因として。「―彼が出場しないのは残念だ」

それにも-かかわらず《接続》次に述べる事柄が前に述べる事柄に対して、反対・対立の関係にあることを表す。それに関係なく。そのことにもかかわらず。

それ-は【×其(れ)は】《副》次に述べることを感動の意をこめて、強調して言う語。「―美しい人でした」

それは-さておき《接続》話題をしばらく他に転じるときに用いる語。ところで。閑話休題。

それは-そうと《接続》前の話を打ち切り、別の話に移るときに使う語。それはそれとして。「―この間の話はどうなったのか」

それは-それとして《接続》それはそうと。

それは-それは【×其(れ)は×其(れ)は】《副》❶副詞「それは」をさらに強めていう語。「―きれいな方でした」❷《感動詞的に使って》恐縮・驚きなどの気持ちを表していう語。「―大変失礼いたしました」

それ-ほど【×其(れ)程】《副》示されたり予想されたりしたのと同じ程度であるようす。その程度に。それぐらい。思ったほど。「―好きなら結婚しなさい」

それ-ゆえ【×其(れ)故】《接続》〔文〕そういうわけで。だから。ゆえに。〔改まった言い方〕

そ・れる【▽逸れる】《自下一》❶ねらいがはずれる。また、ねらいがはずれて違った所へ行く。「弾が―・れる」❷行くべき方向、進むべき道からはずれる。本すじから離れる。「話が―・れる」文 そ・る《下二》

***そろ**【▽候】《助動：無変化型》〔「そうろう」の転〕…です。…(で)ございます。…ます。「存じ上げ候」

***ソロ** ㊀《名》独唱(曲)。独奏(曲)。「バイオリン―」㊁《造語》「単独の」の意。「―ホームラン」▽イタリア solo

ゾロアスター-きょう【ゾロアスター教】ペルシアのゾロアスター(Zoroaster 紀元前六世紀ごろの人)がはじめた宗教。太陽・星・火をあがめる。拝火教。祆教。

そろい【×揃い】㊀《名》そろっている・こと(もの)。「お―でお出かけですか」㊁《助数》《数を表す和語について》いくつかで組になるものを数える語。「スキー用具一―」参考 ㊀㊁は「そろえ」ともいう。類語 式。

ぞろい【×揃い】《接尾》《名詞について》「…がそろっている」「皆…ばかり」の意を表す。「役者―」

そろい-ぶみ【×揃い踏み】❶大相撲で、中入り後、大関以下幕内の全力士が並び、しこをふむこと。❷「三役そろいぶみ」の略。本場所の千秋楽に、大関・関脇・小結にかなう力士が、東西別に三人ずつ土俵に上がって、そろってしこをふむこと。❸ある行動を起こすために勢ぞろいすること。また、勢ぞろいして物事にとりかかること。「選挙戦の初日に駅前で三党首が―」

***そ-ろう**【疎漏・粗漏】《名・形動》〔文〕物事のやり方が、いいかげんで手落ちのあること。おおざっぱで抜けた所があること。「万事―なきよう」類語 遺漏。

***そろ・う**【×揃う】《自五》❶二つ以上の物事の状態・程度が同じになる。「粒が―・う」❷きちんとあう。一致する。「足並みが―・った」❸一か所に集まる。ならぶ。「役者が―・っていない」❹〔対になるものが〕ととのう。「箸が―・う」❺〔必要なものが〕全部そなわる。ととのう。「要員が―・う」文《四》。

―いも揃って《句》同じような(好ましくない)ものだけが集まっているようす。どれもこれも。「―役にたたない奴ばかりだ」参考 後にくる語を強調する語。

そろ・える【×揃える】《他下一》❶物事の状態・程度などを同じにする。「長さを―・える」❷合わせる。一致させる。「口を―・えて言う」❸きちんと並べる。「はきものを―・える」❹一か所に集める。「漱石全集を―・える」❺対のものをととのえる。「くつのサイズを―・える」❻〔必要なものを〕全部そなえる。用意する。「資料を―・える」文 そろ・ふ《下二》。

そろ-そろ《副》❶《「―と」の形も》動作を静かにゆっくりするようす。「―歩く」類語 しずしず。❷ある状態になる時期にさしかかるようす。おいおい。ぼつぼつ。「―日が暮れる」❸ある動作を起こす時期になりかけたようす。ぼつぼつ。「―将来のことを考えなくては」

ぞろ-ぞろ《副》《「―と」の形も》❶〔人や虫など〕多くのものが長く続いて進むようす。「改札口から―と人が出てくる」❷《自サ》長い物を(だらしなく)引きずるようす。「すそを―と引きずる」

ぞろっ-ぺえ《名・形動》〔おもに関東方言〕ぞんざいでいいかげんなこと。また、その人。ぞろっぺい。

そろ-ばん【▽算盤・▽十露盤】❶中国や日本で日常使われる計算用具。多数のくしざしのたまが上下に分かれて長方形の枠の中に並んでいる。❷そろばん①を使ってす「一丁(挺)…」「一面…」と数える。

る計算技術。また、損益の計算。「—をはじく(=利益を計算する。損得を考える)」 **—ずく【—▽尽く】** 常に損得を考え、得になるようにしようとする態度。表記 現代仮名遣いでは「…づく」も許容。 **—だか・い【—高い】**《形》勘定高い。

ぞろ・め【ぞろ目】 ❶二個のさいころをふって同じ数が出ること。❷競馬などの連勝式投票券で、同じ枠内のものが一着と二着になること。

ぞろり《副》《多く「—と」の形で》❶一続きになったものが一か所に集まって・出る(いる)ようす。「人材が—とそろう」 類語 ぞろぞろ。❷はでぜいたくな和服を(長く引きずるように)身につけるようす。「—と着流す」

そわ・せる【添わせる】《他下一》❶そばにいるようにする。また、そばにあるようにする。❷夫婦にする。結婚させる。〔古風な言い方〕文 そは・す《下二》。

そわ・そわ《副・自サ》《副詞は「—と」の形も》気持ちや態度が落ち着かないようす。「—して落ち着かない」

そわ・る【添わる】《自五》加わって多くなる。〔古風ない方〕「気品が—・る」文《四》。

***そん【尊】**《接尾》〔仏像を表す語について〕「あがめ尊ぶべき存在」の意。「不動—」「地蔵—」

***そん【損】** ❶〔金銭上・物質上などで〕利益を失うこと。❷《名・形動》労力のわりに効果が目だたないこと。「いつも—な役を仰せ付かる」 対 ①②得。

そん・い【尊意】〔文〕他人の考え・意見などの敬称。お考え。お気持ち。ご意志。類語 御意。尊慮。尊旨。

ぞん・い【存意】〔文〕(自分の)思っているところ。考え。見込み。「—をのべる」

そん・えい【尊影】〔文〕他人の写真・肖像などの敬称。お写真。ご肖像。

そん・えき【損益】 損失と利益。出費と所得。 **—けいさんしょ【—計算書】** 一会計期間中の企業の純損益の発生した原因を明らかにした表。

そん・か【尊家】〔文〕他人の家・家族の敬称。貴家。お宅。参考 ふつう、手紙文などで「御」をつけて使う。「御—の隆盛を祈ります」 類語 尊宅。

***そん・かい【損壊】**《名・自他サ》〔建物・機械・道具などが〕傷つきこわれること。傷つけこわすこと。「器物—」「道路—」 類語 破壊。毀損。

***そん・かい【村会】**「村議会」の旧称。

そん・がい【損害】 ❶《名・他自サ》〔文〕物を傷つけ、だめにすること。また、そこなわれてだめになること。❷事件などによって受ける、金銭上・物質上の不利益。「—を受ける」「—保険」 類語 損失。類語 損傷。

ぞん・がい【存外】《副・形動》予期した以上であるようす。思いのほか。「—うまくいった」 類語 案外。

そん・かん【尊簡・尊×翰】〔文〕他人の手紙の敬称。お手紙。類語 尊書。貴翰。

そん・がん【尊顔】〔文〕他人の顔の敬称。お顔。「—を拝する」「—に接する」 類語 尊容。

そん・き【損気】 損する気質。参考 ➡短気は損気。

そん・ぎかい【村議会】 地方公共団体としての村の行政について、その意思を決定する代議制の議決機関。「—議員」 参考 旧制度では「村会」といった。

そん・きょ【×蹲×踞・×蹲居】《名・自サ》❶〔文〕うずくまること。しゃがむこと。❷〔文〕昔、貴人が前を通るとき、すわって頭を下げた礼の姿勢。また、後世、貴人の前を通るとき、ひざと手を下につけて行った会釈。❸相撲で、力士がちりを切るときおよび仕切りにはいる前に行う姿勢。腰をおろし両ひざを開いてつま先で立ち、上体を正す。「—の姿勢に入る」

そん・きん【損金】 損をした金銭。対 益金。

ソング《造語》歌。歌謡。「クリスマス—」▽ song

***そん・けい【尊兄】** ㊀《名》〔文〕他人の兄の敬称。令兄。「—によろしく」 ㊁《代名》〔文〕相手の男性に対する敬称。貴兄。大兄。

***そん・けい【尊敬】**《名・他サ》その人のすぐれた行為やりっぱな人格を、自分には及びがたいものとしてながめ、自然に頭を下げたくなるような、また、その人に従っていきたくなるような気持ちになること。「—の念を抱く」 **—ご【—語】** 敬語の一つ。話し手が、動作の主体に対して敬意を表すために、対象者(相手や第三者)やその動作・状態・所有物などについて、特別な語や言い方を用いるもの。

そん・げん【尊厳】《名・形動》尊くおごそかなこと。いかめしく尊いこと。気高く威厳があること。「人間の—」 **—し【—死】**〔生命維持装置などをつけず〕人間であることの尊厳さを維持して死ぬこと。人間らしく死ぬこと。また、その死。

***そん・こう【損耗】**《名・自他サ》➡そんもう(損耗)。

***そん・こう【尊公】**《代名》〔文〕相手の男性に対する敬称。参考 古風な言い方で、ふつう、男性同士の間で使う。「—に御出席願いたい」

そん・ごう【尊号】 尊んで呼ぶ称号。特に、天皇・皇后などにおくる称号。尊称。

そん・ざい【存在】《名・自サ》❶〔現実に〕事物・人間などがあること、いること。また、その事物・人間など。存在物。存在者。「神の—を信ずる」❷〔哲〕(英 being フランス être ドイツ Sein)あること。また、あるもの。特に、意識をもつ人間のあり方。実存。 **—しょうめい【—証明】** ➡アイデンティティー①。

ぞんざい《形動》〔物事のやり方・扱い方や口のきき方などが〕いいかげんで乱暴なようす。「—なあいさつ」

ぞん・じ【存じ】 知っていること。承知していること。「御—ですか」 表記「存知」は当て字。

ぞんじ・あ・げる【存じ上げる】《他下一》「知る」「承知する」「思う」「考える」の謙譲語。「お名前は—・げております」 参考「存ずる」より敬意が高い。

そん・しつ【損失】 ❶利益や財産を失うこと。❷大切な人や物を傷つけ失うこと。類語 損害。損亡。

そん・しゃ【村社】 ❶もと、神社の社格の一つ。郷社の下、無格社の上。❷〔文〕村の鎮守のやしろ。

そん・じゃ【尊者】 ❶〔文〕目上の人。また、身分の尊い人。❷知徳の備わったりっぱな人。また、羅漢や高徳の僧の敬称。

そん・しょ【尊書】〔文〕他人の手紙の敬称。お手紙。類語 尊簡。

***そん・しょう【尊称】** 尊敬の気持ちを表すための特別な呼び名。敬称。尊号。「サーの—を授けられる」

***そん・しょう【損傷】**《名・自他サ》〔物が〕傷つけられたりこわされたりすること。また、傷つけたりこわしたりすること。「車体に—を受ける」

そん・じょう【尊×攘】「尊皇攘夷」の略。

ぞん・じょう【存生】《名・自サ》〔文〕この世に生きていること。存命。生存。「先生の—の時」

そん・しょく【×遜色】〔他のものと比べて〕劣っているようす。見劣り。ひけめ。参考 多く「—(が)ない」の形で使う。「名人の作に比して、ほとんど—がない」

そんじょ-そこら【そんじょ×其▽処ら】(―ぢょーー)《代名》「そこら」を強めた言い方。そのへん。そこいら。「—にある品物ではない(=どこにでもある品物ではない)」

ぞんじ-より【存じ寄り】❶〔自分が〕考えている事柄。思っている事柄。意見。「その件についてはいささかーもございます」❷知り合い。知己。「近所にーの所もあります」参考①②とも、へりくだった言い方。

そん-じる【損じる】㊀《他自上一》➡そんずる。㊁《接尾》➡そんずる。

そん-すう【尊崇】《名・他サ》〔文〕〔神仏や偉大な力をもつものを〕心から尊び敬うこと。尊崇(そんそう)。

*__そん-・する__【存する】㊀《自サ変》❶現実にその場にある。また、残っている。「ここにこそ真実がー・する」❷生きている。生きながらえている。㊁《他サ変》保つ。とどめる。「長くー・して家宝にする」

*__そん-・する__【損する】《他サ変》利益を失う。むだにする。損をする。「お金をー・する」対得する。

—して得取れ《句》一時は損をしても、あとでそれ以上の利益を得よ。

そん-・ずる【損ずる】㊀《他自サ変》そこなう。傷つける。悪くする。こわす。また、そこなわれる。傷つき悪くなる。こわれる。損じる。「生命をー・ずる」㊁《接尾》「…しそこなう」の意。損じる。「しー・ずる」

ぞん-・ずる【存ずる】《他サ変》❶「知る」「承知する」などの謙譲語・荘重体。「それはー・じませんでした」❷「思う」「考える」などの謙譲語・荘重体。＝存じる。

そん-ぜん【尊前】〔文〕神仏や貴人の前の敬称。

そん-そ【×樽×俎】〔文〕〔酒だるといけにえをのせる台の意から〕宴会。宴会の席上。—せっしょう【—折衝】〔文〕宴席で外交談判をして、戦わずして敵の圧力をくじくこと。また、外交談判。折衝樽俎。

そん-そう【村荘】〔文〕いなかの別荘。

*__そん-ぞく__【存続】《名・自他サ》そのままの状態で引き続いて存在すること。また、引き続いて残しておくこと。「会のーを望む」類語持続。継続。

*__そん-ぞく__【尊属】血族または姻族関係にある者のうち、父母、または父母と同列以上にある者。父母・祖父母・おじ・おばなど。尊属親。「直系ー」対卑属。

*__そん-だい__【尊大】《名・形動》いばって偉そうな態度をすること。「ーに構える」類語高慢。横柄(おうへい)。傲慢(ごうまん)。

—ご【—語】話し手自身を上位において、尊大な態度を表すことば。「くれてやる」「ほめてつかわす」「有難くいただけ」「おれ様」など。

*__そん-だい__【尊台】《代名》〔文〕自分より目上の相手に対する敬称。あなた。貴台。〔改まった言い方〕

*__そん-たく__【尊宅】〔文〕他人の家の敬称。尊堂。

*__そん-たく__【×忖度】《名・他サ》他人の心の中をおしはかること。「心中をーする」注意「すんたく」は誤読。

そん-ち【存置】《名・他サ》〔文〕〔その価値を認めて〕今ある制度・施設・機関などをそのまま残しておくこと。「ローカル線のーを決定する」対廃止。

ぞん-ち【存知】《名・他サ》〔文〕知っていること。心得ていること。「その件についてはーしない」

*__そん-ちょう__【尊重】《名・他サ》価値あるもの、尊いもの、犯すべからざるものとして大事に扱うこと。「少数意見をーする」

*__そん-ちょう__【村長】地方公共団体である村の長。村民の選挙で選ばれ、任期は四年。

ゾンデ ❶食道・尿道・胃腸・子宮などにさし込んで診察や治療に用いる細い管。消息子。❷高層気象観測に用いる気球。ラジオゾンデ。▽(ドイツ) Sonde

そん-どう【尊堂】㊀《名》〔文〕他人の家の敬称。尊宅。㊁《代名》〔文〕相手に対する敬称。あなた。

そん-とく【損得】損をすることと得をすること。損失と利益。「ー抜きで(=損得の計算をしないで)」

そんな《形動》《連体形「そんなな」は、接続助詞「のに」「ので」に続く場合にのみ用いられて、体言に続くときは、語幹「そんな」が用いられる。そのため「そんな」を連体詞とする説もある》状態や程度・数量が、そのようであるようす。そのよう(な)。参考文脈によって、その程度・数量をとりたてて強調することがある。特に連用形「そんなに」の形で用いるときにその傾向が強い。「それ程(まで)に」の意。「ーこと(=そんなたやすいこと)もできないのか」「ーに多くの犠牲者があったのか」

そんな-こんな《連語》そんなことやこんなこと。それやこれや。「ーで親と別居することにした」

ぞん-ねん【存念】〔文〕いつも心に思っている事柄・考え。存じ寄り。「ーを申し述べる」

そん-のう【尊皇・尊王】天皇・皇室をあがめたっとぶこと。勤皇。「ーの志士」 —じょうい【—×攘×夷】幕末の、皇室を中心にして幕府を退け、西欧人を追い払おうとする考え。勤皇攘夷。尊攘。

そん-ぱい【存廃】〔ある制度・規則・施設などを〕そのまま残しておくことと、やめてしまうこと。存続するか廃止するか。存否。「制度のーを協議する」

*__そん-ぴ__【存否】❶〔ある物・人などが〕存在するかどうか。❷無事に生きているかどうか。類語安否。❸存続させるかどうか。存廃。「規則のーを検討する」

*__そん-ぴ__【尊卑】尊いことと卑しいこと。身分の高いものと低いもの。類語貴賤(きせん)。上下。

そん-ぷ【尊父】〈御ー〉他人の父の敬称。対尊母。

そん-ぷうし【村夫子】〔文〕いなかの学者。また、見識の狭い学者をあざけって言う語。「ー然とした男」

ソンブレロ 中央の部分(=クラウン)が高く、つばが広い帽子。メキシコ・スペインなどで使う。▽(スペイン) sombrero

ぞん-ぶん【存分】《副・形動》思いどおりであるようす。思うまま。じゅうぶん。「思うー」「ーに楽しむ」

そん-ぼう【存亡】〔文〕〔国家・制度など長く続いて来たものが〕引き続き存在するかそのまま滅びてしまうかということ。「危急ーの秋(とき)」類語興廃。盛衰。

そん-みん【村民】その村に住んでいる人。むらびと。

*__そん-めい__【尊名】〔文〕他人の名まえの敬称。お名まえ。芳名。「御ーは承っております」

*__そん-めい__【尊命】〔文〕他人の命令の敬称。御命令。

ぞん-めい【存命】《名・自サ》〔人が〕生きながらえていること。「父のー中はお世話になりました」類語在世。

*__そん-もう__【損亡】損害をうけ、利益を失うこと。損失。損害。損亡(そんぼう)。「ーを来す」

*__そん-もう__【損耗】《名・自他サ》(「そんこう」の慣用読み)物がいたみ減ること。また、使ってすり減らすこと。「タイヤのーが激しい」類語消耗(しょうもう)。

そん-ゆう【村有】地方公共団体としての村が所有していること(もの)。村の所有。「ー地」

そん-よう【尊容】〔文〕仏像や身分の高い人の容姿。転じて、他人の容姿の敬称。お姿。「ーを拝する」

そん-らく【村落】農村・漁村・林業村などの集落の総

称。村里。村。

そん・りつ【存立】《名・自サ》存在し成立すること。滅びずに立ちゆくこと。「国家の―」類語 存続。

そん・りょう【損料】〔衣服や道具など〕物を借りたときの借用料。借り賃。「―を払う」「―貸し」

た

た―太

***た【他】**㊀《名》❶ほかのこと。別のこと。「―は忘れた」❷ほかの人。他人。「―にもらすな」❸ほかの場所。「―へ移す」㊁《接頭》《体言について》「別の」「ほかの」などの意。「―府県」「―方面」

***た【多】**㊀《名》❶〔数の〕多いこと。対 少。❷〈「―とする」の形で〉重要で大切なものとして認める。感謝する。「労苦を―とする」㊁《接頭》《体言につけて》「多くの」「たくさんの」の意。「―方面」「―人数」

***た【田】**稲をうえる耕地。水田。たんぼ。

***た**《助動：特殊型》❶過去を表す。「きのうは寒かった」「去年中国に行った」❷完了を表す。〔確定的な事実として言う〕「レポートはもう書き上げた」「大きくなったね」❸事態の実現を確定的なものとみなして、実現しかかっている目前の事態に関して言う。「ほら、電車がホームに入ってきたよ」❹〔主として連体形を用いて〕後句の出来事より以前に起こる意を表す。「余裕ができた時に返してくれ」「明日一番早く着いた人が窓を開けて下さい」❺〔主として連体形を用いて〕結果の存続を表す。また、状態・性質を表す。…ている。「眼鏡をかけた人」「優れた作品」参考 この用法が形式化したものに「こうした」「そうした」「ああした」がある。「こうした(=このような)ことは嫌いだ」❻〔終止形を用いて〕発見・確認・想起を表す。「あった！」「君には確か妹がいたね」「明日は約束があった」❼〔終止形を用いて〕さし迫った要求を表す。「ちょっと待った(=待て)」❽事実とはちがうことを仮定して述べる意(=反実仮想)を表す。「すぐやるべきだった」「生きていたら今は博士だった」❾〔仮定形「たら」を接続助詞的に用いて〕既定・仮定の条件を表す。…たならば。「探したらすぐに見つかった」「お金を持っていたら買えたのに」参考「たらば」の形は、古風で方言的。❿〔「…ときたら」「…だったら」の形で、係助詞的に使って〕問題とする事柄を提示する。「彼ときたら、ものも言わない」「新聞だったら机の上にある」⓫〔「…たらどうか」の形で〕選択を相手にゆだねる気持ちで、勧誘を表す。…てはどうか。「お帰りになったらどうですか」⓬〔「…たらいい」の形で〕その実現を仮定して望む気持ちで、勧誘・推薦・願望などを表す。…するといい。「すぐ行ったらいいのに」「車が運転できたらいいなあ」⓭〔「…た方がよい(いい)」の形で〕一方を積極的に推薦・示唆する意を表す。〔未実現の事態が既に実現したものとみなして言う。ふつう「…する方がいい」よりは穏やかな言い方となる〕「もっと努力した方がいい」

接続 用言および「(よ)う・まい・そうだ(伝聞)」をのぞく助動詞の連用形につく。参考 (ア)ア行・カ行・タ行・ラ行の五段動詞は音便を起こす(言った・歩いた)。また、ガ行・ナ行・バ行・マ行の五段動詞の場合は濁音化する(泳いだ・読んだ)。(イ)助動詞「う」に続く形は「たろう(連語)」の項を参照。終助詞化した「行ってみたら」などの用法は「たら(終助)」の項を参照。

***だ【駄】**㊀《接頭》《体言につけて》「ねうちがなくつまらない」「そまつな」の意。「―洒落(じゃれ)」「―菓子」㊁《助数》馬一頭に負わせる荷物の数量を一単位として数える語。参考 一駄は三六貫(=約一三五キログラム)。

***だ**《助動》《過去の助動詞「た」が、ガ行・ナ行・バ行・マ行の五段動詞の連用形について濁音化したもの》「泳いだ」「死んだ」「飛んだ」「読んだ」など。↓た(助動)。

***だ**《助動：形動型》〔「指定」「断定」の「だ」と言われるもの。書きことばでは中立的な文体であるが、話しことばでは「です・ます」に対立する丁寧でない文体で、男性が好む。言いきりの形では断定の気持ちがこもる〕❶〔「AはBだ」「AがBだ」の形で〕AがBと等しい関係にある(また、AがBに属する)という認識を表す。…である。「あの人が新任の山田先生だ」「鯨は哺乳(ほにゅう)動物で、イルカもそうだ」❷〔述部のみを言う形で、終止形を用いて〕ある事柄を提示する。「水だ。水をくれ」「さあ、出発だ」「あかんべだ」❸〔「AはBだ」の形で、文意の理解を文脈にゆだねて〕Aの動作・状態などを簡潔・直截(ちょくせつ)に表現するのに使う。〔①の意に解すると非論理的な文になる〕「僕はウナギだ(=僕が食べたいのはウナギだ・僕が好きなのはウナギだ)」「うちの娘は男の子だ(=うちの娘が産んだのは男の子だ)」❹〔「お」＋動詞連用形＋「だ」の形で〕「お～になる」を簡略化して言う。〔簡潔・直截な言い方の中に敬意がこもる〕「よく聞いておくれだ」「殿様のお通りだ」❺〔「…よぅだ」の形で、引用文を受けて〕相手に対する軽い反対・非難・軽べつなどの意を表す。「必ず勝つよぅだ」「負けても知らないよぅだ」❻〔話しことばで、間投助詞的に使って〕話は終わらない、続きを聞いてくれという気持ちで、相手の注意を促すのに使う。〔「だな」「だね」「だよ」の形で使うことが多い〕「そんなわけでだな、君にだね、引き受けてもらいたいんだ」参考 (ア)「だろ－で・だっ－だ－な－なら」と活用し、体言(に準ずるもの)につくが、未然形「だろ」、仮定形「なら」は、「だろう」「なら(ば)」の形ですでに一語化が進み、断定の意を失って、単に推量・仮定の意を表すだけとなり、さらに、他の活用形とは接続を異にすることとなった。↓だろう。なら。(イ)連体形「な」は、「はず」「もの」などの形式名詞と、助詞「の」「ので」「のに」に続く場合だけに使う。(ウ)形容動詞とは違って、一般に連用形に「に」を認めない。その立場に立てば、「信号が赤になった」「遠目には美人に見える」などの「に」は、格助詞になる。

たあ《係助》《「とは」の転》↓とは。

た・あい【他愛】〔自分の幸福や利益よりも〕他人の幸福や利益を考えること。愛他。対 自愛。

ダーク《名・形動》暗いこと。黒っぽいこと。暗黒。「―サイド(=暗黒面)」▽dark **―ホース** 競馬で、実力はわからないが、勝ち馬になりそうな馬。穴馬。転じて、実力はわからないが、有力とみなされている競争相手。▽dark horse

ターゲット ❶目標。標的。❷商品を売りこむ相手。「―をヤングに絞る」▽target

ダーシ ↓ダッシュ③。

ダース《助数》品物一二(個)を一組としてかぞえる語。「えんぴつ一―」▽dozen から。

タータン タータンチェック。▽tartan **―チェック** 多くの色を使った格子柄のあや織物。また、その模様。タータン。▽tartan と check からの和製語。

ダーツ ❶洋裁で、布地を細く三角形につまんでぬい合わせる部分。体型に合わせてふくらみをつけるためのもの。「―をとる」❷投げ矢遊び。円形の標的をねらって小さい矢を投げ、得点を競う遊び。▽darts

ダーティー《形動》❶きたないようす。不潔なようす。❷公正でないようす。不正なようす。「―なイメージ」「―なヒーロー」▽dirty

タートル・ネック セーターなどで、首の上までのびて、ぴったりと首のまわりをつつんでいる、えり。とっくり襟。〔参考〕「タートル」は海亀の意。▽turtleneck

ターニング・ポイント 物事のかわり目。転機。分岐点。「人生の―」▽turning point

ターバン ❶インド人やイスラム教徒の男子が頭に巻きつける布。❷ターバン①をかたどった婦人帽。▽turban

ダービー ❶毎年六月初め、ロンドン郊外のエプソムで行われる競馬。四歳馬で争われ、距離は一・五(マイル)(約二四〇〇(メートル))。❷ダービー①にならって行われる競馬。日本では、五月末または六月初めの「東京優駿(ゆうしゅん)競走」をいう。日本ダービー。❸一位争い。「ハーラー―」▽Derby(=もと、人名) **―マッチ** サッカーなどで、本拠地が同じ都市・地域であるチーム同士が対戦する試合。ダービー。▽derby match

タービン 蒸気力や水力を羽根車の翼にあて、その力で軸を回転させる原動機。▽turbine

ターボ 《造語》「タービン式の」の意。▽turbo **―ジェット** ジェットエンジンの一つ。燃料を燃焼させるために前方からとり入れた空気を、タービン式の圧縮機で圧縮するもの。▽turbojet **―プロップ** ターボジェットのタービンでプロペラを回し、プロペラの推力とジェットの推力を併用する、航空機用のエンジン。▽turboprop

ターミナル ❶鉄道・バスなどの終着駅・始発駅。また、経過点になっていて多くの交通機関が集中している所。❷「ターミナルビル」の略。㋐空港で、航空管制塔・通信施設・税関など、中心的施設が集まっている建物。㋑鉄道のターミナルの上、または隣接する建物で、デパート・ホテル・飲食店などと、鉄道業務施設が複合されたもの。❸電極を接続する箇所に取りつける金具。端子(たんし)。▽terminal **―ケア** 死期の近づいた患者に対して安らかな最期を過ごせるように行う医療・看護。末期医療。▽terminal care **―デパート** 鉄道の起点駅または終点駅にあるデパート。▽terminal と department store からの和製語。

ターム ❶専門語。「テクニカル―(=専門用語)」❷期間。「短い―で考える」▽term

タール 石炭・木材などを乾留するときにできる、黒いねばねばした液体。塗料などとして使う。コールタール・木タールなど。▽tar

ターン 《名・自サ》❶回転すること。「―テーブル」❷進路をかえること。折り返すこと。「U―」▽turn

*__たい【耐】__ 《接頭》《名詞につけて》「…におかされない」「…にたえる」の意。「―アルカリ性」

*__たい【帯】__ ㊀《接頭》《色を表す名詞につけて》「…がかる」「…をおびる」の意。「―紅色」㊁《接尾》❶気候・自然現象などによって分けた、地球上の帯のような地域。「森林―」❷からだにまく帯状のもの。「丁字―」

*__た・い__ 《接尾》《名詞や動詞の連用形などについて形容詞をつくる》「はなはだしい」「そのようすである」の意。「じれった―・い」「野暮った―・い」〔文〕た・し《ク》

*__た・い【他意】__ 〔表面には出さない〕別の考え。かくしている考え。「―はない」〔類語〕ふたごころ。異心。

*__たい【体】__ ㊀《名》❶人間のからだ。身。「―を起こす」「―をかわす」❷〔他と区別されるある特徴をそなえた〕かたち。すがた。また、ようす。外観。「文章の―をなさない」❸物事のもとになるもの。本質。実体。「名は―を表す」㊁《助数》神仏の像や遺体などを数える語。

*__たい【対】__ ❶対照となるもの。性質が反対のもの。「『苦』の―は『楽』」❷二つで一組になるもの。対(つい)。❸二つのものの間に優劣・高下の差がないこと。対等。「―で碁をうつ」❹《二つの数の間にはさんで》㋐比を表す。「六―四の割合」㋑〔試合などでの〕両者の得点を比較して表す。「七回裏を終わって得点は二―一」❺《二つの語の間にはさんで》相対立するものであることを表す。特に、試合・勝負などの組み合わせを表す。「巨人―阪神」❻《接頭語的に使って》働きかけ・交渉・抗争などの相手であることを表す。「―米貿易交渉」

*__たい【態】__ ㊀《名》ようす。かたち。すがた。「―をなす」㊁《接尾》「…の状態」の意。「個別―」「受動―」

*__たい【隊】__ ㊀《名》❶多くの兵士を集めて組にしたもの。軍隊。❷ある目的のために秩序をもって集まった多人数の集団。「―を組んで行進する」㊁《接尾》「…をする組織・集団・軍隊」などの意。「探検―」「機動―」

*__たい【×鯛】__ タイ科の海魚の総称。からだは平たく、薄い紅色をしたものが多い。特に、マダイは味がよく、日本ではめでたい魚とされている。

*__たい__ 《助動・形型》❶動作主の希望を表す。「私もぜひ行き**たい**」「意見を言い**たい**人は手を上げなさい」❷相手への希望を表す。〔尊敬の意を持った語とともに使われることが多く、文語的な感じを伴う〕「御一報下され**たく**お願い申し上げます」「補注を読まれ**たい**」〔接続〕動詞および動詞に準ずる語の連用形につく。〔参考〕㋐言い切りの形では、話し手の希望しか表すことができない(「彼は行きたい」のような言い方はできない)。連体修飾語の場合、特に「のだ」がついている場合は、事情を説明するといった意味合いで、「彼は行き**たい**のだ」のように話し手以外の第三者の希望を表すことができる。㋑もとの動詞で、「～を」と言ったものに「…たい」がつくと、「～を」を「～が」に変えることができる場合がある。できない(できにくい)場合もある。「水**が**(=を)飲み**たい**」「真実**が**(=を)知り**たい**」「二人で海べ**を**(=**が**)歩き**たい**」／「海べを二人で歩き**たい**」「その場の情景**を**もっと巧みに描き**たい**」〔表記〕「度い」とも書いた。

*__タイ__ ❶ネクタイ。「―ピン」❷〔競技などで〕記録・得点が同等なこと。タイスコア。❸〔楽譜の上で〕同じ高さの音符を結び、音を切らずに演奏することを指示する弧線。〔参考〕→スラー。▽tie **―アップ** 《名・自サ》協同して仕事をすること。提携。「出版社と―する」▽tie-up

*__だい【代】__ ㊀《名》❶ある位・家督(かとく)をうけついで、その地位にいる期間。世(よ)。「孫の―で倒産した」❷代金。「食事―」「車―」「お―はあとで払います」㊁《接尾》❶…の代金。❷《年代・年齢などを表す語の下につけて》そのおおよその範囲を表す。「三〇―の男」〔表記〕②は「台」とも書く。❸《助数》王位・家督などをついだ順を数える語。「第一一―垂仁(すいにん)天皇」❹地質時代の最大の区分を表す語。「古生―」〔類語〕紀(き)。

*__だい【台】__ ㊀《名》❶物をのせたり、人がのったりするもの。❷つぎ木の、もとになる木。台木。㊁《接尾》❶高

い建物・高台などの意を表す。「見晴らし―」❷《助数》車・機械などを数える語。「自動車五―」❸《値段、年代・年齢などを表す語につけて》そのおおよその範囲を表す。「五〇―の男性」[参考]↓代[二]②。

***だい【大】** [一]《名》❶《形動》大きい・こと(もの)。「声を―にする(=強調して言う)」[対]小。❷《形動》程度がはなはだしいこと。「―なり小なり(=多かれ少なかれ)」❸大小二つの刀のうち長い方の刀。大刀。[対]小。❹陽暦で三一日、陰暦で三〇日ある月。大の月。[対]小。❺「大学」の略。「女子―」[二]《接頭》❶《名詞につけて》「大きい」「すぐれた」「非常な」などの意。「―会社」「―失敗」[対]小。❷美称として国名などにつける語。「―日本」[三]《接尾》《名詞につけて》「…ぐらいの大きさ」の意。「名刺―の写真」⇩〖使い分け〗

使い分け　「大(だい/たい/おお)」

＊同じ〈大きな火災〉を表現するにしても、「大火災」は「だいかさい」、「大火」は「たいか」、「大火事」は「おおかじ」のように、「だい・たい・おお」を使い分ける。〈地震〉の場合は、「大震災」の読みは安定しているが、「大地震」は「おおじしん/だいじしん」、「大震」は「たいしん/だいしん」の二様の言い方がある。「大損」では「たいそん・だいそん・おおぞん」の三種が競い合う。「大…」は、一般に和語に使うが、もとは漢語にも使った。そのため、古く久しい漢語や古風な事象を表す漢語には「大…」と言うものが多い(大看板・大勝負)。また、「大手術」は、「大手術」よりも古風な感じになる。二字の漢字からなる熟語は、もと「大…」と言ったものも、近年「大…」と言う傾向がある(大恩↓大恩)。

◆[だい…]大寒(二十四節気)・大法(仏教)・大活躍・大規模・大学者・大喝采・大観衆・大逆転・大健闘・大混乱・大試合・大事件・大団円・大人物・大姉・大邸宅・大道商人・(ローマの)大将軍・(寺の)大門 ◇[「たい…」とも]大悪・大恩・大徳・大盗

◆[たい…]大暑・大雪(ともに二十四節気)・大金を所持する・大気圏・大食漢・大礼服・特筆大書・油断大敵・(安政の)大獄・征夷大将軍・大枚をはたく ◇[「だい…」とも]大安吉日・大害・大愚・大逆・大賢・大罪・大樹・大全・天下の大道・大難・大厄・大勇・大欲 ◇[「おお…」とも]大輪・政治の大本 ◇[「だい・おお…」とも]

◆[おお…]大風・大一座・大一番・大歌舞伎・大金持ち・大看板・大御所・(横浜港の)大桟橋・大仕掛け・大仕事・大時代・大芝居・大勝負・大所帯・大正月・大相撲・大天井・大とろ・大名題・大入道・大馬鹿・大ばくち・大舞台・大吹雪・大百姓・大見得を切る・大水が出る・大門(吉原) ◇[「たい…」とも]大雨 ◇[「だい…」とも]大・ジョッキ ◇[「だい・たい…」とも]大損

***だい【第】** [一]《名》〔文〕やしき。邸宅。[二]《接頭》《数を表す語につけて》物事の順序を表す。「―一日」

***だい【題】** ❶〔文学・美術作品などの〕内容や主題を短いことばで表したもの。特に、書物の名。表題。タイトル。[類語]見出し。❷〔詩歌・俳句などで〕それをよみこむことが要求されることがら。❸解決することが要求されていることがら。問題。課題。

***だ-い** 《連語》《助動詞「だ」+終助詞「い」》↓い(終助)。

たい-あたり【体当(た)り】 《名・自サ》❶自分のからだを直接相手にぶつけること。「―をくう」❷すて身になって物事をすること。「―の演技」

たい-あつ【耐圧】 圧力にたえること。「―力」

ダイアリー 日記帳。ダイヤリー。▽diary

ダイアル ↓ダイヤル。▽dial

ダイアローグ 対話。特に、劇で、人物の会話。[対]モノローグ。▽dialogue

***たい-あん【大安】** 「大安日」の略。陰陽道で、結婚・旅行などすべてのことによいとされる日。だいあん。「―吉日・吉日」

***たい-あん【対案】** 相手の案に対して、こちらから出す案。「―を出す」

だい-あん【代案】 ある案にかわって出される案。

***たい-い【体位】** ❶体格・健康・運動能力などからみた、からだの強さ。「―の向上」❷からだの位置・姿勢。「―を変える」

***たい-い【大尉】** 旧陸海軍の将校の階級の一つ。尉官の最上位。[対]中尉・少尉。

***たい-い【大意】** 〔長い文章などの要点をまとめた〕だいたいの意味・内容。「―をつかむ」[類語]あらすじ。

***たい-い【退位】** 《名・自サ》❶〔帝王・元首などが〕位を退くこと。[対]即位。❷〔文〕官位を退くこと。退官。

だい-い【題意】 ❶題①の意味。❷問題の意味。

たい-いく【体育】 ❶肉体の健全な発育をはかり、衛生知識を与える教育。[対]知育・徳育。❷特に学校で、体づくりと、運動競技の技術や理論を教える教科。―**の-ひ【―の日】** 国民の祝日の一つ。体育についての理解と関心を深めることを目的とする。一〇月第二月曜日。[参考]一九六四年のオリンピック東京大会の開会日を記念して定めた。

だい-いし【台石】 〔建物などの〕土台としてすえる石。土台石。礎石。

だい-いち【第一】 [一]《名》❶〔いくつかある物・物事の〕一ばんはじめ。❷《形動》最も・すぐれている(たいせつな)こと。「世界―のオペラ歌手」「健康が―だ」[二]《副》〔ほかのことはともかくとして〕まず。なによりも。「家は建てたいけど―資金がない」 ―**いんしょう【―印象】** ある人や物事に接して、一ばんはじめに受けた感じ。―**ぎ【―義】** 根本的な意義。最もだいじなことがら。「それを―に考える」 ―**にん-しゃ【―人者】** ある分野・社会で最もすぐれた人。「財界の―」 ―**にんしょう【―人称】** ↓じしょう(自称)。

だい-いっせい【第一声】 〔要職への就任や選挙運動などの際に〕おおやけに述べる初めてのことば。

だい-いっせん【第一線】 ❶敵と直接戦闘をまじえる地帯。最前線。❷ある分野で、最も重要なことがらが活発に行われる部分。「政界の―で活躍する」

だい-いっぽ【第一歩】 ❶最初のひと足。❷物事の最初。「―からやり直す」

たいい-ほう【対位法】 二つ以上の独立した旋律を互いに対等な関係で同時に響くように組み合わせる作曲技法。[対]和声法。

***たい-いん【太陰】** 〔文〕〔太陽に対して〕月の別名。―**れき【―暦】** 月が地球を一周する時間をもとにして作った暦。一年一二か月を、二九日の小の月と三〇日の大の月で構成する。陰暦。[対]太陽暦。

***たい-いん【退院】** 《名・自サ》❶〔入院していた病人が

なおって〕病院から出ること。対入院。❷衆・参両院の議員がそれぞれの議院から退出すること。

だい‐いん【代印】《名・自サ》ある人の印の代わりに他の人の印をおすこと。また、その印。

だい‐うちゅう【大宇宙】人間と宇宙の間に対応・類似の関係を認め、人間を小宇宙と呼ぶのに対して、本来の宇宙。マクロコスモス。対小宇宙。

たい‐えい【退×嬰】〔文〕❶あとずさり。しりごみ。❷〔今までのことをうけついで行くだけで〕積極的に新しいものをとり入れようとしないこと。「―的な言動」類語保守。対進取。

だい‐えい【題詠】まえもってきめた題にそって詩歌・俳句などを作ること。また、その詩歌・俳句。

***たい‐えき【体液】**動物の体内で、細胞外にあって流動している液体の総称。リンパ液・血液・精液など。

***たい‐えき【退役】**《名・自サ》軍人が兵役を退くこと。「―将校」対在役。

ダイエット《名・自サ》健康なからだを保つために、食事制限や運動などをすること。▽diet（=食事療法）

だい‐えん【大円】❶大きな円。❷〔数〕球の中心を通る平面と球面とが交わってできる円。対①②小円。

***たい‐おう【対応】**《名・自サ》❶〔二つのものが〕むきあって組をなすこと。「―する角」❷〔異なった二つのものが〕たがいにつりあっていること。「学力に―する高校」類語相応。❸状況の変化や相手の出方に応じて、それにふさわしい行動をとること。対処。「国際化時代に―する教育」「―策」類語適応。

***たい‐おう【滞欧】**《名・自サ》ヨーロッパに滞在すること。

***だい‐おう【大王】**王を敬って言う語。

***だい‐おう【大黄】**タデ科の多年生植物。乾燥させた黄色い根茎を漢方で健胃薬・下剤にする。

だい‐おうじょう【大往生】《名・自サ》〔苦しみやなやみがなく〕安らかに死ぬこと。「眠るが如き―」

ダイオード 整流・検波作用をもつ、二極の半導体製品。▽diode

ダイオキシン ポリ塩化ジベンゾダイオキシンの略称。猛毒の有機塩素化合物。塩素を含むプラスチック製品などが不完全燃焼した際に発生する。▽dioxin

たい‐おん【体温】動物の体の温度。特に、人体の温度。参考成人では、ふつうセ氏三六～三七度。

だい‐おん【大恩】〔文〕大きな恩。深いめぐみ。「―ある人にそむく」類語厚恩。高恩。

だい‐おんじょう【大音声】〔文〕〔力強く〕大きな声。「―でなのる」〔やや古風な言い方〕

***たい‐か【大家】**❶大きな家。大家。❷家柄のりっぱな家。大家。また、金持ちの家。❸ある方面で、特にすぐれた知識や技術をもった人。「画壇の―」

***たい‐か【大×廈】**〔文〕大きな建物。大建築。**―の顚れんとするは一木の支うる所にあらず**《句》大勢がすでにある方向に傾きだしたときは、一人の力では支えきれないことのたとえ。〈文中子・事君〉

***たい‐か【大火】**大きな火事。大火災。対ぼや。

***たい‐か【大過】**大きな失敗。また、大きな判断の過ち。〔多く、否定的表現を伴う〕「―なく勤め上げる」

***たい‐か【対価】**〔法〕財産・労力などを他人に与えたり貸したりしたとき、その報酬として受け取るもの。

***たい‐か【耐火】**高い火熱にあっても、もえたりとけたりしにくいこと。「―建築」「―れんが」

***たい‐か【滞貨】**《名・自サ》❶商品が売れないでたまっていること。また、その商品。「―一掃」❷輸送できず、貨物がたまっていること。また、その貨物。

***たい‐か【退化】**《名・自サ》❶生物体のある器官が、不用になったため、衰えて小さくなったり働きがにぶくなったりすること。❷進歩していたものが、もとの状態にもどること。「文明の―」類語退歩。対①②進化。

***たい‐が【大我】**❶〔仏〕狭い見解や執着を離れた、自由自在の境地。❷〔哲〕宇宙の本体としての、唯一絶対の精神。対①②小我。

***たい‐が【大河】**〔文〕大きな川。おおかわ。大河。**―しょうせつ【―小説】**個人またはある一群の人々の長期間にわたる生活の歴史を社会的な背景とともに描いた大規模な長編小説。

***タイガ**〔地〕ユーラシア大陸・北アメリカ大陸北部の針葉樹林帯。▽ロシア taiga

***だい‐か【代価】**❶品物の値段。代金。❷あることを行うために必要な犠牲・損害。「独立実現の―」

***だい‐か【台下】**〔文〕❶台の下。楼下。❷貴人を敬ってよぶ語。

***だい‐が【題画】**詩やことばなどを書きそえた絵。

***だい‐かい【大会】**❶多くの人が集まる盛大な会合。「野球―」❷ある団体などの全体的な会合。「党―」

***たい‐かい【大海】**広く大きな海。大洋。**―の一粟**《句》非常に広大な所に非常に小さな物があることのたとえ。大海の一滴。**―は芥を択ばず**《句》〔広い海がどんなごみでも受け入れるように〕度量が広くて人をよく受け入れるたとえ。

***たい‐かい【退会】**《名・自サ》会からしりぞき会員でなくなること。対入会。

***たい‐がい【大概】**㊀《名》❶〔文〕物事のあらまし。大体。概略。「事の―を知る」❷適当な程度。よい加減。「ふざけるのも―にしろ」❸ほとんど大部分。大半。㊁《副》物事のだいたいのようす。たいてい。「―夜八時すぎに帰る」「―の生徒は進学する」

***たい‐がい【対外】**外部や外国に対すること。〔他の語とともに用いる〕「―問題」「―政策」対対内。

だい‐がえ【代替え】〔俗〕他のもので、かわりにすること。代替。だいかえ。「―の品物」類語代用。

***たい‐かく【体格】**〔外から見た〕からだのかっこう。からだつき。「りっぱな―」類語柄。形。図体。

***たい‐かく【台閣】**〔文〕❶高くりっぱな建物。たかどの。❷国政をとる所。内閣。「―に列す」

***たい‐かく【対角】**❶ある角とむきあう角。❷三角形のある一辺とむかいあう角。**―せん【―線】**多角形で、となりあっていない二つの角の頂点を結ぶ直線。

たい‐がく【退学】《名・自サ》卒業しないうちに学生・生徒が学校をやめる（やめさせられる）こと。中途退学。中退。類語退校。

だい‐がく【大学】❶高等学校を卒業した人、またはそれと同等の学力のある人が入学し、専門的な分野の学業をおさめる学校。❷中国の儒学の古典で、四書の一つ。❸「大学寮」の略。律令制で、官吏養成のために設けた学校。**―いん【―院】**大学の卒業者またはこれと同等の学力を持つ人が、さらに研究するために設けられた施設。修士課程と博士課程がある。**―ノート** 主に大学生向けに作られた、大判の筆記帳。

だい‐かぐら【▽太〈神楽〉】❶伊勢の皇大神宮で行

た

うかぐら。だいだいかぐら。❷江戸時代に行われた、獅子舞・品玉・皿回しなどの雑芸。

ダイカスト とかした金属を金属製の型に注入して圧力をかけ、鋳物を作る方法。また、そうして作った鋳物。ダイキャスト。▽die casting から。

だい‐かつ【大喝】 ❶《名・他サ》大声でしかりつけること。❷《名・自サ》大声でどなること。「—一声」

だい‐がっこう【大学校】 ❶大学。〔俗な言い方。また、古風な言い方〕❷学校教育法によらないで、大学程度の技術・学問を教える所。「防衛—」「警察—」

だい‐がわり【代替(わ)り】 《名・自サ》君主・将軍・戸主・経営主などが次の代にかわること。

***たい‐かん【体感】** ❶〔人が外部から〕からだに受ける感じ。「—温度」類語 触感。❷内臓の諸器官に刺激が加わって感じられる感覚。飢渇・性欲など。

***たい‐かん【大官】** 〔文〕地位の高い官職(についている人)。類語 高官。対 小官。

***たい‐かん【大患】** 〔文〕❶重い病気。大病。類語 重患。❷大きな心配事。「国家の—」

***たい‐かん【大×旱】** 〔文〕ひどいひでり。**—の雲霓**《句》〔大ひでりの時に待ち望む、雨の前ぶれとしての雲や虹の意から〕心から待ち望んでいる物事のたとえ。〈孟子・梁恵王下〉

***たい‐かん【大観】** ❶《名・他サ》全体を広く見渡すこと。「情勢を—する」❷広々とした大きなながめ。

***たい‐かん【大艦】** 〔文〕大きな軍艦。

***たい‐かん【耐寒】** 寒さにたえること。対 耐暑。

***たい‐かん【×戴冠】** 《名・自サ》ヨーロッパ諸国の帝王が、即位してはじめて王冠をかぶること。「—式」

***たい‐かん【退官】** 《名・自サ》官職をやめること。

***だい‐がん【大願】** ❶〔仏〕仏がこの世の人々を救おうとする願い。❷大きな願い。「—成就」

***たい‐がん【対岸】** 向こう岸。**—の火事**《句》自分に関係のない出来事のたとえ。

***だい‐かん【代官】** ❶室町時代、守護・地頭に代わってその役をつとめたもの。❷江戸時代、幕府の直轄地や諸藩で、年貢の徴収や土木・農政をつかさどった地方官。❸ある官職の代理。

***だい‐かん【大寒】** 二十四節気の一つ。小寒があけて立春までの間。太陽暦の一月二〇日ごろからの一五日間。対 小寒。

だい‐がん【代願】 《名・他サ》本人に代わって神仏に祈願すること。類語 代参。

***たい‐き【大器】** ❶大きないれもの。❷すぐれた才能(をもっている人物)。類語 大人物。対 ①②小器。**—ばんせい【—晩成】** 人よりすぐれた才能や器量のある人は、ふつうよりおくれて大成するということ。

***たい‐き【大気】** ❶空気。地球をとりまく空気。「—汚染」❷〔文〕度量のひろいこと。大度。**—けん【—圏】** 地球をとりまく大気の範囲。対流圏・成層圏・中間圏・熱圏に分けられる。気圏。

***たい‐き【待機】** 《名・自サ》準備をととのえて、機会・時期を待つこと。注意「待期」は誤り。

***たい‐ぎ【体技】** 柔道・すもう・ボクシング・レスリングなど、相手と直接からだをぶつけあう競技の総称。

***たい‐ぎ【大儀】** ㊀《名》〔文〕重大な儀式。「皇室の—」㊁《形動》❶骨のおれることがわかっていて、あることをするのがめんどうであるようす。「歩くのは—だ」〔他人の労をねぎらうときにも使う〕「—であった」❷病気をしたり疲れていたりして、何をするのもおっくうなようす。「口をきくのも—だ」

***たい‐ぎ【大義】** ❶人間として行うべき、大事な道。特に、国民として行うべき務め。「—親を滅す(=国家の大事のためには親子兄弟をも顧みない)」❷重要な意義。「自由民権の—」**—めいぶん【—名分】** ❶〔君主や国家に対して〕臣民として守るべき節義と分限。❷〔よりどころとしてかかげる〕だれもがもっともであると認める道理・理由。「—が立つ」

***だい‐ぎ【代議】** 《名・他サ》❶他人に代わって意見をのべ評議すること。❷構成員によって選ばれ、権限を一任されてその組織の意思決定に参加すること。**—し【—士】** 国民によって選ばれ、国民の意見を代表して国の政治に参加する人。特に、衆議院議員の俗称。

***だい‐ぎ【台木】** ❶つぎ木の台にする木。対 つぎほ。❷物の台にする木。

たいぎ‐ご【対義語】 反意語。

***だい‐きち【大吉】** ❶〔占い・おみくじなどで〕運勢が非常によいこと。対 大凶。❷「大吉日」の略。非常に縁起のよい日。

だい‐きぼ【大規模】 《名・形動》物事の規模が大きいこと。「—な計画」類語 大々的。**—こうり‐てんぽ【—小売店舗】** デパート・スーパーマーケットなど、売り場面積の大きな店。大型小売店。「—法」

たい‐きゃく【退却】 《名・自サ》❶〔戦争や競技で〕負けて、今までいた所からあとへ退くこと。類語 後退。対 進撃。❷その場をさること。類語 退散。退去。

たい‐ぎゃく【大逆】 〔君主や親をころすような〕人としての道にそむく、はなはだしく悪い行い。大逆。「—無道」

たい‐きゅう【耐久】 長く持ちこたえること。〔ふつう単独では使わない〕「—力」「—消費財」類語 持久。

***だい‐きゅう【代休】** 公休日に出勤して休めなかった場合に、その代わりとしてとる休暇。「水曜に—をとる」

***だい‐きゅう【大弓】** 長さ約二二五チセンの普通の弓。対 半弓。

***たい‐きょ【大挙】** 《名・自サ》多数のものがそろって物事にあたること。〔副詞的にも使う〕「—して押し寄せる」「—出動する」

***たい‐きょ【太虚】** 〔文〕❶おおぞら。虚空。「茫々たる—」❷〔限界も形もなく、人間の感覚を超越した〕宇宙の本体・根元。

***たい‐きょ【退去】** 《名・自サ》ある場所から立ちのくこと。「—命令」類語 撤退。撤去。退却。

たい‐ぎょ【大魚】 大きな魚。**—を逸す**《句》大事を仕損じる。大物をとりにがす。

たい‐きょう【胎教】 妊娠中、心や行いを正しくして、胎児によい影響を与えようと努めること。

***たい‐ぎょう【大業】** 〔文〕❶大きな事業。りっぱな事業。❷〔天下統一に関する〕帝王・君主の行う事業。

***たい‐ぎょう【怠業】** 《名・自サ》❶サボタージュ。❷仕事をなまけること。

だい‐きょう【大凶】 ❶〔占い・おみくじなどで〕運勢が非常に悪いこと。対 大吉。❷〔文〕非常に大きな罪悪。大悪人。表記 ②はもと「大兇」と書いた。

***たい‐きょく【大局】** ❶囲碁で、盤面を全体から見た場合の勝負の形勢。❷ある物事の全体としてのなりゆき・情勢。大勢。「—から判断する」

た

***たい-きょく【大曲】** 大がかりな楽曲。〔対〕小曲。

***たい-きょく【太極】** 〔中国哲学で〕万物の生ずる根元。**—けん【—×拳】** 中国で始まった武術の一つで、空手(からて)に似た拳術。健康体操として普及。

***たい-きょく【対局】** 《名・自サ》❶盤にむかい合って碁や将棋をすること。❷時局に当面すること。

***たい-きょく【対極】** 反対がわの極。相反する極。「—の立場から発言する」

だい-きらい【大嫌い】(—きらひ) 《形動》非常にきらいなようす。「—な食べ物」

***たい-きん【大金】** たくさんの金銭。多額の金。

***たい-きん【退勤】** 《名・自サ》つとめが終わってつとめ先を出ること。〔類語〕退社。〔対〕出勤。

だい-きん【代金】 品物を買った人が、売った人に支払う金銭。代価としての金銭。「—と交換」

たい-く【体×軀】 〔文〕〔人間の〕からだ。からだつき。体格。「堂々たる—」〔類語〕身体。

たい-ぐ【大愚】 〔文〕非常におろかな・こと(人)。〔対〕大賢。

だい-く【大工】 〔おもに和風の〕木造建築を作る職人。また、その仕事。

***たい-くう【対空】** 空からの攻撃などに対すること。〔ふつう他の語につけて使う〕「—射撃」「—ミサイル」

***たい-くう【滞空】** 《名・自サ》航空機・宇宙船などが空中をとびつづけること。「—時間」

***たい-ぐう【対偶】** ❶二つでひとそろいになっているもの。対(つい)になるもの。左右・夫婦など。❷対句(くつい)。❸一つの命題に対して、その結論を否定したものを仮定とし、仮定を否定したものを結論とした命題。「人ならば動物である」の対偶は「動物でないならば人ではない」の類で、原命題と対偶命題の真偽は常に一致する。

***たい-ぐう【待遇】** ㊀《名・他サ》❶他人や客をもてなすこと。「国賓として—する」❷ある地位・条件を与えて取り扱うこと。特に、職場での地位・給与などの取り扱い方。「—を改善する」㊁《接尾》《役職・身分などを表す語について》「…と同様の扱いの身分」の意。「課長—」 **—ひょうげん【—表現】** 人物に対する話し手の上下・尊卑・親疎などの認識に基づいて行われる言語表現。尊敬・軽侮(ぶけい)・尊大・親愛などの表現をいう。

たい-くつ【退屈】 《名・形動》❶《自サ》何もすることがなく、いやになること。時間をもてあますこと。「—な船の旅」❷〔物事に〕あきること。また、刺激や変化がなくつまらないこと。「—な仕事」「—な人生」

たい-くん【大君】 〔文〕天子。おおきみ。

***たい-ぐん【大群】** 〔同種の動物が〕数多く集まってできた群れ。「イナゴの—」

***たい-ぐん【大軍】** 多人数の軍勢。

たい-け【大家】 →たいか(大家)①②。

***たい-けい【体刑】** ❶直接からだに苦痛を与える刑罰。❷からだの自由を束縛する刑罰。懲役・禁錮(きんこ)・拘留(こうりゅう)など。自由刑。

***たい-けい【体型】** 体格の型。肥満型・やせ型など。

***たい-けい【体形】** ❶かたち。すがた。形態。❷からだのかたち。「—を整える」

***たい-けい【体系】** 個々別々の断片的なものを、ある原理のもとに秩序づけたものの全体。システム。「賃金—」 **—てき【—的】** 《形動》体系づけられているようす。組織的。システマチック。「—な研究」

***たい-けい【大兄】** ㊀《名》兄の尊敬語。〔類語〕賢兄。㊁《代名》《対称の人代名詞》〔文〕男どうしの間で、同輩か少し年上の相手に使う敬称。〔おもに手紙文で使う〕〔類語〕賢兄。貴兄。

***たい-けい【大慶】** 〔文〕非常にめでたくよろこばしいこと。「御結婚の由、—に存じます」

***たい-けい【大系】** 一つの部門の著作物などを集めて系統的にまとめあげたもの。「古典文学—」

***たい-けい【大計】** 大きなはかりごと。遠大な計画。「国家百年の—」〔類語〕宏謨(こうぼ)。

***たい-けい【隊形】** 軍隊・スポーツなどで兵員やメンバーを配置した形。隊のかたち。「—を組む」〔類語〕陣形。

だい-けい【台形】 むかいあった辺の一組が平行な四辺形。〔参考〕「梯形(ていけい)」の改称。

だい-げいこ【代×稽古】 師範や師匠の代理の者が稽古をつけること。

たい-けつ【対決】 《名・自サ》❶両者が相対して事を決すること。「進歩派と保守派の—」❷法廷で原告と被告を同時によんで証言させ、審判すること。

だい-けつ【代決】 《名・他サ》ある人の代理として決裁すること。また、その決裁。

***たい-けん【体験】** 《名・他サ》自分で実際に経験すること。また、その経験。「—学習」〔参考〕「経験」とほとんど同義に使われるが、「経験」の方が意味が広い。

***たい-けん【大圏】** 地球の中心を通る平面と地表とが交わってできる円。大円。「—航路」

***たい-けん【大権】** 明治憲法下での、天皇の統治権。

***たい-けん【大賢】** 〔文〕非常に賢い・こと(人)。〔対〕大愚。 **—は愚なるが如(ごと)し** 《句》非常に賢い人はその賢さを外に出さないから、外からちょっと見ただけでは、愚か者のように見える。〔類語〕大巧(たいこう)は拙(せつ)なるが如し。

***たい-けん【帯剣】** 《名・自他サ》〔軍人が〕剣を腰にさげること。また、腰にさげた剣。

***たい-げん【体現】** 《名・他サ》〔文〕〔抽象的なものを〕具体的な形にあらわすこと。「夢を—する」〔類語〕具現。

***たい-げん【体言】** 国語の単語の中で、自立語で活用がなく、助詞をともなって主語や目的語になる語。名詞と同義にも用いるが、名詞・代名詞(時に数詞)を含んだ品詞の上位の概念とするのがふつう。〔対〕用言。

***たい-げん【大言】** ❶〔文〕すぐれたことば。また、そのことば。❷《名・自サ》〔いばって〕大きなことを言うこと。「—を吐く」〔類語〕豪語(ごうご)。高言。 **—そうご【—壮語】** 《名・自サ》できもしない大きなことをいばって言うこと。また、そのことば。

だい-けん【大検】 「大学入学資格検定」の略。大学受験資格を認定する試験。

***だい-げん【代言】** ❶《名・他サ》本人に代わって、言い分をのべること。❷「代言人」の略。「弁護士」の古いよび名。〔参考〕→三百代言。

***だい-げん【題言】** 書物の巻頭などに書くことば。また、石碑・画幅などの上部に書くことば。題辞。

だい-げんすい【大元帥】 全軍をひきいる総大将。特に、もと、陸海軍を統率する元首としての天皇の称。

***たい-こ【太古】** ずっと遠い昔。大昔。〔参考〕ふつう、有史以前をさす。

***たい-こ【太鼓】** ❶打楽器の一つ。円筒形の胴の両面に皮をはり、ばちや手で打ちならす楽器。「—を叩(たた)く(=相手の言うことに調子を合わせて、きげんをとる)」〔参考〕

「一掛…」「一張…」「一柄…」と数える。❷「太鼓持ち」の略。❸「太鼓結び」の略。おたいこ。―ばし【―橋】太鼓①の半円のように反った橋。―ばら【―腹】太鼓①のようにふくれて突き出た腹。―ばん【―判】❶大きな判。❷確実な保証。「―を押す(=絶対に大丈夫だと保証する)」―もち【―持(ち)】酒席に出て客のきげんをとり、踊りなどをして座をとりもつことを業とする男。太鼓。幇間。男芸者。参考ひゆ的に、人にこびへつらってきげんをとる男の意でも使う。「社長の―」

―も撥の当たりよう《句》〔太鼓を強く叩けば大きく響き、弱く叩けば小さく響くように〕やり方によって相手の反応も違うことのたとえ。

*たい・ご【大悟】《名・自サ》→だいご(大悟)。

*たい・ご【対語】❶《名・他サ》〔文〕向かい合って話すこと。❷熟語で、事物が相対するように構成されたもの。「貧富」「花鳥」など。ついご。❸対義語。ついご。㋐意味が対応する関係にあり、それら全体で一組にまとめられるような、それぞれの語。「父」と「母」、「真」と「善」と「美」など。対照語。㋑反意語。

*たい・ご【隊×伍】隊をなして並んだ列。「―を組む」

*だい・ご【大悟】《名・自サ》〔仏〕迷いを去り、完全に悟ること。大悟。―てってい【―徹底】《名・自サ》〔仏〕すっかり悟って、なんの疑念もなくなること。

*だい・ご【×醍×醐】牛乳・羊乳などから作った濃厚で甘い液体。―み【―味】❶醍醐のようにおいしい味。❷〔仏〕釈迦の、最上の教え。❸そのもののもつ、真のあじわい。妙味。「スキーの―を味わう」

*たい・こう【体×腔】動物の体壁と内臓との間にある空所。扁形動物以上にみられる。参考医学では「たいくう」という。

*たい・こう【大公】❶ヨーロッパの公国の君主。「レニエー―」❷ヨーロッパの王家の男子の称。

*たい・こう【大功】〔文〕大きなてがら。また、大きな成功。「―を奏する」

*たい・こう【大綱】〔文〕❶根本となる重要な点。「条約の―」❷大要。あらまし。「経済学―」「政策の―」

*たい・こう【大行】〔文〕すぐれた事業。―てんのう【―天皇】死んだのち、まだおくり名の決まっていないあいだの、天皇の尊称。

―は細謹を顧みず《句》大事業を行うときには、つまらない事柄を問題にしない。〈史記・項羽本紀〉

*たい・こう【太×閤】❶摂政・太政大臣に対する敬称。❷関白の位をその子にゆずった人に対する敬称。❸〔②から〕特に、豊臣秀吉のこと。

*たい・こう【対向】〔自動車などが〕互いにむきあうこと。―しゃ【―車】〔自分の車と〕向かい合って走ってくる車。注意「対行車」は誤り。

*たい・こう【対抗】❶《名・自サ》相対する二つのものがたがいにきそいあうこと。「―意識」❷競馬・競輪で、本命と張り合うことが予想されるもの。「―馬」

*たい・こう【対校】❶学校どうしで競争すること。「―試合」❷《名・他サ》原稿や前回の校正刷りと照らしあわせて校正すること。類語照合。❸《名・他サ》写本などの系統の異なる本を比べあわせて校合すること。

*たい・こう【退校】《名・自サ》❶生徒が中途で学校をやめること。また、やめさせられること。類語退学。❷一日の課業を終えて学校を出ること。

*たい・こう【退行】《名・自サ》❶〔ある場所から〕うしろにさがること。❷〔天〕惑星が天球上を西にむかって動くこと。逆行。❸進歩がとまって、もとの未発達な段階にもどること。退化。

たい・ごう【大剛】〔文〕すぐれて強い・こと(人)。だいごう。

*だい・こう【代行】《名・他サ》〔職務などを〕本人に代わって行う・こと(人)。「社長の―をする」類語代理。

*だい・こう【代講】《名・他サ》本人に代わって講義や講演をする・こと(人)。

*だい・こう【×乃公】《代名》《自称の人代名詞》〔文〕おれさま。わが輩。〔尊大な言い方。男が使う〕「―出いでずんば…(=このおれが出なければ…)」

だい・ごう【題号】書物などの表題。題目。

たいこう・しょく【退紅色・×褪紅色】うすもも色。淡紅色。

たい・こうたいごう【太皇太后】先々代の天皇の皇后。天皇の祖母。尊敬大宮。

たいこう・ぼう【太公望】❶中国周代の賢人、呂尚の別名。❷つりをする人。つり好きな人。故事太公望①が周の文王につかえる前、渭水で毎日のようにつりをしていたことから。

たい・こく【大国】❶国土が広い国。❷国力の強い国。「経済―」「―主義」対①②小国。

たい・ごく【大獄】〔文〕重大な犯罪事件で多くの人がとらえられること。「安政の―」

だい・こく【大黒】❶「大黒天」の略。❷〔俗〕〔①から転じて〕僧侶の妻。梵妻。―てん【―天】❶〔梵語 Mahākāla〕仏・法・僧の三宝を守り、飲食を豊かにする神。また、戦闘の神。❷七福神の一つ。福徳の神。左肩に大きな袋を背負い、右手に打ち出のこづちをもって、米俵の上にのった形で表される。―ばしら【―柱】❶〔木造家屋で〕家の中心に立てる太い柱。❷一家・一国をささえる中心人物。「チームの―」

だい・こん【大根】❶アブラナ科の一年草または越年草。白色の長くて太い根や、葉は食用。春の七草の一つ。すずしろ。大根。❷「大根役者」の略。―おろし【―下(ろ)し・―卸し】❶大根の根をすりおろしたもの。おろし大根。❷大根の根をすりおろすための器具。おろしがね。―やくしゃ【―役者】芸のへたな役者をあざけって言う語。だいこん。

*たい・さ【大佐】旧陸海軍の将校の階級の一つ。佐官の最上位。対中佐・少佐。

*たい・さ【大差】大きなちがい。非常なへだたり。「―で勝つ」「両者の実力に―はない」対小差。

*たい・ざ【対座・対×坐】《名・自サ》〔ふたりの人が〕向かい合ってすわること。また、その席。

*たい・ざ【退座】《名・自サ》❶〔会合などの〕座席を立ち、その場を去ること。退席。❷しばいなどの一座をやめること。類語退団。

だい・ざ【台座】❶物をのせておく台。特に、仏像を安置する台。❷〔俗〕尻。「―をすえる」

たい・さい【大祭】❶〔神社で〕大がかりに行う、重要な祭り。おおまつり。❷天皇自ら行う、皇室の祭り。

*たい・ざい【大罪】大きな罪。重大な罪。

*たい・ざい【滞在】《名・自サ》よその土地・家に行ってそこに何日かとどまること。類語逗留。滞留。

だい・ざい【題材】〔芸術作品・学問研究などの〕主題・内容となる材料。「小説の―」

*たい・さく【大作】❶〔芸術として〕すぐれた作品。傑作。❷規模の大きな作品。

*たい・さく【対策】相手の態度や事件のなりゆきに応じてとる手段・方法。「台風の―をたてる」類語方策。

だい・さく【代作】《名・他サ》ある人に代わって作品を作ること。また、その作品。

たい・さつ【大冊】大きな本。ぶあつい本。対小冊。

*たい・さん【耐酸】酸におかされにくいこと。〔ふつう単独では使わない〕「―性の物質」

*たい・さん【退散】《名・自サ》〔追われて〕逃げ去ること。ちりぢりに去ること。「悪霊―」参考俗に、その場を引きあげることにも言う。「そろそろ―しよう」

*たい・ざん【大山・太山】大きな山。
―鳴動して鼠一匹《句》前ぶれの騒ぎばかりが大きくて、実際の結果は小さいこと。

*たい・ざん【泰山・×岱山】❶中国の山東省にある名山。「―の安きに置く(=泰山のようにゆるぎない状態にする)」❷〔文〕高くて大きな山。 ―ほくと【泰山北斗】〔泰山と北斗星の意から〕その分野の権威者として尊ばれる人。泰斗。

*だい・さん【代参】《名・自サ》本人に代わって参拝すること(人)。類語代願。

*だい・さん【第三】❶三番め。❷連句で、発句・脇句に続く三番めの句。❸関係のある二つのもの以外のもの。 ―かいきゅう【―階級】一八世紀フランスで、国王・領主(第一階級)、貴族・僧侶(第二階級)に対して、商人・農民・都市下層民をいう。第三身分。 ―き【―紀】地質時代の区分の一つ。新生代の初めから中ごろまで。 ―ごく【―国】当面する事件・事柄に関係のない国。 ―しゃ【―者】当事者以外の人。関係のない人。「―機関」対当事者。 ―セクター 地域開発などのために、地方公共団体や国と民間企業との共同出資で設立される事業体。参考公共事業でもなく民間事業でもないところから「第三」という。 ―にんしょう【―人称】↓たしょう(他称)。

たいさん・ぼく【大山木・泰山木】モクレン科の常緑高木。初夏。香りのよい白色の大きな花をつける。

*たい・し【大使】「特命全権大使」の略。 ―かん【―館】大使が駐在国で公務を行う公館。

*たい・し【大志】〔文〕大きなこころざし・のぞみ。「青年よ、―をいだけ」類語野心。大望。

*たい・し【太子】❶皇位をつぐべき皇子。皇太子。❷「聖徳太子」の略称。

*たい・じ【対×峙】《名・自サ》〔文〕❶競い合うように、むかい合って(そびえ)立つこと。❷行動を起こさずに、にらみあったまま対立すること。にらみ合い。「両軍、川をはさんで―する」

*たい・じ【胎児】母親の胎内で育っている子。

*たい・じ【退治】《名・他サ》〔害となるものを〕うちほろぼすこと。「蚊を―する」「鬼を―する」

*だい・し【台紙】写真・絵などをはりつけるための紙。

*だい・し【台詞】〔文〕芝居のせりふ。台辞。

*だい・し【大姉】女性の戒名の下にそえる語。対居士。

*だい・し【大師】❶仏・菩薩の尊称。❷高徳の僧の敬称。❸朝廷から有徳の僧に賜る称号。❹弘法大師。

*だい・し【題詞】題辞。

*だい・し【題詩】❶ある題によって作った詩。❷書物の巻頭にしるす詩。

*だい・じ【大事】㊀《名》重大な・こと(事件)。大変なこと(事件)。「―に至らない」「―を取る(=用心して事に当たる)」対小事。㊁《形動》❶重要なようす。「この点が―だ」❷かけがえのないものとして、心をくばって取り扱わなければならないようす。「命より―なもの」同①②大切。類語得難い。命の綱。肝心。肝心要。肝要。重要。重大。緊要。枢要。主要。貴要。貴重。高貴。⇩〔類義語の使い分け「大切」〕 ―な・い【―無い】《形》さしつかえない。心配ない。〔古風な言い方〕 ―の前の小事《句》❶大きな事を行うためには小さな犠牲はやむを得ないこと。❷大きな事を行う時には小さな事にも気を配って油断してはならないこと。

*だい・じ【大字】❶大形の文字。対小字。❷漢数字の「一」「二」「三」などの代わりに証書などで用いる「壱」「弐」「参」などの字。

*だい・じ【題字】書物・絵・碑などの題としてしるす字。

*だい・じ【題辞】書物の巻頭にかく文章・言葉。また、絵・碑などにしるす言葉。題言。題詞。

だいし・いちばん【大死一番】過去のすべての思念をなげうち、自己を空しくして仏法に徹すること。一度(りっぱに)死んだつもりになって事に当たること。

ダイジェスト《名・他サ》ある著作物の内容の要点をまとめて、わかりやすくすること(したもの)。要約。「古典文学の―版」▽digest(=消化する)

だい・しきょう【大司教】ローマカトリックの高位聖職者。大司教区の最高位の僧職。

だい・しぜん【大自然】偉大な(力をもつ)自然。

たい・した【大した】《連体》❶〔物事の程度が〕はなはだしいようす。驚くほどの。「年は若いが―男だ」「―評判だ」「―食わせ者だ」❷〔下に打ち消しの語をともなう〕特にとりあげるほどの。「―傷ではない」

だいじ・だいひ【大慈大悲】〔仏の〕限りなく広い慈悲。特に、観世音の慈悲。

*たい・しつ【体質】❶その人が生まれつき持っている、からだの性質。❷組織・団体などが本来的に持っている、特有の性質。「日本の社会の―」

*たい・しつ【対質】《名・自サ》刑事訴訟で、被告人・証人などをつき合わせて尋問すること。

*たい・しつ【耐湿】湿気におかされにくいこと。「―性」

*たい・しつ【退室】《名・自サ》部屋から出ること。対入室。

だい・しっこう【代執行】行政上の強制処分の一つ。法律に基づく行政上の決定に従わない者に代わって、行政機関が決められた処分を行うこと。

たい・して【大して】《副》〔下に打ち消しの語をともなう〕とりあげていうほど。それほど。「―寒くない」

たい・しぼう【体脂肪】体についた脂肪(の量)。

*たい・しゃ【代謝】《名・自サ》❶生物体が栄養分を体内にとり入れて生活し、老廃物を排泄すること。物質代謝。「―機能」❷〔つぎつぎに〕古いものと新しいものがいれかわること。

*たい・しゃ【代×赭】❶粉末状の赤色顔料。赤鉄鉱から作る。❷「代赭色」の略。茶色をおびた、だいだい色。

*たい・しゃ【大赦】恩赦の一つ。国家の慶事などに際し、国家が、ある範囲の罪に該当するものの刑罰の執行をとりやめたり軽くしたりすること。参考↓特赦。

*たい・しゃ【大社】❶名高い神社。大きい神社。対小社。❷もとの官幣大社・国幣大社の略称。❸

た

特に、出雲(いずも)大社のこと。

*たい・しゃ【退社】《名・自サ》❶つとめていた会社をやめること。類語退職。対入社。❷〔仕事を終えて〕会社を退出すること。「―時刻」類語退勤。対出社。

だい・しゃ【台車】❶鉄道車両の車体を支えている部分。台わく・車輪・車軸・ばね・ブレーキなどからなる。❷台に車輪と取っ手をつけた簡単な運搬車。

だい・じゃ【大蛇】大きなヘビ。おろち。うわばみ。

*たい・しゃく【▽帝釈】「帝釈天」の略。―てん【―天】〔梵語 Śakro devānām indraḥ〕梵天(ぼんてん)とともに仏法を守る神。また、十二天の一つで、東方の守護神。帝釈。

*たい・しゃく【貸借】❶《名・他サ》貸すことと、借りること。かしかり。❷簿記で、貸方と借方。また、その仕訳(しわけ)。―たいしょうひょう【―対照表】企業の決算日における財産の状態を表すため、資産・負債などを対照させてしめした表。バランスシート。

だい・しゃりん【大車輪】❶大きな車の輪。❷器械体操のわざの一つ。鉄棒を両手でにぎり、からだをのばして回転する。❸〔ある物事を〕いっしょうけんめいにすることのたとえ。「―で働く」

たい・しゅ【太守】❶律令(りつりょう)制時代、親王の任国であった上総(かずさ)・常陸(ひたち)・上野(こうずけ)の三国の国守のこと。❷江戸時代、一国以上を領有した大名。国主大名。❸昔、中国で、郡の長官。参考③は「太守」と書く。

*たい・じゅ【大儒】〔文〕すぐれた儒学者。大学者。

*たい・じゅ【大樹】❶大きな樹木。大木。「寄らば―の蔭(かげ)」類語巨木。❷「征夷(せいい)大将軍」の別称。

だい・しゅ【大衆】〔仏〕多くの僧。

*たい・しゅう【体臭】❶からだから発散するにおい。❷その人・物に特有の性格。「作者の―を感じる作品」

*たい・しゅう【大衆】❶多くの人々。類語群衆。❷民衆。特に、農民・労働者など、社会の大多数を占める、一般勤労者。―か【―化】《名・自他サ》一般民衆の間で好んで行われるようになること。また、そうすること。「ゴルフは―した」―てき【―的】《形動》一般の人々に受け入れられやすいようす。「―な小説」類語通俗的。―ぶんがく【―文学】一般大衆に好んで読まれるような〔興味本位の〕文学。通俗文学。対純文学。

*たい・じゅう【体重】からだの重さ。

*たい・しゅつ【帯出】《名・他サ》〔書籍・備品などを〕きめられた場所から持ち出すこと。「禁―」

*たい・しゅつ【退出】《名・自サ》〔改まった場所から〕しりぞき出ること。引きさがって帰ること。

*たい・しょ【大所】小さなことにこだわらない、広い観点。―こうしょ【―高所】小さなことにとらわれず、全体を見渡す立場。「―から見る」

*たい・しょ【大暑】❶〔文〕〔夏の〕きびしい暑さ。類語酷暑(こくしょ)。❷二十四節気の一つ。一年じゅうで最も暑い時。太陽暦の七月二三日ごろに当たる。

*たい・しょ【大書】《名・他サ》文字などを大きく書くこと。また、大きく書かれた文字。「特筆―する」

*たい・しょ【太初】〔文〕天地が開けた初め。世界の初め。太始。

*たい・しょ【対処】《名・自サ》ある事件・状況に応じて適当な処置をとること。「不況に―する」

*たい・しょ【対×蹠】《「たいせき」の慣用読み》〔足の裏を向かいあわせたように〕二つのものが正反対の位置・関係にあること。「―点」「二者は―的な関係にある」

*だい・しょ【代署】《名・自他サ》本人に代わって署名すること。また、その署名。対自署。

*だい・しょ【代書】❶《名・他サ》〔文書・手紙などを〕本人に代わって書くこと。類語代筆。対自書。❷「代書人」の略。―にん【―人】代書①を職業とする人。行政書士・司法書士の旧称。

だい・じょ【大序】❶浄瑠璃(じょうるり)の時代物で、第一段の最初の場面。❷歌舞伎(かぶき)で、最初の狂言。序幕。

*たいしょう【大正】大正天皇時代の元号。一九一二年七月三〇日～一九二六年一二月二五日。―ごと【―琴】二本の金属弦と簡単な鍵盤(けんばん)を備えた弦楽器。参考大正初期に考案され、のち、三～五弦に改良された。

*たい・しょう【大勝・大×捷】《名・自サ》大きな差をつけて勝つこと。圧倒的な勝利。「―に湧(わ)く」

*たい・しょう【大匠】〔文〕腕前のすぐれた職人。

*たい・しょう【大将】❶昔、近衛府(このえふ)の長官。大将(だいしょう)。❷旧陸海軍の将官の最高位。対中将・少将。❸ある集団などの、かしら。親分。「お山の―」❹〔俗〕他人を、親しみ・からかいなどの気持ちをもって呼ぶ語。〔男性に対して使う〕「よう、―元気かい」

*たい・しょう【大笑】《名・自サ》大いにわらうこと。おおわらい。「呵々(かか)―」類語爆笑。高笑。

*たい・しょう【大詔】〔文〕〔全国民に対して告げる〕天皇のことば。みことのり。

*たい・しょう【大賞】その分野で、最も優秀なものに与える賞。グランプリ。「レコード―」

*たい・しょう【対照】❶《名・他サ》〔似かよった性質をもつ〕二つの事物をてらし合わせること。類語対比。❷反対の性質をもつ物を並べたときの、はっきりしたちがい。また、その取り合わせ。コントラスト。「新旧の―が面白い」「―の妙」「―的」⇩〔使い分け〕

*たい・しょう【対称】❶〔上下または左右の物が〕調和を保ってつり合っていること。「左右―」❷〔数〕二つの図形・点・線などが、一つの点・直線・平面に関して向き合う位置にあること。シンメトリー。類語相称。❸〔語学〕人称の一つ。文中で話し手が聞き手をさしていう場合のもの。またその時用いられる代名詞。〔第〕二人称。参考→自称・他称。⇩〔使い分け〕

*たい・しょう【対象】❶〔哲〕主観に対立し、認識・感情・意志などがむけられる目標物。客観。❷目標とするもの。めあて。「批判の―」⇩〔使い分け〕

使い分け「タイショウ」

対象〔「象」はかたち、様子の意。目標や相手となるもの〕読者対象・恋愛の対象・対象化

対照〔「照」はてらし合わせる、突き合わせる意。似たものを比べ合わせる。取り合わせ〕新旧二者を対照する・好対照・比較対照・対照的性格・貸借対照表

対称〔「称」はつり合うの意。上下・左右のものが調和を保ってつり合う〕対称図形・線対称・左右対称

*たい・しょう【隊商】隊を組んで砂漠(さばく)などを往来する商人の集団。キャラバン。

たい・じょう【退場】《名・自サ》会場・競技場・舞台などから立ち去ること。類語退席。対入場。出場。

*だい・しょう【代償】❶本人の代わりにつぐないをする

こと。❷与えた損害のつぐない。また、そのための金品や労力。「こわした窓ガラスの—を払う」❸ある行為に対してその報酬として与えられるもの。❹あることを行うために必要な犠牲・損害。「戦争の—」

***だい‐しょう【代将】** アメリカなどの軍人の階級の一つ。将官の最下位。准将。

***だい‐しょう【大小】** ❶大きいものと小さいもの。また、大きいことと小さいこと。❷大刀と小刀。

だい‐じょう【大乗】 利他主義によって人間全般の救済を説く、積極的な仏法。「—仏教」対小乗。

だいじょう‐かん【▽太政官】 ↓だじょうかん。

だい‐じょうだん【大上段】 ❶剣道で、刀を頭上にふりかぶった構え。「—に構える」❷大げさに相手を威圧するような態度。「男女平等を—にふりかざす」

だい‐じょうふ【大丈夫】 〔文〕りっぱな一人前の男子。ますらお。だいじょうぶ。

だい‐じょうぶ【大丈夫】 ━《形動》あぶなげがなく、たしかなようす。━《名》↓だいじょうふ。

たいしょう‐りょうほう【対症療法】 ❶病気の原因に対して行う根本的療法ではなく、その時の症状に応じて行う療法。対原因療法。❷その時・その場だけに行う、間に合わせの対策・処置。

***たい‐しょく【大食】** 《名・自サ》ふつうよりたくさん食べること。大食い。「無芸—」「—漢」

***たい‐しょく【耐食・耐×蝕】** 腐食に耐えること。腐食しにくいこと。〔ふつう単独では使わない〕「—性」
表記 「耐食」は代用字。

***たい‐しょく【退職】** 《名・自サ》つとめていた職をやめること。「定年で—する」類語 辞職。対就職。

***たい‐しょく【退色・×褪色】** 《名・自サ》〔日光や水のため〕色があせること。色がさめること。

だい‐じり【台×尻】 小銃の銃床で、下端の幅の広い部分。

たい‐じる【退治る】 《他上一》《「退治」を活用させた語》害となるものをうちほろぼす。

***たい‐しん【大身】** 〔大金持ちで〕身分・地位の高い人。〔古風なことば〕対小身。

***たい‐しん【大震】** 〔文〕大きな地震。

***たい‐しん【対審】** 《名・他サ》原告・被告を法廷に立ち会わせ、弁論をさせて行う審理。

***たい‐しん【耐震】** 〔建造物が〕地震に対して強いこと。〔ふつう単独では使わない〕「—構造」

***たい‐じん【大人】** ❶ふつうよりからだの大きい人。巨人。❷一人まえのおとな。成人。大人。❸心がひろく、徳の高い人。❹身分や地位の高い人。対①〜④小人。❺父・師・学者・身分の高い人などに対する敬称。大人。〔男性に対して使う〕

***たい‐じん【対人】** 他人に対すること。「—関係」

***たい‐じん【対陣】** 《名・自サ》敵と味方が向かい合って陣をはること。「川をはさんで両軍が—する」

***たい‐じん【退陣】** 《名・自サ》❶陣地を後方へうつすこと。❷陣営を立ち去ること。❸責任のある地位・役目などから身をひくこと。「首相に—を求める」類語 退却。

だい‐しん【代診】 《名・他サ》ある医者に代わって診察する・こと(人)。代脈。

***だい‐じん【大尽】** ❶大金持ち。❷遊里で、大金を使って遊ぶ人。

***だい‐じん【大臣】** ❶太政官の上官。太政大臣・左大臣・右大臣・内大臣の称。おとど。❷国務大臣。

だい‐じんぐう【大神宮】 伊勢神宮のこと。内宮・外宮をあわせて言う。

だい‐しんさい【大震災】 大地震による災害。参考 特に大正一二年の関東大震災をさすことが多い。

だい‐じんぶつ【大人物】 器量の大きな人。類語 大器。対小人物。

***だい‐す【台子】** 茶の湯で使う四本柱のたな。茶わん・茶入れ・水さしなどをのせておくもの。

***ダイス** ❶さいころ。❷二〜五個のさいころを使って行う遊び。▽dice

***ダイス** 円柱状の鉄の棒に雄ねじの山を切り刻む工具。▽dies

だい‐ず【大豆】 マメ科の一年草。種子はたんぱく質にとむ。とうふ・みそなどの原料。

***たい‐すい【大酔】** 《名・自サ》〔文〕ひどく酒に酔うこと。酩酊。類語 泥酔。

***たい‐すい【耐水】** ❶水にぬれても水が裏までしみ通らないこと。❷水にぬれてもくさったり変質したりしないこと。〔①②とも、ふつう単独では使わない〕「—性」

***たい‐すう【大数】** ❶大きな数。また、多数。❷おおよその数。概数。

***たい‐すう【対数】** 〔数〕二つの数 x と y の間に $x=a^y$ （a は1でない正数）の関係があるとき、a の指数 y を a を底とする x の対数であるといい、$y=\log_a x$ で表す。ロガリズム。

だい‐すう【代数】 「代数学」の略。**—がく【—学】** 数字の代わりに文字を記号として用い、数の性質や関係を研究する学問。

だい‐すき【大好(き)】 《形動》非常に好きなようす。

***たい‐・する【対する】** 《自サ変》❶〔二つの物が〕むかい合う。「川をはさんで二軒の家が—・する」❷〔ある物事に〕応じる。こたえる。「質問に—・する答え」❸対になる。「陰に—・して陽」❹〔敵・相手として〕争う。対抗する。「去年の優勝者と—・する」❺〔人と〕応対する。「客にあいそよく—・する」

***たい‐・する【体する】** 《他サ変》〔人からうけた教え・命令などを〕心にとめて守る。「社長の意を—・する」

***たい‐・する【帯する】** 《他サ変》〔文〕身につける。たずさえる。特に、腰につける。「ピストルを—・する」

だい‐・する【題する】 《他サ変》❶表題・題字などをかく。❷〔文章・絵などに〕題をつける。

***たい‐せい【体制】** ❶生物体の各部分がそれぞれの働きを行いながら全体として統一を保っている関係。❷〔社会や団体の〕全体として組織されている様式。「社会主義—」❸特に、ある政治的権力によって支配されている状態。「ベルサイユ—」⇩〔使い分け〕

***たい‐せい【体勢】** 〔ある行動をおこすときの〕からだのかまえ。姿勢。「土俵際の—」⇩〔使い分け〕

***たい‐せい【大勢】** 〔物事や世の中の〕大筋となる形勢。おおよそのなりゆき。「天下の—」注意「おおぜい」「たいぜい」と読めば別の意味になる。⇩〔使い分け〕

***たい‐せい【態勢】** ある物事・状況に対する身構え・態度。「出動の—」⇩〔使い分け〕

使い分け 「タイセイ」

体制〔「体」はかたち・形式・形態をととのえたものの意。組織・社会・国家の全体統一的な様式。特に、政治的権力下にある社会の状態〕教育体制・資本主義体

制・戦時体制・反体制・体制側
体勢〔「勢」は成り行きの意。運動などにおける体の構え〕体勢の立て直し・体勢を崩す・着陸体勢
大勢〔おおよその成り行き〕天下の大勢が決する・党の大勢に従う・時代の大勢に即応する
態勢〔「態」はすがた・様子の意。ある物事や状況に対する身構え〕受け入れ態勢・協調態勢・出動態勢
[参考]「臨戦体制／態勢」「警備体制／態勢」などは恒久的か一時的か（時間の長短）で使い分ける。

***たい・せい【大成】** ❶《名・他サ》仕事・研究などをりっぱに仕上げること。❷多くの著述を集めて、一つに仕上げる・こと（もの）。集大成。「万葉集ー」❸《名・自サ》学問がりっぱにできあがること。「政治家としてーする」[類語]完成。

***たい・せい【大政】** 天下の政治。**ーほうかん【ー奉還】**〔歴〕一八六七（慶応三）年、江戸幕府一五代将軍徳川慶喜が政権を天皇に返したこと。

***たい・せい【大聖】**〔文〕非常に徳の高い聖人。

***たい・せい【大声】**〔文〕おおごえ。「ー疾呼」

***たい・せい【対生】**《名・自サ》植物の葉や枝が一節に二つずつ向かい合って生じること。[対]互生・輪生。

***たい・せい【耐性】** 病原菌などの、ある種の薬に耐えて生きる性質。「A菌はペニシリンに対してーをもつ」

***たい・せい【泰西】**〔文〕西洋。欧米。「ー名画」[対]泰東。

***たい・せい【胎生】** 子が母体の中で、ある程度発育してから生まれること。[参考]→卵生・卵胎生。

***たい・せい【退勢・×頽勢】**〔ある物事の〕勢いがおとろえて行くありさま。おとろえていく形勢。「ーを挽回する」[類語]衰勢。[表記]「退勢」は代用字。

たい・ぜい【大勢】〔文〕人数が多いこと。大勢。[対]小勢。[注意]「たいせい」と読めば別の意味になる。

たいせい・よう【大西洋】 ヨーロッパ・アフリカと南北アメリカとの間にある大きな海。

***たい・せき【体積】** 立体の、空間を占める大きさ。物体のかさ。

***たい・せき【×堆積】**《名・自サ》❶《他サ》うずたかく・積み重なる（積み重ねる）こと。また、その物。「土砂がーする」[類語]山積。累積。❷風・川・氷河などによって土や砂がはこばれ、一か所にたまること。「ー岩」

***たい・せき【対×蹠】**↓たいしょ（対蹠）。

***たい・せき【滞積】**《名・自サ》〔貨物や仕事などが〕かたづかないで、たまること。

***たい・せき【退席】**《名・自サ》〔会合などの〕席を立ってその場をはなれること。[類語]退場。

***たい・せつ【大雪】** ❶〔文〕はげしく降る雪。また、多く積もった雪。おおゆき。❷二十四節気の一つ。陰暦一一月の節で、陽暦一二月七日ごろにあたる。

***たい・せつ【大切】**《形動》❶〔なくてはならぬほど〕重要なようす。「この点がーです」「ーな約束がある」❷注意して粗末にしないようす。「お体をーに」[同]①②大事。

類義語の使い分け　大切・大事
[大切・大事] 大切（大事）な用事で出かける／道具を大切（大事）に扱う／心構えが大切（大事）だ
[大切] 実際に体験してみることの大切さを痛感する
[大事] 大事に至らずよかった／大事を取って休む

***たい・せん【大戦】** 多くの国が参加する、大規模な戦争。特に、第一次・第二次の世界大戦。

***たい・せん【対戦】**《名・自サ》〔戦争や競技で〕敵味方に相対して戦うこと。「優勝候補とーする」

***たい・ぜん【大全】**〔文〕ある分野に関する事がらを広く集めた書物。〔題名などに使う〕「経済学ー」

***たい・ぜん【泰然】**《形動タル》落ち着いていて、物事に動じないようす。自若。「ー自若」[類語]悠々。

だい・せん【題×簽】〔和漢書で〕題名をしるして表紙などにはりつける、小さな紙・布。

だい・せんきょく【大選挙区】 比較的広い地域を一区と定め、二名以上の議員を選出する選挙区。[対]小選挙区。[参考]→中選挙区。

だい・ぜんてい【大前提】 ❶三段論法で、結論の述語となる概念（＝大概念）をふくんでいる前提。[対]小前提。❷物事の大もととなる前提。「人命尊重がーだ」

たい・そ【太祖】〔中国・朝鮮において〕その王朝を始めた最初の皇帝の尊称。

***たい・そう【体操】** ❶健康で美しい身体をつくるため、からだの各部を規則正しく動かして行う運動。❷「体育」の旧称。

***たい・そう【大宗】**〔文〕〔「物事のおおもと」の意から〕その分野で権威のある人・物。「画壇のー」

***たい・そう【大喪・大葬】** 天皇・皇后・皇太后・太皇太后の葬儀。「ーの儀」

***たい・そう【太宗】** 帝王の祖先で、その功績が太祖につぐ人。

***たい・そう【大層】** ━《副》物事の程度がはなはだしいようす。非常に。「ーやさしい人」━《形動》〔言動・ようすなどが〕おおげさであるようす。「ーなことを言う」**ーらし・い**《形》おおげさである。ぎょうさんである。

たい・ぞう【退蔵】《名・他サ》物資などを利用しないでしまっておくこと。「資料がーされる」[類語]死蔵。

だい・そう【代走】《名・自サ》野球で、ある走者に代わって走る・こと（人）。ピンチランナー。

だいぞう・きょう【大蔵経】 釈迦の説法を集めた経蔵、戒律を集めた律蔵、仏弟子や高僧の論釈を集めた論蔵の三蔵をすべておさめた書物。一切経。蔵経。

だい・そうじょう【大僧正】 僧の最高の位。僧正の上位。

たい・そく【体側】〔文〕からだの側面。

だい・そつ【大卒】「大学卒業」の略。大学を卒業している・こと（人）。

だい・それた【大それた】《連体》自分の能力・身分をわきまえていない。また、道義にはずれた。とんでもない。「ー望みをいだく」

たい・だ【怠惰】《名・形動》なまけてだらしないこと。おこたること。「ーな生活」[類語]怠慢。

だい・だ【代打】 野球で、ある打者に代わって打つ・こと（人）。ピンチヒッター。

***だい・たい【代替】**《名・他サ》〔文〕〔ある物を〕ほかの物で代えること。「ー品」「ー地」

***だい・たい【大体】** ━《名》おおよそのこと。およそ。あらまし。〔副詞的にも使う〕「情勢のーはわかった」「彼とー同じぐらいの成績」[類語]粗方。大抵。大方。ほぼ。殆ど。大旨。一通り。大概。総体に。総じて。九分九厘。九分通り。十中八九。概略。大

略。概要。大要。大筋。㊁《副》もとはといえば。もともと。「―先に暴力をふるったほうが悪い」

***だい‐たい【大×腿】**足のつけ根からひざまでの部分。ふともも。大腿部。

***だい‐たい【大隊】**軍隊の編制単位の一つ。二～四個中隊で編制する軍隊。対小隊・中隊。

***だい‐だい【代代】**何代もつづいていること。歴代。よよ。〔副詞的にも用いる〕「私の家は―米屋です」

***だい‐だい【×橙】**❶ミカン科の常緑高木。六月ごろ白い花を開き、秋から冬に実が黄色く熟す。実は正月の飾りや食用にする。❷赤みをおびた黄色。だいだい色。

***だい‐だい【大大】**《副》(「―と」の形も)〔俗〕大きな感じを与えるようす。「―と置かれた盛花」 **―てき【―的】**《形動》とりわけ規模が大きいようす。「航空事故のニュースを―に取り上げる」類語大規模。

だいだい‐かぐら【▽太▽太〈神楽〉】だいかぐら①。

だい‐だいり【大内裏】〔内裏に対して〕皇居と諸官庁のある区域。一般に平城京・平安京にいう。

だい‐たすう【大多数】ある限られた(たくさんの)数のうちの、ほとんど全部。また、その人や物。「クラスの―が賛成した」類語大部分。

***たい‐だん【対談】**《名・自サ》ふたり以上の人が向かい合って(あるテーマについて)話をすること。「名士と―する」類語対話。鼎談。面談。

***たい‐だん【退団】**《名・自サ》所属している団体から出ること。対入団。

だい‐たん【大胆】《名・形動》❶度胸があって恐れをしらぬこと。「―な演技」類語剛胆。対小胆。❷思い切ったことをすること。「―なデザイン」 **―ふてき【―不敵】**《名・形動》大胆で、敵を敵とも思わないこと。

だい‐だんえん【大団円】小説・芝居・事件などで、すべてが(めでたく)おさまる最後の場面。類語大尾。

***だい‐ち【大知・大×智】**〔文〕すぐれた知恵。対小知。

***たい‐ち【対地】**〔文〕空から地上に対すること。〔ふつう単独では使わない〕「―攻撃」

***たい‐ち【対置】**《名・他サ》〔二つの物・事柄を〕対照的な位置におくこと。「真実を虚偽に―する」

***だい‐ち【代地】**〔文〕代わりの土地。かえ地。

***だい‐ち【代置】**《名・他サ》〔文〕あるものの代わりとして置くこと。

***だい‐ち【台地】**周囲よりも少し高くなっている平らな土地。類語高台。

***だい‐ち【大地】**生命を息づかせ、豊かな実りをもたらすものとしての、広々とした土地。また、空漠たる天に対して、生活を確実に支えてくれるものとしての、地面。「母なる―」「―の恵みを受ける」

たい‐ちょ【大著】❶分量の多い著作。「全二〇巻の―」❷内容のすぐれている著作。「後世に残る―」

***たい‐ちょう【体調】**からだの調子。「―をくずす」

***たい‐ちょう【体長】**動物などのからだの長さ。

***たい‐ちょう【退庁】**《名・自サ》その日の勤めを終わって役所から退出すること。対登庁。

***たい‐ちょう【退潮】**❶潮がひくこと。ひき潮。干潮。❷勢いがおとろえること。「人気―」

***たい‐ちょう【隊長】**〔軍隊やある集団で〕隊員をひきいて指揮・指導にあたる人。

***だい‐ちょう【台帳】**❶金銭の出入りや物事の記録などをしるした、もとになる帳簿。原簿。「土地―」類語元帳。❷芝居の脚本。台本。

***だい‐ちょう【大腸】**消化器官の一つ。小腸につづき肛門にいたる臓器。主として食物中の水分を吸収する。 **―きん【―菌】**腸、特に大腸に多くいる桿菌。消化をたすけるが、病気を起こすこともある。

タイツ からだ(の下半身)にぴったりつくように作った衣服。バレエ・体操競技用など。類語レオタード。▽tights

だい‐つう【大通】〔文〕遊びの道にくわしく通じていること(人)。

***たい‐てい【大帝】**皇帝・帝王の尊称。

***たい‐てい【退廷】**《名・自サ》朝廷または法廷から退出すること。対入廷。出廷。

***たい‐てい【大抵】**《副》❶(ある物事の)大部分。おおかた。たいがい。「その問題なら―解けた」❷物事のだいたいのようす。おおよそ。大体。たいがい。「―六時には帰宅する」❸(下に打ち消しの語を伴う)一通り。なみなみ。「生活の苦しさは―ではない」❹物事の度をこさないようす。「じょうだんも―にしろ」

たい‐てき【大敵】❶強くて、てごわい敵。また、大きな害を及ぼす相手。「油断―」❷大ぜいの敵。対①②小敵。

***たい‐てん【大典】**❶(国家・皇室などに関する)重大な儀式。特に、天皇の即位式。「御―」❷重大な法律・法典。「不磨の―」

***たい‐てん【退転】**《名・自サ》❶仏道を修行する心がゆるみ、悪い方へもどること。「不―」❷移り変わって前より悪くなること。

たい‐でん【帯電】《名・自サ》物体が電気をおびること。

***たい‐と【泰斗】**〔文〕(泰山と北斗星の意から)人々から尊敬されているその分野の大家・権威者。泰山北斗。山斗。「東洋哲学の―」

***タイト** ❶《名・形動》ひきしまっていること。また、ぴったりからだに合っていること。❷「タイトスカート」の略。からだにぴったりそう形のスカート。▽tight

***たい‐ど【大度】**〔文〕心が広いこと。度量が大きいこと。「寛仁―」

***たい‐ど【態度】**(ことば・表情・身ぶりなどを通して表に表れる)その人の物事に対する姿勢や行動のあり方。「真剣な―」「―が大きい(=なまいきな態度である)」

***たい‐とう【台頭・×擡頭】**《名・自サ》❶頭をもたげること。❷新しく勢力をのばしてくること。「若手が―してくる」類語出現。進出。表記「台頭」は代用字。

***たい‐とう【対当】**《名・自サ》〔文〕❶相対すること。❷(二つの物の価値などが)つりあうこと。

***たい‐とう【帯刀】**《名・自サ》刀を腰にさすこと。また、腰にさした刀。「苗字―を許される」類語佩刀。

***たい‐とう【泰東】**〔文〕東洋。対泰西。

***たい‐とう【×頽唐】**道徳・気風などがみだれくずれること。退廃。「―期」

***たい‐とう【対等】**《名・形動》二つのものの間に優劣や上下の差がないこと。同等。「―の立場にたつ」

***たい‐とう【×駘×蕩】**《形動タトル》〔文〕(けしき・雰囲気などが)のどかなようす。うららか。「春風―」

***たい‐どう【帯同】**《名・他サ》〔文〕いっしょにつれてゆくこと。「秘書を―する」類語同行。同伴。

***たい‐どう【胎動】**《名・自サ》❶母体の中で胎児が動くこと。また、その動き。❷新しい物事が起ころうとす

た

ること。また、その内面の動き・芽ばえ。「新世紀の—」

だい・とう【大刀】〔脇差(わきざし)などに対し〕長い刀。たち。対小刀(しょうとう)。

***だい・どう【大同】**❶大体同じであること。❷《名・自サ》目的を同じくするものが一つにまとまること。**—しょうい【—小異】**細かい点は異なるが、全体的にはほとんど同じこと。「—の意見」類語五十歩百歩。**—だんけつ【—団結】**《名・自サ》多くの政党・団体が主義・主張の多少の違いをすてて、一つになること。

***だい・どう【大道】**❶幅の広い大きな道路。❷路上。みちばた。「—芸人」❸人として行うべき根本の道理。当然守るべき正しい道。「—廃(すた)れて仁義あり」

だい・どうみゃく【大動脈】❶心臓の左心室から出る動脈の本幹。対大静脈。❷鉄道・道路などの交通の最も重要な幹線。「海上交通の—」

だい・とうりょう【大統領】❶共和国の元首。国民から選ばれ、一定の期間、その国の行政の最高責任者となる。❷〔俗〕〔しばいなどで〕芸のすぐれた者に対して親しみをこめて呼びかけるほめことば。「よう、—」

たい・とく【体得】《名・他サ》十分に理解して自分のものにすること。経験して身につけること。「こつを—する」類語会得(えとく)。

たい・どく【胎毒】赤ん坊の頭や顔にできる皮膚病。

だい・どく【代読】《名・他サ》本人の代わりに読むこと。「祝辞を—する」

だい・どころ【台所】❶〔家庭で〕食物を調理する場所。炊事場。類語調理場。厨房(ちゅうぼう)。❷会計・財政・金銭上のやりくり(を担当する所)。「—が苦しい」

タイトル❶〔書物・映画などの〕表題。題名。❷映画の字幕。「—バック」❸称号。肩書き。❹選手権。また、選手権保持者としての資格。「—マッチ」▽title

***たい・ない【体内】**からだの内部。類語身中。対体外。

***たい・ない【対内】**内部・国内に対すること。対対外。

***たい・ない【胎内】**〔子どもをみごもっている〕母親の腹の中。胎中。**—くぐり【—▽潜り】**❶人がやっとくぐり抜けられるほどのほらあな。❷精進潔斎のために、仏像の胎内や自然の洞穴などをくぐり抜けること。

だい・なごん【大納言】❶太政官(だじょうかん)の次官で、右大臣につぐ官。❷「大納言小豆(だいなごんあずき)」の略。アズキの一品種。粒が大きく、色がこく、味もよい。

だい・なし【台無し】《形動》全く役にたたないようす。めちゃくちゃになるようす。

ダイナマイト ニトログリセリンを珪藻土(けいそうど)・綿火薬などに吸収させた、工業用の爆薬。▽dynamite

ダイナミック《形動》❶力強いようす。力強くいきいきと動くようす。躍動的。力動的。「—な筆致」対スタティック。❷力学的。▽dynamic

ダイナモ 発電機。▽dynamo

だい・なん【大難】大きな災難。大難(たいなん)。類語大禍(たいか)。対小難。

だい・に【第二】第一の次。二番め。**—ぎ【—義】**根本的でないこと。**—にんしょう【—人称】**↓たいしょう(対称)③。

***たい・にち【対日】**《接頭》「日本に対する」の意。「—政策」「—感情」

***たい・にち【滞日】**《名・自サ》〔外国からの旅行者が〕日本に滞在すること。

だい・にち【大日】「大日如来」の略。**—にょらい【—如来】**真言宗の本尊。宇宙を照らす太陽を意味し、万物の慈母とされる。遍照(へんじょう)如来。遍照尊。

だい・にゅう【代入】《名・他サ》式または関数中の文字を、他の文字や数値でおきかえること。

***たい・にん【体認】**《名・他サ》〔文〕実際に自分で体験して、しっかり理解すること。

***たい・にん【大任】**重大な任務。大切な役目。「—を果たす」類語重任。大役。

***たい・にん【退任】**《名・自サ》〔今までの〕任務をやめること。任務をしりぞくこと。

***だい・にん【代人】**代理人。類語名代(みょうだい)。

***だい・にん【代任】**《名・他サ》ある人の代わりにその任務につくこと(人)。「A大使の—にB氏をあてる」

***だい・にん【大人】**〔小人(しょうにん)・中人(ちゅうにん)に対して〕おとな。たいじん。〔料金や入場料などの区分に多く使う〕

ダイニング❶食事。❷「ダイニングルーム」の略。食事をする部屋。食堂。▽dining

たい・ねつ【耐熱】熱に耐えること。熱によって変化しないこと。〔他の語につけて使う〕「—性」「—ガラス」

だい・の【大の】《連体》❶大きな。一人まえの。〔多く、男・おとなを表す語につく〕「—男」❷非常な。大変な。「—好物」「—仲よし」「—六代目びいき」

たい・のう【滞納】《名・他サ》〔納めるべき金銭を〕きめられた期日を過ぎても納めないこと。「税金を—する」

***だい・のう【代納】**《名・他サ》❶本人に代わって金品をおさめること。❷金銭の代わりに物で納めること。

***だい・のう【大脳】**脊椎(せきつい)動物の脳の一部。運動・感覚などをつかさどり、人間では思考・意志などの精神作用をいとなむ。**—ひしつ【—皮質】**大脳の表面の灰白質の部分。おもに神経細胞からなり、運動・感覚・意識・知能の働きをつかさどる。

***だい・のう【大農】**❶機械を使って広大な耕地で大規模に行う農業。対小農。❷広い農地をもつ百姓。大百姓。類語豪農(ごうのう)。対小農・中農。

だい・のうかい【大納会】取引所における一年の最終立ち会い日。対大発会。

だい・の・じ【大の字】〔「大」という字のように〕両手・両足をひろげ、あおむけにねること。

だい・の・つき【大の月】太陽暦で三一日、太陰暦で三〇日の日数がある月。対小の月。

たい・は【大破】《名・自他サ》〔大きな物が原形をとどめないほど〕ひどくこわれること。また、こわすこと。「トラックが電車と衝突して—した」対小破。

だい・ば【台場】「砲台場」の略。江戸時代の末、海上からの攻撃にそなえ、大砲をすえつけた所。お台場。

ダイバー❶〔職業として〕潜水する人。潜水士。❷〔水泳で〕飛び込み種目の選手。❸スカイダイビングまたはスカイダイビングをする人。▽diver

***たい・はい【大×旆】**❶昔、中国で、日月と上り竜・下り竜を描いた天子・将軍の旗。❷〔文〕堂々とした旗印。「自由の—」

***たい・はい【大敗】**《名・自サ》ひどく負けること。「—を喫(きっ)する」類語惨敗。完敗。

***たい・はい【大杯・大×盃】**大きなさかずき。大白(たいはく)。

***たい・はい【退廃・×頽廃】**《名・自サ》❶勢いなどがおとろえすたれること。❷道徳や気風がすたれ乱れて不健全な気風になること。デカダン。頽唐。「—の気風」「—的」表記もと、もっぱら「頽廃」と書いた。

だい‐ばかり【台×秤】 物を台の上にのせ、分銅(ふんどう)とつり合わせて重さを計るはかり。かんかんばかり。[参考]重い物を計るときに使う。

だい‐はち【大八】「大八車」の略。**―ぐるま【―車】**〔人がひく〕大型の荷車。[参考]「代八車」、すなわち「八人分の仕事の代わりをする車」の意という。

大八車

たい‐ばつ【体罰】 肉体に苦痛を与える罰。[類語]体刑。

たい‐はん【大半】 全体の半分よりもはるかに多い数量。大部分。

たい‐ばん【胎盤】 胎児を母体の子宮内につないでおく器官。これによって胎児の栄養供給・呼吸・排泄(はいせつ)などの作用が行われる。

だい‐ばんじゃく【大盤石・大×磐石】 ❶大きな岩。❷物事の基礎がしっかりして、ゆるがないこと。「―の備え」「―の企業」

***たい‐ひ【×堆肥】** 草・わら・ふん尿などを積み重ねてくさらせた肥料。積み肥(ごえ)。

***たい‐ひ【対比】**《名・他サ》〔似た性質をもつ〕二つの物をくらべてそのちがいを見ること。「二案を―して考える」[類語]比較。対照。

***たい‐ひ【待避】**《名・自サ》他のものが過ぎさるのを、わきへ寄って待つこと。「普通列車が―する」「―線」

***たい‐ひ【貸費】**〔学費などの〕費用を貸すこと。また、その金。「―生」[類語]給費。

***たい‐ひ【退避】**《名・自サ》危険をさけるためその場所から退くこと。「攻撃地点から―する」

たい‐び【大尾】〔文〕物事の終わり。終局。

だい‐ひ【大悲】 ❶衆生(しゅじょう)の苦しみを救う、仏の大きな慈悲。❷「大悲菩薩(だいひぼさつ)」の略。観世音菩薩。

タイピスト タイプライターを打つ職業(の人)。▽typist

だい‐ひつ【代筆】《名・他サ》〔文書・手紙などを〕本人に代わって書くこと。また、その書いたもの。[類語]代書。[対]直筆(じきひつ)。

***たい‐びょう【大病】** なおりにくい重い病気。大患。

***だい‐ひょう【代表】**《名・他サ》❶一つ(または一部分)のもので、全体の性質や役目を示す・こと(もの)。「サクラは日本人の心を―する」❷多くの人・団体に代わって、その意見を外部に表す・こと(人)。「国民を―する意見」[類語]名代(みょうだい)。代人。総代。代行。

***だい‐ひょう【大兵】**〔文〕からだが大きくたくましい・こと(男)。[類語]魁偉(かいい)。[対]小兵(こひょう)。

だい‐ひん【代品】 代わりの品物。代用品。

ダイビング《名・自サ》❶水上競技で、飛びこみ。❷飛行機の急降下。❸「スキンダイビング」の略。❹「スカイダイビング」の略。▽diving

たい‐ふ【大夫】 ❶五位(の位にある人)の通称。たゆう。❷大名の家老の称。❸中国の周(しゅう)代の職名。卿(けい)の下、士の上に位する。

たい‐ぶ【大部】 ❶一まとまりの書物の冊数やページ数が多いこと。ぶあついこと。「―の全集」[類語]大冊。❷〔文〕大部分。

タイプ ❶型。型式。「新しい―の車」❷人間の性格をその共通の特性によって分けた型。また、その型にあてはまるような性格。「重役―」「彼は私の好きな―です」❸《名・他サ》タイプライターで文字を打つこと。❹「タイプライター」の略。▽type **―ライター** キーをたたいて紙に文字をしるす機械。欧文用・和文用などがある。印字機。タイプ。▽typewriter

だい‐ぶ【大分】《副》物事の程度がすすんでいるようす。よほど。かなり。大分(だいぶん)。「―できあがった」[表記]ふつうかなで書く。

たい‐ふう【台風・×颱風】 北太平洋の南西部に発生し、フィリピン・中国・日本などをおそう暴風雨。夏から秋が多い。熱帯低気圧のうち最大風速毎秒一七メートル以上のもの。タイフーン。[表記]「台風」は代用字。

だい‐ふきん【台布×巾】 食卓などをふくふきん。台ふきん。

だい‐ふく【大福】 ❶大きな幸運。❷金持ちで、運がよいこと。「―長者」❸「大福もち」の略。**―ちょう【―帳】** 商家で、売買を記録しておく帳面。**―もち【―×餅】** 和菓子の一つ。うすくのばしたもちの中にあんをつつみ入れた菓子。大福。

たい‐ぶつ【対物】 物・物件に対すること。〔ふつう、単独では使わない〕「―レンズ」「―担保(たんぽ)」

***だい‐ぶつ【代物】** 代わりの品。

***だい‐ぶつ【大仏】** 大きな仏像。[参考]ふつう座像で、高さが一丈六尺(約四・八メートル)以上のものをいう。

だい‐ぶぶん【大部分】〔ある事物の〕ほとんどの部分。おおかた。大半。[類語]大多数。[対]一部分。

だい‐ぶん【大分】《副》→だいぶ(大分)。

たい‐ぶんすう【帯分数】 整数と真分数の和からなる数。たとえば$4\frac{3}{7}$など。

たい‐へい【太平・泰平】《名・形動》世の中が平和で、よく治まっていること。「天下―」「―の世」**―らく【―楽】** ❶天下太平を祝う雅楽の曲名。❷のんきにかまえて、好き勝手なことを言ったりしたりすること。また、その言動。「―を並べる」

たいへい‐よう【太平洋】 南北アメリカ・オーストラリア・アジアの間にある、世界最大の海。

たい‐べつ【大別】《名・他サ》物事を大まかに分けること。大体の分類。「読書傾向を―する」[対]小別。

たい‐へん【大変】 ㊀《名》〔文〕大事件。一大事。「お家の―」㊁《形動》❶重大なようす。程度がふつうでないようす。「―な人物」「―な人出」❷苦労がはげしいようす。「仕事は―だった」㊂《副》程度がはげしいようす。たいそう。非常に。「―お世話になりました」

たい‐べん【胎便】 生まれ出た時、新生児の大腸にたまっている便。かにばば。かにくそ。[参考]生後三六時間ぐらいの間に排泄(はいせつ)される。

だい‐へん【代返】《名・自サ》〔俗〕出席をとる時、欠席者の代わりに返事をすること。〔学生仲間で使う〕

***だい‐べん【代弁・代×辨】**《名・他サ》❶本人に代わって弁償すること。代償。「損害を―する」❷〔ある人に〕代わって物事を処理すること。代理。[類語]代務。

***だい‐べん【代弁・代×辯】**《名・他サ》〔意見などを〕本人に代わってのべること。「彼の気持ちを―する」

***だい‐べん【大便】** 消化された食べ物がかすとなって肛門(こうもん)から排泄(はいせつ)されるもの。うんこ。くそ。便。うんち。[類語]お通じ。糞(ふん)。[対]小便。

***たい‐ほ【退歩】**《名・自サ》〔あともどりをする意から〕能力・技術などの程度が前より低くなること。「技術的には

—している」類語 退化。後退。対 進歩。

*たい・ほ【逮捕】《名・他サ》警察が、犯人または犯罪を犯した疑いのある人をとらえること。「—状」類語 捕縛。勾引。

*たい・ほう【大法】〔文〕重要な法律。

*たい・ほう【大砲】大型の弾丸を発射する兵器。火砲。おおづつ。参考「一門…」と数える。

*たい・ぼう【大望】→たいもう。

*たい・ぼう【耐乏】品物が少なく不自由な状態をがまんすること。貧しさをたえしのぶこと。「—生活」

*たい・ぼう【待望】《名・他サ》〔あることの実現を〕待ち望むこと。「釣り人—のアユの解禁日」

だいぼう・あみ【大謀網】ブリ・マグロなどをとる袋網の一つ。大型で、数隻の漁船であやつる。

たい・ぼく【大木】大きな木。大樹。類語 巨木。

たい・ほん【大本】〔文〕物事のいちばんもとになるもの。おおもと。

だい・ほん【台本】演劇・映画・放送などの、上演のもとになる脚本。せりふ・ト書きなどが記されている。

だい・ほんえい【大本営】戦時に天皇のもとに置かれた、陸海軍最高統帥部。

だい・ほんざん【大本山】総本山の次の寺格で、一宗・一派の末寺を統括する寺。参考 →本山。

たい・ま【大麻】❶幣の尊称。❷伊勢神宮や諸神社から授けるふだ。❸「麻」の別名。❹麻からとった麻薬。—ゆ【—油】麻の種から取ったあぶら。

タイマー ❶ストップウオッチ。❷タイムスイッチ。❸競技の時間記録係。▽timer

*たい・まい【×玳×瑁・×瑇×瑁】熱帯地方に産するウミガメの一種。体長約一メートル。甲羅は黄と黒のまだらで、べっこう細工の材料にした。べっこうがめ。

*たい・まい【大枚】金額の多いこと。多額であること。たくさんのお金。「—三〇万円」

たい・まつ【▽松▽明】《「たきまつ」の音便》昔、松のやにの多い部分や竹・アシなどをたばね、火をつけて照明に用いたもの。炬火。

たい・まん【怠慢】《名・形動》なまけ、おこたること。いい加減に物事をすること。「職務—」類語 怠惰。

だい・みょう【大名】❶平安時代末から中世にかけて、広い領地を持っていた武士。対 小名。❷江戸時代、将軍と直接の主従関係にあった知行一万石以上の武士。「—行列」尊敬 殿様。—りょこう【—旅行】非常にぜいたくな旅行。参考 俗に、官費を使って行う観光旅行を揶揄しても言う。

タイミング よい時機を見はからうこと。ころあいをはかって、調子を合わせること。「—が悪い」▽timing

タイム ❶時。時刻。時間。❷〔音〕拍子。❸運動競技で、所要時間。❹レースで、試合の一時中止(の時間)。▽time —アップ 規定の時間が切れること。▽Time's up. から。—カプセル その時代の文化を示す物を納めて後世に伝えるための容器。地中に埋める。▽time capsule —キーパー 運動競技の時間記録係。計時員。▽timekeeper —スイッチ 一定の時間がたつと自動的に電流が切れたり流れたりする装置。タイマー。▽time switch —スリップ《名・自サ》一瞬のうちに過去や未来に移動すること。▽time と slip からの和製語。—テーブル 時間割り。時刻表。▽timetable —トンネル 通り抜けると、未来や過去にたどりつける空想上のトンネル。▽time tunnel —マシン 自由自在に過去や未来に旅することのできる想像上の機械。参考 H・G・ウェルズの空想科学小説の題名から。▽time machine —ラグ 時間のずれ。遅れ。ラグ。▽time lag —リミット ぎりぎり許される日限・時限。しめきりの日・時間。「—を設ける」▽time limit —レコーダー 工場や会社などで、通勤者の出社・退社の時刻をカードに記録する器械。▽time recorder

だい・む【代務】《名・他サ》本人に代わって事務を行うこと。「税務を—する」「—人」類語 代弁。代行。

タイムリー《形動》折がちょうどよいようす。時宜を得ているようす。「—な企画」▽timely

*たい・めい【大命】君主や天皇の命令。「—が下る」

*たい・めい【待命】《名・自サ》❶命令のくだるのを待つこと。❷公務員・会社員などが、身分はありながらその職務・任地がきまっていないこと(状態)。

だい・めい【題名】〔書物・映画・芸術作品などの〕表題。タイトル。

だい・めいし【代名詞】❶名詞のうち、事物や人の名の代わりに、事物・人・場所・方向などを直接さし示す語。人代名詞と指示代名詞とに分けられる。「それ」「かれ」「そこ」など。❷〔俗〕そのものを言い表すのにぴったりな名称。「エコノミックアニマルは日本人の—だった」

*たい・めん【体面】世間に対する体裁・面目。「—を保つ」「—を失う」

*たい・めん【対面】《名・自サ》❶たがいに向き合うこと。「—交通」❷直接顔を合わせて会うこと。

*たい・もう【体毛】人間や動物の体に生える毛。参考 ふつう、頭髪は含めない。

*たい・もう【大望】〔分にすぎた〕大きな望み。たいぼう。「—を抱く」類語 大志。

だい・もく【題目】❶〔書物・論文などの〕表題。タイトル。❷〔討議・研究・施策などの〕主題・項目。問題。テーマ。❸日蓮宗で唱える「南無妙法蓮華経」の七字。「—を唱える」❹口先で唱えるだけで、実現できそうもない条項。また、(事あるごとに)くり返し言うことば。〔ふつう、「お—」の形で使う〕

だい・もん【大門】❶〔寺などの〕外がまえの正門。大きな門。総門。❷りっぱな家がら。大家。

だい・もんじ【大文字】❶太く大きな文字。❷「大」の字。❸「大文字の火」の略。八月(陰暦七月)一六日の夜、京都の大文字山の中腹で大の字の形にたく、みたま送りのかがり火。❹〔文〕すぐれた文章。

*たい・や【逮夜】葬式・忌日の前夜。

*タイヤ〔自動車・自転車などの〕車輪の外周につけるゴム製の輪。タイア。▽tire

ダイヤ ❶「ダイヤモンド」①の略。❷「ダイヤグラム」の略。図表。特に、鉄道の運行表。また、その表による列車運行のしくみ。「春の臨時—」❸トランプの札で、赤いひし形の模様のあるもの。=ダイア。

*たい・やく【大厄】❶大きな災難。❷陰陽道で、最も大きな厄年。数え年で男は四二歳、女は三三歳。

*たい・やく【大役】大きな役目。重い役。「—を果たす」類語 大任。

*たい・やく【対訳】原文と訳文を対照できるように並べて示すこと。また、その訳文。「—源氏物語」

*たい・やく【大約】《副》〔文〕〔正確ではなく〕だいたいであるようす。おおよそ。ほぼ。「—五万人の人出」

だい・やく【代役】〔劇などで〕ある役についた人が役目を果たせなくなったとき、代わりに他の人がその役をつとめること。また、その人。「ーを立てる」

ダイヤグラム↓ダイヤ②。▽diagram

ダイヤモンド ❶宝石の一つ。炭素の結晶で、鉱物の中で一番かたい。強く美しい光沢がある。工業用としても用いられる。金剛石。ダイヤ。❷野球で、内野。＝ダイアモンド。▽diamond **ーダスト** 酷寒のとき、空中の水分が氷結して、きらきらと輝きながら空中に浮かぶ現象。▽diamond dust

ダイヤリー↓ダイアリー。▽diary

ダイヤル ❶ラジオなどの受信機の目盛り盤。また、それを動かすためのつまみ。❷電話機の数字盤。回転させて、電話番号を指示する。＝ダイアル。▽dial **ーイン** 直通電話。▽dial in

たい・ゆう【大勇】〔文〕見かけだけではない、真の勇気。「政界の刷新にーをふるう」対小勇。 **ーは怯なるが如し**《句》真の勇者は慎重であって、ちょっと見ると臆病者のようである。

たい・よ【貸与】《名・他サ》〔品物や金銭を〕貸し与えること。「学費をーする」

*__たい・よう【体様・態様】__〔文〕ありさま。ようす。

*__たい・よう【体用】__〔文〕本体と作用。実体と応用。

*__たい・よう【大洋】__大きな海。大海。 **ーしゅう【ー州】**六大州の一つ。オーストラリア大陸・ニュージーランド・ニューギニアと周辺の島々からなる地域。オセアニア。

*__たい・よう【大要】__大体の要点。あらまし。要旨。

*__たい・よう【太陽】__❶太陽系の中心をなす恒星。恒星のうち、地球に最も近いもの。地球上に熱と光を与え、万物を育てる。日輪。天道。⇩〖類語と表現〗❷物事の中心となる偉大なもの。また、希望を与えるもの。「心にーを持て」 **ーけい【ー系】**太陽の引力によって、太陽を中心に運行している天体の集まり。 **ーでんち【ー電池】**太陽の輻射エネルギーを電気エネルギーにかえる装置。 **ーとう【ー灯】**太陽光線に似た、紫外線を比較的多く含んだ光を発する電灯。医療・殺菌などに使う。 **ーねつ・はつでん【ー熱発電】**反射板で太陽熱を一か所に集めて水を沸騰させ、その力で発電機を回転させて電力を発生させる方式。 **ーねん【ー年】**太陽が黄道上の春分点を通ってから、ふたたび春分点を通るまでの時間。約三六五日五時間四八分四六秒。回帰年。 **ーれき【ー暦】**地球が太陽のまわりを一回まわる時間を一年とする暦。一年を三六五日とし、四年目ごとに三六六日の閏年をもうける。陽暦。対太陰暦。

> **類語と表現**
>
> 「太陽」
>
> *太陽が東から昇り、西に没する・太陽を仰ぐ・真っ赤に燃える太陽・太陽の光・太陽の黒点・太陽崇拝・太陽エネルギー。
>
> ◆日・天日・白日・赤日・烈日・日輪・天道・火輪・金烏・日天子・初日・旭日・朝日・夕日・入り日・落日・落陽・落暉・斜陽・夕陽・サン・ソレイユ
>
> ◆〔尊称〕お日様・お天道様・今日様
>
> ◇〔太陽の光〕日光・日色・天日・日差し・日の目・日影・夕影・日脚・陽光・旭光・曙光・余光・春光・春日・残照・西日・薄日・コロナ

*__たい・よう【耐用】__〔長期、また、多くの回数の〕使用に耐えること。〔ふつう単独では使わない〕「ー年数」

だい・よう【代用】《名・他サ》ある物の代わりとして〔間に合わせに〕使うこと。「ー食」類語代替え。代替。

たい・よく【大欲・大×慾】❶大きな望み・欲望。❷ひどく欲がふかい・こと（人）。類語多欲。対小欲。 **ーは無欲に似たり**《句》❶大欲の人は小さな利益にはこだわらないから、かえって無欲に見える。❷欲の深い人は欲に心が惑わされて損失を招きやすく、結局無欲な人と同じ結果になる。

たいら【平ら】一《形動》❶平面上の高低や傾斜がないようす。ひらたいようす。「ーな道」❷〈「おーに」の形で〉足をくずし楽な姿勢でいるように。「どうぞおーに」❸おだやかなようす。やすらかなようす。「気をーにする」二《接尾》〔地名につけて〕山間の、かなり広い地域にわたる平地であることを表す。参考多く「…だいら」とにごる。「松本ー」類語盆地。

たいら・か【平らか】《形動》❶でこぼこや傾斜がないようす。平ら。「畑をーにならす」❷おだやかで静かなようす。平和で何事もないようす。平穏。「波ーな内海」「平凡だが、ーな日々」❸心が落ち着いて安らかなようす。不安や不満がないようす。

たいら・ぐ【平らぐ】《自五》❶おだやかになる。静まる。❷争いが終わって平和になる。文《四》。

たいら・げる【平らげる】《他下一》❶敵や反対者をほろぼし、世の中をしずめる。平定する。「賊をー・げる」❷すっかり食べてしまう。「三人前のすしをー・げた」文たひら・ぐ《下二》。

*__たい・らん【大乱】__〔革命・内乱などによる〕世の中の大きな乱れ。大動乱。「ーをおさめる」

*__たい・らん【台覧】__《名・他サ》〔文〕皇族など、身分の高い人がごらんになること。類語叡覧。天覧。

タイラント 暴君。横暴な人。▽tyrant（＝僭主）

たい・り【大利】〔文〕大きな利益。巨利。対小利。

*__だい・り【代理】__《名・他サ》❶ある人に代わって事を処理する・こと（人）。「部長のーで出席する」❷〔法〕本人に代わって法律行為をする・こと（人）。類語①②代行。 **ーてん【ー店】**特定の会社などの委託を受けて、関連業務の代行をする店・会社。エージェンシー。エージェント。「広告ー」

*__だい・り【内裏】__❶〔文〕皇居の旧称。天皇のすまい。禁裏。御所。❷「内裏びな」の略。 **ーびな【ー×雛】**天皇・皇后の姿に似せて作った一対のひな人形。ももの節句（三月三日）に飾る。だいりさま。

だい・りき【大力】人なみはずれて強い力（を持っている人）。類語怪力。剛力。

たい・りく【大陸】❶地球上の広大な陸地。ユーラシア、アフリカ、南・北アメリカ、オーストラリア、南極。❷〔英国からみて〕ヨーロッパのこと。❸〔日本からみて〕中国のこと。対海洋。 **ーかん・だんどうだん【ー間弾道弾】**ロケットで打ち上げられ、弾道を描いて目標点に落ちる超長距離ミサイル。射程距離は八〇〇〇キロ以上。略語ICBM。 **ーせい・きこう【ー性気候】**大陸特有の気候。昼と夜、夏と冬の寒暑の差が大きく、雨量が少ない。内陸性気候。対海洋性気候。 **ーだな【ー棚】**海岸から深さ約二〇〇メートルぐらいまでの間の、傾斜がなだらかに続いている海底。陸棚。 **ーてき【ー的】**《形動》❶〔風土・風俗などが〕大陸に特有であるようす。❷気が大きく、のんびりしているようす。

だいり・せき【大理石】石灰岩が熱変成作用をうけて再結晶したもの。ふつう、白色で美しい模様があり、みがくと美しいつやを出すので、美術・建築などの材料になる。結晶質石灰岩。なめいし。マーブル。参考 中国の大理（だいり）で多く産したことから。

たい・りつ【対立】《名・自サ》二つのものが全く反対の立場をとること。また、反対の立場をとって互いに張り合うこと。「―候補」「意見が―する」

たい・りゃく【大略】おおよそ。あらまし。〔副詞的にも使う〕「計画の―を説明する」「調査は―終わった」

***たい・りゅう【対流】**熱の伝わり方の一つ。液体や気体の一部をあたためたとき、その部分の密度が小さくなって上昇し、密度の大きい冷たい部分が下降して起こる循環（じゅんかん）運動。 **―けん【―圏】**大気圏の最下層。大気の対流があり、雨・雪などの降る部分。中緯度で地上一一キロまで。対 成層圏（せいそうけん）。

***たい・りゅう【滞留】**《名・自サ》〔文〕❶物事がとどこおって、動かないでいること。「事務が―する」類語 停滞。❷旅先で長くとどまること。類語 滞在。逗留（とうりゅう）。

***たい・りょう【大漁】**漁で収獲が多いこと。豊漁。大漁（たいぎょ）。「―旗（ばた）」対 不漁。

***たい・りょう【大猟】**狩猟で収獲が多いこと。豊猟。

***たい・りょう【大量】**❶数量が多いこと。たくさんの量。「商品を―に仕入れる」「―生産」類語 多量。❷〔文〕心が広いこと。大きな度量。対 ①②小量。

たい・りょく【体力】作業や運動をする体の力。また、病気に抵抗する力。

たい・りん【大輪】〔花などの〕輪郭（りんかく）が、ふつうより大きいこと。また、そのもの。大輪（だいりん・おおりん）。「―の菊」

タイル 粘土や岩石の粉末を原料にして小さな板状に焼いたもの。ふろ場・洗面所などの床や壁にはる。▽tile

***たい・れい【大礼】**❶宮中の重大な儀式。特に、即位の儀式。❷冠・婚・葬・祭などの重大な儀式。

***たい・れい【×頽齢】**〔文〕老齢。

ダイレクト《形動》とりつぐものがなくて直接であるようす。「―に交渉する」▽direct **―メール** 製造業者・販売業者から、客として見込みのある個人に直接郵送する広告。あて名広告。略語 DM。▽direct mail

たい・れつ【隊列】隊になったものの列。隊のならび。「―を組む」類語 隊伍（たいご）。

たい・ろ【退路】〔文〕逃げ道。「―を断つ」対 進路。

***たい・ろう【大×牢】**〔文〕❶昔、中国で天子が神を祭るとき供物としたもの。❷りっぱな料理。「―の滋味」

***たい・ろう【大老】**❶〔文〕世間から尊敬される老人。❷江戸幕府で、執権者を補佐する最上位の職名。必要に応じて、老中の上に置かれた。「井伊―」

だいろっ・かん【第六感】〔五感以外の六番めの感覚の意で〕理屈では説明できないが、物事の本質を鋭く感じとる心の働き。直感。「―が働く」

たい・ろん【対論】《名・他サ》対抗して、または直接向かい合って、議論すること。また、その議論。

たい・わ【対話】《名・他サ》向かい合って話し合うこと。また、その話。「親子の―」「―集会」類語 対談。

だい・わたし【代渡し】株式の短期取引で、買い方が売り方よりも多く、渡し株が不足したときに、代行機関が売り方に代わって渡し株をすること。仮渡し。

たいわん・ぼうず【台湾坊主】❶〔俗〕禿頭（とくとう）病。台湾はげ。❷台湾の北から北東にかけての近海上に発生する低気圧。冬から春にかけて多く発生し、北東ないし東北東に進んで日本に雨や雪をもたらす。

ダイン《助数》力の大きさの単位。一ダインは、質量一グラムの物体に毎秒毎秒一センチの加速度を生じさせる力。記号 dyn。▽dyne

た・う【多雨】雨量が多いこと。「高温―」

ダウ「ダウ式平均株価」の略。 **―しき・へいきんかぶか【―式平均株価】**増資による権利落ちなどで生じる株価の下落を修正した平均値。ダウ平均。ダウ。参考 アメリカのダウ・ジョーンズ（Dow Jones）社が始めた。→単純平均株価。

た・うえ【田植（え）】苗代（なわしろ）で育てた稲の苗を、水田に移し植えること。

た・うち【田打ち】〔耕作しやすいように〕春の初めごろ、田の土をほりおこすこと。

タウン 町。都会。「ダウン―」「―誌」「―ウエア」類語 シティー。▽town

***ダウン** ■《名》❶《自他サ》さがること。また、さげること。「コスト―」対 アップ。❷《自他サ》ボクシングで、倒す（倒れる）こと。ノックダウン。❸《自サ》疲労したり、意識を失ったりして、それ以上その物事を続けられなくなること。「酒を飲み過ぎて―した」■《助数》野球で、一イニング中のアウトの回数を数える語。参考「ワンダン」「ツーダン」のように、多く「ダン」となる。▽down **―タウン**〔商店などの多い〕下町。また、繁華街。▽downtown **―ロード**《名・他サ》インターネットなどで、ホストコンピューターからデータやプログラムを端末に転送すること。対 アップロード。▽download

***ダウン** 水鳥の羽毛。「―ジャケット」▽down

***たえ【×栲】**（たへ）カジノキなどの繊維で織った布。また、布の総称。

***たえ【▽妙】**（たへ）《形動》〔文〕ふしぎなほどすぐれているようす。すばらしいようす。「―なる楽の音」

たえ・い・る【絶え入る】《自五》息が絶える。死ぬ。

たえ・がた・い【耐え難い・堪え難い】（たへ）《形》がまんできない。こらえきれない。「―・い苦しみ」

だ・えき【×唾液】唾液腺（だえきせん）から口の中に分泌される液。口中をうるおし、消化をたすける。つば。

たえ・しの・ぶ【耐え忍ぶ・堪え忍ぶ】（たへ）《自他五》〔つらいこと・苦しいこと・悲しいことなどを〕じっとがまんする。じっとこらえる。「屈辱を―・ぶ」

たえ・ず【絶えず】《副》ある動作・状態が、止まることなくひき続いて行われるようす。たえまなく。いつも。「―車が通る道」

たえ・だえ【絶え絶え】《形動》今にも絶えそうで、やっと続いているようす。また、とぎれとぎれ。「息も―のようす」「泣き声が―に聞こえる」

たえ・て【絶えて】《副》〔下に打ち消しの語を伴う〕〔その事がやんだまま〕今までに一度も。少しも。全然。「めでたい話など―なかった」

たえ・は・てる【絶え果てる】《自下一》❶すっかり絶えてしまう。全くなくなる。「全快する望みは―・てた」❷息が絶えてしまう。死んでしまう。

たえ・ま【絶え間】〔ずっと続いていたものが〕とだえている間。きれ間。「雨が―なく降る」

***た・える**【耐える・堪える】《自下一》❶〔苦しさやつらさを〕我慢する。辛抱する。こらえる。「悲しみに―える」❷他から圧迫する力に屈しないで、ささえとめる。❸〔…を〕することができる。〔…に〕値する。「読むに―ない本」表記③は多く「堪える」と書く。➡感にたえる・感にたえない。文た・ふ《下二》⇩〔使い分け〕

***た・える**【絶える】《自下一》❶続いてきた動作・作用・状態・関係などが切れる。「息が―える」❷なくなる。尽きる。やむ。「水の―えた川」文た・ゆ《下二》⇩〔使い分け〕

使い分け「たえる」

耐える〔もちこたえる。我慢する〕猛攻に耐える・苦痛に耐える・迫害に耐える・風雪に耐える

堪える〔値する。おさえ得る〕鑑賞に堪える作品・任に堪えない・見るに堪えない・驚きに堪えない・感に堪えない・遺憾に堪えない

絶える〔続いていたものがそれ以上続かない。なくなる〕消息が絶える・血統が絶える・送金が絶える・死に絶える・と絶える・絶えて久しい・絶え間なく

参考「耐」は外部からの力に屈せず、じっと我慢する意。「堪(=坎)」は穴が原義で、その場でじっとたえしのぶ意。また、「断」は続いていたものが途中で切れる意で、「線が断える・水が断える・補給路が断える」のように使われたが、今日では「絶える」と書く。現在「断」はもっぱら「断つ」の形で使う。

だ・えん【×楕円】二次曲線の一つ。一平面上で二つの定点(=焦点)からの距離の和が一定である点の軌跡によってできる図形。長円。

たお・す【倒す・×仆す】《他五》❶力を加えて、立っているものを横にする。ころばす。「斧で木を―す」❷敵対する勢力を破って存続できなくする。くつがえす。「幕府を―す」❸勝負で負かす。「強敵を―す」❹生命をうばう。殺す。「一刀のもとに―す」表記④は「斃す」「殪す」とも書く。❺金を借りたままにし、相手に損を与える。ふみたおす。文《四》

たお・やか《形動》❶〔女性の動作などが〕しとやかで優美なようす。「―に足を運ぶ」❷〔姿・形が〕しなやかなようす。なよやか。「―な柳の枝」

たおや・め【手▽弱女】〔雅〕たおやかな女。やさしい女。また、女性。たわやめ。対ますらお。

***た・お・る**【手折る】《他五》〔文〕❶花や枝を手で折る。「桜を―る」❷女を自分のものにする。

***タオル** ❶布面に輪状のけばを織り出した綿織物。やわらかく吸湿性に富む。❷タオル①で作った西洋風の手ぬぐい。▽towel **―ケット** タオル地で作った掛け布団。▽towelとblanket(=毛布)からの和製語。

たお・れる【倒れる・×仆れる】《自下一》❶立っている物が、自分の力でささえ切れずに横になる。ころぶ。「台風でへいが―れる」❷ある勢力が敵対者の力に屈して存続できなくなる。くつがえる。「独裁政権が―れる」❸企業が事業を続けられなくなる。「不況で会社が―れる」❹病気にかかって床につく。また、病気にかかったり人の手にかかったりして生命を失う。「過労で―れる」「凶弾に―れる」表記④は「斃れる」「殪れる」とも書く。文たふ・る《下二》

***た・か**【多寡】〔数量の〕多いことと少ないこと。多少。「寄付は金額の―にかかわらず受けつけます」

***たか**【高】❶金額。数量。「希望した―のお金」❷〔ものごとの〕程度。ねうち。❸〔「―が…」の形で〕せいぜい。たかだか。「―が千円ぐらいで文句をいうな」
―が知・れる《句》どのくらいの程度か、だいたい分かる。たいしたことはない。「節約しても―れている」
―を括・る《句》高く評価せずに安易に考える。たいしたことはないと思って軽く見る。

***たか**【×鷹】タカ科の鳥のうち、一般に小形の鳥の総称。くちばしは内側にするどくまがり、足にはするどいつめがある。他の鳥や小動物などをとらえて食べる。

たが【×箍】おけ・たるなどのまわりにはめてしめる、竹・金属などの輪。「―が緩む(=年をとって衰える。また、緊張がゆるむ)」「―を締める(=気のゆるみを戒める)」

だか【高】《接尾》❶「数量」「分量」の意。「収穫―」❷「金額」の意。「売上―」❸〔金額を表す語につけて〕ある時の価格より高い意。「三円―」対安。

だ・が《接続》前にのべた事がらを受けて、次にそれに反するようなことをのべるときに、文頭に添える語。そうであるけれども。しかし。けれども。「仕事は早い。―まちがいが多い」

たか・あがり【高上(が)り】❶高いところに上がること。「ヒバリの―」❷上座にすわること。❸〔予想より〕費用が多くかかること。

たか・あし【高足】❶足を高くあげて歩くこと。❷すねが長いこと。❸「竹馬」の別名。❹歯の高いあしだをはいて行う田楽舞。また、それに用いる高あしだ。❺膳などの、脚部が高い・こと(もの)。

***た・かい**【他界】〔文〕❶人間界以外の世界。❷《名・自サ》〔人が〕死ぬこと。〔えんきょくな言い方〕「祖父は昨年―した」類語➡死ぬ。

***たか・い**【高い】《形》❶〔ものの位置が〕上の方にあって、基準の面(地面・海面・底面など)からのへだたりが大きい。「―く差し上げる」「頭が―い」❷〔ものの〕下端から上端までの長さが大きい。たけが長い。「背が―い」❸身分・地位が他より上にある。「―い位の人」❹能力が他よりすぐれている。「―い識見」❺品位・品格がりっぱである。「格調の―い作品」❻一定の水準よりもまさっている。「生活水準が―い」❼程度・勢いなどがはげしい。また、数値が大きい。「気位が―い」「血圧が―い」❽声・音が耳に大きく聞こえる。「ソプラノの―い声」類語高らか。甲高い。大きい。声高。割れ鐘のような。絹を裂くような。割れるような。対①〜⑧低い。❾よく聞こえている。有名である。「悪名が―い」❿買うのに多額の金銭がかかる。「ダイヤモンドは―い」類語高価。割高。対安い。⓫えらぶっている。〔多く「お―い」の形で使う〕「お―くとまっている(=えらぶっている)」文たか・し《ク》

たがい【互い】相対する両方。関係しあうものの一つ一つ(一人一人)。「―の利益」参考➡互いに。

だ・かい【打開】《名・他サ》物事の行きづまった状態を解決すること。解決の道をきりひらくこと。「―策」注意「打解」は誤り。

たがい・せん【互(い)先】囲碁や将棋で、同じぐらいの強さの者どうしが勝負をするとき、かわるがわる先手になること。相先。

たがい・ちがい【互い違い】二つの物事を交替にするようす。また、二つのものが入れちがいになるようす。かわるがわる。交互。てれこ。「男女が―に並ぶ」

たがい・に【互いに】《副》〔関係しあうもののそれぞれが〕双方から。どちらもともに。「—助け合う」 類語 交々。相互。交互。

たか・いびき【高×鼾】❶大きな音のいびき。「—をかく」❷ぐっすりねむること。類語 高まくら。

たが・う【▽違う】《自五》❶一致しない。ちがっている。〔やや古風な言い方〕「寸分—・わぬ（=全く同じ）大きさ」「予想に—・わず美しい人」❷〔ある約束・基準に〕はずれる。そむく。「事と志と—・う」文《四》。

たが・える【▽違える】《他下一》❶一致しないようにする。ちがわせる。「方法を—・える」❷〔約束やきまりに〕そむく。「約束を—・える」文 たが・ふ《下二》。

たか・がり【×鷹狩(り)】飼いならした、タカ・ハヤブサなどを使って、野鳥をとらえる狩猟。鷹野。

た・かく【多角】❶角が多いこと。「—形」❷多方面にわたること。〔ふつう、他の語につけて使う〕「—経営」

た・がく【多額】《名・形動》〔金銭の〕額が多いこと。多い金額。「—の投資」類語 巨額。高額。対 少額。

たか・ぐもり【高曇り】雲が高くて曇っていること。

たか・げた【高下▽駄】歯の高いげた。あしだ。

だ・がし【駄菓子】安価で大衆的な菓子。「—屋」

たか・しお【高潮】満潮のときに暴風が陸に向かって吹きつけるために、高い波が陸地におしよせる現象。風津波。類語 津波。

たか・しまだ【高島田】女の髪型の一つ。根を高く結った島田まげ。高まげ。参考 ➡島田。

たか・じょう【×鷹匠】江戸時代、タカを飼いならしてたか狩りに従った役(人)。たか飼い。たかつかい。

たかせ・ぶね【高瀬舟】川舟の一種。浅瀬でもこげるように底を大きく平らに作った舟。

たか・だい【高台】周囲より少し高くなっている、平らな土地。「—に家を建てる」類語 高地。台地。

たか・だか【高高】《副》❶(「—と」の形で)ひときわ高いようす。「山頂に—と国旗を立てる」❷十分に見積もっても。せいぜい。「—二〇万円の品物」

たかたか・ゆび【高高指】中指。

たか・ちょうし【高調子】❶声などの調子が高いこと。また、その調子。❷相場が上がりぎみなこと。

だ・かつ【蛇×蝎・蛇×蠍】ヘビと、サソリ。参考 ひゆ的に、人がひどくいみきらうものの意でも用いる。「—の如くいみきらう」

たか・つき【高×坏】食べ物を盛る、長い脚の器。

だ・がっき【打楽器】打って音を出す楽器の総称。太鼓・シンバルなど。類語 弦楽器。管楽器。

たか・て【高手】❶腕の、ひじから肩までの部分。二の腕。上膊。対 小手。❷「高手小手」の略。

—こて【—小手】うしろ手のひじを曲げ、首からひじに縄をかけて厳重にしばること。高手。

たか・どの【高殿】高く造った(りっぱな)建物。類語 高楼。楼台。楼閣。

たか・とび【高飛び・高跳び】❶陸上競技の一つ。走り高跳び・棒高跳びなど。❷《名・自サ》〔俗〕〔犯人が〕犯罪をおかした場所から、非常に遠い土地へ逃げること。表記 ①は「高跳び」、②は「高飛び」と書く。

たか・どま【高土間】昔の劇場の客席の一つ。左右の桟敷の前部に土間よりやや高く設けられたもの。

たか・な【高菜】カラシナの一種。葉・茎に辛味があり、おもにつけ物にする。おおばがらし。

たか・なみ【高波】高く立つ波。大波。

たか・な・る【高鳴る】《自五》❶〔文〕高く鳴りひびく。❷〔うれしさ・期待などで〕激しく動悸がする。どきどきする。「合格の喜びに胸が—・る」

*__たか・ね__【高値】❶値段が高いこと。高い値段。❷取引所で、その日の立ち会いのうち、その株の最も高い値。対 ①②安値。

*__たか・ね__【高×嶺・高根】〔文〕高い山。高い峰。「富士の—」「—の花（=手に入れがたいもののたとえ）」

たがね【×鏨・×鑽】鉄板などをけずったりたたき切ったりするときに使う、鋼鉄製ののみ。

たが・ねる【×綰ねる】《他下一》集めて一つにまとめる。つかねる。文 たが・ぬ《下二》。

たか・のぞみ【高望み】《名・他サ》身分や才能にふさわしくない、大きなことを望むこと。また、その望み。

たか・の・つめ【×鷹の×爪】トウガラシの一品種。果実は赤く熟し、種子とともに、極めて辛い。

たか・は【×鷹派】自分の主義・主張を貫くため、相手と妥協せず事を強硬に進めようとする人々。参考 特に、武力解決を主張する人々をさして言うこともある。表記 ふつう「タカ派」と書く。対 鳩派。

たか・ばなし【高話】〔あたりかまわず〕大きな声で話をすること。また、その話。「傍若無人の—」

たか・はり【高張(り)】「高張提灯」の略。

—ぢょうちん【高張▽提▽灯】さおの先につけて、高くかかげるようにしたちょうちん。高張り。

たか・ひく【高低】高いことと低いこと。高い部分と低い部分。高低。類語 凹凸。起伏。

たか・びしゃ【高飛車】《名・形動》相手をはじめから威圧するような態度をとること。高圧的。「—に出る」

たか・ぶ・る【高ぶる】《自五》❶〔気持ちが〕はげしく強くなる。興奮する。「神経が—・る」表記「昂ぶる」「亢ぶる」とも書く。❷えらいと思っていばる。おごりたかぶる。

たかま・が・はら【高▽天が原】日本の神話で、天上にあり、天照大神が支配し、天孫民族（=神）の住んでいた所。高天の原。

たか・まきえ【高×蒔絵】漆地に、漆・金粉・銀粉を高くもりあげて模様を出したまき絵。対 平まき絵。

たか・まくら【高×枕】❶〔日本髪を結ったときなどに使う〕高く作ったまくら。❷まくらを高くして眠ること。安心してよく眠ること。類語 高いびき。

たか・まげ【高×髷】高島田。

たかま・る【高まる】《自五》〔気分・雰囲気・物音・程度などが〕高くなる。もりあがる。「価値が—・る」表記 気分の場合には「昂まる」「亢まる」とも書く。文《四》。

たか・み【高み】高い所。高くなっている所。対 低み。

—の見物《句》❶高い所から見物すること。❷事の成り行きを第三者の立場でながめること。

たか・みくら【高▽御▽座】❶即位・朝賀などのときに天皇が座る、特別な形をした玉座。現在は即位礼のときにのみ使用。❷天皇の位。皇位。

たか・むら【▽竹×叢・×篁】竹の林。たけやぶ。

たか・め【高め】《名・形動》❶位置がやや高いと思われること。対 低め。❷値段が少し高いこと。対 安め。

たか・める【高める】《他下一》〔程度を〕高くする。「教養を—・める」文 たか・む《下二》。

たか・もも【高×股】またの上部。

たがや・す【耕す】《他五》《「田返す」の意》〔作物を作るために〕田畑をほりかえす。耕作する。類語起こす。鋤すく。(る)耕耘。文《四》。

たか・ようじ【高×楊枝】満腹して、ゆっくりとつまようじを使うこと。「武士は食わねど―」

たから【宝】❶世の中に少ししかない貴重な物。宝物。❷他に代える物のない大切な・もの（人）。「子は家の―だ」❸お金。金銭。類語財宝。什宝。国宝。家宝。珍宝。至宝。

―の持ち腐れ《句》せっかく役にたつものを持ちながら、利用できないでいること。〔多く「お―」の形で使う〕

だ・から《接続》前にのべたことを理由として、次のことをのべる時に、文頭に添えることば。であるから。それゆえ。「彼は病気だ。―今日はこない」

たか・らか【高らか】《形動》〔声・音などが〕高くはっきりとひびくようす。「声―に歌う」

たから・くじ【宝×籤】「当籤金付証票」の通称。抽選により、賞金が当たるくじ。都道府県と特定の市が財政資金調達を目的として発売する。

たから・ぶね【宝船】宝物や米俵をつみ、七福神をのせた帆かけ船。また、その絵。参考一月一日または二日の夜、この絵をまくらの下にしいてねると、よい初夢をみるとされた。

宝 船

たから・もの【宝物】宝とする品物。宝物。

たかり【▽集り】たかること。特に、おどしたりせびったり泣きついたりして、金品を出させる・こと（人）。類語ゆすり。恐喝。

たか・る【▽集る】《自五》❶一か所に集まる。群がる。「事故現場に人が―・る」❷〔虫などが〕集まってつく。「ネコの死体にハエが―・る」❸おどしたりせびったり泣きついたりして、人に金品を出させ、自分の手に入れる。「不良に―・られる」文《四》。

た・が・る《接尾》《希望の助動詞「たい」の語幹＋接尾語「がる」。動詞などの連用形について五段活用の動詞を作る》…したいという様子が客観的に認められる意を表す。…したい様子を見せる。「彼が一番行き―・っている」「子供はすぐお菓子を食べ―・る」参考(ア)言い切りの形では、ふつう、第三者の希望を述べる。言い切りでない形では、話し手・聞き手の希望を述べることができる。「君は会社を辞めたがっていたね」「私がいくら食べたがっても…」(イ)助動詞とする説もある。

たか・わらい【高笑い】《名・自サ》〔意識して〕大きな声で笑うこと。高笑。類語大笑い。哄笑。

た・かん【多感】《名・形動》ちょっとしたことにも感じやすいこと。感受性のするどいこと。「―な年ごろ」

だ・かん【×兌換】《名・他サ》紙幣を正貨（＝本位貨幣）と引きかえること。**―しへい**【―紙幣】正貨といつでも取りかえる約束で、銀行が発行した紙幣。兌換券。対不換紙幣。

***た・き**【多岐】《名・形動》〔道がいくすじにも分かれている意から〕一つの物事がいろいろな方面に分かれていること。「問題が―にわたる」**―ぼうよう**【―亡羊】〔道がいくつにも分かれていて、逃げた羊を見失ってしまう意から〕学問の道が多方面に分かれているので真理に達しにくいこと。また、転じて、方針が多くあってどうしたらよいか迷うこと。亡羊の嘆。〈列子・説符〉

***たき**【滝】❶高いがけなどから流れ落ちる水流。類語白滝。滝壺。瀑布。飛瀑。飛泉。❷〔古〕傾斜の急な浅瀬を勢いよく流れる水流。滝つ瀬。はやせ。

た・ぎ【多義】一つの言葉に多くの意味があること。

***だ・き**【×唾棄】《名・他サ》〔つばをはきすてる意から〕けいべつし、いみきらうこと。「―すべき卑劣なやつ」

***だ・き**【惰気】〔文〕なまけ心。

***だ・き**【×舵機】船の方向をきめる機械。かじ。

だき・あ・う【抱き合う】《自他五》たがいに抱きつく。

たき・あわせ【炊（き）合（わ）せ】魚や野菜を別々に煮ておいて、一つの皿に盛り合わせたもの。

だき・あわせ【抱（き）合（わ）せ】❶二つのものをくみ合わせること。❷「抱き合わせ販売」の略。客のほしがる商品に売れ行きの悪い商品をくみ合わせて売ること。よい品と悪い品をくみ合わせて売ること。

たき・おとし【×焚（き）落（と）し】たきぎを燃やしたあとに残った火。おき。

だき・かか・える【抱き抱える】《他下一》〔倒れたり落ちたりしないように〕腕をまわして、抱くようにしてささえもつ。「けが人を―・えて運ぶ」

だき・かご【抱（き）×籠】夏の夜、涼しく寝るために抱いて寝る、円筒形の竹かご。竹夫人。

たき・ぎ【薪】《「焚き木」の意》燃料にする木。まき。

だき・ぐせ【抱き癖】たびたび抱かれたために抱かないと機嫌がわるくなる、赤ん坊のくせ。

***たき・ぐち**【滝口】❶滝の落ち口。❷〔古〕清涼殿の東北にある、御溝水の落ちる所。❸平安時代、蔵人所に属し、宮中の警備にあたった武士。滝口の武士。参考滝口②を詰め所にしていた。

***たき・ぐち**【×焚き口】〔かまど・ふろ場などの〕火をたきつける口。

たき・こ・む【炊き込む】《他五》❶米の中に魚介・肉・野菜などを入れて炊く。❷よく炊く。煮こむ。

だき・こ・む【抱き込む】《他五》❶両腕の中へすっぽりと入れるようにして抱く。かかえこむ。❷〔悪い計画の〕仲間に引き入れる。

タキシード 夜間に着る、男子の略式礼服。晩さん会・音楽会・観劇会などに着る。黒いちょうネクタイを結ぶ。類語モーニング。えんび服。▽tuxedo

たき・し・める【×焚き▽染める】《他下一》〔香をたいて〕かおりをしみこませる。

だき・し・める【抱き締める】《他下一》しめつけるように強く抱く。しっかり抱く。「母親が子を―・める」

だき・すく・める【抱き×竦める】《他下一》きつくしっかりと抱いて〔相手が〕身動きできないようにする。

たき・だし【炊（き）出し】火事・地震・事故などの非常の場合に、罹災者や現場で働く人々などに飯をたいて出すこと。

だき・つ・く【抱き付く】《自五》抱くようにしてとりつく。

たき・つけ【×焚（き）付け】たきぎなどで火をたくときに、火つきをよくするために、最初に火をつけて添える〔もえやすい〕材料。枯れ葉・紙くず・細い木など。

たき・つ・ける【×焚き付ける】《他下一》❶〔かまどなどで〕火をつけて、もえるようにする。「ふろを―・ける」

❷けしかける。そそのかす。扇動する。

たき・つ・せ【滝つ瀬】〔雅〕滝②。

たき・つぼ【滝×壺】滝①の水が落ちこむ深いふち。

だき・と・める【抱き留める】《他下一》抱くようにして、ひきとめる(うけとめる)。

だき・と・る【抱き取る】《他五》❶抱くようにして自分の方に受けとる。❷抱きとめる。

たき・び【×焚(き)火】❶かがり火。燎火(りょうか)。❷かまどや炉でたく火。❸戸外で落ち葉や木片などを集めてもやすこと。また、その火。「―にあたる」

***たき・もの【×焚(き)物】**たきぎ。まき。

***たき・もの【▽薫物】**❶いろいろな香を合わせて作ったねり香。あわせ香。❷香をたき、くゆらせること。

だ・きゅう【打球】野球で、打者が打ったたま。

た・きょう【他郷】故郷でない土地。類語 異郷。

た・ぎょう【他行】《名・自サ》〔文〕よそへ行くこと。外出。

だ・きょう【妥協】《名・他サ》対立した意見をまとめるため、両方がゆずりあうこと。〔一方だけがゆずる場合にも言う〕「―の余地はない」類語 歩み寄り。譲歩。

た・きょく【多極】〔たくさんの極の意から〕全体の中心となるものがなく、勢力がいろいろな方向に分散して互いに譲らないでいる状態。「―化」「―性」「―的」

たぎ・る【×滾る】《自五》❶〔湯が〕ぐらぐらとわく。にえたつ。❷〔あわをたてて〕はげしく流れる。しぶきをあげ、はげしく波立つ。「―る瀬」❸〔感情が〕つよくわきあがる。「青春の血が―る」文《四》。

***たく【卓】**〔文〕つくえ。テーブル。「―をかこむ」

***たく【宅】**❶自分の家・家族。「―へもお遊びにいらしてください」❷他人に対して妻が自分の夫をさしていうことば。主人。参考 接頭語「御(お)」をつけると、相手に関することをいう語になる。→おたく。

***たく【×鐸】**❶銅または青銅製で、扁平(へんぺい)なつり鐘の形をした鈴。昔、中国で命令を発するときに鳴らし、大衆をよび集めた。大鈴(おおすず)。❷〔文〕風鈴(ふうりん)。

***た・く【×炷く・▽薫く】**《他五》香をくゆらす。

***た・く【炊く】**《他五》米を釜(かま)で、水分が全部吸収されるように煮る。かしぐ。「ご飯を―・く」参考 西日本地方では「煮る」と同じ意に使う。文《四》。

***た・く【×焚く】**《他五》❶火にくべてもやす。また、火をもやす。「まきを―・く」「火を―・く」類語 くべる。❷かまど・炉などに火をつける。「風呂(ふろ)を―・く」

タグ ❶荷札。❷商品の値段・材質・製造会社名などを記した下げ札。❸コンピューター上で、文書の特定箇所に付けて特定の指示などを表す記号列。▽tag

***だ・く【駄句】**くだらない俳句。へたな俳句。類語 拙句(せっく)。対 秀句。

***だ・く【抱く】**《他五》腕でかかえる。「赤ん坊を―・く」参考 古形は「いだく」。類語 抱き付く。抱き込む。抱き合う。抱き締める。抱き竦(すく)める。抱き留める。抱き取る。抱き上げる。抱きかかえる。抱えこむ。擁する。(する)だっこ。抱擁。文《四》。

だく・あし【×跑足】〔馬術で〕馬の歩みの少し急なもの。跑(だく)。

たく・あん【沢×庵】「たくあんづけ」の略。生干しの大根を塩と米ぬかにつけ、重しをかけて作ったつけ物。たくわん。参考 沢庵和尚(たくあんおしょう)が始めたという。

たぐい【▽類・×比】❶同じ種類のもの。同じようなもの。同じ仲間。類(たぐい)。❷同じ程度のもの。ならぶもの。類(るい)。「―まれなる秀才」参考 →たぐいない。

だく・い【諾意】〔文〕承諾する気持ち。「―を示す」

たく・いつ【択一】二つ以上のものの中から一つだけ選ぶこと。「二者―」

たぐい・な・い【▽類無い・×比無い】《形》くらべるものがない。もっともすぐれている。「―・い美しさ」

たぐ・う【▽類う・▽比う】《自五》〔文〕同等のものとして並ぶ。匹敵する。「―・うものがない」文《四》。

たく・えつ【卓越】《名・自サ》他のものよりはるかにすぐれていること。「―した理論」「―風(ふう)」類語 卓抜(たくばつ)。卓絶。卓立。

だく・おん【濁音】かなで表すとき濁点「゛」をつけて書き表す音節。ガ行・ザ行・ダ行・バ行の音節。対 清音・半濁音。

たく・さん【沢山】《副・形動》❶数量が多いようす。「―の品物」❷十分で、それ以上はのぞまないようす。「これで―です」表記 ふつう、かな書きにする。

たく・し【卓子】〔文〕つくえ。テーブル。

たく・じ【託児】親が勤めに出ている間、子供を預けて世話をたのむこと。「―施設」「―所」

たくし・あ・げる【たくし上げる】《他下一》〔すそ・そでなどを〕手でまくりあげる。

タクシー 乗り場や町なかで客をのせ、走った距離に応じて料金をとる貸切自動車。▽taxi

たく・しき【卓識】〔文〕すぐれた考え。卓見。

たくし・こ・む【たくし込む】《他五》❶たぐって手もとに入れる。❷はしょった着物のはしを帯の下にはさみこむ。また、シャツのすそなどをズボンやスカートの中に押し込むようにして入れる。

だく・しゅ【濁酒】日本酒の一種。こしたり、しぼったりしていないために白く濁っている。どぶろく。もろみ酒。濁り酒。対 清酒。

たく・しゅつ【卓出】《名・自サ》ずばぬけてすぐれていること。「―した意見」類語 卓絶。

たく・しょ【×謫所】〔文〕流刑を言いわたされて移された所。配所。

たく・じょう【卓上】机・テーブルの上。「―日記」

たく・しょく【拓殖・拓植】未開の土地を切り開いて、そこで人が生活すること。類語 開拓。

だく・しょく【濁色】にごった色。対 清色(せいしょく)。

たく・しん【宅診】《名・自他サ》医者が自宅で患者を診察すること。対 往診。

だく・すい【濁水】にごった(川の)水。対 清水(せいすい)。

たく・・する【託する・×托する】《他サ変》❶〔自分がなすべき事の代行を〕他にたのんで、まかせる。「後事を―・する」❷〔伝言・品物などを〕ことづける。「手紙を―・する」❸〔あることに〕かこつける。口実にする。

だく・・する【諾する】《他サ変》〔文〕〔他人からのたのみなどを〕承知する。ひきうける。ききいれる。

だく・せ【濁世】→じょくせ。

***だく・せい【濁世】**→じょくせ。

***だく・せい【濁声】**にごった声。だみ声。類語 どら声。

たく・せつ【卓説】すぐれた意見・説。「名論―」類語 卓論。名論。高説。対 愚説(ぐせつ)。

たく・ぜつ【卓絶】《名・自サ》このうえなくすぐれていること。「―した見識」類語 卓出。卓越。卓抜(たくばつ)。

たく・せん【託宣】神がその意志を告げることば。お告げ。神託。〔多く、「御―」の形で使う〕

たく-ぜん【卓然】《形動タト・タル》ひときわ目立つようす。きわだってすぐれているようす。「―たる才能」

たく-そう【託送】《名・他サ》〔運送屋など〕人にたのんで物を送ること。

***だく-だく**《副》《「―と」の形も》〔汗や血などが〕とめどなく多量に流れるようす。類語 どくどく。

***だく-だく**【諾諾】《形動タト・タル》さからわず人のいうままに従うようす。「唯々(いい)―」

たく-ち【宅地】❶住宅を建てるための土地。❷〔法〕建物の敷地として登記された土地。

だく-てん【濁点】〔語学〕清音のかなの右上につけて、濁音であることをあらわすしるし。「が・ぎ・ぐ…」などの「゛」。濁音符。

タクト〔音〕❶拍子。❷指揮棒。▽tact

ダクト 建物内部の空気調節・排煙などを目的として配管したもの。風道。▽duct

たく-はい【宅配】《名・他サ》《「自宅配達」の略》商品や新聞などを、客の家庭に届けること。**―びん**【―便】荷物を、客の家に配達する運送システム。

たく-はつ【×托鉢】《名・自サ》僧や尼が修行のため、経をとなえ鉢を持って家々をめぐり歩き、米や金銭のほどこしをうけること。類語 乞食(こつじき)。行乞(ぎょうこつ)。頭陀(ずだ)。

たく-ばつ【卓抜】《名・形動・自サ》他よりぬきんでてすぐれていること。「―な技術」類語 卓越。卓絶。

だく-ひ【諾否】承諾するか、しないか。「―を問う」類語 いやおう。

タグボート 強力なエンジンを備えて他の船を引いていく、引き船。▽tugboat

たく-ぼく【×啄木】〔文〕キツツキ。

たく-ほん【拓本】碑などに紙を当て、その上から墨をたたいて、きざまれた文字や模様などをうつしとったもの。石ずり。揚本(とうほん)。

たく-ま【×琢磨】《名・他サ》〔文〕〔玉や石などをとぎみがく意から〕よりよいものにするため、学問・技芸などにいっそうはげむこと。「切磋(せっさ)―」

たくまし・い【×逞しい】《形》❶体格ががっしりして、強そうである。類語 屈強(くっきょう)。頑丈(がんじょう)。❷意気ごみ・勢いなどが盛んである。力に満ちている。「戦後の日本は―・く発展した」❸〈「―・くする」の形で〉↓たくましゅうする。文 たくま・し《シク》。

たくましゅう・する【×逞しゅうする】(たくましゅう)《連語》《「たくましくする」の音便》〔文〕〈「…を―・する」の形で〉その物事をほしいままにする。「想像を―・する」

たくみ【▽工・▽匠・巧み】□一《名》❶〔雅〕手先や器械でものを作る職人。特に、大工。❷工作物の意匠。技巧。趣向。「―をつくした彫刻」❸たくらみ。もくろみ。表記 ①は「工」「匠」、③は「巧み」と書く。□二《形動》〔物事のやり方が〕うまいようす。てぎわがよいようす。「―にすべる」表記 □二はもっぱら「巧み」と書く。

たく・む【▽巧む・▽工む】《他五》❶工夫する。技巧をこらす。「―・まざるユーモア」❷たくらむ。文《四》。

たく-らく【拓落】落ちぶれること。**―しつろ**【―失路】落ちぶれて失意のどん底にあること。

たくら・む【▽企む】《他五》〔悪いことを〕くわだてる。計画する。「脱獄(だつごく)を―・む」文《四》。

たく-らん【×托卵】《名・自サ》他の鳥の巣に産卵して、その鳥に卵をかえさせ育てさせること。参考 カッコウ・ホトトギスなどにみられる。

たく-りつ【卓立】《名・自サ》〔文〕めだって高く立つこと。また、はるかにすぐれていること。「―した人物」

だく-りゅう【濁流】〔川などの〕にごった水の(激しい)流れ。「―が岸を洗う」類語 濁水。

たぐり-よ・せる【手繰り寄せる】《他下一》❶両手でかわるがわるつかんで手元に引き寄せる。❷順々にたどっていって思い出す。「記憶を―・せる」

た-ぐ・る【手繰る】《他五》❶〔綱・帯など細長いものを〕両手でかわるがわる引いて手元へ寄せる。❷順々にたどっていって思い出す。「記憶を―・る」文《四》。

だく-ろう【濁浪】〔文〕にごった波。

たく-ろん【卓論】〔文〕すぐれた議論・説。「―を吐く」類語 卓説。

たくわえ【蓄え・▽貯え】(たくはへ)たくわえること。たくわえたもの。特に、貯金。「一銭の―もない」

たくわ・える【蓄える・▽貯える】(たくはへる)《他下一》❶〔品物・金銭・体力などを、後で使えるように〕ためておく。「知識を―・える」❷〔ひげ・髪などを〕はやしておく。「鼻下にひげを―・える」文 たくは・ふ《下二》。

たくわん【沢×庵】↓たくあん(沢庵)。

***たけ**【丈】❶〔人や草などの〕立った高さ。「―の高い草」類語 身長。❷物の長さ。「スカートの―」❸ある物事のすべて。ありたけ。全部。「心の―をのべる」

***た-け**【他家】よその家。他人の家庭。「―へ嫁(とつ)ぐ」

***たけ**【竹】❶イネ科の多年生常緑植物。茎はまっすぐにのび、中空で節がある。地下茎でふえる。建築や器具の材料になり、若い芽はタケノコとして食べる。種類が多い。❷〔竹製であることから〕尺八の俗称。**―を割ったよう**《句》〔竹はすぱっと一直線に割れるところから〕性質がさっぱりしていることの形容。

だけ《副助》《名詞「たけ(丈)」の転》❶範囲をそれと限定する。「二人だけで話す」「ここだけの話にしておく」「問題はそれだけではない」❷〔「…だけだ」「…だけで」の形で〕事態がそれに限定されることを断定的に言う。「ちょっとからかってみただけだ」「退屈なだけで、つまらない小説だ」❸〔「…だけは…ない」などの形で〕他は肯定する気持ちで、否定の範囲を限定する。「委員長にだけはなるものではない」「他人にだけは迷惑をかけるな」❹〔範囲を限定する形で〕程度を示す。「生活に困らぬだけの金を送る」「考えられるだけ(=可能な限り)考えた」「これだけあれば十分だ」参考 文脈によっては、相当の程度、あるいは、わずかの程度の意となる。「これだけ(=こんなにまで)言っても分からないのか」「想像するだけで(=ほんの少し想像する程度で)怖い気がする」「たったあれだけでは物足りない」❺〔「…すれば…するだけ」「…したら…しただけ」「…したらそれだけ」などの形で〕一方の程度の変化に応じて、他方が比例的に変化する場合、一方の程度の変化を表す。…すればするほど。「金がたまればたまるだけけちになる」「努力したらそれだけ力もつく」❻〔「…だけのことはある」の形で〕それにふさわしい価値や効果が備わっている意を表す。「やってみるだけのことはある」「頑張っただけのことはあった」❼〔「…だけ(のことは)あって」「…だけに」などの形で〕前句に、後句の判断を導くにふさわしい十分の理由が備わっている意を表す。…なので。また、…だからなおさら。「敏腕家だけあって、言うことが違う」「値段が高いだけに(それだけ)質がいい」

た‐げい【多芸】《名・形動》いろいろな芸を身につけていること。「―は無芸」類語多才。対無芸。

たけ‐うま【竹馬】❶昔、葉のついた竹にひもをかけ、馬になぞらえて子どもがまたがって遊んだもの。ちくば。❷二本の竹ざおに足がかりをつけ、上部をにぎって乗り歩く子供の遊び道具。高足(たかあし)。

たけ‐えん【竹縁】竹を並べて張った縁。

たけ‐がき【竹垣】竹で作ったかきね。

たけ‐がり【×茸狩(り)】《名・自サ》山や林で食用のキノコをさがし集めること。きのことり。きのこがり。

だ‐げき【打撃】❶強くうちたたくこと。「後頭部の―による死亡」❷相手の気力がうせてしまうほどの損害・痛手を与えること。また、その損害・痛手。「水害によって―を受ける」類語衝撃。ショック。❸野球で、打者が投手の投げた球をうつこと。バッティング。

たけ‐くらべ【丈比べ】〔子どもが〕たがいに身長をくらべること。せいくらべ。〔古風な言い方〕

たけ‐ざいく【竹細工】竹を使って道具・器物などを作ること。また、その道具・器物。

たけ‐ざお【竹×竿】竹の幹で作ったさお。旗ざお・物干しざお・つりざおなどに使う。

た‐げた【田下▽駄】水田や湿地帯で、足が沈み込まないようにはく木製のはきもの。

田下駄

たけだけ‐し・い【▽猛▽猛しい】《形》❶たいそう勇ましく強そうである。「―い武者」❷ずうずうしい。ずぶとい。「盗人(ぬすっと)―い」

た‐けつ【多血】❶体内の血液の量が多いこと。❷《名・形動》同情したり感激したりしやすいこと。血のけが多いこと。「―質」類語熱血。

だ‐けつ【妥結】《名・自サ》対立した意見を持つ者が、互いに折れあって話をまとめること。「交渉が―する」

たけ‐づつ【竹筒】竹を横に切って作ったつつ。たけづっぽう。

だ‐けど《接続》〔「だけれど」の略〕→だけれど。

たけ‐とんぼ【竹×蜻×蛉】子どものおもちゃの一つ。竹をうすくけずってプロペラ状にしてT字形に軸(じく)をさしこみ、両手でまわしてとばすもの。

たけ‐なが【丈長】衣服などの丈が長いこと。

たけなわ【×酣・×闌】《名・形動》物事の勢いが最も盛んなこと(時)。また、最も盛んなこと(時)を少し過ぎたころ。まっさかり。まっ最中。さなか。「春―の野山」「選挙戦―」

たけ‐に‐すずめ【竹に×雀】《連語》❶とりあわせのよいもののたとえ。類語梅に鶯(うぐいす)。❷紋所の名。笹竹(ささだけ)の丸の中に二羽の雀がむきあったもの。

たけ‐の‐こ【竹の子・×筍】❶春、竹の地下茎から出る新芽。うろこ状の皮に幾重にも包まれている。やわらかいうちは食用になる。❷「たけのこ生活」の略。❸「たけのこ医者」の略。**―いしゃ**【―医者】〔やぶ医者にも達していない医者の意で〕経験が浅く技術の劣る医者。**―せいかつ**【―生活】〔タケノコの皮を一枚ずつはぐように〕自分の着物や身のまわりの物を少しずつ売って生活する、苦しいくらし。

たけ‐べら【竹×箆】竹をけずって作ったへら。

たけ‐みつ【竹▽光】❶竹をけずって刀身の代わりにしたもの。❷切れ味のわるい刀をあざけっていう語。

たけ‐むら【竹群・竹×叢】→たかむら。

たけ‐やぶ【竹×藪】竹がむらがってはえている所。竹林(ちくりん)。竹藪(たかやぶ)。

たけ‐やらい【竹矢来】竹をあらく斜めに組んで作ったかきね。

たけ‐やり【竹×槍】長い竹の先を斜めにけずってとがらせ、やりの代わりに用いた武器。

***たけり‐た・つ**【×哮り立つ】《自五》〔けものが〕あらあらしくほえる。盛んに声高く叫ぶ。「ライオンが―つ」

***たけり‐た・つ**【▽猛り立つ】《自五》気がたって勇みたつ。ひどく興奮する。「怒りで―つ心」

***たけ・る**【×哮る】《自五》〔けものが興奮して〕ほえたてる。「トラが―る」文《四》。

***たけ・る**【▽猛る】《自五》❶興奮して、早くそのことをしようとあせる。いさみたつ。「―る選手をしずめる」❷〔気がたって〕ひどくあばれる。荒れ狂う。「ウマが―る」文《四》。

***た・ける**【▽長ける】《自下一》〔文〕❶〔ある方面の力・才能などが〕十分にそなわっている。長じる。「語学に―けた人」❷成長する。年上である。長じる。「年―けた人」文た・く《下二》。

だ‐けれど《接続》〔「―も」の形も〕〔俗〕前の文をうけて、次に、それにふさわしくない内容をのべるときに使う語。そうではあるが。「頭は悪い。―性格はいい」

た‐けん【他見】〔文〕他人が見ること。他人に見せること。「―をはばかる書類」「―を許さない」

***た‐げん**【他言】《名・他サ》→たごん(他言)。

***た‐げん**【多元】〔文〕ある物事を成立させている要素が多くあること。「―放送」対一元。**―ろん**【―論】〔哲〕宇宙を説明するのに、多くの独立した原理(=根源的実在)を認める立場。対一元論・二元論。

***た‐げん**【多言】《名・他サ》〔ある事がらについて〕いろいろしゃべること。多く説明すること。「その件については―を要しない」類語長広舌(ちょうこうぜつ)。多弁。対寡言。

だ‐けん【駄犬】血統の正しくない犬。どこにでもいる、つまらない犬。類語駄馬(だば)。

***たこ**【×凧・×紙×鳶】竹で作った骨組みに紙をはり、糸をつけて風の力で空にあげるもの。いかのぼり。いか。

***たこ**【×胼×胝】たえず外から刺激を与えられる部分の皮膚が、かたく厚くなったもの。参考他の語とともに使うときは「だこ」となる。「ペン―」「座り―」

***たこ**【×蛸】❶頭足類タコ目の海産軟体動物の総称。全体にやわらかく、胴はまるく頭のように見え、足は八本で多くの吸盤がある。逃げるときにすみをはく。マダコ・イイダコなど種類が多い。食用。参考「一杯(いっぱい)…」「一匹(いっぴき)…」と数える。表記「章魚」とも当てる。❷「蛸胴突(たこどうつき)」の略。地面をつき固めたり、くいを打ったりするのに用いる木製の道具。胴突き。

たご【▽担×桶】水や肥料を入れてになうおけ。「肥(こえ)―」

たこ‐あし【×蛸足】❶〔机・台などの〕道具の脚で、タコの足の形をしたもの。❷タコの足のように、あちこちにのびひろがって(分かれて)いること。「―配線」

***た‐こう**【他校】よその学校。ほかの学校。対自校。

***た‐こう**【多孔】あなが多いこと。「―質」

***た‐こう**【多幸】《名・形動》〔文〕しあわせが多いこと。さち多いこと。「御―を祈る」対薄幸(はっこう)。

だ‐こう【蛇行】《名・自サ》〔ヘビが進むときのように〕くねくねとS字形にまがって進むこと。じゃこう。「川が平野を―する」「―運転」

た

だ-こく【打刻】《名・他サ》❶硬いものに文字や記号などを刻み記すこと。「製造年を—する」❷タイムレコーダーなどで時刻を記すこと。

たこくせき-きぎょう【多国籍企業】世界各地に現地の法人資格を持つ子会社をつくり、世界的規模で活動している企業。

タコグラフ 車に取り付け、走行時間や速度を記録する装置。▽tachograph

たご-さく【田×吾作】〔俗〕農夫やいなか者をあざけっていう語。参考「肥(こえ)たご」の「たご」に「作」をつけて人名めかしたもの。

タコス メキシコ料理の一つ。トウモロコシ粉で作った薄い皮に、肉・野菜などを挟んだもの。▽(スペイン) tacos

たこ-つぼ【×蛸×壺】タコをとらえる素焼きのつぼ。海底に沈め、タコがはいるのを待って引き上げる。

たこ-にゅうどう【×蛸入道】〔俗〕❶動物の、タコ。❷はげ頭やぼうず頭の人をからかっていう語。たこぼうず。参考タコの胴の形に似ていることから。

たこ-はいとう【×蛸配当】株式会社が、営業成績の不振をかくすため、配当するだけの利益がないのに利益があったように装って無理な配当を行うこと。参考空腹のタコは自分の足を食うということから。

たこ-べや【×蛸〈部屋〉】土木業・鉱山などで、労働者を逃がさないように監禁同様に住まわせた部屋。

タコメーター 回転体の速度を測定して回転数を示す計器。回転速度計。▽tachometer

たこ-やき【×蛸焼(き)】水に溶いた小麦粉に、刻んだ蛸・ねぎ・紅しょうがなどを入れ、丸く焼いた食べ物。

た-こん【多恨】《名・形動》〔文〕うらみ・くやみなどの気持ちがつきないこと。「多情—」類語長恨(ちょうこん)。

た-ごん【他言】《名・他サ》〔ひみつなどを〕他人に話すこと。外部の人に話すこと。他言(たげん)。「—は無用」

***た-さい**【多彩】《名・形動》❶いろいろな色がたくさんあって美しいこと。❷種類が多く変化に富んでいて、にぎわしいこと。「—な活動」類語多種多様。

***た-さい**【多才】《名・形動》いろいろな方面にすぐれた才能があること。類語多芸。多能。対非才(ひさい)。

た-ざい【多罪】❶罪が多いこと。❷〔文〕書簡文などで無礼をわびることば。多謝(たしゃ)。「暴言—」

ださ・い《形》〔俗〕洗練されていない。野暮ったい。「—!い格好」表記「ダサい」とも書く。

た-さく【多作】《名・他サ》たくさん作ること。「—の画家」類語乱作。対寡作(かさく)。

だ-さく【駄作】〔芸術的価値のない〕くだらない作品。できの悪い作品。対傑作(けっさく)。

た-さつ【他殺】他人に殺されること。対自殺。

た-さん【多産】子どもや卵をたくさん産むこと。

た-ざん【他山】❶ほかの山。❷ほかの寺。

—の石《句》〔よその山から出たつまらない石でも、自分の宝石をみがく砥石(といし)として役立つの意から〕自分に直接関係のないよくないできごとやつまらない言行でも、それを参考にすれば自分の知徳をみがく助けになるということ。参考「他山の石以(も)って玉を攻(おさ)むべし〈詩経〉」より。

だ-さん【打算】《名・他サ》〔事を行う前に〕利害・損得などを考えること。「—が働く」類語計算。—てき【—的】《形動》物事を行う前に利害・損得などを考えるようす。「—な考え」類語現金。功利的。

***た-し**【他紙】他社から出している新聞。ほかの新聞。

***た-し**【他誌】他社から出している雑誌。ほかの雑誌。

***た-し**【多士】〔文〕多くの、すぐれた人材。—せいせい【—▽済▽済】《名・形動(タルト)》〔文〕すぐれた人物が多く集まっていること。多士済々(さいさい)。

***たし**【足し】❶〔足りないところの〕おぎない。たしまえ。「腹の—にする」❷役にたつこと。利益。「学問など何の—にもならない」

***たし**《助動：ク型》文語《「たい」の文語形》希望を表す。…たい。てほしい。「至急帰郷されたし」

***た-じ**【他事】その人には直接関係ないほかの事がら。よそごと。「無事帰国いたしましたので、—ながら御安心ください」類語余事。別事。余の儀。

***た-じ**【多事】〔文〕❶するべき仕事が多いこと。「身辺—」類語多用。多忙。❷〔国家や社会に〕事件や事変が多いこと。「内外—」—たたん【—多端】《名・形動》仕事が多くひどく忙しいこと。「—の一年」

***だし**【出し】❶出すこと。また、出したもの。❷だしじる。「かつお節の—」❸自分の欲望や利益のために利用する・もの(人・手段)。「時間つぶしの—に使われた」表記②③は「出汁」とも書く。

***だし**【〈山車〉】祭りのとき、飾りをつけて引き歩く車。だんじり。類語山ぼこ。やま。

だし-いれ【出し入れ】《名・他サ》出すことと入れること。出納(すいとう)。「お金の—」

だし-おしみ【出し惜しみ】(—をしみ)《名・他サ》出し惜しむこと。「どうせ出すものなら—しないでさっさと出せ」

たしか【確か】㊀《形動》❶はっきりしてあやまりのないようす。「お金は—に受け取りました」❷しっかりしていて信用できるようす。「身元の—な人」「若いけれど芸は—だ」「気は—だ」類語①②確実。正確。精確。明確。的確。確固。確然。確たる。㊁《副》絶対ではないが、たぶん。「彼は—四〇を超したはずです」表記㊁は、もともっぱら「慥か」と書いた。

たしか・める【確かめる】《他下一》はっきりしないことをはっきりさせる。「相手の気持ちを—・める」類語見定める。見極める。(する)打診。文たしか・む《下二》。

だし-がら【出し殻】❶出し汁などをとったあとのかす。❷茶をいれたあとの茶の葉。茶がら。

だし-こんぶ【出し昆布】料理に使う出し汁をとるためのこんぶ。だしこぶ。

たし-ざん【足(し)算】寄せ算。対引き算。

だし-しぶ・る【出し渋る】《他五》出すのを嫌がる。「金を—・る」類語出し惜しむ。

だし-じる【出し汁】かつおぶし・こんぶなどを煮出した汁。料理にうまみをつける。煮出し汁。だし。

たじ-たじ(たぢたぢ)《副・形動》《多く「—と」の形で》相手に圧倒されて少しずつ後ずさりするようす。しりごみするようす。「相手に言いまくられて—になる」

た-しつ【多湿】《名・形動》湿度が高いこと。湿気が多いこと。「高温—の地」類語高湿。

た-じつ【他日】〔きょう以後の〕いつか別の日。ほかの日。類語後日(ごじつ・ごにち)。

たしなみ【×嗜み】❶好み。趣味。特に、学問・芸事についての心得。「短歌の—がある」❷〔言動に対する〕ふだんの心がけ・用意。つつしみ。「娘らしい—がない」

たしな・む【×嗜む】《他五》❶〔酒・たばこなどの嗜好(しこう)品を人並み程度に〕好み親しむ。愛好する。「酒を—・む」❷〔芸事などを〕趣味として習い身につけている。「茶の湯を—・む」❸〔言動を〕つつしむ。文《四》。

たしな・める【×窘める】《他下一》〔相手のよくない言動を〕ことばでおだやかに注意する。「不作法を—・める」類語 いさめる。とがめる。文 たしな・む《下二》。
だし・ぬ・く【出し抜く】《他五》〔すきに乗じたりだましたりして〕他人より先に事を行う。「他紙を—・く」
だし・ぬけ【出し抜け】《形動》〔物事が〕突然起こるようす。思いがけないようす。不意。「—に飛びかかる」類語 いきなり。唐突。
たじま【▽但馬】旧国名の一つ。今の兵庫県の北部。但州。
たし・まえ【足し前】〔必要な量・額の〕不足を補う分量・金額。足し高。
だし・もの【出し物・▽演(し)物】芝居の興行、演芸会などで、上演する作品。演目。〔やや古風なことば〕
***た・しゃ**【他者】ほかの者。自分以外の者。
***た・しゃ**【多謝】《名・他自サ》〔文〕❶深く感謝すること。❷深くわびること。〔手紙文などで多く使う〕「妄評—(=自分の批評をけんそんしてわびること)」参考 ②は「多罪」の誤用から。同 ①②深謝。
だ・しゃ【打者】野球で、投手の投げるたまを打つ人。バッター。
だ・じゃく【惰弱・×懦弱】《名・形動》〔文〕❶勇気がなく弱いこと。いくじなし。❷からだが弱いこと。体力がないこと。類語 ①②柔弱。軟弱。
だ・じゃれ【駄×洒▽落】深みのないへたなしゃれ。くだらないしゃれ。
た・しゅ【多種】種類が多いこと。多くの種類。「作品は—にわたる」「—多様」
だ・しゅ【×舵手】船のかじをとる人。かじとり。
た・じゅう【多重】幾つも重ねること。また、幾つも重なっていること。〔ふつう単独では使わない〕「—人格」「—方式」「—放送」
た・しゅつ【他出】《名・自サ》〔文〕〔いつもいる場所から〕外へ出て行くこと。外出。
だ・じゅん【打順】野球で、打者になる順番。バッティングオーダー。
た・しょ【他所】〔文〕よその土地・場所。ほかの所。
***た・しょう**【他生】〔仏〕この世に生まれる前にいた世と、死後に生まれ変わる次の世。前世と来世。参考 →多生。対 今生。
***た・しょう**【他称】人称の一つ。文中で話し手が自分自身および聞き手以外の人・物をさしていう場合のもの。また、そのとき用いられる代名詞。あれ・これ・それ・彼・彼女・そのかたなど。〔第〕三人称。参考 →自称・対称。
***た・しょう**【多少】一《名》多いことと、少ないこと。「—にかかわらず配達する」二《副》いくらか。少し。少少。「部屋の中は—暑く感じる」
***た・しょう**【多生】❶〔仏〕何度も生まれ変わること。数多くの生を経めぐること。❷多くのものの命を助けること。「一殺—」**—の・えん**【—の縁】〔仏〕前世で結ばれた縁。「袖振り合うも—」表記 俗に「他生の縁」とも書く。
***た・しょう**【多祥】〔文〕しあわせな事が多いこと。「御—を祈る」
た・じょう【多情】《名・形動》❶感情が豊かで、物事に感じやすいこと。類語 多感。❷〔異性に対して〕移り気なこと。気が多いこと。浮気。「—な人」「—な性格」**—ぶっしん**【—仏心】感じやすく移り気だが、薄情なことのできない性質。
だじょう・かん【▽太政官】❶律令制の中央最高官庁で、八省以下諸司の行政事務を統轄し、政務を審議・処理した役所。太政官。❷明治前期の最高官庁。現在の内閣にあたる。
だじょう・てんのう【▽太上天皇】譲位した天皇の称号。上皇。
たじろ・ぐ《自五》❶〔相手の勢い・態度などに〕圧倒されてしりごみする。ひるむ。「反撃にあって—・ぐ」❷〔相手の力におされて〕よろめく。文《四》。
だ・しん【打診】《名・他サ》❶指先や打診器で胸・背を軽くたたき、その音によって内臓の状態を診察すること。類語 聴診。触診。問診。❷それとなく働きかけて、相手の意向などを知ること。さぐりを入れること。「相手の気持ちを—する」
たしん・きょう【多神教】多くの神を信仰の対象とする宗教。参考 神社神道もその一つ。対 一神教。
た・す【足す】《他五》❶〔もとの物に〕加えてふやす。つけ加える。「八に三を—・す」類語 付加(する)。追加。❷〈用を—・す〉の形で〉㋐用事をすます。「買い物の用を—・す」㋑大小便をすます。文《四》。
たず【×鶴・田×鶴】〔雅〕つる。
だ・す【出す】一《他五》❶中から外に移す。㋐外に行かせる。「へやから—・す」㋑前方に伸ばす。突き出す。「舌を—・す」㋒他の所に出向かせる。出発・出立させる。「子供を東京に—・す」㋓仕事などをするための特定の場所に臨ませる。出席〔出勤・出場・出演・出馬〕させる。「代表選手を大会に—・す」❷〔隠れていたものなどを〕おもてに現す。㋐人目に触れるようにする。「実力を—・す」㋑他に示すために、特定の所に届ける。送付〔出品・陳列・掲示〕する。「手紙を—・す」㋒問題などを課する。「宿題を—・す」㋓出版する。また、出版物に掲載する。「単行本を—・す」㋔ある限度を超えさせて、現す。はみ出させる。「足を—・す」❸新たに生じさせる。㋐生じさせる。発生させる。起こす。「火事を—・す」㋑〔勢いなどを〕新たに加える。増加させる。「スピードを—・す」㋒〔水などを〕外にあふれさせる。「鼻血を—・す」㋓生み出す。作り出す。「早場米を—・す土地柄」㋔ある結果をもたらす。「結論を—・す」㋕味を生じさせる。「しぶさを—・す」❹与える。供する。「食事を—・す」文《四》。二《接尾》❶「…(して)外へ現す」の意。「電灯で照らし—・す」❷「…し始める」の意。「歩き—・す」文《四》。
た・すう【多数】❶数が多いこと。「—の書物」❷たくさんの人数。多人数。「—が反対した」対 ①②少数。**—けつ**【—決】議会などである物事をきめるとき、多数の者の支持する意見に従うこと〔方法〕。
だ・すう【打数】野球で、打者として打撃を完了した回数。四死球・犠打などを打席の回数から除いたもの。
たすか・る【助かる】《自五》❶死をまぬかれる。類語 九死に一生を得る。❷害をうけないですむ。「盗難にあったが宝石は—・った」❸費用や労力がはぶけて楽である。「物が安くて—・る」❹気持ちが楽になる。「彼がいてくれたのでずいぶん—・った」文《四》。
たすき【×襷】❶和服の袖をたくし上げておくために、背中で斜め十文字になるようにかける細いひも。❷一方の肩から斜めにかけた細い布。❸漢字で、「成」「戈」の字などの「ノ」の部分。
たずき【▽方▽便】〔文〕てがかり。手段。特に、生活の手段。生計。たつき。表記「活計」とも当てる。

たすけ【助け】 助ける・こと(もの)。「―を求める」

たすけ‐ぶね【助け船】 ❶水上の遭難者を助ける船。救助船。❷困っているときに力や知恵をかしてくれる・こと(もの)。「見かねて―を出す」類語 助力。助勢。

たす・ける【助ける】《他下一》❶〔人に〕力を添えて危険や災難から逃れさせる。救助する。「おぼれかけている人を―・ける」❷〔困っているものに〕力を添えて、足りないところを補い、物事などがうまく運ぶようにしてやる。手伝う。助ける。「消化を―・ける薬」「弱きを―・け、強きをくじく」表記 ②は「扶ける」「援ける」とも書く。文 たす・く《下二》。⇨〔類語と表現〕

類語と表現

「助ける」

＊危ない命を助ける・おぼれた子を助ける・被災者を助ける／仕事を助ける・家業を助ける・アルバイトをして家計を助ける。

◆〔救う〕救い出す／(する)救助・救出・救護・救済・救援・救恤／救命・助命・救難・救急・救荒

◆〔力を添える〕手伝う・手を貸す・力を貸す・肩を貸す・助け船を出す・引き立てる・守り立てる・一肌脱ぐ・片棒をかつぐ・同舟相救う／(する)手助け・助太刀・力添え・後押し・尻押し・人助け・援助・扶助・賛助・幇助・助力・助成・助長・助勢・加勢・支援・後援・応援・来援・増援・援護・補佐・補弼・翼賛・荷担・促進・フォロー・バックアップ／一助・内助・互助・天助・神助・佑助・天佑・隣保・相互扶助・唇歯輔車

たずさ・える【携える】《他下一》❶手にさげて持つ。身につけて持つ。「土産を―・える」❷〈手を―・える〉手を取り合って行く。❸連れていく。「妻子を―・えて渡米する」類語 (する)携帯。文 たづさ・ふ《下二》。

たずさわ・る【携わる】《自五》〔ある仕事・事業などに〕関係する。従事する。「教育に―・る」文《四》。

ダスター ❶ほこりをはらう布。はたき・ふきん・ぞうきんなど。❷「ダスターコート」の略。ほこりよけに着る、薄手のコート。❸→ダストシュート。▽duster

ダスト ちり。ごみ。ほこり。▽dust **―シュート** 中高層建築で、各階の投げ入れ口にごみを捨てると、そのごみが下部まで筒の中を落下するようにした装置。ダスター。▽dust chute

たずね‐びと【尋ね人】 消息がとだえて、さがし求められている人。さがし求めている消息不明の人。

＊**たずね‐もの【尋ね物】** ありかがわからなくなって、さがしている品物。類語 さがし物。

＊**たずね‐もの【尋ね者】** ↓おたずねもの。

たず・ねる【尋ねる・訪ねる】《他下一》❶所在のわからないものをさがし求める。あとを追ってさがし求める。「行方を―・ねる」類語 捜す。探る。(する)捜査。捜索。探索。(する)探究。追究。❷物事の根源・道理を探って明らかにする。❸わからない点を人に聞く。(する)質問。問う。類語 問い合わせる。質す。問い質す。❹他人の家やある土地をおとずれる。訪問する。訪う。表記 ③は「訊ねる」とも書く。表記 ④は多く「訪ねる」と書く。「訪ねる」は④以外には用いない。文 たづ・ぬ《下二》。⇨〔使い分け〕

使い分け

「たずねる」

尋ねる(×訊)〔知らないことを明らかにするため、ほかの人にきくなどの意で、一般に広く〕道順を尋(訊)ねる・姓名を尋(訊)ねる・真相を尋(訊)ねる・先生に尋ねる・由来を尋ねる・忘れ物を尋ねる・尋ね人

訪ねる〔人や場所を訪問する〕友人を訪ねる・遺跡を訪ねる・故郷を訪ねる

参考「訊」は上の人が下の人に問う(=といただす)意で、多く、罪の取り調べに関して用いた。また、「道を尋ねる」には、道順を聞く意と人生などの道を求める意とがあるが、後者の意で「訊」と書くことはない。

だ・する【堕する】《自サ変》〔悪い傾向・方向に〕おちいる。おちこむ。「低俗な興味に―・する」

た‐せい【他姓】〔文〕他人の姓。「―を冒す(=他人の姓をなのる)」

た‐ぜい【多勢】〔まとまった〕多くの人。おおぜい。〔古風な言い方〕「―に無勢(=小人数で大人数に立ち向かっても勝ちめがないこと)」類語 多人数。対 無勢。

＊**だ‐せい【惰性】** ❶〔理〕物体の慣性。❷今まで行ってきた・勢い(習慣・なれ)。「―でジョギングを続けている」注意「堕性」は誤り。

＊**だ‐せい【打製】** 石をくだいて器具を・作る(作ってある)こと。参考 磨製より原始的。「―石器」

だ‐せき【打席】 ❶バッターボックス。❷バッターボックスに打者として立つこと。「三―一安打」

＊**た‐せん【他薦】**《名・他サ》〔その人を〕他人が推薦すること。対 自薦。

＊**た‐せん【多選】** 選挙で、何度も選出されていること。

＊**だ‐せん【×唾×腺】** つばを分泌する腺。唾液腺。

だ‐せん【打線】 野球で、打者の顔ぶれ。また、その力。打陣。「上位の―がふるわない」

た‐そ‐がれ【▽黄×昏】 ❶〔「誰そ彼は」の意から〕日がおちて、人の見わけがつかないころ。夕暮れのうす暗いころ。夕方。日暮れどき。類語 かわたれ。日暮。薄暮。黄昏。❷物事が終わりに近づき、勢いを失うころ。「石炭産業の―」

だ‐そく【蛇足】〔ヘビの足の意から〕よけいなもの。あっても役にたたないもの。「最後の話は―だった」故事 昔、中国でヘビの絵を早くかく競争をしたところ、先にかき上げた人が勢いにのって足までかいたため負けになったということから。

た‐そん【他村】〔文〕よその村。ほかの村。

た‐た【多多】《副》数が多いようす。たくさん。「反省する点が―ある」対 少々。

―益益弁ず《句》❶数が多ければ多いほどうまくやってのける。才能・うでまえがすぐれていて余裕のあるようす。〈漢書・韓信伝〉❷多ければ多いほどいい。

＊**ただ【×只】** 代金のいらないこと。無料。ロハ。「―ほど高いものはない」

＊**ただ【▽徒】** 一《名》❶むだ。❷〔取り立てて言うところもなく〕ふつう。なみ。「―の白い紙です」「この仕返しは―ではすむまい」二《副》それだけで、取り立てて他に何もないようす。「―だまって笑っている」

＊**ただ【▽唯・×惟・▽但】** 一《副》ひたすら。もっぱら。そればかり。「―無事を祈る」二《連体》たった。わずかに。「―ひとり」三《接続》前にのべたことがらに条件・例外をつけ加えるときに使うことば。ただし。「あの店はうまいものを食わせる。―料金が高い」

た

＊**だだ【駄駄】** 子どもなどが、あまえてわがままを通そうとすること。「—をこねる」

＊**ダダ** ❶ダダイスム。❷ダダイスト。▽(フランス) dada

た-たい【多胎】 複数の子を同時にみごもること。

た-だい【多大】《名・形動》非常に大きいこと。「—の犠牲を払う」[類語]莫大(ばくだい)。[対]軽少。

だ-たい【堕胎】《名・自サ》自然の分娩(ぶんべん)期に先だって人工的に胎児を母胎の外に出すこと。人工流産。妊娠(にんしん)中絶。[類語]子おろし。間引き。

ダダイスト ダダイスムの立場から創作を行った芸術家。ダダ。▽(フランス) dadaïste

ダダイスム 第一次世界大戦の終わりごろ、スイスなどで起きた芸術運動。伝統的な芸術形式を否定し、既成の価値・秩序・組織・法則などをすべて破壊しようとしたもの。ダダ。[参考]シュールレアリスムの母胎となった。▽(フランス) dadaïsme

ただ-いま【×只今】 ━《名》ちょうど今。現在。「—の時刻は一〇時です」[表記]「唯今」とも書く。[類語]今時。今頃(いまごろ)。今日日(きょうび)。近頃。此(こ)の節。昨日今日(きのうきょう)。今日(こんにち)。昨今。当今。当節。現今。現時。現下。時下。目下。━《副》❶ほんの少し前。ついさっき。たったいま。「—出発しました」❷間をおかずすぐに。今すぐ。「—伺います」〔「今」よりていねいな言い方〕[表記]②は「唯今」とも書く。[類語]直(す)ぐ。直ぐ様。直(じき)に。早速。即。即時。即刻。即座。━《感》外出先から帰ってきたときのあいさつのことば。「ただいま帰りました」を略した言い方。

＊**たた・える【×湛える】**《他下一》(たたへる) ❶液体をあふれるほどいっぱいに・する(もつ)。みたす。「涙を両の目に—・える」❷感情を顔(いちめん)に表す。「満面に笑みを—・える」[文]たた・ふ《下二》。

＊**たた・える【▽称える】**《他下一》(たたへる) ほめていう。ほめそやす。称賛する。「山の美しさを—・える」[類語]嘉(よみ)する。[文]たた・ふ《下二》。

たたかい【戦い・闘い】(たたかひ) たたかうこと。「—を挑(いど)む」

たたか・う【戦う・闘う】(たたかふ)《自五》❶武力をもって争う。戦争する。[類語]干戈(かんか)を交える。(する)交戦。(する)対戦。❷競技などで優劣を争う。[類語]競う。(する)競争。対抗。❸〔利害の対立するものが〕利益を守るために争う。闘争する。❹〔困難なことや苦しいこと、あるいは自分の感情に〕打ち勝とうと努力する。[参考]他動詞的にも使う。「選挙戦を—・う」[表記]①は「戦う」、③④は「闘う」と書くことが多い。[文]《四》。⇩〔使い分け〕

> **使い分け** 「たたかう」
>
> **戦う**〔武器をもって勝敗を争う意や、スポーツなどで一般に広く。戦闘〕両軍相戦う・賊軍と戦う・決勝戦を戦う・戦わずして勝つ・選挙で戦う・言論の戦い
>
> **闘う**〔組み合って技量の優劣をきそう意から、利害反するものが主張を通す、困難や障害にうちかとうと努める。闘争〕労使が闘う・貧苦と闘う・時の権力と闘う・権利奪還のための闘い・難病との闘い・精神と肉体の闘い・自己との闘い・要求を闘い取る
>
> [参考]「戦」は戦争・試合をはじめ選挙戦など具体的な争いに使う。「闘」は「戦」より小さな争いに使ったが、近年は、言論による権力との争いや目に見えない相手との争いなど抽象的なものに使うことが多い。おおむね「闘争」と言い換えることができる。

＊**たたき【▽三▽和▽土】** セメント・砂利・砂などでかためた、玄関・湯殿・台所などの土間。

＊**たたき【×叩き・×敲き】** ❶たたく・こと(人)。「太鼓—」❷料理で、鳥や魚などの肉を包丁でたたきくだくこと。また、その料理。「アジの—」

たたき-あ・げる【×叩き上げる】《他下一》❶たたいて作り上げる。「しっくいで—・げた土間」❷下積みの苦労を重ねて、自分を一人前にする。「小僧から—・げた店主」

たたき-うり【×叩き売り】 ❶大道商人が商品をのせた台などをたたきながら景気よく(安く)売ること。「バナナの—」❷大安売り。投げ売り。[類語]廉売(れんばい)。

たたき-おこ・す【×叩き起こす】《他五》❶戸などをたたいて、眠っている人を起こす。❷眠っている人をむりに起こす。

たたき-こ・む【×叩き込む】《他五》❶たたいて入れる。「五寸くぎを—・む」❷あらあらしく入れる。また、「入れる」の乱暴な言い方。「金目のものを質屋に—・む」❸〔芸事・技術・思想などを〕忘れないようにしっかりと教えこむ。「プロ根性を—・む」

たたき-だい【×叩き台】 検討を加えて、さらに内容を向上・充実させるために、最初に出される原案。

たたき-だいく【×叩き大工】 仕事の未熟な大工。また、主に技量をあまり必要としない仕事をする大工。

たたき-だ・す【×叩き出す】《他五》たたいて追い出す。乱暴に追い払う。追い出す。「のら猫を—・す」

たたき-つ・ける【×叩き付ける】《他下一》❶激しくうちつける。❷物を乱暴に手わたす。荒々しい態度でさし出す。「上司に辞表を—・ける」

たたき-なお・す【×叩き直す】(なほす)《他五》❶もう一度たたく。あらためてたたく。❷〔精神や心がまえを〕きたえて正しくする。「くさった根性を—・す」

たたき-のめ・す【×叩きのめす】《他五》❶激しくなぐって足腰のたたないようにする。❷徹底的にやっつける。「論争で—・す」[類語]①②うちのめす。ぶちのめす。

たた・く【×叩く・×敲く】《他五》❶続けて打つ。また、打つ。「肩を—・く」❷なぐる。転じて、やっつける。「子どもを—・いて泣かせた」「敵の機動部隊を—・く」[類語]①②↓打つ。❸打つようにして(魚肉を)細かく切る。❹打ち合わせて音を出す。打ち鳴らす。「ドラムを—・く」❺相手の意向をきく。打診する。「部長の意見を—・く」❻非常に安く値切る。買いたたく。「質流れ品を—・いて買う」❼〈多く「…口を—・く」の形で〉さかんに言う。しゃべる。「大口を—・く」❽非難する。論難する。「政治の腐敗をマスコミが—・く」[文]《四》。

—けば埃(ほこり)が出る《句》どんなに正しく見えても細かく調べればやましい点が出て来るものである。

ただ-ごと【▽徒事・▽唯事・×只事】《ふつう、打ち消しの表現を伴って》日常のでき事。ふつうの事。「—ではない叫び声」

ただし【但し】《接続》前に述べたことに条件や例外をつけ加えるとき、言い出しに使うことば。「会費は五千円、—女性は四千円」[類語]ただ。なお。もっとも。

ただし・い【正しい】《形》❶ゆがみ・乱れなどがない。きちんとしている。整っている。「楽譜通り—・くピアノを弾く」「—・い姿勢」[類語]きちんと。ちゃんと。整然。❷道理・道徳・きまりなどにかなっている。「礼儀—・い人」[類語]まとも。当たり前。正当。正式。正規。正

道。正常。正格。正則。合法。本式。本格。本筋。方正。中正。❸真理や事実にあっている。真実である。「—・い答えを示せ」文 ただ・し《シク》。

ただし-がき【但(し)書き】 本文にそえて、前文の条件・例外などについて書き記した文。類語 断り書き。参考「ただし」という語を用いることからいう。

***ただ・す【正す】**《他五》❶誤りを正しくする。「まちがいを—・す」類語 是正(ぜせい)。規正。修正。訂正。❷ゆがみ・乱れなどをきちんと直す。「服装を—・す」「威儀を—・す」❸よしあしを明らかにする。「理非を—・す」表記 ③は「質す」「糺す」とも書く。文《四》。

***ただ・す【×糺す】**《他五》❶取り調べる。「罪を—・す」❷〈もとを—・す〉源までさかのぼって考える。「もとを—・せば他人の仲」文《四》。

***ただ・す【▽質す】**《他五》問うてたしかめる。質問する。「真偽を—・す」「方針を—・す」文《四》。

たたずまい【×佇い】(たたずまひ)《四段動詞「たたずまふ」の連用形の名詞化》〔自然のままのおもむきが感じとれるような〕ものや景色のありさま。「素朴な湯治場の—」

たたず・む【×佇む・×イむ】《自五》〔ある場所に〕しばらく立ちどまっている。「岸に—・む姿」文《四》。

ただち-に【直ちに】《副》〔文〕❶時間をおかずに行動をおこすようす。すぐ。即刻。「—出発せよ」類語 たちどころに。❷間に他のものがないようす。じかに。直接。〔古風な言い方〕「庭のむこうは—日本海である」

だだっ-こ【駄駄っ子】 あまえてわがままをいい、ききわけのない子供。だだをこねる子供。

だだっ-ぴろ・い【だだっ広い】《形》なにもなく、やたらに広い。だだびろい。「—・い部屋」

ただ-なか【▽直中・×只中】〔文〕❶〔広い所や多くのものの〕まん中。まっただ中。❷〔ある物事が行われている〕まっ最中。「議論の—」

ただ-ならぬ 一《連体》〔物事の状態が〕ふつうでない。変わっている。なみならぬ。「—さわぎ」二《連語》〈「…も—」の形で〉…どころではない。「犬猿(けんえん)も—仲(=犬と猿どころか、それ以上に非常に悪い仲)」

たた-なわ・る【▽畳なわる】(—なはる)《自四》〔雅〕〔山などが〕かさなってつらなる。「—・る比叡(ひえい)山」

ただ-に【×啻に】《副》〔文〕《下に「だけでなく」「のみならず」などの句を伴って》ただ単に。単に。「—美しいだけでなく、頭もいい」

ただ-のり【×只乗り】《名・自サ》料金を払わないで乗り物に乗ること。無賃乗車。参考 →薩摩(さつま)の守(かみ)。

ただ-ばたらき【×只働き】 もらうべき報酬をもらわずに働くこと。類語 むだ働き。

たたみ【畳】 ❶わらをしんにした床(とこ)を、畳表でおおい布でふちどりなどした厚い敷物。和室に敷きつめる。❷げた・ぞうりの表につける、イグサ・籐(とう)・竹の皮などを畳表のように織って作ったもの。

たたみ-いわし【畳(み)×鰯】 イワシの稚魚を薄く板状につなぎ合わせて干した食品。

たたみ-おもて【畳表】 イグサの茎を波状に織ったもの。畳の表面に使う。

たたみ-がえ【畳替え】(—がへ) 畳表を新しくすること。

たたみ-か・ける【畳み掛ける】《他下一》〔相手に余裕を与えず〕つづけざまにものを言ったりしたりする。「—・けて質問する」

たたみ-こ・む【畳み込む】《他五》❶折りたたんで中に入れる。「新聞にちらしを—・む」❷心の奥にしっかりとおぼえこむ。「父の遺訓を—・む」❸たたみかける。

たたみ-じき【畳敷き】 床に畳がしいてあること。

たたみ-すいれん【畳水練】〔畳の上で水泳の練習をする意から〕方法を知っているだけで実際の練習はしていないこと。また、理論や方法を知っているだけで、実地には役だたないこと。畑水練。

たた・む【畳む】《他五》❶積み重ねる。折り重ねる。「石を—・んだ井戸」「顔に深いしわを—・む」❷折り返し重ねて小さくする。「ふとんを—・む」❸〔広げた物を〕とじる。「かさを—・む」❹〔今までの商売・生活などを〕すっかりやめる。かたづける。「店を—・む」❺〈胸(心)に—・む〉心の中にしまって、表面に現さないでおく。「胸に—・んだ悩み」❻〔俗〕〔暴力で〕やっつける。殺す。「なまいきな、—・んじゃえ」文《四》。

ただ-もの【×只者・▽徒者】《ふつう下に打ち消しの表現を伴って使う》とりたてて言うほどの価値もない、平凡な者。ありふれた人。「あの客は—ではない」

ただよ・う【漂う】(ただよふ)《自五》❶〔水や空中に〕浮かんでゆれ動く。「大海に—・う小舟」❷〔あてもなく〕あちこち歩く。さまよう。❸〔香りが〕風で運ばれる。❹〔ある雰囲気・感情が〕その場にみちる。たちこめる。「妖気(ようき)が—・う」「沈黙が—・う」文《四》。

たたら【▽踏×鞴・×蹈×鞴】 足でふむ大きなふいご。じたたら。

—を踏・む《句》❶たたらをふんで空気を送る。❷むかった的がはずれ、勢いあまって空足(からあし)をふむ。

たたり【×祟(り)】 ❶神仏や怨霊(おんりょう)から受けるわざわい。❷ある(よくない)ことをしたために受ける、悪いむくい。類語 むくい。注意「崇り」は誤り。

たたり-め【×祟(り)目】 たたりにあう時。「弱り目に—(=不運にまた不運が重なること)」

たた・る【×祟る】《自五》❶神仏・怨霊(おんりょう)などが人にわざわいを与える。❷あることがらが原因で、悪い結果になる。「長雨に—・られて不作だ」文《四》。

ただ・れる【×爛れる】《自下一》❶〔炎症・やけどなどのために〕皮膚や肉の組織がやぶれくずれる。❷〔生活がすさむほど〕ある物事におぼれこむ。「酒に—・れた生活」文 ただ・る《下二》。

た-たん【多端】《名・形動》〔文〕❶事件が多いこと。「多事—」❷仕事が多く、いそがしいこと。「内外—」

***たち【立ち】**《接頭》《動詞または動詞の連用形から転じた名詞について》❶「立ったまま」の意を表す。「—泳ぎ」「—食い」❷語勢を強める語。「—働く」

***たち【▽達】**《接尾》《人・動物などを表す語について》複数であることを表す語。「生徒—」参考「ら」「ども」よりていねいな言い方。

***たち【〈太刀〉・▽大▽刀】**《「断ち」の意》❶奈良時代、刀剣の総称。❷平安時代以後、腰におびる剣。

***たち【▽質】** 一《名》❶〔生まれつきの〕性質・体質。品質。「あきっぽい—」❷物の性質。品質。「—の悪い化粧品」❸物事の性質。「—の悪いいたずら」二《接尾》《名詞について》「…の性質・気質」の意。〔「だち」とにごる場合もある〕「美人—」「名妓(めいぎ)—」

***たち【▽館】**〔古〕❶貴人の宿舎または邸宅。❷小さな城。=たて。

***たち-あい【立(ち)会い】**(—あひ) ❶立ち会うこと(人)。❷取引所の市場に多くの仲買人が集まって、売買取引を行うこと。「午前の—(=前場(ぜんば))」「午後の—(=後

場」 ーえんぜつ【立(ち)会(い)演説】意見のちがう人々が同じ場所に集まってする演説。

*たち・あい【立(ち)合い】相撲で、仕切りの姿勢から立ち上がること。また、その瞬間。「ーが悪い」

*たち・あ・う【立(ち)会う】《自五》〔証人・参考人として〕その場に出る。「開票にー・う」

*たち・あ・う【立ち合う】《自五》たがいに〔向かい合って〕勝負を争う。「正々堂々とー・う」

たち・あが・る【立ち上がる】《自五》❶〔すわったり横になったりしていた者が〕身を起こして立つ。❷〔空中に〕高く上がる。立ちのぼる。「砂ぼこりがー・る」❸苦しい状態におちいった者が勢いをもり返す。「貧苦のどん底からー・る」❹行動を起こす。「抵抗運動にー・る」❺相撲で、仕切りを終えた力士が立って相撲を始める。❻〔電算〕プログラムが起動する。

たち・あ・げる【立ち上げる】《他下一》❶起動のための操作をして、機械やシステムを稼働する。「パソコンをー・げる」❷組織などを新しく作って活動を始める。「販売会社をー・げる」

たち・い【立(ち)居・▽起(ち)居】立ったりすわったりすること。転じて、日常の動作。類語起居。 ーふるまい【ー振(る)舞(い)】立ったりすわったりする動作。転じて、日常の動作。立ちふるまい。

たち・いた【裁(ち)板】布をたち切るとき、台にする板。裁ち物板。

たち・いた・る【立(ち)至る】《自五》《「立ち」は接頭語》〔重大な状態に〕なる。いたる。「倒産にー・る」

たち・い・る【立ち入る】《自五》《「立ち」は接頭語》❶ある場所の中にはいる。「社内にー・る」❷〔あるものごと・問題の核心にむかって〕深くはいる。はいりこむ。「ー・ったことを尋ねる」❸他人の生活・感情などにまでかかわり合う。「私生活にー・る」❹〔自分に直接関係のない事件・問題などに〕関係する。干渉する。

たち・うお【〈太刀〉魚】タチウオ科の海産魚。からだは銀白色で、刀のように細長い。食用。

たち・うち【〈太刀〉打ち】《名・自サ》〔互いに刀を抜いて闘う意から〕実力で対等に勝負・競争をすること。「A君にはとてもーできない」

たち・うり【立(ち)売り】《名・他サ》〔店をかまえないで〕駅の構内や道ばたで立って物を売ること(人)。

たち・えり【立(ち)襟】外側へ折り返さずに立っているえり。つめえり。スタンドカラー。対折り襟。

たち・おうじょう【立(ち)往生】《名・自サ》❶立ったままで死ぬこと。「弁慶のー」❷途中で行きづまったまま動きがとれなくなること。「大雪で列車がーする」

たち・おく・れる【立ち後れる・立ち遅れる】《自下一》❶立つのがおくれる。転じて、事を始めるのがおくれて時機を失う。❷《「立ち」は接頭語》〔進歩・発展が〕他よりもおくれる。「経済の復興がー・れる」

たち・おとし【裁(ち)落(と)し】❶余分なものとして、布地や紙などを切りおとすこと。また、そのときに出るくず。❷食品などで、大きな部分を切りとること。また、そのあとの部分。「肉のー」

たち・およぎ【立(ち)泳ぎ】《名・自サ》立ったような姿勢で泳ぐこと。また、その泳ぎ方。

たち・かえ・る【立ち返る】《自五》《「立ち」は接頭語》〔もとの所・状態に〕もどる。かえる。立ちもどる。「古人の心にー・る」「原点にー・って検討する」

たち・かぜ【〈太刀〉風】はげしく刀をふったときに起こる風。「ー鋭く切り下ろす」

たち・かた【立(ち)方】〔歌舞伎や舞踊で〕地方・囃子方に対して、立って舞い踊る者。

たち・がれ【立(ち)枯れ】《名・自サ》草木が地に生えたまま枯れること。また、その草木。

たち・き【立(ち)木】地面に生えて立っている木。

たち・ぎえ【立(ち)消え】❶〔燃えていた物が〕全部燃えつきないうちに火が消えること。❷物事が途中でいつのまにかやめになること。「計画がーになった」

たち・ぎき【立(ち)聞き】《名・他サ》〔他人どうしの話を〕立ったままこっそりときくこと。類語盗み聞き。

たち・き・る【断ち切る】《他五》❶〔刃物で〕紙・布などを切りはなす。切断する。❷つづいていた関係をなくす。すっかりすてる。「未練をー・る」「師弟の関係をー・る」❸〔途中に障害をこしらえて〕相手の一連の行動をさえぎる。途中でこわす。「輸送路をー・る」

たち・ぐい【立(ち)食い】立ったまま食べること。「すしのー」類語立食。

たち・ぐされ【立(ち)腐れ】立ったままくさること。「ムギのー」参考建物などが、手入れされないで荒れはてることにも言う。「ーの別荘」

たち・くず【裁(ち)×屑】布や紙を切ったときに出るくず。

たち・くらみ【立(ち)×眩み】《名・自サ》長く立っていたり急に立ち上がったりしたときに起こる目まい。立ちぐらみ。

たち・げ【立(ち)毛】田畑に生育中の農作物。〔多く、稲についていう〕

たち・げいこ【立(ち)×稽古】俳優が〔扮装せずに〕動作や表情をつけて行う稽古。

たち・こ・める【立ち×籠める】《自下一》〔煙・霧・かすみなどが〕いちめんにただよう。いちめんにこもる。

たち・さき【〈太刀〉先】❶たちの刃先。きっさき。❷切りかかるときの勢い。「ー鋭く切り込む」

たち・さばき【〈太刀〉×捌き】たちの使い方。刀の使いぶり。「あざやかなー」

たち・さ・る【立ち去る】《自五》立ち上がってほかへ行く。また、単に、去る。「足早にー・る」

たち・さわ・ぐ【立ち騒ぐ】《自五》❶〔多くの人が〕立ってさわぐ。❷さわぎたてる。❸はげしくうごく。「波がー・ぐ」

たち・すがた【立(ち)姿】❶〔人の〕立っている姿。❷舞を舞っているときの姿。

たち・すく・む【立ち×竦む】《自五》〔恐ろしさや驚きなどのために〕立ったままで動けなくなる。

たち・すじ【〈太刀〉筋】刀の使い方の素質。

たち・つく・す【立ち尽くす】《自五》〔心をひかれたり感激したりして〕そこにいつまでも立っている。

たち・づめ【立(ち)詰め】長い時間、立ったままでいること。立ちつづけ。立ちん坊。「朝からーで働く」

たちどころ・に【立(ち)所に】《副》ある事をするとすぐ結果がでるようす。その場ですぐに。たちまち。「この薬をのむとー治る」表記ふつうかな書きにする。

たち・どま・る【立ち止まる】《自五》歩くのをやめてそこに立つ。「道ばたでー・る」

たち・なお・る【立ち直る】《自五》❶倒れかかったものが、立ってもとの状態になる。❷もとのよい状態にもどる。「不況からー・る」

たち-なら・ぶ【立ち並ぶ】《自五》❶並んで立つ。肩を並べる。「ー!」❷〔才能・力などが〕同じくらいである。肩を並べる。「ーぶもののない剛の者」類語（るす）比肩。匹敵。

たち-の・く【〈立ち退く〉】《自五》❶今いるその場所をはなれる。❷住んでいる所を引き払ってよそへ移る。

たち-のぼ・る【立ち上る】《自五》〔煙などが〕空中へ高くあがる。「かまどの煙がー・る」「水蒸気がー・る」類語①②ひきあげる。

たち-のみ【立(ち)飲み】《名・他サ》〔酒や飲料水などを〕立ったままのむこと。

たち-ば【立場】❶立っている場所。❷その人の置かれている地位・境遇。また、その人の面目。立つ瀬。「苦しいーに立つ」「私のーがない」❸ある物事に対する考え方のより所。見地。「いろいろなーで考える」

たち-ばさみ【裁(ち)×鋏】布地を裁つときに使う大きなはさみ。

たち-はだか・る【立ちはだかる】《自五》❶〔行く手をさえぎるように〕足を広げてつっ立つ。「大男が道にー・る」❷障害が行く手をさえぎってじゃまをする。「前途には困難がー・る」類語①②立ちふさがる。

たち-はたら・く【立ち働く】《自五》《「立ち」は接頭語》〔からだを動かして〕いろいろと仕事をする。

たちばな【×橘】❶ミカン科の常緑小高木。日本の暖地に古くから自生する。果実は酸味が多く食用に適さない。やまとたちばな。❷「からたちばな」の別名。❸ミカン・コウジミカンなどの古称。

たち-ばなし【立(ち)話】立ったまま人と話をすること。また、そのちょっとした話。

たち-ばん【立(ち)番】立って見張りをする・こと(人)。

たち-ふさが・る【立ち×塞がる】《自五》前に立ってさえぎる。類語立ちはだかる。

たち-ふるまい【立ち振(る)舞(い)】❶→たちいふるまい。❷旅立ちにあたってする御馳走や宴会。たちぶるまい。

たち-まさ・る【立ち勝る】《自五》《「立ち」は接頭語》すぐれている。まさる。「実力においてー・る」

たちまち【×忽ち】《副》❶非常に短い時間の内に行われるようす。またたく間に。すぐに。「ー売り切れた」❷ある物事・行為が急に起こるようす。にわかに。「ー起こる喚声」

たちまち-づき【立(ち)待(ち)月】〔夕方に、立って待つ間に出る月の意で〕陰暦一七日の夜の月。たちまちのつき。

たち-まわり【立(ち)回り】❶立ち回ること。❷能楽で、シテが囃子に合わせて舞台を歩き回ること。❸映画や芝居で、切り合い・けんかなどの動きの多い演技。類語ちゃんばら。殺陣。❹つかみ合い・なぐり合いなどのけんか。「よっぱらってーを演じる」類語乱闘。格闘。

たち-まわ・る【立ち回る】《自五》❶〔いそがしく〕あちこち歩き回る。奔走する。❷多くの人の間をうまく行き来して、自分が有利になるように働きかける。「如才なくー・る」❸〔逃走中の犯人が〕ある所に立ち寄る。「犯人が生まれ故郷にー・る」

たち-み【立(ち)見】❶立ったままで見ること。❷特に芝居で、一幕ごとの観覧料を払って、立ったままで見物すること。また、その席。立ち見席。

たち-むか・う【立ち向かう】《自五》❶〔大きな物に〕向かいあって立つ。❷〔強いものや困難なことなどを、恐れたり避けたりしないで〕正面からぶつかっていく。対抗する。「難局にー・う」

たち-もち【〈太刀〉持ち】❶昔、主君の太刀を持ってその後ろにひかえていた小姓。❷横綱の土俵入りに、太刀を持ってそのそばに従う力士。たち取り。参考→露払い。

たち-もど・る【立ち戻る】《自五》《「立ち」は接頭語》〔出先から〕帰る。もとにもどる。立ち返る。

たち-もの【断(ち)物】神仏に願をかけ、心願を成就するために一定の期間、ある飲食物をとらないこと。また、その飲食物。

たち-やく【立(ち)役】歌舞伎で、女形・子役以外の役の総称。また、特に、ふけ役・敵役をのぞいた、善人の男の役。立て役。

たち-ゆ・く【立ち行く】《自五》❶行く。出かける。❷〔時が〕すぎてゆく。❸〔くらしや商売が〕〔どうにか〕成りたってゆく。「生計がー・かない」

だ-ちょう【×駝鳥】世界で最大の陸鳥。首と足が長く、高さ二メートル以上もある。翼は退化して飛ぶことができない。アフリカの草原などに群れをなしてすむ。

たち-よみ【立(ち)読み】《名・他サ》本を買わずに、本屋の店先で立ったまま読むこと。

たち-よ・る【立ち寄る】《自五》❶〔人が〕ある物のそばに近づく。近よる。「戸口にー・る」❷〔ある所へ行く途中で〕ついでに訪れる。「帰る途中、本屋へー・る」

たち-わざ【立(ち)技・立(ち)業】柔道やレスリングで、立った姿勢で相手を攻めるわざ。対寝わざ。

だ-ちん【駄賃】〔駄馬で荷物を運ぶときの運賃の意から〕❶荷物を運ぶ料金。❷使い走りや手つだいなどのほねおり賃。使い賃。おだちん。〔ふつう、子どもに与えるときにいう〕参考→行き掛けの駄賃。

たちん-ぼう【立ちん坊】❶坂道に立っていて車のあとおしなどをして賃金をかせぐ人。❷長い間立ったままでいること。立ちづめ。＝たちんぼ。

***たつ【×辰】**❶十二支の五番めのよび名。❷昔の時刻のよび名。今の午前八時ごろ、また、午前七時から九時までの間。❸昔の方位のよび名。東南東。

***たつ【竜】**→りゅう(竜)①。

***た・つ【立つ・建つ】**《自五》❶ものが一定の場所に縦になっている。㋐足をのばしてからだをまっすぐにささえる。㋑草や木などが地に垂直にはえる。「薹がー・つ(＝転じて、さかりの時期が過ぎる)」㋒細長いものやとがったものなどが、まっすぐにつき出る。「霜柱がー・つ」㋓とがったものがまっすぐに刺さる。「とげがー・つ」㋔ある位置・地位に身をおく。「教壇にー・つ(＝教員になる)」「先にー・って働く」❷ある場所にあったものがそこから起きて・上方(他所)に向かう。㋐空中に(高く)上がる。「ほこりがー・つ」㋑空中にかかる。「虹がー・つ」㋒すわったり寝たりしていた者が身を起こす。立ち上がる。「ー・って歩く」㋓身を起こしてその場から去る。「席をー・つ」表記㋒㋓は「起つ」とも書く。㋔出向く。出発する。出立する。表記㋔は「発つ」とも書く。❸ある現象・作用が現れる。㋐かすみ・霧・蒸気・風・波・泡などが生じる。㋑新しい季節が始まる。「春がー・つ」参考春と秋のみに言う。㋒はっきり認められる。「目にー・つ」「値がー・つ」㋓起こって世に広まる。「うわさがー・つ」㋔〔怒りなどの感情が〕起こりたかまる。気持ち

がとげとげしくなる。「気が―・つ」❹新たに設けられる。㋐建造物がきずかれる。「高層ビルが―・つ」表記 ㋐のみもっぱら「建つ」と書く。㋑開設される。「朝市が―・つ」㋒ふろがわく。「ふろが―・つ」❺物事が成り立つ。㋐よく用に耐える。りっぱな働きをする。「弁が―・つ(=話し方がうまい)」「役に―・つ」㋑傷つけられずにたもたれる。「男が―・つ」㋒たもたれて、続く。「暮らしが―・つ」㋓一人前に世を渡る。「小説家として―・つ」㋔わけあいが成り立つ。筋道が通る。「申し訳が―・つ」㋕目標などがはっきりと定まる。「見通しが―・たない」㋖割り算で、商として成り立つ。「一〇を三で割ると三が―・つ」文《四》。⇩〘使い分け〙

―っている者は親でも使え《句》急ぎの用事にはだれでもよいからそばに立っている者を使えということ。

―てば芍薬(しゃくやく)座れば牡丹(ぼたん)歩く姿は百合(ゆり)の花《句》美人の容姿を形容することば。

***た・つ【▽経つ】**《自五》時が過ぎてゆく。「月日が―・つ」文《四》。⇩〘使い分け〙

使い分け「たつ・たてる」

立つ(▽起・▽発)〔まっすぐ上に向いた形になっていることから、ある場所から他の場所に向かう、現れるなどの意で、一般に広く〕立っている力もない・席を立(起)つ・煙が立つ・正義のために立(起)つ・風が立つ・民衆が立(起)ち上がる・大阪へ立(発)つ・腹が立つ・市が立つ・弁が立つ・役に立つ・(計画を)立て直す・勇み立つ・浮き立つ・思い立つ・成り立つ

建つ(▽樹)〔建物がつくられる。建造〕家が建つ・記念碑が建(樹)つ

たつ(▽経)〔時がすぎる。経過〕日がたつ・五年もたつ

立てる〔立つようにする、現すなどの意で、一般に広く〕柱を立てる・計画を立てる・手柄を立てる・志を立てる・使者を立てる・顔を立てる・音を立てる・企画を立て直す・二本立ての映画「答申・法案」・まくし立てる

建てる(▽樹)〔建物などをつくる。建造〕ビルを建てる・家を建て替える・銅像を建てる・二階建て・建て増し・国を建(樹)てる・別建て・両建て預金

参考「立」は一般に広く使われ、「日が経つ」を「立つ」と当てる向きもあるが、なじまない。出発の意の「十日に発つ」は慣用に従い「立つ」で代用できよう。「建」は建物・碑・銅像など、立つ物をつくる意で限定的に使う。「立／建」の使い分けは複合語でも同様で、「棒を立て直す・計画を立て直す／社屋を建て直す」のように書き分ける。再建を抽象的な意味で用いるときは「経営を立て直す／建て直す」のように二様に書くことができるが、後者には比喩(ひゆ)的で大仰な感じが残る。同様に、接尾語「～立て」は映画その他の一般用語に用い、「～建て」は建造物・経済関係(二階建て・ドル建て・二本建て価格)に限って用いる。「起」は立ち上がる、特別の目的のために決心して物事を行う意、「樹」はまっすぐに立つ意で、「建」の意とともに始めるの意があって、「立」とは異なる(「国を樹てる」などとも書くが、現代の表記としては、まれ)。「発」は出発する、出向く意。

***た・つ【断つ・絶つ】**《他五》❶物をいくつかに切り離す。切断する。❷続けてきたことをやめる。つながり・縁を切る。「酒を―・つ」❸途中でさえぎる。通わなくさせる。「糧道を―・つ」❹終わらせる。尽きさせる。「命を―・つ」文《四》。⇩〘使い分け〙

***た・つ【裁つ】**《他五》布・紙などを寸法に合うように切る。「服地を―・つ」文《四》。⇩〘使い分け〙

使い分け「たつ」

断つ〔続いているものを途中で切り離す。さえぎる〕鎖を断つ・手足を断つ・きずなを断つ・悪の根を断つ・退路を断つ・国交を断つ・公害を断つ・筆を断つ・酒色を断つ・塩を断つ・食を断って一心不乱に祈る

絶つ〔続いているものを終わらせる。やめる〕交際を絶つ・縁を絶つ・跡を絶つ・消息を絶つ・命を絶つ・後を絶たない・連絡を絶つ・塵(ちり)を絶つ・治療のため食事を絶つ

裁つ(×截)〔目的の寸法に合わせて布などを切る〕着物を裁つ・服地を裁つ・型紙を裁つ・裁ち方・裁ちばさみ・紙を裁(截)つ

参考「断」は形のあるものを打ち切る、さえぎる場合に、「絶」は形のないものを絶やす、やめるの意味合いで使う(鎖を断つ／交際を絶つ)が、「断／絶」の使い分けは難しい。「交際を一時断っていた／これ以後交際を絶った」、「思うところあって一時筆を断つ／生涯筆を絶ってしまった」のように中断(一時的)と終了(継続的)で区別したり、「信仰・修行のために食事を断つ／療養のために食事を絶つ」のように目的によって書き分けたりする。これは「断交／絶交」「絶筆」「断食／絶食」に対応した書き方であるが、ここまで細分化することはないであろう。「紙を截つ」は「截」を使っていたが、これは刃物をもって平板なものを切り分ける意であるから、「断・絶」では代用しがたく、かな、ないしは目的に応じて「裁」を使うことになろう。

***だつ【奪】**《接頭》《名詞に付いて》「うばう」意。「―三振」「―タイトル」

***だつ【脱】**《接頭》《名詞に付いて》「そのものからぬけ出す、のがれる」意。「―社会」「―イデオロギー」

***だ・つ【立つ】**《接尾》《体言に付いて五段活用の動詞をつくる》「…の状態になる」「…のようになる」の意。「鳥肌―・つ」「殺気―・つ」文《四》。

たつ・い【達意】〔文〕(文章で述べた)自分の考えが他の人によく通じること。「―の文を書く」

だつ・い【脱衣】《名・自サ》〔文〕衣服をぬぐこと。「―場」対着衣。

だっ・か【脱化】《名・自サ》❶虫などが殻(から)からぬけ出て形を変えること。❷もとの形式や状態からぬけ出して、新しい形式や状態に変わること。類語脱却。

***だっ・かい【奪回】**《名・他サ》〔とられていたものを〕うばいかえすこと。奪還(だっかん)。「ペナントの―をはかる」

***だっ・かい【脱会】**《名・自サ》会から退いて、会員であることをやめること。退会。類語脱退。対入会。

たっ・かん【達観】《名・他サ》❶物事の全体を広く見通すこと。大観。「世界の情勢を―する」❷つまらぬことにこだわらず、物事の真理・道理などをさとること。

たつ・がん【達眼】〔文〕物事の真相を見ぬく力(をもつこと)。「―の士」類語達見。

だっ・かん【奪還】《名・他サ》奪回(だっかい)。

たつき【▽方▽便】〔文〕→たずき。

だっ・きゃく【脱却】《名・自サ》〔今までの古い考えやよくない状態から〕ぬけ出ること。のがれること。また、すてさること。

たっ-きゅう【卓球】 長方形の卓の中央に網をはって、ラケットでセルロイド製の小さな球を打ち合う競技。室内で行う。テーブルテニス。ピンポン。

だっ-きゅう【脱×臼】《名・自サ》骨のつぎめ(=関節)がはずれること。類語 捻挫。

たっ-きょ【×謫居】《名・自サ》〔文〕とがめをうけて遠方に流され、その地に住むこと。

ダッキング ボクシングで、上体を(左右に)かがめて相手の攻撃をよけること。▽ducking

タック 洋裁で、布をつまんで作った小さいひだ。「ピン―」▽tuck

ダッグアウト 野球場で、監督や選手がひかえている所。一・三塁側に、地面より一段低い位置に設けられている。ベンチ。▽dugout

タックス 税。税金。▽tax

ダックスフント 犬の一品種。胴が長く、足が極端に短い。愛玩用。▽ドイ Dachshund

タッグ-マッチ プロレスで、双方がそれぞれ複数の組になってする試合。タグマッチ。▽tag match

た-づくり【田作(り)】 ❶田を耕作する・こと(人)。❷→ごまめ。

タックル《名・自サ》ラグビーなどで、ボールを持って走っている敵に組みついて、前進をはばむこと。▽tackle

た-っけ《連語》《助動詞「た」+終助詞「け」》→け(終助)。

だ-っけ《連語》《助動詞「だ」+終助詞「け」》→け(終助)。

たっ-けい【×磔刑】〔文〕はりつけの刑。はりつけ。類語 磔罪。

***たっ-けん【卓見】**〔ある事についての〕すぐれた考え・意見。卓識。「―に富む論文」類語 卓論。高見。

***たっ-けん【達見】**〔文〕物事の全体や将来を十分に見通した、すぐれた考え・見識。達識。類語 達眼。

だっこ【抱っこ】《名・他サ》「だくこと」の幼児語。

たっ-こう【卓効】〔文〕〔薬などの〕すぐれたききめ。「害虫の駆除に―がある」類語 特効。

***だっ-こう【脱稿】**《名・他サ》原稿を書き終えること。対 起稿。

***だっ-こう【脱×肛】**《名・自サ》直腸の下端の粘膜がたれ下がって肛門の外へ出ること。参考 痔の一種。

だっ-こく【脱穀】《名・自他サ》❶穀物の粒を穂からとり離すこと。❷穀物の粒から外皮をとりのぞくこと。

だつ-ごく【脱獄】《名・自サ》囚人が刑務所から逃げ出すこと。類語 脱牢。

だつ-サラ【脱サラ】《名・自サ》「「サラ」はサラリーマンの略」サラリーマンをやめて独立すること。

たっ-し【達し】 官庁・警察などから国民や下級の官庁に出す命令・通知。表記「達示」とも当てる。

だっ-し【脱脂】《名・自サ》〔ある物に含まれている〕脂肪分をとりさること。「―粉乳」**―めん【―綿】** 不純物や脂肪分をとりのぞいて消毒したわた。

だつ-じ【脱字】 書くときや印刷するときに落とした字。対 衍字。

たっ-しき【達識】〔文〕達見。

たっ-しゃ【達者】 一《名》達人。名人。〔古風な言い方〕「茶の湯の―」 二《形動》❶ある物事に熟達しているようす。巧みであるようす。「話術が―だ」「―な英語」類語 堪能。❷からだが丈夫なようす。「両親とも―です」類語 壮健。元気。

***だっ-しゅ【奪取】**《名・他サ》〔文〕〔攻めて〕うばいとること。「三振五を―する」「政権を―する」

***ダッシュ** ❶《名・自サ》突進すること。特にスポーツで全力で・走る(泳ぐ)こと。「スタート―」❷数学などで、ローマ字の右上につける記号。「'」。参考「a'」「b''」の類。❸文章で、語句の説明・言いかえなどをするときに使う、短い線で表した記号。ダーシ。「―」▽dash

だっ-しゅう【脱臭】《名・自サ》〔その物にふくまれている〕くさいにおいをぬき去ること。「―剤」

だっ-しゅつ【脱出】《名・自サ》〔危険な場所やいやな所から〕のがれ出ること。「国外へ―する」

だっ-しょく【脱色】《名・自他サ》それにふくまれている色や、染めた色をぬくこと。

たつ-じん【達人】 ❶〔文〕物事の道理をしり、人生を達観した人。❷武芸や技芸のある分野に深く通じ、すぐれたうでまえをもつ人。「剣の―」「料理の―」

だっ-すい【脱水】《名・自サ》❶ある物にふくまれている水分をとりのぞくこと。「―機」❷〔理〕結晶した物質から結晶水をとりのぞくこと。また、有機化合物から水素と酸素をとりのぞくこと。❸〔医〕体の中の水分が異常に欠乏すること。「―症状」

たっ-する【達する】 一《自サ変》❶〔ある場所・程度・地位に〕とどく。至る。およぶ。「頂上に―する」❷〔技芸などに〕深く通じる。熟達する。「師範の域に―する」 二《他サ変》❶〔物事を〕なしとげる。「目標を―した」❷〔命令・通知などを〕広く知らせ、わからせる。「趣旨を―する」

だっ-する【脱する】 一《自サ変》❶〔危険な状態・場所から〕のがれ出る。ぬけ出す。「敵の包囲を―する」❷〔団体・仲間を〕やめる。ぬけ出る。「組合を―する」❸〈稿を―する〉原稿を書き終える。脱稿する。 二《他サ変》❶とりのぞく。「水分を―する」❷〔必要な物を〕入れ忘れる。「名簿に彼の名を―する」

たつ-せ【立つ瀬】 立場。面目。〔多く「―がない」の形で使う〕「そんなことをされては私の―がない」

たっ-せい【達成】《名・他サ》〔文〕〔大きな計画や目的などを〕なしとげること。「使命を―する」

だつ-ぜい【脱税】《名・自他サ》ごまかして税金を納めないこと。「―が発覚する」

だっ-せん【脱線】《名・自サ》❶汽車や電車の車輪が線路からはずれること。「―して転覆した」❷話などが本筋からそれること。また、行動が常軌を逸すること。「講義が―する」「よっぱらって―する」

だっ-そ【脱×疽】 血管の末端部に血液が行き届かないため、からだの組織の一部がくさって脱落する病気。特に足の指に多く起こる。壊疽の一種。

だっ-そう【脱走】《名・自サ》〔自由を束縛されている場所から〕ぬけ出て逃げること。「―兵」

だつ-ぞく【脱俗】《名・自サ》〔文〕〔名声や利益を求める〕世俗的な気風からぬけ出ること。凡俗の心を超越すること。類語 超俗。離俗。

たった《副》「「ただ」の促音化した形」数量などの少ないようす。ほんの。わずか。「―三人しか来なかった」

だっ-たい【脱退】《名・自サ》属していた会・団体・組織などをやめること。類語 離脱。脱会。脱党。対 加入。参加。

たった-いま【たった今】《副》現在よりほんの少し前。いましがた。「―到着した」

た

たつた‐ひめ【竜田姫・立田姫】〔文〕秋の女神。参考 ㋐竜田山は奈良の都の西にあり、西は秋に当たることから。㋑↓佐保姫(さおひめ)。

タッチ ❶《名・自サ》ふれること。さわること。❷《名・自サ》物事に関係すること。たずさわること。「その計画にはーしていない」❸絵画・文章などの筆づかい。「軽妙なーで描く」❹《名・自サ》野球で、走者やベースにボールをふれること。「ーアウト」❺ピアノやタイプライターのけん盤を押す、力の入れぐあい。❻手ざわり。感触。「クールなー」▽touch **ーダウン**《名・自サ》❶ラグビーで、攻撃側の選手がけりこんだボールを、防御側の選手が自陣のインゴール内で押さえること。❷アメリカンフットボールで、ボールを持ったまま相手のゴールラインを越えること。▽touchdown **ーパネル** 画面に触れるだけで、簡単にコンピューターを操作できる装置。銀行の現金自動支払い機などに利用される。▽touch panel **ーライン** ラグビーやサッカーなどで、競技場の左右の境界線。タッチ。▽touchline

たっ‐ちゅう【▽塔▽頭】《「塔頭」の唐音》❶禅宗で、祖師の塔(とう)(=墓)がある所。❷本寺に所属し、その境内にある小さな寺。わき寺。同①②寺中。

だっ‐ちょう【脱腸】《名・自サ》内臓(おもに大腸)の一部が腹壁に生じたすきまから押し出されること。また、その病気。男児に多い。ヘルニア。

たっ‐つけ【裁っ着け】下部をきゃはんのように作り、すそをひもでひざにくくりつけるようにしたはかま。いがばかま。たっつけばかま。

***たって**《副》〔無理は承知で〕強く他の人に希望するようす。無理にでも。ぜひとも。「ーの所望」類語しいて。

***た‐って**《連語》〔くだけたスタイルの口頭語で使う〕❶《完了の助動詞「た」＋接続助詞「とて」の転》㋐条件句を受けて、それと食い違う事態が生ずることを予想させながら、後句を結びつける。…ても。「いくら泣いーー無駄だ」㋑《「といったって」の略》〔ふつう「ったって」の形をとる〕…といっても。「博士ー いろいろあらあな」❷《完了の助動詞「た」＋格助詞「って」》↓って(格助)。「もう帰っー(=ということだ)」「合格しー(=ということは)本当か」参考 ①㋐と②は、ガ行イ音便・撥音便の後では「だって」となる。「病気で死んだって」

***だって**《接続》《連語「だって①」から転じた用法》❶相手の言った事柄に反論する場合に用いる語。そうはいっても。でも。「やらない?ー君はさっきやると言ったじゃないか」❷前の事柄に理由を補う場合に用いる語。なぜかと言うと。「行かないよ。ーくたびれたもの」

***だ‐って**《連語》〔くだけたスタイルの口頭語〕❶《断定の助動詞「だ」＋副助詞「とて」の転》㋐〔「…だって(…だって)」などの形で〕他と同様であることを強調する気持ちで、話題として示す。…も他と同様に。〔多く前提に対して反論する気持ちを伴う。その場合は「…といえども他と同様に」の意〕「父も喜んでいる。母ー喜んでいる」「音楽ー絵ー好きだ」「先方にー事情はあるのだから」「彼ー辛いんだよ」㋑「でも(副助)①」の意を表す。たとえ…でも。たとえ…といえども。〔前提に対して反論する気持ちが強くこもる〕「先生にーできはしない」「子供ー分かることだ」㋒〔疑問詞について、下に肯定の意を表す語を伴い〕全面的肯定を表す。…(で)も…だ。「どこー満員だ」㋓〔疑問詞や単数を表す語について、下に否定の意を表す語を伴い〕全面的否定を表す。「一人ー来やしない」❷《断定の助動詞「だ」＋連語「とての転》…だといって。「まるで子供ー笑うの」❸《音便の関係で「だ」となった完了の助動詞「た」＋接続助詞「とて」の転》↓たって①㋐。「いくら読んー理解できないんだもん」❹《音便の関係で「だ」となった完了の助動詞「た」＋格助詞「って」》↓たって②。「もう済んーいうのか」❺《断定の助動詞「だ」＋終助詞「って」》↓って(終助)。「明日は晴れるんー」

だっ‐と【脱×兎】〔文〕〔追われて〕逃げるウサギ。参考 「ーの勢い」「ーの如(ご)く走り去る」多く、勢いがよく非常にはやいことのたとえに使われる。

たっと‐い【尊い・貴い】《形》《「たふとし」の音便形「たっとし」の口語形》とうとい。〔古風な言い方〕文 たっと・し《ク》。⇩〖使い分け「とうとい・とうとぶ」〗

だっ‐とう【脱党】《名・自サ》属していた党をやめること。党員をやめること。類語 脱会。対 入党。

たっと‐ぶ【尊ぶ・貴ぶ】《他五》《「たふとぶ」の音便形》↓とうとぶ。〔古風な言い方〕「真理をー・ぶ」文《四》。⇩〖使い分け「とうとぶ・たっとぶ」〗

たつ‐とり【立つ鳥】《連語》飛び立って行く鳥。 **ー跡を濁さず**《句》飛び去る水鳥が水面をよごさないように、人がある所を離れるとき、そのあとを見苦しくないようにして行くこと。何事も後始末をきれいにすべきであるというたとえ。「飛ぶ鳥跡を濁さず」とも。

た‐づな【手綱】馬をあやつるために、くつわにつけて手にもつつな。「ーを締める(=勝手な行動をしないように、きびしくする。制御(せいぎょ)する)」

たつ‐の‐おとしご【竜の落(と)(し)子】ヨウジウオ科の海産魚。褐色で、体長約七センチ。顔は馬に似ている。直立して泳ぐ。海馬(かいば・うみうま)。

たっ‐ぱ【立端・建端】❶〔建〕建物の高さ。❷〔俗〕背の高さ。「ーがある(=背が高い)」

だっ‐ぱん【脱藩】《名・自サ》江戸時代、藩籍をすてること。藩をぬけ出して浪人になること。

だっ‐ぴ【脱皮】《名・自サ》❶セミ・ヘビなどが成長するにつれて、古い表皮をぬぎすてること。❷今までの古い習慣・様式・考え方などからぬけ出して新しい方向に進むこと。「工業都市にーする」

たっ‐ぴつ【達筆】《名・形動》じょうずな字を書くこと。また、その書いた字。類語 能筆。健筆。対 悪筆。

***タップ** ❶穴にさしこんで回しながら雌ねじの山を切り刻む工具。❷水道の飲み口。蛇口(じゃぐち)。❸配電された電気をわけて取るための中間のさしこみ。コンセント。「テーブルー」▽tap

***タップ**「タップダンス」の略。▽tap **ーダンス** 靴のかかととつま先とで床をふみ鳴らして踊るダンス。タップ。▽tap dance

たっ‐ぷり《副》《副詞は「ーと」の形も》❶《形動》あまるほどたくさんあるようす。「皮肉ーの口調」❷少なく見積もっても、それだけの数量はあるようす。「ー(と)二時間はかかる」❸《自サ》〔かさや数量が〕十分にあって、まだゆとりがあるようす。「ーしたポケット」

ダッフル‐コート フード付きでたけの短めの両前コート。両前の打ち合わせはトッグル(=魚網用の浮き木)ボタンで留める。参考 ダッフルは、コート用の粗いウール地。▽duffel coat

たつ‐ぶん【達文】〔文〕❶表現のうまい文章。じょうずな文章。❷筋道のよく通った文章。類語 ①②名文。

だつ‐ぶん【脱文】書き写すときや、印刷するときにぬけ落ちた文章。

だっ・ぷん【脱×糞】《名・自サ》大便をすること。

たつ・べん【達弁・達×辯】〔文〕よどみのない話しぶり。さわやかな弁舌。類語 能弁。雄弁。

だつ・ぼう【脱帽】《名・自サ》❶〔敬意を表して〕帽子をぬぐこと。❷敬服すること。「彼の努力に—する」

だっ・ぽう【脱法】《名・自サ》〔文〕法律にふれない方法・手段をたくみに使って、実際には法律で禁止されている行為を行うこと。法の盲点をくぐること。

たつ・まき【竜巻】局部的な激しい旋風(せんぷう)。水・家・砂・人畜などを空中に巻き上げる。類語 つむじ風。

たつ・み【×辰×巳・×巽】❶方角の名。辰(たつ)と巳(み)との間。東南。❷〔江戸城の辰巳の方角にあたることから〕江戸深川の遊郭。「—芸者」

だつ・もう【脱毛】❶《名・自サ》毛がぬけ落ちること。❷《名・他サ》不要の毛をとり除くこと。

だつ・らく【脱落】《名・自サ》❶〔必要な物が〕ぬけ落ちること。❷仲間について行けなくなること。「—者」類語 落伍(らくご)。

だつ・りゃく【奪略・奪×掠】《名・他サ》〔力ずくで〕うばいとること。略奪。「食糧を—する」

だつ・りゅう【脱硫】物質に含まれている硫黄(いおう)分または硫黄化合物を取り除くこと。「—装置」

だつ・りょく【脱力】体の力がぬけること。「—感」

だつ・りん【脱輪】《名・自サ》❶車輪がはずれること。❷自動車・電車などの車輪が道路・線路からはみ出ること。落輪。

だつ・ろう【脱漏】《名・自サ》ぬけ落ちること。ぬけもれること。遺漏(いろう)。「文章の—を補う」

***たて**【立(て)】一《接頭》「第一位の」「筆頭の」の意。「—女形」「—行司」二《接尾》《動詞の連用形について》「…して間がない」「…したばかり」の意。「つき—の餅(もち)」表記 多くかな書き。三《助数》同じ相手にたてつづけに負けた回数をかぞえる語。…連敗。「巨人、四—を食う」表記 ふつうかな書き。

***たて**【▽殺▽陣】映画やしばいで、切り合い・乱闘などの場面・演技。さつじん。「—師(=たてのきまった型を教える職業の人)」類語 立ち回り。

***たて**【盾・×楯】❶戦いのとき、矢・やり・刀などから身を守る、厚い木板・金属板などで作った武器。❷自分の立場を守るための手段。「—に取る(=言いわけ、言いがかりの材料とする)」「—の両面(=物事の表と裏。物事の全体)」「—をつく(=反抗する。異議をとなえる)」

***たて**【縦・×竪】❶目と目を結ぶ線に対して垂直の方向。㋐物の上下の方向(長さ)。「—の物を横にもしない」㋑前後の方向(長さ)。「—に並べる」❷立体・平面などの最も長い部分。また、その方向。「キュウリを—に切る」❸南北の方向。「盆地を—に走る川」❹組織・機構などで、階級の上下。❺「縦糸(たていと)」の略。対 ①～⑤横。

***たて**【▽館】→たち(館)。

たで【×蓼】❶タデ科の植物の総称。ふつう一年草で、路傍や水辺に自生する。❷「やなぎたで」の別名。茎・葉に辛みがあり、香辛料とする。

—食う虫も好き好き《句》〔辛いタデの葉を好んで食べる虫もあるように〕人の好みはさまざまである。

***だて**【建(て)】《接尾》❶家などの建て方を表す。「一戸—」「三階—」❷〔貿易で〕その通貨により支払われることを示す。「円—の輸出契約」

***だて**【立(て)】《接尾》❶《動詞の連用形について》「わざと…する(こと)」「とりたてて…する(こと)」の意。「かくし—」❷車に牛馬を何頭つけられるか、また、船にろをいくつつけられるかを表す語。「二頭—の馬車」「八ちょう—」❸一回の興行に何本の作品を・上映(上演)するかを表す語。❹同時にいくつの方法・項目をとるかを表す語。「海と陸と二本—で攻める」

***だて**【×伊▽達】《名・形動》❶意気・侠気(きょうき)をことさら示そうとすること。「—な若い衆」類語 いなせ。粋(いき)。❷はでな身なりやふるまいで、外見をかざること。みえをはること。「—の薄着(=姿をよくみせるために寒くてもみえをはって薄着をすること)」

たて・あな【縦穴・×竪穴】❶地表に垂直に掘った穴。対 横穴。❷〔考古〕古代の人類が住んだ、すまいのあと。表記 ②は「竪穴」と書く。

たて・あみ【建(て)網・立(て)網】魚群の通る道にはって、垣網で誘導した魚群をふくろ網に追い入れてとらえる網。大謀網(だいぼあみ)など。定置網。

たて・いた【立(て)板】物に立てかけてある板。「—に水(=よどみなく話すたとえ)」

たて・いと【縦糸・▽経糸】織物で、縦に通っている糸。縦に並べて布を織る糸。たて。対 横糸。

たて・うり【建(て)売(り)】〔家などを、商品として〕建てて売ること。また、その建物。「—住宅」

だて・おとこ【×伊▽達男】(—をとこ) はで好きな男。おしゃれな男。好みが粋(いき)な男。

たて・か・える【立て替える】(—かへる)《他下一》一時、他人に代わって代金を払う。「友人の会費を—・える」

たて・がき【縦書き】文字を上から下に書くこと。対 横書き。

たて・か・ける【立て掛ける】《他下一》〔他のものに〕もたれさせて立てる。

たて・がみ【×鬣】ライオンの雄や馬などのくびから肩にかけてはえている長い毛。

たて・かん【立(て)看】〔俗〕「立て看板」の略。

たて・かんばん【立(て)看板】〔劇場や商店などが客寄せのために〕道ばたに立てかけておく看板。

たて・ぎょうじ【立行司】相撲で、結びの取組を審判することのできる、位が一番上の行司。

たて・き・る【立て切る・▽閉て切る】《他五》〔戸・障子・ふすまなどを〕すっかりしめる。しめきる。

たて・ぐ【建具】〔障子・ふすまなど〕部屋を仕切るために家の中にとりつけ、あけたてするもの。

たて・ぐみ【縦組(み)】印刷の組版で、各行が縦読みになるように活字を組むこと。対 横組み。

たて・こう【縦坑・×竪坑】地表に垂直にほりさげた坑道。対 横坑。斜坑。

たて・ごと【×竪琴】ハープ。

たて・こ・む【立て込む】《自五》❶多くの人が集まって混雑する。こみあう。表記「立て混む」とも書く。❷〔多くの家やものが〕すきまなく並ぶ。密集する。❸〔仕事や用事が〕一度にかさなる。「日程が—・む」

たて・こ・める【立て×籠める・▽閉て×籠める】《自下一》〔におい・ガスなどが〕いっぱいにこもる。いちめんにひろがる。たちこめる。

たて・こ・もる【立て×籠もる】《自五》❶城や陣地にこもって戦う。籠城(ろうじょう)する。❷まわりをとざして、中から出ないでいる。類語 とじこもる。

たて‐じく【縦軸】〔数〕平面上の直交座標での y 軸。対横軸。

たて‐じま【縦×縞】〔織物などで〕縦の方向に走ったしま模様。対横縞。

だて‐しゃ【×伊▽達者】はでな身なり・ふるまいを好む人。あか抜けた粋(いき)な服装をする人。ダンディー。

たて‐つ・く【×楯突く】《自五》〔目上の人や強い権力などに〕反抗する。口答えする。「親に—・く」表記ふつうかな書きにする。類語歯向かう。逆らう。⇩〖類義語の使い分け「歯向かう」〗

たて‐つけ【立て付け】戸・障子・ふすまなどの開閉のぐあい。「—の悪い戸」

たて‐つづけ【立て続け】〔同じことや、似た物事が〕続けて行われること。続けざま。「ビールを—に飲む」

たて‐つぼ【建坪】〔建〕❶建物のしめている土地の坪数。対地坪(じつぼ)。❷延べ坪。

たて‐とお・す【立て通す】《他五》〔ある考えや態度を〕最後まで変えずに持ちつづける。「意地を—・す」

***たて‐なお・す【建て直す】**《他五》❶古い建物をこわして新しく建てる。改築する。❷立て直す③。

***たて‐なお・す【立て直す】**《他五》❶もう一度改めて立てる。❷〔計画・考えなどを〕もう一度最初からやり直す。❸もとのよい状態にもどす。再建する。「会社を—・す」表記③は「建て直す」とも書く。

たて‐ぬき【▽経▽緯】〔文〕❶縦糸と横糸。❷縦と横。

たて‐ば【立て場・建て場】❶昔、街道で、かごかきの人足などがつえを立てて休んだ所。❷乗合馬車などの発着所。❸廃品回収業者が家庭などから集めた廃品などをまとめて買いとる問屋。類語しきり屋。

たて‐ひき【立て引き・▽達引き】《名・自サ》意地をはりあうこと。〔古風な言い方〕「恋の—」

たて‐ひざ【立て×膝】《名・自サ》片方のひざを立ててすわること(姿勢)。

たて‐ぶえ【縦笛】❶縦にかまえて吹く木管楽器の総称。尺八・クラリネットなど。対横笛。❷リコーダーに似た簡易な楽器類。❸➡リコーダー。

たて‐ふだ【立て札】知らせや注意などを書いて地面に立てる木の札。類語高札(こうさつ)。

***たて‐まえ【建前】**❶建物のおもな骨組みを作ること。また、それが終わったときに行う式。むね上げ。❷表向きの方針・原則。「—と本音」「—論」

***たて‐まえ【▽点前】**茶道で、まっ茶をたてて客にすすめる作法。おてまえ。点前(てまえ)。

だて‐まき【×伊▽達巻】❶〔女性が〕着くずれを防ぐために帯の下にしめる、はばのせまい帯。❷さかなのすり身に卵をまぜてやき、うずまき形に巻いた食品。

たて‐まし【建て増し】《名・他サ》もとからある建物につけ足して建てること。また、そのつけ足した部分。増築。「二階を—する」

たて‐まつ・る【奉る】㊀《他五》❶〔神や身分の高い人に〕さし上げる。献上する。❷形だけ高い地位におく。「会長に—・る」類語まつり上げる。㊁《補動》〔文〕《動詞の連用形について》…申しあげる。〔けんそんした言い方〕「拝み—・る」「頼み—・る」

たて‐みつ【縦×褌】相撲のまわしの、股間(こかん)を通して後ろ腰に結ぶ部分。

たて‐むすび【縦結び】〔こま結びで〕両はしが上下になるように結ぶこと。また、そのような結び方。参考不器用な結び方とされる。

たて‐もの【建物】〔雨・風などをしのぎ、中で〕人が住んだり、仕事をしたり、物を保管したりするために作ったもの。建築物。類語建造物。

たて‐やく【立(て)役】立て役者①。

たて‐やくしゃ【立(て)役者】❶一座の中心となる重要な役者。立て役。立て者(もの)。❷ある分野で中心となって活躍する人。中心人物。「優勝の—」

たて‐ゆれ【縦揺れ】❶航空機・船舶などが上下にゆれること。ピッチング。❷地震で、垂直方向にゆれること。対①②横揺れ。

だてら《接尾》《人の身分などを表す語につけて》「…にふさわしくない」「…に似合わぬ」の意。〔非難・けいべつの気持ちを含んだ言い方〕「女—にたんかを切る」

た・てる【立てる・建てる】㊀《他下一》❶ものを一定の場所に縦にする。㋐縦にまっすぐに置く。「柱を—・てる」㋑細長いものやとがったものなどをまっすぐにつき出させる。「ひたいに青筋を—・てる」㋒とがったものをまっすぐに刺す。「とげを—・てる」「歯を—・てる」㋓〔馬車などを〕ある場所にとどめて置く。㋔ある位置・地位につかせる。「候補者を—・てる」㋕戸・障子などをとざす。「ふすまを—・てる」表記㋕は「閉てる」とも書く。❷ある場所にあったものをそこから起こして・上方(他所)に向かわせる。㋐空中に(高く)のぼらせる。「砂ぼこりを—・てる」㋑横になっているものを縦にする。「えりを—・てる」㋒出向かせる。差し向ける。「使者を—・てる」❸ある現象・作用が現れるようにする。㋐蒸気・風・波などを生じさせる。「湯気を—・てる」㋑音を響かせる。声を発する。「笑い声を—・てる」㋒はっきりと現し示す。「身のあかしを—・てる」㋓人に知られるようにする。世に広める。「名を—・てる」「うわさを—・てる」㋔怒りなどを起こし高める。気持ちをとげとげしくする。「腹を—・てる」㋕抹茶(まっちゃ)を湯でかきまぜてととのえる。「茶を—・てる」表記㋕は「点てる」とも書く。❹新たに設ける。㋐建造物をきずく。「家を—・てる」表記㋐のみ、もっぱら「建てる」と書く。㋑ふろをわかす。「ふろを—・てる」㋒新たにつくり示す。「新記録を—・てる」「誓いを—・てる」❺物事を成り立たせる。㋐よく用に耐えさせる。りっぱに働かせる。「役に—・てる」㋑〔傷つけることなく〕たもたせる。「顔を—・てる」「操を—・てる」㋒たもち、続かせる。やってゆく。「生計を—・てる」㋓上位のものとして尊重する。「夫を—・てる」㋔〔目標などを〕はっきりと定める。「予算を—・てる」文た・つ《下二》。⇩〖使い分け「たつ・たてる」〗㊁《接尾》その動作を際立たせる意を表す。さかんに…する。強く…する。「数え—・てる」「ほえ—・てる」文た・つ《下二》。

たて‐わり【縦割り】❶縦に割ること。❷組織の中で、仕事の分担などがいくつかの上下関係によってわけられていて、それぞれの横のつながりがないこと(状態)。「—行政」対①②横割り。

だ‐てん【打点】野球で、安打・犠打、四死球による押し出しなどで打者が味方にもたらした得点。

だ‐でん【打電】《名・自他サ》〔文〕電報をうつこと。対入電。

たとい【▽仮▽令・▽縦▽令】《副》➡たとえ(仮令)。

た‐どう【他動】他に働きかけること。また、他から働きかけること。「—的」対自動。

*だ-とう【妥当】《名・自サ・形動》実情や道理にむりなくあてはまること。適切であること。「—な結論」「—な額」類語適当。穏当。至当。相当。対不当。

*だ-とう【打倒】《名・他サ》〔再起できないほどに〕相手をうち倒すこと。うち負かすこと。「—すべき敵」

たとう-がみ【▽畳紙】《「たたみがみ」の音便》❶〔古〕昔、たたんでふところに入れて詩歌の下書きや鼻紙に用いた紙。ふところ紙。懐紙。❷厚手の和紙に渋・うるしなどをぬって折りめをつけた紙。和服・小ぎれ・女の髪結い道具などを入れる。

た-どうし【他動詞】動詞の中で、主体の動作・作用が他に働きかける、または他を作り出す意味をもつもの。日本語では、ふつう、働きかけられる対象を、助詞「を」のついた形で目的語として示す。たとえば、「紙を破る」「家を建てる」の「破る」「建てる」など。対自動詞。

*たとえ【×譬(え)・×喩(え)】❶たとえること。たとえた話。比喩。「宝の持ちぐされという—もある」❷似た例。同じような例。「—をあげて説明する」

*たとえ【▽仮▽令・▽縦▽令】《副》《「とも」「ても」「…しようが」などを伴って》ある条件を仮定し、その条件のもとでも結果が変わらないことを表す。もしそうでも。かりに。たとい。「—雨でも決行する」類語万一。

たとえ-ば【例えば】《副》❶前にのべたことをもっと具体的に言うときに使う語。例をあげると。「それは、—酒・たばこのたぐいだ」❷かりに。たとえ。「わたしが、—事故をおこしたとする」類語もし。

たとえ-ばなし【×譬(え)話】〔道理などをとくため〕ある事柄にたとえてする話。類語寓話。寓言。アレゴリー。

たと・える【×譬える・×喩える】《他下一》〔ある事柄をわかりやすく説明するため〕身近なものを引き合いに出して言う。ことよせて言う。「—・えようもなく美しい」類語見立てる。見做す。準える。擬する。文たと・ふ《下二》。

た-どく【多読】《名・他サ》〔ていねいに読むより〕たくさん本を読むこと。類語乱読。

たどたど-し・い《形》〔動作や話し方が〕なめらかでなくあぶなっかしいようす。「—・い日本語」

たどり-つ・く【×辿り着く】《自五》たずねながら、または苦労しながら、やっと行き着く。

たど・る【×辿る】《自五》❶道にそって進んで行く。また、知らない道を（迷いながら）たずねて行く。「山路を—・る」「いばらの道を—・る」❷あとに従って、（はっきりしない筋道を）さがし求めていく。「おぼろげな記憶を—・る」❸あちこちとたずねて行く。「縁故を—・って友人の消息を知る」❹ある過程を進んで行く。ある方向に進んで行く。「彼と同じ運命を—・る」文《四》。

た-どん【▽炭団】❶炭の粉にふのりなどを入れてこね、まるく固めた燃料。❷〔俗〕相撲で、黒星。

—に目鼻《句》色が黒くみにくい顔立ちの形容。対卵に目鼻。

*たな【▽店】❶商店。みせ。〔多く「お—」の形で使う〕❷貸し家。また、借家。〔古風なことば〕

*たな【棚】❶物をのせるため、板を横にかけわたしたもの。❷つる性の植物を地面から離してはわせるために、竹などをあんで水平に作ったもの。「ブドウ—」❸→船棚。❹海中で、魚などの群がりすんでいる層。❺→大陸棚。

—から牡丹餅《句》思いがけない幸運にあうこと。たなぼた。「あいた口へぼたもち」とも。

—に上げる《句》〔あることに、わざと〕ふれないでおく。うちすてておく。

たな-あげ【棚上げ】《名・他サ》❶〔需要と供給を調節するため〕商品を一時たくわえて、市場へ出さないこと。❷ある問題に手をつけず、（しばらく）そのままにしておくこと。「計画を—する」類語保留。

たな-おろし【棚卸(し)・▽店卸(し)】《名・他サ》❶商店などで、決算や整理のため、在庫品の数量・価格を調べること。❷他人の欠点をかぞえあげていろいろ批評すること。「A氏の—をする」

たな-こ【▽店子】借家人。〔古風な言い方〕対大家。家主。

たなご【×鱮】コイ科の淡水魚。形はフナに似ている。食用。にがぶな。

た-な-ごころ【▽掌】《「た」は「手」、「な」は「の」に当たる助詞で、「手の心」の意》〔文〕てのひら。

—を反すよう《句》❶物事が簡単にできるたとえ。❷態度や考え方が簡単に変わるたとえ。

たな-ざらえ【棚×浚え】《名・自他サ》商品を整理するため、在庫品を全部出して安く売ること。蔵払い。

たな-ざらし【▽店×晒し】❶商品が売れずに、いつまでも店に置かれていること。また、その商品。類語売れ残り。❷ある問題が、全然手をつけられておらず、未解決のまま放置されていること。「—の案件」

たな-だ【棚田】傾斜した土地に階段のように作った水田。類語だんだん畑。

たな-ちん【▽店賃】家賃。〔古風な言い方〕

たな-ばた【〈七夕〉・棚機】❶たなばた祭り。しちせき。❷「たなばたつめ」の略。参考「棚機」は、もと、織物を織る機械の意。

—つ-め【—つ女】❶〔古〕機を織る女性。❷〔雅〕織女星。おりひめ星。たなばた。

—まつり【—祭(り)】五節句の一つ。陰暦七月七日の夜行う祭り。葉竹に願い事を書いた短ざくやかざりを下げる。主に、女性は手芸の上達を祈る。星祭り。乞巧奠。たなばた。参考天の川にへだてられた牽牛星と織女星が、この夜一年に一度だけ会うという中国の伝説にもとづく。

たな-び・く【棚引く】《自五》〔雲・かすみ・煙などが〕横に細長くただよう。「かすみ—・く春」

たな-ぼた【棚ぼた】〔俗〕「棚からぼたもち」の略。思いがけない幸運にめぐまれること。「—式の出世」

た-なん【多難】《名・形動》災難や困難が多いこと。「前途—」「多事—」

たに【谷】❶山と山との間の深くくぼんだ所。類語谷間。谷あい。谷懐。山間。山峡。山懐。沢。雪渓。❷谷①に似た形をした所。「気圧の—」❸波形の低くなった所。対山。

*だに【▽壁×蝨】❶ダニ目の節足動物の総称。からだはごく小さく、卵形。人や動植物に寄生し、体液・樹液を吸う。感染症を媒介するものもある。❷働かずに他人にたかって生活する、きらわれもの。「町の—」

*だに《副助》文語❶〔多く下に打ち消しを伴う〕他の場合はましてと暗示する形で一例（多くは、最小限の評価を受けるもの）をあげる。でさえ。「我身だに知らざりしを〈鷗外〉」❷〔多く条件句の中で使う〕ある困難さを伴う状況の中で、それが局面打開のための願わしい最低の条件であることを表す。せめて…だけでも。「母だに世にあら

ば、この別(わか)はあるまじきを〈鷗外〉」❸必要十分な最低条件であることを表す。ちょっと…だけで(さえ)。「聞くだに寒き冬の雨〈文部省唱歌〉」

たに・あい【谷▽間】(たにま)(ひ-あ) 谷のふかい所。谷の中。谷間。「―の村」

たに・かぜ【谷風】谷間や平地から山の斜面に沿って吹き上げる風。対山風。

た・にく【多肉】〔植物の葉や茎などの〕肉が多く、厚みのあること。「―果」「―植物」

た・にし【田×螺】タニシ科の巻き貝。黒褐色で大きさは三〜四(センチ)。多く水田・沼などにすむ。食用。

たに・そこ【谷底】谷の一番低いところ。谷の底。

たに・ぶところ【谷懐】山にかこまれた谷あい。

たに・ま【谷間】→たにあい。

たに・まち【谷町】相撲で、力士のひいき客のこと。

たに・わたり【谷渡り】❶谷から谷へ伝い渡ること。❷ウグイスが、谷から谷へ飛びながら鳴くこと(声)。

た・にん【他人】❶自分以外の人。ほかの人。❷血つながりのない人。「赤の―」❸そのことに関係のない人。「―が口を出すことではない」**―ぎょうぎ【―行儀】**《名・形動》〔親しい間柄なのに〕他人のように、よそよそしくふるまうこと。「―なことばを使う」

―の疝気(せんき)を頭痛に病む《句》自分に関係のないことについて余計な心配をするたとえ。

―の空似《句》血縁のない他人であるのに容貌(ようぼう)がよく似ていること。他人の猿似(さるに)。

た・にんずう【多人数】多くの人数。多数の人。多人数(たにんず)。大人数。「―の会」類語多勢。対小人数。

たぬき【×狸】❶イヌ科の哺乳(ほにゅう)動物。毛は黄褐色で、目のまわりが黒い。山野に穴居し、果実・野ねずみ・昆虫をたべる。毛は筆などに用いる。人をばかすと考えられた。❷悪がしこい人。「―じじい」❸「たぬきうどん」「たぬきそば」の略。天ぷらの揚げかすを入れた、かけうどん・かけそば。❹「たぬきねいり」の略。

たぬき・ねいり【×狸寝入り】《名・自サ》眠っているふりをすること。たぬきね。たぬき。そらね。

たね【種】❶植物が芽を出すもとになるもの。種子(しゅし)。「早く芽を出せ柿(かき)の―」類語種物。実(み)。さね。原種。核。❷血統を受けつぐもとになるもの。また、血統を受けついだもの。特に、精子・子供。「武士の―」表記「子供」の意味では「胤」とも書いた。❸物事を・起こす(成り立たせる)もと。原因。理由。また、〔話や小説などの〕材料。「しゃくの―」「笑い話の―になる」❹手品のしかけ。また、表面に表れていない、物事の事情・しくみ。「―をあかす」❺料理の材料。汁などの実。「おでんの―」類語具(ぐ)。

たね・あかし【種明(か)し】《名・他サ》❶手品のしかけを明らかにすること。❷かくしていた、また表面に表れていなかった、物事の事情やしくみを明らかにすること。「怪事件の―をする」

たね・あぶら【種油】菜種からとった油。菜種油。

たね・いも【種芋】種として植える芋。

たね・うし【種牛】よい牛をふやすため、種付け用に飼う雄牛。種牛(しゅぎゅう)。

たね・うま【種馬】よい馬をふやすため、種付け用に飼う雄馬。種馬(しゅば)。

たね・おろし【種下(ろ)し】《名・自サ》たねまき。

たね・が・しま【種▽子島】ポルトガル人によって伝えられた火縄銃。また、それにならって作った鉄砲の総称。参考種子島(鹿児島県)にはじめて伝わった。

たね・がみ【種紙】❶カイコガに卵を産みつけさせる紙。さんらんし。❷写真の印画紙。

たね・がわり【種変(わ)り】(はり-が) 母親が同じで、父親がちがうこと(兄弟)。種違い。対腹変わり。

たね・ぎれ【種切れ】《名・自サ》〔準備した〕材料・品物を全部使いはたすこと。

たね・せん【種銭】もとで。

たね・ちがい【種違い】(がひ-ち)→たねがわり。対腹違い。

たね・つけ【種付け】《名・自サ》家畜の品種改良・繁殖などのため、雌に血統のよい雄を交尾させること。

たね・なし【種無し】❶果実に種が入っていないこと。また、その果実。❷精子がなくて、またはその数が少なくて、子どもがつくれないこと(男性)。

たね・び【種火】いつでも火を燃やせるように、少しだけ消さないで残しておく火。

たね・ほん【種本】ある著作・講義などのもとになっている他人の著書。

たね・まき【種×蒔き】❶種をまくこと。たねおろし。播種(はしゅ)。❷特に、八十八夜のころ、なわしろに稲の種をまくこと。

たね・もの【種物】❶草木の種。❷汁物のそば・うどんで、中にかまぼこ・たまご・てんぷら・肉などがはいっているもの。❸シロップやあずきなどを入れた氷水。

たね・もみ【種×籾】種としてまくための、もみ。

＊た・ねん【他年】将来の、ある年。後年。〔はっきりいつと言えないときに使う〕「―の再会を期する」

＊た・ねん【他念】ほかのことをおもう心。余念。

た・ねん【多年】長い年月。多くの年月。長年。「―の努力が実る」類語積年。**―そう【―草】**樹木以外の植物で、毎年秋に地上部は枯死するが、地下部は三年以上生存する植物。キク・ススキ・ユリなど。宿根草。多年生植物。

だ・の《並助》〔断定の助動詞「だ」+並立助詞「の」〕〔「〜だの〜だの」の形で〕例として二つ三つのものをあげるのに使う。「スキーだのテニスだの」「やれだのやるなだのと口うるさい」参考「など」がつく場合は下の「だの」は省略される。「エビだのカニなどばかりを好む」

た・のう【多能】《名・形動》❶いろいろな方面に才能を持っていること。類語多才。多芸。❷多くの機能を持っていること。「―工作機械」

たのし・い【楽しい】《形》心がみちたりて、明るく愉快な気持ちである。心配やわずらいごとがなくて、ここちよい。「仕事が―い」「―い思い出」類語面白い。嬉(うれ)しい。愉快。文たのし《シク》。⇩〔類語と表現〕

類語と表現

「楽しい・嬉(うれ)しい」

＊海外旅行は楽しい・今夜のパーティーは楽しい・楽しいひとときを過ごす／お会いできて嬉しい・海外旅行に行けて嬉しい・嬉しい便り・嬉しい悲鳴をあげる。

◆快い・心地よい・面白い・小気味よい・明るい・爽(さわ)やか・清々(すがすが)しい・晴れやか・晴れ晴れしい・朗らか・麗(うら)らか・喜ばしい／楽しむ・喜ぶ・嬉(うれ)しがる・面白がる・おかしがる・わくわくする・ぞくぞくする・せいせいする・うきうきする・さばさばする／楽しみ・喜び・愉快・欣快(きんかい)・痛快・軽快・爽快(そうかい)・豪快・快感・快適・歓喜・喜悦・御機嫌・上機嫌・有頂天・お祭り気分・同慶／嬉々(きき)と

して・喜んで・喜び勇んで

たのしみ【楽しみ】 ■一《名》❶楽しむこと。楽しむ材料。また、(自分が)楽しいとする事。「老後の―」❷〈―にする〉㋐楽しいこととする。楽しむ。「自分史を書くのを―にする」㋑楽しいこととして期待する。「海外旅行を―にする」■二《形動》〔将来、よい結果・状況になって〕楽しいであろうと心待ちにされるようす。「この子の将来が―だ」

たのし・む【楽しむ】《他五》❶楽しいと感じる。楽しく思う。「余生を―・む」【類語】興じる。娯楽にする。エンジョイ(する)。「ゴルフを―・む」「読書を―・む」❸明るい期待をかける。よい見通しを立てて喜ぶ。「娘の成長を―・む」【文】《四》。

❷好きな事で心をなぐさめる。

たのし・める【楽しめる】《自下一》(「楽しむ」の可能形)楽しむことができる。「乗馬が―・める場所」

だ-のに《接続》〔俗〕上の文を受けて、それに似つかわしくない内容であることを表す。…であるのに。それなのに。「熱がある。―出かけると言う」

たのみ【頼み】❶〔他人に〕あることをしてほしいと願うこと。また、願ったことがら。「友人の―をきく」❷頼りにすること。あてにすること。「君一人が―だ」

―の綱《句》頼りにしてすがる人や物を綱にたとえていうことば。

たのみ-こ・む【頼み込む】《他五》〔聞き入れてくれるように〕一心に頼む。「知人に―・んで手に入れる」

たの・む【頼む】《他五》❶してほしいと相手に願う。うまくとりはからうように願う。「金を貸してくれと―・む」「事後の処理を―・む」❷力として頼りにする。あてにする。「多勢を―・んで敵に当たる」「自らを―・む(=自負する)」【表記】②は「恃む」とも書く。❸《感動詞的に用いて》人を訪問したときにかけることば。ごめんください。〔古い言い方〕【文】《四》。⇩【類語と表現】

類語と表現

「頼む」

*伝言を頼む・代筆を頼む・コーヒーを頼む(=注文する)・加勢してくれと頼む・先輩に就職の斡旋(あっせん)を頼む・あとはよろしく頼む・頼むから静かにしてくれ・大黒柱と頼む人。

◆請う・仰ぐ・ことづける・預ける・委(ゆだ)ねる・託す・寄る・頼る・願う・願い出る・頼み込む・頼み入る・泣きつく・拝み倒す・取りすがる/(する)依頼・依願・出願・請願・嘆願・切願・訴願・哀願・哀訴・懇願・懇望・懇請・稟請(ひんせい・りんせい)/心頼み・力頼み・人頼み・神頼み・又頼み・空頼み

た-の-も【田(の)▽面】〔雅〕田の表面。

たのもう【頼もう】《感》他家を訪問した際に案内を請うことば。〔昔、武士などが使った〕

たのもし【頼▽母子】「頼母子講(たのもしこう)」の略。

―こう【―講】たがいに掛け金を出し、一定期日にくじなどで順をきめ、その金を融通しあう団体。無尽(むじん)。

たのもし・い【頼もしい】《形》頼りになりそうだ。期待が持てて心強い。「―・い助っ人」【文】たのも・し《シク》。

たば【束】 ■一《名》〔細長いものを〕ひとまとめにしてくくったもの。「まきを―にする」「―になって(=大勢がいっしょになって)かかって来い」■二《助数》たばねたものを数える語。「花を二―買う」【参考】↓束(そく)。

だ-は【打破】《名・他サ》〔文〕❶相手を打ち破ること。打ち負かすこと。「敵を―する」【類語】撃破。❷〔悪習や障害を〕すっかりなくすこと。「因習を―する」

だ-ば【駄馬】❶荷を運ばせるための馬。荷馬。❷血統のよくない馬。下等な馬。【類語】駑馬(どば)。

た-ばい【多売】《名・他サ》商品をたくさん売ること。「薄利―」

た-ばか・る【▽謀る】《他五》(「た」は接頭語)計略を用いてだます。たぶらかす。

たばこ【▽煙▽草・×莨】❶ナス科の一年草。原産地は南米。葉は大きく、楕円(だえん)形で、ニコチンを含む。❷たばこ①の葉をかわかして作ったもの。火をつけてその煙を吸う。「―にする(=小休止する)」▽(ポルトガル)tabaco

た-ばさ・む【手挟む】《他五》手にはさんで持つ。わきにはさむ。「矢を―・む」「両刀を―・む」

た-ばし・る【た走る・×迸る】《自四》(「た」は接頭語)〔古〕勢いよく走り飛ぶ。ほとばしる。「―・る雨」

た-はた【田畑・田×畠】田と、はたけ。田畑(でんばた)。

た-はつ【多発】❶《名・自サ》数多く発生すること。しばしば起こること。頻発(ひんぱつ)。「交通事故―地点」❷〔飛行機などが〕発動機を二個以上持っていること。【参考】「一枚(いちまい)…」「一面(いちめん)…」と数える。

たばね-がみ【束ね髪】後ろでかんたんに束ねた女性の髪型。【類語】束髪(そくはつ)。

たば・ねる【束ねる】《他下一》❶〔細長いものを〕ひとまとめにしてくくる。束にする。「髪の毛を―・ねる」❷〔ある集団・組織などを〕まとめて取りしまる。「軍団を―・ねる」=束(つか)ねる。【文】たば・ぬ《下二》。

***たび【度】** ■一《名》❶くり返される物事の、それぞれの一回一回。時。おり。「この―は…」❷〈―に〉…(を)するごとに。…(を)する時ごとに。「外出の―に」「やる―にうまくなる」■二《助数》度数・回数を数える語。「三(み)―当選する」

***たび【旅】**《名・自サ》自宅をはなれて、泊まりがけで一時〔遠い〕よその土地へ行くこと。また、その道中。⇩【類語と表現】

―の恥は搔(か)き捨て《句》旅先では知人もないから、平素は恥ずかしいような行いも平気でできるものだ。

―は道連れ世は情け《句》旅をするときは道連れのあるほうが心強いように、世の中をわたって行くのには、互いに人情を持って助け合うことが大切だ。

類語と表現

「旅」

*旅に出る・世界一周の旅をする・旅から戻る・三泊四日の旅/旅は憂いもの辛いもの・かわいい子には旅をさせよ。

◆長旅・初旅・一人旅・船旅・羈旅(きりょ)・股旅(またたび)・旅行・一泊旅行・修学旅行・卒業旅行・研修旅行・大名旅行・団体旅行・海外旅行・観光旅行・パック旅行・新婚旅行・蜜月(みつげつ)旅行・ハネムーン/周遊・歴遊・西遊・漫遊・外遊・遊歴・洋行・行脚(あんぎゃ)・長途・巡行・行幸・御幸(みゆき)・膝栗毛(ひざくりげ)・ツアー・赤ゲット・南船北馬/旅立ち・旅支度・旅心・旅衣・旅歩き・旅の空・旅路・旅寝・旅枕・旅日記・旅稼ぎ・旅回り・旅興行・旅人・旅烏(たびがらす)・旅商人(あきんど)・旅芸人・旅役者/旅情・旅愁/冥土(めいど)の旅・帰らぬ旅・死出の旅

***たび【〈足袋〉】**足の形に合わせ、指先を二つに分けて袋形に作った、布製のはきもの。かかとの所をこはぜでと

めてはく。和服をきたときの防寒用・礼装用。

だび【×荼×毘・×茶×毘】〔仏〕火葬。「—に付す」

タピオカ キャッサバ(＝ブラジル原産の多年生植物)の塊根からとったでんぷん。食用・のり用。▽オランダ tapioka

たび・かさな・る【度重なる】《自五》〔またかと思うほど〕何回も続く。何回も起こる。「—る失敗」

たび・がらす【旅×烏】きまったすまいがなく、旅から旅へとわたり歩いて暮らす人。類語 旅人(たびにん)。

たび・げいにん【旅芸人】いなかをまわってかせぐ芸人。旅回りの芸人。類語 旅役者。

たび・こうぎょう【旅興行】〔本拠とする土地をはなれ〕地方を回って行う興行。

たび・ごころ【旅心】❶旅をしているときに感じる〔しみじみとした〕気持ち。旅情。類語 旅愁。❷旅をしたいと思う心。「—がわく」

たび・さき【旅先】旅行の目的地。また、そこへ行く途中。旅行先。類語 旅の空。旅路。出先。

たび・じ【旅路】(ぢ) ❶旅の道すじ。道中。また、旅の途中。❷旅。「—につく」

たび・じたく【旅支度・旅仕度】❶旅行に出る準備。❷旅行の服装。旅装。類語 旅ごしらえ。

たび・しょ【旅所】→おたびしょ。

たび・だ・つ【旅立つ】《自五》❶旅に出かける。〔遠くへ〕出発する。「米国へ—つ」❷亡くなる。死ぬ。

たび・たび【度度】《副》同じことが何回もくり返されるようす。しばしば。いくども。「—訪問する」類語 再三。頻々(ひんぴん)。

たび・どり【旅鳥】渡りの途中でその地方を定期的におとずれる鳥。日本では、シギ・チドリなど。

たび・な・れる【旅慣れる】《自下一》旅をすることになれている。「—れた人」

たび・にっき【旅日記】旅行中の日記。

たび・にん【旅人】〔侠客(きょうかく)・やくざ・やしなど〕旅から旅へと各地をわたり歩いて生活する者。注意「たびびと」と読むと意味が異なる。類語 旅がらす。

たび・ね【旅寝】《名・自サ》旅先で宿り、寝ること。旅の宿り。旅枕(たびまくら)。類語 草枕。

たび・の・そら【旅の空】《連語》❶旅先。旅行中。「—で故郷を思う」❷家を離れた定めない境遇。

たび・はだし【〈足袋〉×跣】はきものをはかずに足袋のままで地面を歩くこと。

たび・びと【旅人】旅をしている人。旅の人。〔古風な言い方〕注意「たびにん」と読むと意味が異なる。

たび・まくら【旅×枕】〔文〕→旅寝。

たび・まわり【旅回り】(—まはり)〔商人や芸人が、その商売のために〕旅をしてあちこち歩き回ること。「—の役者」

たび・やくしゃ【旅役者】各地を回ってしばいをして歩く役者。どさ回りの役者。類語 旅芸人。

たび・やつれ【旅×窶れ】《名・自サ》旅の疲れでやつれること。旅やせ。

た・びょう【多病】《名・形動》よく病気をすること。病気がちなこと。「才子—」

ダビング《名・他サ》❶録音・録画したものを別のテープなどに再録すること。❷放送・映画で、せりふ・音楽・効果音などを一本に編集すること。▽dubbing

タフ《形動》たくましく、疲れを知らないようす。「—なネゴシエーター(＝手ごわい交渉相手)」▽tough **—ガイ** 精力のあふれた男。強い男。▽tough guy

***タブ** ❶衣服のそで口などにつける飾り布。また、帽子の耳覆い。❷つまみ。また、つけ札。「プルー式の缶づめ」❸ワープロなどで、あらかじめ設定した位置にカーソルを移動するキー。タビュレーター。▽tab

***タブ** 浴槽。ふろおけ。「バスー」▽tub

だ・ふ【×懦夫】〔文〕おくびょうな男。いくじなし。

タブー ❶原始社会で、神聖または不浄とみなした、事物・場所・行為・ことばなどにふれることを禁じたもの。禁忌(きんき)。❷〔ある社会・場などで〕言ったり行ったりしてはならない・こと(もの)。「彼の前でその話は—だ」参考 もとはポリネシア語。▽taboo

た・ぶさ【×髻】日本髪やちょんまげで、髪の毛を頭の上で集めてたばねた所。もとどり。

タフタ つやのある薄地の絹織物。横方向にうねがある。リボン・婦人服・ネクタイなどに用いる。▽taffeta

だぶ・だぶ《副・自サ》《副詞は「—と」の形も》❶《形動》衣服が大きすぎてからだに合わないようす。ぶかぶか。「—の洋服」❷《形動》からだがしまりなく太っているようす。ぶよぶよ。「—にふくらんだ腹」❸〔容器に〕たくさんはいった液体がゆれ動くようす。

だぶ・つ・く《自五》❶〔衣服が大きすぎたり、太って肉がつきすぎたりして〕張っているべきものがたるむ。ぶかぶかする。ぶよぶよする。「—いた頬(ほお)の肉」❷入れ物の中にいっぱいはいった液体がゆれ動く。❸品物・金銭などが多くありすぎて余る。「暖冬で冬物が—く」

タフネス 〔体や精神が〕強くてねばりづよいこと。疲れを知らないこと。▽toughness

だふ・や【だふ屋】〔俗〕乗車券や入場券を買いしめて、客に高く売りつける・人(商売)。参考「だふ」は「札(ふだ)」を逆さ読みした隠語。

たぶらか・す【×誑かす】《他五》心を迷わせてだます。いつわりあざむく。「女に—される」文《四》

ダブリュー【W】〔俗〕女性。また、女性的な要素。対 M。▽woman の頭文字から。**—エッチ・オー**【WHO】⇩巻末付録。**—シー**【WC】便所。▽water closet の略。

***ダブル** ❶二重。二倍。「—ベッド(＝二人用の寝台)」❷「ダブル幅」のこと。❸「ダブルブレスト」の略。洋服で、前が深く重なり、二列のボタンになっている上着やオーバー。❹ウイスキーを飲むときの量の単位。ウイスキーグラス二杯分。約六〇ミリリットル。対 ①〜④シングル。▽double **—スタンダード** 対象によって適用の仕方が異なる基準。二重基準。二重標準。▽double standard **—スチール** 野球で、重盗。▽double steal **—はば**【—幅】〔毛織りの〕服地の幅で、シングル幅の二倍のもの。約一・四二メートル。ダブル。対 シングル幅。**—パンチ** ❶ボクシングで、一方の手で連続的に打つこと。❷一度に二つの痛手を受けること。▽double と punch からの和製語。**—ブッキング** 飛行機・ホテルなどで、予約を二重に受け付けること。▽double-booking **—プレー** 野球で、重殺。併殺。ゲッツー。▽double play **—ヘッダー** 野球で、同じ日に連続二回試合をすること。▽doubleheader

***ダブ・る**《自五》《double を動詞化した語》〔俗〕❶二重になる。重複する。かさなる。「A校とB校の試験日が—る」❷同じ学年を二度くりかえす。落第する。❸野球で、併殺する。ダブルプレーをする。

ダブルス テニス・卓球などで、双方が二人一組で行う試

た

合。「混合—」対シングルス。▽doubles

タブレット ❶錠剤。❷単線鉄道で、駅長が機関士に渡す次の駅までの区間の通行票。通票。参考列車運行の安全を確保するためのもの。▽tablet

タブロイド〔新聞・雑誌などで〕ふつうの新聞一面の二分の一の大きさの型。▽tabloid

タブロー ❶〔板・カンバスに描かれた〕絵。絵画。額画。❷絵画で、習作の後に描かれる、画家の着想が盛りこまれている決定的な作品。▽フランス tableau

***た-ぶん【他聞】**〔文〕〔話の内容を〕関係のない他人に聞かれること。「この件は—をはばかる」類語人聞き。

***た-ぶん【多分】** ■一《名》❶数・量・額などの多いこと。たくさん。「—の小遣いをもらう」類語過分。❷〈—に〉かなり多く。相当。「—に皮肉を含んだことば」■二《副》《後に推定の語をともなって》おそらく。たいてい。「あの人は—来ないだろう」「—あしたは雨だろう」類語もしや。どうやら。まず。まずまず。まあ。蓋し。まさに。

だ-ぶん【駄文】 ❶へたな、くだらない文章。❷自分の文章をけんそんして言う語。類語①②拙文。

たべ-か・ける【食べ掛ける】《他下一》食べはじめる。また、途中まで食べている。

たべ-かす【食べ×滓】 食べかけて残した物。〔魚や肉の骨、果物の皮など〕食べた物の残骸。

たべ-ごろ【食べ×頃】 その食物の、食べていちばんおいしい時期。食べるのにちょうどいい時分。

たべず-ぎらい【食べず嫌い】《名・形動》❶食べてもみないで、きらうこと。❷したこともないのに、きらってためそうとしないこと。同①②食わず嫌い。

タペストリー 絹・綿・毛などの色糸で模様・風景などを織り出した織物。壁かけなど装飾的なものに使われる。タピストリー。タピスリー。▽tapestry

たべ-つ・ける【食べ付ける】《他下一》ふだんよく食べている。食べなれている。

たべ-もの【食べ物】 食用にするものの総称。食べるもの。食物。尊敬上がり物。召し上がり物。

た・べる【食べる】《他下一》《古語「賜ぶ」の転》❶物をかみ、飲み込んで胃に入れる。〔「食う」「食らう」よりていねいな言い方〕尊敬上がる。召し上がる。召す。謙譲頂く。頂戴する。丁寧頂く。❷生活する。「この給料では—・べられない」文た・ぶ《下二》。⇩〔類語と表現〕

類語と表現 「食べる」

*パンを食べる・弁当を食べる・夕飯を食べる・野菜を生で食べる・一口食べてみる／筆一本で食べていく・金利で食べていく。

◆[かんで飲み込む]食う・食らう・食する・認める・喫する・食む・口にする・つつく・摘む・ほおばる・ぱくつく・かき込む・流し込む・がっつく・平らげる・舌鼓を打つ／(食する)食事・飲食・喫食・喫飯・美食・悪食・満腹・節食・粗食・飲み食い・暴飲暴食・牛[鯨]飲馬食／小食・大食・健啖・一宿一飯

◆オノマトペ もりもり・がつがつ・ぱくぱく・むしゃむしゃ・がぶり・ぱくり・ぺろり

◆[生活する]食う・暮らす・やってゆく・食いつなぐ・糊口をしのぐ・口を糊する

だべ・る《他五》《「駄弁」を動詞化した語》〔俗〕とりとめのないことをしゃべる。むだ話をする。

た-べん【多弁・多×辯】《名・形動》口かずが多いこと。よくしゃべること。「酔って—になる」類語饒舌。多言。長広舌。雄弁。

だ-べん【駄弁・駄×辯】 くだらないおしゃべり。むだ話。「—を弄する」類語むだ口。冗弁。冗語。

たぼ【×髱】 ❶日本髪で、後ろに張り出した部分。たぼがみ。つと。❷若い女性の俗称。女。

だ-ほ【×拿捕】《名・他サ》〔敵国や外国の船舶を〕とらえること。取り押さえ。捕獲。

た-ほう【他方】 ■一《名》ほかの方向・方面。〔二つのもの の〕もう一方。ほかのもの。■二《副》ほかの面からみると。一方。「乱暴だが、—やさしいところもある」

***た-ぼう【多忙】**《名・形動》する事が多くて、非常にいそがしいこと。「—にまぎれて送金がおくれた」「—な毎日を送る」類語繁忙。多事。多端。多用。

***た-ぼう【多望】**《名・形動》将来りっぱになる望みが多いこと。将来性があること。有望。「前途—」

だ-ぼう【打棒】 野球のバット。また、バットでたまをうつこと。打撃。「—がさえる」

たほう-とう【多宝塔】 釈迦・多宝如来を安置する塔。二階建てで、下が方形、上が円形。

た-ほうめん【多方面】《名・形動》いろいろの方面。多くの分野。「—にわたる活躍」

だ-ぼく【打撲】《名・他サ》〔からだを物に強く〕うちつけること。〔からだを強く〕なぐること。「—傷」

だぼ-はぜ【だぼ×鯊】 ハゼ科の淡水魚。体長約一〇センチ前後。内湾の河口近くにすむ。ちちぶ。参考食用にならないハゼの総称とされることもある。

だ-ぼら【駄▽法×螺】 くだらない大げさなうそ。いいかげんな大きな話。「—を吹く」類語大ぶろしき。

だ-ほん【駄本】 何の価値もないつまらない本。役に立たない、くだらない本。類語凡書。

***たま【玉・▽珠・球】** ❶(まるい形の)美しい宝石や真珠。「—をちりばめる」「掌中の—(=最も大事にしているもの)」❷美しいもの。また、価値の高いもの。「—のような男の子」「—の肌」❸球形のもの。また、それに似た形のもの。「目の—」㋐〔野球・卓球・玉つきなどの〕ボール。㋑銃砲の弾丸。「—をこめる」表記㋑は多く「弾」と書く。㋒電球。「切れた—」表記㋐㋒は多く「球」と書く。㋓眼鏡・写真機などのレンズ。㋔そろばんの、計算するときに動かすもの。「—をおく」㋕うどんなどの、ひとかたまり。㋖たまご。参考→おたま。㋗きんたま。㋘丸太を輪切りにした、一切れ。「—切り」❹芸者など客商売の女。また、美しい女。❺〔俗〕人をのしっていう語。「すんなり金を返すような—ではない」❻人をだます手段。策略の種。「女を—にしてゆする」表記③〜⑥は「珠」とは書かない。⇩〔使い分け〕

—に瑕 《句》惜しいことにわずかだけ欠点があること。〔それさえなければすべて申し分ないのだが、という時に使う〕「あの人はせっかちなのが—だ」

—磨かざれば光なし 《句》すぐれた才能があっても努力して学ばなければりっぱな人になれないことのたとえ。「玉琢かざれば器をなさず」とも。

—を転が・す 《句》(女性の)美しく高い声の形容。

使い分け 「たま」

玉(▽珠)〔まるいもの一般〕シャボン玉・こんにゃく玉・パチンコの玉・そろばんの玉(珠)・数珠玉(珠)・火の

玉・目の玉・掌中の玉(珠)・玉の汗
球〔かたくしまって丸い物〕球が速い・球を突く・球遊び・電気の球・決め球
弾〔鉄砲のたま〕鉄砲の弾・弾が尽きる・流れ弾
参考「珠」は真珠の意から、そろいになった同一形状の丸い物や宝石の意に。また、「弾」は「弾丸」とも書く(熟字訓)。

*たま【霊・▽魂】〔文〕死者のたましい。類語 魂魄(こんぱく)。

*たま【▽偶】《副》〈「―に」「―の」の形で〉ある物事の起こる回数がごく少ないようす。まれであるようす。「―に出かける」「―の休日」

だま 小麦粉を水などでといたときに、なめらかにとけずにできるかたまり。

たま-いし【玉石】川の流れや海の波でけずられてまるくなった石。石がきや庭のかざりに用いる。

たま-いと【玉糸】玉まゆ(=二匹のカイコがいっしょに作った大形のまゆ)からとった、節(ふし)の多い太い絹糸。節糸(ふしいと)。

たま・う【▽賜う・▽給う】 一《他五》「与える」「授ける」の尊敬語。お与えになる。くださる。〔おもに文語体の文章に用いられ、口語ではあまり用いられない〕「金一封を―・う」文《四》。 二《補動》《動詞の連用形について》❶目上の人の動作に対する敬意を表す。お…になる。…なさる。…あそばす。〔おもに文語体の文章に用いられ、口語ではふつう用いられない〕「恵みを垂れ―・う」「金子(きんす)を下し―・う」❷《命令形を用いて》男性が同輩または同輩以下の人に対して、軽くやわらかい調子で命令する意を表す。〔口語でふつうに用いられる〕「行き―・え」「読み―・え」参考 連体形・終止形の「たまう」は、発音する際には「タモー」と発音されることも多い。文《四》。

たま-おくり【霊送り・▽魂送り】《名・自サ》盂蘭盆(うらぼん)の最後の日に死者の霊をあの世へ送り返すこと。精霊(しょうりょう)送り。対 たまむかえ。

たま-がき【玉垣】《「玉」は美称》神社のまわりにめぐらした垣。神垣(かみがき)。瑞垣(みずがき)。

だまか・す【×騙かす】《他五》〔俗〕だます。だまくらかす。「子どもを―・す」

たま-きわる【▽魂▽極る】《枕》「いのち」「世」「うつつ」「うち」にかかる。

たま-ぐし【玉×串】《「玉」は美称》❶切りとったサカキの小枝に木綿(ゆう)または白い紙をつけたもの。儀式などのとき神前にささげる。❷「さかき」の美称。

玉串

た-まくら【手×枕】〔文〕腕をまくらにする(してうたたねする)こと。てまくら。

だまくら-か・す【×騙くらかす】《他五》〔俗〕だます。あざむく。

たま・げる【▽魂▽消る】《自下一》《魂が消える意》〔俗〕非常におどろく。びっくりする。肝(きも)をつぶす。

たまご【卵】《「玉子」の意》❶鳥・魚・虫などが産み、こども・ひながかえってくるもの。からや膜などでつつまれている。多くは円形または楕円(だえん)形。❷特に、ニワトリの卵。鶏卵(けいらん)。表記 卵②を使った料理には「玉子」とも当てる。類語 鳥の子。❸まだ一人前になっていない・こと(人・もの)。「医者の―」

たまご-いろ【卵色】❶ニワトリの卵のからの色。白茶色。❷ニワトリの卵のきみの色。うす黄色。

たまご-がた【卵形】……

たまご-ざけ【卵酒・玉子酒】鶏卵に砂糖を入れてかきまぜ、日本酒に加えて煮たてた飲み物。からだがあたたまるので風邪をひいたときなどに飲む。

たまご-とじ【卵×綴(じ)・玉子×綴(じ)】―とぢ といた鶏卵を煮たった汁物に入れ、汁の具をやわらかくとじこむようにした料理。

たまご-どんぶり【卵×丼・玉子×丼】甘辛いだし汁で煮たネギ・ミツバなどを卵とじにして、どんぶりに盛ったご飯の上にのせた料理。たまごどん。たまどん。

たまご-やき【卵焼(き)・玉子焼(き)】鶏卵をといて、調味料で味をつけて焼いた料理。

たま-さか【▽偶さか】《副》❶思いがけず・出あう(起こる)ようす。偶然(ぐうぜん)。「―起きた事件」❷そうなる場合・機会がめったにないようす。ひどくまれなようす。たまに。「―訪れる人がいる」

たま-ざん【玉算・▽珠算】そろばんを使ってする計算。珠算(しゅざん)。

たましい【魂】たましひ ❶人間の体内に宿り、精神の働きをつかさどると考えられるもの。昔から肉体とは別に存在すると考えられてきた。類語 霊魂(れいこん)。亡魂(ぼうこん)。亡霊。怨霊(おんりょう)。尊敬 御霊(みたま)。❷〈物事をしようとする〉気力。精神。「―を入れ替える(=心を改める。性根(しょうね)をかえる)」類語 精魂。❸《職業・身分などを表す語につけて》そのものに特有の精神の構え方。気構え。参考「だましい」とにごる。「さむらい―」

だまし-うち【×騙し討ち】計略などを用い、相手を油断させておいて・おそう(ひどいめにあわす)こと。「―にあう」類語 不意討ち。

たま-じゃり【玉〈砂利〉】粒の大きいじゃり。

だま・す【×騙す】《他五》❶本当らしくみせかけて信じさせる。真実でないことを言って、信用させる。あざむく。❷〈だまらせるために〉なだめる。「ぐずっている子を―・す」文《四》。⇩〖類語と表現〗

類語と表現

「騙(だま)す」

*善人を騙す・人を騙して金を巻き上げる・甘い言葉に騙される・詐欺(さぎ)師にまんまと騙される・騙されやすい人。

◆騙かす・騙くらかす・騙し込む・騙(かた)る・偽る・欺(あざむ)く・ごまかす・まやかす・引っ掛ける・嵌(は)める・陥れる・乗せる・担ぐ・謀(はか)る・化かす・誑(たぶら)かす・誑(たら)す・誑し込む・ちょろまかす・作り上げる・でっち上げる・見せ掛ける・ぺてんにかける・一杯食わせる・芝居を打つ・寝首を掻(か)く/(する)欺瞞(ぎまん)・瞞着(まんちゃく)

たま-ずさ【玉▽章・玉×梓】―づさ 〔文〕手紙・書簡などの美称。ぎょくしょう。類語 雁書(がんしょ)。ふみ。

たま-たま【▽偶▽偶】《副》❶そうなる場合・機会が何度かあるようす。時たま。時おり。「―道で見かける人」❷そうなる場合・機会が偶然であるようす。ちょうどその時。思いがけず。偶然に。「―そこを通った」

たま-つき【玉突き】❶らしゃを張った長方形の台上で、数個の玉を棒(キュー)で突いて勝負をきそう遊び。撞球(どうきゅう)。ビリヤード。❷追突された自動車が、そのはずみで前の車に次々と追突すること。「―事故」

たま-てばこ【玉手箱】❶伝説で、カメを助けたお礼に浦島太郎が竜宮城の乙姫からもらった箱。❷めったに人に見せられない物を入れる箱。

たま-な【玉菜・球菜】❶「キャベツ」の別称。❷「はぼたん」の別称。

たま-ねぎ【玉×葱】ユリ科の多年草。地下の鱗茎は球形で、強いにおいがある。食用。

たま-の-あせ【玉の汗】《連語》大粒の汗。

たま-の-お【玉の緒】❶玉を通したひも。❷〔雅〕〔「魂の緒」の意で〕いのち。**―の**《枕》「長し」「短し」「絶ゆ」「継ぐ」などにかかる。

たま-の-こし【玉の×輿】《連語》〔「玉」は美称〕〔身分の高い人の乗る〕美しく、りっぱなこし。**―に乗る**《句》女性が結婚することによって、急に富貴の身分になる。富貴の身分の人と結婚する。

たま-のり【玉乗り・球乗り】球の上にのって足でその球をころがしながら曲芸をする・こと(人)。

たま-のれん【▽珠▽暖×簾】玉をいくつも糸に通して作ったのれん。

たま-ははき【玉×帚】❶正月の初子の日、蚕室のそうじに使ったほうき。❷心配・悩みなどを払いのけるもの。特に、酒。「酒は憂いの―」＝たまばはき。

たま-ぶさ【玉▽総】先を玉のように、まるくしたふさ。

たま-まつり【霊祭(り)・▽魂祭(り)】❶死者の霊をまつること。❷七月(または八月)一三日から一六日まで祖先の霊を家に迎えてまつる年中行事。盂蘭盆。精霊祭。お盆。

たま-むかえ【霊迎え・▽魂迎え】《名・自サ》盂蘭盆の最初の日に死者の霊をあの世から迎える・こと(儀式)。精霊迎え。対 たまおくり。

たま-むし【玉虫】❶タマムシ科のこん虫。はねは緑色の地に一対の金赤色のたてじまがあり、光沢があって非常に美しい。❷「玉虫色」の略。**―いろ**【―色】光線のあたりぐあいで紫色や緑色に見える染め色・織り色。玉虫。参考 ひゆ的に、どうにでも解釈できる意にも使う。「―の政治的妥結」「―の表現」

***たま-も**【玉藻】「藻」の美称。

たま-もく【玉目】渦巻状の細かく美しい木目。クス・ケヤキなどの材に見られる。

たま-もの【▽賜物】❶〔神や高貴の人から〕いただいたもの。「子は神の―だ」❷ある行為・ものに対してあらわれたよい結果。「信心の―」「努力の―」類語 成果。

たま-や【霊屋】❶葬送の前に、しばらく死体を安置しておく所。❷霊魂をまつってある堂。霊廟。

たま-ゆら【玉▽響】《副》〔雅〕しばらくの間。少しの間。瞬間。「―の命」「―の幸せ」

たまら-な-い【▽堪らない】《連語》❶保たれない。すぐにだめになる。「この泥道では靴が―・い」❷がまんできない。やりきれない。忍びない。居た堪れない。「自由のない生活は―・い」類語 やる瀬ない。❸〈「…て―・い」「―・く…」の形で〉がまんができないほど…である。…でがまんができない。「つらくて―・い」「―・く嬉しい」❹この上なくよい。「こう都合よくことが運ぶとは―・いね」類語 こたえられない。参考 →たまる(堪る)。

たまり【×溜り】❶人がたむろしている所。たまり場。❷人が集まって控えている所。特に、相撲の土俵下で、審判委員・行司・力士などが控えている所。❸味噌からしたたった液。❹「たまりじょうゆ」の略。

たまり-か・ねる【▽堪り兼ねる】《自下一》〔たかぶった気持ちなどを〕それ以上おさえきれなくなる。がまんできなくなる。「―・ねてどなりつける」

だまり-こく・る【黙りこくる】《自五》いつまでもものを言わないでいる。おし黙る。「不機嫌に―・る」

だまり-こ・む【黙り込む】《自五》すっかり黙ってしまう。一言も、ものを言わなくなる。

たまり-じょうゆ【×溜り×醤油】ダイズと麹だけで作る濃厚なしょうゆ。

たまり-ば【×溜り場】ある仲間がいつも群れ集まっている所。たまり。「仲間の―」

たまり-みず【×溜り水】〔雨水など〕一か所にたまって流れ出ない水。

***たま・る**【▽堪る】《自五》《「溜まる」と同語源》《打ち消し・反語をともなう》がまんできる。たえられる。「―・らず泣き出す」「お前などにわかって―・るか」参考 →たまらない。文《四》。

***たま・る**【×溜る】《自五》《「堪る」と同語源》❶少しずつ集まりつもる。「ごみが―・る」❷多くなる。ふえる。「金が―・る」❸かたづかずとどこおる。「仕事が―・る」「宿泊料が―・る」文《四》。

だま・る【黙る】《自五》❶ものを言う、または泣くのをやめる。沈黙する。黙する。「泣く子も―・る」類語 黙り込む。黙りこくる。口を噤む。(る)黙秘。❷反論・忠告などを何も言わない。何もはたらきかけない。「文句を言われて―・って引きさがる」文《四》。

たまわり-もの【賜り物】いただいた品物。

たまわ・る【賜〈わ〉る】《他五》❶〔高貴な人から〕ものをもらう。いただく。ちょうだいする。「朝廷から―・った恩賞の品」❷〔高貴な人が〕ものを与える。くださる。「領地を―・る」文《四》。

たみ【民】❶国家・社会を構成する人々。国民。人民。〔古風なことば〕❷特に、君主の支配をうけている人々。臣民。類語 民草。蒼生。蒼氓。

ダミー ❶洋服店で衣服を着せて飾っておく人形。❷映画のトリック撮影で、人の代わりに使う人形。かえ玉。❸衝突・落下などの実験に使う人体模型。❹同一企業であるが、便宜上別名にしてある会社。「―商社」❺射撃で、標的用の人形。▽dummy

たみ-くさ【民草】〔文〕人民。あおひとぐさ。民草。参考 人民を繁茂する青草にたとえたことば。

だみ-ごえ【▽濁声・×訛声】❶にごった、耳ざわりな声。❷発音になまりのある声。

だ-みん【惰眠】なまけて眠っていること。「―を貪る」(＝なまけて眠ってばかりいる。だらしなく日を送る)

ダム 発電・水利などのため、川にせきを作って水をためる施設。堰堤。▽dam **―サイト** ダムをつくるための敷地。ダム用地。▽damsite

た-むけ【手向け】❶神仏や死者の霊に物をささげること。また、その物。「位牌に心ばかりの―をする」❷別れて行く人におくるもの。はなむけ。類語 回向。

た-む・ける【手向ける】《他下一》❶神仏や死者の霊に物をささげる。「墓に花を―・ける」類語 供える。❷別れる人に餞別をおくる。はなむけをする。「別れのことばを―・ける」

た-むし【田虫】頑癬〔湿疹性白癬〕の俗称。糸状菌の寄生によって起こる皮膚病。赤い輪のようなはんてんができて、非常にかゆい。股間・肛門のまわりなどに多く起こる。いんきんたむし。

たむろ【▽屯】〔文〕兵士が集まる所。屯所(とんしょ)。

たむろ・する【▽屯する】《自サ変》〔兵士・仲間などが〕一か所にむれ集まる。「不良が—・する」

***ため【×溜(め)】** 水・物・糞尿(ふんにょう)などをためておく所。特に、こえだめ。

***ため【▽為】** ㊀《名》利益・得になること。教訓などが得られて役に立つこと。「—になる話」「本人の—になる仕事」㊁《形名》❶《動詞の連体形、または体言＋助詞「の」「が」を受け、多く下に「に」を伴い》その事が次に述べる事の目的であることを表す。…という目的で。「食う—に働く」「人民の—の政治」❷《体言＋助詞「の」「が」を受け、多く下に「に」を伴い》そのものの立場から見て次に述べる関係であることを表す。…にとって。「私の—にも義理の娘だ」❸《体言＋助詞「の」「が」、または用言の連体形を受け、多く下に「に」を伴い》その事が次に述べる事の原因・理由であることを表す。…によって。…のせいで。〔連体形に続く形は、接続助的に働く〕「雪の—に電車が遅れた」
—に・する《句》物事を自分に都合のよいようにはからおうとする下心があってそれを行う。「—・する非難」

***ため** 〔俗〕同じ。同等。同い年。また、同等に張り合うこと。「—口」「—を張る」

だ・め【駄目】 ❶碁で、両方の境目にあって、どちらのものにもならない目。「—を押す(＝念を押す。駄目押しをする)」❷《名・形動》するかいのないこと。無益。むだ。「どんなに努力しても—だ」［類語］無効。詮ない。空しい。❸《名・形動》悪い状態にあること。役にたたないこと。劣っていること。「このままでは自分が—になる」❹《名・形動》できないこと。不可能。「あの方との結婚は—です」❺演出者が演技者に対して出す演技上の注意。❻《名・形動》してはいけないこと。「たばこをすっては—だ」
—おし【—押し】《名・他サ》〔囲碁で駄目①に石を置いてつめることから〕❶さらに確実にするために念をおすこと。「必ず持って来るように—した」❷試合などで、ほとんど勝負がきまっているのにさらに得点を加えること。「—の一点を入れる」
—を出・す《句》❶演出家が演技者に対して演技上の注意を与える。❷悪い所を指摘して直させる。

ため・いき【×溜(め)息】 心配・失望したり感心したりして出る、大きな息。「—をつく」［類語］長大息。

ため・いけ【×溜(め)池】 灌漑(かんがい)や消火に用いる水をためておく池。［類語］用水池。

ダメージ 損害。被害。痛手。▽damage

ため・おけ【×溜(め)×桶】 ❶〔人糞(じんぷん)などの〕肥料を入れておいたり運んだりする、おけ。肥桶(こえおけ)・肥担桶(こえたご)。❷雨水をためておく、おけ。

ため・こ・む【×溜め込む】《他五》〔金銭を〕熱心に集めてたくわえる。さかんにためる。［類語］(る)(す)蓄積。

***ためし【▽例】** それより以前に実際にあった事がら。先例。例(れい)。「ほめられた—がない」［類語］実例。

***ためし【試し・▽験し】** ためすこと。こころみ。「—に気球に乗ってみたい」

ためし・ぎり【試し切り・試し×斬り】 刃物の切れ味をみるために実際に物・人を切ってみること。

ためし・ざん【試し算】 計算の結果があっているかどうかを調べるための計算。検算(けんざん)。

ため・す【試す・▽験す】《他五》〔真偽・良否・力などを調べるため〕実際にやってみる。実験してみる。こころみる。「模擬試験で実力を—・す」［文］《四》。

ためつ・すがめつ【矯めつ×眇めつ】《連語》いろいろな方向からよく見るようす。「作品を—ながめる」［類語］とみこうみ。

ため・に【▽為に】《接続》〔文〕〔前にのべたことをうけて〕それが原因で。そのために。それゆえ。

ため・ぬり【×溜(め)塗り】 うるしぬりの一種。下地に朱などをぬり、木炭でみがいた後、透き漆(すきうるし)・梨子地漆(なしじうるし)で仕上げる。もと皇室の乗り物に用いられた。

ためら・う【×躊×躇う】《他五》あることをしようかどうか、迷ってぐずぐずする。ちゅうちょする。「返事を—・う」「出発を—・う」［文］《四》。

***た・める【×溜める】**《他下一》❶一か所に集めてとっておく。集め、たくわえる。「目に涙を—・める」［表記］「貯める」とも書く。❷片づけないでおく。とどこおらせる。「借金を—・める」［文］た・む《下二》。

***た・める【矯める】**《他下一》❶〔よい形にするために〕曲げる。また、曲がっているものをまっすぐになおす。「松の枝を—・める」「角を—・めて牛を殺す」❷悪い性質・くせなどを改める。矯正する。［文］た・む《下二》。

***た・めん【他面】** ❶物・物事のある方面以外の面。ほかの面。「—から考察する」❷他の立場からみると。一方。〔副詞的に用いる〕「やさしいが、—きびしい」

***た・めん【多面】** ❶多くの平面。❷いろいろの方面。「—にわたる活躍」「—的」
—たい【—体】四つ以上の平面でかこまれた立体。四面体・六面体など。

だ・も《係助》文語《副助詞「だに」に係助詞「も」がついた「だにも」が変化したもの》さえも。

たも・あみ【×攩網】 魚をすくう小形の網。木・竹・針金などのわくに網をはったもの。たまあみ。たも。

た・もう【多毛】 からだに毛が多いこと。毛ぶかいこと。

たもう・さく【多毛作】 同じ田畑で一年に三回以上の作付け・収穫を行うこと。［参考］↓一毛作・二毛作。

た・もくてき【多目的】 一つのものがいくつもの目的を持つこと。「—ダム」「—ホール」

たも・つ【保つ】 ㊀《自五》ある状態がそのまま続く。もつ。「あれでは三日と—・つまい」［文］《四》。㊁《他五》❶ある状態をそのまま続ける。「温度を二〇度に—・つ」「一定の距離を—・つ」❷ささえまもる。維持する。「体面を—・つ」［文］《四》。

た・もと【×袂】《「手本(たもと)」の意》❶和服の袖(そで)付けから下の袋のような部分。また、和服の袖。「長い—」「—を絞る(＝ひどく泣き悲しむ形容)」❷ふもと。「山の—」❸すぐそば。きわ。「橋の—」
—を分か・つ《句》人と別れる。また、交わりを絶つ。

たもと・くそ【×袂×糞】 たもと①の底にたまるごみ。

だ・もの【駄物】〔俗〕価値のないもの。くだらないもの。

たも・る【▽賜る・▽給る】《他四》《「たまわる」の変化した「たまうる」がさらに変化した語。動詞＋助詞「て」について補助動詞として使われる》〔古〕…てくださる。〔ふつう女性が使うていねい語で、敬意はあまり含まれない〕「そなたの意見をきかせて—・れ」［参考］(ア)命令形は「たもれ」。(イ)「…てください」の意の「たもれ」は現在も雅言・方言として残っている。

たもん・てん【多聞天】↓毘沙門(びしゃもん)。

たや・す【絶やす】《他五》❶すっかりなくしてしまう。絶つ。「蚊を—・す」［類語］ほろぼす。❷なくなったままにする。きらす。「米だけは—・さない」［文］《四》。

た・やす・い《形》(「た」は接頭語)いとも簡単である。やさしい。容易だ。「言うのは—・い」「そんなことは—・くできる」表記「容易い」と当てる。

たゆう【大夫・太夫】❶もと、五位(の位の人)の通称。たいふ。表記「大夫」と書く。❷上級の芸人。また、格式の高い芸人。❸最上位の遊女。❹歌舞伎(かぶき)の女形。**—もと**【—元】演芸の興行主。

たゆた・う(たゆたふ)《自五》❶ゆらゆらと動いて定まらない。ただよう。「波に—・う小舟」❷決心がつかない。ためらう。「—・う心」文《四》。

たゆ・む【×弛む】《自五》(多く打ち消しの語をともなう)心がゆるむ。だらける。なまける。たわむ。「どんな困難にも—・まない心の強さ」類語 倦(う)む。文《四》。

***た・よう**【他用】〔文〕❶ほかのつかいみち。「—を禁ずる」❷ほかの用事。

***た・よう**【多用】用事が多いこと。「御—中お手数をかけてすみません」類語 多忙。多事。

***た・よう**【多様】《形動》いろいろあるようす。変化にとんでいるようす。さまざま。「多種—」対 一様。

た・よく【多欲・多×慾】《名・形動》〔文〕欲が多いこと。類語 大欲。対 少欲。

***たより**【便り】❶《名・自サ》〔手紙などで〕知らせること。また、手紙。「—がない」❷便利。〔古風なことば〕「交通の—がよい」

***たより**【頼り】❶いざというとき力になってくれる・こと(人・物)。たのみとする・こと(人・物)。「つえを—に歩く」❷縁。てづる。つて。「—を求めて就職する」

たより・な・い【頼り無い】《形》❶たよる・もの(人)がない。「—・い身」類語 よるべない。❷あてにならなくて心細い。「—・い返事」

たよ・る【頼る】一《自五》力をかしてもらえるものとして身をよせる。たのみにしてすがる。「親の財力に—・る」類語 寄り掛かる。もたれる。負ぶさる。頼(たの)む。当てにする。(るす)依頼。依存。文《四》。二《他五》縁を求める。てづるとする。「親戚(しんせき)を—・る」文《四》。

***たら**【×楤】→たらのき。

***たら**【×鱈】タラ科の魚。北海道以北の深い海にすむ。口が大きい。肉・卵を食用にするほか、肝臓(かんぞう)から肝油をとる。まだら。参考 →すけとうだら。

***たら**《助動》(過去の助動詞「た」の仮定形。また、それが助詞化したもの)→た(助動)・たら(終助)。

***たら** 一《副助》(副助詞「ったら」の転)→ったら一。「高円寺女史**たら**いう女にぞっこんらしい」二《係助》(係助詞「ったら」の転)→ったら二。「お父さん**たら**冗談ばっかり」三《終助》(完了の助動詞「た」の仮定形「たら」が、「…たらどうか」「…たらいい」を経て、終助詞化したもの)親しい間柄での穏やかな命令を表す。ては。〔時に、じれったい気持ちがこもる〕「試してみ**たら**」「この辺でおよしになっ**たら**」参考 →た(助動)⑪⑫。

ダラー →ドル。▽dollar

たらい【×盥】(たらひ)湯や水を入れて洗濯などをするまるく平たい容器。

たらい・まわし【×盥回し】(たらひまはし)❶足などでたらいを回す曲芸。❷《名・他サ》一つの物事を次々に送り渡すこと。「政権の—」「患者を—にする」

ダライ・ラマ チベットの、ラマ教の生き仏の尊称。▽Dalai Lama

だら・かん【だら幹】〔俗〕〔「堕落した幹部」の意で〕労働組合などで、仕事のできない、だめな幹部。

だ・らく【堕落】《名・自サ》❶〔仏〕仏道を修行する気持ちを失って俗悪な道におちいること。❷品行が悪くなり生活が乱れること。身をもちくずすこと。「—した生活」❸主義・節操を失うこと。「政治の—」

だらけ《接尾》(名詞について)「…にまみれている」「…がいっぱいある」などの意。「血—」「泥—」「いい事—」

だら・ける《自下一》❶〔気持ちや態度に〕しまりがなくなる。だらしなくなる。「—・けた服装」❷てきぱきと動かず、なまける。対①②しまる。

たら・こ【×鱈子】❶タラの腹子(はらこ)。❷スケトウダラの卵巣を塩づけにした食べ物。紅葉子(もみじこ)。

だらし(「しだら」の転)〈「—のない」「—がない」などの形で〉〔気持ち・態度などに〕しまりがない。けじめがはっきりしない。「—のない生活」

たらし・い《接尾》(名詞や形容動詞の語幹につけて形容詞をつくる)「…の感じがする」の意を表す。〔いやな感じのする場合に使う〕「自慢—・い」「みじめっ—・い」文 たら・し《シク》。

たらし・こ・む【×誑し込む】《他五》〔俗〕〔いろいろな手段を使って〕人をすっかりだます。うまくだます。「世間しらずの男を—・む」類語 たらす。

だらし・な・い【だらし無い】《形》(「しだらない」の転)〔気持ち・態度などに〕秩序がない。しまりがない。「着物を—・く着る」「酒に酔って—・く寝込む」

***たら・す**【垂らす】《他五》❶〔細長い物を〕たれるようにする。ぶらさげる。「腰にひもを—・す」❷液体をしたたらせる。「水洟(みずばな)を—・す」表記 ②は「滴らす」とも書く。文《四》。

***たら・す**【×誑す】《他五》〔俗〕❶ことばたくみにうまく誘惑する。うまく言いくるめてだます。「女を—・す」類語 たらしこむ。❷〔子供などを〕すかしなだめる。文《四》。

たら・ず【足らず】《接尾》(数詞に付いて)その数値に満たない意を表す。「百日—の間」「一坪—の小部屋」

たら・たら《副》(「—と」の形も)❶しずくがとぎれないで伝わり落ちるようす。「汗が—流れる」類語 ぽたぽた。❷〔聞いて不愉快なことを〕長々と言うようす。参考 ②は接尾語的にも使う。「不平—」「お世辞—」

だら・だら《副》(副詞は「—と」の形も)❶《自サ・形動》なだらかな傾斜が続くようす。「—した坂」❷液体がとぎれず流れ伝わるようす。「血が—流れる」❸《自サ・形動》物事がしまりなく長く続くようす。「—した祝辞」

たらち・ね【垂乳根】❶〔乳をたらす女の意で〕母親。❷両親。❸父親。**—の**《枕》「母」「親」にかかる。

タラップ 船や飛行機に乗り降りするのに使うはしご段。▽(オランダ) trap

だらに【×陀羅尼】真言密教の梵文(ぼんぶん)で、翻訳せずにとなえると神秘的な力を発揮するとされる文句。呪(じゅ)。参考 梵語 dhārani の音訳。

たら・の・き【×楤の木】ウコギ科の落葉小高木。幹・葉軸にとげがある。若芽は食用。樹皮は干して薬にする。たら。

たらば・がに【×鱈場×蟹】タラバガニ科の甲殻類。甲が大きい。北海道以北の海にすみ、肉は食用。

たら・ふく【×鱈腹】《副》(「—に」の形も)〔俗〕十二分に食べるようす。腹いっぱい。「すしを—食う」

だらり 一《副》(「—と」の形も)力なく(しまりなく)たれさがっているようす。「両手を—と下げる」二《名》両端を長く下げる、女の帯の結び方。多く祇園の舞妓が結ぶ。だらり結び。「ー(の)帯」

タランテラ イタリア南部のタラント地方から起こったといわれる急速度の舞踏曲。▽イタリア tarantella

***たり**【▽人】《助数》(二み・四よなどの数につけて)人数を数える語。

***たり**《助動：タリ型》**文語** ❶断定(指定)の意を表す。…である。「兄**たり**難く、弟**たり**難し」 ❷(連体形「たる」の形で)ある物事を強調して提示する。「わが悲しみ**たる**やかくも深き」 接続 体言につく。

***たり**《助動：ラ変型》**文語** ❶完了を表す。また、実現を表す。「赤土道に手をつき**たれ**ば、羽織の袂も泥になりて〈一葉〉」 ❷(現実の意に、相手への要求の意が加わって)さしせまった要求や勧誘を表す。「さあ、どい**たり**、どい**たり**」 ❸継続を表す。また、結果の存続を表す。…てある。…ている。「紅葉の形のうるはしきが我が足近く散りぼひ**たる**、〈一葉〉」 ❹状態または性質を表す。…てある。…ている。「さしも堅固の塔なれど虚空に高く聳え**たれ**ば〈露伴〉」

***たり**《並助》《完了の文語助動詞「たり」が助詞化したもの。ガ行イ音便、撥音便の場合は「だり」となる》❶〔主に「…たり…たりする」の形で〕並行・継起する同類の動作・状態を並べあげる。〔多く、同類のものが他にあることを言外に暗示する〕「泣い**たり**わめい**たり**する」「海は荒れ**たり**穏やかだっ**たり**する」 参考 「降っ**たり**やん**だり**の天気」などの言い方もある。 注意 「飲ん**だり**食べ**たり**歌って大騒ぎした」のように、最後の「たり」を省略する言い方も行われるが、避けたい。「歌っ**たり**して…」としたい。 ❷〔「…たりする」の形で、副助詞的に使う〕一例として一つの動作・状態をあげ、同類の他のものを暗示する。「思い出し笑いし**たり**して、いやだね」

だり《並助》➡たり(並助)。

ダリア キク科の多年生草本。品種が多い。ふつう塊根でふえる。初夏から秋にかけてあざやかな大輪の花を開く。てんじくぼたん。ダリヤ。▽オランダ dahlia

タリウム 金属元素の一つ。鉛ににた白色で軟らかい金属。元素記号 Tl。▽ドイツ Thallium

た・りき【他力】❶他人の力。他人の助力。❷仏の力。特に、阿弥陀如来の力。 対 ①②自力。

ーほんがん【ー本願】❶阿弥陀如来の立てた願いの力にすがって極楽浄土に成仏すること。❷〔俗〕自分では努力しないで、もっぱら他人の援助をあてにすること。

た・りつ【他律】自分の意志によってではなく、他からの支配・命令などによって行動すること。 対 自律。

だ・りつ【打率】野球で、打数に対する安打数の比率。安打率。 参考 割・分・厘で表す。

たり・な・い【足りない】《連語》➡足りる④。

たり・ほ【垂り穂】〔文〕稲・アワなどの、よくみのってたれ下がっている穂。

た・りゅう【他流】〔武術・芸事などで〕自分が属するもの以外の流儀・流派。他の流儀・流派。「ー試合」

た・りょう【多量】《名・形動》量が多いこと。「出血ー」 類語 大量。 対 少量。

***だ・りょく**【惰力】惰性による力。

***だ・りょく**【打力】❶打つ力。❷野球で、打撃の力。

た・りる【足りる】《自上一》《四段動詞「足る」から転じた語》❶〔数量・力などが〕不足しない状態である。十分である。「千円あれば**ー・りる**」「努力が**ー・りない**」❷不満な点がなく、間にあう。「スコップさえあれば用は**ー・りる**」❸〈「…するにたりる」の形で〉…するだけの価値がある。「信頼するに**ー・りる**人物」「あやしむに**ー・りない**(=あやしむほどのことはない)」❹〈「ー・りない」の形で〉頭の働きがわるい。欠点がある。＝足る。

***たる**【×樽】酒・みそ・しょうゆなどを入れる、ふたのある木製の容器。「つけ物のー」

***た・る**【足る】《自五》〔文〕足りる。「尊敬するに**ー・る**人物」 文《四》。

ダル《形動》❶にぶいようす。怠惰なようす。❷退屈で、おもしろくないようす。「ーな生活」▽dull

だる・い【▽怠い・×懈い】《形》〔発熱や疲れなどで〕からだに力がなく動かすのがつらい感じである。 類語 ものうい。かったるい。 文 だる・し《ク》。

たる・がき【×樽×柿】渋柿をたるに詰め、酒・しょうちゅうなどをふりかけて密閉し、渋を抜いて甘くしたもの。 類語 あわせがき。さわしがき。

タルカン ➡かっせき。▽talcum

たる・き【垂木・×棰】屋根板を支えるために、むねから軒にわたす角材。

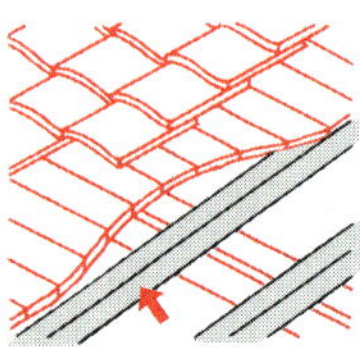

垂 木

タルク ➡かっせき。▽talc

タルタル・ソース マヨネーズに細かく刻んだ、タマネギ・ピクルス・パセリなどを入れ、からしを加えたソース。▽tartar sauce

タルト パイ生地に果物などをつめて焼いた菓子。▽フランス tarte

だるま【▽達磨】❶インドの僧で、中国の禅宗の始祖。大乗禅をとなえ、中国にわたって九年間座禅の修行をした。達磨大師。 参考 梵語 Bodhidharma (=菩薩達磨)の音訳から。❷達磨大師の座像をかたどった人形。商売繁盛・開運出世の縁起物。❸だるま②の形に似た、まるい物を言う語。「火ー」「ーストーブ」

たる・む【×弛む】《自五》❶ぴんと張っていたものがゆるむ。「目の皮が**ー・む**(=眠くなる)」❷〔気持ちに〕しまりがなくなる。だれる。 文《四》。

たれ【垂れ】━《名》❶たれ下がること。たれ下がっているもの。❷魚や肉のやき物につける、しょうゆ・みりんなどをまぜて煮つめた汁。また、鍋物・しゃぶしゃぶなどの味をつけた汁。「ごまー」❸漢字を構成する一部分の名称。がんだれ(厂)・まだれ(广)・やまいだれ(疒)など。❺よろいや剣道の防具で、腰のまわりを防護するために胴の下につけるもの。━《接尾》《あほ・ばか・はな・小便・くそなどの下につけて》人をののしる意を表す。「くそっー」

だれ【×誰】《代名》《不定称の人代名詞》❶名を知らない人、正体のわからない人をさす語。「ーがこの絵をかいたのか」 尊敬 どなた(様)。どちら様。❷〈「ーか」の形で〉任意の人・不定の人をさす語。「ーか助けて」「ーかが言うだろう」 参考 ➡だれも。 類語 ①②何者。

だれ・かれ【×誰彼】《代名》《不定称の人代名詞》名前を示さずに特定の人をさしていう語。あの人やこの人。誰彼。「ーなしに(=だれという区別なしに)」

だれ・ぎみ【だれ気味】《名・形動》❶だれかけていること。❷相場が下がる傾向であること。

たれ-こ・む【垂れ込む】《他五》〔俗〕警察などへひそかに情報を提供する。密告する。

たれ-こ・める【垂れ×籠める】《自下一》❶〔文〕とばりやすだれをおろしてその中にとじこもる。❷〔雲・霧などが〕低く一面にひろがる。「暗雲が―・める」

だれ-それ【×誰▽某】《代名》《不定称の人代名詞》特にだれと名を言わずに、ある人をばくぜんとさす語。ある人。「―の話によると…」

だれ-だれ【×誰×誰】《代名》《不定称の人代名詞》ふたり以上の不特定の人をさす語。だれとだれ。

たれ-ながし【垂れ流し】❶大小便を無意識のうちに排出してしまうこと。❷工場の汚水などを処理しないまま流すこと。

だれ-ひとり【×誰〈一人〉】《連語》《下に打ち消しの語を伴って》だれも。ひとりも。〔「だれも」を強めた言い方〕「―賛成する者はない」

たれ-まく【垂(れ)幕】〔上げ下げできるように〕垂れ下げた幕。

たれ-め【垂れ目】目じりの下がった目。

だれ-も【×誰も】《連語》《多く下に打ち消しの語を伴って》どんな人も。すべての人が。「―答えない」参考 肯定のときは、ふつう「誰でも」を使う。

た・れる【垂れる】㊀《自下一》❶〔重みで〕下の方へだらりと下がる。「幕が―・れる」「まぶたが―・れる(=眠くなる)」❷〔液体が〕しずくになって流れ落ちる。したたる。「よだれが―・れる」表記 ②は「滴れる」とも書く。㊁《他下一》❶下の方へだらりと下げる。「釣り糸を―・れる」❷しずくを流す。したたらせる。たらす。「涙を―・れる」❸大小便や屁(へ)をする。表記 ②は「滴れる」とも書く。❹上の者から下の者に与える。また、示す。「恵みを―・れる」「範を―・れる」❺のちのちまで続かせる。「名を竹帛(ちくはく)に―・れる(=名を後世に残す)」文 た・る《下二》。表記 ③は「放れる」とも書く。

だ・れる《自下一》❶〔あきたり疲れたりして〕気持ちにしまりがなくなる。だらける。「授業が―・れる」❷相場に活気がなくなり下落ぎみになる。

タレント ❶才能。また、才能のある人。❷俳優・歌手・司会者など、ラジオ・テレビの芸能番組に出演する人。▽talent

タロ-いも【タロ芋】サトイモ科の多年生植物。熱帯地方で塊茎(かいけい)などを食用とする。参考「タロ」はポリネシア語 taro から。

***た-ろう**【太郎】❶長男。また、長男につける名。❷最もすぐれたもの。また、第一のもの。「坂東―(=利根(とね)川の異称)」「―月(づき)(=一年の最初の月、一月)」

***たろ-う** ―たら《連語》《過去の助動詞「た」の未然形＋推量の助動詞「う」》❶過去の事柄、完了した事柄についての推量・疑いを表す。「いつそのことを知っ―」❷〔多く上昇調のイントネーションを伴って〕過去の事柄、完了した事柄について、相手に同意・承知を求める意を表す。「お父さんもまだ小さかっ―、怖かったよ」

だろ-う ―だら《連語》《断定の助動詞「だ」の未然形＋推量の助動詞「う」》❶話し手の推量を表す。「彼ならきっと合格できる―」「多分、優勝は山田君―」❷〔多く上昇調のイントネーションを伴って〕相手に意向を尋ねる意を表す。「君ももう帰る―」❸ある事態を提示し、想起させるのに使う。「家の中が荒れ放題―、てっきり泥棒だと思ったよ」❹〔疑問詞、または疑問の助詞とともに使って〕反語を表す。「だれがそんなことを言う―(か)」「こんなばかな話がある―か」接続 体言(に準ずる語)、および動詞・形容詞・助動詞(「(よ)う」「まい」「だ」を除く)の終止形につく。形容動詞・助動詞「そうだ」「ようだ」の語幹につく。参考 →だ・でしょう。

タワー 塔。「東京―」▽tower

たわい【他▽愛】〈「―がない」「―もない」などの形で〉❶思慮分別がなくおさない。とりとめがない。「―もない話をする」❷手ごたえ・はりあいがない。「―もなく負けた」❸正体がない。「酔って―もなく眠る」表記「他愛」は当て字。―な・い《形》→たわい。

たわけ【▽戯け・▽白▽痴】(たはけ) ❶たわけること。ふざけた言動。「―を尽くす」❷おろか者。ばか者。

たわ・ける【▽戯ける】(たはける)《自下一》〔ばかげたことやみだらなことをして〕ふざける。たわむれる。「―・けたことを言うな」文 たは・く《下二》。

たわ-ごと【▽戯言】―たは たわけたことば。ばかばかしいことば。とりとめのない話。類語 妄語(もうご)。

たわし【▽束子】(たはし) わらやシュロの毛などを束ねて作った物。器などをこすり洗う道具。

たわ・む【×撓む】《自五》〔棒や枝のような物が弾力をもって〕弓形にまがる。しなう。文《四》。

たわむれ【戯れ】(たはむれ) ❶たわむれること。ふざけること。じょうだん。「―の恋」❷遊戯。=たわぶれ。

たわむ・れる【戯れる】(たはむれる)《自下一》❶こっけいなことをする。ふざける。じょうだんを言う。❷〔子どもや動物が〕おもしろそうに動きまわって遊ぶ。遊び興じる。「子犬と―・れる」❸〔男女が〕みだらなことをする。いちゃつく。「酔って女に―・れる」文 たはむ・る《下二》。

たわ・める【×撓める】《他下一》〔弾力のある棒・枝などを〕弓形にまげる。しなわせる。文 たわ・む《下二》。

たわら【俵】(たはら) 米・いも・炭などを入れるため、わらなどをあんで作った大きな袋。

たわわ【×撓わ】《形動》〔果実などがたくさんついて〕枝が重さでしなうようす。「オレンジが―に実る」類語 かます。

***たん**【炭】《接尾》「石炭」「木炭」などの意。「無煙―」

***たん**【×譚】《接尾》「…ばなし」「…談」の意。「冒険―」

***たん**【反・▽段】《助数》❶尺貫法による、田畑・山林などの土地の広さの単位。一反は一町の一〇分の一で三〇〇坪。約九九一・七平方メートル。❷反物の長さの単位。一反はくじら尺で二丈八尺(約一〇・六メートル)の長さ。表記 もとは「段」と書いた。参考 幅は九寸(約三四センチ)で、一反でふつう成人ひとり分の着物が作れる。❸昔の距離の単位。一反は六間。約一〇・九メートル。

***たん**【丹】㊀《名》赤。赤色。丹(に)。㊁《接尾》丸薬・練り薬の名の下につける語。「万金―」

***たん**【単】㊀《名》テニス・卓球などの、シングルス。対 複(ふく)。㊁《接頭》「一つの」の意。「―子葉」「―細胞」

***たん**【嘆・×歎】〔文〕❶なげくこと。「髀肉(ひにく)の―」❷ひどく感心すること。

***たん**【×痰】気管から出るねばねばした分泌物。

***たん**【短】㊀《名》〔文〕❶短いこと。「長―二本の棒」❷劣っている点。短所。欠点。対 ①②長。㊁《接頭》「短い」の意。「―期間」「―距離」対 長。

***たん**【端】〔物事の起こる〕いとぐち。はじめ。「―を発する(=あることがきっかけになって物事がはじまる)」

***たん**【胆】〔文〕❶肝臓(かんぞう)。また、胆嚢(たんのう)。きも。❷胆力。度胸。きもったま。「―が据(す)わる(=勇気があっ

て物事に恐れたり驚いたりしなくなる」

—斗の如し《句》〔肝が一斗ますほども大きい意から〕非常に大胆なことのたとえ。〈三国志・姜維伝注〉

***タン** 料理で、牛などの舌の肉。「牛—」▽tongue

***だん【弾】**《接尾》「たま」「弾丸」の意。「不発—」

***だん【団】** ㊀《名》〔文〕大勢の仲間。団体。㊁《接尾》〔ある目的を持って組織された〕大勢の人の集まりであることを表す。「海洋少年—」

***だん【壇】** ❶土を高く盛って作った祭りや儀式を行う場所。❷下にいる人からよく見えるように一段高く作った場所。「—の上で演説をする」

***だん【断】** ❶きっぱりと決めて行うこと。決行。「—あるのみ」❷はっきりと決めること。決断。「—を下す」

***だん【暖】** あたたかみ。「—を取る(=あたたまる)」

***だん【段】** ㊀《名》❶階段。また、それに形が似ている・こと(もの)。「—をのぼる」「—になった畑」❷上下にくぎったものの一つ一つ。「上の—に本を置く」❸内容のまとまりで分けた、文章の一くぎり。段落。❹武道・囲碁・将棋などで、わざの優劣の程度に応じてつける等級。「—を与えられた」❺浄瑠璃・歌舞伎などの作品で、大きく分けた場面の一つ。場。「三勝半七酒屋の—」㊁《形名》❶こと。次第。点。〔先にのべたことをうける〕「御無礼の—お許しください」❷〔はなはだしい〕程度。「おいしいのおいしくないのという—じゃない」❸進行している物事の、ある段階・局面。事態。場合。「事を始める—になると…」㊂《助数》段㊀、または、いくつかの段階に分かれているものの数を数える語。「百—の石段」「柔道二—」

***だん【男】** ❶〔文〕おとこ。男性。〔性別を区別するときなどに使う〕❷〔文〕むすこ。対①②女。❸「男爵」の略。「公・侯・伯・子・—」

***だん【談】** ㊀《名》〔文〕話。談話。「—たまたま政治に及ぶ」㊁《接尾》「…の話」「…した話」の意。「首相—」

だん・あつ【弾圧】《名・他サ》〔社会的な活動を〕権力でおさえつけること。「言論の—」類語圧迫。抑圧。

だん・あん【断案】 ❶その案を最後として決定すること。また、その案。❷〔論〕〔前提から導いた〕結論。

***たん・い【単位】** ❶長さ・広さ・重さ・量などをはかるときの基準になるもの。❷ある組織を組みたてる基本的なひとまとまり。「—組合」「グループ—で行動する」❸高等学校や大学で、一定の学習量。「必修の—を落とす」

***だん・い【暖衣・×煖衣】**〔文〕あたたかい衣服。また、それを着てからだをあたたかくすること。「—飽食」

***だん・い【段位】**〔技量の程度を〕段で表した位。参考囲碁・将棋・武道などで使う。

たん・いつ【単一】《名・形動》❶それ一つだけであること。ひとりだけであること。「—の行動をとる」類語単独。❷そのものだけで他のものがまじっていないこと。「—生産」❸複雑でないこと。「—機械」

だん・いん【団員】 その団体に属している人。団体を構成している人。

だん・う【弾雨】 雨が降るように激しくとんでくる弾丸。「硝煙—」

だん・うん【断雲】〔文〕ちぎったように浮かんでいる雲。ちぎれ雲。類語片雲。

***たん・おん【単音】** ❶音声学で、音声を構成する、それ以上分析できない音の単位。❷ハーモニカで、リードが一列ならんでいるもの。対複音。

***たん・おん【短音】** 短くひびく音節。短い母音をふくむ音節。対長音。

たん・おんかい【短音階】 洋楽の音階の一つ。第二・三音間が半音である音階。ラシドレミファソの階名をもつ音階。対長音階。

***たん・か【丹花】**〔文〕赤い花。「—の唇(=美人の赤い唇の形容)」

***たん・か【×啖×呵】**〔相手をやっつける〕歯切れのよい鋭いことば。「—を切る(=鋭く歯切れのよいことばで述べたてたり、ののしったりする)」

***たん・か【単価】** 商品の一個〔一単位〕あたりの価格。参考伝票などに書くときは@で表す。

***たん・か【単科】** 大学で、学部が一つだけであること。**—だいがく【—大学】** ただ一つの学部から成っている大学。工業大学・商科大学・医科大学・薬科大学など。カレッジ。対総合大学。

***たん・か【担架】** 死者や傷病者をねかせてのせ、前後をもって運ぶ道具。類語ストレッチャー。

***たん・か【炭化】**《名・自サ》有機物が分解して炭素だけが残ること。**—カルシウム** 生石灰と炭素で作る固体の物質。水と激しく反応してアセチレンガスを発生する。カーバイド。炭化石灰。

***たん・か【短歌】** 和歌の形式の一つ。五・七・五・七・七の三一音から成る。対長歌。

***たん・か【×譚歌】** ❶神話・伝説・物語などを材料にした叙事詩。❷物語風に作詞した歌曲。バラード。

だん・か【×檀家】 ある寺に所属し、布施によって寺の経費を助け、仏事をその寺にたのんでいる家・信徒。檀越。檀家。

タンカー 石油を運送する船。油送船。▽tanker

***だん・かい【団塊】**〔文〕かたまり。「—の世代(=昭和二〇年代前半のベビーブームの時に生まれた世代)」

***だん・かい【段階】** ❶身分・能力などによって分けた区切り。等級。❷進むに従って変化する物事の過程を区切ったときの、ある一定の状態。「準備の—」

***だん・がい【弾劾】**《名・他サ》罪科・不正などを調べ、責任を追及すること。「時の政府を—する」類語糾弾。問責。**—さいばんしょ【—裁判所】** 罷免の訴追をうけた裁判官を裁判する裁判所。衆参両議院の議員各七人で構成される。

***だん・がい【断×崖】** ほとんど垂直にきりたった高いがけ。きりぎし。懸崖。「—絶壁」

たん・がら【炭殻】 石炭の燃えがら。石炭がら。

ダンガリー デニムに似てやや薄地の綾織り綿布。▽dungaree

たん・かん【短観】 日本銀行が行う「企業短期経済観測調査」の略称。

たん・がん【単眼】 昆虫類・クモ類にみられる簡単な構造の小さい目。対複眼。

***たん・がん【単願】** 受験で、一つの学校・学科のみを志願すること。対併願。

***たん・がん【嘆願・×歎願】**《名・他サ》〔事情をくわしく述べて〕心からたのむこと。「—書」「助命を—する」

だん・かん【断簡】〔文〕きれぎれになった文書・手紙。「—零墨」類語断編。

だん・がん【弾丸】 ❶銃砲につめて発射する、たま。❷小鳥などをとらえる、はじき弓のたま。❸非常に速く進むもののたとえ。「—列車」「—道路」

—黒子の地《句》〔弾丸やほくろのような土地の意か

ら）非常に狭い土地のたとえ。

*たん‐き【単機】ただ一機の飛行機。

*たん‐き【単記】《名・他サ》一枚の紙に・一人（一つの事）だけを記すこと。「―投票」対連記。

*たん‐き【単騎】ただ一騎であること。馬に乗ってただひとりで行くこと。

*たん‐き【短期】短い期間。「―貸付け」対長期。―だいがく【―大学】修業年限が二年または三年の大学。短大。

*たん‐き【短気】《名・形動》根気がなく、すぐいらだったり怒ったりすること。気みじか。「―を起こす」「―な人」類語せっかち。性急。短慮。

―は損気《句》短気を起こすと結局は失敗して損をするということ。

だん‐き【暖気】あたたかい気候。あたたかみ。

だん‐ぎ【談義・談議】《名・他サ》❶話し合うこと。相談すること。談合。〔古風な言い方〕❷僧が仏教の教義を説明してきかせること。また、その話。説教。説法。表記❷はもっぱら「談義」と書く。❸道理などを説明してきかせること。また、その話。「音楽―」

*たん‐きゅう【探求】《名・他サ》〔ある物を得ようと〕さがし求めること。「真実を―する」類語追求。探索。⇩〔使い分け〕

*たん‐きゅう【探究】《名・他サ》物事の真の姿をさぐり明らかにしようとすること。「真理の―」類語考究。研究。追究。⇩〔使い分け〕

使い分け「タンキュウ」

探究〔物事の真の姿をさぐり、見きわめようとする〕真理の探究・美の探究・真実の歴史を探究する

探求〔さがし求める〕平和の探求・真実の探求・事故原因の探求・人生の意義を探求する

参考「探究」は研究・考究に、「探求」は追求・探索に類する。意味は近似し、「人生の探究／探求」などではほぼ同義で併用されるが、前者は考究、後者は追求の意を含む。

だん‐きゅう【段丘】地盤の隆起や水面の降下などによって、河岸・湖岸・海岸にできた階段状の地形。

たん‐きょり【短距離】❶短い距離。❷陸上・水泳競技で、短い距離を競う種目。

*だん‐きん【断琴】〔文〕琴の弦を断ち切ること。

―の交（まじ）わり《句》非常に友情に厚い、親密なまじわり。故事琴の名人の伯牙（はくが）は、自分のひく琴の音をよく解した鍾子期（しょうしき）を唯一の友とし、彼が死んだとき、琴の弦を断って二度と琴をひかなかったということから。〈呂氏春秋・本味〉

*だん‐きん【断金】〔文〕〈「―の交（まじ）わり」「―の契（ちぎ）り」〉〔金属をも断ち切るほど〕固く強い友情で結ばれたつきあい。刎頸（ふんけい）の交わり。参考「二人心を同じくすれば、その利（と）きこと金をも断つ〈易経〉」より。

*たん‐く【短×軀】〔文〕背が低いこと（からだ）。ちび。対長軀。

*タンク❶水・油・ガスなどをたくわえておく大きな入れ物。❷戦車。▽tank ―ローリー ガソリンなどの液体を運ぶための鉄製タンクをそなえた貨物自動車。▽tank と lorry からの和製語。

ダンク‐シュート バスケットボールで、ジャンプしてたまをバスケットの上から叩き込むようにして入れるシュート。ダンクショット。▽dunking shoot から。

タングステン 金属元素の一つ。灰白色で非常にかたい。合金の原料や電球のフィラメントに使われる。元素記号W。▽tungsten ―こう【―鋼】タングステンを含む特殊鋼。鋼よりもかたく、強い。

たん‐ぐつ【短靴】足のくるぶしの下までしかない浅いくつ。短靴（たんか）。

ダンケ《感》ありがとう。▽ドイツ danke

*たん‐けい【短径】長円形の、短いほうのさしわたし。対長径。

*たん‐けい【短×檠】〔文〕たけの低い燭台（しょくだい）。また、それにともされたあかり。

*たん‐けい【端渓】中国広東（カントン）省、端渓地方から産出する上質のすずり石。また、それで作ったすずり。

たん‐げい【端×倪】〔文〕❶〔山頂（＝端）と水辺（＝倪）の意から〕物事の初めと終わり。❷《名・他サ》〈多く「―すべからず」の形で〉成り行きが推しはかれない。推測できない。「―すべからざる人物」

だん‐けい【男系】家系で、男の方の血統。父方の血統。対女系。

だん‐けつ【団結】《名・自サ》〔ある目的のために〕多くの者が一つにまとまること。「―をかためる」類語結束。結集。結託（けったく）。

*たん‐けん【探検・探険】《名・他サ》〔危険をおかして〕未知の地域を実地に調査すること。「月世界―」

*たん‐けん【短剣】❶短い剣。類語短刀。❷時計の短いほうの針。短針。対①②長剣。

*たん‐けん【短見】〔文〕目先の利害にとらわれた、あさはかな意見。浅見（せんけん）。類語浅慮。短慮。

*たん‐げん【単元】ある主題を中心にして展開される学習活動の一まとまり。

*たん‐げん【端厳】《形動》〔文〕姿や態度がきちんとしていて、威厳のあるようす。「―な姿」類語端正。

だん‐げん【断言】《名・他サ》きっぱりと言いきること。「合格するとは―できない」類語言明。明言。

たん‐こ【淡湖】淡水のみずうみ。淡水湖。対鹹湖（かんこ）。

*たんご【丹後】旧国名の一つ。今の京都府の北部。丹州（たんしゅう）。

*たん‐ご【単語】一定の意味をもち、文をくみたてる最小の単位となるもの。たとえば、「空が青い」という文は「空」「が」「青い」の三つの単語に分けられる。語。

*たん‐ご【端午】五節句の一つ。五月五日の男子の節句。ショウブを軒にさし、こいのぼりを立て、よろい・かぶと・刀剣などを飾って男児の成長を祈る。端午の節句。菖蒲（しょうぶ）の節句。重五（ちょうご）。端陽。参考現在はこの日を「こどもの日」としている。

*タンゴ アルゼンチンに起こった、四分の二拍子のダンス曲。また、それに合わせておどるダンス。旋律は非常に情熱的。アルゼンチンタンゴと、ヨーロッパ風に洗練されたコンチネンタルタンゴとがある。▽スペイン tango

だん‐こ【断固・断×乎】《副・形動タル》固い決意をもって、物事をするようす。断じて。きっぱり。「―断る」表記「断固」は代用字。類語断然。

だん‐ご【団子】❶米・麦・粟（あわ）などの粉をこねてまるめ、蒸したりゆでたりした食べもの。❷だんご①のようにまるめたもの。「肉を―にする」

*たん‐こう【単行】❶《名・自サ》単独で行うこと。ひと

りで行くこと。単独の旅行。❷一回だけ単独に行うこと。ただ一回行うこと。 ―ぼん【―本】〔雑誌・全集・叢書などに対して〕単独に出版する本。

*たん-こう【探鉱】鉱床・石炭層・石油層などをさがすこと。

*たん-こう【炭坑】石炭をほり出すためのあな。

*たん-こう【炭鉱・炭×礦】石炭を採掘している鉱山。石炭をほり出し処理する設備のある所。

*たん-こう【鍛鋼】きたえた鋼(はがね)。

*だん-こう【団交】「団体交渉」の略。

*だん-こう【断交】《名・自サ》交際を断つこと。特に、国交を断つこと。類語 絶交。

*だん-こう【断行】《名・他サ》〔危険や反対をおしきって〕思い切って行うこと。「改革を―する」「熟慮―」類語 決行。敢行。

*だん-こう【男工】男子工員。対 女工。

だん-ごう【談合】《名・他サ》❶話し合うこと。相談。❷競争入札の際、入札に加わる者があらかじめ入札価格や落札者を相談して決めておくこと。

たんこう-しょく【淡紅色】うすいべに色。うすくれないの色。退紅色。

*だん-ごく【断獄】罪を裁くこと。裁判をして罪状に判決を下すこと。断罪。

*だん-ごく【暖国】一年中、気候がおだやかで、暖かい国(地方)。類語 暖地。

たん-こぶ【たん×瘤】〔俗〕こぶ。「目の上の―(=自分が活動するときにじゃまになる目上の人)」

*だん-こん【弾×痕】弾丸のあたったあと。

*だん-こん【男根】男子の外部生殖器。陰茎。陽物。ペニス。

たん-さ【探査】《名・他サ》〔文〕ようすをさぐり調べること。「―機」

*たん-ざ【単座】〔乗り物で〕座席が一つであること。一人乗り。「―戦闘機」

*たん-ざ【端座・端×坐】《名・自サ》〔たたみの上などに〕姿勢を正してきちんとすわること。正座。

だん-さ【段差】❶碁(ご)や将棋(しょうぎ)などの勝負事で、段位の差。❷道路・地面などの高低の差。

ダンサー ❶ダンスホールで、客の相手になって踊る職業の女性。❷西洋舞踊の舞踊家。▽dancer

*たん-さい【淡彩】あっさりした、うすい色どり。「―画」対 濃彩。

*たん-さい【短才】〔文〕才能が足りない・こと(人)。〔自分の才能を謙遜(けんそん)していう〕類語 浅才。非才。

だん-さい【断裁】《名・他サ》断ち切ること。特に、製本所などで紙を断ち切ること。類語 裁断。

だん-ざい【断罪】❶《名・他サ》罪を裁くこと。罪状に判決を下すこと。断獄。「公害企業を―する」❷罰として首を切ること。また、その刑罰。打ち首。斬罪(ざんざい)。「―に処する」

たん-さいぼう【単細胞】❶からだが、ただ一つの細胞でできていること。❷〔俗〕考え方が単純な人。

*たん-さく【単作】同じ田畑に一種類の穀物を一年に一回だけ作ること。一毛作。

*たん-さく【探索】《名・他サ》〔ありかのわからないものを〕さがしもとめること。「行方不明者を―する」類語 捜索(そうさく)。探査。探求。

たん-ざく【短冊・短▽尺】❶字を書いたり物に結びつけたりする、細長い紙。たんじゃく。❷和歌・俳句・絵などを毛筆で書く、厚く細長い紙。たんじゃく。❸たんざく①のような形。「ニンジンを―に切る」

*たん-さん【単産】「産業別単一労働組合」の略。産業ごとに組織される労働組合。産業別組合。

*たん-さん【炭酸】炭酸ガスが水にとけてできる弱い酸。清涼飲料に使う。 ―ガス 炭素の完全燃焼・動物の呼吸などによって生じる、無色・無臭の気体。植物の同化作用に必要。二酸化炭素。無水炭酸。 ―カリウム 植物を焼いた灰の中に含まれる、カリウムの炭酸塩。医薬品・硬質ガラスの原料など。カリ。 ―カルシウム 天然に方解石・石灰石・大理石・貝殻などとして存在する、カルシウムの炭酸塩。セメント・製紙・顔料・歯みがき粉など、用途は広い。炭酸石灰。 ―すい【―水】炭酸ガスの水溶液。炭酸泉として天然にも存在する。薬・清涼飲料に用いる。平野水(ひらのすい)。 ―ソーダ ↓炭酸ナトリウム。 ―ナトリウム 白色の粉末で、水によく溶け、水溶液は強アルカリ性を示す。せっけんやガラスの原料。化学工業上重要。炭酸ソーダ。

*たん-し【単糸】精紡機が作り出した一本の糸。これを何本かより合わせて、より糸を作る。

*たん-し【短詩】短い形式の詩。対 長詩。

*たん-し【短資】短期貸付けの資金。コール。

*たん-し【端子】〔理〕ターミナル③。

*たん-し【×譚詩】↓バラード①。

*だん-し【弾指】❶《名・自サ》中指または人差し指のつま先で親指の腹を強くはじいて音を出すこと。つまはじき。❷〔仏〕非常に短い時間を表す単位。二十念を一瞬とし、二十瞬を一弾指とする。=弾指(たんじ・だんじ)。

*だん-し【男子】❶男の子。❷成人の男。男性。対 ①②女子。❸男らしくりっぱな男。「―一生の仕事」=男児(だんじ)。

だん-じ【男児】❶男の子。対 女児。❷成人の男。男性。❸りっぱな男。「日本―」=男子(だんし)。

タンジェント 三角関数の一つ。直角三角形において、垂線の底辺に対する比を底辺と斜辺のはさむ角で表すもの。正接。記号tan。▽tangent

たん-しき【単式】❶単純・簡単な方法・形式。❷「単式簿記」の略。対 ①②複式。 ―ぼき【―簿記】簿記の一つ。取引を借方・貸方の二面に記入する複式簿記に対して、一面にだけ記入する簿記。単に財産の増減だけを記入する。単式。対 複式簿記。

だん-じき【断食】《名・自サ》〔信仰や修行などのため〕一定の期間食物を食べないこと。類語 絶食。

だんじ-こ-む【談じ込む】《他五》〔強い態度で〕苦情・意見・要求を申し入れる。

たん-じじつ【短時日】短い日数。わずかな日数。「橋は―で完成した」

たん-しつ【炭質】木炭・石炭などの品質。

たん-じつ【短日】昼間の時間が夜間よりも短い日。 ―しょくぶつ【―植物】一日の日照時間が短くなると開花する植物。キク・コスモスなど。

たん-じつげつ【短日月】短い月日。わずかな月日。短期間。「―で仕上げる」

だんじ-て【断じて】《副》❶必ず。きっと。〔かたい決意を表す〕「―合格してみせる」❷《あとに打ち消しの語を伴って》決して。どうしても。〔「決して」よりも強い調子〕「彼は―あんな人ではない」類語 ①②絶対に。

*たん-しゃ【単車】オートバイ。

***たん-しゃ**【炭車】石炭を運ぶ車。

***だん-しゃく**【男爵】もと、爵位の第五位の称。

***だん-しゅ**【断種】《名・自サ》〔種を断つ意〕悪い遺伝をなくすために手術によって生殖能力を失わせること。

***だん-しゅ**【断酒】《名・自サ》酒を断つこと。禁酒。

たん-しゅう【反収・▽段収】一反あたりの収穫高。

***たん-じゅう**【短銃】拳銃。ピストル。

***たん-じゅう**【胆汁】肝臓で生成される苦い液。いったん胆嚢に集められ、十二指腸に分泌されて脂肪の消化を助ける。**—しつ**【—質】気質の型の一つ。冷静で忍耐力・意志が強い反面、冷酷で傲慢であるといわれる。

だん-しゅう【男囚】男の囚人。対女囚。

たん-しゅく【短縮】《名・他サ》〔本来の時間・距離などを〕へらして短くすること。「期間を—する」類語縮小。対延長。

たん-じゅん【単純】《名・形動》❶しくみや形がこみいっていないこと。❷他の種類がまじっていないこと。「—な色」対①②複雑。**—ご**【—語】構成上、それ以上小さな単位に分けることのできない単語。「犬」「川」「花」「山」の類。**—せん**【—泉】温泉の化学組成による分類の一つ。一キロの水にふくまれる各種の固形成分や遊離炭酸などが一グラム未満の温泉。単純温泉。**—へいきん-かぶか**【—平均株価】個々の銘柄の一株あたりの株価を合計し、銘柄数で割ったもの。単純平均。参考→ダウ式平均株価。

***たん-しょ**【短所】〔他と比べて〕劣っている点。欠点。類語欠陥。弱点。対長所。

***たん-しょ**【端緒】〔文〕物事が始まったり解決したりする手がかり。端緒。「解決の—を開く」類語発端。

だん-じょ【男女】おとこと、おんな。なんにょ。

***たん-しょう**【嘆賞・×歎賞・嘆称・×歎称】《名・他サ》〔事物に接して〕深く感心しほめたたえること。「人々の—の的となる」類語嘆美。感嘆。

***たん-しょう**【探勝】《名・他サ》〔文〕けしきのよい所に出かけ、それをながめ味わうこと。「紅葉—の旅」

***たん-しょう**【短小】《名・形動》短くて小さいこと。背が低いこと。類語矮小。対長大。

たん-じょう【誕生】❶《名・自サ》生まれること。出生。生誕。類語→生まれる。❷生まれて満一年目の日。「—をすぎてから丈夫になった」❸《名・自サ》新しく組織・制度などができること。「子会社が—した」**—せき**【—石】一二か月に関係づけて選び、その月に誕生した者が幸福の象徴として用いる宝石。

***だん-しょう**【断章】〔文〕詩や文章の一部分。

***だん-しょう**【男×妾】男めかけ。類語ジゴロ。つばめ。

***だん-しょう**【男×娼】男色をうる男。かげま。

***だん-しょう**【談笑】《名・他サ》ときには笑って、うちとけて話しあうこと。類語歓談。

たんしょう-とう【探照灯】→サーチライト。

たん-しょく【単色】❶一色だけで、他の色がまじっていないこと。❷〔理〕プリズムで太陽光線を分析したときの一つ一つの色。「—光」

***だん-しょく**【暖色】あたたかい感じを与える色。赤色・黄色・だいだい色など。対寒色。

***だん-しょく**【男色】男性が男性に情欲を感じること。男子の同性愛。なんしょく。

だん-じり【×檀×尻・▽楽▽車・▽山▽車】→だし（山車）。

たん-じる【嘆じる・×歎じる】《他上一》→たんずる。

***だん-じる**【談じる】《他上一》→だんずる（談ずる）。

***だん-じる**【弾じる】《他上一》→だんずる（弾ずる）。

***だん-じる**【断じる】《他上一》→だんずる（断ずる）。

***たん-しん**【丹心】〔文〕〔主君・国家などにつくす〕まごころ。「—をこめる」類語誠心。赤誠。誠意。赤心。

***たん-しん**【単身】ただひとり。ひとりみ。〔副詞的にも使う〕「—赴任」「—英国の友人を訪ねた」類語単独。

***たん-しん**【短信】❶短い手紙。❷新聞・雑誌などの、ごく短い記事。

***たん-しん**【短針】とけいの短いほうの針。時針。対長針。

***たん-しん**【誕×辰】〔文〕人の生まれた日。誕生日。

たん-じん【炭×塵】炭坑内の空気中に浮かぶこまかい石炭の粉。引火して爆発する危険がある。

たん-す【×簞×笥】引き出し・開き戸などのある箱状の木製家具。衣類などをしまうのに用いる。参考「一棹…」と数える。

ダンス 西洋式のおどり。特に、社交ダンス。「—パーティー」▽dance **—ホール** ダンスをするためのへや。また、有料の社交ダンス場。▽dance hall

***たん-すい**【淡水】塩分をふくまない（天然の）水。まみず。「—魚」対鹹水。

***たん-すい**【炭水】❶石炭と水。❷炭素と水素。**—かぶつ**【—化物】炭素・水素・酸素からなる化合物。おもに植物の体内で作られ、動物の主要な栄養素の一つ。参考もと含水炭素といった。**—しゃ**【—車】蒸気機関車につける石炭・水を積んだ付属車両。

だん-すい【断水】《名・自他サ》水の供給・をとめる（がとまる）こと。水道の送水・をとめる（がとまる）こと。

たん-すう【単数】❶数が一つであること。❷おもに欧米語の文法で、一つの物、一人の人などを表す、名詞・冠詞・動詞などの語形、およびそれに応ずる文法形式。対①②複数。

たん-・ずる【嘆ずる・×歎ずる】《他サ変》〔文〕❶なげく。いきどおり、なげく。「人道の堕落を—・ずる」類語(るす)悲嘆。慨嘆。❷〔すばらしさに〕感心する。ほめる。「妙技を—・ずる」類語(るす)感嘆。＝たんじる。

***だん-・ずる**【談ずる】《他サ変》〔文〕❶語る。「時局を—・ずる」❷相談する。❸談判する。＝だんじる。

***だん-・ずる**【弾ずる】《他サ変》〔文〕〔琴・びわなどの弦楽器を〕かなでる。ひく。弾じる。「琴を—・ずる」

***だん-・ずる**【断ずる】《他サ変》〔文〕❶はっきりと判断を下す。❷裁決する。さばきを下す。「無罪だと—・ずる」＝だんじる。

***たん-せい**【丹精】《名・自サ》心をこめて、作ったり世話したりすること。「父が—した盆栽」表記「丹誠」とも書く。

***たん-せい**【丹誠】〔文〕いつわりのない心。まごころ。赤心。丹赤。「—をこめる」

***たん-せい**【丹青】〔文〕❶〔赤と青の意から〕（あざやかな）色彩。また、絵の具（の色）。「—の妙をつくす」❷〔転じて〕絵画。

***たん-せい**【嘆声・×歎声】感心したり困ったりして思わずもらす・ため息（声）。「—をもらす」

***たん-せい**【端整】《形動》〔顔だちなどが〕整って美しいようす。「—な顔だち」

*たん‐せい【端正】《形動》〔姿・動作などに〕乱れたところがなく、きちんとしているようす。「ー な着こなし」「ーな芸風」類語 整然。端厳(たんげん)。

たん‐ぜい【担税】税金を負担すること。「ー力」

*だん‐せい【弾性】外力をうけて変形した物体が、その力がのぞかれて、もとの形にもどろうとする性質。

*だん‐せい【男性】男。特に、成人の男。男子。尊敬 紳士。尊公。尊兄。対 女性。 ーてき【ー的】《形動》❶〔強い、勇気がある、さっぱりしているなど〕男らしいようす。❷〔風景などが〕堂々としているようす。雄々しいようす。「ーな剣岳の姿」対 対 ①②女性的。

*だん‐せい【男声】〔声楽で〕男の声。対 女声。

*たん‐せき【×旦夕】〔文〕❶明け方と夕方。旦暮(たんぼ)。朝夕(あさゆう・ちょうせき)。❷朝となく夕となく。始終。日常。ふだん。〔副詞的にも使う〕「ー努力する」 ーに迫・る《句》〔この朝か晩かというほど〕重大な事の起こる時期が刻々とせまっている。「命(めい)ー・る」

*たん‐せき【胆石】胆汁(たんじゅう)成分が固まって胆嚢(たんのう)にできる石。胆石症を起こす。

だん‐ぜつ【断絶】《名・自サ》❶〔長く続いていた物事が〕たえること。「伝統のー」類語 絶滅。廃絶。❷《他サ》〔関係やつながりを〕たちきること。また、たちきれること。「政治と国民のー」「国交ー」類語 断交。絶交。

たん‐せん【単線】❶〔文〕一本の線。❷一本の鉄道線路を上り下りの車が交互に使用するもの。単線軌道。対 ①②複線。

*たん‐ぜん【丹前】「どてら」の別称。参考 江戸初期、堀丹後守(ほりたんごのかみ)の屋敷前にはやった風呂屋があり、そこにかよう遊客たちが広袖(ひろそで)のはでな姿をしていたことから。

*たん‐ぜん【淡然】《形動タルト》物事にこだわらずさっぱりしているようす。「得意ー、失意泰然」

*たん‐ぜん【端然】《形動タルト》〔文〕〔姿勢などが〕きちんとして、乱れていないようす。「ーとすわる」

だん‐せん【断線】《名・自サ》電線が切れること。

だん‐ぜん【断然】《副》❶他からの意志・条件を押し切って、物事を自分の考えによって行うようす。また、きっぱりと決めて心を動かさないようす。「ー職を辞す」類語 断固。❷他のものと非常にかけはなれているようす。「彼のほうがー優勢だ」❸《下に打ち消しの語を伴って》決して。「ーそんな事実はない」

*たん‐そ【炭×疽】土中にいる炭疽菌によって起こる家畜の感染症。急性の敗血症で、皮膚や口を通して人間にも感染する。脾脱疽(ひだつそ)。炭疽病。 ーびょう【ー病】❶→たんそ(炭疽)。❷子のう菌の寄生によって起こる植物の病気。葉・茎・果実などに黒褐色の斑点(はんてん)を生じ、落葉・落果の原因になる。

*たん‐そ【炭素】元素の一つ。無味・無臭の固体。遊離してダイヤモンド・石炭・石墨として存在する。また、有機化合物を作る。元素記号C。

たん‐そう【炭層】地中の石炭の層。炭床(たんしょう)。

たん‐ぞう【鍛造】《名・他サ》〔文〕金属を熱してやわらかくし、つちで打ち延ばして必要な形を作ること。火造り。参考→鋳造(ちゅうぞう)。

*だん‐そう【弾倉】連発銃などで、弾丸をつめる部分。

*だん‐そう【弾奏】《名・他サ》〔文〕弦楽器を演奏すること。

*だん‐そう【断層】❶地殻変動で、地殻の割れ目にそってできた、地層の食い違い。ずれ。❷〔考え方や意見の〕食い違い。「世代間のー」

*だん‐そう【断想】その時々に思い浮かぶ断片的な考え。またそれを記したもの。

*だん‐そう【男装】《名・自サ》女が男のみなりをすること。「ーの麗人」対 女装。

*たん‐そく【嘆息・×歎息】《名・自他サ》なげいてため息をつくこと。ため息。また、単に、なげくこと。「ーをもらす」類語 大息。長息。長嘆息。

*たん‐そく【探測】《名・他サ》天体・気象などを、装置を使って観測・測定すること。「ー気球」

だん‐ぞく【断続】《名・自サ》〔物事が〕とぎれたり、つづいたりすること。「泣き声がーしてきこえる」「ー的」

だんそん‐じょひ【男尊女卑】男性をたっとび女性をいやしいとすること。「ーの風潮」参考→女尊男卑。

たん‐たい【単体】ただ一種の元素でできている物質。鉄・金・オゾンなど。

たん‐だい【短大】「短期大学」の略称。

*だん‐たい【団体】共同の目的をもった人の集まり。「ー旅行」「ー保険」類語 集団。組。 ーこうしょう【ー交渉】労働組合などの代表者が使用者がわと賃金・労働条件などについて交渉すること。団交(だんこう)。

*だん‐たい【暖帯】温帯地方のうち、熱帯に近い地帯。類語 亜熱帯。

だん‐だら【段だら】模様や柄に、〔異なった色の〕太い横じまがいくつもあること。「ー模様」

*たん‐たん【×坦×坦】《形動タルト》❶〔土地や道路などが〕平らにつづくようす。「ーとした平原」❷物事が変化なく・平凡(無事)に進むようす。「ーたる人生」

*たん‐たん【淡淡】《形動タルト》❶物の味・感じなどがあっさりしているようす。❷〔態度・動作などが〕あっさりしてこだわりのないようす。「現在の心境をーと語る」

*たん‐たん【×眈×眈】《形動タルト》❶動物がするどい目つきで獲物をねらうようす。❷野心をもってじっと機会をねらうようす。「虎視(こし)ーと首相の地位をねらう」

*だん‐だん【段段】━《名》❶〔俗〕階段。「ーをのぼる」❷〔行ったり、言ったりしたことの〕一つ一つ。条々。〔古風な言い方〕「ーの御親切、ありがとうございます」 ━《副》《「ーと」の形でも使う》物事が順をおって進むようす。しだいに。「東の空がー明るくなる」類語 追い追い。漸(ようや)く。漸(よう)う。徐々に。順に。順次。着々。漸次(ぜんじ)。逐次(ちくじ)。 ーばたけ【ー畑】傾斜地に階段のように作った畑。類語 棚田(たなだ)。

*だん‐だん【団団】《形動タルト》〔文〕❶まるいようす。❷露などが多くたまっているようす。「露ー」

だんだん‐こ【断断固・断断×乎】《形動タルト》「断固」を強めた言い方。「ーとして排斥する」

たん‐ち【探知】《名・他サ》〔かくれているものなどを〕さぐって知ること。「魚群ー機」類語 探索。

*だん‐ち【団地】同種の建物が計画的に集団をなして建っている地域。特に、郊外などに建設された、集団住宅のある地域。「工業ー」「住宅ー」

*だん‐ち【暖地】一年中、気候がおだやかで暖かな土地。類語 暖国。対 寒地。

だん‐ちがい【段違い】(ーちがひ)❶《名・形動》〔二つの物の差が〕くらべものにならないほど違うようす。格段の差があること。「ーの強さだ」❷二つの物の高さが違うこと。「ーの棚」参考 俗に「だんち」とも言う。

たん‐ちゃ【×磚茶】緑茶・紅茶などの粉を蒸して、板状にかためたもの。けずって煮出してのむ。磚茶(だんちゃ)。

参考 モンゴル・シベリア方面の遊牧民に常用される。

だん・ちゃく【弾着】 発射した弾丸が(目標に)とどくこと。また、弾丸のとどく位置。

たん・ちょ【端緒】 《「たんしょ」の慣用読み》→たんしょ(端緒)。

***たん・ちょう【丹頂】** ツル科の大形の鳥。羽毛は純白で、頭の頂は赤く、首と風切り羽の先が黒い。シベリア地方で繁殖する。日本では北海道の釧路(くしろ)・根室地方にすむ。特別天然記念物。丹頂づる。

***たん・ちょう【単調】** 《名・形動》単純で変化にとぼしいこと。「—な生活」類語 平板(へいばん)。一本調子。

***たん・ちょう【探鳥】** 〔文〕野外で野鳥をさがし、その生態を観察すること。バードウオッチング。「—会」

***たん・ちょう【短調】** 短音階で作られている楽曲の調子。暗く沈んだ気分の表現に適する。対 長調。

だん・ちょう【断腸】 〔文〕〔はらわたがちぎれる意で〕非常に悲しい(苦しい)こと。「—の思い」

だん・つう【段通・×緞通】 《中国語「毯子(タンツ)」から》じゅうたんに似た、手織りの敷物用の厚い織物。地糸に綿・麻・羊毛などを織りこんで作る。

だん・つく【×旦つく】 〔俗〕旦那(だんな)。〔軽んじていう〕

たん・つぼ【×痰×壺】 たんやつばをはき入れる容器。

***たん・てい【探偵】** ❶《名・他サ》こっそりさぐり調べること。❷〔人にたのまれて〕犯罪事件の有無、犯人の行動などをひそかに調べる・人(職業)。

たん・てい【端艇・短艇】 〔文〕小舟。ボート。

***だん・てい【断定】** 《名・他サ》❶「…は…である」というように、はっきりと判断を下すこと。また、その判断。「犯人と—する」類語 決定。❷〔語学〕指定②。

ダンディー 《名・形動》〔男性が〕おしゃれで、ふるまいなどに洗練されたところがあること。また、そのような男性。だて者。「—な人」▽dandy

たん・てき【端的】 《形動》❶わかりやすく、はっきりしているようす。「彼の性格が—に表れた絵」❷〔表現などが〕てっとりばやいようす。「—に言えば愚作だ」類語 あけすけ。露骨(ろこつ)。注意「単的」は誤り。

たん・でき【×耽×溺】 《名・自サ》〔文〕ふけりおぼれること。特に、酒や女などにふけりおぼれること。「酒色に—する」類語 惑溺(わくでき)。

たん・てつ【鍛鉄】 ❶鉄をきたえること。また、きたえた鉄。❷錬鉄(れんてつ)。

***たん・でん【丹田】** 〔文〕へその下のあたり。心身の力を集めて気力を充実させる所とされる。「臍下(せいか)—」

***たん・でん【炭田】** 石炭の地層が多く、石炭の採掘が行われている地域。

たん・と 《副》〔俗〕たくさん。どっさり。「—めしあがれ」

だん・と【×檀徒】 檀家(だんか)の人々。

***たん・とう【担当】** 《名・他サ》〔仕事などを〕割り当てられて受けもつこと。類語 担任。分担。

***たん・とう【短刀】** つばのない短い刀。あいくち。九寸五分(くすんごぶ)。どす。類語 小刀。短剣。

***だん・とう【弾頭】** 砲弾の頭部の、爆発する部分。

***だん・とう【断頭】** 〔文〕首を切り落とすこと。**—だい【—台】** 死刑執行のとき、罪人の首を切り落とすための台。ギロチン。首切り台。「—の露と消える」

***だん・とう【暖冬】** 例年よりも暖かな冬。「—異変」

***だん・どう【弾道】** 発射された弾丸が空中を飛ぶときの道筋。また、それがえがく曲線。「—弾」

たんとう・ちょくにゅう【単刀直入】 《名・形動》〔ひとりで刀をふるって敵地に切りこむ意から〕前置きや遠まわしの言い方をせず、いきなり本題にはいること。「—に質問する」注意「短刀直入」は誤り。

***たん・どく【丹毒】** 連鎖状球菌が傷口からはいっておこる、急性の化膿(かのう)症。ふるえやさむけとともに高熱を発する。患部が赤くはれ激痛を伴う。

***たん・どく【単独】** ❶〔物事を行うとき〕ただひとりであること。「—行動」類語 単身。対 共同。❷〔他と関係をもたずに〕ただ一つであること。類語 唯一。単一。

***たん・どく【×耽読】** 《名・他サ》〔書物を〕夢中で読みふけること。類語 熟読。

だん・トツ【断トツ】 《「断然トップ」の略》〔俗〕他を大きくひきはなしていること。「—の一位」

だん・どり【段取り】 物事を行うときの順序・方法。また、それをきめること。「旅行の—をする」「仕事の—が悪い」類語 手順。手はず。

だんな【×旦×那・×檀×那】 ❶寺に財物を寄進する信者。施主(せしゅ)。檀家(だんか)。〔僧の立場から言う〕参考 梵語 dāna の音訳。❷〔商家などの〕男主人。〔雇い人が主人をよぶ語〕❸〈—様〉自分の夫をよぶ語。❹他人の夫をさす語。「お隣の—」❺めかけの主人。❻商人が男の客をよぶ語。「—、お安くしますよ」類語 パトロン。❼〔俗〕目上の男性などをさす語。「警察の—がこられた」**—げい【×旦×那芸】** 商家のだんななどがなぐさみにおぼえた芸事。類語 殿様芸。**—でら【×檀×那寺】** 自分が信者として属し、墓を置いたりしている寺。菩提寺(ぼだいじ)。

たん・なる【単なる】 《連体》それだけで他に余計なものをふくまないようす。ただの。「彼とは—友だちです」

たん・に【単に】 《副》《下に「だけ」「のみ」「ばかり」などをともなって》限定する範囲を強めることば。ただ。ただに。「—生活費をかせぐだけの仕事」

***たん・にん【担任】** 《名・他サ》❶〔ある仕事を〕任務として受け持つ・こと(人)。受け持ち。類語 担当。❷学校の教員が学級や教科を受け持つこと。また、その人。

***タンニン** 五倍子(ふし)・没食子(もっしょくし)などからとった黄色の粉。媒染(ばいせん)剤や皮をなめすときなどに用いる。▽tannin

だん・ねつ【断熱】 《名・自サ》熱の伝導を断つこと。熱が伝わらないようにすること。「—材」

たん・ねん【丹念】 《形動》細部まで注意ぶかくていねいにするようす。心をこめて念入りにするようす。「—にみがく」類語 入念。克明。周到。精密。

だん・ねん【断念】 《名・他サ》〔希望したことなどを〕きっぱりとあきらめること。「旅行を—する」類語 観念。

たん・ねんど【単年度】 一つの年度。

***たん・のう【胆×嚢】** 肝臓から分泌される胆汁(たんじゅう)をたくわえる袋状の内臓。

***たん・のう【▽堪能】** ㊀《形動》《「堪能(かんのう)」の慣用読み》ある技芸・学芸などにすぐれているようす。熟達しているようす。「英語に—な人」類語 練達。達者。㊁《名・自他サ》《「足(た)んぬ」のなまり》十分満足すること。「本場の中国料理に—した」表記「堪能」は当て字。

たんば【丹波】 旧国名の一つ。今の京都府の一部と兵庫県の一部。丹州(たんしゅう)。

たん・ぱ【短波】 波長の短い電波。ふつう、波長一〇〜一〇〇メートル、周波数三〜三〇メガヘルツの電波をいう。遠距離通信に使う。略語 HF。対 中波・長波。

たん・ばい【探梅】 《名・自サ》〔文〕梅の花を観賞して

歩くこと。観梅。

たん‐ぱい【炭肺】炭素の粉を吸収するために起こる慢性の呼吸器病。炭坑労働者などに多い。

*__たん‐ぱく__【淡泊】《名・形動》❶〔味・色などが〕あっさりしていること。「―な味を好む」対濃厚。❷物事にこだわらず、さっぱりしていること。「金銭に―な人」類語淡々。恬淡(てんたん)。

*__たん‐ぱく__【×蛋白】❶卵のしろみ。❷「たんぱく質」の略。また、たんぱく質成分。「尿に―がでる」表記俗に「淡白」とも書く。 **―しつ**【―質】動植物のからだを構成する高分子有機化合物の総称。重要な栄養素の一つ。 **―せき**【―石】↓オパール。

だん‐ばしご【段×梯子】幅の広い板をつけて階段のように作ったはしご。

たん‐ぱつ【単発】❶飛行機で、発動機が一つ(一対)ついていること。また、その飛行機。「―機」対双発。❷一発ずつ発射すること。「―銃」対連発。❸〔転じて〕連続せず、一回だけの放送で終わる・こと(もの)。「―番組」

だん‐ぱつ【断髪】❶《名・自サ》長い髪を短く切ること。❷女性の髪型の一種。髪を短く切った形。

タンバリン ↓タンブリン。

だん‐ぱん【談判】《名・他サ》紛争や事件のしまつをつけるため、たがいに話し合うこと。「―が決裂する」 ▽ tambourine

*__たんび__《「たび」の撥音便》〔俗〕度(たび)。

*__たん‐び__【嘆美・×歎美】《名・他サ》〔文〕感心または、感動してほめること。

*__たん‐び__【×耽美】〔文〕美を最高のものと考え、ひたすら美的なものにふけること。唯美(ゆいび)。「―主義」「―派」

だん‐ぴ【断碑】〔文〕こわれて折れた石碑。

たん‐ぴょう【短評】短い批評。寸評。

だん‐びら【段平】〔俗〕幅の広い刀。また単に、刀。段平物。「―をふり回す」

たん‐ぴん【単品】❶一種類の製品。❷セットになっている商品のうちの一つ。「―では売らない」

ダンピング《名・他サ》❶〔経〕他国の市場に法外な安値で商品を売ること。不当廉売(れんばい)。ソーシャルダンピング。❷〔一般に〕投げ売り。「車の―」▽ dumping

たん‐ぶ【反歩・▽段歩】《助数》《数を表す漢語につけて》反を単位として田畑の広さを数える語。

タンブール ❶たいこ。❷ししゅうに使う円形のわく。▽ (フランス) tambour

ダンプ‐カー〔砂利・砂・土などの運搬用の〕荷台をかたむけて積み荷をおろす装置のある、大型のトラック。ダンプ。参考 dump と car からの和製語。

たん‐ぷく【単複】❶〔語学などで〕単数と複数。「―同形」❷〔テニスや卓球などで〕単式試合と複式試合。シングルスとダブルス。

だん‐ぶくろ【段袋・▽駄袋】❶布製の大きな袋。❷袴(はかま)を洋風に改良した、幅の広い男子用のズボン。幕末・明治初期に、主として兵が着用した。

タンブラー 取っ手がなく、底の平らな比較的大型のガラスのコップ。▽ tumbler

タンブリン 円形のわくの片面に革を張り周囲に鈴をつけた打楽器。たたいたりふったりして鈴を鳴らして演奏する。タンバリン。▽ tambourine

タンブリング ❶大勢の人が、手をつないだり、肩に乗ったりしていろいろな形を作る体操遊戯。❷床上またはマット上で連続的に行う転回運動。▽ tumbling

*__たん‐ぶん__【単文】一つの文で、主語と述語の関係がただ一回だけ成りたつもの。「富士山が見える」「犬がワンワンと鳴いた」など。対複文・重文。

*__たん‐ぶん__【短文】短い文・文章。対長文。

たん‐ぺい【短兵】〔文〕弓矢などに対して、刀剣などの短い兵器。 **―きゅう**【―急】《形動》❶〔文〕短い刀剣などをとって急に攻撃するようす。❷ひどく急なようす。だしぬけ。「―な要求」注意「単兵急」は誤り。

だん‐ぺい【談柄】はなしの種。〔古風なことば〕

たん‐べつ【反別・▽段別】❶田畑を一反ごとに分けること。❷町(ちょう)・反(たん)・畝(せ)・歩(ぶ)などの単位で表す、田畑の面積。

ダン‐ベル 唖鈴(あれい)。▽ dumbbell

たん‐べん【単弁・単×瓣】ひとえの花弁。対重弁。

たん‐ぺん【短編・短×篇】小説・詩・映画などで、短い作品。特に、短編小説。小編。対中編・長編。

*__だん‐ぺん__【断片】〔本来はまとまっていた物の〕きれぎれになった一部分。きれはし。「記憶の―」

*__だん‐ぺん__【断編・断×篇】〔文〕〔まとまりのある〕文章のきれぎれになった一部分。

たん‐ぼ【田×圃】田。田地(でんち)・(でんじ)。田圃(でんぽ)。

*__たんぽ__ 綿を丸めて布・革で包んだもの。けいこ用のやりの先につけたり石ずりの墨をつけるときなどに使う。

*__たん‐ぽ__【担保】❶〔法〕債務者が債務を果たさない場合、債権者の損害を補うために提供するもの。「家を―に入れて借金する」❷抵当。かた。

*__たん‐ぽ__【▽湯▽婆】ゆたんぽ。

たん‐ぼう【探訪】《名・他サ》〔報道関係者が〕世間に知られていない社会の実態や事件の真相を実地にたずね調べること。「ヒマラヤの奥地を―する」「―記事」

だん‐ぼう【暖房・×煖房】《名・他サ》室内をあたためる・こと(装置)。「―のきいた部屋」対冷房(れいぼう)。

だん‐ボール【段ボール】波形にしたボール紙の片面または両面に平らなボール紙をはりあわせたもの。いろいろな物の外箱などに使う。

たんぽぽ【×蒲▽公▽英】キク科の多年草。春のはじめごろ茎をのばし頂に黄色または白色の花を開く。種子にはかさのような毛があり、風で飛び散る。

タンポン ❶脱脂綿やガーゼに薬をしみこませたもの。綿球。❷内装式生理用品で、タンポン①に似せて作ったもの。▽ (ドイツ) Tampon

たん‐ほんい【単本位】金または銀のどちらか一つを本位貨幣とすること。単本位制度。対複本位。

たんま〔幼児語〕一時的に遊びの中断を宣言することば。タイム。

*__だん‐まく__【弾幕】多数の弾丸を同時に連続的に発射して、幕をはったような状態にすること。「―を張る」

*__だん‐まく__【段幕】紅と白、黒と白などの布を、横に交互につないでぬい合わせた幕。

たん‐まつ【端末】❶はし。すえ。❷電気回路における電流の出入り口。❸コンピューターで、入出力装置を取り付ける部分。 **―き**【―機】コンピューターで、中央処理装置に含まれない、入出力機器の総称。端末機器。端末装置。

だん‐まつま【断末魔・断末摩】死にぎわの苦しみ。また、死にぎわ。「―の叫び」

たんまり《副》《「―と」の形も》〔俗〕〔もうけ・楽しみなどが〕十分なようす。たくさん。「金を―もうける」類語しこたま。たっぷり。

だんまり【▽黙り】《「だまり」の撥音便》❶だまっていること(人)。無言。「―むっつり」「―戦術」❷歌舞伎(かぶき)の演出の一つで、ふたり以上の登場人物が無言のまま暗やみの中で手さぐりでさがし合うしぐさを様式化したもの。また、その場面。暗闘。

たん・み【淡味】〔文〕あっさりした味わい・趣味。

たん・めい【短命】《名・形動》寿命が短いこと。〔長続きしないことにもたとえる〕「―内閣」対長命。

タンメン【湯×麵】中華そばの一つ。塩味のスープに麵(めん)と、いためた野菜を入れたもの。▽中国 tang-mian

だん・めん【断面】❶物の切り口の面。裁断面。「―図」❷ある視点から物事を(ありのままに)みたとき、そこに現れたありさま。「社会の―をえがいた小説」

たん・もう【短毛】動物の短い毛。「―種」対長毛。

たん・もの【反物】❶一反ずつになっている、和服用の織物。参考「一反(いったん)…」また、二反を一単位として「一匹(いっぴき)…」と数える。❷呉服(ごふく)。

だん・やく【弾薬】弾丸とそれを発射するための火薬。

だん・ゆう【男優】男の俳優。対女優。

たん・よう【単葉】❶一枚の葉片でできている葉。❷飛行機で、主翼が一枚であること。また、その飛行機。「―機」対①②複葉。

たん・らく【短絡】《名・自他サ》❶電気回路のショート。❷物事を・正常な(論理的な)すじみちをたどらず、簡略なやり方で結びつけること。「―的な考え方」

だん・らく【段落】❶長い文章中の内容上の切れ目。❷物事のくぎり。

だん・らん【団×欒】《名・自サ》〔集まって輪になってすわる意から〕親しい人たちが集まって、なごやかに話したり遊んだりすること。まどい。和楽。「一家―」

たん・り【単利】元金に対してだけつく利息。対複利。

たん・りゃく【胆略】〔文〕大胆で知略のあること。

だん・りゅう【暖流】赤道付近から温帯に向かって流れる、高温の海流。黒潮など。対寒流。

たん・りょ【短慮】《名・形動》〔文〕❶考えが浅いこと。あさはかな考え。「無謀―」類語浅慮(せんりょ)。短見。❷気が短く怒りやすいこと。「―を起こす」類語短気。

たん・りょく【胆力】ものに動じない気力。きもったま。「―に欠ける」類語度胸。

だん・りょく【弾力】❶弾性体が外から加わった力に抵抗してもとの状態にかえろうとする力。はずむ力。❷状況に応じて自由に適応できる力。「―的な措置」

たん・れい【端麗】《形動》きちんとととのって、美しいようす。「―な姿」類語端正。

だん・れつ【断裂】《名・自サ》強い力を受けて裂けること。「筋肉が―する」

たん・れん【鍛練・鍛錬】《名・他サ》〔生糸・金属をねりきたえる意から〕心身をきたえたり技をみがいたりすること。「心身の―を積む」類語練磨(れんま)。修行。

だん・ろ【暖炉・×煖炉】火をたいて室内を暖かくする道具・設備。ペチカ・ストーブなど。

だん・ろん【談論】《名・他サ》〔文〕話をし、議論をすること。「―風発(=さかんに議論を行うこと)」

だん・わ【談話】❶《名・他サ》〔うちとけて〕話すこと。また、その話。「―室」❷ある事柄について、公式の場所以外で示した公的な意見。「炉辺―」

ち

ち―知

***ち**【池】《接尾》「人工のいけ」の意。「貯水―」

***ち**【乳】❶〔文〕ちち。乳汁(にゅうじゅう)。❷〔文〕乳房。乳首。❸つり鐘の表面にある、いぼ状の突起。❹羽織・旗などの、ひもなどを通す小さな輪。

***ち**【知・×智】物事を(論理的に)理解し判断する精神の働き。知恵。「―に働けば角が立つ」対情・意。

***ち**【地】❶天に対する位置にあり、天におおわれ、土や岩石などで形成されている所。大地。㋐土。土壌。「権威が―に落ちた(=まったく衰え果てた)」「死んで―に帰る」㋑地面。地べた。類語陸(りく)。土地。対天。❷陸地。陸上。「―対空ミサイル」❸特定の土地・場所・地方。「―の利を得る」「未開の―」❹所有している土地。領土。「隣家と―を接する」❺地①を支配する神。「天知る―知る」❻書物・荷物などで上部と下部を区分するときの、下の部分。「天―無用」対天。❼評点や、書物の内容の分類などで天・地・人の三段階に分けたときの、第二。対天・人。

***ち**【治】〔文〕❶世の中がよくおさまっていること。対乱。❷政治。「徳川三百年の―」

―に居て乱を忘れ・ず《句》太平の世にあっても、戦乱のときを忘れずに、武芸や軍備をおこたらない。平和なときも、常に非常時に備える。

***ち**【痴・×癡】〔文〕おろか。「その―なること赤児の如し」

表記「癡」は、旧字体。

***ち**【×茅】〔古〕チガヤ。

***ち**【血】❶動物の体内を循環する赤い液体。けがをしたときや、傷つけられたときなどに体外に流れ出る。血液。〔「血液」よりも一般的な言い方〕類語血潮(ちしお)。血糊(ちのり)。血煙。血の雨。血の海。悪血(おけつ)。温血。紅血。人血。鮮血。熱血。流血。冷血。血筋。❷〔子が親の血①を受けつぐということから〕血統。血筋。「―が絶える」「―がつながる(=血縁関係にある)」❸きわだって現れ出たときの、人間的な感情のたとえ。「青春の―が燃える」「―が上る(=かっとなる。のぼせる)」「―が沸く(=感情がたかぶる)」

―が通・う《句》人間味がこもる。温かみを持つ。「―った福祉行政を望む」

―が騒ぐ《句》興奮してじっとしていられなくなる。

―で血を洗・う《句》❶仲間どうしが互いにむごい争いをする。❷殺傷に対して殺傷でむくいる。❸悪事を処理しようとして、さらに悪事を重ねる。

―と汗《句》非常な努力や忍耐のたとえ。「―の結晶」

―に飢・える《句》手あたりしだいに殺傷したくてたまらないことのたとえ。血に渇する。

―も涙も無・い《句》冷酷で人情がまるでない。

―湧(わ)き肉躍・る《句》勇ましくて興奮させられる。

―を受・ける《句》血筋をひく。その血統に属している。

表記「―を享ける」「―を承ける」とも書く。

―を・見る《句》争いなどで死傷者が出る。

―を分・ける《句》実の親子・兄弟など血縁関係の間柄である。「―・けた子にそむかれる」

ち・あい【血合(い)】(ちあい) カツオ・マグロなどの背と腹の境目に見られる、魚肉の黒ずんだ部分。

チア・ガール そろいの服で派手な動きを見せる女子の応

援団員。▽cheer と girl からの和製語。

チアノーゼ 血液中の酸素不足によって、皮膚・粘膜が青黒く見える状態。心臓病・薬物中毒のときなどに見られる。▽ドイ Zyanose

ち-あん【治安】 国家・社会が秩序を保ち、平穏であること。「―が乱れる」類語 太平。

***ち-い【地位】** 〔あるものの中で占める〕役割上の位置。「高い―につく」類語 身分。立場。座。

類義語の使い分け　地位・身分
[地位・身分] 地位(身分)の高い人なので敬意を払う／自分の地位(身分)をわきまえて行動する
[地位] 責任ある地位につく／社会的地位を失う
[身分] 私と彼とではまるで身分が違う／身分証明書

***ち-い【地異】** 〔文〕地上に起こる自然の異変。地震・津波・噴火・大水など。地変。「天変―」対 天変。

ち-いき【地域】 他と区別される、一定の限られた土地の範囲。区画された土地。類語 地帯。**―しゃかい【―社会】** 一定の土地の範囲に成立し、利害を共通にする生活共同体。村・町・都市など。

***ち-いく【知育】** 知能の啓発をはかり、知識量をふやすことをめざす教育。対 徳育・体育。

***チーク** クマツヅラ科の落葉高木。東南アジア原産。材質は堅くて軽い。家具など用途が広い。▽teak

チーク-ダンス 〔男女が〕からだを寄せ合い、ほおをすり寄せて踊るダンス。▽cheek(=ほお)と dance からの和製語。

ちいさ-い【小さい】 ちひさい《形》❶物の面積・体積が他よりわずかである。「―い家」❷数量や程度が他よりわずかである。「被害が―い」❸声・音が遠くまで届かない。「―い声」❹年齢がすくない。年少である。「―いころの思い出」❺金銭の単位がある基準より下である。「千円札を―くする」❻規模などが他より劣る。大きさが劣り、取り立てて言うほどのこともない。「―い会社」❼度量などが狭い。「気が―い」対 ①〜⑦大きい。文 ちひさ・し《ク》。

ちいさ-な【小さな】 ちひさ―《連体》〔そのものが〕小さい。「―家」対 大きな。

チーズ 動物の乳汁(おもに牛乳)を固まらせ、微生物の作用で熟成させた食品。たんぱく質・脂肪・ビタミンが豊富で栄養価が高い。乾酪かんらく。「―ケーキ」▽cheese

チータ ネコ科の猛獣。ヒョウに似ているが、やや足が長く全体が細長い。きわめて速く走る。からだは淡黄色で、黒いはん点がある。チーター。▽cheetah

チーフ 主任。長。首席。「―マネージャー」類語 キャップ。▽chief

チーム 同じ仕事・競技を行う一団(の人々)。ティーム。「―を組む」▽team **―プレー** 団体競技で、チーム全体が協力し合って行うプレー。転じて、周囲との連係を重視した行動。「―に徹する」対 個人プレー。▽team play **―ワーク** チームの連帯・団結。「―を乱す」▽teamwork

ちい-るい【地衣類】 植物分類上の一門で、菌類と藻類とが共生してできた植物群。地上・岩石・樹皮などの表面に生育する。イワタケ・ウメノキゴケなど。

ち-いん【知音】 〔文〕❶互いに信じ合っている友人。親友。参考 ↓断琴の交わり。❷知り合い。知人。同 ①②知己ちき。

ち-うみ【血×膿】 血がまじっているうみ。

***ち-え【千重】** ちへ〔文〕たくさん重なること。

***ち-え【知恵・×智恵・×智×慧】** ❶〔仏〕煩悩を去り、真理をとらえ、悟りをひらく精神の力。六波羅蜜ろくはらみつの第六。表記 もと、もっぱら「智慧」と書いた。❷道理・善悪などをよく判断し、物事をじょうずに処理する頭の働き。「―を借りる」類語 知能。才知。**―しゃ【―者】** 知恵のすぐれた人。知恵のよく働く人。**―づ・く【―付く】**《自五》幼いこどもが、成長するにつれて知恵がそなわる。**―ねつ【―熱】** 離乳期の幼児にみられる、一時的な原因不明の発熱。歯牙がし熱。**―の-わ【―の輪】** 金属製のいろいろな形の輪を、つなぎ合わせたりはずしたりして遊ぶおもちゃ。**―ば【―歯】**「第三大臼歯だいきゅうし」の俗称。成人して最後にはえる奥歯。知歯ちし。親知らず。**―ぶくろ【―袋】** ❶ありったけの知恵。「―をしぼる」❷〔仲間の中で〕いちばん知恵のある人。知恵者。類語 ①②知嚢ちのう。**―を付・ける**《句》〔どうしてよいか分からない人に〕いろいろな工夫やたくらみを教える。

チェア 〔ひとり用の背のある〕いす。「ロッキング―」「アーム―」「デッキ―」▽chair **―マン** 議長。座長。参考 最近は性差のない「チェアパーソン」と呼ぶことも多い。▽chairman

チェーン ❶くさり。特に、自動車の車輪に巻いて、雪道走行時などのスリップを防ぐくさり。❷劇場・商店・ホテルなど、資本が同一の系統のもの。連鎖経営。▽chain **―ストア** 共同大量仕入れ・共同広告・共同設備による小売店の集団。連鎖店。▽chain store **―ソー** チェーン状の歯の電動式のこぎり。チェンソー。▽chain saw

ちえき-けん【地役権】 〔法〕自己の土地の便益のために、他人の土地を支配する権利。隣地を通行したり、隣地を通って水を引いたりする類。

チェス 縦横それぞれ八条に区画した盤上で、白・黒各一六個の駒こまを交互に動かして、相手のキングを詰めるゲーム。西洋将棋。「―を指さす」▽chess

チェッカー ❶チェスと同じような縦横八条に区画した市松模様の盤上で、白・黒おのおの一二個の駒こまを使い、相手の駒を取り尽くすか動けなくさせるゲーム。西洋碁。❷格子こうしじま。市松模様。「―フラッグ」▽①checkers ②checker

チェック ❶小切手。「ギフト―」「トラベラーズ―」❷〔洋服地の〕格子こうしじま。ごばんじま。「―のスカート」❸《名・他サ》〔あるものの勢いを〕阻止すること。「アイスホッケーのボディー―」❹《名・他サ》照合のしるしとして「✓」などをつけること。また、そのしるし。❺《名・他サ》〔事前に〕よく調べること。点検。「エンジンの調子を―する」▽check **―アウト** ❶《名・自サ》ホテルなどのフロントで、勘定を済ませてそこを引き払うこと。対 チェックイン。❷金銭を支払って出る出口。「スーパーマーケットの―」▽checkout **―イン**《名・自サ》❶ホテルなどのフロントで、宿泊手続きをとること。❷〔空港のカウンターで〕搭乗手続きをとること。対 チェックアウト。▽checkin **―オフ** 労働組合のために、使用者が組合員の賃金から、組合費などを天引きすること。▽checkoff **―ポイント** ❶注意すべき点や箇所。「商品選びの―」❷ラリー・オリエンテーリングなどの、指定通過地点。▽checkpoint

チェリー ❶さくらんぼうの実る、バラ科の落葉果樹。参考 花を観賞する日本のサクラと似ているが、異種。❷さくらんぼう。桜桃(おうとう)。▽cherry

チェリスト チェロの演奏者。▽cellist

チェレスタ 鍵盤(けんばん)楽器の一つ。鍵盤を押すとハンマーが鋼鉄板を打って音を出す。澄明な音が特徴で、管弦楽で使われる。▽(イタリア) celesta

チェロ バイオリン属の四弦の擦弦楽器で、ダブルベースに次ぐ大きさのもの。非常に音域が広く、音の表情も豊かで、独奏・室内楽・管弦楽に使う。セロ。▽cello

*ち-えん【地縁】(人が)同じ地域内に住むことによって生じる社会的な関係。「―社会」

*ち-えん【遅延】《名・自サ》物事が予定の時間・時刻より長引いたり、おくれたりすること。「工事が―する」類語 延引。遅引。

チェンジ《名・自他サ》❶かわること。また、かえること。交換。「部品を―する」「イメージ―」❷野球で、攻守が交替すること。❸テニス・バレーボール・バスケットボールなどで、攻守やコートを交替すること。チェンジコート。▽change ―アップ 野球で、投手の投げる球種の一つ。速球と同じモーションで投げるゆるい球。▽change-up ―オブ-ペース 野球で、投手の投球術の一つ。球速をたくみに変化させて打者のタイミングをはずす。▽change of pace

チェンバロ ハープシコード。▽(イタリア) cembalo

ち-おん【地温】地表または地中の温度。

*ち-か【地下】❶地面の下。土の中。「―二階」類語 地中。対 地上。❷あの世。死後の世界。「―に眠る」類語 冥土(めいど)。❸世間の目から隠れて、秘密の行動が行われる場所。「―組織」「―に潜る(=秘密に非合法な政治活動や社会運動を行う)」 ―がい【―街】地下につくられた商店街。 ―けい【―茎】地中にある茎。形から、根茎・球茎・鱗茎(りんけい)・塊茎(かいけい)などにわけられる。対 地上茎。 ―しげん【―資源】地面の下にある鉱物資源。石炭・石油・鉱石・地下水など。 ―しつ【―室】建造物で、地面より下につくった部屋。 ―すい【―水】地中の土砂・岩石などのすきまや割れめにたまったり流れたりしている水。 ―てつ【―鉄】《「地下鉄道」の略》地下のトンネルによって通じている鉄道。メトロ。サブウエー。 ―どう【―道】地面の下にトンネル状につくった通り道。

*ち-か【地価】❶土地の売買価格。❷〔法〕課税の標準となる土地の価格で、土地台帳に登録されたもの。

*ち-か【治下】〔文〕ある国・政権の支配下にあること。統治下。

*ち-かい【地階】〔建物で〕地下につくられた階。

*ちかい【誓い】(ちかひ) ❶かたく約束すること。また、そのことば。「―を立てる」❷神仏に対する約束。願(がん)。❸〔仏〕仏の、衆生(しゅじょう)を救おうとする誓願。

*ちか・い【近い】《形》❶〔距離・時間の〕へだたりが少ない。「家は駅から―・い」「―・い将来」❷抽象的にへだたりが小さい。関係がこい。㋐血縁関係が密接である。「―・い親戚(しんせき)」㋑親しい。近しい。「彼とは―・い関係にある」対 ①②遠い。❸〔性質・形状・内容・状態が〕似ている。「青に―・い色」「満月に―・い月」❹数量がそれよりやや少ない程度である。それに満たないがほぼそれくらいである。「一〇〇人に―・い人数」「五〇歳に―・い人」文 ちか・し《ク》

*ち-がい【稚貝】(―がひ) 貝類で、幼生の時期を終え、岩石などに定着して間もないもの。

*ちがい【違い】(ちがひ) ちがうこと。また、その程度・差。「二者の―をのべる」「―がわかる男」類語 ずれ。隔たり。開き。相違。差異。異同。懸隔(けんかく)。齟齬(そご)。千差万別。雲泥の差。月とすっぽん。雪と炭。ギャップ。

ちがい-だな【違(い)棚】(ちがひ―) 二枚の板を上下と左右がくいちがうようにつった棚。多く、床の間・書院などのわきに設ける。参考 →天袋(図)。

ちがい-な・い【違いない】(ちがひ―)《連語》❶〈「…に―・い」の形で〉…にきまっている。…であることは確かである。「あすは雨に―・い」❷ほんとうだ。そのとおりだ。「うん、―・い、君の言うとおりだよ」

ちがい-ほうけん【治外法権】❶〔法〕外国の領土内にあって、その国の法律の支配を受けない権利・資格。特に、その国の裁判権に服さない資格。元首・外交使節・軍艦や、駐留する軍隊などがもつ。❷規制の及ばない場所。「警察も―の暗黒街」

ちがい-め【違い目】(ちがひ―) ❶ちがっているところ。❷筋かいに組んだところ。

ちか・う【誓う】(ちかふ)《他五》神仏や他人に対して、ある事を固く約束する。また、自分自身で、そうしようと決意する。「神かけて―・う」参考 →ちかって。文《四》。

ちが・う【違う】(ちがふ)《自五》❶一致しない状態である。異なる。相違する。「意見が―・う」「―・う人に頼もう」❷それとは別のものである。ほかのものである。「答えが―・う」❸誤る。まちがえる。❹〔骨・筋・精神状態などが〕正常の位置・状態からはずれる。「気が―・う」❺《動詞の連用形について》交差する。すれちがう。「ツバメが飛び―・う(=飛びかう)」文《四》。

ちが・える【違える】(ちがへる)《他下一》❶違うようにする。「方法を―・える」❷誤る。まちがえる。とりちがえる。「約束の時刻を―・える」❸人の間柄をそむかせる。「ふたりの仲を―・える」❹交差させる。交わらせる。❺〔骨・筋などを〕はずす。たがえる。「くびの筋を―・える」文 ちが・ふ《下二》。

*ち-かく【知覚】《名・他サ》感じとること。特に、感覚器官を通じて、外部の事物を認識する働き。また、その働きによって頭の中に思い浮かんだもの。

*ち-かく【地核】地球の中心で、高温・高圧の部分。核。コア。

*ち-かく【地殻】地球の表層近くのかたい部分。

*ちかく【近く】㊀《名》近い所。近いあたり。近所。「―の交番」対 遠く。㊁《副》そのうちに。近いうちに。もうじき。ちかぢか。「彼は―結婚するそうだ」

ち-がく【地学】❶地球と、地球を形成する物質を研究する学問。地質学・鉱物学・地球物理学・海洋学・気象学などを含む。❷〔学校教育課程で〕地学①に、さらに天文学・古生物学などを加えた分野。

ちか-ごろ【近×頃】㊀《名》このごろ。最近。近来。〔副詞的にも使う〕「世の中は―物騒だ」㊁《副》はなはだ。すこぶる。〔古風なことば〕「―迷惑な話だ」

ちかし・い【近しい・▽親しい】《形》親しい。仲がよい。懇意にしている。「―・い間柄」文 ちか・し《シク》

ち-がたな【血刀】人などを切って、なまなましい血のついている刀。「右手(めて)に―左手(ゆんで)に手綱(たづな)」

ちか-ちか《副・自サ》《副詞は「―と」の形も》❶星・宝石などの光が明滅して光るようす。「―ときらめく」❷目が刺激されて断続的に痛むようす。「目が―する」

ちか‐ぢか【近近】《副》❶ある事が起こるのが、それほど先のことではないようす。近いうちに。近日中。近々(きんきん)。❷《「—と」の形も》距離的に非常に接近して。ごく近くに。「名画を—と見る」

ちか‐づき【近付き】 親しく交際する・こと(間柄)。「お—のしるしに一献(いっこん)どうぞ」

ちか‐づ・く【近付く】《自五》❶〔ある場所に〕近いところへ行く。近くなる。接近する。寄る。「船が岸壁に—・く」対遠ざかる・遠のく。❷〔時期・季節・時刻などが〕近くなる。さしせまる。「決算期が—・く」❸積極的に親しくなろうとする。交際を求める。「下心をもって—・く」対遠ざかる・遠のく。❹〔形状・内容などが〕似てくる。「だいぶ本物に—・いた」

ちか・って【誓って】《副》〔神仏に誓いをたてる意から〕必ず。きっと。「—約束を守る」

ちか‐ば【近場】 ある所から近い場所。「—で済ます」

ちか‐ま【近間】〔文〕近い所。近所。

ちか‐まわり【近回り】(—まはり)❶《名・自サ》近道を通って行くこと。対遠回り。❷近所。近辺。「—の店」

ちか‐みち【近道】❶《名・自サ》他よりも目的地に早く行ける、距離の近い道。また、その道を通ること。「駅への—」類語間道。抜け道。対遠道。❷手間のかからない方法。手っとりばやい手段。早道。「やせたければ食事制限が—だ」

***ちか‐め【近め】**《名・形動》〔あるものの位置が〕やや近いこと。「—に投げられたボール」対遠め。

***ちか‐め【近目・近▽眼】** →きんし(近視)。対遠目。

ち‐がや【×茅・×茅・×萱】 イネ科の多年草。山野に自生する。葉は細長い。春、葉に先立って白い絹毛が密生した花穂を出す。ち。参考この穂を「つばな」という。

ちか‐よ・せる【近寄せる】《他下一》❶近くに寄せる。近づける。「目を—・せて見る」❷〔ある事柄・人物などに〕親しませる。「彼はだれをも—・せない性格だ」

ちか‐よ・る【近寄る】《自五》❶近くに寄る。近づく。❷〔ある事柄や人物と〕かかわりをもつ。親しくなるようにする。「悪い仲間に—・る」

ちから【力】❶㋐動物の体内にあって、みずから動いたり、また他の物を動かしたりする作用をするもの。筋肉の緊張と収縮によって現れる。力(りき)。「—が強い」「—を出す」㋑物理学で、静止している物体に運動を起こし、運動している物体の速度や方向を変えようとする作用。重力・引力・斥力など。「—の合成」❷他に働きかけ動かそうとする作用。㋐ある事物に備わっている強い働き。「ペンの—(=文章の持つ作用)」「生命の—」㋑他を支配し従わせる働き。暴力・腕力・権力など。「—で事を解決する」「—関係」㋒気力・体力のそなわっている状態。元気。精気。「—がわく」「—を入れる(=特に熱意をもって努力する)」「—を落とす(=がっかりする)」㋓人の心に迫る強い勢い。迫力。「—のある文章」㋔他人のためにする働き。骨折り。尽力。「国のために—をつくす」㋕役にたつ働き。ききめ。効力。「薬の—」㋖たよって助けとするもの。たのみ。たより。「—をかす」㋗物事をなしとげることのできる心身の働き。能力。実力。「実業家としての—はある」「—不足」㋘身につけた知識の働き。学力。「語学の—がある」

ちから‐あし【力足】 相撲で、四股(しこ)。「—を踏む」

ちから‐いっぱい【力一杯】《副》全力をあげるようす。「—働く」類語精一杯。根かぎり。一生懸命。

ちから‐おとし【力落(と)し】 がっかりして気力がぬけること。〔ふつう、「お—」の形で、おくやみのことばに用いる〕「お父さんを亡くされて、さぞお—でしょう」

ちから‐がみ【力紙】❶相撲で、土俵にあがる力士がからだをふき清めたり、口をぬぐったりするのに使う紙。化粧紙。❷力が強くなるようにと、寺の山門の仁王(におう)像に、口でかんで丸めてぶつける紙。❸〔製本などのとき〕とじめなどを補強するためにはり添える紙。

ちから‐こぶ【力×瘤】 ひじを曲げて力を入れたとき、上膊(じょうはく)部にできる筋肉の盛り上がり。「—を入れる(=重要視して、熱心に行う)」

ちから‐しごと【力仕事】 筋力を要する肉体労働。

ちから‐ずく【力▽尽く】(—づく)❶ありったけの力を出して事を行うこと。❷腕力・権力などを使って、無理に事を運ぶこと。「—で反対運動をねじふせる」表記現代仮名遣いでは「ちからづく」も許容。

ちから‐ぞえ【力添え】(—ぞへ)《名・自サ》力をそえて助けること。助力。援助。「ぜひお—を願います」

ちから‐だのみ【力頼み】 力を貸してくれるものとして、たよりに・思う(する)こと。

ちから‐づ・ける【力付ける】《他下一》元気になるようにはげます。元気づける。「選手を—・ける」「声援に—・けられる」類語(る)激励。

ちから‐づよ・い【力強い】《形》❶たよりにすることができて、心強い。気強い。「—・い味方」❷力がこもっている。力があふれている。「—・い足どり」

ちから‐な・い【力無い】《形》力のこもらないこと。気力のないこと。「—・く笑う」

ちから‐ぬけ【力抜け・力▽脱け】《名・自サ》がっかりして気力がなくなること。落胆すること。類語気落ち。

ちから‐ぬの【力布】 裁縫で、補強のために当てる布。力ぎれ。

ちから‐まかせ【力任せ】《形動》加減せず力のあるにまかせて物事を行うようす。「—にバットを振りまわす」

ちから‐まけ【力負け】《名・自サ》❶力を入れすぎて、かえって負けること。❷相手より力が数段弱くて、たち打ちできずに負けること。

ちから‐みず【力水】(—みづ)相撲で、土俵に上がる力士が口に含んで力をつける水。化粧水(けしょうみず)。「勝ち力士が—をつける(=力水をくんでやる)」

ちから‐もち【力持(ち)】 力の強い・こと(人)。

ちから‐わざ【力業】❶強い力をよりどころとするわざ。「—で圧倒する」❷体力を必要とする仕事。力仕事。

***ち‐かん【×弛緩】**《名・自サ》《「しかん」の慣用読み》〔文〕ゆるむこと。たるむこと。転じて、だらしなくなること。「風紀の—を強く戒める」

***ち‐かん【痴漢】**❶〔文〕おろかな男。ばか者。❷女性にみだらないたずらをしかける男。

***ち‐かん【置換】**《名・他サ》あるものを他のものに置き換えること。「一部の条件を—して考える」

***ちき**《接尾》〔人の状態を表す語につけて〕「…な人」の意。「高慢—」「変—」

***ち‐き【知己】**〔文〕❶自分の心や人柄をよく理解してくれる人。親友。「一〇年の—」類語知友。❷知り合い。知人。同①②知音(ちいん)。

***ち‐き【稚気・×穉気】**〔文〕子供っぽいようす・気分。幼げなようす。「—はなはだ愛すべし」

***ち‐ぎ【千木】** 神社建築で、屋根のむねの両端にX字形に交差させて突き出させた材。ひぎ。参考→鰹木(かつおぎ)

（図）。

＊ち・ぎ【地×祇】〔文〕地の神。国土の神。くにつかみ。対天神（てんじん）。

＊ち・ぎ【遅疑】《名・自サ》〔文〕あれこれと疑い迷って、ためらうこと。「―逡巡（しゅんじゅん）」類語狐疑（こぎ）。躊躇（ちゅうちょ）。

＊ち・きゅう【地球】太陽系に属する三番目の惑星で、われわれ人類が住んでいる天体。衛星として月をもつ。類語第三惑星。テラ。―ぎ【―儀】地球の模型。球面に海・陸・経緯度線などがかいてある。

ち・ぎょ【稚魚】卵からかえって、特徴となる色彩や体形がほぼ完成するころまでの魚。対成魚。

ち・きょう【地峡】二つの大きな陸地を結ぶ、幅の狭い陸地。パナマ地峡・スエズ地峡など。

ち・ぎょう【知行】近世、幕府や藩から武士に与えられた土地。封土（ほうど）。また、その代わりとして与えられた扶持米（ふちまい）。俸禄（ほうろく）。

ち・きょうだい【乳兄弟】血のつながりはないが、同じ人の乳で育った間柄。また、その人。

ちぎょ・の・わざわい【池魚の×殃】《句》思いがけない災難にあうことのたとえ。そばづえをくうことのたとえ。参考火事で類焼にあうことの意に使うことが多い。故事(ア)池に投ぜられた宝珠を得ようと池をさらったため、そこにいた魚が死んだという故事による。〈呂氏春秋・必己〉(イ)城門の火事を消すために池の水を全部使ったため、そこにいた魚が全部死んだという故事から。〈杜弼・檄梁文〉

ちぎり【契り】〔文〕❶ちぎること。約束。特に、夫婦としての約束。「二世の―」❷〔仏〕前世からの因縁。宿世（すくせ）の縁。宿縁。❸男女・夫婦の交わり。

―を交わ・す《句》互いに約束する。特に、夫婦の約束をする。男女の関係を結ぶ。契りを結ぶ。

ちぎり・え【千切り絵】ちぎった千代紙などをはり付けてつくった絵。

ちぎり・き【乳切(り)木・千切(り)木】両端をやや太く、中央を少し細くけずった棒。物をかつぐために使ったが、けんかなどをする時にも用いた。ちぎり。

＊ち・ぎ・る【千切る】㊀《他五》❶指先で細かく切り離す。「紙を―・る」❷むりやりにもぎとる。ねじきる。「枝から―・る」㊁《接尾》その動作を強める意を表す。「ほめ―・る」表記㊀㊁とも、ふつうかな書き。

＊ちぎ・る【契る】《他五》〔文〕❶互いに将来のことを約束する。❷〔夫婦となる約束として〕男女が愛情をもって交わりをおこなう。文《四》。

ちぎれ・ぐも【千切れ雲】ちぎれたように、離れて浮かんでいる雲。表記ふつう「ちぎれ雲」と書く。

ちぎれ・ちぎれ【千切れ千切れ】《名・形動》細かくいくつにもちぎれていること。きれぎれ。表記ふつうかな書き。

ち・ぎ・れる【千切れる】《自下一》❶細かくいくつにもきれる。❷〔ある部分が〕もぎ取ったようになる。「着物の袖（そで）が―・れる」表記ふつうかな書き。

チキン❶鶏のひな。❷鶏肉。▽chicken ―ライス 飯に鶏肉ときざんだ玉ネギなどを入れて油でいため、トマトケチャップなどで味をつけた料理。▽chicken と rice からの和製語。

ち・ぎん【地銀】「地方銀行」の略。

＊ち・く【地区】❶一定のくぎられた土地。土地の区域。「―ごとに代表を決める」❷一定の目的により指定された特定の区域。「文教―」類語地帯。地域。

＊ち・く【×馳駆】《名・自サ》〔文〕❶馬に乗って走り回ること。類語疾駆（しっく）。❷あちこちとかけ回って人のために尽力すること。「―の労をいとわない」類語奔走（ほんそう）。

ち・ぐ【痴愚】❶〔文〕ばか。❷「知的障害」を指した語。

ちく・いち【逐一】㊀《副》順を追って一つ一つするようす。一つ一つ詳細に。いちいち。「経過を―報告する」㊁《名》順を追った、一つ一つのくわしいこと。それぞれの詳細。「経歴の―を聞く」注意「遂一」は誤り。

ち・ぐう【知遇】〔文〕人格・才能などを認められて厚く待遇されること。値遇（ちぐう）。「社長の―を得る」

ちくおん・き【蓄音機】録音したレコードから音を再生する装置。〔古風な言い方〕

＊ちくご【×筑後】旧国名の一つ。今の福岡県南部。

＊ちく・ご【逐語】解釈・翻訳などで、原文の一語一語を忠実にたどること。逐字。「―訳」

＊ち・ぐさ【千▽種】〔文〕種類の多いこと。いろいろ。くさぐさ。ちくさ。「―の品々」

＊ち・ぐさ【千草】〔文〕❶いろいろの草。たくさんの草。「庭の―も、虫の音も…」参考秋の季語。❷「千草色」の略。もえぎ色。空色。「―木綿（もめん）」

ちく・ざい【蓄財】《名・自サ》金銭・財産をたくわえること。また、その財産。類語殖産（しょくさん）。殖財。貯蓄。

ちく・さつ【畜殺】肉・皮などをとるため、家畜を殺すこと。参考「屠殺（とさつ）」の新しい言い方。

ちく・さん【畜産】家畜を飼育・繁殖させて、人間の衣食生活に原料を提供する産業。「―試験場」

ちく・し【竹紙】❶中国産の竹の繊維を材料にして作った、きめのあらい書画用の紙。唐紙（とうし）。❷竹の幹の中にある薄い皮。❸薄い鳥の子紙。❹雁皮紙（がんぴし）。

＊ちく・じ【逐字】〔文〕→逐語（ちくご）。

＊ちく・じ【逐次】《副》順を追って行うようす。順次。「交渉の経過を―説明する」注意「遂次」は誤り。

ちく・じつ【逐日】《副》〔文〕日を追って進んで行くようす。日がたつにしたがって。一日一日と。

ちく・しゃ【畜舎】家畜を飼う小屋。家畜小屋。類語牧舎。

ちく・しゅう【×筑州】「筑前の国」「筑後の国」の唐風のよび名。

ちく・しょう【畜生】㊀《名》❶〔人に飼われるものの意から〕けだもの。また、広く鳥獣虫魚の総称。「―にも劣る（＝人間とは思えない）悪徳行為」❷〔畜生①と同様に、人に値しないものの意で〕人をののしって言う語。ちきしょう。㊁《感》〔俗〕おこったとき、くやしいときなどに発する語。ちきしょう。「―、やまがはずれた」参考梵語 tiryak（＝人に飼われるもの）の漢訳。―どう【―道】❶〔仏〕六道または三悪道（さんまくどう）の一つ。生前に悪業の多い者が、死後、人間以外の生き物に生まれかわって責めを受ける世界。❷人道上許されない極悪の行い。特に、肉親同士の性行為。

＊ちく・じょう【築城】《名・自サ》城を築くこと。また、陣地を作ること。

＊ちく・じょう【逐条】〔文〕箇条・条文を一つ一つ順を追って進むこと。「法案を―審議する」

ちく・せき【蓄積】《名・他自サ》たくわえ積んで、しだいに大きくすること。また、たまること。また、そのもの。「資本を―する」「疲労が―して病気になる」

ちく・ぜん【×筑前】旧国名の一つ。今の福岡県北部。

＊ちく・ぞう【築造】《名・他サ》〔土手・ダム・石垣・堤防・城などを〕築き造ること。造築。類語構築。建造。

*ちく・ぞう【蓄蔵】《名・他サ》〔文〕〔金銭・財物などを〕たくわえ、しまっておくこと。

ちく・ちく《副》《「ーと」の形も》❶〔針の先など〕とがったもので続けざまに刺すようす。❷意地悪くいじめるようす。「ー責めたてる」❸《自サ》とがったもので刺されるような痛みを感じるようす。「腹がー痛む」

*ちく・てい【築堤】《名・自サ》〔文〕堤防を築くこと。また、築いた堤防。

*ちく・てい【築庭】《名・自サ》〔文〕庭園を築くこと。造園。

*ちく・でん【蓄電】《名・自他サ》電気をたくわえること。ふつう、蓄電器や蓄電池に電気を十分入れること。類語 充電。ーき【ー器】向かい合った二つの導体間に誘電体を入れ、電気をたくわえておく装置。コンデンサー。ーち【ー池】電気をたくわえておき、必要に応じて取り出す装置。充電可能で、繰り返し使用できる。二次電池。可逆電池。バッテリー。

*ちく・でん【逐電】《名・自サ》《「稲妻を追うように急ぐ」の意》あっという間に逃げ出して姿・ゆくえをくらますこと。逐電(ちくてん)。類語 出奔。失踪(しっそう)。脱走。

ちく・ねん【逐年】《副》〔文〕年を追って程度が進むようす。年とともに。年々。

ちくのう・しょう【蓄×膿症】鼻の粘膜に炎症を起こし、うみのたまる病気。鼻づまり・頭痛・臭覚異常が起こり、記憶力が減退する。

ちく・ば【竹馬】〔文〕たけうま。「ーの友(=幼いころからの親しい友だち)」「ーの時(=幼少の時)」

ちく・はく【竹×帛】〔文〕〔古代中国で、紙のなかったころ、竹や帛(=絹)に文字をしるしたことから〕❶書物。❷歴史書。歴史。

ーに名を垂・れる《句》名が書物にのせられ、後世に伝わる。功績などによって歴史上に名を残す。

ちぐ・はぐ《名・形動》くいちがってそろわないこと。調和がとれないこと。「話がーになる」

ち・くび【乳首】❶乳房(ちぶさ)の先の小さくつき出た部分。うす赤色または褐色。乳頭。ちちくび。❷乳首①をまねて作った、赤ん坊にくわえさせるゴム製品。

ちく・ふじん【竹夫人】だきかご。

ちくり《副》《多く「ーと」の形で》❶とがったものの先で突いたり刺したりするようす。「ーと皮肉を言う」❷相手を刺激するようなことをちょっと言うようす。

ちく・りょく【畜力】車・農具などをひく家畜の力。

ちく・りん【竹林】〔文〕竹やぶ。竹の林。「ーの七賢」

ちく・るい【畜類】❶家畜。❷けだもの。畜生。

ちく・ろく【逐×鹿】《名・自サ》〔文〕政権や地位を獲得しようとして争うこと。〔議員選挙で票を争うことなどに言う〕故事 帝位を鹿(しか)にたとえ、群雄がこれを逐(お)ったという、中国の「史記・淮陰侯伝」の記述から。参考 ↓中原(ちゅうげん)に鹿(しか)を逐う。

ちく・わ【竹輪】かまぼこの一種。すりつぶした魚肉を、串(くし)に太くぬりつけて棒状にし、焼いたり蒸したりして製する。参考 切り口が竹の輪に似ることから。

ち・けい【地形】土地の表面の形態。ふつう、地表面の高低・起伏の状態をいう。「ー図」類語 地勢。

チケット 切符。入場券・回数券・乗車券・購入券・預かり券・引換券など。ティケット。▽ticket

ち・けむり【血煙・血×烟】人などを切ったときの、ほとばしり出る血を煙に見立てた語。ちけぶり。

*ち・けん【知見・×智見】〔文〕❶実際に見て知ること。また、見聞や調査・研究によって得た知識。「ーを広める」❷識見。見識。意見。❸〔仏〕悟り。

*ち・けん【地検】「地方検察庁」の略。

*ち・けん【治験】新しい薬の製造・販売の承認を得るために、人体に対する有効性・安全性を調べる試験。新薬の臨床テスト。「ー薬」

ち・ご【〈稚児〉】《「乳子(ちご)」の意》❶ちのみご。幼児。❷社寺の祭礼などの行列に、着かざって加わる男女の児童。❸男色の相手となる少年。

*ち・こう【知行】〔文〕知ることと行うこと。知識と行為。ーごういつ【ー合一】知と行とは別々のものではなく、真の知は必ず行を伴うものであるということ。中国の明(みん)の王陽明(おうようめい)が唱えた説。

*ち・こう【地溝】ほぼ平行した断層の中間が陥没してできた、狭くくぼんだ土地。諏訪(すわ)盆地など。「ー帯」

*ち・こう【治効】治療した効果。「ーが現れる」

*ち・こう【遅効】〔薬や肥料などの〕ききめがゆっくり現れること。「ー性肥料」対 速効。

*ち・こく【治国】〔文〕国を治めること。「ー平天下」

*ち・こく【遅刻】《名・自サ》きめられた時刻に遅れること。類語 遅参。

ち・こつ【恥骨】骨盤を形成している寛骨(かんこつ)の一部分で、生殖器のすぐ上に位置する骨。

チコリ キク科の多年草。西洋野菜の一つ。葉がちぢれている。菊にがな。チコリー。▽chicory

ちさ【×萵×苣】↓ちしゃ(萵苣)。

ち・さい【地裁】「地方裁判所」の略。

*ち・さん【治山】〔文〕〔災害を防ぐために〕植林・築堤などをして山を整備すること。「ー治水」対 治水。

*ち・さん【治産】❶〔文〕生計の道を立てること。❷自分の財産の管理処分。「禁ー」

*ち・さん【遅参】《名・自サ》きめられた時刻、約束の時刻に遅れて来ること。〔あらたまった言い方〕類語 遅刻。

*ち・し【知×歯・×智×歯】「第三大臼歯(だいきゅうし)」の別名。ちえば。親知らず。二〇歳前後にはえる。

*ち・し【地誌】ある地方についての地理的現象を調査・分類して記載し、地域の特性を明らかにした書物。

*ち・し【致仕】〔文〕❶《名・自サ》官職を退くこと。辞職。❷「七〇歳」の別称。参考 昔、中国の官吏の定年が七〇歳だったことから。

*ち・し【致死】ある事が原因で人を死に至らせること。「過失ー」ーりょう【ー量】人体や動物を死なせるのに十分な薬物の量。

ち・じ【知事】都道府県の長。任期は四年で、その地域の住民により公選される。

ち・しお【血潮・血×汐】〔体からほとばしり出る血を潮にたとえた語〕血。また、熱っぽい気持ち。熱情。「若いーがたぎる」

ち・しき【知識・×智識】❶ある物事についてはっきりと知り、理解した事柄。知っている内容。「予備ー」「ーをひけらかす」❷知恵と見識。❸〔仏〕善知識。高徳の僧。ーかいきゅう【ー階級】高等教育を受け、知的職業にたずさわっている社会層。知識層。インテリゲンチア。ーさんぎょう【ー産業】人々の知的欲求にこたえる産業。新聞・通信・出版・印刷・映画・音楽・放送などの産業。ーじん【ー人】知識や教養がある人。識者。インテリ。ーよく【ー欲】知識を得ようという欲望。「ーが旺盛(おうせい)な人」

ち-じき【地磁気】 地球自体がもっている磁気。また、それによって生じる磁場。地球磁気。

ち-じく【地軸】 ❶地球の自転軸。南極と北極とを結ぶ軸で、公転軌道面に対して六六度三四分の傾きをもつ。❷大地をつらぬき、その回転をささえていると想像された軸。

***ち-しつ【知×悉】**《名・他サ》〔文〕細かい点までくわしく知っていること。精通。熟知。「内部事情をーする」

***ち-しつ【地質】** 地球の表層部を構成している各種の地層や岩石の性質・状態。**―じだい【―時代】** 地球の歴史のうち、岩石や地層に残っている化石などの記録によって推測される範囲の時代。生物の進化を基礎として時代区分がなされる。

ち-じつ【遅日】〔文〕〔特に春の日について〕日の暮れるのが遅く夕べが長く続く日。日なが。参考 春の季語。

ちしま-かいりゅう【千島海流】 親潮。

***ち-しゃ【知者・×智者】**〔文〕❶物事の道理を十分わきまえた人。知恵のすぐれた人。❷知識の広い人。

***ち-しゃ【治者】**〔文〕❶ある国・地方を治める人。統治者。❷主権者。

***ちしゃ【×萵×苣】** キク科の越年草。葉は食用。変種が多い。ちさ。参考 俗に、結球性のものをレタス、非結球性のものをサラダ菜と呼ぶ。

***ち-しょう【知将・×智将】**〔文〕知恵にすぐれ、はかりごとにたくみな将。

***ち-しょう【地象】** 地震・地すべりなど、大地に起こる〔異変〕現象。

***ち-しょう【池沼】**〔文〕池と沼。

***ち-じょう【地上】** ❶土地の上。地面の上。また、地面より上。対 地下。❷この世。現世。「ーの楽園」対 天上。**―けん【―権】**〔法〕他人の土地に建築物や樹木を所有しているために生じる、その土地を使用できる権利。

***ち-じょう【痴情】** 男女間の肉体的な愛情にとらわれて理性をなくした気持ち。色情に迷う心。「ーのもつれによる殺人」類語 色情。

ち-じょう-い【知情意】 人間の持つ、知性と感情と意志の三つの心的要素。

ち-じょく【恥辱】 はじ。はずかしめ。「ーを受ける」類語 屈辱。

***ち-じん【知人】** 知り合い。知己。類語 知友。

***ち-じん【地神】**〔文〕地の神。くにつかみ。地祇。対 天神。

***ち-じん【痴人】**〔文〕おろかな者。ばかな人。

ち-ず【地図】 地表の一部または全体の状況を、一定の縮尺と図法により、記号・文字などを用いて平面に表した図。「世界ー」

ち-すい【治水】《名・自サ》河川に堤防を築くなどの工事をほどこして水の流れを制御し、はんらんをふせいだり運輸・灌漑の便をはかったりすること。また、それに関する行政。対 治山。

ち-すじ【血筋】 ❶血液が体内を流れるすじみち。血管。❷〔親・子・孫などの〕血のつながり。血統。また、血縁。「ーをひく」

***ち-せい【知性】** 知覚されたものを整理・統一して新しい認識を生み出す精神の働き。また、知覚・直観・悟性など知的能力の総称。「ー的（＝知性の働きが強く感じられるようす）」類語 知力。

***ち-せい【地勢】** いろいろな地形を総括した土地のありさま。土地の高低・起伏の状態や山・川・平野などの形勢。「険しいー」類語 地形。地文。

***ち-せい【治世】** ❶よく治まっている世。太平無事の世。「ーの能吏乱世の姦雄」対 乱世。❷君主が国を治めること。また、その期間。「ルイ一四世のー」

***ち-せき【地積】**〔文〕一区画ごとの、地の面積。

***ち-せき【地籍】**〔文〕一区画ごとの、土地の所在・用途や所有関係。

***ち-せき【治績】**〔文〕その国をよく治めたという実績。政治上の功績。「ー大いにあがる」

ち-せつ【稚拙】《名・形動》子どもじみていて、未熟であること。「面白い小説だが、文章はーだ」

ち-そ【地租】 土地を課税物件とする租税。参考 日本の国税としての地租は一九五〇年に廃止。

***ち-そう【地層】** 地表をおおっている堆積岩の層の重なり。

***ち-そう【地相】** ❶土地のありさま。❷土地のようすから判断される吉凶。

***ち-そう【×馳走】** ❶《名・他サ》〔用意のために走りまわる意から〕客などに対して、食事を出してあれこれもてなすこと。「ーにあずかる」類語 供応。❷おいしい料理。参考 ①②とも、現在ではふつう「ご」を上につけて使う。

ち-そく【遅速】〔文〕遅いことと速いこと。また、遅いか速いかの程度。「ーを競う」類語 緩急。

ち-ぞめ【血染め】 血で赤く染まること。

チター 弦楽器の一つ。小型で扁平な共鳴箱に三〇～四〇本の弦が張ってあり、これを指でかき鳴らす。南ドイツ・スイスなどに古くから伝わる。▽ドイツ Zither

***ち-たい【地帯】** ある程度の広がりをもち、ある特徴によって他と区別されるような範囲を持つ地域。ゾーン。「工業ー」「安全ー」「砂漠ー」類語 地域。地区。

***ち-たい【痴態】**〔文〕ばかげた振る舞いや格好。「ーの限りを尽くす」

***ち-たい【遅滞】**《名・自サ》〔文〕遅くなったり、とどこおったりすること。「ーなく提出せよ」類語 延滞。

ち-だい【地代】 →じだい（地代）。

チタニウム →チタン。▽titanium

ち-だるま【血▽達磨】 血を全身にあびて、赤いだるまのようになること。血まみれ。

チタン 岩石・土の中に化合物として存在する銀白色の金属元素。軽くて強く、耐食性・弾力性に富み、ジェット機などの材料、また染料・顔料の材料として重要。チタニウム。元素記号 Ti。▽ドイツ Titan

***ちち【乳】** ❶哺乳動物が子を育てるために、乳腺から分泌する白い液体。乳汁。ち。類語 牛乳。母乳。ミルク。❷ちぶさ。乳房。ち。類語 おっぱい。胸。乳首。乳頭。バスト。

***ちち【父】** ❶その人にとって男の方の親。男親。参考 実父だけでなく、継父・養父・義父にもいう。対 母。❷学問・芸術などのある分野で、初めて基礎を築き上げた偉大な人。開祖。先駆者。「交響曲のー」❸キリスト教で、子・聖霊に対して、創造主である神。天帝。エホバ。ヤハウェ。⇩〖類語と表現〗

類語と表現

「父・母」

*二児の父〔母〕となる・父の遺志を継ぐ・母の愛に育まれる／近代経済学の父・必要は発明の母・母なる大地／父と子と

聖霊。

◆父母・両親・二親・片親・親御・養い親・継親・里親・仮親・継父母・生みの親・育ての親・名付け親

◆父親・とと・親父・雷親父・お父様・お父さん・お父・お父ちゃん・ちゃん・パパ・家父・実父・慈父・老父・乃父・愚父・拙父・養父・継父・舅

◇尊敬 父上・父御・厳父・尊父・岳父・父君・御父様

◆母親・かか・お袋・お母様・お母さん・お母ちゃん・おっかあ・ママ・慈母・賢母・老母・家母・愚母・実母・義母・養母・継母・姑

◇尊敬 母上・母御・母堂・母君・御母様

*ち-ち【遅遅】《形動タルト》〔文〕ゆっくりしていておそいようす。はかどらないようす。「工事が―として進まない」「春日―（=春の日が長く、のどかなようす）」

ち-ぢ【千千】〔文〕さまざま。いろいろ。かずかず。「心中に―の思いが去来する」

ちち-うえ【父上】父親の敬称。〔書簡などで多く使う、古風で上品な言い方〕対母上。

ちち-おや【父親】父である親。男親。対母親。

ちち-かた【父方】〔親類の中で〕父親の血筋に属すること。「―のおじ」類語父系。男系。対母方。

ちぢか-む【縮かむ】《自五》❶〔恐怖・緊張などのために〕からだが小さくなって伸びなくなる。ちぢこまる。❷寒さでかじかむ。「指先が―む」文《四》。

ちち-ぎみ【父君】〔文〕〔他人の〕父親の敬称。〔書簡などで多く使う、古風で上品な言い方〕対母君。

ちち-くさ-い【乳臭い】《形》❶〔赤ん坊が〕乳のにおいがする。❷ある人の口ぶりや態度が幼稚である。子どもじみている。未熟である。「―い議論」

ちち-くび【乳首】ちくび。

ちちくり-あ-う【乳繰り合う】《自五》人目をさけて男女がたわむれあう。また、男女がひそかに情を通じる。ちちくる。参考やや下品な表現。

ちち-く-る【乳繰る】《自五》→ちちくりあう。

ちぢこま-る【縮こまる】《自五》〔遠慮・おそれ・寒さなどのために〕からだがちぢんだようになる。ちぢんだように小さくなる。ちぢかむ。文《四》。

ちぢ-に【千千に】《副》〔文〕こまかく。いろいろに。さまざまに。「心が―乱れる」

ちち-の-ひ【父の日】父親に感謝する日。六月の第三日曜日。対母の日。

ちち-ばなれ【乳離れ】《名・自サ》→ちばなれ。

ちぢま-る【縮まる】《自五》物がちぢんだ状態になる。物の長さが短くなる。ちぢむ。「セーターを洗ったら―った」「先頭との距離が―る」文《四》。

ちぢみ【縮み】❶ちぢむこと〔程度〕。❷「縮み織り」の略。布の全面を細かくちぢませた薄地の織物。材質は麻・綿・絹など。夏の衣料用。「―のシャツ」

ちぢみ-あが-る【縮み上がる】《自五》❶〔布地などが〕ちぢんで短くなる。❷〔おそれなどで〕からだがすくんで、身動きできないほど小さくなる。畏縮する。

ちぢ-む【縮む】《自五》❶しわがよったりつまったり中身が少なくなったりして、面積や体積が小さくなる。「布地が―む」❷〔長さが〕短くなる。「ズボンのたけが―む」「寿命が―む」対伸びる。❸おそれなどのために小さくなる。「身の―む思い」文《四》。

ちぢ-める【縮める】《他下一》ちぢむようにする。対伸ばす。㋐小さくする。「差を―める」㋑短くする。「服のそでを―める」㋒ひっこめる。「首を―める」㋓しわをよせる。「眉間を―める」㋔体をすくませる。文ちぢ・む《下二》。

ち-ちゅう【地中】土の中。大地の中。類語地下。

ちぢれ-げ【縮れ毛】ちぢれている毛。ちぢれっけ。

ちぢ-れる【縮れる】《自下一》❶しわがよってちぢまる。「洗っても―れない繊維」❷〔髪の毛が〕うねったり、巻いたりした状態になる。文ちぢ・る《下二》。

*ちつ【×帙】おもに和本を保護するためのおおい。厚紙に布などを張って作る。

*ちつ【×膣】女子生殖器の一部。子宮から外陰部に通じる管。

チッキ 鉄道・汽船などの交通機関が、旅客からあずかって輸送する手荷物。また、その預かり証。託送手荷物。現在は取り扱われていない。▽check から。

ちっ-きょ【×蟄居】❶《名・自サ》〔文〕〔虫が冬眠のため地中にこもる意から〕家や部屋にとじこもって外出しないこと。❷江戸時代、武士に科した刑罰の一つ。閉門を命じ、一定期間一室で謹慎させたもの。

チック →コスメチック。

ちっ-こう【築港】《名・自サ》船舶が出入りできるように港をきずくこと。また、その港。

ちつ-じょ【秩序】❶物事の正しい順序・筋道。「―立てて話す」❷社会生活が整然と行われるための条理。社会が乱れていない状態。「安寧―」類語規律。

ちつ-ぜん【秩然】《形動タルト》〔文〕秩序がよくととのっているようす。整然としているようす。

ちっ-そ【窒素】非金属元素の一つ。無色・無味・無臭で、空気の体積の七八パーセントを占める。肥料・火薬の重要な原料。元素記号N。―さんかぶつ【―酸化物】一酸化窒素・二酸化窒素など、窒素と酸素の化合物の総称。排気ガスなどに含まれ、大気汚染の原因物質の一つとされる。略語NOx。

ちっ-そく【窒息】《名・自サ》❶〔気管がつまったり、酸素がたりなくなったりして〕呼吸がとまること。息がつまること。「―死」❷まわりに圧迫され、活動が阻害されること。「こう規則ずくめでは―しそうだ」

ちっちゃ-い《形》〔俗〕小さい。

ち-つづき【血続き】〔親子・兄弟などのように〕血のつながりがあること。類語血族。血縁。

ちっ-と《副》〔俗〕ちょっと。少しばかり。ちと。

ちっ-と-も《副》《下に打ち消しの語を伴って》少しも。いっこうに。「暑くて―眠れない」

ちっとや-そっと《副》〔俗〕わずかばかり。少しばかり。参考多く下に打ち消しの語を伴い、とてもその程度では済まされないという気持ちを含む。「―の苦労ではない」

*チップ ❶ルーレットやトランプなどで、賭け金の代わりに用いる、まるい札。❷製紙業で、原料となる木材の細片。❸「ポテトチップ」の略。▽chip

*チップ ❶心づけ。祝儀。「―をはずむ」❷《名・自サ》野球で、ボールが打者のバットをかすって後方へ飛ぶこと。また、そのボール。▽tip

ちっぽけ《形動》〔俗〕〔ごく〕小さいようす。また、小さくて、貧弱に見えるようす。「―な会社」

*ち-てい【地底】大地の底。地下の非常に深い所。

*ち-てい【池亭】〔文〕池のほとりに設けたあずまや。

ち-てき【知的】《形動》❶〔人の感じが〕知性や知識に

富んでいるようす。「ーな雰囲気」類語知性的。理知的。❷知識に関係があるようす。「ー労働」 **ーざいさんけん【ー財産権】** 人間の精神的な創作努力から生じる、発明・考案・デザイン・著作物などの知的成果物を保護する権利の総称。知的所有権。無体財産権。 **ーしょうがい【ー障害】**〔医〕精神障害の中の、知能の障害。「知的発達障害」の略。参考もと「精神薄弱」「精神遅滞」といった。

ち-てん【地点】 地上のある一つの場所。「目標ー」

ち-と《副》〔俗〕ちょっと。少々。㋐ほんの少し。少しばかり。「ー困ったことになった」㋑非常に時間が短いようす。わずかな間。「ーお待ちください」

ち-とう【池×塘】 ❶〔文〕池の堤。❷湿原の地。

ちどう-せつ【地動説】 地球は自転しながら、他の惑星と同じように太陽のまわりを公転しているとする説。コペルニクスらによって唱えられた。対天動説。

***ち-とく【知得】**《名・他サ》〔文〕知ること。

***ち-とく【知徳・×智徳】**〔文〕知識と道徳。知恵と徳行。学識と人格。「ーをみがく」「ーを備える」

ち-とせ【千▽歳・千▽年】〔雅〕❶千年。❷非常に長い年月。永遠。千代。「ーの契り(=一生の約束)」類語百歳。 **ーあめ【ー×飴】** 七五三などの縁起物に用いる、紅白に染めわけた細長い棒状のさらし飴。

ち-どめ【血止(め)】 傷口から流れ出る血をとめること。また、そのための薬。

ち-どり【千鳥】 ❶チドリ科の小形の水鳥の総称。背がうす黒く、腹部は白い。足を左右に交差させて歩く。水辺に群棲する。❷〔文〕多くの鳥。 **ーあし【ー足】** 酒に酔った人のふらふらした足どり。 **ーがけ【ー掛(け)】** ❶斜めに交差させること。❷糸を交互に斜めに交差させてかがること。千鳥かがり。

ち-どん【遅鈍】《名・形動》頭やからだの働きがにぶく、のろのろしていること。ぐず。対鋭敏。

ち-なまぐさ・い【血×腥い】《形》❶血のにおいが強い。❷血を流す人々を多く見るような残酷な状態である。「ー・い事件」「ー・い戦乱の巷」

ちなみ-に【▽因(み)に】《接続》〔文〕あることを言ったついでに、そのことに関連して別のことを付け加えるときに使う語。ついでに言えば。「ー申し上げると…」

ちな・む【▽因む】《自五》ある事の縁によって他の物事をする。ことよせる。「文化の日にー・む行事」文《四》。

ち-にち【知日】〔外国人が〕文化・風俗など日本の事情に通じていること。「ー家」類語親日。

ちぬ-だい【×茅×渟×鯛】「くろだい」の別称。

ち-ぬ・る【血塗る・×衅る】《自五》〔古代中国で、神を祭るために、いけにえや殺した敵の血を祭器などにぬったことから〕刀剣などに血をぬる。転じて、戦いや殺傷などを行う。「刃にー・る(=人を殺す)」「ー・られた(=流血の惨事があった)革命」

ち-ねつ【地熱】 地球内部の熱。地熱。

ち-の-あめ【血の雨】《連語》〔戦争やけんかなどで〕多くの死傷者が出ることのたとえ。「ーを降らす」

ち-の-いけ【血の池】《連語》〔仏〕地獄にあり、生前悪い事をした者がおちるという、血をたたえた池。

***ち-のう【知×嚢・×智×嚢】**〔文〕深くたくわえられた知恵。また、知恵に富んだ人。知恵者。類語知恵袋。

***ち-のう【知能・×智能】**〔物事を判断・処理する〕頭の働き。知力。「ーの発達」類語知恵。 **ーしすう【知能指数】** 個人の知能程度を示す指数。知能検査で得られた精神年齢を実際の年齢で割り、それに一〇〇を掛けた数で表す。一〇〇を平均とする。略語IQ。 **ーはん【知能犯】**〔法〕詐欺・背任・横領など、暴行や脅迫によらず、知能を働かせてなされる犯罪。また、そうした罪をおかした者。対強力犯。

ち-の-うみ【血の海】《連語》血がおびただしく流れひろがっていることのたとえ。「あたり一面ーになった」

チノ-クロス 丈夫なあや織り綿布。チノ。▽chino cloth

ち-の-け【血の気】 ❶〔顔などに〕血のかよっているようす。皮膚の赤み。「ーが引く」❷物事に激しやすい意気。向こう見ずの元気・勇気。血気。「ーの多い人」

ち-の-しお【地の塩】《連語》❶〔キリスト教で〕神を信じる者は、神の教えを守って、人間社会の純化・向上のために尽くさねばならないという教え。また、その教えを守る人。❷一般に、末端にあって社会の純化・向上のための模範となる人。類語草の根。

ち-の-なみだ【血の涙】《連語》〔涙がかれつきて、その代わりに血が流れ出すほどの〕たえがたい、つらい思い。また、悲憤または悲哀のあまり流す涙。血涙。

ちのみ-ご【乳飲(み)子・乳×呑(み)▽児】 まだ乳を必要とする幼児。乳児。赤ん坊。赤子。

ち-の-みち【血の道】《連語》❶血液の通る道。血脈。血管。❷〔漢方で〕生殖器や内分泌腺の異常や血行不順などでおこる、女性特有の疾患。婦人病。

ち-の-めぐり【血の巡り】《連語》❶血液の循環。❷物事を理解する力。頭の働き。「ーの悪い男」

***ち-のり【血×糊】**〔のりのように〕かわききらないでねばねばした血。また、物にねばりついた血。

***ち-の-り【地の利】**《連語》その土地の位置や形状がある物事を行うのに有利なこと。「ーを得ている」

ち-はい【遅配】《名・自サ》配給・配達などが予定の期日よりおくれること。

ち-ばし・る【血走る】《自五》物事に興奮・熱中などして、眼球が充血する。

***ち-はつ【×薙髪】**《名・自サ》〔文〕髪の毛を切ること。また、髪をそりおとして僧になること。類語剃髪。

***ち-はつ【遅発】**《名・自サ》〔列車などが〕規定の時刻よりおくれて出発すること。類語延発。対早発。

ち-ばなれ【乳離れ】《名・自サ》❶乳児が成長して乳を飲まなくなり、ほかの食べ物もとるようになること。離乳。❷成長して自立心がそなわり、親に頼ろうとする気持ちがなくなること。=乳離れ。

ちはやぶる【千早振る】《枕》「神」およびこれに類する語、また「宇治(地名)」などにかかる。

ち-はらい【遅払い】 給料や代金の支払いがおくれること。ちばらい。

ち-はん【池畔】〔文〕池のほとり。池のはた。

ち-ばん【地番】 土地登記簿の登録事項の一つで、一筆ごとにつけた土地の所在番号。

ちび《名・形動》〔俗〕❶背が低く体が小さい・こと(人)。❷年の幼い者を親しんでいう語。

ちび-ちび《副》(「ーと」の形も)〔俗〕物事を一度に勢いよくやってしまわないで、少しずつ行うようす。ちびりちびり。「借金をー払う」「酒をー飲む」

ち-ひつ【遅筆】 文章を書くのがおそいこと。対速筆。

ちび-っ-こ〔俗〕〔小学生ぐらいまでの〕子ども。

ち-ひょう【地表】 土地・地球の表面。類語地面。

＊ち・びる《他五》❶〔大小便などを〕少しもらす。❷だしおしむ。けちけちする。「寄付を―・る」

＊ち・びる【×禿びる】《自上一》〔道具などが使い古されて〕先がすり切れて減る。「―・びた筆」

ち・ひろ【千▽尋】〔文〕❶一ひろの一〇〇〇倍。一ひろは約一・八メートル。せんひろ。❷測り知れない深さ・長さ。「―の海底」

ち・ぶ【恥部】❶陰部。局所。❷人に見られると恥ずかしい部分。恥ずべき点。「大都会の―」

ち・ぶさ【乳房】哺乳(ほにゅう)類の胸部や腹部の両側にあって乳汁を分泌する器官。乳房(にゅうぼう)。類語 →乳(ちち)

チフス 腸チフス・発疹チフス・パラチフスの総称。特に、腸チフス。チブス。▽ドイツ Typhus

ち・ぶつ【地物】❶植物・河川・道路・建造物など、地上にある自然または人工のすべての物。❷軍隊で、地上にあって敵の目または砲火から身をかくす物。

ち・へい【地平】❶大地の平面。なだらかな大地の、見渡す限りの広がり。❷地平線。 ―せん【―線】❶なだらかな大地の果てと空との境界線。類語 水平線。❷〔天〕観測地点上で地球に接する平面が天球と交わってできる線。

ち・へど【血▽反吐】〔胃などからの出血によって〕口からはき出す血。参考 非常に苦しい思いをすることのたとえにも使う。「―を吐くほどの猛練習」

ち・へん【地変】地震・噴火など、地上におこる変異・変動。地異。「天災―」対 天変(てんぺん)

ち・ほ【地歩】〔ある物事をする上で〕あるものの占めている地位・位置・立場。「―を固める」

―を占・める《句》自分の地位・立場を定める。

＊ち・ほう【地方】❶国内をいくつかに区分した地域。「関東―」❷ある一部の地域をばくぜんとさしていう語。その方面の土地。「東京―」「熱帯―」❸首都など大きな都市以外の土地。いなか。「―出身の人」対 中央。❹旧軍隊で、軍以外の一般社会。類語 娑婆(しゃば)

―ぎょうせい【―行政】地方公共団体がつかさどり、その地方の住民に直接かかわりあう行政。 ―ぎんこう【―銀行】都市銀行以外の普通銀行。本店が地方都市にあり、その所在する府県内をおもな営業の基盤としている銀行。地銀。対 都市銀行。市中銀行。 ―けんさつちょう【―検察庁】検察庁の一種。地方裁判所および家庭裁判所に対置して設置される。略称、地検。 ―こうきょうだんたい【―公共団体】国のある一定の地域内に居住するすべての人に対し、法の認める範囲内で支配権を有する統治団体。都道府県・市町村・特別区など。地方自治体。自治体。地方団体。 ―こうむいん【―公務員】地方公共団体の公務に当たる公務員。類語 国家公務員。 ―さいばんしょ【―裁判所】下級裁判所の一つ。各都道府県に設けられ、通常は第一審の裁判所となる。略称、地裁。 ―し【―紙】特定の地域のみを対象として発行される新聞。対 全国紙。 ―じち【―自治】一定地域の住民が、その地方の行政を自分たちの意思によって行うこと。直接的には、地方公共団体が行政を行うこと。 ―じちたい【―自治体】地方自治を行う団体。地方公共団体。 ―しょく【―色】その地方独特の自然・風物・文化・習慣などのようす。ローカルカラー。郷土色。「―豊かな祭り」 ―ぜい【―税】地方公共団体が徴収する租税。都道府県税と市町村税とからなる。対 国税。 ―ばん【―版】新聞が、特にある地方の読者のためにその地方に関する記事を載せる紙面。ローカル版。類語 県版。 ―ぶんけん【―分権】行政権を中央政府に集中せず、地方団体に分散してその独立性を強調すること。対 中央集権。

＊ち・ほう【痴×呆】正常に発育した知能が、脳の疾患によって後天的に低下した状態。また、その状態にある人。「老人性―(症)」

ち・ぼう【知謀・×智謀】知恵を働かした、たくみなはかりごと。知略。知計。「―をめぐらす」類語 才略。

ちま・う(ちまふ)《連語》《「てしまう」の転》「…てしまう」の意の口頭語。…ちゃう。「食べ―・う」「酔っ―・う」参考 「でしまう」となったものから転じたものは、「じまう」となる。「もう飲んじまった」

ち・まき【×粽】もち米・もち米粉・くず粉などで作ったもちを、ササ・マコモ・タケノコの皮などで巻いてしばったもち菓子。端午(たんご)の節句に食べる習慣がある。参考 (ア)昔は茅(ち)(チガヤ)の葉で巻いた。(イ)夏の季語。

ち・また【×巷・▽岐・×衢】〔道(ち)の股(また)の意から〕❶物事の分かれ目。「生死の―をさまよう」❷街路。また、まちなか。「―に人の波があふれる」❸世間。一般社会。「―の声を聞く」❹〔流血などの異常事が行われる〕場所。ところ。「戦乱の―」「修羅(しゅら)の―」

ち・ま・ちま《副・自サ》〔副詞は「―と」の形も〕〔俗〕小さくまとまっているようす。ちんまり。「―した顔」

ち・まつり【血祭り】〔昔、中国で、出陣に際していけにえを殺し、その血をもって軍神を祭ったことから〕戦いに向かう前に、敵方の者を殺して、味方の士気をふるいたたせたこと。また、手はじめとして威勢よく最初の相手をかたづけること。「―にあげる」

ち・まなこ【血眼】〔血走った目の意で〕ある目的をなしとげようとして、ほかの事を忘れて夢中になること。「―で探す」「金もうけに―になる」

ち・まみれ【血▽塗れ】《名・形動》〔からだや衣服などが〕一面に血をあびること。血だらけ。血みどろ。

ち・まめ【血豆】皮下出血を起こして皮膚にできた血腫(けっしゅ)。赤黒い豆状になる。皮下溢血(ひかいっけつ)。

ち・まよ・う【血迷う】(―まよふ)《自五》〔不意の恐怖や怒りなどのために〕逆上して理性を失う。

＊ち・み【地味】土地の、農作物の生産に対する適否。土地の生産力。「―が肥えている」類語 地力。

＊ち・み【×魑魅】山や沢に生ずるという、ばけもの。すだま。 ―もうりょう【―×魍×魎】さまざまな妖怪変化(ようかいへんげ)。いろいろなばけもの。また、怪しげな人々。「―が跋扈(ばっこ)する」参考 →魍魎(もうりょう)。

ち・みち【血道】❶血の通う道。❷→血の道②。

―を上・げる《句》異性や道楽に夢中になる。また、分別を忘れてある事に熱中する。のぼせあがる。

ち・みつ【×緻密】《形動》❶〔布地・紙などの〕きめが細かいようす。❷細かい所まで行きとどいて〔すぐれて〕いるようす。「―な計画」「―な頭脳」類語 精密(せいみつ)。綿密(めんみつ)。対 ①②粗雑。

ち・みどろ【血みどろ】《名・形動》❶ひどく血にまみれていること。血まみれ。血だらけ。❷非常に苦しくせっぱつまった状態であること。「―の選挙戦」

ち・みゃく【遅脈】通常の状態よりもおそくうつ脈拍。

チムニー ❶煙突。❷ランプのほや。❸登山で、岩場にある煙突状の裂け目。直立裂孔。▽chimney

ち-め【血目・血▽眼】〔病気や逆上のために〕結膜が充血した目。血ばしった目。ちまなこ。

***ち-めい**【知名】《名・形動》世間にその名がよく知られていること。「—の士」「—人」「—度が高い(=よく知られている)」類語 有名。高名。著名。

***ち-めい**【知命】〔文〕「五〇歳」の別称。参考「五十にして天命を知る〈論語・為政〉」から。⇩【類語と表現「年と」】

***ち-めい**【地名】土地の呼び名。土地の名まえ。

ちめい-しょう【致命傷】❶死の直接の原因となる傷。❷とり返しのつかない大きな失敗・損害。「社長のスキャンダルが—となって倒産した」

ちめい-てき【致命的】《形動》❶生命にかかわるようなようす。「—な重傷」❷失敗・損害などがひどくてとり返しのつかないようす。「—な欠陥」

ち-もう【恥毛】恥部にはえている毛。陰毛。

ち-もく【地目】土地登記簿に表示される、その土地の現状や使用目的などによって区別された名称。田・畑・宅地・山林・公衆用道路など。

ち-もん【地文】大地のありさま。山や丘の起伏、河川や湖沼のようすなど。ちぶん。類語 地勢。

ちゃ【茶】❶茶の木。❷茶①の若葉・若芽を乾燥させたもの。また、それに湯をそそいで出した飲料。参考 ふつうは緑茶をさす。「—を淹(い)れる(=飲料としての茶を作る)」「—をわかす」「—を出す」❸抹茶(まっちゃ)を立てること〔作法〕。茶の湯。茶道。❹茶や軽い食べものをとる気楽な集まり。「お—に招く」❺茶を煮出したような色。黒みをおびた赤黄色。茶色。「—の背広」類語 薄茶(うすちゃ)。海老茶(えびちゃ)。狐色(きつねいろ)。焦げ茶。錆色(さびいろ)。渋色。鳶色(とびいろ)。栗色(くりいろ)。褐色。茶褐色。ベージュ。ブラウン。❻ちゃかすことば。ひやかすことば。「—を言う」

—に・する《句》❶ひと休みして茶を飲む。休憩する。❷ちゃかす。ひやかす。また、ばかにする。

—を立・てる《句》抹茶に湯をそそぎ、かきまぜてあわを立てて飲める状態にする。作法に従って点茶する。

—を濁・す《句》その場をうまくとりつくろってのがれる。お茶を濁す。

—を挽(ひ)・く《句》❶〔昔、遊里でひまな芸者などに茶の葉をひかせたことから〕芸者などが、客がなくてひまである。お茶をひく。❷用事がなくて、たいくつである。

ちゃあ《連語》《「ては」の転》「…ては」の意の口頭語。ちゃ。「それを言っちゃあおしまいよ」「食っちゃあ寝の生活」参考「では」となったものから転じたものは、「じゃ(あ)」となる。「あんな本読んじゃ(あ)だめよ」

チャージ ❶《名・自サ》充電すること。❷《名・自サ》給油すること。❸《名・自サ》ラグビーやサッカーで、相手チームの選手を故意に押し倒したり、けったりして妨害すること。チャージング。❹〔レストラン・ナイトクラブなどの〕料金。請求代金。「テーブル—」▽charge

チャーシュー【叉焼】焼き豚。▽中国 cha-shao

チャーター《名・他サ》船・航空機・自動車・列車などを一定の契約で借り切ること。▽charter

チャーチ キリスト教の教会。教会堂。▽church

チャート ❶地図。海図。❷一覧表。図表。「フロー—(=流れ図)」▽chart

チャーハン【炒飯】米飯に肉や野菜、卵などをまぜて味をつけながら油でいためた、中国風の飯料理。焼き飯。▽中国 chao-fan

チャーミング《形動》かわいらしくて、人の心をひきつけるようす。魅力があるようす。魅力的。魅惑的。「—な笑顔」類語 アトラクティブ。▽charming

チャーム《名・他サ》人の心をひきつけること。魅力。「—ポイント」▽charm

チャイム ❶打楽器の一つ。音階に音を合わせた一組の鐘で、旋律を奏するようにしたもの。教会の鐘に似た音を出す。❷玄関口などにつける、チャイム①に似た音を出す呼び出し用のベル。▽chime

チャイルド-シート 自動車の助手席などに取り付ける、幼児用補助座席。安全確保を目的とする。▽child seat

ちゃ-いろ【茶色】→茶⑤。

ちゃ-う《連語》《「てしまう」の転》「…てしまう」の意の口頭語。…ちまう。「先生に怒られ—・うよ」「困っ—・うなあ」参考「でしまう」となったものから転じたものは、「じゃう」となる。「もう済んじゃった」

ちゃ-うけ【茶請(け)】茶を飲むときに食べる菓子・つけ物など。茶の子。お茶請け。類語 茶菓子。

ちゃ-うす【茶臼】茶の葉をひいて抹茶(まっちゃ)を作るのに使う、石のひきうす。

ちゃ-えん【茶園】茶を栽培する畑。茶畑。さえん。

チャオ《感》あいさつのことばで、「おはよう」「こんにちは」「さようなら」などをかねる語。▽イタリア ciao

ちゃ-か【茶菓】茶と菓子。茶菓(さか)。「—で接待する」

ちゃ-かい【茶会】客を招待し、茶をもてなす会。茶の湯の会。茶会(さかい)。

ちゃ-がけ【茶掛(け)】茶席にかける、書画の掛け物。

ちゃ-がし【茶菓子】お茶に添えて供する菓子。類語 茶の子。茶うけ。

ちゃか・す【茶化す】《他五》他人のまじめな話を冗談にしてしまう。「人の話を—・す」表記「茶化す」は当て字(あてじ)。類語 ひやかす。からかう。

ちゃ-かっしょく【茶褐色】黒みをおびた茶色。とび色。類語 セピア。

ちゃ-がま【茶釜】茶の湯で、湯をわかすかま。

ちゃ-がゆ【茶粥】茶の煎(せん)じ汁を入れて煮たかゆ。

ちゃ-がら【茶殻】茶を煎(せん)じ出したあとのかす。でがら。茶かす。

ちゃ-き【茶器】❶抹茶(まっちゃ)をたてたり煎茶(せんちゃ)をいれたりする道具。茶道具。❷抹茶を入れておく容器。

ちゃき-ちゃき《名・形動》《「嫡嫡(ちゃくちゃく)」の転という》生まれが純粋であること。血統にまじりけがないこと。生粋(きっすい)。「—の江戸っ子」類語 嫡流。

ちゃ-きん【茶巾】❶茶の湯で、茶わんをふくのに使う麻やもめんのさらした布。❷茶器をぬぐう布。❸「茶巾しぼり」の略。材料をふきんで包み、しぼり目をつけた食べ物。❹「茶巾ずし」の略。具を入れたすし飯を薄い卵焼きで包んだもの。

ちゃく【着】《接尾》❶〔場所・時刻を表す語につけて〕そこに到着する意。「大阪—」対 発。❷《助数》衣服の数をかぞえる語。「背広二—」❸《助数》到着した順番をかぞえる語。「マラソンで二—」❹《助数》囲碁(いご)で石をおろす回数をかぞえる語。「第一—をおろす」

***ちゃく-い**【着意】《名・自サ》〔文〕❶気をつけること。心をとどめること。類語 留意。着眼。❷思いつくこと。思いつき。「—がいい」類語 着想。

***ちゃく-い**【着衣】《名・自他サ》〔文〕着物を着(てい)ること。また、着ている着物。類語 着服。対 脱衣。

ちゃく-えき【着駅】〔鉄道で〕列車・旅客・荷物が到着する駅。対発駅。

*__ちゃく-がん【着岸】__《名・自サ》〔船などが〕岸につくこと。類語接岸。

*__ちゃく-がん【着眼】__❶《名・自サ》研究・工夫・調査などをする対象として、ある点に目をつけること。類語着目。❷目のつけどころ。目のつけ方。「—点」

ちゃく-ざ【着座】《名・自サ》座席につくこと。席にすわること。類語着席。

ちゃく-し【嫡子】❶家督相続人となる子。あとつぎ。❷正妻が生んだ子。嫡出子(ちゃくしゅつし)。対①②庶子(しょし)。類語嫡男。

ちゃく-しつ【嫡室】〔文〕本妻。嫡妻。正室。

ちゃく-じつ【着実】《名・形動》危なげがなく確かであること。手堅いこと。「—な経営」類語堅実。地道。

ちゃく-しゅ【着手】❶《名・自サ》〔ある仕事に〕とりかかること。手をつけること。「研究に—する」❷囲碁(いご)・将棋(しょうぎ)の一手一手。

ちゃく-しゅつ【嫡出】法律上有効な婚姻をした夫婦間における出生。正出。「—子(し)」対庶出(しょしゅつ)。

ちゃく-じゅん【着順】到着した順番。「—に並ぶ」

ちゃく-しょう【着床】《名・自サ》受精した卵子が子宮粘膜に付着して、粘膜上皮に包みこまれること。これによって妊娠が成立する。

ちゃく-しょく【着色】《名・自サ》色をつけること。また、その色。「—した食品」類語彩色。染色。

ちゃく-しん【着信】《名・自サ》通信が到着すること。また、到着した通信。類語着電。受信。対発信。

ちゃく-すい【着水】《名・自サ》〔飛行機・水鳥などの飛行体が〕空から水面に降り着くこと。対離水。

ちゃく-・する【着する】㊀《自サ変》〔文〕❶到着する。とどく。❷付着する。くっつく。❸執着する。「一事に—・する」㊁《他サ変》〔文〕❶〔衣服などを〕身に着ける。着る。「一張羅を—・する」❷〔金銭や物品などを〕身につけて持つ。

ちゃく-せい【着生】《名・自サ》植物が他の植物などに付着して生活・生育すること。参考→寄生。

ちゃく-せき【着席】《名・自サ》座席に腰をおろすこと。席に着くこと。類語着座。対起立。

ちゃく-せつ【着雪】《名・自サ》雪が電線などにくっつくこと。また、そのくっついた雪。「—注意報」

ちゃく-せん【着船】《名・自サ》船が港などに到着すること。また、到着した船。

*__ちゃく-そう【着想】__ある仕事・計画などの糸口となるような工夫・考えが心に浮かぶこと。また、その工夫・考え。思いつき。アイディア。「奇抜な—」類語着意。

*__ちゃく-そう【着装】__《名・他サ》〔文〕❶〔衣服を〕身につけること。着付けること。❷〔機械などの部品や装備具を〕本体に取りつけること。同①②装着。

ちゃく-そん【嫡孫】〔文〕嫡子のそのまた嫡子。家をつぐ孫。

ちゃく-たい【着帯】妊娠一七～二〇週目に腹帯(岩田帯)をしめること。また、それを祝う式。

ちゃく-だつ【着脱】《名・他サ》取りつけたりはずしたりすること。「簡単に—できるベルト」

ちゃく-だん【着弾】《名・自サ》弾丸・爆弾がある地点に到達すること。また、その弾丸・爆弾。

ちゃく-ち【着地】《名・自サ》❶着陸。❷スキーのジャンプ競技や体操競技などで、降り立つこと。

*__ちゃく-ちゃく【嫡嫡】__〔文〕嫡子から嫡子へと家をつぐこと。また、そうしてつづいてきた家筋。嫡流。

*__ちゃく-ちゃく【着着】__《副》《「—と」の形も》物事が順をおって確実にはかどるようす。「工事は—と進んでいる」類語だんだん。

ちゃく-でん【着電】《名・自サ》電信・電報が到着すること。また、到着した電信・電報。類語着信。

ちゃく-なん【嫡男】嫡出の長男。あととり。類語嫡子。長男。

ちゃく-に【着荷】《名・自サ》→ちゃっか(着荷)。

ちゃく-にん【着任】《名・自サ》新しい任地に到着すること。新しい任務につくこと。類語赴任。対離任。

ちゃく-ばらい【着払(い)】郵便物や配達物などの代金を受取人が支払うこと。

ちゃく-ひつ【着筆】《名・自サ》〔文〕❶筆を紙などにつけること。❷字や文章を書き始めること。

ちゃく-ひょう【着氷】《名・自サ》❶〔高空を飛ぶ航空機などに〕氷が付着すること。また、付着した氷。❷冬、山地などで水蒸気または水滴が樹木などに凍りつく現象。霧氷など。

ちゃく-ふく【着服】《名・他サ》❶《自サ》〔文〕衣服を着ること。類語着衣。❷〔預かっている〕他人の金品をこっそり盗んで、自分のものにすること。「公金を—する」類語横領(おうりょう)。注意「着腹」は誤り。

ちゃく-メロ【着メロ】《「メロ」は「メロディー」の略》〔俗〕携帯電話などで、着信を知らせるメロディー。

ちゃく-もく【着目】《名・自サ》〔ある人・ある物事を重要なものとして〕目をつけること。気をつけて見ること。「未知の分野に—する」類語着眼。

ちゃく-よう【着用】《名・他サ》❶衣服を身に着けること。着ること。「礼服を—して式に出る」❷身に着けて用いること。「場内整理係は腕章を—のこと」

ちゃく-りく【着陸】《名・自サ》〔飛行機などが〕空中から地上に降り着くこと。対離陸。

ちゃく-りゅう【嫡流】〔文〕❶本家の家筋。総本家の系統。正統の血筋。「源氏の—」類語正系。直系。❷正統の流派。「狩野派の—」

チャコ 裁縫で、布や服地を裁つときに、目印をつけるチョーク。▽chalk から。

チャコール-グレー 黒に近い灰色。けしずみ色。▽charcoal gray

ちゃ-こし【茶×漉(し)】煎茶(せんちゃ)などの茶がらをこす道具。円形の小さなわくに網を張って柄をつけたもの。

ちゃ-さじ【茶×匙】❶抹茶(まっちゃ)をすくうのに用いる細長い小さじ。茶しゃく。❷コーヒー・紅茶などを飲むときに使う小形のさじ。ティースプーン。

ちゃ-じ【茶事】❶茶道で、小人数で行う本格的な茶の湯を中心とする会合。類語茶会。❷茶の湯に関するいろいろの事柄。

ちゃ-しつ【茶室】茶の湯に用いられる部屋・建物。床の間つきの四畳半を基準とし、炉を切り、にじり口・茶道口がついている。すきや。茶席。かこい。

ちゃ-しぶ【茶渋】茶わんなどについた、茶のあか。

ちゃ-しゃく【茶×杓】❶抹茶(まっちゃ)をすくいとるための、細長い小さじ。茶さじ。❷湯をくみとるためのひしゃく。茶びしゃく。

ちゃ-じん【茶人】❶茶の湯を好む人。また、茶道に通じている人。❷風流人。数寄者(すきしゃ)。ものずき。

ちゃ‐せき【茶席】❶茶をたてる席。❷茶会をする部屋。茶室。❸茶会。

ちゃ‐せん【茶×筅】❶抹茶(まっちゃ)をたてるとき、かきまわしてあわを立てる、ささら状の道具。❷「茶筅髪」の略。

―がみ【―髪】❶中世の男子の髪の結い方の一つ。髪を後頭部でたばね、もとどりをひもで長く巻き、その先を茶筅状にしたもの。❷江戸時代の女子の髪型の一つ。髪を後頭部でたばね、短く切ってひもで結び、その先を散らして茶筅状にしたもの。おもに未亡人が結った。

茶筅髪②　茶筅髪①

ちゃ‐そば【茶×蕎▽麦】抹茶(まっちゃ)を入れて打ったそば。

ちゃ‐だい【茶代】❶茶店で休んだ客が、茶の代金として払う金銭。❷旅館・飲食店などで、客が心づけとして与える金銭。チップ。

ちゃ‐たく【茶×托】客に茶をすすめるときなどに茶わんをのせる、皿状の台。托子(たくし)。

ちゃ‐だち【茶断ち】《名・自サ》〔神仏に願いごとをするときなど〕ある一定期間、茶を飲まないこと。

ちゃ‐だな【茶棚】茶道具などをのせておくたな。

ちゃ‐だんす【茶×簞×笥】茶道具や食器などを入れておく、戸だな式の和風の家具。

ちゃち《形動》〔俗〕粗雑な作りで、見劣りがするようす。「―な建売り住宅」「―な理論」

ちゃ‐ちゃ【茶茶】〔俗〕他人の話の途中で、横から言う冗談(じょうだん)・ひやかし。参考 多く「―を入れる」「―が入る」の形で使う。

***ちゃっ‐か**【着火】《名・自サ》火がつくこと。また、火をつけること。「打上げ花火に―する」

***ちゃっ‐か**【着荷】《名・自サ》荷物が到着すること。また、その荷物。着荷(ちゃくに)。類語 入荷。対 出荷。

ちゃっかり《副・自サ》《副詞は「―と」の形も》〔俗〕ぬけめなく、あつかましいようす。「―もうける」

ちゃっ‐きん【着金】《名・自サ》送金が到着すること。また、その金。

***チャック**「ファスナー」の商標名。

***チャック** 旋盤の工作物などをまわりからしめつけて固定させる工具。▽chuck

ちゃ‐づけ【茶漬(け)】飯に〔具をのせたりして〕熱い日本茶をかけて食べること。また、その飯。

***ちゃっ‐こう**【着工】《名・自サ》工事にとりかかること。「―式」類語 起工。対 竣工(しゅんこう)。

***ちゃっ‐こう**【着港】《名・自サ》船が港に着くこと。類語 入港。

ちゃ‐づつ【茶筒】茶の葉をいれる筒形の容器。

チャット《名・自サ》パソコン通信で、リアルタイムでメッセージのやりとりをすること。▽chat(=おしゃべり)

ちゃ‐つぼ【茶×壺】茶の葉を蓄えておくつぼ。

ちゃ‐つみ【茶摘(み)】初夏、茶の若芽や葉をつみとること(人)。参考 春の季語。

***ちゃ‐てい**【茶亭】〔文〕茶みせ。茶亭(さてい)。

***ちゃ‐てい**【茶庭】茶室に付属した庭。蹲踞(つくばい)・灯籠(とうろう)・腰掛け・飛び石などを配置する。露地(ろじ)。ちゃにわ。

ちゃ‐てん【茶店】ちゃみせ。茶屋。茶店(さてん)。

ちゃ‐どう【茶道】茶の湯によって静寂閑雅の境地に入り、精神を修練して交際の礼儀作法をきわめる芸道。茶の湯の道。数寄道(すきどう)。参考 古くは「ちゃどう」、今日では「さどう」ということが多い。

ちゃ‐どうぐ【茶道具】抹茶(まっちゃ)・煎茶(せんちゃ)に使う器具の総称。茶器。

ちゃ‐どころ【茶所】茶の名産地。「宇治は―だ」

ちゃ‐のき【茶の木】ツバキ科の常緑低木。葉は堅く、光沢がある。若葉を茶にする。

ちゃ‐のこ【茶の子】❶茶請け。類語 茶菓子。❷彼岸会(ひがんえ)の供物(くもつ)。❸仏事の配り物。❹農家などで、朝食前に仕事をするときにとる簡単な食事。❺物事がたやすいこと。簡単にできること。参考 ➡おちゃのこ。

ちゃ‐のま【茶の間】❶茶室。❷家族が食事をしたりくつろいだりする部屋。類語 食堂。

ちゃ‐のみ【茶飲(み)】❶よく茶を飲む・こと(人)。❷「茶飲み茶碗(ぢゃわん)」の略。煎茶(せんちゃ)用の小さな茶わん。

―ともだち【―〈友達〉】❶常に寄り合って茶飲み話などをする親しい仲間。茶飲み仲間。❷老後に迎えたつれあい。

―ばなし【―話】茶を飲みながらする世間話。気軽な雑談。ちゃばなし。ちゃわ。さわ。

ちゃ‐の‐ゆ【茶の湯】客を茶室に招き、茶をたててもてなすこと。また、その作法や会合。お茶。参考 ➡茶道(ちゃどう)。

ちゃ‐ばおり【茶羽織】襠(まち)のない、たけが腰のあたりまでの短い羽織。参考 もと茶人が着たほこりよけの羽織。現在は女性用。

ちゃ‐ばこ【茶箱】葉茶を詰める大形の木箱。内側には湿気よけの渋紙またはブリキを張る。

ちゃ‐ばしら【茶柱】番茶を湯のみに注いだとき、縦になって浮かぶ茶の茎。吉兆とされる。「―が立つ」

ちゃ‐ぱつ【茶髪】茶色の髪。

ちゃ‐ばな【茶花】茶室にいける花。ふつう、その季節の簡素な感じの花を一、二輪いける。

ちゃ‐ばなし【茶話】茶飲み話。

ちゃ‐ばら【茶腹】茶ばかりたくさん飲んだときの腹ぐあい。類語 湯腹(ゆばら)。

―も一時(いっとき)《句》茶を飲んだだけでも、しばらくの間は空腹をしのげることにいう。転じて、わずかなものでも一時の間に合わせになるたとえ。

ちゃ‐ばん【茶番】❶客のために茶をたてる役(の人)。❷「茶番狂言」の略。ありあわせの物を使って身ぶり手ぶりなどで滑稽(こっけい)を演じる即興の芝居。❸底の見えすいたばかげたふるまい。茶番劇。「とんだ―だ」

ちゃ‐びん【茶瓶】❶茶を煎(せん)じ出すのに使う、薬罐(やかん)や釜(かま)・土瓶の類。❷「茶瓶頭」の略。はげあたま。

ちゃ‐ぶくろ【茶袋】❶葉茶を入れておく紙袋。❷葉茶をつめて湯に入れ、茶を煎(せん)じ出す布袋。

チャプスイ【雑砕・炒汁砕】中国料理の一つ。肉類や野菜類を油でいためてからスープで煮、とろみをつけたもの(をかけた飯)。参考 中国語の広東方言から。

ちゃぶ‐だい【▽卓×袱台】《「ちゃぶ」は、卓袱(=テーブル掛け)の中国音(zhuo-fu)のなまりか》四本の短い脚のついた、円形または四角形の食卓。

チャペル 学校・病院・私邸などに付属したキリスト教の礼拝堂。小聖堂。会堂。▽chapel

ちゃ・ほ【茶舗】〔文〕茶屋①。

ちゃぼ【×矮▽鶏】日本で改良された、ニワトリの一品種。ごく小形で尾羽は直立し、脚がきわめて短い。おもに愛玩用。参考インドシナ半島にあった、チャンパ(Champa)国から渡来したという。

ちゃ・ぼうず【茶坊主】❶昔、武家に仕えて、給仕・接待・茶の湯などをつかさどった下級の役(の人)。茶道坊主。茶屋坊主。茶職。茶道。参考剃髪していたことから坊主という。❷権力者にへつらう者を軽べつしていう語。類語ごますり。取り巻き。

ちやほや《副・他サ》《副詞は「—と」の形も》おせじを言っておだてたり、きげんをとったり、甘やかしたりするようす。「—されてつけあがる」

ちゃ・ぼん【茶盆】茶器をのせる盆。

ちゃ・み【茶味】〔文〕❶茶道の精神。茶の湯の味わい。❷風雅なおもむき。

ちゃ・みせ【茶店】❶通行人・旅人を休ませて、茶・菓子などを売る路傍の小さな店。茶亭。茶屋。掛茶屋。❷茶屋①。

ちゃ・め【茶目】《名・形動》こっけいで悪気のないいたずらをすること(人)。「お—な人」「—っけ」表記「茶目」はあて字。

ちゃ・めし【茶飯】❶水の代わりに茶でたき、塩味をつけた飯。精進料理に用いる。❷しょうゆ・酒をまぜてたいた飯。さくらめし。

ちゃ・や【茶屋】❶茶を作ったり、売ったりする店。葉茶屋。茶舗。茶店。❷茶店①。水茶屋。❸客に、飲食させたり芸者などをよんで遊興させたりする店。茶屋小屋。❹相撲や芝居の小屋に付属して、座席をとったり食事のせわをしたりする店。芝居茶屋・相撲茶屋の総称。❺茶室。

ちゃら〔俗〕❶貸し借りなどを帳消しにすること。「借金を—にする」❷出まかせ(を言うこと)。

ちゃら・ちゃら《副》《「—と」の形も》❶小さな薄い金属性のものが触れ合って出す音の形容。❷女性がしなを作って、気取って歩くようす。また、気取ってはでにふるまうようす。

ちゃら・つか・せる《他下一》ちゃらちゃらという音をさせる。「銭を—せる」

ちゃら・っ・ぽこ〔俗〕でたらめ。また、でたらめを言う人。ちゃら。「—を抜かすな」

ちゃらん・ぽらん《名・形動》〔俗〕無責任でいいかげんな・こと(ことば)。ちゃら。「—を言う」

ちゃ・り【茶利】❶おどけた文句や動作。また、こっけいな語りのある部分。❷人形浄瑠璃で、こっけいな語り物。類語茶々。

チャリティー 慈善のための行為。▽charity —**ショー** 利益を慈善事業に寄付する目的で行う興行。慈善興行。▽charity show

ちゃりんこ〔俗〕❶子どものすり。❷自転車。

チャルメラ らっぱに似た木管楽器。屋台の中華そば屋などが吹く。唐人笛。▽ポルトガル charamela

チャレンジ《名・自サ》強い相手に戦いをいどむこと。また、未知の分野などに立ち向かうこと。挑戦。「メジャーリーグに—する」▽challenge

チャレンジャー 挑戦者。▽challenger

ちゃ・わ【茶話】❶茶を飲みながらする世間ばなし。茶飲みばなし。さわ。類語雑談。❷滑稽味のある話。

ちゃ・わん【茶×碗】茶を飲んだり飯を食ったりするのに使う、陶磁製の食器。 **—むし【—蒸(し)】**煮出し汁に鶏卵のとき汁を加え、エビ・鳥肉・かまぼこ・ギンナン・ミツバなどを入れて、茶わんごと蒸した料理。

***ちゃん**《接尾》《「さん」の転》《人を表す名詞などにつけて》親しみをもって人を呼ぶときに用いる。「さん」よりもなれなれしい呼び方。「おじ—」「太郎—」

***ちゃん**〔俗〕庶民の子どもが父親を呼ぶ語。父ちゃん。参考江戸期から明治・大正期に使われた。

ちゃんこ・なべ【ちゃんこ×鍋】相撲社会独特のなべ料理。大きなべに、魚・鳥肉・野菜・豆腐などをぶつ切りにしてぶち込んで煮るもの。ちゃんこ。

チャンス 機会。特に、ちょうどよい機会。好機。「絶好の—」▽chance

ちゃんちゃら・おかし・い【ちゃんちゃら▽可▽笑しい】《形》〔俗〕〔まじめにとりあえないほど〕ばかばかしい。笑止千万である。類語かたはらいたい。

ちゃんちゃん・こ 子ども用のそでなし羽織。

ちゃん・と《副・自サ》❶几帳面に(まちがいなく)するようす。「仕事だけは—する」類語きちんと。そつなく。遺漏なく。几帳面。規則的。❷すじがとおっているようす。「—した話」❸身元・身分などがたしかであるようす。「—した会社の社員」類語確と。確たる。❹態度がしっかりしているようす。「—した生活」類語しゃんと。❺〔形・状態などが〕ととのっているようす。「—つくられた書類」類語整然。立派。

チャンネル ❶電気通信や装置などの情報の通路。おもに、ラジオ・テレビなどで各局に割りあてられた電波の周波数帯をいう。❷テレビ受像機で放送をきりかえるためのつまみ。「—を回す」=チャネル。▽channel

ちゃん・ばら〔俗〕《「ちゃんちゃんばらばら」の略》❶刀で切り合うこと。また、切り合いを見せ場とする映画・演劇。剣劇。類語立ち回り。❷けんか。乱闘。

チャンピオン ❶選手権保持者。優勝者。❷その分野でもっともすぐれた人。第一人者。▽champion

ちゃんぽん ❶中国風料理の一種。めんに肉・貝・野菜・かまぼこなどを加えていっしょに煮込んだもの。長崎の名物。❷《名・形動》〔俗〕種類の異なるものをまぜこぜにすること。「英語と日本語を—に話す」

ち・ゆ【治癒】《名・自サ》〔文〕病気・けがなどがなおること。類語回復。全快。全治。

***ち・ゆう【知勇・×智勇】**〔文〕知恵と勇気。

***ち・ゆう【知友】**〔文〕互いに心の底まで深く知りあった友。類語知己。親友。

***ちゅう【中】**一《名》❶〔時間的・空間的に〕成立する両極のあいだ。なか。中央。中間。「上—下」❷価値・階級・順位・地位・程度などが普通であること。なかほど。中ぐらい。「クラスで—の成績」対上・下。大・小。❸どちらにもかたよらないこと。中庸。「—を執る」二《接尾》《名詞について》❶時間的・空間的に、その範囲内であることを表す。…のうち。「今月—」「空気—」❷その事が現在行われていることを表す。その事態にあることを表す。「会議—」❸ある物事の範囲に属していることを表す。「不幸—のさいわい」

***ちゅう【宙】**❶そら。大空。虚空。また、地から離れた空間。空中。❷〔実物でたしかめず〕記憶や勘だけにたよってすること。そら。「憲法を—で言ってみせる」 **—に浮・く**《句》❶地に立たずに空間にうかぶ。❷行き所がなくなる。いずれとも定まらなくなる。「計画が—・

ち

く」類語 宙に迷う。

—に舞・う《句》空中で、舞うような動きをする。

—に迷・う《句》決着のつかない、あいまいな状態になる。「国会の空白で法案が—・う」類語 宙に浮く。

*ちゅう【忠】❶いつわらず、まごころをもって尽くすこと。忠実。❷国家・主君に対して自己の職責をまっとうすること。儒教の中心道徳の一つ。

*ちゅう【注・×註】本文の補足説明をしたり、本文中の語句や文の意味についてくわしく説明したりするために書き入れた文句。頭注・脚注など。類語 注釈。

*ちゅう【×誅】〔文〕罪のある者をころすこと。

*ちゅう【×酎】〔俗〕「焼酎(しょうちゅう)」の略。

*ちゅう-い【中位】中ぐらいの地位・順位。中程度のくらい。「—の成績」対 上位・下位。

*ちゅう-い【中尉】旧陸海軍の将校の階級の一つ。尉官の第二位で、大尉の下、少尉の上。対 大尉・少尉。

*ちゅう-い【注意】❶《名・自サ》自分の心を集中し、気をつけること。特に心をくばること。「—して見る」。❷《名・自サ》用心すること。警戒すること。「頭上—」。❸《名・他サ》気をつけるように戒めること。はたから用心をうながすこと。「—をうける」。⇩〔類語と表現〕 —じんぶつ【—人物】監督する立場にある人から、危険な人物としてその行動を注目されている人。

類語と表現

「**注意する**」

*細心の注意を払う・健康に注意する・交通事故に注意する・注意して観察する・足元に注意して夜道を歩く／注意を与える・注意を無視する・たばこを止めるように注意する。

◆心する・構う・戒める・気を配る・気が回る・気を回す・気を付ける・気にかける・気を使う(気遣い)・目を光らせる・目が届く・目が離せない・目を付ける・目に留まる・目を配る・目を注ぐ・意に介する・意を致す・意を用いる・意を注ぐ・耳をそばだてる・耳目を属(しょく)する・心がける・心を用いる・心を置く・心を使う(心遣い)・行き届く・念を入れる・念には念を入れる・大事を取る／(する)留意・介意・着意・配慮・心配・用心・戒心・戒厳・気配り

◇〔訓戒・意見〕諫める・諭す・言い聞かせる／(する)説教・説諭・諫言(かんげん)・忠告／忠言・苦言

ちゅう-いん【中陰】〔仏〕❶→中有(ちゅうう)。❷人の死後四九日間の称。人は死後、四九日の間に来世の生を受けると言われる。❸人の死後四九日目にあたる日。七七日(なななぬか・しちしちにち)。

チューイン-ガム チクルゴムまたは酢酸ビニール樹脂に、砂糖・香料などを加えてかためた菓子。口の中でかみながら味わう。ガム。▷chewing gum

ちゅう-う【中有】四有(しう)の一つ。人が死んでから次の生を得るまでの間。中陰(ちゅういん)。

*ちゅう-おう【中央】❶まん中の位置。中心部。「座敷の—」対 末端。❷政府のある土地。首府。首都。また、政府。対 地方。❸機能上で中心となっている重要な位置・役目。また、その位置・役目にあるもの。中枢。「党の—」「—委員会」対 末端。—しゅうけん【—集権】国家の統治権能が地方に分散せず、中央政府に統一されていること。対 地方分権。

*ちゅう-おう【中欧】〔文〕ヨーロッパ中央部の諸国。

ちゅう-おし【中押し】囲碁で、途中で勝敗が明らかになって、最後まで打たずにやめること。なかおし。

ちゅう-おん【中音】❶高くも低くもない、中ぐらいの音。また、中ぐらいの強さの音。❷〔音〕ソプラノにつぐ高さの女声声域。中高音。アルト。

*ちゅう-か【中華】❶昔、中国人(漢民族)が、中央にあって最も文化の進んだ国の民族という意味で、みずからを称した語。のちその居住する地域「中国」の別称となった。「—思想」❷「中華料理」の略。—そば【—×蕎麦】中国風のめん類(を使った料理)。特に、ラーメン。支那そば。—りょうり【—料理】中国固有の料理。また、中国風の料理。北京(ペキン)・上海(シャンハイ)・広東(カントン)・南京(ナンキン)・四川料理などに大別される。中国料理。

*ちゅう-か【仲夏】〔文〕「陰暦五月」の別称。また、夏のなかば。盛夏。

*ちゅう-かい【仲介】《名・他サ》第三者が両当事者の間にたって、便宜をはかったりまとめたりすること。なかだち。「—の労をとる」類語 媒介。周旋。斡旋(あっせん)。

*ちゅう-かい【×厨×芥】〔文〕台所・炊事場から出る野菜・魚介などのくず。台所のごみ。類語 生ごみ。

*ちゅう-かい【注解・×註解】《名・他サ》注を加えて本文の意味を説明すること。また、その注。注釈。

*ちゅう-がい【中外】〔文〕内と外。国内と国外。

*ちゅう-がい【虫害】〔農業・園芸・林業などで〕害虫のために受ける損害。

ちゅう-がえり【宙返り】(チウがへり)《名・自サ》❶空中でからだを回転させること。とんぼがえり。❷飛行機が空中で一回転し、輪をえがくようにして飛ぶこと。

ちゅう-かく【中核】物事の中心となる重要な部分。「グループの—をなす人物」類語 核心。対 周辺。

ちゅう-がく【中学】「中学校」の略。

ちゅう-がくねん【中学年】〔小学校で〕中ほどの学年(の児童)。三、四年(生)。対 高学年・低学年。

ちゅう-がた【中形・中型】❶物の形状が大と小との中間であること。対 大形・小形。❷染物(そめもの)で、大紋と小紋との中間の大きさの柄の型紙を用いた染め模様。❸中形②の浴衣(ゆかた)地。また、「浴衣地」の別称。

ちゅう-がっこう【中学校】❶小学校課程を終了した人が三年間の中等普通教育を受ける、義務制の学校。❷旧制で、小学校卒業生に対して五年間の高等普通教育をほどこした、非義務制の男子の学校。

*ちゅう-かん【中間】❶二つのものの間(で、それぞれから同距離にある所)。まんなか。「—地点」❷二つの物事あるいは両極端の間であること。なかほど。「—派」❸物事が終わらない途中のところ。「—報告」類語 中途。—し【—子】質量が、電子・中性微子などの軽粒子群と、陽子・中性子などの重粒子群との中間にある一群の素粒子。メソン。メソトロン。—しゅくしゅ【—宿主】寄生虫が発育の途中で宿主を変える場合、最終の宿主に達する間の幼生期の一時的な宿主。肺臓ジストマのカワニナ・サワガニ、日本住血吸虫のカタヤマガイなど。—しょく【—色】❶純色と無彩色の中間の色。❷色環で、主要色相の間の色。くすんだやわらかい感じの色。❸三原色と白・黒以外の色の総称。間色(かんしょく)。橙(だいだい)・黄緑など。

*ちゅう-かん【昼間】ひるま。日中。対 夜間。

*ちゅう-き【中期】❶一定期間を三区分したときの二番目。なかほどの時期。❷〔経〕中限(なかぎり)。

*ちゅう-き【中気】❶中風(ちゅうぶう)。❷旧暦法で、冬至か

ら次の冬至に至る期間を一二等分した、おのおのの区分点。陰暦で各月の後半にあたる。

*ちゅう・き【注記・×註記】《名・他サ》注を書きしるすこと。また、書きしるしたもの。「欄外に―する」

ちゅう・ぎ【忠義】《名・形動》国家や主君に対して、まごころを尽くしてつかえること。類語 忠。忠誠。忠節。 ―だて【―立て】《名・自サ》忠義を立て通すこと。また、いかにも忠義らしいふるまいをすること。

*ちゅう・きゅう【中級】中ぐらいの程度・等級。「―の実力」類語 中等。対 上級・下級。

*ちゅう・きゅう【×誅求】〔文〕租税などをきびしく取りたてること。「苛斂―」

ちゅう・きょう【中京】〔東京と京都(西京)との中間にあるところから〕「名古屋」の別称。

ちゅう・きょり【中距離】❶中ぐらいの距離。❷「中距離競走」の略。陸上競技で、八〇〇メートル・一五〇〇メートルなどの競走。対 短距離・長距離。

ちゅう・ぎり【中▽限】→なかぎり(中限)。

*ちゅう・きん【忠勤】主君・主人などに忠義をつくしてつとめること。「―を尽くす」

*ちゅう・きん【鋳金】金属を鋳型にとかしこんで、いろいろな器物を作ること。鋳物。鋳造。しゅうきん。

ちゅう・きんとう【中近東】中東と近東を合わせた地域。参考 →中東・近東。

ちゅう・くう【中空】❶〔文〕そら。なかぞら。中天。「月が―にかかる」❷《名・形動》内部がからっぽであること。がらんどう。「―の筒」

ちゅう・ぐう【中宮】❶律令制で、三后(=太皇太后・皇太后・皇后)の称。❷平安中期から南北朝時代にかけて、皇后と同じ資格を持つ、天皇の妃。

ちゅう・ぐらい【中位】《名・形動》平均的であること。中くらい。表記「中ぐらい」と書くことが多い。

ちゅう・くん【忠君】〔文〕主君に忠義を尽くすこと。「―愛国の精神」

*ちゅう・けい【中啓】《「中ば啓く」意》儀式に使う扇で、外側の二本の骨(親骨)の上端を弓なりにそらしてあり、たたんでもなかばひらいているように見えるもの。末広がり。末広。

*ちゅう・けい【中継】《名・他サ》❶中間で受け継ぐこと。なかつぎ。リレー。「―プレー」❷「中継放送」の略。「実況―」 ―ほうそう【―放送】《名・他サ》❶他局の放送を受け継いで自局から放送すること。❷スタジオ外の実況を放送局経由で放送すること。

*ちゅう・けい【仲兄】〔文〕二番めの兄。次兄。

*ちゅう・けん【中堅】❶全軍中の最精鋭を集めた部隊(を配置した要地)。「敵の―を衝く」❷社会または団体の実務をになって活躍する人。「―幹部」❸野球で、「中堅手」の略。左翼と右翼の中間を守る。センター。

*ちゅう・けん【忠犬】主人に忠実な犬。「―ハチ公」

*ちゅう・げん【中元】❶陰暦七月一五日。半年の無事を祝い、盂蘭盆の行事をして死者の冥福を祈る。❷中元①の時期に、顧客先や世話になった人に対して行う贈り物。

*ちゅう・げん【中原】〔文〕❶広い原野の中央。❷黄河中流域の中国文明発祥の地。漢民族活動の中心地であった。❸〔辺境に対して〕天下の中央の地。 ―に鹿を逐う《句》❶〔中国で「中原」を天下に、「鹿」を帝位にたとえたことから〕多くの英雄たちが、争って天下を支配する地位を得ようとするたとえ。政権を争う。❷多くの人々が、ある地位や目的物を得ようとして争うたとえ。参考 (ア)「中原に還鹿を逐ふ〈魏徴・述懐詩〉」から。(イ)→逐鹿。

*ちゅう・げん【中間】❶昔、公家・寺院などで、侍と小者の間に位置し、召し使われた男。❷武士に仕えて雑務に従った者。表記 ②は「仲間」とも書く。

*ちゅう・げん【忠言】まごころをもって相手をいさめることば。類語 忠告。 ―耳に逆らう《句》忠言というものは、相手の心にすなおに受け入れられないことが多い。〈孔子家語〉

ちゅう・こ【中古】❶時代区分の一つ。上古と近古の間。日本史(特に文学史)では、ふつう、平安時代をさす。❷前に使って新しいとはいえないが、まだ使える品物。中古品。セコハン。中古。「―車」対 新品。

*ちゅう・こう【中耕】《名・他サ》作物の発育をよくするために、生育の途中でうね間や株間を浅く耕すこと。

*ちゅう・こう【中興】《名・他サ》一度衰えたものを、途中で再び盛んにすること。「―の祖」

*ちゅう・こう【忠孝】忠義と孝行。

*ちゅう・こう【鋳鋼】鋳造した鋼。鋳鉄と鋼との中間の性質をもち、構造用材料に用いられる。

ちゅうこう・しょく【昼光色】太陽光線の色に似た人工的な光の色。蛍光灯などで得られる。

ちゅうこう・ねん【中高年】中年と高年。体力がやや衰えてくる年ごろ。「―層」

*ちゅう・こく【中刻】昔、一刻(=現在の二時間)を上・中・下に三分した中間の時刻。対 上刻・下刻。

*ちゅう・こく【忠告】《名・他サ》その人の過失や欠点を告げ、それを改めるようにすすめること。また、そのことば。「態度を改めるように―する」類語 忠言。助言。注意。注意「注告」は誤り。

ちゅう・ごく【中国】❶「中華人民共和国」の通称。❷漢民族の居住する地域。❸「中国地方」の略。山口・鳥取・島根・広島・岡山五県のある地方。

ちゅう・ごし【中腰】立つでもすわるでもなく半ば腰をかがめた姿勢。

ちゅう・こん【忠魂】〔文〕❶忠義を尽くそうとする心。❷忠義を尽くして死んだ人の霊魂。「―碑」

ちゅう・さ【中佐】旧陸海軍将校の階級の一つ。佐官の第二位で、大佐の下、少佐の上。対 大佐・少佐。

ちゅう・ざ【中座】《名・自サ》集会の中途で席をはずして立ち去ること。「会議を―する」

ちゅう・さい【仲裁】《名・他サ》あらそいの間にはいって、なかなおりをさせること。「喧嘩の―にはいる」

ちゅう・ざい【駐在】❶《名・自サ》官吏・商社員などが、派遣された任地に長期間滞在すること。「ニューヨーク―の国連大使」❷「駐在所」の略。また、駐在所の巡査の俗称。 ―しょ【―所】警察署の下部機構の一つで、住宅が付属し、巡査がその受け持ちの地区の任務のため単独で勤務する所。

*ちゅう・さつ【×誅殺】《名・他サ》〔文〕罪のある者を殺すこと。

*ちゅう・さつ【駐×箚】《名・自サ》〔文〕官吏などが外国に派遣されて、その任地にしばらくとどまること。

ちゅうさん・かいきゅう【中産階級】資本主義社会で、資本家階級(有産階級)と労働者階級(無産階級)との間に存在する種々の社会階層。中小商工業者・自営農民・官公吏・医師・サラリーマンなど。中間階級。中流階級。中間層。プチブルジョア。

***ちゅう‐し【中止】**《名・他サ》❶途中で動きを一時やめること。「機械の運転を一する」類語中断。停止。❷予定されていた催しなどをとりやめること。「運動会を一する」 **―ほう【―法】**述語となっている用言の連用形を用いて、表現を途中で言いさす用法。「よく食べ、よく眠る」「美しく、やさしい人」の類。

***ちゅう‐し【注視】**《名・他サ》注意深く、じっとみつめること。「国会の動きを一する」類語注目。凝視(ぎょうし)。

ちゅう‐じ【中耳】両生類以上の動物の耳の一部で、外耳と内耳との中間の部分。対外耳・内耳。

ちゅう‐じき【昼食・中食】〔文〕昼の食事。ひるめし。ちゅうしょく。

ちゅう‐じく【中軸】❶物の中心をつらぬく軸。❷物事の中心となる大事なもの。集団・組織などの中心となる位置(人)。「一打者」

ちゅう‐じつ【忠実】《形動》❶(与えられた仕事に)まごころをもって努めるようす。「一に職務にはげむ」類語誠実。篤実(とくじつ)。❷少しのちがいもなく、そのとおりにする(である)ようす。「原文に一な翻訳」

***ちゅう‐しゃ【注射】**《名・他サ》注射器で薬液を体内にそそぎこむこと。「一を打つ」「皮下一」「予防一」

***ちゅう‐しゃ【駐車】**《名・自サ》自動車などをとめておくこと。参考道路交通法では、車両などが継続的に停止すること、また、運転者が車両などを離れてただちに運転できない状態にあることをいう。↓停車。

ちゅう‐しゃく【注釈・×註釈】《名・他サ》注を加えて、本文の意味をわかりやすく説明すること。また、説明したもの。注解。「一書」類語釈義。注疏(ちゅうそ)。

***ちゅう‐しゅう【中秋】**〔文〕陰暦八月一五日。「一の名月」参考秋の九〇日のまん中の意。

***ちゅう‐しゅう【仲秋】**〔文〕「陰暦八月」の別称。秋の中ごろ。盛秋。参考秋の三か月のまん中の意。

ちゅう‐しゅつ【抽出】《名・他サ》いくつかの事物の中からある特定の考え・要素などを抜き出すこと。「サンプルを一する」「無作為一」

ちゅう‐しゅん【仲春】〔文〕「陰暦二月」の別称。春の中ごろ。盛春。

ちゅう‐じゅん【中旬】月の一一日から二〇日までの一〇日間。中浣(ちゅうかん)。対上旬・下旬。

ちゅう‐じょ【忠×恕】〔文〕まごころを尽くすことと、人に対して思いやりの深いこと。

***ちゅう‐しょう【中傷】**《名・他サ》(「中ぁてて傷つける」意)根拠のないことをわざと言って、他人の評判を傷つけること。「一を受ける」類語讒言(ざんげん)。誣告(ぶこく)。

***ちゅう‐しょう【中称】**文法で、他称の指示詞の区分の一つ。話し手よりも聞き手に近い関係にある対象(事物・場所・方角・人など)を指すもの。「それ」「その」「そこ」「そちら」など。参考↓近称・遠称。

***ちゅう‐しょう【抽象】**《名・他サ》個々の事物・事柄・具体的概念から共通の属性を抜き出して、一般的な概念を作り上げること。「一論」対具象。具体。 **―げいじゅつ【―芸術】**抽象美術。 **―てき【―的】**《形動》❶個々のものから共通の属性を抜き出して一般化するようす。観念的。概念的。❷頭の中だけで考えて現実性を持たないようす。「一な議論」対具体的。 **―びじゅつ【―美術】**具体的な対象の再現によらず、抽象化した線・面・色彩で作品を構成しようとする美術。抽象芸術。アブストラクトアート。

***ちゅう‐じょう【中将】**❶近衛府(このえふ)の次官の上位。左右に分かれ、正と権(ごん)とがある。❷旧陸海軍軍人の階級の一つ。将官の第二位で、大将の下、少将の上。対大将・少将。

***ちゅう‐じょう【柱状】**柱のように細長い形。角柱形。「一節理(=岩石に生じた多角形柱状の割れ目)」

***ちゅう‐じょう【衷情】**〔文〕心の底からほとばしり出る気持ち。うそいつわりのない心。衷心。「一を披瀝(ひれき)する」類語真意。誠心。

ちゅうしょう‐きぎょう【中小企業】資本金・従業員数などが中小程度の規模である企業。

ちゅう‐しょく【昼食・中食】昼の食事。ひるめし。ちゅうじき。対朝食・夕食。

***ちゅう‐しん【中心】**❶まんなかの位置。中央。❷物事が集中し、最も重要な働きをする場所・位置(にあるもの)。「議題の一」「文化の一」❸〔数〕円周上または球面上のすべての点から等距離にある点。また、点対称図形の対応点を結ぶ線分の中点。❹〔理〕重心。

***ちゅう‐しん【忠信】**〔文〕まごころを尽くし、いつわりのないこと。

***ちゅう‐しん【忠心】**〔文〕忠義の心。

***ちゅう‐しん【忠臣】**〔文〕忠義な臣下。対逆臣。

***ちゅう‐しん【注進】**《名・他サ》事件をいそいで目上の人に報告すること。「ご一に及ぶ」

***ちゅう‐しん【衷心】**〔文〕心の中にいだいているほんとうの気持ち。心の底。本心。「「心から」の意で副詞的にも使う」「一から友の死を惜しむ」類語衷情。

***ちゅう‐すい【注水】**《名・自サ》水をそそぎ入れること。また、そそぎかけること。「タンクに一する」

***ちゅう‐すい【虫垂】**盲腸の下部にある、細い管状の小突起。虫様突起。 **―えん【―炎】**腸内の細菌によって起こる、虫垂の炎症。盲腸炎。

ちゅう‐すう【中枢】(「枢」は戸の開閉に重要な部分である、くるるの意)物事の中心となる、最もたいせつな・もの(ところ)。重要な部分。中心部。「国家の一」類語枢軸。根幹。心髄。 **―しんけい【―神経】**神経系の機能の中枢部。人間では脳と脊髄(せきずい)がこれにあたり、知覚・運動・感覚・自律機能などを支配する。神経中枢。対末梢(まっしょう)神経。

***ちゅう‐する【沖する・×冲する】**《自サ変》〔文〕(煙・火炎などが)空高く上がる。「天に一する噴煙」

***ちゅう‐する【注する・×註する】**《他サ変》〔文〕本文の語句・文章に注をほどこす。また、説明を加える。「本文に一する」

***ちゅう‐する【×誅する】**《他サ変》〔文〕悪人や罪のある者を殺す。賊を攻め討つ。「逆賊を一する」

***ちゅう‐せい【中世】**時代区分の一つ。古代と近世あるいは近代との間の時代。わが国では鎌倉・室町時代をさす。西洋では、ローマ帝国の滅亡した五世紀から一五世紀後半にいたる時代。

***ちゅう‐せい【中性】**❶対(つい)になる二つの性質のどちらにも属さない中間的な性質。❷酸性でもアルカリ性でもない状態。電荷を帯びていない状態。「一洗剤」❸印欧語の文法で、性の一つ。男性・女性に対していう。❹〔俗〕男性とも女性ともつかない性質。また、そのような人。 **―し【―子】**原子核を構成する素粒子の一つ。原子核の破壊に利用される。ニュートロン。参考↓陰子・陽子。 **―し【―紙】**インキのにじみ止めに中

性の炭酸カルシウムなどを用いた洋紙。長持ちする。

*ちゅう-せい【中正】《名・形動》〔文〕両極の立場にかたよることなく、公平であること。「その意見は―を欠く」類語 不偏。公正。中庸。

*ちゅう-せい【忠誠】〔文〕真心をつくして裏切らないこと(心)。まこと。「―心」類語 忠義。誠忠。

ちゅう-ぜい【中背】高すぎも低すぎもしない、ごく普通の身長。「中肉―」

ちゅうせい-だい【中生代】地質時代の区分の一つ。古生代と新生代の中間にあたり、今から約二億四〇〇〇万年前から六五〇〇万年前までの時代。動物では、はちゅう類・アンモナイト・二枚貝類が栄え、植物では、シダ・ソテツ・マツなどが栄えた。

*ちゅう-せき【柱石】〔文〕〔柱と礎の意から〕社会や団体をささえる頼みとされる中心人物。「国家の―」

*ちゅう-せき【沖積】流水によって土砂が運ばれて堆積すること。―せい【―世】→完新世。

ちゅう-せつ【忠節】〔文〕変わることなく忠誠をかたく守ること。「―を尽くす」

ちゅう-ぜつ【中絶】《名・自他サ》❶〔進行している物事が〕途中でとぎれる(なくなる)こと。「仕事を一時―する」類語 中断。❷「妊娠中絶」の略。

ちゅう-せん【抽×籤】《名・自サ》くじをひくこと。くじびき。表記「抽選」で代用されることが多い。

ちゅう-せんきょく【中選挙区】選挙区の区域・議員定数において、小選挙区と大選挙区の中間に位するもの。大選挙区の一種と考える立場もある。

ちゅう-そ【注×疏・×註×疏】〔文〕本文の詳しい説明。参考「疏」は注にさらに注を加えたもの。類語 注釈。注解。

ちゅう-ぞう【鋳造】《名・他サ》溶解した金属を鋳型に注入し、固まらせて一定の形につくること。鋳込み。キャスティング。参考→鍛造。

*ちゅう-たい【中退】《名・自サ》「中途退学」の略。修了年限を終えないで、途中で学校をやめること。

*ちゅう-たい【中隊】軍隊編制上の単位の一つ。日本の旧陸軍では、通常、三個小隊で一中隊を作り、四個中隊で一大隊を作った。対 小隊・大隊。

*ちゅう-たい【×紐帯】《「ひも」と「おび」との意》物事を結びつける大事なもの。紐帯。「同盟諸国の―」

*ちゅう-だん【中断】《名・自他サ》❶まん中から切れること。また、まん中で断ち切ること。類語 分断。❷〔継続して行われている物事が〕一時的に途中でとぎれること。とだえること。また、途中で断ち切ること。「放送を―する」類語 中絶。中止。

*ちゅう-だん【中段】❶段または段階の中ほど。❷剣道・槍術などで、上段と下段との中間の(基本的な)構え方。正眼。対 ①②上段・下段。

ちゅう-ちょ【×躊×躇】《名・自他サ》決心がつかずあれこれ迷うこと。しりごみ。ためらい。「―なく申し込む」類語 逡巡。

ちゅう-っ-ぱら【中っ腹】《名・形動》心の中で腹を立ててむかむかしていること。「―な物言い」

ちゅう-づり【宙×吊り】❶空中にぶら下がった状態になること。宙ぶらりん。❷宙乗り。

ちゅう-てつ【鋳鉄】鋳物用の銑鉄。

*ちゅう-てん【中天】〔文〕天の中心。天心。また、なかぞら。中空。「月が―にかかる」

*ちゅう-てん【中点】線分または有限曲線を二等分する点。

*ちゅう-てん【沖天・×冲天】〔文〕空高くのぼること。人の威勢などが非常に強いことのたとえに使う。「―の勢い」「―の意気」

ちゅう-と【中途】❶出発点からある目的地までの間のある地点。道中の中ほど。また、ある長さを持つものの中ほど。「―で引き返す」類語 途中。❷進行している物事のまだ完了しないうち(の状態)。物事のなかば。「計画の―で断念する」類語 途中。中間。⇩〔類義語の使い分け「途中」〕 ―はんぱ【―半端】《名・形動》❶物事がやりかけのままであること。未完成の状態であること。❷どっちつかずで徹底していないこと。「彼は何をやらせても―だ」

*ちゅう-とう【中東】極東と近東の中間にあたる地域。アフガニスタン・イラン・イラクおよびアラビア半島などをさす。参考 トルコ・エジプトなどをも含めた中近東の意にも用いられる。対 極東・近東。

*ちゅう-とう【中等】中ぐらいの等級・程度。類語 中級。対 上等・下等。高等・初等。

*ちゅう-とう【仲冬】〔文〕「陰暦一一月」の別称。また、冬の半ば。参考 冬の三か月のまん中の意。

*ちゅう-とう【×偸盗】《「とうとう」の慣用読み》〔文〕ぬすみ。また、ぬすびと。どろぼう。

*ちゅう-とう【柱頭】❶柱の頭部。特に、柱の上端の彫刻をほどこしてある部分。❷めしべの先端の、花粉を受ける部分。

ちゅう-どう【中道】〔文〕❶一方にかたよらず、中正であること。「―を歩む」「―政治」類語 中庸。不偏。❷〔進行している〕物事が・完了(完成)しない段階。中途。途中。なかば。「志の―で倒れる」

ちゅう-どく【中毒】《名・自サ》薬物・毒物・毒素などを体内に摂取して好ましくない反応を起こすこと。毒あたり。「ガス―」「ニコチン―」

ちゅう-どしま【中年▽増】中ぐらいの年増。参考 昔は、二〇歳過ぎから三〇歳ぐらいまでの女性をさした。

ちゅう-とろ【中とろ】マグロの肉で、適度の脂肪分があるところ。すし種・さしみなどにする。

ちゅう-とん【駐屯】《名・自サ》軍隊が、その土地にとどまる(居つく)こと。類語 駐留。

チューナー テレビなどの電波受信機で、ある特定の周波数に同調させるための装置。同調器。▽tuner

ちゅう-なごん【中納言】太政官の次官。令外の官で、大納言に次ぐもの。唐名は黄門。

ちゅう-にかい【中二階】二階と一階との中間の高さに作られた階。

ちゅう-にく【中肉】❶太りすぎてもやせすぎてもいない、ほどよい肉づき。普通の太りぐあい。「―中背」❷中程度の品質の食肉。並肉。

*ちゅう-にち【中日】❶彼岸の七日間のまん中の日。彼岸の中日。春分・秋分の日に当たる。❷一定の期間・日数のまん中の日。なかび。

*ちゅう-にち【駐日】日本に駐在すること。「―アメリカ大使」

ちゅう-にゅう【注入】《名・他サ》❶液体を容器などにそそぎ入れること。「ライターにガスを―する」❷ある物事を一か所に集中して送り込むこと。「道路建設に予算を―する」❸〔断片的に、また強制的に〕知識や思想をつめこむこと。「―教育」

ち

＊**ちゅう‐にん【中人】**〔小人（しょうにん）・大人（だいにん）に対して〕小・中学生ぐらいの年齢の者。〔風呂（ふろ）屋などの料金の区分に多く使う〕

＊**ちゅう‐にん【仲人・中人】**〔文〕❶仲裁する人。仲裁者。❷結婚をとりもつ人。なこうど。媒酌（ばいしゃく）人。

チューニング ❶テレビ・ラジオの受信機で、特定の周波数に同調させること。❷楽器の調律・音合わせ。▽tuning

ちゅう‐ねん【中年】青年と老年との間の年ごろ（の人）。類語 壮年。盛年。

ちゅう‐のう【中農】中規模の農業を営む・家（人）。対 大農・小農。

ちゅう‐のり【宙乗り】歌舞伎（かぶき）で、針金・滑車などを利用して役者を宙につり上げ、空中を行くようにみせる演出。また、その仕掛け。宙づり。

ちゅう‐は【中波】周波数三〇〇～三〇〇〇キロヘルツ、波長一〇〇～一〇〇〇メートルの電波。ラジオ放送などに使う。略語MF。対 長波・短波。

チューバ 金管楽器の一つ。大型のらっぱで、金管楽器のうちの最低の音域を受け持つ。▽tuba

ちゅう‐ハイ【×酎ハイ】〔俗〕焼酎を炭酸水でわった飲みもの。参考「ハイ」は「ハイボール」の略。

ちゅうばい‐か【虫媒花】昆虫の媒介によって受粉が行われる花。類語 風媒花。鳥媒花。水媒花。

ちゅう‐ばつ【×誅伐】《名・他サ》〔文〕悪人や罪のある者を討ちほろぼすこと。

ちゅう‐はば【中幅】❶大幅と小幅の中間の幅の布。幅四五センチ内外。対 大幅・小幅。❷「中幅帯」の略。中幅の布地で仕立てた、幅二六センチ内外の丸帯。

ちゅう‐ばん【中盤】勝負事で、戦いが中ほどまで進んだ時期（の形勢）。本格的な勝負どころとなる局面。「選挙も―に突入した」対 序盤・終盤。

ちゅう‐び【中火】〔料理で、煮たり焼いたりする時の〕中ぐらいのいきおいの火加減。対 強火・弱火。

＊**ちゅう‐ぶ【中部】**❶中央の位置にあたる部分。まん中の部分。❷「中部地方」の略。新潟・富山・石川・福井（以上、北陸地方）、静岡・愛知（以上、東海地方）、山梨・長野・岐阜の九県からなる地方。

＊**チューブ** ❶くだ。❷歯みがき・接着剤・薬品などを入れ、押し出して使う筒状の容器。❸車などのタイヤの中に入れて空気をつめるゴム製のくだ。▽tube

ちゅう‐ぶう【中風】脳卒中ののち、意識が回復しても残る、半身不随や手足の麻痺（まひ）や言語障害などの症状。ちゅうふう。ちゅうぶ。中気。風疾。

ちゅう‐ふく【中腹】山頂とふもとの中間。山腹。

ちゅう‐ぶらりん【宙ぶらりん・中ぶらりん】《名・形動》〔俗〕❶空中にぶらさがっていること。❷どっちつかずで中途はんぱなこと。「―な気持ち」

ちゅう‐ぶる【中古】→ちゅうこ（中古）②。

ちゅう‐へん【中編・中×篇】〔小説・映画などで〕❶長編と短編の中間の長さの作品。特に、中編小説。対 長編・短編。❷三編に分かれている作品の、中間の一編。第二編。対 前編・後編。

ちゅう‐ぼう【×厨房】〔文〕台所。調理場。厨（くりや）。

ちゅう‐ぼく【忠僕】主人に忠実に仕える下僕。忠実なしもべ。

ちゅう‐ぼそ【中細】中ぐらいの太さである・こと（もの）。「―の毛糸」

ちゅう‐ぼん【中▽品】〔仏〕極楽浄土へ往生するときの階級で、九品（くほん）のうちの中位の三つ。参考 →九品。

ちゅう‐みつ【×稠密】《名・形動》〔文〕〔人や人家が〕すきまなく集まっていること。密集。周密。「人口の―地帯」類語 過密。注意「しゅうみつ」は誤読。

ちゅう‐もく【注目】《名・自他サ》注意してよく見ること。また、関心をもって見守ること。「事のなりゆきに―する」「―に値する」「―の的になる」類語 注視。

＊**ちゅう‐もん【中門】**表門より内側にある門。㋐社寺の楼門と拝殿との間にある門。㋑寝殿造りの表門と寝殿との間にある門で、中庭に通じる入り口。

＊**ちゅう‐もん【注文・×註文】**《名・他サ》❶品質・数量・寸法・価格などを指定して、品物の製作・配達・送付などを依頼すること。また、その依頼。❷人に物事を頼んだり委（ゆだ）ねたりするとき、希望や条件を出すこと。また、その希望や条件。「早期実現とは無理な―だ」類語 所望。 **―ながれ【―流れ】**注文を受けてととのえたものが、引き取られずにそのままになっていること。また、その品物。

―を付・ける《句》❶自分の望みや条件を相手にいう。❷相撲で、自分の有利な体勢に持ち込むために特に工夫した手を打つ。

ちゅう‐や【昼夜】㊀《名》ひるとよる。「―を分かたず働く」類語 日夜。㊁《副》ひるもよるも。よるひるの区別なく。「―、研究に没頭する」類語 日夜。 **―おび【―帯】**表と裏とを別の布で仕立てた女帯。腹合わせ帯。 **―けんこう【―兼行】**昼夜の区別なくつづけて事を行うこと。「―の行軍」「―で工事を急ぐ」

ちゅう‐ゆ【注油】《名・自サ》❶機械などに油をさすこと。❷燃料を補給すること。

ちゅう‐ゆう【忠勇】《名・形動》〔文〕忠義と勇気を兼ね備えていること。「―無双の兵士」

＊**ちゅう‐よう【中庸】**《名・形動》考えや行いがかたよらず穏当なこと。「―を得る」類語 中正。中道。

＊**ちゅう‐よう【中葉】**〔文〕ある時代の中ごろ。中期。「二〇世紀―」

ちゅうよう‐とっき【虫様突起】→虫垂（ちゅうすい）。

ちゅう‐りく【×誅×戮】《名・他サ》〔文〕罪のある者を殺すこと。類語 誅伐（ちゅうばつ）。誅殺。

ちゅう‐りつ【中立】《名・自サ》❶対立して争う者の間にあって、どちらにも味方したり反対したりしないこと。「非武装―の平和主義」❷〔法〕戦争に参加しない国家の国際法上の地位。敵対する双方の国に対して公平と無援助とを原則とする。局外中立。

チューリップ ユリ科の多年草。四、五月ごろ、葉間からのばした茎の先につりがね形の花をひらく。観賞用。鬱金香（うこんこう）。▽tulip

ちゅう‐りゃく【中略】《名・他サ》文章で、途中の文句を省くこと。対 前略・後略。上略・下略。

＊**ちゅう‐りゅう【中流】**❶川が源流から海へ流れ出るまでの間のなかほどの部分。❷川の流れのまんなか。川の中ほど。❸社会における地位・生活程度などが中ぐらいの階級。類語 中産階級。対 ①③上流・下流。

＊**ちゅう‐りゅう【駐留】**《名・自サ》軍隊がある地に長くとどまること。「―軍」類語 駐在。進駐。駐屯。

ちゅう‐りん【駐輪】自転車をとめておくこと。「―場」

ちゅう‐れい【忠霊】〔文〕忠義をつくして死んだ人の霊。英霊。忠魂。「―塔」

ちゅう‐れつ【忠烈】〔文〕忠義心のきわめて強いこと。

ち

「―無比」

*ちゅう‐ろう【中老】❶室町・江戸時代の諸大名家の重臣で、家老の次の位。❷武家の奥女中で、老女の次の位(の人)。

*ちゅう‐ろう【中×臈】❶平安時代、宮中の女官で、上臈・小上臈の下、下臈の上の位(の人)。❷江戸時代、幕府または大名に仕えた奥女中。

*ちゅう‐ろう【柱廊】天井を支える柱だけが並んで吹き通しになっている廊下。コロネード。

ちゅう‐わ【中和】《名・自他サ》❶異なる性質をもつものが融合して、互いにその効力を弱め、中間の性質をもつものになること。「―政策」❷〔理〕㋐当量の酸と塩基とが反応して、水と塩とを生じること。㋑正電荷と負電荷とが打ち消し合って、電荷を失うこと。

チューン‐ナップ《名・他サ》特別な調整をして、全体の性能を高めること。特に、自動車の走行性能を高めるためにする整備。チューンアップ。▽tune-up

チュニック 丈が腰下あたりまである女性用上着。チュニックコート。▽tunic

ち‐よ【千代】〔文〕非常に長い年月。永遠。永久。千載。ちとせ。類語 万代(よろず)。八千代。

*ちょ《接尾》〔俗〕《名詞、形容詞の語幹につけて》「…である者」「…のもの」の意。「太っ―」「横っ―」

*ちょ【緒】《(「しょ」の慣用読み)》〔文〕〔糸のはしの意から〕物事の始め。いとぐち。端緒。「―に就く(=始める・始まる)」

*ちょ【著】書物を著すこと。また、その書物。著書。

ちょい‐ちょい《副》〔俗〕同じ事が間をおいてくり返されるようす。たびたび。ちょくちょく。「ミスが―出る」

ちょい‐と ㊀《副》少しばかり。ちょっと。「―困った」㊁《感》〔女性が〕人に呼びかけるときに用いることば。もし。〔やや古風な言い方〕「―、そこの若旦那」

ちょい‐やく【ちょい役】〔俗〕〔映画や演劇などで〕ほんのちょっと出演するだけの役。端役(はやく)。

*ちょう【超】㊀《接頭》❶ある限度を通りこしている意。「―満員」「―音速」❷あるものから極端に逸脱している意。「―自然」「―論理」㊁《接尾》「その方が多くなる」意。「払い―」「輸出―」㊂《副》〔俗〕程度が並はずれているようす。「―かわいい」

*ちょう【帳・×帖】《接尾》「帳面」「帳簿」などの意。「日記―」「練習―」

*ちょう【張】《助数》❶琴・弓など、弦をはったものを数える語。❷幕・かやなど、はり渡したものを数える語。

*ちょう【×挺・×梃】《助数》❶銃・すき・くわ・墨(すみ)・ろ・かじ・ろうそく・のこぎり・かんな・包丁・といし・三味線・バイオリンなど、手に持つ細長いものを数える語。❷かご・人力車などを数える語。表記「丁」でも代用する。

*ちょう【丁】㊀《名》〔ばくちなどで〕さいころの目の偶数。「―か半か」対 半(はん)。㊁《助数》❶和とじの書物の紙数を数える語。表裏で一丁になる。枚。葉。❷豆腐を数える語。❸〔飲食店などで〕一人前を単位とする料理を数える語。「ラーメン一―」❹→ちょうめ。❺→ちょう(町)㊁①。参考→一丁(いっちょう)

*ちょう【兆】㊀《名》〔文〕物事が起こる前ぶれ。きざし。「不況の―」類語 前兆。徴候。㊁《助数》億の一万倍を一とする単位。一〇の一二乗。参考 名詞として、「一兆」の意でも使う。「―を超える売り上げ」

*ちょう【×寵】〔文〕〔目上の人・身分の高い人などが〕特別にかわいがること。寵愛(ちょうあい)。「主君の―を受ける」

*ちょう【庁】❶役所。❷国家行政組織法による外局の一つ。金融庁・気象庁など。

*ちょう【徴】〔文〕❶まえぶれ。きざし。徴候。「乱世の―」❷呼びだすこと。召しだすこと。「―に応ずる」

*ちょう【朝】㊀《名》〔文〕❶朝廷。「―に仕える」❷天子の治める国。対 野(や)。㊁《接尾》❶一人の君主または同系統の君主の在位期間。御代(みよ)。「南―」「清(しん)―」「ビクトリア―」❷同一地方に都がおかれていた時代。「奈良―」「平安―」

*ちょう【町】㊀《名》地方公共団体の一つ。都道府県に属し、市と村との中間に位する。まち。㊁《接尾》❶《助数》尺貫法で、距離の単位を表す語。一町は六〇間(けん)。約一〇九メートル。表記「丁」とも書く。❷《助数》土地の面積の単位を表す語。一町は一〇反(たん)。約九九・一七アール。❸市街地の小区分された地域名にそえる語。「千代田区内幸―」参考 行政区画とは無関係。

*ちょう【×疔】化膿(かのう)菌が侵入してできる、急性で悪性のはれもの。赤くはれて激しく痛む。顔にできたものを特に面疔(めんちょう)と呼ぶ。癤(せつ)。

*ちょう【腸】消化器の一部。胃の幽門(ゆうもん)の下に始まり肛門(こうもん)に至る部分。小腸と大腸に分かれる。食物の消化・吸収を行う。はらわた。

*ちょう【×蝶】チョウ目の昆虫のうち、ガを除いたものの総称。二対のはねは鱗粉(りんぷん)でおおわれ、多彩で模様が美しい。花のみつを吸う。幼虫は毛虫・青虫などと呼ばれ、さなぎを経て成虫になる。種類がきわめて多い。ちょうちょう。ちょうちょ。参考→蛾(が)。

―よ花よ《句》親が自分の娘を非常にかわいがり大事にするようす。「―と育てた一人娘」

*ちょう【調】㊀《名》❶律令(りつりょう)時代の税制の一つ。成年男子に課せられたもので、その土地の産物を納税者に中央まで運搬させて納めさせた。❷一つの音階または和音をもとにした音組織の特性。長調と短調に大別され、主音の位置によってハ長調・イ短調などと呼ぶ。㊁《接尾》《名詞について》❶詩歌の音節数による調子の意。「七五―」❷ある調子・特徴・形式などがそれに属することを表す。「貴族―の生活」類語 風(ふう)。

*ちょう【長】㊀《名》❶ある集団の中で、いちばん高い地位(にある人)。かしら。「一家の―」❷〔文〕年上(の人)。年長(の人)。「五年の―」❸〔文〕長いこと。「―短二本の棒」❹〔文〕すぐれている・こと(点)。まさっている・こと(点)。長所。「―を採って短を補う」対③④短。㊁《接頭》「長い」の意。「―距離」対 短。

*ちょう‐あい【丁合】(チャウアヒ)〔製本の工程で〕印刷のすんだ紙をページ順に正しくそろえる作業。

*ちょう‐あい【×寵愛】《名・他サ》特別にかわいがること。「主君の―を受ける」類語 熱愛。

*ちょう‐あい【帳合】(チャウアヒ)❶台帳と現金や商品の出入とを照らし合わせて収支を確かめること。❷帳簿に収支を記入し、計算すること。

*ちょう‐い【弔意】〔文〕人の死を悲しみ、とむらう気持ち。「―を表す」対 賀意。

*ちょう‐い【弔慰】《名・他サ》〔文〕死者をとむらい、遺族をなぐさめること。「―金」類語 弔問。

*ちょう‐い【潮位】満潮や干潮によって変化する海面の高さ。潮高。「―が上がる」

ちょう‐いん【調印】《名・自サ》〔法〕条約・契約などの文書に双方の代表者が署名・捺印(なついん)して内容を承認

することを。「停戦協定に一する」

ちょう-えき【懲役】 自由刑の一つ。犯罪人を監獄に拘置(こうち)して、一定の労役に服させること。「五年以下の一または禁錮(きんこ)」類語 禁錮。拘留。

ちょう-えつ【超越】《名・自サ》ある限界・範囲をはるかにこえること。また、ある物事からぬけ出て、より高い立場にあること。「利害を一する」類語 超脱。

***ちょう-えん【腸炎】** 腸カタル。

***ちょう-えん【長円】** 楕円(だえん)。

***ちょう-おん【朝恩】**〔文〕朝廷の恩。天子の恩。

***ちょう-おん【聴音】**〔文〕音をききとり、ききわけること。「一機」

***ちょう-おん【調音】** ❶《名・自サ》声帯より上の音声器官が、ある音声を発するために必要な位置をとり一定の運動をすること。❷《名・他サ》〔音〕調律。

***ちょう-おん【長音】** 母音を長くひきのばす音節。日本語ではふつう二音節に数える。「おとうさん」「おかあさん」の「とう」「かあ」などや、「オ」に対する「オー」など。対 短音。 **一ふごう【一符号】** 母音を引きのばすのに用いる符号。外来語の表記に用いられる「アー」「オー」の「ー」など。長音記号。

ちょう-おんかい【長音階】 西洋音階の一つ。第三・四音の間と第七・八音の間が半音で、他は全音よりなっている七音の音階。対 短音階。

ちょう-おんそく【超音速】 空気中を伝わる音の速度よりはやい速度。「一旅客機」

ちょう-おんぱ【超音波】 振動数が毎秒二万(ヘルツ)以上で、人間の耳にはきこえない音波。深海測定・魚群探知・医療などに利用。

***ちょう-か【弔花】** 人が亡くなったときに贈る花や花輪。

***ちょう-か【町家】** ❶町人の家。商人の家。商家。〔古風な言い方〕❷町の中にある家。まちや。

***ちょう-か【超過】**《名・自サ》〔数量・時間などが〕一定の限度をこえること。「郵便の一料金」

***ちょう-か【釣果】**〔文〕釣りの成果。釣りのえもの。

***ちょう-か【長歌】** 和歌の形式の一つ。五・七音の句を三つ以上つらねて、最後に七音で結ぶもの。ふつう、別に反歌(はんか)をそえる。ながうた。対 短歌。

***ちょう-か【長靴】** 皮革製の長ぐつ。ブーツ。

***ちょう-か【弔歌】**〔文〕死者をとむらう歌。挽歌(ばんか)。

ちょう-が【朝賀】 昔、元日に諸臣が朝廷に参上して、天皇に新年のよろこびを申し上げたこと。朝拝。

***ちょう-かい【懲戒】**《名・他サ》不正・不当な行為に対して制裁を加えること。特に、公務員の義務違反に対して、制裁を科すること。「一免職」類語 懲罰。

***ちょう-かい【朝会】** 朝礼。

***ちょう-かい【町会】** ❶「町議会」の旧称・通称。❷住民で組織され、町内のことを相談して実行する会。町内会。

***ちょう-かく【弔客】**〔文〕人の死をとむらうために訪れる人。とむらい客。弔問客。弔客(ちょうきゃく)。

***ちょう-かく【聴覚】** 空気・水などの媒体を伝わって耳でうけた音波の刺激が、脳に伝えられて生じる感覚。

ちょう-カタル【腸カタル】 腸の粘膜におこる炎症。腐敗食品の摂取や細菌感染などでおこる。腸炎。

***ちょう-かん【朝刊】** 日刊新聞で、朝、発行されるもの。対 夕刊。

***ちょう-かん【長官】** 官庁などの最高の官職。「最高裁一」「防衛庁一」

***ちょう-かん【鳥×瞰】**《名・他サ》〔文〕空中または高い所から地上を見おろすこと。また、広い視野で全体を大きく見わたすこと。俯瞰(ふかん)。展望。「世界経済を一する」 **一ず【一図】** 高所から広く下界を見下ろしたように描いた図。

***ちょう-き【×寵▽姫】**〔文〕〔身分の高い人に〕特にかわいがられている侍女。類語 愛妾(あいしょう)。

***ちょう-き【弔旗】** とむらう気持ちをあらわすために揚げる旗。さおの中ほどに掲げたり(=半旗)、さおの頂上に黒布をつけたりする。

***ちょう-き【長期】** 長い期間。「一予報」対 短期。

ちょう-ぎかい【町議会】 地方自治体としての町の意思を決定する議決機関。

ちょう-きゃく【弔客】 →ちょうかく(弔客)。

ちょう-きゅう【長久】〔文〕長く久しいこと。長く続くこと。とこしえ。永久。「武運一を祈る」

ちょう-きょ【聴許】《名・他サ》〔文〕意見や願いをきとどけて許すこと。類語 勅許。

ちょう-ぎょ【釣魚】〔文〕魚つり。つり。

ちょう-きょう【調教】《名・他サ》馬・犬・猛獣などの動物を訓練すること。慣らしてしこむこと。「一師」

ちょう-きょり【長距離】 ❶長い距離。「一列車」❷「長距離競走」の略。陸上競技の競走種目で、五千メートル・一万メートル・マラソンなど。

***ちょう-きん【彫金】** たがねを用いて金属に彫刻をほどこすこと。また、その技法。

***ちょう-きん【超勤】**「超過勤務」の略。規定の時間をこえて勤務すること。過勤。「一手当」

***ちょう-く【長×軀】**〔文〕長身。対 短軀。

***ちょう-く【長駆】**《名・自サ》〔文〕❶遠くまで馬を走らせること。とおのり。とおがけ。❷一気に長い距離を走ること。「一ホームインする」

***ちょう-けい【長兄】** いちばん年上の兄。対 末弟。

***ちょう-けい【長径】** 長円形のさしわたしの中でいちばん長いもの。長軸。対 短径。

ちょう-けし【帳消し】《名・他サ》❶貸借などの金銭勘定が終わって、帳簿に記載された金高を棒線で消すこと。転じて、貸借関係がなくなること。棒引き。「借金を一にする」❷互いに差し引いて残りがなくなること。「前回の殊勲も今日のエラーで一だ」

ちょう-けつ【長欠】《名・自サ》「長期欠席」「長期欠勤」の略。長い間学校または勤務を休むこと。

***ちょう-けん【朝憲】**〔文〕朝廷で定めたおきて。転じて、国の根本となる法。国憲。憲法。「一紊乱(びんらん)」

***ちょう-けん【朝見】**《名・自サ》〔文〕臣下が天子にお目にかかること。朝謁(ちょうえつ)。

***ちょう-けん【長剣】** ❶長い剣。❷時計の長いほうの針。長針。対 ①②短剣。

***ちょう-こう【彫工】**〔文〕彫刻を職業とする人。彫り物師。彫り師。

***ちょう-こう【徴候・兆候】** 物事がおこる前ぶれ。「地震の一」「風邪の一」類語 兆(きざ)し。前兆。⇨〔類義語の使い分け「兆し」〕

***ちょう-こう【朝貢】**《名・自サ》〔文〕外国からの使いが朝廷にみつぎ物をたてまつること。来貢(らいこう)。

***ちょう-こう【聴講】**《名・他サ》講義をきくこと。「一生(=正規の学生ではないが、聴講を許可された人)」

ち

*ちょう-こう【長江】❶〔文〕長大な川。類語大河。❷中国で「揚子江」の正式名称。

*ちょう-こう【長考】《名・他サ》長い時間、考えること。「—三時間」

*ちょう-こう【長講】長い時間にわたって、講演・講談を行うこと。「—一席」

*ちょう-こう【調光】《名・他サ》光量を調節すること。「ヘッドライトを—する」「—器」

*ちょう-ごう【調号】楽曲の調子を示すために、楽譜の始めに書く、シャープ・フラットの記号。

*ちょう-ごう【調合】《名・他サ》薬品を(きまった分量どおりに)二種類以上まぜあわせること。類語調薬。調剤。配剤。

ちょうこう-ぜつ【長広舌】ながながとしゃべりたてること。長舌。「—を振るう」類語多弁。注意「長口舌」は誤り。

ちょう-こうそう【超高層】建造物が非常に高いこと。「—ビル」

*ちょう-こく【彫刻】《名・他サ》木・石・金属などを彫りきざんで、物の形や模様などを描きあらわしたり、立体的な像を作ったりすること。また、そのように彫りきざんだ(芸術)作品。類語彫り物。

*ちょう-こく【×肇国】〔文〕新しく、国を作ること。国をはじめること。建国。

*ちょう-こく【超克】《名・他サ》〔文〕(精神的な)困難や苦境をのりこえ、それにうちかつこと。「苦悩を—する」類語克服。

ちょう-こん【長恨】〔文〕終生忘れることのできないうらみ。類語多恨。遺恨。

ちょう-さ【調査】《名・他サ》物事の実態・事実などを明らかにするために調べること。取り調べ。「世論—」

ちょう-ざ【長座・長×坐】《名・自サ》〔文〕他人の家に客として長時間いること。長居。ながざ。

ちょう-ざい【調剤】《名・自他サ》薬剤を調合して、薬を作ること。調薬。「—室」類語調合。

ちょう-ざめ【×蝶×鮫】チョウザメ科のサメに似た海水魚。産卵期に川に上る。卵の塩漬けはキャビアと呼ばれ、珍重される。「生きた化石」の一つ。

ちょうさん-ぼし【朝三暮四】目の前の利益にとらわれて結果が同じになることに気づかないこと。また、ことばたくみに人をだますこと。朝四暮三。故事猿にトチの実を与えるのに、朝に三つ暮れに四つ与えようと言ったら怒ったので、朝に四つ暮れに三つ与えようと言ったら喜んだという、「荘子」「列子」の寓話から。

ちょうさん-りし【張三×李四】ありふれた人。一般庶民。参考張氏の三男、李氏の四男の意。張も李も中国に多い姓。

*ちょう-し【弔詞】〔文〕死者をとむらってのべることば。おくやみのことば。弔辞。類語弔文。対祝詞。

*ちょう-し【聴視】《名・他サ》(テレビを)聞いたり見たりすること。視聴。「—者」

*ちょう-し【調子】❶音楽で、音の高低。類語音律。音調。❷話す人の気持ちや肉体の状況が反映している、声の高低・強弱・緩急などのぐあい。「甲高い—で話す」類語口調。語調。抑揚。イントネーション。アクセント。❸物事の程度。特に、文章表現の程度。「—の高い文章」類語格調。❹(からだや機械などの)働きのぐあい。コンディション。「胃の—が悪い」❺物事の、進行のぐあい。事を運んでゆくときの、やり方のかげん。「今の—で続けなさい」類語足並み。歩調。ペース。❻相手の気持ちに応じた様子・態度。その場の状況に応じた様子・態度。「—を合わせる」❼勢い。はずみ。「—が出る」—づ・く【—付く】《自五》❶はずみがつく。勢いがつく。「商売が—く」❷いい気になって、うわつく。文《四》。—はずれ【—外れ】《名・形動》❶正しい音律・音階からはずれていること。❷考え方や行動が他とちがっていて、調和せず奇妙なこと。同①②調子はぐれ・調子っぱずれ。—もの【—者】❶調子にのって軽はずみなことを言ったりしたりする人。❷いいかげんに他と調子を合わせる人。無責任に迎合する人。参考①②とも多く「お—」の形で使う。—が良・い《句》❶相手の気持ちに合うような、(心にもない)適当なことを言ったりしたりして、気を引くのがじょうずである。❷順調である。ぐあいがいい。—に乗・る《句》❶(仕事などの)進みぐあいがよくなる。順調に進む。❷おだてられて、いい気になる。—を合わ・せる《句》❶(相手の気に入るように)話や態度を合わせる。❷音の高低・強弱・速さなどを合わせて程よくする。❸機械の動きなどを調整する。

*ちょう-し【×銚子】❶酒を杯につぐための長い柄のついた器。❷酒を入れてあたため、ちょこなどにつぐための器。徳利。

*ちょう-し【長子】最初に生まれた子。特に、長男。総領。対末子。

*ちょう-し【長詩】長い形式の詩。対短詩。

*ちょう-じ【丁子・丁字】フトモモ科の常緑高木。熱帯地方に栽培される。九月ごろ、枝の先に白または淡紅色の香りのよい花をつける。つぼみを干して、香料や薬品にしたり、つぼみや実などから油をとる。クローブ。

*ちょう-じ【×寵児】〔文〕❶特別にかわいがられている子。類語愛児。秘蔵っ子。❷時流にのってもてはやされている人。「時代の—」類語人気者。花形。

*ちょう-じ【弔事】とむらいごと。対慶事。

*ちょう-じ【弔辞】死者をとむらうことば。追悼文。弔詞。「—を述べる」類語弔文。対祝辞。

ちょう-しぜん【超自然】《名・形動》自然の法則を超越し、理屈では説明できないこと。「—的現象」

ちょう-しゃ【庁舎】官公庁の建物。

ちょう-じゃ【長者】❶年上または目上の人。特に、地位や徳の高い年長者。長老。❷大金持ち。富豪。金満家。「億万—」「—番付」

ちょう-じゃく【長尺】標準以上に長い・こと(もの)。「—の鉄材」「—物」=ちょうしゃく。

ちょう-しゅ【聴取】《名・他サ》❶(公の立場で)ききとること。「参考人から事情を—する」❷ラジオ放送を聞くこと。「—者」「—率」

ちょう-じゅ【長寿】寿命の長いこと。長命。長生き。「—を保つ」「不老—」

*ちょう-しゅう【徴収】《名・他サ》法規・規約などに従って、税金・手数料・会費などをとりたてること。「会費を—する」対納入。

*ちょう-しゅう【徴集】《名・他サ》国家などが人・金銭・物品を強制的に集めること。特に、もと兵役制度で、現役兵として強制的に人を呼び集めたこと。「兵員を—する」類語召集。徴募。徴用。

*ちょう-しゅう【聴衆】演説・講演・音楽などを聞きに集まった人々。

ち

名。

*ちょう-しゅう【長州】「長門の国」の唐風のよび名。

*ちょう-しゅう【長×袖】〔文〕❶ながいそで(の着物)。❷そでの長い着物を着た(実行力のとぼしい)人。特に、公卿・僧。

*ちょう-じゅう【弔銃】軍人などの死をとむらうため葬儀の際に一斉に小銃をうつこと。

*ちょう-じゅう【鳥獣】鳥やけだもの。禽獣。

*ちょう-じゅう【鳥銃】鳥をうつ小銃。

*ちょう-しょ【調書】❶調べた結果をしるした文書。しらべがき。「身上—」❷〔法〕訴訟手続きの経過・内容などを記録した公文書。

*ちょう-しょ【長所】特にすぐれているところ。とりえ。「—を生かす」類語美点。対短所。

ちょう-じょ【長女】最初に生まれた女の子。一番年上の娘。総領娘。一女。

*ちょう-しょう【×嘲笑】《名・他サ》〔文〕ばかにして笑うこと。嘲笑い。類語冷笑。

*ちょう-しょう【×寵×妾】〔文〕気に入りのめかけ。

*ちょう-しょう【弔鐘】〔文〕❶死者をとむらって打ち鳴らす鐘の音。❷物事の終わりを告げるしるし。

*ちょう-しょう【徴証】〔文〕ある結論を引き出すよりどころとなるもの。証拠。あかし。

*ちょう-じょう【重畳】❶《名・自サ・形動タトタル》〔文〕いくえにも重なっていること。「山岳—として天を摩す」❷《名・形動》〔よい事が重なり〕この上もなく満足なこと。「無事で—だ」〔古風な言い方〕

*ちょう-じょう【長上】〔文〕年上または目上の人。

*ちょう-じょう【長城】長く続いている城。特に、中国の万里の長城。

*ちょう-じょう【頂上】❶〔山や高い建物の〕いただき。てっぺん。類語峰。頂点。❷ある状態がそれ以上にはならないところに達していること。「夏の暑さも今が—だ」類語頂点。極点。極盛。

ちょうじょう-げんしょう【超常現象】科学では説明できない不思議な現象。心霊現象・超能力など。

ちょう-しょく【朝食】朝の食事。朝飯・朝飯。対昼食・夕食。

ちょう-じり【帳×尻】〔帳簿の終わりの部分の意で〕収支の最終的計算。決算の結果。「—が合う」「話の—を合わせる(=話の先後に矛盾がないようにする)」

ちょう-じる【長じる】《自上一》↓長ずる。

*ちょう-しん【×寵臣】〔文〕気に入りの家来。

*ちょう-しん【聴診】《名・他サ》おもに聴診器で、呼吸音・心音・胸膜音など体内の諸器官の音をきき、病気診断の手がかりとすること。類語打診。問診。

*ちょう-しん【調進】《名・他サ》〔文〕注文の品をととのえて届け納めること。類語調達。調製。

*ちょう-しん【長身】背たけが高い・こと(体)。また、その人。長軀。「—痩軀」

*ちょう-しん【長針】時計の長い方の針。分針。長剣。対短針。

*ちょう-じん【超人】人間とは思えないほど並はずれた能力を持つ人。スーパーマン。「—的な努力」

*ちょう-じん【鳥人】〔文〕操縦技術の巧みな飛行家や、スキーの跳躍競技の選手を鳥にたとえていう語。

ちょう-しんせい【超新星】進化の最終過程で突然に爆発して非常に明るく輝く星。

ちょうしん-るこつ【彫心×鏤骨】《名・自サ》(「る」は「鏤」の呉音)〔文〕〔心に刻み、骨にちりばめる意で〕非常に苦心して(詩文などの芸術作品を)作り上げること。ちょうしんろうこつ。「—の作品」

ちょうず【▽手▽水】(「てみず」の転)❶手や顔を洗い清めるための水。また、洗い清めること。❷便所。手洗い。❸便所に行くこと。また、大小便。—ば【—場】❶便所のそばにある、手を洗うところ。手洗い。❷便所。かわや。手洗い。〔①②とも古風な言い方〕

ちょう-すいろ【長水路】コースの長さが五〇メートル以上あるプール。対短水路。

ちょう-すう【丁数】❶おもに和とじの書物の紙の枚数。参考一丁は、裏表二ページをさす。❷偶数。〔古風な言い方〕

*ちょう-・する【朝する】《自サ変》〔文〕❶宮中に参上する。❷朝廷にみつぎものをささげる。朝貢する。

*ちょう-・する【×寵する】《他サ変》〔文〕特別にかわいがる。「美女を—・する」

*ちょう-・する【弔する】《他サ変》〔文〕人の死を悲しみいたんでくやみを述べる。とむらう。

*ちょう-・する【徴する】《他サ変》〔文〕❶召し出す。「兵を—・する」❷取りたてる。「税を—・する」❸求める。要求する。「意見を—・する」❹証拠や根拠を求める。「経験に—・して明らかだ」

ちょう-・ずる【長ずる】《自サ変》❶成長する。❷物事にすぐれる。まさっている。「語学に—・じた国際派」❸年が上である。年長である。=長じる。

*ちょう-せい【町制】地方自治体としての町のしくみや権限などを定めた制度。

*ちょう-せい【調整】《名・他サ》調子の悪いものや過不足・ふぞろいのあるものに手を加えて、正常な状態にととのえなおすこと。「意見を—する」類語調節。

*ちょう-せい【調製】《名・他サ》注文や好みに合わせてこしらえること。「背広を—する」類語調進。

*ちょう-せい【長生】《名・自サ》〔文〕ながいきをすること。長命。

*ちょう-せい【長逝】《名・自サ》〔文〕〔遠くへ去って永久に帰らない意から〕死ぬこと。逝去。死去。

ちょう-ぜい【徴税】《名・自他サ》税金を取りたてること。類語収税。対納税。

*ちょう-せき【朝夕】━《名》〔文〕朝と夕方。あさばん。朝夕。━《副》〔文〕いつも。あけくれ。

*ちょう-せき【潮×汐】周期的な潮のみちひ。

*ちょう-せき【長石】珪酸塩鉱物の一つ。火成岩・変成岩の主要成分。陶磁器やガラスの原料となる。

ちょう-せつ【調節】《名・他サ》物事の調子をほどよくととのえること。コントロール。「ラジオの周波数を—する」「時間割を—する」類語調整。

*ちょう-ぜつ【超絶】《名・自サ》他とはくらべることができないほどとびぬけてすぐれていること。

*ちょう-ぜつ【長舌】〔文〕ながながとしゃべること。長広舌。「—を振るう」

*ちょう-せん【挑戦】《名・自サ》❶戦いや試合などをしかけること。「世界チャンピオンに—する」❷今まで手がけたことのない困難な物事に立ちむかうこと。「前人未到の記録に—する」

*ちょうせん【朝鮮】アジア大陸北東部、日本本土の北西方にある半島およびその属島からなる地域。—にんじん【—人▽参】ウコギ科の多年草。中国・朝鮮の

原産。漢方で、白い肉質の根を強壮剤にする。

*ちょう-ぜん【×悵然】《形動タルト》〔文〕がっかりして悲しみなげくようす。「―として肩を落とす」

*ちょう-ぜん【超然】《形動タルト》物事にこだわらず平然としているようす。「世俗に―たる態度」

*ちょう-そ【彫塑】❶彫刻と塑像(そぞう)。また、彫刻。❷《名・自サ》彫刻の原型となる塑像(を作ること)。

*ちょう-そ【重×祚】《名・自サ》〔文〕〔祚(=位)を重ねる意から〕いったん位を退いた天子が、再び帝位につくこと。再祚。復祚。

ちょう-そう【鳥葬】死体を野ざらしにしたまま鳥の食うのに任せる葬り方。参考→火葬・土葬・水葬・風葬。

ちょう-ぞう【彫像】彫刻した像。

*ちょう-そく【長息】《名・自サ》〔文〕長いためいきをつくこと。長いためいき。長嘆息。長嘆。

*ちょう-そく【長足】❶長い足。長脚。❷歩幅の大きいこと。おおまた。はやあし。❸物事の進み方がはやいこと。「―の進歩をとげる」

ちょう-ぞく【超俗】〔文〕俗世間の事柄に関心を持たず超然としていること。類語脱俗。超脱。超凡。

ちょう-そん【町村】❶町と村。❷地方公共団体としての町と村。「―合併」

*ちょう-だ【長打】《名・自他サ》野球で、二塁打以上の安打(を打つこと)。二塁打・三塁打・本塁打の総称。ロングヒット。「左中間に―する」対短打。

*ちょう-だ【長蛇】〔文〕長い大きなヘビ。―の-れつ【―の列】《連語》ヘビのように長くうねってつづく行列。「蜿々(えんえん)―」

―を逸・する《句》❶非常に惜しい人物やえものを取りそこなう。❷非常に惜しい機会を取り逃がす。

*ちょう-だい【長大】《名・形動》〔文〕長くて大きいこと。また、背が高く体が大きいこと。対短小。

*ちょう-だい【頂×戴】❶《名・他サ》〔頭上にささげ持つ意から〕いただくこと。㋐「もらうこと」の謙譲語。「おほめのことばを―する」「お目玉を―する」㋑「もらって・食べる(飲む)こと」の謙譲語。「もう十分―しました」❷《文末で動詞や補助動詞の命令形のように用いて》相手に物をもらうこと、または相手にある事をしてもらうことを求める語。ください。〔多く、女性や子供が使う〕「お小遣いを―」「窓を閉めて―」

ちょう-たいそく【長大息】《名・自サ》〔文〕長いためいきをつくこと。また、そのためいき。長嘆息。長嘆。

ちょう-たく【彫×琢】《名・他サ》〔文〕〔宝石などをきざんでみがく意から〕文章・詩などを練ってりっぱに仕上げること。「―をきわめた美しい詩」類語推敲(すいこう)。

*ちょう-たつ【×暢達】《名・形動》〔文〕〔伸び育つ意から〕のびのびしていること。「―の文章」類語流暢。

*ちょう-たつ【調達】《名・他サ》必要な金品や注文どおりの品物をとりそろえること。また、とりそろえて求める相手方に届けること。調達(ちょうだつ)。「資金を―する」「探検隊の食糧を―する」類語調進。

ちょう-だつ【超脱】《名・自サ》〔文〕あたりまえの範囲をこえ出ること。特に、俗世間や世俗的な物事から一段高い境地にぬけ出ること。「世俗を―する」「―の境地」類語超越。脱俗。超俗。

*ちょう-たん【長嘆・長×歎】《名・自サ》〔文〕嘆いて長いためいきをつくこと。長嘆息。長大息。

*ちょう-たん【長短】❶長い・こと(もの)と短い・こと(もの)。❷長さ。「―を測る」❸長所と短所。類語優劣。❹余分な点と不足している点。「―相補う」

ちょう-たんそく【長嘆息】《名・自サ》長嘆。

ちょう-たんぱ【超短波】波長一～一〇メートル、周波数三〇～三〇〇メガヘルツの電波。近距離通信・テレビ放送・FM放送・警察の移動用無線などに利用する。メートル波。略語VHF。

ちょう-チフス【腸チフス】腸チフス菌の感染によっておこる二類感染症。ほとんどが経口感染。高熱・頭痛・ばら疹(しん)・白血球減少などの症状を伴う。チフス。

ちょう-ちゃく【▽打×擲】《名・他サ》〔文〕〔人を〕打ちたたくこと。なぐること。類語殴打。打擲。

*ちょう-ちょう【町長】地方自治体としての町の長。

*ちょう-ちょう【×蝶×蝶】→ちょう(蝶)。

*ちょう-ちょう【長調】長音階で作られている楽曲の調子。明るい響きの曲になる。対短調。

*ちょう-ちょう【丁丁・▽打▽打】《副》《多く「―と」の形で》物を続けて打つ音を表す。―はっし【―発止・―発矢】《副》《多く「―と」の形で》❶〔刀などで〕たがいにはげしく打ち合う音を表す。また、はげしい音を立てて打ち合うようす。「議場で―と渡り合う」❷たがいにはげしく言い争うようす。

*ちょう-ちょう【×喋×喋】《副・自サ》《副詞は多く「―と」の形で》〔文〕口数多く、しきりにしゃべるようす。よけいなことを話すようす。―なんなん【―×喃×喃】《形動タルト》〔文〕仲のよい男女が、小声でたのしそうにしきりに語り合うようす。「―たる語らい」

ちょう-ちん【▽提▽灯】❶細い割り竹を骨にして球形や筒形のわくを作り、その上に紙を張り、底にろうそくをともすようにした照明具。しまうときには、たためる。参考「一張(ひとはり)…」と数える。❷ちょうちん持ち②。―もち【―持ち】❶夜道を歩くときなど、ちょうちんを持って人の先に立ち、前を照らして歩く役(の人)。❷人の手先となって、その人をほめ上げたり宣伝したりする・こと(人)。ちょうちん。〔あざけって言う〕「―の記事を書く」類語追従(ついしょう)。―や【―屋】❶ちょうちんを作り、売る・人(家)。❷〔俗〕〔ちょうちんに字を書く作業のように〕一度書いた字の上をなぞり書きすること。

―に釣り鐘《句》〔形が似ていても、重さが比較にならないことから〕差がありすぎて双方の身分などがつり合わないことのたとえ。類語月とすっぽん。

―を持・つ《句》人の手先となって、その人をほめ上げたり宣伝したりする。

ちょう-つがい【×蝶▽番】(テフつがひ)❶開き戸や、箱のふたなどに渡して取り付け、開閉が自由にできるようにする金具。ちょうばん。❷からだの関節。「腰の―」

*ちょう-づけ【丁付(け)】書物の、丁数やページ数の順を記入すること。ノンブル。

*ちょう-づけ【帳付(け)】《名・自サ》❶帳面に書き付けること。また、その役(の人)。❷買った品物の品名・値段などを帳面につけさせておいて、月末や節季などにまとめて支払うこと。つけ。=帳付(ちょうつ)け。

ちょう-づめ【腸詰(め)】ソーセージ。

ちょう-づら【帳面】帳面面(ちょうめんづら)。「―が合わない」表記「ちょうめん」との誤読をさけるために、「帳づら」と書くことも多い。

*ちょう-てい【朝廷】〔文〕❶天子が政治をとる所。朝堂。廟堂(びょうどう)。❷政治を行う機関としての天皇。天皇政権。尊敬天朝。

*ちょう-てい【調停】《名・他サ》❶対立する双方の間にはいって争いをやめさせること。❷〔法〕国家が一定の機関を設けて紛争当事者の間に立ち、双方の譲り合いのもとに合意の上で和解にみちびくこと。「―に付す」「―案」「―委員」類語①②あっせん。仲裁。

*ちょう-てい【長弟】〔文〕最も年上の弟。

*ちょう-てい【長×汀】〔文〕長く続いているなぎさ。「―曲浦」

ちょう-てき【朝敵】〔文〕朝廷に刃向かう者。

ちょう-てん【頂点】❶〔山などの〕最も高い所。いただき。てっぺん。❷物事の勢いの最も盛んな時。ピーク。絶頂。全盛。「人気の―」類語①②頂上。❸〔数〕二直線が交わって角を作っている点。多角形のとなり合う二辺の交点。多面体の三つ以上の面の交わる点。円錐(えんすい)や角錐の母線の交点。

ちょう-でん【弔電】くやみの電報。対祝電。

ちょう-でんどう【超伝導・超電導】ある種の物体にみられる、一定温度以下で電気抵抗がゼロに近くなる現象。「―体」「―物質」

*ちょう-と【長途】〔文〕長いみちのり。「―の旅」

*ちょう-と【丁と・▽打と】《副》〔文〕物と物とが打ち合って〔金属性の〕音をたてるようす。また、その音の形容。「刀を―払う」

*ちょう-ど【調度】日常生活に使うために家の中にととのえておく、身の回りの道具類。

*ちょう-ど【丁度・×恰度】《副》❶数量・大きさ・時刻・位置などが、ある基準や目的に合致するようす。きっちり。ぴったり。きっかり。「長さは―一メートルだ」「一時間―」類語かっきり。きちきち。ちょっきり。とんとん。おっつかっつ。正(しょう)。ジャスト。フラット。❷都合よく。具合よく。折よく。「―来合わせた友人に頼んだ」❸ある物事のありさまが他の物事のありさまとそっくりであると認められるようす。まるで。さながら。「その形は―富士山のようだった」類語恰(あたか)も。

ちょう-とう【長刀】〔文〕❶長いかたな。類語大刀。❷なぎなた。

ちょう-とうは【超党派】立場の異なる各政党が、それぞれの政策・主張の別をこえて意見・態度を一致させ、協同して事に当たること。「―の訪米議員団」

ちょう-どきゅう【超×弩級】同類のものよりもはるかに強大ですぐれていること。「―の大作」参考弩級艦〔=英国のドレッドノート号と同程度の戦艦〕を超える装備の「超弩級艦」の意から。「弩」は「ド」の当て字。

ちょう-とっきゅう【超特急】❶特別急行列車よりもさらに速い列車。「夢の―」❷とりわけ速く事を処理すること。「―で完成する」

ちょうな【▽手×斧・×釿】《「ておの」の転》大工道具の一つ。斧(おの)で荒けずりした材木をさらに平らにするのに使う、長さ六〇(センチ)ほどのくわ形の刃物。

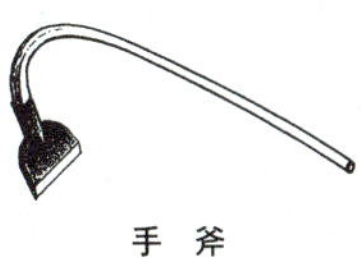

手斧

ちょう-ない【町内】その町のなか。同じ町のうち。特に、市街地で、ひとまとまりのつきあい関係をもつせまい地域。「―会」

ちょう-なん【長男】最初に生まれた男の子。一番年上の息子。長子。総領(むすこ)。類語嫡男。嫡子。尊敬若旦那。

ちょう-にん【町人】江戸時代、都市に住んだ商人・職人の身分階層の人。特に、商人をいうことが多い。

ちょう-ネクタイ【×蝶ネクタイ】えり元につける、チョウの形のネクタイ。

ちょう-ねんてん【腸×捻転】腸管が腸間膜を軸としてねじれ、腸閉塞(へいそく)を起こす病気。腸捻転症。

ちょう-のうりょく【超能力】人間が生理的に不可能と思われることをなしとげる特殊な能力。念力・透視・読心術など。

ちょう-は【長波】波長一～一〇〇〇(キロメートル)以上、周波数三～三〇〇(キロヘルツ)の電波。海上や航空の通信などに利用される。略語LF。対短波・中波。

*ちょう-ば【×嘲×罵】《名・他サ》〔文〕軽べつして口ぎたなくののしること。類語罵倒(ばとう)。面罵(めんば)。

*ちょう-ば【帳場】商店・宿屋・料理屋などで、帳づけや勘定をする所。勘定台。勘定場。カウンター。

*ちょう-ば【町場・丁場】❶ある宿場と次の宿場との距離。また、ある区間の距離。「長(なが)―」❷〔道路工事などの〕仕事の受け持ちの区域。持ち場。

*ちょう-ば【跳馬】体操競技の種目の一つ。馬の胴体をかたどった跳躍台をとびこして技を競うもの。また、その跳躍台。とび馬。

*ちょう-はつ【徴発】《名・他サ》❶人のものを強制的に取り立てること。特に、軍が人民から軍需物資などを強制的に取り立てること。「軍馬を―する」❷ある仕事をさせるために、強制的に人を呼び出すこと。特に、兵として呼び出すこと。類語徴用。

*ちょう-はつ【挑発・挑×撥】《名・他サ》わざと相手を刺激して、争いごとや好奇心・欲情などをおこすようにしむけること。「敵の―に乗る」「―的」

*ちょう-はつ【調髪】《名・自サ》〔文〕髪の毛を刈ったり結ったりして、形を整えること。類語整髪。理髪。

*ちょう-はつ【長髪】〔男性の〕長く伸ばした髪。

ちょう-ばつ【懲罰】《名・他サ》不正や不当なことをした人をこらしめるために罰を与えること。また、その罰。類語懲戒。

ちょう-はん【丁半】❶さいころの目の丁〔=偶数〕と半〔=奇数〕。❷二個のさいころの目の合計が丁であるか半であるかをあてて勝負を争うばくち。丁半ばくち。

ちょう-ばん【×蝶番】→ちょうつがい。

ちょう-び【×掉尾】〔文〕❶〔魚が尾をふるい動かすから〕物事の最後になって一段と勢いがさかんになること。❷物事の最後。「―を飾る」参考「とうび」は慣用読み。

ちょうび-けい【長尾鶏】ニワトリの一品種。高知県原産で、日本固有種。雄の尾羽は六(メートル)にも達する。特別天然記念物。ながおどり。おながどり。

*ちょう-ひょう【徴×憑】❶〔文〕しるし。めじるし。徴証。❷〔法〕犯罪などに関する事実を間接的に証明する材料となる事実。間接事実。「―書類」

*ちょう-ひょう【徴表】〔文〕ある物事を他の物事と区別して特徴づける性質。メルクマール。「健康の―」

ちょう-ふ【×貼付】《名・他サ》〔文〕〔証紙・写真などを書類などに〕はりつけること。「写真を―する」参考「てんぷ」は慣用読み。

ちょう-ぶ【町歩】《助数》田畑や山林の面積を、町(ちょう)を単位として数えるときに使う語。参考「町」は距離の単位としても使うため、これと区別していう。

ちょう-ふく【重複】《名・自サ》同じ物事がかさなること。重複(じゅうふく)。「記事が―する」類語重出(じゅうしゅつ・ちょうしゅつ)。

ち

ちょう‐ぶく【調伏】《名・他サ》❶〔仏〕心身をととのえて、悪心・悪行をおさえつけること。❷〔仏〕真言宗・天台宗などで、仏に祈ることで魔物や怨敵を降伏させること。❸〔文〕人をのろい殺すこと。＝調伏（じょうぶく）。

ちょう‐ぶつ【長物】❶〔文〕長いもの。❷長すぎてかえってじゃまになるもの。よけいなもの。「無用の―」

***ちょう‐ぶん【弔文】**人の死をいたみとむらう文章。類語 弔詞。弔辞。

***ちょう‐ぶん【長文】**長い文・文章。対 短文。

***ちょう‐へい【徴兵】**《名・他サ》国が法律にもとづいて一定年齢に達した国民を徴集し、一定期間強制的に兵役に服させること。「―検査」「―忌避」対 募兵。

ちょう‐へいそく【腸閉×塞】腸管の内部がせまくなったりふさがったりして、内容物が通過しにくくなったりつまったりする病気。

ちょう‐へん【長編・長×篇】詩歌・小説・映画などで、長い作品。特に、長編小説。対 短編・中編。

***ちょう‐ぼ【帳簿】**金銭の収支、物品の出納、その他事務上の必要な事柄を書きつける帳面。「―をつける」

***ちょう‐ぼ【徴募】**《名・他サ》〔文〕〔兵士などを〕つのり集めること。類語 徴集。

***ちょう‐ほう【弔砲】**葬儀の際、軍隊が弔意を表してうつ空砲。類語 弔銃。対 祝砲。

***ちょう‐ほう【調法】**《名・形動・他サ》➡重宝②。

***ちょう‐ほう【×諜報】**〔文〕敵や競争相手の秘密・動静などをひそかに探って味方に知らせること。また、その知らせ。「―員」「―機関」

***ちょう‐ほう【重宝】**❶大切にしている宝。重宝（じゅうほう）。❷《名・形動・他サ》使って便利なこと。また、便利なものとして使うこと。調法。「ふだんから―している道具」**―が・る**《他五》役に立つものとして大切に扱う。

ちょう‐ぼう【眺望】《名・他サ》景色を遠く広く見渡すこと。また、そのながめ。見晴らし。観望。「―のきく山頂」類語 遠望。展望。⇩〖類義語の使い分け「展望」〗

ちょうほう‐けい【長方形】四つの角が直角で、隣り合う辺の長さが異なる四辺形。矩形。長四角。

ちょう‐ぼん【超凡】《名・形動》〔文〕ふつうの人の程度をはるかにこえてすぐれていること。また、凡俗をはなれていること。「―な才能」類語 非凡。超俗。

ちょうほん‐にん【張本人】悪事をくわだてるなど、事件を起こすもととなった人。「けんかの―」

ちょう‐まん【腸満・脹満】腹腔内に液体やガスがたまって、腹部が過度にふくれる症状。腹膜炎・腸閉塞・肝硬変などによって起こる。

ちょう‐み【調味】《名・自サ》飲食物にほどよく味をつけること。味かげんをととのえること。**―りょう【―料】**調味に使う材料。しょうゆ・みそ・砂糖・塩・酢や化学調味料など。

ちょう‐みん【町民】その町の住民。

ちょう‐むすび【×蝶結び】ひも・リボン・ネクタイなどの結び方で、チョウの形に似せて結ぶもの。

ちょう‐め【丁目】《助数》一つの町の中をさらに区分した小単位。「一―一番地」

***ちょう‐めい【澄明】**《名・形動》〔文〕すみきって、きれいなこと。「―な湖面」類語 清澄。澄清。

***ちょう‐めい【長命】**《名・形動》命の長いこと。ながいき。長寿。対 短命。

ちょう‐めん【帳面】物を書きしるすために、何枚かの紙をとじて一冊にしたもの。ノート（ブック）。**―づら【―面】**収支などの数字が帳面に記載されている状態。また、おもてむきの計算や数字。帳づら。

ちょう‐もく【鳥目】「銭」の別称。穴あき銭のこと。参考 江戸時代までの銭貨は円形で中央に穴があり、全体の形が鳥の目に似ていたところから。

***ちょう‐もん【弔問】**《名・他サ》死者の家族を訪問してくやみを述べること。「―客」類語 弔慰。**―がいこう【―外交】**国家元首や大物政治家などの葬儀に、諸国の要人が集まる機会を利用して行われる外交。

***ちょう‐もん【聴聞】**《名・他サ》❶〔文〕演説・説法などを聞くこと。❷行政機関が行政上の決定や行為を行う場合、利害関係者の意見を聞くこと。「―会」

***ちょう‐もん【頂門】**〔文〕頭のいただき。**―の一針**《句》〔頭の上に一本の針をさす意で〕人の急所をついた、痛切な教訓。

***ちょう‐や【朝野】**〔文〕朝廷と在野。政府と民間。「―を挙げて」

***ちょう‐や【長夜】**〔文〕❶〔冬の〕長い夜。類語 夜長。対 短夜。❷夜明けまでずっと続くこと。夜通し。「―の宴」類語 徹夜。徹宵。

***ちょう‐やく【調薬】**《名・自他サ》くすりを調合すること。調剤。類語 調合。

***ちょう‐やく【跳躍】**❶《名・自サ》飛びはねること。飛びあがること。ジャンプ。❷「跳躍競技」の略。走り幅跳び・三段跳び・走り高跳び・棒高跳びなどの総称。

***ちょう‐よう【徴用】**《名・他サ》国家が権力により強制的に国民を一定の仕事に従事させること。「軍需工場に―される」「―船」類語 徴発。徴集。

***ちょう‐よう【重陽】**〔文〕五節句の一つ。陰暦九月九日のこと。また、その節会。菊の節句。参考 易で陽の数とされる九が重なるところから言う。

***ちょう‐よう【長幼】**〔文〕年上（の者）と年下（の者）。また、おとなと子ども。類語 老幼。老弱。**―序あり**《句》年上の者と年下の者の間には、道徳上当然守るべき秩序がある。〈孟子・滕文公上〉

ちょう‐らい【朝来】《副》〔文〕朝からずっと。朝以来。「―の強風」

ちょう‐らく【×凋落】《名・自サ》〔文〕❶〔草木の葉や花が〕しぼんで落ちること。類語 落葉。❷やせおとろえること。❸勢いがおとろえること。おちぶれること。衰微。没落。「―の一途をたどる」類語 零落。衰退。注意「しゅうらく」は誤読。

ちょう‐り【調理】《名・他サ》料理をすること。「―人」「―場」類語 割烹。炊事。

***ちょう‐りつ【町立】**町が設立し、管理運営すること（もの）。「―中学校」

***ちょう‐りつ【調律】**《名・他サ》楽器の音を一定の音律に合わせととのえること。調音。類語 調弦。

ちょう‐りゅう【潮流】❶潮の干満によって起こる海水の流れ。海峡・湾口などでは特に強く速い。❷〔ある傾向を持った〕世の中の動き。世の中のなりゆき。時勢の傾向。「時代の―に乗る」類語 時流。

ちょう‐りょう【跳×梁】《名・自サ》〔文〕❶自由にはねまわること。とびまわること。横行。❷〔好ましくないものが〕思うままにのさばりはびこること。「悪漢が―する暗黒街」類語 跋扈。

*ちょう‐りょく【張力】❶外側にはりひろがる力。❷〔理〕物体内部の任意の面に対して垂直に働き、その両面の部分をひき離すような向きに働く力。

*ちょう‐りょく【潮力】潮流の力。「—発電」

*ちょう‐りょく【聴力】音を聞きとる能力。「—検査」

ちょう‐るい【鳥類】脊椎(せきつい)動物門の一綱。卵生の温血動物で、くちばしを持ち、からだは羽毛に包まれている。前肢が翼に変わり、空を飛ぶものが多い。

ちょう‐れい【朝礼】学校・会社などで、朝の始業前に全員で行う、あいさつや伝達などの行事。朝会。

ちょうれい‐ぼかい【朝令暮改】〔朝出した命令をその日の夕方改める意で〕法令や命令がひんぱんに変わって、定まらないこと。朝改暮変。

ちょう‐れん【調練】《名・他サ》兵士を訓練すること。類語 練兵。教練。

*ちょう‐ろう【×嘲×弄】《名・他サ》〔文〕ばかにしてからかうこと。「—に耐える」類語 愚弄(ぐろう)。嘲罵(ちょうば)。

*ちょう‐ろう【長老】❶年をとった人(の敬称)。特に、年をとって経験が豊かで、その社会で指導的な立場にある人。「文壇の—」❷学徳のすぐれた年長の高僧。禅宗では、住職または先輩の僧。❸キリスト教会の名誉職。また、牧師を補佐する信徒の代表。

ちょう‐わ【調和】《名・自サ》二つ以上の物事が、矛盾・対立したところがなく、しっくりとつりあいがとれていること。また、そのつりあい。「—のとれた配色」

チョーク ❶白墨。❷白亜。▽chalk

ちよ‐がみ【千代紙】日本の伝統的な模様を色刷りにした紙。折り紙で遊んだり、小箱にはったり、人形を作ったりする。

ちょき じゃんけんで、人さし指と、中指または親指を出す形。はさみ。対 ぐう・ぱあ。

ちょき‐ぶね【×猪×牙船】細長くて先のとがった、屋根のない川舟。軽快で船足が速く、江戸時代、隅田(すみだ)川で舟遊びや遊里通いの客などを乗せた。ちょき。

猪牙船

ち

ちょ‐きん【貯金】《名・自他サ》金銭をためること。特に、郵便局に口座を作って金銭を預け、ためること。また、その金銭。類語 預金。貯蓄。積立(金)。

*ちょく【勅・×敕】〔文〕天子のことば。天子の命令。みことのり。勅語。「—を奉ずる」表記「敕」は旧字体。

*ちょく【×猪口】❶陶製の小さなさかずき。猪口(ちょこ)。類語 杯。❷刺身・酢の物などを盛るのに使う、小さくて深い陶製の器。

*ちょく【直】㊀《名》まっすぐなこと。正しいこと。対 曲。㊁《形動》❶〔性格などが〕すなおで飾らないようす。「—な人柄」類語 率直。実直。❷手軽で簡単なようす。「昼飯を—にすます」類語 安直。❸間にはさまるものがないようす。「産地から—に運ぶ」類語 じか。

ちょく‐えい【直営】《名・他サ》他を介さずに直接に経営すること。直接経営。「大学—の売店」

ちょく‐おう【直往】《名・自サ》〔文〕まっすぐに行くこと。わき目もふらずに進むこと。「—邁進(まいしん)」

ちょく‐おん【直音】国語で、一音節が、一母音、または一子音と一母音から成る音節。すなわち、拗音(ようおん)「ゃ・ゅ・ょ」・促音「っ」・撥音「ん」を除く、かな一字で表される音節。

ちょく‐がく【勅額】〔文〕天子がみずから書いた額。

ちょく‐がん【勅願】〔文〕天子自身の命による祈願。天皇の祈願。「—寺」

ちょく‐げき【直撃】《名・他サ》目標とするものに直接攻撃・打撃を与えること。「台風が九州を—する」

ちょく‐げん【直言】《名・他サ》〔文〕思うことを面と向かってはっきりと言うこと。また、そのことば。

*ちょく‐ご【勅語】天皇の国民に対する意思表示のことば。みことのり。勅言。参考 現在ではこの語は使わず、「おことば」というのが普通。類語 綸言(りんげん)。

*ちょく‐ご【直後】ある物事のあったすぐあと。「事件の—」「終戦—」対 直前。

*ちょく‐さい【直×截】《名・形動》〔「ちょくせつ」の慣用読み〕→ちょくせつ(直截)。

*ちょく‐さい【直裁】《名・他サ》〔文〕❶直ちに裁決すること。❷本人が直接裁決にあたること。

*ちょく‐し【勅使】天皇の意思を伝えるために特別につかわされる使者。勅命の使者。

*ちょく‐し【勅旨】〔文〕天皇の意思。「—を体する」

*ちょく‐し【直視】《名・他サ》❶目をそらさないでまっすぐに見つめること。正視。❷物事の真実の姿を、まぎらしたり手加減したりしないで、ありのままに見つめること。「現実を—する」類語 注視。熟視。凝視。

*ちょく‐しゃ【直写】《名・他サ》〔文〕ありのままにうつすこと。「事件の真相を—する」

*ちょく‐しゃ【直射】《名・他サ》❶《自サ》光線がまっすぐにさしこむこと。また、光線がじかに物体を照らし出すこと。「—日光」❷直線に近い弾道で飛ぶように、弾丸を発射すること。平射。「—砲」対 曲射。

ちょく‐しょ【勅書】天皇の意思を伝える公文書。

ちょく‐じょ【直叙】《名・他サ》〔文〕虚構や感情などを加えずに、ありのままに叙述すること。

*ちょく‐じょう【直上】❶まうえ。「—の上官」❷《名・自サ》まっすぐにのぼること。対 ①②直下。

*ちょく‐じょう【直情】〔文〕偽りや飾りのない、ありのままの感情。「—を吐露する」類語 真情。—けいこう【—径行】《名・形動》自分の思ったとおりのことをただちに言ったり行ったりすること。「—の青年」

ちょく‐しん【直進】《名・自サ》❶まっすぐに進むこと。類語 直往。❷ためらわずに進むこと。ひたすらに進むこと。「目標に向かって—する」類語 ①②直行。

*ちょく‐せつ【直×截】《名・形動》〔文〕❶ためらわず、ただちに決裁すること。❷まわりくどくないこと。「—に言う」参考「ちょくさい」は慣用読み。

*ちょく‐せつ【直接】《名・副・自サ》間に他のものをはさまないで、じかに接する(かかわる)こと。「—の原因」「課長を通さず、—報告する」対 間接。—ぜい【—税】税を納める者と税を負担する者とが同一人である租税。所得税・相続税・固定資産税など。直税。対 間接税。—せんきょ【—選挙】選挙人が被選挙人を直接にえらぶ選挙。対 間接選挙。

*ちょく‐せん【勅×撰】〔文〕勅命によって、詩歌や文章をえらび集め編集すること。また、その書物。「—和歌集」対 私撰(しせん)。

*ちょく‐せん【直線】❶まっすぐな線。また、まっすぐ

な方向。「―コース」❷〔数〕線上のどの二点をとってもその間が最短距離になるような線。[対]曲線。

ちょく-ぜん【直前】❶すぐ前。目の前。❷ある物事の起こるすぐ前。寸前。「爆発―の脱出」[対]直後。

ちょく-そう【直送】《名・他サ》〔物品を〕相手へ直接送ること。「産地―」

ちょく-ぞく【直属】《名・自サ》組織で、直接その下に属し、指揮・監督を直接に受ける位置にあること。「大臣に―する審議官」「―の部下」

ちょく-だい【勅題】❶〔文〕天皇が書いた題のある額。勅額。❷天皇が詩会や歌会で出す、詩や歌の題。特に、新年に行われる歌御会始(うたごかいはじめ)の題。

ちょく-ちょう【直腸】腸の最終部。上はS字状の結腸を受け、下は肛門(こうもん)に至って外に開口する。

ちょく-ちょく《副》〔俗〕ちょいちょい。

ちょく-つう【直通】《名・自サ》乗り物・電話などが、乗り換えや中継なしに目的地や相手まで直接通じること。「―電車」「ダイヤル―」

***ちょく-とう【勅答】**《名・他サ》〔文〕❶天皇が臣下に答えること。また、その答え。❷臣下が天皇の問いに答えること。また、その答え。

***ちょく-とう【直答】**《名・他サ》❶その場ですぐに答えること。また、その答え。即答。「―を避ける」❷人を介さないで、相手に直接答えること。また、その答え。「社長に―する」＝直答(じきとう)。

ちょく-どく【直読】《名・他サ》漢文を訓読せずに、上から下へ音読すること。[対]顛読(てんどく)。

ちょく-はい【直配】《名・他サ》〔生産者から消費者に商品を〕直接に配達・配給すること。「―組織」

ちょく-ばい【直売】《名・他サ》生産者が販売業者を通さずに、直接に消費者に商品を売ること。直接販売。「産地―」[類語]直販。

ちょく-はん【直販】《名・他サ》企業が、一般の流通機構を通さずに、商品を消費者に直接販売すること。また、そのシステム。「―店」[類語]直売。

ちょく-ひ【直披】→じきひ。

ちょく-ひつ【直筆】❶書道で、字を書くときに筆をまっすぐに立てて持つこと。「懸腕―」❷《名・他サ》事実のとおりに書くこと。また、その文章。[対]曲筆。

ちょくほう-たい【直方体】六つの長方形でかこまれた立体。直六面体。

ちょく-めい【勅命】天皇の命令。みことのり。

ちょく-めん【直面】《名・自サ》直接に、ある事態に対すること。「死に―する」「難局に―する」

ちょく-やく【直訳】《名・他サ》原文の字句・文法に忠実に従って一語一語をたどるように訳すこと。また、その訳したもの。逐語訳。「―では意味が通じない」[対]意訳。

***ちょく-ゆ【勅諭】**〔文〕天皇がみずから人民をさとすために下したことば。特に、「軍人勅諭」の略。

***ちょく-ゆ【直×喩】**修辞法の一つ。「ような」「ごとし」などの語を使って、直接に二つの物事を比較してたとえるもの。「雪のような肌」「光陰矢のごとし」の類。明喩。[対]隠喩。暗喩。

ちょく-ゆにゅう【直輸入】《名・他サ》外国の商品を、仲介を経ずに直接輸入すること。じきゆにゅう。[対]直輸出。

ちょく-りつ【直立】《名・自サ》❶まっすぐに立つこと。「―不動の姿勢」❷まっすぐに高くそびえること。「―する山々」[類語]屹立(きつりつ)。聳立(しょうりつ)。

ちょく-りゅう【直流】❶《名・自サ》まっすぐに流れること。また、その流れ。[対]曲流。❷回路の中を常に一定の方向に流れる電流。また、大きさと方向とが時間的に変化しない電流。略語DC。[対]交流。

ちょく-れつ【直列】❶まっすぐに並んだ列。❷「直列接続」の略。回路を流れる電流がひとすじになるように、電池などを順次一列につなぐこと。[対]並列。

ちょ-げん【緒言】《「しょげん」の慣用読み》→しょげん（緒言）。

***ちょこ【×猪▽口】**《「ちょく」の転》→ちょく（猪口）①。

―ざい【―才】《名・形動》こざかしく、なまいきな・こと（人）。〔けいべつして言う語〕「―なやつめ」

***チョコ**「チョコレート」の略。

ちょこ-ちょこ《副・自サ》《副詞は「―と」の形も》❶小さいものが狭い歩幅で気ぜわしく・歩く（走る）ようす。❷動作が落ち着かず、あちこちめまぐるしく動くようす。ちょこまか。「―しないで座っていろ」❸ちょいちょい。しばしば。「店へ―顔を見せる」

ちょこなん-と《副》〔人や動物が〕小さくかしこまっているようす。「―座る」[類語]ちょこんと。

ちょこ-まか《副・自サ》《副詞は「―と」の形も》〔じっとしていることができないで〕絶えず細かく動いていて落ち着きのないようす。「―と走り回る」

チョコレート カカオの種を炒(い)って細かくくだいたもの。砂糖などを加えて飲料とし、砂糖・ミルク・香料などを加えて練り固めて菓子とする。また、その飲料や菓子。チョコ。ショコラ。▽chocolate

ちょこん-と《副》❶軽く・ぶつかる（打つ）ようす。❷小さなものがじっとしているようす。[類語]ちょこなんと。

ちょ-さく【著作】《名・他サ》書物を書きあらわすこと。また、その書物。著述。述作。「―家」**―けん【―権】**知的財産権の一つ。著作物をその著作者が経済上独占的に利用できる権利。コピーライト。**―ぶつ【―物】**著作によって創造されたもの。文芸・学術・美術・音楽・写真などの創作作品のほか、演奏・歌唱などの創造的所産も含む。

ちょ-しゃ【著者】その書物を書きあらわした人。著作者。[類語]作者。筆者。

ちょ-じゅつ【著述】《名・他サ》小説・随筆・論文などの文章を書きあらわすこと。また、その文章。「―業」

ちょ-しょ【著書】その人が書きあらわした書物。著作。述作。[類語]自著。[尊敬]貴著。高著。[謙譲]愚著。拙著。

ちょ-すい【貯水】《名・自サ》水をたくわえること。また、たくわえた水。「―量」**―ち【―池】**貯水のために人工的に作った池。水道・発電・かんがい用など。

ちょ-せん【緒戦】《「しょせん」の慣用読み》→しょせん（緒戦）。

ちょ-ぞう【貯蔵】《名・他サ》物をたくわえておくこと。「―庫」

ちょ-だい【著大】《形動》〔文〕目立って大きいようす。

ちょ-たん【貯炭】《名・自サ》石炭をたくわえること。また、たくわえた石炭。「―量」

ちょ-ちく【貯蓄】《名・他サ》金銭をたくわえること。また、たくわえた財産。[類語]貯金。預金。蓄財。

ちょっ-か【直下】❶すぐ下。ました。「赤道―」「―型地震」❷《名・自サ》まっすぐに・くだる（落ちる）こと。

「急転ー」対①②直上。

ちょっかい〔俗〕〔猫などがじゃれて前足でちょっと物をかきよせるようにする動作の意から〕横あいから余計な手出しや干渉をすること。また、戯れて女などに手を出すこと。「ーをかける」「ーを出す」

***ちょっ・かく【直覚】**《名・他サ》直接に感じ知ること。また、推理・経験・思考などによらず、直観的に知ること。「ー的」類語直観。

***ちょっ・かく【直角】**《名・形動》たがいに垂直な二直線のなす角。九〇度の角。また、図形などがそういう角度をなしていること。

ちょっ・かつ【直轄】《名・他サ》直接に管理・支配すること。「幕府ーの領地(=天領)」

ちょっ・かっこう【直滑降】スキーで、斜面の最大傾斜線をまっすぐにすべりおりること。

***ちょっ・かん【勅勘】**〔文〕天子から受けるとがめ。

***ちょっ・かん【直感】**《名・他サ》〔勘などの働きによって〕瞬間的に感じとること。「あやしいとーした」

***ちょっ・かん【直観】**《名・他サ》推理や判断などによらずに対象の本質を直接にとらえること。また、とらえた内容。「真相をーする」類語直覚。

***ちょっ・かん【直×諫】**《名・他サ》〔文〕〔目上の人などを〕はばかることなく、率直にいさめること。また、そのことば。対諷諫(ふうかん)。

チョッキ 上着とワイシャツの間に着る、袖(そで)なしの短い胴着。類語ベスト。▽ポルトガル jaque から。

ちょっ・きゅう【直球】野球で、投手の打者に対する投球の一つで、変化せずにまっすぐなコースをとるもの。ストレート(ボール)。対変化球。

ちょっ・きょ【勅許】天皇の許可。「ー状」

ちょっ・きり《副》❶〔俗〕数量のきりがよいようす。かっきり。きっかり。「ー千円になる」❷はさみで物を切る音の形容。ちょきり。ちょきん。

ちょっ・きん【直近】一番最近。「ーの選挙」

ちょっくら《副》〔俗〕ちょっと。ちょいと。〔いなかっぽい感じを与える〕「ー行ってくる」「ー待て」

***ちょっ・けい【直径】**〔数〕円・球の中心を通り、円周または面上に両端をもつ線分。さしわたし。

***ちょっ・けい【直系】**❶血筋が祖先から子孫へと親子関係によって直接続いている系統。「清和源氏のー」類語嫡流。❷師弟・派閥などの関係で、直接に系統を受けつぐこと。また、その人や団体。対①②傍系。

ちょっ・けつ【直結】《名・自他サ》間に他のものを介さず直接に結びつくこと。また、結びつけること。「中央の政界にーする人脈」

***ちょっ・こう【直交】**《名・自サ》線と線、線と面、面と面とが直角に交わること。

***ちょっ・こう【直航】**《名・自サ》船や航空機が途中どこへも寄らず、直接目的地へ航行すること。

***ちょっ・こう【直行】**❶〔文〕正しく、まがったところがない行い。「ーの士」対曲行。❷《名・自サ》はばかることなく思った通りに実行すること。「直言ー」❸《名・自サ》寄り道をせず、目的地にまっすぐ行くこと。「旅行先から会社にーする」対迂回(うかい)。

ちょっ・と 一《副》❶時間が短いようす。しばらく。「まだー早い」「ー休もう」❷数量や程度がわずかであるようす。すこし。いくらか。やや。「ー値段が高い」❸《②を逆説的に用いて》けっこう。かなり。「ー見ごたえがある」❹《下に打ち消しの語を伴って》簡単には。「ー(やそっとでは)思いつかない」二《感》身近の人に気軽に呼びかける語。ちょいと。「ー、君」表記「一寸」「鳥渡」と当てる。**ーした**《連体》❶たいしたことでない。わずかの。ささやかな。「ーアイディア」❷《①を逆説的に用いて》かなりの。相当の。「ー掘り出し物」**ーみ【ー見】**ちょっと見ること。また、ちょっと見た感じ。「ーにはきれいだが、造りは雑だ」

ちょっ・ぴり《副》《「ーと」の形も》〔俗〕分量や程度がきわめて少ないようす。ちょっとばかり。「ー寒い」

チョップ❶あばら骨がついている豚・羊の肉。また、その焼き肉料理。❷テニスで、はずんだ球に鋭く逆回転を与える打ち方。❸プロレスで、手のひらの側面で鋭くたたくこと。「空手ー」▽chop

ちょ・とつ【×猪突】《名・自サ》〔文〕〔イノシシがまっしぐらに突進するように〕目標に向かって向こう見ずに突き進むこと。「ー猛進」類語無鉄砲。

ちょび・ひげ【ちょび×髭】鼻の下にほんのわずか生やしたひげ。

ちょぼ❶しるしに打つ点。ぽち。❷歌舞伎(かぶき)で、地の文を義太夫節で語ること。また、その義太夫節。

ちょぼ・いち【×樗×蒲一】一つのさいころをふって、かけた目が出れば勝ちとなるばくち。ちょぼ。

ちょ・ぼく【貯木】材木をたくわえること。また、たくわえてある材木。「ー場」

ちょぼくれ 江戸時代の大道芸で、あほだら経などの卑俗な文句に節をつけてうたったもの。また、小さな木魚二つをたたきながらそれをうたい歩いたこじき坊主。

ちょぼ・ちょぼ 一《副》《「ーと」の形も》点がまばらに、または続いてあるようす。また、物が少しずつあるようす。二《形動》〔俗〕どちらも同じぐらいの程度で、たいした差のないようす。「試験の成績は彼とーだ」

ちょ・めい【著名】《形動》名前が世間に広く知れわたるようす。有名。「ーの士」類語高名(こうめい・こうみょう)。知名。

ちょ・りつ【×佇立】《名・自サ》〔文〕しばらくの間、立ち止まっていること。たたずむこと。

ちょろ・い《形》〔俗〕❶てぬるい。あまっちょろい。「そんなーやり方ではだめだ」❷きわめてたやすい。簡単である。「あの問題なら合格点はーい」

ちょろぎ【▽草▽石▽蚕】シソ科の多年生植物。紡錘(ぼうすい)形の根茎を赤く染めて正月料理などに用いる。

ち・よろず【千▽万】数が限りなく多いこと。〔古風な言い方〕「ーの神」類語八百万(やおよろず)。

ちょろ・ちょろ《副・自サ》《副詞は「ーと」の形も》❶水がわずかに流れるようす。❷炎がくり返しわずかに立つようす。ちろちろ。❸小さいものが、落ち着きなく動きまわるようす。

ちょろまか・す《他五》〔俗〕❶だまして利益を得る。ごまかす。「税金をーす」❷人の目をごまかして盗む。「店の金をーす」類語くすねる。

ちょ・ろん【緒論】《「しょろん」の慣用読み》→しょろん(緒論)。

ちょん 一《副》《多く「ーと」の形で》❶拍子木などを打つ音の形容。「ーと柝(き)がはいる」❷物をたやすく断ち切るようす。❸点を打つようす。二《名》〔俗〕❶〔芝居で幕切れに拍子木を打つことから〕物事の終わり。おしまい。「この話はそこでーだ」❷免職。解雇。くび。「会社をーになる」❸時間が短いこと。わずか。「ーの間(ま)」❹しるしとして打つ点。読点など。ぽち。ちょぼ。

チョンガー〔俗〕独身の男。ひとりもの。［参考］もと、朝鮮の丁年前の独身男子の髪型を言った。［表記］「総角」と書く。▽朝鮮 chonggak

ちょん・ぎ・る【ちょん切る】《他五》無造作に切る。

ちょんぼ〔俗〕マージャンで、誤って上がりを宣言すること。また、一般に、思いがけないあやまち。ミス。

ちょん・まげ【▽丁×髷】江戸時代、男子が結った髪型で、もとどりを前に折りまげたもの。「—物(=時代劇)」「—時代」

ちら・か・す【散らかす】㊀《他五》散らかるようにする。乱雑にする。「部屋を—・す」［類語］乱す。㊁《接尾》「荒々しく…する」の意。「料理を食い—・す」

ちらか・る【散らかる】《自五》物が乱雑に散り広がる。散らばる。「—・った部屋」

ちらし【散らし】❶散らすこと。また、散らしたもの。「—模様」❷広告や宣伝のため、街頭で配ったり新聞に折りこんだりする一枚刷りの紙きれ。びら。❸「ちらしずし」の略。❹「ちらしがき」の略。

ちらし・がき【散らし書き】色紙(しきし)・短冊(たんざく)などに文字を書くとき、行を整えず、ばらばらに散らして書くこと。ちらし。

ちらし・ずし【散らし×鮨】すし飯の上に魚介類・卵焼き・野菜・かんぴょう・もみのりなどをのせた料理。また、具をきざんですし飯に混ぜ入れたもの。ちらし。

ちら・す【散らす】㊀《他五》散るようにする。「火花を—・す」［文］《四》。㊁《接尾》「荒々しく…する」「やたらに…する」の意。「どなり—・す」「あたり—・す」

ちら・ちら《副・自サ》《副詞は「—と」の形も》❶細かいものがひるがえり散るようす。「—と雪が降り始める」❷小さな光が繰り返してかすかに光るようす。ちかちか。「テレビの画面が—する」❸物が見えたり隠れたりするようす。また、対象物を目でうまくとらえられないようす。「人影が—する」❹少しずつ、繰り返して見るようす。「—と盗み見る」❺間をおいて少しずつ、聞こえて来るようす。「—耳にするうわさ」

ちら・つ・く《自五》❶ちらちら降る。「小雪が—・く」❷ちらちら光る。「漁火(いさりび)が—・く」❸ちらちら見える。見えたり隠れたりするように感じられる。

ちらっ・と《副》ちらりと。

ちら・ば・る【散らばる】《自五》❶物が一か所にかたまらずあちこちに散りひろがる。「無数の星が—・る空」❷〔一か所にあったものが〕あちこちに散って離れ離れになる。ちりぢりになる。「卒業生が全国に—・る」

ちら・ほら《副・自サ》《副詞は「—と」の形も》たまにあるようす。また、あちこちにわずかずつあるようす。ちらりほらり。「うわさが—聞こえてくる」

ちらり《副》《多く「—と」の形で》❶一瞬の間、わずかに・見える(見る)ようす。一瞬の間、わずかに現れるようす。「人影が—と目をかすめる」❷うわさが少し耳にはいるようす。「—と聞いたところによると…」

ちらり・ほらり《副》《「—と」の形も》ちらほら。

ち・らん【治乱】〔文〕世の中が治まることと乱れること。「—興亡」

***ちり** タイ・タラ・フグなどの白身魚の切り身を、野菜・豆腐などといっしょに湯で煮ながら、しょうゆ・酢じょうゆなどで味つけして食べる料理。ちりなべ。

***ち・り**【地理】❶地球上における地形・風土・気候・生物分布・住民・都市・産業・交通・人口・政治などのありさま。また、それを研究する学問。地理学。❷土地のようす。「この辺の—に明るい」

***ちり**【×塵】❶土や砂、その他粉末状になって飛び散るきたないもの。ほこり。［参考］ごみ・紙くずの類を含めて言うこともある。［類語］あくた。塵埃(じんあい)。塵芥(じんかい)。❷俗世間のよごれ。「うき世の—に染まる」❸とるに足りないつまらないもののたとえ。「—の身」❹ごくわずかなことのたとえ。ほんの少し。「—ほどの誠意もない」

—も積もれば山となる《句》ほんのわずかなものでも積もり積もれば大きなものになることのたとえ。［参考］「微塵(みじん)を積みて山と成す〈大智度論〉」より。

ちり・あくた【×塵×芥】ちりやごみ。塵芥(じんかい)。［参考］値うちのないもののたとえにも使う。［類語］塵埃(じんあい)。

ちり・がみ【×塵紙】鼻紙や落とし紙(に使う質の悪い紙)。ちりし。［類語］ティッシュペーパー。

ちり・け【▽身▽柱・▽天▽柱】❶うなじの下、両肩の中央の部分で、灸(きゅう)をすえる所。❷頭に血がのぼる子供の病気。

ちり・し・く【散り敷く】《自五》散って、敷いたように辺り一面をおおう。「枯れ葉が—・いた道」

チリ・ソース 非常に辛い、チリ(=とうがらし)のはいったトマトソース。▽chili sauce

ちり・ちり《副・自サ》《副詞は「—と」の形も》❶物がちぢれたりしわがよったりするようす。「—の髪」❷毛などが焼けちぢれるようす。また、その音の形容。❸熱いものなどにふれて痛みを感じるようす。❹あせって、気が荒れているようす。いらいら。

ちり・ぢり【散り散り】《名・形動》集まっていたものが方々に散って離れ離れになること。「一家が—になる」

ちり・づか【×塵塚】ごみすて場。ごみため。

ちり・とり【×塵取り】はき集めたごみやちりをすくいとる道具。ごみとり。

ちり・なべ【ちり×鍋】→ちり。

ちり・のこ・る【散り残る】《自五》まだ散らないで残る。「枝に—・った花」

ちり・ば・める【×鏤める】《他下一》金銀・宝玉などを、(装飾として)あちこちに散らしてはめこむ。「ダイヤを—・めた冠」［注意］「散りばめる」は誤り。

ちり・めん【▽縮×緬】よりの強い生糸を横糸に使った、平織りの絹織物。織ってから精練し、湯のし仕上げをして布の面にしぼを出す。染色して和服地・へこ帯地などに使う。**—ざこ**【—〈雑魚〉】イワシの稚魚を煮て干した食品。縮緬雑魚(ちりめんじゃこ)。しらすぼし。**—じわ**【—×皺】ちりめんのしぼのような、細かいしわ。

ち・りゃく【知略・×智略】〔文〕知恵をはたらかせたはかりごと。知謀。知計。「—をめぐらす」［類語］才略。

ち・りょ【知慮・×智慮】〔文〕頭をよく働かせた思慮。かしこい考え。［類語］賢慮。

ち・りょう【治療】《名・他サ》手当てをして、病気やけがをなおすこと。「—を施す」［類語］診療。

***ち・りょく**【知力・×智力】知恵の働き。［類語］知性。

***ち・りょく**【地力】土地のもっている、農作物を生育させる能力。土地の生産力。［類語］地味(ちみ)。

ちり・れんげ【散(り)×蓮華】陶製の小さじ。れんげ。［参考］形がハスの花びらに似ているところから。

ち・る【散る】《自五》❶〔一つにまとまっていたものが〕一つ一つに離れて落ち飛ぶ。ばらばらになって落ちる。「花びらが—・る」［類語］散り掛かる。散りしく。散らばる。(る/す)飛散。放散。散乱。❷〔一か所に集まっていたものが〕離れ離れになる。わかれわかれになる。「参会者が三々五々―・る」類語散じる。散り散りになる。(るす)分散。四散。散逸。離散。散開。拡散。❸注意が他に向かって動き、集中しなくなる。「気が―・る」❹広い範囲に伝わる。知れ渡る。「うわさが村じゅうに―・る」❺墨・インクなどがまわりにしみて広がる。❻霧などが周囲に広がって消える。❼腫れ・痛みなどがおとろえてなくなる。❽人がいさぎよく死ぬ。多く、戦死することをいう。「花と―・る」文《四》。

チルド 食品が、凍る寸前の、零度前後の低温で保存されていること。低温冷蔵。「―ビーフ」類語フローズン。▽chilled(=ひやした)

ちろり【×銚×釐】 火鉢の灰や湯の中にさしこんで酒をあたためる、銅や真ちゅう製の筒形の容器。

チロリアン・ハット アルプスのチロル地方からひろまったフェルト帽。つばが狭く、羽根飾りがついている。多く登山帽とする。チロル帽。▽Tyrolean hat

ち・わ【痴話】 恋人どうしがたわむれ合ってする話。男女のむつごと。情話。**―げんか【―×喧×嘩】** 男女間の、痴情による(たわいない)けんか。

***ちん【賃】**《接尾》代価または報酬としての金銭の意を表す。「汽車―」「お使い―」

***ちん【▽亭】**《「ちん」は「亭」の唐音》眺望・休息のために庭園の中などに建てた、風雅な小屋。あずまや。

***ちん【×狆】** 犬の一品種。からだは小さく、長い毛でおおわれ、垂れ耳・巻き尾で、顔が短い。日本の特産。愛玩用。ちんころ。

***ちん【珍】** 一《名・形動》❶風変わりでおもしろい・こと(もの)。「―な服装」❷めずらしくなかなか得がたい・こと(もの)。貴重な・こと(もの)。「―とするに足る」二《接頭》「風変わりでおもしろい」「めずらしい」などの意。「―答案」「―趣向」「―道中」

***ちん【朕】**《代名》天子・国王の自称。「―は国家なり」

***ちん**《副》(「―と」の形も)❶鼻をかむ音の形容。❷小さなかねや鈴の鳴る音の形容。

ちん・あげ【賃上げ】《名・自他サ》賃金の額を引き上げること。ベースアップ。類語昇給。対賃下げ。

ちん・あつ【鎮圧】《名・他サ》反乱・暴動などを警察や軍隊の力によっておさえしずめること。「内乱を―する」類語制圧。鎮定。平定。鎮撫。

ちん・うつ【沈×鬱】《名・形動》気分が沈んでふさぎこむこと。陰気くさいこと。「―な空気に包まれる」類語憂鬱。暗鬱。陰鬱。

***ちん・か【沈下】**《名・自サ》〔土地などが〕沈みさがること。沈降。「地盤―」

***ちん・か【鎮火】**《名・自他サ》火事が消えること。また、火事を消しとめること。類語消火。

ちんがい・ざい【鎮×咳剤】 せき止めの薬。

ちん・がし【賃貸し】《名・他サ》使用料を取って物を貸すこと。賃貸。対賃借り。

ちん・がり【賃借り】《名・他サ》使用料を払って物を借りること。賃借。対賃貸し。

***ちん・き【珍奇】**《名・形動》めずらしくて変わっている・こと(もの)。「―な風習」類語珍妙。奇妙。奇体。

***チンキ** ある薬品をアルコールにとかした液体。「ヨード―」表記「丁幾」と当てた。▽オランダ tinctuur から。

ちん・きゃく【珍客】 ひさしぶりにやって来ためずらしい客。珍客(ちんかく)。「これは―だ」

***ちん・きん【沈金】** 蒔絵の技法で、漆面に線彫りで模様を彫り、その刻み目に金粉や金箔をうめこんだもの。沈金彫り。沈金塗り。沈金蒔絵。

***ちん・きん【賃金】** ❶賃貸借の関係があるとき、借り手が貸し手に支払う金銭。❷賃金(ちんぎん)。

***ちん・ぎん【沈吟】**《名・他サ》〔文〕❶《自サ》思いにしずむこと。じっと考えこむこと。❷静かに口ずさむこと。「漢詩を―する」

***ちん・ぎん【賃金・賃銀】** 労働者が労働力を提供することによって使用者から受け取る報酬。労銀。労賃。

ちん・くしゃ【×狆くしゃ】〔俗〕〔狆がくしゃみをしたような〕くしゃくしゃな感じの、みにくい顔。

チンク・ゆ【チンク油】 酸化亜鉛を植物油でとかした白い泥状の外用皮膚薬。やけど・おできなどにきく。

ちんけ《形動》〔俗〕小さいようす。小さくて取るに足りないようす。ちっぽけ。「―なまねをする」

ちん・げい【珍芸】 いっぷう変わったおもしろい芸。

ちんけい・ざい【鎮×痙剤】 けいれんをしずめる薬。

チンゲン・サイ【青×梗菜】 中国原産のアブラナ科の野菜。白菜の仲間。葉柄は広く厚く、緑白色で、味はくせがない。▽中国 qing-geng-cai

ちん・ご【鎮護】《名・他サ》〔文〕外敵や災厄をしずめて、国をまもること。「―国家の祈禱をささげる」

ちん・こう【沈降】《名・自サ》❶〔土地などが〕沈みさがること。沈下。「―海岸」❷沈みよどむこと。沈殿。

ちん・ころ【×狆ころ】〔俗〕❶狆。❷小犬の愛称。

ちん・こん【鎮魂】《名・自サ》〔体内から遊離した(しようとする)〕魂をしずめおちつかせること。たましずめ。「―祭」**―きょく【―曲】** ミサ曲の一種。キリスト教で、死者の魂をしずめるためにささげる音楽。演奏会用のものもある。鎮魂歌。レクイエム。

ちん・ざ【鎮座】《名・自サ》❶〔文〕神霊がその場所にしずまっていること。「二柱の神が―まします」❷〔俗〕どっかりすわっていること。〔ふざけた言い方〕「へやのまん中に―する火鉢」

ちん・さげ【賃下げ】《名・自他サ》賃金の額を引き下げること。類語減給。対賃上げ。

ちん・し【沈思】《名・自他サ》〔文〕深く考えこむこと。深くもの思いに沈むこと。「―黙考」類語黙思。静思。瞑想。

***ちん・じ【×椿事】**〔文〕思いがけない一大事。「―出来(しゅったい)」表記「珍事」で代用することもある。

***ちん・じ【珍事】** めずらしく、変わった出来事。「前代未聞の―」

ちん・しごと【賃仕事】 家庭などで、手間賃を取ってする手仕事。類語内職。

ちん・しゃ【陳謝】《名・他サ》〔文〕事情を説明して、わびること。「失言を―する」

ちん・しゃく【賃借】《名・他サ》賃借り。

ちん・しゅ【珍種】 珍しい種類。「―の動物」

ちん・じゅ【鎮守】 ❶〔文〕兵士を駐屯させてその地方をしずめ守ること。「奥羽―の府」❷その土地を守る神。また、そのやしろ。「村の―」

ちん・じゅつ【陳述】 ❶《名・他サ》意見や考えを口頭で述べること。また、その述べた内容。❷《名・他サ》訴訟当事者または関係者が裁判所に対して、事件に関する事実や法律上の意見を、口頭または書面で述べること。また、その内容。❸国文法で、言語表現にまとまりをつけ、文として成り立たせる作用。

ちん・しょ【珍書】〔文〕手に入りにくい、めずらしい書物。珍本。珍籍。稀覯本(きこうぼん)。

ちん・しょう【沈鐘】〔文〕湖・沼・池などに沈んでいるという、伝説上の鐘。

ちん・じょう【陳情】《名・他サ》目上の者に実情や心情を述べる(訴える)こと。特に、担当の官公庁や役人などに実情を説明して、施策に関する善処を要請すること。「―書」類語 請願。

ちん・じる【陳じる】《他上一》→陳(ちん)ずる。

ちん・すい【沈酔】《名・自サ》〔文〕酒に酔いつぶれること。類語 泥酔。酩酊(めいてい)。

ちん・ずる【陳ずる】《他サ変》〔文〕❶ことばで述べる。申し述べる。「思う所を―ずる」❷主張する。言いわけをする。釈明する。＝陳じる。

*__ちん・せい【沈静】__《名・形動・自サ》〔文〕落ちついて静かなこと。また、そうなること。「物価が―に向かう」

*__ちん・せい【鎮静】__《名・自他サ》〔文〕騒ぎや興奮した心などが静まって落ちつくこと。また、静めて落ちつかせること。「反乱が―する」「―剤」

ちん・ぜい【鎮西】〔文〕「九州」の別称。参考 昔、大宰府(だざいふ)を一時、鎮西府と言ったことから。

ちん・せき【×枕席】〔文〕〔「まくらと敷物」の意から〕ねどこ。ねや。表記「枕籍」「枕藉」とも書く。

―に侍・する《句》女が男とねどこを共にする。夜の伽(とぎ)をする。枕席にはべる。枕席を薦(すす)む。

ちん・せつ【珍説】風変わりな説。とっぴな、ばかばかしい意見。類語 奇説。

*__ちん・せん【沈潜】__《名・自サ》〔文〕❶水の底に深くしずむこと。❷深くひそみかくれて表面にあらわれないこと。「心に深く―した憎しみ」❸心をしずめてある事にうちこむこと。「研究に―する」

*__ちん・せん【賃銭】__仕事に対する報酬の金銭。賃金。類語 手間賃。

ちん・ぞう【珍蔵】《名・他サ》めずらしいものとして、大切にしまっておくこと。

*__ちん・たい【沈滞】__《名・自サ》一つ所にとどこおって動かないこと。また、そうして活気のない状態が続くこと。「貿易が―する」「士気が―する」類語 停滞。

*__ちん・たい【賃貸】__《名・他サ》賃貸し。

ちん・たいしゃく【賃貸借】所有物を相手に使用・収益をさせ、これに対して相手が借り賃を支払うことを約束する契約。賃貸借契約。賃貸契約。

ちんたら《副・自サ》《副詞は「―と」の形も》〔俗〕のろのろ。ぐずぐず。「―仕事をするな」

ちん・だん【珍談】めずらしくおもしろい話。類語 奇談。奇話。珍聞。

ちんちくりん《名・形動》❶背が低い・こと(人)。〔あざけって言う語〕❷衣服のたけが身長にくらべて短すぎること。つんつるてん。「―の浴衣」

ちん・ちゃく【沈着】《名・形動》物に動ぜず軽はずみでないこと。「―な行動」類語 冷静。対 軽躁(けいそう)。

ちん・ちょう【珍重】❶《名・他サ》〔品物などを〕めずらしいものとして大事にする(もてはやす)こと。「父の―する品」❷《名・自サ》〔文〕〔自分を大切にする意で〕書簡文で、相手に自重自愛をすすめる語。

*__ちんちょう・げ【沈丁▽花】__→じんちょうげ(沈丁花)。

ちん・ちん ❶〔俗〕やきもち。嫉妬(しっと)。❷陰茎をさす幼児語。おちんちん。❸《名・自サ》犬が前足をあげて後足だけで立つ・こと(芸)。❹片足を上げ、他の片足で軽くとびはねること。また、そうして競走したり押し合ったりする子どもの遊び。けんけん。ちんちんもがもが。❺「ちんちんかもかも」の略。

―かもかも〔俗〕男女が仲よくたわむれるようすをからかって言う語。

*__ちん・ちん【沈沈】__《形動タル》〔文〕〔夜ふけて〕物音がなく、静かなようす。「―と夜がふける」

*__ちん・つう【鎮痛】__痛みをしずめること。「―剤」

*__ちん・つう【沈痛】__《形動》悲しみに沈んで、心を痛めるようす。「―な面持ちで弔辞を読む」類語 悲痛。

ちん・てい【鎮定】《名・他自サ》〔文〕〔朝廷・政府などが〕乱をしずめおさめること。また、乱がしずまり世の中が安定すること。「内乱を―する」類語 平定。鎮圧。

ちん・でき【沈×溺】《名・自サ》〔文〕❶水に沈みおぼれること。❷ある物事に心を奪われてそれにおぼれること。「酒色に―する」類語 耽溺(たんでき)。惑溺。

ちん・でん【沈殿・沈×澱】《名・自サ》❶液体中にまじり物が沈んで底にたまること。「―物」❷〔理〕溶液中でおきた化学反応によって、液内に不溶性の物質が生ずること。表記「沈殿」は代用字。

ちん・と《副》❶とりすまして、じっとしているようす。❷きちんと。❸→ちん(副詞)。

ちん・とう【×枕頭】〔文〕人の寝ているまくらもと。まくらべ。まくらがみ。枕上(ちんじょう)。「―の書(＝座右の書)」

ちんどん・や【ちんどん屋】人目を引く仮装をし、笛・鉦(かね)・太鼓などをちんちんどんどんと鳴らして町をねり歩いて、宣伝する職業(の人)。ひろめ屋。東西屋。

ちん・にゅう【×闖入】《名・自サ》〔文〕ことわりもなく、突然はいりこむこと。「曲者(くせもの)が―した」類語 乱入。侵入。

ちんば【×跛】❶〔卑称〕足の具合がわるくて釣り合いのとれた歩行ができない・こと(人)。❷《名・形動》対になるものの形や大きさがきちんとそろっていないこと。かたちんば。「―の下駄」

チンパンジー ショウジョウ科の類人猿。アフリカ産。顔以外は黒かっ色の毛でおおわれている。類人猿のうちで知能が高い。くろしょうじょう。▽chimpanzee

ちんぴら〔俗〕一人前でないのに、えらそうな言動をする者。小物の悪党。転じて、不良少年少女。

ちん・ぴん【珍品】めったにない、めずらしい品物。

ちん・ぶ【鎮×撫】《名・他サ》〔文〕〔国家などが〕反乱や暴動などをしずめて人心を安らかにすること。反対派を帰順させること。類語 鎮定。平定。鎮圧。

ちん・ぷ【陳腐】《名・形動》〔内容・方法などが〕ありふれていて新味にとぼしいこと。古くさいこと。「―な表現」類語 月並み。対 新奇。

ちん・ぶん【珍聞】〔文〕めずらしく変わった内容のうわさ話。類語 奇聞。珍談。

ちんぷん・かんぷん《名・形動》さっぱり訳の分からないこと。また、その言葉。ちんぷんかん。「英語で何を聞かれても―だ」「―の悪文」

ちん・べん【陳弁・陳×辯】《名・他サ》〔文〕事情や理由を述べて申し開きをすること。また、その内容。言いわけ。「―これ努める」類語 弁解。弁明。

ちん・ぼつ【沈没】《名・自サ》❶船が浸水して、水中に沈むこと。「―船」❷〔俗〕酔いつぶれること。❸〔俗〕仕事や用事を投げ出して遊びに夢中になること。

ちん・ぽん【珍本】めったに手に入らない、めずらしい本。珍書。珍籍。類語 奇書。

ちんまり《副・自サ》《副詞は「—と」の形も》小さくまとまっているようす。「—した生活」類語 こぢんまり。

ちん‐み【珍味】めったに味わえないめずらしい味（の食物）。特に、酒のさかなとして珍重される、このわた・からすみの類。「山海の—」「—佳肴(かこう)」

ちん‐みょう【珍妙】《形動》ひどく変わっていて、こっけいなようす。「—な姿」類語 奇妙。珍奇。奇異。

ちん‐むるい【珍無類】《名・形動》他に類がないくらい・めずらしい（こっけいな）こと。「—の服装」

ちん‐めん【沈×湎】《名・自サ》〔文〕酒・女・ばくちなどにおぼれて、すさんだ生活をすること。

ちん‐もく【沈黙】《名・自サ》❶口をきかないでいること。「—を守る」❷一切の活動をやめてじっと静かにすること。「好投手の前に打線が—する」

—は金雄弁は銀《句》沈黙が最上の分別である。参考 西洋のことわざから。

ちん‐もち【賃×餅】賃銭を取って餅をつくこと。また、その餅。

ちん‐もん【珍問】まとはずれの、おかしな質問。「入試にクイズまがいの—が出る」類語 奇問。対 珍答。

ちん‐ゆう【沈勇】〔文〕落ち着いていて勇気があること。「—の士」

ちん‐りん【沈×淪】《名・自サ》〔文〕❶沈みこむこと。「孤独に—する」❷おちぶれること。零落。「—の身を嘆く」類語 淪落(りんらく)。凋落(ちょうらく)。

ちん‐れつ【陳列】《名・他サ》多くの人に見せるために物品を並べておくこと。「菊人形を—する」「—棚」類語 展覧。展観。

ちん‐ろうどう【賃労働】資本主義社会で、労働者が労働力を資本家に提供し、その代償として賃金を受けとる労働の形態。賃金労働。

***つ**《助数》《「ひと（一）」から「ここの（九）」までの和語の数詞について》数値そのものを表し、また個数や年齢などを表す。「リンゴが五—」「今年で七—になる」

***つ【津】**〔古〕船着き場。渡し場。

***つ**《助動：下二型》文語 ❶完了または実現を表す。「石炭をば早や積み果てつ〈鷗外〉」参考 ↓つ（並助）。❷物事の確認を表す。「なほ死なでありつるよ〈鷗外〉」

***つ** ㊀《格助》文語〔体言＋「つ」＋体言の形で〕下の体言が上の体言に所属する関係にあることを表す。「夕波の音にまぎれざる沖つ風聞きつつあればとよもし来る〈赤彦〉」参考 格助詞「の」の一部の用法に当たる。㊁《並助》《完了の助動詞「つ」の転》〔主に「〜つ〜つする」の形で〕くり返し起こる二つの動作・作用を並べあげるのに使う。「…たり…たり。「行きつ戻りつする」「ためつすがめつ（しながら）見る」

ツアー ❶観光旅行。特に、旅行社が企画する海外旅行。「—を組む」❷小旅行。「日帰り—」▽tour

—コンダクター 添乗員。▽tour conductor

ツァー 帝政時代の、ロシアの皇帝の称号。ツァール。ツァーリ。▽ロシア tsar

***つい【追】**《接頭》もう一度同じ事をあとから行う意。「—試験」「—起訴」「—体験」

***つい【対】** ㊀《名》❶二つで一組になっている・こと（もの）。「着物と—のはおり」❷対句。㊁《助数》二つで一組になったものを数える語。「三—の夫婦茶碗(めおとぢゃわん)」

***つい【▽終】**〔文〕終わり。最後。「—のすみか（＝最後に住む所。また、死後に落ち着く所）」

***つい**《副》❶しようという意識がないままに、その事をしてしまうようす。「—酒を飲みすぎた」類語 うっかり。うかうか。うかと。思わず。覚えず。ふと。❷しようという意識を持ちながら、何もしないでそのままでいるようす。「—なまけてしまう」❸〔時間や距離などが〕あまり離れていないようす。「彼は—さっき帰った」

ツイード 羊毛糸を使って、平織り・綾(あや)織り・杉綾(すぎあや)織りなどにした織り目のあらい洋服地。スーツ・コートなどに使われる。「—のジャケット」▽tweed

ついえ【費え】❶ものいり。「かなりの—を要する」❷むだな消費。浪費。〔①②とも古風な言い方〕

***つい‐える【×潰える】**《自下一》〔文〕❶くずれこわれる。❷戦いに負けて総くずれになる。「敵軍は完全に—・えた」❸〔希望や計画などが〕破れて実現できなくなる。「進学の夢も—・えた」文 つひ・ゆ《下二》。

***つい‐える【費える】**《自下一》〔文〕❶〔むだに〕使われてなくなる。「財産が—・える」❷〔時が〕むだに過ぎる。「病を得て多年月が—・える」文 つひ・ゆ《下二》。

つい‐おく【追憶】《名・他サ》過ぎ去ったことを思い出してしのぶこと。「—にふける」類語 追懐。追想。

つい‐か【追加】《名・他サ》〔不足を補うために〕あとから付け加えること。「—注文」

つい‐かい【追懐】《名・他サ》〔文〕過ぎ去ったことを思い出しなつかしむこと。「—談」「戦争中を—する」類語 追憶。追想。追慕。

ついかん‐ばん【×椎間板】椎骨と椎骨の間にあって、両者を連結している軟骨。「—ヘルニア」

つい‐き【追記】《名・他サ》〔書きもらしたことなどを本文のあとなどに〕あとから書き足す・こと（文章）。

つい‐きそ【追起訴】《名・他サ》第一審に係属中の刑事事件で、検察官が併合審理を求めて、同じ被告人の別の犯罪または共犯者を起訴すること。

***つい‐きゅう【追及】**《名・他サ》❶〔文〕〔先に行く者の〕あとから追いつくこと。あとから追いかけること。❷〔責任の有無や犯行の事実などを〕どこまでもさぐって追いつめること。「責任の—」⇩〖使い分け〗

***つい‐きゅう【追求】**《名・他サ》あくまでも目的のものを手に入れようとすること。類語 探求。⇩〖使い分け〗

***つい‐きゅう【追究・追窮】**《名・他サ》どこまでも深く明らかにしようとすること。類語 探究。表記「追求」と書くことも多い。⇩〖使い分け〗

使い分け「ツイキュウ」

追及〔責任や犯行をどこまでもさぐって追いつめる〕責任を追及する・余罪を追及する・犯人を追及する・追及の手を緩める・相手の追及をかわす

追求〔あくまでも目的のものを手に入れようとする〕理想の追求・幸福の追求・利潤の追求・飽くことなき欲望の追求

追究・追窮〔実体のよく分かっていない物事を、どこまでも深くつきつめ明らかにしようとする〕真理を追究（追窮）する・学問を追究（追窮）する・本質の追究（追窮）

参考 一般に、利益や快楽を追うときは「追求」、真理を追うときは「追究・追窮」、責任や犯人を追うときは「追及」と書き分けるが、明確に区分しがたいときは、ふつう「追求」をあてる。また、「追窮」よりは「追究」が一般的である。

*つい‐きゅう【追給】《名・他サ》給与の不足分または増加分をあとから支給すること。また、その給与。

つい‐く【対句】文の修辞法で、「帯に短し、たすきに長し」のように、構造が似ていて、語格・意味・語形などを対比させた二つの句(を対照的に並べること)。

つい‐げき【追撃】《名・他サ》逃げる敵のあとを追いかけてうつこと。おいうち。「―をかける」類語 追討。

つい‐ご【対語】→たいご(対語)。

つい‐ごう【追号】〔生前の業績をたたえて〕死後におくる称号。おくりな。

つい‐こつ【×椎骨】脊柱を構成する骨の一つ一つ。軟骨でつながっている。脊椎骨。脊椎。

*つい‐し【墜死】《名・自サ》高い所から落ちて死ぬこと。墜落死。「飛行機事故で―した」

*つい‐し【追試】❶《名・他サ》以前に他人が行った実験をそのとおりにやって確かめ、さらに研究を発展させること。❷「追試験」の略。「―を受ける」

つい‐じ【▽築地】〔「つきひじ(築泥)」の転〕どろつちで塗り固め、かわらで屋根をふいた塀。築地塀。築垣。注意「つきじ」と読めば別語。

つい‐しけん【追試験】試験を受けられなかった者や不合格者に対して、あとで特別に行う試験。追試。

つい‐しゅ【×堆朱】朱漆を塗り重ねて厚くし、それに模様を彫刻したもの。堆朱彫り。

つい‐じゅう【追従】《名・自サ》〔文〕❶人の言動などにそのまま従うこと。「上役に―する」❷前にあるものをまねること。「他社の―を許さない」類語 ①②追随。注意「ついしょう」と読めば別語。

つい‐しょう【追従】《名・自サ》こびへつらうこと。「―笑い」参考「お―」の形で、皮肉の意味合いを強める。「お―を言う」注意「ついじゅう」と読めば別語。

つい‐しん【追伸・追申】〔文〕〔つけ加えて申しのべる意から〕手紙文で、本文中に書きもらしたことを書き足すとき、その初めに書く語。また、その書き足した文章。追啓。追白。二伸。追って書き。

つい‐ずい【追随】《名・自サ》他人のしたあとからそれにつき従って行くこと。また、まねをすること。「他の―を許さない」類語 追従。

ツイスト 四分の二拍子のリズムに合わせて、相手と離れ、腰をひねっておどる踊り。▽twist(=ひねる)

つい‐せき【追跡】《名・他サ》❶逃げるもののあとを追いかけること。「泥棒を―する」「―をのがれる」❷今までに起こった出来事のあとをたどること。「―調査」

つい‐ぜん【追善】《名・他サ》〔仏〕死者の冥福を祈って、仏事や(その人にちなんだ)善行を行うこと。追福。「役者の―興行」類語 回向。

つい‐そ【追訴】《名・他サ》〔法〕訴えた事柄に、さらに追加して訴えること。また、その訴え。

つい‐ぞ【▽終ぞ】《副》〔下に打ち消しの語を伴う〕いまだかつて。今まで一度も。「―見かけぬ人」

*つい‐そう【追想】《名・他サ》過去の出来事や亡き人のことなどを思い出し、しのぶこと。「一〇年前の出来事を―する」類語 追憶。追懐。追慕。

*つい‐そう【追走】《名・他サ》あとを追って走ること。

*つい‐そう【追送】《名・他サ》〔文〕❶追加して、もう一度送ること。「説明書を―する」❷見送ること。

つい‐ぞう【追贈】《名・他サ》死後に官位を贈ること。

つい‐たいけん【追体験】《名・他サ》読んだり聞いたりして知った他人の体験を、あとから自分でなぞってみること。「現代っ子に戦時を―させる」

つい‐たち【〈一日〉・×朔▽日・×朔】〔「つきたち(月立)」の音便〕❶〔古〕月のはじめのころ。上旬。初旬。対つごもり。❷月の第一日。対みそか。

つい‐たて【▽衝立】「衝立障子」の略。座敷・玄関などに立てて、しきりにする家具。

つい‐ちょう【追弔】《名・他サ》〔文〕死んだ人の生前をしのんでとむらうこと。「亡き師を―する」「―会」

*つい‐ちょう【追徴】《名・他サ》不足の金銭をあとから取り立てること。「―金」

つい‐て【就いて】《連語》〈…に―〉❶…に関して。「伊勢物語に―語る」❷…ごとに。…につき。「一個に―三〇〇円」表記 かなで書くことが多い。

*つい‐で【▽序(で)】ある物事を行うとき、都合よくいっしょに他の物事を行う機会。「お―の節は…」

*つい‐で【次いで】《接続》引き続いて。次に。「祝辞を述べ、―乾杯をする」

ついて‐は【就いては】《接続》❶〔前に述べた〕そのことに関して。「―後日改めて話し合おう」❷それゆえに。そこで。したがって。「新しい劇団をはじめた。―寄付をお願いしたい」表記 かなで書くことが多い。

ついて‐まわ・る【付いて回る】《自五》いつも離れずについてくる。つきまとう。「学歴が―・る」

つい‐て・る《自下一》〔「ついている」のつづまった形〕〔俗〕幸運にめぐまれている。「今日は―・てない」

つい‐と《副》動作が突然(すばやく)行われるようす。いきなり。すばやく。つと。「―立ちあがる」

*つい‐とう【追悼】《名・他サ》亡き人の生前をしのび、その死をいたむこと。「―のことば」「―式」類語 哀悼。追弔。追惜。

*つい‐とう【追討】《名・他サ》〔文〕討っ手を差し向けて敵をうちとること。「―の命をくだす」類語 追撃。

つい‐とつ【追突】《名・自サ》〔列車や自動車などが〕うしろから突き当たること。「―事故」類語 衝突。

つい‐な【追×儺】→おにやらい。

つい‐に【▽終に・▽遂に・×竟に】《副》❶長い時間を要して、ある事態に達するようす。しまいには。結局。結句。とうとう。「橋は―完成した」類語 いよいよ。果ては。詰まる所。詰まり。とどのつまり。所詮。畢竟。詮ずる所。挙げ句。挙げ句の果て。❷〔多く下に打ち消しの語を伴う〕長い時間を要しても、ある事態の実現がみられないようす。最後まで。いまだに。「計画は―実現しなかった」

つい‐にん【追認】《名・他サ》過去にさかのぼってその事実を認めること。「現状を―する」

つい‐ば・む【×啄む】《他五》〔「突き食む」の音便〕鳥がくちばしで物をつついて食べる。「木の実を―・む」

つい‐ひ【追肥】種をまいたり移植したりしたあとにほどこす肥料。追い肥。対元肥。

つい‐び【追尾】《名・他サ》〔文〕あとをつけて行くこと。「不審な車を―する」類語 追跡。

つい‐ふく【追福】《名・他サ》〔仏〕追善。

つい‐ほ【追補】《名・他サ》〔文〕〔出版物などで〕足りな

い部分や修正すべき箇所を、あとからおぎなうこと。補遺。「三年ごとに―する」「百科事典の―版」

つい‐ぼ【追慕】《名・他サ》死んだ人や遠くへ去った人を心に慕うこと。「亡き母への―の情」類語 追懐。

つい‐ほう【追放】《名・他サ》❶〔害あるものを〕その社会から追い出すこと。しめ出すこと。「悪書―」「国外―」類語 放逐。❷不適格者と認められたものをその地位・職業からしりぞけること。公職追放など。パージ。

つい‐や・す【費やす】(つひやす)《他五》❶使ってなくす。「一〇年を―・して完成した」❷むだに使う。浪費する。「回り道して時を―・した」文《四》。

つい‐らく【墜落】《名・自サ》高い所から落ちること。「旅客機が―する」類語 転落。

つい‐ろく【追録】《名・他サ》〔文〕あとから書き加えること。また、書き加えたもの。

ツイン ❶対(つい)になっていること。❷ホテルで、部屋にツインベッド(=シングルベッド二つ)を備えてあること。また、その部屋。「―ルーム」▽twin(=ふたご)

***つう【痛】**《接尾》「痛み」の意。「神経―」「筋肉―」

***つう【通】**㊀《名・形動》❶〔趣味・道楽など〕ある物事によく通じていて詳しい・こと(人)。特に、花柳界の事情などに詳しい・こと(人)。通人。「歌舞伎(かぶき)の―」❷人情のこまやかな点に通じていて、さばけて思いやりのある・こと(人)。「―なはからい」㊁《接尾》❶その事によく通じていて詳しい意。「芝居―」「政治―」❷《助数》手紙・文書などを数える語。「正副二―」

***ツー**《造語》「二つ」の意。▽two **―ショット** ❶映画などで、男女二人の場面。❷男女が二人でいること。また、二人で話すこと。▽two-shot **―トーン・カラー**〔同系色の濃淡や互いに調和する〕二色を並べたいろどり。ツートンカラー。「―のユニホーム」▽two-tone と color からの和製語。**―バイ・フォー** 柱を用いず、断面が二×四インチの木材の枠組みに合板を打ち付けて、それを組み立てる建築方式。「―住宅」▽two-by-four **―ピース**〔上着とスカートなどのように〕上下に分かれて一組になっている婦人服。対 ワンピース。▽two-piece dress から。

***つう‐いん【痛飲】**《名・他サ》大いに、また、いやというほど酒を飲むこと。「ウイスキーを―する」

***つう‐いん【通院】**《名・自サ》治療を受けに病院へ通うこと。「週に一度―している」

つう‐うん【通運】〔陸上で〕貨物を運ぶこと。「―の便を図る」「―事業」「―会社」類語 運送。

***つう‐か【通貨】**法律や慣習によって、一国内で通用が認められ、実際に流通している貨幣。「―不安」

***つう‐か【通過】**《名・自サ》❶ある地点を通り過ぎること。「折り返し点を―する」「急行列車が―する」❷〔ある関門を〕無事に通ること。「法案が議会を―する」**―ぎれい【―儀礼】**人間が一生のうちに経過する、誕生・成人・結婚・死亡などに伴う儀礼。また、成長とともに経験する、人生の節目。「恋愛は青春の―だ」

つう‐かあ〘「つうと言えばかあと答える」のつづまった語〙〔俗〕相手をよく知っていて、ほんのわずかなことばからでもその話の内容をすぐ理解できること。「―の仲」

***つう‐かい【痛快】**《名・形動》〔気持ちがすっとするほど〕非常に愉快なこと。「―な時代劇」

***つう‐かい【通解】**《名・他サ》文章全体を解釈すること。また、解釈したもの。通釈。「枕草子(まくらのそうし)―」

つう‐かく【痛覚】おもに皮膚や粘膜で痛いと感じる感覚。痛点によって感じとる。

つう‐がく【通学】《名・自サ》〔学生・生徒として〕学校や塾(じゅく)へ通うこと。「電車で―する」「―路」

つう‐が・る【通がる】《自五》通人ぶる。通ぶる。

***つう‐かん【痛感】**《名・他サ》身にしみて強く心に感じること。「勉強不足を―する」

***つう‐かん【通巻】**定期刊行物・全集などの各巻の通し番号。「―百号」

***つう‐かん【通観】**《名・他サ》全体にわたって目を通すこと。また、そのもの。「政界の動きを―する」

***つう‐かん【通関】**正規の手続きをふんで、税関から輸出または輸入の許可を受けること。税関通過。

つう‐き【通気】部屋などの内部と外部の空気を互いに通わせること。「―孔」「―性のある繊維」

つう‐ぎょう【通暁】〔文〕❶夜を通して明け方に至ること。夜どおし。類語 徹夜。終夜。❷《名・自サ》〔ある事柄について〕非常に詳しい知識を持っていること。「伝統芸能に―している」類語 精通。

つう‐きん【通勤】《名・自サ》勤め先に通うこと。

つう‐く【痛苦】〔文〕ひどい苦しみ。

つう‐けい【通計】《名・他サ》部分ごとの計算を全部合算すること。また、その合計。類語 通算。

つう‐げき【痛撃】《名・他サ》手きびしい攻撃・打撃〔を与えること〕。「敵の―を受ける」

***つう‐げん【痛言】**《名・他サ》〔文〕手きびしくいうこと。また、そのことば。「―をはく」

***つう‐げん【通言】**〔文〕❶一般に使われている言葉。通り言葉。通語。❷通人の使う粋な言葉。

つう‐ご【通語】〔文〕通言(つうげん)❶。

***つう‐こう【通交・通好】**《名・自サ》国と国が〔よく知り合って〕親しく交際すること。「―条約」類語 修交。

***つう‐こう【通航】**《名・自サ》〔文〕船舶や航空機が航路を通ること。「海峡を―する外国船」類語 航行。

***つう‐こう【通行】**《名・自サ》❶〔人や車が〕道を通ること。「車は左側―」「―止め」❷〔文〕世間に広く行われること。「―する言いまわし」

***つう‐こく【痛×哭】**《名・他サ》〔文〕ひどく嘆き悲しむこと。「―の情」類語 痛嘆。

***つう‐こく【通告】**《名・他サ》文書などで正式に告げ知らせること。「全員に―する」類語 通知。通達。

つう‐こん【痛恨】《名・他サ》ひどく残念に思うこと。「―のエラー」「―の極(きわ)み」「千載の―事」類語 痛惜。

つう‐さん【通算】《名・他サ》〔ある期間の〕全体を通して計算すること。また、計算したもの。「―五度目の優勝」類語 通計。

つう‐し【通史】全時代・全区域にわたって総合的に記述した歴史。「平安―」

***つう‐じ【通じ】**❶他人の気持ち・考えを理解すること。わかり。「彼は―が早い」❷大小便、特に大便の排泄(はいせつ)。便通。「―がよい」

***つう‐じ【通事・通辞・通詞】**〔古い言い方で〕通訳。また、通訳官。「オランダ―」

つう‐しゃく【通釈】《名・他サ》文章全体の意味を解釈すること。また、そのもの。通解。「―徒然草(つれづれぐさ)」

つう‐しょ【通所】《名・自サ》社会福祉施設などに通うこと。

***つう‐しょう【通商】**《名・自サ》外国と商業取引を行うこと。貿易。「―協定」

*つう-しょう【通称】〔正式の名称でないが〕普通に呼ばれている名まえ。通り名。「—すずらん通り」

つう-じょう【通常】特別でないこと。普通。常。〔副詞的にも用いる〕「講義は—八時開始」類語 通例。

つう・じる【通じる】《自他上一》↓通ずる。

*つう-しん【痛心】《名・自サ》〔文〕心配し心を痛めること。心痛。「—に堪えない」

*つう-しん【通信】《名・他サ》❶〔ことばなどを用いて〕自分の意思などを知らせること。また、そのたより。知らせ。❷〔電信・電話・郵便などによって〕情報を連絡すること。「—の秘密」 —えいせい【—衛星】マイクロ波による遠距離通信を中継するための人工衛星。多くは静止衛星。略語CS。 —きょういく【—教育】通信〔おもに郵便〕によって印刷教材を送付し、添削指導を行う〕によって教育を施す制度。 —しゃ【—社】各地の通信網から集めたニュースを新聞社・雑誌社・放送局などに提供する会社。 —はんばい【—販売】《名・自サ》広告・カタログなどを通じて客から商品の注文を通信で受け、郵送でその商品を引き渡す販売の方法。通販。 —ぼ【—簿】学校から、生徒の学業成績などをその保護者に知らせる書類。通知簿。通知表。 —もう【—網】通信社・新聞社・放送局などで、各地に網の目のように設けた通信組織。

つう-じん【通人】❶ある事柄について非常によく通じている人。「食の—」❷人情の機微に通じてものわかりのよい人。❸花柳界のならわしに通じていて遊び上手な人。通客。粋人。

つう-・ずる【通ずる】㊀《自サ変》❶〔道・交通機関などが〕ある場所へつづく。つながる。「郊外に—・ずる道」「鉄道が—・ずる」❷〔自分の考え・意志などが〕相手に伝わる。「言葉が—・じた」「気持ちが—・ずる」❸詳しく知っている。精通する。「事情に—・じている人」❹ひそかにつながりをもつ。内通する。「敵に—・ずる」❺男女がひそかに交わりを結ぶ。密通する。❻広くゆきわたる。一般に通用する。「この国では英語が—・ずる」❼〈「…を—・じて」の形で〉㋐物事がある期間継続して行われる意を表す。…をとおして。…のあいだずっと。「三年間を—・じて一日も休まなかった」㋑すべてを包括する意を表す。広く…全体にわたって。「全体を—・じて言えることだ」㋒…を仲立ちとして。…を経由して。…を手段として。「人を—・じて仲人を頼む」＝通じる。
㊁《他サ変》❶〔ある場所へつづく〕道すじをつくる。連絡する。届かせる。「道を—・ずる」「電流を—・ずる」❷〔相手に〕知らせる。告げる。わからせる。「意を—・ずる」「刺を—・ずる（＝相手に面会を求める）」❸心をかよわせる。「情を—・ずる」「気脈を—・ずる」＝通じる。

つう-せい【通性】〔文〕一般に持っている性質。同類のものに共通の性質。「日本社会の—」

つう-せき【痛惜】《名・他サ》〔文〕心から残念に思うこと。「—の念」類語 痛恨。

*つう-せつ【通説】世間一般に認められている説。

*つう-せつ【痛切】《形動》身にしみて強く感じるようす。「親のありがたみを—に感じる」類語 切実。

つう-せん【通船】❶海や川を往来する船。かよいぶね。❷船を通過させること。「—料」

つう-そく【通則】❶一般に適用される規則。❷〔細則などに対して〕全体に通じる規則。

つう-ぞく【通俗】《名・形動》わかりやすく、一般の人にも親しまれること。「—小説」参考「低俗な」という意味あいをもって使われることが多い。 —てき【—的】《形動》俗受けのするようす。「—な番組」

つう-だ【痛打】《名・他サ》❶手ひどい打撃を相手に与えること。また、その打撃。「顔面を—される」❷野球で、痛烈な打撃。「—を浴びせる」

つう-たつ【通達】❶《名・自サ》〔文〕ある物事に深く通じていること。「二か国語に—する」類語 熟達。❷《名・他サ》〔決定事項などを〕上から下へ告げ知らせること。特に、上級官庁が所管の機関・職員などに命令・通知などを出すこと。また、その命令・通知。

つう-たん【痛嘆・痛×歎】《名・他サ》〔文〕ひどく嘆き悲しむこと。「—の極み」類語 痛哭。

つう-ち【通知】《名・他サ》〔必要な事柄を〕相手に告げ知らせる・こと（知らせ）。「合否を—する」

*つう-ちょう【通帳】〔貯金・掛け売り・配給などの〕月日・金額・数量などを記す帳面。通い帳。「預金—」

*つう-ちょう【通×牒】《名・他サ》❶書面によって通知すること。また、その書面。特に、国際法上、自国の態度・政策などを文書によって相手国に一方的に通知すること。「最後—」❷「通達②」の旧称。

つう-つう《形動》〔俗〕〔意志・気心などが〕よく通じあっているようす。「—の仲」参考 情報などが相手側につつぬけになっているようすにもいう。「情報が—だ」

つう-てい【通底】《名・自サ》〔文〕表面は別に見える事柄が、奥底では互いに通じ合っていること。

つう-てん【痛点】皮膚や粘膜の表面に多数分布する、痛みを感じる部分。類語 圧点。

つう-どく【通読】《名・他サ》始めから終わりまでざっと読み通すこと。「新刊本を—する」

つう-ねん【通念】大多数の人々が共通にもっている考え。「男女平等は社会の—となった」

つう-ば【痛×罵】《名・他サ》〔文〕激しくののしること。「人前で—される」類語 悪罵。

つう-はん【通販】「通信販売」の略。

*つう-ふう【痛風】関節や耳殻に炎症を起こし、激しい痛みを伴う病気。尿酸塩が結晶となって体内にたまるのが原因。尿酸性関節炎。

*つう-ふう【通風】風を通すこと。また、風を通して室内の空気を入れかえること。風通し。「部屋の—をよくする」「—孔」類語 通気。換気。

つう-ぶ・る【通ぶる】《自五》いかにも通人であるように振る舞う。通人を気取る。通がる。「—・って蘊蓄を傾ける」

つう-ふん【痛憤】《名・他サ》〔文〕大いに憤慨すること。「—の念」「—やる方なし」

つう-ぶん【通分】《名・他サ》分母の異なる二つ以上の分数の値を変えずに、同分母の分数にすること。

つう-へい【通弊】同類のもの全体に共通してみられる弊害。「インテリの—」

つう-べん【通弁・通×辯】《名・他サ》通訳。通詞。〔古風な言い方〕

つう-ほう【通報】《名・他サ》〔広く〕伝え知らせること。また、その知らせ。「気象—」類語 通知。報知。

*つう-ぼう【痛棒】❶座禅のとき、師の僧が、気が散って落ち着かない者を打つ棒。❷きびしい叱責や非難。「師から—をくらった（＝ひどくしかられた）」

*つう-ぼう【通謀】《名・自サ》〔文〕二人以上の者が連絡し合って、よくない事をたくらむこと。共謀。

*つう‐やく【通約】《名・他サ》約分。〔古風な言い方〕

*つう‐やく【通訳】《名・他サ》ことばの通じない人と人との間にはいって、互いのことばを相手のわかることばになおして伝える・こと(人)。「同時―」

つう‐ゆう【通有】《名・形動》〔文〕同類のものそれぞれに共通であること。「日本人に―な心理」対 特有。

*つう‐よう【痛×痒・痛×癢】〔文〕痛みやかゆみ。また、心の苦しみ。「―を感じない(=苦痛にならない)」

*つう‐よう【通用】《名・自サ》❶世間に行き渡って用いられること。流通。「紙幣が―する」❷〔正しい、価値あるものとして〕認められること。「そんな考え方では―しない」❸いつも出入りすること。「―門」

つう‐らん【通覧】《名・他サ》全体をざっとひととおり見ること。「報告書を―する」類語 一覧。

つう‐りき【通力】神通力(じんずうりき)。

ツーリスト ❶観光客。旅行者。❷「ツーリストビューロー」の略。観光案内所。旅行社。▽tourist

ツーリング〔特に自動車・オートバイ・自転車による〕周遊旅行。「―カー」「―を楽しむ」▽touring

ツール 道具。工具。▽tool

つう‐れい【通例】一《名》習慣としての、いつもの例。一般のならわし。「―に従う」二《副》多くの場合。一般に。「―火曜日に休む」類語 通常。

つう‐れつ【痛烈】《名・形動》非常に激しく行われること。「―な批判」「三遊間を―に破るヒット」

つう‐ろ【通路】出入り・通行のためにあいている所。通り道。「―にすわりこむ」

*つう‐ろん【痛論】《名・他サ》〔文〕手きびしく論じ批判すること。また、その論。「激しいことばで―する」

*つう‐ろん【通論】❶〔ある専門分野に属する事柄の〕全体にわたって広く論じた説。また、その書物。「日本文学―」対 各論。❷世間一般に認められ、だれにでも通じる説。「天下の―」類語 公論。定論。

つう‐わ【通話】一《名・他サ》電話で話をすること。また、その話。「―が不能になる」二《助数》電話で話をするときの、一定時間の長さの単位を表す。

つえ【×杖】(つゑ) 手にささえ持って歩行の助けとする、木や竹の棒。「―をついて歩く」「―をひく(=ぶらぶら歩く。散歩する)」「―とも柱とも頼む(=頼りにする)」

ツェツェ‐ばえ【ツェツェ×蠅】(ばへ) イエバエ科のハエ。アフリカの一定地域の水辺にすみ、人・家畜の血を吸い、眠り病を媒介する。参考「ツェツェ」はアフリカのツワナ語 tsetse(=家畜を滅ぼすハエ)。

*つか【塚】❶土を小高く盛った所。「一里ごとに―を築く」❷土を小高く盛って作った墓。また、単に、墓。

*つか【▽束】一《名》❶梁(はり)と棟(むね)の間や縁側の下に立てる短い柱。束柱(つかばしら)。❷製本したときの、本の厚さ。「―のある本」二《助数》四本の指を並べてにぎった長さを表す。昔、矢などの長さをはかる基準であった。「一二―三伏(みつぶせ)の矢」

*つか【▽柄】❶刀や弓の手でにぎるところ。❷筆の軸。

つが【×栂】マツ科の常緑高木。日本の中部以南の山地に自生する。材は建築・器具・パルプなどに用いられ、樹皮からタンニンをとる。とが。

つか‐あな【塚穴】死体を葬るための穴。はかあな。

つかい【使い・遣い】(つかひ) 一《名》❶言いつけられて、用事を足すために行く・こと(人)。「国王の―」類語 使者。❷〔買い物など〕外向きの用事を足すこと。「―に出る」類語 用足し。❸〈お―〉神仏の使者とされる動物。つかわしめ。二《接尾》「…の使い方」「…を使うこと」「…を使う人」の意。参考「…づかい」と濁ることも多い。「魔法―」「金―」「両刀―」

つがい【▽番(い)】(つがひ)《名》❶二つ組み合って一対となったもの。特に、動物のおすとめすの一対。「―のインコ」類語 夫婦。❷〔組み合わさったところの意から〕関節。つがいめ。

つかい‐あるき【使い歩き】(つかひ―) 用事を言いつけられてあちこち歩くこと。類語 使い走り。

つかい‐がって【使い勝手】(つかひ―) 使う立場からの便利さ。「―がよくない(=使ってみて不便だ)」

つかい‐こな・す【使い▽熟す】(つかひ―)《他五》その物の価値・性能を十分発揮させて使う。「パソコンを―・す」

つかい‐こ・む【使い込む・遣い込む】(つかひ―)《他五》❶預かった金銭などを、かってに私用に使う。「公金を―・む」❷予定した額以上に金を使う。「今月は三万円も―・んだ」❸〔物を〕長い間使ってすっかり慣らす。「フライパンは―・むほどよい」類語 使い慣らす。

つかい‐さき【使い先・遣い先】(つかひ―) ❶使いに行った所。「―で油を売る」❷金銭の使いみち。

つかい‐すて【使い捨て】(つかひ―) ちょっと使っただけで〔修理したり、洗ったりしないで〕捨ててしまう・こと(物)。また、そうするように作られた物。「―のライター」

つかい‐だて【使い立て】(つかひ―) 人に用事をしてもらうこと。「お―をして恐縮です」

つかい‐て【使い手・遣い手】(つかひ―) ❶使う人。使い主。「―が悪いと道具のいたみがはやい」❷使い方の上手な人。達人。「槍(やり)の―」❸金づかいのあらい人。

つかい‐で【使い出】(つかひ―) 使ってもなかなかなくならないくらいの量の多さ。「―がある」表記「使いで」と書くことが多い。

つかい‐はしり【使い走り】(つかひ―) 言いつけられて、あちこちに〔走りまわって〕使いに行く・こと(人)。つかいばしり。「―を頼まれる」「―の少年」

つかい‐ふる・す【使い古す】(つかひ―)《他五》長く使って古くする。また、何度も使って新鮮味をなくする。「―・した手袋」「―・した手段」

つかい‐みち【使い道】(つかひ―) ❶使う方法。使い方。「金の―を知らない」❷使う目的に応じた方面。使いどころ。用途。「―のない機械」「―のない人」

つかい‐もの【使い物・遣い物】(つかひ―) ❶使って役に立つもの。「古くなって―にならない」❷〔儀礼的な〕おくりもの。進物(しんもつ)。「お―にする」

つかい‐りょう【使い料】(つかひレウ) ❶使うためのもの。「自分の―にする」❷使用料。

つかい‐わ・ける【使い分ける】(つかひ―)《他下一》❶同じものをいくつかの用途・場合に応じてちがった使い方をする。「声を―・ける」❷いくつかのものを場合に応じて適当に区別して使う。「三か国語を―・ける」

つか・う【使う・遣う】(つかふ)《他五》❶〔人を〕用いて働かせる。用事をさせる。「人を―・うのがうまい」類語 役(えき)する。用いる。(する)使用。使役。駆使。❷ある動作をさせるために、物を動かし扱う。あやつる。「人形を―・う」❸〔物を〕用に当てる。役立たせる。用いる。「だしに―・う」「登山に―・うテント」類語 資する。便(べん)ずる。(する)行使。利用。運用。活用。❹ある用に当てるために、動かす。「扇子を―・う」❺技・術などを行う。「英語を―・って話す」「仮病を―・う」「居留守を―・う」

❻ついやす。用いてへらす。「お金を—う」「時間をむだに—う」[類語]（る）消費。費消。❼心・頭を働かせる。「気を—う」「頭を—う」❽あるしぐさをする。「上目(うわめ)を—う」❾それを用いて、ある特定の行為をする。「袖(そで)の下を—う（＝わいろを贈る）」「弁当を—う（＝食べる）」[文]《四》。⇩〖使い分け〗〖類義語の使い分け「用いる」〗

使い分け 「つかう」

使う（使用する意で、一般に広く）社員を使う・道具を使う・大金を使う・扇を使う・漢字を使う・体力を使う・子供を使いに出す・弁当を使う・こき使う・召し使う・剣術使い・忍術使い・魔法使い・猛獣使い

遣う（物事を役立つように、心・頭を働かせて工夫して動かす。技や術などを行う）気遣う・あれこれ気を遣う・神経を遣う・人形を遣った芝居・心遣い・息遣い・仮名遣い・手品遣い・人形遣い・両刀遣い・筆遣い・金遣い・小遣い銭・無駄遣い・上目遣い

[参考]「扇を使う／遣う」「言葉を使う／遣う」「気を使う／遣う」など二様の表記が成立する。「使／遣」の意味の違いに応じて、従来「扇を使って風を起こす／扇を遣って見事に舞う」などのように、単なる使用（＝用立てる）と、工夫された巧みな使用（＝操る）とで使い分けてきたが、使い分けが困難なところから、近年「気遣う」を唯一の例外として、動詞には「使」を使い、「〜づかい」の形で使う特定の名詞にのみ「遣」を使うという傾向が強まってきた。そのため、「仮名を使う／仮名遣い」「心を使う／心遣い」「人形を使う／人形遣い」のように動詞と名詞とで用字法を異にするものも多出している。剣術・忍術・魔法・猛獣の場合は「使い／遣い」が併用されるが、「使」が優勢。「金遣い・息遣い・筆遣い」などでは伝統的に「使」を使うことはない。

つが・う【▽番う】（つがふ）《自五》❶二つのものが組み合う。対(つい)になる。❷交尾する。つるむ。[文]《四》。

つかえ【▽支え・×閊え】（つかへ）❶さしつかえ。支障。❷胸のつまり。また、心の中のわだかまり。「胸の—がおりる」[表記]②は「痞え」とも書く。

***つか・える**【仕える・▽事える】（つかへる）《自下一》❶目上の人のそばにいて、その人のために働く。その人を自分の主人として扱い、その人のためにつくす。「師匠に—える」「姑(しゅうと)に—える」[参考]人以外の場合にもいう。「飼い犬が飼い主に—える」「神仏に—える」❷（役所などに）勤めてその職に奉仕する。仕官する。奉公する。「徳川家に—える」[文]つか・ふ《下二》。

***つか・える**【使える】（つかへる）《自下一》《「使う」の可能形から》❶有能で役立つ。「あの男はなかなか—えるよ」❷刀・槍(やり)などを上手に扱う。

***つか・える**【▽支える・×閊える】（つかへる）㊀《自下一》❶物に突き当たったり、物が詰まったりして、先へ進めなくなる。つっかえる。「もちがのどに—える」❷先にたまって動かなく（動けなく）なる。「車が—える」「仕事が—える」❸（他の人が使っているため）ふさがって使えなくなる。「電話が—える」[文]つか・ふ《下二》。㊁《他下一》《「手を—える」の形で》（礼として）両手をつく。「畳に手を—えてあいさつをする」[文]つか・ふ《下二》。

つが・える【▽番える】（つがへる）《他下一》❶二つのものを組み合わせる。「関節を—える」❷矢を弓のつるにあてる。「弓に矢を—える」[文]つが・ふ《下二》。

つか‐がしら【▽柄頭】刀の柄の先端（につける金具）。

つかさ【▽官・▽司】〔古〕❶役所。官庁。❷官職。官位。❸役人。官吏。❹職務。

つかさ‐ど・る【▽司る・▽掌る】《他五》《「官(つかさ)を取る」意》❶職務として行う。担当する。「政務を—る」❷管理・監督する。支配する。「自然界を—る力」

つか・す【尽かす】《他五》出しつくしてしまう。[参考]ふつう「愛想を—す」の形で用いる。[文]《四》。

つかず‐はなれず【付かず離れず】《連語》〔二つのものが〕つきすぎもせず離れすぎもせず、ちょうどよい関係を保っていること。不即不離。「—の交際」

つか‐つか《副》《「—と」の形も》ためらわずに進み出るようす。「社長に—と近づく」[類語]ずかずか。

つかぬ‐こと【付かぬ事】《連語》〔それまでの話と関係がなく〕だしぬけで妙なこと。[参考]急に問いかけるときなどに使う。「—をうかがいますが…」

つか・ねる【▽束ねる】《他下一》❶集めて一つにくくる。たばねる。「枯れ枝を—ねる」❷（うでを）組み合わせる。こまぬく。「手を—ねる」❸統率する。たばねる。「三軍を—ねる」[文]つか・ぬ《下二》。

つか‐の‐ま【▽束の間】ちょっとの間。わずかの間。瞬間。「—の休日」「—も忘れない」[参考]→束(つか)㊁。

つかまえ‐どころ【×摑え所・×捉え所】（つかまへ—）つかみどころ。

つかま・える【捕まえる・×摑える・×捉える】（つかまへる）《他下一》❶（逃げるものを）とらえる。とりおさえる。「どろぼうを—える」[表記]「捕まえる」と書く。[類語]召し捕る。挙げる。一網打尽。（る）逮捕。拿捕(だほ)。❷（はなすまいと）手でしっかりともつ。また、つかんで自分のものとする。「袖(そで)を—えてはなさない」「チャンスを—える」[表記]②は「摑える」「捉える」と書く。[類語]捕らえる。生け捕る。取り押さえる。（る）捕捉。キャッチ。❸（「…を—えて」の形で）…を相手にして。「私を—えてぐちをこぼす」[文]つかま・ふ《下二》。

つかま・せる【×摑ませる】《他下一》《「つかむ」の使役形》❶わいろ・代償などをうけとらせる。「飲み代を—せる」❷だまして悪い品物を買わせる。「にせ物を—せる」[文]つかま・す《下二》。

つかまつ・る【▽仕る】㊀《自四》〔古〕「仕える」の謙譲語。お仕え申し上げる。㊁《他五》「する」「行う」の意の謙譲語。いたす。〔古風な言い方〕「どう—りまして」[文]《四》。㊂《補動》《おもに漢語動詞の語幹あるいは連用形について》謙譲の意を表す。ご…申し上げる。〔格式ばった言い方〕「拝借—りました」[文]《四》。

つかま・る【捕まる・×摑(ま)る・×捉(ま)る】《自五》❶（逃げたものが）とらえられる。「犯人が—る」[表記]「捕まる」と書く。❷ひきとめられる。「あいつに—ると面倒だ」❸手でにぎって、また、しっかりととりすがってからだをささえる。「鉄棒に—る」[表記]②③は「摑(ま)る」「捉(ま)る」と書く。[類語]縋(すが)る。縋り付く。取り縋る。しがみつく。取り付く。[文]《四》。

つかみ【×摑み】❶→握り③。❷破風(はふ)の合う部分をじょうぶにするために使う木。

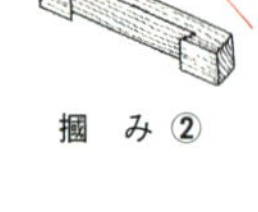

摑み②

つかみ‐あ・う【×摑み合

う】《自他五》互いにつかむ。互いのからだをつかんでけんかをする。「人前でー・う」類語 取っ組み合う。

つかみ-かか・る【×摑み掛かる】《自五》相手に激しい勢いで組みつく。「強盗にー・る」

つかみ-きん【×摑み金】きちんとした基準によらず、大ざっぱに与える金銭。つかみがね。

つかみ-どころ【×摑み所】〈「ーがない」などの形で〉❶とりつく所がない。とらえどころがない。「ーのないへんな男」❷要点がはっきりしない。「ーがない質問」

つかみ-どり【×摑み取り】❶物を手につかんだだけ取ること。「濡れ手で粟のー(=苦労しないで利益を得ること)」❷物を手で無造作に取ること。

つか・む【×摑む・×攫む】《他五》❶物を手でしっかりと握り持つ。「碁石をー・む」「雲をー・むような話」類語 握る。(す)把持。❷自分のものとする。手に入れる。「大金をー・む」「証拠をー・む」類語 有り付く。得る。射止める。(す)獲得。取得。❸心にとらえる。「相手の気持ちをー・む」類語 (す)把握。文《四》。

つか・る【▽浸かる・漬かる】《自五》❶液体の中に長くはいる。転じて、ある状態・境地にはいりきる。「家が床下まで水にー・る」「怠惰な世界にー・る」❷漬物が熟して味が出てくる。「白菜がほどよくー・る」表記 ②はもっぱら「漬かる」と書く。文《四》。

つかれ【疲れ】つかれること。疲労。「ーがひどい」

***つか・れる**【×憑かれる】《自下一》霊魂などにのりうつられて、言動が自分以外の力に支配された状態になる。「キツネにー・れる」参考「…にー・れたように」の形で使われることも多い。「何かにー・れたようにしゃべりまくる」

***つか・れる**【疲れる】《自下一》❶〔精力・体力を消耗して〕神経やからだが弱る。くたびれる。疲労する。また、元気がなくなる。「ー・れて動けない」「生活にー・れる」類語 へばる。へたばる。へこたれる。ばてる。気骨が折れる。足が棒になる。❷長く使ったために、その物が本来持つ能力・性質がおとろえる。「ー・れたズボン」「ー・れた田畑」文 つか・る《下二》。

つかわし-め【使わしめ】神仏の使いとされる動物。熊野のカラス、稲荷のキツネなど。お使い。

つかわ・す【遣わす】一《他五》〔文〕❶〔目下の者に命じて〕行かせる。派遣する。「使者をー・す」❷〔身分の高い者が目下の者に〕物を与える。「ほうびをー・す」文《四》。二《補動》…してやる。〔尊大な気持ちがこめられる〕「許してー・す」文《四》。

***つき**【付(き)】一《名》❶〔物が他の物に〕つくこと。「おしろいのーが悪い」❷火が燃え出すぐあい。火のつき。❸つき従う人。お供。お付き。❹〔俗〕よいめぐりあわせ。幸運。「ーが回ってきた」二《接尾》❶「…に現れたようす」の意。「顔ー」「手ー」表記 かなで書くことも多い。❷「…がついている」の意。「三食ー」「保証ー」「こぶー」❸〔「づき」の形で〕「…についている」「…に所属する」の意。特に、役職を表す語について、その仕事を助ける役(の人)の意。「部長ー」表記 ②③は「附(き)」とも書く。参考「づき」と濁る場合もある。

***つき**【月】❶地球の衛星。太陽の光の反射によって輝く。新月から新月までの周期は約二七・三日。太陰。月輪。❷月の光。月光。「ーがさし込む」「ーに輝く」❸〔暦の上で〕一年を一二に分けた一つ。参考「大の月」と「小の月」がある。「ーが変わる」❹一か月。約三〇日間。「ーに一回集まる」❺約一〇か月の妊娠期間。「ーが満ちて生まれる」⇩〔類語と表現〕

ーと鼈《句》二者の違いが甚だしいことのたとえ。

ーに叢雲花に風《句》よい状態は長く続かず、とかく支障が多いということ。「花に嵐」とも。

> **類語と表現**
>
> 「月」
>
> *月が出る〔昇る・沈む〕・月が光る〔照る・輝く〕・月が冴える〔冴え渡る・冴え返る〕・月が満ちる〔欠ける〕・月がさし込む・月の明るい夜／月が明ける・月に一度の会合。
>
> ◆〔月の種々相〕繊月・弓張り月・偃月・片割れ月・半月・弦月・片月・盈月・虧月／名月・明月／名残の月・残月・寒月・秋月・春月・朧月・朧月／青白月・霽月／落月・湖月・山月・水月・風月・孤月／雨月・雨夜の月
>
> ◆〔月齢〕新月・三日月・十日余りの月・十三夜の月・望月(=満月)・十六夜の月・有明け月(=一六日以後)・立待ち月(=一七日)・居待ち月(=一八日)・臥待ち月(=一九日)・寝待ち月(=一九日)・更待ち月(=二〇日)・二十日余りの月・二十三夜の月
>
> ◆〔月の異称〕睦月・如月・弥生・卯月・皐月・水無月・文月・葉月・長月・神無月・霜月・師走

***つき**【×槻】❶「けやき」の古称。❷ニレ科の落葉高木。ケヤキの変種。材質はケヤキよりも劣る。

***つき**【尽き】尽きること。終わり。果て。「運のー(=続いてきた幸運の終わり)」

***つき**【突き】一《名》❶突くこと。❷剣道で、相手ののどを突くわざ。おつき。❸相撲で、相手を正面から平手で突きたてる技。二《接頭》《動詞について》その動作の勢いを強める意。「ー進む」参考 あとにつづく語によって「つっ」「つん」とも。「つっ走る」「つんのめる」

***つき**【付き・就き】《自五》《動詞「つく」の連用形》「…にー」の形で助詞的に使う。↓つく(付く)⑤・つく(就く)②。

***つぎ**【次】❶〔時間・位置・階級・順位などが〕すぐあとに続く・こと(もの)。また、その所。「ーの会合」「ーの間」❷〔古〕宿場。宿駅。「東海道五十三ー」

***つぎ**【継ぎ・接ぎ】着物や布の破れた所に別の布を当ててつづること。また、そのための布地。「ーを当てる」

づき【付(き)】《接尾》↓つき(付き)二②③。

つき-あい【付(き)合い】つきあうこと。「ーのいい人」「ーが広い」表記「交際」とも当てる。

つき-あ・う【付き合う】《自五》❶〔互いに行き来して〕親しく交わる。交際する。「十年来ー・ってきた人」❷《他五》〔社交上・交際上などの必要や義理から〕他人と行動をともにする。「ゴルフにー・う」

つき-あかり【月明(か)り】月の光(によるあかり)。月明。「ーで道がよく見える」

つき-あ・げる【突き上げる】一《他下一》❶下から突いて押し上げる。「拳をー・げる」❷下位の者が上位の者に圧力をかけて、ある行動をとるように仕向ける。「組合の幹部をー・げる」二《自下一》ある感情が急に強くはげしく外に出る。「怒りがー・げる」

つき-あたり【突(き)当(た)り】突き当たる・こと(所)。特に、道の行き詰まった所。「ーを左に曲がる」

つき-あた・る【突き当たる】《自五》❶〔進んで行く方向にある物に〕〔強い勢いで〕ぶつかる。衝突する。「ガードレールに—・って止まる」❷進む方向が障害物で妨げられて、そのまままっすぐ進めなくなる。「門に—・って右へ曲がる」「絶望の壁に—・る」

つき-あ・てる【突き当てる】《他下一》❶〔強い勢いで〕ぶつける。「壁に車を—・てる」❷捜し当てる。「犯人の隠れ場所を—・てる」類語つきとめる。

つき-あわ・せる【突き合わせる】《他下一》❶二つの物をくっつきそうになるほど近づけて向かい合わせる。参考「顔（鼻・膝）を—・せる」の形で、向かい合って何かをする意を表す。「顔を—・せて対策を練る」❷比べ合わせて、異同などを調べる。照合する。「納品書と品物を—・せる」❸〔それぞれの主張を聞くために〕当事者双方を同時に出席させる。「加害者と被害者を—・せる」

つぎ-あわ・せる【継ぎ合わせる】《他下一》❶つないで一つにする。「割れた皿を—・せる」❷縫いつけて一つにする。「小布を—・せて敷物を作る」

つき-いた【突（き）板】木目の美しい材をはいで薄板にしたもの。また、それを張って仕上げた化粧板。

つき-うま【付（き）馬】→つけうま。

つき-おくれ【月遅れ・月後れ】❶旧暦で行っていた行事を、新暦のその月日に行わずに一か月遅らせて行うこと。「—の正月」❷月刊誌で、前月または数か月前の号。「—の雑誌」

つき-おと・す【突き落とす】《他五》❶高い所から突いて落とす。「谷底へ—・す」❷いちばん悪い状態におとしいれる。「絶望のどん底に—・す」

つき-かえ・す【突き返す】《他五》❶突いてきたものを突いてもとへもどす。❷〔出されたものを〕受け取らずに返す。つきもどす。「辞表を—・す」＝つっかえす。

つき-かげ【月影】❶〔雅〕月の光。月の姿。「冴え渡る—」❷〔古〕月の光に照らし出された人や物の姿。

つき-がけ【月掛（け）】月々掛け金をすること。また、その掛け金。「—貯金」類語日掛け。

つき-がわり【月代（わ）り】❶月がかわること。次の月になること。❷一か月ごとに交替すること。

つぎ-き【接（ぎ）木】《名・他サ》〔品種の改良などのため〕木の芽や枝などの一部を切り取って他の木につぐこと。また、そのようにして育てた木。類語とり木。

つき-ぎめ【月▽極め】一か月を単位として契約すること。また、その契約。「—駐車場」

つき-きり【付き切り】絶えずそばに付き添って離れないこと。つきっきり。「—で弟の勉強をみる」

つき-き・る【突き切る】一《他五》突いて切る。二《自五》〔広い野原や道などを〕一息にまっすぐ横切る。つっきる。「線路が荒野を—・る」

つき-くず・す【突き崩す】《他五》❶〔形のあるものを〕突いてくずす。「古い土塀を—・す」❷敵陣に突入して、守りを打ち破る。「敵陣の一角を—・した」

つき-げ【月毛・×鴇毛】馬の毛色で、少し赤みをおびた茶色。また、その馬。

つぎ-こ・む【▽注ぎ込む】《他五》❶器の中に液体をそそぎ入れる。「とっくりに酒を—・む」❷ある事のために多くの金や人を使う。「収入の大半を趣味に—・む」

つき-ごろ【月×頃】〔文〕最近の数か月間。

***つぎ-ざお**【継（ぎ）×棹】さおの部分が継ぎ合わせるようになっている三味線。

***つぎ-ざお**【継（ぎ）×竿】何本かを継ぎ合わせて長くして使う釣竿。対延べざお。

つき-ささ・る【突き刺さる】《自五》〔先のとがった物が〕突き立って中に入る。「矢が—・る」「その一言が心に—・った（＝その一言で心を痛める）」

つき-さ・す【突き刺す】《他五》〔先のとがった物で〕突いて刺す。「人を—・すようなことば」

つき-じ【▽築地】〔雅〕沼・海などを埋め立てた土地。埋立地。注意「ついじ」と読むと別語。

つき-したが・う【付き従う・付き▽随う】《自五》❶〔人の〕あとからついて行く。お供をする。❷強力なものの勢力下にはいる。「権力者に—・う」

つき-しろ【月白】月が出ようとするとき、空が少し明るくしらんで見えること。

つき-ずえ【月末】月の終わりごろ。下旬。月末。対月初め・月半ば。

つき-すす・む【突き進む】《自五》勢いよく進む。突進する。「敵陣に—・む」「破局の道へと—・む」

つきせ-ぬ【尽きせぬ】《連体》〔文〕いつまでたっても尽きることのない。「—思い」「—なごり」

つき-そい【付（き）添い】〔病人や子供などの〕そばにいて世話をする・こと（人）。「幼児の—」「—人」

つき-そ・う【付き添う】《自五》〔世話をするために〕そばについている。「老親に—・う」

つぎ-だい【接（ぎ）台・継（ぎ）台】❶つぎ木をするとき、台にする木。台木。対つぎ穂。❷踏み台。

つき-だし【突（き）出し】❶相撲で、相手を土俵の外に突いて出す・こと（技）。❷料理屋などで、酒のさかなとして最初に出す軽い料理。（お）通し。❸ある業に、はじめてつくこと。「—から成功した」

つき-だ・す【突き出す】一《他五》❶ある範囲の外へ突いて出す。「土俵の外へ—・す」❷体の一部や物を前の方へ（勢いよく）出す。「手を—・す」「茶わんを—・す」❸〔犯人などを〕警察に渡す。「空巣を—・す」二《自五》突き出る。「丸太が斜めに—・している」

つぎ-た・す【継ぎ足す】《他五》足りない分をつけ加える。「机の脚を—・す」「ウイスキーを—・す」表記液体の場合はふつう「注ぎ足す」と書く。

つき-た・てる【突き立てる】《他下一》❶勢いよくまっすぐに立てる。「旗を—・てる」❷〔先のとがった物を〕強く突き刺す。❸はげしく突く。突きまくる。

つぎ-た・てる【継ぎ立てる】《他下一》〔文〕宿場で、かご・馬などをのりかえる。

つき-たらず【月足らず】胎児が妊娠三六週以前に生まれること。また、その子ども。早生児。

つき-づき【月月】月ごとに同じ事が行われること。毎月。〔副詞的にも用いる〕「—三万円貯金している」

つぎ-つぎ【次次】《副》（「—と」「—に」の形も）次から次へと続くようす。「—と事件が起こる」

つき-っきり【付きっ切り】「付ききり」を強めた言い方。「—で看病する」

つき-つ・ける【突き付ける】《他下一》〔目の前に〕荒々しく差し出す。また、強い態度で相手に差し出す。参考多く、好ましくないものを差し出す場合にいう。「銃を—・ける」「難問を—・ける」

つき-つ・める【突き詰める】《他下一》❶ある一つのことをいちずに思いこむ。「あまり—・めて考えるな」❷最後まで考え抜いて、突き止める。「原因を—・める」

つぎ-て【継(ぎ)手】 ❶〔金属・木材など〕物と物とをつぎ合わせた所。つぎめ。❷家督・家業をつぐ人。❸囲碁で、離れた石の群れをつなぐために打つ手。表記 ①③は「接(ぎ)手」とも書く。

つき-・でる【突き出る】《自下一》❶外へ突き破って出る。「釘が―・出る」❷ある部分が他の部分よりも前へ出っぱる。「腹が―・出る」「海に―・出た防波堤」

つき-とお・す【突き通す】《他五》❶《自五》突いて反対がわに通す。突き抜く。また、突き抜ける。「針を―・す」「弾丸が壁を―・した」❷〔意見などを〕主張して通す。「信念を―・す」類語 貫く。

つき-とお・る【突き通る】《自五》突いて反対がわに抜ける。突き抜ける。

つき-とば・す【突き飛ばす】《他五》はげしく突いてむこうへやる。「人を―・して電車に乗る」

つき-と・める【突き止める】《他下一》〔わからない点を〕徹底的に調べて明らかにする。「事故の原因を―・める」「正体を―・めた」類語 つきあてる。

つき-なかば【月半ば】 月のなかごろ。中旬。月中。対 月初め・月末。

つき-なみ【月並(み)・月▽次】 ❶毎月定期的に行うこと。「―の会」❷《名・形動》型にはまって平凡なこと。「―な挨拶をする」類語 ありきたり。陳腐。⇩〔類義語の使い分け「ありきたり」〕

つぎ-に【次に】《接続》前の事柄に後の事柄が続く意を表す。続いて。「―会計報告に移ります」

つき-ぬ・ける【突き抜ける】《自下一》❶〔隔たりを〕突きやぶって反対側へ出る。「壁を―・ける」参考 ひゆ的に、障害を乗り越える意にも用いる。「長いスランプからやっと―・けた」❷通り抜ける。「路地を―・ける」

つき-の・ける【突き▽除ける】《他下一》荒々しく押しのける。「友を―・けて前へ出る」

つぎ-の-ま【次の間】 ❶〔日本間で〕おもな部屋に続いた、隣の小部屋。控えの間。「―に控える」❷主君のいる部屋の次の部屋。

つき-の-わ【月の輪】 ❶月。❷〔満月にかたどった〕円形。❸「月の輪熊」の胸にある白い三日月形の部分。

―ぐま【―×熊】 クマ科のけもの。全身黒色で、胸に三日月形の白斑がある。日本特産で、雑食性。胆のうは「くまのい」として胃の薬にする。

＊つぎ-は【継(ぎ)端】 話などを続けるきっかけ・手がかり。つぎほ。「話の―を失う」

＊つぎ-は【継(ぎ)歯】 ❶こまげたなどの歯がすり減ったとき、他の木を継ぎ足して高くすること。また、その部分。❷悪い歯を削って人造の歯を継ぎ足すこと。また、その歯。＝つぎば。

つぎ-はぎ【継ぎ▽接ぎ】 ❶つぎを当てたり、布をはぎ合わせたりすること。また、その部分。「―だらけの服」❷〔論文などで〕他人の書いたものからその一部分を少しずつよせ集めて文章を作ること。

つき-は・てる【尽き果てる】《自下一》すっかりなくなってしまう。「精も根も―・てる」

つき-はな・す【突き放す】《他五》❶強く押して離れさせる。❷〔たよってくる相手を〕冷たく見捨てる。「親にも―・された」＝突っ放す。

つき-ばらい【月払(い)】 一月ごとに分割して支払うこと。「―で車を買う」類語 月賦。

つき-ばん【月番】 一月交替で勤務する・こと(人)。

つき-ひ【月日】 暦の上での月と日。(比較的長い)時間。「―がたつのは早い」類語 年月。歳月。

つき-ひざ【突(き)×膝】 両ひざとつま先をそろえて地につけ、腰を浮かした姿勢。

つき-びと【付(き)人】 付き添って、身の回りの世話をする人。つけびと。〔芸能人や力士などに使う〕

つき-べり【×搗(き)減り・×舂(き)減り】《名・自サ》米などをついたためにその分量が減ること。

つぎ-ほ【接(ぎ)穂・継(ぎ)穂】 ❶つぎ木のとき、台木につぐ枝や芽。対 つぎ台。台木。❷とぎれた話を続ける機会・手がかり。「話の―にこまる」

つき-まいり【月参り】《名・自サ》神社や寺などに毎月きまっておがみに行くこと。月もうで。

つき-ま・ぜる【×搗き交ぜる】《他下一》❶ついてまぜあわせる。「米と豆を―・ぜる」❷種類の異なるものをいっしょにする。「カニとイカを―・ぜたような味」

つき-まと・う【付き×纏う】《自五》❶〔人などが〕いつもそばについて離れないでいる。「私に―・うのはやめて下さい」❷〔ある事柄・事情などが〕いつも自分の身から離れないでいる。「悪い噂が―・う」

つき-み【月見】 ❶満月を見て楽しむ・こと(行事)。観月。特に、陰暦八月一五日の夜(＝十五夜)と九月一三日の夜(＝十三夜)。❷「月見うどん」「月見そば」の略。かけうどんやかけそばに、生卵を割って落としたもの。参考 卵黄を月に見立てた語。**―そう【―草】** ❶アカバナ科の二年草。高さ六〇センチ前後。夏の夕方、四弁で白色の花を開き、翌朝しぼんで赤く変わる。メキシコ原産。❷「まつよいぐさ」「おおまつよいぐさ」の俗称。

つぎ-め【継(ぎ)目】 ❶二つの物を継ぎ合わせた所。つなぎめ。「レールの―」類語 合わせ目。❷あとつぎ。

つき-もうで【月×詣(で)】 月参り。〔古風な言い方〕

つき-もど・す【突き戻す】《他五》荒々しくもとへ返す。つきかえす。「お金を―・す」

＊つき-もの【付き物】 あるものとともにいつも存在して、切り離しがたいもの。「梅にウグイスは―だ」

＊つき-もの【×憑(き)物】 人間にのりうつって異常な行動をさせる、ある種の物の霊。「―が落ちたよう」

つぎ-もの【継ぎ物】 衣服の破れを繕うこと。また、破れを繕わなければならない衣服。類語 繕い物。

っ-きゃ《係助》↓しか(係助)。

つき-やく【月役】 月経。〔婉曲で古風な表現〕

つき-やぶ・る【突き破る】《他五》❶強い力で突いて破る。「障子を―・る」❷敵の堅い守りや囲みをはげしく攻撃してくずす。「敵の陣地を―・る」

つき-やま【〈築山〉】 日本庭園で、山をかたどって土や石を小高く盛った所。

つき-ゆび【突き指】《名・他サ》指先を強く物にぶつけたりして、指の関節を痛めること。

つき-よ【月夜】 月が明るい夜。対 闇夜。**―がらす【―×烏】** 月夜にうかれて鳴くカラス。

―に釜を抜か・れる《句》〔月夜に釜を盗まれる意から〕ひどく油断していることのたとえ。

―に提灯《句》不必要であることのたとえ。

っ-きり《副助》↓きり(副助)。

つ・きる【尽きる】《自上一》❶〔減っていって〕すっかりなくなる。「資金が―・きる」❷〔続いていたある物事が〕そこで終わる。果てる。「力が―・きる」「話題が―・きない」❸〈「…に―・きる」の形で〉…に限る。もっぱら…だけである。「怖いの一言に—•きる」「疲れをいやすには音楽を聴くに—•きる」文つ•く《上二》。

つき-わり【月割(り)】 ❶月の数に分けること。また、その平均。類語 日割り。❷月賦。

***つ•く**《接尾》《擬声語•擬態語などの一部について》その音•動作•様子があらわれる。「がた—•く」「びく—•く」

***つ•く【付く•▽附く】**《自五》❶二つのものが触れ合って離れない状態になる。㋐ものが表面にすきまなく触れる。また、かたく表面に触れて取れない状態である。「服に泥が—•く」「何も手に—•かない(=身を入れて物事をすることができない)」㋑すきまなく接する。「小さな庭の—•いた家」㋒主となるものなどに添えられる。付加される。「おまけが—•く」「理屈が—•く」㋓与えられて身に負う。「役が—•く」「名が—•く」㋔ものの表面にしるされて残る。「指紋が—•く」「しみが—•く」㋕その人の身などにしっかりと位置を占め、そこから離れなくなる。「身に—•いた学問」㋖(「よい運がつく」の意で)運が向く。幸福になる。「今年は—•いている」㋗(怨霊おんりょうなどが)身に乗り移って離れない。とりつく。「悪霊が—•く」表記 ㋗はふつう「憑く」と書く。㋘人体の感覚器官にはいりこむ。また、感覚•知覚がはたらく。「話し声が耳に—•く」「気が—•く」㋙他人のそばを離れずにいっしょにいる。また、後ろを離れずに従い続く。「夫に—•いて上京する」「私のあとに—•いてきて」㋚控える。「パトロンの—•いた女」㋛よしとして味方する。「徳川方に—•いた大名」「易やすきに—•く」㋜〈「…とも—•かない」「…とも—•かぬ」などの形で〉…にも属さない。「愚にも—•かぬ」㋝沿う。道などから離れずに行く。「小さな道に—•いて川辺におりる」❷新たな状態が発生する。㋐新たに生じる。また、さらに加わる。「力が—•く」「勢いが—•く」㋑ある現象がおこる。ある働きが始まる。「火が—•く」「電灯が—•く」表記 ㋑で明かりの場合は「点く」とも書く。❸明らかに定まる。㋐不定だった状態が終わり、ある状態におちつく。「かたが—•く」「研究の目鼻が—•く」「勝負が—•く」㋑それと知られて定まる。「見当が—•く」「想像が—•く」㋒ある値に定まる。ある値に相当する。「船の旅は高く—•く」❹特に、酒が温められて飲める状態になる。「お燗かんが—•く」❺〈「…に—•き」の形で〉…という理由で。…のため。「雨天に—•き中止」文《四》。⇩〖使い分け〗

***つ•く【就く】**《自五》❶ある位置に身を置く。㋐特定の場所•位置に身を定め置く。「席に—•く」「皇位に—•く」表記 即位の場合には多く「即く」と書く。㋑目ざす道に身を置く。「家路に—•く」「寝に—•く」㋒ある位置に身を置いて仕事を始める。「職に—•く」㋓人をえらびとって従う。「師に—•いて学ぶ」❷〈「…に—•き(て)」「…に—•いて」の形で〉㋐…に関して。「その件に—•き質問します」㋑…に応じて。…ごとに。「一時間に—•き一〇〇円」文《四》。⇩〖使い分け〗

***つ•く【▽浸く•漬く】**《自五》❶水がものをひたす。「床上ゆかうえまで水が—•く」❷つかる②。〔古風な言い方〕文《四》。

***つ•く【着く】**《自五》❶移動していって、ある場所に達する。到着する。「荷物が—•く」❷届き触れる。「底に足が—•く」文《四》。⇩〖使い分け〗

***つ•く【▽吐く】**《他五》❶口からはき出す。「ため息を—•く」「一息—•く」❷〔うそ•悪口などを〕言い放つ。「うそを—•く」文《四》。⇩〖使い分け〗

***つ•く【×搗く•×舂く】**《他五》穀物を杵きねでたたいて押しつぶしたり白くしたりする。また、もちを作る。「米を—•く」「もちを—•く」文《四》。⇩〖使い分け〗

***つ•く【突く】**《他五》❶先のとがったもので、一点を刺す。「針で指を—•く」表記「衝く」とも書く。❷手や棒状のものの先で強く•押す(打つ)。「後ろから手で背中を—•かれた」❸〔印形いんぎょうで〕印をつける。「はんを—•く」❹まりや羽根などを強く•打つ(押しやる)。「羽根を—•く」「鐘を—•く」表記 ④で鐘や球の場合は「撞く」とも書く。❺棒状のものの先を、ささえとして他のものにあてる。「杖つえを—•いて歩く」❻ある場所を目がけて鋭く•攻める(責める)。また、だしぬけに攻める。「敵陣を—•く」「弱点を—•く」表記 ⑥は「衝く」とも書く。❼〔雨•風•雪などを〕障害となるものを物ともしないですすむ。おかす。「吹雪を—•いて進む」表記 ⑦は「衝く」とも書く。❽心や感覚を強く刺激する。「鼻を—•くにおい」「口を—•いて出る」表記 ⑧は「衝く」とも書く。文《四》。⇩〖使い分け〗

使い分け「つく•つける」

付く(▽附)〔二つのものが離れない状態になる。新たな状態が発生する。明らかに定まる〕知識が身に付く•しみが付く•目に付く•火が付く•味方に付く•病人に付き添う•お付き合い•付け焼刃
く•条件が付く•力が付く•一段落付く•飛び付く•付

着く〔目的の所に達する。とどく〕まっすぐ席に着いた•軽井沢に着く•手紙が着く•船が岸に着く•足が地に着く•行き着く•落ち着く•帰り着く

就く(▽即)〔ある位置に身を置く〕知事の席に就く•王位に就(即)く•家路に就く•床に就く•職に就く•任務に就く•緒しょ•ちょに就く

突く(▽衝•×撞)〔手前から向こうへ強く力を加える。強く刺激する〕竹で突く•まりを突く•判こを突く•キューで球を突(撞)く•鐘を突(撞)く•急所を突(衝)く•口を突(衝)いて出る•風雨を突(衝)く•不意を突(衝)く•胸を突(衝)く•鼻を突(衝)く•意気天を突(衝)く

つく(▽吐)〔はく。言い放つ〕ため息をつく•一息つく•うそをつく•悪態をつく

つく(×搗•×舂)〔穀物などをたたいて白くする。もちをつくる〕米をつく•あわもちをつく

つく(×憑)〔悪霊などがのりうつる〕キツネがつく•物の怪けがつく•つかれたようにさまよう

つく•つける(▽点)〔電灯がともる〕灯がつく•ネオンがつく•ランプをつける•明かりをつける

つく•つける(×蹤•×跟)〔あとに続いて行く〕方針につく•民衆がついて行く•子供がついて来る•あとをつける•刑事につけられる

付ける(▽附•▽点)〔二つのものを離れない状態にする。新しい状態をおこす。明らかに定める〕口に付ける•色を付ける•名を付ける•値を付ける•火を付(点)ける•日記を付ける•味方に付ける•付録を付ける•保険を付ける•条件を付ける•利息を付ける•付け加える•押し付ける•受け付ける•貸し付ける

着ける〔身にまとう。目的の所にとどかせる。くっつくようにする〕はかまを着ける•車を玄関に着ける•指先を地面に着ける•知識を身に着ける•のりで着ける

就ける(▽即)〔ある位置に身を置かせる。その仕事を行わ

せる〕社長のいすに就ける・王位に就（即）ける・床（とこ）に就ける・職に就ける・役に就ける・守備に就ける・家庭教師に就ける

参考「〜に付（就）き・〜に就いて・〜に就き」は一般にかな書き（喪中につき御遠慮します・自由について語る・百グラムにつき一〇〇〇円）。また、「勢い付く・行き付け・板に付く・かたを付ける・今日は付いている・高く付く・酒のかんを付ける」などもかな書きが一般的。このほか「元気づける・見つける」など「付」についてはかな書きが多い。「付」は与えるかたちで、くっつける意。つけそえる意。「附」は他について付属になる、つけそえる意。「衝」は特定の所へ勢いよく向かわせる意。「撞」は棒などを目的のものに勢いよく当てる意。「点」は明かりがともる、火が燃え始める意であるが、「（枯れ草に）火がつく」場合は「付」を用いている。

*つ・ぐ【次ぐ・▽亜ぐ】《自五》❶すぐそのあとに続く。ひき続く。「秀吉に―・いで家康が天下を取った」❷すぐその下に位する。「大統領に―・ぐ地位」「A君に―・ぐ好成績」類語 後（おく）れる。劣る。ひけを取る。一籌（いっちゅう）を輸する。後塵（こうじん）を拝する。文《四》。⇩〔使い分け〕

*つ・ぐ【▽注ぐ】《他五》容器に物を入れる。特に、液体をそそぎ入れる。「飯を―・ぐ」「酒を杯に―・ぐ」表記 飯の場合は、かな書きも多い。文《四》。⇩〔使い分け〕

*つ・ぐ【継ぐ】《他五》❶続いてきたものを絶やさずに、そのあとへ続ける。「家業を―・ぐ」「言葉を―・いで話す」類語（する）継続。継承。踏襲。中継。❷絶やさずにそのままの状態を保つ。「命を―・ぐ（＝つなぐ）大切な米」❸切れ目なく連ねる。「踵（くびす）を―・ぐ」❹つなぎ合わせる。「骨を―・ぐ」表記 ④は「接ぐ」と書く。❺衣類の破れなどをつくろう。「ほころびを―・ぐ」❻添え足す。増し加える。「火鉢に炭を―・ぐ」文《四》。⇩〔使い分け〕

使い分け「つぐ」

次ぐ〔ひきつづく。すぐ下に位置する〕事件が相次ぐ・徹夜に次ぐ徹夜・社長に次ぐ人物・乾杯に次いで来賓の挨拶（あいさつ）がある・取り次ぐ

継ぐ〔あとを引き受けて続ける。絶やさず同じ状態を保つ〕志を継ぐ・息を継ぐ・家元を継ぐ・跡を継ぐ・夜を日に継ぐ・命を継ぐ・炭を継ぐ・継ぎはぎ

接ぐ〔つなぎ合わせる。つぎ木をする〕骨を接ぐ・茶わんの欠けを接ぐ・木に竹を接ぐ・話の接ぎ穂

つぐ（▽注）〔容器に物をいれる。液体をそそぎいれる〕飯をわんにつぐ・茶をつぐ・お酒をついで回る

参考「家元を継（▽襲）ぐ・跡を継（▽嗣）ぐ」のように、「襲・嗣」は跡継ぎの意で用いられた。「次」は「…に次いで」の形で使われることが多い。

づ・く【付く】《接尾》《名詞について五段活用動詞をつくる》❶その状態になっていく。その度合いが強くなる。「元気―・く」「活気―・く」❷その状態から離れられなくなる。「すっかり勉強―・いている」文《四》。

つくえ【机】読書したり、字を書いたりするときに使う台。「―を並べる（＝同じクラス・職場などで、ともに学んだり働いたりする）」類語 デスク。

つくし【▽土▽筆】スギナの地下茎から出て、胞子をつける茎。春早く茎の先に筆の先のような穂ができる。食べられる。つくづくし。つくしんぼ。

づくし【尽（く）し】《接尾》《名詞の下について》それと同類のものをできるだけ多く並べあげる意。「国―」

つく・す【尽くす】㊀《他五》❶ある限りを出しきって使う。ことごとくする。「礼を―・して頼む」「全力を―・す」❷《自動詞的に用いて》そのもののために、じゅうぶんな働きをする。尽力する。「夫のために―・す」文《四》。参考「力を尽くす」などを省略した表現。㊁《接尾》ことごとく…する。極限まで…する。…し切る。「食い―・す」「使い―・す」文《四》。

つくだ-に【×佃煮】小魚・貝・海藻・野菜などを、しょうゆ・砂糖・みりんなどで濃い味に煮つめたもの。参考 江戸の佃島（つくだじま）で初めて作られたことから。

つく-づく【▽熟】《副》《「―と」の形も》❶念を入れて・考える（見る）ようす。じっくり。「―考えてみると…」「自分の顔を―ながめる」❷身にしみて感じられるようす。「―いやになる」類語 よくよく。ほとほと。

つくつく-ぼうし【つくつく法師・▽寒×蟬】セミ科の昆虫。はねは透明。夏の半ばから秋の初めまでみられる。鳴き声が「ツクツクホーシ」「オーシーツクツク」などと聞こえる。法師蟬。つくつくほうし。

つぐな・う【償う】《他五》〔犯した罪やあやまち、また、相手に与えた損失などを〕金品・労力などで埋め合わせる。つぐのう。「罪を―・う」文《四》。

つくね-いも【×捏芋・▽仏▽掌×薯】ヤマノイモ科のつる性多年草。ナガイモの一品種で、畑で栽培する。手の形をした塊根（かいこん）を食用にする。とろろいも。

つくね-やき【×捏ね焼（き）】たたいた魚肉や鶏肉などに、鶏卵・かたくり粉を加えてよくすりまぜて丸め、炭火などで焼いた料理。つくね。

つく・ねる【×捏ねる】《他下一》❶手でこねて（丸い形に）作る。「粘土を―・ねる」❷乱雑に積み重ねる。文 つく・ぬ《下二》。

つくねん-と《副》何もしないで（寂しそうに）一人でぼんやりしているようす。「―すわっている」

つくばい【×蹲（い）】〔手を洗うときつくばうことから〕茶室の入り口・庭の縁側近くなどに置く、石の手洗いばち。表記「蹲踞」とも書く。

つくば・う【×蹲う】《自五》うずくまる。しゃがむ。「池のほとりに―・う」文《四》。

つくば・る【×蹲る】《自五》つくばう。文《四》。

つぐみ【×鶫】ヒタキ科の小鳥。秋にシベリアなどから日本へ渡って来る冬鳥。背は茶色で、胸に黒い斑点（はんてん）がある。木の実や地中の虫を食べる。

つぐ・む【×噤む】《他五》〈口を―・む〉物を言わない。黙る。文《四》。

つくも-がみ【▽江▽浦▽草髪・▽九▽十▽九髪】〔文〕老女の白髪。参考 白髪が植物のツクモ（＝太藺（ふとい））に似ていることから。

*つくり【作り・造り】❶作る・こと（人）。また、作られた物のようす。作りぐあい。「いきな―の家」参考 他の語のあとについて複合語を作る場合は、「づくり」と濁ることが多い。「町―」❷組み立て。構造。「からだの―がきゃしゃだ」❸身ごしらえ。化粧。「顔の―に時間がかかる」❹刺身。作り身。「マグロの―」

*つくり【×旁】漢字を左右に分けたとき、右側にある部分。「散」「初」の「攵」「刀」など。対 偏（へん）。

つくり-あ・げる【作り上げる・造り上げる】《他下一》❶作り終える。完成させる。「五日で―・げる」「幸せな家庭を―・げた」❷実際にない物事を作ってしま

う。また、実際にないものをあるように見せかける。でっちあげる。「事件を―げる」

つくり・か・える【作り替える・造り替える】(-かへる)《他下一》❶前のものの代わりに新しく作る。「カーテンを―える」❷すでにあるものを利用し、手を加えて別のものを作る。「着物をドレスに―える」

つくり・ごえ【作り声】(-ごゑ) 人や動物の声をまねたり、わざとふだんの自分の声と違えたりして出す声。「―であまえる」対地声(じごえ)

つくり・ごと【作り事】❶実際にはないことをあるように作った事柄。「―を言ってだます」❷特に、作者の空想や想像で作ったひとまとまりの話。小説など。

つくり・ざかや【造り酒屋】酒を醸造して売る店。

つくり・じ【作り字】❶わが国で漢字をまねて作った字。国字。❷かってに作った字。うそ字。

つくり・だ・す【作り出す・造り出す】《他五》❶〔商品として〕形のあるものに仕上げる。生産する。製造する。「一日一〇〇台の車を―す」❷新しいものを生み出す。創造する。発明する。「芸術品を―す」

つくり・た・てる【作り立てる・造り立てる】《他下一》❶こしらえ上げる。❷人目につくようにはでに装う。飾る。「けばけばしく―てて出かける」

つくり・つけ【作り付け・造り付け】〔家具などを〕取りはずせないように固定して作ること。また、作った物。「―の洗面台」「―のタンス」

つくり・なお・す【作り直す】(-なほす)《他五》〔一度作ったものをやめて〕改めて作る。

つくり・ばなし【作り話】空想や想像で、実際にはないことをあったかのように作った話。架空の話。

つくり・み【作り身】❶魚の切り身。❷さしみ。

つくり・もの【作り物】❶本物に似せて作ったもの。「この真珠は―だ」❷農作物。さくもつ。❸能楽で、舞台に置く道具。❹架空の作品。

つくり・わらい【作り笑い】(-わらひ) おかしくも、うれしくもないのに、むりに笑うこと。「―でごまかす」

つく・る【作る・造る】《他五》❶原料・材料・素材などに手を加えて、目的のものに変える。製造する。作製する。「時計を―る」「宅地を―る」❷〔これまでなかったものを〕新たに生じさせる。㋐はじめて、この世に生み出す。創造する。「エジソンが―った蓄音機」㋑芸術作品などを生み出す。創作する。「小説を―る」㋒作成する。「書類を―る」㋓創立する。創設する。「会社を―る」㋔うちたてる。樹立する。確立する。「世界記録を―る」㋕〔苦心や努力によって〕築き上げる。また、自分のものとする。「明るい社会を―る」「財産を―る」㋖〔手を加えて〕こしらえ育てる。生産する。「じょうぶな子を―る」「野菜を―る」❸美しくととのえる。化粧する。「若く―る」「顔を―る」❹その形にする。かたちづくる。「列を―る」「砂場に山を―る」❺用立てるためにととのえる。「金を―る」「暇を―る」❻ある行為をする。「罪を―る」❼いつわってこしらえる。ことさらにその風をする。「話を―る」「声を―る」文《四》。⇩【使い分け】

使い分け「つくる」

作る(▽創)〔小規模な物や抽象的なものをこしらえる。広く〕着物を作る・人形を作る・料理を作る・計画を作る・規則を作る・記録を作る・小説を作(創)る・学校を作(創)る・国を作(創)る・作り笑い・罪作り

造る〔大規模な物や具象的な物を工業的にこしらえる〕客船を造る・貨幣を造る・庭園を造る・酒を造る・宅地を造る・天地根元造り

参考「国をつくる」では、「国を作る／造る」両様の表記があるが、「作」は初めてつくる(=創)の意を含み、「造」は苦心をしてつくり上げる意を含む。規模の大小や形の有無(具象／抽象)を「造／作」の使い分けの基準にすることもできるが、目安にすぎず、かな書きされることも多い。「造船・造園・酒造・造幣局・宅地の造成」など、「造」を用いる漢語を想起することも使い分けの目安となろう。

つくろい【繕い】(つくろひ) つくろうこと。修理。**―もの【―物】**繕わなければならない物。また、衣服を繕うこと。「―を広げる」類語継ぎ物。

つくろ・う【繕う】(つくろふ)《他五》❶破れた物やこわれた物を再び使えるように直す。修理する。「着物のほつれを―う」❷体裁よくよそおう。「人前を―う」「体裁を―う」❸失敗・欠点などをわからないようにする。「あわててその場を―った」文《四》。

つけ【付け】一《名》❶勘定書。「―を見てお金を払う」❷月末などにまとめて払う約束で、購入代・飲食代などを帳面につけさせておくこと。また、その請求書。「―で買う」「―が回ってくる(=無理や失敗などをしたむくいが現れる)」❸歌舞伎(かぶき)で、場面の緊迫感を盛り上げるため道具方が板を二つの柝(き)(拍子木に似たもの)で打つこと。つけびょうし。「―を打つ」二《接尾》《動詞の連用形について》「常に…をしなれている」意。「行き―の店」「かかり―の医者」表記二はふつうかな書き。

***つげ【告げ】**〈「お―」の形で〉神や仏からの知らせ。託宣。「神のお―をきく」類語神託。

***つげ【▽黄×楊】**ツゲ科の常緑低木。春、黄色の小花を開く。材質は緻密(ちみつ)で堅く、印・くしなどを作る。

つけ・あい【付合】(-あひ) 連歌(れんが)・俳諧(はいかい)で、句と句とを互いに付け合うこと。前に出された句を前句(まえく)、これに付ける句を付句(つけく)という。

つけ・あが・る【付け上がる】《自五》〔相手の寛大な態度をいいことにして〕自分の思いどおりにかってな行動をする。増長する。「やさしくすれば―る」

つけ・あわせ【付(け)合(わ)せ】(-あはせ) 他の物に添える・こと(もの)。特に、肉・魚などの料理に添えて出す野菜・海藻など。

つけ・い・る【付け入る】《自五》機会をつかんでそれをのがさず利用する。つけこむ。「―るすきがない」

つけ・うま【付(け)馬】飲食費や遊興費が払えなかった客の家までついて行って、代金を受け取る人。つきうま。

つけ・おち【付(け)落ち】帳面などに記入すべき事柄を忘れて書いていないこと。また、その事柄。つけおとし。「先月は大口の―があった」類語脱漏。

つけ・ぎ【付け木】ヒノキ・杉などの薄い木片の端に硫黄などを塗りつけたもの。火を他へ移すときに使う。

つけ・く【付句】連歌(れんが)・俳諧(はいかい)の付合(つけあい)で、前の句に付ける句。参考→前句(まえく)。

つげ・ぐち【告げ口】《名・他サ》他人の悪行・秘密・過失などをひそかに人に告げること。類語密告。

つけ・くわ・える【付け加える】(-くはへる)《他下一》前の事柄に添えて加える。付加する。「一言―える」

つけ-げいき【付け景気】 見せかけだけの景気。から景気。

つけ-げんき【付け元気】 見せかけだけ元気そうにふるまうこと。から元気。「―でがんばる」

*__つけ-こ・む【付け込む】__《自五》❶〔仕訳をせずに〕帳簿に書き入れる。❷つけ入る。特に、相手のすき・弱点などにつけ入る。「人の弱みに―・む」

*__つけ-こ・む【漬け込む】__《他五》漬物をつける。また、よくつかるようにつける。「よく―・んだたくあん」

つけ-さげ【付(け)下げ】 着物の模様の一つ。仕立てあげたときに、肩山・袖山を中心に前後とも模様が同一の方向になるように染めたもの。

つけ-ざし【付(け)差し】 自分が口をつけたきせるや杯などを人に渡してのませること。参考 遊里などで、親愛の気持ちを示す粋なこととされた。

つけ-だし【付(け)出し】 ❶掛け売りの請求書。勘定書。かきつけ。❷相撲で、番付に追加して名を載せること。「幕下―」

つけ-た・す【付け足す】《他五》〔元からあるものに〕さらに補い加える。追加する。「新しいデータを―・す」

つけ-だ・す【付け出す】《他五》❶掛け売りの請求書を書いてさし出す。❷相撲で、付け出し②にする。

つけ-たり【付けたり】《「たり」は文語の助動詞》❶〔大した価値のないものとして〕つけ加えたもの。付録。❷口実。名目。「病気見舞いは―だ」

つけ-つけ《副》《「―と」の形も》はげしい調子で無遠慮にものを言うようす。ずけずけ。「―とものを言う」

つけ-どころ【付け所】〈目の―〉注意を向ける点。「目の―がいい」

つけ-とどけ【付け届け】〔義理や謝礼・依頼などの気持ちで〕人に贈り物をすること。また、その贈り物。「盆暮れの―」

つけ-な【漬(け)菜】 漬物用の菜。ハクサイ・トウナ・キョウナ・カラシナ・タカナ・コマツナなどをいう。

*__つけ-ね【付け値】__ 買手がつけた値段。対 言い値。

*__つけ-ね【付け根】__ 物がついている根もとの部分。「腕の―」

つけ-ねら・う【付け×狙う】《他五》絶えずあとをつけて、目的をとげる機会をうかがう。「敵を―・う」

つけ-び【付け火】 放火。

つけ-ひげ【付け×髭】 人工的に作ったひげ。また、それをつけること。

つけ-びと【付(け)人】 つきびと。

つけ-ぶみ【付(け)文】 恋文。〔古風なことば〕恋文がひそかに相手に渡るようにすること。また、その恋文。「お嬢さんに―をする」

つけ-まつげ【付け×睫】 人工のまつげ。

つけ-まわ・す【付け回す】《他五》どこまでもしつこくあとを追う。「女を―・す」

つけ-め【付け目】〔目をつけるべきところの意〕❶利用すべき相手の弱点。「親切心を―に金を借りる」❷隠された本当の目的。目あて。「財産が―で結婚する」

つけ-もの【漬物】 野菜などを塩・ぬか・みそ・酒かすなどに漬けた食べ物。香の物。

つけ-やき【付(け)焼(き)】〔鳥獣の肉、魚の切り身、もちなどに〕しょうゆをつけて、炭火などで焼くこと。また、その焼いたもの。類語 照り焼き。

つけ-やきば【付(け)焼(き)刃】 ❶鈍刀の、刃だけに鋼をつけたしたもの。❷知識などをにわか仕込みで身につけようとすること。また、その知識など。「―の勉強では合格できない」

*__つ・ける【付ける・▽附ける】__ ㊀《他下一》❶二つのものを触れ合わせて離れない状態にする。㋐表面に(すきまなく)触れさせる。また、かたく表面に触れさせて取れなくする。「手に粉を―・ける」「接着剤で板を―・ける」㋑船や車をある場所にとめておりられるようにする。「車を駅に―・ける」表記 ㋑は多く「着ける」と書く。㋒身におびさせる。身に装う。「衣服を―・ける」「ネックレスを―・ける」表記 衣服や装身具の場合には「着ける」と書く。㋓(抽象的なものを)身に負わせる。「役を―・ける」「値段を―・ける」㋔その人の身などにしっかりと位置を占めさせて、そこから離れないようにする。「技術を身に―・ける」「へんな癖を―・けるな」❷主となるものなどに添える。「おまけを―・ける」「もったいを―・ける」❸(食物を)すぐに食べられるように用意する。「ごはんを―・ける」「お酒を―・ける」❹物の表面にしるして残す。特に、記入する。「傷を―・ける」「帳簿を―・ける」❺感覚器官をそれに向ける。「気を―・ける」「目を―・ける」❻そばから離さずにいさせる。「護衛を―・ける」❼あとを追って行く。尾行する。「兄を―・ける」❽新しい状態をおこし、加える。㋐新しい状態を生じさせる。「力を―・ける」「勢いを―・ける」㋑ある現象をおこす。働きを始めさせる。「電灯を―・ける」「火を―・ける」表記 電灯・火の場合には多く「点ける」と書く。❾明らかに定まる。㋐不定だった状態を終わらせ、それと定める。「かたを―・ける」「都合を―・ける」㋑知って、それと定める。「当たりを―・ける」「予想を―・ける」❿〈「…に―・け(て)」の形で〉…に関連して。…に関連させて。「雨に―・け風に―・け」「何かに―・けてめんどうをみる」文 つ・く《下二》。⇩〔使い分け「つく・つける」〕
㊁《接尾》❶習慣となる意。いつも…する。…しなれる。「歩き―・けている道」❷動作の勢いが激しい意。強い勢いで…する。「どなり―・ける」表記 ㊁は多くかなで書く。文 つ・く《下二》。

*__つ・ける【就ける】__《他下一》❶特定の場所・位置に身を置かせる。「席に―・ける」「皇位に―・ける」表記 即位の場合には「即ける」とも書く。❷ある位置に置いて仕事をさせる。「仕事に―・ける」「職に―・ける」文 つ・く《下二》。⇩〔使い分け「つく・つける」〕

*__つ・ける【▽浸ける・漬ける】__《他下一》❶液体のなかに入れて、液体をしみこませる。ひたす。「布を水に―・ける」❷〔独特の風味や香りがつくように〕野菜などを塩・みそ・ぬか・酒かすなどのなかに入れてなれさせる。漬物にする。「ナスを―・ける」表記 ②は、もっぱら「漬ける」と書く。文 つ・く《下二》。

つ・げる【告げる】《他下一》述べ伝える。知らせる。「いとまを―・げる」「風雲急を―・げる」「戦争が終わりを―・げる(＝終わる)」「閉会を―・げる(＝閉会を宣言する。転じて、会が終わる)」文 つ・ぐ《下二》。

づ・ける【付ける・▽附ける】《接尾》《名詞につけて下一段活用動詞をつくる》その物事を他に付け加える。また、与える。「元気―・ける」「秩序―・ける」「関係―・ける」「位置―・ける」文 づ・く《下二》。

つ-ごう【都合】 ㊀《名》❶ある事とのかかわりのぐあい。事のなりゆき。事情。「飛行機の―で出発が遅れた」

❷便宜。「他人の―を考えて行動する」❸《他サ》〔金品や時間などを〕あれこれと手をつくしてととのえること。やりくり。繰り合わせ。工面。算段。融通。「時間を―して会う」「―がつく(=やりくりができる)」「―をつける(=やりくりをつける)」「お金を―してくれ」□二《副》全体で。しめて。ひっくるめて。「―二〇人の参加者」

つ‐ごもり【×晦・×晦▽日】《「月隠(つきごもり)」の転》〔陰暦で〕月の最後の日。月末。みそか。参考 一二月の最後の日は「おおつごもり」。対 ついたち。

つじ【×辻】❶道が十文字にまじわっている所。十字路。四つつじ。❷〔人の往来する〕道ばた。街頭。

つじ‐うら【×辻▽占】〔昔、ツゲのくしを持って辻に立ち、通行人のことばを聞いて吉凶の判断をしたことから〕❶小さな紙片に吉凶をうらなういろいろな文句を書いたもの。また、それを売る・こと(人)。「恋の―」❷偶然の事物から先行きの吉凶を判断すること。

つじ‐ぎみ【×辻君】昔、夜道に立って客を拾った売春婦。夜鷹(よたか)。

つじ‐ぎり【×辻×斬(り)】昔、武士が夜道で通行人を待ちぶせて切ったこと。また、その武士。

つじ‐ごうとう【×辻強盗】道ばたで通行人をおそう強盗。おいはぎ。「―に遭う」

つじ‐せっぽう【×辻説法】道ばたで通行人を相手に行う説法。「日蓮(にちれん)上人の―」

つじ‐だち【×辻立ち】《名・自サ》見物・物売りなどのために街頭に立つこと。〔古い言い方〕

つじ‐つま【×辻×褄】終始一貫すべき、物事の道理・筋道。「―を合わせる」「―が合う」

つじ‐どう【×辻堂】道ばたにある小さな仏堂。

つじ‐ふだ【×辻札】昔、禁止事項などを書いて、辻に立てた札。

つしま【▽対馬】旧国名の一つ。朝鮮海峡にある島。今の長崎県の一部。対州(たいしゅう)。

つた【×蔦】ブドウ科のつる性落葉低木。巻きひげに吸盤があり、樹木などにからみつく。秋に紅葉する。

づたい【伝い】《接尾》「…を伝って行く・こと(所)」「…に沿う・こと(所)」の意。「尾根―」「線路―」

つた・う【伝う】《自五》物にそって移って行く。「軒を―・う滴」「飛び石を―・って歩く」文《四》。

つたえ【伝え】❶ことづて。伝言。❷言い伝え。

つたえ‐き・く【伝え聞く】《他五》うわさに聞く。人づてに聞く。「―・くところによると…」謙譲 承る。

つた・える【伝える】《他下一》❶そのものが媒介となって、他のものに移す。「金属はよく電流を―・える」「作者の意図を読者に―・える」類語 (るす)伝導。伝播(でんぱ)。❷ことばで知らせる。「出発の用意ありと―・える」「ニュースを―・える」❸仲立ちをとおして、告げ知らせる。伝言する。「彼には君から―・えてくれ」類語 言付(ことづ)ける。❹先人からことばを受け継いで今に残す。言い伝える。「沼に竜がすむと―・える」類語 (るす)伝承。❺代々受け継いできて、あとの者に・残す(教え授ける)。「昔の情緒を今に―・えている町」❻〔ある物・物事を〕よそからもってきて、そこに届かせる。もたらす。「海外から新技術を―・える」文 つた・ふ《下二》。

つた‐かずら【×蔦×葛・×蔦×蔓】つる草の総称。

つたな・い【▽拙い】《形》❶〔力が足らず〕へたである。まずい。「―・い文章」「―・い司会」❷愚かである。劣っている。至らない。「―・い者ですがよろしく」❸運が悪い。「武運―・く戦死した」文 つたな・し《ク》。

つた‐もみじ【×蔦〈紅葉〉】紅葉したツタの葉。

‐ったら □一《副助》《「とやら」の転》〔下に「言う」「申す」などの動詞を伴う〕とか(言う)。たら。〔俗語的で方言的な言い方〕「源の字ったらいう男」□二《係助》《「といったら」の転》〔親しみの気持ちをこめて〕話題として提示する。たら。〔もっぱら口頭語で使い、多く軽い驚きや非難の気持ちがこもる〕「悔しいったらないぜ(=ひたすら悔しい)」□三《終助》《□二の転》〔活用語の終止形や命令形につく〕親しみのうちにも非難やじれったい気持ちをこめて強く言い切る。「早くしろったら」

つたわ・る【伝わる】《自五》❶一方から他方へ、ものに沿って移る。伝う。「水がといを―・って流れる」❷〔音・熱・電流などが〕移る。流れる。「金属のとってに熱が―・る」❸〔人を仲立ちにして〕ことばが届いてくる。「ニュースが―・る」「うわさが―・る」❹先人からことばが受け継がれて今に残る。言い伝えられる。「土地に―・る伝説」❺代々受け継がれてきてあとの者に残る。「代々―・る田畑」❻〔ある物・物事が〕よそから移ってきて届く。もたらされる。「海外から新技術が―・った」類語 (るす)渡来。伝来。文《四》。

***つち【土】**❶〔岩石・土砂など〕地球の外表を形成しているもの。地。また、それを構成している、地殻の岩石が細かい粉になったもの。土壌。「久しぶりに日本の―を踏む(=日本に来る)」「―になる(=死ぬ)」「肥えた―」「横綱に―がつく(=相撲で、負ける)」類語 泥。土塊(つちくれ・どかい)。土砂。土地。❷地上。地面。「―に腰をおろす」表記 大地・地上の意では「地」とも書く。
―一升に金一升《句》土地の値段が非常に高いことのたとえ。土一升金一升。

***つち【×槌・×鎚】**物をたたく道具。柄の頭部に木のついた木づちと、鉄のついた金づちとがある。ハンマー。

つち‐いじり【土×弄り】❶〔子供が〕土をいじって遊ぶこと。❷〔慰みとして〕畑づくりなどをすること。

つち‐いろ【土色】土の色。また、青みを帯びた黒色。つちけいろ。参考 青ざめた顔色の形容に言うことが多い。「血の気がひいて顔が―になる」

つち‐か・う【培う】《他五》《「土養(つちか)う(=土をかける)」の意》❶根に土をかけて草木を育てる。「菊を―・う」❷養い育てて・大きく(強く)する。「日頃(ひごろ)―・ってきた力を発揮する」参考 自動詞が転じたもの。

つち‐くさ・い【土臭い】《形》❶土のにおいがする。❷いなかじみている。やぼくさい。どろくさい。「―・い身なり」参考 生命力に富んだの意を添えることもある。「―・い迫力に満ちた演奏」「―・い男」

つち‐ぐも【土×蜘×蛛】→じぐも。

つち‐くれ【土▽塊】土のかたまり。土塊(どかい)。

つち‐けいろ【土気色】→つちいろ。

つち‐けむり【土煙・土×烟】細かい土や砂が風に吹き上げられて、煙のように見えるもの。「―をあげる」

つち‐つかず【土付かず】❶相撲で、その場所でまだ一度も負けていないこと。「―で中日(なかび)をむかえる」❷一連の勝負にまだ一度も負けていないこと。

つち‐の‐え【×戊】《「土の兄(え)」の意》十干の五番め。戊(ぼ)。

つち‐の‐と【▽己】《「土の弟(と)」の意》十干の六番め。己(き)。

つち‐ふまず【土踏まず】足の裏のくぼんだ所。

つち‐ぼこり【土×埃】風で・飛び散った(舞い上がっ

た）細かい土。つちほこり。砂ぼこり。「—が上がる」

つち-やき【土焼（き）】素焼きの土器。どやき。

つち-よせ【土寄せ】生長期の農作物の根もとに土をかけること。防寒・防乾・防湿などのために行う。

つち-ろう【土×牢】地を掘って作った牢。

***つつ**【筒】❶細長く断面が円形で、中がからになっているもの。「竹の—」❷銃身。砲身。また、小銃・大砲。「ささげ—」表記②は「銃」「砲」とも書く。

***つつ**《接助》❶一つの動作が反復・継続する（また、二つの動作が並行して行われる）意。…ながら。「書よむ月日かさねつつ。いつしか年もすぎのとを〈文部省唱歌〉」❷文語　前後の動詞句を接続するのに使う。…て。…て、それから。「苦しさに耐えかねつつ叫びたり」❸〔多く「つつも」の形で〕下の動作が、反復・継続する上の動作と相いれない関係であることを表す。…ながら（も）。「いけないと知りつつ（も）、つい手がでる」❹〔「つつある」の形で〕ある動作が反復・継続する状態にある意。…ているところだ。「復興の道を歩みつつある」参考①③は「ながら」よりは文語的な言い方。

つっ【突っ】《接頭》《「突き」の促音化》→突き㊁。

つつ-い【筒井】〔雅〕まるく掘り下げた井戸。まるい井げた。—づつ【—筒】〔雅〕井戸に取り付けた、まるい井げた。

つつ-うらうら【津津浦浦】〔あらゆる港や海岸の意から〕全国のいたる所。国じゅう。つづうらうら。「—から優秀な人材が集まる」

つつ-おと【筒音】〔文〕鉄砲や大砲を撃ち出す音。

つっ-かい【突っ▽支い】棒などを当てて、物が倒れないようにささえる・こと（もの）。つっぱり。つっかえ。—ぼう【—棒】ささえにする棒。「—をかう」

つっ-かえ・す【突っ返す】《他五》《「つきかえす」の促音便》→つきかえす。〔やや乱暴な言い方〕

つっ-かか・る【突っ掛かる】《自五》❶強い勢いでぶつかる。ひっかかる。「物に—・ってころぶ」❷乱暴なことばを使って、相手に・さからう（争いをしかける）ような態度をとる。くってかかる。「上司に—・る」

つっ-かけ【突（っ）掛け】足の先につっかけてはく、手軽な履物。

つっ-か・ける【突っ掛ける】《他下一》《「つきかける」の促音便》❶履物をつま先にかけて無造作にはく。「下駄を—・けて散歩に出る」❷強い勢いでぶつける。「車が看板の人形を—・けた」❸相撲で、仕切りの時に呼吸が合わず、相手に先がけて突いて出る。

つつが-な・い【×恙無い】《形》病気・事故などの異常や心配事がない。「—・く帰国する」参考「つつが（痛処）無し」の意。

つつが-むし【×恙虫】ツツガムシ科のダニの総称。体長約一ミリ。幼虫は哺乳類に寄生し、つつがむし病を媒介する。あかむし。

つづき【続き】❶あるもののあとに続く・こと（もの）。「話の—」❷《名詞のあとについて接尾語のように使い》ずっと続いている意。「地—」「ひでり—の天候」

つづき-あい【続（き）合い・続き▽間】❶相互の関係。間柄。❷親族の関係。つづきがら。

つづき-がら【続（き）柄】親族・血族としての関係。「本人と保証人との—」類語間柄。

つづき-もの【続（き）物】〔小説・映画などで〕終わるまでに何回か回を重ねて発表されるもの。「—の小説」

つつ-ぎり【筒切り】輪切り。

つっ-き・る【突っ切る】《自五》〔広い野原や道を〕一息にまっすぐ通り抜ける。「車が線路を—・る」

つつ・く【▽突く】《他五》❶〔軽く〕指先やくちばしなどで何度も突く。「キツツキが木を—・く」❷そばからそそのかす。けしかける。「友人を—・いて金を出させる」❸人の欠点・落ち度などを取り上げてとがめる。「—・かれてぼろが出る」❹〔箸・くちばしなどで突くようにして〕食べ物を食べる。「すき焼を—・く」「鳥がえさを—・く」＝つっつく。文《四》。

つづ・く【続く】《自五》❶一連の物が、長く切れないである。「果てしなく—・く道」「ドラマは来年まで—・く」❷ある状態が、ある時間変わらないままである。「命の—・くかぎり」「沈黙が—・く」❸同じ事が間をおかずに起こる。「事件が—・いて起こる」❹すぐあとに従う。「手紙に—・いて荷物が届いた」❺すぐその次に位する。次ぐ。「A氏に—・く実力者」文《四》。

つつ-ぐち【筒口】筒形のものの先。筒先。

つづけ-ざま【続け様】続けて同じことをくりかえすようす。「—になぐられた」「—に失敗する」

つづ・ける【続ける】㊀《他下一》続くようにする。「話を—・ける」「練習を—・ける」㊁《接尾》途切れずにずっと…する。「本を読み—・ける」「梅の花が咲き—・ける」文つづ・く《下二》。

つっ-けんどん【突（っ）×慳×貪】《形動》〔人に対する態度やことばづかいが〕とげとげしく冷淡なようす。「—な受け答え」類語けんもほろろ。じゃけん。

つっ-こみ【突（っ）込み】❶物事の核心にふれるところまで深くはいりこむこと。「演技に—が足りない」❷〔俗〕一つ一つ区別せず全体をひとまとめにすること。「大小—で五〇〇円の品」❸漫才で、ことばのやりとりをリードする役を演じる者。対ぼけ。

つっ-こ・む【突っ込む】㊀《自五》❶はげしい勢いで中にはいる。突入する。「敵陣目がけて—・む」❷〔問題となる点に〕深く立ち入る。「—・んだ質問」㊁《他五》❶深くさし入れる。「管に棒を—・む」❷無造作に入れる。「ポケットに手を—・む」❸深く関係する。「同好会に頭を—・む」❹強く問い責める。「どこから—・まれてもぼろを出さない」

つつ-さき【筒先】❶〔ホースなど〕筒形のものの先。筒口。❷銃身・砲身の先。「—にかかる（＝銃で撃たれる）」❸火災のとき、ホースの先を受け持つ消防士。表記②は「銃先」「砲身」とも書く。

つつ-ざき【筒咲き】〔アサガオのように〕花びらが筒の形をして咲くこと。また、その花。

つつじ【×躑×躅】ツツジ科の常緑または落葉低木の総称。春から夏にかけ、赤・紫・白などの花を開く。オオムラサキ・キリシマ・サツキ・ヤマツツジなど種類が多い。

つつしみ【慎み】慎むこと。「—のない女」—ぶか・い【—深い】《形》慎む心が深い。「—・いふるまい」

つつし・む【慎む・謹む】《他五》❶〔まちがいのないように〕気をつける。軽はずみなことをしない。「身を—・む」「ことばを—・む」❷度を超さないように控えめにする。「酒を—・む」表記①②は「慎む」と書く。❸うやうやしくかしこまる。参考多く「—・んで…する」の形で、恭敬の意を表す。「—・んで哀悼の意を表す」表記③は「謹む」と書く。文《四》。

つつ-そで【筒×袖】たもとがなく、全体が筒のように細いそで（の着物）。つつっぽ。つつっぽう。

つっ-た・つ【突っ立つ】《自五》「立つ」を強めた言い

方。勢いよくまっすぐに立つ。また、立ったままでいる。

つっ-た・てる【突っ立てる】《他下一》❶「立てる」を強めた言い方。勢いよくまっすぐに立てる。「敵陣に旗を—・てる」❷〔とがった物を〕突き刺して立てる。「どすを畳に—・てる」

つっ-つ・く【突っ突く】《他五》〔俗〕つつく。

つつ-っ-ぽ【筒っぽ】〔俗〕筒袖。つつっぽう。

つっ-と《副》《「つと」の転》❶動作がなめらかにすばやく行われるようす。「—前に出る」❷動作などがそのままの状態を保っているようす。じっと。ずっと。

つつ-どり【筒鳥】カッコウ科の渡り鳥。大きさや色がカッコウによく似ている。ぽんぽんと竹筒をたたくように鳴く。メジロなどの巣に卵を預ける。

つつ-ぬけ【筒抜け】〔筒の底が抜けて物が通り抜ける意から〕❶秘密や話し声などがみなもれてすぐ他に伝わること。「話が—になる」❷〔人の話などが頭の中を〕素通りすること。「何を言っても右から左へ—だ」

つっ-ぱし・る【突っ走る】《自五》〔俗〕速く勢いよく走る。「先頭を—・る」

つっ-ぱな・す【突っ放す】《他五》〔俗〕つきはなす。

つっ-ぱ・ねる【突っ×撥ねる】《他下一》❶突いてはねとばす。❷〔相手の要求・依頼などを〕強く拒絶する。「組合の要求を—・ねる」

つっ-ぱ・る【突っ張る】㊀《他五》❶物に押しあてて倒れないようにささえる。また、腕などを突き出すようにのばして、押す。「傾いた塀を丸太で—・る」「腕を—・る」❷相撲で、腕をのばし、てのひらで相手の胸を勢いよく押し離す。「互いに激しく—・る」㊁《自五》❶筋肉などが強くはって固くなる。「筋肉が—・る」❷相手に強く対抗して、自分の言い分をどこまでも押し通そうとする。また、虚勢をはる。「—・って生きる」❸〔俗〕不良じみた行為をする。「—・ったまねをする」

つっ-ぷ・す【突っ伏す】《自五》勢いよくうつぶせになる。「机に—・して泣く」

つつまし・い【▽慎ましい】《形》控えめである。遠慮深い。「—・いお祝い」文つつま・し《シク》。

つつまし-やか【▽慎ましやか】《形動》つつましく見えるようす。「—な娘」「—な街」

つづま-やか【▽約まやか】《形動》❶短くて要を得ているようす。「—な文章」類語簡約。簡潔。❷控えめで質素であるようす。「—な暮らし」

*__つつみ__【包(み)】㊀《名》〔紙・ふろしきなどで〕包んだもの。「—をあける」㊁《助数》包んであるものを数える語。「薬を毎夕食後一—ずつ飲む」

*__つつみ__【堤】❶〔湖・池・川などの〕水があふれ出ないように、岸に土や石を積み上げて高くした所。土手。堤防。「—が切れる」❷水をためた池。貯水池。

つづみ【鼓】❶革を張って鳴らす日本の打楽器の総称。❷中央のくびれた胴の両面に革を張り、調べの緒を結びつけた打楽器。手で打ち鳴らす。参考「一張・一丁…」と数える。

つつみ-かく・す【包み隠す】《他五》〔包んで外から見えなくする意から〕秘密にして人に知られないようにする。「事実を—・さず話す」

つつみ-がね【包(み)金】〔あいさつや謝礼のために〕紙に包んで出す金。包み金。「出席者に—を渡す」

つつ・む【包む・×裹む】《他五》❶物を中に入れて、外側から完全におおう。「オーバーに身を—・む」「餞別に一万円—・む」❷あたり一面をおおう。「霧に—・まれた高原」参考ひゆ的に、ある感情でおおう意にも使う。「人を愛情で—・む」❸心の中にこめておく。秘める。「—・むにあまる苦しみ」文《四》。

つづ・める【▽約める】《他下一》❶縮めて簡単にする。短くする。「文章を—・める」❷倹約する。節約する。「暮らしを—・める」文つづ・む《下二》。

つつ-もたせ【▽美▽人▽局】女が夫あるいは情夫と示し合わせた上で他の男と通じ、夫あるいは情夫がそれに言いがかりをつけて金品などをゆすりとること。

*__つづら__【×葛】❶「つづらふじ」の別名。❷「くず(葛)」の別称。

*__つづら__【×葛×籠】衣服をしまっておくかご。ツヅラフジのつるや、竹などで編んで作る。参考「一合・一荷…」と数える。

つづら-おり【×葛折り・▽九▽十▽九折り】—をり〔ツヅラフジのつるのように〕いくつにも折れ曲がった坂道。

つづら-ふじ【×葛×藤】—ふぢツヅラフジ科のつる性落葉植物。夏、うす緑の小さな花が咲く。つるは非常に強く、つづらなどを編むのに用いる。

つづり【×綴り】❶書類などをとじ合わせること。また、とじ合わせたもの。「書類の—」❷英語などの単語を表すときの文字の並べ方。スペリング。

つづり-あわ・せる【×綴り合わせる】—あはせる《他下一》つづって一つにする。つづりあわす。

つづり-かた【×綴(り)方】❶〔英語などの単語を〕つづる方法。スペリング。「ローマ字の—」❷旧制の小学校の教科目の一つ。文章の作り方。「—教室」参考現在は、「作文」と呼称を改めた。

つづ・る【×綴る】《他五》❶つなぎ合わせて一続きのものにする。「ほころびを—・る」❷ことばをつらねて詩歌・文章を作る。「文章を—・る」❸アルファベットなどをつらねて単語を書く。文《四》。

つづれ【×綴れ】《「つづり」の転》❶破れめをつぎはぎした着物。ぼろ。「—をおおう」❷細く裂いた布地を横糸にして織ったもの。裂織。

つづれ-おり【×綴(れ)織(り)】つづれにしきをまねて、数種の色糸で模様を織り出したもの。

つづれ-にしき【×綴(れ)×錦】花鳥・人物などの模様を織り出した絹織物。帯地・壁掛け・ふくさ地などに使われる。京都西陣の特産。つづれのにしき。

つて【▽伝】〔自分の希望や目的を達するための〕手がかり。手づる。「—をたどる」表記「伝手」とも書く。

って〔「ん」に続くときは、「て」とも。くだけたスタイルの話しことば〕㊀《格助》❶引用の格助詞「と」に同じ。「待ってるって伝えてください」❷同格を表す。…という。「可哀そうたぁ惚れたってことさ」㊁《係助》❶軽い詠嘆・感動をこめて題目語をあげるのに使う。…というのは。「人生ってはかないものね」❷相手の質問を受けとめ、それを主題として、解説・主張・質問などを展開するのに使う。「だれかって、彼に決まっているよ」㊂《終助》《引用の格助詞「と」の転》❶他人の話を引用紹介する。…っていうことだ。「二度と来るなってさ」❷〔上昇のイントネーションで〕おうむ返しに反問するのに使う。…と言っているのか、…は本当か、…とはどういう意味かなどの意。〔不審・驚き・詰問などの気持ちがこもる〕「えっ？　留学するって？」㊃《接助》《接続助詞「とて」の転》《…た)としても。「走ったって間に合わない」

*つと【×髱】日本髪を結ったとき、顔の左右や頭のうしろの方へ張り出した部分。たぼ。

*つと【×苞】❶わらづと。❷〔文〕みやげ物としての産物。また、みやげ。

*つ-と《副》〔別な〕動作を急にするようす。突然。さっと。「—立ちあがる」

つ-ど【都度】たびごと(に)。毎回。「その—」

つどい【集い】〔文〕集まり。会合。「若人の—」

つど-う【集う】《自五》〔目的をもって〕一か所に寄り集まる。寄り合う。「—う若人一万余」〔文〕《四》。

つと-に【×夙に】《副》〔文〕❶朝早く。「—江戸を立つ」❷ずっと前から。早くから。「そのことは—専門家の指摘するところだ」❸幼い時から。「—志を立てる」

つとま-る【勤まる・務まる】《自五》〔その職務を〕つとめることができる。「課が—る」〔文〕《四》。

つとめ【勤め・務め】❶その人の役目として、当然しなければならないこと。任務。義務。責務。「親としての—」❷〔役所・会社などに〕やとわれて仕事をすること。また、その仕事。勤務。「—をなまける」❸僧が毎日すべき、読経(どきょう)・看経(かんきん)などの修行。勤行(ごんぎょう)。「朝夕の—を怠らない」❹遊女の稼業。「苦界の—」表記 ①は「務め」、②〜④は「勤め」と書く。→おつとめ。

つとめ-あ-げる【勤め上げる】《他下一》〔無事に〕すべての任期を勤めおえる。「四年間大過なく—げる」

つとめ-ぐち【勤め口】就職口。「—を探す」

つとめ-さき【勤め先】勤めている所。勤務先。

つとめ-て【努めて・▽勉めて】《副》努力して。しいて。できるだけ。おして。「—平気を装う」

つとめ-にん【勤め人】官庁や会社などに勤めている人。サラリーマン。類語 月給とり。

つとめ-むき【勤め向き】勤務上のこと。また、勤務先。「—の出張」

*つと-める【努める・▽勉める・▽力める】《自下一》〔困難な事をなしとげようとして〕力を尽くす。努力する。「看護に—める」「学問に—める」「成功するように—める」類語 励む。骨を折る。(する)精進。奮闘。尽力。〔文〕つと-む《下二》。⇩【使い分け】

*つと-める【勤める】《自下一》❶〔職場で〕仕事に従事する。勤務する。「役所に—める」❷仏につかえる。勤行(ごんぎょう)する。〔文〕つと-む《下二》。⇩【使い分け】

*つと-める【務める】《他下一》❶役目を行う。任務に当たる。「外務大臣を—める」「接待係を—める」表記 「勤める」とも書く。❷劇などで役を演じる。「主役を—める」〔文〕つと-む《下二》。⇩【使い分け】

使い分け 「つとめる」

努める〔▽勉・▽力〕〔努力する〕学習に努める・完成に努める・解決に努める・努めて早起きする

勤める〔与えられた仕事を毎日のように行う。勤務〕会社に勤める・しゅうとに勤める・日々の読経に勤める・勤め人・朝のお勤め・寄席で落語を一席勤める・受付(の仕事)を長年勤める

務める〔与えられた役目や任務にあたる〕司会を務める・町長を務める・主役を務める・受付(係)を務める・学生の務めを果たす

参考 「受付を勤める／務める」では、前者には会社などの受付係員としての仕事をする意が、後者には受付係としての役割を一時的に果たす意がこもる。

*つな【綱】❶植物の繊維や針金などを長くより合わせて作った太くて丈夫なひも。物を結びつなぐもの。ロープ。❷すがって頼りにするもの。「命の—」「頼みの—」

*ツナ マグロ。マグロの肉。「—サンド」▷tuna

つながり【×繋がり】つながること。また、関係。きずな。「血の—」「前後に—のないことを言う」

つなが-る【×繋がる】《自五》❶〔離れていたものが〕一続きに結ばれる。連なる。「電話が—る」「相手と気持ちが—る」❷関連する。関係する。「事件に—る」「兄と—る友人」〔文〕《四》。

つなぎ【×繋ぎ】❶次の物事が始まるまでの合間を埋めるために、仮に行う物事。「舞台の—に踊りを入れる」❷料理で、ねばりけのない物の形がくずれるのをふせぐために、まぜ入れる材料。「そばの—」

つな-ぐ【×繋ぐ】《他五》❶ひも状のもので、ものを他のものに結びとめて離れないようにする。「ボートを岸に—ぐ」類語 接(つ)ぐ。接(は)ぐ。結ぶ。縛る。結わえる。結わく。もやう。括(くく)る。結び付ける。❷拘束する。拘禁する。「獄に—がれる」❸切れているもの、離れているものを結びつけて一続きにする。「二本の糸を—ぐ」「電話を—ぐ」類語 (する)連結。接続。直結。❹絶えないようにする。切れないようにたもたせる。「命を—ぐ」「望みを—ぐ」「その場を—ぐ」〔文〕《四》。

つな-げる【×繋げる】《他下一》〔東日本の方言〕つながるようにする。「二本の短いひもを—げて長くする」〔文〕つな-ぐ《下二》。

つな-そ【綱▽麻】シナノキ科の一年草。インド原産。茎の皮からジュートという繊維をとり、あらい布を織る。黄麻(こうま・おうま)。

つな-で【綱手】〔文〕船につないで引く綱。引き綱。

つな-とり【綱取り】横綱の地位をつかむこと。

つな-ひき【綱引(き)・綱×曳(き)】大ぜいが二組に分かれて一本の綱を両方から引き合う競技・遊び。

つ-なみ【津波・津▽浪・▽海×嘯】地震や噴火などによる海底の大規模な地殻変動にともなって生じた大波が陸地を襲う現象。類語 高潮。

つな-わたり【綱渡り】《名・自サ》❶空中に張った一本の綱の上を〔芸をしながら〕歩く軽業(かるわざ)。❷危険をおかして行動すること。「そんな—はやめろ」

つね【常】❶ふだん。平素。「—とは異なる顔つき」「—の服装」❷〔習慣的に〕いつもそうであること。きまり。ならわし。「夕方散歩をするのが—だ」❸そのものの特性として、そうありがちであること。「病人の—として弱気になる」❹いつも変わらないこと。不変。「変転—なき生活」❺普通。あたりまえ。「世の—の人とは考え方が違う」参考 →常に。

つね-づね【常常】《副》平生。ふだん。いつも。「私が—忠告しておいたのに…」

つね-に【常に】《副》いつも。たえず。どんな時でも。「君は—若々しい」

つね-ひごろ【常日×頃】ふだん。いつも。〔副詞としても用いる〕「—から体力増強につとめる」

つね-る【×抓る】《他五》指先やつめで皮膚をつまんでねじる。つめる。「頰(ほお)を—る」類語 捻(ひね)る。〔文〕《四》。

つの【角】❶動物の頭部にある、堅い突起。「—を折る(=強情な態度を引っ込める)」類語 触角。❷物の表面または頭上にある、つの①のような形をしたもの。「カタツムリの—」「コンペイトーの—」❸「角書き」の略。

ーを出・す《句》女がしっとする。参考能楽で、女の生霊がしっとのために鬼になることからいう。

ーを矯めて牛を殺・す《句》小さな欠点を直そうとして、かえってそのもの全体をだめにしてしまう。

つの-がき【角書(き)】 浄瑠璃の名題や歌舞伎の外題、また書物(特に草紙類)の標題の上に、その主題や内容を示す簡単な文句を小文字で二行にしるしたもの。角。「文は唐土 母は日本 国性爺合戦」など。

つの-かくし【角隠し】 日本風の結婚式で、花嫁が文金高島田の前髪から後ろに回してかぶる白い布。

つの-ぐ・む【角ぐむ】《自五》〔文〕草木が角のように新芽をのばす。参考葦・ススキ・荻などにいう。

つの-ざいく【角細工】 動物の角を細工したもの。

つの-だる【角×樽】 角のように大きく長い二つの柄をつけた、朱または黒塗りの酒だる。祝いの時などに酒を贈るのに使う。柄樽。

角樽

つの-つきあい【角突(き)合い】 仲が悪くて、よくけんかをすること。つのつき。「ーの仲」

つの-つきあわ・せる【角突き合わせる】《自下一》〔牛が角で突き合うように〕仲が悪くて、たえずけんかをする。「あの二人はことごとにー・せている」

つの-ぶえ【角笛】 動物の角で作った笛。

つの-また【角×叉】 紅藻類スギノリ科の海藻。波の荒い岩の上に群生。おもに壁土用ののりの原料にする。

つの-め-だ・つ【角目立つ】《自五》互いに感情を害し、荒々しく興奮して対立する。「互いにー・つ」

つのら・せる【募らせる】《他下一》〔それまで続いていた気分・感情の〕勢い・傾向をいっそうはげしくさせる。つのるようにする。「不満をー・せる」「恋しさをー・せる」

つの・る【募る】 ㊀《自五》勢い・傾向がいっそうはげしくなる。「恋しい思いがー・る」「風雨がー・る」類語昂ずる。高まる。文《四》。㊁《他五》広く・さがし(呼び)集める。広く求め集める。募集する。「賛同者をー・る」「寄付をー・る」文《四》。

***つば【×唾】** 唾液。つばき。「ーを付けておく(=他人にとられないように前もって手を打っておく)」

***つば【×鍔・×鐔】** ❶刀の柄と刀身との間にはさむ平たい鉄板。❷帽子のまわりまたは前に、ひさしのように突き出ている部分。❸釜の周囲に薄く突き出て、かまどにかけるようになっている部分。

***つ-ばき【×唾】**《「つ」は「つば」の古語。「ばき」は「吐き」》→つば(唾)。

***つばき【×椿】** ツバキ科の常緑高木。葉は長円形で、厚くてつやがあり、早春、赤・白・もも色などの大きな花を開く。品種が多い。種子から油をとる。

つばき-あぶら【×椿油】 ツバキの種子からしぼりとった油。頭髪用・食用にする。

つばくら【×燕】「つばくらめ」の略。**ーめ【×燕】** つばめ。

つばくろ【×燕】《「つばくら」の転》つばめ。

つばさ【翼】 ❶鳥類の前あしが変化した器官。体毛よりも強く大きな羽毛が生え、飛ぶのに役だつ。はね。参考ひゆ的に、飛躍するのに用いるものの意にも使う。「空想のーをひろげる」類語羽翼。❷航空機が浮力を得るための、機体の左右にはり出した部分。翼。

つば-・する【×唾する】《自サ変》〔文〕つばをはきかける。「天にー・する」

つば-ぜりあい【×鍔▽迫(り)合い】《名・自サ》❶打ち合わせた刀を互いの鍔で受け止めたまま押し争うこと。❷互いにはげしく真剣に勝負を争うこと。また、その争い。「議席を争ってーを演じる」類語接戦。

つ-ばな【×茅花】 チガヤ(の花の穂)。食べられる。

つばめ【×燕】 ❶ツバメ科の小鳥。翼と背が青黒く、腹が白い。渡り鳥で、日本へは春来て、秋に南へ去る。人家の軒などに巣を作る。身軽で速い。つばくらめ。つばくら。つばくろ。燕子。❷「若いつばめ」の略。年上の女にかわいがられている若い男。

つば-もと【×鍔元】 刀の刀身とつばの接している部分。つばぎわ。

つぶ【粒】 ㊀《名》丸くてあまり大きくないもの。「ーが小さい」「ーが揃う(=集まったものがそろってすぐれている)」㊁《助数》丸くて小さいものを数える語。「豆二ー」

つぶさ-に【▽具に・×悉に・▽備に】《副》〔文〕❶細かく詳しいようす。「問題点をー検討する」❷〔何から何まで〕ことごとく。もれなく。「事件をー報告する」

つぶし【×潰し】 ❶つぶすこと。「ー餡」「時間ー」「暇ー」❷金属製品や紙製品を、溶かしたりばらばらにしたりして、再生原料にすること。「ー値段(=金属製品をつぶして原料としたときの値段)」

ーが効・く《句》〔金属製品は地金につぶしても役立つ意から〕別の仕事をしても、十分やってゆく能力がある。

つぶし-あん【×潰(し)×餡】 アズキを煮て、つぶして皮をとりさらないで作ったあん。類語こしあん。

つぶ・す【×潰す】《他五》❶〔固形物に〕外から力を加えて形をくずす。「卵をー・す」❷役に立たなくする。「声をー・す」❸〔組織を〕立ちゆかなくさせる。ほろぼす。「会社をー・す」❹体面や心の平静を失わせる。「顔をー・す」「肝をー・す」❺〔時間を〕ついやす。「暇をー・す」❻他のことに使うために変形する。「庭をー・してテラスを作る」❼〔家畜などを〕食べるために殺す。「ニワトリをー・す」❽すきまを埋めふさぐ。「床穴をしっくいでー・す」文《四》。

つぶ-ぞろい【粒×揃い】 ❶たくさんのものの粒の大きさや質がそろっていること。「ーのミカン」❷優劣のつけがたい、すぐれた物や人が集まっていること。「ーの作品」「ーの芸者衆」類語粒より。

つぶ-だ・つ【粒立つ】《自五》多くの粒が表面にできる。つぶつぶになる。

つぶ-つぶ【粒粒】 ㊀《名》たくさんの粒になったもの(の一つ一つ)。「ーができる」㊁《副・形動・自サ》《副詞は「ーと」の形も》粒だつようす。「にきびがーに出る」

つぶて【×礫・▽飛×礫】〔投げるものとしての〕小石。

つぶや・く【×呟く】《他五》ひとり言を言う。ひとり言のように小声で言う。ぶつぶつ言う。「思わず『さびしい』とー・いた」「何やらー・く声が聞こえる」文《四》。

つぶ-より【粒▽選り】 多くの中から、すぐれたものだけを選んであること。また、選んだもの。つぶえり。よりぬき。「ーの選手」「ーの品」類語粒ぞろい。

つぶ-ら【▽円(ら)】《形動》〔文〕まるいようす。まるくふっくらとしているようす。「ーな瞳」

つぶり【▽頭】〔文〕《「円ら」の転》あたま。つむり。

つぶ・る【×瞑る】《他五》〈多く「目をー・る」の形で〉❶まぶたをとじる。目をつむる。❷見て見ないふりをする。「今回だけは目をー・ってやる」❸死ぬ。「とうとう目をー・ったか」=瞑る。文《四》。

つぶ・れる【×潰れる】《自下一》❶〔固形物が〕外からの力を受けて形がくずれる。ひしゃげる。「箱が―・れる」❷役に立たなくなる。だめになる。ほろびる。「声が―・れる」❸立ちゆかなくなる。「会社が―・れる」「企画が―・れる」❹体面や心の平静が失われる。けがされる。「面目が―・れる」「胸が―・れる(=ひどく驚く)」❺〔時間が〕ついやされる。「雑用で半日が―・れる」❻酔って動けなくなる。「飲み屋で―・れた」文つぶ・る《下二》。

つべ-こべ《副》《「―と」の形も》ああでもない、こうでもないと、うるさく理屈を言うようす。「―言うな」

ツベルクリン 結核に感染したかどうかを診断するために使われる注射液。「―反応」▽ドイ Tuberkulin

***つぼ**【坪】《助数》❶尺貫法で、土地の面積の単位。一坪は六尺(一間)平方。約三・三〇六平方メートル。畳二枚の広さに当たる。歩。「百―の土地」参考名詞として、「一坪」の意でも使う。「―百万円の土地」❷尺貫法で、土砂の体積の単位。一坪は、六尺立方。約六・〇一立方メートル。❸尺貫法で、印刷の製版や錦などの面積の単位。一坪は、かね尺の一寸平方。約九・一八平方センチ。❹尺貫法で、革・タイルなどの面積の単位。一坪は一尺平方。

***つぼ**【×壺】❶〔陶磁器やガラスなどで作った〕口が狭くて胴が丸くふくらんだ形の器。参考「一壺…」「一口…」と数えるが、一般に「一個…」とも。類語かめ。❷つぼざら。「―を振る」❸くぼんで深くなった所。「滝―」❹灸をすえてききめのある場所。灸点。❺物事の大切な所。急所。要点。こつ。「―をおさえる」❻ここと見込んだ所。予期したこと。「思う―にはまる(=見込みどおりになる)」類語図星。

っぽ《接尾》〔俗〕そのような立場・状態にある人の意。〔ややさげすんでいう語〕「水戸―」「書生―」

つぼ-がり【坪刈り】ある田畑の全体の収穫高を推定するため、一坪(=約三・三平方メートル)分の稲や麦を刈り取ってみること。類語坪掘り。

つぼ-ざら【×壺皿】❶正式の日本料理で、野菜などを盛る、椀形の小さくて深い器。つぼ。=つぼさら。❷ばくちのさいころを伏せるのに使う、さら。つぼ。

つぼ-すみれ【坪×菫・×壺×菫】スミレ科の多年草。原野の湿地に自生する。春、葉のわきに白色で紫色の筋のある小さな五弁花をつける。こまのつめ。

つぼ-にわ【坪庭】屋敷内の、建物に囲まれた庭。内庭。中庭。

つぼね【▽局】〔歴〕❶宮殿の中で、建物を小さくいくつにもしきった部屋。曹司。❷局①を与えられている女官。また、その名につけて呼ぶ語。

つぼみ【×蕾・×莟】❶植物の、これから開いて花になるもの。「桜の―がほころぶ」参考女性として成熟する前の少女のたとえに使う。「まだ―の女の子」❷前途有望であるが、まだ一人まえでない人。「―の花を散らす(=前途有望の人を若くして死なす)」

***つぼ・む**【×窄む】《自五》❶〔咲いている花が〕閉じる。すぼむ。「朝顔が―・む」❷狭く細くなる。閉じて小さくなる。すぼむ。「先が―・んだズボン」文《四》。

***つぼ・む**【×蕾む・×莟む】《自五》つぼみになる。芽ぐむ。芽吹く。角ぐむ。文《四》。類語

つぼ・める【×窄める】《他下一》つぼむようにする。すぼめる。「口を―・める」文つぼ・む《下二》。

つぼ-やき【×壺焼(き)】❶サザエなどの巻き貝を殻ごと焼いたもの。しょうゆなどで味つけして食べる。❷サツマイモを大きなつぼの中で蒸し焼きにしたもの。

***つま**【▽夫】〔雅〕結婚している男女のうちの、男の方。〔女の方から言う語〕「我が―」

***つま**【妻】❶結婚している男女のうちの、女の方。夫の配偶者。また、夫が配偶者を指すときの称。「―の座を守る」類語家内。女房。山の神。ワイフ。尊敬奥さん。奥様。奥方(様)。御新造。御寮(人)。令閨。令室。令夫人。謙譲愚妻。荊妻。対夫。❷刺身などのあしらいに添える少量の野菜・海藻など。「さしみの―」表記②はかな書きにする。

***つま**【▽端】❶もののはし。きわ。〔古風なことば〕「縁の―」❷切妻造り・入母屋造りの屋根の両側の、三角形の壁面。表記②は「妻」と書く。

***つま**【×褄】❶あわせ長着・綿入れ長着などの左右のすその両端。❷和服のおくみの、腰から下の部分のふち。たてづま。「―を取る(=褄を取ってすそを持ち上げる。また、芸者になる)」

つま-いた【妻板】建物の側面の板。

つま-おと【×爪音】❶琴爪で琴をひく音。❷馬のひづめの音。

つま-お・る【▽端折る・×爪折る】《他五》〔文〕はしを折る。はしょる。「着物のすそを―・る」

つま-がけ【×爪掛(け)】❶つまかわ。❷雪国で、藁や蒲でつまさきの形に作り、わらじの先につけて使うもの。足の指のこごえを防ぐのに用いる。

つま-かわ【×爪皮・×爪革】げたの先に掛けて、どろ・雨水などを防ぐもの。革などで作る。つまがけ。

つま-ぐ・る【×爪繰る】《他五》〔数珠などを〕指先で繰り動かす。「数珠を―・る」

つま-こ【妻子】妻と子。妻子。

つま-ごい【妻恋・▽夫恋】〔別れ別れになっている〕夫婦や動物の雌雄が互いに相手を恋い慕うこと。

つま-ごと【妻琴・×爪琴】〔雅〕琴。参考琴は爪でひくところから。

つま-さき【×爪先】足の指の先。足先。―あがり【―上(が)り】《名・形動》ゆるくだんだんと上り坂になっていること。また、その道。つまあがり。「―の道」―だ・つ【―立つ】《自五》かかとをあげて、足の指先で立つ。つまだつ。「―・って歩く」

つまさ・れる《自下一》〔愛情・恩義などに〕心が動かされる。「親の愛に―・れる」「身に―・れる(=他人の不幸などに心が動かされる)」文つまさ・る《下二》。

つまし・い【▽倹しい】《形》倹約して質素である。ぜいたくでない。「―・く暮らす」文つま・し《シク》。

つまず・く【×躓く】《自五》《「爪突く」の意》❶歩くときに、誤って足の先を物にけ当ててよろける。けつまずく。「石段に―・く」❷物事の途中で支障が起きて失敗する。「新しい事業は資金面で―・いた」表記現代仮名遣いでは、「つまづく」も許容。

つま-だち【×爪立ち】《名・自サ》つま先で立つこと。つま先立ち。文《四》。

つま-だ・つ【×爪立つ】《自五》〔背伸びして〕つま先で立つ。つま先だつ。つまだてる。「―・ってのぞく」

つまづ・く【×躓く】《自五》→つまずく。

つま-ど【妻戸】《「端の戸」の意》❶寝殿造りの寝殿・対屋などの四すみにある両開きの板戸。❷家の、玄関ではなく、裏口や中庭の垣根にある開き戸。

つま-ど・る【×褄取る】《他五》着物の褄(まつ)を手でつまんで持ち上げる。

つま-はじき【×爪▽弾き】《名・他サ》〔嫌って排斥するとき、人さし指のつめの先を親指の腹にかけてはじく動作をすることから〕いみきらい、のけものにすること。「よそ者だと―にあう」

つま-び・く【×爪弾く】《他五》弦楽器の弦を指先ではじいて鳴らす。「ギターを―・く」

つまび-らか【▽詳らか・▽審らか】《形動》〔文〕くわしくあきらかなようす。「事の真相を―にする」「生死を―にしない(=生死がわからない)」 類語 詳細。

つまま・れる《連語》《「つまむ」の未然形＋受け身の助動詞「れる」》→つまむ④。

つまみ【▽摘み・▽撮み・×抓み】〘一〙《名》❶器具などにとりつけて、つまんで持つ部分。とって。「なべぶたの―」❷酒に添えて出す簡単な食べ物。つまみもの。おつまみ。〘二〙《助数》つまんだ分量を表す。「塩一―」

つまみ-あらい【▽摘み洗い】《名・他サ》衣服などのよごれた部分だけをつまんで洗うこと。

つまみ-ぐい【▽摘み食い】《名・他サ》❶箸(はし)などを使わないで、指先でつまんでたべること。❷人にかくれてこっそりとたべること。盗み食い。❸公金をごまかして(少しずつ)使うこと。「公金の―がばれる」

つまみ-だ・す【▽摘み出す】《他五》❶〔指先で〕つまんで外へ出す。「イモムシを土の中から―・す」❷有無を言わせず、無造作に(つかんで)外へ追い出す。「うるさいやつはこの部屋から―・してやる」

つまみ-な【▽摘み菜・▽撮み菜】間引くためにつみ取った若い菜。ひたしものなどにして食べる。

つま・む【▽摘む・▽撮む・×抓む】《他五》《「爪(つま)む」の意》❶指の先ではさみ持つ。「鼻を―・む」❷手や箸(はし)で取って食べる。❸抜いて取りあげる。摘要する。かいつまむ。「要点を―・んで話す」❹〈「―・まれる」の形で〉キツネやタヌキに化かされる。「キツネに―・まれたような気分」 表記 ④はかな書きにすることも多い。 文《四》。

つま-ようじ【×爪×楊枝】歯の間にはさまった物を取り除いたり、食べ物を突き刺して取ったりするのに用いる、小形のようじ。こようじ。黒文字。

つまら-な・い【詰まらない】《連語》《「詰まる」の未然形＋打ち消しの助動詞「ない」》❶興味がもてない。心が満たされない。おもしろくない。「彼女に会えなくて―・かった」❷価値がない。取るにたりない。くだらない。「―・い小説」「―・いことにこだわる」 参考 自分に関する物事を謙遜(けんそん)して言うときにも使う。「―・いものですがどうぞ召し上がってください」❸払った犠牲に比べて得るところが少ない。「戦争なんて実に―・いものだ」 参考 期待に対して得るところが少ない場合にも用いる。「兄弟なんて―・いもんだ」❹ばかばかしい。「―・いことになった」 参考 丁寧に言う場合の形は「つまりません」。 表記 かな書きにすることが多い。

つまり【詰(ま)り】〘一〙《名》❶物が詰まること。「―具合」❷物事の行きつく所。終わり。はて。「とどの―」〘二〙《副》結局。すなわち。要するに。「―何が言いたいのだ」 表記 〘二〙は多くかな書き。

つま・る【詰(ま)る】《自五》❶物がはいっていっぱいになる。すきまなく満ちる。「ぎっしり―・った本棚」「予定が―・っている」❷通路にものがつかえて通じなくなる。ふさがる。「下水が―・る」❸追い詰められて進退に窮する。行き詰まる。「返事に―・る」「退路に―・る」❹短くなる。ちぢまる。つづまる。「差が―・ってきた」「たけが―・った服」「日が―・る」 文《四》。

つまる-ところ【詰まる所】《副》〔文〕最終的に見れば。要するに。結局。「―そうせざるを得ない」 表記 かな書きにすることが多い。

*__つみ__【罪】〘一〙《名》❶〔道徳・宗教・法律などのうえで〕してはならない行い。悪い行い。「盗みの―を犯す」❷悪い行いや悪い結果に対する責任・刑罰。「人に―を着せる」「―に問われる」〘二〙《形動》思いやりがないようす。無慈悲なようす。「仲をさくとは―なことをするものだ」

―が無・い《句》無邪気である。「子供は―・い」

―を悪(にく)んで人を悪(にく)まず《句》犯した罪は罪として憎んでも、その罪を犯した人までも憎むべきではない。

*__つみ__【詰(み)】将棋で、王将の逃げ場がなくなること。

つみ-あ・げる【積み上げる】《他下一》❶ある物の上に他の物を高く積む。「本を―・げる」❷ある物事を少しずつ段階を追って重ねてゆき、高い水準に達するようにする。「学問を―・げる」

つみ-いれ【摘(み)入れ】魚肉をすりつぶし、小麦粉・塩・卵などを加えて練り、形を整えて、ゆでたり蒸したりした食べ物。つみれ。

つみ-か・える【積み替える・積み換える】《他下一》❶積んである物を別の場所に移して積む。「船から車に―・える」❷一度積んだ物をおろして、改めて積み直す。「重い物を下にして―・える」

つみ-かさ・ねる【積み重ねる】《他下一》❶ある物の上に他の物を積む。幾重にも重ねて積む。「新聞紙を―・ねる」❷ある物事を段々と重ねふやしてゆく。「努力を―・ねる」「悪事を―・ねる」

つみ-き【積(み)木】❶材木を積むこと。また、積んだ材木。❷いろいろな形の木片を積んで、いろいろな物の形を作る遊び。また、それに使うおもちゃ。

つみ-くさ【摘み草】春の野原などで草花をつむこと。

つみ-ごえ【積(み)肥・×堆肥】堆肥(たいひ)。

つみ-こ・む【積み込む】《他五》〔船・車・飛行機などに〕荷物を積み入れる。「トラックに荷を―・む」

つ・する【罪する】《他サ変》罪をせめて、刑罰を与える。罰する。「人を―・する」

つみ-だ・す【積み出す】《他五》〔船・車・飛行機などに〕荷物を積んで送り出す。「船で一度に―・す」

つみたて-きん【積立金】❶積み立てておく金。つみきん。「旅行の―」❷企業が将来のために利益の一部を積み立てておく金。準備金。

つみ-た・てる【積み立てる】《他下一》〔ある目的のために〕何回かにわたって貯金する。お金を少しずつたくわえる。「カメラを買う金を―・てる」

つみ-つくり【罪作り】《名・形動》無慈悲で罪深い行いをすること。「子供をだますとは―なことをする人だ」

つみ-とが【罪▽科】つみと、とが。罪過。「―もない女房をすてるとは許せない」

つみ-と・る【摘み取る】《他五》❶芽・実・花などを、つまんで取る。「茶葉を―・る」❷大きくなる前に取り除く。「悪の芽を―・る」

つみ-に【積(み)荷】〔船や車などに〕積んで運ぶ荷物。また、その荷物を積み込むこと。「―保険」

つみ-のこし【積(み)残し】❶積み切れずに荷物の一部分を残すこと。また、残った荷物。❷予定の時間内・空間内に収まりきれなかったもの。「会期切れで多くの法案が━になった」

つみ‐びと【罪人】罪を犯した人。罪人(ざいにん)。

つみ‐ぶか・い【罪深い】《形》〔行いなどが、人の道にはずれていて〕罪が重い。「━・い行いを悔いる」

つみ‐ほろぼし【罪滅ぼし】よい行いをして、過去に犯した罪のうめ合わせをすること。「せめてもの━に寄付をしよう」類語 贖罪(しょくざい)。滅罪(めつざい)。

つみ‐もの【積み物】積み重ねた物。特に、祝儀の品を積み上げて飾ったもの。

つみれ→つみいれ

*__つむ__【錘・紡錘】〔糸繰り車・紡績機械などで〕綿やまゆの繊維によりを加えて糸にしながら、さらにこれを巻き取ってゆく心棒。紡錘(ぼうすい)。錘(すい)。スピンドル。

*__つ・む__【詰む】《自五》❶すきまなくつまる。「目の━・んだ布」❷将棋で、王将の逃げ場がなくなる。「あと一手で━・む」文《四》。

*__つ・む__【摘む】《他五》❶〔生えているものを〕指の先ではさんで取る。「草を━・む」類語 毟(むし)る。捥(も)ぐ。捥ぎ取る。❷はさみなどで物の先を切り取る。「髪を━・む」表記 ②は「抓む」とも書く。文《四》。

*__つ・む__【積む】━《他五》❶物の上に物を重ねて置く。「机の上に本を━・む」❷物事をたび重ねる。「修業を━・む」「経験を━・む」「善根を━・む(=善行を重ねる)」❸〔車・船・飛行機などに〕荷物を載せる。「商品を━・んだトラック」❹金品をためる。また、預金をする。「旅行費を━・む」文《四》。━《自五》〔文〕つもる。「屋根に━・む雪」文《四》。

つむぎ【紬】つむぎ糸を平織りにした和服用の絹織物。大島つむぎ・結城(ゆうき)つむぎなどがある。

つむぎ‐いと【紬糸】くずまゆまたは真綿を手で紡いで作った絹糸。

つむ・ぐ【紡ぐ】《他五》綿やまゆから繊維を引き出し、よりをかけて糸にする。「糸を━・ぐ」文《四》。

つむじ【旋毛】❶毛が一点に集中・放散してうずまきのように生えているところ。特に、頭のてっぺんにあるもの。「━を曲げる(=わざとさからって意地悪くする)」❷「つむじかぜ」の略。表記 ②はふつう「旋風」とあてる。━**まがり**【━曲(が)り】《名・形動》性質がねじけていてすなおでない・こと(人)。

つむじ‐かぜ【旋風】うずをまいて吹く強い風。つむじ。旋風(せんぷう)・つじ風(かぜ)。類語 たつまき。

つむり【頭】あたま。つぶり。〔古風な言い方〕

つむ・る【瞑る】《他五》→つぶる。文《四》。

*__つめ__【爪】❶人間の手足の指先や動物の足先に生える角質のもの。「━を研(と)ぐ(=獲物をとらえようと準備して待つ。また、野心を抱いてそれを遂げる機会を待つ)」❷琴づめ。❸引っかけてとめるしかけの物。足袋のこはぜ、鉤(かぎ)の類。❹非常にわずかなことのたとえ。「━ほどの狂いもない」注意「瓜」は別の字。

━**に火を点(とも)・す**《句》ひどくけちなことのたとえ。「━・すようにしてためたお金」

━**の垢(あか)ほど**《句》非常にわずかなことのたとえ。「悪気は━もなかった」

━**の垢(あか)を煎(せん)じて飲・む**《句》〔すぐれた人の言行を見ならって〕その人にあやかるようにする。

*__つめ__【詰め】❶詰めること(もの)。❷きわ。はし。特に、橋のたもと。〔主として関西地方でいう〕❸将棋で、勝負のつきそうな最後の局面。また、物事の最後の段階。「芝居の━」「━が甘い」

づめ【詰め】《接尾》❶つめる・こと(もの)。つめてある・こと(もの)。「びん━」「半ダース━」❷それだけで押し通すことを表す。「理━」「規則━」❸〔動詞の連用形につけて〕同じ状態が続くことを表す。「働き━」❹きまった場所にいて勤めることを表す。「A支店━」

つめ‐あと【爪痕】❶つめで押したり引っかいたりしたあと。❷自然の災害や戦争などが残した被害。「山肌に印された雪崩の━」「今もなお大震災の━を残す」

つめ‐あわせ【詰(め)合(わ)せ】(━あはせ)二種類以上のいろいろな物をいっしょに詰めること。また、その物。「かんづめの━」

つめ‐いん【爪印】親指などの指先の腹に墨や朱肉をつけて、印のかわりにおすこと。また、おした印。つめばん。拇印(ぼいん)。

つめ‐えり【詰(め)襟】洋服の襟の、立っているもの。また、その襟の洋服。「━の制服」対 折り襟。

つめ‐か・える【詰め替える】(━かへる)《他下一》一度詰め込んだものを、改めて(他のものに)詰める。また、一度詰め込んだものを出して他のものと入れかえる。「箱の中身を━・える」「新しい箱に━・える」

つめ‐か・ける【詰め掛ける】《自下一》大ぜいで押しかける。「大ぜいのファンが━・ける」

つめ‐きり【爪切り】つめを切る道具。

つめ‐き・る【詰め切る】━《自五》待機して、ある場所にずっといつづける。「各社の記者が━・る」━《他五》全部詰め込んでしまう。「バッグに荷物を━・る」

つめ‐こみ【詰(め)込み】詰め込むこと。━**しゅぎ**【━主義】理解し応用させることよりも、多くの知識の暗記を重んじる教育方法。詰め込み教育。

つめ‐こ・む【詰め込む】《他五》〔限られた場所に〕詰められるだけ入れる。「多くの乗客を━・む」

つめ‐しょ【詰(め)所】ある〔特別の〕勤務にあたる人たちが出向いていって、待機している所。「衛兵の━」

つめ‐しょうぎ【詰(め)将棋】きめられたいくつかのこまを使い、王手をかけ、王将を詰める将棋。

つめた・い【冷たい】《形》❶〔触れた感じで〕温度が特に低い。「━・い水」「風が━・い」「かけつけたときにはもう━・くなっていた(=死んでいた)」類語 冷ややか。冷え冷え。❷情愛・人情味に欠けている。冷淡である。「最近彼は━・くなった」「━・い目つき」「━・い態度」対①②暖かい。文つめた・し《ク》。

つめたい‐せんそう【冷たい戦争】冷戦。コールドウオー。対 熱い戦争。

つめ‐ばら【詰(め)腹】❶昔、強制されてする切腹。❷強制的に辞職させられること。また、責任をとらされること。参考 多く「━を切る(切らせる)」の形で使う。

つめ‐みがき【爪磨き】つめの表面をきれいにみがく・こと(もの)。マニキュア。また、ペディキュア。

つめ‐もの【詰(め)物】❶鳥・魚・野菜などの内部をえぐり出したあとに、別の調理品を詰め込んだ料理。また、その中に詰める物。スタッフ。❷まくらやぬいぐるみなどの中に詰める物。❸荷作りで、中に入れた物がこわれないように、箱のすきま・穴などをうめる物。パッキング。❹虫歯の穴をふさぐために詰める物。

つめ‐よ・る【詰め寄る】《自五》❶そば近くまで寄る。「相手に━・る」❷回答・答弁などを求めて、はげしい態度で迫る。「改善するよう━・る」

*__つめ・る__【抓る】《他五》〔俗〕つねる。文《四》。

*__つ・める__【詰める】■一《他下一》❶〔容器などに〕ものを入れていっぱいにする。すきまなく満たす。「弁当を―・める」「席を―・めて下さい」❷通じないようにする。㋐ふさぐ。「穴を―・める」㋑〈「息を―・める」の形で〉呼吸を一時止める。「息を―・めて見守る」❸ある事を熱心に絶え間なく続ける。「根を―・めて勉強する」❹最終の段階まで押し進める。「話を―・める」❺将棋で、王将の逃げ道がないようにする。❻短くする。ちぢめる。「寸法を―・める」❼倹約する。つましくする。「暮らしを―・める」[文]つ・む《下二》。■二《自下一》仕事の場所に出向いて、控える。「父の病室に―・める」[文]つ・む《下二》。■三《接尾》❶絶え間なく…する。…しつづける。「見―・める」「通い―・める」❷徹底して…する。最後まで…する。「煮―・める」「思い―・める」「上り―・める」❸…して相手を窮地に追いこむ。…して行きづまらせる。「問い―・める」「追い―・める」[文]つ・む《下二》。

__つもり__【積(も)り】❶〔あらかじめ持っている〕考え。心ぐみ。意図。「家は弟にゆずる―だ」❷実際はそうでないのに、そうなった気持ち。「旅人の―になる」❸あらかじめ計算すること。見積もり。胸算用。「設計者の―と一〇〇万違う」❹〈「お―」の形で〉酒宴などで最後にする酌。「これでお―だ」[表記]①〜③は「心算」とも当てる。また、①②はかなで書くことが多い。

__つもり-つも・る__【積もり積もる】《自五》積もった上にさらに積もる。重なり積もる。「不満が―・る」

__つも・る__【積もる】■一《自五》重なって高くなる。重なって多くたまる。「雪が―・る」「―・る話」「不平が―・る」[文]《四》。■二《他五》❶見積もる。「出費を前もって―・る」❷考えはかる。おしはかる。「けちな奴と―・られるのもくやしい」[文]《四》。

*__つや__【×艶】❶もののなめらかな表面から出る、全体にわたって一様に落ち着いた感じの美しい光。光沢。「木をこすると―が出る」❷〔声が〕なめらかで、はりがあり、よく通ること。「―のある声」❸話などに加わるおもしろみや味わい。あいきょう・世辞など。「話に少し―をつける」❹男女間の情事に関すること。「―種」

*__つ-や__【通夜】❶仏堂にこもって一晩中祈願すること。❷死者を葬る前に、死者の親類・縁者が棺を守って一夜を明かすこと。おつや。つうや。「―の弔問客」

__つや-けし__【×艶消し】❶〔強い〕つやをなくすこと。また、そのもの。〔多く他の語につけて使う〕「―ガラス」「―ポマード」❷《名・形動》せっかくのおもしろみや興味をなくすこと。いろけし。「―を言う」「―な話」

__つや-ごと__【×艶事】男女間の情事に関した事柄。ぬれごと。いろごと。

__つや-だね__【×艶種】男女間の情事に関した話題。艶聞。「彼には―が多い」

__つや-っ-ぽ・い__【×艶っぽい】《形》なまめかしい。色気がある。また、男女間の情事に関するようなことである。「―・い後ろ姿」「―・い話題」[類語]色っぽい。

__つや-つや__【×艶×艶】《副・自サ》《副詞は「―と」の形も》美しい光沢のあるようす。「―した髪」

__つや-ぶきん__【×艶布×巾】木製の器具などをふいて、光沢を出すために使うふきん。

__つや-め・く__【×艶めく】《自五》❶つやつやして見える。❷色気が感じられる。「―・いた話」

__つや-もの__【×艶物】浄瑠璃で、男女間の情事を扱ったもの。

__つや-やか__【×艶やか】《形動》つやがあって美しいようす。「―な肌」

*__つゆ__【〈梅雨〉】❶梅雨。❷梅雨の降るころの季節。梅雨期。つゆどき。「―にはいる」

*__つゆ__【▽液・▽汁】❶水け。しる。「ダイダイの―をかける」❷〈お―〉吸い物。すましじる。おすまし。〔多く女性が使う〕❸だしにしょうゆを加えて味をつけ、そば・そうめんなどをひたして食べるもの。「そばの―」

*__つゆ__【露】■一《名》❶〔夜半や早朝に〕大気が冷え、その中の水蒸気が水滴となって物の表面についたもの。「―が置く」❷〔ひゆ的に〕㋐涙。〔文学的な表現〕「大きな目に―が光る」㋑ほんの少し。ごくわずか。「―の間」㋒消えやすく、はかないもの。「断頭台の―と消える(=処刑される)」■二《副》《下に打ち消しの語を伴って》少しも…(ない)。全然…(ない)。「―(も)疑わない」「そんな事とは―知らず」[表記]■二はふつう、かなで書く。

__つゆ-あけ__【〈梅雨〉明け】つゆの季節が終わること。出梅。「気象庁の―宣言が出た」[対]梅雨入り。

__つゆ-いり__【〈梅雨〉入り】つゆの季節になる・こと(日)。入梅。つゆの入り。ついり。[対]梅雨明け。

__つゆ-くさ__【露草】ツユクサ科の一年草。山野や道ばたに自生。夏、蝶形の青紫色の小花を開く。古名を「つきくさ」といい、染料にした。蛍草。

__つゆ-ざむ__【〈梅雨〉寒】つゆのころに低温がつづき、うすら寒いこと。「―で体調を崩す」

__つゆ-じも__【露霜】❶露と霜。❷秋の終わりごろ、露が凍って霜のようになったもの。水霜。

__つゆ-の-いのち__【露の命】《連語》はかない命。

__つゆ-の-よ__【露の世】《連語》はかないこの世。

__つゆ-はらい__【露払(い)】❶貴人の先にたって道を開き導く・こと(人)。転じて、主となるものに先立って、物事の前段階的作業をする・こと(人)。「―を演じる」❷相撲で、横綱の土俵入りのとき、先にたって土俵にあがる力士。

__つゆ-ばれ__【〈梅雨〉晴れ】❶つゆが過ぎて晴れること。❷つゆどきに、時々からっと晴れること。さつきばれ。

__つゆ-びえ__【〈梅雨〉冷え】つゆの間に、気温が急に下がること。

__つゆほど-も__【露ほども】《副》《下に打ち消しの語を伴って》ほんの少しも。「そんなこととは―知らなかった」

__つよ・い__【強い】《形》❶力・技がすぐれていて、他に負けない。「腕っぷしが―・い」「チェスが―・い」「―・きをくじき弱きを助ける」[類語]手強い。歯が立たない。強力。最強。強大。強豪。無敵。精鋭。一騎当千。❷健康で、持久力がある。丈夫である。「―・い体」[類語]逞しい。頑強。頑丈。屈強。❸しっかりとしてゆるがない。屈しない。「―・い精神力」「―・い信念」[類語]したたか。しっかり。がっしり。強固。強靱。牢乎。盤石。堅固。堅牢。❹ゆるみがない。かたい。「―・く締める」❺勢いが激しい。程度がはなはだしい。「風が―・い」「度の―・い眼鏡」❻きびしい。「―・くしかる」「―・く要求する」❼〈「…に―・い」の形で〉㋐…にかけては能力などがすぐれている。…が得手である。「数字に―・い」「酒に―・い」㋑…に耐える力が十分ある。…にあっても屈しない。「不況に―・い企業」「熱に―・い繊維」[対]①〜⑦弱い。[文]つよ・し《ク》。

__つよ-が・る__【強がる】《自五》強いことを自慢する。強いように見せかける。「ひとりで―・っている」

つよ-き【強気】 ❶《名・形動》積極的で大胆な態度をとること。強引に物事を運ぶこと。「―な発言」「―で押し通す」❷取引で、将来相場が上がると予想すること。「市況が―をとり戻す」対①②弱気。

つよ-ごし【強腰】《名・形動》態度が強硬で、相手に譲ろうとしないこと。「―で臨む」対弱腰。

つよ-び【強火】〔料理で煮たり焼いたりするときの〕いきおいの強い火加減。「魚を―で焼く」対とろ火・弱火。

つよ-ふくみ【強含み】 取引で、相場が多少上がる傾向にあること。対弱含み。

つよま・る【強まる】《自五》だんだんと強くなる。「風雨が―・る」「不安が―・る」対弱まる。文《四》。

つよ-み【強み】 ❶強い程度。強さ。「―を増す」❷他にひけを取らないような強さを持つ点。頼りになる点。「英語で話せるのが―だ」類語利点。長所。対弱み。

つよ・める【強める】《他下一》それまでよりも強くする。「火力を―・める」「語気を―・める」対弱める。文つよ・む《下二》。

つら【面】 ❶〔俗〕顔。〔やや下品な言い方で、卑しめた感じを伴う。いい意味では使わない〕「女房の―」「しかめっ―」「泣きっ―」❷物の表面。「上っ―」

づら【面】《接尾》「…の(ような)顔」「…の表面」「…の(ような)ようす」などの意。「紳士―」「帳面―」

つら-あて【面当て】 わざと皮肉を言ったり、意地悪な言動をしたりすること。あてつけ。「―を言う」

つら・い【▽辛い】《形》❶心身にひどい苦痛・苦悩を感じて、耐えがたい。辛抱しがたい。難儀だ。「痛くて―・い」「貧乏で―・い生活」「仕事が―・い」類語苦しい。切ない。遣る瀬ない。遣りきれない。針の筵。❷じゃけんである。冷酷である。「父に―・く当たる」「―・いしうち」類語心無い。つれない。すげない。冷たい。冷ややか。血も涙もない。文つら・し《ク》。

づら・い【▽辛い】《接尾》「…するのが耐えがたい」「…(し)にくい」の意。「頼み―・い」「聞き―・い」「見―・い」文づら・し《ク》。

つら-がまえ【面構え】 顔つき。〔強そうな、または悪さをしそうなときなどに使う〕「したたかな―」

つら-だましい【面魂】 強い精神や性格が顔に現れた顔。「不敵な―」

つら-つき【面付き】〔俗〕顔つき。顔のようす。〔いい意味では使わない〕「憎らしい―」表記「付き」はかなで書くことが多い。

つら-つら【▽熟・▽熟▽熟】《副》十分考えるようす。よくよく。つくづく。〔古風な言い方〕「―思うに…」

つらな・る【連なる・▽列なる】《自五》❶列になって続く。つながる。連続する。「自動車が―・る」「山が―・る」❷〔会合・式などに〕出席する。列席する。「祝賀会の席に―・る」❸〔会・団体などに〕一員として参加する。「選考委員のひとりに―・る」文《四》。

つら-にく・い【面憎い】《形》顔を見るだけでも憎い。「―・い奴だ」参考強調して「こづらにくい」という。

つらぬき-とお・す【貫き通す】 ㊀《自五》〔物が反対側まで〕突き抜ける。㊁《他五》〔目的・願望などを〕終わりまで変えずに続ける。「信念を―・す」

つらぬ・く【貫く】 ㊀《自五》物の端から端、または反対側までつき通す。貫通する。「谷間を―・く小川」㊁《他五》〔目的・願望などを〕終わりまでなしとげる。果たす。貫徹する。「初心を―・く」文《四》。

つらね【連ね】 歌舞伎で、役者が自己紹介や物の由来などを、掛け詞を用いて長々と述べるせりふ。

つら・ねる【連ねる・▽列ねる】《他下一》❶〔多くのものを〕一列にして続ける。並べたてる。「翼を―・ねる」❷〔多くのものの一人として〕仲間に加わるようにする。「委員に名前を―・ねる」「袖を―・ねて(=何人かの人が一緒に)辞職する」文つら・ぬ《下二》。

つら-の-かわ【面の皮】〔俗〕「顔の表皮」「顔面の皮膚」を卑しめて言う語。面皮。「―が厚い(=あつかましい)」「―を剝ぐ(=面目を失わせる)」

つら-よごし【面汚し】 その人の属する社会・仲間の名誉を傷つけること。面目を失わせること。「家の―」

つらら 〔岩や家のひさしなどから〕したたり落ちる水が凍って棒状にたれさがったもの。たるひ。氷柱。「―が下がる」表記「氷柱」と当てる。

つら・れる【釣られる】《自下一》(「釣る」の受身形から)❶誘い出される。誘惑される。❷引き入れられる。「人の話に―・れる」「好奇心に―・れてのぞく」

***つり【×吊(り)】** 相撲で、相手のまわしに手をかけてからだをつり上げるわざ。

***つり【釣(り)】** ❶魚をつること。魚つり。「―が好きだ」❷つり銭。おつり。「―はいらない」

つり-あい【釣(り)合(い)】 つりあうこと。均衡。平衡。バランス。「―を保つ」「―がとれる」

つり-あ・う【釣り合う】《自五》並べ合わせた二つの物が、㋐〔力・重さなどが〕互いに等しく、安定する。安定した状態を保つ。㋑〔色・形などが〕互いに調和している。「背広とネクタイがよく―・う」㋒〔身分・力量・性質などが〕互いに相応している。「―・った縁組」

つり-あ・げる【釣り上げる・×吊り上げる】《他下一》❶魚をつってとらえる。「タイを―・げた」表記「釣り上げる」と書く。❷つって高く上げる。「沈没船をクレーンで―・げる」❸〈「目を―・げる」「眉を―・げる」の形で〉目じりをひきつって高くする。〔怒りなどを表す動作に言う〕「目を―・げて怒っている」❹相場・物価を人為的にわざと高くする。「株価を―・げる」

つり-いと【釣(り)糸】 魚つりに使う糸。「―を垂れる」

つり-おと・す【釣り落とす】《他五》魚などをつり上げる途中で誤って逃がす。

―した魚は大き・い《句》手に入れかけて失ったものは実物よりすばらしく思われて惜しい。逃がした魚は大きい。

つり-がき【釣(り)書(き)】 縁談にあたり、自分の経歴や家族の構成などを書いて相手に渡す文書。

つり-かご【釣(り)×籠】 ❶つるすように作ったかご。また、つるしたかご。表記「吊(り)籠」とも書く。❷釣った魚を入れて下げるかご。びく。

つり-がね【釣(り)鐘】 寺院の鐘楼につるしてある大きな鐘。梵鐘。「―を撞き鳴らす」

つり-かわ【釣(り)革・×吊(り)革】 バスや電車などで、立っている乗客がからだをささえるためにつかまる、輪のついたひも。

つり-こ・む【釣り込む】《他五》相手に興味を起こさせて、自分の方へ誘いいれる。さそい込む。「話に―・まれる」参考受け身の形で使うことが多い。

つり-ざお【釣(り)×竿】 魚つりに使うさお。

つり-せん【釣(り)銭】 代金より多額の金で支払ったとき、差額として返す金。つり。おつり。

つり-だい【釣(り)台】 物をのせ、二人がこれを棒につるしてかついで運ぶ道具。

つり-だ-す【釣り出す】《他五》❶だまして誘いだす。「甘言で―す」❷相撲で、相手の体をつって土俵の外へ出す。表記 ②はふつう「吊り出す」と書く。

つり-だな【釣(り)棚・×吊(り)棚】❶天井からつり下げたたな。❷床の間のわきに作り付けたたな。

つり-て【釣(り)手】❶魚つりをする人。❷蚊帳(かや)をつるためのひも。表記 ②は「吊(り)手」とも書く。

つり-てんぐ【釣(り)天×狗】魚つりの腕前が自慢の人。釣り自慢。

つり-てんじょう【釣(り)天井・×吊(り)天井】つるしておいて、落として押し殺すしかけの天井。

つり-どこ【釣(り)床・×吊(り)床】❶上方だけ床の間のようになって、下は特に段を設けず畳を敷いたままの、略式の床の間。壁床。❷ハンモック。

つり-ばし【釣(り)橋・×吊(り)橋】橋脚を用いないで、空中につり渡した綱で床をつり下げた橋。

つり-ばり【釣(り)針・釣(り)×鉤】魚をつるために使う先の曲がった針。鉤(はり)。

つり-ぶね【釣(り)船】❶魚つりのために(客を乗せて)出す船。「乗り合いの―」❷つるして使う、船の形をした花器。表記 ②は「吊(り)舟」とも書く。

つり-ぼり【釣(り)堀】(人工の)池に魚を養っておき、料金を取ってつらせる所。

つり-め【×吊(り)目・釣(り)▽眼】目じりがつり上がった目。上がり目。

つり-わ【×吊(り)輪・×吊(り)▽環】体操に用いる道具の一つ。二本のつなをつり下げて、その先に輪をつけたもの。また、それを用いて行う体操競技。

***つる**【弦】弓に張る糸。弓弦(ゆみづる・ゆづる)。

***つる**【×蔓】❶植物の茎で、細長く伸びて、物にからまったり、地をはったりするもの。❷てがかり。てづる。「金もうけの―」❸眼鏡の、耳にかける部分。

***つる**【×鉉】❶なべ・どびんなどについている弓形または半円形の取っ手。❷升(ます)の上面に張り渡した鉄線。平らにならすためのもの。

***つる**【×鶴】ツル科の鳥の総称。大形の水鳥で、首・足・くちばしが長く、全体がほっそりして美しい。日本には、タンチョウ(北海道)・マナヅル(九州)・ナベヅル(中国・九州)がいる。古くからめでたい鳥とされる。

―の一声《句》多くの人の意見や議論をおさえつける、権威や権力をもつ人の一言。

―は千年亀(かめ)は万年《句》長寿でめでたいこと。

***つ-る**【×吊る・×攣る・釣る】■一《自五》❶一方へ引っ張られて寄りちぢむ。また、引っ張られたように上にあがる。「少し―った目」表記「吊る」と書く。❷筋が引っ張られてかたくちぢむ。ひきつる。「足が―る」表記「吊る」「攣る」と書く。文《四》。■二《他五》❶(上部を固定して)垂れ下げる。つるす。「かやを―る」❷(両端を固定して)(高く)かけ渡す。「ハンモックを―る」❸引っ張って上にあげる。「サスペンダーでズボンを―る」❹相撲で、相手のまわしに手をかけて高く持ち上げる。❺釣り針に魚をかけて捕る。「ハゼを―る」❻(たくみに)相手の行動をさそう。「賞金で―る」表記 ①〜④はふつう「吊る」、⑤⑥はもっぱら「釣る」と書く。文《四》。

つる-おと【弦音】矢を射たときの弓の弦の鳴る音。

つる-かめ【×鶴×亀】■一《名》(共に長寿で、めでたいものとされる)ツルとカメ。■二《感》縁起直しに言うことば。「―、―」

つるぎ【剣】諸刃(もろは)の刀。けん。類語 太刀(たち)。

つる-くさ【×蔓草】茎がつるになって他のものにからみつく草の総称。

つるし【×吊し】❶つるすこと。❷(つり下げて売ることから)既製服、または古着。「―の背広」

つるし-あ-げる【×吊し上げる】《他下一》❶縛って高い所につるす。❷大勢で、ある人を問いつめて、その非をきびしく責める。「幹事を―げる」

つるし-がき【×吊し×柿】渋がきの皮をむき、つるして天日で甘くなるまで干した食べ物。ほしがき。つるし。

つる-す【×吊す】《他五》(ひも・縄などで)上からつり下げる。ぶらさげる。「風鈴を―す」文《四》。

つる-だち【×蔓立(ち)・×蔓▽質】草の茎がつるになって生じる性質のもの。

つる-つる《副》(「―と」の形も)❶《自サ》物の表面がなめらかで光沢のあるようす。「肌が―になる」❷《自サ》よくすべるようす。「道が凍りついて―する」❸物事が支障なくなめらかに運ぶようす。❹そば・うどんなどをすするようす。また、その音の形容。

つる-はし【×鶴×嘴】堅い土を掘り起こすときなどに使う、金属製の土木用具。柄の先についている金具の両端がツルのくちばしのようにとがっている。

つるばみ【×橡】❶「くぬぎ」の古称。❷灰とともにクヌギの実(=どんぐり)を煮たしるで染めた色。また、その衣服。にびいろ。黄茶色。

つる-べ【釣▽瓶】井戸の水をくむために、縄やさおなどにつけておろすおけ。 **―うち**【―打ち・―撃ち】《名・他サ》(おおぜい並んで)鉄砲を順々に続けざまに撃つこと。野球で連続安打すること。類語 連発。連打。

―おとし【―落(と)し】(つるべを井戸に落とすように)急速にまっすぐに落ちること。特に、秋の日の早く暮れやすいことのたとえ。「秋の日は―」

***つる-む**《自五》(鳥・けものなどが)交尾する。つがう。つるぶ。「トンボが―む」表記「交尾む」「遊牝む」などと当てる。文《四》。

***つる-む**【▽連む】《自五》連れ立つ。また、行動をともにする。「いつも三人で―んで遊びまわる」文《四》。

つるり《副》(多く「―と」の形で)❶表面がつるつるしたようす。❷よくすべるようす。「―とすべった」

つる-れいし【×蔓×茘枝】→苦瓜(にがうり)

つれ【連れ】❶いっしょに行く・こと(人)。また、いっしょに行動する・こと(人)。「―がある」❷能・狂言で、シテやワキに伴って舞台に出て助演する役。シテヅレとワキヅレ。表記 ②はふつう「ツレ」と書く。対 シテ・ワキ。

づれ【連れ】《接尾》❶「…を連れていること」を表す。「子ども―の客」❷「…ども」「…連中」などの意を表す。(けいべつした言い方)「役人―に何がわかるか」

つれ-あい【連れ合い】❶連れ①になった者。❷連れそう相手。配偶者。連れ添い。また、夫婦の一方が他方を呼ぶ称。「―をなくす」

つれ-あ-う【連れ合う】《自五》❶(どちらが主ということなく)いっしょに行く(行動する)。類語 相伴う。同伴する。❷夫婦になる。類語 連れ添う。

つれ-こ【連れ子】再婚するときに連れて来た、前の配偶者との間の子。

つれ-こ-む【連れ込む】《他五》いっしょに連れて入りこむ。特に、旅館などに異性を連れて入る。

つれ-しょうべん【連れ小便】人につられて、並んで小便をすること。参考 俗に「つれしょん」という。

つれ-そい【連れ添い】〔関西地方で〕つれあい②。

つれ-そ・う【連れ添う】《自五》夫婦になる。「長年—・ってきた仲」類語 連れ合う。

つれ-だ・す【連れ出す】《他五》〔誘って〕外へ連れて出る。「妹を—・して公園へ行く」

つれ-だ・つ【連れ立つ】《自五》いっしょに行く。「—・って映画を見に行く」

つれ-づれ【▽徒▽然】《名・形動》何もすることがなくて、たいくつなこと。手持ちぶさた。〔古風な言い方〕「船旅の—をなぐさめる」

つれ-て【連れて】《「連れる」の連用形＋接続助詞「て」》一《連語》〈「…に—」の形で〉一方の変化にともなって他方も変化する意を表す。…にしたがって。…とともに。…につれ。「日がたつに—忘れる」二《接続》それにつれて。それと共に。「人手不足になり、—人件費が上がる」表記 一二とも、ふつうかな書き。

つれ-な・い《形》無関心で思いやりがない。冷淡だ。「—・いことば」

つれ-びき【連れ弾き】邦楽で琴・三味線などを、二人以上でひき合わせること。参考 →連弾。

つれ-もど・す【連れ戻す】《他五》連れて帰る。もといた場所に連れてくる。「家出人を—・す」

*__つ・れる【×攣れる・×吊れる】__《自下一》❶一方に引っぱられて寄る。ひきつる。「襟元が少し—・れている」❷筋肉などがひきつった状態になる。「やけどのあとが—・れる」「足が—・れた」文 つ・る《下二》。

*__つ・れる【連れる】__一《他下一》同行者としてともなう。連れにする。「犬を—・れて散歩する」文 つ・る《下二》。二《自下一》→つれて一。文 つ・る《下二》。

つわ-ぶき【×橐×吾・▽石×蕗】キク科の常緑多年草。葉はフキに似ているが、厚くてつやがある。秋に黄色い花を開く。葉は民間の薬用、葉柄は食用。つわ。

つわ-もの【▽兵】〔文〕❶武士。兵士。軍人。特に、強くりっぱな武士。❷勇敢な人。また、その方面にすぐれた人。猛者。「彼はこの道の—だ」

つわり【▽悪▽阻】妊娠によって起こる中毒症。吐き気や食欲不振などを起こす。悪阻。

つん【突ん】《接頭》《「突き」の撥音便》→突き二。「—出る」

ツングース シベリア東部から中国東北部・朝鮮半島北部・サハリンにかけて住むツングース諸語（アルタイ語の一つ）を話す狩猟民族の総称。参考 狭義では、シベリアの「エベンキ（Evenki）族」をさす。▽Tungus

つん-けん《副・自サ》《副詞は「—と」の形も》不愛想で、ことばや態度がとげとげしいようす。「—した店員」

つん-ざ・く【×劈く】《他五》《「突き裂く」の音便》はげしく破り裂く。「耳を—・く爆音」

つんつるてん《名・形動》❶〔俗〕衣服のそでやたけが短くなって手足が出ていること。ちんちくりん。「—の洋服」❷頭髪が完全にはげていること。

つん-つん《副》《「—と」の形も》❶《自サ》とりすまして、愛想のないようす。また、怒ったようす。「叱られて—している」❷《自サ》強いにおいが刺激するように鼻をつくようす。「アンモニアのにおいが—する」❸固く上へ突き出すようす。「髪の毛が—立っている」同①〜③つんと。

つん-と《副・自サ》つんつん。「—すましている」

つん-どく〔俗〕書物を買っても積んでおくばかりで、読まないこと。参考「積んでおく」の転「積んどく」の「どく」を「読く」にかけたしゃれ。

ツンドラ 一年中ほとんど凍結し、夏わずかにとけて湿地となる荒野。シベリア・カナダなどの北極沿岸地方にある。凍土帯。凍原。▽ロシア tundra

つん-のめ・る《自五》〔俗〕「のめる」を強めた言い方。

つんぼ【×聾】〔卑称〕耳が聞こえない・こと（人）。聴覚障害（者）。

つんぼ-さじき【×聾〈桟敷〉】❶芝居で、舞台から遠くて役者のせりふがよく聞こえない席。類語 天井桟敷。❷関係者でありながら重要な物事の事情を直接知らされない、疎外された立場。「—に置かれる」

*__て【手】__一《名》❶㋐人体の前肢のうち、手首から指先までの部分。手首・手のひら・手の甲・五本の指からなり、物をつかむ、にぎるなどさまざまな働きをする。「—をついてわびる」対足。㋑肩から指先までの部分。また、猿・犬・猫などの前肢をもいう。「—を上げろ」「猫の—も借りたい」対足。❷ものをつかまえ、支配する力を持つもの。「運命の—」「暴君の—から救う」❸ものに付属している、そこをつかむための部分。とって。「鍋の—」❹植物のつるをまきつかせたり茎を支えたりする、木や竹。「ナスの—」❺何らかの働きをする（不特定多数の）人間。㋐働く人。ひとで。労働力。「—が足りない」㋑武士の隊。「寄せ—」㋒部下。てした。「—の者を差し向ける」❻手①を使って何かをすること。また、その結果。㋐筆で文字を書くこと。また、その文字。筆跡。「小野道風の—と伝えられる」㋑物を作ること。「名工の—になる刀剣」❼自分が所有するものを表す。㋐自分のもの。「—に入れる」「人の—に渡る」㋑将棋・トランプ遊びなどで、手持ちのこま・札。「よい—がきた」❽広く、体を用いて種々の動作・作用をすることを表す。㋐仕事をする力。労力。「あまり人の—のはいっていない庭」㋑手間。手数。「—のこんだ細工」㋒世話。手くばり。「—のかかる子供」「親の—をはなれる」㋓みずから物事をすること。また、その腕まえ。「—が上がる」㋔相撲などのわざ・技術。「四十八—」㋕手段。方法。すべ。手だて。「ずるい—を使う」「八方—をつくす」㋖はかりごと。策略。「敵の—に乗る」「その—は食わない」㋗囲碁・将棋などで、石を打ったりこまを動かしたりすること。「—の読みが深い」㋘戦いで受けたきず。手きず。「—を負う」㋙他人とのかかわり合い。関係。「—を結ぶ」「—が切れる」㋚邦楽で、楽器の演奏。また、楽曲。「間の—」㋛日本舞踊の手ぶり。所作。「差す—引く—」❾〔指さす、または志向する〕方向。「行く—」❿品質などの種類。「この—の本は難しい」⓫〔炎などが〕あらわれ出ること。また、その勢い。「火の—が上がる」⓬ものの形。「道がかぎの—に曲がっている」⇩【類語と表現】二《接頭》《状態を表す語（おもに形容詞）について》具体的な感じを表す。「—ごわい」「—きびしい」三《接尾》❶《動詞の連用形について》「その動作をする（能力のすぐれた）人」の意。「語り—」「やり—」❷《名詞について》品質などの種類を表す。「奥—の稲」❸

《助数》囲碁・将棋の一さしを数える語。「九ー詰めの詰め将棋」❹《助数》矢二筋を一組として数える語。

ーが上が・る《句》❶芸事などの腕前が上達する。❷字がうまくなる。❸酒量が多くなる。対①～③手が下がる。同①～③腕が上がる。

ーが後ろに回・る《句》警察に捕らえられる。

ーが掛か・る《句》労力と時間がかかる。めんどうで世話が焼ける。「修理にー・る」「手のかかる赤ん坊」

ーが切・れる《句》❶関係がなくなる。縁が切れる。「悪い仲間とー・れる」❷紙幣などの真新しいようすをいう。「ー・れるような千円札」

ーが込・む《句》細工または技巧が複雑である。

ーが付・く《句》❶新しいもの(の一部)が、すでに使い始められている。❷目下の女との間に肉体関係ができる。「殿様のー・く」〔第三者の立場からいう〕

ーが付けられな・い《句》とるべき方法や手段がない。どうしようもない。「わがままでー・い」

ーが出な・い《句》自分の能力や財力以上で、ほどこすべき手段がない。「高くてー・い」

ーが届・く《句》❶力が及ぶ。することができる。参考ふつう、打ち消しの形で使う。「高くてー・かない」❷世話がゆきとどく。「かゆい所にー・くような心遣い」❸〔ある年齢に〕達しようとする。「八十にー・く」

ーが無・い《句》❶人手が足りない。❷とるべき方法や手段がない。「謝るしかー・い」

ーが長・い《句》〔俗〕盗癖がある。てくせが悪い。

ーが入・る《句》❶犯人を逮捕したり犯罪の証拠品を押収するため、警官や刑事がそこに立ち入る。❷製作の過程で、他の人の修正が加わる。

ーが離・れる《句》❶子どもが成長して、世話に手数がかからなくなる。❷それまで続けてきた仕事が一段落して、それと関係がなくなる。

ーが早・い《句》❶物事を処理するのが早い。仕事が早い。❷すぐに暴力をふるうくせがある。❸女性に手を出すのが早い。

ーが回・る《句》❶〔処置・世話などが〕ゆきとどく。「忙しくて金魚の世話までー・らない」❷犯人を捕らえようとする警察の手配がなされる。「FBIのー・った」

ーに汗を握・る《句》〔緊張したり興奮したりするとてのひらに汗をかくことから〕はらはらする。

ーに余・る《句》❶たくさんで(大きくて)持ちきれない。❷手に負えない。「ー・る仕事」

ーに負えな・い《句》自分の力では処理できない。手に余る。手がつけられない。「いたずらっ子でー・い」

ーに落・ちる《句》その所有となる。「敵のー・ちる」

ーに掛・ける《句》❶自分で行う。手掛ける。「長年ー・けた仕事」❷自らよく世話をする。手しおにかける。❸自分の手で殺す。❹〈「…のー・ける」の形で〉…に頼んでまかせる。「乳母のー・けて育てる」

ーに・する《句》❶手に持つ。手に取る。❷自分のものにする。「念願のものをー・する」

ーに付かな・い《句》〔心が他にとらわれて〕落ち着いてできない。「父の病気が心配で勉強もー・い」

ーに手を取・る《句》互いに手を取り合う。また、行動を共にする。〔特に、相愛の男女が連れ立ってどこかへ行くことに言う〕「ー・って駆け落ちした」

ーに取るよう《句》すぐ目の前に・ある(いる)ようにはっきりとしているようす。「敵の動きがーにわかる」

ーに乗・る《句》相手の仕掛けたわなにはまる。だまされて、人の計略にかかる。「二度とそのー・らないぞ」

ーも足も出な・い《句》手段の講じようがない。

ーを上・げる《句》❶〔相手をなぐろうとして〕手を振り上げる。「幼い子にー・げるな」❷平伏していた手を上げる。「どうぞ、お手をお上げ下さい」❸降参する。閉口する。「ー・げろ」❹上達する。

ーを合わ・せる《句》❶合掌する。おがむ。「神仏にー・せる」❷相手になって勝負をする。「一局、ー・せたい」

ーを入・れる《句》❶世話をしてととのえる。手入れをする。「庭にー・れる」❷足りないところを補い、悪いところをなおす。手を加える。「原稿にー・れる」❸警官が、犯罪の現場などに踏み込む。

ーを打・つ《句》❶左右の手のひらを打ち合わせて音をたてる。㋐思いあたったとき、感心したときなどに思わずする動作。㋑神前で礼拝するときの動作。㋒話し合いがついたときに、それを祝って関係者がそろってする動作。❷〔取引・もめ事などで〕妥協して解決する。「一〇万円でー・とう」❸〔ある事態に対して〕処置をはかる。手段を講じる。「事前にー・つ」

ーを替え品を替・える《句》いろいろの方法を試みる。「ー・えて機嫌をとる」

ーを掛・ける《句》❶〔うまくゆくように〕いろいろのめんどうなことを処理する。手数をかける。「ー・けた料理」❷自分で直接その物事を行う。「巨匠みずからー・けた作品」❸手出しをする。また、盗みを働く。

ーを貸・す《句》助力を与える。

ーを借・りる《句》人に手伝ってもらう。

ーを切・る《句》関係をなくす。参考多く、男女の関係、好ましくないつながりなどについていう。

ーを下・す《句》自分で実際にその事を行う。

ーを組・む《句》共通の目的を達成するために協力する。「隣国とー・んで経済を発展させる」

ーを加・える《句》手を入れる。「草稿にー・える」

ーを拱・く《句》❶腕組みをする。❷何もしないでみている。人のなすままにする。手をつかねる。

ーを締・める《句》手締めをする。

ーを染・める《句》ある物事をし始める。着手する。

ーを出・す《句》❶自分からすすんでそれに対して(手に関した)動作をしかける。「悪球にー・す」❷物事をやってみる。かかり合う。「株にー・す」❸女を誘惑し、関係をもつ。❹けんかで、暴力をふるう。

ーを束・ねる《句》手をこまぬく。

ーを付・ける《句》❶ある事をし始める。着手する。❷使い始める。また、使用する。消費する。「貯金にー・ける」❸箸をつける。食べる。❹〔目下の女と〕肉体関係をもつ。表記「ーを着ける」とも書く。

ーを取・る《句》❶親愛の意を表したり行き先の案内をしたりするために、人の手を・握る(持つ)。❷心をこめて念入りに指導するようす。「ー・って教える」

ーを握・る《句》力を合わせて事に当たる。また、仲直りをする。「与党と一部の野党がー・った」

ーを抜・く《句》しなければならないことをしないで・ごまかす(いい加減にする)。「工事のー・く」

ーを延ば・す《句》関係する範囲を広げる。表記「ーを伸ばす」とも書く。

ーを引・く《句》かかり合いをなくす。「事業からー・く」

ーを広・げる《句》いろいろなことに関係をつける。また、商売などで、関係する範囲を大きくする。

—を回・す《句》❶ひそかに十分な手配り・処置をする。❷手を尽くしてさがす。
—を結・ぶ《句》協力し合うことを約束する。
—を焼・く《句》処置に困る。もてあます。
—を煩わ・す《句》人に世話をしてもらう。めんどうをみてもらう。やっかいをかける。「先生の—・す」

類語と表現
「手」
＊手を洗う・手を高く上げる・手をつないで歩く・手を振って別れる・手を叩いて囃し立てる・袖に手を通す・ストーブに手をかざす・手でつまんで食べる・手の長い人。
◆両手・両の手・諸手・双手・片手・右手・馬手・左手・弓手・利き手・義手・触手・手首・手の平・掌・手の甲・手先・拳・肘・腕・二の腕・片腕・上膊・下膊・前膊

＊**て** ■一《格助》→って(格助)。「何**て**言った?」「縁**て**ものは異なものだ」
■二《係助》→って(係助)。「人間**て**一体何だろう」
■三《接助》《完了の助動詞「つ」の連用形の転という》〔動詞・形容詞などの連用形につく。ガ行イ音便・撥音便の動詞につくときは「で」となる。形容詞につく場合は、「って」とも。助動詞「ない」の場合は、「なく(っ)て」のほか、「ないで」の形も使う〕❶並列的、または対比的関係を表す。「色が白く**て**背が高い」「罪を憎ん**で**、人を憎まず」❷継起する事態が次に続くことを表す。〔完了の意がこもる〕「挨拶だけし**て**帰った」❸次の事態が起こる原因・理由を表す。「勝ったと思っ**て**いい気になるな」❹評価・判断を導くきっかけとなる動作・状態を表す。「協力してくれ**て**ありがとう」「気づかない**で**悪かった」❺逆接関係を表す。「見た顔のようでい**て**思い出せない」❻動作を行う場合の様態を表す。「傘もささない**で**歩く」❼〔下に「いる」「くる」「しまう」「やる」「もらう」「下さる」などの動詞を伴い、補助動詞として働き〕アスペクト・授受関係・待遇関係を表す。「戸が開い**て**いる」「読ん**で**ください」
■四《終助》❶〔主に「…まいて」「…だて」「…だろうて」の形で〕ひとり合点的な詠嘆・感動を表す。〔古風な言い方〕「このままでは済むまい**て**」❷〔親しい間柄での丁寧な女性語〕㋐〔結果・継続・状態を表す動詞句について〕実現している事柄についての問いかけを表す。「お疲れになっ**て**?」「もう来ない**で**?」㋑依頼を表す。「私に教え**て**」「ちょっと待ってらし**て**」㋒〔「てよ」の形で〕自分の意見や立場を述べ、さらに念を押すのに使う。「よく似合っ**て**よ」

＊**で**【出】■一《名》❶出ること。また、出る状態・程度。出ぐあい。「月の—」「水の—が悪い」対 入り。❷出動または出勤すること。「早—」❸人や物の出どころ。出身。産地。「房州の—」「貴族の—」❹役者などが舞台に登場すること。出番。「—を待つ」❺物事の出はじめ。物事のやりはじめ。出際。出端。■二《接尾》《多く動詞連用形について》「…する点における内容の充実度」「十分に(いつまでも)…することができる数量や能力」の意。表記 多く、かな書きする。参考 ふつう、下に「ある」または「ない」を伴って用いる。「読み—がある」「使い—がない」表記 ふつう、かな書きにする。

＊**で**《接続》前の事柄を受けて、次の事柄を促すときに用いる。それで。そこで。「—、どうしたの?」

＊**で** ■一《格助》《「にて」の転》❶動作・作用が成立する条件としての具体的、あるいは抽象的場所を示す。「東京**で**会議を行う」「序文**で**方針を述べる」「心理学**で**は、こう主張している」「日常生活**で**の不安」参考 →に(格助)。❷〔「では」「でも」の形で〕時間的条件を示す。「今**で**はもう見られない」❸手段・材料・道具など、依拠すべき条件を示す。「船**で**外国へ行く」「小麦粉**で**うどんを作る」「鉄砲**で**撃つ」❹原因・理由など、発生の条件を示す。「病気**で**死んだ」「興奮**で**顔を赤らめる」❺動作・作用が行われるときの様態・条件などを示す。「彼女なし**で**は生きられない」「みんな**で**分ける」❻〔主に、数値を表す語について〕動作・作用が行われる時期・期限・限度・基準などを示す。「三日**で**仕上げろ」「費用は一万円**で**済んだ」❼〔組織・団体名などについて〕動作を行う主体を間接的に示す。「A社**で**は、新薬を開発したと発表した」❽〔「…たところで」の形で〕→ところで(接助)。
■二《接助》❶《接続助詞「て」がイ音便・撥音便の関係で「で」となったもの》→て(接助)。…ないで。❷文語 打ち消しながら、下へ続けるのに使う。…ないで。「寝もせ**で**夜を明かす」参考 現在では、「ならでは」の形で使う。「彼ならではの快挙」

て・あい【手合(い)】❶連中。仲間。やつら。〔多少けいべつの気持ちをこめた言い方〕「あの—には文学はわからない」❷種類。「同じ—の品物」❸囲碁・将棋などの対局。「—表」

で・あい【出会い・出合い】❶〔思いがけず〕であうこと。めぐりあうこと。知りあうこと。「偶然の—」「人生における—」❷恋しあう男女がひそかにあうこと。あいびき。「—茶屋」「—宿」❸川・沢などが合流する所。また、出たとたん。「一の倉沢の—」—**がしら**【—頭】出あったとたん。「—にぶつかる」

で・あ・う【出会う・出合う】《自五》❶〔自分の家以外のところで〕偶然にあう。❷〔ふと〕目にとまる。「美しい風景に—・う」❸〔思いがけなく〕受ける。「反撃に—・う」❹出てきて相手になる。〔古風な言い方〕「曲者じゃ、—・え、—・え」❺ある場所でいっしょになる。落ち合う。また、男女が密会する。

て・あか【手×垢】❶手のあか。❷手が触れてついたよごれ。転じて、古くさいこと。「—のついた本」「—のついた表現」

て・あき【手明き・手空き】することがなくてひまなこと(人)。てすき。「—の人に頼め」

て・あし【手足】❶手と足。❷ある人の下で、その人の思うとおりに働く人。「社長の—となって働く」

で・あし【出足】❶〔ある場所に出かける〕人出の状態・程度。「観客の—が鈍い」❷物事を始めるときや出て行くときの速さ。「—のよい新製品」❸相撲で、相手を攻めて前へ出るときの、足の出ぐあい。

て・あそび【手遊び】❶手に持って遊ぶこと。また、そのもの。おもちゃなど。❷暇つぶしや慰みにすること。特に、ばくち。「ほんの—にかいた絵」

て・あたり【手当(た)り】❶手に当たる・こと〔感じ〕。手ざわり。❷手がかり。—**しだい**【—次第】《副》何でもかたっぱしから。「—(に)買いあさる」

て・あつ・い【手厚い】《形》〔もてなしや取り扱いに〕真心がこもっていて丁寧なようす。ねんごろである。「—・い看護」「遺体を—・く葬る」

て・あて【手当(て)】❶〔ある物事を予定して〕前もって

用意しておくこと。準備。「資金の—をする」❷報酬として与えられる金銭。「家族—」表記②は「手当」と書く。❸《名・他サ》病気・けがなどに対して処置をほどこすこと。また、その処置。「傷の—をする」「応急の—」

テアトル 劇場。映画館。▽フランス théâtre

て-あぶり【手×焙り】 手を暖める、小さな火ばち。

て-あみ【手編み】〔機械を使わず〕手で編むこと。また、手で編んだもの。「—のセーター」対機械編み。

て-あら【手荒】《名・形動》扱い方や動作などが乱暴なこと。「—なまねはよせ」「—に扱う」「—な男」

*__て-あらい【手洗い】__(—あらひ) ❶手を洗うこと。また、そのための水や器。「—鉢」❷便所。〔婉曲な言い方〕

*__て-あら・い【手荒い】__《形》手荒なようす。

で-あ・る《連語》《指定の助動詞「だ」の連用形「で」＋補助動詞「ある」》→ある(補動)。「吾輩は猫—・る」「大人—・れ子供—・れ」参考書きことばでは、「だ」とともに「です・ます」に対立する丁寧でない文体。話しことばでは、ほとんど使われない。

で-ある・く【出歩く】《自五》家・宿舎などを出て歩きまわる。外出する。「夜間は—・かないほうがよい」

て-あわせ【手合(わ)せ】(—あはせ)《名・自サ》❶相手になって勝負をすること。「かるたの—をする」「一番、お—を お願いします」❷取引の契約をすること。「—の価格」

*__てい【低】__《接頭》ひくい。「—姿勢」「—気圧」対高。

*__てい【帝】__《接尾》皇帝。天皇。「仁徳—」

*__てい【邸】__《接尾》…の邸宅。「毛利—」

*__てい【丁】__〔文〕❶十干の四番め。ひのと。❷〔物事の等級で〕第四位。「甲乙丙—」

*__てい【亭】__ 一《名》〔文〕❶庭園に設けられる休憩所。あずまや。参考「ちん」ともいう。❷亭主。二《接尾》❶料理屋・旅館・寄席などの屋号にそえる語。「末広—」❷雅人の居室の名にそえる語。「時雨—」❸芸人・文人などの号にそえる語。「春風—」「断腸—」

*__てい【体・▽態】__ ❶外から見えるようす。〔接尾語的にも用いる〕「満足の—」「なにげない—」「職人—の男」❷〔ぐあいの悪いことをかくした〕みせかけのようす。体裁。「—よく断る」参考→体よく。

*__てい【底】__ ❶〔文〕そこ。❷〔文〕〈「—の」形で〉そのような程度・種類。「金に目の色を変える—の男」❸底辺。台形の平行な二辺。

*__てい【弟】__〔文〕おとうと。「兄たり難く—たり難し(=二人の間に優劣がつけがたい)」対兄。

*__てい【艇】__〔文〕洋風のこぶね。はしけ。〔接尾語的にも使う〕「魚雷—」「救命—」

デイ《造語》「日」「昼」の意。デー。▽day **—ケア** 昼間だけ、専門職員が家族に代わって高齢者・障害者などの世話をすること。▽day-care **—サービス** 障害のある在宅の高齢者を昼間だけ施設に預かり、入浴・給食などを行うサービス。また、その家庭を訪問して、入浴・給食・洗濯などを行うサービス。▽day と service からの和製語。

てい-あつ【低圧】 低い圧力・電圧。対高圧。

てい-あん【提案】《名・他サ》〔相手の意見をもとめるために〕ある案をだすこと。また、その案。「—を検討する」類語発案。提言。

*__てい-い【定位】__《名・他サ》ある事物の位置・姿勢を一定にとること。また、一定の位置・姿勢。

*__てい-い【帝位】__ 帝王の位。「—を継ぐ」「—につく」

*__ティー__ お茶。特に、紅茶。「—ポット」「—タイム」▽tea **—パーティー** 茶と菓子で催す会合。▽tea party **—バッグ** 少量の紅茶や緑茶などをうすい紙袋につめたもの。そのまま湯にひたして用いる。▽tea bag **—ルーム** 喫茶室。喫茶店。▽tearoom

*__ティー__ ❶ゴルフで、各ホールの初球を打ち出すとき、ボールをのせて打つ小さな台。球座。❷「ティーグラウンド」の略。▽tee **—グラウンド** ゴルフで、〔ティー①を使って〕各ホールの初球を打ち出す場所。ティー。▽teeing ground から。

ディー-エッチ【DH】→指名打者。▽designated hitter の略。

ディー-エヌ-エー【DNA】 デオキシリボ核酸。生物の細胞の中にあって遺伝情報を伝える遺伝子の本体。「—鑑定」▽deoxyribonucleic acid の略。

ディー-エム【DM】「ダイレクトメール」の略。

ディー-ケー【DK】 台所と食堂を兼ねた部屋。ダイニングキッチン。▽dining と kitchen の頭文字からの和製語。

ティー-ケー-オー【TKO】 テクニカルノックアウト。

ディー-ジェー【DJ】 ディスクジョッキー。▽disk jockey の略。

ティー-シャツ【Tシャツ】 丸首で半袖のシャツ。▽T-shirt

ディーゼル-エンジン 圧縮して高温になった空気に重油をふきつけて発火させ、そのエネルギーでピストンを動かす内燃機関。重油機関。参考ドイツのディーゼルが発明。▽diesel engine

ディーゼル-カー ディーゼルエンジンを原動機とする鉄道車両。ディーゼル動車。気動車。▽diesel car

ティーチ-イン 学内討論集会。一般に、テーマをきめて行う討論集会。▽teach-in

ティーチング-マシン 能力に応じて段階的に自学自習するための教育機器。▽teaching machine

ディー-ディー-ティー【DDT】 有機塩素系化合物の殺虫剤の一つ。害虫駆除に使われたが、現在は環境保護のために使用禁止。▽dichloro-diphenyl-trichloro-ethane の略。

ディー-ティー-ピー【DTP】 パソコンやワークステーションに大型ディスプレーと高品位プリンターをつないで、文字を打ち込み、レイアウトから版下の作成まで行う簡易印刷システム。デスクトップパブリッシング。▽desktop publishing の略。

ディー-ピー-イー【DPE】⇩巻末付録。

ティー-ピー-オー【TPO】 時間・場所・目的に応じて、服装などの使い方に区別をつけること。「—に気を配る」▽time, place and occasion の略。

ティー-ブイ【TV】 テレビジョン。▽television の略。

ディーラー ❶証券の自己売買業者。「為替—」❷取扱業者。また、取扱店。特約店。「中古車—」❸トランプゲームの親。カードを配る人。▽dealer

てい-いん【定員】 規則できめられている人数。

ティーン 十代の人。「ハイ—」「ロー—」▽teens **—エージャー** 十代の少年少女。参考元来の意味は、英語で -teen の語尾でおわる年齢、すなわち一三歳から一九歳までをさす。▽teen-ager

てい-えん【庭園】 庭。特に、りっぱな広い庭。

てい‐おう【帝王】❶君主国の元首。尊敬大帝。❷ある分野・社会の中で特にすぐれ、絶対的な権威・支配力をもつもの。「無冠の―」「暗黒街の―」 **―せっかい【―切開】**腹壁・子宮壁を切り開いて胎児を取り出す手術。参考俗説に、古代ローマの帝王シーザーがこの方法によって取り出されたためという。

ディオニソス ギリシア神話で、酒の神。ディオニュソス。参考ローマ神話のバッカスにあたる。▽Dionysos **―てき【―的】**《形動》陶酔的・激情的であるようす。参考ニーチェが説いた芸術上の世界観から。対アポロ的。

***てい‐おん【低温】**低い温度。「―殺菌」対高温。

***てい‐おん【低音】**❶低い音。❷男声のいちばん低い音域の声。楽曲の最低音部。バス。対①②高音。

***てい‐おん【定温】**一定の温度。「―を保つ」 **―どうぶつ【―動物】**まわりの温度の変化に関係なく、体温がほぼ一定に保たれている動物。鳥類・哺乳(ほにゅう)類など。恒温(こうおん)動物。温血動物。対変温動物。

***てい‐か【低下】**《名・自サ》❶〔度合いが〕低くなること。さがること。「気温が―する」対上昇。❷〔質・力などが〕悪くなること。「学力が―する」対向上。

***てい‐か【定価】**商品の、〔販売元によって〕前もってきめられた売り値。「―をつける」「―どおりで買う」

てい‐かい【低回・低×徊・×低×徊】《名・自サ》〔文〕考えや思いにふけって、ゆっくりと行ったり来たりすること。**―しゅみ【―趣味】**俗世間を離れ、ゆとりをもって人生をながめ味わおうとする態度。

***てい‐がく【低額】**低い金額。少ない金額。「―の所得者」類語少額。対高額。

***てい‐がく【停学】**学則に違反した学生・生徒に対して、罰として一定期間登校を禁じること。「―処分」

***てい‐がく【定額】**きめられた一定の金額。「―貯金」

てい‐がくねん【低学年】〔小学校で〕下の方の学年。一、二年。対中学年。高学年。

でい‐かざん【泥火山】地下からガスや水とともにどろがふき出し、火山のように盛り上がった小さな丘。

***てい‐かん【定款】**〔会社・公益法人・協同組合などの〕目的・組織・活動などに関した根本の規則。また、それをしるした文書。

***てい‐かん【×諦観】**《名・他サ》〔文〕❶物事の本質を見きわめること。諦視。「事の次第を―する」類語明察。❷さとりあきらめること。「―の境地」類語諦念。

***てい‐き【定期】**❶きめられた一定の期間・期限・間隔。「―的に検査を受ける」❷「定期乗車券」の略。一定期間中、一定区間に限って乗車できる、列車・電車・バスなどの割引乗車券。❸「定期預金」の略。一定の期間引き出さないという条件で銀行が預かる預金。普通預金よりも利率が高い。**―びん【―便】**一定の区間を定期的に行き来して行う連絡・輸送。また、それに用いる交通機関。

***てい‐き【提起】**《名・他サ》ある場に訴訟や検討すべき問題などを持ち出すこと。「違憲訴訟を―する」

***てい‐ぎ【定義】**《名・他サ》ことばの意味を、他のことばの意味と区別できるように明確に限定すること。また、それを述べた文。「三角形を―する」

***てい‐ぎ【提議】**《名・他サ》〔会議などで〕議案や意見を提出すること。また、その議案・意見。

てい‐きあつ【低気圧】❶周囲より気圧が低くなっている領域。上昇気流がおこるため、一般に天気が悪い。対高気圧。❷人の機嫌が悪いこと。また、不穏な形勢になりそうなこと。

***てい‐きゅう【低級】**《名・形動》〔考え方・趣味・品位などの〕程度が低く、劣っていること。「―な書物」「―な番組」類語安価。対高級。

***てい‐きゅう【定休】**会社・商店などで、毎週日をきめて業務を休むこと。「―日」

***てい‐きゅう【庭球】**〔文〕テニス。

***てい‐きゅう【×涕泣】**《名・自サ》〔文〕涙を流して泣くこと。類語落涙。号泣。

てい‐きょう【提供】《名・他サ》相手の目的に役だてるために、自分の持っているものを差し出すこと。「資料を―する」「情報を―する」

***てい‐きん【庭▽訓】**〔文〕家庭教育。故事孔子が、庭を走り過ぎる子を呼び止めて、詩や礼を学ぶように教えたことから。〈論語・季氏〉

***てい‐きん【提琴】**〔文〕バイオリン。

てい‐ぎん【低吟】《名・他サ》〔文〕〔詩歌などを〕低い声で吟ずること。

てい‐くう【低空】空の、地面・水面に近い所。「―飛行」対高空。

ディクテーション 英語の書き取り〔試験〕。▽dictation

***てい‐けい【定型】**〔詩・和歌・俳句などの〕きまった型。「無―」 **―し【―詩】**〔文学〕音節の数、詩句の数、配列の順序などが一定している詩歌。わが国の和歌・俳句、漢詩の五言・七言、律詩・絶句、西欧のソネット(=十四行詩)など。対自由詩。不定型詩。

***てい‐けい【定形】**目的などによって物の形が決められていること。また、その形。「―を保つ」「―郵便物」

***てい‐けい【提携】**《名・他サ》共同で物事を行うこと。タイアップ。「外国の企業と技術を―する」

***てい‐けい【×梯形】**「台形」の旧称。

***てい‐けつ【貞潔】**《名・形動》みさおがかたく、行いが潔白なこと。「―をたて通す」

***てい‐けつ【締結】**《名・他サ》条約・協定・契約などを取り結ぶこと。「講和条約を―する」類語締約。

てい‐けつあつ【低血圧】血圧が正常より低いこと。

てい‐けん【定見】はっきりきまっている自分の意見・見識。「―のない人」「無―」

***てい‐げん【低減】**《名・自他サ》❶〔量・程度などが〕へること。また、へらすこと。「死亡率が―する」「負担の―を図る」❷〔値段が〕安くなること。また、安くすること。「運賃を―する」

***てい‐げん【提言】**《名・他サ》〔会議などで〕自分の考え・意見を多くの人の前に出すこと。また、その考え・意見。「二十一世紀への―」

***てい‐げん【逓減】**《名・自他サ》〔文〕数や量がだんだんとへること。また、へらすこと。「人口が―する」「定員を―する」類語漸減。対逓増。

てい‐こ【艇庫】〔文〕ボートをしまっておく倉庫。

てい‐こう【抵抗】❶《名・自サ》外から加わる力や権力をはねのけようとすること。逆らうこと。はむかうこと。「弾圧に―する」「―運動」「―力」❷すなおに受け入れられない気持ち。「―を感じる」「何の―もなく受け入れる」❸ある力の作用に対して、その方向と反対の方向にはたらく力。空気抵抗・摩擦抵抗・電気抵抗など。**―き【―器】**電気回路に接続して電気抵抗を与えるためのもの。電気抵抗器。

***てい-こく【定刻】**あらかじめ決められている時刻。定時。「―に集合する」「―通りに開会する」

***てい-こく【帝国】**❶皇帝・天皇の治める国家。❷「大日本(だいにっぽん)帝国」の略。明治憲法下の日本国の呼称。「―軍人」**―しゅぎ【―主義】**❶自分の国の領土や勢力範囲を広げ、政治的・経済的に他民族・他国家を支配しようとする主義。❷独占資本主義の最終段階における、国家の政治的・経済的侵略主義。

てい-ざ【×鼎×坐・×鼎座】《名・自サ》〔文〕〔鼎(かなえ)の足のように〕三人が三方から向かい合ってすわること。

てい-さい【体裁】❶〔物の〕外観。外見。「―のいい門」❷一定の形式。「小説としての―を備える」❸人の目にうつる自分の状態。みかけ。面目。体面。「―をつくろう」類語外聞。❹人の気に入られるような、口先だけのことば。「お―を言う」**―ぶ・る【―振る】**《自五》みえをはる。もったいぶる。

でい-ざい【泥剤】どろどろに練った外用の塗り薬。

てい-さつ【偵察】《名・他サ》敵・相手のようすや行動をひそかに探ること。「敵状を―する」「―機」

***てい-し【停止】**《名・自他サ》❶〔物の進行が〕途中でとまること。また、とめること。「一時―」❷〔続けていた事柄が〕途中で〔一時〕やむこと。やめること。また、さしとめること。「業務を―する」「権利―処分」

***てい-し【底止】**《名・自サ》〔文〕行きつく所まで行ってとまること。「―するところを知らず」

***てい-し【×諦視】**《名・他サ》〔文〕諦観①。

***てい-じ【丁字】**漢字の「丁」の字のような形。「―形」「―定規」**―たい【―帯】**〔頭や股(また)などに巻く〕丁字形のほうたい。**―ろ【―路】**丁の字の形になった道路。T字路。類語三叉路(さんさろ)。

***てい-じ【呈示】**《名・他サ》差し出し示すこと。「パスポートを―する」

***てい-じ【定時】**❶定刻。「―に退社する」❷一定の時期。「―総会」「―刊行」**―せい【―制】**夜間など、特別な時間に授業が行われる学校教育の制度。〔特に高校についていう〕「―高校」対全日制。

***てい-じ【提示】**《名・他サ》〔ある物事を〕ある場所に持ち出し示すこと。「原案を―する」

***てい-じ【×綴字】**言語の音声を表音文字で書くこと。また、その文字。つづり字。てつじ。スペリング。

てい-しき【定式】一定の方式。また、きまっている儀式。「―化する」

てい-しせい【低姿勢】相手に対して下手(したて)に出る態度。「―になる」「―に出る」対高姿勢。

***てい-しつ【低湿】**《名・形動》土地が低く湿気が多いこと。「―な土地」対高燥。

***てい-しつ【低質】**《名・形動》品質がよくないこと。

***てい-しつ【帝室】**皇帝や天皇の一家・一族。皇室。

てい-じつ【定日】〔文〕前もってきめた日。

***てい-しゃ【停車】**《名・自サ》❶車がとまること。特に、汽車・電車・バスが駅や停留所にとまること。「踏切で―する」対発車。❷道路交通法で、車両などの停止のうち、駐車以外のもの。参考➡駐車。**―じょう【―場】**汽車・電車の駅。停車場(ば)。〔古風な言い方〕参考バス・路面電車などは「停留所」という。

てい-しゅ【亭主】❶一家の主人。特に、宿屋・茶店などの主人。あるじ。❷〔俗〕夫(おっと)。「―を尻(しり)に敷く」❸茶の湯で、茶をたてて客を接待する人。主人。**―かんぱく【―関白】**夫が家庭の支配者として〔特に妻に対して〕いばっていること。対かかあ天下。**―の好きな赤烏帽子(あかえぼし)**《句》〔烏帽子は黒塗りが普通であるところから〕一家の主人の好みとあれば、家の者はそれに同調しなければならない。

てい-しゅう【定収】「定収入」の略。きまった収入。

てい-じゅう【定住】《名・自サ》ある場所に住居を定めて住むこと。「東京に―する」

てい-しゅうは【低周波】比較的低い周波数〔の電波・電流〕。対高周波。

てい-しゅく【貞淑】《名・形動》女性のみさおがかたくしとやかなこと。「―な妻」

てい-しゅつ【提出】《名・他サ》文書・資料・証拠物件などをある場所に差し出すこと。「宿題を―する」

てい-じょ【貞女】みさおのかたい女性。貞婦。節婦。

***てい-しょう【低床】**ゆか面が低いこと。特に、バスで、乗降口の段差をなくしてゆかを低くしてあること。

***てい-しょう【低唱】**《名・他サ》〔文〕低い声でうたうこと。小声で吟ずること。「漢詩を―する」対高唱。

***てい-しょう【提唱】**《名・他サ》❶ある意見・主張を示して広く人々によびかけること。「環境保護運動を―する」❷〔仏〕禅宗で、師家が教義のあらましをのべ、意義を説ききかせること。

***てい-じょう【呈上】**《名・他サ》「贈る」意の謙譲語。さしあげること。「一書を―する」類語進呈。進上。

***てい-じょう【定常】**《名・形動》常に一定して変わらないこと。「―波〔=波形が進行せず、一定の場所にとどまって振動する波〕」

***てい-しょく【停職】**❶ある期間職務につくことをさしとめること。❷公務員に対する懲戒処分の一つ。身分はそのままで、一定期間〔一年以内〕、職務につくことをさしとめること。その間給与は支給されない。

***てい-しょく【定植】**《名・他サ》苗として育てていた植物を本式に植え付けること。対仮植。

***てい-しょく【定職】**〔一定の収入を得る〕きまった職業。「―がない」「―につく」

***てい-しょく【定食】**食堂・飲食店などで、献立の内容・組み合わせがきまっている料理。「てんぷら―」類語ランチ。対一品料理。

***てい-しょく【抵触・×牴触・×觝触】**《名・自サ》規則や法律にふれること。「騒音規制法に―する」

***てい-しん【廷臣】**〔文〕朝廷に仕え、役人として任じられた臣。類語幕臣。

***てい-しん【×挺身】**《名・自サ》〔文〕自分の身を投げ出し、進んで〔困難な〕事にあたること。「革命運動に―する」類語捨て身。率先。

***てい-しん【×挺進】**《名・自サ》〔文〕他にぬきんでて進むこと。軍隊などに言う。「敵中深く―した」

***てい-しん【艇身】**㊀《名》ボートの長さ。㊁《助数》ボートレースで、引きはなした差をボートの長さで表す単位。「一―の差で優勝する」

でい-すい【泥酔】《名・自サ》意識がなくなるほどに、ひどく酒に酔うこと。深酔い。「―して前後不覚になる」類語乱酔。酩酊(めいてい)。沈酔。

ディスインフレーションデフレにならないようにインフレの進行を抑制してゆく経済政策。▽disinflation

てい-すう【定数】❶〔規則で定めた〕一定の数。「―に満たない」❷〔仏〕生前から定まっている運命。命数。

❸他の数量が変わっても常に一定で変わらない数値。常数。不変数。「比例—」対変数。

ディスカウント《名・他サ》割引。値引き。「—ストア」「—セール」▽discount

ディスカッション《名・他サ》討論すること。討議。「パネル—」▽discussion

ディスク ❶蓄音機のレコード。音盤。「—大賞」❷円盤形の情報記憶媒体の総称。フロッピーディスクやハードディスク、CD・DVDなど。▽disc(disk) フランス disque **—ジョッキー** ラジオ放送で、音楽を聞かせながら、その合間に話題をはさんで構成する放送番組。また、その番組の話し手。略語DJ。▽disc jockey

ディスクロージャー 情報を公開すること。特に、国・地方公共団体の情報開示や、企業の(投資家に対する)業績内容の公開。▽disclosure

ディスコ ロック系の音楽を流し踊りなどを楽しむ店。▽フランス discothèque から。

テイスト→テースト。

ディスプレー ❶展示。陳列。特に、商店内や展示場などに、商品などを工夫をこらして陳列する・こと(もの)。❷ブラウン管や液晶などを用いて文字・図形の形式でデータを表示する出力装置。▽display

*__てい・する【呈する】__《他サ変》❶差し出す。差し上げる。進呈する。「賛辞を—・する」❷ある状態を表す。示す。「活況を—・する」「悲惨な情景を—・する」

*__てい・する【×挺する】__《他サ変》〔文〕自分から進んで差し出す。先んじて進む。参考ふつう、「身を—・する」の形で使う。「国のために身を—・して尽くす」

*__てい・する【訂する】__《他サ変》〔文〕❶誤りを直す。訂正する。「原本の誤りを—・する」❷定める。むすぶ。「交わりを—・する」

*__てい・せい【低声】__〔文〕低い声。また、低く小さな声。類語小声。対高声。

*__てい・せい【帝政】__皇帝が治める政治。「—ロシア」

*__てい・せい【訂正】__《名・他サ》内容・字句などの誤りを正しく直すこと。「誤字を—する」類語修正。

てい・せい・ぶんせき【定性分析】ある物質がどのような成分からなっているかを知るために行う化学分析。対定量分析。

てい・せき【定積】一定の面積・体積。

*__てい・せつ【貞節】__《名・形動》(女性が)みさおをかたく守ること。「—を尽くす」対不貞。

*__てい・せつ【定説】__評価が確定している学説・理論。また、一般に正しいと認められている説。「—をくつがえす」類語定論。通説。

*__てい・せん【停戦】__《名・自サ》戦争中に、合意により一時戦闘行為をやめること。「—協定」類語休戦。

*__てい・せん【停船】__《名・自サ》船の進行をとめること。また、船の進行がとまること。特に、航行中の船をとめること。「—を命じる」

*__てい・せん【×汀線】__海水面と陸地面との境界線。なぎさ線。みぎわ線。

てい・ぜん【庭前】〔文〕にわの前面。にわさき。

*__てい・そ【定礎】__〔礎石を置いて〕建物の工事にとりかかること。「—式」

*__てい・そ【提訴】__《名・他サ》〔裁判所などに〕訴え出ること。「著作権侵害で—する」対応訴。

*__てい・そう【貞操】__男女が互いに性的関係の純潔を守ること。女の男に対する純潔をいうことが多い。「—を守る」「—観念」類語節操。

*__てい・そう【逓送】__《名・他サ》〔文〕人の手から手へ順に送ること。順送り。「荷物を—する」

てい・ぞう【逓増】《名・自他サ》〔文〕数や量がだんだんにふえること。また、ふやすこと。「生産が年々—する」類語漸増。対逓減。

*__てい・そく【低速】__速度がおそいこと。対高速。

*__てい・そく【定則】__定められている規則。

*__てい・ぞく【低俗】__《名・形動》性質・趣味などが低級で下品なこと。「—な映画」「—番組」対高尚。

ていそく・すう【定足数】議会などが、会議の開催または議決をするのに必要な最小限度の出席者数。「—に達する」参考国会では、全議員の三分の一。

*__てい・たい【停滞】__《名・自サ》物事がつかえて先へ進まないこと。「ストで郵便物が—する」「作業が—する」

*__て・いた・い【手痛い】__《形》損害や非難などの程度が甚だしい。てきびしい。てひどい。「—・い打撃」

てい・たく【邸宅】大きな住宅。屋敷。「豪壮な—」

てい・たらく《「体(てい)たり」の名詞化。「らく」は接尾語》人のようす。ありさま。かっこう。ざま。参考好ましくないありさまを(けいべつして)いうときに用いる。「さんざんの—」「なんという—だ」表記「為体」と当てる。

てい・だん【×鼎談】《名・自サ》〔文〕〔テーマなどをきめて〕三人が向かい合って話し合うこと。参考鼎(かなえ)が三本の脚をもつことから。類語対談。座談。

でい・たん【泥炭】水生植物が堆積(たいせき)してできた石炭。最も炭化の程度が低く、質が悪い。

*__てい・ち【低地】__低い土地。対高地。

*__てい・ち【定置】__《名・他サ》きまった場所に置くこと。「—してある消火器」**—あみ【—網】**沿岸の一定の場所にはって、魚をとる網。建て網。「—漁業」

てい・ちゃく【定着】《名・自他サ》❶〔きまった位置に〕しっかりとつくこと。また、つかせること。「—した民主主義」類語固定。固着。❷写真で、現像したフィルム・印画紙などの感光性をなくすこと。「—液」

でい・ちゅう【泥中】〔文〕どろの中。「—の蓮(はちす)(=けがれた環境の中でも清らかさを保つもののたとえ)」

*__てい・ちょう【丁重・×鄭重】__《名・形動》〔人に対する言動などが〕礼儀正しくていねいなこと。手厚いこと。「—にもてなす」類語丁寧。表記「丁重」は代用字。

*__てい・ちょう【低調】__《名・形動》❶内容が充実しておらず、そまつなこと。「—な応募作品」❷調子が出ず、〔思うように〕はかどらないこと。「試合は—だった」「—に終わる」対高調。

ティッシュ・ペーパー 薄く柔らかい上質のちり紙。ティッシュ。▽tissue paper

て・いっぱい【手一杯】《形動》それ以上のことをするだけの、能力にゆとりがないようす。せいいっぱい。「事業を—に広げる」「この仕事だけで—だ」

てい・てい【亭亭】《形動タル》〔文〕大きな木などがまっすぐに高くのびているようす。「—たる杉の古木」

ディテール ❶詳細。細目。「—にわたって説明する」❷〔美〕部分画。▽detail

てい・てつ【×蹄鉄】馬のひづめの損傷・摩滅などを防ぐために、ひづめの底に打ちつける、半楕円(だえん)形の鉄製の金具。

てい・てん【定点】❶〔数〕位置のきまっている点。❷

て

国際条約により、おもに気象観測を行う目的で、海洋上に定められた地点。「―観測」

***てい‐でん【停電】**《名・自サ》送電が一時とまること。また、そのために電灯が消えること。

***てい‐でん【逓伝】**《名・他サ》〔文〕人から人へ順々に伝え送ること。「メッセージを―する」

てい‐と【帝都】皇居のある都会。皇都。京師。

てい‐ど【程度】❶他の同種の物とくらべた場合の、その物の高低・大小・多少・強弱・優劣などのほどあい・度合い。「―の低い本」「被害の―はまだ不明だ」❷適当であると考えられる度合い。ほど。「小学生の―をこえた問題」 **―もんだい【―問題】**事の本質ではなく、その程度がどうかという問題。「あまり責めるのも―だ」

でい‐ど【泥土】〔文〕❶どろ。❷値うちのないもの。

***てい‐とう【低頭】**《名・自サ》〔文〕謝罪、敬意などの意を表すために、頭を低くさげること。「平身―」

***てい‐とう【抵当】**借金をするとき、それが返せなくなった場合には自由に処分してよいという約束で、借り手が貸し手に提供するもの。かた。担保。「店を―に入れる」「―を取る」 **―けん【―権】**債務不履行の場合、債権者の手にわたらないまま担保として供した不動産・地上権などの物件について、他の債権者に優先して弁済を受ける権利。 **―ながれ【―流れ】**金銭などを借りた人がそれを返さないため、抵当に入れた品物の所有権が貸した人の側に移ること。

てい‐とく【提督】艦隊の司令官。また、広く、海軍の将官。

てい‐とん【停×頓】《名・自サ》やりかけた物事が、行きづまってはかどらないこと。停滞。「事業が―する」

ディナー 洋風の正式の食事。晩餐をさすが、午餐の場合もある。正餐。「―パーティー」▽dinner

てい‐ねい【丁寧・×叮×嚀】《名・形動》❶〔人に対する言動が〕親切で礼儀正しいこと。「―なあいさつ」類語丁重。慇懃。如才ない。❷注意が深く行き届いていること。「懇切―に説明する」「―な仕事」類語念入り。入念。丹念。 **―ご【―語】**敬語の一つ。話し手が聞き手に対して直接に敬意を表したり、話題の事物を美化したりする語。「です」「ます」「ございます」や、「ご飯」「食べる」の類。

でい‐ねい【泥×濘】〔文〕ぬかるみ。「―にはまる」

***てい‐ねん【丁年】**〔文〕❶一人まえと認められる年齢。満二〇歳。「―に達する」❷一人まえの男子。

***てい‐ねん【定年・停年】**〔会社・官庁などで、従業員・職員などが〕退職・退官するようにきめられている年齢。「―を迎える」「―制」「―退職」

***てい‐ねん【×諦念】**〔文〕道理をわきまえてさとった心。また、あきらめの心。類語諦観。

てい‐のう【低能】《名・形動》脳の発育が遅れ、ふつうより知能が劣っている・こと(人)。

ディバイダー 製図などで、線の分割や等分に用いる、コンパスに似た器具。分割器。▽dividers

てい‐はく【停泊・×碇泊】《名・自サ》港や沖合に、船がいかりをおろしてとまること。「―灯」類語停船。

てい‐はつ【×剃髪】《名・自サ》髪をそること。また、髪をそって仏門に入ること。落髪。類語落飾。

てい‐ばん【定番】流行に左右されず、常に安定した人気を保ち、一定量の売り上げがある商品。定番商品。参考商品番号が固定している意で、衣料品業界から出たことば。白のワイシャツなどはその典型。

でいばん‐がん【泥板岩】→けつがん(頁岩)。

ティピカル《形動》典型的。代表的。「この種の岩石に―な特徴」▽typical

てい‐ひょう【定評】多くの人に認められていて、たやすく変わらない評判・評価。「―のある店」

てい‐ふ【貞婦】〔文〕みさおのかたい女性。貞女。節婦。対淫婦。

てい‐ぶ【底部】底の部分。また、奥まった所。

ディフェンス 競技で、守備。防御。対オフェンス。▽defense

ディベート《名・自サ》討論。▽debate

ディベロッパー→デベロッパー。

てい‐へん【底辺】❶三角形の頂点に対する辺。❷社会の下層。「―の人々」

てい‐ぼう【堤防】河川の氾濫や海水の浸入を防ぐために、土石などで築いた土手。つつみ。「―の決壊」

てい‐ぼく【低木】❶たけの低い木。❷高さが三メートル以下の木。幹と枝との区別がはっきりせず、多く、根元から枝分かれする。ツツジ・ナンテンなど。参考もと「灌木」といった。対①②高木。

***てい‐ほん【定本】**❶異本の多い古典などで、比較照合して誤り・脱落などを正し、最も原本に近く復元したと考えられる本。「―万葉集」❷〔著者が訂正・加筆した〕決定版。

***てい‐ほん【底本】**校訂したり翻訳したりするときの、もとにする本。底本。「初版本を―とする」

てい‐まい【弟妹】弟と妹。対兄姉。

***てい‐めい【低迷】**《名・自サ》❶雲などが、低い所をさまようこと。「暗雲―(=事件のおこりそうな不気味な気配が漂うこと)」❷悪い状態からなかなか出られず、もたつくこと。「下位に―している」「―から抜け出す」

***てい‐めい【締盟】**〔文〕同盟・条約を結ぶこと。「―国」類語締約。

てい‐めん【底面】❶底になる面。❷角柱・円柱・角錐・円錐などで、母線と交わる面。底。

ディメンション 次元。▽dimension

てい‐もう【×剃毛】《名・自サ》毛をそること。

***てい‐やく【定訳】**翻訳の決定版。決定訳。

***てい‐やく【締約】**《名・自サ》〔文〕条約や契約を結ぶこと。また、その条約や契約。類語締盟。締結。

てい‐よう【提要】〔文〕要点・要領をあげて示すこと。また、それらを示した書物。「幾何学―」

てい‐よく【体よく】《副》差し障りがないよう体裁よく。表面上うまく理由をつけて。「―断る」

てい‐らく【低落】《名・自サ》❶さがること。特に、物価などが下がること。下落。「株価が―する」対高騰。❷〔人気や評判が〕悪くなること。「人気が―する」類語凋落。衰退。

て‐いらず【手入らず】❶手数や人手がかからないこと。❷一度も手入れをしていないこと。❸一度も使っていないこと。手つかず。❹〔俗〕きむすめ。処女。

***てい‐り【低利】**安い利子。「―で借りる」対高利。

***てい‐り【定理】**公理や定義によって確かめられた、推論の基礎になる理論的命題。「三平方の―」

***てい‐り【廷吏】**法廷の事務を扱う、裁判所の職員。

で‐いり【出入り】❶《名・自サ》出たり入ったりすること。出ることと、入ること。ではいり。「人の―が激しい」❷《名・自サ》人の家などをひんぱんにおとずれること。

また、商売などでその家によく来ること。「―を差し止める」❸金銭の支出と収入。ではいり。「年末はお金の―が多い」❹商品の仕入れと販売。❺人数・数量などの超過と不足。増減。ではいり。❻突き出たり入り込んだりすること。「―の多い海岸線」❼けんか。もめごと。「なわばり争いで―があった」「女―」 ―ば【出入(り)場】❶足しげく出入りしている得意先の家。出入り筋。❷けんかの場面。けんか場。

*てい-りつ【低率】《名・形動》率が低いこと。「―の利息」対高率。

*てい-りつ【定律】❶常に定まっている規則・法則。さだめ。❷自然現象間の因果関係を一般化したもの。法則。参考主として化学で使われる語。

*てい-りつ【定率】一定の比率。「―の税金」

*てい-りつ【定立】〔哲〕テーゼ①。対反定立。

*てい-りつ【×鼎立】《名・自サ》〔文〕〔鼎(かなえ)の脚のように〕三者が互いに対立すること。「―する勢力」

*てい-りゅう【停留】《名・自他サ》〔文〕とまること。とどまること。また、とめること。とどめること。 ―じょ【―所】客が乗降するために、路面電車やバスがとまる一定の場所。停留場。「市電の―」類語停車場。

*てい-りゅう【底流】❶海や川の、底の方を流れる流れ。❷《名・自サ》物事の内部で、ある勢い・思想・感情などが動いていること。「―する不安感」類語暗流。

でい-りゅう【泥流】❶火山の噴火のとき、噴出物や崩壊した山体の一部が水とまじって流れ下る、その流れ。❷山くずれのときの、泥土の流れ。

てい-りょう【定量】きまった分量。一定量。「―の水を加える」 ―ぶんせき【―分析】物質を構成している各成分の量的関係を測定する化学分析。重量分析と容量分析がある。対定性分析。

てい-るい【×涕涙】〔文〕流れ落ちる涙。「―、ほおをぬらす」類語落涙。

て-いれ【手入れ】《名・他サ》❶よい状態に直したり、よい状態を維持したりするために、手をかけてととのえること。「肌の―」❷犯罪の捜査や犯人の検挙などのため、警官が現場に踏み込むこと。「暴力団の―」

てい-れい【定例】❶前からのしきたりや決まり。「―では役員を再任しない」❷〔会議や集会などが〕定期的に行われること。「―の閣議」「―会」類語恒例。

ディレクター ❶監督。演出者。特に、放送番組を製作するスタッフの指揮をとる人。❷楽団の指揮者。▽director

てい-れつ【低劣】《名・形動》程度が低くてくだらないこと。「―きわまる行為」「―な書物」類語愚劣。

ディレッタンティズム 道楽。また、道楽・趣味として文学や美術などを愛好すること。▽dilettantism

ディレッタント〔専門でなく〕趣味として、文学や美術を愛好する人。好事家(こうずか)。▽フランス・英 dilettante

てい-れん【低廉】《名・形動》値段が安いこと。「―な商品」類語安価。

てい-ろん【定論】多くの人に〔正しいと〕認められている論。「―をくつがえす」類語定説。

ディンクス ⇩巻末付録(DINKS)。

ティンパニ 胴に革を張り、ばちでたたいて演奏する、半球形の打楽器。ティンパニー。▽イタリア timpani

て-うえ【手植(え)】ーうゑ 草木を、その人がみずからの手で植えること。また、その草木。〔ふつう、「お―」の形で使う〕「明治天皇お―の松」

て-うす【手薄】《名・形動》❶手持ちの商品や金銭が少ないこと。「在庫が―になる」❷人手が足りないこと。「警備の―に乗じる」

デウス〔キリシタン用語で〕神。天帝。▽ポルトガル Deus

て-うち【手打ち】❶武士が、家来や町人など目下の者をみずから切り殺すこと。表記「手討ち」とも書く。❷うどんやそばなどを、機械でなく手で打って作ること。「―そば」❸取引・契約・和解などの成立を祝して両手を打ち鳴らすこと。「―式」

デー〔接尾語的に使って〕ある特別な行事の行われる日。「虫歯予防―」参考↓デイ。▽day ―パック 日帰り旅行用の、小型のリュックサック。▽day pack

テーク-アウト 飲食店などから注文品を持ち帰ること。テイクアウト。▽takeout

デージー ヒナギク。▽daisy

テースト ❶味。味わい。❷趣味。嗜好(しこう)。=テイスト。▽taste

テーゼ ❶〔哲〕初めに立てられた命題。定立。対アンチテーゼ。❷政治活動の綱領。▽ドイツ These

データ おしはかって結論をだすための資料。また、それをもとにして行動を決定するための事実。データー。「―を集める」▽data ―つうしん【―通信】中央のコンピューターと端末装置とを電話・電信回線で結び、情報の処理・伝達を行うこと。 ―バンク さまざまな資料を集めて保管し、利用者の要求に応じて資料を提供する機関。情報銀行。▽data bank ―ベース いろいろなデータを体系的に整理統合して記憶装置に蓄積しておき、必要に応じていつでも取り出せるようにしたもの。▽database

デート ❶日付。「―スタンプ(=日付印)」❷《名・自サ》日時を約束して異性と会うこと。また、その約束。類語あいびき。しのび逢(あ)い。▽date

テーピング《名・自サ》スポーツ選手などが、けがの防止や治療のために関節・筋肉などにテープを巻くこと。▽taping

テープ ❶布・紙・ビニールなどで作った幅の狭い帯状のもの。「船のデッキから―を投げる」「―カット」❷〔陸上競技で〕競走の決勝点に張る帯状のもの。「―を切る(=ゴールインする)」❸録音機・通信機などで、音や符号を記録するのに使う帯状のもの。「ビデオ―」❹「テープメジャー」の略。巻尺。▽tape ―デッキ 磁気録音テープ再生装置で、スピーカーがないもの。デッキ。▽tape deck ―レコーダー 磁性酸化鉄の粉をぬったテープに音を記録し、それを再生することができる装置。磁気録音機。テレコ。▽tape recorder

テーブル ❶脚の高い、引き出しのついていない、西洋式の卓。特に、食卓。「―につく」「―マナー(=西洋式の食事の作法)」「サイド―」類語デスク。❷一覧表。目録。「タイム―」▽table ―クロス テーブル①にかける布類。テーブルかけ。▽tablecloth ―スピーチ 結婚披露宴などの会食の席でする、簡単な演説・あいさつ。▽table と speech からの和製語。 ―センター テーブルの中央に敷く装飾用の布やレース。▽table と center からの和製語。 ―タップ プラグの差し込み口が二つ以上ある、コード付きの電源接続器具。▽table tap ―マナー 食事の作法。特に、西洋料理についていう。▽table manners

テーマ ❶〔作品の〕主題。「小説の―を決める」❷〔音〕

主旋律。主題。「第一楽章の—」▽ドイツ Thema **—パーク** 特定のテーマで全体を統一した大型レジャー施設。ディズニーランドなど。▽theme park

デーモン 悪魔。鬼神。▽demon

テーラー 紳士服の仕立屋。▽tailor

テーラード・スーツ 紳士服のような仕立て方をした、女性用スーツ。▽tailored suit

テール ❶ものの後の(尾に似た)部分。棒状のものの末端。末尾。❷スキーの後端。▽tail(=尾) **—エンド** 運動競技の最下位(のチーム)。どんじり。びり。「—を低迷する」▽tail end **—ライト** 〔自動車・列車などの〕後部につけるあかり。尾灯。テールランプ。対ヘッドライト。▽taillight

て・おい【手負い】—おひ 〔戦って〕傷を受けること。また、傷を受けた人や動物。「—のクマ」

て・おくれ【手後れ・手遅れ】〔病気やけがの手当て、物事の処置などの〕するべき時機をのがして、見込みがないこと。「病院に運んだときはすでに—だった」

で・おくれ【出遅れ】物事をし始めるのが遅れること。

て・おけ【手×桶】—をけ 取っ手のついたおけ。

て・おし【手押し】〔機械・動物などの力によらず〕人間の手で押すこと。「—のポンプ」「—車」

て・おち【手落ち】やり方などに欠陥があること。また、その欠陥。おちど。手抜かり。「品物が届かなかったのは当方の—です」類語遺漏。

て・おどり【手踊り】—をどり ❶歌舞伎の所作事で、手に何も持たないでする踊り。❷おおぜいそろって同じ手ぶりでする踊り。「お盆の—」

て・おの【手×斧・×釿】—をの ↓ちょうな。

て・おり【手織(り)】手足で動かす簡単な機械を使って織ること。また、その布。「—の帯地」

***でか**〔俗〕刑事。警官。参考明治時代の私服刑事巡査を意味する「角袖」を逆にして略した隠語から。

***デカ**《接頭》メートル法の単位名につけて、一〇倍の意。記号 da。「—リットル」▽フランス déca

て・がい【手飼い】—がひ 自分で世話をして生き物を飼うこと。また、その生き物。「—の犬」

でか・い《形》〔俗〕大きい。でっかい。「—魚が釣れた」

で・がいちょう【出開帳】ふだんは見せない本尊を、他の土地へ運んで開帳すること。対居開帳。

て・かがみ【手鏡】手に持って使う、柄のついた鏡。

て・がかり【手掛(か)り・手懸(か)り】❶〔よじ登ったりするときに〕手でつかまる所。「—を求めながら城壁を登る」❷捜査や調査を進めるためのきっかけとなるもの。いとぐち。手づる。「犯人の—をつかむ」

て・かき【手書(き)】〔文〕字を上手に書く人。能筆家。

て・かぎ【手×鉤】棒の先にかぎをつけたもの。大きな魚や荷物などをひっかけて動かしたり運んだりする。

***て・がき**【手▽描(き)】印刷などによらずに、手で絵を描くこと。また、描いたもの。「—の模様」

***て・がき**【手書(き)】印刷などによらずに、手で文字を書くこと。また、書いたもの。肉筆。「—の会報」

て・かけ【手掛け・手懸け】❶いす・器具などで、手を置いたりかけたりする所。❷〔俗〕〔手にかけて愛する者の意〕めかけ。表記②は「妾」とも書く。

で・がけ【出掛け】❶外出しようとする、そのとき。出しな。出ぎわ。「—に客が来る」❷出かけて行く途中。「—にたばこを買っていく」

て・が・ける【手掛ける・手懸ける】《他下一》自分で直接その事を扱う。「長年—・けた仕事」

で・か・ける【出掛ける】《自下一》❶出て行く。出向く。おもむく。「散歩に—・ける」❷出ようとする。出かかる。「—・けるところへ客が来た」

て・かげん【手加減】❶物の重さ・分量・程度などを、手にとった感じではかること。「—では一キログラムぐらい」❷《名・自他サ》〔相手の程度やその場の条件などに応じて〕扱いをほどよくすること。手心。「—を加える」

て・かご【手×籠】手にさげる、小さなかご。

て・かず【手数】↓てすう。

でか・す【出▽来す】《他五》〔俗〕❶できるようにする。つくりあげる。「大失敗を—・した」❷りっぱにしとげる。〔「でかした」の形で感動詞的に使う〕「又兵衛、—・したぞ」表記かなで書くことが多い。文《四》。

て・かせ【手×枷・手▽械】❶囚人などの手首にはめた昔の刑具。❷自由な行動を束縛するもの。「幼い子どもが—足かせとなる」類語①②足枷。首枷。

で・かせぎ【出稼(ぎ)】家や故郷を離れ、一時他の土地へ行って働くこと。また、その人。「—に行く」

て・がた【手形】❶手のひらに墨などを塗って紙に押した形。「横綱の—」❷一定の金銭を一定の期日に一定の場所で支払うことを約束した有価証券。為替手形と約束手形がある。「—を振り出す」参考「一通…」と数える。**—わりびき**【—割引】銀行が、手形の額面から支払い期日までの利子を差し引いた額で、その手形を買い取ること。

で・かた【出方】❶ある物事に対してとる、態度・方法。出様。「相手の—を見る」「先方の—次第だ」❷相撲などの興行場で、客の案内や雑用をする男。

て・がた・い【手堅い】《形》❶方法などが確かであぶなげがない。堅実である。「—・い商売」「—・い人物」❷相場が下がりそうなようすがない。

て・がたな【手刀】指をそろえて伸ばし、手を刀のように使うこと。また、そのようにして相手を打つわざ。**—を切・る**《句》相撲で、勝ち力士が懸賞金を受け取るときに、中央・右・左の順に手刀の動作をする。参考造化の三神に対する謝意を表すとされる。

で・がたり【出語り】芝居で、浄瑠璃語りが舞台に出て顔を見せながら浄瑠璃を語ること。

デカダン ❶退廃的な・こと(芸術家)。❷退廃的な生活をする・こと(人)。▽フランス décadent

デカダンス 一九世紀末、ヨーロッパ(主としてフランス)に起こった文学・芸術上の一傾向で、退廃的・耽美的・芸術至上的なもの。▽フランス décadence

てか・てか《副・形動・自サ》《副詞は「—と」の形も》つやがあって光っているようす。「—した顔」

でか・でか《副》《「—と」の形も》いかにも大きくて人目に立つようす。「—と書く」

て・がみ【手紙】伝えたい事柄を書いて、人に送る文書。書簡。書状。特に、封書。参考「一通…」と数える。類語文。信書。書信。書面。書札。雁書。尺牘。親書。私信。返信。返書。密書。添書。レター。尊敬貴簡。貴札。貴紙。貴書。貴報。玉音。玉章・玉章。御状。尊簡。尊書。芳書。芳書。謙譲愚書。寸書。寸楮。

て・から《連語》《接続助詞「て」+格助詞「から」》↓から㊀⑥。

***て-がら**【手柄】人にほめられるような、りっぱな働き。功績。功労。功名。「―を立てる」**―がお**【―顔】自分が非常な手柄を立てたというような誇らしげな顔つき。類語 自慢顔。

***て-がら**【手▽絡】女性が日本髪を結ったとき、まげの根もとにかける飾りの布。

で-がらし【出×涸(ら)し】〔茶・コーヒーなどの〕何度も湯を通したりせんじたりして、味やかおりが薄くなること。また、そのもの。「―のお茶」対 出花。

て-がる【手軽】《形動》手数がかからず、たやすいようす。「―に引き受ける」「―な朝食」

て-がる・い【手軽い】《形》手数がかからない。簡単でたやすい。軽い気持ちでできる。「―・く仕事を片づける」対 手重い。

デカンタ 食卓用の小型の〔栓つき〕ガラスびん。ぶどう酒などを入れる。デカンター。デキャンタ。▽decanter

***てき**【的】《接尾》❶《名詞およびそれに準ずる語（多く抽象的な意味を表す漢語）につけて、形容動詞語幹を作る》㋐「…に関する」「…についての」などの意。「教育―な立場」「哲学―な問題」㋑「…のような性質を有する」「…らしい」「…に似る」などの意。「動物―な態度」「悲劇―な最後」「貴族―な顔」㋒「…の状態にある」の意。「合法―な活動」参考 もと、「…の」の意に当たる中国語の助詞。これにならい、明治初期の翻訳文で英語の -tic の意味にあてて用いたことから。❷〔俗〕親しみまたはけいべつの気持ちをこめて人を呼ぶ語。「…の奴」というほどの意。「取り―（=ふんどしかつぎ）」「ひろ―（=ひろ坊）」「泥―（=泥棒）」

***てき**【滴】《助数》液体のしたたりを数える語。「しずくが一―落ちる」

***てき**【敵】❶戦い・競争・試合などの相手。対 味方。❷害を与えるもの。「社会の―」「ぜいたくは―だ」
―は本能寺に在り《句》〔明智光秀が西国の毛利勢を攻めに行くと見せかけて京都の本能寺にいる織田信長を襲ったことから〕目ざすものは全く別のところにあるという意。参考 ↓敵本主義。

***テキ** 「ビフテキ」の略。

でき【出来】《動詞「できる」の連用形の名詞化》❶できること。できたぐあい。完成した状態。できばえ。成績。結果。「学校の―がよい」「―の悪い作品」❷農作物のみのりぐあい。収穫。「今年も米の―がよい」❸取引所で、売買が成立すること。「―高」**―レース** あらかじめ示し合わせてあって、やる前から結果のわかっている競争。

***でき-あい**【出来合い】既製。レディーメード。「―のスーツ」対 あつらえ。

***でき-あい**【×溺愛】《名・他サ》盲目的にかわいがること。「ひとりっ子を―する」類語 猫可愛がり。

でき-あ・う【出来合う】《自五》男女がいい仲になる。「あの二人は―・っている」

でき-あがり【出来上(が)り】でき上がる・こと（もの）。また、できばえ。「―は上々だ」

でき-あが・る【出来上がる】《自五》❶すっかりできる。完成する。「あと一息で―・る」❷生まれつく。「素直で柔順に―・った人」❸〔俗〕酒を十分に飲んですっかり酔う。「ビール三本で―・った」

でき-あき【出来秋】稲のよく実るころ。収穫の秋。

てき-い【敵意】相手を敵として憎む気持ち。敵対する心。「―をいだく」「―を燃やす」

てき-えい【敵影】〔文〕敵のすがた。「―を認めず」

てき-おう【適応】《名・自サ》❶その場面・状況・条件などによくあてはまること。「個性に―した教育」「環境に―した対策」類語 順応。❷生物の形態や機能が、環境に適合するように変化すること。

てき-おん【適温】ほどよい温度。「室内を―に保つ」

***てき-か**【摘果】《名・自他サ》良果を得るために、多くつきすぎた果実のいくつかをつむこと。摘果。

***てき-か**【滴下】《名・自他サ》しずくとなってしたたること。したたらせて落とすこと。滴下。

てき-が【摘芽】《名・自他サ》花や果実の発育を助長するために、むだな芽をつむこと。芽掻き。参考 ↓摘心。

てきがい-しん【敵×愾心】敵視した相手に感じる憤りの気持ち。「―を燃やす」

***てき-かく**【的確】《名・形動》的をはずれず確かなこと。まちがいのないこと。的確。「―に表現する」「情勢を―につかむ」表記 俗に「適確」とも書く。

***てき-かく**【適格】《名・形動》資格にかなっていること。適格。「選手として―だ」「―者」対 欠格。

てき-がた【敵方】敵になる側。敵の方。対 味方。

て-きき【手利き】腕きき。「―の大工」

てき-ぎ【適宜】《形動》❶それぞれの場合にほどよくかなっているようす。「―な処置をとる」「―に指示を与える」❷《副》その時々に応じて各自がよいと思うとおりにするようす。「―解散してください」類語 随意。

てき-ぎょう【適業】その人の才能や性格などに適した職業。適職。「―を選ぶ」

てき-げん【適言】〔文〕適切に言いあてたことば。

てき-ごう【適合】《名・自サ》ある場合・条件などにうまくあてはまること。「現代に―した生活」

てき-こく【敵国】敵としている相手の国。敵国。

でき-ごころ【出来心】その場でついふらふらと起こった悪い心。「ほんの―で万引きをする」

でき-ごと【出来事】世間に起こる様々な事柄。また、ふいに起こった事件・事故。「忘れられない―」

てき-ざい【適材】ある仕事・任務にふさわしい才能・能力をもっている人。適任者。**―てきしょ**【―適所】人の才能・能力にふさわしい地位や仕事を与えること。「―の人事異動」注意「適才適所」は誤り。

てき-さく【適作】その土地に適した農作物。「適地―」

テキサス-リーガー 野球で、野手の中間にぽとんと落ちて、安打となるもの。ぽてんヒット。テキサスヒット。参考 テキサスリーグの選手がよくこの安打を打ったことから。▽Texas leaguer

てき-し【敵視】《名・他サ》〔相手を〕敵とみなすこと。「よそ者を―する」

てき-じ【適時】時宜にかなうこと。ちょうどよい時。「―に辞去する」「―に安打を打つ」類語 好機。

でき-し【×溺死】《名・自サ》おぼれて死ぬこと。水死。おぼれ死に。「―体」類語 川流れ。

てき-しつ【敵失】相手チームの失策。「―に救われる」

てき-しゃ【適者】〔文〕ある物事をするのにふさわしい性質・能力をもつ者。また、環境などに適応している者。**―せいぞん**【―生存】生存競争の世界で、外的な環境に最も適応できるものだけが生き残り、他は滅びること。参考→自然淘汰(とうた)。

てき‐しゅ【敵手】❶敵の勢力の及ぶ範囲。敵の手。「城は―に落ちた」「―にゆだねる」「―を逃れる」❷自分に敵対する者。競争の相手。「好―」

てき‐しゅう【敵襲】敵が襲ってくること。敵の襲撃。「―を受ける」「―に備える」

てき‐じゅう【適従】《名・自サ》〔文〕頼りにして従うこと。その人のもとにおもむいて従うこと。類語 適帰。

＊**てき‐しゅつ**【×剔出・摘出】《名・他サ》❶肉体の一部や異物を手術によって取り除くこと。「病巣を―する」❷〔文〕物事が内包している問題点などをえぐり出すこと。「社会の問題点を―した作品」類語 剔抉(てっけつ)。

＊**てき‐しゅつ**【摘出】《名・他サ》❶〔中にはいりこんだものを〕つまんで取り出すこと。「弾丸を―する」❷ある部分をぬきだすこと。えらび出すこと。「要点を―する」❸あばき出すこと。「不正を―する」

てき‐しょ【適所】その人の能力・性格などに適した地位や仕事。「人材を―に配置する」

てき‐じょう【敵情・敵状】敵のようす。「―をさぐる」「―に通じる」

てき‐しょく【適職】その人の能力や性格にかなった職業。適業。「―に就く」

てき‐しん【摘心・摘×芯】良質の花や果実を得るために、果樹などの茎の先端の若い部分(生長点)を取り去ること。参考→摘芽。

てき‐じん【敵陣】敵の陣地・陣営。敵営。

て‐きず【手傷・手▽創・手×疵】戦いのときに(刀や矢で)受けた傷。「―を負う」

テキスト ❶教材として使われる教科書・副読本。テキストブック。「放送大学の―」❷原典。原文。「―にあたって調べる」＝テクスト。❸コンピューターで、人間が読める文字・記号でつくられた文書。▽text ―**ファイル** コンピューターで、テキスト③を収めたファイル。▽text file

＊**てき‐・する**【敵する】《自サ変》❶敵として手向かう。敵対する。「衆寡(しゅうか)―・せず」「―・する者なし」❷匹敵する。肩を並べる。「彼に―・する選手はいない」

＊**てき‐・する**【適する】《自サ変》❶望ましい条件をそなえている。よく合う。「登山に―・する服装」❷ふさわしい資格・能力がある。「政治家に―・した人」

＊**てき‐せい**【敵勢】敵の攻め寄せてくる勢い。てきぜい。

＊**てき‐せい**【敵性】敵とみなされる性質(を持っていること)。戦争法規の範囲内で、敵として加害行為をすることが交戦国に認められる性質。「―行為」「―国家」

＊**てき‐せい**【適性】その人の性格や素質が、ある事をするのに適していること。また、その性格や素質。「教育者としての―を欠く」「―検査」

＊**てき‐せい**【適正】《名・形動》ふさわしくて当を得ていること。「―な評価」「―価格」

てき‐せつ【適切】《形動》ぴったりとあてはまるようす。ふさわしいようす。「―なアドバイス」類語 適当。

てき‐ぜん【敵前】敵の陣地・軍勢などのすぐ前。「―逃亡」「―上陸」

でき‐そこない【出来損(な)い】(―そこなひ) ❶でき上がりが不完全なこと(もの)。「―の菓子」❷人並みよりおとっている人をののしって言う語。「この―め」

てき‐たい【敵対】《名・自サ》敵として対立すること。「時の政府に―する」「―行為」「―意識」

でき‐だか【出来高】❶〔仕事などの〕でき上がった量。生産高。「―払い」❷農作物の収穫量。「米の―」❸売買取引の成立した総額。「―概算」

てきだん‐とう【×擲弾筒】迫撃砲を小型にしたような歩兵用火器。近距離用の小型爆弾の射撃や、照明弾・信号弾の打ち上げに用いる。

＊**てき‐ち**【敵地】敵の領土。また、敵の勢力が支配する土地。「―に潜入する」「―に乗り込む」

＊**てき‐ち**【適地】ある物事をするのに適した土地。「―適作」

てき‐ちゅう【的中】《名・自サ》❶矢・弾丸が的にあたること。類語 命中。❷予想や推測などがぴったりあたること。「予報が―する」表記 ②は「適中」とも書く。⇩〔類義語の使い分け〕「命中」

てき‐てき【滴滴】《形動タルト》〔文〕しずくがしたたり落ちるようす。ぽたぽた。「―と落ちる涙」

てき‐ど【適度】《名・形動》ちょうどよい程度であること。「―の運動」「―に酒を飲む」対 過度。

てき‐とう【適当】《名・形動》❶ある能力・性質・状態・目的などに、程よくあてはまること。ふさわしいこと。「リーダーに―な人物」類語 妥当。適切。至当。❷分量・程度などが、ほどよいこと。適度。「―に塩を加える」「―な運動」対 過当。❸要領のよいこと。いいかげんなこと。参考 悪い意味で使われることが多い。「―なことを言う」「―にほめておく」

てき‐にん【適任】《名・形動》能力や性格などがその任務・仕事にふさわしいこと。「―者」類語 適役。

でき‐ね【出来値】取引所で、売買の成立した値段。

てき‐はい【敵背】〔文〕敵のうしろ。「―をつく」

でき‐ばえ【出来映え・出来栄え】でき上がったときのようす。できぐあい(がよいこと)。「見事な―」

てき‐ぱき《副・自サ》(副詞は「―と」の形も)物事を手ぎわよく処理するようす。「―と処理する」

てき‐はつ【摘発】《名・他サ》悪事をあばいて公にすること。「脱税の―」「汚職を―する」類語 剔抉(てっけつ)。

てき‐ひ【適否】適しているかいないか。適不適。「選手としての―を論じる」類語 可否。

て‐きびし・い【手厳しい】《形》批判・要求などが、遠慮・容赦なく非常にきびしい。てごころを加えない。「―・い批評」対 手ぬるい。

てき‐ひょう【適評】適切な批評。

でき‐ぶつ【出来物】才能も人格もすぐれた人。りっぱな人。「彼ほどの―はめったにいない」

てき‐ほう【適法】法にかなっていること。合法的であること。「―行為」対 違法。

でき‐ぼし【出来星】急に出世したり、金持ちになったりすること。また、その人。なりあがり。「―のタレント歌手」類語 なりぼし。

てきほん‐しゅぎ【敵本主義】他の所に目的があるように見せかけて、途中で急に本来の目的を達するやり方。参考→敵は本能寺にあり。

てき‐めん【×覿面】《形動》結果が即座に出るようす。「この薬は―にきく」「効果―」「天罰―」

でき‐もの【出来物】ふきでもの。はれもの。おでき。「足に―ができた」表記 かなで書くことが多い。

てき‐や【的屋】香具師(やし)。表記 ふつう「テキ屋」と書く。

＊**てき‐やく**【適役】〔芝居や仕事などで〕その役にふさわしいこと。その人に適した役。はまり役。類語 適任。

*てき-やく【適薬】その病気や傷に適した、よくきくくすり。あいぐすり。「この病気には―がない」

*てき-やく【適訳】原文（の語句）にぴったりあった翻訳・訳語。

*てき-よう【摘要】〔ある事柄・文章などの〕要点を抜き書きすること。また、その抜き書き。「答申の―を読む」「―欄」類語 摘記。摘録。

*てき-よう【適用】《名・他サ》〔法律や規則などを〕ある行為や物事などにあてはめて用いること。「条例第三条第一項を―する」「法の―を誤る」類語 応用。

てき-りょう【適量】ちょうどよい分量。「―の酒」

*で-き・る【出切る】《自五》全部出てしまう。出つくす。「在庫品が―る」

*で・きる【出来る】《自上一》《カ変動詞「でくる」の転じた形》❶新しい形をとって現れる。㋐新たに作られて存在するようになる。生じる。「用事が―きる」「あかぎれが―きる」「子どもが―きる」㋑きまった形に作られる。仕上げられる。なされる。「夕食のしたくが―きる」「覚悟が―きる」「使いやすく―きた台所」㋒〔俗〕男女が秘密のうちに親密な関係になる。「二人は―きている」❷能力、または可能性がある。㋐〔能力があって〕可能である。「まだ歩くことの―きない赤ん坊」㋑《サ変動詞の語幹の下につけて接尾語的に用い》…することが可能である。…しうる。「理解―きる」「ゆっくり―きる」㋒その方面の能力がある。「外国語が―きる」「運転が―きる」㋓人柄・才能・成績などがすぐれている。「あの男は―きる」「―きた人物」表記 かな書きにすることが多い。

て-ぎれ【手切れ】❶それまでの互いの関係を断つこと。特に、男女間の愛情関係を断つこと。「―話」❷「手切れ金」の略。おもに男女間で、それまでの関係を断つときに慰謝料として相手に与える金。

*てき-れい【適例】よくあてはまる例。適切な例。「―をあげる」類語 好例。

*てき-れい【適齢】そのことに適した年齢。また、ある規定や条件に合う年齢。「―に達する」「結婚―期」

て-ぎれい【手奇麗・手×綺麗】《形動》手ぎわよく、みごとにでき上がるようす。「―な仕上がり」

てき-ろく【摘録】《名・他サ》〔文〕要点をかいつまんで書きしるすこと。また、その記録。類語 摘要。

て-ぎわ【手際】❶物事を行う腕まえ。処理のしかた。手腕。技量。「―よく片づける」「―のよい仕事ぶり」❷物事のできばえ。「すばらしい―だ」

て-きん【手金】予約したしるしに支払う金銭。手付金。「―をうつ」「―を渡す」

て-く《連語》《「ていく」の転》「…ていく」の意の口頭語。「寄っ―・くかい」参考「でいく」となったものから転じたものは、「でく」となる。「一杯飲んでこうよ」

でく【▽木▽偶】❶〔木彫りの〕人形。❷操り人形。「―回し」❸役立たず〔をののしって言う語〕。でくのぼう。

テクシー〔俗〕自動車などに乗らず、てくてく歩いて行くこと。参考「てくてく」の「てく」と「タクシー」から。

てぐす【▽天▽蚕▽糸】《「てぐす糸」の略》テグス蚕の幼虫の体内から絹糸腺を取り出し、酢で処理して作った無色透明の糸。つり糸用。

てぐすね-ひ・く【手▽薬×煉引く】《自五》すっかり用意を整えて機会のくるのを待つ。「―・いて待ち構える」参考「手に薬煉を引く」意。「くすね」は弓弦を強くするために塗るくすり。

て-くせ【手癖】❶習慣となっている手の動き。❷盗みをするくせ。「―が悪い（=女癖が悪いの意にも）」

で-ぐせ【出癖】外出癖。「―がつく」

て-くだ【手管】人をだまし、あやつる手ぎわ。「―を弄する」参考「手練―」の形で使うことが多い。

て-ぐち【手口】❶犯罪など、悪い事を具体的に実行する方法・手段。「同じ―の犯罪」❷取引所で、取引する相手（売手・買手）の種類。手筋。

で-ぐち【出口】外へ出る口。対 入り口。

てく-てく《副》《「―と」の形も》ふつうの足なみで歩いて行くようす。「―と歩きだす」

テクニカル《形動》専門的。技術的。学術的。▽technical ―ターム 術語。学術用語。専門用語。▽technical term ―ノックアウト ボクシングで、力が違いすぎたり一方が負傷したりしたとき、中途でレフェリーが勝敗を宣告すること。技倒。略語 TKO。▽technical knockout

テクニシャン 技巧家。技巧派。▽technician

テクニック 技術。技巧。手法。「演奏の―」▽technic 英・フラ technique

テクノクラート〔政治家に対して〕技術・科学畑出身の官僚。技術官僚。▽technocrat

テクノ-ストレス コンピューターがもたらすストレスや精神的ゆがみの総称。コンピューター作業による心身のストレス症状や、コンピューター技術の進歩にとり残されるという不安症。また、コンピューターに過度に適応してしまい人間関係がうまくいかなくなるコンピューター依存症など。▽technostress

でく-の-ぼう【▽木▽偶の坊】でく。また、役にたたない人をののしって呼ぶ語。「―め」

テクノポリス 先端技術産業と研究機関などからなる都市。高度技術集積都市。▽technopolis

テクノロジー 科学技術。参考 従来の工学や技術学より広い意味で用いられる。▽technology

て-くばり【手配り】《名・他サ》手配①。「式典の―をする」類語 配備。

て-くび【手首・手×頸】❶腕とてのひらとのつながる部分。うでくび。❷腕の先。対①②足首。

て-くらがり【手暗がり】自分の手のために光線がさえぎられて、手もとが暗くなること。また、その場所。

て-ぐり【手繰り】❶糸などを手でたぐりよせること。❷ある人の手から他の人の手に順に物を渡すこと。順に手渡しすること。❸〔仕事などの〕やりくり。

てく・る《自五》〔俗〕てくてくと歩いて行く。

て-ぐるま【手車】❶人の手で押したり引いたりして動かす、小形の車。「―で荷物を運ぶ」❷土砂などを運ぶ、二本の柄のついた手押しの一輪車。

デクレシェンド 音楽で、「次第に音を弱く」の意。ディミヌエンド。デクレッシェンド。対 クレシェンド。▽イタリア decrescendo

で-くわ・す【出▽会す・出▽交す】《自五》偶然に出あう。ばったりあう。でっくわす。「駅で友人と―・す」「とんだ災難に―・した」

で-げいこ【出×稽古】❶芸事の先生が弟子の家などに出かけて教えること。出張教授。出教授。「お茶の―」❷相撲で、よその部屋へ出向いてする稽古。

て-こ【×梃子・×梃】❶〔理〕一定点（支点）のまわりを自由に回転でき、小さな力や動きを大きな力や動きに変えるための棒。また、それを用いた道具。槓杆(こうかん)。レバー。❷重いものの下にさし入れて、それを動かすために使う棒。❸ひゆ的に、有力な道具や手段。「世論を―に辞職をせまる」

―でも動かな・い《句》どんな方法を使っても動かない。何と言ってもいうことを聞かない。

てこ-いれ【×梃入れ】❶相場の下落(騰貴)の傾向を人為的にくい止めること。❷順調に進まない物事などに、援助を与えて局面をうまく打開できるようにすること。「人材をつぎこんで営業部の―をする」「―を図る」

て-ごころ【手心】事を程よくあつかうこと。また、その事情に応じて適当にはからうこと。手加減。「―を加える(=物事をその場に応じて寛大に取り扱う)」

てこず・る《自五》扱い方がめんどうで閉口する。もてあます。「わがままな子に―・る」「仲裁に―・る」[表記]「手古摺る」「梃(子)摺る」などと当てる。[文]《四》

て-ごたえ【手答え・手▽応え】(―ごたへ)❶働きかけた手に伝わってくる感じ。「木刀で突くと―があった」❷働きかけに対する反応。「皮肉を言っても―がない」

て-ごと【手事】❶箏曲(そうきょく)や地唄(じうた)で、楽器だけで演奏される長い間奏部分。❷はかりごと。計略。

でこ-ぼう【▽凸坊】❶頭・額の大きな子供。❷いたずら坊主。わんぱく小僧。

デコパージュ 工芸品などの装飾法の一つ。木・ガラスなどに切り抜いた絵・写真を貼り、上塗り液を塗って仕上げるもの。デクパージュ。▽(フランス) découpage

でこ-ぼこ【〈凸凹〉】《名・形動・自サ》高低があって平らでないこと。「―した道」「生産高に―がめだつ」

て-ごま【手×駒】❶将棋で、手持ちのこま。持ちごま。❷自分の自由に使える手下。「―を出して戦う」

てこ-まい【手古舞】(―まひ)祭礼のとき、芸妓(げいぎ)などが男装で片肌をぬぎ、木遣(きや)りを歌いながら山車(だし)やみこしの先駆をすること。江戸時代以来行われる。

て-ごめ【手込(め)・手×籠(め)】暴力で女を犯すこと。強姦(ごうかん)。「―にする」

デコレーション 装飾。飾り。また、飾りつけ。「クリスマスの―」「―ケーキ」▽decoration

て-ごろ【手×頃】《形動》❶手に持つのにちょうどよいようす。「―な棒をつえに使う」❷条件・身分・能力などにちょうど適しているようす。「―な値段」

て-ごわ・い【手▽強い】(―ごはい)《形》すぐには勝てないほど強い。「―・い相手」「小国だが―・い」[類語]手づよい。

テコンドー【×跆×拳道】蹴(け)り技を中心とする韓国・北朝鮮の武道。▽(朝鮮) tae-kwon-do

デザート 食事の最後に出るアイスクリーム・菓子・くだものなど。▽dessert

て-ざいく【手細工】❶手先でする細工。手工芸。手仕事。❷しろうとが趣味でする細工。

デザイナー 建築・家具・室内装飾などの意匠を考案する職業の人。また、服の型を考案する職業の人。「グラフィック―」「服飾―」▽designer

デザイン《名・他サ》(あらゆる造形作品の)意匠(を考案すること)。図案。設計。「建築―」▽design

で-さか・る【出盛る】《自五》❶人がさかんに出る。「花見の客が―・るころだ」❷その季節の農産物などがたくさん出回る。「ミカンが―・る」

て-さき【手先】❶手の先の部分。指先。「―が器用だ」❷配下となって人に使われる者。[参考]ふつう、よくないときに使う。「悪代官の―」[類語]手下。

で-さき【出先】❶外出している先。外出先。「―から電話をする」❷「出先機関」の略。本国または中央の官庁や会社が、国外または地方に設けた出張機関。

て-さぎょう【手作業】手先でする作業。また、機械処理によらないで、人手で行う作業。「―で書類を分ける」

て-さぐり【手探り】《名・自他サ》目を使わず、手に触れた感じで物を探ること。また、勘をたよりにして探り求めること。「―でドアを開ける」[類語]模索。

て-さげ【手提(げ)】手にさげて持つこと。また、そのように作られた袋・かばん・かごなど。「―かばん」

て-さばき【手×捌き】手先を使って物をさばくこと。また、その手つき。「あざやかな―」

て-ざわり【手触り】(―ざはり)手でさわったときの感覚。「―のよい布」「絹のような―」[類語]手当たり。

***で-し【弟子】**師に就いて学問・技芸などの教えを受ける人。門弟。門人。門生。門下生。弟子(ていし)。「―をとる」[類語]教え子。同門。高弟。徒弟。[対]師匠。 ―いり【―入り】《名・自サ》弟子になること。入門。

***デシ**《接頭》〔メートル法の単位名の上につけて〕一〇分の一の意。記号d。▽(フランス) déci- ―ベル《助数》電力・電圧・エネルギー・音などの大きさを標準の値と比較して表す単位。記号dB。▽decibel

て-しお【手塩】(―しほ)❶昔、自分でとれるように、各自の食膳(しょくぜん)においた塩。❷「手塩ざら」の略。香の物などを取り分ける浅くて小さな皿。おてしょ。

―に掛・ける《句》自分自身で手にかけて育て上げる。「―・けた弟子」

で-しお【出潮】(―しほ)月が出ると同時に満ちてくる潮。いでしお。さししお。[対]入り潮。

て-しごと【手仕事】手先を使ってする仕事。[類語]手工。手細工。手業(てわざ)。手職。

て-した【手下】自分の指図のもとにあること。また、その人。部下。配下。手下(てか)。[類語]子分。

デジタル データなどを数値で表現すること。計数的。数字的。また、文字表示的。「―時計」「―通信」[対]アナログ。▽digital ―カメラ フィルムの代わりにCCD(=電荷結合素子)を用い、画像をデジタル信号に変換して記録するカメラ。デジタル電子スチルカメラ。[参考]「デジカメ」と略す。▽digital camera ―デバイド コンピューターの利用能力の差によって生じる、情報格差。▽digital divide

て-じな【手品】❶道具などを使い、巧みな手さばきによって人の目をごまかして、不思議なことをして見せる芸。奇術。てづま。「―の種明かし」「―師」❷人をごまかしだます手段。「悪徳業者の―にひっかかった」

で-しな【出しな】でがけ。「―に雨に降られた」

て-じまい【手仕舞(い)】(―じまひ)取引所で、売りまたは買いの約束をしたものを買いもどしたり転売したりして、取引関係を終了すること。「―売り」

て-じめ【手締(め)】ある物事の成就を祝って、大勢の人がそろって掛け声に合わせて手を打つこと。[参考]一本締め、三本締めなどがある。

て-じゃく【手酌】自分で自分の杯に酒をついで飲むこと。「お互いに―でやろう」[類語]独酌(どくしゃく)。

で-しゃば・る【出しゃばる】《自五》出なくてもいいのに出てきて、余計なことをする。「―・って損をする」

デジャビュ 初めての体験なのに、かつて経験したことが

あるように感じること。既視感。既視体験。デジャブ。▽フランス déjà vu

て‐じゅん【手順】 物事をするときの順序。「仕事の―を決める」「―が狂う」 類語 段どり。手筈。

て‐じょう【手性】 手先の器用・不器用のたち。「―がいい」

て‐じょう【手錠】 罪人や容疑者の手にはめて、手を拘束する鉄製道具。「―をかける」「―をはめる」

でしょ‐う 《連語》《丁寧の意を持つ指定の助動詞「です」の未然形＋推量の助動詞「う」》「だろう」の丁寧語。〔「ます」と同じ程度の丁寧な文体で使う〕「きっと何かの間違い―」「明日は雪になる―」(推量)、「私に賛成してくださる―」(同意)、「親友を裏切ることができる―か」(反語)。 接続 体言(に準ずる語)、および動詞・形容詞・助動詞(「(よ)う」「まい」「だ」を除く)の終止形、形容動詞・助動詞「そうだ」「ようだ」の語幹につく。 参考 →だろう・です。

***て‐しょく【手×燭】** 柄をつけて持ち歩きのできるようにした、小さな燭台。手燭。

手燭

***て‐しょく【手職】** 手先を使う仕事。また、その職業や技術。てじょく。「―がある」

で‐しょく【出職】 他に出かけて仕事をする職業。左官・屋根職・庭師など。 対 居職。

で‐じろ【出城】 根城のほかの、要害の地に築いた城。 対 根城。

デシン 「クレープデシン」の略。うすくてやわらかい平織りのちりめん。

です 《助動：特殊型》「だ」の丁寧語。〔「ます」とともに「です・ます体」といわれ、丁寧さに関して中立的な「だ体」「である体」と対立する〕「あれが僕の学校**です**」「人間は動物**です**」(一致の認定)、「七時のニュース**です**」(事柄の提示)、「私はバッハ**です**(＝私が好きなのはバッハの音楽です)」(文章の理解を文脈にゆだねた簡潔・直截な表現)、「どちらにお出掛け**です**か」(軽い尊敬・丁寧)、「しかし**です**ね、やってやれないことはないでしょう」(間投助詞的な用法)など、「だ」と共通する用法のほかに、「**です**ね」などの形で一語化の進んだ「早かった**です**ね」などの言い方もある。 接続 「でしょ-でし-です-○-○-○」と活用し、体言(に準ずるもの)につく。また、形容詞(型の助動詞)の終止形、形容動詞(型の助動詞)の語幹につく。形容詞(型の助動詞)について言い切る形の「です」は、簡明・直截な言い方として一般化しているが、多少とも崩れた、子供っぽい感じが残る(ビールが飲みたい**です**・大変面白かった**です**)。未然形「でしょ」は「でしょう」の形で一語化し、すでに断定の意を失い、推量の意を表すだけとなり、さらに他の活用形とは接続を異にすることとなった。 参考 (ア)「ます」の打ち消しの過去は「ませんでした」の形になる。「とうとう会えませんでした」(イ)→だ・でしょう。

でず‐いらず【出ず入らず】 《名・形動》過不足・損得・増減などがないこと。ほどよいこと。「―の経費」

でず‐いり【▽手数入り】 相撲で、横綱の土俵入り。 参考 「手数」は相撲のわざの意。

て‐すう【手数】 手間のかかる度合い。また、手段などが面倒であること。手数。「―のかかる仕事」 ―りょう【―料】 他人のために費やした手間の報酬として受け取る金銭。コミッション。

て‐ずから【手ずから】 《副》自分の手で。みずから。「―庭木を植える」

です‐から 《接続》「だから」の丁寧な言い方。

***て‐すき【手×漉き】** 機械によらず、人の手で紙をすくこと。また、手ですいた紙。「―の和紙」

***て‐すき【手透き・手×隙】** 《名・形動》する仕事がなく、ひまであること。てあき。「今お―ですか」

で‐ずき【出好き】 《名・形動》外出することや人前に出ることが好きな・こと(人)。 対 出嫌い。

で‐す・ぎる【出過ぎる】 《自上一》❶適当な程度をこえて出る。ある基準以上に出る。「茶が―・ぎる」「白線から体が―・ぎる」❷分をこえた言動をする。でしゃばる。「―・ぎたまねをする」

デスク ❶机。特に、事務机。❷新聞社などで、社にいて記事の取材や編集のさしずをする役職(の人)。「政治部の―」▽desk ―トップ 機器で、机上用・卓上型。特に、机上型のパソコン。▽desktop ―トップ・パブリッシング →ディーティーピー。 ―ワーク 机に向かってする仕事。事務処理など。▽desk work

て‐すさび【手▽遊び】 てなぐさみ。てあそび。てすさみ。「―に菊をつくる」

て‐すじ【手筋】 ❶手のひらのしわの筋。❷書画・芸事などの素質。「ピアノの―がいい」❸取引所で、売手・買手の種類。手口。❹囲碁・将棋で、ある局面における理にかなった有効なさし手。また、盤上にあらわれた一連の有効なさし手の形。「―を読む」

テスター 電気回路の電圧・電流を測定する小型の計器。回路計。▽tester

で‐ずっぱり【出突(っ)張り】 〔俗〕芝居などで、一人の俳優が最初から最後まで出続けること。一般に、出続けること。出っぱなし。「―で歌う」 表記 現代仮名遣いでは「でづっぱり」も許容。

テスト 《名・他サ》検査。実験。試験。考査。審査。試験台。「学力―」▽test ―ケース 先例となるべき試み。試験台。▽test case ―パターン テレビジョンの受像機の映像のぐあいを見るために、放送に先立って映し出される図形。▽test pattern

デスペレート 《形動》絶望的。やけ。「―な気分になる」▽desperate

デス‐マスク 死者の顔から直接に型をとって作った面。死面。デッドマスク。▽death mask

デス‐マッチ ❶プロレスで、特別な条件をつけて徹底的に戦う試合。❷生死をかけた戦い。死闘。▽death と match からの和製語。

て‐すり【手×摺(り)】 転倒や落下を防ぐために、橋・階段・廊下・窓などのはしに、手がかけられるほどの高さに取り付けた横木。欄干。

て‐ずり【手刷(り)】 ❶印刷機械を手で操作して一枚ずつ刷ること。また、その印刷物。「―のカレンダー」❷木版をはけとばれんとを用いて手で一枚一枚刷ること。また、その刷ったもの。「―の年賀状」

て‐ずれ【手擦れ・手▽摩れ】 何度も手があたって表面がすれること。また、その部分。「―のした本」

て‐せい【手製】 自分の手で作ること。また、そのもの。手づくり。「―のチーズケーキ」

て‐ぜい【手勢】 手下の軍勢。手兵。

て-ぜま【手狭】《名・形動》部屋・家などが、使用にたえるだけ広くないこと。「ーになった家を増築する」

て-そう【手相】手のひらの筋や手の肉づきなど、手の種々の様相。また、そこに表れるという、その人の性質・運命・吉凶など。「ーを見る」類語 骨相。

で-ぞめ【出初(め)】新年になって初めて出ること。特に、消防士が出そろって、はしご乗り・消火演習などを行う儀式。出初め式。参考 一月六日の朝行う。

で-そろ・う【出×揃う】《自五》〔出るべき人や意見などが〕全部そろって出る。残らずそろう。「関係者がーう」「稲の穂がーう」

て-だい【手代】商家で、主人から任せられた範囲で権限をもつ使用人。番頭の下、丁稚の上。

て-だし【手出し】《名・自サ》❶〔争いなどを〕自分からしかけること。「こちらからはーをするな」❷そばからよけいな世話をやくこと。「ーは無用」❸〔ある物事に〕自分から関係すること。「株にーをする」

で-だし【出出し】物事の始まり(の部分)。すべり出し。「ー快調」表記 ふつう、「出だし」と書く。

て-だすけ【手助け】《名・他サ》人の仕事などを手伝って助けること(人)。「父のーをする」類語 手伝い。

て-だて【手立て・手▽段】ある物事をしとげる方法。手段。「解決のーを講じる」

でたとこ-しょうぶ【出た▽所勝負】〔さいころばくちで、出た賽の目で勝負を決める意から〕とにかくやってみて、あとはその場のなりゆきにまかせて事を決めること。「一か八かのー」類語 行き当たりばったり。

て-だま【手玉】❶手につけて飾る玉。❷お手玉。

ーに取る《句》人を自分の思うままに操る。

でたらめ《名・形動》〔物事や言行などが〕でまかせでいいかげんなこと。「ーばかり言う」「ーの住所を書く」表記「出鱈目」と当てた。類語 めちゃくちゃ。

て-だれ【手足れ・手▽練】《「手足り」の転》技芸の腕まえがすぐれていること(人)。腕きき。〔古風なことば〕「ーの武芸者」

デタント〔二つの国・陣営などの間の〕緊張がやわらぐこと。緊張緩和。▽フランス détente

て-ぢか【手近】《名・形動》❶すぐ手にとれるような近い所(にあること)。すぐそば。「辞典をーに置く」「ーな材料を使う」❷ふつうにあることで、分かりやすいこと。卑近。「ーな例をひく」類語 ①②身近。

て-ちがい【手違い】物事が順調にはかどるのを妨げる事情。「当方のーでご迷惑をおかけしました」

て-ちょう【手帳・手×帖】心覚えを書き込むための小さな帳面。

***てつ【×轍】**❶車が通ったあとに残る車輪のあと。わだち。❷前人のしたこと。先例。「ーを踏む(=前人のあやまちをくりかえす。前車の轍を踏む)」

***てつ【鉄】**❶金属元素の一つ。かたくて銀色のつやがある。展性・延性に富み、広い用途をもつ。まがね。くろがね。元素記号 Fe。類語 鉄鋼。鋼。❷非常にかたく強いことのたとえ。「ーの意志」

ーは熱いうちに打て《句》人は若い時期に鍛えるべきであるというたとえ。また、時機を失してはいけないというたとえ。

てつ-あん【鉄案】〔文〕確固とした結論・断案。「ーを下す」

て-ついで【手▽序(で)】ある仕事をするついで。

てつ-いろ【鉄色】鉄のような色。やや緑色(または赤み)を帯びた黒色。

てっ-か【鉄火】❶高温でまっかに焼けている鉄。❷「鉄火打ち」の略。ばくちうち。❸刀剣と銃砲。また、銃火。「ーをくぐる」❹《名・形動》気性がはげしく、おとこ気のあること。勇みはだであること。鉄火肌。参考 多く女の気性にいう。「ーな姐御」類語 伝法。❺「鉄火丼」の略。どんぶりにすし飯を盛り、上にマグロの切り身をのせた食べ物。鉄火どん。❻「鉄火巻き」の略。マグロの切り身をワサビとともにすし飯の中にのりで巻きこんだもの。

ーば【ー場】賭場。ばくち場。

ーみそ【ー味×噌】みそに、油でいためた大豆・ゴボウ・トウガラシなどをまぜ、味をつけてねりあげた食品。

てっ-かい【撤回】《名・他サ》一度提出した意見や文書などを取り下げること。ひっこめること。「処分のーを求める」「発言をーする」

でっか・い《形》〔俗〕「でかい」を強めていう語。大きい。〔いくぶん野卑なことば〕「ー希望をもつ」

***てっ-かく【的確】**《名・形動》↓てきかく(的確)。

***てっ-かく【適格】**《名・形動》↓てきかく(適格)。

てつ-がく【哲学】❶人生・世界・事物の根本的な原理を探究する学問。フィロソフィー。参考 ギリシア語「フィロソフィア(philosophia)」の訳語で、知恵を愛する学問の意。❷〔生活信条としてもっている〕人生観・世界観。「独自のーをもって生きる」

て-つかず【手付かず】手をつけていないこと。もとのままにしてあること。また、とりかかっていないこと。「料理がーで残る」「ーの自然」「仕事はまだーのままだ」

てつ-かぶと【鉄×兜】戦場や工事現場などでかぶる、頭部を守る鉄製の帽子。類語 ヘルメット。

て-づかみ【手×摑み】道具を使わず、手で直接(無造作に)つかむこと。「魚がーでとれる」「ーで食べる」

てっ-かん【鉄管】鉄で作った管。鉄パイプ。類語 土管。

て-つき【手付き】❶手を使って物事をするときの、手の動かし方やかっこう。「なれたー」❷↓おてつき。

***てっ-き【摘記】**《名・他サ》要点などをかいつまんで記すこと。また、その記事。「概要をーする」

***てっ-き【敵機】**敵の飛行機。

***てっ-き【適期】**〔文〕ちょうどよい時期。

***てっ-き【適帰】**《名・自サ》〔文〕行って身を寄せること。「ーする所とてない」類語 適従。

***てっ-き【鉄器】**鉄で作った器具。「ー時代」

***てっ-き【鉄騎】**〔文〕❶馬とともに鉄のよろい・かぶとで武装した騎兵。❷勇敢な騎兵。

デッキ❶船の甲板。❷旅客列車の昇降口の床。❸「テープデッキ」の略。▽①オランダ dek ②③英 deck

ーチェア木のわくに厚い布を張った折りたたみ式のいす。甲板や庭園などで使う。▽deck chair

てっ-きょ【撤去】《名・他サ》〔建物や設備などを〕取り払うこと。「違法建築物をーする」類語 撤収。

てっ-きょう【鉄橋】鉄材を組み立てて造った橋。特に、鉄道用の橋。「ーを架ける」類語 土橋。石橋。

てっきり《副》〔間違いだとは気づかずに〕確かにそうだと強く思いこむようす。間違いなく。疑いなく。きっと。「ー紛失したと思っていた」

***てっ-きん【鉄琴】**鉄片を半音階ごとに調律して並べ、丸いたまのついた棒でたたいて演奏する楽器。

***てっ-きん【鉄筋】**❶コンクリート建築物の芯に入れ

る鉄の棒。❷「鉄筋コンクリート」の略。鉄筋①を芯にしてまわりを型枠で囲み、中にコンクリートを打ちこんで固めたもの。また、その建築物・建築工法。

テックス ❶木くずやきびがらなどを押しかためて作った板。断熱や吸音性があり、壁や天井などの建材とする。軟質繊維板。❷織物生地。▽texture から。

て-づくり【手作り・手造り】 自分の手で作ること。また、作ったもの。手製。「—のケーキ」「—の本箱」

て-つけ【手付(け)】 ❶売買・請負・貸借などの契約が成立した時、その保証として支払い金などの一部をその場で渡すこと。また、その金。手付金。手金。「—を打つ」❷→おてつき。

***てっ-けつ【×剔×抉】** 《名・他サ》〔文〕❶えぐり出すこと。❷欠点・悪事・不正などをあばくこと。「社会の不正を—する」[類語] 暴露。摘発。剔出（てきしゅつ）。

***てっ-けつ【鉄血】** 鉄と血、すなわち兵器と兵力。軍備。兵備。「—宰相（さいしょう）（=ビスマルクの別称）」

てっ-けん【鉄×拳】 鉄のようにかたく握りしめたこぶし。「—が飛ぶ」「—制裁」

***て-っ-こう【手甲】** 労働用・旅行用・武装用などとして、手の甲をおおい保護するもの。厚い布または革で作る。手おおい。手甲（てこう）。[類語] 手指（てさし）。

***てっ-こう【鉄工】** ❶鉄材を用いてする工作。❷鉄の精錬や鉄器の製造などに従事する工員。

***てっ-こう【鉄鉱】** 鉄の原料となる鉱石。鉄鉱石。

てっ-こう【鉄鋼】 鉄とはがね。また、鋼鉄。はがね。

てっ-こく【敵国】 →てきこく。

てっ-こつ【鉄骨】 形鋼（かたこう）・鋼板（こうばん）などを接合して組み立てた建造物の骨組み。また、それに用いる鉄材。

てっ-さ【鉄鎖】 〔文〕❶鉄のくさり。「—につながれる」❷〔ひゆ的に〕厳重な束縛。

***てつ-ざい【鉄剤】** 鉄を主成分とした薬。貧血の治療などに用いる。

***てつ-ざい【鉄材】** 建築・土木工事やその他の工業の材料として使う鉄。

***てっ-さく【鉄索】** 鉄の太い針金をより合わせた綱。鋼索。ケーブル。

***てっ-さく【鉄×柵】** 鉄製の柵（さく）。

てっ-さん【鉄傘】 鉄骨で作った半球形の屋根。

てつ-ざん【鉄山】 鉄鉱を掘り出す鉱山。

デッサン 《名・他サ》〔絵画などの制作に先立ち〕描こうとするものの形を単色による線がきで表したもの。また、その絵。下絵。素描（そびょう）。すがき。▽（フランス）dessin

てつ-じ【×綴字】 〔「ていじ」の慣用読み〕→ていじ（綴字）。

てっ-しゅう【撤収】 《名・他サ》❶取り去ってしまいこむこと。「テントを—する」[類語] 撤去。❷《自サ》軍隊などがまとめて引きあげること。「軍が—する」「救援隊が—する」[類語] 撤退。

てっ-しょう【徹宵】 《名・自サ》〔文〕一晩じゅう起きていること。夜通し。徹夜。終夜。〔副詞的にも使う〕「—して文学を語る」

てつ-じょう【鉄条】 〔文〕鉄で作った太い針金。**—もう【—網】** 敵や獣などの侵入を防ぐため、とげのたくさんついた鉄条を網状に張りめぐらした柵（さく）。

てっ-しん【鉄心】 ❶物の中に入れた鉄のしん。❷コイルで、導線を巻く軟鉄棒。コア。❸鉄のようにかたい決心。「—石腸」[表記] ①②は「鉄芯」とも書く。

***てつ-じん【哲人】** 知恵がすぐれ、すぐれた思想をもつ人。「—の風格」

***てつ-じん【鉄人】** 鉄のように強いからだを持った男。

***てっ-する【徹する】** 《自サ変》❶〔ある感情や感覚が〕奥深くしみ通る。つきとおって〔底にまで〕とどく。「寒気が骨身に—する」「眼光紙背に—する」❷〔ある状態が〕最後まで変わらずに貫かれる。「清貧に—する」❸ある時間の全部を通して物事をする。「夜を—して工事をする」

***てっ-する【撤する】** 《他サ変》〔文〕取り除く。引き払う。「陣を—する」

てっ-せい【鉄製】 鉄で作ってある・こと〔もの〕。てつせい。「—のなべ」

てっ-せき【鉄石】 ❶鉄と石。❷非常に堅固なこと。「—心（=非常に堅固な意志）」

***てっ-せん【鉄扇】** 〔武士が使った〕鉄骨の扇。

***てっ-せん【鉄線】** ❶鉄の針金。❷キンポウゲ科のつる性低木。初夏、濃紫・白色などの大きな花を開く。茎は針金状。てっせんれん。クレマチス。

てっ-そう【鉄窓】 ❶鉄格子をはめた窓。❷刑務所。

てっ-そく【鉄則】 決して変えることのできない、かたい規則・法則。きびしいきまり。「民主主義の—」

てっ-そん【×姪孫】 甥（おい）〔姪（めい）〕の子。又甥（またおい）。

てっ-たい【撤退】 《名・自サ》〔軍隊が〕陣地などを取り払って退くこと。「—作戦」[類語] 撤収。退去。

て-つだい【〈手伝い〉】（—だひ） てつだう・こと〔人〕。「家事の—」「お—さん」[類語] 手助け。

て-つだ・う【〈手伝う〉】（—つだふ） ㊀《他五》〔人の仕事などを〕助ける。手助けする。「家業を—・う」「宿題を—・う」[類語] 手を貸す。肩を貸す。片棒を担ぐ。一肌脱ぐ。（する）応援。㊁《自五》ある原因に他の原因が加わる。「寒さも—・って風邪が悪化した」

でっ-ち【〈丁稚〉】 商家などに年季奉公し、雑役などに使われた少年。小僧。「—奉公」

でっち-あ・げる【×捏ち上げる】 《他下一》❶実際にはないことをあったことのように作り上げる。捏造（ねつぞう）する。「証拠を—・げる」❷〔俗〕やりくりして〔体裁だけととのえて〕なんとか作り上げる。「企画書を—・げる」

てっ-ちり フグを野菜・豆腐などと煮るなべ料理。ふぐちり。[参考] フグの毒に「あたれば死ぬ」というので、フグのことを俗に「鉄砲」と言い、「てつ」はその略。

でっ-ちり【出っ×尻】 〔俗〕しりが〔肉づきよく〕つき出ていること。また、そのしり〔の人〕。でじり。

てっ-つい【鉄×槌・鉄×鎚】 ❶大形のかなづち。ハンマー。❷〔文〕非常にきびしい制裁・命令。「—を下す」

て-つづき【手続(き)】 ❶ある事を行う順序・方法。手順。❷《名・他サ》あることをするのに必要な、順序をおった処置。また、それをすること。「入学の—をとる」「正しい—をふむ」

で-づっぱり【出突(っ)張り】 →でずっぱり。

てっ-てい【徹底】 《名・自サ》❶〔考え方や行動などが〕中途はんぱでなく、一つの思潮などで貫かれていること。「—した軍国主義者」「平和主義に—する」❷〔命令などが〕十分に行き渡ること。「通知が—する」「命令を—させる」**—てき【—的】** 《形動》徹底するようす。十分に・行う〔行き届く〕ようす。「—に調べる」

デッド ❶スポーツで、試合が中断されている状態。「ボール—」❷ホール・部屋などで、反響がほとんどないこと。「—ルーム」❸生かされていないこと。「—スペース」▽dead(=死んだ) **—エンド** ❶行きどまり。袋小路。❷物事の行きづまった状態。「—に突き当たる」▽dead end **—ストック** むだな在庫品。▽dead stock **—ヒート** ❶競走・競馬などで、二者以上がせり合ってほとんど同時にゴールにはいること。❷激しいせり合い。「ゴール間近で—を演じる」▽dead heat **—ボール** 野球で、死球。▽dead ball (=プレーが中断ちゅうのボール) **—ライン** ❶越えてはならないぎりぎりの線。死線。❷最終期限。新聞社などで、原稿の締切り時間。「—に間に合った」▽deadline **—ロック** ❶交渉などが行きづまること。「—に陥る」❷暗礁。「—に乗り上げる」参考 ②は lock(=かぎ)と rock(=岩)の混同から。▽deadlock

***てっ-とう【鉄塔】** ❶鉄材を組み立てて造った塔。鉄骨の塔。「送信所の—」❷高圧送電線などの鉄柱。

***てっ-とう【鉄×桶】** 〔文〕❶鉄で作ったおけ。❷守りなどが非常にかたくてすきのないこと。「—の陣」
—水を漏らさず 《句》団結・守備が堅固で、わずかなすきもないことのたとえ。

てつ-どう【鉄道】 レールを敷設してその上に車両を走らせ、人や荷物を運ぶ運輸機関。 **—もう【—網】** あみの目のように、四方八方に通じている鉄道。

てっとう-てつび【徹頭徹尾】 《副》初めから終わりまで方針・考えなどが変わらないようす。どこまでも。あくまでも。「—反対する」注意「徹底徹尾」は誤り。

てっとり-ばや・い【手っ取り早い】 《形》❶〔物事をするのに〕てきぱきとして、すばやい。「—・く部屋をかたづける」❷簡単に早くできる。「—・い方法」

てつ-の-カーテン【鉄のカーテン】 第二次世界大戦後、旧ソ連を中心とした東欧の共産主義国が西欧の自由主義諸国に対してとった政治的秘密主義・閉鎖主義。参考 当時の英国首相チャーチルのことば。

で-っ-ぱ【出っ歯】 →でば(出歯)。

てっ-ぱい【撤廃】 《名・他サ》〔今まで行われてきた制度や規則などを〕取りやめること。「人種差別の—」

てっ-ぱつ【鉄鉢】 〔仏〕僧が托鉢のときに持ち歩き、米などをうける、鉄製のはち。てつばち。応器。

で-っ-ぱり【出っ張り】 出っぱっている・こと(部分)。「—をけずる」

で-っ-ぱ・る【出っ張る】 《自五》〔一部分が〕突き出る。でばる。「腹が—・る」

てっ-ぱん【鉄板】 鉄の板。「—焼き」

てっ-ぴ【鉄扉】 鉄でつくったとびら。

てっ-ぴつ【鉄筆】 ❶印判などをほる小刀。印刀。❷軸の先に針状の鉄をつけた筆記具。謄写版用の原紙に文字・図を書くときなどに使う。「—で原紙を切る」

てつ-びん【鉄瓶】 やかんに似た鉄製の湯沸かし。

てっ-ぷ【×轍×鮒】 〔文〕わだちのあとの水たまりの中にいて、あえいでいるフナ。
—の急 《句》危急にひんすることのたとえ。また、さし迫った困窮のたとえ。〈荘子・外物〉

でっぷり 《副・自サ》《副詞は「—と」の形も》よく太っていて、恰幅のよいようす。「—と太る」

てつ-ぶん【鉄分】 ある物に含まれている成分としての鉄。かなけ。「—の多い水」

てっ-ぷん【鉄粉】 鉄のこな。

てっ-ぺい【撤兵】 《名・自サ》派遣した軍隊をその地から引き揚げること。「占領軍の—」対 出兵。

てっ-ぺき【鉄壁】 〔鉄板を張ったかべの意から〕非常にかたい守りや砦。「—の守備陣」「—の陣」「金城—」

てっ-ぺん【▽天辺】 〔「天辺」の転〕❶〔かぶとのいただきの意から〕頭のいただき。「頭の—」❷物の一番高い所。頂上。「山の—」表記 多くかなで書く。

てつ-ぼう【鉄棒】 ❶鉄でできた棒。❷固定した二本の柱に鉄の棒を水平にかけわたした体操用具。また、それを使って行う体操競技の種目。「—の選手」

てっ-ぽう【鉄砲】 ❶火薬の爆発力で弾丸を発射する兵器の総称。大砲・小銃など。特に、小銃。参考「一丁(挺)…」と数える。類語 銃砲。❷すえぶろに取り付けて火をたく、金属製の筒。鉄砲ぶろ。❸かんぴょうを入れた、細巻きののりまき。鉄砲巻き。❹〔俗〕〔毒にあたれば死ぬというところから〕フグの別称。❺狐拳の形の一つで、こぶしをかためて前へ出し、鉄砲①を撃つ姿をまねたもの。❻相撲で、両方の手で行う突き。もろて突き。また、左右の手で柱などを突いて、手・腕と足とが一致した動作ができるようにする稽古。 **—だま【—弾・—玉】** ❶鉄砲の弾丸。❷外出や使いなどに行ったきりなかなかもどってこない・こと(人)。「—の使い」❸〔黒くて〕丸いあめ玉。 **—みず【—水】** 山間地を流れる川が、集中豪雨による急激な増水のためにあふれ、土砂・岩石などを含んで激しい勢いで流れ下る現象。 **—ゆり【—▽百▽合】** ユリ科の多年草。初夏、白色で芳香に富んだ、筒部の長い花を開く。

て-づま【手妻】 〔「手先の仕事」の意から〕手品。〔古風な言い方〕「—づかい」

て-づまり【手詰(ま)り】 手段や方法がなくなって行きづまること。特に、金銭にこまること。「戦局は—の状態である」「商売が—になる」

てつ-むじ【鉄無地】 模様のない鉄色の織物。

て-づめ【手詰め】 相手に猶予を与えずきびしく詰め寄ること。「—の談判」類語 ひざ詰め。

てつ-めんぴ【鉄面皮】 《名・形動》〔面の皮が鉄でできている意から〕恥知らずであつかましい・こと(人)。厚顔。鉄面。「—なやつ」

てつ-や【徹夜】 《名・自サ》〔ある物事をするために〕一晩じゅう寝ないでいること。夜明かし。「—で踊る」「—マージャン」類語 通暁。

て-づよ・い【手強い】 《形》〔相手に対する態度などが〕手きびしい。「—・く抵抗する」類語 手ごわい。

てつ-り【哲理】 〔文〕哲学上の道理。また、人生についての奥深い道理。「人生の—を学ぶ」

て-づり【手釣(り)】 さおを使わず、つり糸をじかに手に持って魚をつること。

て-づる【手×蔓】 ❶てがかり②。❷たよりにする縁故。つて。手引き。「—を求めて就職する」類語 コネ。

てつ-ろ【鉄路】 〔文〕鉄道の線路。また、鉄道。

てつ-わん【鉄腕】 鉄のように強い腕。「—投手」

てて【▽父】 〔文〕ちち。「—御」「—おや」

デテール →ディテール。▽detail

てなし-ご【▽父無し子】 ❶父親がだれであるかわからない子。「—を生む」❷父親に死に別れた子。

でで-むし【でで虫】 「かたつむり」の別名。

で-どこ【出▽所・出▽処】 →でどころ。

で-どころ【出所・出▽処】 ❶物事の出てくるもとの所。出所。「うわさの—」「金の—」❷出るべき場面・時機。「今が—だ」❸出口。=でどこ。

テトラ-ポッド 護岸用のコンクリートブロック。中心か

ら四方に円筒形のあしが出ている。波消しブロック。参考商標名。▽Tetrapod

て・とり【手取り】人をあやつるのがたくみな・こと(人)。**ーあしとり**【ー足取り】《連語》細かいことまでいちいち世話をやくこと。手を取り足を取り。「ーして教える」

て・どり【手取り】❶給料などで、社会保険料や税金などをさし引いて実際に受け取る金額。❷〔動物などを〕直接手でつかまえること。また、いけどりにすること。「魚をーにする」表記②は「手捕り」とも書く。❸糸を機械にかけずに手で繰り取ること。手繰り。

テトロン ポリエステル系の合成繊維。しわになりにくく、乾燥が早い。衣類・ホース・ロープなどに用いる。参考商標名。▽Tetoron

テナー ❶→テノール。❷同一種の楽器で、アルトより低く、バリトンより高い音域のもの。「ーサックス」▽tenor

て・ないしょく【手内職】〔袋張りや編み物など〕手先を使ってする内職。「ーで家計を支える」

て・なおし【手直し】《名・他サ》ちょっとした修正を施すこと。「ふろばの窓をーする」「作文のーをする」

で・なお・す【出直す】《自五》❶いったん引き返して、あらためて出かける。「用事を思い出したのでー・します」❷はじめからやり直す。「一からー・す」

て・なが【手長】❶手が長い・こと(もの)。「ー猿」❷他人の物を盗む癖のある・こと(人)。

て・なぐさみ【手慰み】❶なぐさみに物を手先でもてあそぶこと。また、手先の仕事などをなぐさみにすること。手遊び。手すさび。「ーの人形」❷ばくち。

てなげ・だん【手投げ弾】→しゅりゅうだん。

てな・こと《連語》〔俗〕…というようなこと。「すぐ行くーを言いながら、まだこない」

て・なず・ける【手▽懐ける】《他下一》❶〔動物などを〕なつかせる。ならす。❷〔人を〕うまく扱って自分の言いなりになるようにする。「反対派の幹部をー・ける」表記現代仮名遣いでは「てなづける」も許容。

て・なべ【手×鍋】つるをつけてある鍋。**ー提げても**《句》好きな男と夫婦になれるならば、どんな貧乏暮らしもいとわないの意。参考おもに、つつましやかな新婚生活をいとなむことに言う。

て・なみ【手並(み)】腕まえ。技量。「おー拝見」

て・ならい【手習(い)】❶文字を書くことを習うこと。習字。「手本を見てーをする」❷〔学問・芸事などの〕けいこ。修業。「六〇のー」「俳句のー」

て・ならし【手慣(ら)し・手×馴(ら)し】使って手にならすこと。「二、三度使ってーをする」

て・な・れる【手慣れる・手×馴れる】《自下一》❶〔道具などを〕いつも使ってなれている。❷〔仕事などに〕なれてうまくできる。「ー・れた筆さばき」

テナント ビルの一区画を借りて設けた店や事務所。また、その借り主。「ー募集中」▽tenant

デニール《助数》糸の太さを表す単位。一デニールは、長さ九キロメートルの糸の重さが一グラムのときの太さ。数が大きいほど太くなる。記号D。▽denier

テニス 長方形のコートの中央をネットでしきり、これを隔てて競技者が相対し、互いにラケットでボールを打ち合う競技。庭球。「ーコート」▽tennis

デニッシュ パイ生地でつくるデンマーク風の菓子パン。デニッシュペストリー。▽Danish pastry から。

デニム 厚地の、綿のあや織物。丈夫なので、作業服や子どものズボンなどに用いる。「ーのズボン」▽denim

て・にもつ【手荷物】❶手回りの荷物。特に、旅客が身辺に携帯する荷物。「ーを預ける」❷→チッキ。

て・に・を・は ❶漢文を訓読するとき、補読しなければならない、助詞、助動詞、用言の語尾、接尾語などの総称。参考昔、漢文を訓読するときに、漢字の四すみにつけた訓点が左下から上へ順に「て」「に」「を」「は」を表したことから。❷ことばの使い方。特に、助詞の使い方。「ーがおかしい」=てには。

て・ぬい【手縫い】〔ミシンなどを使わず〕手で縫うこと。また、手で縫った物。

て・ぬかり【手抜(か)り】注意が行き届かず不十分な点。手落ち。「ーのないように準備をする」

て・ぬき【手抜き】しなければならない手数や工程を省くこと。「ー工事」「ー料理」

て・ぬぐい【手×拭(い)】手・顔・体などをふく、長方形の薄手の木綿の布。日本手ぬぐい。

て・ぬる・い【手▽緩い】《形》❶処置・監督などが寛大すぎる。なまぬるい。「ー・い規制」対手きびしい。❷やりかたがぐずぐずしてのろい。「仕事がー・い」

て・の・うち【手の内】❶てのひら。❷〔相手が知らない〕腕まえ。手並み。「ー拝見」❸心の中の考えや計略。「相手のーを読む」❹権力・勢力などのおよぶ範囲。支配下。「A国はB国のーにある」

て・の・うら【手の裏】てのひら。たなごころ。**ーを反す**《句》態度をがらりと変えるようす。手の平をかえす。「ー・すように冷淡になった」

テノール ❶男声の最高音域(を受け持つ歌手)。❷テノール①に対応する音域を持つ管楽器の略称。=テナー。▽ドイツ Tenor

て・の・ひら【手の平・▽掌】手を握ったときに内側になる面。手のうら。たなごころ。対手の甲。**ーを反す**《句》→手の裏を反す。

デノミネーション 通貨の呼称単位を切り下げること。例えば現在の一〇〇〇円を新一円と呼ぶ類。デノミ。▽denomination

***て・の・もの**【手の物】❶自分の手にはいった物。❷〈おー〉なれていて得意とするもの。「書くことはおーだ」

***て・の・もの**【手の者】部下。配下。

て・は《連語》《接続助詞「て」+係助詞「は」》〔音便の関係で「では」とも〕❶継続的に起こる動作がくり返されることを表す。「寄せ**ては**返す波の音」「寝**ては**夢、起きて**は**うつつ」❷ある事態を招くきっかけとなる仮定(または既定)の条件を表す。〔容易ならざる事態の展開に使うことも多い〕「腹が減って**は**軍はできぬ」「そうと知って**は**(=知ったからには)ただでは済まぬ」❸ある条件をきっかけとして、いつも同じ事態が生ずることを表す。「せい**ては**事をしそんずる」❹〔「…ては駄目だ」「…てはいけない」「…ては困る」などの形で、下に否定的な評価を含む語句を伴い〕禁止・迷惑などの要因となる条件を表す。「死んで**は**駄目よ」「休まれて**は**困るんだよ」参考(ア)くだけた会話では「ちゃ(あ)」とも。「それを言っ**ちゃあ**おしまいよ」。(イ)「では」から転じたものは、「じゃ(あ)」となる。「死んじゃ駄目」

***て・ば**【手羽】鶏肉で、羽のつけ根の部分。手羽肉。

***て・ば** ■《係助》《「と言えば」の略》〔「ってば」とも〕聞き手の注意を促す気持ちで、話題としてあげる。(っ)た

ら。「一二日で金曜日ってば穏やかじゃないね」「お父さんてば、またお酒を飲んで」 二《終助》じれったい気持ちで注意を促すのに使う。「おい、もうよせってば」

***で・は**【出端】❶出るべき機会。出るきっかけ。「―を失う」❷出かけようとするとたん。出しな。「―に雨が降りだした」 参考 ①②は「でば」とも言う。❸能楽や歌舞伎で、役者が登場するときの、はやしや音楽。

***で・は**《接続》《「それでは」の略》〔くだけて「じゃ(あ)」とも〕❶前の事柄を根拠として後の事柄を導く語。そういうことなら。それなら。「―そのように決定します」 類語 なら。すると。であれば。とすれば。されば。しからば。❷物事の初めや終わりのくぎりを示す語。それでは。「―始めましょう」「―さようなら」

***で・は** 一《連語》《格助詞「で」＋係助詞「は」》〔くだけた言い方では「じゃ(あ)」とも〕❶格助詞「で」のついた語を取り立てる。「それはここでは禁句だ」❷仮定(または、既定)の条件を表す。…であったら。…であっては。「知らないでは済まされない」 二《連語》文語《接続助詞「で」＋係助詞「は」》打ち消しの仮定条件を表す。…ないならば。「酒の勢ならでは歌はず〈独歩〉」 参考 ↓で(接助)二②。 三《連語》《撥音便の関係で、接続助詞「て」が「で」となったもの》〔くだけた言い方では「じゃ(あ)」とも〕↓ては。「読んではいけない」

***で・ば**【出刃】「出刃包丁」の略。

***で・ば**【出場】出場所。

***で・ば**【出歯】上の前歯が外側にそっていること。また、そのような歯の人。でっぱ。そっぱ。

デパート「デパートメントストア」の略。百貨店。

て・はい【手配】《名・他サ》❶仕事などの割当て・段どりをととのえること。てくばり。「歓迎会の―をする」 類語 手筈。手回し。❷容疑者や犯人などを逮捕するため、各方面に連絡をとって、必要な指令を出したり人員を配置したりすること。「指名―」

で・はいり【出入り・出×這入り】❶《名・自サ》〔同じ所にたびたび〕出たり入ったりすること。「人の―が激しい」❷人数・数量などが多かったり少なかったりすること。増減。「出席者には一、二名の―があるだろう」❸金銭の支出と収入。 同 ①②出入り。

でば・かめ【出歯×亀】〔俗〕女湯などをのぞく、変態的な男。でばがめ。 参考 明治時代の池田亀太郎という出っ歯の変態性欲者のあだ名から。

て・ばかり【手×秤】❶手で下げて使うはかり。❷手に持った感じで重さや量をはかること。料理の材料などをはかるときに言う。「―で味噌を入れる」

て・ばこ【手箱】装身具や化粧道具など、手回りの小道具を入れておく小さい箱。 類語 手文庫。

てば・さき【手羽先】鶏肉で、羽の先の部分。羽毛のつけ根にあたり、軟骨などが多く、肉は少ない。

て・ばしこ・い【手×捷い】《形》〔物事をするのが〕すばやい。てばやい。「―・く料理を作る」

て・はじめ【手始め・手初め】ある物事に取りかかる最初の段階。物事のしはじめ。「―に練習曲を弾く」

で・ばしょ【出場所】❶出て行くべき場所や場面。「私の―がない」❷産地。 同 ①②出場。

て・はず【手×筈】前もって決めておく一定の順序・段取り。「出発の―がととのう」 類語 手配。手順。

で・はず・れる【出外れる】《自下一》町・村などの中心から外れた所に出る。「町を―・れた所」

て・ばた【手旗】❶片手に持って振る小さな旗。「―を振って応援する」❷手旗信号に使う、赤白一組の小旗。また、それによる信号。手旗信号。

デバッグ《名・他サ》〔電算〕プログラムが正しく作動するかどうかを調べて、その誤りを除くこと。▽debug

て・ばな【手鼻】〔紙などを使わず〕片手の指先で、一方の鼻孔をおさえて洟をかむこと。「―をかむ」

で・はな【出▽端・出鼻】❶出ようとする折。出たとたん。でがけ。でぎわ。「―に友人が訪ねてきた」❷物事をし始めるとすぐ。「事業の―」＝でっぱな・でばな。

―を挫く《句》事を始めたり調子が出始めたりするところを、さまたげてだめにする。でばなを折る。

***で・ばな**【出花】湯をそそいだばかりの、香りのよいころあい(の茶)。「番茶も―」 対 出がらし。

***で・ばな**【出鼻】❶山の端・岬などの突き出た所。「山の―を回る」❷↓ではな②。＝でっぱな。

て・ばなし【手放し】❶めんどうをみず、そのままほうっておくこと。放任。「子どもを―で育てる」❷遠慮したり気にしたりせず、おおっぴらなこと。「―で喜ぶ」「―でのろける」 類語 むきだし。露骨。❸条件や制限を加えずそのままにしておくこと。無条件。「―の支持」

て・ばな・す【手放す・手離す】《他五》❶〔つかんでいる物から〕手を放す。手から放す。「たづなを―・す」❷自分の持っている物を人手に渡す。「書画を―・す」❸親が子どもなどを自分のそばからはなれた所へやる。「ひとり息子を―・す」❹手をつけている仕事などを一時やめる。「―・すことができない用事」

て・ばなれ【手離れ】《名・自サ》❶幼児が成長して世話を必要としなくなること。❷製品が完成し、それに手を加える(関係する)必要がなくなること。

でば・ぼうちょう【出刃包丁・出刃×庖丁】魚・鳥などを調理するのに使う、先のとがった、刃のみねが厚い包丁。出刃。

て・ばや・い【手早い】《形》〔物事をするのが〕はやい。「―・く部屋を片づける」 類語 素早い。

で・ばやし【出×囃子】❶歌舞伎で、囃子方が長唄連中と舞台に居並んで演奏するはやし。❷寄席で、出演者が高座にあがる時に演奏するはやし。

で・はら・う【出払う】《自五》❶物がすっかり出てしまう。出尽くす。「その品は―・いました」❷人が残らず外へ出て、だれもいなくなる。「家人がみな―・う」

で・ば・る【出張る】《自五》❶でっぱる。❷〔自分の方から〕出かけて行く。出向く。出張する。「工事現場に―・って監督する」

で・ばん【出番】❶勤め・舞台などに出る番。「楽屋で―を待つ」❷特に、その人にぴったり合った役として出る番。出て活躍する番。出る幕。「こちらの―がない」

て・びかえ【手控え】❶手控えること。「不景気による採用の―」❷忘れないように手もとの帳面などに書いておくこと。また、その書いたもの。メモ。「ノートに―をしておく」❸予備として手もとに残しておくこと。また、その物。

て・びか・える【手控える】《他下一》〔物事を〕控えめにする。少なめにする。「仕入れを―・える」

て・びき【手引(き)】❶《名・他サ》〔ある場所へ〕(手を引いて)人を導く・こと(人)。また、案内する・こと(人)。❷初心者を指導する・こと(書物)。「―書」 類語 入門。手ほどき。 表記 書物の意では「手引」と書く。❸手づる。つて。「先輩の―で就職できた」

デビス・カップ アメリカのD・F・デビスが寄贈した、国際テニス選手権試合の銀製の優勝杯。また、それを争う男子の国別対抗戦。デ杯。▽Davis Cup

デビット・カード 買い物のさいに暗証番号を直接入力することで代金を預金口座から引き落とせるキャッシュカード。略語DC。▽debit card

て-ひど・い【手▽酷い】《形》情け容赦もなく厳しい。手きびしい。「—い打撃を受ける」「—い批評」

デビュー《名・自サ》役者・歌手・作家などとして、初めて劇壇・楽壇・文壇などに登場すること。初舞台。初登場。お目見え。「—曲」参考 初めて登場する製品などにもいう。「新車が—する」▽フラ début

て-びょうし【手拍子】〔音楽などに合わせて〕手を打ち鳴らして拍子をとること。また、その拍子。「—をとって歌う」「—をそろえる」対 足拍子。

て-びろ・い【手広い】《形》❶〔家・土地などが〕広く大きい。❷関係する範囲が広い。「—・く商売する」

でぶ〔俗〕太っている・こと(人)。〔けいべつした言い方〕

て-ふうきん【手風琴】 アコーディオン。

デフォルト ❶債務不履行。❷コンピューターで、暗黙指定。限定条件。❸コンピューターの初期値。工場出荷時値。▽default

デフォルメ《名・他サ》絵画・彫刻などで、意識的に対象を誇張したり変形したりして表現すること。デフォルマシオン。▽フラ déformer

て-ふき【手×拭(き)】 ぬれた手や指先などをふく布や紙。「お—」

て-ぶくろ【手袋】 手にはめて防寒・保護・装飾などのために用いる、手の形をした袋状のもの。「革—」

—を投・げる《句》〔決闘を申し入れる意から〕絶交を通告する。また、絶交する。

で-ぶしょう【出無精・出不精】《名・形動》外出をおっくうがる・こと(人)。「年をとって—になった」

て-ぶそく【手不足】《名・形動》人手が足りないこと。人手不足。「中小企業は—で困っている」

て-ふだ【手札】 ❶名刺。名札。❷トランプ・花札などで、めいめいが手もとに持っている札。❸「手札型」の略。写真の印画紙などの大きさで、縦が一〇八ミリ、横が八三ミリのもの。手札判。

で-ふね【出船】 船が港を出て行くこと。出港。また、その船。出船。「—の銅鑼が鳴る」対 入り船。

て-ぶら【手ぶら】 ❶手に何も持たないこと。から身。「—で旅に出る」❷特に、手みやげや獲物を持たないこと。「—で訪問する」

***て-ぶり【手振り】** 手を動かす格好(によって意思や感情を表そうとすること)。「身振り—で話す」類語 手つき。手まね。

***て-ぶり【手▽風】**〔文〕ならわし。風習。「都の—」

デフレ「デフレーション」の略。対 インフレ。

デフレーション 通貨の量が商品の取引量に比べて減少し、物価が下がり貨幣の価値が極端に上がる状態。デフレ。対 インフレーション。▽deflation

テフロン フッ素樹脂(=フッ素を含む合成樹脂)の一つ。ポリテトラフルオロエチレンの商標名。熱・酸に強く、絶縁材・調理器具の被膜などに用いられる。▽Teflon

て-ぶんこ【手文庫】 手近において、手紙や大切な書類などを入れておく小さい箱。類語 手箱。

で-べそ【出×臍】 とび出ているへそ。

デベロッパー ❶大きな規模で宅地を造成する業者。❷現像液。=ディベロッパー。▽developer

て-べんとう【手弁当】 ❶弁当を自分で持って働きに出ること。また、その弁当。❷報酬などをあてにせず、時には自分の金を持ち出してまで、他のために働くこと。「—の応援」

デポ ❶荷物の置き場。❷デパートなどで、商品集配所。❸《名・他サ》登山で、一時荷物を置いていくこと(場所)。▽フラ dépôt 英 depot

て-ぼうき【手×箒】 片手で使う、柄の短いほうき。

で-ほうだい【出放題】《名・形動》❶出るに任せること。出る一方であること。❷口から出るままにでたらめを言うこと。「—に勝手なことを言う」

デポジット 缶・びん入り飲料の売価に初めから上乗せしてある一定の金額。「—制度」参考 空き缶・空きびんを返すとその金額が戻る。▽deposit(=預かり金)

て-ほどき【手▽解き】《名・他サ》学問・技術・芸事などを初めて学ぶ人に、第一歩から教えること。「スキーの—をする」類語 手引き。

て-ほん【手本】 ❶習うときに手もとに置いて模範とする書・画などを書いた本。「習字の—」❷物事の模範とすべきもの。「人の—となる行い」「お—を示す」類語 法。鑑。見本。範。規範。亀鑑。規準。師範。師表。儀表。定規。規矩準縄。モデル。

て-ま【手間】 ❶ある仕事をするのに費やす時間・労力。「—のかかる仕事」「—を省く」❷働き手。労働力。人手。「—を雇う」❸「手間賃」の略。

デマ《「デマゴギー」の略》❶〔政治的目的でなされる〕虚偽の宣伝。❷でたらめなうわさ話。流言飛語。「—を飛ばす」

て-まえ【手前】 一《名》❶自分の目の前。❷ある場所よりも自分に近い方。こちら。「終点の一つ—の駅」❸他人や世間に対する体裁・面目。「世間の—黙ってはいられない」「できると言った—、引っ込みがつかない」❹腕前。手並み。わざ。「お—拝見」❺茶道で、茶をたてたり炭をついだりする所作。また、その作法。「お—」表記 ⑤は「点前」とも書く。二《代名》❶〔自称の人代名詞〕わたくし。〔ややけんそんして言う語〕「—がお供いたします」❷〔対称の人代名詞〕おまえ。てめえ。〔同等または目下の人に対してややさげすんで言う語〕

—がって【—勝手】《名・形動》自分勝手。「—に過ぎる」

—みそ【—味×噌】〔手製のみその味を自慢する意から〕自慢。「—を並べる」

で-まえ【出前】 料理屋・食堂などで、注文した客の家などに料理を届ける・こと(人)。また、その料理。「—をとる」「—はしません」類語 仕出し。

で-まかせ【出任せ】《名・形動》口から出るままに、いいかげんなことを言うこと。「口から—を言う」

て-まき【手巻(き)】〔機械や電力などを使わず〕手で巻くこと。自分の手で巻いて作ること。また、そのもの。「—の時計」「—のたばこ」「—ずし」

て-まくら【手×枕】〔自分の〕腕を曲げて、まくらにすること。腕枕。ひじ枕。手枕。類語 膝枕。

デマゴーグ ❶扇動的な弁舌で、大衆をある方向にかりたてる人。民衆扇動家。扇動政治家。❷〔俗に〕デマ。▽ドイ Demagog

て-ま-しごと【手間仕事】 ❶手間①のかかるめんどうな仕事。「機を織るのは—だ」❷手間賃をもらってする仕事。「—に仕立物をする」

てま-だい【手間代】→てまちん。

てま-ちん【手間賃】〔職人などの〕手間①に対して支払う賃金。手間。手間代。

で-まど【出窓】 建物の壁面から外へ突き出した窓。張り出し窓。

てま-ど・る【手間取る】《自五》〔ある事をするのに〕時間がかかる。手数がかかる。「外出の支度に―る」

て-まね【手真▽似】《名・他サ》〔ある動作や物事のようすを〕手でまねたりして表現すること。「―で了解したことを伝える」類語身ぶり。手ぶり。仕方。

て-まねき【手招き】《名・他サ》手を振って、こちらへ来るように示すこと。「こちらに来るように―する」

てま-ひま【手間暇・手間×隙】 労力と時間。「―かけてようやく完成した」

て-まめ【手▽忠▽実】《形動》❶面倒がらずにするようす。「―に手紙を書く」類語足まめ。❷手先を使う仕事がじょうずなようす。「―な細工」

て-まり【手×毬・手×鞠】 幼児や少女などが手でついて遊ぶまり。また、それをつく遊び。「―歌」

て-まわし【手回し・手×廻し】❶手で回すこと。「―の機械」❷前もって用意しておくこと。「―よく事前に報告しておく」類語手配。

て-まわり【手回り・手×廻り】〔手の届くあたりの意〕身のまわり(に置いて使うもの)。手回り品。

で-まわ・る【出回る・出×廻る】《自五》品物が市場に行き渡る。「夏の野菜が―る」

デマンド 要求。需要。▽demand

て-みじか【手短】《形動》〔文章や話が〕簡潔で、手っ取り早いようす。簡略。「―に話す」

て-みず【手水】❶手を洗う水。ちょうず。❷もちつきで、こねどり(=もちをこねかえす人)が手に水をつけて、臼の中のもちをしめらせること。また、その水。

で-みず【出水】 大雨などのため、河川などの水が著しく増える(あふれ出す)こと。大水。洪水。出水。「―で橋が流される」

で-みせ【出店】❶〔商店などで〕本店から離れた場所で営業する店。類語支店。分店。❷路上などに仮に出した店。露店。「―で朝顔の鉢を買う」

デミタス 小型のコーヒー茶碗(で飲む食後のコーヒー)。▽フラ demi-tasse(=二分の一の茶わん)

て-みやげ【手〈土産〉】 人を訪問するときに、挨拶代わりに持って行く土産。

て-むか・う【手向かう】《自五》〔押し寄せる勢力・権力などに〕立ち向かう。反抗する。「親に―・うとは何事だ」類語はむかう。

で-むかえ【出迎え】 出かけて行って迎えること(人)。「空港のロビーは―の人でいっぱいだ」

で-む・く【出向く】《自五》〔目的の場所へ〕出かけて行く。おもむく。「本社に―・いて報告する」

で-め【出目】 目だまが普通より外へ突き出ていること。また、その目(の人)。対奥目。くぼ目。

でめ-きん【出目金】 金魚の一品種。大きくなるにつれて目が左右に突き出てくる。

デメリット 短所。欠点。また、悪い結果。弊害。「―が多い」対メリット。▽demerit

て-も《接助》《接続助詞「て」+係助詞「も」》〔「っても」とも。また、音便の関係で「でも」とも〕❶逆接の仮定条件を表す。かりに…したとして、それでも。「死んでも死にきれない」「たとえ苦しくても我慢しなさい」❷逆接の既定条件を表す。…た(ている)にもかかわらず。「あれだけ言っても聞いてくれない」

***で-も**《接頭》❶名ばかりで内容がともなわない意。「―学者」「―紳士」参考「あれでも(…か)」の「でも」から。❷ほかになるものがないのでやむなくそれになっている意。「―しか先生」参考「…にでもなるか」の「でも」から。

***で-も**《接続》前の事柄を内容上相反する次の事柄に結びつける語。そうであっても。けれども。「行きたい。―忙しくて行けない」

***で-も** ■一《連語》《格助詞「で」+係助詞「も」》→で(格助)・も(係助)。「左打席―打てる」
■二《副助》(「でも■一」が一語化したもの)❶極端な例をあげ、「他はまして…」とほのめかして、事のさまを強く述べるのに使う。「子供にでもできる(=まして、大人の君にできないなんて…)」❷〔疑問詞につけて〕全面的肯定を表す。「命令とあらば、どこへでも行く」参考許容・許可の表現などでは、下に肯定的意味を表す表現を伴えば全面的肯定を、否定的意味を表すことができる。「入学できるなら、どの大学でもよい」「何でも構わない」「娘一人の旅行は、どこでも駄目」❸〔「でもしたら」「でもしようものなら」の形で〕重大な結果が生じることをほのめかすのに使う。「触りでもしたら、すぐに壊れる」「注意でもしようものなら、怒り出す」❹〔主に「でもない」の形で〕一例をあげて、それを否定し、他の同類のものも否定することをほのめかすのに使う。「嫌いなわけでもない(=かと言って好きなわけでもない)」❺〔下に意志・推量・命令・勧誘・仮定・例示などの表現を伴い〕軽い気持ちで一例をあげ、他に同類の適切なものがあれば、それでもよい、といった気持ちを含ませるのに使う。「先生にでもなるか」「お茶でも飲もう」「天下でもとったような喜び方だ」
■三《接助》《接続助詞「ても」が音便の関係で、「でも」となったもの》→ても(接助)。
■四文語《打ち消しの接続助詞「で」+係助詞「も」》「…しなくても(よい)」の意を表す。参考現在では、「言わでものこと」のような慣用句に残っている。「言わでもの意見」

***デモ**《「デモンストレーション」の略》大勢の人がそろって、抗議や要求をかかげ、それを広く主張・宣伝しながら、その威勢を示すために行う、行進や集会。示威運動。「反戦―」「―隊」「ジグザグ―」

デモーニッシュ《形動》鬼神や魔物にとりつかれたようす。悪魔的。超自然的。▽ドイ dämonisch

デモクラシー 民主主義。また、民主政治。民主政体。▽democracy

て-もち【手持ち】 現在手もとに持っていること。また、そのもの。「―の現金」 **―ぶさた【―無×沙×汰】**《名・形動》何もすることがなくて時間をもてあますこと。所在ないこと。「客が来なくて―だ」

て-もと【手元・手▽許】❶手の届く範囲。身のまわり。身近。「―が暗い」❷何かをするときの手を支えている部分。手のつけね。また、手の動かしぐあい。「―が狂う」「―がふるえる」❸物の、手で握る部分。❹「手元金」の略。手元①に置く現金。また、生計を立てていくための金。「―が不如意になる」❺〔料理屋などで〕はし。「お―」参考もと、女房詞。

で-もどり【出戻り】 結婚して家を出た女性が、離婚して実家へもどること。また、その女性。

て‐も‐なく【手も無く】《副》苦労せずに事を行うようす。容易に。やすやすと。「—だまされる」

で‐もの【出物】❶吹き出物。はれもの。おでき。❷売りに出されている不動産や古物。「—の書画を買う」❸屁へ。おなら。「—はれもの所きらわず」

て‐もり【手盛り】❶自分の食べる物を自分で食器に盛りつけること。「—で飯を食う」❷→おてもり。

デモン→デーモン。▽demon

デモンストレーション❶→デモ。❷宣伝したり注目を集めたりするために実際に何かをして見せること。❸スポーツ大会などで、公開演技。▽demonstration

デュープ 複写。複製。「カラー写真の—をとる」▽duplicate から。

デュエット❶二重・唱(奏)。また、その曲。デュオ。❷バレエで、ふたりでおどること。また、その場面。▽イタリア duetto 英 duet

デュオ❶二重・唱(奏)の二人組。❷デュエット①。▽イタリア duo

で‐よう【出様】(交渉などで)とる態度。出方。「敵の—を見る」表記「出よう」と書くことが多い。

てら【寺】仏像が安置され、僧または尼僧が住んで仏道修行や仏事を行う建物。寺院。伽藍がらん。

てら・う【×衒う】《他五》(自分の才能・知識などを)誇り見せびらかす。えらい者のようにふるまう。「学問を—う」「奇を—う」文《四》。

てら‐おとこ【寺男】寺で雑役をする男。

てら‐こ【寺子】寺子屋で学ぶ子供。—**や**【—屋】江戸時代、庶民の子供を集めて、読み書き・そろばんを教えた所。注意「寺小屋」は誤り。

テラ‐コッタ 良質の粘土を素焼きにしたもの。土偶・つぼ・かわらなどに応用されるほか、建築物の外装にも使われる。▽イタリア terracotta(=焼いた土)

てらし‐あわ・せる【照らし合わせる】《他下一》異同などを調べるため、二つ以上の物をくらべつきあわせる。照合する。「現金と帳簿を—せる」

*__てら・す__【照らす】《他五》❶光をあてて明るくする。「足もとを—す」❷くらべあわせる。参照する。「原本に—して誤りを正す」文《四》。

*__テラス__ 洋風の建物で、床と同じぐらいの高さで部屋の前の屋外に張り出した所。類語ベランダ。バルコニー。▽英 terrace フランス terrasse

てら‐せん【寺銭】ばくち場の借り賃として、出来高に応じて支払う金銭。てら。「—を取る」類語場所代。

デラックス《名・形動》豪華なこと。豪華版。略語DX。「—なムード」▽フランス de luxe の英語読みから。

てら‐てら《副・自サ》(副詞は「—と」の形も)つやがあって光っているようす。てかてか。「脂ぎって—した顔」

てら‐まいり【寺参り】寺に行って、仏像・位牌いはい・墓を拝んだり説経を聞いたりすること。寺もうで。

てり【照り】❶(太陽が)照ること。❷晴天。「—が続く」対降り。❸つや。光沢。特に、料理につやを出すためにぬるもの。「—を出す」

テリア 犬の品種群の一つ。一般に小形。愛がん用のほか猟犬・番犬にもする。テリヤ。▽terrier

テリーヌ 肉・レバーなどをペースト状にして香辛料・調味料などを加え、型に詰めてオーブンで蒸し焼きにする料理。▽フランス terrine

てり‐かえ・す【照り返す】《自他五》反射して照る。また、反射して照らす。「西日が—す」

てり‐かがや・く【照り輝く】《自五》光を放って明るく(美しく)光る。「—くイルミネーション」

デリカシー 心遣いなどの繊細さ。微妙さ。「—のない人」▽delicacy

デリカテッセン (ハム・ソーセージなど)調理ずみの洋風食品(を売る店)。デリカ。▽delicatessen

デリケート《形動》❶感情がこまやかで、ものに感じやすいようす。繊細。「—な神経の持ち主」❷ちょっとしたことで、形勢が変わりそうで扱いがむずかしいようす。微妙。「—な問題」▽delicate

てり‐つ・ける【照り付ける】《自下一》太陽がはげしく照る。「真夏の太陽がじりじりと—ける」

テリトリー❶領土。領域。「民俗学者の—」❷(動物の)なわばり。生活圏。「ゴリラの—」❸(セールスマン・販売店などの)受け持ちの地域。▽territory

てり‐は・える【照り映える】《自下一》光に照らされて美しく輝く。「夕日に—える紅葉」

デリバリー 配達。宅配。「—サービス」▽delivery

てり‐ふり【照り降り】晴天と雨天。「—雨(=照ったり降ったりして定まらない空模様)」

てり‐やき【照(り)焼(き)】しょうゆ・みりん・砂糖をまぜた汁を魚の切り身につけ、つやを出して焼くこと(もの)。「ブリの—」類語付け焼き。

て‐りゅうだん【手×榴弾】→しゅりゅうだん。

て‐りょうり【手料理】手製の料理。「—でもてなす」

デリンジャー‐げんしょう【デリンジャー現象】急に電波(特に短波)が弱くなって、乱れたり受信できなくなったりする現象。太陽面の爆発によって電離層に異常が生ずるためと考えられる。参考一九三五年にアメリカのデリンジャー(J.H. Dellinger)が確認した。

*__て・る__【照る】《自五》❶(月・太陽などが)光を出す。「日がかんかんと—る」❷晴れる。晴天である。「—る日曇る日」「降っても—っても」文《四》。

*__てる__《連語》(「ている」の転)「…ている」の意の口頭語。「彼ったらもう来てるわよ」参考「でいる」から転じたものは、「でる」となる。「波にチャップチャップうかんでる〈武内俊子〉」

*__でる__【出る】《自下一》❶中から外に移る。㋐外に行く。「部屋を出る」対はいる。㋑(ものが表面に)出っ張る。突き出る。「腹が出ている」「くぎの頭が出る」㋒他の所に出向く。出発・出立する。「東京へ出る」「旅に出る」㋓ある所に行きつく。到達する。「まっすぐ行けば駅へ出る」㋔前方に進む。「一歩前へ出る」㋕仕事などをしていた特定の場所から去る。「大学を出る」㋖売れていく。はける。さばける。「高級品がよく出る」❷(隠れていたものなどが)現れる。㋐おもてに現れて人目に触れるようになる。姿を現す。「ぼろが出る」「不満が顔に出る」「月が出る」㋑(なくなったものなどが)見つけられる。「盗品が出た」㋒(仕事などのために)特定の場所に臨む。出席・出勤・出場・出演する。「会社に出る」「舞台に出る」㋓特定の方面に乗り出す。登場する。出馬する。「選挙に出る」㋔ある態度で、相手に当たる。「高飛車に出る」㋕他に示すために、特定の場所に持ち出される。出品・陳列・掲示される。「大きな看板が出ている」㋖問題などが課される。「宿題が出る」㋗出版・発行される。または、印刷物に掲載される。「単行本が出る」「新聞に出る」㋘文学・演劇などの芸術作品の中に登場する。「神話に出てくる英雄」㋙ある

限度を超して、現れる。はみ出る。「上着の下からワイシャツが出ている」❸新たに生じる。㋐起こる。発生する。「風が**出る**」㋑〔勢いなどが〕新たに加わる。増す。「スピードが**出る**」「勇気が**出る**」「仕事に調子が出てきた」㋒〔水などが〕外にあふれて流れる。「温泉が**出る**」「涙が**出る**」㋓産出される。生まれ出る。「良米の**出る**土地柄」㋔ある結果がもたらされる。「結論が**出る**」㋕味が生じる。「渋みが**出る**」❹与えられる。供される。「許可が**出る**」「免許状が**出る**」「夕飯に刺身が**出た**」❺ある源から系統を引く。「史記から**出た**ことば」〔参考〕古形は「いづ」。〔文〕づ《下二》。

出る杭(くい)**は打た・れる**《句》❶頭角を現す人はとかく他の人から憎まれる。❷さしでたことをすると、他から非難され制裁を受ける。

出る所へ・出る《句》警察・法廷などに出て、裁断をあおぐ。「―出て決着をつけよう」

出る幕ではな・い《句》出てくる場合ではない。口をはさむ場合ではない。「お前の―・い」

***でる**《連語》↓てる(連語)。

デルタ 三角州。〔参考〕形がギリシア語アルファベットのΔ(デルタ)に似ていることから。「―地帯」▽delta

てるてる・ぼうず【照る照る坊主】晴天を祈って軒下などにつるす人形。

テレカ「テレフォンカード」の略。

てれ・かくし【照れ隠し】はずかしさや気まずさをごまかそうとする・こと(行為)。「―に頭をかく」

てれ・くさ・い【照れ臭い】《形》きまりが悪い。何となくはずかしい。「みんなの前で歌うのは―・い」

テレコ〔俗〕「テープレコーダー」の略。

でれ・すけ【でれ助】〔俗〕(女性に)でれでれしてだらしのない男。

テレタイプ タイプライター式の文字盤を打つと、遠隔地にある相手側の受信機が自動的に印字を行う電信機。〔参考〕「テレプリンター」の商標名。▽Teletype

テレックス ダイヤルで相手を呼び出し、テレタイプを使って相手に文字を伝える通信方法。加入(者)電信。▽telex

でれ・でれ《副・自サ》《副詞は「―と」の形も》〔俗〕❶真剣さがなく、しまりのないようす。「―したかっこうで歩く」❷だらしなくこびるようす。「女性に―する」

テレパシー 五感によらずに、人の意志や感情が他人に伝達されること。死の予知、夢の一致、心の透視などの類。精神感応。遠感現象。▽telepathy

テレビ「テレビジョン」の略。

テレビジョン 送像機から電波信号によって画像を送り、それを受像機で受けてブラウン管上に再生する装置。テレビ。略号TV。▽television

テレビン テレビン油(ゆ)。▽(ポルトガル) terebinthina から。

―ゆ【―油】針葉樹、特に松の樹脂を蒸留して作る精油。揮発性で、特有の香りをもつ。油絵の具をとかしたり樟脳(しょうのう)などの原料にしたりする。

テレフォン 電話。テレホン。▽telephone **―カード** 公衆電話で、硬貨のかわりに用いる磁気カード。テレカ。テレホンカード。▽telephone card

てれ・や【照れ屋】はずかしがりや。はにかみや。

て・れる【照れる】《自下一》はずかしがって、はにかむ。きまり悪がる。「褒められて―・れる」

て・れん【手練】人をたくみにだまして自分の思いどおりにする手段・わざ。てくだ。「―手管(てくだ)」

テロ ❶「テロリズム」の略。❷「テロル」の略。

テロップ テレビ放送で、写真・図面・文字などを、普通のテレビカメラを用いないで画面に映しだすための装置。〔参考〕もと商標名。▽telop

テロリスト 暴力によって一定の政治上の目的をはたそうとする人。暴力革命主義者。▽terrorist

テロリズム ❶一定の政治上の目的をはたすために、集団的・組織的な暴力手段に訴えようとする主義。暴力主義。また、その行為。テロ行為。テロ。❷↓テロル。▽terrorism

テロル 暴力手段によって敵対者を威嚇すること。テロリズム。テロ。▽(ドイツ) Terror

でわ【出羽】(はで) 旧国名の一つ。明治元年に羽前(うぜん)と羽後(うご)に分けられた。現在の山形県と秋田県。羽州(うしゅう)。

て・わけ【手分け】《名・自サ》一つの仕事を何人かで分担して行うこと。「―してさがす」

て・わざ【手業】手先でするわざ。〔類語〕手仕事。

て・わた・す【手渡す】《他五》他人の手を通さずに相手に直接渡す。また、手から手へ渡す。手渡しする。

***てん**【展】《接尾》「展覧会」の意。「美術―」

***てん**【店】《接尾》「みせ」の意。「喫茶―」「食料品―」

***てん**【典】〔文〕儀式。式典。「華燭(かしょく)の―」

***てん**【天】❶地に対して、高く遠く地をおおって無限に広がっている空間。「―を仰ぐ」「―と地」「―に達する噴煙」〔類語〕空(そら)。宇宙。天界。天涯。天外。天球。天空。天際。天上。天頂。天底。スカイ。〔対〕地。❷〔中国古代の思想で〕㋐万物の支配者。天帝。上帝。神。「―の命」㋑万物を貫く自然の理。宇宙の法則。「―の理」㋒天運。「運を―に任せる」❸天①にあって、神など超人的存在のものがすみ、清浄で至福だとされる想像上の世界。特にキリスト教で、神の国。天国。「―にましますわれらの父よ」❹〔仏〕㋐もろもろの仏神。多聞天・広目天・持国天など。㋑仏神のすむ所。特に、天上界。❺書物・荷物などで上部と下部を区分するときの、上の部分。「―地無用」〔対〕地。❻はじめ。最初。あたま。ピン。「―から受けつけない」❼評点や書物の内容の分類などで天・地・人の三段階に分けたときの、第一。〔対〕地・人。

―知る地知る我知る人知る《句》天地の神も自分も相手も知っている。悪事は、だれも知らないと思っても、いつかは露見するものであるということ。天知る地知る。四知(しち)。〈後漢書・楊震伝〉

―高く馬肥ゆる秋《句》秋のさわやかさをいうことば。

―にも昇る心地《句》非常にうれしいことのたとえ。

―は二物を与えず《句》人間はそんなに幾つもの長所を持っているものではないということ。

―を仰ぎて唾(つば)**き**(き)**す**《句》人に害を与えようとして、かえって自分がひどい目にあう。「天に向かって唾す」とも。〈四十二章経〉

***てん**【×篆】↓てんしょ(篆書)。

***てん**【×貂】イタチ科のけもの。ネコぐらいで胴が長く足が短い。毛はふつう褐色。毛皮が珍重された。

***てん**【転】❶〔語形・音韻などが〕変わること。変化。「『あたい』は『あたし』の―」❷漢詩の絶句の第三句。転句。「起承―結」

***てん**【点】㊀《名》❶形がはっきりしないほどに小さなも

の。㋐視覚で捕らえうる最小のもの。「飛行機が―となって空のかなたに消える」㋑位置の概念を示すもの。ふつう幾何学では、線分の端、直線と直線の交わりなどをいう。「二直線の交わった―」❷他のものにつけそえる小さなしるし。㋐文字のわきなどに目印にするす小さなしるし。傍点。㋑文章の句切り目に打つ小さなしるし。ふつうは「、」を使う。読点。㋒漢文の訓読のしかたを示すために文字のわきにつける符号。返り点・乎古止(をこと)点など。訓点。㋓古文書などにつけた注釈。「万葉集新―」㋔漢字の字画のうちで線よりも短いもの。「犬」「太」「丸」などの「、」。❸物事の価値・評価を表すもの。㋐詩文に書きこむ評価のしるし。また、詩文の添削。「―を加える」「―を乞(こ)う」㋑答案などにつける評点。「―をつける」㋒運動競技などの得点。「―を入れる」
■二《形名》特に注目・言及すべき箇所。「哲学と宗教はこの―が違う」「学力の―でまさる」
■三《接尾》❶「位置」「場所」「地点」を表す。「出発―」「落下―」❷《助数》得点・評点を数える語。「三―リードする」❸《助数》品物の数を数える語。「衣類三―」「数―出品する」

*てん【×恬】《形動タルト》〔文〕気にしないで平気でいるようす。平然。「―として恥じない」

*でん【殿】《接尾》❶〔東洋風の〕大きな建物の名にそえる語。「神楽(かぐら)―」「清涼―」❷貴人の姓や法名にそえる敬称。「大猷院(だいゆういん)―」

*でん【伝】■一《名》❶言い伝えられていること。また、その話。言い伝え。「―俊成筆」❷個人の一生の事績を記録した書物。伝記。❸〔俗〕〔基準の〕やり方。「いつものーで説教を始める」■二《接尾》「伝記」「注釈書」などの意。「シェークスピア―」「古事記―」

でん・あつ【電圧】電位の差。単位は、ボルト(V)。「―計」

*てん・い【天位】天子の位。天皇の位。皇位。

*てん・い【天意】〔文〕宇宙を支配する神の心。また、自然の道理。「―に従う」類語 神意。

*てん・い【転位】《名・自他サ》〔文〕位置が変わること。また、変えること。「星の―」

*てん・い【転移】《名・自サ》❶《他サ》〔文〕場所が移ること。また、移すこと。❷病原体または腫瘍(しゅよう)細胞が、他の組織に移り、そこではじめの病巣と同じ変化を起こすこと。「がんが―する」

でん・い【電位】電界内の一点に一定の電気量を運ぶのに必要なエネルギー量。―さ【―差】二点間における電位の差。電圧。単位はボルト(V)。

てんい・むほう【天衣無縫】《名・形動》〔文〕❶詩文などに技巧のあとがなく、自然で美しく作られていること。❷人の性格や言動が、飾りけがなくありのままであること。天真爛漫(らんまん)。「―の人柄」参考 天人の衣には縫い目のような作為がないということから。

てん・いん【店員】店の従業員。「―募集」

てん・うん【天運】〔文〕❶天が定めた運命。天命。「―が尽きる」❷天体の運行。

てん・えん【展延】《名・自他サ》広がりのびること。また、広げのばすこと。「―性に富む金属」

でん・えん【田園】❶田と畑。❷田畑・林・野原などの多い郊外。いなか。「―風景」―とし【―都市】大都市郊外に都市の便利さと自然の趣とを調和させて、計画的に建設された都市。

*てん・おん【天恩】〔文〕❶天から受ける恵み。❷天子の恩。類語 皇恩(こうおん)。聖恩(せいおん)。

*てん・おん【転音】語が連なって複合語をつくるときなどで、前の語の語末の音が本来の形から転じかわること。また、そのかわった音。「あめ(雨)」と「と(戸)」が複合して「あまど」となるときの「ま」の類。

*てん・か【天下】❶〔「天上」に対して天の下の意〕全世界。また、世の中。この世。「―に勇名をはせる」❷国全体。全国。国中。❸国家を支配する権力。「―を取る」❹〈多く「―の」の形で〉並ぶものがないほど有名であること。また、世に比類のないこと。「―の横綱」❺〔実権を握って〕思うままにふるまうこと。「かかあ―」❻〈―様(さま)〉江戸時代の将軍のこと。参考 ①〜⑥は中世・近世には「てんが」とも言った。―いっぴん【―一品】天下にただ一つというほどすぐれている・こと(もの)。天下一。「―の味」―ごめん【―御免】公然と許されること。「あだ討ちは―」―たいへい【―太平・―泰平】天下がよくおさまって穏やかなこと。―はれて【―晴れて】《連語》だれに遠慮することもなく。「―の夫婦」―わけめ【―分け目】天下の支配権を決する分かれめ。また、勝敗のきまる大事な分かれめ。「―の天王山」

*てん・か【添加】《名・他サ》他の物をつけ加えること。「防腐剤を―する」「食品―物」類語 添付。

*てん・か【点火】《名・自サ》火をつけること。また、機関を始動させるために、発火の操作をすること。「ダイナマイトに―する」「原子炉に―する」

*てん・か【転化】《名・自サ》他の状態に移り変わってゆくこと。転じること。「山林を宅地に―する」「苦痛が快感に―する」類語 変化。転成。

*てん・か【転嫁】《名・他サ》自分の罪・責任などを他人に移しておしつけること。なすりつけること。「責任を―する」注意「責任を転化する」は誤り。

*てん・か【転×訛】《名・自サ》〔文〕ことばの本来の発音がなまって変化すること。

てん・が【典雅】《形動》みやびやかで上品なようす。「―な舞」

*でん・か【伝家】その家に代々伝わっていること。家伝。―の・ほうとう【―の宝刀】《連語》❶その家に代々伝わり、宝とされている刀。❷大事な場合以外には使わない、とっておきの手段。「―を抜く」

*でん・か【殿下】〔宮殿や殿堂の階(きざはし)の下の意〕〔「陛下」と呼ばれる以外の〕皇族・王族に対する敬称。〔接尾語的にも使う〕「―をお迎えする」「皇太子―」参考 摂政・関白・将軍などにも用いた。古くは「てんが」。

*でん・か【電化】《名・他自サ》熱源・光源・動力源などに電力を利用するようになること。「―製品」

*でん・か【電荷】物質に帯電している電気(の電気量)。荷電。

*てん・かい【天界】→てんがい(天界)。

*てん・かい【展開】■一《名・自他サ》❶〔物事の範囲を〕大きく広げること。また、大きく広がること。「眼前に眺望が―する」❷順を追って進展させること。また、進展すること。「平和外交を―する」「局面の―を図る」❸情況・場面などを次々と繰り広げること。また、次々と繰り広げられること。「激しい論争が―する」■二《名・他サ》❶多項式の積を、和の形にすること。$(a+b)^2$を$a^2+2ab+b^2$にするなど。❷立体を切り開いて一つの平面図形にすること。「―図」❸密集した部隊が散ら

て

ばった隊形をとること。「機動部隊が―する」

*てん・かい【転回】《名・自他サ》❶ある物を中心としてぐるりと回ること。また、回すこと。回転。❷ぐるりと回って方向を変えること。また、方向がぐるりと変わること。「一八〇度―する」❸方針などが大きく変わること。また、変えること。「生活の―を図る」

*てん・がい【天外】〔文〕〔天の外の意から〕はるか遠くの空。また、非常に・遠い(高い)所。「―に飛ぶ」

*てん・がい【天涯】〔文〕❶空の果て。はるかに遠い空。❷(故郷を)はるかに遠く離れた土地。「―孤独(=広い世の中に身寄りが一人もいないこと)」

*てん・かい【天界】❶〔文〕天上の世界。対地界。❷〔仏〕天上界。天道。対俗界。人界。=天界。

*てん・がい【天×蓋】❶仏像・導師などの上にかざす衣笠。宝蓋。❷虚無僧がかぶる深い編み笠。

天 蓋 ①

*でん・かい【電解】《名・他サ》「電気分解」の略。

―しつ【―質】水溶液にしたとき、電流を通すことができるようになる物質。酸・アルカリ・塩類など。

*でん・かい【電界】電荷を近づけたとき、それに電気力の作用の働く空間。電場。

てん・かく【点画】漢字を形づくる点と線。

てん・がく【転学】《名・自サ》学生・生徒が学業の途中で他の学校へ移ること。参考ふつう、大学生に使う。「短大から四年制大学へ―する」類語転校。

でん・がく【田楽】❶平安中期から室町時代に行われた芸能。田の神に豊作を祈る田舞に始まる。のち、田楽能に発展。❷「田楽豆腐」の略。豆腐を串にさし、みそをぬって火にあぶった食べ物。参考形が、田楽を踊る衣装に似ることから。❸「田楽焼き」の略。魚・野菜・こんにゃくなどを串にさしてみそをぬり、火にあぶった食べ物。 ―ざし【―刺(し)】田楽豆腐のように、串や刀などのとがった物でさしつらぬくこと。類語芋刺し。串刺し。

てんか・ふん【天花粉・天×瓜粉】キカラスウリの根からとったでんぷんを精製した白色の粉。あせも・ただれに用いる。類語汗しらず。

てん・から【天から】《副》はじめから。頭から。てんで。「―間違っている」「―信じていない」表記かな書きにすることが多い。

*てん・かん【展観】《名・他サ》〔文〕一般に広く見せること。類語展覧。

*てん・かん【×癲×癇】脳の機能障害によって、発作的に意識喪失や痙攣を起こす病気。

*てん・かん【転換】《名・他自サ》物事の方針・傾向などを別の方向のものに変えること。また、変わること。「政策を―する」「気分―を図る」「―社債」類語変換。

*てん・がん【天眼】神通力があって、ふつうでは見えないものも見通すことのできる目。天眼。類語千里眼。 ―きょう【―鏡】大形の凸レンズに柄をつけた拡大鏡。人相見が用いる。 ―つう【―通】すべてのものを見通すことのできる神通力。天眼通。

*てん・がん【天顔】〔文〕天子の顔。竜顔・竜顔。

*てん・がん【点眼】《名・他サ》目薬を目にさすこと。「目薬を―する」「―水(=「目薬」の古風な言い方)」

*てん・き【天機】〔文〕❶天地造化の秘密。❷天から与えられた才能。天性。❸天子の機嫌。天気。 ―を洩らす《句》〔造化の秘密をもらす意から〕重大な秘密を人に知らせる。表記「―を泄らす」とも書く。

*てん・き【天気】❶〔気圧・気温・湿度・風向・風力・風速・雲量・降水などを総合した〕その時刻、その場所における気象状態。空もよう。「ぐずついた―」「―予報」「―図」類語天候。❷空もようがよい状態であること。晴天。「―が続く」「今日は―だ」❸人の機嫌。「社長のお―が悪い」❹〔文〕天機③。

類義語の使い分け　天気・天候

[天気・天候] 今度の旅行は天気(天候)に恵まれた／このところ天気(天候)が変わりやすい

[天気] 雨が上がって天気になる／今日はよい天気ですね／天気雨が降る／天気予報

[天候] 天候が不順で困る／悪天候／全天候型

*てん・き【転機】ある状態から他の状態に(すっかり)変わるきっかけ。変わりめ。「大病が人生の―となる」

*てん・き【転帰】病気が経過して、そのゆきついた状態。「死の―をとる」

*てん・き【転記】《名・他サ》記載事項を他の帳簿などに書きうつすこと。「元帳へ―する」

てん・ぎ【転義】《名・自サ》語の本来の意味から別の意味に転ずること。また、転じた意味。対本義。

*でん・き【伝奇】怪奇や幻想に富んだ物語。「―小説」

*でん・き【伝記】ある人物の一生の事績をしるしたもの。「リンカーンの―」「―作家」類語一代記。

*でん・き【電器】電気器具。「―店」

*でん・き【電機】電力で運転する機械。電気機械。

*でん・き【電気】❶いろいろな電気現象(たとえば摩擦によって起こる物体の吸引現象など)の原因となるもの。電荷・電気エネルギーの総称。「―を起こす」類語電流。エレキ。❷電灯。「―を消す」「―スタンド」 ―かいろ【―回路】導体によって作られた、電流の通路。 ―きかんしゃ【―機関車】電動機によって走行する機関車。 ―ていこう【―抵抗】〔導体の〕電流の通りにくさの度合いを表す値。単位はオーム(Ω)。電抵抗。 ―どう【―銅】粗銅を電解精錬して得た純度の高い銅。電線などに用いられる。電解銅。 ―ぶんかい【―分解】《名・他サ》電解質溶液に二個の電極板をさし入れ、電流を通して両電極の表面に化学変化を起こさせ、物質を分解すること。電解。 ―メス高周波電流の働きを利用して生体組織や臓器を切断する外科手術器具。出血の少ない利点がある。 ―ようせつ【―溶接】電気を熱源として金属を溶接する方法。 ―りょうほう【―療法】体に電気を通じ、神経・筋肉などに刺激を与えて治療する方法。痛み・けいれん・知覚神経まひなどの治療に用いられる。 ―ろ【―炉】電流の熱作用を利用して高温を得る炉。金属の加熱・溶融・精錬などに用いる。

テン・キー コンピューターの入力装置の一つ。0から9までの数字・+・-など、四則演算に用いるキーをひとまとめにしたもの。▽ten と key からの和製語。

てんき・ぼ【点鬼簿】〔文〕→過去帳。

てん・きゅう【天球】すべての天体が、地球上の観測者を中心とした球の球面上に投影されると考えたときの、仮想の球体。「―儀」

でん-きゅう【電球】電流を通じると熱せられて発光する物質をガラス球の中に封入したもの。ふつう、家庭用の白熱電球をさす。電気のたま。「裸ー」

*__てん-きょ【典拠】__正しいよりどころ。「ーを示す」

*__てん-きょ【転居】__《名・自サ》すまいを他の場所に変えること。転宅。転住。ひっこし。「大阪にーする」「ー通知」[類語]移転。移住。

てん-ぎょう【転業】《名・自サ》職業、特に、商売をかえること。転職。「ーして喫茶店を開く」

でん-きょく【電極】電界を作ったり、電流を流したりするために設けられた、一定の形の導体。[参考]電流の流れ出る方を陽極、流れ入る方を陰極という。

*__てん-きん【天金】__洋装本で、上部の小口に金箔を貼りつけたもの。「背革ーの豪華本」

*__てん-きん【転勤】__《名・自サ》同じ会社・官庁などの中で勤務地が変わること。「支社へーになる」[類語]転任。

てん-く【転句】漢詩で、絶句の第三句。

てん-ぐ【天×狗】❶深山にすむという想像上の怪物。赤顔で鼻が異常に高く、神通力をもち、大きな羽うちわを持って空を自由に飛ぶという。❷うぬぼれる・こと(人)。「褒められてーになる」

てん-くう【天空】〔文〕はてしなく広がっている空。大空。[類語]虚空。「ーを駆ける」 **ーかいかつ【ー海×闊】**《名・形動》〔文〕度量が大きく気持ちがさっぱりしていること。「ーな人物」

てん-ぐさ【天草】紅藻類テングサ科の海藻。ところてん・寒天の原料。トコロテングサ。

デング-ねつ【デング熱】(ドイツ Denguefieber)シマカの媒介による感染症。病原体はウイルス。高熱が出て関節や筋肉が痛み、発疹ができる。

でんぐり-がえし【でんぐり返し】ーがへしでんぐりがえすこと。また、でんぐりがえること。でんぐりがえり。

でんぐり-がえ・る【でんぐり返る】ーがへる《自五》❶地に手をつき、体を前または後ろに一回転させて起きる。❷さかさまになる。ひっくりかえる。

*__てん-けい【典型】__規範となる形式(をそなえているもの)。手本。また、同類の中で、その種類の特徴を最もよく表している型やもの。「ギリシア悲劇のー」「教師のー」 **ーてき【ー的】**《形動》典型とされるようす。「ーな日本人」[類語]模範的。代表的。

*__てん-けい【天啓】__〔文〕天の神が真理を人間に示すこと。天の啓示。「ーがひらめく」

*__てん-けい【天恵】__〔文〕天からの恵み。天恩。

*__てん-けい【点景・添景】__風景画や風景写真などで、趣を出すために風景に添えられる人物や動物など。

でん-げき【電撃】❶感電によるショック。「ー療法」❷突然ではげしい攻撃。「ー作戦」 **ーてき【ー的】**《形動》突然で衝撃的なようす。「ーな婚約発表」

*__てん-けん【天×譴】__〔文〕天罰。天刑。

*__てん-けん【天険・天×嶮】__〔文〕地勢が非常にけわしい所。自然の要害。

*__てん-けん【点検】__《名・他サ》誤りや故障などがないかどうか、一つ一つ調べること。「定期ー」

てん-げん【天元】❶万物の生育する根元である天。❷碁盤の中央にある星。「ーの一石」

でん-げん【電源】❶電流をとる源。コードのさしこみ口など。「ーを切る」❷電力を供給する源。「ー開発」

*__てん-こ【典故】__〔文〕典拠となる故事。故実。

*__てん-こ【点呼】__《名・他サ》一人一人の名を呼んで、人員がそろっているかどうかを確かめること。「ーをとる」

でん-こ【電弧】アーク放電のとき、気体中にできる弧状の発光部分。アーク。

*__てん-こう【天候】__数日間、または十数日間というように、比較的長い期間における天気の総合的な状態。「ーが不順だ」「悪ー」[類語]天気。気候。⇩〔類義語の使い分け「天気」〕

*__てん-こう【転向】__《名・自サ》❶途中で方向・方針・立場・職業などを変えること。「検事から弁護士にーする」❷権力の圧迫などにより、それまでの思想上の立場を変えること。「ー文学」[類語]①②転身。

*__てん-こう【転校】__《名・自サ》児童・生徒・学生が、ある学校から別の学校に移ること。「ー生」[類語]転学。

でん-こう【電光】❶いなずま。いなびかり。❷電灯の光。 **ーけいじばん【ー掲示板】**板面に配列した多数の電球を点滅させて、文字や符号を浮き出させるようにした装置。 **ーせっか【ー石火】**(「石火」は火打ち石の火花)極めて短い時間や、動作が極めてすばやいことのたとえ。「ーの早業」

てん-こく【×篆刻】《名・他サ》木・石・金属などに、印として文字をほりつけること。印刻。[参考]その文字に、多く篆書体を使ったことから。

*__てん-ごく【典獄】__「刑務所長」の旧称。

*__てん-ごく【天国】__❶キリスト教で、清浄で幸福なところとされる、天上の理想的な世界。神・天使がいて、信徒の死後の霊をむかえるという。「ーに召される」[類語]極楽。❷苦しみや悩みのないめぐまれた環境。「遊園地は子どものーだ」「歩行者ー」[対]①②地獄。

てん-こつ【天骨】〔文〕生まれつきの性質・才能。

てんこ-もり【てんこ盛り】食べ物(特に飯)を食器にうずたかく盛ること。

でん-ごん【伝言】《名・他サ》人やある手段を介して用件を相手に伝えること。また、そのことば。ことづけ。ことづて。「ーを頼む」「ー板」「ーダイヤル」

*__てん-さい【天才】__生まれつき備わっている人並みはずれてすぐれた才能(をもった人)。「語学のー」「ー児」「ー的」[類語]秀才。⇩〔類義語の使い分け「秀才」〕

*__てん-さい【天災】__地震・風水害など、自然現象によって起こる災害。「ーは忘れたころにやって来る」「ー地変」[対]人災。

*__てん-さい【×甜菜】__↓砂糖大根。

*__てん-さい【転載】__《名・他サ》〔新聞・雑誌・書籍などに〕すでに掲載された文章・写真などを他の印刷物にそのまま載せること。「無断ーを禁ず」

てん-ざい【点在】《名・自サ》あちこちにちらばってあること。散在。「山麓にーする農家」

*__てん-さく【添削】__《名・他サ》他人の文章・詩歌・答案などに手を入れ、文字を削ったり加えたりしてその悪い部分を直すこと。「詩文のーを仰ぐ」「通信ー」

*__てん-さく【転作】__《名・他サ》それまで作っていた物とは別の農作物を作ること。

*__てん-さん【天産】__〔文〕天然に産出すること。また、その産物。天産物。「ーに恵まれる」

*__てん-さん【天蚕】__「山繭」の別称。

でんさん-き【電算機】「電子計算機」の略。

*__てん-し【天使】__❶キリスト教で、神に仕え、神の使いとして天界から人間の世界につかわされたもの。エンジェル。❷神のような慈愛をもって人の心をなぐさめいたわる

人。〔多く女性に言う〕「白衣の―」
―が通る《句》会話や座談がとぎれて、皆が黙りこむことをいう。参考 フランスのことわざから。

*てん・し【天子】《「天の子」の意》天命により人民を統治するもの。君主。皇帝。特に、日本で、天皇。

*てん・し【天資】〔文〕生まれつきそなわっている資質。天性。天稟。天質。「―英明」「―豊かな人間」

*てん・し【展×翅】《名・他サ》標本にするため、昆虫の羽をひろげて固定させること。「―板」

*てん・じ【典侍】❶内侍司の次官。ないしのすけ。❷明治以後、宮中に仕える女官の最高位。

*てん・じ【展示】《名・他サ》品物・作品などを並べて大ぜいの人に見せること。「新車を―する」「―会」

*てん・じ【×篆字】篆書の文字。篆文。篆。

*てん・じ【点字】紙面にとび出した点を一定の方式によって組み合わせて、指先でさわった盲人がそれを音標文字として読み取れるようにしたもの。

でん・し【電子】原子を構成している素粒子の一つ。負の電気量の最小単位をもっている。エレクトロン。―オルガン 電気の振動を音波に変え、多様な音色で各種の楽器の効果を出す鍵盤楽器。ハモンドオルガンやエレクトーンなど。―おんがく【―音楽】いろいろな電気回路による発振音を素材として作る音楽。スピーカーを通して再生する。―けいさんき【―計算機】電子回路によって複雑な計算を高速度で行う装置。数値計算だけでなく、記憶・判断などの機能をそなえ、自動制御・事務管理・データ処理などに利用される。電算機。コンピューター。―けんびきょう【―顕微鏡】光線の代わりに電子線を、ガラスレンズの代わりに電子レンズを使った顕微鏡。参考 数万倍から数十万倍まで拡大できる。―こうがく【―工学】真空・気体・固体の中における電子の運動による現象や、その現象の応用技術を研究する学問。エレクトロニクス。―じしょ【―辞書】電子ブックを利用した辞書。―じゅう【―銃】ブラウン管や電子顕微鏡に利用される電子線発生装置。―ずのう【―頭脳】人間の頭脳の働きに似た機能をもつ電子装置。一般に、コンピューターの俗称。―てちょう【―手帳】手帳の機能をもった小型のコンピューター。住所録・メモなどを記憶させるほか、演算もできる。電子ノート。―ブック ディスプレーで読む電子出版物。CD-ROMを用いて、文字情報・音声情報・静止画像などを取り扱う。―メール インターネットを利用し、メッセージを交換できるシステム。また、そのメッセージ(手紙)。Eメール。―レンジ 高周波の電磁波を利用した調理器具。

*でん・じ【田地】田地。

*でん・じ【電磁】電気と磁気とが互いに作用すること。―かい【―界】〔統一体としてとらえた〕電界と磁界。電磁場。―き【―気】❶電気と磁気。❷電流によって生ずる磁気。―は【―波】電磁場の振動が真空中または物質の中を波になって進んでいく現象。電波・赤外線・可視光線・紫外線・X線・γ線など。

てんじく【天×竺】■一《名》❶昔、日本および中国で、インドを指して言った語。❷「天竺木綿」の略。地が厚く、幅の広い木綿。テーブルかけ、シーツ・芯地用。■二《接頭》「外国産の」「舶来の」の意。「―ぼたん」―ねずみ【―×鼠】哺乳類テンジクネズミ科の小動物。ネズミに似るが尾がなく耳が小さくて丸い。愛玩用、医学実験用。ふつうモルモットと呼ばれる。―ろうにん【―浪人】住所不定の浪人。参考 一説に、「逐電浪人」の「ちくてん」をひっくり返した語という。

でん・じしゃく【電磁石】軟鉄心に絶縁銅線を巻いたもの。電流を通じると磁石になる。電動機・発電機・電流計・スピーカー・電気クレーンなど用途が広い。

てん・しつ【天質】〔文〕生まれつきの資質。天性。

てん・じつ【天日】〔文〕太陽。日輪。「―塩(=太陽の熱で海水の水分を蒸発させて作った塩)」

てん・しゃ【転写】《名・他サ》文章・絵などを、そのまま他から写し取ること。「原本から―する」

てん・じゃ【点者】連歌・俳諧などで、作品の優劣を判定して評点をつける人。判者。

*でん・しゃ【伝写】《名・他サ》〔文〕書物などを次々と写し取って伝えること。また、転写をくりかえして順々に伝えること。また、その写し。「―の誤り」

*でん・しゃ【殿舎】〔文〕ごてん。殿堂。

*でん・しゃ【電車】電動機で走る鉄道車両。

*てん・しゃく【天爵】〔文〕生まれつきそなわっているすぐれた徳。対 人爵。

*てん・しゃく【転借】《名・他サ》人が他から借りた物を、さらに借り受けること。またがり。対 転貸。

*てん・しゅ【天主】キリスト教で、天にいる神。天帝。参考 現在は「神」を用いる。―きょう【―教】「カトリック教」の別称。―どう【―堂】天主教の教会堂。

*てん・しゅ【天守】天守閣。表記 もと「天主」とも書いた。―かく【―閣】城の本丸に築いた、城中で最も高い物見やぐら。天守。

*てん・しゅ【店主】店の主人。店の持ち主。

*てん・じゅ【天寿】天から与えられた命の長さ。自然の寿命。天命。定命。「―を全うする」

*てん・じゅ【天授】〔文〕天からさずかること。特に、生まれつきの才能や徳性。「―の才」類語 天与。

でん・じゅ【伝授】《名・他サ》〔師が弟子に〕学問・技芸・武芸などを教え授けること。特に、その奥義・秘伝を教え授けること。「極意を―する」対 伝受。

てん・じゅう【転住】《名・自サ》〔文〕転居。

でん・しゅう【伝習】《名・他サ》伝えられて習うこと。また、習い伝えること。「航海術を―する」「―所」

てん・しゅく【転宿】《名・自サ》〔文〕宿所をかえること。やどがえ。

*てん・しゅつ【転出】《名・自サ》❶他の府県・区域へ住所を移すこと。「―届」「―証明」対 転入。❷転任して他の土地・職場へ移ること。「子会社へ―する」

*てん・しゅつ【点出】《名・他サ》〔文〕画中に描き出すこと。

*てん・しょ【添書】❶《名・自サ》使者・贈り物などに手紙を添えること。また、その手紙。添え状。❷《名・他サ》書類に気づいたことや注意などを書き添えること。また、そのもの。添え書き。❸紹介状。添え状。「―を携えて訪問する」

*てん・しょ【×篆書】漢字の書体の一つ。主に秦代に作られた。大篆と小篆があり、隷書・楷書のもとになった。現在は印・碑銘などに用いる。篆。

てん・じょ【天助】〔文〕天の助け。神の助け。天佑「神佑―」類語 神佑。神助。

でん・しょ【伝書】〔文〕❶秘伝を書いた文書・書物。「花道の―」❷代々伝わる文書・書物。❸書状を送り伝えること。**—ばと【—×鳩】**帰巣性を利用して、通信文を運ぶように飼いならしたドバト。

***てん-しょう【典章】**〔文〕おきて。規則。

***てん-しょう【天象】**〔文〕❶日・月・星などの天体の現象。日食・月食・流れ星など。「—をもって吉凶を占う」❷空のようす。空模様。天気。

***てん-しょう【転生】**《名・自サ》❶〔仏〕輪廻(りんね)。❷↓転生(てんせい)。

***てん-しょう【点鐘】**船内で時刻を知らせる鐘。

***てん-じょう【天上】**〔文〕❶空。大空。「—に舞い上がる」対地上。❷《名・自サ》〔霊魂などが〕天にのぼること。死ぬこと。昇天。「八〇歳にして—した」❸この上もないこと。無上。最高。❹天上界②。**—かい【—界】**❶天上にあるという世界。天界。対下界。❷〔仏〕六道の一つ。人間界の上にあって、最もすぐれた果報を受けた者が住むという世界。天上。天道。天。**—天下唯我独尊(てんげゆいがどくそん)**《句》生死の間に独立する人生の尊厳を示したことば。参考釈迦(しゃか)が誕生の直後に唱えたという。

***てん-じょう【天井】**❶屋根裏や上の階の床を隠すなどのために、部屋の上部に板を張ったもの。❷物の内部のいちばん高い部分。「電車の—」❸物価・相場のいちばん高い値段。「—相場」**—がわ【—川】**川底が両側の平地よりも高くなっている川。**—さじき【—〈桟敷〉】**大劇場で、後方の最上階に設けた下等の見物席。**—しらず【—知らず】**物価や相場などがどこまで上がるかわからないこと。「—の地価」

***てん-じょう【天壌】**〔文〕天と地。天地。あめつち。**—むきゅう【—無窮】**〔文〕天地が永遠に続くように、物事が永遠に〔栄え〕続くこと。「—の皇運」

***てん-じょう【殿上】**❶宮殿・殿堂の上。❷清涼殿にあった、殿上人の詰所。❸殿上の間にのぼることを許されること。昇殿。❹「殿上人(びと)」の略。対地下(じげ)。**—びと【—人】**殿上②にのぼることを許された人。四位・五位の者の一部および六位の蔵人(くろうど)。うえびと。雲のうえびと。雲上人(うんじょうびと)。雲客(うんかく)。堂上(どうじょう)。殿上。対地下人(じげにん)。

***てん-じょう【添乗】**《名・自サ》〔旅行社の職員が〕他の客につきそって乗り物に乗りこむこと。「—員」

***てん-じょう【×纏×繞】**《名・自サ》〔文〕〔つる草などが〕他のものにまといつくこと。からまりつくこと。

***てん-じょう【転乗】**《名・自サ》〔文〕他の乗り物に乗りかえること。

***でん-しょう【伝承】**《名・他サ》風習・言い伝えなどを受け継いで後世へ伝えていくこと。また、その伝えられた事柄。「地域文化の—」「民間—」

***でん-しょう【伝×誦】**《名・他サ》〔古い物語・叙事詩などを〕口から口へととなえ伝えること。また、代々伝えてとなえること。「—文学」

***てん-しょく【天職】**❶天から授けられた職務。「—を全うする」❷生まれながらの才能・性質に適した仕事。「作曲を—とする」

***てん-しょく【転職】**《名・自サ》職業をかえること。転業。「労働条件が悪いので—した」

でん-しょく【電飾】イルミネーション。

テンション精神的な緊張。また、不安。「—が高まる」「ハイ—(=精神の高揚状態)」▽tension

***てん-じる【転じる】**《自他上一》↓転(てん)ずる。

***てん-じる【点じる】**《他上一》↓点(てん)ずる。

***てん-しん【天心】**〔文〕空のまん中。中天。「—の月」

***てん-しん【転身】**《名・自サ》❶身をかわすこと。❷職業・身分・生活態度または考え方などをすっかり変えること。「野球選手からタレントに—する」類語転向。

***てん-しん【転進】**《名・自サ》❶方向を変えて進むこと。❷軍隊が現在地から他の目的地に移動すること。参考「退却」の婉曲(えんきょく)な言い方としても使う。

***てん-しん【点心】**❶禅家で、空腹のとき一時しのぎにとる軽い食事。特に、昼食。❷間食。おやつ。また、茶うけ。❸中華料理で、食事代わりにとる軽い食べ物。=点心(てんじん)。

***てん-じん【天人】**〔文〕天と人。また、天意と人事。

***てん-じん【天神】**❶天を治める神。あまつかみ。天神(てんしん)。対地祇(ちぎ)。地神。❷菅原道真(すがわらのみちざね)をまつる神社。天満宮。また、菅原道真のこと。天神様。

***でん-しん【田紳】**《「田舎紳士」の略》〔俗〕外見だけは紳士気取りだが、いかにもやぼな男。

***でん-しん【電信】**情報を電気信号に変え、電磁波や電流などを介して伝送する通信方式。**—ばしら【—柱】**❶電柱。❷のっぽの人をからかって言う語。

てんしん-らんまん【天真×爛漫】《名・形動》気どったり飾ったりしないで、ありのままであること。無邪気で明るいこと。天衣無縫。「—の好青年」

テンス〔英文法で〕時制。▽tense

てん-ず【点図】漢文を訓読するときにつける乎古止(をこと)点の形を図にしたもの。

てん-すい【天水】〔文〕❶空と水。水天。❷雨の水。あまみず。「—に頼る」❸「天水桶(おけ)」の略。防火用に雨水をためておくおけ。

てん-すう【点数】❶評価を表す数値。得点の数。「—をかせぐ」❷品物の数。しなかず。「出品—」

でんすけ【伝助】〔俗〕街頭賭博(とばく)で、目盛りのある円板上に棒を水平にとりつけて回し、止まったところの目盛りを当たりとするもの。伝助賭博。参考街頭賭博をよく取りおさえた刑事の名からという。

***てん-・ずる【転ずる】**《自他サ変》〔方向・状態などが〕移る。変わる。移り変わる。また、移す。変える。転じる。「目を—・ずる」「攻勢に—・ずる」

***てん-・ずる【点ずる】**《他サ変》❶あかりをつける。火をともす。「灯籠(とうろう)に火を—・ずる」❷しずくを落とす。たらす。「目薬を—・ずる」❸茶をたてる。「一服—・ずる」❹点をつける。特に、訓点をつける。=点じる。

***てん-せい【天性】**天からさずかった性質。天質。生まれつき。〔副詞的にも使う〕「—絵画を好む」類語天成。

***てん-せい【天成】**❶人力を加えず、自然にできていること。「—のとりで」❷性質などが生まれつきであること。「—の美声」「—の音楽家」類語天性。

***てん-せい【展性】**打ったり押しつけたりして薄くひきのばすことのできる、金属の性質。参考↓延性。

***てん-せい【転成】**《名・自サ》❶別の性質のものに変わること。類語変化。転化。❷ある品詞に属する語が他の品詞に転ずること。「連用形から—した名詞」**—ご【—語】**本来の品詞から転じて、他の品詞としての性質を持つようになった語。動詞連用形「光り」が名詞「光」、形容詞「酸(す)し」が名詞「鮨(すし)」となる類。

***てん-せい【転生】**《名・自サ》〔死んだものが〕別の人・物に生まれ変わること。生まれ変わり。転生(てんしょう)。

でん・せい【伝世】《名・自他サ》〔文〕世の中に伝わること。また、伝えてゆくこと。「—品」

でんせい・かん【伝声管】管の一端に口をあてて話した声を、そのまま他の端で聞けるようにした装置。船舶・航空機・工場などでの相互連絡用。

***てん・せき【典籍】**〔文〕書物。書籍。「和漢の—」

***てん・せき【転石】**水に流され、角がとれて丸くなった石。また、谷川などにころがっている石。

***てん・せき【転籍】**《名・自サ》本籍・学籍などを他へ移すこと。移籍。「結婚して—する」

でん・せつ【伝説】〔過去の事実として〕古くから語り伝えられてきた話。言い伝え。「北欧—」類語 口碑。

***てん・せん【転戦】**《名・自サ》あちらこちらと場所を変えて戦うこと。「各地に—した勇士」

***てん・せん【点線】**点を並べて作った線。対 実線・破線。

てん・ぜん【×恬然】《形動タルト》〔文〕動揺せず、平然としているようす。「—として恥じない」

***でん・せん【伝染】**《名・自サ》❶病気のもとになる微生物が体内にはいって、一定の症状を現すこと。類語 感染。❷物事のある状態が他に伝わりうつること。「あくびが—する」 **—びょう【—病】**伝染によって起こる病気。参考「伝染病予防法」などが「感染症予防法」に改められたのにともない、現在は、その多くを感染症という。

***でん・せん【伝線】**《名・自サ》〔俗〕女性用のストッキングなどの破れ目が、線状に続いて伝わること。

***でん・せん【電線】**電流を導く金属製の線。銅・アルミニウムなどが用いられる。「台風で—が切れる」

***でん・せん【電×閃】**〔文〕❶稲妻が光ること。また、その光。❷刀がきらっと光ること。また、その光。

てん・ぞ【典▽座】禅宗で、食事など雑事を務める僧。

***てん・そう【▽伝奏】**《名・他サ》〔文〕申し出を取り次いで、貴人(特に天皇)に申し上げること(役)。

***てん・そう【転送】**《名・他サ》送られてきた物をさらに他に送ること。「手紙を転居先へ—する」類語 回送。

***でん・そう【伝送】**《名・他サ》❶〔物を〕次々に伝え送ること。「情報の—」❷電気信号を送り伝えること。

***でん・そう【電送】**《名・他サ》電流や電磁波を利用して、写真の影像などを遠くへ送ること。「—写真」

***てん・そく【天測】**経度・緯度を知るために六分儀などを使って天体を観測すること。「—航法」

***てん・そく【×纏足】**昔の中国の女性の風習で、幼時に足に布をかたく巻きつけてその発育をさまたげ、小さくしたこと。また、その足。参考 美人の条件とされた。

てん・ぞく【転属】《名・他サ》❶原籍を他に移しかえること。転籍。移籍。❷所属がかわること。また、かえること。「営業部に—する」「—を命じる」

てん・そん【天孫】❶天を治める神の子孫。❷日本の神話で、天照大神の孫である瓊瓊杵尊。

テンダーロイン 牛・豚の腰の上部からあばらにかけての、柔らかい上等の肉。「—ステーキ」▽tenderloin

***てん・たい【天体】**太陽・月・星・星間物質など、宇宙に存在する物体の総称。「—を観測する」「—望遠鏡」

***てん・たい【転貸】**《名・他サ》人から借りた物を、さらに他の人に貸すこと。またがし。対 転借。

てん・だい【×椽大】たるきのような大きさ。「—の筆(=りっぱな文章。大論文)」

てん・たいしゃく【転貸借】《名・他サ》土地・家屋など、賃借りしているものをさらに第三者に貸すこと。「土地を—する」

てんだい・しゅう【天台宗】法華経を根本の教義とする仏教の一派。平安時代に最澄が伝えた。

てん・たく【転宅】《名・自サ》すまいを移すこと。ひっこし。転居。〔改まった言い方〕類語 移転。移住。

でん・たく【電卓】「電子式卓上計算機」の略。電子計算機の技術を応用した小型の計算機。

でん・たつ【伝達】《名・他サ》命令・連絡事項などを相手に伝えること。「命令を—する」類語 通達。

てん・たん【×恬淡・×恬×澹】《名・形動タルト》〔文〕欲がなくあっさりしていること。「無欲—」参考「恬淡な」の形で使うこともある。類語 淡泊。

***てん・ち【天地】**❶天と地。「—ほど違う」❷世界。宇宙。世の中。「—創造」「自由の—」❸〔紙・書物・荷物などの〕上と下。上下。 **—かいびゃく【—開×闢】**天と地が分かれて、この世界ができること。世界のひらけはじめ。 **—しんめい【—神明】**〔文〕天地の多くの神々。天神地祇。「—に誓って…」 **—むよう【—無用】**荷物などで、上下を逆さまにしてはならない、という注意を標示する語。

***てん・ち【転地】**《名・自サ》〔療養などのために〕他の土地に移り住むこと。「—して療養する」

***でん・ち【田地】**田として使う土地。田地(でんじ)。「—田畑」

***でん・ち【電池】**化学作用・温度差・光の作用などによって電流を発生させる装置。

てん・ち・じん【天地人】❶天と地と人。宇宙のすべてのもの。三才。❷三つのものの順序・順位を表す語。❸漢文の返り点の一つ。

***てん・ちゃ【×碾茶】**茶の葉を蒸して、もまずに乾燥させたもの。参考 これをひいて粉にしたものが抹茶。

***てん・ちゃ【点茶】**抹茶をたてること。

***てん・ちゅう【天×誅】**〔文〕❶天がくだす罰。天罰。❷天に代わって罰を加えること。「逆賊に—を加える」

***てん・ちゅう【転注】**漢字の六書の一つ。ある漢字本来の意味をほかの意味に転用すること。「悪(あく)(わるい)」を「にくむ」の意味にかえて「憎悪」と使う類。

***でん・ちゅう【殿中】**❶御殿・宮殿の中。❷江戸時代、将軍のいる所。

***でん・ちゅう【電柱】**空中に張りわたす電線をささえる柱。電信柱。

***てん・ちょう【天頂】**❶天。てっぺん。「—の星」❷観測者の真上の天球上の点。天頂点。対 天底。

***てん・ちょう【転調】**《名・自他サ》楽曲の途中で、ある調子から他の調子にかわること。また、かえること。

てんちょう・せつ【天長節】「天皇誕生日」の旧称。明治元(一八六八)年に制定され、昭和二〇年に改称された。参考「老子」の「天長地久」の語から。

てんちょう・ちきゅう【天長地久】〔文〕天や地のように、物事がいつまでも長く続くこと。〈老子〉

てん・で《副》〔俗〕❶(下に打ち消しの意を表す語を伴って)はじめから。てんから。また、全然。まるっきり。「—相手にされなかった」「—だめだ」❷(くずれた使い方で)非常に。とても。「—おもしろい」

***てん・てい【天帝】**〔文〕❶天を治め万物を支配する神。造物主。❷キリスト教で、神。ヤハウェ。エホバ。❸帝釈天。

***てん・てい【点×綴】**《名・自他サ》〔文〕ものがほどよく

て

散らばっていて全体が調和していること。また、ものをほどよく散らばらせて、全体を調和させること。てんてつ。「湖畔に—する紅葉樹」

*てん-てき【天敵】生物間の関係で、捕食される生物に対して捕食する方の生物。アブラムシを食うテントウムシ、ハブを捕食するマングースの類。

*てん-てき【点滴】❶〔文〕水・雨などのしたたり。しずく。❷《名・他サ》注射針によって静脈内に薬液を一滴ずつ時間をかけて注入すること。「—注射」

—石を穿(うが)つ《句》➡雨垂れ石を穿つ。

てんてこ-まい【てんてこ舞(い)(ひ—ま)】《名・自サ》〔もと、里神楽などの太鼓の音に合わせて舞う意〕❶うろたえて騒ぐこと。❷非常に忙しくて、落ち着きなく立ち働くこと。「—の忙しさ」参考➡きりきり舞い。

てん-てつ【点×綴】《名・自他サ》➡てんてい(点綴)。

でん-てつ【電鉄】「電気鉄道」の略。電車を走らせる(私営の)鉄道。

てんてつ-き【転×轍機】鉄道線路の分岐点につけ、分かれたレールの接点を切り換えて、車両を本線から別の線へ移す装置。ポイント。転路機。

てんで-に《副》(「てんでんに」の転)ひとりひとり別々に。思い思いに。各自。「—思いつきを話す」

*てん-てん【×輾転】《名・自サ》〔文〕❶ころがること。❷寝返りをうつこと。「—反側(=眠れず、何度も寝返りをうつこと)」

*てん-てん【転転】《副・自サ》《副詞は「—と」の形も》❶〔球などが〕ころがって行くようす。❷次々に移り変わっていくようす。「—と住居を変える」

*てん-てん【点点】《副》《多く「—と」の形で》❶点を打ったように散らばってあるようす。「—と輝く星」❷しずくなどがしたたり落ちるようす。「血が—としたたる」

てん-でん《副》(「手に手に」の転、あるいは「手手(てで)」の転という)〔多く「—に」の形で〕思い思いに。各自。「—に勝手なことを言う」—ばらばら《形動》〔大ぜいの人の考えや行動が〕まとまらないようす。「—な意見をどうにかまとめた」

でんでん-だいこ【でんでん太鼓】小さいはりこの太鼓の左右に、鈴や玉を糸で結びつけたおもちゃ。柄を振ると、鈴や玉が太鼓の面にあたって鳴る。

でんでん-むし【でんでん虫】(「出出虫(ででむし)」の転)「かたつむり」の別称。

*てん-と【×奠都】《名・自サ》〔文〕都をある土地に定めること。「平安—」類語遷都。

*テント 雨・風・日光などを防ぐため地上に張る、ズック・化学繊維などで作った幕。天幕。また、それで作った小屋。「河原に—を張る」「—生活」▽tent

でん-と《副》〔俗〕重みがあってどっしりしているようす。また、どっしりと落ち着きはらっているようす。どっかと。「—腰をおろす」「—構える」

*てん-とう【天道】❶天にあって天地を支配する神。天の神。天道(てんどう)。❷〈お—さま〉太陽。おひさま。

*てん-とう【店頭】〔文〕店の入り口あたり。みせさき。

*てん-とう【転倒・×顚倒】《名・自サ》❶ひっくりかえること。「すべって—する」❷《他サ》逆さまに・なる(する)こと。「本末—」❸〔びっくりして〕うろたえること。「気が—する」表記もと、もっぱら「顚倒」と書いた。

*てん-とう【点灯】《名・自サ》あかりをつけること。「門灯に—する」対消灯。

*てん-どう【天堂】〔文〕天上にある神・仏の殿堂。また、極楽。天国。

*てん-どう【天道】❶天地自然の法則。宇宙の道理。❷天体が運行する道。❸天の神。天道(てんとう)。❹〔仏〕六道の一つ。天上界。天趣。

*でん-とう【伝統】ある民族・集団・社会において、古くから受け継いで行われてきている有形無形の様式・風習・傾向。「—を守る」「—芸能」「—の早慶戦」

*でん-とう【電灯】電気を利用した灯火、およびその装置の総称。「—をつける」

*でん-どう【伝動】《名・他サ》機械の動力を他の部分、または他の機械に伝えること。「—ベルト」

*でん-どう【伝導】《名・自他サ》熱または電気が物体の中を移動すること。それぞれ「熱伝導」「電気伝導」という。「金属は熱を早く—する」「—体」「—率」

*でん-どう【伝道】《名・自他サ》宗教、特にキリスト教で、その教えを伝え広めること。「九州を—して歩く」「—師」類語布教。宣教。

*でん-どう【殿堂】❶神仏などをまつってある建物。❷大きくてりっぱな建物。また、ある分野のおもとになる建物・施設。「美の—」「学問の—」

*でん-どう【電動】〔機械などが〕電気で動くしくみになっていること。「—式」—き【—機】電力によって回転運動をおこし機械的動力を得る機械。モーター。

てんどう-せつ【天動説】地球は宇宙の中心に静止し、他の天体はすべて地球を中心にして回っているとする説。古代・中世に行われた宇宙観。対地動説。

てんとう-むし【天道虫・×瓢虫】テントウムシ科の昆虫の総称。半球形の甲虫で、種類が多い。

てん-どく【転読】《名・他サ》❶〔文〕とびとびに読むこと。❷〔仏〕経典の本文を省略し、その要所あるいは題目・品(ほん)名だけを読誦(どくじゅ)すること。対真読。

てんと-して【×恬として】《連語》➡てん(恬)。

てん-とり【点取り】得点や評点の多少で優劣・勝負を争うこと。「—ゲーム」—むし【—虫】いい点を取ることだけを目的にがつがつと勉強する学生・生徒。

てん-どん【天×丼】(「てんぷら丼(どんぶり)」の略)どんぶりに盛った飯の上にてんぷらをのせ、天つゆをかけた料理。

てんなん-しょう【天南星】サトイモ科テンナンショウ属の植物の総称。多年草で、山野の樹林下に自生する。一般に有毒であるが、薬用にされるものもある。

てん-にゅう【転入】《名・自サ》❶他の土地から入って来てその土地の住民になること。「横浜市に—する」対転出。❷他の学校から転校してくること。「—生」

てん-にょ【天女】❶〔仏〕天上界にすむ美しい女。❷〔仏〕女性の美しい姿をかりて慈悲の相を表した菩薩(ぼさつ)・天部(てんぶ)。弁財天女・吉祥(きっしょう)天女など。❸〔ひゆ的に〕非常に美しく優しい女性。

*てん-にん【天人】〔仏〕天上界にすみ、人間よりすぐれた力をもつ者。羽衣(はごろも)を着て天上を飛行し、舞楽がたくみな女性の姿で表される。

*てん-にん【転任】《名・自サ》ほかの任務または任地にかわること。「支店へ—になる」類語転勤。

でん-ねつ【電熱】電流が抵抗体を流れるときに生ずる熱。—き【—器】電流を通して熱を発生させる装置。ニクロム線のような抵抗の大きい金属を使う。電気こんろ。

てん-ねん【天然】❶自然のままであること。「—の美」「—の恵み」「—の氷」対人工。人造。❷生まれつき。

天性。「―の美形」 ―ガス 地中から噴き出す可燃性の気体。注意「天燃ガス」は誤り。 ―きねんぶつ【―記念物】学術上特に価値があるものとして、保護保存するように法律で定められている動物・植物・鉱物、およびそれらの存在する地域。 ―とう【―痘】ウイルス性感染症の一つ。全身に発疹(はっしん)が出て化膿(かのう)する。なおったあとがあばたになって残る。種痘によって予防する。とうそう。ほうそう。参考一九八〇年WHOが根絶宣言をした。 ―ひりょう【―肥料】下肥(しもごえ)・堆肥(たいひ)など、自然物を用いる肥料。対化学肥料。

***てん・のう【天王】** ❶〔仏〕欲界六天の最下天にいる諸神。四天王など。❷特に、牛頭(ごず)天王。 **―ざん【―山】** 勝敗の分かれ目となる大事な時・所。「天下分け目の―」参考「天王山」は京都と大阪の境にある山の名。豊臣秀吉(とよとみひでよし)と明智光秀(あけちみつひで)が山崎で戦ったとき、この山の占有が勝敗を左右したところから。類語関ケ原。 **―せい【―星】** 太陽から七番めの軌道をまわっている惑星。約八四年で太陽を一周する。五個の衛星をもつ。ウラノス。てんおうせい。

***てん・のう【天皇】** ❶日本国の君主の尊称。すめらぎ。すめろぎ。すめらみこと。みかど。参考日本国憲法では日本国および日本国民統合の象徴。類語上皇。法皇。尊敬現(あき)つ神。現(あき)つ御神。現人神(あらひとがみ)。上様。禁裏様。主上。聖上。天皇陛下。❷〔ひゆ的に〕その世界で絶対的な権力を持つ人。「財界の―」 **―せい【―制】** ❶天皇が君主として国を治める政治体制。❷明治維新以後成立した、天皇の独占的統治権を中心とする官僚制による絶対主義的な政治体制。第二次世界大戦の終了によってくずれた。❸現憲法下における、国の象徴としての天皇の制度。 **―たんじょうび【―誕生日】** 国民の祝日の一つ。今上天皇の誕生を祝福する日で、一二月二三日。参考戦前は「天長節」といった。 **―へいか【―陛下】**「天皇」の敬称。

でん・のう【電脳】 コンピューター。「―社会」参考中国語での言い方から。

てん・の・はいざい【天の配剤】《連語》〔天が薬の調合をしたの意〕自然や人間などこの世の物事は、すべて神がうまくとりしきっているということ。「―の妙」

てん・の・びろく【天の美×禄】《連語》〔天からの賜(たまわ)り物の意で〕酒のこと。〈漢書・食貨志下〉

てん・ば【天馬】〔文〕❶天上界にすむという馬。❷駿馬(しゅんめ)。❸ギリシア神話に出てくる、翼があって天空をかけるという馬。ペガサス。ペガスス。 **―空を行・く**《句》何ものにもさえぎられず、すばらしい勢いで進んで行く。また、着想などが自由自在である。天馬(てんま)空を行く。「―・く勢い」

でん・ば【電場】 →でんかい(電界)。

***でん・ぱ【伝×播】**《名・自サ》❶伝わり広まること。波及。「中国から―した文化」❷波動が広がること。

***でん・ぱ【電波】** 主として通信に使われる、周波数一〇キロヘルツから三〇〇万メガヘルツ程度までの電磁波。参考波長の長さによって長波・中波・短波・超短波などに分ける。「―探知機」 **―ぼうえんきょう【―望遠鏡】** 天体からくる電波を受信・測定する装置。

てん・ばい【転売】《名・他サ》ある人から買った物をさらに他の人に売ること。またうり。「土地を―する」

でん・ぱた【田畑・田×畠】 田と畑。田畑(たはた)。「田地―」。参考「一枚(いちまい)…」「一面(いちめん)…」などと数える。

てん・ばつ【天罰】〔悪い行いに対して〕天がくだす罰。「―がくだる」「―覿面(てきめん)」類語神罰。

てん・ばん【天板】 家具などの最上部に置く板。てんいた。「テーブルの―」

***てん・ぱん【典範】**〔文〕手本となる正しい事柄・規則。また、それを定めた法律。「皇室―」

***てん・パン【天パン】** 天火で、食材をのせる、鉄製の浅く四角な容器。参考パンは、pan(=平なべ)。

***てん・ぴ【天日】** 太陽の光・熱。「―に干す」

***てん・ぴ【天火】** 西洋料理で、蒸し焼きに使う箱型の加熱調理器具。オーブン。「―でローストビーフを焼く」

てん・びき【天引(き)】《名・他サ》貸したり払ったりする金額の中から、前もって一定の額を引き去ること。「給料から―して貯金をする」

てん・びょう【点描】《名・他サ》❶絵画で、色の斑点(はんてん)や短いすじを連ねることによって形を表す手法。❷ある人物・物事の一部分を簡単に書き表すこと。「下町の夏を―する」「財界人―」類語スケッチ。

でん・ぴょう【伝票】 会社・商店などで、収入・支出の計算、取引内容の伝達などに使う小さな紙片。入金伝票・出金伝票・振替伝票など。「―を切る」

てん・びん【天×秤】 ❶中央を支点とするてこの両端の皿に、一方にはかる物、他方に分銅(ふんどう)をのせ、つりあわせて重さをはかる器械。てんびんばかり。❷「天秤棒」の略。両端に荷物をつるして、中央を肩にかつぐ棒。 **―に掛・ける**《句》❶どちらかを選ばなければならないとき、その両方の優劣・軽重・損得を比べてみる。「恋と金とを―・ける」❷どちらに転んでもつごうのよいようにふたまたをかける。両天秤にかける。

てん・ぴん【天×稟】〔文〕〔天から授かる意〕生まれつき(の性質・才能)。素質。天分。「画家としての―」

***てん・ぷ【天賦】**〔天がわけ与える意〕生まれつき(の才能)。もちまえ。「―の才」類語天与。

***てん・ぷ【添付】**《名・他サ》〔文〕書類などに、その補いとしてある物をつけ添えること。「成績証明書を―する」類語添加。

***てん・ぷ【×貼付】**《名・他サ》《「貼付(ちょうふ)」の慣用読み》〔文〕はりつけること。「履歴書に写真を―する」

***でん・ぶ【田×麩】** 魚肉を蒸して脂肪をとった後、もみほぐして砂糖・しょうゆなどで味付けした食べ物。

***でん・ぶ【×臀部】**〔文〕からだのしりの部分。

でん・ぷ【田夫】〔文〕農夫。田舎者。「―野人」

てん・ぷく【転覆・×顛覆】《名・自他サ》❶車両・船舶などがひっくり返ること。また、ひっくり返すこと。「列車が脱線―した」❷〔大きな組織が〕倒れほろびること。また、倒しほろぼすこと。「独裁政権の―」

てん・ぶくろ【天袋】 和風住宅で、床の間のわきの上方や押入れの上に設ける小さな戸棚。類語地袋。

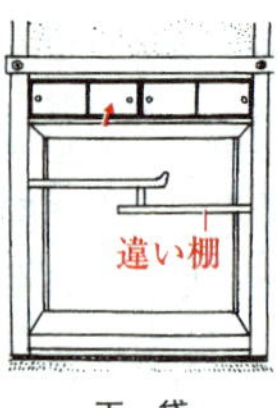

天袋

てんぷら【天×麩羅】 ❶魚介・野菜類に、小麦粉を冷水でといたころもをつけ、油で揚げた食べ物。参考野菜類の揚げ物は「精進揚げ」と呼ぶ。❷〔俗〕金・銀でめっきしたもの。また、うわべだけ本物のように見せたもの。「―時計」「―学生」参考語源はポルトガル語 tempêro からなど諸説がある。

てん・ぶん【天分】 天から受けた(生まれつきの)性質・

才能。天性。天稟(てんぴん)。「豊かな―に恵まれる」

*でん‐ぶん【伝聞】《名・他サ》〔文〕他の人から伝え聞くこと。またぎき。「―するに病状はよくないらしい」

*でん‐ぶん【電文】電報の文句。

でん‐ぷん【×澱粉】葉緑素をもつ植物の葉緑体中で作られ、根・種子などに蓄えられる炭水化物。白色の粉末で無味・無臭。熱量源として重要な栄養素。

テンペラ 顔料を油以外のもの(にかわ・のり・卵の黄身など)で練った絵の具(で描いた絵)。エナメルのようなつやをもち、耐久性がある。▽(イタリア)・英 tempera

*てん‐ぺん【天変】〔文〕天空に起こる異変。台風・雷・大雨・日食・月食など。対 地異。地変。―ちい【―地異】〔文〕天変と地異。天空および地上に起こる異変。台風・雷・地震・大水など。「―が続く」

*てん‐ぺん【転変】《名・自サ》〔文〕万物が(激しく)うつりかわること。「―する世相」「有為(うい)―」

てん‐ぼ【展墓】《名・自サ》〔文〕墓参り。

*てん‐ぽ【×塡補】《名・他サ》〔文〕不足したり欠けたりしているところをうずめ補うこと。補塡(ほてん)。穴うめ。「欠損を―する」類語 補充。

*てん‐ぽ【店舗】商品を売るための建物。店。「―を構える」「―併用住宅」類語 商店。

*てん‐ぽ【転補】《名・他サ》他の官職に任ずること。

*テンポ ❶楽曲が演奏される速さ。❷物事の進む速度。進みぐあい。「仕事の―がのろい」▽(イタリア) tempo

てん‐ぼう【展望】《名・他サ》❶(広い所を)遠くまで見渡すこと。また、見渡したながめ。見晴らし。「―がきく」「―台」類語 眺望。❷社会のできごとなどを広くながめること。「将来への―を語る」「芸能界―」

類義語の使い分け 展望・眺望

[展望・眺望] 壮大な展望(眺望)に感動する/展望(眺望)のきく峠に立つ/展望(眺望)が開ける

[展望] 展望台/経済界を展望する/春場所展望

[眺望] 遠く富士を眺望する/夜景のすばらしい眺望

*でん‐ぽう【伝法】❶仏法を授け伝えること。伝灯。❷《名・形動》粗暴な言動をとる・こと(人)。参考 昔、浅草の伝法院の下男が寺の威光をかさにきて乱暴なふるまいをしたことから。❸《名・形動》(女が)いさみはだである・こと(人)。「―な口をきく」類語 鉄火。

*でん‐ぽう【電報】電信によって文字・符号を送ること。また、その文書。「―を打つ」

てん‐ぽん【点本】仮名・乎古止(をことてん)点・返り点などをつけてある漢籍・仏典・国書。

*てん‐ま【〈伝馬〉】❶昔、宿駅で公用に供した馬。宿継(しゅくつ)ぎの馬。❷「伝馬船」の略。荷物などを運ぶ、木製の小さなふね。幅が広く船尾が平ら。

*てん‐ま【天魔】〔仏〕四魔(しま)の一つ。欲界の第六天にいる魔王およびその配下の悪魔。仏法を乱し、人間が善事を行うのを妨げる。波旬(はじゅん)。「―に魅入られる」

てん‐まく【天幕】テント。

てん‐まつ【×顚末】物事の初めから終わりまでの事情。一部始終。いきさつ。「事件の―を報告する」

てん‐まど【天窓】採光や換気用に屋根につけた窓。

てん‐めい【天命】❶天の命令。❷生まれた時から定まっていて、人の力では変えることのできない運命。「人事を尽くして―を待つ」類語 宿命。❸天から与えられた人の命。天寿。寿命。命数。「―が尽きる」

でん‐めい【電命】電報による命令。

てん‐めつ【点滅】《名・自他サ》灯火がついたり消えたりすること。また、つけたり消したりすること。

てん‐めん【×纏綿】一《名・自サ》〔文〕❶まといつくこと。「―する不安」❷(いろいろな事情が)複雑にいりくむこと。「さまざまな情実が―する」二《形動タルト》〔文〕情緒が深くこまやかなようす。「情緒―」

てん‐もう【天網】〔文〕(悪事や悪人をのがさないために)天が張りめぐらした網。―恢恢(かいかい)疎にして漏らさず《句》(天の網の目は粗いが、必ずとらえてのがすことはない意で)悪人には必ず悪の報いがあるということ。〈老子〉

てんもく【天目】「天目茶碗(ぢゃわん)」の略。抹茶(まっちゃ)茶わんの一つ。浅いすりばち形で、鉄質の黒色釉(ゆう)を厚くかけたもの。―ざん【―山】最後の場所。勝敗の分かれ目。参考 武田勝頼(かつより)が織田軍と戦い、山梨県の天目山で自害して果てたことからいう。

てん‐もん【天文】❶天体に起こるいろいろな現象。❷「天文学」の略。―がく【―学】天体および天体が存在する空間に関する諸現象を研究する学問。―がくてき‐すうじ【―学的数字】天文学で扱うような、けた数の極端に多い現実ばなれのした数字。―だい【―台】天体観測器械を設置し、天体の観測・研究に従事する施設・機関。

でん‐や【田野】〔文〕❶田畑と野原。❷田舎。

*てん‐やく【典薬】昔、宮中または幕府で医薬のことを取り扱った職。

*てん‐やく【点薬】《名・自サ》目に薬をさすこと。点眼。また、その薬。

*てん‐やく【点訳】《名・他サ》ふつうの文字や文章を点字になおすこと。「漱石(そうせき)の作品を―する」

てんや‐もの【店屋物】そば屋などの飲食店から取り寄せる食べ物。「昼食は―ですます」

てんや‐わんや《名・形動》〔俗〕大ぜいの人が勝手にふるまって混乱すること。「場内は―の大騒ぎだ」

てん‐ゆう【天×佑・天×祐】〔文〕天のたすけ。神の加護。天助。「―により一命を救われる」類語 神助。

てん‐よ【天与】〔文〕天から与えられた・こと(もの)。「―の才能」類語 天賦。天授。

てん‐よう【転用】《名・他サ》本来の目的と違った目的に用いること。「農地を宅地に―する」類語 流用。

*てん‐らい【天来】〔文〕天からこの世に来たこと。また、人間の力とは思えないくらいすばらしいこと。〔多く「―の」の形で使う〕「―の妙音」「―のわざ」

*てん‐らい【天×籟】〔文〕❶風が当たって鳴る音。対 地籟・人籟。❷すぐれた調子の詩歌。

でん‐らい【伝来】《名・自サ》❶外国から伝わってくること。渡来。「インドから―した秘薬」❷先祖から代々伝えられてきたこと。相伝。「父祖―の土地」

てん‐らく【転落・×顚落】《名・自サ》❶ころげ落ちること。「―事故」❷落ちぶれること。また、身をもちくずすこと。「―の一途をたどる」類語 堕落。

*てん‐らん【天覧】天皇がごらんになること。叡覧(えいらん)。「―相撲」「―試合」類語 上覧。

*てん‐らん【展覧】《名・他サ》並べたり広げたりして、人々に見せること。「―に供する」「―会」類語 展観。

でん‐らん【電×纜】絶縁体でおおった電線。また、それをたばねてさらにおおったもの。ケーブル。

＊てんり【天理】〔文〕自然の道理。「―にそむく行い」

でんり【電離】《名・自サ》❶原子や分子が電子を放出あるいは吸収してイオンになること。イオン化。「―層」❷電解質分子が溶液中でイオンに分かれること。同①②電気解離。

でんりゅう【電流】導体内の電気の流れ。電位の高い方から低い方へ流れる。単位はアンペア(A)。

てんりょう【天領】❶天皇・朝廷の直轄地。❷江戸時代、幕府の直轄地。

でんりょく【電力】電流が単位時間にする仕事量。電流の仕事率。単位はワット(W)。「―計」

＊てんれい【典例】〔文〕よりどころとなる先例。「―を古文書にもとめる」「―を重んじる」

＊てんれい【典礼】〔文〕❶一定の儀式・儀礼。「立太子の―が行われる」❷儀式をつかさどる役。

＊てんれい【典麗】《名・形動》〔文〕整っていて美しいこと。「琴を弾く―な姿」

＊でんれい【伝令】軍隊などで、命令や報告を伝えること。また、その役の人。「―を出す」「―RNA」

＊でんれい【電鈴】電磁石を利用してならすベル。

てんろ【転炉】鉄や銅を精錬するためのつぼ形の炉。前後にかたむけながら回転できる構造をもっている。

でんろ【電路】電流が通じる道。電気回路。

てんろき【転路機】→てんてつき。

でんわ【電話】❶《名・自サ》電話機を通じて話をすること。また、電話機による通話。「―をかける」❷「電話機」の略。声の音波を電気信号に変えて電流または電磁波で遠隔地に送り、再び音波に戻して相互に通話する装置。「―をひく」「携帯―」**―ぐち【―口】**電話で話をするときの、電話機の近く。また、電話機の音声を受ける部分。「母を―まで呼んでください」

と

と―止

＊と【十】とお。十。〔多く、下に他の語をともなって接頭語的に使う〕「―月十日」「―たび」

＊と【▽外】〔古〕そと。「窓の―」対うち。

＊と【×堵】〔文〕かき。かきね。かこい。「―に安んず(=家で安心して生活する)」

＊と【徒】〔文〕〔ある条件の下に〕一括される人たち。また、それに属する人。参考「…の―」の形で使う。上に悪い意味の語をとるときは見下した言い方となる。「やから」の意。「学問の―」「忘恩の―」

＊と【戸】❶建物の出入り口などにとりつけ、開閉する建具。❷〔古〕出入り口。❸〔古〕潮の流れが出入りする所。せと。表記③は、ふつう「門」と書く。

＊と【斗】一《名》一斗ます。とます。二《助数》尺貫法による容積の単位。一斗は一〇升。約一八リットル。

＊と【×砥】〔文〕といし。

＊と【途】〔文〕みち。特に、ある目的をもって行く、旅の道程。「帰国の―につく」

＊と【都】〔地方公共団体としての〕東京都。

＊と《接続》前の事柄に続いて次の事柄が生ずる意を表す。すると。「―、急に風が吹き出した」

＊と 一《並助》〔「…と…(と)」の形で〕対等の関係にあるものを並べあげ、組み合わせて一団とするのに使う。「太郎と次郎とがけんかした」「ノートと鉛筆(と)を買う」参考複数の主語を表す「級友の太郎と花子(と)が結婚した」の場合は、級友同士の結婚の意でも、「太郎が正子と、花子が良雄と結婚した」のようにそれぞれ別の相手と結婚した意でも、ともに並立助詞。しかし、相手を表す「太郎が正子と、花子が良雄と結婚した」の場合の「と」は格助詞。

二《格助》❶㋐対等の関係にある相手(または相手相当のもの)を表す。〔相手を必要とする動作などに言う〕「母と話し合う」「トラックが乗用車と衝突する」「難問と取り組む」㋑比較・対照される一方を表す。また、相互関係にある一方を表す。「『自由』は『好き勝手』とは違う」「太郎は花子といとこだ」参考「…と」は相互関係にある相手を表す言い方なので、互いを入れ換えて「父は子と顔が似ている」「子は父と顔が似ている」と言うことができる。「…に」は比較の基準を表す言い方なので、「子は父に顔が似ている」と言えても、ふつう「父は子に顔が似ている」とは言えない。㋒対称の関係にある一方を表す。「日曜が祝日と(=に)重なる」「米を塩と交換する」

❷動作をともにする相手を表す。…と一緒に。〔必ずしも相手を必要としない動作などに言う〕「子供と遊ぶ」「恋人と映画をみる」

❸措定、転成の結果をそれと示す。「長兄を師と仰ぐ」「大阪を開催地と(=に)する」「友の死を悲しいと(=悲しく)感じる」「冷たい雨が雪と(=に)化す」参考格助詞「に」や、形容詞・形容動詞の連用形で言い換えられることも多い。

❹〔発話・認識などを表す動詞を伴い〕内容を引用し、それと示す。〔引用の「と」と言われる〕「山のあなたの空遠く『幸』住むと人のいふ〈敏〉」「彼は来ないと思う」「大被害が出たと言われる」参考「言って」「思って」などを省略して言う言い方もある。…のように。「『面白いね』と笑う」

❺様態をそれと示す。「大から小へと順序よく並べる」「非難の声が雨と降る」「華麗な文化が花と咲く」「華と散る」

❻副詞句を作る。「ゴトゴトと音を立てる」「しっかりとつかむ」「割りと(=に)いいよ」参考「に」で置き換えられるものもあるが、多く「に」に比べて俗語的。

❼〔少数量を表す語＋「と」の形で、下に打ち消しの語を伴い〕わずかそれだけの数量なのに…ない、の意を表す。「三日と続かない」「十人とは集まるまい」

❽文語〔古〕〔同じ動詞の間にはさみ、後の動詞にかかって〕動詞の意味を強める。「秋風の吹きと吹きぬる武蔵野は〈古今〉」参考現代では、「生きとし生ける」「ありとある」の形で残り、「すべて」の意を添える。

三《接助》〔終止形につく〕❶文語軽い逆接を表す。…としても。…とも。参考現代では、「言わずと知れた」などの形で残る。

❷〔「ずと」の形で〕「…ないで」の古風で方言的な言い方。「文句を言わずと話を聴きたまえ」

❸同時に(または直後に)起こる物事の時間的関連をそれと示す。㋐時間的関連を示して、新しい事態を描くのに使う。「本を読んでいると(=ところに)、電話がかかってきた」「『いやよ』と叫ぶと(=や否や)、部屋をとびだした」「国境の長いトンネルを抜けると雪国であった〈康成〉」㋑一方が他方の前提条件になることをそれと示す。…たら。「住みにくさが高じると、安い所へ引き越したく

なる〈漱石〉」「返事をしないと命はないぞ」「先生に相談するといいよ」ウ〔「…かと思うと」の形で〕意想外の、相反する二つの事態の同時的関連をそれと示す。「ここかと思うとまたあちら」
❹〔「…(よ)うと」「…まいと」の形で、仮定条件句を作り〕仮定条件に拘束されることなく、物事が遂行されることを表す。いかに…しようとも。「雨が降ろうと降るまいと決行する」

***ど**《接頭》〔俗〕《名詞・形容詞につけて》その意味を強めたり、程度のはなはだしいことを強調したりして言う語。「—えらい」「—真ん中」「—しろうと」参考 ㋐人をさす語につくときは相手をいやしめる場合が多い。㋑もと関西方言で、品のいい言い方ではない。

***ど【度】** ㊀《名》❶長さ。また、これを計る器。「—量衡」❷〔ほどよい〕程度。「—を過ごす」「—を失う(=平静さをなくし、あわてる)」❸度合い。「—の強いめがね」❹物事の回数。回。「—を重ねる」❺《助数》角度、経緯度、温度、湿度、めがねのレンズの強さ、音程、アルコール含有量(パーセントと同じ)などの単位。㊁《助数》回数を数える語。回。たび。

***ど【土】** ㊀《名》❶五行の第三位のもの。時節では土用、方位では中央、十干では戊(つちのえ)・己(つちのと)、天体の五星では土星に当たる。❷「土曜日」の略。参考 ㋐「どう」と長音化することが多い。「金—(きんどう)と二日続けて休む」㋑記号的に用いることが多い。「一月一日(—)」❸「土佐(とさ)」の略。「薩(さっ)長—肥」参考 ③は、「と」とも言う。「—州」㊁《接尾》つち。「腐葉—」

***ど**《接助》文語〔活用語の已然形につく〕逆接の既定条件を表す。…た(ている)が。「はたらけどはたらけど猶わが生活(くらし)楽にならざりぢっと手を見る〈啄木〉」

ドア 洋風の開き戸。とびら。▽door

ど-あい【度合(い)】(—あひ) 程度。ほどあい。「濃淡の—」

と-あみ【投網】 漁網の一種。引き綱におもりのついた円錐(えんすい)形の網。手で投げて浅瀬の魚をとる。「—を打つ」

と-ある《連体》ある。さる。参考 偶然行きついた場所、偶然そうなった日時などについて言う。「—喫茶店に入る」「—夏の夕方」

***とい【問(い)】**(とひ) ❶きただすこと。質問。「—を発する」❷〔試験などの〕問題。設問。「次の—に答えよ」
対 ①②答え。

***とい【×樋】**(とひ) ❶屋根にふった雨水を集めて地上に流すしかけ。参考 訛(なま)って「とゆ」「とよ」とも言う。❷はなれた場所に湯や水を送るしくみ。ひ。

とい-あわ・せる【問い合わせる】(とひあはせる)《他下一》よくわからない点などを手紙や電話でたずねてたしかめる。「安否を—・せる」類語 聞き合わせる。照会(する)。

と-いえども【と×雖も】(—いへ—)《連語》↓いえども。

とい-かえ・す【問い返す】(とひかへす)《他五》❶〔一度たずねたことを〕もう一度たずねる。きき返す。「何度も—・してようやくわかった」❷〔相手の問いに答えず〕逆にこちらからたずねる。反問する。

とい-か・ける【問い掛ける】(とひ—)《他下一》❶それを予期しない相手に向かって一方的に質問する。質問をしかける。「見知らぬ人に—・けられた」❷質問をしはじめる。たずねはじめる。「—・けたが、やめた」

と-いき【吐息】 落胆・心配・安心したときなどに吐く、大きな息。ため息。また、そのような息をつくこと。「青息—」「—をもらす」類語 嘆息。大息(たいそく)。

と-いし【×砥石】 刃物をとぐための石。参考「一枚(いちまい)…」「一丁(挺)(いっちょう)…」と数える。

と-いた【戸板】 人や物をのせて運ぶためにはずした雨戸の称。「けが人を—にのせて運ぶ」

とい-ただ・す【問い▽質す】(とひ—)《他五》疑問・不審な点について、徹底的に質問する。「真相を—・す」類語 糾明(きゅうめい)(する)。糾問(きゅうもん)。注意「問い正す」は誤り。

と-いち【十一】〔俗〕❶十日で一割の、高い利息。❷花札で、一〇点札一枚と、かす札ばかりの手役。

どいつ【▽何▽奴】《代名》❶《他称の人代名詞。不定称》「だれ」を卑しめて言う語。どのやつ。どやつ。「—のしわざだ」❷《不定称の指示代名詞》「どれ」のぞんざいな言い方。「—を食おうか」

とい-つ・める【問い詰める】(とひ—)《他下一》納得のいくまで、(きびしく)たずねる。「—・めて白状させる」類語 詰問(する)。問責。尋問。

トイメン【対面】 マージャンで、卓をへだてた向かい側(の人)。▽中国 dui-mian

とい-や【問屋】(とひ—) ❶近世、港で船商人の宿所を営み、貨物の運送・仲介売買をした業者。問丸(といまる)の後身。問(と)い。❷問屋(とんや)。

トイレタリー 化粧品や化粧用具。▽toiletry

トイレット ❶化粧室。洗面所。❷便所。手洗い。トイレ。「—ペーパー」▽toilet

***とう【島】**《接尾》しま。「無人—」「火山—」

***とう【灯】**《接尾》❶ともしび。あかり。「野外—」❷《助数》電灯の数をかぞえる語。「街路灯二—」

***とう【頭】**《助数》牛・馬など、(大きな)けものを数える語。「二—の馬」類語 匹(ひき)。

***とう【党】** ㊀《名》❶同じ目的をもって集まり活動する人々の集団。徒党。なかま。「—を組んで事をなす」❷〔「…党」と固有名で呼ばれる〕その政党。「—を結成する」「—の決定に従う」「—の方針」㊁《接尾》《体言について》政党の名前を作る語。「民主—」「自由—」

***とう【刀】** ㊀《名》かたな。「—を構える」㊁《接尾》かたな。刃物。「日本—」「彫刻—」

***とう【塔】** ❶釈迦(しゃか)の骨を納めるため、また、霊地であることを表すために建てる、高い建物。「五重の—」「仏舎利—」❷一般に、高く細長い形の建物。タワー。「テレビ—」「広告—」

***とう【棟】** ㊀《名》団地・施設などを構成する大きな建物。㊁《助数》建物をかぞえる語。むね。

***とう【投】** 野球で、投手力。「—打両面で活躍する」

***とう【盗】** 野球で、「盗塁」の略。「二—」

***とう【当】** ㊀《名》道理にかなっていること。適切であること。「—を失する」「—を得た質問」㊁《連体》現実を直接的に指して、また話題にしているものをそれと指して言う語。「この」「その」の意。参考 類語「同」に比べて、より主観的な言い方で、「私(たち)の」の意で用いることも多い。「(それと指して)—劇場は明治初年に建てられた」「—(=我々の)組合の基本方針」「—の相手」

***とう【▽疾う】**《文語形容詞「とし」の連用形「とく」の転》かなり早い時期。ずっと以前。とっく。「—の昔」
参考 ↓とうから・とうに。

***とう【等】** ㊀《名》等級。階級。「—をわかつ」㊁《接尾》❶同種のものを並べあげて、そのほかにもまだあることを表す語。など。等々(とうとう)。〔副助詞的に働く〕「東京、大阪、横浜—の大都市」❷《助数》順位・等級を

表す。「第一―」[三]《接頭》「同じ」「等しい」意を表す。「―間隔」

*とう【×籐】ヤシ科のつる性植物。アジアの熱帯地方に自生する。茎をいす・ステッキ・かごなどに使う。

*とう【糖】[一]《名》水溶液が甘みを持つ炭水化物。糖類。「尿に―が出る」[二]《接尾》「炭水化物」「糖分」「砂糖」などの意を表す。「ぶどう―」「麦芽―」

*とう【×薹】菜やフキなどの花軸。「フキの―」

―が立・つ《句》❶〔菜などの〕とうがのびる。また、葉がかたくなって食べられなくなる。❷〔人、特に女性の〕さかりがすぎて新鮮さがなくなる。

*と・う【問う】《他五》❶わからないこと、はっきりしないことなどを人にきく。尋ねる。「安否を―・う」[類語]聞く。質す。伺う。(する)質問。質疑。尋問。[対]答える。❷責任の所在・有無などを明らかにするためにただす。追及する。「事故の責任を―・う」❸ある行為に法律上の罪があるものとする。[参考]多く「…罪に―・われる」の形で使う。「傷害罪に―・われる」❹問題としてとりあげる。[参考]多く否定の形で使う。「経歴は―・わない」「過去は―・わない」[文]《四》。

―うに落ちず語るに落・ちる《句》人に尋ねられたときは用心して秘密や本心を漏らさないが、自分から話すときは不用意に漏らしてしまう。単に「語るに落ちる」とも。

*と・う【▽訪う】《他五》〔文〕〔人に会うために、また特定の場所を見るために〕その場所をたずねる。「旧友を―・う」「史跡を―・う」[類語]訪れる。おとなう。(する)訪問。[文]《四》。

*どう【同】[一]《接頭》おなじ。「―年齢」「―世代」[二]《連体》❶《同一の言語形式をくり返して使うのを避け、それを簡略化して・書く(言う)ときに用いる。前にあげた固有名を受け、それと同一であることを表す》㋐「その」の意。「(前に述べた『〇〇劇場』を受けて)―劇場で公開中」[参考]→とう(当)[二]。㋑《表の中などで、記号的に用いて》「同じく」の意。「平成九年入学、―一二年卒業」「佐藤太郎、―次郎」[表記]「仝」とも書く。「〃」の記号を使うこともある。❷《前に述べた固有名を受け、その内容を具体的に説明する形をとる普通名詞に冠して》「…という名の、その」の意。「漱石は『明暗』を新聞に連載。―小説は…」

*どう【動】動くこと。ゆれ動くこと。「静中に―あり」[対]静。

*どう【堂】[一]《名》❶昔、客をもてなしたり、礼式を行ったりした建物。正殿。❷神仏をまつる建物。❸多くの人が集合する建物。「聴衆―にあふる」「議事―」「礼拝―」[二]《接尾》店の名・雅号・神仏をまつった建物の名などの下にそえる語。「文化―」

―に入・る《句》学問・技芸などが深奥に達する。また、技術などがよく身についている。「―・った演技」[参考]「堂に升り室に入る〈論語・先進〉」から出たことば。

*どう【▽筒】❶すごろく・ばくちなどで、さいころを入れて振る、つつ。❷ばくちで、筒①を振り親をつとめる者。筒元。

*どう【胴】❶からだで、頭・手・足をのぞいた部分。胴体。❷からだのまんなかあたり。腹。腹部。「―のまわりをはかる」❸物の、付属部分をのぞいた、中央の部分。胴体。「飛行機の―」❹よろいや剣道の防具で、胸から腹部をおおうもの。「―をつける」[類語]胴着。❺剣道で、胴②へうちこむわざ。

*どう【道】❶昔、日本で行った行政上の区画。京都を中心とする畿内から放射状に全国に通じる道路によって七つに分けた。東山道・北陸道・東海道など。❷地方公共団体の一つとしての北海道。

*どう【銅】❶金属元素の一つ。暗赤色で、展性・延性にとむ。電気・熱の良導体。あかがね。あか。元素記号Cu。❷「銅メダル」の略。競技で、第三位の者に与えられる銅製のメダル。転じて、第三位。

*どう【▽如▽何】《副》❶どのように。「球場へは―行くの」「―あっても承服できない」「―とも勝手にしろ」❷「どうですか」の略。「―、気に入ってくれた?」

とう・あ【東亜】〔文〕アジアの東部。東アジア。

どう・あく【×獰悪】《形動》〔文〕性質が凶悪で、あらあらしく強いようす。「―な野盗」[類語]獰猛。猛悪。

[注意]「ねいあく」は誤読。

どう・あげ【胴上げ・胴揚げ】《名・他サ》優勝したときなど、祝福や喜びの気持ちを表して、大勢の人がひとりの人を空中にほうりあげること。「監督を―する」

とうあつ・せん【等圧線】天気図の上で、気圧の等しい地点をむすんだ線。[類語]等温線。

*とう・あん【×偸安】〔文〕先のことを考えず、目さきの安楽をむさぼること。「―の夢」

*とう・あん【答案】試験などの問題に対する答え。また、それを書いた用紙。「―を採点する」

*とう・い【東×夷】《東方のえびすの意》❶〔中華の東方に住むところから〕中国で、満州・朝鮮・日本などの異民族の称。[参考]→西戎・南蛮・北狄。❷〔京都の東方に住むところから〕関東・東北の武士などの称。あずまえびす。

*とう・い【当為】(ドイツ Sollen)〔哲〕〔あること(=存在)・あらざるを得ないこと(=自然必然性)に対して〕そうあるべきこと、そうすべきこと。

*とう・い【等位】❶〔上下・優劣などを示す〕位。等級。❷等しい位・等級。[類語]同位。

*どう・い【同位】同じ位置・位。「―入賞」[類語]等位。

―げんそ【―元素】→アイソトープ。

*どう・い【同意】❶同じ意味。同義。「ほぼ―の言葉」❷《名・自サ》相手と同じ意見。また、相手と同じ意見をもっていて承知すること。「提案に―する」「―を求める」[類語]合意。賛意。

―ご【―語】同義語。

*どう・い【胴囲】胴まわり(の長さ)。ウエスト。

*どう・い【胴衣】胴着。

とうい・じょう【糖衣錠】薬をのみやすくするために外がわを砂糖でつつんだ錠剤。

とう・いす【×籐×椅子】籐の茎などを編んで作ったいす。おもに夏用。

とうい・そくみょう【当意即妙】《名・形動》その場に応じてすばやく機転をきかすこと。即妙。「―の答えをだす」「―に話をまとめる」[類語]臨機応変。

どう・いたしまして【どう致しまして】《連語》他人から礼やわびを言われたとき、ほめられたときなどに、けんそんしてそれを打ち消す、あいさつのことば。「そんなことはありません」の意。「『どうもありがとう』『―』」「『結構なお住まいですね』『―、ほんの安普請ですよ』」

とう・いつ【統一】《名・他サ》まとまりのない物事を一つにまとめること。また、そのまとまり。「国を―する」「―を欠く」[類語]一括。統合。統括。総括。

どう・いつ【同一】《形動》❶〔異なったところがなく〕同じであるようす。「―の意見」❷差がないようす。等しいようす。「おとなと—に扱う」—し【—視】《名・他サ》差がないものと考えて、同じに扱うこと。同視。「規模が異なっていて—できない企画」

*とう‐いん【党員】その党にはいっている人。特に、共産党員。

*とう‐いん【登院】《名・自サ》議員が、国会や議院に出席すること。

*とう‐いん【頭韻】〔韻文で〕語・句の頭に韻をふむ修辞法。アリタレーション。「よき人のよしとよく見てよしと言ひし」の「よ」の類。「—をふむ」対脚韻(きゃくいん)。

*どう‐いん【動員】《名・他サ》❶戦争で軍隊の編制を戦時編制に変えること。特に、兵士を召集すること。「学徒—」❷戦争のため、国内の資源・生産力・施設などを国家の管理下におくこと。❸ある目的のために、人や物をかり出すこと。「社員を—してCMをつくる」

*どう‐いん【動因】〔文〕ある物事をひきおこす(直接の)原因。「その暗殺が—となって暴動がおこった」類語動機。誘因(ゆういん)。きっかけ。

どう‐う【堂宇】〔文〕❶堂の軒(のき)。❷堂。

どう‐うら【胴裏】あわせ・綿入れなどの裏で、すそまわしの上につける部分。また、それに用いる布。

*とう‐えい【倒影】〔水面などに〕さかさまにうつった影。「湖面に富士の—が映る」

*とう‐えい【投影】《名・他サ》❶《自サ》あるものの上に・影がうつること(影をうつすこと)。また、うつった影。「池に—する五重塔」❷《自サ》ある物事が他の物事に反映すること。また、反映させること。「南北の緊張を—する外交」❸物体に平行光線をあてて、その影を平面上にうつしとること。また、その考え方で投影図を得るための操作。「—図」

*とう‐えい【灯影】〔文〕ともしび(の光)。ほかげ。

とう‐おう【東欧】ヨーロッパの東部。東ヨーロッパ。対西欧。

どう‐おう【堂奥】〔文〕❶堂の奥深い所。❷奥義。「—を究める」=堂奥(どうおく)。

とう‐おく【塔屋】ビルの屋上に突き出た形で設けられた建造物。塔屋(とうや)。

どう‐おや【胴親・▽筒親】胴元(どうもと)①。

*とう‐おん【唐音】漢字音の一つ。鎌倉期から江戸期にかけて、宋(そう)代以後の中国語の音を帰化僧や留学生が伝えたもの。「行脚(あんぎゃ)」「蒲団(ふとん)」「鈴(りん)」など。宋音。唐宋音。参考→呉音(ごおん)・漢音。

*とう‐おん【等温】温度が等しいこと。また、その温度。—せん【—線】地図の上で、温度の等しい地点をむすんだ線。類語等圧線。

どう‐おん【同音】❶音・発音が同じであること。同じ音・発音。「神と紙は—だ」「—語」❷同じ高さの音・音声。❸声をそろえて言うこと。「異口(いく)—」

*とう‐か【投下】《名・他サ》❶〔高い所から物を〕下へ投げること。落とすこと。「爆弾を—する」❷資本をつぎこむこと。「資金を—する」類語投入。投資。

*とう‐か【灯下】〔文〕ともしびの下。あかりの近く。「—に書をひもとく」

*とう‐か【灯火】〔電気やろうそくなどの〕あかり。ともしび。「—管制」類語残灯。孤灯(ことう)。寒灯。—親しむべき候《句》夜、ともしびの下で読書をするのにふさわしい季節。秋を言う。注意「灯下親しむべき候」は誤り。

*とう‐か【等価】価値または価格が等しいこと。同価。「—交換」

*とう‐か【糖化】《名・自サ》でんぷん・繊維素などの炭水化物が酸や酵素のはたらきで、糖類に変わること。

*とう‐か【透過】《名・自サ》光・放射能・液体などが物質の内部を通りぬけること。「—性」

*とう‐が【冬芽】初夏から夏の終わりにかけて生じ、冬を越して春になってから生長する芽。対夏芽(かが)。

*とう‐が【陶画】陶器にかいた絵。

*どう‐か【同化】《名・他サ》❶《自サ》一体となるように・とけこむ(とけこませる)こと。また、感化して、自分と同じ考え・態度にすること。「環境に—する」❷外から得た知識を完全に自分のものにすること。消化。「知識を—する」❸生物が外界からとった物質を自分のからだを構成する成分と同じものに作り替えること。「炭酸—作用」対異化。

*どう‐か【道家】❶諸子百家の一つ。老子・荘子(そうし)の説いた思想を信奉する学派。❷道教を信奉する人。道士。=道家(どうけ)。

*どう‐か【道歌】仏教や心学の精神をわかりやすくよみこんだ教訓の短歌。

*どう‐か【銅貨】銅で作った貨幣。銅銭。類語金貨。銀貨。

*どう‐か《副》❶人にたのみごとをするときに、へりくだって、心から願い望む気持ちを表す語。なにとぞ。どうぞ。「—出席してください」「—よろしくお願いいたします」類語ぜひ。❷手段・方法を講じて、実現しにくいことを実現させたいと願い望む気持ちを表す語。どうにか。なんとか。「食べるだけは自分で—したい」❸(「—する」「—なる」の形で慣用句的に用いて)何かわからないが、なりゆきが(普通とちがって)変わるようす。「彼は—したらしい」「—した拍子に」—すると《連語》❶その時のぐあいで。場合によっては。「—会えるかもしれない」❷ややもすると。「—なまけがちだ」—と思・う《句》疑問に思う。また、あまり感心しない。「いま訪問するのは—・う」

*どう‐が【動画】→アニメーション。

*どう‐が【童画】❶おとなが子供のためにかいて与える絵。❷子供のかいた絵。児童画。

*とう‐かい【倒壊・倒×潰】《名・自サ》倒れこわれること。倒れつぶれること。特に、建造物が倒れつぶれること。「地震で家屋が—する」類語破壊。

*とう‐かい【東海】❶東の方の海。「—の君子国(=日本の美称)」❷東海道。—どう【—道】❶昔の七道の一つ。現在の近畿・中部・関東地方の太平洋岸沿いの地域。伊賀・伊勢(いせ)・志摩(しま)・伊豆(いず)・安房(あわ)・常陸(ひたち)など一五か国をふくむ。❷江戸時代の五街道の一つ。江戸から京都に至るおもに海岸ぞいの街道。

*とう‐かい【×韜×晦】《名・他サ》〔文〕❶自分の地位・才能・本心などをごまかしかくすこと。「戦争責任を—する」❷〔行方・消息を〕くらますこと。「自己を—する」〔身を〕かくすこと。「消息を—する」

*とう‐がい【凍害】農作物・樹木などが氷点下の寒さによって受ける害。類語霜害。寒害。

*とう‐がい【等外】〔競走・品評会などで〕きめられた等級にはいらないこと。「—の作品」類語選外。

*とう‐がい【当該】《連体》〔文〕〔前にのべた〕そのことにあてはまる。その。「—事項」

とうがい‐こつ【頭×蓋骨】〔生理〕→ずがいこつ。

*とう・かく【倒閣】《名・自サ》内閣をたおすこと。「—をはかる」「—運動」

*とう・かく【当確】「当選確実」の略。選挙で、選挙前、または開票が全部終わらないうちに当選がたしかであると見られること。「開票半ばにして—となる」

*とう・かく【統覚】《名・他サ》❶〔哲〕対象に対する多様な経験を総合し統一する作用。❷〔心〕意識の内容がはっきりと知覚される作用。

*とう・かく【頭角】頭の先。—を現・す《句》学識・才能が特にすぐれてめだつ。「詩人として—・す」表記「—見(あらわ)す」とも書く。類語 一頭地をぬく。

どう・かく【同格】❶同じ資格・格式。「部長と—に扱う」❷文法で、一つの名詞または名詞に相当する句が、(助詞の類をともなわずに)他の名詞を修飾するのにいう語。「日本の首都、東京」で、「日本の首都」は「東京」に対して同格だと言う。

*どう・がく【同学】出身学校や先生、また、学問の分野などを同じくすること(人)。「—の士」

*どう・がく【道学】道徳を説く学としての、儒学(特に宋学(そうがく))、道教、心学などの称。—しゃ【—者】道学をおさめた人。参考 世事にうとい儒学者・道徳家をあざけって言うことも多い。「—先生」

どうか・せん【導火線】❶口火をつけるために引いた線。❷〔ひゆ的に〕ある事件の起こるきっかけ。「大統領の暗殺が内戦の—となった」

*とう・かつ【統括】《名・他サ》❶ばらばらな物事を一つにまとめること。「事務を—する」類語 一括。統一。統合。総括。❷統轄。

*とう・かつ【統轄】《名・他サ》〔多くの人々・組織などを〕一つにまとめてとりしまること。統括。「総理大臣が政務を—する」類語 総轄。

どう・かつ【×恫喝】《名・他サ》〔文〕脅しつけておびやかすこと。おどかし。「—して金を巻きあげる」類語 恐喝(きょうかつ)。脅迫(きょうはく)。威嚇(いかく)。

どう・がね【胴金】刀のさやや、やりの柄などにはめる輪状の金具。

とう・から【▽疾うから】《副》ずっと前から。早くから。とっくに。「そんなことは—わかっていた」

とう・がらし【唐辛子・×蕃×椒】ナス科の一年草。夏、白い花を開き、実がなる。辛味種と甘味種がある。辛味種は、香辛料(こうしんりょう)に用いる。

とう・かん【投×函】《名・他サ》郵便物をポストに入れること。「はがきを—する」

*とう・かん【盗汗】〔文〕ねあせ。

*とう・かん【等閑】〔文〕軽くみて、扱いをいいかげんにしておくこと。なおざり。「忠告を—に付する」「—視する」類語 閑却。疎略。

*とう・かん【統監】《名・他サ》〔政治や軍事の面で〕全体をまとめて監督すること(官職)。「駐留軍を—する」類語 統率。

とう・がん【冬×瓜】ウリ科の一年生つる草。夏、黄色の花が咲き、カボチャに似た大きなまるい実がなる。食用。かもうり。冬瓜(とうが)。

*どう・かん【動感】〔絵・写真などに表された〕動きのある感じ。動いているような感じ。「—にあふれた描写」

*どう・かん【同感】《名・自サ》その人の意見・感想などと同じように考える(感じる)こと。「その意見に—だ」

*どう・かん【導管・道管】❶水・ガスなどを送るくだ。表記「導管」と書く。❷被子植物の水分・養分の通路となる管。

どう・がん【童顔】❶子供の幼い顔つき。❷子供のような顔つき。参考 柔和な感じのする丸顔にいう。

*とう・き【党紀】〔文〕党の風紀・規律。「—を乱す」

*とう・き【党規】〔文〕党の規則。党則。「—に反する」

*とう・き【冬期】冬の期間。冬の間。「—講習」「—休暇」「—運休」対 夏期。

*とう・き【冬季】冬の季節。「—大会」「—オリンピック」対 夏季。

*とう・き【投棄】《名・他サ》不要のものとして投げ捨てること。「ごみの不法—」

*とう・き【投機】❶確実ではないが、大きな利益をあてにして行う行為。「—心」❷市価の変動を予想して、その差から生まれる利益を得るために行う取引。

*とう・き【当期】〔いくつかに分けた期間の一つをさして〕この期間。「—の決算は黒字だ」類語 本期。今期。

*とう・き【当季】〔ある季節をさして〕この季節。その季節。

*とう・き【登記】《名・他サ》民法上の権利の有無などに関する一定の事項を広く公に示すために、それを公開された帳簿(=登記簿)に記載する手続き。「不動産を—する」「—所」

*とう・き【陶器】❶粘土質の土で形を作り、うわぐすりをかけて低火度で焼いたもの。吸水性があり、不透明。薩摩焼(さつまやき)・益子焼(ましこやき)など。参考 →磁器。❷陶器・磁器の総称。せともの。やきもの。

*とう・き【騰貴】《名・自サ》値段が上がること。「物価が—する」類語 高騰。暴騰。対 下落。

*とう・ぎ【党議】党内での討議。また、それによってきまった意見・方針。「—にかける」「—に服する」

*とう・ぎ【討議】《名・自他サ》ある問題について意見をたたかわせること。ディスカッション。「—を重ねる」類語 討論。論議。

*とう・ぎ【闘技】〔文〕〔優劣をくらべるため〕力やわざをたたかわせること。「—場」類語 競技。

*どう・き【動×悸】《名・自サ》心臓の鼓動が、ふだんよりはげしくうつこと。また、その鼓動。「—がする」

*どう・き【動機】人に行動を起こさせる内的な要因。「犯罪の—」参考 きっかけの意でも用いる。「文学を志した—」類語 動因。転機。—づけ【—付け】《名・自サ》行動の動機を与えること。モチベーション。

*どう・き【同期】❶同じ時期・期間。「—に活躍した作家」❷〔同じ学校で〕入学や卒業などの年度が同じであること。「—生」類語 同学。同窓。

*どう・き【同気】〔文〕同じ気質。同じ仲間。—相求・める《句》気質の合った者どうしは自然に親しくなり、寄り集まる。類語 友は類をもって集まる。

*どう・き【銅器】銅・青銅で作った器具。「古代の—」

*どう・ぎ【動議】会議中に、予定した議案以外に討議したい議題を出席中の人が出すこと。また、その議題。「緊急—」

*どう・ぎ【同義】同じ意味。同意。—ご【—語】語形は異なるが、内容が(ほとんど)同じ関係にある語。「手紙」「レター」「書簡」、「みち」「道路」など。同意語。シノニム。

*どう・ぎ【胴着・胴▽衣】❶上着と肌着との間に着る、「綿入れの—」❷ある目的でそでなしの保温用下着。

胴にまとうもの。「救命―」「防弾―」＝胴衣(どうい)。

*どう-ぎ【道義】人間のふみ行うべき、正しい道。「―にもとる行い」「―を重んじる」類語 徳義。

とう-きび【唐×黍】❶とうもろこし。❷もろこし。

*とう-きゅう【投球】《名・自サ》野球で、投手が打者に対してたまを投げること。また、投げたたま。「―のモーションをおこす」「全力―」類語 送球。

*とう-きゅう【等級】〔身分・品質などの〕上下・優劣を示す段階・区分け。くらい。「品評会で―をつける」類語 階級。段位。順位。等。級。段。品等。グレード。ランキング。クラス。

*とう-きゅう【討究】《名・他サ》〔文〕検討を重ねて、深く研究すること。「交通問題を―する」類語 探究。

とう-ぎゅう【闘牛】❶牛と牛をたたかわせる競技。牛あわせ。類語 闘犬。闘鶏。❷人と牛とがたたかう競技。また、それに出る牛。「―士」

*どう-きゅう【同級】❶同じ等級。❷同じ学級。「―生」

*どう-きゅう【×撞球】〔文〕玉突き。ビリヤード。

*とう-ぎょ【統御】《名・他サ》〔文〕全体を一手にまとめて支配すること。全体を思い通りに動かすこと。「全国の支社を―する」類語 統制。統轄(とうかつ)。

*とう-ぎょ【闘魚】ベタ・タイワンキンギョなどの通称。雄同士ではげしくたたかう。多くは観賞用熱帯魚。

どう-きょ【同居】《名・自サ》❶二人以上の人が一つの家にいっしょにすむこと。「六畳の下宿に友人と―する」❷特に、夫婦・親子が同じ家にいっしょにすむこと。「三世代―」類語 同棲(どうせい)。対 別居。❸ある家族の家に家族以外の人がいっしょにすむこと。「―人」「叔父の家に―させてもらう」類語 雑居。

*どう-きょう【同郷】郷里が同じであること。「―の友人」「―のよしみでつきあっている」類語 同国。同県。

*どう-きょう【道教】現世的な幸福や不老長生を求める、中国土着の宗教。中国古来の民間信仰、老荘思想、陰陽五行説、神仙思想、さらに仏教や儒教などが混合してできたもの。

*どう-ぎょう【同業】職業・業種が同じであること（人）。「―者」「―組合」

*どう-ぎょう【同行】❶志を同じくして仏道修行にはげむもの。また、同じ宗派の信者。❷巡礼・参詣(さんけい)などの道づれ。「―二人(ににん)」（＝弘法大師といっしょという意味で、巡礼者などが笠(かさ)などに書きつけることば）」

*どう-ぎょう【童形】〔文〕まだ結髪していない子供の姿。稚児(ちご)姿。また、その子供。童体(どうたい)。

*とう-きょく【当局】❶その事を処理すべき責任をもつ（公の）機関。特に、行政上の重要な任務を担当する関係官庁。「―の責任を追及する」「学校―」「政府―」❷〔局と名のつく所でそれ自身をさして〕この局。

*とう-きょく【登極】《名・自サ》〔文〕天皇または皇帝の位につくこと。即位。類語 践祚(せんそ)。

とう-きょり【等距離】等しい距離。

とう-ぎり【当▽限】長期清算取引で、受け渡しの期日が、その月の末日である取引。当月ぎり。対 先限(さきぎり)・中限(なかぎり)。

どう-きん【同×衾】《名・自サ》一つの夜具にいっしょにねること。ともね。参考 特に、男女が一つの夜具にいっしょにねて肉体関係をもつ意にいう。類語 合歓(ごうかん)。

とう-く【投句】《名・自他サ》自作の俳句を投稿すること。また、その句。「文芸欄に―する」

どう-ぐ【道具】❶物を作ったり、仕事をしたりするときに用いる用具。また、家具・台所用品など、日常生活に用いる種々の品物。「掃除―」類語 用具。❷そのもの（特に顔やからだ）にそなわっているもの。「顔の―がよくない」❸他の目的のために利用され、役立てられる物事や人。「結婚を出世の―にする」類語 手段。方便。だし。❹芝居の、大道具・小道具。 ―だて【―立て】〔あることを行うのに〕必要な道具をととのえておくこと。また、もろもろの準備。 ―や【―屋】古道具を売買する店（の人）。また、その商売。古道具屋。

類義語の使い分け　道具・用具

[道具・用具]	必要な道具（用具）を一式買いそろえる
[道具]	大工道具／嫁入り道具／古道具屋
[用具]	筆記用具持参のこと／乗馬に使う用具

とう-ぐう【東宮・▽春宮】❶皇太子の住む宮殿。東宮御所。参考 昔は皇居の東にあり、東方が四季の春に配されるところから「春宮」とも書く。❷皇太子。

とう-くつ【盗掘】《名・他サ》〔鉱物や埋蔵物を〕許可なくほり出して自分の所有とすること。「―品」

どう-くつ【洞×窟】がけや岩などにできた奥行きの深い大きな穴。ほらあな。洞穴(どうけつ)。類語 空洞。

どう-くん【同訓】字は異なるが、訓が同じであること。「計・測・量・図」の訓がすべて「はかる」である類。「―語」「異字―」類語 同音。

とう-け【当家】〔「…家」を直接的に指し、また話題にして〕この家。その家。〔改まった言い方〕「―のしきたり」参考 相手の家について言うときは、多く「御(ご)―」の形で敬意を添える。「御―の婿(むこ)どの」

とうげ【峠】(たうげ)❶尾根越えの道を登りつめて、そこから下りになる所。「―の茶屋」❷物事の最も盛んな時期。「暑さも―を越す」類語 最盛期。絶頂期。最高潮。

どう-け【道化】❶おどけた身ぶりやことばで人を笑わせること（人）。また、その身ぶりやことば。❷「道化師」の略。道化を職業にしている人。ピエロ。

*とう-けい【刀×圭】〔文〕❶薬をもる、さじ。❷医術。医学。「―家（＝医者）」

*とう-けい【東経】地球の東半球上の位置を表す座標の一つ。イギリスのグリニッジ天文台跡を通る子午線を零度としてその東方一八〇度までの経度。対 西経。

*とう-けい【統計】《名・他サ》同じ種類の事柄を、多くの場合について調べ、その結果を数字によって・表すこと（表したもの）。「人口の高齢化を―に取る」

*とう-けい【闘鶏】二羽のニワトリをたたかわせる遊び。けあい。とりあわせ。また、それに使うニワトリ。

とう-げい【陶芸】陶磁器の工芸。「―家」

*どう-けい【同型】同じかた。「―の飛行機」

*どう-けい【同形】同じかたち。「―の三角形」

*どう-けい【同慶】自分にとっても同じようによろこばしいこと。参考 ふつう「御(ご)―」の形で使う。「ますます御活躍の由、御―の至りです」

*どう-けい【同系】同じ系統・系列。「―の会社」

*どう-けい【×憧×憬】《名・自他サ》（「憧憬(しょうけい)」の慣用読み）〔文〕あこがれること。あこがれ。

とう-けつ【凍結】❶《名・自サ》こおりつくこと。「―した川を渡る」類語 氷結。❷《名・他サ》移動や使用、状態の変更などを禁じ、そのままの状態にしておくこと。

「在外資産の―」「新しい空港の着工を―する」

*とう-げつ【当月】この月。今月。本月。

*どう-けつ【同穴】❶同じ穴。❷〔夫婦などが〕死んで同じ墓にほうむられること。「死なば―と心に誓う」

*どう-けつ【洞穴】ほらあな。洞窟(どうくつ)。

どう・ける【道化る】《自下一》こっけいなことを言ったりしたりする。おどける。「変な格好で―けてみせる」 参考「道化」を動詞化した語。類語ふざける。

*とう-けん【刀剣】かたな・つるぎなどの総称。

*とう-けん【闘犬】二頭の犬をたたかわせる遊び。また、それに使う犬。犬あわせ。

とう-げん【凍原】→ツンドラ。

*どう-けん【同権】同じ権利(をもつこと)。平等な権利。「男女―」

*どう-けん【洞見】《名・他サ》〔文〕物事の先の先まで見ぬくこと。洞察。「将来を―する」

どう-げん【同源・同原】原因や出発点が同じであること。「医食―」 参考 特に、語源が同じという意で使われることが多い。

とうげん-きょう【桃源郷】俗世間をはなれた、平和な世界。桃源。武陵桃源。「―に遊ぶ」 参考 陶淵明(とうえんめい)の「桃花源記」から。類語仙境。夢想郷。

とう-げんしつ【糖原質】→グリコーゲン。

*とう-ご【倒語】もとのことばの構成を逆にしたことば。たとえば、「やど(宿)」を「どや」、「ばしょ(場所)」を「しょば」という類。隠語・卑語に多い。

*とう-ご【頭語】手紙で、冒頭に使う挨拶(あいさつ)のことば。「拝啓」「前略」の類。対結語。

どう-こ【銅×壺】長火鉢の中などに置く、銅や鉄で作った箱形の湯わかし器。上部の穴に徳利などを入れてあたためる。

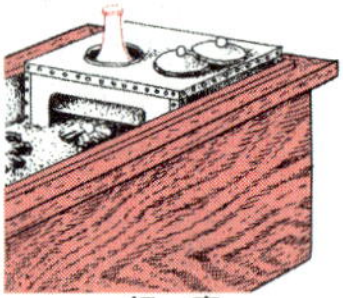
銅壺

どう-ご【同語】同じことば。

*とう-こう【刀工】刀剣を作る人。かたなかじ。刀匠(とうしょう)。

*とう-こう【投光】《名・自サ》レンズと反射鏡を使って光を一点に集め、一部を照らしだすこと。―き【―器】スポットライト・ヘッドライトなど、反射鏡やレンズを使って遠くを照らせるようにした照明装置。

*とう-こう【投稿】《名・他サ》新聞や雑誌にのせてもらうため、〔文芸作品の〕原稿を送ること。また、その原稿。「雑誌に短歌を―する」「―欄」 参考 依頼された原稿には言わない。類語寄稿(きこう)。投書。

*とう-こう【投降】《名・自サ》自ら敵に降参すること。「―を勧告する」類語降伏。

*とう-こう【登校】《名・自サ》〔生徒が授業をうけるために〕学校に行くこと。「集団―」対下校(げこう)。―きょひ【―拒否】児童・生徒が登校しない(できない)こと。情緒障害・いじめなど、さまざまな原因がある。

*とう-こう【陶工】陶磁器を作る職人。焼物師(やきものし)。

*とう-ごう【投合】《名・自サ》たがいに一致すること。「意気―する」類語合意。共鳴。

*とう-ごう【等号】二つの数や式の間にはさんで、〔両方が数量的に〕等しいことを表す記号。イコール記号。「=」対不等号。

*とう-ごう【統合】《名・他自サ》二つ以上のものをまとめて一つにすること。また、一つになること。「銀行を―する」類語統一。合併。―しっちょう-しょう【―失調症】〔医〕自己をとりまく外界との接触感が失われ、思考・感情・行動などに統一性がなくなる精神病。参考「精神分裂病」の新しい呼称。

*どう-こう【動向】人の行動や物事の情勢が、どういう傾向をもって動いていくかということ。うごき。なりゆき。「財界の―を探る」類語形勢。趨勢(すうせい)。

*どう-こう【同好】趣味や興味の対象が同じであること。「―の士を求む」「―会」

*どう-こう【同工】〔文〕作り方が同じであること。―いきょく【―異曲】❶手法は同じだが、内容や趣がちがうこと。❷表面はちがっているが、なかみは大体同じであること。「どの作品も―だ」類語大同小異。注意「同巧異曲」は誤り。

*どう-こう【同行】《名・自サ》❶〔二人以上の人が〕一緒に連れ立って行く・こと(人)。同道。「彼と―する」「―は五人」類語同伴。❷《他サ》〔主たる人に〕ついて行く・こと(人)。また、連れて行くこと。また、連れとなる人。同道。「首相に―する」「妻子を―する」「署まで―願います」類語同伴。随行。随伴。

*どう-こう【×瞳孔】眼球のまん中にある、虹彩(こうさい)にかこまれた小さな穴。光線の入り口になる。ひとみ。

*どう-こう【銅鉱】〔黄銅鉱など〕銅をふくむ鉱石。

どう-こう【▽何×斯う】《副・自サ》いろいろ言うようす。どうのこうの。とやかく。「―言う資格はない」

とうこう-せん【等高線】地図で、標準海面からの高さが等しい点をむすんだ線。

*とう-ごく【投獄】《名・他サ》牢(ろう)・監獄(かんごく)にいれること。「殺人のうたがいで―される」類語収監(しゅうかん)。

*とう-ごく【東国】❶東の方にある国。❷古くは、北陸をのぞいた近畿以東、後には箱根より東の国。今の関東地方。あずま。坂東(ばんどう)。対①②西国(さいごく)。

どう-こく【×慟×哭】《名・自サ》〔文〕悲しみのあまり、声をあげてはげしく泣くこと。「床に身を投げて―する」類語号泣。号哭(ごうこく)。

とう-こつ【頭骨】頭蓋骨(ずがいこつ)。

*とう-こん【刀×痕】〔文〕刀で切ったきずあと。かたなきず。「額の―」

*とう-こん【当今】〔文〕このごろ。近ごろ。現今。

*とう-こん【闘魂】戦い抜こうとする意気ごみ。闘争精神。「不屈の―」類語闘志。戦意。ファイト。

どう-こん【同根】根(根元・本源)が同じであること。

とう-さ【踏査】《名・他サ》実際にその場所に出かけて調べること。「実地―」

とう-ざ【当座】〔「その席上」の意〕❶すぐその時、その場。即座。「―に意を決する」❷ここ当分の間。今しばらくの間。「―の間に合わせ」「―の費用」❸〔あることがあったあと〕しばらくの間。一時。「結婚した―は早く帰宅した」❹その席上で出す、短歌や俳句の題。❺「当座預金」の略。―しのぎ【―×凌ぎ】その時だけ間に合わせること。一時しのぎ。―よきん【―預金】銀行預金の一つ。預金者の請求によって小切手と引きかえに払い戻しができる預金。無利子。

*どう-さ【動作】〔なにか行うときの〕からだの動き。「―がすばやい」類語挙動。所作(しょさ)。起居。

*どう-さ【▽陶砂・×礬砂・×礬▽水】にかわ・みょうばんを水にとかして煮た液。和紙・絹などにひいて、墨・絵の具・インクなどがにじまないようにする。

*どう-ざ【動座】《名・自サ》❶貴人が居場所を変えるこ

と。❷神道で、みこしなどの置き場が変わること。

*どう・ざ【同座・同×坐】《名・自サ》❶同じ席・場所に居あわせること。同席。❷まきぞえをくうこと。連座。「事件に―する」

*とう・さい【搭載】《名・他サ》車両・船舶・航空機などに〔大量の〕物品などをつみこむこと。また、機器などを備えつけること。「ミサイル―の戦闘機」類語 積載(せきさい)。

*とう・さい【当歳】❶〔現に経過しつつある〕この年。ことし。当年。「―とって五〇歳」❷その年に生まれたこと。「―で父を失う」「―馬」

*とう・さい【登載】《名・他サ》〔文〕新聞・雑誌・書物などに記事をとりあげてのせること。掲載。類語 記載。

*とう・さい【統裁】《名・他サ》〔文〕〔最高責任者として〕全体をまとめ、判断・指図すること。「組織を―する」類語 統率。

とう・ざい【東西】❶東と西。❷東洋と西洋、東部と西部など。「―の文化が交流する」「洋の―を問わず」❸〔①から転じて〕方角。また、物事のてだて・方法・道理。「―の区別もつかぬ」❹「東西東西(とうざいとうざい)」の略。芝居などで、観客にむかって口上をのべるときなどに最初に言う語。「とざいとうざい」とも。

どう・ざい【同罪】同じ罪・責任。「両人とも―」

とうさ・きゅうすう【等差級数】等差数列を和の記号でつないだもの。算術級数。参考 等差数列をいうこともある。類語 等比級数。

*とう・さく【倒錯】《名・自サ》❶逆になること。ひっくりかえること。❷正常とされる位置・状態が入れ違って、それとは正反対の状態になること。「性の―」

*とう・さく【盗作】《名・他サ》他人の作品やアイディアなどを、そっくり自分の創作に見せかけて使うこと。また、その作品。「デザインを―する」類語 剽窃(ひょうせつ)。

とうさ・すうれつ【等差数列】一定の数を前の数に加えて得られる数の列。算術数列。

どう・さつ【洞察】《名・他サ》物事の奥底まで見ぬくこと。また、その能力。洞見。「本質を―する」「―力」類語 察知。明察。

*とう・さん【倒産】《名・自サ》財産をなくして、企業がつぶれること。「不況のあおりで―した」「―が相次ぐ」参考「破産」はふつう個人の場合に言う。

*とう・さん【▽嬢さん】《「いとさん」の「い」が脱落し、「と」が長音化した語》〔大阪方言〕お嬢さん。

*とう・さん【〈父さん〉】「お父さん」のややくだけた言い方。参考 ↓おとうさん。対 母さん。

*とう・ざん【唐桟】浅黄・赤などのたて縞(じま)模様を織りだした平織りの高級な綿布。長着・羽織などにする。

*とう・ざん【当山】❶この山。❷この寺。当寺。

*どう・さん【動産】〔現金・株券・商品など〕そのものの形をかえずに動かすことのできる資産、すなわち、土地及びその定着物以外の物すべて。対 不動産。

どう・ざん【銅山】銅鉱を埋蔵・産出する山。

とう・さんさい【唐三彩】中国で唐代にできた軟質陶器。白地に茶・緑でいろどったものと、さらに藍(あい)を加えたものがある。参考 三色でいろどったのでいう。

とうさん・どう【東山道】昔の七道の一つ。近江(おうみ)〔=滋賀県〕から中部地方の内陸部をへて奥羽(おうう)地方に至る地域。近江・美濃(みの)・飛騨(ひだ)・信濃(しなの)・上野(こうずけ)・下野(しもつけ)・陸奥(むつ)・出羽の八国。

*とう・し【凍死】《名・自サ》こごえて死ぬこと。こごえ死に。「冬山で―する」

*とう・し【唐紙】竹を主原料にして中国で作りだされた紙。書画用に使う。参考 ふつう、日本でこれをまねて作った和唐紙をも含めて言う。

*とう・し【唐詩】❶中国で唐代に作られた詩。「―選」❷〔唐詩①が漢詩の精華であるところから〕漢詩。

*とう・し【投資】《名・他サ》利益を得ることをみこんで、事業などに資金をだすこと。「新会社に―する」「設備―」「―家」類語 出資。―しんたく【―信託】証券会社が一般の人から申し込みを受けて集めた金銭を、株式を中心に投資し、一定の期間をおいてその利益を出資者に分配するしくみ。投信。

*とう・し【透視】《名・他サ》❶すかして見ること。❷〔特殊な感覚で〕肉眼では見えないものを見ぬくこと。「壁の向こう側を―する」「―術」❸レントゲン線で蛍光板上に投影されるからだの内部を直接観察してしらべること〔方法〕。「胃を―する」「―撮影」

*とう・し【闘士】❶戦闘に従事する人。戦士。❷主義・主張のためにたたかう人。「憲政擁護の―」❸強い闘志をもっている人。

*とう・し【闘志】戦おうとする意志・意気込み。戦意。ファイト。「―を燃やす」「―満々」類語 闘魂。

*とう・じ【冬至】二十四節気の一つ。一年じゅうで太陽が最も南による時刻。また、その日。太陽暦の一二月二二日ごろ。北半球では一年じゅうで昼がいちばん短くなる。「―点」対 夏至(げし)。

*とう・じ【悼辞】その人の死をいたみ悲しむ気持ちをのべることば。追悼の辞。弔辞(ちょうじ)。「友人を代表して―を読む」

*とうじ【×杜氏】酒を造る職人。また、そのかしら。さかとうじ。杜氏(とじ)。

*とう・じ【湯治】《名・自サ》温泉にはいって、病気やけがをなおすこと。「湯河原へ―に行く」「―場」「―客」

*とう・じ【×蕩児】〔文〕放蕩(ほうとう)むすこ。道楽むすこ。また、酒色にふける者。道楽者。

*とう・じ【当事】その事に直接関係していること。〔ふつう、単独では使わない〕「―国」―しゃ【―者】その事に直接関係している人。「―から事情を聞く」類語 関係者。対 第三者。

*とう・じ【当時】❶〔過去にある事があった〕そのとき。そのころ。「小学生―の思い出」「―はまだ電灯はなかった」❷現在。現今。当今。当節。〔古風な言い方〕「―はやりのことば」

*とう・じ【答辞】式場で、祝辞・送辞などに対する感謝の気持ちをのべることば。「卒業生総代で―を読む」

*どう・し【動詞】品詞の一つ。事物の動作・作用・存在・状態を表す単語。日本語では、用言に属し、自立語で活用がある。言い切るときの形が、口語ではウ段の音で終わる。「動く」「歩く」「読む」など。

日本語

動詞の種類

(1)継続する動作と瞬間の動作

「…ている」という言葉をつけて、「本を読んでいる」「字を書いている」と言うと、〈本を読みつつある〉〈字を書いている最中だ〉という意味になるが、「あの人は死んでいる」とか「彼は知っている」とかは、〈死んだ状態にある〉〈知った状態にある〉という意味になる。これは、

「読む」「書く」は終わるまでに時間がかかることを表す動詞、つまり継続する動作を表す動詞であるが、「死ぬ」「知る」は一瞬にしてその動作が終わる意味の動詞だからである。
　また、「字を書いてしまう」のように、継続する動作を表す動詞に「…てしまう」がつくと、その動作をし終えることを表す。しかし、「あの人は死んでしまう」のように、瞬間で終わることを表す動詞に「…てしまう」がつくと、取りかえしがつかないという意味になることが多い。
　動詞には、このほか、「ある」「できる」のような、「…ている」「…てしまう」のつかない動詞もあり、「似る」「そびえる」のような、「…ている」がつかなければ使いにくい動詞もある。

(2) 意志の動作と無意志の動作
　「読む」「書く」などは人の意志をもった動作を表す動詞であるが、「雨が降る」の「降る」や「日が昇る」の「昇る」は雨や太陽の意志を表してはいない。また、ある一つの動詞が意志を表す場合と表さない場合とがあり、たとえば、同じ「打つ」でも、「坊さんが鐘を打とうとする」では坊さんの意志を表すが、「時計が七時を打とうとする」というときは、単に、それが近く起こることを表す。

＊**どう-し【同士】** 互いに同じ関係にある、また同じ種類のものである人。〔接尾語的にも使う〕「好き合った—」「恋人—」「いとこ—」「男—」「仲間—」 表記 俗に「同志」とも書く。接尾語的に使うときは、かなで書くことも多い。 **—うち【—討(ち)】**《名・自サ》味方または仲間同士で戦う・こと(争い)。

＊**どう-し【同志】** 志や主義などを同じくする・こと(人)。仲間。「—をつのる」「—諸君」

＊**どう-し【同旨】**〔文〕〔二つ以上の案・文章などが〕同じ趣旨であること。「—の書状」

＊**どう-し【同視】**《名・他サ》〔二つ以上のものの階級・程度・品質などを〕同じにみなすこと。同一視。「新人の作品と—されるのは心外だ」

＊**どう-し【導師】** ❶衆生を導いて仏道にはいらせるもの。仏・菩薩など。❷法会・葬儀などを主となってとり行う僧。

＊**どう-し【童詩】** ❶子供に与えるために作られた詩。❷子供の作った詩。児童詩。 類語 童謡。

＊**どう-し【道士】** ❶道義をよくわきまえた人。❷〔仏〕仏教をおさめた人。僧。❸道教をおさめた人。道者。道人。❹仙術をおさめた人。仙人。

＊**どう-じ【同時】** ❶二つ以上の事がほとんど時を同じくして・行われる(起こる)こと。〔「—に」の形で副詞的にも用いる〕「駅につくのと列車が出て行くのと—であった」「二人は—ににっこり笑った」「—通訳」「—録音」❷《(「と—に」の形で、接続助詞または接続詞的に用いて)》㋐前件が成立してから、後件が成立するまで、ほとんど時間的ずれがない意を表す。…とすぐ。「到着(する)と—に鐘が鳴った」㋑前件が成立するとともに後件もまた成立する意を表す。とともに。一方において。「良質であると—に安価だ」

＊**どう-じ【童子】**〔文〕おさない子供。わらべ。児童。「三歳の—にもわかることだ」

とう-しき【等式】 二つの式または数を等号でむすんだもの。恒等式と方程式がある。 対 不等式。

とう-じき【陶磁器】 陶器と磁器。やきもの。

＊**とう-しつ【等質】**《名・形動》全体にわたって質が同じであること。均質。 類語 同質。

＊**とう-しつ【糖質】** 炭水化物やこれに類似している物質の総称。でんぷん質。

とう-じつ【当日】 ある事のあった、その日。また、ある事の行われる、その日。「事件の—は八時に帰宅した」「—限り有効」「試験—の心得」 類語 当夜。

＊**どう-しつ【同室】**《名・自サ》同じ部屋。同じ部屋に・住む(いる)こと。また、その人。また、その部屋。「—の友人」「—に起居する」「宿で—になる」

＊**どう-しつ【同質】**《名・形動》二つ以上の物の質が同じであること。「—の油」 類語 均質。等質。 対 異質。

どう-じつ【同日】 同じ日。その日。「—選挙」 **—の談ではな・い**《句》差が大きくて、比べものにならない。「同日の論で(は)ない」とも。

どう-して【▽如▽何して】 一《副》❶どういう方法で。どうやって。「この困難を—のりこえようか」 類語 如何。如何様。どう。❷どういう理由で。なぜ。「—参加しないのか」 類語 何故。なんで。 二《感》❶《(反語的に)前にのべた・相手(自分)のことばを打ち消し、それとは反対のことをのべるときに使う語。それどころではなく。「口数の少ない人だったが、近ごろは—、よくしゃべる」❷おどろいたり、感心したりしたときにいう語。いやはや。「—、大へんな人気だ」 参考 二は二回重ねて使うこともある。 **—も**《副》❶どんな方法を使っても。どう考えても。「—間に合わない」「—わからない」 参考 下に打ち消しの語をともなう。❷どんなことがあっても。ぜひとも。「—行きます」

どう-じめ【胴締(め)】 ❶胴をしめること。特に、柔道・レスリングなどのわざの一つ。❷胴をしめるもの。特に、女性の腰ひも。

＊**とう-しゃ【投射】** ❶《名・他サ》〔かげ・光などを〕投げかけること。「—光線」 類語 投影。❷《名・自サ》→にゅうしゃ(入射)。

＊**とう-しゃ【当社】** ❶この神社。❷この会社。

＊**とう-しゃ【謄写】**《名・他サ》❶〔文〕文章などを書きうつすこと。「原稿を—する」 類語 模写。筆写。❷謄写版で刷ること。 **—ばん【—版】** やすり板の上で、ろうを引いた紙(原紙)に鉄筆で書いたりタイプライターで打ったりしたものを原版にした簡便な印刷法。また、それに用いる器械。がり版。孔版。「—で文集を作る」

＊**とう-しゃ【透写】**《名・他サ》字や絵の上にうすい紙をおいて上からなぞって書きうつすこと。すきうつし。トレース。「—紙」

＊**どう-しゃ【同車】** ❶同じ車。その車。❷《名・自サ》その人と同じ車にのること。同乗。

＊**どう-しゃ【堂舎】**〔文〕大きな家(堂)や小さな家(舎)。大小の家々。

どう-じゃく【×瞠若】《形動タルト》〔文〕感嘆したり驚いたりして目をみはるようす。「世人を—たらしめる」

＊**とう-しゅ【党首】**〔総裁・委員長など〕党の最高責任者。「—会談」

＊**とう-しゅ【投手】** 野球で、規定の位置にいて、打者に対し球をなげる役目(の人)。ピッチャー。「好—」

＊**とう-しゅ【当主】** その家の、現在の主人。 対 先代。

＊**とう-しゅ【頭首】**〔文〕❶頭と首。❷ある集団・組織

の上にたつ人。かしら。ボス。「一門の―」類語親方。棟梁。首領。親分。頭目。

どう-しゅ【同種】種類が同じであること。また、同じ種類のもの。同類。「―同文」対異種。別種。

とう-しゅう【踏襲・×蹈襲】《名・他サ》それまでつづけていた方針・やり方などを変えずにうけついでゆくこと。「先代の経営方針を―する」類語継承。継続。

*どう-しゅう【同臭】〔文〕(「同じくさみ」の意から)同じ仲間。同類。「―が集う」参考程度のよくない者同士という意を含む。

*どう-しゅう【銅臭】〔文〕(「銅貨の悪臭がする」の意から)金銭をむさぼる人、財貨に誇りをもつ人をけいべつして言う語。「―芬々」

とう-しゅく【投宿】《名・自サ》宿をとって、とまること。「海辺の旅館に―する」類語宿泊。止宿。

どう-しゅく【同宿】《名・自サ》同じ宿屋にとまること(人)。また、同じ下宿にいること(人)。「―の客」

どう-しゅつ【導出】《名・他サ》結論などを論理的に導き出すこと。対導入。

どう-じゅつ【道術】道教で行う術。符呪の術・神仙術・養生術など。

*とう-しょ【島×嶼】(「嶼」は小さな島)〔文〕大きな島や小さな島。大小の島々。諸島。

*とう-しょ【投書】《名・他サ》意見・要望・苦情などを書いて、関係者や新聞・雑誌などに送ること(手紙)。「―欄」注意文学作品・論文などは「投稿」を使う。

*とう-しょ【当初】そのことの最初(の時)。「―の計画を変更する」類語冒頭。初頭。初手。

*とう-しょ【当所】❶この場所。この所。「―で講演会を開く」類語当地。❷この事務所・事業所。

*とう-しょ【頭書】❶書類のはじめに書かれている事柄。「―の件につき検討する」「―のとおり」❷《名・自サ》本文の上欄に書き加えること。また、その語句。

とう-じょ【倒叙】時間の流れと逆に、後の物事から先に順次記述してゆくこと。「―法」

どう-しょ【道書】道教の教義を説いた書物。

どう-じょ【童女】〔文〕おさない、女の子。幼女。童女。「あどけない―」類語少女。

*とう-しょう【凍傷】寒さのため人体にうける損傷。血管壁や組織がおかされて、充血・水疱などがおこり、全身に及ぶと死亡する。類語凍瘡。

*とう-しょう【刀匠】刀を作る人。刀かじ。刀工。

*とう-しょう【闘将】❶部下やチームの先頭にたって勇ましく戦う大将や主力選手。❷(政治運動などで)先頭にたって活動する指導者。「反戦運動の―」

*とう-じょう【凍上】《名・自サ》寒さのため地表付近の土の温度がさがり、土中の水分がこおって地表面がもち上げられること。参考霜柱もこの現象による。

*とう-じょう【搭乗】《名・自サ》艦船・航空機などにのりこむこと。「国際線に―する」「―員」

*とう-じょう【東上】《名・自サ》西の地方から東の地方へ行くこと。特に、東京(京都)より西の地方から東京(京都)へ行くこと。類語北上。南下。対西下。

*とう-じょう【登場】《名・自サ》❶舞台・物語・事件などに現れ出ること。「上手からハムレットが―する」❷新しい製品などが公の場に現れ出ること。おめみえ。「新型のカメラが―する」=登場。

どう-しょう【道床】鉄道の軌道で、枕木の下に入れる砂利・砕石などの層。

*どう-じょう【同上】上または前に述べた事柄と同じであること。同前。「―の理由により…」

*どう-じょう【同乗】《名・自サ》その人と同じ乗り物に乗ること。同車。「友人の車に―する」

*どう-じょう【同情】《名・自サ》他人の苦しみ・悲しみなどを、その人と同じ気持ちになったつもりで思いやり、いたわること(心)。かわいそうに思うこと(心)。「―を寄せる」「―の念」類語憐憫。

*どう-じょう【堂上】(古くは「とうしょう」「どうしょう」とも)❶中古、昇殿を許されたもの。殿上人。対地下。❷近世以降、公家の称。

*どう-じょう【道場】❶仏道を修行する場所。❷武芸を教授・練習する場所。「剣道の―」「―破り」❸からだや心をきたえる場所。「断食―」

どうしょう-いむ【同床異夢】(いっしょに寝ても見る夢は違うの意で)表面上は同じ立場にいても、それぞれ思わくが違うこと。「反対で一致しても、諸野党はしょせん―だ」

とうじょう-か【頭状花】多くの小さい花が円盤上の花軸の先端に集まってつき、一つの花のように見えるもの。キク・タンポポなど、キク科の植物に見られる。

どう-しょく【同色】同じ色。

どう-しょくぶつ【動植物】動物と植物。

とう-じる【投じる】《自他上一》↓投ずる。

*どう-じる【動じる】《自上一》↓動ずる。

*どう-じる【同じる】《自上一》↓同ずる。

とう-しろ【×藤四▽郎】〔俗〕「しろうと」をさかさまにして人名のように言った語。とうしろう。

*とう-しん【刀身】刀の、さやとつかにおさめる部分。

*とう-しん【投身】《名・自サ》自殺するために、水中や噴火口などに身をなげること。身なげ。「がけから海に―する」「―自殺」類語入水・入水。とびこみ。

*とう-しん【東進】《名・自サ》東へ進むこと。対西進。

*とう-しん【盗心】〔文〕人のものをぬすもうとする気持ち。ぬすみ心。「―を起こす」

*とう-しん【灯心】あんどん・ランプなどの心。火をともし、あかりにする。「―をかきたてる」―そう【―草】「藺」の別称。灯心ぐさ。

*とう-しん【等親】↓しんとう(親等)。

*とう-しん【等身】身長と同じ高さであること。「―像」―だい【―大】❶実際の身長と同じ大きさ。❷(身近に感ずる)その人のあるがままの姿。「―のヒロイン」

*とう-しん【答申】《名・他サ》上級の官庁や上役から意見をもとめられた事柄に対して、意見をのべること。また、その意見。「国語審議会の―」対諮問。

*とう-じん【党人】党派・政党に属する人。特に、はえぬきの政党人。「―政治家」類語党員。

*とう-じん【唐人】中国人、また、外国人の古称。「―の寝言(=わけのわからないことば)」

*とう-じん【×蕩尽】《名・他サ》〔文〕(道楽や遊びで)全財産を使いはたすこと。「家産を―する」

*どう-しん【同心】❶《名・自サ》同じ意見を持つ・こと(人)。心を合わせる・こと(人)。「―協力」❷中心が同じであること。「―の円」❸江戸時代、与力につかえ、今の警察にあたる仕事をした下級の役人。

*どう-しん【童心】けがれのない、子供の心。純真で無邪気な心。「―を傷つける」「一日遊園地で―にかえって遊んだ」類語子供心。おさな心。

*どう-しん【道心】❶〔文〕道徳心。「―を失う」❷〔仏〕仏道を信じる心。「―が定まる」❸〔仏〕一三歳、または一五歳以上で仏門にはいった人。

*どう-じん【同人】→どうにん(同人)。

*どう-じん【同仁】〔文〕〔人を〕わけへだてなく愛すること。「一視(いっし)―」

*どう-じん【道人】❶仏門にはいってさとりをひらいた人。道人(どうにん)。❷道教をおさめた人。道士。❸神仙(しんせん)の術をおさめた人。方士。❹世捨て人。

とうしん-せん【等深線】地図で、海・湖などの、水面から水底までの深さのひとしい点をむすんだ線。

*とう-すい【統帥】《名・他サ》すべての軍隊をまとめ、指揮すること。「陸軍を―する」「―権」

*とう-すい【透水】〔文〕水がしみとおること。

*とう-すい【陶酔】《名・自サ》❶〔酒に〕気持ちよくようこと。❷ある境地にひたってうっとりとした気分になること。「名演奏に―する」類語 恍惚(こうこつ)。陶然。

どう-すい【導水】《名・自サ》ある場所に水をみちびくこと。「―管」

とう-すう【頭数】〔一頭・二頭…と数える〕動物の数。注意「あたまかず」と読めば別の意。

どう-すう【同数】数が同じであること。同じ数。「賛否―」

とう-・ずる【投ずる】[一]《他サ変》〔文〕❶投げる。ほうりだす。「一石を―・ずる」「筆を―・ずる(=書くのをやめる)」❷投げかける。投影する。「満月が光を―・ずる」「湖面に紅葉の影を―・ずる」❸投げるように、中に入れる。投げ入れる。「獄に―・ずる」「滝に身を―・ずる(=身を投げる)」❹〈「…に身を―・ずる」などの形で〉ある環境・状況にみずから進んで身をおく。「問題の渦中(かちゅう)に身を―・ずる」❺〔持っているもの、特に金銭を〕惜しまずに出す。つぎこむ。「私財を―・ずる」=投じる。[二]《自サ変》《「自分自身を投ずる」意が自動詞化したもの》〔文〕❶その中にはいる。「水に―・ずる(=身投げする)」❷みずから進んでその環境・状況にはいる。「民族解放運動に―・ずる」❸つけ入る。乗ずる。「機に―・ずる」❹出て行って降参する。投降する。「敵に―・ずる」❺やどる。投宿する。「旅宿に―・ずる」❻合わせる。投合する。「時流に―・ずる」=投じる。

*どう-・ずる【動ずる】《自サ変》心の落ち着きを失う。動揺する。動じる。「何が起ころうと―・じない」

*どう-・ずる【同ずる】《自サ変》〔文〕〔他人の意見などに〕同意する。賛成する。同じる。「起案に―・ずる」

とう-ぜ【党是】〔文〕その政党の進むべき方向をきめた根本方針。「―に反する行い」

どう-せ《副》その事態が、すでにそう決まっていてそれ以外にはありえないことを容認する気持ちを表す。いずれにしても。どっちみち。結局は。参考 自嘲(じちょう)や捨てばちの気持ちを表したり、見くびって推測し、断定する気持ちを表したりする。「―あやまるのなら早いほうがよい」「人は―死ぬのだ」「―私は馬鹿(ばか)ですよ」

*とう-せい【党勢】党の勢い・勢力。

*とう-せい【×濤声】〔文〕大きな波の音。「―に夢を破られる」

*とう-せい【当世】❶今の世。現代。当代。「―流行のスタイル」類語 当今。当節。❷当世風(とうせいふう)。「すぐに責任逃れをするのが―なのだ」―ふう【―風】《名・形動》今の世の流行・風習・風俗。また、それにあっているようす。当流。当世。「―の服装」

*とう-せい【統制】《名・他サ》❶ばらばらなものを一つにまとめおさめること。「全員の―をとる」❷〔国家などの権力をもって〕自由な行動に制限を加えること。「言論―」類語 ①②統御(とうぎょ)。統轄(とうかつ)。統一。❸「統制経済」の略。―けいざい【―経済】資本主義国家が、ある目的のために価格などを決定し、個々の企業の経済活動を規制する経済形態。参考 →自由経済。

*とう-せい【陶製】やきものでできている・こと(もの)。

*とう-せい【頭声】主に頭部に共鳴させて発する比較的高音域の声。参考 裏声とは異なる。対 胸声。

*とう-せい【騰勢】〔文〕物の値段があがる・勢い(傾向)。「地価は―をたどる」「―にある株価」対 落勢。

*どう-せい【動静】人の行動や物事の動きについてのようす。「敵の―を探る」類語 消息。

*どう-せい【同姓】名字が同じであること。同じ姓。同苗(どうみょう)。「―同名」類語 同名。対 異姓。

*どう-せい【同性】同種の生物の間で性が同じである・こと(もの)。対 異性。―あい【―愛】同性の者を愛欲の対象として愛すること。また、その関係。類語 ホモ。レスビアン。

*どう-せい【同×棲】《名・自サ》(男女が)いっしょに暮らすこと。特に、正式に結婚していない男女が一つの家にすむこと。「―生活」類語 同居。

どう-ぜい【同勢】いっしょに行動している人々。また、その人数。「―十人で旅行する」

*とう-せき【党籍】党員として登録されている籍。「―を離脱する」

*とう-せき【投石】《名・自サ》〔害を与えるため〕石を投げつけること。「機動隊に―する」

*とう-せき【透析】《名・他サ》半透膜を利用して、コロイドや高分子溶液を精製する方法。血液中の尿毒成分の除去(人工透析)、血清やワクチン・酵素などの精製に広く利用される。

どう-せき【同席】❶《名・自サ》同じ会合に出席すること。また、同じ席に居合わせること。同座。「会でA氏と―した」❷同じ席次・地位。「―の重役」

とう-せつ【当節】このごろ。近ごろ。当今。〔やや古風な言い方〕「―の学生はことばを知らない」

*とう-せん【盗泉】中国山東省泗水(しすい)県にあったという泉の名。故事 孔子(こうし)はその名が悪いとしてその水を飲まなかった。そのことから、不義・不正のたとえとする。→渇(かっ)しても盗泉の水を飲まず。

*とう-せん【当×籤】《名・自サ》くじに当たること。「宝くじに―する」

*とう-せん【当選】《名・自サ》選挙で、えらばれること。「市長に―する」「―確実」類語 入選。対 落選。

*とう-せん【登仙】《名・自サ》〔文〕❶仙人になって天にのぼること。「羽化(うか)―する」❷〔転じて〕貴人が死ぬことの尊敬語。類語 崩御(ほうぎょ)。薨去(こうきょ)。

*とう-ぜん【東漸】《名・自サ》〔文〕〔あるものの勢力・影響などが〕次第に東の方へうつってゆくこと。「文化の―」対 西漸。

*とう-ぜん【当然】《形動・副》道理上、そう・なる(する)べきであるようす。あたりまえ。「出席するのが―だ」「―の権利」「―経費は負担しなくてはならない」類語 至当。自然。妥当。注意「当前」は誤り。

*とう-ぜん【陶然】《形動タルト》〔文〕❶酒に気持ちよく酔うようす。「―として杯(はい)を重ねる」❷心がひきつけら

と

れてうっとりするようす。「美しい調べに—となる」

*どう-せん【動線】人・のりものなどの動く流れを示した線。住宅の居住性を判定する指標となる。

*どう-せん【同船】《名・自サ》同じ船に乗る・こと(人)。また、その船。「—の客」類語 同乗。

*どう-せん【導線】電流を通すための線。類語 電線。

*どう-せん【銅線】銅の針金。

*どう-せん【銅銭】➡どうか(銅貨)。

*どう-ぜん【同前】前にのべたことと同じであること。同上。「以下—」

*どう-ぜん【同然】《形動》同じであるようす。同様。「これで勝ったも—だ」

どう-ぞ【▽何▽卒】《副》❶相手にものを頼むとき、自分の希望をかなえてほしい気持ちをこめて言う語。なにとぞ。どうか。「—よろしく」「—許してください」類語 ぜひ。❷相手に物事をすすめたり、許しを与えたりするときに言う語。〔丁寧な言い方〕「—ごらんください」「—お入りなさい」「『本をかしてください』『はい、—』」❸なんとか。どうにか。〔古風な言い方〕「—して(=なんとかして)あの本を手に入れたい」

*とう-そう【党争】党派間のあらそい。

*とう-そう【党葬】党が行う葬儀。

*とう-そう【凍×瘡】〔文〕しもやけ。

*とう-そう【痘×瘡】〔文〕天然痘。

*とう-そう【逃走】《名・自サ》走って逃げること。逃げ去ること。「犯人が—した」類語 脱走。逃亡。

*とう-そう【闘争】《名・自サ》〔思想や階級の対立で〕相手をおしのけようとして、あらそい、たたかうこと。「労働者と資本家の—」「賃金—」類語 戦闘。

どう-そう【同窓】同じ学校で、または同じ先生について学ぶ・こと(人)。同じ学校を卒業している・こと(人)。「—生」「—会」類語 同門。同学。同級。

どう-ぞう【銅像】銅で作った像。ブロンズ。

とう-ぞく【盗賊】どろぼう。ぬすびと。〔やや古風な言い方〕特に、集団をなして大規模な盗みを働く者。

*どう-ぞく【同族】同じ血すじ・系統・種族などに属しているもの。「—会社」類語 一族。一門。

*どう-ぞく【道俗】〔文〕僧や尼と俗人。僧俗。

どうそ-じん【道祖神】村や道路への悪霊の侵入を防ぎ、村民や旅人の安全を守るという神。さいの神。さえの神。たむけの神。道陸神。

どうそ-たい【同素体】互いに同じ元素から成るが、その原子の配列や結合のしかたがちがう物質。参考 赤燐と黄燐、ダイヤモンドと石墨のような物質。

とう-そつ【統率】《名・他サ》多くの人をひとつにまとめてひきいること。「—力」「よく—のとれたチーム」類語 統帥。統監。

とう-た【×淘×汰】《名・他サ》❶不用・不適なものをとり除くこと。「—される悪徳業者」類語 整理。処分。取捨。❷生物のうち、環境や条件に適応できないものが滅び、適応するものだけが残ること。「自然—」

注意「統卒」は誤り。

*とう-だい【灯台】❶昔の照明器具の一つ。油皿をのせて火をともす台。灯明台。❷燭台。❸港口や岬の突端などに設け、夜、光を放って、付近を航行する船舶の安全を守る設備。「—守」

灯台①

—下暗し《句》〔灯台①のすぐ下が暗いように〕身近なことはかえってわかりにくいことのたとえ。

*とう-だい【当代】❶今の時代。現代。当世。「—随一の画家」❷〔ある時代をさして〕その時代。「—の名画を集めたルネサンス美術展」類語 当時。❸〔ある家の〕現在の主人。当主。対 先代。❹今の天皇。

*どう-たい【動体】❶動いているもの。「—写真」❷〔理〕気体と液体の総称。流体。流動体。

*どう-たい【動態】物事が時間の経過にしたがって動き変わってゆくありさま。「人口—調査」対 静態。

*どう-たい【同体】❶一体となること。また、その体。「一心—」❷相撲で、倒れるときに両者が同じ体勢であること。勝ち負けがつかず、取り直しとなる。

*どう-たい【導体】熱や電気を伝える物体。金属は一般に熱・電気の導体である。良導体。対 不導体。

*どう-たい【童体】〔文〕こどもの姿。童形。

*どう-たい【胴体】胴。胴の部分。「—着陸」

どう-だい【同大】❶同じ大きさ。❷〔前にのべた大学を受けて〕その大学。

どう-たく【銅×鐸】弥生時代に作られた、つり鐘状で扁円筒形の青銅の器物。祭りの道具、あるいは楽器として使ったものといわれる。

とう-たつ【到達】《名・自サ》ある経過をたどって、目標とする地点や状態にいたりつくこと。「名人の域に—する」「山頂に—した」「結論に—する」類語 到着。

とう-だん【登壇】《名・自サ》〔演説・訓辞などをするため〕壇にあがること。「講師が—する」対 降壇。

どう-だん【同断】《名・形動》前に述べたことと同じことわり(=理屈)であること。「以下—」類語 同然。

どうだん-つつじ【▽灯▽台×躑×躅・▽満▽天▽星】(「どうだん」は「灯台」の転)ツツジ科の落葉低木。春、白いつぼ形の花を下むきに開く。庭木や生垣にして観賞する。どうだん。

*とう-ち【倒置】《名・他自サ》〔位置を〕さかさまにすること。順序などを逆にすること。また、さかさまになること。類語 転倒。 —ほう【—法】印象や意味を強めるため、主語・述語・修飾語などの順をかえること。「何だ、これは」の類。

*とう-ち【当地】〔自分が現在いる所を指し、また話題にして〕この地、この地方。その地、その地方。「—の名産」「—はまだ寒い」参考 相手の土地について言うときは、多く「御—」の形で敬意を添える。類語 当所。

*とう-ち【統治】《名・他サ》〔主権者が〕国土・人民を支配すること。統治。「国を—する」「委任—」類語 統御。統轄。

とう-ちゃく【到着】《名・自サ》❶人や乗り物が目的地に行き着くこと。「—駅」対 出発。❷物がとどくこと。「注文した品物が—した」類語 ①②到達。

*どう-ちゃく【同着】同時に決勝点などに着くこと。

*どう-ちゃく【×撞着】《名・自サ》〔文〕〔つきあたる意から〕物事の前後がくいちがうこと。つじつまのあわないこと。矛盾。「—した論理」「自家—」

とう-ちゃん【▽父ちゃん】「父さん」のくだけた、幼児語的な言い方。参考 ➡おとうさん。対 母ちゃん。

とう-ちゅう【頭注・頭×註】本文の上の方にしるした、語句などの注釈。「—を施す」対 脚注。

どう-ちゅう【道中】❶目的地へ行く途中。特に、旅行の途中。旅路。〔古風な言い方〕「—の無事を祈る」❷昔、おいらんが盛装して従者らを従え、遊郭の中をねり歩いたこと。おいらん道中。━き【━記】❶旅行中の日記。紀行。❷主に江戸時代に作られた旅行案内記。

とうちゅう‐かそう【冬虫夏草】昆虫類やクモ類に特殊な菌類(虫生菌類)が寄生して、そのからだに子実体を形成したもの。乾燥して漢方薬にする。参考昔、冬は虫で夏は草になると考えられていたことから。

***とう‐ちょう【盗聴】**《名・他サ》第三者が、他人の話をこっそり聴くこと。特に、録音機などを秘密にとりつけて、他人の話をこっそり聴くこと。盗みぎき。「━器」「電話を━する」

***とう‐ちょう【登庁】**《名・自サ》役人が役所に出勤すること。対退庁。

***とう‐ちょう【登頂】**《名・自サ》高い山の頂上に登ること。登頂(とちょう)。「マナスルに━する」

***とう‐ちょう【頭頂】**(あたまの)てっぺん。「━部」

***どう‐ちょう【同調】**《名・自サ》❶他人の意見・態度などに調子を合わせること。「B氏の意見に━する」「━者」類語共鳴。❷ラジオ受信機などで、コイルとコンデンサーからなる回路の共振周波数が、目的の周波数に合うこと。「FM波に━させる」

どうちょう‐とせつ【道聴塗説】〔文〕〔道できいたことをすぐ道(＝塗)で人に話す意から〕よいことばをきいても、それを自分のものとして心にとどめておかないこと。転じて、受け売りをすること。いいかげんな受け売り話。「━の意見」〈論語・陽貨〉

とう‐ちょく【当直】《名・自サ》日直・宿直の番にあたること。また、その人。「━医」

とう‐ちん【陶×枕】陶磁器で作った、中空のまくら。夏に用いる。

とう‐つう【×疼痛】ずきずきと、うずくような痛み。

どう‐づき【胴突(き)】❶地盤をかたくするために地面をつき固めること。地形(じぎょう)。地固め。土突(づ)き。❷胴突き①や、くい打ちに用いる道具。太い丸太材に何本かの足またはなわをつけたもので、二～三人でこれを上下させて用いる。たこ。たこどうづき。

とう‐てい【到底】《副》《下に打ち消しの語を伴って》肯定すべき余地が全くない意を表す。とても。どうしても。「━間に合わない」「━助からない」

***どう‐てい【同定】**《名・他サ》❶同一と認めること。また、どういうものであるかを見定めること。「分析して成分を━する」❷生物の分類学上の所属を決めること。

***どう‐てい【童貞】**❶女性と性的な関係をもったことのない男性。また、その状態。対処女。❷〔宗〕カトリック教の尼僧。「━さん」

***どう‐てい【道程】**❶ある場所から他の場所までの距離。みちのり。路程。「一〇〇キロの━」類語行程。里程。❷ある目的・状態に至るまでのみちすじ。過程。「研究の長い━」

とう‐てき【投×擲】❶《名・他サ》〔文〕ほうり投げること。また、投げすてること。類語放擲。❷「投擲競技」の略。陸上競技のうち、投げの技を競う、円盤投げ・砲丸投げ・槍投げ・ハンマー投げの総称。

どう‐てき【動的】《形動》動きがあって生き生きしているようす。「━な描写」類語ダイナミック。対静的。

とう‐てつ【透徹】《名・自サ》❶すきとおっていること。すみきっていること。「━した大気」類語透明。❷すじがとおって、はっきりしていること。あいまいな点がないこと。「━した論理」

どう‐でも《副》《副詞「どう」＋副助詞「でも」》❶どうあろうとも、それを拘束したり、限定したり、とりたてて問題にしたりしない意を表す。どうとでも。どうなりと。「人にあげるなり捨てるなり━好きなようにできる」参考反語的文脈の中で用いるときは、相手の意志に対する不本意の気持ちを添える。「━勝手にしろ」❷〈「━よい」「━いい」の形で〉それを特に問題にせず無関心につきはなす意を表す。どうであっても。「彼のことなんか━よい」「できようができまいが━いいさ」❸他の人の意志がどうあろうとも、自分の強い意志を通す意を表す。「どうしても」よりやや古風な言い方。「━フランスへ行くと言ってききません」「━こうでも」

***とう‐てん【東天】**〔文〕❶東の空。対西天。❷夜明けの東の空。しののめの空。「━曙光」━こう【━紅】❶夜明けをつげるニワトリの声。❷愛玩用のニワトリの一種。長く、美しい声で鳴く。高知県の原産。天然記念物。

***とう‐てん【読点】**日本語で書いた(縦書きの)文章の文の途中にうつ点「、」。てん。

***とう‐でん【盗電】**《名・自他サ》正規の契約をしないで電気をこっそり使うこと。参考窃盗罪に問われる。

***とう‐でん【答電】**《名・自サ》返事の電報(を打つこと)。返電。

***どう‐てん【動転・動×顛】**《名・自サ》ひどくおどろいて平静さをうしなうこと。度をうしなうこと。「地震に━して窓から飛び出す」「気が━する」類語仰天。

***どう‐てん【同点】**得点数が同じであること。同じ点数。「━決勝」

とう‐と【東都】〔文〕❶長安を西都と言うのに対する洛陽の称。❷京都を西都と言うのに対する、江戸または東京の称。「━大学リーグ戦」

***とう‐ど【凍土】**〔文〕こおった土。また、こおった大地。「━帯(＝ツンドラ)」

***とう‐ど【唐土】**〔文〕昔、中国をさしていった語。から。もろこし。

***とう‐ど【陶土】**陶磁器の原料となる粘土。白色でねばりけがある。白土(はくど)。

とうと‐い【尊い・貴い】《形》❶身分が高くうやまい重んじるべきである。尊敬すべきだ。「━い神」「━い犠牲」❷価値が高い。大切である。貴重だ。「━い体験」＝たっとい。文たふと・し《ク》。⇩〔使い分け〕

使い分け 「とうとい(たっとい)・とうとぶ(たっとぶ)」

貴い〔価値や身分が他より上で貴重である〕貴い人命・貴い身分・貴い資料・和をもって貴しとなす

尊い〔大切なものとして、尊重すべきである〕尊い神・尊い教え・尊い犠牲・尊い辺り

貴ぶ〔価値がほかより上であるとして、重んじる〕名誉を貴ぶ・平和を貴ぶ・真実を貴ぶ・忠告を貴ぶ

尊ぶ〔大切にすべきものとして、尊重する〕老師を尊ぶ・先人を尊ぶ・神仏を尊ぶ

参考「尊いお方／貴いお方」と二様の書き方があり、前者は至尊(皇室)、後者は貴人を表す。「武を貴(尚)ぶ」のように「▽尚」を使うこともあるが、これは大切さを知って実践に心掛ける場合に用いる。

***とう‐とう【等等】**《接尾》「等(とう)」を強めた語。いくつ

と

かの語を並べ、それと同じようなものがまだあることを表す語。など。等々(などなど)。エトセトラ。〔副助詞的に働く〕「クマ・トラ・ゾウ—のけもの」

*とう-とう【到頭】《副》〔あとに、過去または完了を表す語を伴って〕最終的には何かが実現する意を表す。ついに。結局。「—だれも来なかった」

*とう-とう【×滔×滔】《形動タルト》〔文〕❶水がさかんに流れるようす。「—と流れる大河」❷ある感情がさかんにおこるようす。「—たる望郷の念」❸よどみなくさかんに話すようす。「—と弁じ立てる」❹〔ある風潮が〕強い勢いで移り動いてゆくようす。「—たる世論」

*とう-とう【×蕩×蕩】《形動タルト》〔文〕❶広々として大きいようす。❷おだやかなようす。「春日—として」

*どう-とう【同等】《名・形動》❶同じ等級・階級。類語 同格。同列。❷〔資格・能力・身分などが〕同じ程度であること。「大学卒と—の学力」類語 同様。

*どう-とう【堂塔】〔文〕寺の、堂と塔。

*どう-どう【同道】《名・自他サ》同行する・こと(人)。同行者。「父親と—する」類語 同伴。

*どう-どう【堂堂】《形動タルト》〔まれに「—の」の形も使う〕❶規模が大きく、りっぱなようす。「—たる体格」「—の行進」❷わるびれたり、おそれたりしないようす。「—と意見を述べる」「—と戦う」

どうどう-めぐり【堂堂巡り・堂堂▽回り】《名・自サ》❶祈願のために、社寺の堂のまわりを何回もまわること。❷同じような議論・考えを何度もくり返して少しも先へ進まないこと。「—の議論」❸議会で、議員がひとりひとり順に出て行って投票すること。

どう-とく【道徳】社会生活の秩序を存続するために、個人が守るべき規範の総体。「—を守る」「社会—」類語 道義。倫理(りんり)。

とう-とつ【唐突】《形動》突然で思いがけないようす。「—な発言」「—の感を免れない」類語 だしぬけ。

とうと-ぶ【尊ぶ・貴ぶ】(たっとぶ)《他五》❶尊敬に値するものとして、うやまい、大切にする。「老人を—ぶ」類語 あがめる。❷価値あるものとして、大切にする。重んじる。「人の忠告を—ぶ」=たっとぶ。文《四》。⇩〔使い分け「とうとい・とうとぶ」〕

とう-どり【頭取】❶多くの人のかしらとなる人。❷銀行などの代表者。❸劇場で、楽屋のとりしまりをする人。「—部屋」

どう-とり【胴取・▽筒取】→胴元(どうもと)。

とう-な【唐菜】アブラナ科の一、二年草。白菜の一種で、葉はうす緑色。つけものにする。

どう-なか【胴中】❶胴のなかほど。❷まんなか。

どう-なが【胴長】❶〔体全体のつりあいからみて〕胴の部分が長い・こと(人)。「—の体」❷ズボンと長靴がひと続きになったゴム製の防寒衣。釣りなどに使う。

とう-なす【唐×茄子】❶「かぼちゃ」の別称。❷カボチャの一種。ひょうたん形で、京都付近で栽培される。

*とう-なん【東南】東と南との中間にあたる方角。たつみ。南東。東南(ひがしみなみ)。対 西北。

*とう-なん【盗難】金銭や品物をぬすまれる災難。「—にあう」類語 火難。水難。

とう-に【▽疾うに】《副》〔その時より〕ずっと前に。とっくに。「注文の品は—出来ている」

どう-に-か【▽如▽何にか】《副》❶困難であるが、また、十分ではないが、一応目的を達するようす。まがりなりにも。かろうじて。どうやら。やっと。「—命は助かるらしい」「—一人で暮らしていける」「—こうにか」❷どのようにか。なんとか。「—なりませんか」

どう-に-も【▽如▽何にも】《副》❶〔下に打ち消しの語を伴って〕いろいろ手段をつくしても、やはり実現しがたいという気持ちを表す。どのようにしてみたところで。どのようにも。どうしても。全く。「いまとなっては—ならない」❷手のほどこしようがなく、困りきってしまう気持ちを表す。なんとも。「—困った」

*とう-にゅう【投入】《名・他サ》❶〔文〕投げ入れること。❷〔資本・労力などを〕つぎこむこと。「仕事に全力を—する」類語 投資。出資。

*とう-にゅう【豆乳】とうふを作るとき、ひきくだいた大豆を煮て、布でこした白い液。飲料にもする。

どう-にゅう【導入】❶《名・他サ》みちびき入れること。「外資を—する」「機動隊を—する」類語 誘導。誘致。❷《名・他サ》問題を解決するために新しい理論・条件などをとり入れること。「新制度を—する」対 導出。❸〔教〕本格的な学習活動を始める前に、生徒の興味をその学習にむけさせるようにする段階。

とう-にょう【糖尿】❶ぶどう糖を多量に含む病的な尿。❷「糖尿病」の略。—びょう【—病】血液中に糖が多くなり、尿の中に糖が排泄(はいせつ)される病気。つかれやすく、のどがかわく。

とう-にん【当人】〔問題になっている〕当の人。その人。本人。「それは—の責任だ」「—に事情を聞く」

どう-にん【同人】❶同じ人。「異名—」対 別人。❷同じ志や趣味をもつ人。「—雑誌」=同人(どうじん)。

どう-ぬき【胴抜き】❶和服の下着の、胴の部分だけを別の布で仕立てること。また、その下着。「—の長襦袢(ながじゅばん)」❷夏の背広の仕立て方で、裏をつけないこと。また、その背広。類語 背抜き。

とうねつ-びょう【稲熱病】→いもちびょう。

とう-ねん【当年】❶ことし。本年。当歳。「—とって五〇歳」❷〔文〕〔前にのべた過去のある時期を受けて〕そのころ。

*どう-ねん【同年】❶同じ年。「彼と私は—の生まれだ」❷同じ年齢。「—の子どもたち」

*どう-ねん【道念】〔文〕❶道徳の観念。道徳心。道義心。❷道を求める心。求道心。❸僧侶(そうりょ)の妻。

とう-の【当の】《連体》今問題になっている。ちょうどそれに当たる。その。「—本人にきいてみよう」

どうの-こうの【▽如▽何の×斯うの】(—かう—)《連語》〔不平・不満めいた事を〕いろいろと言い立てるようす。なんのかんの。どうこう。「今さら—言ってもしかたがない」

とう-の-むかし【▽疾うの昔】《連語》ずっと前。とっくに。「その人は—に転居した」

*とう-は【党派】主義・思想などを同じくする人々の集まり。また、党の中の分派。「二つの—に分かれて争う」「—を超えて協力する」「—心」「超—」

*とう-は【踏破】《名・自サ》〔文〕〔長い道のりや、困難な道を〕歩きとおすこと。「北アルプスを—する」

とう-ば【塔婆】卒塔婆(そとば)。

どう-は【道破】《名・他サ》〔文〕きっぱりと言いきること。「古人の—したことば」類語 喝破(かっぱ)。

*どう-はい【同輩】〔年齢・経歴・身分のあまりちがわない〕仲間。特に、同じ学校・職場に同時にはいった仲間。「—と酒を飲む」類語 同僚。

*どう-はい【銅×牌】〔文〕銅で作ったメダル。類語 金

と

牌。銀牌。

とう‐はい‐ごう【統廃合】《名・他サ》統合と廃合。「学校を―する」

*とう‐ばく【倒幕】《名・自サ》幕府(特に江戸幕府)を倒すこと。「―運動」

*とう‐ばく【討幕】《名・自サ》幕府(特に江戸幕府)をせめうつこと。「尊皇―」

*どう‐ばち【銅鉢】ばちで打ち鳴らす、銅製の鉢形の楽器。勤行(ごんぎょう)のときに使う。

*どう‐ばち【銅×鈸】打楽器の一つ。銅製の二個の円盤をうち合わせて鳴らす。仏教で法会(ほうえ)のときにも使う。鈸(はち)。銅鈸(どうばつ)。

とうはち‐けん【×藤八×拳】拳(けん)の一つ。ふたりが、キツネ・庄屋(しょうや)・鉄砲の身ぶりをして勝負をあらそう遊び。きつねけん。とうはち。

とう‐はつ【頭髪】〔人間の〕あたまの毛。かみの毛。「―をのばす」「―が抜ける」類語 毛髪。

*とう‐ばつ【党閥】同じ党派の者が、自分たちの利益のために、団結して他の党派を排斥すること。

*とう‐ばつ【盗伐】《名・他サ》他人や国などの所有する山林からこっそり木や竹をきりとってぬすむこと。

*とう‐ばつ【討伐】《名・他サ》兵をさしむけて、反抗する者をせめうつこと。「幕府軍を―する」類語 征伐。

どう‐ばつ【銅×鈸】→どうばち(銅鈸)。

*とう‐はん【盗犯】〔文〕窃盗(せっとう)・強盗の犯罪。

*とう‐はん【登×攀】《名・自サ》〔文〕高い山や岩壁などをよじのぼること。登攀(とはん)。「アイガー北壁を―する」類語 登頂。登高。

*とう‐ばん【当番】順番にわり当てられた仕事の、番に当たること。また、その当たった人。「お茶くみの―」「炊事―」対 非番(ひばん)。

*とう‐ばん【登板】《名・自サ》野球で、たまを投げるため、投手が投手板(マウンド)にたつこと。対 降板(こうばん)。

どう‐はん【同伴】《名・自サ》❶(男女・夫婦が)いっしょに行くこと。「婚約者と―して仲人宅を訪問する」「御―」❷《他サ》〔主たる人に〕ついて行くこと。また、連れて行くこと。「先輩に―する」「妻を―する」

*どう‐ばん【銅板】銅の板。

*どう‐ばん【銅版】銅板に絵画・文字などをほった印刷原版。銅版(どうはん)。「―印刷」

*とう‐ひ【当否】❶当たることと、当たらないこと。当たりはずれ。❷正当であるかどうか。また、適当であるかどうか。「事の―を問う」類語 良否。可否。

*とう‐ひ【逃避】《名・自サ》対処しなければならない事柄をさけ、のがれること。「現実のわずらわしさから―する」類語 回避。 ―こう【―行】人目をさけて、よその土地を移り歩いたり、だれも知らない所にひそみかくれたりすること。「恋の―」

とう‐び【×掉尾】(「ちょうび」の慣用読み)〔文〕❶〔魚が尾をふるう意から〕物事の最後になって勢いが盛んになること。「―の勇をふるう」❷物事の終わり。最後。「オリンピックの―をかざる」

とうひ‐きゅうすう【等比級数】等比数列を和の記号でつないだもの。幾何級数。参考 等比数列をいうこともある。類語 等差級数。

とうひ‐すうれつ【等比数列】一定の数を前の数にかけて得られる数の列。幾何数列(きかすうれつ)。

どう‐ひつ【同筆】同じ人の筆跡。「―の書」

*とう‐ひょう【投票】《名・自サ》選挙・採決などのとき、紙に自分のえらびたい人の名や賛否などを書いて箱の中に入れること。「新人に―する」「―率」

*とう‐ひょう【灯標】航路標識の一つ。岩礁・暗礁・浅州(あさす)の位置を知らせるための灯火。

*とう‐びょう【投×錨】《名・自サ》〔文〕船がいかりをおろすこと。いかりをおろしてとまること。「湾内に―する」類語 停泊。対 抜錨(ばつびょう)。

*とう‐びょう【闘病】《名・自サ》病気とたたかうこと。治そうとして病気の治療にはげむこと。「―生活」

どう‐ひょう【道標】〔文〕方向・距離などを書いて、道ばたに立ててある札や柱。道しるべ。

どう‐びょう【同病】同じ病気(の人)。「―相憐(あいあわれ)む(=同じ苦しみをうけている人は互いに同情しあう)」

とう‐ひん【盗品】ぬすんだ品物。贓品(ぞうひん)。贓物(ぞうぶつ)。「―を質に入れる」「―故買」

とう‐ふ【豆腐】豆乳(とうにゅう)ににがりを加えてかたまらせた白色のやわらかい食べ物。たんぱく質にとみ、消化がよい。参考「一丁(いっちょう)…」と数える。 ―に鎹(かすがい)《句》少しも手ごたえやききめがないようす。「いくら注意しても―だ」類語 糠(ぬか)にくぎ。

*とう‐ぶ【東部】〔ある地域の中の〕東の部分。東の地方。対 西部。

*とう‐ぶ【頭部】頭の部分。

*とう‐ふう【唐風】昔の中国(特に唐)の制度・風俗に似ているようす。からよう。「―文化」類語 中国風。

*とう‐ふう【東風】❶東からふく風。ひがしかぜ。❷〔五行説で東は春に当たることから〕春風。＝こち。対 ❶❷西風。

*どう‐ふう【同封】《名・他サ》手紙といっしょに封書の中にいれること。「返信用の葉書を―する」

*どう‐ふう【同風】〔文〕同じ風習・習慣。「万里―」

*とう‐ふく【当腹】〔文〕現在の妻の腹から生まれたこと(人)。

*とう‐ふく【倒伏】《名・自サ》〔文〕稲・麦などの作物が倒れたり折れまがったりすること。

どう‐ふく【同腹】〔文〕❶同じ母親から生まれたこと(人)。「―の姉妹」類語 同母。一腹(ひとはら)。対 異腹。❷〔ある目的に対し〕考え方を同じくすること(人)。「―の志」類語 同志。

とう‐ぶつ【唐物】中国または諸外国からわたってきた品物。舶来品。洋品。〔古風な言い方〕

どう‐ぶつ【動物】❶生物の二大区分の一つ。多くは自由に動きまわり、感覚の働きがあり、ほかの生物を食べて生きている。「―学」対 植物。❷動物❶から人間を除いたもの。特に、けもの。類語 四つ足。畜生。犬畜生。畜類。ペット。 ―えん【―園】いろいろな動物を集めて飼い、大ぜいの人に見せる公園ふうの施設。 ―しつ【―質】動物のからだを形づくっている、たんぱく質・脂肪などの物質。「―たんぱく質」 ―せい【―性】動物のからだに特有な性質。 ―てき【―的】《形動》〔人間が〕けものと同じような本能を持つようす。また、行動・趣味・心の働きなどが野卑・低劣なようす。「―な勘」

どう‐ぶるい【胴震い】(―ぶるひ)《名・自サ》〔寒さや恐ろしさなどで〕からだがふるえること。「あまりの寒気に―する」類語 身震い。戦慄(せんりつ)。

*とう‐ぶん【等分】❶〈「―に」の形で〉同じ分量・程度・割合で。「―に分ける」❷《名・他サ》いくつかの等しい分

と

量に分けること。「財産を兄と━する」参考②は接尾語的にも使う。「二━」「三━」類語均分(きんぶん)。

*とう・ぶん【糖分】〔物に含まれる〕糖類の成分。

*とう・ぶん【当分】《副》今からしばらくの間。しばらく。〔期限をはっきりきめない言い方〕「━雨が続くだろう」「ここ━」「━の間」類語当座。

どう・ぶん【同文】❶〔相異なる国家・民族間で〕使用する文字が同じであること。❷同じ文章。「━の手紙」「以下━」 ━どうしゅ【━同種】使う文字も人種も同じであること。同種同文。参考特に、日本と中国の場合に言う。

とう・へき【盗癖】ほしい物を見るとすぐ盗もうとする、病的なくせ。「━のある少年」

とう・へん【等辺】多角形の辺の長さが等しいこと。「二━三角形」

とう・べん【答弁・答×辯】《名・自他サ》〔公の席上で〕質問に答えて言い開きをすること。また、その答え。「条約改正について━を求める」類語返答。回答。

とうへんぼく【唐変木】〔俗〕気がきかない人や、偏屈な人をののしって言う語。類語わからずや。

どう・ぼ【同母】〔文〕母親が同じであること。「━弟」類語同腹。

*とう・ほう【東方】〔自分が現在いる所や基準としている所から見て〕東の方。対西方。

*とう・ほう【当方】自分の方。自分。こちら。「━の手落ちでした」「━から伺います」対先方。

とう・ぼう【逃亡】《名・自サ》〔義務や束縛をきらってその場所から〕にげること。「犯人が━した」「国外に━する」類語逃走。脱走。逐電(ちくてん)。遁走(とんそう)。

どう・ほう【同胞】祖国を同じくする人々。はらから。同胞(どうぼう)。「異国の地で━を思う」

どう・ぼう【同房】〔文〕監房が同じこと。また、その監房。

とう・ほく【東北】❶東と北との間の方角。うしとら。北東。東北(ひがしきた)。対西南。❷「東北地方」の略。本州の東北部、青森・秋田・岩手・山形・宮城・福島の六県をふくむ地方。奥羽(おうう)地方。

とう・ぼく【倒木】〔自然に〕たおれた木。

どう・ぼく【童僕】〔文〕召使の少年。

とう・ほん【謄本】原本の内容をそのまま全部うつしとった文書。特に、戸籍謄本。対抄本(しょうほん)。

とうほん・せいそう【東奔西走】《名・自サ》ある目的を達するため、あちこち忙しくかけまわること。「新会社設立のために━する」「━の大活躍」

どう・まき【胴巻(き)】金銭や貴重品を入れて腹にまきつける布製の細長い袋。類語腹巻き。

どうま・ごえ【胴間声】調子はずれの、にごった太い声。「━を張り上げる」

とう・まる【唐丸】❶ニワトリの一種。鳴き声が長く十数秒に及ぶ。愛玩(あいがん)用。新潟県原産。天然記念物。❷「唐丸籠(とうまるかご)」の略。

━かご【━×籠】❶唐丸①をかう、円筒形の竹かご。❷江戸時代、重罪を犯した百姓・町人を護送するための、網ではった竹かご。参考形が唐丸かご①に似ていることから言う。

唐丸籠②

どう・まる【胴丸】胴を筒のように丸く作った、付属品の少ない簡単なよろい。

どう・まわり【胴回り】〔━まはり〕胴のまわり(の長さ)。ウエスト。「━を測る」「━が細い」

とう・み【唐×箕】風をふきつけて、穀物の中のしいな・もみがら・ごみなどをとりのぞく農具。

とう・みつ【糖×蜜】❶砂糖を製造したあとに残る黒褐色の液。飼料・肥料・燃料などにする。❷砂糖を水で煮てとかした液。シロップ。蜜。

どう・みゃく【動脈】❶血液を心臓からからだの各部分に送り出す血管。対静脈(じょうみゃく)。❷交通路などの、主要な部分。「日本列島の━」 ━こうか【━硬化】❶動脈壁がかたくなったり厚くなったりして血管に弾力がなくなること。血液の循環に障害をおこす。❷感じ方・考え方、態度などが柔軟さを失うこと。「考え方に━を来たしている」

*とう・みょう【灯明】神仏にそなえるともしび。みあかし。「神棚に━をあげる」「━台」類語神灯。法灯。

*とう・みょう【唐名】中国での呼び名。特に、昔、日本の官職名にそれを当てはめた通称。「参議」を「宰相」と呼ぶなど。からな。とうめい。対和名(わみょう)。

どうみょう・じ【道明寺】「道明寺糒(どうみょうじほしい)」の略。蒸したもち米を天日に干したもの。昔、携行食・保存食として用いられた。参考河内(かわち)の国(=今の大阪府)の道明寺で初めて作ったといわれる。

*とう・みん【冬眠】《名・自サ》冬の間、ある種の動物が土や穴の中にもぐって活動をやめ、食をとらずに眠ったような状態でいること。参考団体が活動していないことの意にも用いる。「━組合」類語休眠。対夏眠。

とう・みん【島民】島にすんでいる人々。

*とう・めい【透明】《名・形動》❶その物を光がよく通り、向こうがすきとおってみえること。「━な石」「無色━」 ❷にごり・けがれ・くもりなどの不純なものがないこと。澄んでいること。「━で純粋な心」「━な秋空」

*どう・めい【同名】名前が同じであること。同じ名。同名(どうみょう)。「同姓━」「━異人」

*どう・めい【同盟】《名・自サ》〔二つ以上の国家・団体、二人以上の人などが〕共通の目的のために同じ行動をとることを約束すること。また、その約束。また、その約束によって生じた関係。「━を結ぶ」「━条約」「━国」類語盟約(めいやく)。 ━ひぎょう【━罷業】ストライキ。〔やや古風な言い方〕

とう・めん【当面】❶《名・自サ》解決・対処しなければならない事態や問題にぶつかること。「難局に━する」類語直面。❷さしあたり。「━の急務」類語当座。

どう・も《副》❶〔下に打ち消しの語を伴い〕よく努力したにもかかわらず、そのことが不首尾に終わった意を表す。どうしても。「━うまく説明できない」「━困ったよ」❷それが事実として認められるにもかかわらず、その原因・理由などが判然としない意を表す。何だか。どことなく。「━腹の具合が悪い」参考詠嘆の気持ちを伴うことがある。「━よく降りますね」❸その判断があれこれと考えた結果なされたものである意を表す。どう考えても。「彼の態度は━よくない」❹〔あいさつに用いて〕相手に対して、感謝・謝罪・祝福・悔やみなどの気持ちを表す。「━有難う」「━御愁傷さまで…」参考下に続くあいさつのことばを略すことも多い。また、感動詞的に用いて軽いあいさつのことばとする。「この度は━…」「━、━」

*どう・もう【童×蒙】〔文〕おさなくて、道理のわからない

こども。「婦女―」

***どう‐もう【×獰猛】**《形動》あらっぽく、危害が加えられそうなようす。「―な虎(とら)」類語 凶悪。猛悪。注意「ねいもう」は誤読。

とう‐もく【頭目】〔山賊・海賊などの〕かしら。親分。首領。類語 統領。

どう‐もく【×瞠目】《名・自サ》〔驚いたり感心したりして〕目をみはること。「―すべき作品」

どう‐もと【胴元・▽筒元】❶ばくちの席を貸し、その出来高に応じて歩合をとる人。胴親。❷〔転じて〕ある物事をしめくくる人。もとじめ。同①②胴取(どうとり)。

どう‐もり【堂守】堂の番をする・こと(人)。

とう‐もろこし【▽玉×蜀×黍】《唐(=西洋渡来の)モロコシの意》イネ科の一年草。雌花は全体がつとに包まれ、その中の太い円筒状の軸に多数の実が並んでつく。実を食用・家畜の飼料などにする。とうきび。

***どう‐もん【同門】**同じ先生について学ぶ・こと(人)。また、同じ流派に属する・こと(人)。「―の友」「―のよしみ」類語 同窓。同学。

***どう‐もん【洞門】**❶ほらあなの入り口。❷ほらあな。

***とう‐や【当夜】**❶あることのあった、その夜。また、あることの行われる、その夜。「事件―のアリバイがない」類語 当日。同夜。❷今夜。「―のプログラム」

***とう‐や【陶×冶】**《名・他サ》〔陶器や鋳物(いもの)を作る意から〕才能・人格などをきたえて、一人前の人間にそだてあげること。「人格の―」類語 薫育(くんいく)。薫陶(くんとう)。

とう‐やく【投薬】《名・自他サ》〔医者が〕その病気に適した薬を調合して与えること。類語 投与。

どう‐やく【同役】同じ役め(の人)。類語 同僚。

どう‐やら《副》《副詞「どう」+副助詞「やら」》❶不十分ではあるが、所期の目的にかなうようす。どうにか。かろうじて。「―間に合った」「―こうやら」❷はっきりわからないが、大体そのように判断される意を表す。なんとなく。どことなく。「―雨らしい」

***とう‐ゆ【×桐油】**❶アブラギリの種からとった乾性油。塗料に使う。きり油。❷「桐油紙(とうゆがみ)」の略。桐油①をぬった紙。

***とう‐ゆ【灯油】**❶灯火をつけるときに用いる油。ともしあぶら。❷原油を蒸留するとき、ガソリン分の留出に次いで摂氏一五〇～三〇〇度までの間にできる油。石油ストーブ・ジェット機関などの燃料や、ペンキ・殺虫剤などの溶剤に用いる。ケロシン。参考→白灯油。

どう‐ゆう【同憂】〔一つの物事、特に世の行く末について〕同じ心配をもつ・こと(人)。「―の士」

とう‐ゆうし【投融資】投資と融資。「財政―」

とう‐よ【投与】《名・他サ》〔医者が〕薬を患者に与えること。「鎮静剤を―する」類語 投薬。

***とう‐よう【東洋】**❶トルコより東にある国の総称。アジア。❷特に、アジアの東部および南部の諸地方。日本・中国・インド・タイ・インドネシアなど。対①②西洋。

***とう‐よう【盗用】**《名・他サ》許しを得ないで他人の・発明した(所有する)ものを使うこと。参考ふつう、デザイン・特許・文章などにいう。「大作家の小説の一部を―した」「課長の印鑑を―する」「デザインの―」

***とう‐よう【当用】**さしあたり用いること。さしあたっての用事。〔ふつう、他の語につけて用いる〕「―日記」

―かんじ【―漢字】一九四六(昭和二一)年、内閣が国語審議会の答申を採用して告示した「当用漢字表」に掲げられる、一八五〇字の漢字。一九八一年に制定された「常用漢字」の前身。

***とう‐よう【登用・登庸】**《名・他サ》〔多くの人の中から〕特にえらんで引き上げて、重要な仕事につけること。「人材を―する」類語 採用。

***どう‐よう【動揺】**《名・自サ》❶ゆれ動くこと。ぐらつくこと。「列車の―が大きい」❷不安で落ちつかないこと。平静さを失うこと。また、そのために起こるさわぎ。「人心が―する」「心の―をかくす」

***どう‐よう【童謡】**❶子供のために作られた歌。子供の歌。「―歌手」参考 広い意味ではわらべ歌をも含めていう。❷子供が作った歌。

***どう‐よう【同様】**《形動》状態・様相が同じでほとんど区別が認められないようす。同じよう。同然。「家族―に扱う」「―の事故が相次ぐ」類語 同等。

どう‐よく【胴欲・胴×慾】《形動》《「貪欲(どんよく)」の転という》欲が深く思いやりのないようす。「―な高利貸し」

とう‐らい【到来】《名・自サ》❶ある時機がやってくること。「春の―を待つ」「好機―」❷贈り物などがとどくこと。「―の品」「―物」

とう‐らく【当落】当選と落選。「―すれすれ」

どう‐らく【道楽】❶本職としてではなく、趣味としてふけり楽しむこと。また、その趣味。「釣り―」❷《名・自サ》ばくち・酒・女遊びなどに熱中すること。また、その遊び。放蕩(ほうとう)。遊蕩。「―の限りをつくす」「女―」

類義語の使い分け　道楽・趣味

【道楽・趣味】道楽(趣味)が高じて陶芸店を始める
【道楽】食い道楽で有名な人／とんだ道楽者だ
【趣味】趣味と実益を兼ねる／趣味のいい着物

***どう‐らん【動乱】**世の中の秩序が乱れ、さわがしくなること。また、その騒ぎ。特に、比較的小規模な戦闘状態。「―を鎮圧する」類語 戦乱。

***どう‐らん【胴乱】**❶昔、薬・印・銭・たばこなどを入れ腰にさげてもち歩いた、革製あるいは布製の四角い袋。❷植物採集で、とった植物を入れておく、ブリキ・トタン製の容器。肩から提げる。

とうらん‐けい【倒卵形】ニワトリのたまごの、とがった方を下にしたような形。

***とう‐り【党利】**自分の属する党派・政党の利益。「―党略」

***とう‐り【桃×李】**〔文〕モモと、スモモ。

―もの言わざれど下自(おの)ずから蹊(けい)を成す《句》〔モモやスモモは何も言わなくても、その花が美しく実がおいしいので、自然に人が集まり下に道ができる意から〕徳のある人の下には自然に人が集まるものである。〈史記〉

どう‐り【道理】理屈に合ったすじみち。わけ。「―にかなう」類語 条理(じょうり)。

―で《副》不審に思っていたことの理由・原因がわかったときに言う語。それもそのはず。なるほど。「クーラーの故障か。―暑いはずだ」

とう‐りつ【倒立】《名・自サ》さかさまになって立つこと。さかだち。

どう‐りつ【同率】同じ率・割合。「―首位」

とう‐りゃく【党略】自分の属する党派・政党のためのはかりごと。「党利―」

***とう‐りゅう【当流】**❶〔現在、話題にしている〕この流派・流儀。❷〔文〕今の世の流儀。当世風。

***とう‐りゅう【×逗留】**《名・自サ》旅先で、ある期間と

どまること。「鎌倉に―する」類語 在留。滞在。

とう-りゅうもん【登竜門】 困難であるが、そこを通れば立身出世の道が開かれるという関門。「芥川賞は文壇の―だ」故事 中国の黄河の中流に竜門と呼ばれる急流があり、そこをさかのぼることのできる鯉は竜になるということから。

***とう-りょう【投了】**《名・自サ》碁・将棋で、一方が負けたことをみとめて、勝負をやめること。「一三〇手目で―」

***とう-りょう【棟×梁】**〔屋根の重要な部分である、棟と梁の意から〕❶国や家をささえる重任にある人。「一国の―」「源氏の―」❷仲間の中心となる主だった人。統率者。❸職人などの親方。特に、大工の親方。かしら。「大工の―」

***とう-りょう【等量】** 分量が等しいこと。等しい分量。同量。「水と―のしょうゆ」

***とう-りょう【頭領・統領】**《名・他サ》人々をまとめ、おさめる・こと(人)。かしら。首領。類語 頭目。

***どう-りょう【同僚】** 同じ職場で働いている仲間。特に、同じ地位・職務についている人。「―の教師」類語 朋輩。同輩。同役。相役。

***どう-りょう【同量】** 分量が同じであること。同じ分量。等量。「―の水を加える」

***どう-りょく【動力】** 機械を動かす力。水力・風力・電力・原子力など。原動力。**―ろ【―炉】** とり出したエネルギーを動力に利用する原子炉。発電用・船舶推進用など。動力用原子炉。

どう-りん【動輪】 機関車・自動車などで、シリンダーやモーターから直接動力をうけて車を走らせる車輪。

***とう-るい【盗塁】**《名・自サ》野球で、走者が相手チームのすきをねらって、すばやく次の塁へ進むこと。スチール。「二塁へ―する」「―成功」「―王」

***とう-るい【糖類】** 水にとける、甘みのある炭水化物の総称。ぶどう糖・果糖・乳糖など。

どう-るい【同類】 ❶同じ種類。同じたぐい。同種。「―の植物」類語 同属。❷同じたぐいのもの。仲間。「君も彼とは―だ」**―こう【―項】** ❶代数式で、係数は異なるが文字とその指数が同じである二つ以上の項。❷〔転じて〕同じたぐい。仲間。

とう-れい【答礼】《名・自サ》相手の礼に答えて礼をすること。また、その礼。「敬礼に―する」類語 返礼。

どう-れつ【同列】 ❶列が同じであること。同じ列。❷《名・自サ》同じ程度・地位・資格・待遇(にあること)。また、同じ地位に並ぶこと。「大使と―に扱う」「―に論ずる」「友人と―に並ぶ」

とう-ろ【当路】〔文〕〔もと、交通の要路にあたる意から〕(政治上の)重要な地位についている・こと(人)。「―の大臣」「―者」

どう-ろ【道路】 人・車などが通れるように整備して設けた道。「―標識」

***とう-ろう【灯×籠】** 石・金属・木などでわくを作り、紙や紗をはって中にあかりをともす器具。置き灯籠と、釣り灯籠とがある。とうろ。参考「一基…」「一丁…」と数える。**―ながし【―流し】** うらぼんの終わりの日に、小さなとうろうに火をともし、川や海に流す行事。流灯会。

***とう-ろう【登楼】**《名・自サ》〔文〕❶高殿にのぼること。❷遊郭にあがって遊ぶこと。

***とう-ろう【×蟷×螂】**〔文〕カマキリ。**―の斧**《句》力のないものが、自分の力を考えずに強い相手にたちむかう、はかない抵抗のたとえ。故事 カマキリが前足をあげて車の車輪にむかってきたという、中国の故事から。〈韓詩外伝〉

とう-ろく【登録】《名・他サ》ある地位・資格・権利などのあることを公に証明するために、(役所へ)正式に届けでて帳簿に記載すること。「住民―」類語 登記。**―しょうひょう【―商標】** 特許庁に登録しておいて、他人の使用を許さない商標。トレードマーク。

とう-ろん【討論】《名・自他サ》特定の問題について何人かの人が意見をたたかわせること。ディスカッション。「―会」類語 討議。

***どう-わ【童話】** 子供のために作られた話。

***どう-わ【道話】** ❶江戸時代に行われた、心学の訓話。❷人の行うべき道をといた話。

どうわ-きょういく【同和教育】《「同和」は「同胞一和」の略》未解放部落の解放をめざす教育活動。参考 民主主義を基調として、いっさいの差別を許さない国民の形成を意図している。

とう-わく【当惑】《名・自サ》〔解決・理解しにくい物事に出会って〕どうしてよいかわからず、まようこと。「返答をせまられ―する」類語 困惑。

どう-わすれ【胴忘れ】《名・他サ》《「どわすれ」の長音化》→どわすれ。表記「胴」は当て字。また、「道忘れ」とも当てる。

と-えい【都営】 東京都が経営・管理していること。「―のバス」「―住宅」

とえ-はたえ【〈十重二十重〉】 同じ物が幾重にも重なるようす。「―に取り囲む」

ど-えら・い【ど偉い】《形》《「ど」は接頭語》〔俗〕ものすごい。びっくりするほどだ。「―・い事件」

とお【十】 ❶九より一つ多い数。十。〔物の数を数えるときに使う〕❷一〇歳。

とお-あさ【遠浅】 岸からずっと沖の方まで水が浅い・こと(場所)。「―の海」

とお・い【遠い】《形》❶空間的・時間的にへだたりが大きい。㋐空間的に大きく離れている。「ここから駅までは―・い」「―・い太鼓の音」㋑時間がへだたっている。昔のことだ。「―・い昔の話」❷抽象的にへだたりが大きい。関係がうすい。㋐血縁関係がうすい。「―・い親類」㋑交渉・交際が少ない。親しみがうすい。「―・い間柄」㋒見ること・することが少ない。昔したきりで最近はしない。「虫送りの風習も―・くなった」「社会に出て学問の世界とも―・くなった」㋓あまり持ち合わせていない。「人情に―・い人」㋔共通点が見いだしにくい。似ていない。ちがっている。「天才というには―・い」「当たらずといえども―・からず」対 ①②近い。❸よく聞こえない。「耳が―・い」❹〈目が―・い〉老眼である。とおめである。「目が―・くなって新聞がよく読めない」❺〈気が―・くなる〉意識を失う。参考 ひゆ的に、意識を失うほど心を動かされる意でも用いる。「気が―・くなるような話」文 とほ・し《ク》。
―い親類より近くの他人《句》何か事があったときには、遠くにいたり疎遠にしていたりする親類より親しくつきあっている近所の人の方がたよりになる。
―くて近きは男女の仲《句》男女の仲は一見近づきがたいようでも、意外に結ばれやすいものであるということ。

とお-えん【遠縁】 血のつながりの遠い親戚。

とお・か【十日】 ❶一日の十倍の日数。十日間。❷月の十番めの日。**—の菊**《句》時機におくれて役にたたないこと。六日のあやめ。参考 菊の花は九月九日の菊の節句に使うが、その翌日では役だたないことから。

とおから・ず【遠からず】《副》まもなく。ほどなく。近いうちに。「事件は—解決する」

トーキー 画面と同時にせりふや音楽などが聞こえるようにした映画。発声映画。対 サイレント。▽ talkie

*__とおく【遠く】__ 一《名》（「遠し」の連用形の名詞化）遠い所。「—の家」「—に行く」対 近く。二《副》（「遠し」の連用形の副詞化）隔たりが大きいようす。はるかに。「世界の水準には—及ばない」

*__トーク__ 談話。話。おしゃべり。「—ショー」▽ talk

とお・ざか・る【遠ざかる】《自五》（「遠離る」の意）❶〔ある場所から〕遠くはなれてゆく。「家から—・る」❷つきあいがうすれる。うとくなる。「友人から—・る」対 ①②近づく。注意「遠去かる」は誤り。

とお・ざ・ける【遠ざける】《他下一》（「遠離け る」の意）❶遠くへやる。遠くへはなれさせる。「人を—・けて話す」❷つきあいをしないようにする。疎遠にする。「悪い仲間を—・ける」対 ①②近づける。

とおし【通し】 ❶通すこと。「お—する（=人を案内して部屋に入れる）」❷始めから終わりまで続いていること。「—番号」❸お通し。❹「通し狂言」の略。

どおし【通し】《接尾》《動詞連用形について》「ずっと…しつづけ」の意を表す。「食べ—」「負け—」

とおし・きょうげん【通し狂言】 一つの芝居を発端（=序）から結末（=大切り）まで通して上演すること。また、その芝居。とおし。

トー・シューズ つま先で立って踊れるように工夫された、バレエ用のくつ。▽ toeshoes

とお・す【通す】 一《他五》❶端から端まで届くようにする。㋐道などを築いて他の所まで通じるようにする。「二つの町の間に鉄道を—・す」㋑一方から他方までつき抜いて至らせる。「針に糸を—・す」㋒筋道などをまっすぐに至らせる。一貫させる。「筋を—・す」❷ある所を通過させる。㋐ある所を過ぎて行くようにさせる。また、過ぎて行くのを許す。「正門をとざして部外者を—・さない」「ガラスは光を—・す」㋑試験・審査などの過程を経て、そこから先に進ませる。「法案を—・す」㋒抵抗をおしのけて進める。「意地を—・す」「無理を—・す」㋓〔客を〕玄関先などから室内に入れる。「客を応接間に—・す」㋔客の意向などを奥向きに知らせる。特に、料理屋などで客の注文を帳場に知らせる。「客の来意を主人に—・す」㋕《「…を—・して」の形で、通過する空間を「を」で受けて自動詞的に用いる》細かい物の間、うすい物、透明の物などを・通り抜け（透かし）て。「上着を—・して雨がしみこむ」「ガラスを—・して見る」表記 ㋕は「徹す」「透す」とも書く。特に、後者は透明のものについて用いる。㋖〔ある人や物事を〕仲立ちとする。参考「人を多く「…を—・して」の形で自動詞的に用いる。「人を—・して交渉する」「若者像を—・して現代を論ずる」❸よしと認める。容認する。「相手の要求を—・す」❹最初から最後まで続ける。〔自動詞的に用いる〕「全曲を—・して聴く」㋐その状態を保ち続ける。「独身で—・す」㋑全期間にわたる。「夜を—・して議論する」㋒旅行で、目的地まで休まずに行く。「—・して行っても三日はかかる」表記 ④は「徹す」とも書く。文《四》。二《接尾》「…し続ける」意。「しゃべり—・す」「歩き—・す」文《四》。

トースター〔電熱を使って〕食パンを焼く器具。「オーブン—」▽ toaster

トースト《名・他サ》切った食パンを軽く焼くこと。また、そのパン。「パンを—する」▽ toast

とおせん・ぼう【通せん坊】 両手をひろげて人の通行をさまたげる子どもの遊び。また、通路をふさいで、通さないこと。通行どめ。とおせんぼ。

トータル ❶総計。合計。「経費の—を出す」❷《名・他サ》合計すること。「—すると五万円になる」▽ total

トーチ たいまつ。特に、聖火リレーの走者が持つもの。▽ torch

トーチカ コンクリートで作った、小形の要塞。銃砲をそなえている。▽ロシア tochka（=点）

とお・っ・ぱしり【遠っ走り】《名・自サ》〔俗〕遠くへ出かけること。類語 遠出。

とお・で【遠出】《名・自サ》〔馬・車などで〕遠くへ・でかける（旅行する）こと。類語 遠歩き。遠っぱしり。

トーテム 未開社会で、部族に関係が深いものとして崇拝される動植物・自然物。また、それをかたどったしるし。「—ポール」▽ totem

とおとうみ【遠江】（「遠つ淡海」から）旧国名の一つ。今の静岡県西部。遠州。

トート・バッグ 長方形や台形の口の開いた手提げかばん。▽ tote bag

ドーナツ 小麦粉にさとう・鶏卵・バターなどをまぜてこね、多く、輪形にして油であげた菓子。ドーナッツ。▽ doughnut **—げんしょう【—現象】** 都市の中心部に住む人が減少し、周辺部の人口が増加して、人口の分布がドーナツ状になる現象。**—ばん【—盤】** 一分間四五回転、片面の演奏時間約七分の小型レコード。参考 中央の穴が大きく、ドーナツに似ることから。

トーナメント 順々に勝ちぬいていって、優勝をきめる試合の方式。また、その試合。参考 ↓リーグ戦。▽ tournament

とお・なり【遠鳴り】《名・自サ》〔雷・波の音などが〕遠くから鳴りひびいてくること。また、その音。「潮の—」「雷の—」

とお・ね【遠音】 遠くの方できこえる音。〔「—に」の形で、副詞的にも使う〕「—に琴を聞く」

とお・の・く【遠退く】《自五》❶〔ある場所から〕遠くはなれる。遠ざかる。「嵐が—・く」❷関係や関心がうすくなる。「学問から—・く」対 ①②近づく。❸間隔があくようになる。間遠になる。「足が—・く」

とお・のり【遠乗り】《名・自サ》馬・自動車・船などに乗って遠くまで遊びに出かけること。類語 遠出。

とお・び【遠火】 ❶遠方でたく火。❷物を焼くとき、その物と火との間隔をある程度離すこと。また、そのようにした火。「—で焼く」対 ①②近火。

ドーピング 競技前にスポーツ選手が興奮剤を飲むこと。不正行為として禁止されている。▽ doping

とお・ぼえ【遠吠え】《名・自サ》犬やオオカミなどが遠くまで聞こえるように、声を長くひいてほえること。また、その声。参考 ひゆ的に、直接手向かわず、遠くの方でののしることの意でも用いる。「負け犬の—」

とお・まき【遠巻き】 遠くからそのまわりをとりまくこと。「—にする」

とお・まわし【遠回し】《名・形動》あからさまでなく、それとなく・言う(する)こと。「―にきいてみる」「―に注意する」類語 婉曲。間接。

とお・まわり【遠回り】《名・自サ》❶遠い方の道を回って行くこと。回り道。「―して帰る」類語 迂回。対 近回り。❷てまがかかること。回り遠いこと。「―な方法」

とお・み【遠見】❶《名・他サ》遠くを見ること。「峠からは―がきく」❷遠目㊀①。❸《名・他サ》高い所から遠くの敵のようすを見る・こと(人)。

とお・みち【遠道】❶《名・他サ》長い距離の道を歩くこと。❷遠い道。❸まわり道。対 ①③近道。

ドーム ❶まる屋根。まる天井。「公会堂の―」❷丸天井形の建築物。「―球場」▽dome

とお・め【遠目】㊀《名》❶遠くから見た目。また、その時の感じ。遠見。「―にはよく見える」「夜目―笠の内」❷〔俗〕遠視。対 近目。㊁《形動》ふつうより少し遠いようす。「―の球」対 近め。表記 ㊁はふつう「遠め」と書く。

とお・めがね【遠〈眼鏡〉】 望遠鏡。〔古風な言い方〕

とお・やま【遠山】 遠くの山。遠くに見える山。

ドーラン 映画や舞台などに出演するときの化粧に使う、油性のねりおしろい。参考 もとは製造会社の名。▽ドイツ Dohran

とおり【通り】㊀《名》❶人や車の通る道。道路。「広い―へ出る」❷通る・こと(ぐあい)。㋐通行。また、ゆきき。「水の―が悪い」「車の―が多い」㋑音や声の伝わるぐあい。「せりふの―が悪い」㋒世間に・通用する(評判・信用がある)度合い。「世間に―のよい仕事」㋓分かりやすさの度合い。「―のいい話」❸《形式名詞的に》それと同じ・状態(順序)であること。「言われた―に実行する」表記 ③は、かなで書くことが多い。↓どおり③。㊁《助数》《数を表す和語(「ひと」「ふた」「み」など)、または漢語数詞(「さん」「ご」「ろく」など)につく》「…種類」の意。「ふた―の方法」

どおり【通り】《接尾》❶(広い)道の名前を示す。「銀座―」❷…くらい。…程度。「原稿は八分―書けている」❸…のまま。…と同じ。「予想―の結果」表記 ③は、かなで書くことが多い。

とおり・あめ【通り雨】 少しの間(はげしく)降ってすぐに晴れる雨。類語 にわか雨。

とおり・あわ・せる【通り合わせる】《自下一》ちょうどその時にそこを通る。「事故現場に―・せる」

とおり・いっぺん【通り一遍・通り一片】《名・形動》形式は一通りととのっているが、誠意・真心のともなわないこと。うわべだけであること。「―のあいさつ」「―の説明ではわからない」

とおり・がかり【通り掛(か)り】❶その場をちょうど通りかかること。「―の人に道をきく」❷よそへ行く途中(であること)。通るついで。通りがけ。「―に寄る」同 ①②通りすがり。

とおり・かか・る【通り掛かる】《自五》その場所をちょうど通る。通ろうとする。通りすがる。「交番の前を―・ると呼びとめられた」

とおり・こ・す【通り越す】《自五》❶ある場所を通って先へ行く。通りすぎる。「学校の前を―・して行く」❷ある程度を超える。ある(ひどい)状態をすぎる。「恐怖を―・してかえって落ち着きがでた」

とおり・ことば【通り言葉】 世間でよく使われることば。また、ある仲間の間でよく使われることば。

とおり・すがり【通りすがり】❶通るついで。通りがけ。「―に立ち寄る」❷たまたまそこを通りかかること。「―の人に道を聞く」同 ①②通りがかり。

とおり・す・ぎる【通り過ぎる】《自上一》ある場所へ来て、止まらずにそのまま行ってしまう。そこを通って向こうへ行く。「バスが―・ぎる」

とおり・そうば【通り相場】❶世間でふつうとされる値段・価値。通り値。「時給千円が―だ」❷ふつうになっている評価。「学者は貧乏が―だった」

とおり・な【通り名】 世間に通用し、ふつう呼ばれている名。通称。類語 あだ名。俗称。

とおり・ぬ・ける【通り抜ける】《自下一》一方から他方へ、通って出る。「商店街を―・ける」

とおり・ま【通り魔】 突然現れて、通りすがりの人に危害を加えて、さっと去るという魔物。転じて、そのような悪漢。「―に刺されて死んだ」

とおり・みち【通り道・通り▽路】❶人や車が通る道。通路。❷通って行く道すじ。通りすがりの道。「―のポストに投函してください」

とお・る【通る】《自五》❶端から端まで届く。㋐道などが作られて他の所まで通じる。かよい届く。「A市まで国道が―・る」㋑一方から他方までつき抜けて届く。「穴が―・る」㋒表からしみこんで内部・反対側まで届く。「冷気が骨身に―・る」表記 ㋒は、「徹る」とも書く。㋓遠くまで伝わる。すみずみまで伝わる。「声の―・る歌手」「名が―・る」「変人で―・る」㋔筋道などがまっすぐに行き至る。「筋の―・った話」「鼻筋が―・る」❷ある所を通過する。㋐通路などを一方から他方へ移動して行く。過ぎて行く。また、行き来する。「バスが―・る」「高圧の電流が―・っている」㋑試験・審査などの過程を経て、通り抜ける。「予選を一位で―・る」「法案が両院を―・る」㋒光・粒などが、すきまをくぐり抜ける。すける。すきとおる。「明りがカーテンを―・る」「粉がふるいの目を―・る」表記 ㋒は「透る」とも書く。㋓〔客が〕玄関先などから室内にはいる。「案内されて客間に―・る」㋔料理屋などで、客の注文が帳場に知らされる。「料理の追加が―・っている」❸通用する。㋐〔主張などが〕よしと認められて行われる。採用される。「無理が―・れば道理が引っ込む」㋑世間に認められ通用する。「学者で―・るほどの博識」「社会では―・らない話だ」㋒筋道などがととのっていて理解できる。「意味の―・らない文章」文《四》。

トーン ❶音の調子。❷色調。▽tone

***と・か【渡河】**《名・自サ》〔文〕〔大きな〕川をわたること。「―地点」

***と・か【都下】**❶みやこの中。❷東京都の管轄下にある地域。❸特に、東京都のうち、二三区以外の市町村。「―八丈島」対 都内。

***と・か**《並助》《格助詞「と」+係助詞「か」》❶事物を、それとあまり限定しないで、例示的に並べあげるのに使う。〔考え(思い出し)ながら並べあげるといった気持ちがこもる〕「ノートとか鉛筆とか消しゴムとかを用意しなさい」参考 近年、若者の間では、俗に「など」「でも」の意の用法も行われる。「コーヒーとかを飲もうよ」❷〔「とか(言う)」「とか(聞く)」などの形で〕情報が不確かである意を表す。「田中何とかいう人が来た」「彼は病気のせい

で落第したとか」

***とが**【▽科・×咎】❶とがめられるような行い。あやまち。「—一つないように心がける」❷罪になる行い。罪。「盗みの—」❸非難すべき欠点。「—のない人」

***と‐が**【都雅】《形動》〔文〕美しく上品なようす。みやびやかなようす。

***と‐かい**【渡海】《名・自サ》船で、海をわたること。類語 渡航。航海。

***と‐かい**【都会】❶人口が多く、商業がさかんで文化が発達し、その地方の中心となっているまち。「—にあこがれる」類語 都市。❷「都議会」の略。「—議員」

ど‐かい【土塊】〔文〕土のかたまり。つちくれ。

どがい‐し【度外視】《名・他サ》問題にしないこと。無視すること。「利益を—する」

と‐がき【ト書】芝居の脚本で、俳優の動作や効果音などを指示した部分。参考 せりふのあとで、「…ト泣く」「…ト思い入れ」などのように書くことから。

と‐かく【×兎角・▽左▽右】《副》《副詞「と」+副詞「かく」》❶《自サ》あれやこれや。いろいろ。そうこう。「—するうちに一〇日たった」参考 文脈によっては、「—の」の形で「あれやこれやの良くない」の意を表す。「—のうわさが流れる」❷自然にある傾向になるようす。ともすれば。どちらにしても。「—この世は住みにくい」表記「兎角」「左右」は当て字。

とかげ【×蜥×蜴・▽石▽竜▽子】トカゲ科のはちゅう類。金属性のつやがあり、ヘビに似ているが、四本の短い足がある。尾は切れても再生する。

***と か・す**【解かす・×梳かす】《他五》〔くしなどで〕乱れた髪の毛をととのえる。くしけずる。「髪を—・す」文《四》。⇩〔使い分け「とく・とける・とかす」〕

***と か・す**【溶かす・▽融かす】《他五》固まっているものを〔熱を加えたり液体に入れたりして〕液状にする。溶く。「氷を—・す」「砂糖を水に—・す」表記「解かす」とも書く。また、金属の場合には「熔かす」「鎔かす」とも書く。文《四》。⇩〔使い分け「とく・とける・とかす」〕

どか・す【▽退かす】《他五》〔人・物などを〕その場から他へ移す。のかせる。「じゃまな岩を—・す」文《四》。

ど‐かた【土方】〔卑称〕土木工事に従事する労働者。作業員。類語 労務者。

どかっ‐と《副》❶重いものを勢いよくおろすようす。どかりと。「—荷をおろす」「—雪が降り積もる」❷大量のものが一度に手元に入ってくるようす。どかりと。どっかりと。「仕入れの品が—入荷する」❸急に増減するようす。どっかりと。「株が—下がった」

どか‐どか《副》《多く「—と」の形で》❶大勢の人が急にはいってくるようす。「—と踏み込む」❷物事が一時にたてこむようす。「注文が—ときた」

とが‐にん【×咎人・▽科人】罪をおかした人。罪人（ざいにん・つみびと）。〔やや古風なことば〕

どか‐べん【どか弁・どか×辨】〔俗〕「土方弁当」の略。飯がたくさんはいった大きな弁当（箱）。

と‐がま【▽利×鎌】よく切れる、かま。とかま。「—のような月（=細い三日月の形容）」

***ど‐がま**【土×竈・土窯】❶土を固めて作ったかまど。へっつい。❷炭焼きがまの一つ。土で築き、木材が炭化したとき口を密閉して火をけす。

***ど‐がま**【土×釜】飯をたくための土製のかま。

とがめ【×咎め】とがめること。罪をせめること。非難。「良心の—」「その件については何の—もなかった」

とがめ‐だて【×咎め立て】《名・他サ》強くとがめること。「あまり—してはならない」

とが・める【×咎める】《他下一》❶あやまちや罪をせめる。非難する。「違反者を厳しく—・める」参考「自らを—・める」意から自動詞としても用いる。「良心が—・める」「気が—・める」❷あやしんでたずねる。「警官に—・められる」❸《自下一》傷・はれものなどを悪くする。また、傷・はれものなどが悪くなる。〔古風な言い方〕「—・めた傷口が化膿（かのう）する」文 とが・む《下二》。

どか‐ゆき【どか雪】〔俗〕一度に多量に降る雪。

とがら・す【×尖らす】《他五》❶物の先を細くする。「鉛筆のしんを—・す」❷興奮させる。たかぶらせる。「声を—・す」「口を—・す」❸〔心を〕こまかい点まで鋭く働かす。「神経を—・す」参考 俗に「とがらかす」「とんがらかす」ともいう。文《四》。

とがり‐ごえ【×尖り声】〔—ごえ〕おこったり不平があったりするときに出る、とげとげしい声。とんがり声。

とが・る【×尖る】《自五》❶先が細く、鋭くなる。「—・った屋根」❷興奮する。たかぶる。また、不きげんになる。おこる。「声が—・る」「何かいうとすぐに—・る」❸〔心が〕こまかい点まで鋭く働く。「神経が—・る」参考 俗に「とんがる」ともいう。文《四》。

ど‐かん【土管】粘土（どねん）をやいて作った管。おもに下水管に使う。

***とき**【時】━《名》❶過去から現在・未来へと切れ目なく連なって、一定の速さでとどまることなく移ってゆくと考えられるもの。相ついで起こる諸事実が、相互の関係において位置づけられる場と考えられる。空間とともに認識の最も基本的な形式をなす。心理的には多く遅速のあるものと感じられる。時計を使って、年・月・日・時（じ）・分（ふん）・秒などに分けてはかる。時間①と時刻の総称。時間。「—がたつ」「—の流れ」「時計が—をきざむ」「—が解決する（=時間がたてば、現在の苦しいことも忘れるものである）」「—を移さず（=すぐに。ただちに）」「—を稼（かせ）ぐ（=時間をひきのばす）」参考 →時間。❷㋐何らかの時法によって、「子（ね）の時（=正刻）」「八つ」「一時」などの形で具体的に示される一昼夜のうちの一時点。参考 古い言い方で、現在では「時刻」を用いる。㋑一昼夜を一二等分した時法で、各時刻の正刻の前後一時間内に位置するそれぞれの時点。また、夜明けから日暮れ、日暮れから夜明けをそれぞれ六等分する時法で、各時刻から次の時刻までの間に位置する、それぞれの時点。❸《助数》一昼夜を一二等分したり、夜明けから日暮れを、日暮れから夜明けをそれぞれ六等分したりして得た、昔の時間の単位。前者の時法による一時（いっとき）は現在の二時間に当たる。❹㋐移りゆく時間の中のある一点、またある部分。その折。「母が入院した—は困った」㋑個々の場合。その際。「—に応じて戦術を変える」㋒事にあたっての重要な時期。「危急存亡の—」表記 ㋒は「秋」とも書く。㋓その・人（事）にとって都合のよい時機。好機。「—の訪れるのを待つ」「—を得る（=よい時機にあって栄える）」❺㋐（一年を区分した）時節。季節。「—は春」「紅葉の—」㋑〔歴史上、年齢上の〕年代。時代。世。「寛平（かんぴょう）の御（おん）—」「若い—の過ち」㋒時世のなりゆき。「—に従う」㋓人々が話題にする当の時期。「—の人」

「—の権力」❹期限。「—を切って金を貸す」
□二《形名》(行為や状態を表す連体修飾句を受けて)前提条件となることを表す。…の場合。参考 後の文に続く場合、接続助詞のように働く。「わからない—には聞いてください」表記 □二はふつうかな書き。

—は金なり《句》時間は金銭と同じように貴重であるから無駄に使ってはいけない。

—を作る《句》ニワトリが鳴いて夜明けを告げる。

***とき**【▽斎】《食すべき時の意》❶僧侶(そうりょ)の食事。❷〔法要の時など〕寺でだす食事。❸精進料理(しょうじんりょうり)。

***とき**【×鬨・▽鯨▽波】昔、戦場で士気をたかめるために、戦闘のはじめに全軍がいっせいにあげたさけび声。ときの声。「—を作る(=戦場で鬨の声をあげる)」

***とき**【×鴇・▽朱×鷺】トキ科の鳥。形はシラサギに似ている。羽毛は白く、翼と尾羽がうすべに色(いわゆる、とき色)を呈する。日本産のものは絶滅した。特別天然記念物。国際保護鳥。

とぎ【×伽】❶(夜の)退屈なときなどに話し相手になること(人)。「老人の—をする」❷寝床にはべること(人)。❸看病すること(人)。

***どき**【時】《接尾》❶…の時節。…の季節。「梅雨—」「花見—」❷…の時刻。「昼飯(ひるめし)—」「時分(じぶん)—」

***ど-き**【土器】素焼きの容器。かわらけ。特に、原始時代の土製の容器の遺物。「縄文(じょうもん)式—」

***ど-き**【怒気】〔文〕おこった気持ち。おこったようす。「—をふくんだ声」「—を帯びた目」

***とき-あか-す**【解き明かす】《他五》問題をといてそのわけなどを明らかにする。「湖底のなぞを—・す」

***とき-あか-す**【説き明かす】《他五》説明して意味がはっきりわかるようにする。「研究内容を—・す」

とき-いろ【×鴇色】トキの翼や尾羽のような色。黄色がかった薄いもも色。淡紅色。

とき-おこ-す【説き起(こ)す】《自五》そこから説明を始める。「影響関係を江戸時代から—・す」

とき-おり【時折】(—を、り)《副》行われる物事の間隔が間遠なようす。ときどき。ときたま。「—やって来る」

と-ぎかい【都議会】東京都の議決機関。都会。

とき-ざけ【時×鮭】初夏に海でとる鮭(けさ)。秋にとる鮭に対していう。

とき-ぐし【解き×櫛】髪の毛をとく、歯のあらいくし。類語 すきぐし。

とぎ-し【研(ぎ)師】刃物・鏡などをとぐ職人。とぎ物師。とぎ。

とぎ-しる【▽磨ぎ汁】米などをといだときに出る白く濁った水。とぎじる。

とぎ-すま-す【研ぎ澄ます・▽磨ぎ澄ます】《他五》❶といでよく切れるようにする。「—・した日本刀」❷〔鏡などを〕くもりのないようによくみがく。❸心の働きをするどくする。鋭敏にする。「—・された神経」

トキソプラズマ 人間や動物に寄生する原虫。トキソプラズマ症の原因になる。▽toxoplasma

とぎ-だし【研(ぎ)出し】❶石などの表面をといでつやを出すこと。また、その石。❷「とぎだしまき絵」の略。

—まきえ【—×蒔絵】まき絵の一つ。金粉または銀粉をちらした上にうるしをかけ、表面を木炭でといで下の絵がみえるようにしたまき絵。とぎだし。

とき-たま【時▽偶】《副》大分時がたって、また同じことが行われるようす。ときどき。たまに。「—会う」

ど-ぎつ-い《形》(「ど」は強めの接頭語)〔不快になるほど〕強烈である。感じが非常にきつい。「—・い色」

とき-つ-ける【説き付ける】《他下一》自分の考えに従わせるように説明する。「仲間に入るよう—・ける」

とき-どき【時時】□一《名》その時、その時。「その—の贈り物」類語 刻々(こっこく)。時々刻々。□二《副》ある程度間をおいて何かがくりかえされるようす。ときおり。おりおり。ときたま。「—実家に帰る」類語 時に。時には。時として。間々(まま)。折節(おりふし)。ちょいちょい。ちょくちょく。ともすると。ややもすると。随時。

どき-どき《副・自サ》(副詞は「—と」の形も)〔激しい運動・恐怖・不安・喜びなどのため〕心臓の動悸(どうき)がはやくなるようす。「胸が—する」類語 わくわく。

ときと-して【時として】《副》まれに起こるようす。ときには。たまには。「彼も—ふざけることがある」

とき-と-ばあい【時と場合】(—ひ、—あ)《連語》その時その場の状況。「—によっては出発を中止する」

とき-なし【時無し】❶行われる時・時季が、いつと決まっていないこと。❷「ときなしだいこん」の略。ダイコンの一品種。一年じゅう栽培できるもの。漬物用。

とき-ならず【時ならず】《連語》その時でないのに。思いもよらない時に。〔副詞的に使う〕「—電話のベルで起こされる」

とき-ならぬ【時ならぬ】《連語》その時でない。時期はずれの。〔連体詞的に用いる〕「—雪」

とき-に【時に】□一《副》❶〔いつもではないが〕どうかすると。何かのはずみに。たまに。「おとなしい人だが—激しく怒る」❷その時。時あたかも。「—昭和二〇年八月六日、広島に原爆が投下された」□二《接続》話題をかえるときにいう語。ところで。それはそうと。「—あの人はどうなさいましたか」

とき-には【時には】《連語》たまには。場合によっては。「—音楽会に妹をつれて行く」

とき-の-うじがみ【時の氏神】(—うぢ、がみ)《連語》ちょうどよい時機に出て来て、もめ事の仲裁などをしてくれる人。

とき-の-うん【時の運】《連語》その時の運命。まわりあわせ。「勝負は—」

とき-の-こえ【×鬨の声・▽鯨▽波の声】(—こゑ)→とき(鬨)。

とき-の-ひと【時の人】《連語》現在、世間の話題になっている人。「一躍—となる」

とき-の-ま【時の間】《連語》少しの間。ほんの短い時間。〔やや古風な言い方〕「—も忘れられない」

とき-はな-す【解き放す・解き離す】《他五》束縛(そくばく)をといて自由にさせる。解き放つ。「人質を—・す」「古いしきたりから—・す」

とき-ふ-せる【説き伏せる】《他下一》よく説明して自分の考えに従わせる。説得する。「両親を—・せて留学する」

とき-ほぐ-す【解きほぐす】《他五》〔かたくむすばれていたもの・心などを、徐々に〕ゆるめる。ほどく。ほぐす。「髪を—・す」「かたくな心を—・す」

どぎ-まぎ《副・自サ》(副詞は「—と」の形も)不意をつかれるなどして、あわてるようす。うろたえるようす。「とつぜん指名されて—する」

***とき-め-く**《自五》〔期待・喜びなどで〕胸がどきどきする。「胸が—・く」

***とき-め-く**【時めく】《自五》よい時勢にめぐりあって栄える。「今を—・く人気作家」

ど-ぎも【度肝・度▽胆】《「ど」は強めの接頭語》きもったま。こころ。「ーを抜く(=ひどくびっくりさせる)」

と-ぎゃく【吐逆】〔文〕一度のみ下した食物が口の中やのどに逆行してくる現象。

どきゅう-かん【×弩級艦】一九〇六年建造のイギリスの戦艦ドレッドノート号(排水量一万七九〇〇トン・三〇サンチ砲一〇門)と同程度の軍艦。参考これを超えるものを超弩級艦という。

ドキュメンタリー 虚構を用いず、ありのままの現実をそのまま記録した性質をもっていること。「ーフィルム」類語ノンフィクション。▽documentary

ドキュメント 記録。文献。▽document

とき-よ【時世】❶時代。時勢。「ー時節」❷その時代の世の中の風潮。

***と-ぎょ【渡御】**《名・自サ》天皇・太皇太后・皇太后・皇后がおでかけになること。また、みこしなどが出発すること。おでまし。

***と-ぎょ【×蠹魚】**「紙魚(しみ)」の別称。

***ど-きょう【度胸】**少しのことにも動じない心。物事を恐れない気力。「ーのすわった人」「ーを決める」「男はー」類語胆力。

***ど-きょう【〈読経〉】**《名・自サ》声をだして経をよむこと。読誦(どくじゅ)。誦経(ずきょう)。読経(どっきょう)。対看経(かんきん)。

と-きょうそう【徒競走】一定のコースを走ってその速さをきそうこと。かけっこ。〔学校などで使う〕

どきり《副》《多く「ーと」の形で》驚いて、脈が一つ強く打つのを感じるようす。どっきり。どきんと。

とぎれ-とぎれ【▽跡切れ▽跡切れ】《副・形動》何度もとぎれながら、つづくようす。たえだえ。「ーに話す」

と-ぎ-れる【▽跡切れる・途切れる】《自下一》❶ゆききがたえる。❷〔転じて〕今までつづいていた物事が途中で切れる。「会話がー・れる」「記憶がー・れる」

ときわ【▽常×磐】《「とこいわ」の転。つねに形の変わらないがっしりした岩の意》❶〔形や状態が〕永久に変わらないこと。❷木の葉が一年じゅう緑であること。「ーの松」 **ーぎ【ー木】**マツ・スギのように、一年じゅう葉をつけている樹木。常緑樹。

ときわず【▽常×磐津】「ときわず節」の略。浄瑠璃(じょうるり)の一派。江戸時代の中ごろ、常磐津文字太夫(ときわずもじだゆう)が始め、歌舞伎(かぶき)の舞踊の伴奏音楽として発達した。表記現代仮名遣いでは「ときわづ」も許容。

***と-きん【と金】**将棋で歩(ふ)が相手の陣内に入り、裏がえして金将に成ったもの。成り金。参考裏に「と」と記されていることからいう。

***と-きん【×鍍金】**《名・他サ》《「鍍金(めっき)」を音読した語》↓めっき。

***とく【得】**❶得ること。対失。❷利益。もうけ。徳。「損してー取れ」❸《名・形動》有利であること。都合のよいこと。「黙っていたほうがーだ」対②③損。

***とく【徳】**❶自然に人を敬服させ感化する力・人柄。人からしたわれる人柄。「聖人のーをしたう」❷人に恩恵を与える行い。めぐみ。「ーをほどこす」❸利益。もうけ。得。「早起きは三文のー」

***とく【▽疾く】**《副》《文語形容詞「とし」の連用形から》〔文〕すみやかに。早く。「ー来たれ」

ーと・する《句》ありがたいものと考える。感謝する。

***と・く【解く】**《他五》❶㋐結んだりしばったりしてあるもの(所)を分けはなす。ほどく。「包みをー・く」「縛(いまし)めをー・く」類語振り解(ほど)く。解(ほぐ)す。紐解(ひもと)く。㋑縫い糸を取り去って部分ごとに分ける。「着物をー・いて洗い張りする」㋒〔衣服を〕ぬぐ。「旅装をー・く」㋓乱れからまったものを分けはなす。また、髪をくしで分けはなす。とかす。「からんだ糸をー・く」「髪をー・く」類語梳(す)く。梳(くしけず)る。表記㋓は髪の場合には「梳く」とも書く。㋔〔割った卵を〕かきまぜて均質な状態にする。「卵をよくー・く」❷㋐束縛・拘束などを取り除く。解除する。「禁止令をー・く」「囲みをー・く」「警戒をー・く」類語(する)解放。㋑取り決めなどをやめて関係を断つ。解消する。「契約をー・く」㋒官職などをやめさせる。「職をー・く」❸たかまりもつれた感情を除きしずめる。「緊張をー・く」「怒りをー・く」❹㋐疑問の点を明らかにして、了解を得る。「誤解をー・く」㋑筋道を明らかにして、答えを出す。「問題をー・く」㋒解釈する。「暗号をー・く」文《四》。⇩〖使い分け〗

***と・く【溶く・▽融く】**《他五》↓溶(と)かす。文《四》。⇩〖使い分け〗

***と・く【説く】**《他五》〔相手に承知・納得・理解させようとして〕道理・筋道を明らかにしながら話してきかせる。「物の道理をー・く」類語(する)説明。解説。解明。解釈。文《四》。⇩〖使い分け〗

> **使い分け**「とく・とける・とかす」
>
> **解く**〔×梳〕〔一つになっている物をときはなし別々にする。よく考えて答えを出す〕包みを解く・着物を解く・旅装を解く・囲みを解く・髪を解〔梳〕く・緊張を解く・任を解く・暗号を解く
>
> **溶く**〔▽融・×熔〕〔固まっている物を液状にする〕絵の具を溶〔融〕く・砂糖を水に溶く・鉄塊をるつぼに入れて溶〔熔〕く・溶〔融・熔〕けた銅を型に流す
>
> **説く**〔よく分かるように話してきかせる〕理由を説く・教えを説く・意味を説く
>
> **解かす**〔×梳・▽融〕〔固まっている物をほぐす。液状にする〕髪を解〔梳〕かす・冷えた心を解かす・氷を解〔融〕かす・卵を解〔融〕かす
>
> **溶かす**〔▽融・×熔〕〔溶液を作る。固体を液状にする〕薬を水に溶かす・鉄鉱を溶〔熔・融・鎔〕かす
>
> **解ける**〔▽融〕〔一つになっている物が別々になる。とけてなくなる。答えが分かるようになる〕ひもが解ける・氷が解〔溶・融〕ける・疑いが解ける・緊張が解ける・心が打ち解ける・なぞが解ける
>
> **溶ける**〔×熔〕〔溶液になる。固体が液状になる〕有機物が水に溶ける・地域社会に溶け込む
>
> 参考「髪を解く」は本来結髪をほどくことに言い、「髪を梳く」は髪をくしけずる意に用いたが、近年、髪をくしけずる意でも「解」を用いる。「解/溶」の使い分けの目安は、熱や薬品・水などの溶媒でとける場合は「溶」、その他は「解」とすることができよう。

***と・く**《連語》《「ておく」の転》「…ておく」の意の口頭語。「手回しよくやっー・いたよ」参考「でおく」から転じたものは、「どく」となる。「きちんと読んどけ」

と・ぐ【研ぐ・▽磨ぐ】《他五》❶〔とがった物の先や刃物を〕砥石(といし)・やすりなどですって鋭くする。「小刀をー・ぐ」類語磨く。研ぎ澄ます。(する)研磨。❷こすってつやを出す。「鏡をー・ぐ」❸〔穀物を〕水の中でこすって洗う。「米をー・ぐ」文《四》。

***どく【毒】**❶生命や健康に害を与えるもの。特に、毒

薬。「—をあおいで死ぬ」「—を盛る」「—にあたる」[類語]毒物。害。❷〔ひゆ的に〕人の心を傷つけることば。また、そのものにとってためにならないもの。「この番組は子どもには—だ」「目の—」「—のあることば」

—にも薬にもならない《句》害にならないかわりに役にもたたない。

—を食らわば皿まで《句》一度悪事をやったからには最後までやり通す。

—を以て毒を制す《句》悪をほろぼすために悪を用いるたとえ。

***どく【独】**「独逸」の略。「—和辞典」

***ど・く【▽退く】**《自五》動いて他の場所へ移り、その場所をあける。しりぞく。のく。「そこを—・いてくれ」「その席から—・いて前へ行く」[文]《四》。

***とく・い【得意】**❶《名・形動》自分の望みどおりになって満足していること。「—の絶頂」[類語]得々。昂然。[対]失意。❷《名・形動》他よりすぐれているとして、ほこること。「合格して—になっている」「—顔」[類語]誇らしい。鼻高々。意気揚々。鼻が高い。肩身が広い。❸《名・形動》たくみにできるという自信があること。また、その技芸。「—の技」「—な学科」[類語]おはこ。十八番。得手。❹商売上、ひいきにしてくれる客。顧客。華客。「先代からのお—」「—先(=ひいきにしてくれる客の所)」[表記]④は「顧客」「華客」とも書く。

—まんめん【—満面】《名・形動》ほこらしそうな様子が顔いっぱいに現れていること。「—で語る」

***とく・い【特異】**《形動》特に他のものとちがっているようす。また、特にすぐれているようす。「—な才能」

—たいしつ【—体質】ふつうの健康な人では反応しない物質に対して非常に敏感な反応を示す体質。アレルギー体質。異常体質。

—び【—日】毎年、統計的にみて、特定の気象がおこりやすい日。たとえば、一一月三日の文化の日は晴れることが多いなど。

とく・いく【徳育】道徳心を養い、人格を高めることを主とする教育。「—を重んじる」[対]知育・体育。

とくいん・がい【特飲街】接客婦などをおく、特殊飲食店の集まっている盛り場。

ど・ぐう【土偶】❶土で作った人形。土人形。❷縄文時代の遺跡からほりだされる素焼きの土人形。

どく・えい【独泳】《名・自サ》ひとりで泳ぐこと。また、他をひきはなし、ひとり先頭を泳ぐこと。[類語]独走。

どく・えき【毒液】毒をふくんだ液体。

どく・えん【独演】《名・他サ》❶共演者や助演者なしで、講談・浪曲・落語などを演じること。「『次郎長伝』を—する」「—会」❷他の人に口をさしはさませず、ひとりで、演説や意見の発表などをすること。

どく・おう【独往】《名・自サ》〔文〕他のものにたよらず、自分ひとりの力で物事をすすめること。独自の道を歩むこと。「自主—の精神」[類語]独立。独歩。

どく・が【毒×牙】❶毒液を出すきば。毒蛇などにある。❷悪辣な手段。「暴力団員の—にかかる」

とく・がく【篤学】《名・形動》〔民間にあって〕学問に熱心なこと。「—の士」

どく・がく【独学】《名・他サ》学校にかよったり、先生についたりしないで、ひとりで学問をすること。「—でドイツ語をマスターする」[類語]自修。自習。

どく・ガス【毒ガス】毒性のある気体。特に、敵を殺傷する武器として、戦争で用いられるものをさす。

どく・がん【独眼】片目。隻眼。

—りゅう【—竜】片目の英雄。特に、伊達政宗の別称。

***とく・ぎ【徳義】**道徳上守らなければならない事柄。また、道徳。「—心」

***とく・ぎ【特技】**特別に身につけていて、自信のある技能。「—を生かす」[注意]「得技」は誤り。

どく・ぎょ【毒魚】毒をもっている魚の総称。フグやアカエイなど。

どく・ぎん【独吟】《名・他サ》❶詩歌・謡曲・邦楽などをひとりでくちずさむこと。[対]連吟。❷俳諧・連歌などで、付合をせずひとりで作ること。また、そのようにして作った句。片吟。[対]両吟。

どく・け【毒気】↓どっき(毒気)。

どく・けし【毒消し】毒のききめを消す・こと(薬)。解毒(剤)。〔古風な言い方〕「—売り」[類語]毒よけ。

***どく・ご【独語】**❶《名・他サ》ひとりごとをいうこと。また、ひとりごと。独言。「—癖」❷ドイツ語。

***どく・ご【読後】**書物・雑誌などをよんだあと。「—の印象をのべる」「—感」

とくさ【▽木▽賊】《「砥草」の意》トクサ科の常緑多年草。茎は円形で中空。物をみがくのに用いた。

どく・さい【独裁】《名・他サ》❶自分ひとりの考えで事をきめて行うこと。「社長の—で決定する」❷ある特定の個人や団体が権力を独占して支配すること。「—政治」「—者」[類語]専制。

とく・さく【得策】得になる方法。有利なやりかた。「いまやめるのは—でない」

とく・さつ【特撮】「特殊撮影」の略。

どく・さつ【毒殺】《名・他サ》毒を使って殺すこと。毒害。[類語]薬殺。

とく・さん【特産】特にその地方(だけ)で産出される・こと(もの)。「大島の—品」

***とく・し【特使】**特別の任務をさずけられて(外国へ)つかわされる使者。「—を派遣する」「—を立てる」

***とく・し【篤志】**《名・形動》ある事に特に熱心に心をよせていること。社会事業などを特に熱心にやろうとする・こと(心)。「—家」

どく・し【毒死】《名・自サ》毒によって死ぬこと。

どく・じ【独自】《形動》他とはことなり、それだけに特有であるようす。「—の見解を述べる」「—性」[類語]独特。特有。

***とく・しつ【得失】**得ることと失うこと。利益と損失。「視聴覚教育の—を論じる」[類語]利害。損益。

***とく・しつ【特質】**そのものだけにある、特別な性質。特性。「平安朝文学の—」「プラチナの—」[類語]特色。

とく・じつ【篤実】《名・形動》情があつく、まじめなこと。誠実で親切なこと。「—な人柄」「—温厚」

***とく・しゃ【特写】**《名・他サ》特にある目的のために、独自に写真にとること。「本誌—」

***とく・しゃ【特赦】**《名・他サ》恩赦の一つ。有罪の言い渡しを受けた特定の者に対して、その効力を失わせること。[参考]↓大赦。

どく・しゃ【読者】《古くは「とくしゃ」とも》書物・新聞・雑誌などを読む人。読み手。「—層」

どく・じゃ【毒蛇】↓どくへび。

どく・しゃく【独酌】《名・自サ》❶自分で酒をついでのむこと。手酌。❷ひとりで酒をのむこと。

***とく・しゅ【特殊】**《名・形動》ふつうのものとちがっていること。「—な才能」[類語]特別。特異。[対]一般。普

遍。 ―こう【―鋼】炭素のほかにニッケル・マンガン・クロムなどを加えて製した強い鋼鉄。 ―さつえい【―撮影】映画の撮影方法の一つ。小さな模型を使ったり画面の合成・分割の手法を使ったりして、架空の映像や特殊な効果を画面に表すもの。特撮。 ―ほうじん【―法人】公共の利益や国策上の必要から、特別法により政府によって設置された法人。日本銀行・日本赤十字社・日本放送協会(NHK)など。

*とく・しゅ【特種】特別な種類。「―の蝶」

とく・じゅ【特需】❶災害・戦争など特別の事態による、物資や労役などの需要。「―景気」❷官庁などの特別の注文。「―品」

*どく・しゅ【毒手】❶人を殺そうとする手段。❷悪辣な手段。魔手。「―にかかる」

*どく・しゅ【毒酒】毒を入れた酒。

どく・じゅ【読×誦】《名・他サ》声を出して経文を読むこと。読経。

とく・しゅう【特集・特×輯】《名・他サ》新聞・雑誌・ラジオ・テレビなどで、ある特定の問題を中心に編集したり報道したりすること。また、それを編集したもの。「秋のファッションを―する」「終戦記念日―」

*どく・しゅう【独修】《名・他サ》〔ある技術などを〕人から教えてもらわず、ひとりで身につけること。「―書」

*どく・しゅう【独習】《名・他サ》学校へ通ったり先生についたりしないで、ひとりで学び習うこと。「録音テープで英会話を―する」類語 独学。自学。自習。

とく・しゅつ【特出】《名・自サ》他のものより特にすぐれていること。ぬきんでていること。「―した才能」類語 傑出。卓越。

どく・しょ【読書】《名・自サ》《古くは「とくしょ」とも》本を読むこと。「―家」類語 書見。

*とく・しょう【特称】全体の中で特にそのものだけを指す呼び名。「権現」で徳川家康を指す類。

*とく・しょう【特賞】特別の賞品・賞金。一等賞の上の賞。「―に入選する」

どく・しょう【独唱】《名・他サ》〔演奏会などで〕歌をひとりで歌うこと。ソロ。「―曲」「バリトン―」類語 独奏。対 合唱。

*とく・しょく【×瀆職】〔文〕「汚職」の古い言い方。

*とく・しょく【特色】他のものと比べてちがう点。また、他のものよりすぐれている点。「―のある大学」「何の―もない作品」類語 特徴。

*とく・しん【得心】《名・他サ》〔相手の言うことなどが〕よくわかって心から承知すること。納得。「―ずくで行う」「―が行く(=気持ちがおさまる。納得が行く)」

*とく・しん【×瀆神】神の神聖をけがすこと。「―の行為」類語 瀆聖。

*とく・しん【特進】《名・自サ》〔ふつうの規則によらず〕特別に昇進すること。「二階級―」

*とく・しん【篤信】《名・他サ》ふかく信仰すること。信仰の気持ちのふかいこと。「―の人」「―家」

どく・しん【独身】配偶者のいない・こと(人)。ひとり者。独身者。「―男性」「―主義」類語 未婚。

どく・じん【毒刃】〔文〕人に危害をくわえるための、やいば。凶刃。「―に倒れる」

*どくしん・じゅつ【読唇術】〔耳のきこえない人が〕相手のくちびるの動きをよみとって、そのことばを理解する技術。読唇法。読唇術(とくしんじゅつ)。類語 手話法。

*どくしん・じゅつ【読心術】顔の表情や細かい動作の一つ一つから相手の考えていることを知る術。

どく・ず【読図】《名・自サ》地図・図面などをみてその内容をくみとること。「―法」

とく・・する【得する】《自サ変》利益を得る。もうける。「早く売り払って―した」「英語ができて―した」類語 漁夫の利。海老で鯛を釣る。対 損する。

どく・・する【毒する】《他サ変》悪い影響を与えてだめにする。悪くする。「俗悪なまんがは子供を―する」

*とく・せい【徳性】道徳心をもった、正しい人格。「―を養う」

*とく・せい【徳政】〔大衆に〕恩恵を施す政治。仁政。

*とく・せい【特性】そのものだけにある、特別な(すぐれた)性質。特質。「地域の―を生かす」類語 特色。

*とく・せい【特製】《名・他サ》特別に(手をかけて)作ること。また、特別に作ったもの。特別製。「注文の品を―する」「―のケーキ」類語 特撰。精製。対 並製。

どく・せい【毒性】生体に対して有毒な作用を及ぼす性質。「―が強い」

とく・せき【督責】《名・他サ》〔文〕きびしく催促すること。せめなじること。

とく・せつ【特設】《名・他サ》特別の目的のために、臨時に設けること。「―会場」

どく・ぜつ【毒舌】しんらつな皮肉や悪口(をいうこと)。「―をふるう」「―家」類語 毒言。

*とく・せん【特×撰】《名・他サ》特に念を入れて作る・こと(もの)。また、よい品物として特別に推薦される・こと(もの)。「―品」「―お召」類語 特製。特薦。

*とく・せん【特薦】《名・他サ》特に推薦すること。「―に値する」類語 特撰。

*とく・せん【特選・特×撰】❶《名・他サ》多くの中から特別にえらぶこと。また、えらばれたもの。「―のメロン」❷展覧会などの審査で、特にすぐれていると認められること。また、その作品。「―で入賞する」

*とく・せん【督戦】《名・自サ》戦闘で、部下をはげまし監視して、戦わせること。「―隊」

*どく・せん【毒×腺】サソリ・毒ヘビなどにある、毒液を出す腺。

*どく・せん【独占】《名・他サ》❶自分ひとりのものにすること。ひとりじめ。「親の愛情を―する」「部屋を―する」類語 専有。❷〔ある企業が〕販売市場や生産地を支配し、その利益をひとりじめすること。 ―きんしほう【―禁止法】市場の独占や取引の不公正な制限などを禁止し、公正な自由競争によって企業の活動を盛んにすることを目的とした法律。独禁法。

どく・ぜん【独善】客観性がなく、自分ひとりが正しいと思っていること。ひとりよがり。「―に陥る」

どくせん・じょう【独×擅場】その人だけが、思うままにふるまえる場所。ひとり舞台。「ここは彼の―だ」参考「擅(せん)」を「壇(だん)」と誤って「独壇場(どくだんじょう)」ともいう。

と・くそ【×砥×糞】砥石(といし)を使ってものをといだときにでる、どろのようなもの。

どく・そ【毒素】生物体によって生産される毒性の強い物質。ふつう動物の体内にはいって毒性を示す。

とく・そう【徳操】〔文〕かたく守ってかわらぬ節操。「―高い人間」

*どく・そう【毒草】有毒な成分をもっている草。トリカブト・ドクゼリ・キンポウゲなど。類語 有毒植物。

*どく・そう【独創】《名・他サ》他のまねをせず、自分自

身の考えで新しく作りだすこと。また、その新しい考え。「A社の―になるカメラ」「―性」類語創造。対模倣(もほう)。
―てき【―的】《形動》独創する力があるようす。独創によってできているようす。「―な作品」

*どく・そう【独奏】《名・他サ》ひとりの奏者が無伴奏または伴奏を伴って楽器を奏すること。ソロ。「チェロを―する」類語独唱。対合奏。

*どく・そう【独走】《名・自サ》❶ひとりで走ること。また、他の者をひき離して、ひとり先頭を走ること。「―態勢に入る」❷ひとりだけ、自分勝手な行動をすること。「団体行動に―は許されない」

とく・そく【督促】《名・他サ》ある事柄の実行や約束の履行(りこう)を促すこと。「借金の支払いを―する」「―状」参考「催促」よりあらたまった言い方。

ドクター ❶医者。❷博士。略語 Dr.。=ドクトル。▽doctor ―ストップ ボクシングで、選手が負傷した場合、レフェリーが医者の判断に従い試合中止を宣すること。参考一般に、医者が患者の行動に一定の制限を加えることにも言う。「飲酒に―がかかる」▽doctor と stop からの和製語。

とく・だい【特大】〔寸法・容量などが〕特別に大きいこと(もの)。「―のとんカツ」「―サイズ」

とくたい・せい【特待生】成績が非常によく品行も正しいために授業料免除などの特別の待遇を与えられている生徒・学生。

とく・だね【特種】新聞記事にする材料のうち、その社だけが手にいれた重要な材料。スクープ。

どく・だみ【×蕺▽草】ドクダミ科の多年草。日かげにはえ、全体に悪臭がある。葉は心臓形で、暗緑色。初夏、淡黄色の穂のような花がさく。葉はできものなどの薬になる。十薬(じゅうやく)。

とく・だわら【徳俵】(―だはら) 相撲で、土俵の円を作っている俵の中で、東西南北の中央にある俵。他の俵より俵の幅だけ外側にずらせてある。

とく・だん【特段】〔文〕特別。格別。「―の配慮」

どく・だん【独断】《名・他サ》人に相談せず、自分ひとりの考えできめること。また、その判断。「―で処理する」類語ひとりぎめ。―せんこう【―専行】《名・自サ》自分ひとりの考えできめ、思う通りに行うこと。

どくだん・じょう【独壇場】→どくせんじょう(独擅場)。参考誤読から慣用になった語。

と・ぐち【戸口】家の出入り口。門口(かどぐち)。

どく・ち【毒血】毒をふくんだ血。類語悪血(あくち)。

とく・ちゅう【特注】《名・他サ》「特別注文」「特別発注」の略。一般の商品とは別に、材料・製法・形などを特別に指定して作らせること。「―品」

*とく・ちょう【特徴】他と比べて、特にめだつ点。「額のほくろが―だ」「かれは声に―がある」「―のない顔」参考多く、良い意味で用いるが、悪い意味でも用いる。類義語「特長」は良い意味でしか用いない点で区別される。類語特色。特長。異色。特異。

*とく・ちょう【特長】他と比べて特にすぐれている点。「本校の―は学生が礼儀正しいことです」「本書の―とするところ」類語長所。美点。参考→特徴。

どく・づく【毒突く】《自五》面とむかって、ひどくのしる。ひどい悪口をいう。「酔っぱらって―く」

とく・てい【特定】❶《名・他サ》多くのものの中から特にそれと指定すること。「犯人を―する」❷特にそれときまっていること。「許可を受けた―の人」

*とく・てん【得点】《名・自サ》競技・試験などで点数を得ること。また、その点数。「大量―」対失点。

*とく・てん【特典】特に与えられる恩典。特別に優遇される扱い。「会員には二割引の―がある」類語特権。

とく・でん【特電】《「特別電報」の略》〔海外にいる特派員や外国の通信社から〕ある新聞社・通信社に特別に送ってくる電報通信。「UPI―」類語特報。

とく・と【篤と】《副》念を入れて見聞きしたり考えたりするようす。よく注意して。よくよく。とっくりと。「―見てごらんなさい」「―考える」

とく・ど【得度】《名・自サ》〔仏〕❶迷いを去って生死の苦海を渡り、悟りの彼岸に至ること。❷髪をそって出家し、仏門にはいること。「―式」

*とく・とう【特等】特にすぐれている等級。一等の上の等級。「―席」「―で入選する」

*とく・とう【×禿頭】〔文〕はげ頭。「―病」類語光頭。

とく・どう【得道】《名・自サ》〔仏〕仏道を修めてさとりをひらくこと。類語成道(じょうどう)。成仏(じょうぶつ)。

*とく・とく《副》《多く「―と」の形で》口のせまい容器から液体が勢いよく流れ出るようす。また、その音を表す語。「酒を―とつぐ」

*とく・とく【得得】《形動タルト》得意になっているようす。「―として手柄話をする」

どく・とく【独特・独得】《形動》はっきりした特徴などを、そのものだけが持っているようす。「―の製法」

どく・どく《副》《多く「―と」の形で》液体・血液などが勢いよくさかんに流れ出るようす。

どくどく・し・い【毒毒しい】《形》❶色があまりにあざやかで、いかにも毒がありそうである。どぎつい。「―・いキノコ」「―・い口紅」❷いかにも悪意を含んでいるようである。にくにくしい。「―・い口をきく」

ドクトリン ❶教義。教理。❷〔政策上の〕主義。信条。政策理論。▽doctrine

ドクトル →ドクター。▽ドイ Doktor

とく・に【特に】《副》多くある・もの(場合)の中から、その・もの(場合)だけとりだして言うようす。殊に。とりわけ。「健康には―気をつけている」「―出向く必要はない」

とく・にん【特認】《名・他サ》《「特別承認」の略》特別に承認すること。

とく・のう【篤農】農業について熱心で、研究心にとんだ農家。篤農家。

とく・は【特派】《名・他サ》〔記者・使節などを〕特別に派遣すること。「記者を―する」「―員」「―大使」

どく・は【読破】《名・他サ》〔むずかしい本や大部の本を〕終わりまで読みとおすこと。「『戦争と平和』を三日がかりで―した」類語読了。

とく・はい【特配】《名・他サ》❶割り当て以外に特別に配給すること。❷株式の特別配当。

とく・ばい【特売】《名・他サ》ふつうより特別に安く売ること。「夏物の―がある」「―品」

どく・はく【独白】《名・他サ》劇で、相手なしにひとりでせりふを言うこと。また、そのせりふ。モノローグ。転じて、ひとりごと。「ハムレットの―」

とく・はつ【特発】❶《名・他サ》〔バス・電車・列車などを〕予定した以外に特別に出すこと。❷不明の原因で突発的に発病すること。「―性疾患」

*とく・ひつ【特筆】《名・他サ》特にとりたてて(めだつよ

うに)書くこと。「―すべき本年度のできごと」「―に値する快挙」 ―たいしょ【―大書】《名・他サ》特にめだつようにはっきりと書くこと。

*とく・ひつ【×禿筆】先がすりきれた筆。ちびた筆。また、自分の文章や文字をけんそんして言う語。
―を呵(か)す《句》〔ちびた筆に息を吹きかけるの意〕へたな文章を書く。〔自分の文章をけんそんして言う語〕

どく・ひつ【毒筆】他人を傷つける目的で、悪意や皮肉をこめて書くこと。また、その文章。類語 毒舌。

とく・ひょう【得票】《名・自他サ》選挙で、候補者が票を得ること。また、得た票(の数)。「―数」

どく・ふ【毒婦】男をだましたり、平気で悪事を働いたりする、悪い女。類語 悪女。奸婦(かんぷ)。

どく・ぶつ【毒物】毒を含んでいる物質・薬物。「青酸性の―」類語 劇物。毒薬。劇薬。

とく・ぶん【得分】❶もうけ。利益。〔古風なことば〕「経費を差し引くと―はわずかだ」❷ある物を何人かで分けるとき、その人のもらう分。分け前。とりだか。「自分の―を減らす」

どく・ぶん【独文】❶ドイツ語の文章。「―の手紙」❷ドイツ文学。また、大学の、ドイツ文学科。

とく・べつ【特別】《副・形動》一般のものとは(程度が)ちがって区別されるようす。格別。「―に扱う」「―の日」 ―く【―区】東京都の二三区。参考 原則として、市に関する規定が適用される。 ―ようごろうじんホーム【―養護老人ホーム】心身に欠陥があるため、家で養護が困難な高齢者のための老人ホーム。参考 (ア)六五歳以上の常時介護を必要とする人が対象。(イ)略して「特養」ともいう。

どく・へび【毒蛇】牙(きば)に毒液の分泌腺(せん)を持つヘビの総称。ハブ・マムシ・コブラなど。毒蛇(どくじゃ)。

とく・ほう【特報】《名・他サ》特別に報道・報告すること。また、その報道・報告。「選挙―」類語 速報。

とく・ぼう【徳望】〔文〕徳が高く、多くの人にしたわれること。また、その人に寄せる尊敬・信頼の念。「―の高い人」類語 人望。

どく・ぼう【独房】刑務所で、特定の受刑者をひとりだけ入れておく部屋。独居監房。

とく・ほん【読本】もと、学校で読み方を教えるのに使った本。国語の教科書。また、一般に教科書・入門書。どくほん。「人生―」「文章―」

ドグマ ❶宗教上の教義。❷独断的な説。「政党の思想が―に陥る」▽ドイツ Dogma

どく・み【毒味・毒見】《名・他サ》❶飲食物を人にすすめる前に、毒がはいっていないか、少し食べてためすこと。❷料理の味かげんをみること。「ちょっと―をしてみよう」類語 試食。試飲。

とく・む【特務】特別の任務。「―をおびる」

どく・むし【毒虫】毒をもっていて、人体に害を与える虫。ハチ・毛虫など。類語 害虫。

*とく・めい【匿名】本名をかくしてしらせないこと。また、本名をかくして別の名前をつけること。また、その名前。「―で投書する」類語 筆名。仮名。

*とく・めい【特命】特別の命令・任命。「国王の―をうけて渡米する」 ―ぜんけんこうし【―全権公使】外交使節の一つ。特命全権大使につぐもの。全権公使。公使。 ―ぜんけんたいし【―全権大使】外交使節のうち、第一級のもの。外国にとどまり、本国を代表して外交交渉を行ったり、その国に在住する自国民の保護に当たる。全権大使。大使。

とく・もく【徳目】徳を分類した、忠・孝・仁・義・信などの一つ一つの名称。「―を並べる」

どく・や【毒矢】やじりに毒をぬった矢。

とく・やく【特約】《名・自サ》特別の便宜・利益をともなう条件で契約すること。また、その契約。「―店」

どく・やく【毒薬】体内にはいったとき、少量で生命を失う危険のある薬物。類語 劇薬。毒物。劇物。

とく・ゆう【特有】《形動》そのものだけが特にもっているようす。「ユリ―の香り」類語 独特。独自。対 通有。

とく・よう【徳用・得用】《名・形動》値段のわりに、使って利益が大きいこと。「―石けん」類語 割安(わりやす)。

とくり【徳利】→とっくり(徳利)。

とく・りつ【特立】❶《名・自サ》多くのものの中で、目立って(すぐれて)いること。「―した才能」❷《名・自サ》他のものにたよらないで自立していること。「―独行」❸《名・他サ》他と区別して特に立てること。

どく・りつ【独立】《名・自サ》❶他のものから離れて一つだけ存在していること。「一戸だけ―して建つ家」類語 孤立。❷他からの束縛・支配などをうけないこと。「―運動」「―した家計」 ―ご【―語】文中における主語・述語・修飾語などの関係から比較的独立している文節(または語)。感動詞がなる場合、呼びかけの名詞がなる場合などがある。 ―こく【―国】他国の支配をうけず、独立した主権をもつ国家。対 属国(ぞっこく)。 ―さいさん・せい【―採算制】企業の中のある部門が、独立して収支計算を行い採算がとれるようにする制度。 ―どっぽ【―独歩】独立して、自分の思う通りに事を行うこと。独立独往。

どく・りょう【読了】《名・他サ》全部読み終えること。「ようやく原書を―した」「十月二日―」類語 読破。

どく・りょく【独力】自分ひとりだけの力・能力。「―でなしとげる」類語 自力。

と・ぐるま【戸車】戸の上または下につけて、戸のあけたてをなめらかにする小さな車。

*とく・れい【特例】特別な例。特に設けた例外。「―を設ける」「―は一切認めない」類語 異例。例外。

*とく・れい【督励】《名・他サ》監督しはげますこと。「部下を―して作業を急がせる」類語 激励。

とく・れん【得恋】《名・自サ》〔「失恋」に対して造った語〕〔俗〕恋をして、相手の愛を得ること。対 失恋。

とぐろ ヘビがからだをうずまき型にまくこと。
―を巻(ま)く《句》❶ヘビがからだをうずまき型にまく。❷仕事をせずごろごろしている。また、何人かの人が、特に何もせず、ある場所に腰を落ち着けている。

どく・ろ【×髑×髏】長い年月がたって、肉や皮がおち、骨だけになった頭。されこうべ。しゃれこうべ。

どく・わ【独話】《名・他サ》〔文〕ひとりごとをいうこと。また、ひとりごと。

とげ【▽刺・×棘】❶茎や葉に生える針のようにとがったもの。類語 茨(いばら)。毬(いが)。芒(のぎ)。❷堅くて先のとがった突起。「トゲウオの―」❸先のとがった、竹・木などの小片。「指に―がささる」❹人の心を刺激し傷つけるようなもの。意地の悪さ。「―のある言葉」

*とけ・あ・う【解け合う】《自五》❶互いにへだたりがなくなり、仲よくなる。「互いに―って話し始める」❷互いに話し合って取引などの契約を解く。

*とけ・あ・う【溶け合う】《自五》物が、とけまざっ

と

て一つになる。「水と油はー・わない」

*と-けい【徒刑】❶懲役（ちょうえき）。〔古い言い方〕❷明治初期に、重罪人に科した刑の一つ。島に送って労役に就かせた。「無期ー」

*と-けい【〈時計〉】時刻を示したり、時間を計ったりする器械。 ーまわり【ー回り】（まはり）時計の針の進み方と同じ方向に回ること。右回り。

とけ-こ・む【溶け込む】《自五》❶溶けて液体や気体の中に混ざって一つになる。「水にー・む」❷一つのものが他のものに吸い込まれて、区別がつかなくなる。「闇（やみ）にー・む」❸組織・風景などの中に入り、そのふんいきによくなじんで一体となる。「新しいクラスにー・む」

ど-げざ【土下座】《名・自サ》❶昔、大名や貴人が通行するときなど、身分の低いものが地面にひざまずいて礼をしたこと。❷あやまったり、切に頼んだりするときに、地面や床にひざまずくこと。「ーしてあやまる」

と-けつ【吐血】《名・自他サ》胃・食道など、消化器の出血によって血を吐くこと。参考→喀血（かっけつ）。

とげっ-ぽう【吐月峰】たばこ盆の灰吹き。参考「吐月峰」は静岡県にある山の名。連歌師宗長がそこの竹で灰吹きを作り、「吐月峰」と記したことからという。

とげとげ・し・い《形》❶柔らかさがなくとげだっている。❷やさしさ・おおらかさがなく、意地悪くかどだっている。「ー・い声」「ー・い目でにらむ」

*と・ける【解ける】《自下一》❶結ばれたり、からまったりしているものがほどける。ゆるむ。「ひもがー・ける」❷束縛がなくなる。とりのぞかれる。「禁がー・ける」❸〔怒り・苦しみ・悲しみ・不安などの感情が〕なくなる。消える。とかれる。「緊張がー・ける」❹〔わからなかったところが〕わかるようになる。「なぞがー・ける」文と・く《下二》。⇩〔使い分け「とく・とける」〕

*と・ける【溶ける・▽融ける】《自下一》〔熱や薬品によって〕固体が液体になる。また、液体の中へ他の物質がまじって一つの液体になる。「氷がー・ける」「砂糖が水にー・ける」表記「解ける」とも書く。また、金属の場合は「熔ける」「鎔ける」とも書く。類語（する）融解。溶解。文と・く《下二》。⇩〔使い分け「とく・とける」〕

と・げる【遂げる】《他下一》❶しようと思ったことをなし終える。果たす。「本懐をー・げる」「思いをー・げる」❷最終的にそういう結果に達する。「最期をー・げる」「格段の進歩をー・げる」文と・ぐ《下二》。

ど・ける【▽退ける】《他下一》動かして他の場所へ移し、その場所をあける。とりのける。「そこの机をー・けてくれ」文ど・く《下二》。

ど-けん【土建】「土木建築」の略。木材・鉄材・セメント・土砂などを使って建物・鉄道・橋などを造る工事。

*とこ【床】❶寝るために設けるもの。ねどこ。また、しきぶとん。「ーをとる」「ーに就く」「ーを上げる」❷畳の心（しん）。❸ゆか。❹川の底。「河川のー」❺苗や花をそだてる所。❻「床の間」の略。

*とこ【▽所】《名・形名》《「ところ」の転》「ところ」の俗な言い方。「改札を出たーで待つ」「出たー勝負」

ど-こ【▽何▽処・▽何▽所】《代名》《不定称の指示代名詞》不定または不明な場所を指す。どの場所。いずこ。「ーにでもある」「ーへ行くの」

ーの馬の骨《句》素姓のしれない人をののしっていう語。

ー吹く風《句》他人の批評や意見を全く気にかけないようす。「ーと聞き流す」類語馬耳東風（ばじとうふう）。

とこ-あげ【床上げ】《名・自サ》大病や出産のあと、元気になって寝床をかたづけること。また、その祝い。床ばらい。「ーの祝い」

どこ-いら【▽何▽処いら】《代名》《不定称の指示代名詞》〔俗〕どこのあたり。どの辺。

とこ-いり【床入り】《名・自サ》❶寝床にはいること。❷婚礼の夜、新夫婦がはじめて寝床をともにすること。

*と-こう【渡航】《名・自サ》船や航空機で、海をわたって外国へ行くこと。「ー手続き」類語渡海。

*と-こう【×兎▽角・▽左▽右】（ーかう）《副・自サ》《「とかく」の音便》〔文〕とかく①。

ど-こう【土工】❶土木工事で、土を掘ったり運んだりする作業。❷土工①に従事する労働者。

*ど-ごう【土豪】その土地の豪族。

*ど-ごう【怒号】《名・自サ》❶はげしく怒ってどなる・こと（声）。「ーと野次に包まれる」「叱咤（しった）ーする」❷風や波のあれくるう・こと（音）。

どこ-か【▽何▽処か】《連語》はっきり分からない場所や、はっきり言いたくない場所をさし示す語。〔副詞的にも用いる〕「ーで見た顔だ」「ー寂しそうだ」

とこ-かざり【床飾り】〔掛け軸・いけ花・置物など〕床の間の飾り。

とこ-さかずき【床杯・床×盃】（ーづき）婚礼の夜、新夫婦が寝所でふたたび杯をとりかわす儀式。

とこし-え【常しえ・▽永▽久】（ーへ）《形動》〔文〕変わらずにいつまでもつづくようす。永久。とこしなえ。「ーの命をたもつ」「ーに眠る」

とこし-なえ【常しなえ・▽永▽久】（ーなへ）《形動》〔文〕とこしえ。

とこ-ずれ【床擦れ】《名・自サ》寝たきりの病人などの、床に当たる部分の皮膚がただれること。褥瘡（じょくそう）。

どこ-そこ【▽何▽処×其▽処】〔その場所の名をはっきりあげずに〕ある場所をさす語。「ーへ行けと言う」

どこと-なく【▽何▽処と無く】《副》どことはっきり示せないが、なんとなく。「ー魅力に乏しい」

とこ-とわ【▽常▽永▽久】（ーとは）《形動》〔文〕いつまでもつづくようす。永久。とわ。

とこ-とん ㊀《名》物事の最後。ぎりぎりの所。「ーまで追いつめる」類語究極。㊁《副》徹底的に。どこまでも。「ーやってみる」「ー惚（ほ）れ込む」

とこ-なつ【常夏】一年じゅういつも夏のような気候であること。「ーの国ハワイ」

とこ-の-ま【床の間】日本座敷で、上座の床を一段高くした所。壁に掛け軸をかけ、床にいけ花・置物などをかざる。床（とこ）。

とこ-ばしら【床柱】床の間と棚・押入れなどの境で、座敷の中央にあたる所にある化粧柱。

とこ-ばなれ【床離れ】《名・自サ》❶目がさめて寝床からでること。起床。「ーが悪い」類語寝起き。❷病気がなおって寝床をはなれること。

とこ-ばらい【床払い】（ーばらひ）《名・自サ》床あげ。

とこ-はる【常春】一年じゅういつも春のような気候であること。「ーの島」

とこ-ぶし【常節】ミミガイ科の巻き貝。アワビに似ているが、アワビよりずっと小さい。食用。

とこ-や【床屋】髪をかったりひげをそったりする職業（の人）。理髪師。理容師。また、その店。理髪店。理容店。類語散髪屋。

とこ-やま【床山】役者・力士などの髪を結う職業（の

人)。

とこ-やみ【常×闇】〔文〕永久にまっくらであること。[参考]まっくらを強めていうときにも使う。「ーの世」

とこ-よ【常夜】いつまでもつづく夜。

とこよ-の-くに【常世の国】❶古代、はるか遠くへだたった所にあると考えられていた国。❷不老不死の国。❸人の死後、その魂がいくという国。よみの国。黄泉(こうせん)。[同]①〜③常世(とこよ)。

どこ-ら【▽何▽処ら】《代名》《不定称の指示代名詞》〔俗〕どこのあたり。どの辺。どこいら。

***ところ【所・▽処】** ㊀《名》❶広がりをもった物の上にあると考えられるもの。空間。場所。㋐《ふつう、連体修飾語を伴う形で、具体的にその場所を規定する》物が置かれたり、事が・行われたり(起こったり)する空間上の、その位置。その場所。「本箱を置くー」「事件のあったー」「百メートルほど行ったー」「いかがわしいー」「昔、あるーに」「時は春、ーは東京」[参考]動詞連用形や名詞に続き、接尾語的に用いるときは「…どころ」と濁る。「身の置きー(どころ)」「米ー(どころ)」 ㋑《「…のー」の形で、ある物を、基準となる位置・場所として示して》その物のすぐ近く。…のそば。「ポストのーで待つ」 ㋒《「…のー」の形で、ある人を、基準となる位置・場所として示して》その人が・いる(住んでいる)場所。その人のもと。また、その人の家・家庭。「兄のーに厄介になっている」「姉のーは三人家族です」[参考]「所番地」の意で用いることもある。「おーとお名前」 ㋓《「…のー」などの形で》物の部分を場所として示して言う。…の箇所。「肩の下のーを切られた」「二人の出会いのーがうまく書けている」 ㋔《「ーの」の形で》その土地の。その地方の。〔古風な言い方〕「ーの人に聞く」 ㋕場所柄。「ーをわきまえる」「ーを選ばずたばこをすう」 ❷《連体修飾語を伴い、抽象的な事柄に用いて》問題となるその部分・箇所・点。「あの人のえらいーは、いつも冷静なことだ」[参考]動詞連用形や名詞に続き、「…(べき)箇所・点」の意で接尾語的に用いるときは「…どころ」と濁る。「見ー(どころ)」「聞きー(どころ)」 ❸《ふつう、連体修飾語を伴う形で、その動作が行われた場所と深くかかわりつつ、その時間的位置を規定する》そのような動作が行われた場面・状況。そのような状態・事態。そのような時・場合。「ー変わって、一方彼は…」「危うく泣くーだった」「飲みたいーだが我慢しよう」「うわさをしているーに当人が来た」 ㋐《「…のー」の形で、「今日」「今」など時を表す名詞を受けて》現在を中心とした比較的短い時間を指して言う語。…の時点では。さしあたっては。「今日のーは許してやる」 ㋑《「早いー」の形で》早いうちに。早く。早いとこ。〔副詞的に用いる〕「早いー食事を済まそう」

㊁《形名》❶㋐《漢文で、用言を体言化する助字「所」を訓読したことから出た用法》《連体修飾語を受けて》その語句の表す事柄の内容の意を表す。…すること。…するもの。…であること。…であるもの。「その理由とするーをきく」「なすーなく日を送る」 ㋑《漢文で受け身の助字「所」を訓読したことから出た用法》受け身を表す。〔古風な言い方〕「人の好むーとなる(=人に好まれる)」 ㋒《欧文の関係代名詞の直訳から行われるようになった用法》《「…ーの」の形で、連体修飾語を受け、下の体言に続ける》上の語句が連体修飾語であることを明示するときに使う。〔ふつうの言い方では用いない〕「彼の言うーの意味はこうだ」 ❷㋐《「…たーで」「…たーが」の形で、接続助詞として働く》→ところで(接助)・ところが(接助)。 ㋑《「…どころか」の形で、接続助詞として働く》→どころか。 ㋒《多く「…どころではない」の形で》「その程度ではない」「そうではなくてむしろ逆だ」の意を表す。「暑いー(の騒ぎ)ではない」「勉強ー(の話)ではない」 ❸《数量・程度を表す連体修飾語を受けて》おおよその程度を表す。「これくらいのーでやめておこう」 ❹《「…(ようと)するーだ」「…ているーだ」「…(てしまっ)たーだ」などの形で、現在または現在に近い過去を表す副詞句を伴い》その動作が今始まろうとしたり、進行中であったり、ちょうど完了したばかりであったりする意を表す。「一休みするーだ」「三日前に帰ったーだ」「今読んでしまったーだ」[表記]㊁はふつうかなで書く。

㊂《接尾》❶《助数》《「ひと」「ふた」「み」など、数を表す和語について》㋐貴人を数える語。方(かた)。柱(はしら)。〔古風な言い方〕「宮様お二(ふた)ー」 ㋑場所・箇所を数える語。箇所。「庭の一(ひと)ーにアリが集まっている」 ❷《「…どころ」の形で》「…であるもの・人たち」の意を表す。「きれいー」「三役ー」

ー変われば品変わ・る《句》土地が変わると風俗・習慣・言語なども変わる。

ーを・得る《句》ふさわしい場所を占める。また、自分の能力・才能にふさわしい地位や仕事につく。「営業係は彼にとってー・えた仕事だ」

***ところ【▽野▽老】**ヤマノイモ科のつる性多年草。根はにがいが、食用になる。

ところえ-がお【所得顔】(ーがお)《名・形動》その地位・立場などに満足した、得意そうな顔つき・様子。得意顔。「ーにふるまう」

***ところ-が**《接続》前件に示される予想・期待に反する事柄を述べるときに用いる。けれども。しかるに。「電話してみた。ーいなかった」[類語]しかし。

***ところ-が**《接助》〔「…たところが」の形で〕前件の成立をきっかけとして、後件が成立することを強い緊張感をもって述べるのに使う。〔前件が順接・逆接両様の身構えを見せつつ後件を導くところから、緊張感が高まる。前件・後件の論理的展開よりも、後件の事のなりゆきに注目した言い方〕「厳しく注意した**ところが**、案の定泣き出した(意外にも泣き出した)」「くり返し読んだ**ところが**、やっと理解できた」[参考]「が」を略した形「ところ」でも使う。→ところで(接助)。

どころ-か《接助》〔終止形につく。また、述語動詞の略された形では、体言(相当語)につく〕一例をあげて、大仰に否定し、それとは全く反対の事態の叙述を展開するのに使う。…ではなくて、(驚くなかれ)逆に…だ。「喜ぶ**どころか**、怒り出した」「三日(かかる)**どころか**一週間はかかる」

ところ-がき【所書(き)】〔紙などに書きつける場合の〕住所。また、それを書いたもの。[類語]宛名。

ところ-かまわず【所構わず】(ーかまはー)《副》所きらわず。

ところ-がら【所柄】その場所・場の性質。場所柄。〔「その場所の性質上」などの意で、副詞的にも使う〕「ーをわきまえない言動」「ー、服装が洗練されている」

ところ-きらわず【所嫌わず】(ーきらはー)《副》場所を考えにいれないで。どこでもかまわず。所構わず。所選ばず。「ー大声を出す」

ところ-せま・い【所狭い】《形》場所がせまい。きゅうくつだ。参考 多く、文語「所狭し」の形で使われる。

ところ-せま・し【所狭し】《形ク》〔古〕ところせまい。「―・しと商品を並べたてる」

***ところ-で**《接続》急に話題をかえるときに使う語。それはそうと。それはさておき。さて。「―、あの話はどうなりましたか」類語 そこで。では。そも。そもそも。なお。ともあれ。一方。閑話休題。

***ところ-で**《接助》〔「…たところで」の形で〕ある事態が不結果に終わる(あるいは、食い違う結果を伴う)ことを予想させる形で、前件を仮定条件として示す。たとえ…したとしても。「今さら悔いたところで、どうにもならない」「病気だと言ったところで、たかが風邪ではないか」参考 古風な言い方では「ところが」とも。「女の家に転がりこんだところが、稼ごうとするでもない」

ところ-てん【▽心▽太】さらしたテングサを煮て、ゼリー状にした食べ物。ところてん突きで突いてほそ長く切り、酢じょうゆなどをかけて食べる。夏の食べ物。類語 寒天。 ―しき【―式】あとから押されて自然に押し出されること(方式)。「―に卒業する」

ところ-どころ【所所】あちこち。〔副詞的にも使う〕「―に空き地がある」「―汚れが目立つ」

ところ-ばんち【所番地】その建物・土地などがある、地名と番地。「―を記載する」

ど-こんじょう【ど根性】〔俗〕何物にもくじけない強い気力。「―の持ち主」

とさ【土佐】旧国名の一つ。南海道の国の一つで、今の高知県。土州。表記 古くは「土左」とも書いた。 ―いぬ【―犬】昔から土佐地方にいる日本犬に、西洋種の犬を交配して作った犬。からだが大きく、性質は勇猛で、闘犬・番犬として飼われる。

と-ざい【吐剤】胃の中にある物をはきださせる薬。

どざえもん【土左▽衛門】〔俗〕おぼれて死んだ人。水死人。また、水死体。参考 水死してふくれた死体が、江戸時代の力士、成瀬川土左衛門のふとったようすに似ていたことからという。

と-さか【▽鶏▽冠】ニワトリ・キジなどの頭部の頂にある、肉質の突起。雄に発達している。鶏冠。

どさ-くさ 突然の事件や急な用事などで、秩序が乱れ、ごった返している状態。混雑。ごたごた。〔副詞的にも使う〕「火事場の―に紛れて盗みだす」「―紛れ」

とざ・す【閉ざす・▽鎖す】《他五》(「戸鎖す」意。「閉じる」とは別語源)❶戸・門などをしめて、錠をおろす。「玄関を―・す」❷出入り口をふさいで、外部との関係を絶つ。「国を―・す(=鎖国する)」「口を―・す」❸〔道などをさえぎり〕通れなくする。「帰国の道を―・される」❹とじこめて出られないようにする。封鎖する。また、おおいかくす。「軍隊という―・された世界」「悲しみに胸が―・される」「あたりは闇に―・された」文《四》。

***と-さつ**【塗擦】《名・他サ》〔文〕〔薬などを〕ぬってすりこむこと。「―剤」

***と-さつ**【×屠殺】《名・他サ》〔肉・皮などをとるために〕家畜など、けものを殺すこと。畜殺。

と-ざま【▽外様】❶鎌倉時代以後の武家社会で、将軍の一族または代々つかえてきた家臣以外の大名や武士。❷「外様大名」の略。「関ケ原の役」の後に徳川家に従った大名。対 譜代・親藩。❸組織の上などで直系でない・こと(人)。「―だから出世が遅い」

どさ-まわり【どさ回り】〔俗〕劇団などがその本拠地をはなれ、地方を公演してまわること。地方巡業。また、常設の小屋をもたない地方回りの劇団。「―の浪花節語り」

と-さ・れる《連語》「一般に…と認められる(…と言われる)」の意の婉曲な言い方。「猿は人間より毛が三本足りない―・れる」参考 意見や考えを自分のものではないとして提示するときに使う。

と-ざん【登山】《名・自サ》〔高い〕山にのぼること。特に、スポーツとしての山登り。「―家」類語 山登り。

ど-さん【土産】❶その土地の産物。❷みやげ物。=土産。

どさん-こ【▽道産子】❶北海道産の馬。❷北海道で生まれた人。

***とし**【年・▽歳】❶〔西暦または元号などによって「〇〇年」と具体的に示される〕一月一日に始まり、一二月三一日に終わる一二か月間。「私の生まれた―」「その―の暮れに戦争が始まった」「前の―(=昨年)」「来る―(=来年)」「新しい―(=新年)」「―のはじめ(=年始)」「―を越す(=新年を迎える)」参考 時間の単位としては「年」を用いる。❷年齢。「―には勝てぬ(=老年になると体力が伴わず、何事も若い時のようにはいかない)」「―を取る」「―を食っている(=年を取っている)」

⇩〘類語と表現〙

―が改ま・る《句》❶新年になる。❷年号が変わる。

―に不足はな・い《句》❶十分に長生きしたのでいつ死んでも年齢の点では不満はない。❷その事をするのに年齢の点では十分に条件にかなっている。

―は争えな・い《句》老年になって気力があっても、体力の衰えには逆らえない。また、年を取っていることは隠せない。「若く作っているが、よくみると―・い」

類語と表現

「年」

*年が変わる[改まる]・年を経る・年の始め[暮れ]/年はいくつだろう・年を取る・年を感じる・もう年だ・年のわりには元気だ・年のせいか物忘れがひどい。

◆[年月]一年・一年・毎年・今年・閏年・半年・半歳・行く年・来る年・当たり年・生り年・翌年/紀元・皇紀・西暦

◇[…ねん]幾年・一年・一昨年・一周年・永年・往年・学年・客年・隔年・元年・旧年・去年・光年・後年・今年・昨年・再来年・積年・先年・前年・多年・太陽年・逐年・当年・年々・平年・編年・豊年・本年・毎年・明年・明後年・翌年・来年・例年・暦年・連年・累年

◆[年齢]齢・暦年齢・満年齢・精神年齢・学齢・数え年・年端・年ごろ・年格好・年配・厄年

◆[年齢の別称]二十歳・弱冠(=二〇歳)・三十路・四十路・五十路・六十路・七十路・八十路/志学(=一五歳)・而立(=三〇歳)・不惑(=四〇歳)・知命(=五〇歳)・耳順(=六〇歳)

◆[賀寿]還暦(=六〇歳)・古稀(=七〇歳)・喜寿(=七七歳)・傘寿(=八〇歳)・半寿(=八一歳)・米寿(=八八歳)・卆寿(=九〇歳)・白寿(=九九歳)・上寿(=百歳)

***と-し**【徒死】《名・自サ》〔文〕むだに死ぬこと。いぬじに。むだじに。

***と-し**【都市】人口が多く、その地方の政治・経済・文化の中心になっている所。大きな町。「―の生活」類語

都会。都。参考→村落。 **ーガス** 輸送管によって、ガス会社から燃料として広い地域の消費者に供給されるガス。 **ーぎんこう**【ー銀行】普通銀行のうち、大都市に本店を置き、全国的に支店を置く大銀行。市中銀行。都銀。対地方銀行。 **ーけいかく**【ー計画】区画・交通・衛生・住宅など、都市の社会的・文化的環境について改良するための根本的な計画。 **ーこっか**【ー国家】古代、城郭にかこまれた都市と、周辺の農地・牧場などからできていた小国家。古代ギリシアのポリスはその代表的なもの。

***とじ**【▽刀自】㊀《名》〔文〕❶家事をつかさどる女性。❷中年以上の女性に対する尊称。㊁《接尾》中年以上の女性の名前につけて尊敬を表す。＝刀自。

***と・じ**【徒×爾】《名・形動》〔文〕むだなこと。むだ。「ーに終わる」類語徒事。

***とじ**【×杜氏】→とうじ(杜氏)。

***とじ**【×綴(じ)】ぢと〔紙を〕とじること。とじる方法。とじた・ようす(物)。「ーがゆるむ」

***と・じ**【途次】ある所へ行く途中。みちすがら。「上京のー」「帰国のー」

どじぢど〔俗〕❶《名・形動》まのぬけた失敗(をすること)。へま。「ーなまねをする」「ーを踏む(＝まのぬけた失敗をする)」❷まのぬけた人をののしって言う語。まぬけ。

とし・うえ【年上】ーうへ 年齢が多い・こと(人)。年長。「ーのいとこ」類語長上。先輩。対年下。

とし・おとこ【年男】ーをとこ ❶新年の飾り付け・若水くみなどをする役(の男)。❷節分の豆まきをする役(の男)。参考その年の干支と生まれの男性からえらぶことから、その年回りの男性一般にも言う。対年女。

とし・がい【年▽甲×斐】ーがひ 年をとっただけのねうち。年齢にふさわしい思慮分別。参考「ーもなく」の形で使うことが多い。「ーもなく言い争う」

とし・かさ【年×嵩】《名・形動》❶〔年齢をくらべたとき〕年齢が上であること。また、その人。年上。「五つほどーの女」❷年よりであること。高齢。

どし・がた・い【度し難い】《形》ものの道理を説ききかせてもわからせることができない。救いがたい。「度す」は、済度する意。参考「縁無き衆生は度し難し」より。

とし・かっこう【年格好・年×恰好】見て推測される、大体の年齢。としのころ。「三五、六のーの男」

とじ・がね【×綴(じ)金】とぢー 物をとじる金具。

とし・ご【年子】同じ母からうまれた一つちがいの兄弟姉妹。「ーの姉妹」

とし・こし【年越し】《名・自サ》旧年をおくり、新年をむかえること。また、そのときの行事。参考ふつう、おおみそかの夜をさすが、節分の夜や七日正月の前夜などにもいう。「ーのそば」類語越年。除夜。

とじ・こ・む【×綴じ込む】とぢー《他五》❶紙をとじて一つにまとめる。「書類をファイルにー・む」❷〔別の種類のものを〕あとからとじていれる。「雑誌にはがきをー・む」

とじ・こ・める【閉じ込める】とぢー《他下一》ある場所へいれて(戸をしめ)、外へ出られないようにする。「押し入れにー・める」「吹雪で山小屋にー・められた」

とじ・こも・る【閉じ×籠もる】とぢー《自五》❶家や部屋の中にいて、外へ出ないでいる。「書斎にー・る」❷感情や意思を外へ出さないでいる。「自分の殻にー・る」

とじ・ごよみ【×綴(じ)暦】とぢー 何枚もの紙をとじて、書物の形式にした暦。

とし・ごろ【年×頃】㊀《名》❶〔外から推し量って見て、何かにふさわしいと思われる〕およその年齢。年のころ。「遊びたいー」「ーは二三、四」❷特に、結婚するのにふさわしい(女性の)年齢。適齢期。「ーの娘」類語妙齢。㊁《副》数年来。年来。ずっと前から。〔古風な言い方〕「ー案じ続けてきた問題」

とじ・しろ【×綴(じ)代】とぢー とじるために少し残しておく、紙のはしの部分。

ど・しつ【土質】土の性質。「ーを改良する」

とし・つき【年月】❶年と月。月日。(長い)時間。歳月。年月。「長いー」「三年のーが流れた」❷それまでの長い間。年来。類語光陰。烏兎。〔副詞的にも使う〕「ーの願いがかなう」

とし・づよ【年強】《名・形動》一年のうちの前半にうまれた・こと(人)。対年弱。

と・して ㊀《連語》❶《「とする」＋接続助詞「て」》→とする。「問題ないー実行に踏み切る」「つかもうー手をのばす」❷《指定の助動詞「たり」、あるいはタリ活用形容動詞の連用形語尾「と」＋接続助詞「して」》副詞句を作り、動作・作用の生じる際の様態を示す。「頑ー譲らない」㊁《格助》(㊀②の転)資格・立場などを示す。「人間としての権利」「一市民として発言する」㊂《副助》〔単数を表す語＋「…ない」の形で〕全面的否定を表す。「一人としていない」「一つとして有益な物はない」参考「だれ一人」「何一つ」「どれ一つ」など、疑問詞を冠すると、さらに意味が強まる。

としとく・じん【▽歳徳神・年徳神】陰陽道で年の始めに祭る神。この神のある方角を恵方といい、万事に吉とする。年神。歳徳。恵方神。

とし・どし【年年】年をおうごと。毎年。年々。〔「ーに」の形で副詞的にも使う〕「ーに家が建つ」

どし・どし《副》物事がきれめなく続くようす。また、休みなく、また遠慮なく続けて行うようす。「ー質問する」「仕事をーかたづける」類語どんどん。

とし・と・る【年取る】《自五》年齢を加える。年寄る。老いる。「ー・って足腰が弱くなった」

***とし・なみ**【年波】〈「寄るー」の形で〉年をとること。「寄るーには勝てない」参考「年が寄る」を「波が寄る」にかけたことば。

***とし・なみ**【年並(み)・年▽次】❶毎年。年ごと。〔古風な言い方。「ーに」の形で副詞的にも使う〕「ーの行事」❷毎年の標準ぐらいであること。平年なみ。

とし・の・いち【年の市・▽歳の市】年末に、飾り物など新年の祝いに必要な品物を売る市。「ーが立つ」

とし・の・うち【年の内】ことしのうち。年内。〔多く、年末近いときにいう〕「ーに仕事のかたをつけよう」

とし・の・くれ【年の暮(れ)】一年の終わりのころ。年末。年の瀬。

とし・の・こう【年の功】年をとって経験をつんでいること。また、そのための功徳。年功。「冷静でいられるとは、さすがにーだ」参考→亀の甲より年の功。

とし・の・ころ【年の×頃】おおよその年齢。年のほど。「ー二五、六の男」

とし・の・せ【年の瀬】年の暮れ。年末。

とし・は【年端】年齢の程度。参考ふつう、「ーの(も)行かぬ」「ーの(も)行かない」の形で、「幼い・年若い」の意を表す。「ーも行かぬ少年」

とじ・ぶた【×綴(じ)×蓋】とぢー こわれたのを修理したふ

た。参考→破鍋(われなべ)に綴じ蓋(ぶた)。

とじ-ほん【×綴(じ)本】(とぢ-)糸などでとじて作った本。とじまき。冊子(さっし)。

とし-ま【年▽増】娘盛りをすぎて少し年をとった女性。中年の女性。年増女。参考江戸時代は二〇歳すぎ、今は三〇〜四〇歳ぐらいの女性を指す。

と-じまり【戸締(ま)り】《名・自他サ》門や戸にかぎをかけ、あかないようにすること。「―を厳重にする」

とし-まわり【年回り・年×廻り】(-まはり)特定の年齢によって吉凶に分かれる運勢。「今年は―が悪い」

とじ-め【×綴(じ)目】(とぢ-)ものをとじあわせた所。「本の―がほころびる」

と-しゃ【吐×瀉】《名・他サ》食べたものを吐いたり、くだしたりすること。はきくだし。「―物」

ど-しゃ【土砂】つちと、すな。「―くずれ」 **―ぶり【―降り】**雨がはげしく降ること。また、その雨。「―になる」「―にあう」表記「土砂」は、多くかな書き。

***と-しゅ【徒手】**物事を行うのに、手に何ももたないこと。また、自分の力以外に、拠(よ)りどころとする地位・資本などがないこと。「―で敵に立ち向かう」類語空手(くうしゅ)。赤手。から手。すで。 **―くうけん【―空×拳】**「徒手」を強めた語。空手空拳。 **―たいそう【―体操】**❶器械・器具などを使わないでする体操。対器械体操。❷体操競技で、「床運動」の旧称。

***と-しゅ【斗酒】**〔文〕一斗の酒。多量の酒。「―なお辞せず(=大酒をのむことの形容)」

***と-しょ【図書】**書籍。書物。本。「参考―」 **―かん【―館】**図書やいろいろな資料・フィルムなどを集めて保管し、利用させる施設。ライブラリー。

***と-しょ【×屠所】**家畜を殺す場所。屠殺場。屠場。 **―の羊(ひつじ)**《句》刻々と死に近づいていく人や、死や不幸に直面して打ち沈んだ人のたとえ。

と-しょう【徒渉・渡渉】《名・自サ》〔文〕川や海の浅い所などを歩いてわたること。「―点」

***と-じょう【×屠場】**屠殺場。屠所。

***と-じょう【登城】**《名・自サ》城に参上すること。幕府に出仕すること。対下城。

***と-じょう【途上】**目的の所へ行く途中。「帰国の―」「完成―で倒れる」 **―こく【―国】**→発展途上国。

***と-じょう【都城】**とりでや城壁をめぐらした都市。また、都市にめぐらした城郭。

***ど-じょう【土壌】**❶岩石がくだけて分解した無機物に、動植物がくさって分解した有機物がまじったもの。土。❷特に、作物の育つ土。「肥沃(ひよく)な―」「―を改良する」❸物事が発生したり育ったりする基盤・環境。「文化を生み出す―」

***どじょう【▽泥×鰌】**(どぢやう・どぜう)ドジョウ科の淡水魚。小川・沼などにすむ。からだは丸くて細長く、背は暗緑色で腹は白色。口に一〇本のひげがある。食用。「―汁」 **―ひげ【―×髭】**うすい口ひげ。

ど-しょうぼね【土性骨】《「ど」は接頭語》〔俗〕〔気力があるかどうかという点からみた〕生まれつきの性質。ど性根。ど根性。「―をたたき直す」参考乱暴に、また強めていう語。

と-しょく【徒食】《名・自サ》働かないで、ぶらぶらと遊びくらすこと。「無為―」類語座食。居食い。

とし-より【年寄り】❶年をとった人。老人。「―をいたわる」類語古老。老体。❷武家時代、政務に参与した重臣。❸江戸時代、町村の住民の長として町村の政務をとったもの。❹相撲で、興行・力士を取りしまるもの。正式名は日本相撲協会評議員。引退した力士がなる。表記❷〜❹は「年寄」と書く。 **―の冷や水**《句》老人にふさわしくない危険なことや、さしでたことをするたとえ。参考いましめ・ひやかし・嘲笑(ちょうしょう)などの意を含む。

とし-よわ【年弱】《名・形動》❶一年のうちの後半に生まれたこと(人)。対年強(としづよ)。❷年齢の若いこと(人)。年若(としわか)。「―のいとこ」

***と-じる【閉じる】**(とづ)る ■《自上一》❶今までその向こうが見えるように開いていたものが、見えなくなるように動く。しまる。「貝のふたが―・じる」❷終わりになる。「会議が―・じる」文と・づ《上二》。■《他上一》❶今までその向こうが見えるように開いていたものを、見えなくするように動かす。しめる。「幕を―・じる」「本を―・じる」類語閉ざす。閉(た)てる。閉めきる。閉(た)てきる。閉(た)てこめる。塞(ふさ)ぐ。つぶる。つぐむ。緘(かん)する。(る)閉鎖。封鎖。密閉。閉塞(へいそく)。梗塞(こうそく)。対開ける。❷〔続けていたことを〕やめる。「店を―・じる」「会を―・じる」類語畳む。文と・づ《上二》。

***と-じる【×綴じる】**(とぢ)る《他上一》❶〔紙などを〕かさねて一つにつづり合わす。「原稿を―・じる」❷布などを合わせて動かないようにぬいつける。「袖(そで)付けを―・じる」類語❶❷綴(つづ)る。文と・づ《上二》。

とし-わか・い【年若い】《形》まだあまり年をとっていない。年齢が若い。「―・い妻」

とし-わすれ【年忘れ】その年一年間の苦労をねぎらうこと。また、そのために行う宴会。忘年会。

***と-しん【×兎唇】**生まれつき上唇が縦にさけていること。口唇裂。みつくち。

***と-しん【×妬心】**〔文〕人をねたむ心。しっと心。「―を燃やす」

***と-しん【都心】**大都市の中心部。特に、東京の中心部。「―まで約一時間かかります」

と-じん【都×塵】都会のほこりっぽさ・さわがしさ。

ど-じん【土人】❶土着の人。❷〔卑称〕未開地で原始的な生活をしている土着の人。

と-じんし【都人士】〔文〕都市に住む人。みやこの人。都人。

トス❶《名・他自サ》物を軽く投げ上げること。❷《名・他自サ》野球・バスケットボールで、近くにいる味方の選手に、下から軽くボールを投げて送ること。❸《名・他自サ》バレーボールで、攻撃のとき、アタッカーとなる選手が打ちやすいように軽くボールを打ち上げること。「―を上げる」❹「トスバッティング」の略。野球で、軽く投球させて行う打撃練習。▽toss

どす〔俗〕❶短刀・あいくちなど、懐中にかくしてもつ小さな刀。「―を呑(の)む(=短刀などをかくし持つ)」❷すごみ。「―のきいた声」

ど-すう【度数】❶〔同じ物事が〕何回くりかえして行われたかという数。類語回数。❷温度・角度などを表す数。⇩[類義語の使い分け「回数」]

どす-ぐろ・い【どす黒い】《形》《「どす」は接頭語》にごって黒ずんでいる。「―・い血」

ドスキン 鹿(しか)の皮に似せた、しゅす織りの羅紗(らしゃ)。光沢があり、男子の礼服用。▽doeskin

***と-・する【×賭する】**《他サ変》〔文〕かけ事を行う。また、失敗したら大切なものを失うことを覚悟の上で、ま

その事に打ちこむ。かける。「命を━・して闘う」「社運を━・して新事業に乗り出す」

*と・する《連語》《格助詞「と」+動詞「する」》❶…と仮定する。「それが事実だ━・すれば、大変なことになる」❷「…と考える」「…と言う」「…と主張する」などの婉曲な言い方。「これを正しい━・する者はいない」「当局では危険性は皆無だ━・している」❸〈「(よ)う━・する」の形で〉ちょうど…しかける。「出かけよう━・する時に雨になった」

ど・する【度する】《他サ変》❶迷いをとりのぞき、すくう。済度する。❷道理をといてわからせる。参考↓度しがたい。

と・すれば《接続》前の事柄から必然的に次の事柄が導かれることを示す。そうだとすれば。そうすると。とすると。「彼は病気だということだ。━来ないだろう」

とせ【▽歳・▽年】《助数》〔文〕《数を表す和語について》年数をかぞえる語。…年。「三━の年月」

と・せい【渡世】❶よわたり。くらし。生活。「━の道」❷くらしのための職業。生業。なりわい。「板前を━とする」━にん【━人】ばくちうち。やくざ。博徒。

*ど・せい【土星】太陽系の惑星の一つ。太陽に近い方から六番目。まわりに環があり、その外側に一七個以上の衛星が確認されている。サターン。

*ど・せい【土製】土で作ってある・こと(もの)。

*ど・せい【怒声】おこってどなる声。「━を上げる」「━を発する」類語 怒号。罵声。

どせき・りゅう【土石流】山の表層部分が、地表水や地下水を多量に含んだため、泥水のようになって流れ出したもの。

と・ぜつ【途絶・×杜絶】❶《名・自サ》ずっと続いていたものがたえること。とだえること。「通信が━する」❷《名・他サ》ふさいでたやすこと。表記「途絶」は代用字。

と・せん【渡船】川や海などで、人や荷物を運ぶ小さな舟。わたしぶね。「━場」

と・ぜん【徒然】《名・形動》〔文〕することがなく退屈なこと。つれづれ。「━を慰める」

とせん・きょう【渡線橋】↓跨線橋。

と・そ【×屠×蘇】❶とそ散。❷とそ散をひたした酒やみりん。不老長寿の酒として正月の祝いに飲む。「━を祝う(=とそを飲んで正月を祝う)」━さん【━散】サンショウ・ニッケイ・キキョウなどの薬草を調合したもの。袋にいれて酒やみりんにひたして飲む。とそ。

と・ぞ 文語 ━《連語》《格助詞「と」+強意の係助詞「ぞ」》引用の助詞「と」の、それと指定する勢いを強める。〔文末を連体形で結ぶ〕━《終助》《━の転》伝聞を引用紹介する。…ということだ。〔詠嘆的余情がこもる〕「われにもあらで走入り給ひしなりとぞ〈鏡花〉」

と・そう【塗装】《名・他サ》〔仕上げ・装飾などのため〕塗料をぬること。また、吹き付けること。「━工事」

ど・そう【土葬】《名・他サ》死体を焼かずに地中に葬ること。参考↓火葬・水葬・風葬・鳥葬。

ど・ぞう【土蔵】壁を土やしっくいで厚くぬりかためた、くら。土蔵。「白壁の━」

ど・そく【土足】❶どろだらけの足。どろ足。❷はきものをはいたままの足。「━のまま上がりこむ」「━でふみにじる」「━厳禁」

ど・ぞく【土俗】その土地の風俗・習慣。類語 民俗。

ど・だい【土台】━《名》❶建築物の基礎(として使われるもの)。特に、木造の建築物の一ばん下におく横木。❷一般に、物事の基礎。もとい。「会社経営の━がゆらぐ」━《副》❶最初から。もともと。「一日で仕上げようとしても━無理だ」❷まるで。まったく。「━話にならん」表記 ━はふつうかな書き。

と・だ・える【▽跡絶える・途絶える】《自下一》続いていたものが途中で切れてあとが続かなくなる。とぎれる。中絶する。途絶する。「通信が━・える」

どた・キャン《名・他サ》《「どた」は土壇場、「キャン」は「キャンセル」の略》〔俗〕約束などを直前になって取り消すこと。

どた・ぐつ【どた靴】〔俗〕歩くとどたどた音をたてるような、不格好なくつ。

と・だな【戸棚】三方を板や壁などでかこみ、中にたなをつくって、前面に戸をつけた、物を入れる家具。

どた・ばた ━《副・自サ》《副詞は「━と」の形も》走りまわったり大きな声をあげたりして、乱暴にさわぐようす。「家の中で━するな」━《名》❶乱暴にさわぐこと。どたばたさわぎ。「━を演じる」❷「どたばた喜劇」の略。そうぞうしく動きまわったり、滑稽なしぐさやせりふで観客を笑わせようとする(低級な)喜劇。

*と・たん【塗炭】〔文〕泥水と炭火。また、泥にまみれ火にやかれるような苦しい境遇。「━の苦しみ(=非常な苦しみ)」

*と・たん【途端】〔あることをした〕ちょうどその瞬間。また、そのすぐ後。〔「━に」の形で副詞的に用いることが多い〕「駆け出した━石につまずいた」表記 ふつうかな書きにする。類語 はずみ。とっさ。拍子。

*トタン 亜鉛でめっきした、うすい鉄の板。トタン板。「━屋根」参考 ポルトガル tutanaga(=亜鉛)の転という。

どたん・ば【土壇場】❶昔の首きりの刑場。❷ある物事が決定しようとする、のっぴきならない最後の瞬間・場面。「━で見事な逆転勝ち」「━に追い込まれる」

*と・ち【土地】❶大地。地。類語 陸。地面。❷耕地・宅地などの総称。地所。「━を買う」「━を耕す」類語 不動産。用地。❸その地方。「知らない━」「━っ子」尊敬 御地。貴地。御当地。❹領土。「━を治める」「━割譲」━がら【━柄】その土地の風俗・人情などのありさま。所柄。━かん【━鑑・━勘】〔俗〕その土地の事情・地理などに通じていること。「━がある」参考 もと、警察用語。

*とち【×栃・×橡】とちのき。

とち・の・き【×栃の木・×橡の木】トチノキ科の落葉高木。葉はてのひら形につき、大きい。五月ごろ、白地に紅の斑点のある花が円錐形にかたまって咲く。種子は食用、材は器具用。とち。

とち・めん【×栃×麺】トチノキの実の粉に、米の粉・小麦粉などをまぜて、そばのようにした食品。━ぼう【━棒】❶栃麺をのばす棒。❷〈「━(を)振る」「━(を)食う」などの形で〉うろたえ、あわてる。参考 栃麺をのばすときには手早くしないと固まってしまうことからとも、「とちめく坊(=あわてん坊)」の転ともいう。

ど・ちゃく【土着】《名・自サ》その土地に先祖代々住んでいること。また、その土地に住みつくこと。「住民━の農家」

と・ちゅう【途中】❶ある場所からある場所へ行くまでの間。出発してから到着するまでの間。「━で事故があった」「旅の━はずっと眠っていた」❷物事が続いている間。「資金が続かず━でやめた」類語 中途。

類義語の使い分け　途中・中途

［途中・中途］事業計画が途中（中途）で立ち消えになる／話が途中（中途）で本筋からそれて脱線する

［途中］出勤する途中で偶然旧友と出会う／途中で雨があり試合が中断する／途中下車する

［中途］家庭の事情で中途退学する／何をやるにしても中途半端な気持ちではだめだ／中途採用の社員

ど-ちゅう【土中】 土の中。類語 地下。

***と-ちょう【徒長】** 《名・自サ》作物の枝・茎・葉・根などが必要以上に伸びてしまうこと。

***と-ちょう【登頂】** 《名・自サ》➡とうちょう（登頂）。

***と-ちょう【都庁】** 「東京都庁」の略。東京都の行政事務を扱う役所。類語 道庁。県庁。府庁。

ど-ちょう【怒張】 《名・自サ》❶血管などが、ふくれてもりあがること。❷肩などをいからし張ること。

どち-ら【▽何▽方】 《代名》❶《不定称の指示詞》㋐不特定の方向・場所を指す語。「—のお生まれですか」「—へお勤めですか」参考「どこ」「どっち」より敬意が強い。㋑複数、特に二つのものの中から何か一つを選ぶ（または選ばせる）とき、限定しないまま、その一つを指示する語。また、その中から何か一つを選ぶことが困難なとき、限定しないまま複数のものを一括して指示する語。〔後者の場合は、助詞「も」を下に伴う〕「—を選ぼうと自由だ」「カキとミカンと—が好きですか」「—でもよい」参考「どっち」より丁寧な言い方。❷《他称の人代名詞。不定称》㋐〈多く「—様」の形で〉どなた様。「失礼ですが—様でしょう」参考「だれ」より敬意が強い。㋑どちら①㋑を人について用いる語。「AさんとBさんと—がすきですか」参考「どっち」より丁寧な言い方。

—かと言えば 《句》あえて選択・判断をすると。

—とも言えな・い 《句》明確には選択・判断ができない。

とち・る 《自他五》〔俗〕❶芝居で、俳優がせりふや動きをまちがえる。「せりふを—・る」❷物事を（ちょっと）やりそこなう。失敗する。「期末試験は—・った」

とつ【×咄】 《感》〔文〕❶舌うちをする音。ちょっ。ちぇっ。❷おどろいたり、呼びかけたりする声。「—何たる振る舞いぞ」

とっ【取っ】 《接頭》《「取り」の促音便》《動詞につけて》語調を整え意味を強める。「—ぱずす」「—つかまえる」参考「取り」よりもやや俗語的な表現になる。

とつ-おいつ 《副・自サ》《「取りつ置きつ」の転》あれこれと思い迷うようす。とやかくと。「—思案する」

***とっ-か【徳化】** 《名・他サ》〔文〕人を徳によって感化し導くこと。

***とっ-か【特価】** ふつうよりも特に安くしてある値段。「—でおわけします」「—品」

***とっ-か【特化】** 《名・自他サ》他と異なる特別のものになる（する）こと。「商品を東南アジア向けに—する」

どっ-か【読過】 《名・他サ》❶〔ぶあつい書物などを〕読み終えること。「源氏物語を一月で—する」類語 読了。❷その箇所から何らかの（重要な）意味をくみとることなく、読み過ごすこと。

トッカータ ハープシコード・オルガンなどの鍵盤（けんばん）楽器のために書かれた、即興的で自由なスタイルの楽曲形式。▽イタリア toccata

どっ-かい【読解】 《名・他サ》文章を読んでその意味・内容を理解すること。「古典を—する」「—力」

とっかえ-ひっかえ【取っ換え引っ換え】（—かへ—かへ）《「とりかえひきかえ」の転》あれやこれやと次々に換えるようす。「毎日洋服を—して通勤する」

とっ-かかり【取っ掛（か）り】 《「取り掛かり」の音便》最初の手がかりとする・もの（所）。とっつき。「解決の—がない」「仕事の—をつくる」

とっ-かく【突角】 〔文〕つき出た、かど。

どっか-と 《副》❶重いものをおろすようす。「肩の荷を—おろす」❷安定した位置をしめて落ち着くようす。「正面の座に—すわる」類語 でんと。＝どっかり（と）。

どっかり 《副》《「—と」の形も》❶どっかと。❷急に増減するようす。どかっと。「体重が—減る」

***とっ-かん【×吶×喊】** 《名・自サ》敵陣に突撃するとき、ときの声をあげること。また、ときの声をあげて突撃すること。突貫。「敵陣を目がけて—する」

***とっ-かん【突貫】** 《名・自サ》❶吶喊（とっかん）。❷〔途中で休まず〕一気にやってのけること。「—工事」

***とっ-き【特記】** 《名・他サ》〔重要なこととして〕特にとりあげて書きしるすこと。「—に値する功績」「—事項」類語 特筆。

***とっ-き【突起】** 《名・自サ》一部分がつきでること。また、つきでた部分。でっぱり。「虫様—」「—物」

どっ-き【毒気】 ❶毒になる成分。「メタンガスの—に当たる」❷〔ひゆ的に〕人を不愉快にする雰囲気。また、人を害しようという気持ち。悪意。「—を含んだ言い方」「—のない人」＝どくき・どくけ・どっけ。

—に当てら・れる 《句》相手の気負った気持ちや態度によって、こちらの意志がなえてしまう。

—を抜か・れる 《句》びっくりして呆然（ぼうぜん）となる。

ど-づき【土突き】 ➡胴突（どうづ）き①。

***とっ-きゅう【特急】** ❶特にいそいですること。「—で原稿を送る」「仕事を—で仕上げる」❷「特別急行列車」の略。急行列車よりも高速度で、停車駅も少なく、遠距離を運行する列車。

***とっ-きゅう【特級】** 〔いくつかの等級に分けたとき〕一級の上の等級（のもの）。特級品。

とっ-きょ【特許】 ❶特定の人のために、能力・資格・権利などを与える行政行為。❷「特許権」の略。

—けん【—権】 発明者・考案者、またはその継承者が、その発明・考案を独占して使用できる権利。パテント。

—ちょう【—庁】 特許権に関する事務を扱う役所。経済産業省の外局。

どっ-きょ【独居】 《名・自サ》〔文〕❶ひとりだけでいること。❷ひとりで住むこと。ひとりずまい。「—老人」

ドッキング 《名・自サ》❶人工衛星や宇宙船が宇宙空間の軌道上で結合すること。類語 ランデブー。❷二つの事柄が一つに結合すること。▽docking

どっきん-ほう【独禁法】 「独占禁止法」の略。

とっく【▽疾っく】 《文語形容詞「とし」の連用形「とく」の転》疾（とう）。「—の昔」

とつ・ぐ【嫁ぐ】 《自五》よめに行く。よめいりする。「資産家に—・ぐ」文《四》。

ドック ❶船舶の修理・建造・検査などをするための、海岸にもうけられた施設。船渠（せんきょ）。❷〔①から〕健康診断をうけたり、疲労を回復させたりするために短期間入院する設備。「人間—」▽オランダ dok 英 dock

ど-づ・く【ど突く】 《他五》《「ど」は強めの接頭語》〔俗〕なぐる。たたく。こづく。どつく。

とつ・くに【▽外国】〔文〕外国(がいこく)。異国。

とっくみ・あい【取っ組(み)合い】《名・自サ》たがいにくみつきあうこと。つかみあい。くみうち。「—のけんか」「口論から—になる」

***とっくり【▽徳利】**《「とくり(徳利)」の転》❶細長くて口のせまい、酒を入れる容器。銚子(ちょうし)。❷〔俗〕浮くことはできるが泳げない人。参考 とっくり①は水に浮くが水がはいるとすぐ沈むことから。❸セーターで、えりがとっくり①の口の部分に似た形をしていること。また、そのえり(のセーター)。

***とっくり**《副》《「—と」の形も》落ちついて十分念をいれて物事をするようす。とくと。「—御覧ください」

とっ・くん【特訓】特別に行われるはげしい訓練。

どっ・け【毒気】→どっき(毒気)。

とっ・けい【特恵】特別に有利なようにとりはからうこと。特別の恩恵・待遇。「—待遇」「—関税」

とつ・げき【突撃】《名・自サ》突進して攻撃すること。「敵陣に—を敢行する」類語 突進。突貫。

とっ・けん【特権】特定の人・身分・階級・国家などに与えられる特別の権利。「—を振りかざす」「—階級」

***とっこ** 人をだまして物をとる人。詐欺師(さぎし)。「—に取る(=相手を困らせるための口実にする)」

***とっ・こ【▽独×鈷】**❶密教で使う仏具の一つ。鉄または銅製で両端のとがった短い棒。煩悩(ぼんのう)をくだくとされる。独鈷(とこ・どっこ)。独鈷杵(とっこしょ)。❷独鈷①のような模様を織りだした織物。

どっこい《感》❶重い物を持ちあげたり、移動させたりするときに発するかけ声。どっこいしょ。❷他の人の動作・考えなどを受けて、それをさえぎるときにいう語。「おっと—そうはさせない」 **—しょ**《感》❶どっこい①。❷腰をおろしたり、あげたりするときに発する語。 **—どっこい**《形動》〔俗〕力・勢力・程度などに差がなく、同じくらいであるようす。とんとん。「—の勝負」

***とっ・こう【徳行】**〔文〕道徳にかなった正しい行い。類語 善行。篤行(とっこう)。

***とっ・こう【特効】**〔薬などの〕いちじるしい効果・効能。「虫さされに—のある薬」 **—やく【—薬】**その病気や傷に対して特にききめのある薬。「水虫の—」

***とっ・こう【特攻】**❶特別な攻撃。特に、特攻隊の行う攻撃。❷「特攻隊」の略。「—精神」 **—たい【—隊】**「特別攻撃隊」の略。第二次世界大戦末期、飛行機・人間魚雷などにのりくみ、敵の軍艦や陣地に体当たりの攻撃を行った日本軍の特殊部隊。特攻。

***とっ・こう【特高】**「特別高等警察」の略。第二次世界大戦が終わるまで、政治・社会運動をとりしまった警察組織。取り調べがきびしかった。特高警察。

***とっ・こう【篤厚】**《名・形動》〔文〕情にあつく誠実であること。「—の士」

***とっ・こう【篤行】**〔文〕まごころのこもった行い。人情にあつい行い。「—をたたえる」類語 善行。徳行。

***どっ・こう【独航】**船舶が船団などに属さず一隻だけで航行すること。 **—せん【—船】**遠洋漁業で母船に従って出漁し、漁獲物(サケ・カニなど)を母船へ運ぶ船。

***どっ・こう【独行】**《名・自サ》〔文〕❶一人で行くこと。単独行。❷他人にたよらず、自分一人の力で行うこと。「—の精神」「独立—」類語 独歩。自主。

とっ・こつ【突×兀】《形動タリ》〔文〕〔岩・山などが〕高くつき出ているようす。けわしくそびえているようす。「—として空を区切る山並み」

とっ・さ【×咄×嗟】非常に短い時間。瞬時。「—に身をかわす」「—の機転」

とっ・さき【突先】つき出たものの先。とがった端。「岬の—」類語 先端。突端。

どっさり《副》《「—と」の形も》物がたくさんあるようす。「牛肉を—買ってくる」「ミカンが—なっている」

ドッジ・ボール 多人数が二組に分かれてコートにはいり、大形のボールを相手の組の人のからだにあてる球技。あたった人はコートの外へでて外から相手の方へあてる。デッドボール。ドッチボール。▽dodge ball

とっ・しゅつ【突出】《名・自サ》❶つき出ること。「—した岩角」❷出し抜けに飛び出ること。「—した成績」「ガスの—事故」

とつ・じょ【突如】《副・形動タリ》急に思わぬ事態が起こるようす。「—としてエンジンが火を噴いた」

どっしり《副・自サ》《副詞は「—と」の形も》❶手に持って重みを感じるようす。ずっしり。「—した重みがある」❷おちついて、重々しいようす。「—と構える」

とっ・しん【突進】《名・自サ》ある目標にむかってまっしぐらにつき進むこと。「敵艦に—する」「ゴール目がけて—する」類語 邁進(まいしん)。驀進(ばくしん)。突貫。

とつ・ぜん【突然】《副》《「—に」の形も》予期しなかった物事が急に起こるようす。だしぬけ。「—のことで大そうおどろいた」「—火災報知機が鳴りだした」類語 急。俄(にわか)。いきなり。やにわ。忽(たちま)ち。不意。突如。唐突(とうとつ)。卒爾(そつじ)。卒然(そつぜん)。忽然(こつぜん)。忽焉(こつえん)。勃然(ぼつぜん)。豁然(かつぜん)。翻然(ほんぜん)。俄然(がぜん)。短兵急。藪(やぶ)から棒。寝耳に水。 **—へんい【—変異】**〔生物学で〕親の系統になかった新しい形態・性質が、突然、子にあらわれ、それが遺伝すること。偶然変異(ぐうぜんへんい)。

とっ・たり《「取る」の連用形に助動詞「たり」がついた「取りたり」の転》❶〔常に「捕(と)ったり」と叫ぶことから〕歌舞伎(かぶき)で、大勢で出る捕り手の役。❷相撲の手の一つ。両手で相手の片手をかかえ込むようにしてその手の方に体を開き、ひねりながら倒す技。

とっ・たん【突端】長くつき出たものの、一ばん先。「岬(みさき)の—に灯台がある」類語 先端。突先(とっさき)。

ど・っ・ち【▽何▽方】《代名》《「どち」の転》❶《不定称の指示詞》㋐いくつかの方向・場所のうち、その一つを指す語。「—へ行こうか」「西は—ですか」㋑どちら①㋑のくだけた言い方。参考→どちら①。❷《他称の人代名詞。不定称》どちら②㋑のくだけた言い方。「—が兄で—が弟なのかわからない」 **—つかず【—付かず】**《名・形動》どちらともはっきりきまらないこと。「—の態度」 **—みち【—道】**《副》どちらにしても。いずれにせよ。結局は。「—行かなくてはならない」 **—も・どっち【—も▽何▽方】**《連語》どちらか一方が悪いというのではなく、両方とも同じ程度に悪いようす。「あの男も悪い奴(やつ)だが、まあ、—だね」

とっ・ち・める《他下一》《「取り締める」の転》〔俗〕きびしくとがめ、反抗・弁解ができないまでにやりこめる。ひどくせめる。「生意気だから—めてやろう」

とっちゃん・ぼうや【▽父っちゃん坊や】外見や態度が子どもっぽい成人男性。

とっ・つき【取っ付き】《「とりつき」の促音便》❶物事の取りかかり。手はじめ。最初。「—につまずく」❷〔いくつかあるうちの〕一番手前。「—の部屋」❸初めて会ったときの感じ。第一印象。「—は悪いが、とてもやさしい人です」[表記]ふつうかなで書く。

とっ-て【取っ手・▽把手】家具・扉などについている、手でにぎる部分。「ドアの—」[類語]つまみ。

とっ-てい【突堤】〔波や砂をふせぐために〕陸から海や川に細長く突き出すようにしてきずいた堤防。

とって-おき【取って置き】いざという時のために大切にとっておくこと(物)。とっとき。「—のブランデー」

とって-かえ-す【取って返す】〔-かへす〕《自五》途中からひきかえす。もとの所へもどる。「旅先から—・す」

とって-かわ-る【取って代わる】〔-かはる〕《自五》ある物・人にかわってその地位をしめる。入れかわる。「石油に—・るエネルギー」

***どっ-と**《副》❶大ぜいが一度に声をあげて、その場がどよめくようす。「—歓声があがる」❷ある場所に多くの人やものなどが一度に・おしよせる(あらわれる)ようす。「疲労が—出る」❸急に倒れるようす。また、急に病気が重くなるようす。「—病勢があらたまる」

***ドット** ❶点。特に、図形や文字の構成要素となる点。「—プリンター」❷水玉模様。▽dot **—マップ** 地図の一種。その地域の人口・産物の生産高などを、点の大小や疎密で表すもの。点地図。▽dot map

とつ-として【突として】《副》〔文〕だしぬけに。にわかに。「—出現する」

とつ-とつ【×訥×訥・×吶×吶】《形動タルト》口ごもりながら話すようす。また、つかえつかえ書くようす。「—と窮状を訴える」

とっ-と-と《副》《「疾(と)く疾くと」の転》非常にせくようす。さっさと。はやく。「—出ていけ」

とつ-にゅう【突入】《名・自サ》❶ある区域や建物の中に勢いよく入りこむこと。まっしぐらに入ること。「大気圏に—する」❷〔事のなりゆきにしたがって〕ある状態の中に入ること。「ストに—する」

とっ-ぱ【突破】《名・他サ》❶障害や困難をつきやぶること。「敵陣を—する」「難関を—する」❷ある数量以上になること。「事故件数はすでに五千件を—した」

トッパー たけが腰ぐらいまでの、ゆったりした女性用コート。トッパーコート。▽topper

とっ-ぱつ【突発】《名・自サ》予期しないことが急に起こること。「—事故」

とっ-ぱな【突▽端・突鼻】〔俗〕❶細長くつき出たものの、はし。突端(とったん)。「半島の—」❷一ばんはじめ。最初。「話の—」

とっ-ぱん【凸版】インクのつく面が他より高くなっている印刷版。また、それによる印刷法。

とっ-ぴ【突飛】《形動》常識では考えつかないほど変わっているようす。「—なアイディア」「—な服装」[類語]奇抜(きばつ)。[表記]ふつうかな書きにする。

とっ-ぴょうし【突拍子】〈—もない〉調子はずれだ。とほうもない。「—もないことを言い出す」

トッピング 料理や菓子の上に調味や飾りのためにのせるもの。ケーキやアイスクリームの上にかける砕いたナッツなど。▽topping

トップ ❶先頭。第一番。「—バッター」❷最上位。最高。首位。首席。「—会談」「大学を—で卒業する」❸新聞の紙面で、最上段の右(にある記事)。また、週刊誌の巻頭(の記事)。「—記事」❹衣服で、上半身の部分。▽top **—ダウン** 会社などで、上位の人が作った計画や目標などが下の位の人へ伝達されて実行されること。「—社会」[対]ボトムアップ。▽top-down **—ニュース** 新聞で、最も重要な記事。目につきやすいように、紙面の最上段の右の方にのせる。[参考]週刊誌などでは巻頭記事をいう。▽top news **—マネージメント** 企業の経営管理組織の最上層部。経営方針を決定し、それを具体化して指令する。最高経営層。▽top manegement **—や【—屋】**〔俗〕社外にいて、トップニュースになる記事を書くことを職業にしている人。また、トップニュースになる記事を書いて売り込む人。**—レディー**〔高い教養と品位を身につけ〕社会の第一線で華々しく活躍している女性。「ファッション界の—」[参考]特に、各国の元首・首相夫人を指すことがある。▽topとladyからの和製語。**—を切・る**《句》❶先頭を走る。また、首位に立つ。「—・る走者」❷他の者に先立って、物事を始める。「—・って質問する」

とっ-ぷう【突風】突然、強く吹きつける風。「—にあおられる」「—で家が倒れた」[類語]旋風(せんぷう)。

とっ-ぷり《副》《「—と」の形も》❶〔太陽が沈んで〕すっかりくらくなるようす。「—と日が暮れる」❷すっかりあるものの中にはいるようす。「—水につかる」

どっぷり《副》《「—と」の形も》❶墨・汁などの液体を十分に含ませるようす。「筆に—墨をつける」❷ある環境にすっかりはまって、そこに安住しているようす。「悪に—つかる」

トップレス ❶胸の部分を露出した女性用水着。❷胸部をあらわにした衣服。▽topless(=上のない)

とつ-べん【×訥弁・×訥×辯】つかえたり、どもったりしながら話す、へたな話し方。「—だが、心のこもったスピーチ」[類語]口べた。[対]能弁(のうべん)。

どっ-ぽ【独歩】《名・自サ》❶一人で行くこと。一人で歩くこと。❷他人の力をかりず、自分一人で行うこと。「独立—」[類語]①②独行。❸比べるものがないほどすぐれていること。無比。「古今—」「当代—の詩人」

とつめん-きょう【凸面鏡】反射面の中央部が高くなっている鏡。平行光線をひろげて反射させる。広域をうつし出す。サイドミラーなどに使う。[対]凹面鏡。

とつ-レンズ【凸レンズ】中央部が厚く、ふちへ行くにしたがってうすくなっているレンズ。通過する平行光線を一点に集める。[対]凹(おう)レンズ。

と-て 文語的 [一]《連語》《引用の格助詞「と」+「言う」「思う」「する」などの動詞連用形+接続助詞「て」から、動詞の部分が略されたもの》「…と言って」「…と思って」「…として」などの意を表す。「夜店を見ようとて街に出る」[二]《接助》《[一]の転》❶…したところで。「いかに悔いたとて詮(せん)ないことだ」[参考]完了の助動詞「た(だ)」につく形は、口語では「たって(だって)」となる。「大声で呼んだって聞こえない」❷〔体言につく〕…なので。…だけあって。「済んだこととて気にしない」❸〔体言につく〕…という名で。…という人で。「大黒屋の美登利とて生国は紀州〈一葉〉」[三]《副助》「だって①」の意を表す。「とても」の形も多い」「彼とて(も)信仰に生きているのだ」

ど-て【土手】❶長く続けて土を小高くつみあげた所。水・風・土砂などの流れを防ぐものや、線路を敷くためのものなどがある。堤。[類語]堤防。堰堤(えんてい)。[表記]「土堤」とも当てる。❷〔カツオ・マグロなど〕大きな魚の背の切り身。さしみなどにする。

と-てい【徒弟】❶〔芸道などの〕門人。弟子。❷商人や職人の家に小さいときから住みこんで仕事を習う少年。でっち。

と・てつ【途×轍】〔文〕すじみち。道理。「―もない(＝道理にあわない)」「―制度」

どて・っ・ぱら【土手っ腹】〔俗〕❶腹。腹部。〔ののしったり卑しめたりして、乱暴に言う語〕「―に風穴をあけるぞ」❷外に面して広がっているもののまんなか。「山脈の―にトンネルを通す」

とて・も【×迚も】《副》❶《下に打ち消しの語を伴う》どんな方法を尽くしても。どうしても。とうてい。「―見込みはない」類語 決して。まず。てんで。絶対。全然。毛頭。皆目。❷ふつうの程度より差が大きいようす。たいそう。非常に。「―おいしい料理」類語 大変。大いに。ひどく。えらく。やけに。むやみに。恐ろしく。凄(すご)く。物凄(ものすご)く。至って。極めて。すこぶる。著しく。甚だ。猛烈。随分。至極。少なからず。

―じゃないが《句》「とても①」を強調した語。どうやっても。「―そんな金額では買えない」

とても・かくても【×迚もかくても】《副》〔文〕どうしてもこうしても。要するに。「―会わねばならぬ」

どてら【×縕×袍・×縕×袍】ふつうの着物より少し長く大きめに仕立てて、わたを入れた、広そでの和服。防寒用・寝具用。丹前(たんぜん)。

とと【▽魚】「さかな」をいう幼児語、また、女房詞。

***とど**【×鯔】ボラがさらに成長した最後のもの。参考 ↓とどのつまり。

***とど**【×胡×獱】アシカ科の大形の哺乳(ほにゅう)動物。北太平洋北部にすむ。犬歯が大きい。「海馬」ともいう。

ど・ど【度度】《副》〔文〕同じことをくり返すようす。何度も。たびたび。しばしば。

どどいつ【▽都▽都逸】「どどいつ節」の略。俗曲の一種。歌詞は七・七・七・五の四句からなり、おもに男女の情愛に関したものが多い。

***と・とう**【徒党】大きなことをたくらみ起こすために集まった、志を同じくするなかま。「―を組んで悪事をはたらく」参考 多く、よい意味では用いない。

***と・とう**【渡島】《名・自サ》船で島に渡ること。

ど・とう【怒×濤】❶激しく荒れくるう(海の)大波。「逆巻く―」「―の勢い」類語 激浪(げきろう)。荒波。狂瀾(きょうらん)。❷うつり変わりの激しいこと。「―の時代」

と・どう・ふ・けん【都道府県】市町村と特別区を包括する、最上級の地方公共団体の総称。現在、東京都・北海道・大阪府・京都府と、四三の県。

トトカルチョ スポーツの試合、特にプロサッカーの試合にかけて行う、とばくの一種。▽イタリア totocalcio

と・とく【都督】〔文〕❶《名・他サ》〔多くのものを〕率い、とりしまること。❷全軍の総大将。

***と・どく**【×蠹毒】〔文〕❶虫が食って害を与えること。また、その害。❷物事を内部から破壊すること。また、その害毒。

***とど・く**【届く】《自五》❶ある地点まで行く。着く。「荷物が―・く」「売り上げが目標額に―・く」❷〔長いものの一端や、伸びたものが〕へだたったところにあるものに触れる。「天井まで手が―・く」❸〔気持ち・願いなどが〕通じる。達する。「母の思いが子に―・く」❹〔注意などが〕(じゅうぶんに)行き渡る。「手入れの―・いた庭」「そこまで目が―・かなかった」文《四》。

とどけ【届(け)】〔役所・会社・学校などに〕とどけ出ること。とどけいで。とどけで。また、その書類。届書(とどけしょ)。「―を済ます」「欠勤の―を出す」「出生(しゅっしょう)―」

とどけ・さき【届(け)先】届けて渡す相手。送り先。

とどけ・・でる【届け出る】《他下一》〔役所などに〕出かけて行って申し出る。「住所変更を―・出る」

とど・ける【届ける】《他下一》❶〔物などが先方に〕届くようにする。「手紙を―・ける」類語 送り付ける。送付。送達。❷〔法律や規則に従って〕申し出る。届けを出す。届け出る。「被害額を交番に―・ける」文 とど・く《下二》。

とどこお・る【滞る】(とどこほる)《自五》❶物事がすらすらと進まないで・つかえる(たまる)。「交差点で交通が―・る」「事務が―・る」❷支払いが済まないで、たまる。「家賃が―・る」文《四》。

ととの・う【整う・調う】(ととのふ)《自五》❶きちんとそろって、乱れた所がなくなる。調和がとれる。「―・った容貌(ようぼう)」❷足りないもの・所がなく、そろう。「パーティーの支度が―・う」❸〔相談ごとなどが〕まとまる。成立する。「婚約が―・う」表記 ①は「整う」、②③は「調う」と書くことが多い。文《四》。⇩〖使い分け〗

使い分け「ととのう・ととのえる」

整う〔きちんとそろって乱れたところがなくなる〕体調が整う・足並が整う・整った文章

調う〔必要なものがもれなくそろう。まとまる〕渡航費が調う・髪が調う・交渉が調う・商談が調う

整える〔きちんとそろえて、乱れた所をなくす〕体裁を整える・呼吸を整える・調子を整える・環境を整える・服装を整える

調える〔足りないものがないようにする。まとめる〕食事の材料を調える・味を調える・講演の資料を調える・洋服を調える・縁談を調える

参考「服装を整える／洋服を調える」では、前者が身なりを端正にする意、後者は合服・夏服・冬服や礼服など洋服の種類をそろえる意。

ととの・える【整える・調える】(ととのへる)《他下一》❶きちんとそろえて、乱れた所をなくす。調和をとる。「隊形を―・える」「身なりを―・える」❷足りないもの・所がないように用意してそろえる。「営業資金を―・える」「食糧を―・える」「外出の支度を―・える」❸〔相談ごとなどを〕まとめる。成立させる。「縁談を―・える」表記 ①は「整える」、②③は「調える」と書くことが多い。文 ととの・ふ《下二》。⇩〖使い分け「ととのう・ととのえる」〗

とど・の・つまり《副》いろいろのことがあって、結局(のところ)。あげくのはて。「―、退学ということになった」〔あまりいい意味では使わない〕参考 ボラは成長につれて呼び名がかわり、最後にトドになることからという。

とど・まつ【×椴松】マツ科の常緑高木。北海道以北に産する。材はパルプや建築用。とど。

とどま・る【▽止まる・▽留まる】《自五》❶変わらずにその場所・地位・状態にいる。そこを動かないでいる。「山小屋に―・って天候の回復を待つ」「現職に―・る」❷ある範囲におさまる。それ以上にならないでいる。「地価の高騰は―・るところを知らない」文《四》。

とどめ【▽止め・▽留め】〔人を〕殺すときに、最後に(のどをさして)完全に息の根をとめること。「―の一撃」

―を刺・す《句》❶〔刀などでのどをさして〕完全に息の根をとめる。❷二度とできないように最後の打撃を与え

る。「満塁ホームランで━・す」❸あとで文句のでないように急所をおさえておく。「手切れ金で━・す」❹〈「AはBに━・す」の形で〉Aに関してはBが一番だ。「自然の景観は秋に━・す」

ど-どめ【土留め】 土手・がけなどの土砂がくずれるのをふせぐため、コンクリート・板などでかためること。また、その設備。土留(どっ)め。

とど・める【▽止める・▽留める】《他下一》❶変わらずにその場所・地位・状態にいさせる。動こうとするものをとめる。「足を━・める」「原級に━・める」❷あとに残す。「強い印象を━・める」「辛うじて原形を━・める」❸ある範囲におさめる。それ以上にしないようにする。「被害を最小限に━・める」文とど・む《下二》

とどろ・く【×轟く】《自五》❶〔大きな音が〕ひびきわたる。「雷鳴が━・く」❷〈名が━・く〉有名になる。名が知れわたる。「勇名が━・く」❸胸の鼓動が激しくなる。ときめく。「━・く胸をおさえる」文《四》

ドナー 組織・臓器の提供者。対レシピエント。▽donor(=寄贈者) **━カード** 臓器提供に同意することを示すカード。▽donor card

***とな・える【唱える】**(となへる)《他下一》❶〔念仏などを〕声にだして(くりかえし)言う。「称名(しょうみょう)を━・える」❷大声でいう。「万歳を━・える」❸〔人に先立って〕自分の意見を主張して言い広める(堂々と言う)。「新説を━・える」「絶対反対を━・える」類語 首唱。提唱。文とな・ふ《下二》

***とな・える【▽称える】**(となへる)《他下一》名づけてよぶ。「称する。「出家して法然と━・える」文とな・ふ《下二》

トナカイ シカ科の哺乳(ほにゅう)動物。雌雄ともに枝分かれした角を持つ。ツンドラ地帯にすむ。そり引き・荷物運搬などに使われる。肉・乳・皮も有用。馴鹿(じゅんろく)。表記「馴鹿」と当てる。▽(アイヌ) tonakkai

どなた【▽何▽方】《代名》《不定称の人代名詞》「だれ」の尊敬した言い方。「━がいらっしゃったのですか」

ど-なべ【土×鍋】 土製のなべ。

となり【隣】 ❶右または左に並んで接していること。また、その場所。「━の席」「━の国」❷並んで接している家。隣家(りんか)。「━の子が遊びにくる」「━の芝生(しばふ)は青い(=他人のものはなんでもよく見える)」

となり-あわせ【隣(り)合(わ)せ】(―あはせ) たがいに隣であること。「兄弟が━に住む」「━の席」

となり-きんじょ【隣近所】 隣や近所。

となり-ぐみ【隣組】 第二次世界大戦中、国民の互助・自警・物資配給の便宜などのために作られた、末端の地域組織。一地域一〇戸内外を単位とした。

どなり-こ・む【怒鳴り込む・×呶鳴り込む】《自五》相手のいる場所へのりこんで行って、ものすごい勢いで文句をつける。「犬がうるさいと━・まれた」

どなり-つ・ける【怒鳴り付ける・×呶鳴り付ける】《他下一》どなるようにして激しくしかる。「騒ぐ子どもらを━・ける」

とな・る【隣る】《自五》〔右または左に〕並んで接している。並び接した位置にある。隣接する。文《四》

どな・る【怒鳴る・×呶鳴る】《自五》❶激しい声でさけぶ。大声を出して呼ぶ。「━・らなくても聞こえるよ」類語 がなる。❷感情を爆発させて大声を出す。大声をあげて怒る。類語 大喝(だいかつ)。一喝(いっかつ)。文《四》

とに-かく【×兎に角】《副》いろいろな事情・条件があったとしてもそれは別として。いずれにしても。ともかく。「━現場へ行ってみよう」「━おもしろい小説だ」

トニック ❶強壮剤。栄養剤。「ヘアー━」❷〔音〕主音。主調音。▽tonic

とにも-かくにも【×兎にも角にも】《副》いずれにしても。とにかく。「━長い戦争は終わった」

と-にゅう【吐乳】《名・自サ》乳児が、のんだ乳を吐くこと。

とねり【▽舎▽人】 ❶奈良・平安時代、天皇・皇族などのそばにつかえて雑務をつとめた下級の官吏。❷牛車(ぎっしゃ)のうしかい。馬の口とり。

とねりこ【×梣・×秦▽皮】 モクセイ科の落葉高木。初夏、小さい白い花が円錐(えんすい)形にかたまって咲く。材は器具用。樹皮は薬になる。

との【殿】〔古〕❶高貴な人のすむ屋敷。御殿(ごてん)。御屋敷。❷高貴な人に対する敬称。❸主人・主君に対する敬称。❹女から男をさしてよぶ敬称。

***どの【殿】**《接尾》人の氏名・役職名などにつけて尊敬を表すことば。「隊長━」「高橋━」参考「さま」より改まった言い方で、公式の場面や手紙に用いられる。

***ど-の【▽何の】**《連体》はっきりときめられない物・物事をさし示す語。どれの。いずれの。「━品にしますか」

との-い【▽宿▽直】(―ゐ)〔古〕宮中・役所などに寝とまりして事務をとり警備を行うこと(人)。

ど-のう【土×嚢】 土をぎっしりとつめたふくろ。積んで堤防などを作る。土袋。類語 砂嚢。砂袋。

との-がた【殿方】 女性が一般の男性をさして言う語。〔ていねいな言い方〕「━はご遠慮ください」

どの-かた【▽何の方】《代名》《不定称の人代名詞》不定の人を指す語。いずれの人。参考「どのひと」より敬意が強い。

と-の-こ【×砥の粉】 砥石を切り出すときにできた粉。また、粘土を焼いて作った粉。刀剣をみがいたり、漆器の下ぬり、柱の色づけなどに用いる。

との-ご【殿御】 女性が〔特別の関係にある〕男性をうやまって呼ぶ語。〔やや古風な言い方〕

との-さま【殿様】 ❶高貴な人や主君に対する敬称。❷江戸時代、大名または旗本の当主に対する敬称。「水戸の━」❸豊かなくらしをし、おうようで威張っていて、世間のことにうとい人。〔けいべつした言い方〕「お━に何ができるものか」 **━がえる【━×蛙】**(―がへる) アカガエル科の中形のカエル。緑色で、せなかに黄褐色のふとい線がある。水田に多くすむ。 **━げい【━芸】** 金やひまのある人が、なぐさみに習う芸ごと。〔けいべつして言う語〕類語 だんな芸。 **━しょうばい【━商売】** おっとりとかまえ、もうけるための努力・くふうをしない商売。〔けいべつして言う語〕

どのつら-さげて【▽何の面下げて】《連語》どんな顔つきをして。はずかしくもなく。〔恥知らずな人をののしっていう語〕「道楽息子が━帰って来たんだ」

どの-ひと【▽何の人】《代名》《不定称の人代名詞》不定の人を指す語。いずれの人。参考「どちら」「どのかた」より敬意が薄い。

どの-みち【▽何の道】《副》いずれにしても。結局は。どっちみち。「━借りた金は返さなくてはならない」

と-の-も【▽外の▽面】〔雅〕家の外。家の外がわ。

どの-よう【▽何の様】《連語》《連体詞「どの」+助動詞「ようだ」の語幹》どんなようす。どんなふう。「━な症状ですか」表記 ふつうかな書きにする。

と

と‐は《係助》《引用の格助詞＋係助詞「は」》〔くだけた言い方では「たあ」となる〕❶引用語句を説明の主題として示す。また、定義を下すときに、その語を主題として示す。「『我思う。故に、我あり』とはデカルトの言葉だ」「『愛する』とは信ずることだ」❷〔下に、意外・驚き・感嘆など強い感情を表す語を伴い〕感情を誘発した事柄を主題として示す。「彼が合格しようとは思いもしなかった」参考「とは」で言いさして、終助詞的にも使う。「赤い夕日の満洲に友の塚穴掘ろうとは〈真下飛泉〉」

と‐ば【×賭場】 ばくちをする所。ばくち場。「―を開く」

ど‐ば【×駑馬】〔文〕❶歩みののろい馬。類語 鈍馬。駄馬。❷才能のない人。にぶい人。参考 多く自分をけんそんしていう。「―にむちうつ」対①②駿馬。

トパーズ 宝石の一種。色はおもに黄色。黄玉。▽フランス topaze

と‐はい【徒輩】〔文〕連中。やから。やつら。参考 あまりよい意味では使われない。「あの―に何ができよう」

ど‐はい【奴輩】〔文〕価値・能力のない者をけいべつの気持ちをこめていう語。あいつら。きゃつら。

とは‐いうものの【とは言うものの】 ㊀《連語》→とはいえ㊀。㊁《接続》→とはいえ㊁。

とは‐いえ【とは言え】 ㊀《連語》…だと言っても。とは言うものの。「近い―歩いて三〇分はかかる」㊁《接続》そうは言っても。とは言うものの。けれども。「実現は難しい。―不可能ではない」

とば‐え【▽鳥羽絵】 江戸時代、日常生活に題材をとって軽妙なタッチでこっけいにえがいた墨絵。参考 鳥獣戯画の作者といわれる鳥羽僧正の名から。

と‐ばかり《副》〔文〕ちょっとの間。しばらく。「―ありて目的地に至る」

と‐ばく【×賭博】 金銭や品物をかけて、勝ち負けをあらそう遊び。ばくち。かけごと。また、かけ。

とば‐くち【とば口】〔関東方言〕❶入り口。戸口。❷物事の始め。発端。「研究の―で行き詰まる」

ど‐ばし【土橋】 木などでしんを作り、上を土でおおった橋。土橋。

と‐ばしり【×迸り】 →とばっちり。

とば‐す【飛ばす】 ㊀《他五》❶地面・手もとなどから離して空中を進ませる。「ホームランを―す」「紙飛行機を―す」❷はねて空中に上がらせる(散らせる)。「泥水を―す」「口角泡を―す(＝激しく議論するようす)」❸乗り物を急いで行かせる。速力を出して走らせる。駆けさせる。「車を―してかけつける」〔自動詞的にも使う〕「前半を―し後半を流す」❹間にあるものを抜かして先へ移す。途中をはぶく。「一つ―して数える」❺〔うわさ・命令などを〕すみやかに伝わらせる。すみやかに広める。「デマを―す」❻言い放つ。「やじを―す」❼〔ある動作を〕すばやく(荒々しく)しかける。「内掛けを―す」「びんたを―す」❽辺地などへ行かせる。左遷する。「地方支社へ―す」㊁《接尾》激しく…する。勢いよく…する。「投げ―す」「なぐり―す」「笑い―す」〔文〕《四》。⇩〔使い分け「とぶ・とばす」〕

ど‐はずれ【度外れ】 ふつうの程度・限度をはるかにこえていること。けたはずれ。「―に騒ぐ」

ど‐はつ【怒髪】〔文〕激しい怒りでさか立った髪の毛。「―天を衝く(＝髪の毛がさか立つほど激しく怒る)」

とばっちり〔「とばしり」の転〕〔俗〕❶とびちる水滴。しぶき。❷そばにいたために災いを受けること。まきぞえ。そばづえ。「交通事故の―を受ける」＝とばしり。

ど‐ばと【土×鳩】 カワラバトを原種として飼いならしたハト。神社・寺・公園などで見られる。いえばと。

とばり【▽帳・×帷】 ❶室内にたれさげて、しきりにする布。たれぎぬ。「窓の―を下ろす」尊敬 御帳。❷ものをおおいかくして見えなくするもの。「霧の―」「夜の―に包まれる(＝夜になって暗くなる)」

と‐はん【登×攀】《名・自サ》→とうはん(登攀)。

と‐ばん【塗板】〔文〕白墨でかくのに使う、黒色や緑色に塗った板。黒板。

***と‐ひ【徒費】**《名・他サ》〔金銭・時間・労力などを〕むだに使うこと。むだづかい。浪費。「血税を―する」

***と‐ひ【都×鄙】**〔文〕都会といなか。

とび【×鳶】 ❶タカ科の中形の鳥。全体に茶褐色。くちばしは鋭く、まがっている。日本各地の山野・海岸にみられ、「ピーヒョロロ」と鳴く。とんび。❷「とびの者」の略。鳶職。❸「とび色」の略。❹「とび口」の略。

―が鷹を生・む《句》平凡な親からすぐれた子供がうまれるたとえ。とびがたか。類語 出藍の誉れ。

―に油揚をさらわ・れる《句》→鳶に油揚をさらわれる。

とび‐あがり【飛(び)上(が)り】 ❶とびあがること。❷低い地位から一足とびに出世すること(人)。成り上がり。❸軽薄でとっぴな言動をすること(人)。はねあがり。

とび‐あが‐る【飛び上がる】《自五》❶飛んで空中へあがる。空中へまい上がる。「屋上からヘリコプターが―る」対 飛び下りる。❷〔突然の喜びや驚きのために思わず〕はねあがる。おどりあがる。「―って喜ぶ」表記 ❷は「跳び上がる」とも書く。❸順序をふまずに飛びこえてすすむ。「二階級―る」

とび‐ある‐く【飛び歩く】《自五》〔いそがしく〕あちこち歩きまわる。ほうぼうへ行く。「資金集めに―く」

ドビー 小柄の凹凸模様。織物に使われる。▽dobby

とび‐いし【飛(び)石】〔日本ふうの庭などで〕上をふんで歩くように、少しずつ間をおいて並べしいた平たい石。踏み石。「―伝いに歩く」「―連休」類語 庭石。

とび‐いた【飛(び)板】 水泳の「飛び板飛び込み競技」に使う、弾力のある板。スプリングボード。

とび‐いり【飛(び)入り】 予定していた以外の人が急に参加すること。また、その人。「―で歌をうたう」「―歓迎」類語 番外。

とび‐いろ【×鳶色】 トビの羽のような色。茶褐色。

とび‐うお【飛魚】 トビウオ科の海魚。からだは細長い。大きな胸びれを翼のように開いて空中をとぶ。南日本の海に群れをなしてすむ。食用。あご。とびのうお。

とび‐お‐きる【飛び起きる】《自上一》勢いよくおき上がる。はねおきる。「目覚ましの音で―きた」

とび‐お‐りる【飛び下りる・飛び降りる】《自上一》❶〔道具などを使わず〕高い所から身をおどらせておりる。「清水の舞台から―りる」対 飛び上がる。❷走っている乗り物からとんでおりる。対 飛び乗る。

とび‐か‐う【飛(び)交う】《自五》〔多くのものが〕互いに反対の方向に入り混じってとぶ。入り乱れてとぶ。「林の中を小鳥が―う」

とび‐かか‐る【飛び掛かる】《自五》〔相手に攻撃を加えるために〕勢いよくとびつく。おどりかかる。「機に乗じて敵に―る」「ライオンがえものに―る」

とび‐きゅう【飛び級】《名・自サ》進級・進学の際、例外的に一学年飛び越えて上級へ進むこと。

とび-きり【飛(び)切り】❶とびあがって敵を切ること。「—の術」❷他とかけはなれていること。ずば抜けていること。〔副詞的にも使う〕「—のご馳走(ちそう)」「—安い品」

とび-ぐち【×鳶口】棒の先にトビのくちばしに似た鉄製の鉤(かぎ)をつけた、物をひっかける道具。消火などのとき木材をひっかけてこわす。とび。

とび-こ・える【跳び越える】《自下一》とびこす。「障害物を—・える」表記「飛び越える」とも書く。

とび-こ・す【跳び越す】《自五》❶間にある物の上をとんで越える。「小川を—・した」❷ふむべき順序・段階をぬかして先へ進む。「先輩を—・して昇進する」表記②は「飛び越す」とも書く。同①②とびこえる。

とび-こみ【飛(び)込み】❶とびこむこと。「—自殺」❷「飛び込み競技」の略。高い台から水中に飛び込み、形の美しさや正確さをきそう競技。ダイビング。

とび-こ・む【飛び込む】《自五》❶外から飛んできて中に入る。「トンボが部屋に—・む」❷身をおどらせて中に入る。「ざんぶと川へ—・んだ」❸勢いよくかけ込む。「夕立がきたので軒下に—・んだ」❹思いもかけない物事が自分の領分内に突然入りこむ。勢いよく自分の方にやってくる。「事件が—・んできた」「悲惨な光景が目に—・む」❺〔事件などに〕自分から進んで関係をもつ。身を投ずる。「汚職事件の渦中に—・む」

とび-しょく【×鳶職】土木・建築工事で、足場の組み立てや、くい打ちなどをする職人。仕事師。とびのもの。とび。参考江戸では火消しをかねた。

とび-だい【飛(び)台】❶飛び込み台。❷〔相場で、数字の間のゼロを「トビ」「トンデ」などと呼ぶことから〕間にゼロのあるひとつづきの数値。たとえば、「一〇〇円飛び台」は一〇一円から一〇九円の段階をいう。

とび-だ・す【飛び出す】《自五》❶勢いよく外に出る。また、勢いよくそこにあらわれる。「ホースから水が—・す」❷ある場所・組織などから急に去って、今までの関係を絶つ。「上役とけんかをして会社を—・す」❸外側へつきでる。「目玉が—・す」同①〜③とびでる。

とび-た・つ【飛び立つ】《自五》❶飛んでその場をはなれる。空中にまいあがる。「ジェット機が—・つ」「水面から白鳥が—・つ」❷〈「—・つ思い」「—・つばかり」などの形で〉うれしさで心が落ちつかないでいる。心がおどる。「—・つばかりの思いを抱く」

とび-ち【飛(び)地】ある行政区画の主地域から離れて、他の行政区画内にある地域。たとえば、ある県の中に存在する、他の県に属する地域など。

とび-ちが・う【飛び違う】(—ちがふ)《自五》❶〔鳥・虫などが〕入り乱れて飛ぶ。とびかう。❷かけはなれる。ひどくちがう。「両者の要求が—・っている」

とび-ち・る【飛び散る】《自五》飛んで四方に散る。飛散する。「火花が—・る」「しぶきが—・る」

とび-つ・く【飛び付く】《自五》❶飛び上がってとりつく。勢いよくすがりつく。「鉄棒に—・く」類語とびかかる。❷〔強く心をひきつけられて〕それをのがすまいとする。「パリモードといえば見さかいなく—・く」

トピック 話題。また、話題となるようなできごと。「芸能—」▷topic

とび-で・る【飛び出る】《自下一》→とびだす。

とび-どうぐ【飛び道具】弓矢・鉄砲など、遠くから放って敵をうつ武器。〔古風なことば〕

とび-とび【飛び飛び】《形動》《「—に」の形で副詞的に使うことが多い。「—な」の形は「ので」「のに」に続くときに使われる》❶いくつかの物があちこちにちらばってあるようす。点々。「—に庭石を置く」❷順序をおわず、ところどころ間を抜かすようす。「本を—に読む」

とび-にゅうがく【飛び入学】《名・自サ》高校を卒業する前に、大学に入学すること。類語飛び級。

とび-ぬ・ける【飛び抜ける】《自下一》他とくらべて非常にかけはなれて(すぐれて)いる。ずば抜ける。「—・けて高いドレス」「—・けた成績」

とび-の・く【飛び▽退く】《自五》すばやく身をかわしてよける。「自転車にぶつかりそうになって—・く」

とび-の-もの【×鳶の者】鳶職(とびしょく)。

とび-の・る【飛び乗る】《自五》❶勢いよく身をおどらせて乗る。「馬に—・る」❷動いている乗り物にとびつくようにして乗る。「電車に—・る」対飛び降りる。

とび-ばこ【跳(び)箱・飛(び)箱】体操用具の一つ。木製の四角のわくを重ねて、最上部にマットを付け布または革で張っておったもの。走って行って種々の方法で跳びこす。類語鞍馬(あんば)。

とび-はな・れる【飛び離れる】《自下一》❶身をかわして勢いよくはなれる。❷場所が遠くはなれる。「学校から—・れた所に家がある」❸〔物事の程度・考え方などが他のものと〕大きな差がある。かけはなれる。「—・れて成績がよい」

とび-ひ【飛(び)火】❶《名・自サ》火事のとき、火の粉が飛んで、火元からへだたった所に火が燃え移ること。また、飛んだ火の粉。❷《名・自サ》〔ひゆ的に〕ある事柄の影響が、直接関係のない方面にまでおよぶこと。「汚職事件が政界に—する」❸夏、小児にできる感染力の強い皮膚病。顔・頭などに水疱(すいほう)が次々にでき、のちかさぶたになる。膿痂疹(のうかしん)の俗称。

とび-まわ・る【飛び回る・飛び×廻る】(—まはる)《自五》❶空中をあちこちとぶ。「虫が電灯のまわりを—・る」❷あちこち・走り回る(動き回る)。かけ回る。「犬が庭を—・る」「部屋から部屋を—・って連絡する」❸〔ひゆ的に〕ある目的のために忙しくあちこち歩き回る。奔走(ほんそう)する。「金策に—・る」同①〜③とびめぐる。

ど-ひょう【土俵】❶土をつめた、たわら。❷「土俵場(ば)」の略。相撲をとるため、まわりを土俵①でまるくかこみ、中に砂をしきつめた場所。「—を割る(=土俵の外に足が出て負ける)」❸対決を行う場。「交渉の—に上がる」 **—いり**【—入り】相撲の興行で、力士が化粧まわしをつけ、土俵②にあがって行う儀式 **—ぎわ**【—際】❶土俵②のさかい目。「—でうっちゃる」❷物事が成功するかどうかの分かれ目。どたん場。「—でようやく妥結する」

とびら【扉】❶半回転させてあける戸。ひらき戸。ドア。❷書物の見返しの次にあるページ。書名・著者名などをしるす。❸雑誌で、本文の前にある第一ページ。題字・巻頭言などをしるす。

とびら-え【扉絵】❶建造物・道具などの扉にかく絵。❷書物の扉にかく絵。

ど-びん【土瓶】湯茶を入れて注ぐ、陶製の器。上部につるをかけ渡してある。類語急須(きゅうす)。鉄瓶(てつびん)。

と-ふ【塗布】《名・他サ》〔くすりや塗料などを〕一面にぬりつけること。塗抹(とまつ)。「消毒剤を傷口に—する」

***と・ぶ**【跳ぶ】《自五》はずみをつけて地面を足でけり、空中に上がる。また、そのようにして物を越える。はね

る。「カエルが━・ぶ」「棒高跳びで四メートルのバーを━・ぶ」文《四》。⇩〔使い分け〕

***と・ぶ**【飛ぶ】《自五》❶自力で、または他からの力を受けて、地面を離れて空中を進む。「鳥が━・ぶ」「━・ぶように売れる(=どんどん売れる)」❷航空機に乗って目的地へ向かう。「空路香港(ホンコン)へ━・ぶ」❸はねて空中に上がる(散乱する)。「火花が━・ぶ」❹切られてなくなる。切れてなくなる。「ヒューズが━・ぶ(=焼き切れる)」❺(足が地につかないほど)急いで行く。走る。かける。「学校へ━・んで行く」「金策に━・んで歩く」❻間にあるものを抜かして先へ移る。「話は━・ぶが」「三ページ━・んでいる」❼(うわさ・命令などが)すみやかに伝わる。すみやかに広められる。「流言が━・ぶ」「デマが━・ぶ」❽言い放たれる。「野次が━・ぶ」「罵声(ばせい)が━・ぶ」❾(ある動作が)すばやく(荒々しく)しかけられる。「大わざが━・ぶ」「びんたが━・ぶ」❿(犯罪者などが)行方をくらまして遠くへ逃亡する。「容疑者が外国へ━・ぶ」文《四》。⇩〔使い分け〕

━んで火に入る夏の虫《句》自分から進んで危険な物事にかかわりをもつことのたとえ。

使い分け「とぶ・とばす」

飛ぶ(空中を速やかに移動する意で、一般に広く)虫が飛ぶ・前線に飛ぶ・泥が飛ぶ・うわさが飛ぶ・怒声が飛ぶ・大空を飛(翔)ぶ・宙に吹き飛ぶ・飛び込む・飛び乗り・飛び降り・高飛び

跳ぶ(足ではね上がる)はずみをつけて溝を跳ぶ・ウサギが跳ぶ・跳び箱・走り幅跳び・跳びはね

飛ばす(飛ぶようにする)ヒットを飛ばす・皮肉を飛ばす・地方へ飛ばす・突き飛ばす

参考「飛び上がる／跳び上がる」「飛び越す／跳び越す」などは、飛行と跳躍で使い分ける(ヒバリが空中高く飛び上がる・二階級飛び上がる・先輩を飛び越して出世する／跳び上がって喜ぶ・水たまりを跳び越す)。「飛び箱・縄飛び・三段飛び」なども行われるが、これは当用漢字表に「跳━とぶ」の訓が認められていなかったころの名残であろう。「×翔」は空をかけめぐる意。

どぶ【▽溝】雨水・汚水などが流れるみぞ。下水。

どぶ・いた【▽溝板】どぶをおおう板。

と・ふく【×屠腹】《名・自サ》〔文〕(自殺するために)自分の腹を切ること。切腹。割腹。「━して詫(わ)びる」

と・ぶくろ【戸袋】あけた雨戸をしまっておく所。ふつう、縁側につけた敷居のはしにとりつける。

どぶ・づけ【どぶ漬(け)】ぬかみそづけ。特に、しるけの多いぬかみそにつけたもの。

とぶ・とり【飛ぶ鳥】《連語》空をとんでいる鳥。

━跡を濁さず《句》➡立つ鳥跡を濁さず。

━を落とす勢い《句》権力や勢力が非常につよいようす。非常に盛んな勢い。

どぶ・ねずみ【▽溝×鼠】❶ネズミの一種。からだは大きく、繁殖力が強い。人家・下水道などにすみ、害獣としてきらわれる。❷主人の目をぬすんで悪事をはたらく使用人。(ののしって言う語)

とぶら・う【▽弔う】(とぶらう)《他五》➡とむらう。参考「とむらう」の古い形。文《四》。

どぶろく【▽濁▽酒・▽濁×醪】米から作り、かすをこしていない、白くにごった酒。にごりざけ。

ど・べい【土塀】土で作った、へい。類語 ついじ。

と・ほ【徒歩】乗り物にのらず、歩くこと。「━通学」

と・ほう【途方】❶手段。方法。「━に暮れる(=どうしていいかわからなくなる)」❷物事の道理・すじ道。「━もない(=道理にはずれている。とんでもない)要求」

ど・ぼく【土木】木材・鉄材・セメントなどを使って、道路・鉄道・河川・港湾・橋などを造る工事。参考 建物を造る「建築」と区別して言うことが多い。

とぼ・ける【×惚ける・×恍ける】《自下一》❶わざと知らないふりをする。しらばくれる。「知っていながら━・ける」❷まがぬけていたり、こっけいな言動をしたりする。「━・けた顔」文とぼ・く《下二》

とぼし【▽灯】❶火をともして、周囲を明るくするもの。たいまつ・ろうそくなどの類。ともし火。ともし。(古風な言い方)❷ともし火に使う油。ともし油。

とぼし・い【乏しい】《形》❶不十分である。たりない。「魅力に━・い」「経験が━・い」❷まずしい。「━・い中から学資を払う」文とぼ・し《シク》

とぼ・す【▽点す・▽灯す】《他五》あかりをつける。ともす。文《四》。

とぼそ【▽枢】(「戸と臍(ほぞ)」の意)❶戸のはりと敷居(しきい)とにあけた穴。「とまら」をさし入れて戸を回転させ、あけしめするためのもの。❷(転じて)戸。とびら。

とぼ・とぼ《副・自サ》(副詞は「━と」の形も)元気のない足どりで歩くようす。「━と家路をたどる」

とま【×苫】菅(すげ)や茅(かや)をあんで、こものようにしたもの。小舟や小屋にかけて雨露をしのぐ。

ど・ま【土間】❶家の中で、床を張らずに地面のままになっている所。❷昔の歌舞伎(かぶき)劇場で、桟敷(さじき)に対して、一階の舞台正面の平面に作った、ます形の見物席。参考 もと、土のままだったところから。

と・まえ【戸前】(へ━ま)━《名》土蔵の入り口の戸のある所。また、土蔵の戸。二《助数》土蔵を数える語。「屋敷内には三━の蔵がある」

と・ます【斗升・斗×枡・斗×桝】ものが一斗(=約一八(リットル))入るます。一斗升。

と・まつ【塗抹】《名・他サ》〔文〕❶(薬や塗料などを)ぬりつけること。塗布。❷ぬりつぶすこと。ぬり消すこと。「名簿を━して除籍する」

トマト 畑に栽培されるナス科の一年草。初夏、赤または黄色の丸い実をむすぶ。実は生で食べるほか、ケチャップやジュースなどにする。赤なす。▽tomato

━ケチャップ ソースの一種。熟したトマトを煮てうらごししたものに、食塩・酢(す)・砂糖・香辛料などを加えて濃縮したもの。▽tomato ketchup

と・まど・う【戸惑う・途惑う】(ど━ま)《自五》(方法や対策がわからず)どうしたらよいかまよう。まごつく。「質問をされて━・う」「なれない環境に━・う」

とま・ぶき【×苫×葺(き)】とまで屋根をふくこと。また、その家・屋根。「━の家」類語 わらぶき。

とま・ぶね【×苫舟】とまで屋根をおおった舟。

とま・や【×苫屋】とまで屋根をふいた小さな家。とまぶきのそまつな小屋。

とまり【泊(ま)り】❶とまること。宿泊。「━の客」「━を重ねる」❷宿直。❸とまる所。旅館。宿屋。「お━はどちらですか」❹船がとまる所。港。

とまり・がけ【泊(ま)り掛け】泊まる予定で出かけること。「━で温泉に行く」対日帰り。

とまり・ぎ【止(ま)り木】❶鳥が止まるように、鳥かご

や鳥小屋の中に取り付けた横木。❷バーなどで、カウンターの前にある脚の高い腰掛。

とまり‐こ・む【泊まり込む】《自五》やむを得ない事情などのために、帰宅せずに(そのまま)そこに泊まる。「旅館に—んで仕事をする」

***とま・る**【止まる・留まる・▽停まる】《自五》❶動いていたものが動かなくなる。「事故で電車が—る」❷続いていたもの、通じていたものが絶えて終わりになる。「水道が—る」「笑いが—らない」❸鳥・虫などが、物につかまって休む。「鳥が木に—る」参考 転じて、つかまる意にも使う。「かくれんぼする者この指—れ」❹その位置から動いたり離れたりしないように固定される。「絵は画びょうで—っている」❺印象づけられて、残る。「目に—る」「心に—る」文《四》。⇩〔使い分け〕

***とま・る**【泊まる】《自五》❶自分の家以外の所で夜をあかす。宿る。宿泊する。「友人の家に—る」類語 (す)外泊。投宿。止宿。❷〔船が〕港に落ちつく。いかりをおろす。停泊する。「神戸港に—る」類語 (す)投錨。仮泊。文《四》。⇩〔使い分け〕

使い分け「とまる・とめる」

止まる〔▽停〕〔動いているものが動かなくなる意で、一般に広く〕車が止(停)まる・時計が止(停)まる・息が止(停)まる・トンボが竹の先に止まる・立ち止(停)まる・成長が止まる・涙が止まらない

留まる〔その位置から動かない〕ボルトで留まった鉄板・目に留まる・心に留まる・お高く留まる・歩留まり

泊まる〔他家で夜を過ごす、停泊する〕宿屋に泊まる・船は横浜港に泊まっている

止める〔▽停〕〔動いているものを動かなくする意で、一般に広く〕タクシーを止(停)める・痛みを止める・電気を止(停)める・送金を止める・けんかを止めに入る

留める〔その位置から動かないようにする〕絵をピンで留める・ボタンを留める・目を留める・気にも留めない・引き留める・抱き留める・留め置く・留め針

泊める〔宿をかす。停泊させる〕友人を泊める・船を港に泊めて一夜を送る

参考「トンボが止まる／留まる」のように併用することもできるが、前者は瞬間の動作をいい、後者は継続している状態をいうといった趣がある。「トンボが止まっている」「トンボが止まったままだ」と使えば、用語そのもので継続を表してしまうので、あえて「留」を使うことはない。「停」は動いていたものが一時的に動かなくなる意で、乗り物に多く用いる。

とまれ《副》(「ともあれ」のつづまった形)〔文〕どうであろうと。いずれにしても。「—これで安心だ」

ど‐まんじゅう【土×饅▽頭】土をまんじゅうのようにまるくもり上げて作った墓。

ど‐まんなか【ど真ん中】(「ど」は接頭語)「真ん中」を強めていう語。まんまんなか。「繁華街の—」参考 もと関西方言。

とみ【富】❶財産。財貨。「巨万の—」❷自然界にあって、人間の生活を豊かにするのに役立つもの。資源。「海の—にめぐまれた国」❸「とみくじ」の略。

とみ‐くじ【富×籤・富×鬮】江戸時代に行われた、かけごとの一種。寺社などで番号のついた札を売り、くじ引きによって当たった人に賞金を支払うもの。

とみ‐こうみ【▽左見▽右見】《名・他サ》左を見たり、右を見たりすること。あちらこちらを見ること。「—しながら町を歩く」

とみ‐に【×頓に】《副》〔文〕急に。にわかに。「—辺りが騒がしくなった」

ドミノ 賽の目を記した二八枚の札を使ってする、西洋かるたの一種。▽dominoes **—ゲーム** ドミノ。また、ドミノ倒し。▽domino と game からの和製語。 **—たおし**【—倒し】ドミノ牌による、将棋倒し。また、ドミノゲーム。

とみ‐ふだ【富札】とみくじで、番号を記した札。

とみもと‐ぶし【富本節】浄瑠璃の一派。常磐津節から分かれた派で、富本豊前掾の始めたもの。全盛期は江戸時代の安永・天明のころ。

ど‐みん【土民】古くからその土地に住みついている住民。土着の住民。

と・む【富む】《自五》❶財貨を多く持つ。金持ちである。「国が—む」❷〈「…に—む」の形で〉(そのものが)多くある。豊かである。「経験に—む」文《四》。

と‐むね【と胸】「胸」を強めていう語。心。「—を衝っかれる(=はっとする。どきりとする)」

とむらい【弔い】❶人の死を悲しみいたむこと。くやみ。「—のことばをのべる」❷葬式。「—を出す」「友人のお—に参列した」❸追善。供養。「後世の—」‖＝とぶらい。 **—がっせん**【—合戦】敵に殺された人の霊をなぐさめたりその復讐をしたりするために、その敵と戦うこと。また、その戦い。

とむら・う【弔う】《他五》❶人の死を悲しみいたみ、その喪にある人をなぐさめる。弔問する。❷死者の霊をなぐさめ、その冥福を祈る。「先祖の霊を—う」‖＝とぶらう。文《四》。

とめ【止め・留め】❶動いているものをとめること。また、とめるためのもの。「けんかの—に入る」❷物事の終わり。最後。❸さしとめること。禁止。

ドメイン ❶領域。範囲。❷領地。領土。❸コンピューターネットワーク上でのユーザーによる管理単位。▽domain **—めい**【—名】インターネット上のユーザーの組織や国籍などを示す名前。ドメイン。ドメインネーム。

とめ‐おき【留(め)置(き)】❶その場所にとどめておくこと。また、家などに帰さないでおくこと。「罰として—をくった」類語 足どめ。居残り。❷「留置郵便」の略。差出人が指定した郵便局にとめておいて、受信人がその局まで受け取りに行く郵便。

とめ‐お・く【留め置く】《他五》❶ほかへ移さずにとどめておく。「郵便物を局へ—く」❷帰さないで、居残らせておく。「警察署に—く」❸〔忘れないように〕書きとめておく。「手帳に要点を—く」

とめ‐おとこ【留(め)男】❶けんかの仲裁にはいる男。「けんかの—」❷〔宿屋の〕客引きをする男。

とめ‐がね【留(め)金・止(め)金】物のつぎ目や合わせ目がはなれないようにつなぎとめる金具。類語 口金。

ドメスティック《形動》❶家庭的。家族的。「—な女性」❷家事に関するようす。「—サイエンス」❸自国の内部であるようす。国産であるようす。「—ライン」‖＝ドメスチック。▽domestic **—バイオレンス** 家庭内暴力。特に、夫の妻に対する暴力。略語 DV。▽domestic violence

とめ‐そで【留(め)×袖】❶女性用の和服で、振袖

に対してふつうの長さに仕立てたそで。また、その和服。対振袖。❷既婚女性が礼装に用いる、裾模様の紋付きの着物。江戸褄。

とめ-だて【留(め)立て・止(め)立て】《名・他サ》他人がしようとしていることをやめさせようとすること。制止。「―は無用だ」

とめ-ど【留(め)▽処・止(め)▽処】とめるべきところ。際限。限り。参考 多く「―(が)ない」などの形で使う。「―もなく涙があふれる」

とめ-ばり【留(め)針】❶裁縫で、布をおさえたり目じるしにしたりするために、仮にとめておく針。まち針。❷物が動かないようにさしとめる針。ピン。

とめ-やく【留(め)役】けんかや争いごとの仲裁をする役。また、その役をつとめる人。

***と・める**【止める・留める・▽停める】《他下一》❶動いているものを動かなくする。「タクシーを―・める」「料理の手を―・める」❷続いているもの、通じているものを終わりにさせる。「呼吸を―・める」「痛みを―・める」❸何かしようとするのをさせないように抑える。「けんかを―・める」❹その位置から動いたり離れたりしないように固定する。「戸を釘で―・める」❺〔目・耳の働きを〕その点に集中させる。「彼の動きに目を―・める」「人の話に耳を―・める」❻印象を与えて、あとに残す。「心に―・める(=記憶する)」「気にも―・めない」文と・む《下二》。⇩〖使い分け「とまる・とめる」〗

***と・める**【泊める】《他下一》❶人に宿を貸す。宿泊させる。「客を―・める」❷船を港にとどまらせる。停泊させる。文と・む《下二》。⇩〖使い分け「とまる・とめる」〗

***とも**【供】❶主人や目上の人につき従って、護衛をしたり身の回りの世話をしたりすること。また、その人。従者。「―をつれて歩く」❷能狂言で、シテまたはワキの従者の役。表記 ②はふつう「トモ」と書く。

***とも**【共】━《名》❶いっしょ。同じ。同時。参考 ➡ともに。❷同じ質であること。「―の布でつぎをあてる」━《接頭》❶《おもに動詞連用形から転じた名詞につく》いっしょに。同時に。「―倒れ」「―ばたらき」❷同じ質の。同じ材料の。同類の。「―ぎれ」「―うら」━《接尾》❶《複数のものを表す名詞につく》…全部。…いっしょ。「夫婦―」「ふたり―」❷…を含めて。こみ。「送料―五〇〇〇円」

***とも**【友・×朋】❶〔ほぼ対等の関係で〕親しくつきあう人。友だち。友人。朋友。「―と語る」「一生の―」❷志を同じくしてつきあう人。同好の仲間。「学問の―」「―の会」❸いつも親しんでいてなぐさめとなるもの。また、いつもそばにあって役に立つもの。「地図を―とする」類語 学友。親友。悪友。畏友。

***とも**【×艫】船の後方。船尾。ふなじり。対 舳先。

***とも**【×鞆】弓を射るとき、左手の手首に巻き付ける、まるい革製の道具。つるで手首を打つのを防ぐ。

***と-も** ━《接助》文語的《接続助詞「と」+係助詞「も」》〔文語的。主に、動詞の場合は文語は終止形に、口語は未然形+助動詞「(よ)う」の形に、形容詞の場合は連用形につく〕❶ある事柄が仮に成立したとしても、それにかかわりなく事態が進展する(あるいは、判断が成立する)場合の、仮定条件を示す。「たとえ私が死すとも泣いてはならぬ」「いかに叫ぼうとも救いは来ない」「見なくとも見当はつく」参考 口語表現は「ても(でも)」。「一人でいても寂しくない」「見ないでも見当はつく」❷類似的・対比的な事柄を、一歩ひきさがる気持ちで仮に示して、判断を際立たせるのに使う。〔多く、対句的表現をとる〕「正しいとは言えなくとも誤りだとは言えない」「勝るとも劣らない」❸〔「…ずともよろしい」「…なくとも構わない」などの形で〕「…する必要はない」「…しないことが許容される」の意を表す。…ないでもよい。「言い訳などせずともよい」「御出席なさらなくとも構いません」❹〔「少ない」「多い」などの語につく〕限度を見積もって示す副詞句を作るのに使う。「賛同者は少なくとも三人いる」「多少とも不安が残る」
━《終助》〔口頭語〕もちろんだと、強くうけあう気持ちを表す。「行きますとも」
━《連語》《格助詞「と」+係助詞「も」。格助詞「と」のついた語に「も」のもつ種々の意を添える》➡と(格助)・も(係助)。「必要な処置だとも言う」「子供ともよく遊ぶ」「委員長ともあろう者が、…」。

***ども**【共】《接尾》❶《多く、人を表す名詞につけて》複数であることを表す。参考 そのものを軽べつ、または見くだす意をともなうことが多い。「野郎―、よく聞け」❷《自称の代名詞、またはそれに相当する語につけて》謙譲の気持ちを表す。「私―で用意いたします」「手前―の責任でございます」

***ど-も**《接助》文語《接続助詞「ど」+係助詞「も」。活用語の已然形につく》逆接の既定条件を表す。…た(ている)が、しかし。「呼べども答えず」参考 現代では、「いえど(雖)も」「けれども」の形で残る。

とも-あれ《副》いろいろな事情があるとしても、それはさておいて。ともかく。とまれ。「―話を聞いてみよう」

とも-うら【共裏】衣服を仕立てるとき、裏に表と同じ布を使うこと。また、その布。「―の着物」

ともえ【×巴】〔「鞆絵」の意〕一つの円形の中に、一～三個のオタマジャクシのような形のものを、尾が外側へめぐるように配した形の模様。一般に、〔三つの〕物が〔組み合って〕同じ方向にめぐり巻くようすや、三者が入り組んでいるようすなどのたとえにいう。「三つ―になって争う」

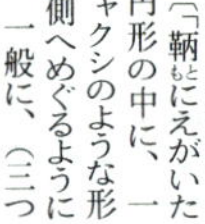
巴

ともえ-なげ【×巴投げ】柔道のわざの一つ。自分があおむけに倒れ、巴のような形になって相手のからだに自分の足を当てながら肩ごしに投げること。

とも-えり【共襟・共×衿】その着物の表地と同じ布で襟をつけること。また、その襟。

とも-がき【友垣】〔文〕ともだち。友人。友。参考 交わりを結ぶことを、垣を結ぶことになぞらえて言う。

とも-かく【×兎も角】《副》➡とにかく。―も《副》いずれにしても。何はともあれ。「―準備はできた」

とも-かせぎ【共稼ぎ】《名・自サ》夫婦がふたりとも〔外に出て〕働いて暮らしを立てること。共働き。

とも-がら【▽輩】〔文〕仲間。同類の人々。

とも-ぎれ【共切れ・共▽布】同じ布地。

とも-ぐい【共食い】《名・自サ》❶同じ仲間の動物が互いに食い合うこと。「カマキリの―」❷同類のものが互いに利益を得ようとして争い、ともに損をすること。「同じ商売では―になる」類語 共倒れ。

ともし【▽灯】〔文〕ともしび。灯火。

ともし・い【▽乏しい】《形》➡とぼしい。

ともし-び【▽灯火】あかりにするため、火をともしたもの。あかり。ともし。

とも・しらが【共〈白髪〉】夫婦ともに白髪になるまで長生きすること。偕老(かいろう)。「—まで添いとげる」

とも・す【▽点す・▽灯す】《他五》火をつける。あかりをつける。とぼす。「ランプを—・す」文《四》。

とも・すると《副》そうなることが時にはあるようす。ややもすると。ともすれば。「—気がゆるむ」

とも・すれば《副》→ともすると。

とも・ぞろい【供×揃い】(—ぞろひ)《名・自サ》供の人々がそろうこと。

とも・だおれ【共倒れ】(—だふれ)一つのことを互いに・協力して(競争して)やった結果、両方とも損害をうけて成り立たなくなること。「同業者がふえて—になる」

とも・だち【〈友達〉】〔対等の立場で〕親しくつきあっている人。友人。とも。「—に恵まれる」

とも・ちどり【友千鳥】〔文〕→群(むら)千鳥。

とも・づな【×艫綱・×纜】船尾にあって、船を岸につないでおく綱。もやいづな。「—を解く(=船出する)」

とも・づり【友釣(り)】アユのつり方の一つ。おとりの生きたアユに糸をつけて水中に放し、これにさそいよせられた他のアユを針にかけてつるつり方。

とも・ども【共共】《副》(「—に」の形も)いっしょ(に)。もろとも(に)。「夫婦—働く」

ともな・う【伴う】(ともなふ)《自他五》❶いっしょに・ついて(つれて)行く。「部下を—・って出張する」❷一方が他方と同時に存在する。それに付随して生ずる。「危険を—・う仕事」「権利には義務が—・う」文《四》。

とも・に【共に・×倶に】《副》いっしょに。また、同時に。「—遊び—学ぶ」「母子—健康」

倶に天を戴(いただ)かず《句》相手とは殺すか殺されるかの仲であって、いっしょにこの世には生きていない。不倶戴天(ふぐたいてん)。〈礼記・曲礼上〉

とも・ね【共寝】《名・自サ》一つの床にいっしょに寝ること。同衾(どうきん)。

とも・ばたらき【共働き】《名・自サ》「ともかせぎ」の新しい言い方。

とも・びき【友引】陰陽道(おんみょうどう)で、物事の勝負のつかないとされる日。友引日(ともびきにち)。参考 俗に、この日に葬式をすると他の人の死をさそうとしていみきらう。

とも・びと【供人】供の人。従者。〔古風な言い方〕

とも・ぶね【友船】〔漁などに〕いっしょに行く船。仲間の船。僚船(りょうせん)。

とも・まち【供待ち】《名・自サ》供をしてきて、その家の入り口で主人の出てくるのを待つこと。また、そのための休息所。

とも・まわり【供回り・供×廻り】(—まはり)供の人々。

***ど・もり【度盛り】**温度計などの度数を示す目盛り。

***ど・もり【土盛り】**《名・自他サ》他の場所から土を持ってきて、盛りあげること。「路盤の—」

とも・る【▽点る・▽灯る】《自五》〔ともし火が〕もえる。〔あかりが〕つく。とぼる。「電灯が—・る」文《四》。

ども・る【×吃る】《自五》ものをなめらかに言えずにつかえたり同じ音をくり返したりする。「緊張すると—・る」類語 口籠(くちご)もる。文《四》。

と・や【▽鳥屋・×塒】❶鳥を飼っておく小屋。鳥小屋。❷夏の末にタカの羽が抜け、冬になって生えかわること。参考 その期間とや①にこもるところから。

どや〔俗〕宿屋。特に、簡易宿泊所。参考「やど」をさかさまに言った隠語。

とや・かく【×兎や角】《副》なんのかのと。あれこれと。「彼に—言われることはない」

ど・やき【土焼(き)】上ぐすりなどを塗らないで焼くこと。また、そのように焼いた土器。すやき。土(つち)焼き。

どや・す《他五》〔俗〕❶なぐる。「背中を—・される」❷どなりつける。「いたずらして—・される」文《四》。

どや・どや《副》(「—と」の形も)大勢の人が一度に騒がしく出入りするようす。「—と会場に入ってくる」

と・ゆう【都×邑】〔文〕人が多くにぎやかな町。都会。

とよ・あきつしま【▽豊秋津×洲】〔雅〕日本国の美称。参考 古くは「とよあきづしま」とも言った。

とよ・あしはら【▽豊×葦原】〔雅〕日本国の美称。

と・よう【渡洋】《名・自サ》〔船や飛行機で〕広大な海をわたること。渡海。「—爆撃」

***ど・よう【土曜】**週の最後の日。金曜の次で、日曜の前の日。土曜日。「—は休日です」

***ど・よう【土用】**❶立春・立夏・立秋・立冬の前の一八日間。❷特に、立秋の前の一八日間。夏の土用。参考 一年中でもっとも暑い時期。「—のウナギ」**—さぶろう【—▽三郎】**夏の土用の三日目。参考 昔、この日の天候によってその年の豊作・凶作をうらなった。**—なみ【—波】**夏の土用のころ、日本の太平洋岸に打ち寄せる大波。**—ぼし【—干(し)】**虫やかびを防ぐため、夏の土用のころに、衣類や書物を日に干したり風を通したりすること。虫干し。

どよ・む《自五》〔文〕❶なりひびく。ひびきわたる。「雷鳴が—・む」❷大声をあげる。大騒ぎをする。「群衆が—・む」参考 古くは「とよむ」。文《四》。

どよ・めく《自五》❶〔大きな音や声が〕とどろきひびく。なりひびく。「砲声が—・く」❷ざわざわと騒ぐ。また、大勢の人がざわざわとゆれ動く。「観衆が—・く」

どよも・す《他五》どよめかせる。なりひびかせる。「空を—・す砲声」参考 古くは「とよもす」。文《四》。

***とら【×寅】**❶十二支の三番目。虎(とら)。❷昔の時刻で、午前四時。または、午前三時から五時まで。寅の刻。寅の時。❸昔の方角で、東北東。❹とら①を年・月・日に当てた呼び名の一つ。

***とら【×虎】**❶ネコ科の猛獣。アジアの特産。背から腹にかけて黄褐色で、黒色の横じまがある。腹部は白い。鋭いつめ・きばを持ち、性質は荒い。タイガー。❷〔俗〕よっぱらい。泥酔者。「飲みすぎて—になる」

—の威を借る狐(きつね)《句》力のないものが権勢のある者の力に頼っていばること。〈戦国策・楚策〉

—の尾を踏・む《句》非常に危険なことをするたとえ。類語 薄氷(はくひょう)を踏む。

—は死して皮を留(とど)め人は死して名を残す《句》死後に名誉・功績などが残ることのたとえ。

—は千里行って千里帰る《句》虎は一日に千里も遠くへ行くが、子を思って千里の道を帰ってくる。親の情愛の深いことのたとえ。

—を野に放つ《句》→千里の野に虎を放つ。

ど・ら【▽銅×鑼】青銅で作った、盆の形をした打楽器。ひもでつるし、ばちでたたいて鳴らす。法会(ほうえ)のときや出帆の合図に用いる。**—やき【—焼(き)】**小麦粉・卵・砂糖などをまぜあわせたものを銅鑼の形に焼き、二枚合わせた間にあんをはさんだ和菓子。

***と・らい【渡来】**《名・自サ》〔新しい品物・技術・文化などが〕外国から海を渡ってはいってくること。「中国から—した技法」「南蛮—の品」類語 舶来(はくらい)。

*トライ《名・自サ》❶こころみること。❷ラグビーで、相手のゴールにボールを手で押さえて接地すること。「逆転の—」▽try

ドライ《名・形動》❶情に左右されずに、合理的に割り切って物事を行うこと。「—な性格の男」対ウエット。❷無味乾燥で、おもしろみのないようす。「広漠とした—な風景」❸洋酒で、辛口であること。対スイート。▽dry(=かわいた) —アイス 炭酸ガスを冷却・圧縮して固体にしたもの。物を冷やすのに使う。▽dry ice —クリーニング 水を使わずに、揮発性溶剤を用いて行う洗濯(法)。乾式洗濯(法)。▽dry cleaning —フラワー 長く保存して観賞するために乾燥させた、花・実・葉など。▽dry flower —ミルク 牛乳を乾燥させ粉にしたもの。粉ミルク。粉乳(ふんにゅう)。▽dry milk

トライアスロン 遠泳・サイクリング・マラソンを組み合わせた耐久レース。鉄人レース。▽triathlon

トライアル ❶(成功可能な方法を見つけるための)試み。❷試技。また、試走。▽trial

トライアングル 打楽器の一つ。鋼鉄のまるい棒を三角形にまげたものを、同じ材質の棒でたたいて鳴らす。▽triangle(=三角形)

ドライバー ❶ねじまわし。❷自動車を運転する人。「女性—」❸ゴルフで、遠距離用のクラブ。一番ウッド。=ドライヴァー。▽driver

ドライブ《名・自サ》❶自動車を運転すること。また、自動車で遠出をすること。❷テニス・卓球などで、球を強く前方向に回転させて打つこと。「—をかける」❸ゴルフ・野球で、打球が回転して右または左の方向へカーブして飛ぶこと。=ドライヴ。▽drive —イン ❶おもに自動車道路ぞいにあって、客がその駐車場に自動車を止めて降り、食事などの用をたす施設。❷〔米国で〕自動車に乗ったまま映画見物・買い物・食事などの用をたす施設。▽drive-in —ウエー 自動車の遠出用に作った、舗装道路。▽driveway

ドライヤー 洗い終わったものをはやくかわかす機器。乾燥機。特に、ヘアドライヤー。▽dryer

トラウマ 精神に持続的な影響を残すような激しい・ショック(体験)。精神的外傷。▽(ドイツ) Trauma

とらえ-どころ【捕(ら)え所・×捉え▽処】(とらへー) つかみどころ。「—のない性格」

とら・える【捕(ら)える・×捉える】(とらへる)《他下一》❶〔逃げる人・動物を〕つかまえる。とりおさえて逃がさないようにする。「犯人を—・える」❷しっかりつかんで離さないようにする。「袖(そで)を—・える」「足を—・える」❸〔ある視野・勢力・知識の範囲に〕しっかりとおさめる。「レーダーが台風の目を—・える」「左ストレートが顔面を—・える」表記 ❷❸は「捉える」と書く。文とら・ふ《下二》。

とら-がり【×虎刈り】刈り方がへたなために、頭髪が不揃(ふぞろ)いで虎の毛のようにまだらにみえること(頭)。

とら-かん【×虎巻】→とらのまき④

トラクター 農業・土木工事などで各種の作業機械を引っぱるための自動車。牽引車(けんいんしゃ)。▽tractor

とら-げ【×虎毛】❶虎の背の毛のように、黄褐色の地に太くて黒い線の斑紋(はんもん)がある毛色や模様。とらふ。❷馬の毛色の一つ。薄墨色の地に、虎の毛のような斑紋があるもの。

どら-ごえ【どら声】(ーごゑ) 太くてにごった声。「—を張り上げる」類語 だみ声。

トラコーマ 目の病気の一つ。トラホーム。感染性の慢性結膜炎。悪化すると失明する。▽trachoma

ドラゴン ヨーロッパで、伝説上の怪獣。ヘビの形で、つばさとつめを持ち、口から火を吐くという。飛竜。竜。▽dragon

ドラスティック《形動》❶過激・強烈であるようす。「—な意見」❷〔手段などが〕大胆で思い切ったようす。徹底的。抜本的。「—な政策」=ドラスチック。▽drastic

トラスト 市場を独占するために同種の企業を合同してつくる強力な企業形態。企業合同。▽trust

とら・せる【取らせる】《他下一》〔「取る」の使役形〕❶受けとらせる。特に、目上の者が下の者に与える。やる。「ほうびを—・せる」❷《動詞連用形+「て」について補助動詞的に用い》(…して)やる。〔えらそうな言い方〕「世話をして—・せる」文とら・す《下二》。

*トラック ❶陸上競技場などの競走路。「—を一周する」対フィールド。❷「トラック競技」の略。トラック①で行われる競走競技。❸みぞ。また、テープなどの線条の一部分。「サウンド—」▽track

*トラック 貨物の運搬に用いる自動車。貨物自動車。▽truck

ドラッグ ❶薬。薬品。❷麻薬。▽drug —ストア 薬品・化粧品・たばこ・雑誌などを売り、喫茶店・軽食堂もかねた店。▽drugstore

とら-つぐみ【×虎×鶫】ツグミ科の鳥。ツグミ科の鳥の中で最も大きい。夏鳥だが、所によって漂鳥。夜、「フィーフィー」と気味悪く鳴く。ぬえどり。ぬえ。

トラッド 流行に左右されない伝統的な服装。また、その着こなし。▽trad(=traditional の略)

トラディショナル《形動》伝統的。▽traditional

どら-ねこ【どら猫】〔俗〕うろつき歩いて食べ物などをぬすむ、ずうずうしいネコ。類語 のら猫。

とら-の-こ【×虎の子】〔俗〕〔虎はその子を非常にだいじにするということから〕大切にして手放さないもの。また、とっておきのもの。「—の百万円を盗まれた」

とら-の-まき【×虎の巻】〔中国の兵法書「六韜(りくとう)」の虎韜巻(ことうかん)から〕❶兵法の秘伝をしるしたもの。❷〔転じて〕芸事などの秘事・秘伝の書。❸〔俗〕講義用のたね本。❹〔俗〕教科書などを安直に解説し、問題の解答などがのっている参考書。虎巻(とらかん)。あんちょこ。

トラバーユ ❶労働。仕事。❷《名・自サ》転職すること。参考 ❷は求人専門誌の名から。▽(フランス) travail

とら-ひげ【×虎×鬚】虎のひげのように、かたくつっぱった、ひげ。

トラピスト カトリックの修道会の一つ。また、その修道士。参考 きびしい戒律がある。▽Trappists

とら-ふ【×虎×斑】虎毛(とらげ)①。

とら-ふぐ【×虎▽河×豚】マフグ科の海魚。胸びれの後ろに大きな黒点がある。美味で、ふぐ料理の材料として珍重される。卵巣・肝臓に猛毒がある。

ドラフト ❶洋裁などで、型紙を作るための下図。❷「ドラフト制」の略。プロ野球で、新人を採用する際、その交渉権をプロ野球球団全体で構成する選択会議で決める制度。新人選手選択制度。▽draft

*トラブ・る《自五》〔「トラブル」を動詞化した語〕〔俗〕トラブルを起こす。「上司と—・る」

*トラブル もめごと。いざこざ。紛争。「—メーカー(=問

題をおこす人)」▽trouble

トラベラー 旅行者。▽traveler **ーズ・チェック** 海外旅行者用の小切手。略語ＴＣ。▽traveler's check

トラホーム ➡トラコーマ。▽Trachom

ドラマ ❶劇。演劇。芝居。「テレビー」❷戯曲。脚本。「ーを書く」▽drama

ドラマー ドラムをたたく人。▽drummer

とらま・える【▽捕まえる】《他下一》〔俗〕つかまえる。とらえる。参考「とらえる」と「つかまえる」が混交してできた語。

ドラマチック《形動》〔そのようす・内容などが〕劇にみられるようであるようす。劇的。ドラマティック。「ーな出来事」▽dramatic

ドラマツルギー ❶戯曲をかく方法論。作劇法。作劇術。劇作術。❷戯曲を上演する方法論。▽Dramaturgie

ドラム ❶〔洋楽で使う〕太鼓類の総称。❷管弦楽で使う打楽器の一つ。大太鼓。ベースドラム。❸機械類で、円筒形の部分の称。▽drum **ーかん**【ー缶】鋼鉄製で、胴部に波状のでこぼこを持つ、たる形の大きなかん。ガソリン・重油などを入れる。

どら-むすこ【どら〈息子〉】なまけ者で遊び好きの息子。道楽息子。「金持ちのー」

とらわ・れる【捕(ら)われる・▽囚われる】《自下一》❶つかまえられる。とらえられる。「獄にー・れる」❷〔ある思想・気持ちなどに〕こだわる。拘束されて、自由に考えることができなくなる。「形式にー・れる」「強迫観念にー・れる」文とらは・る《下二》。

トランキライザー いらいらした気分や不安感など、神経の興奮・緊張状態を静める薬。精神安定剤。▽tranquilizer

トランク ❶角形の大きな旅行かばん。❷乗用車などの〔後部の〕荷物入れ。▽trunk

トランクス ボクシング選手がはく短いパンツ。また、同じ形の男子用下着。▽trunks

トランシーバー 近距離の送信と受信を行う、携帯用の無線通信機。▽transceiver

トランジスター ゲルマニウム・シリコンなどの半導体の特性を利用した増幅器。小形で軽い、構造が簡単、消費電力が少なくてすむなどの特徴があって、電子工学の分野で広く利用されている。▽transistor

トランス 変圧器。▽transformer から。

トランプ ♣♠♦♥の四種類とジョーカーの五三枚一組のカードから成る西洋かるた。また、これを使った遊び。カード。▽trump(＝切り札)

トランペット 金管楽器の一つ。らっぱの一種。高音域を受け持ち、力強くて鋭い音を出す。▽trumpet

トランポリン 足のついた金属製のわくに弾力性のあるマットを張った器具。また、それを使って空中で演技をする競技。参考 器具は商標名。▽Trampoline

***とり**【取(り)】㊀《名》❶寄席で、最後に出演すること。また、その人。真打ち。「ーは志ん朝だった」❷最後に演じる、よびものの番組。また、それに出演する人。類語 きり。㊁《接頭》《動詞につけて》語調をととのえるのに用いる。「ー片づける」「ー囲む」

***とり**【×酉】❶十二支の一〇番目。にわとり。❷昔の時刻で、午後六時。または、午後五時から七時まで。酉の刻。酉の時。❸昔の方角で、西。❹とり①を年・月・日に当てた呼び名の一つ。

***とり**【鳥】❶鳥類の総称。類語 ひな。ひよこ。野禽。家禽。水禽。猛禽。❷ニワトリ。また、その肉。鶏肉。「ーの水たき」表記 ②は「鶏」とも書く。

ー無き里の蝙蝠《句》すぐれた者のいない所では、つまらぬ者がいばって幅をきかすことのたとえ。

どり〔俗〕鳥類の肺臓。色は暗紅色。俗に毒があるとされてきたが、誤り。「鳥は食うともー食うな」

ドリア 魚介類や鶏肉などを加えたバターライスに、ホワイトソースをかけ、オーブンで焼いた料理。▽doria

とり-あ・う【取り合う】㊀《他五》❶〈手をー・う〉たがいに手をにぎる。手をつなぐ。「手をー・って喜ぶ」❷一つのものをたがいにとろうとしてあらそう。うばいあう。「領地をー・う」㊁《自五》まともに相手になる。かかわりあう。聞き入れる。「笑ってー・わない」

とりあえ-ず【取(り)▽敢えず】《副》(「取るべきものも取らずに」の意)他の事はさしおいてまず。さしあたって。「ーごあいさつにうかがいます」

とり-あ・げる【取り上げる】《他下一》❶〔下に置いてあるものを〕手にとって持つ。「受話器をー・げる」❷〔下の者の意見・案などを〕聞き入れる。採用する。受けつける。「かれの企画がー・げられた」❸〔力・権力などで〕無理やり取る。没収する。めしあげる。「凶器をー・げる」「領地をー・げる」❹特に取り立てて問題とする。問題として扱う。「議題にー・げる」「弱点をー・げる」❺手を貸して子をうませる。「男の子をー・げる」表記 ②④は「採り上げる」とも書く。

とり-あつかい【取(り)扱い】とりあつかうこと。「機械のーに注意する」表記「取扱所」「取扱注意」と書く。

とり-あつか・う【取り扱う】《他五》❶〔機械・道具などを〕手で持って動かしたり使ったりする。「茶器はていねいにー・ってください」❷待遇する。「賓客としてー・う」❸取り上げて処理する。「刑事事件としてー・う」❹〔業務内容として〕ひきうけて処理する。「この窓口では指定券はー・わない」＝あつかう。

とり-あわせ【取(り)合(わ)せ】とりあわせること。配合。「色のーがよくない」類語 組み合わせ。

とり-あわ・せる【取り合わせる】《他下一》❶つりあうように、ほどよく組み合わせる。「海や山の幸をー・せて酒のさかなを作る」❷〔一まとまりの物にするため〕よせ集める。「小品をー・せて一冊の本にする」

ドリアン パンヤ科の常緑高木。原産地は東南アジア。果実は卵形。果肉はクリーム状で甘く、特有の臭気がある。果物の王の異名がある。▽durian

とり-い【鳥居】神社の参道の入り口に建てる門。二本の柱の上に笠木(＝柱の間隔より長い横木)を渡し、そのやや下に離れて貫(＝柱をつなぐ横木)を通し入れたものがふつう。参考「一基…」と数える。

とり-いそぎ【取(り)急ぎ】《副》「さしせまっているので急いで」の意で、手紙文に用いる語。「ー御礼まで」

トリートメント《名・自サ》髪を洗ったあとなど、髪に栄養を与える手入れをすること。「ヘアー」▽treatment(＝取り扱い)

ドリーム 夢。幻想。「アメリカンー」▽dream

とり-い・る【取り入る】《自五》へつらって気にいられようとする。「上司にうまくー・る」「代議士にー・る」

とり-いれ【取(り)入れ】❶とりいれること。「新技術のーがはげしい」❷実った農作物を収めいれること。収穫。「稲のーでいそがしい」「ーの時節」[類語]刈り入れ。[表記]②は「穫り入れ」とも書く。

とり・い・れる【取り入れる】《他下一》❶〔外に出ているものを〕取って内に入れる。「干したふとんをー・れる」❷〔役立つような事柄を〕受け入れる。導入する。「意見をー・れる」❸収穫する。「小麦をー・れる」[表記]③は「穫り入れる」とも書く。

とりうち・ぼう【鳥打(ち)帽】帽子の一種。平たくて、ひさしのついた帽子。鳥打ち帽子。ハンチング。[参考]狩りに行くときにかぶったことから。

トリウム 放射性元素の一つ。灰色の、もろい金属。ウラニウムとともに原子炉の燃料として使用される。元素記号Th。▽ドイツ Thorium

とり・え【取(り)柄・取(り)得】役にたつ点。よい所。長所。「なんのーもない人」「丈夫であるだけがー」

トリオ ❶三部形式の舞曲。❷三重奏(団)。三重唱(団)。また、その曲。❸三人組。「ーで活躍する」❹三つ組。▽イタリア trio

とり・おい【鳥追(い)】ーおひ ❶農村の正月の行事の一つ。正月一五日の早朝に、田畑をあらす鳥・けもの・虫などを追いはらう歌をうたって若者が家々をまわる。❷江戸時代、正月に、編笠(あみがさ)をかぶり、三味線をひき、鳥追い歌をうたった門付(かどづ)けの女。

とり・お・く【取り置く】《他五》別に残しておく。とっておく。「資料としてー・く」

とり・おこな・う【執り行う】ーおこなふ《他五》〔式・祭りなどの行事を〕〔厳粛に〕行う。挙行する。執行する。〔改まった言い方〕「卒業式をー・う」

とり・おさ・える【取り押さえる】ーおさへる《他下一》❶〔あばれるものを〕おさえて動けなくする。おさえとどめる。「あばれ牛をー・える」❷〔悪事を働いて〕にげようとする者をつかまえる。捕縛(ほばく)する。「犯人をー・えた」

とり・おと・す【取り落とす】《他五》❶〔うっかりして〕手にもっていたものを落とす。「グラスをー・す」❷失う。なくす。「一命をー・した」❸〔気づかずに〕抜かす。漏らす。「新入会員の名をー・した」[参考]②③の「とり」は接頭語。

とり・がい【鳥貝】ーがひ ザルガイ科の二枚貝。泥の多い浅い海にすむ。からは黄みをおびた白色で、まわりが紅色。すし・酢の物・乾物に使う。

とり・かえ・す【取り返す】ーかへす《他五》❶〔一度自分から離れた物を〕ふたたび自分のものにする。とりもどす。「領地をー・す」❷ふたたびもとの状態にする。もとへもどす。「衰えた人気をー・すことはむずかしい」

とり・か・える【取り替える・取り換える】ーかへる《他下一》❶〔自分の物と相手の物を〕たがいにかえる。「友達と本をー・えて読む」❷別のものにかえる。「毎日ネクタイをー・える」[同]①②交換する。

とり・かか・る【取り掛かる】《自五》《「とり」は接頭語》〔ある行為を〕しはじめる。着手する。「仕事にー・る」

とり・かご【鳥×籠】小鳥をいれて飼う、かご。

とり・かこ・む【取り囲む】《他五》《「とり」は接頭語》まわりをかこむ。「敵勢が城をー・む」[類語]取りまく。

とり・かじ【取(り)×舵】ーかぢ ❶船首を左にむけるときのかじのとり方。❷左舷(さげん)。[対]①②面舵(おもかじ)。

とり・かた【捕(り)方】❶罪人を捕らえる方法。❷罪人を捕らえる役めの人。とりて。捕吏(ほり)。

とり・かたづ・ける【取り片付ける】《他下一》《「とり」は接頭語》きちんとする。整理する。かたづける。「室内をー・ける」

とり・かぶと【鳥×兜】❶キンポウゲ科の多年草。根に猛毒がある。また、漢方では「烏頭(うず)」「付子(ぶし)」などと言い、鎮痛剤にする。❷舞楽で、楽人・舞人がかぶる、鳳凰(ほうおう)の頭をかたどったかぶり物。まいのかしら。

鳥兜②

とり・かわ・す【取り交わす】ーかはす《他五》《「とり」は接頭語》たがいにやりとりする。「契約書をー・す」

とり・きめ【取(り)決め・取(り)▽極め】❶とりきめること。とりきめたこと。決定。❷約束。契約。「支払い条件のーをする」「ーを結ぶ」

とり・き・める【取り決める・取り▽極める】《他下一》《「とり」は接頭語》❶〔相談して〕きめる。決定する。「会議の日程をー・める」❷約束する。契約する。「百万円で売るようにー・めた」

とり・くず・す【取り崩す】ーくづす《他五》《「とり」は接頭語》❶くずして取り去る。とりこわす。❷ためてあるものを、取ってなくす。「貯金をー・す」

とり・くち【取(り)口】相撲をとる時の、とり方。相撲をとる手口。「横綱らしくないー」

とり・くみ【取(り)組(み)】❶とりくむこと。「ボランティア活動へのー」❷相撲で、勝負する力士の組み合わせ。転じて、勝負。「好ーの一番」[表記]②は「取組」と書く。❸対になる物の組み合わせ。

とり・く・む【取り組む】《自五》❶争ってたがいに組みつく。❷ある物事を解決し処理するためにけんめいにとりかかる。「新分野の開拓にー・む」❸〔特に、相撲で〕争う相手として組み合う。「四つにー・む」

とり・けし【取(り)消し】とりけすこと。

とり・け・す【取り消す】《他五》《「とり」は接頭語》いったん決めて書いたり言ったりしたことなどをなかったこととする。「前言をー・す」「婚約をー・す」[類語]うちけす。(する)削除(さくじょ)。消去。撤回。

*__とり・こ【取(り)粉】__つきたてのもちなどの表面につけて、もちが手にくっつかないようにする、米の粉。

*__とり・こ【▽虜・×擒】__❶戦いなどで捕らえられた人。俘虜(ふりょ)。捕虜(ほりょ)。「敵兵をーにする」❷〔ひゆ的に〕あるものに熱中したり心をうばわれたりして、そこからぬけだせない人。「恋のーになる」「オペラのーとなる」

とりこし・ぐろう【取(り)越し苦労】《名・自サ》どうなるかわからない将来のことをいろいろと考えて、むだな心配をすること。杞憂(きゆう)。

トリコット ❶メリヤス編みの一種。羊毛・化学繊維・綿などの糸でこまかくあんだもの。弾力・伸縮性に富む。肌着・手袋・マフラーなどに用いる。❷トリコット①に似せて織った、うね織りの毛織物。▽フランス tricot(=編み物のトリコ)から。

とり・こぼ・す【取り▽零す】《他五》〔スポーツ競技や囲碁・将棋などで〕勝てるはずの勝負・試合に負ける。「緒戦でー・す」

とり・こみ【取(り)込み】❶〔農作物などを〕とりこむこと。取り入れ。「麦のー」❷不意の出来事や常にない出来事のために起こる混雑。ごたごた。「おー中申し訳ありませんが…」❸「取り込み詐欺(さぎ)」の略。商品をとりよせて代金を支払わず自分のものにすること。

とり-こ・む【取り込む】㊀《他五》❶取って中へ入れる。取り入れる。「洗濯物を―・む」❷取って自分のものにする。「他人の土地を―・む」❸心のすきにつけ入って、他人の気持ちをまるめこむ。「重役を―・んで出世する」㊁《自五》不意の出来事のために身辺がごたごたする。「葬式で―・んでいる」

とり-こ・める【取り×籠める】《他下一》❶おしこめる。「一室に―・める」❷とりかこむ。包囲する。

トリコモナス 原生動物べん毛虫綱に属する寄生性生物の総称。人体の口腔・腸・膣などに寄生し、ときに炎症を引きおこす。▽ラテン trichomonas

とり-ごや【鳥小屋】鳥を飼っておく小屋。特に、鶏を飼う小屋。類語 鶏舎。

とり-ころ・す【取り殺す】《他五》〔死霊・生き霊などが〕とりついて命をうばう。たたって殺す。

とり-こわ・す【取り壊す・取り×毀す】《他五》《「とり」は接頭語》〔建物などを〕こわしてとりのぞく。ばらばらにくずしてとりのぞく。「古いアパートを―・す」

とり-ざかな【取(り)×肴】❶皿に盛り、各々が自由に取って食べる酒のさかな。❷正式の日本料理で、三の膳の次に出される、珍味などを盛った酒のさかな。

とり-さ・げる【取り下げる】《他下一》❶〔公の機関に〕さしだしたものを取りもどす。引き下げる。「辞表を―・げる」❷いったん提起した訴え・願いなどを取り消す。撤回する。「訴訟を―・げる」

とり-ざた【取(り)×沙×汰】《名・他サ》世間でうわさをすること。また、そのうわさ。「二人の仲が―される」

とり-さば・く【取り×捌く】《他五》《「とり」は接頭語》〔争い・もめごとなどを〕適切に処理する。さばく。「紛争を―・く」

とり-ざら【取(り)皿】大皿に盛られた料理をめいめいに取りわける小皿。

とり-さ・る【取り去る】《他五》取って除く。取り除く。「病巣を―・る」「障害物を―・る」

とり-しき・る【取り仕切る】《他五》《「とり」は接頭語》ひとりで責任をもってひきうけて扱い、処理する。きりもりする。「店を―・る」「経理を―・る」

とり-しず・める【取り静める・取り鎮める】《他下一》《「とり」は接頭語》〔さわぎなどを〕静める。おさえる。「暴動を―・める」

とり-しまり【取(り)締(ま)り】❶取り締まること。また、その人。「交通違反の―」❷「取締役」の略。

―やく【取締役】株式会社の重役。会社を代表する権限を持ち、業務を執行する任に当たる者。また、その役職。取締。

表記 ②は「取締」と書く。

とり-しま・る【取り締まる】《他五》〔法律や規則に反しないように〕管理・監督する。「選挙違反を―・る」

とり-しらべ【取(り)調べ】取り調べること。特に、公の捜査機関が被疑者を出頭させて詳しく調べること。「容疑者の―に当たる」

とり-しら・べる【取り調べる】《他下一》詳しく調べて明らかにする。特に、犯罪の容疑者を詳しく調べる。「事故の原因を―・べる」「容疑者を―・べる」

とり-すが・る【取り×縋る】《自五》《「とり」は接頭語》❶相手のからだなどにしっかりつかまる。すがりつく。「袖に―・る」類語 しがみつく。❷願いごとを聞き入れてもらおうと、けんめいに頼む。「―・って頼む」

とり-す・てる【取り捨てる】《他下一》取って捨てる。取り除く。「不要品は―・てる」

とり-すま・す【取り澄ます】《自五》《「とり」は接頭語》わざとらしくすます。「―・した顔」

とり-そろ・える【取り×揃える】《他下一》《「とり」は接頭語》あれこれ集めて用に供する。「商品を―・える」「資料を―・える」

とり-だか【取(り)高】❶収入の高。収穫の高。取れ高。「―に応じて寄付をする」❷分配した量。分け前。「一人あたりの―は一万円だ」

とり-だ・す【取り出す】《他五》❶手に取って外へ出す。また、手に持って外へ出す。「書類を―・す」❷多くの中から選び抜いて出す。「コンピューターは必要なデータを短時間で―・してくれる」

とり-たて【取(り)立て】❶取り立てること。㋐強制的に取ること。「借金の―が厳しい」㋑特に引き上げて用いること。抜擢。「主君の―にあずかる」❷取って間がないこと。とれたて。「―の魚」

とり-た・てる【取り立てる】《他下一》❶〔貸し金・税金などを〕強制的に取る。催促して徴収する。「家賃を―・てる」❷〔多くのものの中から〕特にとりあげる。特別のものとして数えあげる。参考 多く「―・てて…ない」の形で使う。「―・てて言うほどの成績でもない」❸〔多くの人の中から〕特に引き上げて重要な役目につける。抜擢する。「部長に―・てる」

とり-ちが・える【取り違える】《他下一》❶まちがえて他の物を取る。取りまちがえる。「靴を―・える」❷まちがえて理解する。まちがえて別の意味に受け取る。「昼と夜とを―・える」「話の意味を―・える」

とり-ちらか・す【取り散らかす】《他五》《「とり」は接頭語》あちこちに物を散らす。取り散らす。「―・した部屋」

と-りつ【都立】東京都で設立し運営していること。「―の高校」「―大学」

とり-つか・れる【取り×憑かれる】《自下一》《「とりつく」の受身形》❶〔死霊・生き霊・魔物・動物などに〕のりうつられる。くっつかれる。つかれる。「怨霊に―・れる」❷〔ある妄想や固定した考えなどが〕頭からはなれないでいる。「強迫観念に―・れる」

とり-つき【取(り)付き】❶はじめ。最初。「数学は―が難しい」❷〔ある人に対する〕はじめての印象。「―の悪い人」❸ある区域・場所の最初の所。一ばん手前。「―の部屋」＝とっつき。

とり-つぎ【取(り)次(ぎ)】とりつぐこと。また、その人。「―に出る」表記「取次店」と書く。

トリッキー《形動》❶奇をてらうようす。巧妙。「―な推理小説」❷ずるがしこいようす。▽tricky

とり-つ・く【取り付く】《自五》❶〔ある物事を〕し始める。とりかかる。着手する。「新しい事業に―・く」❷すがりつく。「袖に―・いて離れない」「岩壁に―・く」❸〔死霊・生き霊・魔物・動物などが〕のりうつる。その身につく。「キツネに―・かれる」❹〔ある考えが〕頭をはなれないでいる。「固定観念に―・かれる」表記 ③④は多く「取り憑く」と書く。

―く島が無・い《句》つっけんどんでどこにすがってよいか分からない。たよりにしてすがることができない。「そう言われては―・い」

トリック ❶人をだます策略。たくらみ。❷映画で、実際にはできないことを、いろいろなしかけを使って実際に

あったように見せる技術。特殊撮影技術。▽trick

とり・つ・ぐ【取り次ぐ】《他五》❶間にはいって、一方の意志を他方に伝える。仲立ちをする。「申し入れを—・ぐ」❷客の来訪・電話の呼び出しなどを、当人に伝える。「電話を—・ぐ」❸一方から受けた物を他方へ渡す。商品の中継ぎをする。「仕入れを—・ぐ」

とり・つくろ・う【取り繕う】（—つくろふ）《他五》（「とり」は接頭語）❶修繕する。手入れをする。❷（相手に気づかれないように）欠点や過失などをうまく隠しととのえてその場をすます。「その場を—・う」❸（人によく見てもらえるように）体裁をかざる。「体面を—・う」

とり・つけ【取（り）付け】❶とりつけること。とりつけてあるもの。❷銀行が信用を失ったとき、預金者が一度におしよせて預金を引き出すこと。「銀行の—騒ぎ」

とり・つ・ける【取り付ける】《他下一》❶（他の物に）備え付ける。装置する。「防犯ベルを—・ける」❷（きまった店から）いつも買っている。とりなれる。「お酒を—・けている店」❸（むずかしい約束・契約などを）成立させ、確保する。獲得する。「了解を—・ける」

とり・て【捕（り）手】罪人を捕らえる・役目（役人）。捕り方。捕吏。

とりで【×砦・×塞・▽塁】❶本城から離れた要所に築いた小さな城。❷要塞（ようさい）。類語 堡塁（ほうるい）。城砦（じょうさい）。

とり・てき【取的】〔俗〕最も地位の低い力士。ふんどしかつぎ。

とり・とめ【取（り）止め・取（り）留め】❶とりとめること。❷はっきりとしたまとまり。しまり。「—が無い（＝まとまりがない。要領を得ない）」

とり・と・める【取り止める・取り留める】《他下一》❶おさえとどめる。❷〈一命（いちめい）を—・める〉失いそうになった命を、すんでのところで失わずにすむ。

とり・どり【取（り）取（り）】《形動》いろいろな種類があってそれぞれ違っているようす。さまざま。まちまち。「色—の花」表記 ふつうかな書きにする。

***とり・なお・す【取り直す】**（—なほす）《他五》❶持ちかえる。また、改めて持つ。「刀を—・す」❷（気持ちを）あらたにする。沈んだ気分をもとの活気ある状態にもどす。「気を—・して仕事にはげむ」❸相撲で、改めてもう一度勝負をする。「物言いがついて—・した」

***とり・なお・す【撮り直す】**（—なほす）《他五》写真・複写などを改めてやりなおす。写しなおす。「記念写真を—・す」

とり・なし【取（り）成し・執（り）成し】とりなすこと。間にたってうまくまとめること。仲介。仲裁。「上役の—で首がつながる」「—顔（＝その場を気まずくさせないようにしようとする顔つき）」

とり・な・す【取り成す・執り成す】《他五》よい状態になるようにとりはからう。❶争っている双方の間にたって仲直りさせる。仲裁する。「二人の間をなんとか—・す」❷その場のふんいきや相手の感情などをきまずくさせないようにとりつくろう。「座を—・す」❸取り持つ。仲介する。「彼に会えるよう—・して下さい」

とり・なわ【捕（り）縄】（—なは）罪人を捕らえてしばるための縄。捕縄（ほじょう）。

とり・にが・す【取り逃がす】《他五》❶つかまえそこねて、逃がす。「チャンスを—・した」❷一度つかまえたものを逃がす。「護送中の犯人を—・した」

とり・の・いち【×酉の市】毎年一一月の酉の日に行われる鷲神社（おおとりじんじゃ）の祭礼。神社では、幸福や富をかきよせる意にかこつけた熊手（くまで）を売る。おとりさま。とりのまち。参考 一の酉から三の酉まである。

とり・の・ける【取り▽除ける】《他下一》とってなくす。取り除く。「カバーを—・ける」

とり・の・こ【鳥の子】❶鳥のたまご。特に、鶏卵。❷ひな。❸「とりのこ色」の略。鶏卵のからの色。淡黄色。❹「とりのこ紙」の略。和紙の一種。ガンピにコウゾをまぜてすいた上質の紙。現在はミツマタがおもな原料。とりのこ色をしている。❺「とりのこもち」の略。卵形の平たく大きな紅白のもち。祝儀に用いる。

とり・のこ・す【取り残す】《他五》❶（全部を）取らずに（一部）残しておく。❷大勢が先へ進んで、一部の者をあとに残す。おきざりにする。参考 多く受け身の形で使われる。「出世競争に—・される」

とり・のぞ・く【取り除く】《他五》（じゃまなものを）取り去る。とりのける。「不良品を—・く」

とり・のぼ・せる【取り上せる】《自下一》（「とり」は接頭語）興奮（こうふん）して理性を失う。急にのぼせ上がる。逆上する。「—・せて暴力をふるう」類語 血まよう。

とり・はから・う【取り計らう】（—はからふ）《他五》（「とり」は接頭語）あれこれ考えて、物事がうまくおさまるようにする。はからう。「双方の利となるように—・う」

とり・はぐ・れる【取り▽逸れる】《他・下一》取りそこなう。「料金を—・れる」

とり・はこ・ぶ【取り運ぶ】《他五》物事を計画どおりに進行させる。「式典を無事に—・んだ」

とり・ばし【取（り）×箸】大皿に盛られた料理などを、取り皿にとりわけるための箸。

とり・はずし【取（り）外し】（—はづし）《名・他サ》とりはずすこと。「—のできるたな」「—がきく」

とり・はず・す【取り外す】（—はづす）《他五》❶うっかりして取りそこなう。取りそこねて落とす。❷取りつけてあるものをはずす。「クーラーを—・す」

とり・はだ【鳥肌・鳥▽膚】毛をむしったあとの鳥の皮膚のように、はだの毛穴がぶつぶつと浮いてみえること。また、その肌。

—が立・つ《句》〔急激な寒さや恐怖・不快感などのために〕皮膚に鳥肌ができる。参考 強い感動を受けたときに言うことがある。「いい作品を見ると—・つほど感動する」

とり・はな・す【取り離す】《他五》〔一度手に持ったものを〕はなす。

とり・はら・う【取り払う】（—はらふ）《他五》〔邪魔になっている建物などを〕すっかり取り除く。取り去る。撤去（てっきょ）する。「小屋を—・う」類語 引きはらう。

とり・ひき【取（り）引（き）】《名・自サ》❶商人と商人、または商人と客との間で、売買行為をすること。営利のための経済行為。「商社と—する」❷互いに自分の利益になると認める事物・行為を交換すること。「与党と野党の間で—が行われたらしい」**—じょ【取引所】**商品または有価証券を大量に売買取引するため、一定の資格を持つ取引業者によって設けられた市場。証券取引所と商品取引所がある。

とり・ひし・ぐ【取り×拉ぐ】《他五》つかみつぶす。おしつぶす。ひしぐ。「鬼をも—・ぐ勢い」

とり・ふだ【取（り）札】百人一首・いろはがるたなどで、取る方の札。対 読み札。

トリプル 三重であること。「—パンチ」▽triple

ドリブル《名・他サ》❶ラグビーやサッカーで、ボールを足でこきざみにけりながら前進すること。❷バスケットボールやハンドボールで、ボールを手でつきながら進むこと。❸バレーボールにおける反則の一つ。同じ人が、続けて二度以上ボールにふれること。▽dribble

とり‐ぶん【取り分】〔金品などを何人かで分けるとき〕その人の取るべき分。わけ前。取り前。

トリマー ペット、特に犬・猫の美容師。グルーマー。▽trimmer(=刈る人)

とり‐まき【取(り)巻き】 いつも権力や勢力のある人のそばにいて、利益を得ようとこびへつらう人。「―連」 類語 側近。

とり‐まぎ・れる【取り紛れる】《自下一》(「とり」は接頭語)❶まぎれる。まぎれこむ。「雑踏に―・れて連れを見失う」❷当面の雑事・多忙さなどに注意を奪われる。「忙しさに―・れて返事も致さず失礼しました」

とり‐ま・く【取り巻く】《他五》(「とり」は接頭語)❶まわりをかこむ。とりかこむ。「庭園を―・く樹木」❷つきまとって機嫌をとる。「社長を―・く一派」

とり‐ま・ぜる【取り混ぜる】《他下一》(「とり」は接頭語)種類のちがういろいろな物を一つに混ぜ合わせる。「部屋は大小―・ぜて二二ある」

とり‐まと・める【取り×纏める】《他下一》(「とり」は接頭語)❶多くのものを集め、整理して一つにする。「荷物を―・めて郷里へ帰る」「みんなの意見を―・める」❷〔もめごと・いざこざなどを〕不都合がないようにきれいにおさめる。解決する。「紛争を―・める」

とり‐まわし【取(り)回し・取(り)×廻し】―まはし ❶取り扱い。また、たちいふるまい。身のこなし。❷力士が相撲をとるときのまわし。参考→化粧回し。

とり‐みだ・す【取り乱す】《(「とり」は接頭語)》一《他五》だらしなく乱れた状態にする。ちらかす。「部屋の中を―・す」二《自五》心の平静を失って、乱れたみぐるしい行動をとる。「突然の訃報ふほうに―・す」

トリミング《名・他サ》❶洋服で、すそや端のふちどりをすること。また、毛皮や別布などを部分的にかざりとしてあしらうこと。「毛皮で―したコート」❷写真で、画面の一部をけずって構図を修整すること。❸(はさみなどで)刈りこんで形をととのえること。参考 犬の毛についていうことが多い。▽trimming

とり‐むす・ぶ【取り結ぶ】《他五》(「とり」は接頭語)❶契約・約束などをかたく結ぶ。❷二人の間を取り持つ。仲だちをする。「若いふたりを―・ぶ」❸機嫌などをそこねないように取りはからう。「ご機嫌を―・ぶ」

とり‐め【鳥目】 多くの鳥のように、夜になると視力が著しく衰える病気。夜盲症やもうしょう。

***とり‐もち【取(り)持ち】**《名・他サ》❶仲だちをすること。また、その人。類語 周旋しゅうせん。斡旋あっせん。❷もてなすこと。また、その人。「客の―をする」

***とり‐もち【鳥×黐】** さおなどの先につけて小鳥・虫などを捕るのに使う、ねばねばしたもの。モチノキなどの樹皮からとる。もち。

とり‐も・つ【取り持つ】《他五》❶手にとりあげて持つ。❷双方の間にはいって話がまとまるように世話をする。仲だちをする。「二人の間を―・つ」❸客などの相手をして気をそらさないように取りはからう。もてなす。接待する。「座を―・つ」

とり‐もど・す【取り戻す】《他五》❶人に与えたりとられたりした物をふたたび自分のものにする。取り返す。「土地を―・す」❷一度失った状態を再びもとの状態にもどす。「元気を―・す」「遅れを―・す」

とり‐も‐なおさず【取りも直さず】―なほさず《連語》ことばをかえていえば。すなわち。つまり。「失敗は―成功のもとである」

とり‐もの【捕(り)物】 犯人を捕まえること。〔古風な言い方〕「路上の大―」「―帳」

とり‐や・める【取り▽止める】《他下一》(「とり」は接頭語)予定していたことをやめにする。中止する。

トリュフ 松露しょうろに似たキノコ。香気があり、フランス料理の高級食材。地下に生え、黒トリュフと白トリュフがある。西洋松露。▽フランス truffe

と‐りょう【塗料】 表面を保護または美化するために塗る流動状の物質。ペンキ・ワニス・うるしなど。

ど‐りょう【度量】❶〔文〕長さと容積。❷度量①をはかる、ものさしと、ます。〔古風な言い方〕❸他人の言行をこばまずに受け入れる、心の広さ。「―が広い」「―を大きくもつ」類語 器量きりょう。 **―こう【―衡】**❶長さと容積と重さ。❷度量衡①をはかる、ものさしとますとはかり。度量衡器。〔古風な言い方〕

ど‐りょく【努力】《名・自サ》ある目的を達成するために、能力のすべてを尽くしてうちこむこと。「成績を上げようと―する」「―が実を結ぶ」「―を重ねる」

とり‐よ・せる【取(り)寄せる】《他下一》❶手に取って自分の近くに持ってくる。尊敬 召す。❷注文して・届けさせる(持ってこさせる)。「見本を―・せる」

トリル ある音と、それより二度高い音とを交互に速く反復させて奏する音。装飾音の中でも重要なもの。trと略記する。顫音せんおん。▽trill

ドリル ❶先にらせん状の刃をもち、回転させて穴をあける工具・機械。穿孔機せんこうき。❷削岩機。❸技能・能力を向上させるための反復練習。「算数の―」▽drill

とり‐わけ【取(り)分け】 一《名》❶とりわけること(もの)。❷相撲で、引き分け。二《副》なかでも。ことに。「―難しい問題」表記 二は多くかな書き。

とり‐わ・ける【取(り)分ける】《他下一》❶(多くの中から)取って区別する。選び取る。「赤い玉だけを―・ける」❷めいめいに分けて取る。「料理を小皿に―・ける」

ドリンク 飲み物。飲料。「―剤」▽drink

と・る【取る・採る・捕る・執る・撮る】《他五》❶手に持つ。㋐手から離れているものを手でつかんで持つ。「はしを―・る」㋑手に持って使う。「ハンドルを―・る」㋒〔事務などを〕その手で処理する。「事務を―・る」㋓手に入れる。自分のものにする。「政権を―・る」「運転免許を―・る」表記 ㋑㋒は多く「執る」と書く。❷手でつかんで移す。それまでの場所から離して自分の方におさめる。㋐〔不必要なものを〕その所から除く。除去する。「雑草を―・る」㋑からだからはずし去る。「ネクタイを―・る」㋒〔有用な動植物などを〕集めおさめる。採取する。「貝を―・る」「輸血用の血を―・る」表記 ㋒は多く「採る」と書く。㋓のけておいてたくわえる。「古い写真を―・っておく」❸所有しているものを奪う。㋐盗む。「財布を―・られる」表記 ㋐は「盗る」とも書く。㋑国家や権力者が召し上げる。没収する。召集する。「兵隊に―・られる」㋒生命を奪う。殺す。討つ。「命を―・る」「かたきを―・る」㋓自由を奪う。「石に足を―・られる」㋔関心などを引きつける。「景色に気を―・られる」❹〔小動物などを〕捕まえる。捕らえる。「ネズミを―・る」表記 ④は多く「捕る」と書く。

❺受けおさめる。㋐課したものを受けおさめる。「税金を—・る」㋑取り決めたものを受けおさめる。「会費を—・る」㋒からだに受け入れる。食べる。摂取する。「栄養を—・る」［表記］㋒は「摂る」とも書く。㋓乞うて受ける。「休暇を—・る」㋔持って来させる。持って来させて（引き続き）買う。「出前を—・る」「新聞を—・る」❻分けて移す。「料理を小皿に—・る」❼導き入れる。「天窓から光線を—・る」［表記］❼は「採る」とも書く。❽呼び入れる。呼んで治療をする。「マッサージを—・る」❾身に負う。㋐身に受ける。「引けを—・る」「不覚を—・る」㋑自分の分担として引き受ける。「犬馬の労を—・る」［表記］㋑は多く「執る」と書く。㋒受けつぐ。「跡(あと)を—・る」㋓身につみかさねる。「年を—・る」㋔〈「…にとって」の形で〉…の身として。…の身から見て。「学生に—・ってはぜいたくな品」［表記］㋔はふつうかな書き。❿選び出す。㋐選び用いる。採用する。「新人を—・る」［表記］㋐は多く「採る」と書く。㋑選び定めて行う。「賛成の立場を—・る」㋒その道を選んで行く。「東海道を大阪へと—・る」㋓あるよりどころから選び出して用いる。「神話から題材を—・る」㋔選び定めて守る。「かたく自説を—・る」㋕人を選んで自分の所へ迎え入れる。「婿(むこ)を—・る」㋖主君・主人などを選び定めて仕える。「主を—・る」⓫作り出す。㋐あるものから作る。「米から酒を—・る」㋑ある形をまねて作る。かたちづくる。形成する。「型を—・る」㋒複写などを作る。写真を写す。音を記録する。「コピーを—・る」「音を—・る」「写真を—・る」［表記］写真を写す場合には、多く「撮る」と書く。音を記録する場合には「録る」とも書く。⓬様子をはかり知る。㋐相手の気持ちを察して、うまくあつかう。「機嫌を—・る」㋑推察する。解釈する。「悪く—・る」㋒数える。はかる。「カウントを—・る」⓭場所や時間を占める。㋐自分のものとしてその場所を占める。「ホテルを—・る」㋑設けて場所を占める。「部屋を広く—・る」「床(とこ)を—・る」㋒前もって約束して、席などを占める。「指定席を—・る」㋓時をついやす。「支度に時間を—・る」⓮〔手で〕行う。㋐ある動きに合わせととのえる。「手拍子を—・る」㋑相撲・かるた遊びなどをする。「相撲を—・る」「かるたを—・る」㋒修行などのために行う。「垢離(こり)を—・る」［文］《四》。⇩〖使い分け〗

—って付けたよう《句》〔ことばや態度などが〕わざとらしく、不自然なようす。「—な返事」

—らぬ狸(たぬき)の皮算用《句》手に入るかどうか分からないものを当てにして、あれこれ将来の計画を立てることのたとえ。皮算用。

—るに足りな・い《句》考えるほどの値打ちがない。取り上げる価値がない。「—・い意見」

使い分け　「とる」

取る〔▽盗・▽摂〕〔手でとり去ったり自分のものにする意で、一般に広く〕手に取ってみる・ハンドルを取られる・しみを取る・眼鏡を取る・財布を取（盗）られる・命を取る・足を取られる・税金を取る・栄養を取（摂）る・休養を取る・機嫌を取る・資格を取る・調子を取る・責任を取る・相撲を取る・コピーを取る・録音を取（録）る・受け取る・切り取る

採る〔ほかの所からもってきて集める。えらびとる。採取。採用〕血を採る・昆虫を採る・天窓から光を採る・卒業生から社員を採る・決を採る・方針を採る・意見を採り入れる〔採り上げる〕・標本を採る・キノコを採る

捕る〔追いかけて行ってつかまえる。とらえる〕ウサギを捕る・魚を捕る・高く揚がったフライを捕る・生け捕る・分捕る・捕物帳

執る〔手にもって使う。物事をしっかりつかんで処理する。執務。執行〕筆を執る・教鞭(きょうべん)を執る・指揮を執る・労を執る・儀式を執り行う

撮る〔写真をうつす〕映画を撮る・女優を撮る

［参考］「ハンドルを執る／ハンドルを取られる」では、前者は運転する意、後者はハンドルが利かなくなる意で、もっぱら受け身で使うもの。運転する意で「ハンドルを取る」と書くこともある。

ドル ㊀《助数》アメリカ合衆国の貨幣の基本単位。一ドルは一〇〇セント。ダラー。記号$。［表記］「弗」とも書く。㊁《名》❶ドル㊀で表される貨幣。❷お金。「—入れ」▽dollar から。**—だて**【—建て】支払い金額をドルでそろえること。また、金額をドル単位で表すこと。「—で払う」**—ばこ**【—箱】❶金庫。❷金銭的な援助をしてくれる人。❸金がもうかるもとになる・もの（人）。「この路線はわが社の—だ」

ど・るい【土塁】土を盛り上げて築いた小さなとりで。

トルク ❶軸などの棒状の物体をねじる方向に働く力。❷原動機の回転力。▽torque

トルコ・いし【トルコ石】銅・アルミニウム・燐(りん)などを含む、青または青緑色の不透明の鉱石。宝石として用いる。一二月の誕生石。トルコ玉。ターコイズ。

トルコ・ぶろ【トルコ風×呂】蒸気を用いず熱気を使った、蒸しぶろ。

トルコ・ぼう【トルコ帽】円筒形でつばがなく、平らな頂上の中央にふさのついた帽子。［参考］多く、トルコ人がかぶったところから。

トルソー 頭・手・足がない、胴体だけの彫像。トルソ。▽(イタリア) torso

ドルメン 新石器・青銅器時代の遺跡で、巨石記念物の一つ。巨大な岩石を箱形に並べ、一枚の板状の岩石をのせたもの。墓と考えられている。▽dolmen

***どれ**【▽何れ】《代名》《不定称の指示詞》三つ以上の限られた範囲のものの中から、不定の一つをさす語。「—がよいか」「—もだめだ」［参考］二つのもののから選ぶときには「どちら」を使う。

***どれ**《感》❶改めて行動をおこすときにひとり言のように発する語。さあ。それでは。「—、ぼつぼつ出かけるか」❷人に「自分にも確かめさせろ」の意で要求をうながすときに発する語。「—、見せてごらん」

***ど・れい**【土鈴】粘土を焼き固めて作った鈴。

***ど・れい**【奴隷】❶昔、人権を認められず、所有者の財産として労働を強制され、また、売買の対象とされた人。「—制度」❷あるものに心を奪われ、そこから離れられない人。「恋の—」［類語］とりこ。奴(やっ)こ。

トレー〔料理をのせる〕盆。トレイ。▽tray

トレーシング・ペーパー 敷き写しをするための半透明の紙。透写紙。▽tracing paper

トレース ❶《名・他サ》原図の上に半透明の紙を当てて敷き写しすること。透写(とうしゃ)。すきうつし。しきうつし。❷《名・自サ》踏み跡。線状の跡。また、それをたどるこ

と。▽trace(=跡をたどる)

トレード《名・他サ》プロ野球の球団間で選手の交換・移籍を行うこと。▽trade(=取引) **―マーク** ❶登録商標。商標。❷その人やものを特徴づけるしるしや性質。「彼の―のベレー帽」▽trademark

トレーナー ❶運動選手の健康を管理し、練習の指導をする人。❷運動着などの上に着る厚手のゆったりとした上着。▽trainer

トレーニング〔スポーツなどの〕練習。訓練。「ハード―」▽training **―パンツ** スポーツの練習のときにはく、足首まである長いパンツ。トレパン。▽training pants(=幼児のしつけ用パンツ)

ドレープ 服・カーテンなどの飾りひだ。▽drape(=厚手のカーテン)

トレーラー 動力装置を備えた車が引いて走る、旅客や貨物を運ぶ車。付属車。▽trailer

ドレス 婦人服。特に、礼装用の婦人服。▽dress **―アップ**《名・自サ》着飾ること。盛装または正装すること。「思いっきり―する」▽dress up **―メーカー** 婦人服を仕立てる職業の人。▽dressmaker

とれ-だか【取(れ)高】農作物の収穫高。

と-れつ【×堵列】《名・自サ》〔文〕多くの人がかきねのように並んで立つこと。また、その隊列。「沿道に―する兵士」類語 整列。

トレッキング 登頂などを目的とせず、楽しみながらする山歩き。「―シューズ」▽trekking

ドレッサー ❶鏡と簡単な引き出しのついた、洋風の化粧台。❷着こなしのよい人。「ベスト―」▽dresser

ドレッシー《形動》〔女性の服装で〕線や型の感じがやわらかで優雅なようす。対 スポーティー。▽dressy

ドレッシング ❶服装。服飾。着付け。❷ソースに類する調味料の一種。酢・サラダ油・香辛料などをよくまぜて作る。サラダなどにかける。▽dressing

トレ-パン〔俗〕「トレーニングパンツ」の略。

どれ-ほど【▽何れ程】《名・副》❶はっきりした数量・程度・価値などのわからない意を表す。また、数量・程度・価値などが限りないほど沢山ある意を表す。どのくらい。どんなに。「価格は―ですか」「―高くても買う」❷〈「―も」の形で〉《下に打ち消しの語を伴って》いくらも。何ほども。「上京して―もたたない」表記 ふつうかな書きにする。

ド-レ-ミ〔俗〕❶七音音階(ド・レ・ミ・ファ・ソ・ラ・シ)のはじめの三音。また、七音音階。❷音楽の初歩。「―から習う」▽(イタリア) do re mi

トレモロ 同一の音の急速なくり返しによる装飾的な音。震音。また、その音を出す奏法。参考 ふるえるように聞こえる。▽(イタリア) tremolo

と・れる【取れる・撮れる】《自下一》❶〔ある物についていた物が〕はなれさる。はなれ落ちる。「ひしゃくの柄が―・れた」❷とった状態になる。㋐写真にうつる。「鮮明に―・れた写真」表記 ㋐は多く「撮れる」と書く。㋑時間がかかる。「手間が―・れる」㋒好ましくない状態が消え去る。消えてなくなる。「疲れが―・れる」「痛みが―・れる」㋓調和した状態になる。「釣り合いが―・れる」❸《「とる」の可能形から》解釈できる。理解される。受けとれる。「この文は反対の意味にも―・れる」❹収穫・採取などがある。収穫物・獲物が得られる。「米が―・れる」文 と・る《下二》。

トレンチ-コート ダブルの前合わせで、肩から胸にかけて共布のあて布をつけ、ベルトのついた(レイン)コート。▽trench coat

トレンディ《形動》流行の。最新の。「―な服装」「―なドラマ」▽trendy

トレンド ❶傾向。動向。趨勢(すうせい)。「時代の―を探る」❷服装などの流行の先端。▽trend

***とろ** マグロなどの腹部の肉で、脂肪の多い部分。「―の刺身」「大(おお)―」

***と-ろ**【吐露】《名・他サ》〔文〕自分の意見・気持ちなどをかくさずに述べること。「真情を―する」

***とろ**【×瀞】川底が深くて流れの静かな所。類語 よど。

どろ【泥】❶水がまじってやわらかくなった土。泥土(でいど)。参考 ひゆ的に、物をよごすきたないものの意で使うことが多い。「―をかぶる(=不利を承知でいやな役目を引き受ける)」「親の顔に―を塗る(=面目をつぶす。名誉を傷つける)」「―を吐く(=包み隠していたことをしゃべる。白状する)」類語 泥んこ。跳ね。へどろ。汚泥(おでい)。泥濘(でいねい)。❷〔俗〕「どろぼう」の略。〔多く接尾語的に使う〕「こそ―」「自動車―」

―のように《句》ぐっすり眠り込んでいることのたとえ。正体もなく酔っていることのたとえ。「―眠る」

どろ-あし【泥足】泥にまみれた足。泥だらけの足。

とろ・い《形》❶〔俗〕頭の働きがにぶい。動作・反応がのろい。「―・いやつ」❷火などの勢いが弱い。

トロイカ ロシアの三頭立ての馬そり。▽(ロシア) troika

と-ろう【徒労】苦労してしたことが役に立たないこと。むだな骨おり。「努力が―に帰す」

どろ-うみ【泥海】❶泥がまじってにごった海。❷いちめんに泥でおおわれた所を海に見立てた語。一面のぬかるみ。「洪水で町は一面の―となった」

どろ-えのぐ【泥絵(の)具】胡粉(ごふん)をまぜた粉末状の安価な絵の具。ふつう、にかわで泥状にといて使う。

ドロー ボクシングなどの試合で、引き分けに・する(なる)こと。引き分け(試合)。ドローゲーム。▽draw

トローチ 薬を砂糖にまぜてかためた錠剤(じょうざい)。口に含んで徐々に溶かし、持続的に作用させる。▽troche

トローリング ボートを走らせながら釣り糸を流して、カジキ・マグロなどの大形魚をとる釣り。▽trolling

トロール ❶「トロール網」の略。遠洋漁業に使う底引き網の一つ。両端に引き綱をつけた三角形の網。船で海中をひきまわして魚をとる。参考 日本沿岸では使用禁止。❷「トロール漁業」の略。底引き網漁業の一つ。機械化された規模の大きい漁業で、トロール船を使って行うもの。❸「トロール船」の略。トロール網を引いて漁をする船。▽trawl

とろか・す【×蕩かす・×盪かす】《他五》❶〔熱して〕溶けるようにする。どろどろにする。「バターを―・して小麦粉とまぜる」類語 とかす。❷信念・決意などを失わせる。心をまどわせる。「心を―・す楽の音」文《四》。

どろ-がめ【泥×亀】「すっぽん」の別称。

どろ-くさ・い【泥臭い】《形》❶泥の(ような)においがする。「川魚は―・い」❷あかぬけしない。やぼったい。「―・い服装」「―・い演技」

とろ・ける【×蕩ける・×盪ける】《自下一》❶〔熱せられて〕固体が溶けて流動状になる。溶けて形がくずれる。「飴(あめ)が―・ける」類語 とける。❷〔心をひかれて〕気持ちにしまりがなくなる。理性を失う。「―・けるような恋のささやき」文 とろ・く《下二》。

どろ‐じあい【泥仕合】(―ぢあひ) 互いに相手の秘密や失敗などをあばいたり、弱点をついたりしてみにくく争うこと。また、その争い。「―の様相を呈する」「―を演じる」 注意「泥試合」は誤り。

トロツキスト トロツキズムの信奉者。▽Trotskyist

トロツキズム レーニン・スターリンらのロシア一国革命論を排し、永久革命論を骨子とする世界革命を主張するトロツキーの思想・立場。▽Trotskyism

トロッコ 土木工事場や鉱山などで軽便軌道上を走らせる、運搬用の手押し車。トロ。▽truck から。

トロット ❶馬のはやあし。❷〔ダンスで〕小走りにステップを踏むこと。フォックストロット。▽trot

ドロップ ❶砂糖・水あめに、くだものの汁や香料を加え、煮つめて作った西洋ふうのあめ。❷《名・自サ》球技で、球が目標の近くで急に落ちること。また、そのような球。「―ショット」❸《名・自サ》脱落すること。▽drop(=落ちる。落とす) **―アウト**《名・自サ》ある体制・組織などから脱落すること(人)。おちこぼれること。「一流企業から―する」▽dropout

とろ‐とろ《副・自サ》《副詞は「―と」の形も》❶溶けてねばりのある液体になるようす。「―に溶ける」❷火が弱い状態で燃えるようす。ちろちろ。「いろりの火が―と燃える」❸浅く、少し眠るようす。「―したと思ったら物音でおこされた」類語うとうと。うつらうつら。

***どろ‐どろ**《副》《「―と」の形も》❶かみなり・爆弾・大砲などの音が遠くで続けて鳴るようす。「遠雷が―と聞こえてくる」❷歌舞伎(かぶき)で、幽霊などが出入りするときに鳴らす大太鼓の音の形容。低く続けて鳴らす。

***どろ‐どろ【泥泥】**《副・形動・自サ》《副詞は「―と」の形も》❶物が流動状・粘液状ににごって溶けているようす。「メリケン粉を―にとく」❷ひどくよごれているようす。「油で―になったワイシャツ」❸泥でよごれたようす。「―のくつ」表記ふつうかな書きにする。

どろ‐なわ【泥縄】(―なは) 〔泥棒を捕らえてから縄をなう意から〕事が起こってからあわてて対策を立てること。〔あざけっていう語〕「―式」類語一夜漬(いちやづ)け。

どろ‐ぬま【泥沼】 ❶泥ぶかい沼。❷〔ひゆ的に〕いったん入り込むとなかなかそこから抜けられない、悪い環境・状態。「労使の紛争は―におちいった」「―化」

どろ‐の‐き【▽白×楊】 ヤナギ科の落葉高木。春、葉より早く穂状の花をたれる。果実は熟すと、さけて白い綿糸のついた種子を飛ばす。どろやなぎ。どろ。

とろ‐び【とろ火】 勢いの非常に弱い火。とろとろと弱く燃える火。とろとろ火。よわび。〔料理などをするときにいう〕「豆を―で煮る」対強火(つよび)。

トロピカル 一《名》平織りの薄地の毛織物。夏の、スーツ・スカートなどに使う。二《形動》熱帯地方の。熱帯風の。「―フルーツ」▽tropical(=熱帯の)

トロフィー 競技で優勝または入賞したものに与えられるカップ・盾(たて)・像など。▽trophy

どろ‐ぼう【泥棒・泥坊】 ❶人の物を盗み取る人。ぬすっと。ぬすびと。類語白浪(しらなみ)。護摩(ごま)の灰。盗賊。偸盗(ちゅうとう)。強盗。❷《名・他サ》人の物を盗み取ること。ぬすみ。類語窃盗(せっとう)。こそ泥。追いはぎ。

―に追い銭《句》→ぬすびとに追い銭。

―にも三分の道理《句》→ぬすびとにも三分の理。

―を捕らえて縄を綯う《句》事が起こってから、あわてて対策を立てることのたとえ。泥縄(どろなわ)。

どろ‐まみれ【泥▽塗れ】《名・形動》❶泥にまみれること。泥だらけになること。「ズボンが―になる」❷苦難の多い状態。「―の青春」

とろ‐み 料理で、とろりとした感じ。「―をつける」

どろ‐みず【泥水】(―みづ) ❶泥のまじった(きたない)水。類語汚水。❷遊女の境遇・社会。「―稼業」

どろ‐みち【泥道】 どろどろの道。ぬかるみの道。

どろ‐やなぎ【▽白×楊】 →どろのき。

どろ‐よけ【泥▽除け】 泥のはねかかるのを防ぐこと(もの)。特に、自動車・自転車などの車輪の外側につけて、泥がはね散るのを防ぐ用具。

とろり《副》《多く「―と」の形で》❶浅く、少しの間眠るようす。とろとろ。「音楽を聞きながら―とする」❷〔溶けて、また水分が減って〕なめらかでねばりけのあるようす。「―とした油」類語どろり。

どろり《副》《多く「―と」の形で》濁った物が〔とろけて〕、重くねばるようす。参考「とろり」よりも重い感じを表す。

トロリー‐バス 架線からポールで電流を取り入れてモーターを動かし、レールによらずに路上を走る車両。無軌条電車。▽trolley bus

とろろ【×薯×蕷】 ❶「とろろ芋」の略。「とろろ汁」に使うイモ。ヤマノイモ・ナガイモ・ツクネイモなどの総称。❷「とろろ汁」の略。とろろ①をすりおろし、すまし汁などといた料理。麦飯などにかけて食べる。

とろろ‐こんぶ【とろろ昆布】 ❶褐藻類コンブ科の海藻。淡褐色で、質はうすくやわらかい。食用。❷ほした肉の厚いコンブを糸のようにほそくけずった食べ物。吸い物・酢の物などにする。類語おぼろこんぶ。

とろん《副》《多く「―と」の形で》❶眠け・酒の酔いなどで、目つきがぼんやりとして活気のないようす。どろん。「―とした目」❷→どろん(副詞)①。

***どろん**《名・自サ》〔俗〕〔都合の悪いことをして〕急に姿をくらますこと。行方をくらますこと。「公金を横領して―をきめこむ」参考歌舞伎(かぶき)で、幽霊が消えるときに「どろんどろん」と大太鼓を打つところから。

***どろん**《副》《多く「―と」の形で》❶動きがなく、重く沈んでにごっているようす。とろん。「活気のない―とした町」❷→とろん①。

ドロン‐ゲーム 引き分け試合。特に、野球で、五回終了以後で同点のとき、日没・降雨などのため打ち切られる試合。タイゲーム。▽drawn game

どろんこ【泥んこ】〔俗〕泥。また、泥だらけ。

トロンボーン 大型の金管楽器の一つ。U字形のスライド(二重管)の部分を操作して管の長さを伸縮させ、音程を変化させる。▽trombone

とわ【▽永▽久】(とは) 《名・形動》〔文〕いつまでも変わらないこと。とこしえ。永遠。「―の愛」「―に栄える」

とわず‐がたり【問わず語り】(とはず―) たずねられもしないのに自分から語り出すこと。「―に身の上話をする」

ど‐わすれ【度忘れ】《名・他サ》よく知っている事柄を、どうかした拍子にふっと忘れること。どうわすれ。「作曲者の名を―した」類語失念。

トン《助数》❶メートル法の重さの単位。一トンは一〇〇〇キログラム。仏トン。記号t。参考別にヤードポンド法に二種類あって、英トンは二二四〇ポンド(=約一〇一六キログラム)、米トンは二〇〇〇ポンド(=約九〇七キログラム)。❷容積の単位。記号t。参考客船では容積一〇〇立方フィートを一トンとしたもの。軍艦では排水量を英トンで表したもの。貨物では四〇立方フィート。表記「噸」

「屯」「飩」とも当てる。▽ton

*どん《接頭》《名詞につけて》接頭語「ど」をさらに強めた語。参考 好ましくないときに使う。「ーじり」「ー底」

*どん《接尾》《「殿(どの)」の転》もと、おもに商家で、目下の者・同輩・使用人などをよぶとき、名前などの下にそえる語。「お梅ー」「番頭ー」

*どん【×丼】《接尾》「どんぶり」の略。「カツー」

*どん 一《名》サイレンやチャイムの普及しないころ、正午の時刻を知らせるために鳴らした空砲。また、その音。午砲(ごほう)。「ーが鳴った」 二《副》《多く「ーと」の形で》❶大砲を発射したり花火をうちあげたりする音の形容。❷重い物が落ちたり強くぶつかったりするようす。

*どん【鈍】《名・形動》❶刃物の切れ味がにぶくなること。「このなたはーになった」❷頭の働き・動作などがにぶいこと。「何てーなやつだ」対 鋭。

*ドン 指導者。首領。「財界のー」▽don

とん-えい【屯営】《名・自サ》〔文〕兵士が陣をはって集まっていること。また、その場所。類語 屯所(とんしょ)。

どん-か【鈍化】《名・自他サ》〔ものの勢い・働きなどが〕にぶくなること。また、にぶくすること。「輸出のー」

どん-かく【鈍角】直角(=九〇度)より大きく、二直角(=一八〇度)より小さい角。対 鋭角。

どん-かち〔俗〕かなづち。

とん-カツ【豚カツ】豚肉のカツレツ。ポークカツレツ。

とんがら-か・す【×尖んがらかす】《他五》〔俗〕とがらす。とんがらす。「鉛筆のしんをー・す」

とんが・る【×尖んがる】《自五》〔俗〕↓とがる。

どん-かん【鈍感】《名・形動》感覚や物事に対する感じ方などがにぶいこと。「においにーな男」対 敏感。

どん-き【鈍器】❶よく切れない刃物。類語 鈍刀(どんとう)。❷凶器として使われる、かたく重みのある道具。

ドンキホーテ-がた【ドンキホーテ型】楽天的でひとりよがりの正義感にかられ、現実を無視して向こうみずな行動をする人物の類型。参考 スペインの作家セルバンテスの小説の主人公の名から。対 ハムレット型。

とん-きょう【×頓狂・×頓興】《形動》だしぬけに、調子はずれの言動をするようす。「ーな声を出す」

どん-くさ・い【鈍臭い】《形》〔俗〕〔動作や理解が〕おそい。にぶくてのろのろしている。「ー・い男」

どん-ぐり【▽団×栗】❶ブナ科のカシ・クヌギ・ナラ・シイなどの実の総称。かたくて、わんのような帽子(=殻斗)をかぶっている。❷特に、クヌギの実。 ーまなこ【ー眼】大きくてまるい、くりくりした目。 ーの背比べ《句》どれも平凡で、特にすぐれたものがないこと。「今回の作品はどれもこれもーだった」

どん-けつ〔俗〕❶尻(しり)をののしっていう語。❷一番あと。最下位。どんじり。

とん-ご【×頓悟】《名・自サ》〔仏〕にわかに悟りをひらくこと。対 漸悟(ぜんご)。

どん-こう【鈍行】〔俗〕各駅に停車する普通列車・普通電車。参考「急行」に対してできた語。対 急行。

ドンゴロス ❶目の粗い麻袋。豆などを入れる。❷麻袋用の丈夫で粗い布。▽dungareesから。

どん-こん【鈍根】《名・形動》才知がにぶいこと。また、その人や性質。「ーに生まれつく」対 利根。

とん-ざ【×頓×挫】《名・自サ》それまでの勢いが急にくじけること。また、順調に進行していた物事が、急に行きづまること。「一ーをきたす」「経営がーする」類語 挫折(ざせつ)。中絶。蹉跌(さてつ)。

とん-さい【×頓才】時と場合に応じてよく働く才知。機転のきく才能。「ーのある人」類語 頓知(とんち)。機知。

どん-さい【鈍才】頭の働きがにぶいこと。才能がないこと。また、その人。類語 凡才。非才(ひさい)。対 英才。

とん-し【×頓死】《名・自サ》〔突然の発作などで〕急にあっけなく死ぬこと。急死。類語 即死。急逝(きゅうせい)。

*とん-じ【豚児】〔文〕他人に、自分の子供のことをけんそんして言うことば。類語 愚息(ぐそく)。

*とん-じ【×遁辞】〔文〕責任・かかわり合いなどを逃れる言いわけ。言い逃れ。逃げ口上。「ーを弄(ろう)する」

とん-しゃ【豚舎】〔文〕豚を飼う小屋。豚小屋。

とん-じゃく【×頓着】《名・自サ》↓とんちゃく。

とん-しゅ【×頓首】〔文〕❶《名・自サ》昔の中国で、頭を地にすりつけて敬意を表すこと。❷手紙文の終わりにしるして、深い敬意を表す語。「草々ー」「ー再拝」類語 再拝。敬具。敬白。

どん-じゅう【鈍重】《名・形動》動きがにぶくのろいこと。動きが重そうなこと。「ーな大男」

どんしゅう-の-うお【×呑舟の魚】を(ーう)《連語》〔文〕〔舟をひとのみにするような大きな魚の意〕❶めったに得られないようなすばらしいえもの。「ーを逸す」❷大人物。大物。参考 善悪を問わずいう。〈荘子・庚桑楚〉

とん-しょ【屯所】❶〔兵隊・武士などが〕たむろする所。〔古風な言い方〕類語 詰所(つめしょ)。屯営(とんえい)。❷〔明治の初めのころの言い方で〕警察署のこと。

とんしょう-ぼだい【×頓証×菩▽提】〔仏〕❶すみやかに悟りを開くこと。❷《感動詞的に用いて》追善回向(えこう)の功徳(くどく)によって亡者が成仏することを祈る言葉。

どん-しょく【×貪食】《名・他サ》〔文〕むさぼり食うこと。がつがつ食べること。貪食(たんしょく)。

どん-じり【どん×尻】〔俗〕〔順序・順番などの〕一番あと。びり。「ーにひかえる」

とん-じる【豚汁】豚肉の細切れと野菜を入れ、みそで味付けをした汁。

どん-す【×緞子】絹のねり糸で織った、繻子(しゅす)組織の紋織物。地が厚く、光沢がある。帯地・羽織の裏地などに用いる。「金襴(きんらん)ー」

とん-ずら《名・自サ》〔俗〕逃げること。ずらかること。

どん-・する【鈍する】《自サ変》〔頭の働きなどが〕にぶくなる。ぼける。「貧(ひん)すればー・する」

とん-せい【×遁世】《名・自サ》❶俗世を去って、仏門にはいること。「出家ー」❷世間の雑事から逃れて、隠居・隠棲(いんせい)すること。

どん-ぜい【×呑×噬】《名・他サ》〔文〕〔「のみこむことと、かむこと」の意から〕他国の領土を奪うこと。

とん-そう【×遁走】《名・自サ》〔ある場所・境遇から〕逃げだすこと。走り逃れること。逃走。「一目散にーする」類語 逃亡。 ーきょく【ー曲】↓フーガ。

どん-そく【鈍足】足がおそいこと。

どん-ぞこ【どん底】物のいちばん底。また、物事のもっとも悪い状態。「ーの生活を送る」「不幸のー」

とん-だ《連体》とんでもない。❶思いもかけない。意外な。「ー所で会ったものだ」「ー目に会った」❷道理にはずれている。あきれた。「ー人騒がせだ」❸取り返しのつかない。「ー失礼を申し上げました」参考 ①~③とも多く物事のよくない時に使う。↓とんでもない。

ドンタク ❶日曜日。また、休日・休業。❷祭日。祭り。参考 特に、福岡市で行われる「博多どんたく港まつ

と

り」をいう。▽ zondag（＝日曜日）から。

とん‐ち【×頓知・×頓×智】その時・場合に応じてすばやく働く奇抜な知恵。ウイット。「―を働かせる」類語 機転。機知。

とん‐ちき〔俗〕気のきかない人。まぬけ。〔人をののしることば〕類語 とんま。表記「頓痴気」と当てる。

とん‐ちゃく【×頓着】《名・自サ》〔ある一つの物事に〕こだわって気にかけること。頓着。「なにを言われようと―しない」類語 執着。拘泥。

どんちゃん‐さわぎ【どんちゃん騒ぎ】〔芸者などをあげて三味線や太鼓をならし〕酒を飲み歌ったりおどったりしてさわぐこと。「飲めや歌えの―」

どん‐ちょう【×緞帳】❶刺繡などで模様を入れた、豪華な厚地の幕。❷巻いて上げおろしする、劇場のたれ幕。参考→引き幕。❸「緞帳芝居」の略。下級な芝居。小芝居。参考もと、官許の大劇場にしか引き幕の使用が許されず、他の小劇場では代わりに緞帳❷を使ったことから。❹「緞帳役者」の略。緞帳芝居に出る役者。へぼ役者。

とん‐ちん‐かん【×頓珍漢】《名・形動》見当ちがいなことや、つじつまの合わないことを言ったりしたりする・こと(人)。「―な答え」参考かじ屋の相づちの音はいつも交互で、いっしょにならないことからという。

どん‐つう【鈍痛】〔持続的で〕にぶく重苦しい痛み。「下腹部に―を覚える」対 激痛。

どん‐づまり【どん詰（ま）り】〔俗〕❶道がそこで終わっている所。「路地の―」❷物事の、どうにもならない最後の所。「交渉は―にきて決裂した」

とんでも‐な・い《形》《「途でも無い」の転という》❶程度や常識をはずれている。〔よくない方に〕なみはずれている。とほうもない。「―・い思い違いをする」「―・い話だ」❷事実からかけはなれている。めっそうもない。参考 相手のことばなどを強く否定するのに用いる。「『大そうもうけられたそうで…』『いや、―・い』」

どん‐てん【曇天】くもり空。対 晴天・雨天。

どんでん‐がえし【どんでん返し】❶上下が正反対になるようにひっくり返す・こと(しくみ)。❷がんどう返し。❸立場・情勢などが一気に逆転すること。「この小説の結末にはみごとな―がある」

とん‐と【×頓と】《副》❶《下に打ち消しの語をともなって》すっかり。いっこうに。少しも。「―見当がつかない」❷全く。ちょうど。まるで。「―忘れてしまった」

どん‐と【×呑吐】《名・他サ》〔文〕飲んだり吐いたりすること。また、出したり入れたりすること。「何十万という人を―するターミナル駅」

どんど【▽爆▽竹】正月一五日に、門松・しめなわなどを集めて焼く行事。左義長。どんどやき。参考その火で焼いた餅を食べると一年中病気にならないという。表記ふつうかな書き。

どん‐とう【鈍刀】切れない刀。なまくら刀。

とん‐とん 一《副》《「―と」の形も》❶固い物などを軽くたたく音の形容。「―とノックする」❷階段などを軽い足どりでのぼるようす。❸物事が順調にはかどるようす。「話が―とまとまった」二《形動》〔俗〕〔損得・利害・優劣などが〕同じ程度であるようす。「収支は―だ」 **―びょうし**【―拍子】《名・形動》物事が調子よく進行すること。「―に出世する」

どん‐どん《副》《「―と」の形も》❶固い物などを強くたたく音の形容。「戸を―たたく」❷太鼓・花火・大砲などが続けて鳴る音の形容。「太鼓の音が―と響く」❸物事がとどこおらず盛んにはかどるようす。「仕事が―片づく」❹あとからあとから続くようす。「優秀な選手が―出てくる」参考①③は「とんとん」にくらべて、その動作や状態が強い（激しい）感じを表す。

どんな《形動》《体言に続くときは、語幹がそのまま用いられる。そのため連体詞とする説もある》程度・状態・数量などが不定または疑問であるようす。どのよう(な)。「―ご用ですか」「―本を読んでもいい」参考特に連用形「どんなに」の形で用いるときには、その程度や状態・数量が限りないことを強調した言い方になる。「無事と知ったら―に喜ぶかわからない」

トンネル ❶山腹・海底・地下などを掘りぬいて、人・車などが通れるようにした通路。隧道。❷《名・他サ》〔俗〕野球で、野手がゴロの打球をまたの間から後方へ捕り逃がすこと。▽ tunnel **―がいしゃ**【―会社】官庁や大手会社などの物品を払い下げて他へ回したり、寄託工事などをひき受けて他へ周旋したりして、中間利益をとるだけの名目上の会社。

とんび【×鳶】❶〔動〕トビ。❷和服の上に着る、ゆるやかな形の男子用防寒着。二重まわし。とんびがっぱ。参考着てひろげた形がとんび①に似ていることから。 **―が鷹を生・む**《句》→鳶が鷹を生む。 **―に油揚をさらわ・れる**《句》大事なものをふいに横あいから奪われることのたとえ。

どん‐ぴしゃり《副》〔俗〕ぴったり合っているようす。適中するようす。どんぴしゃ。「答えは―だった」

ドン‐ファン 女たらし。漁色家。ドンファン。参考中世、イスパニア（＝スペイン）の伝説的人物の名から。▽ Don Juan

とん‐ぷく【×頓服】《名・他サ》薬を、何回分というように分けず、必要なときに一回だけ服用すること。また、その薬。「鎮痛剤を―する」「―薬」

どん‐ぶつ【鈍物】頭の働きのにぶい人。おろかな人。のろま。類語 鈍才。

どんぶり【×丼】❶「どんぶりばち」の略。茶わんを大きくしたような、厚みのある深い陶器の鉢。❷どんぶりばちに飯を盛ってその上にいろいろな種をのせた料理。〔接尾語的に使う〕「うなぎ―」「親子―」参考さらに略した形で「…どん」ともいう。「天丼（＝天ぷら丼）」「うな丼（＝うなぎ丼）」❸〔職人などの〕胴巻きや腹がけの前につけた、かくし。 **―かんじょう**【―勘定】〔俗〕予算をたてたり帳面につけたりせず、手もとにある金銭を大ざっぱに出し入れすること。参考職人などがどんぶり③の中へ金を入れ、そこから適当に出して使ったことから。

とんぼ【×蜻×蛉・×蜻×蜓】❶トンボ目の昆虫の総称。体は細長く、二対の透明なはねをもち、複眼は大きい。蚊などを食べる益虫。幼虫はヤゴと呼ばれ、水中にすむ。あきつ。かげろう。せいれい。❷芝居で、役者が手をつかず宙返りすること。とんぼ返り。「―をきる」表記②は多く「筋斗」と当てる。 **―がえり**【―返り】《名・自サ》❶とんぼ②。❷宙返りすること。空中で回転すること。❸〔俗〕目的地へ行ってすぐにひきかえすこと。「新幹線で大阪から―だ」

とんま【×頓馬】《名・形動》〔俗〕間が抜けていること。また、その人。まぬけ。類語 とんちき。

*__どん‐ま__【鈍磨】《名・自サ》〔文〕すりへってにぶくなること。「刀の刃が―する」

＊どん・ま【鈍麻】《名・自サ》〔文〕感覚がにぶくなること。「神経がーする」

ドン・マイ《感》スポーツなどで、失敗して気落ちしている者を励ますときのかけ声。「気にするな」「心配するな」の意を表す。▽don't mind から。

とん・や【問屋】❶商品を生産者から買って小売業者に卸売(おろしうり)をする人(店)。卸売商。問屋(といや)。❷〈そうはーが卸さない〉物事は自分の思っている通り都合よくは運ばない。

どん・よく【×貪欲・×貪×慾】《名・形動》欲が深くて、ひどくほしがること。貪欲(たんよく)。「ーに知識を吸収する」 類語 貪婪(どんらん)。強欲(ごうよく)。胴欲。
注意「貧欲」は誤り。

どんより《副・自サ》《副詞は「ーと」の形も》❶空がくもって薄暗くうっとうしいようす。「ーした空」❷色がにごっているようす。輝きのないようす。「ーとした目」

どん・らん【×貪×婪】《名・形動》〔文〕飽くことを知らぬほど欲が深いこと。類語 貪欲(どんよく)。貪婪(たんらん)。

どん・りん【×貪×吝】〔文〕欲が深く、物惜しみすること。けち。貪吝(たんりん)。

な

な—奈

＊な【名】❶ある事物を他の事物と区別するための呼び方。名まえ。「国のーを日本国と定める」❷〔姓に対して〕同じ家族のうちのひとりひとりの正式な呼び方。名まえ。「姓は鈴木、ーは一郎」対 姓。❸姓名。氏名。名まえ。❹〔ある人・団体などの〕名義。名まえ。「私のーで申し込みました」❺世間によく知られ、価値を認められているものとしての名。名声。評判。名誉。「外交問題でーが売れる(=有名になる)」「彼はその作品でーを挙げた(=有名になった)」「ーを汚す(=名声をおとす。名誉を傷つける)」「功成りー遂げる(=りっぱな仕事をして名声を得る)」「作家としてーを成す(=声価が定まる。有名になる)」❻世間に対する表向きの理由としての名。一応の名目。口実。体裁。「宣伝費にーを借りて(=口実にして)接待する」

ーにし負・う《句》その名にふさわしい。名実ともに名高い。〔「名に負う」を強めた言い方〕

ーは体を表・す《句》名はそのものの実体を示す。

ーを惜し・む《句》名声が消えてしまうことを惜しく思う。名が汚れるのを残念に思う。

ーを捨てて実を取・る《句》表面的な名声や評判を得ることをあきらめ、実質的な利益を得る。名を取るより得(とく)を取る。

ーを残・す《句》後世にまで名声をとどめる。「虎(とら)は死して皮を留(とど)め、人は死してー・す」

＊な【菜】❶食用になる草本。特に、葉をたべる野菜。あおな。なっぱ。❷あぶらな。

＊な《感》相手の関心を自分に向けさせて、呼びかけたり念を押したりする気持ちを表す。なあ。〔親しい者同士のくだけた会話で、多く男性が使う〕「ー、聞いてくれよ」
参考 女性の場合、多く「ね」「ねえ」を用いる。

＊な ━《間投助》念を押しながら、ことばをつないでいくのに使う。〔くだけた会話での男性語。軽い詠嘆がこもる。「なあ」の形では、詠嘆の気持ちが強まる〕「実はな、困っているんだ」 ━《終助》❶〔動詞の終止形につく〕強い禁止を表す。「触るな！」 参考 ㋐敬語表現を伴う言い方に「…したまうな(年配の男性語)」「…くださいますな(主に年配の女性語)」がある。㋑男子の親しみをこめた言い方に「…ない」がある。「もう泣くない」 ❷《「…なさい」の下略》〔動詞連用形につく。ぞんざいな言い方〕命令を表す。「食べてみな」❸〔「なさい」「いらっしゃい」「ください」などにつく。主として、女性用語〕穏やかな命令、勧誘、依頼などを表す。「ご覧なさいな」「貸してくださいな」❹〔独り言以外では、くだけた会話での男性用語〕㋐自得する形で、軽い詠嘆を表し、また、共感や同意を求めたり、軽く主張したりするのに使う。〔詠嘆の気持ちを強めて「なあ」とも〕「困ったな(あ)」「いい気なものだな」㋑相手の敵意や身勝手などに対する怒りや警告などを表す。「よくも、みくびってくれたな」「いいんだな」

＊なあ《感》➡な(感)。「ー、間違いないだろう？」

＊なあ ━《間投助》➡な(間投助)。 ━《終助》➡な(終助④)。

ナース 看護師。▽nurse **ーコール**《名・自サ》病院で、入院患者が看護師を呼ぶこと。また、それを使って看護師を呼ぶ装置。▽nurse と call からの和製語。**ーステーション** 病院などの、看護師の詰め所。▽nurse station

な・あて【名×宛(て)】〔手紙などで〕指定した先方の名。あてな。

なあ・なあ〔俗〕深く話し合いもせずに、なれあいで事をすませること。「ーの仲」

なあに《感》否定の気持ちを表現するときに発する語。〔「なに」をのばした形。ある物事について「恐れるに足りない」「大したことはない」の気持ちを含めて言う〕

ナーバス《形動》感じやすいようす。神経質。「受験の前でーになっている」▽nervous

＊ない【内】 ━《接頭》❶「内側の」の意。「ー出血」❷「おもてむきでない」「内々(ないない)の」の意。「ー祝言」 ━《接尾》「…の範囲の中」の意。「予算ー」「期限ー」

＊な・い《接尾》《状態を表す語(形容詞・形容動詞語幹など)につけて形容詞をつくる》程度のはなはだしい意。「切(せつ)ー・い」「忙(せわ)しー・い」文 な・し《ク》。

＊な・い【無い・亡い】 ━《形》❶〔物・事のように、心をもたないものが〕存在しない。「砂漠には、水がー・い」
参考 特例として次のように主語が有心物の場合にもいう。㋐所有されていないの意。「身寄りがー・い」㋑有無が問題にされ、存在しないの意。「神も仏もー・い」㋒物のように意志をもたないものとして見る場合。「家々は戸を閉ざし、道に人はー・かった」対 ある。❷もっていない。「お金は一銭もー・い」対 ある。類語 ①②空(から)。空(くう)。無。皆無。絶無。虚無。空虚。空白。空疎。空漠(くうばく)。欠如。空々漠々。影も形もない。空(むな)しい。ゼロ。ナッシング。❸〔すでに死んで〕この世にいない。「もう世にー・い人」
表記 ③は「亡い」と書くことが多い。「亡い」は━の③以外には用いない。文 な・し《ク》。
━《接尾》《名詞について形容詞をつくる》否定の意。「頼りー・い」「心ー・い人」文 な・し《ク》。
━《補形》❶《動詞の連用形＋「て」、形容詞、形容動詞、一部の助動詞(「だ」「らしい」「たい」など)の連用形などの下について》その状態の打ち消しを表す。…の状態でない。「まだ食べてー・い」「美しくー・い」「行きたくー・い」「穏やかでー・い」❷《格助詞「と」の下について》不確かな、それとはっきり指示しない状態であることを表す。「それとー・く言う」「どことー・く優雅だ」[表記]三はふつうかな書き。[文]な・し《ク》。

ーい袖(そで)は振れない《句》持っていなければ、出したくても出すことができずどうしようもない。

ーくて七癖有って四十八癖《句》人はだれでも多かれ少なかれ何らかの癖を持っているものである。

*ない《助動：形型》❶動作・作用が打ち消される状態にある意。「彼はうそをつかない」「何も買わなかった」❷〔文末の終止形に「か」「かしら」「かな」「かなあ」などをつけたり、上昇調のイントネーションを伴ったりして〕命令・依頼・勧誘・願望を表す。「早くしないか(=しろ)」「ちょっと待ってくれない？」「一緒に行かないか(=行こう)」「早く夏休みにならないかしら」❸〔文末を「ないで」「ないね」「ないよ」の形にして〕やわらかな調子の禁止・打ち消しの意を伴う要求・依頼などを表す。「だれにも言わないでね」「もう泣かないね。男の子でしょ」[接続]動詞および動詞に準ずる語の未然形につく。サ変動詞は「し」につく(しない)。動詞「ある」にはつかないので、形容詞「ない」をもって「ある」の打ち消しとする。[参考](ア)用言に続く言い方には、「ないで」「なくて」の二つの形がある。状態副詞的に用言の意味を修飾する場合は「ないで」が使われる。「寝ないで待つ」など(「寝なくて待つ」とは言えない)。「なくて」は「雨が降らなくて困る」のように原因的な意味合いで使われることが多い。(イ)形容詞・形容動詞の類につく「ない」は助動詞ではなく、一般に補助形容詞として扱う(新しくない・穏やかでない)。「切ない」「ぎこちない」などの「ない」は形容詞を作る接尾語とされる。助動詞「ぬ」で置き換えられる「ない」は助動詞の「ない」とする(行かぬ→行かない)。(ウ)様態の助動詞「…そうだ」、接尾語「…過ぎる」に続く場合は語幹の「な」から続く(つまらなそうだ・読まな過ぎる)。俗に「つまらなさそうだ」「読まなさ過ぎる」とも言うが、避けたい。「なさ」の形は、形容詞「ない」または補助形容詞「…くない」「…でない」、形容詞「情けない」「あどけない」などについて使う(お金がなさ過ぎる・健康ではなさそうだ・情けなさそうな顔・あどけなさそうな様子)。「危ない」「少ない」などは、「ない」で終わっていても、「危なそうだ」「少なすぎる」のように語幹に続ける形が一般的。

*な-い《連語》《禁止の終助詞「な」＋終助詞「い」》↓い(終助)。

ない-あつ【内圧】ある物体の内部から外へ向かって加えられる圧力。[対]外圧。

ない-い【内意】心の中にもっている考え。おおやけに発表しない内々の考え。「ーを承る」[類語]意向。

ナイーブ《形動》無邪気なようす。天真らんまんで素朴なようす。「ーに喜びを表す」▽フランス naïve

ない-いん【内因】物事の内部にある原因。[対]外因。

*ない-えつ【内謁】《名・自サ》〔文〕目上の人に非公式に面会すること。内々に謁見すること。

*ない-えつ【内閲】《名・他サ》〔文〕内々で・見る(読む)こと。「発表前に文書をーする」[類語]内覧。

*ない-えん【内縁】法律上の結婚の手続きをすませていない夫婦関係。「ーの妻」

*ない-えん【内×苑】神社・宮中などの敷地の内側にある広い庭園。「明治神宮のー」[対]外苑。

*ない-おう【内奥】他人には見せない内部の奥深いところ。[参考]人の精神・心などについて言うことが多い。

*ない-おう【内応】《名・自サ》〔文〕こっそりと敵方と通じること。内通。「敵にーする」[類語]裏切り。

ない-か【内科】医学の一部門。人体の内臓の病気を、おもに手術的処置によらずに診断・治療する。また、それを専門とする医局・医院。[対]外科。

*ない-かい【内海】陸地と陸地との間にはさまれた狭い海。海峡によって外洋と連絡している。瀬戸内海・地中海など。[対]外海。

*ない-かい【内界】〔その人の〕心の中の世界。意識の内面。精神界。[対]外界。

ない-がい【内外】一《名》❶うちと、そと。❷国内と国外。「ーの事情」二《接尾》《数量を表す語について》おおまかな見積もり、およその程度を表す。「一〇〇〇円ー」[類語]前後。見当。

*ない-かく【内角】❶多角形の隣り合った二辺が、多角形の内部に作る角。❷野球で、本塁の中心から打者に近い側。インコーナー。[対]①②外角。

*ない-かく【内郭・内×廓】〔文〕〔城・都市などの〕内側のかこい。うちぐるわ。[対]外郭。

*ない-かく【内閣】〔法〕国の行政を担当する最高機関。内閣総理大臣とその他の国務大臣で合議体(政府)を構成する。ーかんぼう・ちょうかん【ー官房長官】内閣官房(=内閣の庶務を取り扱う機関)の長官。国務大臣をもってあてる。内閣総理大臣を補佐する。ーそうりだいじん【ー総理大臣】内閣の長として閣議を主宰し、行政部門を統轄する国務大臣。国会の議決によって国会議員の中から選出され、天皇が任命する。総理大臣。総理。首相。ーふ【ー府】内閣機能強化のために設置された内閣総理大臣を長とする行政機関。内閣の重要政策に関する企画立案や総合調整、行政事務の処理などを担当する。

ないがしろ【×蔑ろ】《名・形動》《「無きが代(しろ)」の音便》〈多く「ーにする」の形をとる〉あってもないかのようにあなどり軽んずること。「親をーにする」

*ない-かん【内患】〔文〕ある組織・国家などの内部に起きる、もめごと。国内の心配事。内憂。[対]外患。

*ない-かん【内観】《名・他サ》〔心〕自分自身の心理状態やその動きを観察すること。内省(ないせい)。

ない-がん【内含】《名・他サ》〔文〕内部にふくむこと。[類語]内包。内蔵。

ない-き【内規】〔ある機関・団体などで〕明文化されていなくても、内部だけに適用するきまり。[類語]不文律。

ない-ぎ【内儀】〔文〕❶他人の妻の尊敬語。「おー」❷〔江戸時代末に〕町人の妻。おかみ。❸内密の事がら。「これはーに属することです」[類語]内証。

ない-きょく【内局】〔法〕中央官庁の内部におかれ、大臣・次官から直接に監督を受ける局。[対]外局。

ない-きん【内勤】《名・自サ》役所・会社などで、勤め先の内部で仕事をすること(人)。[対]外勤。

ない-くう【内▽宮】天照大神(あまてらすおおみかみ)をまつってある、伊勢の皇大神宮。ないぐう。[対]外宮(げくう)。

ない-けい【内径】〔球や円筒形で、その物の厚みを加えない〕内側の直径。[対]外径。

ない-けん【内見】《名・他サ》公開しないで、一部の特定の人だけで見ること。「ー会」[類語]内覧。

ない-げんかん【内玄関】〔家族用に〕表玄関のほかに設けた玄関。うちげんかん。通用口。[対]表玄関。

*ない-こう【内×訌】《名・自サ》〔文〕仲間同士のいざこざ。内部で起こる争乱。うちわもめ。内紛。

＊**ない‐こう【内向】**《名・自サ》内気で、自分の世界に閉じこもろうとすること。「―的な性格」対外向。
＊**ない‐こう【内攻】**《名・自サ》❶病気が、体の外に症状として現れないで深部にすすみ、内臓の器官をおかすこと。❷心の中にあるものが、外に現れないで内部にむかってたまること。「―した不満が爆発する」
ない‐こうしょう【内交渉】正式の交渉が円滑に進むように前もって行う、非公式の交渉。
ない‐こく【内国】国の内部。国内。〔単独では用いない〕「―航路」
＊**ない‐さい【内債】**「内国債」の略。自国内で発行・募集される債券。対外債。
＊**ない‐さい【内妻】**内縁の妻。対正妻。
＊**ない‐さい【内済】**《名・他サ》〔文〕〔事件などを〕表ざたにしないで、内々で処理すること。「事件を―にする」類語示談。
ない‐ざい【内在】《名・自サ》内部に〔本来的に備わって〕あること。「組織に―する欠陥」対外在。
＊**ない‐し【内▽侍】**昔、内侍司（ないしのつかさ）（＝後宮の礼式や事務をつかさどった役所）に仕えた女官。
＊**ない‐し【内旨】**〔文〕〔朝廷からの〕内々のお達し。
＊**ない‐し【×乃至】**《接続》❶〔数量などを示すとき〕上下の限界を定め、その間に含まれるすべての数量を示すのに使う語。…から…まで。「四万―五万」❷または。あるいは。「北東―北北東の風」
＊**ない‐じ【内示】**《名・他サ》〔ある物事を公式に知らせる前に〕内々で示すこと。「転勤の―を受ける」
＊**ない‐じ【内耳】**脊椎（せきつい）動物の耳のいちばん奥の部分。音を感じとる器官がある。対外耳・中耳。
ないし‐きょう【内視鏡】からだの内部を観察するための装置。食道鏡・気管支鏡・胃鏡・膀胱（ぼうこう）鏡など。
ない‐しつ【内室】〔文〕❶身分の高い人の妻の尊敬語。奥方。❷他人の妻の尊敬語。類語内儀。令室。
ない‐じつ【内実】❶内部の事実・事情。❷ほんとうのところ。その実。「―困っている」類語実際。
ない‐しゃく【内借】《名・他サ》❶内々に金を借りること。内密の借金。❷受け取るべき金の一部を期日前に借りること。まえがり。「給料の―」
ない‐じゅ【内需】〔商品などの〕国内の需要。「―拡大を求められる」対外需。
ないじゅう‐がいごう【内柔外剛】実際はおだやかでやさしい性質の持ち主だが、うわべはいかめしく強そうに見えること。外剛内柔。対外柔内剛。
ない‐しゅうげん【内祝言】内輪で行う婚礼。
ない‐しゅっけつ【内出血】《名・自サ》血管・毛細血管の損傷による出血が体内や皮下で起こること。
ない‐しょ【内緒・内所・内▽証】〔「内証」の変化〕❶表向きにせず、内々にすること。関係者だけに秘めて外部にはかくしておくこと。内密。ないしょう。「親に―の話」❷→ないしょう（内証）③。
ない‐じょ【内助】表だたずに内部から行う援助。〔主として妻が夫に対する場合をいう〕 **―の‐こう【―の功】**《連語》夫が社会に出て十分に働けるように、家庭のことや身のまわりのことなどについて、表だたずに行き届いた世話をする妻の働き。
ない‐しょう【内証】❶自分の心のうちに〔仏教の〕真理を体得すること。また、その悟り。内心の悟り。❷内緒（ないしょ）。〔やや古風な言い方〕❸〔人目につかない場所の意から〕台所。また、内部の財政状態。暮らし向き。金回り。内緒。「外見と違い、―は火の車だ」
ない‐じょう【内情】〔表向きには知られていない〕内部の事情・実情。「―を暴露する」類語内幕（うちまく）。
ない‐しょく【内職】《名・自サ》❶本職のひまにする金もうけの仕事。類語副業。アルバイト。❷家庭の主婦が〔家計を助けるため〕家事のひまにする賃仕事。
＊**ない‐しん【内心】**❶心のうち〔では〕。心のなか〔では〕。心中（しんちゅう）。「失敗を―後悔しているのだ」❷多角形に内接する円の中心。
＊**ない‐しん【内申】**《名・他サ》希望を内々に申しのべること。また、その文書。 **―しょ【―書】**学業の成績や人物評価などを書いて、出身学校から、その人の志望する上級学校などへ送られる報告書。調査書。
＊**ない‐しん【内診】**《名・他サ》❶女性の生殖器の内部を診察すること。❷宅診。対往診。
ない‐じん【内陣】神社・寺で、神体または本尊を安置してある奥の間。参考→外陣（げじん）。
ない‐しんのう【内親王】現在の皇室典範で、嫡出の皇女、ならびに嫡男系嫡出の皇孫中の女子。参考旧制では、皇玄孫までの女子。対親王。
ナイス ㊀《感》人の動作、技の巧みさや物事の素晴らしさなどに感心したときに発する語。うまい。すてき。みごと。㊁《造語》「うまい」「素晴らしい」の意。「―キャッチ」「―ボール」「―ショット」▽nice
＊**ない‐せい【内政】**国内の政治。「―干渉」対外政。
＊**ない‐せい【内省】**《名・他サ》❶事がすんだあとで、深く自分をかえりみること。反省。「一日の行いを―する」❷〔心〕自己の意識経験を観察すること。内観。
＊**ない‐せん【内戦】**国内の戦争。自国民同士の抗争。「国が乱れて―が絶えない」類語内乱。
＊**ない‐せん【内線】**❶屋内の電線。❷官庁・会社などの構内に設けた電話線。内部間で使われている電話線。対①②外線。
＊**ない‐そう【内争】**《名・自サ》〔文〕内部でのあらそい。うちわもめ。内紛。「―に明け暮れる」
＊**ない‐そう【内装】**建築物などの内部の設備・装飾。また、そのための工事。内部装備。内部装飾。インテリア。「―工事」対外装。
＊**ない‐ぞう【内臓】**〔呼吸器・消化器・泌尿器など〕動物の胸・腹の内部にある器官の総称。「―疾患」
＊**ない‐ぞう【内蔵】**《名・他サ》内部にふくみもつこと。組み込んであること。「露出計を―したカメラ」
ない‐そん【内孫】〔文〕うちまご。対外孫（がいそん）。
ナイター 夜に行う、野球・サッカーなどの試合。ナイトゲーム。▽nighter（和製語）。
ない‐だい【内題】書物のとびら、または本文のはじめにしるされた題名。対外題（げだい）。
ない‐だいじん【内大臣】❶昔、左・右大臣と同じく政務・儀式にあたった大臣。❷明治一八年におかれ、宮中で天皇を補佐した大臣。昭和二〇年廃止。
ない‐だく【内諾】《名・他サ》内々に承諾すること。「社長の―を得る」
ない‐たつ【内達】《名・他サ》〔文〕内々で知らせること。また、内々の通達。内示。「昇進の―を受ける」
ない‐だん【内談】《名・他サ》内密に話し合うこと。また、その話し合い。内密の談話。類語密談。
ない‐ち【内地】❶本国の領土内の土地。国内〔の土地〕。「―留学」❷もと朝鮮・満州・台湾・樺太（からふと）・九州・北海道、およびそれに付属する諸島。対①②外地。❸北海道または沖縄の人が本州などをさして言う語。❹海岸から遠く入った内部の地方。内陸。

ナイチンゲール ❶ヒタキ科の小鳥。西ヨーロッパにすむ。夜、美しい声で鳴く。小夜(さよ)鳴き鳥。❷「看護婦」の美称。参考②は、「クリミヤの天使」とよばれたイギリスの看護婦の名にちなむ。▽nightingale

ない・つう【内通】《名・自サ》❶ひそかに敵に通じること。内応。「敵側に—する」❷男女がひそかに情を通じること。密通。私通。

***ない・てい【内偵】**《名・他サ》ひそかに相手のようすをさぐり調べること。内探。「敵情を—する」

***ない・てい【内定】**《名・自他サ》〔正式の発表・手続きの前に〕内々にきまる(きめる)こと。また、そのきまり。「就職が—する」

ない・てき【内的】《形動》❶〔ある物・物事の〕内部に関するようす。内部的。「経営不振の—原因」❷〔肉体や物質に対して〕精神に関するようす。「—生活」❸主観的。対①~③外的。

ない・てん【内典】仏教の経典。〔仏教の立場に立った言い方〕対外典(げてん)。

***ナイト**《造語》「夜」「夜間」の意。「—ショー」▽night **—キャップ** ❶寝るとき髪の乱れを防ぐためにかぶる帽子。❷寝酒。▽nightcap **—クラブ** 夜間の社交場。料理や酒を出し、ショーを見せるが、女性同伴であることが建て前。▽nightclub **—スポット** 夜の歓楽街。▽nightspot

***ナイト** ❶〔ヨーロッパ中世の〕騎士。❷英国の爵位の一つ。平民で国家に功労があったものにさずけられ、「サー」の称号を受ける。❸〔俗〕女性を護衛する男子。「—ぶりを発揮する」▽knight

ない・ない【内内】㊀《名》表だたないで事を行うこと。うちわ。「—の約束」㊁《副》心の中でひそかに思うようす。うちわに。内心では。

ないない・づくし【無い無い尽(く)し】あれもないこれもない状態。ない物だらけ。ない物づくし。

ないねん・きかん【内燃機関】ガス・ガソリン・重油などの燃料を気筒内で燃焼・爆発させ、ピストンを動かして動力をとり出す機関。対外燃機関。

ない・はつ【内発】《名・自サ》〔文〕内側から自然に現れ出ること。「—する平和への願い」「—的」

ナイフ ❶〔西洋ふうの〕物を切ったり削ったりするための小刀。「ジャック—」❷洋食用の小刀。▽knife

ない・ぶ【内部】❶物の内側。外からへだてられている中の部分。内面。❷仲間や関係者。対①②外部。

***ない・ふく【内服】**《名・他サ》〔医〕飲み薬を飲むこと。内用。「—薬」対外用。

***ない・ふく【内福】**《名・形動》〔文〕〔外観にくらべて〕内実の豊かなこと。「—な家庭」

***ない・ふん【内紛】**〔ある国・組織などの〕うちわもめ。内訌(ないこう)。「—が絶えない党内」

***ない・ふん【内憤】**〔文〕心の中の憤り。類語鬱憤(うっぷん)。

***ない・ぶん【内分】**❶→内聞②。❷《名・他サ》一つの線分を、その線分上の任意の一点で二つに分けること。

***ない・ぶん【内聞】**❶《名・他サ》身分の高い人の耳に非公式に入ること。「—に達する」❷表ざたにしないこと。世間に知られないようにすること。内密。内分。「ご—に願います」

ない・ぶんぴつ【内分泌】動物体内の内分泌腺(せん)で作られたホルモンを直接血液中に送り出すこと。ないぶんぴ。対外分泌。

ない・へき【内壁】〔文〕内側のかべ。対外壁。

ない・へん【内編・内×篇】書籍(特に漢籍)で、その著者が要旨を述べた主要な部分。参考→外編。

***ない・ほう【内包】**❶《名・他サ》内部に含み持つこと。「—する矛盾」類語内蔵。❷〔論〕一つの概念に含まれる属性。すなわち、その概念に当てはまるすべての事物、外延が共通にもっている属性。たとえば、「人間」という概念の内包は、「二本足で立つ」「言語を用いる」「思考する」「死ぬ」などである。対外延。

***ない・ほう【内報】**《名・他サ》内々に知らせること。また、その知らせ。「警察から内閣に—があった」

ない・まく【内幕】→うちまく②。

ない・まぜ【×綯い交ぜ】ないまぜること。また、ないまぜたもの。ごちゃごちゃになっている・こと(もの)。「愛と憎しみが—になった感情をいだく」

ない・ま・ぜる【×綯い交ぜる】《他下一》❶種々の色糸をまぜてより合わせる。❷性質のちがった種々のものをまぜ合わせて一つにする。

ない・みつ【内密】《名・形動》隠して表ざたにしないこと。内緒。内聞。「—に話し合う」類語秘密。

ない・む【内務】❶国内の政務。類語内政。対外務。❷〔旧軍隊で〕室内での日常生活に関する仕事。

ない・めい【内命】《名・他サ》内々に命令すること。また、その命令。「社長の—を受ける」類語密命。

ない・めん【内面】❶〔物事の〕内側。内部に向いている面。類語内部。❷精神・心理に関する方面。「—をていねいに描いた伝記」対外面。

ないもの・ねだり【無い物ねだり】ないものをほしがること。また、実現できないことを無理に求めること。

ない・や【内野】❶野球で、本塁・一塁・二塁・三塁を結ぶ直線によって作られる四角形の内側の区域。また、内野手の守備範囲。インフィールド。ダイヤモンド。❷「内野手」の略。内野を守るプレーヤー。インフィールダー。❸「内野席」の略。野球場で、一塁側と三塁側の(本塁寄りの)観客席。対①~③外野。

ない・やく【内約】《名・他サ》内々の約束。内輪の取り決め。「—を結ぶ」類語密約。

ない・ゆう【内憂】組織(特に国)の内部の心配事やもめ事。内患。「—外患交々(こもごも)至る」対外憂。

***ない・よう【内容】**❶ある物の中にはいっている物。中身。❷〔文章や話など〕ある形をとっているものの中で表されている事柄。「—に乏しい論文」❸〔哲〕〔事柄や現象などを〕成りたたせている実質・意味。対形式。

***ない・よう【内洋】**大部分を陸地で囲まれた海。内海(ないかい・うちうみ)。対外洋。

***ない・よう【内用】**❶内輪の用事。❷《名・他サ》薬をのむこと。内服。「—薬」対外用。

***ない・らん【内乱】**〔政府の転覆、国内の混乱など〕ある政治的な目的をもって多数の者が集まって暴動を起こすこと。国内の戦闘状態。「—罪」類語内戦。

***ない・らん【内覧】**《名・他サ》〔文〕一部の人などが内内に見ること。内見。「書類を—する」

ない・りく【内陸】海岸から遠く離れた陸地帯。

ないりん・ざん【内輪山】カルデラや火口内に新しく噴出した小火山(群)。対外輪山。

ナイロン 石炭などを原料とした化学合成繊維の総称。

絹に似る。強く、弾力性に富む。衣料・釣り糸などに用いられる。参考もと、商標名。▽nylon

ナイン〔一チームが九人から成ることから〕野球のチーム。また、そのメンバー全員。▽nine（＝九）

*****な・う**【×綯う】ふ 《他五》〔よりをかけて〕何本かのものを一つにする。「縄（なわ）を—・う」文《四》。

*****ナウ**《形動》新しさを持っているようす。「—な生き方」▽now 参考一九八〇〜九〇年代の流行語。

な・うて【名うて】〈—の〉〔ある方面で〕名高いこと。有名なこと。「—の暴れ者」

なえ【苗】なへ ❶芽を出して間もない植物。類語苗木。種苗。❷田に植え込む前の発芽して間もない稲。「—を一列に植える」

なえ・ぎ【苗木】なへ— 移植するための幼い樹木。

なえ・どこ【苗床】なへ— 〔野菜・草花・樹木などの〕種をまいて苗を育てる所。参考水稲では「苗代」という。

な・える【×萎える】《自下一》❶体力や気力が衰えてぐったりする。「勇気が—・える」❷〔草などが〕しおれる。❸〔衣服が〕くたくたになる。文な・ゆ《下二》。

なお【▽猶・▽尚】なほ 一《副》❶以前の状態がその時も続いているようす。相変わらず。まだ。「残暑は—衰えない」❷〔ある物事と比較して〕それ以上に。さらに。いっそう。「—悪いことに…」❸それ以上に追加する・余地〔必要〕があるようす。「憎んでも—憎い」二《接続》ある事柄を述べたあとで、さらに他の事柄を言い添えるときに使う。「—、くわしいことはのちほど申し上げます」表記二は多く「尚」と書く。類語↓ただし。

なお・かつ【▽尚且つ】なほ— 《副》❶そのうえにまた。さらに。❷それでもやはり。それでもまだ。「彼は精一杯にこにこしているのに、—恐れられる」

なお・さら【▽尚更】なほ— 《副》そのうえ、ますます。それにも増して。いっそう。「それでは—つらい」

なおざり【▽等▽閑】なほざり《名・形動》〔物事に〕注意を払わないこと。いいかげんにしてほうっておくこと。おろそか。等閑（とうかん）。「勉強を—にして遊んでばかりいる」

なおし【直し】なほし 一《名》❶なおすこと。㋐〔あやまりなどを〕正しくすること。訂正。「—の多い原稿」㋑〔つくろいなおすこと。修理。修繕。❷「直し味醂（みりん）」の略。味醂に焼酎（しょうちゅう）をまぜて作ったあまい酒。❸「直し酒」の略。腐敗しかけた酒または下等な酒を加工して、ふつうの酒のような香味をもたせたもの。二《接尾》《動詞の連用形について》その動作をしなおすことの意。「書き—」「仕切り—」

なお・す【直す・治す】なほす 一《他五》❶正常な状態に・する（もどす）。㋐〔乱れた（悪くなった）ものを〕もとの整った（よい）状態にする。「脱いだ履物を—・す」㋑〔まちがいを〕正しくする。訂正する。「ことばづかいを—・す」類語（る）是正。改正。修正。改訂。㋒〔こわれたものを〕もとの正常な状態にする。修理する。修繕する。類語（る）改修。修造。修復。補修。㋓〔病気やけがを〕治療して健康な状態にする。癒（い）やす。治癒させる。表記㋓は多く「治す」と書く。❷改める。変える。「英文を和文に—・す（＝翻訳する）」「尺貫法をメートル法に—・す（＝換算する）」❸正式の地位につける。「見習いを正社員に—・す」文《四》。二《接尾》もう一度…する。改めて…する。正しく…する。「言い—・す」文《四》。⇩〔使い分け「なおる・なおす」〕

なお・なお【▽猶▽猶・▽尚▽尚】なほなほ《副》❶まだまだ。❷ますます。❸つけ加えて。「きみには—言いたいことがある」 **—がき**【▽尚▽尚書（き）】追って書き。追伸。二伸。参考冒頭に「尚々」と書くのでいう。

なお・も【▽猶も・▽尚も】なほ— 《副》その上まだ。さらに。「—言いつのる」

なおらい【直▽会】なほらひ〔文〕祭儀のあと、神酒・供物をおろして参列者がする宴会。のうらい。

なおり【直り】なほり もとの状態になること。病気やけががなおること。「仲—」「—が早い」

なお・る【直る・治る】なほる《自五》❶正常な状態に・なる（もどる）。類語復する。㋐〔乱れた（悪くなった）ものが〕もとの整った（よい）状態になる。「悪いくせが—・る」類語（る）回復。㋑〔まちがいが〕改まって正しくなる。「誤字の—・った作文」㋒〔こわれたものが〕もとの正常な状態になる。類語（る）復旧。復元。㋓〔病気やけがが〕回復して健康な状態になる。癒（い）える。治癒（ちゆ）する。表記㋓は多く「治る」と書く。❷正しくすわる。「その場に—・る」❸正式の地位につく。「正妻に—・る」❹〔乗り物・劇場などの座席で〕等級を変えて、上級の席に移る。文《四》。⇩〔使い分け〕

使い分け「なおる・なおす」
直る〔正しい状態になる。上級の席へ移る〕時計が直る・機嫌が直る・二人の仲が直る・故障が直る・そこに直れ・文章が直る・特別席に直る・開き直る
治る〔▽癒〕〔病気がよくなる〕風邪が治る・傷が治る
直す〔正しい状態にする。改める。さらに…する〕誤りを直す・機嫌を直す・家を直す・英語に直す・考え直す・作り直す・持ち直す・書き直す
治す〔▽癒〕〔治療する〕風邪を治す
参考「治・癒」の代わりに「直」を使うこともある〔風邪が直る〕。

な・おれ【名折れ】—を 名誉がそこなわれること。「一門の—」類語恥。不名誉。汚名。恥辱（ちじょく）。

*****なか**【中】❶囲い・仕切りの内側。内部。「列車の—」❷〔空間的に〕中央。まんなか。「子どもを—にして囲む」❸外面に現れない部分。うち。「心の—」❹ある範囲に含まれる部分。「この—ではだれがすぐれているか」❺二つのものの間。中間。「二人の—に入る」❻〔物事を三分したときの〕二番目の・部分（もの）。まんなか。「—の姉」❼ある物事が〔盛んに〕進行しているとき。また、ある状態が続いているとき。「雨の—を出かける」

*****なか**【仲】〔人と人との〕あいだがら。「—のよい友達」類語間（あいだ）。交わり。対人関係。交際。交情。

なが・あめ【長雨】いく日も降り続く雨。

なか・い【仲居】—ゐ〔料理屋などで〕客の接待や雑用をする女性。

*****なが・い**【長居】—ゐ《名・自サ》〔他人の家などをたずねて〕そこに長くいること。長座（ちょうざ）。「—は無用」

*****なが・い**【長い・永い】《形》❶距離のへだたりが大きい。「—・い道」参考抽象的なものにも用いる。「気の—・い人だ」❷時間のへだたりが大きい。「京都に—・く滞在する」「—・い一生」「話が—・い」表記①は「長い」と書く。②で、永久の意を含む場合は「永い」とも書く。対①②短い。文なが・し《ク》。⇩〔使い分け〕
—い目で・見る《句》現状のまま、気長に将来を見守る。また、遠い将来にはプラスになることを期して、一時の失敗などは問題にしない態度をとる。

な

な

―いものには巻かれろ《句》権力・勢力のあるものには反抗しないで、従ったほうが得だ。
―い草鞋を履く《句》博徒などが、悪事を働くなどしてその土地にいられなくなり、旅に出る。

使い分け「ながい」
長い〔時間・尺度に限らず、へだたりが大きい〕長い距離・長い期間・長い年月・気が長い・長い目で見る・細長い土地・手が長い・鼻の下が長い
永い〔時間がいつまでも続く〕永い眠り・末永くお願いする・永の別れ
参考「永」は時間に限るが、「長」よりもながく「とこしえに」の思いを含ませて「永く付き合う」などと用いる。「長らく／永らく」「長年／永年」などは、主観的な時間の長短で使い分けられる（長年の会社勤め／永年のお勤めお疲れ様でした）。「長の別れ／永の別れ」では、後者は未来永劫に会えない意を含み、死別を意味することもある。

なが-いき【長生き】《名・自サ》長く生きること。類語長命。長寿。
なが-いす【長×椅子】二人以上の人が並んで掛けられるように、横に長く作ってあるいす。
なが-いも【長芋・長×薯】ヤマノイモ科の多年草。根茎を食用にするために栽培される。
なか-いり【中入(り)】相撲・芝居などで、途中でしばらく休憩すること。参考相撲では、十両同士の対戦後の休憩を言う。「―後の取組」
なが-うた【長×唄】❶歌舞伎の伴奏としての三味線音楽が独立してできた芸術的歌曲。多く歌詞を浄瑠璃・謡曲からとった長い三味線唄。江戸長唄。❷〔組唄・語り物など〕江戸時代初期から上方で行われた三味線音楽の総称。地唄。上方長唄。
なか-うり【中売(り)】〔芝居などの〕興行場内で飲食物を売り歩くこと(人)。
***なが-え【×轅】**《「長柄」の意》牛車・馬車などの前方に長くつき出した二本の棒。その前端に軛をわたして、馬や牛の首をつないで車をひかせる。
***なが-え【長柄】**柄の長いこと。また、その柄。また、その柄がついている道具。「―のきせる」
なが-おい【長追い】―おひ《名・他サ》〔逃げるものを〕遠くまで追いかけること。類語深追い。
なか-おし【中押し】→ちゅうおし。
なか-おち【中落(ち)】魚を三枚におろしたときの中骨の部分(に残った肉)。なかうち。
なか-おもて【中表】表面を内側にしてたたむこと。
なか-おれ【中折れ】―をれ ❶《名・自サ》中央が折れ、またはくぼんでいること。❷「中折れ帽」の略。男性用で、山の中央部を縦に折りくぼめてかぶる、つばのある柔らかい帽子。中折れ帽子。ソフト。
なか-がい【仲買】―がひ 物品・権利などの売買のなかだちをして利益を得る商売。また、それを職業とする人。ブローカー。**―にん【―人】**❶物品・権利などの売買の仲介を職業とする人。ブローカー。❷「商品仲買人」の略。一定の取引所で客の委託注文を受け、または自分自身で売買取引をする会員。
ながき【永き】《文語形容詞「ながし」の連体形》ながいこと。ながい年月。「数世紀の―にわたる」類語長期。
なが-ぎ【長着】和服で、羽織などに対して丈が足首のあたりまであるもの。ふつう「着物」といわれているもの。
なか-ぎり【中▽限】現物受け渡しの期限が契約の翌月の末日であること。また、そのような契約の取引。中物。中期。ちゅうぎり。対当限・先限。
なが-ぐつ【長靴】〔雨の日や乗馬のときなどにはく〕ゴムまたは革製の長いくつ。
なか-ぐろ【中黒】印刷活字で、並列点・小数点などとして用いる点。なかてん。「・」。
なか-ご【中子】❶もののまん中のところ。中心。❷ウリ類の中心の種のあるところ。❸刃物・刀剣類の、柄にはいっている部分。表記③は多く「茎」「中心」と書く。❹入れ子の中にはいる方の箱。「重箱の―」
なか-ごろ【中×頃】❶ある期間のまん中ごろ。中ほどの時期。半ば。「秋の―」❷中ほどの場所・部分。
なが-さ【長さ】長いこと。また、その程度。
なが-ざ【長座】《名・自サ》長い間いること。長居。長座。「夕立にあって―した」
なか-し【仲仕】〔卑称〕荷物をかついで運ぶ労働者。また、土木業を手伝う労働者。「沖―」

ながし【流し】❶流すこと。「灯籠―」❷台所・洗面所・井戸端などにある、物を洗い、洗い水を流す・設備(場所)。流し場。❸湯ぶねのそばでからだを洗う所。流し場。❹湯屋で、三助に背中を洗わせること。「―をとる(=頼む)」❺芸人などが客を求めてあちこち移り歩くこと。また、その人。「―のギター弾き」❻タクシーなどが客を求めて町中をあちこち走ること。
ながし-あみ【流(し)網】刺網の一種。魚の通り道をさえぎるようにして張る網。また、その漁法。
ながし-いた【流(し)板】❶台所・浴室などの流しに張りわたした板。❷銭湯で、からだを洗い流す板の間。
ながし-うち【流し打ち】野球で、右打者ならライト方向へ、左打者ならレフト方向へ行くように球にさからわずに打つこと。
なか-しお【中潮】―しほ 干満の差が中ぐらいの潮。
なが-しお【長潮】―しほ 干満の差が最も少ない潮。
なが-しかく【長四角】長方形。
なか-じき【中敷(き)】中に敷くこと(もの)。「靴の―」
ながし-こ-む【流し込む】《他五》流すようにして中に入れる。流し入れる。「寒天を型に―む」
ながし-どり【流し撮り】《名・他サ》〔速く動く物体を撮影するときに〕被写体の動きに合わせてカメラを移動させながらシャッターを切る撮影法。追い写し。
ながし-ば【流し場】❶流し②。❷流し③。
ながし-びな【流(し)×雛】三月三日の節句の夕方、川や海に流す紙製のひな人形。また、その行事。
なか-じま【中島】川・池などの中にある島。中の島。
ながし-め【流し目】❶頭を動かさず、目だけをその方に向けて見ること。❷異性の気を引くような、なまめかしい目つき。いろめ。秋波。「―を送る」
なが-じゅばん【長×襦×袢】和服用の、丈の長い下着。長じばん。
なが-じり【長×尻】よその家を訪ねて、長時間話しこんでなかなか帰ろうとしないこと(人)。ながっちり。
***なか-す【中州・中×洲】**川の中に土砂が積もって、島のように水面から出ている所。
***なか-す【泣かす】**《他五》→泣かせる。文《四》。
なが-す【流す】《他五》❶〔液体を〕流れさせる。「ふろ

の水を—・す」❷〔液体を〕したたらせる。たらす。落とす。「涙を—・す」❸流れによって他の物を移動させる。流れにただよって行かせる。「いかだを—・す」参考 抽象的なものにもいう。「失敗は水に—・す」❹〔水・湯などで〕汚れを洗い落とす。「背中を—・す」❺気体をただよい移らせる。「新鮮な空気を—・す」❻広める。広く知れる〔聞こえる〕ようにする。流布させる。「浮き名を—・す」「情報を—・す」❼罪人を離れ島または都から遠く離れた所に送る。島流しにする。流刑に処する。❽軽く受けて、気にとめないでおく。「皮肉を聞き—・す」❾《自動詞的に用いて》〔客を求めて〕移動する。㋐芸人などが、客を求めて移り歩く。㋑タクシーが客を求めて町を走る。「タクシーが市内を—・す」❿物事が実現・完了する前にだめにする。無効にする。㋐流産させる。㋑〔計画・催し物などを〕取り止めにする。中止する。㋒質草を期限までに請け出さず、所有権を失う。文《四》。

ながす-くじら【長×須鯨・長×簀鯨】(—くぢら) シロナガスクジラに次いで大きいクジラ。体長二〇〜三〇メートルに達する。えびすくじら。ながす。

なか-せる【泣かせる】《他下一》《「泣く」の使役形》❶泣くようにさせる。「弟を—・せる」❷苦しませたり困らせたりして嘆かせる。「親を—・せる」❸《自動詞的に》思わず涙が出るほど感動させられる。「—・せる話だ」類語 泣ける。文 なか・す《下二》。

なかせん-どう【中▽山道・中仙道】五街道の一つ。江戸日本橋から高崎・下諏訪(しもすわ)・木曾谷(きそだに)を通り、近江(おうみ)守山を経て、近江草津で東海道と合流。この間六七宿で、さらに京都までを含めることもある。

なが-そで【長×袖】❶和服で、たもとの長いそで。また、そのそでのついた着物。❷洋服で、手首までの長さがあるそで。また、そのそでの服。「—のシャツ」

なか-ぞら【中空】❶〔斜め上を見た時の〕空の中ほど。中天。❷心が落ち着かないこと。うわのそら。

なか-だか【中高】《名・形動》まん中が高いこと。「—の額(ひたい)」対 中低(なかびく)。

なか-たがい【仲▽違い】(—たがひ)《名・自サ》人と人との間柄がうまくゆかなくなること。また、仲の悪い状態。

なか-だち【仲立ち・▽媒】《名・自サ》二者の間をとりもつこと。特に、取引・結婚・交渉などのとりもちをすること。また、その人。橋渡し。「交渉の—をする」

なが-たび【長旅】長い間旅を続けること。また、長期間にわたる行程の長い旅。「—の疲れが出た」

なが-たらし-い【長たらしい】《形》〔文章や話などが〕だらだらとして、いやになるほど長い。ながったらしい。

なか-だるみ【中×弛み】《名・自サ》勢いが中ほどで、一時ゆるむこと。「試合が—になる」

なが-だんぎ【長談義・長談議】〔まとまりがなく〕聞いているのがいやになるほどの長たらしい話。

なが-ちょうば【長町場・長丁場】❶〔旅などで〕長い道のり。❷仕事などで、一段落するまでが長くて時間がかかる場面。また、時間の長くかかる物事。「—の工事」表記 ②は「長丁場」と書く。

なか-つぎ【中継(ぎ)・中次(ぎ)】❶《名・他サ》ある物と他の物とをつなぎ合わせて一つの物にするとき、その継ぎ目が中間にくるようにつなぎ合わせること。また、その継ぎ目。❷尺八や三味線の棹(さお)などで、中途でつなぎ合わせるようにしたもの。また、その継ぎ目。❸抹茶(まっちゃ)の茶入れの形の一つ。ふたと身が同じ高さで、中央で継ぎ目ができるもの。❹《名・他サ》〔仕事などを別の人が〕途中でひきつぐこと。「—の投手」

なが-つき【長月】〔雅〕陰暦九月。菊月(きくづき・きくげつ)。参考 太陽暦の九月にもいう。

なが-っ-ちり【長っ×尻】→ながじり。

なが-つづき【長続き】《名・自サ》〔ある物事が〕長い間とぎれないで続くこと。類語 永続。

なか-づり【中×吊り】「中吊り広告」の略。車中広告のうち、中央の通路の上につり下げる広告。

なか-て【中手・中▽稲】早稲(わせ)と晩稲(おくて)の間にみのる稲。表記 ふつう「中稲」と書く。対 奥手・早稲。

なが-て【長手】❶長いほうのもの。長め。❷〔古〕長い道のり。「道の—」

なか-でも【中でも】《副》多くのもののうち、特に。とりわけ。「—いちばん楽しかった思い出は…」

なか-と【中×砥】質の中ぐらいの砥石(といし)。粗砥(あらと)で研いだ刃物を研ぐのに使う。中砥(ちゅうど)。対 粗砥・真砥(まと)。

ながと【長▽門】旧国名の一つ。今の山口県の西北部。長州(ちょうしゅう)。

なか-なおり【仲直り・中直り】(—なほり)《名・自サ》❶仲が悪くなっていた者同士が、再び仲よくなること。❷病気で死にそうになった者が、死にぎわにちょっと回復したように見えること。表記 ②は「中直り」と書く。

なか-なか【中中・却▽却】㊀《副》❶予期していた以上に程度が高いようす。かなり。ずいぶん。思いの外。「—みごとな絵だ」❷《ふつう、あとに打ち消しの語をともなう》簡単には。すぐには。「—帰ってこない」表記 ㊀はふつうかな書き。㊁《感》〔古〕さよう。いかにも。〔狂言などでよく使われる〕

なが-なが【長長】《副》〔時間や尺度が〕非常に長いようす。「—と身を横たえる」**—し・い**《形》いやになるほど長い。「—・い お説教」

なか-にわ【中庭】(—には) 家屋の中で、そのいくつかの棟(むね)に囲まれたように作られた庭。また、建物と建物あるいは室と室との間に設けられた庭。内庭。坪庭。

なか-ぬり【中塗り】《名・自サ》〔壁や漆器などを塗るとき〕下塗りのあと、上塗りの前に塗ること(作業)。

なか-ね【中値】〔取引で〕高値と安値、または売値と買値との中間の値段。

なが-ねぎ【長×葱】葉ねぎ・根深ねぎの別称。棒ねぎ。参考「玉ねぎ」に対していう。

なが-ねん【長年・永年】長い年月(の間)。永年(えいねん)。

なが-の【長の・永の】《連体》〔時間的・距離的に〕長い。また、永久の。「—別れ」「—いとまを告げる」表記「永久」の意では「永の」と書く。

なかば【半ば】㊀《名》❶時間・空間・物事の全体を二等分した、その一方。半分。❷ひと続きの時間・空間・物事を半分に分けたあたり。中程。途中。「六月の—」㊁《副》その状態に完全に成りきっていないようす。半分ほどその状態であるようす。「—暮れかかった夕空」

なが-ばかま【長×袴】裾(すそ)を長く引きずってはく袴。昔、礼装に用いた。

なか-ばたらき【仲働き・中働き】奥向きと勝手との間の雑用をする女性。参考 →下働き。

なが-ばなし【長話】《名・自サ》長たらしいおしゃべり。また、その話。長っぱなし。「電話の—は困る」

なか-び【中日】〔芝居・相撲などの〕興行期間の中間にあたる日。「春場所の—」

なが-び-く【長引く】《自五》長くなる。おそくなる。

のびのびになる。「活発な議論で会議が―・いている」

なが-びつ【長×櫃】 衣類や手まわりの道具などを入れる、長方形のひつ。類語 長持。

なが-ひばち【長火鉢】 長方形の箱形の火鉢。

なか-ほど【中程】 ❶物事の程度が中ぐらい。「―の調子」❷物の位置がまん中の・あたり(場所)。❸〔時間的・距離的に〕中ごろ。なかば。類語 中途。中間。表記 ふつう「中ほど」と書く。

なか-ま【仲間】 ❶同じ目的のために、いっしょに何かをする者同士。「働く―の祭典」類語 同勢。同志。❷何らかの共通項をもつもの同士。同類。「タンポポは菊の―」 **―いり【―入り】**《名・自サ》仲間に加わること。類語 加入。加盟。 **―はずれ【―外れ】** 仲間から除外・する(される)こと。類語 のけもの。 **―われ【―割れ】**《名・自サ》仲間が分裂すること。

なか-まく【中幕】 歌舞伎で、観客の気分転換に一番目と二番目の狂言の間に挟む、一幕物の狂言。

なか-み【中身・中味】 ❶中にはいっている・もの(内容)。「話の―」❷刀の刃の部分。刀身。

なか-みせ【仲店・仲見世】 社寺の境内にある商店街。「浅草の―」

なが-むし【長虫】 ヘビ類の俗称。

＊**ながめ【眺め】** ながめるだけの価値があるけしき。〔自然の風景にいうことが多い〕「山頂からの―」「―が開ける」類語 見晴らし。眺望。展望。風光。景観。美観。景勝。絶勝。シーン。スペクタクル。パノラマ。

＊**なが-め【長め】**《名・形動》ある基準より少し長い・こと(状態)。こころもち長いこと。対 短め。

ながめ-い・る【眺め入る】《自五》つくづくとながめる。

ながめ-や・る【眺め▽遣る】《他五》遠くをながめる。

なが・める【眺める】《他下一》❶じっと見つめる。つくづくとみまもる。❷〔景色などを〕遠くのぞみ見る。見渡す。「アルプスを―・める」類語 眺め入る。眺めやる。見やる。眺め渡す。見晴らす。見とれる。目を配る。目を奪われる。展望。観望。俯瞰。鳥瞰。通観。概観。大観。文 なが・む《下二》。

なが-もち【長持ち】 ❶《名・自サ》物が同じような状態を長く保つこと。長い間、こわれたりへったりそこなわれたりしないこと。❷衣類・調度を入れておく、ふたの付いた長方形の箱。参考 ②は「一棹…」「一枚(=二棹)…」と数える。表記 ②は「長持」と書く。

なが-や【長屋】 一棟の中を、何戸にもくぎって多くの世帯が住めるようにした家。棟割り長屋。「浪人して―住まい」 **―もん【―門】** 武家屋敷などで、両側が長屋造りになっている門。

なか-やすみ【中休み】《名・自サ》〔仕事などの〕途中で一休みすること。また、その休み。

なが-ゆ【長湯】 長い時間入浴すること。

なか-ゆび【中指】 五本の指のうち、まん中の指。

なか-ゆるし【中許し】〔茶の湯・生け花・琴などの〕芸事で、初許しの一段上の免許。類語 中伝。対 初許し・奥許し。

なが-よ【長夜・永夜】 日暮れが早く、なかなか夜が明けない長い夜。夜長。長夜。「秋の―」対 短夜。

なか-よし【仲▽好し・仲良し】 仲がよい・こと(間柄の人)。類語 親友。 **―こよし【―小▽好し】**「仲よし」を調子よく言うことば。〔おもに子供が用いる〕

なか-ら【▽半ら】《「ら」は接尾語》〔古〕❶なかば。半分。❷途中。なかほど。❸半数。大半。

ながら【×乍ら】《接助》《上代の助詞「な(=の)」+名詞「から」という》❶〔主に、継続動作を表す動詞の連用形につく。また、名詞・副詞などにつく〕二つ以上の動作を同時に並行・継続して行う事態を表すのに使う。…のままの状態で。「泣きじゃくり**ながら**訴える」「生まれ**ながら**の(=生来の)悪人」❷〔主に、存在や状態を表す動詞の連用形、体言などにつく〕並立しにくい二つ以上の事態が、それにもかかわらず、同時に存在していることを表すのに使う。また、断りや前おきを述べるのに使う。「疲れてい**ながら**眠れない」「及ばず**ながら**協力しましょう」「陰**ながら**応援する」❸〔数量を表す語について、副詞句を作る〕そのまま全部。「三人**ながら**気が弱い」参考 ③は「とも」に比べて文語的。表記 ふつうかな書きにする。

なからい【仲▽合】〔文〕人と人との関係。交情。

ながら・える【長らえる・永らえる・▽存える】《自下一》長い年月を生き続ける。文 ながら・ふ《下二》。

ながらく【長らく】《副》長い間。久しく。参考「長く」と「しばらく」の混同からできた語。

ながら-ぞく【ながら族】〔俗〕テレビを見たりラジオや音楽を聞いたりしながら勉強や仕事をする人。

なから-はんじゃく【▽半ら半尺】《形動》中途はんぱなようす。いいかげん。

なかれ【×勿れ・×莫れ】《形ク》《文語形容詞「なし」の命令形》〔文〕禁止の意。…してはいけない。…するな。「ゆめゆめ疑う―」「君死にたまふこと―」

ながれ【流れ】 一《名》❶流れる・こと(もの・ようす)。「川の―」参考 ひゆ的に、時間のように移り過ぎていくものにも言う。「歴史の―を考える」❷流れる水。流水。川。⇩〔類語と表現「川」〕❸〔催し物が終わって〕散って行く人々。また、その足取り。「宴会の―」❹同じ筋につながるもの。血統。系統。「源氏の―をくむ(=血統を受ける)家柄」❺風潮。一般傾向。「政治の―が変わる」❻屋根が傾斜していること。「片―」❼質物を請け出す期限が過ぎて、所有権がなくなる・こと(物)。❽→おながれ。二《助数》旗などを数える語。旒。「日の丸の旗一―」 **―に棹差・す**《句》❶流れのままに水棹をさして船をあやつる。❷大勢にさからわずに世の中をうまく渡る。時流に乗る。注意 時流に逆らう意での使用は誤用。

ながれ-さぎょう【流れ作業】 製造工程の順に機械と作業員を配置し、作業を分業化して全工程を直線的な流れにする方式。コンベヤーシステムなど。

ながれ-ず【流れ図】 →フローチャート。

ながれ-だま【流れ弾・流れ玉】 目標をそれた弾丸。それだま。流弾。

ながれ-づくり【流(れ)造(り)】 神社建築の様式の一つ。屋根の前面が長くのびて正面の参拝所をおおうようにしたもの。

ながれ-ぼし【流れ星】 ❶流星。❷馬の鼻の上から額にのびた白い毛の斑点。星月。

ながれ-もの【流れ者】 一定の住所や職場を持たずに、転々としている者。渡り者。よそ者。

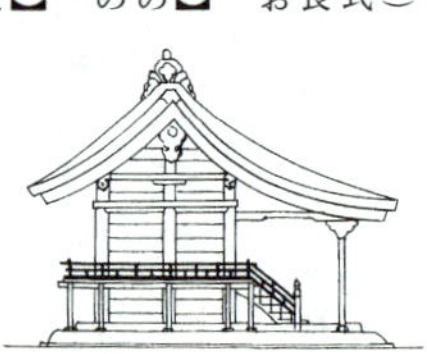

流れ造り

ながれ-や【流れ矢】 目標をそれた矢。それ矢。

なが・れる【流れる】《自下一》❶液体が低い方へ移動する。「川が―・れる」❷したたる。たれる。「涙が―・れる」❸水の流れにただよって行く。「川藻が―・れて行く」❹〔液体が移動するように〕移動する。「雲が―・れる」❺気体がただよい動く。「霧が―・れる」❻次から次へと伝わる。流布する。伝播する。「うわさが―・れる」❼〔時間が〕移り過ぎていく。経過する。「三年の時が―・れる」❽あてもなくさすらう。流浪する。漂泊する。❾〔ある好ましくない〕傾向になる。はしる。傾く。「議論が抽象的に―・れる」❿しっかりと落ち着いていない状態である。「テレビの映像が―・れる」⓫〔物事が実現・完了する前に〕だめになる。無効になる。㋐〔目標から〕それる。「弾丸が―・れる」㋑流産する。㋒〔計画・催し物などが〕取りやめになる。中止になる。「総会が―・れる」㋓質草の期限が過ぎて所有権を失う。文なが・る《下二》。

ながれ-わた・る【流れ渡る】《自五》❶流れにさからわずに川を渡る。❷あちこちの土地を渡り歩く。

なが-わきざし【長×脇差】 ❶長いわきざし。❷江戸時代、関東で長いわきざしを差して往来していた、ばくちうち。また、単に、ばくちうち。

なが-わずらい【長患い】 長い間病気をすること。また、その病気。長病み。

なか-わた【中綿】 着物・寝具などの中に入れるわた。

なかん-ずく《副》《「中に就く」の転》〔文〕〔多くの中でも〕特に。とりわけ。「どれもすぐれているが、―これは傑作である」表記㋐もと、「就中」と書いた。㋑現代仮名遣いでは「なかんづく」も許容。

***なき【泣き】** ❶泣くこと。また、泣くほどつらいこと。「―を見せる(=つらく悲しい思いをさせる)」「―を見る(=つらい、不幸な目にあう)」❷泣きつくこと。「―を入れる(=泣きついて頼む。哀願する)」

***なき【亡き】**《連体》《文語形容詞「なし」の連体形から》死んでしまってこの世にいない。「―者にする(=殺す)」

***なぎ【×凪】**《動詞「凪ぐ」の連用形の名詞化》風が全くやむこと。また、風がやんで波がおだやかになること。参考→朝なぎ・夕なぎ・しけ。

***なぎ【×梛】** マキ科の常緑高木。暖かい地方の山地に自生する。材は床柱・家具用、樹皮は染色用。

なき-あか・す【泣き明かす】《自五》泣いて夜を明かす。また、一日中泣いてばかりいる。類語泣き暮らす。

なき-あわせ【鳴き合(わ)せ】 鶯などを持ち寄って、その鳴き声の優劣を競うこと。

なき-おとし【泣(き)落(と)し】 泣きついて、相手を承知させ、自分の目的を達すること。「―戦術」

なき-がお【泣き顔】 泣きだしそうな顔つき。泣いた顔。「いじめると、すぐ―になる」

なき-がら【亡×骸】 遺体。死体。しかばね。

なき-くず・れる【泣き崩れる】《自下一》〔正体もないほど〕とり乱して泣く。「わっとばかりに―・れた」

なき-くら・す【泣き暮らす】《自五》泣いて一日を暮らす。類語泣き明かす。泣き暮れる。

なき-く・れる【泣き暮れる】《自下一》泣き続ける。「悲しみに―・れる」類語泣き明かす。泣き暮らす。

***なき-ごえ【泣き声】** ❶〔人の〕泣く声。❷泣きそうな声。涙声。「―でうったえる」

***なき-ごえ【鳴き声】** 〔鳥・虫・獣などの〕鳴く声。

なき-ごと【泣き言】 〔泣きながら〕くどくどと自分の苦しみを訴えることば。「―を並べる」類語ぐち。

なき-こ・む【泣き込む】《自五》❶泣いて駆けこむ。❷泣いて(泣くようにして)頼みこむ。嘆願する。泣きつく。「上役に―・む」

なぎさ【×汀・×渚・×沚】 〔川・海などの〕波のうち寄せる所。波うちぎわ。類語水際。

なき-さけ・ぶ【泣き叫ぶ】《自五》大きな声で泣く。

なき-しき・る【鳴き▽頻る】《自五》〔鳥や虫などが〕しきりに鳴く。

なき-しず・む【泣き沈む】《自五》ひどく泣いて悲しみ続ける。正体もなく泣く。泣きくずれる。

なき-じゃく・る【泣き×噦る】《自五》しゃくりあげながら泣く。「―・るばかりでわけがわからない」

なき-じょうご【泣き上戸】 酒に酔うと泣くくせ。また、そのくせのある人。対笑い上戸。

なき-すが・る【泣き×縋る】《自五》泣いてすがりつく。

なき-ずな【鳴き砂】 湾曲した入り江などにあり、踏むとこすれ合って「キュッキュッ」と音がする砂。

なぎ-たお・す【×薙ぎ倒す】《他五》❶〔立っているものを〕横にはらってたおす。「暴風が稲を―・す」❷大勢の敵を勢いよく打ち負かす。同①②薙ぎ伏せる。

なき-た・てる【鳴き立てる】《自下一》〔虫・鳥・獣などが〕声高にさかんに鳴く。

なき-つ・く【泣き付く】《自五》❶泣いてすがりつく。❷泣かんばかりにしてたよる。泣いて頼みこむ。泣き込む。「ぼくに―・いても何もしてやれないよ」

なき-つら【泣き面】 泣き顔。泣きっ面。―に蜂《句》不幸・不運の上にまた不幸・不運が重なること。苦痛の上にまた苦痛が重なること。

なき-どころ【泣き所】 ❶〔芝居や映画などの〕人の涙をさそうところ。❷打たれると非常に痛くて泣き出すくらいに感じる、からだの部分。急所。「弁慶の―(=向こうずね)」❸弱点。弱み。

なぎ-なた【▽長▽刀・×薙▽刀】 長い柄の先に、はばの広いそり返った刃のついた武器。長刀。―ほおずき【―▽酸×漿】海ほおずきの一つ。アカニシの卵嚢。形はなぎなたの刃に似ている。

なきにしも-あらず【無きにしも▽非ず】《連語》《「しも」は強めの助詞》〔文〕ないわけではない。「望み―」

なき-ぬ・れる【泣き×濡れる】《自下一》泣いて、顔が涙にぬれる。ひどく泣く。「悲しみに―・れる」

なき-ねいり【泣(き)寝入り】《名・自サ》❶泣きながら寝入ること。泣いているうちに眠ってしまうこと。❷不当な仕打ちなどを受けながら、不満のままにどうすることもできず、あきらめること。「―に終わる」

なき-の-なみだ【泣きの涙】 涙を流して泣くこと。ひどく泣き悲しむこと。「毎日を―で暮らす」

なぎ-はら・う【×薙ぎ払う】《他五》勢いよく横に払う。「草を―・う」

なき-はら・す【泣き×腫らす】《他五》はげしく(長く)泣いてまぶたをはらす。「目を赤く―・す」

なき-ぶし【泣き節】 涙をさそう節回し(の歌)。

なき-ふ・す【泣き伏す】《自五》〔悲しみのあまり〕うつぶせになって泣く。泣き沈む。

なぎ-ふ・せる【×薙ぎ伏せる】《他下一》なぎたおす。

なき-べそ【泣きべそ】〈―をかく〉→べそ。

なき-ぼくろ【泣き▽黒▽子】 目の下、特に目尻のほくろ。参考これがある人は涙もろいと言われる。

なき・まね【泣き真▽似】 泣くふりをすること。そら泣き。つくり泣き。うそ泣き。

なき・みそ【泣き味×噌】 泣き虫。

なき・むし【泣き虫】 ちょっとしたことにもすぐ泣くこと(人・性質)。泣きみそ。〔子供に言うことが多い〕

なき・もの【亡き者・無き者】〔文〕死んだ人。

―に・する《句》この世から消す。殺す。

なぎょう・へんかくかつよう【ナ行変格活用】 文語の動詞の活用形式の一つ。「な・に・ぬ・ぬる・ぬれ・ね」と活用する。「死ぬ」「往(い)ぬ」だけ。ナ変。

なきり・ぼうちょう【菜切(り)包丁・菜切(り)×庖丁】 野菜を刻むのに用いる、刃が薄く先のとがっていない幅の広い包丁。なっきりぼうちょう。

なき・わかれ【泣(き)別れ】 泣きながら別れること。悲しみながらの別離。

なき・わめ・く【泣き▽喚く】《自五》大声で泣き叫ぶ。

なき・わらい【泣き笑い】 泣くことと笑うこと。また、泣きながら笑うこと。「―の人生」

***な・く【泣く】**《自五》❶〔悲しみ・喜び・苦しみなど〕感情の高まりや肉体的な刺激のあまり、声をあげ涙を流す。❷《他五》不幸や苦難にあい、嘆き苦しむ。また、嘆き悲しむ。「失敗に―・く」「身の不幸を―・く」❸無理なことをやむをえず承知する。「ここのところは、ひとつ―・いてもらいたい」文《四》。⇩〔類語と表現〕

―いて馬謖(ばしょく)を斬る《句》全体の規律を保つために、また、大事をおさめるため、愛する者を公の立場に立って処分する。故事中国の三国時代、蜀(しょく)の諸葛孔明(しょかつこうめい)が愛する部下の馬謖を、命令にそむいて敗戦した罪で、泣く泣く処刑したことから。

―いても笑っても《句》どんなにしても。

―く子と地頭には勝てぬ《句》道理のわからない者や権力者とは争ってもむだである。

―く子も黙る《句》泣いている子供も泣きやむほど、こわい存在であることのたとえ。

***な・く【鳴く】**《自五》〔虫・鳥・獣などが〕声を出す。「虫が―・く」類語鳴き頻(しき)る。鳴き交わす。さえずる。すだく。いななく。吠(ほ)える。哮(たけ)る。文《四》。

―かず飛ばず《句》人目につくような活躍をしないでいるようす。「左遷されて―の年月を過ごす」

***な・ぐ【×凪ぐ】**《自五》風がやんで波が静まる。「海が―・ぐ」文《四》。

***な・ぐ【▽和ぐ】**《自五》おだやかになる。静まる。平穏になる。「心が―・ぐ」文《四》。

***な・ぐ【×薙ぐ】**《他五》〔鎌(かま)・刀などで〕横に払って切る。「雑草を―・ぐ」文《四》。

なぐさみ【慰み】 ❶心を楽しませる・こと(手段)。気晴らし。❷もてあそぶ・こと(もの)。「手―」

なぐさ・む【慰む】 ㊀《自五》〔不安・不満の気持ちがなくなり〕心がはればれとなる。慰められる。「悲しみの心が―・む」文《四》。㊁《他五》❶からかって楽しむ。おもちゃにする。❷女をもてあそぶ。慰みものにする。〔㊀㊁とも古めかしい言い方〕文《四》。

なぐさめ【慰め】〔悲しんだり苦しんだりしている人の〕心を慰める・こと(手段)。「―の声をかける」**―がお【―顔】** 慰(なぐさ)めるような顔つき。

なぐさ・める【慰める】《他下一》〔悲しんだり、苦しんだりしている人に〕やさしい言葉をかけたり何かをしたりして、その苦痛をまぎれさせ、心をなごやかにしてやる。「病人を―・める花束」文なぐさ・む《下二》。

類語と表現 「泣く」

*痛がって泣く・涙を流して泣く・声を出して泣く・話に感動して泣く・嬉(うれ)し泣きに泣く・泣いて懇願する・泣きたいのをこらえる／悲運に泣く・失投に泣く・悪天候に泣く。

◆泣き明かす・泣き入る・泣き崩れる・泣き暮らす・泣き叫ぶ・泣き沈む・泣き伏す・泣きぬれる・泣きわめく・忍び泣く・すすり泣く・咽(むせ)ぶ・咽び泣く・感涙に咽ぶ・すすり上げる・しゃくり上げる・哭(こく)する・目がうるむ・涙する・涙ぐむ・涙を漏らす・涙に暮れる・涙に沈む・涙にぬれる・嬉し涙を流す・目頭が熱くなる・紅涙を絞る・袖(そで)を絞る・べそをかく／(する)落涙・涕涙(ているい)・涕泣(ていきゅう)・啼泣(ていきゅう)・号泣・感泣・号哭(ごうこく)・慟哭(どうこく)・嗚咽(おえつ)・欷歔(ききょ)・歔欷(きょき)／(する)夜泣き・忍び泣き・すすり泣き・咽び泣き・貰(もら)い泣き・男泣き・嬉し泣き・嘘(うそ)泣き・悔し泣き・空泣き・半泣き

◆オノマトペ ぎゃあぎゃあ・わあわあ・わんわん・さめざめ・しくしく・めそめそ・おいおい／よよと／おぎゃあと

***なく・す【亡くす】**《他五》死なれて失う。死なせる。亡くする。亡(な)くなす。「わが子を―・す」

***なく・す【無くす】**《他五》〔物を〕失う。無くする。無くなす。「道でさいふを―・す」類語→無くなる。

なく・なく【泣く泣く】《副》泣きながら。泣き泣き。

***なく・な・す【亡くなす】**《他五》→亡(な)くす。

***なく・な・す【無くなす】**《他五》→無(な)くす。

***なく・な・る【亡くなる】**《自五》この世に存在しなくなる。死ぬ。類語→死ぬ。

***なく・な・る【無くなる】**《自五》❶無い状態になる。「おそくなると電車が―・る」❷見あたらなくなる。「机の上の本が―・る」❸尽きる。「つきが―・った」類語①〜③無くなす。無くする。失う。うせる。失する。消える。消す。去る。逸する。滅する。落とす。見えなくなる。無に帰す。消えうせる。消え去る。かき消す。(する)紛失。遺失。消滅。亡失。忘失。滅失。滅却。喪失。消去。消却。抹消。解消。抹殺。消散。散逸。霧散。忘却。欠如。欠落。絶滅。

なく・も・がな【無くもがな】《連語》〔文〕〔いっそのこと〕ないほうがよい。「―の一言」類語あらずもがな。

なぐり・がき【殴り書き】《名・他サ》乱暴に書くこと。また、乱暴に書いた・もの(文字)。「―のメモ」

なぐり・こみ【殴り込み】 ❶〔やくざなどが〕他人の家などに隊を組んで乱入し暴力をふるうこと。❷勝負をしかけるために競争相手のところへ押しかけること。「外資系の店が―をかけてきた」

なぐり・つ・ける【殴り付ける】《他下一》強くなぐる。〔「なぐる」を強めた言い方〕

なぐり・とば・す【殴り飛ばす】《他五》〔相手が倒れるほど〕力いっぱいになぐる。

なぐ・る【殴る・▽撲る・×擲る】《他五》〔げんこつや棒など堅いもので〕力をこめて打つ。類語たたく。殴り付ける。殴り飛ばす。→打つ。文《四》。

***なげ【投げ】** ❶投げること。❷相撲で、相手を投げ倒すわざ。❸〔囲碁・将棋で〕石・駒(こま)を投げ出して自分の負けをみとめること。転じて、一般に勝負をあきらめること。類語投了(とうりょう)。❹取引で、相場が下がったために、

損を承知で転売などをすること。

***な-げ**【無げ】《形動》ないようなようす。存在を認めないようす。「事も—に立ち去る」

なげ-いれ【投(げ)入れ】「投げ入れ花」の略。花の生け方の一つ。型にとらわれずに、投げこんだように花を生けること。なげこみ。

なげ-い・れる【投げ入れる】《他下一》〔ものを〕投げて中へ入れる。投げこむ。「かごにボールを—・れる」

なげ-う・つ【×抛つ・×擲つ】《他五》❶なげつける。❷〔惜しげもなく〕なげすてる。すててかえりみない。「財産を—・つ」 類語 放棄。放擲。

なげ-うり【投(げ)売り】《名・他サ》〔損を覚悟で〕非常に安く売ること。捨て売り。 類語 ダンピング。

なげ-か・ける【投げ掛ける】《他下一》❶投げるように〔荒々しく〕掛ける。❷〔からだを〕投げつけるようにもたせかける。❸離れたところから届くようにする。「不幸の影を—・ける」❹提出する。「問題を—・ける」

なげかわし・い【嘆かわしい】《形》嘆きたくなるほど情けない。「—・い世の中」 文 なげかは・し《シク》。

なげき【嘆き】❶〔かえらぬことや思いにまかせぬことなどを〕悲しんで声に出すこと。「重なる不幸の—をきかされた」❷深く悲しむこと。❸悲しみいきどおること。「国民の—をよそに悪政をつづける」 類語 ①～③愁嘆。

なげき-あか・す【嘆き明かす】《自他五》夜明けまで嘆き通す。また、嘆きながら年月を送る。

なげ-キッス【投げキッス】自分の手にしたキスを、離れた相手に投げかけるようにすること。なげキス。

なげ・く【嘆く・×歎く】《他五》❶〔かえらぬことや思いにまかせぬことを〕悲しんで声に出す。「我が身の不幸を—・く」❷深く悲しむ。悲しいものと思う。❸悲しみいきどおる。「為政者の怠慢を—・く声」 文《四》。

なげ-くび【投げ首】投げ出すように首を前に傾けること。よい考えが浮かばず、半ばあきらめてしょんぼりしている状態。「思案—」

なげ-こみ【投(げ)込み】❶投げ込むこと。❷花の生け方の一つ。投げ入れ。❸新聞や本などにはさみこむ別刷りの印刷物。「—広告」

なげ-こ・む【投げ込む】《他五》❶投げて入れる。投げ入れる。「暖炉に薪を—・む」❷投手が、コンディション作るために多くの投球練習をする。

なげし【▽長▽押】和風建築で、柱と柱の間に水平に渡して取り付ける横木。

なげ-す・てる【投げ捨てる・投げ▽棄てる】《他下一》❶〔物を〕ほうり出して捨てる。❷ほったらかしにする。「仕事を—・てて遊ぶ」

なげ-だ・す【投げ出す】《他五》❶投げて出す。また、投げるように出す。無造作に置く。「机の上に本を—・す」❷差し出して他人の使用にまかせる。「財産を—・す」❸途中であきらめてやめる。「仕事を—・す」

なげ-つ・ける【投げ付ける】《他下一》❶当たるように強く投げる。強く投げてぶつける。❷相手に向かって強く言い放つ。「きつい冗談を—・ける」

ナゲット 鶏肉などを天ぷらごろもを使って油で揚げたもの。「チキン—」▽nugget(=金塊)

なげ-づり【投(げ)釣り】釣りで、リールを使い、えさをつけた釣り針を陸から遠く飛ばして釣る方法。

なげ-とば・す【投げ飛ばす】《他五》勢いよく投げる。手荒くほうり出す。「横綱が若手力士を—・す」

なけ-なし 出そうとしても、それだけしかないこと。ほんのわずかしかないこと。「—の知恵を絞る」

なげ-なわ【投(げ)縄】〔逃げる敵、野生の動物などを捕まえるために〕先端を輪に結んだ長いなわを投げること。また、そのなわ。「—の名人」

なげ-ぶみ【投(げ)文】〔だれからと知らせずに〕家の外からひそかに投げ込む手紙。

なげ-もの【投(げ)物】取引で、投げ売りの品物。

***なげ-やり**【投げ▽遣り】《名・形動》❶物事をやりかけたままで捨てておくこと。やりっぱなしにすること。❷すてばちになること。どうでもいいやという無責任な気持ち・態度を持つこと。「—な態度」 類語 やけ。

***なげ-やり**【投(げ)×槍】獲物に投げつける武器としての短いやり。また、競技用の投げ槍。

な・ける【泣ける】《自下一》《「泣く」の可能形》❶泣くことができる。❷感動のあまり涙が出てくる。また、泣きたくなるほど感動する。「—・ける話じゃないか」

な・げる【投げる】《他下一》❶手に持って〔遠くへ〕とばす。ほうる。「ボールを—・げる」❷手でつかんだり、かかえたりして相手をたおす。〔柔道・相撲などでいう〕❸光線・視線などをあてる。「視線を—・げる」❹自分の身をほうりだす。〔水や鉄道などに〕飛び込んで自殺をはかる。「身を—・げる」❺あきらめる。ほうりだす。「試合を—・げる」 文 な・ぐ《下二》。

なこうど【〈仲人〉】《「なかびと」の音便》結婚のなかだちをする人。媒酌人。月下氷人。なかうど。 **—ぐち**【—口】仲人が縁談をまとめるために、紹介相手のことをうまく言うことば。

な-ごし【▽夏越】「夏越の祓」の略。陰暦六月晦日に行われる、祓いの行事。夏越の祓い。

なご・む【和む】《自五》〔心持ち・表情などが〕おだやかになる。なごやかになる。「心が—・む音楽」 文《四》。

なごや-おび【名古屋帯】垂れの部分をふつうの帯幅に、胴にまわす部分をその半分の幅に仕立てた、しめやすい女帯。 参考 名古屋から流行しはじめたという。

なご-やか【和やか】《形動》〔気分がうちとけて〕おだやかなようす。「—な会合」 類語 和気藹々。

***なごり**【▽余▽波】《「波残り」の意》風がやんでも静まらない波。余波。「台風の—」 表記 「名残」とも書く。

***なごり**【〈名残〉】❶物事が過ぎ去った後に、なおそれを思わせるようなようす・おもかげ・気分が残っていること。また、そのようす・おもかげ・気分。 類語 余韻。❷別れのときなどの、別れることが思いきれず、心がひかれる気持ち。「—を惜しむ」❸連歌・俳諧で、懐紙の最後の紙。「—の折り」 注意 送りがなは「名残り」としない。 **—おし・い**【—惜しい】《形》心がひかれて別れがたい。 **—きょうげん**【—狂言】興行地で最後に演ずる狂言。または、役者がその職から退こうとする時に演ずる狂言。 **—の-つき**【—の月】❶陰暦九月一三日の夜の月。❷夜明けにまだ残っている月。有明けの月。明け方の月。 類語 残月。

なさい《「なさる」の命令形。本来、動詞「なさる」の連用形の音便形「なさい」＋「ませ」の省略された形》㊀《他五》…しなさい。「好きに—」㊁《補動》《動詞連用形〔漢語サ変動詞では語幹にも〕について助動詞的に用いる。また、「お」＋動詞連用形、「ご」＋漢語につく》話し手と同等または目下の相手に対する、やわらかな調子の命令を表す。「なさる」の他の活用形にくらべて、相手に対する敬意またはていねいの気持ちの程度は大きくない。「早く学校へ行き—」[参考]「お…なさい」の形になると、相手に対する敬意の程度が大きくなる。「よかったらお食べ—」↓なさる。

なさけ【情け】 ❶他人をあわれむ心。思いやりの心。「—を掛ける(=目下の者に親切にする。目下の異性を寵愛(ちょうあい)する)」 ❷異性間の愛情。恋心。「—を交わす(=互いに愛情を抱く。男女が肉体関係をもつ)」

—が仇(あだ)《句》好意が逆効果になって相手のためにならなくなること。恩が仇(あだ)。

—は人の為(ため)ならず《句》人に情けをかければ巡り巡って自分によい報いがあるということ。[参考]最近、誤って「情けをかけると甘やかすことになってその人のためにならない」という意味に解されている。

なさけ・しらず【情け知らず】 人に対する思いやりの心がない・こと(人)。「—の悪党」[類語]無情。薄情。

なさけ・な・い【情け無い】《形》❶なさけ心がない。思いやりがない。無情である。「—・い仕打ちを受ける」 ❷あまりに・非力(貧弱)で、期待できない。ふがいなくて嘆かわしい。みじめである。「—・いかっこう」

なさけ・ぶか・い【情け深い】《形》思いやりの心が強い。あわれみ深い。「—・い人」

なさけ・ようしゃ【情け容赦】《ふつう、否定の形で用いる》同情して許すこと。「—もなく税金をとる」

な・ざし【名指し】《名・他サ》名まえをさし示すこと。指名。「—で非難する」「—で命令する」

なさぬ・なか【▽生さぬ仲】《連語》肉親でない親子の間がら。義理の親子関係。「—の継母」[参考]↓生す。

なさ・る【▽為さる】 **一**《他五》「なす」「する」の尊敬語。「そんなことは—・らないでください」文《四》。 **二**《補動》《動詞の連用形(漢語サ変動詞では語幹にも)について助動詞的に用いる。また、「お」+動詞連用形、「ご」+漢語につく》尊敬の意を表す。「お金を都合—・る」 [参考](ア)一二とも、口語では連用形に「なさい(ます)」「なさっ(た)」を用いることがある。「なさっ(た)」は「なすっ(た)」となることもある。「お寺へ往(ゆ)きなすった」(イ)一二とも、命令表現は現在、ふつう「なさい」を用いる。「なされ」は古風な言い方。「そこへお座りなさい」「まあこれを見なされ」(ウ)二の命令形「なさい」は、「ごめんなさい」「おやすみなさい」のように命令の意がうすれて、単にあいさつ語として用いられることもある。(エ)↓なさい。[類語]あそばす。文《四》。

なし【×梨】 バラ科の落葉高木。四～五月、白い五弁花が開き、秋に水分の多い大きな実を結ぶ。[参考]「無し」と通ずるのを忌んで「ありのみ」ともいう。

—の礫(つぶて)《句》こちらからたよりを送っても返事のないこと。音さたのないこと。[参考]「礫」は投げたらかえらないことから。「梨」は「無し」の掛けことば。

なじか・は《副》《「何しかは」の転》〔文〕どうしてか(は)。なぜか(は)。「—知らねど心わびて…」

なし・くずし【▽済し崩し】〔物事をいっぺんにではなく〕少しずつ片づけていくこと。「—の解決」

なし・じ【×梨子地】 ❶蒔絵(まきえ)の技法で、金銀の粉をまいた上に漆を塗って粉を透視させたもの。ナシの表皮に感じが似る。❷「梨子地織り」の略。しゅす織りを変化させて作った織物。布面が、ナシの表皮のようにざらざらした感じにみえる。花崗(みかげ)織り。

なし・と・げる【成し遂げる・▽為し遂げる】《他下一》物事をやりとげる。完成する。「研究を—・げる」

な・じみ【×馴染(み)】 ❶なじんだ・こと(人)。つきあいのある・こと(人)。「—が薄い」 ❷情交。また、情交のある相手。

な・じ・む【×馴染む】《自五》❶〔人・物事に〕なれて親しみを持つ。〔人に〕なつく。「子どもが下宿人に—・む」「耳に—・んだ曲」 ❷ひとつにとけ合う。調和する。「漬物がぬかみそに—・む」 ❸適合する。そぐう。「この訴訟は憲法判断に—・まない」文《四》。

ナショナリスト 国家主義者。国粋主義者。民族主義者。▽nationalist

ナショナリズム ❶〔植民地主義・帝国主義に対して〕民族主義。❷〔国際主義に対して〕国民の利益・団結などを高めようとする思想・運動。国民主義。❸国家主義。国粋主義。▽nationalism

ナショナル《形動》国民・国家の立場にあるようす。国民的。国家的。▽national **—トラスト** 自然環境や史跡などを守るため、住民の寄付を募って、土地や建物を購入し、自主管理する運動。また、その団体。国民環境基金。▽National Trust

なじ・る【▽詰る】《他五》〔相手の悪い点や不満な点を〕とがめて責める。詰問(きつもん)する。非難する。文《四》。

＊なす【×茄子・×茄】 ナス科の一年草。夏から秋にかけて紫色の花が咲き、倒卵形または球形で暗紫色の実がなる。食用。なすび。

＊な・す【成す】 **一**《他五》❶つくり上げる。しとげる。「産を—・す」 ❷ある形・状態などを表す。かたちづくる。つくる。「返品が山を—・す」 ❸他の・もの(状態)に変える。「災いを転じて福と—・す」文《四》。 **二**《接尾》❶…してそのようにする。ことさら…する。「事実だと言い—・す」 ❷〔文〕《多く体言について》「まるで…のようである」の意。「山—・す書類」文《四》。

＊な・す【▽済す】《他五》〔文〕❶物事を終わらせる。すませる。❷〔借金などを〕返済する。返す。「借る時の地蔵顔—・す時の閻魔顔(えんまがお)」文《四》。

＊な・す【▽為す】《他五》〔文〕〔ある行為を〕する。行う。「大事を—・す」「—・す術(すべ)もない」文《四》。

＊な・す【▽生す】《他五》〔文〕産む。「子まで—・した仲」文《四》。

なす・こん【×茄子紺】 ナスの実の、赤みの多い紺色。

なずな【×薺】 アブラナ科の越年草。春の七草の一つ。道ばたなどに自生し、春夏のころ白い小さな花が咲く。若葉は食用。実の形が三味線のばちに似ているので、「三味線草」「ぺんぺん草」ともいう。

なすび【×茄▽子・×茄】↓なす(茄子)。

なず・む【▽泥む】 **一**《自五》❶はかばかしく進まない。とどこおる。❷こだわる。拘泥(こうでい)する。「陋習(ろうしゅう)に—・む」[表記]①②は「滞む」とも書く。❸なれ親しむ。なじむ。「芸名と本人の感じが—・まない」文《四》。 **二**《接尾》その動作・動きがなかなか進まない意。「暮れ—・む」文《四》。

なすり・あい【▽擦り合い】〔罪や責任を〕互いに相手に負わせようとすること。「事故の責任の—」

なすり・つ・ける【▽擦り付ける】《他下一》❶こすりつける。❷〔罪や責任を〕他人に負わせる。

なす・る【▽擦る】《他五》❶こすってつける。ぬりつける。❷〔罪や責任を〕他人に負わせる。文《四》。

なぜ【▽何▽故】《副》どうして。どういうわけで。なに故。「—帰るのか」「—か悲しい」

なぜ・なら【▽何▽故なら】《接続》《「—ば」の形も》ど

うしてかというと。そのわけは。何となれば。

***な・ぜる**【×撫ぜる】《他下一》「なでる」のなまり。

***なぞ**【×謎】❶なぞなぞ。❷〔物事を〕はっきり言わずに遠まわしに言うこと。また、そのことば。「あの人のことばにはーがある」❸意味・内容がわかりにくい・もの(こと)。解決がつかない・もの(こと)。「宇宙のー」

ーを掛・ける《句》❶なぞなぞの題を出して問う。❷はっきり言わないで、遠回しにほのめかして言う。

ーを解・く《句》❶出されたなぞなぞの答えを言い当てる。❷遠回しにほのめかして言われたことの意味を悟る。❸不明な点を明らかにする。

***なぞ**《副助》《「なにぞ」「なんど」の転》など。〔やや俗語的な言い方〕

なぞ・なぞ【×謎×謎】《「なんぞなんぞ」と問う意から》言語遊戯の一つ。ことば・文章の中に意外な意味をかくした問題を出して、その意味を当てさせるもの。なぞ。なぞあて。なぞかけ。クイズ。

なぞら・える【▽準える・▽准える・▽擬える】《他下一》〔文〕〔他の物に〕似せる。準ずる。また、似ている他の物と比べて考える。擬する。なずらえる。「人生を旅にーえる」文なぞら・ふ《下二》

なぞ・る《他五》《「などる」の転》❶〔すでに書いてある〕文字・絵などの上をなすって書く。❷〔すでに作られている〕詩・文章などをそっくりまねする。

なた【×鉈】薪割りなどに使う短く厚く幅広の刃物。

ーを振る・う《句》〔ある問題について〕思いきった整理をする。「予算にーって緊縮財政をとる」

なだ【×灘】❶波が荒くて、航海が困難な海。〔ふつう単独では用いられない〕「玄界ー」「熊野ー」❷「灘酒」の略。神戸の灘地方に産する清酒。「ーの生一本(=灘産のまじりけのない良質の酒)」

***な・だい**【名代】名が世間に広く知られていること。名高いこと。有名。「ーの老舗」

***な・だい**【名題】❶姓名や物の名を表題にかかげること。また、その表題。❷「名題看板」の略。芝居小屋の表に、狂言の題や役者の名・絵などをかいてかかげる看板。❸「名題役者」の略。名題看板にのる資格を持った幹部級の役者。

な・だか・い【名高い】《形》名が世間に広く知られている。「桜でーい地方」類語名うて。名だたる。名に負う。有名。高名。著名。音に聞こえた。

な・だたる【名立たる】《連体》有名な。著名な。評判の。「ー作家」表記ふつう「名だたる」と書く。

な・たね【菜種】アブラナの種。**ーあぶら**【ー油】菜種からしぼり取った油。食用・灯用・工業用に使う。たねあぶら。**ーづゆ**【ー〈梅雨〉】菜の花の咲く三月下旬から四月にかけて、いつまでも雨が降りつづくこと。また、その長雨。春霖。

なた・まめ【×鉈豆・▽刀豆】マメ科の一年生つる植物。夏、淡紅または白いチョウ形の花が咲いたあと、なた状の大形のさやがつく。種も平たい。食用。

なだめ・すか・す【×宥め×賺す】《他五》やさしい言葉をかけてやわらげる。「泣いている子どもをーす」

なだ・める【×宥める】《他下一》〔怒りなどの荒れた気持ちを〕やわらげしずめる。文なだ・む《下二》

なだ・らか《形動》❶おだやかなようす。とげとげしくないようす。「ーな声」❷順調なようす。「ーに交渉が進む」❸〔山・丘などの〕傾斜がゆるやかなようす。

なだれ【〈雪崩〉】山の斜面に積もった雪が、一時に激しい勢いで崩れ落ちること。

ーを打・つ《句》〔雪崩が起こるように〕大勢の人が非常な勢いで一度に動き出すたとえ。「ーって敗走する」

なだれ・げんしょう【〈雪崩〉現象】〔雪崩のように〕物事の勢いや影響がどんどん大きくなり、押しとどめることができない状態。「世界的インフレのーが起きる」

なだれ・こ・む【▽傾れ込む・▽雪崩(れ)込む】《自五》大勢の人が一度に勢いよくどっとはいりこむ。

なだ・れる【▽傾れる・▽雪崩(れ)る】《自下一》❶斜めに傾く。❷雪崩を起こす。くずれおちる。「崖がーれる」❸一度にどっと押しよせる。表記②③は「雪崩れる」と書く。文なだ・る《下二》

ナチス「国家社会主義ドイツ労働者党」の通称。一九一九年に結成され、ヒトラーが党首となって、反ユダヤ主義・反マルクス主義・反民主主義・大ドイツ主義を唱えたファシズム政党。一九四五年、ドイツの敗戦で壊滅した。ナチ。参考Nazis は Nationalsozialist の略の複数形。▽ドイツ Nazis

ナチズム ナチスの政治理念・支配体制。ナチス主義。▽Nazism

ナチュラリスト❶自然主義者。自然科学者。❷自然愛好家。▽naturalist

ナチュラリズム 自然主義。▽naturalism

ナチュラル ㊀《形動》自然であるようす。「今年の服はーなラインが特徴だ」対アーティフィシャル。㊁《名》半音上げたり半音下げたりした音を、もとの高さにもどす記号の称。本位記号。「♮」。▽natural

なつ【夏】四季の一つ。一年のうちで、最も暑く昼間の長い季節。⇩〔類語と表現〕

類語と表現「夏」

＊夏になる・夏が来る・本格的な夏を迎える・夏を越す・この夏は山荘で過ごす・夏も涼しい高原・夏の盛り・夏の日盛り・明けやすい夏の空／夏休みを取る。

◆〔月の異称・陽暦では六〜八月、陰暦では四〜六月〕陰暦四月…卯月・孟夏・初夏・麦秋・卯の花月／陰暦五月…皐月・仲夏・五月雨月／陰暦六月…水無月・季夏・晩夏・常夏月

◆〔二十四節気〕立夏(五月六日ごろ)・小満(五月二一日ごろ)・芒種(六月六日ごろ)・夏至(六月二一日ごろ)・小暑(七月七日ごろ)・大暑(七月二三日ごろ)・立秋(八月八日ごろ)・処暑(八月二四日ごろ)

◇〔雑節・節句〕八十八夜(五月二日ごろ)・端午の節句(五月五日)・入梅(六月一一日ごろ)・半夏生(七月二日ごろ)・七夕(七月七日)・土用(七月二〇日ごろ)

◆〔手紙の挨拶〕六月…初夏の候・向暑の砌・梅雨空のうっとうしい頃／七月…盛夏の候・炎暑の砌・海山の恋しい季節／八月…残暑の候・晩夏の砌・朝夕にようやく凌ぎやすさを覚える頃

なつ・いん【×捺印】《名・自サ》印鑑をおすこと。押印。捺判。「契約書にーする」

なつ・がけ【夏掛け】夏に用いる薄い掛け布団。

なつかし・い【懐かしい】《形》❶心がひかれる。親しくしたい気持ちだ。慕わしい。「ーい人柄」❷〔過去の

な

ことが〕思い出されて慕わしい。「━い故郷」文なつか・し《シク》。

なつかし・む【懐かしむ】《他五》なつかしく思う。なつかしがる。「昔を━む」類語〔るす〕懐古。文《四》。

なつ・がれ【夏枯れ】夏期、一時、客の入りが落ちて不景気になること。対冬枯れ。

なつ・ぎ【夏着】夏着る衣服。なつごろも。対冬着。

なつ・く【懐く】《自五》なれ親しむ。近づきなじむ。なずく。「飼い主によく━いた犬」

なつ・くさ【夏草】夏においしげる草。

ナックル 指の関節。▽knuckle **━ボール** 野球で、投手が親指と小指の間にボールをはさみ、おし出すようにして投げるボール。回転がほとんどかからず、不規則に変化する。▽knuckle ball

な・づけ【名付(け)】名をつけること。命名。**━おや【━親】**〔親以外で〕生まれた子に名をつける人。名親。

なつ・ける【懐ける】《他下一》なれ親しむようにする。なつかせる。類語てなずける。文なつ・く《下二》。

な・づ・ける【名付ける】《他下一》❶〔人・物に〕名をつける。命名する。「長女は花子と━けた」❷いう。呼ぶ。称する。「これを三平方の定理と━ける」

なつ・ご【夏▽蚕】養蚕で、七、八月ごろ、ふ化・飼育されるカイコ。

なつ・こ・い【懐こい】《形》人見知りせず、すぐ人になれて親しむ性質だ。ひとなつこい。なつっこい。

なつ・こだち【夏木立】夏の、青々と生いしげった木立。対冬木立。

なつ・さく【夏作】夏に育って秋に収穫される作物。イネ・ダイズ・タバコなど。夏作物。対冬作。

なつ・じかん【夏時間】〔仕事の能率や、エネルギー節約のため〕夏の一定期間だけ、通常の時刻を繰りあげる制度。夏時刻。サマータイム。

ナッシング 何もないこと。ゼロ。無。「オール、オア、━」参考特に野球で、ボールのカウントがゼロの意。「ツー━(=ツーストライク、ノーボール)」▽nothing

なっ・せん【×捺染】《名・他サ》染色法の一つ。ふつう、布地に糊性の染料で、模様を印刷したのち水蒸気をあてて染め付ける。押し染め。プリント。

ナッツ クルミ・アーモンドなどの、かたい木の実の総称。▽nuts

ナッツメッグ→ナツメグ。▽nutmeg

ナット 中心部に雌ねじをもち、ボルトと組み合わせて部品などのしめ付け・固定に使う道具。▽nut

なっ・とう【納豆】❶よく煮た大豆を納豆菌で発酵させて作った食品。糸引き納豆。❷発酵させた大豆に塩けを加えて乾燥させた食品。浜納豆・寺納豆の類。

なっ・とく【納得】《名・他サ》〔ある考え・行為を〕理解して、もっともだと認めること。理解して、のみこむこと。得心。「自分で━のいく文章」類語承知。了解。

なつ・どなり【夏隣】夏に近くなった季節。晩春。参考俳句の季語。

なつ・どり【夏鳥】渡り鳥のうち、春、日本に渡ってきて繁殖し、秋に去る鳥。ツバメ・カッコウなど。

なつ・ば【夏場】夏のころ。夏の間。対冬場。

なっ・ぱ【菜っ葉】菜の葉。また、葉を食用とする野菜類。**━ふく【━服】**❶青い色の作業服。青服。❷労働者。特に、工場労働者。ブルーカラー。

なつ・ばしょ【夏場所】大相撲本場所の一つ。毎年五月に東京の国技館で行われる。五月場所。

なつ・ばて【夏ばて】《名・自サ》〔俗〕夏の暑さのためにからだが弱ること。夏負け。「━で元気がない」

なつ・び【夏日】一日の最高気温が摂氏二五度以上の日。参考→真夏日。対冬日。

ナップ・ザック リュックサックを手軽く、簡単なつくりにしたもの。ふつう、背負いひもと口ひもが細引きで一体となっている。ナップサック。▽knapsack

なつ・まけ【夏負け】《名・自サ》夏の暑さのために、体力がおとろえること。夏ばて。「━で食欲もない」

なつ・まつり【夏祭(り)】夏に行われる祭り。

なつ・みかん【夏×蜜×柑】ミカン科の常緑低木。水分の多い大形の実をつける。酸味が強い。

なつ・むき【夏向き】暑い夏の季節に適している・こと(もの)。「軽快な━の服」

なつめ【×棗】❶クロウメモドキ科の落葉低木または小高木。夏に黄白色の花を開き、楕円[だえん]形の実をつける。実は、食用・漢方薬用。❷茶の湯で、形がなつめの実に似た、抹茶用の茶入れ。

ナツメグ ❶ニクズク科の常緑高木。にくずく。❷ナツメグ①の種子。また、それからとった香味料。=ナッツメッグ。▽nutmeg

なつめ・やし【×棗×椰子】ヤシ科の常緑高木。熱帯各地で栽培され、果実を食用にする。

なつ・メロ【懐メロ】「懐かしのメロディー」の略。かつてのヒット曲。

なつ・もの【夏物】夏の間に使う物。特に、夏の衣料品。「━処分市」

なつ・やすみ【夏休み】〔学校などで〕夏の暑さを避けるため、最も暑い期間に授業などを休むこと。類語暑中休暇。夏期休暇。

なつ・やせ【夏×痩せ】《名・自サ》夏の暑さに負けて、からだがやせること。

なつ・やま【夏山】❶〔青々とした〕夏の山。❷〔登山の対象としての〕夏の山。対冬山。

なで・あ・げる【×撫で上げる】《他下一》〔髪の毛などを〕なでて上にあげる。

なで・おろ・す【×撫で下ろす】《他五》❶上から下へむけてなでる。❷〔「胸を━す」の形で〕安心する。ほっとする。「家族が無事と聞いて胸を━した」

なで・がた【×撫で肩】〔なで下ろしたように〕やさしくなだらかに下がっている肩。対怒り肩。

なで・ぎり【×撫(で)切り・×撫(で)×斬り】《名・他サ》❶なでるように刃物を動かして切ること。❷片端から次々に切り倒すこと。「新入幕で上位を━にする」

なでし・こ【×撫子・×瞿×麦】ナデシコ科の多年草。夏から秋に、淡紅色の小花が咲く。秋の七草の一つ。種子は薬用。かわらなでしこ。

なで・つ・ける【×撫で付ける】《他下一》なでておさえつける。特に、乱れた髪をくしなどでかき上げておさえ整える。「髪の毛を━ける」

な・でる【×撫でる】《他下一》❶〔手のひらで〕軽くゆっくりとこする。類語擦[さす]る。〔るす〕愛撫[あいぶ]。❷㋐物が他の物に軽く触れて動く。「後れ毛が頰[ほお]を━でる」㋑無遠慮に見まわす。「冷たい視線で━でる」❸髪にくしを入れて整える。文な・づ《下二》。

な・と《副助》《副助詞「なりと」の転》→なり〔副助〕。

***など【▽何】**《副》《「なにと」の転》〔古〕なぜ。

＊な‐ど《副助》《「何(なに)」＋助詞「と」が、「なんど」→「など」と転じたもの》〔俗語的な言い方では「なんぞ」「なぞ」とも。「なんど」は古風かつ方言的。いろいろな語につく〕❶例としてあげられていることを示す。〔ふつう、他にも同類のものがあるといった気持ちがこもる〕「横浜や神戸などの港町が好きだ」「テレビを見るなどして過ごす」 参考 例は尽くしたつもりだが、まだ他に同類のものがあるかもしれないといった気持ちで添えられる「など」は、それ相応に有用に働き、かつ表現をやわらげる効果があるが、一方で意味が曖昧(あいまい)になる。「活用する品詞に動詞・形容詞・形容動詞・助動詞などの四種がある」の場合では「など」は不要。❷それだけとは限らない形で、あくまで一例としてあげるのに使う。〔表現をやわらげるのに役立つ〕「これなどはいかがですか」❸〔下に否定的意味を伴い〕例示する形で、軽視・謙遜(けんそん)の気持ちを含ませるのに使う。「結婚なぞは二度としない」「私なんぞにはとても無理です」❹〔下に否定的意味を伴い、引用句を受け、それを例示する形で〕その意見を承服できないものとして強く反論するのに使う。〔意見に対する軽視の気持ちがこもる〕「地球が自転しているなどとは(=なんて)信じがたい」 参考 ❷〜❹は、くだけた言い方では「なんか」とも。「なんぞ」「なぞ」は❸❹の意で使うことが多い。

な‐どころ【名所】❶名がよく知られて評判の高い所。めいしょ。「梅の—」❷姓名と住所。❸道具・器物などの各部分の名称。「刀の—」

な‐とり【名取(り)】芸事の技量が上達し、師匠から、師匠あるいはその流派に由緒ある名を名のることを許されること。また、その人。「踊りの—」

ナトリウム アルカリ金属元素の一つ。銀白色でやわらかく、酸化しやすい。元素記号Na。▽ドイツ Natrium

なな【七】ななつ。しち。参考「しち」と「いち(一)」とがまぎれやすいので、この言い方をよく使う。

なな‐いろ【七色】❶七つの色。「—のにじ」❷七種類。**—とうがらし**【—唐辛子】七味(しちみ)唐辛子。

なな‐え【七重】❶七つ重ねること。❷いくえにも重ねること。

—の膝(ひざ)を八重に折・る《句》〔腰を低くして〕ていねいな上にもていねいな態度で嘆願するようす。

なな‐かまど【七×竈】バラ科の落葉高木。秋に美しく紅葉して赤い実をつける。材は堅く細工物用。

なな‐くさ【七草】❶七種類。❷七種類の草。特に、春の七草や秋の七草。❸「七草の節句」の略。五節句の一つ。正月七日、七草がゆを食べ、その年の健康を祝う。 表記「七種」とも書く。**—がゆ**【—×粥】正月七日に、春の七草を入れた菜がゆ。

なな‐こ【▽魚子・斜子】彫金で、金属の表面に、魚卵のような小さな粒状の模様を突起させた細工。

ななころび‐やおき【七転び八起き】何度の失敗にもめげず、そのたびに勇気をふるい起こして立ち上がること。また、人生には浮き沈みが多いことのたとえ。七転八起(しちてんはっき)。「—の人生」 類語 不撓不屈(ふとうふくつ)。

な‐なし【名無し】名がない・こと(人・もの)。「—草」**—の‐ごんべえ**【—の権▽兵▽衛】〔俗〕名のわからない人をふざけて言う擬人名。

ななそ‐じ【七▽十・七▽十路】〔雅〕❶七〇。❷七〇歳。七〇年。

なな‐つ【七つ】❶一の七倍。しち。なな。❷七歳。❸昔の時刻の名。今の午前および午後の四時ごろ。七つ時。「お江戸日本橋—だち」

ななつ‐さがり【七つ下(が)り】❶夕方の七つ、すなわち午後四時を過ぎたころ。日暮れどき。❷物事が盛りの時を越したこと。空腹・欠乏しはじめること、物の古びたこと、衣服などの色のあせたことなど。

ななつ‐どうぐ【七つ道具】❶昔、戦場に出る武士が身に着けたという七種の武具。七つ物。❷常に、ひとそろいにして携帯する身の回りの道具。また、ある仕事に必要な諸道具。「大工の—」

ななつ‐の‐うみ【七つの海】世界じゅうの海。南太平洋・北太平洋・南大西洋・北大西洋・インド洋・南氷洋・北氷洋の七洋をいう。「—に雄飛する」

ななつ‐や【七つ屋】〔俗〕質屋。一六銀行(いちろくぎんこう)。 参考「七(しち)」と「質(しち)」とを掛けたことば。

なな‐なぬか【七七日】人の死後四九日(に行う法事)。なななのか。しちしちにち。四十九日。

なな‐ひかり【七光(り)】主人や親の威光が大きく、家臣や子がその恩恵を受けること。「親の—」

なな‐ふしぎ【七不思議】ある地域や人・自然などにかかわる、七つの不思議な事柄。

なな‐まがり【七曲(が)り】《名・自サ》〔道や坂などが〕いくえにも折れ曲がっている・こと(ところ)。

ななめ【斜め】《名・形動》❶水平または垂直な直線・平面に対して傾いていること。はす。「日が—になる(=太陽が西に傾く)」❷〔考え方・行動などが〕ゆがんでいること。ふつうの状態とちがっていること。斜(しゃ)。「世の中を—に見る」「御機嫌—だ(=機嫌が悪い)」

ななめ‐なら‐ず【斜めならず】《連語》〔機嫌・喜びなどが〕ひととおりでない。甚だしい。なのめならず。

なに【何】■一《代名》❶名称のわからない物・事や、正体のはっきりそれと言えない物・事をさす語。「これは—か」❷すぐにはっきりそれと言えない物・事や、ぼかして言う必要がある物・事をさす語。「家を建てるって、—(=金)はあるのか」 類語 あれ。❸ある代表的な物・事をあげ、その他の物・事を省略して一まとめにしてさす語。「服も—も全部びしょぬれだ」 参考 ①〜③ともに、口語では(特に助詞・助動詞と複合する場合には)「何(なん)」となることが多い。↓なにか・なにも。■二《感》❶驚いたり、念を押したり、反問したりするときに発する語。「—、大けがだって」❷それほど大したことではないという意味で、相手のことばや前に述べた自分の気持ちを否定するときに用いる語。「—、かまうものか」■三《副》《下に打ち消しを伴って》少しも。全く。一切。何一つ。「—不自由なく」

—するものぞ《句》一体何ができようか、大したことはない。「アメリカ—という無謀な考え」

—をか言わんや《句》《「か」は反語の助詞》あきれ果ててそれ以上何を言っても仕方がない。言うべきことばもない。何を言うことがあろうか。

なに‐か【何か】■一《連語》❶任意の物・事、また、不定の物・事をさす。「—質問はないか」❷それらに類する不特定のあるものをさす。「病気か—で欠席している」■二《副》どことなく。どうしてか。なぜか。なんか。「—元気のない顔だ」

なに‐がし【▽某・何▽某】《代名》人・物の名や数量がはっきりしないものを言う語。また、知っていてもぼかしたり、あまり多くないのではっきりさせなかったりするときに言う語。「一〇〇〇円—の金」「何の—と名乗る」 表記 物や数量の場合は「何がし」と書く。

なにか‐しら【何かしら】《連語》《「何か知らん(ぬ)」

の略》❶「何か」を強めて言う語。なんだかわからない、あるもの。「彼はいつも─読んでいる」❷何かわからないが。どことなく。「─さびしい秋の暮れ」

なにか‐と【何▽彼と】《副》あれこれと。いろいろと。「─お世話になります」

なにが‐なし【何が無し】《副》《「何か無し」の転》《「─に」の形も》なんということなく。なんとなく。なにかなし。「─気がめいっている」

なにが‐なんでも【何が何でも】《連語》❶どんなことがあっても。なんとしてでも。「─資格をとりたい」❷いくらなんでも。

なに‐くそ【何×糞】《感》〔俗〕へこたれそうなとき、自分の気持ちをふるい起こして発する語。

なに‐くれ【何くれ】《代名・副》《副詞は「─と」の形も》あれこれ。いろいろ。だれかれ。「─(と)面倒をみる」

─と‐なく【─と無く】《連語》なにやかやと。いろいろと。「─世話をする」

なにくわぬ‐かお【何食わぬ顔】《連語》〔事情を十分知っていながら、また、ある意図を持ちながら〕何も知らないというような顔つき。まったく関係がないといった顔(ふるまい)。そしらぬ顔。

なにげ‐な・い【何気無い】《形》これといってはっきりした目的や意図を持たずに(相手に感じさせずに)ふるまうようす。「─・い風をよそおう」

なにげ‐に【何気に】《副》〔俗〕❶これということなく。なにげなく。「掲示板を─見た」❷そうとは思っていなかったが、意外にも。「─いい店だね」参考 形容詞「何気ない」の「ない」を「に」にかえて副詞としたものか。

なに‐ごと【何事】❶どんなこと。何ということ。「─が起こったのだろう」❷《「─も」》何もかも。万事。「─も承知の上だ」❸《「─だ」》何ということ。何とけしからぬこと。〔非難の気持ちをこめて使う〕「遅刻するとは─だ」

なに‐さま【何様】一《名》❶何という(名の)方。「─ですか」❷名のあるえらい方。〔ふつう、非難の意をこめて使う〕「自分をいったい─だと思っているんだ」二《副》いかにも。まったく。「─そういうこともあるだろう」

なに‐しろ【何しろ】《副》とにかく。なんにせよ。なにせ。なにぶん。「─元気な男だから、すぐ立ち直るさ」

なに‐せ【何せ】《副》《「何にせよ」の転》何しろ。

なに‐とぞ【何▽卒】《副》❶なんとか(して)。❷《相手に願望する言葉に添えて》どうぞ。どうか。ぜひ。「─よろしくお願いします」

なに‐なに【何何】一《代名》不明・不確定の事物や特に具体的に言う必要のない事物を並べたてるときに使う語。何と何。類語 しかじか。二《感》その事を意外に思うとき、軽い驚きと、その事を確認・反問しようという気持ちを含めて発する語。また、手紙・書類などを読み始めるときに「何が書いてあるのかな」という気持ちを含んで発する語。「─、日本が優勝したって」

なに‐は‐さておき【何は×扨▽措き】《連語》ほかの事はさしおいても、これだけは。「─駆けつける」

なに‐は‐ともあれ【何はともあれ】《連語》ほかの事はどうあっても。ともかく。「─合格だ」

なに‐は‐なくとも【何は無くとも】《連語》❶ほかには何一つないが。格別の物はないけれども。「─まず一献」❷ほかの物はさしおいても。

なに‐びと【何人】〔文〕↓なんぴと。

なに‐ひとつ【何一つ】《連語》《下に打ち消しの語を伴って》「なにも」「一つも」を強めた言い方。まったくなにも。ただの一つとして。「私は─知りません」

なに‐ぶん【何分】一《名》不定の程度・数量などを表す。いくらか。なんらか。〔ふつう、「(か)の」を伴って連体詞的に用いる〕「─(か)の寄付は必要だろう」二《副》❶どうか。どうぞ。なにとぞ。❷なんといっても。とにかく。「─まだ若い」❸そうはいっても。

なに‐ぼう【何某】具体的に名前をあげずに人を指す語。ある人。なにがし。「A社の─の情報によると…」

なに‐ほど【何程】一《名》どのくらい。どれだけ。いかほど。二《副》いかに。どんなに。「─言われても」

なに‐も【何も】《副》❶どんなことも。なにもかも。「痛みも─忘れて」❷《下に打ち消しの語を伴う》何一つ。まったく。「私は─知らないのです」❸特にとりたてて。「─そう腹をたてることもないでしょう」

なにも‐かも【何も▽彼も】《連語》すべて。一切。

*__なに‐もの【何物】__いかなる物。どんな物。

*__なに‐もの【何者】__姓名・身分などのわからない者をさして言う語。どういう人。だれ。

なにや‐かや【何や▽彼や】《連語》あれやこれや。いろいろ。なんやかや。「─苦労が多い」

なに‐やつ【何▽奴】〔文〕どういうやつ。何者。

なに‐やら【何やら】《副》何かしら。何だか。〔不明の物事をさして言う〕「─やっているらしい」

なに‐ゆえ【何故】《副》《「─に」の形も》なぜ。どうして。〔古風な言い方〕「─(に)欠席したのか」

なに‐より【何より】一《名》どんなものよりもいちばんよいこと。「─のごちそうです」二《副》どんなものよりもいちばん。このうえなく。「─健康が大切だ」

なにわ【▽難▽波・▽浪▽速・▽浪▽花・▽浪▽華】大阪地方の古称。

─ぶし【▽浪▽花節】大衆芸能の一つ。三味線の伴奏で演ずる、うなりの入った語り物。演目の多くは義理人情を主題とする。浪曲。

─ぶし‐てき【▽浪▽花節的】《形動》義理人情にとらわれ、通俗的で古風なようす。

─の葦は伊勢の浜荻《句》〔難波でいう植物のアシを伊勢ではハマオギと呼ぶように〕物の呼び名や風俗・習慣は土地ごとに違うことのたとえ。

なにを‐か【何をか】《連語》《「か」は反語の助詞》〈多く、「…んや」で結んで〉反語・疑問の意を表す。「─言わんや(=あきれ果てて何も言えない)」

なぬ‐か【七日】なのか。

─しょうがつ【─正月】正月七日の七草の節句。七草がゆなどを食べて祝う。

な‐ぬし【名主】江戸時代、村の長。参考 ↓庄屋。

ナノ《接頭》〔単位名の上につけて〕一〇億分の一を表す語。▽nano-

─テクノロジー ナノメートル(=一〇億分の一メートル)の精度を扱う技術。半導体・医療技術などに応用される。▽nanotechnology

なの‐か【七日】《「なぬか」の転》❶月の第七日。❷七つの日数(の間)。一週(間)。❸人の死後七日め。

な‐の‐だ《連語》《指定の助動詞「だ」の連体形「な」＋準体助詞「の」＋助動詞「だ」。「のだ」が体言または形容動詞・助動詞「そうだ」「ようだ」の語幹に続くときの形》「相手は子供─・だ」参考 丁寧語は「なのです」。くだけた言い方は「なんだ」。

な‐の‐はな【菜の花】あぶらな(の花)。

な‐のり【名乗り】❶自分の名を言うこと。また、その名。❷昔、公家・武家の男子が元服後に通称のほかにつけた実名。「藤吉郎」に対する「秀吉」の類。

―を上・げる《句》❶武士が戦場で、自分の名を大声で敵に告げる。なのりあげる。❷選挙・選考などに立候補する。「知事選に―・げる」

なのり-・でる【名乗り出る】《自下一》〔それは私だと〕すすんで名前を言って出る。「犯人と―・でる」

な-の・る【名乗る・名▽告る】《他五》❶自分の姓名を言う。❷自分の名とする。「六代目菊五郎を―・る」「結婚しても、別姓を―・る」

な-ばかり【名ばかり】《連語》名前や評判にくらべ実質が劣ること。名前だけ。うわべだけ。参考 さげすんで言う。また、自分に関することはけんそんして言う。「―のパーティーで、お恥ずかしいことです」

なび・く【×靡く】《自五》❶〔風・水などの勢いによって〕横に傾き伏す。「草が風に―・く」❷〔他人の意志や威力などに〕従う。服従する。「権威に―・く」❸異性に言い寄られて、相手の意に従う。

ナビゲーション 自動車などを誘導すること。「ナビ」と略す。「カー―」▽navigation(=航海術・航空術)

ナビゲーター ❶自動車のラリー競技で、運転者に指示・助言をする人。❷航空機などの進路を自動調整する装置。❸会合や番組の進行役。▽navigator

な-びろめ【名広め・名×弘め・名披露目】芸人が芸名を得たとき、または商人が店を開いたとき、芸名・店名を世間に広く知らせること。類語 披露(ひろう)。

ナプキン ❶西洋料理の食卓で、衣服がよごれないように胸・ひざにかける布や紙。ナフキン。❷生理用品の一つ。▽napkin

ナフサ 石油・コールタールなどを分留して得られる軽質油。粗製ガソリン。ナフタ。▽naphtha

な-ふだ【名札】姓名をしるした紙・木製などのふだ。

ナフタレン 芳香族炭化水素の一つ。コールタールから精製した白色の結晶で、特有のにおいをもつ。防臭・防虫剤に用いるほか、染料や合成樹脂などの原料にも使う。ナフタリン。▽(ドイツ)Naphthalin

なぶり-ごろし【×嬲り殺し】〔すぐには殺さず〕いろいろと苦しめ、もてあそんでから殺すこと。

なぶり-もの【×嬲り物・×嬲り者】なぶり、もてあそばれるもの。なぐさみ、からかいの対象となるもの。

なぶ・る【×嬲る】《他五》❶からかって、困らせ苦しめる。❷いじめる。さいなむ。❸もてあそぶ。もてあそぶようにしていじる。「風が髪の毛を―・る」表記 ③は「弄る」とも書く。文《四》。

なべ【×鍋】❶食べ物を煮る器。金属・陶器・ガラスなどで作る。❷「鍋物」「鍋料理」の略。「鳥―をつつく」

なべ-ずみ【×鍋墨】鍋や、かまの尻(しり)についた黒いすす。

なべ-ぞこ【×鍋底】❶なべの底。❷しばらく続く悪い状態。「―景気」

*なべ-づる【×鍋×鉉】なべに取りつけた、つる。

*なべ-づる【×鍋×鶴】首と顔の大部分が白く、体全体は灰色のツル。シベリア・中国東北部方面にすみ、日本には冬渡来する。渡来地は特別天然記念物。

なべ-て【▽並べて】《副》《文語動詞「並(な)ぶ」の連用形+助詞「て」》〔文〕おしなべて。概して。一般に。総体に。すべて。「―天才は不遇である」

なべ-ぶぎょう【×鍋奉行】〔俗〕鍋料理のときに、具を入れる順序や食べごろなどをあれこれと指図する人。

なべ-もの【×鍋物】寄せなべ・ちりなべ・すき焼きなど、なべで煮ながら食べる料理の総称。なべ料理。

なべ-やき【×鍋焼(き)】❶魚や鳥の肉を野菜とともに、みそしるなどで煮ながら、なべから直接に食べる料理。❷「なべ焼きうどん」の略。小さななべで、うどんと野菜・肉などを煮込み、なべから食べる料理。

*な-へん【ナ変】「ナ行変格活用」の略。

*な-へん【×那辺・×奈辺】《代名》〔文〕どのあたり。どこ。「真意は―にあるか」

なま【生】■一《名》❶〔手を加えない〕ありのままの状態(のもの)。㋐〔肉や野菜などの食料品で〕煮たり焼いたり干したりしない状態(のもの)。㋑作為をほどこさないこと。自然のまま。「―の声」㋒加熱殺菌していないこと。また、生きていること。「―ワクチン」「―ハム」㋓演奏をその場で聞くこと。また、録音・録画などによらずスタジオや現場から直接放送すること。「―の放送」❷〔物事が〕未完成であること。❸〔俗〕現金。げんなま。❹「生ビール」の略。❺〔俗〕「生意気」の略。「―を言うんじゃないよ」■二《接頭》❶「十分でない」「不徹底な」「いいかげんな」の意。「―干し」「―返事」❷「十分に世なれない」「未熟な」の意。「―侍」「―兵法(びょうほう)」❸「すこし」「なんとなく」の意。「―暖かい」「―白い」

なま-あくび【生▽欠▽伸】十分に出ない中途はんぱなあくび。「―を嚙(か)み殺す」

なま-あげ【生揚(げ)】❶揚げ方が十分でない・こと(もの)。❷→厚あげ。

なま-あたたか・い【生暖かい】《形》何となくあたたかい。少しあたたかい。参考 不快な感じとして使われることが多い。「―・い不気味な風」

なま-あたらし・い【生新しい】《形》〔あまり時間がたっていないで〕まだ新しい。いくぶん新しい。

なま-いき【生意気】《名・形動》〔未熟なのに〕知ったかぶりをしたり、出過ぎたことをしたり、えらそうにしたりすること。類語 洒落臭(しゃらくさ)い。猪口才(ちょこざい)。小癪(こしゃく)。

なま-うお【生魚】なまざかな。

な-まえ【名前】❶その人・物・場所などにつけて言い表す呼び方。名。名称。❷姓名。尊敬 御名(ぎょめい)。貴名。芳名。尊名。❸〔姓に対する〕名。「姓は山田、―は太郎です」―まけ【―負け】《名・自サ》名前がりっぱすぎて、実質がそれに及ばないこと。

日本語

人の名前

ヨーロッパ人の名前は、「ジョン」とか「ピーター」とか、キリスト教の聖書に出て来る聖人の名前を借りるものが多いため、全体としてはその種類が少なく、同名の人がたくさんいる。日本人の名は、そこへいくと種類が多く、時代とともに新しいものが多く作られるので、その数は無限に近い。

日本人の名は、その由来から次のように分類されている。

男子の名の場合

(1)幼名に由来するもの…文麿(ふみまろ)・竹千代など

(2)呼び名に由来するもの

(ア)出生順を表すもの

…太郎・二郎・余一・小次郎・源太など

(イ)官職を表すもの…右衛門(うえもん)・式部など

(3)名乗りに由来するもの…博之・俊明・実など

女子の名の場合

(1)名乗りに由来するもの

…春子・秋子・ハル・アキなど
(2)源氏名に由来するもの
…静枝・菊代・さつき・弥生・みどりなど
日本では、古くから中国式に兄弟に同じような名前を付ける習わしがある。たとえば、湯川秀樹博士の御兄弟は芳樹・茂樹という名だった。また、家によって同じ字を伝えることもあり、源氏には「義家・義朝・義経」のように、「義」という字を代々使うしきたりもあった。

なま-えんそう【生演奏】《名・他サ》その場での実際の演奏。「—を聴かせる店」

なま-がし【生菓子】おもに餡(あん)を使って作った水分の多い和菓子の総称。羊かん・もち菓子・ぎゅうひなど。対干菓子(ひがし)

なま-かじり【生×齧り】《名・他サ》〔十分にかまない意から〕物事のある一面を知っただけで、十分に理解していないこと。「—の知識」

なま-かべ【生壁】❶ぬったばかりで、まだかわいていない壁。❷「生壁色」の略。濃いあいねずみ色。

なま-かわ【生皮】はいだままで、まだ加工していない皮。「—をはぐ」

なま-がわき【生乾き】十分にかわいていないこと(もの)。

なま-き【生木】❶地にはえて、まだ生きている木。❷切ったばかりで、まだ枯れていない木。類語立ち木。
—を裂・く《句》愛し合う男女を無理に引き離す。

なま-きず【生傷・生×疵】受けたばかりの新しい傷。なおっていない傷。「—がたえない」対古傷(ふるきず)

なま-ぐさ【生臭】❶《名・形動》なまぐさい・こと(もの)。❷特に、魚肉・獣肉のこと。❸「生臭坊主」の略。
—ぼうず【—坊主】〔俗〕〔「禁じられた動物性の食品を食べる坊主」の意から〕戒律を守らない品行の悪い坊主。また、俗気のある僧。

なま-ぐさ・い【生臭い・×腥い】《形》❶なまの魚肉・獣肉のにおいがする。❷生き血のにおいがする。「戦場に—い風が吹く」❸〔仏僧は肉類を食べないという戒律があることから〕僧に俗気がある。僧の品行が悪い。

なま-くび【生首】切り落としたばかりのなまなましい首。〔おもに人の首について言う〕「刑場に—をさらす」

なまくら【▽鈍】《名・形動》❶刃物の切れ味が悪いこと。また、その刃物。❷仕事がへただったり、なまけたりすること(人)。類語なまけ者。鈍(どん)。

なま-クリーム【生クリーム】牛乳から取り出した脂肪分。料理・製菓・コーヒーなどに用いる。

***なまけ-もの【怠け者】**よくなまける人。
—の節句働き《句》ふだんなまけてばかりいる人が、〔節句の時期のように〕他の人が休むときになって、さもいそがしそうに働くこと。参考ふだんなまけている人は、他人が休むときに逆に働くことになる、という意でも使われる。

***なまけ-もの【▽樹×懶】**ナマケモノ科の哺乳(ほにゅう)動物。不活発で、鋭いつめで木の枝にぶら下がったまま、ほとんど動かない。中央・南アメリカに分布。

なま・ける【怠ける・×懶ける】《自下一》すべきことをしないで時間をむだにすごす。労力を惜しんで、物事に精を出さないでいる。まじめに努力しないでいる。おこたる。サボる。「仕事を—・ける」類語ずるける。惰眠を貪(むさぼ)る。骨惜しみ(する)。文なま・く《下二》。

なま-こ【生子・▽海×鼠】❶棘皮(きょくひ)動物ナマコ綱の動物の総称。海底にすむ。からだは円筒状で、多くの突起をもつ。食用。参考全体を干したものを「海参(いりこ)」、腸の塩辛を「このわた」と言う。❷型に流しこんだ銑鉄(銅)。参考形がなまこ①に似ることから。❸「生子板」の略。❹「生子壁」の略。❺「生子餅(もち)」の略。
—いた【—板】波板。なまこ。
—かべ【—壁】四角で平らなかわらを並べ、その継ぎ目をしっくいでかまぼこ形に盛り上げた壁。土蔵などの外壁に多い。なまこ。
—もち【—×餅】なまこ①の形に作ったもち。薄く切って、かきもちにする。なまこ。

なま-ごみ【生ごみ】台所から出るごみで、調理や食事の残りかすなど、水分のあるものの総称。厨芥(ちゅうかい)。

なま-ゴム【生ゴム】ゴムの木からとった樹液をかためたもの。ゴム製品の製造原料。

なま-ごろし【生殺し】❶ほとんど死にそうな状態にすること。類語半殺し。半死半生。❷処置を中途はんぱにして、相手が困っているのをほうっておくこと。

なま-ざかな【生魚・生×肴】〔とったままで〕何の加工もしていない生の魚。類語生魚(せいぎょ・なまうお)。鮮魚(せんぎょ)。

なま-ざけ【生酒】醸造して、まだかすをこしていないものをしぼったあと、加熱処理をしていない酒。

なまじ【×憖】《副・形動》〔「生(なま)強(じ)い」の転〕❶できもしないのに強(し)いてするようす。無理をして。しなくてもよいのにあえてするようす。「—に仕事を引き受けるものではない」❷〔むしろ、そうでないほうがよいくらいの〕中途はんぱな状態であるようす。不十分なようす。「—成績がよいから困る」同①②なまじい。なまじっか。

なまじい【×憖】同

なまじっか【×憖っか】《副・形動》→なまじ。

なま-しゅつえん【生出演】《名・自サ》その場に実際に出演すること。「スタジオに—する」

なま-じろ・い【生白い】《形》なんとなく白い。また、いやに白い。なまっちろい。「—い顔の青年」

なます【×膾・×鱠】❶魚介類を生のまま細切りにし、酢にひたした料理。参考もとは、「膾」は鳥獣の肉を、「鱠」は魚肉を使った「なます」の意。❷ダイコン・ニンジンなどを細切りにして、酢にひたした料理。

***なまず【×癜】**皮膚病の一つ。糸状菌の寄生で、胸や背中などに褐色か灰色のまだらができる。癜風(でんぷう)。

***なまず【×鯰】**❶ナマズ科の淡水魚。湖沼・水田などのどろ底にすみ、頭は平たくて大きく、長い四本のひげをもつ。食用。❷「なまずひげ」の略。

なまず-ひげ【×鯰×髭】❶なまず①のひげに似た、細長い口ひげ。また、その口ひげをはやした人。❷明治時代に官吏をののしって言った語。

なま-たまご【生卵】火を加えていない、生の鶏卵。

なま-ちゅうけい【生中継】録音・録画などによらず現場から中継して放送すること。また、その放送。

なま-っ-ちろ・い【生っ▽白い】《形》→なまじろい。

なま-つば【生×唾】〔いろいろな刺激によって〕口の中に自然に出るつば。「—を飲み込む(=目の前にある物がほしくてたまらないようす)」

なま-づめ【生×爪】指にはえているままのつめ。

なま-なか【生▽半】《副・形動》中途はんぱなようす。なまはんか。「—のことはするな」

なまなま・し・い【生生しい】《形》目の前で実際に・

行われた(見た)ばかりのような、新鮮で強烈な感じである。「—・い傷あと」

なま-にえ【生煮え】《名・形動》❶十分に煮えていないこと(もの)。❷答え方・態度などがはっきりしないこと。あいまい。「—の返事」

なま-ぬる・い【生▽温い】《形》❶中途はんぱにあたたかい。少しぬるい。なまあたたかい。❷きびしくない。てぬるい。はっきりしない。「—・い練習」

なま-はんか【生半可】《名・形動》中途半端で十分でないこと。生半(なまなか)。生半尺。「—な覚悟」

なま-ビール【生ビール】醸造して濾過(ろか)しただけで、加熱殺菌をしていないビール。なま。

なま-びょうほう【生兵法】❶未熟な兵法や剣法。❷十分身についていない、中途はんぱな知識や技能。

—は大怪我(おおけが)のもと《句》なまかじりの知識や技能にたよると、かえって失敗の原因となる。

なま-ふ【生×麩】小麦粉をこねてでんぷんを取り去っただけの麩(ふ)。参考→焼麩(やきふ)。

なま-フィルム【生フィルム】まだ露出・感光させていないフィルム。未撮影のフィルム。

なま-へんじ【生返事】〔気分ののらないときなどの〕いい加減な受け答え。気のない返事。

なま-ほうそう【生放送】《名・他サ》ラジオ・テレビなどで録音・録画ではなく、スタジオやそのことの行われている現場から直接放送すること。また、その放送。

なま-ぼし【生干し・生▽乾し】《名・他サ》十分にほしていないこと(もの)。「—の魚」

なま-み【生身】〔人の〕現に生きているからだ。生き身。また、感情の通っているからだ。「—の人間」

なま-みず【生水】わかしていない〔飲み〕水。

なま-めかし・い【×艶めかしい】《形》〔男の心をさそう〕女らしさがあふれて美しい。色っぽい。

なま-め・く【×艶めく】《自五》《「生(なま)めく(=未熟らしく見える、若々しく見える)」の意》〔男の心をさそう〕女らしさがあふれて美しく見える。色っぽく・見える(感じられる)。「浴衣(ゆかた)姿の—・いた女性」

なま-もの【生物】煮たり焼いたり干したりしていないもの。また、日持ちのしないいたみやすい食べ物。魚類・生菓子など。

なま-やけ【生焼け】火がとおらず十分に焼けていないこと(もの)。「—の魚」

なま-やさい【生野菜】加熱したり漬物にしたりしていない野菜。

なま-やさし・い【生易しい】《形》《あとに打ち消しの語を伴う》〔物事が〕簡単で容易である。普通ひととおりである。「合格するのは—・いことではない」

なま-ゆで【生×茹で】十分にゆでていない・こと(もの)。「—の卵」

なま-よい【生酔い】〔酒などに〕少し酔うこと。また、少し酔った人。類語ほろ酔い。

—本性(ほんしょう)違(たが)わず《句》酒に酔っても、本性は失うものではなく、心にないことなど言ったりはしない。

***なまり【×訛(り)】**❶ことば・発音などが本来のものからくずれること。類語訛音(かおん)。訛言(かげん)。訛語(かご)。❷ある地方独特の発音やことば。

—は国の手形《句》なまりを聞くと、その人の故郷がわかるということ。

***なまり【鉛】**金属元素の一つ。青白色のやわらかい金属。展性に富み、融点が低い。用途は非常に広い。毒性がある。元素記号Pb。参考重い心や暗い風景のたとえに多く使う。「—のような心」

なまり-いろ【鉛色】鉛の色に似た、青みをおびた灰色。「—の空」

なまり-ぶし【▽生節】蒸したカツオの肉を生干しにした食品。かつおぶしの半製品。なまり。なまぶし。

***なま・る【×訛る】**《自他五》発音がくずれる。標準語に合わない発音をする。「イをエと—・る」文《四》。

***なま・る【▽鈍る】**《自五》❶刃物の切れ味が悪くなる。❷力・勢いなどが弱まる。「腕が—・る」＝にぶる。文《四》。

なま-ろく【生録】〔俗〕音楽演奏や野鳥の声などの自然な音を直接録音すること。また、そのように録音したもの。「ご自慢の、SLの—」

なま-ワクチン【生ワクチン】生きている菌またはウイルスを用いて、病原体の毒性を弱めて作った予防接種の材料。ポリオの経口ワクチン、種痘、BCGなど。

***なみ【波】**❶〔風などによって起こる〕水面の高低運動。また、それが次々と伝わっていく現象。波浪。「—が打ち寄せる」表記「浪」とも書く。❷㋐波①のように揺れ動くもの。「沿道でゆれる小旗の—」㋑物が凹凸(おうとつ)・起伏をなしている状態。高いところと低いところができる動き。「景気には—がある」㋒流れ動いていくもの。また、押し寄せてくるもの。「人の—が球場に向かう」❸媒質の一点に生じた物理的な状態の変化が、次々と周囲に伝わって行く現象。波動。「地震の—」

—に乗・る《句》その傾向にうまく調子が合う。

***なみ【並(み)】**㊀《名》❶〔品物などで〕上等と下等との中間の程度のもの。中ぐらい。あたりまえ。ふつう。「にぎりの—」「—の人間」❷「下等」の意の遠まわしな言い方。表記㊀は「並」と書く。㊁《接尾》《名詞について》❶「そのものめいめい」の意。「軒—の休業」❷「並んだ・もの〔調子〕」の意。「足—」「町—」❸「そのものと・同程度〔同類〕」の意。「世間—」「人—」

なみ-あし【並(み)足】❶ふつうの足並み。対はや足・駆け足。❷いちばんおそい馬の速度。

なみ-あと【波跡・波×痕】❶砂浜などに打ち寄せた波のあと。❷船の航跡(こうせき)。みお。

なみ-いた【波板】波形に成型した板。なまこいた。

なみ-・いる【並み居る】《自上一》〔文〕その場に並んでいる。列座する。

なみうち-ぎわ【波打ち際】波が打ち寄せる所。なぎさ。「—を散歩する」類語みぎわ。

なみ-う・つ【波打つ】《自五》❶波がうねる。波が立つ。波が寄る。❷波の形にうねる。波のように起伏ができる。「—・つ稲穂」

なみ-がしら【波頭】波の盛り上がったいただき。波頭(はとう)。「—が白く砕ける」参考→波の穂。

なみ-かぜ【波風】❶波と風。特に、強い風と高い波。❷争い。もめ事。「家庭に—を立てる」❸つらい体験。「世の—にもまれる」類語②③波瀾(はらん)。

なみ-き【並木】〔道の両側などに〕並んで立っている木。また、並べて植えた木。類語街路樹。

なみ-じ【波路】〔文〕船のかようみち。類語船路。

なみ-・する【×蔑する】《他サ変》〔文〕ないがしろにする。あなどる。軽んずる。「主君を—・する家来が多い」

なみ-せい【並製】ふつうの製品。対上製・特製。

なみだ【涙・×涕・×泪】❶涙腺(るいせん)から出て、眼球をうるおす液。刺激や精神的な感動によって流れ出る。「―を絞る（＝非常に悲しむ）」「―を呑(の)む（＝くやしいのをじっとこらえる）」「―を振るって（＝私情をふりすてて）部下を処分する」「―に沈む（＝嘆き悲しんで泣き伏す）」❷同情。人情。「血も―もない」

―に暮・れる《句》❶涙で何も見えなくなる。❷泣き悲しんで時を過ごす。また、悲しみでどうしてよいかわからなくなる。

なみだ・あめ【涙雨】❶深い悲しみの涙が化して降った雨。❷ほんの少し降る雨。

なみ・たいてい【並大抵】《名・形動》《多く、打ち消しの語を伴う》一般的に考えられる程であること。ふつう。おおかた。ひととおり。「―の苦労ではない」

なみだ・きん【涙金】〔今までの関係を断ち切るために与える〕わずかな金銭。なみだがね。類語 雀(すずめ)の涙。

なみだ・ぐまし・い【涙ぐましい】《形》〔強い同情または感心のあまり〕涙が出そうな感じである。あわれに思うほどである。「―・い努力を続ける」

なみだ・ぐ・む【涙ぐむ】《自五》目に涙をうかべる。涙が出そうになる。「友人の死に―・む」

なみだ・ごえ【涙声】―ごゑ 泣きそうになって〔泣きながら〕出す声。「―でうったえる」

なみだ・する【涙する】《自サ変》〔文〕涙を流す。泣く。「むごい仕打ちに―・する」「墓前に―・する遺族」

なみ・だ・つ【波立つ】《自五》❶波が高くなる。水面が荒れる。❷㋐波のような起伏ができる。㋑事があらだつ。もめ事が起こる。さわがしくなる。「政界が―・つ」㋒〔胸が〕どきどきする。〔心が〕動揺する。

なみだ・もろ・い【涙×脆い】《形》感じやすくて、ちょっとしたことで涙が出やすい。

***なみ・なみ【並並】**《多く、打ち消しの語を伴う》ふつうであること。ひととおりであること。「―ならぬ苦労」

***なみ・なみ**《副》《「―と」の形も》〔液体が〕容器からこぼれるほど、いっぱいであるようす。「さかずきに酒を―とつぐ」類語 満々。

なみ・の・はな【波の花】〔雅〕❶波が白くくだけ散るのを花にたとえた語。❷塩。参考「塩」が「死」に通ずるのを忌(い)むところから言う。

なみ・の・ほ【波の穂】波頭を稲穂にたとえた語。

なみ・のり【波乗り】《名・自サ》板を使って波のうねりに乗る遊び。サーフィン。

なみ・はず・れる【並外れる】―はづ・れる《自下一》〔性質・能力などが〕とりわけ〔すぐれて〕他と異なっている。けたはずれである。「数学が―・れてできる生徒」

なみ・はば【並幅】和服用の織物の幅で、三六チセン内外のもの。小幅。対 広幅。

なみ・ま【波間】❶波と波との間。「―に漂う」❷波の寄せてこない〔立たない〕間。「―をみてボートを出す」

なみ・まくら【波×枕】❶〔「波を枕に船の中に寝る」意から〕船の旅。❷波の音が枕元に聞こえてくること。

なみ・よけ【波▽除け】❶波の勢いをよけること〔ために備えたもの〕。❷防波堤。

***なむ【南無】**《感》仏・菩薩(ぼさつ)の名を呼んで拝むとき、心からそれに帰依(えし)信仰している気持ちを表すために唱えることば。参考 梵語 namas の音訳。**―あみだぶつ【―×阿×弥×陀仏】**浄土門で、阿弥陀仏への絶対的な帰依の気持ちを表して唱える念仏のことば。六字の名号(みょうごう)。なんまいだ。**―さん【―三】**《感》「南無三宝(なむさんぼう)㊂」の略。「―、しくじったか」**―さんぼう【―三宝】**㊀《名》仏・法・僧の三宝に呼びかけて、仏の救いを求めるときに唱えることば。㊁《感》失敗したときに言う語。しまった。なむさん。**―みょうほうれんげきょう【―妙法×蓮華経】**日蓮宗(にちれんしゅう)で唱える句で、妙法蓮華経の偉大な徳をたたえ、それに帰依する意を表すことば。七字の題目。

***なむ**《係助》文語《上代の係助詞「なも」の転》〔体言を始めいろいろな語につく。文末の活用語は連体形で結ぶ。「なん」とも〕上の語句をとり立てて示し、念を押す形で、文意を強める。「程なく四台の人力車は、…引手茶屋の店先へ、横付になん着けたりける〈逍遥〉」

なめくじ【×蛞×蝓】なめくぢ ナメクジ科の軟体動物。からだの表面に粘液を分泌する。湿った所にすみ、野菜などに害をあたえる。なめくじら。なめくじり。

―に塩《句》〔ナメクジに塩をかけたら縮むように〕苦手にぶつかったときに縮みあがってしまうことのたとえ。

なめ・こ【滑子】モエギタケ科のキノコ。栽培される。全体が褐色で、かさの表面がねばつく。食用。

なめし・がわ【×鞣（し）革】―がは なめして、やわらかくした動物の革。対 いため革。

なめ・す【×鞣す】《他五》動物の皮を、毛や脂を除いて、やわらかくする。「牛の皮を―・す」文《四》。

なめず・る【×舐めずる】なめづる《他五》舌でくちびるなどをなめまわす。「舌を―・る」文《四》。

なめ・みそ【×嘗（め）味×噌】そのまま食べられるように、みそに野菜・魚肉などを入れて調理した食品。金山寺みそ・たいみそなど。

なめ・らか【滑らか】《形動》❶〔物の表面などが〕すべすべしたり、つるつるしたりしているようす。「―な肌(はだ)ざわり」類語 平滑。❷〔物事が〕よどみなく、すらすらとはこぶようす。「部内を―に運営する」

な・める【×嘗める・×舐める】《他下一》❶舌の先でなでるように触れる。ねぶる。類語 舐めずる。舐め回す。❷味わう。玩味(がんみ)する。「はちみつを―・める」❸〔苦しみを〕経験する。「辛酸を―・める」❹〔炎を舌にたとえて〕燃やす。「炎が天井を―・める」❺ばかにする。甘くみる。みくびる。「―・められてたまるか」表記 ①⑤は「舐める」と書く。文 な・む《下二》。

な・や【納屋】物を納めておく小屋。物置〔小屋〕。

なやまし・い【悩ましい】《形》❶〔思いわずらうことがあって〕苦しい。「安息のない、―・い心地」❷官能が刺激されて心が乱れる感じだ。「―・い思いにかられる」

なやま・す【悩ます】《他五》❶悩むようにする。苦しめる。「頭を―・す」❷〔性的に〕心を乱れさせる。「男を―・す女の色香」＝悩ませる。

なやみ【悩み】悩むこと。思いわずらうこと。苦しみ。「人生の―」類語 苦悩。苦悶(くもん)。憂悶(ゆうもん)。

なや・む【悩む】㊀《自五》❶〔心の中で〕あれこれと思い苦しむ。「恋に―・む」❷肉体の苦痛で苦しむ。「腹痛に―・む」文《四》。㊁《接尾》その動作や状態が順調に進まない意。「行き―・む」「のび―・む」文《四》。

な・よせ【名寄（せ）】名所・人物などの名称をよせ集めたもの〔本〕。

なよ・たけ【▽弱竹】細くしなやかな竹。

なよ・なよ《副・自サ》《副詞は「―と」の形も》柔らかく、弱々しいようす。「―とした男」

なよ・やか《形動》弱々しく柔らかいようす。なよなよとしているようす。「―な姿態」

***なら**【×楢】ブナ科の落葉高木。早春、小さな花が穂状にさく。実はやや細長いドングリ。材は家具・薪・炭などに使われる。こなら。ははそ。

***なら**《接続》「それなら」のくだけた言い方。「━結構」

***なら**《助動》《指定の助動詞「だ」の仮定形》❶順当な結果を導く条件（＝順接条件）を表す。「もしあのことが知れたなら、私は叱られるだろう」❷（体言につき、係助詞的に使う）問題とする事柄を提示する。…について言えば。「彼ならもう帰ったよ」「山なら富士、花なら桜」
接続 体言（に準ずる語）、および動詞・形容詞・助動詞（「（よ）う」「まい」「だ」を除く）の終止形につく。形容動詞・助動詞「そうだ」「ようだ」の語幹につく。参考 (ア)「ならば」の形でも使う。(イ)➡だ（指定）。

ならい【習い】❶習うこと。類語 練習。学習。❷いつもそのようにきまっている状態。㋐ならわし。しきたり。習慣。㋑それが、ごくふつうに起こる、当たり前のことであるということ。常。「世の━」

━**性となる**《句》習慣がたび重なると、ついにはその人の生まれつきの性質のようになってしまう。

ならい-ごと【習い事】習うことがら。特に、芸能などのけいこごと。

***なら・う**【倣う】《他五》すでにあるものを手本にしてまねる。模倣する。文《四》。⇩〔使い分け〕

***なら・う**【習う】《他五》❶繰り返しやってみて覚える。「琴を━・う」❷教わる。教えを受ける。類語 学ぶ。（する）学習。文《四》。⇩〔使い分け〕

━**うより慣れよ**《句》物事は、人に教わってするよりも、自分で経験してなれたほうが早く覚えられる。

使い分け　「ならう」

倣う（既存のものを手本にしてまねる）前例に倣う・先輩に倣う・古式に倣う・以下これに倣う・右へ倣え

習う（上手になるために何回も繰り返し行う。教わる）ピアノを習う・家庭教師に英語を習う・習ったそばから忘れる・礼に習う・習うより慣れよ・習い性となる

参考 「作詩術を古代の詩人に倣う／習う」では、これを文字どおりにとれば、前者が古代の詩人をまねる意、後者が古代の詩人に学ぶ意となるが、意味上の差は希薄である。「見習う／見倣う」もほぼ同義で、「習」でまかなえよう（早起きを兄に見習う・兄を見習って早起きする）。

***ならく**【×奈落】❶地獄。「━に落ちる」参考 梵語naraka の音訳。❷これ以上どうにもならないところ。どん底。「貧乏の━に近づく」❸劇場の舞台や花道の下の所。まわり舞台やせり出しなどの装置をおく。

━**の-そこ**【━の底】《連語》（「地獄の底」の意から）❶底知れない深いところ。❷どんなにしても抜け出せそうもない状態。最悪の状態。

***なら-く**《連語》文語《指定の助動詞「なり」に接尾語「く」のついた形。おもに動詞の連体形につく》…であることには。…することには。「言ふ━」「聞く━」

***なら・す**【▽均す】《他五》❶（高低・凹凸をなくして）平らにする。「グラウンドを━・す」❷（数・量などを）平均する。「負担を━・す」文《四》。

***なら・す**【慣らす・×馴らす】《他五》❶（環境に）慣れるようにする。慣れさせる。順応させる。「足を━・す」❷動物が人に親しみなじむようにする。手なずける。
表記 ②は多く「馴らす」と書く。文《四》。

***なら・す**【▽生らす】《他五》（植物の実を）結ばせる。みのらせる。「柿の実を━・す」文《四》。

***なら・す**【鳴らす】《他五》❶音をたてさせる。「舌を━・す」類語 響かせる。轟かせる。❷（名声・評判などが）広く知れわたる。評判をとる。「名三塁手として━・した人」❸言いたてる。「不平を━・す」文《四》。

ならず-もの【ならず者】（どうにもならない者の意）❶定職をもたず、うろつきまわって悪い事をする者。ごろつき。無頼漢。やくざ。「街の━」❷生活態度のだらしない者。道楽者。

なら-づけ【×奈▽良漬（け）】おもにウリ類を酒かすにつけた食品。

なら-で-は《連語》《指定の助動詞「なり」の未然形「なら」＋接続助詞「で」＋係助詞「は」》…でなくては。…以外には。ただ…だけ。「名手━の美技」

なら-な・い《連語》《動詞「成る」の未然形＋打ち消しの助動詞「ない」》❶（動詞連用形＋「ては」について、補助動詞に使って）禁止を表す。…てはだめだ。…てはいけない。「このことを言っては━・い」❷（指定の助動詞「だ」の連用形「で」＋「は」について）打ち消しの意をもった決意を表す。「これでは━・い」❸（打ち消しの意をもった形容詞・助動詞の下について、「…なければならない」「…なくてはならない」「…ねばならない」などの形で）当然・義務を表す。…である（…する）べきだ。…である（…する）はずだ。「本ならここになければ━・い」「レポートを書かなければ━・い」❹（自発の意をもつ動詞や感情を表す形容詞連用形＋「て」の形について）どうしてもそうなる状態を表す。…てたまらない。「そう思われて━・い」「寂しくて━・い」参考 文語的な言い方に「…ならぬ」がある。丁寧語は「…なりません」。

***なら-・ぬ**《連語》《動詞「成る」の未然形＋打ち消しの助動詞「ぬ」》➡ならない。

***なら-・ぬ**《連語》《指定の文語助動詞「なり」の未然形＋打ち消しの助動詞「ず」の連体形》…でない。「神━身には知るよしもない」

ならび【並び】❶並ぶこと。並んだもの。また、並んでいるようす。「歯の━が悪い」❷その道の同じ側。❸比べる相手。似たもの。たぐい。「天下に━もない名人」

ならび-だいみょう【並び大名】❶歌舞伎で、大名の扮装をして並んでいるだけの・役（役者）。❷ただその場にいるだけで、何の役にも立たない人。

ならび-た・つ【並び立つ】《自五》❶並んで立つ。立ち並ぶ。「━・つビル」❷同程度の勢力・能力を持つもの同士がともにある。肩を並べる。「両雄━・たず」

ならび-な・い【並びない】《形》比べるものがない。たぐいない。類がない。「世界に━・い物理学者」

ならび-に【並びに】《接続》（「両方とも」の意で）二つの事柄をつなぐ語。および。また。…と…。「姓名━職業」参考 法令で、一つの文の中に「並びに」と「及び」が同時に表れる場合には、「並びに」の方がより大きい連結であることを示す。

なら・ぶ【並ぶ】《自五》❶（二つ以上のものが）平行の状態に位置を占める。たがいにとなり合う関係で位置を占める。「二人ずつ━・ぶ」❷列をつくる。つらなる。「四列に━・ぶ」❸（技量などが）匹敵する。同じ程度である。「天下に━・ぶもののない威勢」文《四》。

ならべ-た・てる【並べ立てる】《他下一》（物事を）一つ一つ並べあげる。「理由を一つ一つ━・てる」

なら・べる【並べる】《他下一》❶〔二つ以上のものを〕となり合わせる。同列にそろえる。「机を━・べて仕事をする」❷〔多くの物を〕置きひろげる。「皿をテーブルに━・べる」❸比べる。比較する。「横山大観と━・べてもひけをとらない画家」❹同類に属する事柄をいくつも次々に言う。「文句を━・べる」文なら・ぶ《下二》

ならわし【習(わ)し・▽慣(わ)し】いつもそうすることになれて、きまりとなっていること。習慣。慣習。「土地の━に従う」類語しきたり。ならい。慣例。

類義語の使い分け　習わし・しきたり

［習わし・しきたり］この地方に伝わる習わし(しきたり)／世の中の習わし(しきたり)をかたくなに守る
［習わし］節分には豆をまく習わしがある／言い習わし
［しきたり］しきたりにのっとり行う／しきたりに縛られる

ならわ・す【習わす・▽慣わす】㊀《他五》習わせる。学ばせる。「幼時からピアノを━・す」文《四》。㊁《接尾》いつも…する。…することを習慣とする。「呼び━・す」「言い━・す」文《四》。

***なり**《接尾》《名詞「成り」「なり(形)」と同語源》❶《名詞につけて》「…のような形・ようす」の意。「弓━にそる」表記「形」とも書く。❷《名詞につけて》それにふさわしいようす、それに即した程度・状態を表す。…相応。「私━に努力する」❸そっくり従うようすを表す。…するまま。「言い━になる」表記③は「成り」とも書く。

***なり**【▽形・▽態】《動詞「成る」の連用形の名詞化》❶かたち。かっこう。❷からだつき。「大きな━」❸衣服をつけたようす。身なり。「━を飾る」類語服装。

***なり**【成り】《動詞「成る」の連用形の名詞化》❶→おなり。❷将棋で、敵陣に入った駒が成ること。

***なり**【▽生り】〔くだものなどの〕実のなること。実を結んだ状態。「今年のリンゴは━が悪い」

***なり**【鳴り】鳴ること。また、その音。「━のいい楽器」「━を潜める(=活動しないで静かにしている)」

***なり**《助動・ナリ型》文語《助詞「に」＋動詞「あり」の転》❶指定の意。…である。「われらは継子なるぞくやしき〈鷗外〉」❷〔主に、連体形「なる」の形で〕その場所に存在する意を表す。…にある。「小諸なる古城のほとり〈藤村〉」接続体言、用言の連体形、その他いろいろの語につく。

***なり**《助動・ラ変型》文語❶「…が聞こえる」の意。「『栄えあれかし』との声すなり」❷伝聞の推定や事実、間接的な経験などを表す。「男もすなる日記といふものを〈土佐日記〉」接続動詞の終止形、ラ変・形容詞・形容動詞・助動詞「なり(指定)」などの連体形につく。

***なり**㊀《接助》《動詞「成る」の名詞形「なり」の転か》〔動詞などの終止形につく〕❶ある動作の直後に(あるいはほとんど同時に)、次の動作が行われる場合の、先行する瞬時の動作を示すのに使う。…するやいなや。「家に帰りつくなり、寝てしまった」❷〔「…たなり」の形で〕ある動作が、予想される次の事態に進展しないで、そのままの状態である(あるいは意想外の展開を見せる)場合の、先行する瞬時の動作を示すのに使う。「『知らぬ』と言い放ったなり、黙りこんだ」㊁《副助》《指定の文語助動詞「なり」の転》〔「なりと」「など」となることもある〕❶〔「〜なり〜なり」の形で、並立助詞的に使って〕例示する形で並べあげたものの中から、どれか一つを選択する意。「父になり母になり承知してもらわなくては」❷同類の他のものから選択できることをほのめかしながら、一例をあげるのに使う。「下調べをするなりして出るべきだ」❸〔不定の意を表す語について〕随意に選択ができることを表す。「どこへなり(と)行くがよい」「どうなと好きにするさ」

なり・あがり【成(り)上(が)り】成り上がること。また、成り上がった人。〔悪意をこめて使う場合が多い〕「━だから礼儀を知らない」対成り下がり。

なり・あが・る【成(り)上がる】《自五》身分の低い人が急に高い地位にのぼったり、貧しかった人が急に金持ちになったりする。類語のし上がる。対成り下がる。

なり・かわ・る【成り代わる・成り変わる】《自五》❶代理をつとめる。代わる。❷他のものに変化する。「男役だったが女役に━・った」

なり・きん【成(り)金】❶将棋で、敵陣にはいり込んで金将となったこま。❷貧乏だったのが、急に金持ちになった人。〔多く軽べつした言い方〕「土地━」

なり・さが・る【成り下がる】《自五》身分の高い人が低い地位に下がったり、金持ちだった人が貧しくなったりする。おちぶれる。対成り上がる。

なり・すま・す【成り済ます】《自五》❶すっかりそのものになってしまう。❷別のものになりきったふりをする。まんまと化ける。「学生に━・す」

なり・たち【成(り)立ち】❶なりたつこと。成立。❷なりたった過程・順序。「狂言の━」❸ある要素・成分からなる組みたて方。構成。「文の━」

なり・た・つ【成(り)立つ】《自五》できあがる。成立する。「人体は四肢と胴と首とから━・っている」

なり・て【▽為り手】〔ある役などに〕なる人。なりたがる人。「会長の━がない」

なり・と《副助》→なり(副助)。

なり・どし【▽生り年】果実がよくみのる年。対裏年。

なり・は・てる【成り果てる】《自下一》おちぶれてみすぼらしくなる。「こじきに━・てる」

なり・ひび・く【鳴り響く】《自五》❶鳴る音が四方にひびき渡る。❷評判などが、世間に広く伝わる。

なり・ふり【▽形振(り)】服装や態度。身なりやふるまい。「━構わず泣く」類語なりかたち。

***なり・もの**【▽生り物】❶くだもの。また、(食べられる)実のなる樹木。❷田畑からとれるもの。

***なり・もの**【鳴(り)物】❶楽器類の総称。❷鳴り物①によるはやし・音曲。❸歌舞伎で、下座音楽に用いる三味線以外の楽器の総称。また、それらを演奏する・こと(音楽)。**━いり**【━入り】❶楽器を鳴らしてにぎやかに調子をとること。❷はでにさわぎ立てる・こと(宣伝)。「━で郷土入り」

なり・ゆき【成(り)行き】❶物事が移り変わってゆく・ようす(過程)。また、その結果。「自然の━にまかせる」類語経過。形勢。情勢。❷「成り行き注文」の略。売買するとき、特に売値や買値を指定せず、その時の相場で売買するように指定した注文。「━買い」

なり・わい【▽生▽業】❶穀物などを作る仕事。農作。類語耕作。農業。❷生活のための仕事。生業。すぎわい。「━を求めて上京する」類語家業。

なり・わた・る【鳴り渡る】《自五》❶音があたり一面に広くひびく。❷評判などが広く伝わる。

***な・る**【成る】㊀《自五》❶できあがる。仕上がる。成就する。「新装━・ったデパート」「━・ってない(=できが

悪い」表記①は「為る」とも書く。❷組み立てられている。成り立つ。❸(「…しては」「…で」などを受けて)我慢できる。さしつかえない。〔多く、否定形で使われる〕「どうなるのか不安で━らない」参考→ならない。❹他の・もの(状態)に変わる。「原稿がやっと本に━った」❺ある状態に達する。「寒く━る」❻ある時期・数量に達する。「数えて満二五年に━る」❼(結果として)ある状態が生ずる。「二キロも歩いたことに━る」❽あるものの役をする。あるものの用をする。「劇で白雪姫に━る」表記③～⑧はふつうかな書き。❾将棋で、王将・金将以外の駒が敵陣にはいって裏返り、別の働きを持つ。「歩が金に━る」文《四》

㊁《補動》《「お(ご)…になる」の形で、動詞の連用形や動作を表す漢語について》その動作主に対する敬意を表す。「お歩きに━る」「ご覧に━る」表記㊁はふつうかな書き。文《四》

━らぬ堪忍するが堪忍《句》忍耐できないことを忍耐することが、本当の忍耐というものである。

***な・る【▽生る】**《自五》〔なかったものが、新たに形ができてあらわれる意〕植物が実を結ぶ。みのる。結実する。「柿が━る」類語できる。文《四》

***な・る【鳴る】**《自五》❶音がする。音が出る。「靴が━る」類語響く。❷評判などが世間に広く知られる。「俊足をもって━る走者」文《四》

なる-かみ【鳴神】〔古〕かみなり。

ナルキッソス ギリシア神話に登場する美少年。水に映る自分の姿に恋いこがれて死に、水仙の花になったという。ナルシス。▽ Narkissos

なる-こ【鳴子】田畑の鳥おどしの一つ。小さな板に細い竹筒を掛け並べ、縄を引いて鳴らす。引き板。

ナルシシズム ❶〔心〕自己を愛の対象として、それに陶酔すること。自己愛。ナルシズム。参考ナルキッソスの故事から。❷うぬぼれ。▽ narcissism

ナルシスト 自己愛が強く、自分の容姿や心情に陶酔する人。うぬぼれや。ナルシシスト。▽ narcist

なる-たけ【成る丈】《副》なるべく。できるだけ。なりたけ。「━全員出席のこと」表記ふつうかな書き。

なる-と【鳴戸・鳴▽門】❶潮の干満のとき、大きなうずを巻いて鳴りとどろく瀬戸。「阿波の━」(=鳴門海峡)」❷「なると巻き」の略。着色した魚のすり身を無色のすり身で巻いて蒸した、かまぼこに似た食品。参考切り口のうずの模様から。

なる-べく《副》できるかぎり。なるたけ。「━出席してください」

なる-ほど【成程】㊀《副》〔以前から聞いていたとおり〕まことに。ほんとうに。「━これはうまい」㊁《感》相手への了解・同意・感心などを示す語。「━、それもそうだ」表記㊀㊁ともふつうかな書き。

***なれ【慣れ・×馴れ】**なれること。習熟。習慣。

***なれ【×汝】**《代名》〔雅〕自分と同等またはそれ以下の相手を呼ぶ語。なんじ。な。「━はそも波に幾月」

なれ-あ・う【×馴れ合う】《自五》❶互いに親しみ合う。❷〔悪い事をするために〕共謀する。ぐるになる。「━って仕事をなまける」❸男女が密通する。

ナレーション ❶話し方。話術。❷映画・テレビなどで、画面にあらわれていない人が、内容・筋などについて語ること。また、その語り。▽ narration

ナレーター 映画・テレビなどの語り手。▽ narrator

なれ-ずし【▽熟×鮨・▽熟×鮓】塩づけにした魚を飯とともにおもしをしてつけ込み、自然発酵させて酸味を出したもの。うれずし。くされずし。

なれ-そめ【×馴れ初め】はじめてなじみとなること。特に、恋愛関係のきっかけ。「そもそもの━」

なれ-っ-こ【慣れっこ】《名・形動》〔俗〕すっかりなれてしまって、あまり感じなくなっていること。

なれ-ど《「━も」の形も》㊀《接続》〔文〕けれども。しかしながら。ではあるが。「死は恐れぬ。━むだ死には好まず」㊁《連語》《助動詞「なり」の已然形＋助詞「ど」》〔文〕…ではあるけれども。…ではあるが。

なれなれし・い【×馴れ×馴れしい・×狎れ×狎れしい】《形》〔失礼だと感じられるほど〕心やすい。「━く近寄る」

なれ-の-はて【成れの果て】おちぶれた結果。また、そのみじめな姿。「道楽者の━は一文なしだ」

***な・れる【慣れる・×馴れる】**《自下一》❶たびたび経験して、特別なもの(こと)と思わなくなる。常のこととなる。習慣になる。❷いつもやっているので、じょうずになる。習熟する。「パソコンに━れる」類語(する)熟練。慣熟。円熟。老熟。❸なじんで心安くなる。また、動物が人に親しみなじむ。表記③は多く「馴れる」と書く。類語懐く。❹なじんで、具合よくなる。「足に━れたくつ」文な・る《下二》。

***な・れる【▽熟れる】**《自下一》❶〔原料が〕混ざり合って、ちょうどよい味になる。熟する。「漬物が━れる」❷腐る。文な・る《下二》。

***な・れる【×狎れる】**《自下一》親しくなりすぎて、礼を失するような態度をとる。うちとけすぎてなれなれしくなる。「寵愛に━れる」文な・る《下二》。

なろう-ことなら【成ろう事なら】《連語》もしできることなら。なるべくなら。「━成功させたい」

なわ【縄】❶わら・麻などの繊維をより合わせた細長いひも。物をしばったり結んだりするのに使う。❷〈お━〉捕り縄。「お━にする(=罪人を捕らえる)」

━に掛か・る《句》罪人がつかまえられる。

━を打・つ《句》❶田畑などを測量する。❷罪人をしばる。縄打つ。

なわ-しろ【苗代】田植えまでの間、稲の種をまいて育てる田。苗代田。

なわ-つき【縄付(き)】〔罪人をなわでしばったことから〕罪人としてとらえられる・こと(人)。

なわ-て【×畷】❶まっすぐな長い道。❷田のあいだの道。たんぼ道。あぜ道。なわてじ。なわてみち。

なわ-とび【縄跳び・縄飛び】なわを張ったり回したりして、それをとびこえたり潜ったりする遊戯。

なわ-ぬけ【縄抜け・縄▽脱け】《名・自サ》しばられたなわからすり抜ける・こと(わざ・手品)。「━の名人」

なわ-のれん【縄▽暖×簾】❶何本ものなわをたらして、のれんとしたもの。❷〔縄のれん①を店の前に下げることから〕居酒屋。一膳飯屋。

なわ-ばしご【縄×梯子】なわで作り、一方のはしにかぎをつけてひっかけられるようにしたはしご。

なわ-ばり【縄張り】❶なわを張って地面をしきること。❷建築の敷地になわを張って、建物の位置を定めること。❸ばくち打ちの親分が、ばくち開帳の権利を持つ地域。また、露天商などが店を出す権利を持つ地域。❹他人の口出しを許さない範囲。勢力範囲。領分。「官庁の━争い」❺動物の個体や集団が、他の侵入を許すまいとつとめる地域。テリトリー。

なわ-め【縄目】(なは) ❶なわの編み目または結び目。❷なわでしばられ、とらえられること。「—の恥」

***なん【男】**《接尾》《数を表す語について》「…人(め)のむすこ」の意。「三—一女」参考「一人めのむすこ」は「一男」ではなく「長男」という。対女(じょ)。

***なん【難】**❶わざわい。「—を逃れる」類語災難。❷むずかしいこと。「—を避けて易(い)きにつく」類語困難。対易(い)。❸欠けたところ。きず。「少々—のある車」❹不満に思われるところ。類語③④欠点。欠陥。難点。

***なん【何】**一《代名》《「なに」の音便形》↓なに。「それは—だ」二《接頭》《名詞およびそれに準ずる語について》不定の数量を表す。幾(いく)。「—時」「—日」「—回」

***なん**《係助》↓なむ。

***な-ん**《連語》文語《完了の助動詞「ぬ」の未然形「な」+推量・意志の助動詞「ん」》…てしまうだろう。…てしまおう。「帰り—ん、いざ」表記「なむ」とも書く。

***なん-い【南緯】**赤道から南の緯度。対北緯。

***なん-い【難易】**むずかしいことと、やさしいこと。困難と容易。「仕事によって—の差がある」「—度」

***なん-か【南下】**《名・自サ》南の方に向かって進むこと。南進。「高気圧が—する」対北上。

***なん-か【軟化】**《名・自他サ》❶〔物の性質が〕やわらかくなること。また、やわらかくすること。❷〔主張・態度などが〕おだやかになること。また、やわらげること。「強硬な姿勢が—する」対①②硬化。

***なん-か【何か】**一《連語》《不定称の代名詞「なに」に助詞「か」がついた形「なにか」の転じたもの》❶任意の、また、不定の物・事をさす。「—残ってないかしら」❷並列の最後に並べられ、それらに類する不特定のあるものをさす。「洗濯や炊事や—どうしてるんだ」参考「なんぞ」より口頭語的。二《副》どことなく。「—こわい感じの人だ」三《副助》《連語「何か」が助詞化したもの》↓など《副助》②③④。「これなんかよさそうね」「怖くなんかあるものか」表記三はふつうかな書き。

なん-が【南画】❶「南宗画(なんしゅうが)」の略。中国の絵画の二大系譜の一つ。唐の王維(おうい)に始まるとされる。おもに水墨で山水を描き、文学的であることが特色。対北画。❷江戸時代中期の文人画家たちが描いた、南画①的な作風の絵画。

***なん-かい【南海】**❶南の海。対北海(ほっかい)。❷「南海道(なんかいどう)」の略。**—どう【—道】**❶律令(りつりょう)制による七道の一つ。大宝令の制で紀伊・淡路(あわじ)・阿波(あわ)・讃岐(さぬき)・伊予(いよ)・土佐の六国の称。❷南海道①の諸国の国府を結んだ道。

***なん-かい【難解】**《名・形動》むずかしくわかりにくいこと。「—な文章」類語晦渋(かいじゅう)。

なんかのゆめ【南×柯の夢】《句》はかない夢。また、はかないことのたとえ。槐夢(かいむ)。槐安(かいあん)の夢。故事唐の淳于棼(じゅんうふん)が酒に酔って槐(えんじゅ)の木の下で眠ると、夢の中で槐安国(かいあんこく)の南柯郡の郡守に任ぜられ栄華をきわめたということから。〈南柯太守伝〉

なん-かん【難関】〔「通過するのに困難な関所・関門」の意から〕通り抜けるのが非常にむずかしい所。切り抜けにくい事態。「—を突破する」類語難境。難局。

なん-ぎ【難儀】❶《名・形動》困難。面倒。迷惑。「—をかける」❷《名・自サ》〔災難や貧乏のため〕苦しみ悩むこと。「どろ道を歩くのに—する」

なん-きつ【難詰】《名・他サ》非難してなじること。責め問うこと。「不親切を—する」

***なん-きゅう【軟球】**軟式の野球・テニス・卓球などで使う、比較的やわらかいボール。対硬球。

***なん-きゅう【難球】**〔野球・テニス・卓球などの球技で〕打ったり受けたりするのがむずかしいボール。

なん-ぎょう【難行】《名・自サ》非常につらく苦しい修行。参考本来、仏教で使われた語。類語苦行。**—くぎょう【—苦行】**《名・自サ》❶難行と苦行。非常につらい修行。❷ひどい苦労をすること。

***なん-きょく【南極】**❶地球の自転軸の南端にあたる地点。南緯九〇度の地点。南極点。❷南極大陸とその周辺の地域。❸天球と、地球自転軸の南への延長線との交点。❹磁石の、南をさしている方の磁極。S極。対①〜④北極。**—かい【—海】**南極大陸周辺の海域。南氷洋。

***なん-きょく【難局】**〔むずかしい問題がさしせまっている〕困難な局面。「—を打開する」類語難関。難境。

***なん-きょく【難曲】**❶演奏したり歌ったりするのがむずかしい楽曲。❷理解するのがむずかしい楽曲。

***なん-きん【軟禁】**《名・他サ》程度の軽い監禁。外部との接触や外出は許さないが、一定の場所の内部では自由にさせるといったもの。

***なんきん【南▽京】**❶「かぼちゃ」の別称。❷《接頭語的に用いて》㋐中国または東南アジア方面から渡来した物である意。㋑珍しい物、または小さくて愛らしい物である意。参考「京(きん)」は唐音。**—じょう【—錠】**巾着(きんちゃく)の形をした錠前。**—ぶくろ【—袋】**ジュートで編んだ袋。穀物などを入れる。**—まち【—街・—町】**中国人街。中華街。**—まめ【—豆】**↓らっかせい。**—むし【—虫】**❶トコジラミ科の小さな昆虫。からだは平たく、赤褐色。たたみや柱のすきまにすみ、夜間はい出して人や家畜の血を吸う。とこじらみ。❷〔俗〕小型の女性用金ぶち腕時計。参考形がなんきんむし①に似ていることから。

なん-く【難句】❶わかりにくい、また、むずかしい文句。❷解釈に問題のある難解な俳句や川柳(せんりゅう)。

なん-くせ【難癖】非難すべき欠点。「—を付ける(=ことさらに欠点をとり上げて非難する)」

なん-くん【難訓】漢字で、訓読みのむずかしいもの。

***なん-ご【×喃語】**《名・自サ》〔文〕❶男女がむつまじく語り合うこと。類語むつごと。❷乳児の出す、まだ言葉にならない声。「—期」

***なん-ご【難語】**難しくて意味がわかりにくいことば。

***なん-こう【軟×膏】**薬物を脂肪・ワセリン・グリセリンなどと練り合わせて作った、半固形の外用薬。

***なん-こう【難航】**《名・自サ》❶船や飛行機が悪条件に出合って航行に苦しむこと。❷〔ひゆ的に〕物事の進行が、障害が多くてうまくはかどらないこと。難行。

***なん-こう【難行】**《名・自サ》難航②。「審議が—している」

なん-こうがい【軟口×蓋】口蓋のうち、硬口蓋の奥の方のやわらかい部分。対硬口蓋。

なんこう-ふらく【難攻不落】❶攻撃に非常に困難で、なかなか攻め落とせないこと。「—の要塞(ようさい)」❷なかなかこちらの思うようにはならないこと。

なん-ごく【南国】南の方の〔暖かい〕国・地方。「—土佐」対北国。

なん-こつ【軟骨】やわらかく弾性に富む骨。鼻・耳などにある。すじぼね。対硬骨。

*なん‐ざん【南山】❶南の方にある山。❷「終南山（しゅうなんざん）」の略。中国陝西（せんせい）省にある山。❸「高野山（こうやさん）」の別称。〔比叡山（ひえいざん）を北嶺（ほくれい）というのに対していう〕

―の寿（じゅ）《句》中国の南山が崩れないのと同じように、永久に続く命。〔長寿を祝うことば〕〈詩経〉

*なん‐ざん【難産】《名・自サ》❶出産のとき、胎児が容易に母体から出ないこと。対安産。❷物事の成立が容易でないこと。「―の末に成立した法律」

*なん‐じ【難事】〔文〕むずかしい事柄。処理や解決の困難な事件。「進んで―にあたる」

*なん‐じ【難字】読み書きが難しい文字。特に、漢字。

*なん‐じ【難治】〔文〕病気のなおりにくいこと。なんち。

*なんじ【×汝・×爾】（なんぢ）《代名》《「なむち」の転》〔文〕目下の人や親しい人をよぶ語。なれ。「―姦淫（かんいん）するなかれ」類語おまえ。きみ。

なん‐しき【軟式】野球・テニスなどで、軟球を使って行う競技。対硬式。

なん‐しつ【軟質】やわらかい性質。対硬質。

なん‐じゃく【軟弱】《名・形動》❶やわらかで、しっかりしていないこと。また、か弱いこと。「―なからだ」❷確固たる信念がなくて、弱腰であること。「―外交」類語惰弱（だじゃく）。対強硬。

なん‐じゅう【難渋】《名・自サ》❶物事がはかどらず困ること。「審議が―している」類語渋滞。❷《形動》困るようす。苦しむようす。「老人には―な寒さ」類語難儀。

なん‐しょ【難所】けわしい山道、荒れた海など、通行に困難な場所。「いよいよ―にかかる」

なん‐しょう【難症】なおりにくい病気（症状）。

なん‐じょう【何条】（―でふ）《副》《「何という」の意の古語「なでふ」の転》〔文〕どうして。なんとして。なんで。〔ふつう、反語的に用いる〕「―もってたまるべき（=どうしてたまるものか）」表記かなで書くことが多い。

なん‐しょく【難色】〔反対はしないが〕むずかしい、または不賛成であるという態度。「―を示す」

なん‐しん【南進】《名・自サ》南の方に向かって進むこと。「大軍が―する」対北進。

なん‐すい【軟水】カルシウム・マグネシウムの塩類を〔少量しか〕ふくまない水。飲用水や洗たく用水などに適する。対硬水。

なん‐ずる【難ずる】《他サ変》とがめて悪くいう。非難する。「怠慢を―ずる」

なん‐せい【南西】南と西との中間の方角。西南。

なん‐せん【難船】❶《名・自サ》船が、暴風雨などのためにこわれたりひっくりかえったり座礁したりすること。難破。❷難破した船。類語破船。

ナンセンス《名・形動》意味をなさないこと。ばかげたこと。ノンセンス。「―な話」▽nonsense

なんせん‐ほくば【南船北馬】あちらこちらと〔続けて〕旅行すること。参考中国南部の長江（揚子江）地方は河川が多いので船で行き、河川に恵まれない北部地方は馬で行くということから。類語東奔西走。

なん‐ぞ【何ぞ】一《連語》《「なに」に助詞「ぞ」がついた形「なにぞ」の転じたもの》❶任意の、または不定の物・事をさす。なんか。なにか。「―よい知恵はないか」❷〔助詞「や」あるいは「か」につく〕並列の最後に並べられる、それらに類する不特定のあるものをさす。なんか。なにか。「そこに靴か―がある」❸何であるか。「死とは―や」二《副》〔文〕反語の意で用いる。どうして〔…であろうか…でない〕。「―知らん」三《副助》《連語「何ぞ」が助詞化したもの。また、副助詞「なんど」の転とも》→など〔副助〕。「お前なんぞに分かるか」表記三はふつうかな書き。

*なん‐だ《助動：無変化型》打ち消しの過去を表す。…なかった。「知らなんだ」参考室町期に現れた。現在では、主として西日本の方言で使われる。

*な‐ん‐だ《連語》「なのだ」の口頭語。

*なん‐だい【難題】❶詩歌（しいか）や文章を作るのにむずかしい題。❷ときにくい問題・課題。難問。❸むりな要求。やっかいな事柄。「無理―を吹っかける」

なんたい‐どうぶつ【軟体動物】貝類・タコ・イカなどを含む動物群の総称。からだは柔らかで、外套膜（がいとうまく）に包まれ、多くは貝殻によって保護されている。

なん‐だか【何だか】《副》❶わけは分からないが、なんとなく。「―息苦しい」「―変だ」❷その物がはっきりと分からないことを表す。なにであるか。なんなのか。

なん‐だって【何だって】一《連語》❶《「なんだと言って」の転》どういうわけで。どうして。なぜ。「―邪魔するんだ」❷《「なんであっても」の転》たとえなんであっても。なんでも。「食べられる物なら―いい」❸「なんだと」を強めた疑問の語。なんて。なんと。二《感》相手の言葉に対する驚きや怒りの気持ちをこめて、その内容を問い返す時に発する語。なに。なんだと。

なん‐たる【何たる】一《連体》どうした。なんという。驚き・嘆き・怒りなどを表す。「―愚かな決定か」二《連語》何である。「人生の―かを学ぶ」

なん‐たん【南端】南のはし。南のはて。対北端。

なん‐ちゃくりく【軟着陸】《名・自サ》宇宙飛行体を引力にさからいながら減速し、衝撃を受けないように天体に着陸させること。ソフトランディング。

なん‐ちゅう【南中】《名・自サ》〔天〕天体が子午線を通過すること。参考おもに太陽・月についていい、恒星の場合は「正中」または「子午線通過」という。

*なん‐ちょう【軟調】❶取引市場で、相場が下落ぎみなこと。対堅調。❷写真で、黒白の調子の差が小さいこと。黒白のコントラストが弱いこと。対①②硬調。

*なん‐ちょう【難聴】❶聴力が弱くて、音や声がよく聞きとれない状態。❷〔ラジオなどの放送が〕聞きとりにくいこと。「―地域」

*なん‐て【何て】一《副》詠嘆の意を表す。なんと。「―すばらしいのだろう」二《連語》「なんという」のつづまった形。「―事はない」「―ったっておかしい」

*なん‐て《副助》❶叙述の内容を、ばかばかしいもの、無視すべきものなどとして軽んじながら、それと示すのに使う。などと。などという…。「許すなんて言った覚えはない」「結婚しようかなんてね、言っちゃってさ」❷〔下に評価を表す語を伴い〕評価の対象をそれと示すのに使う。など。「家族旅行なんていいじゃない」参考悪い評価を表す語を伴うことの方が多い。「めそめそするなんて男らしくないよ」

なん‐で【何で】《副》どういう理由で。どうして。なんのために。なぜ。「―いけないんだ」

なん‐てき【難敵】てごわくて、たやすく征服できない敵・相手。「―に立ち向かう」

なんで‐も【何でも】《副》❶どんな・こと（もの）でも。❷どんなことがあっても。どうしても。「何が―行かねば

な

ならぬ」❸事実かどうかはっきりとはわからないが。どうやら。「―無事だったらしい」 **―かでも【―▽彼でも】**《副》❶どんなものでもみんな。❷どんなことがあっても。どうしても。「―、とにかくやるんだ」 **―や【―屋】**❶ひととおりの雑貨や日用品などを売っている店。よろずや。❷何事にも手を出したがる人。また、何をやらせてもある程度はできる人。

―無・い《句》別にどうということはない。ごくあたりまえである。「―ことを大げさに言う」

***なん-てん【南天】**❶南の空。❷メギ科の常緑低木。秋から冬にかけて赤い球形の実を結ぶ。葉は冬に紅葉する。庭木用。実・葉を漢方薬に用いる。

***なん-てん【難点】**❶悪いところ。欠点。「高いのが―だ」❷むずかしいところ。困難なところ。

なん-と【何と】㊀《副》《「なにと」の音便》❶どのように。どう。「―したものか」❷たいそうまあ。なんて。㊁《感》❶相手に同意を求めたり意向をうかがったりする場合に用いる語。ねえ。「―、うれしいじゃないか」❷驚きを表す語。「―、これはしくじった」

***なん-ど【納戸】**❶衣服・調度の類をしまっておく部屋。物置部屋。納戸部屋。❷「納戸色」の略。❸「納戸役」の略。 **―いろ【―色】**↓おなんどいろ。 **―やく【―役】**↓おなんどやく。

***なん-ど【難度】**〔物事の〕むずかしさの度合い。

***なん-ど**《副助》《「なに(何)」+助詞「と」の転》↓など〈副助〉。

なんと-いう【何と言う】《連語》❶名称が不明であるとき、また、名称をたずねるときに言う語。「―団体だったか、思い出せない」❷《下に打ち消しの語を伴って》特にとりたてて言うこともない意を表す語。「―目的もなしに街に出てみた」❸〔程度がはなはだしくて〕どう形容したらよいのか分からないほどである意を表す語。なんと。なんたる。「―いい天気だろう」

なんと-いっても【何と言っても】《連語》だれがどう言おうとまちがいなく。いろいろと言ってみたところで結局。「―彼が一番上手だ」

***なん-とう【南東】**↓とうなん(東南)。

***なん-とう【軟投】**野球で、投手がゆるいスピードでボールを投げること。「―型投手」

なん-とか【何とか】《「なに」+助詞「と」+助詞「か」から成る形、「なにとか」の音便》㊀《連語》はっきりしないものを示す。なになに。「―いう男がきのう訪ねてきた」㊁《副》❶なんだかわからないが、とにかくなにか。なんでもよいからなにか。「―言ったらどうだ」❷《自サ》何らかの手段を尽くすことを表す。どうにか。「―しよう」

なん-どき【何時】❶時刻を聞くときに用いる語。なんじ。❷不定の時刻・時期を表す。いつ。〔上に「いつ」と重ねて、強めて使われることが多い〕「いつ―大地震がくるかわからない」

なん-どく【難読】読み方がむずかしいこと。「―地名」

なんと-なく【何と無く】《副》❶〔はっきりした理由はないが〕どことなく。なんだか。「―気にかかる」❷特別なこともなく。平凡に。「―一日が過ぎてしまった」

なん-とも【何とも】《副》《「なにとも」の音便》❶ほんとうに。まったく。「―申しわけありません」❷《打ち消しの語を伴って》不確定の気持ちを表す。どうとも。「―いえない」❸《打ち消しの語を伴って》たいしたことではないようす。「―思っていない」

なんと-やら【何とやら】《連語》物・事・ことばが不明または不定なとき、それを言う語。〔婉曲(えんきょく)表現にも使う〕「無理が通れば―」

なん-なく【難無く】《副》なんの困難もなしに。たやすく。わけもなく。「大学に―パスした」

なん-なら【何なら】《副》相手のつごうによっては、自分はそうしてもよいという気持ちで言う語。よかったら。「―私も行こう」[参考]「何でしたら」は丁寧語。

なんなり-と【何なりと】《副》《「―も」の形も》なんであろうとも。なんでも。どんな・こと(もの)でも。「―お手伝いしましょう」

なん-なん【×喃×喃】《副》ぺちゃくちゃ言うようす。よくしゃべるようす。〔男女間の会話をさすことが多い〕「喋々(ちょうちょう)―と話を交わす」

なんなんと-・する【▽垂んとする】《自サ変》《「なりなんとす」の音便》〔文〕まさにそうなろうとする。「三時間に―する大熱戦」

なん-にも【何にも】《副》《下に打ち消しの語を伴う》❶何事にも。何物にも。「ここでしくじっては―ならない」❷「なにも②」を強めた言い方。全く。何一つ。

なん-にょ【男女】男と女。だんじょ。〔やや文章語的な言い方〕「老若(ろうにゃく)―」

なん-の【何の】㊀《連語》❶なにほどの。❷なんのための。「楽しみなくして―人生ぞ」❸〈「…の―」の形で〉上につく語を強調するのに用いる。「忙しいの―、毎晩残業だ」㊁《感》意に介せず否定することば。どうして。いや。「―これしきの傷」

なんの-かの-と【何の▽彼のと】《連語》なにやかやと。あれこれと。とやかくと。なんのかんのと。

なんの-その【何の×其の】《連語》〔一般にはたいへんに思われることを〕なんとも思わない。平気だ。たかが知れたことだ。「試験なんか―」

なん-ば【難場】難儀な場所・場合。[類語]難所。

***なん-ぱ【軟派】**❶意見や主張の弱い党派。❷軟文学に読みふけったり、異性との交際を好んだりして、すべての行動に弱々しい一派。〔不良仲間や学生などについていう〕「―の学生」❸新聞で、社会面・文化面を扱う部署(の人)。「―記者」[対]①～③硬派。

***なん-ぱ【難破】**《名・自サ》船が暴風雨などにあってこわれたりひっくりかえったり座礁したりすること。難船。

ナンバー❶数。数字。❷番号。「自動車の―」❸〔雑誌などの〕号数。「バック―」❹曲目。〔特にジャズ・ポピュラー音楽でいう〕「スタンダード―」▽number **―ワン**❶第一番。最初。❷第一人者。ある分野での権威者。「角界の―」▽number one

ナンバリング 押すたびに自動的に数字が順に刻印される事務用具。▽numbering machineから。

なん-ばん【南蛮】❶南方の野蛮人。南方の異民族。[対]北狄。❷〔近世の日本において〕㋐シャム・ルソン・ジャワなどの、東南アジアの国々の称。当時の日本の海外貿易の相手であった。㋑ポルトガル人・イスパニア人(=スペイン人)の総称。南蛮人。㋒南蛮㋐の地域から輸入した文物。また、そのめずらしい文物にそえた語。「―渡来の珍獣」「―更紗(さらさ)」❸「南蛮がらし」の略。「とうがらし」の別称。❹「南蛮煮」の略。ネギと魚・鳥などの肉とをいっしょに煮た料理。

なん-ぴと【何人】《「なにびと」の音便》〔文〕だれ。どんな人。なんびと。「―たりとも口出しを許さない」

なん-びょう【難病】なおりにくい病気。

なんぴょう・よう【南氷洋】「南極海」の俗称。対北氷洋。
***なん・ぶ【南部】**南の方の部分。「九州ー」対北部。
***なんぶ【南部】**岩手県盛岡地方。「ー駒(ごま)」参考南部氏の旧領地であったことから。
なん・ぷう【南風】❶南から吹く風。みなみ風。対北風。❷〔文〕夏の風。
なん・ぶつ【難物】取り扱いに困る物(人)。
なん・ぶん【難文】わかりにくく、むずかしい文章。
なん・ぶんがく【軟文学】男女間の恋愛・情事を主題とした文学作品。
なん・べん【軟便】ふつうよりやわらかな大便。
なん・ぼ《副》(「なにほど」の転)〔俗〕❶程度・数量などの限定しがたいようすを表す語。また、不明な数量・値段をたずねるときにもいう。いかほど。どのくらい。「ーうれしいかわからない」「ご祝儀にはー包もうか」❷(「ー…しても」「ー…でも」などの形で)どんなに…しても。いくら…でも。「ーやっても無理」参考方言的。
なん・ぽう【南方】南の方角。南の地方。対北方。
なん・ぼく【南北】南と北。「ーに通ずる道路」
なんまいだ「なむあみだぶつ」の転。
なん・みん【難民】❶生活に困っている人民。❷〔戦災・天災などで〕家や食糧を失い、難儀する人々。特に、避難し、また、放浪している民衆。
なん・めん【南面】❶《名・自サ》南に向いている・こと(所)。南向き。対北面。❷〔文〕君主の位につくこと。参考昔、中国で天子の座が南向きであることから。
なん・もん【難問】解くのがむずかしい・質問(課題)。
なん・やく【難役】むずかしい役割。むずかしい仕事。
なん・よう【南洋】太平洋南西部、赤道を中心とする多島海地域、およびその・海洋(島々)。対北洋。
なん・ら【何▽等】《副》(「なにら」の音便)(下に否定の語を伴う)少しも。なにも。まったく。「この事件は私とはー関係がない」**ーか**《連語》なにか。ある程度。いくらか。少し。(はっきり表現できない場合にいう)「ーのお礼はしなければならない」
なん・ろ【難路】(行くのに)困難なけわしい道。危険な道。「ーを避ける」類語悪路。険路。
なん・ろん【軟論】弱腰の意見・議論。対硬論。

に

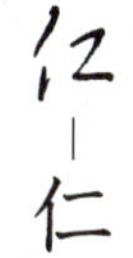

***に【似】**《接尾》(体言について)そのものに似ていることを表す。「父親ーの子ども」
***に【▽丹】**❶赤い色の土。あかつち。参考昔、染料に使った。❷赤い色。朱(ゆし)色。「ー塗りの矢」
***に【二】**❶一に一を加えた数。一の次の数。ふたつ。ふた。表記証書類では「弐」と書く。❷二番め。ふたつめ。次。「ーの次(つぎ)(=二番め。あと回し)」「ーの膳(ぜん)」❸〔文〕同じでないこと。「ーにして一でない」
***に【尼】**㊀《名》「比丘尼(びくに)」の略。出家した女性。あま。尼僧。㊁《接尾》尼僧の名の下にそえる語。「蓮月(れんげつ)ー」
***に【煮】**㊀《名》煮かた。また、煮た程度。「ーが足りない」㊁《接尾》煮ること、また、煮て作った料理の意。「水ー」「クリームー」「甘露(かんろ)ー」
***に【荷】**❶運搬・輸送のために仕立てられた物品。荷物。「ーを送る」参考馬に背負わせた荷は「一駄(だ)…」、肩にかつぐ荷は「一荷(か)…」と数える。類語手荷物。小荷物。梱(こり)。貨物。❷(その人の行動に)じゃまになるもの。やっかいなもの。「子供がーになる」❸責任。任務。負担。「彼に四番打者を任せるのはーが重い(=責任や負担が大きすぎる。荷が勝つ)」「借金を返してーが下りた(=責任を果たして解放された)」
***に**㊀《格助》❶事物が存在する場所を表す。「庭に梅の木がある」「私にも言い分がある」また、物事が成立する場所を表す。「センター前にヒットを打つ」「顔に笑みを浮かべる」参考→で(格助)。
❷文語 動作・作用の行われる場所を表す。「駅頭に一時間待つ」参考口語では「…で」を使う。
❸動作・作用の行われる時間を表す。「正午に着く」「三日前に終わった」「完成までには時間がかかる」
❹到着点・行き先を表す。「学校に行く」「富士山に登る」「右折して商店街に出る」「荷物を部屋に運ぶ」参考「…へ」で言い換えると、方向性を重んじた言い方となる。→へ(格助)。
❺動作の向けられる(あるいは動作を受ける)相手を表す。「犬が人にかみつく」「強敵に挑む」「駅で友人に会った」「友人に手紙を書く」「壁に寄りかかる」「先生に(=から)文法を教わる」参考「…を」は対象性を重んじた言い方(犬が人をかむ)。「…と」は対等の立場を重んじた言い方(強敵と闘う)。「…へ」は方向性を重んじた言い方(友人へ年賀状を出す)。
❻精神的作用の向けられる目当て・相手を表す。「母親に甘える」「実験の成功に(=を)期待する」「足元に注意する」「経験に頼る」
❼相手の働きかけに対する応答を表す。「質問に答える」「要求に応じる」「懸賞に応募する」
❽(移動を表す動詞を伴い)移動の目的を表す。「買い物に出かける」「使いにやる」参考→から(格助)⑦。
❾(心的な)作用をひきおこす原因を表す。「厚かましさにあきれる」「寒さに震える」「失策に泣く」
❿資格・名目を表す。…として。「姪(めい)を秘書に雇う」「社長に迎える」「総裁候補に浮上する」
⓫比較・対照の基準・基盤を表す。「長男は父親に似ている」「相手に調子を合わせる」「大皿に小皿を重ねる」参考→と(格助)①。

⓬範囲・領域を表す。…の点で。「語学にすぐれる」「銘柄にこだわる」「地理に明るい」「語るに易(やす)く、行うに難し」「言うに事欠いて…」

⓭範囲を限定して、その内容の多寡を言う。…の点でそれが。「経験に富む」「想像力に乏しい」「一貫性に欠ける」「喜びにあふれた顔」

⓮割合を規定する範囲を基準として示す。…のうち。「五回に一回は失敗する」

⓯変化の結果や、認識の内容をそれと示す。「水が氷に(=と)なる」「事件を小説に書く」「遠目には美人に見える」「だまされていたことに(=だまされていたと)気付く」参考→と(格助)③。→だ(助動)。

⓰様態をそれと示し、副詞句を作る。「総会は怒号に始まり、喝采(かっさい)に終わる」「一思いに打ち明ける」「窓越しにながめる」「忘れずに報告する」

⓱(受け身表現で)動作・作用の主体を表す。「兄に(=から)殴られる」「雨に降られる」「仕事に追われる」参考

に

(ア)「作品」を主語にとるときは、「によって」となることが多い。『道草』は漱石(そうせき)によって(×に)書かれた」(イ)➡を

一(格助)①(ウ)。

⑱(使役表現で)動作の主体を表す。「子供に学ばせる」

⑲(授受表現のうち、「…てもらう」「…ていただく」の形をとる表現で)動作の主体を表す。「母に絵本を読んでもらう」「先生に教えていただく」

⑳(尊敬・可能・自発・難易・感情などの表現で)作用の主体を、場所として間接的に示すのに使う。…にとって。〔多く、「…には」の形で使う〕「皆様にはお変わりなくお過ごしのことと存じます」「子供にはできない」「君にはあれが見えないのか」「私には難しい」

二《並助》❶同類のものを並べあげて一組とするのに使う。「リンゴにミカンにバナナにナシなどが好きです」
❷(同じ動詞の間に使って)程度の甚だしいことを表して動詞の意味を強める。「待ちに待った祭り」

三《接助》文語(連体形につく)❶予期に反する事態が次に起こることを示しながら文を続けるのに使う。「習(そよ)との風もあらぬに花頻(しき)りに散りぬ〈紅葉〉」参考 口語では「…(よ)うに(も)」「…まいに」などの形で慣用的な表現に使うほか、一般には「…のに」の形で使う。「買おうにもお金がない」「苦労するまでもあるまいに…」「忠告したのに耳を貸さない」
❷(動詞連体形＋「に」の下に不可能の意を表す同じ動詞を伴い、慣用句的に)事の不可能を強調するのに使う。「言うに言われぬ胸の内」
❸ある事態をきっかけとして新しい事態が展開する場合の、きっかけを言う。…したところ。「見渡すにちり一つなし」参考 現代語には、「思うに」「要するに」「案ずるに」などの形で残る。
❹その上さらに。「顔かたち清らかなるに、心根もまた優し」

に・あ・う【似合う】―あふ《自五》あるものと他のものが、ほどよくつり合う。ぴったりする。調和する。「この風景に―わない建物」類語 (する)相応。

に・あがり【二上(が)り】三味線で、本調子より二の糸の調子を一音上げたもの。また、その調子の曲。

に・あげ【荷揚(げ)】《名・自他サ》船に積んだ荷物を陸にあげること(労働者)。類語 陸揚げ。

に・あつかい【荷扱(い)】―あつかひ 荷物をとりあつかうこと(作業)。荷物の受け渡し・発送・保管など。

ニア・ミス〔航空機どうしの〕接触寸前の異常な接近。▽near miss

に・あわし・い【似合わしい】―あはしい《形》〔その人・物に〕よくにあう。ふさわしい。ぴったりしている。「日本代表に―い容姿」「―い夫婦」類語 似つかわしい。

にい【新】にひ《接頭》《体言につけて》「新しい」「初めてである」の意。「―妻」「―盆」

にい・さん【〈兄さん〉】❶「あに」の敬称。❷〔俗〕年若い男を軽く親しんで呼ぶ語。「ちょいと―」

ニーズ 必要。要求。また、その度合い。ニード。「購買者の―に応じる」▽needs

にい・づま【新妻】にひ― 結婚したばかりの妻。類語 新婦。花嫁。

にいなめ・さい【新×嘗祭】にひ― 宮中の行事の一つ。一一月二三日(昔は陰暦一一月の第二の卯(う)の日)に、天皇がその年の新穀を天地の神に供え、自身も食べて収穫を感謝する祭事。しんじょうさい。参考 旧祭日の一つ。現在の「勤労感謝の日」。

にいにい・ぜみ【にいにい×蟬】セミ科の昆虫。小形で黄褐色、背にW字形の黄緑色の紋がある。六月ごろから出て、「ジージー」と単調に鳴く。

にい・ぼん【新盆】にひ― その人の死後、初めてむかえるお盆。初盆。あらぼん。しんぼん。

にい・まくら【新×枕】にひ― 〔結婚した〕男女が初めていっしょに寝ること。「―をかわす」類語 初夜。

に・いろ【▽丹色】赤色。赤土色。

に・いん【二院】〔政〕二院制における議会の上院と下院。わが国では、衆議院と参議院。両院。「―制」

に・うけ【荷受(け)】荷物を受け取ること。「―人」対 荷送り。

に・うごき【荷動き】商取引による荷物・商品の動き。

に・うま【荷馬】荷物を運ぶ馬。駄馬。

***にえ【×錵・▽沸】**日本刀の地はだと刃との境目に現れる、輝いて見えるいろいろの文様。

***にえ【×贄・▽牲】**にへ〔古〕神に供え、また朝廷に献上するささげ物。特に、魚鳥の類。

にえ・かえ・る【煮え返る】―かへる《自五》❶煮えてぐらぐらとわき返る。沸騰する。煮えたぎる。「湯が―る」❷感情が激しく騒ぎ乱れる。特に、非常に腹が立つ。

にえきらな・い【煮え切らない】《連語》思いきりが悪くて、ぐずぐずしている。考え・態度がはっきりしない。「―い返事」類語 優柔不断。

にえくり・かえ・る【煮え繰り返る】―かへる《自五》「煮え返る」を強めた言い方。「腸(はらわた)が―る」

にえ・たぎ・る【煮え×滾る】《自五》さかんに煮えたって、わきあがる。煮えあがる。煮え返る。

にえ・た・つ【煮え立つ】《自五》よく煮えてわきあがる。沸騰する。煮立つ。「―った湯」

にえ・ゆ【煮え湯】煮え立った熱い湯。熱湯。「―を飲まされる(＝信頼を裏切られて、ひどい目にあう)」

に・える【煮える】《自下一》❶水といっしょに加熱した食物に熱が通って食べられるようになる。また、水がわいて湯になる。「イモの―えたもご存じない」類語 煮え立つ。煮立つ。煮え返る。滾(たぎ)る。沸く。(する)煮沸。沸騰。❷〈多く「業(ごう)が―える」「腹が―える」などの形で〉ひどく腹が立つ。文 に・ゆ《下二》。

にお【×鳰】にほ「かいつぶり」の古称。におどり。

***におい【×匂(い)】**にほひ ❶嗅覚(きゅうかく)をこころよく刺激するもの。かおり。香気。「―のよい花」表記 不快なにおいには「臭い」と書く。➡臭(にお)い①。❷〔物事の持つ〕それらしい趣・感じ。風情。雰囲気。「下町の―」表記 好ましくない趣・感じの場合は、多く「臭い」と書く。➡臭(にお)い②。❸刀の刃の表面にほんのりとあらわれる模様。⇩【類語と表現】

***におい【▽臭(い)】**にほひ ❶不快なくさみ。臭気。「石油の―がしみつく」❷〔好ましくない物事の〕はっきりしないが、それらしく感じられること。「あの取引には不正の―がする」⇩【類語と表現】

類語と表現

「匂(にお)い・臭(にお)い」
*バラの匂いをかぐ・魚を焼く匂いがする・沈香(じんこう)の匂いがただよう・香水の匂いが立ちこめる・匂い袋／玉ねぎの腐った臭いがする・アンモニアの臭いが鼻を突く・脱臭剤。
◆香り・香・色香・木の香・移り香・残り香・香気・香味・芳香・微香・余香・残香・薫香(くんこう)・遺薫・余薫

◆［不快な臭い］臭気・臭味・悪臭・汚臭・異臭・激臭・口臭・体臭・死臭・腐臭／銅臭

におい‐た・つ【×匂（い）立つ】《自五》❶匂いが発する。「芳香が—つ」❷美しさ・なまめかしさが感じられる。「—つような美しさ」

におい‐ぶくろ【×匂（い）袋】ちょうじ・じゃこうなどの香料を入れた小さな袋。身につけたり、部屋に掛けておいたりする。

***に‐おう**【仁王・二王】仏法の守護神として、寺の門の両わきや須弥壇の両わきに安置する左右一対の金剛力士。仁王尊。**—だち**【—立ち】《名・自サ》仁王の像のように、どっしりと勢いこんで立つこと。

***にお・う**【×匂う】《自五》❶よいかおりがする。「梅の花が—う」表記 不快なにおいの場合は、多く「臭う」と書く。→臭う①。類語 薫る。匂わす。薫ずる。香気を発する。❷（色が）美しく照りはえる。「朝日に—う桜花」❸断定はできないが、それらしい感じがする。「婚約したんでしょう。隠しても—うわ」表記 好ましくない場合は、多く「臭う」と書く。→臭う②。文《四》。

***にお・う**【▽臭う】《自五》❶不快なくさみがする。臭気がただよう。「生ごみが—う」類語 臭わす。鼻を突く。臭気（異臭）を発する。❷何かうさん臭いことが行われた感じがする。「不正が—う」文《四》。

に‐おくり【荷送（り）】荷物を先方に送り出すこと。「—人」対 荷受け。

に‐おも【荷重】《名・形動》❶荷が重いこと。❷責任・負担が重すぎること。「私にはその仕事は—だ」

にお・やか【×匂やか】《形動》❶よいかおりがするようす。「花を渡ってきた—な風」❷色あいがほんのりとあでやかなようす。「—な薄化粧」＝においやか。

***におわ・す**【×匂わす】《他五》❶よいかおりをさせる。香気を発する。「香水を—す」類語 →匂う。表記 不快なにおいの場合は「臭わす」と書く。→臭わす。❷それとなくわからせる。ほのめかす。遠まわしに言う。「引退を—す」＝匂わせる。文《四》。

***におわ・す**【▽臭わす】《他五》不快なにおいをさせる。臭わせる。類語 →臭う。文《四》。

***におわ・せる**【×匂わせる】《他下一》→匂わす。

***におわ・せる**【▽臭わせる】《他下一》→臭わす。

に‐かい【二階】❶家が二層になっていること。また、その上の層。❷二層以上の建築物の、下から二層め。**—から目薬**《句》（二階から下の人に目薬をさす意から）まわりくどくて、ほとんど効果のないたとえ。

にが・い【苦い】《形》❶（食物などを口に入れたとき）顔をしかめたくなるような味を舌に感じる。「—い薬」「青春は—い味のする時期でもある」類語 苦味がある。❷不快である。不機嫌である。「—い顔をする」類語 苦々しい。❸（あとで思い出すのもいやなくらいに）つらい。くるしい。「—い経験」文 にが・し《ク》。

にが‐うり【苦×瓜】「蔓茘枝」の別称。ウリ科の一年生つる植物。果実はだ円形で、全面にいぼ状の突起があり、苦みがある。参考 果実は「ゴーヤー」ともいう。

に‐がお【似顔】「似顔絵」の略。似顔。類語 肖像画。**—え**【—絵】❶ある人の顔に似せて描いた絵。❷浮世絵で、役者絵または美人絵。ポートレート。

に‐がさ【荷×嵩】荷物がかさばること。「—になる」

にが‐しお【苦塩】→にがり。

にが・す【逃がす】《他五》❶（捕らえていたものを）はなして自由にしてやる。逃げさせる。のがれさせる。「かごから鳥を空に—す」類語 放免。釈放。解放。❷捕らえそこなう。逃げられる。のがす。「機会を—す」類語 逸する。失する。文《四》。

に‐かた【煮方】❶（食物などを）煮る方法。また、煮る程度。❷（料理店などで）食物を煮る役目の人。

に‐がつ【二月】一年の二番目の月。如月。梅見月。

にが‐て【苦手】《名・形動》❶（自分の性分に合わなくて）いやな感じをもつこと（相手・もの）。また、扱いにくくていやな相手。「—チームとの対戦」❷得意でないこと（もの）。「—な学科」類語 不得意。不得手。

にがにが・し・い【苦苦しい】《形》非常にいやな気持ちである。たまらなく不愉快である。

にが‐み【苦味】❶にがい味。にがさ。苦味。❷（男の）顔がきびしく引きしまった感じ。類語 渋味。表記 ②はふつう「苦み」と書く。**—ばし・る**【—走る】《自五》（男の）顔つきがきりっと引きしまっている。

にが‐むし【苦虫】かむと苦い虫。**—を噛み潰したよう**《句》非常に不愉快そうな顔つきのたとえ。「部下に裏切られて—な顔になる」

に‐かよ・う【似通う】《自五》（二つ以上の物・事の）状態や性質が）互いによく似ている。似寄る。「性格の—った二人」類語 →似る。

にがり【苦▽塩・苦▽汁】海水から食塩を結晶させた残液。主成分は塩化マグネシウムで、苦みが強い。豆腐を作るときの凝固剤などに使う。苦塩。

にがり‐き・る【苦り切る】《自五》この上なく不愉快な顔つき・態度をする。ひどく、苦々しく思う。

にかわ【×膠】動物の骨・皮・腸などから水で煮て抽出した、不純なゼラチン。接着剤などに使う。

にが‐わらい【苦笑い】《名・自サ》苦々しく感じながらも、それをまぎらすためにむりに笑うこと。苦笑。

にがん‐レフ【二眼レフ】「二眼レフレックスカメラ」の略。撮影用レンズのほかにファインダー用レンズを持つカメラ。参考 →一眼レフ。

***に‐き**【二期】❶（ある年度の中の）二つの期間。「夏学期・冬学期の—制」❷連続した二つの任期。**—さく**【—作】同じ耕地で同じ作物を年二回作付けする方法。参考 ふつう、水稲栽培にいう。→二毛作。

***に‐き**【二季】❶四季の中の特定の二つの季節。春と秋、または夏と冬。❷盆と暮れ。「—払い」

にぎ‐てき【二義的】《形動》根本的ではないようす。基礎的でないようす。第二義的。「—な問題」

にぎにぎ・し・い【×賑×賑しい】《形》非常ににぎやかである。にぎわしい。「—く御来場の程を」

にきび【▽面×皰】主として思春期に顔などに発生する小さな吹き出物。「—面」

にぎ‐みたま【▽和▽御▽魂】柔和な徳をそなえた神霊・霊魂。平和をつかさどる神。にぎたま。参考 古くは「にきみたま」と清音。対 荒御魂。

にぎ‐やか【×賑やか】《形動》❶人出が多く（繁盛していて）騒がしいようす。また、人出が多くさかんなようす。「—な祭り」類語 賑わしい。賑々しい。繁華。殷賑。❷よくしゃべって笑って、非常に陽気なようす。「—に一晩過ごそう」「—な人」

に‐きょく【二極】❶電極が二つあること。❷中心的な存在が二つあること。「傾向が—に分化する」「—化」

にぎら・せる【握らせる】《他下一》《動詞「にぎる」の使役形》❶にぎるようにさせる。手に持たせる。❷わいろを渡す。贈賄する。「大金を一・せる」

にぎり【握り】■一《名》❶にぎること(強さ)。「筆の一を強くする」❷器物・道具などの手でにぎって持つ部分。「ハンドルの一」❸囲碁で互先の者が先番をきめる方法。相手がにぎった石の奇数・偶数をあてた方が先番となる。つかみ。❹「握り鮨」の略。❺「握り飯」の略。■二《助数》一度でにぎった長さ・太さ・量を単位として物の数量を表す語。〔多く「一(ひと)一」の形で使う〕「一一の豆」 参考 ⑤はふつう「お一」の形で使う。

にぎり・こぶし【握り×拳】かたくにぎりしめた手。げんこ。げんこつ。「一を振り上げる」

にぎり・し・める【握り締める・握り▽緊める】《他下一》❶手に力を入れて強くにぎる。❷にぎっていて離さない。また、自分の物を大切に守り、離さない。

にぎり・ずし【握(り)×鮨】酢をまぜた飯を小さくにぎり固めて上に魚介類などをのせた食べ物。にぎり。

にぎり・つぶ・す【握り×潰す】《他五》❶強くにぎってつぶす。❷〔提案・要求などを〕わざと放置して、うやむやにしてしまう。「要求を一・す」

にぎり・ばさみ【握り×鋏】手の中に握って使う鋏。

にぎり・ばし【握(り)×箸】握るような手つきで箸を持つこと。参考 不作法とされる。

にぎり・めし【握(り)飯】飯を丸く、または三角形などににぎり固めたもの。多く、旅行などの弁当とする。おにぎり。(お)むすび。

にぎり・や【握り屋】金銭や物品をためることばかり心がけて、必要なときにも出し渋る人をさげすんでいう語。けち。けちんぼう。しまり屋。

にぎ・る【握る】《他五》❶手の指五本を内側に曲げる。「こぶしを一・る」❷にぎる①のようにして物をつかんだり持ったりする。「手を一・る(=握手する。結託する)」類語 把持。❸〔権力などを〕自分のものとする。「実権を一・る」❹〔人の心や弱点を〕つかむ。「動かぬ証拠を一・る」類語 ③④掌握。把握。❺〔握り鮨・握り飯などを〕手の中で固めて作る。文《四》。

にぎわい【×賑(わ)い】❶〔人出が多く〕にぎやかであること。にぎわうこと。「花火の夜の一」❷〔商店などが〕栄えてゆたかであるようす。繁盛するようす。

にぎわ・う【×賑わう】《自五》❶〔人出などが多くて〕にぎやかになる。「祭りで一・う町」❷〔商売・取引などが〕活発に動く。繁盛する。文《四》。

にぎわし・い【×賑わしい】《形》〔人や物の出入りが〕さかんである。にぎやかである。にぎにぎしい。にぎわわしい。「表通りは夜中まで一・い」

にぎわ・す【×賑わす】《他五》〔人や物の出入りの状態などを〕さかんにする。にぎやかにする。「商店街を一・す大売出し」「山海の珍味が食膳を一・す」=にぎわわす。文《四》。

にく【肉】❶動物のからだで、皮膚の下にあって骨をつつんでいる、柔らかい部分の総称。筋肉。「一を切らせて骨を断つ」❷食用となる動物の肉。特に、鳥・獣の肉①。参考 魚肉の場合は、「身」ともいう。❸果実などの、皮と種子とを除いた柔らかい部分。果肉。「一の厚いメロン」❹だいたいの構成・骨組みに付け加えるべき細かい部分。「原案に一を付ける」❺肉①のつきぐあい。また、物の厚み。厚さ。「中一中背」「一の厚い葉」❻〔人間の精神に対して〕肉体。からだ。特に、性の対象としてとらえた肉体。対 霊。❼「印肉」の略。

にく・あつ【肉厚】《名・形動》肉の厚いこと。また、物の分厚なこと。「一なレリーフ」対 肉薄。

***にく・い**【▽悪い・▽難い】《接尾》《動詞連用形について形容詞をつくる》「…することが難しい」の意。「話し一・いことがら」「書き一・い字」文 にく・し《ク》。

***にく・い**【憎い・▽悪い】《形》❶〔人の態度・性質などが〕しゃくにさわり、何か害を与えたいような気持ちだ。「一・い親のかたき」類語 →憎らしい。❷《反語的に使って》かわいい。好きだ。感心だ。なかなかだ。「なかなか一・いことを言うね」文 にく・し《ク》。

にく・いろ【肉色】日本人の皮膚のような色。黄色をおびた薄い紅色。はだ色。

にく・が【肉芽】❶皮膚が傷ついたときなどに、それをなおすためにその表面に深部からもりあがってくる赤いつぶつぶした肉。❷植物の茎になる部分が養分をたくわえて球のようにまるくなった芽。珠芽。むかご。

***にく・かい**【肉塊】〔文〕肉のかたまり。にっかい。

***にく・かい**【肉界】肉体の世界。動物本能の世界。にっかい。対 霊界。

にくから・ず【憎からず】《連語》〔「憎くない」意で〕かわいい。好もしい。「一思う」

にく・かん【肉感】❶肉体上の感覚。❷性的な感覚。また、性欲を刺激する感じ。「一的」=にっかん。

にく・がん【肉眼】〔眼鏡などを使わない〕人間自身にそなわっている目。また、その視力。

にく・ぎゅう【肉牛】食用にする目的で飼い育てる牛。対 役牛・乳牛。

にく・じき【肉食】《名・自サ》〔文〕にくしょく①。一さいたい【一妻帯】《名・自サ》僧が鳥獣魚肉を食べ妻を持つこと。

にく・しつ【肉質】❶〔動物などのからだが〕肉の多い性質・体質であること。❷〔食用の〕肉の品質。❸〔生物の〕肉でできている組織。

にく・じばん【肉×襦×袢】→にくじゅばん。

にくし・み【憎しみ】憎いと思う気持ち。憎悪。

にく・しゅ【肉×腫】上皮以外の組織から発生する悪性のはれもの。

にく・じゅう【肉汁】❶生の牛肉などからしぼりとった液汁。❷食用の肉を煮だしたしる。ブイヨン。❸食用の肉を焼いたときにでる、しる。

にく・じゅばん【肉×襦×袢】〔芝居・サーカスなどで、肌をあらわすときに使う〕からだにぴったりと密着する肉色のじばん。にくじばん。

にく・じょう【肉情】男女間の肉体的な欲情。〔古風な言い方〕類語 肉欲。色情。劣情。

にく・しょく【肉食】《名・自サ》❶〔人間が〕動物、特に鳥獣の肉を食物とすること。肉食。対 菜食。❷〔動物がその習性として〕主に他の動物を食物とすること。「一性」対 草食。

にく・しん【肉親】親子・兄弟など、非常に近い血続きの人。「一の情」類語 近親。骨肉。

にく・ずく【肉豆×蔻】→ナツメグ①。

に・くずれ【荷崩れ】トラックや船などに高く積んだ荷物がくずれること。「高速道路で一を起こす」

にく・せい【肉声】〔マイクロホンなどの機械を通さない〕人間ののどから出た、なまのままの声。

にく・たい【肉体】〔具体的な存在としての〕人間のか

らだ。生身のからだ。[類語]身体。[対]精神・霊魂。 **―てき【―的】**《形動》肉体に関するようす。また、肉感的なようす。「―な苦痛」[対]精神的。 **―ろうどう【―労働】**からだを使ってする仕事。筋肉労働。「―者」[対]精神労働。

にく-たらし・い【憎たらしい】《形》〔俗〕憎らしい。いかにも憎げである。憎々しい。「なんて―・い奴(やつ)だ」

にく-だん【肉弾】肉体を弾丸の代わりとして、敵陣に突入すること。捨て身になって敵陣に突っ込むこと。また、その肉体。「―戦」

にく-ち【肉池】印肉の入れ物。肉入れ。印池。

***にく-づき【肉付き】**〔人・動物などのからだの〕肉のつきぐあい。からだのふとりぐあい。「―のよい娘」

***にく-づき【肉月】**漢字の部首の一つ。「胸」「腸」「背」などの「月」の称。[参考]本来、「にくづき」は二つの横線が両側につき、「つき(月)」はその二線が左側だけについたが、常用漢字の字体では区別しない。

にく-づけ【肉付け】《名・自サ》❶肉をつけて厚みを出すこと。❷〔だいたいの構造・構成ができ上がったものに〕さらに細かい点に手を加えて、内容を充実させること。「草案に―する」

にく-てい【憎体】《形動》〔文〕〔人の態度などが〕憎らしいようす。憎々しいようす。「―に非難する」

にく-てき【肉的】《形動》肉体・肉欲に関係があるようす。[類語]肉体的。[対]霊的。

にくにく-し・い【憎憎しい】《形》少しもかわいげがなく、非常に憎らしい。「―・い態度」

にく-はく【肉薄】《名・自サ》❶〔ある目標に〕身をもって間近に攻めよること。❷相手にもうひといきのところまで激しくせまること。「首位にじりじりと―する」[参考]「薄」は迫る意。[表記]「肉迫」とも書く。

にく-ばなれ【肉離れ】《名・自サ》運動している途中で、筋繊維や骨格筋を形成する筋肉が切れること。

にく-ひつ【肉筆】その人の手で直接に書いた文字や絵。[類語]自筆。真筆。直筆(じきひつ)。

にく-ぶと【肉太】《名・形動》文字の点や線が太いこと。「―の書体」[対]肉細。

にく-へん【肉片】肉の切れはし。

にく-ぼそ【肉細】《名・形動》文字の点や線が細いこと。「―の活字」[対]肉太。

にくまれ-ぐち【憎まれ口】人に憎まれるような・話し方(ことば)。「―をきく」「―をたたく」[類語]毒舌。

にくまれ-っ-こ【憎まれっ子】少しもかわいげがなくて、だれからも嫌われる・子ども(人)。 **―世にはばかる**《句》人から憎まれるような者が、世間ではかえってはばをきかせる。

にくまれ-やく【憎まれ役】人から嫌われたり憎まれたりするような(損な)役目・役割。「―を買って出る」

にく-まんじゅう【肉×饅▽頭】きざんだ野菜などをまぜたひき肉を小麦粉の皮でつつんで蒸した、中国伝来の食べ物。にくまん。豚饅(ぶたまん)。

にく・む【憎む】《他五》にくいと思う。[類語](る)(す)憎悪(ぞうお)。嫌悪(けんお)。仇視(きゅうし)。

㋐好ましくないものとしてきらう。「手前がってを―・む」㋑あるべきことでないとしてきらう。「反社会的な―・むべき行為」[文]《四》。

にくよう-しゅ【肉用種】食用とする肉をとるために品種改良された、牛・羊・鶏などの品種。

にく-よく【肉欲・肉×慾】肉体上の欲望。特に、異性間の性欲。「―におぼれる」[類語]肉情。色情。情欲。色欲。

にく-らし・い【憎らしい】《形》にくい気持ちを起こさせるようすだ。気に入らない。しゃくにさわる。[参考]反語的にも用いる。「彼は―・いほどの天才だ」[類語]憎い。憎たらしい。憎々しい。憎体(にくてい)。小癪(こしゃく)。

に-ぐるま【荷車】〔人・牛・馬などが引く〕荷物をのせて運ぶための車。

ニグロ 黒色人種。黒人。ネグロ。▽Negro

ニクロム ニッケルとクロムを主とした合金。電気抵抗が大きく、融点が高く酸化しにくい。▽Nichrome

に-ぐん【二軍】❶〔プロ野球などで〕レギュラー選手を養成するための下部チーム。[類語]ファーム。[対]一軍。❷まだ力が足りなくて第一線で活躍できない人。

にげ【逃げ】逃げること。「―の一手」 **―を打・つ**《句》逃げじたくをする。責任などをのがれようとする。逃げる余地を残しておく。

にげ-あし【逃げ足】〔ある所から〕逃げること。逃げるようす。逃げる足どり。「何と―の速い奴(やつ)だ」

にげ-う・せる【逃げ▽失せる】《自下一》逃げて見えなくなる。逃げてゆくえをくらます。[類語](る)(す)逸走(いっそう)。

にげ-かくれ【逃げ隠れ】《名・自サ》〔追及から〕逃げて相手の目や手のとどかない所にひそみかくれること。「今さら―はしない」

にげ-き・る【逃げ切る】《自五》最後まで逃げとおす。また、〔スポーツで〕最後まで追いつかれないようにする。「一点差で―・った」[類語]逃げおおせる。

にげ-ぐち【逃げ口】〔万一の場合に〕逃げ出す出口。

にげ-こうじょう【逃げ口上】〔罪・責任などを追及されて〕何とか言い逃れようと、ごまかして言うことば。言い逃れ。逃げことば。[類語]言いわけ。遁辞(とんじ)。

にげ-ごし【逃げ腰】〔困難や責任などを避けて〕今にも逃げ出しそうな腰つき・態度。「―の答弁」

にげ-こ・む【逃げ込む】《自五》❶逃げてきて、ある場所にはいりこむ。❷〔ゲームなどで、勝っている側が〕相手に追いつかれずに、おしきる。逃げ切る。

にげ-じたく【逃げ支度・逃げ仕度】〔危険な場所や災難などから〕逃げるための用意。

にげ-だ・す【逃げ出す】《自五》❶逃げてその場を去る。逃走する。「命からがら―・す」❷逃げ始める。

にげ-な・い【似気無い】《形》似ていない。ふさわしくない。「いつもとは―・い弱気」

にげ-の・びる【逃げ延びる】《自上一》遠くの安全な所へ逃げて助かる。

にげ-ば【逃げ場】逃げるべき場所。「―を失う」

にげ-まど・う【逃げ惑う】《自五》(―まどふ)逃げようとしてうろうろする。逃げまよう。

にげ-まわ・る【逃げ回る・逃げ×廻る】《自五》(―まはる)〔追及・災難などを避けて〕あちらこちらと逃げ歩く。

にげ-みず【逃げ水】(―みづ)陸上に起こる蜃気楼(しんきろう)現象の一種。草原や舗装道路などで、水たまりがあるように見え、近づくとそれがまた先の方に見える光学現象。

にげ-みち【逃げ道・逃げ▽路】逃げて行く、または逃げられる道・方向。転じて、責任などを避ける方法・手段。「―を断たれる」[類語]逃れ道。退路。

に・げる【逃げる】《自下一》❶捕らえられた所から(自力で)抜け出る。また、追って来て捕らえようとするものから、つかまらないように遠くへ去ったり、身を隠したりする。のがれる。逃亡する。「犯人が山中に―・げた」

類語逃げ失せる。逃げおおせる。逃げ延びる。(るす)逃走。遁走。逸走。脱走。脱出。❷自分の責任を問われるようなめんどうな物事から手をひいたり、近づかないようにしたりする。「生活の苦労から—・げる」類語(るす)逃避。回避。忌避。退避。エスケープ。❸〔競技、特に競走で〕首位に立った者が後の者に追い越されないようにする。文に・ぐ《下二》。

—げた魚は大きい《句》手に入れかけて失ったものは、実物よりすぐれているように思われて、惜しい。逃がした魚は大きい。類語釣り落とした魚は大きい。

—げるが勝ち《句》逃げて相手に勝ちをゆずった方が、かえって利となる。負けるが勝ち。

に・げん【二元】❶物事の根本が、相異なる二つの原理に基づくこと。また、その原理。「物質と精神の—〔論〕」❷もとになる二つの所。「—中継」❸式・関数などで、元〔未知数・変数など〕が二つであること。**—ろん【—論】**❶一般に、ある問題について相互に独立する二つの根本原理を認める考え方。❷〔哲〕世界は相互に独立する二つの根本原理・要素から成り立っているとする考え方〔世界論〕。対一元論・多元論。

にげん・きん【二弦琴・二×絃琴】〔音〕竹や木の胴に二本の弦を張った琴。

に・こう【二更】〔古〕昔の時刻の名。一夜を五更に分けた、二番め。今の午後九時ごろから十一時ごろまでの間をさす。亥の刻。乙夜。

に・ごう【二号】❶二番めの・もの〔号〕。❷〔俗〕めかけ。情婦。参考本妻を一号に見立てていう。

にこ・げ【▽和毛・▽柔毛】薄く短くはえたやわらかな毛。わた毛。類語うぶ毛。

に・こごり【煮▽凝り】❶魚や獣の肉を煮たしるが、冷えて固まったもの。❷サメ・カレイ・ヒラメなどの肉や皮を煮て、煮じるごと冷やして固めた料理。

に・ごしらえ【荷×拵え】《名・自他サ》荷物をこしらえあげること。荷作り。

にご・す【濁す】《他五》❶にごったようにする。にごらす。「立つ鳥、跡を—・さず」❷〔ことば・態度・顔つきなどを〕あいまいにする。ぼかしてごまかす。「ことばを—・す」文《四》。

ニコチン おもにたばこの葉に含まれるアルカロイド。猛毒で、神経系統の組織をまひさせる。▽nicotine

にこ・にこ《副・自サ》〔副詞は「—と」の形も〕声をたてずに楽しそうに笑うようす。類語にっこり。

にこ・ぽん〔俗〕にこにこしながら相手の肩をぽんとたたき、親愛の情を示して人をひきつけておこうとすること。「—主義」参考明治時代の首相、桂太郎の政党懐柔策を評した語に始まる。

に・こみ【煮込(み)】料理の材料を煮こむこと。また、種々の材料を合わせて煮た食べ物。「—うどん」

に・こ・む【煮込む】《他五》❶いろいろな材料を一緒に煮る。❷時間をかけて十分に煮る。文《四》。

にこ・やか《形動》にこにこして愛想がよいようす。また、心からうれしそうなようす。「—にあいさつする」

にこ・よん〔卑称〕日雇い労働者。参考もと、失業対策労働者の日給が二四〇円だったことから。

にこ・り《副》〔「—と」の形も〕ちょっと笑うようす。思わずほほえむようす。にっこり。「—ともしない（=ちっとも笑わない。表情をくずさない）」

にごり【濁り】❶にごっていること。❷けがれ。よごれ。「世の—に染まる」❸かなの濁音の符号。濁点。

にごり・え【濁り江】〔文〕水がにごっている入り江。

にごり・ざけ【濁り酒】どぶろく。濁酒。

にご・る【濁る】《自五》❶他のものが入りまじって、純粋・透明でなくなる。「長雨で川の水が—・る」対澄む。❷清らかさ・正しさが失われる。「—・った世の中」類語①②(るす)混濁。汚濁。汚染。❸濁音になる。また、濁点をうつ。❹〔色彩・音声などが〕鮮明でなくなる。「低く—・った声」対③④澄む。文《四》。

に・ころがし【煮転がし】里芋などを、焦げつかないようにころがしながら、汁がなくなるまで煮ること。また、その料理。煮っころがし。煮ころばし。

に・ごん【二言】〔文〕❶二度ものを言うこと。言いなおし。❷前に言ったことを取り消して自分につごうのよい別のことを言うこと。「武士に—はない」類語二枚舌。

に・ざかな【煮魚・煮×肴】しょうゆなどで味つけして煮たさかな。

に・さばき【荷×捌(き)】《名・自サ》❶荷物を処理すること。❷入荷した商品を売りさばくこと。

に・ざまし【煮冷(ま)し】一度煮たものをさますこと。また、さめてしまったもの。

に・さん【二三】二つか三つ。いくつか。いくらか。少少。「—の誤りがある」類語一二。若干。

にさんか・たんそ【二酸化炭素】炭酸ガス。

***にし【×螺】**アカニシ・ナガニシなどの巻き貝類の総称。

***にし【西】**❶方角の一つ。太陽が沈む方角。対東。❷西方浄土。ごくらく。

—も東も分からな・い《句》❶地理に不案内である。❷物事の道理を理解する力がない。

***に・じ【二次】**❶ある事物・現象などが、他の根本的・中心的なものに対して付随的な関係にあること。類語二義。副次。❷二回め。「第—世界大戦」❸式・関数などの次数が二であること。「—方程式」**—かい【—会】**❶目的の会が終わったのち、ふたたび設けられる会。❷宴会の終了後、場所を変えて開く宴会。**—てき【—的】**《形動》根本的なことに対して付随的な関係にあるようす。物事の核心から外れていて、あまり重要ではないようす。副次的。「—な問題」

***にじ【×虹】**雨のあとなどで、太陽と反対方向の空中に見える円弧状の七色の美しい帯。日光が大気中の水滴にあたって屈折・反射してできる。参考紅・橙・黄・緑・青・藍・紫の七色。類語虹橋。天弓。

にし・あかり【西明(か)り】日没後しばらくの間、西の空が明るいこと。残照。夕明かり。類語薄明。

にし・き【×錦】❶金糸・銀糸やその他の色糸で複雑な模様を織り出した、厚地の絹織物。❷美しくりっぱな着物。「故郷に—を飾る（=成功して故郷に帰る）」❸《名・自サ》木々が美しく紅葉することのたとえ。

にしき・え【×錦絵】多色刷りの浮世絵の版画。絵草紙。江戸絵。

にしき・ぎ【×錦木】ニシキギ科の落葉低木。葉は秋に美しく紅葉する。初夏、淡緑色の小花をつける。

にしき・ごい【×錦×鯉】コイの一種。マゴイの突然変異種を改良したもの。美しい色彩・斑紋をもつ。観賞用に飼育される。色鯉。花鯉。変わり鯉。

にしき・の・みはた【×錦の▽御旗】❶赤地の錦に、日・月を金銀で描いた旗。錦旗。参考(ア)朝廷の旗じるしとして昔から使われ、特に明治維新のときに官軍の旗としたことから、官軍・朝廷を指して言った。(イ)↓錦旗(きん)（図）。❷他に対して自己の言動を有利にする絶対的なもの。大義名分。「平和を—とする」

にしき-へび【×錦蛇】 爬虫(はちゅう)類ボア科ニシキヘビ亜科のへびの総称。熱帯地方にすむ。へびの中でいちばん大きく、体長一〇ｍ(メートル)にも達する。無毒。

に-じげん【二次元】 次元の数が二つであること。長さと幅の平面の広がり。参考→三次元・四次元。

にしじん-おり【西陣織】 京都の西陣でできる、高級な絹織物の総称。西陣。

に-しても 《連語》《格助詞「に」＋動詞「する」の連用形＋接続助詞「て」＋係助詞「も」》→にしろ①。「母—賛成はしないだろう」

にし-はんきゅう【西半球】 地球の西側の半分。南北両アメリカ大陸を中心とする半球。対東半球。

にし-び【西日】 ❶西に傾いた太陽。夕日。入り日。❷西からさす午後の日光。「—がはいって暑い部屋」

にじ-ます【×虹×鱒】 サケ科の淡水魚。全体に黒点があり、体側には紅色を主とした帯状斑紋(はんもん)がある。成長がはやく養殖しやすい。北アメリカ原産。食用。

にじみ-でる【×滲み出る】 《自下一》❶〔色・水・油などが〕しみて広がるように出てくる。❷〔その人の性格・経験などが〕表面に自然と表れる。「努力の跡が—でている作品」❸〔涙・血・汗が〕うっすらと出る。

にじ・む【×滲む】 《自五》❶〔色・水・油などが紙や布などに〕しみこんで広がる。「包帯に血が—んできた」類語染(し)みる。滲出(しんしゅつ)(する)。❷〔涙・血・汗が〕うっすらと出てくる。❸内部に含まれていたものが、表面に表れ出て見える。「顔に怒りが—んでいる」❹物の輪郭がぼやけて広がる。「星影が—んで見える」文《四》

に-しめ【煮▽染め】 鳥肉・魚肉・野菜類などを、砂糖やしょうゆがよくしみ込むまで煮た料理。

に-し-める【煮▽染める】 《他下一》煮汁(にじる)の味・色がじゅうぶんしみ込むまで煮る。類語煮つける。参考布によごれがしみ込んできたないようすにもたとえる。

にしゃ-さんにゅう【二捨三入】 《名・他サ》端数(はすう)計算法の一つ。端数の一・二は切り捨てて〇、三・四は切り上げて五、六・七は切り捨てて五、八・九は切り上げて一〇とする。参考→四捨五入(ししゃごにゅう)

にしゃ-たくいつ【二者択一】 二つのうち、そのどちらか一方を選ぶこと。二者選一。「—を迫る」

に-じゅ【二×豎】 〔文〕病魔。病気。故事「二豎」は二人の童子の意。中国の晋(しん)の景公にとりついた病気の精が、二童子の姿で夢の中に現れたことによる。

に-じゅう【二重】 ❶〔同じような物が〕二つ重なること。また、二つ重ねたもの。ふたえ。「—蓋(ぶた)」❷〔同じような事柄が〕重なること。重複。「—遭難」**—うつし【—写し】** ❶《名・他サ》写真で、一つの画面の上に他の画面を重ねて写すこと。二重露出。❷→オーバーラップ①。**—かかく【—価格】** 同一の商品に対して二種類の価格を設けること。また、その価格。米の生産者価格と消費者価格など。**—しょう【—唱】** 二人の歌い手が、それぞれ異なる声部を受け持って合唱すること。デュエット。**—じんかく【—人格】** 一人の人間が相反する二つの性格を同時に持ち、場合によって別人のように行動すること。また、そうした〔異常な〕性格。**—せいかつ【—生活】** ❶同じ人間が性格のちがう職業を持ったり、和洋二つの風俗を同時に取り入れたりして、二つの生活様式の中に生活すること。また、そうした生活。❷家族が二つの異なった場所に別れ住むこと。また、そうした生活。**—そう【—奏】** 二人の奏者が、それぞれ異なった声部を受け持って合奏すること。デュエット。**—ひてい【—否定】** 否定の表現形式を二度重ねて肯定を表すこと。一般に単なる肯定に比べて、強意・婉曲(えんきょく)など、何らかの情緒的意味を含むことが多い。「好きでないわけではない」など。**—ぼいん【—母音】** →重母音。**—まわし【—回し・—×廻し】** 和服の上に着る男子のコート。インバネスの丈を長くしたもの。とんび。

にじゅうし-せっき【二十四節気】 太陽の黄道上の位置によって定めた、陰暦上の二四の季節区分。立春、夏至(げし)、秋分、大寒など。二十四気。節気。

に-じょう【二乗】 《名・他サ》→じじょう(自乗)。

にじり-ぐち【×躙(り)口・×躪(り)口】 〔建〕茶室特有の小さな出入り口。にじりあがり。参考からだをにじって出入りすることから。

にじり-よ・る【×躙り寄る・×躪り寄る】 《自五》すわったままずり寄る。いざり寄る。「—って詰問する」

***に-じる【煮汁】** ものを煮た汁。また、ものを煮るために調味した汁。にしる。

***にじ・る【×躙る・×躪る】** 一《自五》〔すわったままの姿勢で〕ひざを押しつけながら、じりじりと動く。文《四》。二《他五》押しつけてすり動かす。じりじりと押しつぶす。「たばこの吸いがらを—る」文《四》。

に-しろ 《連語》《格助詞「に」＋動詞「する」の命令形「しろ」》〔活用語の連体形、および体言につく。文語的な言い方に「にせよ」がある〕❶一歩譲る気持ちで、ある仮定〔あるいは既定〕の条件を認め、しかしたとえそうだとしてもと強く主張するのに使う。〔やや男性的な言い方で、中立的な「…にしても」と対立する。意味的には、後者の方が幾分「譲る」気持ちが強い〕「行くにしろ行かざるにしろ明確な意思表示が必要だ」「たとえ短期間だったにしろ私は幸せでした」❷累加する気持ちで例をあげ、その例を含め同類のものすべてに妥当することを暗示するのに使う。…だって。「父にしろ母にしろ反対している」

***に-しん【二伸】** 〔文〕手紙の本文のあとに書き加えた文。また、その文頭にしるす語。追伸(ついしん)。

***に-しん【二審】** 第一審の判決に不服を申し立てた場合に行われる第二次の審理。第二審。控訴審。

***に-しん【二心・弐心】** 〔二通りの心を持つ意から〕謀反の心。不忠な心。ふたごころ。「—をいだく」

***にしん【×鰊・×鯡】** ニシン科の魚。北太平洋・北大西洋に分布し、春、産卵のために海岸に寄ってくる。食用。春告げ魚(うお)。参考かずの子はこの卵。

に-しんとう【二親等】 〔法〕〔本人から〕二世代をへだてた関係にある親族。祖父母・兄弟・孫など。

にしん-ほう【二進法】 0と1の二つの数字によって数を表す方法。十進法の1・2・3・4は、二進法では1・10・11・100となる。参考コンピューターの演算は、二進法にもとづく。

ニス 「ワニス」の略。

に-すい【二水】 漢字の部首の一つ。「冷」「凍」などの「冫」の称。

***に-せ【二世】** 今生きているこの世と、死後のあの世。現世と来世。「—の契(ちぎ)り(＝夫婦となる約束)」

***にせ【偽・×贋】** 《「似せ」の意》本物とそっくり同じように似せて〔作って〕あるが本物ではない・こと〔もの〕。にせ物。まがい物。「—の金貨」参考接頭語的に用いて、

に

「その身分を偽る…」の意でも使う。「—君子」「—学者」「—学生」類語似而非。偽造。贋造。模造。

にせ・アカシア【×贋アカシア】「はりえんじゅ」の別称。参考俗に「アカシア」と誤称される。

に・せい【二世】❶二代目の人。㋐(おもに欧米で)同じ名をもってその家・地位(多く、王位)を継いだ二代目。参考名前の下につけて、二代目であることを示す。「チャールズ—」類語ジュニア。㋑(歌舞伎・文楽などで)同じ芸名を継いだ二代目。参考名前に冠して、二代目であることを示す。「—団十郎」❷移民の子で、移民先で生まれ、その国の市民権を持つ人。「在米日系人—」❸(俗)長男。「—誕生」

にせ・がね【偽金・×贋金】にせの貨幣、特に硬貨。贋造貨幣。偽造貨幣。

にせ・さつ【偽札・×贋札】にせの紙幣。贋造紙幣。偽造紙幣。

***にせ・もの【偽物・×贋物】**❶(本物とそっくりに)似せて作った物。まがい物。類語偽造品。贋造品。偽作。贋作。❷本格的とはいえないもの。未熟なもの。「彼の小説はまだ—だ」対①②本物。

***にせ・もの【偽者・×贋者】**いつわって、本人らしく、また、それらしく見せかけている人。

に・せよ《連語》《格助詞「に」＋動詞「する」の命令形「せよ」》↓にしろ。

に・せる【似せる】《他下一》(あるものに)似るようにする。まねる。「蟹は甲羅に—・せて穴を掘る」類語なぞらえる。擬する。(する)模倣。模擬。文に・す《下二》。

に・そう【尼僧】出家した女性。あま。比丘尼。

にそく・さんもん【二束三文】(二たばでわずか三文の意から)数量が多くても非常に安い値段にしかならないこと。「—で売り払う」注意「二足三文」は誤り。

にそくのわらじ【二足の▽草×鞋】《句》〈多く「—をはく」の形で〉同じ人が両立しない二つの職業・立場を兼ねること。「銀行員と音楽家の—をはく」参考昔、ばくち打ちが捕吏を兼ねることを言ったことから。

に・だ【荷駄】馬で運送する荷物。

に・だい【荷台】(車などの)荷物をのせるところ。

に・たき【煮炊き・煮×焚き】《名・自他サ》食べ物を煮たりたいたりして、調理すること。炊事。

に・だし【煮出し】❶煮出すこと。❷「煮出し汁」の略。かつおぶし・こんぶなどを煮出して作った、だし汁。

に・た・つ【煮立つ】《自五》(水などが)煮えてぐらぐらと沸き立つ。煮え立つ。沸騰する。「湯が—・つ」

に・た・てる【煮立てる】《他下一》(水などを)ぐらぐらと沸き立つまで煮る。煮てぐらぐらと沸き立たせる。沸騰させる。「海水を—・てて塩をとる」

にた・にた《副・自サ》《副詞は「—と」の形も》薄気味の悪い、または意味のない笑いを顔に浮かべるようす。「—(と)しないでしゃんとしろ」類語にたり。

にた・もの【似た者】性格などが互いによく似ている人。「—同士」**—ふうふ【—夫婦】**夫婦は性質・趣味などが互いに・似ている(似てくる)ということ。また、性質・趣味などで一致点の多い夫婦。

にたり《副》《「—と」の形も》薄気味の悪い笑いを顔に浮かべるようす。「目があって—と笑う」類語にたにた。

にたり・よったり【似たり寄ったり】《連語》優劣・差異がほとんど認められないこと。参考いずれにしてもたいして評価できないときに使う。「—の成績だ」類語大同小異。五十歩百歩。どんぐりの背くらべ。

にだん・がまえ【二段構え】(相手の出方や事の成り行きに応じて対処するために)二つの段階の方法を用意しておくこと。「官庁と銀行の、—の就職運動」

にち・ぎん【日銀】「日本銀行」の略。

にち・げん【日限】前もって、いついつまで(何日間)と限って、特定の日を指定すること。また、その指定された日(日数)。「—をきって(=期限を定めて)契約する」「—が迫る」類語期限。期日。日切り。

にち・じ【日時】(ある事が行われる)日付と時刻。

にち・じょう【日常】つねひごろ。ふだん。また、毎日くり返される生活。類語平常。平素。平生。**—さはん【—茶飯】**(ふだんの食事の意から)ありふれた、とるに足りないこと。ありきたり。「—事」

にち・にち【日日】(文)毎日。一日一日。日々。**—是好日**《句》毎日毎日が、事件もなくてよい日であるということ。日日是好日。〈碧巌録〉

にち・ぶ【日舞】「日本舞踊」の略。

にち・ぼつ【日没】太陽が地平線下に没して見えなくなること。日の入り。「—で中止となる」対日出。

にち・や【日夜】㊀《名》❶昼と夜。❷毎日。日々。㊁《副》昼も夜も。いつも。たえまなく。「—努力を重ねる」類語明け暮れ。朝晩。朝夕。日夕。二六時中。四六時中。

***にち・よう【日曜】**週の第一日。日曜日。**—がっこう【—学校】**キリスト教の教会で、日曜日ごとに開かれ、児童に宗教教育を行う学校。**—だいく【—大工】**(サラリーマンなどが)日曜日に、片手間にする大工仕事。また、それをする人。

***にち・よう【日用】**毎日の生活で使うこと。日常の使用。**—ひん【—品】**日ごろの生活で使う品物。

にち・りん【日輪】(文)太陽。

にちれん・しゅう【日×蓮宗】日蓮を宗祖とする仏教の一派。法華経を奉じ、題目として「南無妙法蓮華経」を唱える。

にち・ろく【日録】(文)日々の記録。日記。日乗。

にっ・か【日課】毎日のきまりにしている仕事。「—表」

ニッカー・ボッカー ひざ下ですそ口をくくるようにした、ゆったりしたズボン。運動用・作業用。ニッカーズ。ニッカーボッカーズ。▽knickerbockers

ニッカド・でんち【ニッカド電池】「ニッケルカドミウム電池」の略。陽極に水酸化ニッケル、陰極にカドミウム、電解液にアルカリ液を使った電池。充電式電池。

に・つかわし・い【似つかわしい】《形》ふさわしい。似あわしい。「儀式に—・い服装」

***にっ・かん【日刊】**毎日刊行すること。「—新聞」

***にっ・かん【肉感】**↓にくかん。

***にっ・き【日記】**❶(個人の)毎日の出来事や感想などを書いたもの。類語日録。日誌。日乗。❷「日記帳」の略。毎日の記録を書く帳面。ダイアリー。

***にっ・き【肉×桂】**↓肉桂②。

にっ・きゅう【日給】一日いくらと定められた給料。類語日当。

にっ・きん【日勤】《名・自サ》❶(事務所・事業所などに)毎日出勤すること。❷昼間の勤務。対夜勤。

に・つ・く【似付く】《自五》❶(あるものが他のものに)よく似る。「似ても—・かない(=全く似ていない)」❷よく似合う。似つかわしい。ふさわしい。

ニックネーム あだな。また、愛称。「—をつける」

類語ペットネーム。▽nickname

に・づくり【荷作り・荷造り】《名・自他サ》物を持ち運びしやすいように、包んだりしばったりすること。荷ごしらえ。「引っ越しの―」類語梱包(こんぽう)。

＊**に・つけ【煮付(け)】**煮つけた料理。「野菜の―」

＊**にっ・けい【日系】**〔外国の国籍を持ち〕日本人の血統を引いていること(人)。「―米人」

＊**にっ・けい【日計】**〔商売の収支などで〕一日単位で行う計算。また、一日の総計。

＊**にっ・けい【肉×桂】**❶クスノキ科の常緑高木。幹や根に香気と独特の辛みがあり、根の皮を薬用・香料に使う。❷にっけい①の皮をかわかして作った香辛料。桂皮。にっけ。にっき。シナモン。

に・つ・ける【煮付ける】《他下一》〔野菜・魚肉などを〕しるがよくしみ込んで味がつくように煮る。

ニッケル 銀白色の金属元素の一つ。展性・延性に富み、磁性がある。合金・めっきなど用途が広い。元素記号Ni。▽nickel

＊**にっ・こう【日光】**栃木県日光市(にある東照宮)。**―を見ないうちは結構と言うな**《句》東照宮の建築の美しさこそ結構ということばにふさわしい。

＊**にっ・こう【日光】**太陽の光線。日の光。類語日差し。日影。日脚(ひあし)。日射。陽光。**―よく【―浴】**〔健康のために〕体に日光を浴びること。

にっこり《副・自サ》《副詞は「―と」の形も》声を出さずに、笑いを浮かべるようす。にこり。「祝福を受けて思わず―(と)する」類語莞爾(かんじ)。嫣然(えんぜん)。

＊**にっ・さん【日参】**《名・自サ》❶〔神社・仏閣などに〕毎日お参りすること。❷目的があってある所やある人の所へ毎日通うこと。「役所に―して許可をもらう」

＊**にっ・さん【日産】**一日あたりの生産高。

＊**にっ・し【日子】**〔文〕ひかず。日数。「―を数える」

＊**にっ・し【日誌】**〔ある組織・団体などの〕毎日の事柄を記録したもの。「航海―」「学級―」類語日記。日録。

にっ・しゃ【日射】〔文〕❶日光がさしつけること。日ざし。類語日照。❷太陽から地上にとどいた放射エネルギー。**―びょう【―病】**長時間にわたって強い直射日光を受けたために起こる病気。頭痛・めまいから、さらに進むと、けいれん・卒倒などを起こす。かくらん。

にっ・しゅう【日収】一日の収入。類語月収。

にっ・しゅつ【日出】太陽が地平線上に現れること。ひので。対日没。

＊**にっ・しょう【▽入声】**《「にゅうしょう」の転》漢字の四声の一つ。末尾がk・t・pの子音によって急に閉じられる形のもの。

＊**にっ・しょう【日照】**〔雲や霧に遮られずに〕太陽が地上を照らすこと。類語日射。**―けん【―権】**日常生活で人間が快適な生活を営むための太陽光線を受ける権利。法律で保護されている。

にっしょう・き【日章旗】↓ひのまる②。

にっ・しょく【日食・日×蝕】月が太陽と地球の間にはいって太陽光線をさえぎり、太陽の一部または全部を隠す現象。類語月食。表記「日食」は代用字。

にっしん・げっぽ【日進月歩】《名・自サ》月日とともに、たえまなく進歩すること。「―の技術」注意「日新月歩」は誤り。

にっ・すう【日数】ひにちの数。ひかず。日子(にっし)。

にっ・せき【日赤】「日本赤十字社」の略称。

にっちも・さっちも【二▽進も三▽進も】《連語》《下に打ち消しの語を伴い、副詞的に使う》物事がゆきづまって動きがとれないようす。どうにもこうにも。「霧に囲まれて―ならない」参考そろばんの割り算の九九から。表記ふつうかな書き。

＊**にっ・ちゅう【日中】**日のある間。ひるま。対夜中。

＊**にっ・ちゅう【日中】**日本と中国。「―友好条約」

にっ・ちょく【日直】❶その日の当直(の人)。❷昼間の当直(の人)。対夜直(やちょく)。宿直。

にっ・てい【日程】❶一日に行う仕事の予定。❷〔何日間かにわたる〕行事や行動などの、その日その日の予定。スケジュール。「議事―」「旅行の―を組む」

＊**にっ・と**《副》声を立てず歯を見せて笑うようす。参考多少品のない笑い方という感じがある。

＊**ニット** ❶編んだもの。❷編んで作った布地。また、それで作った服。「―スーツ」▽knit

＊**にっ・とう【▽入唐】**《名・自サ》〔古〕日本から唐の国へ渡ること。「―の僧」

＊**にっ・とう【日当】**一日いくらと定めて支払う手当。また、その日限りの仕事に対する報酬。類語日給。

ニッパー ❶鉄線などを切断したり被覆をむいたりする工具。❷「ウエストニッパー」の略。胴回りを細くし、体型を整える女性用下着。▽nippers

に・っ・ぱち【二・八】二月と八月。二八月(にっぱちがつ)。参考商売が振るわない月とされる。

にっ・ぽう【日報】❶一日ごとに作成する(業務上の)報告。類語週報。月報。年報。❷毎日の報道。参考日刊紙の名前としても用いる。「東亜―」

にっ・ぽん【日本】わが国の呼称。参考↓にほん。⇩【使い分け】

使い分け 「日本(にっぽん／にほん)」

＊わが国の呼称は古くは「やまと」と言い、異称として「ひのもと」があった。「ひのもと」を漢字で「日本」と書き、それを「ひのもと」または「やまと」と読み習わしてきたが、大化頃(ごろ)から「にっぽん」と音読され、次いでそれが変化した「にほん」も行われるようになり、現在に至っている。「にっぽん」が漢語本来の力強い語感をもつのに対し、「にほん」には和語的なしなやかさがある。正式の国号としての読み方に法的な規定はないが、対外的には「にっぽん」が使われることが多い。複合語で使うときは「にほん…」が優勢。

◆もっぱら「にっぽん」と言うもの…頑張れ日本！(標語)・日本チャチャチャ！(応援)／日本橋(大阪)

◆正式には「にっぽん」であるが、「にほん」も同時に行われるもの…日本銀行・日本開発銀行・日本輸出入銀行・日本郵船・日本放送協会／日本永代蔵

◆一般には「にほん」であるが、「にっぽん」も同時に行われるもの…日本一・日本記録・日本語・日本三景・日本時間・日本製・日本代表・日本刀・日本晴れ・日本民族・日本アルプス

◆もっぱら「にほん」と言うもの…日本犬・日本映画〔音楽・建築・舞踊・文学・料理〕・日本狼(おおかみ)・日本カモシカ・日本画・日本髪・日本瓦(がわら)・日本史・日本紙・日本式の〔旅館〕・日本酒・日本シリーズ・日本そば・日本茶・日本調の〔家具〕・日本手拭(てぬぐ)い・日本脳炎・日本風の〔味〕・日本間／日本海・日本海溝・日本海流・日本平(だいら)・日本橋(東京)／日本大学・日本女子大学・日本体育大学・日本たばこ産業・日本共産党

╱日本書紀・日本霊異記・続日本紀(しょくにほんぎ)

に・つま・る【煮詰まる】《自五》❶よく煮えて水分がなくなる。「—・って焦(こ)げつく寸前だ」❷話し合い・計画などの結論を出すべき最終段階になる。

に・づみ【荷積(み)】《名・自他サ》荷物を積むこと。「貨物船に—する」

に・つ・める【煮詰める】《他下一》❶水分がなくなるまでよく煮る。❷話し合い・計画などを十分に検討して、結論が出せる最終段階に至らせる。「議論を—・める」

に・て 文語 ■一《格助》《格助詞「に」+接続助詞「て」》❶場所や時あるいは事態を示す。「式は本講堂**にて**挙行する」「此歳(このとし)この身分**にて**叶(かな)ふべきにあらず〈一葉〉」❷材料・手段あるいは原因・理由を示す。「粘土**にて**作りし人形」「朝ごと夕ごとに見る竹の中におはする**にて**知りぬ〈竹取物語〉」■二《連語》《断定の助動詞「なり」の連用形「に」+接続助詞「て」》…であって。「月の都の人**にて**、父母あり〈竹取物語〉」

に・て・ひ【似×而非】《連語》→「似る」の子見出し「似而非なり」。

にてん・さんてん【二転三転】《名・自サ》物事のようすが二度三度と変わること。

***に・と**【二×兎】〔文〕二匹のウサギ。**—を追う者は一兎(いっと)をも得ず**《句》同時に違った二つの事をしようとする人は、結局その一方の成功さえもおぼつかないことのたとえ。参考ローマのことわざから。類語あぶはちとらず。

***に・と**【二途】〔物事を取り行うにあたっての〕二つの方法・筋道。「議論が—に分かれる」

に・ど【二度】二回。二へん。ふたたび。**—ざき**【—咲き】一年のうちに二度花が咲くこと。特に、春に咲いた花が秋にまた咲くこと。かえり咲き。**—でま**【—手間】一度だけですまずに、もう一度手間がかかること。二重の手間。**—と・ふたたび**【—と再び】《連語》「ふたたび」を強めた言い方。二回とは。参考あとに打ち消し・禁止の語を伴う。「—いたしません」**—あることは三度ある**《句》二度同じようなことが起これば、続いてもう一度起こる。(条件が変わらなければ)物事はくり返されるものだ。

にとう・だて【二頭立(て)】二頭の馬で引く・こと(馬車)。

にとう・へい【二等兵】旧陸軍の階級の一つ。一等兵の下で、兵の最下位。

にとうへん・さんかくけい【二等辺三角形】二辺の長さが等しい三角形。両底角は相等しく、頂角の二等分線は底辺を垂直に二等分する。

にとう・りゅう【二刀流】❶両手に長短の刀を持って戦う剣術の流儀。参考宮本武蔵(みやもとむさし)にはじまるという。❷〔俗〕甘いものも酒も好む・こと(人)。

ニトロ・グリセリン グリセリンに硝酸と硫酸との混合液を作用させて作った、無色で油状の液体。ダイナマイト・無煙火薬などの原料。狭心症などの薬にも用いる。有毒。ニトロ。▽nitroglycerin

にな【×蜷】巻き貝類の俗称。参考カワニナ・ウミニナなど、貝の名称に接尾語のように使われる。

にない・て【担い手・荷(な)い手】(にない—)❶〔荷物を〕肩にささえて持ち運ぶ人。❷自分の仕事として引き受けて推進する・人(もの)。「文化の—」

にな・う【担う・荷(な)う】(にな ふ)《他五》❶物を肩にささえて持つ。かつぐ。❷自分の責任・役割として引き受ける。「次代を—・う」類語負う。背負う。文《四》。

に・なわ【荷縄】(に—な)荷にかけてしばるなわ。

ににん・さんきゃく【二人三脚】二人一組で、となり合った足首を結び合い、三本の足で走る競技。参考ひゆ的に、二人の人が一つの物事を協力して一緒に行う意にも使う。「夫婦—で翻訳する」

に・にんしょう【二人称】対称③。対一人称・三人称。

に・ぬき【煮抜(き)】❶水を多くしてたいた飯からとった、ねばねばした液。おもゆ。おねば。❷「煮抜き卵」の略。ゆでたまご。

に・ぬし【荷主】荷物の・持ち主(送り主)。

に・ぬり【▽丹塗(り)】丹または朱で赤く・塗ること(塗ったもの)。「—の鳥居」

にねんせい・しょくぶつ【二年生植物】発芽して開花結実し、枯れるまでの期間が二年にわたる植物。秋に発芽して越冬し、春・夏に結実する。ダイコン・エンドウ・アブラナなど。越年生植物。越年生草本。二年生草本。二年草。

に・の・あし【二の足】次に出す足。二歩めの足。**—を踏・む**《句》〔一歩進んで、二歩めは足踏みをする意から〕ためらう。しりごみをする。

に・の・うで【二の腕】肩とひじとの間の部分。上腕。上膊(じょうはく)。「—をまくって力む」

に・の・く【二の句】次に言い出す言葉。あとの言葉。**—が継げな・い**《句》〔あきれかえって、また、驚いたり気後れしたりして〕次の言葉が出ない。

に・の・ぜん【二の×膳】正式の日本料理で、本膳(=一の膳)にそえて、または、本膳の次に出す料理。

に・の・つぎ【二の次】二番め。あとまわし。「本業を—にして出歩く」

に・の・まい【二の舞】(—まい)❶舞楽で、安摩(まあ)の舞の次に、それをまねて演じるこっけいな舞。❷他人の失敗と同じような失敗をすること。「—を演ずる」表記②は「二の舞い」のようにも送る。

に・の・まる【二の丸】城の本丸の外がわの城郭。

に・の・や【二の矢】一の矢に続いて射る二番めの矢。乙矢(おとや)。**—が継げな・い**《句》続いて打つべき手がなく、窮することのたとえ。

にはい・ず【二杯酢】酢としょうゆをほぼ半々にまぜ合わせた調味料。酢の物料理やところてんの味つけに使う。参考→三杯酢。

に・ばな【煮花】せんじたての香りのよい茶。出花(でばな)。

にばん・せんじ【二番×煎じ】❶〔茶・薬など〕一度せんじたものを、もう一度せんじること。また、そのせんじたもの。❷前にあった趣向をまねること。また、そうした新鮮味のないもの。「旧作の—」

にび・いろ【▽鈍色】濃いねずみ色。にぶいろ。にび。「—の陰気な空」参考昔の喪服の色。

に・びたし【煮浸(し)】葉菜類、乾物、白焼きにした川魚などを、たっぷりとした薄味(うすあじ)の煮じるでやわらかく煮た料理。「みがきにしんの—」

にひゃく・とおか【二百十日】(—とを—)立春から数えて二一〇日めの日。九月一日ごろにあたり、この前後によく台風がくる。稲の開花期にあたるため、昔から二百二十日とともに厄日(やくび)とされている。

にひゃく-はつか【二百〈二十日〉】立春から数えて二二〇日めの日。九月一一日ごろ。参考↓二百十日。

に-びょうし【二拍子】強拍と弱拍とが繰り返される拍子。

ニヒリスティック《形動》虚無(主義)的であるようす。▽nihilistic

ニヒリスト 虚無主義者。▽nihilist

ニヒリズム 既成の価値観をすべて否定する立場。虚無主義。▽nihilism

ニヒル《名・形動》虚無。虚無的であること。「顔に―な笑いを浮かべる」▽ラテン nihil

に-ぶ【二部】❶二つの・部(部分)。「―合唱」❷第二の・部(部分)。❸大学で、昼間部を一部というのに対して、夜間部。❹二通。二冊。

にぶ・い【鈍い】《形》❶〔刃物の〕切れ味が悪い。❷刺激に対する反応がのろい。「勘の―・い人」❸〔動作が〕のろい。鈍重である。類語②③とろい。ぐず。鈍。鈍感。愚鈍。遅鈍。緩慢。❹〔光・感覚などが〕はっきりしない。「厚い雲からもれる―・い光」❺〔音の〕反響が悪い。すんでいない。文にぶ・し《ク》。

にぶ-いろ【鈍色】↓にびいろ。

に-ふく・める【煮含める】《他下一》煮物で、材料に味がよくしみ込むように、ゆっくりと煮る。

に-ふだ【荷札】受取人や発送人の氏名・住所などを書いて、荷物につける札。

に-ぶね【荷船】荷物を運送する(小さな)船。

にぶ・る【鈍る】《自五》❶〔刃物などの〕切れ味が悪くなる。❷頭などの働き、腕前、精神的な力、物事の勢いなどが弱くなる。「速度が―・る」類語①②なまる。鈍する。(する)鈍化。文《四》。

に-ぶん【二分】《名・他サ》二つに分けること。

***にべ**【×鮸】スズキ目ニベ科の海魚。背部は灰青色で腹部は淡色。鳴く魚として有名。食用。ぐち。

***にべ**【×鰾×膠・×鮸×膠】ニベ科の海魚のうきぶくろから製する、粘着力の強いにかわ。にべにかわ。

―も無・い《句》まるで愛想がない。そっけない。

に-ぼし【煮干(し)】❶魚介類を煮て乾燥させること。また、その食品。❷小さなイワシ類をほしたもの。だしをとるのに使う。関西で「いりこ」と呼ぶ。

にほん【日本】わが国の呼称。日本。美称に、「日の本・豊葦原の瑞穂の国・秋津島・豊秋津島・大八洲・敷島・扶桑」がある。類語大和。⇩〔使い分け「にっぽん」〕 **―アルプス** 中部地方の中央部をほぼ南北に連なる、飛驒山脈(北アルプス)・木曾山脈(中央アルプス)・赤石山脈(南アルプス)の通称。 **―いち**【―一】日本でいちばんすぐれていること。また、この上ないこと。日本一。無上。類語天下一。 **―が**【―画】〔油絵・水彩画などの西洋画に対して〕日本に古くから伝わる様式・技法で描く絵画。岩絵の具や墨を使い、絹・和紙に毛筆で描く。対洋画。 **―かいりゅう**【―海流】↓くろしお。 **―がみ**【―髪】〔西洋風の髪型に対して〕日本在来の、女性の髪の結い方の総称。丸まげ・島田・桃割れ・いちょう返しなど。 **―ぎんこう**【―銀行】日本の中央銀行。銀行券の独占発行権をもち、国内金融の中心となっている。日銀。 **―けん**【―犬】日本原産の犬の総称。耳が立ち、尾は巻いて太く狩猟犬や番犬に向いている。秋田犬・北海道犬・紀州犬・しば犬などがある。にほんいぬ。和犬。 **―ご**【―語】日本民族の用いる言語で、日本国の公用語。国語。 **―こうぎょうきかく**【―工業規格】日本における鉱工業製品の生産・販売・使用に関する技術的な事柄を統一・単純化するために定められた規格。略語 JIS。 **―さんけい**【―三景】昔から、日本の代表的な景色とされる三か所。京都府の天の橋立、宮城県の松島、広島県の厳島。 **―しゅ**【―酒】日本固有の製法で造られる酒の総称。清酒・どぶろく・焼酎など。参考特に、清酒を指して言うことが多い。対洋酒。 **―じん**【―人】日本国籍を持ち、日本語を母国語とする人。大和民族。 **―てき**【―的】《形動》日本を思わせるようす。また、いかにも日本らしいようす。 **―とう**【―刀】日本特有の鍛造法で作られた刀剣の総称。にっぽんとう。 **―のうえん**【―脳炎】日本脳炎ウイルスによる流行性脳炎。感染症の一つ。コガタアカイエカなどが媒介する。発熱・嘔吐・頭痛・意識混濁などの症状を示す。 **―のうりんきかく**【―農林規格】日本国内における、農林水産物およびそれらの加工品の品質についての国家規格。略語 JAS。 **―ばれ**【―晴(れ)】空に雲一つなく晴れわたった良い天気。にっぽんばれ。快晴。参考ひゆ的に、心配ごとや疑いなどがまったくなくなる意にも使う。「すっかり―の気分だ」 **―ぶよう**【―舞踊】〔西洋舞踊に対して〕わが国の伝統的舞踊の総称。特に、歌舞伎の中で発達した舞踊。日舞。 **―ま**【―間】〔畳を敷いた〕和式の部屋。和室。対洋間。 **―やっきょくほう**【―薬局方】医薬品の処方・品質・分量の適正を守るために定めた規格。薬局方。局方。

にほん-ざし【二本差(し)】〔俗〕❶〔大小二本の刀を差したことから〕武士。さむらい。❷〔二本のくしにさして焼くことから〕焼き豆腐、または、田楽豆腐。❸相撲で、両下手をとること。類語もろざし。

にほん-だて【二本立(て)】❶映画興行で、一回の興行に主となる二つの作品を上映すること。❷〔一般に〕二つの物事を同時に行うこと。

にまい-おち【二枚落ち】将棋で、〔ハンディをつけるために〕一方が飛車と角行の二枚のこまを外して勝負をすること。飛車角落ち。

にまい-がい【二枚貝】アサリ・ハマグリのように、二枚のからをもっている貝類の総称。対巻き貝。

にまい-かんばん【二枚看板】歌舞伎などで、中心となる二人の役者。転じて、自慢できる二つのもの。

にまい-げり【二枚×蹴(り)】相撲の技の一つ。四つに組み、下手にひねると同時に相手の足の外側から内側へけって倒す。

にまい-ごし【二枚腰】粘り強く、なかなか崩れにくい腰。また、そのような勝負強さをもつこと。粘り強さ。「持ち前の―で押し通す」参考相撲から出た語。

にまい-じた【二枚舌】うそをつくこと。前後矛盾したことを言うこと。「―を使う」類語二言。

にまい-め【二枚目】❶歌舞伎で、立役のうちの和事師。多くは色男役。参考看板や番付で右から二番めに書かれた慣習から。❷〔演劇や映画などで〕色男役の俳優。❸美男子。色男。好男子。美男。ハンサム。❹相撲で、番付の前頭・十両・幕下などの、上から二番め(の力士)。類語優男。

に-まめ【煮豆】豆類を煮て味をつけた食品。

にもう-さく【二毛作】同じ耕地で一年に二回、異なった作物の作付けを行う方法。夏季には稲、冬季には麦を作るなど。参考↓一期作・一毛作・多毛作。

にも-かかわらず【にも▽拘らず】(―かかはら―) 一《連語》前に述べた事柄(から予想されること)と反対の意味のことを言うときに使う語。…にこだわらず。…であるのに。「雨―多くの人が集まった」 二《接続》前の文章を受けてその反対の意味のことを言うとき、文頭に用いる語。それにとらわれず。それなのに。なのに。

に-もつ【荷物】↓に(荷)①。参考↓お荷物。

に-もの【煮物】食物を煮ること。また、煮た食品。

に-やき【煮焼き】《名・他サ》食物を煮たりやいたりすること。類語 料理。調理。

に-やく【荷役】船荷の積みおろしをする・こと(人)。

にや・ける《自下一》(「にやけ」の動詞化)〔俗〕男が(女のように)おしゃれをしたりして)よわよわしく色っぽいようすをする。「―・けていないで男らしくしろ」

に-やっかい【荷厄介】《名・形動》❶持った荷物をもてあますこと。❷物事が負担になり、もてあますこと。「―な頼みを引き受けてしまった」類語 足手まとい。

にや-つ・く《自五》〔俗〕にやにやする。

にや-にや《副・自サ》(副詞は「―と」の形も)❶独りで悦に入って、含み笑いをするようす。❷ばかにしたような、あるいは、意味ありげな薄笑いを浮かべるようす。

にやり《副》(「―と」の形も)意味ありげにちょっと薄笑いを浮かべるようす。「思わず―とさせられる漫画」

ニュアンス 色あい・音の調子・意味・感情などの微妙なおもむき。その、ほんのわずかなちがい。微妙な特色。陰影。「―に富んだ表現」▽(フランス) nuance

ニュー 一《造語》「新しい」の意。「―モデル」「―タイプ」 二《名》〔俗〕新しい・こと(もの)。新品。〔ふつう「お―」の形で使う〕「お―のドレス」▽ new ―**ウエーブ**〔芸術・思想・政治などの〕新しい傾向。▽ new wave ―**タウン** 大都市の人口過剰を緩和するために、その近郊に開発された都市。▽ new town ―**ハーフ** 女装した男性の同性愛者。特に、男性から肉体的な性転換を行った人。▽ new と half からの和製語。―**フェース**〔映画俳優などの〕新人。新進スター。転じて、一般に、新顔。「わが社の―」▽ new face ―**ミュージック** 一九七〇年代に生まれた、ロックやフォーク以降の新傾向のポピュラー音楽。▽ new と music からの和製語。―**メディア** エレクトロニクスなどの技術開発に伴う新しい情報伝達媒体。多重放送・ビデオディスク・インターネットなど。▽ new media ―**ルック** 新型。最新流行型。新しい流行。参考 主に服装についていう。▽ new look

にゅう-いん【入院】《名・自サ》病気・けがの治療を受けるために、一定期間病院にはいること。対 退院。

にゅう-いんりょう【乳飲料】牛乳にコーヒーや果汁などを加えた飲み物。

にゅう-えい【入営】《名・自サ》新兵として兵営にはいり、軍務に服すること。

にゅう-えき【乳液】❶植物を傷つけたときに出てくる、白色や黄褐色をした、ねばりけのある液体。❷油分をふくむ化粧用の液体クリーム。

にゅう-えん【入園】《名・自サ》❶動物園・植物園・公園・庭園など、園とよばれる所にはいること。❷幼稚園・保育園などに園児としてはいること。

*__にゅう-か__【乳化】《名・他自サ》液体の中に他の液体の細かい粒子を分散させて乳状にすること。また、そうなること。

*__にゅう-か__【乳菓】〔文〕牛乳を材料にして作った菓子。アイスクリームなど。

*__にゅう-か__【入荷】《名・自サ》〔商店や市場などに〕仕入れた商品が到着すること。入り荷。対 出荷。

にゅう-かい【入会】《名・自サ》ある団体にはいって会員になること。「学会に―する」対 退会。脱会。

にゅう-かく【入閣】《名・自サ》国務大臣となって、内閣に加わること。「外務大臣として―する」

にゅう-がく【入学】《名・自サ》新たにその学校の生徒・学生になること。類語 入校。入園。対 卒業。

にゅう-かん【入棺】《名・他サ》死体を棺におさめること。納棺。

にゅう-がん【乳×癌】乳腺(にゅうせん)に生じる癌腫(がんしゅ)。

にゅう-ぎゅう【乳牛】乳をとるために飼う牛。対 役牛・肉牛。

にゅう-きょ【入居】《名・自サ》〔ある建物に〕新たにはいってすみつくこと。「マンションへの―条件」

にゅう-ぎょ【入漁】《名・自サ》特定の漁場にはいって漁業を行うこと。入漁(にゅうりょう)。「―権」「―料」

*__にゅう-きょう__【入京】《名・自サ》みやこに入ること。東京・京都に入ること。都入り。類語 入洛(じゅらく)。入府。上京。対 出京。退京。

*__にゅう-きょう__【入×鋏】《名・自サ》乗車券・入場券などに係員がはさみを入れること。

にゅう-ぎょう【乳業】牛乳を生産したり、また、それからバター・チーズなどを製造したりする事業。

にゅう-きん【入金】《名・自サ》❶金銭を受け取ること。また、その金銭。「今月の―」対 出金。❷《他サ》金銭を払いこむこと。「銀行に―する」対 出金。類語 納金。❸《他サ》内金(うちきん)を払いこむこと。

にゅう-こ【入庫】《名・自他サ》〔仕入れた品物や、仕事を終えた車などが〕倉庫や車庫にはいること。また、それらを入れること。対 出庫。

*__にゅう-こう__【乳香】❶カンラン科の常緑高木。❷乳香①から採った樹脂。香料に用いた。

*__にゅう-こう__【入×寇】《名・自サ》〔文〕外敵が、ある国の領土内に攻めこむこと。類語 来寇。

*__にゅう-こう__【入港】《名・自サ》船が港にはいること。類語 入津(にゅうしん)。入船。対 出港。

*__にゅう-こう__【入稿】《名・自他サ》印刷するための原稿を印刷所に入れること。「原稿を―する」

*__にゅう-こう__【入貢】《名・自サ》〔文〕昔、外国からの使いが、朝廷にみつぎ物を持ってくること。類語 来貢。

にゅう-こく【入国】《名・自サ》❶〔外国人として〕他の国にはいること。対 出国。❷昔、領主が初めて自分の領地にはいること。入府(にゅうふ)。入部。

にゅう-ごく【入獄】《名・自サ》服役のため刑務所にはいること。対 出獄。

にゅう-こん【入魂】❶精魂を注ぎこむこと。「―の力作」❷宗教的な芸術作品などが完成したとき、それに魂を吹きこむこと。「仏像の―式」

にゅう-ざい【乳剤】水に溶けない物質を水中に微粒子として分散させた、乳状の薬液。

にゅう-さつ【入札】《名・自サ》売買や請負などで、複数の競争者の中からもっとも条件にかなった者を契約者とする約束で、希望者に見積り価格を書いて申し込ませること。入れ札。「プラント工事の—」

にゅう-さん【乳酸】 牛乳・糖類などの発酵によってできる有機酸の一種。無色無臭で、酸味の強いねばねばした液体。清涼飲料などに使う。**—きん【—菌】** 乳酸をつくる細菌の総称。ビフィズス菌など。

にゅう-ざん【入山】《名・自サ》〔文〕❶山にはいること。❷僧が住持として寺にはいること。

***にゅう-し【乳歯】** 生後六か月ごろからはえ、一〇歳前後に永久歯とはえかわる歯。対永久歯。

***にゅう-し【入試】**「入学試験」の略。入学志願者の中からその学校に適した者を選ぶ試験。

にゅう-じ【乳児】 母乳またはミルクで育てられている、生後まもない子ども。生後一か年ぐらいまでの子を言う。ちのみご。類語乳幼児。

にゅう-しち【入質】《名・他サ》〔金を借りるために〕質屋に、品物を質ぐさとしてあずけること。しちいれ。

***にゅう-しつ【乳質】** ❶乳、または乳製品の品質。❷乳のような性質。

***にゅう-しつ【入室】**《名・自サ》❶部屋にはいること。❷室と名のつく組織の一員となること。「禁—」対退室。

にゅう-しぼう【乳脂肪】 乳、特に牛乳に含まれる脂肪分。乳脂。

***にゅう-しゃ【入射】**《名・自サ》光・波動などが、一つの媒質を通過して他の媒質との境界面に達すること。投射。「光が空気から水に—する」「—角」

***にゅう-しゃ【入社】**《名・自サ》社と名のつく団体にはいって、その一員になること。「—試験」対退社。

***にゅう-じゃく【入寂】**《名・自サ》聖者や僧尼が死ぬこと。入滅。入定。「釈迦—」

***にゅう-じゃく【柔弱】**《名・形動》意志やからだが、よわよわしいこと。柔弱。「—な体を鍛え直す」

にゅう-しゅ【入手】《名・他サ》手に入れて、自分のものとすること。「珍品を—する」類語落手。落掌。

にゅう-しゅう【乳臭】〔文〕❶乳のにおい。また、乳くさいこと。❷子供っぽく、未熟なこと。「—児(=経験の浅い若者をあざけっていう語)」

にゅう-じゅう【乳汁】➡ちち(乳)①。

にゅう-しょ【入所】《名・自サ》❶事務所・訓練所など、所とよばれるところの一員となること。❷刑務所・拘置所にはいり、服役すること。対出所。

にゅう-しょう【入賞】《名・自サ》〔展覧会・競技会などで〕優秀さを認められて、賞状や賞品をもらうこと。受賞者の中にはいること。類語入選。

***にゅう-じょう【乳状】** 乳のように白く、柔らかで不透明な状態。「—の洗顔料」

***にゅう-じょう【入城】**《名・自サ》❶城の中にはいること。❷敵の城を攻め落として、軍隊が隊を組んで城(または城郭都市)にはいること。「パリ—」

***にゅう-じょう【入場】**《名・自サ》会場・式場・競技場などの場内にはいること。「—券」「—式」対退場。

***にゅう-じょう【入定】**《名・自サ》❶座禅をくみ、無念無想の境地に達すること。禅定にはいること。対出定。❷聖者・高僧が死ぬこと。入滅。入寂。

にゅう-しょく【入植】《名・自サ》開拓するために、植民地や開墾地に移りすむこと。

***にゅう-しん【入信】**《名・自サ》信仰の道に入ること。「新興宗教に—する」

***にゅう-しん【入神】**〔文〕技芸がきわめてすぐれ、神わざに近い境地にあること。「—の技」類語神業。

ニュース ❶新しく、まだ一般に知られていないできごとの知らせ。「耳寄りな—を聞き込む」類語情報。❷新聞・ラジオ・テレビなどによる報道。▽news **—キャスター** テレビなどで、ニュースの解説や論評をする人。▽newscaster **—ソース** ニュースの出所。情報源。情報提供者。▽news source **—バリュー** 報道価値。ニュースとしてのねうち。▽news value

にゅう-すい【入水】 ❶入ってくる水。❷《名・自サ》水中に身を投げて自殺すること。入水。❸《名・自サ》〔水泳で〕プールにとびこんで水に入ること。

にゅう-せいひん【乳製品】 牛乳を加工して作った食品の総称。バター・チーズ・練乳・粉乳など。

にゅう-せき【入籍】《名・自他サ》〔婚姻関係などによって〕戸籍に・はいる(入れる)こと。入家。入戸。

***にゅう-せん【乳×腺】** 哺乳動物の、乳房内にあって乳汁を分泌する腺。特に雌に発達している。

***にゅう-せん【入線】**《名・自サ》始発駅で、列車が指定された線路にはいること。「発車の五分前に—する」

***にゅう-せん【入選】**《名・自サ》〔応募作品などが〕審査に合格すること。「—作」類語入賞。対落選。

にゅう-たい【入隊】《名・自サ》軍隊など、隊と名がつく団体に入ってその一員となること。対除隊。

にゅう-だん【入団】《名・自サ》球団・劇団などの団体にはいってその一員となること。対退団。

***にゅう-ちょう【入朝】**《名・自サ》〔文〕昔、外国の使者が、朝廷に参内すること。

***にゅう-ちょう【入超】**「輸入超過」の略。輸入額が輸出額を超過すること。対出超。

にゅう-てい【入廷】《名・自サ》裁判で、裁判官をはじめ関係者が法廷にはいること。対退廷。

にゅう-でん【入電】《名・自サ》電信・電報などがとどくこと。また、そのとどいた情報。類語来電。対打電。

***にゅう-とう【乳糖】** 哺乳動物の乳汁の中に含まれる特有の糖分。ラクトース。

***にゅう-とう【乳頭】** ❶乳房の先で、乳汁のでる所。ちくび。❷組織や器官の、小さいちくびのように突起した所。舌の表面や腎臓などに見られる。

***にゅう-とう【入党】**《名・自サ》党員として党に加わること。対脱党・離党。

***にゅう-とう【入湯】**《名・自サ》湯にはいること。入浴すること。特に、温泉にはいること。「—税」

にゅう-どう【入道】 ❶《名・自サ》修行のため、仏門にはいること。また、その人。❷仏門にはいった、三位以上の人の敬称。❸坊主頭の人をあざけっていう語。また、坊主頭の化け物。「大—」**—ぐも【—雲】**〔形が入道③のように見えることから〕高く盛り上がった、積乱雲・積雲の俗称。類語雲の峰。

ニュートラル《名・形動》❶中立。中間。「—な立場を守る」❷自動車のギアで、エンジンの回転が車輪に伝わらない状態。▽neutral

ニュートロン 中性子。▽neutron

にゅうない-すずめ【入内×雀】 ハタオリドリ科の小鳥。スズメに似る。北海道・東北地方に繁殖し、秋に南下する。稲の害鳥。黄雀。

にゅう-ねん【入念】《名・形動》細かい点にまでじゅうぶんに注意すること。ていねいであること。念入り。「—に整備しておく」類語丹念。

にゅう-ばい【入梅】 梅雨の季節にはいること。つゆいり。[参考]俗に「つゆの季節」の意で使うこともある。

にゅうはく・しょく【乳白色】 乳のような不透明な白色。ちちいろ。[類語]象牙色。アイボリー。

にゅう・ばち【乳鉢】 固体の薬品などを入れて乳棒ですりつぶしたりまぜたりするための、小さなはち。ガラス製または陶磁製。

にゅう・ひ【入費】 〔ある事をするためにかかる〕必要な金。費用。入用。「—を心配する」

にゅう・ぶ【入部】 《名・自サ》野球部など、部と名のつく団体にはいってその部員となること。

***にゅう・ぼう【乳房】** 〔文〕ちぶさ。

***にゅう・ぼう【乳棒】** 乳鉢で薬品などをすりつぶすときなどに使う棒。ガラス製または陶磁製。

にゅう・まく【入幕】 《名・自サ》相撲で、十両の力士が昇進して幕内にはいること。「—を果たす」

ニューム 「アルミニウム」の略。「—管」

にゅう・めつ【入滅】 《名・自サ》❶滅度にはいること。生死を超越した境地、すなわち涅槃にはいること。❷聖者・高僧が死ぬこと。入寂。入定。

にゅう・もん【入門】 ❶《名・自サ》ある門の内にはいること。[対]出門。❷《名・自サ》師・先輩について、その弟子となること。弟子入り。❸初心者向きに、やさしく書かれた手引き書。入門書。[参考]本の題名に使うことが多い。「哲学—」

***にゅう・よう【乳用】** 〔家畜で〕乳をとることを目的とすること。「—種」

***にゅう・よう【入用】** ❶《名・形動》ある用を果たすのに必要であること。「生活に—な雑貨」[対]不用。❷〔あることをするのに〕必要な金。費用。入費。＝入り用。

にゅう・ようじ【乳幼児】 乳児と幼児。

にゅう・よく【入浴】 《名・自サ》ふろにはいること。入湯。[類語]湯浴み。浴湯。沐浴。

にゅう・らい【入来】 《名・自サ》〔文〕人が会場・家などをおとずれ、中にはいってくること。入来。[参考]「御—」の形で、来訪を敬って使うことが多い。

***にゅう・らく【乳酪】** 牛乳から作った食品。バター・チーズなど。特に、バター。牛酪。

***にゅう・らく【入×洛】** 《名・自サ》〔文〕京都にはいること。入洛。[参考]「洛」は古代中国の「洛陽」の意でしばしば都となった所。[類語]入京。入府。

***にゅう・りょう【入漁】** 《名・自サ》↓にゅうぎょ。

***にゅう・りょう【入猟】** 《名・自サ》狩猟する地域に入って猟をすること。

にゅう・りょく【入力】 《名・他サ》〔工〕❶ある機械や装置に外部から単位時間内に供給するエネルギー（の量）。❷コード化した情報をコンピューターに入れて読みとらせること。インプット。[対]①②出力。

にゅう・りん【乳輪】 乳首の周りの、赤みを帯びた輪状の部分。乳暈。

にゅう・ろう【入×牢】 《名・自サ》牢屋に犯罪者として入ること。入牢。[類語]入獄。[対]出牢。

にゅう・わ【柔和】 《形動》〔顔つきや性格が〕やさしく、おだやかなようす。「—な笑顔」[類語]温和。[対]険悪。

にょ・い【如意】 ❶〔文〕〔物事が〕思いのままになること。「不—」❷僧がもつ仏具の一種。ワラビ形の棒で、長さ六〇～九〇センチ。講師の僧が読経や説法のときに持つ。**—ぼう【—棒】** 伸縮自在で、それに乗って空を飛んだり神通力を発揮したりできる架空の棒。

如意②

にょいりん・かんのん【如意輪観音】 七観音の一つ。長命・安産・除難をめぐむといわれる。

に・よう【二様】 ふたとおり。ふたいろ。二種類。「—の考え方」[類語]両様。

***にょう【尿】** 腎臓から尿道を通って出る排泄液。小便。小水。いばり。

***にょう【×繞】** 漢字の構成要素の名称。漢字の左から下にかけてつく部分。「道」「建」「趣」などの「辶(しんにょう)」「廴(えんにょう)」「走(そうにょう)」の類。

にょう・い【尿意】 小便がしたくなる感覚。「—をもよおす」

にょう・き【尿器】 老人・病人などが寝たままで小便をとるために使う容器。しびん。

にょう・ご【女御】 ❶皇后・中宮の下、更衣の上に位する高位の女官。天皇の寝所に侍した。おもに摂関・大臣家の娘がえらばれた。❷上皇・皇太子の妃。

にょう・さん【尿酸】 体内で生じる有機酸。血液や尿の中に含まれる。多すぎると痛風のもとになる。

にょう・そ【尿素】 尿に含まれて排泄される有機化合物。工業的にはアンモニアと二酸化炭素から作り、窒素肥料・有機ガラス・医薬品などの原料にする。

にょう・どう【尿道】 尿を膀胱から体外に排泄する管。

にょうどく・しょう【尿毒症】 腎臓の働きが悪化して、尿として排泄されるはずの窒素成分が血液中に残るためにおこる中毒症状。

にょう・はち【×鐃×鈸】 二枚の皿のような形をした銅製の打楽器。打ち合わせて音を出す。にょうはつ。

にょう・ぼう【女房】 ❶昔、宮中で部屋をもらって奉仕した、身分の高い女官。❷貴族の侍女。❸妻。家内。にょうぼ。〔やや、俗っぽいくだけた言い方〕[類語]内儀。嬶。細君。ワイフ。**—ことば【—▽詞】** 女性語の一つで、昔、宮中の女官の間で使われた一種

日本語

女房詞

室町初期ごろから宮中に仕える女官の間で使われた一種の隠語を女房詞という。団子を「いしいし」、豆腐を「おかべ」、鮨を「すもじ」、浴衣を「ゆもじ」、鍋を「くろもの」と呼ぶなど、食物・衣服・日用品などに関する語が多いのだが、優美な言葉として、のちには将軍家に仕える女性に、さらには町家の女性にまで広がっていった。

「冷やでいっぱいひっかける」の「冷や」は冷や酒の意だが、「お冷やをいっぱい下さい」と言えば、冷たい水の意。この「お冷や」も、もともとは女房詞だった。「おこわ（赤飯）」「かもじ（髪・入れ髪）」「あおもの（青色の野菜）」「おでん」なども、もとは女房詞だが、現代では男性も女性も一般語として使用している。醬油を「むらさき」というのは、紫に見える色からの異称であって、これは女房詞ではない。女房詞の「むらさき」は、紫式部も好んだと伝えられる「鰯」の意なのである。

の隠語。「髪」を「かもじ」、「だんご」を「いしいし」と言う類。 **—やく【—役】**〔妻が夫に対するように〕主となる人のそばにいて助ける役目(の人)。補佐役。「—をつとめる」「投手のよい—(=捕手)」

にょう-ろ【尿路】 尿が体外に排出されるまでに通る一連の器官。腎臓・尿管・膀胱・尿道から成る。

にょ-かん【女官】 宮中に仕える、女性の官人の総称。女官。

にょき-にょき《副》(「—と」の形も)細長いものが、次々に現れ出たり、みるみるうちに高く伸びたりするようす。「タケノコが—(と)はえる」

にょご-が-しま【女護が島】 ❶女だけがすんでいるという想像上の島。女護の島。❷昔、八丈島の別称。

にょ-じつ【如実】〔仏〕万物一切の本質で不変の真理。真如。 **—に**《副》事実の通りであるようす。また、現実の姿が、あらわになるようす。ありのままに。赤裸々に。「悲惨な体験を—著した手記」

にょ-しょう【女性】 おんな。婦人。女性。〔古風なことば〕

にょぜ-がもん【如是我聞】 経文の始めにおかれる語で、「かくのごとく我によって聞かれたり」「わたしが聞いたのはこのようである」の意。

にょ-たい【女体】〔文〕女性のからだ。女の肉体。女体。対男体。

にょ-にん【女人】〔文〕おんな。女性。 **—けっかい【—結界】** 寺院や霊場で、女子の立ち入りを禁ずること。女人禁制。参考 結界石を置いてその標識としたことから。

にょ-ほう【如法】〔文〕❶〔仏〕教法のとおりにすること。法式のとおりにすること。❷型のとおりであること。文字どおりであること。「—暗夜(=真の闇)」

にょ-ぼん【女▽犯】 僧が戒律を犯し、女性と肉体関係を結ぶこと。

にょ-らい【如来】〔真如からこの世にきて教化する意で〕仏の尊称。「釈迦—」

に-より【似寄り】〔それが〕あるものによく似ていること。また、似かよったもの。「—の夫婦」

にょろ-にょろ《副・自サ》(副詞は「—と」の形も)〔ヘビ・ウナギなど〕細長いものがくねって動くようす。

にら【×韮】 ユリ科の多年草。強い臭気があり、葉を食用、種子を薬用にする。

にらみ【×睨み】 ❶にらむこと。❷他を威圧する力。また、監視・監督する力。「—を利かせる(=相手を畏縮させるように無言の圧力を加える)」❸〔自分の〕直観的な判断によるおおよその見当。「—が外れる」

にらみ-あ・う【×睨み合う】《自五》❶互いににらむ。❷敵対意識をもって、互いに対立する。

にらみ-あわ・せる【×睨み合わせる】《他下一》あれこれと見比べて考える。「費用と—・せて考えよう」

にらみ-つ・ける【×睨み付ける】《他下一》はげしい勢いでにらむ。ねめつける。

にら・む【×睨む】《他五》❶鋭い目つきでじっと見つめる。目をいからして見る。ねめる。類語 睨まえる。目を剝く。睨みを利かせる。(する)睥睨。❷じっと考えながらみつめる。「棋士が盤面を—・む」❸見当をつける。「成功すると—・んだ私の目に狂いはない」❹見当をつけて監視する。特に目をつける。〔多く受け身の形で使う〕「先生に—・まれる」文《四》。

にらめ-っ-こ【×睨めっこ】《名・自サ》❶互いに相手を見たまま、話をせずに向かい合っていること。「本と—して料理を作る」類語 対峙。❷向き合った二人が、こっけいな顔つきなどをして互いに相手を笑わせるようにしむけ、先に笑った方を負けとする子供の遊び。=にらみくら。にらめくら。にらめっくら。

にらんせい-そうせいじ【二卵性双生児】 二個の卵が同時に別々の精子を受精して生じた双生児。参考 ↓一卵性双生児。

にりつ-はいはん【二律背反】〔論〕同等の妥当性をもって主張される二つの命題が、矛盾・対立して両立しないこと。甲が真なら乙は偽で、乙が真なら甲は偽であるというような関係。アンチノミー。

に-りゅう【二流】 ❶二つの流派。❷一流には及ばない地位や程度。「—の作家」類語 Bクラス。

にりん-しゃ【二輪車】 車輪を二つもった車。

***にる【似る】**《自上一》〔ものの形や性質などが〕互いに同じであるようにみえる。そっくりである。「あの兄弟は顔だけでなく、性格も似ている」類語 似通う。似寄る。似付く。あやかる。類する。(する)酷似。相似。近似。類似。文《上一》

似而非・なり《句》見かけは似ているが、実はそうでない。えせ。「知識と教養は—・なるものだ」

似ても似つかな・い《句》〔似ているはずのものや、似ていると思われたものが〕実は全然似ていない。まるでちがう。似てもつかない。

***にる【煮る】**《他上一》食物などを水などの液体とともに器に入れ、火にかけて熱を通す。「煮ても焼いても食えない(=どうしようもない)やつ」類語 煮立てる。煮込む。煮詰める。煮付ける。煮しめる。煮含める。煮出す。炊く。(する)煮沸。文《上一》。

に-るい【二塁】 野球で、投手の後方、一塁と三塁の間にある二番目の塁。セカンド(ベース)。「—手」

にれ【×楡】 ニレ科ニレ属の落葉高木の総称。アキニレ・ハルニレなど。材は家具・建築用。エルム。

にろくじ-ちゅう【二六時中】《副》一日中。終日。参考 (ア)昔、一日を昼六時、夜六時に分けたことから。(イ)↓四六時中。

にわ【庭】 ❶屋敷の中の空き地。また、特に、そこに草木を植えたり築山や泉水などを作ったりした所。類語 園。庭園。園庭。前栽。❷〔文〕物事を行う場所。「学びの—(=学校)」「いくさの—(=戦場)」

にわ-いし【庭石】 庭のながめに趣をそえるためにすえた石。また、庭の飛び石。

にわ-いじり【庭×弄り】《名・自サ》庭の草木などの手入れをすること。

にわ-うめ【庭梅】 バラ科の落葉低木。春、白色または淡紅色の小さな五弁花を開き、小さな赤い実を結ぶ。観賞用として栽培される。小梅。

にわか【×俄(か)】 ㊀《形動》❶物事が思いがけず、また、急におこるようす。だしぬけ。突然。「一天—にかき曇り…」類語 いきなり。やにわ。突如。不意。唐突。卒然。❷物事に対する反応が速いようす。すぐ。「—には賛成できない」㊁《名》「にわか狂言」の略。表記 ㊁は「仁輪加」とも書く。

にわか-あめ【×俄(か)雨】 突然はげしく降り出す雨。一時的な雨。驟雨。類語 夕立。

にわか-きょうげん【×俄狂言・仁輪加狂言】 座興に行う即興的な喜劇風狂言。にわか。

にわか・じこみ【×俄(か)仕込み】にはか― ❶必要になってから急に品物を仕入れること。❷急の間に合わせのために、短期間に覚えこむこと。「―の芸」

にわ・き【庭木】には― 庭に植える木。

にわ・きど【庭木戸】には― 庭へ出入りする木戸。

にわ・げた【庭下▽駄】には― 庭歩きのためのげた。

にわ・さき【庭先・庭▽前】には― ❶庭の、縁側(えんがわ)や建物に近いあたり。❷庭。

にわ・し【庭師】には― 庭園を造ったり、また、手入れをしたりすることを職業とする人。庭つくり。造園家。

にわ・つくり【庭作り・庭造り】には― ❶〔風情をそえるために〕庭に草木を植えたり、泉水などを造ったりすること。造園。❷庭師。

にわ・とこ【庭常・▽接▽骨▽木】には― スイカズラ科の落葉低木。四月ごろ、白く小さい花がたくさんかたまって開く。葉・花とも煎(せん)じて発汗・利尿の薬とする。

にわ・とり【鶏】には― 〔「庭鳥」の意〕キジ科の鳥。古くから人に飼われ、肉用・卵用・愛玩(あいがん)用に多くの種類がある。

―を割(さ)くに焉(いずく)んぞ牛刀を用いん《句》〔「ニワトリを料理するのにどうして牛を切り裂く大きな刀を用いようか」の意で〕小事を処理するのに大人物または大げさな手段は必要がないことのたとえ。〈論語・陽貨〉

にわ・の・おしえ【庭の▽訓】にはのをしへ《連語》〔「庭訓(ていきん)」の訓読み〕家庭での教育。

*にん【人】㊀《接尾》❶《助数》人数をかぞえる語。名(めい)。「合計一〇―」❷「…する人」の意。「保証―」「苦労―」㊁《名》ひと。また、ひとがら。人物。仁(じん)。〔古風な言い方〕「―を見て法を説け」

*にん【任】〔文〕❶〔その人が命ぜられた〕つとめ。役目。任務。「―に耐えず辞職する」類語 職責。❷役目についている期間。任期。「―が満ちて帰国する」

にん・い【任意】《名・形動》〔その人の〕思いのままにすること。特に制限をもうけず、自由に決めること。「会に参加するしないは―です」類語 随意。適宜。―どうこう【―同行】警察官の求めに応じて、自分の意志で最寄りの警察署まで同行すること。

にん・か【認可】《名・他サ》❶〔ある事を〕よいと認めて許可すること。認許。❷〔法〕ある法律行為がその当事者のみによっては有効に成立しない場合、その法律行為に行政官庁が同意を与え、その効果を完全にさせる行政行為。「営業の―」「―保育所」

にん・がい【人界】〔仏〕人間の住む世界。人間界。

にん・かん【任官】《名・自サ》ある官職に任命されること。「―してすぐ海外に派遣される」

*にん・き【人気】❶その土地の人々の性質や気風。じんき。「―の悪い土地がら」❷〔ある人に対する〕世間からの評判・気うけ。類語 人受け。受け。人望。

*にん・き【任期】ある職務または地位をつとめる、定められた期間。任(にん)。任限。「―を無事つとめあげる」

にん・きょ【認許】《名・他サ》〔文〕ある事を、よいと認めて許すこと。許可。認可。類語 容認。

にん・ぎょ【人魚】❶上半身が人間の女性で、下半身が魚の形をした、海中にすむという想像上の生物。マーメード。類語 鮫人(こうじん)。❷「じゅごん」の別称。

にん・きょう【任×侠・▽仁×侠】《名・形動》弱きを助け、強きをくじき、義のためには自分の命も惜しまないという気風。また、そういう気風に富むこと。おとこぎ。おとこだて。「―の徒」「―道」

にん・ぎょう【人形】❶人の姿をまねて作ったおもちゃ・装飾品。「―のように愛らしい」類語 木偶(でく)。偶人。❷他人の思うままに動かされる、主体性のない人。「しょせん財界に操られる―だ」類語 傀儡(かいらい)。ロボット。―じょうるり【―浄×瑠×璃】浄瑠璃にあわせて演ずる、日本固有の人形劇。参考 義太夫節(ぎだゆうぶし)によって演じられる文楽がさかんになって、今日では「文楽」という語で代表される。→文楽。

にん・く【忍苦】《名・自サ》〔文〕苦しみをじっとたえしのぶこと。「―の日々」

にん・げん【人間】❶ひと。人類。参考 (ア)「ひと」よりもいやしめた気持ちで用いることがある。「あれは何をする―だ?」(イ)特に、人(ひと)としての本質・性質の意で使うこともある。「しょせん―だから、欲もあるさ」❷〔りっぱな〕人がら。人物。「―ができている」❸〔文〕世の中。人の社会。世間。参考 ③は、本来「じんかん」と読む。―こうがく【―工学】工学の一分野。機械や作業環境を人間の精神的・肉体的諸条件に合うように、設計・製作・配置・調整することを目的とする。ヒューマンエンジニアリング。―こくほう【―国宝】重要無形文化財保持者の通称。―せい【―性】人間に生まれつきそなわっている特有の性質。人間らしさ。―ぞう【―像】人間としての姿・形。「期待される―」―てき【―的】《形動》人間らしい感情を備えているようす。また、人情味のあるようす。「―な生活」―ドック 健康状態を精密に検査するための短期間の入院。自覚症状のない潜在性の病気を発見するのが目的。参考 船のドック入りに見立てたもの。―なみ【―並(み)】《名・形動》❶ふつうの人と同じ状態・程度であること。人並み。❷生物などの扱いが人間と同じであること。―み【―味】いかにも人間らしい温かい持ち味。類語 人情味。―もよう【―模様】さまざまな人間関係を織物の模様に見立てた語。「華麗な―を織りなす」―わざ【―業】ふつうの人間の能力でできる仕事・技術。参考 多く下に打ち消しの語を伴って、優れた能力にいう。「―とも思われない怪力」対 神業。

―到(いた)る処(ところ)青山(せいざん)有り《句》→人間(じんかん)到る処(ところ)青山有り。

―万事塞翁(さいおう)が馬《句》→塞翁(さいおう)が馬。

にん・ごく【任国】❶国司として赴任する国。❷大使・公使・領事などとして赴任する国。

にんさん・ばけしち【人三化七】〔人の要素が三分で、化け物の要素が七分の意〕非常に顔の醜い人。

にん・さんぷ【妊産婦】妊婦と産婦。妊娠している女性とお産前後の女性。

にん・しき【認識】《名・他サ》物事をはっきりと理解し、他のものと区別したり、判断したりすること。また、そうして得られた心的な内容。「―を新たにする」「―不足」類語 認知。

にん・じゃ【忍者】〔忍術を用いて〕敵方に忍び入り、そのようすをさぐるなどする者。忍びの者。間者(かんじゃ)。

にん・じゅう【忍従】《名・自サ》〔文〕あるがままの〔苦しい〕境遇でたえ忍ぶこと。じっとがまんして、他に従うこと。「―の生活」

にん・じゅつ【忍術】鍛錬された体術や特殊な道具を用い、敵陣や人家などに忍びこむ術。忍びの術。

*にん・しょう【人称】文中で、話し手・聞き手およびその他のものといった区別。一人称(自称)、二人称(対

称)、三人称(他称)の別がある。 **—だいめいし【—代名詞】**↓じんだいめいし。

***にん-しょう【認証】**《名・他サ》〔法〕❶一定の行為または文書の成立・記載が正式な手続きで行われたことを、公の機関が証明すること。❷天皇の国事行為の一つ。内閣または内閣総理大臣の職権上の行為を天皇が公的に証明すること。「—式」 **—かん【—官】**〔法〕任免にあたって、天皇の認証が必要な官職。国務大臣・最高裁判所裁判官など。

***にん-じょう【人情】**人間が生まれつき持っている感情。特に、愛情・思いやり・なさけなどの感情。「—が厚い」類語 慈悲。情。 **—ばなし【—話・—×噺・—×咄】**人情の厚さを題材とする落語の一種。参考 本来は続き話で、おちのないものをいった。 **—み【—味】**人間としての心のあたたかさ。情味。

***にん-じょう【▽刃傷】**《名・他サ》〔文〕刃物で人を傷つけること。 **—ざた【—×沙×汰】**刃物で人を傷つける振る舞い。刃物を振り回すけんか。

にん-じる【任じる】《自他上一》↓にんずる。

にん-しん【妊娠】《名・自サ》哺乳動物の雌が、体内に胎児をやどすこと。類語 孕む。身籠る。身重になる。懐妊。懐胎。受胎。尊敬 おめでた。 **—ちゅうぜつ【—中絶】**正常の妊娠持続期間を経過しない胎児が子宮外に排出されること。早産・流産・人工妊娠中絶など。

にん-じん【人▽参・人×蔘】❶セリ科の越年草。根は赤黄色でビタミンAに富む。❷「朝鮮人参」の略。

にん-ずう【人数】❶ひとのかず。ひとかず。人頭。類語 頭数。人員。員数。❷おおぜいの人。多数。多人数。「—を繰り出す」=にんず。

にん-ずる【任ずる】一《他サ変》❶ある職務・役目につかせる。担当させる。「佐藤を部長に—ずる」類語 補する。命ずる。任命。❷〔自分にその資格があると〕勝手に・思いこむ(気取る)。自任する。「天才をもって—ずる」二《自サ変》〔ある事を〕引き受けて自分の任務とし、責任を持って仕事をする。

にん-そう【人相】❶人の顔かたち。顔つき。❷顔かたちからよみとることができる、その人の運命や性質。「—を占う」 **—がき【—書(き)】**家出人や犯罪者などをさがすため、その人の人相の特徴をしるして配る書きつけ。 **—み【—見】**人相を見て、その人の運勢を判断する職業の人。観相家。

にん-そく【人足】〔卑称〕荷物の運搬や土木工事などの力仕事をする労働者。

にん-たい【忍耐】《名・自他サ》〔つらさ・苦しさ・怒りなどを〕じっとたえしのぶこと。がまんすること。「—を要する仕事」「—力」類語 辛抱。隠忍。忍苦。我慢。

> **類義語の使い分け　忍耐・我慢・辛抱**
>
> [忍耐・我慢・辛抱] といって忍耐(我慢・辛抱)にも限りがある／忍耐(我慢・辛抱)強い男なんだよ彼は
>
> [忍耐] 忍耐力のある人だからきっとこらえてくれる
>
> [我慢] 我慢がならない仕打ち／そうやせ我慢するなよ
>
> [辛抱] 長年辛抱したかいあって係長に昇進する

***にん-ち【任地】**〔自分の〕任務を果たすためにいるべき土地。類語 任国。赴任地。

***にん-ち【認知】**《名・他サ》❶そうであると・はっきり(おおやけに)みとめること。❷〔法〕事実上の父または母が、婚姻外で生まれた子を自分の子であると認めること。これによって法律上の親子関係が生じる。

***にん-てい【人体・人▽態】**〔文〕人のすがた・ようす。風体。また、人柄。「怪しげな—」

***にん-てい【認定】**《名・他サ》〔物事を〕ある定められた条件・範囲にあてはまるものとして認めること。また、そのように認められた事柄。「公害病患者と—する」

にん-とう【人頭】〔文〕ひとかず。人数。 **—ぜい【—税】**人数割りにして課せられる税。人頭税。

***にん-にく【▽大×蒜】**ユリ科の多年草。全体に強い臭いがあり、ふつう地下の鱗茎を食用・薬用とするが、若い茎も食用として用いる。ひる。おおびる。

***にん-にく【忍▽辱】**〔仏〕苦悩・迫害・侮辱に耐え忍んで、心を動かさないこと。

にん-にょう【人×繞】漢字の部首の一つ。「元」「兄」「光」などの「儿」の部分。

にん-ぴ【認否】〔文〕認めるか認めないか。「罪状—」

にん-ぴにん【人非人】人の道にはずれた行いをする人をののしって言う語。人でなし。参考 もと仏教語。

ニンフ❶ギリシア神話で、川・泉・森・花などの精霊。美しい乙女の姿であらわされる。妖精。「森の—」❷美少女。▽nymph

***にん-ぷ【人夫】**〔卑称〕力仕事をする労働者。

***にん-ぷ【妊婦】**妊娠している女性。みごもった女性。はらみ女。孕婦。

にん-べつ【人別】❶〔割り当てなどが〕各人ごとであること。めいめい。❷近世において、人口、また、人口調査。❸「人別帳」の略。江戸時代、人別改(=人口調査)を行って幕府に提出させた帳面。

にん-べん【人偏】漢字の部首の一つ。「仏」「体」などの左側の「亻」の称。

にん-ぽう【忍法】忍術の法。忍者の行う術。

にんまり《副・自サ》(副詞は「—と」の形も)〔思いがかなって満足そうに〕薄笑いをうかべるようす。

にん-む【任務】その人の責任とされるつとめ。役目。「—を果たす」類語 任。本務。責務。職分。本分。

にん-めい【任命】《名・他サ》ある職または地位につくように命令すること。「山本を課長に—する」類語 任用。任官。補任。対 免職。

にん-めん【任免】《名・他サ》〔ある人を〕役目につけることと、やめさせること。任命と罷免。「—権」

にんめん-じゅうしん【人面獣心】↓じんめんじゅうしん。

***にん-よう【任用】**《名・他サ》〔文〕ある人を職務につかせて用いること。「—試験」類語 任命。起用。

***にん-よう【認容】**《名・他サ》〔文〕〔ある物事を〕よいと認めて・許す(受け入れる)こと。容認。類語 許容。

ぬ

ぬ—奴

***ぬ**《助動：特殊型》《打ち消しの文語助動詞「ず」の連体形「ぬ」が、口語で終止形の位置を占めるようになったもの》打ち消しを表す。…ない。「失敗を恐れずやらねばならぬ」「忘れえぬ人々」接続 動詞および助動詞「(さ)せる・(ら)れる・しめる・ます」の未然形につく。サ変動詞に

は、「せ」の形につく(せぬ)。参考「○ーずーぬ(ん)ーぬ(ん)ーねー○」と活用する。「ます」の否定形「ません」以外は、文章語的表現や成句・慣用句に限って使い、一般には「ない」を使う(よく分かりません／もう帰らねばならぬ・知らぬ存ぜぬ／もう帰らなければならない)。ただし、西日本の方言では、今日でも「ん」が一般的(よう分からん)。↓ず(口語)・ずに。

***ぬ**《助動：ナ変型》**文語** 実現または完了を表す。「降る雪や明治は遠くなりにけり〈草田男〉」「うの花のにほふ垣根に、時鳥早もきなきて、忍音もらす夏は来ぬ〈信綱〉」接続 動詞・形容詞や一部の助動詞の連用形につく。未然形につく「ぬ」は打ち消しの「ぬ」。

ぬい-あげ【縫(い)上(げ)・縫(い)揚(げ)】ぬひ 子供が大きくなってからも着られるように、着物を少し大きめに仕立てて、その分だけ肩と腰の部分につまみ縫いをしておくこと。また、その部分。あげ。

ぬい-あわ-せる【縫い合わせる】ぬひあはせる《他下一》〔布・革などを〕縫って両方が一つに合うようにする。

ぬい-いと【縫(い)糸】ぬひ 衣服を縫うのに使う糸。類語 とじ糸。くけ糸。しつけ糸。

ぬい-かえ-す【縫い返す】ぬひかへす《他五》❶縫ってあったものをほどいて、改めて縫う。縫い直す。❷縫ってきた方向と逆にもう一度縫う。返し縫いをする。

ぬい-ぐるみ【縫(い)▽包み】ぬひ ❶綿や布くずなどを布の中に入れて、外から縫い合わせること。また、そうして作った、動物などのおもちゃ。❷芝居で、動物の役をする俳優が着る、動物の形をした衣装。

ぬい-こ-む【縫い込む】ぬひ《他五》❶縫って中に入れる。中に入れるように縫う。❷深く縫う。

ぬい-しろ【縫(い)代】ぬひ 縫い合わせるとき、合わせ目にする余分な布。

ぬい-とり【縫(い)取(り)】ぬひ ❶布地に模様を色糸で刺し縫いすること。また、その模様。縫い。刺繍。❷縫い取り①をした和服地。

ぬい-なお-す【縫い直す】ぬひなほす《他五》一度縫ったものをほどいて、ふたたび縫う。縫い返す。

ぬい-ばり【縫(い)針】ぬひ 布などを縫うための針。

ぬい-め【縫(い)目】ぬひ ❶縫い合わせたさかい目。「ーがほつれる」❷縫った糸の目。「ーがあらい」

ぬい-もの【縫(い)物】ぬひ ❶衣服などを縫うこと。裁縫。類語 お針。針仕事。縫製。❷縫って衣服などに仕立てるべき物。仕立て物。❸縫い取りを施すこと。また、施したもの。

ぬい-もん【縫(い)紋】ぬひ 縫い取りで描き出した紋。女性の羽織などにつける。参考 ↓書き紋。

ぬ-う【縫う】ぬふ《他五》❶針をくり返しさすことによって、針に通した糸で布などをつづる。「布をー・う」❷〔糸と針を使って〕衣服などを作る。「着物をー・う」類語 (る・す) 裁縫。縫製。❸縫い取りをする。刺繍をする。「金糸銀糸でー・った蝶の模様」❹人体の傷口などを、針と糸でとじ合わせる。縫合する。❺槍や矢が、鎧や人体をつらぬく。「矢が鎧の袖をー・ってささった」❻物と物との間を曲折しながら進む。「人ごみをー・って歩く」文《四》。

ヌード ❶はだか。裸体。「ーモデル」❷写真・絵画・彫刻の裸体像。▽nude

ヌードル ❶そうめんに似た、マカロニ類の一つ。小麦粉を水でねるとき、鶏卵を加える。スープなどに入れて食べる。❷一般に、麺類。「カップー」▽noodle

ヌーボー 一《造語》「新しい」の意。「ボジョレーー」「ーロマン(=新小説)」▽フランス nouveau 二《名・形動タルト》〔俗〕人の性格・行動などに、つかみどころがないこと。参考 ぬうっとして、ぼうっとしていることを、ヌーボー一の音にかけた、しゃれ。

ぬえ【×鵼・×鵺】❶伝説上の怪獣。頭はサル、手足はトラ、体はタヌキ、尾はヘビの形をし、声はトラツグミの鳴き声に似るという。参考 源三位頼政が退治したという。❷「とらつぐみ」の別称。❸正体のはっきりしない人物・行動。「ー的な見解」

***ぬか**【×糠】一《名》玄米・玄麦を精白するときに出る、果皮が粉状になったもの。こぬか。二《接頭》❶「非常に細かい」の意。「ー星」「ー雨」❷「むだ」「はかない」の意。「ーよろこび」

ーに釘《句》いくら努力しても、手ごたえやききめがないことのたとえ。類語 豆腐に鎹。馬耳東風。のれんに腕押し。

***ぬか**【▽額】〔雅〕ひたい。

ヌガー 白くてやわらかいキャンデーの一種。ナッツ類や砂糖漬けの果物を入れることが多い。▽フランス nougat

ぬか-あぶら【×糠油】米ぬかからとった油。食用・せっけん製造用などにする。米油。

ぬか-あめ【×糠雨】〔霧のように〕非常に細かく、音も立てずに降る雨。霧雨。こぬかあめ。類語 細雨。小雨。糸雨。

***ぬか-ご**【▽零▽余子】↓むかご。

***ぬか-す**【▽吐かす・抜かす】《他五》〔俗〕「言う」の非常にいやしめた言い方。ほざく。「何をー・すか」

***ぬか-す**【抜かす】《他五》❶〔順序・数などに〕入れるべきものを入れない。入れ落とす。飛ばす。「一人ー・して数える」❷ぬけるようにする。ぬけた状態にする。「うつつをー・す(=夢中になって本心を失う)」「驚いて腰をー・す(=腰の力がなくなって立てなくなる)」

ぬか-ず-く【▽額ずく】ーづく《自五》(「額突く」の意)❶敬意を表すために、ひたいを地につけて拝む。❷ていねいに、深く頭をさげて拝む。「神前にー・く」表記 現代仮名遣いでは「ぬかづく」も許容。

ぬか-づけ【×糠漬(け)】ぬかみそに四季の野菜を漬けた食品。どぶづけ。ぬかみそづけ。

ぬか-どこ【×糠床】糠漬けを漬けるために、ぬかみそを桶などに入れたもの。

ぬか-ぶくろ【×糠袋】入浴のときに肌を洗う、ぬかを入れた袋。

ぬか-ぼし【×糠星】夜空にちらばる無数の小さい星。

ぬか-みそ【×糠味×噌】米ぬかと食塩とをまぜ、水で練ったもの。野菜などを漬けるのに用いる。「ー漬け」

ーくさ-い【ー臭い】《形》世帯じみた感じだ。

ーが腐る《句》歌の下手なことをあざけって言うことば。「ぬかみそにふたをする」とも。

ぬか-よろこび【×糠喜び】《名・自サ》せっかく喜んでいたことが、あてがはずれて喜びがいがなくなること。こぬかよろこび。「昇進が取り消されてーに終わる」

ぬかり【抜かり】物事の手落ち。手抜かり。「準備にーはない」

***ぬか-る**【抜かる】《自五》うっかりしていて、失敗する。油断して〔事を〕しそんじる。「ー・るなよ」

***ぬか-る**【▽泥×濘る】《自五》〔雨や雪どけ・霜どけのために〕道の土がどろどろになる。ぬかるむ。

ぬ

ぬかる‐み【▽泥×濘】〔雨や雪どけ・霜どけなどで〕ぬかっている所。泥濘。参考ひゆ的に、動きがとれない、また、抜け出ることができない困難な状態の意でも使う。「―にはまった二人の仲」

***ぬき**【抜き】㊀《名》❶抜くこと。取り除くこと。「英語を―にした期末試験」❷食べ物で、普通は入っているものが除いてあるもの。わさびをつけないにぎり鮨、もちを入れない汁粉の類。❸「栓抜き」の略。栓・王冠などを抜く道具。㊁《接尾》❶《名詞について》そのものを取り去ったり、引き出したりする意。「しみ―」「ごぼう―」❷《人数を表す漢語の数詞について》その人数分だけ勝ち抜く意。「五人―」

***ぬき**【▽緯】《「貫」の意》織物の横糸。ぬきいと。

***ぬき**【▽貫】柱と柱、また、たてに並べた材木と材木をつなぎとめるための横木。ぬきぎ。

ぬき‐あし【抜き足】〔足を引き抜くようにして上げることから〕人に気づかれないように、音を立てずに歩くこと。「―で忍びこむ」類語忍び足。差し足。盗み足。

―さしあし【―差し足】《連語》人に気づかれないように、そっと歩くようす。「―忍び足」

ぬき‐いと【抜き糸】衣類をほどいて抜き取った糸。

ぬき‐うち【抜(き)打ち】❶刀を抜くのと同時に、敵に切りつけること。❷予告なしに、不意に物事を行うこと。「―検査」「―解散」

ぬき‐えもん【抜(き)▽衣紋】女性の和服の着方の一つ。衣紋（＝えりの胸元の合わせ目）を押し上げ、首の後ろのえりを下げて、背中の肌が見えるようにするもの。抜きえり。突きえり。

ぬき‐がき【抜(き)書き】❶《名・他サ》必要な部分だけを書きとること。また、その書きとったもの。書き抜き。「要点を―する」類語抜粋。摘録。摘要。抄録。❷ある一人の役者の受け持ちの分だけを書き抜いた略式の台本。書き抜き。ぬきほん。

ぬき‐さし【抜き差し】《名・他サ》❶抜き取ったり差し込んだりすること。取り除いたり付け加えたりすること。「整理カードを―する」❷からだを動かすこと。また、あれこれとやりくりすること。「持ちつ持たれつの―ならない（＝身動きがとれない。のっぴきならない）関係」

ぬぎ‐す・てる【脱ぎ捨てる】《他下一》❶からだにつけた衣服・履物などをぬいで、そのままにしておく。ぬぎっぱなしにする。また、捨てるようにぱっとぬぐ。❷〔ひゆ的に〕従来の習慣・考えなどを捨てる。

ぬき‐ずり【抜(き)刷(り)】《名・他サ》雑誌や書物の必要な一部分だけを、抜き出して印刷すること。また、その刷り物。別刷り。

ぬき‐だ・す【抜き出す】《他五》❶〔ある物の中から〕引き抜いて取り出す。❷〔多くの物の中から〕選び出す。「要点を―・す」類語(する)選出。抽出。選抜。

ぬきつ‐ぬかれつ【抜きつ抜かれつ】《連語》抜いたり抜かれたり。後になったり先になったり。「―の激戦」類語追いつ追われつ。

ぬき‐て【抜(き)手】日本古来の泳法の一つ。腕を大きく水面に抜き上げるようにして水をかき、足は平泳ぎのようなあおり足で泳ぐ。「―を切って泳ぐ」

ぬき‐と・る【抜き取る】《他五》❶〔中の物を〕引き抜いて取り出す。❷〔多くの中から〕必要な物を選んで取り出す。また、除き去る。「検査のサンプルを―・る」❸中身を抜いてぬすみ取る。

ぬき‐はな・つ【抜(き)放つ】《他五》〔文〕刀を一気に抜く。抜き放す。

ぬき‐み【抜(き)身】さやから抜き放った刀剣・槍の刃。「―を持った強盗」類語白刃。抜剣。抜刀。

ぬき‐よみ【抜(き)読み】《名・他サ》❶書物などの必要な部分だけを抜き出して読むこと。抄読。❷講釈師が、全体のうちの一部だけを抜き出して語ること。「義士銘々伝―の一席」

ぬきん‐・でる【▽抽んでる・×擢んでる・抜きん出る】《自下一》❶〔まわりの多くのものよりも〕高く現れ出る。❷〔多くのものや人のなかでそれだけが〕飛び抜けてすぐれる。「衆に―・でた実力」類語抜け出る。(する)傑出。卓越。卓出。卓絶。冠絶。抜出。

ぬ・く【抜く】㊀《他五》❶中にあるものを引き出す。㋐引いて取る。「刀を―・く」「―・く手も見せず（＝非常に素早く物事を行うようす）」㋑選び出す。「トランプを一枚―・く」類語(する)選出。選抜。抽出。㋒除き去る。「籍を―・く」㋓こっそり盗みとる。「人ごみで財布を―・く」㋔〔城などを〕攻めおとす。「堅陣を―・く」㋕はぶく。省略する。「手を―・く」❷突き破って向こう側に出す。㋐つらぬく。突き通す。「花びらに針を―・く」類語(する)貫通。㋑〔和服を着るときに〕後ろのえりを下げて背中の上部の肌が見えるようにする。「えもんを―・いて着る」㋒追いこす。また、上に出る。「実力は彼を―・く」文《四》。㊁《自五》ボールなどがある間を通りこす。抜ける。「左中間を―・く」文《四》。㊂《接尾》最後まで…する。…し通す。また、ひどく…する。「悩み―・く」「惚れ―・く」文《四》。

ぬ・ぐ【脱ぐ】《他五》〔衣服・くつなど〕体に着けているものを取り去る。「ベールを―・ぐ（＝隠された物事があらわになる）」類語(する)脱衣。対着る・はく。文《四》。

ぬく・い【▽温い】《形》〔方言〕〔気温や水温などが〕あたたかい。「―・い陽気」

ぬぐ・う【×拭う】《他五》❶〔水分やよごれなどを〕ふき取る。「汗を―・う」❷〔自己の汚点などを〕消す。清める。つぐなう。「不十分の感を―・いきれない」類語(する)払拭。一掃。文《四》。

ぬくと・い【▽温とい】《形》〔方言〕あたたかい。

ぬく‐ぬく《副》《「―と」の形も》❶気持ちよくあたたかそうなようす。「こたつで―（と）している」❷《自サ》〔生活に〕不自由なく、のんびりしているようす。満ち足りているようす。「老後は田舎で―（と）過ごす」❸〔食べ物などが〕できたてであたたかいようす。「―のまんじゅう」類語ほやほや。❹〔他のものなどは〕いっこうにかまわないで、ずうずうしいようす。横着なようす。

ぬくま・る【▽温まる】《自五》あたたまる。また、あたたかくなる。ぬくもる。「春になって池の水も―・る」

ぬく‐み【▽温み】〔人体や物などの〕あたたかさ。あたたかみ。ぬくもり。「―の残ったごはん」

ぬく・める【▽温める】《他下一》あたためる。「体を―・める」文ぬく・む《下二》。

ぬくもり【▽温もり】❶あたたかさ。ぬくみ。類語温暖。❷あたたかい人情。「―のある判決」類語温情。

ぬけ【抜け】あるべきものが落ちていること。もれ。「とじこみに―がある」類語脱漏。

ぬけ‐あが・る【抜け上がる】《自五》頭髪の生えぎわが、額の上のほうまで上がっている。はげ上がる。

ぬけ‐あな【抜(け)穴】❶〔どこかに〕通り抜けられる穴。❷ひそかに逃げ出すための穴。❸法律や困難なものなどからうまくのがれるための手段・方法。「外国為替法の―をさがす」類語①～③抜け道。

ぬけ・うら【抜(け)裏】通り抜けられる裏道。

ぬけ・がけ【抜(け)駆け】《名・自サ》❶戦場で、ひそかに味方の陣地を抜け出て、他人より先に敵陣に攻め込むこと。「軍令にそむいて―する」❷他の人を出し抜いて、物事をすること。「―して特許を申請する」

―の功名《句》他人を出し抜いてたてた手柄。

ぬけ・がら【抜(け)殻・▽脱(け)殻】❶セミやヘビなどが脱皮したあとのから。❷中身のなくなったあとのもの。また、形ばかりで内容のないもの。「時代の変化で―になった法律」類語有名無実。❸魂をうばわれたように、ぼんやりした状態にある人。

ぬけ・かわ・る【抜け替わる・抜け代わる】《自五》古いものが抜けて、新しいものがはえる。

ぬけ・げ【抜(け)毛・▽脱(け)毛】(自然に)抜けた毛髪。落ち毛。落ち髪。

ぬけ・さく【抜(け)作】〔俗〕動作や頭の回転のにぶい人をあざけって言う語。参考「まぬけ」を人の名前らしく言ったもの。類語馬鹿者。とんま。

ぬけ・だ・す【抜け出す・▽脱け出す】《自五》〔ある集まり・場所・状態などから〕抜けて出る。(そっと)逃げ出す。抜け出る。「混戦状態から―・す」

ぬけ・・でる【抜け出る・▽脱け出る】《自下一》❶抜け出す。❷〔他のものより〕高くあらわれ出る。突き出る。ぬきんでる。「ひときわ―・出て見えるビル」❸〔他のものより〕特にすぐれる。ひいでる。ぬきんでる。

ぬけ・に【抜(け)荷】鎖国の江戸時代、幕府の定めた正規の貿易機関である長崎会所を通さない密貿易。抜け売り。抜け買い。また、密貿易の荷物。

ぬけ・ぬけ《副》《多く「―と」の形も》〔平然と行いにくいようなことを〕平然として言ったり行ったりするようす。また、ずうずうしくかまえて、知らぬ顔をするようす。「―と上役の悪口をいう」類語しゃあしゃあ。

ぬけ・みち【抜(け)道】❶本道以外で通り抜けられる近道。また、ひそかに逃げだすための道。類語裏道。間道。❷責任や法的な規制などを、うまくのがれるための手段・方法。抜け穴。「法の―を探す」

ぬけ・め【抜(け)目】❶不注意なところ。また、不注意から落ちてしまったところ。おち。もれ。類語手落ち。手ぬかり。遺漏。脱漏。❷〈「―(が)な・い」の形で〉自分の不利益になるような事をせず、たくみに物事を行うようす。ちゃっかりしているようす。

ぬ・ける【抜ける】《自下一》❶中にはいっていたものが外に出る。㋐はまっていたものが離れて取れる。脱落する。㋑〔ある場所・集団から〕離れて出る。離脱する。「不良仲間から―・ける」㋒〔必要なことが〕漏れる。脱漏する。「一字―・けている」㋓知恵が不足する。参考ふつう「―・けた」「―・けている」の形で使う。㋔なくなる。消える。「力が―・ける」❷突き通る。その中を通って向こう側に出る。通り抜ける。「細道を―・けて広い道に出る」文ぬ・く《下二》。

―けるよう《句》〔空や湖の水などが〕非常によく透き通っているようすの形容。「―な青い秋空」

ぬ・げる【脱げる】《自下一》身につけていたものが、自然にはずれる。「風で帽子が―・げる」

ぬさ【▽幣】神に祈るときに供える布・紙。多く、神前の木の枝や垣などに結びつける。みてぐら。にぎて。

***ぬし【主】**㊀《名》❶一家をささえている(男の)人。主人。あるじ。「この家ゃの―」類語旦那。家長。❷夫。また、特に定まった情夫。主。「―ある身」❸持ち主。ある行為をした人。「忘れ物の―をさがす」❹森・川・池などに古くからすんでそれらを支配し、霊力があるといわれる動物。❺ある場所に古くからいる人。「経理課の―」類語古狸。㊁《代名》❶相手への敬意・親愛を表して呼ぶ語。❷女から特定の男に親しみをこめて呼ぶ語。あなた。参考①②とも、古風な言い方。㊂《接尾》《動詞連用形について》その動作の主体となる人を表す。「拾い―」「落とし―」

***ぬ・し【▽塗師】**漆器製造をする職人。塗り師。

ぬすっ・と【盗▽人】《「ぬすびと」の音便》→ぬすびと。

ぬす・びと【盗人】❶どろぼう。盗賊。〔古風な言い方〕類語白浪。偸盗。❷悪事を働く者をののしって言う語。「この―野郎」＝ぬすっと。参考①②とも、口語では現在「ぬすっと」の方を多く使う。

―猛猛しい《句》悪事を働きながら、ずうずうしいようすであること。また、そのような人をののしって言う語。「ぬすっと猛々しい」とも。

―に追い銭《句》損をしたうえに、また損をすることのたとえ。「泥棒に追い銭」とも。

―にも三分の理《句》その気になれば、どんな理屈でもつくことのたとえ。「泥棒にも三分の理」とも。

―の上前を取る《句》〔盗人が盗んだものの一部を別の人がかすめとることから〕上には上がある。また、非常にあくどいことのたとえ。

―を捕らえて見れば我が子なり《句》不正の当事者が身内で、その処置にこまることのたとえ。また、身近な者でも油断できないことのたとえ。

―を見て縄を綯う《句》処置がおくれてまにあわないことのたとえ。また、無計画であることのたとえ。泥縄。「泥棒を捕らえて縄を綯う」とも。

ぬすみ【盗み】盗むこと。泥棒。「―をはたらく」

ぬすみ・あし【盗み足】足音がしないように、そっと歩くこと。類語抜き足。差し足。忍び足。

ぬすみ・ぎき【盗み聞き】《名・他サ》人の話をこっそりと聞くこと。盗聴。類語立ち聞き。

ぬすみ・ぐい【盗み食い】《名・他サ》❶盗んで食うこと。❷人に隠れて、こっそりと物を食うこと。

ぬすみ・・みる【盗み見る】《他上一》〔相手に気づかれないように〕そっと見る。こっそり見る。

ぬすみ・よみ【盗み読み】《名・他サ》❶他人の読んでいるものを、わきからのぞきこんで読むこと。❷人目を避けて、書物や他人の手紙などをひそかに読むこと。

ぬす・む【盗む】《他五》❶他人の物をひそかに自分のものにする。「女の心を―・む」❷〈多く「…を―・んで」の形で〉自分の動作を、他人にそれと知られないようにするようす。…をしのばせてひそかに。「人目を―・んで悪事を働く」❸とぼしい時間をやりくりして過ごす。「ひまを―・んで原稿を書く」文《四》。

⇩〔類語と表現〕

類語と表現

「盗む」

＊宝石を盗む・金庫から現金を盗む・財布を盗まれる・ハンドバッグを盗んで逃げる／人のアイディアを盗む・師匠の芸を盗む・ハートを盗む・唇を盗む。

◆掏る・盗る・盗み取る・抜き取る・掻っ払う・掠める・くすねる・ちょろまかす・騙る／(する)窃盗・窃取・盗

取・略奪・奪略・横領・着服・詐取・拐帯(かいたい)・剽窃(ひょうせつ)・持ち逃げ・万引き・猫ばば

ぬた 魚介類・海藻・野菜類などを酢みそであえた日本料理。ぬたあえ。ぬたなます。

ぬた・く・る 一《自五》からだをくねらせてはいまわる。のたくる。二《他五》❶へたな文字や絵などを書きつける。のたくる。❷絵の具や墨などをべたべたとなすりつける。ぬりたくる。「おしろいを—・って出かける」

ぬっ・と《副》突然現れ出たり、急に動作を起こしたりするようす。のっと。「ドアをあけて—顔を出す」

ぬの【布】 一《名》❶織物の総称。きれ。類語 反物(たんもの)・布帛(ふはく)・呉服。❷〔古〕〔絹に対して〕麻・かずら・もめんなどで織った織物の総称。二《接頭》〔建築で〕「水平」「平ら」「平行」「横」などの意。「—羽目(はめ)」

ぬの・こ【布子】〔冬に着る〕もめんの綿入れ。参考 古くは、麻布のあわせ・綿入れを言った。対 小袖(こそで)

ぬの・じ【布地】 衣服に仕立てるまえの織物。また、その切れはし。布地(きれじ)。

ぬの・びき【布引(き)】 ❶布を日にさらすために、ひき広げること。❷人の列や滝の水が、布をひき広げたように、とぎれずに続いていること。「—の滝」

ぬの・め【布目】 ❶布の織り目。❷布の織り目のような模様(が現れているもの)。「—紙」「—瓦(がわら)」❸漆器で、下地(したじ)にはった布の織り目が表面に見えるもの。

ぬばたま・の《枕》「黒」「闇(やみ)」「夜」「夕」「夢」「月」「妹(いも)」などにかかる。うばたまの。むばたまの。

ぬ・ひ【▽奴×婢】 ❶〔文〕召使の男と女。下男と下女。奴婢(どひ)。類語 婢僕(ひぼく)・奴隷(どれい)。❷〔歴〕律令(りつりょう)制において、最下層の身分とされた賤民(せんみん)。

ぬま【沼】 水深が浅く、どろ深い池。類語 ↓池(いけ)。

ぬま・ち【沼地】 どろ深くて、じめじめしている土地。また、沼の多い土地・地域。類語 沼沢(しょうたく)・沼沢地。

ぬめ【×絖】 薄地でなめらかな絹織物の一種。日本画の絵絹や造花材料などに使う。

ぬめ・かわ【▽滑革】 牛皮をタンニンで柔らかくしたもの。種々の革細工に用いる。

ぬめ・ぬめ《副・自サ》《副詞は「—と」の形も》なめらかなものの表面が湿って、ぬるぬるしているようす。なめらかでつやのあるようす。「—と光る」類語 ぬらぬら。

ぬめり【▽滑り】 粘液などで、ぬるぬるすること。また、その粘液。「魚には—がある」

ぬめ・る【▽滑る】《自五》つるつるしてすべる。ぬるぬるする。文《四》

ぬら・くら《副・自サ》《副詞は「—と」の形も》❶粘液などですべって、とらえにくいようす。類語 ぬるぬる。ぬらぬら。❷あいまいに言ったり言い逃れをしたりして、とらえ所のないようす。「—と言いわけする」❸〔生活態度などに〕しまりがなく、ぶらぶらしているようす。のらくら。「毎日—遊んでいる」同 ②③ぬらりくらり。

ぬら・す【×濡らす】《他五》水などでぬれるようにする。「小雨が木々の葉を—・す」文《四》

ぬら・ぬら《副・自サ》《副詞は「—と」の形も》〔表面に粘液・油などがついて、気持ちが悪いほど〕ねばっこくぬるぬるするようす。類語 ぬめぬめ。

ぬらり・くらり ↓ぬらくら②③。

ぬり【塗(り)】〔漆・ペンキなどを〕塗ること。塗りぐあい。塗り方。また、塗ったもの。「—のはげたお椀(わん)」

ぬり・え【塗(り)絵】 子供の玩具(がんぐ)の一種。絵の輪郭だけが印刷してあり、そこに色を塗るようにしたもの。

ぬり・か・える【塗(り)替える】(—かへる)《他下一》❶前に一度塗ったものをはがして塗る。また、塗った上に重ねて、もう一度塗る。塗りなおす。❷一新する。更新する。「大会新記録を—・えた」

ぬり・ぐすり【塗(り)薬】 皮膚に塗りつけたり擦りこんだりして使う薬。塗薬(とやく)。類語 外用薬。つけ薬。

ぬり・げた【塗(り)下▽駄】 漆を塗った、げた。

ぬり・こ・める【塗(り)込める・塗り×籠める】《他下一》❶塗って中に入れる。また、ものを中に入れ、その上を塗り固める。❷あるものですっかりおおう。「あたりが夕もやに—・められる」

ぬり・たく・る【塗りたくる】《他五》むやみにごてごてと塗る。ぬたくる。「口紅を—・る」

ぬり・たて【塗(り)立て】 塗ってまだ間もないこと。「ペンキ—」「—の壁」表記 多く「塗りたて」と書く。

ぬり・た・てる【塗り立てる】《他下一》❶〔ひきたつように〕きれいに塗る。十分に塗る。「壁を白く—・てる」❷〔むやみやたらに〕ごてごてと塗る。塗りたくる。〔多く、化粧などについていう〕

ぬり・つ・ける【塗り付ける】《他下一》❶おしつけるようにして塗る。なすりつける。❷自分の責任・罪などを他人に負わせる。なすりつける。「罪を人に—・ける」

ぬり・つぶ・す【塗り×潰す】《他五》〔下の色が見えないように、また、すきまがないように〕一面に塗る。

ぬり・もの【塗(り)物】 漆を塗った器物。漆器。

ぬ・る【塗る】《他五》❶物の表面に、液や塗料などをなすりつける。「壁にペンキを—・る」「黒板を緑色に—・る」「家名に泥(どろ)を—・る(=家名を汚す)」類語 塗りたくる。塗りこくる。(す)塗装。塗布。塗抹。❷土・漆喰(しっくい)などをなすりつけて、壁・へいなどを築く。「壁を—・る」❸〔厚く〕化粧をする。「顔を白く—・る」❹責任や罪を、他人になすりつける。文《四》

ぬる・い【▽温い】《形》❶〔水温などが〕なまあたたかい。また、湯が適温よりやや低い。「ふろが—・かった」「お茶が—・い」❷〔やり方・処置などが〕きびしくない。てぬるい。なまぬるい。「処分が—・い」表記 ②は「緩い」とも書く。類語 甘い。文 ぬる・し《ク》

ぬるで【▽白×膠▽木】 ウルシ科の落葉小高木。秋に紅葉する。葉にアブラムシが寄生してできる虫こぶ(五倍子(ふし))は、薬や染料にされる。ふしのき。ぬるでもみじ。

ぬる・ぬる《副・自サ》《副詞は「—と」の形も》❶粘液状のものが動くようす。「ナメクジが—(と)はう」❷〔表面が〕粘液のようなものでおおわれていてすべりやすいようす。「—した川底の石」類語 ①②ぬらぬら。

ぬるま・ゆ【▽微▽温湯】 適温より少し低い温度の湯。ぬるい湯。微温湯(びおんとう)。ぬる湯。類語 温湯(おんとう)。

—に浸(つ)か・る《句》外部からの刺激の少ない、現在の安穏な境遇に甘んじ、なんの心配もなく過ごす。

ぬる・む【▽温む】《自五》❶〔温度が上がって〕冷たいものが少しあたたかくなる。「水—・む季節となる」❷〔熱いものが〕ややさめる。ぬるくなる。文《四》

ぬれ・いろ【×濡(れ)色】 水にぬれた(ような)つややかな色。

ぬれ・えん【×濡(れ)縁】 和風建築で、雨戸の外側にあって、雨にぬれるにまかせた縁側。

***ぬれ・がみ【×濡(れ)紙】** 水にぬれた紙。しめった紙。

—を剝(は)がすよう《句》〔しめった紙を破れないようにはが

ぬ

すには注意深くゆっくりとしなければならないところから）❶〔物事を〕たいせつに取り扱うことのたとえ。❷病気や傷が、次第次第に快方に向かうことのたとえ。

***ぬれ‐がみ**【×濡（れ）髪】洗って、まだかわききっていない髪。また、そのようなつややかな髪。

ぬれ‐ぎぬ【×濡（れ）▽衣】❶〔文〕ぬれた衣服。❷身におぼえのない罪や悪評。無実の罪。「—を着せられる（＝身におぼえのない罪に陥れられる。根拠のない悪評をたてられる）」類語冤罪（えんざい）。

ぬれ‐ごと【×濡（れ）事】❶歌舞伎（かぶき）で、相愛の男女が情事を演じること。また、その演技。いろごと。つやごと。❷男女間の情事。**—し**【—師】❶歌舞伎の和事師（わごとし）のなかでも、特に濡れ事の演技を得意とする者。❷情事にたくみな男。色事師。

ぬれ‐そぼ‐つ【×濡れそぼつ】《自五》〔雨などに〕ぬれてびしょびしょになる。参考「そぼつ」もぬれる意。

ぬれ‐て【×濡（れ）手】水などにぬれた手。**—で粟**（あわ）《句》苦労せずに利益を得ることのたとえ。濡れ手で粟のつかみ取り。類語一攫千金。

ぬれ‐ねずみ【×濡（れ）×鼠】〔水につかったネズミのように〕衣服をつけたまま、全身がびしょびしょにぬれること。ずぶぬれ。「夕立で—になって帰宅した」

ぬれ‐ば【×濡（れ）場】❶歌舞伎（かぶき）で、濡れ事の場面。ぬれ幕。❷男女の情事の場面。類語ラブシーン。

ぬればいろ【×濡（れ）羽色】〔水にぬれたカラスの羽のように〕黒くてつやつやした色。「髪は烏（からす）の—」

ぬ・れる【×濡れる】《自下一》❶物に水・液体がかかる。また、水・液体がかかって湿る。「霧に—・れる」類語湿る。❷〔俗〕男女が情を通じる。色事をする。「二人でしっぽり—・れる」文ぬ・る《下二》。

類義語の使い分け 濡（ぬ）れる・湿る
［濡れる・湿る］濡れ（湿っ）ている洗濯物を干す
［濡れる］雨に濡れる／汗でじっとり濡れる
［湿る］不快な湿った空気／気分が湿る／打線が湿る

ぬんちゃく【▽双▽節×棍】二本の短い棒を鎖やひもでつないだ武具。昔、中国から沖縄に伝えられた。表記多く、かたかな書き。

ね

ね　ね—祢

***ね**【値】❶物を売り買いするときの金銭の額。値段。あたい。「—が張る（＝売値がひどく高い）」類語→値段。❷評価。評判。「この一件で彼も—が上がった」

***ね**【▽子】❶十二支の一番目。ねずみ。❷昔の方角の名。北。❸昔の時刻の名。今の午前零時。または午後一一時から午前一時までの間。ねの刻。❹子（ね）①を年・月・日に当てた呼び名の一つ。「—の日」

***ね**【寝】ねること。ねむり。「—にはいる」

***ね**【根】❶高等植物がもつ器官の一つ。植物体を地面に固着させたり、水や養分を吸収したりするはたらきをもつ。❷物の下方にあって、その物を支える部分。土台となるもの。ねもと。「歯の—」類語①②根っ子。❸はれものの中心のかたい部分。❹鏃（やじり）。「矢の—」❺〔抽象的に〕すべて、もとになる部分。原因。根拠。「—に持つ（＝恨みを持ち続け、いつまでも忘れない）」「—も葉もない（＝何の根拠もない）うわさ」❻生まれつきの性質。本来の性質。「—がまじめな人」

—を下ろ・す《句》❶〔じゅうぶん生い茂れるように〕草木がしっかり根をつける。❷将来の発展が期待できるような、しっかりした基礎をつくり上げる。土台をつくる。定着する。「生活の—・す」

—を生や・す《句》❶ある一つの場所に居すわる。腰を据える。❷長い間にそれが習慣となって固定する。

***ね**【音】〔美しくこころよい〕おと。こえ。「妙なる楽（がく）の—」「虫の—」

—を上・げる《句》つらさにたえられずに、声を立てる。弱音をはく。まいる。「この夏の暑さには—・げた」

***ね**《感》相手の関心を自分に向けさせて、呼びかけたり念を押したりする気持ちを表す。ねえ。「—、見てごらん」「—、そうでしょう?」参考→な（感）。

***ね**〔くつろいだ会話での親しみをこめた表現〕一《間投助》軽い感動をこめて、相手の注意を引きながらことばをつないでいくのに使う。ねえ。「お兄ちゃんが**ね**、ぶったの」

二《終助》〔動詞・形容詞の終止形につくときは、男性語では直接つき、女性語では「わ」を介してつく。また、形容動詞終止形・助動詞「だ」につくときは、男性語では「だ」に直接つき、女性語では「だ」を排した形や「だわ」の形につく。また、「かね」は男性専用だが、「かねえ」は年配の女性も使う〕❶〔主に「ねえ」の形で〕詠嘆・感動をこめて、相手に共感を求めるのに使う。「これで勝った（わ）**ねえ**」「いやな天気だ（わ）**ねえ**・いやな天気**ねえ**」❷〔主に「ね」の形で〕相手に念を押す気持ちを添える。〔軽い主張や同意を求める気持ち、また、確認のための柔らかい問いかけの気持ちがこもる〕「彼は頑張り屋だから**ね**」「これで満足よ**ね**」参考①②とも、ふつう親しい間柄での会話に使うが、丁寧体「ですね」は目上の人に対しても使うことがある。

ね‐あか【根明】《名・形動》性格がもともと明るいこと。「—な人」対根暗。

***ね‐あがり**【値上（が）り】《名・自サ》物の値段・料金が高くなること。類語騰貴（とうき）。対値下がり。

***ね‐あがり**【根上（が）り】木の根が地上にあらわれ出ていること。「—の松」

ね‐あげ【値上げ】《名・他サ》物の値段・料金を高くすること。「運賃の—」対値下げ。

ね‐あせ【寝汗】眠っているうちに（びっしょりと）出る汗。盗汗（とうかん）。寝汗（しんかん）。「—をかく」参考病気や疲労、また恐ろしい夢を見たときなどに起こる。

ねい‐かん【×佞×奸・×佞×姦】《名・形動》〔文〕うわべは柔順に見せかけて、心はよこしまな・こと（人）。口先がうまくて、心がねじけている・こと（人）。

ね‐いき【寝息】眠っているときの呼吸（の音）。「—を窺（うかが）う（＝本当に眠っているかどうかを確かめる。また、人の眠っているところをねらう）」

ねい‐じつ【寧日】〔文〕気にかかる事もなく、心がのびのびとする日。平穏無事な日。〔否定の形で使うことが多い〕「折衝に—ない（＝毎日が忙しい）外務官僚」

ねい‐しん【×佞臣】〔文〕主君にこびへつらいながら、不正な事をたくらむ臣下。類語姦臣（かんしん）。邪臣。

ねい‐じん【×佞人】〔文〕口先でうまく他人をおとしいれ、自分の利益をはかる、心のねじけている人。類語奸徒（かんと）。奸物（かんぶつ）。

ネイティブ・スピーカー その言語を母語として話す人。ネイティブ。ネーティブスピーカー。「英語の—」▽native speaker

ねいり・ばな【寝入り▽端】 寝入ってまもないとき。眠りに落ちたばかりのころ。寝ばな。「—を起こされる」

***ね・い・る【寝入る】**《自五》❶眠りにつく。眠り始める。「子供がやっと—・った」❷深く眠る。熟睡する。

***ネイル** 爪(つめ)。つけ爪。ネール。▽nail **—アート** 爪に絵を描いたりして装飾を施すもの。ネイルファッション。▽nail art

ね・いろ【音色】 その音に独特の感じ。音色(おんしょく)。

ね・うち【値打(ち)】〔物の値を定めることの意から〕その物・事柄・人が持っている有用性の度合い。「やってみるだけの—はある」類語 値(あたい)。価値。真価。バリュー。

***ねえ**《感》→ね(感)。

***ねえ**《間投助・終助》→ね〔一〕〔二〕。

ねえ・さん【〈姉さん〉・×姐さん】 ❶「姉」の敬称。❷〔俗〕〔見知らぬ〕若い女性を呼ぶときの語。❸旅館・料理屋などで、客が働いている女性を呼ぶときの語。❹芸妓(げいぎ)などが、先輩の芸妓を呼ぶときの語。表記 ①②は「姉」、③④は「姐」を多く使う。 **—かぶり【—▽被り】**→あねさんかぶり。

ネービー 海軍。▽navy **—ブルー** 濃いあい色。参考 イギリス海軍の制服の色から。▽navy blue

ネーブル ミカン科の常緑高木で、オレンジの一変種。果実は水分・甘みが多く、香りがよい。ネーブルオレンジ。▽navel orange から。

ネーミング《名・自他サ》名前をつけること。特に、組織・団体・建造物・新製品などの呼び名をつけること。命名。「—辞典」▽naming

ネーム ❶名。名前。❷キャプション。❸「ネームプレート」の略。名札。標札。▽name **—バリュー** 知名人の名前が持つ社会的効果。名声。「—のある人」▽name と value (=価値)からの和製語。

ネオ《接頭》「新しい」の意。「—リアリズム」▽neo-

ね・おい【根生(い)】 ❶草木の根が生え育つこと。また、草木の根の生えているもの。根つき。「—の松」❷文化・思想などが、しっかりと定着すること。「ドイツ—の観念論哲学」❸その土地に生まれ育ったこと。

ね・おき【寝起き】 ❶眠っていた人が目をさまして起きること。また、起きたばかりの気分・機嫌。❷《名・自サ》寝ることと起きること。転じて、暮らすこと。「姉とひとつ部屋で—する」類語 起居。

ね・おし【寝押し】《名・他サ》衣類などをふとんの下に敷いて寝て、折り目をつけ、また、しわをのばすこと。寝敷き。「ズボンを—する」

ネオン ❶希ガス類元素の一つ。無色・無臭で、放電管に入れてグロー放電をおこさせると、美しい橙赤色(とうせきしょく)を発する。元素記号 Ne。❷「ネオンサイン」の略。▽neon **—サイン** ガラス管内にネオン・アルゴン・ヘリウム・水銀蒸気などを封入した低圧放電灯。電流を通じると、封入した気体特有の美しい色光を発する。広告・装飾などに利用。▽neon sign

ネガ「ネガティブ〔一〕」の略。対 ポジ。

ねがい【願い】 ❶こうあって欲しいと期待すること。また、期待している事柄。願うこと。「平和の—」「—がかなう」類語 望み。願望。念願。所願。希望。❷願いを書いたもの。「異動—」「退職—」表記 書式では「…願」と書く。

ねがい・ごと【願い事】 心に願い望んでいる事柄。特に、神仏に対して願う事柄。類語 祈願。

ねがい・さげ【願い下げ】 ❶一度願い出た事柄を、自分から取り下げること。❷〔ある事柄を〕自分の方から頼んだのでも、受けつけたくないこと。また、断りたいこと。「そんな仕事はこっちから—だ」

ねがい・でる【願い出る】《他下一》〔自分より高い地位の人、また、役所などに〕願いの事柄を申し出る。「休暇を—・でる」

ねが・う【願う】《他五》❶〔心の底から〕望み求める。こい求める。「平和を—・う」類語 こいねがう。望む。(する)希求。希望。念願。❷神仏に願(がん)をかけて祈る。祈願する。「家内安全を—・う」類語 (する)誓願。立願。発願(ほつがん)。起請(きしょう)。❸役所などに願いを申請する。請願する。❹〔商店などで〕客に買ってもらう。〔客に対するていねいな言い方〕「お安く—・っております」❺頼む。注文する。「特急券二枚—・います」❻〔ばくぜんと〕世話などを頼む。「よろしく—・います」文《四》。 **—ったり叶(かな)ったり**《句》〔自分と相手の条件がうまく合って〕希望どおりに物事が実現すること。すっかり思いどおりになること。「そうしていただければ—です」 **—っても無い**《句》望んでもできそうもないことが、思いがけなく実現してありがたい。「—縁談」

ね・がえり【寝返り】《名・自サ》❶寝ていてからだの向きを変えること。❷味方を裏切って敵方につくこと。敵に内通すること。類語 背信。 **—を打・つ**《句》❶寝返り①をする。類語 (する)輾転(てんてん)。反側。❷味方を裏切って敵方につく。裏切る。

ね・がえ・る【寝返る】《自五》❶寝ていて体の向きを変える。❷味方を裏切って敵方につく。裏切る。「敵に—・る」

ね・がお【寝顔】 眠っているときの顔つき。

ね・がけ【根掛(け)】 日本髪で、もとどりの部分にかける装飾品。宝石・金属・布などで作る。

ね・がさ【値×嵩】 値段が高いこと。「—の株」

ね・か・す【寝かす】《他五》❶寝るようにする。寝かしつける。❷〔立っているものを〕そっと横にたおす。横にする。❸〔商品や資本を〕実際に使わず、そのまま手もとに置いておく。「資本を—・す」❹材料を室(むろ)に入れて発酵・熟成させる。「ワインを—・す」=寝かせる。文《四》。

ね・か・せる【寝かせる】《他下一》→寝かす。

ね・かた【根方】 立ち木などの根もと。また、ものの下の方。元の方。ねがた。

ネガティブ 〔一〕《名》陰画。陰画用のフィルム。ネガフィルム。ネガ。ネガチブ。原板。対 ポジティブ。〔二〕《形動》消極的。否定的。対 ポジティブ。▽negative

ね・かぶ【根株】 ❶木の切りかぶ。かぶ。❷杭(くい)。

ね・から【根から】《副》→ねっから。

ねがわく・は【願わくは】《副》《文語動詞「願ふ」の未然形＋名詞化する接尾語「く」＋助詞「は」》〔文〕願うところは。できることならどうか。「—神の加護のあらんことを」参考「願わくば」とも言う。

ねがわし・い【願わしい】《形》〔そう・なる(する)ことは〕願うところである。そうであってもらいたい。望ましい。「全員参加が—・い」類語 好ましい。

ね・かん【寝棺】 死体を寝かしておさめる長方形の棺。寝棺(ねがん)。類語 座棺。

*ねぎ【×禰宜】《「祈(ね)ぐ」の連用形から》❶昔の神職の一つ。神主(かんぬし)の下、祝(はふり)の上。❷もと、伊勢(いせ)神宮の奏任官の神官。❸もと、官・国幣社の判任官待遇の神官。❹現在、宮司(ぐうじ)・権宮司(ごんぐうじ)に次ぐ職名。

*ねぎ【×葱】ユリ科の多年草。葉・茎ともに円筒形で、初夏、白緑色の小花が球状に咲く。食用。ねぶか。

ねぎ-ぼうず【×葱坊主】球状にかたまって咲く、ネギの花。参考形が坊主頭に似ることから。

ねぎ-ま【×葱×鮪】ネギとマグロの肉とをいっしょに煮て食べるなべ料理。ねぎまなべ。

ねぎら・う【▽労う・×犒う】(ねぎらふ)《他五》〔苦労や骨折りなどに対して〕感謝して・いたわる(なぐさめる)。「長年の労を―・う」類語(する)慰労。慰謝。慰撫(ぶ)。文《四》。

ね-ぎ・る【値切る】《他五》物を買うときに、値段をまけさせる。値引きさせる。「―・って買う」

ね-ぎわ【寝際】(―ぎは)❶寝ようとする時。寝床につく直前。寝しな。「―に酒を飲む」❷眠ってすぐのとき。寝入りばな。「―を起こされる」類語①②寝がけ。

ね-くずれ【値崩れ】(―くづれ)《名・自サ》ある商品が供給過剰などで急激に値下がりすること。

ね-ぐせ【寝癖】❶寝ている間についた髪の癖。「―がつく」❷寝ている間に体を動かしたり、布団をはがしたりする癖。「―が悪い」❸〔子供などの〕寝つくときの癖。❹よく寝たがったり、寝てばかりいたりする癖。

ネクター 果物をすりつぶした果汁飲料。▽nectar

ネクタイ 洋装で、ワイシャツのえりのまわりに巻いて前で結ぶ、細い帯状のかざり布。参考「一本…」または「一掛(ひとか)け…」とかぞえる。▽necktie ―ピン ネクタイをワイシャツなどに固定するための装身具。ネクタイどめ。タイピン。▽necktie と pin からの和製語。

ね-くび【寝首】眠っている人の首。

―を掻(か)・く《句》❶眠っている人をおそって、その首を切りとる。参考卑怯(ひきょう)な手段とされた。❷卑怯な計略を用いて相手をおとしいれる。

ね-くら【根暗】《名・形動》性格がもともと暗いこと。「―な人」対根明。

ねぐら【×塒】《「寝座(ねくら)」の意》❶鳥の寝る所。鳥の巣。とや。❷〔俗〕人の寝る所。家。やど。

ネグリジェ 西洋風の女性用寝巻き。やわらかい布で、ワンピース型にゆったりと作られる。▽(フランス) négligé

ネグ・る《他五》〔俗〕軽視する。無視する。「残りは―・ってしまおう」参考「ネグレクト(neglect)」を略した「ネグ」を動詞化した語。

ね-ぐるし・い【寝苦しい】《形》〔暑さや苦しみなどのために〕眠りにつきにくい。「―・い夜」

ねこ【猫】❶ネコ科の哺乳(ほにゅう)動物。古くから飼われている。ネズミをよくとる。❷〔俗〕三味線。参考胴にネコの皮を張ることから。❸〔俗〕〔三味線を使うことから〕芸者。❹ふとんの中に置き、手足を温める土製のあんか。ねこあんか。❺「ねこぐるま」の略。

―に鰹節(かつおぶし)《句》〔鰹節はネコの好物であることから〕好物をそばに置いては油断できないことのたとえ。

―に小判《句》いくら価値があるものでも、与える相手によっては何の役にも立たないことのたとえ。与えがいがないこと。類語馬の耳に念仏。豚に真珠。

―に木天蓼(またたび)《句》〔マタタビの実がネコ科の動物の好物であることから〕❶大好物(に飛びつくこと)のたとえ。❷非常に効果があることのたとえ。

―の子一匹いな・い《句》全く人影がないことのたとえ。

―の手も借りた・い《句》いそがしく手不足で、だれでもいいから手伝いがほしいことのたとえ。

―の額(ひたい)《句》土地や場所が非常に狭いことのたとえ。「―ほどの庭」

―の目《句》〔ネコのひとみが明暗に敏感に応じることから〕物事がめまぐるしく変わることのたとえ。

―も杓子(しゃくし)も《句》どれもこれも。だれもかれも。

―を被(かぶ)・る《句》ねこかぶりをする。

ねこ-あし【猫脚・猫足】机や膳(ぜん)などのあしで、上からしだいに細くなり、下部が内側に向かって丸くふくれた形のもの。参考ネコの足に似ることから。

ねこ-いた【猫板】長火鉢の端に渡してある細長い板。参考温かいため、ネコがそこに乗るのを好むことから。

ねこ-いらず【猫いらず】黄燐(おうりん)や亜砒酸(あひさん)などを主体とした、ネズミを殺す薬。えさにまぜてネズミに食わす。参考ネズミをとるネコが不要の意からの商標名。

ねこ-かぶり【猫▽被り】自分の本性(ほんしょう)を隠して、おとなしくみせかけること(人)。ねこっかぶり。

ねこ-かわいがり【猫可▽愛がり】(―かはいがり)むやみにかわいがり、甘やかすこと。「―にかわいがる」類語溺愛(できあい)。

ね-こぎ【根▽扱ぎ】〔草木などを〕根ごと引き抜くこと。根引き。類語根こそぎ。

ねこ-ぐるま【猫車】土砂などの運搬に使う、車輪を一つつけ、柄を持って押して行く車。ねこ。

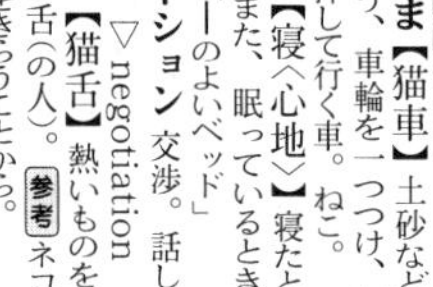

猫車

ね-ごこち【寝〈心地〉】寝たときの気分。また、眠っているときの心持ち。「―のよいベッド」

ネゴシエーション 交渉。話し合い。折衝。▽negotiation

ねこ-じた【猫舌】熱いものを飲食できない舌(の人)。参考ネコは熱い食物をきらうことから。

ねこ-じゃらし【猫じゃらし】「えのころぐさ」の俗称。

ねこ-ぜ【猫背】首が前に出て、背中がまがっている・こと(人)。

ね-こそぎ【根×刮ぎ】一《名》草木を根までこそげること。根まで全部ぬきとること。類語根こぎ。二《副》少しもあまさず。あるもの全部。すっかり。〔被害にあったときなどに使う〕「洪水で財産を―失った」

ねこっ-かぶり【猫っ▽被り】→ねこかぶり。

ねこっ-け【猫っ毛】やわらかい髪の毛。ねこげ。

ね-ごと【寝言】❶眠っているうちに無意識に発することば。「唐人の―」❷聞くに値しないようなばかげた言い分。たわごと。「そんな―は聞けないよ」

ねこなで-ごえ【猫×撫で声】(―ごゑ)〔ネコがなでられたときに発するような甘え声の意で〕人のきげんをとろうとして出す、やさしくこびる声。「―で誘いかける」

ねこ-ばば【猫×糞】《名・他サ》〔ネコが自分の糞(ふん)に土をかけて隠すことから〕悪いことをして、あとをごまかして知らん顔をすること。特に、拾った物をだまって自分のものにすること。「―をきめこむ」

ねこ-またぎ【猫×跨ぎ】〔魚が好物のネコでもまたいで通り越す意で〕まずい魚を言う語。ねこまた。

ね-こみ【寝込み】ぐっすりと眠っている間。〔まだ〕眠っているとき。「―を襲う」

ね-こ・む【寝込む】《自五》❶ぐっすり眠る。熟睡する。類語寝入る。❷病気で〔長く〕床につく。「父はかぜをひいて—・んでいる」[類語]寝付く。

ねこめ-いし【猫目石】宝石の一種。金緑石のうち、動かすとネコのひとみのような波状の細い反射光線が走るもの。色は黄色・黄緑色など。キャッツアイ。

ねこ-やなぎ【猫柳】ヤナギ科の落葉低木。川辺などに生え、春先、白いネコの尾に似たやわらかい花穂をつける。かわやなぎ。

ね-ごろ【値×頃】品質と値段とのつり合いが適当なこと。買うのに手ごろな値段。「—の品」

ね-ころが・る【寝転がる】《自五》↓ねころぶ。

ね-ころ・ぶ【寝転ぶ】《自五》ごろりとからだを横たえる。寝ころがる。寝そべる。「—・んで本を読む」

ね-さがり【値下(が)り】《名・自サ》値段や料金が安くなること。「物価の—を待つ」[対]値上がり。

ね-さげ【値下げ】《名・他サ》値段や料金を安くすること。「授業料の—を要求する」[対]値上げ。

ね-ざけ【寝酒】〔眠りをさそうために〕寝しなに飲む酒。ナイトキャップ。

ね-ざ・す【根差す】《自五》❶植物の根が地中に張る。❷動かぬものとなる。定着する。「その住民運動は地域に深く—・している」[同]①②根づく。❸もとづく。基因する。由来する。「民主主義に—・した教育」

ね-ざめ【寝覚め】眠りからさめること。めざめ。

—が悪・い《句》❶眠りからさめたときの気分がよくない。❷過去のよくない行いなどが思いだされて、良心がうずき、気持ちがすっきりしない。

ね-ざや【値×鞘】二つの相場・値段の差額。また、買値と売値との差額。

ねじ【×螺▽旋・×捩▽子・×捻▽子・×螺▽子】ぢね ❶円柱の外側、円筒の外側または内側にらせん状の突起をつけたもの。らせんのみぞをかみ合わせて、物をしめつけて固定するのに使う。「—が緩む(=緊張が欠ける。だらける)」❷〔時計などの〕ぜんまいを巻く装置。

—を巻・く《句》❶〔時計などの〕ぜんまいを巻く。❷だらけた人に対して、活を入れる。[類語]はっぱをかける。

ねじ-あ・げる【×捩じ上げる】ーねぢ《他下一》強くねじって上へあげる。ねじり上げる。「腕を—・げる」

ねじ-きり【×螺▽旋切(り)】ーねぢ ボルトやナットなどにねじをきざむ・作業(工具)。

ねじ-き・る【×捩じ切る】ーねぢ《他五》強くねじって切りとる。ねじってちぎる。「針金を—・る」

ねじ-くぎ【×螺▽旋×釘】ーねぢ 足がねじになったくぎ。

ねじ-く・れる【×捩じくれる】ーねぢ《自下一》❶まがりくねる。ねじれる。❷ねじける。「—・れた根性」[表記]②は「拗くれる」とも書く。

ねじ・ける【×拗ける】ねぢ ける《自下一》〔心や性質が〕すなおでなくなる。ひねくれる。ねじくれる。「彼は性格が—・けている」

ねじ-こ・む【×捩じ込む】ーねぢ 一《他五》〔せまい所などに物を〕ねじって(無理に)中へ押し入れる。「札をポケットに—・む」[文]《四》。二《自五》〔相手の失言・失敗などを〕なじって強く抗議する。文句を言いに押しかける。「役所に—・む」

ね-しずま・る【寝静まる】ーしづまる《自五》〔夜のふけたころ〕人々がみな眠って、あたりが静かになる。「人が—・ったところを見計らう」

ね-じたく【寝支度・寝仕度】〔床をとったり着替えをしたりして〕寝る用意をすること。寝るための用意。

ね-しな【寝しな】寝ようとするとき。また、寝て間がないとき。寝ぎわ。「—に電話がかかる」[対]起きしな。

ねじ-ふ・せる【×捩じ伏せる】ーねぢ《他下一》腕をねじって押し倒す。「泥棒を—・せる」[類語]ねじたおす。

ねじ-ま・げる【×捩じ曲げる】ーねぢ《他下一》❶ねじって曲げる。「くぎを—・げる」❷むりやりに曲げる。「事実を—・げて報告する」

ねじ-まわし【×螺▽旋回し】ねぢまはし ねじ(=ボルト)の頭のみぞにあてて回し、ねじを差し入れたり抜きとったりする道具。ドライバー。

ねじ-む・ける【×捩じ向ける】ーねぢ《他下一》ねじって、ある方向に向ける。「日本を戦争に—・けた勢力」

*__ね-じめ__【根締(め)】❶移植した樹木の根もとの土をつき固めること。❷生け花や庭木・鉢植えの木の根もとに添える草。❸生け花で、さした木や花の根もとを、ゆるまないように締めて固定する・こと(もの)。

*__ね-じめ__【音締(め)】三味線などの糸を巻き締めて調子を整えること。また、調律されたさえた音。

ねじ-やま【×螺▽旋山】ーねぢ ねじの、みぞとみぞの間の高い部分。「—がすりへる」

ね-しょうがつ【寝正月】〔無精や病気で〕正月にどこにも出かけずに寝て過ごすこと。

ね-しょうべん【寝小便】〔子どもなどが〕睡眠中に無意識に小便をもらすこと。夜尿症。おねしょ。

ねじり-あ・げる【×捩(じ)り上げる】ねぢりー↓ねじあげる。

ねじり-はちまき【×捩(じ)り鉢巻(き)】ねぢりー 手ぬぐいをねじって頭に巻き、ひたいの所で結んだもの。ねじはちまき。「—でがんばる」

ねじ・る【×捩(じ)る・×捻(じ)る】ねぢる《他五》❶まっすぐな物をひねってまげる。「腕を—・る」❷棒などの両端に互いに方向の違う力を加えて回す。一端を・固定して〔押さえて〕他端に力を加えて回す。「水道の栓を—・る」[同]①②ひねる。[文]《四》。

ねじ・れる【×捩(じ)れる・×捻(じ)れる】ねぢれる《自下一》❶くねりまがる。よれて、まがる。❷ひねくれる。ねじける。[文]ねぢ・る《下二》。

ね-じろ【根城】❶大将がいて根拠地となっている城。[類語]牙城。居城。本城。[対]出城。❷ある行動の基点となる場所。根拠地。「泥棒の—」[類語]本拠。

*__ねず__【×杜▽松】ヒノキ科の常緑低木。葉は針状。果実は球状で黒く熟し、利尿剤とされる。材は建築・器具用。むろ。むろのき。ねずみさし。

*__ねず__【×鼠】❶「ねずみ」の略。❷「ねずみ色」の略。

ね-す・ぎる【寝過ぎる】《自上一》❶適当な時間以上に、度を過ごして寝る。❷眠りからさめず、起きるべき時刻を過ぎてしまう。寝過ごす。

ね-すご・す【寝過ごす】《自五》↓ねすぎる②。

ねず-の-ばん【寝ずの番】〔警備などのために〕夜どおし寝ないで番をする・こと(人)。不寝番。[類語]夜番。

ねずみ【×鼠】ネズミ科の哺乳動物。種類が多い。からだは小さいが、繁殖力が強く、農作物を食い荒らしたり、病源菌を媒介したりするなど、有害なものが多い。ねず。[類語]嫁が君。梁上の君子。

ねずみ-いらず【×鼠入らず】ネズミが入らないように作った、食器や食料品を入れる戸棚。

ねずみ-いろ【×鼠色】〔ネズミの毛の色のような〕青みを帯びた淡黒色。灰色。ねず色。ねず。「—の服」

ねずみ-がえし【×鼠返し】ーがへし ネズミの侵入をふせぐた

めに、倉庫の入り口・はしご・柱の上部などに、逆斜面をなすように取り付けた板。

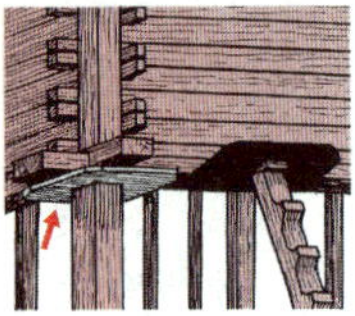

鼠返し

ねずみ-こう【×鼠講】 仲間を集めた会員に報酬を与え、鼠算(ねずみざん)式に会員を増やそうとする非合法の金融組織。無限連鎖講。

ねずみ-ざん【×鼠算】 ❶和算の一つ。ネズミのさかんな繁殖力を例にとって、等比級数で、その項の増加にしたがってその和が急激に増加することを説いた問題の名。❷物の増加が急激であることのたとえ。「―式に増える」

ねずみ-とり【×鼠取り・×鼠捕り】 ❶ネズミを・とらえる(殺す)こと。また、そのための器具や薬品。❷〔俗〕警察の、自動車のスピード違反の取り締まり。

ねずみ-はなび【×鼠花火】 火薬をつめた細い紙の管を直径二三(センチ)ほどの輪にした花火。火をつけると、地面をくるくると勢いよく動き回った末、破裂する。

ねずみ-もち【×鼠×黐】 モクセイ科の常緑低木。庭木や垣根用に植える。夏、白色の小花が多数集まって咲く。［参考］果実が黒紫色で、ネズミの糞(ふん)に似る。

ね-せる【寝せる】《他下一》寝させる。寝かす。寝かせる。［文］ね・す《下二》

ね-ぞう【寝相】〔人が〕眠っているときのかっこう・姿勢。寝様(ねざま)。寝姿。「―が悪い」

ね-そびれる【寝そびれる】《自下一》眠る時機を失い、眠ろうとしても眠れなくなる。眠りそこなう。

ね-そべる【寝そべる】《自五》からだを伸ばして、腹ばいになったり横になったりする。〔あまり行儀のよくない寝姿についていう〕［類語］寝ころぶ。

ねた《「たね(種)」を逆さ読みにした隠語》〔俗〕❶新聞記事・小説・脚本などの材料。素材。❷〔犯罪などの〕証拠。「―が上がる」❸手品などの仕掛け。「―をあかす」

ね-だ【根太】 木造床の構造材で、床板を支えるため、床板の下に渡す横木。「書棚の重みで―が下がる」 **―いた【―板】** 根太の上に張る板。床板。

ねた-きり【寝たきり】 老衰や病気のために長く寝たままの状態であること。「脳出血で―になる」「―老人」

ねた-ば【▽寝刃】 切れ味がにぶった刀剣の刃。 **―を合わ-す**《句》❶切れ味のにぶった刀剣の刃をとぐ。❷ひそかに悪事をたくらむ。

ね-たばこ【寝▽煙▽草】 寝床に横になりながらたばこを吸うこと。また、そのたばこ。

ねたまし-い【×妬ましい・×嫉ましい】《形》〔他人の事が〕うらやましくて、憎らしい感じがする。「彼の名声を―・く思う」

ねた-む【×妬む・×嫉む】《他五》〔他人の長所・幸運などを〕うらやみながら憎む。嫉妬(しっと)する。焼きもちをやく。「友人の出世を―・む」［類語］そねむ。やく。(する)嫉視。

ね-だめ【寝×溜め】 睡眠不足になることを予測して、寝られるときに十分睡眠をとっておくこと。

ね-だやし【根絶やし】 ❶草木を根まで完全に抜き取って、あとに何も残らないようにすること。ねきり。❷物事を大もとから取り去って、残らないようにすること。根絶。「悪を―にする」［類語］絶滅。撲滅(ぼくめつ)。

ねだ-る《他五》❶欲しい物を手に入れようと、甘えて求める。［類語］せがむ。「小遣いを―・る」❷〔俗〕ゆする。強請する。［類語］せびる。(する)無心。強要。［文］《四》。
⇩〔類義語の使い分け「せがむ」〕

ね-だん【値段】 商品の対価として支払われる金銭の額。価格。値。［類語］価(あたい)。代価。額(がく)。価値。

ね-ちが-える【寝違える】(―ちがへる)《自下一》睡眠中の姿勢が悪くて筋を違え、首や肩などに痛みをおこす。

ねちっこ-い《形》〔俗〕不愉快になるほど、しつこいようす。ねちこい。ねばっこい。「―・く不平を並べる」

ねち-ねち《副・自サ》《副詞は「―と」の形も》❶〔しめっぽく〕ねばねばしているようす。不快にねばつくようす。「脂で指が―する」❷〔性質や話しぶりが〕しつこくて、あっさりしないようす。「―と食い下がる」

ねつ【熱】 ❶エネルギーの一形態で、物体に温度変化を起こさせる要因と考えられているもの。❷病気などによる平常以上の体温。「―がある」❸高い温度。「煮物の―をさます」❹〔ある事に対する〕はげしい意気込み。熱意。「―が冷める」「―を上げる(=熱中する。夢中になる)」「―を吹く(=大言をはく)」「彼女はA選手にお―だ(=のぼせている)」［類語］熱気。熱情。 **―に浮かさ-れる**《句》❶高い体温のために・意識が正常でなくなる(うわごとを言う)。❷〔理性を失うほど〕物事に熱中する。夢中になる。

ねつ-あい【熱愛】《名・他サ》心から強く愛すること。熱烈に愛すること。［類語］切愛。

ねつ-い【熱意】〔ある物事への〕強い意気込み。熱心でひたむきな気持ち。「―に欠ける」［類語］情熱。熱情。

ねつ-えん【熱演】《名・他サ》〔演劇・講演などを〕熱心に、また、情熱的に演じること。

ネッカチーフ 女性が首のまわりに巻いたり頭をおおったりする、装飾・保温を兼ねたうすい布。［参考］➡スカーフ。▽neckerchief

ね-っ-から【根っから】《副》《「ねから」を強めた言い方》❶生まれつき。はじめから。もともと。「彼女は―陽気にできている」❷《下に打ち消しの語をともなう》さっぱり。いっこうに。まったく。「―知らない」

ねつ-かん【熱感】〔文〕熱がある感じ。熱け。

ねつ-がん【熱願】《名・他サ》〔ある物事の実現を〕熱心に希望し、求めること。熱烈な願い。［類語］熱望。

ね-つき【寝付き】 眠りにはいること。〔寝床に入ってすぐ眠れるか、眠れないかに着目して言う語〕

ねっ-き【熱気】 ❶火・太陽などで熱くなった空気。温度の高い空気。「―消毒」［対］冷気。❷〔病気などによる〕高い体温。熱のほてり。熱気(ねっけ)。❸興奮して高まった・意気込み(ふんいき)。「会場の―」「―がさす」

ね-つぎ【根接ぎ・根継ぎ】 ❶つぎ木で、根に他の植物の若枝などをつぐこと。❷〔建〕建物の柱の下部の腐った部分を新しい材にとりかえて補強すること。［表記］①はふつう「根接ぎ」、②は「根継ぎ」と書く。

ねつ-ききゅう【熱気球】 ガスバーナーで袋内部の空気を加熱することにより浮遊する気球。

ねっ-きょう【熱狂】《名・自サ》興奮して夢中になること。「演奏に―する」「―的」

ネッキング 男女が首から上の範囲で行う愛撫(あいぶ)。▽necking

ね-つ-く【寝付く】《自五》❶眠りにつく。寝入る。「暑くて―・けない」❷病気になって(ながく)床につく。

ネック ❶首。また、えりぐり。えりの線。「タートル―」

❷〔物事を成し遂げるうえでの〕障害。隘路。「貿易交渉の—はコメだ」▽① neck ② bottleneck から。

—レス 首やえりもとをかざるアクセサリー。首かざり。ネックレース。▽ necklace

ね-づ・く【根付く】《自五》❶〔移植した草木が〕枯れずに根をはって育つ状態になる。根がつく。❷物事の基礎がかたまる。定着する。また、ある物事が生じる。「民主主義が—・く」〔類語〕根ざす。

***ね-つけ【根付(け)】** たばこ入れ・印籠・巾着などのひもの端につけ、帯にはさんで腰に提げたとき落ちないようにする細工物。〔参考〕→印籠(図)。

***ねつ-け【熱気】**→ねっき②。

ねっ-けつ【熱血】〔文〕❶体外に出たばかりで、体温の去らない生血。❷血がわきたつような、はげしい意気・情熱。「—漢(=情熱的な正義感の強い男)」

ねつ-げん【熱源】 エネルギーとしての熱を供給するみなもと。「原子力を—とする発電所」

ね-っ-こ【根っこ】〔俗〕❶草木の根。❷木の切り株。❸根底。「政治を—から変える」

ねつ-こ・い《形》〔俗〕〔いやになるほど〕しつこい。あっさりしていない。ねつっこい。

ねっ-さ【熱砂・熱×沙】〔文〕❶夏の太陽などで焼けた熱い砂。「—の海岸を駆け回る」❷暑い砂漠。

ねつ-さまし【熱冷(ま)し】 病気で発した高い熱を下げるのに使う薬。解熱剤。

ねっ-さん【熱賛・熱×讃】《名・他サ》〔文〕熱烈にほめたたえること。絶賛。また、熱烈なほめことば。

ねっしゃ-びょう【熱射病】 高温のもとで体温の調節が困難となっておこる病気。頭痛・目まいをおこしたり意識を失ったりする。日射病に似ている。

ねっ-しょう【熱唱】《名・他サ》〔歌を〕熱心に、または情熱的に歌うこと。

ねつ-じょう【熱情】 ある物事にそそぐ、ひたむきな・気持ち〔情愛〕。「—をこめて語る」〔類語〕情熱。熱意。

ねつ-しょり【熱処理】《名・自他サ》金属材料に加熱・冷却などの操作をほどこし、その性質を変える処理。焼きいれ・焼きもどし・焼きなましなど。

ねっ-しん【熱心】《名・形動》物事に〔情熱をそそぎ〕、精神を打ちこむこと。また、その度合いのはげしいようす。「—に説明する」⇩〖類語と表現〗

類語と表現

「熱心・熱中」

＊熱心な先生・熱心な仏教徒・熱心な練習態度・熱心に講義を聞く・子どもの教育に熱心だ／研究に熱中する・サッカーに熱中する・賭事に熱中して家庭を顧みない。

◆[熱心だ]真剣・本気・本腰・真摯・ひたむき・熱烈・(無我)夢中・一心(不乱)・脇目も振らず・熱意を持って・命懸け・(一所／一生)懸命・必死・死に物狂い・捨て身・石にかじりついても・背水の陣・不眠不休・寝食を忘れて・ひたすら・一途に・一筋・一直線・まっしぐら・一辺倒・専一・一意専心・鋭意・孜々・営々・躍起になって・むきになって・汲々・あくせく・心[精魂]を打ち込む・情熱[熱意・熱情]を込める・心血を注ぐ・心魂[精神]を傾ける

◆[熱中する]没頭・傾倒・専心・専念・傾注・没入／酔う・耽る・溺れる・ほうける・淫する・惚れる・のぼせ上がる・夢中になる・気[身]を入れる・熱[血道]を上げる・熱に浮かされる・我を忘れる・心[魂]を奪われる・うつつを抜かす・憂き身をやつす・病膏肓に入る・…三昧

ねっ-すい【熱水】❶高温の水。❷マグマが冷え固まるときにわき出る高温の水。種々の鉱物成分を含有する。「—鉱床」

ねっ・する【熱する】㊀《自サ変》❶〔温められて〕熱くなる。「鉄は—・し易く、冷め易い」❷〔物事に〕熱心になる。熱中して夢中になる。「議論に—・するあまり」㊁《他サ変》〔熱を加えて〕熱くする。加熱する。

ねっ-せい【熱誠】〔文〕ひたむきなまごころ。「—を示して周囲を感激させる」〔類語〕赤誠。

***ねっ-せん【熱戦】** 熱のこもった、はげしい勝負・試合。「—を展開する」〔類語〕熱闘。激闘。

***ねっ-せん【熱線】** 赤外線。

ねつ-ぞう【×捏造】《名・他サ》《「でつぞう」の慣用読み》実際にはない事を、いかにもある事のように偽って作り上げること。「—した話を流す」

ねっ-たい【熱帯】 赤道を中心に、南北の回帰線にはさまれた地帯。もっとも気温の低い月の平均気温が一八度以上の地帯。〔参考〕→温帯・寒帯。

—ぎょ【—魚】 熱帯地方に生息する魚類の総称。美しい色彩をもったものが多い。観賞用。

—ていきあつ【—低気圧】 熱帯地方の海洋上で発生する低気圧。

—や【—夜】 屋外の気温が摂氏二五度より下がらない、暑い夜。

ねっ-ちゅう【熱中】《名・自サ》❶精神を集中して夢中になること。「野球に—・する」❷〔ある人に〕思いこがれること。⇩〖類語と表現「熱心・熱中」〗

—しょう【—症】 体外への熱放散が困難になっておこる病気。めまい・けいれんなどの症状がみられる。

ねっ-ちり《副・自サ》《副詞は「—と」の形も》〔物の言い方などが〕しつこくてさっぱりしないようす。ねちねち。

ねつ-っぽ・い【熱っぽい】《形》❶〔病気のために〕体温がふつうより高い感じがする。❷情熱的な感じがする。「—・いまなざしでみつめる」「—・く議論する」

ねっ-てつ【熱鉄】 熱で溶けた鉄。「—を飲む思い(=非常につらく苦しい気持ち)」

ねつ-でんどう【熱伝導】 熱の伝わり方の一つ。物質内に温度差があるとき、内部を伝わって高温部から低温部へと熱が移動すること。

***ネット** ❶網。網状のもの。❷テニス・バレーボール・卓球などで、コートの仕切りにする網。❸髪の乱れを防ぐためにかぶる網。ヘアネット。❹「ネットワーク」の略。❺「インターネット」の略。▽ net

—イン《名・自サ》テニス・バレーボール・卓球などで、打球がネットにあたって相手側のコートにはいること。▽ net と in からの和製語。

—カフェ 多数のパソコンを常備し、客が自由にインターネットを利用できる喫茶店。インターネットカフェ。▽ net と フランス café からの和製語。

—サーフィン インターネット上のネットワークをたどって情報を自由に見て回ること。▽ net surfing

—ショッピング インターネットを利用した通信販売。オンラインショッピング。▽ net shopping

—ワーク ❶網のように張りめぐらされた連絡組織。「情報—」❷ラジオ・テレビで、多数の放送局を結んだ組織。▽ network

***ネット** 正味。「—一〇〇グラム」▽ net

—プライス 正価。▽ net price

ねつ・ど【熱度】 ❶〔人体・物体などの〕熱の高低の度合い。❷物事に対する熱心さの度合い。

***ねっ・とう【熱×鬧】** 〔文〕大ぜいの人が出て混雑し、にぎやかなこと。

***ねっ・とう【熱湯】** 煮えたぎった熱い湯。煮え湯。

***ねっ・とう【熱闘】** 熱の入ったさかんな試合。熱戦。「―二時間に及ぶ」

ねっとり 《副・自サ》《副詞は「―と」の形も》ねばりがあって、まつわりつくようす。「シャツが汗で―(と)する」

ねっ・ぱ【熱波】 夏、南の海洋から暑い気団が周期的に押しあげられてくる現象。対寒波。

ねつ・びょう【熱病】 高熱を伴う病気。マラリア・チフスなど。〔急性感染症についていうことが多い〕

ねっ・ぷう【熱風】 〔太陽や電気などの熱であたためられた〕高い温度の風。熱い空気の流れ。

ねつ・べん【熱弁・熱×辯】 熱のこもった弁論。熱烈な弁舌。「―をふるう」

ねつ・ぼう【熱望】 《名・他サ》〔ぜひそうあってほしいと〕熱心に願い望むこと。また、その望み。「ファンの―にこたえる」類語切望。渇望。熱願。

ね・づよ・い【根強い】 《形》基礎がしっかりしていて、たやすくは、ぐらつかない。「―・い人気」

ねつ・らい【熱雷】 〔気〕地面が強く熱せられ、激しい上昇気流が生じて発生した雷。

ねつ・りょう【熱量】 ❶熱の移動を量的に表したもの。単位は、ふつう、カロリー(cal)、国際的にはジュールを使う。❷栄養学で、体内で発生するエネルギーの量。単位は、kcal または Cal で表す。

ねつ・るい【熱涙】 〔文〕強く感じて流す涙。感激のあまり流れ出る涙。熱い涙。「―にむせぶ」類語感涙。

ねつ・れつ【熱烈】 《名・形動》感情がたかぶって、はげしいこと。「―な恋愛」

ねつ・ろん【熱論】 熱のこもった議論。熱心な論議。

ねても・さめても【寝ても覚めても】 《連語》いつも。たえず。始終。類語年がら年中。年中。

ね・どい【根問い】 《名・自他サ》つきつめて根本まで問いただすこと。「―葉問い(=根掘り葉掘り)」

***ね・どこ【寝床】** 寝るための床。寝るために敷きのべた寝具。寝間。「―を作る」

***ね・どこ【寝▽所】** 寝るための・場所(部屋)。ねや。寝間。寝室。寝所。

ねと・ねと 《副・自サ》《副詞は「―と」の形も》ねばりつくようす。ねばりつく感じになるようす。ねっとり。

ね・とぼ・ける【寝×惚ける】 《自下一》↓ねぼける。

ね・とまり【寝泊(ま)り】 《名・自サ》〔そこに〕泊まること。〔その場所で、一定期間〕日常生活をすること。類語宿泊。起居。おきふし。寝起き。

ね・と・る【寝取る】 《他五》他人の配偶者・情人と肉体関係を結び、自分のものにする。

ね・なし【根無し】 ❶〔浮き草のように〕根がついていないこと(もの)。❷根拠がないこと。「―言」 **―ぐさ【根無(し)草】** ❶水に浮いていて、根が土についていない草。浮き草。❷浮動して定まらない物事。根拠のない物事。「―の人生」

ね・の・くに【根の国】 〔古〕〔死んだ人が行くという〕あの世。よみの国。

ねば・つ・く【粘つく】 《自五》ねばねばする。ねばりけがある。ねばって物につく。類語べとつく。

ねば・っ・こ・い【粘っこい】 《形》❶ねばりけが強い。ねばりけがある。❷〔性格などが〕しつっこい。くどい。❸勝負をあきらめない。執着心が強い。「―・いチーム」

ね・ばな【寝▽端】 ↓寝入りばな。

ねば・つち【粘土】 ねばりけのある土。ねんど。

ねば・ねば ━《副・自サ》《副詞は「―と」の形も》よくねばるようす。ねばって他の物にくっつくようす。「―する液」 ━《名》ねばっているもの。「手の―をとる」

ね・はば【値幅】 売値と買値、高値と安値など、二つの値段の差。「―の大きい銘柄」

ねばり【粘り】 ❶ねばる・こと(もの)。ねばる程度。ねばりけ。粘度。❷根気。「―のあるチーム」

ねばり・け【粘り気】 ↓ねばり。

ねばり・ごし【粘り腰】 ❶〔相撲で〕くずれにくい、力強い腰つき。❷なかなかへこたれない根気強さ。「交渉に―を見せる」同①②二枚腰。

ねばり・づよ・い【粘り強い】 《形》❶ねばねばして物によくくっつくようす。❷途中であきらめず、どこまでもやりとげようとするようす。「―・く説得する」類語根気強い。執念深い。

ねばり・ぬ・く【粘り抜く】 《自五》途中であきらめることなく、最後まで物事をやり通す。

ねば・る【粘る】 《自五》❶やわらかで、ついたものから、容易に離れようとしない。類語粘着(する)。❷あきらめずに根気よく続ける。「最後まで―・る」文《四》。

ねはん【×涅×槃】 ❶一切の迷いを超越した、不生不滅の悟りの境地。滅度。❷死ぬこと。特に、釈迦の入滅。入寂。参考梵語 nirvāṇa(=滅・滅度)の音訳。 **―え【―会】** 釈迦入滅の陰暦二月一五日(太陽暦の三月一五日)に寺院で営まれる儀式。

ね・びえ【寝冷え】 《名・自サ》〔特に夏〕寝ている間に体がひえて、かぜをひいたり腹をこわしたりすること。

***ね・びき【値引き】** 《名・他サ》値段を定価より安くすること。値をまけること。割引。類語値下げ。

***ね・びき【根引き】** 〔草木などを〕根こそぎ引き抜くこと。ねこぎ。

ね・ぶか【根深】 「ねぎ」の別称。特に、茎の白い部分の多いものを言う。

ね・ぶか・い【根深い】 《形》❶〔樹木などの〕根が深く地中にはいりこんでいる。❷物事の由来するところが古く深く、容易には消しがたい。「―・い恨み」

ね・ぶくろ【寝袋】 ↓シュラーフザック。

ね・ぶそく【寝不足】 《名・形動》寝足りないこと。睡眠不足。

ね・ふだ【値札】 値段を書いて商品につけるふだ。

ネプチューン ❶ローマ神話の海神。ネプツヌス。❷海王星。▽Neptune

ね・ぶと【根太】 癰(=おでき)の一種の俗称。背中やふとももなどの脂肪に富む部分にできるはれもの。

ね・ぶみ【値踏み】 《名・他サ》見積もって、だいたいの値段をつけること。値づもり。類語評価。

ねぶ・る【×舐る】 《他五》〔物を舌で〕なめる。〔古語的、または方言臭のある言い方〕「手を―・る」

ネフローゼ 腎臓の細尿管がおかされる病気。むくみ・蛋白尿などが主な症状。ひどくなると、尿毒症を起こすこともある。▽ドイ Nephrose

ね・ぼう【寝坊】 《名・自サ・形動》朝おそくまで寝ている・こと(人)。また、そういう癖のある・こと(人)。「―してまた遅刻した」「お―さん」類語朝寝坊。ねぼすけ。

ね-ぼけ【寝×惚け】寝ぼけること(人)。「―眼」

ね-ぼ・ける【寝×惚ける】《自下一》❶起きても完全に目をさましきらず、ぼんやりしている。また、眠っていて変な言動をする。寝とぼける。❷色・形などが不鮮明である。あいまいである。「―・けた中間色」

ねぼ-すけ【寝▽坊助】〔俗〕寝坊な人をからかって言う語。

ねほり-はほり【根掘り葉掘り】《副》何から何まで。徹底的に。また、しつこくこまごまと。「―きく」

ね-ま【寝間】❶寝るためのへや。寝室。ねや。寝所。類語 閨房。❷ねどこ。

ね-まき【寝巻(き)・寝間着】寝るときに着る衣服。

ねまち-づき【寝待(ち)月】❶〔月の出がおそく、寝て待つ意から〕陰暦一九日の夜の月。臥待ちの月。❷特に、陰暦八月一九日の夜の月。❸陰暦二〇日以後の月。＝ねまちのつき。

ね-まわし【根回し】❶大木の移植を容易にするため、移植する前に一部の根を切り落とし、ひげ根を多数発生させること。参考 果実の実りをよくするためにも行う。❷ある事を行うに当たり、あらかじめ関係各方面に基本的な話をつけておくこと。「会議の―をする」

ね-まわり【根回り】樹木の根の周囲。また、そこに植え添える草木。

ねみだれ-がみ【寝乱れ髪】寝たために乱れた髪。

ね-みみ【寝耳】睡眠中の耳。「―に聞く」

―に水《句》「寝耳に水の入るごとし」の略。だしぬけにおこった出来事に驚くことのたとえ。

ねむ【▽合▽歓】→ねむのき。

ねむ・い【眠い】《形》眠りたい気持ちだ。ねむたい。「―・い目をこすって起きる」文 ねむ・し《ク》。

ねむ-け【眠気】眠りそうなきざし。眠くてしかたがない気分。「―をもよおす」類語 睡魔。―ざまし【―覚(ま)し】眠気をはらうこと。また、その手段。

ねむた・い【眠たい】《形》→ねむい。

ねむ-の-き【▽合▽歓木】マメ科の落葉高木。葉は羽状で複葉。小葉は夜になると閉じ、朝になると開くのでこの名がある。ねむ。ねぶのき。

ねむら・す【眠らす】《他五》❶眠りにつかせる。眠るようにする。類語 寝かす。❷〔俗〕殺す。＝眠らせる。

ねむり【眠り】眠ること。眠った状態。睡眠。「―につく」「永久の―(＝死ぬこと)」

ねむり-ぐすり【眠り薬】飲むと眠気をもよおす薬。催眠剤・麻酔薬など。睡眠薬。

ねむり-こ・ける【眠りこける】《自下一》(「こける」は接尾語)正体もなく、ぐっすりと眠る。眠り込む。

ねむり-こ・む【眠り込む】《自五》よく寝入る。ぐっすり眠る。「正体もなく―・む」

ねむ・る【眠る】《自五》❶〔動物の〕意識の活動が一時停止して、無意識の状態になる。「―・れる獅子(＝実力がありながら、まだそれを現していないもののたとえ)」参考 「寝る」を「眠る」の意で使うこともある。類語 まどろむ。睡眠(る)。就眠。就寝。❷死ぬ。永眠する。「地下に「父の―・る地」❸活用されないままである。「―・る資源」文《四》。⇩〔類義語の使い分け「寝る」〕

ね-め・つ・ける【×睨め付ける】《他下一》にらみつける。〔古風な言い方〕「鋭い目で―・ける」

ね・める【×睨める】《他下一》にらむ。〔古風な言い方〕文 ね・む《下二》。

ね-もと【根元・根本】❶〔草木や立っている物などの〕下の方の部分。根のもと。❷物事の基本。根本。

ね-ものがたり【寝物語】(多く、男女が)夜、床の中で話し合うこと。また、その話。

ねや【×閨】(「寝屋」の意)〔文〕夜寝るためのへや。寝室。ねま。参考 特に、夫婦または男女の寝室の意に使うことが多い。類語 寝所。臥室。閨房。

ね-ゆき【根雪】積雪がとけきらないうちに次の雪が降り積もって、連続して地面をおおう雪。また、そうして翌年の雪どけまで残る雪。

ねらい【×狙い】❶〔弓・鉄砲などで〕目標をねらうこと。「―がはずれる」❷〔物事を行う際に〕めざしている事柄。達成しようとする、その目標。類語 目当て。当て。目処。目的。目途。見当。

ねらい-うち【×狙い撃ち】《名・他サ》❶銃などで、正しく照準を定めてうつこと。狙撃。❷目標を的確にとらえて行動すること。また、ある特定の物事に批判や攻撃を集中させること。「好球を―する」

ねらい-すま・す【×狙い澄ます】《他五》しっかりと狙いをつける。心を集中させて狙う。「―・した一撃」

ねら・う【×狙う】《他五》❶目標物に命中させようと、(武器などを)構える。類語 狙い澄ます。狙いを付ける。照準を合わせる。(る)狙撃。❷目当てのものを手に入れようとうかがう。「人の財産を―・う」類語 目指す。目掛ける。虎視眈々。❸時期をうかがいみる。「すきを―・って逃げる」文《四》。

ねり-あ・げる【練り上げる】《他下一》❶十分にこねて作り上げる。❷何度も検討を加え手直しして立派なものにしあげる。「戦略を―・げて戦いに臨む」

ねり-ある・く【練り歩く・×邌り歩く】《自五》列を作って、ゆっくり歩きまわる。「行列が町を―・く」

ねり-あわ・せる【練り合わせる・×煉り合わせる】《他下一》二種以上のものを・こねまぜて(火にかけて)一つにする。

ねり-あん【練(り)×餡・×煉(り)×餡】煮たあずきに砂糖を加え、火にかけてねったあん。

ねり-いと【練(り)糸】生糸をせっけん・ソーダなどで精練して、しなやかにした、白くて光沢のある絹糸。

ねり-おしろい【練(り)▽白▽粉・×煉(り)▽白▽粉】粉おしろいの粉末原料を水やグリセリンで練ったおしろい。また、どろ状に練って使うおしろい。

ねり-ぎぬ【練(り)絹】生絹をソーダなどで精練して、しなやかにした絹布。対 生絹・すずし。

ねり-せいひん【練(り)製品・×煉(り)製品】すりつぶした魚肉にでんぷんや調味料を加え、加熱し凝固させた食品。かまぼこ・ちくわなど。ねりもの。

ねり-なお・す【練り直す】《他五》❶もう一度よく練る。❷〔できあがった文章や案を〕もう一度考えて書き改め、さらによいものにする。吟味しなおす。

ねり-はみがき【練(り)歯磨・×煉(り)歯磨】粉歯みがきにグリセリン・甘味料・香料などを加えて、ペースト状に練ったもの。

ねり-べい【練(り)塀・×煉(り)塀】土とかわらを積み重ねて築き上げ、上をかわらでふいた土塀。

ねりま-だいこん【練馬大根】❶ダイコンの一品種。太くて長い。たくあんづけ・煮物に多く使われる。参考 東京の練馬で品種改良されたのでこの名がある。❷〔俗〕女性の太い足をからかって言う語。

ねり-もの【練(り)物】❶練り固めて作ったもの。㋐

ね

練り製品。❷祭礼で、街を練り歩く行列・山車・踊り屋台など。㋑薬物を練り固めたさんご・宝石などの模造品。表記 ①は「煉り物」、②は「邌り物」とも書く。

ねり・ようかん【練(り)羊×羹・×煉(り)羊×羹】 寒天・あん・砂糖を熱して練り合わせ、固めた羊羹。

***ね・る【練る】** 一《他五》❶〔絹を〕灰汁などで煮て柔らかくする。❷〔餡などを〕火にかけて、こね固める。❸〔金属を〕焼いてきたえる。「日本刀を作る鋼を—・る」類語 (する)鍛錬。鍛造。鍛冶。精錬。❹〔膏薬・糊・土などを〕こねまぜて、ねばらせる。❺〔学問・技芸・文章・考え方などを〕さらによくするために努力を重ねる。❻修養・経験などを積む。「心を—・る」類語 練り上げる。(する)推敲。(する)修練。鍛練。練磨。陶冶。切磋琢磨。「剣のわざを—・る」二《自五》列を作って、街路をゆっくりと歩く。「おみこしが—・る」。表記 ②④は「煉る」、③は「錬る」とも書く。文《四》。

***ね・る【寝る・×寐る】**《自下一》❶からだを横たえる。ふす。「寝て本を読む」類語 (する)横臥。側臥。伏臥。❷夜、眠るために床にからだを横たえる。類語 枕に就く。寝に就く。(する)就寝。就床。❸眠る。「寝る子は育つ(=よく眠る子は健康で丈夫に育つ)」「寝た子を起こす(=ようやく事がおさまって静かになったのに、また騒ぎを起こすたとえ)」類語 (する)睡眠。就眠。尊敬 御寝なる。お休みになる。❹病気で床につく。寝こむ。❺男女が同衾する。共寝する。❻物品が売れずに残る。財の動きがなくなる。「資金が寝る」❼こうじが熟成する。表記「邌る」とも書く。文ぬ《下二》。

> **類義語の使い分け 寝る・眠る**
> [寝る・眠る] 朝までぐっすり寝る(眠る)/いつの間にか寝(眠っ)てしまい、一駅も乗り過ごしてしまった
> [寝る] ベッドで寝ながら雑誌を読む/風邪で三日ほど寝る/寝ても覚めても気にかかる/寝る子は育つ
> [眠る] 草木も眠る丑三つ時/悪い奴ほどよく眠る/恩師の眠る墓に詣でる/海底に眠る多大の資源

***ネル**「フランネル」の略。

ね・れる【練れる】《自下一》修養や経験を積んで、人柄が円満になる。「—・れた人」

ね・わけ【根分け】《名・他サ》植物の根を分けて移植すること。分根。

ね・わざ【寝技・寝業】 ❶柔道・レスリングで、寝た姿勢でかけるわざの総称。対 立ち技。❷裏側に回って人の虚をつくかけひき。裏面工作。—し【寝業師】陰でかけひきをするのがうまい人。

***ねん【年】** 一《名》❶とし。一年。類語 ↓年。❷「年季」の略。「—が明ける」二《助数》経過したとしや年齢・学年などを数える語。「三—に進級」

***ねん【念】** ❶〔ある事柄に対して、心の中をゆききする〕思い。考え。気持ち。「自責の—にかられる」類語 所思。思念。❷よく気をつけること。よく注意すること。「—の入った(=注意がゆきとどいた)点検」「—のため(=いっそうの注意をうながすため)、もう一度説明する」「—を押す(=重ねて注意する)」尊敬 御念。❸〔文〕かねての望み。「—がかなう」類語 宿願。宿望。

—には念を入れよ《句》十分注意した上にも、さらに注意せよ。注意の上に注意を重ねよ。

ねん・いちねん【年一年】 年がたつに連れて。一年ごとにますます。一年一年。「—と実力がついてきた」

ねん・いり【念入り】《形動》細かい点までよく注意するようす。入念。類語 丁寧。丹念。綿密。

ねん・えき【粘液】 ❶ねばりけのある液体。❷生物体の粘液腺から分泌されるねばねばした液体。対 漿液

—しつ【—質】〔心〕刺激に対する反応がにぶく活気にとぼしいが、反面、意志が強く、根気も強いという気質。

ねん・が【年賀】〔文〕新年の祝い。年始の祝賀。

ねん・がく【年額】 収入・支出・生産高などの一年間の総計。「—一〇〇〇万円の輸出」

ねん・がっ・ぴ【年月日】〔ある物事が行われる、または起こった〕年と月と日。日付。「免許取得の—」

ねんがら・ねんじゅう【年がら年中】《副》(「年が年中」の変化した形) 一年じゅう。いつも。しじゅう。「—遊びほうけている」類語 のべつまくなし。

***ねん・かん【年刊】** 一年に一回刊行する・こと(出版物)。類語 日刊。月刊。旬刊。季刊。

***ねん・かん【年鑑】** その一年間の事件・統計・調査などを収録した、年一回の定期刊行物。イヤーブック。

***ねん・かん【年間】** ❶〔ある事の一つのまとまりの単位としての〕一年間。「—プラン」❷ある年代の間。〔多く、年代を表す語と複合して用いる〕「享保—」

ねん・がん【念願】《名・他サ》〔ある事柄について〕いつも心にかけて願い望むこと。また、その願い。長い間の願い。「—を果たす」類語 宿願。宿望。

***ねん・き【年忌】** 人の死後、毎年まわってくるその人の死亡月日。年回。回忌。周忌。〔助数詞としても使う〕「三—」類語 忌日。

***ねん・き【年期】** 一年を単位とする期間。年限。

***ねん・き【年季】** ❶昔、奉公人を雇うときにきめた、勤めの期限。年切り。「—が明ける」「—が入っている(=長年同じ仕事を続けていて、腕が確かである)」参考 ふつう、一年を一季とした。❷「年季奉公」の略。—あけ【—明け】年季①が終わること。年明け。—ぼうこう【—奉公】年限を前もって定めてする勤め。年切り。年季。

***ねん・きゅう【年休】**「年次有給休暇」の略。

***ねん・きゅう【年給】** 一年間について定めた給料。年俸。類語 日給。週給。月給。

ねん・ぎょ【年魚】 ❶生まれたその年に死ぬ魚。❷〔一年で死ぬところから〕「あゆ」の別称。

ねん・きん【年金】〔恩給・厚生年金・国民年金など〕毎年定期に支払われる定額の金。「—生活者」

ねん・ぐ【年貢】 ❶昔、田畑・屋敷などに年ごとに割り当てられた租税。類語 年租。年税。❷小作人が地主に毎年田畑使用料として納める金・米。小作料。

—の納め時《句》❶悪事を重ねた者が捕らえられ、罪に服すべき時。❷ある物事をあきらめて観念すべき時。

ねん・げつ【年月】 ❶〔物事にかかる〕年の数と月の数。歳月。「幾多の—をかけた大事業」類語 星霜。春秋。光陰。❷〔事件などがあった〕年とその月。

ねんげ・みしょう【×拈華▽微笑】 ことばを用いずに、心から心に伝えること。以心伝心。教外別伝。故事 釈迦が説法したとき、黙ってハスの花をひねって大衆に見せたところ、摩訶迦葉が一人その意を解して微笑していたので、これに奥義を授けたという。

ねん・げん【年限】 年を単位とした期限。年期。

ねん・こう【年功】❶多年にわたって勤めたという功労・功績。❷多年の修練で得た高度の技術。「—を積む」**—じょれつ【—序列】**年齢や勤続年数に応じて地位や賃金の上下がきまる・制度(しきたり)。

ねん・ごう【年号】〔皇帝・君主などの治世を表す〕年につける称号。明治・昭和など。元号(げんごう)。

ねんごろ【懇ろ】《形動》〔「ねもころ」の転〕❶真心がこもっているようす。極めて親切であるようす。「—に弔う」類語 懇切。懇篤。篤実。❷互いにうちとけて、親しみあうようす。「あの家族とは—にしている」類語 懇意。昵懇(じっこん)。別懇。❸男女の仲がむつまじいようす。特に、男女がひそかに情を通じあうようす。

ねん・ざ【捻挫】《名・自サ》手足などの関節を、ねじまげたり打ったりして、いためること。

ねん・さん【年産】一年間の生産高・産出高。類語 日産。月産。

***ねん・し【年始】**❶一年の初め。年の初め。年初。類語 新年。新春。対 年末。❷新年の祝い。年賀。

***ねん・し【年歯】**〔文〕年齢。よわい。とし。年歯(とし は)。

***ねん・し【撚糸】**一本のまま、または二本以上引きそろえてよりをかけた糸。また、糸によりをかけること。

ねん・じ【年次】❶年の順序に従うこと。年ごと。毎年。「—計画」❷あることをした年。年度。「卒業—」
—ゆうきゅうきゅうか【—有給休暇】〔会社などで〕年度ごとにきめられた有給休暇。年休。

ねん・しき【年式】機械類、特に自動車・電車などの製造年による型式。「—が古い」

***ねん・じゅ【念珠】**〔珠(たま)を一つ繰るごとに仏を念ずるの意から〕数珠(ずず・じゅず)。ねんず。

***ねん・じゅ【念誦】**《名・他サ》心に仏を念じ、口に仏の名号(みょうごう)・経文をとなえること。念仏誦経(ねんぶつずきょう)。ねんず。類語 念仏。

ねん・しゅう【年収】一年間の収入額。類語 日収。月収。

ねん・じゅう【年中】一《名》一年の間。一年を通じて。年中(ねんぢゅう)「—無休」二《副》一年のうち、いつでも。いつも。始終。あけくれ。たえず。「彼は—遊んでいる」表記 現代仮名遣いでは、一二ともに「ねんぢゅう」も許容。**—ぎょうじ【—行事】**季節の移り変わりとともに、毎年繰り返される行事。ねんちゅうぎょうじ。参考 本来は、宮中の公事(くじ)について言った。

ねん・しゅつ【捻出・拈出】《名・他サ》❶ひねり出すこと。〔良い考えなどを〕苦心して考え出すこと。類語 案出。❷やりくり算段して、無理に金銭を・ととのえる(出す)こと。「学費を—する」類語 工面(くめん)。

***ねん・しょ【年初】**〔文〕一年の初めのころ。年頭。年始。「—の計画どおり、とり行う」類語 新年。

***ねん・しょ【念書】**後日の証拠となるように、念のためにしるして相手にわたす文書。「—をとられる」

***ねん・しょう【年商】**〔会社などの〕一年間の総売上高。「—一億円」類語 月商。

***ねん・しょう【年少】**《名・形動》年齢が少ないこと。若いこと。「—者」類語 幼少。幼年。対 年長。

***ねん・しょう【燃焼】**《名・自サ》❶もえること。「不完全—」参考 科学的には、物質が空気中の酸素と化合して光と熱とを発する現象。❷自分の持つ力の限りを出しつくすこと。「青春を—させる」

ねん・じる【念じる】《他上一》↓念(ねん)ずる。

ねん・すう【年数】❶〔ある事に要した〕年の数。としかず。「仕事に要した—」❷多くの年。多年。「—をかけて研究する」類語 ①②年月(ねんげつ・としつき)。歳月。

ねん・ずる【念ずる】《他サ変》❶〔「…でありたい」または「…であってほしい」と〕心の中で思う。願う。「無事を—ずる」❷心の中で祈る。仏の名などを唱える。

ねん・せい【粘性】〔物体の〕ねばりけのある性質。ねばる性質。

ねん・だい【年代】❶経過してゆく時を区切った、ある期間。「大正—」❷〔紀元を基準にして〕経過した〔歴史上の〕時代。物事の順を追って数えた年数。「事件を—順に記述する」**—き【—記】**年代を追って重要な事件をしるした記録。**—もの【—物】**相当の年月が経っていて価値のあるもの。参考 古びたものを皮肉っていう場合もある。類語 骨董(こっとう)(品)。

ねん・ちゃく【粘着】《名・自サ》〔物に〕ねばりつくこと。「—力」

ねん・ちゅう【年中】↓ねんじゅう(年中)。

ねん・ちょう【年長】《名・形動》年が上である・こと(人)。としうえ。「—者」類語 年嵩(としかさ)。対 年少。

ねん・てん【捻転】《名・自他サ》〔文〕ねじれて方向が変わること。ひねって方向を変えること。「腸—」

***ねん・ど【年度】**国・団体・法人などで、予算・会計などの便宜上、ある月日を起点として区分した一年間の期間。「—替わり」類語 年次。

***ねん・ど【粘度】**ねばりつく程度。

***ねん・ど【粘土】**岩石や鉱物の風化・分解物のうち、最も微細なものの集合体。水を吸収するとねばりけが出てくる。陶磁器・れんがなどの原料にする。ねばつち。

***ねん・とう【年頭】**〔文〕年の初め。年初。「—の所感を述べる」類語 元旦。新年。新春。

***ねん・とう【念頭】**〔文〕こころ。考え。「あしたの試験しか—にない」「自分の社会的立場を—に置く(=覚えていて心にかける)」類語 胸中。意中。脳裏(のうり)。

ねん・ない【年内】〔その日からみた〕その年の終わりまでの間。その年のうち。年が明けないうち。〔多く一一月・一二月ごろに使う〕

ねんね〔「ねね」の音便〕❶《名・自サ》〔幼児語〕眠ること。❷赤ん坊。❸年ごろになっても精神的に成長しない・こと(娘)。特に、性に無知である・こと(娘)。

ねんねこ❶〔幼児語〕眠ること。❷「ねんねこ半纏(ばんてん)」の略。**—ばんてん【—半纏】**赤ん坊を背負う時に上からおおって着る、綿入れの半てん。ねんねこ。

ねん・ねん【年年】《副》❶いつの年も。毎年。類語 例年。❷年がたつにつれて状態が変化してゆくようす。年とともにしだいに。年一年。「物価は—上がる」**—さいさい【—歳歳】**《副》〔文〕毎年何かが行われるようす。くる年もくる年も。毎年毎年。歳々年々。年々歳々(ねんねんせいせい)。「—、花相似たり」

ねん・ぱい【年配・年輩】❶〔外見などから判断できる〕大体の年齢。年のころ。年ごろ。❷〔社会経験を積んだ〕相当な年齢。「—の紳士」類語 中年。❸年上。「二つ—だ」参考 ①②とも、ほぼ中年以上の人で、特に②は五〇歳前後の人をさす。

ねんばん・がん【粘板岩】粘土質あるいは泥質の堆積(たいせき)岩が変成作用をうけてできた、かたく緻密(ちみつ)で、うすい板のようにはげやすい性質をもつ岩石。ふつう灰黒色。硯石(すずりいし)・石盤などに用いる。スレート。

ねん・ぴ【燃費】〔機械が〕ある仕事量の達成に要する

ね

燃料の量。特に、自動車が一リットルの燃料で走れるキロ数。燃料消費率。「—を伸ばす」

ねんびゃく‐ねんじゅう【年百年中】《副》いつも。しょっちゅう。たえず。年がら年中。表記 現代仮名遣いでは「…ねんぢゅう」も許容。

ねん‐ぴょう【年表】 歴史上の記録を、年代順に追って記載した表。「文学—」

***ねん‐ぷ【年譜】**〔文〕個人一代の経歴を年月の順に並べた記録。類語 履歴書。閲歴。来歴。

***ねん‐ぷ【年賦】** 納付または返済の金額を、年単位で一定額ずつ分割して支払うこと。また、そのようにする弁済法。年払い。

ねん‐ぶつ【念仏】《名・自サ》仏の姿や恵みを心に思い浮かべて、口で仏の名号を唱えること。特に、「南無阿弥陀仏」を唱えること。また、その唱え文句。類語 念誦・ずねん。—ざんまい【—三×昧】一心に念仏して、仏道に精進すること。

***ねん‐ぽう【年俸】** 一年を単位として定められた俸給。一か年の給料。年給。「—制」類語 月俸。

***ねん‐ぽう【年報】** ある事柄に関して、一年ごとに出される報告(書)。年間報告(書)。類語 月報。

ねん‐まく【粘膜】 消化器・呼吸器・泌尿生殖器の器官の内面をおおう、やわらかい湿った膜。

ねん‐まつ【年末】 一年の終わりのころ。年の暮れ。年の瀬。歳末。対 年始。

ねん‐よ【年余】 一年あまり。一年以上。

ねん‐らい【年来】〔ある物事の継続期間をさして〕ここ数年来。長年。何年も前から。「—の友人」

ねん‐り【年利】 一年単位の利息・利率。対 月利。

ねん‐りき【念力】〔文〕一心に思い込むことによってわいてくる力。一念を込めた力。精神力。

—岩をも通す《句》一心に思いを込めて事にあたれば、どんなことでも必ず成就することのたとえ。思う念力岩をも通す。

ねん‐りつ【年率】 一年を単位とする比率・利率。

ねん‐りょ【念慮】〔文〕あれこれと(気をつかって)思いめぐらすこと。おもんぱかり。類語 思慮。考慮。

ねん‐りょう【燃料】 熱・光・動力などを得るために燃やす材料。まき・石炭・石油・コークス・ガスなど。

ねん‐りん【年輪】 ❶樹木の横断面に見られる同心円状の層。日本のような温帯に育つ樹木は一年に一層できるので、樹齢を知ることができる。❷年々変化し築き上げられる歴史。「—を重ねる」

ねん‐れい【年齢】〔人などの〕生まれてから、その時までの経過年数。よわい。表記 小学校では「年令」で代用することが多い。類語 年。年歯。年寿。春秋。寿。寿齢。尊敬 貴齢。尊齢。鶴齢。亀齢。謙譲 駄齢。馬齢。⇩〔類語と表現「年」〕

***の【▽幅】**《助数》《数を表す和語につけて》布のはばを数える語。参考 一幅はふつう、鯨尺で九寸(=約三四センチ)から一尺(=約三八センチ)。「三—ぶとん」

***の【野】** 一《名》❶広々として草の生えた、しかし大きな木は生えていない地。「—越え山越え」類語 原。原っぱ。草原。野原。野辺。広野。原野。野や。❷(広々とした)田畑。野良。「—の仕事(=農耕)」 二《接頭》《動植物名などにつけて》「野生の」の意。「—うさぎ」「—ばら」

—となれ山となれ《句》↓後は野となれ山となれ。

—に置・く《句》自然のままにしておく。手を出さずにそっとしておく。「手にとるなやはり—・け、れんげ草」

***の** 一《格助》〔「格」を表示するわけではないが、学校文法に従って便宜的に「格助詞」とする。かかり方が体言専用であるところから「連体助詞」とも〕❶〔体言＋「の」＋体言の形で〕上の体言と下の体言とをいろいろな意味関係で結びつけるのに使う。〔意味は一義的に決まるとは限らず、文脈によって決められることも多い〕「僕の時計・日本の領土(所有・所属)」「大阪の叔父・国境のトンネル(所在・場所)」「二国間の交渉・健康上の理由(…における)」「国境の南・宴の後(基準となる空間的・時間的位置)」「七時のニュース・夏休みの宿題(時間)」「ゴッホの絵(作者)」「動物の写真・愛の物語・ゴッホの肖像画(内容)」「ダイヤの指輪・リンゴのジュース(材料・素材)」「酒好きの男・生みの親・麗しの君・特別の処置(属性)」「野球の試合・モミの木(分類)」「カメラのレンズ・梅の花(全体と部分)」「大方の意見・創立以来の秀才(範囲)」「疑問の一つ・新入生の大部分(割合・比率)」「正義の戦い・旅の支度(…のための)」「調査の結果・来月号の予告(…に関する)」「七人の侍・五番目の成績(数量・順序)」「歌人の茂吉・嘘つきのお兄ちゃん(包含関係。…である)」「ゴビの砂漠・大和の国(同格。…という…)」「母の花子(等しい関係にある同格。…である…)」などのほかに、形式的な「…のために…の故に・…のように」などがある。「一時からの懇親会」「行っての帰り」「生まれながらの詩人」「彼ならではの快挙」などの用法もある。

❷**文語**〔体言扱いにされた連体修飾句＋「の」＋体言の形で〕㋐同格を表す。…という。「恋い焦がるるの思い」㋑〔手紙文などで〕文語的な格調を添えるのに使う。「水ぬるむの候となる」

❸動詞文や形容(動)詞文による表現を名詞句表現に変えるのに使う。㋐〔格助詞「が」が「の」になる場合〕「質問が集中する→質問の集中」「彼女が優雅に踊る→彼女の優雅な踊り」「草木が青い→草木の青さ(が目にしみる)」「性質が素直だ→性質の素直さ(に感心する)」「パパが嘘つきだ→パパの嘘つき!(=親しみをこめたなじり表現)」参考 文語には、名詞相当の形容詞連体形で言う言い方もある。「数が多い→数の多き(を誇る)」「背が低い→背の低き(を嘆く)」㋑〔格助詞「を」が「の」になる場合〕「綿花を取り引きする→綿花の取引」参考「への」となる場合もある。「田中家を訪問する→田中家への訪問」「彼女を愛する→彼女への愛」㋒〔格助詞「に」が「への」になる場合〕「会議に出席する→会議への出席」「先生に紹介する→先生への紹介」参考「の」となる場合もある。「早朝に出発する→早朝の出発」㋓〔その他の格助詞に、そのまま「の」がつく場合〕「病気と闘う→病気との闘い」「米国へ旅立つ→米国への旅立ち」「本部から連絡する→本部からの連絡」「七時まで残業する→七時までの残業」「雨の中で練習する→雨の中での練習」

❹〔体言A＋連体助詞「の」＋連体修飾句＋準体助詞「の」の形で、まず体言Aを「の」で受けてとりたて、さら

に体言Aの性状を規定する連体修飾句を準体助詞「の」で受けて体言相当語Bとし、後から追加的に性状を規定する形で、体言AとBとを同格の関係において〕「Aについて言えば、その性状をもったA」の意を表す。「酒の甘いのが好きだ」「ネクタイの粋なのを締める」「ドレスのパリ製のを買う」参考（ア）文語では、準体助詞「の」を伴わず、名詞相当の連体形で表現する。「理想の完全に実行し得べきは真の理想ではない〈四迷〉」「青春の人生におけるは、緑樹の陽光に輝くがごとし」「たんぽぽの白きを踏めば春たけにけり〈白秋〉」。また、口語で、「酒の甘口のやつをくれ」「女性のしとやかな人が好きだ」などの言い方もできる。（イ）口語の場合は、係助詞「は」で言い換えることができる（例：酒は甘いのが好きだ）。（ウ）「甘い酒」「白きたんぽぽ」などとせず、「酒の甘いの」「たんぽぽの白き」などとするのは、修辞的な表現。

二《格助》❶〔連体修飾句の中で使って〕主格を表す。…が。「漱石(そうせき)の書いた小説」「彼女の来るのを待つ」「私の嫌いなごますり男」「先の曲がったのしかない」「おしゃべりの好きな人」

❷文語〔主文の中で使って〕主格を表す。「山のあなたの空遠く『幸』住むと人のいふ〈敏〉」

三《準体助》❶〔連体形で終わる文を受けて〕文全体を名詞化するのに使う。…（という）こと。「本を読むのは嫌いだ」「お金に困っているのがよく分かる」

❷〔連体修飾句＋「の」の形で〕…（ところの）もの・こと。「こんなのしかない」「小説の面白いのが読みたい」「近づいて来るの（＝姿）が見える」「高らかに歌うの（＝声）が聞こえる」「証明するのに（＝ことのために）有用である」

❸〔状態性の名詞＋「の」の形で〕…のもの。「使い古しの（＝の物）ならある」「読みかけの（＝の本）を貸した」

❹〔所有者を表す体言＋「の」の形で〕…に所属するものの意を表す。…のもの。「君のは青いが、僕のは赤い」「この机は会社のだ」参考①②は形式名詞的。また、③④は、まれに格助詞の「の」を伴って「…のの」の形でも使う。「使い古しののので結構です」「君ののを貸してくれ」

四《並助》〔体言（多くは引用句）につく〕❶〔「AのBの」の形で〕同類のもの、対比的なものを並べあげるのに使う。…だの。「早く結婚しろの、もっと働けのと口うるさい」参考「四の五の」「何のかんの」「ああのこうの」など、慣用句表現も多い。

❷〔「…の…ないの」「…のなんの」の形で、多く下に打ち消しの語を伴い〕とても表現できないくらい…だ、の意。「喜んだの喜ばないのといったらない」「痛いの痛くないのといった騒ぎではない」

五《終助》（三の転）〔連体形につく。主に女性・子供が使う口頭語〕❶〔断定の口調で〕状況や事情を説明するのに使う。「断ったの。すると彼ったら怒るの」「私には行く所がありますの」

❷〔上昇のイントネーションで〕質問を表す。〔近年、対等以下の親しい間柄では男性も使う。書くときは、「?」をつけることが多い〕「いつ着いたの?」「お昼はもう済んだの?」参考単に、「はい―いいえ」の返答を求める質問（彼が好き?）ではなく、根拠の説明を求めるといった趣の質問を表すことも多い。「彼が好きなの?」

❸〔確認の口調で〕質問する形で、柔らかく自己確認するのに使う。「あら、そこにいらしたの」参考男性語では「のか」。「来てたのか」

❹〔その内容を「の」で受けて、強い口調で〕「そうしなさい」と促すのに使う。「いつまでもめそめそしないの」

の-あそび【野遊び】❶野に出て狩りをしたこと。❷昔、貴族・武士などが、野に出て遊ぶこと。

ノア-の-はこぶね【ノアの箱舟・ノアの▽方舟】《連語》人類の堕落を怒って神が大洪水を起こしたとき、お告げによって義人ノアがあらかじめつくった舟。ノアと、その家族や動物はこれによって難を逃れ、人類の絶滅を免れたという。参考旧約聖書の創世記にある伝説。

ノイズ❶テレビ・ラジオ・ステレオなどで、雑音。また、テレビの画面のちらつき。❷騒音。▽noise

の-いばら【野×茨・野×薔×薇】バラ科の落葉低木。枝・葉にとげがある。初夏、白色の花を開き、芳香がある。果実は漢方薬。のばら。

ノイローゼ 脳細胞や神経系の障害がなくて起こる、神経の働きの異常。多くは心理的原因による。神経衰弱・ヒステリーなど。神経症。▽ドイ Neurose

***のう【濃】**《接頭》❶液体中にとけている物質の量の多いことを表す。「―硫酸」対希。❷色が濃(こ)いことを表す。「―紺」「―緑色」

***のう【能】**❶物事を成しとげる力。働き。能力。❷ききめ。効能。「―書き」❸自慢できること。得意とするところ。「元気だけが―じゃない」❹能楽。

―ある鷹(たか)は爪(つめ)を隠す《句》すぐれた才能のある人は、むやみにそれを見せびらかすようなことはしない。

***のう【脳】**❶頭蓋骨(ずがいこつ)に包まれ、神経細胞が集まって神経系の中心をなしている部分。脊髄(せきずい)とともに中枢神経を形成する。脳髄。類語脳味噌(のうみそ)。❷思考・記憶などの精神的な働き。あたま。「―が弱い」

***のう【×膿】**⇒うみ（膿）①。

***のう【農】**〔文〕❶農業。「―は国の本」❷農民。

***のう-いっけつ【脳×溢血】**脳出血。

***のう-えん【脳炎】**脳の炎症。日本脳炎など。

***のう-えん【農園】**主に園芸植物を栽培する農場。

***のう-えん【濃×艶】**《形動》〔女性が〕つやっぽく、あでやかで美しいようす。「―な姿態」

***のう-か【農家】**農業を営んで生計をたてている世帯。農民の家庭（家屋）。「―に嫁に行く」「―の庭先」

***のう-か【農科】**❶農業に関する学科。❷農学部。

のう-かい【納会】❶その年の最後に催す会。また、ある行事の終わりに行う会合。おさめ会。❷取引所で、その月の最後の日に行う立ち会い。対発会。

のう-がき【能書き】❶薬などの効能書き。❷自分の得意とするところなどを自分で宣伝すること。また、その文句。「―ばかりで仕事をしない」

***のう-がく【能楽】**舞と歌をおもな要素とする日本独特の仮面楽劇。一定の形式をもつ能舞台の上で演ぜられ、演者にはシテ・ワキ・ツレおよび地謡(じうたい)と囃子(はやし)がある。能。参考広義には「能」と「狂言」の総称。

***のう-がく【農学】**農林水産業に関する生産技術・経済およびその実際的な応用について研究する学問。

のう-かすいたい【脳下垂体】脳底にさがっている、重要な内分泌腺(せん)。生殖・発育などに密接な関係をもつ。下垂体。下生体。

***のう-かん【脳幹】**脳のうち、大脳・小脳とを除く脳の幹をなす部分。間脳・中脳・橋(きょう)・延髄からなる。

***のう-かん【納棺】**《名・他サ》死体を棺に収めること。

***のうかん-き【農閑期】**〔一年のうちで季節的に〕農業の仕事が特にひまな時期。対農繁期。

のう-き【納期】金銭や商品を納入する期限。

のう-きぐ【農機具】 農耕用の機械・器具。

のう-きょう【農協】 「農業協同組合」の略。

のう-ぎょう【農業】 土地を利用して稲・野菜・果物などの有用植物を栽培し、食品・嗜好品および繊維などの工業原料を生産する産業。 **―きょうどうくみあい【―協同組合】**〔村・町など〕一定地域の農民が組合員となり、農業技術の向上、作物の加工・販売などを図るために作る協同組合。農協。略語 JA。

のう-きょうげん【能狂言】 ❶能と能との間に演ずる滑稽を主とする劇。狂言。❷能楽と狂言。

のう-きん【納金】《名・自他サ》金銭をおさめること。また、その金銭。「本社に―する」類語 入金。

のう-ぐ【農具】〔くわ・すきなど〕手で用いる農作業用の器具。類語 耕具。農機具。農機。

のう-げい【農芸】 ❶農作物を育て作ること。また、そのための技術。❷農業と園芸。

のう-けっせん【脳血栓】 脳の動脈に血がかたまった血栓ができて、動脈内腔が閉ざされた状態。

*__のう-こう【農耕】__ 田畑をたがやし農業を行うこと。

*__のう-こう【濃厚】__《形動》❶〔味・色・成分などが〕こいようす。こってりしているようす。「―なスープ」対 淡泊。❷ある可能性が強く感じられるようす。「敗色が―になる」❸〔男女関係が〕情熱的なようす。

のう-こうそく【脳×梗×塞】 脳内の血管が閉ざされて、脳の血流が妨げられ、脳組織が壊死をおこした状態。知覚障害・運動障害などを引き起こす。脳血栓と脳塞栓に大別される。

のう-こつ【納骨】《名・自他サ》火葬した遺骨を墓地や納骨堂におさめること。

のう-こん【濃紺】 こい紺色。

のう-さい【納×采】 結納を取りかわすこと。「―の儀」参考 現在は皇族の場合にだけ使う。

のう-さぎ【野×兎】 本州・四国・九州の山野にすむ野生のウサギ。ふつう、灰色を帯びた茶褐色。耳の先端が黒く、寒い地方のものは冬に毛が白くなる。

のうさく-ぶつ【農作物】 田畑で作られる野菜・穀物など。のうさくもつ。

*__のう-さつ【悩殺】__《名・他サ》ひどくなやますこと。特に、女性がその美しさや性的魅力で男を夢中にさせること。「巧みなウインクに―される」類語 魅了。

*__のう-さつ【納札】__《名・自サ》社寺にお参りして、持参の札をはりおさめること。また、その札。おさめ札。

のう-さん【農産】 農業による生産。また、農産物。 **―ぶつ【―物】** 農業によって生産されるもの。

*__のう-し【脳死】__ 死の判定基準の一つ。脳幹を含む脳髄の完全な機能停止。

*__のうし【直▽衣】__ 平安時代以降の、公卿の日常服。直衣の袍。直衣の衣。

*__のう-じ【能事】__〔文〕なしとげるべき事柄。〔多く「足る」「…終わる」などの語を伴い「すべてすんだ」の意〕「法律の改正だけで―足れりと思っては困る」

*__のう-じ【農事】__〔耕作・除草・刈り入れなど〕農業の仕事。「―にいそしむ」

のう-しゃ【納車】《名・他サ》〔販売・修理業者が客に〕自動車・自転車・バイクなどを納入すること。

のう-しゅ【×膿×腫】 うみをもつはれもの。

のう-じゅ【納受】《名・他サ》〔文〕❶〔物を〕受け取りおさめること。「物品を―する」❷〔話や願いごとを〕聞き入れること。「神が―を垂れる」

のう-じゅう【×膿汁】 うみ。うみじる。

のう-しゅく【濃縮】《名・他サ》〔加熱・冷凍・減圧などによって〕溶液の濃度を濃くすること。「―ウラン」

のう-しゅっけつ【脳出血】 脳組織内に出血を起こす疾患。高血圧・動脈硬化によるものが多い。脳溢血。

のう-しょ【能書】〔文〕文字をじょうずに書く・こと（人）。能筆。達筆。「―家」 **―筆を択ばず**《句》文字のうまい人はどんな筆を使ってもうまく書くということ。弘法筆を択ばず。

のう-しょう【脳×漿】 脳の外側や脳室内を満たす脳脊髄液。

のう-じょう【農場】 農業経営を行うのに必要な農地と設備のある一定の場所。類語 農園。圃場。

のう-しんとう【脳震×盪・脳振×盪】 打撲など頭部に強い外力を受けたときに起こる神経症状。意識障害を起こすこともある。

のう-ずい【脳髄】 脳①。

*__のう-せい【脳性】__ 脳に関係すること。〔病名に言う〕「―小児麻痺」

*__のう-せい【農政】__ 農業に関する行政・政策。

のう-ぜい【納税】《名・自他サ》税金をおさめること。税金として、おさめること。類語 納租。対 徴税。

のうぜん-かずら【×凌×霄▽花】 ノウゼンカズラ科のつる性植物。茎から出る付着根で他の物にからみつく。夏、だいだい色の花を開く。観賞用。

のう-そくせん【脳×塞栓】 心臓などでできた血栓がはがれて流出し、脳の血管が閉ざされた状態。

のう-そっちゅう【脳卒中】 脳の血管の急激な循環障害によって起こる症状。急に意識を失って倒れ、同時に手足の随意運動ができなくなる。脳出血によることが多い。参考 →脳出血。

のう-そん【農村】 農民を主体とする地域社会。

のう-たん【濃淡】 濃いことと淡いこと。「色の―」

のう-ち【農地】〔田畑・果樹園・牧草地など〕農業のために使われる土地。 **―かいかく【―改革】** 第二次世界大戦後、地主の保有する小作地を耕作農民に解放し、自作農の確立や農村の民主化をはかった政策。

のう-ちゅう【×嚢中】〔文〕❶袋の中。❷さいふの中。「―無一物」 **―の錐**《句》〔錐は袋の中に入れてもその先がつき出ることから〕才能のある者は凡人の中にあっても、自然にその真価があらわれることのたとえ。〈史記・平原君伝〉

のう-てん【脳天】 頭のてっぺん。「―を割る」

のう-てんき【能天気・能転気】《名・形動》〔俗〕軽はずみで向こう見ずな・こと（者）。「―な冗談を言う」表記「脳天気」とも書く。

*__のう-ど【濃度】__ 溶液・混合気体などの一定量中に含まれる物質（＝溶質）の割合。「酒のアルコール―」

*__のう-ど【農奴】__〔中世ヨーロッパの封建社会で〕一生領主に隷属してその農地を耕作した、奴隷と自作農との中間の身分の農民。

*__のう-どう【能動】__ ❶自分の力や働きを積極的に他に働きかけること。働きかけ。❷その動詞が他に働きかける性質をもつこと。能相。「投げられる」が受動であるのに対して「投げる」の類。対 ①②受動。 **―たい【―態】**〔文法で〕主語が他に働きかけることを示す動詞の様態。対 受動態。

*のう-どう【農道】農作業のために設けられた道路。

のう-なし【能無し】とりえがなく、何の役にもたたない・こと(人)。類語 無能。

のうなんか-しょう【脳軟化症】脳の血管の一部がふさがって、その血管の支配下にある部分が酸素や栄養の不足のため軟化する疾患。

のう-にゅう【納入】《名・他サ》〔物品や金銭を〕おさめ入れること。「授業料の―」類語 納付。対 徴収。

のう-のう《副》《「―と」の形も》〔心配などがなく〕気持ちがのびのびしているようす。のんきなようす。「ひとりで―と暮らす」類語 のんびり。

のう-は【脳波】脳の活動にともなって起こる脳電流。また、それを記録したもの。

ノウ-ハウ ↓ノーハウ。▽ know-how
のうはん-き【農繁期】〔一年のうちで季節的に〕農業の仕事が特に忙しい時期。農期。対 農閑期。

のう-ひつ【能筆】文字を書くのがうまい・こと(人)。能書(のうしょ)。類語 達筆。対 拙筆。悪筆。

のう-ひん【納品】《名・自他サ》品物を納入すること。また、その品。「―書」「―を点検する」

のう-ひんけつ【脳貧血】脳の血液循環が悪くなり血液量が減るために起こる症状。頭痛・はき気・めまいなど。時には失神する。類語 立ちくらみ。

*のう-ふ【納付】《名・他サ》〔文〕金銭や物品をおさめ渡すこと。参考 多く、法律上の義務となっている金銭を納める場合に使う。「税を―する」類語 納入。

*のう-ふ【農夫】❶農作を職業とする(男の)人。農民。❷耕作のために農家にやとわれた人。類語 作男。

*のう-ふ【農婦】農業に従事する女性。

のう-べん【能弁・能×辯】《名・形動》話が巧みで、よくしゃべること。「―家」類語 雄弁。対 訥弁(とつべん)。

*のう-ほう【×膿×疱】うみがたまった水疱。

*のう-ほう【農法】農業を行うための方法・技術。

のうほん-しゅぎ【農本主義】農業は国をおこす根本であるとする考え方。農本思想。

のう-まく【脳膜】脳の表面をおおいつつんでいる膜。

―えん【―炎】脳膜に発生する炎症。急性のものと慢性のものとがある。髄膜炎(ずいまくえん)。

のう-みそ【脳味×噌】❶「脳」の俗称。❷知力。知恵。「―を絞る(=あるかぎりの知恵をめぐらす)」

のう-みつ【濃密】《形動》〔文〕❶密度が濃いようす。「―な関係」❷〔色合いなどが〕濃くてこまやかなようす。「―な描写」

のう-みん【農民】農業に従事する人。百姓。

のう-む【濃霧】深くたちこめた霧。

のう-めん【能面】能楽を演じる人が、その役に従ってかぶる面。おもて。「―のよう(=無表情なようすのたとえ。また、ととのった美しい顔だちのたとえ)」「―を打つ(=彫る)」参考「一面…」「一枚…」とかぞえる。

のう-やく【農薬】農業で、消毒や病害虫の駆除などに使う薬。「無―野菜」「―汚染(おせん)」

のう-よう【×膿×瘍】細菌の侵入によってからだの一部分に炎症を生じ、うみがたまる症状。

のう-らん【悩乱】《名・自サ》〔文〕悩み苦しんで心が乱れること。

*のう-り【能吏】事務処理にすぐれた才能をもつ役人。

*のう-り【脳裏・脳×裡】〔文〕頭の中。心の中。

のう-りつ【能率】❶一定時間内に仕上げられる仕事の量(割合)。仕事のはかどり具合。「作業の―を高める」類語 効率。❷〔理〕モメント③。 ―きゅう【―給】労働の能率に応じて支払われる賃金。

のう-りょう【納涼】〔暑い夏の夜などに〕縁先・川べりなど風通しのよい所へ出て涼しさを味わうこと。涼をとること。「―船」「―の盆踊り大会」類語 夕涼み。

*のう-りょく【濃緑】〔文〕濃いみどり色。濃緑色。

*のう-りょく【能力】❶物事をなしとげることのできる力。類語 能。器量。才能。❷〔法〕ある事柄について必要とされ、また適当とされる資格。「権利―」⇩〔類義語の使い分け「才能」〕

のう-りん【農林】農業と林業。 ―すいさん-しょう【―水産省】内閣各省の一つ。農林・畜産・水産業に関する国の行政機関。農水省。

のう-ろう【×膿漏】膿(のう)の絶えず流れ出る病気。

ノエル クリスマス。聖誕祭。▽フランス Noël
ノー 一《名》否定。拒否。「イエスか―か」二《造語》❶「無い」「不要な」の意。ノン。「―チップ」「―ネクタイ」❷「禁止」の意。「―パーキング」三《感》いいえ。ちがう。反対だ。▽ no ―カウント〔運動競技で〕点数に数えないこと。また、やりなおし。▽ no と count からの和製語。 ―ゲーム 野球で、降雨などのために五回終了以前に中止した試合。無効試合。▽ no と game からの和製語。 ―コメント なにも言うことはない。説明の必要なし。▽ No comment. ―サイド〔ラグビーで〕競技時間の終わり。試合終了。▽ no side 参考「敵・味方がなくなる」の意。 ―スモーキング 禁煙。〔注意書きなどに用いる〕▽ No smoking. ―タッチ ❶触れないこと。さわらないこと。❷関係しないこと。無関係。▽ no と touch からの和製語。 ―マーク ❶スポーツで、〔自分の攻撃に対して〕相手側の選手から特に目をつけられて防御されることがないこと。❷まったく注目していないこと。「―の若手代議士が入閣する」▽ no と mark からの和製語。 ―モア《感》二度と繰り返すな。「―ヒロシマ」▽ no more
ノート ❶《名・他サ》書きとめること。❷おぼえ書き。注釈。「フット―(=脚注)」❸「ノートブック」の略。帳面。❹音符。譜。▽ note
ノー-ハウ ❶産業上利用できる技術と、その実施に必要な具体的な知識・資料・経験など。技術情報。❷〔おもに経験から得た〕物事のやり方。手法。「製造の―を学ぶ」=ノウハウ。▽ know-how
ノーブル《形動》気品のあるようす。高貴なようす。「―な顔だち」▽ noble
ノーベル-しょう【ノーベル賞】スウェーデンの化学者アルフレッド=ノーベルの遺言と遺産によって設定された賞。物理学、化学、生理学・医学、文学、平和、経済学のために貢献した人に贈られる。

ノーマル《形動》正常。また、ふつう。標準的。「機械は―に動いている」対 アブノーマル。▽ normal
の-がい【野飼い】牛・馬などを野に放して飼うこと。類語 放しがい。

のが-す【逃す】《他五》❶〔文〕のがれさせる。にがす。「人質を―してやった」❷とらえそこなう。にがす。「機会を―す」類語 失する。逸する。文《四》。

のが-れる【逃れる】《自下一》❶〔危険な場所や不快な状態から〕にげる。遠ざかる。「難を―れる」❷〔自分に負担になることから〕まぬかれる。「責任を―れる」類語 ①②↓逃(に)げる。文 のが・る《下二》。

の

のき【軒】 屋根の下端の、建物より外側に出ている部分。「―を争う(＝家がたて込んでいる)」類語ひさし。

のぎ【×芒】 イネ科植物の果実の先についている、とげ状のもの。のげ。

の・ぎく【野菊】 ❶野原や道ばたに咲く菊の総称。ノコンギク・ノジギク・ユウガギクなど。❷「よめな」の別称。

のき・さき【軒先】 ❶軒の先。のきば。❷軒に近い所。また、家の前。

のき・した【軒下】 軒の下。「―で雨宿りする」

のき・しのぶ【軒忍】 ウラボシ科の常緑シダ。樹幹・石がき・屋根などに生える。

ノギス 物の厚さや円形の物の内径・外径をはかるための工具。キャリパス。▽ドイ Nonius から。

のき・なみ【軒並み】 ㊀《名》家が続いて建ち、軒が並んでいること。また、並んでいる家のすべて。家ごと。「―の整った街」㊁《副》(「―に」の形も)どれもこれも一様に。「先進国は―(に)恐慌に見舞われた」

のき・ば【軒端】 軒のはし。また、軒に近い所。

のぎ・へん【ノ木偏】 漢字の部首の一つ。「秋」「科」などの「禾」。

の・く【▽退く】 《自五》その場所から離れる。しりぞく。「会長の職を―・く」文《四》。

ノクターン (音)静かな夜の気分を表した叙情的な曲。夜想曲。▽nocturne

のけ・ぞ・る【▽仰け反る】 《自五》あおむけにそる。

のけ・もの【▽除(け)物・▽除(け)者】 ❶例外として取り除いた物。❷仲間はずれにされた人。「弟を―にする」
表記①は「除け物」、②は「除け者」と書く。

***の・ける【▽退ける】** ㊀《他下一》(その場所から)移す。どかす。「障害物を―・ける」類語(す)除去。排除。文の・く《下二》。㊁《補動》《動詞連用形＋「て」について》(やりにくいことを)平気でしてしまう。「やって―・ける」

***の・ける【▽除ける】** 《他下一》とり除く。はぶく。「彼を―・けては仕事にならない」類語(す)除外。除去。排除。文の・く《下二》。

のこ【×鋸】 「のこぎり」の略。「―を挽ひく」

のこぎり【×鋸】 木材・石材・金属などを切断するための、薄い鋼板の縁に細かい刃を刻みつけた工具。のこ。
参考「一丁(挺いっちょう)…」とかぞえる。

のこ・くず【×鋸×屑】 木をのこぎりで切ったときにできる木くず。おがくず。

のこ・す【残す・▽遺す】 《他五》❶(全体のうちの一部を)あとに残らせる。「子どもを―・して帰る」類語→残る。❷あまらせる。余りをつくる。「ごはんを―・す」「子に財産を―・す」❸(それに関連のあるものを)あとにとどめる。「雪を―・す山肌」❹(後世に)伝える。「偉大な業績を―・す」❺相撲で、相手のしかけたわざに対してこらえてもちこたえる。「そり身になって体を―・す」表記⑤はもっぱら「残す」と書く。文《四》。

のこっ・た【残った】 《感》相撲で、行司が力士にかける掛け声。まだ土俵に余地があって勝負がついていない意。「はっけよい、―」

のこ・のこ 《副》(「―と」の形も)(ぐあいの悪いときでも)平気で出て来たり歩いたりするようす。「昼すぎてから―(と)出勤する」

のこら・ず【残らず】 《副》すべて。全部。余すところなく。「ごちそうを―たいらげた」類語残さず。

のこり【残り】 残ること。また、あとに残った・もの(量)。あまり。「小遣いの―」類語残り物。余り物。残品。残余。余剰。剰余。余分。余地。

のこり・おし・い【残り惜しい】 《形》心残りがするようす。名残惜しい。「これでお別れとは―・い」

のこり・が【残り香】 人が立ち去ったあとに残った、その人のにおい。のこりか。

のこり・び【残り火】 全部燃えきらずに、残った火。

のこり・もの【残り物】 (余って)残ったもの。余り物。「―ですが、どうぞ」「―には福がある(＝人が取り残したあとには、思いがけなくよいものがある)」

のこ・る【残る・▽遺る】 《自五》❶全体のうちの一部が去らずに(なくならずに)ある。「貯金はいくらか―・っている」類語余る。留とどまる。残す。余す。留める。(す)残留。残存。❷(それに関連したものが何らかの形で)あとにとどまる。「傷の痕あとが―・る」「記憶に―・る」類語留める。残す。(る)残存。❸余る。余りができる。「弁当が二人分―・る」❹(後世に)伝わる。「悪名が―・る」❺相撲で、わざがきまらず、勝負がつかずにいる。表記⑤はもっぱら「残る」と書く。文《四》。

のこん・の【残んの】 《連語》《「のこりの」の音便》〔雅〕(消えないで)残っている。(連体詞的に使う)「―雪」

のさば・る 《自五》❶ほしいままに伸び広がる。「暴力団が―・る」類語はびこる。❷いばって横柄にふるまう。

の・ざらし【野×晒(し)】 ❶野外で風雨にさらされること(さらされたもの)。「―の石仏」❷野にさらされた白骨。されこうべ。髑髏どくろ。

のし【×熨▽斗・×熨】 ❶→ひのし。❷「のしあわび」の略。❸正方形の紙を上が広く下が狭い六角形に折り、中にのしあわびに模して黄色い紙を包んだもの。進物に添える。参考「のし」と書いてこれに代えることもある。「―を付けてくれてやる(＝喜んで進呈する)」

の・じ【野路】 ぢ〔文〕野中の道。のみち。

のし・あが・る【▽伸し上がる】 《自五》地位などが急速に上がる。「一躍トップに―・る」類語成り上がる。

のし・ある・く【▽伸し歩く】 《自五》いばって歩く。肩で風を切って歩く。「大道をわがもの顔に―・く」

のし・あわび【×熨▽斗×鮑】 アワビの肉を薄くむき、伸ばして干したもの。もと儀式用のさかな。のち、祝いの気持ちをこめて進物に添えた。のし。

のし・かか・る【▽伸し掛かる】 《自五》❶かぶさるようにおおいかかる。❷(不快な感覚・状態が)その身におしかぶさってくる。「貧乏の重みが―・る」

のし・がみ【×熨▽斗紙】 のし・水引みずひきを印刷してある紙。贈り物の上にかけて用いる。

のし・ぶくろ【×熨▽斗袋】 のし・水引みずひきをつけた(印刷した)紙袋。金銭を入れて贈るときに用いる。

のし・もち【▽伸(し)×餅】 長方形に薄くのばしたもち。適当な大きさに切って切りもちとする。類語丸餅。

の・じゅく【野宿】 《名・自サ》夜、野外で寝ること。類語野営。露営。

***の・す【▽伸す】** ㊀《自五》❶のびていく。のびてひろがる。「壁に―・したツタの葉」❷(他をおさえて)地位・成績・勢力などがあがる。「アイディアで―・してきた会社」❸(さらに)遠くまで行く。足をのばす。「盛り場へ―・す」文《四》。㊁《他五》❶(平たく)のばす。「もちを―・す」❷〔俗〕なぐって倒す。文《四》。

***の・す【×熨す】** 《他五》(アイロン・こてなどで)熱を加えて布などのしわをのばす。文《四》。

の-ずえ【野末】 野のはて。野のはずれ。

ノスタルジア ❶遠く離れた故郷をなつかしみ、異郷にいるさびしさを感じること。郷愁。ホームシック。❷古いものに対するあこがれ。類語 望郷。▽nostalgia

ノスタルジック 《形動》郷愁をさそうようす。昔を懐かしがるようす。「―なメロディー」▽nostalgic

ノズル 筒状の、先の細い穴から液体や気体を噴出させる装置。▽nozzle

の・せる【乗せる・載せる】 《他下一》❶〔乗り物に〕人や荷物を乗らせる。乗車させる。積載する。「トラックに荷物を―・せる」「満員の乗客を―・せた電車」類語 (るす)搭載。❷上におく。「子どもをひざに―・せる」対 ①②降ろす。❸〔誌上に〕書きしるす。掲載する。「意見を新聞に―・せる」類語 (るす)記載。登載。❹計略にかける。「口車に―・せる」❺〔伴奏に〕調子を合わせる。「三味線に―・せて歌う」❻加入させる。「一口―・せてもらう」表記 ①は人の場合は「乗せる」、荷物の場合は「載せる」、②③は「載せる」、④～⑥は「乗せる」と書く。文 の・す《下二》。⇩〔使い分け「のる・のせる」〕

のぞか・せる【×覗かせる】 《他下一》《「のぞく」の使役形から》〔すきまから〕ちょっと見せる。「雲間から月が顔を―・せる」文 のぞか・す《下二》。

のぞき【×覗き】 ❶のぞいて見ること。❷「のぞきめがね」の略。❸「のぞきからくり」の略。

のぞき-からくり【×覗(き)▽機▽関】 箱の中の絵を説明しながらさしかえ、その絵をのぞき穴からのぞかせる仕掛け。また、それを用いた大道演芸。のぞきめがね。からくりめがね。のぞき。からくり。

のぞき-こ・む【×覗き込む】 《他五》首をつっこむようにして、中のものを見る。「箱の中を―・む」

のぞき-まど【×覗き窓】 内部(または外部)のようすをみるために設けた窓。

のぞき-み【×覗き見】 《名・他サ》❶すき間や穴からそっと見ること。❷他人の秘密や私生活に好奇心を抱いて知ろうとすること。

のぞき-めがね【×覗(き)〈眼鏡〉】 ❶のぞきからくり。❷箱の底にガラスまたは凸レンズをはめこみ、水中を透視するようにしたもの。はこめがね。

***のぞ・く【×覗く・×覘く】** 一《他五》❶すき間や小さな穴を通して向こうを見る。「家の中を―・く」類語 窺う。垣間見る。(るす)覗き見。❷高い所からからだをのり出して下を見る。「谷底を―・く」❸先方に知られることなしにようすを見る。うかがう。「人の秘密を―・く」❹少しばかり・見る(知る)。「本屋を―・く」文《四》。二《自五》物の一部分が外に出て見える。「包みの中の品が―・いている」文《四》。

***のぞ・く【除く】** 《他五》❶とりのける。「不安を―・く」類語 (るす)除去。排除。撤去。撤廃。控除。❷〔範囲に〕入れない。加えない。除外する。❸〔じゃまな人を〕殺す。「君側の奸(=奸臣)を―・く」文《四》。

の-そだち【野育ち】 いなかで育つこと。転じて、しつけられず、放任されて育つこと。また、その人。

の-そのそ 《副・自サ》《副詞は「―と」の形も》動きがにぶく、ゆっくりと行動するようす。「―(と)歩く」

のぞまし・い【望ましい】 《形》そうあってほしい。願わしい。「全員参加が―・い」

のぞみ【望み】 ❶のぞむ心。願い。希望。「―がかなう」類語 願望。志望。抱負。要望。❷人望。名望。「天下の―を失った政治家」❸将来よくなりそうな見込み。「―なきにあらず」類語 ①～③期待。

***のぞ・む【臨む】** 《自五》❶向かい合う。対する。面する。「海に―・む家」❷〔ある場合に〕出会う。「急場に―・んであわてるな」類語 対する。際する。(るす)直面。❸〔ある場所に〕出る。出席する。「会議に―・む」類語 (るす)臨場。臨席。尊敬 (るす)来臨。文《四》。

***のぞ・む【望む】** 《他五》❶遠くから見る。眺める。「正面に富士を―・む宿」類語 ↓眺める。❷そうありたいと思う。願う。「人類は平和を―・む」❸仰ぐ。慕う。「その徳を―・む」文《四》。⇩〔類語と表現〕

> **類語と表現**
>
> 「望む」
>
> ＊栄達を望む・世界平和を望む・歌手になりたいと望む・望むものは何でも買ってやろう・それこそ望むところだ・名声など望んでいない・回復は望めそうもない。
>
> ◆求める・欲しがる・欲する・希う・祈る・渇する・待ち望む・涎が出る・食指が動く・喉から手が出る／(るす)希望・要望・願望・所望・切望・熱望・渇望・希求・欲求・請求・要求・期待・庶幾／望み・高望み・本望・大望・宿望・野望・非望・宿意・野心・垂涎

の-だ 《連語》《準体助詞「の」＋指定の助動詞「だ」》❶原因・理由・目的・具体的内容などを示して、分かりやすく説明する。「彼は入院した。精密検査を受ける―・だ」❷結論を示す。「このところ欠勤続きだ。要するに、やる気がない―・だ」❸〔終止形を用い、説得口調で〕強い断定を表す。「まあ聞いてくれ。悪気はなかった―・だ」❹〔終止形を用い、意志的な動作を表す動詞について〕話し手の決意・要求を表す。「何としても目標だけは達成する―・だ」接続 (ア)動詞・形容詞・助動詞(「(よ)う」「まい」「だ」を除く)の連体形につく。(イ)体言・形容動詞(型の助動詞)の語幹には「なのだ」がつく。参考 「のです」は丁寧な言い方。くだけた言い方では「んだ」となる。

の-だいこ【野太鼓・野×幇▽間】 「たいこもち」を卑しめた言い方。〔「野」は素人の意〕

のたうち-まわ・る【のた打ち回る】 《自五》苦しみもがいて、ころがりまわる。「胃の痛みに―・る」

のた-う・つ【のた打つ】 《自五》苦しみもがいて、転がる。「激痛に―・つ」

のた-く・る 一《自五》体をくねらせてはい回る。ぬたくる。二《他五》〔字などを〕乱暴に書く。ぬたくる。

***の-だて【野立(て)】** 《名・自サ》貴人が旅行中、野外で休むこと。また、その休憩所。野立ち。

***の-だて【野▽点】** 《名・自サ》野外で茶をたてること。野外で行う茶会。

のたま・う【▽宣う・×曰う】 《他四》《「のりたまふ」の転》〔古〕「言う」の尊敬語。おっしゃる。参考 現代語では五段活用とし、からかい気味に使うことがある。「珍しいことを―・うね」

のたまわ・く【▽宣く・×曰く】 《「のたまふ」＋接尾語「く」》〔文〕「言わく」の尊敬語。おっしゃること。おっしゃることには。「子(=孔子)―」

のたり-のたり 《副・自サ》《「のたり」を重ねた語。副詞は多く「―と」の形も》〔波などが〕ゆるやかにうねるようす。「春の海ひねもす―かな」

のたれ-じに【野垂(れ)死(に)】 《名・自サ》道ばたに

倒れてそのまま死ぬこと。また、そのようなみじめな死に方。類語 行きだおれ。行路病死。

のち【後】 ❶〔ある事のすんだ、また、ある時間がたった〕あと。「曇り—雨」類語 以後。向後。対 前。先。❷これから先。将来。未来。「—の人々」❸〔生が終わった〕あと。死後。「—のとむらい」❹〔二つならべたものの〕あとの方。後者。

のち-ざん【後産】 →あとざん(後産)。

のち-ぞい【後添い】 前妻のあとにつれ添った妻。後妻。のちぞえ。

のち-のち【後後】 ❶これから(ずっと)先。将来。「—の事を心配する」❷それより後。以後。〔①②とも副詞的にも使う〕

のち-ほど【後程】 《副》少し時間がたってから。後刻。「—ご返事申し上げます」類語 いずれ。対 さきほど。

ノッカー ❶訪問者がたたいて来訪を知らせるために、とびらにとりつけた金具。❷野球で、ノックをする人。▽knocker

のっ-か・る【乗っかる・載っかる】 《自五》〔俗〕→乗る。

ノッキング 《名・自サ》内燃機関の気筒内の異常爆発で、金属をたたくような音がすること。▽knocking

ノック 《名・他サ》❶他人のへやにはいる前にドアを軽くたたくこと。❷野球で、野手の守備練習のためボールを打ってやること。▽knock **—アウト** 《名・他サ》❶ボクシングで、相手を打ち倒して、一〇秒経過するまでの間立ち上がれなくすること。KO。❷野球で、相手投手を打ち負かして交替させること。❸相手を徹底的にうち負かすこと。▽knockout **—ダウン** ❶《名・他サ》ボクシングで、打撃によって相手が試合を続行できないような状態にすること。❷〔経〕機械類の部品セットを輸出(輸入)し、現地で組み立てて完成品にする輸出(輸入)方式。▽knockdown

ノックス【NOx】 ⇩巻末付録。

のっけ 最初。しょっぱな。「—から打撃戦になった」

のっし-のっし 《副》(「—と」の形も)力強く、ゆっくりと歩くようす。のしのし。「象が—と歩く」

のっそり 《副・自サ》《副詞は「—と」の形も》動作がのろいようす。ぼんやりと立っているようす。「—(と)動く」

ノット 《助数》船などの速さを表す単位。一ノットは毎時一海里(=一八五二メートル)を進む速さ。記号 kt。表記「節」とあてた。▽knot

***のっ-と・る【▽法る・▽則る】** 《自五》(「法と」の促音便)〔法として従う意で〕規準・手本としてならい従う。「古式に—る」類語 準拠。文《四》。

***のっ-と・る【乗っ取る】** 《他五》(「乗り取る」の促音便)❶うばい取って自分の支配下におく。また、〔戦争などで〕攻略する。「会社を—る」類語 奪取。❷特に、運航中の航空機その他の乗り物の乗組員を凶器などでおどし、自分(たち)の意志に従わせる。

のっ-ぴき【▽退っ引き】 (「のきひき」の促音便)〈多く「—ならない」の形で〉よけたりしりぞいたりできない。避けて通れない。「—ならない事情で欠席する」

のっぺい-じる【▽濃×餅汁】 野菜と油揚げのすまし汁に、くず粉を溶き入れて煮立てた料理。のっぺい。

のっぺらぼう ❶《名・形動》〔本来は変化に富むべきものが〕一面に平らでなめらかなこと。変化やでこぼこのないこと。❷目・鼻・口のない顔のばけもの。

のっぺり 《副・自サ》《副詞は「—と」の形も》❶〔地形などが〕平らで変化の少ないようす。「—(と)した草原」❷〔顔が〕整ってはいるが、しまりのないようす。

の-つぼ【野×壺】 畑の近くにつくった、肥溜め。

のっぽ 《名・形動》背のひどく高い・こと(人)。「—ビル」

の-づみ【野積み】 《名・他サ》戸外に積んでおくこと。

の-づら【野面】 〔文〕野原の表面。「—を吹く風」

の-で ㊀《連語》《準体助詞「の」+格助詞「で」》→で(格助)。「古いので(=もので)我慢しなさい」㊁《接助》《準体助詞「の」+断定の助動詞「だ」の連用形または格助詞「で」》〔連体形につく。くだけた会話では「んで」とも〕客観的事情を示して、結果を導いた原因・きっかけなどを説明するのに使う。「肌寒いのでセーターを着た」「授業が終わったので帰宅した」参考 一般に、原因と結果の関係が話し手の理由づけにゆだねられる場合に「から」を使い、自然のなりゆきとしてそうなると意識される場合に「ので」を使う。このため、理由をあげて説明する場合や質問・命令などの場合は、ふつう「から」となる。「帰宅したのは、授業が終わったからだ」「愛してるから結婚したの?」「もっとお勉強なさい。何でも買ってあげるから」などでは、「ので」は使いにくいか、使えない。

の-で・す 《連語》《準体助詞「の」+指定の助動詞「です」》「のだ」の丁寧語。「私には父はいません。子供のころ死んだ—す」参考 →のだ。

の-てん【野天】 屋根のない所。露天。「—ぶろ」

のと【▽能登】 旧国名の一つ。今の石川県の能登半島地方。能州。

のど【×喉・×咽・×咽×喉】 (「飲み門」の音便「のんど」のつまった語)❶口の奥の、食道・気管の分かれるあたりから声帯のあたり。「—が鳴る(=盛んに食欲が起こる)」類語 喉頸。喉元。咽喉。❷歌う声。歌い方。「いい—をしているね」❸本のとじめの余白の部分。対 小口。

—から手が出る 《句》ひどく食べたい、また、ひどく欲しいことのたとえ。「—ほど欲しい絵」

のど-か【▽長▽閑か】 《形動》❶〔心持ちや動作などが〕のびのびとして、穏やかなようす。静かでゆっくりしているようす。のどやか。「心—にお茶を飲む」類語 のびやか。❷〔天候がよく〕穏やかなようす。「—な春の一日」類語 うららか。うらうら。うらら。

のど-くび【×喉×頸】 ❶のどのあたり。のどっくび。❷のどくびのように大事な所。急所。「—を扼す」

のど-ごし【×喉越し】 飲み物などがのどを通るときの感触。「—のいいビール」

のど-じまん【×喉自慢】 声のよいこと・歌のうまいことを自慢すること。また、その人。「素人—大会」

のど-ちんこ【×喉ちんこ】 「口蓋垂」の俗称。

のど-びこ【×喉×彦】 口蓋垂。のどひこ。

のど-ぶえ【×喉笛】 気管の、のどを通る部分。

のど-ぼとけ【×喉仏】 のどの中間にある、甲状軟骨の突起。成年男子に特にはっきりあらわれる。

のど-もと【×喉元】 ❶のどのあたり。❷あるものの中で、最も重要な部分。要所。中枢。

—過ぎれば熱さを忘れる 《句》苦しい時が過ぎると、その苦しさをかんたんに忘れてしまうことのたとえ。

のど-やか【▽長▽閑やか】 《形動》のどか。

のど-わ【×喉輪】 ❶のどのあたりを守るよろいの付属具。❷「のど輪攻め」の略。相撲で、相手のあごの下にてのひらを当てて押しまくるわざ。

の

の‐なか【野中】野原の中。「―の一軒家」

の‐に ━《連語》《準体助詞「の」＋格助詞「に」》↓に《格助》。「彼が口達者なのにはだれもかなわない」「接続詞は、文を接続させるのに使う」━《接助》《文語の接続助詞「に」の上に準体助詞「の」が入りこんだもの》〔連体形につく。形容動詞、指定の助動詞の場合は、終止形につくこともある〕❶客観的事情を示したうえで、予期に反する事態が次に起こることを予測させながら、文を接続させるのに使う。〔不満や恨みや意外などの気持ちがこもる〕「愛しているのに結婚できない」❷対照的に異なる二つの事態を、対比的にあげるのに使う。〔対比の妙に興味を示した言い方〕「田中は合格したのに中田は落第した」❸〔言いさして、終助詞的に〕希望や期待をうらぎるような事態に対して、詠嘆や恨みや難詰などの気持ちをこめて言うのに使う。「早く来てくれるといいのになあ」

の‐ねずみ【野×鼠】おもに耕地や山林などの野外にすむネズミの総称。対家鼠(いえねずみ)。

のの‐さん〔幼児語〕神仏・日月など、礼拝の対象となるものを言う語。のんの(さん)。

ののし・る【×罵る】《他五》大声で非難する。しかる。また、非難の気持ちをこめて(ひどい)悪口を言う。「口ぎたなく―る」類語毒突く。罵詈雑言(ばりぞうごん)。(する)罵倒(ばとう)。痛罵(つうば)。悪罵。面罵。文《四》。

*のば・す【伸ばす】《他五》❶〔物の長さを〕長くする。「髪を―す」類語伸べる。(する)伸長。延長。延伸。❷〔曲がったりちぢんだりしているものを〕まっすぐにする。また、広げる。「手足を―す」❸〔勢力・才能などを〕豊かにする。盛んにする。「国力を―す」類語(する)伸張。表記①②は「延ばす」とも書く。文《四》。⇩〔使い分け「のびる・のばす・のべる」〕

*のば・す【延ばす】《他五》❶〔時間を〕長くする。長びかせる。「会期を―す」類語(する)延長。❷時期をおくらせる。「返事を―す」類語(する)延期。❸〔うすめて〕量を多くする。「水で割って―す」❹うち倒す。のす。「袋だたきにして―す」表記④は「伸ばす」とも書く。文《四》。⇩〔使い分け「のびる・のばす・のべる」〕

の‐ばなし【野放し】❶家畜などを放し飼いにすること。「―の鶏」❷保護・監督を要するものを手をつけずほうっておくこと。「土地規制が―になっている」

の‐はら【野原】草などの生えた広い平地。類語↓野の。

の‐ばら【野×薔×薇】野茨(のいばら)。

*のび【伸び】❶〔背丈(せたけ)などが〕のびること。また、その度合い。「―の早い雑草」❷〔疲れたり退屈したりしたとき〕手足をのばして大きく呼吸をすること。

*の‐び【野火】❶〔春の初めに、焼き畑などのために〕野の枯れ草を焼く火。野焼きの火。❷山火事。

のび‐あが・る【伸び上がる】《自五》〔高い姿勢をとるために〕足をつまだてて、背を伸ばす。

のび‐ちぢみ【伸び縮み】《名・自サ》伸びることと縮むこと。伸びたり縮んだりすること。伸縮。

のび‐なや・む【伸び悩む】《自五》順調に向上・発展・上昇しない。「成績が―む」「売り上げが―む」

*のび‐のび【延び延び】期日がだんだん遅れて長びくこと。「返事が―になる」

*のび‐のび【伸び伸び】《副・自サ》《副詞は「―と」の形も》押さえつけるものがなく、自由であるようす。「―と育った子供」

のび‐やか【伸びやか】《形動》のびのびとしたようす。ゆったりとくつろいだようす。「―な性格」

*の‐びる【野×蒜】ユリ科の多年草。白いラッキョウ形の地下茎を持つ。ネギのような臭気がある。食用。

*の・びる【伸びる】《自上一》❶〔物の長さが〕長くなる。また、生長する。「草が―びる」類語はびこる。茂る。(する)伸長。延伸。❷〔曲がったり縮んだりしていたものが〕まっすぐになる。「背すじが―びる」❸〔ある場所・状態まで〕とどく。達する。「調査の手が―びる」❹〔勢力・才能などが〕豊かになり、力を増す。成長する。「売り上げが―びる」類語(する)伸展。伸張。❺〔疲れたり打ちのめされたりして〕体がまいってしまう。「徹夜つづきで―びてしまった」表記①～③は「延びる」とも書く。文の・ぶ《上二》。⇩〔使い分け〕

*の・びる【延びる】《自上一》❶〔時間が〕長くなる。長びく。「話が―びる」類語(する)延長。❷〔決められた〕時期がおくれる。「支払いが―びる」類語(する)延引。延期。❸〔溶けたり軟らかくなったりして〕広がる。「絵の具がよく―びる」❹〔長い状態のまま〕弾力がなくなる。「ゴムひもが―びる」表記④は「伸びる」とも書く。文の・ぶ《上二》。⇩〔使い分け〕

使い分け「のびる・のばす・のべる」

伸びる〔からだがのびて大きくなる意から、全体が長くなる。まっすぐになる。とどく。盛んになる。動けなくなる〕体が伸びる・茎が伸びる・しわが伸びる・救済の手が伸びる・販路が伸びる・勢力が伸びる・暑さに伸びてしまった

延びる〔長くなる。遅れる。広がる。延期。延長〕会期が延びる・寿命が延びる・出発が延びる・クリームがよく延びる・生き延びる・逃げ延びる

伸ばす〔全体を長くする。まっすぐにする。盛んにする。うち倒す〕手足を伸ばす・髪を伸ばす・ゴムが伸び縮みする・しわを伸ばす・才能を伸ばす・記録を伸ばす・捜査の手を伸ばす・賊をパンチで伸ばす

延ばす〔長びかせる。範囲を広くする。うすめる。延期。延長〕営業時間を延ばす・期日を延ばす・金(きん)を延ばす・鉄道を延ばす・箱根まで足を延ばす・ペンキを延ばす・水で割って延ばす

伸べる〔さし出す。くつろがせる〕救いの手を伸べる・手を差し伸べる・ゆったりと手足を伸べる

延べる〔▽展べる〕〔うすく広げる。長引かせる。うすめる。敷く〕金を延(展)べる・期日を延べる・支払いを繰り延べる・延べた二スを塗る・布団を延べる

参考 時間には「延」を使い、物事には多く「伸」を使うが、物事についても「延」「伸」両用されることがある。その場合は、「伸」は縦(そのものの長さの方向)へののび、「延」は横に広がる形ののびと使い分けることができる(ひげが伸びる・ゴムが伸びる/クリームがよく延びる・二スを延ばす)が、実際にあたっての使い分けは相当に困難である。

ノブ〔ドアなどの〕とっ手。握り。▽knob

の‐ぶし【野武士】《「野伏し」の意》昔、山野で生活し、落ち武者などをおそった武士または土民の集団。のぶせり。表記「野伏」「野臥」とも書いた。

の‐ぶと・い【野太い】《形》❶ずぶとい。❷〔音・声が〕太い。

の

のぶれ‐ば【▽陳▽者】《連語》〔文〕申し上げます・としに用いる語。参考 手紙文で、あいさつのあと、本文の書き出し(が)。「前略、ーこのたび…」

***のべ**【延べ】同じのものが何回含まれていても、そのそれぞれを一単位として総計する数え方。〔接頭語的にも使う〕「ー人数」「三日間の観客はー五万人」

***の‐べ**【野辺】〔文〕野原。野のあたり。 **ーおくり**【ー送り】➡のべのおくり。

のべ‐いた【延(べ)板】延ばして板状にした金属。

のべ‐がね【延(べ)金】❶打ち延ばして平らにした金属。特に、金・銀を打ち延ばしたもの。❷〔古〕刀剣。

のべ‐じんいん【延(べ)人員】仕事を仮に一日で仕上げたときに必要とする、計算上の総人数。参考 二人で一〇日かかるとすれば、延べ人員は二〇人。

のべつ《副》《「ーに」の形も》休みなく続くようす。ひっきりなし。「あの踏切はーしまっている」

のべ‐つぼ【延(べ)坪】建物の各階の床(ゆか)面積を合計した坪数。参考 現在は「延べ面積」と言う。

のべつ‐まくなし【のべつ幕無し】《名・形動》〔芝居で、幕を引かずに続けて演じ通すことの意から〕少しも休まず、たて続けにすること。「ーにしゃべっている」

のべ‐の‐おくり【野辺の送り】遺体を火葬場または埋葬地まで見送ること。葬送。野辺送り。

のべ‐ばらい【延(べ)払い】(ーばらひ) 代金支払いをある期間繰り延べること。

のべ‐ぼう【延(べ)棒】❶金属を延ばして棒状にしたもの。「金のー」❷こねた食品材料などを延ばすのに使う棒。類語 麺棒(めんぼう)。

ノベライゼーション 評判がよかったテレビドラマや映画を小説化すること。▽novelization

***の・べる**【延べる・伸べる】《他下一》❶物を長くする。ひろげる。「飴(あめ)をー・べる」❷〔布団など、畳んだり巻いたりしてあるものを〕ひろげて敷く。「床(とこ)をー・べて休む」❸〔手などを〕のばす。「白い手をー・べる」表記 ②はふつう「延べる」、③は「伸べる」と書く。また、ひろげる意では、「展べる」と書くこともある。文 の・ぶ《下二》。
⇩〖使い分け「のびる・のばす・のべる」〗

***の・べる**【述べる・▽陳べる】《他下一》〔意見などを〕語る。説く。「感想をー・べる」類語 陳ずる。弁ずる。(るす)陳述。陳弁。具陳。叙述。文 の・ぶ《下二》。

***ノベル** 小説。特に、写実的長編小説。▽novel

ノベルティー 企業が自社の名前や商品名を入れて無料で配る広告商品。▽novelty

の‐ほうず【野放図・野方図】《名・形動》❶〔性格・行動などに〕けじめがなく、思うままであること。「ーな生活」❷際限がなくどこまでのび広がるかわからないこと。「ーに広がる公害」

のぼ・す【上す】《他五》➡上(のぼ)せる。文《四》。⇩〖使い分け「のぼる・のぼす・のぼせる」〗

のぼせ‐あが・る【▽逆▽上せ上がる】《自五》《「のぼせる」の強め》ひどくのぼせる。すっかりのぼせる。

***のぼ・せる**【上せる】《他下一》❶〔位置・地位を〕高い所や上の方に上げる。❷〔人・物を〕地方から都へ送る。「使者をー・せる」❸書いてのせる。「記録にー・せる」❹とり上げて出す。「話題にー・せる」文 のぼ・す《下二》。⇩〖使い分け「のぼる・のぼす・のぼせる」〗

***のぼ・せる**【▽逆▽上せる】《自下一》❶頭に血が上がる。上気する。「長湯でー・せる」❷かっとなって判断力を失う。「欠点を指摘されてー・せた」類語 血迷う。(るす)逆上。❸〔好きな・事(人)に〕夢中になる。熱中する。「競馬にー・せる」❹思い上がる。うぬぼれる。「ほめられてー・せる」類語 (るす)熱狂。類語 (るす)増長。文 のぼ・す《下二》。⇩〖使い分け「のぼる・のぼす・のぼせる」〗

のほほん《副》《多く「ーと」の形で》〔すべきことを〕何もしないでのんきにしているようす。いっこう気にかけず平気なようす。「かせぎにも出ないでーと暮らす」

***のぼり**【上り・登り・昇り】❶下から上へ移ること。あがること。❷地方から中央へ行くこと。特に、地方から東京へ行くこと。❸「のぼり坂」の略。❹「上り列車」の略。対 ①～④下り。

***のぼり**【×幟】❶《「のぼりばた」の略》縦長の布の上端を小さな横木で支え、縦の一端にさおを通し、目印として立てる旗。❷「こいのぼり」の略。

のぼり‐あゆ【上り×鮎】春、川の上流にのぼってゆく若いアユ。

のぼり‐ぐち【上り口・登り口】❶そこから山道や坂道をのぼり始めるという所。❷階段を上がる最初の踏み板の所。あがりぐち。表記 多く、①は「登り口」、②は「上り口」と書く。対 降り口。

のぼり‐ざか【上り坂】❶高い所に向かっている坂道。❷〔物事が〕良い方向に向かいつつある状態。だんだん盛んになってゆく傾向。「景気はーだ」対 ①②下り坂。

のぼり‐ちょうし【上り調子】調子が上がって勢いがよくなること。上向きになること。「漫才界はー」

のぼり‐つ・める【上り詰める】《自下一》いちばん上までのぼる。のぼりきる。頂点に達する。「出世コースをー・める」

のぼり‐りゅう【昇り竜】天にのぼってゆく竜。また、そのさまを描いた絵。のぼりりょう。

のぼ・る【上る・登る・昇る】《自五》❶〔連続的に進むものが〕高い所に達する。㋐高い方へ行く。「坂道をー・る」対 くだる。㋑よじてあがる。「木にー・る」対 おりる。㋒太陽や月などが空に高く現れる。「朝日がー・る」対 おりる。しずむ。㋓水流の上(かみ)の方に行く。「川をー・る」表記 ㋒はふつう「昇る」と書く。対 おちる。㋓はふつう「上る」と書く。対 くだる。㋔煙が空の方へ、血が頭の方へ流れる。「頭に血がー・る」対 おりる。❷〔抽象的な意味で〕高いところへ行く。高い地位につく。「皇帝の位にー・る」対 おりる。❸地方から都(の方)へ行く。対 くだる。❹〔数量が〕相当の程度に達する。「百人にー・る人が参加した」対 くだる。❺扱われる。取り上げられる。「話題にー・る」表記 ③～⑤は「上る」と書く。文《四》。⇩〖使い分け〗

使い分け「のぼる・のぼす・のぼせる」

上る〔高いところに達する、都へ行く、相当の程度に達する、扱われるなどの意で、一般に広く〕多摩川を上る・血が上る・帝位に上る・京に上る・数万に上る・話題に上る・口に上る

昇る〔日がのぼる意から、高い所へ向かって勢いよく動く〕日が昇る・煙が昇る・天に昇る・重役の地位に昇る

登る〔しだいに進みのぼって目的の場所へ行く〕山に登る・坂を登る・演壇に登る・沢を登る・マウンドに登る・コイの滝登り

上す・上せる〔とりあげて示す〕文書に上す・記録に上す・議案に上せる・話題に上せる

のぼせる〔▽逆▽上〕〔血が上がる。夢中になる〕のぼせて鼻

血を出す・のぼせて訳が分からなくなる・野球にのぼせる 参考「上」は垂直方向に速やかに、「登」は傾斜地をだんだんと、「昇」は勢いをつけて進みのぼる意。「壇に上る／登る」では、前者は壇にのぼる様子に特別の関心を示さない表現となっているが、後者は階段をのぼって登壇する様子に注目した表現となる。「帝位に上る／重役に登る／首相に昇る」では、それぞれ天命をうけて帝位に、だんだんと努力して重役に、日が昇るように勢いよく首相にといった意味合いをも含む。「上り口」は階段の入り口、「登り口」は坂の入り口といった区分けもある。「昇」のほかに、官位などには「×陞」や「▽升」も使われる。

のま・れる【飲まれる】《連語》《「飲む」の未然形＋助動詞「れる」》❶相手の態度やその場の雰囲気に圧倒される。威圧される。「大観衆の重圧に―・れる」❷包み込まれる。「波に―・れておぼれ死ぬ」

***のみ**【×蚤】ノミ目の昆虫の総称。赤褐色で、あしが発達しよくはねる。哺乳類・鳥類の血を吸う。ペストなどの感染症を媒介する種類もある。

―の夫婦《句》〔ノミは、雌が雄より大きいことから〕夫より妻の方がからだの大きい夫婦のたとえ。

***のみ**【×鑿】木材・石材を加工するのに使う工具の一つ。柄の頭を槌でたたいて、穴をあけたりみぞを切ったりする。参考「一丁(挺)…」とかぞえる。

***のみ**《副助》❶文語的それ自身に限る意。「人はパンのみによって生くるにあらず〈聖書〉」「花の命は短くて苦しきことのみ多かりき〈芙美子〉」❷文語「ひたすら…」「ただもう…」の意。「嗚呼、夢にのみ見しは君が黒き瞳子なり〈鷗外〉」❸文語的〔「のみだ」「のみで」の形で〕事態はそれだけであって、それ以外ではないことを断定的に言う。「ただ撤退あるのみだ」参考口語的な言い方では「だけだ」「だけで」となる。

のみ-あか・す【飲み明かす】《他自五》夜が明けるまで、酒を飲み続ける。「友と一晩―・した」

のみ-かい【飲み会】〔俗〕集まって酒を飲む会。

のみ-くい【飲み食い】《名・他サ》飲んだり食ったりすること。飲食。「―の費用」

のみ-ぐすり【飲み薬】内服薬。内用薬。

のみ-くだ・す【飲み下す】《他五》❶飲んで胃の方へ落とし込む。類語(する)嚥下・嚥下。❷のみこむ②。

のみ-くち【飲み口】❶〔酒などを〕飲んだときの口に感じる味わい。「―がいい」❷よく酒を飲む・こと(人)。❸杯のくちびるにふれる部分。

のみ-ぐち【×呑(み)口】❶たるの中の液体を取り出すために取りつけた木管。❷きせるの吸い口。

のみ-こうい【×呑み行為】❶証券・商品取引で、客から特定の注文を受けた業者が、自己名義の勝手な売買をしておいて、客の注文に応じた決済をすること。のみ。❷競馬・競輪などで、法に定められた以外の者が馬券・車券などを売り出すこと。また、買うように頼まれた券を買わずに、当たり券についてだけあとで払い戻すやみ取引。のみ。

のみ-こみ【飲(み)込み・×呑(み)込み】❶のみこむこと。❷〔要領などを〕理解すること。「―がいい」

のみ-こ・む【飲み込む・×呑み込む】《他五》❶〔口の中のものを〕一気に腹の中に送り込む。類語(する)嚥下・嚥下。❷〔言うべきこと、または言おうとしたことを〕口に出さずにそのままにする。のみくだす。「あやうく言葉を―・んだ」❸収容する。「三万人を―・んだスタジアム」❹理解する。納得する。「こつを―・む」

のみ-しろ【飲み代】酒を飲むための金銭。酒代。さかて。飲み代。〔あまり上品でない言い方〕

のみ-すけ【飲助・×呑助】〔俗〕酒が好きでよく飲む人。のんべえ。〔人名めかした言い方〕

のみ-たお・す【飲み倒す】《他五》❶〔店で〕飲んだ酒の代金を払わないですます。❷飲みつぶす。

の-みち【野道】野原の中を通る道。野路。

のみ-つぶ・す【飲み×潰す・×呑み×潰す】《他五》飲酒にうつつを抜かして、財産を失う。

のみ-つぶ・れる【飲み×潰れる・×呑み×潰れる】《自下一》酒に酔い、正体がなくなる。酔いつぶれる。

のみ-て【飲み手】よく酒を飲む人。酒好きで、酒に強い人。酒飲み。のんべえ。

のみ-で【飲み出】飲み物の量が多いこと。飲みごたえがあること。「―がある」表記ふつう「飲みで」と書く。

のみとり-こ【×蚤取(り)粉】ノミを殺すための粉末状の薬品。

のみとり-まなこ【×蚤取(り)眼】〔ノミをつかまえるときのように〕どんな小さなことも見のがすまいと、真剣になった目つき。「―で統計表をにらむ」

のみ-ならず《助詞「のみ」＋助動詞「なり」の未然形＋助動詞「ず」》㊀《接続》そればかりでなく。「日本の国土は狭い。―鉱物資源に乏しい」㊁《連語》…ばかりでなく。…だけでなく。「知力に劣る―道義心も低い」

ノミネート《名・他サ》賞の候補者として指名・推薦すること。「新人賞に―される」▽nominate

のみ-の-いち【×蚤の市】古物市。参考フランスの、パリ北郊の道路上で行われるものがそのはじまり。

のみ-ほ・す【飲み干す・飲み▽乾す】《他五》〔容器の中の液体を〕すっかり飲む。「大杯を一気に―・す」

のみ-まわし【飲(み)回し】一つの器に入れたものを順々に飲んで次に回していくこと。まわしのみ。

のみ-みず【飲(み)水】人が飲むための水。また、飲んでも人体に害のない水。飲用水。飲料水。

のみ-もの【飲(み)物】茶・酒・ジュースなど、飲むためのもの。飲料。

***のみ-や**【×呑(み)屋】❶株の売買について呑み行為をする者。❷私設で競馬券などの発売を行う者。参考↓呑み行為。

***のみ-や**【飲(み)屋・×呑(み)屋】酒を飲ませる小さな店。居酒屋。「一杯―」

のみ-りょう【飲(み)料】❶飲み物。❷酒代。飲みしろ。❸酒・たばこなどの自分の飲み分。

の・む【飲む・×呑む】《他五》❶口に入れ、かまずにのどを通す。「薬を―・む」類語(する)丸呑み。服用。服薬。尊敬召す。召される。召し上がる。上がる。謙譲頂く。❷特に、酒を飲む。「かせぎを全部―・む」類語(する)飲酒。牛飲。鯨飲。乱飲。尊敬召す。召される。召し上がる。上がる。謙譲頂く。❸吸い込む。「息を―・む」表記③のうち、喫煙の意の場合は多く「喫む」と書く。類語喫する。(する)喫煙。❹〔出そうになるのを〕押しこらえる。「声を―・んで見守る」❺受け入れる。「条件を―・む」❻圧倒する。「敵を―・む」❼隠し持つ。「懐にあいくちを―・む」表記③～⑦はふつう「呑む」と書く。

―む打つ買う《句》大酒を飲み、ばくちを打ち、女を買う 文《四》。

うこと。男の代表的な道楽を言ったことば。

のめ・す [一]《他五》前へたおす。のめらせる。[文]《四》。[二]《接尾》徹底的に…する。「たたきー・す」「しゃれー・す」「うちー・す」[文]《四》。

のめ・のめ《副》(「ーと」の形も)〔恥ずべきなのに〕何ら恥じることもなく平気でいるようす。ずうずうしいようす。おめおめ。「今さらー(と)帰れない」

のめり・こ・む【のめり込む】《自五》❶〔からだが〕深く前の方へ倒れる。❷〔そこから抜け出せなくなるくらいに〕その環境の中にすっかり入る。心を奪われて、そこからのがれられない状態になる。「野球にー・む」

のめ・る《自五》〔からだが〕前へ〔つまずき〕倒れる。また、倒れかかる。前へかたむく。[文]《四》。

の・やき【野焼き】〔春になって植物がよく生えるように、冬の間に〕野原の枯れ草を焼くこと。[類語]山焼き。

の・やま【野山】野と山。山野(さんや)。

の・ら【〈野良〉】《「ら」は接尾語。「良」は当て字》❶野原。❷田畑。「ー着」「ー仕事」「ーに出る」

のら・いぬ【〈野良〉犬】飼い主のいない犬。

のら・くら《名・副・自サ》《副詞は「ーと」の形も》〔仕事などを〕なまけて、ぶらぶらして日を送る・こと(人)。のらりくらり。「ーと遊んで暮らす」

のら・ねこ【〈野良〉猫】飼い主のいない猫。

のら・むすこ【のら〈息子〉】〔するべきことをしないで〕のらくらしているむすこ。どらむすこ。

のらり・くらり《副・自サ》《副詞は「ーと」の形も》❶のらくら。「一日をーすごす」❷↓ぬらくら③。

***のり**【乗り】[一]《名》❶〔インク・白粉・脂肪などの〕付きぐあい。なじみぐあい。「化粧のーがわるい」❷謡曲で、謡(うたい)と拍子との合わせ方。❸音楽のリズムや調子にうまく合わせること。また、その場の雰囲気に合わせること。「ロックのーで演歌を歌う」[二]《接尾》❶「乗ること」「乗る人」の意。「自転車ー」「飛行機ー」❷《人数を表す語に付いて》その乗り物がその人数だけ乗せることができることを表す。「五〇人ーのバス」

***のり**【▽法・▽則】❶守るべき正しい事柄。おきて。「ーを守る」❷模範。手本。「ーを示す」❸仏の説いた正しい道。仏の教え。仏法。❹寸法。さしわたし。「うちー」「そとー」[表記]③④はもっぱら「法」と書く。

***のり**【▽海×苔】❶水中の岩石に付着してはえる、やわらかい苔(こけ)状の海藻類の俗称。特に、アサクサノリなどに代表される、アマノリ類の海藻。❷アサクサノリを薄く紙のようにすいて干した食品。[参考]「一枚…」「一帖(いちじょう)(＝一〇枚)…」とかぞえる。

***のり**【×糊】物をはりつけたり、布をこわばらせて形をととのえたりするのに使う、ねばりけのある物。でんぷんのり・ゴムのり・ふのりなど。[類語]接着剤。

のり・あい【乗(り)合(い)】(ーあひ) ❶一つの乗り物に多数の人が乗ること。また、その乗客。❷〔バスのように〕多くの人を一定の運賃で乗せる自動車や船。

のり・あ・げる【乗り上げる】《自下一》進行中の船や車が障害物の上に上がってしまう。のしあげる。

のり・あわ・せる【乗り合わせる】(ーあはせる)《自下一》❶〔ある人と偶然〕同じ乗り物に乗る。❷偶然その乗り物に乗っている。＝のりあわす。

のり・い・れる【乗り入れる】《他下一》❶乗り物に乗ったままで、ある場所の中まではいる。❷バス・鉄道・航空機などの定期路線を、別経営の定期路線上のある地点まで延長する。

のり・うつ・る【乗り移る】《自五》❶ある乗り物から他の乗り物に乗りかえる。移乗する。❷神霊などが人のからだにはいりこむ。[類語]憑(つ)く。

のり・おく・れる【乗り遅れる】《自下一》❶〔乗り物の〕出発時刻に間にあわず、乗りそこなう。❷世の中の進歩に取り残される。「時流にー・れる」

のり・おり【乗り降り】《名・自サ》〔乗り物に〕乗ることと降りること。乗ったり降りたりすること。乗降。

のり・かえ【乗(り)換(え)】(ーかへ) 乗り換えること。

のり・か・える【乗り換える】(ーかへる)《他下一》❶ある乗り物から降りて、他の乗り物に乗る。[類語]乗り移る。乗り継ぐ。❷今までの・やり方(物)をすてて、新しい・やり方(物)に切り換える。「新工程にー・える」

のり・かか・る【乗り掛かる】《自五》❶〔乗り物に〕乗ろうとする。❷上に乗ってからだをもたせかける。❸物事をしはじめる。着手する。「ー・った計画」

ー・った船《句》いったん着手したうえは、途中でやめるわけにはいかないことのたとえ。

のり・き【乗り気】《名・形動》物事をしようとする気持ち(になっていること)。「もうけ話にーになる」

のり・き・る【乗り切る】《自五》❶乗ったまま、終わりまで進み通す。❷〔困難な情勢を〕切り抜ける。「難局をー・る」❸すっかり乗る。「あぶらのー・った魚」

のりくみ・いん【乗組員】船・航空機などに乗って、その運行の仕事をする人。クルー。

のり・く・む【乗り組む】《自五》〔運行の勤務のため〕船・航空機などに乗りこむ。

のり・こ・える【乗り越える】《自下一》❶乗り物に乗って通り越す。❷物の上を越えて向こう側へ行く。「塀をー・えて進む」❸〔困難な状態を〕切り抜ける。乗り切る。「苦境をー・える」[類語]克服(する)。征服。

のり・ごこち【乗(り)〈心地〉】乗り物に乗ったときのぐあい・感じ。

のり・こし【乗(り)越し】《名・自サ》〔電車・バスなどで〕乗車予定区間を通り越して乗ること。

のり・こ・す【乗り越す】《自五》❶のりこえる。❷乗り越しをする。

のり・こ・む【乗り込む】《自五》❶乗り物の中にはいりこむ。乗る。❷大勢の人たちといっしょに乗る。❸勢いこんである場所・領域にはいる。「敵地にー・む」❹乗り物に乗ったままある場所にはいりこむ。

のり・しろ【×糊代】他の部分とはり合わせるための、のりをつける部分として残したところ。

のり・すご・す【乗り過ごす】《自五》下車すべき駅で降りず、そのまま通り越す。乗り越す。

のり・す・てる【乗り捨てる】《他下一》❶〔ある地点まで乗って行き、そこに〕乗り物を置き去りにする。❷乗り物から降りて、あとは歩いていく。

のり・・する【×糊する】《他サ変》❶〔文〕のりではる。❷〈口をー・する〉なんとか、やっと生計をたてる。「口にー・するだけの暮らし」

のり・だ・す【乗り出す】[一]《自五》❶〔船などに〕乗って出て行く。また、勢いよく出かける。〔他動詞的にも使う〕「大海原へー・す」❷〔物事を〕乗り気になってする。積極的に関係する。「新しい事業にー・す」[二]《他五》からだを前の方へつき出す。「ひざをー・す」

のり・つ・ぐ【乗り継ぐ】《他五》いったんおりて、別の乗り物にひきつづいて乗る。乗りかえて先へ進む。

のり・づけ【×糊付け】《名・他サ》のりではりつけること。のりつけ。

のり・つ・ける【乗り付ける】《自下一》❶乗り物に乗って到着する。また、乗ったまま戸口・玄関口まで来る。「車で━・ける」〔他動詞的にも使う〕「勢いよく馬を━・ける」❷のりなれる。

のり・て【乗(り)手】❶〔その乗り物に〕乗る人。❷〔乗り物を〕じょうずに乗りこなす人。

のり・と【〈祝詞〉】神を祭り神に祈るときに奏上する、古体の荘重な文章。

のり・にげ【乗(り)逃げ】《名・自サ》❶乗り物に乗って、その代金を払わずに逃げること。❷他人の乗り物を盗み、それに乗って逃げること。

のり・ば【乗(り)場】乗り物に乗るための、指定された場所。「タクシー━」類語乗車場。乗船場。

のり・まき【▽海×苔巻(き)】のりで巻いたすし。のりまきずし。

のり・まわ・す【乗り回す】《自他五》乗り物に乗ってあちらこちらを走りまわる。「新車で市中を━・す」

のり・めん【▽法面】工事によって人工的につくられた斜面。堤防などの斜面。

のり・もの【乗(り)物】人を乗せて運んでいく物。交通機関。類語車馬。

*__の・る__【乗る】《自五》❶物の上にあがる。「猫がひざのうえに━・る」類語乗っかる。対下りる。❷乗り物の上または中に身を置く。「電車に━・る」類語乗車(する)。乗船。乗艦。搭乗。騎乗。尊敬召す。召される。お召しになる。対降りる。❸〔風などの流れによって〕運ばれる。「流れに━・る」❹動き・調子・器械などによくあう。「マイクに━・る声」❺〔相手の言動に〕引っかかる。「誘惑に━・る」❻〔その物事に〕加わる。相手になる。「一口━・らせてくれ」❼じゅうぶんにつく。「おしろいが━・る」❽勢いにまかせて進む。乗ずる。「図に━・って失敗する」文《四》。⇩〖使い分け〗

*__の・る__【載る】《自五》❶物の上に置かれる。「机の上に━・っている本」❷新聞・雑誌などに掲載される。「彼の評論が新聞に━・る」文《四》。⇩〖使い分け〗

のるか・そるか【▽伸るか反るか】《連語》成功するか、失敗するか。いちかばちか。〔その一事に運命をかける場合に言う〕「━の大勝負」類語乾坤一擲(けんこんいってき)。

ノルディック・しゅもく【ノルディック種目】スキーの競技種目で、距離・ジャンプ・複合競技の総称。ノルディック競技。参考(ア)「ノルディック(Nordic)」は「北欧人の」の意。(イ)↓アルペン②。

ノルマ しなければならないものとして割り当てられた仕事の量。労働の基準量。「━を果たす」▽ロシア norma

の・れん【▽暖×簾】❶商店の軒先や出入り口に、屋号などを染めてたらしてある布。また、部屋の境にたらす短い布。「━を下ろす〔=その日の商売を終える。また、廃業する〕」❷その店の名前。屋号。「━を分ける〔=長年勤めた店員などに新しく店を出させ、同じ屋号を名のることを許す〕」❸〔その店の〕信用。「━にきずがつく」

━に腕押し《句》いくら力を入れても、手ごたえのないことのたとえ。類語糠(ぬか)に釘(くぎ)。

> **使い分け「のる・のせる」**
>
> **乗る**〔物の上に上がる。動くものにつれてともに動く。加わる。なじむ。乗ずる〕踏み台に乗る・馬に乗る・船に乗る・風に乗る・リズムに乗る・電波に乗る・口車に乗る・相談に乗る・脂が乗った年ごろ・調子に乗る
>
> **載る**〔物の上に置かれる。掲載される〕棚に載る・机の上に載った書物・荷車に荷物が載っている・新聞に載っている小説
>
> **乗せる**〔乗車させる。計略にかける。調子を合わせる。加入させる〕客を列車に乗せる・うまい話に乗せられる・三味線に乗せて歌う・一口乗せてもらう
>
> **載せる**〔物の上に置く。掲載する〕網棚に荷物を載せる・新聞に広告を載せる・雑誌に論文を載せる・車に荷物を載せる・列車に家畜を載せる
>
> 参考 乗り物にのる場合、「乗る」は人に使い、「載る」は意志をもたない動物や荷物に使う〔電車に乗る／馬がトラックに載っている〕。意志をもった動物の行為には、「乗る」と書くことができる〔ネズミが貨物船に乗って世界を巡る〕。乗り物にのせる場合も、同様に使い分ける〔子供を飛行機に乗せる・病人を救急車に乗せる／パンダを船に載せて運ぶ・小麦を船に載せる〕。「家畜を載せて列車が走る／列車に家畜を乗せる」では、前者は家畜を荷物扱いにした例で、単に積載の意、後者は家畜を意志をもつものとして扱った例で、乗らせるの意。この場合、「乗」は使役的な表現となり、家畜を列車に追い立てる情景が浮かぶ。

*__のろい__【×呪(い)・×詛(い)】のろうこと。また、そのことば。呪詛(じゅそ)。「━をかける」

*__のろ・い__【▽鈍い】《形》❶動作や頭の働きがにぶい。「動作が━・い」「反応が━・い」類語愚図(ぐず)。のろま。緩慢。遅鈍。鈍重。❷速度が遅い。「歩みが━・い」類語緩慢。遅々。❸女に甘い。

のろ・う【×呪う・×詛う】《他五》❶恨みのある人に、わざわいが起こるようにと、神仏に祈る〔心の中で願う〕。「人を━・わば穴二つ〔=他人をのろうと、そののろいが自分にもはね返る〕」類語怨詛(えんそ)(する)。呪詛(じゅそ)。❷強くうらむ。「自分の不運を━・う」文《四》。

のろけ【×惚気】のろけること〔話〕。おのろけ。

のろ・ける【×惚気る】《自下一》自分の恋愛・結婚生活や、その相手方の事をうれしそうに他の人に話す。

のろし【×狼▽煙・×烽▽火】❶警報や合図などのためにあげる火や煙。類語飛ぶ火。煙火。狼煙。狼火。烽火(ほうか)。❷物事のきっかけとなる目立った行動。「革命の━をあげる」

のろ・のろ《副・自サ》〔副詞は「━と」の形も〕動作が鈍いようす。また、速度が遅いようす。「━運転」

のろ・ま【▽鈍間】《名・形動》動作のおそい・こと〔人〕。気のきかない・こと〔人〕。まぬけ。表記ふつうかな書き。類語愚図(ぐず)。愚鈍。鈍重。鈍物。

のろわし・い【×呪わしい】《形》のろいたい気持ちである。「━・い惨劇」類語いまわしい。

の・わき【野分】❶〔古〕二百十日・二百二十日ごろに雨とともに吹く強い風。今でいう台風。のわきのかぜ。❷木枯らし。=のわけ。**━だ・つ**【━立つ】《自五》野分らしい風が吹く。

*__ノン__《接頭》「非」「不」「無」などの意。「━ステップバス」▽non- **━キャリア** 国家公務員採用試験Ⅱ種およびⅢ種合格者の俗称。対キャリア。▽non と career からの和製語。**━ストップ**〔電車・飛行機などが〕目的地まで途中でとまらないこと。直行すること。▽nonstop **━セクト**〔特に学生運動で〕党派

の

には属さないが、デモや紛争には参加する者。無党派(学生)。▽non(=無)とsect(=党派)からの和製語。**―バンク** 銀行以外の金融会社。クレジットカード会社・信販会社・リース会社など。▽nonbank **―フィクション** 虚構のまじらない、小説以外の読み物。伝記・旅行記・歴史など。[類語]ドキュメンタリー。[対]フィクション。▽nonfiction **―プロ** それを職業にしていない・こと(人)。〔特に野球で使う語〕[参考]「ノンプロフェッショナル(nonprofessional)」から。[類語]アマチュア。[対]プロ。**―ポリ** 政治に関心をもたない・こと(人)。[参考]「ノンポリティカル(nonpolitical=非政治的)」から。

***ノン**《感》いいえ。ノー。▽(フランス) non

のん・き【×呑気・×暢気】《形動》❶心配事や苦労がないようす。気楽。「―に暮らす」❷気が長く、のんびりしているようす。「―な性分」[類語]安気。悠長。

類義語の使い分け　呑気(のんき)・気楽

[呑気・気楽] 根っから呑気(気楽)な男／呑気(気楽)な性分だなあ／定年後は呑気(気楽)に暮らしたい

[呑気] 呑気だから一向にあわてない／呑気に構える

[気楽] 二つ返事で気楽に引き受ける／気楽に行こう

ノンシャラン《形動》のんきで無頓着(むとんちゃく)なようす。[類語]あっけらかん。▽(フランス) nonchalant

のん・だくれ【飲んだくれ】❶ひどく酒に・酔うこと(酔った人)。酔っぱらい。❷いつも酒ばかり飲んで、だらしのない・こと(人)。飲んべえ。

のんびり《副・自サ》《副詞は「―と」の形も》〔性質・気分などが〕のびのびとしているようす。「たまには―と過ごしたい」

ノンブル 書物や原稿などのページごとに打った、順序を表す数字。ナンバー。▽(フランス) nombre

のん・べえ【飲▽兵▽衛】酒がひどく好きな人。大酒飲み。飲助。〔人名めかした言い方〕[類語]左利き。愛飲家。愛酒家。酒豪。上戸(じょうご)。左党。

のんべん・だらり《副》《「―と」の形も》何をするでもなく、いたずらに時をついやすようす。のんべんぐらり。「―と毎日を過ごす」

は
は　波

***は**【刃】刃物の、物を切る薄く鋭くなっている部分。「―がこぼれる」[類語]やいば。

***は**【波】《助数》引き続いておこす攻勢の回数を数える語。「第五―の攻撃」[参考]上にくる語によって「ぱ」となる。「春闘スト第三―」

***は**【派】㊀《名》同じ分野の中で、考え方・利害・特徴などのちがいによって分かれた人々の集まり。「華道にもいろいろな―がある」[類語]流派。派閥。党派。㊁《接尾》❶《助数》派㊀を数える語。[参考]上にくる語によって「ぱ」となる。❷派㊀の名前に添える語。「ロマン―」

***は**【破】雅楽や能楽で、序・破・急の一つ。楽曲の中間の部分。[対]序・急。

***は**【端】物のはし。また、へりの部分。「山の―」

***は**【羽】〔文〕❶鳥・虫のはね。つばさ。❷鳥のからだをおおっている毛。羽毛(うもう)。

***は**【葉】高等植物の器官の一つ。枝・茎につき、炭素同化作用・呼吸作用・蒸散作用などを行う。はっぱ。

***は**【覇・×霸】〔文〕❶武力や権力で国や多くの人々の上に立つ・こと(人)。「―を唱える」❷競技などで優勝すること。「名門チームが―を競う」[表記]「霸」は旧字体。

***は**【歯】❶動物の口の中に上下二列に並んでいる、白く硬い器官。食物をかみくだき、物を食い切り、人の場合にはさらに発音を助ける。「―の根が合わない(=寒さや恐ろしさのため、ふるえる)」「―をかむ(=残念がる。また、悔しさをこらえる)」「―を食いしばる(=痛みや苦しみを必死にこらえる)」[類語]牙(きば)。歯牙(しが)。歯冠。歯根。歯髄。❷器具などのふちについている歯①のような形をしているもの。「歯車の―」「くしの―」❸げたの裏についている二枚の板。「高げたの―」

―が浮・く《句》❶歯の根がゆるむ。また、不快な音を聞いたり、すっぱいものを食べたりして、歯の根がゆるむように感じる。❷〈「―・くような」の形で〉きざな言動に接して不快になるたとえ。「―・くようなおせじ」

―が立たな・い《句》❶固くてかみ砕くことができない。❷むずかしくて処理できない。「この問題には―・い」❸(強くて)かなわない。「Aチームには―・い」

―に衣(きぬ)を着せな・い《句》〔相手の感情などにこだわらず〕思っていることを率直に言う。歯に衣着せぬ。

―の抜けたよう《句》所々が抜けて、ふぞろいなようす。また、あるはずのものがなく、さびしいようす。

***は**《係助》〔「ワ」と発音。いろいろな語句についてその語句をとりたて、同類のものと対比的に示したり、題目としたり、強調したりするのに使う。「格」を表示せず、ふつう文末と関係するところから、係助詞とする〕❶対比的にとりたてるのに使う。「父**は**会社に、母**は**買い物に行っている」「テレビ**は**見たが、新聞**は**読んでいない」[参考](ア)「春に**は**お会いできるでしょう」「子供に**は**分からない」「今日**は**富士山がよく見える」などのように、対比されるものが言外に示されることも多い。その場合、「今**は**お会いできない」「大人に**は**分かる」「昨日**は**富士山が見えなかった」などの意が言外に示される。(イ)「私**は**母に**は**うそを言わない」「車**は**急に**は**止まれない」のように、「は」が二つ以上並ぶときは、最初の「は」が題目(=②)、二番目以下が対比。

❷題目としてとりたてるのに使う。「私**は**必ず行く」「これ**は**何ですか」「今日**は**日曜日だ」「雨が降ったら、遠足**は**中止する」「もう彼に**は**会いたくない」[参考](ア)自分・相手のことや眼前にあるものなどを話題にするとき、「…というものは一般に…だ」の意で、特定の物事を一般化して言うとき、疑問文や、構文的に「が」が重なるときなどは、題目化して「は」となることが多い。「私**は**腹が痛い・あなた**は**出席なさいますか・これ**は**うまいよ」「人**は**すべて死す・中年男**は**嫌われる」「あれ**は**何ですか・彼女**は**どこにいますか」「彼**は**彼女が好きだ・彼**は**背が高い」(イ)疑問・不定を表す語につくとき、相手が知らないものとして何かを話題にするとき、事実を描写的に述べるときなどで、独立性の弱い従属節の中で使うとき、題目化ができなかったり、しにくかったりする場合は、一般に格助詞で表現する。「だれ**が**(×**は**)やったの・何者か**が**(×**は**)なした業だ」「昔、ある所に二人の若者**が**(×**は**)ありました」「箱根**が**(×**は**)駄目なら熱海にする・ここ**で**(×**では**)会ったが百年目」「あっ、雨**が**(×**は**)降ってきた」(ウ)➡が(格助)。

❸〔連用形、または連用形＋「て」の形についたり、副詞句についたりして〕対比的にとりたてたり、とりたてて意味を強めたりするのに使う。「私は犯人で**は**ない」「決して褒め**は**しない」「美しく**は**あるが、冷淡だ」「呼んでも来て**は**くれない」「少し**は**成長したろうか」 参考 ↓ては（連語）。 参考 ㋐「が」「を」のついた語をとりたてるときは、「がは」「をは」とはならず、「は」となる。主に時間や場所を表す「に」、場所を表す「で」の場合は、「は」ともなるが「には」「では」ともなる。他の格助詞の場合は、「とは」「へは」「からは」…のようになる。「夏**は**／**には**雨が多い」「富士山**は**／**には**登ったが、穂高**は**／**には**まだだ」「この地区**は**／**では**狩猟が禁じられている」「受賞者**は**／**では**田中さんが有名だ」 ㋑「中村君が病気だ」には、①大変だ。中村君**が**病気だ」のように、事実を描写する気持ちで言う場合と、②（ほかならぬ）中村君**が**病気だ」のように、あたかも「だれが病気なのか」という質問に答えるかのように説明的に言う場合とがある。前者は、無色透明な言い方で、「中村君**が**病気だとは知らなかった」などと言う言い方と同じ。後者は、全体を見回して「中村君」を取り出して言う言い方で、「③病気なの**は**中村君だ」のように、「は」を使って主述を逆にして言う言い方に近く、言外に「中村君以外は病気ではない」の意を含む。一方、「は」を使った「④中村君**は**病気だ」は、①の「中村君**が**病気だ」の「中村君」をとりたてて題目化した言い方で、「中村君以外は病気ではない」の意を含み、事実を説明する気持ちが伴う（中村君**は**病気で、お休みです）。①に対して、②〜④はいずれもとりたてる気持ちを伴う。また、④の言い方で「病気だ」に焦点をあてると、「中村君は仮病ではない」などの意を含むことにもなる。

***ば【場】** ❶ある事が・起こっている（行われる）場所。また、その雰囲気。「活動の—」「共通の—」 類語 場面。位置。分野。領域。領分。範囲。❷その時その時の状況・場合。とき。おり。段階。「この—に及んでぼくの頼みを断るのか」 類語 状態。場面。局面。立場。❸あいている所。また、そのものの占めるべき位置。居場所。「—をふさぐ」「活躍の—を与える」❹芝居・映画などの場面。「殺しの—」「第三幕第二—」❺花札・トランプなどで、ゲームの行われている所。❻物体や力・エネルギーの存在する物理的場所。「—の理論」❼取引所の売買取引の場。「—が立つ」

***ば** ■一《接助》〔口語では仮定形、文語では未然形につく〕❶未成立の事柄を成立したものと仮定し、条件句として示す。「時間が許せ**ば**旅行に行けるのに」「寄ら**ば**切るぞ」 参考 文語では、「**んば**」の形で意味を強める言い方もできる。「然(しか)らず**んば**」「如(ご)と**くんば**」。❷**口語** 立言の根拠や内容を前おきとして示す。「ニュースによれ**ば**、南米で大地震があったそうだ」「別の見方をすれ**ば**、彼は悪いということになる」❸〔「…ならば」「…と言えば」などの形で〕話題として示す。「彼女なら**ば**もう結婚したよ」「そう言え**ば**、あれからどうした？」❹**口語**〔「…ば…ほど」の形で〕事態の進展につれて、他の事態が比例的に変化する場合の条件を示す。…すればするだけ。「知れ**ば**知るほど疑惑は深まる」❺**口語**〔「Aも…ばBも…」の形で〕類似した事柄を表す前件と後件が、並立・共存する関係にあることを示す。「炊事もすれ**ば**洗濯もする」「鬼でもなけれ**ば**蛇(じゃ)でもない」 ■二《接助》〔口語では仮定形、文語では已然形につく〕❶ある事態が成立すると、その条件下で他の事態が自然に成立する場合の条件を示す。…すると。「おだてれ**ば**図に乗る」「智(ち)に働け**ば**角が立つ〈漱石〉」 参考 「さえ…ば」や、数詞＋「も…ば」の形で、意味を強める。…すると必ず。「会いさえすれ**ば**喧嘩(けんか)になる」「一升も飲め**ば**大トラだ」❷前件に示される事柄が、きっかけや理由や根拠などとして、後件成立の条件になっていることを示す。…すると。…したところが。「振り向け**ば**君がいた」「よく見れ**ば**かなりの年配だ」❸**文語** 事情をあげ理由として示す。…なので。…だから。「瓶にさす藤(ふじ)の花ぶさみじかけれ**ば**たたみの上にとどかざりけり〈子規〉」 ■三《格助》《格助詞「を」＋係助詞「は」が、「をば→ば」と変化したもの》〔九州方言〕「を（格助）」の意を表す。「なん**ば**言いよるとね」 参考 ↓をば。

バー ❶横にわたした棒。❷洋酒を飲ませる酒場。❸五線譜を小節に区切る縦線。▽bar（＝棒） **—コード** 光学読み取りのために、情報を太さの異なる棒線の組み合わせで表示したもの。商品の識別・売上計算・流通の分析などに利用される。▽bar code

***ぱあ** ❶《名・形動》〔俗〕ばか。❷《名・形動》〔俗〕ゼロにもどること。ご破算。水のあわ。「せっかくの飾りつけも雨で—だ」❸じゃんけんで、五本の指を全部開いて出すもの。紙。 対 ぐう・ちょき。

***パー** ❶同じ値うち。等価。❷株式・公社債などの価格が額面に記された金額と同じであること。❸ゴルフで、各ホール（または一コース）に打球を入れるのに要する基準打数。また、基準打数で・各ホール（一コース）を終えること。 参考 ↓ボギー・バーディー。▽par

ば・あい【場合】(ばあい) ❶ある状態になった時。おり。「雨天の—は中止します」❷そのときの事情・状態。「—によっては…」 類語 有様。状況。場。場面。

パーカ フードつきの上着。パーカー。「ヨット—」▽parka

パーカッション ドラム・シンバル・トライアングルなど、種々の打楽器（による演奏）。▽percussion

パーキング 駐車。駐車場。「ノー—（＝駐車禁止）」▽parking

パーキンソン・びょう【パーキンソン病】 手足のふるえ、鈍い動作、筋肉硬直などの症状を示す疾患。中枢神経系の一部の障害による。振顫麻痺(しんせんまひ)。 参考 イギリスの医師 Parkinson が初めて報告した。

は・あく【把握】《名・他サ》❶しっかりつかむこと。また、手中におさめること。「制空権を—する」 類語 掌握。把持。保持。❷物事の状況・意味などをよく理解すること。「問題点を—する」 類語 把捉。

パーク ❶公園。❷《名・自サ》駐車すること。▽park

ハーケン 登山で、岩のすき間に打ちこんで手がかりとする鉄製のくぎ。ピトン。▽(ドイツ) Mauerhaken から。

バーゲン 「バーゲンセール」の略。▽bargain **—セール** 見切り品を安く売ること。廉価販売。特売。セール。バーゲン。▽bargain sale

パーコレーター 濾過(ろか)式のコーヒーわかし器。▽percolator

パーサー 旅客機・商船などの事務長。▽purser

ばあ・さん【▽婆さん・▽祖▽母さん】《「ばば（婆・祖

母)」の敬称「ばばさま」の転》❶「老女」「祖母」を親しんで呼ぶ称。参考より丁寧に「お—」の形を用いることが多い。表記「老女」の意では「婆さん」、「祖母」の意では「祖母さん」と書く。❷年取った妻をからかい、または謙遜して言う語。「うちの—」

パージ《名・他サ》〔公職から〕追放すること。粛清。「レッド—」▽purge

バージョン コンピューターで、ソフトウエアの版。また、その版数。▽version **—アップ**《名・他サ》ソフトウエアやハードウエアを改訂すること。▽version と up からの和製語。

バージン 処女。ヴァージン。「—ロード」▽virgin

バース・コントロール ↓バスコントロール。▽birth control

バースデー 誕生日。「—ケーキ」▽birthday

パースペクティブ ❶見込み。展望。視野。「広い—をもつ」❷テレビで、遠近法でかいた舞台装置の見取り図。また、書き割り。❸遠近法。▽perspective

パーセンテージ パーセントで示された割合・度合い。百分率。百分比。▽percentage

パーセント《助数》全体を一〇〇とした場合の、一〇〇に対しての割合を表す単位。一パーセントは一〇〇分の一。記号%。「的中率九九—」▽percent

パーソナリティー ❶個人に特有の性格。個性。❷ラジオで、音楽番組などの司会者。▽personality

パーソナル ━《形動》❶個人的。個人対個人の。「書簡という—な通信手段」❷その人独特の。「—な持ち味」━《造語》「個人用の」「小型で手軽な」などの意。「—テレビ」▽personal **—コンピューター** 家庭や職場で個人が使う、卓上型の小さなコンピューター。パソコン。略語 PC。▽personal computer

バーター 物々交換。「—制」▽barter

ば・あたり【場当(た)り】 ❶〔集会や演劇などで〕即席の機転で、その場の人気やかっさいを得ること。「—の演技」❷予定や計画なしにその場その場の思いつきで事を行うこと。「—的な意見」

バーチャル《造語》コンピューターで、「仮想の」の意をあらわす。▽virtual **—リアリティー** コンピューターがつくり出す画像・音声などによって人工的な環境をつくり出し、そこにいる人にあたかも現実であるかのように感じさせること。仮想現実感。▽virtual reality

パーツ 自動車・機械などの部品。▽parts

バーディー ゴルフで、パー(基準打数)より一つ少ない打数でそのホールのプレーをおわること。参考↓ボギー・パー。▽birdie

パーティー ❶祝賀・親睦などのための社交的な集まり。「ダンス—」「歓迎—」❷〔登山などの〕なかま。隊。グループ。一行。▽party

バーテンダー 洋風の酒場で、酒類の調合などをする人。バーテン。▽bartender

ハート ❶心臓。❷心。愛情。「Aさんの—をつかむ」❸トランプの札の模様の一つ。赤い♥の形。▽heart

ハード ❶《名・形動》はげしいこと。きびしいこと。「—な仕事」「—スケジュール」❷「ハードウエア」の略。▽hard **—ウエア** コンピューターで、入出力装置・記憶装置・演算装置などの機械類。また、その構造。参考広く、一般の機器の本体をもいう。対ソフトウエア。▽hardware **—ディスク** 情報記憶媒体の一つ。堅い円盤状の板の上に磁性体を塗布したもの。参考フロッピーディスクに対して、堅い素材を使っているためにハードディスクと呼ばれる。▽hard disk **—トップ** 乗用車の型の一つ。屋根が堅い鋼板やプラスチックでできていて、側面の窓ガラスの部分が全部開けられるもの。▽hardtop **—ボイルド** ❶文学で、感傷を入れず、客観的で冷酷・非情な手法で対象を描こうとする傾向。「—派」❷冷酷・非情な内容・手法の推理小説(的な作品)。また、冷酷・非情な感じ。「—タッチの映画」▽hard-boiled(=固ゆでの)

バード 鳥。小鳥。▽bird **—ウイーク** 愛鳥週間。五月一〇日から一週間行われる。▽bird と week からの和製語。**—ウオッチング** 森林や水辺で野鳥の生態を観察したり鳴き声をきいたりすること。野鳥観察。探鳥。▽bird watching

パート ❶部分。❷〔合唱・合奏などの〕個々の声域・楽器が受け持つ部分。また、楽曲の部分。「高い—を歌う」❸役わり。職分。「重要な—を受け持つ」❹「パートタイマー」の略。❺「パートタイム」の略。▽part **—タイマー** パートタイムの勤務をする人。パート。▽part-timer **—タイム** ふつうの勤務時間より短い、ある時間だけ勤務する制度。パート。▽part time

パートナー ❶ダンス・スポーツなどで、二人一組でする際に組む相手。❷事業などの協同者。連れ。相棒。▽partner

ハードル ❶陸上競技の障害競走で使う器具。台のついた木製などのわくで、高さが調節できる。❷「ハードルレース」の略。▽hurdle **—レース** 陸上競技で、コース上に並んでいるハードルをとびこえて走り、その速さを争う種目。障害競走。▽hurdle race

バーナー ❶気体または液体の燃料を燃焼させて火炎を発生する装置。また、その火口。❷こんろなどの、炎で加熱を行う部分。▽burner

バーバリズム 野蛮。無作法。▽barbarism

ハーフ ❶半分。なかば。「—サイズ」❷〔俗〕混血。混血児。▽half **—タイム**〔サッカー・ラグビーなど試合時間の決まっている球技で〕試合の前半と後半との間の休憩時間。▽halftime **—マラソン** 本来のマラソンの半分の距離、二一・〇九七五キロメートルを走るマラソン。▽half marathon **—メード**〔仮縫いまでできあがっていて〕注文者の寸法に合わせて仕上げるだけになっているもの。また、それを使って作った洋服。半既製品。▽half と made からの和製語。

ハーブ 食用や薬用の香草。「—ティー」▽herb

ハープ 西洋の弦楽器の一つ。湾曲した三角形のわくに張った四七本の弦を、両手の指ではじいてひく。竪琴。▽harp

パーフェクト ━《形動》完全なようす。寸分のすきもないようす。「—な方法」━《名》「パーフェクトゲーム」の略。野球で、完全試合。ボウリングで、一ゲームの全フレームにストライクを出すこと。▽perfect

ハープシコード 鍵盤をたたいて、鍵盤後方のつめのついた棒を押しあげ、そのつめで弦をはじいて音をだす楽器。チェンバロ。クラブサン。▽harpsichord

パープル 紫色。▽purple

バーベキュー 肉を焼きながら食べるために野外に設けた炉。また、その料理。▽barbecue

バーベル 重量あげ・ボディービルに使う、両端に鉄またはコンクリート製の円盤をつけた鉄の棒。▽barbell

バーボン トウモロコシを主原料にしたウイスキー。バーボンウイスキー。参考アメリカのケンタッキー州バーボン郡で作ったことから。▽bourbon

パーマ「パーマネントウエーブ」の略。

パーマネント・ウエーブ 薬品・電気などを用いて、毛髪に相当長い期間保つウエーブをつけること。また、その髪型。パーマ。▽permanent wave

バーミキュライト ❶黒雲母に似た葉片状の鉱物。色は、黒色・暗褐色など。建築材・保温断熱材などに用いる。蛭石。❷①を焼成した園芸用土。▽vermiculite

パー・ミル《助数》全体を一〇〇〇とした場合の、一〇〇〇に対しての割合を表す単位。一パーミルは一〇〇〇分の一。千分比。千分率。記号‰。▽per mill

ハーモニー ❶調和。❷〔音〕和声。▽harmony

ハーモニカ 楽器の一種。小さな箱型で、口にあて、息を吸ったりはいたりして薄い金属の弁を振動させて音を出す。ハモニカ。▽harmonica

ハーラー〔「投げる人」の意〕野球で、投手。ピッチャー。▽hurler **—ダービー** プロ野球で、投手の間の勝ち数争い。▽hurler derby

パーラー ❶おもに軽い飲み物などを売る飲食店。「フルーツ—」▽parlor ❷客間風の店。参考美容院・パチンコ店などの名に用いられる。

は・あり【羽×蟻】 はねのはえているアリ。交尾期に現れる。はねあり。

*__バール__《助数》圧力の単位。一バールは、一〇〇万ダインの力が一平方センチに作用するときの圧力。参考現在は「パスカル」を使う。▽bar

*__バール__ 鉄製のてこ。かなてこ。▽crowbar から。

パール 真珠。▽pearl

バーレスク 踊りを主にした、下品でこっけいな芝居。▽burlesque

*__ハーレム__ ↓ハレム。▽harem

*__ハーレム__ ニューヨーク市の黒人居住区。▽Harlem

バーレル《助数》↓バレル。▽barrel

パーレン「( )」の称。丸かっこ。▽parenthesis から。

*__はい【拝】__ ━《名》〔文〕手紙で、自分の署名の下につけて相手に敬意を表す語。「木村光男—」 ━《助数》頭をさげておがんだ回数を数える語。「三—九—」参考上にくる語によって「ぱい」となる。

*__はい【敗】__ ━《名》〔競技・戦いなどで〕負けること。対勝 ━《助数》負けた回数を数える語。「一勝二—」参考上にくる語によって「ぱい」となる。

*__はい【杯・×盃】__ ━《名》〔文〕さかずき。「—を重ねる」 ━《助数》❶器に入れたものを数える語。❷船を数える語。❸イカ・タコを数える語。参考上にくる語によって、「ぱい」「ばい」となる。表記━は「杯」と書く。

*__はい【灰】__ 物が燃えたあとに残る粉状の物。「—になる(=焼けてなくなる。また、死者が火葬にされる)」

*__はい【肺】__ 陸生動物の呼吸器の重要部。胸の両側、横隔膜の上部に一対ある。肺臓。

*__はい【×胚】__ 多細胞生物の発生初期で、まだ個体として生活できないもの。㋐種子植物で、種子の中の発芽前の植物体。㋑母胎内にあるか、または孵化する前の、発生初期の段階の幼生物。胚子。

*__はい【×蠅】__ ↓はえ(蝿)。

*__はい__《感》❶呼びかけや話しかけに答える語。ええ。❷相手の言ったことを・肯定する(受け入れる)気持ちを表す語。ええ。対いいえ。❸相手の注意をうながすときに使う語。「—、こちらを向いて」❹馬を歩かせるときに使う語。「—どうどう」

*__ハイ__《造語》「高い」「高級」の意を表す。対ロー。▽high **—ウエー** ❶公道。主要道路。❷高速自動車道路。▽highway **—カラ** ❶たけの高い襟。明治時代に流行した。❷《名・形動》〔西洋好みの人がハイカラ①を着用したところから〕西洋の流行を追ったり、気取ってきざなことをしたりする・こと(人)。❸《名・形動》西洋ふうで、しゃれている・こと(人)。「—な帽子をかぶる」類語②③モダン。対②③蛮カラ。▽high collar から。 **—クラス**《名・形動》高級であること。「—の生活」▽high-class **—スピード** 高速度であること。▽high-speed **—ソサエティー** 上流社会。▽high society **—ティーン** 十代の後期。また、そのころの少年少女。対ローティーン。▽high と teen からの和製語。 **—テク**「ハイテクノロジー」の略。「—産業」「—時代」▽high-tech **—テクノロジー** 先端的で、高度な産業技術。高度先端技術。ハイテク。▽high technology **—ネック** 襟が高くて首にぴったりついていること。また、そのような襟。▽high-necked から。 **—ヒール** 女性用のかかとの高い靴。対ローヒール。▽high heels **—ビジョン** 現行方式より鮮明な画質とよい音質をもつ高品位テレビの一つ。走査線一一二五本、縦横比九対一六のワイドなものをいう。▽High Vision **—ファイ** 音を忠実に録音再生すること。また、そのための蓄音機やラジオ受信機。「—ステレオ」▽hi-fi(=high fidelity の略。「高忠実度」の意) **—ブロー**《名・形動》❶教養がある・こと(人)。❷自分の知識・教養を鼻にかけ、お高くとまる・こと(人)。❸洗練されて格調が高いこと。「—な家具」=ハイブラウ。▽highbrow **—ペース** ❶〔走り方・歩き方の〕調子がふつうより速いこと。❷〔物事の〕進み方が速いこと。急ピッチ。「—で犯罪がふえている」▽high と pace からの和製語。 **—ボール** ウイスキーにソーダ水を加えて、氷片を入れた飲み物。▽highball **—ライト** ❶ニュース・演劇・スポーツなどで、印象的で重要な部分・場面。「今週の—」❷絵・写真などで、光線が最も強くあたり白く見える部分。▽highlight **—リスク・ハイリターン** 危険が大きいが、得られる利益も大きいこと。▽high-risk, high-return **—レグ** 水着やレオタードなどで、脚の付け根の部分の切れ込みが深い・こと(もの)。▽high-leg cut から。 **—レベル**《形動》水準が高いようす。▽high-level

*__ばい【倍】__ ━《名》二倍。 ━《助数》同じ数や量が重なる度数を表す。「十—の広さ」

*__ばい【▽貝・▽海×蠃・×蛽】__ ❶エゾバイ科の海産巻き貝。肉は食用。殻は貝細工の材料。❷「ばいごま」の略。ばい①の殻の形に似せて作った小さな鉄製のこま。相手のこまをはじきとばして遊ぶ。べいごま。

*__パイ__ 小麦粉にバターを加えて練り、そのまま、または、中に果物の砂糖煮や魚肉類のソース煮などをつめて、天火で焼いたもの。▽pie

*__パイ【×牌】__ マージャンのこま。▽中国 pai

*__パイ【Π・π】__《ギリシア語アルファベットの第一六字を表す名称》円周率を表す記号。

はい‐あが・る【×這い上がる】《自五》❶はって上がる。❷困難な状態を切り抜け、ある地位に達する。「どん底の生活から―・る」同①②はいのぼる。

バイアス ❶織り目に対して斜めに切った布。ななめぎれ。❷「バイアステープ」の略。布を斜めに二センチぐらいの幅に切ったもの。洋服の裁ち目やそでぐりなどを包むのに使う。＝バイヤス。▽bias

バイアスロン 冬季オリンピック種目の一つ。スキーの長距離競走とライフル射撃を組み合わせた競技。▽biathlon

ハイ‐アライ スペインで始められた球技。大理石の壁で囲んだコートで、ラケットを用いて敵味方交互に硬球を壁にぶつけ合って得点を競うもの。▽スペイン jai-alai

はい‐あん【廃案】 採用されなかった考案。また、議決されなかった議案。「改正案は―になった」

*__はい‐い【廃位】__《名・他サ》君主をその位から退かせること。「―運動」

*__はい‐い【配意】__《名・自サ》心を配ること。配慮。

はい‐いろ【灰色】 ❶灰のような色。ねずみ色。グレー。❷希望も楽しみもなく、陰気・ゆううつであること。「―の青春」❸正・不正などが、はっきりしないこと。疑わしいこと。「疑惑は―のままだ」「―高官」

はい‐いん【敗因】 負けた原因。対勝因。

ばい‐いん【売×淫】《名・自サ》売春。

ばい‐う【梅雨・×黴雨】 六月から七月まで続く雨期。また、その雨。つゆ。参考梅の実の熟するころの雨の意とも、黴を生ずる雨の意ともいう。

はい‐えい【背泳】 泳法の一つ。水面にあおむけになり、ばた足をしながら手で交互に水をかいて進む。バックストローク。背泳ぎ。

はい‐えき【廃液】〔工場などで〕不要になった液体。

はい‐えつ【拝謁】《名・自サ》〔文〕天皇・皇族・君主などに面会することの謙譲語。お目にかかること。

ハイエナ ハイエナ科の哺乳動物。インドからアフリカにかけてすむ。犬に似ている。夜行性。死肉を食い、群れで狩りをする。たてがみいぬ。▽hyena

バイエル ドイツの作曲家バイエルが作った、初心者向きのピアノ練習曲集。バイエル教則本。▽ドイツ Beyer

*__はい‐えん【廃園】__〔文〕使う人がなくあれはてた庭園。

*__はい‐えん【排煙】__ ❶〔工場の〕煙突などからはき出す煙。❷《名・自サ》中にこもっている煙を外に出すこと。

*__はい‐えん【肺炎】__ 細菌やウイルスによって肺が炎症をおこす病気。高熱を発し胸痛・呼吸困難などを伴う。

*__ばい‐えん【梅園】__〔文〕梅の木がたくさん植えてある庭園。類語梅林。

*__ばい‐えん【×煤煙】__ 石炭などを燃やすときに出る煙やすす。すす煙。

バイオ ㊀《造語》「生命の」の意。▽bio- ㊁《名》「バイオテクノロジー」の略。「―関連株」**―テクノロジー** 遺伝・増殖など、生物特有の機能を工学的に応用・利用する技術。生命工学。生物工学。バイオ。▽biotechnology **―マス** 動物・植物など、生物体の量。また、エネルギー資源として利用するときの生物の体。▽biomass **―リズム** 人間の身体・感情・知性の活動に見られる、一定の周期をもって律動しているリズム。▽biorhythm

はい‐おく【廃屋】〔文〕人が住んでいない荒れはてた家。あばらや。廃家。破屋。

はい‐おとし【灰落(と)し】 灰皿。

パイオニア 開拓者。先駆者。草分け。「―スピリット（＝開拓者精神）」▽pioneer

バイオリニスト バイオリン奏者。ヴァイオリニスト。▽violinist

バイオリン 西洋の弦楽器の一つ。弦は四本で、弓でこすって演奏する。提琴。ヴィオロン。ヴァイオリン。参考「一丁…」と数える。▽violin

バイオレット ❶すみれ。❷すみれ色。＝ヴァイオレット。▽violet

バイオレンス ❶《名・形動》荒々しいこと。勢いが激しく強烈なこと。「―な風潮」❷暴力。暴行。「―映画」＝ヴァイオレンス。▽violence

バイオロジー 生物学。▽biology

ばい‐おん【倍音】〔音〕原音の振動数の整数倍の振動数をもつ音。ハーモニックス。

*__はい‐か【廃家】__ ❶〔文〕住む人のない荒れはてた家。あばらや。廃屋。❷〔法〕民法旧規定で、戸主が他家の戸籍に入るとき、また相続人がないときなどに、その家を廃すること。また、その家。類語絶家。

*__はい‐か【配下】__ ある人の支配下(にいる者)。手下。

*__はい‐が【俳画】__ 日本画の様式の一つ。俳味のある、簡単な淡彩・水墨の絵。「蕪村の―」

*__はい‐が【拝賀】__《名・自サ》目上の人にお祝いの気持ちを表すことの謙譲語。

*__はい‐が【×胚芽】__ 種子の中の、まだ表に出ない芽。

*__ばい‐か【倍加】__《名・自他サ》❶二倍に増えること。また、増やすこと。倍増。「輸送力を―する」❷いちじるしく増し加わること。また、いちじるしく増し加えること。「損害が―する」

*__ばい‐か【梅花】__〔文〕梅の花。

*__ばい‐か【買価】__〔文〕品物を買うときの値段。かいね。対売価。

*__ばい‐か【売価】__〔文〕品物を売るときの値段。うりね。対買価。

ハイカー ハイキングをする人。▽hiker

*__はい‐かい【俳×諧・×誹×諧】__ ❶〔古〕おどけ。たわむれ。こっけい。❷(「俳諧(の)連歌」の略)室町末期、山崎宗鑑・荒木田守武などが始めた、卑俗・滑稽味を主とする連歌。❸俳句(発句)・連句の総称。

*__はい‐かい【×徘×徊】__《名・自サ》〔文〕〔あてもなく〕うろうろと歩きまわること。彷徨。「夜の町を―する」

*__はい‐がい【拝外】__ 外国人や、外国の文化・品物・生活様式などを何でも崇拝すること。「―思想」対排外。

*__はい‐がい【排外】__ 外国人や、外国の文化・品物・生活様式などを何でもきらって排斥すること。「―思想」「―的」類語排他。対拝外。

ばい‐かい【媒介】《名・他サ》両方の間に入ってとりもつ・こと(もの)。仲立ち。とりもち。「蚊が―する感染症」「―物」類語橋渡し。仲介。

はい‐かき【灰×掻(き)】 灰ならし。

ばい‐かく【倍角】 ❶二倍の角度。❷ワープロなどの出力で文字の高さが二倍の場合を縦倍角文字、幅が二倍の場合を横倍角文字という。高さ、または幅が標準の二倍であること。対全角・半角。

はい‐かぐら【灰〈神楽〉】 火の気のある灰の中に水などをこぼしたとき、灰が舞いあがること。また、その灰けむり。「―が上がる」

*__はい‐ガス【廃ガス】__ 石油精製や金属精錬などの過程

で、余分なものとして出てくるガス。

*はい‐ガス【排ガス】「排気ガス」の略。

はいかつ‐りょう【肺活量】一回の呼吸で出し入れできる空気の最大量。

*はい‐かん【廃刊】《名・他サ》雑誌・新聞など、定期刊行物の発行をやめること。「来月号で―になる」類語 休刊。終刊。対 創刊。発刊。

*はい‐かん【廃官】廃止された官職。

*はい‐かん【廃艦】使わなくなった軍艦を艦籍から除くこと。また、その軍艦。

*はい‐かん【拝観】《名・他サ》神社仏閣などの建物や宝物などを見ることの謙譲語。「―料」

*はい‐かん【肺肝】❶肺臓と肝臓。❷心の奥。胸の奥底。「―を砕く(＝心をくだく。非常に苦心する)」

はい‐かん【配管】《名・自他サ》ガス・水道などを引くための管を設けること。「―工事」

*はい‐がん【拝顔】《名・自サ》〔文〕人に面会することの謙譲語。「―の栄に浴する」類語 拝眉(はいび)。拝謁。

*はい‐がん【肺×癌】気管支・肺に発生する癌。

*はい‐き【廃棄】《名・他サ》〔文〕❶不用なものとして捨てること。「不良品を―する」❷〔法〕国際条約を一方的に無効にすること。「安保条約の―」類語 破棄。

*はい‐き【拝×跪】《名・他サ》〔文〕ひざまずいて拝むこと。

*はい‐き【排気】❶《名・自サ》中の気体を除き去ること。❷エンジンなどで、仕事が終わってはき出される蒸気・ガス。排ガス。―ガス 燃焼装置や内燃機関からはき出される不用のガス。

はい‐きしゅ【肺気×腫】肺の弾力性がなくなって、肺胞(はいほう)が異常にふくれる病気。呼吸困難になる。

ばい‐きゃく【売却】《名・他サ》売り払うこと。「土地を―する」

*はい‐きゅう【排球】バレーボール。〔古風な言い方〕

*はい‐きゅう【配球】野球で、投手が投球のコース・スピード・球質を打者に応じて組み合わせること。投球の組み立て。「緩急自在の―」

*はい‐きゅう【配給】《名・他サ》〔数量が十分にない品物などを〕割り当てて与えること。一定の割合でそれぞれにくばること。「被災者にパンを二つずつ―する」

ばい‐きゅう【倍旧】〔文〕今までよりも程度を増すこと。「―のお引き立てをお願いいたします」

はい‐きょ【廃×墟・廃虚】市街・城郭や大きな建物などで、人が住まなくなって荒れはてた所。「―と化した町」表記「廃虚」は代用字。

はい‐きょう【背教】❶教えに背くこと。❷キリスト教徒が、信仰をやめたり、改宗したりすること。

はい‐ぎょう【廃業】《名・自他サ》それまでの職業・営業をやめること。「八百屋を―する」対 開業。起業。

*はい‐きん【拝金】金銭をこの上なくありがたがること。「―主義」

*はい‐きん【背筋】背中にある筋肉。「―力」

ばい‐きん【×黴菌】(有害な)細菌。〔通俗的な言い方〕類語 菌。バクテリア。ウイルス。

ハイキング《名・自サ》山野・海辺などを歩いて自然に親しむことを目的とした(日帰り程度の)旅行。ハイク。「―コース」▽hiking

バイキング ❶八～一一世紀にヨーロッパ各地で活躍したノルマン人。航海術にすぐれ、各地を襲って略奪を働き、また商業活動をも行った。❷「バイキング料理」の略。一定の料金で、用意された各種の料理がどれでも食べ放題である方式。▽Viking

*はい‐く【俳句】〔俳諧(はいかい)連歌の発句が独立したもので〕五・七・五の三句一七音を基本形とする短い詩。原則として季語を含む。俳諧。発句。参考 ㋐正岡子規が名づけた。㋑「一句(いっく)…」と数える。

*ハイク→ハイキング。▽hike

はい‐ぐ【拝具】《感》〔文〕〔「つつしんで申し上げる」の意で〕手紙の終わりに書くあいさつの語。類語 敬白。

バイク ❶小型のガソリン機関を取り付けた自転車。モーターバイク。原動機付き自転車。❷オートバイ、スクーターの通称。▽bike

はいぐう‐しゃ【配偶者】夫婦の間で、一方からみた他方。つれあい。

はい‐ぐん【敗軍】〔文〕戦いに負けること。また、負けた軍隊。

―の将は兵を語らず《句》失敗した者はその事について意見を述べる資格がない。参考「敗軍の将は、もって勇を言うべからず〈史記・淮陰侯伝〉」から。

*はい‐けい【背景】❶絵画・写真などで、テーマになるものの後ろに描かれたもの。❷演劇・舞踊などで舞台の奥に描いた景色。書き割り。❸ある物事の背後にある勢力や事情。「事件の―をさぐる」類語 後ろだて。

*はい‐けい【拝啓】《感》〔文〕〔「つつしんで申し上げる」の意で〕手紙文の最初に記して相手に敬意を表すあいさつのことば。類語 謹啓。拝呈。

はい‐げき【排撃】《名・他サ》〔偏った考え、不正なやり方、じゃまになるものなどを〕きらって極度にしりぞけること。「マルクス主義の―」類語 排斥。

ばい‐けつ【売血】《名・自サ》製薬会社などに血液を売ること。また、その血液。対 買血。

はい‐けっかく【肺結核】結核菌によって起こる肺の慢性的な病気。肺病。TB(テーベー)。

はいけつ‐しょう【敗血症】〔外傷・虫歯などから〕化膿(かのう)菌が血管またはリンパ管にはいりこんで起こる、高熱をともなう病気。

*はい‐けん【×佩剣】《名・自サ》〔文〕腰に剣をつけること。また、その剣。帯剣。

*はい‐けん【拝見】《名・他サ》見ること、読むことの謙譲語。「お手なみ―」「お手紙―しました」類語 拝読。

*はい‐ご【廃語】すたれて、現在では使われなくなった語。類語 死語。

日本語

消えていく言葉

便所・かわや・はばかり・ご不浄・雪隠(せっちん)・後架・(お)手洗い・トイレット・トイレ・WC…。いずれも大小の用を足すために設けられた場所のことなのだが、現在ではまずほとんどの人が「トイレ」の語を用いるだろう。かわや・はばかり・ご不浄・雪隠(ちん)・後架などは、今や日常生活ではまず聞かれることがない。

古くは盛んに用いられていたが、現在では全く使われなくなった語を死語または廃語という。日本語でも、時代の変遷とともに多くの新語が生まれ、たくさんの語が忘れ去られていく。現在ではトマトのことを赤茄子(あかなす)と呼ぶ人はいないが、昭和七年に発行された国語辞典『大言海』で「トマ

は

ト」を引くと「赤茄子に同じ」とあって、トマトの語釈は「赤茄子」の項にゆだねられている。昭和の初期には、トマトよりも赤茄子という語が一般的だったのだろう。語の命にもそれぞれに長短があるということだ。

*はい・ご【背後】❶ものの後ろ。「―から声をかける」❷物事の裏面。「事件の―を調べる」

*はい・こう【廃校】今まで続いてきた学校を廃止すること。また、その学校。閉校。[対]開校。

*はい・こう【廃坑】採掘をやめて廃棄した炭坑・坑道。

*はい・こう【廃鉱】採掘をやめて廃棄された鉱山。

*はい・ごう【俳号】俳句作者の雅号。俳名。

*はい・ごう【廃合】《名・他サ》廃止することと合併すること。「組織の―を検討する」

*はい・ごう【配合】《名・他サ》二種以上のものを適当にまぜたり組み合わせたりすること。「肥料を―する」「色の―」[類語]調合。

ばい・こく【売国】敵国に有利で自国に不利なことをして私利をはかること。「―奴ど（＝売国的な行為をするものをののしって言う語）」

バイコロジー 自然環境を守るために、自転車を使おうとする運動。▽bicology

*はい・ざい【廃材】〔文〕いらなくなった材木。使えなくなった材木。「―でふろをたく」

*はい・ざい【配剤】《名・他サ》❶薬を調合すること。❷〔文〕程よく配合すること。「天の―」

ばい・ざい【媒材】〔文〕❶二つのもののなかだちの役をする材料。❷絵の具を溶くための材料。

はい・さつ【拝察】《名・他サ》〔文〕推察の意の謙譲語。「御健勝のことと―いたします」

はい・ざら【灰皿】たばこの灰や吸いがらを入れる皿状の容器。灰落とし。[類語]灰吹き。吐月峰。

*はい・ざん【廃山】鉱山の採掘をやめること。また、採掘をやめた鉱山。「―のやむなきに至った」

*はい・ざん【廃残】《名・自サ》すたれ、そこなわれること。敗残。「病で―の身となる」

*はい・ざん【敗残】❶戦いに負けて生き残ること。「―兵」❷人生に失敗して落ちぶれること。「人生の―者」❸《名・自サ》廃残。

*はい・し【廃止】《名・他サ》〔続いてきた制度・習慣などを〕やめること。廃すること。「奴隷―」「虚礼―」

*はい・し【×稗史】〔昔、中国で下級の役人に書かせた民間の物語・伝説の意から〕民間の話などを歴史風に記録したもの。また、転じて、小説。

*はい・し【×胚子】→はい(胚)㋑。

*はい・じ【廃寺】〔文〕住職がいない荒れはてた寺。

*はい・じ【拝辞】《名・自サ》〔文〕❶「去ること」「いとまごいをすること」の意の謙譲語。❷「断ること」「辞退すること」の意の謙譲語。「申し出を―いたします」

*はい・しつ【廃疾・×癈疾】〔文〕回復の難しい病気。

*はい・しつ【肺疾】〔文〕肺病。

ばい・しつ【媒質】物理的な作用を他の場所へ伝えるなかだちとなる物質・空間。音波を伝える空気、光などの電磁波を伝える真空など。

はいじつ・せい【背日性】植物の根や暗い所にすむ動物が、光線の弱い方に向かって屈曲あるいは運動を起こす性質。負の屈光性。背光性。[対]向日性。

*はい・しゃ【廃車】〔古くなったりこわれたりして〕その車両の使用をやめること。また、その車両。

*はい・しゃ【拝謝】《名・他サ》〔文〕礼を述べることの意の謙譲語。「御来駕を―いたします」

*はい・しゃ【敗者】勝負や競技に負けた人・チーム。「―復活戦」[対]勝者。

*はい・しゃ【配車】《名・自他サ》〔必要に応じて〕車両を割りあてて運用すること。「―係」

*は・いしゃ【歯医者】歯の治療をする医者。歯科医。

はい・しゃく【拝借】《名・他サ》借りることの意の謙譲語。「この本を一日―します」

ばい・しゃく【媒酌・媒×妁】《名・他サ》結婚のなかだちをすること(人)。なこうど。「―の労をとる」

ハイジャック《名・他サ》運行中の乗り物(特に航空機)を武力で乗っ取ること。▽hijack

はい・しゅ【×胚珠】種子植物の雌性生殖器官。中に胚嚢があって受精後種子となる。被子植物では子房に生じ、裸子植物では花の一部に裸出している。

はい・じゅ【拝受】《名・他サ》〔文〕受け取ること、引き受けることなどの意の謙譲語。「大命を―する」

ばい・しゅう【買収】《名・他サ》❶〔大きなもの、まとまったものを〕買いとること。買い占めること。「工場建設用地を―する」❷〔自分を有利にするため〕ひそかに金品などを与えて味方に引き入れること。

*はい・しゅつ【排出】《名・他サ》❶不要なものを外へ出すこと。「炭酸ガスを―する」❷排泄。

*はい・しゅつ【輩出】《名・自他サ》立派な人物や同じ傾向の人などが次々に出ること。また、出すこと。「すぐれた作家が―する」[類語]続出。

*ばい・しゅん【売春】《名・自サ》女性が金品を得て不特定の相手と性交すること。売淫。売笑。「―婦」

*ばい・しゅん【買春】金品を与えて性交の相手を得ること。かいしゅん。

はい・しょ【配所】昔、罪をおかした人が送られた、離れ島や都から遠く離れた所。

*はい・じょ【廃除】《名・他サ》❶不用のものとして、とりのぞくこと。❷〔法〕推定相続人としての地位を失わせること。[参考]民法旧規定の廃嫡にあたる。

*はい・じょ【排除】《名・他サ》〔じゃまになるものを〕とりのぞいてしまうこと。「障害物を―して進む」[類語]除外。除去。一掃。払拭。

*はい・しょう【拝承】《名・他サ》〔文〕聞くこと、承知することの意の謙譲語。「大臣の命令を―する」

*はい・しょう【拝×誦】《名・他サ》〔文〕読むことの意の謙譲語。「お手紙―いたしました」[類語]拝読。

*はい・しょう【敗将】〔文〕戦いに負けた将軍。

*ばい・しょう【売笑】売春。売淫。「―婦」

*ばい・しょう【賠償】《名・他サ》〔不法な行為によって〕他人や他国に与えた損害をつぐなうこと。「―金」「損害―」[類語]弁償。補償。

*はい・しょく【敗色】〔勝負や競技などで〕負けそうなようす。負け色。敗勢。「―が濃くなる」

*はい・しょく【配色】《名・他サ》いくつかの色を取り合わせること。また、その色。

ばい・しょく【陪食】《名・自サ》〔文〕身分の高い人の相手をしていっしょに食事をすること。[類語]相伴。

*はい・しん【背信】〔文〕人の信頼・信用を裏切ること。「―行為」

*はい・しん【背進】《名・自サ》〔文〕❶〈前を向いたまま〉後ろへさがること。類語 退却。後退。❷〈時代の動きなどに〉さからって進むこと。「世間の潮流に―する」

*はい・しん【配信】《名・他サ》通信社・新聞社などが、取材したニュースなどを各関係機関に送ること。また、インターネットなどで、データを受信者に送ること。「ニュースを―する」

*はい・じん【俳人】俳句を作る人。俳諧師。

*はい・じん【廃人・×癈人】病気、身体や精神の障害などによって通常の社会生活ができなくなった人。

*はい・じん【配陣】《名・自サ》陣を配置すること。

*ばい・しん【陪審】裁判で、一般市民の中から選ばれた人々が裁判に立ち会い、専門家といっしょに事件の審理に加わること。「―員」「―制度」

*ばい・しん【陪臣】臣下に仕えている者。臣下の臣。

ばい・じん【×煤×塵】工場の煙突の煙や、炭坑・石切り場などのちりの中に含まれる、粒状の物質。

はい・しんじゅん【肺浸潤】❶肺に浸潤が起こった状態。特に、結核菌によって起こった炎症性の結核性浸潤。❷初期の肺結核の俗称。

*はい・すい【廃水】一度使って、役に立たなくなった水。「工場の―」類語 汚水。⇩〔使い分け〕

*はい・すい【排水】《名・自他サ》❶内部の不用な水を外へ出すこと。「―作業」「―口」類語 水はけ。❷水に浮いた物体が水に没している部分と同体積の水をおしのけること。多く艦船にいう。⇩〔使い分け〕 ―トン 船の大きさの表示法の一つ。船の排水量を英トンまたはメートルトンで表したもの。参考 軍艦はふつうこれで表す。↓総トン。 ―りょう【―量】船が水に浮かんでいるときに排除される水の重量。船体の重量に等しく、艦船の大きさを表す一つの基準とされる。

*はい・すい【背水】水を背にすること。 ―の陣《句》川や海などを後ろにして、退却できない所に敷いた陣。転じて、失敗すれば次の機会はないとの条件のもとで事にあたること。故事 中国の漢の韓信が趙との戦いで、河を後ろにして陣を敷き、味方に決死の覚悟で戦わせた故事から。〈史記・淮陰侯伝〉

*はい・すい【配水】《名・自他サ》水道などの水をあちこちへ配ること。「―工事」類語 給水。⇩〔使い分け〕

使い分け 「ハイスイ」

排水〔「排」はおし出す意〕工場排水・排水口・排水溝・排水基準・排水ポンプによる地下水の排水・排水トン・排水量

廃水〔「廃」は不用となってすてる意〕工場廃水・生活廃水・廃水処理

配水〔「配」はくばる意〕配水管・配水工事・水道管で配水する

参考「廃水」はサ変動詞で使うことはない。「工場排水／廃水」「家庭排水／廃水」のように二様に表記することができるが、環境汚染を意識するときは、もっぱら後者が使われる。

はい・すう【拝×趨】《名・自サ》〔文〕先方へ出かけて行くことの意の謙譲語。参上。

ばい・すう【倍数】❶二倍の数。❷整数Aが整数Bで割り切れるとき、Bに対するAのこと。対 約数。

はい・ずみ【掃墨・灰墨】〈「掃きずみ」の音便〉ごま油・菜種油などを燃やしたときに出るすすを集め取ったもの。にかわを混ぜて墨の原料とする。

*はい・・する【×佩する】《他サ変》〔文〕帯に下げて身につける。腰に帯びる。「軍刀を―・する」

*はい・・する【廃する】《他サ変》〔文〕❶〈それまで続いてきた制度・機関・規則・習慣などを〉なくす。やめる。廃止する。「古い慣習を―・する」❷地位を退かせる。「王を―・する」

*はい・・する【拝する】《他サ変》〔文〕❶頭を垂れ、体をかがめて敬礼する。拝む。「仏像を―・する」❷受ける意の謙譲語。ありがたく受ける。拝受する。「大命を―・する」❸見る意の謙譲語。慎んで見る。拝見する。「尊顔を―・する」

*はい・・する【排する】《他サ変》〔文〕❶押し開く。「戸を―・する」❷しりぞける。おしのける。「万難を―・して」❸ならべる。排列する。「五十音順に―・する」

*はい・・する【配する】《他サ変》〔文〕❶適当なものを取り合わせる。配合する。「松に菊を―・する」❷人や物を適当な所におく。配置する。「要所要所に人を―・する」❸添わせて妻とする。めあわせる。

はい・ず・る【×這いずる】|はひ《自五》畳や地面に手足や体をこすりつけるようにして動く。「床を―・る」

ばい・・する【倍する】《自他サ変》〔文〕二倍になる。二倍にする。また、大いにふえる。大いにふやす。「旧に―・する〈=以前にまさる〉お引き立てを願い上げます」

*はい・せい【俳聖】〔文〕俳句界で神様といわれるような人。特に、松尾芭蕉のこと。

*はい・せい【敗勢】〔文〕〈勝負や競技などで〉負けそうな状態。敗色。「―を挽回する」対 勝勢。

はい・せき【排斥】《名・他サ》〈人物・思想、またそれらの影響力などを〉嫌ってしりぞけること。のけものにすること。「仏教―運動」類語 排撃。

ばい・せき【陪席】❶《名・自サ》〔文〕身分の高い人、目上の人と同席すること。❷「陪席裁判官」の略。合議制の裁判所を構成する裁判官のうち、裁判長以外の者。陪席判事。

バイ・セクシャル《名・形動》同性にも異性にも性欲を感じる・こと（人）。両性愛（者）。▽bisexual

*はい・せつ【排×泄】《名・他サ》動物が栄養を取ったあとの不要な物や、体内に生じた有害な物を、大小便として体外に出すこと。排出。「―物」

*はい・せつ【排雪】《名・自サ》積もった雪を押しのけて除くこと。また、押しのけた雪。「―車〈=除雪車〉」

はい・ぜつ【廃絶】❶《名・自サ》〔文〕〈家系などが〉すたれ絶えること。「名家が―する」類語 廃滅。❷《名・他サ》廃止してなくすこと。「核兵器を―する」

*はい・せん【廃線】鉄道・バス路線などで、ある区間の営業を廃止すること。また、その路線。

*はい・せん【廃船】使用にたえなくなった船を廃棄したり船籍から除いたりして処分する・こと（船）。

*はい・せん【敗戦】《名・自サ》戦争や試合などに負けること。まけいくさ。「―国」類語 敗北。

*はい・せん【杯洗・×盃洗】酒盛りの席で、さかずきを洗いすすぐための水を入れておく器。

*はい・せん【肺×尖】肺の上部のとがった部分。

*はい・せん【配線】《名・自サ》❶電力を使うために、電線を引いて取りつけること。「―工事」❷電気器具や電子機器の各部分を電線で結ぶこと。「―図」

*はい・せん【配船】《名・自サ》船を割り当てること。

*はい・ぜん【配×膳】《名・自サ》食事の膳を客の前に配ること。また、料理を盛りつけて（すぐに食卓に出せるように）ならべること。「一室」「一台」

*はい・ぜん【×沛然】《形動タル》〔文〕雨が一時に激しく降るようす。「一と大粒の雨が落ちてきた」

*ばい・せん【媒染】金属酸化物を用いて、繊維が直接染料に染まるようにすること。「一剤」

*ばい・せん【×焙×煎】《名・他サ》〔コーヒー豆などを〕あぶりこがすこと。いること。

はい・そ【敗訴】《名・自サ》民事訴訟の当事者の一方が、自分に不利益な判決を受けること。訴訟に負けること。「原告一」[対]勝訴。

*はい・そう【敗走】《名・自サ》戦いに負けて逃げること。「一する敵軍を追う」

*はい・そう【背走】《名・自サ》〔野球で、たまをとるために〕前を向いたまま後方へ走ること。また、本来の向きに対し背を向けて走ること。「一して球を取る」

*はい・そう【配送】❶配達と発送。❷《名・他サ》配り送ること。送り届けること。「一品」

はい・ぞう【肺臓】肺。

ばい・ぞう【倍増】《名・自他サ》二倍に・増えること（増やすこと）。倍増し。「所得一計画」

はい・ぞく【配属】《名・他サ》配置して所属させること。人を割り当てて、それぞれの役目に付けること。「新入社員を各部署に一する」[類語]配置。

はい・そん【廃村】人が住まなくなって荒れはてた村。

*はい・た【排他】《名・自サ》仲間以外のものをすべてしりぞけること。「一主義」「一的」[類語]排外。

*は・いた【歯痛】歯が痛むこと。歯痛。

ばいた【売▽女】〔俗〕売春婦。淫売婦。また、（不貞な）女性をののしっていう語。「あの一め」

*はい・たい【廃×頽】《名・自サ》〔文〕人々の気風がすたれくずれること。頽廃。「一した社会」[表記]すたれ衰えるの意の「廃退」で代用することもある。

*はい・たい【敗退】《名・自サ》〔戦争や試合などで〕負けてしりぞくこと。「一回戦で一した」[類語]敗北。

*はい・たい【×胚胎】《名・自他サ》〔文〕〔みごもる意から〕物事の起こる原因・がある（を含み持つ）こと。「その講和は、すでに後の争乱を一していた」

ばい・たい【媒体】❶〔理〕媒質としての物体。❷情報などを伝える手段となるもの。「広告一」

ばい・だい【倍大】二倍の大きさ。

はい・だ・す【×這い出す】《自五》はって外に出る。はい出る。「穴からけものが一・す」

はい・たつ【配達】《名・他サ》〔郵便物・商品などを〕それぞれのもとに配り届けること（人）。「新聞一」

バイタリティー 盛んに活動する勢い。困難や障害を乗り越えてゆく力強さ。生命力。活力。ヴァイタリティー。「一のある人」▽vitality

*はい・だん【俳壇】〔文〕俳句を作る人々の社会。

*はい・だん【俳談】〔文〕俳句・俳諧についての話。

*はい・ち【背×馳】《名・自サ》〔文〕そむくこと。反対になること。「意図に一する行動」[類語]矛盾。背反。

*はい・ち【配置】《名・他サ》人や物を、それぞれ適当な場所・役目に配り置くこと。また、そのような位置・持ち場。「新人を一する」「各人が一に就く」[類語]手配り。配備。配属。布置。 一がえ【一換え】《名・他サ》❶物の置き場所をかえること。❷その人の勤務する場所・職務などをかえること。配置転換。配転。 一てんかん【一転換】《名・他サ》配置換え②。 一やく【一薬】↓おきぐすり（置き薬）。

ばい・ち【培地】細菌その他の微生物や動植物の組織を培養するために栄養分を組み合わせて作った、液状または固形の物質。培養基。

はいち・せい【背地性】植物の茎が地球の中心とは反対の方向に生長する性質。負の屈地性。[対]向地性。

はい・ちゃく【廃嫡】《名・他サ》民法旧規定で、嫡子、すなわち推定家督相続人としての地位を失わせること。[参考]↓廃除。

*はい・ちょう【拝聴】《名・他サ》聞くことの意の謙譲語。拝聞。「御高説を一する」[類語]拝承。

*はい・ちょう【×蠅帳】ハエなどが入るのを防ぎ、また、空気の流通をよくするため、目の細かいあみを張った食べ物を入れる戸棚。はえちょう。

ばい・ちょう【陪聴】《名・他サ》〔文〕身分の高い人、目上の人と同席して聞くこと。

ハイツ〔高台にある〕集合住宅（地）。[参考]建物の名称にも用いられる。▽heights（=高台。高地）

はい・つくば・う【×這い×蹲う】《自五》両手両ひざをつき、背を低くして動かないでいる。平伏する。はいつくばる。「殿様の前で一・う」

*はい・てい【拝呈】《名・他サ》〔文〕❶物を贈ったり手紙を出したりすることの謙譲語。❷手紙文の書き始めに用いる語。

*はい・てい【廃帝】〔文〕退位させられた皇帝。

ハイ・テク↓「ハイ」の子見出し。

はい・・でる【×這い出る】《自下一》腹ばいになって出る。はい出す。「ヘビが穴から一・でる」

*はい・てん【配点】《名・自サ》試験で、各設問や各科目に対して点数を割り振ること。また、その点。

*はい・てん【配転】《名・他サ》「配置転換」の略。

*はい・でん【拝殿】神社の本殿の前にある建物で、お参りした人が拝む所。「一にぬかずく」

*はい・でん【配電】《名・自サ》電流・電力をあちこちに配ること。「一盤」

ばい・てん【売店】駅・学校・病院・劇場など、大きな建物の中にあって物を売る、小さな店。

*バイト 旋盤などで、金属を切ったりけずったりする刃物。▽オランダ beitel

*バイト「アルバイト」の略。「一をする」

*バイト《助数》〔電算〕一単位として扱われる一組の二進数字のことで、記憶装置内で一列に配列されたものをいう。[参考]六ビットを一バイトとする場合と八ビットを一バイトとする場合がある。▽byte

*はい・とう【×佩刀】〔文〕❶腰につけている刀。❷《名・自サ》刀を腰につけること。[類語]①②帯刀。佩剣。

*はい・とう【配当】《名・他サ》❶割り当てて配ること。❷会社が決算期ごとに利益の一部を株主に支払うこと。また、その金額。 一おち【一落ち】売買される株式で、期日を過ぎたために決算期の配当を受ける権利がなくなること。また、その株式。

はい・とく【背徳・×悖徳】道徳にそむくこと。「一行為」「一者」[類語]非道。非徳。無道。不徳。

はい・どく【拝読】《名・他サ》〔文〕読むことの意の謙譲語。「お手紙一いたしました」[類語]拝誦。

ばい・どく【梅毒・×黴毒】性病の一つ。スピロヘータパリダによって起こる四類感染症。瘡毒。瘡。

はい-とり【×蠅取り】=はひ ハエを取る道具。はえたたきやはえとり紙など。はえとり。

パイナップル パイナップル科の多年草。茎は太く、果実は楕円形で、熟すと黄赤色となる。香りが高く美味。パイン。パインアップル。▽pineapple

はい-ならし【灰▽均し】=はひ 火ばちや炉などの灰を平らにならす、金属製の道具。灰かき。

はい-にち【排日】 外国人が日本人や日本の文化・製品などを排斥すること。「―思想」類語反日。

はい-にゅう【×胚乳】 植物の種子の中にあって、胚をとり囲んでいるもの。胚が発芽・生長するときに養分を供給する。

はい-にょう【排尿】《名・自サ》尿を体外に出すこと。

はい-にん【背任】《名・自サ》任務にそむくこと。特に、会社員・公務員などが任務にそむいて、会社・役所などに損害を与えること。「―行為」「―罪」

ばい-にん【売人】〔俗〕品物を売りさばく人。特に、密売組織の末端で、密売品を売りさばく役割の者。

はい-ねつ【廃熱】 ある事に使用した残りの熱。余熱。「―ボイラー」

***はい-のう【背×嚢】**〔兵隊などが〕物を入れて背負う、革やズック製の四角いかばん。

***はい-のう【×胚×嚢】** 種子植物の胚珠内にある雌性配偶体。中に卵細胞をもち、後に胚や胚乳になる。

はい-のぼ・る【×這い上る】=はひ《自五》↓はいあがる。

ハイパー-《造語》「過度の」「超越した」などの意。「―メディア(=文字情報だけでなく、図形・音声・動画情報も扱えるメディア)」参考「スーパー」より程度が高い。▽hyper-

はい-はい《感》《「はい」を重ねていう語》❶呼びかけや話しかけに気軽に答える語。「―、何ですか」❷相手の言ったことを、そのまま・肯定する(受け入れる)気持ちを表していう語。「―、その通りですよ」❸相手の注意を促すときの語。❹馬を歩かせるときのかけ声。

***ばい-ばい【売買】**《名・他サ》売ることと買うこと。うりかい。商売。「株の―」「―価格」「―が成立する」

***バイ-バイ**《感》〔俗〕さようなら。▽bye-bye

ばいばい-ゲーム【倍倍ゲーム】 クイズ番組で、正解のたびに賞金が倍になるゲーム。転じて、数字などが次々に増えていくこと。

バイ-パス 交通混雑をさけるために都市の周辺地を迂回するように設けられた道路。▽bypass(=わき道)

***はい-はん【廃藩】** 藩制をやめること。**―ちけん【―置県】** 明治四(一八七一)年、新政府が中央集権を徹底させるため、藩を廃して府県を置いたこと。

***はい-はん【背反・×悖反】**《名・自サ》〔文〕❶〔一定の規準や従うべきものに〕そむくこと。「命令に―する」類語違反。違背。❷互いに相手を否定すること。あいいれないこと。「二律―」類語矛盾。背馳。背離。

***はい-ばん【廃盤】** 一度出したレコードやCDを、在庫がなくなっても製造しないこと。また、そのレコードやCD。「―になる」参考書籍の「絶版」に当たる。

***はい-ばん【杯盤・×盃盤】**〔文〕さかずき・さらなど、酒宴の席の道具。**―ろうぜき【―×狼×藉】**《名・形動タルト》〔文〕宴席のあとで、食べ残したものや杯・皿などがあちこちに散らばっていること。

はい-ひ【拝披】《名・他サ》〔文〕書状などを開くことの意の謙譲語。謹んで他人からの書状などを開くこと。

***はい-び【拝×眉】**《名・自サ》〔文〕人に会うことの意の謙譲語。「委細は―の上…」類語拝顔。

***はい-び【配備】**《名・他サ》手配して準備をととのえること。「ガードマンを―する」

ハイビスカス アオイ科フヨウ属の熱帯性植物。ハワイの代表的な花。ぶっそうげ。▽hibiscus

はい-びょう【肺病】 肺臓の病気。特に、肺結核。

はい-ひん【廃品】 役に立たなくなった品物。廃物。「―回収」類語廃棄物。スクラップ。

***ばい-ひん【売品】**〔文〕客に売る品物。売り物。

***ばい-ひん【陪賓】**〔文〕主客に相伴をする客。陪客。

***はい-ふ【肺×腑】**〔文〕❶肺臓。❷心の奥底。心底。「―を衝く(=深い感動を与える)言葉」類語肺肝。

***はい-ふ【配付】**《名・他サ》〔文〕めいめいに配り渡すこと。「身分証明書を―する」表記法令では統一的に「配布」を使う。類語交付。

***はい-ふ【配布】**《名・他サ》多くの人々に配ること。「ちらしを―する」参考↓配付。類語頒布。配分。

はい-ぶ【背部】〔文〕背の部分。背中。また、後ろの方。類語背後。

パイプ ❶〔液体・気体などを通す〕管。❷二者の間を取り持つもの。仲立ち。「両国間に交渉の―がつながった」❸西洋ふうのきせる。また、巻きたばこを吸う道具。シガレットホルダー。「マドロス―」▽pipe **―オルガン** 鍵盤楽器の一つ。大小・長短さまざまの管に、動力で空気を送りこんで音を出すしくみのオルガン。▽pipe organ **―ライン** 石油・天然ガスなどを送るためにもうけた遠距離輸送管。▽pipeline

はい-ふう【俳風・×誹風】〔文〕俳句の作風。「芭蕉の―」

はい-ふき【灰吹(き)】=はひ たばこ盆に付いていて、たばこの吸いがらをたたき入れる竹の筒。吐月峰。

はい-ふく【拝復】《感》〔文〕〔つつしんでお答えする意から〕返事の手紙の最初に書くあいさつのことば。復啓。

はい-ぶつ【廃物】 廃品。「―利用」

はいぶつ-きしゃく【排仏×毀釈・廃仏棄釈】 仏教を排斥し、すてること。特に、明治元年、神仏分離令にともなって起こった仏教排斥運動。

ハイブリッド ❶混血。混血種。交配。「―米」❷新しい用途を開発するため、異なる技術・素材などを組み合わせること。「―コンピューター」「―車」▽hybrid

バイブル ❶聖書。❷その部門で、もっとも権威があり、必読とされる書物。また、個人が人生の指針としてくりかえし読む本。「幼児教育の―」▽Bible

はい-ふるい【灰×篩】=はひふるひ 灰の中の異物をふるい除くための、金網をはった道具。

バイブレーション ❶振動。震動。❷声をふるわせること。「―のきいた歌声」=ヴァイブレーション。▽vibration

バイブレーター 電気で振動を与えるマッサージ器具。ヴァイブレーター。▽vibrator

バイ-プレーヤー わき役。助演者。▽by と player からの和製語。

ハイフン 英語などで、語と語をつなぐとき、また、一語が二行にわたる際に語の要素の区切りにつけて一語であることを示すときなどに用いる短い横線の符号。「-」▽hyphen

***はい-ぶん【俳文】** 俳味のある散文。簡潔・脱俗・枯淡などを特色とする。『奥の細道』『おらが春』など。

＊はい‐ぶん【拝聞】《名・他サ》聞くことの意の謙譲語。つつしんで聞くこと。拝聴。「―するところでは」

＊はい‐ぶん【配分】《名・他サ》割り当てて配ること。分配。「利益を―する」

ばい‐ぶん【売文】〔文〕文章を書いて売り、それを生活の手段にすること。「―の徒」

はい‐へい【廃兵・×癈兵】戦場で負傷し、体が不自由になった兵士。

はい‐べん【排便】《名・自サ》大便を体外に出すこと。

ばい‐べん【買弁・買×辦】❶昔、中国で、外国の貿易業者などの取引の仲介をした中国人業者。❷植民地などで、外国資本の手先となって、自国の利益をそこなう活動をする者。表記「買弁」は代用字。

＊はい‐ほう【敗報】〔文〕戦いに負けたというしらせ。対勝報。

＊はい‐ほう【肺胞】肺の内部で、気管支の末端にブドウの房状に多数ついている半球状の小室。ここで空気と血液との間のガス交換が行われる。

はい‐ぼう【敗亡】《名・自サ》〔文〕戦いに負けて死ぬこと。また、負けて・逃げる（ほろびる）こと。

はい‐ぼく【敗北】《名・自サ》《「北」は逃げる意》戦争や試合に負けること。「国家の―」「―を喫す」対勝利。

ばい‐ぼく【売×卜】〔文〕うらないを商売にすること。

はい‐ほん【配本】《名・他サ》❶定期刊行物・予約出版物を読者に配ること。「第一回―」❷出版した書物を小売店や取次店に配ること。

はい‐まつ【×這松】マツ科の常緑低木。本州中部以北の高山に自生。幹は屈曲して山の斜面をはう。

はい‐まつわ・る【×這い×纏わる】《自五》はって、からみつく。はってまきつく。

はい‐み【俳味】俳諧の世界にある特有な味わい。洒脱・こっけい・脱俗など。「―のある軸」

ハイ‐ミス年齢の高い未婚女性。類語オールドミス。▽highとmissからの和製語。

＊はい‐めい【俳名】俳号。俳名。

＊はい‐めい【拝命】《名・他サ》〔文〕任命されること、命令を受けることの意の謙譲語。「財務大臣を―する」

ばい‐めい【売名】〔みえや利益を目的として〕自分の名まえを世間に広めようとすること。「―行為」「―心」

バイメタル熱膨張率のちがう二種の金属板をはり合わせたもの。温度が変化すると湾曲することを利用して、温度調節装置などに使われる。▽bimetal

はい‐めつ【廃滅】《名・自他サ》すたれてなくなること。また、廃しほろぼすこと。「―した村」類語廃絶。

はい‐めん【背面】後ろの方。後ろ側の面。「―攻撃」「―跳び」類語背後。対正面・側面。

はい‐もん【肺門】肺の内側の、中央より上によった部分。肺動脈・肺静脈・気管支が出入りしている所。

ハイヤー車庫に待機し、注文に応じて出かけていって客を運ぶ乗用自動車。類語タクシー。▽hire

バイヤー（外国から来た）買手。▽buyer

はい‐やく【配役】映画・演劇などで俳優に役を割り当てること。また、その役。キャスト。「―を決める」

＊ばい‐やく【売約】《名・自サ》売り渡しの約束（をすること）。「この絵は―済みです」

＊ばい‐やく【売薬】前もって調合しておき、（効能書をつけて）一般に売る薬。市販の薬。

はい‐ゆ【廃油】役に立たなくなった油。使用済みの潤滑油など。

はい‐ゆう【俳優】演劇・映画などに出演することを職業とする人。役者。類語女優。男優。声優。

＊はい‐よう【×佩用】《名・他サ》〔文〕刀・勲章などを身に付けて用いること。「勲章を―する」類語着用。

＊はい‐よう【肺葉】肺をかたちづくる部分。人間では右肺は上中下の三葉、左肺は上下の二葉からなる。

＊はい‐よう【×胚葉】多細胞動物の発生初期の胚を作る、二層または三層の細胞層。

ばい‐よう【培養】《名・他サ》❶草木などを養い育てること。「―土」❷（研究・観察の目的で）細菌、かび、動植物の組織の一部などを人工的に生育・増殖させること。「がん細胞を―する」❸物事の基礎を築いて大きく発展させること。「実力を―する」

はい‐よ・る【這い寄る】《自五》這って近よる。

はい‐らん【排卵】《名・自サ》哺乳類が、卵巣から一定の成熟期に達した卵子を排出すること。

＊はい‐り【背理・×悖理】〔文〕道理・理屈にそむくこと。「―の議論」

＊はい‐り【背離】《名・自サ》〔文〕〔考え方・やり方などが違って〕両者がそむき離れること。「両者の感情が―する」「実体と形式の―」類語背反。乖離。背馳。

はいり‐こ・む【入り込む】《自五》中に入る。奥深く入る。「山中に―・む」

ばい‐りつ【倍率】❶あるものの数が他のものの数の何倍であるかを示す率。「入学試験の―」❷光学器械の拡大率。拡大された像とその物体の大きさとの比。❸拡大または縮小された図とその原図の大きさとの比。

はい‐りょ【配慮】《名・自他サ》手おちがないように気を配ること。心づかい。「慎重な―」「老人に対する―が足りない」類語心配。考慮。尊敬高配。高慮。

はい‐りょう【拝領】《名・他サ》〔文〕目上の人や身分の高い人から物をいただくこと。「主君から―した品」

ばい‐りょう【倍量】（ある分量の）二倍の量。

ばい‐りん【梅林】〔文〕梅の林。類語梅園。

バイリンガル二か国語を話す・こと（人）。二重言語生活（者）。「―放送」▽bilingual

＊はい‐る【配流】《名・他サ》〔文〕罪人を島流しの刑罰に処すること。島流し。類語配謫。流謫。

＊はい・る【入る・×這入る】《自五》《「はひいる」の約》❶外から内に移る。「部屋に―・る」対出る。❷（仲間・団体などに）参加する。「仲間に―・る」「会社に―・る」❸自分の所有・管理するものとなる。「注文の品がやっと―・った」❹ある時刻・時期や状態になる。「十月に―・って間もなく」❺（異質のものが）加わる。まじる。「井戸水に汚水が―・る」「気合いが―・る」「お茶が―・る」❻所属している。「人も哺乳類に―・る」

参考→入いる。文《四》。

パイル❶杭。❷パイルクロース。表面に輪やけばを織り出した布地。タオル・ビロードなど。▽pile

は‐いれ【歯入れ】げたの歯の入れ替えをすること。また、それを職業とする人。「―屋」

はい‐れい【拝礼】《名・自他サ》〔文〕神仏などに向かって、頭を低く下げておがむこと。「朝晩神仏に―する」類語礼拝。

はい‐れつ【配列・排列】《名・他サ》〔多くのものを〕順序立てて並べること。また、その並んだもの。「―を変える」「五十音―」

パイロット一《名》❶水先案内人。❷飛行機などの操縦者。「テスト―」㊁《造語》〔将来の指針とするために〕試験的にする意。「―プロジェクト」▽pilot **―ファーム** 近代的経営方法や最新技術を取り入れた農場。実験農場。▽pilot farm **―ランプ** 電気回路や機器で、通電状態や作動状態を示すために用いる小型電球。表示灯。▽pilot lamp

はい-ろん【俳論】 俳句についての議論や評論。

パイン 「パイナップル」の略。「―ジュース」 **―アップル**→パイナップル。▽pineapple

バインダー ❶書籍・書類などをまとめてとじるときに用いる表紙。とじこみ表紙。❷作物を刈り取って、自動的に束ねる機械。▽binder

は・う【×這う】《自五》❶両手両足を下につけて進む。はらばう。「つり橋を―・って渡る」❷〔足の無い〕動物が地に体をすりつけるようにして少しずつ進む。「ナメクジが―・う」❸〔植物が〕地面・壁面などにそってのびる。「ツタの葉が壁を―・う」文《四》。

―えば立て立てば歩めの親心《句》わが子の成長を待ち望む親の気持ちをのべたことば。

―っても黒豆《句》〔黒い粒がはいだしても、虫だと認めず、黒豆だと言い張る意から〕自明の道理を自明と認めず、強情を張ることのたとえ。

ハウジング 「住まいに関する」「住宅建築に関する」の意。「―プラン」「―センター」「―産業」▽housing

ハウス ㊀《造語》❶「家」「住宅」「家庭の」などの意。「―メード（＝雇われて家事を手伝う女性）」❷「〔特殊な目的をもった〕建物」の意。「レスト―」「ビニール―」「セカンド―（＝別荘）」㊁《名》❶家。❷〔農〕温室。「―物」▽house **―キーパー** ❶家政婦。❷住宅の管理人。▽housekeeper **―さいばい【―栽培】** ハウス㊁②で行う、野菜・果物・花などの栽培。温室栽培。 **―ダスト** 室内のほこり。参考アレルギー性疾患の原因の一つとされる。▽house dust

は-うた【端×唄】 江戸後期に流行した、三味線にあわせてうたう短い俗謡。江戸端唄。

パウダー ❶粉。「ベーキング―」「―シュガー」❷粉おしろい。▽powder

は-うちわ【羽▽団▽扇】 鳥の羽で作ったうちわ。

ハウ-ツー 趣味・実用面での、基礎的な技術・知識や方法。「家づくりの―を解説した本」「―物（＝手引書）」▽how to(…)（＝いかに…するか）

ば-うて【場打て】 その場のふんい気におされて、気おくれすること。「―がする」

バウムクーヘン 年輪のある太い木の幹をかたどった洋菓子。▽ドイツ Baumkuchen（＝木の菓子）

バウンド 《名・自サ》はずむこと。はねかえること。「ノー―でつかむ」▽bound

パウンド 《助数》→ポンド。▽pound **―ケーキ** バター・小麦粉・砂糖・卵をそれぞれ同量ずつ混ぜ合わせて焼いた洋菓子。バターケーキ。参考もと、材料を一ポンドずつ用いたことから。▽pound cake

*__はえ【▽南▽風】__ 南から吹く風。参考おもに、中国・四国・九州地方で言う。

*__はえ【映え】__ 映えること。見ばえのすること。「出来―」

*__はえ【栄え】__ 光栄。ほまれ。名誉。「―ある受章」

*__はえ【×蠅】__ イエバエ科およびそれに近縁の一群の昆虫の総称。羽は一対。汚物・食物にたかり、感染症の病原体を媒介する。はい。

*__はえ【×鮠】__ 「おいかわ」の別称。

はえ-ぎわ【生え際】 〔額や首のあたりなどの〕髪が生えている部分と生えていない部分との、さかい目。

はえ-なわ【▽延縄】 漁具の一つ。つり針をつけた多くのつり糸を一本のなわに間隔をおいてとりつけたもの。「―漁」

はえ-ぬき【生え抜き】 ❶ある土地に生まれ、そこでずっと育ったこと。きっすい。「―の博多っ子」❷〔会社など〕ある組織体が始まった時からずっとそこに属していること。「―の党員」類語子飼い。

*__は・える【映える】__《自下一》❶光に照らされて美しく輝く。「桜が朝日に―・える」❷調和して美しく見える。あざやかに見える。「湖水に紅葉が―・える」❸引き立って見える。「話が―・えない」「―・えない男」表記③は「栄える」とも書く。文は・ゆ《下二》。

*__は・える【生える】__《自下一》〔植物や動物の体の一部が〕内から外へのび出る。「草が―・える」類語生やす。生す。草生す。苔生す。芽立つ。文は・ゆ《下二》。

パオ【包】 アジア内陸部のステップ地帯に住む、遊牧民の組立て式住居。▽中国 bao

は-おう【覇王】 〔文〕❶覇者と王者。また、覇道と王道。❷武力や権謀でその地位を得た王。

は-おく【破屋】 〔文〕こわれた家。あばらや。廃屋。

パオズ【包子】 小麦粉をこねてイーストを加えた皮に、肉・野菜または油でねったあんを包んで蒸した、まんじゅう。▽中国 bao-zi

*__は-おと【羽音】__ 鳥のはばたく音。また、虫の羽の音。

*__は-おと【葉音】__ 木の葉が風に鳴る音。「梢の―」

は-おり【羽織】 〔和装で〕着物の上に着る、防寒または装飾用の短い衣服。 **―はかま【―×袴】** はおりと、はかま。また、それを着けた正式の服装。

は-お・る【羽織る】《他五》《「羽織」を動詞化した語》着物の上から軽くおおいかけて着る。「ブラウスの上にカーディガンを―・る」文《四》。

*__はか【墓】__ 遺体や遺骨を葬ってある所。つか。おくつき。また、その上に立てた墓碑・墓石。参考「一基…」と数える。類語墓場。墓地。墓所。墳墓。

*__はか【▽果・×捗】__ 仕事・物事の進みぐあい。はかどり。「―が行く（＝仕事などが順調に早く進む。はかどる）」

*__は-か【破×瓜】__ 〔「瓜」の字を分けると二つの八の字となるところから〕❶〔八たす八で〕女子の一六歳。「―期」❷〔八かける八で〕男子の六四歳。❸性交で処女膜が破れること。

ばか【馬×鹿・×莫×迦】 ❶《名・形動》頭の働きがにぶい・こと（人）。また、並はずれて道理や常識からはずれている・こと（人）。「―にする（＝あなどる。軽くみる）」「―にならない（＝あなどれない。無視できない）」❷《名・形動》くだらないこと。役にたたないこと。また、常軌を逸していること。「―な目にあう」「―になる（＝機能がだめになる。また、感覚がなくなる）」「―を見る（＝つまらない目にあう）」「そんな―なことがあるか」❸〈「―に」の形で〉程度が並はずれていること。はなはだしいこと。「今日は―に暑い」❹《接頭語的に用いて》程度が並はずれていること。「―騒ぎ」「―高い」「―売れ」 **―がい【―貝】** バカガイ科の二枚貝。日本各地の内湾の浅い砂地にすむ。食用。 **―くさ・い【―臭い】**《形》つまらない。ばからしい。ばかげている。 **―しょうじき【―正直】**《名・形動》あまりに正直すぎて、気がきかない・こと（人）。愚直。 **―たれ** 〔俗〕人をののしるときの「ばか」を強めた言い方。**ーぢから【ー力】**常識では考えられないほど強い(腕の)力。参考強いだけで技能のともなわない力をあざけって言う場合にも用いる。**ーていねい【ー丁寧】**《名・形動》度が過ぎて丁寧なこと。「ーなあいさつ」**ーね【ー値】**相場からかけ離れて、極端に高い(安い)値段。**ーばか・し・い【ー馬×鹿しい】**《形》❶ひどくばからしい。「ー・い話」❷はなはだしく度を超している。「土地はー・く高くなった」**ーばなし【ー話】**とりとめのない話。くだらない話。**ーばやし【ー×囃子】**神社の祭りのとき、山車などの上で演奏されるにぎやかではずんだ調子のはやし。屋台ばやし。**ーやろう【ー野郎】**ばか者。また、その人をののしって言う語。**ーらし・い**《形》くだらない。つまらない。あほらしい。**ーわらい【ー笑い】**途方もない大声で笑うこと。

ーと鋏は使いよう《句》役に立たない人でも、使いようでは役に立つということ。

はか・あな【墓穴】死体や遺骨を葬るために地を掘って作った穴。つかあな。ぼけつ。

***は・かい【破壊】**《名・自他サ》〔建物・組織などが〕やぶれこわれること。また、やぶりこわすこと。「平和な家庭をーする」類語損壊。損傷。破損。**ーてき【ー的】**《形動》こわしてしまいそうであるようす。こわしてしまおうとするようす。「ーな考え方」対建設的。

***は・かい【破戒】**戒めを破ること。受戒した者が戒律に背くこと。「ー僧」対持戒。**ーむざん【ー無×慚】**《名・形動》戒律を破っても、心に恥じないこと。

は・がい【羽交(い)】❶鳥の左右の翼が交わる所。❷鳥のつばさ。**ーじめ【ー締め・ー絞め】**両手を後ろから相手の脇の下に通し、えり首の所で組み合わせて、相手が動けないように強くしめつけること。

はか・いし【墓石】死者の戒名・俗名・没年などを刻んで墓に立てる石。墓石。類語墓標。石塔。石碑。

は・がき【葉書】「郵便はがき」の略。一定の規格の用紙の表裏に通信文とあて名を書く郵便物。参考書いたものは「一通…」と数え、書いてないものは「一枚…」「一葉…」と数える。表記多く、かな書き。

は・かく【破格】《名・形動》❶しきたりや標準から外れること。「ーの待遇」「ーの歓迎」「ーの値段」❷〔詩や文章が〕きまりにはずれていること。「ーの文章」

は・がくれ【葉隠れ】葉の間に隠れて見えなくなること。「ツバキの花がーに見える」

***は・かげ【葉影】**葉が投げかける影。木の葉の影。

***は・かげ【葉陰】**葉で隠されている所。

ばか・げる【馬×鹿げる・×莫×迦げる】《自下一》つまらなく思える。くだらなく思える。〔多く「ー・げて」「ー・げた」などの形で使う〕「ー・げたことをしたものだ」

ばかし《副助》〔「ばかり」のくだけた俗語的な言い方〕↓ばかり。「嘘ばかし言う」

はか・じるし【墓▽標】墓のしるしに立てる石や木。墓標。

はか・しょ【墓所】墓場。墓地。墓所。

は・か・す【×捌かす】《他五》❶水がたまらないように流す。水はけをよくする。❷商品などを全部売りつくす。「ーしきれない在庫」文《四》。

は・が・す【×剥がす】《他五》くっついているものを、めくり取る。はぎ取る。「切手をー・す」文《四》。

ばか・す【化かす】《他五》心を迷わせて、正しい判断ができないようにする。「キツネにー・された」類語たぶらかす。だます。文《四》。

ば・かず【場数】❶場所・場面の数。❷経験の度数。「ーを踏む(=多くの経験を重ねる)」

はか・せ【〈博士〉】❶大学寮・陰陽寮の教官。❷学問・芸道などで、その道に深く通じている人。「物知りー」「昆虫ー」❸「博士」の俗称。

***は・かぜ【羽風】**鳥や虫などが飛ぶとき、羽が動いて起こる風。

***は・かぜ【葉風】**草や木の葉を吹き動かす風。

は・がた【歯形・歯型】❶歯でかんだあと。「ーがつく」❷〔入れ歯を作るために〕石膏などで歯の形をとったもの。表記②は「歯型」と書く。

はかた・おび【▽博多帯】博多織の帯。献上・独鈷入りなどのひとえ帯が特に有名。

はかた・おり【▽博多織】博多で創製された、絹の練り織物。目のつんだ織り方で、手ざわりがかたい。帯・はかま・袋物などに用いる。

はか・どころ【墓所】↓はかしょ。

はか・ど・る【×捗る】《自五》〔仕事・勉強など〕物事が仕上がっていく。物事が順調に進んでいく。はかがゆく。「仕事がー・る」類語進捗。進展。進行。

はか・な・い【×儚い・▽果▽敢無い】《形》❶消えてなくなりやすいようす。また、長続きせず、もろくて弱いようす。「夢はー・く消えた」「人の命ほどー・いものはない」「ー・くなる(=死ぬ)」類語無常。❷不確実である。頼みにならない。また、心ぼそい。「ー・い希望」

はかな・む【×儚む・▽果▽敢無む】《他五》はかないと思う。「世をー・む」文《四》。

は・がね【鋼】〔「刃金」の意〕鋼鉄。

はか・ば【墓場】墓のある所。墓地。墓所。

はかばか・し・い【▽果▽果しい・×捗×捗しい】《形》物事や仕事が望みどおりに順調に進んでいる。参考ふつう下に打ち消しの語を伴う。「病状がー・くない」

は・かぶ【端株】取引所の取引単位の株数に満たない株。証券会社の店頭で売買される。

バガボンド 放浪者。ヴァガボンド。▽vagabond

はかま【×袴】❶和装で、着物の上にはき、下半身をおおう、たっぷりしたひだのある筒状の衣服。❷草の茎をおおっている皮。「ツクシのー」❸酒の徳利を据えておくための、ます形または筒状の器。

はか・まいり【墓参り】墓へ参って拝むこと。はかもうで。墓参。展墓。

は・がみ【歯×噛み】《名・自サ》〔怒ったり残念がったりして〕歯を強くかみ合わせること。また、歯ぎしりすること。「ーしてくやしがる」

はか・もり【墓守】墓の番人。

は・がゆ・い【歯×痒い】《形》思いどおりにならなくて心がいらだつ気持ちである。じれったい。もどかしい。「教えがいがないのがー・い」

はからい【計(ら)い】取り扱い。処置。「慎重なーが望ましい」

はから・う【計らう】《他五》〔文〕❶よく考えて決める。良いように処理する。「よきにー・え」「利用者の便宜をー・う」❷人に話をもちかけて相談する。はかる。「解決策を友人にー・う」文《四》。

はからず・も【図らずも】《副》思いもよらず。思いがけなくも。意外にも。「ー友人に会えた」

***はかり【×秤】**物の重さをはかる器械。てんびん・さおば

かり・台ばかりなど。

＊はかり【計り】 ❶〔ものさし・ます・はかりなどで〕はかること。また、はかった分量。❷計画すること。表記 ①は「測り」「量り」とも、②は「謀り」とも書く。

ばかり 《副助》《「はかる」の名詞形「はかり」の転》〔強調した（俗語的な）言い方に「ばっかり（ばっかし）」が、くだけた俗語的な言い方に「ばかし」がある〕❶〔数量を表す語について〕おおよその程度を表す。ほど。ぐらい。「三〇坪**ばかり**の土地」「一時間**ばかり**待つ」参考 時刻を表す語につくのは文語的な言い方。ほぼそのころ。「巳時(みのとき)**ばかり**」
❷〔いろいろな語について〕範囲をそれと限定する。だけ。〔関係する用言に「ひたすら」の意を添える〕「弟**ばかり**を可愛がる」「寝て**ばかり**いる」「形**ばかり**の贈り物」「それ**ばかり**は勘弁してくれ」
❸〔「ばかりだ」などの形で、連体形を受けて〕動作・作用などがただ一方に限られる意を表す。だけ。「関係は悪化する**ばかり**だ」「発言する**ばかり**で、実行しない」「タフな**ばかり**では駄目だ」
❹〔「ばかりか」の形で〕事態はそれにとどまらないで、さらにの意を表す。「反対する**ばかり**か、邪魔しさえする」「仲がよい**ばかり**かついには結婚までした」参考「か」は反語の意。
❺〔「…ばかりに」の形で、接続助詞的に使って〕原因・理由を限定的に示す。ただそれだけが原因で。その程度のことが原因で。「軽口をたたいた**ばかり**に嫌われた」「欠席した**ばかり**に仲間外れにされた」
❻〔動詞連体形＋「ばかりだ」や、動詞未然形＋「んばかりだ」「ぬ（ない）ばかりだ」などの形で〕いまにも…しようとする状態にある意、また、…していると言ってもいい状態にある意を表す。「今しも出かける**ばかり**になっている」「触れなば落ちん**ばかり**の風情」「べそを掻(か)かない**ばかり**になって」「燃える**ばかり**に（＝ように）咲き誇る」参考「ぬ」「ない」に続く形は、推量の助動詞「む（ん）」を、打ち消しの助動詞「ぬ」「ない」と誤解して成立したもの。
❼〔「…たばかりだ」などの形で〕…して間もない状態にある意を表す。「今起きた**ばかり**だ」「とれた**ばかり**の鯛(たい)」

はかり・うり【計り売り・量り売り】《名・他サ》客の希望する分量だけ、はかって売ること。「お茶の—」

はかり・きり【計り切り・量り切り】 きちんとはかった分量だけで、他におまけをつけないこと。

はかり・ごと【▽謀】《「計り事」の意》〔外部に知れないように〕いろいろと考えた手段。くわだて。計略。「—をめぐらす」「—は密なるをもってよしとす」類語 たくらみ。もくろみ。策。策略。策謀。方策。方略。術策。術計。術数。謀略。謀計。軍略。戦略。

はかりしれ・な・い【計り知れない・測り知れない】《連語》推測することができない。見当がつけられない（ほど大きい）。「損害は—・いほど大きい」

はかり・べり【計り減り・量り減り】 ます・はかりではかっていくうちに、全体としての量目が不足すること。

はか・る【計る】《他五》❶ものさし・ます・はかりなどで、長さ・体積・重さなどを知ろうとする。また、時計などを用いて、時間・速さなどを知ろうとする。「距離を—・る」「体重を—・る」「土地の広さを—・る」「タイムを—・る」類語（—する）測定。計測。計量。秤量(ひょうりょう)。測量。❷〔心で〕おしはかる。推定する。推量する。「相手の気持ちを—・る」類語（—する）推察。推測。忖度(そんたく)。❸予測する。「—・らざる結果となった」❹いろいろ考えてこころみる。工夫し計略をめぐらす。「身の安全を—・る」類語 もくろむ。策する。（—する）意図。策慮。計慮。❺くわだてる。企図する。「民族の独立を—・る」類語 策する。（—する）画策。策謀。❻あざむく。だます。「まんまと—・られた」❼相談する。諮問する。「上役に—・って決める」「審議会に—・る」表記 ①〜③は「測る」「量る」とも、④は「図る」「謀る」とも、⑤⑥は「謀る」とも、⑦は「議る」「諮る」とも書く。文《四》。⇩〖使い分け〗

使い分け「はかる」
計る〔まとめて数えたり考えたりする。見積もる。処理。計画〕時間を計る・タイミングを計る・まんまと計られる・計り知れない恩義
測る〔水の深さをはかる意から、長さ・深さ・高さなどを調べる。推測〕水深を測る・面積を測る・血圧を測る・能力を測る・真意を測り兼ねる・心を推し測る
量る〔穀物の重さをはかる意から、容積・重量を調べる。推量〕升で量る・目方を量る・力量のほどを量る・量り売り・気持ちを推し量る
図る〔土地の区域を分割する意から、物事を企てたり考えたりする。意図〕省力化を図る・自殺を図る・解決を図る・便宜を図る・繁栄を図る
謀る〔意見を出しあって相談する。だます〕悪事を謀る・暗殺を謀る・相謀って反旗を翻す・うまく謀られる
諮る〔▽議〕〔上の者が下の者の意見を聞く〕総会に諮る・社員に諮る・委員会に諮る
参考「計／測／量」は、時間／長さ・広さ／重さ・容積による違いを使い分けの一応の目安とすることができるが、予測や推量を意味する「計・測・量・図」、相談の意の「計・図」、計画を意味する「計・図・謀」などの間では、併用されることも多く、使い分けは困難で、多くの場合かな書きにされる。「心を推し測る／推し量る」はともに書くが、前者は心の深さに、後者は心の大きさに言及するといった趣がある。同様に「暗殺を図る／謀る」では、前者は単なる計画を指し、後者は二人以上の人が謀議したことを内蔵している。

はが・れる【×剝がれる】《自下一》〔表面にはったりぬったりした物が〕めくれて取れる。はげて離れる。「床板が—・れる」「化けの皮が—・れた」文 はが・る《下二》。

は・がん【破顔】《名・自サ》〔文〕顔をほころばせること。ほほえむこと。—いっしょう【—一笑】《名・自サ》にっこり笑うこと。「幼い子のことばに—する」

バカンス 比較的長い休暇。また、それを利用したレジャー。ヴァカンス。「夏の—」▽フランス vacances

＊は・き【破棄・破×毀】《名・他サ》❶破りすてること。また、破りこわすこと。「書類を—する」❷〔契約などを〕一方的に取り消すこと。「協定を—する」❸上級裁判所が、上訴理由があると認めて、原判決を取り消すこと。表記 ③はもと「破毀」と書いた。

＊は・き【覇気】 ❶進んで物事をしようとする気持ち・気構え。意気ごみ。「—のある学生」❷他をおさえて人の上に立とうとする意気。野心。野望。

＊はぎ【▽接ぎ】 裁縫で、接(は)ぐこと。また、接いだ部分。つぎ。「—をする」「四枚—のスカート」

＊はぎ【×脛】 すね。むこうずね。

＊はぎ【×萩】 マメ科の落葉低木。秋、ちょう形の白色または紅紫色の小花からなる複葉。葉は三枚の円形の小葉

花をふさ状につける。秋の七草の一つ。やまはぎ。

はぎ・あわ・せる【▽接ぎ合わせる】(ーあはせる)《他下一》〔布・板などを〕くっつけて一つにする。つぎ合わせる。

バギー 砂地・オフロード走行に適した頑丈な自動車。バギー車。バギーカー。▽buggy

はき・け【吐き気】胸がむかむかして胃の中の物を吐きたくなる気持ち。むかつき。参考「ーを催す」「ーがする」の形で、非常に不愉快になる意にも使う。

は・ぎしり【歯×軋り】《名・自サ》眠っているときなどに、歯を強くかみ合わせて音を立てること。歯がみ。歯ぎり。切歯。参考 ひどくくやしがることにもいう。「もう少し才能があればとーする」

はき・す・てる【吐き捨てる】《他下》吐き出して捨てる。「ガムをー・てる」「ー・てるように言う」

はき・だし【掃(き)出し】❶〔ごみやほこりを〕掃いて外に出すこと。❷「掃き出し窓」の略。**ーまど**【ー窓】室内のごみを掃き出すために、畳や床と同じ高さに作った窓。掃き出し。

はき・だ・す【吐き出す】《他五》❶口や胃に入れた物を、口から外へ出す。「食べた物をー・す」❷思っていることを、言葉に出して言う。「本当の気持ちをー・す」❸〔多くのものを一度に〕内から外に出す。「電車から多くの人がー・された」❹自分のものとして蓄えていた金品を手放す。「へそくりをー・す」

はき・たて【掃(き)立て】❶掃除をすませて間もないこと。❷養蚕で、卵からかえったばかりの蚕(=毛蚕(けご))を、蚕卵紙から蚕を育てる場所(=蚕座)へ移すこと。

はき・だめ【掃(き)×溜(め)】ごみなどをまとめて捨てておく所。ごみため。掃きだまり。転じて、(役に立たない)雑多なものが寄せ集められている所。**ーに鶴(つる)**《句》つまらない所に不似合いにすぐれたものがはいって(いる)ことのたとえ。

はき・ちが・える【履き違える・×穿き違える】(ーちがへる)《他下一》❶まちがえて他人の履物を履く。❷意味を取り違える。まちがって考える。「自由をー・える」

はぎ・と・る【×剝ぎ取る】《他五》❶〔表面にくっついているものを〕はいで取る。はがして取り去る。「壁にはったポスターをー・る」❷〔身につけている着物や持っている金品を〕無理に奪い取る。

バギナ ↓ワギナ。▽(ラテン)vagina

はき・はき《副・自サ》《副詞は「ーと」の形も》動作・態度やものの言い方が、活発ではっきりしているようす。「聞かれたことにーと答える」対 ぐずぐず。

はき・もの【履物】〔げた・くつ・スリッパ・草履など〕歩くとき足に履くものの総称。

ば・きゃく【馬脚】〔文〕❶馬の足。❷芝居で、馬の足を演ずる役者。❸隠していた、物事の本性。「ーを現す(=本性がばれる。化けの皮がはがれる)」

は・きゅう【波及】《名・自サ》〔波が広がるように〕物事の影響がしだいに広がってゆくこと。「ー効果」

バキューム ❶真空。「ーチューブ」❷「バキュームカー」の略。▽vacuum **ーカー** タンクを備え、液状のものを吸い上げて運搬する特殊自動車。特に、屎尿(しにょう)くみ取り車。▽vacuum と car からの和製語。

は・きょう【破鏡】〔文〕❶こわれた鏡。❷夫婦が別れること。離婚。「ーの嘆」故事 離れて暮らす夫婦が、二つに割った鏡を再会のあかしとしてそれぞれ持っていたが、妻の不義によって、その一片の鏡がカササギとなって夫のもとに飛んでいき、そのために離縁となったという、中国の話から。〈神異経〉

は・ぎょう【覇業】他をしりぞけて最もすぐれたものとなる行い。覇者としての事業。「連続優勝のーをとげる」

は・きょく【破局】事件の悲劇的な大詰め。悲惨な結末。カタストロフィー。「ーを迎える」

*__は・ぎれ__【端切れ・端▽布】裁ち残りのはんぱな布。

*__は・ぎれ__【歯切れ】❶歯で食べ物をかみ切るときの感じ。「ーのいい音」❷物の言い方の、明確さの度合い。「ーの悪い言い方」

*__はく__【博】❶〔文〕広いこと。❷「博士(はくし)」の略。〔接尾語的に用いる〕「医ー」「文ー」❸「博覧会」の略。〔接尾語的に用いる〕「万国ー」

*__はく__【拍】《助数》拍子の数え方の単位。参考 ㋐音楽では、楽曲における時間的進行の単位を表す。「二ーの休み」㋑上にくる語によって「ぱく」となる。「三ー」

*__はく__【泊】《助数》宿泊した数を数える語。「二ー三日」参考 上にくる語によって「ぱく」となる。「三ー四日」

*__はく__【×箔】金・銀・すずなどの金属を紙のように薄くのばしたもの。「ーが付く(=貫禄(かんろく)が付く)」

*__はく__【×魄】〔文〕たましい。特に、魂(こん)に対して、肉体を主宰して死後この世に残りとどまる霊魂。

*__は・く__【×佩く】《他五》〔刀剣などを〕腰に付ける。おびる。「太刀をー・いた男」文《四》。

*__は・く__【吐く】《他五》❶体内に・ある(はいっている)ものを口から外へ出す。「つばをー・く」「息をー・く」❷内部のものを外へ出す。中から吹き出す。「煙をー・く山」❸ことばで表出する。口に出して言う。「広言をー・く」「弱音をー・く」「本音をー・く」文《四》。

*__は・く__【履く】《他五》〔げた・靴など〕履物を足につける。「サンダルをー・く」対 脱ぐ。文《四》。

*__は・く__【掃く】《他五》❶〔ちり・ごみなどを〕ほうき・ブラシなどで払い除く。また、寄せ集めて捨てる。❷〔はけ・筆などで〕なでるようにして軽く塗る。「えりにおしろいをー・く」「うるしをー・く」❸蚕のはきたてをする。表記 ②は「刷く」とも書く。文《四》。

*__は・く__【×穿く】《他五》❶〔はかま・ズボンなどを〕足を入れて、または足をとおして、腰から下につける。「パンツをー・く」「スカートをー・く」❷〔くつ下・たびなどを〕足につける。「くつ下をー・く」尊敬 ①②召す・召される。対 ①②脱ぐ。文《四》。

*__は・ぐ__【×剝ぐ】《他五》❶上に・かぶっている(くっついている)ものをむき取る。はがす。「木の皮をー・ぐ」❷身につけているものを取り去る。脱がす。「ふとんをー・ぐ」「仮面をー・ぐ」❸〔官位などを〕むりに取りあげる。奪い取る。「官位をー・ぐ」文《四》。

*__は・ぐ__【▽接ぐ】《他五》〔布・板などを〕つぎ合わせる。「いろいろな布をー・いで座ぶとんを作る」文《四》。

*__は・ぐ__【×矧ぐ】《他五》竹に羽をつけて矢を作る。「矢をー・ぐ」文《四》。

*__ばく__【縛】〔文〕〔罪人などを〕なわでしばること。なわめ。「ーに就く(=罪人としてとらわれる)」

*__ばく__【×貘・×獏】❶哺乳(ほにゅう)類バク科の動物の総称。体は太く、鼻・口は長くのびて屈伸し、尾は短い。木の芽、水草などを食べる。夜行性。❷人の夢を食い、病気・邪気を払うという、想像上の獣。体は熊(くま)、鼻は象、目は犀(さい)、尾は牛に似ているという。

*__ばく__【漠】《形動(タルト)》〔文〕果てしなくひろがってはっきりしないようす。ぼんやりとしてとりとめのないようす。漠

然。「—たる上古の時代」「—とした不安」

***ば‐ぐ**【馬具】馬につける用具。くら・くつわ・あぶみ・たづななど。

***バグ** コンピューターのプログラム上の誤り。▽bug(=虫)

はく‐あ【白亜・白×堊】❶白色または灰白色の泥状の石灰岩。白壁の塗料などにする。チョーク。❷〔文〕白壁。「—の殿堂」表記「白亜」は代用字。

はく‐あい【博愛】〔人を〕広く平等に愛すること。「—主義」類語 人類愛。

ばく‐あつ【爆圧】爆風による圧力。

はく‐い【白衣】〔看護師・医師・美容師などが着る〕白い上っぱり。白衣(びゃくえ)。「—の天使(=看護婦の美称)」

はくいん‐ぼうしょう【博引×旁証】《名・他サ》〔文〕事物を説明するのに、広く例を引用したり証拠を示したりすること。

はく‐う【白雨】〔文〕明るい空から降って、白く見える雨。転じて、夕立・にわか雨。

はく‐うん【白雲】〔文〕白い雲。白雲(しらくも)。対 黒雲。

ばく‐えい【幕営】《名・自サ》〔文〕❶天幕を張った陣営にとまること。また、その陣営。❷テントを張り、野営すること。

ばく‐えき【博×奕】〔文〕ばくち。

はく‐えん【白煙】〔文〕白い色のけむり。対 黒煙。

はく‐おし【×箔押(し)】《名・自サ》器物・紙などの表面に金や銀の箔や色箔をはりつけること。箔入れ。

ばく‐おん【爆音】❶弾薬などが爆発するときに出す音。❷飛行機・自動車などの発動機が発する音。

はく‐が【博雅】《名・形動》〔文〕広く物事を知っていて行いの正しい・こと(人)。「—の士」

ばく‐が【麦芽】ムギ類の種子を発芽させて乾燥したもの。でんぷんを糖分に変える酵素が多く含まれている。大麦の麦芽はビールの原料。麦もやし。モルト。

はく‐がい【迫害】《名・他サ》〔権力によって〕圧迫して、苦しめ悩ますこと。おびやかし、しいたげること。「—を加える」「自由主義者を—する」類語 脅迫。

はく‐がく【博学】《名・形動》いろいろな方面の学問に通じ、多くの事を知っていること。「—多才」類語 博識。該博。対 浅学。

はく‐がん【白眼】❶目の白い部分。しろめ。❷冷淡な目つき。対 青眼。「新しい文化を—する」 **—し**【—視】《名・他サ》冷淡な目で見ること。

は‐ぐき【歯茎】歯の根を包む肉。歯肉。歯齦(しぎん)。

ばく‐ぎゃく【×莫逆】《逆らうこと莫(な)しの意》〔文〕互いに気心が通じ、争うことのない親しい間柄。莫逆(ばくげき)。「—の友」

はく‐ぎょく【白玉】白色の玉(ぎょく)。しらたま。 **—ろう**【—楼】〔文〕文人や書画に優れた人が死後にゆくという宮殿。「—中の人となる(=文人や書画にすぐれた人が死ぬ)」故事 唐の詩人李賀(りが)の臨終に天使が来て、「天帝の白玉楼ができあがったので、君を召してその記を作らせることになった」と告げたという話から。

はく‐ぎん【白銀】❶銀。しろがね。❷〔ひゆ的に〕雪。

はく‐ぐう【薄遇】《名・他サ》〔文〕冷遇。対 厚遇。

はぐく‐む【▽育む】《他五》(「羽含(はくく)む」の意)❶親鳥が羽の下にひなを抱いて育てる。❷だいじに守り育てる。養育する。また、世話をする。「幼い命を—・む」❸物事が発展するようにかばい守る。「科学を—・む」類語 (す)育成。養成。文《四》。

はく‐げき【迫撃】《名・他サ》〔文〕敵にせまって撃つこと。「—砲」

ばく‐げき【爆撃】《名・他サ》航空機から爆弾などの爆発物を投下して、攻撃すること。「—機」

***はく‐さ**【白砂】↓はくしゃ(白砂)。

***はく‐さい**【白菜】アブラナ科の越年草。葉は根生し、ちぢれて重なり合う。冷涼な気候を好む。食用。

***はく‐さい**【舶載】《名・他サ》〔文〕❶船に載せて、運ぶこと。❷特に、外国から船で運んでくること。舶来。「昔、唐から—した品」「—鏡」

***ばく‐さい**【博才】ばくちで巧みに勝つ才能。

***ばく‐さい**【爆砕】《名・他サ》爆撃・爆発の勢いによってこなごなに打ち砕くこと。「ダイナマイトで—する」

ばく‐さつ【爆殺】《名・他サ》爆弾・爆薬を使って人を殺すこと。「政府の要人が—された」

***はく‐し**【博士】学位の一つ。大学院で所定の単位を修得した者、またはそれと同等の学力を持つと認められた者で、博士論文の審査および試験に合格した者に授与される。参考 俗に「はかせ」とも言う。

***はく‐し**【白紙】❶白い紙。❷〔書くべきところに〕何も書かれていない紙。また、何も印刷されていない紙。「答案を—で出す」❸先入観や特定の考えを何も持たないこと。「会議に—で臨む」❹何もなかった、もとの状態。「—撤回」「—に返す」 **—いにんじょう**【—委任状】〔法〕委任者の氏名と印だけをしるし、他の事柄は一定の人に補充させるようにした委任状。

***はく‐し**【薄志】〔文〕❶意志の弱いこと。❷わずかな謝礼。薄謝。 **—じゃっこう**【—弱行】〔文〕意志が弱く、物事を断行する気力にとぼしいこと。

はく‐じ【白磁】表面が白色の磁器。白い素地に透明な釉(うわぐすり)をかけて高温で焼いたもの。東洋独特のもの。

ばく‐し【爆死】《名・自サ》爆撃・爆発などで死ぬこと。

はく‐しき【博識】《名・形動》広く物事を知っていること。物知り。「—な学者」類語 博学。

はく‐じつ【白日】〔文〕❶くもりなく輝く太陽。「青天—」「—の下(もと)にさらす(=公にする)」❷まっぴるま。白昼。「—の夢」 **—む**【—夢】白昼夢(はくちゅうむ)。

***はく‐しゃ**【拍車】乗馬靴のかかとにつける金具。一端に小さな歯車をつけ、これで馬の腹をけって速度を上げる。「—を掛ける(=物事の進行に一段と力を加える)」

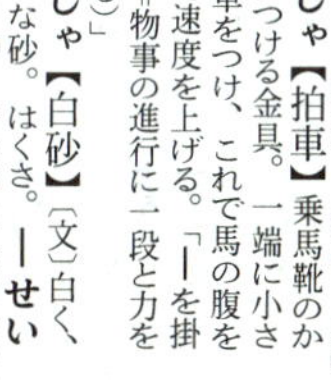

拍　車

***はく‐しゃ**【白砂】〔文〕白く、きれいな砂。はくさ。 **—せいしょう**【—青松】〔文〕白い砂と青々とした松がつらなる、美しい浜べの景色。「—の地に遊ぶ」

***はく‐しゃ**【薄謝】わずかな謝礼。また、謝礼の謙譲語。薄志。「—を呈する」

ばく‐しゃ【幕舎】〔文〕テントばりの営舎。

はく‐しゃく【伯爵】明治憲法下で、爵位の一つ。五等爵の第三位。侯爵の下、子爵の上。伯。

はく‐じゃく【薄弱】《形動》❶意志・体力などが弱々しいようす。❷確かでないようす。「根拠は—である」

はく‐しゅ【拍手】《名・自サ》〔ほめるとき、賛成の意を表すときなどに〕手のひらを何度も打ち合わせて音を出すこと。 **—かっさい**【—喝×采】《名・自サ》〔多数の人が〕手をたたき、声を上げてほめること。

はく‐じゅ【白寿】九九歳。また、その祝い。参考

「百」から上の「一」を除くと、「白」となることから。

ばく‐しゅう【麦秋】〔文〕麦の取り入れのころ。初夏のころ。むぎあき。参考 夏の季語。

***はく‐しょ【白書】** 政府が、政治・経済・社会など、それぞれの方面についての現状分析や将来の展望をまとめて出す報告書。「経済―」参考 イギリス政府の議会報告書の表紙の色から。

***はく‐しょ【薄暑】** 初夏の弱い暑さ。また、初夏の、やや暑さを感じ始める時候。

ばく‐しょ【×曝書】《名・自他サ》〔文〕書物の虫干し。

***はく‐じょう【白状】**《名・他サ》自分の罪や隠していたことを申し述べること。類語 自白。自供。

***はく‐じょう【薄情】**《名・形動》人情・愛情にとぼしいこと。また、他人に対する思いやりの気持ちがないこと。「―なやつ」「―な世の中」類語 すげない。つれない。心ない。冷淡。不人情。無慈悲。非情。無情。

ばく‐しょう【爆笑】《名・自サ》〔大勢が〕大声でどっと笑うこと。「こっけいな演技に一同―する」

はく‐しょく【白色】 白い色。 ―じんしゅ【―人種】 人類を皮膚の色で分類したときの、三大人種群の一つ。皮膚の色が白く、毛髪・目の色がうすい。ヨーロッパ民族の多くはこれに属する。白人種。 ―テロ 反政府運動や革命運動などをおさえるため、政府・資本家などの支配階級が行う弾圧・暴力行為。参考 革新派を「赤」と呼ぶのに対して言う。対 赤色テロ。

はく‐しん【迫真】〔文〕〔表現・表情などが〕真に迫っていること。「―の演技」

***はく‐じん【白人】** 白色人種に属する欧米人の通称。

***はく‐じん【白刃】**〔文〕さやから抜いた刀。しらは。

***ばく‐しん【幕臣】** 江戸時代、将軍直属の臣下。旗本(はたもと)・御家人など。

***ばく‐しん【爆心】**〔文〕爆撃・爆発などの中心地点。

***ばく‐しん【×驀進】**《名・自サ》まっしぐらに非常な勢いで進むこと。突進。猛進。「機関車が―する」

はく‐・する【博する】《他サ変》自分の物として獲得する。「巨利を―・する」「喝采(かっさい)を―・する」

***ばく‐・する【縛する】**《他サ変》〔文〕❶しばる。捕縛する。「犯人を―・する」❷束縛する。

***ばく‐・する【×駁する】**《他サ変》他人の意見や論説を非難・攻撃する。論駁(ろんばく)する。反駁(はんばく)する。「退廃の風潮を―・する」

はく‐せい【×剝製】 動物の肉・内臓のかわりに綿などの芯(しん)材をつめて皮を縫い合わせ、生きた姿に似せた形にしたもの。標本や装飾品にする。

はく‐せき【白×皙】〔文〕色白(いろじろ)。「―の美男子」

***はく‐せん【白扇】**〔文〕白地のままのおうぎ。

***はく‐せん【白×癬】** 白癬菌の寄生によって起こる皮膚病。たむし・しらくも・はたけなど。

***はく‐せん【白線】** 白い線・すじ。

はく‐ぜん【白×髯】〔文〕白いほおひげ。

ばく‐ぜん【漠然】《形動タト》広くとりとめのないようす。ぼんやりして、はっきりしないようす。「―と将来のことを考える」類語 漠。漠々。曖昧模糊(あいまいもこ)。

は‐くそ【歯×屎・歯×糞】 歯の間にたまる、食べ物のかす。歯垢(しこう)。

はく‐そう【博捜】《名・他サ》ある事柄について文献・資料などを広くさがしもとめること。「資料を―する」

ばく‐だい【×莫大】《形動》《「これより大なるは莫(な)し」の意》数量・程度がきわめて大きいようす。この上ないようす。多大。巨大。「―な損害」「―な金額」

はく‐だく【白濁】《名・自サ》〔文〕白く濁ること。

***はく‐だつ【×剝奪】**《名・他サ》はぎ取ること。むりに取り上げること。「タイトルを―する」

***はく‐だつ【×剝脱】**《名・自他サ》〔塗料などが〕はげ落ちること。また、はぎ落とすこと。「―した金箔(きんぱく)」

はく‐たん【白炭】→しろずみ。

ばく‐だん【爆弾】 中に詰めてある爆薬の爆発によって、人や施設などを殺傷・破壊する弾丸状の兵器。参考 危険なもののたとえにも使う。「体に―(=命とりになりかねない病気)を抱える」 ―せいめい【―声明】〔他人を驚かすような〕突然の重大声明。

はく‐ち【白痴】 知能がいちじるしくおとっていること。また、かつて、精神障害のうち、障害の程度が最も重いものをいった語。

***ばく‐ち【博▽打・博×奕】**《「ばく打ち」の約》❶さいころ・花札・トランプなどの勝負によって、かけたものの得失を争うこと。賭博(とばく)。博奕(ばくえき)。類語 賭(か)け。賭事。袁彦道(えんげんどう)。ギャンブル。❷結果を運にまかせた危険な行為。「敵の目をあざむく大(おお)―を打つ」 ―うち【―打ち】 ばくちを常習とする人。博徒(ばくと)。

***ばく‐ち【×驀地】**《形動》《多く「―に」の形で使う》〔文〕❶急速に直進するようす。まっしぐら。「―に進む」❷急に。たちまちに。「真理が―に現れる」

ばく‐ちく【爆竹】 竹筒や紙筒に火薬を詰めたものをつなぎ、一端に火をつけて次々に爆発させて鳴らすもの。

はく‐ちず【白地図】 輪郭だけをしるした、記入用の地図。白図。

***はく‐ちゅう【伯仲】**《名・自サ》〔力量などに〕優劣の差がないこと。互角。「実力が―している」参考「伯」は長兄、「仲」は次兄の意。

***はく‐ちゅう【白昼】** まひる。まっぴるま。白日。「―堂々の強盗事件」 ―む【―夢】 まひるに見る夢。また、そのような非現実的な空想・幻想。白日夢。

はく‐ちょう【白鳥】 カモ科の大形の水鳥。全身純白色で、首が長く、美しい姿をしている。秋に渡来し、海岸や湖で水草を食う。くぐい。しらとり。スワン。

ばく‐ちん【爆沈】《名・他自サ》艦船を魚雷・爆弾などで爆破して沈めること。また、爆破して沈むこと。

はく‐つき【×箔付き】 ❶金・銀などの箔がついている・こと(もの)。❷定評がある・こと(もの)。

ぱく‐つ・く《他五》〔俗〕大きな口をあけてさかんに食う。ぱくぱくと食う。「にぎりめしを―・く」

バクテリア 細菌。▽bacteria

ばく‐と【博徒】 ばくちうち(の仲間)。

***はく‐とう【白桃】** ❶モモの一品種。果肉は白色・多汁であま味が強い。しろもも。❷白いモモの花。

***はく‐とう【白頭】**〔文〕しらがあたま。「―翁」

***はく‐どう【×搏動・拍動】**《名・自サ》脈打つこと。表記「拍動」は代用字。

***はく‐どう【白銅】** 銅とニッケルとの合金。銀白色。貨幣などに用いる。「―貨」

はく‐とうゆ【白灯油】 おもに家庭の暖房用に用いる、精製した灯油。

はく‐ないしょう【白内障】 眼球の水晶体が白く濁る病気。視力障害を起こす。しろそこひ。参考 →緑内障・黒内障。

はく‐ねつ【白熱】《名・自サ》❶金属などが高温に熱

せられて白い光を放つこと。❷物事が熱気を帯びて最も激しい状態になること。「—した試合」

はく・ば【白馬】 白い毛色の馬。

—は馬に非ず《句》詭弁をもてあそぶこと。故事 中国周代の公孫竜の、「馬は馬なり。白馬は白馬なり。故に白馬は馬に非ず」による。

ばく・は【爆破】《名・他サ》火薬を爆発させて岩石・建造物などを破壊すること。「橋を—する」

はく・ばい【白梅】 白い花を付けるウメ。白梅。

バグ・パイプ 木管楽器の一つ。革製の空気袋に数本の木管をとりつけたもの。袋に空気を送り、指穴のある旋律用の管を操作して鳴らす。▽bagpipe

ばく・ばく【漠漠】《形動タルト》〔文〕❶広々として果てしのないようす。広漠。「—たる海原」❷はっきりせず、とりとめのないようす。漠然。「—とした不安」

ぱく・ぱく《副・自サ》《副詞は「—と」の形も》❶口を大きく開けたり閉じたりするようす。「どんぶり飯を—とたいらげた」❷〔①のような動作で〕さかんに食べるようす。❸物の合わせめやつぎめが離れかかって、開いたり閉じたりするようす。「くつが—する」

はく・はつ【白髪】 しらが。「—の老人」

—三千丈《句》長年の憂いのため頭髪が白くなって長くのびたことを誇張して言ったことば。〈李白・秋浦歌〉

ばく・はつ【爆発】《名・自サ》❶物質が急激な化学変化や物理変化を起こし、体積が著しく増大して、多大の熱・光・音を伴った破壊作用を生ずること。類語 爆裂。破裂。❷おさえていた怒りや不満などが一時に激しく起こって外部に現れること。「怒りが—する」

はく・はん【白×斑】 ❶白い斑点。❷しろなまず。❸太陽表面の黒点付近に多く見られる、光が特に強くて白いまだら紋として見える部分。

はく・び【白×眉】〔文〕❶白いまゆ毛。❷多くの同種類のものの中で、最もすぐれた人やもの。「歴史小説の—」故事 中国の蜀の、馬氏の五人兄弟はともに才名があったが、特に馬良が最もすぐれ、そのまゆに白毛があったということから。〈蜀志・馬良伝〉

***はく・ひょう【白票】** ❶国会で表決を記名投票で行う場合、議案を可とする議員が投じる白色の票。白票。対 青票。❷記入して投票しなければならない場合に、白紙のままでなされた投票。

***はく・ひょう【薄氷】**〔文〕うすく張った氷。薄氷。「—を踏む（=非常な危険をおかすたとえ）」

***ばく・ふ【幕府】**〔中国で、出征中の将軍の居所・陣営。転じて、将軍の幕営を称したことから〕武家時代の将軍の居所・陣営。転じて、武家政治の政庁。また、武家政権。

***ばく・ふ【×瀑布】**〔文〕（大きな）滝。

ばく・ふう【爆風】 爆発によって起こる激しい風。

はくぶつ・かん【博物館】 歴史・芸術・民俗・産業・自然科学などに関する資料や作品を、組織的に収集・保管・展示し、一般の利用に供する施設。

はく・ぶん【白文】 句読点・訓点を付けない漢文。

はくぶん・きょうき【博聞強記】〔文〕広く物事を聞き知って、それをよく覚えていること。類語 博覧強記。

はくへい・せん【白兵戦】 刀や銃剣をふるい、敵味方が入り乱れて戦う接近戦。

はく・へき【白×璧】〔文〕白色の環状の玉。また、白色の宝玉。「—の微瑕（=ごくわずかな欠点のたとえ）」

***はく・へん【×剝片】**〔文〕はがれ落ちたかけら。

***はく・へん【薄片】**〔文〕薄いかけら・きれはし。

はく・ぼ【薄暮】〔文〕日が沈むころ。夕暮れ。たそがれ。「—ゲーム」

はく・ぼく【白墨】 粉末の焼石膏を水で練って、棒状に固めて乾燥したもの。黒板に書くのに使う。もとは白亜①を用いた。チョーク。

はく・ま【白魔】〔文〕恐ろしい害を与える大雪を魔物にたとえた語。「—が荒れ狂う」

はく・まい【白米】 玄米をつき、ぬか層と胚芽を取り除いて、白くした米。精米。対 玄米。

ばく・まつ【幕末】 江戸幕府の末期。

***はく・めい【薄命】**〔文〕❶ふしあわせなこと。不運。薄運。「—の貴公子」❷寿命が短いこと。「佳人—」

***はく・めい【薄明】**〔文〕明け方・夕方のうすぼんやりとした明るさ。

はく・めん【白面】〔文〕❶素顔。❷なま白い顔。「—の美少年」❸年が若くて経験が少ないこと。未熟。「—の青年の処女作」

はく・や【白夜】 北極または南極を中心とする地方で、夏至または冬至のころに、太陽が地平線近くに沈んでいるために一晩じゅう薄明が続く現象。びゃくや。

ばく・やく【爆薬】 建造物・岩などの破壊に用いる、爆発反応の速い火薬類。トリニトロトルエン（TNT）・ダイナマイトなど。爆裂薬。

はく・よう【舶用】 船舶に使用すること。「—エンジン」

はく・らい【舶来】《名・自サ》外国から（船で運ばれて）渡来すること（もの）。また、外国製（品）。「—品」

ばく・らい【爆雷】 水中の潜水艦を攻撃するための特殊な爆弾。一定の水深に達したときに爆発する。

はぐら・か・す《他五》❶相手の（勢いこんだ）気持ちや態度をそらして、その期待をうらぎる。特に、質問などに対して、他のことを言ってごまかす。そらす。はぐらす。「秘密を聞きだそうとしたが、—・された」❷連れの人に気づかれないように、うまく離れる。はぐれさせる。撒く。「妹を—・して友人と映画を見に行った」

***はくらく【伯楽】**〔文〕よく馬のよしあしを見分ける人。また、馬や牛の病気をなおす人。ばくろう。参考 中国周代の、馬の鑑定の名人の名から。

***はく・らく【×剝落】**《名・自サ》〔文〕〔塗料やはりつけたものなどが〕はがれ落ちること。「—した朱ぬりの柱」

はく・らん【博覧】〔文〕❶広く書物を読み、多くの物事を知っていること。「—に供する」❷《名・他サ》広く一般の人々が見ること。

—かい【—会】 産業・通商・技術などの振興のために、各種の産物・製作物などを収集・展示して一定期間人々に見せる催し。「万国—」

—きょうき【—強記】〔文〕広く書物を読み、それをよく記憶していること。「—の人」類語 博聞強記。

***はく・り【×剝離】**《名・自他サ》〔文〕はがれること。また、はがすこと。「網膜—」

***はく・り【薄利】**〔文〕利益が少ないこと。わずかなもうけ。

—たばい【—多売】 少ないもうけで、品物を数多く売り、全体としての採算がとれるようにすること。

ぱくり ㊀《副》《多く「—と」の形で》❶大きく口をあけて食いつくようす。「あんパンを—と食べた」❷破れ目・割れ目などが大きく開くようす。ぱっくり。「ザクロの実が—と割れる」㊁《名》〔俗〕❶だまし取ること。「—屋」❷他人の作品・アイディアなどを盗用すること。また、そうして作った作品。「この歌は往年の名曲の—だ」

はくりき・こ【薄力粉】 ねばり気が少ない小麦粉。てんぷらの衣などに使う。対強力粉。

ばくりゅう‐しゅ【麦粒×腫】 ↓ものもらい。

*__ばく‐りょう【幕僚】__ 指揮官に直属し、作戦・用兵などの相談を受ける高級将校。

*__ばく‐りょう【×曝涼】__〔文〕蔵の中の書籍・道具などを日にさらし、風を通すこと。虫干し。

はく‐りょく【迫力】 人の心に強く迫ってくる力。圧迫する力。「―のある演技」

はぐ・る《他五》はいでめくる。めくりかえす。「伝票を―・る」文《四》。

ぱく・る《他五》〔俗〕❶かっぱらう。また、金品をだまし取る。〔盗用の意味でも使う〕「アイディアを―・る」❷検挙する。逮捕する。「犯行がばれて―・られた」参考①②とも、ふつう受け身の形で使う。

*__は‐ぐるま【羽車】__ 神体を移すときなどに使う輿。

*__は‐ぐるま【歯車】__ 機械の一部分として、周囲に一定の間隔で歯をきざみつけた車。また、それをかみ合わせて動力を伝えるしくみの装置。ギア。「―が噛み合わない(=互いの動きや考え方がうまく一致しない)」

ばく‐れつ【爆裂】《名・自サ》爆発して破裂すること。「―弾」

はぐ・れる【▽逸れる】 ━《自下一》つれの人を見失って離れ離れになる。「雑踏の中で母に―・れた」文はぐ・る《下二》。━《接尾》…しそこなう。…しそびれる。「言い―・れる」「食い―・れる」文はぐ・る《下二》。

ばく‐れん【×莫連】〔俗〕女のすれっからし。あばずれ。「―女」「―者」

はく‐ろ【白露】〔文〕❶しらつゆ。❷二十四節気の一つ。太陽暦の九月八日ごろ。

ばく‐ろ【暴露・×曝露】《名・自他サ》秘密・悪事などが明るみに出ること。また、それらをあばき出すこと。「不正が―した」「私生活が―される」対隠蔽。

はく‐ろう【白×蠟】 ハゼノキの果実からとった生ろうを日光でさらした、白色のろう。―**びょう【―病】** 指先がろうそくのように白くなり、しびれや痛みをおこす病気。自動のこぎりなどを使う森林労働者に多い。

ばく‐ろう【博労・馬×喰・伯▽楽】(「伯楽」の転)❶馬のよしあし・病気を見分ける人。伯楽。❷牛や馬の売買・周旋を業とする人。

ばく‐ろん【×駁論】《名・他サ》相手の意見を非難・攻撃すること。また、その議論。類語駁説。反論。

はく‐わ【白話】 中国の口語。「―文」対文言。

*__はけ【▽刷毛・▽刷▽子】__ 塗料など、液状のものを塗る道具。毛などをそろえ束ねて、柄のついている台にはめこんだもの。ブラシ。

*__はけ【×捌け】__ ❶水が滞らずに流れること。「水―がよい」❷商品などが売れること。「―の悪い商品」

*__はげ【×剝げ】__ 張り付けたり塗ったりしたものなどが、はがれ落ちること。また、そのあと。

*__はげ【×禿(げ)】__ ❶毛髪が抜け落ちた状態である・こと(人)。また、毛髪が抜け落ちた部分。「頭の横に―がある」❷山などに樹木のないこと。「―山」

はげ‐あが・る【×禿げ上がる】《自五》額のずっと上のほうまで毛が抜けてなくなる。「―・った額」

はげ‐あたま【×禿(げ)頭】〔全体にわたって〕毛の抜け落ちた頭。また、その人。はげ。禿頭。

は‐けい【波形】 ❶波のような形。なみがた。❷〔理〕波動の伝わり方を示すグラフ。

は‐げいとう【葉鶏頭・×雁▽来▽紅】 ヒユ科の一年草。葉はケイトウに似て長楕円形で、黄・赤・緑色などのまだらがある。観賞用。がんらいこう。

バケーション〔学校・会社などの、比較的長い〕休暇。ヴァケーション。▽vacation

はけ‐ぐち【×捌(け)口】 ❶水など、流れ出ていくものの出口。❷感情・エネルギーなど、内にたまっているものを外に出す場所・機会・手段。「欲求不満の―」❸商品などの売れて行く先。売れ口。「在庫品の―」

はげし・い【激しい・▽烈しい・▽劇しい】《形》❶程度がはなはだしい。度を超えている。「―・い寒さ」「―・い恋」類語厳しい。ひどい。凄まじい。凄い。物凄い。激烈。猛烈。強烈。矯激。激甚。過激。❷勢いが鋭く強い。「―・いことば」「―・い流れ」類語厳しい。凄まじい。きつい。痛烈。苛烈。熾烈。激越。猛烈。強烈。文はげ・し《シク》。

はげ‐たか【×禿×鷹】 はげわし。

バケツ ブリキ・トタン・合成樹脂などで作った、水をくんだり運んだりする円筒形の容器。▽bucket から。

バケット 起重機や運搬機器に付属した、鉱石・土砂などをすくいとる大型の容器。▽bucket

バゲット 棒状のフランスパン。▽フランス baguette(=棒)

ばけ‐の‐かわ【化けの皮】 真相・素姓・秘密などを隠して、表面を偽り飾っている見せかけのようす。「―がはがれる(=正体が現れる。ごまかしがばれる)」

はげま・す【励ます】《他五》❶元気をつけてやる。力づける。激励する。「傷心の友を―・す」類語(する)鼓舞。鼓吹。督励。鞭撻。応援。声援。❷〔文〕声をいっそう強くする。「声を―・して叱る」文《四》。

はげみ【励み】 はげむこと。また、その気持ちにさせるもの。「仕事に―が出る」「友の成功がよい―になる」

はげ・む【励む】 ━《自五》気力をふるって、努める。精を出す。「仕事に―・む」類語(する)精励。出精。精進。刻苦。文《四》。━《他五》〔文〕一心に尽くす。「忠誠を―・む」文《四》。

ばけ‐もの【化(け)物】 ❶霊力によって、他のものの姿に変わって出現したもの。怪しげな姿をして現れる。おばけ。妖怪。変化。❷普通の人間では考えられない能力をもっている人。「あいつは―だ」

はげ‐やま【×禿(げ)山】 木や草のはえていない山。はだか山。ぼうず山。

は・ける【×捌ける】《自下一》❶〔水が〕とどこおらず流れてゆく。❷品物などがよく売れる。さばける。「右から左へ―・ける」文は・く《下二》。

*__は・げる【×剝げる】__《自下一》❶〔表面に塗ったもの、はりつけたものなどが〕取れてはなれる。「ペンキが―・げる」「化けの皮が―・げる」類語(する)剝落。剝脱。剝離。❷色がうすくなる。あせる。「染めが―・げる」文は・ぐ《下二》。

*__は・げる【×禿げる】__《自下一》❶髪の毛が抜けてなくなる。はげになる。「頭が―・げる」❷山などに草木がなくなる。「乱伐で山が―・げる」文は・ぐ《下二》。

ば・ける【化ける】《自下一》❶〔超自然的な力で〕本来の姿を変えて別の姿になる。「蛇が女に―・ける」❷素姓をかくし、また姿を変えて、別の人に見せかける。「集金人に―・けて盗む」文ば・く《下二》。

はげ‐わし【×禿×鷲】 ワシタカ科の大形のワシ。黒褐色で、くびから頭部にかけて皮膚がむき出しになっている。動物の死肉を食う。はげたか。

は

***は・けん**【派遣】《名・他サ》命令して出むかせること。つかわすこと。「使節をーする」「ー社員」

***は・けん**【覇権】他を征服して勝ちとった権力。転じて、競技などで優勝して得る栄誉。「ーを握る」

ば・けん【馬券】競馬の「勝ち馬投票券」の通称。

ば・げん【×罵言】〔文〕ののしることば。ひどい悪口。

はこ【箱・×函・×筥・×匣・×筐】━《名》❶物を入れる（おもに方形の）器。ボックス。❷方形の乗り物。列車・電車の車両、自動車など。「次の駅でーの中は二人だけになった」❸三味線(しゃみせん)の入れ物。転じて、三味線。また、箱屋②。━《助数》箱①にはいったものを数える語。「ブドウを二ー買う」

はご・いた【羽子板】羽根つきに用いる柄のついた長方形の板。ふつう片面を絵や押し絵で飾る。

はこ・いり【箱入り】❶箱にいれてある・こと（もの）。「ーのウイスキー」❷たいせつにしまってある・こと（もの）。

ーむすめ【ー娘】めったに外出などさせないほど、大事に育てられた娘。秘蔵の娘。

は・こう【×跛行】《名・自サ》〔文〕❶片足を引きずるようにして歩くこと。❷〔二つの物事が〕つりあいのとれない進み方・進展をすること。「ー状態が続く相場」

はこ・がき【箱書(き)】《名・自サ》書画・器物などを入れた箱に、作者・鑑定家などが、本物であることを証明して品物の名を書き署名・押印などをしたもの。

は・ごく【破獄】《名・自サ》〔文〕ろう破り。脱獄。

はこ・し【箱師】〔隠〕もっぱら列車・電車の中をかせぎ場とする、すり。

はこ・せこ【×筥▽迫・×函▽迫・×筥▽狭子】和装のときに女性がふところにはさんでもつ、箱形の紙入れ。

ば・こそ《連語》《接続助詞「ば」＋係助詞「こそ」》❶〔口語では仮定形につく。文語では已然形につく〕確定条件を強める。…からこそ。「君のことを思えば**こそ**言うのだ」「資産家なれば**こそ**心配事も多い」❷**文語**〔動詞の未然形について、終助詞的に使う〕ある事柄を仮定する形で、強く否定するのに使う。…ならばそうだが、断じて…ない。「親切心の一つでも起こすことのあらばこそ」

パゴダ ミャンマーなどにある仏塔や塔。▽pagoda

は・ごたえ【歯▽応え】(ーごたへ) ❶食べ物をかんで歯に受ける、堅さの感じ。「しけて、ーの悪いせんべい」❷こちらからの働きかけに対する、相手の反応。はりあい。手ごたえ。「ーのないやつ」

はこ・にわ【箱庭】(ーには) 浅い箱に土や砂を入れ、家・橋などの模型や小さな樹木をあしらって、庭園や山水の景色にみたてたもの。

はこび【運び】❶物を他の場所に移すこと。「荷物ー」❷〈足のー〉歩く速さ。歩き方。あゆみ。「足のーも遅くなる」❸物事の進め方。「話のーがへただ」❹物事の進行の・状態（速さ）。「仕事のーが遅い」❺物事の進行上の、ある段階。「近日開店のーとなる」

はこ・ひばち【箱火鉢】箱形の木製の火鉢。

はこ・ぶ【運ぶ】━《他五》❶物を手に持ったり何かの上に載せたりして他の場所に移し動かす。「膳(ぜん)をー・ぶ」「荷物をー・ぶ」類語(ーする)運送。運搬。搬送。輸送。❷何かをするために、ある物を動かし進める。「筆をー・ぶ」「針をー・ぶ」❸足を動かして体を移し進める。「遠方から足をー・ぶ（＝やってくる）」❹物事を推し進める。推進する。「仕事を手ぎわよくー・ぶ」文《四》。━《自五》物事が進展する。はかどる。「とんとん拍子に話がー・ぶ」類語(ーする)進捗(しんちょく)。文《四》。

はこ・ぶね【箱船・▽方舟】方形の船。特に、旧約聖書の創世記で、洪水を避けるため、ノアとその家族や動物が乗ったという方形の船。「ノアのー」

はこべ【×蘩×蔞・▽繁×縷】ナデシコ科の越年草。茎は地面をはい、横にひろがる。春、小さな白色の五弁花が多数咲く。春の七草の一つ。はこべら。

は・こぼれ【刃×毀れ】《名・自サ》刀・包丁などの刃がかけること。また、その部分。

はこ・まくら【箱×枕】箱形の台の上にくくりまくらをのせたまくら。

箱　枕

はこ・もの【箱物】❶箱形の家具。❷〔俗〕公会堂やホールなどの公共建築物。「ー行政」

はこ・や【箱屋】❶箱を作り、または売る・人（店）。❷三味線(しゃみせん)（を入れた箱）を持って、芸者のともをする人。はこまわし。はこ。

は・ごろも【羽衣】天人が着て空を飛ぶという、鳥の羽で作ったうすくかるい衣。天(あま)の羽衣。

は・こん【破婚】《名・自サ》〔文〕❶婚約が解消されること。❷婚姻関係が解消されること。離婚。

バザー ❶社会事業などの資金を集める目的で物を持ち寄って売る催し。慈善市。❷学校などで生徒の製作品を売る催し。▽bazaar

ハザード・マップ 災害予測地図。▽hazard map

バザール ❶イスラム諸国の、（街頭）市場。❷〔屋外などで、仮の売り場を設けて〕衣料品・雑貨などを（安く）売ること。デパートなどの特売。▽(フランス) bazar

は・さい【破砕・破×摧】《名・自他サ》〔文〕こなごなにくだけること。また、こなごなにうちくだくこと。「原形をとどめずーする」

はざかい・き【端境期】(ーざかひー) ❶古米にかわって新米が出まわりはじめる直前の時期。八・九月ごろ。❷くだもの・野菜などが市場に出まわらなくなる、夏または冬の一時期。＝はざかい。

は・さき【刃先】刀などの、刃のさき。「ーをかわす」

は・ざくら【葉桜】若葉が出始めたころのサクラ。

ばさ・つ・く《自五》ばさばさする。「髪がー・く」

ばさ・ばさ《副・形動・自サ》《副詞は「ーと」の形も》髪の毛などの、油けがなく乱れたようす。「強風で髪がーだ」

ぱさ・ぱさ《副・形動・自サ》《副詞は「ーと」の形も》かわいて水けや油けがないようす。「ーのパン」

はざ・ま【▽狭間・▽迫間】〔文〕❶物と物との間のせまい所。すきま。あいだ。「雲のーから月光がもれる」❷事と事との間。「生死のーをさまよう」❸弓や鉄砲をうつために城壁に設けた穴。

はさま・る【挟まる】《自五》物と物との間にはいる。また、対立する人と人との間に立つ。「歯にものがー・る」「二人の間にー・って困惑する」文《四》。

***はさみ**【×螯】カニ・エビなどの、大きな前足。これで物をつかんだり敵をおどかしたりする。

***はさみ**【×鋏・×剪▽刀】❶〔手に握って〕二枚の刃を合わせて、その間にはさんだ物を切る道具。❷切符などに穴や切れ込みを入れる道具。パンチ。「ーの入っていない切符」❸じゃんけんで、ちょき。対紙・石。

はさみ・うち【挟(み)撃ち】《名・他サ》両側からはさむようにして攻撃すること。「不況と円高のー」

はさみ・こ・む【挟み込む】《他五》物と物の間に入れ

こむ。挟み入れる。「本に葉書を—・む」［類語］(る・す)挿入。

はさみ・しょうぎ【挟(み)将棋】 将棋盤で、端に双方一列にならべたこまを交互に動かし、相手のこまを前後または左右からはさんで取る遊び。

***はさ・む【挟む・▽挿む】**《他五》❶間にさし入れる。「しおりを本に—・む」「耳に—・む(=ちらりと聞く。聞くとはなしに聞く)」［類語］(る・す)挿入。❷間に入れてもつ。両側からおさえる。「はしで—・む」「泣き虫毛虫、—・んで捨てろ」❸間におく。「机を—・んで対談する」❹途中で口をきく。口を出す。「ことばを—・む」❺〔疑いを〕いだく。「疑念を—・む」［文］《四》。

***はさ・む【×鋏む・×剪む】**《他五》はさみで切る。「枝を—・む」［類語］(る・す)剪断(せんだん)。［文］《四》。

は・ざわり【歯触り】(—ざはり) 食べ物などをかんだ時に受ける感じ。「—がいい」［類語］舌ざわり。口あたり。

は・さん【破産】《名・自サ》❶財産を全部うしなうこと。「—した実業家」［類語］倒産。❷〔法〕借金をした人(=債務者)がそれを返せなくなった場合、財産をさし出させ、貸した人々(=債権者)が公平に分けることができるようにはからう、裁判上の手続き。「—宣告」

***はし【×嘴・×觜】**〔文〕くちばし。「鶍(いすか)の—」

***はし【橋】** 二つの地点を道路・鉄道などの交通路でつなぐために、障害となる川・谷・道路・鉄道などの上にかけ渡した構築物。「—をかける(=わたりをつける)」「—をわたす(=なかだちをする)」［類語］橋梁(きょうりょう)。ブリッジ。

***はし【端】** ❶細長い物の中央から最も遠い部分。先端。末端。「さおの—」❷物の周辺に近い部分。へり。ふち。「道の—に寄る」「紙の—を切る」❸物事のほんの一部分。「ことばの—に表れる育ちのよさ」［類語］末梢(まっしょう)。末節。❹切り離したほんの一部分。きれはし。「木の—」❺物事の起こる初め。端緒。いとぐち。［参考］①〜⑤は、なまって「はじ」とも言う。

***はし【×箸】** 食べ物をはさみ取るための、細く短い一対の棒。「—をつける(=食べ始める)」「—が進む(=おいしくて多く食べられる)」［参考］二本一組として「一膳(いちぜん)」「一揃(ひとそろ)い」と数える。［丁寧］御手元(おてもと)。

—が転んでも笑・う《句》日常のたわいないことにもよく笑う。〔思春期の娘などにいう〕「—・う年ごろ」

—にも棒にも掛からな・い《句》〔能力・程度がいちじるしく劣っていて〕取り扱いに困る。

—の上げ下ろしにも小言を言う《句》取るに足りないことにまで口うるさく非難する。

***はじ【恥・▽辱】**(はぢ) はじること。面目を失うこと。名誉をきずつけられること。「—を知る」「—をかく」「—をすすぐ(=恥をぬぐう。雪辱(せつじょく)する)」「—の上塗り(=恥の上にまた恥を重ねること)」「—も外聞もない(=恥ずかしいとかみっともないとかを気にしていられない)」「—をさらす(=自分の恥を世間に知らせるようなことをする。また、大勢の人の前で辱めをうける)」［類語］名折れ。不名誉。不面目。汚辱。屈辱。国辱。恥辱。侮辱。

***は・じ【把持】**《名・他サ》〔文〕つかみ持つこと。また、権力などをかたく握ること。「権力を—する」

***はじ【▽端】**「はし(端)」のなまった語。はじっこ。

はし・あらい【×箸洗い】(—あらひ) 懐石料理で、小さな椀(わん)に出される薄味の吸い物。八寸の前に出される。

はし・い【端居】(—ゐ)《名・自サ》〔文〕縁側など、家の端近くに出て(すわって)いること。「縁先に—する」

はじ・い・る【恥じ入る】(はぢ—)《自五》深く恥じる。非常に恥ずかしいと思う。「自分の不明に—・る」

はし・おき【×箸置(き)】 食事のときに、はしの先をのせておく小さな道具。はしまくら。はし台。

はしか【▽麻×疹・×痲×疹】 四類感染症の一つ。ウイルスが病原体。高熱のあと赤い発疹を生ずる。幼児が多くかかる。一度かかれば終生免疫となる。ましん。

はし・がかり【橋懸(か)(り)・橋掛(か)(り)】 能舞台の一部で、舞台と鏡の間とをつなぐ能役者の通路。板張りで両側に欄干があり、橋のように作ってある。

はし・がき【端書(き)】 ❶まえがき。序文。［対］奥書。❷手紙のはしに書きそえる文章。おってがき。追伸。

はじかみ ❶「しょうが」の雅称。❷「さんしょう」の古称。［表記］①は「薑」、②は「椒」と当てる。

はじき【▽弾き】 ❶はじくこと。❷〔俗〕ピストル。

はじき・だ・す【▽弾き出す】《他五》❶はじいて外へ出す。「不良品を—・す」❷のけものにする。仲間はずれにする。「仲間から—・される」❸〔そろばん玉をはじいて値を出すことから〕算出する。費用などをひねり出す。「総費用を—・す」「何とか旅費を—・す」

はじ・く【▽弾く】《他五》❶〔弾力や加えられた力で〕物をはねかえす。また、はねかえす力で他のものを打つ。はねとばす。「指先で虫を—・く」❷〔そろばん玉を動かして〕計算する。勘定する。「いくらになるかざっと—・く」「そろばんを—・く(=計算する。損得を考える)」❸はねのける。寄せつけない。「油は水を—・く」［文］《四》。

はし・くれ【端くれ】 ❶切れはし。「板の—」❷とるに足りないが、一応その部類に属する者。〔謙遜(けんそん)また自嘲(じちょう)して言う語〕「これでもエンジニアの—だ」

はしけ【×艀】 沖に停泊中の船と陸との間をゆききして、乗客や貨物を運ぶ小舟。はしけぶね。

はし・げた【橋×桁】 橋ぐいの上にかけ渡して、橋板をささえる材。

はじ・ける【▽弾ける】《自下一》❶はねとぶ。勢いよく飛び散る。「急に熱せられた炭が—・ける」❷〔中身がふくらんで〕外の殻(から)や皮がさけてわれる。はぜる。「豆が—・ける」［文］はじ・く《下二》。

はし・ご【×梯子・×梯】 ❶寄せかけ、またはつるして、高い所に登る道具。二本の長い材に幾本もの横木をつけて足掛かりとする。「—を外(はず)される(=仲間の意見・態度の急変にあって、孤立した難しい立場に立たされる)」❷「はしご酒」の略。**—ざけ【—酒】** 次から次へと店を変えて酒を飲むこと。はしご。**—しゃ【—車】** 伸び縮みするはしごを備えた消防車。高所での消火や救助作業に用いる。**—のり【—乗り】** 直立したはしごの上でする曲芸。また、それをする人。

はしこ・い《形》動作や頭の働きがすばやい。機敏だ。すばしこい。はしっこい。「野兎(のうさぎ)のように—・い小娘」［対］まのろい。［文］はしこ・し《ク》。

はじ・さらし【恥×曝し】(はぢ—)《名・形動》恥を世間にさらけ出す・こと(人)。「あいつは一家の—だ」

はじ・しらず【恥知らず】(はぢ—)《名・形動》恥を恥とも思わない・こと(人)。平気で恥ずかしいことをする・こと(人)。「人前でひわいなことを言う—な奴(やつ)」［類語］破廉恥。無恥。厚顔。鉄面皮。

はした【▽端】 ❶《名・形動》ちょうどの数または量に・不足している(余っている)こと。また、その数・量。はんぱ。「こんな—な金では何もできない」❷はしため。

はした・がね【▽端金】 まとまった金額に達しない、わずかな金。

はした-な・い《形》たしなみがない。みっともない。下品である。「食べ物のことで争うとは―・い」類語 浅ましい。卑しい。下劣。野卑。

はした-め【▽端女】召使の女。下女。はした。

はし-ぢか【端近】《名・形動》家の中で縁側や入り口に近い所。あがりはな。「―に座る」

はじ-っ-こ【▽端っこ】〔俗〕はし。すみ。はしっこ。

はしっこ・い《形》《「はしこい」の音便》〔俗〕↓はしこい。

ハシッシュ 大麻(たいま)の花・葉を原料にしてつくる幻覚剤。ハッシッシ。ハシシ。▽hashish

はし-づめ【橋詰(め)】橋のたもと。橋のきわ。

ばじ-とうふう【馬耳東風】他人の意見や批評を聞き流して気にとめないこと。参考 李白(りはく)の詩から。類語 馬の耳に念仏。

はし-なく【端無く】《副》《「―も」の形も》はからずも。思いがけなく。「―も大反響を巻き起こす」

はし-ばこ【×箸箱】はしを入れる細長い箱。はしいれ。

はし-ばし【端端】あちこちの(端の)部分。ちょっとしたところ。「ことばの―から誠実な人柄がわかる」

はしばみ【×榛】カバノキ科の落葉低木。山野に自生する。果実は食用。

はじまら-な・い【始まらない】《連語》↓はじまる③。

はじまり【始まり】始まること。はじめ。事の起こり。「紙芝居の―、―」類語 ↓はじめ。

はじま・る【始まる】《自五》❶新たに物事が起こる。新しく開かれる。「工事が―・る」「国会が―・る」類語 始める。口火(ひぶた)を切る。幕を切って落とす。蓋を開ける。幕が開く。(する)開始。着手。創始。発足(ほっそく)。創設。創立。開設。❷いつものくせが出る。「また、彼ののろけ話が―・った」❸〈「―・らない」の形で〉何にもならない。むだだ。「今さらそんなことを言っても―・らない」文《四》。⇩〖使い分け〗

使い分け「はじまる・はじめる・はじめ・はじめて」

始まる〔新たに事が起こる〕工事が始まる・いつもの話が始まる・後悔しても始まらない

始める(▽創)〔新たに事を起こす。…しだす〕商売を始める・会社を始(創)める・研究を始(創)める・結婚生活を始める・愚痴を始める・物を言い始める・鐘が鳴り始める

初め〔時のはじめの意で、主に時間に関係する語とともに使う。最初。初期〕月の初め・秋の初め・初めのうちは…・仕事の初め・物事の初め・世界大戦の初め

始め〔物事自体の起こりの意で使う。また、第一のものとして〕仕事始め・手始め・年始めの挨拶(あいさつ)・始めと終わり・人類の始め・歌会始・若者を始めとして

初めて〔それが最初で、改めての意の副詞〕初めて訓練に参加した・初めての経験・揺すられて初めて目が覚めた・会って初めて彼と知った

参考「創」は今までなかったものを新しくつくるときに使う。「×肇」を使って「国の肇(はじ)め」などと用いるが、書き換えるときは「始」を使う。以前は「初」を「初める・初まる」のように、動詞形にも使ったが、今日では「始」を使う(「初める・初まる」は「そめる・そまる」と読む)。「…を始めとして」は「初」とも書くが、近年「始」が優勢。かな書きされることも多い。「年の始め」は、「初め」とも書くが、「始め」が優勢。

はじめ【初め・始め】❶始めること。「仕事―」類語 始まり。開始。❷物事の起こり。起源。もと。「国の―」類語 始まり。発端(ほったん)。発足(ほっそく・はっそく)。事端。濫觴(らんしょう)。❸それが始まった段階。その事にかかわりだしたとき。最初。〔副詞的にも使う〕「―から無理を承知でしたことだ」「物事は―が肝心だ」類語 始まり。端(はな)。皮切り。草分け。開始。当初。初手。冒頭。劈頭(へきとう)。嚆矢(こうし)。起首。草創。❹多くのもののうち、先のもの。前のもの。「―のは面白かった」❺〈「…を―(として)」の形で〉代表的なものをあげて示す語。第一のものとして。「父を―、皆元気です」類語 外(ほか)。以下。表記 ふつう、時に関しては「初め」、事に関しては「始め」を用いる。⇩〖使い分け「はじまる・はじめる…」〗

はじめ-て【初めて】《副》❶そのときまでそのような事がなく、それが最初であるようす。「彼から―手紙をもらった」❷そのときになってやっと。「当人に会って―その人柄がわかった」⇩〖使い分け「はじまる・はじめる…」〗

はじめ-まし-て【初めまして】《感》初対面の人に対して言うあいさつのことば。

はじ・める【始める】━《他下一》❶していなかった動作をし出す。仕事にかかる。「出発の準備を―・める」類語(する)開始。着手。❷新たに物事を起こす。新しく開く。「同人誌を―・める」「商売を―・める」類語 ↓始まる。対 ①②終える。❸いつものくせを出す。「貧乏ゆすりを―・めた」文 はじ・む《下二》。━《接尾》その動作をし出すことを表す。「鐘が鳴り―・める」文 はじ・む《下二》。⇩〖使い分け「はじまる・はじめる…」〗

は-しゃ【覇者】❶武力・権謀で天下を治める者。対 王者。❷競技などの優勝者。

は-じゃ【破邪】〔仏〕仏の教えにそむく邪悪な考えをうち破ること。「―顕正(けんしょう)」(=まちがった考えをうち破り、正しい道理をあらわし広めること)」

ば-しゃ【馬車】人や荷物を運ぶために、馬に引かせる車。**―うま**【―馬】馬車を引く馬。参考 目の側面におおいをつけて走らせることから、わき目もふらず一生懸命に物事をするたとえにも使う。「―のように働く」

はしゃ・ぐ【▽燥ぐ】《自五》❶調子にのってうかれ騒ぐ。「勝利だ、圧勝だと―・ぐ」❷かわく。乾燥する。〔古風な言い方〕「板が―・ぐ」文《四》。

は-じゃく【羽尺】おとな用のふつうの羽織が一枚作れる、反物の長さと幅。対 着尺(きじゃく)。

はし-やすめ【×箸休(め)】つまみもの。主要なおかずの間に食べるちょっとしたおかず。

パジャマ ゆるく仕立てたズボンと上衣を組み合わせた、西洋式のねまき。▽pajamas

は-しゅ【×播種】《名・自他サ》〔文〕たねまき。「―時」

***ば-しゅ**【馬主】競馬で、馬の持ち主。馬主(ばぬし)。

***ば-しゅ**【馬首】〔文〕馬の首。また、馬の向かう方角。「―を返す」

は-しゅつ【派出】《名・他サ》仕事のため出向かせること。「女性二人をヘルパーとして―する」**―じょ**【―所】❶派出された者の詰め所。❷「巡査派出所」の略。一九九四年に改称され、「交番」が正式名となった。**―ふ**【―婦】短期間雇われて家事の手伝いをした女性。参考 現在は、「家政婦」という。

ば-じゅつ【馬術】馬をのりこなす術。「―競技」

ば-しょ【場所】❶ところ。位置。「家を建てる―がよくない」❷いる所。席。「―を取る」❸相撲を興行する

所。また、その一定の期間。「本—」 **—がら**【—柄】その場所にふさわしいようす。その場所特有の環境。「—をわきまえる」「横浜は—外人が多い」

は・じょう【波状】〔文〕❶波のように、うねった形。❷波のように、一定の間隔をおいてくり返し寄せてくるようす。「—攻撃」「—スト」

ば・しょう【×芭×蕉】バショウ科の多年草。全体はバナナに似る。葉は長楕円形。夏から秋に花穂を出し、黄色の花を開く。 **—ふ**【—布】芭蕉の茎からとった繊維で織った布。沖縄の特産品。

ば・じょう【馬上】馬のせなか。また、馬に乗っていること。「—豊かに先陣をきる」

はしょう・ふう【破傷風】感染症の一つ。土中の破傷風菌が傷口から入って起こる病気。高熱をだし痙攣を起こす。重症ならば数時間で死ぬ。

は・しょく【波食・波×蝕】波が陸地をけずって変形させる作用。表記「波食」は代用字。類語 海食。

***ばしょく**【馬×謖】→泣いて馬謖を斬る。

***ば・しょく**【馬食】《名・他サ》〔文〕馬のようにたくさん食べること。大食のたとえ。「牛飲—」

はしょ・る【▽端▽折る】《他五》(「端折る」の転)❶着物のすその端を折り、帯などにはさむ。からげる。「すそを—・って走る」❷省略して簡単にする。「時間がないので—・って説明する」文《四》。

はしら【柱】㊀《名》❶建築物などで、直立して(上部の)物を支える細長い材。「家の—」❷物事の中心となって、全体を支えるもの。「この憲法は平和主義を—とする」❸たよりにする人。「—とたのむ人」❹書物の欄外にある見出し。❺貝柱。㊁《助数》神・霊などを数える語。「二—の神」「三—の遺骨」

はじらい【恥じらい】はずかしがること。また、そのようす。「裸身の—」「乙女の—」

はじら・う【恥じらう】《自五》はずかしがる。「花も—・う(=花もかなわないほど美しい)少女」文《四》。

はしら・ごよみ【柱暦】柱にかける(小さい)こよみ。

はしら・せる【走らせる】《他下一》❶走るようにする。走って行かせる。「モーターボートを—・せる」「使いを—・せる」❷なめらかに速く動かす。「日記帳に筆を—・せる」=走らす。文 はしら・す《下二》。

はしら・どけい【柱〈時計〉】柱や壁などにかける時計。掛け時計。

はしり【走り】❶走ること。また、走るぐあい。「池のまわりを一—して来る」「筆の—が悪い」❷旬にさきがけて市場に出る野菜・くだもの・魚など。はつもの。はしりもの。「タケノコの—」❸一般に、物事の始めとなること。先がけ。「梅雨の—」

はしり・がき【走(り)書き】《名・他サ》急いで文字を書くこと。また、その文字。「—の乱れた字」

はしり・こ・む【走り込む】《自五》❶走って中に入る。駆け込む。「電車に—・む」❷十分に走る。「—・んで足腰を鍛える」

はしり・たかとび【走(り)高跳(び)】陸上競技の種目の一つ。走って片足で踏み切って横木を跳びこえ、その高さを競うもの。ハイジャンプ。

はしり・づかい【走(り)使い】走り回って、雑用の使いをする・こと(人)。

はしり・づゆ【走り〈梅雨〉】五月下旬ごろの、梅雨のまえぶれのような雨模様。

はしり・ぬ・く【走り抜く】《自他五》最後まで走り通す。完走する。「フルマラソンを—・く」

はしり・ぬ・ける【走り抜ける】《自下一》走って通り抜ける。「横町を—・ける」

はしり・はばとび【走(り)幅跳(び)】陸上競技の種目の一つ。走って片足で踏み切って跳び、その距離を競うもの。類語 立ち幅跳び。

はしり・まわ・る【走り回る】《自五》❶あちこち走る。❷忙しくあちこち動き回る。「金策に—・る」

はしり・よみ【走(り)読み】《名・他サ》急いでおおざっぱに読むこと。「置き手紙を—する」

はし・る【走る】《自五》❶〔人や動物が〕とびはねるように足を速く動かして、前に進む。かける。類語 馳せる。〔す〕疾走。疾駆。❷〔人や動物以外のものが〕速い速度で移動する。「電車が—・る」「稲妻が—・る」❸急いで行く。「使いに—・る」❹にげる。逃亡する。「愛人のもとに—・る」❺速く流れる。ほとばしる。「汗が—・る」❻〔川・道などが〕ある方向に通じる。通る。「道は川にそって—・っている」❼すべり出る。「刀がさやから—・る」❽〔感情などが〕さっとあらわれて消える。「心に痛みが—・る」❾〔急に〕ある方向へ傾く。「感情に—・る」「左翼運動に—・る」「利益の追求に—・る」❿〔球が〕スピードに乗る。「ボールが—・っている」文《四》。参考「マラソンを—・る」のように他動詞的にも使う。

は・じる【恥じる・×羞じる】㊀《他上一》〔自分の欠点や誤りに気付いて〕面目なく思う。恥ずかしく思う。「不明を—・じる」「良心に—・じる」類語〔す〕慚愧。赤面。文 は・づ《上二》。㊁《自上一》劣る。ひけをとる。〔多く打ち消しの形で使う〕「ホームラン王の名に—・じない働き」文 は・づ《上二》。

はし・わたし【橋渡し】《名・他サ》〔橋をかけ渡す意から〕交渉のない二つのものの間にはいって、仲をとり持つこと。仲介。なかだち。「両国の文化の—をする」

ば・しん【馬身】《助数》競馬で、差を表すときの長さの単位。一馬身は馬一頭分の長さ。「三—の差」

***はす**【▽斜】ななめ。はすかい。斜し。「—に切る」「—向かい」「—に構える(↓斜に構える③)」

***はす**【×蓮】スイレン科の多年生水草。池・沼・水田などに栽培される。円形の葉を水の上に出し、夏、白色・淡紅色などの花をつける。地下茎は「蓮根」と言い、食用。 **—の・うてな**【—の▽台】極楽浄土に往生した人がすわる、蓮の花の座。蓮台。

***はず**【×筈】㊀《名》❶矢筈。❷弓筈。❸相撲で、親指と人さし指を(矢筈のように)Y字形に開いて、相手のわきの下や胸にあてること。「—押し」㊁《形名》当然そうなるような事情・状況。予定。わけ。「かくされた宝物がある—だ」「プレゼントする—の品物」

***ハズ**「ハズバンド」の略。

***バス**❶男声の最低音域(の歌手)。一般に、男性の低い声。❷「コントラバス」の略。❸低音管楽器。特に、チューバ、バスクラリネットのこと。▽bass

***バス**(西洋風の)ふろ。浴室。「—タオル」▽bath

***バス** 大勢の人を乗せて運ぶ大型の自動車。乗合自動車。「—停(=バスの停留所)」「—に乗り遅れる(=好機を逸する。時流にとり残される)」▽bus **—ガイド** 観光バスで、名所の説明・案内などをする乗務員。▽bus と guide からの和製語。

パス❶《名・自サ》通過すること。特に、試験などに通ること。合格。「検査に—する」❷《名・他サ》サッカー・バスケットボールなどの球技で、球を味方に送ること。❸無料入場券。無料乗車券。転じて、定期乗車券。▽pass **―ポート** 旅券。海外渡航免状。[参考]ひゆ的に、ある位置・段階へ進むための許可証の意にも使う。「管理職への―」▽passport **―ワード** コンピューターシステムで、利用者が本人であることを証明する暗証番号や文字。▽password(=合い言葉)

は-すい【破水】《名・自サ》出産のとき、胎児をつつむ膜がやぶれて羊水が流れ出ること。

は-すう【端数】 ちょうどの数から余った数。はしたの数。はんぱの数。「―は切り捨てる」

バズーカ-ほう【バズーカ砲】(bazooka)小型ロケット弾を発射する、軽便な対戦車砲。

バスーン 長い管を二本たばねたような、大型の木管楽器。最低音部を受けもつ。ファゴット。▽bassoon

は-ずえ【葉末】 葉の先の部分。「―を渡る風」

ば-すえ【場末】 都会で、繁華街からはなれていて、うらぶれた所。町はずれ。「―の飲み屋」

はす-かい【▽斜交(い)】 はす。ななめ。はすかけ。「―に板をうちつける」

はずかし・い【恥ずかしい】《形》❶〔自分の欠点や失敗などを強く意識して〕人前に出られないような気分だ。面目ない。「こんなまちがいをして―・い」[類語]忸怩。❷くすぐったいような、うれしいような気持ちだ。きまりが悪い。「二人の仲をひやかされて―・かった」[類語]照れ臭い。面映ゆい。[文]はづか・し《シク》。

はずかし・める【辱める】《他下一》❶恥をかかせる。侮辱する。「公衆の面前で―・められる」❷〔ふさわしくない言行で〕その地位や名誉をけがす。「名優の名を―・めない舞台」「会社の名を―・める」❸それだけの値うちを持たずに、ある地位・役職につく。〔けんそんして言う〕「地位を―・める」❹女を犯す。凌辱する。[文]はづかし・む《下二》。

パスカル《助数》圧力の国際単位。一パスカルは、一平方メートルに一ニュートンの力が働くときの圧力。記号Pa。[参考]フランスの科学者・思想家パスカルの名にちなむ。▽pascal

ハスキー《形動》声がかすれているようす。「―ボイス」▽husky

バスケット ❶手にさげてもつ、かご。❷「バスケットボール」の略。❸バスケットボールでゴールとして使う、金属製の輪にさげた底のないあみ。▽basket **―ボール** 五名ずつの二チームが、コート内で一つのボールをとりあって、相手側のバスケットに投げ入れ、得点をあらそう球技。籠球。▽basketball

バス-コントロール 産児制限。バースコントロール。バスコン。▽birth control

はず・す【外す】《他五》❶掛けてあるものを取り去る。はめてあるものを離す。「壁の絵を―・す」「服のボタンを―・す」[類語]撤去。❷ある集団の成員としての地位を取りのぞく。「彼をメンバーから―・す」❸席・場所を離れる。その場からしりぞく。「座を―・す」❹合わせない。そらせる。「タイミングを―・す」「視線を―・す」❺つかまえそこなう。とりにがす。「好機を―・す」[文]《四》。

パスタ スパゲッティ・マカロニなど、イタリア風のめん類の総称。▽イタリア pasta

はす-っ-ぱ【×蓮っ葉】《名・形動》(「はすは」の促音化)〔女性の〕言動が下品で軽薄なこと。はすは。「―な口のきき方」

パステル ❶顔料の粉を棒状にかためた、やわらかくてもろい絵の具。❷パステル①でえがいた画。パステル画。▽pastel **―カラー** パステル風のあわい落ちついた感じの色あい。「―のブラウス」▽pastel color

バスト ❶胸部。胸まわり。「―ライン」❷上半身像。胸像。▽bust

はす-は【×蓮葉】《名・形動》→はすっぱ。

ハズバンド 夫。亭主。ハズ。[対]ワイフ。▽husband

はずみ【弾み】 ❶はずむこと。はねかえること。「ボールの―が悪い」❷〔たたみこむような〕勢い。調子。「ホームランで―がつく」❸偶然のなりゆき。ぐあい。「ふとした―でその人と知り合った」❹ある動作の余勢で、すぐ次のことがおこること。その瞬間。拍子。「ぶつかった―に足をくじいた」「―を食う(=物事のゆきがかりから、思いがけなく他の余勢を受ける)」

はずみ-ぐるま【弾(み)車】 機関・機械などの回転軸に取り付け、回転のむらをなくすための車。

はず・む【弾む】 ━《自五》❶〔弾力のあるものが〕固定した面にぶつかってはねかえる。「ボールが―・む」❷〔はげしい運動や興奮のために〕息がはげしくなる。胸がどきどきする。「息が―・む」「名前を聞いただけで胸が―・む」❸調子づく。勢いにのる。うきうきとして元気になる。「話が―・む」「心が―・む」[文]《四》。━《他五》気前よく多額の金を出す。「祝儀を―・む」[文]《四》。

はす-むかい【▽斜向(か)い】 ななめ向かい。

パズル なぞなぞあそび。判じもの。▽puzzle

***はずれ【外れ】** ❶予想・見当などがはずれること。当たらないこと。「福引は―だった」[対]当たり。❷ある地域・範囲の外に少し出た所。「町の―にある旅館」

***は-ずれ【葉擦れ】**《名・自サ》草木の葉が風などで軽くすれあうこと。

はず・れる【外れる】《自下一》❶掛けてあるものが離れる。はめてあるものがぬける。「ボタンが―・れる」「戸が―・れる」❷〔ある場所から〕外へそれて出る。「進路を―・れる」「町を―・れる」❸正規のもの、従うべきものからそれる。「調子が―・れる」「礼法に―・れる」[類語]逸脱。❹〔予想・見当などが〕当たらない。「ねらいが―・れる」[文]はづ・る《下二》。

***はぜ【×鯊・×沙▽魚】** ハゼ科の魚の総称。川の流れこむ内湾の浅い所にすむ。左右の腹びれが一つになって吸盤になり、石などに吸いつく。種類が多い。食用。

***はぜ【▽黄×櫨・×櫨】** はぜのき。

は-せい【派生】《名・自サ》源となる物・事柄から、分かれて生ずること。「詐欺事件から―した殺人事件」[類語]分派。**―ご【―語】** 独立した一単語に接頭語・接尾語などがついてできた語。「春→小春・春めく」「恐ろしい→恐ろしがる・恐ろしさ」など。

ば-せい【×罵声】〔文〕大声でののしる声。どなりつける声。「―が飛び交う」「―を浴びせる」

はせ-さん・ずる【×馳せ参ずる】《自サ変》〔目上の人の所へ〕大急ぎで参上する。大急ぎでかけつける。「お家の一大事と―・ずる」

はせ-つ・ける【×馳せ着ける】《自下一》走って到着する。かけつける。「恩師危篤の報に―・けた」

パセティック《形動》悲しくいたましいようす。悲愴である。▽pathetic

バセドー・びょう【バセドー病】 甲状腺の機能亢進によっておこる病気。甲状腺がはれ、眼球が突出し、脈搏が速くなる。女性に多い。バセドー氏病。[参考]バセドー(Basedow)はドイツの医師。

はぜ・の・き【▽黄×櫨・×櫨】 ウルシ科の落葉高木。全体がウルシに似て、秋には紅葉する。果実からろうを採り、樹皮は染料となる。はぜ。はぜうるし。

パセリ セリ科の越年草。特有の香気があるので、葉を洋食のつけ合わせなどに使う。葉はニンジンに似て細かく裂ける。オランダセリ。▽parsley

は・せる【×馳せる】 一《他下一》❶(車や馬などを)走らせる。「車を―・せる」❷(気持ちや考えを)遠くにまで至らせる。「故郷に思いを―・せる」❸広範囲に行きわたらせる。とどろかせる。「文名を世界に―・せる」[文]は・す《下二》。二《自下一》かけて行く。走る。(古風な言い方)「主君のもとへ―・せる」[文]は・す《下二》。

は・ぜる【▽爆ぜる】《自下一》勢いよく裂けてわれる。はじける。「クリが―・ぜる」[文]は・ず《下二》。

***は・せん【波線】** 波の形のようにうねった線。

***は・せん【破線】** 一定の間隔で切れめのはいった線。[対]実線・点線。

***は・せん【破船】**(文)難破した船。難破船。

ば・ぜん【馬前】(文)❶馬の立っている前。❷戦場で、貴い人の前(かたわら)。「―に死す」[類語]君側。

は・そく【把×捉】《名・他サ》(文)(意味などを)しっかりと理解すること。「話の要点を―せよ」[類語]把握。

ば・ぞく【馬賊】 昔、満州(=中国の東北地方)で、馬に乗ってあらしまわった集団的な盗賊。

パソ・コン「パーソナルコンピューター」の略。 **―つうしん【―通信】** パソコンに通信機能をもたせ、パソコンどうしで、またホストコンピューターやデータベースとの間で情報のやりとりができるようにしたもの。

ば・そり【馬×橇】(雪の多い所で)馬に引かせるそり。

は・そん【破損】《名・自他サ》破れたり壊れたりして傷むこと。また、破いたりこわしたりして傷めること。「台風で家屋が―する」

***はた【旗】** ある団体や国などの象徴、または飾り・信号などとして用いる、布片・紙片。竿・ひもにつけてかかげる。「―を揚げる(=事を起こす。物事を始める)」「―を巻く(=物事を中止する。また、降参する)」[類語]旗幟。旗号。旌旗。のぼり。

***はた【機】**(手動の)布を織る機械。[類語]織機。

***はた【畑・×畠】** はたけ。(やや古風な言い方)「―仕事」

***はた【端・▽側・▽傍】** ❶ふち。へり。「池の―」[表記]多く「端」と書く。❷(ある人の)近く。そば。かたわら。また、近い範囲の人々。「―で心配してもだめだ」「―が迷惑する」[類語]側近。周囲。

***はた【▽将】**《接続》(文)あるいは。それとも。はたまた。「散るは涙か、―露か」[表記]ふつうかな書き。

はだ【肌・▽膚】 ❶皮膚の表面。はだえ。「―があれる」「―を合わせる(=肉体関係を持つ)」「―を入れる(=肌脱ぎをしていた衣服を身に着ける)」「―を汚す(=女が貞操を破る)」「―を脱ぐ(=肌脱ぎになる。また、人のために力をつくす)」「―を許す(=女が男の要求に従って情を通じる)」[類語]皮。肌合い。肌付き。肌膚。❷(きめ・状態に注目して言う場合の)ものの表面。「山の―」「木の―」❸性質。気質。「―が合う」「学者―」

バター 牛乳から分離させた脂肪をかためた食品。栄養素に富む。乳酪。牛酪。▽butter

パター ゴルフで、パットをするときに使う、先の平たいクラブ。▽putter

はだ・あい【肌合い・▽膚合い】 ❶はだ②の感じ。「―のよい布」❷人・作品などから受ける、全体的な感じ。気質。「―のさっぱりした人」

はた・あげ【旗揚げ・旗挙げ】《名・自サ》❶昔、武将が兵を集めて、軍事行動を起こしたこと。挙兵。❷事業などを新たに始めること。「―公演」

ばた・あし【ばた脚】 水泳で、両足をかわるがわる上下に動かして水をけること。

はだ・あれ【肌荒れ・▽膚荒れ】 皮膚の表面が、かさかさになって荒れること。

パターン ❶模型。見本。「―ブック」❷(事柄を、その特徴によって分類した)型。類型。「ゲリラ闘争の―」❸模様。図案。図形。「テスト―(=テレビの受像試験図)」=パタン。▽pattern

ば・だい【場代】 場所を借りる料金。席料。

はた・いろ【旗色】(昔、戦場で旗の翻るさまで、形勢を占ったことから)戦争・試合などの形勢。「―が悪くなる」[類語]雲行き。事態。趨勢。局面。戦況。

はだ・いろ【肌色・▽膚色】 ❶(日本人の肌に似た)黄色みのかかったうすいもも色。❷皮膚や器物などの表面の色。「日にやけた―」「この焼き物の―が美しい」

はだ・え【▽肌・▽膚】(雅)はだ。「寒風が―を刺す」

はた・おり【機織(り)】 織機で布を織る・こと(人)。

はだか【裸】 ❶衣服類をつけていず、肌が露出している・こと(姿)。[類語]裸体。裸身。全裸。赤裸。ヌード。一糸もまとわない。❷おおうものがなく、むきだしになっていること。「―の電球」「―電線」❸かくしだてのない、ありのままのようす。「―のつきあい」[類語]赤裸。赤裸々。❹身一つで、財産・所持品などが全くないこと。「焼け出されて―になった」

はだか・いっかん【裸一貫】(元手として)自分のからだ以外何も持っていないこと。(ふつう、男性の場合に使う)「―からやり直す」「―から首相の座にのぼる」

はだか・うま【裸馬】 くらを置いていない馬。

はだ・かけ【肌掛け】 肌に直接かける、薄くやわらかい布団。肌掛け布団。

はた・がしら【旗頭】 ❶昔、一地方または一戦闘部隊の長。「関東一の―」❷(対立する)いくつかの団体のそれぞれの長。一方のかしら。「急進派の―」

はだか・の・おうさま【裸の王様】(アンデルセン作の童話の主人公の名から)高い地位にあって周りに反対する者がなく、そのために自分の本当の姿を見失っている人。

はだか・むぎ【裸麦】 大麦の一変種。種ともみがらとがはがれやすい。食用・馬のえさとする。

はだか・る【▽開かる】《自五》❶着ている衣服のあわせめが開く。「胸が―・る」❷手足をひろげて人の前に立つ。また、堂々と立ちふさがる。「行く手に大男が―・る」「幾多の困難が―・る」[文]《四》。

はたき【×叩(き)】 ❶はたくこと。❷細長い布や紙を束ねて柄の先につけた、塵を払うための用具。

はだ・ぎ【肌着・▽膚着】 肌に直接つけて着る衣服。下着。シャツ・パンツなど。

はたき・こみ【×叩(き)込み】 相撲で、決まり手の一つ。突進してくる相手を巧みに避け、のめるところを肩や背を上からたたいて倒す。

はた-ぎょうれつ【旗行列】〔祝いの気持ちを表すために〕大勢が小旗を持って町などを行進すること。また、その集団。「―が通る」

はた・く【×叩く】《他五》❶たたく。打つ。「きせるを―・く」「相手のほおを―・く」❷塵などを軽くたたいて、はらいのける。「ほこりを―・く」❸財布などの中に入っているものを全部出す。また、財産や金銭を使いはたす。「有り金を―・いて酒をのむ」文《四》。

バタ-くさ・い【バタ臭い】《形》西洋的である。「彼の顔はどことなく―・い」参考 バタは「バター」のこと。

***はたけ**【畑・×畠】❶野菜・穀物を栽培する耕地で、水を張らないもの。陸田。参考「一枚…」「一面…」と数える。❷専門とする・領域(分野)。「―が違う」「漢学―」❸〔俗〕母胎。「種(=父親)も―も違う弟」

***はたけ**【×疥】皮膚病の一種。顔などの皮膚に、白い粉をふいたような斑点ができるもの。顔面白癬。

はたけ-ちがい【畑違い】〔仕事などが〕専門とする方面や種類と違うこと。「―の部署に配属される」

はだ・ける【▽開ける】《自他下一》着ている衣服のあわせめが開く。はだかる。また、着ている衣服のあわせめをあけ広げる。「胸元が―・ける」文はだ・く《下二》。

はた-ご【▽旅×籠】〔旅行のとき、馬のかいばを入れたかごの意〕宿屋。旅館。〔古風な言い方〕

はた-ざお【旗×竿】旗をつけて立てるさお。

はた-さく【畑作】畑に作物を作ること。また、その作物。「―に力を入れる」

はた-さしもの【旗指物・旗差物】昔、よろいのせなかにさして、戦場での目印にした小旗。

はだ-さむ・い【肌寒い・▽膚寒い】《形》❶〔身にしみるほどではないが〕肌に寒さを感じる。うすら寒い。「―・い十月の夕暮れ」❷ぞっとする感じである。「教育の現況を考えると―・くなる」

はだ-ざわり【肌触り・▽膚触り】❶肌にふれた時の感じ。「―のいい布」❷人に与える感じ・印象。「―のいい人」「―のいい文章」

はだし【×跣・▽裸▽足】《「肌足」の約》❶地面の上などで、履物をはいていないこと。また、その足。「海辺を―で歩く」類語 すあし。❷〔はだしで逃げ出す意から〕〔…さえ〕かなわないこと。負けること。「くろうと―の芸」類語 そっちのけ。顔負け。

はたし-あい【果(た)し合い】〔恨みのある者同士が〕決着をつけるため死ぬ覚悟で戦うこと。決闘。

はたし-じょう【果(た)し状】決闘を申し込む書状。決闘状。

はたし-て【果(た)して】《副》《「果たす」の連用形＋助詞「て」》予想・予告したことなどが実際におこるようす。❶《確定の意を表す語を伴って》思っていたように、やはり。案の定。果たせるかな。「―忘れたキーがあった」❷《疑問・仮定などの語を伴って》ほんとうに。まことに。「約束したが、―彼は来るだろうか」

はだ-じゅばん【肌×襦×袢・▽膚×襦×袢】肌にじかに着るじゅばん。はだぎ。はだじばん。

はた-じるし【旗印・旗▽標】❶昔、戦場で目印とするために、旗にかいた紋や文字。❷物事を行うときにかかげる目標。「正確・迅速を―とする」

はた・す【果(た)す】━《他五》❶〔義務・役割・願望などを〕なしとげる。なし終える。「大役を―・す」「責任を―・す」類語 遂行。達成。貫徹。❷殺す。「一命を―・す」文《四》。━《接尾》すっかり…してしまう。…し尽くす。「小遣いを使い―・す」文《四》。

はたせる-かな【果(た)せる×哉】《連語》〔文〕思っていた通り。案の定。やはり。「―事業は失敗に終わった」

***はた-ち**【〈二十〉・〈二十歳〉・×廿】二〇歳。「―になれば一人前だ」類語 弱冠。

***はた-ち**【畑地】畑に使っている土地。類語 耕地。

ばた-つ・く《自五》〔俗〕ばたばたと落ち着きなく動く。

はた-と【×礚と】《副》❶急に物に当たって音をたてるようす。「―倒れる」「―ひざを打つ」❷急に新しい状況に変わるようす。突然。「風が―止まる」「急に質問されて―困ってしまう」❸急に強くにらみつけるようす。「―にらんで立つ」

はだ-ぬぎ【肌脱ぎ・▽膚脱ぎ】上半身だけ着物を脱いで、肌をあらわすこと。「―になって汗をぬぐう」

はた-はた【×鱩・×鰰】ハタハタ科の海魚。うろこがなく、背部は黄白色で、茶色の斑点がある。食用。秋田県の名物。地方名、かみなりうお。

ばた-ばた《副》《副詞は「―と」の形も》❶《自サ》足や羽を動かして、あわただしく、または続けざまに物音をたてるようす。「家の中を―走り回る」❷《自サ》あわただしいようす。慌てふためくようす。「あの家はいつも―している」❸続けざまに落ちたり倒れたりするようす。「ネズミが―死んでいる」❹物事が(次々と)速くはかどるようす。「―とかたづく」

ぱた-ぱた《副・自サ》《副詞は「―と」の形も》❶ものを軽く続けざまに打ち合わせるようす。また、その音の形容。「はたきで―はたく」❷物事がはかどるようす。ばたばた。

はた-び【旗日】毎年きまって国旗をかかげて祝う日。国民の祝日。

バタフライ❶蝶。❷泳法の一つ。両腕をそろえて後ろから前へ回転して水をかき、両足で同時に水をけって進む。参考 蝶の飛ぶかっこうに似ているところから。▽butterfly

はた-ふり【旗振(り)】❶〔合図などの〕旗を振ること(人)。❷運動の先頭に立って周囲に呼びかけること(人)。「リサイクル運動の―をする」類語 音頭とり。

はた-また【▽将又】《接続》〔文〕「はた(将)」を強めた語。あるいはまた。「当選か―落選か」表記 ふつうかな書き。

はだ-まもり【肌守(り)・▽膚守(り)】肌に直接つけて持つ守り札。

はだ-み【肌身・▽膚身】からだ。身体。「子の写真を―離さず持っている(=いつも大切に身につけている)」

はた-め【▽傍目】当人以外の人が見て受ける感じ。よそ目。「―を気にする」「―には幸せな家族だった」

はた-めいわく【▽傍迷惑】《名・形動》周りの迷惑になる・こと(もの)。近所迷惑。「深夜のカラオケは―だ」

はた-め・く《自五》〔旗などが〕風に吹かれて、はたはたと・音をたてる(ひるがえる)。「大会旗が―・く」

はた-もと【旗本】❶陣中で、大将のいる本営。❷江戸時代、将軍に直属する一万石以下の家臣で、将軍に直接会う資格のあるもの。

はた-や【機屋】❶織物の生産者。機織りを生業とする家。❷機を織る部屋。

ばた-や【ばた屋】〔俗〕廃品を拾い集めて生活する人。くずひろい。

はだら【×斑】《名・形動》〔文〕まだら。ぶち。「雪が―

に消え残る」

はたらか・す【働かす】《他五》働くようにする。活用させる。動かす。働かせる。「機械を—・す」「頭を—・してよく考えなさい」文《四》。

はたらき【働き】❶活動のしかた。能力。機能。また、活動して他に及ぼす力。作用。「頭の—がにぶる」❷「引力の—」「薬の—」類語 効力。効能。性能。❷力をつくした成果・実績。「—に応じた報酬」「彼の—に負うところが大きい」類語 功績。❸かせぎ。「—のない人」**—あり**【—×蟻】アリの社会で、食物を集め、巣を作るなどの労働を受け持つ雌アリ。女王アリにならず、中性化したもので、羽がない。**—ぐち**【—口】働いて金を得られる職場。〔まだ職に就いていない立場から言う〕「—を探す」類語 雇われ口。勤め先。**—ざかり**【—盛り】最もさかんに仕事ができる年ごろ。**—て**【—手】❶働く人。また、(一団の中で)よく仕事をして、役に立つ人。「—がなくて困る」類語 働き者。❷一家の生計の中心となって働く人。「交通事故で—を失う」**—ばち**【—×蜂】ミツバチなど、社会生活を営むハチのうち、食物を集め、巣を作るなどの労働を受け持つ雌バチ。女王バチにならないで中性化したもの。**—もの**【—者】よく働く人。勤勉な人。

はたらき・か・ける【働き掛ける】《自下一》〔自分の望むような行動をおこさせるために〕他へ動作・活動をしかける。「山林保護のため政治家に—・ける」

はたら・く【働く】㊀《自五》❶(体を動かして)仕事をする。生計をたてるために労働をする。「山で—・く」「—・きながら学ぶ」類語 勤しむ。(-する)活動。作業。❷精神が活動する。「ある種の心配が—・いた」「勘が—・く」❸作用する。機能を発揮する。「引力が—・く」「薬が—・く」❹文法で、語尾が変化する。活用する。「五段に—・く動詞」文《四》。㊁《他五》悪いことを行う。「盗みを—・く」「乱暴を—・く」文《四》。

はだれ・ゆき【×斑雪】まだらに降り積もった雪。まだらゆき。はだらゆき。はだれ。

は・たん【破×綻】《名・自サ》〔やぶれほころびる意から〕物事がうまく行かなくなること。「計画に—を生じる」「家庭生活が—する」類語 失敗。破局。注意「はじょう」は誤読。

*__は・だん__【破断】《名・自サ》金属でできたものが裂けたり切れたりすること。「—面」

*__は・だん__【破談】一度決まった相談・約束事(特に縁談)を、実行しないうちに取り消すこと。「父親の反対で縁談が—になる」類語 御破算。

はたん・きょう【×巴×旦×杏】❶「アーモンド」の別称。❷スモモの一品種。果実の先がとがっている。

*__はち__【八】七の次の数。やっつ。やつ。や。参考 ㋐下にくる語によって「はっ」となる。「八本」㋑字形から、末ひろがりとして縁起のよい数字とされる。

*__はち__【×蜂】膜翅目の昆虫のうち、アリ以外のものの総称。はねは二対。雌は産卵管を毒針として用いる。

*__はち__【鉢】❶僧侶がほどこしの食物を受ける食器。鉄鉢。❷皿より深く、口の開いた食器。❸植木用の器。植木鉢。「—植えの菊」❹頭蓋骨。頭のまわり。「—の大きい人」❺かぶとの頭の上をおおう部分。

*__ばち__【罰】《(「ばち」は「罰」の呉音)》人間のなした悪事に対する神仏のこらしめ。悪事を働いたむくい。「ずるをした—が当たった」類語 ばつ。

*__ばち__【×撥】❶びわ・三味線などを演奏するとき弦をはじく道具。❷太鼓などをたたき鳴らす棒。表記 ②は「枹」とも書く。

ばち・あたり【罰当(た)り】《名・形動》ばちが当たるのが当然であること(人)。「—な事をする」

はち・あわせ【鉢合(わ)せ】《名・自サ》❶頭と頭を正面からぶつけあうこと。❷ばったり出会うこと。「駅前で先生と—した」

はち・うえ【鉢植(え)】植木鉢に植えてあること。また、その草木。類語 盆栽。

ば・ちがい【場違い】❶《名・形動》その事をすべき場所でないこと。その場にふさわしくないこと。「—な言動」「—の客」❷本場の品物でないこと。「—の鯛」

はち・がつ【八月】一年の八番目の月。葉月。

はち・き・れる【はち切れる】《自下一》内部がいっぱいになって、おおっているものや入れ物などが破れる。「—・れそうに太っている」

*__は・ちく__【▽淡竹】竹の一種。高さ一〇メートルぐらいになる。タケノコは食用。幹は、かさの骨や細工物など、広く用いる。古名、からたけ・くれたけ。

*__は・ちく__【破竹】〔文〕❶竹をわること。❷〔竹は、一端にわれめを入れると、後は簡単に勢いよくわれる事から〕勢いが激しく、押さえきれないこと。「—の勢い(=止めることができないほど、激しい勢い)で勝ち進む」

ぱちくり《副・自サ》《副詞は「—と」の形も》驚いて大きくまばたきするようす。「目を—させて手品を見る」

はちじゅうはち・や【八十八夜】立春から八八日目の日。五月二日ごろ。参考 種まきの目安とする。

はちじゅうはっ・かしょ【八十八箇所】四国にある八八か所の弘法大師の霊場。四国八十八箇所。

はちす【×蓮】〔文〕植物のハス。

はちだい・じごく【八大地獄】熱気で苦しめられる八種の地獄。等活・黒縄・衆合・叫喚・大叫喚・焦熱・大焦熱・無間。八熱地獄。

はちねつ・じごく【八熱地獄】八大地獄。

はち・の・じ【八の字】→はちもんじ(八文字)。

はち・の・す【×蜂の巣】ハチが子を育てたり蜜をたくわえたりするために作る巣。蜂窠。参考 無数に穴のあいたものの形容に使うことがある。「マシンガンで体中を—にされる」**—をつついたよう**《句》おさまりのつかないような大騒ぎになることのたとえ。

ぱち・ぱち《副》《(「—と」の形も)》❶豆などがはぜる音、木が勢いよく燃える音、拍手の音などの形容。「—と手をたたく」「—とそろばんの玉をはじく」❷《自サ》続けてまばたきをするようす。また、続けざまに写真をとるようす。「目を—させる」「写真を—とる」

はち・ぶ【八分】→はちぶんめ(八分目)。

はち・ぶん・め【八分目】全体の八割程度。転じて、物事をひかえめにしておくこと。はちぶ。「腹—」

はち・ぼく【八木】❶松・柏・桑・棗・橘・黄楊・楡・竹をまとめていうことば。❷〔「米」の字を分解すると「八」と「木」になることから〕「米」の異称。

はち・まき【鉢巻(き)】ひたいから耳の上を通る線を布で巻くこと。また、その布。「ねじり—」

はち・まん【八×幡】㊀《名》「八幡神」「八幡宮」の略。㊁《副》〔八幡神に誓っての意で〕誓って。断じて。〔うそ偽りのないときなどに言う〕「—いつわりなし」「—許すまじ(=決して許さない)」**—ぐう**【—宮】八幡神を祭った神社。 **ーじん【ー神】** 八幡宮の祭神。応神天皇を主座とし、比売神(ひめがみ)・神功(じんぐう)皇后を合わせた三神。古来弓矢の神として武人に信仰されてきた。八幡大神。 **ーだいぼさつ【ー大×菩×薩】**「八幡神」の別称。

はち-みつ【×蜂×蜜】 ミツバチが花からとって巣にたくわえたみつ。また、それを精製した食品。

はち-ミリ【八ミリ】「八ミリ映画」「八ミリ撮影機」「八ミリ映写機」などの略。幅八(ミリ)のフィルムを使うもの。

はち-めん【八面】 ❶八つの平面。「ー体」❷あらゆる方面。 **ーれいろう【ー×玲×瓏】**〔文〕❶どの方面から見ても、すきとおるように美しいこと。「ーの富士山」❷心がすみきって、わだかまりのないこと。 **ーろっぴ【ー六×臂】**〔文〕❶仏像などで、一体で八つの顔と六本の腕を持っていること。❷あらゆる仕事をひとりで立派にやりこなすこと。「ーの活躍」

はち-もの【鉢物】 ❶鉢に盛ったさかな料理。❷植木鉢にうえた草木。盆栽。

はち-もんじ【八文字】 ❶「八」の字の形。八字。八の字。❷昔、遊女が道中(=遊郭内をねり歩くこと)をするときの足のふみ方。

は-ちゃ【葉茶】 飲用の茶の葉。お茶っぱ。はぢゃ。

はちゃ-めちゃ《名・形動》〔俗〕めちゃくちゃ。

はちゅう-るい【×爬虫類】 脊椎(せきつい)動物門の一綱。冷血で、皮膚はうろこまたは甲らでおおわれている。多く陸上にすみ、肺で呼吸する。ヘビ・カメ・トカゲ・ワニなど。「ーみたいなやつ(=陰険でしつこい人)」

*__は-ちょう【波長】__ ❶波動の、となりあう二つの・山の頂(谷の底)の間の長さ。❷互いに意思などを通じ合うときの、それぞれの調子。「話のーが合わない」

*__は-ちょう【破調】__ ❶和歌や俳句などで、定型を崩すこと。字余り・字足らずなど。❷調子が外れていること。

はちり-はん【八里半】〔俗〕焼き芋。 参考 栗(くり)(九里)より(四里)に近い味である意から。また、「栗(九里)より(四里)うまい」から、十三里、十三里半ともいう。

バチルス ❶棒状の細菌。桿菌(かんきん)。❷つきまとって、害を及ぼすもの。「麻薬は社会のー」▽(ドイツ) Bazillus

ぱちんこ ❶Y字形の枝や金具の両端にゴムをつけ、その弾力で石などをとばすおもちゃ。❷当たり穴と多数のくぎのついた盤の中に、ばねで鋼鉄製の小玉をはじき出し、当たり穴に入れて多数のたまを出す遊技。玉数に応じた景品がもらえる。❸〔隠〕ピストル。

*__はつ【初】__ ㊀《名》はじめ。最初。〔「ーの」の形でも使う〕「ーの試み」「おーに(=初めて)お目にかかります」㊁《接頭》❶「初めての」「最初の」の意。㋐〔その人にとって〕初めての。「ー恋」「ー仕事」「ー舞台」㋑「その年初めての」「その季節になって初めての」の意。「ーもので」「ー雪」❷《季節・時期を表す語について》その季節・時期の初めの部分の意。「ー夏」「ー秋」

*__はつ【発】__ ㊀《名》❶出発すること。「八時ーの列車」❷出すこと。発信すること。「ロンドンー」㊁《助数》❶弾丸など、発射するものの数を数える語。「ミサイル二ー」❷たたく回数を数える語。「アッパーカットを二ー食う」❸飛行機の発動機の数を表す語。「双ー爆撃機」 参考 ㊁は、上にくる語によって「ぱつ」となる。

*__ハツ__ 焼きとりなどの材料で、牛・豚・鶏などの心臓。 参考 英語の hearts からという。

*__ばつ__ ばつじるし。ばってん。「×」

*__ばつ__《「場都合」の略という》❶話のつじつま・調子。「ーを合わせる(=つじつまを合わせる)」❷その場の具合・調子。「ーが悪い(=その場の具合が悪いのに、取り繕(つくろ)うことができず恥ずかしい思いをする。きまりが悪い)」

*__ばつ【罰】__ 罪や過ちに対するこらしめ。「ーを受ける」「ーとして掃除をしなさい」 類語 しおき。制裁。 対 賞。

*__ばつ【×跋】__〔文〕あとがき。跋文。跋語。 対 序。

*__ばつ【閥】__ ❶家柄。家格。❷出身の共通性などによって団結し、その集団の中で互いの利益を守ろうとする人々のつながり。「ーを作る」 類語 派。派閥。

はつ-あき【初秋】 秋のはじめ。初秋(しょしゅう)。早秋。 類語 新秋。孟秋(もうしゅう)。 対 晩秋。

はつ-あん【発案】《名・他サ》❶〔計画などを〕考え出すこと。案を出すこと。「A氏のーで勉強会を開く」❷議案を提出すること。 類語 案出。考案。発意。提案。提議。発議。「ー権」 類語 起案。

はつ-い【発意】《名・他サ》思いついて、くわだてること。ほつい。「暴君の暗殺をーする」 類語 発案。

はつ-いく【発育】《名・自サ》育って大きくなること。「ー不全」「ー盛り」 類語 成長。生長。成育。

ばつ-いち【ばつ一】〔俗〕離婚歴が一度ある・こと(人)。「相手はーの男性」

はつ-うま【初▽午】 二月の最初の午(うま)の日。また、その日に行われる、稲荷(いなり)神社の祭り。初午祭り。

はつ-えき【発駅】 列車などの出発する駅。また、貨物を送り出した駅。 対 着駅。

はつ-えん【発煙】《名・自サ》煙を出すこと。「ー剤」 **ーとう【ー筒】** 発煙する薬品をつめた筒。非常の際の信号などに使う。「ーをたく」

はつ-お【初穂】(ほ)→はつほ。

*__はつ-おん【×撥音】__ 日本語で、かなの「ン」「ん」で書き表される音。語中・語尾に表れる鼻音。はねるおん。

*__はつ-おん【発音】__《名・他サ》音を出すこと。特に、ことばを形づくる音声を出すこと。また、その出し方。 類語 発声。 **ーきごう【ー記号】**→音声記号。

はつ-おんびん【×撥音便】 音便の一つ。語中・語尾の「に」「び」などが「ん」に変わること。「死にて」→「死んで」、「飛びて」→「飛んで」などの類。

はつ-か【〈二十日〉】 ❶月の二〇日目。❷一日の二〇倍の日数。 表記「廿日」とも書く。 **ーえびす【ー恵比×須・ー×戎】** えびす講。 **ーだいこん【ー大根】** ダイコンの一品種。根は小形で球形。根皮が赤・白・紫色など。種をまいてから一か月以内に収穫できる。 **ーねずみ【ー×鼠】** 小形のイエネズミ。灰褐色または黒色。医学・生物学の実験に使う。

*__はっ-か【発火】__《名・自サ》❶燃え出すこと。火を出すこと。「自然ー」❷鉄砲に火薬だけつめ、実弾を入れずにうつこと。「ー演習」 **ーてん【ー点】** ❶物を空気中で加熱したとき、自然に燃えはじめる最低温度。着火点。❷事件の突発するきっかけ。「紛争のー」

*__はっ-か【薄荷】__ ❶シソ科の多年草。葉や茎を蒸留して「薄荷油」をとる。❷「薄荷精」「薄荷脳」の略。 **ーせい【ー精】** 薄荷油にアルコールをまぜた、無色透明・揮発性の液。健胃剤などに使う。 **ーのう【ー脳】** 薄荷油の固形成分。無色の結晶で、特有のさわやかな香味がある。薬用。メントール。

はつ-が【発芽】《名・自サ》植物の種子・珠芽・胞子が、芽を出すこと。芽ぐむこと。

ばっ-か【幕下】〔文〕❶張りめぐらした幕の内。陣営。

❷将軍の配下。将軍直属の家来。旗本。(=幕下(ばっか)。)

ハッカー コンピューターシステムに不法に侵入して、蓄積されているプログラムやデータを、盗み出したり改ざんしたりする者。コンピューター破り。▽hacker

はっ-かい【発会】《名・自サ》❶会ができて、活動を始めること。「一式」❷取引所で、その月最初の売買取引。「大一」[対]納会。

はつ-がい【初買い】(―がひ)その年になって、初めての買い物をすること。かいぞめ。

はつ-かおあわせ【初顔合(わ)せ】(―かほあはせ)❶相撲などで、初めて対戦すること。初顔(はつがお)。❷会議などのメンバーが初めて顔をそろえること。初会合。

はっ-かく【発覚】《名・自サ》秘密や悪事が人に知られること。ばれること。「不正が一した」[類語]露顕。

ばっ-かく【麦角】麦角菌が、イネ科植物の子房に寄生してできる、かたい暗紫色のかたまり。有毒。漢方で止血剤に用いる。

はっ-かけ【八掛(け)】すそまわし。

ばっ-かし《副助》〔「ばっかり」のくだけた俗語的な言い方〕↓ばかり。「冗談ばっかし」

バッカス ローマ神話の酒の神。▽Bacchus [参考]ギリシア神話ではディオニソスに当たる。

はつ-がつお【初×鰹】(―がつを)初夏のころ食用となる、はしりのカツオ。

はつ-がま【初×釜】新年に初めて行う茶事。

はつ-かり【初×雁】初秋のころ、北方からその年初めて渡って来るガン(の声)。はつかりがね。

ばっ-かり《副助》〔「ばかり」②~⑦を強めて言う語。俗語的な話しことばで使う〕↓ばかり。「小言ばっかり」

***はっ-かん【発刊】**《名・他サ》その刊行物を初めて世に出すこと。「一の辞」「新雑誌を一する」[類語]創刊。発行。[対]廃刊。

***はっ-かん【発汗】**《名・自サ》〔文〕汗を出すこと。汗をかくこと。「一剤」

はつ-がん【発×癌】癌が発生すること。癌を発生させること。「一作用」「一物質」

ばっ-かん【麦×稈】〔文〕麦わら。**―さなだ【―▽真田】**むぎわらをさなだひものように編んだもの。夏の帽子などを作る。むぎわらさなだ。

***はっ-き【発揮】**《名・他サ》持っている力・特性を外に表して見せること。「実力を一する」

***はっ-き【白旗】**白い色の旗。しろはた。[参考]軍使・降伏のしるし、また、天気予報で晴れのしるし。

はつ-ぎ【発議】《名・自サ》〔文〕❶話し合いの席などで、議案や意見を出すこと。ほつぎ。「住民の一でリサイクル運動に参加する」❷合議体で、議会に議案を提出すること。[類語]①②発案。

は-づき【葉月】〔雅〕陰暦八月の別名。[参考]太陽暦の八月にもいう。

***はっ-きゅう【発給】**《名・他サ》《「発行給付」の意》役所が書類などを発行して与えること。「旅券の一」

***はっ-きゅう【白球】**白いボール。[参考]多く、野球のボールの美称として用いる。「一に青春をかける」

***はっ-きゅう【薄給】**給料が少ないこと。「一で一家をささえる」[類語]薄俸(はくほう)。安月給。[対]高給。

はっ-きょう【発狂】《名・自サ》気が狂うこと。

はっきり《副・自サ》《副詞は「一と」の形も》❶〔輪郭などが〕他のものとまぎれず、明らかなようす。「山の頂上が一見える」❷〔物事のなりゆきや、考え・態度などが〕あいまいでなく、確かなようす。「天気が一しない」「一した態度をとる」❸〔気分が〕さっぱりしているようす。さわやかなようす。「頭が一しない」❹〔俗〕他人に遠慮せず、率直であるようす。「ずいぶん一した人だ」

***はっ-きん【発禁】**《「発売禁止」の略》印刷物・レコードなどの発売を禁止する行政処分。「一本」

***はっ-きん【白金】**金属元素の一つ。銀白色で、展延性に富み、化学的にきわめて安定している。理化学器械・装飾品などに使われる。プラチナ。元素記号 Pt。

ばっ-きん【罰金】❶財産刑の一つ。法律をおかした者をこらしめるために取りたてる金銭。罰金刑。「五万円以下の一に処す」❷一般に、あやまち・約束違反などをこらしめるために出させる金銭。

パッキング ❶荷造り。包装。❷荷造りのとき、品物が動いてこわれないように箱と品物の間につめるもの。❸管のつぎめなどに、中の液体や気体がもれないようにつめるもの。パッキン。「水道の一」▽packing

はっ-く【八苦】〔仏〕人生における八種の苦しみ。生(しょう)・老・病・死の四苦と、愛するものと別れる苦(=愛別離苦(あいべつりく))、にくむものと会う苦(=怨憎会苦(おんぞうえく))、求めても得られない苦(=求不得苦(ぐふとっく))、身心や環境すべてを形成している五要素にとらわれている苦(=五陰盛苦(ごおんじょうく))。「四苦一」

バック ❶後ろ。背後。[対]フロント。❷背景。「人物の一に山をえがく」❸後援(者)。後ろだて。「彼には有力な一がある」❹テニス・バレーボールなどで、後方に位置する競技者。後衛。[対]フォワード。❺「バックストローク」の略。背泳。❻「バックハンド」の略。「相手の一に球を集める」❼《名・自サ》逆戻りすること。後退。▽back **―アップ**《名・他サ》❶野球で、野手のエラーに備えて、他の野手がさらにその後ろを守ること。❷後援すること。「革新団体の一で出馬する」▽backup **―グラウンド** ❶背景。遠景。❷背後の状況・事情。また、人の素姓・環境。「保守的な一に立つ人物」❸「バックグラウンドミュージック」の略。▽background **―グラウンド-ミュージック** テレビ・映画などで、背景に流す音楽。また、工場や事務所などで、環境づくりのために流す音楽。略語 BGM。▽background music **―ストレッチ** 競技場で、ゴールライン(=決勝線)の反対側の直線走路。裏正面。[対]ホームストレッチ。▽backstretch **―ナンバー** ❶月おくれの雑誌。古い号の雑誌。❷自動車の後尾に掲示する番号。▽back number **―ネット** 野球場の、ホームプレートの後方に立てて、ファウルなどでそれた球をとめるための網。▽back と net からの和製語。**―パッキング** バックパック(=フレーム付きのリュックサック)などに生活用具を入れ、山野を旅すること。▽backpacking **―ハンド** テニス・卓球などで、ラケットを持つ手の反対側に来る球を打つ打ち方。逆手(さかて)打ち。[対]フォアハンド。▽backhand **―ボーン** ❶背骨。❷心のささえになる思想・信念。精神的支柱。「一のある人」▽backbone **―ミラー** 自動車の運転台などにとりつけた、後方を映すための鏡。▽back と mirror からの和製語。

バッグ 袋。かばん。特に、ハンドバッグ。▽bag

***パック**《名・他サ》❶顔などにどろ状の美容剤を塗り、皮膚に栄養分を吸収させ、あわせてよごれを取り去る美容術。また、その美容剤。パック剤。❷包装すること。

つめること。また、その容器。「真空ー」▽pack

*__パック__ アイスホッケーで使う、硬化ゴム製の球。▽puck

__バックス__ ❶ラグビー・サッカーなどで、フォワードの後ろを守る競技者。❷野球で、投手の後ろにいて守る人。内野手と外野手。▽backs

__バックスキン__ ❶しか皮。❷シカ・羊・子牛の皮で作られた、やわらかで丈夫なもみ革。❸しか皮に似せて織った織物。▽buckskin

__はっ-くつ【発掘】__《名・他サ》❶〔遺跡・遺物など〕土の中にうずまったものや、うずめたものを掘り出すこと。「古墳をーする」❷かくれているすぐれたものをさがしだすこと。「人材をーする」

__バックル__ ベルトの留め具。▽buckle

__は-づくろい【羽繕い】__〔ーづくろひ〕《名・自サ》鳥がくちばしなどで、羽をととのえること。はねつくろい。

__ばつ-ぐん【抜群】__《名・形動》大勢の中でとりわけすぐれていること。「技術力はーによい」「ーの成績」類語 出色。卓越。卓然。卓抜。卓絶。傑出。

__はっ-け【八×卦】__ ❶易の算木にあらわれる八種類の形。❷うらない。易。「当たるもー、当たらぬもー」 __ーみ【ー見】__ 占いをする人。易者。

*__はっ-けい【八景】__ ある地域内での八か所のすぐれたけしき。「近江(おうみ)ー」「金沢ー」

*__はっ-けい【白系】__ 一九一七年の十月革命によって起こったソビエト政権に反対の人々の系統。「ー露人」

__パッケージ__《名・他サ》❶包装すること。また、その箱や容器。特に、商品包装用の箱。「ーされた商品」❷関係のあるいくつかのものを一つにまとめること。また、まとめたもの。「ーツアー」「ーソフト(=箱づめされた市販のソフト)」▽package

__はっ-けっきゅう【白血球】__ 血球の一つ。無色で核のある単一細胞。血管の壁を出入りし、体内にはいった細菌を細胞内にとり入れて殺す。対 赤血球。

__はっけつ-びょう【白血病】__ 血液中の白血球が異常にふえる病気。貧血が起こり、全身が衰弱して死亡することが多い。

__はっけ-よい__《感》相撲の行司がかける気合いの語。組み合ったまま動かない力士に勝負を促す。

*__はっ-けん【発券】__《名・他サ》銀行券などを発行すること。「ー銀行」

*__はっ-けん【発見】__《名・他サ》まだ知られていなかった物事を、初めて見つけ出すこと。「新大陸をーする」

*__はっ-けん【白×鍵】__ ピアノ・オルガンなど鍵盤(けんばん)楽器の白いキー。対 黒鍵(こっけん)。

*__はつ-げん【発現】__《名・自他サ》〔文〕実際に現れ出ること。また、現し出すこと。「好意のー」類語 顕現。

*__はつ-げん【発言】__《名・他サ》ある問題を討論している場で意見を述べること。また、その意見。「ーを求める」「ー権」

*__ばっ-けん【抜剣】__《名・自サ》剣をさやから抜くこと。また、抜いた剣。

*__バッケン__ スキーぐつの前方をスキーに固定させるための、わく型の金具。耳金。▽ドイ Backen __ーレコード__ スキーのジャンプ競技で、そのジャンプ台での最長不倒距離。▽ドイ Backen と record からの和製語。

*__はつ-ご【初子】__ 初めて生まれた子。その親の最初の子。うひご。対 末子(まっし)。

*__はつ-ご【発語】__ ❶《名・自サ》ことばを口から出すこと。❷文句の冒頭に用いる、「いざ」「さて」「では」などの語。

__ばっ-こ【×跋×扈】__《名・自サ》〔文〕〔悪いものが〕勢力をひろげて活動すること。のさばりはびこること。「悪徳商人がーする」「跳梁(ちょうりょう)ー」類語 横行。跳梁。

__ばつ-ご【×跋語】__〔文〕跋(ばつ)。

__はつ-こい【初恋】__〔ーこひ〕〔その人にとって〕生まれて初めての恋。「ーの人」

*__はっ-こう【八×紘】__〔文〕四方(=東・西・南・北)と四隅(しぐう)(=北東・北西・南西・南東)。八方。天下。 __ーいちう【ー一宇】__〔文〕天下を一軒の家のように統一すること。

*__はっ-こう【発光】__《名・自サ》光を出すこと。「ー体」

*__はっ-こう【発効】__《名・自サ》〔条約や法律などの〕効力が発生すること。「安保条約がーする」対 失効。

*__はっ-こう【発向】__《名・自サ》〔文〕出発して目的地に向かうこと。「軍勢がーする」

*__はっ-こう【発行】__《名・他サ》❶図書・雑誌・新聞などを作って世の中に出すこと。類語 発刊。刊行。上梓(じょうし)。出版。発兌(はつだ)。❷紙幣・債券・証明書・入場券などを作って流通・通用させること。「銀行券をーする」

*__はっ-こう【発酵・×醱酵】__《名・自サ》❶酵母・細菌などによって有機物が分解し、アルコール・有機酸・炭酸ガスなどを生ずること。❷ある気持ち・考えなどができ上がってくること。「アイディアを十分にーさせる」表記「発酵」は代用字。

*__はっ-こう【白光】__ ❶白色の光。❷コロナ。

*__はっ-こう【薄幸・薄×倖】__《名・形動》〔文〕幸せにめぐまれないこと。幸せうすいこと。「ーの美人」類語 不幸。対 多幸。

__はつ-ごおり【初氷】__〔ーごほり〕その冬、初めてはった氷。

__はっ-こつ【白骨】__ 風雨にさらされて白くなった骨。類語 枯骨。骸骨(がいこつ)。

__ばっ-さい【伐採】__《名・他サ》〔森林などの〕木や竹を切りとること。類語 伐木。

__はっ-さく【八×朔】__ ❶陰暦八月朔日(ついたち)。❷ミカンの一種。果実は、夏ミカンよりやや小さくて皮がうすく、甘ずっぱい。

__ばっさり__《副》(「ーと」の形も)❶刃物を一回振って、あざやかに切り落とすようす。「ー枝を落とす」❷思い切って取り除くようす。「費用をー削る」

__はっ-さん【発散】__《名・他自サ》❶〔内部にもっている〕光・熱・水分・臭気・精力などを、外へまき散らすこと。また、外に向かって散り広がること。「熱をーする」「動物がーする強いにおい」「ストレスをーさせる」類語 放散。❷〔数〕変数が収束しないこと。対 収束。❸〔理〕光線が一点から広がりながら進むこと。対 収束。

__はつ-ざん【初産】__ 初めての出産。ういざん。しょざん。

__ばつざん-がいせい【抜山×蓋世】__〔文〕山を引き抜くほどの力と、世をおおいつくすほどの気力。非常に意気さかんで勇壮なこと。「ーの雄(ゆう)」参考「力は山を抜き気は世を蓋(おお)ふ〈史記・項羽本紀〉」より。

__はっし__《副》(「ーと」の形も)❶堅い物と堅い物とが勢いよくぶつかり合うようす。「切りつける刀をーと受ける」❷〔矢などが〕飛んできてするどくつき立つようす。また、勢いよく飛んでくるものを力強く受けとめるようす。「球をーと受けとめる」表記「発止」と当てる。

*__ばっ-し【抜糸】__《名・自サ》手術の切り口が完全にふさがったのち、ぬいあわせた糸を抜き取ること。

*__ばっ-し【抜歯】__《名・自サ》歯を抜くこと。

は

*ばっ-し【末子】一番年下のこども。すえっこ。まっし。「―相続」対初子(はつご)。長子。

バッジ〔金属製の〕記章。▽badge

パッシブ《形動》受け身であるようす。受動的。対アクティブ。▽passive

*はつ-しも【初霜】その冬になって、初めておりた霜。

*はっ-しゃ【発射】《名・他サ》❶弾丸やロケットなどを打ち出すこと。❷電波や光を出すこと。

*はっ-しゃ【発車】《名・自サ》汽車・電車・バスなどが出発すること。「定刻に―する」対停車。

*はっ-しょう【発症】《名・自サ》病状が現れること。症状が出ること。類語発病。

*はっ-しょう【発祥】《名・自サ》〔文〕❶めでたいきざしの現れること。❷〔ある物事が〕はじめて起こり現れること。「仏教―の地」類語起源。

*はつ-じょう【発情】《名・自サ》〔動物が〕情欲を起こすこと。「―ホルモン」「―期」

*はつ-じょう【発条】ばね。ぜんまい。〔古風な言い方〕

ばっ-しょう【×跋渉】《名・自サ》〔文〕❶山を越え、川を渡ること。「山野を―する」❷諸地方を歩きまわること。「諸国―の旅に赴く」類語①②踏破。

はっ-しょく【発色】〔カラー写真・染め物などの〕色が生ずること。また、その色の仕上がり。「―がいい」

パッション ❶情熱。激情。❷キリストの受難。また、受難曲。▽passion

*はっ-しん【発信】《名・自他サ》通信を発すること。また、その通信。「―機」類語送信。対受信。着信。

*はっ-しん【発×疹】《名・自サ》皮膚に小さな吹き出物ができること。また、その吹き出物。ほっしん。―チフス 急性の感染症の一つ。シラミの媒介によって感染し、高熱を発し、紅色の発疹が出る。ほっしんチフス。

*はっ-しん【発進】《名・自サ》❶航空機・軍艦などが基地を出発すること。「機動部隊が―する」❷自動車を走り出させること。「一時停止ののち―する」

バッシング はげしく攻撃すること。また、いじめること。「ジャパン―」▽bashing

はっ-すい【×撥水】水をはじくこと。「―加工」

ばっ-すい【抜粋・抜×萃】《名・他サ》全体の中から、必要な部分やすぐれた部分を抜き出すこと。また、抜き出したもの。「名文を―して訳す」類語抄録。

はつ-すがた【初姿】❶新年の装いをした姿。❷新しい衣装を初めてつけた姿。

*はっ-する【発する】一《自サ変》❶〔ある事・所を源として〕起こる。はじまる。「斜面から―した道」❷外へ現れる。出る。「酔いが―する」❸出て行く。出発する。「最終電車はすでに―した」二《他サ変》❶〔ある事・所を源として〕起こす。はじめる。「アルプス山中に源を―する川」❷〔音・光などを〕外に向かって出す。〔実体を〕生じさせる。現す。「奇声を―する」❸〔矢や弾丸などを〕放つ。発射する。「銃弾を―する」❹外部に告げ知らせる。「警告を―する」❺〔使い・便りなどを〕目的地に向けて、出す。さしむける。派遣する。「軍を―する」「使いを―する」

*ハッスル《名・自サ》意気込んで、元気よくすること。「褒められて―する」▽hustle

ばっ-する【罰する】《他サ変》罰を加える。処罰する。「盗人を―する」対賞する。

はっ-すん【八寸】❶一寸の八倍の長さ。約二四センチ。❷「八寸膳(ぜん)」の略。懐石料理用の道具。八寸四方の白木の膳。❸②に載せて出す、酒肴(しゅこう)の口取り。

*はっ-せい【発生】《名・自サ》❶《他サ》それまでなかった物・事が生じること。また、生じさせること。「事故が―する」「害虫が―する」❷卵子や胚子(はいし)が発育して、成体になること。「―学」

*はっ-せい【発声】《名・自サ》❶声を出すこと。また、声の出し方。「―練習」類語発音。❷唱和するとき、音頭(おんど)をとること。「議長の―で万歳を三唱した」❸歌会で、最初に歌をよみあげる・こと(役)。

はっ-せき【発赤】《名・自サ》病気で、皮膚の一部が赤くなること。ほっせき。

ばっ-せき【末席】→まっせき。

はっ-せん【八専】陰暦の壬子(みずのえね)から癸亥(みずのとい)までの一二日間のうち、丑(うし)・辰(たつ)・午(うま)・戌(いぬ)の日を除く八日間。一年に六回ある。この期間は雨が多いという。

ばっ-せん【抜染】《名・他サ》脱色剤を加えたのりをつけて、無地染めした糸や布の一部分の地色を抜き、模様を出すこと。ぬきぞめ。

*はっ-そう【八相】釈迦(しゃか)が衆生(しゅじょう)を救うために、この世に現れて示した八段階のすがた。

*はっ-そう【発想】❶《名・他サ》もとになる考えを思いつくこと。また、その思いつき。「―の転換」❷考え・気持ちをまとめ、表現すること。「若者らしい―のデザイン」❸楽曲の持つ気分を、演奏するときの緩急・強弱などで表現すること。「―記号」

*はっ-そう【発走】《名・自サ》〔陸上競技・競馬・競輪などの〕競走で、走り出すこと。スタート。

*はっ-そう【発送】《名・他サ》郵便物・荷物などを送り出すこと。「引っ越しの荷物を―する」

はっ-そく【発足】《名・自サ》→ほっそく。

ばっ-そく【罰則】規定に違反したものに対する処罰を定めた規則。

はつ-ぞら【初空】〔文〕元日の空。はつそら。

ばっ-そん【末孫】〔文〕ある人の血筋の末にあたる子孫。遠い子孫。まっそん。類語後裔(こうえい)。末裔。

はつ-だ【発×兌】《名・他サ》〔文〕発行。

ばった【▽飛×蝗・×蝗▽虫・×蝗】バッタ科の昆虫の総称。一般に、からだは細く、体色は緑色または褐色。後ろあしが発達し、よくはねる。農作物の害虫。

バッター 野球で、投手の投げた球を打つ選手。打者。▽batter ―ボックス 野球のホームプレートの両側に指定された長方形の場所。この中で、打者が投手の投げた球を打つ。打席。▽batter's box

はったい【×糗・×麨】米や麦の新穀をいってこがし、粉にしたもの。湯で練ったり砂糖を加えたりして食べる。はったいこ。こがし。

はつ-たいけん【初体験】初めての体験。特に、初めて異性と肉体関係を持つこと。しょたいけん。

はつ-たけ【初×茸】ベニタケ科のキノコ。全体が淡い赤褐色。食用。風味がよい。

はっ-たつ【発達】《名・自サ》規模が大きくなり、内容が十分にととのった段階に達すること。「骨格が―する」「台風の―」類語成長。発展。進歩。

はった-と【×礑と】《副》するどくにらみつけるようす。はたと。「―にらむ」

はったり〔俗〕自分(の側)を実際よりよく見せようとして、盛んに大げさなことを言ったりしたりすること。「―

をかける」「―をきかせる」

ばったり《副》《「―と」の形も》❶急に倒れるようす。❷不意に出会うようす。「駅で―友人に会った」❸物事が急にとだえるようす。「―たよりが来なくなった」

ぱったり《副》《「―と」の形も》「ばったり」よりやや軽い感じを表す語。「―と倒れる」

はっ-たん【八端・八▽段・八反】縦横に黄色と褐色の縞(しま)模様のある、綾(あや)織りの厚地絹織物。座ぶとん・夜具・丹前などに使う。はったん織り。

ハッチ❶船で船内区画への出入り口として甲板上に設けられた穴。❷調理場と食堂の間に設けられた、料理などを渡すための小さな口。▽hatch

***パッチ** 一《名》つぎあて用の小布(こぎれ)。「―ワーク」▽patch 二《造語》「はりつける」「つぎをする」などの意。

***パッチ** 長いももひき。「メリヤスの―」▽朝鮮 pat-chi

はっ-ちゃく【発着】《名・自サ》〔交通機関の〕出発と到着。「バスの―所」

はっ-ちゅう【発注・発×註】《名・他サ》注文を出すこと。「機械を―する」対受注。

はっ-ちょう【八丁・八×挺】物事に巧みなこと。達者なこと。〔いい意味では使わない〕「口も―手も―」

ばっちり《副》《「―と」の形も》〔俗〕「みごとに」「首尾よく」「抜け目なく」などの意の現代風の言い方。「―百点を取った」「スーツを―ときめている」

ぱっちり《副・自サ》《副詞は「―と」の形も》目が大きく、はっきりしているようす。また、目を大きく開くようす。「目の―したかわいい人」

ばっ-てい【末弟】↓まってい。

***バッティング** 野球で、打者がボールを打つ・こと(方法)。打撃(法)。「―アベレージ(=打率)」▽batting

***バッティング** ボクシングで、選手どうしの頭がぶつかること。▽butting

ばっ-てき【抜×擢】《名・他サ》大勢の中から特にすぐれた人を引きぬいて使うこと。登用。「主任を課長に―する」類語 擢用。

バッテラ〔関西で〕サバの箱ずし。参考 もと、すしを作るときの舟形の木の道具。▽(ポルトガル) bateira(=舟)

バッテリー❶蓄電池。❷野球で、そのチームの投手と捕手。また、その組み合わせ。「―を組む」▽battery

はっ-てん【発展】《名・自サ》❶〔勢いなどが〕のびひろがって、さかえていくこと。「町が―する」「店の―」類語 向上。進展。躍進。❷次の〔高い〕段階へ移っていくこと。進展。「話がとんでもない方に―する」類語 発達。進歩。❸〔俗〕手広く活躍すること。〔多く異性との交際についていう〕「だいぶ御―のようですね」「―家」 **―とじょう-こく**【―途上国】これから開発発展しようとしている国。開発途上国。途上国。

はつ-でん【発電】《名・自サ》電気を起こすこと。「水力―」「原子力―」

ばっ-てん【罰点】誤り・不可などを示す「×」。ばつ。

***はっ-と**【法度】《「はふと」の音便》❶武家時代の法律・おきて。「武家諸―」❷禁じられていること。禁制。〔多く、「御(ご)―」の形で使う〕「ばくちは御―」

***はっ-と**《副・自サ》ふと気がついたり、思いがけないことに出あったりして、急に心がさわぐようす。「帰るとドアがあいていたので―した」

***ハット** 周囲につばのある帽子。「シルク―」類語 キャップ。▽hat **―トリック** サッカーなどで、一選手が一試合に三点以上得点すること。参考 クリケットで、三人の打者を連続アウトにした投手に帽子(hat)を贈ったのが始まり。▽hat trick

***バット**❶野球・ソフトボールなどで、ボールを打つ棒状の用具。❷クリケットで用いる打ち板。▽bat

***バット** 角形のひらたい皿。▽vat

***ぱっ-と**《副》❶物事が非常に短い間に起こるようす。急に。いっぺんに。いきなり。「電気が―つく」「うわさが―ひろがる」❷きわだってはなやかであるようす。「今夜は前祝いで―やろう」❸〈―しない〉見ばえがしない。また、好ましくない。「売れ行きが―しない」

***パット** ゴルフで、グリーンにあがった球をホールに入れるために、パターで軽く打つこと。パッティング。▽putt

パッド❶体形を整えるために、洋服の肩または腰などにつける詰めもの。また、ブラジャーに入れてあてるもの。＝パット。▽pad ❷はぎとって使う帳面。

はつ-どう【発動】《名・自他サ》❶活動を開始すること。また、活動を開始させること。「春機―」「作戦を―する」類語 発揮。❷特定の法的権限を行使すること。「強権を―する」❸動力を作り出すこと。「―機」

は

ばっ-とう【抜刀】《名・自サ》刀をさやから抜くこと。また、さやから抜いた刀。「―して押し入る」

はっとう-しん【八頭身・八等身】〔女性の〕身長が頭部の八倍に当たる、均整のとれたからだ。「―美人」

は-づな【端綱】馬の口につけてひく、つな。

はつ-なり【初▽生り】果実や野菜がその年に初めてなること。また、そのなったもの。「イチゴの―」

はつ-に【初荷】その年初めて、商品としての荷を装飾をほどこして送り出すこと。また、その荷。

はつ-ね【初音】ウグイス・ホトトギスなどの、その年初めてきく鳴き声。

はつ-ねつ【発熱】《名・自サ》❶熱を発生すること。「―体」「―量」❷〔病気などのため〕体温が平常時より高くなること。

はつ-のり【初乗り】❶その年初めて、乗り物・馬などに乗ること。❷まだだれも乗ったことのない乗り物・馬などに初めて乗ること。「新しいジェットコースターの―」❸電車・タクシーなどの最低料金の区間。「―運賃」

***はっ-ぱ**【発破】鉱山の作業や土木工事などで、岩石に穴をほって火薬をしかけ、爆破すること。また、その火薬。「―を掛ける(=強く注意し、はげます)」

***はっ-ぱ**【葉っぱ】〔俗〕葉。

はつ-ばい【発売】《名・他サ》商品・切符などを売り出すこと。「新製品の―」

ばっ-ぱい【罰杯・罰×盃】宴席などで、罰として無理にのませる酒。

はっ-ぱく【八白】九星(きゅうせい)の一つ。土星にあたり、方位は東北。

ぱっぱ-と《副》❶〔金銭などを〕惜しげもなく使うようす。❷言いにくいことを平気でしゃべるようす。「人前をかまわず―しゃべる」類語 ずけずけ。ぽんぽん。❸〔水・火花などが〕断続的に飛び散るようす。❹手早く物事を処理するようす。「テーブルの上を―かたづける」

はつ-はる【初春】春のはじめ。新春。新年。初春(しょしゅん)。

はつ-ひ【初日】一月一日の朝日。類語 初日影。

はっ-ぴ【法被・▽半被】❶禅宗で、高僧のいすの背にかけてある金らんの布。❷屋号などを背やえりの部分に染め出した上着。

ハッピー《形動》幸福なようす。しあわせ。「―な人たち」▽happy **―エンド** 物語・映画などが万事うまくおさまって終わること。幸福な結末。めでたしめでたし。▽happy ending から。**―マンデー・ほう【―マンデー法】**〔連休を多くするため〕国民の祝日の一部を月曜日に変更する法律の俗称。成人の日、体育の日はそれぞれ一月と一〇月の第二月曜日、海の日と敬老の日は七月と九月の第三月曜日になった。

はつ-ひかげ【初日影】一月一日の朝日の光。

はつ-ひので【初日の出】一月一日の日の出。

はっ-ぴゃく【八百】〔八の一〇〇倍の数から〕物事の数の多いこと。「うそ―」**―やちょう【―八町】**江戸の町数の多いことをいう語。江戸の町全体。

はつ-びょう【発病】《名・自サ》病気の症状が現れること。病気になること。類語 発症。

はっ-ぴょう【発表】《名・他サ》❶〔ある事実・考えなどを〕広く世間に知らせること。「婚約を―する」「新説を―する」類語 公表。表明。公告。広告。❷〔作品などを〕世間の人に見せたり聞かせたりすること。「新しい小説を―する」「ピアノの―会」

ばつ-びょう【抜×錨】《名・自サ》〔文〕船が錨(いかり)を上げて出航すること。類語 出帆。出船。対 投錨。

***はっ-ぷ【発布】**《名・他サ》〔文〕〔法令などを〕公に発表し、世間に広くゆきわたらせること。「憲法を―する」類語 公布。

***はっ-ぷ【髪膚】**〔文〕頭髪と皮膚。転じて、からだ全体。「身体―これを父母に受く」

パップ 湿布に使うのり状の薬。また、それを用いた湿布。表記「巴布」と当てることもある。▽オランダ pap

はつ-ぶたい【初舞台】俳優となって、初めて舞台にのぼって演ずること。また、その舞台。「―を踏む」参考 ある物事を公の場で初めて行う意にも使う。「政治家としての―」類語 デビュー。

はっ-ぷん【発憤・発奮】《名・自サ》気力をふるいたたせること。「―して成績をあげる」

ばつ-ぶん【×跋文】〔序文・本文(ほんもん)に対して〕書物で、本文の終わったあとにしるす文。跋(ばつ)。あとがき。

はつ-ほ【初穂】❶その年最初にみのった稲の穂や穀物・野菜・くだものなど。また、それを神仏・朝廷などに奉ったもの。「お―」❷初穂①のかわりに奉る金銭など。「―料」＝はつお。

***はっ-ぽう【八方】**❶四方と四隅(しぐう)。東・西・南・北と北東・南東・南西・北西の八つの方角。八紘(はっこう)。❷あらゆる方向・方面。「四方―」**―にらみ【―×睨み】**❶四方八方に目を向けて気をくばること。❷画像などの目が、どの方向から見ても見る者をにらんでいるように見えること。また、その画像。**―びじん【―美人】**だれからもよく思われるように立ち回る人。参考 多く、非難の意をこめて使う。**―ふさがり【―×塞(が)り】**〔陰陽道(おんみょうどう)で、どの方向に向かっても不吉である意から〕事を行うのに、どんな方法にも障害があってどうにもならない状態。**―やぶれ【―破れ】**どの方向からでも攻められるくらいに、備えがどこにもないこと。すきだらけで、どうしようもない状態。

***はっ-ぽう【発泡】**《名・自サ》あわが発生すること。**―スチロール** 気泡をふくませたスチレン樹脂。非常に軽く断熱・吸音効果が高いため、包装・建材など用途が広い。**―しゅ【―酒】**❶泡の出る酒。シャンパンなど。❷〔ビールに対して〕〔水を除いた〕原料にしめる麦芽の比率が、六七パーセント未満のアルコール飲料。参考 酒税法によって決められている。

***はっ-ぽう【発砲】**《名・他サ》銃・大砲などを撃つこと。

はつ-ぼん【初盆】↓にいぼん(新盆)。

ばっ-ぽん【抜本】〔文〕根本原因を抜きとること。**―そくげん【―×塞源】**〔文〕弊害の根本原因を除き去り、再びその害が起こらないようにすること。**―てき【―的】**《形動》〔弊害の〕根本原因を除くようす。「―な対策」類語 根本的。

はつ-まいり【初参り】―まゐり《名・自サ》❶はつもうで。❷〔その子供が〕生まれて初めてのお宮参り。

はつ-まご【初孫】〔その人にとって〕初めての孫。ういまご。

はつ-みみ【初耳】初めて聞くこと。また、その話。「その話は―です」

はつ-めい【発明】一《形動》かしこいようす。利発。〔古風な言い方〕「―な子」二《名・他サ》最初に考え出したり、作ったりすること。「ラジオを―する」「―家」「この手法は彼の―だ」類語 創案。考案。案出。

類義語の使い分け 発明・考案

［発明・考案］彼が発明(考案)した画期的な器械
［発明］発明家エジソン／必要は発明の母
［考案］新しい方法を考案する／このシステムの考案者

はつ-もう【発毛】毛・髪の毛が生えること。「―剤」

はつ-もうで【初×詣(で)】―まうで《名・自サ》新年になって初めて社寺に参ること。初参り。

はつ-もの【初物】❶野菜・くだものなどで、その季節になって初めてできたもの。「―のイチジクを仏前にそなえる」類語 はしり。初生(はつな)り。❷その季節になって初めて食べるもの。❸まだだれも手をつけていないもの。**―ぐい【―食い】**―ぐひ ❶初物を好んで食べること(人)。❷新しいものを好んで手に入れること(人)。

はつ-もん【発問】《名・他サ》問いを出すこと。問いとして出すこと。類語 質問。

はつ-やく【初役】〔その俳優にとって〕初めて演じる役。「―に挑(いど)む」

はつ-ゆ【初湯】❶うぶゆ。❷その年初めての入浴。すなわち、正月二日の入浴。

はつ-ゆき【初雪】その冬に初めて降る雪。また、新年にはじめて降る雪。

はつ-ゆめ【初夢】新年になって初めて見る夢。一月一日または二日の夜に見る夢。

はつ-よう【発揚】《名・他サ》〔文〕〔威勢・意気などを〕ふるいたたせて盛んにすること。「日本精神の―」

はつ-らつ【×潑×剌・×潑×溂】《形動タルト》元気がよく、生き生きとしているようす。「新入生の―とした姿」類語 活発。注意「潑刺」は誤り。

はつ-る【▽削る】《他五》少しずつけずりとる。また、うわまえをはねる。〔古風な言い方〕文《四》。

はつ-れい【発令】《名・他サ》法令・辞令・警報などを出すこと。「警戒警報―」

はつ-ろ【発露】《名・自サ》〔文〕〔心に働いているものが〕ある形をとって表面に現れ出ること。「愛情の―」「自衛本能の―」類語 流露。顕現。発揮。

***はて【果て】**❶〔物事のたどりついた〕終わり。きり。最後。「―のない欲望」「思いつめた―の手段」類語 終

極。終末。❷あるものの、年月を経た結果の（落ちぶれた）すがた。「貴族の―」❸広い地域の終わった所。一番はしの所。「東洋の―の小国」表記③は「涯」とも書く。類語極み。極限。辺涯。辺際。

***はて**《感》軽く怪しんだり、迷って考えこんだりするときなどに発する語。「―、あれは何だろう」「―、困ったな」類語はてな。はてさて。

は・で【派手】《名・形動》〔いろどり・行動・性格などが〕きわだっていて人目をひくこと。「―な衣装」「金遣いが―だ」類語華やか。華美。はでやか。対地味。

***パテ** すりつぶして調味した肉・魚介などを、パイ生地で包むか、容器につめて、蒸し焼きにした料理。▽フランス pâté

***パテ** 胡粉・白亜・亜鉛華などに乾性油や樹脂を入れてこねたゴム状の接合剤。▽putty

***ば・てい【馬丁】**〔文〕馬の世話や口取りを仕事にする人。別当。類語馬子。馬方。

***ば・てい【馬×蹄】**〔文〕馬のひづめ。**―けい【―形】**馬蹄に似た形。U字形。「―磁石」

パティシエ 洋菓子職人。▽フランス pâtissier

はて・し【果てし】《「はて」＋強意の助詞「し」》きりがついて終わりとなる所。限り。参考下に打ち消しの語を伴う。「―がない」

はてし・な・い【果てし無い】《形》どこまで・行っても（しても）きりがない。「―い大海原」「―く続く論争」表記「涯しない」とも書く。

はて・な《感》怪しんで発する語。「―、どこかで見た人だ」類語はて。

はで・やか【派手やか】《形動》〔いろどり・装いなどが〕いやみがなく、はなやかなようす。華麗。「―な服装」

は・てる【果てる】㊀《自下一》❶物事が終わりになる。きわまる。尽きる。「会が―てる」❷死ぬ。「貧困のうちに―てた」文は・つ《下二》。㊁《接尾》「限界まで（最大限に）…する」「すっかり…する」意。「意気地なしになり―てる」文は・つ《下二》

ば・てる《自下一》《俗》疲れて動けなくなる。へたばる。のびる。「けわしい道を歩きつづけて―てた」

バテレン ❶キリスト教が伝わった当時の、カトリックの宣教師・司祭の呼び名。❷キリシタン。キリスト教。表記「伴天連」とも当てる。▽ポルトガル padre（＝父）から。

は・てんこう【破天荒】《名・形動》〔文〕〔天荒（＝天地未開の混沌たるさま）を破り開く意から〕だれもが思いもよらなかった驚くべき事・をする（がおこる）こと。「―の冒険」類語前代未聞。古今未曾有。

パテント 特許（権）。専売特許。▽patent

はと【×鳩】ハト科の鳥の総称。目が丸く、胸が張っている。帰巣性にすぐれる。平和の象徴とされる。

―が豆鉄砲を食ったよう《句》突然のことにひどくおどろいて目をぱちくりするようす。

―に三枝の礼あり《句》〔子鳩は親鳩より三本下の枝にとまることから〕礼儀を重んじるべきことのたとえ。〈学友抄〉

***は・とう【波×濤】**〔文〕〔海原の中の〕うねりの大きな波。「万里の―」

***は・とう【波頭】**〔文〕❶なみがしら。「白い―が立つ」❷波の上。海上。

***は・どう【波動】**❶空間（＝媒質）の一点に生じたある物理的な状態の変化が、波のうねりのように、周期的・連続的に周囲に伝わってゆく現象。❷物事の周期的な変化。「景気の―」

***は・どう【覇道】**〔文〕武力・権謀で天下を治めるやり方。対王道。

ば・とう【×罵倒】《名・他サ》激しい言葉でののしること。「論敵を―する」類語痛罵。

ばとう・かんのん【馬頭観音】宝冠に馬の頭をいただき、怒りの形相をした観音。俗に馬の病気と安全を守るという。馬頭観世音。馬頭明王。

パト・カー「パトロールカー」の略。

はとこ【▽再▽従▽兄▽弟・▽再▽従▽姉▽妹】またいとこ。

パトス〔哲〕❶情念。感情。対ロゴス。❷〔理性的、持続的な心の動きに対して〕受動的、一時的な心の動き。転じて、高まった感情。激情。情熱。対エートス。▽ギリシア pathos

パドック ❶競馬で、出走前の馬が集まる場所。ここで客が馬の下見をする。❷自動車レースに出る車を整備・点検する場所。▽paddock

パ・ド・ドゥ バレエで、男女二人の踊り。▽フランス pas de deux

はと・どけい【×鳩〈時計〉】掛け時計の一つ。下がっているおもりを引いてねじを巻き、時刻がくると上の巣箱から木製のハトが出て鳴く。

はと・は【×鳩派】強硬手段を避けて、なるべく穏やかに事態を収めようとする人たち。表記ふつう「ハト派」と書く。対鷹派。

はと・ば【〈波止場〉・波戸場】港で、波を防いで船舶を停泊させ、船客の乗降、荷物の揚げおろしなどをするために海中に突き出して築いた所。埠頭。

はとば・いろ【×鳩羽色】ハトの羽のように、黒みがかった薄い青緑色。

はと・ぶえ【×鳩笛】ハトの鳴き声に似た音を出す、ハトの形をした土焼きの笛。

バドミントン テニスに似たコートとラケットを使い、高さ約一・五メートルのネットをはさんで、羽根の付いた、たま（＝シャトルコック）を打ち合う競技。参考俗に「バトミントン」とも。▽badminton

はと・むぎ【×鳩麦】イネ科の一年草。葉は細長く、先がとがる。果実は食用・薬用。

はと・むね【×鳩胸】ハトの胸のようにふくらんで、高く前方に突き出ている胸（の人）。

はと・め【×鳩目】ひもを通すためにあけた穴にとりつける、環状の金具。

は・どめ【歯止め】❶ブレーキ。〔古風な言い方〕❷車輪・歯車などが勝手に回転しないようにその接触面にかくもの。❸事態の悪化など物事の変化を食いとめる手だて。「失業の増加に―がかからない」

バトル 戦い。戦闘。▽battle

パトローネ 生のロールフィルムを包んだ、円筒形の容器。参考もと、商標名。▽ドイツ Patrone

パトロール《名・自サ》犯罪や事故の防止のために、一定の区域を巡視する・こと（人）。特に、警官の巡視。▽patrol **―カー** パトロール用の（警察の）自動車。パトカー。▽patrol car

パトロン ❶特定の団体・人（特に芸術家・芸人など）を、主に経済面で援助する人。後援者。保護者。❷特定の異性に経済上の援助を与える人。▽patron

ハトロン・し【ハトロン紙】薄茶色のじょうぶな洋紙。包装・封筒などに使う。

バトン ❶リレー競走で、選手が手に持って走り、次々

に走者に手渡される筒状の短い棒。「—を渡す(=後任者に仕事を引き渡す)」❷音楽の指揮棒。▽baton

—ガール 女性のバトントワラー。▽baton と girl からの和製語。**—タッチ**《名・自サ》❶リレー競走で、走者が次の走者にバトンを渡すこと。❷後任者に仕事を引き渡すこと。「新人に—する」▽baton と touch からの和製語。**—トワラー** 音楽に合わせて指揮棒を回したりしながら、パレードの先頭にたって進む人。▽baton twirler

***はな**【×洟】鼻の穴から出る液。鼻汁(はなじる)。「—をかむ」「—も引っ掛けない(=全然相手にしない)」

***はな**【▽端】〔俗〕❶〔突き出たり、とがったりした物の〕先の部分。先端。はし。「半島の—が迫る」類語 末端。❷物事のしはじめ。最初。のっけ。「—から具合がいい」類語 しょっぱな。

***はな**【花・華】❶植物の枝や茎の先端に時を定めて咲く(色が美しく香りのよい)もの。顕花植物の生殖器官で、ふつう、めしべ・おしべ・花冠・がくで構成されている。「—も恥じらう(=ういういしく美しい女性を形容することば)十八の乙女」「—を持たせる(=相手を立てて栄誉をになわせる)」❷花道(かどう)。また、生け花にする花①。「床の間の—は何にしよう」❸桜の花。「—を見に行く」「—の雲」❹〔花①のように〕盛んではなやかなこと。また、そういうもののたとえ。「—の都」「両手に—」「—の顔(かんばせ)(=花のように美しい顔)、月の眉(まゆ)」❺いちばんよい時。最もはなやかな時。「いろいろと言われるうちが—だ」「言わぬが—」❻はなやかで、しかもそのものの性質をよく表しているもの。精髄。精華。「武士道の—」「火事とけんかは江戸の—」❼能楽で最も大切とされる、舞台における芸の美しさ。❽芸人などに与える祝儀(しゅうぎ)。また、芸者の揚げ代。「—を与える」表記 ⑧は「纏頭」とも書く。❾花札。花合わせ。「—を引く」❿はなだ色。表記 ⑧〜⑩には「華」は用いない。⇩〖類語と表現〗

—は桜木人は武士《句》花の中では、桜が第一であり、人の中では、桜のように潔い武士が第一である。

—も実もあ・る《句》名実を兼ね備えている。また、理にかなうとともに、人情味を備えている。「—・るお裁き」

—より団子《句》風流なものより、実利のあるものの方がよいというたとえ。

類語と表現

「花・華」

*花が咲く〔開く・ほころぶ〕・花が散る〔しぼむ・枯れる〕・花をつける・花を生ける・花を作る・花を植える／花の都・文化の華・華のある役者・火事と喧嘩(けんか)は江戸の華。

◆蕾(つぼみ)・草花・フラワー・切り花・盛り花・生け花・挿花(そうか)・生花(せいか)・造花・ドライフラワー・水中花／名花・妖花(ようか)・徒花(あだばな)

◆動詞表現 花咲く・花開く・咲き出す・咲き初める・咲き匂(にお)う・咲き誇る・咲き揃(そろ)う・咲きこぼれる・咲き残る・咲き乱れる・開花する・満開になる・笑う／華と散る(=潔く戦死する)・花と咲く(=華麗に花開く)

***はな**【鼻】❶顔の中央にある突き出た部分。呼吸し、においをかぎ、また、発声をたすける。「—にかかった声」❷嗅覚(きゅうかく)。「—がきく」「—がいい」

—が高・い《句》誇らしく思うようす。得意である。

—が曲が・る《句》強い悪臭がするようす。

—であしら・う《句》相手をばかにして、いいかげんな態度で応対する。問題にしない。鼻先であしらう。

—に掛・ける《句》自慢する。得意がる。

—に付・く《句》あきあきしていやになる。

—の下が長・い《句》女にうつつをぬかすようす。

—を明か・す《句》出し抜いてあっと言わせる。

—を打・つ《句》においが鼻を刺激する。

—を折・る《句》相手の慢心をくじく。

—を突き合わ・せる《句》両方が、身動きできないほど接近したところにいる。「小姑(こじゅうとめ)と—・せて暮らす」

—を突・く《句》においがはげしく鼻を刺激する。

—を鳴ら・す《句》甘えた声を出す。甘える。

ばな【▽端】《接尾》「…し始めたとたん」「…してすぐの時・所」の意。「寝入り—」「出—をくじかれる」

はな-あかり【花明(か)り】夜、満開の桜の花の色で、あたりがぼんやりと明るいこと。「—の小道を歩く」

はな-あらし【花×嵐】❶桜の花の咲くころに吹く強い風。❷(桜の)花がさかんに散るようすを嵐に見立てた語。類語 花吹雪(はなふぶき)。

はな-あわせ【花合(わ)(せ)】❶花札を用いてする遊び。場に並べた札の中から、もち札と同種の札を合わせて取り、得点を争う。❷平安時代、左右二組に分かれて、花(特に桜)を出して比べ、また、それにちなんでよんだ和歌を出して、その優劣をきそった遊び。花くらべ。花いくさ。

はな-いかだ【花×筏】❶花びらが水面に浮かんで流れるのを、いかだに見立てていう語。❷ミズキ科の落葉低木。初夏、葉の上面中央に淡緑色の小花をつける。

はな-いき【鼻息】❶鼻でする息。「—を窺(うかが)う(=人の意向や機嫌をうかがう)」「—が荒い(=意気込みが激しい)」❷意気込み。「すごい—だ」類語 けんまく。

はな-いけ【花生け・花▽活け】花をいけるための器。花器。花入れ。

はな-いろ【花色】❶花の色。❷→はなだ色。

はな-うた【鼻歌・鼻×唄】鼻にかかった小声で歌(のふし)を歌うこと。また、その歌。「—交じり(=あまり本気にならず軽い気分でするようす)」

はな-お【鼻緒】げた・草履などの緒(お)の、指の間にはさまる部分。前緒。また、げた・草履などの緒全体。「—がきれる」「—をすげる」

はな-おち【花落ち】花が・落ちて(しぼんで)まもないころに取った、ナス・キュウリなどの若い実。

はな-かご【花×籠】草花・切り花などを盛ったり摘み入れたりするかご。花がたみ。「お祝いに—を贈る」

はな-がさ【花×笠】花や造花で飾った笠(かさ)。〔踊り・祭りなどに使う〕

はな-がすみ【花×霞】桜の花が満開で、遠くから見るとかすみがかかったように見えること。類語 花の雲。

はな-かぜ【鼻〈風邪〉】鼻水が出る、軽いかぜ。

はな-がた【花形】❶花をかたどった形・模様。「ニンジンを—に切る」❷その分野で、もっとも人気があってもてはやされる人。また、そのような事柄。「—役者」

はな-がたみ【花×筐】〔雅〕花かご。

はな-がつお【花×鰹】—がつを かつお節を薄くけずったもの。

はな-がみ【鼻紙】鼻汁などをぬぐうための、薄くやわらかい紙。ちり紙。はなかみ。

参考 花びらのようになるのでいう。

はな-がめ【花▽瓶】花瓶(かびん)。

はな-がるた【花加留多】はなふだ。

はな-かんざし【花×簪】 造花で飾ったかんざし。

はな-ぎ【鼻木】 牛の鼻の穴に通す、木またはかねの輪。鼻輪。はながい。

はな-キャベツ【花キャベツ】 →カリフラワー。

はな-ぐすり【鼻薬】 ❶鼻の治療に使う薬。❷ちょっとした便宜をはかってもらうための、少額のわいろ。袖の下。「―を利かせる」「―をかがせる」❸子供をなだめるために与える菓子など。

はな-くそ【鼻×屎・鼻×糞】 鼻孔中で、鼻水とほこりとがまじって黒く固まったもの。「―をほじる」

はな-ぐもり【花曇り】 桜の花のさくころの、空が一面に薄く曇っている状態。「―の空」

はな-くよう【花供養】 →灌仏会。

はな-げ【鼻毛】 鼻の穴の中にはえている毛。「―を伸ばす(=女の色香に迷って甘い態度になる)」「―を抜く(=他人をだしぬく)」「―を読まれる(=男が、ほれた女に甘くみられる)」

はな-ごえ【鼻声】 ❶〔甘えたときなどに出す〕鼻にかかった声。❷〔風邪をひいたときや、涙にむせんだときなどに出す〕鼻のつまった声。

はな-ごおり【花氷】 中に花を入れて作った氷のかたまり。

はな-ござ【花×茣×蓙】 いろいろな色に染めた藺で、模様を織り出したござ。花むしろ。

はな-ことば【花言葉・花▽詞】 花ごとに一定の意味を象徴的にもたせたもの。パンジーが愛情、白ユリが純潔を表すなど。

はな-ごよみ【花暦】 花の名を、咲く季節の順にしたがって並べ、それぞれにその花の名所を記したもの。

はな-ざかり【花盛り】 ❶花がたくさん盛んに咲いていること。また、その時節。「梅の―」❷女の容色の一番美しい年ごろ。一般に、ある物事が盛んであること。「カルチャーセンターは―」

はな-さき【鼻先】 ❶鼻の先端。「―であしらう(=ばかにしていいかげんな態度で対応する)」❷鼻のすぐ前のあたり。目前。目の前。「―へ絶縁状をつきつける」

***はなし【放し】** 《接尾》「…したままにしておく」「…したままでいる」の意。「開け―」 参考 多く「…っぱなし」の形で使う。「言いっぱなし」「敷きっぱなし」

***はなし【話】** ❶自分の考え・知識など、多少まとまったことを人に向かって言うこと。また、その内容。談話。「―が合う」「―にならない(=話すねうちがない。問題にならない)」「―に花が咲く(=話題がつきず話がはずむ)」「―に実が入る(=興にのって夢中で話す)」 尊敬 高談。高話。尊話。❷人が・知っている(想像した)事柄をことばで表したもの。また、その内容。物語。いいつたえ。「昔の―」❸人が協力・承認を求めてきた計画。「―に乗る」「娘に良い―(=縁談)がある」❹相談の結論・決着。「―をまとめる」「―が付く(=相談や交渉がまとまる)」❺人に聞かせるための物語。落語・昔話など。「志ん朝の―を聴く」 表記 ⑤は「咄」「噺」とも書く。❻うわさ。「引っ越すという―だ」❼わけ。事情。すじみち。「―のわかる人」「それとこれとでは―がちがう」

―変わって 《句》話題が一転して。〔物語などを語っていて場面が大きく変わるときにいう〕

はなし-あい【話(し)合い】 話し合うこと。相談。「値段は―できめよう」

はなし-あいて【話(し)相手】 ❶話をする相手の人。会話の相手。「酒を飲むときは―がほしい」❷相談するのによい人。「よい―にめぐまれる」

はなし-あ・う【話し合う】 《他五》❶互いに思っていることを話す。語りあう。「将来の夢を―・う」❷互いに理解したり、よい考えを出したりするために話す。「領土の返還について―・う」

はなし-か【×咄家・×噺家】 落語を話すことを職業とする人。落語家。

はなし-がい【放(し)飼い】 家畜を広い所で自由にさせて飼うこと。はなちがい。 類語 放牧。野飼い。

はなし-か・ける【話し掛ける】 《他下一》❶〔相手に〕話をしかける。「英語で―・ける」❷話をしはじめる。また、途中まで話す。「―・けると邪魔が入る」

はなし-ごえ【話し声】 人の話している声。

はなし-ことば【話し言葉】 日常、普通の会話をするときに使うことば。音声(口頭)言語。口ことば。 類語 口語。 対 書きことば。

はなし-こ・む【話し込む】 《自五》〔時間のたつのを忘れて〕話に熱中する。また、じっくりと話す。「二〇分も―・んでしまった」

はなし-じょうず【話(し)〈上手〉】 《名・形動》話術のたくみな・こと(人)。 対 話下手。

はなし-て【話し手】 ❶話す方の人。話者。 対 聞き手。❷話のしかたの上手な人。「なかなかの―だ」

はな-じどうしゃ【花自動車】 〔祝いごとのため〕花・造花などで飾って運転する自動車。 類語 花電車。

はなし-はんぶん【話半分】 事実はその話の半分ぐらいで、あとはうそや誇張だということ。「―にきく」

はなし-べた【話(し)〈下手〉】 《名・形動》話術がへたである・こと(人)。 対 話上手。

はな-しょうぶ【花×菖×蒲】 アヤメ科の多年草。葉はつるぎ状で、初夏、紫・白などの花を開く。日当たりのよい水辺に栽培される。観賞用。

はな-じる【鼻汁】 鼻の穴から出る液。はな。はなみず。はなしる。

はな-じろ・む【鼻白む】 《自五》気おくれした顔つきをする。「素直にあやまられて―・んだ」

***はな・す【放す】** 《他五》❶しばったりとじこめたりせず、自由にさせる。解放する。「鳥を野に―・す」 類語 逃がす。(るす)釈放。❷つかんでいることをやめる。「たもとを―・さない」 類語 手ばなす。 表記 ②は「離す」とも書く。 文《四》。 ⇩〔使い分け「はなれる・はなす」〕

***はな・す【話す】** 《他五》❶〔まとまった内容を〕相手に伝える。ことばで言う。「できごとを―・す」 類語 告げる。言う。語る。しゃべる。述べる。談ずる。弁ずる。❷〔よい考えなどを出すため〕互いに意見を出す。相談する。「―・してもむだだ」 類語 語らう。 文《四》。

***はな・す【離す】** 《他五》❶くっついている二つの物の間にへだたりを作る。「骨から肉を―・す」 類語 (るす)分離。❷二つの物の間のへだたりを大きくする。遠ざける。「二位を大きく―・してゴールインする」 類語 (るす)隔離。離間。❸〈「目を―・す」の形で〉他の物に視線を移す。「ちょっと目を―・したすきに大金を盗まれた」 文《四》。 ⇩〔使い分け「はなれる・はなす」〕

はな-すじ【鼻筋】 眉間から鼻先までの線。鼻柱。「―の通った(=鼻筋がまっすぐで整った顔)いい男」

はな-すすき【花▽薄】 穂の出たススキ。尾花。

はな-ずもう【花〈相撲〉】 参考 もと、木戸銭のかわりに花(=祝儀)を受けたことから。対本相撲。

はな・せる【話せる】《自下一》(「話す」の可能形)❶話すことができる。「英語が—・せる人」❷話相手とするねうちがある。人情の機微に通じていて、融通がきく。「あんな—・せないやつはない」

はな・ぞの【花園】美しい花の咲く草木をたくさん栽培している園や庭。花圃(かほ)。花園(かえん)。類語花畑。

はな・だい【花代】❶花の代金。❷芸者・遊女などを揚げたときに払う代金。揚代。玉代(ぎょくだい)。はな。

はなだ・いろ【×縹色】薄い藍(あい)色。はないろ。はなだ。

はな・たかだか【鼻高高】《形動》非常に得意げなようす。鼻高(はなだか)。「息子(むすこ)のことで—だ」

はな・たけ【鼻×茸】鼻の穴にできる、良性のできもの。びじょう。

はな・たて【花立(て)】❶花いけ。花器。花入れ。❷仏前や墓前に花を立てて供える道具。類語花筒。

はな・たば【花束】(供えたり贈ったりするために)草花を何本かたばねたもの。

はな・だより【花便り】花、特に桜の花の咲いたようすを知らせるたより。花信。

はな・たれ【×洟垂れ】鼻汁をたらしている・こと(子ども)。はなたらし。**—こぞう【—小僧】**❶鼻汁をたらしている男の子。❷人生経験が浅く、考えの甘い若者。(あざけって言う語)「—に何ができる」

はな・ぢ【鼻血】鼻から出る血。「—が止まらない」

はな・つ【放つ】《他五》(文)❶(とじこめたりしばりつけたりしていたものを)自由にさせる。放す。解放する。「小鳥を野に—・つ」類語(する)釈放。❷とおざける。しりぞける。「東国に—・つ」❸(矢・弾丸などを)ある方向にむけてうち出す。射る。発射する。「矢を—・つ」「第一弾を—・つ」❹(光・音・においなどを)発する。「光彩を—・つ」「声を—・って泣く」「悪臭を—・つ」類語(する)放射。❺(スパイなどを)送り込む。「間者を—・つ」❻〈火を—・つ〉放火する。文《四》。

はな・づくし【花尽(くし)】❶一つの文章・歌の中などにいろいろな花の名をたくさんつらねること。❷いろいろな花の模様をかいたもの。

はな・づつ【花筒】竹などで作った簡単な筒形の花器。類語花立て。花いけ。花びん。

はな・づな【鼻綱】鼻輪につけて牛を引くための綱。はななわ。

はな・っ・ぱし【鼻っぱし】→はなっぱしら。

はな・っ・ぱしら【鼻っ柱】(「はなばしら」の促音化)人に負けまいとする意気込み。負けん気。鼻っぱし。鼻っ張り。「—が強い(=負けん気が強い。)」「—を折る」

はな・つまみ【鼻▽摘み】非常に人にきらわれる・こと(人)。「彼は会社の中でも—だ」

はな・づら【鼻面】❶馬の鼻の横の部分。❷(動物などの)はなさき。はなっつら。(人間の場合には乱暴な言い方になる)「—を引き回す」

はな・つんぼ【鼻×聾】鼻がつまって、もののにおいが感じられないこと。

はな・でんしゃ【花電車】(祝いごとのため)飾りたてて運転する路面電車。類語花自動車。

はな・どき【花時】❶その草木の、花の咲くころ。❷春、いろいろな花(特に桜の花)の咲くころ。

バナナ バショウ科の多年草。果実は細長く弓形で、熟すと黄色になる。食用。▽banana

はな・の・さき【鼻の先】《連語》❶鼻の先端。また、鼻のすぐ前のあたり。目の前。「—に突きつける」❷距離が極めて近いこと。目と鼻の先。「家の—に役所がある」❸(「—で」の形で、下に態度を表す動詞を伴い)相手に対して冷淡な態度で…する。「—で笑う」

はな・の・した【鼻の下】❶鼻と口との間。鼻下(びか)。「—が長い(=女性にだらしがない)」❷口。「—が干上がる(=口が干上がる)」

はな・ばさみ【花×鋏】草木の花や小枝を切るはさみ。

はな・ばしら【鼻柱】❶鼻の穴の間にある肉。鼻のしょうじ。❷鼻を隆起させている骨。❸→はなっぱしら。

はな・はずかし・い【花恥ずかしい】(—はづかしい)《形》花も恥ずかしがるほど・美しい(初々しい)。「—・い年頃(としごろ)」

はなはだ【甚だ】《副》ふつうの程度をひどく超えているようす。大いに。非常に。たいそう。(多く、よくないようすに言う)「判決には—不満です」類語大変。至極。随分。極端に。極度に。極(ごく)。実に。すこぶる。**—し・い**《形》ふつうの程度を超えている。過度である。激しい。(多く、よくないことに言う)「—・く破損している」「好ききらいが—・い」類語→激しい。

はなばな・し・い【華華しい・花花しい】《形》(人の行動などが)はでであったり活発であったりして、人目を引くようす。「—・い活躍」「—・い生涯」「—・く戦う」類語はで。はなやか。壮観。

はな・び【花火】調合した火薬・発色剤を燃やしたり破裂させたりして種々の色の光や音を出し、それを見て楽しむようにしたもの。また、その光や音。

はな・びえ【花冷え】春、桜の花の咲くころ、一時的にもどってくる寒さ。

はな・ひげ【鼻×髭】→くちひげ。

はな・びら【花▽弁・花×瓣・花▽片】花冠を形づくる薄片の一枚一枚。花片(かへん)。かべん。

はな・ぶさ【花房・▽英】❶小さな花が多数集まってふさ状になったもの。「藤(ふじ)の—」❷蕚(がく)。

はな・ふだ【花札】花合わせに用いる札。また、それを用いてする遊び。花がるた。花。参考一二か月にあてはめた一二種の四季の花や風物をえがき、各四枚ずつ、全部で四八枚ある。

はな・ふぶき【花〈吹雪〉】(桜の)花びらが風に吹かれて、乱れ散るようすを吹雪に見立てた語。

パナマ ❶「パナマソウ」の略。シュロに似た植物。また、その繊維。「—のスリッパ」❷「パナマ帽」の略。パナマソウの繊維で作った夏用の帽子。▽Panama

はな・まがり【鼻曲(が)り】❶鼻すじがまがっていること。❷(俗)つむじまがり。へそまがり。

はな・まち【花街・花町】料理屋・芸者屋などがかたまっている地区。また、遊郭。色町。色里。花街(かがい)。

はな・まつり【花祭(り)】四月八日、釈迦(しゃか)の誕生を祝って、釈迦像に甘茶をかけて供養をする法会(ほうえ)。降誕会(こうたんえ)。灌仏会(かんぶつえ)。

*__はな・み【花実】__❶花と実。「死んで—が咲くものか(=死んでしまっては何のいいことがあろうか)」❷名と実(じつ)。「—のある審(さば)き」

*__はな・み【花見】__花(特に桜の花)を見て遊び楽しむこと。「—時」「—酒」類語桜狩り。観桜。梅見。観梅。菊見。観菊。

*__は・なみ【歯並み】__歯の並びぐあい。歯並び。

はな・みず【鼻水】(—みづ)(風邪をひいたときなどに出る)水分の多い鼻汁。みずっぱな。「—を垂らす」

はな-みずき【花水木】 ミズキ科の落葉小高木。五月ごろ花が咲く。白色または紅色の花弁状の苞(ほう)の中心に淡緑色の花が球状に集まる。アメリカヤマボウシ。

はな-みぞ【鼻溝】 鼻の下から上唇(うわくちびる)の中央にかけて、長くくぼんでいる部分。人中(にんちゅう)。

はな-みち【花道】 ❶〔歌舞伎(かぶき)などの〕舞台の左寄りに客席を縦に貫いて設けた通路。俳優の登場・退場や舞台の延長として用いる。❷相撲場で、力士が土俵に登場・退場する通路。❸物事のもっとも華々しい部分。「人生の—」「引退の—を飾る」

はな-みどう【花▽御堂】 花祭りで、中に釈迦(しゃか)の誕生仏を安置し、屋根などを花で飾った小さな堂。

はな-め【花芽】 やがて成長して花となる芽。かが。

はな-むけ【×餞・×贐】 旅立つ人や離別する人に心をこめて金品・詩歌などを贈ること。また、その金品・詩歌など。餞別(せんべつ)。「卒業生に—のことばを贈る」

はな-むこ【花婿・花×聟】 〔「婿」の美称〕結婚したばかりの男性。新郎。対花嫁。

はな-むしろ【花×筵・花×蓆】 ❶花びらが一面に散りしいたようすをむしろに見立てた語。❷はなござ。

はな-めがね【鼻〈眼鏡〉】 鼻の根元にはさんでかける、つるなしのめがね。

はな-もじ【花文字】 ❶〔ローマ字などの〕大文字。キャピタル。❷〔ローマ字などの〕草花の文様などで飾った字体。飾り文字。

はな-もち【鼻持ち】 〈—ならない〉❶臭くてがまんできない。「くさやの干物は—ならない」❷〔やり方などが〕見たり聞いたりするのにたえられないほど不快な感じを与える。「—ならないきざな奴(やつ)」

はなもと-じあん【鼻元思案】 先のことを考えない、浅はかな考え。

はな-もの【花物】 生花・園芸などで、花を主として観賞するもの。対葉物・枝物・実物。

はなやか【華やか・花やか】 《形動》❶〔色どりなどが〕目立って美しいようす。きらびやかなようす。「—な化粧」「—なパーティー」類語はで。はでやか。華々(はなばな)しい。華美。華麗。美麗。❷勢いがさかんで、かがやかしいようす。「軍国主義—なりしころ」

はな-や-ぐ【華やぐ・花やぐ】 《自五》明るく・華やか(にぎやか)になる。「—・いだ雰囲気」「—・いだ声」

はな-やさい【花×椰菜・花野菜】 ↓カリフラワー。

はな-やしき【花屋敷】 多くの人に見せるため、種々の草花を栽培している庭園。〔古風な言い方〕

はな-よめ【花嫁】 〔「嫁」の美称〕結婚したばかりの嫁。新婦。にいよめ。新妻(にいづま)。対花婿。 **—ごりょう【—御寮】** 「花嫁」の敬称。

は-ならび【歯並び】 歯並み。「—がよい」

はなれ【離れ】 母屋(おもや)から離れて、別に一戸建てで建てられた、座敷のある建物。離れ座敷。離れ家。

ば-なれ【場慣れ・場×馴れ】 《名・自サ》何度も経験して、その場面に慣れること。「—した話し方」

はなれ-じま【離れ島】 陸地から遠く離れていて、交通などの不便な島。離れ小島。離島。類語孤島。

はなれ-ばなれ【離れ離れ】 《名・形動》〔つながりをもったもの同士が〕互いに離れて存在すること。ちりぢりばらばら。「親子が—になる」類語別れ別れ。

***はな・れる【放れる】** 《自下一》つないでいたものがとけて、動きだす。「船が—・れて流れだす」文はな・る《下二》。⇩〖使い分け〗

***はな・れる【離れる】** 《自下一》❶くっついている二つのものが分かれる。間にへだたりをつくる。「親もとを—・れて暮らす」「損得を—・れて考える」❷二つのものの間へだたりが大きくなる。距離が開く。間隔があく。「家と駅とは二キロも—・れている」「一まわりも年が—・れている」文はな・る《下二》。⇩〖使い分け〗

使い分け 「はなれる・はなす」

放れる〔つないでいたものがとけて、動き出す〕弓を放れた矢・船が放れて流される・とも綱が放れる

離れる〔くっついていたものが分かれる。距離がひらく〕親元を離れる・頭から離れない印象・人心が離れる・人里離れた場所・職を離れる・離れ小島・肉離れ

放す〔拘束されていたものを自由にさせる。そのままにする。解放。放任〕鳥を野に放す・囚人を解き放す・つかんで放さない・家を手放す・手放しで喜ぶ・野放し・突き放す・見放す・開けっ放す・勝ちっ放し

離す〔くっついていたものを分ける。距離をはなす。分離〕手を離す・机を離して並べる・字を離して書く・切り離す・引き離す・目を離す

参考 「手を放す／離す」は、ともに〈手をはなす〉行為には違いないが、前者には解放・放任のために手をはなすといった目的意識的な趣があるのに対し、後者には物理的な分離といった側面がある。

はなれ-わざ【離れ業】 普通の胆力や技量ではできない、思いきった、すばらしい芸当やふるまい。「—を演じる」類語神業(かみわざ)。

***はな-わ【花輪・花▽環】** 造花・生花などを輪の形に作ったもの。歓迎・慶弔などの意を表すために用いる。

***はな-わ【鼻輪】** 〔綱をつけるため〕牛の鼻の両穴に通してはめる、木または金属製の輪。はながい。鼻木(はなぎ)。

はに【×埴】 〔文〕きめの細かい、黄色または赤色の粘土。昔、かわら・陶器の原料にした。はにつち。

はにか・む 《自五》恥ずかしがる。恥ずかしそうなそぶりをする。「—・んで笑う」類語てれる。文《四》。

は-にく【歯肉】 はぐき。

ば-にく【馬肉】 馬の肉。さくら肉。

バニシング-クリーム 化粧下などに使う、脂肪分の少ないクリーム。▽vanishing cream

パニック ❶〔経〕恐慌(きょうこう)。❷思いがけない災害で社会が混乱する状態。「大地震発生で—に陥る」▽panic

バニティー-ケース 箱形の携帯用化粧道具入れ。▽vanity case

はにゅう【×埴▽生】 〔文〕埴(はに)の多くある所・土地。「—の宿(=土をぬっただけの、みすぼらしい家)」

バニラ ❶ラン科のつる性多年草。熱帯産。果実は香料用。❷バニラ①の実からとった香料。菓子・アイスクリーム用。▽vanilla

はに-わ【×埴輪】 日本の古墳時代に、貴人の墓に並べられた人・動物・家・器物などをかたどった素焼きの像。

***はね【×撥ね】** 書道で、筆先を払いあげること。また、文字の、筆先を払いあげた部分。

***はね【羽・羽根】** ❶鳥の体をおおっている、軽い毛。中央に軸があり、そこから細い糸状のものが出ている。類語羽毛(うもう)。❷鳥の翼。「—が生えて飛ぶよう(=品物がどんどん売れるたとえ)」「—を伸ばす(=気がねなく自由にふるまう)」❸昆虫類がもつ、飛ぶための器官。

表記 ③は「翅」とも書く。❹飛行機の翼。❺〔器具、機械などにつけた〕羽形、翼状のもの。「—車」❻ムクロジの種子の核に、はね①をつけたもの。羽子。「—をつく」表記 ⑤⑥は「羽根」と書く。

＊はね【跳ね】 ❶はねること。❷どろなどが飛び散ること。また、飛び散って衣服などについたどろなど。「ズボンに—がつく」❸その日の興行の終わり。うちだし。

ばね【▽発▽条・▽弾▽機】 ❶鋼鉄などをらせん状に巻いたり曲げたりしてその弾力を利用するもの。スプリング。発条（はつじょう）。「—秤（ばかり）」❷足・腰などの弾力性・はずみ。「—のある跳躍」「腰の—が強い」

はね-あが・る【跳ね上がる】《自五》❶足の屈伸を利用して飛びあがる。❷物の値段・価値などが、急に大はばにあがる。「金利が—・る」❸〔統制を無視して行動などが〕過激になる。「青年部の—・った行動」

はね-かえ・す【跳ね返す】《他五》❶はねてひっくりかえす。はねて勢いよくもとへもどす。「とんできたボールを—・す」❷ぶつかってくるものを受けつけずに勢いよくつき返す。つっぱねる。「劣勢を—・す」「重圧を—・す」類語 はねのける。はねとばす。

はね-かえり【跳（ね）返り】 ❶はねかえること。特に、物事の影響が、もとへもどってくること。また、その影響。「地価の家賃への—」類語 反動。❷軽はずみな・こと（人）。特に、軽はずみなつつしみのない娘。おてんば。おきゃん。＝はねっかえり。

はね-かえ・る【跳ね返る】《自五》❶はねてもとへもどる。勢いよく返る。❷勢いよくはねる。「泥水が—・る」❸物事の影響が、もとへもどってくる。「森林破壊が国土の荒廃となって—・る」

はね-ぐるま【羽根車】 回転軸の周囲に多数の金属板の羽根をとりつけたもの。羽根に水・蒸気などの圧力をかけて回す。水車・タービンなどに用いる。

はね-っ-かえり【跳ねっ返り】↓はねかえり。

はね-つき【羽根突き】〔向かい合った二人が交互に〕羽子板で羽子（はご）をつく・こと（遊び）。追い羽根。

はね-つ・ける【×撥ね付ける】《他下一》〔相手の要求や申し込みなどを〕ことわって受けつけない。とりあわずに拒絶する。「賃上げの要求を—・ける」

はね-つるべ【×撥（ね）釣▽瓶】 柱の上に横木をとりつけ、その一端につるべ、他の端に石をつけ、石の重みでつるべがはねあがって、井戸水をくみ上げるようにしたもの。

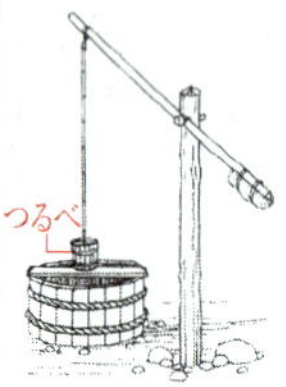

撥釣瓶

はね-とば・す【跳ね飛ばす・×撥ね飛ばす】《他五》❶はじき飛ばす。「車に—・される」❷〔障害などを〕一気に払いのける。ふきとばす。「プレッシャーを—・す」

はね-の・ける【×撥ね▽除ける】《他下一》❶強くはじきとばすようにしてどける。おしのける。「布団を—・ける」❷〔不要なもの、悪いものを〕えらび出して取りのぞく。「破損物を—・ける」類語 （る・す）除外。除去。

はね-ばし【跳（ね）橋・×撥（ね）橋】 ❶〔城門などで〕ふだんは一端をつりあげておき、必要なときに引きおろしてかける橋。❷船が通るとき、つりあげて船の通路をあけるようにした橋。可動橋。跳開橋。

はね-ぶとん【羽根布団・羽布団】 鳥の羽毛を入れた布団。軽くてあたたかい。

はね-ぼうき【羽×箒・羽×帚】 鳥の羽で作った小形のほうき。はぼうき。

ハネムーン ❶新婚の当月。蜜月（みつげつ）。❷新婚旅行。蜜月旅行。▽honeymoon

パネラー パネルディスカッションで、テーマに基づいて専門的立場から意見をのべる討議メンバー。出席講師。パネリスト。▽panel と er からの和製語。

パネリスト↓パネラー。▽panelist

＊は・ねる【跳ねる】《自下一》❶屈伸・弾力を利用して瞬間的に上向きに動く。とびあがる。「ウサギが—・ねる」類語 （る・す）跳躍。飛躍。❷〔水・どろなどが〕強くたたかれたり押されたりして、飛び散る。「どろ水が—・ねる」❸はじける。はぜる。「炭が—・ねる」❹〔演劇・映画などの〕その日の興行が終わる。また、（客商売の）店がその日の営業を終える。「芝居は九時に—・ねる」「店が—・ねたあとで会おう」文 は・ぬ《下二》。

＊は・ねる【×刎ねる】《他下一》〔人の〕首を切りおとす。「かたきの首を—・ねる」文 は・ぬ《下二》。

＊は・ねる【×撥ねる】《他下一》❶《自下一》一端を勢いよく上げる。また、上がる。「ひげを—・ねる」❷文字を書くとき、筆の先を払いあげるようにする。「寸の字の二画めは—・ねる」❸〔ぶつかって〕はじきとばす。「車が犬を—・ねる」❹〔水やどろを〕飛び散らせる。「どろ水を—・ねる」❺基準にあわないものを除去する。「不良品を—・ねる」❻一部分をかすめ取る。ピンはねする。「うわまえを—・ねる」文 は・ぬ《下二》。

パネル ❶建物の床・壁・天井などを構成する部品。また、それらの部品を組み合わせたもの。「床—」「—化」❷配電盤（の一区画）。❸カンバスのかわりに使う画板。また、それにかかれた絵。❹写真などをはりつけて展示する板状のもの。▽panel **—ディスカッション** あらかじめ選ばれた対立意見の代表者が、聴衆の前で一定時間議論をたたかわし、続いて聴衆をふくめた全員で討議する形式の討論会。▽panel discussion

パノラマ ❶建物内部の半円形の周壁に風景画をえがいて反射光線を当て、その前に草木や人形・家などの模型を配して、観覧者に野外の高い所から四方を見渡すような感じを与える装置。❷見渡すかぎりの景色。全景。「—写真」▽panorama

はは【母】 ❶その人を産んだ女。女親。また、家族の中で、法律上・習慣上それと同じ地位に立つ人。実母・継母・養母・義母など。尊敬 母上。母君。母御（ははご）。尊母。母堂。謙譲 老母。愚母。対 父。❷物事を産み出すもと。「必要は発明の—」「—なる大地」「—なるボルガ」⇩〔類語と表現「父・母」〕

はば【幅・×巾】 一《名》❶物の左はしから右はしまでの長さ。また、細長く続いたものの、両側を直角に横切る長さ。「机の—」「線路の—」類語 幅員（ふくいん）。❷値段・音声などの高低の差。「値上げの—に差がある」「声の—をひろげる」❸制約の中で自由にできる余地。ゆとり。余裕。融通性。「規則に—をもたせる」❹はぶり。威勢。「—が利く（＝一目おかれていて、勢力がある）」二《助数》布地のはばを数える語。一幅は三〇〜三六（センチ）。幅の。参考「巾」は「ふきん」「おおい」の意であるが、「幅」の略字として古くから用いられている。

＊ばば【▽婆】 ❶年を取った女。老女。老婆。老媼（ろうおう）。対 爺（じじ）。❷乳母（ばあ）。類語 媼（おうな）。❸トランプのばば抜きで、ジョーカーの担う役。

*ばば【×屎・×糞】大便や、きたない物をさす幼児語。

*ばば【▽祖▽母】父・母の母親。祖母。〔古風な言い方〕「―様」対祖父。

*ば・ば【馬場】乗馬の練習や競馬をする所。

パパ ❶「お父さん」の洋風の言い方。対ママ。❷〔俗〕女性がパトロンに甘えて呼びかける語。▽papa

ばばあ【▽婆】《「ばば（婆）」の長音化》年を取った女。女の年寄り。〔ののしって言う〕対爺。

パパイア パパイア科の常緑高木。熱帯産。果実は黄色で、かおりがいい。パパイヤ。パパヤ。▽papaya

はは・うえ【母上】〔文〕「母」の敬称。類語母堂。母君。母刀自。対父上。

はは・おや【母親】母である親。女親。参考呼びかけには使わない。対父親。

はは・かた【母方】母親の血筋に属する方。母の血づき。「―の祖父」類語母系。外戚。対父方。

はばかり【×憚り】[一]《名》❶はばかること。おそれつつしむこと。遠慮。また、遠慮すべきこと。さしさわり。「―のない大きな声」「この作品は世間に対し―がある」❷便所。御不浄。〔やや古風なことば〕類語忌憚。[二]《感》はばかりさま。―さま【―様】《感》❶人の世話になったとき、労をねぎらう意で使う語。恐れ入ります。すみません。❷からかいや非難に対して、反発していやみをこめて言う語。お気の毒さま。「『ここはおれの家だ』『―、私が借りているのよ』」―ながら【―×乍ら】《副》❶言いにくいことだが。「―文章にまちがいがあります」❷大きな口をきくようだが（あいにくこっちは）。「―私はこれでも作家です」

はばか・る【×憚る】[一]《他五》〔他に対して〕恐れつつしむ。遠慮する。「あたりを―・らぬ冗談をいう」「人目を―・って暮らす」文《四》。[二]《自五》はばをきかせる。はびこる。「憎まれっ子世に―・る」参考「はびこる」「はだかる」の誤用から転じた語とも、「はば（幅）」を動詞化した語ともいわれる。文《四》。

はば・きき【幅利き】顔が売れていて、勢力のある・こと（人）。「この土地の―」類語有力者。顔役。

はは・ぎみ【母君】〔文〕母の敬称。〔母上より古風な言い方〕対父君。

はは・ご【母御】〔他人の〕母の敬称。母御前。ははごぜ。〔古風な言い方〕対父御。

ははこ・ぐさ【母子草】キク科の越年草。全体に綿毛がある。春から夏にかけて、茎の頂部に黄色の小さな花をたくさんつける。春の七草の「ごぎょう」にあたる。ほうこぐさ。おぎょう。こうじばな。

は・ばた・く【羽▽撃く】《自五》鳥が両翼を広げて上下に動かす。はたたく。参考ひゆ的に、広い世界で活躍する意にも用いる。「世界に―・く日本の技術」

は・ばつ【派閥】一つの集団の中で、出身・所属・利害関係などを同じくする一部の人々が、その利益を守るために作っている、排他的なつながり。「―の争い」

はばっ・たい【幅ったい】《形》〔俗〕❶幅が広い。張った感じである。❷→口幅ったい。

はば・とび【幅跳（び）】陸上競技で、踏切り線から前方に向かってとび、その長さをきそう競技。

ばば・ぬき【▽婆抜き】❶トランプ遊びの一つ。順番に隣の人の手札を一枚ずつ抜き、同位札が二枚そろうごとに場に捨ててゆき、最後にジョーカー（＝ばば）をもっていた者が負けになる。❷〔俗〕姑と同居しないこと。

はは・の・ひ【母の日】母親の愛に感謝する日。五月の第二日曜日。

はば・びろ【幅広】❶《名・形動》普通よりも幅の広い・こと（もの）。「―の顔」❷普通より幅を広くした帯。はばひろおび。＝はばひろ。

はば・ひろ・い【幅広い】《形》❶横の広がりが大きい。「―・い道路」❷物事に関係する範囲が広い。「―・い知識」「―・い支持を得る」

はば・む【阻む・×沮む】《他五》〔進路などを〕さえぎってじゃまをする。くいとめる。防ぎとめる。「進路を―・む」類語（する）阻害。阻止。妨害。文《四》。

はは・もの【母物】母性愛を主題にした映画・演劇。

はば・よせ【幅寄せ】《名・自サ》自動車の運転で、車のわきにある物との間隔をできるだけ詰めること。

ババロア 洋生菓子の一つ。牛乳・卵・砂糖・ゼラチンをあたためてまぜあわせ、生クリームなどを加えて冷やして固まらせた菓子。▽フランス bavarois

は・びき【刃引（き）】刃を引きつぶして、切れないようにした刀。

はびこ・る【×蔓▽延る】《自五》❶草木が茂って一面にひろがる。「雑草が―・る」❷〔よくないものが〕ひろがって勢いをふるう。「熱病が―・る」「暴力が―・る」「いじめが―・る」類語（する）蔓延。繁茂。（する）横行。跳梁。跋扈。文《四》。

ば・ひつ【馬匹】〔文〕飼育する馬。「―の改良」

パビリオン 博覧会などの大きな展示館。「万国博の―」▽pavilion

パピルス ❶カヤツリグサ科の多年草。地中海南岸・ナイル川流域などに自生。かみがやつり。❷昔、パピルス①の茎で作った紙状のもの。古代エジプトなどで文字や絵をしるす材料にした。▽papyrus

は・ふ【破風・×搏風】日本建築で、妻に出る屋根の端部をかくして装飾する、山形の幅広い板。破風板。また、その部分。

*はぶ【波布】クサリヘビ科の毒へび。体長一～二メートル。頭は三角形で平たく、背中に暗褐色の斑紋がある。沖縄・奄美両諸島にすむ。

*ハブ ❶車輪・プロペラなどの中心部分。❷拠点。中心地。「―空港」❸放射状に接続したコンピューターの接続線を一つにまとめる装置。集線器。▽hub

パフ 粉おしろいを顔につけるための化粧用具。▽puff（＝ひと吹き。ふくらみ）

パブ バーとレストランとを兼ねた、西洋風の居酒屋。▽pub（public house の略）

パフェ アイスクリーム・果物・ホイップクリームなどを盛り合わせた食べ物。▽フランス parfait

パフォーマンス 〔「行動」の意から〕演劇の上演、音楽の演奏、ショーなどの、肉体を使った芸術的表現。参考人目を引くための行動をいうこともある。「選挙を念頭にした、党首の―」▽performance

はぶ・く【省く】《他五》〔不要なものを〕取り除いて減らす。簡単にする。「手間を―・く」類語削る。詰める。（する）削除。削減。節減。除去。省略。文《四》。

は・ぶたえ【羽二重】生糸を平織りにして練った、なめらかでつやのある絹織物。

はぶ・ちゃ【波布茶】ハブソウ（＝マメ科の一年草）の種子をいって煎じ、茶の代用とした飲み物。健胃剤。

バプテスマ 洗礼。▽ギリシア baptisma

ハプニング 予想外の突然のできごと。思いがけない事

件。「旅行中に—が起こった」▽happening

は・ブラシ【歯ブラシ】歯をみがく柄のついたブラシ。

は・ぶり【羽振り】❶鳥の羽の格好。❷世間での地位・勢力・人望。「—がいい」「—を利かす」

パプリカ あまり辛くない品種のトウガラシを原料とした香辛料。紅色でかおりがよい。▽(ハンガリー) paprika

パブリシティー 政府や企業などの広告・宣伝活動。新聞・テレビへの情報提供などを通して、自然に広告・宣伝しようとするもの。▽publicity

パブリック《形動》公衆の。公共の。「—オピニオン(=輿論。世論)」対プライベート。▽public

バブル ❶泡。泡沫。❷実体のない、見せかけだけのもの。「—経済」▽bubble

ば・ふん【馬×糞】馬のふん。まぐそ。**—し**【—紙】〔わらを原料とした〕質の悪い黄色い厚紙。ボール紙。

は・へい【派兵】《名・自他サ》軍事行動をとるために軍隊をさしむけること。「海外—」

はべ・り【▽侍り】㊀《自ラ変》〔古〕❶天皇・貴人などのそば近くお仕えしている。伺候している。❷「居る」の謙譲語。おります。❸「ある」の丁寧語。あります。ございます。㊁《補動》〔古〕《「…て」の形や形容詞連用形などについて》❶謙譲の意を表す。…ております。❷丁寧の意を表す。…であります。…でございます。

はべ・る【▽侍る】《自五》《「はべり」が意味変化して口語化したもの》地位の高い人のそばにつつしんでひかえる。「芸者が席に—る」「お酌に—る」

バベル・の・とう【バベルの塔】❶旧約聖書創世記にある、伝説上の巨大な塔。ノアの子孫がバビロニアの平野に天にまで届く塔を建てようとして神の怒りを買い、神は罰として人々の言語を混乱させたため、人々は各地に去ったという。参考バベルはバビロニアの首都バビロン。❷空想的で実現不可能な試み。

は・へん【破片】〔堅い物などの〕こわれた、かけら。「ガラスの—」類語砕片。断片。きれはし。

は・ぼう【破帽】〔文〕ぼろぼろの帽子。「弊衣—」

は・ぼたん【葉×牡丹】アブラナ科の越年草。キャベツを改良して観賞用としたもの。葉は波状にちぢれ、秋から冬にかけてさまざまに色づく。たまな。

は・ほん【端本】数巻で一組の書物で、全巻そろっていないもの。はんぱ本。零本。対完本。丸本。

はま【浜】❶海・湖の水ぎわに沿った平地。はまべ。類語→海岸。❷囲碁で、囲んで取った相手の石。あげ石。あげはま。❸「横浜」の略称。「—っ子」

はま・おぎ【浜×荻】❶海辺にはえているオギ。❷伊勢の方言で、アシ。「難波の葦は伊勢の—」

は・まき【葉巻】葉をきざまないで、そのまま巻いて作った、高級なたばこ。葉巻たばこ。シガー。

はまぐり【×蛤】《「浜栗」の意》マルスダレガイ科の二枚貝。からは厚くなめらかで、表面には放射状の色帯がある。食用。貝がらは細工用。

はまだら・か【羽×斑蚊】カ科の昆虫。羽に黒または褐色のまだらがあり、からだは細長い。マラリアや黄熱病を媒介する。

はまち【×魬】ブリの幼魚。参考主に、関西地方で言う。関東では「イナダ」と言う。

はま・ちどり【浜千鳥】浜辺にいる千鳥。

はま・て【浜手】浜辺のほう。浜辺の側。対山手。

はま・なす【浜×茄子】バラ科の落葉低木。海岸の砂地に自生。花は、白・紅色の大きな五弁花で、香りがいい。果実は赤色に熟し、食用。根皮は染色用。参考「はまなし」がなまった語。

はま・なっとう【浜納豆】乾燥した、塩分の強い納豆。浜名納豆。貯蔵性に富む。参考浜名湖付近で作り出された。

はま・なべ【×蛤×鍋】《「はまぐりなべ」の略》酒・みそなどで調味した汁に、ハマグリのむき身を入れ、焼き豆腐・ネギなどと煮ながら食べる料理。

はま・べ【浜辺】浜のあたり。浜のあるところ。

はま・ぼうふう【浜防風】セリ科の多年草。海岸の砂地に自生。若い葉はさしみのつまにされる。防風。

はま・や【破魔矢】❶破魔弓①につがえて射る矢。今は、正月の縁起物として飾る。❷棟上げ式で、破魔弓②とともに屋上に立てる二本の矢形の飾り。

はま・やき【浜焼(き)】とりたての鯛などを蒸し焼きにしたもの。参考もと、浜の塩焼き釜で作った。

はま・ゆう【浜▽木▽綿】ヒガンバナ科の常緑多年草。暖地の海辺に自生。夏、香りのある大形の白色花を開く。観賞用。はまおもと。

はま・ゆみ【破魔弓】❶昔、正月に男の子が、わらで作った輪を射て遊んだ小弓。のちに、魔よけとして正月に飾り、今は五月の節句に飾る。❷棟上げ式で、破魔矢②とともに屋上に立てる二張りの弓形の飾り。

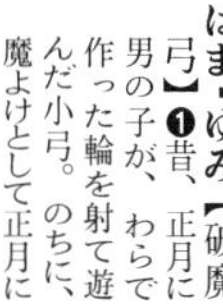

破魔弓①

はまり・やく【×嵌(ま)り役】その人にうってつけの役(役目)。適役。「議長として—だ」

はま・る【×嵌(ま)る・×塡(ま)る】《自五》❶穴・わくなどに、ちょうどよくはいる。「ガラス戸がうまく—・った」類語嵌入。❷条件などにぴったりと合う。あてはまる。「役に—・る」類語適合。❸〔川などの深くなった所に〕落ちこむ。「川の深みに—・る」「借金の深みに—・る」類語陥る。❹計略にひっかかる。「わなに—・った」類語陥る。❺〔俗〕かかわったことからぬけ出せなくなる。夢中になる。くせになる。「ロックに—・る」「サッカーに—・る」

はみ【▽馬×銜】❶くつわの、馬の口中にくわえさせる部分。❷〔荒馬を制するため〕口に縄をくわえさせ、端を頭の上でしばっておくこと。また、その縄。

は・みがき【歯磨(き)】❶歯をみがくこと。❷歯ブラシにつけて、歯みがきに使うもの。歯みがき粉など。

はみ・だ・す【▽食み出す】《自五》ある制限・範囲におさまりきらないで外に出る。はみでる。「セーターの下からシャツが—・している」「常識を—・した人間」

ハミング《名・自サ》口を閉じ、声を鼻に抜いて旋律だけをうたうこと。類語はなうた。▽humming

*__は・む__【▽食む】《他五》〔文〕❶食物を口にいれて食べる。また、飲む。「草を—・む牛」❷禄や知行を受ける。給料を受ける。「高給を—・む」文《四》。

*__ハム__ ❶豚(のもも)肉を塩づけにして薫製にした食品。「—エッグ」❷アマチュア無線技士。▽ham

*__ハム__ ラジオ・テレビの受信機で、電源の交流電流によっておこる「ブーン」という雑音。▽hum

ば・む《接尾》「…のさまをおびる」「…のようすをあらわす」などの意。「汗—・む」「気色—・む」文《四》。

は・むか・う【歯向かう・刃向かう】《自五》積極

的に抵抗する。さからう。「権力に—・う」「親に—・う」類語手向かう。たてつく。

類義語の使い分け　歯向かう・楯突く

[歯向かう・楯突く]　敢然と権力に歯向かう(楯突く)

[歯向かう]　歯向かっても君の倒せる相手ではない

[楯突く]　何事にもなんだかんだと楯突くへそ曲がりの男

は・むし【葉虫】ハムシ科の昆虫の総称。長卵形の小形の甲虫。幼虫・成虫とも植物を食害する。

ハムスター　哺乳類ネズミ科の小動物。発育が早い。実験用・愛玩用に飼育される。▽hamster

は・むら【葉×叢】おい茂った一群れの葉。はむれ。

ハムレット・がた【ハムレット型】懐疑的で、決断力・実行力に欠けている性格。参考ツルゲーネフの小論文から。対ドンキホーテ型。

は・め【羽目】一《名》板を並べて張って壁のようにしたもの。「—を外す(=調子にのって度を過ごす)」二《形名》なりゆきから生じた、いやな局面。追いつめられた事態。「一曲歌う—になった」表記二は「破目」とも書く。

はめ・いた【羽目板】羽目一に張ってある板。

はめ・こ・む【×嵌め込む・×塡め込む】《他五》❶はめて入れる。入れこむ。❷おとしいれてだます。悪い商品をごまかして売りつける。「悪徳商人に—・まれた」

はめ・ごろし【×嵌(め)殺し】窓ガラスや障子などの建具を、開閉したり取りはずしたりできないように取り付けること。また、そうした建具。はめころし。

は・めつ【破滅】《名・自サ》破綻を生じて、滅亡すること。だめになること。「借金をしたのが身の—」

は・める【×嵌める・×塡める】《他下一》❶穴・わくなどに、ぴったり合うように(おして)入れる。また、外側に(ぴったりと)かぶせる。「戸を—・める」「指輪を—・める」❷だまして計略にかける。また、売りつける。「敵を—・める」「にせ物で人を—・める」文は・む《下二》。

ば・めん【場面】❶演劇・映画などの一情景。シーン。❷あることが起こっている場所とそのようす。「愉快な—に出合う」類語光景。情景。

はも【×鱧】ハモ科の海魚。ウナギに似るが、ウナギより大きい。うろこがない。南日本に多い。食用。

***は・もの【刃物】**刃がついていて、切ったりけずったりする道具の総称。刀・包丁・ナイフなど。「—三昧(=刃物騒ぎ)」類語利器。刀刃。切れ物。

***は・もの【端物】**(一部分欠けて)そろっていないもの。必要なまとまった分量に満たないもの。はんぱ物。

***は・もの【葉物】**❶野菜のうち、主として葉を食用とするものの称。❷生け花・園芸で、葉を主として観賞する草木の称。対花物。

ハモ・る《自五》〔俗〕合唱で、各パートが正しく音を出して和音の響きが出る。参考「ハーモニー(harmony)」の略「ハモ」を動詞化した語。

***は・もん【波紋】**❶〔物が落ちたときなどに〕水面にひろがる波の模様。❷周囲に、(次々と)動揺を起こさせるような影響。「—を投げかける」「—を呼ぶ」「—を広げる」

***は・もん【破門】**《名・他サ》❶師弟の縁を断って、門人から除名すること。❷宗門から信者を除名すること。

***は・や【▽甲矢・▽兄矢・▽早矢】**射術で、一手の的矢を射るとき、初めに射る矢。対乙矢。

***はや【×鮠】**ウグイ。また、それに似た川魚の俗称。

***はや【早】**一《副》過ぎ去った時の流れを早いと感じたときに使う語。早くも。「—日がくれる」「—三年がたつ」「—めし」類語もはや。二《接頭》❶「速度がはやい」の意。❷「時刻・時期がはやい」の意。「—お昼」「—死に」

ば・や《接続助詞「ば」+係助詞「や」》文語一《連語》❶〔未然形につく〕仮定条件の疑問を表す。…たら…(だろう)か。「心あてに折らばや折らむ初霜の置きまどはせる白菊の花〈古今〉」❷〔已然形につく〕確定条件の疑問を表す。…だから…(なのだろう)か。「久方の月の桂も秋はなほ紅葉すればや照りまさるらむ〈古今〉」二《終助》〔未然形につく〕❶ある状態や自分の動作の実現に対する希望を表す。…できたらなあ。「貝がらの数を蒐めて歌に添へ贈らばや都の子等に〈春夫〉」❷控えめな意志を表す。…しようか。「遠きみやこにかへらばや〈犀星〉」

はや・あし【早足・速▽歩】❶速く歩くこと。歩調の速いこと。「—で学校へ行く」類語急ぎ足。❷普通の早さで歩調をとって歩くこと。類語駆け足。

はや・い【早い・速い】《形》❶一定の時間内にたくさん・変化する(動く)ようすである。スピードがある。すみやかだ。「—・く走る」「月日のたつのは—・い」表記①はふつう「速い」と書く。また、「疾い」とも書く。類語急速。迅速。❷〔基準になる時とくらべてそれより〕時刻・時期が前である。「ぼくの方が—・く来た」❸まだその時期ではない。「あきらめるのは—・い」類語尚早。対①〜③おそい。❹てっとり早い。簡単だ。「会って話す方が—・い」表記②〜④はもっぱら「早い」と書く。文はや・し《ク》。⇩〖使い分け〗

—い話が《句》てっとり早く言えば。手短に言えば。「—彼には勝てないということだ」

—い者勝ち《句》人より先に物事に手をつけた者が多くの利益を得ること。

使い分け　「はやい」

早い〔時刻・時期が前である、まだそのときでない、てっとりばやいの意で、一般に広く〕早く起きる・一日も早い御返事を・理解が早い・寝るのは早い・話す方が書くより早い

速い〔スピードがある〕走るのが速い・仕事が速い・決断が速い・速いテンポで踊る

参考「速」は速度・動作のはやさに言う。「▽疾・▽迅」を使えば、これよりもさらにはやい意がこもる。「川の流れが早い」「月日の流れが早い」など、慣用的に「早」を使うものも多い。「はや〜」の形の複合語では、スピードがある意でも、ふつう「早〜」を使う(早口・早瀬・早足・早馬)。

はや・うち【早打ち】❶特別仕立ての馬・かごを走らせて急報すること。また、その使者。類語急使。❷〔花火などを〕続けて早くうちあげること。また、そのもの。❸ピストルなどをすばやくかまえてうつこと。表記③はふつう「早撃ち」と書く。❹《名・他サ》間を置かずに早い調子で打つこと。「太鼓を—する」❺《名・他サ》野球で、ボールカウントの早いうちに打つこと。

はや・うま【早馬】〔文〕❶早打ち①が乗る馬。❷早く走る馬。

はや・うまれ【早生(ま)れ】一月一日から四月一日までの間に生まれたこと(人)。対おそ生まれ。

はや・おき【早起き】《名・自サ》朝早く起きること。

—は三文の徳《句》朝早く起きればなにがしかの利益が

ある。朝起きは三文の徳。

はや-がえり【早帰り】❶きまった時刻より早く帰ること。類語早びけ。早退。❷朝帰り。

はや-がてん【早合点】《名・他サ》ほんとうに理解するまで十分聞かずに、勝手にわかったと思いこむこと。早のみこみ。はやがってん。類語一人合点。

はや-がね【早鐘】〔火事など〕火急のできごとを知らせるために、続けて激しく打ち鳴らす鐘(の音)。参考不安などのために打つ、激しい動悸の意でも用いる。「心臓が—を打つ」

はや-がわり【早変(わ)り】《名・自サ》❶歌舞伎で、一人の役者が同一場面ですばやく姿を変え、二役以上を演じること。❷姿・態度などをすばやく変えること。「学者から社長に—する」

*__は-やく__【破約】《名・他サ》いったんきめた約束・契約を取り消すこと。類語違約。背約。解約。破談。

*__は-やく__【端役】映画・演劇などで、重要でない役柄。ちょい役。対主役。

*__はやく__【早く】㊀《副》❶急いで。すみやかに。「—こっちへ来い」❷〔文〕〔物事が始まって〕早い時期に。かなり以前に。とっくに。「—夫に死に別れる」類語つとに。㊁《名》早い時期・時刻。「—からおそくまで」

はや-くち【早口】しゃべり方が早いこと。くちばや。

—ことば【—言葉】発音しにくい文句を、はっきりと早く言う遊び・訓練。また、その文句。「なまむぎ・なまごめ・なまたまご」の類。はやくちそそり。

はやく-も【早くも】《副》❶物事の起こる時が〔予想よりも〕早いようす。すでに。「開幕一か月で—ホームラン一〇本」❷早いとしても。早くとも。「返事は、—四、五日あとになるだろう」

はや-さ【速さ・早さ】❶はやいおそいの程度。速力。「時速一〇〇キロの—」類語速度。❷はやいこと。また、その程度。「目にもとまらぬ—」対おそさ。❸〔理〕物体運動のはやいおそいの度合い。単位時間内に運動した距離によって示される。類語速度。

はや-ざき【早咲き】その種類の中で、普通のものより早く咲くこと(花)。「—の桜」対おそ咲き。

*__はやし__【×囃子】能楽・歌舞伎などで、演技の拍子をとったり、舞台の気分をもりたてたりする伴奏音楽。笛・鼓・太鼓・鉦・三味線などを使う。おはやし。

—ことば【—▽詞】調子をととのえるため、歌の中や終わりにつけ加えることば。ヨイヤサット、コラサなど。

*__はやし__【林】❶広い範囲に木が多数生えた所。類語森。茂み。木立。森林。樹海。ジャングル。❷同じ種類の物が多く集まっている状態。「煙突の—」

はやし-た・てる【×囃し立てる】《他下一》「囃す」②～④を強めた言い方。盛んにはやす。

はや-じに【早死に】《名・自サ》若くして死ぬこと。若死に。「兄は—した」類語夭折。早世。夭逝。

はや-じまい【早仕舞(い)】《名・他サ》〔仕事・店などを〕定刻より早く終わりにすること。

はや-じも【早霜】秋に、いつもより早くおりる霜。対遅霜。晩霜。

ハヤシ-ライス 牛肉と野菜をきざんでいため、トマト味のソースで煮込んだものを、飯の上にかけた料理。ハヤシ。▽rice with hashed beef から。

*__はや・す__【×囃す】《他五》❶囃子を奏する。❷手をうったり声を出したりして、歌舞の調子をとる。「手拍子に合わせて—・す」❸同じことばをくり返したり語呂を合わせたりして、からかう。「皆から二人の仲を—・された」❹歓声をあげたり手をたたいたりして、ほめる。「見物人の—・す声」文《四》。

*__はや・す__【生やす】《他五》はえるようにする。はえたままにしてのばす。「根を—・す」「ひげを—・す」類語↓生える。文《四》。

はや-せ【早瀬】川の流れのはやい所。類語急流。急湍。激湍。

はや-だち【早立ち】《名・自サ》朝早く旅立つこと。

はや-て【▽疾▽風・早手】《「て」は風の意の古語》急に吹き起こる強い風。疾風。はやち。〔古風な言い方〕「—のごとく疾走する」類語突風。

はや-で【早出】《名・自サ》❶いつもより早く・出勤する〔家を出る〕こと。❷〔交替制勤務で、早い方の勤務時間に仕事をするため〕早く出勤すること。また、その番。早番。対①②遅出。

はや-てまわし【早手回し】前もって早めに準備・処置をしておくこと。「—に会場をきめる」

はや-と【×隼▽人】古代、九州の薩摩・大隅地方に住んでいた、勇猛機敏な種族。はいと。はやひと。参考後に、その地方出身の男子をいう。「薩摩—」

はや-とちり【早とちり】《名・他サ》〔俗〕早合点して、まちがえること。

はや-ね【早寝】《名・自サ》夜、早く寝ること。「—早起き」

はや-のみこみ【早飲(み)込み・早×呑(み)込み】《名・他サ》❶理解が早いこと。❷早合点。

はや-ば【早場】稲、また、茶・繭・生糸などを普通より早く作る地方。対遅場。

—まい【—米】気候の関係で、植えつけ・刈り取りの早い地方で産する米。対遅場米。

はや-ばや【早早】《副》《「—と」の形も》〔ふつう考えられるよりも〕早くするようす。非常に早く。「—と到着する」「—と当選がきまる」類語早目。早々。

はや-ばん【早番】〔交替制勤務で〕早く勤める番。早出。「明日は—だ」対おそ番。

はや-びけ【早引け・早▽退け】《名・自サ》〔勤め先や学校などから〕定刻より早く退出すること。早引き。早退。「頭痛のため—する」類語早帰り。

はや-ひる【早昼】定刻より早く食べる昼食。

はや-ぶさ【×隼】ハヤブサ科の中形のタカ。非常に速く飛び、勇猛で、古くから鷹狩りに使われた。

は-やま【端山】連山のはしの方にある山。また、ふもとにある低い山。類語外山。

はやま・る【早まる】《自五》❶速度が速くなる。「車の回転が—・る」表記ふつう「速まる」と書く。❷時期・時刻が早くなる。「完成が—・る」❸よく考えずに軽率なことをする。「—・ったことはするな」文《四》。

はや-み【早見】一目見るだけで簡単にわかるようにした図表など。早見表。「年齢—表」

はや-みち【早道】❶早く目的地に行ける道。近道。類語間道。抜け道。❷早く目的を達することができる、手近な方法。「着実にやるのが結局は—だ」

はや-みみ【早耳】他の人より早く聞きつける・こと〔人〕。「—の芸能レポーター」

はや-め【早め】《名・形動》❶きめられた時や予定・予想した時よりも少し早いこと。「会場には—に行く」❷予定・予想した速さより少し速いこと。「—に歩く」

表記 ②はふつう「速め」と書く。

はや・めし【早飯】❶〔その人の性向として〕食事の速度が早いこと。❷普段より早めに食事をすること。

はや・める【早める】《他下一》❶速度を速くする。加速。❷時期・時刻を早くする。「出発を―・める」 表記 ふつう「速める」と書く。類語 (るす) 「足を―・める」文 はや・む《下二》。

はやり【▽流▽行】❶はやること。「―風邪」❷そのときの人々の好みや興味に合って、一時的に広くさかんに行われる・こと(もの)。流行。「今―の服」「―の歌」類語 風潮。時好。対 すたり。**―すたり**【―廃り】はやることと、すたれること。「服の型は―が激しい」

はやり・ぎ【▽逸り気】血気にはやる気持ち。勇み立つ勢い。「選手たちの―を抑える」

はやり・た・つ【▽逸り立つ】《自五》「逸る」を強めた言い方。さかんに逸る。「―・つ心」

はやり・め【▽流▽行目・▽流▽行▽眼】「流行性結膜炎」の俗称。

*****はや・る**【▽流▽行る】《自五》❶〔その時代の好みに合って〕〔一時的に〕多くの人の間で行われる。流行する。「この型の靴が―・っている」対 すたれる。❷〔よくないことが〕人々の間に広まる。流行する。「風邪が―・る」類語 (るす) 蔓延。❸繁盛する。文《四》。

*****はや・る**【▽逸る】《自五》まだその時期でないのに、早くしたいと心が進む。勇みたって先へ行きたがる。「心が―・る」「血気に―・る」文《四》。

はや・わかり【早分(か)り】❶〔説明・理屈などの〕理解が早いこと。早のみこみ。❷複雑・煩雑なものを、簡単に早く理解できるように工夫した書物・図表など。「国文法―」

はや・わざ【早業・早技】非常にすばやく巧みなわざ。「電光石火の―」

*****はら**【原】平らで広々として、多く草などの生えている土地。「武蔵野の―」類語 野。野原。田野。

*****はら**【腹】❶人の胸から腰の間の前半分。また、動物の胸から腰・尾の間の下半分。胃・腸・子宮などがある。おなか。「―の皮を縒よる(=大笑いする)」「―を抱える(=笑いころげる)」「―を切る(=切腹する)」❷特に、胃腸。「―がへる」「―八分目」❸子が宿る、母の胎内。また、その母から生まれたこと。「めかけの―」「―を痛めた子(=自分が産んだ子)」表記 ③は「胎」とも書く。❹人には示さない心の内。本心。「―が黒い」「―を合わせる(=ぐるになる)」「相手の―をよむ」「―が立つ(=しゃくにさわる)」「―に据えかねる(=我慢しきれなくなる)」「―を固める(=決心する)」「―を立てる(=おこる。立腹する)」「―を割る(=本心を打ち明ける)」❺ものを恐れない気力。度量。度胸。「―が据わる(=落ち着いて物事に動じない)」❻物の中央のふくらんだところ。「親指の―」表記 ④⑤は「肚」とも書く。⇩〖類語と表現〗

―が減っては軍ができぬ《句》腹ごしらえをしてからなければ、よい仕事ができない。

―に一物《句》心にたくらみをいだくこと。胸に一物。

―も身の内《句》腹も自分のからだの一部だから暴飲暴食はつつしむべきであるということ。

―を括る《句》覚悟を決める。

―を肥やす《句》私腹をこやす。

> **類語と表現**
>
> 「**腹**」
>
> *****運動不足で腹が出てきた・腹が痛い・腹が減る・腹が一杯になる・腹がもたれる／腹が太い(=胆力がある)・腹が決まる・腹を探る・腹を割って話す・腹を見抜く・腹の中で笑う。
>
> ◆お腹・腹腔・鳩尾・横腹・脇腹・脾腹・下腹・下腹部・臍下丹田・土手っ腹
>
> ◇〔外形〕布袋腹・太鼓腹・ビール腹・皺腹
>
> ◇〔摂食〕満腹・空腹・腹八分・粥腹・茶腹・腹が北山(=腹がすいている)

*****ばら**【▽輩・×儕】《接尾》〔文〕人(の身分・職業など)を表す語につけて、複数の意を表す。なかま。ら。ども。〔相手を見下した言い方〕「敵の奴―」

*****ばら** ❶ひとまとめにしておくべき品物を、一つ一つに分けたもの。「―の絵の具」「―で売る」❷額面の小さい金銭・貨幣。ばら銭。

*****ばら**【×薔×薇】バラ科の落葉低木。茎にはとげがある。花は色・形ともにさまざまで、香りが高く、観賞用のほか香水の原料。品種が多い。薔薇・しょうび。

はら・あて【腹当(て)】❶はらがけ。❷〔下級武士が使った〕腹部だけをおおうよろい。

バラード ❶自由な形式の小叙事詩。物語詩。譚詩。❷自由な形式の、叙事的な声楽曲。❸自由な形式の、物語的な小器楽曲。譚詩曲。=バラッド。▽フランス ballade

はら・あわせ【腹合(わ)せ】❶表と裏を別の布で縫いあわせること。また、その帯。はらあわせ帯。❷向かいあうこと。「死と―の一線」対 背中合わせ。

*****はらい**【払い】金を払うこと。また、払うべき代金。支払い。「酒屋の―が滞る」類語 勘定。支出。

*****はらい**【×祓い】神に祈って、罪・けがれ・災厄などを除き去ること。また、そのときに唱えることば。祓え。

はらい・きよ・める【×祓い清める】《他下一》祓はらいをして、罪・けがれ・災厄などを取り除き清める。

はらい・こ・む【払い込む】《他五》代金・金銭を支払いおさめる。「会費を銀行に―・む」

はらい・さ・げる【払い下げる】《他下一》官公庁などが、不要になったものを民間に・売り渡す(譲渡する)。「国有地を―・げる」

はら・いせ【腹▽癒せ】〔まとをはずれたやり方で〕怒りや恨みをはらすこと。「ふられた―に火をつける」

はら・いた【腹痛】腹が痛むこと。腹痛。

はら・いっぱい【腹一杯】❶食べたものが胃袋に十分みちるようす。「―食べる」類語 たらふく。❷思うぞんぶん。「―の不平を吐く」「―言いまくる」

はらい・の・ける【払い▽除ける】《他下一》手で払うような動作をして除く。また、じゃまなものをとり除く。「手を―・ける」「不安を―・ける」

はらい・もど・す【払い戻す】《他五》❶領収した金銭のうち、清算して余ったものを返す。「余剰金を―・す」❷預貯金を預貯金者に払い渡す。❸競馬・競輪などで、的中投票券を現金に換えて渡す。

はらい・もの【払(い)物】不用のため売り払う品物。お払い。

ばら・いろ【×薔×薇色】うすい紅色。「―に輝くほお」参考 幸せ、明朗、輝かしい未来などの象徴とされる。「―の人生」「―の留学生活」

*****はら・う**【払う】《他五》❶〔その場所にある〕じゃまなものを勢いよく除き去る。また、どかす。「すすを―・う」

は

「足を—・う」「大広間のふすまを—・う」表記「掃う」とも書く。❷そこにいなくする。追い去らせる。類語（—する）駆逐。払拭。「ハエを—・う」「辺りを—・う（＝まわりの人々を圧倒する）」❸〔棒状のものを〕勢いよく横・斜めに動かす。「刀を—・う」❹廃品を売る。「ぼろを—・う」❺支払う。「勘定を—・う」❻引き払う。「宿を—・う」❼心をそちらに向ける。「注意を—・う」「努力を—・う」類語（—する）傾注。❽〈「地を—・う」の形で〉すっかりすたれてしまう。「道義の念は地を—・った」表記❽は「地を掃う」とも書く。文《四》。

***はら・う**【×祓う】《他五》神に祈って罪・けがれ・災厄などを除き去る。「悪霊を—・う」類語きよめる。（—する）修祓・祓。文《四》。

ばら・うり【ばら売り】《名・他サ》組み・そろいになっているものをばらばらに分けて売ること。類語分売。

バラエティー ❶変化。多様性。「—に富む」❷歌・踊り・話・寸劇などをとりまぜて演じる、一種の寄席演芸。バラエティーショー。類語ボードビル。＝ヴァラエティー。▽variety

はら・おび【腹帯】❶鞍を固定させるため、馬の腹にしめる帯。はるび。❷岩田帯。❸腹巻き①。

はら・がけ【腹掛(け)】胸から腹をおおう衣類。子供の寝冷えを防いだり、職人が法被の下に着たりする。腹当て。

はら・がまえ【腹構え・×肚構え】何かをしようとする心の準備。「—ができる」類語心構え。気構え。

はら・から【▽同▽胞】〔文〕❶同じ母から生まれた兄弟姉妹。❷同じ国民。＝同胞。

はら・ぎたな・い【腹×穢い】《形》根性がよくない。ひねくれていて意地が悪い。類語腹黒い。

はら・きり【腹切(り)】切腹。

はら・ぐあい【腹具合・腹工合】❶胃や腸の健康の調子。「—が悪い」❷空腹かどうかのぐあい。

はら・くだし【腹下し】❶腹くだり。❷下剤。

はら・くだり【腹下り】下痢すること。腹くだし。

パラグライダー 長方形のパラシュートを使い、斜面をかけ降りて滑空するスポーツ。▽paraglider

パラグラフ 文章の段落。節。項。▽paragraph

はら・ぐろ・い【腹黒い】《形》心がねじけていて、ひそかに悪だくみをするような性格である。「顔に似あわぬ—・い人」類語腹ぎたない。

はら・げい【腹芸】❶芝居で、役者がせりふや動作によらず、その人物の気持ちを表現すること。類語思い入れ。❷人の腹の上で行う曲芸。また、腹に顔などを描き、種々の表情をしてみせる芸。❸言葉や行為に出さないで、度胸や経験の力で問題を処理すること。「—のうまい政治家」

ばら・ける【▽散ける】《自下一》〔俗〕ばらばらになる。「集団が—・ける」文ばら・く《下二》。

はら・こ【腹子】魚類の産出前の卵塊。また、それを塩づけなどにしたもの。筋子など。はららご。

はら・ごしらえ【腹×拵え】何かする前に食事をして備えておくこと。また、単に、食事をすること。「出かける前に—をする」

はら・ごなし【腹▽熟し】軽く運動などをして、食べた物の消化を助けること。「—に散歩をする」

パラサイト ❶寄生虫。❷寄食者。居候。「—シングル（＝いつまでも親元にいる独身者）」▽parasite

パラジウム 〔理〕金属元素の一つ。銀白色で、白金鉱中に存在する。触媒・歯科材料などに利用する。元素記号Pd。▽palladium

パラシュート 落下傘。▽parachute

***はら・す**【晴らす】《他五》心の中にあるわだかまりを取り除いて気持ちをすっきりさせる。「疑いを—・す」「長年の恨みを—・す」文《四》。

***はら・す**【×腫らす】《他五》皮膚にはれを生じさせる。「寝不足で目を—・す」文《四》。

***ばら・す**《他五》〔俗〕❶ばらばらにする。「しとめたイノシシを—・す」❷秘密を表ざたにする。あばく。すっぱぬく。「秘密を—・す」❸殺す。

***バラス** ↓バラスト。▽ballast

はら・すじ【腹筋】腹の筋肉。「—を縒る（＝おかしくて笑いころげる）」

バラスト ❶船を安定させるために船底に積みこむ貨物以外の重量物。砂・小石など。底積み。底荷。荷足。❷鉄道線路や道路にしく小石。＝バラス。▽ballast

ばら・ずみ【ばら炭】少しずつ分けて売る炭。

ばら・せん【ばら銭】〔硬貨の〕こぜに。はしたぜに。

パラソル ❶洋風の女性用日がさ。❷ビーチパラソル。▽parasol

パラダイス ❶天国。楽園。❷非常に幸福で楽しい世界。また、その境地。「この世の—」▽paradise

パラダイム ❶〔語学〕語形変化表。また、語群系列。❷〔哲〕さまざまな物の見方・考え方を体系づける、その時代の有力な方法。天動説や地動説の類。範例。枠組み。「知の—」▽paradigm

はらだた・し・い【腹立たしい】《形》怒りたい気持ちをおさえきれない。しゃくにさわる。「—・い思い」

はら・だち【腹立ち】怒りの気持ちをおこすこと。立腹。「—紛れ」類語怒り。憤激。憤慨。

ばら・だま【▽散弾】❶一発ずつこめて撃つ弾丸。❷散弾。

パラチオン 稲などの害虫を駆除する殺虫剤。参考毒性が強く、現在は使用禁止。▽ドイツ Parathion

はら・ちがい【腹違い】父が同じで、母が別であること。また、その兄弟姉妹。異腹。「—の妹」類語異母。対種違い。

パラチフス 二類感染症の一つ。消化器系におこる病気。発熱・腹痛・下痢をおこす。▽ドイツ Paratyphus

ばら・つき ❶均一・均質でないこと。「品質に—がない」❷〔統計で〕調査や実験で得た数値が不規則に分布すること。「—が多くて結論を出せない」

ばら・つ・く《自五》❶〔束ねてある物が〕乱れ散る。「髪が—・く」❷大粒の雨やあられなどが少し降る。

バラック まにあわせに建てた、粗末な（木造）家屋。仮小屋。また、そのような建て方。▽barrack

ぱら・つ・く《自五》雨やあられなどが少し降る。「雨が—・いたが、すぐやんだ」参考「ばらつく」よりも、雨などが小粒で軽い感じに言う。

はら・つづみ【腹鼓】〔満腹して〕ふくれた腹を鼓のようにたたくこと。「狸の—」「—を打つ（＝十分食べて満足する意、また満ち足りて幸福である意にも）」参考俗に「はらづつみ」とも言う。

はらっ・ぱ【原っぱ】〔俗〕野原。はら。

はら・づもり【腹積(も)り】心の中に持っている大体の考えや計画。類語腹案。

はら-どけい【腹〈時計〉】〔腹のすき具合で大体の時刻が分かることから〕腹を時計に見立てていう語。

ばら-にく【ばら肉】 牛肉や豚肉のあばら骨のまわりの肉。三枚肉。ばら。

パラドックス 逆説。▽paradox

パラノイア 偏執病(へんしゅうびょう)。▽paranoia

はら-の-むし【腹の虫】 ❶回虫の俗称。❷腹立たしい気持ちを、腹の中の虫にたとえて言う語。「—が承知しない(=しゃくにさわって、我慢ができない)」「—の居所が悪い(=機嫌が悪い)」

はら-ばい【腹×這い】(—ばひ) ❶腹を地につけてはうこと。❷うつぶせになって寝そべること。「—で本を読む」

はら-はら《副》(「—と」の形も)❶木の葉・涙・しずくなどが、つづいて静かにおちるようす。「枯れ葉が—と散る」「涙が—と落ちる」❷《自サ》現に見聞きしていることについて、心配して気をもむようす。「つな渡りを—しながら見る」類語 ひやひや。

ばら-ばら 一《副》(「—と」の形も)❶大粒の雨やあられなどが降るようす。また、弾丸などが連続的にとんでくるようす。「敵陣から—と弾が飛んできた」❷多くのものが、勢いよく急に出て来るようす。ばらばらっと。「数人の男が—と出て来た」二《形動》まとまりのないようす。「家族の意見が—になった」類語 まちまち。

ぱら-ぱら《副》(「—と」の形も)❶雨・あられなどが(まばらに)少し降るようす。「雨が—降ってきた」❷多くの小さいものが飛び出してくるようす。「小銭が—とこぼれた」参考「ばらばら」②より数が少ない感じに言う。❸《形動》はなればなれでまばらなようす。「観客は—だった」類語 ちらほら。❹本などを手早くめくるようす。

パラフィン ❶石油から分離して得る白色半透明のろうのような固体。ろうそく・クレヨン・防水布などに利用。石蠟(せきろう)。❷「パラフィン紙」の略。パラフィンをしみこませた紙。▽paraffin

パラフレーズ《名・他サ》〔語句を〕やさしいことばに言いかえて、わかりやすく述べること。また、そのもの。敷衍(ふえん)。「理念を—して述べる」類語 解説。注釈。意訳。▽paraphrase

はら-ぺこ【腹ぺこ】〔俗〕腹が非常にすいていること。

パラボラ-アンテナ 極超短波中継用のアンテナ。放物面で、電波を一方向に集中して送受信する。▽parabola(=放物線)と antenna から。

はら-まき【腹巻(き)】 ❶冷えないように腹に巻く布、または筒形の毛糸編物。腹おび。❷よろいの一種。腹に巻いて背中で合わせるようにしたもの。

ばら-ま・く【ばら×蒔く】《他五》❶〔たくさんのものを〕広い範囲にまき散らす。「豆を—・く」❷多くの人に手あたりしだいに与える。「名刺を—・く」

はらみつ【波羅×蜜】 生死をはなれ仏陀(ぶっだ)の悟りの境地に達すること。そのための菩薩(ぼさつ)の修行。波羅蜜多(はらみった)。参考 梵語 pāramitā(=到彼岸)の音訳。

はら・む【×孕む】《他五》(「腹む」の意)❶胎内に子をやどす。みごもる。妊娠する。類語 身重になる。(る)懐(す)妊。❷〔植物の〕穂が出そうになって、ふくらむ。「イネが穂を—・む」❸〈「風を—・む」の形で〉風にふかれてふくらむ。「夕風を—・んだ帆かけ船」❹中に含み持つ。含む。「殺気を—・んだ静けさ」文《四》。

はら-もち【腹持ち】 食べ物の消化がおそくて、満腹感が持続すること。「餅(もち)は—がいい」

バラライカ 弦楽器の一つ。マンドリンに似た、ロシアの民俗楽器。三角形の胴に三本の弦をはり、指ではじいて奏する。▽(ロシア) balalaika

はらり《副》(多く「—と」の形で)❶涙が(一粒)こぼれ落ちるようす。また、軽いものが(一枚)舞い落ちるようす。「花びらが—と落ちる」❷髪・着物などが、軽くうちかかるようす。「前髪が—とさがる」

ぱらり《副》(多く「—と」の形で)❶〔粒状・粉状のものを〕軽く、一度まくようす。「塩を—とまく」❷本などを軽く一度めくるようす。「ページを—とめくる」❸木の葉・紙などが一枚(少し)落ちるようす。

パラリンピック 下肢まひ者の国際スポーツ大会の通称。四年に一回、オリンピック開催地でオリンピック大会の前後に開かれる。正式には「国際ストークマンデビル競技会」という。参考 paraplegia(=下半身不随)と Olympics の合成語。▽Paralympics

パラレル《名・形動》❶平行(であること)。また、平行線。並列。❷二つの事柄が、互いに応じあっていること。「—な関係」❸二本のスキーを平行にして滑る技術。▽parallel

はら-わた【▽腸】 ❶動物の内臓。特に、大腸・小腸など。「—が腐る(=心が堕落する)」「—が煮え繰り返る(=我慢ができないくらい腹だたしく思う)」「—を断つ(=悲しみにたえられない)」類語 腸(ちょう)。臓器。臓腑(ぞうふ)。❷ウリなどの内部の柔らかい部分。❸性根(しょうね)。精神。

***は-らん【波×瀾】**(「波」は小波、「瀾」は大波の意)物事の激しい変化・起伏。特に、騒ぎ・もめごと。「—に富んだ一生」「—含み」表記「波乱」で代用することもある。 **—ばんじょう【—万丈】** 物事の進行に、変化・起伏が激しいこと。「—の物語」

は-らん【葉×蘭】 ユリ科の常緑多年草。葉は長楕円(ちょうだえん)形。観賞用。根茎は薬用。参考 ふつう、悪い場合に使われる。「—が見え透く」

バランス つりあい(がとれていること)。均衡。「—をとって一本橋をわたる」▽balance **—シート** 貸借対照表。略語 B/S。▽balance sheet

***はり【張り】** 一《名》❶ひっぱること。また、その程度。「—の弱い弦」❷力強く、生き生きとしていること。「—のある声」❸〔はりあいを感じて〕心がひきしまり、勢いをもつ状態。「心の—を失う」「仕事に—がでる」二《助数》弓・ちょうちんなどを数える語。

***はり【×梁】** 屋根や床の重みをささえるために、柱の上や床に横わたしする材。参考 特に桁(けた)と区別して、棟(むね)と直角にかけわたしたものを言う。

***はり【×玻×璃】**〔古〕❶七宝(しっぽう)の一つ。水晶。❷ガラス。「—の杯」参考 梵語 sphaṭikā の音訳。

***はり【針】** 一《名》❶細くて固く、先がするどくとがったもの。物を刺したり、縫ったり、ひっかけたりするのに用いる。縫い針・注射針・つり針・レコード針や、ハチの針など。参考 ひゆ的に、言葉の中の、人を不快に刺激する要素の意でも用いる。「—を含んだ言葉」❷計器などの目盛りをさし示すもの。「時計の—」二《助数》手術で、縫合の数を表す語。「五—縫う」 **—の落ちる音が聞こえるよう**《句》非常に静かで物音一つしないことの形容。「—に静かだ」 **—の筵(むしろ)**《句》少しも気のやすまるひまのない席や境地のたとえ。

***はり【×鉤】** つりばり。かぎばり。

***はり【×鍼】** 漢方で、体にさし込んでその刺激によって治

療する、金・銀製の針状の器具。また、その治療法。「―を打つ」表記「針」で代用することもある。

*ばり【張り】《接尾》人名・作品などの下につけて、「…をまねた」「…によく似た」の意。「ピカソ―の絵」類語風。

*ば・り【×罵×詈】《名・他サ》〔文〕口ぎたなくののしること。また、そのことば。「―雑言(=さまざまな悪口を言ってののしること。また、そのことば)」

バリア ❶障壁。障害。❷検問所。▽barrier ―フリー 高齢者や障害者が生活していくうえで障害になっているものを取り除くこと。仕切りや段差をなくす、など。▽barrier-free

はり・あい【張(り)合い】❶はりあうこと。「意地の―」❷〔力をつくした〕かいのあること。また、そう感じる気持ち。「―が抜ける」「―が出てくる」

はり・あ・う【張り合う】㊀《自五》対抗する。競争する。「―・ってお世辞を言う」㊁《他五》〔地位や人を〕他にとられまいと、意地をはって互いに争う。とりっこする。「社長の椅子を―・う」類語争奪。

はり・あ・げる【張り上げる】《他下一》〈「声を―・げる」の形で〉声を強く高く出す。「大声を―・げる」

はり・いた【張(り)板】洗った布やすいた紙などを、しわができないように張ってかわかすための板。

バリウム ❶金属元素の一つ。軟らかい銀白色の金属。常温で水とはげしく反応して、水素を発生する。合金の材料とする。元素記号 Ba。❷「硫酸バリウム」の通称。バリウム①の化合物。胃腸などのX線検査の造影剤とする。▽barium

バリエーション ❶変化。変形。「―に富む」❷変奏。変奏曲。=ヴァリエーション。▽variation

はり・えんじゅ【針×槐】マメ科の落葉高木。初夏、白いチョウ形の花がふさ状に咲く。街路樹・土砂止め用などとして植える。にせアカシア。

はり・おうぎ【張(り)扇】畳んで上部を紙で張り包んだ扇。講釈師などが机をたたいて調子をとるのに使う。

はり・か・える【張り替える】《他下一》すでにはってあるものを取り去って、別のものをはる。「障子を―・える」「ギターの弦を―・える」

はり・がね【針金】金属を細長く線状にしたもの。「―のような腕」

はり・がみ【張(り)紙・×貼(り)紙】❶物にはりつけてある紙。また、紙をはりつけること。「―細工」❷宣伝・通知などのために、人目につく所にはりつけてある紙。「アルバイト募集の―」❸注意・意見などを書いて書類にはりつける紙。付箋。

バリカン 頭髪をかる金属製の道具。「電気―」参考フランスの製造所 Bariquand et Marre から。

ば・りき【馬力】㊀《助数》工業上の仕事率の単位。一馬力は、仏馬力(記号 PS)では七三五ワット、英馬力(記号 HP)では七四六ワット。日本では一般に仏馬力を使用。㊁《名》❶仕事をなしとげる力。精力。「―がある」❷荷馬車。「―を引く」

はり・き・る【張り切る】《自五》❶たわみなく十分に張る。ぴんと張る。「―・った肌」❷元気・意欲がみなぎる。「―・って新しい仕事につく」類語意気込む。

類義語の使い分け　張り切る・意気込む

[張り切る・意気込む]　張り切って(意気込んで)試合に臨む

[張り切る]　張り切って行こう／張り切り過ぎて失敗する

[意気込む]　絶対勝つと意気込んで敵地に乗り込む

はり・くよう【針供養】毎年二月八日、または一二月八日に、針仕事を休み、折れた針や古針を集めて、針を供養する行事。

バリケード 敵の侵入・攻撃を防ぐために、道路・出入り口などに木材や砂袋などをつみあげて作ったさく。防塞。「―を築く」▽barricade

ハリケーン カリブ海・西インド諸島付近に発生してメキシコ湾地方などをおそう、強い暴風雨を伴う熱帯低気圧。類語台風。▽hurricane

*はり・こ【張(り)子】型に紙をはり合わせた後、中の型を抜きとって作った細工物。はりぬき。「―の虎(=見かけだけ強そうで実は弱いもののたとえ)」

*はり・こ【針子】やとわれて針仕事をする女。お針子。縫子。おはり。

はり・こ・む【張り込む】㊀《他五》❶〔台紙に紙などを〕はりつける。「表記「貼り込む」とも書く。❷思い切りよく、大金をかける。奮発する。「祝儀を―・む」㊁《自五》警官が犯人を捕らえるために、その現れそうな所にいて見張る。「容疑者の家に―・む」

バリ・コン 極板面積を変化させて電気容量が変えられるコンデンサー。可変容量蓄電器。参考「バリアブルコンデンサー(variable condenser)」の略。

*パリ・さい【パリ祭】七月一四日のフランス革命記念日(の行事)。参考映画の題の訳名から出た、日本だけの言い方。

*パリサイ ❶キリストの時代のユダヤ教の一派。モーゼの律法を厳守し、偽善的・形式的であった。パリサイ派。❷形式主義者。偽善者。▽ギリシア Pharisaios

はり・さ・ける【張り裂ける】《自下一》張りふくらんで破れる。参考強い声や感情が猛烈な勢いでわき起こる形容に用いる。「悲しみで胸が―・けんばかりだ」

はり・さし【針刺(し)】裁縫用の針をさしておく道具。わたなどを布で包んで作る。針山。針ぼうず。針立て。

パリジェンヌ パリ生まれの女性。(生粋の)パリ娘。パリジエンヌ。対パリジャン。▽フランス parisienne

はり・しごと【針仕事】《名・自サ》裁縫。ぬいもの。

パリ・ジャン パリ生まれの男性。対パリジェンヌ。▽フランス parisien

はり・す【針素・×鉤素】釣り糸の一つ。錘の下から鉤までの間に使うもの。

はり・たお・す【張り倒す】《他五》〔平手で〕なぐり倒す。

はり・だし【張(り)出し】❶壁の外側につくりつけること。また、その部分。「―の窓」❷広く示すために張ってかかげる・こと(もの)。また、張り紙。「求人の―」類語掲示。表記②は「貼(り)出し」とも書く。❸〔相撲などで〕番付の欄外にしるされる・こと(人)。「―大関」表記③は「張出」と書く。

はり・だ・す【張り出す】㊀《自五》外へ出っぱる。「大陸の高気圧が日本海に―・す」㊁《他五》❶外へ出っぱらす。「庇を―・す」❷広く示すために張ってかかげる。掲示する。「優秀な絵を―・す」表記㊁②は「貼り出す」とも書く。

はり・たて【針立(て)】はりさし。

はり・つ・く【張り付く・×貼り付く】《自五》❶面と面とがくっつきあって離れなくなる。「汗でシャツが背中に―・く」❷ある人やある場所から離れずにいる。「タレントに―・いて取材する」

***はり・つけ**【張(り)付け・×貼(り)付け】❶平らなものを他の物にくっつけること。「金箔(きんぱく)の―」❷仕事などを成し遂げるため、人を一定の場所にとどめおくこと。「選挙運動の責任者を各県ごとに―にする」

***はり・つけ**【×磔】昔、罪人を板や柱にしばりつけ、やりなどで突き殺した刑罰。磔刑(たっけい)。

はり・つ・ける【張り付ける・×貼り付ける】《他下一》❶物をひろげのばして、のりなどで他の物にくっつける。また、平らにしてくっつける。「ポスターを壁に―・ける」❷仕事などを成し遂げるために、人を一定の場所にとどめおく。「支店に社員を―・ける」

ぱりっ・と《副》衣服などが新しくて上等であるようす。「―した背広姿」

はり・つ・める【張り詰める】《自他下一》❶すきまなく、いちめんに張る。「氷が―・める」「庭に芝を―・める」❷極度に緊張する。心がひきしまる。「―・めていた気持ちがゆるむ」

はり・て【張(り)手】相撲のわざで、突っ張りの一種。相手の顔の側面を平手で打つもの。

パリティー❶「パリティー計算」の略。❷〔軍事的な〕対等。均衡。▽parity〔=つりあい〕 **―けいさん**【―計算】生産物などの物価を、それと関係する諸商品の物価の変動とつりあいがとれるようにして決定する計算方法。

はり・とば・す【張り飛ばす】《他五》〔平手で〕はげしくなぐる。

バリトン❶男声で、テノールとバスの間の音域を受け持つ声。また、その声をもつ歌手。❷中音の音域を受け持つ管楽器。また、特に、バリトンサキソフォン。▽(フランス) baryton 英 baritone

はり・ぬき【張(り)抜(き)】張り子。

はり・ねずみ【針×鼠】哺乳(ほにゅう)類ハリネズミ科の小獣。からだに短いとげが密生し、尾は短い。敵にあうとからだを丸める。食虫性。

はり・ばこ【針箱】裁縫の道具を入れておく箱。

ばり・ばり《副》〈「―と」の形も〉❶引き裂いたり、はがしたりする音の形容。❷せんべいやたくあんなど、固いものをかむ音の形容。❸こわばっているようす。また、それにさわったときの音の形容。「紙が―と音をたてる」「―のゆかた」❹張り切って物事を処理していくようす。じゃんじゃん。「―仕事をする」

ぱり・ぱり《副》〈「―と」の形も〉❶「ばりばり」①②の軽い音の形容。❷《名》威勢のよいようす。「―の神田っ子」❸《名》新しくて上等なようす。「―の背広」

はり・ばん【張(り)番】見張って番をすること(人)。見張り番。「目立たないように―をする」

はり・ぼて【張りぼて】張り子で作ったもの。特に、張り子で作った、芝居の小道具。

***はりま**【×播磨】旧国名の一つ。今の兵庫県の南部。播州(ばんしゅう)。

***はり・ま**【×梁間】家のはりが渡されている方向の長さ。はりの間数。対桁行(けたゆき)。

はり・まぜ【張(り)交ぜ・×貼(り)▽雑ぜ】いろいろの書画をまぜて張りつけること。また、張りつけた物。「―の屏風(びょうぶ)」

はり・め【針目】針で縫ったあと。ぬいめ。

はり・めぐら・す【張り巡らす】《他五》まわり全体に(すきまなく)張る。張りまわす。「周囲に塀を―・す」「警備網を―・す」

はり・もの【張(り)物】❶布を洗ってのりをつけ、板に張るか伸子(しんし)で張るかしてかわかすこと。また、その布。❷芝居の道具で、木で作った骨に紙・布を張って、岩や木などに作ったもの。

はり・やま【針山】はりさし。

バリュー《造語》「価値」「ねうち」の意。ヴァリュー。「ニュース―」「ネーム―」▽value

ば・りょう【馬糧・馬料】馬の飼料。類語 かいば。

はり・わた・す【張り渡す】《他五》二つのものの間に渡して張る。「綱を―・す」

***はる**【春】❶四季の一つ。「―爛漫(らんまん)」❷新春。正月。❸〔ひゆ的に〕㋐勢いの盛んな時期。「わが世の―」㋑青春期。思春期。「一五の―」「人生の―」㋒春情。色情。「―をひさぐ(=売春する。春を売る)」⇩【類語と表現】

類語と表現

「春」

*春を寿(ことほ)ぐ/春になる・春が来る・春の息吹・春の日ざし・春の七草・春の嵐・春らしい陽気・春たけなわ・春爛漫(はるらんまん)

◆〔月の異称・陽暦では三～五月、陰暦では一～三月〕陰暦一月…睦月(むつき)・正月・孟春(もうしゅん)・初春(しょしゅん)・祝い月/陰暦二月…如月(きさらぎ)・仲春(ちゅうしゅん)・梅見月/陰暦三月…弥生・季春・晩春・花見月

◆〔二十四節気〕立春(二月四日ごろ)・雨水(うすい)(二月一九日ごろ)・啓蟄(けいちつ)(三月六日ごろ)・春分(三月二一日ごろ)・晴明(せいめい)(四月五日ごろ)・穀雨(こくう)(四月二〇日ごろ)・立夏(五月六日ごろ)・小満(しょうまん)(五月二一日ごろ)

◇〔雑節・節句〕節分(二月三日ごろ)・桃の節句(三月三日)・彼岸(三月一八～二四日ごろ)・八十八夜(五月二日ごろ)・端午の節句(五月五日)

◆〔手紙の挨拶〕三月…早春の候・軽暖の砌(みぎり)・寒さも緩み一雨ごとに春めく頃/四月…春暖の候・陽春の砌・風光る時節・花便りも聞かれる頃/五月…新緑の候・薫風の砌・風薫る時節・若葉の緑も清々(すがすが)しい頃

***は・る**【張る】㊀《自五》❶一面におおう。「池に氷が―・る」❷のび広がる。「根が―・る」❸〔肩やあごが〕つき出る。広がる。「肩の―・った人」❹腹や乳房などがふくれて、皮がつっぱったような感じがする。❺緊張する。「気が―・る」❻〔肩が〕こる。「肩が―・る」❼度をこえる。値段などが高くつく。「値の―・る品」文《四》。㊁《他五》❶ひっぱりわたす。「クモが糸を―・る」❷のばし広げる。開き広げる。「根を―・る」「幕を―・る」❸一面をおおう。いっぱいにする。「器に水を―・る」❹空間につき出す。「ひじを―・る」❺強く盛んにする。「欲を―・る」❻かまえる。設けととのえる。「祝宴を―・る」❼〔自分の自信・正当性・勢いなどを他に示すために〕肩や胸をそらせて、大きく見せようとする。「自分は潔白だと胸を―・って言う」❽見かけをよくしようとする。「見えを―・る」❾押しとおす。「強情を―・る」❿対抗する。はりあう。「向こうを―・る」⓫〔かけごとで、金銭

は

を〕かける。「Aチームが優勝する方に—・る」⓬見張りをする。「町角で—・っていたら彼が現れた」⓭㋐〔のりなどで〕くっつける。また、そのようにして障子などを作る。「切手を—・る」「障子を—・る」㋑〔板などを平らに並べて〕うちつける。また、そのようにして天井などを作る。「板を—・る」表記 ⑬は「貼る」とも書く。⓮㋐平手で打つ。横ざまに打つ。「ほっぺたを—・る」㋑相撲で、平手で相手の顔の側面をうつ。文《四》。

ば・る【張る】《接尾》「…らしくふるまう」「…のようなまえをする」意。「儀式—・る」文《四》。

はる‐あらし【春×嵐】 春さきに吹く強い風。春荒れ。

はる‐いちばん【春一番】 二月から三月にかけて、その年最初に吹く強い南風。はるいち。

はるか【×遥か】《名・形動》❶距離や時間が遠くへだたっていること。また、遠くへだたった所・時。「—かなたに富士山が見える」「—昔のこと」類語 遼遠。遥々。遥然。❷《「—に」の形で、副詞的に用いて》ちがいが大きいようす。くらべてみてずっと。「実力は—に彼の方が上だ」

はる‐がすみ【春×霞】 春に立ちこめるかすみ。

はる‐かぜ【春風】 春に吹く風。特に、東または南から吹く、暖かい穏やかな風。しゅんぷう。類語 光風。和風。東風。対 秋風。

はる‐ぎ【春着】 ❶春に着る衣服。❷正月の晴れ着。

はる‐け・し【×遥けし】《形ク》〔古〕はるかである。遠い。「幽明—・く隔つ」

はる‐ご【春▽蚕】 春にふ化させ、飼うカイコ。

バルコニー ❶洋風の建築で、屋外にはり出した、屋根のない手すりのついた台。露台。❷劇場のさじき。=バルコン。▽balcony

バルコン バルコニー。▽フランス balcon

パルサー 規則的にパルス状の電波を放射する天体。▽pulsar

はる‐さき【春先】 春のはじめ。早春。「—のやさしい日光」類語 初春。浅春。上春。

はる‐さく【春作】 春に栽培する、また、とり入れる農作物。対 秋作。

はる‐さめ【春雨】 ❶春ふる雨。特に、細かく静かに降る雨。しゅんう。対 秋雨。❷ジャガイモ・サツマイモ・緑豆などのでんぷんから作った、透明な糸状の食品。なべ物・吸い物などに用いる。

パルス 瞬間的に流れる電流・電波。また、その繰り返し。プルス。「—信号」▽pulse(=脈搏)

パルチザン 正規軍とは別に、土地の住民で組織された愛国的遊撃隊。参考→ゲリラ。▽フランス partisan

はるつげ‐うお【春告(げ)魚】「にしん」の別称。

はるつげ‐どり【春告(げ)鳥】「うぐいす」の別称。

はる‐の‐ななくさ【春の七草】 日本で、春を代表する七つの若菜。芹・薺・御形・繁縷・仏座・菘・蘿蔔。参考→秋の七草。

はる‐ばる【×遥×遥】《副》《「—と」の形も》大変遠くから、または遠くまで動作・作用が及ぶようす。「フランスから—やって来た」「遠路—お越しいただき…」

***バルブ** カメラのシャッターの目盛りの一つ。この目盛りに合わせておくと、シャッターボタンを押している間シャッターが閉じない。記号B。▽bulb

***バルブ** ❶管の中を流れる液体・気体の出入量の調節を、開閉によって行う装置。弁。❷真空管。=ヴァルブ。▽valve

パルプ 植物の繊維素を取り出して、うすい板状に押しかためたもの。洋紙・レーヨンの原料。▽pulp

はる‐まき【春巻(き)】 肉・野菜などの具を薄い小麦粉の皮に巻いてつつみ、油で揚げた中国料理。

はる‐まつり【春祭(り)】〔その年の豊作を祈って〕春に行う祭り。類語 夏祭り。秋祭り。

はる‐め・く【春めく】《自五》春らしい気候になる。「—・いた川風」「山野は—・いてきた」

***はれ【晴(れ)】** ❶空が晴れた状態。晴天。類語 快晴。好晴。対 曇り。❷〔「褻」に対して〕表立って正式であること。また、表立って晴れがましいこと。〔「—の」の形で用いることが多い〕「—の舞台」❸〈—の身〉疑いが晴れた身の上。「—の身となる」類語 青天白日。

***はれ【×腫れ・▽脹れ】** 炎症・内出血によって生じる、皮膚のふくらみ。「—が引く」

ば‐れい【馬齢】〔文〕自分の年齢を謙遜して言う語。「—を重ねる(=大したこともせず、むだに年をとる)」「—を加える」

ばれい‐しょ【馬鈴×薯】「じゃがいも」の別称。

***バレエ** 舞踊・音楽・美術からなる総合的な舞台芸術で、せりふのかわりに舞踊・パントマイムによって筋を運ぶもの。舞踊劇。バレー。▽フランス ballet

***バレー**「バレーボール」の略。 **—ボール** 六人(または九人)ずつの二チームがネットを挟んで、ボールを打ち合う球技。排球。▽volleyball

ハレーション 写真で、強い光がフィルムにあたって画像の微細部をぼかしてしまう現象。▽halation

ハレー‐すいせい【ハレー×彗星】 英国の天文学者ハリーが、はじめてその楕円形の軌道を計算した大彗星。周期は七六・〇三年。ハリー彗星。

パレード はなやかな行進。「優勝—」▽parade

はれ‐がまし・い【晴れがましい】《形》表立って、はなやかである。また、あまりにも表立っておもはゆい。「—・い席に招かれる」

はれ‐ぎ【晴(れ)着】 表立った場所に着て行く衣服。晴れ衣装。類語 盛装。よそゆき。対 ふだん着。

はれ‐すがた【晴(れ)姿】 ❶晴れ着をつけた姿。❷表立った場所に堂々と出た姿。「授賞式の—」

は‐れつ【破裂】《名・自サ》❶〔内部の圧力によって〕勢いよく破れ裂けること。「爆弾が—する」「水道管が—する」類語 炸裂。爆発。❷相談などがまとまらずに、もの別れになること。決裂。「談判が—した」 **—おん【—音】** ❶〔勢いよく〕破れ裂ける音。「砲弾の—」類語 炸裂音。❷〔語学〕唇・歯ぐき・口蓋などで呼気を一度とめ、内部の圧力によってその閉鎖を破って発する音。[p, t, k, b, d, g]など。閉鎖音。

バレッタ 板状の髪留め。バレット。▽barrette

***パレット** 水彩画・油絵などを描くときに、絵の具をまぜあわせて色を作る板。調色板。▽palette

***パレット** 貨物の格納・運搬用の荷台。▽pallet

はれ‐て【晴れて】《副》だれはばかるところなく。公然と。「—夫婦になる」

はれ‐ばれ【晴(れ)晴(れ)】《副・自サ》《副詞は多く「—と」の形で》❶空がすっかり晴れ渡ったようす。❷〔心に〕くもりがなく明るいようす。「心配事がなくなって—とした気持ちだ」類語 明朗。晴朗。清々。 **—し・い**《形》❶心に心配事がなく、明るい。澄みきって気持ちがよい。「—・い顔」❷〔表立って〕はなやかである。「—・

い優勝パレード」類語 はなばなしい。

*はれ‐ぼった・い【×腫れぼったい】《形》はれてふくれているようなようすである。「目が—・い」

はれ‐ま【晴(れ)間】❶降りつづく雨や雪の降りやんでいるわずかの間。❷雲の切れ間。「—から日が差す」

ハレム イスラム教徒の社会で、妻やめかけなどを隔離した、女性専用の部屋。閨房(けいぼう)。後宮。ハーレム。▽harem(もと、haram(アラビア) =神聖不可侵な場所)

はれ‐もの【×腫(れ)物】炎症で皮膚のふくれあがったもの。できもの。「—に触(さわ)るよう(=気むずかしい人などにおそるおそる接するようす)」

はれ‐やか【晴れやか】《形動》❶表情が明るいようす。また、心にくもりがなくさわやかなようす。「—な顔」❷晴れ渡ったようす。「—な空」類語 晴朗。明朗。❸明るくはなやかなようす。「—によそおう」

バレリーナ バレエの女性のおどり手。▽ballerina(イタリア)

*は・れる【晴れる・×霽れる】《自下一》❶晴れになる。雲や霧などが消える。雨や雪が降りやむ。「空が—・れる」「そろそろ雨も—・れるころだ」対 曇る。❷いやな気分などがなくなりさっぱりする。疑いが消える。「気が—・れる」「疑いが—・れる」文 は・る《下二》

*は・れる【×腫れる・▽脹れる】《自下一》病気・炎症・内出血などで、体の一部がふくれあがる。「打った部分が—・れる」「歯ぐきが—・れる」文 は・る《下二》

*ば・れる《自下一》〔俗〕人に知れないようにかくしていたことが、知られてしまう。露見する。「悪事が—・れる」

*バレル《助数》液体などの容量の単位。バーレル。参考 一バレルは石油用で約一五九リットル。▽barrel(=樽(たる))

ハレルヤ ㊀《感》キリスト教で、神に対する喜び・感謝を表す語。㊁《名》「ハレルヤ」を繰り返して歌う聖歌。=アレルヤ。▽hallelujah(ヘブライ)(=エホバを賛美せよ)

はれ‐わた・る【晴れ渡る】《自五》見わたすかぎり晴れる。「山頂は—・って、遠くの山まで見える」

*ば‐れん【馬×楝】版画制作で、着色した版木にあてた紙の上をこする道具。

*ば‐れん【馬×簾】まといのまわりにつける、紙や革などを細長く切った飾り。参考→纏(まとい)(図)。

バレンタイン‐デー 殉教した聖バレンタインを記念するカトリックの祝日。二月一四日。相愛の男女が贈り物をしあい、また、女が男に求愛できる日とされる。▽(St.) Valentine's Day

は‐れんち【破廉恥】《名・形動》普通ならはずかしくてできないようなことをしていながら、平気でいること。恥知らず。厚顔無恥。「—な奴(やつ)」「—な行為」類語 鉄面皮。—ざい【—罪】道義に反する動機・原因によりなされる犯罪。殺人・詐欺・窃盗・放火・贈収賄など。

ハロ ❶太陽や月のまわりに現れる色彩のある輪。暈(かさ)。光環(こうかん)。❷キリスト教美術で、聖像の頭のまわりに描かれている円光。光輪。=ハロー。▽halo

は‐ろう【波浪】〔文〕なみ。「—注意報」

ハロウイーン 万聖節(=カトリックで、すべての聖人を記念する日)の前夜祭。一〇月三一日。英米では子どもたちがカボチャで作ったちょうちんを飾り、仮面をかぶって家々をまわって歩く。▽Halloween

ハロー《感》呼びかけの語。もしもし。やあ。▽hello —ワーク 公共職業安定所の愛称。▽hello と work からの和製語。

ハロゲン〔理〕ふっ素・塩素・臭素・よう素・アスタチンの総称。金属と親和力が強い。▽Halogen(ドイツ)

バロック ルネサンス後の一六〜一八世紀にヨーロッパで流行した、建築・美術・音楽の様式。複雑・華麗で動的。「—音楽」▽baroque(フランス)

パロディー 有名な文学作品の表現をたくみにまね、風刺などの要素を加えてこっけい化したもの。もじり詩文・戯詩・替え歌の類。また、広く絵画・写真などにもいう。「—化」▽parody

バロメーター ❶気圧計。晴雨計。❷ある物事の状態・程度を知る目安となるもの。「紙の消費量は文化の—」▽barometer

パロ・る《他五》〔俗〕パロディーにする。参考「パロディー」の略、「パロ」を動詞化した語。

パワー 力。能力。勢力。「—アップ」▽power —リフティング バーベルを使って行う競技。ウエートリフティングよりも技術的に単純で、筋力の差がより大きく反映される。スクワット・ベンチプレス・デッドリフトの三種目がある。▽power lifting

ハワイアン ㊀《造語》「ハワイ風の」の意を表す。「—ギター」「—ダンス」㊁《名》「ハワイアンミュージック」の略。ハワイ諸島などの民俗音楽に、アメリカ音楽の影響が加わったポピュラー音楽。▽Hawaiian

は‐わたり【刃渡り】❶刃物の刃の長さ。❷刀の刃の上をはだしで歩く軽業。

パワフル《形動》力強いようす。▽powerful

*はん【×汎】《接頭》広く全体にわたる意。すべての。全。「—スラブ主義」参考 pan- の音訳。

*はん【×斑】《接尾》まだら・斑点の意。「蒙古(もうこ)—」

*はん【犯】《接尾》❶〔犯罪行為を表す語につけて〕その罪名・犯人であることを表す。「窃盗—」「知能—」❷《助数》刑を受けた回数を表す。「前科五—」

*はん【判】㊀《名》❶花押(かおう)。かきはん。❷印判。はんこ。「—を押す」❸〔文〕判定。「—を下す」❹紙・書籍の大きさ。㊁《接尾》→ばん(判)。「A5—」 —で押したよう《句》いつも同じことをくりかえすようす。

*はん【半】㊀《名》❶半分。なかば。「二つ—」❷二で割り切れない数。奇数。参考 ばくちなどで使う。対 丁(ちょう)。❸〔時刻で〕三十分過ぎ。「二時—」㊁《接頭》「なかば」「半分」、「不完全」、「かなり」「ほとんど」などの意。「—時間」「—病人」「—殺し」

*はん【反】㊀《名》❶「反切(はんせつ)」の略。「東は徳紅の—」❷反対命題。アンチテーゼ。「正—合」対 正。㊁《接頭》「…に反対する」「…にそむく」「…とは逆の」などの意。アンチ。「—国家的行動」

*はん【版】❶版木。また、版画。「—を彫る」❷印刷に使う、〔金属製の〕板状のもの。「—がいたむ」❸一つの書物を印刷発行するひとまとまりの版②。〔助数詞としても使う〕「—を改める」「第二—」

*はん【班】ある団体の中で何人かをひとまとめにした小さな単位。〔接尾語的にも使う〕「—に分ける」「第五—」「食料—」類語 グループ。

*はん【藩】江戸時代、大名が支配した領地・人民・統治機構の総称。「—の財政」

*はん【範】〔文〕模範。手本。「もって—とすべし」

*はん【煩】〔文〕わずらわしいこと。わずらわしさ。「—をいとわず」「—にたえない」

*ばん【判】《接尾》紙・書物・衣服などの大きさを表す。はん。「菊—」「四六(しろく)—」「L—」

*ばん【版】《接尾》❶《書物の性質・発行所・発行地など

を表す語につけて》「…して作られた書物」「…で作られた書物」の意。「改訂—」「ロンドン—」❷《時代・場所を表す語につけて》「…における」「…風に改作した」の意。「日本—ハムレット」❸〔新聞で〕特定の地域向けに編集したページであることを表す。「静岡—」

***ばん【晩】** ❶日が沈んで空が暗くなるころ。「朝から—まで働く」類語 夕方。夕べ。夕暮れ。夕。夕刻。暮れ。暮れ方。日暮れ。晩方。入相(いりあい)。黄昏(たそがれ)。火点(ひとも)し頃(ごろ)。薄暮。❷夜。

***ばん【番】** 一《名》❶互いに入れかわって事をするときの、順序づけられた位置・役。「—を待つ」「私が歌う—だ」❷見張りをする・こと(人)。「店の—」二《接頭》〔多数備えて番号をつけておく意から〕「常用のそまつなもの」の意。「—がさ」「—ぎせる」三《助数》❶順位・番号を数える語。「四—打者」「三—線」❷勝負・組み合わせ・取組などの回数を数える語。「相撲はあと二—を残す」❸番手(ばんて)二③。「二十—の綿糸」

***ばん【盤】** ❶〔文〕さら。❷囲碁・将棋などをする台・板。「碁—」❸レコード盤。「推薦—」❹ものを取り付ける板状の台。〔多く接尾語的に使う〕「配電—」

***ばん【万】** 《副》〔文〕❶《下に打ち消しをともなって》決して。万が一にも。「—遺漏(いろう)なきよう」❷どうにもこうにも。何とも。「—已(や)むをえない処置」

***バン** ❶屋根のある箱型の荷台をうしろに取り付けた貨物自動車。❷→ライトバン。▽van

***バン【VAN】** ⇩巻末付録。

***パン** 《接頭》「汎(はん)」「全」の意。「—アフリカニズム(=汎アフリカ主義)」▽pan

***パン** 西洋ふうの、柄のついたなべ。▽pan

***パン** 《名・自サ》映画で、カメラを水平に左右に動かして、風景をパノラマのように撮影する・こと(方法)。パノラマ撮影。▽pan(panorama の略)

***パン** ギリシア神話の森林・狩猟・牧畜の神。牧羊神。牧神。▽Pan

***パン** 小麦粉に食塩・砂糖・油脂などを加えて水でこねたものに、イースト菌を作用させ、発酵させて焼いた食品。参考 食糧、生活のかての意にも使う。「—のために働く」表記「麺麭」と当てた。▽ポルトガル pão **—がゆ【—×粥】** パンを牛乳などでやわらかく煮た食べ物。**—ケーキ** ❶小麦粉に卵・砂糖などを加えて牛乳でとき、薄くのばしてフライパンで焼いた菓子。❷固形おしろいの一つ。海綿・スポンジでつける、夏用のもの。▽① pancake ② Pan-Cake 参考 ②は形が①に似ることからつけられた商標名。**—こ【—粉】** ❶パンの原料になる小麦粉。❷パンを乾かして細かく砕いたもの。フライなどの衣にする。**—だね【—種】** パンを膨らませ、香りをつける酵母菌。主として、イースト。**—の・き【—の木】** (breadfruit)ミクロネシア原産のクワ科の常緑高木。果実は楕円(だえん)形で、太平洋諸島では蒸し焼きにして主食とするところが多い。材は船材・建築材・家具材。

はん・あい【×汎愛】 《名・他サ》〔文〕だれかれの差別なしに、広く愛すること。博愛。「—主義」

***はん・い【×叛意】** 〔文〕権力・権威にそむこうとする心。むほん心。叛心。「—をいだく」類語 逆心。

***はん・い【犯意】** 〔法〕罪になることを知っていながら、その行為を行おうとする意思。「—を認める」

***はん・い【範囲】** ある物・物事によって限られた広さ(の中)。「予算の—でやる」「勢力—」類語 域。境域。界域。区域。範疇(はんちゅう)。分野。

ばん・い【蛮×夷・×蕃×夷】 〔文〕未開地の民族。えびす。また、外国人。

はんい・ご【反意語】 反対の意味を表す語。「上」に対する「下」など。反義語。反対語。対義語。アントニム。

***はん・えい【反映】** 《名・自他サ》❶光や色などが反射してうつること。「雪の—で青白く光る」❷あるものの影響が及んで、その結果が他のものに現れること。反影。「ことばは世相の—」

***はん・えい【繁栄】** 《名・自サ》経済力・勢力などが大きくさかんになること。栄えること。「家が—する」類語 繁盛。隆昌(りゅうしょう)。隆盛。尊敬 清栄。

はん・えいきゅう【半永久】 ほとんど永久といってもよいほどの長い期間。「—的な建築」

はん・えり【半襟・半×衿】 長じゅばん・半じゅばんなどのえりにかけて、長着のえりもとを飾る布。

はん・えん【半円】 円を二等分したものの一方。

はん・おん【半音】 全音の半分にあたる音程。対 全音。

はん・おんかい【半音階】 各音の間が半音でできている音階。一オクターブ内に一二個の半音をもつ。

***はん・か【半×跏】** 「半跏趺坐(はんかふざ)」の略。一方の足の甲を他方のもも上にのせてすわること。半跏坐。参考 結跏趺坐(けっかふざ)の略式。

***はん・か【反歌】** 長歌のあとにそえた短歌。長歌の内容を要約・反復あるいは補足する。かえしうた。

***はん・か【繁華】** 《名・形動》人が多く集まり、栄えてにぎやかなこと。「—街」

***はん・か【頒価】** 実費で分ける場合の価格。また、頒布会の会員のための価格。頒布価格。

はん・が【版画】 木版・銅版・石版などで刷った絵。特に、木版画。

***ばん・か【×挽歌・×輓歌】** ❶昔、中国で、葬送のとき、ひつぎ車をひく人がうたった歌。❷人の死を悲しんで作った詩歌。類語 弔歌。哀悼歌。挽詩。

***ばん・か【晩夏】** 〔文〕❶夏の終わり。夏の末。対 初夏。❷陰暦六月の別称。

ハンガー 洋服かけ。類語 えもんかけ。▽hanger

バンカー ゴルフコースの中で、くぼ地に砂が入れられ、障害となる所。▽bunker

ハンガー・ストライキ 絶食を闘争手段とするストライキ。ハンスト。▽hunger strike

***はん・かい【半壊】** 《名・自サ》一つのものの半分ほどがこわれること。「—した家屋」対 全壊。

***はん・かい【半開】** ❶《名・自サ》半分ほど開くこと。「—している扉」❷花が開きかけていること。「—のバラの花」❸〔文〕文化・文明が少し開けていること。

ばん・かい【×挽回】 《名・他サ》失ったものをとりもどして、もとのよい状態にすること。「失地を—する」「名誉を—する」「劣勢を—した」

ばん・がい【番外】 ❶決められた番数・番組・番号以外(のもの)。また、予定外(のもの)。「—の特別出演」❷正式の資格を持たずに、そこに出席する・こと(人)。「—委員」❸普通のものとかけはなれて違っている・こと(もの)。「あの人は—だ」類語 けた違い。

***はん・かく【半角】** ワープロなどで出力する基準的な文字(全角)の、半分の大きさ。対 全角・倍角。

***はん・かく【反核】** 核兵器の製造・実験・配備などに反

対すること。核燃料物質の利用に反対すること。「―平和宣言」「―運動」

***はん‐がく【半額】** ある金額の半分。半金。

***はん‐がく【藩学】** 江戸時代、諸藩で藩士の子弟を教育するために設け、経営した学校。藩校(はんこう)。

ばん‐がく【晩学】 年をとってから(その)学問をはじめること。「―の人」

ばん‐がさ【番傘】 竹の骨に油紙を張って丈夫に作った、(実用的な)和風の雨傘。

はん‐がた【判型】 書物の大きさ。A判・B判など。はんけい。

ばん‐がた【晩方】 日暮れどき。くれがた。類語 夕方。

ハンカチ 「ハンカチーフ」の略。

ハンカチーフ 小形の四角い布。手ふきや装飾用に使う。ハンカチ。ハンケチ。▽handkerchief

はんか‐つう【半可通】《名・形動》いいかげんな知識しか持っていないのに知ったふりをする・こと(人)。知ったかぶり。「―を振り回す」類語 生兵法。

ばん‐カラ【蛮カラ】《名・形動》服装が粗野で、言動が荒々しい・こと(人)。「―な校風」参考「ハイカラ」をもじった語。類語 弊衣(へいい)破帽。対 ハイカラ。

バンガロー 避暑地などで、夏だけ使われる簡単な平屋建ての小屋。参考 もとインドのベンガル地方の、のきが低くベランダのある木造平屋住宅。▽bungalow

***はん‐かん【反感】** 相手(の考え・やり方)をきらって、反発・反抗する感情。「―を抱く」「世間の―を買う」

***はん‐かん【反間】**〔文〕敵の内部に入り込んで、仲間割れを起こすような計略をめぐらすこと。「―苦肉の策(=自分の身を犠牲にして敵をあざむき、内部分裂をはかろうとする策略)」

***はん‐かん【繁簡】**〔文〕繁雑と簡略。「―宜(よろ)しきを得る」

***はん‐かん【繁閑】**〔文〕忙しいことと暇なこと。

***はん‐がん【判官】** ❶→ほうがん(判官)。❷裁判官。〔古風な言い方〕「名―」 **―びいき【―×贔×屓】**→ほうがんびいき。

***はん‐がん【半眼】** 目をなかば開いていること。

ばん‐かん【万感】 心にわき起こる種々の思い・感情。「―こもごも胸にいたる」「―の思い」

はんかん‐はんみん【半官半民】 政府と民間が共同で出資・経営する事業形態。

***はん‐き【半旗】** 弔意を表すため、国旗などをさおの上端から三分の一ほど下げて揚げたもの。類語 弔旗(ちょうき)。

***はん‐き【半期】** ❶一定期間の半分。半年。「上(かみ)―の輸入高」「―ごとの決算」❷一か年の半分の期間。

***はん‐き【半季】** ❶一つの季節の半分。❷半年。半期。

***はん‐き【反旗・×叛旗】**〔文〕謀反の旗じるし。「―を翻(ひるがえ)す(=謀反を起こす。反逆する)」

はん‐ぎ【版木・板木】 刷るために文字や絵を彫りつけた木の板。形木(かたぎ)。

***ばん‐き【万機】**〔文〕政治上の多くの重要な事柄。天下国家の政治。国政。「―公論に決すべし」

***ばん‐き【晩期】**〔文〕❶末期。「縄文―」❷晩年の時期。「―の作品」

ばん‐ぎ【板木】 合図のために、たたきならす板。「始業を知らせる―」

ばん‐ぎく【晩菊】 遅咲きの菊。

ばん‐きしゃ【番記者】〔俗〕政治家などの重要人物に絶えずついている記者。

はん‐ぎゃく【反逆・×叛逆】《名・自サ》〔権威・権力に対して〕さからい背くこと。「―児」類語 謀反。

***はん‐きゅう【半休】** 半日だけ仕事を休むこと。半日休暇。類語 半ドン。

***はん‐きゅう【半弓】** すわったまま射ることのできる、小型の弓。対 大弓(だいきゅう)。

***はん‐きゅう【半球】** ❶球をその中心を通る平面で切った半分。❷地球の表面を大圏にそってくぎった半分。「北―」「西―」「水―」

ばん‐きょ【盤×踞・×蟠×踞】《名・自サ》〔文〕❶広く根をはって動かないこと。また、とぐろをまいて動かないこと。「O市に―して創作活動をする」❷そのあたり一帯に勢力を張ること。「軍閥の―」「冬将軍が―する」

***はん‐きょう【反共】** 共産主義に反対すること。対 容共。

***はん‐きょう【反響】** ❶《名・自サ》音波が山・壁などにあたってはねかえり、同じ音がふたたび耳に聞こえること。また、その音。こだま。❷ある働きかけに対して、働きかけられた人が起こす、言論などのはねかえり。「―を呼ぶ」「―をまきおこす」類語 反応。反映。

はん‐ぎょく【半玉】 まだ一人前でなく、玉代(ぎょくだい)が半分の芸妓(げいぎ)。おしゃく。対 一本(いっぽん)。

***はん‐きん【半金】** ある金額の半分。半額。

***ばん‐きん【万×鈞】** 物のきわめて重いこと。「―の重み」類語 千鈞。

***ばん‐きん【板金・×鈑金】** ❶金銀を板状に薄く打ち延ばしたもの。板金(いたがね)。❷金属板を加工すること。

***ばん‐きん【×輓近】**〔文〕ちかごろ。最近。近年。近来。〔副詞的にも使う〕「―の世界情勢」

***バンク**《造語》「銀行」の意。「データ―」「アイ―」▽bank

***バンク**〔競輪・自動車レースなどで〕カーブしたところが傾斜している競走路。▽bank

パンク《名・自サ》❶タイヤのチューブに穴があいて空気がもれること。❷ふくれすぎて破裂すること。また、機能がだめになること。「おなかが―しそう」「財政が―する」参考 俗に、出産・分娩(ぶんべん)の意でも用いる。「女房が―しそうだ」▽puncture から。

ハング‐グライダー 三角形の枠に布をはった翼をもつ、簡便な滑空機。また、それにぶらさがって滑空するスポーツ。ハングライダー。▽hang glider

ばん‐ぐみ【番組】 放送・演芸・勝負事などで、それを構成する内容を順番に組み合わせたもの。また、その内容(を書いたもの)。プログラム。「―を編成する」

ハングリー《形動》腹がすいているようす。ひどくほしがるようす。▽hungry **―せいしん【―精神】** よりよい生活・地位などを必死に求める気持ち。

ハングル 朝鮮固有の表音文字。現在は、母音文字一〇、子音文字一四が使われている。もと「諺文(おんもん)」と呼んだ。▽朝鮮 hangul(=大いなる文字)

バングル 金属・プラスチックなどの腕輪。▽bangle

ばん‐くるわせ【番狂(わ)せ】(―くるはせ)〔意外な出来事のため〕順序や予定が狂うこと。また、勝負ごとで予想外の結果になること。「横綱が負ける―」

はん‐ぐん【反軍】〔文〕❶軍部・軍国主義に反対すること。「―思想」類語 反戦。❷反乱軍。表記 ②は「叛軍」とも書く。

はん‐けい【半径】円の中心と円周上の一点とを結ぶ線分(の長さ)。また、球の中心と球面上の一点とを結ぶ線分(の長さ)。直径の半分。

ばん‐けい【晩景】〔文〕夕方のけしき。

***はん‐げき【反撃】**《名・自サ》攻撃してくる敵に、逆に攻撃をしかえすこと。「―に転じる」類語 反攻。

***はん‐げき【繁劇】**《名・形動》〔文〕非常にいそがしいこと。「―の任に就く」類語 多忙。繁忙。

はんげ‐しょう【半夏生】《半夏(=カラスビシャク。薬草の一種)が生えるころの意》夏至から一一日目。太陽暦で、七月二日ごろ。

ハンケチ→ハンカチーフ。

はん‐けつ【判決】《名・他サ》〔法〕ある訴訟事件について、裁判所が法律にもとづいて判断を下すこと。また、その判断。「―を下す」

はん‐げつ【半月】❶半円の形に見える月。弓張り月。類語 片割れ月。弦月。片月。銀鉤(ぎんこう)。❷半円形のもの。「―弁」「―板」

***はん‐けん【半券】**物をあずかったり料金を受け取ったりしたしるしとして、券の半分を切り取って渡す札。

***はん‐けん【版権】**著作権をもつ人と契約して、その著作物の複製・販売及びそれによる利益を独占する権利。出版権。「―取得」

***はん‐げん【半減】**《名・自他サ》半分に‐へる(へらす)こと。「興味が―する」

***はん‐げん【半×舷】**軍艦で、乗組員を左舷直(=左舷の当直)と右舷直(=右舷の当直)に分けたときの、その一方の組。「―上陸」

ばん‐けん【番犬】〔家の見張りなどの〕番をさせるために飼う犬。

はん‐こ【判子】《「版行」の転》判。印判。印鑑。

はん‐ご【反語】❶本来の意味とは逆の意味を持たせる皮肉な言い方。遅れて来た人に「お早いお着きですね」などという類。アイロニー。❷ある事実に対して肯定(否定)の確信を持っていながら、それを否定(肯定)の疑問の形で問いかける言い方。「こんなことが言えようか」で「こんなことは言えない」の意を表すなど。

ばん‐こ【万古】〔文〕大昔から今に至るまで。永遠。千古。永久。**―ふえき【―不易】**《名・形動》いつまでも変わらないこと。「―の原則」

***はん‐こう【反抗】**《名・自サ》てむかうこと。さからうこと。「親に―する」「権力に―する」「―的な態度」類語 抵抗。対抗。対 服従。**―き【―期】**正常な精神発達をしている子供が、周囲の人に反抗しがちになる時期。自我が急速に発達する時期にあたる。

***はん‐こう【反攻】**《名・自サ》攻められていたものが、逆に攻めかけること。「―に転じる」類語 反撃。

***はん‐こう【版行】**〔文〕❶《名・他サ》文書・書籍などを印刷して発行すること。類語 刊行。❷印鑑。判。

***はん‐こう【犯行】**犯罪にあたる行為。犯罪行為。「―を否認する」「―を重ねる」「―は午前三時ごろ」

***はん‐こう【藩侯】**〔文〕藩の殿様。藩主。

はん‐こう【藩校・藩×黌】藩学(はんがく)。

はん‐ごう【飯×盒】飯をたくことができる、携帯用の弁当箱。登山・行軍などに使う。「―炊爨(すいさん)」

ばん‐こう【蛮行】〔文〕野蛮で、非人道的な行い。

ばん‐ごう【番号】順番を表す数字・符号。ナンバー。

はん‐コート【半コート】❶羽織より少し長めに仕立てた、女性の和服用外套(がいとう)。❷洋服用の短い外套(がいとう)。ハーフコート。=半ゴート。

はん‐こく【板刻・版刻】《名・他サ》〔文字や絵を版木にほる意から〕書物にして出版すること。

***ばん‐こく【万国】**世界中のすべての国。(全)世界。「―旗」類語 諸国。**―はくらんかい【―博覧会】**国際的な博覧会。万国博。万博。エキスポ。

***ばん‐こく【万×斛】**〔文〕〔「一万石」の意から〕非常に多くの分量のたとえ。「―の同情」「―の涙を注ぐ」

はん‐こつ【反骨・×叛骨】〔文〕不当な権力や世間的慣習などに抵抗する強い心。「―精神」「―の作家」

ばん‐こつ【万骨】〔文〕多くの、死んだ人の骨。「一将功成って―枯る」

ばん‐ごや【番小屋】見張りをするための小屋。

はん‐ごろし【半殺し】〔暴力で〕死ぬかと思うほどの状態にすること。「―の目にあう」類語 なまごろし。

はん‐こん【×瘢×痕】〔文〕傷がなおった後に残るあと。きずあと。

はん‐ごん【反魂】〔文〕死人の魂をよびもどすこと。**―こう【―香】**死んだ人に会いたいときにたくと、煙の中にその姿が現れるという香。

ばん‐こん【晩婚】ふつうよりおそい年齢でする結婚。対 早婚。

ばんこん‐さくせつ【盤根錯節】〔文〕〔わだかまった根と入り組んだ節の意から〕複雑に入り組んでいて、解決に困難な事柄。

はん‐さ【煩×瑣】《名・形動》わずらわしいこと。煩雑。「―な手続き」類語 繁雑。

はん‐ざい【犯罪】法律により刑罰を科せられるべき行為。類語 罪(つみ)。罪科。犯行。

ばん‐ざい【万歳】㊀《名》❶〔文〕いつまでも生きて栄えること。「聖寿の―を祝う」❷非常にめでたく喜ぶべきこと。「うまくいけば―だ」❸《自サ》「ばんざい」㊁をとなえること。❹《自サ》〔俗〕〔両手をあげることから〕降参すること。転じて、進退に窮すること。お手あげ。「この難問には―するよ」㊁《感》❶威勢よく祝福するときにとなえる語。「民主勢力の団結―!」❷非常にうれしいときに叫ぶ語。「―! なぞが解けた」

はん‐ざき【半裂・半割】「おおさんしょうお」の別称。

はん‐さく【半作】農作物の収穫高が平年の半分であること。

ばん‐さく【万策】可能なかぎりのすべての手段・方法。「―尽きた」

はん‐さつ【藩札】江戸時代から明治の初めごろにかけて、各藩で発行しその藩内だけに通用させた紙幣。

***はん‐ざつ【繁雑】**《名・形動》事柄が多く、ごたごたしていること。「―な規定」類語 煩雑。煩瑣(はんさ)。

***はん‐ざつ【煩雑】**《名・形動》事柄がめんどうでこみ入っていること。煩瑣(はんさ)。「―な手続き」類語 繁雑。

ハンサム《形動》男の顔だちの美しいようす。美男子であるようす。「若くて―な人」▽handsome

はん‐さよう【反作用】〔理〕作用するある力に対して、同時にその正反対の方向に作用する等しい大きさの力。対 作用。

ばん‐さん【晩×餐】夕食。夕飯。参考 やや形式ばった豪華な夕食を言う。「最後の―」「―会」

***はん‐し【半死】**今にも死にそうなこと。死にかけていること。「―の病人」類語 垂死。**―はんしょう【―半生】**いまにも死にそうな・こと(状態)。「―の体(てい)で横

は

たわる」〔類語〕虫の息。瀕死(ひんし)。

***はん-し**【半紙】縦およそ二五(チセン)、横およそ三四(チセン)の大きさの日本紙。習字などに使う。

***はん-し**【藩士】藩に属する武士。藩臣。

はん-じ【判事】裁判官の官名の一種。高等裁判所・地方裁判所・家庭裁判所におかれる。

ばん-し【万死】〔文〕命の助かるみこみのないこと。「—に一生を得る(=危地からかろうじて助かる)」「罪—に値する(=何度死んでもつぐないきれないほど罪が重い)」〔類語〕九死。

ばん-じ【万事】あらゆること。すべてのこと。「一事が—」「—休す(=もはや施すべき方法がない)」〔類語〕一切。全部。万端。万般。百事。多事。

パンジー さんしきすみれ。▽pansy

はんじ-え【判じ絵】判じ物にした絵。

はん-した【版下】❶木版・印判を彫るための下書き。❷凸版などの印刷版を作るためにおもに墨を用いて清書した、絵・図表などの原稿。

はん-じつ【半日】↓はんにち(半日)。

はんじ-もの【判じ物】ある意味をそれとなく文字や絵などに隠しておいて、人にあてさせるもの。

はん-しゃ【反射】❶《名・自他サ》光・音などの波動が物の表面にあたってはね返ること。また、はね返すこと。「鏡が光を—する」❷感覚器官に受ける刺激に対して、意識や意志とは無関係に起こる、一定の運動的な反応現象。「条件—」 **—きょう**【—鏡】光学器械において、光を反射させる目的で作りつけられた鏡。 **—てき**【—的】《形動》ある刺激に対して、瞬間的に何かの形で応じるようす。「—に身を伏せた」

ばん-しゃ【万謝】《名・他サ》〔文〕❶《自サ》あつく感謝すること。「御厚志に—します」❷深くわびること。〔類語〕①②多謝。深謝。

ばん-しゃく【晩酌】〔家庭で〕夕飯のとき、酒を飲むこと。また、その酒。

ばん-じゃく【盤石・×磐石】〔文〕❶大きな岩。大石。❷非常に堅固なこと。「—の守り」「—の備え」

はん-しゅう【半周】❶円周の半分。❷《名・自サ》周囲の半分(をまわること)。「地球を—する」

はん-じゅう【半獣】上半身が人間で、下半身が獣の姿をしていること。 **—しん**【—神】↓ぼくしん。

ばん-しゅう【晩秋】〔文〕❶秋の終わりごろ。〔類語〕暮秋。季秋。〔対〕初秋。早秋。❷陰暦九月の別称。

はん-じゅく【半熟】❶食べ物(特に卵)がまだ十分に煮えたりゆだったりしていないこと。「—の卵」❷〔果実などが〕十分熟していないこと。〔類語〕未熟。

ばん-じゅく【晩熟】普通より成熟がおそいこと。〔類語〕おくて。〔対〕早熟。

はん-しゅつ【搬出】《名・他サ》運び出すこと。持ち出すこと。「会場から展示品を—する」〔対〕搬入。

ばん-しゅん【晩春】〔文〕❶春の終わりごろ。〔類語〕暮春。季春。〔対〕早春。初春。❷陰暦三月の別称。

***ばん-しょ**【板書】《名・他サ》〔文字などを〕黒板に書くこと。「生徒に—して教える」「要点を—する」

***ばん-しょ**【番所】❶番人が詰めている所。見張り所。❷江戸時代、町奉行所のこと。

***はん-しょう**【半焼】《名・自サ》火災で、建物などが半分ほど(一部分)焼けること。半焼け。〔対〕全焼。

***はん-しょう**【半鐘】火事など、危急を知らせるための小さなつりがね。火の見やぐらの上などに取り付ける。

***はん-しょう**【反照】❶《名・自サ》照り返すこと。照り返し。「夕日の—」❷照り返す夕日の光。夕ばえ。

***はん-しょう**【反証】ある推論をくつがえすような証拠。反対の証拠。「—を求める」

***はん-しょう**【×汎称】《名・他サ》〔文〕同じ種類に属するものをひっくるめて言う・こと(名称)。〔類語〕総称。

***はん-じょう**【半畳】❶たたみ一畳の半分の広さ。❷昔、芝居小屋で見物人が敷いた小さなたたみ・ござ。 **—を入・れる**《句》❶〔芝居が下手なとき、半畳②を客が舞台に投げ入れたことから〕役者の演技に対して、非難やからかいのことばを投げかける。❷人の言動などをまぜかえしたり、からかったりする。=半畳を打つ。〔類語〕①②やじる。

***はん-じょう**【繁盛・繁×昌】《名・自サ》〔商店などが〕にぎわい栄えること。「店が—する」「—をきわめた都」〔類語〕繁栄。隆昌(りゅうしょう)。隆盛。〔尊敬〕清栄。隆栄。

***ばん-しょう**【万象】〔文〕宇宙に存在するあらゆる事物や現象。「森羅(しんら)—」〔類語〕万物。

***ばん-しょう**【万障】〔文〕さまざまのさしさわり。「—お繰り合わせの上御出席下さい」〔類語〕万難。

***ばん-しょう**【晩鐘】〔文〕寺院・教会などが、夕方に鳴らす鐘の音。入相(いりあい)の鐘。〔対〕暁鐘(ぎょうしょう)。

***ばん-じょう**【万丈】〔文〕❶きわめて高いこと。非常に高くあがること。「—の山」「—のほのお」「波瀾(はらん)—」❷勢いが盛んなこと。「—の気炎を上げる(=思っていることをずけずけ言う)」「黄塵(こうじん)—」

***ばん-じょう**【万乗】〔文〕天子の位。「—の君(=天子)」〔参考〕「乗」は兵車の意。中国の周代、天子は戦時に兵車一万台を出す制度があったことから。

***ばん-じょう**【番匠】❶昔、大和(やまと)・飛驒(ひだ)などから京都にのぼり、内裏(だいり)につとめた大工。❷〔文〕大工。「名うての(=有名な)—」=番匠(ばんしょう)。

バンジョー アメリカ合衆国特有の弦楽器の一種。弦はふつう四本または五本で、指またはピックではじいて音を出す。▽banjo

はん-しょく【繁殖・×蕃殖】《名・自サ》生物が新しい個体を作ってふえること。「—力」「野ネズミが—する」

はん-じょく【繁×縟】「繁文縟礼(はんぶんじょくれい)」の略。

***ばん-しょく**【伴食】〔文〕❶《名・自サ》正客のおともをして、ごちそうになること。〔類語〕陪食(ばいしょく)。相伴(しょうばん)。❷その地位にあるだけで、実力や実権がない・こと(人)。〔あざけって言う語〕「—大臣」

***ばん-しょく**【晩食】〔文〕夕飯。夕食。

はん-じる【判じる】《他上一》↓はんずる。

***はん-しん**【半身】体の半分。特に、体の腰から上の部分。上半身。「—像」「上—」「下—」〔対〕全身。 **—ふずい**【—不随】病気やけがなどで左または右の半身がまひして、思うように動かせない状態。

***はん-しん**【×阪神】大阪と神戸(を中心とする地域)。「—工業地帯」

***ばん-じん**【万人】〔文〕世の中のすべての人。多くの人々。万人(ばんにん)。「—の認めるところ」

***ばん-じん**【蛮人・×蕃人】野蛮な人。

はんしん-はんぎ【半信半疑】なかば信用し、なかば疑いを持つこと。本当かどうか迷うこと。「霊魂の話を—できく」〔注意〕「半真半疑」は誤り。

***はんしん-ろん**【×汎心論】すべての物質は心をもつとみなす、哲学上の考え方。物活論。

*はんしん‐ろん【×汎神論】世界のすべての事象は神のあらわれであり、神と世界は同質であるとする、宗教的・哲学的立場。

*はん‐すう【半数】全体の数の半分。

*はん‐すう【反×芻】《名・他サ》❶〔牛などが〕一度のみこんだ食物を、再び口にもどしてかむこと。❷くりかえし考え味わうこと。「友人との議論を—する」

ハン‐スト「ハンガーストライキ」の略。

パン‐スト〔俗〕「パンティーストッキング」の略。

はん‐ズボン【半ズボン】たけがひざまでのズボン。

はん‐する【反する】《自サ変》❶反対になる。逆である。「予想に—する」「会の趣旨に—する」❷〔規則などに〕違反する。「法に—する」❸〔人の教え、意見などに〕そむく。もとる。「友の忠告に—する」類語 違う(る(す))。違背。背反。背馳。背離。乖離。

*はん‐ずる【判ずる】《他サ変》おしはかって・解き定める（断定する）。判断する。判定する。判じる。「ある音を鐘の音と—ずる」「事の正否を—ずる」

*はん‐せい【半生】人の一生の半分。半生涯。「—をささげた研究」類語 前半生。後半生。

*はん‐せい【反省】《名・他サ》自分の言動やありかたを振り返って、改めて考え直すこと。「自分の態度を—する」「—の色がない」類語 内省。自省。

はん‐ぜい【反×噬】《名・自サ》〔文〕〔動物が飼い主にかみつく意から〕恩を忘れて、恩人にはむかうこと。恩を仇で返すこと。

*ばん‐せい【万世】〔文〕人が死にまた生まれかわって、いつまでも続く長い世。万代。永久。「—不易（=永遠に変わらないこと）」「—一系（=同じ系統・血統が永久に続くこと）」

*ばん‐せい【晩成】《名・自サ》〔文〕普通よりおくれてできあがること。年をとってから成功すること。「大器—」

*ばん‐せい【晩生】〔植物が〕普通よりおそく生長すること。おくて。「—種」類語 晩熟。対 早生。

*ばん‐せい【蛮声】〔男の〕あらあらしく下品な大声。「—をはり上げる」

はん‐せいひん【半製品】製造が途中までで、まだ完全な製品になっていない品物。「—を輸出する」

*はん‐せき【版籍】〔文〕版図と戸籍。領土とその人民。「—奉還」

*はん‐せき【犯跡】〔文〕犯罪のあったことを示す形跡。「—をくらます」

*はん‐せつ【半切・半折】❶《名・他サ》全体を半分に切ること。また、半分に切ったもの。せっぱん。表記「半截」とも書く。❷唐紙・画仙紙などの全紙を、縦に二つ切りにしたもの。また、それにかいた書画。

*はん‐せつ【反切】ある漢字の音を表すのに、それと同じ声母（=音の頭の子音）をもった字と、それと同じ韻母（=音から、声母を除いた部分）をもった字とを組み合わせて示す方法。「戴は丁代の反」は、「丁」の声母[t]と「代」の韻母[ai]を合わせると「戴」の音[tai]になることを表す。参考「反」とも「切」とも略される。

ばん‐せつ【晩節】〔文〕年老いてからの節操。「—を持す」「—を汚す」「—を全うする」

*はん‐せん【反戦】戦争に反対すること。「—運動」「—歌」類語 厭戦。非戦。反軍。

*はん‐せん【帆船】帆をはって、風力で航行する船。帆前船。帆掛船。

はん‐ぜん【判然】《名・形動タト・自サ》〔文〕〔物事のありさまが〕はっきりしていること。「—と優劣を論じかねる」「趣旨が—としない」類語 明瞭。歴然。明白。

ばん‐せん【番線】❶太さによって番号のつけられた針金。❷駅のプラットホームに面した、番号のついている線路。〔助数詞としても使う〕

ばん‐ぜん【万全】《名・形動》〔物事の準備や手続きなどに〕少しも手落ちのないこと。「—の措置」「—を期す」類語 完全。完璧。完全無欠。

ハンセン‐びょう【ハンセン病】らい菌の感染によって起こる慢性感染症。体の一部が麻痺したり、結節が崩れたりする。昔は不治の病気とされたが、新薬の出現によって完治が可能となった。レプラ。参考 らい菌の発見者ハンセン(G.H.Hansen)の名から。

はん‐そ【反訴】《名・自他サ》民事訴訟で、訴えられた被告が、訴訟の進行中に原告を相手方として逆に訴訟を提起すること。対 本訴。

*はん‐そう【半双】〔文〕対をなしているものの一方。一双の半分。「—の屏風」

*はん‐そう【帆走】《名・自サ》〔文〕船が帆をはって風の力で走ること。

*はん‐そう【搬送】《名・他サ》〔文〕〔荷物などを〕はこび送ること。運送。類語 運輸。—は【—波】電信・電話・テレビジョンなどで、信号電流をある高周波に変調して送る場合の、その高周波。

*ばん‐そう【伴僧】法会・葬儀などのとき、導師につき従う僧。

*ばん‐そう【伴奏】《名・自サ》楽曲の主旋律や主声部をひきたてるために、楽器で補助的に演奏すること。また、その演奏。「ピアノの—」「—者」

*ばん‐そう【伴走】《名・自サ》自転車・自動車などで、長距離競走の走者について走ること。「—車」

*ばん‐そう【晩霜】〔文〕晩春のころ（四月中旬から五月上旬）におりる霜。おそじも。類語 別れ霜。

ばんそう‐こう【×絆創×膏】薬剤・生ゴム・樹脂などをこねて、布や紙などの面に塗ったもの。傷口にはったり、包帯を固定したりする。

*はん‐そく【反側】《名・自サ》〔文〕眠れずに、寝返りをうつこと。「輾転—する」

*はん‐そく【反則・犯則】《名・自サ》法規や競技上の規則に反すること。規則違反。「—で減点される」

はん‐ぞく【反俗】世間一般のやり方にさからうこと。「—の精神」

ばん‐ぞく【蛮族・×蕃族】〔文〕文明のひらけていない民族。類語 未開人種。蛮人。蛮民。

ばん‐そつ【番卒】〔軍隊で〕番をする兵卒。番兵。

はん‐そで【半×袖】ひじまでの長さのそで（の洋服）。

*はん‐た【繁多】《名・形動》〔文〕用事が多くて忙しいこと。繁忙。「御用—の折」

*はん‐た【煩多】《名・形動》〔文〕物事が多くてわずらわしいこと。「世俗の—を避ける」

はんだ 錫と鉛の合金。金属を接合するのに使う。白鑞・しろめ。表記「半田」「盤陀」とも書く。

ばん‐だ【万×朶】《「朶」は枝の意》〔文〕多くの花の枝。また、多くの花。万朶。「—の桜」

パンダ パンダ科の哺乳動物。レッサーパンダ（=小パンダ）と、ジャイアントパンダ（=大パンダ）がある。ふつうは後者をさす。中国北西部・チベット東部の竹林にすむ。目のまわりや耳、後ろ足、前足が黒色で、他は白色。

猫熊。▽panda（＝もと、ネパール土語）

ハンター ❶狩りをする人。狩猟家。❷欲しいものをあさり歩く人。さがし求める人。「ラブ―」▽hunter

はん‐たい【反対】 ❶《名・形動》逆の関係にあること。あべこべ。うらはら。「くつを―にはく」類語逆さ。逆様。後ろ前。上下。後先。裏表。対蹠的。❷《名・自サ》ある考え・やり方にさからうこと。「―意見」類語反抗。対抗。対賛成。 ―きゅうふ【―給付】一方の給付に対して交換的に行う、それに見合うような他方の給付。商品引き渡しに対する代金支払いなど。 ―ご【―語】反意語。 ―しょく【―色】互いに補色をなす色。赤と緑の類。

はん‐だい【飯台】 何人かがとりかこんで食事をするときに使う台。食台。

***ばん‐だい【万代】** 〔文〕万世。万代。「誉れを―に残す」「―不易（＝いつまでも変わらないこと）」

***ばん‐だい【番台】** ふろ屋の入り口に高く作ってある見張り台。また、そこにすわる人。

***ばん‐だい【盤台・板台】** 魚屋などが使う、浅くて大きな長円形のたらい。盤台。

はんたい‐じ【繁体字】 中国で簡体字化された漢字の、もとの漢字。参考→簡体字。

はん‐たいせい【反体制】 既存の社会体制・政治体制などを否定し、その体制を打破しようとする・こと（立場）。「―運動」「―的思想」

はん‐だくおん【半濁音】 国語でパ行・ピャ行の音節。ハ・ヒャ行のかなに半濁点「゜」をつけて書き表す。対清音・濁音。

はん‐だくてん【半濁点】 パ行音などのかなの右肩につける「゜」のしるし。半濁音符。参考カ行のかなにつけて鼻濁音を表すことがある。例、コクゴジテン。

パンタグラフ ❶原図を・縮小（拡大）して書くための製図用具。パントグラフ。❷電車・電気機関車の屋根に取り付けて、架線から電流を取り入れる、ひし形で折りたたみ式の集電装置。類語ポール。▽pantograph

バンダナ 大きな模様のついた大型のハンカチ。参考もとはヒンディー語で「絞り染め」の意。▽bandana

バンタム‐きゅう【バンタム級】 （bantam-weight）ボクシングで、重量別階級の一つ。プロで五二・一六～五三・五二キロ、アマで五一～五四キロ。

パンタロン 裾幅の広いズボン。▽フランス pantalon

はん‐だん【判断】 《名・他サ》❶ある物事の内容・価値などを見きわめ、自分の考えをまとめ定めること。また、その内容。「人を見かけで―するな」類語判定。決断。断定。❷吉凶の見分け。占い。「姓名―」

ばん‐たん【万端】 その事に関する、すべての事柄・事項。「用意―ととのう」類語万般。全般。一切。

***ばん‐ち【番地】** 市町村などの土地を地域的にさらに区分してつけた番号。

***ばん‐ち【蛮地・×蕃地】** 蛮人の住む土地。未開の地。

パンチ ❶切符・カード・紙テープなどに穴をあけること。また、それに使うはさみ状の器具など。❷ボクシングで、相手を打つこと。打撃。転じて、げんこつでなぐること。「強烈な―」❸〔俗〕相手を圧倒するほどの力や勢い。迫力。「―のきいたジャズ」❹→ポンチ。▽punch

はん‐ちく【半ちく】 《名・形動》〔俗〕中途はんぱ。「何をやらせても―な奴」

ばん‐ちゃ【番茶】 一番茶・二番茶をつんだあとのかたい葉で製造した、品質の劣る煎茶。 ―も出花《句》〔番茶でも、入れたてはおいしい意から〕器量の悪い女でも娘ざかりは美しいというたとえ。

パンチャー ❶ボクシングで、パンチ攻撃を得意とする人。「ハード―」❷「キーパンチャー」の略。❸カードやテープに穴をあける機械。穿孔機。▽puncher

はん‐ちゅう【範×疇】 概念の分類の枠の一つ一つ。また、その範囲。カテゴリー。「経済学の―に属する」類語ジャンル。部類。

はん‐ちょう【班長】 班のかしら。

ばん‐ちょう【番長】 〔俗〕中学校や高等学校などの中で組織された、非行少年グループのリーダー。「女―」

ハンチング 鳥打ち帽。▽hunting cap から。

パンツ ❶ズボン。長ズボン。❷「ショートパンツ」の略。たけの短いズボン。❸男子・小児用の短い下ばき。参考もとは女性用の下ばきも指した。▽pants

はん‐つき【半月】 一月の半分。約一五日。

はんつき‐まい【半×搗（き）米】 玄米をついて、外皮を五割ほど除いた米。五分づき米。

ばん‐づけ【番付】 ❶芝居の番組を書いたもの。類語プログラム。❷大相撲の本場所で、力士たちの序列（を書いた一覧表）。「―がきまる」❸番付②にならって順番に人名などを書いたもの。「長者―」

ハンデ 「ハンディキャップ」の略。ハンディ。「―を負う」

ばん‐て【番手】 ㊀《名》城の警固にあたる武士。城番。㊁《助数》❶陣立てで、隊列の順位を表す語。「二―」❷競技などに登場する順番を表す語。「大関の一―」❸糸の太さ（＝繊度）を表す単位。数字が多いほど細い。番。

はん‐てい【判定】 《名・他サ》見分けて、決めること。また、その決定。「―を下す」「陽性と―する」「審判の―に従う」「―勝ち」類語判決。判断。裁決。

ハンディー 《形動》持ちやすいようす。扱いやすいようす。簡便。「―サイズ」「―な辞書」▽handy

パンティー 女性用の短い下ばき。▽panties ―ストッキング パンティーと長くつ下を一続きにしたような形のストッキング。パンスト。▽panty と stockings（＝くつ下）からの和製語。

ハンディキャップ ❶〔競技などで〕力を平均化するために優者に負わせる不利な条件。また、劣者に与える有利な条件。❷最初から負っている不利な条件。「二年間のブランクが大きな―になっている」参考略して、「ハンデ」「ハンディ」ともいう。▽handicap

はん‐ていりつ【反定立】 →アンチテーゼ。対定立。

***はん‐てん【半天】** 〔文〕❶天の半分。「西の―が赤くそまる」❷自分のななめ上あたりの空。中空・中空。中天。「―にかかる月」

***はん‐てん【半×纏・×袢×纏・×絆×纏】** 着物の上にはおって着る衣服。羽織に似ているが、胸ひもがなく、えりを折らずに着る活動的なもの。

***はん‐てん【反転】** 《名・自他サ》❶ひっくり返ること。ひっくり返すこと。❷反対の方向に・向きがかわる（向きをかえる）こと。「機首を―する」「―攻勢」類語逆戻り。❸写真で、陰画から陽画に・なる（する）こと。

***はん‐てん【×斑点】** 地とは色や濃さのちがう点状の部分。「茶色の地に白い―のある子ジカ」類語斑文。

***はん‐てん【飯店】** 中国料理店。「北京―」参考「ホテル」「旅館」の意の中国語から。

***はん‐と【半途】** 〔文〕道の中ほど。また、ある行為の中

途。なかば。「勉学—にして放棄する」[類語]途中。

*はん-と【反徒・×叛徒】〔文〕〔主君や国家に〕謀反を起こした者たち。逆徒。[類語]逆賊。反賊。反逆者。

*はん-と【版図】〔文〕❶〔国家の〕戸籍と地図。「—の整備」[類語]版籍。❷一国の領域。領土。「唐の—」

*ハント《名・他サ》あさること。とらえるためにさがすこと。「ガール—」「ラブ—」▽hunt

ハンド 一《造語》「手」「手を使って行う」「手作りの」などの意。「—ブレーキ」「—メード」 二《名》「ハンドリング」の略。↓ハンドリング(独立見出し)。▽hand —クラフト 手工芸(品)。手作り(品)。▽hand-craft —バッグ 女性用の、手にさげて持ち歩く小さなかばん。▽handbag —ブック 便覧。手引き。また、案内書。▽handbook —ボール 七人ずつの二チームが、ボールをドリブルやパスなどで相手方のゴールに投げ入れて得点を競う球技。送球。▽hand-ball —メード 手作り。手製。ハンドメイド。「—のクッキー」▽handmade

バント《名・他サ》野球で、打者がバットを軽くボールにあて、内野にころがすこと。バントヒット。▽bunt

*バンド ❶〔物をくくる〕帯状のひも。「時計の—」「ブックー」❷洋装で、腰に締める帯。ベルト。▽band

*バンド〔吹奏楽やジャズの〕楽団。楽隊。「—マスター(=楽長)」[類語]ブラスバンド。▽band(=隊。群れ)

はん-ドア【半ドア】自動車などのドアが完全に閉まっていないこと。

*はん-とう【半島】海に向かって長く突き出た陸地。[参考]小さいものは「岬(みさき)」「崎」などという。

*はん-とう【反騰】《名・自サ》取引で、下落しつづけていた相場が急に高くなること。[参考]「反発」より値上がり幅が大きい。[対]反落。

はん-どう【反動】❶〔理〕反作用。❷ある動き・傾向に対して生ずる、それと逆の動き・傾向。「好景気の—がくる」❸歴史の流れにさからって進歩的傾向に反対し、社会変革をはばもうとすること。「—主義」「—勢力」「—的」[類語]保守。

*ばん-とう【晩冬】〔文〕❶冬の終わりごろ。冬の末。季冬。[対]初冬。❷陰暦十二月の別称。

*ばん-とう【晩稲】ふつうのものより成熟のおそい稲の品種。生育期間の長い稲。おくて。

*ばん-とう【番頭】商店などの使用人の中で、一番上に立ち、店をとりしきるもの。

ばん-どう【▽坂東】関東。〔古風なことば〕「—武者(むしゃ)」「—太郎(=利根(とね)川)」

はん-どうたい【半導体】常温での電気伝導率が、導体と絶縁体の中間にある物質。ゲルマニウム・ケイ素(シリコン)・セレンなど。トランジスター・光電管・光電池などに利用。

はんとう-まく【半透膜】ある成分だけを選択的に通過させる膜。膀胱(ぼうこう)膜・セロファン膜など。

はん-とき【半時】❶一時(いっとき)の半分。今の一時間。❷わずかの時間。「—を争う」

*はん-どく【判読】《名・他サ》〔わかりにくい文章や文字などを〕大体の見当をつけて、おしはかりながら読むこと。「汚れた手紙を—する」[類語]解読。

*はん-どく【×繙読】《名・他サ》〔文〕書物をひもといて読むこと。読書すること。「国家の歴史を—する」

はん-とし【半年】一年の半分。六か月間。半年(はんねん)。半歳(はんさい)。

バンドネオン 鍵盤(けんばん)の代わりにボタンを用い、膝(ひざ)の上に置いて演奏するアコーディオン。タンゴ演奏の主要楽器。▽(スペイン)bandoneón

パントマイム せりふを使わず、身振りや表情だけで行う演劇。無言劇。黙劇。マイム。▽pantomime

パンドラ ギリシア神話で、ゼウスが作った人類最初の女性。▽Pandora —の-はこ【—の箱】ゼウスが罪悪や災厄を入れてパンドラに渡したという箱。

はん-とり【判取(り)】❶了承したという認めの印を取ること。❷「判取り帳」の略。商店などで、金銭や品物を渡した証拠に印を押してもらっておく帳面。

ハンドリング ❶サッカーで、ボールに手・腕をふれる反則。ハンド。❷ラグビーなどで、ボールを手で扱うこと。❸車のハンドルさばき。▽handling

ハンドル ❶ドアを開閉するために手で握る部分。取っ手。❷機械の一部で、手で握って運転・操作する部分。「自動車の—」▽handle —ネーム パソコン通信やインターネットで使うニックネーム。ハンドル名。ハンドル。▽handle name

はん-ドン【半ドン】午前中だけ勤務する日。半休日。また、土曜日。[参考]「ドン」は「ドンタク」の略。

はんなり《副・自サ》《副詞は「—と」の形も》はなやかで、上品なようす。また、明るくはなやいだようす。〔京都・大阪などで言う〕「藤(ふじ)の花が—と咲いている」

ばん-なん【万難】〔文〕ある事をする際の、多くの困難。「—を排して留学する」[類語]多難。万障。

*はん-にち【半日】一日の半分。はんじつ。

*はん-にち【反日】他国人が日本の政策などに反対すること。また、日本に反感を持つこと。「—運動」「—感情」[類語]排日。抗日。[対]親日。

はん-にゃ【般▽若】❶〔仏〕迷いにとらわれないで、真理を見抜く知恵。[参考]梵語(ぼんご)prajñā(=知恵)の音訳。❷恐ろしい顔つきの鬼女。[参考]もとは能面の一つ。—とう【—湯】僧家で、「酒」の隠語。

はん-にゅう【搬入】《名・他サ》〔文〕運び入れること。「作品を会場に—する」[対]搬出。

はん-にん【犯人】罪を犯した本人。[類語]犯罪者。罪人。

*ばん-にん【万人】〔文〕世の中のすべての人。多くの人。万人(ばんじん)。「—の認める真理」[類語]諸人。衆人。

*ばん-にん【番人】見張りをする人。番をする人。「法の—」[類語]見張人。守衛。監視人。張番。

はんにん-まえ【半人前】一人前の半分。「何をやってもまだ—だ」[対]一人前。

はん-ね【半値】ある値段の半分の値段。特に、定価の半分。半価。「定価の—」「去年の—」

ばん-ねん【晩年】一生のうちで、年老いてからの時期。死に近づいた時期。老年。「彼の—は幸せだった」

*はん-のう【半農】〔文〕半分は農業、半分は他の仕事で生計をたてていること。「—半漁(はんぎょ)」

*はん-のう【反応】《名・自サ》❶生体が、刺激によって起こす変化・活動。「陽性—」❷一般に、ある働きかけに応じて起こる変化・動き。「投書に対する—が大きい」[類語]反響。❸〔理〕二種以上の物質の間に起こる化学変化。「酸性—」

ばん-のう【万能】❶すべてにききめがあること。何事にも役立つこと。「科学—の世の中」❷何でもできること。また、すべてのことにひいでていること。「スポーツに

—の人」「—選手」［類語］全能。

はん‐の‐き【×榛の木】 カバノキ科の落葉高木。材は建築・家具・細工物などに、果実は染料に利用。

パン‐の‐き【パンの木】➡「パン」の子見出し。

はん‐ば【飯場】 土木工事や鉱山などの現場に設けられた、労働者が寝とまりする一時的な合宿所。

はん‐ぱ【半端】《名・形動》❶必要な数や量に満たない・こと（もの）。「—の布」「—な時間」❷どっちつかずであること。中途半端。「—な立場」「—な意見」❸気がきかない・こと（人）。まぬけ。「—者」

ばん‐ば【×輓馬】〔文〕車を引かせる馬。

ばん‐ぱ【万波】〔文〕数限りなくおし寄せてくる波。「千波—」

パンパ アルゼンチンの中東部をしめる肥沃（ひよく）な温帯草原。世界的な大農牧地帯。パンパス。［類語］サバンナ。ステップ。プレーリー。▽（スペイン）pampa

バンパー〔車などの〕緩衝器。▽bumper

ハンバーガー ハンバーグステーキを丸パンにはさんだ食べ物。▽hamburger

ハンバーグ「ハンバーグステーキ」の略。**—ステーキ** 牛・豚などのひき肉に、玉ネギのみじん切り・調味料・パン粉・卵などを加え、楕円（だえん）形にして焼いたもの。ハンバーグ。▽Hamburg steak

はん‐ばい【販売】《名・他サ》商品を売りさばくこと。「通信—」［類語］売却。［対］購入。

バンパイア 西洋の伝説で、夜半墓場から抜け出て人の生き血を吸うという死霊。吸血鬼。▽vampire

はん‐ばく【反×駁】《名・自他サ》相手の意見・非難に反論して、反撃に出ること。はんぱく。「委員の意見に—する」［類語］論駁。駁論。

はん‐ぱく【半白】 白髪（しらが）が半分まじっている・こと（頭髪）。ごましお頭。

はん‐ばつ【藩閥】〔文〕明治維新の時に、勢力があった特定の藩（特に薩摩（さつま）・長門（ながと）・土佐・肥前）の出身者が作っていた、政治的な派閥。「—政治」

はん‐ぱつ【反発・反×撥】《名・自サ》❶《他サ》はねかえること。また、はねかえすこと。「磁石のS極同士は—する」❷気に入らず、それからの影響や支配をはね返そうとする・こと（気持ち）。「消費者の—を買う」「—を招く」❸取引で、下がった相場がまた上がること。「—に転じる」［表記］「反発」は代用字。

はん‐はば【半幅】 並幅の半分の幅。一八（チ）（セン）ぐらい。「—帯」

はん‐はん【半半】〔二つに分けたときの割合が〕半分ずつ。「財産を—に分ける」［類語］五分五分。

ばん‐ばん【万万】《副》〔文〕❶すべて。十分に。よく。「—承知した」「—大丈夫だろう」［類語］万端。万事。❷《下に打ち消しの語を伴って》万が一にも。よもや。恐らく。「—失敗することはない」

ばん‐ぱん【万般】〔文〕さまざまな方面。百般。「人生—にわたる考察」［類語］万端。万事。

__ぱん‐ぱん__《名・形動》❶一杯であること。また、一杯に膨らんでいること。「—のおなか」「風船が—に膨らむ」❷窮屈であること。「ズボンが—だ」

__パンパン__〔俗〕第二次世界大戦後、街頭に現れた〔占領軍将兵相手の〕売春婦。パンすけ。「—ガール」

ばん‐ばんざい【万万歳】《「万歳」を強めた語》これ以上はないと思われるほど、めでたいこと。「これが解決すれば—だ」

はん‐ぴれい【反比例】《名・自サ》〔数〕相ともなって変わる二つの量で、一方の量が二倍、三倍となれば他方の量が$\frac{1}{2}$、$\frac{1}{3}$となるとき、この二つの量の関係をいう。逆比例。逆比。［対］正比例。

はん‐ぷ【頒布】《名・他サ》〔文〕〔品物・書類などを〕多くの人に広く配り与えること。「銘菓—会」「パンフレットを—する」［類語］配布。配給。分配。

バンプ なまめかしく、男を迷わせる女。妖婦（ようふ）。毒婦。「—役」▽vamp

ばん‐ぷう【蛮風】〔文〕野蛮な風習。

はんぷう‐し【半風子】〔文〕〔「虱（しらみ）」の字が「風」の字の半分という意から〕「しらみ」の別称。

__はん‐ぷく【反復】__《名・他サ》〔動作や作用を〕くりかえすこと。反覆。「—して練習する」

__はん‐ぷく【反覆】__《名・他サ》〔文〕❶《自サ》〔約束などを〕ひるがえすこと。心がわりすること。❷反復。

パンプス ひも・留め金・ベルトなどをつけず、甲の部分をあけて側面を低くした婦人ぐつの総称。▽pumps

ばん‐ぶつ【万物】〔文〕宇宙に存在するすべてのもの。万有。「—は流転する」「—の霊長（れいちょう）（=人類。人間）」［類語］森羅万象（しんらばんしょう）。

ハンブル《名・他サ》野球で、野手がゴロやバウンドの球にふれて取りそこなうこと。ファンブル。▽fumble

パンフレット 小冊子。パンフ。▽pamphlet

はん‐ぶん【半分】［一］《名》❶〔一つのものを〕二等分したものの一方。［類語］半数。一半。半。ハーフ。❷ある要素が相当にまじっていること。なかば。〔副詞的に用いる〕「兄は—病人のようだ」［二］《接尾》「なかば…の気持ちで」の意。「遊び—」「面白—」［類語］がてら。

はんぶん‐じょくれい【繁文×縟礼】〔文〕礼儀作法・規則・手続きなどがこまごまとしていて、わずらわしいこと。繁縟。「役所の—を廃する」［類語］繁雑。

はん‐ぺい【藩×屏】〔文〕❶まがき。へだて。❷皇室を守護するもの。「皇室の—」

ばん‐ぺい【番兵】 見張りをする兵。

はん‐べつ【判別】《名・他サ》違いをはっきり見分けること。「ひよこの雌雄を—する」［類語］識別。弁別。

はんぺん【半片・半▽平】 鮫（さめ）などの白身の魚肉に、ヤマノイモ・米粉などを混ぜてすりつぶし、木わくにつめて蒸しかためた食品。はんぺい。

はん‐ぽ【反×哺】《「哺」は口中にある食物。口移しに食べさせる意》カラスの子が成長した後に、親に口移しに食物を与えてその恩に報いるということ。反哺の孝。

はん‐ぼいん【半母音】 母音としての性質と子音としての性質をともにそなえた音。［j］（ヤ・ユ・ヨの頭音）や、［w］（ワの頭音）など。

はん‐ぼう【繁忙・煩忙】《名・形動》〔文〕用事が多く、忙しいこと。繁多。「—な業務」［類語］煩多。

ばん‐ぽう【万邦】〔文〕あらゆる国。万国。「—共栄」

はん‐ぽん【版本・板本】 版木を彫って印刷した本。刊本。［類語］印本。刻本。［対］写本。書き本。

はん‐ま【半間】《名・形動》❶全部そろっていないこと。はんぱ。❷まがぬけている・こと（人）。はんぱ。「することなすことが—だ」「—野郎」

ハンマー ❶金属製のつち。金づち。❷ハンマー投げに用いる、鉄線をつけた金属製の重い球。❸ピアノの、弦をたたく部分。▽hammer **—なげ【—投げ】** 陸上競技の一つ。一定のサークル内から、両手でハンマー②をふりまわして投げ、飛んだ距離を競うもの。

はん・まい【飯米】 飯にたくための米。白米。

はん・み【半身】 ❶体を斜めにして相手に向かう姿勢。「ーに構える」❷魚を二枚に開いたときの一方。

はん・みち【半道】 ❶一里の半分。約二キロ。半里。❷道のりの半分。「これでーほど来た」類語半途。

はん・みょう【×斑▽猫】 ハンミョウ科の昆虫。体長二センチほどの甲虫。体色はいろいろで、まだら模様をもち、金属光沢があって美しい。参考山道を歩くと人の先へ先へと飛ぶので「道しるべ」「道教え」とも言う。

ばん・みん【万民】 〔文〕すべての人民。「ーの幸福」類語百姓ひゃくせい。

はん・めい【判明】 《名・自サ》〔事実が〕はっきりとわかること。「犯人がーする」「身元がーした」

ばん・めし【晩飯】 晩の食事。夕飯ゆうめし・ゆうはん。夕食。〔やや乱暴な言い方〕対朝めし・昼めし。

***はん・めん【半面】** ❶顔の半分。❷〔ある一定の広さをもったものの〕表面の半分。「コートのーを使って練習する」❸〔物事を、対立する性質をもった二つの側面から見るときの〕一方の面。「ーの真理」類語反面。

***はん・めん【反面】** 〔ある物事の、それまでとは〕様子のちがう別の一面。他面。〔副詞的にも使う〕類語半面。

ーきょうし【ー教師】 〔そうしてはいけない〕悪い手本として学ぶべきもの。参考毛沢東のことばから。

ばん・めん【盤面】 ❶碁・将棋などの盤の表面。また、盤の上で行われている勝負の形勢。「ーは有利に展開する」❷レコードの表面。

はん・も【繁茂】 《名・自サ》〔文〕草木が生い茂ること。「雑草がーする」

はん・もく【反目】 《名・自サ》〔文〕にくみあって協力しないこと。「互いがーしあう」

ハンモック 丈夫なひもで編んだ網などで作り、両端をつって寝床にするもの。つり床。▽hammock

***はん・もと【版元・板元】** 本を発行する所。発行所。

***はん・もん【反問】** 《名・他サ》相手の問いに答えずに、逆に相手にたずねること。問い返すこと。

***はん・もん【×斑文・×斑紋】** 色や濃淡のちがいによって作られた、まだらな模様。類語斑点。虎斑とらふ。

***はん・もん【煩×悶】** 《名・自サ》悩み苦しむこと。苦悩。「かなわぬ恋にーする」類語懊悩おうのう。苦慮。

はん・や【半夜】 〔文〕❶よなか。夜半。類語深夜。❷一夜を二分した、その一方。一夜の半分。

ばん・や【番屋】 番小屋。特に、江戸時代、火の番や盗賊の番をする人がいた小屋。

パンヤ ❶パンヤ科の落葉高木。熱帯地方の産。果実の中に綿毛につつまれた種子がある。パンヤのき。きわた。❷パンヤ①の果実からとれる白い綿毛。布団などの詰め物にする。＝カポック。▽ポルトガル panha

はん・やく【反訳】 《名・他サ》❶〔文〕翻訳。❷翻訳〔速記〕したものを、再びもとのことばに戻すこと。

***ばん・ゆう【万有】** 〔文〕宇宙に存在するすべての物。万物。類語森羅万象しんらばんしょう。

ーいんりょく【ー引力】 質量をもつすべての物体間に働く引力。その力は二物体の質量の積に比例し、距離の二乗に反比例する。参考ニュートンによりはじめて明らかにされた。

***ばん・ゆう【蛮勇】** 〔文〕むこうみずな勇気。「ーを振るう」類語小勇。暴勇。暴虎ぼうこの勇。

***はん・よう【×汎用】** 《名・他サ》〔文〕〔一つのものを〕広くいろいろな方面に使うこと。「ーコンピューター」

***はん・よう【繁用】** 〔文〕用事が多くて忙しいこと。「御ーの折」類語多忙。繁忙。

はん・ら【半裸】 〔上半身に衣服をつけないで〕なかばはだかになっていること。対全裸。

***ばん・らい【万×籟】** 〔文〕風に吹かれて、いろいろの物がたてる音。また、すべての物音。

***ばん・らい【万雷】** 〔文〕非常に多くのかみなり。参考ひゆ的に、非常に大きく、はげしい音の意でも用いる。「ーの拍手」「砲声ー」

はん・らく【反落】 《名・自サ》取引で、上昇し続けていた相場が急にさがること。対反騰はんとう。

***はん・らん【反乱・×叛乱】** 《名・自サ》政府や支配者に反抗して、軍事的な行動をおこすこと。「ーが起こる」「ー軍」類語謀反むほん。クーデター。反逆。

***はん・らん【×氾濫】** 《名・自サ》❶川の水などが増して、あふれ出ること。「河川のー」❷はびこりひろがること。参考多く、好ましくない状態に使う。「外来語がーする」「けばけばしい色のー」

ばん・り【万里】 〔文〕きわめて遠いこと。きわめて長い距離。「ーの波濤はとう」「ーの長城」類語千里。

はん・りょ【伴×侶】 〔文〕❶つれだってゆくもの。道づれ。つれ。参考特に、配偶者の意で用いる。「一生のー」類語同伴者。同行者。❷身近にあって慰めてくれるもの。「旅のーとしての書物」

***ばん・りょく【万緑】** 〔文〕一面に緑色であること。

ー叢中そうちゅう紅一点 《句》❶多くのものの中に、ただ一つ特にすぐれて目立つものがあるたとえ。❷多くの男の中に女がただ一人いるたとえ。＝紅一点。

***ばん・りょく【蛮力】** 〔文〕考えもなく発揮される強い腕力。「ーを振るう」類語暴力。

はん・るい【煩累】 〔文〕心を労するような、わずらわしくめんどうな物事。「社会的ーをさける」

***はん・れい【凡例】** 書物のはじめに、その本の編集方針、内容の組み立て、利用のしかたなどを箇条書にしたもの。注意「ぼんれい」は誤読。

***はん・れい【判例】** 過去の判決の実例。判決例。

***はん・れい【範例】** 模範になる例。手本。

はん・ろ【販路】 〔文〕商品の売れくち。商品のはけぐち。「ーを開拓する」「ー拡張」

はん・ろう【煩労】 〔文〕心やからだをわずらわし、つかれさせること。また、その骨折り。「ーをかける」

***はん・ろん【反論】** 《名・自他サ》相手の意見や議論に対して、反対意見をのべること。また、その議論。「批評家の意見にーする」類語反対論。

***はん・ろん【×汎論】** 〔文〕その部門のどの領域にも通じる議論。また、全般を概括的にのべた議論。通論。「英文法ー」対各論。

***ひ【×曾】** 《接頭》→ひい（曾）。

***ひ【被】** 《接頭》〔他者によって〕ある事を・される（受ける）意。「ー選挙権」「ー扶養者」「ー修飾語」

***ひ【費】** 《接尾》費用の意。「交通ー」

***ひ【否】** 〔文〕賛成しないこと。いな。「提案をーとするも

…の多数」対可。諾。

＊ひ【妃】〔もと、皇后に次ぐ位〕皇族の妻。きさき。

＊ひ【×婢】〔文〕召使の女。女中。

＊ひ【日】❶太陽。「—が昇る」類語天日（てんじつ）。日輪。白日。烈日。旭日（きょくじつ）。初日（はつひ）。入り日。夕日。落日。落陽。斜陽。尊敬御日様。御天道様。❷〔ある場所を照らす〕太陽の光線。ひざし。「—がさす」「—が当たらない（＝地位や境遇などに恵まれない）」類語日光。陽光（ようこう）。曙光（しょこう）。天日（てんぴ）。表記①②は「陽」とも書く。❸一日のうちの明るい時間。「—が暮れる」「夜を—につぐ」類語昼。昼間。❹一年を三六五（うるう年は三六六）等分した一区切り。真夜中から次の真夜中まで。「—を改める（＝また別の日にする）」❺《修飾語をともなって》その人の生涯の中の一時期。「青春の—」❻ある限られた期間。「入試までもう—がない」類語日限。❼〈「Aした日にはB」の形で〉Aした場合にはBだ。参考Bには、ありがたくない意味の語句がくる。「思い出にひたっていた—には暮らして行けない」

—暮れて道遠し《句》❶年老いたが、まだ目的を達していない。❷期日は迫ったが、仕事ははかどっていない。

＊ひ【×杼・×梭】機織りの道具の一つ。経糸（たていと）の間をくぐらせて緯糸（よこいと）を通す、小さい舟形のもの。シャトル。シャットル。

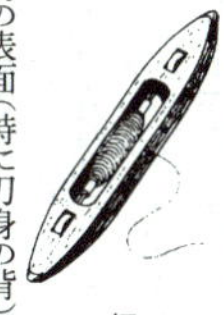

杼

＊ひ【×樋】〔文〕❶とい②。❷物の表面（特に刀身の背）につけた、細長いみぞ。

＊ひ【比】❶同等に扱われるもの。たぐい。「他に—を見ない」❷〔数〕二つの量または数を比べるとき、一方が他方の何倍であるかという関係。正比。

＊ひ【火】❶可燃物が熱と光を発しながら燃焼している状態。また、そのときに出る熱・光・炎。「—にあたる」「—を通す（＝熱を加える）」「—を吐く（＝激しく議論するようす）」「—を放つ（＝火をつける）」❷炭火。「火鉢に—を入れる」❸火事。「—を出す」⇩類語と表現

—が付・く《句》❶燃え始める。燃え出す。❷心配されていたことが現実の問題として起こり、危険な状態になる。「国境紛争に—・いて戦争になる」

—に油を注・ぐ《句》勢いの強いものに、さらに勢いをそえる。

—の消えたよう《句》急に活気がなくなって、さびしくなるようす。

—の付いたよう《句》❶泣き声の激しいようす。「赤子が—に泣く」❷慌ただしいようす。「—にせきたてる」

—の無い所に煙は立たぬ《句》うわさが立つのは、何かしらその原因となる事実があるからである。

—を付・ける《句》❶点火する。❷放火する。❸事件の発端をつくる。「国境紛争に—・けた」

—を吹・く《句》❶吹き出すように激しく燃え始める。❷銃砲が弾丸を撃ち出す。❸内にこもっていたものが激しく表に出る。「積もる不満が—・く」

—を見るより明らか《句》疑う余地もなく明白である。

類語と表現「火」

＊火が付く・火を付ける・火が熾（おこ）る・火を熾す・火が燃える〔燃え広がる・燃え盛る・燃え尽きる〕・火が消える・暖炉の火をかき立てる・火の用心をする。

◆炎・火炎・火気・火玉・火花・火柱・火の気・火の玉・火の手・火の海

◇〔…ひ（び）〕漁火（いさりび）・埋（うず）み火・送り火・鬼火・篝火（かがりび）・蚊遣（かや）り火・狐火（きつねび）・切り火・口火・炭火・焚（た）き火・種火・庭火・野火・残り火・迎え火・燎原（りょうげん）の火

◇〔…か〕引火・煙火・怪火・出火・劫火（ごうか）・失火・銃火・消火・浄火・聖火・戦火・大火・着火・鎮火・点火・灯火・発火・噴火・放火・砲火・烽火（ほうか）・猛火

◆動詞表現 焼ける・延焼する・炎上する・類焼する・焦げる

◆オノマトペ ちろちろ・ぼうぼう・めらめら・ごうごう・かっか

＊ひ【灯】あかり。ともしび。「—をともす」「街（まち）の—」

＊ひ【碑】〔ある人・事件などの記念に〕石に文字をきざんで建てたもの。石碑。いしぶみ。「—を建てる」

＊ひ【秘】〔文〕秘密。神秘。「秘中の—」

＊ひ【×緋】火のような濃く明るい赤色。緋色。

＊ひ【非】㊀《名》〔文〕❶正しくないこと。「—をあばく」対是（ぜ）。❷あやまち。「自分の—を認める」❸欠点。「—の打ち所がない（＝欠点がない）」❹都合が悪いこと。「形勢の—を知って逃亡する」類語不利。㊁《接頭》「…でない」の意。「—科学的」「—文化的」

＊び【尾】《助数》魚を数える語。匹（ひき）。「サンマ五—」

＊び【微】㊀《名》〔文〕こまかい物事。「—に入り細（さい）をうがつ（＝ごく細かい点まで念入りにする）」㊁《接頭》「小さい」の意。「—生物」「—調整」

＊び【美】❶美しいこと。美しさ。「山水の—」「—の女神」対醜。❷感動させるほど、立派で価値あること。「人情の—」「有終の—を飾る」

ビア→ビヤ。▽beer

ひ・あい【悲哀】悲しさ、あわれさ、みじめさのさまざまにいりまじった感情。「人生の—」「幻滅の—」類語悲愁。憂鬱（ゆううつ）。憂愁。

ひ・あが・る【干上がる・▽乾上がる】《自五》❶〔水がすっかりなくなって〕かわききる。「池が—・ってしまう」❷〔金がなくなって〕生活ができなくなる。「あごが—・る」

＊ひ・あし【日脚・日足】❶太陽が空を動いていく速さ。また、それとともに移動していく光線。ひざし。「—が静かに移る」❷昼間の時間。「—が延びる」

＊ひ・あし【火脚・火足】〔火事などの〕火が燃えひろがる速さ。「—が早い」類語火のまわり。

ピアス 耳たぶなどに小さな穴をあけてつける飾り。▽pierced earrings から。

ひ・あそび【火遊び】❶火をもてあそぶこと。ひいたずら。❷その場限りの危険な恋愛・情事。「恋の—」

ひ・あたり【日当(た)り】❶日光のあたる具合。「—のよい部屋」❷日光のあたる場所。

ピアニシモ 楽曲演奏で、音の強弱を表す発想記号。*pp* と書き、「とても弱く」の意を表す。ピアニッシモ。対フォルティシモ。▽（イタ）pianissimo

ピアニスト ピアノの演奏家。▽pianist

ピアノ ❶楽曲演奏で、音の強弱を表す発想記号。*p* と書き、「弱く」の意を表す。対フォルテ。❷鍵盤（けんばん）楽器の一つ。大きな共鳴箱の中に金属製の弦を張り、キーをたたくと、連動したハンマーが弦を打って音を出す。最も広い音域をもつ。ピヤノ。▽（イタ）piano

ひ・あぶり【火×炙り・火×焙り】昔、罪人を柱に縛りつけて火で焼き殺した刑罰。火刑。

ヒアリング ❶外国語が話されるのを聞いて意味をつかむ

こと。聞き取り。❷公聴会。聴聞会。「公開―」＝ヒヤリング。▽hearing

*ひい【×曾】《接頭》(「ひ」の延音)直系の三親等(＝祖父母の親または孫の子)の意。「―じいさん」「―まご」

*ひ・い【非違】〔文〕法にそむくこと。類語 違法。

*び・い【微意】〔文〕自分の志をへりくだっていう語。「御恩に報いんとの―に外なりません」類語 寸志。

*ビー【B】❶連続したものの二番目のもの。「一年―組」❷Aに次いで優れたもの。「―クラスの品」❸音名のロ音。「―マイナー(＝ロ短調)」❹「ビタミンB」「B判」「B型」などの略。❺《記号》鉛筆の芯の濃度を表す記号。対 H。▽blackから。

ピー・アール【PR】《名・他サ》企業・官公庁が、広く大衆に、事業の内容、製品の価値、施設の重要性などを理解してもらうために行う宣伝。〔一般的に「広く宣伝する」意で使われる〕「森君の活躍を全校に―する」▽public relations の略。

ビー・エス【BS】放送用の人工衛星。放送衛星。「―放送」▽broadcasting satellite の略。

*ピー・エス【PS】馬力。また、馬力を表す記号。HP。▽(ドイツ)Pferdestärke の略。

*ピー・エス【P.S., p.s.】《記号》手紙で「追伸」の意。▽(ラテン)postscriptum の略。

ピー・エックス【PX】酒保。▽post exchange の略。

ピー・エッチ【pH】水素イオンの濃度を表す指数。酸性・中性・アルカリ性を表すのに用いる。pH7は中性、これより小さい値は酸性、大きい値はアルカリ性を表す。ペーハー。▽potential of Hydrogen の略。

ピー・エッチ・エス【PHS】⇩巻末付録。

ビー・エッチ・シー【BHC】⇩巻末付録。

ピー・エム【P.M., p.m.】《記号》「午後」の意。表記 5.00 P.M.(または p.m.)のように用い、日本独自の用法として P.M.(または p.m.)5.00 がある。対 A.M. ▽(ラテン)post meridiem の略。

ピー・エル・ほう【PL法】↓製造物責任法。

ビーカー 理化学実験に使う、薄肉・円筒形のガラス製容器。▽beaker

ひいき【×贔×屓】❶《名・他サ》気に入った者に特別に好意を寄せ応援すること。「芸人を―にする」「長男ばかりを―する」❷後援者。「―筋」―め【―目】実際よりよく見立てること。「どう―に見ても合格は無理だ」―の引き倒し《句》ひいきをしたためにかえって相手にめいわくをかけること。

ひ・いく【肥育】《名・他サ》肉用にする動物を、運動を制限し、よい飼料を与えて短時日でふとらせること。

ピーク ❶峰。山頂。❷物事の絶頂。「景気の―」「人生の―」▽peak

ビー・クラス【Bクラス】❶Aクラスに次ぐ、第二の等級。B級。❷二流。「―の会社」▽B class

ピー・ケー【PK】❶サッカーで、ペナルティーエリア内で守備側が反則をしたとき、攻撃側に与えられるキック。❷ラグビーで、反則があったとき、相手チームに与えられるキック。▽penalty kick の略。

ピー・ケー・エフ【PKF】国連平和維持軍。国連の平和維持活動のために送りこまれる国際混成部隊。交戦部隊の引き離しや国内の治安回復が主な任務。▽peace-keeping forces の略。

ピー・ケー・オー【PKO】国連の平和維持活動。主な活動は紛争の拡大防止や停戦の監視や選挙監視など。▽peace-keeping operations の略。

ピーコン ❶航海・航空などの交通標識。❷「ラジオビーコン」の略。▽beacon

ビー・シー【B.C.】《記号》「西暦紀元前」の意。表記 B.C. 4(＝紀元前四年)のように用いる。対 A.D. ▽before Christ の略。

ビー・ジー【BG】会社・役所などにつとめる女性。OG。OL。参考 ㋐ビジネスガール(business girl)の略から。㋑英語で「ビジネスガール」は商売女の意。現在はオフィスレディー(OL)が使われる。

ビー・ジー・エム【BGM】バックグラウンドミュージック。▽background music の略。

ビー・シー・ジー【BCG】結核を予防するためのワクチン。ツベルクリン反応の陰性者に接種する。▽(フランス)bacille bilié de Calmette et Guérin の略。

ピー・シー・ビー【PCB】ポリ塩化ビフェニール。コンデンサーの絶縁油などとして利用された。参考 生体に蓄積して害を及ぼすため、一九七二年に生産が中止された。▽polychlorinated biphenyl の略。

ビー・ジー・ブイ【BGV】風景などの映像を映して雰囲気をつくりだすビデオ。バックグラウンドビデオ。環境ビデオ。▽background video の略。

び・いしき【美意識】美を感じとる、心のはたらき。「洗練された―」「―に欠ける」

ヒース ヨーロッパ北西部の大西洋岸に見られる、ツツジ科の常緑低木群落。▽heath

ピース ❶小片。一部分。❷音楽などの作品。一曲だけ収めた楽譜。▽piece

ビーズ 手芸品や婦人服などの飾りに用いる、小さいガラスの球・管。糸を通して使う。南京玉。▽beads

ヒーター ❶電熱器。❷暖房装置。▽heater

ビー・だま【ビー玉】子供が遊びに使うガラス玉。また、それを使う遊び。参考「ビードロの玉」の意。

ピータン【皮×蛋】アヒル、またはニワトリの卵を灰・塩・生石灰などに漬けたもの。卵白は透明赤褐色、卵黄は緑黒色。中国料理の食材。▽中国 pi-dan

ビーチ 海べ。海浜。▽beach ―パラソル 海水浴場で日よけとする大型の傘。▽beach と parasol からの和製語。―バレー 砂浜で、一チーム二人ずつで行うバレーボール。▽beach volleyball から。

ひ・いちにち【日一日】《副》(多く「―と」の形で)日ごとに変化するようす。日増しに。「―と寒くなる」

ビーツ アカザ科の二年生植物。赤色の根をサラダ・ボルシチなどに使う。赤蕪。▽beets

ピー・ティー・エー【PTA】学校ごとにおかれ、児童・生徒の保護者と先生とが協力して教育に奉仕する会。参考 現在は、「保護者会」が一般的。▽Parent-Teacher Association(＝父母と教師の会)の略。

ひいて・は【▽延いては】《副》それが原因となって、さらに。「自分一人でなく、―会社の信用にかかわる」

ひい・でる【秀でる】《自下一》他より特にすぐれている。ぬきんでる。「―・でた眉」「一芸に―・でる」

*ビート ❶拍子(をとること)。拍。特に、ジャズで、拍子にアクセントをつけること。また、リズム感(にあふれていること)。「エイト―」❷水泳で、足で水をたたくこと。「―板」▽beat

*ビート ❶↓さとうだいこん。❷↓ビーツ。▽beet

ピート 泥炭。▽peat **―モス** ❶泥炭化したミズゴケ。❷①から作った園芸用土。▽peat moss

ビードロ ガラス(製品)の古称。▽ポルトガル vidro

ひいな【×雛】〔雅〕ひな。ひな人形。

ビーナス ❶ローマ神話で、美と愛の女神。ギリシア神話のアフロディテ。ウェヌス。❷金星。＝ヴィーナス。▽Venus

ピーナッツ なんきんまめ。ピーナツ。▽peanuts

ピー・は【P波】 地震波の一種。縦波で、最初に観測点に到達する。参考 Pは primary(＝最初の)の頭文字。対 S波。

ビーバー ビーバー科の獣。足に水かきがある。木をかじり倒し川の水をせきとめて巣をつくる。ヨーロッパ・北米に分布する。海狸・海狸。▽beaver

ビーバップ 一九四〇年代、アメリカの黒人ジャズメンが考案した、装飾の多いジャズ。▽bebop

ビー・ばん【B判】 日本工業規格(JIS)による印刷用紙の大きさの一つ。縦一〇三〇ミリ、横一四五六ミリをB0番とし、半截ごとにB1番、B2番…と表す。B列。B。対 A判。

ひい・ひい 《副》(「―と」の形も)苦痛にたえかねてあげる声の形容。「―泣く」「―言う」

ぴい・ぴい 《副》(「―と」の形も)❶笛の音や小鳥のさえずりの形容。❷《自サ》金がなくて苦しむようす。

ピー・ピー・エム【ppm】 《助数》物質の含有量を表す単位。大気中の亜硫酸ガスや一酸化炭素の量などに用いる。百万分率。▽parts per million の略。

ビーフ 牛肉。▽beef **―ステーキ** 厚く切った上質の牛肉を塩・こしょうで味つけして焼いた料理。ビフテキ。▽beefsteak

ビーフン【米粉】 うるち米でつくった中国の麺。もどしてから、いためたりして食べる。▽中国 mi-fen

ひい・まご【×曾孫】→ひまご。

ピーマン トウガラシの甘味種のうち大形のものの俗称。未熟な果実は緑色で独特な香りがあり食用にする。西洋トウガラシ。▽フランス piment

ひいらぎ【×柊】 モクセイ科の常緑低木。葉はかたく、縁に鋭いとげがある。材はくし・印材用。クリスマスの飾りや、節分に魔よけとして門にさす。

ヒール かかと。特に、靴のかかと。「ハイ―」▽heel

ビール 大麦の麦芽じるにホップを加えてアルコール発酵させた醸造酒。ビア。ビヤ。▽オランダ bier

ビールス→ウイルス。▽ドイツ Virus

ひ・いれ【火入れ】 ❶炭火を入れるうつわ。❷溶鉱炉などに初めて点火すること。「―式」❸土地を肥やすため、春先に山野の枯れ草を焼くこと。野焼き。❹酒・しょうゆなどの防腐・防湿のため、熱を加えること。

ひ・いろ【×緋色】→ひ(緋)。

ヒーロー ❶英雄。勇士。❷小説・物語・戯曲などの男の主人公。対 ヒロイン。▽hero

ビーン・ボール 野球で、投手が故意に打者の頭部をねらって投げるボール。反則投球となる。▽bean ball

*__び・う【微雨】__〔文〕こさめ。細雨。

*__び・う【×眉宇】__〔文〕まゆ(のあたり)。「不快の色が―に漂う」参考「宇」は、屋根・軒の意で、眉を目の軒に見立てた語。

ひ・うお【干魚・▽乾魚】 魚のひもの。ほしうお。

ひ・うち【火打(ち)・×燧】 火打石と火打金を打ち合わせて火を出すこと。また、その道具。**―いし【―石】** 火打金と打ち合わせて火花を出すのに用いる石。石英の一種。フリント。燧石。

*__ひ・うん【悲運】__ 悲しい運命。「―に泣く」類語 逆境。

*__ひ・うん【秘×蘊】__〔文〕奥深いところ。秘奥。

*__ひ・うん【非運・否運】__ わるい運命。ふしあわせ。「―に傾く」類語 不運。不幸。対 幸運。

ひえ【×稗・×穇】 イネ科の一年草。葉・茎ともイネに似る。夏、茎の先に淡褐緑色の穂をつける。種子はおもに家畜や小鳥の飼料。

ひ・えき【×裨益】 《名・自他サ》〔文〕助けとなること。役に立つこと。「世に―するところ大である」

ひえ・こ・む【冷え込む】 《自五》❶寒さがきびしくなる。「今夜はひどく―・む」❷からだの中まで冷えてしまう。「―・んでかぜをひく」❸景気などの勢いが弱くなる。「社員の熱烈な意欲が―・む」

ひえ・しょう【冷(え)性】 ❶からだが冷えやすい体質。❷特に、腰や足の冷える婦人病の俗称。

ひえ・びえ【冷え冷え】 《副・自サ》(副詞は「―と」の形も)つめたく感じられるようす。「山の―した朝まだき」「二人の間に―とした風が吹き込む」

ヒエラルキー ピラミッド型の社会的組織・秩序。階層制。ヒエラルヒー。▽ドイツ Hierarchie から。

ひ・える【冷える】 《自下一》❶温度が下がって・つめたく(寒く)なる。また、そのように感じる。「―・えたビール」「今夜は―・える」対 あたたまる。❷愛情・熱意がなくなって冷淡になる。「夫婦の間が―・える」類語 ①②さめる。冷え込む。冷却。文 ひ・ゆ《下二》。

ピエロ パントマイムやサーカスなどの道化役。また、道化者。▽フランス pierrot

ひ・えん【飛×燕】 ❶〔文〕飛んでいるツバメ。❷剣術などで、ツバメが飛ぶようにすばやく身をかわすことのたとえ。「―の早業」

び・えん【鼻炎】 鼻の粘膜の炎症。鼻カタル。

ビエンナーレ 一年おきに開催される美術の展覧会。▽イタリア biennale

ひ・お【氷▽魚】 アユの稚魚。長さ二～三センチ。氷のように半透明なのでこの名がある。氷魚。

ひ・おい【日▽覆(い)】→ひおおい。

ひ・おう【秘奥】〔文〕(学問・技芸などの)容易に達することのできない奥深いところ。「―を極める」

ひ・おうぎ【×檜扇】 ❶ヒノキの薄い板を糸でとじて作った扇。❷アヤメ科の多年草。夏、黄赤色に濃色の斑点のある花をつける。種子を「ぬば玉」という。

ひ・おおい【日覆い】 ❶日よけに使う覆い。❷夏、学帽などの上部をおおう白い布。＝ひおい。

ひ・おけ【火×桶】〔文〕木製の丸い火ばち。

ビオトープ 野生の動植物が生息する空間。参考 その地域にもともとあった自然を復元したり、守り育てたりする活動から生まれたことば。▽ドイツ Biotop

ひ・おどし【×緋×縅】 緋色の革で作った縅。

ひ・おもて【日面・日表】 ひなた。対 ひかげ。

ビオラ バイオリンと同形で、やや大形の擦弦楽器。バイオリンとチェロの中間の音域を受け持つ。ヴィオラ。▽イタリア viola

ビオロン バイオリン。ヴィオロン。▽フランス violon

*__び・おん【微温】__〔文〕なまぬるいこと。「―湯(＝ぬるまゆ)」**―てき【―的】**《形動》〔文〕(相手に対する処置などが)手ぬるいようす。「―な処罰」

*び・おん【美音】〔文〕美しい音・声。類語 美声。

*び・おん【鼻音】〔語学〕口腔を閉じ、呼気を鼻腔に通して出す音。n(ナ行の子音)、m(マ行の子音)など。

*ひ・か【悲歌】〔文〕❶悲しみを表した歌。エレジー。哀歌。❷悲壮に歌うこと。「―慷慨」

*ひ・か【皮下】皮膚の(すぐ)下。「―注射」「―脂肪」

ひ・が【彼我】〔文〕相手と自分。「―の物量の差」

*び・か【美化】《名・他サ》❶美しくすること。「都市を―する」❷実際よりも美しいものとして考えること。「死を―する」

*び・か【美果】〔文〕❶味のよい果物。❷よい結果。「―をおさめる」

*び・か【鼻下】鼻の下。―ちょう【―長】〔俗〕〔鼻の下が長い意で〕好色で、女にだらしない・こと(男)。

ひ・がい【被害】損害・危害を受けること。また、その害。「―が大きい」対 加害。―しゃ【―者】❶災害などによって損害を受けた人。❷他人の不法行為によって、損害を受けたり殺害されたりした人。対 加害者。―もうそう【―妄想】妄想の一種。常に他から害を受けていると思い込むこと。

ぴか・いち【▽光一】〔俗〕❶花札で、光り物(=二〇点札)が一枚であとはかす札の手役。❷多くの中で一人きわだってすぐれている・こと(人)。「チームの中で―の選手」表記 多く「ピカ一」と書く。

ひかえ【控(え)】❶〔後日の証拠や不時の用のために〕同内容のものを別に用意しておくこと。また、そのもの。「―の書類」「―をとる」❷番の来るのをそばで待つこと。「―の間」「―の選手」❸手控え。メモ。

ひかえ・しつ【控(え)室】ひかえて待つための部屋。類語 待合室。

ひかえ・め【控え目】《名・形動》遠慮がちに言ったりしたりすること。「―な態度」「―に話す」

ひ・がえり【日帰り】〔行った先で泊まらず〕その日のうちに行って帰ること。「―出張」

ひか・える【控える】一《自下一》❶順番や用事を待って、表だたないところにいる。❷行く手にそれがある。「困難が―・える仕事」文 ひか・ふ《下二》。二《他下一》❶〔文〕引きとどめる。抑制する。「馬を―・える」表記「扣える」とも書く。❷〔遠慮して〕制限する。❸近くに持つ。「入り江を―・えた港町」❹近い将来に予定する。「結婚式を三日後に―・える」❺忘れないように記録する。「用件を手帳に―・える」文 ひか・ふ《下二》。

ひ・かがみ【×膕】〔「引屈み」の約〕ひざの裏側のくぼんだところ。よぼろ。膝窩。

ひ・がき【×檜垣】檜の薄板を斜めに編んだ垣根。

*ひ・かく【比較】《名・他サ》くらべること。「東京と大阪を―する」―てき【―的】《形動》十分にそうではないが、基準と比べればそうだといえるようす。わりあいに。「仕事が―早く終わった」

*ひ・かく【皮革】〔なまの皮となめし革の意で〕加工した動物の皮の総称。「―製品」

*ひ・かく【非核】核兵器の存在を許さないという考え。「―三原則(=核兵器を作らない、持たない、持ち込ませないという、日本がかかげている方針)」

び・がく【美学】❶美しいさまざまな事象を対象として、美の本質について研究する学問。審美学。エステティーク。❷ある特定の物事や行動の様式などに見いだされる美的な価値。「死の―に殉じる」

*ひ・かげ【日影】日の光。日ざし。「―が差す」

*ひ・かげ【日陰・日×蔭】❶日光のあたらない所。「―にはいって休む」対 日なた。日おもて。❷〔ひゆ的に〕表だって社会生活ができない環境。「―の女」「―者」

ひ・がけ【日掛(け)】毎日少しずつ掛け金をかけること。また、その掛け金。「―貯金」

ひ・かげん【火加減】火力の強さのぐあい。「―を見る」

ひが・ごと【×僻事】道理に合わないものごと。〔古風な言い方〕「―を言う」

ひ・がさ【日傘】強い日ざしをさけるための傘。

ひかさ・れる【引かされる】《自下一》情にほだされてきっぱりした態度が取れないでいる。「子に―・れる」文 ひかさ・る《下二》。

*ひ・がし【干菓子・▽乾菓子】水分の少ない和菓子。らくがん・しおがまなど。対 生菓子。

*ひがし【東】方角の一つ。太陽の昇ってくる方角。対 西。

ひがし・かぜ【東風】東から吹く風。こち。対 西風。

ひがし・がわ【東側】❶東に面した側。ある点・位置より東の方。❷ヨーロッパの旧体制で、旧ソ連および旧ソ連に同調した諸国の側。対 ①②西側。

ひがし・はんきゅう【東半球】地球の東側の半分。ユーラシア・アフリカ・オーストラリア等の大陸を含む。対 西半球。

ひか・す【引かす・▽落▽籍す】《他五》金を支払って、芸者・遊女などを自由な身にしてやる。身受けする。落籍する。文《四》。

ひ・かず【日数】「日」の単位で数えた時間の量。日数。「―を重ねる」

ひ・がた【干潟】引き潮のときに現れる砂浜。

ぴか・どん〔「ピカと光ってドンと鳴る」の意で〕(広島・長崎に落とされた)原子爆弾の俗称。表記「ピカドン」と書くことが多い。

ひがな・いちにち【日がな一日】《副》朝から晩まで。一日じゅう。「―ごろごろしている」類語 ひねもす。ひもすがら。対 夜がなよっぴて。

ひ・がね【日金】毎日少しずつ返す約束で貸し借りする金銭。ひなしがね。ひぜに。類語 からすがね。

ぴか・ぴか《副・自サ・形動》《副詞は「―と」の形も》❶光り輝いているようす。「くつを―にみがく」❷強い光が点滅するようす。「稲妻が―と光る」

ひ・がみ【日髪】毎日髪をきれいにととのえること。「―日風呂(=毎日髪を結い、ふろにはいるような結構な身分。囲われ者などをさげすんで言った語)」

ひが・みみ【×僻耳】聞き違い。「老いの―」

ひが・む【×僻む】《自他五》物事をすなおに取らず、自分だけが不当な扱いを受けたと考える。「注意されて―・む」類語 すねる。ひねくれる。文《四》。

ひが・め【×僻目】❶ひとみの位置の正しくない目。すがめ。❷見あやまること。見そこない。「私の―かも知れないが…」

*ひ・がら【日柄】暦の上での、その日の縁起のよしあし。「本日はお―もよく」

*ひ・がら【日×雀】シジュウカラ科の鳥。小形で、シジュウカラに似る。頭に羽冠をもち、腹部は白い。

ひから・す【光らす】《他五》光るようにする。「目を

—・す〔=きびしく見張る〕」類語きらめかす。ひらめかす。➡光る。文《四》。

ひ・から・びる【干▽乾びる・▽乾×涸びる】《自上一》❶すっかり水分がなくなる。かわききる。❷〔人柄や環境に〕うるおい・生気がなくなる。「—・びた思想」

ひかり【光】❶太陽・星・電灯などから発し、明るさを感じさせるもの。真空中を毎秒約三〇万キロメートルの速さで直進する。類語明かり。輝き。きらめき。光明。光輝。光彩。火影。フラッシュ。スパークライト。❷人の心に明るさ・希望などを生じさせるもの。「希望の—」❸親や君主の威光。「親の—は七—」

ぴかり《副》《多く「—と」の形で》一瞬の間、鋭く光るようす。「—と光る作品」類語きらり。

ひかり・つうしん【光通信】電気信号をレーザー光に変えて光ファイバーの中を伝送するもの。海底ケーブル通信などに利用。光ファイバー通信。

ひかり・ディスク【光ディスク】レーザー光を用いて情報の記録・再生ができるディスク。

ひかり・ファイバー【光ファイバー】光通信用の、一〇〇分の一ミリという細いガラス線。

ひかり・もの【光り物】❶金貨・銀貨。〔古風な言い方〕❷〔花札で〕松・桐・桜・薄〔坊主〕・柳〔雨〕のそれぞれの二〇点札。❸金属。特に、銅・しんちゅう・鉛・亜鉛など。❹すしの種物のうち、皮の光るもの。コハダなど。❺金ぴかの装飾。「—で飾り立てる」

ひか・る【光る】《自五》❶光を放つ。「星が—・る」類語きらめく。ひらめく。瞬く。ちらつく。きらつく。ぎらつく。輝く。底光りする。映える。(する)発光。一閃。❷〔多くのもののうち〕(ひときわ)目立つ。「賢さが—・る」「兄弟では長男が—・っている」文《四》。

ピカレスク あぶれ者・ならず者を主人公とした、小説の一形式。主人公が自分の放浪生活を物語りながら、上層階級の悪徳と偽善を風刺するというもの。悪漢小説。悪者小説。▽フランス・英 picaresque

ひかれ・もの【引かれ者】とらえられて、刑場に引かれていく者。

—の小唄《句》負け惜しみに強がりを言うこと。

ひか・れる【引かれる・×惹かれる】《自下一》《「ひく」の受け身形》引き寄せられる。引きつけられる。「蛾が電灯に—・れる」「彼女の美しさに—・れる」

ひ・がわり【日替(わ)り】(—がはり)〔出し物、売り出しの品目、メニューなどが〕日ごとにかわること。「—ランチ」

*ひ・かん【悲観】《名》❶世の中は悪いもので物事はうまくいかないと考えること。また、その考え。「—的」対楽観。❷《他サ》先行きに望みがないと考えて、気落ちしたりくよくよしたりすること。「前途を—する」

*ひ・かん【避寒】《名・自サ》冬、暖かい土地に滞在して寒さをさけること。「冬の二か月だけ—する」対避暑。

*ひ・がん【彼岸】❶〔文〕向こうぎし。❷煩悩を超越した悟りの境地。対此岸。❸春分・秋分を中心にした七日間。「—の中日」❹「彼岸会」の略。—え【—会】彼岸に行う法会。—ざくら【—桜】バラ科の落葉小高木。春、他のサクラより早く淡紅色の花が咲く。こひがんざくら。えどひがん。—ばな【—花】ヒガンバナ科の多年草。田のあぜや土手などに群生する。秋の彼岸のころ、赤色のきれいな花を開く。有毒。まんじゅしゃげ。狐花。

*ひ・がん【悲願】❶仏・菩薩の、人々を救おうとする願い。❷どうしても実現しようと心から念じている願い。悲壮な願い。「一〇〇〇勝の—を達成する」

*び・かん【美感】〔ある物・事を〕美しいと感じる気持ち。「桜に対する—」

*び・かん【美観】美しいながめ。「—がそこなわれる」

び・がん【美顔】〔文〕美しい顔。また、顔を美しくすること。「—術」

ひ・かんざくら【×緋寒桜】バラ科の落葉小高木。二月ごろ、葉の出る前に開花。花は緋色で、半開してたれる。かんひざくら。ひざくら。

*ひき【匹・×疋】《助数》❶獣・魚・虫などを数える語。「一—」「三—」参考大形の動物には「頭」を使う。❷布地二反を単位として数える語。❸昔、銭に十文、のちに二五文を単位として数えた語。

*ひき【引き】□一《名》❶引くこと。また、引く力。「魚の—が強い」対押し。❷ひきたて。「部長の—で昇進する」❸つて。縁故。コネ。「友人の—で入社する」□二《接頭》《動詞の上につけて》意味を強める語。「—ゆがめる」参考「ひっつかむ」「ひん曲げる」などのように、しばしば、音便で「ひっ」「ひん」となる。□三《接尾》《「びき」と濁って》「値引き」の意。「二割—」

*ひ・き【悲喜】〔文〕よろこびと悲しみ。「—交々」類語哀歓。

*ひ・ぎ【秘儀】〔文〕秘密の儀式。密儀。

*ひ・ぎ【秘技】秘密にしているわざ。

び・き【美▽姫】〔文〕美しい女性。美女。

び・ぎ【美技】〔文〕みごとなわざ。ファインプレー。

ひき・あい【引(き)合い】(—あひ)❶〔証拠・参考・比較の材料として〕例に引くこと。引例。「—に出す」❷事件などの参考人。引合人。❸売買の取引。また、取引前の照会・問い合わせ。「—がある」

ひき・あ・う【引き合う】(—あふ)□一《他五》互いに引く。引っ張り合う。「つなを—・う」対押し合う。□二《自五》収支がつぐなう。利益が出る。また、骨折りがいがある。割りに合う。「三割引きでは—・わない」

ひき・あ・げる【引き上げる・引き揚げる】□一《他下一》❶引っぱって上げる。「船を浜に—・げる」❷値段などを高くする。「米価を—・げる」❸〔より抜いて〕高い地位につける。「課長に—・げる」対②③引き下げる。□二《自他下一》元の所へもどる。また、もどす。「故郷に—・げる」「外地から—・げる」表記□一は「引き上げる」、□二は「引き揚げる」と書く。

ひき・あて【引(き)当て】❶将来の支出にあてるために、あらかじめ資金を準備しておくこと。「—金」❷かた。抵当。「信用を—に金を借りる」

ひき・あ・てる【引き当てる】《他下一》❶くじを引いて〔金品などを〕あてる。「特賞を—・てる」❷あてはめる。ひき比べる。「我が身に—・てて考える」

ひき・あわ・せる【引き合わせる】(—あはせる)《他下一》❶引き寄せて合わせる。「えり元を—・せる」❷二つのものをくらべ合わせる。照合する。「現金と伝票を—・せる」❸紹介する。「弟を先輩に—・せる」=ひきあわす。

ひき・いる【率いる】(ひきゐる)《他上一》❶従えて行く。ひきつれる。「学生を—・いて工場へ行く」類語(する)引率。❷長として組織・機関を指揮する。「内閣を—・いる」「艦隊を—・いる」類語(する)統率。注意送りがな「率る」は誤り。文《上一》。

ひき・い・れる【引き入れる】《他下一》❶中へ引いて入れる。導き入れる。「車を車庫に—・れる」対引き出

ひ

す。❷自分の仲間にさそいこむ。「味方に―・れる」

ひき-う・ける【引き受ける】《他下一》❶自分の責任として受け持つことを承知する。「役員を―・ける」〔謙譲〕承る。(する)拝受。❷保証する。「身元を―・ける」

ひき-うす【×碾(き)×臼・×挽(き)×臼】上下二個の平たい円盤状の石からなり、上の石をまわして、石の間に入れた穀粒などを粉にする道具。

ひき-うつし【引(き)写し】《名・他サ》❶文章などを原文のまま写しとること。また、写しとったもの。❷文字・絵などの上に薄紙をあててなぞって写しとること。敷き写し。「原画の―」

ひき-おこ・す【引き起こす】《他五》❶〔倒れたものを〕引っぱって起こす。❷〔あることが原因となって〕新しい物事・事態を生じさせる。特に、事件・さわぎなどを起こす。しでかす。惹起する。「信号の故障が事故を―・した」〔表記〕②は「惹き起こす」とも書く。

ひき-おと・す【引き落とす】《他五》❶相撲で、相手をつかみ、自分の体を一方にかわしながら手前に倒す。❷料金や貸し金などを相手の口座から差し引く。「ガス料金を―・す」

ひき-かえ・す【引き返す】《自五》進んで来た道をもとにもどる。引っ返す。「同じ道を―・す」

ひき-か・える【引き替える・引き換える】〓一〓《他下一》ある物を渡し、代わりに他の物を手に入れる。交換する。「着物を米と―・える」〔類語〕とりかえる。〓二〓《自下一》引きくらべる。比較してみると全く違う。〔参考〕多く、「…にひきかえ…」の形で使う。「おとなしい姉に―・え、妹は活発だ」

ひき-がえる【×蟇×蛙・×蟾×蜍】体長一二センチぐらいの、赤褐色で皮膚にいぼがたくさんあるカエル。ひきがまがえる)。いぼがえる。蟾蜍。

ひき-がし【引(き)菓子】引出物として配る菓子。

ひき-がたり【弾(き)語り】自分で三味線をひきながら浄瑠璃を語ること。また、楽器を弾きながら歌を歌ったり話をしたりすること。「ギターの―」

ひき-がね【引(き)金・引(き)▽鉄】❶〔小銃・ピストルなどで〕指で引いて弾丸を発射するための金具。❷誘発するもの。誘因。「新税が物価上昇の―になる」

ひき-ぎわ【引き際・▽退き際】現在の立場・地位などから身をひくときの、その時期や態度。ひけぎわ。「―を誤る」「人間は―が肝心だ」「―が悪い」

ひき-くら・べる【引き比べる】《他下一》(「ひき」は接頭語)「比べる」を強めて言う語。

ひ-きげき【悲喜劇】❶悲劇と喜劇との両方の要素を含んだ劇。❷悲しむべきことと喜ぶべきこと(が同時に起こること)。また、悲しむべきことが他の面から見るとこっけいであること。「人生の―」

ひき-こみ【引(き)込み】引き込むこと。ひっこみ。

―せん【―線】❶配電のために、架空電線路から屋内に引き入れた電線。❷鉄道の本線から特定の場所へ引き入れた線路。専用側線。＝ひっこみせん。

ひき-こ・む【引き込む】《他五》❶引いて中に入れる。「庭園に川の流れを―・む」❷〔さそって〕仲間に加える。「我が陣営に―・む」❸かぜをひく。〔かぜの本格的な症状を示し始めたときに言う〕❹強くひきつける。「魂を―・むような神秘的な湖」

ひき-こもり【引き×籠(も)り】引きこもること。特に、不登校や出社拒否の人が自宅・自室に閉じこもって他人との接触を忌避すること。閉じこもり。

ひき-こも・る【引き×籠もる】《自五》❶〔外出しないで〕内にとじこもる。「謹慎して家に―・っている」❷公の活動をやめて、ひっそりと暮らす。「田舎に―・る」

ひき-さが・る【引き下がる】《自五》❶その場所から退く。「戸口へ―・る」❷仕事などから手をひく。「会社役員から―・る」

ひき-さ・く【引き裂く】《他五》❶引っぱって裂く。「紙を―・く」「一発の銃声が静寂を―・いた」❷〔親密な関係にあるものを〕無理に離す。「仲を―・く」

ひき-さ・げる【引き下げる】《他下一》❶値段などを安くする。❷地位などを低くする。「役付きから平社員に―・げる」〔対〕①②引き上げる。❸その場所から退かせる。❹〔相手の前に出したものを〕そこからもとへもどす。とり下げる。「提案を―・げる」

ひき-ざん【引(き)算】ある数(式)と他の数(式)との差を求める計算法。減法。減算。〔対〕足し算。

ひき-しお【引(き)潮・引(き)×汐】満潮から干潮に移ってゆくときに海岸線が沖の方へさがっていく現象。下げ潮。落ち潮。〔対〕満ち潮。

ひき-しぼ・る【引き絞る】《他五》❶引っぱって強くしぼる。「幕を―・る」❷弓に矢をつがえてつるを十分にひっぱる。❸〔声を〕むりに出す。「声を―・って叫ぶ」

ひき-しま・る【引き締まる】《自五》❶固くしまって、たるみがなくなる。「―・った肉体」❷気持ちが緊張した状態になる。「―・った表情」「雰囲気が―・る」❸〔相場で〕値がしっかりする。〔対〕引きゆるむ。

ひき-し・める【引き締める】《他下一》❶強くしめる。引っぱってしめつける。「手綱を―・める」❷〔心の〕ゆるみをなくす。「気持ちを―・める」❸むだをなくして規模を縮小させる。「生活を―・める」

ひ-ぎしゃ【被疑者】〔法〕犯罪のうたがいを受け、捜査の対象とされているが、まだ起訴されていない者。〔参考〕「容疑者」はこれと同意の一般用語。

ひき-す・える【引き据える】《他下一》〔つかまえて乱暴に〕すわらせる。「犯人を―・える」

ひきずり-おと・す【引き×摺り落とす】《他五》❶引っ張って落とす。「カーテンを―・す」❷上の者の地位を失わせる。失脚させる。「前任者を―・す」

ひきずり-こ・む【引き×摺り込む】《他五》❶〔強く〕ひきずって中に入れる。「勢力争いに―・まれる」❷むりに仲間に引き入れる。「グループに―・む」

ひきずり-だ・す【引き×摺り出す】《他五》ひきずって〔無理に〕出す。「古くさい理論を―・す」

ひきずり-まわ・す【引き×摺り回す】《他五》❶あちこちひきずって動きまわる。❷あちこちをつれて歩く。「東京じゅうを―・す」

ひき-ず・る【引き×摺る】《他五》❶地面・床などの表面をすって行く。「靴を―・って歩く」「着物のすそを―・る」❷過去のできごとの影響を断ち切れずにいる。「戦争の影を―・る」❸無理に引っぱって行く。「すりを交番に―・って行く」❹長びかせる。「回答を―・る」

ひき-ぞめ【弾(き)初め】新年に琴・三味線などを初めてひくこと。多くは一月二日に行う。

ひき-たお・す【引き倒す】《他五》引っぱってたおす。「柱に綱をかけて―・す」

ひき-だし【引(き)出し】❶引き出すこと。「預金の―」❷〔物をしまっておくために〕机やたんすなどに取りつけて、抜きさしできるようにした箱。〔表記〕②は「抽出」

「抽斗」とも書く。

ひき・だ・す【引き出す】《他五》❶〔中にあるものを〕引っぱって外に出す。「厩舎(きゅうしゃ)から馬を―・す」対引き入れる。❷〔中にあるものを〕働きかけてとり出す。「話題を―・す」「才能を―・す」❸〔いろいろ考え合わせて〕結論を出す。「妥協案を―・す」❹預金・貯金などをあずけた所からおろす。「金を―・す」

ひき・た・つ【引き立つ】《自五》❶一段とよくなる。「松の緑にもみじが―・つ」❷気持ちに張りが出る。元気づく。「新しい職場で気が―・つ」

ひき・たて【引き立て】特に目をかけて用いること。「お―を頂く」類語ひいき。愛顧。**―やく**【―役】〔そばにいて〕相手が立派に見えるようにする役。

ひき・た・てる【引き立てる】《他下一》❶〔戸を〕引いてしめる。「障子を―・てる」❷無理につれて行く。「刑場に―・てる」❸元気を出させる。「酒で気分を―・てる」❹特に目をかけて重く用いる。ひいきする。「どうか妹を―・ててやってください」❺きわだってよく見えるようにする。「髪型が顔を―・てる」

ひき・ちぎ・る【引き千切る】《他五》引っぱって無理にちぎる。「原稿を―・る」「そでを―・る」表記「千切る」はふつうかな書き。

ひき・ちゃ【×碾(き)茶・×挽(き)茶】上等の緑茶をひいて粉末にした茶。抹茶(まっちゃ)。散茶。

ひき・つ・ぐ【引き継ぐ】《他五》〔仕事・地位・資格・財産などを〕新しい担い手が受けとる。また、新しい担い手に渡す。「家業を―・ぐ」「後継者に仕事を―・ぐ」

ひき・つけ【引(き)付(け)】発作的に全身にけいれんを起こすこと。小児に多い。「―を起こす」

ひき・つ・ける【引き付ける】㊀《他下一》❶近くにひきよせる。「ボールを―・けて打つ」❷魅力があって心を強くひく。「笑顔が心を―・ける」表記②は「惹き付ける」とも書く。㊁《自下一》ひきつけを起こす。

ひき・つづき【引(き)続き】《副》間をおかずに。つづいて。つづけて。「―次の議題に移ります」

ひき・つづ・く【引き続く】《自五》❶とぎれないでつづく。「―・く不況」❷すぐあとに他の物事が始まる。「―・いて映画を上映します」参考→ひきつづき。

ひき・つ・る【引き×攣る】《自五》❶やけどなどの傷あとの皮膚がつれる。❷つり上がってこわばる。特に、けいれんをおこす。「怒りで目が―・る」「足が―・る」❸堅くこわばる。「―・った声」

*__ひき・つ・れる__【引き×攣れる】《自下一》引きつった状態になる。文ひきつ・る《下二》。

*__ひき・つ・れる__【引き連れる】《他下一》〔目下の〕他の者をつれて行く。「学生を―・れて実習に行く」

*__ひき・て__【引(き)手】ふすま・障子などのあけたてに手をかける所。「たんすの―」

*__ひき・て__【弾(き)手】ひいて演奏する人。演奏者。また、楽器を上手にひく人。「なかなかの―」

ひきで・もの【引(き)出物】〔昔、馬を庭に引き出して客に贈ったことから〕宴会のときなどで、主人から客に贈る土産物。引き物。「結婚式の―」

ひき・ど【引(き)戸】〔溝にはめて〕左右に引いてあけたてする戸。やり戸。対開き戸。

ひき・どき【引き時】身を引くのにいい時期。「―が肝心だ」

ひき・と・める【引き留める・引き止める】《他下一》他人の行動をやめさせる。特に、帰ろうとする人をとどまらせる。「―・められて長居する」

ひき・と・る【引き取る】㊀《他五》❶手もとに受け取る。「返品を―・る」❷引き受けて世話をする。「遺児を―・る」❸他人の言葉の終わりを受けて、話を続ける。「人の言を―・る」❹〈息を―・る〉死ぬ。㊁《自五》〔それまでいた所から〕ひきさがる。「寝室に―・る」

ビギナー 初心者。▽beginner

ビキニ 胸と腰の部分をおおっただけの女性用水着。ビキニスタイル。▽bikini(=西太平洋上の環礁名から)

ひき・にく【×挽(き)肉】器械でひいた肉。ミンチ。

ひき・にげ【×轢(き)逃げ】《名・自サ》自動車などで人をひいてそのまま逃げること。

ひき・ぬ・く【引き抜く】《他五》❶引っぱって抜き出す。「大根を―・く」❷他に属している人を自分の方に引きこむ。「優秀な人材を―・く」=引っこ抜く。

ひき・の・ける【引き▽退ける】《他下一》引っぱって取り除く。「幕を―・ける」

ひき・のば・す【引き伸ばす・引き延ばす】《他五》❶引っぱって長く(大きく)する。「ゴムを―・す」❷文章などを、手を加えて長くする。「原稿を二〇〇字ほど―・す」❸水などを加えて量を多くする。「のりを―・す」❹長引かせる。遅らせる。「解決を―・す」❺写真の陰画原板をレンズで拡大して焼きつける。

ひき・は・がす【引き×剝がす】《他五》〔無理に〕引っぱってはがす。「ポスターを―・す」「仮面を―・す」

ひき・はな・す【引き離す】《他五》❶〔引っぱって〕無理に離れさせる。「二人を―・す」❷あとのものとの間に大きなへだたりをつくる。「二位を大きく―・す」

ひき・はら・う【引き払う】(―はらふ)《自五》すっかり後始末をして他に移る。「下宿を―・う」

ひき・ふだ【引(き)札】商品の広告、開店の披露などを書いて配るちらし。びら。〔古風なことば〕

ひき・ふね【引(き)船・×曳(き)船】船を引いていくこと。また、そのための船。また、引っぱられる船。

ひき・まく【引(き)幕】横に引いて開閉する幕。

ひき・まゆ【引(き)×眉】まゆ墨で描いたまゆ。

ひき・まわし【引(き)回し】(―まはし)❶指導して世話をやくこと。「よろしくお―のほどを」❷江戸時代、斬罪(ざんざい)以上の重罪人を縛って馬に乗せ、公衆に見せたこと。

ひき・まわ・す【引き回す・引き×廻す】(―まはす)《他五》❶引きめぐらす。「なわを―・した植え込み」❷あちこちを連れて歩く。「上京した友人を―・す」❸指導し世話をやく。「新人を―・す」❹引き回しの刑を行う。

ひきめ・かぎばな【引(き)目×鉤鼻】大和絵で、目を細い線で一文字に、鼻をかぎ形に表す手法。

ひきも・きらず【引きも切らず】《副》ひっきりなしに。「抗議の電話が―かかってくる」

ひき・もど・す【引き戻す】《他五》❶引っぱって元の所に返す。「むんずとつかんで―・す」❷連れて帰る。「息子を田舎へ―・す」

ひき・もの【引(き)物】ひきでもの。

ひ・きゃく【飛脚】〔中世から江戸時代にかけて〕馬や徒歩で手紙や金品を運ぶことを業とした人。

ひ・ぎゃく【被虐】〔文〕残酷に扱われること(に快感を覚えること)。「―者」「―趣味」対加虐。

ひ・きゅう【飛球】野球で、フライ。

び・きょ【美挙】〔文〕立派な行い。「―をたたえる」類語善行。義挙。

***ひ・きょう**【卑×怯】《名・形動》正面から立ち向かうべきところを、おくびょう、または、ずるさのため、そうしないこと。「逃げるとは—なやつ」類語 腹黒い。卑屈。姑息(こそく)。卑劣。陋劣(ろうれつ)。陰険。

類義語の使い分け　卑怯(ひきょう)・卑劣

[卑怯・卑劣] あんな卑怯(卑劣)な手段を使うとは
[卑怯] 逃げるとは卑怯だぞ／卑怯者呼ばわりされる
[卑劣] 卑劣極まりないやりくち／なんという卑劣さ

***ひ・きょう**【悲境】〔文〕かなしい境遇。「—に泣く」
***ひ・きょう**【比況】〔語学〕たとえて表現すること。特に、助動詞の意味による分類の一つで、「ごとし」「ようだ」などを「比況の助動詞」という。
***ひ・きょう**【秘境】文明人があまり行ったことがなく、その事情がよく知られていない地域。「アマゾンの—」
***ひ・きょう**【秘教】❶〔文〕秘密の儀式を重んじる宗教。❷〔仏〕密教。
ひ・ぎょう【罷業】〔文〕❶業務をやめること。❷「同盟罷業」の略。ストライキ。
***ひ・きょく**【悲曲】〔文〕悲しい音調の曲。
***ひ・きょく**【秘曲】〔文〕特定の人にだけ教えて伝える楽曲。秘伝の曲。
ひき・よ・せる【引き寄せる】《他下一》(引いて)近くに寄せる。「いすを—・せる」「視線が—・せられる」
ひき・わけ【引(き)分け】勝負がつかないまま中止すること。「試合は—に終わった」
ひき・わた・す【引き渡す】《他五》❶綱・幕などを長く張りわたす。❷人や物を他人の手に移す。特に、管理すべき機関の手に移す。「犯人を警察に—・す」
ひき・わり【×碾(き)割り】❶うすでひいて割ること。❷大麦をうすであらくひき割ったもの。(ひき)わり麦。
ひ・きん【卑近】《名・形動》身近でわかりやすいこと。また、高尚(こうしょう)でなく、俗なこと。「—な例で説明する」
***ひ・きんぞく**【卑金属】空気中で酸化されやすい金属の総称。亜鉛・アルミニウム・錫(すず)など。対 貴金属。
***ひ・きんぞく**【非金属】金属的な性質をもたない物質の総称。酸素・硫黄・けい素など。
ひ・く【引く・弾く】一《他五》❶その一部をもち、力で自分の方に近づかせる。㋐長いものを、たぐるようにして自分の方に近づかせる。引っぱる。「綱を—・く」㋑手にとって導く。「子どもの手を—・く」㋒ぬきとる。ぬき出す。「大根を—・く」表記 ㋑は「曳く」、㋒は「抽く」とも書く。
❷自分の方に引き寄せるようにして、ついて来させる。㋐綱をつけてついて来させる。引っぱる。「馬を—・く」㋑(乗り物を)地面をすべらせてついて来させる。「人力車を—・く」㋒車に乗せて運ぶ。「荷を—・く」㋓(行きたがらないものを)連れて行く。「屠所(としょ)に—・かれる」㋔地にこすらせるようにして進む。引きずる。「すそを長く—・いたドレス」「郊外に杖(つえ)を—・く」表記 ㋐㋑㋔は「曳く」、㋒は「牽く」とも書く。
❸自分の方に動かす。㋐手足などを手前に引きつける。引っこめる。「あごを—・く」「杯を—・く」㋑口に持っていく。㋒指にかけて動かす。「引き金を—・く」㋓(体を)退かせる。「身を—・く」㋔体内に入れる。「かぜを—・く」㋕道・線を作って、導き入れる。「水道を—・く」「電話を—・く」㋖誘いこむ。「客足を—・く」㋗注意・心を向けさせる。「気を—・く」「人の目を—・く」「同情を—・く」表記 ㋓は「退く」、㋗は「惹く」とも書く。
❹のばす。㋐長いものを生じさせる。「なっとうが糸を—・く」㋑長く続ける。「声を—・く」㋒続いたもののあとを受ける。「平家の血を—・く」「悲しい思いが尾を—・く」㋓(図面・下絵などを)書く。「設計図を—・く」㋔(一面に)塗りつける。「油を—・く」
❺とる。㋐こっそり盗む。「鼠(ねずみ)が餅(もち)を—・く」㋑取り去る。少なくする。「五から三を—・く」「給料から—・かれる」㋒引用する。「格言を—・く」「一例を—・く」㋓(当たりはずれのあるものについて)その一つをえらんで自分のものとする。「くじを—・く」表記 ㋓は「抽く」とも書く。㋔あたってみる。参照する。「辞書を—・く」
❻矢をつがえて、弦を張る。「弓を—・く」
❼(弦楽器・鍵盤(けんばん)楽器を)鳴らす。「ピアノを—・く」類語 弾じる。奏でる。奏する。調べる。かき鳴らす。囃(はや)す。(する)演奏。奏楽。吹奏。弾奏。伴奏。独奏。合奏。表記 ❼はもっぱら「弾く」と書く。
❽鉋(かんな)や鋸(のこぎり)をあてて、削ったり切ったりする。「鋸を—・く」表記 ❽は「挽く」と書く。
❾ひき臼(うす)の類ですり砕く。「豆を—・く」表記 ❾は「挽く」「碾く」と書く。
❿車輪の下に踏みつけて通り過ぎる。「車が段ボール箱を—・いた」表記 ❿は「轢く」と書く。
⓫遠ざける。退かせる。「軍隊を—・く」表記 ⓫は「退く」とも書く。文《四》。
二《自五》しりぞく。❶後にさがる。退却する。逃げる。「進むことも—・くこともできない」❷むこうへはなれる。「潮が—・く」❸勤めをやめる。また、勤めを休む。「会社を—・く」❹(音が)小さくなる。消えそうになる。「虫の声が一時に—・く」❺取り除かれる。なくなる。「熱が—・く」「血の気が—・く」表記 二は「退く」とも書く。文《四》。⇩〖使い分け〗
—くに引けな・い《句》逃げたくても逃げられない。どうしようもない。「男としては—・い」

使い分け「ひく」

引く(×曳・×牽・×惹・▽退・▽抽)(自分の方に来るように動かす意で、一般に広く)手を引く・綱を引く・網を引(曳)く・車を引(牽)く・客を引く・すそを引(曳)く・そでを引く・注意を引(惹)く・人目を引(惹)く・図面を引く・油を引く・現役を引(退)く・手を引(退)く・水道を引く・くじを引(抽)く・辞書を引く・間引く・割引
弾く(弦楽器などを鳴らす)オルガンを弾く・三味線を弾く・月光の曲を弾く・弾き語り
ひく(×挽)(力を入れて引く。肉などを細かくする)のこぎりをひく・お茶をひく・板をひく・肉をひく・ひき肉
ひく(×碾)(穀物などをすり砕く)ソバをひく・うすをひく・大豆をひいて黄な粉をつくる
ひく(×轢)(車が人や動物をひく)列車にひかれる・ひき殺される
参考 かな書きにした「挽く」のうち、力を入れて引く意の「のこぎりをひく・板をひく」は「引」と書くこともあるが、「ひき肉」などは一般にかな書き。また「お茶を挽く・コーヒー豆を挽く」は「碾く」とも書く。「曳」は後ろに

つけたまま進む意、「牽」は前から力を加えて前進させる意、「惹」は自分のそばへもってくる、心をひきよせる意、「退」は後ろの方へ進める意、「抽」は多くの中から一部を取り出す意で、繁雑な使い分けがなされてきたが、今はおおむね「引」でまかなう。

*びく【▽比▽丘】出家して具足戒(=僧となるときの儀式)を受けた男子。僧。参考 梵語 bhikṣu の音訳。対 比丘尼。

*びく【▽魚×籠】釣った魚を入れておくかご。ふご。

ひく・い【低い】《形》❶高さの程度が少ない。「雲が─・くたれこめる」「腰が─・い(=謙虚である)」❷音の振動数が少ない。「ピアノの─・い方の音」参考 音量が少ない意でも使う。「─・い声でささやく」類語 細い。太い。❸身分・地位・品等が下である。「─・い地位」「レベルの─・い考え」❹能力が劣っている。「知能が─・い」❺程度が小さい。「関心が─・い」「カロリーが─・い」対 ①〜⑤高い。文 ひく・し《ク》。

び・くしょう【微苦笑】《名・自サ》微笑とも苦笑ともつかない笑い。軽い苦笑い。「─を浮かべる」参考 久米正雄の造語。

ピクセル 画素。▽pixel

ひ・ぐち【火口】❶火事のひもと。❷〔あんどんなどの〕火をつけるための口。❸火縄銃の、火皿で点火された火が筒に通じる穴。

ひ・くつ【卑屈】《名・形動》品性が卑しく、他人にへつらったり自分を卑しめたりすること。「─な態度」

びく・つ・く《自五》こわがってびくびくする。

ひく・て【引く手】❶自分の方につかせようと誘いかける人。「─数多(=誘う人が多いこと)」❷〔舞で〕引き寄せる手ぶり。対 さす手。

びくと・も《副》《打ち消しを伴って》まったく動かないようす。また、まったく動じないようす。「─しない」

びく・に【▽比▽丘尼】出家して具足戒(=僧となるときの儀式)を受けた女子。尼。参考 梵語 bhikṣuṇī の音訳。対 比丘。

ピクニック 野山に出かけて遊ぶこと。▽picnic

ひく・ひく《副・自サ》《副詞は「─と」の形も》〔体の一部などが〕時々ひきつるように細かく動くようす。「鼻を─させる」

びく・びく《副・自サ》《副詞は「─と」の形も》望ましくない事が不意に起こるのではないかと、たえず恐れるようす。「─するな」

ぴく・ぴく《副・自サ》《副詞は「─と」の形も》小刻みに、震えるように動くようす。「頬が─する」

ひ・ぐま【×羆】クマ科の獣。体は大形で褐色。北海道にすむ。雑食性。家畜を襲うこともある。

ひく・め【低め】《名・形動》どちらかといえば低いこと。「投球が─にきまる」対 高め。

ひく・める【低める】《他下一》低くする。「丁寧に腰を─・める」

*ひ・ぐらし【×蜩・×茅×蜩】セミ科の昆虫。夕方や早朝に、「カナカナ」と高く美しい声で鳴く。はねは透明。かなかな(ぜみ)。

*ひ・ぐらし【日暮(ら)し】《副》朝から晩まで。一日じゅう。「その日は─降る雪をながめていた」

ぴくり《副》《多く「─と」の形で》ひきつるようにわずかに動くようす。ぴくっと。「眉が─と動く」

ピクルス 野菜やくだものを塩づけにし、酢につけこんだ西洋風のつけ物。ピックルス。▽pickles

ひ・ぐれ【日暮(れ)】夕暮れ。たそがれ。対 夜明け。

び・くん【微×醺】〔文〕ほんのりと酒によようこと。ほろよい。微酔。「─を帯びる」

ひけ【引け】❶勤務・課業などがすんで退出すること。表記「退け」とも書く。❷劣ること。おくれ。「─を取らない」❸取引所で、前場・後場それぞれの立ち会いの最後。おおびけ。

*ひ・げ【卑下】《名・自他サ》自分を劣っているものとして低めること。「そんなに自分の力を─するな」

─も自慢の中《句》あまりへりくだるのも、かえってそのことを自慢しているようで、嫌みだということ。

*ひげ【×髭・×鬚・×髯】❶男の口のまわりや、あご・ほおのあたりにはえる、太い毛。参考「髭」は口ひげ、「鬚」はあごひげ、「髯」はほおひげの意。❷獣の口のまわりにはえる長い毛。「ヤギの─」❸動物の頭部や口器の付近にある毛のような突起物。「ナマズの─」

ピケ「ピケット」の略。「─を張る」「─隊」

ひ・けい【秘計】〔文〕秘密の計略。「─をあかす」

*び・けい【美形】〔文〕容貌が美しい・こと(人)。「なかなかの─」

*び・けい【美景】〔文〕美しい景色。「─をめでる」類語 勝景。佳景。絶景。雨奇晴好。

ひ・げき【悲劇】❶人生の不幸や悲しみを題材とし、悲しい結末で終わる劇。トラジェディー。「ギリシアー─」❷人生の悲惨なできごと。「─に見舞われる」対 ①②喜劇。

─てき【─的】《形動》悲劇①にみられるようなようす。「─な結末」対 喜劇的。

ひけ・ぎわ【引け際・▽退け際】❶勤務・課業などから退出するまぎわ。「─に来客があった」❷→ひきぎわ。❸取引所で、大引けに近い時分(の相場)。表記 ③はもっぱら「引け際」と書く。

ひ・けし【火消(し)】❶火を消す・こと(人)。❷江戸時代の消防組織(の構成員)。─つぼ【─×壺】おき火を入れ、ふたで密閉して消すつぼ。けしつぼ。─やく【─役】ものごとが紛糾したときに乗り出して、とりあえず解決する役(の人)。

*ひ・けつ【否決】《名・他サ》議案を承認しないという議決をすること。「内閣不信任案の─」対 可決。

*ひ・けつ【秘結】《名・自サ》〔文〕便秘。

*ひ・けつ【秘×訣】最も効果があり、人に気づかれにくい、特別な方法。「成功の─」

ピケット 労働争議中、スト破りや脱落者や妨害者を防ぐために見張る人。ピケ。「─を張る」▽picket

ひげ・づら【×髭面】ひげが伸びたままの顔。

ひけ・どき【引け時・▽退け時】その日の勤務・課業が終わって退出するころ。「会社の─」「学校の─」

ひけ・め【引け目】相手より自分が劣った立場にあると感じること。また、その気持ち。「─を感じる」

ひけら・か・す《他五》自慢に思っている物事を得意になって見せつける。「学歴を─・す」

ひ・ける【引ける】《自下一》❶その日の勤務・課業などが終わる。また、終わって退出する。「会社が─・ける」「会社を五時に─・ける」表記「退ける」とも書く。❷気おくれがする。「気が─・ける」文 ひ・く《下二》。

*ひ・けん【卑見・×鄙見】〔文〕〔とるに足りない意見の意で〕自分の意見をへりくだっていう語。「─をのべる」

*ひ・けん【披見】《名・他サ》〔文〕文書・手紙などをひら

いて見ること。「ご一下さい」

*ひ-けん【比肩】《名・自サ》《肩を並べる意》〔文〕同等の能力であること。「会長に一する実力」類語 匹敵。

ひけん-しゃ【被験者】試験・実験などの対象になる人。表記 検査を受ける場合は、「被検者」と書く。

*ひこ【×彦】《「日子」の意》男子の美称。参考 現在は男の名に用いる。対 姫。

*ひ-こ【×曾▽孫】《「ひひこ」の転》孫の子。ひまご。ひこまご。曾孫(そうそん)。

*ひ-ご【卑語・×鄙語】〔文〕❶下品なことば。❷卑称②。

*ひ-ご【×庇護】《名・他サ》かばいまもること。「親の一を受ける」

*ひ-ご【秘語】隠語。また、ひわいなことば。

*ひご【×籤】竹を細く割ってけずったもの。かご・ちょうちん・模型飛行機などの材料にする。

*ひご【肥後】旧国名の一つ。今の熊本県。肥州(ひしゅう)。

*ひ-ご【飛語・×蜚語】《「蜚」は「飛」と同義》〔文〕根拠のないうわさ。飛言(ひげん)。「流言一」類語 デマ。

ピコ《接頭》〔単位名の上につけて〕一兆分の一の意を表す語。記号 p。▽pico-

ひ-ごい【×緋×鯉】(ひごい) コイの一変種。赤または黄みをおびたもの。観賞用。参考 →まごい。

*ひ-こう【披講】《名・他サ》〔文〕詩歌などの会で、詩や歌や俳句を読み上げて披露すること(役)。

*ひ-こう【肥効】肥料のききめ。「一劣性土砂」

*ひ-こう【肥厚】《名・自サ》皮膚や粘膜が厚くなること。「サイの一した皮」

*ひ-こう【非行】〔青少年の〕社会規範にはずれた行い。「一少年」「一化」

*ひ-こう【飛行】《名・自サ》空中をとんでいくこと。「決死の一」 一き【一機】固定翼や推進装置を備え、主翼に生じる揚力により自分の重さをささえながらプロペラ・ジェットなどの推力で飛行する航空機。 一き-ぐも【一機雲】寒冷・多湿の高空で、飛行機の跡に長く尾を引いて生じる白い雲。 一し【一士】飛行機を操縦する人。パイロット。 一じょう【一場】空港。エアポート。 一せん【一船】胴体に水素・ヘリウムなどの軽い気体を詰めて大気中に浮かび、推進用プロペラで飛行する航空機。 一てい【一艇】胴体がボート形の、大型の水上飛行機。

ひ-ごう【非業】〔仏〕前世の罪の報いではなく、現世の思いがけない災難によるものであること。「一の死」

*び-こう【備考】参考になる事柄を書き加えること。また、その事柄。「一欄」

*び-こう【備荒】〔文〕不作や災害などにそなえて、ふだんから準備しておくこと。「一作物」「一貯蓄」

*び-こう【尾行】《名・他サ》そっとあとをつけて行くこと。「容疑者を一する」

*び-こう【微光】〔文〕かすかな光。「一を放つ」

*び-こう【微行】《名・自サ》〔文〕身分の高い人が、身分をかくして出あるくこと。「身をやつして一する」

*び-こう【鼻孔】鼻のあな。

*び-こう【鼻×腔】鼻の中の空所。参考 医学では「びくう」という。

ひ-こうかい【非公開】関係者以外の人には公開しないこと。「会議は一とする」

ひ-こうしき【非公式】《名・形動》公式でないこと。表向きでないこと。「一の談話」

ひ-ごうほう【非合法】《名・形動》法律の規定に反していること。「一運動」「一な手段に訴える」参考「違法」と違って「非合法」には法の正当性を否認する趣がある。類語 違法。

ひ-ごうり【非合理】《名・形動》❶論理・道理に合わないこと。「一な政治的圧力」❷理性ではとらえられないこと。「一主義」

ひ-こく【被告】民事・行政訴訟において、訴えられた側の当事者。対 原告。 一にん【一人】刑事訴訟法で、公訴の提起を受け、裁判が確定していない者。

ひ-こくみん【非国民】国民としての本分・義務を守らない者。〔戦時中に使われた〕「一扱い」

*び-こつ【尾骨】脊柱(せきちゅう)の最下端の骨。尾骶骨(びていこつ)。

*び-こつ【鼻骨】鼻の上部の、鼻の支柱となる骨。

ピコット レース編みなどで、模様のへりにつける小さな輪状の突起の飾り。ピコ。▽picot

ひ-ごと【日▽毎】《副》日がかわるたび。「一に(=毎日)水そうの水をかえる」「一に暖かくなる」

ひご-の-かみ【肥後▽守】小刀の一種。鉄製の折込み式で、柄に「肥後守」の銘があるもの。

ひこ-ばえ【×蘖】《孫生(ひこばえ)の意》切り株から出る芽。

ひこ-ぼし【×彦星】七夕に織女星とともに祭られる星。牽牛(けんぎゅう)星。アルタイル。

ひこ-まご【×曾孫】ひまご。

ひ-ごろ【日×頃】平生。普段。〔副詞的にも使う〕「一の努力が実る」「一見たいと思っていた芝居」

ひ-こん【非婚】結婚しないこと(を選択すること)。独身で生きていくこと。「一者が増加する」

ひざ【×膝】❶ももとすねの間にある関節部の前面。ひざがしら。ひざ小僧。❷ひざがしらからももにかけての前面。「酔うては枕(まくら)す美人の一」「一を打つ(=感心したときや、急に思いついたときの動作)」「一を折る(=膝を曲げて体をかがめる。転じて、屈服する)」「一を抱える(=なにもせずじっとしている)」「一を崩す(=楽な姿勢ですわる)」「一を進める(=すわったまま相手に近寄る)」「一を正す(=すわった姿勢を正しくする。あらたまった態度をとる)」「一を突き合わす(=近くで向き合う)」「一を交える(=たがいに打ちとけて話し合う)」 一とも談合《句》一人でくよくよするよりはだれとでも相談したほうがよい、ということ。

ビザ〔外国人の入国申請に対して〕旅券を調べて与える入国許可。(入国)査証。ヴィザ。▽visa

ピザ 小麦粉をねってイーストを加えたものを平たく円形にのばし、トマト味のソースをぬり、チーズや各種の具をのせて天火で焼いたイタリア料理。ピザパイ。ピッツァ。▽(イタリア) pizza

*ひ-さい【被災】《名・自サ》天災・戦災などで損害をこうむること。「一地」「地震で一した」類語 罹災(りさい)。

*ひ-さい【非才・×菲才】〔文〕❶才能がないこと。❷自分の才能をへりくだって言う語。「浅学一の身」表記「非才」は代用字。対 多才。

び-さい【微細】《名・形動》非常に細かいこと。「一な生物」「計画を一に話す」類語 微小。

び-ざい【微罪】ごく軽い犯罪。「一釈放」

ひざ-おくり【×膝送り】すわったまま膝を移動させて席をつめること。ひざぐり。「一でつめる」

ひざ-かけ【×膝掛(け)】膝にかける防寒用の布。

ひざ-がしら【×膝頭】膝の関節の前面。ひざこぞう。

ひさかた‐の【久方の・久堅の】《枕》「天(あめ)」「空」「月」「雨」「雲」「星」「光」などにかかる。
ひさかた‐ぶり【久方振り】→ひさしぶり。
ひ‐ざかり【日盛り】一日のうちで、いちばん日ざしの強いころ。
ひ‐さく【秘策】秘密のはかりごと。「―をさずける」
ひさ・ぐ【×鬻ぐ】《他五》〔文〕売る。あきなう。「春を―・ぐ（＝売春をする）」文《四》。
ひざ‐くりげ【×膝×栗毛】〔膝を栗毛の馬に見立てて〕乗り物に乗らないで歩いて旅行すること。
ひさご【×瓠・×瓢】ヒョウタンなどの実（を抜いて乾燥させたもの）。酒を入れるのに使った。ふくべ。
ひざ‐こぞう【×膝小僧】ひざ。ひざがしら。
ひざ‐ざら【×膝皿】膝蓋骨(しつがいこつ)。
ひさし【×庇・×廂】❶寝殿造りで、母屋(もや)の周囲、すのこ縁の内側にある細長い部屋。ひさしのま。❷屋根の軒から先に差し出した部分。特に、窓・出入り口などにかけた片流れの小屋根。❸帽子の、つば。
―を貸して母屋(おも)を取ら・れる《句》❶一部を貸したため、本拠までも占領される。❷恩をあだで返される。
ひ‐ざし【日差(し)・▽陽▽射(し)】日の光がさすこと。また、さしてくる日の光。「早春の―」
ひさし・い【久しい】《形》ある時からの経過時間が長い。「―・くその職にある」「お―・うございます」文ひさ・し《シク》。
ひさし‐ぶり【久し振り】《名・形動》ある経験から長い時間が経過したこと。ひさかたぶり。「友人と会うのは―だ」
ひざ‐づめ【×膝詰(め)】膝と膝とを突き合わせること。強く相手にせまるようす。「―の談判」
ひさ‐びさ【久久】《名・形動》ひさしぶり。「―の対面」
ひざ‐まくら【×膝×枕】他人の膝を枕にしてねること。
ひざ‐まず・く【×跪く】(―まづく)《自五》ひざをついて身をかがめる。〔礼拝・屈服を表す姿勢〕「神前に―・く」表記 現代仮名遣いでは「ひざまづく」も許容。
ひ‐さめ【氷雨】〔文〕❶あられ。ひょう。❷秋にふる、つめたい雨。
ひざ‐もと【×膝元・×膝下】❶ひざのすぐ近く。「灰ざらを―に引き寄せる」❷養育してくれる人のそば。身ぢか。膝下(しっか)。おひざもと。「父母の―ですごす」❸皇居・幕府の所在地。「江戸は天下のお―」
ひ‐ざら【火皿】❶きせる・パイプの、たばこの葉をつめるところ。❷火縄銃の火薬を盛るところ。
***ひ‐さん【悲惨・悲酸】**《名・形動》むごたらしくて見聞きする人にいたましい感じを与えること。無残。「―な飛行機事故」類語 凄惨(せいさん)。
***ひ‐さん【飛散】**《名・自サ》〔文〕とびちること。「破片が―する」
***ひ‐し【秘史】**〔文〕世間一般に知られていない歴史。
***ひし【×菱】**ヒシ科の一年草。沼や池に群生。葉は水面に浮かび、ひし形。夏、白い花を開く。実は食用。
***ひ‐し【皮脂】**皮脂腺(ひしせん)から分泌される脂肪性物質。皮膚や毛髪を保護する。**―せん【―腺】**哺乳(ほにゅう)類の皮膚にある腺(せん)の一つ。手のひら・足の裏を除く全身に分布し、皮脂を分泌する。脂腺(しせん)。
***ひ‐じ【秘事】**〔文〕秘密の事柄。「一身にかかわる―」
***ひじ【×肘・×肱・×臂】**(ひぢ)❶腕の関節の、折りまげたとき外側になる部分。❷肘(ひじ)①の形に、まがって突き出ているもの。「―つきの椅子(いす)」
び‐じ【美辞】〔文〕美しく飾ったことば。**―れいく【―麗句】**語句を巧みにつらねて上辺を美しく飾りたてた、耳にここちよい言葉。「―を並べる」
ひしお【×醤】(ひしほ)❶大豆・小麦・こうじ・塩などから作った、なめみそ。独特の風味がある。❷肉類の塩づけ。肉醤(ししびしお)。表記 ②は多く「醢」と書く。
ひじ‐かけ【×肘掛(け)】(ひぢ―)〔いすなどにある〕ひじを曲げてのせ、楽な姿勢をとるためのもの。類語 脇息(きょうそく)。
ひし‐がた【×菱形】〔ヒシの実の形の意〕全部の辺の長さの等しい四辺形を、対角線が上下・左右の方向になるように置いた形。特に、数学で四つの辺の長さが等しく、どの角も直角でない四辺形。
ひじき【×鹿▽尾▽菜】褐藻類ホンダワラ科の海藻。海岸線の岩に群生。乾燥すると黒色になる。食用。
ひし・ぐ【×拉ぐ】《他五》〔文〕❶おしつぶす。「鬼をも―・ぐ力」❷勢いをくじく。「気勢を―・ぐ」文《四》。
ひし・げる【×拉げる】《自下一》押されてつぶれる。ひしゃげる。文ひし・ぐ《下二》。
ひしこ‐いわし【×鯷×鰯】「かたくちいわし」の別称。ひしこ。
ひし‐しょくぶつ【被子植物】胚珠(はいしゅ)が子房で包まれている植物。胚珠は発達して種子となり、子房は果実となる。対 裸子(らし)植物。
ビジター ❶ゴルフクラブなどで、会員でない、外来の競技者。❷プロ野球など、本拠地制をとっているスポーツで、自分の本拠地でない競技場で試合するチーム。ビジティングチーム。▽visitor（＝訪問者）
ひ‐しつ【皮質】外層と内層を持つ器官の、外層をしめる組織。腎臓(じんぞう)・副腎の表層など。対 髄質。
び‐しつ【美質】〔文〕すぐれた性質。「天性の―」
びしっ‐と《副・自サ》❶厳しい態度で接するようす。「―言う」❷すきがないようす。「―決める」
び‐し‐てき【微視的】《形動》❶識別できないほど、現象が微細であるようす。顕微鏡的。❷全体的にでなく個別的にとらえ、微細に分析しようとするようす。ミクロ的。「―に論ずる」対 ①②巨視的。
ひじ‐てつ【×肘鉄】(ひぢ―)「ひじ鉄砲」の略。「―を食う」
ひじ‐でっぽう【×肘鉄砲】(ひぢでっパウ) ひじで他人を強く押しのけること。また、相手のさそいや申し込みなどを強くはねつけること。ひじてつ。「―を食らわす」
ひし‐と【×犇と】《副》きつく。しっかりと。「―抱き合う」
ビジネス 仕事。商売。特に、〔感情をまじえず〕もっぱら金もうけの手段としてする仕事。「―として割り切る」▽business **―スクール** ❶商業事務を教える専門学校。❷アメリカの大学の経営学部大学院。▽business school **―ホテル** 出張中のビジネスマン②を対象とするホテル。▽business hotel **―マン** ❶実業家。❷〔営業などに従事する〕会社員。▽businessman **―ライク**《形動》仕事本位であるようす。実務的。「―に話し合う」▽businesslike
ひし‐ひし【×犇×犇】《副》〔「―と」の形も〕たゆみなく、強く身に迫るようす。「重圧を―と感じる」
びし‐びし《副》〔「―と」の形も〕❶手かげんせず、事をきびしく行うようす。「―と取り締まる」「―しかる」❷〔むちなどで〕物を続けて打つ音の形容。＝ぴしぴし。
ひじ‐まくら【×肘×枕】(ひぢ―)《名・自サ》自分の片ひじを

ひ

まげて枕の代わりにすること。手枕。

ひし・め・く【×犇めく】《自五》多くのものがすきまなく集まって押し合う。混雑して、押し合い騒ぐ。「ホームに大勢の人が―・く」

ひし・もち【×菱×餅】ひし形に切った餅。紅・白・緑の三色を重ねて桃の節句に飾る。

ひ・しゃ【飛車】将棋のこまの一つ。縦・横いくつでも進退でき、成れば竜王（りゅうおう）といい、さらに斜めに一つずつ動くことができる。しゃ。

ひ・しゃく【▽柄×杓】椀形（わんがた）の容器に長い柄をつけた、湯・水などをくむ道具。

び・じゃく【微弱】《形動》〔力や勢いなどが〕非常に弱くてかすかなようす。「―な脈搏（みゃくはく）」

ひしゃ・げる【×拉げる】《自下一》↓ひしげる。文ひしゃ・ぐ《下二》

ひしゃ・たい【被写体】写真で、撮影の対象物。

びしゃもん【×毘×沙門】〔仏〕「毘沙門天」の略。四天王の一つ。須弥山（しゅみせん）に住んで北方を守る神。我が国では福徳を授ける七福神の一つとして民間信仰の対象とされる。多聞天（たもんてん）。

ぴしゃり《副》《「―と」の形で》❶戸などを手荒くしめるようす。❷手の平などで勢いよく打つようす。❸水などが勢いよくはねるようす。❹おさえつけるようにきっぱりと言うようす。「―と断る」参考①〜③は、その音の形容にも使う。

ひ・しゅ【×匕首】〔文〕あいくち②。

び・しゅ【美酒】〔文〕味のよい酒。うまざけ。「勝利の―に酔う」類語佳酒。

ビジュアル《形動》視覚的。「―な雑誌」▽visual

ひ・しゅう【悲愁】〔文〕悲しみとうれい。「―の歌」

ひ・じゅう【比重】❶ある物質の重さの、摂氏四度の同体積の水の重さに対する比。❷重点の置き方の割合。ウエート。「体育より知育に―を置く」類語重点。

び・しゅう【美醜】美しいことと、みにくいこと。「善悪―の判断」

ひしゅうしょく・ご【被修飾語】文の成分の一つで、修飾語によって意味の限定を受ける語。

ひ・じゅつ【秘術】他の人々に知らせない、とっておきの技術・方法。おくの手。「―を尽くして戦う」

び・じゅつ【美術】色や形を媒介・手段として美を表現する芸術。絵画・彫刻・建築・写真・書道・工芸など。

ひ・じゅん【批准】《名・他サ》条約を国家が最終的に確認して、同意を与えること。また、その手続き。「条約を―する」

*__ひ・しょ__【秘書】❶要職にある人に直属して、その機密の事務に従事する役(の人)。❷〔文〕秘蔵の書。「―書」**―かん**【―官】内閣総理大臣・各省大臣に直属し、機密の事務をとりあつかう公務員。政務秘書官と事務秘書官がある。

*__ひ・しょ__【避暑】《名・自サ》夏、涼しい地方に転地して暑さをさけること。「―地」対避寒。

び・じょ【美女】容姿の美しい女。美人。類語↓美人。対醜女（しゅうじょ・ぶおんな）。

*__ひ・しょう__【卑称】❶自分または相手・他人、およびその動作・状態などをいやしめて呼ぶこと。また、その名称。「てまえ」「拙文」「きさま」「ぬかす」「…しやがる」など。参考自分の場合には「謙称」ともいう。対敬称。❷使用を慎むべきことば。蔑称（べっしょう）。卑語。

*__ひ・しょう__【悲傷】《名・他サ》〔文〕悲しみいたむこと。

*__ひ・しょう__【費消】《名・他サ》〔文〕使いはたすこと。「公金―」

*__ひ・しょう__【飛×翔】《名・自サ》〔文〕空中を高く、遠く飛んで行くこと。「大空を―する」類語飛行。

*__ひ・しょう__【卑小】《形動》〔文〕価値がとるにたりないほど小さくいやしいようす。「―な考え」「―な欲求」

*__ひ・じょう__【非常】㊀《名》さし迫った事態。「―を告げる」㊁《形動》程度がはなはだしいようす。「―な力」「―にうれしい」**―ぐち**【―口】火災など非常の時に逃げ出すための出口。**―じ**【―時】重大な危機に面した時。「―に備える」**―せん**【―線】凶悪犯罪や大災害などが発生したとき、または発生が予想されるとき、警戒のために張る緊急配備網。

*__ひ・じょう__【非情】❶《名・形動》温かさや思いやりの感情がないこと。「―な処置」❷〔仏〕感情をもたないもの。木石（ぼくせき）の類。対有情（うじょう）。

*__び・しょう__【微傷】〔文〕軽いきず。

*__び・しょう__【微笑】《名・自サ》ほほえむこと。ほほえみ。「―を浮かべる」

*__び・しょう__【美称】人や物をほめて呼ぶときの言い方。

*__び・しょう__【美粧】《名・他サ》〔文〕美しく装うこと。

*__び・しょう__【微小】《形動》きわめて小さいようす。「―な動物」「―な悩み」「―地震」類語微細。極小。

*__び・しょう__【微少】《形動》きわめて少ないようす。「―な損害」類語僅少（きんしょう）。

び・じょう【尾錠】革帯などの一端につけ、他端をそれに通して締め合わせる金具。鉸具（かこ）。

ひ・じょうきん【非常勤】ある限られた日・時間だけ出勤すること。「―講師」「―重役」

ひ・じょうしき【非常識】《名・形動》常識から外れていること。常識外れ。「―な人」

ひじょう・すう【被乗数】掛け算で、掛けられるほうの数。対乗数。

び・しょうねん【美少年】容姿の美しい少年。「紅顔の―」対美少女。

び・じょうふ【美丈夫】容姿の美しいりっぱな男子。

ひ・しょく【非職】〔文〕❶現職でないこと(人)。❷官吏が地位はそのままで職務を免ぜられること。

び・しょく【美食】《名・自サ》〔文〕ぜいたくを尽くした、うまい食べ物。また、それを食べること。「―家」類語グルメ。佳肴（かこう）。対粗食。悪食（あくじき）。

ひじょ・すう【被除数】割り算で、割られる方の数。対除数。

ビショップ キリスト教会の高級聖職者。参考司教・主教・監督・僧正（そうじょう）などと訳す。▽bishop

びしょ・ぬれ【びしょ×濡れ】びしょびしょにぬれること。ずぶぬれ。

びしょ・びしょ《副》《「―と」の形も》❶雨が絶えまなく降り続くようす。❷《形動》ひどくぬれて水を含んでいるようす。「書類が―になった」

ビジョン 未来への計画・展望。未来像。ヴィジョン。「二十一世紀の―」▽vision（＝視覚。映像）

ひじり【▽聖】《「日知り（＝日があまねく照らすように、天の下をすみずみまで知る人）」の意》❶知徳が高く、世の模範と仰がれる人。また、技芸などの道に特にすぐれた人。「歌の―」❷高徳の僧。

ひ・しん【披針】漢方で、外科の治療に用いる小さい刃物。刃針（はばり）。**―けい**【―形】〔植物の葉が竹・ユりなどのように）細長くて先端がとがっている形。

び・しん【美神】〔文〕美の神。ビーナス。

び・じん【美人】容姿の美しい女性。類語 美女。美形。麗人。麗質。佳人。美姫。別嬪。シャン。

ヒス 「ヒステリー」の略。

ひ・ず【氷頭】鮭・鯨などの頭部の、半透明な軟骨。食用。かぶらぼね。

ビス ねじ。特に、小さいねじくぎ。▽フランス vis

ひ・すい【×翡×翠】❶〔文〕カワセミ（の美しい羽の色）。❷宝石の一つ。濃緑、または白と緑のまだらの硬玉。

び・すい【微酔】〔文〕ほろよい。微醺。

ビスケット 小麦粉に牛乳・油脂・卵・砂糖などをまぜて、一定の形に固く焼いた菓子。▽biscuit

ヒスタミン 生体組織内にできる有毒物質の一種。アレルギー症状を起こすもとになる。▽histamine

ヒステリー 女性に多い神経症で、欲求不満がもとで起こる精神的な乱れなどの病状のもの。一般に、感情を統御できず発作的に激しく泣いたり怒ったりすること。ヒス。▽ドイツ Hysterie

ヒステリック《形動》ヒステリーの性質をおびているようす。ヒステリカル。「—に叫ぶ」▽hysteric

ピストル 拳銃。▽pistol

ビストロ 軽い食事や酒を楽しむ小さなレストラン。▽フランス bistro(t)

ピストン ❶シリンダー内を往復運動する、栓状の部品。活塞。❷金管楽器で、弁を開閉して管の長さを変化させる装置。▽piston　**—ゆそう【—輸送】**絶え間なく往復して物や人を運ぶこと。

ヒスパニック スペイン語系アメリカ住民。▽Hispanic

ビスマス 金属元素の一つ。融点の低い合金を作る。薬用・顔料などに使う。蒼鉛。元素記号 Bi。

ひずみ【×歪（み）】❶形がゆがんでいること。いびつ。「戸に—が生じる」❷〔理〕物体に外力を加えたときに起こる形や体積の変化。❸社会や経済などの無理がたたって生じる、悪い影響。「受験戦争の—」

ひず・む【×歪む】《自五》〔外力によって〕ゆがんだ形になる。いびつになる。文《四》。

***ひ・する【比する】**《他サ変》比較する。「成果に—・して損害が大き過ぎる」

***ひ・する【秘する】**《他サ変》〔文〕秘密にする。「—・して語らない」

***ひ・せい【批正】**《名・他サ》〔文〕批評してまちがいをなおすこと。「諸賢の御—をお願いしたい」

***ひ・せい【非勢】**形勢が悪いこと。特に、囲碁・将棋などで、戦いの展望が不利なこと。「—におちいる」

び・せい【美声】きれいな声。対 悪声。

び・せいぶつ【微生物】顕微鏡を用いなければ十分に観察できないほど微細な生物。細菌・酵母・かびなど。

ひ・せき【秘跡・秘×蹟】→サクラメント。表記「秘跡」は代用字。

ひ・せつ【秘説】〔文〕秘密にして公表しない説。

ひ・ぜに【日銭】❶毎日収入として入る金銭。「—が入る」❷毎日少しずつ返す約束で貸し借りする金銭。ひなしがね。

***ひ・ぜめ【火攻め】**火をつけて攻めたてること。「—水攻めで城を落とす」類語 やきうち。

***ひ・ぜめ【火責め】**火を使ってする拷問。

***ひ・せん【卑×賤】**《名・形動》〔文〕地位や身分が低く卑しいこと。微賤。「—の身から天下をとった」

***ひ・せん【飛泉】**〔文〕急に落下する水。滝。

***ひ・ぜん【皮×癬】**疥癬。

***ひぜん【肥前】**旧国名の一つ。九州の西北の部分。現在、佐賀県と長崎県にまたがっている。肥州。

び・せん【微×賤】《名・形動》〔文〕卑賤。

***びぜん【備前】**旧国名の一つ。今の岡山県の東南部。備州。「—物（＝備前産の刀）」

***び・ぜん【美×髯】**〔文〕見事なほおひげ。「—を蓄える」

ひせんきょ・けん【被選挙権】選挙されて公職につくことのできる権利。対 選挙権。

ひ・せんとういん【非戦闘員】❶交戦国で、軍隊に属していない一般の市民。❷〔国際法で〕交戦国の兵力に間接に属し、戦闘以外の任務についている人。経理官・軍医・看護師など。

ひ・そ【×砒素】非金属元素の一つ。金属光沢をもつ灰色結晶と黄色粉末との二種の同素体がある。化合物は有毒。農薬・医薬の原料。元素記号 As。

び・そ【鼻祖】〔文〕第一代の先祖。始祖。また、物事を最初に始めた人。元祖。「私小説の—」

***ひ・そう【皮相】**《名・形動》うわべ。上っ面。また、うわべだけを見て本質をとらえていないこと。「—の見解」「—的」

***ひ・そう【悲壮】**《形動》悲しい中にも雄々しさの感じられるようす。「—な決意」「—な気分」「—感」

***ひ・そう【悲×愴】**《形動》〔文〕悲しくいたましいようす。「—な顔つき」類語 悲惨。

***ひ・ぞう【秘蔵】**《名・他サ》❶大切にしまっておくこと。「—の書」❷大事なものとして、愛育すること。「—の弟子」

***ひ・ぞう【×脾臓】**脊椎動物の胃の付近にある海綿状の器官。リンパ球をつくる。

び・そう【美装】〔文〕美しく飾ること。「—を凝らす」

び・ぞう【微増】《名・自サ》〔文〕ほんの少しふえること。類語 漸増。対 激増。

ひそ・か【▽密か・▽窃か・▽私か】《形動》他人に知られないようにものごとを行うようす。こっそり。「—な思い」「—に敵に通じる」

***ひ・ぞく【×匪賊】**集団で殺人・略奪などをする盗賊。類語 土賊。土匪。賊徒。

***ひ・ぞく【卑属】**血縁で、自分の子と同列以下の世代の者。子・孫・おい・めいなど。「直系—」対 尊属。

***ひ・ぞく【卑俗】**《名・形動》程度が低く俗っぽいこと。品のないこと。「—な歌」類語 低俗。

び・そく【鼻息】〔文〕はないき。「—を窺う（＝相手の機嫌のよしあしをうかがう）」

び・ぞく【美俗】〔文〕よい風俗や習慣。「醇風—」

ひぞっ・こ【秘▽蔵っ子】特に大事にしてかわいがっている子や、弟子・部下。

ひそ・ひそ《副》〔「—と」の形も〕他人に知られぬように小声で話すようす。「—と耳打ちする」

ひそみ【×顰（み）】眉間にしわをよせること。**—に倣う**《句》事のよしあしを考えず、むやみに人まねをする。また、他人にならってすることをけんそんして言う。「顰に倣う」とも。故事 昔、中国越の美女西施が胸を病んでまゆをひそめたのを美しいとして、女たちがそれをまねたという話による。〈荘子・天運〉

ひそ・む【潜む】《自五》❶〔ものかげなどに〕かくれる。

ひ

「暗がりに—・む」❷外にあらわれない状態で中にある。潜在する。「心に—・む憎しみ」文《四》。

*ひそ・める【潜める】《他下一》❶かくす。しのばせる。「植木のかげに身を—・める」❷(声などを)他に知られないように小さくする。静かにする。「声を—・めて話す」「鳴りを—・める」❸(胸の中に)秘めてもつ。「悪意を—・める」文ひそ・む《下二》。

*ひそ・める【×顰める】《他下一》(心配や不愉快なことがあって)眉間にしわをよせる。「眉を—・める」文ひそ・む《下二》。

ひそ-やか【▽密やか】《形動》❶人の声、物の音などがせず、ひっそりしているようす。「—な深夜の町」❷人に知られないように静かにするようす。「—に語る」

ひ-ぞ・る【干反る・▽乾反る】《自五》(板などが)乾燥してそりかえる。「障子が—・る」

ひた【▽直】《接頭》「ひたすら」「まったく」などの意。「—隠し」「—押し」「—心」

*ひだ【×襞】❶衣服などに折ってつけた細長い折り目。❷ひだ①のように見えるもの。「山の—」

*ひだ【飛×騨】旧国名の一つ。今の岐阜県の北部。飛州。

ひたい【額】髪の生え際からまゆまでの部分。「—を集める(=顔を寄せ合って相談する。鳩首する)」「—を合わせる(=互いの額が触れ合うほど、近くに向き合う。非常に近寄る)」類語おでこ。生え際。髪際。

ひ-だい【肥大】《名・自サ》ふとり大きくなること。特に、体の部分がはれて大きくなること。「心臓—」

び-たい【×媚態】男にこびた、女のなまめかしい態度。一般に、こびた態度。「—を示す」「—を呈する」

び-だい【尾大】〈—掉わず〉上の者よりも下の者の勢力が強くて、制御しにくいこと。

ひたい-ぎわ【額際】額の、髪の毛の生え際の部分。

びた-いちもん【×鐚一文】ほんのわずかの・金銭(金額)のたとえ。参考鐚銭で一文の意で、下に否定の意味の語を伴うことが多い。「—まけられない」

ひた-おし【▽直押し】ひたすら押し進むこと。「—に攻める」

ひた-かくし【▽直隠し】ひたすら隠すこと。「不始末を—に隠す」

び-だくおん【鼻濁音】鼻に抜けてやわらかく聞こえる濁音。東京語では語頭以外のガ行音に現れる。

ひた・す【浸す・▽漬す】《他五》❶液体の中につける。「足を水に—・す」参考ある感覚・感情・環境の中に身を置く意にも言う。「甘い感傷に身を—・す」❷液体でぬらす。「アルコールを—・した脱脂綿」参考ある感覚・感情が大きくなって、心などをいっぱいにする意にも言う。「失望がわが身を—・す」文《四》。

ひた-すら【×只▽管】《副・形動》ただそのことだけに心を集中しているようす。いちずに。「—祈る」

びた-せん【×鐚銭】❶表面の文字がすりへったぜに。❷室町時代から江戸時代にかけて使われた、粗悪な一文銭。びた。

ひた-たれ【▽直垂】❶もと庶民の平服、のち武家の礼服とされた衣服。上衣は角襟・広袖で無紋。❷「直垂衾」の略。襟と袖のついた、直垂に似た夜具。

ひたち【▽常▽陸】旧国名の一つ。今の茨城県の大部分。常州。

ひ-だち【肥立ち】❶日とともに成長すること。「—のいい子」❷産婦の産後の回復。「産後の—がよくない」注意「日立ち」は誤り。

ぴたっ-と《副》❶急に、まったく止まるようす。「話し声が—止まる」❷物が、すきまなくしっかりとくっつくようす。「戸口を—閉ざす」❸物事が完全に適合または適中するようす。「—言い当てる」参考「ぴたり(と)」をやや強めた言い方。

ひた-と【▽直と】《副》〔文〕❶じかに働きかけるようす。「—寄り添う」❷突然。「—眉をひそめる」

ひ-だね【火種】❶火をおこすもととする火。❷騒動・事件などを誘発するもととなるもの。「国際紛争の—」

ひた-ばしり【▽直走り】ひたすら走りつづけること。ひたはしり。「—に走る」

ひた-ひた 一《副》(「—と」の形も)❶波が静かにくりかえし打ちよせるようす。また、その音の形容。「船ばたを—と叩く波の音」❷静かにだんだんと迫るようす。「孤独感が—と胸をひたす」二《形動》つかっているものがやっとかくれる程度に、水が浅くはいっているようす。「—に水を入れる」

ひたぶる《形動》〔文〕ひたすら。むやみ。「—に悲しい」

ひ-だま【火玉】❶ひのたま。❷きせるのたばこの、火のかたまり。表記「一向」とも書く。

ひ-だまり【日×溜(ま)り】日光のよくあたっている暖かい場所。

ビタミン 微量で動物の栄養を調整する有機化合物。成長に不可欠。体外から摂取する。A、B、C…、またB_1、B_2、…など。▽ドイツVitamin

ひた-むき【▽直向(き)】《形動》一つのことだけに心を向けているようす。一途。「—な情熱」

ひ-だら【干×鱈】塩漬けにして干した鱈。

ひだり【左】❶二つに分けた一方の側で、北に向かった人にとっては西に当たる方。❷思想・政治上の、ふつう、飯茶碗を持つ手の方。左翼。対①②右。

ぴたり《副》(多く「—と」の形で)ぴたっと。「話し声が—と止まる」「父に—とついて歩く」「計算が—と合う」

ひだり-うちわ【左▽団▽扇】(左手でうちわを使う意から)仕事をしないで安楽に暮らすこと。

ひだり-きき【左利き】❶(うまれつき)右手よりも左手のほうがよくきく・こと(人)。左ぎっちょ。対右きき。❷酒のみ。左党。

ひだり-ぎっちょ【左ぎっちょ】左きき①。ぎっちょ。参考「左器用」の転「左ぎっちょう」からという。

ひだり-づま【左×褄】❶着物の左のつま。「—を取る(=芸者になる)」❷芸者。

ひだり-て【左手】❶左の手。❷左の方。「—に見える建物」対①②右手。

ひだり-とう【左党】↓さとう。

ひだり-まえ【左前】❶(普通と逆に)着物の右のおくみを外側に出して着ること。参考経帷子などを死者に着せるときにする。❷物事が順調にいかないこと。特に、商売の不振。「店が—になる」

ひだり-まき【左巻き】❶左の方に巻くこと。❷(俗)頭のはたらきが正常でない・こと(人)。

ひだり-まわり【左回り】左の方へ向かって回ること。反時計回り。対右回り。

ひだり-むき【左向き】❶左の方に向くこと。対右向き。❷左前②になること。

ひだり-よつ【左四つ】相撲で、互いに左手を相手の右腕の下に差して組んだ体勢。対右四つ。

ひた・る【浸る・▽漬る】《自五》❶液体の中につかる。「湯に—・る」❷ある状態に入りきる。「喜びに—・る」文《四》。

ひ-だる・い【×饑い】《形》〔文〕腹がすいて、ひもじい。「食べる物がなく—・い」

ひ-だるま【火▽達磨】全身炎に包まれて燃えているようす。「機体は—になって落ちていった」

***ひ-たん**【悲嘆・悲×歎】《名・他サ》〔文〕かなしみなげくこと。「—の涙に暮れる」

***ひ-たん**【飛×湍】〔文〕ながれの激しい瀬。急流。

ひ-だん【被弾】《名・自他サ》弾丸を受けること。

び-だん【美談】立派な行いに関する話。

び-だんし【美男子】容姿の美しい男。好男子。美男(びなん)。ハンサム。美男子(びなんし)。対醜男(ぶおとこ)。

ピチカート 弓でひく弦楽器の演奏で、弓を用いずに指ではじいてひく奏法。ピッチカート。▽(イタリア) pizzicato

び-ちく【備蓄】《名・他サ》〔文〕万一の場合にそなえてたくわえておくこと。「石油を—する」類語備荒(びこう)。

ぴちっ-と《副・自サ》すきまやずれがなく、ぴったりと合うようす。ぴたっと。「体に—合う服」

ぴち-ぴち《副・自サ》《副詞は「—と」の形も》❶〔魚などが〕勢いよくとびはねるようす。❷若々しく元気のいいようす。「—した高校生」

ひ-ちゃくしゅつ【非嫡出】嫡出でないこと。庶出。「—子(し)」

び-ちゅう【微衷】〔文〕自分の心中をへりくだっていう話。自分の本心・真意。「—を伝える」類語微意。

ひちゅう-の-ひ【秘中の秘】《連語》秘密の事柄の中でも、特に秘密にしている事柄。

***ひ-ちょう**【悲調】〔文〕悲しげな調子。

***ひ-ちょう**【飛鳥】〔文〕大空をとぶ鳥。参考非常に動作の速いものの意にも使う。「—の早わざ」

び-ちょうせい【微調整】《名・他サ》〔最良の状態にするために〕細かな部分に調整を加えること。「テレビの画面を—する」「最終案までには—が必要だ」

ひち-りき【×篳×篥】雅楽で、主旋律を奏する竹製で縦吹きの管楽器。アシの茎のリードをもつ。

ひ-ぢりめん【×緋▽縮×緬】赤色のちりめん。

***ひつ**【×櫃】❶上に向かって開く蓋(ふた)のついた大きな箱。参考「一架(いっか)…」「一棹(ひとさお)…」と数える。❷めしびつ。おひつ。

***ひつ**【筆】㊀《名》ふでで書くこと。また、書いたもの。「松花堂—」㊁《助数》土地の一区画。参考上にくる語によって「ぴつ」となる。「一—(いっぴつ)の土地」

ひつ-あつ【筆圧】〔文字を書くときに〕筆に加える、押さえる力。「—が強い」

ひつ-い【筆意】〔文〕書画や文章ににじみ出ている、制作者の精神。

ひ-つう【悲痛】《形動》張りさけんばかりに心が痛むようす。「—な面持ち」「—な叫び」

ひっ-か【筆禍】発表した文章の内容が原因となって、制裁を受けること。「—をこうむる」「—事件」

ひっ-かか・る【引っ掛かる】《自五》❶ものにかかって止められる。「たこが電線に—・る」❷〔待ちかまえたものに〕かかって止められる。「歳末警戒に—・る」❸〔やっかいな物事に〕かかり合う。かかずらう。「めんどうな訴訟に—・る」❹仕組まれた手に乗る。「詐欺に—・る」「暗示に—・る」❺心にわだかまりを感じる。「彼の言葉には—・るところがある」

ひっ-かきまわ・す【引っ×掻き回す】(—まはす)《他五》❶乱暴にかきまわす。「引出しの中を—・す」❷〔勝手にふるまって〕混乱させる。「部内を—・す」

***ひっ-かく**【筆画】文字(特に漢字)の画(かく)。字画(じかく)。

***ひっ-か・く**【引っ×掻く】《他五》つめや先のとがったもので強くかく。「ネコに—・かれた」

ひっ-か・ける【引っ掛ける】《他下一》❶物の先に他の物を掛ける。「手かぎを—・けて引く」❷無造作に着る。「上着を—・けて飛び出す」❸液体を物に浴びせる。「コップの水を—・ける」❹掛け金を払わずに品物をただ取りする。「商人を—・ける」❺仕組んで相手をだます。「女を—・ける」❻酒などを一息に飲む。また、短時間で軽く飲む。「一杯—・けて来た」

ひっ-かつ・ぐ【引っ担ぐ】《他五》勢いよく、または、乱暴にかつぐ。「獲物を—・いで帰る」

ひっ-かぶ・る【引っ▽被る】《他五》❶勢いよく頭から・すっぽり(ざんぶり)かぶる。「布団を—・る」「水を—・る」❷他人が負うべき責任を負う。「罪を—・る」

ひ-つき【火付き】火が移ってもえること。「—がいい」

ひっ-き【筆記】《名・他サ》書きしるすこと。また、書きしるされたもの。「講義を—する」

***ひ-つぎ**【日▽嗣】〔雅〕天皇の位の敬称。「—の御子(みこ)(=皇太子の敬称)」

***ひつぎ**【×柩・▽棺】死者を納める箱。棺(おけ)。

ひっ-きょう【×畢×竟】《副・自サ》〔文〕結局。つまるところ。「—するに(=つまるところは)」

ひっ-きり-なし【引っ切り無し】《形動》たえまなく続くようす。「—にしゃべる」「—に人が来る」

ピッキング 錠をこじ開けて盗みに入ること。▽picking

ピック ギターなどの弦をひく、つめ。▽pick

ビッグ《造語》「大きい」「大規模」などの意。「—イベント」「—ビジネス(=大企業)」▽big —**バン**❶宇宙の進化の出発点になったとされる大爆発。❷〔金融システムなどの〕大改革。▽big bang

ピック-アップ❶《名・他サ》〔多くの中から〕いくつかを拾い上げること。「問題点を—する」❷レコードプレーヤーで、針の振動から音声電流をつくり出す装置。アームとカートリッジが一体化したもの。▽pickup

ひっ-くく・る【引っ▽括る】《他五》「くくる」を強めて言う語。勢いよくしばる。「悪人を—・る」

びっくり【×吃▽驚・▽喫▽驚】《名・自サ》突然の事や予想外の事で、一瞬おどろくこと。「—仰天」

ひっくり-かえ・す【引っ繰り返す】(—かへす)《他五》❶上下・表裏などの関係を逆にする。裏返す。くつがえす。「定説を—・す」❷横倒しにする。「やかんを—・す」

ひっくり-かえ・る【引っ繰り返る】(—かへる)《自五》❶上下・表裏などの関係が逆になる。くつがえる。「船が—・る」「形勢が—・る」❷後ろに倒れる。また、横倒しになる。「後ろに—・って笑う」「コップが—・る」

ひっ-くる・める【引っ▽括める】《他下一》一つにまとめる。総括する。「皆の意見を—・めて結論を出す」

ひ-つけ【火付け】家屋などに火をつけること。放火。—**やく**【—役】騒動・物事のきっかけを作る人。

ひ-づけ【日付】文書・手紙などに記された、それを作成した年月日。また、それぞれの日に名称として与えられた年月日。—**へんこう-せん**【—変更線】地方標準時による時間のずれを調整するために、太平洋を通る一八〇度の経線を基準として設けられた、日付の境界線。西から東に越えるときは一日重複させ、東から西に越えるときは一日とばす。

ひっ‐けい【必携】〔文〕必ず持っていなければならない・こと（もの）。「学生ーの書」「英会話ー」

ピッケル 登山用具で、氷雪に足場を作る、つるはしに似た形のもの。アイスアックス。▽ドイツ Pickel

***ひっ‐けん【必見】** 必ず・見なければ（読まなければ）ならないこと。「ーの名画」「ーの書」

***ひっ‐けん【筆×硯】**〔文〕❶筆とすずり。また、文学。文章を書くこと。「ーに親しむ（＝文筆に親しむ）」❷手紙文などで、文筆家の日常生活について述べる語。「ーのますます盛んならんことを祈る」

びっこ【×跛】❶〔卑称〕足の具合がわるくて、歩行の釣合いがとれない・こと（人）。❷《名・形動》対になるものの形や大きさがそろわないこと。

ひっ‐こう【筆耕】 筆写や清書をすることによって収入を得る・こと（人）。「ー料」

ひっ‐こし【引（っ）越し】 引っ越すこと。類語 転居。転宅。移転。**ーそば【ー×蕎▽麦】** 引っ越し先の隣近所に、あいさつ代わりに届けるそば。参考「おそばに参りました」の意で、本来、江戸の風習。

ひっ‐こ・す【引っ越す】《自五》生活・仕事などの場所を移す。「京都から東京にー・す」

ひっこ‐ぬき【引っこ抜き】〔俗〕引き抜くこと。

ひっこ‐ぬ・く【引っこ抜く】《他五》〔俗〕→引き抜く。

ひっ‐こみ【引っ込み】❶目立たない所に退くこと。「ーがつかない（＝物事のおさまりがつかず、退くことができない）」❷引き込んであること。「ー線」❸歌舞伎で、役者が舞台から退場すること。また、そのときの所作。**ーじあん【ー思案】** 何事にも消極的で、進んで物事を行う気力にとぼしいこと。

ひっ‐こ・む【引っ込む】《自五》❶突き出ていたものが元にもどる。また、一部が落ちくぼむ。へこむ。「こぶがー・む」「目がー・む」❷奥の方になっている。奥まる。「表通りから少しー・んだ所」❸退いて表立たない所にこもる。ひきさがる。「田舎にー・む」

ひっ‐こ・める【引っ込める】《他下一》一度出した、または出かかったものを元にもどす。「要求をー・める」

ピッコロ フルートより音域が一オクターブ高く、明るく鋭い音色をもつ管楽器。本来は木管であるが、現在は金属製。ピコロ。▽イタリア piccolo

ひっ‐さい【筆才】 文章を書く才能。文才。

ひっ‐さく【筆削】〔文〕添削。「ーをうける」

ひっ‐さ・げる【引っ提げる】《他下一》❶〔目立つほど大きなものを〕手にさげて持つ。「大刀をー・げて攻めこむ」❷引き連れる。ひきいる。「手勢百騎をー・げてかけつける」❸物事を行うに当たって、その基盤となるものとしてかかげる。「物価問題をー・げて政府攻撃に立つ」❹無理に動かす。「病軀をー・げて事に当たる」

ひっ‐さつ【必殺】 必ず相手を・殺す（倒す）こと。また、そのような意気込み。「ーのパンチ」

ひっ‐さん【筆算】《名・他サ》〔暗算・珠算に対して〕数字を紙などに書いて計算すること。

***ひっ‐し【必死】**❶《名・形動》〔死を覚悟して〕全力をつくすこと。死にものぐるい。「ーの救助活動」類語 決死。❷将棋で、守りの受け手を指さなければ次に王将が詰んでしまう形。「ーをかける」表記 ②は「必至」とも書く。⇩〔類義語の使い分け「決死」〕

***ひっ‐し【必至】**《名・形動》〔文〕〔なりゆき上〕必ずそうなるに違いないこと。「スト突入はーだ」類語 必然。

***ひっ‐し【筆紙】**〔文〕文章を書く筆と紙。「ーに尽くし難い（＝文章では十分に表現できない）」

***ひつじ【▽未】**❶十二支の八番目。「ー年」❷昔の時刻で、現在の午後二時、または、その前後の二時間。❸昔の方角で、南から西へ三〇度の方向。

***ひつじ【羊】** ウシ科の家畜。草食性で、性質はおとなしい。ふつうは、角があり灰白色の毛が縮れて密生する。肉用・毛織物用など多くの品種がある。綿羊。

ひつじ‐かい【羊飼（い）】 羊を飼い育てること。また、それを職業とする人。

***ひっ‐しゃ【筆写】**《名・他サ》書きうつすこと。「古文書をーする」

***ひっ‐しゃ【筆者】** その文章・書画を書いた人。類語 作者。執筆者。著者。

ひつ‐じゅ【必需】 ぜひ必要であること。「ー品」類語 不可欠。必須。

ひっ‐しゅう【必修】 必ず学ばなければならないこと。「ー科目」

ひつ‐じゅん【筆順】 文字（特に漢字）を書くときの、点画の順序。書き順。

ひっ‐しょう【必勝】 かならず勝つこと。「ーの信念」

ひつ‐じょう【必定】〔文〕〔その状況から判断して〕そうなるにきまっていること。「敗北はー」類語 必至。

ひっ‐しょく【筆触】〔文〕絵画の筆づかい。タッチ。

びっしょり《副》（「ーと」の形も）ひどくぬれているようす。ぐっしょり。「ー汗をかく」

びっしり《副》（「ーと」の形も）すきまなく、詰まっているようす。「本棚に本がー並んでいる」

ひつ‐じん【筆陣】〔文〕文章を用いて論戦するかまえ。「ーを張る」類語 論陣。

ひっ‐す【必×須】〔文〕必ず用いるべきであること。なくてはならないこと。「ーの条件」「宴会にーのもの」

***ひっ‐せい【×畢生】**〔文〕生を終えるまでの（長い）期間。一生。終生。一代。「ーの大作」「ーの大事業」

***ひっ‐せい【筆勢】**〔文〕書画にあらわれた筆の勢い。筆づかいのおもむき。「たくましいー」類語 筆致。筆力。

ひっ‐せき【筆跡・筆×蹟】 書かれた文字のあと。また、その書きぶり。「美しいー」「ーを鑑定する」

ひつ‐ぜつ【筆舌】〔文〕文章に書くことと口で話すこと。「ーに尽くし難い（＝十分に表現ができない）」

***ひっ‐せん【筆戦】**〔文〕文章によって論争すること。「ーを展開する」

***ひっ‐せん【筆洗】** 筆の穂を洗う器。ふであらい。

ひつ‐ぜん【必然】 必ずそうなるときまっていること。「ー性」類語 当然。必至。対 偶然。**ーてき【ー的】**《形動》必ずそうなるようす。「ーな結果」

ひっ‐そく【×逼×塞】《名・自サ》〔文〕❶しめつけられて動きがとれなくなること。特に、経済的にゆきづまること。「ーして店を手ばなす」類語 逼迫。❷落ちぶれて、ひっそり暮らすこと。「郷里にーする」❸江戸時代、門をとじさせて昼間の出入りを禁じた、武士・僧侶に対する刑。参考「閉門」より軽い刑。

ひっそり《副》（《副詞は「ーと」の形も》）❶《自サ》物音や人のけはいがなく、静かなようす。「館内はーしている」

❷静かに、または、ひそかに事をするようす。「田舎で―と暮らす」 **―かん**《副》(「―と」の形で)「ひっそり」を強めていう語。

ひっ-たく・る【引ったくる】《他五》他人が持っているものを素早くうばい取る。「集金袋を―・られた」

ひっ-た・てる【引っ立てる】《他下一》❶引っぱって連れて行く。「どろぼうを―・てる」❷元気を出させる。引き立てる。引き立てる。「気を―・てて話す」

ぴったり《副》《副詞は「―と」の形も》❶《形動・自サ》すきま・ずれなどがなく、よく合っているようす。また、よくつりあうようす。ぴたり。「―と戸をしめる」「―的中する」「君に―な花嫁候補」❷《自サ》くっついて離れないようす。ぴたり。「―と寄り添う」❸急に全く・止まる(なくなる)ようす。ぴたり。「酒を―やめる」

ひっ-たん【筆端】〔文〕❶筆の先。❷書かれた文字や文章のはしばし。「誠実な人柄が―に表れる」

ひつ-だん【筆談】《名・他サ》口で話すかわりに、文字を書いて意思を伝え合うこと。

ひっ-ち【筆致】書画・文章の書きぶり。「雄渾(ゆうこん)な―の書」「軽妙な―のエッセー」

ピッチ ❶競漕(きょうそう)・競走などで、同じ動作をくり返すときの、一定時間内の動作の回数や速度。また、その回数が速いこと。「―が遅い」「―走法」「―を上げる(=調子を早める)」❷野球で、ピッチング。「ナイス―」❸ねじの山と山や歯車の歯と歯との間隔。❹〔音〕音の高さや調子。また、基音。▽pitch

ヒッチハイク 通りすがりの自動車を呼び止め、乗り継いで行く無銭旅行。▽hitchhike

ピッチャー 野球で、投手。▽pitcher

ひっ-ちゃく【必着】〔手紙・書類などが締切り日までに〕必ず着くこと。「書類は一日までに―のこと」

*__ひっ-ちゅう__【必中】〔文〕必ず当たること。「一発―」

*__ひっ-ちゅう__【筆×誅】《名・他サ》〔文〕罪悪・過失などを書き立てて、厳しく責めること。「―を加える」

びっちゅう【▽備中】旧国名の一つ。今の岡山県の西部。備州(びしゅう)。

ひっ-ちょう【必聴】必ず聴かなければならない・こと(もの)。「―の名盤」

ぴっちり《副・自サ》《副詞は「―と」の形も》すきまなく密着するようす。「―とはりつく」

ピッチング ❶野球で、投手の投球(技術)。❷《名・自サ》船・航空機が前後にゆれること。縦ゆれ。対ローリング。▽pitching

ピッツァ ↓ピザ。▽(イタリア)pizza

ひっ-つか・む【引っ×摑む】《他五》勢いよく、また、荒々しく手でつかむ。「大金を―・んで逃げた」

ひっ-つ・く【引っ付く】《自五》〔俗〕❶ぴったりとつく。くっつく。❷男女が親しくなって夫婦となる。また、密通する。くっつく。

ひっ-つめ【引(っ)詰め】鬢(びん)をふくらませず、後ろに引きつめて結わえた女の髪型。ひっつめ髪(がみ)。

ヒッティング 野球で、打ち気に出ること。「強気の―」▽hitting

ひっ-てき【匹敵】《名・自サ》対等であること。肩を並べること。「有段者に―する実力」類語比肩。

ヒット《名・自サ》❶野球で、安打(を打つこと)。❷大成功。大当たり。「―曲」「―チャート(=人気曲目表)」▽hit **―エンド・ラン** 野球で、走者と打者がしめし合わせて、走り、打つ攻撃法。エンドラン。▽hit-and-run

ビット〔電算〕情報の量を表す最小単位。一ビットは、0か1か、いずれか一方の情報を表す。参考 binary digit(=二進数)の略からとも言う。▽bit

ピット ❶自動車レースで、給油したり整備したりする所。「―イン」❷陸上競技場で、走り高跳びや棒高跳びの着地場所。▽pit

*__ひっ-とう__【筆答】《名・他サ》文字で書いて問いに答えること。「―試験」対口答。

*__ひっ-とう__【筆頭】❶〔文〕筆の先。❷名を書き連ねるとき、その一番目に書かれる人(の地位)。また、一番目のもの。「前頭(まえがしら)―」「―株主」「輸入野菜の―」

ひつ-どく【必読】必ず読むべきであること。「―書」

ひっ-とら・える【引っ捕らえる】《他下一》〔―とらへる〕「とらえる」を強めて言う語。つかまえる。「すりを―・える」

ひっ-ぱが・す【引っ×剝がす】《他五》「はがす」を強めて言う語。ひっぺがす。「羽目板を―・す」

ひっ-ぱく【×逼迫】《名・自サ》❶事態がさし迫ること。「情勢が―する」❷経済的に行きづまって余裕がなくなること。困窮。「生活が―する」類語逼塞(ひっそく)。

ひっ-ぱた・く《他五》「はたく」を強めて言う語。たたく。「ほっぺたを―・く」

ひっぱり-だこ【引(っ)張り×凧】人気があり、方々から争って求められること(人・物)。「―のタレント」

ひっぱり-だ・す【引っ張り出す】《他五》❶〔中にあるものを〕引っぱって外へ出す。また、「ひきだす」を強めた言い方。❷〔しりごみする人などを〕むりに表立った場に出す。かつぎだす。「会長に―・す」

ひっ-ぱ・る【引っ張る】《他五》❶ひもや線を一端からのばして、ぴんとさせる。「ゴムひもを―・る」❷ある状態を持続させる。「語尾を―・る」❸〔停止しているもの、向こうへ行こうとしているものを〕自分の方に引く。「故障車を―・る」❹むりに連れて行く。「容疑者を―・る」「警察に―・られる」❺自分の方に来るように誘う。勧誘する。「野球部に―・る」

ひつ-び【必備】《名・他サ》いつも準備しておく必要のあること。「消火器は―の品」

ヒッピー 既成社会の風俗習慣をこばみ、気ままに暮らす若者。一九六〇年代にアメリカから広がった。▽hippie

*__ひっ-ぷ__【匹夫】〔文〕身分の低い、つまらない男。「―の勇(ゆう)(=深い考えもなく、血気にはやるだけのつまらない勇気)」対匹婦。

*__ひっ-ぷ__【匹婦】〔文〕身分の低い、つまらない女。対匹夫。

*__ヒップ__ 尻(しり)。また、洋裁で、腰まわり。▽hip **―ホップ** ダンス音楽の一つ。ブレイクダンスやラップなどを特徴とするもの。一九八〇年代に、ニューヨークの黒人たちの間から生まれた。参考 腰が自然に動き出す音楽、の意。▽hip-hop

ビップ 重要な人物。↓ブイアイピー。▽VIP

*__ひっ-ぽう__【筆法】❶字を書くときの筆の動かし方。類語運筆。書法。❷文章の表現のしかた。言いまわし。「春秋の―」❸やり方。「例の―で行こう」

*__ひっ-ぽう__【筆×鋒】〔文〕❶筆の穂先。❷〔批評を加えて論じた〕文章の勢い。「―鋭く非難する」

ひつ-ぼく【筆墨】〔文〕筆と墨(で書いたもの)。「―に親しむ(=文筆に親しむ)」

ひ‐づめ【×蹄】〔馬・牛・鹿などの〕けものの指の先を円筒状に包んでいるかたい角質のつめ。

ひつ‐めい【筆名】文章を書いて発表する時に用いる〔本名以外の〕名前。ペンネーム。

ひつ‐めつ【必滅】《名・自サ》〔文〕必ずほろびること。「生者―」

*__ひつ‐よう【必用】__〔文〕必ず用いなければならないこと。類語 必要。

*__ひつ‐よう【必要】__《名・形動》どうしてもいること。また、どうしてもしなくてはならないこと。「仕事に―な知識」「―は発明の母」類語 必用。対 不要。**―あく【―悪】**正しくないことではあるが、社会の状態から見て必要であるとされる事柄。**―じょうけん【―条件】**〔論〕「pならばq」という命題が正しいとき、qをpであるための必要条件という。参考 このとき、pはqであるための十分条件という。

ひつ‐りょく【筆力】❶書かれた文字・文章の勢い。筆勢。❷文章によって人に訴える力。「―が衰える」

ひつ‐ろく【筆録】《名・他サ》〔文〕文字に書きとどめること。また、その記録。

*__ひ‐てい【否定】__《名・他サ》そうではないとすること。打ち消すこと。「うわさを―する」対 肯定。

*__ひ‐てい【比定】__《名・他サ》比較し推定すること。「成立年代を―する」

びてい‐こつ【尾×骶骨】尾骨。

ビデオ❶テレビで、音声(=オーディオ)に対して、画像の部分。対 オーディオ。❷テレビの映像信号を取り扱う装置や回路。❸「ビデオテープ」「ビデオテープレコーダー」の略。=ヴィデオ。▽video **―テープ** テレビの映像信号や音声信号を記録する磁気テープ。また、記録した磁気テープ。ビデオ。▽videotape **―テープ‐レコーダー** テレビの画像信号をビデオテープに記録し、また再生する装置。磁気録画装置。ビデオ。略語VTR。▽videotape recorder

び‐てき【美的】《形動》❶美の観念に一致するようす。「―な表現」❷美に関係するようす。美学の対象となるようす。「―感性」

ひてつ‐きんぞく【非鉄金属】鉄以外の金属の総称。参考 大規模の鉄鋼産業と区分した言い方。

ひ‐でり【日照り】❶日が照ること。「―雨(=日が照っているのに降るにわか雨)」❷〔夏に〕長い間晴天ばかりが続いて雨が降らないこと。❸必要なものが手にはいらないこと。「女―」表記 ②③は「旱」とも書く。

*__ひ‐てん【批点】__〔文〕詩歌・文章を批評・訂正してつける評点。また、批評すべき要所などに打った点。一般に、批判・非難すべき箇所。欠点。「―を打つ」

*__ひ‐てん【飛天】__〔仏〕空中を飛行する天人。天女。

*__ひ‐でん【秘伝】__秘密にして特定の人だけにしか伝授しない・こと(事がら)。「―の妙薬」類語 秘訣。

*__ひ‐でん【飛電】__〔文〕いなずま。「―一閃」

び‐てん【美点】すぐれた所。長所。「日本人の―」対 欠点。

び‐でん【美田】〔文〕地味のこえたよい田地。「児孫の為に―を買わず」類語 良田。沃田。

ひ‐でんか【妃殿下】皇族の妃の敬称。

*__ひと【一】__ 一《名》ひとつ。いち。二《接頭》❶「一つ」「一回」の意。「―包み」「―かかえ」❷「ちょっと」「少し」の意。「駅まで―またぎ」「―目でわかる」「―休み」❸ある特定の時をぼんやりとさす。「―ころのように…」

*__ひと【人】__ ❶哺乳類サル目ヒト科に属する動物。現存種はホモサピエンス一種のみ。人間。❷おとな。成人。「―と成る(=成長して一人前のおとなになる)」❸世間の人。世人。「―に知られた仲」❹自分以外の人間。他人。「―様」「―をばかにするな」「―を食う(=他人をこばかにする)」表記 ④は「他人」とも書く。❺意中の人。恋人。妻。夫。「いい―」「うちの―」❻すぐれた人。役にたつ人。「―を得る」❼人がら。性格。「―がいい」❽〔法〕自然人と法人の総称。

―には添うてみよ馬には乗ってみよ《句》つき合ってみなければ人の本質はわかるものではない。

―の噂も七十五日《句》世間の評判はいつしか自然に消えていくものである。

―の口に戸は立てられぬ《句》世間のうわさは防ぎようがない。

―の疝気を頭痛に病む《句》自分に関係のないことまで心配する。

―のふり見て我がふり直せ《句》他人の失敗を見たら、それを自分へのいましめとして反省せよ。

―の褌で相撲を取・る《句》他人の物を利用して自分の利をはかる。

―は一代名は末代《句》人の身は一生で終わりだが、その名はいつまでも残る。

―はパンのみにて生くる者に非ず《句》人間は物質的生活だけで生きているものではなく、精神的生活がなくてはならない。〈新約聖書〉

―を呪わば穴二つ《句》他人に害を加えれば、結局、自分も害される。参考「穴」は墓穴の意。

―を見て法を説け《句》人に働きかけをするときには、その人物にふさわしい手段を選ぶのがよいというたとえ。

*__ひと‐あし【一足】__❶一歩。❷わずかな距離・時間。「―先に行く」「―違いで(=時間が少しずれて)」

*__ひと‐あし【人足】__人のゆきき。「―がめまぐるしい」

ひと‐あじ【一味】〈―違う〉他の同じようなものとは少し違った味わいがある。「―違った作品」

ひと‐あしらい【人あしらい】人をもてなすこと。応対。「―のじょうずな人」

ひと‐あせ【一汗】〈―かく〉ひとしきり運動や肉体労働などをして汗をかく。

*__ひと‐あたり【一当(た)り】__〈―当たる(する)〉ちょっと当たってみること。「本当かどうか―してみる」

*__ひと‐あたり【人当(た)り】__〔その人が〕他人に接しているときに与える感じ。応対ぶり。「―のいい人」

ひと‐あめ【一雨】❶一回の降雨。「―ごとに暖かくなる」❷〈―来る(ある)〉ひとしきり降る。「―来そうだ」

ひと‐あれ【一荒れ】〈―する(来る)〉ひとしきり荒れる。「株主総会は―しそうだ」

ひと‐あわ【一泡】〈―吹かせる〉人を驚かせて、あっと言わせる。また、不意をついてあわてさせる。

ひと‐あんしん【一安心】《名・自サ》〔心配事などが去って〕ひとまず安心すること。「就職できてまずは―」

ひど・い【▽酷い・非▽道い】《形》❶普通なら遠慮するような無情なことをするようす。思いやりがない。「―・い仕打ち」❷度合いがはなはだしい。激しい。「―・い叱責をうける」参考 ➡ひどく。❸はなはだ悪い。「―・い出来」「―・い服装」文 ひど・し《ク》。

ひと‐いき【一息】❶一回の呼吸。一呼吸。転じて、ひとやすみ。「―つく」「―入れる(=ちょっと休む)」❷

途中で休まず、一続きに行うこと。一気。「—に坂道を下る」❸少しの努力。「入選するにはもう—だ」

ひと‐いきれ【人▽熱れ・人×熅れ】 人が大勢集まり、そのからだから出る熱気が立ちこめてむし暑くなること。「—でむっとする」

ひと‐いちばい【人一倍】《副》《「—に」の形も》普通の人より一段と激しいようす。「—に努力する」

ひと‐いろ【一色】 ❶ひとつの色。❷ひとつだけの種類・傾向。「客も—ではない」＝一色(いっしき)。

ひ‐とう【秘湯】 あまり知られていない、山奥などにある温泉。「—の旅」

ひ‐どう【非道】《名・形動》〔文〕道理・人情にそむいていること。没義道(もぎどう)。「極悪—」「—なことをする」

び‐とう【尾灯】 自動車などの車体の後部につける標識灯。テールライト。テールランプ。対前照灯。

び‐どう【微動】《名・自サ》ほんの少し動くこと。「表情は—だにしない」

ひと‐うけ【人受け】 その人に対して、他人の持つ感じ。他人の信用・評判。「—がいい」

ひと‐うち【一打ち】《名・他サ》❶一回うつこと。❷一回でうちふせること。「相手を—にする」

ひと‐え【一重】(—へ) ❶かさならないで、そのものが一つだけであること。「紙—の差」❷花びらがかさなりあっていないもの。単弁。「—の桜」対八重(やえ)。❸〔着物で〕裏がついていないこと。また、その着物。ひとえもの。対あわせ。表記❸は「単」「単衣」と書く。

ひとえ‐に【▽偏に】(ひとへ—)《副》❶ただそのことだけ。ただいちずに。ひたすら。「—御愛読を願う」❷ただそれだけ。まったく。「—皆様のお陰です」

ひと‐おじ【人▽怖じ】(—おぢ)《名・自サ》〔幼児や気弱な人などが〕見知らぬ人の前に出ておじけづくこと。「—しない子」類語人みしり。

ひとおもい‐に【一思いに】(ひと—おも—)《副》思い切って物事をするようす。思い切って。「—殺してくれ」

ひと‐かかえ【一抱え】(—かかへ) 両腕いっぱいに抱えるほどの大きさ。「—もある大木」

ひと‐がき【人垣】 大勢の人が立ち並び、垣根のようになったもの。「—を作る」

ひと‐かげ【人影】〔物に映った〕人の影。また、人の姿。「—がさす」「海辺に—はない」

ひと‐かけら【一欠▽片】 一つのかけら。また、ほんの小さな断片。「—の愛情」

ひと‐かず【人数】 ❶人間のかず。人数(にんずう)。❷一人前として数えられること。「—には入らない」

ひと‐かた【一方】 ❶《名・形動》普通の程度。ひととおり。〔下に打ち消しを伴う〕「悲しみようは—ではない」❷〈「お—」〉「一人」の尊敬語。お一人。「お—さま」

—ならず《副》ひととおりでなく。非常に。「—驚く」

—ならぬ《連体》ひととおりでない。非常な。「—お世話になりました」

ひと‐がた【人形】 ❶人の形。❷→形代(かたしろ)❷。

ひと‐かど【一角・一▽廉】 ひときわすぐれていること。また、その名に値するだけの内容をそなえていること。いっかど。「—の事業家」「—の口をきく」

ひと‐がら【人柄】 ㊀《名》人の性格や品位。〔多く、よい方に言う〕「—の奥ゆかしい人」㊁《形動》〈お—〉性質がおだやかで、品格のあるようす。「奥様はお—でいらっしゃる」

ひと‐からげ【一▽絡げ・一×紮げ】 一つに束ねること。「十把(じっぱ)—」

ひと‐かわ【一皮】(—かは) ❶表面をおおっている一枚の皮。「—むける(＝洗練されてよくなる)」❷いつわり飾ったうわべ。「—はぐ」

ひと‐ぎき【人聞き】 世間の人が聞いてうける感じ。「—が悪い」類語外聞。

ひと‐ぎらい【人嫌い】(—ぎらひ) 他人とつきあうことをきらうこと(人)。人間ぎらい。

ひと‐きわ【一際】(—きは)《副》程度がさらにはげしいようす。一段と。いっそう。「—美しく見える」

ひ‐とく【秘匿】《名・他サ》〔文〕ひそかに隠しておくこと。「取材源の—」類語隠匿。

ひどく【▽酷く・非▽道く】《副》《「ひどい」の連用形から》程度の甚だしいようす。非常に。「—背が高い」

び‐とく【美徳】〔文〕りっぱな徳(から出た美しい行い)。「謙譲の—」対悪徳。

ひと‐くさり【一くさり】〔語り物・話などの〕まとまった一くぎり。一段落。ひときり。「物語の—を語る」

ひと‐くせ【一癖】 普通とどことなく違って、普通の方法では対処できない、特別な性質。「—ありそうな奴(やつ)」「—も二癖もある」

ひと‐くだり【一▽行】 文章の一行(いちぎょう)。また、文章中や物事の一部分。一件。「表現を抑えた—がある」

ひと‐くち【一口】 ❶飲食物を一回口に入れること。「酒を—のむ」❷短く・簡単に〔要領よくまとめて〕言うこと。「—には言えない」「—批評」❸少し言うこと。一言(ひとこと)。❹株・寄付などの一単位。「—申し込む」❺〔多人数でする仕事の〕割りあて。分けまえ。「—乗る(＝もうけ仕事などの仲間に入る)」

—ばなし【—話・—×噺・—×咄】 ごく短い笑い話。小話。

ひと‐くふう【一工夫】《名・他サ》ちょっと工夫すること。「—足りない」

ひと‐くろう【一苦労】《名・自サ》ちょっとした苦労。また、かなりな苦労。「彼を納得させるのが—だ」

ひと‐け【人気】 人のいるけはい。「—のない広場」

ひ‐どけい【日〈時計〉】 日光による影の動きから時刻を知る装置。目盛り盤の中央に柱を立てたもの。

ヒト‐ゲノム 人間の持つ遺伝子群。人間のゲノム。参考ヒトはhumanの訳語。

ひと‐こいし・い【人恋しい】(—こひしい)《形》人に会いたい、人と話がしたい気持ちである。「—・い秋の山里」

ひと‐こえ【一声】(—こゑ) ❶一度鳴くこと。「ひひんと—鳴く」❷ちょっとことばを発すること。「危ないよと—かける」❸権力・威厳のある発言。「会長の—で決まる」❹〈「もう—」の形で〉売買で、せって値段をきめるとき、さらに一段階値段を上げる(下げる)ことを希望していう語。「九〇〇円、もう—!」

ひと‐ごえ【人声】(—ごゑ) 人の声。「—がする」

ひと‐ごこち【人〈心地〉】〈—がつく〉平常に立ちかえったという〔安心した〕気持ちがする。「熱がひいてやっと—がついた」

ひと‐ごころ【人心】 ❶人間の心。人情。なさけ。情愛。❷人心地。

ひと‐こと【一言】 一つのことば。また、わずかなことば。いちごん。「—ごあいさついたします」

ひと‐ごと【人事・▽他人事】 自分には関係のないこと。「—ではない(＝やがていつか自分の身にふりかかってくるかもしれない)」参考熟字訓の「他人事」にひかれて、

ひ

俗に「たにんごと」ともいう。

ひと‐こま【一×齣】 ❶劇や映画などの一場面。❷一つづきのことがらの一場面。「私生活の—をのぞく」

ひと‐ごみ【人込み・人▽混み】 多くの人が寄り集まって混雑していること(所)。「沿道は大変な—だ」

ひと‐ころ【一×頃】 以前のある時期。「—のような元気がなくなった」[類語]一時。往年。

ひと‐ごろし【人殺し】 人間を殺すこと。殺人。また、人間を殺した人。殺人者。

ひと‐さし【一差(し)・一指(し)】 〔将棋・舞などで〕一回。「—舞う」

ひとさし‐ゆび【人差(し)指・人指(し)指】 〔人をさす指の意〕手の、親指と中指との間の指。第二指。

ひと‐ざと【人里】 人家の集まっている所。「—離れた山あいの寺」

ひと‐さま【人様・他▽人様】 他人を尊敬していう語。「—に迷惑をかけるな」

ひと‐さらい【人×掠い・人×攫い】 他人の子供などをだまして(無理に)連れ去る者。

ひと‐さわがせ【人騒がせ】《名・形動》理由もなく人を驚かせ騒がせること。「とんだ—な事件」

ひとし‐い【等しい・▽斉しい・▽均しい】《形》❶異なるところがない。「—・い長さ」❷その状態が他の好ましくないものによく似ている。まるで…のようだ。「詐欺にも—・い行為」[文]ひと・し《シク》。

＊**ひと‐しお【一▽入】**《副》〔染め物で、布を一度染め液の中に入れることから〕程度がさらに一層。一段と。ひときわ。「春の到来が—待たれる」

＊**ひと‐しお【一塩】** 魚・野菜などに薄く塩をふること(もの)。「—の鮭」[類語]甘塩。うす塩。

ひと‐しきり【一▽頻り】《副》しばらくの間(さかんに)続くようす。「—おしゃべりが続く」[類語]一時。

ひとしく【等しく・▽斉しく】《副》〔「ひとしい」の連用形から〕[文]みな一様に。ともに。同様に。「山も湖も—霧におおわれた」

ひと‐しごと【一仕事】 一つの仕事(として十分な内容のある事柄)。「やっと—終わった」

ひと‐じち【人質】 約束を履行する保証として相手に渡す人間。また、要求を通すためにとらえておく、相手側の人間。「子どもを—にとる」

ひとし‐なみ【等し並み】《名・形動》同じ扱い方であること。同等。「老いも若きも—に扱う」

ひと‐じに【人死に】 不意の出来事で人が死ぬこと。

ひと‐しれず【人知れず】《副》人に知られることなく。「—悪い事をした」[類語]こっそりと。ひそかに。

ひと‐しれぬ【人知れぬ】《連体》人の知らない。「—苦労」

ひと‐ずき【人好き】 だれからも好かれること。「—のする顔」

ひと‐すじ【一筋】 ❶細く長いものの一本。[表記]「一条」とも書く。❷《名・形動》ただ一つのことに、ひたすら心を集中し続けること。「剣—の家柄」[類語]専心。一途。 **—なわ【—縄】** ふつうの方法・手段。「この仕事は—ではいかない」

ひと‐ずれ【人擦れ・人×摺れ】《名・自サ》多くの人に接して、ずるくなっていること。「—した態度」

ひと‐だかり【人▽集り】 多くの人が寄り集まること。また、その人たち。「—をかきわけて中にはいる」

ひと‐だすけ【人助け】 人を助けること。

ひと‐だのみ【人頼み】〔自分は積極的にしないで〕他人の力をあてにすること。「—ではうまくいかない」

ひと‐たび【一度】 ㊀《名》一度。「—は要求をのむ」㊁《副》いったん。「—決心したら実行するだけだ」

ひと‐だま【人▽魂】 夜淡く光りながら尾を引いて空中を飛ぶ、火の玉。死者の魂とされる。

ひと‐たまり【一×溜(ま)り】 しばらく持ちこたえること。「—もない(=わずかの間も持ちこたえられない)」

ひと‐だまり【人×溜(ま)り】 ❶人がおおぜい集まっていること(場所)。「船着き場の—」❷ひかえの場所。

ひと‐ちがい【人違い】《名・他サ》別人を当人と思い違えること。人違え。

ひと‐つ【一つ】 ㊀《名》❶数の名。自然数の一番基礎になるもの。いち。ひと。❷その物だけであること。「母の手—で育てられた」❸同じであること。「目的は—だ」❹一方。一面。「—には将来の計画も必要だ」❺《体言の下につき、あとに打ち消しの語を伴って》意味を強める。さえ。「何—できない」「あいさつ—しない」㊁《副》❶ちょっと。ためしに。「—やってみるか」❷どうぞ。「—がんばってください」
—**穴の狢**《句》その仲間になって事をたくらむ者。同類。同じ穴のむじな。一つ穴のきつね。

ひとつ‐おぼえ【一つ覚え】 一つの事だけを習い覚えて得意になること。「馬鹿の—」

ひと‐づかい【人使い】 人の使い方。「—が荒い」

ひとつ‐がき【一つ書(き)】 各項目ごとに「一、…」と箇条書きにすること。また、その文書。

ひと‐づき【人付き】 ❶人づきあい。「—の悪い人」❷他人の評判。

ひと‐づきあい【人付(き)合い】 他人とのつきあい。ひとづき。「—の良い人」

ひと‐っ‐こ【人っ子】「人」を強めていう語。「—一人(=だれも)通らない道」

ひとつ‐こと【一つ事】 一つの事柄。同じ事(のみ)。「—をいつまでも言う」

ひと‐づて【人▽伝】 他人を介して伝わること。「—に聞いた話」

ひとつ‐ばなし【一つ話】 ❶いつも得意になってする話。❷後々まで人の話の種になる面白い話。

ひとつ‐ひとつ【一つ一つ】〔多くある物の〕それぞれ。一つずつ。ひとつびとつ。「—に思い出がある」

ひとつ‐ぶ【一粒】 一個の粒。「—の麦(=他のために進んで犠牲になることのたとえ。新約聖書にあることば)」 **—だね【—種】** ひとりっ子。ひとりご。

ひと‐づま【人妻】 他人の妻。また、結婚して妻という立場にある女性。「—の身」

ひとつ‐み【一つ身】 後ろ身ごろを並幅一枚で仕立てた、乳幼児用の和服長着。

ひとつ‐や【一つ家】 ❶人里離れた所に立っている一軒家。「丘の上の—」❷同じ家。「兄夫婦と—に住む」

ひと‐て【一手】 ❶一方の手。片手。❷独占してすること。一手。「—に販売する」❸一回の手数や技。「—の差で敗れる」「—指南を願う」❹一組。一隊。

＊**ひと‐で【人出】**〔ある場所に〕人が多く出ること。「今年最高の—でにぎわう」

＊**ひと‐で【人手】** ❶人の手。人のわざ。「—を加える」❷他人のしわざ。「—に掛かる(=他人に殺される)」❸他人の手中。「—に渡る」❹他人の手助け。「—を借

りる」❺働く人。働き手。「―不足」

*ひと-で【▽海▽星・人手】棘皮(きょくひ)動物の一種。浅い海底にすむ。からだは平たく、多くは五角の星形。ハマグリやアサリなどを食害。

ひと-で-なし【人で無し】恩や人情をわきまえない人。人非人。〔人をののしることばとしても使う〕

ひと-とおり【一通り】(―とほり)❶《名・副》始めから終わりまでざっと。ひとわたり。「村を―見て歩いた」❷《名・副》それでだいたい満足されると認められるだけのもの。一応、すべて。「芸事は―心得ている」❸普通。なみ。「歩きにくいことーではない」

ひと-どおり【人通り】(―どほり)人の行き来。「―が激しい」

ひと-とき【一時】❶しばらくの間。いっとき。いちじ。「朝の―はコーヒータイム」❷過ぎ去った、あるとき。いちじ。「―は栄えた港」❸昔の時間の単位の一つ。今の二時間に相当する。いっとき。

ひと-ところ【一所】一か所。同じ所。同じ場所。ひとつところ。「人が―に集まる」

ひと-とせ【一▽年】〔文〕❶一年間。いちねん。❷以前の、ある年。先年。「―わが町に大火があった」

ひと-と-なり【人となり】〔文〕もちまえの性格。人柄。「彼の―を見込む」表記「為人」とも書く。

ひと-とび【一飛び】❶一回飛ぶこと。また、ちょっと飛ぶこと。「北極を―、パリに行く」❷〈「―に」の形で〉〔途中にあるものを飛び越えて〕ただちに。「―に母のもとへ帰る」＝ひとっとび。

ひと-なか【人中】人が大勢いる所。また、世間。「―へ出る」

ひと-なかせ【人泣かせ】《名・形動》人に迷惑をかけること。また、その行い。「―ないたずら」

ひと-なだれ【人〈雪崩〉】群衆が押し合いながら動くようすをなだれにたとえた語。「―とともに外へ出る」

ひと-なつかし・い【人懐かしい】《形》❶人がなつかしく思える。「―・い街の灯」❷温かみがあって親しみ深く感じられる。「―・い文章」

ひと-なつこ・い【人懐こい】《形》人にすぐ慣れ親しみやすい。ひとなつっこい。「―・く笑う」

ひと-なぬか【一七日】初七日(しょなぬか)。ひとなのか。

*ひと-なみ【人波】おおぜいの人が移動したり揺れ動いたりするようすを波にたとえた語。「―をかきわける」

*ひと-なみ【人並(み)】《名・形動》普通の人と同じ程度であること。世間並み。「―に苦労をする」

ひと-な・れる【人×馴れる】《自下一》❶他人との応対・交際になれる。❷〔動物が〕人になれ親しむ。

ひと-にぎり【一握り】❶片手で握ること。「―の砂」❷わずかな数・量。「―の国費留学生」

ひと-ねいり【一寝入り】《名・自サ》➡ひとねむり。

ひと-ねむり【一眠り】《名・自サ》しばらくの間眠ること。一寝入り。「別室で―する」

ひと-ばしら【人柱】❶昔、橋・堤防・城などの工事の完成を祈り、神へのいけにえとして、生きた人を水中や地中に埋めた・こと(人)。「―に立つ」❷遠大な目的のために犠牲となった人。「平和国家の―となる」

ひと-はしり【一走り】ちょっと走ること。ひとっぱしり。「酒屋まで―行ってくれ」

ひと-はた【一旗】〈―揚げる〉新たに事業などをおこして認められる。「上京して―揚げようと思う」

*ひと-はだ【一肌】〈―脱ぐ〉本腰を入れて自分の力を貸す。「親友のために―脱ぐ」

*ひと-はだ【人肌・人▽膚】人の肌。また、その程度のあたたかさ。「―が恋しい」「燗(かん)は―」

ひと-はたらき【一働き】《名・自サ》ひと奮発して働くこと。「恩師のために―する」

ひと-はな【一花】❶一輪の花。❷〈―咲かせる〉成功して、ある一時期はなやかに過ごす。

ひと-ばらい【人払い】(―ばらひ)《名・自サ》密談のときや貴人の通行のとき、その場から余人を遠ざけること。

ひと-ばん【一晩】❶日が暮れてから次の朝までの間。❷ある晩。また、いつかの夜。類語 一夜(いちや)・一夜(ひとよ)。

ひと-ひ【一日】〔文〕❶いちにち。❷一日じゅう。終日。「湖畔で―を過ごす」❸ある日。「春の―」

ひと-びと【人人】❶多くの人。「町を行く―」❷めいめいの人。「―の顔はうれいに沈んでいた」

ひと-ひねり【一×捻り】《名・他サ》❶かんたんにやっつけること。「こんな若ぞうなんか―だ」❷さらに趣向や工夫をこらすこと。「もう―すれば面白い作品になる」

ひと-ひら【一▽片・一▽枚】〔文〕薄く平らなものいちまい。いっぺん。「―の雲」「―のわくら葉」

ひと-ふで【一筆】❶〔絵や文字を〕墨つぎしないで一続きに書くこと。「―で書いた絵」「―書き」❷ちょっと書きつけること。いっぴつ。「―書いておく」

ひと-べらし【人減らし】人員を減らすこと。人員整理。

ひと-まえ【人前】(―まへ)❶他の人が見ている前。「―で辱めをうける」❷他の人に見える姿・形。体裁(ていさい)。「―をかざる」

ひと-まかせ【人任せ】〔自分がすべきことを〕他人に任せきりにすること。「何事も―にする」類語 人頼み。

ひと-まく【一幕】❶演劇で、幕をあげてからおろすまでに演じられる一くぎり。❷目の前で展開された事件などの、一場面。「代議員がくってかかる―もあった」

ひと-まず【一▽先ず】(―まづ)《副》〔事が終わるわけではないが〕さしあたって。とにかく。「―経過報告をする」

ひとまち-がお【人待ち顔】(―がほ)《名・形動》人の来るのを待っているような顔つき。「男が―に立っている」

ひと-まね【人真▽似】❶他人の言動などをまねること。❷〔鳥・獣が〕人間の動作・ことばをまねること。

ひと-まわり【一回り】(―まはり)❶《名・自サ》一回まわること。一周。❷十二支が一回めぐる年数。一二年。「―年が違う」❸大きさ・太さの一段階。〔人の能力・人柄についてもいう〕「人間が―上だ」

ひとみ【×瞳・×眸】瞳孔(どうこう)。また、目。「―を凝(こ)らす(＝じっと見つめる)」「つぶらな―」

ひとみ-ごくう【人身御▽供】❶いけにえとして人の体を神に供える・こと(人)。❷他人の欲望を満足させるための犠牲となる・こと(人)。

ひと-みしり【人見知り】《名・自サ》〔幼児が〕見慣れない人を見て、はにかんだりきらったりすること。

ひと-むかし【一昔】昔と感じられる、過去の一区切り。「十年―」参考 ふつう一〇年ぐらい前をいう。

*ひと-むれ【一群れ】ひとつに群れ集まっていること。一群(いちぐん)。「ヒツジの―」

*ひと-むれ【人群れ】人の群れ。群衆。

*ひと-め【一目】❶一度ちょっと見ること。「―お会いしたい」「―で見分ける」❷一度に全体を見渡すこと。「市内が―で見渡せる丘」類語 一望。 ―ぼれ【―

×惚れ】《名・自サ》一目見て心を引かれること。「美しい女性に—する」

*ひと-め【人目】他人が見る目。「—を気にする」「—に余る(=見ている人に不快感をもよおさせるほどである)」「—に立つ(=人の注意を引く。目立つ)」「—を忍ぶ(=他人に見られないようにする)」「—を引く(=目立っていて、人の注意を引きつける)」

ひと-もうけ【一×儲け】《名・自サ》一度に、ある程度まとまった利益を得ること。「—たくらむ」

ひと-もじ【人文字】おおぜいの人が集まって、遠方から見ると文字の形に並んだもの。また、その文字。

ひともし-ごろ【火▽点し×頃】〔日が沈んで〕あかりをつけるころ。夕暮れ時。

ひと-もと【一本】〔文〕いっぽん。

ひとも-なげ【人も無げ】《形動》人前もはばからずにふるまうようす。「—な所行」

ひと-や【人屋・▽獄】〔文〕牢屋。

ひと-やく【一役】一つの役割。「—果たす」「—買う(=ある任務・仕事をすすんで引き受ける)」

ひと-やすみ【一休み】《名・自サ》ちょっと休むこと。「ここらで—しよう」 類語 一服。少憩。

*ひと-やま【一山】❶一つの山。山全体。「—越えて隣の町へ行く」「—当てる(=投機などでもうける)」❷山の形につみ上げたもの一つ。「—五百円のリンゴ」

*ひと-やま【人山】多くの人が集まったようすを山にたとえた語。人の山。「—を築く」

ひと-よ【一夜】❶ひとばん。「今宵—」❷ある晩。「春の—、友を訪ねる」＝一夜。

ひと-よせ【人寄せ】人を寄せ集めること。また、そのための軽い演芸・鳴り物・口上など。「—太鼓」

ヒドラ ヒドラ科の刺胞動物。体長約一センチ。円筒状で、口の周囲に六〜八本の触手をもつ。池・沼の枯れ枝や石などに付着する。▽hydra

*ひとり【〈一人〉・独り】━《名》❶人の数で、一つ。一人。一名。❷自分だけで、仲間などがいないこと。特に、独身であること。「—で暮らす」「三〇を過ぎてまだ—でいる」 ━《副》《あとに打ち消しのことばを伴う》ただ単に。「問題は—東京だけではない」 表記 ━の❷、━は多く「独り」と書く。⇩〖使い分け〗

> **使い分け**「ひとり」
>
> 一人〔人の数が一つ〕二人のうちの一人・一人っ子・一人息子・一人旅・一人天下
>
> 独り〔自分だけで連れがない。独身。ただ単に〕独りぼっち・独り舞台・独り占め・独りを慎む・独り身・独り者・独り首相のみにあらず・独り決め
>
> 参考「一人歩き／独り歩き」は、「女の一人歩き」、「言葉が独り歩きする・独り歩きができる子」のように、「一人暮らし／独り暮らし」は、「気楽な一人暮らし」、「老人問題の一つである独り暮らし」のように使い分ける。「独」は、特に独立や孤独を強調するときに使う。

*ひ-とり【火取(り)・火採(り)】火を入れて他に移すための道具。—むし【火取虫】〔夏の夜など〕灯火に集まってくる虫。

ひ-どり【日取り】〔行事などをとり行う〕日を決めること。また、その日。「訪米の—がきまる」 類語 期日。

ひとり-あるき【〈一人〉歩き・独り歩き】《名・自サ》❶〔連れや付き添いなしに〕ただひとりで歩くこと。❷〔援助を受けず〕ひとりだちすること。「子会社もやっと—できるようになった」❸本来の性質や意図からはなれた方向に動いていくこと。「作品が—する」

ひとり-がてん【独り合点】《名・他サ》自分だけでわかったつもりになること。

ひとり-ぎめ【独り決め】《名・他サ》❶〔他と相談せず〕自分の考えだけで決めること。❷自分で、そうと思い込むこと。「できないものと—するな」

ひとり-ぐち【〈一人〉口】〔家族がなく〕ひとりだけの生計。「—は食えなくても二人口は食える(=ひとりの生活より夫婦で生活したほうが経済的に得である)」

ひとり-ぐらし【〈一人〉暮(ら)し・独り暮(ら)し】〔家族などがなく〕ひとりだけで生活すること。

ひとり-ご・ちる【独りごちる】《自上一》《「ひとりごと」を活用させた文語四段動詞「ひとりごつ」から》独り言をいう。

ひとり-ごと【独り言】聞く人もいないのに、ひとりでものを言うこと。また、そのことば。

ひとり-しばい【独り芝居・〈一人〉芝居】❶ひとりで演じる芝居。❷ひとりで感情を高ぶらせて行動すること。ひとり相撲。

ひとり-じめ【独り占め・〈一人〉占め】《名・他サ》自分(の仲間)だけのものにすること。独占。「もうけを—にする」

ひとり-ずまい【〈一人〉住(ま)い・独り住(ま)い】たった一人で住んでいること。ひとり暮らし。

ひとり-ずもう【〈一人〉〈相撲〉・独り〈相撲〉】ひとりで気負い込んで、結果が期待できないことに努力すること。「—に終わる」

ひとり-だち【独り立ち】《名・自サ》❶〔物につかまらず〕自分の力で立つこと。❷〔援助を受けず〕自分の力でやってゆくこと。ひとり歩き。独立。

ひとり-っ-こ【〈一人〉っ子・独りっ子】兄弟・姉妹がなく、ただひとりだけの子。ひとりご。

ひとりで-に【独りでに】《副》他から働きかけないのに。自然に。「ドアが—開く」 類語 おのずから。

ひとり-でんか【〈一人〉天下・独り天下】自分ひとりで思うままにふるまい、それを抑える人がいないこと。ひとりてんか。「委員長の—」

ひとり-ひとり【〈一人〉〈一人〉】各人。めいめい。ひとりびとり。〔副詞的にも使う〕「—意見をのべる」

ひとり-ぶたい【独り舞台・〈一人〉舞台】❶ただひとりの役者が舞台で演じること。独演。❷仲間の存在が薄らぐほど、ひとりの人がきわだっていること。「この試合は彼の—だった」

ひとり-ぼっち【〈一人〉ぼっち・独りぼっち】《「一人法師」の転》仲間や頼る人がなく、たったひとりきりであること。ひとりぽっち。「—で遊ぶ」

ひとり-まえ【〈一人〉前】→いちにんまえ。

ひとり-み【独り身】結婚せずに、または家族と別れて、ひとりだけで暮らしていること。 類語 独身。単身。

ひとり-もの【独り者】❶配偶者のいない人。独身者。❷家族のいない人。

ひとり-よがり【独り善がり】《名・形動》自分だけでよいと思いこみ、他の意見を受けつけないこと。独善。「—な人」 類語 独断。

ひ-ど・る【火取る】《他五》火であぶる。〔古風な言い

方」「海苔を—る」

ひと‐わたり【一渡り・一▽渉り・一×亙り】《副》全体について、一度大ざっぱにするようす。「—あいさつをすます」類語一通り。ざっと。一応。

*__ひな__【×鄙】〔文〕いなか。「—にはまれな美人」

*__ひな__【×雛】一《名》❶卵からかえって間もない鳥。ひよこ。❷ひな人形。おひなさま。二《接頭》《名詞につけて》「小さい」「かわいらしい」の意。「—菊」「—形」

ひな‐あそび【×雛遊び】ひな祭り。

ひな‐あられ【×雛×霰】三月三日の桃の節句に、ひな人形に供える紅白のあられ。

ひな‐うた【×鄙歌】いなかの俗謡。ひなびた歌。

ひ‐なか【日中】日のあるうち。ひるま。にっちゅう。「昼—」対夜中。

ひ‐なが【日長・日永】〔春になって〕昼の間が長いこと。また、その昼の間。「春の—」対夜長。

ひな‐がた【×雛形・×雛型】❶実物を小さくかたどったもの。模型。「船の—」❷書類の形式見本。書式。

ひな‐ぎく【×雛菊】キク科の多年草。春から秋にかけて花を開く。デージー。

ひな‐げし【×雛×芥子・×雛×罌×粟】ケシ科の一年草。晩春、白・赤・紫などの花を開く。観賞用。虞美人草。美人草。

ひ‐なし【日▽済し】借金を毎日少しずつ返すこと。また、その約束で貸し借りする金。日なし金。

ひ‐なた【日▽向】《「日の方」の意》日のあたっている所。日おもて。参考ひゆ的に、めぐまれた環境の意でも使われる。「常に—を歩いてきた人」対日陰。 **—くさ・い**【—臭い】《形》日光にさらされた物に特有のにおいがする。「—い布団」 **—ぼっこ**《「日なたぼこ」の転》日なたに出て暖まること。ひなたぼこり。 **—みず**【—水】日なたに置かれて温まった水。

ひな‐だん【×雛壇】❶ひな人形などを並べて飾る壇。❷〔歌舞伎で〕囃子・長唄連中がすわる二段の席。類語山台。❸〔劇場で〕一階の東西両桟敷とその前面の高土間・新高土間。❹一段高く設けられた座席。特に、国会の本会議場で、大臣席の俗称。

ひな‐どり【×雛鳥】鳥のひな。ひよこ。

ひな‐にんぎょう【×雛人形】ひな祭りに飾る人形。内裏・左右大臣・随身・三人官女・五人ばやし・仕丁で一組となる。おひな様。ひな。

ひな‐・びる【×鄙びる】《自上一》いなかふうで、素朴な感じがする。「—・びた山里の駅」対みやびる。

ひな‐まつり【×雛祭(り)】五節句の一つ。三月三日、ひな人形や、白酒・菱餅・桃の花を飾り、女児の幸せを祈る。ひな遊び。ひいな祭り。

ひ‐なみ【日並み・日▽次】日のよしあし。日がら。「—を選んで出発する」

ひ‐ならず【日ならず】《副》〔文〕いく日もたたないうちに。まもなく。「—して吉報を得る」

ひ‐なわ【火縄】竹・ヒノキの皮の繊維や木綿糸などを縒って、硝石を吸いこませたひも。「—銃」

*__ひ‐なん__【避難】《名・自サ》災難をさけて、安全な場所にのがれること。「—訓練」類語退避。

*__ひ‐なん__【非難】《名・他サ》過失や欠点をとり上げて責めること(言葉)。「世論の—をあびる」類語批判。

び‐なん【美男】容姿の整った成年の男。美男。好男子。美男子。男前。

び‐なんし【美男子】→びだんし。

ビニール アセチレンを主原料とする合成樹脂や合成繊維。参考学術用語では「ビニル」。▽vinyl **—ハウス** ビニールを張った温室。▽vinyl と house からの和製語。

*__ひ‐にく__【皮肉】《名・形動》❶相手の欠点・弱点などを、遠まわしに意地悪く非難すること。また、そのことば。あてこすり。「—な言い方」❷予想・期待・希望に反した結果が現れること。「運命の—」

*__ひ‐にく__【×髀肉】〔文〕ももの肉。 **—の嘆**《句》腕まえを示し功名をたてる機会を得られないなげき。「—をかこつ」故事中国の蜀の劉備が、長い間戦いがなくて馬に乗らなかったため、ももの肉が肥えたのを嘆いたことから。〈三国志・蜀志〉

ひにく・る【皮肉る】《他五》《「皮肉」を動詞化した語》皮肉を言う。「かえ歌で政治家を—・る」類語あてこする。(する)風刺。

ひ‐にち【日日】❶〔物事を行う〕日。期日。「—を決める」類語日どり。❷日数。「十日の—が経過する」

ひに‐ひに【日に日に】《副》ものごとの変化が、一日一日たつごとに進むようす。日を追って。「—大きくなる」

ひに‐まし【日に増し】《副》日がたつにつれ。日ましに。〔古風な言い方〕

ひにょう‐き【泌尿器】尿を生成・排泄する器官。腎臓・尿管・膀胱・尿道など。ひつにょうき。

ビニロン ポリビニルアルコール系の合成繊維。綿に近い性質や感触をもつ。参考(ア)日本で開発された。(イ)「ビニール」と「ナイロン」からの和製語。▽vinylon

*__ひ‐にん__【否認】《名・他サ》事実として認めないこと。また、正しいもの、よいものとして認めないこと。「犯行を—する」「迷信を—する」対是認。

*__ひ‐にん__【避妊】《名・自サ》妊娠しないように人為的に処置すること。

*__ひ‐にん__【非人】❶〔仏〕人の形はしているが人でないもの。夜叉・悪鬼の類。❷江戸時代の身分制度により、穢多とともに士農工商の下にあって賤民とされた階級の人々。明治四年、平民に編入された。

ひ‐にんじょう【非人情】《名・形動》❶思いやりがなく冷淡なこと。不人情。「—なことをする」❷義理人情を超越すること。参考漱石が「草枕」で展開した美的生活の理念。

ひね【▽陳】古くなった・こと(もの)。特に、前年に収穫した穀物。「—生姜」「—米」

ビネガー 酢。食用酢。ふつう、ぶどう酒・りんご酒・麦芽などからつくる西洋酢をさす。▽vinegar

ひねくり‐まわ・す【×捻くり回す】《他五》❶指先でねじったり回したりして、あれこれといじりまわす。ひねりまわす。「珍しいライターを—・す」❷(むやみに)理屈をつけてあれこれと言いまわす。

ひね‐く・る【×捻くる】《他五》❶指先で、ねじったり回したりしてもてあそぶ。「ハンカチーフを—・る」❷理屈をつけてあれこれと言いまわす。また、あれこれ趣向をこらす。「俳句を—・る」

ひね‐く・れる【×捻くれる】《自下一》❶ねじれ曲がる。「枝ぶりが—・れている」❷性質がねじ曲がってすなおでなくなる。「不幸な境遇でも—・れない」

ひね‐こ・びる【▽陳こびる】《自上一》変にませて子供らしくなくなる。「—・びた子」類語こましゃくれる。

ひね‐しょうが【▽陳(ね)生×薑・▽陳(ね)生×姜】古

くなったショウガの根茎。辛みが強い。

ひ-ねつ【比熱】物質一グラム(グラム)の温度をセ氏一度高めるのに必要な熱量。

び-ねつ【微熱】平熱より少し高い体温。

ひねもす【▽終▽日】《副》〔文〕朝から晩まで。一日中。終日(しゅうじつ)。ひもすがら。「―寝てくらす」対よもすがら。

ひねり【×捻り・×拈り・×撚り】❶ひねること。「―をきかして着地する」❷→おひねり。❸相撲のわざで、主として腕を使って相手をひねり倒すもの。

ひねり-だ・す【×捻り出す】《他五》❶工夫・苦心した末、考え出す。「アイディアを―・す」❷工面して金銭を調達する。捻出する。「交際費を―・す」

ひねり-まわ・す【×捻り回す】(―まはす)《他五》❶ひねくりまわす。類語もてあそぶ。❷あれこれ趣向をこらし、工夫してみる。「さんざん―・したあげく、完成した」

***ひね・る**【×捻る・×拈る・×撚る】《他五》❶物を指先などでねじる。「栓(せん)を―・る」❷からだの一部をねじり回す。「頭を―・る(=工夫する)」「首を―・る(=不審に思う)」❸〔俗〕簡単に負かす。「一丁―・ってやろう」❹趣向や工夫をこらしてわざと変わったことをする。「―・った問題」❺〔いろいろと考えをめぐらして〕歌・俳句などをつくる。「俳句を―・る」文《四》

***ひ・ねる**【▽陳(ね)る】《自下一》❶年月を経て、古くなる。「―・ねたショウガ」❷子供が年のわりにおとなびる。「―・ねた子供」類語ませる。ひねこびる。

ひ-の-いり【日の入り】太陽が西に沈むこと。また、その時刻。類語いりあい。対日の出。

ひ-のうりつ【非能率】《名・形動》能率的でないこと。

ひ-の-え【▽丙】《「火の兄(え)」の意》十干の三番目。丙(へい)。

ひのえ-うま【▽丙▽午】干支(えと)の四三番目。また、それにあたる年。参考この年には火災が多いとか、この年に生まれた女は夫を殺すなどの迷信がある。

ひのき【×檜・×檜木】ヒノキ科の常緑高木。樹皮(=ひわだ)は赤褐色で、屋根材に用いる。葉は小形・うろこ状で、細い枝に密生。材は優良な建築材。ひ。

ひのき-ぶたい【×檜舞台】❶〔歌舞伎(かぶき)・能楽などの〕ヒノキの板で張った立派な舞台。❷手腕を広く社会に示す、晴れの場所。「政治の―に立つ」

ひ-の-くるま【火の車】❶〔仏〕罪のある亡者を地獄に運ぶという、火の燃えている車。火車(かしゃ)。❷経済状態が非常に苦しいこと。「家計は―」

ひ-の-け【火の気】火(の暖かみ)。また、火のあるけはい。火気(かき)。「―のない部屋」

ひ-の-こ【火の粉】火が勢いよく燃えるときに飛び散る小さな火のかけら。

ひ-のし【火×熨▽斗】中に炭火を入れて使う金属製の器具。現在のアイロンの用をなしたもの。

火熨斗

ひのした-かいさん【日の下開山】〔武芸・相撲などで〕この世の中で肩を並べる者がないほど強いこと。「―の横綱」参考「天下の開祖」の意。類語天下無敵。天下無双。

ひ-の-たま【火の玉】❶球状の火のかたまり。火球。❷勢いの激しいもの。「全員―となって突進する」❸墓地・沼などで、夜、空中を飛んで燃える火のかたまり。鬼火。ひとだま。

ひ-の-て【火の手】燃え上がる火(の勢い)。また、激しい反撃などのたとえ。「―が上がる」

ひ-の-で【日の出】朝、太陽がのぼること。また、その時刻。対日の入り。

ひ-の-と【▽丁】《「火の弟(と)」の意》十干の四番目。丁(てい)。

ひ-のべ【日延べ】❶期日を先にのばすこと。「遠足が雨で―になる」❷《名・他サ》期間を延長すること。

ひ-の-まる【日の丸】❶太陽をかたどった赤い丸。❷白地に赤い丸をえがいた旗。日章旗。**―べんとう**【―弁当・―×辨当】四角の容器に詰めた飯の真ん中に、赤い梅ぼしを置いた弁当。

ひのみ-やぐら【火の見×櫓】火事の見張りをするため高く設けたやぐら。望火楼。火の見。

ひ-の-め【日の目・▽陽の目】〈―を見る〉❶今まで知らされていなかったものが、晴れて人々の前に発表される。「五年ぶりに―を見た作品」❷〔事態が好転して〕面目の立つ、よい境遇になる。いい目をみる。

***ひ-の-もと**【火の元】→ひもと(火元)。

***ひ-の-もと**【日の本】〔文〕〔日の出る所の意から〕「日本」の美称。

***ひ-ば**【干葉・▽乾葉】❶枯れてかわいた葉。❷大根の葉や茎をほしたもの。

***ひ-ば**【×檜葉】❶あすなろ。❷ヒノキの葉。

ビバーク《名・自サ》登山で、岩陰などでテントを張って野宿すること。▽ドイツ Biwak(=露営)

ひ-ばいひん【非売品】一般の人には売らない製品。

ひ-はく【飛白】❶漢字の書体の一つ。墨色がかすれるように書くもの。飛白体。❷→かすり。

***ひ-ばく**【被×曝】《名・自他サ》放射線にさらされること。「レントゲンの―時間」

***ひ-ばく**【被爆】《名・自他サ》爆撃を受けること。特に、原水爆の爆撃を受けること。また、その放射能の害を受けること。「―者」

***ひ-ばく**【飛×瀑】〔文〕高いところから落ちる大きな滝。瀑布(ばくふ)。類語飛泉(ひせん)。瀑水。

び-はく【美白】《名・形動》(肌が)美しくて白いこと。

ひ-ばし【火×箸】炭火をはさむための金属製のはし。

ひ-ばしら【火柱】空中に柱のように燃え上がった炎。

び-はだ【美肌】美しい肌。また、肌を美しくすること。

ひ-ばち【火鉢】灰を入れて炭火を置き、暖房・湯わかしに用いる道具。「―にあたる」

び-はつ【美髪】〔文〕美しく手入れした髪の毛。

ひ-ばな【火花】❶物がぶつかったときに瞬間的に飛び散る火。「―を散らす(=激しい闘志をもって争う)」❷放電の際に電極から発する火。スパーク。

ひ-ばら【×脾腹】〔文〕よこはら。わきばら。

ひ-ばらい【日払い】(―ばらひ)賃金や利子を一日ごとに支払うこと。

ひばり【▽雲×雀】ヒバリ科の鳥。スズメより少し大きい。麦畑・川原などにすみ、春、地上に巣を作る。まっすぐ飛び上がり、空中にとどまって鳴く。

ひ-はん【批判】《名・他サ》❶よしあしなどについて、論理的・科学的に検討して判定すること。また、その判定。参考ふつう、否定的な意味に使う。「厳しく―する」「―が高まる」「―に耳を傾ける」❷悪口(を言うこと)。「単なる―にすぎない」**―てき**【―的】《形動》批判する立場をとるようす。「―な態度」

ひ-ばん【非番】当番でない・こと(人)。対当番。

*ひ-ひ【×狒×狒】❶オナガザル科の大形のサルの総称。アフリカに分布。尾が短く、口先が突出している。性質は荒い。マントヒヒなど。❷淫欲の盛んな中年以上の男。〔ののしって言う語〕「―おやじ」

*ひ-ひ【比比】《副》〔文〕どれも同じであるようす。どれもこれも。「―として皆然り」

*ひ-ひ【×霏×霏】《形動タルト》〔文〕雪・雨などが絶え間なく降るようす。「雪、―として降りしきる」

*ひび【×皹・×皸】寒さなどのために脂肪分を失った手足などに生ずる、小さな裂け目。「―がきれる」

*ひび【×篊】❶ノリ・カキを養殖するために海中に立てる、枝のついた竹やそだ。❷魚を導き入れるために海中に並べ立てた、枝つきの竹。

*ひ-び【日日】毎日。その日その日。「―努力する」

*ひび【×罅】〔陶器・ガラスなどにできる〕細かい割れ目。「―が入る(=ひゆ的に、人間関係がそこなわれる)」

び-び【微微】《形動タルト》〔文〕少なくて、とくに取り上げるほどでないようす。「―たる勢力」類語片々。

ひびか・せる【響かせる】《他下一》❶響くようにする。❷評判などを広める。「悪評を天下に―・せる」

ひびき【響き】❶音がひびくこと。また、その音。「ひづめの―」類語音響。❷音色。声の趣。「快い―の声」

ひびき-わた・る【響き渡る】《自五》❶一面にひびきつたわる。鳴り渡る。「大音声が―・る」❷〔名声・評判などが〕くまなくつたわる。「勇名が―・る」

ひび・く【響く】《自五》❶音があたりに伝わり広がる。「よく―・く声」類語鳴る。鳴り渡る。高鳴る。響き渡る。轟く。どよむ。どよめく。どよもす。(るす)共鳴。❷振動が伝わる。「火山の鳴動が足もとに―・く」❸他に影響を与える。「無理はからだに―・く」類語(るす)反映。反応。❹心に感じる。また、感覚などに訴える。「心に―・くことば」❺〔評判となって〕世間に広く伝わる。「名声が天下に―・く」文《四》。

びびし・い【美美しい】《形》はなやかで美しい。

ビビッド《形動》いきいきしたようす。ヴィヴィッド。「―に表現する」▽vivid

ひ-ひょう【批評】《名・他サ》物事の良い点・悪い点などをあれこれ評価すること。また、評価したもの。「―家」「―文」類語批判。謙譲妄評。

―がん【―眼】物事を批評する眼識・能力。

ひ-びょういん【避病院】もと、法定伝染病にかかった患者を収容して隔離・治療した病院。

びび・る《自五》〔俗〕圧倒されて萎縮する。気弱になる。「失敗を恐れて―・る」

ひび-われ【×罅割れ】《名・自サ》ひびが入って裂け目ができること。また、その裂け目。「二者間に―が生ずる(=円満な関係がそこなわれる)」

び-ひん【備品】〔学校・官庁などで〕備えつけの品物。参考消耗品に対していう。

*ひ-ふ【皮膚】動物の体の表面をおおっている皮。身体の保護、体温の調節、水分の排泄などを営む。

*ひ-ふ【被布・被風】和装用コートの一種。前を打ち合わせてえりもとを四角にあけ、組みひもでとめるもの。もと茶人などに好まれ、今は女性・子ども用。

被布

*ひ-ぶ【日歩】一日を計算期間の単位としてきめた利率。元金一〇〇円に対する金額で表す。

*ひ-ぶ【日賦】借金を毎日少しずつ返すこと。また、その借金。ひなし。ひなしがね。

*ひ-ぶ【秘部】陰部。

*び-ふう【微風】〔文〕かすかに吹く風。そよかぜ。

*び-ふう【美風】〔文〕ほめたたえられるべきよい風俗・風習。美俗。「昔の―を守る」類語良風。対悪風。

ひふき-だけ【火吹(き)竹】火をおこすための竹筒。小孔のあいた端を火に近づけて吹く。

*ひ-ふく【被服】〔文〕着るものの総称。衣服。「―費」

*ひ-ふく【被覆】《名・他サ》〔文〕物の表面に他の物をおいかぶせること。また、その物。「―線」

び-ふく【美服】《名・自サ》〔文〕美しい衣服(を身につけること)。美衣。類語錦衣。

ひ-ぶくれ【火▽脹れ】《名・自サ》やけどで、皮膚の下に水分がたまり、はれること。また、はれた部分。

ひ-ぶくろ【火袋】❶灯籠の火をともす所。❷暖炉の火をたくところ。

ひ-ぶた【火×蓋】火縄銃の火ざらの火口をおおうふた。火門蓋。「―を切る(=戦いを開始する)」

ひ-ぶつ【秘仏】厨子に安置されて、ふだんは人に見せない仏像。

ビフテキ 上質の牛肉を厚く切って焼いた西洋料理。ビーフステーキ。▽フランス bifteck

ビブラート 楽器・声楽の演奏で、音程を上下に細かく振動させる技法。ヴィブラート。▽イタリア vibrato

ひ-ふん【悲憤】《名・自他サ》〔文〕悲しみいきどおること。「―の涙」「―慷慨(=時世・運命に対して悲しみいきどおること)」

ひ-ぶん【碑文】石碑にほりつけた文章。碑銘。

び-ふん【微粉】〔文〕こまかい粉。

*び-ぶん【微分】❶《名・他サ》数学で、ある関数の導関数を求めること。❷「微分学」の略称。微分の理論と応用について研究する数学の一分科。対①②積分。

*び-ぶん【美文】美しい語句や快い言い回しでかざりたてた文章。「―調」

ひぶん-しょう【飛▽蚊症】蚊のようなものがちらちら飛ぶように見える目の病気。眼球のガラス体が混濁し、その影が網膜に映るもの。

ひ-へい【疲弊】《名・自サ》〔文〕❶心身がつかれ弱ること。「神経が―する」❷経済的に窮乏して、勢いが衰えること。「農村の―」類語衰微。衰退。

ピペット〔理〕一定量の液体を加えたり取ったりするのに使う目盛りつきの細いガラス管。▽pipette

*ひ-ほう【悲報】〔文〕悲しい知らせ。「父死去の―」類語訃報。対朗報。

*ひ-ほう【秘宝】めったに人には見せない大事な宝もの。

*ひ-ほう【秘方】〔文〕〔漢方などで〕秘密とされている薬の処方。「―薬」

*ひ-ほう【秘法】❶秘密の方法。「錬金の―」❷〔仏〕真言宗で行う秘密の祈禱。

*ひ-ほう【飛報】〔文〕急を要する知らせ。類語急報。

*ひ-ぼう【×誹×謗】《名・他サ》〔文〕悪口を言うこと。そしること。「候補者を―する」

*ひ-ぼう【非望】〔文〕身分や能力にふさわしくない大きな望み。「天下を取りたいという―」類語野望。野心。

び-ほう【×弥縫】《名・他サ》〔文〕〔一時しのぎに〕とりつくろうこと。「―策」

*び-ぼう【備忘】〔文〕忘れた時のために用意しておくこ

と。「―録(=メモ)」

*び・ぼう【美×貌】美しい顔かたち。「若さと―を誇る」

ひ・ぼく【×婢僕】〔文〕下女と下男。召使。しもべ。

ひほけん・しゃ【被保険者】保険の契約で、保険をかけられている人。

ヒポコンデリー 病気に対して異常な不安をもっていて、体の異常を過大に受けとる精神状態。心気症。▽ドイ Hypochondrie
*ひ・ぼし【干▽乾し】食物がなく、飢えてやせ衰えること。「妻子を―にするわけにはいかない」

*ひ・ぼし【日干し・日▽乾し】直射日光に当てて乾燥させること。また、そのもの。「魚の―」対陰干し。

ひ・ほん【秘本】❶秘蔵の書物。❷好色本。春本。

ひ・ぼん【非凡】《名・形動》平凡でないこと。また、普通より特にすぐれていること。「―な腕前」対平凡。

び・ほん【美本】〔文〕❶装丁の美しい本。❷汚れていない本。

ひま【暇】❶〔ある事をするのに要する〕時間。特に、短い時間。「―がかかる」❷《名・形動》さしあたって仕事がなかったり仕事が忙しくなかったりして、のんびり過ごせる時間や状態(を持つようす)。「―を潰(つぶ)す(=ある事をして時間を費やす)」「―をもてあます」「―な人がうらやましい」表記②は「閑」とも書く。❸休み。休暇。「―をもらう」❹主従の関係を絶つこと。また、離縁すること。「―を出す(=奉公人などをやめさせる。また、離縁する)」⇩〔類語と表現〕

―に飽か・す《句》暇であるために、物事に長く時間をかける。参考多く、「―・して」の形で用いる。

―を取・る《句》❶奉公人が自分から願い出てやめる。また、妻の方から離縁する。暇をもらう。❷休暇を取る。休みをもらう。暇をもらう。❸〔ある事をするのに〕時間がかかる。手間どる。

―を盗・む《句》忙しいときなどに、他の物事をするためのわずかな時間をつくり出す。

類語と表現
「暇」
*食事をする暇もない・暇を見て手紙を書く・暇をこしらえて旅行をする・暇さえあれば本を読んでいる・暇にあかせて陶芸を始める・暇なときには絵を描く・商売が暇になる。
◆手空き・手透き・徒然(つれづれ)・暇(いとま)・手持ち無沙汰(ぶさた)・退屈・無聊(ぶりょう)・悠々自適・寸暇・寸隙(すんげき)・余暇・休暇・賜暇・閑(かん)・閑暇・閑散・閑日月・小閑・有閑・農閑/レジャー・バカンス・休み・憩い・休憩・少憩・休息・骨休め・昼休み・食休み・中休み・一休み・一服・小休止

*ひ・まく【皮膜】❶皮膚と粘膜。❷皮のように薄い膜。❸区別しがたい微妙なちがい。「虚実―論」

*ひ・まく【被膜】おおいつつんでいる膜。

ひ・まご【×曾孫】孫の子。曾孫(そうそん)。ひいまご。

ひまし・に【日増しに】《副》日がたつにつれて程度が強まるようす。ひごとに。ひにまし。「―暖かくなる」

ひまし・ゆ【×蓖麻子油】ヒマ(=トウゴマ)の種子からとった不乾性油。下剤・潤滑油などの主要原料。

ひま・じん【暇人・▽閑人】これといった用事がなく、時間をもて余している人。「―の道楽」

ひ・まち【日待ち】❶陰暦一月・五月・九月の吉日の前夜から一か所にこもり、斎戒して日の出を拝む行事。「お―」❷農村などで、田植え・取り入れ後の会食。

ひ・まつ【飛×沫】〔文〕細かく飛び散る水滴。しぶき。「波の―」「―感染」

ひま・つぶし【暇×潰し】❶ひまな時間を過ごすための手段。「―に碁を打つ」類語退屈しのぎ。❷時間をむだに過ごすこと。「遠回りして―をしてしまった」

ひ・まつり【火祭(り)】❶火災のないように祈る祭。鎮火祭。❷大火(おおび)をたいて神を祭る行事。

ひま・ど・る【暇取る】《自五》〔予定より〕時間が長くかかる。手間取る。「会議の準備に―・った」

ヒマラヤ・すぎ【ヒマラヤ杉】裸子植物マツ科の常緑大高木。ヒマラヤ地方原産。高さ約四〇メートル(トル)に達し、樹形は円錐(えんすい)形で美しい。ヒマラヤシーダー。

ひ・まわり【▽向▽日×葵】―まはり キク科の一年草。夏、茎の先に黄色の大きな花をつける。種子は食用・採油用。ひぐるま。日輪草(にちりんそう)。

ひ・まん【肥満】《名・自サ》体がふとること。「―児」

び・まん【×瀰漫】《名・自サ》〔文〕〔ある風潮・気分などが〕ひろがりはびこること。「厭戦(えんせん)気分が―する」

び・み【美味】《名・形動》〔文〕おいしいこと。


ひ・みつ【秘密】《名・形動》他者に知らせないようにしていること(事柄)。また、一般の人々に公開しないこと(事柄)。「―をもらす」「公然の―」類語秘め事。隠し事。秘。秘中の秘。極秘。マル秘。秘事。機密。内緒。枢密。秘話。トップシークレット。

*び・みょう【微妙】《形動》細かく複雑にからみ合っていて、一言では言い表せないようす。「―な立場」

*び・みょう【美妙】《形動》〔文〕言いようもなく美しいようす。「―な調べ」

ひ・むろ【氷室】氷を蓄えておくための部屋または穴。

ひめ【姫】㊀《名》❶女子の美称。対彦(ひこ)。❷貴人の娘。表記「媛」とも書く。㊁《接頭》「小さくてかわいいもの」の意。「―小松」「―鏡台」

*ひ・めい【悲鳴】❶苦痛・驚きなどのため思わずあげる叫び声。❷よわね。なきごと。「忙しさに―をあげる」

*ひ・めい【碑銘】〔文〕石碑にほりつけた文章。碑文。

*ひ・めい【非命】〔文〕〔「天命でない」意から〕思いがけない災難で死ぬこと。「―に倒れる」

び・めい【美名】〔文〕❶世間でのよい評判。名声。類語盛名。令名。対悪名。❷世間に対する聞こえのよい名目。「福祉という―に隠れて暴利をむさぼる」

ひめ・がき【姫垣・姫×墻】たけの低い垣。

ひめ・ぎみ【姫君】〔文〕貴人の娘の敬称。姫御前(ひめごぜ)。

ひめ・くり【日×捲り】毎日一枚ずつはいで使うこよみ。

ひめ・ごと【秘め事】内緒事。

ひめ・こまつ【姫小松】❶マツ科の常緑高木。山地に自生し、また、盆栽として植えられる。五葉松(ごようまつ)。❷→ひめまつ。

ひめ・のり【姫×糊】水につけた飯つぶを布袋に入れ、しぼり出して作ったのり。洗い張りなどに使う。

ひめ・ます【姫×鱒】ベニマスが川を上り湖にすんで、海に下らなくなったもの。ベニマスより小さい。

ひめ・まつ【姫松】小さい松。ひめこまつ。

ひめ・やか【秘めやか】《形動》他人の目に触れないようにひそかに行うようす。ひそやか。「―な恋」

ひめ・ゆり【姫▽百▽合】ユリ科の多年草。初夏、赤だいだい色の、オニユリに似た花を上向きに開く。

ひ・める【秘める】《他下一》隠して、人に知らせないでいる。また、表面に表れないようにする。「闘志を内にー・める」「可能性をー・める」文ひ・む《下二》。

ひ・めん【罷免】《名・他サ》〔任免権をもつ者が〕一方的に職務をやめさせること。「公務員のー」

ひも【×紐】❶糸より太く、綱やなわより細い、長い線状の繊維製品や紙・革など。物をしばったり、つないだりするのに使う。❷背後にあって、それに条件をつけたり操ったりするもの。「ー付きの援助」❸〔俗〕女を働かせて金をしぼり取る情夫。

ひも・かわ【×紐革】❶細長く切った革で編んだひも。❷「紐革うどん」の略。革ひものような平たいうどん。

ひ・もく【費目】費用を使途別に分類した項目。

び・もく【×眉目】〔文〕顔かたち。 **ーしゅうれい【ー秀麗】**《名・形動》（男の）顔だちが美しいこと。

ひもじ・い《形》〔「ひだるし」の女房ことば「ひ文字」を活用させた語〕ひどく腹がへって食べ物がほしい。空腹である。「ー・い思いをする」文ひも・じ《シク》。

ひ・も・すがら【▽終▽日】《副》〔文〕朝から晩まで。一日じゅう。ひねもす。「ー机に向かう」対よもすがら。

***ひ・もち【日持ち・日▽保ち】**食べ物などの質や状態が変わらず、何日も保たれること。「ーのする食品」

***ひ・もち【火持ち・火▽保ち】**炭火などの、火がもえつづけること。「ーのいい炭」

ひも・つき【×紐付(き)】❶ひもがついている・こと(もの)。「ーの寝まき」❷ひきかえに履行しなければならない条件がついていること。「ーの援助」❸〔俗〕女に隠れた情夫がいる・こと(女)。

ひ・もと【火元】❶火の気のある場所。火の元。❷火事の発生した場所。「ーは台所」❸事件・騒動などの発生の元となったもの。「汚職のー」

ひも・と・く【×紐解く・×繙く】《他五》〔文〕〔帙のひもをとく意から〕本を開いて読む。読書する。「源氏物語をー・く」

ひ・もの【干物・▽乾物】魚や貝などをほして保存できるようにした食品。類語 乾物。

***ひや【冷(や)】**冷たい状態にある飲み水や酒。「おー（=冷や水）」「酒をーで飲む」

***ひ・や【火矢・火×箭】**火をつけて放つ矢。「ーを放つ」

ビヤ ビール。ビア。▽beer **ーガーデン** 屋外やビルの屋上などで、庭園風にしつらえた、ビールを飲ませる店。▽beer garden **ーだる【ー×樽】**❶ビールを詰める、中央部のふくらんだたる。❷ふとって腹のつき出た人。 **ーホール** おもに生ビールを専門に飲ませる店。▽beer hall

ひや・あせ【冷(や)汗】恥ずかしい思いや恐ろしい思いをしたときなどに出る汗。冷汗。「ーをかく」

ひや・か・す【冷(や)かす】《他五》❶相手が困ったり恥ずかしがるような冗談を言ってからかう。「二人の仲をー・す」❷買う気もないのに、買うそぶりをする。「夜店をー・す」表記 ②は「素見す」とも書く。文《四》。

***ひ・やく【秘薬】**製法が秘密にされている薬。また、すばらしい効能のある不思議な薬。「不老長寿のー」

***ひ・やく【秘×鑰】**〔「鑰」は「かぎ」の意〕〔文〕秘密を明らかにする方法・手段。「宇宙の神秘を解き明かすー」

***ひ・やく【飛躍】**《名・自サ》❶高くはね上がって弧をえがいておりること。「ジャンプ台からーする」類語 跳躍。❷急激に発展・向上すること。「世界にーする企業」❸〔理論などが〕ふむべき段階を経ないで先に進むこと。「論理にーがある」 **ーてき【ー的】**《形動》急激に発展するようす。順序を経ないで進むようす。「ーな進歩」

ひゃく【百】❶一〇の一〇倍。❷一〇〇歳。❸数量の多いこと。「ーも承知（=十分知りつくしていること）」

び・やく【×媚薬】❶性欲を増進させる薬。❷恋情を起こさせる薬。ほれ薬。

びゃく・え【白▽衣】〔看護師・医師・美容師などが着る〕白色の衣服。白衣。〔古風な言い方〕

ひゃく・がい【百害】〔文〕多くの弊害。「ーあって一利なし」

びゃく・ごう【白×毫】仏の両眉の中間にあって右に巻き、光明を放つという毛。

ひゃくじつ・こう【百日紅】「さるすべり」の漢名。

ひゃくしゃく・かんとう【百尺×竿頭】〔一〇〇尺もある長いさおの先の意から〕到達することのできるぎりぎりの段階。「ー一歩を進める（=完全である上に、さらに工夫・努力を加えて向上発展する）」

ひゃく・じゅう【百獣】多くのけもの。あらゆるけもの。「ーの王ライオン」

ひゃく・しゅつ【百出】《名・自サ》いろいろと、たくさん出ること。「議論ー」

ひゃく・しょう【百姓】❶農業を営む人。〔「農民」のくだけた言い方〕❷いなかもの。〔人をさげすんで言う語〕 **ーいっき【ー一×揆】**江戸時代、支配者に対して農民が行った反抗運動。 **ーよみ【ー読み】**漢字の読み方で、偏・旁から音を推定して読む読み方。絢爛を「じゅんらん」、円滑を「えんこつ」と読む類。

***ひゃく・せん【百千】**〔文〕数が多いこと。

***ひゃく・せん【百戦】**数多くの戦い。「ー錬磨（=多くの戦いできたえられた）の兵士」「ー百勝」

ひゃく・たい【百態】〔文〕さまざまな姿。「ー図」

ひゃく・だい【百代】〔多くの代を重ねた〕長い年月。「名をーに残す」

びゃく・だん【白×檀】ビャクダン科の常緑高木。東南アジア原産。材は堅く香気があり、器具材・薬品・香料となる。せんだん。

ひゃく・ど【百度】❶一〇〇回。転じて、多くの回数。❷「百度参り」の略。〔多く「おー」の形で使う〕 **ーまいり【ー参り】**神仏に願をかけ、神社・寺の境内の一定の距離を一〇〇度往復して礼拝・祈願をくり返すこと。百度詣で。

ひゃくとお・ばん【一一〇番】犯罪・事故などの緊急の際に警察を呼び出すための電話番号。「ーする（=電話で事件を警察に急報する）」

ひゃく・にち【百日】一日の一〇〇倍の日数。また、多くの日数。「ーの説法屁一つ（=長い間の苦労も、たった一回の失敗でだめになってしまうこと）」 **ーかずら【ー×鬘】**歌舞伎で、盗賊・囚人の役に用いる、さかやきをそらず髪を伸ばした形のかずら。 **ーぜき【ー×咳】**幼児に多い感染症。発作性のせきが長く続く。一度かかると終生免疫をもつ。 **ーそう【ー草】**キク科の一年草。夏から秋に赤・黄・白などの花をつける。観賞用。参考 花期が長いことから。

ひゃく・にん【百人】一人の一〇〇倍。 **ーいっしゅ【ー一首】**一〇〇人の歌人の和歌を一首ずつ選んで集めたもの。また、それをかるたにしたもの。小倉百人一首がその代表。百人首。 **ーりき【ー力】**❶一〇〇人分の力(があること)。❷援助を得て心強く思うこと。「君が加わればーだ」

ひゃく・ねん【百年】一年の一〇〇倍の年数。また、

ひ

長い年月。「国家―の計(=遠い将来を見通した国の計画)」「―の不作(=終身におよぶ不幸や失敗)」 ―め【―目】隠していたことが露見したときに言う語。「これでおしまいだ」の意。「ここで逢ったが―」

―河清を俟つ《句》↓河清を俟つ。

―の恋も一時に冷める《句》〔欠点などに気づいて〕長い間熱中していた物事に急に興味を失う。

ひゃく-パーセント【百パーセント】❶一パーセントの一〇〇倍。❷完全であること。申し分ないこと。

ひゃく-はち【百八】〔仏〕人間の煩悩の数。念誦・数珠などにこの数を用いる。―ぼんのう【―煩悩】〔仏〕人間のもつ百八種の煩悩。参考 六根(6)それぞれに苦・楽・不苦楽(3)があり、また、貪・不貪(2)がある。過去・現在・未来(3)についてそれらを数えて6×3×2×3=108とする。

ひゃくはちじゅうど-てんかい【百八十度転回】今までと正反対になる、大きな変化。一八〇度の転換。コペルニクス的転回。「施政方針の―」

*ひゃく-ぶん【百分】一〇〇に分けること。―ひ【―比】↓パーセンテージ。―りつ【―率】↓パーセンテージ。

*ひゃく-ぶん【百聞】何回も聞くこと。

―は一見に如かず《句》何回も人から聞くより、一回自分の目で見てたしかめるほうがよくわかる。

ひゃく-まん【百万】一万の一〇〇倍。また、非常に数が多いこと。―げん【―言】非常に多くのことば。「―を費やしても言い尽くせない」 ―べん【―遍】❶一〇〇万回。また、非常に回数の多いこと。❷「百万遍念仏」の略。七日間に念仏を一〇〇万回唱える仏事。また、衆僧・信徒が円座して、大数珠を一〇〇回くり回しながら弥陀の名号を何度も唱える法会。

ひゃく-めんそう【百面相】簡単な変装具を用いて、顔つきをさまざまに変えて見せる芸。

ひゃく-ものがたり【百物語】夜、数人が寄り集まって、かわるがわる怪談をすること。また、その怪談。

びゃく-や【白夜】↓はくや。

ひゃく-やく【百薬】〔文〕数多くの薬。あらゆる薬。「酒は―の長(=酒をたたえる語)」

ひゃくよう-ばこ【百葉箱】気象観測用の計器を入れて野外に置く、よろい戸の箱。ひゃくようそう。

ひゃく-らい【百雷】〔文〕数多くのかみなり。また、物音・衝撃の激しさのたとえ。「―のとどろくような音」類語 万雷。

ひゃく-れん【百錬】〔文〕繰り返し鍛えること。「―千磨の心身」

びゃく-れん【白×蓮】〔文〕白いハスの花。白蓮。参考 汚れた環境にそまらず、清らかなままでいることのたとえにもいう。「泥沼に開く一輪の―」

ひ-やけ【日焼け】《名・自サ》日光の紫外線を受けて皮膚が黒くなること。「―どめ」「―した顔」

ひや-ざけ【冷(や)酒】燗をしない酒。また、冷たく冷やした酒。冷酒。ひや。対 燗酒。

ヒヤシンス ユリ科の多年草。春、小花をふさ状につける。色は紫・紅・白・黄など。ヒアシンス。表記「風信子」と当てる。▽hyacinth

ひや-す【冷(や)す】《他五》温度が低くなるようにする。つめたくする。「頭を―・す(=冷静にする)」「肝を―・す(=非常に驚き、ぞっとする)」類語 冷ます。冷却。冷房。対 あたためる。文《四》。

*ひゃっ-か【百家】〔文〕多くの学者や作家。―そうめい【―争鳴】〔文〕多くの学者や論客が何の遠慮もなく自由に論争しあうこと。

*ひゃっ-か【百科】あらゆる分科・分野。―じてん【―事典】・【―辞典】知識全般にわたる事項を、辞書の形に分類・配列して説明を加えた書物。エンサイクロペディア。表記 多く「百科事典」と書く。

*ひゃっ-か【百花】〔文〕いろいろな花。―せいほう【―斉放】〔いろいろの花が一度に咲く意から〕多くの人々がそれぞれの立場から自説を自由に発表し、論争を展開すること。―りょうらん【―×繚乱】〔文〕種々の花が咲き乱れること。「―の花園」

*ひゃっ-か【百貨】〔文〕いろいろな商品。―てん【―店】いろいろな種類の商品を部門別に分けて陳列・販売する、大規模な小売商店。デパート。

ひゃっか-にち【百箇日】〔仏〕人が死んでから百日目(の法会)。

ひゃっき-やこう【百鬼夜行】❶いろいろな化け物が、夜なかに列をなして出歩くこと。❷多くの悪人がわがもの顔にふるまうこと。「―の世」=百鬼夜行。

ひゃっ-けい【百計】〔文〕いろいろのはかりごと。

びゃっ-こ【白×狐】毛の白いきつね。しろぎつね。

ひやっ-こ・い【冷(やっ)こい】《形》〔俗〕ひやりとする。「―・い洞穴の空気」

ひゃっ-こう【百行】〔文〕すべての行い。「孝は―の本」

ひゃっぱつ-ひゃくちゅう【百発百中】❶発射すれば必ず命中すること。「―の腕前」❷予想・計画したことがすべて成功すること。

ひゃっ-ぱん【百般】〔文〕いろいろの方面。あらゆる方面。「―の人事を統べる」

ひゃっ-ぽう【百方】すべての方面。すべての手段。〔副詞的にも使う〕「―手を尽くす」類語 八方。

ひ-やとい【日雇(い)・日×傭(い)】〔卑称〕一日ごとの契約でやとわれること(人)。「―労働者」

*ひや-ひや【冷や冷や】《副・自サ》〔副詞は「―と」の形も〕❶つめたく感じるようす。ひんやり。「―と霧がふる」❷都合の悪いことが起こるのではないかと、心配するようす。「怒られないかと―する」

*ヒヤ-ヒヤ《感》謹聴・賛成などの意を表すときに言う語。▽Hear! Hear!

ひや-みず【冷(や)水】つめたい水。冷水。参考 ↓年寄りの冷や水。

ひや-むぎ【冷(や)麦】うどんより細く、そうめんより太い、小麦粉で作った麺。夏の食べ物。

ひや-めし【冷(や)飯】つめたくなった飯。「―を食う(=居候をする。また、冷遇される)」―ぐい【―食い】❶居候。❷冷遇されている人。

ひや-やか【冷(や)やか】《形動》❶つめたく感じるようす。「山の―な空気」類語 冷涼。❷冷淡なようす。「―な応対」

ひや-やっこ【冷(や)▽奴】ひやした生の豆腐を、しょうゆと薬味で食べる料理。

ひやり《副》〔多く「―と」の形で〕❶つめたさを感じるようす。ひんやり。「―とした風が吹く」❷恐ろしさを感じるようす。「グラスを落としそうになって―とした」

ヒヤリング ↓ヒアリング。▽hearing

ひ-ゆ【比×喩・×譬×喩】あるものごとを表現するのに、似たところのある他のものごとを借りて述べること。また、その表現されたもの。たとえ。

ピュア《名・形動》純粋なこと。「—な心」▽pure

ビューアー スライドなどを拡大して見る簡単な装置。▽viewer

ひゅうが【▽日▽向】旧国名の一つ。今の宮崎県。向州(こうしゅう)。日州(にっしゅう)。

びゅう-けん【×謬見】〔文〕まちがった考え。

ヒューズ 電気回路に過大な電流が流れたとき、すぐとけて切れ、回路を遮断するもの。鉛・すず・アンチモンなどの合金を用いる。▽fuse

びゅう-せつ【×謬説】〔文〕まちがった説。

ビューティー《造語》「美」「美人」の意。「—サロン(=美容院)」「—コンテスト」▽beauty

ピューマ ネコ科の猛獣。背面は黄褐色。木登りがうまい。アメリカ大陸にすむ。アメリカライオン。▽puma

ヒューマニスト ヒューマニズムの立場に立つ人。人道主義者。▽humanist

ヒューマニズム 人間性を第一と考え、人間の尊厳と自由を重んじる思想的傾向。人間主義。人道主義。ユマニスム。▽humanism

ヒューマニティー 人間性。ユマニテ。▽humanity

ヒューマン《形動》人間らしいようす。人間的。「—な愛を感じる映画」「—ドキュメント(=人生記録)」「—リレーションズ(=人間関係)」▽human

ピューリタン ❶〔宗〕清教徒。❷厳格な人。▽Puritan

ピューレ 野菜などを煮てすりつぶして作った、どろどろの汁。ピュレ。「トマト—」▽(フランス) purée

ビューロー ❶事務所。案内所。「ツーリスト—」❷引出し付きの書き物机。▽bureau

ビューロクラシー 官僚政治。官僚主義。官僚的形式主義。▽bureaucracy

ヒュッテ 山小屋。▽(ドイツ) Hütte

ビュッフェ ❶列車内などの、立食用の軽食堂。❷立食形式のパーティー。▽(フランス) buffet

ひょい-と《副》❶不意に。ふと。「—家を出て行った」❷手軽に。あっさりと。「—持ち上げる」

***ひ-よう**【費用】あることをするのに必要な金銭。

***ひ-よう**【飛揚】《名・自サ》〔文〕とんで高くあがること。

***ひょう**【俵】《助数》俵・袋に入れたものを数える語。「米二—」

***ひょう**【票】■一《名》選挙の投票に使うふだ。「—を読む(=得票数を予測する)」「—をのばす」■二《助数》投票の数を数える語。「清き一—(いっぴょう)を!」

***ひょう**【表】要点を縦・横の位置の関係に意味をもたせて組織的に書き表したもの。「調査の結果を—にする」

***ひょう**【評】よしあし・優劣・是非などを論じ定めること。また、その文章。批評。「選者の—を聞く」

***ひょう**【×豹】ネコ科の猛獣。全身黄色で黒の斑点(はんてん)がある。アジア・アフリカの密林にすみ、木に登る。

***ひょう**【×雹】積乱雲から降る氷塊。直径数ミリ(ミリ)から五センチ(センチ)、ときには一〇センチ(センチ)以上のものもある。

***び-よう**【微×恙】〔文〕軽い病気。ちょっとした病気。「—にて臥(ふ)せる」

***び-よう**【美容】容姿を美しくととのえること。「—整形」「—院」**—たいそう**【—体操】均整のとれたからだをつくり、容姿を美しくするために行う体操。

***びょう**【病】《接尾》「…の病気」の意。「胃腸—」

***びょう**【秒】《助数》❶時間の単位。一秒は一分の六〇分の一。記号Sまたはsec.❷角度・経度・緯度の単位。一秒は一分の六〇分の一。記号「″」。

***びょう**【×廟】祖先・先人の霊を祭ってある建物。おたまや。「孔子(こうし)—」

***びょう**【×鋲】❶紙などをとめる頭の大きなピン。画鋲(がびょう)。押しピン。❷リベット。❸靴の裏に打つ金具。

***びょう**【×渺】《形動(タルト)》水面・野原などがはるかに広いようす。「—としてかすむ島々」

ひょう-い【×憑依】《名・自サ》〔文〕霊がのりうつること。「—の去ったみこ」「悪霊が旅人に—する」

ひょう-いつ【×飄逸】《名・形動》世間の型にはまらず、のびのびして自由であること。「—な人物」

ひょうい-もじ【表意文字】一字一字が形によって一定の意味を表す文字(の体系)。漢字はその代表的な例。表語文字。㊎表音文字。

***びょう-いん**【病因】病気の原因。類語 病原。

***びょう-いん**【病院】患者を収容して、医師が診断・治療を行う施設。類語 医院。

びょう-えい【苗×裔】〔文〕遠い血筋をひいた子孫。「源氏の—」類語 後裔(こうえい)。末裔。末孫。

ひょう-おん【氷温】氷の温度。「—貯蔵」

ひょうおん-もじ【表音文字】一定の音(おん)を表すだけで、一定の意味をもたない文字(の体系)。仮名・ローマ字など。㊎表意文字。

***ひょう-か**【氷菓】〔文〕氷菓子。アイスキャンデー・シャーベットの類。

***ひょう-か**【評価】《名・他サ》❶人の価値や物の価格を見定め決定すること。また、その内容。「会社の財産を—する」「実力が—されない」❷価値あるものと認めること。「—を惜しまない」

***ひょう-か**【評家】〔文〕批評をする人。評者。

ひょう-が【氷河】高山や高緯度地方の万年雪が、融解・凍結を繰り返しながら氷塊となり、斜面をゆっくり下降するもの。**—き**【—期】氷河時代のうち、特に気候が寒冷で氷河が発達した時期。氷期。

***びょう-が**【描画】《名・他サ》〔文〕絵をかくこと。

***びょう-が**【病×臥】《名・自サ》〔文〕病気で寝込むこと。「—の身となる」

***ひょう-かい**【氷解】《名・自サ》〔氷がとけて消えるように〕疑問・迷い・わだかまりなどがすっかりなくなること。「長い間のわだかまりが—した」

***ひょう-かい**【氷塊】氷のかたまり。

***ひょう-がい**【表外】❶表の外。「—の注記」❷表、特に常用漢字表に含まれていないこと。「—漢字」

***ひょう-がい**【×雹害】ひょうによる(農作物の)被害。

びょう-がい【病害】病気による作物などの被害。

びょう-がく【猫額】〔文〕〔「ねこのひたい」の意から〕狭いことのたとえ。「—の地」「—大(だい)」

ひょう-がため【票固め】選挙に先立って、自分の得票になるように運動をすること。「—に力を入れる」

ひょう-かん【×剽×悍】《形動》〔文〕すばしこく荒々しいようす。「—な侵略者」

びょう-かん【病患】〔文〕病気。疾患。「不治の—」

***ひょう-き**【標記】《名・他サ》〔文〕文書のはじめに件名を書くこと。また、その件名。「—の件につき」

***ひょう-き**【表記】《名・他サ》❶文書などの表に書きしるすこと。表書き。「住所は—のとおり」❷ことばを文

字で書き表すこと。「漢字で—する」 **—ほう【—法】**ことばを文字で書き表す場合のきまり。かなづかい・送りがな・句読法など。

ひょう-ぎ【評議】《名・他サ》集まって相談すること。「—員」「—会」

びょう-き【病気】❶肉体(または精神)の生理的な働きに異常が起こり、苦しみ悩む状態。やまい。わずらい。❷〔俗〕悪いくせや、直りにくい欠点。「大言壮語は彼の—だ」⇩〖類語と表現〗

類語と表現

「病気」

＊病気になる・病気にかかる・病気で倒れる・重い[軽い・慢性の・急性の]病気・病気を治す・病気が移る・病気が治る・鬼の霍乱(かくらん)。

◆病(やまい)・患い・長患い・長病み・障(さわ)り・疾病(しっぺい)・病魔・同病・傷病・奇病・急病・熱病・持病・難病・悪病・業病・大病・死病・余病・仮病・万病・流行病・感染症・伝染病・風土病・四百四病・宿痾(しゅくあ)・瘴癘(しょうれい)・大患・重患・疫病(えきびょう・やくびょう)・悪疫・疾患・痼疾(こしつ)・悪疾・廃疾(はいしつ)

◆〔尊敬〕御悩(ごのう)・不例・不予(ふよ)

びょう-ぎ【×廟議】〔文〕朝廷の評議。朝議。

ひょう-きん【×剽▽軽】《形動》気軽で、おどけた感じを与えるようす。「—な人」

びょう-きん【病菌】病原菌。

ひょう-ぐ【表具】表装すること。「—師」

＊**びょう-く【病苦】**病気による苦しみ。「—にあえぐ」

＊**びょう-く【病×軀】**〔文〕病気にかかっている体。病身。「—をおして出席する」

ひょう-けい【表敬】敬意をあらわすこと。「—訪問」

＊**ひょう-けつ【氷結】**《名・自サ》凍ること。「湖面が—する」

＊**ひょう-けつ【票決】**《名・他サ》投票できめること。

＊**ひょう-けつ【表決】**《名・他サ》賛否の意思を決定すること。「挙手による—」

＊**ひょう-けつ【評決】**《名・他サ》評議してきめること。また、その内容。「無罪の—」

びょう-けつ【病欠】《名・自サ》病気のために欠席または欠勤すること。

ひょう-げる【×剽げる】《自下一》ひょうきんなことをする。おどける。「—・げて悲しみをまぎらす」

＊**ひょう-げん【氷原】**一面に氷でおおわれた原野。

＊**ひょう-げん【表現】**《名・他サ》思想・感情を表情・身ぶり・言語・芸術作品などによって表すこと。また、言語で表されたもの。「—の自由」「—に注意する」

＊**ひょう-げん【評言】**〔文〕批評のことば。

びょう-げん【病原・病源】病気の原因。 **—きん【—菌】**病気の原因となる細菌。病菌。 **—せいだいちょうきん【—性大腸菌】**病気の原因になる大腸菌。 **—たい【—体】**病気を起こすもとになる生物。原生動物・かび・細菌・ウイルスなどがある。

＊**ひょう-ご【標語】**主義・主張を簡潔・印象的に言い表したことば。スローガン。「交通安全の—」

＊**ひょう-ご【評語】**❶批評のことば。評言。❷〔優・良・可など〕成績の程度をあらわすことば。評点。

びょう-ご【病後】病気がなおった後。病み上がり。

ひょう-こう【標高】平均海面からはかった土地の高さ。海抜。「—一〇〇〇メートル」

びょう-こん【病根】❶病気の原因。病因。❷ある弊害をひきおこしているもと。「汚職の—を断つ」

ひょう-さつ【表札・標札】居住者の名を書いて、家の出入り口や門などにかかげる札。門札。門標。

ひょう-ざん【氷山】極地の海に浮かぶ巨大な氷のかたまり。氷河が割れてただよい出たもので、水面上に現れた部分は全体の約七分の一。「—の一角(=表立って現れたことは、全体のほんの一部にすぎないたとえ)」

＊**ひょう-し【拍子】**❶〔音楽で〕規則正しくくり返される音の強弱。「四分の二—(びょうし)」「—を取る」❷〈—に〉ある動作をしたはずみに。「立った—に頭を打った」 **—ぎ【—木】**合図・夜回りなどで打ち合わせて鳴らす、角柱状の木。柝(き)。 **—ぬけ【—抜け】**《名・自サ》意気込んでいたことがむだになってがっかりすること。

＊**ひょう-し【表紙】**書籍や帳面などの外装部分。

＊**ひょう-じ【標示】**《名・他サ》目じるしをつけてそれと示すこと。「標識を立てて、危険区域を—する」

＊**ひょう-じ【表示】**《名・他サ》❶はっきりと表し示すこと。「意思—」❷表にして示すこと。「結果を—する」

びょう-し【病死】《名・自サ》病気で死ぬこと。病没。

びょう-じ【病児】〔文〕病気の子ども。

ひょう-しき【標識】〔設備された〕目印。「道路—」

＊**ひょう-しつ【氷室】**氷を貯蔵する部屋。ひむろ。

＊**ひょう-しつ【氷質】**氷の質。

＊**ひょう-しつ【漂失】**《名・自サ》水にただよい流されてなくなること。流失。

びょう-しつ【病室】病人を寝かしておく部屋。

ひょう-しゃ【評者】評家。〔類語〕批評家。

＊**びょう-しゃ【描写】**《名・他サ》ありさま・感じを描き出すこと。「風景を忠実に—した絵」「心理—」

＊**びょう-しゃ【病舎】**〔文〕病室のある建物。

＊**びょう-しゃ【病者】**〔文〕病人。「行路—(=行きだおれ)」

ひょう-しゃく【評釈】《名・他サ》文章・詩・歌などを解釈し、批評を加えること。また、そのもの。

びょう-じゃく【病弱】《名・形動》体質的に病気にかかりやすいこと。「小さいときから—だった」

ひょう-しゅつ【表出】《名・他サ》自分の心の中にあるものを動作・態度・ことばなどにあらわし出すこと。「感情を—する」

びょう-しゅつ【描出】《名・他サ》〔文章・絵などに〕えがき出すこと。「心の内面を—する」

ひょう-じゅん【標準】❶よりどころ。基準。また、目標。めあて。「—より大きい」❷〔いくつかある種類の〕最も普通のもの。「—型」 **—か【—化】**《名・自他サ》❶標準に合うようにすること。また、そうなること。「地方文化の—」❷標準を設けて統一すること。規格化。「工業製品を—する」 **—ご【—語】**その国内で、標準とされ理想とされることば。〔参考〕(ア)わが国では、だいたい東京の教養ある中流階級の言語を補正したものがこれにあたるとされている。(イ)↓共通語。〔対〕方言。 **—じ【—時】**もとのグリニッジ時を基準にして、これと一時間の整数倍だけ・進ませて(遅らせて)その国またはある広い地域で共用するように定めた時刻。

びょう-しょ【×廟所】〔文〕❶↓びょうどう(廟堂)。❷墓所。墓場。

＊**ひょう-しょう【▽平声】**四声の一つ。平らで高低のない発音とされる。〔対〕仄声(そくせい)。

***ひょう-しょう【標章】** しるしとする記号・文様。

***ひょう-しょう【氷晶】** 大気中の水蒸気が摂氏零度以下に冷却されてできる、小さな氷の結晶。

***ひょう-しょう【表彰】**《名・他サ》〔善行・功績などを〕ほめたたえて広く知らせること。「―状」[類語]顕彰。

***ひょう-しょう【表象】** ❶〔文〕象徴。シンボル。❷心の中に思い浮かぶかたち。心像。「知覚―」

***ひょう-じょう【氷上】** 氷の上。「―競技」

***ひょう-じょう【表情】** 情緒・感情が外面(おもに顔)に表れ出たようす。「暗い―」「―豊かに弾く」「各地の―(=様子)を伝える」

***ひょう-じょう【評定】**《名・他サ》〔文〕評議して決めること。「小田原―」[注意]「ひょうてい」と読むと別語。

***びょう-しょう【病床・病×牀】** 病人の寝ている床。病褥(びょうじょく)。「―にある」「―に就く」

***びょう-しょう【病症】**〔文〕病気のたち。

びょう-じょう【病状】 病気のようす。「―は一進一退をつづけている」[類語]症状。容態。病勢。

> **類義語の使い分け 病状・症状**
>
> [病状・症状] 病状(症状)が悪化し楽観を許さない状態
>
> [病状] 医師が家族に患者の病状について説明する
>
> [症状] この症状は風邪のさいよく見られる/自覚症状

びょう-じょく【病×褥・病×蓐】〔文〕病床。

***びょう-しん【病身】** 病気をわずらっているからだ。また、病気がちの弱いからだ。「―をいたわる」

***びょう-しん【秒針】** 時計の、秒の目もりをさす針。

***ひょう-・する【表する】**《他サ変》態度や言葉にあらわす。ひょうす。「感謝の意を―・する」

***ひょう-・する【評する】**《他サ変》批評する。

びょう-せい【病勢】 病気のいきおい。「―が悪化する」[類語]病状。

***ひょう-せつ【×剽窃】**《名・他サ》他人の文章や芸術作品を、自分の作として発表すること。盗作。

***ひょう-せつ【氷雪】**〔文〕氷と雪。「―にとざされる」

ひょう-ぜん【×飄然】《形動タルト》〔文〕ふらりとやって来たり、立ち去ったりするようす。「―と家を出る」

ひょう-そ【×瘭×疽】 手足の指先や爪(つめ)の下から起こる急性の化膿(かのう)性炎症。

***ひょう-そう【表層】**〔文〕表面の層。「―雪崩(なだれ)」

***ひょう-そう【表装・×裱装】**《名・他サ》書画に布や紙をはって巻物・軸物などに仕立てること。

びょう-そう【病巣・病×竈】 病的変化のある局所。「胸に―が見つかる」「時代の―をえぐる」

ひょう-そく【▽平×仄】 四声のうち、平声(ひょうしょう)と仄声(そくせい)。[参考]漢詩の作法上での大切な分類。―が合わな・い《句》物事のつじつまが合わない。

びょう-そく【秒速】 一秒間に進む速さ。

ひょう-だい【表題・標題】 ❶表紙に記された、書物の名。❷演説・談話・演劇・芸術作品などの題。

***びょう-たい【病体】** 病気をわずらっている体。病軀(びょうく)。病身。

***びょう-たい【病態】** 病気の容態。

***ひょう-たん【氷炭】** 氷と炭。また、はなはだしく相違するもののたとえ。「―の相違」「―相容(あいい)れず(=互いに正反対の性質で、調和・一致しない)」

***ひょう-たん【×瓢×箪】** ❶ウリ科のつる性一年草。夏、白い花が咲く。果実は中間がくびれて上下がふくらむ。❷ひょうたん①の実をくりぬいて作った容器。おもに酒を入れる。**―なまず【―×鯰(なまず)】**〔ヒョウタンではナマズをとらえることができないことから〕つかまえどころがなく、要領を得ないこと。**―から駒(こま)が・出る**《句》冗談で言ったことが真実となって実現する。

びょう-ち【×錨地】〔文〕船の停泊地。投錨地。

ひょう-ちゃく【漂着】《名・自サ》〔文〕波間にただよって流れつくこと。「難破船が―する」

***ひょう-ちゅう【標柱】** 目じるしのために立てる柱。特に、測量用の柱。

***ひょう-ちゅう【氷柱】** ❶〔文〕つらら。❷部屋の中に立てて室内を涼しくするための氷の柱。[類語]花氷(はなごおり)。

***ひょう-ちゅう【評注・評×註】** 文章などを批評し、注釈を加えること。また、その批評や注釈。

びょう-ちゅう【病中】 病気の間。病気中。

びょう-ちゅうがい【病虫害】 農作物が病気にかかったり、害虫に荒らされたりして受ける被害。

***ひょう-ちょう【漂鳥】** 季節によって日本国内を移住する鳥。夏季に山地で繁殖し、平地に移動して越冬するウグイスなど。

***ひょう-ちょう【表徴】**〔文〕❶〔ある事がらなどの〕外部にあらわれたしるし。「選挙制度は民主社会の―である」❷象徴。

ひょう-てい【評定】《名・他サ》ある基準に照らして価値・質などを評価決定すること。「勤務―」[注意]「ひょうじょう」と読むと別語。

ひょう-てき【標的】 射撃や弓道の練習に使う的(まと)。また、〔攻撃の〕目標。

びょう-てき【病的】《形動》〔肉体や精神などが〕不健全で異常なようす。「―な考え」

***ひょう-てん【氷点】** 水が凍りはじめる、また氷がとけはじめる温度。一気圧下で摂氏零度。零点。「―下」

***ひょう-てん【評点】** 評価の結果を表す点。

***ひょう-でん【票田】** 選挙で、大量の票を得られると思われる地域を田に見たてて言う語。[類語]地盤。

***ひょう-でん【評伝】** 批評をまじえて書かれた伝記。

ひょう-ど【表土】 土壌(どじょう)の最上層部にあり、風化が大で有機物を多く含む部分。

びょう-とう【病棟】 病室専用の建物。[類語]病舎。

***びょう-どう【×廟堂】**〔文〕❶先祖の霊をまつる建物。おたまや。廟所。❷政治をつかさどるところ。朝廷。

***びょう-どう【平等】**《名・形動》差別なく扱うこと。一様なこと。「―を欠く」「男女を―にあつかう」

びょう-どく【病毒】 病気をおこす原因になる毒。「―におかされる」

びょう-にん【病人】 病気の人。[類語]患者。

ひょう-のう【氷×嚢】 氷片や水を入れて患部を冷やすための、ゴムまたは防水布の袋。

びょう-は【描破】《名・他サ》描きつくすこと。「官能の世界を―する」

***ひょう-はく【漂泊】**《名・自サ》〔文〕❶流れただようこと。❷〔居をさだめず〕さまよい歩くこと。「―の詩人」

***ひょう-はく【漂白】**《名・他サ》脱色して白くすること。さらすこと。「―剤」「布を―する」

***ひょう-はく【表白】**《名・他サ》〔文〕自分の考えを言い表すこと。また、その考え。「思うところを―する」

ひょう‐ばん【評判】❶世間の人の批評。世評。「―の高い役者」❷世間の人々の関心・話題の中心になっていること。有名なこと。「―の美人姉妹」

ひょう‐ひ【表皮】動植物体の外部をおおう細胞層。対真皮。

ひょう‐ひょう【×飄×飄】《形動タルト》〔文〕世間ばなれしていて、とらえどころのないようす。「―とした詩人」

ひょう‐びょう【×縹×渺・×縹×緲】《形動タルト》〔文〕❶〔かすかで、または、つかまえどころがなくて〕はっきりとわからないようす。「―たる余韻(よいん)」❷はてしなく広がっているようす。「―たる麦畑」

びょう‐びょう【×渺×渺】《形動タルト》〔文〕広くはてしのないようす。渺茫(びょうぼう)。「―たる青海原」

びょう‐ぶ【×屛風】部屋の中に立てて、仕切りや装飾に用いる家具。ふすま状の物を二枚・四枚・六枚とつなぎ合わせて、折りたためるようにしたもの。**―だおし【―倒し】**びょうぶが倒れるように、あおむけにばったり倒れること。

ひょう‐ふう【×飄風・×飆風】〔文〕暴風。はやて。

びょう‐へい【病弊】〔文〕物事の内部にひそむ弊害。「社会制度の―」

ひょう‐へき【氷壁】雪や氷におおわれた岩壁。

びょう‐へき【病癖】〔文〕病的な(悪い)くせ。

***ひょう‐へん【氷片】**氷のかけら。

***ひょう‐へん【×豹変】**《名・自サ》態度・性行・意見などがらりと変わること。「君子は―す(=君子は自分の非を悟ったらすぐに改める)」注意もとは良い意味で言ったが、現在では節操のなさなどを言うことが多い。

びょう‐へん【病変】病気による体や心の変化。

びょう‐ほ【苗×圃】〔農〕苗木を育てるための畑。

ひょう‐ほう【兵法】→へいほう(兵法)。

ひょう‐ぼう【標×榜】《名・他サ》〔善行をしるした札を門前に掲げる意〕主義・主張などを公然と掲げること。「無抵抗主義を―する」類語旗じるし。

びょう‐ぼう【×渺×茫】《形動タルト》〔文〕渺々(びょうびょう)。「水波―とかすむ」

びょう‐ぼつ【病没・病×歿】《名・自サ》〔文〕〔人の〕病死。

ひょう‐ほん【標本】❶動物・植物・鉱物などの実物を研究のために保存したもの。「鉱石の―」❷ある事象全体の性質を示すものとして、抜き出された一部のもの。見本。サンプル。**―ちょうさ【―調査】**その集団に属するいくつかのものを抜き取って、調べた結果からもとの集団の性質を推測する方法。

びょう‐ま【病魔】〔文〕病気を魔物にたとえていう語。「―におかされる」

ひょう‐む【氷霧】❶水蒸気が凍って細かい氷の結晶となったもの。❷空気中の細かい水滴が凍って、霧のように立ちこめるもの。

ひょう‐めい【表明】《名・他サ》〔自分の意見などを〕他の人にはっきりと示すこと。「方針に疑問を―する」

びょう‐めい【病名】病気の名。

ひょう‐めん【表面】❶〔物の〕外側の面。おもて。「地球の―」「机の―」❷目につくところ。うわべ。外見。表向き。「―を飾る」対①②裏面。**―か【―化】**《名・自サ》はっきりとした形をもって表にあらわれてくること。「主導権争いが―する」**―ちょうりょく【―張力】**液体の表面が、縮もうとしてその表面に沿って働く張力。水滴が丸くなるなど。

ひょう‐めんせき【表面積】立体の表面の面積。

ひょう‐もく【標目】〔文〕目じるし。「検索―」

ひょう‐よみ【票読み】❶得票数を見積もること。「―が的中する」❷投票した札を読み上げること。

びょう‐よみ【秒読み】残り時間がある限度を超えたとき、残り時間を秒単位で読み上げること。参考期限が間近に迫っていることにも言う。「―の段階に入る」

ひょう‐り【表裏】❶《名・自サ》表と裏(の関係にあること)。「物質界と精神界は―する」❷互いに様子のちがう二つの面。裏表。「都会の生活の―を知る」**―いったい【―一体】**二つのものの関係が密接で切り離せないこと。「―となって努力する」

びょう‐り【病理】病気の原因や過程についての理論。「―解剖」「―学」

ひょう‐りゅう【漂流】《名・自サ》〔海上を〕風や潮のままに流れただようこと。「漁船が―する」

ひょう‐りょう【×秤量】《「しょうりょう」の慣用読み》〔文〕❶《名・他サ》〔はかりで〕重さをはかること。❷そのはかりではかることのできる最大の重さ。「―一五キロ」

びょう‐れき【病歴】それまでにかかった病気の経歴。

ひょう‐ろう【兵糧・兵×粮】〔陣中に備えてある〕軍隊の食糧。また、(ある状況をしのぐに足る)食糧。「―が尽きる」**―ぜめ【―攻め】**食糧補給路を断ち、兵糧を欠乏させて敵を弱らせること。

ひょうろく‐だま【表六玉】〔俗〕まのぬけた人をあざけっていう語。表六。

ひょう‐ろん【評論】《名・他サ》学問・芸術や社会一般の出来事などについて、その優劣・価値などを批評して論じること。また、その文章。「―家」「文芸―」

***ひ‐よく【比翼】**❶二羽の鳥が互いにつばさを並べること。❷「比翼仕立て」の略。和裁で、そで口・振り・えり・すそを二重にし、二枚の長着を重ねたように見せる仕立て方。また、洋裁で、上前になる身ごろの端を二重にし、ボタンが外に見えないようにする仕立て方。**―づか【―塚】**愛し合って死んだ男女を一緒に葬った墓。**―の‐とり【―の鳥】**《連語》雌雄ともに目・翼が一つで、常に一体となって飛ぶという、中国の想像上の鳥。〔仲のよい夫婦のたとえ〕**―れんり【―連理】**〔「比翼の鳥」と「連理の枝」の意で〕夫婦の深い結びつきのたとえ。「―の契り」

***ひ‐よく【肥×沃】**《形動》土地がこえていて、農作物がよくできるようす。「―な土地」

***び‐よく【尾翼】**飛行機の胴体の後端にある翼。水平尾翼・垂直尾翼など。

***び‐よく【鼻翼】**〔文〕こばな。

***ひ‐よけ【日▽除け】**日光の直射をさえぎること。また、そのためのおおい。「―のカーテン」

***ひ‐よけ【火▽除け】**火事の延焼を防ぐこと。また、火事の予防(の神仏の護符)。「―地」

ひよ‐こ【×雛】❶ひな。特に、ニワトリのひな。❷学問・技術などの未熟な人。ひよっこ。

ひょこ‐ひょこ《副・自サ》《副詞は「―と」の形も》❶あちこち気軽に出歩くようす。「―出かける」❷こきざみに軽くはねるようにして歩くようす。

ひょっこり《副》《「―と」の形も》思いがけなく目の前にあらわれるようす。ひょっくり。「彼が―あらわれる」

ひょっ‐と《副》❶不意に。ふと。「―立ち上がる」❷《自サ》もしや。万一。「―したら(=もしかすると)」「―

して(=もしかして)」「—すると(=もしかすると)」

ひょっとこ《「火男」の転という》❶片目が小さく、口をとがらせたこっけいな男の仮面。❷男をばかにしてののしることば。

ひよ‐どり【×鵯】ヒヨドリ科の鳥。尾は長く、全身灰褐色。山林に群棲し、やかましく鳴く。

ひ‐よみ【日読(み)】〔文〕こよみ。

ひよめき【×顋▽門】《ひよひよと動く意》幼児の前頭部にある、呼吸のたびに動く部分。おどりこ。

ひ‐より【〈日和〉】❶天候のぐあい。特に、晴天。「いい—だ」参考 名詞について、「…びより」の形で、それをするのに最適の天候の意を表す。「行楽—」「釣り—」❷ことのなりゆき。形勢。❸「日和下駄」の略。晴れた日にはく、歯の低い下駄。**—み**【—見】〔天気のようすを見る意〕形勢を見て有利な方につこうとして、はっきりした態度を示さないこと。類語 洞ケ峠。**—み‐かんせん**【—見感染】健康体なら感染しないような弱い病原体に、免疫力が低下した人が感染する現象。

ひよ‐る【日▽和る】《自五》〔俗〕日和見をする。特に、そうして急進・過激な運動から身をひく。参考 学生用語で、「日和見主義」からの動詞化。

ひょろ‐つ‐く《自五》ひょろひょろする。「足が—・く」

ひょろ‐なが‐い【ひょろ長い】《形》ひょろひょろと細く長い。「—・い首」

ひょろ‐ひょろ《副・自サ》《副詞は「—と」の形も》❶足元がしっかりしないようす。「—しながら歩く」❷細く弱々しく伸びているようす。ひょろりと。「—した体」

ひ‐よわ【ひ弱】《形動》もろくて、弱々しいようす。ひ弱い。「—な子」

ひ‐よわ・い【ひ弱い】《形》ひ弱だ。「—・い体」

ぴょん《副》《多く「—と」の形で》とびはねるようす。

ひょん‐な《連体》思ってもみなかった。妙な。「—ことから結婚することになった」

ぴょん‐ぴょん《副》《「—と」の形も》身軽にくりかえしてとびはねるようす。

*__ひら__【▽片・▽枚】《助数》〔雅〕薄くて平たいものを数える語。枚。「一—の雲」「二—の花びら」

*__ひら__【平】《平らの意》❶会社などの組織で、特別の役職をもっていないこと(人)。「—の社員」参考 接頭語的にも使う。「—教授」❷「平椀」の略。

*__びら__ ❶宣伝・広告のため、人目につく所に掲げるはり札。❷宣伝・広告のため、人に配る紙片。類語 ポスター。ちらし。

*__ビラ__ 別荘。ヴィラ。▽イタリア villa

ひら‐あやまり【平謝り】ただ、ひたすらわびること。「—にあやまる」

ひ‐らい【飛来】《名・自サ》〔文〕飛んで来ること。「渡り鳥が—する」

ひらい‐しん【避雷針】落雷による被害を防ぐために、建物などの頂に立てる金属の棒。大地に放電させる。

ひら‐うち【平打ち】❶ひもを平らに編むこと。「—の羽織のひも」❷金属を打って平たくのばすこと。

ひら‐おし【平押し】一気に進むこと。ひた押し。

ひら‐およぎ【平泳(ぎ)】水泳で、体を下向けにし、前方に伸ばした両手で横から後方に水をかき、蛙足を使った泳ぎ方。胸泳。ブレスト(ストローク)。

ひら‐おり【平織(り)】縦糸と横糸を交互に一本ずつ交差させる、ふつうの織り方。また、その織物。

ひら‐がな【平〈仮名〉】かなの一つ。主として万葉仮名の草書体を簡略化したもの。女手。対 片仮名。

ピラカンサ バラ科トキワサンザシ属の植物の総称。トキワサンザシ・タチバナモドキなど。ピラカンサス。▽ラテン Pyracantha

ひらき【開き】❶ひらくこと。また、その具合。「口の—がたりない」❷差。へだたり。「一位と二位の—が大きい」❸《他の名詞につけて》とじていた状態を開放すること。参考「びらき」とにごる。「店—」「山—」❹魚の腹または背を切り開いて干したもの。「アジの—」❺「開き戸」の略。❻→おひらき。

ひらき‐ど【開き戸】ちょうつがいなどでとりつけ、前後に開閉するようにした戸。対 引き戸。

ひらき‐なお・る【開き直る】《自五》従順な態度から厳しく改まった態度になる。「—・って質問する」

ひら‐ぎぬ【平絹】平織りの絹織物。和服の裏地用。

ひら・く【開く】㊀《自五》❶閉じたものが・内側が見える(中に入れられる)状態になる。ひろがる。「花が—・く」❷しまっていたものが、間を通れる状態になる。「門が—・く」❸先がひろがる。「扇形に—・く」❹へだたりが大きくなる。「差が—・く」文《四》。㊁《他五》❶閉じたものをあいた状態にする。ひろげる。「口を—・く」❷しまっていたものをあいた状態にして、間を通れるようにする。「障子を—・く」「道を—・く」❸物事をはじめる。「店を—・く」「戦端を—・く」❹会を催す。開催する。「国会を—・く」❺開墾する。開拓する。開発する。「土地を—・く」「新天地を—・く」「運命を—・く」表記 ⑤は「拓く」とも書く。❻〔数〕乗根を求める。「一六を—・くと四になる」❼〔俗〕漢字を仮名で書く。文《四》。

ひら‐くび【平首・平×頸】馬の首の側面。

ひら‐ぐも【平×蜘×蛛】ヒラタグモ科のクモ。一ぐらいで平たい。かべや柱に白い巣を作る。ひらたぐも。「—のようになって(=平身低頭して)謝る」

ひら・ける【開ける】《自下一》❶〔閉じた状態にあったものがあいて〕よい方に向かう。「運が—・ける」❷〔新しく〕物事がおこり、〔発展して〕いろいろな状況が展開される。「卒業後の進路が—・ける」❸さえぎるものがなく広く見わたせる。「視界が—・ける」❹知識・文明の程度が進む。「世の中が—・ける」類語 開化。開明。発展。進展。❺世情・人情に通じる。「—・けた人」❻その土地の人口がふえ、繁華になる。「このあたりもすっかり—・けてきた」文 ひら・く《下二》。

ひら‐ざら【平皿】底が平らで浅いさら。

ひら‐しゃいん【平社員】役付きでない一般の社員。

ひら‐じろ【平城】平地に築いた城。平城。対 山城。

ひら‐ぞこ【平底】❶器などの底が平らなこと。また、その器。❷船底が平らなこと。また、その船。

ひらた・い【平たい】《形》❶厚みが少なく、横に広い。「粘土を—・くのばす」❷表面が平らで、でこぼこ・起伏が少ない。「—・い土地」❸〔ことばの表現が〕だれにでもよくわかる。「—・く言えば」文 ひらた・し《ク》。

ひら‐だい【平台】上部がひらたい台。

ひら‐ち【平地】起伏のない、平らな土地。平地。

ひら‐て【平手】❶開いた手のひら。「—で打つ」対 こぶし。❷将棋で、駒を落とさず対等でさすこと。

ひら‐なべ【平×鍋】底が浅くて平たいなべ。

ひら‐に【平に】《副》へりくだって一心に頼むようす。「—御容赦ください」

ピラニア アマゾン川などにすむカラシン科の魚。肉食性で、鋭い歯と強いあごを持つ。群れをなし、川にはいってくる動物を襲う。▽piranha

ひら・ば【平場】 ❶平らな土地。ひらち。❷昔の劇場で、舞台正面のます形に区切られた見物席。平土間。

ひら・ひら 《副・自サ》《副詞は「―と」の形も》❶軽いもの、薄いものが何回もひるがえり動くようす。「花びらが―と舞う」❷炎がひらめくようす。

ピラフ トルコ・アラビアなどの米飯料理。米ときざんだ玉ねぎをバターで炒(いた)め、(肉類・貝類を加えて)スープで煮込んだもの。▽(フランス) pilaf

ひらべった・い【平べったい】 《形》〔俗〕ひらたい。

ひら・まく【平幕】 相撲で、幕内力士のうち、三役・横綱を除いた力士。

ひら・まさ【平▽政】 アジ科の海魚。ブリに似るが、より扁平(へんぺい)で、上隅角部が丸い。刺身などにして食べる。

ピラミッド 古代エジプト王族の墳墓。形は、正方形の底面の上に巨石を積み上げた四角錐(すい)。金字塔(きんじとう)。「―形の人口構造」▽pyramid

ひら・むぎ【平麦】 精白して平たくした麦。

ひら・め【平目・×鮃・▽比▽目▽魚】 ヒラメ科の海魚。カレイより口が大きく、両眼が体の左側につく。体の上面は保護色になっている。美味。

ひら・めか・す【×閃かす】 《他五》❶きらっと光らせる。「やいばを―・す」❷ちらりと示す。「才能を―・す」

ひら・めき【×閃き】 ❶一瞬ぴかっと光ること。「刀の―」❷頭脳の鋭い働き。また、瞬間的に頭に浮かんだ(すばらしい)考え。「鋭い―」

ひら・め・く【×閃く】 《自五》❶一瞬、ぴかっと鋭く光る。「白刃が―・く」❷〔旗などが〕ひらひらと波打つ。「丘の上に旗が―・く」❸ある心の動き・表情などが、瞬間的に浮かぶ。「心に―・くものがある」

ひら・や【平屋・平家】 一階建ての家。「―建て」

ひらり 《副》《多く「―と」の形で》軽々とすばやく身をおどらせるようす。「―と身をかわす」

ひら・わん【平×椀】 浅くて、ひらたい、わん。平(ひら)。

び・らん【×糜×爛】 《名・自サ》〔文〕ただれくずれること。「―性ガス」

ひ・り【非理】 〔文〕道理にはずれていること。

びり 〔俗〕〔順位の〕一番あと。どんじり。びりっけつ。

ピリオド 欧文で、文の最後に打つ点。終止符。ピリオッド。「―を打つ(=物事を終わりにする)」▽period

ひ・りき【非力】 《名・形動》力がないこと。「自分の―をなげく」 参考 「ひりょく」より文語的。

ひり・だ・す【▽放り出す】 《他五》〔俗〕体外に出す。排泄(はいせつ)する。「糞(くそ)を―・す」

ひ・りつ【比率】 二つ以上の数量を比較した割合。比。「―が高い」

ひり・つ・く 《自五》ひりひりと痛む。「のどが―・く」

ぴりっ・と 《副》❶紙や布などが勢いよく裂けるようす。「服が―裂ける」❷《自サ》辛みや電流などの刺激を感じるようす。「―舌を刺す辛さ」❸《自サ》態度がしっかりしているようす。「―した態度」

ひり・ひり 《副・自サ》《副詞は「―と」の形も》皮膚や粘膜に鋭い痛さや辛みを感じるようす。「肌が―する」

びり・びり 《副・自サ》《副詞は「―と」の形も》❶布や紙などの裂ける音の形容。❷〔障子やガラス戸などが〕小刻みにふるえ動く音の形容。❸感電するようす。

ぴり・ぴり 《副・自サ》《副詞は「―と」の形も》❶皮膚や粘膜などが刺されるように痛むようす。ひりひり。❷神経が過敏になっているようす。❸細かくふるえ動くようす。また、その音の形容。

ビリヤード 玉突き。撞球(どうきゅう)。▽billiards

び・りゅうし【微粒子】 非常に細かなつぶ。微粒。

ひ・りょう【肥料】 植物の生育をたすけるために、養分として土壌にほどこすもの。こやし。「―を施す」

*__び・りょう【微量】__ 〔文〕ごくわずかの量。「―の塩分」

*__び・りょう【鼻×梁】__ 〔文〕はなすじ。

ひりょうず【飛▽竜頭】 がんもどき。ひりゅうず。ひろうず。参考 関西地方の呼び名で、関東地方の「がんもどき」にあたる。▽(ポルトガル) filhos から。

ひ・りょく【非力】 《名・形動》→ひりき

び・りょく【微力】 《名・形動》❶力が足りないこと。また、その力。❷自分の力量・労力をけんそんしていう語。「―ながらやってみます」

ひ・りん【×賁臨】 《名・自サ》〔文〕「来訪」の尊敬語。光臨。光来。ふんりん。

*__ひる【昼】__ ❶日の出から日没までの明るい時間。対 夜。❷朝と夕方にはさまれた日の高い間。日中。❸正午。類語 ①～③昼間(ひるま)・昼間(ちゅうかん)。日中(にっちゅう)・日中(ひなか)。昼日中。真昼。真昼間。白昼。白日。日盛り。十二時。❹ひるめし。おひる。

*__ひる【×蒜】__ ニンニク・ノビルなどの総称。

*__ひる【×蛭】__ 池・沼・水田などにすむ環形動物。からだは平たく細長い。吸盤があり、人や動物の血を吸う。

*__ひ・る【▽放る】__ 《他五》〔勢いをつけて〕排泄(はいせつ)口から体外に出す。「屁(へ)を―・る」文《四》

*__ひる【干る】__ 《自上一》❶かわく。❷潮が引いて海底があらわれる。「潮がひる」文《上一》

*__びる__ 《接尾》「…の性質を帯びる」「…らしくなる」の意。「古―」「ひな―」文ぶ《上二》

*__ビル__ ❶勘定書。請求書。❷手形。証券。▽bill

*__ビル__ 「ビルディング」の略。「駅―」「―風(かぜ)」

ピル 経口避妊薬。▽pill(=丸薬)

ひる・あんどん【昼行▽灯】 ぼんやりした人や、いても役に立たない人をあざけっていう語。類語 うすのろ。

ひ・るい【比類】 〔文〕それとくらべるにあたいするもの。同等のもの。「―なく美しい」

ひる・いし【×蛭石】 →バーミキュライト。

ひる・がえ・す【翻す】 《他五》❶ひらりと裏を返す。「手のひらを―・す」❷〈身を―・す〉からだをおどらせる。「ネコは身を―・して逃げた」❸〔それまでの態度・意見などを〕変え改める。「意見を―・す」「信念を―・す」❹風にひらひらとなびかせる。「戦旗を―・す」

ひるがえっ・て【翻って】 《副》逆に。反対に。考え直してみると。「―考えると…」

ひる・がえ・る【翻る】 《自五》❶表のものが〔さっと〕裏になる。「風で本のページが―・る」❷風に吹かれてひらひらする。「山頂に旗が―・る」❸〔物事が〕反対の方に変化する。「総会で議決が―・る」

ひる・がお【昼顔】 ヒルガオ科のつる性多年草。夏、桃色の朝顔形の花が、昼に開き、夕方しぼむ。

ひる・げ【昼×餉】 〔文〕ひるめし。

ひる・さがり【昼下(が)り】 正午を少し過ぎたころ。

びるしゃな・ぶつ【×毘×盧遮×那仏】 華厳(けごん)宗で、蓮華(れんげ)蔵世界に住み、あまねく世界に大光明を放っているという仏。盧遮那(るしゃな)仏。びるさなぶつ。

ひる・すぎ【昼過ぎ】 正午の(少し)あと。対昼前。
ビルディング 鉄筋コンクリートなどでつくった、洋風の高層建築物。ビル。▽building
ビルト・イン《名・他サ》組みこむこと。作りつけにすること。内蔵すること。「—露出計」▽built-in
ひる・どき【昼時】 ❶正午ごろ。❷昼飯の時刻。昼食時。
ひる・とんび【昼×鳶】〔俗〕日中、店先・人家などにしのび入り、金品を盗む者。
ひる・なか【昼中】 ❶ひるま。❷まひる。対夜中。
ひる・ね【昼寝】《名・自サ》昼間に寝ること。午睡。
ひる・ひなか【昼日中】 昼間を強めた言い方。まっぴるま。「—から酒を飲んでいる」
ひる・ま【昼間】 朝から夕方までの間。昼のあいだ。
ひる・まえ【昼前】 正午の(少し)前。また、午前(中)。対昼過ぎ。
ひる・む【×怯む】《自五》おじけづいて心が弱くなる。「敵の—んだ隙をつく」文《四》。
ひる・めし【昼飯】 昼の食事。昼食。
ひる・やすみ【昼休み】 昼食時分の休憩(時間)。
*__ひれ【×鰭】__ 水生脊椎動物の運動器官の一つ。これを動かして泳ぎ、からだの安定をたもつ。
*__ヒレ__ 牛・豚などの腰のあたりからとれる、上等の肉。脂肪が少なくやわらかい。ヒレ肉。フィレ。▽フランス filet
*__ひ・れい【比例】__《名・自サ》❶一方の量が二倍・三倍…になれば、他方の量も二倍・三倍…になるとき、この二つの量は比例するという。正比例。対反比例。❷二つのものが一定の関係をもってたがいに変化すること。「物価上昇に—して人件費も上がる」❸物の各部分の間の割合。**—だいひょうせい【—代表制】** 得票数に比例して各党派に議席を与える選挙方法。**—はいぶん【—配分】** 与えられた数・量を、与えられた割合に分ける計算法。案分比例。
*__ひ・れい【非礼】__〔文〕言動が礼儀にかなっていないこと。「—をわびる」類語失礼。無礼。
び・れい【美麗】《名・形動》〔文〕物の形や色が美しいこと。「—な建物」「—な衣服」
ひ・れき【披×瀝】《名・他サ》〔文〕心中にあることをさらけ出して示すこと。「心中を—する」

ひれ・ざけ【×鰭酒】 フグ・タイのひれを焼いて焦がし、熱燗にした酒にひたしたもの。
ひ・れつ【卑劣・×鄙劣】《名・形動》性質や行いが、いやしくおとっていること。「—な奴」「—な行為」類語卑怯 ⇩〔類義語の使い分け「卑怯」〕
ひれ・ふ・す【▽平伏す】《自五》からだを伏せ、頭を地につける。「—して拝む」参考深い謝罪・感謝・祈願などの気持ちを表すしぐさ。
ひ・れん【悲恋】 悲しい結末に終わる恋。
ひろ【▽尋】 一《名》両手を左右に広げのばしたときの距離。二《助数》水深や縄の長さをはかるときの単位。一尋は六尺(約一・八メートル)。
ひろ・い【広い】《形》❶面積が大きい。幅が大きい。「—い国土」❷大きくひらけている。「視界が—い」❸行きとどく範囲が大きい。「—い意味」「—く一般から募集する」❹こせこせせず、ゆったりしている。「度量が—い」対①〜④せまい。文ひろ・し《ク》。
ヒロイズム 英雄を崇拝し、英雄的行動を好むこと。また、英雄を気取ること。英雄主義。▽heroism
ヒロイック《形動》勇ましいようす。英雄的。「—な行動」▽heroic
ひろい・もの【拾い物】 ❶ひろうこと(物)。対落とし物。❷思いがけないもうけ物。「これは—だ」
ひろい・よみ【拾い読み】《名・他サ》❶〔おもしろそうな所や、重要な所などを選んで〕文章を飛び飛びに読むこと。❷一字ずつたどって読むこと。
ヒロイン 小説などの女主人公。また、実際の出来事の中心人物。対ヒーロー。▽heroine
*__ひ・ろう【披露】__《名・他サ》人々の前に広く見せたり知らせたりすること。「結婚—」類語公開。公表。
*__ひ・ろう【疲労】__《名・自サ》❶つかれること。つかれ。「神経を—させる」「—困憊(=ひどくつかれ苦しむこと)」❷材料に繰り返し外力を加えたとき、材料が容易に破壊するようになること。「金属—」
*__ひろ・う【拾う】__《他五》❶下に落ちている物や他人の落とした物を取り上げる。「財布を—う」類語拾得。❷思いがけないものや得がたいものを手に入れる。「勝ちを—う」「命を—う」❸多くの中から選んで取る。「活字を—う」❹不遇にある人を取り立てる。「社長に—われる」❺流しのタクシーなどを呼びとめて乗る。「車を—う」文《四》。

び・ろう【尾×籠】《形動》《「おこ」の当て字「尾籠」の音読みから》〔もと、無礼の意〕話が排泄のことなどにわたって、口にすることがはばかられるようす。「—な話で恐縮です」
ひろ・えん【広縁】 ❶幅のひろい縁側。❷寝殿造りで、庇の間。
ビロード 表面にけばがあり、手触りが柔らかく、光沢のある織物。絹または綿で織る。表記「天鵞絨」と当てる。▽ポルトガル veludo スペイン velludo
ひろがり【広がり・▽拡がり】 広がること。また、その程度。「友情の輪の—」「葉の—が大きくなる」
ひろが・る【広がる・▽拡がる】《自五》❶開いて広くなる。「傘が—る」❷広い面積・範囲に行きわたる。ひろまる。「うわさが—る」「感染症が—る」❸規模が大きくなる。「事業が—る」文《四》。
ひ・ろく【秘録】 秘密の記録。また、世間に知られていない記録。「—を公開する」「第二次世界大戦—」
*__び・ろく【微×禄】__〔文〕わずかな給与。薄給。「—に甘んずる」対高禄。美禄。
*__び・ろく【美×禄】__〔文〕❶よい給与。高給。「—をはむ」対微禄。❷〔漢書の「酒は天の美禄」から〕酒。「天の—にタイの刺身」
ひろ・くち【広口】 ❶びんなどの口の広いこと。また、そのもの。「—のびん」対細口。❷〔生け花の〕水盤。
ひろ・げる【広げる・▽拡げる】《他下一》❶広くする。面積・範囲・規模を大きくする。「店を—げる」「枝を—げた木」❷閉じたり、巻いたり、包んだり、たたんだりしてあるものをひらく。「本を—げる」「弁当を—げる」「所持品を机の上に—げる」文ひろ・ぐ《下二》。
ひろ・こうじ【広小路】 幅の広い街路。大路。
ひろ・さ【広さ】 ひろいこと。また、その程度。「土地の—」「学識の—」
ピロシキ ひき肉・はるさめ・タマネギなどを小麦粉の皮でつつんで揚げたロシア料理。▽ロシア pirozhki
ひろっ・ぱ【広っぱ】〔俗〕広場。
ピロティ 一階の部分が柱だけで自由に通り抜けられる空間になっている建築。また、その空間の部分や柱。ピ

ロッティ。▽pilotis(＝杭)

ひろ・の【広野】 広い野原。広野。

ひろ・ば【広場】 〔町中の〕建物などがなく、広くあいている所。「—で遊ぶ」「駅前—」

ひろ・はば【広幅】 反物が普通より幅が広いこと。また、その反物。ふつう、約七二センチ。大幅。対並幅。

ひろ・びろ【広広】 《副・自サ》《副詞は「—と」の形も》非常に広いようす。「—とした牧場」

ひろ・ぶた【広×蓋】 ❶衣類を入れる箱のふた。参考昔、貴人が衣服などを与えるとき、これに載せた。❷広蓋の形に似た、ふちのある大形の盆。

ヒロポン 覚醒剤の一種、塩酸メタンフェタミンの商標名。常用すると中毒症状をおこす。▽Philopon

ひろ・ま【広間】 広い部屋。

ひろ・まえ【広前】 〔文〕❶神仏の前。おおまえ。❷神社・仏寺の前庭。

ひろま・る【広まる】 《自五》❶広くなる。対狭まる。❷広い範囲にわたって、知られたり行われたりするようになる。「うわさが—・る」文《四》。

ひろ・め【広め】 広く一般に知らせること。披露。表記「披露目」とも当てる。「家督相続の—をする」類語宣伝。広告。

ひろ・める【広める】 《他下一》❶範囲を広くする。対狭める。「見聞を—・める」❷広い範囲にわたって知られたり行われたりするようにする。「名を—・める」「仏教を—・める」文ひろ・む《下二》。

ひろ・やか【広やか】 《形動》ひろびろとしているようす。「—な原野」「—な空」

ピロリ・きん【ピロリ菌】 胃の粘膜にいる螺旋状細菌。胃炎・胃潰瘍などの原因になる。ヘリコバクターピロリ。参考「ピロリ(pylori)」は胃の「幽門」の意。

***ひわ【×鶸】** はアトリ科の小形の鳥で穀食性のマヒワ・カワラヒワ・ベニヒワなどの総称。普通はマヒワをさす。「—色(＝黄が強い黄緑色)」

***ひ・わ【悲話】** 〔文〕悲しい物語。「タイタニック号の—」

***ひ・わ【秘話】** 世間の人に知られていない話。「大戦—」

***び・わ【×枇×杷】** バラ科の常緑高木。初夏、黄赤色で、楕円形の果実を結ぶ。果実は食用。

***び・わ【×琵×琶】** 東洋の弦楽器の一つ。しゃもじ形の胴に、四本ないし五本の弦を張ったもの。主として語り物の伴奏に使う。参考「一面…」と数える。

ひ・わい【卑×猥・×鄙×猥】 《名・形動》〔文〕下品でみだらなこと。「—な歌をうたう」

ひ・わだ【×檜▽皮】 ❶ヒノキの樹皮。❷黒みがかった赤色。ひわだ色。❸「ひわだぶき」の略。 **—ぶき【—×葺(き)】** ひわだで屋根をふくこと。また、その屋根。ひわだ。「—の神殿」

ひ・わり【日割り】 ❶〔給料・使用料などを〕一日についていくらと割り当てること。「—計算」❷一日ごとの仕事をあらかじめ割り当てること。「工事の—」

ひ・われ【干割れ】 ❶乾きすぎて、ひびが入ったり割れたりすること。また、その割れ目。❷木材・立ち木などが、日光や温度差などのために、縦に裂けること。また、その裂け目。表記②は「日割れ」とも書く。

ひ・わ・れる【干割れる】 《自下一》〔物の表面などが〕かわいて割れる。「ひでりで田が—・れている」

***ひん** 《接頭》《「引き」の音便》《動詞の上につけて》意味を強める語。「—曲げる」「—むく」

***ひん【品】** 人やものに備わった、すぐれた、好ましい感じ。上品さ。「—のある顔」「—がない」

***ひん【貧】** 《名・形動》〔文〕まずしいこと。貧乏。「—との闘い」「—にして憂えず」対富。

***びん【便】** ㊀《名》❶人や車馬・船・航空機などでする、連絡・輸送の手段。また、それでもたらすたより。「詳しいことは次の—でお知らせします」❷都合のいい機会。ついで。「—のあり次第送る」㊁《助数》交通機関の運行の順序や回数を表す。「第二一—に乗る」

***びん【敏】** 《名・形動》〔文〕頭の働きや動作がすばやいこと。機敏。俊敏。「機を見るに—だ」

***びん【瓶・×罎】** ガラス・陶器でできた、液体などを入れる、口のすぼまった細長い容器。「ビール—」「—の口」

***びん【×鬢】** 頭髪の左右側面の部分。耳ぎわの髪。

***ピン** ❶カルタやさいころの目の「一」。❷初め。一番。あたま。「—を撥ねる(＝ピンはねをする)」▽ポルトガル pinta(＝点)から。 **—はね【—×撥ね】** 〔俗〕うわまえをはねること。

—からキリまで 《句》初めから終わりまで。また、最もすぐれたものから最も劣ったものまで。

***ピン** ❶留め針。虫ピン・安全ピン・ヘアピンなど。❷機械で、部品のはずれるのを防ぐためにさしこむ金具。❸ゴルフで、ホールにさす標柱。❹ボウリングで、とっくり形の標的。▽pin **—アップ** 壁にはる、魅惑的美人の写真。ピンナップ。「—ガール」▽pinup(＝針でとめる) **—ポイント** 目標位置を精密に定めること。「—爆撃」▽pinpoint(＝針の先) **—ホール** 針穴。針であけた(ような)ごく小さな穴。「—カメラ」▽pinhole

ひん・い【品位】 ❶その人・物にそなわる品のよさ。「—を保つ」類語品格。❷地金や硬貨に含まれる金・銀・銅の割合。❸鉱物中に含まれる有用元素の割合。

> **類義語の使い分け　品位・品格**
>
> [品位・品格] 家元としての品位(品格)のある人
>
> [品位] あの人らしくない品位に欠けるふるまい
>
> [品格] いかにも名門の出らしい品格を備えている人

ひん・か【貧家】 〔文〕まずしい家。対富家。

***ひん・かく【品格】** 気品。上品さ。「高い—がある」類語品位。

***ひん・かく【賓客】** 〔文〕客。客人。賓客。

びん・がた【▽紅型】 沖縄に発達した多彩な型染め。一枚の型紙と防染の糊を用いて染め分ける。

びん・かつ【敏活】 《名・形動》〔文〕すばやく、てきぱきとしていること。「—に仕事をすすめる」

ひん・かん【貧寒】 《名・形動タル》〔文〕貧しくてみすぼらしいこと。「—たる実情」

びん・かん【敏感】 《形動》物事を鋭く感じ取るようす。「—に反応する」対鈍感。

ひん・ぎ【×稟議】 →りんぎ。

びん・ぎ【便宜】 《名・形動》〔文〕→べんぎ。

ひん・きゃく【賓客】 →ひんかく(賓客)。

ひん・きゅう【貧窮】 《名・自サ》〔文〕貧しくて生活にひどく困ること。「—にあえぐ」類語貧困。

ひん・く【貧苦】 貧乏の苦しみ。「—に耐える」

ピンク ❶うすい紅色。もも色。❷色っぽいこと。好色的であること。「—ムード」「—映画」▽pink

ひん・けつ【貧血】 血液中の赤血球またはヘモグロビンが減少した状態。「脳—」

＊**びんご**【▽備後】旧国名の一つ。今の広島県東部。備州(びしゅう)。

＊**ビンゴ** ゲームの一つ。数字が正方形に並んだカードから、親が言った数字を消してゆき、縦・横・斜めのいずれかが早く揃(そろ)った者を勝ちとする。▽bingo

＊**ひん・こう**【品行】〔道徳上からみた〕ふだんの行い。身持ち。「―方正」「―をつつしむ」類語行状。

＊**ひん・こう**【貧鉱】❶有用鉱物の含有量が少ない鉱石。❷鉱石の採掘量の少ない鉱床または鉱山。

ひん・こん【貧困】《名・形動》❶貧乏で生活が苦しいこと。「―とたたかう」類語貧窮。❷必要なものが乏しいこと。「政策の―」

びん・ざさら【▽編▽木・▽拍▽板】田楽の時に使う楽器。薄板数十枚を重ねてひもを通したもの。踊りながら振って奏する。拍板(はくはん)。ささら。

びん・さつ【×憫察】《名・他サ》〔文〕あわれんでおもいやること。参考「事情をお察しください」の意で手紙などで用いる。「御―のほどお願い申します」類語高察。

ぴん・さつ【ぴん札】〔俗〕しわや折れ目のない紙幣。

＊**ひん・し**【品詞】単語を文法上の形態・職能によって分類したもの。日本語では、ふつう、名詞・動詞・形容詞・形容動詞・副詞・連体詞・接続詞・感動詞・助詞・助動詞の一〇種に分ける。

＊**ひん・し**【×瀕死】〔文〕今にも死にそうなこと。「―の重傷」

ひん・じ【賓辞】〔論〕命題の主辞について陳述する名辞。客語。「犬は動物である」の「動物」の類。述語。対主辞。

＊**ひん・しつ**【品質】品物の性質。しながら。「―管理」

＊**ひん・しつ**【×稟質】〔文〕生まれつきの性質。天から与えられた性質。稟性。天性。「文学的―が高い」

ひん・じゃ【貧者】〔文〕まずしい人。貧乏人。「―の一灯」対富者。

ひん・じゃく【貧弱】《名・形動》❶十分な豊かさをもっていないこと。貧しいこと。「語彙(ごい)が―だ」「―な才能」❷みすぼらしく見劣りすること。「―な体」

ぴん・しゃん《副・自サ》《副詞は「―と」の形も》健康で、しっかりとしているようす。「祖父はまだ―している」

ひん・しゅ【品種】❶品物の種類。❷〔農作物や家畜などの〕性質・形態などの遺伝上の特質が同じであるものの最小分類単位。「―改良」

ひん・しゅく【×顰×蹙】《名・自サ》〔文〕〔ひどく不快に感じて〕顔をしかめたり、まゆをひそめたりすること。「―を買う〔=他人にきらわれ、けいべつされる〕」

ひん・しゅつ【頻出】《名・自サ》〔文〕しきりに起こること。「事故が―する」類語続出。続発。頻発。

＊**びん・しょう**【×憫笑】《名・他サ》〔文〕あわれんで笑うこと。「―を買う」

＊**びん・しょう**【敏×捷】《名・形動》きびきびしてすばやいこと。「―な身のこなし」類語機敏。

びん・じょう【便乗】《名・自サ》❶他の目的に使用される車や船に、ついでに乗せてもらうこと。「トラックに―する」❷自分に都合のよい機会をとらえて、うまく利用すること。「時局に―する」「―値上げ」

ヒンズー・きょう【ヒンズー教】古代インドのバラモン教の教えを中心とし、諸種の民間信仰を取り入れた宗教。インド教。ヒンドゥー教。

＊**ひん・する**【×瀕する】《自サ変》悪い事態に今にも陥りそうな状態に立つ。「危機に―する」「死に―する」

＊**ひん・する**【貧する】《自サ変》貧乏をする。
―すれば鈍(どん)する《句》貧乏すると、頭の働きが鈍くなったり品性がいやしくなったりする。

びんずる【▽賓頭×盧】〔仏〕十六羅漢(らかん)の第一。その像をなでた手で患部に触れると病気が治るとされる。賓頭盧尊者。おびんずるさま。なでぼとけ。

＊**ひん・せい**【品性】〔道徳的価値の面からみた〕その人にそなわっている性格。人がら。「―が下劣」

＊**ひん・せい**【×稟性】〔文〕うまれつきの性質。稟質。

ひん・せき【×擯斥】《名・他サ》〔文〕いやしんで、のけものにすること。排斥。擯出。

ピンセット 小さな物をつまむための、金属製または竹製のV字形の器具。▽(フランス)pincette

ひん・せん【貧×賤】《名・形動》まずしくて身分が低いこと。対富貴(ふうき)。

＊**びん・せん**【便×箋】手紙を書くための用紙。書簡箋。レターペーパー。

＊**びん・せん**【便船】〔文〕都合よく出る船。「―を得る」

ひん・そう【貧相】❶貧乏そうな顔つき。対福相。❷《名・形動》〔容貌(ようぼう)や身なりが〕貧弱で、みすぼらしく見えること。「やせて―な人」

びん・そく【敏速】《名・形動》〔行動や物事の処理などが〕すばやいこと。「仕事を―に処理する」

ひん・そん【貧村】〔文〕まずしい村。類語寒村。

ひん・だ【貧打】野球で、貧弱な打撃。対猛打。

びん・た ほおを平手で打つこと。「―を食わす」

ヒンターランド 後背地(こうはいち)。▽hinterland

ピンチ 差し迫った危ない場合。危機。苦境。「―に立つ」▽pinch **―ヒッター** 野球で、大事な場面に出る臨時の打者。代打(者)。▽pinch hitter **―ランナー** 野球で、大事な場面に出る臨時の走者。代走(者)。▽pinch runner

びん・つけ【×鬢付(け)】「鬢付け油」の略。日本髪で、おくれ毛を留めて形を整える、固練りの油。

びん・づめ【瓶詰(め)・×壜詰(め)】びんにつめること。また、びんにつめた物。

ビンテージ ぶどう酒が、ブドウの豊作の年に醸造した上等品であること。また、極上であること。ヴィンテージ。「―ワイン」▽vintage〔=ブドウの収穫量〕

ヒント それとなく知らせる手がかり。▽hint

＊**ひん・ど**【貧土】地味の豊かでない土地。対沃土(よくど)。

＊**ひん・ど**【頻度】〔物事が〕くりかえして起こる度合い。出現度。フリクエンシー。「―が高い」

＊**ぴん・と**《副》❶物が急に勢いよくはね上がったりそり返ったりするようす。「はかりの針が―はね上がる」「―そり返ったひげ」❷まっすぐに強く張るようす。「糸を―張る」❸見聞きしたとたんに、それに関係のあることやその意味するところを悟るようす。「第六感に―来る」

＊**ピント** ❶〔レンズの〕焦点。「―が甘い」❷〔物事の〕大事な点。「―のはずれた話」▽(オランダ)brandpunt から。

ひん・とう【品等】商品の値打ちの等級。

ヒンドゥー・きょう【ヒンドゥー教】ヒンズー教。

ひん・にょう【頻尿】しきりに尿意をもよおすこと。

ひん・のう【貧農】貧しい農家・農民。対富農。

ひん・ば【×牝馬】めすの馬。めす馬。

ひん・ぱつ【頻発】《名・自サ》〔事件などが〕しきりに起こること。「犯罪が―する」類語続発。続出。

びん・ぱつ【×鬢髪】びんの毛。

ひん‐ぱん【頻繁】《名・形動》物事が間をおかずにたびたび繰り返されること。「不審火が―に起こる」

ひん‐ぴょう【品評】《名・他サ》産物・製品などを批評し、その優劣を定めること。しなさだめ。「―会」

ひん‐ぴん【頻頻】《形動タルト》同じような事が何度も引き続いて起こるようす。「不祥事が―と起こる」

ぴん‐ぴん《副・自サ》《副詞は「―と」の形も》❶勢いよくはねるようす。「魚が―はねる」❷健康で元気なようす。「九〇になっても―している」❸相手の気持ちなどを強く感じるようす。「気持ちが―と伝わってくる」

ひん‐ぷ【貧富】貧しいことと富んでいること。

びん‐ぼう【貧乏】《名・形動・自サ》必要な金銭や物が足りなくて、生活が苦しいこと。「―を苦としない」類語 左前。窮乏。疲弊。逼迫。窮迫。逼塞。**―がみ【―神】**人にとりついて、その人を貧乏にするという神。対 福の神。**―くじ【―×籤・―×鬮】**いちばん不利益なくじ。転じて、最も損な割り当て。「―を引く」**―しょう【―性】**ゆとりのある気分になれない性質。**―ゆすり【―揺すり】**すわっているときに、ひざをこまかくゆり動かすこと(くせ)。貧乏ゆるぎ。**―暇無し**《句》貧乏で生活に追われ、時間のゆとりがない。

ピン‐ぼけ《名・形動・自サ》❶カメラの焦点が合っていなかったために、画像がぼけること。❷人の言動の急所がはずれていて要領を得ないこと。「―な質問」参考「ピン」は「ピント」の略。

ピンポン 卓球。▽ping-pong

ひん‐ま・げる【ひん曲げる】《他下一》「曲げる」を強めて言う語。また、乱暴に曲げる。ひどく曲げる。「事実を―げる」

ひん‐みん【貧民】貧しい人々。「―窟」対 富民。

ひん‐む・く【ひん×剝く】《他五》手荒くはぎとる。ひきはがす。「偽善の皮を―く」

ひん‐めい【品名】品物の名まえ。

ひん‐もく【品目】品物の種類(の名まえ)。「輸入―」

ひんやり《副・自サ》《副詞は「―と」の形も》冷たさを感じるようす。「林の中の―した道」

***びん‐らん【便覧】**↓べんらん。

***びん‐らん【×紊乱】**《名・自他サ》《「ぶんらん」の慣用読み》〔秩序・風紀などが〕みだれること。また、みだすこと。「―した綱紀を正す」

びん‐ろう【×檳×榔】↓びんろうじゅ。**―じ【―子】**❶檳榔樹の果実。❷檳榔子で染めたような、暗黒色の染色。**―じゅ【―樹】**ヤシ科の常緑高木。全体がヤシに似て、果実は薬用や染料に使う。びんろう。参考「びろう(檳榔)」とは別種。

びん‐わん【敏腕】《名・形動》仕事をすばやく的確に処理する能力があること。また、その腕前。「―な記者」「―を振るう」「―家」類語 うできき。すご腕。

***ふ【不】**《接頭》《名詞などにつけて、形容動詞語幹を作る》「…でない」「…しない」「…がない」「…がよくない」などの意。「―自然」「―勉強」「―参加」「―釣合い」「―景気」表記 慣用で「ぶ」となる場合も多く、この場合「無」と書くことが多い。↓無。

***ふ【夫】**《接尾》「…の労働・仕事をする男」の意。「配達―」「採炭―」対 婦。

***ふ【婦】**《接尾》「…の労働・仕事をする女」の意。「家政―」「売春―」対 夫。

***ふ【府】**❶〔文〕物事の中心となる所。「学問の―」❷地方公共団体の一つ。都・道・県と同格。「京都―」

***ふ【×斑】**地の色の中に他の色が点々とまじっている模様。まだら。「―の入った葉」類語 斑点。

***ふ【歩】**《「歩兵」の略。「雑兵」の意》将棋のこまの一つ。前へ一つずつ進む。兵。参考 ↓と金。

***ふ【符】**㊀《名》守り札。護符。㊁《接尾》❶証拠となるふだの意。「免罪―」❷符号の意。「疑問―」

***ふ【×腑】**❶内臓。「胃の―」❷〔思慮分別の宿る所の意で〕心根。性根。「―の腐ったやつ」**―に落ちない**《句》納得がいかない。**―の抜けたよう**《句》驚きや悲しみのため、すっかり気力をなくしてしまうことのたとえ。

***ふ【×訃】**〔文〕人が死んだという知らせ。訃報。訃音。「恩師の―に接する」

***ふ【譜】**❶楽曲を一定の符号で書き表したもの。楽譜。音譜。「―を読む」❷囲碁・将棋などの対局の記録。棋譜。「―を残す」❸順序を追ったり系統立てたりして集め記したもの。〔多く接尾語的に使う〕「皇統―」

***ふ【負】**❶〔数〕実数が0より小さい・こと(数)。負数。❷〔理〕二種の電荷のうち正電荷に対する電荷。同 ①②マイナス。対 ①②正。

***ふ【賦】**❶漢詩の六義の一つ。感じたことをありのままに述べるもの。❷漢文の一体。対句の形をとり、韻をふんだもの。「赤壁―」❸詩。歌。〔作品の題名に用いる〕「早春―」

***ふ【×麩】**❶↓ふすま(麩)。❷小麦粉から得られるグルテン(=蛋白質の混合物)から作った食品。「焼き―」

***ぶ【不】**《接頭》↓ふ(不)。

***ぶ【無】**《接頭》《名詞などにつけて、形容動詞語幹を作る》「…でない」「…がよくない」などの意。「―遠慮」「―作法」「―器用」参考 ↓不。

***ぶ【分】**㊀《名》優劣のぐあい。「地元だけに―がいい」表記「歩」とも書く。㊁《助数》❶㋐十分の一の単位。小数で、一の十分の一。「盗人にも三―の理」㋑割合・利率で、一割の十分の一。㋒長さで、一寸の十分の一。㋓重さで、一匁の十分の一。㋔足袋の大きさで、一文の十分の一。㋕温度・体温で、一度の十分の一。❷昔の貨幣で、一両の四分の一の単位。❸〔音〕全音を等分に分けた長さ。ぶん。「二―音符」

***ぶ【武】**❶戦いに関する事柄。武芸。「―を尚ぶ」「文―の道」❷軍事力。武力。「―を用いる」

***ぶ【歩】**㊀《名》❶歩合。❷↓ぶ(分)㊀。「―が悪い」㊁《接尾》❶《助数》土地の面積の単位。一歩はかね尺の六尺平方で、約三・三平方メートル。一坪。❷町・反・畝につけて、端数のない意。「三町―」

***ぶ【部】**㊀《名》❶全体をある基準によっていくつかに分けた一つ一つ。「午前の―」❷団体・組織の区分けの一つ。課の上、局の下。❸団体内の同好者のグループ。クラブ。㊁《接尾》❶部㊀②③の名の下につける語。「営業―」「心臓―」「水泳―」「高音―」❷ある特徴・役割をもった部分の意。❸《助数》書物・文書を数える語。「二万―」類語 冊。❹《助数》全体をいくつか

ふ

に分けた区分けの数を数える語。「二ー授業」

ファー 毛皮(製品)。「ーコート」▽fur

ファーザー・コンプレックス 女性の、父親離れできない心理的傾向。ファザコン。[類語]エレクトラコンプレックス。▽father と complex からの和製語。[対]マザーコンプレックス。

ファース 笑劇。茶番劇。ファルス。▽farce

ファースト ❶《造語》第一(の)。最初(の)。最高(の)。「ーネーム」❷《名》「ファーストベース」の略。一塁(手)。▽first **ーレディー** 大統領夫人。また、首相夫人。▽first lady

ファースト・フード 材料や調理法が規格化され、注文するとすぐ出てくる料理。ハンバーガーなど。簡易食品。ファストフード。▽fast food

ファーニチャー 家具。調度。ファニチャー。▽furniture

ファーム ❶農場。❷「ファームチーム」の略。プロ野球の選手を養成するためのチーム。二軍。▽farm

ぶ-あい【歩合】 ❶基準になる一定の数量に対する他の数量の比の値を小数で表したもの。割・分・厘・毛などで示す。割合。比率。❷取引高・生産高などの、ある割合に当たる手数料・分配金・報酬。「ー制」

ファイア 火。たき火。ファイヤ。「キャンプー」▽fire

ぶ-あいきょう【無愛敬・無愛嬌】《名・形動》愛敬のないこと。[類語]無愛想。

ぶ-あいそう【無愛想】《名・形動》愛想のないこと。「ーな応対」[類語]冷淡。無愛敬。つっけんどん。

ファイター ❶闘志に満ちた人。闘士。❷ボクシングで、積極的に攻撃を挑む型の選手。▽fighter

ファイト ❶試合。特に、ボクシングの試合。「ーマネー」❷戦意。闘志。「ーを燃やす」▽fight

ファイナル ❶《造語》「最終の」などの意。「ーセット」❷《名》決勝戦。▽final

ファイナンス ❶財源。❷財政(学)。▽finance

ファイバー ❶繊維(質)。「グラスー」❷塩化亜鉛の溶液に浸した紙・布などを重ね合わせ、強い圧力をかけてつくったもの。革の代用品。▽fiber **ースコープ**〔医〕グラスファイバーの両端にレンズを取り付けた内視鏡。▽fiberscope

ファイル ❶書類ばさみ。❷《名・他サ》書類などを分類・整理して書類ばさみにとじ込むこと。ファイリング。❸〔コンピューターで〕磁気ディスクなどに記憶されているデータの集まり。▽file

ファイン・セラミックス 精製した無機化合物を原料にし、高温で焼成したセラミックス。丈夫で耐熱性・耐腐食性・電気絶縁性にすぐれ、LSI・工作機械などに用いる。ニューセラミックス。▽fine ceramics

ファインダー 被写体に向けて正しく位置を定めたり構図を決めたりするための、カメラなどののぞき窓。「ーをのぞく」▽finder

ファイン・プレー スポーツで、胸のすくようなみごとな技。美技。〔ふつう球技で言う〕▽fine play

ファウル ❶競技で、反則。❷野球で、打球がファウルラインの外側にそれる・こと(打球)。ファウルボール。[対]フェア。▽foul

ファクシミリ 電気信号に変えた文書などを電波や電話回線を用いて送信したり、受信したりする装置。ファックス。ファクス。▽facsimile

ファクター ❶要素。要因。❷〔数〕因数。▽factor

ファゴット↓バスーン。▽イタリア fagotto

ファジー《形動》人間の知覚や感情にともなう、あいまいさがあるようす。「ー理論」▽fuzzy

ファシスト ファシズムを信奉する人。▽fascist

ファシズム 二〇世紀に出現した独裁的な全体主義。議会政治を否定して、一党独裁による権力政治体制をとり、帝国主義的侵略を主張する。イタリアのムッソリーニ政権やドイツのヒトラー政権など。▽fascism

ファスナー 衣服のあきや袋物の口などにつけてあけしめする留め具。[参考]「チャック」は商標名。▽fastener(=締めるもの)

ぶ-あつ・い【分厚い・部厚い】《形》〔本・板など平らな物の〕厚みがかなりある。「ー・い辞書」[表記]ふつう「分厚い」と書く。

ファックス↓ファクシミリ。[参考]facsimile の短縮語。▽fax

ファッショ ファシズム的傾向・体制・運動。▽イタリア fascio(=団結)

ファッショナブル《形動》流行に合っていて、しゃれているようす。「ーに装う」▽fashionable

ファッション 流行。特に、服飾に関する流行。また、流行の服。「最新ー」▽fashion **ーモデル** 最新の衣服を着て、観客に見せたり写真にとられたりする職業(の人)。▽fashion model

ファナティック《形動》熱狂的。狂信的。ファナチック。▽fanatic

ファニー・フェース 女性の、目鼻だちは整っていないが、個性的でかわいい顔だち。▽funny face

ファミ・コン テレビゲーム専用の小型コンピューターの商標名。[参考]「ファミリーコンピュータ」の略。▽Family Computer から。

ファミリー ❶家族。家庭。「ーカー」❷一族。同族。また、閥。「マフィアのー」▽family **ーレストラン** 家族連れで気軽に利用できるレストラン。▽family restaurant

ファルセット〔声楽で〕裏声。▽イタリア falsetto

ふ-あん【不安】《名・形動》悪いことが起こるのではないかと心配して気持ちが落ち着かないこと。また、その気持ち。「ーな面持ち」「ーに襲われる」[類語]心配。懸念。危惧。

***ファン** 芸能(人)やスポーツ(選手)などの、熱心な愛好者。ファン。「野球ー」「美空ひばりのー」▽fan **ーレター** ファンが芸能人やスポーツ選手などに送る手紙。▽fan letter

***ファン** 扇風機。送風機。換気扇。また、その羽根。フアン。▽fan

ファンシー《名・形動》趣味的な意匠をこらしていること。「ーショップ」▽fancy **ーしょうひん【ー商品】** 漫画の主人公などを意匠に取り込んだ商品。

ファンタジー ❶幻想。空想。「音のー」❷〔音〕幻想曲。ファンタジア。▽fantasy

ファンタジック《形動》↓ファンタスティック。▽fantasy と -ic(=形容詞語尾)からの和製語。

ファンタスティック《形動》幻想的。▽fantastic

ふ-あんてい【不安定】《名・形動》安定していないこと。「ーな机」「情緒ー」

ファンデーション ❶化粧下地用クリーム。❷体形を整える女性用下着。ブラジャー・コルセットなど。=ファ

ウンデーション。▽foundation(=土台)

ファンド 基金。資金。▽fund

ふ・あんない【不案内】《名・形動》〔経験がなくて〕事情をよく知らないこと。無案内(ぶあんない)。「政治には—だ」

ファンファーレ 祝典などで、開始をしらせるため金管楽器(おもにトランペット)で、はなやかに鳴りひびかせる音楽。▽(ドイ)Fanfare

***ふい** 〔成果が〕無駄になること。「好機を—にする」

***ふ・い【不意】**《名・形動》予期していないこと。だしぬけ。「—に電話がかかる」「—をつかれて慌てる」類語 突如。突然。 **—うち【—打ち・—討ち】** だしぬけに攻撃をしかける(事を行う)こと。「—を食わされる」「—のテスト」類語 急襲。奇襲。抜き打ち。

***ふ・い【布衣】**〔文〕庶民(の服)。転じて、官位のない人。「—の交わり(=庶民的な交際)」

***ぶ・い【武威】**〔文〕武力による威勢。「天下に—を示す」

***ぶ・い【部位】** 全体の中でその部分の占める位置。「食肉は—によって料理法を変える」

***ブイ** ❶浮標。❷浮き袋。救命袋。▽buoy

ブイ・アイ・ピー【VIP】〔政府の要人や国賓・皇族など、特別の待遇を要する〕重要な人物。ビップ。▽very important person の略。

フィアンセ 婚約者。▽(フランス)fiancé(男), fiancée(女)

フィート《助数》ヤードポンド法で、長さの単位。一フィートは一二インチ(約三〇・四八センチ)。記号は ft。表記「呎」と当てた。▽feet

フィード・バック《名・他サ》❶電気回路で、出力の一部を入力にもどして出力を調節すること。帰還。❷《自サ》あるやり方を修正・改善するために、得られた意見・情報などの結果を原因の側に反映させること。送り返し。「民意を政策に—する」▽feedback

フィーバー《名・自サ》大勢で熱中すること。熱狂。▽fever

フィーリング 直感的にとらえられる気分・雰囲気。感じ。▽feeling(=感覚。情緒)

フィールディング 野球で、守備。▽fielding

フィールド ❶陸上競技場で、跳躍・投擲(とうてき)などの競技を行う、トラック(=走路)の内側の場所。「—競技」対 トラック。❷〔研究・活動などの〕分野。領域。「哲学の—」▽field **—アスレチック** 山野に設けた障害物を通過することで体力を鍛えるスポーツ。また、その施設。参考 商標名。▽Field Athletic **—ワーク** 実地調査など、研究室の外で行う研究。また、教室の外で行う現場学習。▽field work

ブイ・エス【VS・vs.】《記号》「…に対して」「…対…」の意。▽(ラテン)versus の略。

ブイ・エッチ・エフ【VHF】 超短波。▽very high frequency の略。

フィギュア ❶「フィギュアスケート」の略。音楽に合わせて演技をしながら氷の上をすべるスケート競技。❷映画の登場人物や有名人などに似せて作った人形。▽figure

***ふ・いく【×傅育】**《名・他サ》〔文〕かしずき育てること。「皇子を—する」

***ふ・いく【扶育】**《名・他サ》〔文〕〔周囲が〕世話をして育てること。「姉の遺児を—する」類語 保育。養育。

ぶ・いく【×撫育】《名・他サ》〔文〕かわいがって大切に育てること。愛育。「幼児を—する」

フィクサー ❶ものごとの調停者。❷犯罪事件などの始末をする人。▽fixer

フィクション ❶想像によって作り出されたもので、実際にはないもの。作り事。仮構。虚構。❷実話でないもの。作り話。小説。「サイエンス—」「—を交えて書く」対 ノンフィクション。▽fiction

ふいご【×鞴・×韛】 鍛冶屋(かじや)などが火をおこしたり火力を強めたりするのに使う送風器。箱の内部のピストンを手や足で動かして風を送る。ふいごう。

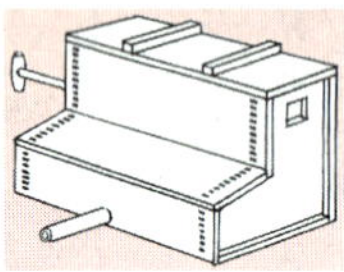
鞴

ブイ・サイン【Vサイン】 手の指で示す勝利のしるし。中指と人差指をV字形に広げて立てる。参考 Vは victory(=勝利)の頭文字。▽V-sign

フィジカル《形動》❶物理(学)的。「—な発想」❷肉体的。身体的。「—に無理な労働」▽physical

ふい・ちょう【▽吹聴】《名・他サ》大げさに言いふらすこと。「うわさを—する」

ふ・いつ【不一・不▽乙】〔文〕〔十分に意をつくさないの意で〕手紙の終わりにしるす語。不具。不悉(ふしつ)。不尽。

フィッシング 魚釣り。▽fishing

フィット《名・自サ》❶適合すること。「状況に—した対策」❷〔洋服などが〕体にしっくり合うこと。▽fit

フィットネス ❶スポーツで、体力や体のコンディションを最良の状態にととのえること。❷エアロビクスやジャズダンスなどの、健康維持や体力作りのためのスポーツ。「—クラブ」▽fitness(=適性)

ブイ・ティー・アール【VTR】 ビデオテープレコーダー(で録画したもの)。▽video tape recorder の略。

ふい・と《副》何の前ぶれもなく急に物事が起こるようす。ひょっと。ふと。「山が雲で—見えなくなった」

ぷい・と《副》機嫌を悪くして、だしぬけに何かをするようす。「—横を向く」

フィトンチッド 樹木から発散される芳香性物質。殺菌力があり、体によいとされる。▽(ロシア)fitontsid

フィナーレ ❶〔音〕終楽章。終曲。❷演劇などの最終場面。大詰め。終幕。▽(イタリア)finale

フィニッシュ ❶陸上競技で、決勝点(に到着すること)。❷体操競技で、着地(するときの動作)。「—を決める」▽finish(=終わり)

ブイ・ネック【Vネック】 セーターなどで、えりをV字形にくったもの。▽V neck

フィフティー・フィフティー 五分五分。半分半分。「合格の可能性は—だ」▽fifty-fifty

ブイヤベース 魚介類をごった煮して、サフランで色と香りを添えたスープ料理。もと、南フランスの漁民料理。▽(フランス)bouillabaisse

フィヨルド 陸地に奥深くはいりこんだ細長い入り江。氷河谷が一度に沈降してできたもの。ノルウェーなどに多い。峡湾。峡江。▽(ノルウェー)fjord

ブイヨン 肉や骨を煮出したしる。スープのもとなどにする。▽(フランス)bouillon

フィラメント 白熱電球の発光コイルや真空管の陰極線に用いられる、金属の細い線。線条。参考 ふつうタ

ふ

ングステンを用いる。▽filament

フィラリア 線虫類に属する寄生虫の一群。人やイヌ・ネコなどに寄生して、フィラリア症をおこす。糸状虫。▽filaria

***ふ・いり【不入り】** 興行場で、客の入りが悪いこと。対大入り。

***ふ・いり【×斑入り】** 地色と異なった色の斑点や線や模様などが入りまじっている・こと(もの)。ふつう植物の花・葉などにいう。「ーのアサガオ」類語まだら。

フィルター ❶濾過器。濾過装置。❷特定の光線だけを・遮断(透過)する特殊な色ガラス。撮影などに使う。ライトフィルター。❸紙巻きたばこにつけた、ニコチンやタールをとりのぞく吸い口。▽filter

フィルダーズ・チョイス 野球で、打球をとった野手がボールの送り先を誤り、打者・走者すべてを生かしてしまうこと。野手選択。野選。▽fielder's choice

フィルハーモニー 交響楽団の名に用いられる語。フィル。▽ドイツ Philharmonie

フィルム ❶写真で、うすいセルローズの表面に感光乳剤をぬった材料で、カメラにとりつけて感光させるためのもの。また、それを現像した陰画。❷映画用の陰画・陽画。転じて、映画。＝フイルム。▽film **ーライブラリー** 映画フィルムを整理・保管し、上映・貸し出しなどを行う施設。▽film library

フィロソフィー 哲学。▽philosophy

ふ・いん【×訃音】〔文〕人が死んだという知らせ。訃。訃報。「ーに接する」

***ぶ・いん【無音】**〔文〕長い間たよりをしないこと。疎音。〔手紙文で使う〕「ーに過ごす」類語無沙汰。

***ぶ・いん【部員】** その部に属している人。

フィンガー 空港で、飛行機の発着場近くに張り出した建物の部分。送迎デッキ。▽finger(＝指) **ーボウル** 西洋料理で、食後に指を洗うための水を入れる、金属製の器。▽finger bowl

***ふう【封】** 一《名》❶〔ふたや出入り口の〕合わせ目をとじふさぐこと。また、その合わせ目。封じ目。「手紙のーを切る」「梅酒のびんにーをする」❷封じ目につけるしるし。「緘」「〆」など。二《接尾》❶野球で、封殺。「本ー」❷《助数》手紙など封をしたものを数える語。

***ふう【風】** 一《名》❶生活上の様式。ならわし。風習。「都会のーに染まる」❷やり方。仕方。また、様子。傾向。趣。「どんなーに扱うのか」「なにげないー」「秀才然としたーがある」❸詩の六義の一つ。各地方の民謡。二《接尾》《名詞について》「…の趣がある」「…に類する」などの意。「日本ーの庭園」「一見商人ーに見える男」

ふう・あい【風合(い)】 布地の、手ざわりや外観などから見た全体の感じ。「麻のようなー」

***ふう・あつ【封圧】**《名・他サ》〔文〕閉じこめて動きがとれない状態にすること。「デモ隊をーする」

***ふう・あつ【風圧】** 風の圧力。

***ふう・い【×諷意】**〔文〕それとなくほのめかして表現された意味。風刺する気持ち。

***ふう・い【風位】** かざ向き。風向。

***ふう・いん【封印】**《名・自他サ》封をした所にその証として印を押すこと。また、その印。「ーを破る」

***ふう・いん【風韻】**〔文〕しみじみとした趣。風流な趣。「ーに富む作品」類語詩趣。風趣。雅致。

ブーイング 演劇・音楽会・スポーツなどで、観客が不満を示すために一斉にブーブーというなり声を立てること。また、その声。「ーが出る」▽booing

ふう・う【風雨】 ❶〔長期にわたる自然の力としての〕風や雨。雨風。「ーにさらされて荒れはてる」類語風雪。❷強い風をまじえた雨。「ーを冒して出勤する」

ふう・うん【風雲】 ❶〔文〕風と雲。また、自然。「ーの趣」❷事変のおこりそうな形勢や気運のたとえ。「ーに乗じる」 **ーじ【ー児】** 事変などの機会に乗じて世に出て活躍する男。 **ー急を告・げる**《句》今にも大事変が起こりそうな険悪な情勢である。「中東がー・げる」 **ーの志**《句》風雲に乗じて大事業を成し遂げようとする志。風雲の思い。

ふう・えい【×諷詠・風詠】《名・他サ》〔文〕詩歌・俳句などを吟ずること。「花鳥ー」表記「風詠」は代用字。類語吟詠。

ふうえい・ほう【風営法】 風俗営業の届け出・営業時間などを定めた法律。良俗の維持・少年の健全育成などを目的とする。正式名「風俗営業等の規制及び業務の適性化に関する法律」。参考「風俗営業取締法」を改正して制定された。

ふう・か【風化】《名・自サ》❶地表の岩石が水や空気の作用を受けて、土砂になる現象。❷生々しい記憶や印象が次第に薄れていくこと。「ーする戦争体験」

***ふう・が【風雅】** ❶《名・形動》上品で、みやびやかな趣があること。「ーな茶室」類語風流。高雅。清雅。優雅。❷俗を離れて、風流のたしなみがあること。「ーの道」「ーの士」

***フーガ** 楽曲形式で、多声部からなる楽曲の各声部に主題が現れ、それに対する応答や副主題が次々と追いかけるように展開するもの。また、その楽曲。遁走曲。フーグ。▽イタリア fuga

ふう・がい【風害】 強い風によってうける損害。

ふう・かく【風格】 人柄・風貌・態度・作品などに現れる、その人独特のあじわい。「王者のー」「ーのある文章」類語品格。

ふう・がわり【風変(わ)り】《名・形動》〔性質・ようす・やり方などが〕世間一般のあり方と異なっていること。「ーな男」「ーな曲」類語奇抜。奇矯。突飛。

***ふう・かん【封×緘】**《名・他サ》封をすること。封。「ー葉書(＝郵便書簡)」

***ふう・かん【×諷×諫】**《名・他サ》〔文〕遠まわしにそれとなくいさめること。類語諷喩。対直諫。

ふう・がん【風眼】「膿漏眼」の俗称。淋菌が目に入って起こる急性結膜炎。

***ふう・き【富貴】**《名・形動》金持ちで、身分の高いこと。富貴・きふ。「ーな家の出身」対貧賤。

***ふう・き【風紀】** 日常の社会生活の秩序を保つ上で必要な(男女間の)規律。「ーを乱す」「ーを取り締まる」

ふう・ぎ【風儀】〔文〕❶風習。ならわし。❷行儀作法。「生徒のー」

ふう・きょう【風狂】〔文〕❶狂気。狂人。❷風流に徹する・こと(人)。「ーの士」

ふう・きり【封切(り)】《名・他サ》封を切って開くこと。特に、新しい映画をはじめて上映すること。

ふう・きん【風琴】〔文〕❶オルガン。❷《「手風琴」の略》アコーディオン。

ブーケ 花束。▽フランス bouquet

ふう-けい【風景】 自然・人・建物などによって形作られる、その場所・場面のようす。ながめ。「田園ー」「練習ー」 類語 景色。風光。風色。景。景観。光景。

> **類義語の使い分け** 風景・景色
> [風景・景色] まるで水墨画のような風景(景色)を眺める／美しい海辺の風景(景色)をスケッチする
> [風景] 車窓に田園風景が広がる／風景写真
> [景色] なんとまあ景色のいいこと／一面の雪景色

ふう-けつ【風穴】 山腹や谷間などに見られる、トンネルのように空洞になった穴。かざあな。

ふう-げつ【風月】 〔文〕すがすがしい風と美しい月。心をなぐさめ楽しませる自然界の風物。「花鳥ー」

ブーゲンビレア オシロイバナ科のつる性低木。南アメリカ原産の熱帯植物。枝の先端に苞(ほう)に包まれた小花をつける。ぶげんかずら。いかだかずら。ブーゲンビリア。▽bougainvillaea

*__ふう-こう【風光】__ 〔文〕自然の(美しい)景色。**ーめいび【ー明×媚】**《名・形動》〔文〕山水の景色が清らかで美しいこと。「ーの地」

*__ふう-こう【風向】__ 風の吹いて来る方向。かざ向き。風位。「ー計」

ふう-こつ【風骨】 〔文〕(体格などから見た)姿・格好。(ふつう男について言う) 類語 風姿。風采(ふうさい)。

ふう-さ【封鎖】《名・他サ》出入りまたは出し入れできないようにとざすこと。「道路ー」「学園ー」「経済ー」

*__ふう-さい【風×采】__ 立派・貧弱などの印象を与える、その人の見かけ上の様子。「堂々たるー」「ーの上がらない人」 類語 風姿。風体。風貌(ふうぼう)。 注意 ふつう男について言う。

ふう-さつ【封殺】《名・他サ》野球で、進塁するべき走者が次の塁に走りつかないうちに、その塁に球を送ってアウトにすること。フォースアウト。ホースアウト。

*__ふう-し【夫子】__ 〔文〕❶学問や徳のある男性の敬称。❷特に、孔子(こうし)の尊称。

*__ふう-し【風刺・×諷刺】__《名・他サ》他にことよせて、社会や人物の欠陥などを批判すること。「ー小説」 表記「風刺」は代用字。 類語 皮肉。あてこすり。

*__ふう-し【風姿】__ 〔文〕(好ましいと感じられる)姿。

*__ふうじ-こ・める【封じ込める】__《他下一》押し込んで出られなくする。封じ込む。「反対意見をー・める」

ふうじ-て【封じ手】 ❶囲碁・将棋で、一局の勝負を次の日に持ち越す場合、紙に書いて密封しておく、その日の最後のさし手。❷武術・相撲などで、禁じられている技。禁じ手(きんじて)。

ふうじ-め【封じ目】 封をしてある所。

ふう-しゃ【風車】 羽根車を風の力で回転させて動力を得る装置。製粉などの動力に使う。風車(かざぐるま)。

ふう-じゃ【風邪】 〔文〕かぜ。感冒。

ふう-しゅ【風趣】 (そのものが本来持っている)風情(ふぜい)のある味わい。「ーに富んだ水郷」

*__ふう-じゅ【×諷×誦】__《名・他サ》経文や偈頌(げじゅ)を声を出して読むこと。諷誦(ふじゅ・ふうしょう)。

*__ふう-じゅ【風樹】__ 風に吹かれてゆれ動く木。風木。**ーの嘆**《句》親孝行ができる年には、すでに親がなく、孝行がしたくてもできないという嘆き。風樹の嘆き。風木の嘆。〈韓詩外伝〉

ふう-しゅう【風習】 その土地に古くから伝わっている生活上のならわし。風俗習慣。 類語 慣習。因習。

ふう-しょ【封書】 封をした手紙。封状。

ふう-しょう【×諷×誦】《名・他サ》〔文〕❶暗誦(あんしょう)すること。❷→ふうじゅ(諷誦)。

ふう-しょく【風食・風×蝕】 風で表土が浸食されること。 表記「風食」は代用字。

ふう・じる【封じる】《他上一》→封ずる。

ふう-しん【風×疹】 ウイルスによる発疹(ほっしん)性の急性皮膚感染症。子供に多い。三日ばしか。

*__ふう-じん【風×塵】__ 〔文〕❶風で舞い上がるちり。 類語 砂塵(さじん)。砂煙。❷俗世間(のわずらわしい雑事)。俗塵。「ーを避けて山中に住む」❸ごく軽微なもののたとえ。「身をーよりも軽んずる」

*__ふう-じん【風神】__ 風をつかさどる神。かぜのかみ。

ブース ❶展示会場などの仕切られた一区画。❷投票場・語学練習室などの仕切られた部屋。❸高速道路の料金徴収所。▽booth

ふう-すい【風水】 ❶風と水。❷風土や水勢によって住居や墳墓の地を占い定める・こと(術)。風水説。

ふう-すいがい【風水害】 風害と水害。

ブースター ❶増幅器。また、昇圧器。❷主に多段式ロケットで、打ち上げ後の最初の段階で加速に使われるロケット部分。▽booster(=援助者)

フーズ・フー 紳士録(=地位や資産のある人々の姓名・職業・住所・経歴などを記したもの)。▽who's who

ふう・する【×諷する】《他サ変》〔文〕風刺する。「世相をー・した狂歌」

ふう・ずる【封ずる】《他サ変》❶出入り・出し入れの口をとじてふさぐ。封をする。「逃げ道をー・ずる」❷おさえつけて自由に活動できないようにする。禁ずる。「口をー・ずる」「技をー・ずる」=封じる。

ふう-せい【風声】 〔文〕❶風の音。風籟(ふうらい)。❷どこからともなく伝わってきた消息。風の便り。うわさ。評判。**ーかくれい【ー鶴×唳】**(戦いに敗れた者が風の音やツルの鳴き声を敵の声かと恐れる意)おじけづいた人がちょっとしたことにも驚きこわがること。〈晋書・謝玄伝〉

*__ふう-せつ【風説】__ 〔文〕世間に広まっている(根拠のない)うわさ。「ーが広まる」 類語 風評。風聞。風声。

*__ふう-せつ【風雪】__ ❶(自然の力としての)風や雪。❷強い風を伴う雪。「ー注意報」❸人生のきびしい試練や苦難。「ーに耐える」「ー二〇年」 類語 風霜。苦節。

ふう-せん【風船】 ❶ゴムや紙の袋の中に、空気・水素ガスなどを入れてふくらまし、手でついたり飛ばしたりするおもちゃ。風船玉。❷気球。〔古風な言い方〕

ふう-ぜん【風前】 〔文〕風の吹きつける所。**ーの灯(ともしび)**《句》危険が迫って、滅ぶ寸前であること。

*__ふう-そう【風葬】__《名・他サ》死体を放置して風雨にさらし、自然に消滅させること。 参考 →土葬・火葬・水葬・鳥葬。

*__ふう-そう【風霜】__ 〔文〕❶(自然の力としての)風と霜。❷きびしい苦難や試練。「ーに耐える」 類語 風雪。❸としつき。星霜。「ーを経る」

ふう-そく【風速】 風の吹く速さ。一秒間に進む距離(メートル)で示す。「ー計」「ー五〇メートル」

ふう-ぞく【風俗】 ❶ある時代や社会における生活上の様式やしきたり。「昭和初期のー」 類語 風習。習俗。❷風紀。「ーを乱す」 **ーえいぎょう【ー営業】** 飲み屋・キャバレー・パチンコ店など、客に遊興・飲

ふ

食、または射幸的な遊技をさせる営業の総称。

ふう-たい【風袋】 はかりで重さを量るときの、その物の入っている包装紙・袋など。「―込みで三〇キロ」

ふう-たく【風×鐸】 ❶寺の堂や塔などの軒の四すみにつりさげてある、青銅製の鐘形の鈴。❷風鈴(ふうりん)。〔古風な言い方〕

ぶうた-れる 《自下一》〔俗〕ぶうぶう文句を言う。

ぷう-たろう【風太郎】 〔俗〕無職の人。

ふう-ち【風致】 自然の景色がもっている趣。自然界の美しさ。「―をそこなうビルの林立」類語 景趣。風趣。

ふう-ちょう【風潮】 時勢とともに変わっていく、世の中の傾向。「金権万能の―を戒める」

ふう-ちん【風鎮】 掛け物が揺れ動かないように軸の両端に下げる、玉・石・陶器などでつくったおもり。

ブーツ くるぶしより上までおおわれている靴。長靴(ちょうか)。対 シューズ。▽boots

ふう-てい【風体】 その人の身分・職業などをうかがい知ることができる、身なり・服装などの様子。風体(ふうたい)。〔好ましくない場合にいう〕「怪しげな―の人物」

ふう-てん【×瘋×癲】 ❶言行錯乱・意識混濁・感情激発などの見られる精神病の俗称。❷定職もなく、ぶらぶらしている人。表記 ②は、ふつうかな書きする。

*__ふう-ど【風土】__ ❶その地域の気候・地質・地勢など、自然の条件。「日本の―」❷人間の精神形成の基盤となる人為的な環境。「汚職に甘い―」 **―びょう【―病】** ある地域に特有の自然環境と密接に関連があるため、その土地に限って発生する病気。マラリア・睡眠病・つつが虫病など。地方病。

*__フード__ 《造語》食品。「ドッグ―」▽food

*__フード__ ❶袋型につくったかぶりもの。防寒・防風・防雨用。ずきん。❷写真機や機械などに取りつけるおおい。❸換気扇の吸込み口につけるおおい。▽hood

*__ふう-とう【封筒】__ 封ができる紙製のふくろ。状袋。

*__ふう-とう【風×濤】__ 〔文〕風と波。また、風が起こす波。「―を切って進む」類語 風波。

ふう-どう【風洞】 人工的に高速の気流を発生させるトンネル型の装置。流体力学的な実験や航空機の設計などに使う。

ふうとう-ぼく【風倒木】 風で倒れた木。

プードル フランス原産の小形のイヌ。長い毛を美しくかりこんで飼う。▽poodle

ふう-にゅう【封入】 《名・他サ》中に入れて口をぴったりふさぐこと。「ガラス球にアルゴンガスを―する」

ふう-は【風波】 ❶風と波。また、風によって立つ波。類語 風濤(ふうとう)。❷〔親しい人々の間などに起こる〕争いごと。もめごと。「遺産の分配で―が立つ」類語 不和。悶着(もんちゃく)。紛争。同 ①②波風(なみかぜ)。

ふうばい-か【風媒花】 風の仲立ちで花粉がめしべにつけられる花。マツ・イネなど。類語 虫媒花。水媒花。

ふう-ばぎゅう【風馬牛】 《名・他サ》全く関心を示さないこと。「世間のできごとに一切―の研究生活」参考「風馬牛も相及ばず(=さかりのついた馬や牛も相会えないほどへだたっている)〈春秋左氏伝・僖公四年〉」から。

ふう-び【風×靡】 《名・他サ》〔風が草木をなびかせるように〕大勢の人々をある方向に従わせること。人気をさらうこと。「一世を―した名曲」

ブービー ゴルフなどで、成績が最下位から二番目(の人)。「―賞」参考 英語では最下位の意。▽booby

ふう-ひょう【風評】 世間の(よくない)評判。「素行が悪いという―が立つ」類語 風説。風聞。風声。

ふう-ふ【夫婦】 結婚している一組の男女。夫婦(めおと)。類語 夫妻。 **―べっせい【―別姓】** 結婚後も夫婦が別々の姓を名のること。「選択的―制度」 **―喧嘩(げんか)は犬も食わない** 《句》夫婦の争いはやがては仲直りするから、他人が口出しするものではない。 **―は二世** 《句》夫婦の関係はこの世だけでなく来世まで続くということ。「夫婦は二世のちぎり」とも。「親子は一世、―」

ふう-ふう 《副》〔「―と」の形も〕❶口をすぼめて何回も息をふきかけるようす。「―さましながら、湯をのむ」❷苦しそうに息をするようす。また、苦しめられて、まいっているようす。「受験勉強で―言っている」

ぶう-ぶう 《副》小言や不平をさかんに言うようす。「―言うな」類語 ぶつぶつ。

ふう-ぶつ【風物】 ❶景色として目にはいるさまざまなもの。「四季の―を楽しむ」❷その土地や季節の生活に関係の深い事物。「秋の―サンマ」 **―し【―詩】** その季節の感じをよくあらわしている事物。「金魚売りは夏の―」

ふう-ぶん【風聞】 《名・他サ》それとなく世間に広まっているうわさ。また、うわさを風の便りに聞くこと。「とかくの―を耳にする」類語 風評。風説。世評。

*__ふう-ぼう【風×貌・風×丰】__ 風采(ふうさい)と容貌。外から見たその人の特徴的な姿かたち。容姿。「学者の―」

*__ふう-ぼう【風防】__ 〔文〕風を防ぐこと(もの)。防風。「―ガラス」類語 風よけ。

ふう-み【風味】 ❶食べ物の、上品で洗練された味。「独特の―」❷おもむき。味わい。「―のある対話」

ブーム ❶急に需要が高まり、価格が上昇すること。突然の好景気。にわか景気。「土地―」❷急にはやり出すこと。流行。ラッシュ。「グルメ―」▽boom

ブーメラン オーストラリア先住民が狩猟・戦闘に使う、「く」の字形の道具。投げると回転しながら飛び、再び手元に戻る。「―現象」▽boomerang

ふう-もん【風紋】 風が砂地に作る波形の模様。

ふう-ゆ【×諷×喩・風諭】 《名・他サ》〔文〕たとえなどを使って、それとなくさとすこと。類語 諷諫(ふうかん)。

ふうらい-ぼう【風来坊】 〔風のように〕どこからともなく来たり去ったりする人。

フーリガン 試合会場の内外で暴力をはたらく、熱狂的なサッカーファン。▽hooligan(=ならず者)

ふう-りゅう【風流】 《名・形動》❶派手ではないが、おちついてしゃれた味わいのあること。「日本風の―な庭」❷世俗を離れて自然に親しみ、詩歌・茶の湯・書画などをたしなみ味わうこと。風雅。「―を解する」

ふう-りょく【風力】 風の強さ。「―計」

ふう-りん【風鈴】 金属・陶器・ガラスなどで作ったつり鐘形の鈴。風に鳴る音を楽しむ。類語 風鐸(ふうたく)。

プール ❶〔人工の〕水泳場。スイミングプール。❷たまり場。置き場。「モーター―」❸《名・他サ》ためておくこと。「人材を―して企業に派遣する」▽pool **―ねつ【―熱】**「咽頭(いんとう)結膜熱」の俗称。アデノウイルスが原因で、主に小児がかかる。発熱・咽頭炎・結膜炎などの症状があらわれる。プール病。参考 プールを介して流行することが多いことから。

*__ふう-ろう【封×蠟】__ びんの栓(せん)や書状の封じ目などに塗って密封するのに用いる、樹脂質のもの。

ふ

***ふう-ろう【風浪】**〔文〕風と波。また、風によって立つ波。風波。「船が—にもてあそばれる」

ふ-うん【不運】《名・形動》幸運にめぐまれないこと。「—な一生を終える」[類語]不幸。非運。[対]幸運。

ぶ-うん【武運】戦いに勝つか負けるかの運命。「—つたなく討ち死にする」「—長久を祈る」

ふえ【笛】❶竹・木・金属などの管の側面に数個の穴をあけ、吹き口(歌口)から息を吹きこみ、指で穴をふさいで高低を加減して鳴らす楽器。特に、横笛。❷のどぶえ。「—をかき切る」❸呼び子やホイッスルなど、合図のために吹き鳴らす道具。「試合終了の—」

—吹けども踊らず《句》人に何かをさせようと、いろいろ手をつくして働きかけても、いっこうにそれに応じないことのたとえ。〈新約聖書〉

***フェア** ❶見本市。展示即売会。「ブック—」❷博覧会。「フラワー—」▽fair

***フェア** ━《形動》正しいようす。公明正大。「—な判定」[対]アンフェア。━《名》野球・ソフトボールで、打ったボールがファウルラインの中に入ること。[対]ファウル。▽fair **—ウエー** ゴルフコースで、ティーグラウンドとグリーンの中間の、芝を刈り込んだ地帯。▽fairway **—プレー** 規則を守って正々堂々と試合を行うこと。「—精神」▽fair play

フェアリー 妖精。仙女。「—ランド(=おとぎの国)」▽fairy

ふ-えいせい【不衛生】《名・形動》衛生的でないこと。不潔なこと。「—な店」

ふえいよう-か【富栄養化】《名・自サ》湖沼・内湾の植物栄養塩類の濃度が高まること。リン・窒素などを含む下水・工場廃水が流れ込むことによって起こる。赤潮の原因になる。

フェイル-セーフ 全体の中の一部に故障や誤作動が起きても、それが全体の致命的破壊につながらないように作動する安全装置。▽fail-safe

フェイント バスケットボール・バレーボール・ボクシングなどで、相手をまどわすためにタイミングをはずして行う動作や攻撃。「—をかける」▽feint(=見せかけ)

フェース ❶顔。「ニュー—(=新人)」❷登山で、広がりをもった、のっぺりとした急な岩壁。▽face

フェード-アウト 舞台や映画で、しだいに暗くなってついにはまっ暗になること。また、その技法。溶暗。略語FO。[対]フェードイン。▽fade-out

フェード-イン 舞台や映画で、まっ暗なところからしだいに明るくなっていくこと。また、その技法。溶明。略語FI。[対]フェードアウト。▽fade-in

フェーン-げんしょう【フェーン現象】乾燥した高温の風が山脈のむこう側に吹きおろす現象。日本海沿岸に多く、しばしば大火の原因となる。[参考]「フェーン」はドイツFöhn(=アルプス北斜面の熱風)。

***ふ-えき【不易】**《名・形動》〔文〕長い間変わることなく存続すること。「千古—の大道」[類語]不変。**—りゅうこう【—流行】**蕉風俳諧で、俳諧の本質を永遠性と流動性の相反する二面からとらえたもの。根本においては一つに帰するものとされる。

***ふ-えき【賦役】**〔文〕❶地租と労役。❷昔、公の仕事のために強制的に人民に課せられた労役。夫役。

フェザー ❶鳥の羽。❷「フェザー級」の略。▽feather **—きゅう【—級】**(featherweight)ボクシングで、重量別階級の一つ。プロで五五・三四〜五七・一五キロ、アマで五四〜五七キロ。

フェスタ 祭り。▽イタリア festa

フェスティバル 祭り。祝祭。また、催しごと。祭典。「自動車—」▽festival

ふ-えつ【×斧×鉞】〔文〕❶おのとまさかり。❷〈—を加える〉文章などを(大きく)手直しする。

ふ-えて【不得手】《名・形動》❶得意でないこと。不得意。「数学は—だ」❷たしなまないこと。「酒は—だ」[類語]①②苦手。

フェティシズム ❶〔宗〕特定の物体を、超自然的な力があるものとして崇拝すること。呪物崇拝。物神崇拝。❷〔心〕異性の下着や持ち物などに異常な執着を示し、性的快感を感じる変態性欲。▽fetishism

フェニックス ❶エジプト神話の霊鳥。五〇〇年ごとに祭壇の火でみずから焼け死に、その灰の中から幼鳥となって再び生まれ変わるという。不死・蘇生の象徴。不死鳥。❷ヤシ科の多年生観葉植物。一般に、シンノウヤシ・カナリーヤシなどを言う。▽phoenix

フェノール コールタールなどから作る、無色で針状の結晶。特有のにおいがある。消毒・防腐剤、また、染料などの原料として重要。石炭酸。▽ドイツ Phenol

フェミニスト ❶女権拡張論者。❷女性を大切にする男性。俗に、女性にあまい男性。▽feminist

フェミニズム 女性を大切にする考え方。女性崇拝主義。▽feminism(=女権拡張論。女性解放論)

フェミニン《形動》女性らしいようす。女性的。「—なラインの服」▽feminine

フェリー-ボート 自動車を客・貨物とともに乗せて運ぶ船。フェリー。▽ferryboat(=渡し船)

ふ-える【増える・殖える】《自下一》〔数・量が〕多くなる。「人口が—・える」「目方が—・える」[類語]増す。(する)増加。増大。増殖。繁殖。[対]減る。[文]ふ・ゆ《下二》。⇩〖使い分け〗

使い分け「ふえる(ふやす)」

増える(増やす)〔同じものが加わって、全体が多くなる意で、一般に広く〕人口が増える・体重が増える・予算が増える(予算を増やす)・水量が増える

殖える(殖やす)〔それ自身の力で全体が多くなる。繁殖。利殖〕子牛が殖える(子牛を殖やす)・貯金が殖える・財産が殖える(財産を殖やす)

[参考]「子が増える／殖える」のように二様に書くが、前者には子供が寄り集まってくる情景が、後者には出産によって増加する姿が浮かぶ。「殖」は財産の増加によく用いるが、「増」で代用されることも多い。

フェルト 羊毛などを熱と圧力を加えて密着させた厚い布状のもの。帽子・敷物・履物用。フエルト。▽felt

フェルマータ 音符や休止符に付けて、その部分を任意の長さに延ばすことを示す記号。延音記号。延長記号。「𝄐」。▽イタリア fermata

フェロモン 昆虫などの動物体内で産出され、体外に分泌されて、他の個体の行動や生理状態に変化を引き起こさせる物質。「性—」▽pheromone

***ふ-えん【不縁】**❶夫婦・養子などとしての縁がなくなる(切れる)こと。「つり合わぬは—のもと」❷縁組がうまくまとまらないこと。「縁談が—になる」[類語]離縁。

***ふ-えん【敷×衍・布×衍・敷延】**《名・他サ》〔文〕❶お

し広げて、他のものにも適用すること。「一地方の事件を国際問題にまでーする」❷文章・語句の趣旨や意味を別のことばで分かりやすく説明すること。パラフレーズ。「その点をもう少しーしたい」

フェンシング 片手に剣を持ち、突いたり切ったりして勝負を争う、西洋流の剣道。サーブル、エペ、フルーレの三種目がある。▽fencing

フェンス かこい。塀。特に、野球場のグラウンドをかこむ塀。「右翼ーにぶつかる三塁打」▽fence

フェンダー 自動車・自転車などの車輪のどろがとびちるのを防ぐためのおおい。どろよけ。▽fender

ぶ-えんりょ【無遠慮】《名・形動》相手にかまわず、思いのままにふるまうこと。「ーな口をきく」類語ぶしつけ。無作法。

フォア-グラ えさを強制的に与えてふとらせた、ガチョウの肝臓。珍味とされる。▽foie gras

フォアハンド テニス・卓球・バドミントンなどで、利き腕の側にきた球を打つこと。フォア。対バックハンド。▽forehand

フォア-ボール 四球。▽fourとballsからの和製語。

フォーカス 〔写真で〕焦点。「ソフトー」▽focus

フォーク ❶西洋料理で、食べ物をさして口へはこぶのに使う、金属製の食器。❷フォークに似た形の農具。▽fork **ーボール** 野球で、変化球の一つ。人さし指と中指の間にボールをはさんで投げる。打者の手もとで不規則に落ちる。▽fork ball

フォーク-ソング アメリカの民衆の間に生まれた民謡風の歌。労働歌、愛の歌、反戦歌など内容は幅広い。フォーク。▽folk song

フォーク-ダンス ❶民俗舞踊。❷おおぜいの人が円形・方形などに並んで踊るレクリエーション用のダンス。▽folk dance

フォークロア 民間伝承。民俗学。▽folklore

フォース-アウト→ホースアウト。▽force-out

フォービスム 野獣派。二〇世紀初頭フランスで興った絵画運動。太い線や原色が特徴。▽fauvisme

フォーマット ❶ラジオ・テレビ番組などの構成の形式。❷コンピューターで、データの記録形式。❸《名・他サ》コンピューターで、初期化。▽format

フォーマル《形動》公式・正式であるようす。また、格式ばったようす。儀礼的。「ーな装い」「ーウエア」対インフォーマル。カジュアル。▽formal

フォーミュラ-カー 国際自動車連盟（＝FIA）により規定されている競走用自動車。一人乗りで、低く細長い胴体の外側にむき出しのタイヤがついている。▽formula car

フォーム ❶形式。様式。❷スポーツで、プレーするときの姿勢。「バッティングー」▽form

フォーメーション 〔球技で〕攻撃・防御のためにとられる陣形。▽formation

フォーラム ❶古代ローマで、公の集会所に使用した広場。転じて、公共の集会所。❷「フォーラムディスカッション」の略。公開討論。▽forum

フォール《名・他サ》レスリングで、相手の両肩を同時にマットにつけること。つけた方が勝ちとなる。▽fall

フォト 写真。〔時に、映画もさす〕「ーストーリー」「ースタジオ」▽photo

ぶ-おとこ【醜男】 顔かたちのみにくい男。

フォルクローレ 民俗音楽。特に、南米のスペイン語系の民俗音楽。▽folklore

フォルテ 楽曲演奏で、音の強弱を表す発想記号。「強く演奏せよ」の意。記号 *f*。対ピアノ。▽forte

フォルティシモ 楽曲演奏で、音の強弱を表す発想記号。「とても強く」の意。フォルティッシモ。記号 *ff*。対ピアニシモ。▽fortissimo

フォルム ❶フォーム。❷〔美術で、表現内容に対して〕表現された形。形態。▽forme

フォロー《名・他サ》❶球技で、ボール（を持っている者）のあとを追って走ること。❷追跡すること。後を追い求めること。「財界の動きをよくーした記事」❸おぎない助けること。「新人の仕事をーする」▽follow

フォワード ラグビー・サッカー・ホッケーなどで、前方に位置して、おもに攻撃面をになう競技者。前衛。略語FW。▽forward

ふ-おん【不穏】《名・形動》世の中などが不安定で、悪いことが起こりそうな気配であること。「軍隊がーな行動を示す」「ーな国境地帯」類語険悪。対平穏。

フォンデュ スイス風の鍋料理で、あたためた白ぶどう酒にチーズをとかしたもの。パンにからませて食べる。チーズフォンデュ。▽fondue

フォント 同一書体・同一サイズの活字の一そろい。▽font

ふ-おんとう【不穏当】《名・形動》さしさわりがあって適切でないこと。「ーな発言を取り消す」

ぶ-おんな【醜女】 顔のみにくい女。醜女。

***ふ-か【不可】** ㊀《名》❶〔ある基準に照らし合わせて〕よくない、またはいけないこと。「可もなしーもなし」対可。❷試験の成績評価などで、最低または不合格を表す評点。落第点。「優・良・可・ー」㊁《接頭》《漢語につけて》「…できない」の意。「ー欠」「ー避」

***ふ-か【付加・附加】**《名・他サ》あるものに他の種類のものをつけくわえること。類語添加。追加。**ーかち【ー価値】**❶企業が一定期間内に生産の過程で新たにつくりだした価値。売上高から、原材料費・減価償却費などを差し引いたもの。純生産物。❷〔加工したりして〕付け加えた価値。「ーをつける」「ーを高める」

***ふ-か【孵化】**《名・自他サ》卵がかえること。また、かえすこと。「人工的にーさせる」「サケのー場」

***ふ-か【富家】** 〔文〕金持ち（の家）。富家。対貧家。

***ふ-か【府下】** 一つの府の区域内（で、市以外の所）。

***ふ-か【浮華】**《名・形動》うわべだけがはなやかで、内容・実質が伴わないこと。「ーな享楽生活」類語浮薄。

***ふ-か【負荷】** ❶《名・他サ》〔文〕身に引き受けること。「ーに耐えず辞職する」❷〔理〕電気的・機械的エネルギーを発生する装置に対して、そのエネルギーを消費するもの。また、消費される仕事の量。荷重。「ー率」

***ふ-か【賦課】**《名・他サ》税金などをそれぞれに割り当てて支払わせること。類語課税。

***ふか【鱶】** （大形の）サメの俗称。

ぶ-か【部下】 ある組織の中で、その人の指揮・監督を受けるべき立場の人。類語手下。配下。対上司。

***ふ-かい【不快】** ❶《名・形動》いやな気分になること。類語不愉快。❷〔文〕病気。「ーの気味」**ーしすう【ー指数】** 気温と湿度の関係から人の感じる快・不快の度合いを数値で表したもの。略語DI。参考八〇以上で全員が不快を感じるとされる。

***ふ-かい【付会・附会】**《名・他サ》〔文〕理屈をこねて

関係のないことを無理に結びつけること。こじつけること。「—の説」「牽強(けんきょう)—」

*ふか・い【深い】《形》❶表面と底との間のへだたりが大きい。「—・い谷」❷Ⓐ「深いところから発している」の意に用いられる。「—・い息をする」Ⓘ転じて、「回復しがたい」「正気に戻りにくい」の意に用いられる。「—・い眠りに入る」❷入り口と奥とのへだたりが大きい。「—・い林の奥」Ⓐ「見えにくい」「達しにくい」の意に用いられる。「—・いわけがある」Ⓘ「味わい尽くしがたい」の意に用いられる。「—・い味のあることば」[類語]深遠。深奥。深長。Ⓤ「奥まで十分に達している」の意に用いられる。「音楽に趣味が—・い」❹色が濃い。「—・いみどり色」❺程度が大きい。「情の—・い人」❻夜やある季節になってから時がかなりたち、今まさにたけなわである。「夜が—・くなる」「秋も—・くなる」❼気持ちが強い。そのために根強くて変わりにくい。「悲しみを—・くする」❽〔異性同士が〕非常に親しい。「—・い仲になる」[対]①〜⑧あさい。[文]ふか・し《ク》。

ぶ‐かい【部会】❶ある組織をいくつかに分けた部門(で行う会合)。「—の意見を全体会議に持ち込む」❷「部」を称する組織の会合。「テニス部の—」

ぶ‐がい【部外】❶役所・会社などの部の外。❷その組織の外部。「—者」「—秘」[対]①②部内。

ふがい‐な・い【×腑▽甲×斐無い・不▽甲×斐無い】(ふがひー)《形》したいと思うことが何一つできない情けない状態である。「—・く完敗した」[類語]だらしない。

ふか‐いり【深入り】《名・自サ》必要以上に深く関係すること。「これ以上—すると危険だ」

ふか‐おい【深追い】(ひーお)《名・他サ》どこまでも追っていくこと。

ふ‐かかい【不可解】《名・形動》理解しようとしても理解できないこと。「—な行動」

ふか‐ぎゃく【不可逆】逆もどりできないこと。〔ふつう、単独では用いない〕「—変化」

*ふ‐かく【不覚】《名・形動》❶覚えずそうしてしまうこと。また、意識が確かでないこと。「—の涙を流す」「前後—」❷心構えがしっかりしていないこと。また、油断して失敗すること。「—の一敗」「—にも気づかなかった」

*ふ‐かく【×俯角】目より下にある物を見る視線と水平面とがなす角度。見下ろす角度。伏角(ふっかく)。[対]仰角。

ふ‐がく【富岳・富×嶽】〔文〕富士山。「—百景」

ぶ‐がく【舞楽】舞踊をともなう雅楽。

ふ‐かくじつ【不確実】《名・形動》確実でないこと。ふたしか。「—な情報」

ふ‐かくてい【不確定】《名・形動》はっきりきまっていないこと。「—の要素を含む」[類語]未定。不定。

ふか‐けつ【不可欠】《名・形動》欠くことができないこと。「—の条件」[類語]必要。必須。

ふかこう‐りょく【不可抗力】人の力では・逆らう(とどめる)ことができない力や事態。「—による災害」

ふか‐ざけ【深酒】酒を飲み過ぎること。

ふか‐し【不可視】〔文〕肉眼では見えないこと。「—光線」[対]可視。

ふか‐しぎ【不可思議】《名・形動》常識から考えて、どうしても理解できないこと。[類語]不思議。

ふか‐しん【不可侵】〔文〕侵略・侵害を許さないこと。「—条約」「神聖にして—の帝王」

*ふか・す【吹かす】《他五》❶吸ったたばこの煙を口から吐き出す。また、たばこを口先だけでのむ。❷エンジンを回転させる。また、エンジンの回転数を増す。❸〈…風(かぜ)を—・す〉いばって…らしい態度をとる。「大尽風を—・す」「兄貴風を—・す」[文]《四》。

*ふか・す【更かす】《他五》〈夜を—・す〉夜おそくまで起きている。夜ふかしをする。[文]《四》。

*ふか・す【▽蒸す】《他五》食物に蒸気をあてて柔らかくし、食べられるようにする。むす。「サツマイモを—・す」「冷めた飯を—・す」[類語]蒸らす。[文]《四》。

ふか‐そく【不可測】《名・形動》〔文〕予測できないこと。不測。「—の事態」

ふか‐ち【不可知】〔哲〕物の本質や実在の根拠などは認識できないとすること。「—論」

ふ‐かつ【賦活】活力を与えること。「—剤」

ぶ‐かつ【部活】「部活動」の略。生徒・学生のクラブ活動。

ぶ‐かっこう【不格好・不×恰好】《名・形動》格好の悪いこと。[類語]ぶざま。不体裁(ふていさい)。

ふか‐づめ【深×爪】つめを深く切りすぎること。

ふか‐で【深手・深▽傷】戦闘・格闘などによる重い負傷。重傷。「—を負う」[対]浅手。薄手。

ふか‐なさけ【深情け】思いやりがありすぎること。特に、異性に対する情愛が深いこと。「悪女の—」

ふ‐かのう【不可能】《名・形動》可能でないこと。できないこと。「実行—な空論」[類語]不能。[対]可能。

ふか‐の‐ひれ【×鱶の×鰭】外皮をとり除いたサメのひれをさらして干した食品。中国料理用。ふかひれ。

ふか‐ひ【不可避】《名・形動》〔文〕さけることができないこと。「交渉決裂は—だ」[類語]必至。

ふか‐ふか《副・形動・自サ》《副詞は「—と」の形も》やわらかくふくれているようす。「—した布団」

ふか‐ぶか【深深】《副》《「—と」の形も》いかにも深く感じられるようす。「—と腰かける」「—と頭を下げる」

ぶか‐ぶか《副・形動・自サ》《副詞は「—と」の形も》身につけるものが大きくてゆるすぎるようす。「—のくつ」「—の帽子」[類語]だぶだぶ。

ぷか‐ぷか《副》《「—と」の形も》❶たばこをさかんにすうようす。❷軽いものが水に浮かんでいるようす。

ふか‐ぶん【不可分】《名・形動》物事が密接に結びついて分けることができないこと。「政治と経済は—だ」

ふか‐ま【深間】❶〔川・海などの〕深み。「—に落ちておぼれる」❷密接な男女の仲。「性悪女と—にはまる」

ふかま・る【深まる】《自五》深くなる。「知識が—・る」「秋も—・る」[文]《四》。

ふか‐み【深み】❶〔川・海などの〕深い所。深間。「—にはまる」[対]浅み。❷深入りしすぎて容易にのがれられない状況。「麻薬の—に陥る」❸奥深い味わい。「—のある人柄」[類語]奥行き。

ふか‐みどり【深緑】濃いみどり色。深緑(しんりょく)。

ふか・める【深める】《他下一》深くする。「親善を—・める」[文]ふか・む《下二》。

ふか‐よみ【深読み】《名・他サ》そのものの意味するところを、表面にあらわれていない部分まで推測して理解すること。「文章を—する」

ふ‐かん【×俯×瞰】《名・他サ》〔文〕高い所から見おろすこと。「山頂から四方を—する」[類語]鳥瞰。

ぶ‐かん【武官】❶軍事に携わる官吏。「駐在—」「侍従—」[対]文官。❷もと、下士官以上の陸海軍人。

ふ

ふかん‐しへい【不換紙幣】 正貨と自由に交換できない紙幣。不換券。(対)兌換紙幣。

ふかん‐しょう【不感症】 ❶女性が性交の際に快感を得られない状態。冷感症。❷慣れてしまい、感ずるはずの事を感じなくなること。「騒音には─になった」

ふ‐かんぜん【不完全】《名・形動》完全でないこと。欠けた所があること。「─な設備」(類語)不備。

＊**ふ‐き【不帰】**〔文〕再び帰らないこと。「─の客となる(＝死ぬ)」

＊**ふ‐き【不×羈・不×覊】**《名・形動》〔文〕❶〔つなぎ止めることができない意〕束縛を受けないで自由なこと。「─奔放な性格」❷才能や学識があまりにもすぐれていて、普通と同じにはとりあつかえないこと。「─の才」

＊**ふ‐き【不軌】**〔文〕おきてに従わないこと。また、むほんを企てること。反逆。「─の徒」「─の臣」

＊**ふ‐き【付記・附記】**《名・他サ》本文につけ足して書き記すこと。また、その記事。(類語)追記。

＊**ふ‐き【富貴】**《名・形動》→ふうき(富貴)。

＊**ふき【×蕗】** キク科の多年草。根茎から長い葉柄を出す。早春、葉に先立ち、根茎から「ふきのとう」と呼ばれる花芽を出す。ふきのとう・葉柄は食用。

＊**ふ‐ぎ【不義】** 人としての正しい道からはずれること。特に、男女が道にはずれた関係を結ぶこと。密通。姦通。「─密通はお家のご法度」

＊**ふ‐ぎ【付議・附議】**《名・他サ》議案を会議にかけること。上程。「この問題は総会に直接─しよう」

ぶ‐き【武器】 ❶戦闘に使う道具。兵器や武具。❷効果的な手段となるもの。「理論は実践の─」

＊**ぶ‐ぎ【武技】**〔文〕武道に関する技術。(類語)武術。

＊**ぶ‐ぎ【舞×妓】**〔文〕まいひめ。舞妓。

ふき‐あげ【吹(き)上げ】 ❶〔がけの上などで〕海・谷など低い所から風が吹き上がってくる所。❷噴水。〔古風な言い方〕(表記)❷は「噴(き)上げ」とも書く。

ふき‐あ・げる【吹き上げる】 (一)《他下一》❶風が吹いて舞い上がらせる。❷気体・液体などを穴から上にほとばしらせる。「鯨が潮を─・げる」❸水や水蒸気などが強い勢いでふき出て、上にあるものを持ちあげる。(表記)❷❸は「噴き上げる」とも書く。(二)《自下一》❶風が低い方から高い方へ向かって吹く。❷感情が高ぶって、意志・意欲がこみあげる。「─・げる激情」

ふき‐あ・れる【吹き荒れる】《自下一》〔被害をもたらすほど〕風がはげしく吹く。吹きすさぶ。

ふき‐いど【吹(き)井戸・噴(き)井戸】(─ゐ) 水が吹き出るようにわく井戸。(類語)掘り抜き井戸。

ブギ‐ウギ アメリカ中西部の黒人の間からおこった、リズミカルなジャズ。ブギ。▽boogie-woogie

ふき‐おろ・す【吹き下ろす】《自五》風が低い方へ向かって(強い勢いで)吹く。「山から─・す風」

＊**ふき‐かえ【吹(き)替え】**(─かへ) ❶貨幣・金属器具などをとかして鋳造しなおすこと。改鋳。❷歌舞伎・映画などで、一時的に代役をつとめる・こと(役者)。(類語)スタンドイン。❸〔外国映画などで〕せりふだけを日本語に訳して吹き込む・こと(声優)。

＊**ふき‐かえ【×葺(き)替え】**(─かへ) 屋根の瓦・板・わらなどを新しいものにとりかえること。

ふき‐かえ・す【吹き返す】(─かへす) (一)《自五》風が今までとは逆の方向に吹く。(二)《他五》❶風が吹いて、物を・うらがえす(もとへもどす)。「ちりを─・す」❷一度とだえた呼吸を回復する。「息を─・す」❸貨幣・金属器具などをとかして鋳なおす。改鋳する。

ふき‐か・ける【吹き掛ける】《他下一》❶息を勢いよく吹いてかける。「ガラスに息を─・ける」❷液体を霧状にして吹いて注ぎかける。(類語)①②吹きつける。❸一方的にしかける。「難題を─・ける」❹物の値段を特別高く言う。ふっかける。「高値を─・けられる」

＊**ふき‐け・す【吹き消す】**《他五》❶〔息で〕火を吹いて消す。❷別の大きな音が、ある音を聞こえないようにする。「授業が爆音に─・される」

＊**ふき‐け・す【×拭き消す】**《他五》布などでふいて消す。「落書きを─・す」(類語)拭き取る。拭い去る。

ふ‐きげん【不機嫌】《名・形動》機嫌の悪いこと。「─に黙りこくる」(対)上機嫌。

ふき‐こぼ・れる【吹き▽零れる・噴き▽零れる】《自下一》沸騰した湯などが吹きあがって、あふれ出る。

＊**ふき‐こ・む【吹き込む】** (一)《自五》風が吹いて中にはいってくる。また、風に吹かれて、雨・雪などが中にはいってくる。「夜風が─・んで寒い」(二)《他五》❶吹いて中へ入れる。「風船に息を─・む」❷くり返し言い聞かせて教えこむ。「愛社精神を─・む」❸テープレコーダーやレコードに録音する。「新曲を─・む」

＊**ふき‐こ・む【×拭き込む】**《他五》〔廊下・柱などを〕長い期間毎日のようにふいて、つやが出るようになるまでにする。「鏡のように─・む」

ふき‐さらし【吹(き)×曝し】 覆いさえぎるものがなくて、風のあたるままになっている・こと(所)。ふきっさらし。「─のプラットホーム」(類語)むき出し。

ふき‐すさ・ぶ【吹き▽荒ぶ】 (一)《自五》風が激しく吹く。吹きあれる。(二)《他五》笛などをなぐさみに吹く。(表記)(二)は「吹き遊ぶ」とも書く。

ふ‐きそ【不起訴】 証拠不十分などで、有罪とする見込みがない時などに、検察官が公訴を提起しないこと。(参考)→起訴猶予。(対)起訴。

ふ‐きそく【不規則】《名・形動》規則正しくないこと。規則的でないこと。「─な生活」「─な分布」

ふき‐だし【吹(き)出し】 漫画で、登場人物のせりふを丸く囲んで書いた部分。

ふき‐だ・す【吹き出す】 (一)《自五》❶気体・液体・粉状のものなどが穴から激しく出る。「汗が─・す」「顔に湿疹が─・す」(表記)「噴き出す」とも書く。❷芽などが勢いよく出て来る。「若芽が─・す」❸こらえきれずにぷっと息をふいて笑い出す。「冗談に思わず─・す」(表記)③は「噴き出す」とも書く。(二)《他五》❶吹いて外へ出す。「ちりを─・す」❷芽などを勢いよく出す。

ふき‐だまり【吹(き)×溜(ま)り】 ❶風に吹きつけられて、雪・木の葉などが一か所にたくさん集まった所。❷他に行き場のない人や落ちぶれた人などが集まる所。「社会の─」「不平者の─」

ふ‐きつ【不吉】《名・形動》縁起の悪いこと。また、何か悪い事が起こりそうなきざしがあること。不祥。不瑞。「─な日を避ける」「─な予感」

ふき‐つ・ける【吹き付ける】 (一)《自下一》風が強く吹きあたる。(二)《他下一》❶息を強く吹きあてる。❷〔液体などを〕霧状にして吹いて、物に付着させる。「塗料を─・ける」

ぶ‐きっちょ【不▽器▽用・無▽器▽用】《名・形動》〔「ぶきよう」の転〕→ぶきよう。

ふき‐つの・る【吹き募る】《自五》〔風が〕しだいに激

ふ

しさを増して吹く。

ふきで-もの【吹(き)出物】皮膚にできる小さい粒状のできもの。おでき。

ふき-で・る【吹き出る・噴き出る】《自下一》気体・液体・粉状のものが穴から激しく出る。吹き出す。

ふき-とば・す【吹き飛ばす】《他五》❶吹いて物をとばす。❷一挙に払いのける。「苦しみを―・す」

ふき-ながし【吹(き)流し】❶半円形の輪に数本の細長い布をつけ、さおの先に結びつけて風になびかせる旗。昔、軍陣で標識に使った。❷端午の節句に鯉のぼりとともにあげるもの。❸風向きを知るためになびかせる筒状の布。気象台・飛行場などで使う。

ふき-ぬき【吹(き)抜き・吹(き)▽貫き】❶円形の輪にした吹き流し。昔、軍陣で標識に使った。❷柱と柱の間に壁をつけず、外部に向かって開放された構造。吹き放し。吹き抜け。❸建物で、間に天井や床をつくらずに下から上までつらぬきとおした構造。吹き抜け。

ふき-ぬ・ける【吹き抜ける】《自下一》❶風が吹いて通り過ぎる。「台風が東京を―・けた」❷火が吹き上げて上へ抜ける。

ふき-の-とう【×蕗の×薹】フキの若い花芽。早春、根茎から出る。食用。ほろ苦く、香味がある。

ふき-はら・う【吹き払う】《他五》❶風が吹いて、物をはらいのける。❷〔よくないものを〕消し去る。一掃する。「わだかまりが―・われた」

ふき-ぶり【吹き降り】強い風とともに激しく雨が降ること。

ふき-まく・る【吹き×捲る】㊀《自五》広範囲にわたって長時間、風が激しく吹く。「春一番が―・る」[参考]ある現象が広い範囲を長時間激しく襲う意にも用いる。「全欧州を―・った不景気」㊁《他五》盛んに大げさなことを言いつづける。「大ぼらを―・る」

ふき-まわし【吹(き)回し】❶風が吹いてくるぐあい。風の吹きかげん。❷その時の心境や状況の変化。「どういう風の―か遊びに来た」

ぶ-きみ【不気味・無気味】《形動》気味が悪く、不安な感じを抱かせるようす。「―な静けさ」

ふき-や【吹(き)矢】竹や木筒に小さな矢を入れ、吹いて矢を飛ばす道具。また、その矢。

***ふ-きゅう**【不休】〔文〕少しも休まずに活動を続けること。「不眠―の努力」

***ふ-きゅう**【不急】《名・形動》〔文〕さしせまって必要ではないこと。「―の品」―ふよう【―不要】《名・形動》〔文〕今ただちには必要でも重要でもないこと。不要不急。「―の工事」「返事は―だ」

***ふ-きゅう**【不朽】〔文〕価値をいつまでも失わないで後後まで残ること。「―の名作」[類語]不滅。

***ふ-きゅう**【普及】《名・自サ》世間一般に広く行きわたること。「ビデオが―する」「平和思想が―する」「―率」[類語]流布。流通。普遍化。

***ふ-きゅう**【腐朽】《名・自サ》金属・木材などがくさってぼろぼろになること。

***ふ-きょう**【不況】景気が悪いこと。不景気。「―の波」「―のしわよせ」[対]好況。

***ふ-きょう**【不興】《名・形動》〔文〕❶気分的におもしろくないこと。興ざめ。「―をかこつ」❷機嫌の悪いこと。特に、目上の人の機嫌をそこねること。不機嫌。「―を買う」

***ふ-きょう**【富強】《名・形動》〔国の〕経済が豊かで、武力・勢力が強いこと。「―を誇る国家」

***ふ-きょう**【布教】《名・他サ》宗教を世間に広めること。「仏教を―する」[類語]伝道。弘法。宣教。

ふ-ぎょう【×俯仰】《名・自サ》〔文〕うつむいて下を見ることと、顔を上げて上を見ること。「―天地に恥じない（＝自分を省みて、やましいことは全くない）」

ぶ-きよう【不器用・無器用】《名・形動》❶〔手先が〕器用でないこと。「―で鉛筆も削れない」❷物事を上手にさばけないこと。「人扱いが―だ」＝ぶきっちょ。

ぶ-ぎょう【奉行】武家時代の職名。おもに行政事務の一部局を担当・執行・監督したもの。江戸時代の寺社奉行・勘定奉行・町奉行など。

ふ-ぎょうぎ【不行儀】《名・形動》行儀の悪いこと。[類語]無作法。

ふ-ぎょうじょう【不行状】《名・形動》不行跡。

ふ-ぎょうせき【不行跡】《名・形動》品行のよくないこと。特に、女遊びやばくちなどにふけること。不行状。「―をはたらく」

ふきょうわ-おん【不協和音】同時に鳴らした高さのちがう音が、不調和で響きの悪いもの。[参考]協調すべきなのに協調が欠けている状態についても使う。「首相と外相の―が伝えられる」[対]協和音。

ふ-きょか【不許可】許可しないこと。

ふ-きょく【布局】❶囲碁で、碁石を局面に配置すること。❷全体の配置・構想。「局員の―を考える」

***ぶ-きょく**【舞曲】❶〔文〕舞踊と音曲。❷舞踏のための音楽。メヌエット・マズルカなど。

***ぶ-きょく**【部局】官庁や会社などの内部の組織で、事務分担上区分されたもの。局・部・課・係など。

ふき-よせ【吹(き)寄せ】❶〔風が木の葉を吹き寄せるのにかたどって〕幾種類かのものを美しく組み合わせたもの。日本料理で、野菜の揚げ物、小さな菓子などの盛り合わせなど。❷〔寄席などで〕種々の音曲を少しずつ抜き集め、まとめて演奏すること（芸）。

ふき-よ・せる【吹き寄せる】《他下一》風が吹いて物を一方へ寄せ集める。「木の葉を隅に―・せる」

ふ-ぎり【不義理】《名・形動》交際上当然するべきことをしないこと。特に、借金を返さないでいること。「―を重ねる」

ぶ-きりょう【不器量・無器量】《名・形動》顔かたちがみにくいこと。ぶさいく。不器量。

ふき-わた・る【吹き渡る】《自五》〔広い空間を〕風が吹いて通り過ぎる。吹き過ぎる。「草原を―・る風」

***ふ-きん**【付近・附近】その場所の近く。そのあたり。「大阪―」[類語]近所。近辺。近傍。近隣。周辺。

***ふ-きん**【布×巾】食器などをふく小さな布。

ふ-きんこう【不均衡】《名・形動》つりあいがとれていないこと。アンバランス。「輸出と輸入が―になる」

ふ-きんしん【不謹慎】《名・形動》不注意で、つつしみのないこと。「―な態度」「―をとがめる」

***ふく**【副】㊀《名》主となるものにそえてその補助とするもの。特に、書類などの写し。控え。「正―二通の書類」[対]正。㊁《接頭》❶補助となる者の意。「―知事」「―長官」[対]正。❷あることに伴う意。「―作用」

***ふく**【幅】㊀《名》〔文〕掛け軸。「円山応挙の―」㊁《助数》掛け軸を数える語。

***ふく**【服】㊀《名》❶着る物。衣服。❷〔和服を「着物」というのに対して〕洋服。㊁《助数》❶包みに入った粉薬

など を数える語。❷たばこ・茶・薬などを飲む回数を数える語。参考 上につく語によって「ぷく」ともなる。

*ふく【福】しあわせ。幸運。「—の神」「笑う門には—来たる」「災いを転じて—となす」対 禍。厄。

*ふく【複】一《名》テニス・卓球などで、ふたりが一組となって行う試合。ダブルス。対 単。二《接頭》単一でなく、二つ(以上)からなる意。「—比例」対 単。

*ふ・く【吹く】一《自五》❶風が通って行く。「風が—・く」❷気体・液体・霧状のものが、(穴を通って)勢いよく出る。ほとばしり出る。「山頂から煙が—・く」表記 ②は「噴く」とも書く。❸(かび・粉などが)表面に現れ出る。「粉が—・いた柿」❹芽が出る。めぶく。「柳の芽が—・く」文《四》。二《他五》❶口をすぼめて強く息を出す。また、息を強く出して物に当てる。「—・けば飛ぶような(=とるに足りない)店」❷息を出して音を立てる。呼気で口笛や吹奏楽器を鳴らす。「らっぱを—・く」❸(気体・液体・霧状のものを)(穴を通して)勢いよく出す。ほとばしり出す。「火を—・く山」類語 吐く。表記 ③は「噴く」とも書く。❹(かび・粉などを)表面に現し出す。❺芽を出す。「木々が芽を—・く」❻金属をとかして型に流し、器具をつくる。鋳造する。「鐘を—・く」❼大げさな事や、でまかせを言う。「ほらを—・く」文《四》。⇩〖使い分け〗

使い分け「ふく」

吹く〔口を開いて勢いよく空気を動かす意で、一般に広く〕笛を吹く・火を吹いておこす・吹き替え・吹き寄せる・吹っ飛ぶ・干物に塩が吹く・芽を吹く・吹き出物・ほらを吹く

噴く〔内にこもっていたものが勢いよくふき出る〕汗が噴き出す・機関銃が火を噴く・煙を噴き上げる火山・汁が噴きこぼれる

参考「噴」は「吹」よりも程度が甚だしいことを表す。「皆がその光景に吹き出した／噴き出した」では、後者が強調された表現になる。「火を吹く／噴く」では、前者が火に向かって息や空気を吹きかける意(火吹き竹で火を吹く)、後者は火そのものが内部から噴出する意(火山が火を噴く)。

*ふ・く【×拭く】《他五》(布・紙・手などで)表面をこすって、よごれや水分を取り去る。「鏡を—・く」「廊下を—・く」「汗を—・く」文《四》。

*ふ・く【×葺く】《他五》かわら・トタン板・カヤなどで、屋根をおおう。また、そのようにして屋根を作る。「かわらを—・く」「屋根を—・く」文《四》。

*ふ-ぐ【不具】❶体の一部の機能に障害があること。不備。❷〔文〕〔意をつくさない意〕手紙の末尾にしるす語。不備。不悉。不一。不尽。

*ふぐ【▽河▽豚】フグ科の海魚の総称。体は丸みをおびる。敵にあうと腹部をふくらませる。肉は美味だが、ほとんどが内臓に猛毒をもつ。ふく。

ぶ-ぐ【武具】〔文〕戦いに使う道具。特に、よろい・かぶとなど。具足。もののぐ。類語 武器。兵器。

ふ-ぐあい【不具合】調子がよくない・こと(ところ)。特に、製品などの故障・欠陥。「—が生ずる」

ふく-あん【腹案】心の中にあって、まだ発表していない案。「私によい—がある」

ふく-いく【×馥×郁】《形動タルト》〔文〕よい香りがただようようす。「—とした梅の香」

*ふく-いん【副因】二次的な原因。対 主因。

*ふく-いん【幅員】〔文〕道路・船舶などの横幅。

*ふく-いん【復員】《名・自サ》軍隊に召集されていた人が兵役を解かれて一般市民にかえること。

*ふく-いん【福音】❶キリスト教で、キリストによって人類が救われるという、喜ばしい知らせ。また、それを伝える教え。ゴスペル。❷悩みが解決されると期待できるような、喜ばしい知らせや事柄。「天来の—」

ふ-ぐう【不遇】《名・形動》運が悪くて、ふさわしい地位や境遇が得られないこと。「—をかこつ」類語 冷遇。

ふく-うん【福運】幸運をもたらすめぐり合わせ。

ふく-えき【服役】《名・自サ》兵役・懲役に服すること。「殺人の罪で—する」

ふく-えん【復縁】《名・自サ》離縁したものが、再びもとの関係にもどること。「—を迫る」

ふく-が【伏×臥】《名・自サ》〔文〕うつぶせにねること。対 仰臥・側臥。

ふく-がく【復学】《名・自サ》停学・休学していた学生・生徒が、もとの学校に復帰すること。類語 復校。

ふく-かん【副官】↓ふっかん(副官)。

ふく-がん【複眼】多数の小さな目(=個眼)がはちの巣状に集まって、一つの大きな目となったもの。昆虫類・甲殻類などに見られる。対 単眼。

ふく-ぎょう【副業】本業のかたわらに行う仕事。類語 内職。サイドビジネス。アルバイト。対 本業。

ふく-けい【復啓】《感》〔文〕返事の手紙の最初に書くあいさつのことば。拝復。啓復。復啓。

ふく-げん【復元・復原】《名・自他サ》もとの位置や状態に・かえる(かえす)こと。「土器を—する」—りょく【—力】船・飛行機などが傾いたとき、それ自身がもとの姿勢にもどろうとして働く力。

ふく-こう【腹×腔】↓ふっこう(腹腔)。

ふく-ごう【複合】《名・自サ》二つ以上のものが結合して、新しく一つのものになること。類語 合成。化合。—ご【—語】本来独立した二つ以上の単語が合わさって別の一つの単語になったもの。「なつやすみ(夏+休み)」「さきにおう(咲く+匂う)」など。合成語。類語 派生語。

ふく-こうかんしんけい【副交感神経】自律神経の一つ。呼吸・消化・循環などを支配し、交感神経とは逆の作用をする。

ふく-さ【×袱×紗・×帛×紗・服×紗】❶絹やちりめんで作った小さな方形のふろしき。進物の上にかけたり物を包んだりするのに使う。「—包み」❷茶の湯で、絹で作った方形の布。茶器をぬぐったり受けたりするのに使う。茶袱紗。

ふく-さい【副菜】主菜に添えて出す料理。対 主菜。

*ふく-ざい【伏在】《名・自サ》〔文〕ひそんで存在すること。「内心に—する悔恨」類語 内在。潜在。

*ふく-ざい【服罪】《名・自サ》罪を犯した者が刑に服すること。類語 服役。

ふく-ざつ【複雑】《名・形動》種々の事情や関係が重なり合い入り組んでいること。また、こみいっていて・めんどうな(わかりにくい)こと。「—な気持ち」「—な関係」「—怪奇」類語 錯綜。対 単純。簡単。

ふく-さよう【副作用】その薬が、治療を目的とする本来の作用に付随して起こす、有害な別の作用。

ふく-さんぶつ【副産物】❶目的とする生産物に付

随して得られる他の有用な産物。対主産物。❷ある物事の発生・進行に伴って生まれる他の物事。「旅行の―の作品」

*ふく‐し【副使】正使につき従ってこれを補佐し、必要なときにはその代理をする使者。対正使。

*ふく‐し【副詞】品詞の一つ。自立語で、活用がなく、主語とならない。おもに用言を修飾し、ときに他の副詞・体言をも修飾する。

*ふく‐し【福祉】社会の成員が等しく得るべき幸福。「―の増進」「老齢―年金」「―事務所」類語福利。

ふく‐じ【服地】洋服を仕立てる布地。洋服地。

ふく‐しき【複式】❶二個(以上)からなる方式。また、複雑な方式。「―学級」❷「複式簿記」の略。取引や収支ごとに借方と貸方とに分けて記入する方式の簿記。対①②単式。

ふくしき‐こきゅう【腹式呼吸】横隔膜の伸縮によって行う呼吸。横隔膜呼吸。対胸式呼吸。

ふくじ‐てき【副次的】《形動》他の主となるものに対して従属した関係にあるようす。「―な問題」類語二次的。二義的。

*ふく‐しゃ【複写】《名・他サ》❶写して同じものをいくつか作る・こと(もの)。カーボン紙による複写など。コピー。❷一度写してあるものをもとにして、さらに写す・こと(もの)。「写真を―する」類語複製。

*ふく‐しゃ【×輻射】《名・他サ》〔理〕放射。参考車の輻(や)のように中心から周囲に射出する意。

*ふく‐しゅう【復習】《名・他サ》一度習ったことを自分でもう一度くりかえして勉強すること。おさらい。温習。対予習。

*ふく‐しゅう【復×讐・復×讎】《名・自サ》ひどい目にあわされた人が、相手を同じようにひどい目にあわせること。しかえし。「敵に―する」類語報復。復仇(ふっきゅう)。あだうち。かたきうち。

ふく‐じゅう【服従】《名・自サ》他人の命令・意志にそのまま従うこと。「上官に―する」対反抗。

ふくじゅ‐そう【福寿草】キンポウゲ科の多年草。早春、黄色の美しい花を開く。めでたい花とされ、正月に鉢植えにして飾る。根は薬用。元日草。

*ふく‐しょう【副将】主将の次の地位にあってこれを補佐する役目(の人)。副帥(ふくすい)。

*ふく‐しょう【副賞】正式の賞にそえて贈られる賞品や賞金。「一〇〇万円の―付き」

*ふく‐しょう【復唱・復×誦】《名・他サ》受けた命令や注意を確認するため、言われたことをもう一度口に出して言うこと。また、その言葉。「命令を―する」

ふくしょう‐しき【複勝式】競馬・競輪のかけ方の一つ。レースで一・二着、または一・二・三着のうちのいずれかを当てれば払いもどし金が得られるもの。

*ふく‐しょく【副食】副食物。おかず。対主食。

*ふく‐しょく【復職】《名・自サ》〔退職・停職・休職などにあったものが〕もとの職にかえること。類語復任。

*ふく‐しょく【服飾】❶衣服とその装飾品。❷衣服の飾り。「―品」

ふくしょく‐ぶつ【副食物】食事で、主食にそえて食べるもの。おかず。さい。副食。類語副菜。

ふく‐じょし【副助詞】助詞の一つ。体言・用言などについて、その語に副詞的な職能を与え、下の用言の意味を限定するもの。文語の「だに」「すら」「さへ」「のみ」、口語の「など」「ほど」「くらい」「だけ」などの類。参考係助詞をこれに含める説もある。

*ふく‐しん【副審】運動競技で、主審を補佐する審判員。対主審。

*ふく‐しん【腹心】❶〔文〕〔腹と心臓の意から〕心の奥底。❷心から信頼していて、何でも相談したりまかせたりできる・こと(人)。〔同輩か自分より地位の低い人に使う〕「―の部下」注意「腹臣」は誤り。

*ふく‐しん【覆審】上級審で、下級審の審理とは無関係に審理をやりなおして判断を下すこと。また、その審理。対続審。

ふく‐じん【副×腎】腎臓(じんぞう)の上端にある内分泌器官。アドレナリンやホルモンを分泌する。

ふくじん‐づけ【福神漬(け)】漬物の一つ。ダイコン・ナス・レンコンなど、七福神になぞらえた七種の野菜を細かく刻み、みりん醤油(じょうゆ)につけこんだもの。

*ふく‐すい【腹水】腹腔(ふっこう)の内部に液体がたまる症状。また、その液体。腹膜炎・肝硬変などによる。

*ふく‐すい【覆水】〔文〕いれものがひっくりかえって、こぼれた水。

―盆に返らず《句》❶一度別れた夫婦はふたたびもとどおりに結ばれないこと。❷一度してしまったことは取り返しがつかない。参考「盆」は鉢状の器の意。故事太公望が出世したとき、貧窮時に自分から去った妻が復縁を求めて来たので、盆の水をひっくり返して、もとどおりにしたら求めに応じようと言ったということから。〈拾遺記〉

ふく‐すう【複数】❶二つ以上の数。「―の容疑者が浮かぶ」❷その語の表す人または事物がふたりまたは二つ以上であることを示す文法形式。対①②単数。

ふく‐すけ【福助】❶大頭の童顔で背が低く、ちょんまげを結い、かみしもを着て正座している姿の男の人形。幸運を招くという。❷頭の異常に大きな人。

*ふく・する【服する】㊀《自サ変》〔文〕他からもたらされた事柄を受けて、それに従う。「上官の命に―・する」「刑に―・する」「喪(も)に―・する」㊁《他サ変》〔文〕薬・茶などを飲む。「薬を―・する」＝服す。

*ふく・する【伏する】《自他サ変》〔文〕❶平伏する。「神前に深く―・する」❷潜伏する。また、潜伏させる。「草むらに―・する」❸降伏する。また、降伏させる。「帰順の勧告に―・する」＝伏(ふ)す。

*ふく・する【復する】㊀《自サ変》〔文〕もとの状態にもどる。「席に―・する」「健康に―・する」㊁《他サ変》〔文〕返答する。申し上げる。

*ふく‐せい【復姓】《名・自サ》婚姻・養子縁組などによって一度姓をかえた人が、もとの姓にもどること。

*ふく‐せい【複製】《名・他サ》美術品などで、原物とそっくりのものを別に作ること。また、その物。「―画」「ミロのビーナスの―」類語模造。

ふく‐せき【復籍】《名・自サ》❶婚姻・養子縁組などによって戸籍を離れた者が、もとの籍にもどること。❷学籍を離れたものが復学してもとの籍にもどること。同①②帰籍。

*ふく‐せん【伏線】❶あとに述べようとする筋の展開にそなえて、それに関連した事柄を前の方でそれとなく述べておくこと。また、その事柄。「―を張る」❷後に起こることを予想して、前もって準備しておくこと。また、その事柄。「―を敷く」

*ふく‐せん【複線】二本(以上)並んだ線。特に、上りと下りを並行して敷いた鉄道線路。対単線。

***ふく-そう【副葬】**《名・他サ》死者が生前に愛用していた調度などを遺骸(いがい)に添えて埋葬すること。「—品」

***ふく-そう【服装】**衣服およびその付属品(を身につけたときのようす)。みなり。よそおい。「—をととのえる」

***ふく-そう【福相】**福々しい人相。対貧相。

***ふく-そう【×輻×輳・×輻×湊】**《名・自サ》〔文〕(車の輻(や)がこしきに集まる意から)物事が一か所により集まって、こみ合うこと。混雑。雑踏。殺到。「事務が—する」「交通が—する」

ふくぞう-な・い【腹蔵無い】《形》思っている事を率直に言って隠さない。「—・い御意見を伺いたい」

ふく-ぞく【服属】《名・自サ》〔部下・属国として〕服従し従属すること。「大国に—する」類語随従。

ふくそく-るい【腹足類】軟体動物の一綱。多くらせん状の貝がらをもつ。カタツムリ・アワビ・サザエなど。

ふく-だい【副題】本や論文などの表題にそえる、主に内容を説明する題。傍題。サブタイトル。

ふく-だいじん【副大臣】国務大臣に任命され、政策及び企画にあたり、政務を処理し、大臣の不在時に代理を務める職(の人)。

ふ-ぐ-たいてん【不×倶×戴天】《(「ともに天を戴(いただ)かず」の意)》相手を生かしてはおけないと思うくらいに深い恨み憎しみがあること。「—の敵」参考「礼記(らいき)」にあることば。

ふく-ちゃ【福茶】昆布・黒豆・サンショウなどを加えた煎茶(せんちゃ)。正月・節分などに長寿を祝って飲む。

ふく-ちゅう【腹中】〔文〕❶腹の中。❷心の中。心中(しんちゅう)。胸中。「—に一物ある」

ふく-ちょう【復調】《名・自サ》❶〔体などの〕調子がもとにもどること。「スランプから—する」❷〔理〕変調された波からもとの信号を取り出すこと。検波。

ふ-くつ【不屈】《名・形動》〔文〕困難にぶつかってもくじけないこと。「—の闘志」「不撓(ふとう)—」類語不抜。

ふく-つう【腹痛】腹がいたむこと。腹痛(はらいた)。

ふく-てつ【覆×轍】〔文〕〔前の車の覆ったあとの意〕前人のおかした失敗のあと。二の舞い。「—を踏む」

ふく-ど【覆土】《名・自サ》種まきのあとに、土をかぶせること。また、その土。

ふく-とう【復党】《名・自サ》一度党籍をはなれた人がもとの政党へもどること。

ふく-とく【福徳】幸福と利益。福利。「—円満」

ふく-どく【服毒】《名・自他サ》毒薬をのむこと。「—自殺」

ふく-どくほん【副読本】〔学校で〕教科書にそえて使う学習用の本。「歴史の—として郷土史を読ませる」

ふく-としん【副都心】大都市の中心部に対し、その周辺に新たに興った二次的な中心地。「新宿—」

ふく-の-かみ【福の神】幸福や富をもたらすという神。福神。対貧乏神。疫病(やくびょう)神。

ふく-はい【腹背】〔文〕❶〔腹と背の意〕前と後ろ。「—に敵を受ける」❷心の中で反対すること。「面従—」

ふく-びき【福引】くじびきで景品を分け与えること。また、そのくじびき。

ふく-びこう【副鼻×腔】鼻腔のまわりの骨の内部にあって、鼻腔に通じている腔所。

ふく-ぶ【腹部】動物の腹の部分。また、長い形をした物の中央部。「船の—」類語胴。

ぶく-ぶく《副》《(「—と」の形も)》❶あわが出るようす。❷物が水中に沈むようす。❸《形動・自サ》水分などを含んで、ふくらんでいるようす。「—に太る」

ふくぶく-し・い【福福しい】《形》顔つきが柔和でふっくらして(いかにも福徳に満ちて)いる。「—・い顔」

ふく-ふくせん【複複線】複線が二列並んでいる鉄道線路。

ふく-ぶくろ【福袋】いろいろな品物を詰めて封をし、中身がわからないようにした袋。正月の縁起物として売ったり、宴会の余興で選ばせたりする。

***ふく-ぶん【復文】**❶〔文〕返事の文章・手紙。❷書き下し文を、もとの漢文に書き直すこと。

***ふく-ぶん【複文】**文の中に一つ以上の従属節を含む文。「虫の鳴く声が聞こえる」の類。対単文・重文。

ふくべ【×瓠・×匏・×瓢】❶ウリ科の一年生つる草。ユウガオの変種。果実はややへんぺいな球形。果肉を薄くはいでかんぴょうを作る。❷→ひさご(瓠)。

ふく-へい【伏兵】❶隠れて待ちうけていて、不意を襲う軍勢。伏せ勢。❷予期していなかったときに障害となってあらわれる・競争相手(反対者)。「意外な—にあって否決された」「とんだ—に本塁打を打たれる」

***ふく-へき【復×辟】**《名・自サ》〔文〕君主の地位を退いた者がふたたびその地位につくこと。「先帝が—する」類語重祚(ちょうそ)。再祚。復祚。

ふく-へき【腹壁】腹腔(ふっこう)の周囲の壁。

ふく-ぼく【副木】そえ木。

***ふく-ほん【副本】**❶原本の通りに写した文書。複本。対原本。❷〔法〕正本(せいほん)のひかえとするため、正本の通りに写しとった文書。対正本。

ふく-まく【腹膜】❶腹腔(ふっこう)の内側にあって腹部をとりまく薄い膜。❷「腹膜炎」の略。腹膜の炎症。

ふくま-でん【伏魔殿】〔文〕〔悪魔が潜む殿堂の意〕不正・陰謀などがたくらまれている所。「政界の—」

ふく-まめ【福豆】節分にまく、いり豆。

ふくみ【含み】表面にはあらわれないで、その中にこめられている意味や内容。「—のある言葉」類語含蓄。

ふくみ-ごえ【含み声】(—ごゑ)口の中に音がこもっているように聞こえる声。

ふく-みみ【福耳】耳たぶが大きく肉の厚い耳。福にめぐまれる相と言われる。

ふくみ-わた【含み綿】役者などがほおにふくらみをもたせるため、奥歯の所にふくませる綿。

ふくみ-わらい【含み笑い】(—わらひ)笑い声を口にこもらせて笑うこと。また、その笑い方。

***ふく-む【服務】**《名・自サ》〔文〕職務について、仕事をすること。「—規則」類語執務。勤務。

***ふく・む【含む】**《他五》❶〔物を〕口の中に入れている。「酒を少し—・む」❷要素として内部にもっている。「塩分を—・む」類語内包。包含。含有。内蔵。包容。包摂。包蔵。❸〔うらみなどを〕心の中につつみもつ。「—・むところがある」❹事情を心にとめておく。「事情を—・んでおいてください」❺〔表情などに〕その様子をもつ。「愁いを—・む」文《四》。

ふく-めい【復命】《名・他サ》〔文〕命令を受けて事を行った者が、その経過や結果を報告すること。また、その言葉。「上官に—する」「—を聞く」「—書」

ふくめ-に【含め煮】《名・他サ》野菜・乾物などを、汁を多くして味がしみこむまでじっくり煮ること。また、その煮たもの。含ませ。「さといもの—」

ふく・める【含める】《他下一》❶ふくまれるようにす

る。いっしょに中につつみもつようにする。❷計算に入れる。範囲内とする。「嘱託まで—める」❸〔事情などを〕よく説明して相手に納得させておく。のみこませる。「かんで—めるような注意」[文]ふく・む《下二》

ふく・めん【覆面】❶《名・自サ》布などで顔を包んでかくすこと。また、その布など。❷本名や正体をあらわさずに活動すること。「—批評」[類語]匿名(とくめい)。

ふく・も【服喪】《名・自サ》喪に服すること。

***ふく・やく【服薬】**《名・自他サ》〔文〕服用。

***ふく・よう【服用】**《名・他サ》薬をのむこと。

***ふく・よう【服×膺】**《名・他サ》〔文〕〔人の教えなどを〕心によくとどめて、忘れないようにすること。「遺訓を拳々(けんけん)—する」

***ふく・よう【複葉】**❶葉身が数枚の小葉に分かれている葉。「羽状—」❷飛行機の主翼が上下二枚になっていること。また、その飛行機。[対]①②単葉。

ふく・よか《形動》❶やわらかにほどよくふくれているようす。ふくらか。「—な頬(ほお)」「—な胸」❷豊かなかおりがするようす。「—な新茶のかおり」❸性質・性格が穏和で、朗らかなようす。「—に育ったお嬢さん」

ふくらし・こ【膨らし粉・▽脹らし粉】↓ベーキングパウダー。

ふくら・す【膨らす・▽脹らす】《他五》ふくらむようにする。ふくらます。ふくらせる。

ふくら・すずめ【▽脹×雀・福▽良×雀】❶まるまるとふとった子スズメ。また、全身の羽毛をふくらませたスズメ。❷ふくらすずめが羽をのばした姿を図案化した紋所や模様。❸ふくらすずめの形に似た、少女の日本髪の結い方や帯の結び方。

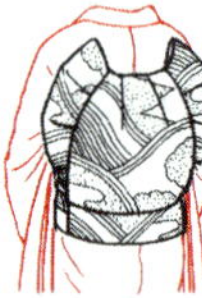
脹雀③

ふくら・はぎ【▽脹(ら)×脛】すねの後ろ側の肉のふくれた部分。こむら。こぶら。

ふくらま・す【膨らます・▽脹らます】《他五》ふくらむようにする。ふくらませる。「気球を—す」「希望に胸を—す」

ふくらみ【膨らみ・▽脹らみ】ふくらむこと。また、ふくらんでいる程度(部分)。「胸の—」

ふくら・む【膨らむ・▽脹らむ】《自五》❶物が内から盛りあがって(丸く)大きくなる。[類語]ふくれる。(する)膨張。❷〔考えや計画が〕大きくなる。広がる。「希望が—む」[対]①②しぼむ。[文]《四》

***ふく・り【福利】**幸福と利益。生活の面で満足感をもたらすような利益。「—厚生施設」

***ふく・り【複利】**複利法で計算する利子や利率。[対]単利。**—ほう【—法】**一定の期間がすぎるごとに元金に利子を加え、その合計を次の期間の元金として利子を計算してゆく方式。[対]単利法。

ふぐり【▽陰×嚢】↓いんのう。

ふく・りゅう【伏流】《名・自サ》地上の流水が、ある場所だけ地下をもぐって流れること。また、その流れ。「—水」

ふく・りゅうえん【副流煙】他の人が吸うたばこから立ちのぼる煙。害になるとされる。

ふく・りん【覆輪・伏輪】〔文〕刀のつば・さや、馬の鞍(くら)などのふちを、金銀などでおおい飾ったもの。

ふくれ・あが・る【膨れ上がる・▽脹れ上がる】《自五》❶ひどくふくれて、外にいっぱいにはりだす。❷数量などが予想や基準よりもずっと大きくなる。また、急激に増大する。「経費が—る」「人口が—る」

ふくれっ・つら【膨れっ面・▽脹れっ面】不満・怒りなどが現れた、不機嫌な顔つき。ふくれつら。

ふく・れる【膨れる・▽脹れる】《自下一》❶内側から外へ盛りあがる。「腹が—れる」❷大きくなる。「予算が—れる」❸不満・怒りなどを感じて、不機嫌な表情になる。「しかられて、ぷっと—れる」[類語]むくれる。[文]ふく・る《下二》

***ふく・ろ【復路】**〔文〕かえりみち。帰路。[対]往路。

***ふくろ【袋・×嚢】**❶紙・布・革などで作り、一つの口から中に物を入れるようにしたもの。❷ミカン・ホオズキなどの果肉をつつむうすい皮。❸あいている方向が一つしかないもの。「—戸棚」「—小路」

—の鼠(ねずみ)《句》追いつめられて逃げることができないことのたとえ。袋の中のねずみ。

ふくろう【×梟】(ふくろふ)フクロウ科の夜行性の鳥。目は茶色で大きく、くちばしが鋭い。ミミズクのような耳状の羽はもたない。「ホウホウ」と鳴く。ふくろ。

ふくろ・おび【袋帯】袋織りにした帯。しんが入っていない。丸帯に次いで正装・礼装に用いられる。

ふくろ・おり【袋織(り)】二重織物の一種。布の耳の部分を一重織りにして、筒状に織ること。また、その織物。帯などに用いる。

ふくろく・じゅ【福×禄寿】七福神の一つ。幸福と寿命の神。背が低く、頭が長くて、ひげが多く、経巻をむすびつけた杖(つえ)を持ち、ツルをつれている。福禄神。

ふくろ・こうじ【袋小路】(—ぢ)行きどまりになっている小路。「議論が—に入る(=進展しなくなる)」

ふくろ・だたき【袋×叩き】❶大勢でとりかこんでさんざんに打ちたたくこと。❷大勢の人に非難・反対されること。「世論の—に遭う」

ふくろ・とじ【袋×綴(じ)】(—とぢ)製本で、紙の文字面を外にして一枚ずつ二つ折りとし、幾枚かを重ねて折り目と反対側をとじたもの。和装本に多い。

ふくろ・ぬい【袋縫い】(—ぬひ)布地を外表(そとおもて)に合わせて浅い縫いしろで縫い、裏返してもう一度深めの縫いしろで縫う袋状の縫い方。

ふくろ・みみ【袋耳】❶一度聞いたら忘れない・こと(人)。地獄耳。❷織物の耳を袋織りにしたもの。

ふくろ・もの【袋物】手さげ袋など、袋状の携帯品。

ふくわ・じゅつ【腹話術】唇・歯を動かさずに、自分以外のものがしゃべっているような感じを与える話術。また、この話術で人形との対話をしてみせる演芸。

***ふ・くん【夫君】**〔文〕他人の夫の尊敬語。ご主人。

***ふ・くん【父君】**〔文〕他人の父の尊敬語。お父上。

ぶ・くん【武勲】〔文〕戦争でたてた手柄。武功。

ふけ【▽雲▽脂・▽頭×垢】頭皮に生ずるうろこ状の白いもの。角質細胞が脱落したもので、皮脂や汗がまじる。

ぶ・け【武家】〔公家(くげ)に対して〕武士(の系統の家)。

***ふ・けい【不敬】**《名・形動》〔文〕〔社寺・皇室などに対して〕敬意に欠けた言動をとること。「—罪」

***ふ・けい【婦警】**「婦人警察官」の略。女性の警察官。

***ふ・けい【父兄】**❶父と兄。❷児童・生徒の保護者。[対]①②子弟。**—かい【—会】**保護者会の旧称。

***ふ・けい【父系】**〔文〕❶父方の血筋に属すること。「—の先祖」❷家系が父方の系統で相続されること。「—社会」[対]①②母系。

ぶ‐げい【武芸】 弓・馬・槍・剣などの技芸。武術。

ふ‐けいき【不景気】《名・形動》❶景気が悪いこと。不況。「経済界を―が襲う」対好景気。❷すっかり沈みこんで元気がないこと。「―な顔」

ふ‐けいざい【不経済】《名・形動》金銭・時間・労力などがむだに費やされること。「―な方法」

ふけ‐こ・む【老け込む】《自五》年寄りじみる。老い込む。「会社をやめてから急に―・んだ」

ふ‐けつ【不潔】《名・形動》❶衛生的でないこと。「―な部屋」❷みだらで汚らわしいこと。「―な交わり」類語①②不浄。対①②清潔。

ふ‐けっか【不結果】《名・形動》結果がおもわしくないこと。よくない結果。「―に終わった」類語不首尾。不成功。

ふけ‐やく【老(け)役】 演劇で、老人の役。

***ふけ・る【×耽る】**《自五》他のことを忘れて、一つの事に熱中する。「物思いに―・る」「ばくちに―・る」類語溺れる。（する）耽溺。惑溺。沈溺。文《四》。

> **類義語の使い分け　耽る・溺れる**
> [耽る・溺れる] 遊びに耽っ（溺れ）て身を持ち崩す
> [耽る] 一日じゅう書斎で読書に耽る／物思いに耽る
> [溺れる] 人気に溺れ芸の精進を怠る／川で溺れて死ぬ

***ふ・ける【更ける・▽深ける】**《自下一》❶時間がたって、夜おそくなる。夜ふける。❷ある季節（特に秋）が深まる。たけなわになる。「秋も―・けて夜は寒い」文ふ・く《下二》。

***ふ・ける【老ける】**《自下一》年をとる。また、年とって見えるようになる。老人くさくなる。「年より―・けて見える」文ふ・く《下二》。

***ふ・ける【▽蒸ける】**《自下一》❶米などが熱気や湿気のために変質する。「―・けた古米」❷（食物が）むされて熱が通り、ふっくらと柔らかくなって食べられるようになる。「芋が―・ける」類語むれる。文ふ・く《下二》。

***ふ‐けん【夫権】** 旧民法で、夫が妻に対して持っていた身分上および財産上の権利。

***ふ‐けん【父権】** ❶家族制度のもとで、父が家族に対してもつ（家長としての）支配権。❷父の持つ親権。対①②母権。

***ふ‐げん【不言】**〔文〕ものを言わないこと。「―実行（＝理屈を言わずに、すべきことを黙って実行すること）」類語無言。

***ふ‐げん【付言・附言】**《名・他サ》さらにつけ加えて言うこと。また、そのことば。「―を要しない」

***ふ‐げん【普賢】**「普賢菩薩」の略。釈迦の右側にひかえる脇士で、仏の理法などをつかさどる。知恵の文殊に対して慈悲の普賢といわれる。多く白象に乗った姿で表される。

***ふ‐げん【×誣言】**〔文〕わざと事実をいつわって言うこと。また、そのことば。誣言。

ぶ‐げん【侮言】〔文〕他人をばかにして言うことば。

ふ‐けんこう【不健康】《名・形動》❶健康でないこと。また、健康によくないこと。「青白い―な顔」「深酒は―だ」❷〔考え方などが〕まともでなく、危なく見えること。「―な風潮」類語①②不健全。

ふ‐けんしき【不見識】《名・形動》見識がなく、軽はずみに判断したりすること。「―な意見」類語無定見。

ぶげん‐しゃ【分限者】〔文〕金持ち。ぶげんじゃ。

ふ‐けんぜん【不健全】《名・形動》❶体の発達などがすこやかでないこと。❷精神・思想などが、穏健でなくかたよっていること。「―な思想」類語不健康。

***ふ‐こう【不孝】**《名・形動》子が親に心配をかけたり嘆き悲しませたりすること。「―者」対孝行。

***ふ‐こう【不幸】** ❶《名・形動》よくない事や苦しい事があって、めぐまれないこと。ふしあわせ。「―な生涯」「―にも体が弱い」類語不運。非運。悲運。薄命。薄幸。対幸福。❷身うちの人が死ぬこと。（「死」の婉曲な言い方）「最近―のあった家」

***ふ‐ごう【富豪】**〔文〕大金持ち。類語財産家。資産家。金満家。

***ふ‐ごう【符号】** ❶文字以外の記号。長音符号やモールス符号など。❷数の正・負の性質を示す記号。「＋（プラス）」と「－（マイナス）」。

***ふ‐ごう【符合】**《名・自サ》（割り符が互いに合う意）二つの物事の内容がよく合致すること。類語吻合。

***ふ‐ごう【負号】** 負の数を示す記号。「－」。対正号。

ぶ‐こう【武功】〔文〕武勲。軍功。

ふ‐ごうかく【不合格】 合格しないこと。

ふ‐こうせい【不公正】《名・形動》公正でないこと。アンフェア。「―な取り引き」類語不公平。

ふ‐こうへい【不公平】《名・形動》とりあつかいなどにかたよりがあって、公正を欠くこと。「―な採点」「―な選挙制度」類語不平等。偏頗。えこひいき。

ふ‐ごうり【不合理】《名・形動》物事が理にかなっていないこと。「―な話」類語不条理。理不尽。

***ふ‐こく【富国】** ❶国の経済力を豊かにし、国力を増すこと。「―強兵」❷豊かな国。類語大国。

***ふ‐こく【布告】**《名・他サ》❶（役所などが）広く一般に知らせる・こと（知らせ）。「―を出す」❷国家がその決定的意思を国の内外に知らせる・こと（知らせ）。「宣戦を―する」

***ふ‐こく【×訃告】**〔文〕人が死んだ知らせ。訃報。

ぶ‐こく【×誣告】《名・他サ》❶〔文〕（他人をおとしいれるために）事実をいつわって告げること。❷〔法〕虚偽の事実を申し立てて、他人を・告訴（告発）すること。「―罪」＝誣告。

ふ‐こころえ【不心得】《名・形動》精神・態度がよくないこと。「―者」「―な考えを起こす」

ぶ‐こつ【無骨・武骨】《名・形動》❶骨張ってごつごつしていること。「―な体格」❷ごつごつした感じで洗練されていないこと。また、無作法なこと。「―者」

ふさ【房・▽総】 ❶たばねた糸・毛糸などの先端を散らしてたらしたもの。「―をつけた帽子」❷花や実などが一つの枝や茎にむらがってついて、たれているもの。「ブドウの―」❸ミカン類の、袋ごとにおさまった果肉。

ブザー 電磁石を利用して鉄板を振動させ、低い音を起こす装置。▽buzzer

***ふ‐さい【不才】**〔文〕才能がない・こと（人）。また、自分の才能を謙遜して言う語。非才。「―の身を顧みず…」類語浅才。鈍才。短才。

***ふ‐さい【夫妻】**〔一組の〕夫と妻。「―同伴」「大山氏―」参考「夫婦」よりも改まった言い方。

***ふ‐さい【負債】** 他から金銭や物を借りて、返済の義務を負うこと。また、その金銭や物。「多額の―を負う」類語借金。借財。

ふ‐ざい【不在】 当人がその場（特に家）にいないこと。

「父は―です」「国民―の(=国民を無視した)政治」

類語 留守。**―しゃ-とうひょう【―者投票】** 選挙当日に投票所に行けない有権者が、前もって行う投票。不在投票。

ぶ-ざい【部材】 建築物などの部分をなす材。構成材。

ぶ-さいく【不細工・無細工】《名・形動》❶細工・手際がへたなこと。また、そのために出来ぐあいがまずいこと。「―な服」類語 不手際。不様(ぶざま)。❷(顔かたちが)みにくいこと。不器量。「―だが、心はやさしい」

ふさ-かざり【房飾り】 糸を束ねてふさ状に垂らした飾り。フリンジ。

ふさが・る【×塞がる】《自五》❶じゃまなものがつまって、通じなくなる。また、いっぱいになる。「道が土砂で―・る」「胸が―・る」類語 つまる。❷開いていたものがとじる。「開いた口が―・らない」類語 しまる。❸すでに他に使われていて、その事に使えない状態にある。「手が―・る」「部屋が―・っている」対 あく。文《四》。

ふさぎ-こ・む【×塞ぎ込む】《自五》気分が晴れず、ひどく憂うつそうなようすをする。しずみこむ。

ふさぎ-の-むし【×塞ぎの虫】 気分が晴れずに黙り込むことを虫のせいだとして言う語。「―にとりつかれる」

*__ふ-さく【不作】__ 農作物のできが悪いこと。一般に、できが悪いこと。「―の文学界」類語 凶作。対 豊作。

*__ふ-さく【×斧×鑿】__〔文〕おのと、のみ(を使って細工をすること)。「―の跡をとどめない(=技巧をこらした跡が見られない、見事な)作品」

ふさ・ぐ【×塞ぐ】 一《他五》❶穴などに、ふた・詰めものなどをして、さえぎり通じなくする。特に、耳・目・口などを手などでおさえておおう。「ネズミの穴を―・ぐ」「耳を―・ぐ」類語 とざす。(す)(る)閉鎖。閉塞(へいそく)。遮断。❷開いていたものをとじる。「口を―・ぐ」類語 閉める。とじる。とざす。❸場所を占めて・いっぱいにする(じゃまをする)。「席を―・ぐ」「荷物が通路を―・ぐ」対 ②③あける。❹〈責めを―・ぐ〉責務を(何とか)果たす。文《四》。

二《自五》気分が晴れずにいる。「昨日から―・いでいる」類語 しずむ。めいる。(す)(る)鬱屈(うっくつ)。鬱結。表記 二は「鬱ぐ」とも書く。文《四》。

ふ-さくい【不作為】〔法〕人があえてなすべき行為を積極的に行わないこと。「―犯」対 作為。

ふさ・げる【×塞げる】《他下一》ふさぐようにする。「通路を―・げる」文 ふさ・ぐ《下二》。

ふざ・ける《自下一》❶おどけたことを言ったりしたりする。❷(子供などが)面白がって遊びさわぐ。❸男女がたわむれる。❹ふまじめになる。ばかにする。「―・けたことを言うな」表記「巫山戯る」と当てる。

ぶ-さた【無×沙×汰】《名・自サ》〔文〕長い間、訪問やたよりをしないこと。「―をわびる」類語 無音(ぶいん)。

ぶ-ざつ【×蕪雑】《名・形動》〔文〕(語句・文章などが)きちんと整っていないこと。「―な文章」

ふさ-ふさ【▽総▽総・房房】《副・自サ》《副詞は「―と」の形も》すきまなくたくさん集まってふさをなしているようす。「―(と)した黒髪」

ぶ-さほう【無作法・不作法】《名・形動》礼儀にはずれていること。「―をお許しください」類語 無礼。失礼。ぶしつけ。

ぶ-ざま【無様・不様】《名・形動》姿やかたちがみっともないこと。また、やり方がまずく、見苦しいこと。「―に転倒する」類語 醜態。ぶかっこう。不体裁。

ふさわし・い【▽相▽応しい】《形》(ふさは)(しい)〔あるものが他のものと〕つりあいがとれてちょうど・適当である(似合わしい)。「入場式に―・い行進曲」類語 打って付け。好適。相応。応分。文 ふさは・し《シク》

ふ-さん【不参】《名・自サ》〔文〕不参加。

*__ふ-し【不死】__〔文〕いつまでも死なないこと。「不老―」**―ちょう【―鳥】** フェニックス①。

*__ふし【▽五▽倍子】__ ヌルデの葉にアリマキが寄生して、その刺激によってできたこぶ。タンニンを含み、染色・インクなどの原料。五倍子(ごばいし)。

*__ふ-し【〈父子〉】__〔文〕父と子。「―相伝の剣法」

*__ふし【節】__ 一《名》❶棒状の物のふくれた部分。類語 節目(ふしめ)。結節(点)。㋐竹・アシなどの茎にある、ふくらみのある区切り。㋑樹木の幹から枝の出ているところ。また、その枝を切りとったあと。せつ。「―の多い杉板」㋒動物の骨のつなぎめ。関節。「足の―が痛い」㋓糸・なわのこぶのようになったところ。❷区切り。段落。❸音楽の旋律。メロディー。「静かな―の歌」類語 節回し。調べ。曲節。曲調。❹ことばや文章の抑揚。「―をつけて本を読む」❺浄瑠璃(じょうるり)や謡曲などの語り物で、歌う部分。❻「かつおぶし」の略。〔「ぶし」の形で接尾語的に使う〕「土佐―」「けずり―」二《形名》箇所。点。「疑っている―がある」三《助数》〔主に歌の〕区切り・段落を数える語。「浪曲を一―うなる」

*__ふ-じ【不▽二】__〔文〕❶〔すぐれていて〕二つとないこと。無二。類語 唯一。無双。無類。❷二つではなく、一つであること。「善悪―」❸〔十分に意をつくさないという意で〕手紙の末尾に書く語。

*__ふ-じ【不時】__〔文〕〔「時ならぬ時」の意〕予定していた以外の時。思いがけない時。「―の出費」**―ちゃく【―着】**《名・自サ》「不時着陸」の略。飛行機が、故障や悪天候などのため、予定地以外の(飛行場でない)場所に臨時に降りること。

*__ふ-じ【不治】__〔病気が〕一生なおらない性質のものであること。不治(ふち)。「―の病(やまい)」

*__ふじ【×藤】__ マメ科のつる性落葉低木。初夏、紫色や白色の蝶(ちょう)形の小花がふさになってたれさがって咲く。藤棚(ふじだな)をつくって花を観賞する。

*__ぶし【節】__《接尾》民謡などの歌の題名につける語。「ひえつき―」「浪花(なにわ)―」「二中―」

*__ぶ-し【▽付子・▽附子】__ トリカブトの根を乾燥したもの。鎮静・鎮痛剤などとする。劇薬。付子(ぶす)。

*__ぶ-し【武士】__ 昔、武芸をおさめて、軍事に従った人。さむらい。もののふ。類語 武人。武者。武家。二本差し。**―どう【―道】** 武士の間に発達し、尊ばれた実践道徳。忠義・礼儀・名誉・武勇・廉恥(れんち)などを重んじる。士道。類語 騎士道。

―に二言無し《句》武士は約束を重んじるもので、一度言ったことは取り消さずに必ず守る。

―は相身互い《句》同じ立場にある者はたがいに思いやりをもって助け合わなければならないということ。

―は食わねど高楊枝(たかようじ)《句》武士は貧乏で食事ができない時でも、ゆうゆうと楊枝を使って空腹を人に見せないものだ。清貧に甘んじることや体面を保つことに言う。

*__ぶ-じ【武事】__〔文〕戦争に関する事柄や技術。対 文事。

*__ぶ-じ【無事】__《名・形動》取りたてて心配するようなできごとが起こらないこと。「平穏―」「―に日を送る」「―に帰る」類語 つつがない。平安。平穏。息災。

*ぶ-じ【×蕪辞】〔文〕乱雑で整っていないことば。〔自分のことばや文章のけんそん語〕「ーを呈する」

ふし-あな【節穴】❶板などの節が取れたあとの穴。❷物の正体を見ぬくことができない目をののしって言う語。「お前の目はーか」

ふ-しあわせ【不幸せ・不仕合(わ)せ】《名・形動》幸福でないこと。不幸。

ふし-いと【節糸】玉繭からとった、節の多いそまつな糸。玉糸。

ふし-おが・む【伏し拝む】《他五》❶ひれ伏しておがむ。❷はるか遠くからおがむ。遥拝する。

ふじ-かずら【×藤×葛・×藤×蔓】❶フジのつる。ふじづる。❷フジやクズなど、主として木本性のつる性植物の総称。

ふ-しぎ【不思議】《名・形動》なぜそうなのか知ろうとしてもわからない・こと(事柄)。「世界の七ー」「摩訶ー」「今年はーに雨が多い」類語不可思議。

ふしくれ-だ・つ【節×榑立つ】《自五》❶木などが、節が多くてでこぼこする。❷手・足・指などの筋や骨が出ばってごつごつする。「長年の労働でーった指」

ふ-しぜん【不自然】《名・形動》わざとらしさや無理があって、自然さが感じられないこと。「ーな姿勢」「緊張して言葉がーになる」類語作為的。

ふ-しだら《名・形動》❶〔生活態度などが〕規律正しくなく、だらしないこと。「ーをとがめる」類語放縦。じだらく。❷〔特に男女関係で〕品行がよくないこと。「ーな娘」類語不品行。不身持ち。不行跡。

ふ-しつ【不×悉】〔文〕〔思いを十分述べつくさないの意で〕手紙の末尾にしるす語。不尽。不一。

*ふ-じつ【不実】《名・形動》❶誠意や情愛に欠けていること。「ーを責める」類語不誠意。不誠実。❷〔文〕事実に反していること。「ーの記載」類語無実。

*ふ-じつ【不日】《副》〔文〕日ならずして。近日中に。

ふし-づけ【節付け】《名・自サ》詩などに曲をつけること。「ゲーテの詩にーする」

ぶ-しつけ【不×躾・不仕付け】《名・形動》礼儀をわきまえず、露骨に事を行うこと。無作法。「ーな質問」

ふじ-つぼ【富士×壺】甲殻類のフジツボ科・ワフジツボ科などに属する動物の総称。海岸の岩や船底につき、円錐形の殻からつる足を出して食物をとる。

ふし-ど【×臥▽所】〔文〕寝床。寝室。

ふじ-なみ【×藤波・×藤▽浪】〔雅〕〔風に吹かれて波のようになびきゆれる〕フジの花。

ふじ-ばかま【×藤×袴】キク科の多年草。秋の七草の一つ。秋、茎の先にうすい紅紫色の小花が多数かたまって開く。

ふじ-びたい【富士額】〔女性の〕髪の生えぎわが富士山の形に美しく整っている額。

ふし-ぶし【節節】❶体のあちこちの関節。「かぜ気味でーが痛い」❷〔気にかかるような〕いろいろの箇所。「思い当たるーがある」類語条々。

ふ-しまつ【不始末】《名・形動》❶あと始末をきちんとしないこと。「火のー」❷あと始末に困る不都合な行いをすること。また、その行い。「ーをしでかす」

ふし-まわし【節回し】歌曲や語り物・謡物などの声の高低・強弱・長短などの変化。類語曲調。

ふじ-み【不死身】《名・形動》❶どんな仕打ちにも屈しないほどの、異常に強い肉体(を持っていること)。「ーの英雄」❷どんな失敗や困難に出あっても、くじけない・こと(人)。「ーの政治家」

*ふし-め【伏(し)目】〔応対などで〕うつむいて視線を下の方へ向けること。「ーがちな女性」。

*ふし-め【節目】❶材木・竹などの節のある所。❷ある物事の切れ目。「人生のー」類語区切り。

*ふ-しゃ【富者】〔文〕富んでいる人。金持ち。対貧者。

*ふ-しゃ【×巫者】神霊をうけて神託をつげるもの。みこ・いちこの類。

ふしゃく-しんみょう【不▽惜身命】仏法のためには生命をも惜しまずささげること。不惜身命。

ふ-しゅ【浮×腫】組織液・リンパ液が皮下組織に多量にたまった状態。むくみ。

ふ-じゅ【腐儒】〔文〕実際の役に立たない学者。

ぶ-しゅ【部首】漢字の字典で、字を配列するときに分類の基準となる、いくつかの漢字に共通の構成要素。「心・忄」「水・氵」の類。

*ふ-しゅう【×俘囚】〔文〕とりこ。俘虜。捕虜。「ーの身となる」

*ふ-しゅう【腐臭】くさったものが発するいやなにおい。

ふ-じゆう【不自由】《名・形動・自サ》〔不足・欠陥などがあって〕思いどおりにならなくて困ること。「金にーしている」

ぶ-しゅう【武州】「武蔵の国」の唐風の呼び名。

ぶ-しゅうぎ【不祝儀】めでたくない事柄。特に、葬式。「ー用の袋(=香典袋)」参考祝儀(=婚礼)に対して言う。

ふ-じゅうぶん【不十分・不充分】《名・形動》必要な条件が満たされていないこと。「証拠ー」「説明がーだ」類語不完全。不備。

ふ-しゅく【×巫祝】〔文〕神事をつかさどる人。かんなぎ。みこ。はふり。

ふ-しゅつ【不出】〔文〕外へ・出ない(出さない)こと。「門外ーの文献」

ふ-じゅつ【×巫術】→シャーマニズム。

ぶ-じゅつ【武術】剣術・弓術・馬術など、武士に必要な技術。類語武芸。武技。

ふ-しゅび【不首尾】《名・形動》結果が思わしくないこと。「調停がーに終わる」類語不成功。対上首尾。

*ふ-じゅん【不純】《名・形動》純粋・純真でないこと。「ー物」「ーな動機による寄付」

*ふ-じゅん【不順】《名・形動》順調でないこと。「天候ー」「生理ー」

*ふ-じょ【婦女】〔文〕婦人。女。ーし【ー子】〔文〕おんな。また、おんなや子ども。おんな子ども。

*ふ-じょ【×巫女】〔文〕神に仕える女。みこ。

*ふ-じょ【扶助】《名・他サ》〔文〕〔経済的に〕助け支えること。「相互ー」「親のーで暮らす」類語援助。助力。

ぶ-しょ【部署】組織体の仕事全体の中で各人にわりあてられた・任務(場所)。「ーにつく」類語持ち場。

*ふ-しょう【不承】《名・形動》〔文〕承知しないこと。「ーならば致し方ない」ーぶしょう【ー不承】《副》人に言われたことに気乗りがしないようす。しぶしぶ。「ー(に)寄付金を出す」

*ふ-しょう【不祥】《名・形動》〔文〕いまわしいこと。好ましくないこと。「ー事」類語不吉。

*ふ-しょう【不肖】《名・形動》《似ていないの意》❶親

（特に父親）や先生に似ずに、おろかなこと。「―の子」「―の弟子」❷へりくだって、自分が至らぬ者であることを言う語。「―ながらお引き受けします」

*ふ-しょう【不詳】《名・形動》〔文〕はっきり、または詳しくわからないこと。「姓名―」類語 不明。未詳。

*ふ-しょう【負傷】《名・自サ》けが（をすること）。「足に―する」「―者」

*ふ-じょう【不定】《名・形動》〔仏〕❶世の中の事は定めなく、いつどうなるかわからないこと。「老少―」「生死―」類語 無常。有為転変。対 一定。❷〔文〕一定していないこと。不定。

*ふ-じょう【不浄】❶《名・形動》けがれていること。「―の金」対 清浄。❷大小便。❸〈御―〉便所。

*ふ-じょう【浮上】《名・自サ》❶〔潜水艦などが〕水面に浮かび上がること。❷目立たなかったものが（急に）表立った存在になること。「にわかに―した計画」

*ぶ-しょう【武将】〔文〕❶武士の大将。「ひとかどの―」❷武道・軍事にすぐれた大将。

*ぶ-しょう【無精・不精】《名・形動・自サ》面倒臭がること。ものぐさ。「―な男」類語 怠惰。

*ぶ-しょう【部将】一部隊の将。

ふ-しょうか【不消化】《名・形動》❶食べ物のこなれが悪いこと。❷知識などの理解が浅く、自分のものとなっていないこと。「―な知識」

ふ-しょうじき【不正直】《名・形動》正直でないこと。「―者」

ふ-しょうち【不承知】《名・形動》承知しないこと。聞き入れないこと。不承。類語 不承諾。不賛成。

ふしょう-ふずい【夫唱婦随】〔文〕夫が言い出し、妻がそれに同意すること。

ふ-じょうり【不条理】《名・形動》❶道理に合わないこと。「―な判定」類語 不合理。❷〔哲〕人間と世界とのかかわり合いの中に現れる、人生の無意義・不合理・無目的な絶望的状況を言った語。参考 フランスの文学者カミュのことば。

*ふ-しょく【扶植】《名・他サ》〔文〕思想・勢力などを人びとにうえつけ広げること。「党勢の―に努める」

*ふ-しょく【腐植】動植物が土の中でくさって、不完全に分解してできた黒褐色の物質。「―土」

*ふ-しょく【腐食・腐×蝕】《名・自他サ》❶くさって物の形がくずれること。くさらせて物の形をくずすこと。❷薬品などの作用によって、金属がその表面から変質・消耗してゆく現象。表記「腐食」は代用字。

ぶ-じょく【侮辱】《名・他サ》ばかにして、辱めること。「公衆の面前で―された」類語 侮蔑。冒瀆。

ふしょく-ふ【不織布】織らないでつくった布。フェルトなど。

ふ-しょぞん【不所存】《名・形動》〔文〕考えのよくないこと（考え）。「―な一言」「―者」類語 不心得。

ふ-しょぶん【不処分】何の罰則も与えないこと。特に、少年審判でいう。

*ふ-しん【不信】〔文〕❶約束を守らず、誠実さがないこと。「―の行為」類語 不誠意。不実。❷信用しないこと。また、その気持ち。「政治―」「―の念」❸信仰心がないこと。不信心。 ―かん【―感】信用しない気持ち。「―を抱く」

*ふ-しん【不審】《名・形動》変なところがあって、疑わしく思うこと。また、いぶかしく思う点。「挙動―」「―をただす」類語 疑問。怪訝。 ―がみ【―紙】書物の中の不審な箇所に、しるしとして張る小さな紙。 ―び【―火】放火の疑いのある火事。

*ふ-しん【不振】《名・形動》勢い・活動・成績などがふるわないこと。「食欲―」「経営―」類語 沈滞。

*ふ-しん【普請】《名・他サ》〔仏教で、世人の協力を願って大ぜいが力を合わせて堂塔を建築・修理したことから〕土木・建築などの工事（をすること）。また、そうしてでき上がった物。「―のみごとな旧家」「安―」

*ふ-しん【腐心】《名・自サ》〔文〕あれこれと心を悩ますこと。「赤字対策に―する」類語 苦心。

*ふ-じん【不尽】〔文〕〔十分に意を表しつくせないの意で〕手紙の末尾にしるす語。不悉。不一。

*ふ-じん【夫人】他人の妻の尊敬語。「―同伴」「社長の―」〔接尾語的にも使う〕「佐藤（太郎）―」「佳子―」類語 令夫人。令室。御内方。奥さま。奥さん。

*ふ-じん【婦人】成人した、女の人。女性。〔「女性」よりもやや古い感じのことば〕「―用の時計」類語 婦女。婦女子。女子。女人。レディー。尊敬 女史。 ―か【―科】婦人病を対象とする医学の一分科。

*ふ-じん【布陣】《名・自サ》敵と対戦するために、軍隊を配置すること。また、その配置。転じて、戦闘・試合・論争などの構えを整えること。また、その構え。「堂々の―を敷く」類語 陣構え。陣立て。陣容。

ぶ-じん【武人】軍事にたずさわる人。武士。軍人。対 文人。

ふ-しんじん【不信心】《名・形動》神仏（のありがたさ・尊さ）を信じる気持ちがないこと。〔悪いこととして言う〕「日ごろの―がたたった」類語 不信仰。

ふ-しんせつ【不親切】《名・形動》親切でないこと。「客扱いが―だ」類語 冷淡。邪険。対 親切。

ふ-しんにん【不信任】信任しないこと。「内閣―案」類語 不信。

ふしん-ばん【不寝番】一晩じゅう寝ないで番をすること。また、その人。寝ずの番。

*ふ・す【伏す】《自五》❶顔を下に向けてからだを床・地面・机などにつける姿勢をする。「―・して拝む」❷他から見えないように身をかくす。ひそむ。伏する。「山かげに―・して敵を待つ」文《四》。

*ふ・す【×臥す】《自五》からだを横にして寝る。また、床につく。臥せる。「病の床に―・す」文《四》。

*ふ・す【付す・附す】《自他五》➡付する。

ふ-ず【付図・附図】本文などに付属している地図・図面・図表など。

*ぶす〔俗〕女性の顔の醜いこと。また、その女性をののしっていう語。ぶおんな。

*ぶ-す【▽付子・▽附子】➡ぶし（付子）。

*ふ-ずい【不随】〔体が〕思うように動かないこと。「半身―」

*ふ-ずい【付随・附随】《名・自サ》主となる事柄につき従っていること。「本件に―した問題」類語 付属。

ぶ-すい【不粋・無粋】《名・形動》❶人情味に欠けていること。特に、男女間の機微に理解がないこと。「あれほどの仲なのに結婚させないとは、―な親だ」❷風流気のないこと。無趣味。無風流。「芸事一つ知らない―なやつ」類語 野暮。対 ①②粋。

ふずいい-きん【不随意筋】意志の支配を受けず、自動的・反射的に運動する筋肉。平滑筋・心筋など。対 随意筋。

ふ‐すう【負数】〔数〕実数で0より小さい数。負の数。マイナスの数。参考 符号は「－」。対 正数。

ぶ‐すう【部数】書物・新聞・雑誌の数。「初版の―」

ぶすっ‐と《副・自サ》むっつりとしたまま口をきかないようす。ぶすりと。「その―した顔は何だ」

ぶす‐ぶす《副》(「―と」の形も)❶ぱっと燃えずに、いつまでも煙を出しつづけるようす。「―(と)くすぶる」❷不平や不満を少しずついつまでも表し続けるようす。「―と愚痴(ぐち)を並べる」

ふすぶ・る【×燻ぶる】《自五》❶いぶる。くすぶる。ふすぼる。「まだ―る火事場」❷煙にあたって、すすで黒くなる。「台所の壁が―る」文《四》

ふす・べる【×燻べる】《他下一》❶いぶす。くすべる。❷煙をあてて、すすで黒くする。❸煙らせて苦しめる。「蚊を―べる」文 ふす・ぶ《下二》

ふすま【×衾・▽被】〔文〕寝るときにからだにかける夜具。かけぶとん。また、ふとん。

***ふすま【×襖】**木で骨を組んで両面に紙・布などを張った和室用の建具。唐紙(からかみ)。ふすま障子。類語 障子。

ふすま【×麩・×麬】小麦を粉にひいたときにできる、種皮のくず。家畜の飼料。穀粉(からこ)。麦かす。

***ふ・する【付する・附する】**━《自サ変》主となるものにつく。従う。━《他サ変》❶主となるものにつける。そえる。「条件を―する」❷渡す。与える。交付する。「証書を―する」❸(「…に―する」の形で)…に委ねる。…に託する。…という形で処理をする。「審議に―する」「茶毘(だび)に―する」「不問に―する」

***ふ・する【賦する】**《他サ変》〔文〕❶(労役・租税などを)わりあてる。課する。「追徴金を―する」❷漢詩などを作る。「詩を―する」

ぶ・する【×撫する】《他サ変》〔文〕❶なでさする。「あごを―する(=満足そうなようすの形容)」「剣を―する(=威嚇するようすの形容)」❷かわいがる。慰撫(いぶ)する。「民を―する」

ふ‐せ【布施】《名・自サ》〔仏〕❶宗教上の行いとして、人に金品を施し与えること。❷僧に金品を与えること。また、その金品。おふせ。

***ふ‐せい【不正】**《名・形動》正しくないこと。よこしま。「―を働く」「―事件」「―な行為」

***ふ‐せい【×斧正】**《斧(おの)で正す意》〔文〕人の書いたものに遠慮なく筆を加えて正すこと。〔詩文を添削してもらうときなどにへりくだっていう語〕「―を乞(こ)う」

***ふ‐せい【父性】**父親としての性質。対 母性。

ふ‐ぜい【風情】━《名》❶そのもの独特の情緒・味わい。「なかなか―のある庭だ」類語 情趣。興趣。風趣。❷ようす。ありさま。けはい。「消えいりそうな―」「わびしそうな―」━《接尾》《人を表す名詞・代名詞につけて》…のような身分の者。〔多く、けんそんや軽べつの意をこめて使う〕「私ども―には口が出せません」

ぶ‐ぜい【無勢】〔相手にくらべて〕人数が少ないこと。また、その勢力。「多勢に―」類語 小勢。対 多勢。

ふ‐せいかく【不正確】《名・形動》正確でないこと。

ふ‐せいこう【不成功】うまく目的を達することが出来ないこと。「実験は―だった」類語 失敗。不首尾。

ふ‐せいしゅつ【不世出】〔文〕めったに世に現れないと思われるほどすぐれていること。「―の大音楽家」類語 絶世。希代。

ふ‐せいせき【不成績】《名・形動》成績がよくないこと。「―に終わる」対 好成績。

ふせい‐みゃく【不整脈】〔医〕心臓の脈搏(みゃくはく)のリズムが乱れて不規則になったもの。

ふ‐せき【布石】❶囲碁で、一局のはじめに全体を見通して打つ碁石の配置。❷将来に備えて、前もってととのえておく手はず。「総選挙の―を打つ」

ふせ・ぐ【防ぐ・×禦ぐ】《他五》害を受けないように(前もって)くいとめる。さえぎる。防止する。「侵略を―ぐ」「事故を―ぐ」「伝染病を―ぐ」類語 はばむ。(す)防御。防衛。阻止。予防。文《四》

ふせ‐じ【伏(せ)字】印刷物で、そのまま公にできない部分を空白にしたり、○×などの印で表したりすること。また、その部分やそのしるし。

***ふ‐せつ【付設・附設】**《名・他サ》〔ある組織などに〕付属させて設けること。「病院に看護学校を―する」

***ふ‐せつ【敷設・布設】**《名・他サ》設備・装置などを地上・地下・地中・水中に設けること。「鉄道を―する」

***ふ‐せつ【浮説】**〔文〕世間に言いふらされている根拠のない話。類語 風説。風聞。流言。デマ。

***ふ‐せつ【符節】**〔文〕一枚のふだの中央に証印を押して二つに割ったもの。両片を分けて持ち、後で合わせて証拠とする。割符。合札(あいふだ)。「―を合わせる(=ぴったり一致する。符合する)」

ふ‐せっせい【不摂生】《名・形動》体を大切にせず、健康に注意しないこと。「―な生活」類語 不養生。

***ふせ・る【×臥せる】**《自五》❶横になって寝る。臥す。類語 (るす)横臥(おうが)。伏臥。平臥。❷病気で床につく。臥す。「風邪で―る」表記「伏せる」とも書く。文《四》。

***ふ・せる【伏せる】**《他下一》❶上または前を向いているものを下向きにする。うつむける。うつぶせる。「目を―せる」「顔を―せる」❷物の上の方を下に向けて置く。物を裏返しにして置く。また、そのようにして中に閉じこめる。「茶碗(ちゃわん)を―せる」「手でバッタを―せる」❸見えないように物陰に体をひそめたり腹ばいになったりする。また、そのようにさせる。「身を―せる」「兵を―せる」❹表面に出さずに、隠して秘密にする。「事情を―せる」文 ふ・す《下二》

***ふ‐せん【不戦】**たがいに戦争・試合などをしないこと。「―条約」**―しょう【―勝】**対戦相手の故障・棄権などのため、試合をせずに勝利を得ること。対 不戦敗。

***ふ‐せん【付×箋・附×箋】**目じるしとするなどのために本紙にはりつける、小さな紙切れ。つけ紙。

***ふ‐ぜん【不善】**〔文〕道徳上よくないこと。「小人閑居して―をなす」

***ふ‐ぜん【不全】**《名・形動》〔機能・発育などが〕十分でないこと。不完全。「心―」「発育―」

***ぶぜん【▽豊前】**旧国名の一つ。今の福岡県の東部と大分県の北部。豊州(ほうしゅう)。

***ぶ‐ぜん【×憮然】**《形動タルト》〔文〕落胆して心の沈むようす。また、どうにもしようがないという気持ちで沈黙しがちになるようす。「―たる表情」類語 暗然。

ふ‐せんめい【不鮮明】《形動》鮮明でないようす。はっきりしないようす。「―な映像」

ふ‐そ【父祖】〔文〕〔父の代まで続いてきた〕祖先。先祖。「―伝来の土地」

ふ‐そう【扶桑】〔文〕〔昔、中国で、東海の日の出る所にあると伝えられた神木(のある地)〕日本の別称。

ぶ‐そう【武装】《名・自他サ》❶戦闘のための服装・装

備（をすること）。「—した警官隊」「—解除」❷論戦に備えて、思想を強固にすること。「理論—」

ふ‐そうおう【不相応】《名・形動》つりあいがとれないこと。「身分—な生活」[類語]不似合い。不適当。

*__ふ‐そく【不測】__〔よくないことについて〕予測できないこと。「—の事態」[類語]不時。不意。不慮。

*__ふ‐そく【不足】__《名・形動》❶《自サ》たりないこと。不十分。「人手—」❷不服であること。不平。不満。「処遇について—を言う」「相手にとって—はない」

*__ふ‐そく【付則・附則】__法令などの規則の規定をおぎなうためにつけ加えた規則。[対]本則。

ふ‐ぞく【付属・附属】❶《名・自サ》主となるものにつきしたがっていること（もの）。「機体に—した備品」「法律に—した細則」[類語]付随。付帯。所属。❷「付属学校」の略。教育研究などのため、大学に付属して設けられた学校。**—ご【—語】**つねに自立語に付属してある意味をつけ加えたり語と語との関係を示したりする単語。助詞・助動詞の総称。[対]自立語。

ぶ‐ぞく【部族】共通の言語・宗教などに支えられ、ある程度の政治的統一を持ち、民族の構成単位となっている地域的な生活共同体。[類語]氏族。

ふそく‐ふり【不即不離】つかずはなれずの関係にあること。不離不即。「—の態度」

ふ‐ぞろい【不揃い】《名・形動》〔形状・種類・数量などが〕そろっていないこと。不揃い。「大小—のリンゴ」[類語]不同。不斉。参差。

ふ‐そん【不遜】《名・形動》思い上がった態度（でふるまうこと）。相手を見下した態度（をとること）。「—な態度」「—を承知で言えば、あの本は愚作だ」

*__ふた【二】__ふたつ。「—親」「—子」[参考]数字をまちがえなく伝えるための「二」の読み方としても使われる。「—千—百—十—」「—円高」

*__ふた【蓋】__❶入れ物の口など、穴の部分にあてがって上から・おおう（ふさぐ）もの。「なべの—」「身も—もない」❷サザエなどの巻き貝の口をおおう甲。へた。

ふだ【札】《「文板」の転》❶文字などをしるして、物につけたり何かのしるしとしたりする、小さな紙片・木片・金属片など。[類語]高札。❷注意書きなどを書いて立てるもの。禁札。制札。❸〈「お—」の形で〉社寺で出す、災難よけなどの紙片・木片。守り札。❹花札・かるた・トランプなどの紙片。カード。❺入場券。また、乗車券。〔古風な言い方〕[類語]切符。

ぶた【豚】❶野生のイノシシを改良して家畜化した食肉用の獣。体は丸くふとり、鼻はつき出て孔が正面を向く。「ブーブー」と鳴く。❷〔俗〕醜いもの・汚いもの・食いしんぼう・のろま・肥満などのたとえ。**—に真珠**《句》どんなに値打ちのあるものでも、その価値のわからない者にとっては、何の役にも立たないこと。〈新約聖書・マタイ伝〉[類語]猫に小判。馬の耳に念仏。

ふた‐あけ【蓋開け・蓋明け】物事の始まり。特に、芝居などの初日。「—から盛況」[類語]幕開け。

ふ‐たい【付帯・附帯】《名・自サ》〔文〕主なものに伴うこと。「—する業務」「—条件」[類語]付随。付属。

ふ‐だい【譜代・譜第】〔代々、同じ主家に仕えることから〕江戸時代、関ケ原の戦い以前から徳川家に仕えていた家臣。「—大名」[対]外様・親藩。

*__ぶ‐たい【舞台】__❶演劇・舞踊その他の出し物を行って見せるための場所。「—に立つ」❷舞台①での演技や所作（のありさま）。「名優のすばらしい—に見とれる」「初—」❸活躍ぶりを見せる場。特に、腕前を発揮する晴れの場。「政治の—でも業績を上げる」**—うら【—裏】**❶客席からは見えない、舞台の裏側。大道具を置いたり、出演の準備をしたりする所。❷表立たずに物事が行われる場。裏面。「—で工作をする」**—そうち【—装置】**舞台上にしつらえる大道具・小道具など。

*__ぶ‐たい【部隊】__❶軍隊の一部を構成する兵士の集団。「攻撃—」「落下傘—」❷共通の目的をもって行動をともにする人々の集団。「買い出し—」「平和—」

ふ‐たいてん【不退転】❶〔仏〕ひたすら修行にはげんで、退転しないこと。不退。❷何ものにも屈せず、固く信じて心をまげないこと。「—の決意で臨む」

ふた‐いとこ【二従兄弟・二従姉妹】↓またいとこ。

ふた‐え【二重】〔二つ重なっていること。二重。「—の膳」[類語]二層。**—まぶた【—瞼】**まぶたが二重のひだになっているもの。ふたかわめ。

ふた‐おや【二親】両親。「—とも健在だ」[対]片親。

*__ふ‐たく【付託】__《名・他サ》物事の処置、特に審査・審議などを他にたのみまかせること。「委員会に—する」[類語]委任。

*__ふ‐たく【負託】__《名・他サ》〔文〕他に責任を持たせて、まかせること。「国民の—にこたえる」

ぶた‐くさ【豚草】キク科の一年草。北アメリカ原産。夏から秋にかけて、枝先に黄緑色の細かい雄花を穂状につける。花粉症の原因とされる。

ふた‐ご【二子・双子】同じ母から一度に生まれたふたりの子。双生児。

ふた‐ごころ【二心・弐心】❶同時に二方に思いをよせる心。❷裏切りをたくらんでいる心。「—を抱く」＝二心。

ふたこと‐め【二言目】何かというとすぐ口にすることば・話。「—にはお説教だ」

ふだ‐さし【札差（し）】江戸時代、旗本・御家人の代理として、禄米の受け取りや販売などをした商人。

ふ‐たしか【不確か】《形動》確かでないようす。あやふや。不確実。「—な返事」[類語]不明確。あいまい。

ふだ‐しょ【札所】巡礼者が参拝のしるしにお札を受けたり納めたりする霊場。西国三十三所、四国八十八箇所など。

ふたすじ‐みち【二筋道】二方向に分かれた道。ふたまた道。分かれ道。二道。[参考]ひゆ的に、一方に決定しがたいような事柄の意でも用いる。「戦争か妥協かの—にさしかかる」[類語]岐路。

ふた‐たび【再び】《副》もう一度。かさねて。二度。「—起き上がれなかった」[類語]再度。再応。

*__ふた‐つ【二つ】__❶一の二倍。に。「—とない（＝比べるものがない。最高の）」❷二歳。❸第二。

*__ふ‐たつ【布達】__《名・他サ》官庁などが広く一般に知らせること。また、その知らせ。「政令の—」

ふだ‐つき【札付（き）】❶商品に正札がついている・こと（物）。❷悪評の高いこと。また、その人や物。「—の道楽者」

ふたつ‐へんじ【二つ返事】〔「はい、はい」とすぐに返事をする意〕即座に快く承諾の返事をすること。「—で引き受ける」

ふたつ‐め【二つ目】❶一つ、二つと数えられるものの二番目。❷〔前座に次いで高座に上がるところから〕落語で、真打ちの下、前座の上の格の芸人。

ふた-て【二手】一つのものを二つの方面に分けた、両方の側。「—に分かれて争う」「—から攻めこむ」

ぶ-だて【部立(て)】〔和歌などを〕いくつかの部類に分けること。また、その部類。「古今集の—」

ふだ-どめ【札止(め)】興行場などで、入場者が満員のため、入場券の販売をやめること。「満員—の盛況」

ふた-なぬか【二七日】人の死後、一四日目(の法事)。二七日(ふたなのか)。

ふた-なり【二▽形・双成(り)】ひとりで男女両性の生殖器をそなえている・こと(人)。半陰陽。

ふた-の【二▽幅・二▽布】《「の」は布地の幅を表す助数詞》❶並幅の布を二枚縫い合わせた幅。およそ七二センチ。ふたはば。「—の座布団」❷〔①の布でつくるところから〕女性用の腰巻き。

ふた-ば【二葉・双葉】❶草木が芽を出したときに最初に出る二枚の子葉。❷物事のはじめ。人の幼いころ。「—のころから育てる」 **—あおい**【—×葵】ウマノスズクサ科の多年草。茎は地上をはい、その先に心臓形の葉を二枚つける。三〜五月、葉の間に鐘状の淡紅色の花が一個つく。かもあおい。

ぶた-ばこ【豚箱】〔俗〕警察署の留置場。

ふた-また【二×股・二×俣】❶先の方が二つに分かれている・こと(物)。「道が—に分かれる」❷一方に決めずに、同時に二つの方面に関係をつけておくこと。二道(ふたみち)。〔多く「—(を)かける」の形で使う〕「—をかけて就職試験を受ける」 表記 ①は「二叉」とも書く。 **—ごうやく**【二×股×膏薬】→内股(うちまた)膏薬。

ふた-みち【二道】❶ふたまたに分かれた道。岐路(きろ)。分かれ道。 参考 ひゆ的に、一方に決定しがたいような事柄の意でも用いる。「成功か失敗かの—に立つ」❷二股(ふたまた)②。

***ふ-ため**【不▽為】《名・形動》ためにならないこと。不利益。「身の—」 類語 損。

***ふた-め**【二目】もう一度見ること。「—と見られない(=あまりにひどくて、二度と見る気になれない)」

ふた-もの【×蓋物】ふたのついている器物(に盛って出す料理)。

ふ-たり【〈二人〉】❶二個の人。❷対になった二個の人。恋人・夫婦など。「—の仲」 類語 両人。ににん。

ふ-たん【負担】❶《名・他サ》仕事・義務・責任などを引き受けること。また、その仕事・義務・責任など。「費用を—する」「受益者—」❷その人の力量から見て、義務・責任が重すぎること。重荷(おもに)。「—になる」

ふ-だん【不断】❶絶えることなく続くこと。「—の努力」「—の精進」❷決断のにぶいこと。「優柔—」❸へいぜい。いつも。〔副詞的にも使う〕「—読む本」「—は静かだが怒るとこわい」 類語 常(つね)。日頃(ひごろ)。常日頃(つねひごろ)。しょっちゅう。平素。平常。常時。始終。通常。日常。 表記 ③は「普段」と書くことが多い。 **—ぎ**【普段着・—着】日常着ている衣服。 対 晴れ着。

ぶ-だん【武断】〔文〕❶武力を背景として強引に事を行うこと。「—を事とする」「—主義」 対 文治。❷強引な独断。「論述が—にすぎる」

***ふ-ち**【不知】〔文〕❶〔物事を〕知らないこと。「—不識」 類語 未知。❷知ることができないこと。不可知。

***ふ-ち**【不治】不治(ふじ)。「—の病(やまい)」

***ふ-ち**【付置・附置】《名・他サ》〔ある機関などに〕付属させて設置すること。付設。「大学—の研究所」

***ふ-ち**【布置】《名・他サ》〔文〕それぞれしかるべき位置に配置すること。また、その配置。「部隊を—する」

***ふ-ち**【扶▽持】❶《名・他サ》〔文〕生活を助けること。❷給料として与えられる米。扶持米(まい)。転じて、食糧(米)。食事。食いぶち。「—をあてがう」❸《名・他サ》扶持米を与えて臣下としておくこと。

***ふち**【×淵・×潭】❶川などの、水を深くたたえてよどんでいる所。 対 瀬。❷容易に抜け出せない苦しい境遇や心の状態。「絶望の—に沈む」

***ふち**【縁】物のまわりの(他と接触する)部分。へり。「帽子の—」「池の—」 類語 辺端。

***ぶち**【▽打ち】《接頭》《動詞につけて》意味を強めたり乱暴にするさまを表す語。「—こわす」 参考 時に「ぶっ」「ぶん」となる。「ぶっとばす」「ぶんなぐる」

***ぶち**【×斑】体に、地の色とちがう毛がまだらに生えている・こと(もの)。「—の犬」「黒い—」

プチ《造語》「小さな」「かわいい」の意。「—ケーキ」「—トマト」▽フランス petit

ぶち-あ-ける【▽打ち明ける・▽打ち開ける】《他下一》〔俗〕❶中に入っているものを外へ放り出す。「バッグの中身を—ける」❷かくさずすっかり話す。「君には—けて話すが…」❸穴などをあける。

ぶち-あ-げる【▽打ち上げる】《他下一》〔たいそうな意見や構想などを〕自信ありげに大衆の前に堂々と提出する。大言する。「世界政府論を—げる」

ぶち-かま-す【▽打ち×噛ます】《他五》❶相撲で、立合いに頭をさげて相手の胸に強くぶつかる。❷相手をくじくような一撃を与える。「啖呵(たんか)を—す」

ぶち-き-る【▽打ち切る】《他五》勢いよく切る。また、続いていた物事を終わりにする。ぶったぎる。

ぶち-こ-む【▽打ち込む】《他五》❶「うちこむ」の乱暴な言い方。「弾丸を—む」❷乱暴に入れる。「留置場に—まれる」

ぶち-ころ-す【▽打ち殺す】《他五》乱暴なしかたで殺す。また、「殺す」を強めた言い方。ぶっ殺す。 類語 たたき殺す。

ぶち-こわ-す【▽打ち壊す・▽打ち×毀す】(—こはす)《他五》❶乱暴なしかたでこわす。また、「こわす」の乱暴な言い方。ぶっこわす。 類語 うちこわす。❷物事を台無しにする。「いい話を—す」

ふち-せ【×淵瀬】❶流れのよどんだ所と浅い所。淵と瀬。❷世の中の、絶え間ないうつり変わりのたとえ。

ふち-ど-る【縁取る】《他五》物のふちに色のちがう線を引いたりひも状のものをつけたりして細工を施す。ふちをつける。「絵に輪郭(りんかく)を—る」

ぶち-ぬ-く【▽打ち抜く】《他五》〔強い力を加えて〕反対側まで通じる穴をあける。また、間にあるものを取り除いて一続きにする。「三部屋を—いた会場」

ぶち-のめ-す【▽打ちのめす】《他五》〔体や心を〕徹底的にいためつけて、再び立ち上がれないようにする。「失敗に—される」「足腰立たぬほど—す」

プチ-ブル「プチブルジョア」の略。マルクス主義で、被支配階級でありながら支配者的・資本家的な思想を持つ階層(の人)。小市民。「—根性」

ぶち-ま-ける【▽打ちまける】《他下一》〔俗〕❶中身を一度にどっとまき散らす。「バケツの水を床に—ける」❷包みかくさず人に打ち明ける。「—けて言えば、おれは嫌だ」

ふ-ちゃく【付着・附着】《名・自サ》あるものが、他のものにくっつくこと。「服に—したごみ」類語 吸着。

ふちゃ‐りょうり【普茶料理】中国式の精進料理。油とくず粉を多く使う。黄檗料理。

*ふ‐ちゅう【不忠】《名・形動》忠義に反すること。「—を犯す」「—者」

*ふ‐ちゅう【×釜中】〔文〕かまの中。

*ふ‐ちゅう【付注・附×註】注釈(をつけること)。

—魚を生ず《句》非常に貧乏なことのたとえ。故事 貧しくて長い間炊事ができなかったので、釜の中にぼうふらがわいたという范冉の故事による。〈後漢書・独行伝〉

—の魚《句》〔釜の中の魚は間もなく煮られてしまうことから〕死や危険がせまっているたとえ。

ふ‐ちゅうい【不注意】《名・形動》注意が足りないこと。うかつ。「—な人」「私の—でした」

*ふ‐ちょう【不調】❶《名・形動》調子が悪いこと。「体が—だ」「—で負け続き」対 好調。❷〔話し合いが〕うまくまとまらないこと。不成立。「交渉は—に終わった」

*ふ‐ちょう【婦長】女性の、「看護師」の長。参考 現在は「看護師長」「看護部長」などという。

*ふ‐ちょう【符丁・符帳・符×牒】❶〔特別の意味をもたせた〕印や符号。記号。「手荷物に—を付ける」❷特に、商品の値段や等級を示す印や符号。❸仲間うちだけにわかるようにしたことば。合いことば。隠語。

ぶ‐ちょう【部長】部の長。「経理—」「テニス部—」

ぶ‐ちょうほう【不調法・無調法】《名・形動》❶注意が細かい所まで行き届かず、迷惑をかけること。「—をいたしました」類語 粗相。不始末。❷酒がのめなかったり遊びごとに疎かったりすること。〔多く、つき合いが悪いことをわびるときに使う〕「—なので夜は失礼します」❸へたなこと。要領が悪いこと。「口が—なので損をしている」

ふ‐ちょうわ【不調和】《名・形動》調和しないこと。

*ふ‐ちん【不沈】艦船が沈没しないこと。「—戦艦」

*ふ‐ちん【浮沈】《名・自サ》〔文〕❶浮いたり沈んだりすること。❷栄えることと衰えること。「国の—をかけた戦争」同 ①②浮き沈み。類語 栄枯盛衰。興廃。

*ぶつ【物】一《接尾》「もの」の意。「建造—」「危険—」二《名》〔俗〕現物。「—は現金と引き換えで渡す」

*ぶ‐つ【▽打つ・▽撃つ・▽撲つ】《他五》〔「うつ」の転〕❶うつ。たたく。類語 ➡打つ。❷〔俗〕演説などを行う意の荒っぽい言い方。「演説を—つ」❸〔俗〕ばくちをする。表記 ②③は「打つ」と書く。

ぶっ【▽打っ】《接頭》「ぶち」の促音便。「—殺す」「—つぶれる」参考「ぶち」よりも乱暴な言い方。

*ふ‐つう【不通】❶事故などのため、交通・通信機関がとだえること。「鉄道が—になる」❷便りがないこと。「音信—」❸意味などが通じないこと。「言語—」

*ふ‐つう【普通】一《名・形動》他の同種のものと比べて特に変わった所がなく、ありふれていること。「—の生活」「—にふるまう」類語 常。世の常。並み。月並み。人並み。ありきたり。当たり前。通り一遍。一般。尋常。通常。平常。標準的。平凡。ノーマル。対 特殊。二《副》たいてい。一般に。「学校は—四月に始まる」類語 通常。通例。—せんきょ【—選挙】財産・性別などによって制限を設けず、一定の年齢以上のすべての国民に選挙権・被選挙権が与えられる選挙。普選。対 制限選挙。—めいし【—名詞】同じ種類に属する人や事物のすべてに共通する名称を表す語。山・川・草・花など。対 固有名詞。

ぶつ‐えん【仏縁】仏と人の間に結ばれる縁。

ぶつ‐おん【仏恩】衆生を救う仏の恩。

ふつ‐か【〈二日〉】❶その月の第二の日。❷一日の二倍の日数。「この仕事は二人で—かかる」

*ぶっ‐か【仏果】〔仏〕仏道修行の結果として仏になること。「—を得る」

*ぶっ‐か【物価】その時々のいろいろな商品の値段を全体的にとらえたもの。「—が上がる」—しすう【—指数】ある一定の時期・場所における物価を一〇〇とし、以後の時期・場所における物価の動きをその比例数で表したもの。

*ぶつ‐が【仏画】仏の姿や、仏教に関連する事物を描いた絵。仏教絵画。

*ぶつ‐が【物我】〔文〕外界一切のものと自分。客観と主観。「—一如」

ぶっ‐かい【仏界】仏たちの住む世界。

ぶっ‐かき【▽打っ欠き】〔飲食用に〕小さく打ち割った氷のかたまり。かちわり。

ふっ‐かく【伏角】地球上のある地点に置いた磁針が水平面となす角度。すなわち、地球磁場が水平面となす角度。傾角。

ぶっ‐かく【仏閣】寺の建物。「神社—」

ふっ‐か・ける【吹っ掛ける】《他下一》〔「吹き掛ける」の転〕❶〔空気や水を〕強く吹いてかける。「息を—ける」❷〔あらそいを〕しむける。しかける。「けんかを—ける」❸物の値段を特別高く言う。

ふっ‐かつ【復活】《名》❶《自サ》〔死んだものが〕生きかえること。❷《自他サ》消えたものがもう一度行われるようになること。また、行うようにすること。「花火大会が—した」—さい【—祭】➡イースター。

ふつか‐よい【〈二日〉酔(い)】酒の酔いが翌日にまで残り、気分が悪いこと。表記「宿酔」とも書く。

ぶつか・る《自五》❶強くうち当たる。勢いよく突き当たる。「車が塀に—る」「柱に—って倒れる」❷不意に出合う。出くわす。「難問に—る」❸互いに意見がくいちがって反発しあう。「進学問題で親と—る」❹直接に相手とする。また、相手としてやりあう。「ともかく—ってみよう」❺出合っていっしょになる。かちあう。かさなる。「日曜と祝日が—る」参考 ①〜⑤は、強めて「ぶっつかる」とも。文《四》。

*ふっ‐かん【副官】軍隊で、部隊・司令部などの長に直属して、長を助けて事務をとる士官。副官。

*ふっ‐かん【復刊】《名・他サ》一時刊行を休んでいた、または廃止していた雑誌・新聞などを、ふたたび刊行すること。復刊。類語 再刊。

*ふっ‐き【富貴】《名・形動》➡ふうき(富貴)。

*ふっ‐き【復帰】《名・自サ》〔一時離れていた〕もとの地位・部署・状態にもどること。「社会—」「現役—」

ふ‐づき【▽文月】〔「ふみづき」の略〕〔雅〕陰暦七月。文月。参考 太陽暦の七月にも言う。

ぶつ‐ぎ【物議】世間の人々の口やかましい論議・批評。世間の取り沙汰。「—の的になる」—を醸す《句》世間の人々の論議を引き起こす。

*ふっ‐きゅう【復×仇】《名・自サ》〔文〕敵討ちをすること。あだうち。類語 復讐。報復。

*ふっ‐きゅう【復旧】《名・自他サ》いったん壊れたものがもとどおりに直ること。また、直すこと。「—作業」

ふつ‐ぎょう【払暁】〔文〕夜がやっと明けようとする時

ふ

分。朝早く。類語未明。

***ぶっ-きょう【仏教】** 紀元前五世紀ごろに釈迦(しゃか)がインドで説き始めた宗教。この世での心の迷いを捨て、宗教的自覚に達して仏陀(ぶっだ)となることを目的とする。仏道。仏法。釈教。のりのみち。

***ぶっ-きょう【仏経】** 〔文〕仏教の経典。経文。

ぶっ-きら-ぼう【ぶっきら棒】 《名・形動》話のしかたや受け答えの態度に愛想がないこと。「―な客扱い」

ぶつ-ぎり【ぶつ切り】 〔料理で〕材料を形にとらわれずに厚く大きく切る・こと(物)。ぶつ。「まぐろの―」

ふっ-き・れる【吹っ切れる】 《自下一》(「ふききれる」の促音便)❶はれものの口があいて、中からうみが出る。❷心の中にわだかまっていたものが一度にはき出されて気持ちが良くなる。「迷いが―・れる」

ふっ-きん【腹筋】 腹壁を形づくる筋の総称。

フック ❶鉤(かぎ)。鉤状のもの。❷ボクシングで、ひじを曲げ、からだをねじるようにして、相手を打つこと。❸《名・自サ》ゴルフで、打ったボールが途中で打者の利き腕と逆の方向にはずれて飛ぶこと。対スライス。❹↓ホック。▽hook

ブック 《造語》❶〔洋とじの〕本。書物。「―ケース」❷帳面。とじ込み。「スケッチ―」▽book **―エンド** 両側に置いてささえる本立て。▽book ends **―レット** 小冊子。また、小型のはり込み帳。▽booklet **―レビュー** 書評。また、新刊の紹介。▽book review

ぶつ-ぐ【仏具】 仏前に置いたり、仏事をするときに飾ったりする道具。仏器。

ふ-づくえ【▽文机】 (「ふみづくえ」の転)書き物をしたり本を読んだりするための、脚の短い和風の机。

ぶつ-くさ 《副》不平や小言(こごと)などをふきげんにつぶやくようす。「―言わずに仕事をしろ」類語ぶつぶつ。

ふっくら 《副・自サ》(副詞は「―と」の形も)やわらかく、丸みをおびてふくらんでいるようす。ふっくり。「―したほっぺた」「パンが―(と)焼き上がる」

ぶっ-け【仏家】 〔仏〕❶寺。❷仏教界。❸僧。＝仏家(ぶっか)。

ぶつ・ける 《他下一》(「ぶちつける」の転)❶投げて当てる。「石を―・ける」❷〔物に〕うち当てる。「頭を―・ける」参考①②は、強めて「ぶっつける」とも言う。

ふっ-けん【復権】 《名・自サ》一度失った権利や名誉を回復すること。また、衰えたものなどが力を取りもどすこと。「民主主義の―」

***ぶっ-けん【物件】** 事務処理・契約などの対象としての物。しなもの。「証拠―」「不動産業者が扱う―」

***ぶっ-けん【物権】** 〔法〕物を直接に支配し、その利益を受ける権利。所有権・占有権・地上権など。

ふっ-こ【復古】 《名・自他サ》〔風潮・思想・制度などが〕昔の状態に戻ること。また、戻すこと。「王政―」

ふつ-ご【▽仏語】 〔文〕フランス語。

ぶっ-こ【物故】 《名・自サ》〔文〕人が死ぬこと。「―者名簿」類語死亡。死去。逝去(せいきょ)。

ぶつ-ご【仏語】 仏教の用語。

***ふっ-こう【復興】** 《名・自他サ》いったん衰えたり壊れたりしたものが、もとのように盛んになること。また、盛んにすること。「文芸が―する」類語再興。

***ふっ-こう【復航】** 《名・自サ》〔文〕船や航空機が帰途につくこと。帰航。対往航。

***ふっ-こう【腹×腔】** 横隔膜をさかいとしてその下方の胃・腸・肝臓などをおさめているところ。ふくこう。参考医学では「ふくくう」と言う。

ふ-つごう【不都合】 《名・形動》❶都合の悪いこと。「映画上映には―な講堂」対好都合。❷けしからぬこと。ふとどき。「―があったので辞職を求める」

ふっ-こく【復刻・覆刻】 《名・他サ》出版物をもとの体裁・内容のとおりにもう一度出版すること。「―版」

ぶつ-ざ【仏座】 仏像を安置する台座。蓮台(れんだい)。

ぶっ-さつ【仏×刹】 〔文〕寺。仏閣。仏刹(ぶっせつ)。

***ぶっ-さん【仏参】** 《名・自サ》寺まいり。寺もうで。

***ぶっ-さん【物産】** その土地でできる産物。「―に富む」「北海道―展」「―館」類語産物。

***ぶっ-し【仏師】** 仏像をつくる職人。仏師(ぶし)。

***ぶっ-し【物資】** 食料・衣料など、人の活動・生活を支えるために消費される品物。「―の補給」

***ぶつ-じ【仏事】** 仏教に関する行事。法会(ほうえ)。

***ぶつ-じ【仏寺】** 仏教の寺。仏刹(ぶっさつ)。仏閣。

ぶっ-しき【仏式】 仏教流の儀式のやり方。

ぶっ-しつ【物質】 ❶物体を形成している実質。❷空間にあり、感覚によってその存在を知ることができるもの。「―文明」対精神。**―てき【―的】** 《形動》❶物質としての性質・状態をもつようす。類語物的。❷精神よりも物質(特に金銭など経済的利益)に重点を置くようす。「―に恵まれた家庭」対①②精神的。

ぶっ-しゃり【仏舎利】 釈迦(しゃか)の遺骨。舎利(しゃり)。仏骨。「―塔」

プッシュ 《名・他サ》❶押すこと。❷主張を前面に押し出すこと。「予算の復活を―する」「もう一度、強力に―してみよう」▽push **―ホン** 押しボタン式の電話機。▽pushとphoneからの和製語。

***ぶっ-しょう【仏性】** ❶すべての生き物に本来そなわっている、仏になることができる性質。仏種。❷仏の本性。さとりそのものの性質。

***ぶっ-しょう【物証】** 〔法〕罪の有無を判定するための物的証拠。「―をかためる」対人証(じんしょう)。

***ぶっ-しょう【物象】** 〔文〕生命のない、物の世界の現象。物の姿・形。「外界の―」

***ぶつ-じょう【物上】** 〔法〕物・財産に関すること。物的。「―担保」「―請求権」

***ぶつ-じょう【物情】** 〔文〕世間のようす。世人の心情。人心。〔おだやかでない場合に言う〕「―騒然」

ふっ-しょく【払×拭】 《名・他サ》〔不都合を〕すっかりとり除くこと。一掃。払拭(ふっしき)。「旧弊を―する」

ぶっ-しょく【物色】 《名・他サ》多くの中から適当なものを得ようとして、あれこれとさがすこと。「最適の人材を―する」「泥棒が室内を―する」

***ぶっ-しん【仏心】** ❶〔慈悲のある〕仏の心。❷人間の心に本来そなわっている仏性(ぶっしょう)。「多情―」

***ぶっ-しん【仏身】** 仏のからだ。仏体。

***ぶっ-しん【物心】** 物質と精神。「―両面の支援」

***ぶっ-しん【物神】** 〔主として未開社会で〕神霊が宿るとしてあがめられる物。呪物(じゅぶつ)。「―崇拝」

ぶっ-せい【物性】 〔文〕物質が持つ固有の性質。

ぶつ-ぜい【物税】 物の所有・取得・製造・販売や物からの収益に課する税金。固定資産税など。対人税(じんぜい)。

ぶっ-せき【仏跡】 ❶釈迦(しゃか)の遺跡。❷仏の足跡。

ふつ-ぜん【×怫然】 《形動タルト》〔文〕むっとして怒りを表すようす。「―として席を蹴(け)る」類語憤然。

ぶつ-ぜん【仏前】 ❶仏の前。位牌・仏壇などの前。「ーに花をそなえる」類語 霊前。❷〈御ー〉仏前にささげる御供物の上書きに用いる語。参考 ↓香典。

ふっ-そ【×弗素】 ハロゲン族元素の一つ。臭いの強い淡緑色の気体。化合力が非常に強い。元素記号F。

***ぶっ-そう【仏葬】** 仏式で行う葬儀。

***ぶっ-そう【物騒】** 《形動》いつどんな悪いことが起こるかわからない、あぶなっかしいようす。「ーな世の中」「ーな物を持つ」類語 険悪。剣呑。不穏。

ぶつ-ぞう【仏像】 仏・菩薩などの姿の彫像・画像。

ぶっそう-げ【仏桑▽花・▽扶桑▽花】 ↓ハイビスカス。

類語 釈像。仏体。尊敬 尊体。宝体。

ぶつだ【仏×陀】 〔迷いを離れて真理を悟り、衆生を教え導いて悟らせるものの意で〕「釈迦」の称。ほとけ。ぶつ。ぶっだ。参考 梵語 Buddha の音訳。

***ぶっ-たい【仏体】** ❶仏のからだ。仏身。❷仏の形に似せてつくった像。仏像。「ーを安置する」

***ぶっ-たい【物体】** 空間の中に形・位置をもって存在している物。「未確認飛行ー」

ぶっ-たぎ・る【▽打った切る】 《他五》〔俗〕勢いよく切る。「じゃまをするとー・るぞ」

ぶっ-たくり【▽打ったくり】 〔俗〕❶ぶったくること。強奪。「やらずー（＝取りあげるばかり）」❷暴利をむさぼること。「ー商法」類語 ぼったくり。

ぶっ-たく・る【▽打ったくる】 《他五》〔俗〕❶手荒くうばいとる。❷法外な利益を取ってもうける。ぼる。「みやげ屋でー・られる」同 ①②ふんだくる。

ぶっ-たた・く【▽打っ×叩く】 《他五》〔俗〕勢いよくたたく。

ぶつ-だん【仏壇】 仏像・位牌などを安置して礼拝するための壇・厨子。

ぶっ-ちがい【▽打っ違い】 〔棒状のものを〕互いに交差させること。また、その形。うちちがい。すじかい。ぶっちがえ。「細い竹をーに組んだ垣根」

ぶっ-ちぎり 競走などで、相手を大きく引き離すこと。「ーで優勝する」

ぶっちょう-づら【仏頂面】 無愛想な顔つき。ふくれっ面。参考 仏頂尊（密教の仏像）の相から。

ふつつか【不▽束】 《名・形動》趣味・礼儀にうとく、また、才能がなく、行き届かないこと。「ー者」参考 ふつう、けんそんして言うときに使う。「ーながら引き受けましょう」

ぶっ-つけ【▽打っ付け】 〔俗〕❶物事のやりはじめ。最初。「ーはよかったが、あとがまずかった」❷予告または準備などなしに、突然すること。いきなりすること。「あまりにーで先方が驚いた」「ー本番」

ぶっ-つづけ【▽打っ続け】 休まず、ずっと・続ける（続く）ことを強めて言う言い方。「一昼夜ーに歩く」

ふっつり 《副》（「ーと」の形も）❶糸やひもが断ち切られるようす。❷急に絶えてしまうようす。また、急にやめてしまうようす。「連絡がー（と）なくなる」

ぷっつり 《副》（「ーと」の形も）「ふっつり」を強めた言い方。

ぷっつん ㊀《副》（「ーと」の形も）「ぷつん」を強めた言い方。糸などが切れるようす。ぷつんと。ぷつりと。㊁《名・自サ》〔俗〕怒りなどを、突然抑えきれなくなること。「ーしてわめきたてる」

ふっ-てい【払底】 《名・自サ》〔底を払って何も無い意〕必要なものが欠乏して供給できなくなること。「在庫がーした」「人材がーしている」類語 品切れ。

***ぶっ-てき【仏敵】** 仏法にさからい、害をなすもの。

***ぶっ-てき【物的】** 《形動》物に関係するようす。また、物としての性質を持っているようす。「ー証拠」「ーな援助」類語 物質的。対 心的。人的。

ぶつ-でし【仏弟子】 釈迦の弟子。また、仏教徒。

ふって-わ・く【降って×湧く】 《自五》今までそこになかったものが突然現れる。「ー・いたような出来事」

ふっ-てん【沸点】 液体が沸騰しはじめるときの温度。一気圧での水の沸点はセ氏一〇〇度。沸騰点。

ぶっ-てん【仏典】 仏教に関する書物。仏書。

ぶつ-でん【仏殿】 仏像を安置して祭る建物。仏堂。

ふっ-と 《副》❶ある時を境にして不意に様子・気持ちが変わるようす。何かの拍子に。ふと。「ー顔をそむける」❷一瞬息を吹く（はく）ようす。また、その音の形容。

ぶっ-と【仏徒】 仏教の信徒。仏教徒。

ぶつ-ど【仏土】 ❶浄土①。❷仏が教化する土地。

ふっ-とう【沸騰】 《名・自サ》❶煮え立つこと。液体が内部から気泡を生じて蒸発すること。❷〔議論・人気などが〕さわぎになるほど盛んにおこること。わき立つこと。「世論がーする」❸物価・株価などが激しい勢いで上がること。ーてん【ー点】沸点。

ぶっ-とう【仏塔】 寺院の塔。

***ぶつ-どう【仏堂】** 仏をまつってある堂。類語 仏殿。

***ぶつ-どう【仏道】** 仏の説いた道。「ーに帰依する」「ー修行」類語 仏法。

ぶっ-とおし【▽打っ通し】 ❶始めから終わりまで、長時間休まずに続けること。〔副詞的にも使う〕「三十時間ーで乗る」❷空間を中途でさえぎるものがないこと。ぶちぬくこと。「二間ーの宴会場」

ぶっ-とお・す【▽打っ通す】 ㊀《他五》〔俗〕「通す」を強めた言い方。「槍をー・す」㊁《自五》❶休まずずっとつづける。「昼夜ー・して働く」❷空間を中途でさえぎらないようにする。「二間をー・す」

ふっ-とば・す【吹っ飛ばす】 《他五》❶強い風が激しい勢いで吹きとばす。「爆風でー・される」❷〔悲しみ・不安などを〕一度にすっかりなくする。ぶっとばす。「悲しみをー・す朗報」❸〔乗り物などの〕スピードを普通以上に出す。ぶっとばす。「時速一〇〇キロでー・す」

ぶっ-とば・す【▽打っ飛ばす】 《他五》〔俗〕❶手荒く遠くへやる。❷飛ぶほど強くなぐる。「文句があるやつはー・してやる」類語 ぶんなぐる。❸ふっとばす②③。

ふっ-と・ぶ【吹っ飛ぶ】 《自五》❶激しい勢いで飛ぶ。❷すっかりなくなる。「疲れがー・ぶ」❸勢いよく走る。「ー・んで行く」同 ①〜③すっとぶ。

ぶっ-と・ぶ【▽打っ飛ぶ】 《自五》〔俗〕「飛ぶ」を強めて言う語。勢いよく飛ぶ。

フット-ボール サッカー・ラグビー・アメリカンフットボールの総称。特に、サッカー。蹴球。また、蹴球に使うボール。▽football

フット-ライト 脚光。▽footlights

フット-ワーク 球技・ボクシングなどで、足の運び・構え方。足さばき。▽footwork

ぶつ-のう【物納】 《名・自他サ》税金・小作料などを、金銭でなく物品で納めること。対 金納。

ぶつ-ばつ【仏罰】 仏から受ける罰。仏罰。

ぶっ-ぱな・す【▽打っ放す】 《他五》〔俗〕弾丸をうちだす。また、放屁する。〔乱暴な言い方〕

ぶっ-ぴん【物品】 品物。物。特に、不動産をのぞく、形のある物。動産。「―を購入する」 **―ぜい【―税】** すべての物品に課せられ、定価の中に含まれて消費者が負担する税金。一九八九年に消費税が導入され、廃止された。

ふつ-ふつ【沸沸】《形動タルト》〔文〕❶湯などがにえたぎるようす。また、その音の形容。「やかんが―と音を立てる」❷泉がわきでるようす。❸汗がふきでるようす。❹感情が高ぶるようす。「―とわく怒り」

ぶつ-ぶつ ━《副》(「―と」の形も)❶小さな声で続けて物を言うようす。「―(と)ひとり言を言う」❷不平・不満・小言などを言うようす。「―言わずに働け」❸音を立てて煮えたぎるようす。ぐつぐつ。❹ものを次々と切断するようす。ずたずた。❺《自サ》表面に粒状のものがたくさん出るようす。「―したサメ皮」━《名》表面にたくさん出た粒状のもの。「皮膚に―ができる」

ぶつぶつ-こうかん【物物交換】 貨幣を使わないで、直接物と物を交換する取引。バーター。

ふつ-ぶん【▽仏文】❶「フランス文学」「フランス文学科」の略称。❷フランス語の文章。

ぶっ-ぽう【仏法】 仏の教え。仏教。

ぶっ-ぽう-そう【仏法僧】❶仏教で重んじる、仏と法と僧。参考 →三宝。❷ブッポウソウ科の渡り鳥。ハトよりやや小さい。東南アジアで越冬し、春、日本に渡来して山中にすむ。参考「ブッポーソー」と鳴くと思われてこの名があるが、実際に、そう鳴くのはコノハズクである。俗に「姿の仏法僧」という。

ぶつ-ま【仏間】 仏像や位牌などを安置する部屋。

ぶつ-めつ【仏滅】❶釈迦の死。入滅。❷「仏滅日」の略。陰陽道で、万事に凶とされる悪日。

ぶつ-もん【仏門】 仏陀の説いた法門。仏の道。仏道。「―に入る(=出家して僧になる)」

ぶつ-よく【物欲・物×慾】 金銭・品物などを欲しがる気持ち。「―にとらわれる」

ぶつ-り【物理】❶〔文〕ものの道理。❷「物理学」の略。 **―がく【―学】** 自然科学の一部門。物質の構造・性質・運動、熱・音・光・電気・磁気などを研究する学問。 **―てき【―的】**《形動》❶物理学の立場に立つようす。❷〔時間・空間・力や物質などに関して〕具体的な事実として見る立場に立つようす。「年内完成は―に不可能だ」「―な力を行使する」 **―りょうほう【―療法】** 電気・光線・放射線・熱・水・機械などの物理的作用を利用した治療法。物療。対 化学療法。

ふ-つりあい【不釣(り)合い】《名・形動》つりあいが取れないこと。「―な縁談」「―な貿易」類語 不似合い。不相応。不均衡。不調和。アンバランス。

ぶつ-りき【仏力】 仏の持つ不可思議な能力。

ぶつ-りゅう【物流】「物的流通」の略。生産者から消費者に至るまでの商品の流れ。「―コスト」

***ぶつ-りょう【物療】**「物理療法」の略。「―内科」

***ぶつ-りょう【物量】** 物の分量。また、物資の多さ。「―にものを言わせて攻めたてる」「―作戦」

ふで【筆】 ━《名》(「ふみて(文手)」の転)❶木・竹などの軸の先端に毛をたばねた穂をつけ、それに墨や絵の具をふくませ、文字や絵をかく道具。毛筆。❷一般に、文字や絵をかくための棒状の道具。鉛筆・ペンなど。❸筆①②をつかってものをかくこと。また、かいたもの。「有名画家の―による風景画」❹特に、文章を書くこと。また、文章。「―の力で人を動かす」━《助数》筆を紙から離す回数を数える語。「ひと―書き」
―が立・つ《句》文章を書くのがうまい。「―・つ人」
―を入・れる《句》文章・字句を訂正する。添削する。類語 筆を加える。
―を擱・く《句》書くのをやめる。文章をそこで終わりとする。擱筆する。
―を折・る《句》文章を書くのを途中で断念する。また、作家生活を中断する。
―を下ろ・す《句》❶新しい筆をはじめて使う。❷絵や文章・文字を書き始める。
―を染・める《句》❶筆に墨や絵の具を含ませる。❷書き始める。執筆にとりかかる。「絵に―・める」
―を断・つ《句》文筆活動をやめる。筆を捨てる。
―を執・る《句》絵や文章を書く(ことを始める)。
―を揮・う《句》書画を書く。揮毫する。

***ふ-てい【不貞】**《名・形動》〔文〕貞操を守らないこと。「―を働く」類語 不倫。対 貞節。

***ふ-てい【不定】**《名・形動》さだまらないこと。「住所―」 **―しゅうそ【―愁訴】**〔医〕原因がはっきりせずに、ばくぜんと苦痛や不快感などの症状を訴えること。 **―しょう【―称】** 指示詞で、話し手・聞き手のいずれにも属さない不定の関係にある、人・物・方角・場所などを指し示す語。「だれ」「どれ」「どこ」「どちら」など。

***ふ-てい【不×逞】**《名・形動》しきたりなどを無視して勝手にふるまうこと。不届き。「―のやから」

ふ-ていき【不定期】《名・形動》〔くり返し行われることについて〕その時期がきまっていないこと。「―便」

ふ-ていさい【不体裁】《名・形動》体裁がよくないこと。「―なできばえ」

ブティック プレタポルテやアクセサリー・小物などをおいている、しゃれた感じの洋品店。▽フランス boutique(=小さい店)

ふで-いれ【筆入れ】 筆または鉛筆・ペンなどの筆記用具を入れる箱や筒。筆箱。

プディング 卵・牛乳・砂糖・香料などをまぜたものを蒸して固めた洋風の菓子。プリン。▽pudding

***ふ-てき【不敵】**《名・形動》敵を敵とも思わないこと。大胆で恐れを知らないこと。「大胆―」「―な発言」

***ふ-てき【不適】**《名・形動》適しないこと。不適当。「適―」「彼はこの仕事に―だ」類語 不向き。

ふ-でき【不出来】《名・形動》出来が悪いこと。「―な作品」「出来―」対 上出来。

ふ-てきかく【不適格】《形動》適格でないようす。資格にあてはまらないこと。

ふ-てきとう【不適当】《形動》適当でないようす。向いていないようす。不適。「―な表現」対 適当。

ふ-てぎわ【不手際】《名・形動》物事を処理する際の方法が悪いこと。また、そのために出来上がり・結果がよくないこと。「―を演じる」「政府の―を追及する」

ふて-くさ・れる【不▽貞腐れる】《自下一》不平や不満の気持ちをあらわにして言動が投げやりになる。ふてくさる。ふてる。「―・れて仕事をしない」

ふで-さき【筆先】❶筆の穂先。❷筆の運び。「器用な―」類語 運筆。❸筆でかくことば。文章・文字。「―だけの謝罪」❹→おふでさき。

ふで-たて【筆立て】 筆・鉛筆などをさして立てておく筒形の用具。

ふで-づか【筆塚】 使い古した筆を供養するために筆を

埋め、その上に築いた塚。

ふで-づかい【筆遣い】書・絵画での筆の使い方。筆の運び。類語 運筆。筆法。筆勢。筆致。

ふで-づつ【筆筒】筆を入れておく筒状の入れ物。

ふ-てってい【不徹底】《名・形動》❶物事のやり方が完全でなく、十分に行き届かないこと。「―な説明」❷すみずみまで行き渡らないこと。「連絡が―だ」

ふて-ね【不▽貞寝】《名・自サ》ふてくされて寝てしまうこと。

ふで-ばこ【筆箱】筆記用具を入れる長方形の箱。筆入れ。

ふで-ぶしょう【筆無精・筆不精】《名・形動》手紙などを書くのを面倒がって、なかなか書こうとしない・こと（人）。対 筆まめ。

ふてぶて-し・い《形》無遠慮にふるまって、憎らしく感ずるほどである。「―・い態度」類語 ずうずうしい。

ふで-ぶと【筆太】《形動》筆で書いた文字の線が太いようす。類語 肉太。

ふで-まめ【筆▽忠▽実】《名・形動》面倒がらずにせっせと手紙などの文章を書く・こと（人）。対 筆無精。

ふ-てる【不▽貞る】《自下一》ふてくされる。

ふ-てん【普天】〔文〕天があまねくおおう限り（の所）。天下。世界。「―率土（＝天下）」

＊**ふと**【浮図・浮×屠】❶仏陀のこと。ほとけ。参考 梵語 Buddha の音訳。❷僧侶。また、仏教徒。

＊**ふと**《副》何かちょっとした拍子に。ふっと。「―思い出す」「―したはずみに転ぶ」表記「不図」とも当てる。

＊**ふと-い**【太×藺】カヤツリグサ科の多年草。池や沼に群生する。初秋に茎の先に楕円形の花の穂を多数つける。つくも。まるすげ。おおいぐさ。おおい。

＊**ふと・い**【太い】《形》❶（棒状・線状・ひも状などの物の）さしわたし・幅が大きい。「―・い材木」「―・く短く生きる（＝短くとも充実した人生を生きる）」❷（声が）低くてよく響く。「―・い声」対 ①②細い。❸（中国・四国などの方言）大きい。「望みが―・い」❹（俗）横着である。ずぶとい。〔非難の意を含む〕「―・い野郎だ」文 ふと・し《ク》

＊**ふ-とう**【不凍】凍らないこと。「―湖」**―こう**【―港】寒地にあっても、一年中海面が凍らない港。

＊**ふ-とう**【不×撓】《名・形動》困難にあってもくじけないこと。「―不屈」「独立―の精神」

＊**ふ-とう**【不当】《名・形動》正当でないこと。「―な要求」「―表示」類語 不正。失当。対 正当。妥当。

＊**ふ-とう**【×埠頭】港湾内で、船を横づけにして乗客の乗り降りや貨物の積みおろしができるようにした施設。波止場。

＊**ふ-どう**【不動】❶動かないこと。また、他のものによって動かされず安定していること。「―の信念」「―の姿勢」「―の地位を築く」❷「不動明王」「不動尊」の略。**―そん**【―尊】不動明王。**―みょうおう**【―明王】〔仏〕五大明王の主尊。悪魔や煩悩をおさえしずめ、息災・増益の功徳があるとされる。怒りの形相をして、右手に剣、左手に縄（＝羂索）を持ち、火炎を背にした姿に作られる。不動尊。不動。

＊**ふ-どう**【不同】《名・形動》❶〔文〕同じでないこと。「―不二（＝同じものが二つとない）」❷〔並べ集めたものの〕順序がそろっていないこと。「順―」「大小―」

＊**ふ-どう**【浮動】《名・自サ》定まらないでゆれ動くこと。「景気の―」**―ひょう**【―票】選挙で、どの政党・候補者に投票するか予想できない票。対 固定票。

＊**ぶ-とう**【武闘】武力や腕力をもって戦うこと。「―派」

＊**ぶ-とう**【舞踏・舞×蹈】《名・自サ》ダンス（を踊ること）。「―会」類語 舞踊。

＊**ぶ-どう**【武道】❶武士の守るべき道。武士道。❷武術に関する道。剣術・弓術など。

＊**ぶどう**【×葡×萄】ブドウ科の落葉つる性木本。夏から秋に淡緑色または暗紫色のまるい小さな果実を房状につける。果実は生食のほか、ほしぶどう・ジュース・ワインなどをつくる。**―いろ**【―色】ブドウの実のような、赤みまたは黒みをおびた紫色。**―しゅ**【―酒】ブドウの実をつぶし、発酵させてつくった酒。ワイン。**―とう**【―糖】広く生物界に存在し、生理的に重要な糖。白色の結晶で、水に溶けやすい。ブドウの果実などに含まれる。水溶液は、栄養剤・利尿剤。

ふ-とういつ【不統一】《名・形動》統一がとれていないこと。ばらばら。「文体が―だ」

ふとう-おう【不倒翁】〔文〕おきあがりこぼし。

ふ-とうこう【不登校】心理的・身体的・社会的要因により、登校しない（できない）状態。

ふとう-ごう【不等号】二つの数・式の間の大小関係を表す記号。「＜」「＞」など。対 等号。

ふ-どうさん【不動産】土地やそれに定着している建造物・立ち木など、動かしがたい財産。対 動産。

ふとう-しき【不等式】二つの数・式を不等号で結んだ式。AがBより大きいことを A＞B と書く類。対 等式。

ふ-どうたい【不導体】熱または電気をほとんど伝えない物質。絶縁体。不良導体。対 導体。

ふ-どうとく【不道徳】《名・形動》道徳に反していること。「―な行い」

ふ-とうめい【不透明】《名・形動》❶透きとおっていないこと。❷色などがにごっていること。❸物事の将来などが見通せないこと。「経済の先行きは―だ」

ふと-おり【太織（り）】太くあらい糸で平織りにした絹織物。ふとぎぬ。ふとり。

ふど-き【風土記】地方別に風土・文化その他の情勢についてしるした書物。

＊**ふ-とく**【不徳】《名・形動》❶道徳にそむいていること。不道徳。背徳。「―漢」❷徳が備わっていないこと。「―の致す所（＝自分がかかわり合っている事故や失敗について責任を感じ、謝罪するときのことば）」

＊**ふ-とく**【婦徳】〔文〕〔貞節・柔順など〕女性として守るべきだとされた道徳。

ぶ-とく【武徳】〔文〕武道・武事についての徳義。

ふ-とくい【不得意】《名・形動》自信がなくて満足にできないこと。不得手。「―な科目」

ふ-とくぎ【不徳義】《名・形動》徳義に背くこと。「―を働く男」

ふ-とくてい【不特定】《名・形動》具体的にこれと定まっていないこと。「―多数の読者」

ふとく-ようりょう【不得要領】《名・形動》〔要領をえない意〕用件・意味などの肝心な点が明確でないこと。「―な返事」

ふところ【懐】❶着た着物の内側の胸のあたり。「厚い札束を―にする（＝懐に入れて持つ）」類語 懐中。懐裏。❷懐①の中に入れて持つ金。所持金。「給料日で

ーが温かい(=所持金がたくさんある)」「ーが寒い(=所持金が少ない)」「ーを痛める(=自分の金を使う)」「ーを肥やす(=不当な利益を得る)」❸周囲が物にかこまれて深くなった所。「山のー」類語深部。❹心の中にかくし持つ考え。胸中。腹。「ーを見すかす」❺内部。内幕。「敵のーに飛びこむ」 ーがたな【ー刀】❶懐に入れて持ち歩く、護身用の小さな刀。❷内密の相談などにあずかる信頼のあつい有能な部下。「大臣のー」類語右腕。 ーがみ【ー紙】〔懐に入れていつも持ち歩く紙の意で〕はながみ。たとうがみ。懐紙(かいし)。 ーかんじょう【ー勘定】自分の懐具合を心の中で計算すること。胸算用(むなざんよう)。 ーで【ー手】《名・自サ》❶両手を和服の懐にいれていること。❷仕事などを他人にまかせきりで、自分は何もしないこと。「ーでもうける」類語拱手(きょうしゅ)。袖手(しゅうしゅ)。 ーが深・い《句》❶包容力がある。「ー・い大人物」❷広くて奥行きがある。「ー・い大自然」❸相撲で、手が回しに届きにくい。

ふと-ざお【太×棹】義太夫(ぎだゆう)節に用いる、さおを(ーざ)弦も太い三味線。

ふと-っ-ちょ【太っちょ】〔俗〕よく太っている・こと(人)をからかっていう語。でぶ。対やせっぽち。

ふと-っ-ぱら【太っ腹】《名・形動》剛胆で度量の大きいこと。ふとばら。「ーで人使いがうまい」

ふ-とどき【不届き】《名・形動》❶注意・配慮などが行き届かないこと。不行き届き。❷道義や規則にはずれていてけしからぬこと。無礼。「ーなやつ」

ふと-ばし【太×箸】新年、雑煮(ぞうに)を祝うときに使う太いはし。折れることを忌んで太く作る。ぞうにばし。

ぶ-どまり【歩止(ま)り・歩留(ま)り】❶加工した際の、使用原料に対する製品の出来高の比率。「ーのよい鉄鉱石」表記ふつう「歩留り」と書く。❷不確かな部分を除いた確実な割合。「ーを考えて多めに採用する」

ふと-め【太め】《名・形動》いくらか太い程度。どちらかと言えば太いようす。「ーのズボン」対細め。

ふと-もも【太×股・太×腿】ももの上の方の内側で、ふくらんだ部分。

ふとり-じし【太り▽肉】太って肉づきのよいこと。肥満型。「ーの中年男」対やせじし。

ふと・る【太る・▽肥る】《自五》❶からだ全体に肉や脂肪がついてふくらむ。肉づきがよくなる。こえる。類語(るす)肥大。肥満。対やせる。❷植物などが生長して大きくなる。❸〔所有する財産の〕量が増す。豊かになる。「財産がー・る」表記③は「太る」と書く。文《四》。

ふ-とん【布団・×蒲団】〔ガマの葉で円形に厚く編んだものの意〕綿・羽毛などを布で平たく縫いくるんだもので、寝るときに使うもの。「掛けー」「敷きー」

ふな【×鮒】コイ科の淡水魚。コイに似ているが、コイより平たく小形で、口ひげがない。釣りの対象とされ、食用ともする。飼育品種にキンギョがある。

ぶな【×橅・▽山▽毛×欅】ブナ科の落葉高木。山地に自生。とげのある殻に包まれた実がなり、食べられる。材は建築・器具・パルプなどに使う。

ふな-あし【船足・船脚】❶船が進むこと。また、船の進む速さ。「ーが落ちる」❷喫水(きっすい)。「ーが深い」

ふな-あそび【舟遊び・船遊び】船上で宴を開いたり遊覧したりして楽しむこと。船逍遥(ふなしょうよう)。

ふ-ない【府内】❶府の区域の内。府の管轄内。❷江戸時代、江戸区域のなか。江戸城を中心として品川大木戸・四谷大木戸・板橋・千住(せんじゅ)・本所・深川以内の地域。御府内。

ぶ-ない【部内】❶役所・会社などの部の内部。❷その組織の内部。「ーの秘密」対①②部外。

ふな-いくさ【船▽軍】❶水軍。❷船に乗って水上で戦うこと。海戦。〔①②とも古風な言い方〕

ふな-いた【舟板・船板】木造船に使われている板材。また、船中のあげ板。「ー塀(べい)(=舟板材で作った塀)」

ふな-うた【舟歌・船×唄】船乗りが船を漕ぎながら艪(ろ)や櫂(かい)の調子に合わせてうたう歌。船頭歌。

ふ-なか【不仲】《名・形動》仲のよくないこと。不和。

ふな-がかり【船掛(か)り・船×繋り】《名・自サ》船をつなぎとめる・こと(所)。類語係留地。船泊まり。

ふな-かた【船方・舟方】おもに和船を漕ぐことを職業とする人。船乗り。船頭。

ふな-ぐ【船具】船で使う用具。船具(せんぐ)。

ふな-くだり【舟下り・船下り】《名・自サ》船で川を下ること。川下り。

ふな-ぐら【船蔵・船倉・船▽庫】❶船内で、上甲板の下にあって荷を積み入れておく所。船倉(せんそう)。❷船を入れておく建物。船小屋。

ふな-じ【船路・舟路】(ぢー)❶船の行き来する道。類語航路。❷ふなたび。航海。

ふな-ぞこ【船底】船の底(のような弓形)。船底(せんてい)。

ふな-だいく【船大工】木造船をつくる大工。

ふな-だな【船棚】左右の舷(ふなばた)に取り付けてある踏み板。その上で艪(ろ)をこいだり、さおをさしたりする。

ふな-たび【船旅】船に乗ってする旅。

ふな-だま【船霊】航海の安全のために船中に祭る神。

ふな-ちん【船賃】船に乗ったり船を雇ったりするのに支払う料金。乗船料。

ふなつき-ば【船着(き)場】船が発着・停泊する所。船着き。

ふな-づみ【船積み】《名・他サ》荷物を船につみこむこと。「ーを終える」

ふな-で【船出】《名・自サ》船が港を出発すること。出帆。出航。「横浜をーして米国に向かう」

ふな-どめ【船止め・船留め】船の出港・通行を禁じること。「しけでーになる」

ふな-に【船荷】船で運ぶ荷物。

ふな-ぬし【船主】船の持ち主。船主(せんしゅ)。

ふな-のり【船乗り】船に乗り組んで、船の仕事を職業とする人。船員。海員。類語船方(ふなかた)。船頭。水夫。マドロス。

ふな-ばし【船橋】並べてつないだ(小型の)船の上に板を渡して、橋としたもの。浮き橋。船橋(せんきょう)。

ふな-ばた【船端・×舷】船体の左右両側のふち。ふなべり。舷(げん)。

ふな-びん【船便】❶人や物の移動に船が使えること。船の便(べん)。「都合よくーがある」❷船で荷物・郵便を送ること。船による輸送。「ーで送る」

ふな-べり【船▽縁・×舷】ふなばた。

ふな-むし【船虫】フナムシ科の節足動物。体長約五センチ。長卵形で、褐色または緑褐色。触角が長く足が多い。海岸の岩や流木などに群れをなしてすむ。

ふな-もり【舟盛り・船盛り】舟を模した器に刺身を盛ったもの。

ふな-やど【船宿】❶船による運送を職業とする家。

❷舟遊び・魚釣りなどに、貸し船の世話をするのを職業とする家。

ふな・よい【船酔(い)】 船に乗っている人が船の動揺のために気分が悪くなること。

ふ・なれ【不慣れ・不×馴れ】《名・形動》経験が浅くて、うまくできないこと。「―な仕事」

ぶ・なん【無難】《名・形動》特によいというわけではないが、悪くはないこと。また、危なげがないこと。「―な出来だ」「大役を―にこなす」

ふ・にあい【不似合(い)】《名・形動》似合わないこと。「その服に帽子は―だ」 類語 不相応。不適当。

ふ・にく【腐肉】〔文〕くさった肉。

ふにゃ・ふにゃ《副・形動・自サ》《副詞は「―と」の形も》❶やわらかで張りのないようす。「―と曲がる」「―のボール」 類語 ぐにゃぐにゃ。❷しっかりしていないようす。「―した態度」

ふ・にょい【不如意】《名・形動》〔周囲の事情が〕自分の思うようにならないこと。特に、家計など金銭の面で苦しいこと。「手元―で内職を始める」

*__ふ・にん【不妊】__ 妊娠・しない(できない)こと。「―症」

*__ふ・にん【赴任】__《名・自サ》任地におもむくこと。「発令日の前日までに―せよ」 類語 着任。

ぶ・にん【無人】《名・形動》人数(特に人手)が不足していること。〔古風な言い方〕「―の家」

ふ・にんじょう【不人情】《名・形動》人情に欠けていること。「貸してくれないとは―だ」 類語 薄情。

ふ・ぬけ【×腑抜け】《名・形動》〔臓腑が抜けているの意〕信念や態度にしっかりしたところがない・こと(人)。いくじなし。「この―め」 類語 こしぬけ。

ふね【舟・船】 ❶水の上に浮かべ、人や荷物をのせて水上を行き来する交通機関。船舶。 参考 「舟」は、おおむね手こぎで小型のものをいう。❷水・酒などを入れる直方体の(細長い)入れ物。❸刺身や貝のむき身などを入れる底の浅い入れ物。⇩【使い分け】

―を漕こ・ぐ《句》〔舟をこぐ時のように〕体を前後にゆらしながら居眠りをする。

使い分け「船(ふね/ふな)」

＊「船」は、古くは「ふな」と言った。現代語でも語頭に来るときは、少数の例外を除いて「ふな…」となる。語末では、例外なく「…ふね(ぶね)」となる。

◆[ふね…]船釣り・舟偏(部首)

◆[ふな…]船足・舟遊び・船板・舟歌・船会社・船方・船子・船小屋・船路・船底・船大工・船旅・船溜まり・船賃・船着き場・船積み・船出・船荷・船乗り・船便・船宿・船酔い

◆[…ふね/ぶね]入り船・黒船・出船・夜船/葦船・漁り船・大船・小舟・親船・通い船・釣り船・帆掛け船・丸木舟・屋形船

ふ・ねん【不燃】 燃えない(燃えにくい)性質をもっていること。「―建築」「―性物質」 対 可燃。

*__ふ・のう【不納】__〔文〕〔納入すべきものを〕納めないこと。 類語 滞納。

*__ふ・のう【不能】__《名・形動》❶できないこと。不可能。「再起―」「航行―」❷インポテンツ。陰萎。

*__ふ・のう【富農】__ 暮らし向きの豊かな農家。 対 貧農。

ふ・のり【布▽海×苔】 ❶紅藻類フノリ科の海藻。海岸近くの岩にはえる。❷フノリを煮て、網状にひろげて干し固めたもの。また、これを煮とかして糊にしたもの。布の洗い張りに使う。

*__ふ・はい【不敗】__ 戦争や勝負に・まけない(まけたことがない)こと。「―を誇る」 類語 無敗。

*__ふ・はい【腐敗】__《名・自サ》❶食品などが微生物の作用によって分解し、有毒な物質に変化したり悪臭のある気体を発生したりすること。腐ること。 類語 発酵。❷道義が低下すること。「―した政治」 類語 腐食。

ふ・ばい【不買】 買手が結束して、ある商品を買わないこと。ボイコット。「―運動」

*__ふ・はく【布×帛】__〔文〕〔木綿と絹地の意で〕布地。織物。

*__ふ・はく【浮薄】__《名・形動》〔文〕考え方がしっかりしないで、他に動かされやすいこと。軽薄。「軽佻―」

ふ・ばこ【▽文箱・▽文×筥】《「ふみばこ(文箱)」の転》❶手紙などを入れ、人に持たせて先方に送り届ける細長い箱。状箱。❷手紙などを入れておく手箱。

ふ・はつ【不発】 ❶弾丸・爆薬などが発射・爆発しないこと。「―弾」❷しようと思った行動が実際にはできないでしまうこと。「ストは―に終わった」

ふ・ばつ【不抜】《名・形動》〔文〕意志がしっかりしていて、くじけないこと。「確固―の精神」「堅忍―」

ふ・ばらい【不払い】 支払うべき金銭を支払わないこと。「賃金の―」

ぶ・ば・る【武張る】《自五》〔軍人・武士に多く見られるような〕粗野な強さ・勇ましさをもった様子をする。「―ったことの好きな家」

ふ・び【不備】 ❶《名・形動》必要なものが十分にそなわっていないこと。「消火施設が―だった」「論証の―をつく」 対 完備。❷〔文〕不具②。

ぶ・び【武備】〔文〕いくさのための準備。軍備。

ぶ・びき【分引き・歩引き】《名・他サ》割り引くこと。「一割を―する」

ふ・びじん【不美人】 美しくない女。ぶおんな。

*__ふ・ひょう【不評】__ 評判がよくないこと。不評判。「―の小説」「行状が―を買う」 類語 悪評。 対 好評。

*__ふ・ひょう【付票・附票】__ 荷物などに標識としてつける札。

*__ふ・ひょう【付表・附表】__ 書物・書類の本文に付けてある表。また、付録の表。

*__ふ・ひょう【浮標】__ ❶航路や暗礁などの位置を知らせるために水面に浮かべる標識。ブイ。❷漁網などに取り付けて、その位置を示す目印とするうき。

*__ふ・ひょう【浮氷】__ ❶水上に浮かんで漂っている氷のかたまり。 類語 流氷。❷極地の海で結氷した氷の一部が溶けて、海上を低緯度地方へ流れるもの。 類語 氷山。

ふ・びょうどう【不平等】《名・形動》平等でないこと。「―な処置」「―条約」 類語 不公平。

*__ふ・びん【不×憫・不×愍】__《名・形動》《「不便」の転》〔弱い者が不幸な状態にいて〕かわいそうなこと。「―な孤児」 表記 「不憫」「不愍」は当て字。

*__ふ・びん【不敏】__《名・形動》〔文〕❶機敏でないこと。「―な動作」❷才知・才能にとぼしいこと。〔多く、けんそんして言う〕「非才―の身」 類語 非才。

ぶ・ひん【部品】 部分品。パーツ。「自動車―」

ふ・ひんこう【不品行】《名・形動》品行が悪いこと。特に、異性との交際にだらしないこと。 類語 不行跡。不身持ち。

ぶ-ふうりゅう【無風流・不風流】《名・形動》風流でないこと。また、風流がわからないこと。「—な建物」「—で歌一つつくれない」

ふぶき【〈吹雪〉】強い風をともなって、はげしく乱れ飛びながら雪が降ること。また、その雪。[類語]風雪。

ふ-ふく【不服】《名・形動》命令・強制などを不満に思うこと。また、その不満な思い。「—を申し立てる」

ふぶ・く【▽吹▽雪く】《自五》雪が強い風に吹かれてはげしく乱れ降る。[文]《四》。

ふ-ぶん【不文】〔文〕❶文字・文章に書き表さないこと。「—の理想」❷文字を知らないこと。また、学問のないこと。「—を恥じる」❸文章がへたなこと。また、へたな文章。〔けんそんして言う語〕「—ながら一筆さし上げます」 **—ほう【—法】**明確に文書に規定されていないが、成文法に準ずる効力をもつ決まり。慣習法・判例法など。不文律。[対]成文法。 **—りつ【—律】**❶不文法(ふぶんほう)。[対]成文律。❷その組織の各人が、暗黙のうちに了解し合って守っている決まり。「五分前出社が会社の—だ」

***ぶ-ぶん【舞文】**《名・自サ》〔文〕ことさらに論理をもてあそび、事実を離れた文章を書くこと。また、その文章。「えせ学者の—曲筆」[類語]曲筆。

***ぶ-ぶん【部分】**全体を構成する要素となるもの。「—品」「—的」[類語]一部。局部。[対]全体。 **—しょく【—食・—×蝕】**一部分が欠けて見える日食・月食。[対]皆既食。[表記]「部分食」は代用字。 **—ひてい【—否定】**〔文法で〕部分的な否定。「必ずしも…ではない」など。

ふ-へい【不平】《名・形動》自分の思いどおりにならず、気持ちがおさまらないこと。また、その気持ち。「—不満」「—を並べる」[類語]不満。不服。

ぶ-べつ【侮×蔑】《名・他サ》軽蔑した態度を示すこと。「—のまなざしを向ける」[類語]侮辱。軽蔑。軽侮。

***ふ-へん【不偏】**〔文〕〔考え方・立場などが〕かたよらないこと。[類語]中立。中庸。 **—ふとう【—不党】**いずれの主義・政党にもかたよらないで、公平・中立の立場に立つこと。「—の報道姿勢」[類語]是非。

***ふ-へん【不変】**《名・形動》変化しないこと。「—の信念」[類語]不動。[対]可変。 **—しほん【—資本】**生産手段(建物・機械・原料・材料など)の購入にあてられる資本。[参考]マルクス経済学の用語。[対]可変資本。

***ふ-へん【普遍】**❶全体に広く行き渡ること。特に、個々にではなく、すべてのものに共通して・ある(あてはまる)こと。「—化」「—の真理」[類語]一般。[対]特殊。[対]個物。❷〔哲〕ある範囲のすべてのものに共通の性質。 **—だとうせい【—妥当性】**どういう場合にあてはめても、すべての対象に例外なく有効であるという性質。 **—てき【—的】**《形動》広い範囲の事物に・行き渡る(あてはまる)ようす。「世界に—な現象」

ふ-べん【不便】《名・形動》便利でないこと。使いにくいこと。不便利。「交通の—な土地」[対]便利。

ぶ-へん【武辺】〔文〕武道・武芸に関する事柄。「—者」

ぶ-べん【武弁】〔文〕〔武人のかぶる冠の意から〕武人。軍人。

ふ-べんきょう【不勉強】《名・形動》勉強を怠ること。「—な論文」

ふ-ぼ【父母】ちちと、はは。両親。父母(ちちはは)。

***ふ-ほう【不法】**《名・形動》❶ある行為が法律や規則に背いていること。「—な行為」[類語]違法。❷道理・道義を無視していること。無法。「—な要求」[類語]不当。

***ふ-ほう【×訃報】**〔文〕人が死去したという知らせ。訃音(ふいん)。[参考]ふつう、受ける側が使う。「—に接する」

ふ-ぼく【浮木】〔文〕水上に浮かびただよっている木。浮木(うきぎ)。[類語]流木。

ふ-ぼん【不▽犯】僧や尼が異性に関する戒律を犯さないこと。「一生—の誓い」

ふ-ほんい【不本意】《名・形動》自分の本当の気持ちにそむいていること。「—ながら欠席する」

ふ-ま【不磨】〔文〕〔すりへらないの意〕すたれてなくなることがないこと。いつまでも永久に残ること。「—の大典」(=明治憲法が不変であることを強調した語)[類語]不朽。不滅。

ぶ-ま【不間】《名・形動》気がきかないこと。まがぬけていること。へま。「とんだ—を演じる」

ふまえ-どころ【踏まえ所】(ふまへ—)❶足でしっかりとふんで立つ所。ふみ所。❷心だのみとする点。よりどころ。立脚点。「議論の—」

ふま・える【踏まえる】(ふまへる)《他下一》❶力を入れて踏みつける。❷〔ある事実・考え方などを〕基礎・基盤とする。よりどころとする。「現実を—・えた意見」[参考]「ふんまえる」ともいう。[文]ふま・ふ《下二》。

ふ-まじめ【不真▽面目】《名・形動》まじめでないこと。「—な態度」

ふ-まん【不満】《名・形動》もの足りなくて心が満たされないこと。また、その気持ち。「—を述べる」「欲求—」[類語]不平。不服。不足。不満足。

***ふ-み【不味】**《名・形動》〔文〕味がよくないこと。

***ふみ【文・▽書】**〔文〕❶書きしるしたもの。文書。書物。「—読むつき日重ねつつ…」❷手紙。書状。特に、恋文。「—はやりたし書く手は持たず」「—をつける」(=恋文を渡す)❸学問。特に、漢学。「—の道」

ふみ-あら・す【踏み荒らす】《他五》中に入りこんで、あちこちを踏みつけてめちゃめちゃにする。

ふみ-いし【踏(み)石】❶くつぬぎの所に置いてある石。くつぬぎ石。❷とび石。

ふみ-いた【踏(み)板】❶ある場所にかけ渡して、その上を踏んで渡る板。「渡り廊下の—」❷風呂(ふろ)の流し場にしく、すのこ板。

ふみ-うす【踏(み)×臼】きねの柄(え)を足で踏んで上下させて穀類をつく仕掛けのうす。からうす。

ふみ-え【踏(み)絵】❶江戸時代、キリシタン宗徒でないことを証明させるため、幕府が、キリストや聖母マリアの浮彫り像を踏ませたこと。また、その像。❷どのような思想や立場を持っているかためし調べること。また、その手段。「愛社精神の—」

ふみ-がら【文殻】〔文〕読み終えて、不要になった手紙。文反故(ふみほご)。

ふみ-きり【踏(み)切り】❶鉄道線路と道路が同じ平面上で交わる所。「—を渡る」「—警手」[表記]「踏切」と書く。❷跳躍の競技で、反動をつけて跳躍するために、力を入れて地を強く踏むこと(所)。踏み越し。❸相撲で、押されて土俵の外に足を出すこと。踏み越し。❹ふんぎり。決断。

ふみ-き・る【踏み切る】㊀《他五》足に強く力を入れたはずみで物を切る。「鼻緒を—・る」㊁《自五》❶相撲で、押されたりして土俵の外へ足を出す。踏み越す。土

ふ

俵を割る。❷跳躍の競技で、地を強く踏んで反動をつけて跳躍に入る。❸思い切って事を行う（ことに決める）。ふんぎりをつける。「実行に―・る」

ふみ-こ・える【踏み越える】《自下一》❶踏んで越える。「垣根を―・える」❷ある範囲の外側に思い切って出る。また、苦難などを押し切って進む。克服する。「苦しみを―・える」類語 乗り越える。

ふみ-こた・える【踏み▽堪える】（―こたへる）《自下一》足をふんばってそこから動かそうとする力にたえる。「土俵際で―・える」類語 ふんばる。

ふみ-こみ【踏（み）込み】❶足を勢いよく前に出すこと。特に、相撲での立合いにいう。「―が足りない」❷玄関などで、はきものをぬいでおく所。

ふみ-こ・む【踏み込む】《自五》❶力を入れて足をふみ出す。「―・んで球を打つ」❷普通なら入らないような所へ足をふみ入れる。「泥沼に―・む」❸人の家などの中へ、無断でいきなり入り込む。「船に―・んで臨検する」❹物事の奥深く入り込む。「一歩―・んだ解釈」類語（する）侵入。闖入（ちんにゅう）。立ち入る。

ふみ-しだ・く【踏み×拉く】《他五》〔小さな植物などを〕強く踏みつけてつぶす。踏みにじる。〔古風な言い方〕「伸びかけの芝生を―・く」

ふみ-し・める【踏み締める】《他下一》しっかりと踏む。踏んでかためる。「足元を―・めながら進む」

ふみ-だい【踏（み）台】❶高い所へ上がったり、手を届かせたりするために、足場とする台。足継ぎ。踏み継ぎ。❷目的を達する足がかりとして、一時利用するもの。「友人を出世の―にする」

ふみ-たお・す【踏み倒す】（―たふす）《他五》❶〔物を〕踏みつけてたおす。❷払うべき代金や借金を払わないままにしてしまう。「つけを―・す」

ふみ-だ・す【踏み出す】《他五》❶前方へ足を運ぶ。「一歩―・して相手を突く」❷範囲の外に足を出して地面・床をふむ。「土俵外に足を―・す」❸新しい仕事・活動などをはじめる。「結婚生活の第一歩を―・す」

ふみ-だん【踏（み）段】〔階段・はしごなどの〕踏んで上り降りする段。

ふみ-づき【文月】↓ふづき（文月）。

ふみ-づくえ【文机】↓ふづくえ（文机）。

ふみ-つ・ける【踏み付ける】《他下一》❶足で強く踏んでおさえつける。「ゴキブリを―・ける」❷うっかり踏む。❸人をまったく無視したやり方をする。ないがしろにする。「人を―・けたやり方」＝ふんづける。

ふみ-つぶ・す【踏み×潰す】《他五》❶踏んでつぶす。❷面目・名誉などをひどく傷つける。「人の顔を―・す行為」❸敵を打ち破る。「一息に―・してやろう」

ふみ-とどま・る【踏み▽止まる】《自五》❶足に力を入れてその場所にとまる。「土俵ぎわで―・る」❷去ったあとまでも、その場所から動かずにいる。「現地に―・る」❸何かしたいのをこらえて、それ以上するのをやめる。思いとどまる。「やっとの思いで―・る」

＊ふみ-なら・す【踏み▽均す】《他五》〔土・雪などを〕足で踏んで平らにする。「新雪を―・す」

＊ふみ-なら・す【踏み鳴らす】《他五》〔床などを〕足で強く踏んで音を立てる。「床を―・して歩く」

ふみ-にじ・る【踏み×躙る】《他五》❶踏みつけてつぶし、めちゃめちゃにする。「花を―・る」❷面目・名誉などをひどくきずつける。「好意を―・る」類語 ①②（する）蹂躙（じゅうりん）。❸人との約束を一方的に破る。「結婚の誓約を―・る」

ふみ-ぬ・く【踏み抜く・踏み▽貫く】《他五》❶強く踏んで物に穴をあける。「腐りかけた床板を―・く」❷とげ・くぎなどを踏んで、足の裏に突きさす。「落ちた鋲（びょう）を―・く」

ふみ-ば【踏（み）場】足でふんで立つ所。踏み所。「足の―もない散らかりよう」

ふみ-はず・す【踏み外す】（―はづす）《自他五》❶踏み所をまちがえて足をそらす。踏みそこなう。「階段を―・す」「足を―・す」❷正しい、または順当な道からそれた・行いをする（方向に行く）。「人の道を―・す」

ふみ-まよ・う【踏み迷う】（―まよふ）《自五》❶野や山などに踏み入って道にまよう。踏み惑う。「深山に―・う」❷進むべき道をあやまる。「不倫の道に―・う」

ふ-みもち【不身持ち】《名・形動》身持ちのよくないこと。類語 不品行。不行跡。

ふみ-わ・ける【踏み分ける】《他下一》木の枝や草をかき分けて進む。「草木を―・けて進む」

＊ふ-みん【不眠】〔夜間に〕少しも眠らないこと。また、眠れないこと。「―不休で作業を進める」「―症」

＊ふ-みん【富民】〔文〕❶人民を富ますこと。❷富んでいる人民。対 貧民。

ふ・む【踏む】《他五》❶足の裏で上から・おさえる（おす）。「ペダルを―・む」「麦を―・む」❷足をおろす。「地団太を―・む」「二の足を―・む」❸その土地・場所に（行きついてそこに）立つ。「母国の土を―・む」「初舞台を―・む」❹そのような場面を経験する。「場数を―・む」❺ある段取りを経て行う。「手順を―・んで話す」❻地位につく。「皇位を―・む」❼〈「韻を―・む」などの形で〉押韻する。❽見当をつける。「千円と―・んだものが高かった」文《四》。

ふ-むき【不向き】《名・形動》好みや性質に合わないこと。「彼には―な仕事だ」「何事も人には向き―がある」

ふ-めい【不明】《名・形動》❶〔文〕道理にくらく、物を見通す力のないこと。「身の―を恥じる」類語 不敏。不見識。❷明らかでないこと。「原因―」「行方―」類語 不明瞭（ふめいりょう）。不分明。不詳。

ぶ-めい【武名】〔文〕武勇があるという評判。「―をとどろかす」類語 勇名。驍名（ぎょうめい）。

ふ-めいよ【不名誉】《名・形動》名誉をけがすこと。「―な敗北を喫する」類語 不面目。名折れ。

ふ-めいりょう【不明×瞭】《名・形動》〔音・形・色、また、意味・理由などが〕はっきりせず、よくわからないこと。「―な答弁」類語 不明。不分明。曖昧（あいまい）。

ふ-めいろう【不明朗】《名・形動》❶〔性格が〕明るくないこと。類語 陰湿。❷ごまかしや隠しごとがあってすっきりしないこと。「―な会計」「―な人事異動」

ふ-めつ【不滅】《名・形動》〔文〕ほろびたり消えたりせず、いつまでも残ること。「霊魂―」「―の記録」類語 不朽。不磨。

ふ-めん【譜面】楽譜（が書かれている紙面）。

ぶ-めん【部面】幾つかの部分に分けたうちの、一つの方面。「小説を言語的な―から研究する」類語 側面。

ふ-めんぼく【不面目】《名・形動》世間に顔向けできないこと。面目ないこと。不面目（ふめんもく）。「―にも入試に失敗した」類語 不名誉。

ふ-もう【不毛】《名・形動》❶地味（ちみ）がやせていたり気候が寒すぎたりして、作物が育たないこと。「―の荒地」

❷文化などが根づかないこと。また、実りある結果が得られないこと。「—な議論をくり返す」

ふ-もと【×麓】山をおりきったあたり。山のすそ。山麓。類語 山裾。岳麓。

ふ-もん【不問】〔問題にすべきところを〕取り立てて問題にしないこと。「—に付す(=不審・不都合な点などを問いたださず、そのままにすておく)」

***ぶ-もん**【武門】武士の家筋。「—の出」

***ぶ-もん**【部門】全体をいくつかに分類した一つの部。「文学の—で受賞する」「—別に選考する」

ぶ-やく【▽夫役】昔、公用のため、人民を強制的に人夫として使役したこと。夫役。

ふや・ける《自下一》❶水・湯などにつかって、ふくれて柔らかくなる。ほとびる。「指先が—ける」❷精神がゆるんでだらける。柔弱になる。「—けた了見」

ふや-じょう【不夜城】多くの灯火やネオンが輝いて、夜でも昼のように明るくにぎわっている場所。特に、歓楽街。

ふや・す【増やす・殖やす】《他五》増えるようにする。増ます。「人員を—す」「収量を—す」類語 (る)(す)増加。増大。利殖。対 減らす。⇩【使い分け】「ふえる(ふやす)」

ふゆ【冬】四季の一つ。最も寒い季節。⇩【類語と表現】

類語と表現「冬」

*冬になる・冬が来る・冬の日は短い・この冬は雪が多い／冬の時代を迎える／冬休み・冬支度・冬囲い・冬ごもり。

◆【月の異称・陽暦では一二〜二月、陰暦では一〇〜一二月】陰暦一〇月…神無月・初冬・孟冬・時雨月・紅葉月／陰暦一一月…霜月・仲冬・霜降り月／陰暦一二月…師走・季冬・晩冬・極月・雪見月・春待ち月

◆【二十四節気】立冬(一一月八日ごろ)・小雪(一一月二三日ごろ)・大雪(一二月七日ごろ)・冬至(一二月二二日ごろ)・小寒(一月六日ごろ)・大寒(一月二〇日ごろ)・立春(二月四日ごろ)

◇【雑節】節分(二月三日ごろ)

◆【手紙の挨拶】一二月…初冬の候・寒冷の砌・木枯らしに一段と寒さを感じる頃／一月…厳寒の候・酷寒の砌・寒気ことのほか厳しく／二月…余寒の候・晩冬の砌・梅の蕾もほころびる頃

ぶゆ【×蚋】→ぶよ(蚋)。

***ふ-ゆう**【富有】〔文〕多くの財産を持つこと。かねもち。ものもち。「—の家に育つ」類語 富裕。

***ふ-ゆう**【富裕】《名・形動》財産を多く持ち、生活がゆたかなこと。裕福。「—な商人」類語 富有。

***ふ-ゆう**【浮遊・浮×游】《名・自サ》空中や水面にふわふわと浮かびただようこと。「—機雷」類語 漂流。

***ふ-ゆう**【×蜉×蝣】〔文〕❶「かげろう」の別称。❷〔カゲロウは、朝生まれてその日の夕方死ぬということから〕人生のはかないことのたとえ。「—の命」

ぶ-ゆう【武勇】武術にすぐれて、勇ましいこと。「—のほまれ」「—伝」

フュージョン ジャズがロック・ポピュラーなどと融合した音楽。▽fusion(=融合)

ふ-ゆかい【不愉快】《名・形動》いやに感じられて楽しくないこと。「—な評判を立てられる」類語 不快。

ふゆ-がまえ【冬構え】《名・自サ》冬をむかえる用意。冬支度。

ふゆ-がれ【冬枯れ】❶冬になって、草や木の葉が枯れること。また、そのさびしいながめ。❷商店などで、冬、特に二月ごろに客が少なくて景気が悪くなること。対 夏枯れ。

ふゆ-き【冬木】❶冬になって葉が枯れ落ちた木。❷冬でも葉の落ちない種類の木。ときわ木。常緑樹。

ふゆ-ぎ【冬着】冬に着る厚手の衣服。冬服。対 夏着。

ふ-ゆきとどき【不行(き)届き】《名・形動》気のくばり方が十分でなく、手落ちのあること。「監督—」「—な点はおわびします」類語 疎漏。不注意。

ふゆ-くさ【冬草】冬、枯れ残っている草。また、冬なお生育している常緑の草。

ふゆ-げしょう【冬化粧】《名・自サ》雪などで、山野が冬らしい情景になること。

ふゆ-ごもり【冬×籠(も)り】《名・自サ》人・動物が、冬の間、寒さを避けて家や巣にとじこもって過ごすこと。「—にはいったクマ」類語 冬眠。

ふゆ-さく【冬作】種まき・植え付けを秋に行い、翌年の春に収穫する農作物。麦・そら豆など。冬作物。対 夏作。

ふゆ-ざれ【冬ざれ】〔文〕冬の風物が荒れさびれて、ものさびしく感じられる・ようす(ころ)。「—の野」

ふゆ-しょうぐん【冬将軍】〔ナポレオンが冬の寒さと雪のため、モスクワ攻撃に失敗した史実から〕寒さのきびしい(大雪の降る)冬を擬人化した語。「—の到来」

ふゆ-どり【冬鳥】秋から冬にかけて越冬のためにわが国に渡来し、春ふたたび北方に去って繁殖する渡り鳥。ツグミ・ガン・カモ・ツル・ハクチョウなど。

ふゆ-ば【冬場】冬のころ。冬季。対 夏場。

ふゆ-び【冬日】❶冬の弱い日ざし。❷〔短い〕冬の一日。ふゆひ。類語 短日。❸一日の最低気温が摂氏零度未満の日。参考 最高気温が摂氏零度未満になると「真冬日」。対 夏日。

ふゆ-もの【冬物】冬に使う衣料品。類語 冬着。

ふゆ-やすみ【冬休み】〔学校などの〕冬の休業(期間)。

ふゆ-やま【冬山】❶冬枯れの寒々とした山。❷登山の対象としての冬の山。「—に登る」対 夏山。

***ふ-よ**【不予・不×豫】〔文〕天皇の病気。不例。「—にわたらせられる」

***ふ-よ**【付与・附与】《名・他サ》〔文〕さずけ与えること。「権利を—する」類語 授与。賦与。

***ふ-よ**【賦与】《名・他サ》配り与えること。分け与えること。「神が—した詩才」類語 付与。授与。

ぶよ【×蚋】ブユ科の昆虫の総称。やぶ・草地などに住み、雌は人畜の血を吸う。ぶゆ。ぶと。

***ふ-よう**【不用】《名・形動》使わないこと。また、用のないこと。「—の品を払い下げる」類語 不要。対 入用。

***ふ-よう**【不要】《名・形動》必要でないこと。いらないこと。不必要。「当面は—な施設」「助言は—だ」類語 不用。無用。対 必要。**—ふきゅう**【—不急】《名・形動》〔文〕不急不要。「—の品」

***ふ-よう**【扶養】《名・他サ》生活上の面倒を見て養うこと。「—の義務」「—家族」

*ふ-よう【浮揚】《名・自サ》水面・空中に浮かびあがること。「気球が―する」「景気―策(=景気を上向かせるための政策)」類語浮上。

*ふ-よう【×芙×蓉】❶アオイ科の落葉低木。夏から秋にかけて淡紅色または白色の大きな五弁花を開く。観賞用。木芙蓉(もくふよう)。❷〔文〕蓮(はす)の花。

ぶ-よう【舞踊】音楽に合わせて手足やからだを優美に動かし、感情や意思を表現するもの。「日本―」「民俗―」類語踊り。舞。舞踏。ダンス。バレエ。

ふ-ようい【不用意】《名・形動》用意や準備のないこと。また、用心・注意の足りないこと。「―な発言」

ふ-ようじょう【不養生】《名・形動》自分のからだに気をつけないこと。「医者の―」類語不摂生。

ぶ-ようじん【不用心・無用心】《名・形動》❶用心が足りないこと。特に、泥棒などに対する警戒をおこたること。「戸じまりが―だ」❷物騒なこと。「夜の盛り場は―だ」=ふようじん。

ふよう-せい【不溶性】物質の、液体(特に水)に溶けない(溶けにくい)性質。対可溶性。

ふよう-ど【腐葉土】落ち葉が腐ってできた土。野菜・草花の栽培に向く。

ふ-よく【扶翼】《名・他サ》〔文〕一翼をになってたすけること。類語扶助。援助。救助。

ぶよ-ぶよ《副・形動・自サ》《副詞は「―と」の形も》水ぶくれなどして、非常にやわらかいようす。「―(と)ふとっている」「―の柿(かき)」

プラーク→歯垢(しこう)。「―コントロール」▽plaque

*フライ ❶野球で、空中に揚がった打球。飛球。「キャッチャー―」「ファウル―」対ゴロ。❷毛鉤(けばり)。「―フィッシング」▽fly ―きゅう【―級】(fly-weight)ボクシングで、重量別階級の一つ。プロで四八・九七〜五〇・八〇キロ、アマで四八〜五一キロ。参考 fly は蠅(はえ)の意。

*フライ 野菜・魚・肉などにパン粉をまぶして油で揚げた西洋風の料理。類語てんぷら。▽fry ―パン 長い柄のついた、底の平たくてあさいなべ。揚げもの・いためものなどのときに使う。▽frying pan から。

ぶ-らい【無頼】《名・形動》〔文〕正業につかず、無法な行いなどをして、性行が不良であること。「―漢(=ならずもの)」「放蕩(ほうとう)―」類語やくざ。

プライオリティー ❶優先順位。❷優先権。先取権。「―シート(=優先席)」▽priority

プライス 価格。ねだん。▽price

フライス-ばん【フライス盤】軸にはめた円形の刃物(=フライス)を回転させ、金属の表面をけずる工作機械。ミーリング盤。参考「フライス」は fraise から。

ブライダル 結婚式。婚礼。また、花嫁。「―産業」「―フェア」▽bridal

フライト ❶《名・自サ》航空機の飛行。❷スキーで、ジャンプ。また、空中飛型。▽flight ―アテンダント 旅客機の客室乗務員。参考スチュワーデス・スチュワード・パーサーなどを指す性差がない語。▽flight attendant ―レコーダー 航空機の飛行状態を自動的に記録する装置。自動飛行記録装置。ブラックボックス。略語FDR。▽flight (data) recorder

プライド 誇り。自尊心。「―を傷つけられる」「―が高い」▽pride

プライバシー 他人に知られたくない、また、侵害されたくない私生活(を守る権利)。「―の権利」「―を犯す」▽privacy

プライベート《形動》個人に関するようす。個人的。私的。「―な問題」対パブリック。▽private

プライム《造語》「第一の…」「主要な…」の意を表す語。「―タイム(=ゴールデンタイム)」▽prime ―レート 銀行が優良企業に対して行う優遇金利。長期と短期のものがある。▽prime rate

フライング 競走・競泳などで、出発の合図の号砲が鳴る前に出発すること。フライイング。参考「フライングスタート(flying start)」の略。

ブラインド 日よけ、目隠しのために、窓にとりつけるおおい。「―をおろす」▽blind ―テスト 商品名をかくして率直な意見を聞くテスト。▽blind test

ブラウザー コンピューターで、ファイルやデータベースなど内容を表示するソフトウエア。また、WWWなどのネットワーク上の情報画面を表示するソフトウエア。ブラウザ。▽browser

ブラウス 女性・子どもなどが着る、シャツ風のゆったりしたひとえ仕立ての上着。「シャツ―」▽blouse

ブラウン 褐色。また、茶色。「―ソース」▽brown

ブラウン-かん【ブラウン管】真空管の一種。電子線を蛍光面に当てて発光させ画像を表すもの。オシログラフ・レーダー・テレビジョンなどに利用される。参考ドイツ人ブラウン(=Braun)が発明。

プラカード〔デモ行進などのときに〕標語などを書いて持ち歩く、柄のついた板。▽placard

ぶ-らく【部落】❶〔自然の環境の中で〕比較的少数の民家が一かたまりになっている所。また、その地縁社会。類語集落。群落。❷江戸時代の身分制度により、士農工商の下におかれ、差別を受けてきた人たちが住む地域。明治初年、法制上の身分差別はなくなったが、社会的偏見が残り、今なお部落解放運動がつづいている。被差別部落。未解放部落。

プラグ ❶電気器具などで、コードの先につけて、電気をとり入れたり、切ったりする器具。これをコンセントに差し込む。❷内燃機関の点火装置の一つ。ピストンによって圧縮された混合気に点火して爆発させるためのもの。点火プラグ。スパークプラグ。▽plug

プラクティカル《形動》実用的。実際的。実践的。プラクチカル。「―な政策」▽practical

プラグマティズム 経験論の立場に立ち、生活の実践に役だつことを重視する思想。実用主義。プラグマチズム。▽pragmatism

プラグマティック《形動》実用主義的。また、理想より現実を重んじるようす。プラグマチック。「―な営業政策」▽pragmatic

ブラケット ❶壁などから水平に突き出して、梁(はり)・棚(たな)・庇(ひさし)などを支える構造物。持ち送り。❷角形括弧。[ ]、〔 〕、【 】など。類語パーレン。❸壁などに取りつける照明器具。▽bracket

プラザ《造語》広場。市場。「ショッピング―」▽(スペイン) plaza

ぶら-さが・る【ぶら下がる】《自五》❶〔揺れ動きやすい状態で〕たれさがる。ぶらりとたれさがる。「電線が―・る」❷手の届くような所にちらつく。「大臣のいすが目の前に―・っている」❸自分で努力せずに他人によりかかる。おんぶする。「先輩に―・って出世する」

ブラシ ほこりを払ったり、物を磨いたりする道具。獣毛

や植物の繊維などを板や柄に多数植えつけたもの。洋服ブラシ・歯ブラシなど。ブラッシュ。▽brush

プラシーボ 偽薬。有効成分のない薬剤。▽placebo

ブラジャー 乳を包む形の女性用の下着。胸の形を整える。乳当て。乳押さえ。ブラシェール。ブラ。「ーをつける」▽brassiere（もと、フランス語）

ふら・す【降らす】《他五》降るようにする。降らせる。「雨をー・す雲」文《四》。

プラス ❶《名・他サ》〔数〕たし加えること。❷〔数〕正であること。❸〔理〕陽電気。❹反応が現れること。陽性。❺利益。得。また、余分。「なんのーにもならない」「しめて五万円のーだ」❻ためになること。「ーになる仕事」対①〜⑥マイナス。▽plus 参考①〜④の記号は「＋」。

ーアルファ あるきまった・もの（額）に、さらに不確定ないくらかの・もの（額）を付け加えること。また、その付け加えられた・もの（額）。「ーの手当」表記「＋α」とも書く。▽plus と alpha からの和製語。参考未知数を表す「x（エックス）」を「α（アルファ）」と読みちがえたものか。

ーマイナス ❶加えたり引いたりした最終結果。差し引き。「ーゼロ」❷ある数値が一定値を中心としてある範囲にあるとき、その範囲の両側の数値を示すときに用いる語。記号「±」。「ー三％の許容範囲」▽plus と minus からの和製語。

フラスコ 球形または円錐形の胴部に細い円筒状の口のついた形の、耐熱ガラス製のびん。▽（ポルトガル）frasco

プラスチック 熱・圧力などによって自由に変形できる高分子化合物の総称。特に、合成樹脂、またはその成形物。可塑性物質。▽plastics

フラストレーション 欲求不満。▽frustration

ブラス・バンド 金管楽器に打楽器を加えて編成する比較的小規模の楽団。吹奏楽団。▽brass band

プラズマ 気体が高度に電離した状態。放電管内、電離層、太陽コロナなどで見られる。▽plasma

プラタナス すずかけのき。▽platanus

フラ・ダンス ハワイ女性の民族的な踊り。歌や太鼓などのリズムに合わせて、腰や手をくねらせながらおどる。フラ。▽hula dance

ふ・らち【不×埒】《名・形動》法や道徳から外れて不届きなこと。〔古風な言い方〕「ーを働く」「ーなやつめ」

プラチナ 白金。▽（オランダ）platina

ふら・つ・く《自五》❶足もとが安定せず、よろよろする。ふらふらする。「病み上がりで足がー・く」❷〔気持ちなどが〕定まらず、あれこれと迷う。「まだ考えがー・いている」❸あてもなく、あちこちと歩く。ぶらつく。

ぶら・つ・く《自五》❶たれ下がって、揺れ動く。ぶらぶら揺れる。❷あてもなく、（のんびりと）あちこち歩きまわる。ふらつく。「盛り場をー・く」

ブラック ❶黒い色（の鉛筆・インク・絵の具）。黒。❷クリームや砂糖を入れないコーヒー。ブラックコーヒー。▽black

ーバス スズキ目の淡水魚。北アメリカ原産。釣り魚として人気がある。クロマス。参考湖沼の生態系破壊を引き起こす害魚とされる。▽black bass

ーホール 重力があまりに強く、光を含めていかなる物も脱出できない面を持つ天体。巨大な質量を持った恒星が活動を終え、直径数キロメートルまで収縮した姿と考えられている。▽black hole

ーボックス ❶機能や使い方はわかるが、内部の構造はわからない機器・装置。また、実態が説明されずよくわからないもの。「ーの中で政策が決められる」❷「フライトレコーダー」の別称。▽black box

ーユーモア ぞっとするような無気味さを感じさせるユーモア。▽black humor

ーリスト 要注意人物の名前・住所などをしるす帳面。黒表。▽blacklist

フラッシュ ❶暗所での写真撮影に使う、瞬間的な強い電光（を出す装置）。「報道陣のーをあびる」❷映画で、瞬間的にスクリーンに現れる画像。❸通信社などが発する短い至急報。速報。❹ポーカーの手札で、すべての札のマークがそろったもの。▽flash

ーバック 映画・テレビで、場面の瞬間的な変化を連続して現す技法。▽flashback

ブラッシング《名・他サ》ブラシをかけること。ブラシで磨くこと。▽brushing

フラット ❶《名・形動》平らであること。「ー屋根」❷〔音〕半音下げることを表す記号。変記号。「♭」。対シャープ。❸競技の記録で、所要時間に秒以下の端数がつかず、ちょうどであること。「一〇秒ー」類語ジャスト。▽flat

プラット・ホーム 駅で、汽車や電車の乗り降り用に、線路よりも高くつくった所。ホーム。▽platform

フラップ ❶ポケット・封筒などの口をおおうために、一方から垂れ下がるように付いているふた。ポケットでは「雨ぶた」とも言う。❷飛行機の主翼の後縁内側に取り付けられた可動翼。離着陸の際に使う。▽flap

フラッペ かき氷やアイスクリームの上に、酒類・シロップなどをかけたもの。▽（フランス）frappé（＝冷えた）

プラトニック・ラブ 〔肉欲を離れた〕精神的な恋愛。▽Platonic love（＝プラトン的愛）

プラネタリウム 月や星など天体の運行や星座の配置などを映写機で丸天井に映し出して見せる装置。天象儀。▽planetarium

フラノ やわらかくて軽い、毛を起こしていないフランネル。洋服地に使う。▽flannel から。

ふら・ふら《副・自サ》《副詞は「ーと」の形も》❶足どりがしっかりせず、よろめくようす。「疲れてもうーだ」❷当てもなくあちこちを歩きまわるようす。「毎朝ー散策する」類語ぶらぶら。❸心が定まらず、あれこれと迷うようす。また、十分考えないで行動するようす。「ーしてないで早く決めなさい」「ついーと盗みを働く」

ぶら・ぶら《副・自サ》《副詞は「ーと」の形も》❶〔ぶら下がって〕前後左右に（ゆっくりと）ゆれ動くようす。「ひょうたんが風でーする」❷当てもなくゆっくりと歩くようす。「銀座をー歩き回る」類語ふらふら。❸無為に暮らしているようす。「失業して半年もーしている」

ブラボー《感》賞賛・歓呼・快哉などを表す語。うまいぞ。すてきだ。でかした。▽（イタリア）bravo

フラミンゴ コウノトリ目フラミンゴ科の鳥の総称。形はツルに似て、全身ほぼ淡紅色の大形の水鳥。ベニヅル。▽flamingo

プラム 西洋スモモの実。▽plum

フラメンコ スペインに伝わる踊り。民俗衣装を着け、ギターとカスタネットの伴奏に合わせて即興的に激しく踊る。参考その歌曲にも言う。▽（スペイン）flamenco

プラモデル プラスチック製の組立て模型。参考プラスチックモデルの商標名。▽plastic model から。

ふらり《副》《多く「ーと」の形で》これという目的も予告もなく、出て行ったり入って来たりするようす。ぶらっ。ふらっ。「元の職場にーと顔を出す」

ぶらり《副》《多く「—と」の形で》❶〔細長い形の〕物がたれ下がっているようす。❷ふらり。「旧友が—と訪れた」❸何もしないでいるようす。

フラワー《造語》「花」の意。「ドライ—」▽flower

***ふ・らん**【×孵卵】《名・自他サ》〔魚や鳥の〕卵がかえること。また、卵をかえすこと。「—器」類語 孵化(ふか)。

***ふ・らん**【腐×爛・腐乱】《名・自サ》体がくさってただれくずれること。「—死体」類語 糜爛(びらん)。表記「腐乱」は代用字。

***フラン** ㊀《助数》フランス・ベルギーの旧貨幣単位。㊁《名》フラン㊀で表された貨幣。「—が下がる」表記「法」と当てた。▽(フランス) franc

プラン 計画。企画。構想。設計(図)。プランニング。「生活の—」▽plan

フランク《形動》気持ちを隠さず、言動を飾らないようす。ざっくばらん。率直。「—な人柄」「—に話し合おう」▽frank

ブランク《名・形動》❶空欄。余白。❷ある期間何も行われない状態。時間的な空白。「病気で三年間の—がある」▽blank

プランクトン 水中で浮遊して生活する生物の総称。微小な浮遊生物。「動物—」▽plankton

ブランケット 毛布。ケット。▽blanket

ぶらんこ【×鞦×韆】つりさげた二本の綱の先に横木を渡し、それに乗って前後に揺り動かして遊ぶ道具。

フランス・パン 塩味をつけ皮をかたく焼いたフランス風のパンの総称。▽France と(ポルトガル) pão からの和製語。

プランター 草花を栽培するための容器。▽planter

ブランチ 朝食と昼食をかねた食事。▽brunch

フランチャイズ ❶プロ野球で、球団の本拠地、また、その興行権。本拠地権。❷→フランチャイズチェーン。▽franchise(=特権) **—チェーン** 流通産業やサービス業に見られる経営方式。親会社と加盟店でグループを作り、親会社は子会社に地域ごとの独占販売権を与えて経営指導を行う代わりに、特約料を受け取る形式。▽franchise chain

ブランデー 果実酒、特にぶどう酒を蒸留して作る、アルコール分の強い洋酒。▽brandy

プランテーション 熱帯・亜熱帯地域の大規模農園。資本や高い技術をもつ欧米人が地元の安い労働力を用いて、綿花・ゴム・コーヒーなどの一種だけを大量に栽培した経営形態。▽plantation

ブランド 商標。銘柄。「一流—」「—物」▽brand

プラント 一貫した作業の行われる機械・設備の一式。工場設備。「製鉄—」▽plant

プランナー 企画をたてる人。立案者。▽planner

プランニング《名・他サ》計画を立てること。立案。プラニング。▽planning

フランネル 布の表面を毛羽だたせた手ざわりのやわらかい毛織物(綿織物)。洋服地・肌着などに使う。フラネル。ネル。類語 フラノ。▽flannel

***ふ・り**【不利】《名・形動》損失・失敗・敗戦などを招きそうなようすであること。「形勢は味方に—」対 有利。

***ふり**【振り】㊀《名》❶ふること。ふり方。「バットの—が鈍い」❷舞台で音楽に合わせて演じる、踊りやしぐさの形。「—をつける」❸ある人が外面に表しているようす。態度・挙動など。「聞こえない—をする」「人の—見て我が—直せ」表記 ③は「風」とも書く。❹客などがその店に予約もしていなく、なじみでもないこと。「—の客はお断りする」類語 一見(いちげん)。注意「フリー」は誤り。㊁《助数》刀などの本数を数える語。参考 ひと・ふた・み・よ…の系統の数詞につく。「日本刀二(ふた)—」

***ふり**【降り】雨や雪が降ること。また、その程度。「—が激しくなった」対 照り。

***ぶり**【振り】《接尾》❶《名詞などについて》「様子」「あり方」「しかた」などの意。「慌て—」「混雑—」参考 語調を強めて「っぷり」とも言う。「女っぷり」「飲みっぷり」❷《時間を表す語について》経過した意。「八時間—で救出された」「しばらく—」❸そういう大きさであることを表す。「大—」「小—」❹曲節・調子などの意を表す。「ますらお—」「万葉—」表記 ふつうかな書き。

***ぶり**【×鰤】アジ科の回遊魚。長い紡錘形で、体長約一(メートル)。出世魚で、東京地方ではワカシ→イナダ→ワラサ→ブリ、大阪地方ではツバス→ハマチ→メジロ→ブリと名前が変わる。食用。

ふり・あい【振(り)合い】(ひ—あ)〔物を分けるときなどの〕他と比較したつりあい。バランス。

ふり・あ・う【触り合う・振り合う】(ふ—あ)《自五》たがいに触れる。触れ合う。「袖(そで)—も多生の縁」

ふり・あお・ぐ【振り仰ぐ】(ふ—あ)《他五》顔を上に向けて〔遠くを〕見る。

ふり・あ・げる【振り上げる】《他下一》手や手に持った物を勢いよく上にあげる。「げんこつを—・げる」「棍棒(こんぼう)を—・げる」類語 振りかざす。振りかぶる。

ふり・あ・てる【振り当てる】《他下一》〔仕事などを〕分けてそれぞれに受け持たせる。「とんだ役を—・てられた」類語 わりあてる。わりふる。

フリー《名・形動》❶束縛・制限がないこと。自由。「—な立場」❷料金を支払わなくてもよいこと。無料。❸「フリーランサー」の略。▽free **—スタイル** ❶レスリングの種目の一つ。相手の腰から下を攻撃してもよいもの。参考→グレコローマン。❷競泳の種目で、自由形。ふつう、クロールで泳ぐ。❸「フリースタイルスキー」の略。▽freestyle **—ダイヤル** 受信者が料金を支払うしくみの電話サービス。▽free と dial からの和製語。**—パス** ❶無料の切符。また、無料で入場・乗車できること。❷無審査・無検査で通過したり合格したりできること。▽free pass **—ハンド** ❶拘束されないこと。「他国に気がねしない—の外交」❷定規やコンパスを使わずに手で書く図面。自在画。▽free-hand **—ランサー** 特定の会社や団体に所属していない、自由契約の記者や歌手・俳優など。フリー。フリーランス。▽free-lancer

フリーザー ❶冷凍装置。冷却器。また、冷蔵庫の冷凍室。❷《「アイスクリームフリーザー」の略》アイスクリームをつくる器具。▽freezer

フリージア アヤメ科の多年草。春、白・黄・紅などの花を開く。香りが高い。観賞用。▽freesia

フリージング《名・他サ》冷凍。▽freezing

フリース ポリエステル繊維などを起毛させて作った織物。軽くて保温性にすぐれ、防寒用に用いる。▽fleece

フリーズ・ドライ 液状のものや、水分を含んだ固形物などをいったん凍らせ、真空下で氷を昇華させて乾燥する技術。凍結乾燥。▽freeze-dry

フリーター「フリーアルバイター」の略。学校を卒業しても定職につかず、アルバイトで収入を得る人。▽free と(ドイツ) Arbeiter からの和製語。

ブリーチ《名・他サ》❶漂白すること。また、漂白剤。❷髪の毛を脱色すること。▽bleach

プリーツ 衣服につける、折りたたんだひだ。特に、スカートの折りひだ。「―スカート」▽pleats

ブリーフ〔男性用の〕からだにぴったりそった、股下(またした)の短い下ばき。▽briefs から。**―ケース** 書類を入れるための、薄い角形のかばん。▽briefcase

ブリーフィング《名・自サ》状況説明。背景説明。「報道関係者に戦況について―する」▽briefing

フリー・マーケット 不用品などを持ち寄って、売買・交換を行う青空市場。[注意]free market(=自由市場)と混同しないこと。▽flea market(=のみの市)

ふり・うり【振(り)売り】 商品をかついで、呼び声を立てて売り歩くこと。また、その人。ふれうり。

ふ・りえき【不利益】《名・形動》利益を得られないこと。もうけのないこと。損。不利。「―な貿易」

ふり・おろ・す【振り下ろす】《他五》振り上げたものを勢いよく下方へおろす。「なたを―・す」

ふり・かえ【振替】(―かへ) ❶簿記で、ある勘定科目の記載を他の勘定科目に移すこと。❷「郵便振替」の略。

ぶり・かえ・す【ぶり返す】(―かへす)《自五》一時よくなりかけていたものが、再びもとの悪い状態にもどる。「病気が―・す」「暑さが―・す」[類語](する)再発。再燃。

***ふり・かえ・る【振り返る】**(―かへる)《他五》❶後ろを向いて見る。[類語]ふり向く。❷過ぎたことを思い出してみる。回顧する。[類語]回想する。「幼少のころを―・る」[類語]①②かえりみる。

***ふり・か・える【振り替える】**(―かへる)《他下一》❶あるものを〔その代用として〕他のものと入れ替える。「列車の客をバスに―・える」❷振替①の形式で勘定をする。

ふり・かか・る【降り掛かる・降り懸かる】《自五》❶細かいものが降って来て、ものにかかる。「火の粉が―・る」❷よくないことが急に身の上に起こる。身に及ぶ。「災難が―・る」

ふり・かけ【振(り)掛け】 魚粉・のり・ごま・塩などをまぜた粉状の食品。飯の上にふりかけて食べる。

ふり・か・ける【振り掛ける】《他下一》粉状・粒状のものを上から振り散らしてかける。「ごま塩を―・ける」

ふり・かざ・す【振り×翳す】《他五》❶〔手または手に持った物を〕頭の上に振り上げて構える。「なぎなたを―・す」❷〔主義・主張などを〕公然と出してかかげる。「正義を―・した論法」

ふり・かた【振り方】 ❶物を振る方法。「クラブの―」❷処置のしかた。扱い方。「身の―」

ふり・がな【振(り)〈仮名〉】 漢字の読み方を示すため、そのわきにつけるかな。ルビ。傍訓。

ふり・かぶ・る【振りかぶる】《他五》頭の上に勢いよく振り上げて、打ちおろす構えをする。

ブリキ 表面を錫(すず)でおおって腐食を防ぐようにした、薄い鉄板。ブリキ板。[類語]トタン。[表記]「錻力」と当てた。▽(オランダ)blik

ふり・き・る【振り切る】《他五》❶しがみつくものを強く振るようにして離れさせる。「警官の手を―・って逃げる」❷引き止めたり頼んだりするのをきっぱりと断る。「懇願を―・って帰る」❸追い付こうとする者を、最後まで追い付かせずに逃げきる。「―・ってゴールに入る」❹十分に振る。「バットを―・る」

フリゲート 船団の護衛などを主な任務とする、駆逐艦程度の規模をもつ対空対潜用の軍艦。▽frigate

ふり・こ【振(り)子】 糸や棒の一端を固定して他端におもりをつけ、一定の周期で左右に往復運動するようにした仕掛け。振子(しんし)。下げ振り。「柱時計の―」

ふ・りこう【不履行】 約束・取り決めなどを実行しないこと。「契約―」

ふり・ごと【振(り)事】→所作事(しょさごと)①。

***ふり・こ・む【降り込む】**《自五》降る雨や雪が〔風に吹かれて〕中にまで入る。[類語]吹き込む。

***ふり・こ・む【振り込む】**《他五》❶預金の口座などに金銭を払い込む。「銀行に―・む」❷マージャンで、他の人の上がり手となるパイを捨てる。「満貫(マンガン)を―・む」

ふり・こ・める【降り×籠める】《他下一》雨や雪がひどく降って外に出られなくする。「終日―・められる」

ブリザード 極地に特有の暴風雪。ふつう、南極のものを言う。雪あらし。▽blizzard

ふり・しき・る【降り▽頻る】《自五》〔雨や雪が〕ひっきりなしに降る。

ふり・し・く【降り敷く】《自五》降って一面に敷いたようになる。「落ち葉が―・く」

ふり・しぼ・る【振り絞る】《他五》もうそれ以上出せないほどの力や声や知恵を、無理をして精一杯出す。「ない知恵を―・って考える」

ふり・す・てる【振り捨てる】《他下一》思い切って捨てて去る。「未練を―・てる」

プリズム 光を屈折・分散・全反射させるのに使う透明な三角柱。三稜鏡(さんりょうきょう)。▽prism

ふり・そそ・ぐ【降り注ぐ】《自五》❶続けざまに強く降りかかる。「雨が―・ぐ」❷ある人・物事をめがけて、視線・声などが集中する。「―・ぐ非難の声」

ふり・そで【振(り)×袖】 袖丈(そでたけ)の長い袖〔をつけた和服〕。未婚の女性の晴れ着・礼服用。[対]とめそで。

ふり・だし【振(り)出し】 ❶振って、中の粉粒などを小さな穴から出す器具。「食卓塩の―」❷すごろくの、賽(さい)を振り始める出発点。❸物事をやり始める最初の状態や段階。出発点。「交渉が―にもどる」❹為替(かわせ)・手形・小切手を発行すること。「―人」

ふり・だ・す【振り出す】《他五》❶振って中の物を出す。「食塩を―・す」❷熱湯の中で振って、薬の成分を出す。❸手形・為替(かわせ)・小切手を発行する。

ふり・た・てる【振り立てる】《他下一》❶振るようにして勢いよく立てる。また、立たんばかりにはげしく振る。「頭を―・ててしかりつける」❷声をはり上げる。❸振って強く鳴らす。「鈴を―・てる」

ふり・つけ【振(り)付(け)】 踊り・芝居などで、歌や音楽に合わせて所作事(しょさごと)の仕方を考案して演者に教えること。また、その人。「―師」

ぶりっ・こ【ぶりっ子】《名・自サ》〔俗〕いい子・かわいい子のように振る舞うこと〔人〕。

ブリッジ ❶橋。跨線橋(こせんきょう)。陸橋。❷船橋。艦橋。❸入れ歯のつなぎの部分。❹トランプの遊び方の一つ。四人で行い、二人が組んで得点を争う。❺レスリングで、両足と頭を支えにして、からだをあおむけに弓なりにそらせ、フォールを防ぐわざ。▽bridge

ふり・はな・す【振り放す・振り離す】《他五》❶くっついている物を強く振って離れさせる。❷追って来る者を追いつかせないようにする。[類語]①②振り切る。

ぶり・ぶり《副・自サ》→ぷりぷり②。

ぷり・ぷり《副・自サ》《副詞は「―と」の形も》❶柔らか

ふ

くて、触れるとはずんでこまかく振動しそうなほど、弾力に富むようす。「―した歯ごたえ」❷怒って不機嫌さを態度に表しているようす。ぶりぶり。

プリペイド・カード 代金前払いのカード。テレフォンカードなど。▽prepaid card

ふり・ほど・く【振り▽解く】《他五》もつれたりからまったりしたものを、振り動かして解きはなす。「手を―・く」「なわを―・く」

ふり・ま・く【振り×撒く】《他五》❶まきちらす。❷惜しまずに与える。「愛敬を―・く」「うわさを―・く」

プリマ・ドンナ 歌劇団の第一人者的な女性歌手。プリマ。▽(イタリア) prima donna

プリマ・バレリーナ 主役をつとめるバレリーナ。プリマ。▽(イタリア) prima ballerina

ふり・まわ・す【振り回す】(―まはす)《他五》❶〔手や道具を〕振りながらまわす。「棒を―・してスズメを追う」❷自慢して示す。みせびらかす。ひけらかす。「知識を―・す」❸むやみやたらに使う。「父親の権威を―・す」❹〔人を〕思いのままに動かす。「終始彼に―・された」

ふり・みだ・す【振り乱す】《他五》髪の毛などをはげしく・振って(振ったように)ばらばらに乱す。

プリミティブ《形動》原始的なようす。また、素朴なようす。「―な感情論で現実に合わない」▽primitive

ふりみ・ふらずみ【降りみ降らずみ】《連語》《「み」は動詞などの連用形について「…したり」の意を表す接尾語》〔文〕〔雨や雪などが〕降ったり降らなかったりすること。「―でうっとうしい一日」

ふり・む・く【振り向く】《自他五》顔・上体をまわしてその方を向いて見る。転じて、その方に注意を向ける。関心を寄せる。〔後の意では、多く下に打ち消しの形を伴う〕「後ろを―・く」「訴えに―・く者とてない」類語 ふりかえる。かえりみる。

ふり・む・ける【振り向ける】《他下一》❶顔・上体を動かしてその方へ向ける。振り向かせる。「顔を―・けて答える」❷他の方面にまわして用立てる。「軍事費を文教費に―・ける」

プリムラ サクラソウ科の多年草。日本在来のサクラソウに対して「西洋サクラソウ」をいう。春、黄色や紅紫色の花を開く。観賞用。▽primula

ぶ・りゃく【武略】〔文〕軍事上のはかりごと。いくさのかけひき。「―の奥義をきわめる」類語 兵法。

ふりゅう・もんじ【不立文字】悟りは心から心へ伝えるべきもので、文字・言語によって伝えられるものではないということ。参考 禅宗の立場を表す語。

***ふ・りょ**【不慮】〔悪い事が〕思いがけなく起こること。「―の事故」「―の死を遂げる」類語 不測。慮外。

***ふ・りょ**【×俘虜】〔文〕とりこ。捕虜。

***ふ・りょう**【不漁】漁で、獲物が・とれない(少ない)こと。しけ。対 大漁。豊漁。

***ふ・りょう**【不猟】狩猟で、獲物が・とれない(少ない)こと。

***ふ・りょう**【不良】《名・形動》❶機能・性質・状態などが悪いこと。「天候―」「―債権」対 良好。❷性質・品行が悪く、常習的に非行を働く・こと(人)。〔多く、少年少女にいう〕「素行―」

ぶ・りょう【無×聊】《名・形動》〔文〕何もすることがなくて、なんとなく心が満たされないこと。退屈。つれづれ。むりょう。「―をかこつ」「―を慰める」

ふ・りょうけん【不料▽簡・不了見・不量見】《名・形動》料簡が悪いこと。心がけのよくないこと。料簡違い。「息子の―を戒める」

ぶりょう・とうげん【武陵桃源】世間からかけ離れた平和な別天地。桃源郷。参考 陶淵明(とうえんめい)の「桃花源記」から。

***ふ・りょく**【富力】〔文〕富(とみ)の力。類語 財力。資力。

***ふ・りょく**【浮力】❶流体の中にある物体に対して浮き上がらせる方向に作用する、流体の圧力。その大きさは、物体が排除する流体の重さに等しい。❷一般に、物が浮かぶ力。「―を失って墜落する」

ぶ・りょく【武力】軍事上の力。「―侵攻」「―によって問題を解決する」類語 軍事力。

フリル 細長い布・レースを縫い縮めてひだをとったもの。婦人服や子供服のえり・すそ・そで口などのふち飾りとして縫いつける。▽frill

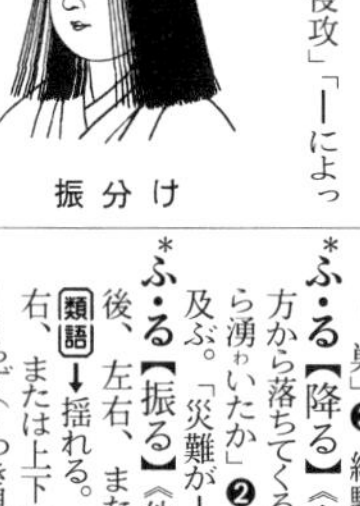
振分け

ふり・わけ【振(り)分け】子供の髪を肩のあたりで切りそろえ、左右に分けさばいたもの。振り分け髪。

ふり・わ・ける【振り分ける】《他下一》❶〔全体を案配(あんばい)して〕二つに分ける。❷〔荷物を〕肩の前後に分けてかつぐ。❸配分する。「大きさによって四段階に―・ける」

ふ・りん【不倫】《名・形動》〔文〕異性との関係で道徳からはずれること。「―を働く」類語 非倫。不義。

プリン「プディング」のなまり。

フリンジ ショール・ストールなどのふちにつけるふさ飾り。▽fringe

プリンシプル 原理。原則。▽principle

プリンス 王子。皇太子。参考 ひゆ的に、ある社会の中で若くて将来を期待される男子の意にも用いる。「政界の―」対 プリンセス。▽prince

プリンセス 王女。王妃。皇太子妃。親王妃。対 プリンス。▽princess

プリンター ❶印刷機。❷写真の焼き付け機。❸コンピューターで、データを用紙に印字する出力装置。印字機。▽printer

プリント《名・他サ》❶印刷(したもの)。❷布に模様をそめつける・こと(もの)。捺染(なっせん)。「水玉の―模様」❸映画や写真で、陰画から陽画に焼きつける・こと(もの)。▽print ―**はいせん**【―配線】導線を用いないで、電気回路を絶縁基板上に金属箔(はく)で印刷するようにはり付けること。

***ふる**【古・▽旧】㊀《名》〈「お―」の形で〉何度か使って古くなった・こと(物)。使い古した物。「兄のお―」㊁《接頭》❶「古くなった」の意。「―雑誌」❷「以前の」の意。「―巣」❸「経験をつんだ」の意。「―つわもの」

***ふ・る**【降る】《自五》❶〔細かい物が連続的に〕空や上方から落ちてくる。「雨が―・る」「天から―・ったか地から湧(わ)いたか」❷ある物事がそこに寄り集まる。そこまで及ぶ。「災難が―・ってきた」文《四》。

***ふ・る**【振る】《他五》❶その物の一端を手にとって、前後、左右、または上下に動かす。「指揮棒を―・る」類語 →揺れる。❷手・足・頭などの全体を、前後、左右、または上下に動かす。「首を縦に―・る」「わき目も―・らず(=わき見もせずに。一心に)」❸手をゆり動かし

て握った物を勢いよく・投げる(まく)。「さいころを―・る」「塩を―・る」❹仕事・役割などを割り当てる。「大役を―・られる」❺文字のわきに読みがな・記号などをつける。「ルビを―・る」❻〔頼みなどを〕相手にせずにはねつける。特に、異性の求愛を拒否する。「彼女に―・られた」類語 袖にする。❼捨てる。「社長の椅子を―・る」「就職を棒に―・る(=無駄にする)」文《四》。

***フル** ━《形動》いっぱいであるようす。最大限。「力を―に発揮する」━《造語》《名詞の上につけて》「全体にわたる」「限度いっぱいの」の意。「―スピード」「―回転」「―エントリー」▽full **―コース**〔西洋料理で〕正式な順序で出され、一品も省略しない食事。▽full-course dinner から。**―スピード** 全速力。▽full speed **―タイム** ❶正規の労働時間いっぱいに勤務すること。「―で働く」対 パートタイム。❷時間制のスポーツで、全試合時間。▽full-time **―ネーム** 省略しない完全な名まえ。▽full name **―ベース** 野球で、満塁。▽full と base からの和製語。

ぶ・る ━《自五》〔俗〕いかにも自分がりっぱだという態度を人に見せつける。「あまり―・らずに話せ」類語 きどる。もったいぶる。参考 ━が独立してできた語。━【振る】《接尾》《名詞・形容詞語幹について五段動詞をつくる》…らしくみせつける。「偉―・る」「上品―・る」表記 多くかな書き。

***ふるい**【×篩】わくに網を張った道具。粉状・粒状のものを入れてゆり動かし、細かいものとあらいものとをより分ける。**―に掛・ける**《句》多くの中から基準・条件にかなったものを選び出す。

***ふる・い**【古い・▽旧い】《形》❶発生してから長い年月・時間がたって新しさ・珍しさなどがない。「―・い家」「―・くなったスタイル」❷前の時代に属している。昔のことだ。「もう―・い話だ」「―・い時代をさぐる」❸時代おくれである。古風だ。「頭が―・い」対 ①〜③新しい。文 ふる・し《ク》。⇩〖類語と表現「新しい・古い」〗

ぶ・るい【部類】いくつかの種類によって分けたときの一つ一つ。「―に分ける」「彼などはまだましな―だ」

ふるい・おこ・す【奮い起こす】《他五》はげまして、気持ちをさかんに引き立たせる。「勇気を―・す」

***ふるい・おと・す**【振るい落とす】《他五》振って落とす。「木をゆすって枯れ葉を―・す」

***ふるい・おと・す**【×篩い落とす】《他五》〔ふるいにかけて落とす意から〕試験などをして、基準・条件に合わないものをよりわけて除き去る。「六〇点以下を―・す」表記「振るい落とす」とも書く。

ふるい・た・つ【奮い立つ・奮い▽起つ】《自五》何かをしようと、心が勇みたつ。奮起する。「前学期の不成績に―・って勉強する」類語 (する)発奮。奮発。

ふるい・つ・く【震い付く】《自五》❶強い感情が起こって、はげしい勢いでだきつく。「―・きたくなるような美人」❷むしゃぶりつく。しがみつく。

***ふる・う**【震う】《自五》ふるえる。「体が―・う」表記「顫う」とも書く。文《四》。⇩〖使い分け〗

***ふる・う**【振るう・奮う】━《他五》❶(大きく)振り動かす。類語 ↓揺れる。❷十分に、また盛んに、その力を発揮する。「熱弁を―・う」「腕を―・う」表記 ②は「揮う」とも書く。❸努力して自分の心をわき立たせる。「勇を―・って申し出る」参考 ↓ふるって。表記 ③はもっぱら「奮う」と書く。それ以外には「奮う」は用いない。❹全部出し尽くす。「財布の底を―・う」文《四》。━《自五》❶勢いが充実してさかんになる。「国力が大いに―・う」「成績がさっぱり―・わない」表記「揮う」とも書く。❷〈「―・った」「―・っている」の形で〉奇抜・とっぴで、おもしろおかしい。「言うことが―・っている」文《四》。⇩〖使い分け〗

***ふる・う**【×篩う】《他五》❶ふるいをゆり動かしていらないものを除く。「米を―・う」❷ある基準にもとづいてより分ける。選抜する。文《四》。⇩〖使い分け〗

使い分け「ふるう」

振るう〔×揮〕〔大きく振り動かす。勢いをさかんにする。奇抜だ〕大刀を振るう・全力を振るう・財布を振るう・暴力を振るう(揮う)・猛威を振るう(揮う)・熱弁を振るう(揮う)・筆を振るう(揮う)・士気が振るう(揮う)・言うことが振るっている・振るい落とす

奮う〔心をわき立たせる〕勇を奮う・精神を奮い起こす・勇気を奮い立たせる・奮ってご参加ください

震う〔×顫〕〔小刻みに繰り返し強く動く〕体が震う(顫う)・大地が震い動く・声を震わせる(顫わせる)・身震い(身顫い)

ふるう〔×篩〕〔ふるいで不用な物をとり除く。選抜する〕香炉の灰をふるう・土をふるう・粉をふるう・筆記試験でふるい落とす

参考「揮毫」の意味で使う「筆を揮う」の「揮」は、内部に持っている力を外に出して盛んに働きかける、大いに駆使する、勢いが充実して盛んになる意である。「振るい落とす/ふるい(篩)い落とす」では、前者が震動させて落とす意、後者が選んで落とす意。なお、「采配を振るう(揮う)」は俗用で、伝統的には「采配を振る」と言う。

ブルー ━《名》青色。空色。━《形動》憂うつなようす。「―な気分」▽blue **―カラー** 現場労働者。参考 青色の作業衣を着ることから。対 ホワイトカラー。▽blue-collar **―トレーン** JRの長距離寝台特急列車の愛称。ブルトレ。参考 車体が青色であることから。▽blue と train からの和製語。**―フィルム** 性行為の露骨な描写を主とする映画。エロ映画。▽blue film **―プリント** 青写真。▽blue print **―ベリー** コケモモ属の常緑小低木。小さな黒紫色の果実を生食用・ジャムなどにする。▽blue-berry

ブルース 四分の四拍子の哀愁をおびた曲。もと、アメリカの黒人が奴隷生活の中で歌い伝えた。▽blues

フルーツ くだもの。果実。水菓子。▽fruits

フルート 洋楽で、横にかまえて吹く笛。明るく清純な高音が出る。本来は木管楽器であるが、現在は金属製。フリュート。▽flute

ブルーマー 女性がはく運動着。ゆるやかな形で、すそ口がゴムでしぼられたもの。ブルマー。▽bloomers

ふるえ【震え】ふるえること。「―が来る」

ふるえ・あが・る【震え上がる】《自五》寒さまたは恐怖などのためにひどくふるえる。

ふる・える【震える】《自下一》❶物が細かくゆれ動く。振動する。「窓ガラスがびりりと―・える」類語 (する)震動。震撼。顫動。❷〔寒さ、恐怖などのために〕体(の一部分)が小きざみにゆれ動く。わななく。「手

が—・える」「怒りに全身が—・える」[類語]おののく。身震い。戦慄。[表記]①②ともに「顫える」とも書く。[文]ふる・ふ《下二》。

プル・オーバー 頭からかぶって着る形のセーター・シャツなど。▽pullover

ふる・がお【古顔】 その社会に古くからいる人。古株。古参。「—の選手」[対]新顔。

ふる・かね【古▽鉄】 使い古した金属製品。「—屋」

ふる・かぶ【古株】 ❶古い切り株。❷古顔。

ふる・ぎ【古着】 着古した衣類。「—屋」

ふる・きず【古傷・古×疵】 ❶以前に受けたきず(のあと)。「—がうずく」[対]生傷。❷以前に犯した罪やあやまち。旧悪。また、思い出したくない、昔の経験。後ろ暗い前歴。「友人の—をあばく」

ふる・ぎつね【古×狐】 年をとって経験を積んでいて、悪賢く人をだます人。〔多く女に言う〕[類語]古狸。

ふるく【古く・▽旧く】 ㊀《副》(「ふるし」の連用形から)ずっと以前に。また、以前から。「—昔にさかのぼる」㊁《名》古い時期。昔。「—からの知り合い」

ふる・くさ・い【古臭い】 《形》いかにも古い感じである。「—・い考え」

ふる・さと【古里・▽故里・▽故▽郷】 ❶その人が生まれ育った土地。故郷。[類語]郷里。郷土。❷ある物事や精神をはぐくみ育てた、みなもととなる・ところ(もの)。「心の—」「第二の—」

ブルジョア ❶資本家。俗に、金持ち。ブル。[対]プロレタリア。❷ブルジョア革命のにない手となった、新興の市民階級。=ブルジョワ。▽bourgeois

ブルジョアジー 資本家階級。有産階級。[参考]もと、市民階級・中産階級の意。[対]プロレタリアート。▽bourgeoisie

***ふる・す【古す・▽旧す】** 《接尾》《動詞の連用形について五段動詞をつくる》以前から何回も…して新しさをなくす。「住み—・す」「使い—・す」「言い—・された話」

***ふる・す【古巣】** ❶住み古した巣。❷以前住んだり、勤めたりしたことのある所。「—の大阪に帰る」

プルス 〔医〕脈搏。脈。▽Puls

ブルゾン ジャンパー風の上着。すそ口をバンドなどでしめ、背中をふくらましたもの。▽blouson

ふる・だぬき【古×狸】 年をとって経験を積んでいて、ずるがしこく一筋縄ではいかない人。〔多く男に言う〕「海千山千の—」[類語]古ぎつね。

ふる・ち【古血】 ❶新鮮でない血。❷病毒などのためにけがれた悪い血。くろち。「—を抜く」

ふる・づけ【古漬(け)】 長い間つけこんでおいた漬物。[対]新漬け。

ふるっ・て【奮って】 《副》自分から進んで。積極的に。「—ご参加ください」

ふる・つわもの【古▽兵・古▽強者】 ❶戦争の経験が豊かで、老巧な武士。❷経験が豊かで、かけひきなどのうまい人。「政界の—」[類語]老練家。宿将。

ふる・て【古手】 ❶衣服・道具などの使い古した物。[対]新手・新品。❷その職に長く携わっている人。「—の役人」[類語]古顔。古株。

ふる・どうぐ【古道具】 〔売買の対象としての〕使い古した道具。「—屋」[類語]骨董。

ブルドーザー トラクターの前面につけた鋼製の刃で、土をほりおこしたり地ならしをしたりする土木機械。▽bulldozer

ブルドッグ 犬の一品種。原産地はイギリス。顔の幅が広く、顔面がつぶれ、ほおの皮がたるんで獰猛な顔つきをしている。番犬用。▽bulldog

プル・トップ つまみを引っぱって開けるしくみの缶のふた。▽pull-top

プルトニウム 人工放射性元素の一つ。核燃料に使う銀白色の金属。元素記号Pu。▽plutonium

ふるとり【×隹】 漢字の部首の一つ。「雀」「離」などの「隹」の称。[参考]「隹」は鳥の意で、「舊(=旧)」に含まれるところから言う。

ふる・なじみ【古×馴染(み)】 以前から親しいつきあいのある・こと(人)。昔なじみ。

ブルネット 白人で、皮膚が浅黒く髪の毛・目の色が黒みがかった女。また、その髪の毛。▽brunette

ふる・・びる【古びる・▽旧びる】 《自上一》〔物が年を経て〕古い感じがするようになる。「—・びた村役場」

ぶる・ぶる 《副・自サ》《副詞は「—と」の形も》寒さや恐れ・緊張などのためにからだ(の一部)がふるえるようす。「—しながら布団に入る」「強敵に当たって—する」

ブル・ペン 野球場の一部に設けた、控えの投手の投球練習場。▽bull pen(=牛の囲い場)

ふる・ぼ・ける【古×惚ける・古×呆ける】 《自下一》古くなって色があせたりきたならしくなったりする。

ふる・ほん【古本】 〔売買の対象として〕所有したのちに手離した本。古書。[対]新本。

ふる・まい【振(る)舞(い)】 ❶行動・動作のしかた。「乱暴な—」❷もてなし。供応。「—酒」

ふる・ま・う【振る舞う】 ㊀《自五》人前で、(目立った)行動・動作をする。「大に優しく—・う」㊁《他五》ごちそうする。「すしを—・う」[類語]供応。接待。

ふる・めかし・い【古めかしい】 《形》いかにも古いという感じがするようすである。古風である。「—・い家」

ふる・もの【古物】 〔古着・古道具など〕むかし使って、今は使っていない物。使い古し。古物。

ふるわ・せる【震わせる】 《他下一》ふるえるようにする。ふるわす。「体を—・せる」「声を—・せる」[表記]「顫わせる」とも書く。[文]ふるは・す《下二》。

ふれ【触れ・布▽令】 〔役所など〕上の者から、広く一般に告げ知らせる・こと(知らせ)。「お—を出す」

ぶれ ぶれること。特に、写真の撮影でシャッターを切る瞬間にカメラが微動すること。「カメラの—」

プレ 《接頭》「前」「以前」「あらかじめ」などの意。プリ。「—オリンピック」▽pre-

フレアー スカート・外套などで、朝顔形にひらくこと。また、その波状の飾りじわ。フレア。フレヤー。「—スカート」▽flare

ふれ・あ・う【触れ合う】 《自五》❶〔両者の一部分が〕たがいにふれる。「刀の先が—・う」❷たがいにわかりあったような気持ちになる。「心が—・う」

ふ・れい【不例】 〔文〕〔通常ならずの意から、多く「御—」の形で〕貴人、特に天皇の病気。御病気。

ぶ・れい【無礼】 《名・形動》礼儀にはずれて相手の尊厳を傷つけること。「—なふるまい」「—を働く」「—をとがめる」[類語]非礼。無躾。無作法。失礼。失敬。

—こう【—講】 身分や地位などにこだわらず、かたくるしい礼儀をぬきにして行う酒宴や会合。

フレー 《感》スポーツ競技で、競技者を応援・激励するためのかけ声。がんばれ。▽hurray

プレー ❶《名・自サ》遊ぶこと。遊び。❷《名・自サ》競技・試合(をすること)。競技のわざ。「ファインー」❸芝居。演劇。❹演技。演奏。▽play **ーオフ**〔同点・同率で首位にいる者どうしによる〕優勝決定のための延長戦、または優勝決定戦。▽play-off **ーガイド** 興行物の案内や入場券の前売りなどをする所。▽play と guide からの和製語。**ーボーイ** 女性を次々に誘惑してもてあそぶ男。また、遊び上手な男。▽playboy **ーボール** 球技で、審判が告げる、試合開始の合図。対ゲームセット。▽play ball

ブレーカー 制限以上の異常電流が流れたときに、自動的に電流がきれるようにした装置。サーキットブレーカー。電流遮断器。電流制限器。▽breaker

ブレーキ ❶車輪の回転をおさえて、速度をおとしたり停止させたりする装置。制動機。「ーを踏む」❷物事の進行をおさえること。「円安にーをかける」▽brake

フレーク 薄い切れはし。薄片。また、そのような状態にした食品。「コーンー」▽flake

ブレーク《名》❶《自サ》ボクシング・ラグビーなどで、組み合った選手が離れること。また、それを命ずる審判のことば。❷《自サ》小休止。「コーヒーー」❸《自サ》〔俗〕急に人気が出ること。「CM曲でーしたバンド」❹《他サ》テニスで、相手のサービスゲームに勝つこと。▽break **ーダンス** アクロバット的な動きのダンス。ニューヨークの黒人の間から広まった。▽break-dance

フレーズ ❶句。成句。熟語。慣用句。❷〔音〕旋律の一句切り。楽句。▽phrase

ブレース ❶印刷で、中括弧。{ } ❷歯並びをよくするための金具。歯列矯正具。ブラス。▽brace

プレート ❶〔金属の〕板。また、板状のもの。「ナンバーー」❷真空管の陽極。❸写真の感光板。❹〔野球で〕㋐本塁(に置く板)。ホームプレート。㋑投手が投球するときに踏む板。ピッチャーズプレート。▽plate

フレーバー ❶香り。風味。❷香味料。▽flavor

フレーム ❶枠。ふち。「眼鏡のー」❷木などの枠で作った温床。❸機械や器具の骨組み。▽frame **ーアップ**《名・他サ》〔事件や犯人などを〕でっちあげること。捏造(ねつぞう)。▽frame-up

プレーヤー ❶競技者。出場選手。〔ふつう球技でいう〕❷演奏者。演技者。❸「レコードプレーヤー」の略。▽player

ブレーン 「ブレーントラスト」の略。▽brain(=頭脳) **ーストーミング** 会議で、各自が意見を出し合い、皆で自由に討論してアイディアを導き出す集団思考開発法。▽brainstorming **ートラスト** 国家・会社・個人などの相談相手をつとめる学者・専門家などのグループ。知能顧問団。ブレーン。▽brain trust

プレーン《形動》❶飾りのない、あっさりしたようす。「ーなデザイン」❷基本的。「ーオムレツ」▽plain

フレキシブル《形動》柔軟なようす。融通がきくようす。「ーな対応」▽flexible

ふれ-こみ【触(れ)込み】〔実際とかけはなれた〕前宣伝。ふれだし。「強打者というーで入団する」

ブレザー 背広型のゆったりした上着。金属製のボタンをつける。ブレザーコート。▽blazer

プレス ❶《名・他サ》おすこと。圧力を加えること。「鉄鋼をーする」❷《名・自他サ》アイロンをかけること。「ズボンにーする」❸型を使って金属の押抜き・絞り・成形・切断などを行う機械。「ー工」❹報道機関。特に、新聞。類語マスコミ。❺印刷。▽press **ーキャンペーン** 新聞が特定の問題を積極的に連続して報道し、世間の人々の関心を呼びおこす運動。▽press campaign **ーハム** 豚などの畜肉の雑肉をまぜてひき、圧縮してつくったハム。▽pressed ham から。

フレスコ 壁画の画法で、下地のしっくいの乾かない生乾きの壁面に水性顔料で描くもの。▽(イタリア) fresco

プレスティージ 威信。名声。権威。プレステージ。「ーを高める」「大国としてのーがかかる」▽prestige

ブレスト ❶胸。胸部。また、胸囲。❷「ブレストストローク」の略。平泳ぎ。▽breast

プレスト 楽曲の速度を表す標語の一つ。「急速に」の意。アレグロよりさらに速い。▽(イタリア) presto

ブレスレット 腕輪。腕飾り。▽bracelet

プレゼンテーション 企画や計画を提示・説明すること。また、企業における商品説明。プレゼン。▽presentation(=発表。提示)

プレゼント《名・他サ》おくりもの(をすること)。「バースデーー」「チョコレートをーする」▽present

ふれ-だいこ【触れ太鼓】 ❶ある事を広く知らせるために打つ太鼓。「村祭りのー」❷相撲興行の始まる前日に、太鼓を鳴らし、初日の取組を呼びあげながら、町をねり歩くこと。また、その太鼓。

プレタ・ポルテ 有名なデザイナーによる(女性用の)高級既製服。▽(フランス) prêt-à-porter

フレックス・タイム 〔会社などで〕勤務時間だけをきめて、出勤と退勤の時刻は固定しない方式。「ー制」▽flextime

プレッシャー 圧力。圧迫。特に、精神的圧迫。「ーがかかる」▽pressure

フレッシュ 一《形動》新しいようす。新鮮。清新。「ーな思想」二《造語》生(き)であること。生からつくった。「ージュース」▽fresh **ーマン** 新人。〔大学の〕新入生。新入社員。▽freshman

プレハブ 〔建築で〕壁・屋根・床などの部品をあらかじめつくっておいて、現場で組み立ててつくる方式(の建物)。工場生産住宅。量産住宅。▽prefab

プレパラート 二枚のガラスの間にはさんだ、生物や鉱物などの顕微鏡用標本。▽(ドイツ) Präparat

プレビュー ❶試写会。試演会。❷テレビ番組などの予告編。❸パソコンなどで、実際に印字をする前に全体の体裁を画面表示したもの。▽preview

ふれ-まわ・る【触れ回る】(ーまはる)《他五》〔広い範囲の人人に〕あちこちと知らせて歩く。「うわさをーる」

プレミアム ❶〔有価証券を証券面に示された金額より高い価格で発行するときの〕額面超過額。❷〔入場券など〕売出し価格の上に加えられる割増金。プレミア。「ーつきの切符」❸おまけ。景品。▽premium

プレリュード 前奏曲。▽(フランス) prélude

***ふ・れる【振れる】**《自下一》❶ゆれうごく。「体が左右にーれる」❷正しい方向からすこしずれる。「磁針が東にーれている」文ふ・る《下二》

***ふ・れる【▽狂れる】**《自下一》〔俗〕気が狂う。「気がーれる」文ふ・る《下二》

***ふ・れる【触れる】** 一《自下一》❶さわる。接触する。「手と手がーれる」「外の空気にーれる」❷偶然出合ったものを感じとる。目・耳などに知覚する。「目に

ー・れる」「世間の耳目にー・れる」❸ある機会・物事などに出合う。「折にー・れて」「事にー・れて」❹話や書きものなどの中で、それを問題として述べる。言及する。「その話にはー・れないことにする」❺規則に違反する。抵触する。「法にー・れる」❻はげしい力を持ったものに行き当たって、それから打撃を受ける。「怒りにー・れる」「雷にー・れる」文ふ・る《下二》。□二《他下一》❶さわるようにする。「髪にー・れる」❷広く知らせる。「うわさをー・れて回る」文ふ・る《下二》。

ぶ・れる《自下一》かすかに動いて定まった位置からずれる。「カメラがー・れている」「観測位置がー・れる」

ふれんぞく-せん【不連続線】温度・湿度などの異なる二つの気団の接触面が地表と交わる線。この線の両側では気温・湿度・風向・風速などが不連続的に変わる。参考→前線。

フレンチ《造語》フランスの。フランスふうの。「ートースト」「ードレッシング」▽French

フレンド 友達。友人。「ペンー」▽friend

ブレンド《名・他サ》異なる種類のものを混ぜ合わせること。また、そうしたもの。▽blend

*__ふ-ろ【風×呂】__❶湯に全身を浸したり熱気にあたったりして、からだを温め洗う設備。風呂場。浴室。また、その湯。「ーをたてる」類語バス。❷風呂屋。銭湯。湯屋。〔公衆〕浴場。**ーしき【ー敷】**物をつつんで持ち運んだりする四角な布。参考もと、風呂から上がったときに足を拭いた布の意。**ーふき【ー吹き】**ダイコンやカブを輪切りにしてゆで、熱いうちにゆずみそ・ごまみそなどをつけて食べる料理。

*__ふ-ろ【風炉】__茶席で、釜をかけて湯をわかすのに使う、土または鉄製の炉。風炉。

プロ❶「プロフェッショナル」の略。「ー野球」対アマ。❷「プログラム」の略。「特別ー」❸「プロダクション」の略。「独立ー」❹「プロレタリア」「プロレタリアート」の略。「ー文学」❺「プロパガンダ」の略。「アジー」

フロア❶ゆか。❷〔ビルなどの〕階。▽floor

ブロイラー❶肉をあぶり焼きにするための器具。❷食肉用の大量飼育の若鶏。▽broiler

*__ふ-ろう【不老】__〔文〕いつまでも若いこと。「ー長寿」

*__ふ-ろう【浮浪】__《名・自サ》一定の住所・職業を持たず、あちこちをうろついて暮らすこと。「ー者」類語ホームレス。

ふろう-しょとく【不労所得】労働によらないで得る所得。利息・配当金・賃貸料など。

フロー〔経〕一定期間に経済主体の間を流れる財貨およびサービスの量。流量。「キャッシュー」▽flow（＝流れ）**ーチャート**❶作業工程の順序を図にしたもの。工程経路図表。❷〔電算〕作業内容を分析して、処理手順を順序だてて図形や記号で表したもの。流れ図。＝フローシート。▽flowchart

ブロー❶ボクシングで、強打。「ボディーー」▽blow ❷《他サ》ドライヤーで髪型を整えること。

ブローカー 仲買人。▽broker

ブロークン《名・形動》変則。不完全。特に、外国語などで、文法を無視していること。「ーな英語で話す」▽broken

ブローチ 女性が洋服の胸やえり、帽子などにつけるアクセサリー。▽brooch

フロート❶うき。特に、河川の流量測定用のもの。❷水上飛行機の浮き舟。❸アイスクリームを浮かせた冷たい飲み物。「コーヒーー」▽float

ブロード❶上質の梳毛糸・紡毛糸を使って平織りにした薄地の毛織物。❷手ざわりがよく、光沢に富み、ワイシャツ地や夏向きの服地に使う高級な綿織物。▽broadclothから。

ブロード-バンド 大量のデータを〔主に一本の伝送路から〕高速通信できる広帯域の通信網。電話回線や光ファイバーなどを使う。▽broadband

フローリング 木質系床材。また、それで仕上げた床。フロアリング。▽flooring

ふ-ろく【付録・附録】❶本に、本文を補足するなどの目的で付け加えたもの。「巻末ー」❷雑誌や書物の本体とは別に、おまけとして付けるもの。「別冊ー」

プログラマー コンピューターのプログラムを作成する人。▽programmer

プログラミング《名・他サ》プログラム〔特にコンピューターのプログラム〕を作成すること。▽programming

プログラム❶催し物の、出し物の組み合わせ。また、その順序・配役・筋・解説などを書いたもの。番組。❷進行計画〔の表〕。❸コンピューターの処理する仕事の手順を、一定の形式に従って表したもの。＝プロ。▽program

プロジェクター❶〔スライドなどの〕映写機。❷投光器。❸投影機。▽projector

プロジェクト❶〔研究・事業などの〕計画。「宇宙旅行のー」❷研究課題。「ーメソッド」▽project

ふろ-しき【風×呂敷】→「ふろ〔風呂〕」の子見出し。

プロセス 過程。工程。手順。手続き。「ーより結果を重く見る」▽process **ーチーズ** 生チーズを加熱殺菌してとかし、一定の形に固めたもの。加工チーズ。対ナチュラルチーズ。▽process cheese

プロダクション❶生産。製作。「マスー」❷映画・放送・出版などの製作所。プロ。▽production

フロック❶玉つきで、まぐれあたり。❷まぐれで成功すること。「勝てたのはーだ」類語僥倖。▽fluke

*__ブロック__ 政治・経済上の共通の利益をめざして結びついた国家・団体などの結合体。▽フランス bloc **ーけいざい【ー経済】**本国と植民地、または同盟国同士が結束し、物資の自給自足や市場の安定をはかるなど、排他的・閉鎖的な政策をとる経済圏。広域経済。

*__ブロック__❶比較的大きなかたまり。❷「コンクリートブロック」の略。コンクリートを型に入れて一定の四角な形にかためたもの。「ーの塀」❸〔土地・場所などの〕一区画。❹《名・他サ》運動競技で、妨害・阻止すること。「相手のスパイクをーする」▽block

フロック-コート 西洋式の男子用礼服。黒らしゃ地でつくり、ダブルで丈はひざまで。縞柄の、すそに折り返しをつけないズボンと併用する。▽frock coat

ブロッコリー キャベツの一変種。多数の緑色のつぼみをつけ、それを食用とする。▽イタリア・英 broccoli

プロット〔小説・脚本などの〕筋。構想。▽plot

フロッピー-ディスク 磁気記憶装置の一種。磁性体を塗った軟らかいプラスチックの円盤を四角なジャケットに封入したもの。フロッピー。▽floppy disk（＝ぴらぴらの円盤）

プロテクター 競技者や審判員が危険を防ぐための用具。胸あて・すねあて・ヘッドギアなど。▽protector

プロテスタント カトリックから分かれたキリスト教の一

派。新教。また、その信者。新教徒。▽Protestant(=抗議する者)

プロテスト《名・他サ》抗議。▽protest

プロデューサー 映画・演劇などを企画・立案する人。また、ラジオ・テレビなどの番組を製作・指揮する人。製作責任者。▽producer

プロデュース《名・他サ》❶〔映画・演劇・催し物などを〕企画・推進すること。製作。❷演出すること。「空間を自由に―する」▽produce

プロトコル ❶外交儀礼。外交慣習。❷条約の原案・議定書。❸コンピューター通信のためにあらかじめ取り決めておく手順。▽protocol

プロトン〔理〕陽子。▽proton

***プロパー** 病院などを回って医薬品の販売促進を行う人。▽propagandist から。

***プロパー**《名・形動》固有であるようす。本来(の)。独自(の)。また、専門(の)。「言語学―の問題」「―の外交官」▽proper

プロバイダー インターネットへの接続サービスを行う業者。プロバイダ。▽provider

プロパガンダ 宣伝。特に、特定の主義・思想を一方的におしつける(政治上の)宣伝。参考 非難・警戒の意味で使われることが多い。▽propaganda

プロバビリティー ❶見込み。公算。蓋然性(がいぜんせい)。「かなりの―がある」❷〔数〕確率。▽probability

プロパン・ガス プロパン(=天然ガスや石油からとれるメタン系炭化水素の一つ)を主成分とする液化石油ガス。略語PG。▽propane gas

プロフィール ❶横顔(の輪郭)。❷〔簡単な〕人物評論。「新大臣の―」=プロフィル。▽profile

プロフェッサー〔大学の〕教授。▽professor

プロフェッショナル《名・形動》それを職業として行うこと。職業的。専門的。また、専門家。プロ。対アマチュア。▽professional

プロペラ ❶ねじれのついた数枚の羽根を回転させ、その力で飛行機を推進させる装置。推進器。❷スクリュー。▽propeller

プロポーション ❶割合。比例。❷調和。均整。「―がいい(=均整がとれて美しい)」▽proportion

プロポーズ《名・自サ》結婚を申し込むこと。求婚。▽propose

ブロマイド 俳優・歌手・運動選手などの肖像写真。参考 俗に「プロマイド」ともいう。▽bromide

プロミネンス ❶太陽の表面から噴きだしている炎のような高温のガス。紅炎。❷〔語学〕話し手が、文中のある語・句を取り立てて特に強く発音して強調すること。▽prominence

プロムナード 散歩道。遊歩道。▽フランス promenade

プロモーション ❶商品の販売促進。「―ビデオ」❷興行。▽promotion

プロモーター ❶興行師。興行主。❷発起人。主唱者。「住民運動の―」▽promoter

プロ・レス《「プロレスリング」の略》興行を目的とした職業レスリング。

プロレタリア 資本主義社会で、生産手段をもたず、自分の労働力を資本家に売って生活している人。賃金労働者。無産者。プロレタリヤ。参考 俗に、貧乏人の意でも使う。対ブルジョア。▽ドイツ Proletarier

プロレタリアート プロレタリアの階級。労働者階級。無産階級。対ブルジョアジー。▽ドイツ Proletariat

プロローグ ❶演劇で、上演意図などを述べる前口上。一般に、作品の内容を暗示する前おきの部分。序詩・序言・序曲など。❷物事の始まり。発端。「宇宙時代の―」対①②エピローグ。▽prologue

フロン メタン・エタンなどの水素原子の一部または全部を塩素や弗素(ふっそ)の原子で置換した化合物の総称。冷蔵庫の冷媒、スプレーの噴射剤などに使われるが、大気中のオゾン層を破壊する。▽fron

ブロンズ 青銅(で作った像)。▽bronze

フロンティア 国境地方。辺境。特に、アメリカ開拓期における西部開拓地の最前線。「―スピリット(=開拓者精神)」▽frontier

フロント ❶前のほう。正面。前面。「―ガラス」対バック。❷ホテルなどの正面玄関にある受付。類語 帳場。❸前線。戦線。▽front

ブロンド 金髪(の女性)。▽blond(e)

プロンプター 演劇で、舞台の陰にいて演技中の俳優に小声でせりふを教える役目(の人)。▽prompter

ふ

ふ-わ【不和】〔文〕仲が悪いこと。仲たがい。「家庭の―」類語 不仲(ふなか)。反目。離背。対親和。

ふ-わく【不惑】〔文〕四〇歳のこと。参考「四十にして惑はず〈論語・為政〉」から。⇩〔類語と表現「年(とし)」〕

ふ-わけ【×腑分け】《名・他サ》解剖。〔古い言い方〕

ぶ-わけ【部分け】《名・他サ》部類に分けること。

ふ-わたり【不渡り】 手形や小切手の振出人が、その支払日に現金を支払えないこと(手形や小切手)。「―を出す」

ふわ-ふわ《副・自サ》《副詞は「―と」の形も》❶空中・水上などに軽く浮いてただよっているようす。類語 ぷかぷか。❷空気などを含んで柔らかくふくらんでいるようす。「―の羽根ぶとん」類語 ふかふか。❸〔性根がすわらず〕落ち着かないようす。「気持ちが―している」

ふわ-らいどう【付和雷同・附和雷同】《名・自サ》定見がなく、他人の意見や行動に軽々しく同調すること。「扇動に―する」注意「不和雷同」は誤り。

ふわり《副》《多く「―と」の形で》空中を軽く静かに動くようす。「―と空に舞い上がる」

***ふん【分】**《助数》❶時間の単位の一つ。一分は一時間の六〇分の一。❷角度の単位の一つ。一分は一度の六〇分の一。❸尺貫法の重さの単位の一つ。一分は一匁(もんめ)の一〇分の一。

***ふん【×糞】** 動物が肛門(こうもん)から排出する、食物のかす。大便。くそ。糞便。

***ふん**《感》❶同輩・目下の人などに・軽く(ぞんざいに)返事をするときに発する語。「―、そうか」❷不満やけいべつの気持ちを表すときに発する語。また、鼻であしらうときに発する語。「―、何だそんなもの」

***ぶん【分】**㊀《名》❶その人がある集団の中でもっている能力・地位。身の程。分際。「―を超えた要求」類語 身分。身。身柄。柄。分限。分相応。分相当。過分。❷本来当然なすべきつとめ。本分。「各自の―を全うする」㊁《形名》❶ある特定の状況。ありさま。調子。「その―なら話はうまくいく」❷〔全体の中で〕特定のものに属する部分。割り当て。分け前。「妹の―を残す」❸その物事がそのように限定される程度。「使った―だけ後でかえす」❹ある種類に属するもの。(…の)方(ほう)。「めったに使わない―の筆を使う」㊂《接頭》「もとか

ら分かれて作った」の意。「―教場」四《接尾》❶《助数》等分することを表す。「五―の二」❷《助数》〔「A―する」の形で〕Aに分ける意。「天下を二―する」❸「成分」の意。「アルコール―」❹それに相当する分量・範囲の意。「超過―」「一人―」❺それに相当する身分や仮にその身分に見立てるものの意。「兄弟―」

***ぶん【文】** ❶文字で考えや感じを書いたもの。文章。❷〔語学〕文章・談話を直接組み立てる言語単位で、いくつかの語が結びついて完結した形をそなえ、まとまった思想を表すもの。センテンス。❸〔「武」に対して〕学問・芸術・芸能など。「―をもって身を立てる」

ぶん-あん【文案】 文章の構想・下書き。草案。

ぶん-い【文意】 文章に表現されている、筆者の意図・考え。文義。「―をつかむ」

ふんい-き【雰囲気】 そこにいる人やその場から自然につくり出される、ある傾向をもつ気分。空気。アトモスフェア。「険悪な―」類語 気け。気配。ムード。

ふん-いん【分陰】 〔文〕きわめてわずかの時間。寸陰。「―を惜しむ」

ぶん-いん【分院】 〔病院・寺院などの〕本院からわかれ出て、その管理下にある施設。対 本院。

ぶん-うん【文運】 〔文〕学問・芸術などが盛んになる気運。「―隆盛」対 武運。

ふん-えん【噴煙・噴×烟】 勢いよく噴き出す煙。特に、火山の火口から噴き出す煙。

ぶん-えん【分煙】 喫煙と禁煙の場所や時間を分けること。

ふん-か【噴火】 《名・自サ》火山が火口から火山灰・水蒸気・溶岩などを噴き出すこと。**―こう【―口】** 火山の噴出物を噴き出す口。火口。**―ざん【―山】** 噴火している山。活火山。

***ぶん-か【分化】** 《名・自サ》❶一つのものが進歩・発達して、いくつもの異質な部分に分かれること。「学問の―」❷生物体の組織・器官が特殊化の方向へ細かく分かれて発達すること。

***ぶん-か【分科】** 学科・業務などで、専門別にいくつかに分けられた科。「経済委員会の中の資源―会」

***ぶん-か【文化】** ❶世の中が開け進んで、生活内容が高まること。「―生活」❷人間が精神の働きによって地上に作り出した、有形・無形のものすべて。特に、その物質的所産を「文明」と言うのに対して、その精神的所産を言うことが多い。「―遺産」参考 人以外の動物についで言うこともある。「ニホンザルの―」類語 文明。**―いさん【―遺産】** 昔から伝えられ、また、将来へも受け継がれるべき、文化的に価値のある財産。**―くんしょう【―勲章】** 学問・芸術など文化の向上・発展に著しい貢献をした人に政府から授与される勲章。毎年文化の日に授与式が行われる。**―こうろうしゃ【―功労者】** 学問や芸術を通じてわが国の文化の向上・発展に貢献し、その功績が特に著しいと政府が認めた者。参考 文化勲章受章者を含む。**―ざい【―財】** 文化活動によって作り出され、文化的価値のあるもの。特に、文化財保護法によって保護される有形文化財・無形文化財・民俗資料・史跡名勝天然記念物。**―じん【―人】** 頭脳的な業績によって名声を得ている人。「進歩的―」類語 知識人。インテリ(ゲンチア)。**―てき【―的】** 《形動》❶文化②に関係のあるようす。「―な領域を考究する人類学」❷文化①にかなうようす。「健康で―な生活」**―の-ひ【―の日】** 国民の祝日の一つ。一一月三日。自由と平和を愛し文化をすすめる。かつての明治節。

***ぶん-か【文科】** 人文科学・社会科学の分野。また、それを専攻する学科・学部。文学・史学・法学・経済学など。特に、文学部。対 理科。

ぶん-が【文雅】 一《名》〔文〕文章を作ったり詩歌をよんだりする風雅の道。「―をたっとぶ」二《形動》〔文〕文芸に親しんで、風雅なようす。「―な生活を送る」

ふん-がい【憤慨】 《名・自他サ》けしからぬ事として、ひどく腹を立てること。「不公平な扱いに―する」「―に堪えない」類語 悲憤。慷慨こうがい。私憤。公憤。

***ぶん-かい【分会】** ある会の管理下において、その一部として分かれ出た会。「市町村ごとに―を置く」

***ぶん-かい【分解】** 《名・自他サ》❶組み立てられている各部分に分かれてばらばらになること。また、そうすること。「空中―」「ラジオを―する」❷化合物がより簡単な二つ以上の異なる物質に分かれること。また、分けること。対 化合。

***ぶん-かい【分界】** 《名・他サ》〔土地・領域などの〕境目をつけること。また、その境目。境界。「―線」

ぶん-がい【分外】 《名・形動》〔文〕身分を超えていること。身分不相応。過分。「―な望み」

ぶん-がく【文学】 ❶言語で表現された芸術。小説・詩歌・戯曲・紀行・随筆など。文芸。「純―」「大衆―」❷文学を研究する学問。「―専攻」❸自然科学・社会科学以外の学問、すなわち文学研究・哲学・史学・倫理学・社会学・言語学などの総称。人文科学。

***ぶん-かつ【分割】** 《名・他サ》幾つかに分けて、別々にすること。「円を二つに―する」「植民地を―統治する」

***ぶん-かつ【分轄】** 《名・他サ》〔文〕幾つかに分けて、管轄すること。「職務を―する」

ぶん-かん【文官】 軍人でない官吏。対 武官。

***ふん-き【噴気】** 〔文〕火山などで、ガス・蒸気を噴き出すこと。また、噴き出したガス・蒸気。

***ふん-き【奮起】** 《名・自サ》やってやろうという気になること。「一番」「ばかにされて―する」類語 発奮。

ふん-ぎ【紛議】 《名・自サ》〔文〕議論がもつれて決着がつかないこと。また、その議論。

ぶん-き【分岐】 《名・自サ》〔文〕本筋から分かれること。**―てん【―点】** 道路・線路・進路などの分かれ目。「人生の―」類語 岐路。

ふん-きゅう【紛糾】 《名・自サ》〔事態・議論などが〕複雑にもつれ乱れて、まとまらないこと。「国会が―する」類語 紛乱。注意「粉糾」は誤り。

ぶん-きょう【文教】 学問・教育や文化に関すること。〔多く行政の対象となる場合にいう〕「―予算」

***ぶん-ぎょう【分暁】** 〔文〕❶《名・自サ》夜があけようとすること。❷《名・形動》明白なこと。

***ぶん-ぎょう【分業】** 《名・他サ》❶仕事を手分けして行うこと。「医薬―」❷生産の工程をいくつかに分け、それぞれをちがう労働者が分担して生産すること。

ぶん-きょうじょう【分教場】 〔義務教育で〕通学の便が悪い土地に、本校から離れて設けられた、ごく小規模の分校。

ぶん-きょく【分極】 《名・自サ》〔文〕〔相対立する〕二つ以上のものに分かれること。「―化」

ふん-ぎり【踏ん切り】 《「踏み切り」の音便》思いきって決心すること。決断。「転職の―がつかない」

ぶんきん・しまだ【文金島田】島田まげの根を最も高く結ったもの。上品・優美で、婚礼などに結う。文金。文金高島田。

ぶん・ぐ【文具】〔文〕字を書いたりするときに必要な用具。筆記用具・インク・用紙など。文房具。

ぶん・け【分家】《名・自サ》家族から分かれ出て、別に一家を構えること(家)。「次男が―する」対本家。

ふん・けい【×刎×頸】〔文〕首を切り落とすこと。

―の友《句》たとえそのために首を切られようとも後悔しないほど、友情に厚い友人。類語莫逆(ばくぎゃく)の友。

―の交わり《句》首を切られても悔いないほどの、親しい友人関係。断金の契り。〈史記・廉頗藺相如伝〉

ぶん・けい【文型】文をその構成の類型から見て分類した型。文の各種の型。「基本―」

ぶん・げい【文芸】❶学問と芸術。学芸。また、文学と芸術。❷文学①。「―時評」 ―ふっこう【―復興】ルネサンス。

ふん・げき【憤激】《名・自サ》はげしくいきどおること。「不正に―する」「―を買う」類語憤慨。憤怒(ふんぬ)。

ぶん・けつ【分×蘖】《名・自サ》稲・麦などの茎が根元で枝分かれすること。株分かれ。ぶんげつ。

*ぶん・けん【分権】〔文〕権力を一つの所に集中させずに、各所に分散させること。「地方―」対集権。

*ぶん・けん【分県】日本全体を、都道府県別に分けること。「―地図」

*ぶん・けん【分遣】《名・他サ》〔文〕(兵や警官などを)本隊やもとの集団から分けて派遣すること。「―隊」

*ぶん・けん【文献】(「文」は典籍、「献」は賢者の意)昔の制度や文物を知ったり、特定の研究に役立てたりする、文書や書物。「参考―」類語資料。 ―がく【―学】(ドイツ Philologie)❶書誌学。❷文献にもとづいて過去の文化や言語を歴史的に研究する学問。

*ぶん・げん【分限】❶〔文〕身のほど。分際。分限(ぶげん)。「―をわきまえる」❷法律で規定される(公務員の)地位・資格。❸〔文〕財力(のある人)。分限(ぶげん)。

*ぶん・げん【文言】〔文〕❶手紙や文章の中の文句。もんごん。❷中国で、文章体のこと。対白話。

ぶん・こ【文庫】❶〔文〕多くの書物を入れて保管する蔵。書庫。また、図書館の古称。「金沢―」❷多くの本を集めたもの。まとまった蔵書。「学級―」❸書類・文具・雑品などを入れて手もとにおく箱。文箱(ふばこ)。「手―」❹出版物の形式の一つ。小形(ふつうA6判)で簡単な装丁の、安い叢書。文庫本。

*ぶん・ご【文語】❶口頭で話されることばに対して、もっぱら文章を書くときに使うことば。文章語。書きことば。「―的な言い回し」❷もっぱら文章を書くときに使う、話しことばとは異なる言語体系。日本語では特に、現代の口語に対して、平安時代の文法を基礎として固定した言語体系。「―文法」❸文語体。❹文語文。対①～④口語。 ―たい【―体】文章の様式の一つ。文語②を用いたもの。文語。対口語体。 ―ぶん【―文】文語②で書かれた文。文語。対口語文。

*ぶんご【▽豊後】旧国名の一つ。今の大分県の大部分。豊州。

ふん・ごう【×吻合】《名・自他サ》〔上下のくちびるがぴったり合う意〕❶〔文〕物事がぴったり合う(合わせる)こと。「話と事実が―する」類語符合。合致。❷手術で、体内のある部分と他の部分がつなぎ合わさること。また、つなぎ合わせること。類語接合。

*ぶん・こう【分光】《名・自他サ》プリズムを通った光線が、波長の異なる単色光に分かれる(分けること)。

*ぶん・こう【分校】本校から分かれて、別の所に設けられた(小規模な)学校。対本校。

*ぶん・ごう【分合】《名・他サ》〔文〕分けることと合わせること。また、あるものを分けて、その部分を他のものに合わせること。「飛地(とびち)―」

*ぶん・ごう【文豪】偉大な作家。「―夏目漱石(そうせき)」

ぶん・こつ【分骨】《名・自他サ》遺骨を二か所以上に分けて葬ること。

ふんこつ・さいしん【粉骨砕身】〔骨を粉にし、身をくだく意〕力の限りを尽くすこと。粉骨。〔副詞的にも使う〕「―努力します」

ふん・さい【粉砕】《名・他サ》❶(粉のように)細かく打ち砕くこと。「爆薬で岩を―する」❷徹底的に打ち破って再び立ち上がれないようにすること。「敵を―する」

注意「粉細」は誤り。

ふん・ざい【粉剤】〔文〕粉状の薬剤。粉薬。

ぶん・さい【文才】文章を巧みに作る才能。文筆の才能。「―がある」「―に富む」類語才筆。筆才。

ぶん・ざい【分際】身のほど。参考非難の意を含む。「弟の―で兄貴に逆らうな」

ぶん・さつ【分冊】一冊の書物を、何冊かに分けること。また、分けた一冊一冊の本。対合冊(がっさつ)。

ぶん・さん【分散】《名・自他サ》一つに集まっていた(集まるはずの)ものがいくつかに分かれ散ること。また、分け散らすこと。「中央会場から―して行進する」

ふん・し【憤死】《名・自サ》〔文〕❶憤激のあまり死ぬこと。また、いきどおって死ぬこと。❷野球で、ランナーが惜しくもアウトになること。「一、二塁間で―する」

*ぶん・し【分子】❶ある物質が化学的性質を失わずに成立できる最小の粒子。いくつかの原子からなる。❷分数や分数式の横線の上に書かれる数または式。対分母。❸ある社会・集団や物事を形作るものの中で、特徴的な性質を持つ、要素の一部。「不穏―」 ―しき【―式】〔理〕一つの分子を構成する元素の種類と原子の数を、元素記号と数字で表す化学式。水素分子H_2、水の分子H_2Oなど。

*ぶん・し【文士】詩文などを創作することを職業とする人。主に、小説家。〔やや古風な言い方〕「三文―」類語文人。作家。

*ぶん・じ【文事】〔文〕学問・文芸などに関する事柄。対武事。

*ぶん・じ【文辞】〔文〕文章(のことば)。文詞。「難解な―を操る」

ふん・しつ【紛失】《名・自他サ》物が見当たらなくなること。また、なくすこと。「旅券を―する」類語遺失。

ぶん・しつ【分室】主となる建物・部屋から離れて別に設けられた(小規模な)建物・部屋。「町役場の―」

ふん・しゃ【噴射】《名・他サ》❶気体・液体に圧力を加えて勢いよく噴き出させること。「―ポンプ」❷燃料の油を霧状にして圧縮した空気と混合させ、爆発させてそのガスを噴き出させること。「ジェット機の―」

ぶんしゃ・か【分社化】《名・他サ》会社の組織や事業の一部分を分離して子会社にすること。

ぶん・じゃく【文弱】《名・形動》〔文〕学問・芸術・風流などにかたよりすぎて、強さ・勇ましさがなくなること。

「—に流れる」「—の徒」

ぶん-しゅう【文集】 文章・詩歌などを集めて一冊としたもの。「卒業—」

ぶん-しゅく【分宿】《名・自サ》一つの集団をなす人々が何か所かに分かれて宿泊すること。「—先」

ふん-しゅつ【噴出】《名・自他サ》〔液体・気体・粉などが〕勢いよく噴き出ること。また、噴き出すこと。「海底から石油が—する」[類語]噴射。

ふん-しょ【×焚書】〔文〕読むのを禁ずるために書物を焼きすてること。 **—こうじゅ【—坑儒】** 中国の秦の始皇帝が、儒者の政治批判を禁ずるため、儒書を焼き、儒者を穴にうめて殺したこと。

***ぶん-しょ【分署】**〔警察署・税務署などで〕本署から分かれて設置された(小規模な)機関。[対]本署。

***ぶん-しょ【文書】** 必要な事柄を文章に書き記したもの。書類。かきつけ。もんじょ。「秘密—」[類語]記録。

ふん-じょう【紛×擾】《名・自サ》〔文〕ごたごたともめること。もめごと。争い事。[類語]紛争。

***ぶん-しょう【分掌】**《名・他サ》〔文〕手分けして、責任と権限をもって受け持つこと。「事務—」[類語]分担。

***ぶん-しょう【文章】** まとまりがあり、展開のある思想を書き表した文の集合体。ふつうは散文を言う。[類語]文。文辞。 **—ご【—語】** 文語①。[尊敬]高文。[謙譲]腰折れ文。拙文。禿筆。

***ぶん-じょう【分乗】**《名・自サ》一つの集団をなす人人がいくつかの乗り物に分かれて乗ること。「二台のバスに—する」

***ぶん-じょう【分譲】**《名・他サ》広い土地や多くの家屋などを、分けて売り渡すこと。「—住宅」

***ふん-しょく【粉飾・×扮飾】**《名・他サ》〔文〕〔紅・おしろいで化粧する意から〕外見をよくするために、物事のうわべを飾りたてること。「—を施す」「—決算」

***ふん-しょく【粉食】** 穀物を粉にし、パン・うどんなどに加工して(主食として)食べること。[対]粒食。

ぶん-しょく【文飾】《名・他サ》〔文〕種々の工夫をこらして文章を美しくりっぱに飾ること。また、文章のあや。文彩。文藻。「—を施す」[類語]修辞。

ふん-しん【分針】 時計の分を示す針。長針。[類語]時針。秒針。

***ふん-じん【奮迅】** はげしくふるいたって突き進むこと。「獅子—の勢い」

***ふん-じん【粉×塵】** 粉のような細かいちり。

ぶん-しん【分身】〔文〕❶〔仏〕衆生を救うため、仏が種々の姿に身を変えて十方の世界に現れること。また、その現れたもの。❷その形・性質などをそっくり受けついで分かれ出たもの。「子は親の—」

ぶん-じん【文人】〔文〕学問・芸術などを仕事としている人。また、詩文・書画などの道にたずさわる風流心のある人。「—墨客」[類語]文士。[対]武人。 **—が【—画】** 文人が余技に描いた絵。

ふん-すい【噴水】 ❶噴き出る水。「—井戸」❷水が高く噴き出るように作ったしかけ。噴き上げ。

ぶん-すい【分水】《名・自サ》〔文〕❶水が、山の背を境として分かれて流れること。❷本流から水の流れが分かれ出ること。また、その水流。「—路」 **—かい【—界】** 二つ以上の川の流れる方向を分ける境界。分水線。一般には、川と川の間の山稜をいう。 **—れい【—×嶺】** 分水界をなす山稜。

ぶん-すう【分数】 整数aとbとの比をa/bの形で表したもの。aを分子、bを分母という。[対]整数。

ふん-する【×扮する】《自サ変》扮装する。特に、俳優が劇中のある人物の姿となる。「秀吉に—・する」

ぶん-せい【文勢】〔文〕文章の勢い。

***ぶん-せき【分析】**《名・他サ》❶化学的あるいは物理的方法を用いて、物質の組成を明らかにすること。❷複雑な事物をいくつかの要素や成分に分けてその構造を明らかにすること。「心理—」「国際情勢を—する」[類語]解析。[対]①②総合。

***ぶん-せき【文責】**〔文〕書いた文章の用語・表現・内容などに関してもつ責任。「—在記者」

***ぶん-せつ【分節】**《名・他サ》ひとつながりのものをいくつかの区切りに分けること。また、その一区切り。

***ぶん-せつ【文節】** 日本語における文の構成要素の一つで、息を自然に切ることができる箇所で文を区切ったときに得られるそれぞれの単位。「本を読む」では、「本を」と「読む」の二文節から成る。

ふん-せん【奮戦】《名・自サ》❶気力をふるって力一杯戦うこと。「—むなしく敗れる」❷懸命にがんばること。[同]①②奮闘。

***ふん-ぜん【憤然・×忿然】**《形動タルト》激しく怒るようす。「—として席を立つ」「—とした面持ち」

***ふん-ぜん【奮然】**《形動タルト》気力をふるい起こして事に当たるようす。「—として反撃に移る」

***ふん-ぜん【紛然】**《形動タルト》〔文〕物事があれこれと入りまじって複雑なようす。「—たる様相の事件」[類語]混然。雑然。紛々。

ぶん-せん【文選】《名・他サ》活版印刷で、原稿に従って必要な活字を拾い集めること。「—工」

ブンゼン-とう【ブンゼン灯】 細い金属管から石炭ガスを噴き出させて燃やし、高熱を得る装置。化学実験などに用いられる。ブンゼンバーナー。[参考]ドイツの化学者ブンゼン(Bunsen)が発明した。

***ふん-そう【×扮装】**《名・自サ》ある人物の身なり・顔立ちなどを装うこと。「—をこらす」[類語]変装。仮装。

***ふん-そう【紛争】**《名・自サ》〔文〕事がもつれて互いに争うこと。もめごと。「国際—」[類語]紛擾。

ぶん-そう【文藻】〔文〕❶文章のいろどり。文彩。文飾。❷うまい詩や文章を作る才能。文才。「—が豊かな人」[類語]詩藻。

ぶん-そうおう【分相応】《名・形動》その人の身分などにふさわしいこと。応分。「—の待遇」

ふんぞり-かえ・る【踏ん反り返る】《自五》❶〔いすにかけた人などが〕上体を勢いよく後ろへそらすようにする。「赤ん坊が—・って泣く」❷人を見下して威張った態度をとる。「—・った高級官僚」

ぶん-そん【分村】《名・自サ》村の人々が、一団となって移住して新しく村を作ること。また、その村。

ふん-たい【粉×黛】〔文〕❶おしろいとまゆずみ。転じて、化粧。「六宮の—(=化粧をこらした美人)顔色なし〈白居易・長恨歌〉」❷うわべを美しく見せるために塗りかくすもの。「巧みに—を施す」

***ぶん-たい【分隊】** ❶本隊から分かれた小規模な隊。❷軍隊の編制で、指揮上の最小の単位。「—長」

***ぶん-たい【文体】** ❶文章の体裁・様式。文語体・口語体・和文体・漢文体・書簡体・日記体など。「古めかしい—」❷ある作品や作者の持つ、文章の用語・表現上の個性的な特徴。スタイル。「躍動的な—」

ふん・だく・る《他五》〔俗〕乱暴・無法に取りあげる。また、暴利をむさぼる。「大金を—・られる」

ふんだり・けったり【踏んだり×蹴ったり】《連語》つづけざまのひどい仕打ちでさんざんな目にあうことのたとえ。「雨にふられた上、試合も負けて—だ」類語泣き面に蜂(はち)。

ふん・たん【粉炭】細かい粉状の石炭。対塊炭。

***ぶん・たん**【分担】《名・他サ》〔一つの仕事・費用などを〕幾つかに分けて受け持つこと。「家事を—する」類語分掌。手分け。

***ぶん・たん**【文×旦】「ザボン」の別称。

***ぶん・だん**【分団】団体の本部から分かれて設けられた組織。また、団体の構成単位としての小集団。

***ぶん・だん**【分断】《名・他サ》一つにつながっているものを、途中で切りはなすこと。「台風で線路が—された」類語寸断。

***ぶん・だん**【分段】〔文〕物事のくぎり。きれめ。

***ぶん・だん**【文壇】文学を職業とする人たちの作る社会。「—の大御所」「—に出る」類語文苑(ぶんえん)。文林。桂林(けいりん)。文学界。

ふんだん・に《副》〔「不断に」の転〕ありあまるほど十分に。豊富に。たっぷり。「資金を—用意する」

***ぶん・ち**【分地】《名・自サ》土地を分けて与えること。また、その分けた土地。「—制限令」

***ぶん・ち**【文治】学問や法制の力によって人民を徳化し、世を治めること。文治(ぶんじ)。「—政策」対武断。

***ぶん・ち**【聞知】《名・他サ》〔文〕聞いて知ること。聞き及んで知っていること。「—せざるところ」

ぶん・ちょう【文鳥】カエデチョウ科の小鳥。大きさはスズメぐらい。人によく慣れる。

ぶん・ちん【文鎮】文房具の一つ。紙・書類などのおもしとしてその上に置く。類語ペーパーウエート。

ぶん・つう【文通】《名・自サ》互いに手紙をやりとりすること。「旧友との—を絶やさない」類語音信。通信。

ふん・づ・ける【踏ん付ける】《他下一》「ふみつける」を強めた言い方。

ふん・づまり【×糞詰(ま)り】❶大便がとどこおって出なくなること。便秘。❷行き詰まること。「交渉は—の状態だ」

ぶん・てん【文典】〔文〕規範的な文法を説明した本。「日本語—」

ぷん・と《副》❶においが鼻をつくようす。「—におう」❷怒ってふくれるようす。

ふん・ど【憤怒・×忿怒】《名・自サ》→ふんぬ。

ふん・とう【奮闘】《名・自サ》❶力をふるって懸命に戦うこと。「孤軍—」「—のかいなく敗れる」類語力戦。力闘。❷〔困難をのり越えるために〕一所懸命努力すること。「事態収拾のため—する」同①②奮戦。

ふん・どう【分銅】❶天秤(てんびん)ばかりで目方をはかるときに基準とする、一定の重さを持つ金属製のおもり。❷くさりなどの先につけ武器として使った分銅形の金属。

ぶん・とう【文頭】文・文章のはじめ(の部分)。類語冒頭。対文末。

ぶんど・き【分度器】角度を測る器具。半円形や円形の薄い板の周囲に角度の目盛りをつけたもの。

ふんどし【×褌・×犢▽鼻×褌】男が陰部をつつみかくす細長い布。下帯。「人の—で相撲をとる(=他人のものを利用して自分の利をはかる)」 **—かつぎ**【—担ぎ】❶力士の中で最下級の者。❷低い地位の者。 **—を締めてかか・る**《句》一段と心をひきしめて、事に当たる。

ぶん・ど・る【分捕る】《他五》❶戦場で敵の武器・品物などをうばい取る。❷他人の物をうばい取って自分のものにする。「予算を—・る」

ぶん・なぐ・る【▽打ん殴る】《他五》〔「ぶちなぐる」の転〕〔俗〕強く乱暴になぐる。

ぶん・な・げる【▽打ん投げる】《他下一》〔「ぶちなげる」の転〕〔俗〕強く乱暴に投げる。

ふん・にゅう【粉乳】牛乳を濃縮して乾燥させ粉状にした食品。消化がよい。粉ミルク。ドライミルク。

ふん・にょう【×糞尿】〔汚物としての〕大便と小便。大小便。「—処理」同屎尿(しにょう)。

ふん・ぬ【憤▽怒・×忿▽怒】《名・自サ》〔文〕はげしくいきどおること。憤怒(ふんど)。「—の相を表す仁王像」

ぶん・のう【分納】《名・他サ》〔税などを〕何回かに分けて納めること。「相続税を—する」対全納。

ぶん・ぱ【分派】《名・自サ》学問・芸術・政治などの世界で、主流となる勢力から分かれ出て一派を立てること。また、分かれ出た一派。「—を立てる」「—行動」類語末派。分流。

ぶん・ばい【分売】《名・他サ》そろいの商品の一部を分けて売ること。「この全集は—いたしません」

ぶん・ぱい【分配】《名・他サ》❶いくつかに分けて配ること。配分。「利益を均等に—する」❷〔経〕所得や富が、生産活動に参加した各階級・各個人に、地代・利潤・利子・賃金などとして、分けて取得されること。

ふん・ぱつ【奮発】《名・自サ》❶〔文〕気力をふるいおこすこと。発奮。奮起。「敗勢に—して逆転をはかる」類語感奮。❷《他サ》思いきりよく、多めの金や物を出すこと。「御祝儀を—する」

ふん・ば・る【踏ん張る】《自他五》〔「踏み張る」の撥音便〕❶開いた足に力を入れて、倒れまいとしてこらえる。「両足を—・って立つ」類語踏みこたえる。❷〔土壇場で〕気力をだしてこらえる。「土俵ぎわで—・る」

ふん・ぱん【噴飯】〔あまりおかしくて食べかけの飯をふき出す意から〕ばからしくて思わずふき出して笑い出すこと。「あの間違いは—物(もの)だった」

ぶん・ぱん【文範】〔文〕文章の模範・手本。

ぶん・ぴ【分泌】《名・自他サ》→ぶんぴつ(分泌)。

***ぶん・ぴつ**【分泌】《名・自他サ》生物の体内の腺(せん)が生体の維持に必要な液をつくり出して体の内外に送り出すこと。分泌(ぶんぴ)。「唾液(だえき)を—する」「内—」

***ぶん・ぴつ**【分筆】《名・他サ》一筆(=土地台帳の一区画)の土地を分けること。筆わけ。対合筆(がっぴつ)。

***ぶん・ぴつ**【文筆】〔文〕文章、特に詩歌・小説・評論などを書くこと。「—をもって立つ」「—生活」

ふん・びょう【分秒】❶分と秒。❷きわめて短い時間。一分一秒。「決断は—を争う」

ぶん・ぶ【文武】学問(の道)と武芸(の道)。「—両道」

ぶん・ぷ【分布】《名・自サ》❶ある範囲のあちこちに分かれて存在すること。「方言の—」「—図」❷動植物が種類によって異なった区域に生育すること。「水平—」

ぶん・ぶつ【文物】〔文〕学問・芸術・宗教・法律など、文化に関する一切のもの。「西洋の—を移入する」

***ふん・ぷん**【紛紛】《形動タルト》〔文〕入り乱れて統一のないようす。「諸説—」注意「粉粉」は誤り。

ふ

＊ふん・ぷん【×芬×芬】《形動(タルト)》〔文〕においが強く感じられるようす。「悪臭—たるごみ捨て場」参考 本来は、芳香について言った。

ぶん・ぶん《副》(「—と」の形も)❶風を切ってうなりを立てるようす。また、その音の形容。❷昆虫(こんちゅう)の羽の音の形容。「蚊が—飛び回る」

ぷん・ぷん《副・自サ》(副詞は「—と」の形も)❶鼻をつくように強くにおうようす。❷怒りの感情を強く表に出すようす。ぷりぷり。「朝から—している」

ふん・べつ【分別】《名・他サ》世間的な物事の道理をよくわきまえたり、その道理によって物事を慎重に考慮・判断したりすること。また、その能力。「よく—して将来を決めろ」「—が足りない」類語 思慮。思案。 **—くさ・い**【—臭い】《形》いかにも世間を知っているといわんばかりのようすである。「—・い顔をしている」 **—ざかり**【—盛り】《名・形動》経験を積んで、世間的な物事の道理がよくわかる年ごろであること。また、その年ごろ(の人)。ふつう、中年をさす。

> **類義語の使い分け　分別・思慮**
>
> [分別・思慮] 彼のことだから分別(思慮)の足りないふるまいなどするわけがない／分別(思慮)のある行動
>
> [分別] いい年なんだから分別がつくだろう／分別臭い顔／ここが分別所だ／無分別な男
>
> [思慮] 打開策をあれこれ思慮する／問題について思慮をめぐらす／思慮深い人／思慮の浅い男

ぶん・べつ【分別】《名・他サ》〔文〕種類によって区別し分けること。「ごみの—収集」類語 類別。弁別。

ふん・べん【×糞便】〔文〕大便。

ぶん・べん【分×娩】《名・他サ》子宮の収縮作用によって胎児を母体外に押し出すこと。出産。

ふん・ぼ【墳墓】〔文〕死体や遺骨を葬った所。墓。 **—のち**【—の地】《連語》〔文〕❶自分の祖先の墓のある土地。すなわち、故郷。❷住みついて生涯を終えようとする土地。

ぶん・ぼ【分母】分数や分数式の横線の下に書かれる数、または式。対 分子。

＊ぶん・ぽう【分包】《名・他サ》粉薬や錠剤を、一回ごとにのむ分だけ分けて包むこと。また、その包み。

＊ぶん・ぽう【分封】❶《名・他サ》封建時代、領主が臣下に領地を分け与えること。また、その領地。❷《名・自サ》ミツバチなどで、新しい女王バチができるとき、古くからいた女王バチが一部の働きバチとともに古巣を出て、別に新しい巣をつくること。分房。

＊ぶん・ぽう【文法】❶意味をもった言語の単位が結合して大きな単位をつくる場合の法則。「日本語の—」❷文章を作る上での法則や規範。また、文章の作法。「シナリオの—」❸文法①を研究する学問。文法論。

ぶんぼう・ぐ【文房具】(「文房」は書斎の意)ペン・ノート・定規など、ものを書くのに必要な道具。文具。

ふん・ぽん【粉本】〔文〕❶(昔、胡粉(ごふん)で下絵を描き、のち墨を施したことから)東洋画で、絵の下書き。❷(絵・文章などをかくとき)手本とするもの。❸後日の参照用に模写した絵。

ふん・まつ【粉末】粉状にしたもの。

ぶん・まつ【文末】文・文章の終わり(の部分)。類語 末尾。対 文頭。

ぶん・まわし(—まはし)コンパス①。(古風な言い方)

ふん・まん【憤×懣・×忿×懣】〔文〕心の中にわだかまっている憤り。「—やる方ない(＝怒りを抑えきれない)風情」「—をぶちまける」類語 鬱憤(うっぷん)。憤悶(ふんもん)。

＊ぶん・みゃく【分脈】鉱脈・山脈・血脈などの、中心から分かれ出たもの。

＊ぶん・みゃく【文脈】文章中の文と文、文中の語と語などの続きぐあいや対応関係。文章の脈絡。コンテキスト。「—から意味を推定する」「—をたどる」

ぶん・みん【文民】軍人以外の一般の人。シビリアン。〔日本国憲法に使われた語〕対 軍人。

ふんむ・き【噴霧器】薬液や水などを霧状にして噴出させる器具。スプレー。類語 霧吹き。

＊ぶん・めい【分明】❶《名・形動》〔紛れずに〕明らかなこと。「—な憲法違反」類語 明白。❷《名・自サ》明らかになること。「彼の無実はすぐ—した」類語 判明。

＊ぶん・めい【文名】〔文〕文筆にすぐれているという評判。作家としての名声。文声。「—が上がる」

＊ぶん・めい【文明】❶人間の生産技術や意識が進み、高度な文化をもった状態。「黄河—」類語 文化。❷〔文化が特に精神的なものをさすのに対し〕文化の物質面が豊かになった状態。「—の利器」 **—かいか**【—開化】世の中が開け、生活が便利で豊かになること。〔特に、明治初年における文明の欧風化を言う〕

ぶん・めん【文面】手紙・文書などの文章上から読み取れる内容・趣旨。「—では真意は測れない」

ふん・もん【噴門】食道につながる胃の入り口。

ぶん・や【分野】人間の活動をいろいろな基準に従って区分した領域・範囲。「歴史学の—」「勢力—」

ぶん・ゆう【分有】《名・他サ》〔文〕一つのものを分けて所有すること。「居住者が—するマンション」

ぶん・よ【分与】《名・他サ》〔文〕一つのものを幾つかに分けて、それぞれに与えること。「財産を—する」

ぶんらく【文楽】人形浄瑠璃(じょうるり)の一つ。義太夫(ぎだゆう)節に合わせて演じる、操り人形の芝居。寛政年間(一七八九〜一八〇一)に植村文楽軒によって始められ、大坂の文楽座に伝わる。

ふん・らん【紛乱】《名・自サ》〔文〕何が何だかわからなくなるほどいり乱れること。「国内が—する」類語 紛糾。

ぶん・らん【×紊乱】《名・自他サ》〔文〕〔規律や秩序などが〕乱れること。また、乱すこと。「風紀が—する」参考 慣用読みで「びんらん」とも言う。

ぶん・り【分離】《名・自他サ》❶〔一つになっているものが〕二つ以上に分かれ離れること。また、分け離すこと。「少数民族が—して独立国をつくる」類語 分散。分裂。❷結晶・昇華・蒸留などの方法によって、ある物質を分けて取り出すこと。「石油からナフサを—する」

ぶん・りつ【分立】《名・自他サ》〔文〕❶分かれてそれぞれが別個に存在すること。また、存在させること。分立(ぶんりゅう)。「三権—」❷分かれて設立されること。また、分けて設立すること。「子会社を—する」

ふん・りゅう【噴流】《名・自サ》気体や液体が管口などから噴き出すように流れること。また、その流れ。ジェット。

＊ぶん・りゅう【分流】❶《名・自サ》〔川が〕本流から分かれ出て流れること。また、その流れ。類語 支流。❷〔文〕中心の流派から分かれ出たもの。分派。

＊ぶん・りゅう【分留・分×溜】《名・他サ》液体の混合物を蒸留して沸点の低い順にそれぞれの成分に分離させ

ること。分別蒸留。

ぶん‐りょう【分量】 その物の占める目方・容積・数・割合などの多さ。量。「仕事の―」「―が少ない」

ふん‐りん【×賁臨】《名・自サ》《「ひりん」の慣用読み》→ひりん。

ぶん‐るい【分類】《名・他サ》個々の事物を共通の性質に基づいて種類別に分けること。「動物学上の―」 類語 区分。類別。分別。部分け。部立て。

ふん‐れい【奮励】《名・自サ》〔文〕気力を奮いたたせて一所懸命はげむこと。「―努力する」 類語 精励。

***ぶん‐れい【分霊】** ある神社の祭神の霊を分けて、他の神社にまつること。また、その霊。

***ぶん‐れい【文例】** 文書の書き方の見本例。また、具体例として示される文。「手紙の―集」 類語 例文。

***ぶん‐れつ【分列】**《名・自サ》〔人・車などが〕いくつかの列に分かれて並ぶこと。「―行進」 **―しき【―式】** 軍隊で、分列した部隊が行進し、貴賓や上官に敬礼をする式。

***ぶん‐れつ【分裂】**《名・自サ》❶まとまりのあるものがばらばらになってまとまりを失うこと。「党が三派に―する」 類語 分離。分散。❷生物体の細胞や核や組織が分かれて数をふやし繁殖すること。「細胞―」 **―しつ【―質】** 非社交的で内気・控えめな気質。やせ型の体型のものに多い。 **―しょう【―症】**→統合失調症。

ぶん‐わ【文話】〔文〕文章や文学に関する談話。

ふんわり《副・自サ》《副詞は「―と」の形も》「ふわり」を強めた言い方。

へ

部

***へ【×屁】** 大腸で発生したガスが肛門から放出されたもの。おなら。「―をひる」 参考 ひゆ的に、とるにたらない、つまらないものの意でも用いる。「―とも思わない(=何とも思わない)」

***へ【▽辺】**〔古〕あたり。そば。ほとり。「道の―」 参考 「岸べ・海べ」などの形で残る。

***へ**《格助》❶〔方向性を含む動詞を伴い〕㋐方向を表す。「台風が北東へ進む」「決裂への道(=決裂へ向かう道)をたどる」 ㋑到着点を表す。「会社へ行く」「母へ小包を送る」 また、動作・作用の向けられる相手を表す。 参考 ①は「に」とも言うが、「に」は到着点・相手に、「へ」は方向性に関心をもった言い方。「へ」には、対象へ赴く気持ちがこもる。このため、「解党の方向へ」「今日はどちらへ」など、「に」では表現しにくいものもある。また一方で、動詞で表現した「台風が北東方向に直進する」「母に小包を発送する」などを、名詞句で表現するときは、必ず「への」の形をとる(台風の東北方向への直進・母への小包の発送)。❷〔方向性を含まない動詞を伴い〕動作・作用の実現する場所を表す。「玄関先へ腰をおろす」「空欄へ記入する」 参考 ふつう「に」で表す。「へ」を使うと、その場所へ移動するイメージが出る。

べ【辺】《接尾》《名詞について》「…のあたり」「…のそば」の意を表す。「浜―」「海―」「まくら―」

ヘア 毛。髪の毛。また、陰毛。ヘアー。▽hair **―スプレー** 頭髪の形を保つために霧状にしてふきつける整髪剤。▽hair spray **―ダイ**《名・自サ》毛髪を染めること。また、そのための薬剤。毛染め。▽hair-dye **―トニック** 頭髪用の養毛剤。▽hair tonic **―ピース** 整髪に用いるつけ毛。かもじ。▽hair-piece **―ピン** ❶女性が頭髪をまとめるために使うピン。❷「ヘアピンカーブ」の略。ヘアピンのように、はげしくまがるU字形の屈折(路)。▽hairpin

ベア「ベースアップ」の略。

ペア ❶二つ、または(男女の)二人で一組になるもの。対。「―ルック」 ❷テニス・卓球などで、ダブルスの組。「―を組む」▽pair

ベアリング 軸受け。▽bearing

***へい【丙】** ❶十干の三番目。ひのえ。❷物事の第三位。甲・乙の次。

***へい【兵】** ❶〔文〕武器。❷兵士。「―を集める」❸戦争。「敗軍の将は―を語らず」「―を挙げる」❹軍人の最下位の階級。旧陸軍で、下士官より下の階級。

***へい【塀・×屛】** 家などの境界に作る、木・石などの仕切り。「―を巡らす」 類語 垣。柵。

***へい【弊】** ㊀《名》〔文〕〔ならわしから生じた〕欠点。よくない習慣。「積年の―」「官僚主義の―」 ㊁《接頭》自分の関係する物事の上につけて、謙譲の気持ちを表す。「―店」「―社」

***べい【米】**「亜米利加(アメリカ)」または「亜米利加合衆国」の略。「―州機構」「渡―」「―ドル」

***べい**《助動：無変化型》《文語助動詞「べし」の連体形「べき」の転》推量・意志などを表す。…だろう。…しよう。べえ。〔東日本の方言として、終助詞的に使う〕「おいらも一緒に行くべい」

ペイ ❶賃金。報酬。「―がいい」 ❷《名・自サ》収支が引き合うこと。「―しない商売」▽pay **―オフ**《名・他サ》金融機関が破綻したときに、預金者に対して預金の一定額にかぎって払い戻すこと。また、その制度。「―解禁」▽payoff(=清算)

へい‐あん【平安】 ❶《名・形動》無事でおだやかなこと。「心の―」「―な日々」 類語 平穏。❷封筒の脇づけに使って、変事の知らせでないことを示す語。平信。

へい‐い【平易】《名・形動》〔物事が〕やさしく理解しやすいこと。たやすいこと。「―な文章」 類語 容易。

へいい‐はぼう【弊衣破帽・×敝衣破帽】〔文〕ぼろぼろの衣服とやぶれた帽子。「―の旧制高校生」

***へい‐いん【兵員】** 軍隊の構成員としての兵士。また、その数。「―を失う」

***へい‐いん【閉院】**《名・自サ》❶《他サ》病院・医院など、院と名のつく組織が事務を閉鎖すること。❷病院などがその日の業務を終えること。❸《他サ》国会が会期を終えること。 対 ①〜③開院。

***へい‐えい【併映】**《名・他サ》一緒に上映すること。「二作品を―する」

***へい‐えい【兵営】** 兵舎などのある一区画。

へい‐えき【兵役】 国民が徴兵によって軍籍に編入され、軍務に服すること。「―につく」 類語 軍役。

べい‐えん【米塩】〔文〕米と塩。「―の資(=生活費)」

***へい‐おん【平温】** ❶その土地・その季節の、平均的な気温。❷その人のふだんの体温。平熱。

***へい‐おん【平穏】**《名・形動》何事もなく、おだやかなこと。「―無事に暮らす」 類語 平安。 対 不穏。

***へい‐か【兵家】**〔文〕❶軍事に従事する者。軍人。「勝敗は―の常」❷兵法を修めた人。兵法家。

*へい-か【兵×戈】〔文〕〔刃物とほこの意から〕武器。転じて、戦い。「―を交える」類語 干戈かんか。

*へい-か【兵火】〔文〕戦争による火災。類語 戦火。

*へい-か【平価】❶二国の本位貨幣に含まれる特定の金属（ふつうは金）の量を基準とした、両国貨幣の比価。為替平価。❷有価証券の相場価格が額面金額に等しいこと。―きりあげ【―切(り)上げ】本位貨幣の含む純金の量をふやして、通貨の対外価値を引き上げること。リバリュエーション。対 平価切り下げ。―きりさげ【―切(り)下げ】本位貨幣の含む純金の量を減らして、通貨の対外価値を引き下げること。デバリュエーション。対 平価切り上げ。

*へい-か【陛下】天皇・皇后・皇太后・太皇太后に対する尊称。参考「陛」は宮殿に昇る階段。階段の下の近臣を通じて奏上され、直接に接しない人の意。

へい-が【平×臥】《名・自サ》〔文〕❶横にねること。❷病気で床につくこと。

*べい-か【米価】米の価格。「生産者―」

*べい-か【米菓】米が主原料の菓子。せんべいなど。

へい-かい【閉会】《名・自他サ》❶会議・集会を終えること。「―の辞」❷会期が終了して、国会の機能が停止すること。対 ①②開会。

へい-がい【弊害】害となる悪いこと。「―を伴う」注意「幣害」は誤り。

へい-かく【兵革】〔文〕戦争。参考「兵」は武器、「革」はよろい・かぶとの意。

へい-がく【兵学】用兵・戦術に関する学問。軍学。

へい-かつ【平滑】《名・形動》〔文〕たいらで、なめらかなこと。「―な面」―きん【―筋】横紋をもたない筋肉。心臓以外の内臓や血管などの組織を構成し、不随意運動を行う。対 横紋筋。

へい-かん【閉館】《名・自サ》❶《他サ》〔図書館・博物館など〕「館」と名のつく施設がその業務をやめること。❷図書館・博物館などがその日の業務を終えること。「平日は午後五時―」対 ①②開館。

へい-がん【併願】《名・他サ》❶いくつかの願いごとをあわせて祈願すること。❷受験のとき、二つ以上の学校・学科を志願すること。対 単願。

*へい-き【併記】《名・他サ》〔二つ以上の事柄を〕ならべしるすこと。「各案を―する」

*へい-き【兵器】戦闘に直接用いる機器。「―庫」

*へい-き【平気】《名・形動》悪いことや困難なことがあっても、気にかけずに落ちついていること。「―をよそおう」「―な顔」類語 けろりと。のほほん。へいちゃら。事もなげ。痛くも痒ゆくもない。屁への河童かっぱ。蛙かえるの面に水。沈着。平静。冷静。従容。泰然自若。平然。―の-へいざ【―の平左】《連語》〔俗〕「平気の平左衛門へいざえもん」の略。全く平気であることを人名のように言ったことば。

へい-きょ【閉居】《名・自サ》〔文〕〔人が〕家の中に閉じこもって外出しないでいること〔所〕。「山荘に―する」類語 蟄居ちっきょ。

へい-ぎょう【閉業】《名・自他サ》❶その日の営業を終えること。「本日は―しました」類語 休業。❷営業をやめること。廃業。「今月末で―する」対 開業。

へい-きょく【平曲】琵琶びわに合わせて平家物語を語る音曲。平家琵琶。

へい-きん【平均】❶《名・自他サ》〔数や量の〕大小・多少の差が生じないこと。また、そのようにすること。「一人―」「―化」❷《名・他サ》〔大小の差のあるいくつかの数の〕かたよらない中間の値（を計算すること）。「クラスの―身長を出す」「―点」❸《名・自サ》かたよらないでほどよくつりあうこと。「―を保つ」類語 平衡。―じゅみょう【―寿命】生まれたての乳児が平均して何年生きられるかを示す数。―だい【―台】体操用具の一つ。高さ一二〇センチ、幅一〇センチ、長さ五メートルの細長い台。また、その上で行う女子の体操競技。―よめい【―余命】ある年齢の人が、その後平均して何年生きられるかを示す数。参考 ゼロ歳における平均余命を平均寿命という。

へい-け【平家】❶平氏へいし。❷「平家琵琶びわ」の略。平曲へいきょく。―がに【―×蟹】ヘイケガニ科のカニ。甲に人の顔に似た突起をもつ。瀬戸内海・有明海に多い。参考 平家の亡霊の化身であるという伝説から。

へい-げい【×睥×睨】《名・他サ》〔横目でにらむ意〕〔文〕にらみつけて勢いを示すこと。「天下を―する」

へいけい-き【閉経期】女性が更年期にはいって、月経がなくなる時期。四〇～五〇歳ごろ。経閉期。

へい-けん【兵権】〔文〕全軍を指揮する権力・権限。兵馬の権。

へい-げん【平原】ひろびろと平らな野原。「大―」

へい-ご【平語】〔文〕ふだん使っていることば。「俗談―」

べい-ご【米語】米国（＝アメリカ合衆国）で話されている英語。アメリカ英語。アメリカンイングリッシュ。

*へい-こう【平行】《名・自サ》❶〔数〕同一平面上にある二直線が、または直線と平面とが、あるいは二平面が、いくら延長しても交わらないこと。記号∥。「―移動」❷並行へいこう。⇩〔使い分け〕―せん【―線】〔数〕平行な直線。参考 二つの物事がまじわらないことの意にもいう。「交渉は―をたどる」―ぼう【―棒】二本の棒を平行に渡した器械体操の用具。また、それを用いて倒立・回転などを行う体操競技。

*へい-こう【平衡】《名・自サ》❶力が釣り合って、物体が静止の状態を保つこと。「体の―を失って倒れる」❷二つ以上の物事が釣り合いがとれて安定した状態を保つこと。バランス。均衡。「生産と消費との―が破れる」「―感覚（＝バランス感覚）」⇩〔使い分け〕

*へい-こう【並行・併行】《名・自サ》〔二つ以上のものが〕並んで行くこと。また、同時に行われること。平行。「電車とバスが―して走る」⇩〔使い分け〕

使い分け「ヘイコウ」

平行〔「平」は等しい意。永遠にまじわらない意で、主に数学で〕平行する二直線・平行棒・平行線をたどる・お互いに平行した意見

並行〔「並」はならぶ意。並び行く。同時に行われる〕電車がバスと並行して走る・並行して二法案を審議する

平衡〔つりあいのとれた安定した状態にある〕平衡感覚・平衡器・平衡を保つ・生産と消費を平衡させる

参考「平行」は数学で使うことが多いが、「並行」と同じ意味で使うこともある（電車の線路に平行した道）。また、「並行」は「併行」とも書く。

*へい-こう【閉口】《名・自サ》〔口を閉じてだまってしまう意から〕手におえなくて困ること。「彼のがんこさに―する」類語 お手あげ。辟易へきえき。

類義語の使い分け　閉口・辟易(へきえき)

［閉口・辟易］熱帯夜続きで閉口(辟易)する／車の騒音に閉口(辟易)して仕事がはかどらない
［閉口］先生にまたまた説教されるのか、閉口だなあ
［辟易］長々と愚痴を聞かされて彼も辟易の体(てい)だった

***へい-こう**【閉講】《名・自他サ》講義・講座・講習会などが終わること。また、終わりにすること。対開講。

へい-ごう【併合】《名・他自サ》合わせて一つに・する(なる)こと。「町村を—する」類語統合。合併。

***べい-こく**【米国】「亜米利加(アメリカ)合衆国」の略称。

***べい-こく**【米穀】米。また、穀類一般。**—ねんど**【—年度】米の収穫時期を基準として区切った年度。一一月一日から翌年の一〇月三一日まで。

べい-ごま【▽貝▽独▽楽】《「ばいごま」の転》バイの貝殻に、とかした鉛を流しこんで作ったこま。また、その形に似せて鉄で作った小型のこま。

へい-こら《副・自サ》《副詞は「—と」の形も》〔俗〕ぺこぺこと頭を下げるようす。

へい-さ【閉鎖】《名・他自サ》❶入り口を閉じること。また、閉じた状態になること。「門を—する」参考ひゆ的に、心などを閉ざす意にも用いられる。「—された社会」「—的な性格」❷工場や学校などが、その機能を停止すること。「インフルエンザで学級を—する」

べい-さく【米作】❶米の栽培。「—農家」❷稲の実りぐあい。類語①②稲作。

へい-さつ【併殺】《名・他サ》→ダブルプレー。

へい-ざん【閉山】《名・自他サ》❶(ある山の)登山の期間を終わりにすること。「一〇月末で—になる」❷鉱山の採掘をやめて閉鎖すること。

べい-さん【米産】米の生産。

***へい-し**【兵士】軍隊で、士官の下で軍務に服する者。兵卒。

***へい-し**【平氏】平(たいら)の姓を名のる一族。平家。対源氏。

***へい-し**【×斃死】《名・自サ》〔文〕たおれ死ぬこと。のたれ死に。「旅人が—する」

***へい-し**【閉止】《名・自サ》〔文〕はたらきが止まること。「月経—」

***へい-じ**【兵事】軍隊や戦争に関する事柄。対文事。

***へい-じ**【平時】❶平常の時。ふだん。平生(へいぜい)。「—の服装」❷(戦争のない)平和な時。対戦時。

へい-しき【閉式】式が終わること。対開式。

へい-じつ【平日】❶ふだんの日。「—通りに勤務する」❷日曜・祝祭日以外の日。ウイークデー。

***へい-しゃ**【兵舎】兵の居住する建物。類語兵営。

***へい-しゃ**【弊社】〔文〕自分の社の謙称。類語小社。

べい-じゅ【米寿】(「米」の字を分解すると「八十八」になることから)八八歳。また、八八歳の祝い。

へい-しゅう【弊習】〔文〕悪い風習・しきたり。「—を改める」類語悪習。弊風。陋習(ろうしゅう)。

***べい-しゅう**【米収】〔文〕米の収穫(の量)。

***べい-しゅう**【米州】南北アメリカ大陸の総称。アメリカ。

へい-じゅん【平準】〔文〕❶水準器で測って水平にすること。❷物価などの均一をはかること。「賃金の—化をはかる」

***へい-しょ**【兵書】❶兵法・兵学に関する書物。「孫子」「呉子」など。❷軍隊で使う軍事関係の書物。

***へい-しょ**【閉所】《名》❶閉ざされた場所。❷《自他サ》事務所・診療所などが終わること。また、終わりにすること。**—きょうふ-しょう**【—恐怖症】閉所①にいることを異常にこわがる精神症状。

へい-じょ【平叙】《名・他サ》❶〔文〕ありのままに述べること。❷感動・疑問・命令以外のふつうの表現。「—文」

へい-しょう【併称・並称】《名・他サ》ならび称すること。「カントと—される大哲学者」

***へい-じょう**【平常】ふだん。「—ダイヤ」「—心」

***へい-じょう**【閉場】《名・自サ》会場・興行場などを閉じること。対開場。

べい-しょく【米食】(主食として)米を食うこと。

***へい-しん**【平信】〔文〕❶変事を知らせるのではない、ふつうの手紙。「—に安堵(あんど)する」❷封書の脇付(わきづけ)の語。平安。

***へい-しん**【並進・併進】《名・自サ》〔文〕ならび進むこと。「自転車の—禁止」

へい-じん【兵刃】〔文〕やいば。しらは。「—を交える(=きり合う)」

へいしん-ていとう【平身低頭】《名・自サ》(依頼・謝罪などで)体を低くかがめ頭をさげること。「—して許しを乞(こ)う」

へい-すい【平水】〔文〕❶(川などの)ふだんの水かさ。「—量」❷波だっていない水。

へい-する【×聘する】《他サ変》〔文〕礼をあつくして(人を)招く。「講師を—する」

***へい-せい**【兵制】〔文〕兵備に関する制度。

***へい-せい**【幣制】〔文〕貨幣に関する制度。

***へいせい**【平成】日本の現在の元号。昭和六四(一九八九)年一月七日昭和天皇の崩御により改元。

***へい-せい**【平静】《名・形動》❶(世の中などが)おだやかで静かなこと。「ようやく—を取り戻す」❷(人の心・態度などが)おちついていること。「—を装う」

***へい-せい**【弊政】〔文〕弊害の多い政治。悪政。

へい-ぜい【平生】ふだん。平時。「—の心がけ」

へい-せき【兵籍】〔文〕軍人の身分。軍籍。「—に身を置く」

へい-せつ【併設】《名・他サ》あわせて設備・設置すること。「大学に病院を—する」類語併置。

へい-ぜん【平然】《形動タリ》平気で落ち着いているようす。「—たる態度で試合にのぞむ」「—と構える」

へい-そ【平素】ふだん。つね日ごろ。平常。平生(へいぜい)。「—はあまり目立たない」「—の努力」

***へい-そう**【並走】《名・自サ》並んで走ること。

***へい-そう**【兵曹】旧海軍の下士官の称。上等・一等・二等の三つの階級に分かれる。

***へい-そく**【×屏息】《名・自サ》〔文〕❶息を殺して、じっとしていること。「—して草むらに隠れる」❷恐れてちぢこまること。「逆鱗(げきりん)に触れて—する」

***へい-そく**【閉×塞】《名・自他サ》とじふさぐこと。また、とざされふさがること。「—した時代」類語閉鎖。

へい-ぞく【平俗】《名・形動》〔文〕平凡で俗っぽいこと。「—な作風」

へい-そつ【兵卒】最下級の軍人。

***へい-そん**【併存・並存】《名・自サ》〔文〕二つ以上のものが、ともに存在すること。へいぞん。「新旧の思想が

—する時代」「利害が—する」類語共存。

へい‐たい【兵隊】 ❶〔将校に対して〕兵士。兵。❷軍隊。また、軍人。

＊**へい‐たん【兵×站】** 〔軍隊で〕前線部隊の後方で、兵器・食糧などの補給・輸送などに従事する機関。「—基地」

＊**へい‐たん【兵端】** 〔文〕戦争のいとぐち。戦端。「—を開く(=戦争を始める)」

＊**へい‐たん【平×坦】** 《名・形動》❶〔土地が〕平らなこと。「—な道」❷〔感情の起伏がなく〕坦々としていること。「—な語調」類語平淡。

＊**へい‐たん【平淡】** 《名・形動》〔文〕あっさりとして、しつこくないこと。「—な趣がある」「—な味わい」

へい‐だん【兵団】 〔軍隊で〕独立して作戦を行うために、いくつかの師団を合わせて編制された集団。

＊**へい‐ち【併置・並置】** 《名・他サ》二つ以上のものを、同じ場所に設置すること。「小・中学校を—する」

＊**へい‐ち【平地】** 平らな地形の所。平坦地(へいたんち)。ひらち。「—に波瀾(はらん)を起こす(=穏やかなところに、わざわざもめごとを起こす)」対山地。

へい‐ちゃら【平ちゃら】 《形動》〔俗〕ものともしないようす。平気。へっちゃら。「何と言われようと—だ」

へい‐ちょう【兵長】 旧陸海軍で、兵の最高の階級。陸軍では伍長(ごちょう)の下。海軍では二等兵曹の下。

へい‐つくば・る【平×蹲る】 《自五》平伏するようにからだをうずくまらせる。はいつくばる。「—・って謝る」

＊**へい‐てい【平定】** 《名・他自サ》〔敵や賊、反乱などを〕鎮めること。また、鎮まること。「反乱を—する」「天下が—する」類語鎮定。

＊**へい‐てい【閉廷】** 《名・自サ》法廷を閉じ、審理を休止すること。対開廷。

＊**へい‐てん【弊店】** 〔文〕自分の店の謙称。小店。

＊**へい‐てん【閉店】** 《名・自サ》❶《他サ》商売をやめて店をたたむこと。類語廃業。❷店をしめてその日の営業を終えること。「午後十時に—する」対①②開店。

へい‐どく【併読】 《名・他サ》二種類以上のものをあわせ読むこと。「二誌を—する」

へい‐どん【併×呑】 《名・他サ》〔文〕〔一つにあわせてのみこむ意から〕他の勢力を従えて自分の勢力下におくこと。「大企業が小企業の—をもくろむ」

へい‐ねつ【平熱】 人体の健康時の体温。平温。

へい‐ねん【平年】 ❶閏年(うるうどし)でない年。一年が三六五日である年。対閏年(うるうどし・じゅんねん)。❷ふつうの状態である年。特に、農作物の作柄や天候の状況が平均的である年。「今年の夏の雨量は—並みだ」「—作」

へい‐ねんど【平年度】 通常の年度。

へい‐ば【兵馬】 〔文〕❶兵器と軍馬。❷軍用馬。❸軍備。軍隊。「—の権(=軍隊を編制し統帥する権力)」❹戦争。

へい‐はく【幣×帛】 〔文〕神道で、神に供えるもの。特に、御幣(ごへい)。みてぐら。

べい‐ばく【米麦】 〔文〕❶米と麦。❷穀物。

へい‐はつ【併発】 《名・自他サ》二つ以上の事件や病気などが〔互いに関係して〕同時に起こること。また、起こすこと。「余病を—する」

へい‐はん【平版】 印刷版の方式の一つ。インクをつけて印刷する部分が平面である版。インクの油と水との反発を利用して印刷する。石版・オフセットなど。「—印刷」参考→凹版(おうはん)・凸版(とっぱん)。

へい‐ばん【平板】 《名・形動》〔平たい板の意から〕内容に変化がなく、おもしろみがないこと。「この作品は—で盛り上がりがない」類語単調。

べい‐はん【米飯】 〔文〕米のめし。

へい‐び【兵備】 〔文〕兵力の準備。軍備。

＊**へい‐ふう【弊風】** 〔文〕悪い風俗や風習。弊習。

＊**へい‐ふく【平伏】** 《名・自サ》両手をつき頭を地面につけて、おそれ敬う気持ちを表すこと。ひれふすこと。「足下に—する」類語平身。拝伏。叩頭(こうとう)。

＊**へい‐ふく【平復】** 《名・自サ》〔文〕病気がなおって健康が平常にもどること。快復。「ご—をお祈りします」

＊**へい‐ふく【平服】** 日常着ている、ふつうの服。ふだんぎ。「—で御出席ください」対礼服。式服。

べい‐ふん【米粉】 〔文〕米の粉。

へい‐へい ㊀《感》〔「へい」を重ねた語〕目上の者に対する応答語。はいはい。「—、承知いたしました」㊁《副・自サ》相手にこびへつらうようす。「上役に—する」

へい‐べい【平米】 《助数》平方メートル。

ぺい‐ぺい 〔俗〕地位の低い者をけいべつして言う語。下っぱ。ぺえぺえ。「—の分際で生意気を言うな」

へいへい‐たんたん【平平×坦×坦】 《形動タルト》〔文〕「平坦」を強めた言い方。

へいへい‐ぼんぼん【平平凡凡】 《形動タルト》「平凡」を強めた言い方。「—とした生活」

＊**へい‐ほう【兵法】** ❶いくさのしかた。戦略・用兵の法。❷剣術・柔術などの武術。=兵法(ひょうほう)。

＊**へい‐ほう【平方】** ❶《名・他サ》ある数を二乗すること。また、その値。二乗。対開平。❷長さを表す単位の前につけて、面積の単位名をつくる語。「—メートル」❸長さを表す単位の後につけて、その長さを一辺とする正方形の面積を表す語。「三メートル—」 **—こん【—根】** 与えられたある数 a に対し、二乗してその a となるもとの数。二乗根。「三は九の—」

へい‐ぼん【平凡】 《名・形動》特にすぐれたところもなく、ごくふつうであること。「—な作品」「一生を—に終わる」類語凡庸(ぼんよう)。対非凡。

へい‐まく【閉幕】 《名・自サ》❶舞台の幕が閉じて演劇などが終わること。❷〔大きな〕物事が終わること。「競技大会が—する」対①②開幕。

へい‐みゃく【平脈】 健康・安静時の脈搏(みゃくはく)。

へい‐みん【平民】 ❶官位のない、ふつうの人民。「—宰相」❷もと、華族・士族を除く日本臣民の称。

へい‐めい【平明】 ❶《名・形動》表現・論旨などが分かりやすく、はっきりしていること。「—な文章」「—の理」❷〔文〕夜あけがた。

へい‐めん【平面】 ❶たいらな面。❷面上の任意の二点を結ぶ直線がその中に含まれるような面。 **—ず【—図】** 投影法で、物体の形を平画面に投影した図形。立体を真上から見た形になる。 **—てき【—的】** 《形動》❶平らな感じを与えるようす。❷ある物事を内面的に深くとらえずに、表面だけを見てすませるようす。「—な見方」対①②立体的。

へい‐もん【閉門】 ❶《名・自サ》門を閉じること。対開門。❷江戸時代、武士・僧侶(そうりょ)に対する刑の一つ。門をかたく閉ざして、出入りを禁じた。「—蟄居(ちっきょ)」

へい‐や【平野】 高低がほとんどなく、平らに広くひらけた地形。「関東—」類語平原。対山地。

へい‐ゆ【平癒】 《名・自サ》〔文〕病気がなおること。

へ

へい‐よう【併用】《名・他サ》二つ以上のものをいっしょに用いること。「かぜ薬と胃腸薬とを—する」

へい‐らん【兵乱】〔文〕いくさによる世の乱れ。「—の巷(ちまた)と化す」類語 戦乱。動乱。

へい‐り【弊履・×敝履】〔文〕やぶれたはき物。「—のごとく棄(す)てる(=惜しげもなくすてる)」

へい‐りつ【並立】《名・自サ》(対立関係にあるものが)ならび立つこと。「二つの政権が—する」 **—じょし**【—助詞】国語の助詞の一つ。種々の語について並列する意を示し、対等の文節をつくるもの。「と」「や」「か」「に」「の」「だの」「とか」「たり」など。並列助詞。参考 格助詞や副助詞または接続助詞に含める説もある。

へい‐りゃく【兵略】〔文〕いくさのはかりごと。戦略。

へい‐りょく【兵力】軍隊の力。また、兵員・武器を総合した戦闘力。類語 戦力。

へい‐れつ【並列】❶《名・自他サ》二つ以上のものが(横に)並ぶこと。また、並べること。❷「並列接続」の略。電池などの同じ極どうしをつなぐこと。パラレル。対 直列。 **—じょし**【—助詞】→並立助詞。

へい‐わ【平和】《名・形動》戦いや争いがなく、穏やかなこと。「世界の—」類語 太平。平安。和平。

***へい‐わ**【平話】❶〔文〕ふつうの話。「俗談—」❷中国で、白話(=口語)の文体。

ペインティング ❶絵をかくこと。また、色を塗ること。❷絵画。▽painting

ペインテックス 布地などに模様をかく油性の絵の具。また、それを使って行う手芸。▽paintex

ペイント 顔料を溶剤でといた不透明塗料の総称。ペンキ。▽paint

へえ《感》❶感心したり、驚いたり、疑ったりする気持ちを表すときに発する語。「—、そうだったのか」❷《「へい」の転》応答するときに発する語。

ベーカリー パン・洋菓子を製造・販売する店。パン屋。▽bakery

ベーキング‐パウダー 洋菓子類をつくるとき、ふくらませるために使う粉。ふくらし粉。パウダー。参考 イーストの代用として発明された。▽baking powder

ベークライト フェノールとホルムアルデヒドとを縮合させてつくった合成樹脂。日常器具や電気絶縁物に使う。▽Bakelite

ベーコン 豚のばら肉を塩づけにしてから薫製にした食品。▽bacon

ページ ㊀《名》書物や帳面の紙の片面。㊁《助数》書物・帳面などの片面ずつを数える語。略記号 p. または pp.。表記「頁」と当てることも多い。▽page

ページェント ❶野外劇。❷野外で行われる大がかりな見世物。「航空—」類語 パレード。▽pageant

ベーシック《形動》基礎的。基本的。▽basic

ベージュ 薄くて明るい茶色。▽フランス beige

***ベース** ❶土台。基礎。基本。「賃金—」❷基地。根拠地。特に、軍事基地。❸〔野球の〕塁。▽base **—アップ**《名・自他サ》基準賃金を上げること。賃上げ。ベア。▽base と up からの和製語。 **—キャンプ** 登山・探検で、行動の根拠地とする固定天幕。▽base camp **—ボール** 野球。▽baseball

***ベース** ❶バス①。❷コントラバス。▽bass

ペース ❶〔陸上競技・水泳などで〕競技者の力の配分。「—がくるう」❷歩調。歩速。「相手の—に合わせる」❸〔物事の〕進み具合。「仕事の—がはやい」▽pace **—アップ**《名・自他サ》ペースが上がること。また、上げること。▽pace と up からの和製語。 **—ダウン**《名・自他サ》ペースが下がること。また、下げること。▽pace と down からの和製語。 **—メーカー** ❶中・長距離競走などで、先頭に立って走り他の選手が好記録を引き出すようなペースを作る人。❷心臓に電気ショックを与えて心室収縮を起こさせる装置。鼓動調整器。▽pacemaker

ペースト ❶肉などをすりつぶして、のり状に作った食品。「レバー—」❷〔のり状の〕接着剤。▽paste

ペーズリー 勾玉(まがたま)のような形の曲線模様。ペイズリー。参考 この柄の生地が量産されたスコットランドの都市名から。▽paisley

ベーゼ キス。▽フランス baiser

ペーソス 物悲しい情緒。哀感。「—のあふれる演技」▽pathos

ペーハー【pH】→ピーエッチ。参考「ペーハー」はドイツ語による称。

ペーパー ❶紙。特に、洋紙。「—テスト」❷新聞。❸書類。文書。▽paper **—ドライバー** 自動車運転免許は取得しているが、運転する機会がごく少ない人。▽paper と driver からの和製語。 **—バックス** 紙表紙を用いた廉価の軽装本。ペーパーバック。▽paperbacks **—プラン** 文書の上だけで、実行できない計画。机上案。▽paper plan

ペーブメント 舗道。ペーブ。▽pavement

ベール ❶〔かぶったり帽子のまわりに垂らしたりして〕女性が顔をおおう薄い絹などの布。❷おおいかくすもの。「秘密の—をかぶった社会」=ヴェール。▽veil

ペーロン【飛竜】古く中国から伝わった、数十人一組の手こぎ船による競漕(きょうそう)。また、それに使う、舳(へさき)の突き出た細長い船。参考 長崎市で行われるものが有名。▽中国 fei-long

ペガサス ギリシア神話で、つばさをもつ天馬。ペガスス。ペガソス。▽Pegasus

べから‐ず【▽可からず】《連語》文語《「べし」の否定形》❶不可能を表す。…できない。「如何(いかん)ともす—」「必要欠く—ざる人材」❷当然の意の否定を表す。…はずがない。…べきでない。「許す—ざる不法行為」❸〔終止形を使って〕禁止を表す。…してはいけない。…するな。「手を触れる—ず」❹〔主に「…ざる—ず」の形で〕義務・適当の意を表す。…なければならない。…のが適当だ。「奮励努力せざる—ず」

へき【癖】〔文〕くせ。〔接尾語的にも使う〕「彼は時々とっぴなことを言う—がある」「放浪—」「感傷—」

***べき**【×冪・×羃・×巾】同じ数を何回も掛け合わせた数。累乗(るいじょう)。乗羃。表記「巾」は代用字。

***べき**【可き】《助動詞「べし」の連体形》→べし。

へぎ‐いた【▽折(ぎ)板】ヒノキ・スギなどの材を薄くけずった板。へぎ。

へき‐えき【×辟易】《名・自サ》〔相手をおそれて所を変える意から〕❶勢いや困難におされて、たじろぐこと。❷ほとほと困りはてること。「長電話には—する」類語 閉口。⇩〔類義語の使い分け「閉口」〕

へき‐えん【×僻遠】〔文〕中央からかたよって遠いこと。「—の地」類語 辺鄙(へんぴ)。

へき‐が【壁画】❶建物の壁や天井などに、装飾としてえがいた絵。類語 障屏画(しょうへいが)。❷壁にかけた絵。

へ

***へき-かい【×劈開】**《名・自サ》〔裂き開く意〕結晶がある特定の方向にはがれたり割れたりする現象。

***へき-かい【×碧海】**〔文〕青々とした海。蒼海。

へき-がん【×碧眼】〔文〕❶あおい目。特に、西洋人の目。「紅毛―」❷西洋人。

へき-ぎょく【×碧玉】〔文〕みどり色の玉。特に、酸化鉄などの不純物を含む石英。印材・指輪などにする。ジャスパー。

へき-くう【×碧空】〔文〕青空。碧天。

へき-けん【×僻見】〔文〕かたよった考え方。「―を正す」

へき-すい【×碧水】〔文〕あおあおと深く澄んだ水。

へき-すう【×僻×陬】〔文〕辺鄙な土地。かたいなか。「―の地」

へき-・する【×僻する】《自サ変》〔文〕❶〔考えなどが〕かたよる。偏する。「右に―・した考え」❷ひがむ。

へき-せつ【×僻説】〔文〕かたよった説。

へき-そん【×僻村】〔文〕❶都会から遠く離れた村。かたいなかの村。「山あいの―」❷自分の郷里、自分の住んでいる村の謙称。

べき-・だ《連語》《文語助動詞「べし」の連体形＋「だ」》↓べし。

へき-たん【×碧×潭】〔文〕あおあおと水をたたえた、深いふち。

へき-ち【×僻地】都会から遠く離れた辺鄙な土地。かたいなか。「―教育」類語 僻陬。辺地。辺土。

へき-とう【×劈頭】〔文〕まっさき。最初。第一番。「開会―」「―第一」類語 冒頭。

へき-めん【壁面】〔文〕壁の表面。「―彫刻」

へき-ゆう【×僻×邑】〔文〕僻村。

へき-らく【×碧落】〔文〕あおぞら。類語 碧空。

へき-れき【×霹×靂】〔文〕❶かみなり。「青天の―(=突然起こった変事・大事件)」❷はげしい音。

へ・ぐ【×剝ぐ・▽折ぐ】《他五》❶うすくけずってむく。はぐ。「木の皮を―・ぐ」❷少しとる。少なくする。「余分なものを―・ぐ」文《四》。

べく-して【▽可くして】《連語》《文語助動詞「べし」の連用形＋「して」》❶…することはできても。「言う―、行いがたし」❷当然…するはずであって。「なる―なった」

ヘクタール《助数》メートル法の面積の単位。一ヘクタールは一〇〇アール。記号 ha。▽hectare

ペクチン 植物の細胞膜間にある多糖類。果実の成熟時にゼリー化を促す。ジャム・ゼリーなどの製造や微生物の培地などに用いる。▽pectin

ヘクト《接頭》メートル法の単位名に冠して、その基本単位の一〇〇倍を意味する語。記号 h。「―メートル」▽hecto-(=百) **―パスカル**《助数》圧力の単位。特に気圧をはかる単位。一ヘクトパスカルは一ミリバールと同じ。記号 hPa。▽hectopascal

ベクトル 大きさのほかに方向をもった量。速度・力・加速度など。対 スカラー。▽ドイ Vektor

べく-も-な・い【▽可くもない】《連語》…することはとてもできない。「当方の非は否定す―・い」

ぺけ〔俗〕❶役に立たないこと。だめ。「すべてが―になる」❷罰点の「×」のしるし。「不正解に―を付ける」

ヘゲモニー 指導権。主導権。覇権。「―を握る」▽ドイ Hegemonie

へこ-おび【▽兵▽児帯】子どもや男子が長着の上にしめるしごき帯。参考 もと、鹿児島の兵児(=若者)がしめたことから。

へこ-た・れる《自下一》もうだめだと思って、気力をなくす。よわる。へたばる。

ベゴニア シュウカイドウ科の多年草または小低木。冬・春に、白・赤・黄などの花を開く。葉の美しい品種もある。観賞用。ベコニア。▽フラ bégonia

ぺこ-ぺこ ㊀《形動》空腹のようす。「腹が―だ」㊁《副・自サ》頭をしきりに下げてあやまるようす。また、へつらうようす。「上役に―する」

へこま・す【▽凹ます】《他五》❶へこむようにする。「お腹を―・す」❷〔俗〕相手をやりこめる。「徹底的に敵を―・す」＝へこませる。文《四》。

へこ・む【▽凹む】《自五》❶表面の一部が、そのまわりよりも低くなる。くぼむ。「衝突して車体が―・む」❷〔俗〕負けて屈服する。「それくらいで―・むな」❸〔俗〕損をする。「第五レースで少し―・んだ」文《四》。

ぺこん《副》《多く「―と」の形で》❶物がへこむようす。❷頭だけを急に前に下げるようす。ぴょこん。「首が―(と)曲がる人形」＝ぺこり。

へ-さき【×舳・×舳先】船の前の方の部分。船首。みよし。舳へ。「―の向きを変える」対 艫。

べし【▽可し】《助動：ク型》文語 ❶当然のなりゆき、予定、確実性の高い推測を表す。…はずだ。「悲しむべき事態となる」「起こるべくして起こった災害」「海上は風雨強かる**べし**」❷〔意志的な動詞について〕義務を表す。…しなければならない。…するのがあたりまえだ。「子は親に従う**べし**」「人には親切にす(る)**べきだ**」❸命令を表す。…せよ。…しなさい。「直ちに取りかかる**べし**」❹〔推測的な〕可能の意を表す。…できる。…できそうだ。「必ずや思いはかなう**べし**」「優勝は望む**べく**もない」❺意志・目的を表す。…しよう。…するために。「成敗つかまつる**べし**」「会議に出席す(る)**べく**上京する」参考 ㋐一般に動詞・助動詞の終止形につく。ラ変動詞、ラ変型の助動詞(「ざり」「たり」「なり」)、形容詞、形容動詞には、連体形(いずれも、「〜る」で終わる形)につく。㋑「べく」、特に「べき」の形は、現在でも形式的な文体で使われるが、その場合、上に来る動詞・助動詞は口語形を使うことも多い。「すぐに**届くべし**→**届けるべし**」「直ちに**来**べし→直ちに**来るべし**」。サ変動詞の場合は、規範的には文語形につく。口語形についた場合は、口頭語的な言い方となる。「いかに**愛す**べきか／いかに**愛する**べきか」。㋒言い切りの場合は、口語では「べきだ」の形を使う。「直ちに改める**べし**→直ちに改める**べきだ**」

へし-あ・う【▽圧し合う】《自五》たがいに押し合う。参考 ↓おしあいへしあい。

へし-お・る【▽圧し折る】《他五》〔力で〕押しつけて折る。「鼻っ柱を―・る(=気の強い人をへこます)」

ベジタリアン 菜食主義者。▽vegetarian

ペシミスティック《形動》人生や物事を否定的・悲観的に受けとるようす。ペシミスチック。「―な終末論」対 オプティミスティック。▽pessimistic

ペシミスト 厭世家。悲観論者。対 オプティミスト。▽pessimist

ペシミズム 厭世主義。厭世観。悲観論。対 オプティミズム。▽pessimism

ベシャメル-ソース 小麦粉をバターで炒め、牛乳でのばして塩・こしょうなどで味つけした白色のソース。ホワイトソース。▽フランス sauce béchamel から。

ぺしゃん-こ《形動》➡ぺちゃんこ。「帽子が―になる」

*__ベスト__ ❶最上級。最良。最善。❷全力。「―を尽くす」▽best **―セラー** 一定期間内にいちばんよく売れた本。〔出版物以外にも使うことがある〕「処女作が―になる」▽best seller **―ドレッサー** 衣服の着こなしが最も上手な人。▽best dresser **―メンバー** 競技団体などの、えり抜きの人員。最高の顔ぶれ。▽best member

*__ベスト__ そでなしの胴着。チョッキ。ヴェスト。▽vest

ペスト ペスト菌によっておこる感染症。一類感染症の一つ。悪寒を伴う高熱があり、皮膚は乾燥して紫黒色となる。死亡率は高い。感染したネズミから吸血した、ノミによって感染する。黒死病。▽pest

へず・る【×剝ずる】《他五》少しずつ削りとる。〔古風で方言的なことば〕「予算を―・る」[文]《四》。

ペセタ《助数》スペインの旧貨幣単位。一ペセタは一〇〇センチモ。▽スペイン peseta

へそ【×臍】❶哺乳動物の腹の中心にある、臍帯がついていた跡。初めは出っぱっているが、成長するに従ってくぼむ。ほぞ。「―を曲げる(=機嫌を悪くする)」❷物の中心部にある小さな突起。「石うすの―」❸へそ①に似た、小さなくぼみ。「あんパンの―」

―で茶を沸か・す《句》おかしくてたまらないことのたとえ。「臍が茶を沸かす」「臍茶」とも。

べそ〔俗〕〈―をかく〉〔子どもなどが〕泣き顔になる。

ペソ ❶スペインの古い貨幣。❷《助数》中南米やフィリピンで用いる、貨幣単位。▽スペイン peso

へそ-くり【×臍繰(り)】「へそくり金」の略。〔家庭内で〕倹約してないしょにためた金。

へそ-の-お【×臍の緒】胎児のへそと母体の胎盤とをつなぐ、ひも状の器官。これを通して母体から胎児へ栄養が供給される。ほぞのお。臍帯。「―切って以来(=生まれてからこれまで)」

へそ-まがり【×臍曲(が)り】《名・形動》性質がひねくれていて、素直でない・こと(人)。つむじまがり。

*__へた__【〈下手〉】《名・形動》[類語]まずい。❶技術などがうまくない・こと(人)。「―な英語」下手くそ。から っ下手。へぼ。たどたどしい。ぎこちない。不慣れ。ぶきっちょ。不器用。拙劣。稚拙。[対]じょうず。❷やり方・言い方などがよく考えた上でなされていないこと。「―な事は言えない」

―な鉄砲も数打てば中る《句》たくさんの中には、まぐれあたりもある。下手なてっぽも数打ちゃあたる。

―の考え休むに似たり《句》よい考えも浮かばないのに長く考え込むのは、時間の浪費だ。

―の横好き《句》へたなくせに、非常に好む・こと(人)。

*__へた__【×蔕】サザエなどの巻き貝についているふた。

*__へた__【×蔕】ナス・カキなどの実についている萼。

べた ㊀《接頭》〔俗〕「全面」「すきまのない」「すっかり」などの意。「―塗り」「―ぼれ」㊁《名》「べた焼き」の略。写真で、引き伸ばさずに焼き付けること。密着。[表記]㊁はふつう「ベタ」と書く。

ベター《形動》よりよいようす。「この方が―だ」▽better **―ハーフ** 妻。愛妻。▽better half

べた-いちめん【べた一面】〔俗〕物の表面全部にすきまのないこと。表面全体。

へた-くそ【〈下手〉×糞】《名・形動》〔俗〕〔技術などが〕非常にへたな・こと(人)。「―な字」「―な歌」[参考]「くそ」は強めの語。

へだたり【隔たり】へだたっていること。また、その程度。「年齢の―」

へだた・る【隔たる】《自五》❶〔空間的または時間的に〕遠く離れる。「天と地ほど―・る」❷二つの物事の間に開きができる。「実力が―・る」[文]《四》。

べた-つ・く《自五》❶べたべたとねばりつく。「油で手が―・く」❷人のからだにまといつく。特に、男女が色っぽくまといつく。「人の目を盗んで―・く」

へだて【隔て】❶しきり。「―のふすま」❷差別。わけへだて。「男女の―なく」❸遠慮して打ちとけないこと。「―のない間柄」

へだ・てる【隔てる】《他下一》❶〔物を〕間に・置く(置いて境にする)。しきる。「机を―・てて座る」❷〔物と物、あるいは人と人の間に〕距離をおく。遠ざける。「一〇メートル―・てる」❸間で邪魔をする。さえぎる。「友達の仲を―・てる」❹月日がたつ。「十年の歳月を―・てて再会する」[文]へだ・つ《下二》。

へたば・る《自五》〔俗〕〔体力・気力が〕弱る。へこたれる。「連日の猛暑で―・る」[文]《四》。

へた-へた《副》(「―と」の形も)力が抜けてくずおれるようす。「―とうずくまる」

べた-べた《副》(「―と」の形も)❶《自サ》物がねばりつくようす。「油が手に―くっつく」❷ねばった液汁をところかまわずたくさん塗るようす。「壁にペンキを―ぬりつける」❸いたるところに、また、一面にはりつけるようす。「広告を電柱に―はる」❹《自サ》男女が色っぽくまつわりつくようす。「人前で―する」

ぺた-ぺた《副》(「―と」の形も)❶《自サ》物がねばりつくようす。「おもちを―つく」❷〔紙などを〕続けざまに、いくつもはりつけるようす。また、数多く判を押すようす。「写真を―貼る」[参考]①②とも、「べたべた」より軽い表現。

べた-ぼめ【べた褒め】〔俗〕徹底的にほめること。

べた-ぼれ【べた×惚れ】《名・自サ》〔俗〕すっかりほれこむこと。「あいつはあの娘に―だ」

べたり《副》(多く「―と」の形で)❶物がねばり付くようす。「ペンキが―と付く」❷多めのペンキなどを付けて、(一面に)塗り付けたりするようす。また、紙などの全体をすきまなくはり付けるようす。❸〔だらしなく〕しりを付けて平たくすわるようす。「―と座り込む」

へたり-こ・む【へたり込む】《自五》べたりと座りこむ。また、疲れて動けなくなる。「その場に―・む」

ペダル 自転車・オルガン・ピアノ・ミシンなどの、足で踏み動かす板状の部分。▽pedal

ぺたん《副》(多く「―と」の形で)❶物を軽くおしつけたり、(小さな物を)軽くはりつけたりするようす。「判子を―と押す」❷平たくすわるようす。

ペダンチック《形動》学識をひけらかすようす。衒学的。ペダンティック。「―な議論」▽pedantic

ペチカ 暖房装置の一つ。周囲をれんが・粘土などで高く築き、内部を煙道にして建物に組み込み、石炭などをたいて室内をあたためる。ペーチカ。▽ロシア pechka

ペチコート スカート状の女性用下着。▽petticoat

へちま【▽糸×瓜】❶ウリ科の一年草。果実の繊維を履物の下敷きや浴用のあかすりに、へちま水は化粧水やせき止めの薬とする。❷〔俗〕何の役にも立たないもののたとえ。「このー野郎」[参考]「…もーもない」の形で否定の意を強める。「理屈もーもない」

ぺちゃ-くちゃ《副》(「ーと」の形も)やかましく、よくしゃべるようす。ぺちゃくちゃ。ぺちゃぺちゃ。[参考]「べちゃくちゃ」より少し軽い感じ。

ぺちゃん-こ《形動》〔俗〕❶〔おしつぶされて〕平たくなったようす。「ーの帽子」❷完全に屈伏したようす。「ーに言い負かされる」

ペチュニア ナス科の一年草。夏、白色・紅色・紫色などの花をつける。観賞用に栽培される。ツクバネアサガオ。▽petunia

べつ【別】㊀《名》❶《形動》同じでないこと。「ーの日」「ーの(な)ことを考える」「ーに処理する」「あれとこれはーだ」❷差異。ちがい。区別。「男女のーを問わない」「貴賤のーなく」❸除外(すること)。問題外。「彼がいるかどうかはーとして…」㊁《接尾》区別の仕方がそれにもとづくことを表す。「年齢ー」

べつ-あつらえ【別×誂え】その物だけ特別に注文して作らせる・こと(物)。「ーのドレス」

べつ-いん【別院】〔仏〕❶七堂伽藍のほかに僧の住居として建てた堂。❷本寺のほかに造った寺院。

べつ-うり【別売(り)】《名・他サ》別に売ること。分けて売ること。別売。「ーの付属品」

べつ-えん【別宴】〔文〕送別の宴。[類語]送別会。

べっ-かく【別格】定まった格式のほかにある、特別の地位や扱い。「ーの扱いを受ける」「ーの登用」

べっ-かん【別館】本館のほかに設けた建物。[対]本館。

べっかんこう〔俗〕あかんべ。べっかんこ。

べっ-き【別記】《名・他サ》本文のほかに別に書き添えること(記録)。「詳細はーの通り」[類語]付記。

べつ-ぎ【別儀】〔文〕ほかの事。余の儀。「ーながら」

べっ-きょ【別居】《名・自サ》親子・夫婦などが別れて住むこと。「ー生活」「ー中の夫婦」[対]同居。

べつ-ぎょう【別業】❶ほかの職業・事業。❷〔文〕別荘。

べつ-くち【別口】別の種類・部類。「ーの収入」

べっ-け【別家】《名・自サ》❶本家から分かれる・こと(家)。分家。「ーを立てる」❷商家で、のれんを分けてもらう・こと(店)。のれん分け。[対]①②本家。

べっ-けい【別掲】《名・他サ》〔文〕別にかかげること。「その系統はーの図のようである」

*__べっ-けん【別件】__別の用件。別の事件。「ー逮捕」

*__べっ-けん【×瞥見】__《名・他サ》〔文〕ちらりと見ること。一見。「ーの限りでは…」[類語]一瞥。

べつ-げん【別言】《名・他サ》〔文〕別なことば(で言いかえること)。換言。「ーすれば…」

べっ-こ【別個・別▽箇】《名・形動》〔他と切り離されて〕別であること。別々。「ーに取り扱う」[類語]別様。

べつ-ご【別後】〔文〕別れてから後。一別以来。

*__べっ-こう【別項】__〔文〕別の項目。「ーで補足する」

*__べっ-こう【×鼈甲】__タイマイ(=ウミガメの一種)のこうらを煮て作った装飾材料。褐色がかった黄色の地に茶色のはん紋がある。「ー細工」

べつ-こうどう【別行動】別々に行動すること。他人と別の行動をすること。

べっ-こん【別懇】《名・形動》〔文〕特別に親しいこと。「ーの間柄」[類語]昵懇。

べっ-さつ【別冊】内容上は一体をなすが、他の部分とは別に製本したもの。また、定期刊行物で、予定外に刊行されたもの。臨時増刊。「ー付録」

ペッサリー 受胎調節などのために女性が使う器具。子宮栓。ダッチペッサリー。▽pessary

*__べっ-し【別紙】__〔書類などで〕そのもののほかにそえた紙面・書面。「解答はーに記入のこと」

*__べっ-し【×蔑視】__《名・他サ》〔文〕軽蔑して見ること。「ーに耐える」[類語]軽視。

*__べつ-じ【別事】__〔文〕❶別のこと。「幸福と結婚とはーである」❷ふつうとかわったこと。「ーなく暮らす」

*__べつ-じ【別辞】__〔文〕別れのあいさつ。「ーを述べる」

べっ-しつ【別室】ほかの部屋。別間。また、特別に設けた部屋。「客人をーに案内する」

べっ-して【別して】《副》〔文〕〔他もそうであるが〕特に。とりわけ。ことに。「ーこの作品は優れている」

べっ-しゅ【別種】別の種類。「ーの問題」[類語]異種。[対]同種。

*__べっ-しょう【別称】__別のよび方・よび名。[類語]別名。異称。

*__べっ-しょう【×蔑称】__軽蔑の気持ちをこめて呼ぶ名称。卑称。[対]敬称。

*__べつ-じょう【別条】__常とは違った事柄。「ーなく過ごす」

*__べつ-じょう【別状】__ふつうとは違った状態。異状。「命にーはない」

べつ-じん【別人】本人と違う別の人。余人。

べつ-ずり【別刷(り)】❶本文とは別の方式で印刷する・こと(物)。「口絵はーにする」❷抜き刷り。

*__べっ-せい【別姓】__❶本姓以外の姓。❷夫婦・親子などが別々の姓を名乗ること。「夫婦ー」

*__べっ-せい【別製】__特別に念入りに作る・こと(物)。特別製。特製。「ーの注文品」

べっ-せかい【別世界】普通とは全く違った環境。特に、別天地。「彼はわれわれとはーの人間だ」

べっ-せき【別席】❶ほかの座敷。別室。❷特別の席。「ーを設ける」❸席が別々であること。[対]同席。

*__べっ-そう【別荘】__❶〔避寒・避暑などのために〕ふだん住んでいる本宅とは別の土地に建てた家。別墅。「ー地」[類語]別邸。別宅。別業。❷〔隠〕刑務所。

*__べっ-そう【別送】__《名・他サ》別便で送ること。「品物はーいたします」

べっ-たく【別宅】ふだん住んでいる家とは別にかまえた家。「仕事用のー」[類語]別荘。別邸。[対]本宅。

へったくれ〔俗〕〈多く「…もーもない」の形で〉とるにたりないものとして悪く言うことば。「肩書きもーもない」

べつ-だて【別立て・別建て】別々に分けて取りあつかうこと。「新旧ーの処置」

べったり《副》(「ーと」の形も)❶粘りつくようす。また、すき間なく密着するようす。「ペンキがーつく」「母親にーの子」「体制ーの人」❷〔平たく〕すわりこむようす。「ー尻もちをつく」❸一面に書いてある、またついているようす。「答案用紙にー書く」

べつ-だん【別段】㊀《名》常と異なること。「ーの扱いを受ける」㊁《副》〔下に打ち消しの語を伴って〕とりわけ。特に。大して。「ー気にも留めなかった」

へっ-ちゃら《形動》〔俗〕平気なようす。へいちゃら。

べっ-ちん【別珍】〔文〕木綿で織ったビロード。服地・たび地などに使う。[参考]英 velveteen からという。

へっつい【×竈】(へっつひ)《「竈へつ火ひ」から》❶かまど。❷かまどの神。

べっ‐てい【別邸】本邸・本宅のほかに、別に設けた邸宅。[類語]別荘。別宅。[対]本邸。

ヘッディング→ヘディング。▽heading

ペッティング 男女間で行われる愛撫(あいぶ)。おもに首から下の性的刺激。▽petting

べつ‐でん【別殿】別に構えた宮殿・社殿。

べっ‐てんち【別天地】俗世間から離れた世界・環境。別世界。「―の感がある」

ヘット 牛の脂。牛脂。▽オラ vet ドイ Fett

ヘッド ■一《造語》「頭」の意。■二《名》❶かしら。長。❷物の頭に相当する部分。先端部。❸標題。見出し。❹テープレコーダー・ビデオデッキなどで、テープにふれて録音・録画・再生・消去などを行う部分。▽head **―コーチ** スポーツで主任格のコーチ。主に監督を補佐し、作戦面の指導などをする。▽head coach **―ハンティング** ライバル会社などから有能な人材を引き抜くこと。▽headhunting(=首狩り) **―ホン** 音声電流を音に変える装置で、主に両耳をおおう形のもの。ステレオなどを聞くときや録音のモニターとして用いる。[類語]レシーバー。イヤホン。▽headphones **―ライト** 自動車・電車などの前面につけるあかり。前照灯。[対]テールライト。▽headlight **―ライン** 新聞・雑誌などの見出し。特に、大見出し。▽headline **―ワーク** ❶頭を使う仕事。頭脳労働。精神労働。❷スポーツで、頭脳的なプレー。▽headwork

べっ‐と【別途】〔文〕ほかの方法。別。〔副詞的にも使う〕「―の手段」「―収入」「―(に)考慮する」

ベッド 洋式の寝床。寝台。「ダブル―」▽bed **―タウン**〔昼は大都市へ出て働き、夜寝るためにだけ帰ってくる町の意から〕大都市周辺の住宅地区。衛星的住宅都市。▽bed と town からの和製語。

ペット ❶愛玩(あいがん)用の動物。「―ショップ」❷気に入りの年少者。▽pet **―ネーム** 愛称。▽pet name **―フード** ペット用に加工されたえさ。▽pet food

*__べっ‐とう__【別当】❶平安から江戸時代まで、朝廷・幕府の特殊な役所や、大臣家・社寺などに置かれた長官。特に、検非違使(けびいし)庁の長官。❷盲人の四階の位の第二位。検校(けんぎょう)に次ぐ位。❸馬丁(ばてい)。

べつどう‐たい【別働隊・別動隊】〔軍隊で〕本隊から離れて独自の行動をとり、特別な任務にあたる隊。

ペット‐ボトル ポリエチレンテレフタレート樹脂製のびん。加工しやすくて軽く、割れにくいので、清涼飲料・食用油・化粧品などの容器に利用される。[参考]⇩巻末付録(PET)。▽PET bottle

べっとり《副》《「―と」の形も》ねばりけのあるものなどが一面につくようす。「血が―つく」「―汗をかく」

べつ‐に【別に】《副》他と違って特に(…だということはない)。特別に。とりたてて。「―つらいとは思わない」[参考]下に打ち消しの語を伴うが、下の語を省略することもある。「『つらくはないかい』『―』」

べつ‐のう【別納】《名・他サ》〔文〕金銭・品物をふつうの方法ではなく別の方法で納めること。「料金―郵便」

べっ‐ぱ【別派】別の流派・党派。「―行動をおこす」

ペッパー 胡椒(こしょう)。ペパー。「―ボックス(=胡椒入れ)」「ブラック―」▽pepper

べっ‐ぴょう【別表】書物・書類などで、本文のほかに付け添えた表。「―を参照せよ」[類語]付表。

へっぴり‐ごし【×屁っ▽放り腰】〔俗〕〔屁(へ)をひるときの腰つきの意から〕❶体をかがめて、しりを後ろにつき出した、不安定な腰つき。[類語]及び腰。❷自信のない、びくびくしたようす。「―の態度」[類語]浮き腰。

べつ‐びん【別便】別個に出す郵便。「―で送る」

べっ‐ぴん【別×嬪・別品】美人。美女。

べっ‐ぷう【別封】❶《名・他サ》別々に封をすること。「―の小切手」❷〔文〕別に添えた封書。

べつ‐べつ【別別】《名・形動》それぞれに別であること。「―の部屋」「―に行く」[類語]別個。個別。

べっ‐ぽう【別法】〔文〕別の方法。「―を講じる」

へっぽこ《名・形動》〔俗〕役に立たない者などを、ののしっていう語。「―医者」[類語]とんま。まぬけ。へぼ。

べつ‐ま【別間】別のへや。別室。

べつ‐むね【別棟】棟を別にしている建物。また、本屋(おもや)から離して建てた建物。「母屋と―になっている」

*__べつ‐めい__【別名】別のよび名・よび方。別名(べつみょう)。[類語]一名。異名(いめい・いみょう)。別称。異称。字(あざな)。

*__べつ‐めい__【別命】〔文〕特別の命令。また、別に与える命令。「―を帯びて行動する」

べつ‐もの【別物】❶別の物。「それとこれとは―だ」❷ふつうとは違う特別のもの。例外。「―として扱う」

べつ‐もんだい【別問題】別の事柄。「―として論じる」

べつ‐よう【別様】〔文〕様子・方式が他と違っていること。「―の解釈もできる」

へつら‐う【×諂う】(へつらふ)《自五》人の気に入られるように、卑下したふるまいをする。「権力者に―う」[類語]おもねる。こびる。[文]《四》

べつ‐り【別離】《名・自サ》〔文〕わかれること。わかれ。「―の日」「―の涙」[類語]離別。

べつ‐るい【別涙】〔文〕別れを惜しんで流す涙。

べつ‐わく【別枠】〔例外として〕別のきまり・範囲で定められること(もの)。「昇給と―で一時金を支給」

ペディキュア 足のつめにエナメルを塗って美しく見せる化粧。[類語]マニキュア。▽pedicure

ヘディング ❶サッカーで、ボールを頭であやつること。❷見出し。標題。=ヘッディング。▽heading

ベテラン その道に長年の経験があり、熟達した人。老練者。ヴェテラン。[類語]エキスパート。▽veteran

ぺてん〔俗〕人をいつわりだます・こと(手段)。「―師」[参考]中国語の「弸子(beng-zi)」のなまりからか。

へ‐ど【▽反吐】一度飲食したものを吐きもどす・こと(したもの)。げろ。「―をはく」「―が出る(=ひどく不快だ)」

べとつ‐く《自五》べとべとする。べとべとつく。「湿気が多くて―く」「油が手に―く」[類語]べたつく。

へと‐へと《形動》ひどく疲れたようす。「―に疲れる」

べと‐べと《副・自サ》物がねばりつくようす。べたべた。「背中が汗で―する」

へど‐もど《副・自サ》《副詞は「―と」の形も》うろたえるようす。「痛い所をつかれて―する」[類語]どぎまぎ。

へどろ 河口や湾の底に堆積(たいせき)した、粘土質のどろどろした沈殿物。しばしば工場の廃棄物がその原因となる。「―公害」[表記]しばしば片かなで表記される。

へな‐ちょこ〔俗〕未熟な者や、くだらないものをののしって言う語。「―野郎」[参考]もと、外側に鬼、内側にお多福の顔をかいた、楽焼(らくやき)の上等でない杯の意。

へな‐へな《副・自サ》《副詞は「―と」の形も》❶ごくわず

かな力ですぐへこんだり曲がったりするようす。また、気力を失ってしおれるようす。「—の刀」「—と座り込む」❷性格・態度にしっかりしたところがないようす。「あんな—した男はきらいだ」類語 ふにゃふにゃ。

ペナルティー ❶罰金。科料。違約金。「—を科する」❷〔競技などで〕違反行為に与えられる罰則。「—キック」▽penalty

ペナント ❶細長い三角旗。❷野球などの優勝旗。❸優勝。覇権。「—レース」▽pennant

べに【紅】 ❶紅花。❷紅花の花びらをしぼって製した赤い色素。化粧品・染料・食品の着色などに使う。❸あざやかな赤色。べにいろ。くれない。❹口べに。また、ほおべに。「—をさす」

ペニー 《助数》英国の貨幣単位。従来は一ポンドの二四〇分の一、一シリングの一二分の一であったが、十進法移行により一ポンドの一〇〇分の一に改正された。▽penny(=ペンスの単数形)

べに-がら【紅殻】 →ベンガラ。

べに-ざけ【紅×鮭】 「べにます」の別称。

べにさし-ゆび【紅差(し)指】 〔この指で紅をさすことから〕くすりゆび。

べに-しょうが【紅生×薑・紅生×姜】 梅酢につけたり、食紅で赤く染めたりしたショウガ。

ペニシリン アオカビの一種から得る抗生物質。肺炎・化膿性疾患などにききめがある。▽penicillin

ペニス 陰茎。▽ラテン penis

べに-ばな【紅花】 キク科の越年草。夏、黄色の花がさく。花から紅をとり、また薬用ともしたが、今日では観賞用・紅花油採取用。すえつむはな。

べに-ます【紅×鱒】 サケ科の魚。サケより少し小形。生殖期になると体側やひれの色はまっかになる。北太平洋に分布。湖のある川に上り産卵する。べにざけ。

ベニヤ うすい単板を二枚以上はり合わせた板。天井板・壁板などに使う。ベニヤ板。▽veneer(=薄板)

へ-の-かっぱ【×屁の▽河▽童】 〔俗〕何とも思わないこと。平気。へいちゃら。「これしきのことは—だ」

ペパーミント ❶はっか。「—ガム」❷リキュールの一種。はっか油を主成分とするもの。多く緑色に着色される。▽peppermint

へばり-つ・く【へばり付く・へばり着く】 《自五》〔俗〕ぴったりと離れないようにくっつく。「権力の座に—・く」「こたつに—・く」

へば・る 《自五》〔俗〕疲れてへとへとになる。へたばる。「ひさしぶりの運動ですっかり—・った」文《四》。

へび【蛇】 トカゲ目ヘビ亜目に属する爬虫類の総称。からだは円筒形で細長い。四肢はなく、全身が小さいうろこでおおわれる。昔から、神秘なもの、不吉なもの、気味の悪いもの、執念深いものとされてきた。ながむし。くちなわ。かがち。「—に見込まれた蛙(=恐ろしさに身がすくんで動けないもののたとえ)」「—の生殺し(=半死半生の目にあわせてほうっておくこと。また、長い間物事の決着をつけずにおくこと)」

ヘビー ㊀《造語》「重い」「強度の」の意。㊁《名》努力すること。「ラストー」=ヘヴィー。▽heavy **—きゅう【—級】**(heavyweight)ボクシングで、重量別階級の一つ。プロで八六・一八キロ以上、アマで八一〜九一キロ。

ベビー ㊀《造語》小型のもの、かわいらしいものの意。「—だんす」㊁《名》❶赤ん坊。❷〔俗〕かわいい女の子。ベイビー。▽baby **—カー** 乳母車。▽baby と car からの和製語。**—シッター** 両親の外出中に、雇われて子守をする人。▽baby-sitter

へび-いちご【蛇×苺】 バラ科の多年草。茎はつる性で地面をはう。春、黄色の五弁花を開き、果実は赤く熟す。「毒いちご」とも呼ばれるが、毒性はない。

ペプシン 脊椎動物の胃液に含まれるたんぱく質分解酵素。▽pepsin

ヘブライ-ご【ヘブライ語】 ユダヤ民族の言語。参考 紀元前のものを古代ヘブライ語、これをイスラエル建国に伴って復活させたものを近代ヘブライ語という。

べべ 〔幼児語〕着物。服。

へべれけ 《形動》〔俗〕正体がないほどひどく酒に酔っているようす。「—になるまで飲む」類語 べろんべろん。

へぼ 《「平凡」の転か》〔俗〕❶技術・腕前がへたなこと。「—将棋」類語 へっぽこ。❷〔果実などの〕できがよくないこと。「—なす」

ヘボンしき-ローマじ【ヘボン式ローマ字】 日本語を、ローマ字でつづる方式の一つ。アメリカのヘボンが考案したもの。「し」を「shi」、「ふ」を「fu」などと書く。参考 →訓令式ローマ字。

へま 〔俗〕❶《名・形動》ぼやぼやしていて、気がきかないこと。「—なことを言う」❷軽率にしでかす失敗。「とんだ—をやらかす」類語 どじ。

へ-めぐ・る【経巡る】 《自五》あちこちをめぐりまわる。遍歴する。「体内を—・る」「名所旧跡を—・る」

ヘモグロビン 赤血球に含まれる色素たんぱく質。鉄を含み暗赤色をしている。おもに体内で酸素を運ぶ。血色素。略語 Hb。▽ドイツ Hämoglobin

へ-や【〈部屋〉】 ❶家の中をいくつかに仕切ったものの一つ。室。間。「子供の—」❷相撲で、年寄の詰所。また、そこに所属する力士の系統。「—の親方」

へや-ぎ【〈部屋〉着】 室内で着るくつろいだ衣服。

へや-ずみ【〈部屋〉住み】 ❶昔、長男でまだ家を継がない間の身分。❷昔、次男以下で家を継ぐことができない者。

へや-わり【〈部屋〉割(り)】 〔団体旅行の宿泊などで〕部屋の割り当てをすること。

へら【×篦】 平たく細長い、先が刃形になった用具。布地に折り目をつけたり物を練ったりするのに使う。

べら【▽遍羅】 ベラ科の海魚の総称。小形で体色の美しいものが多い。南日本に多く分布。

へら・す【減らす】 《他五》〔数量を〕少なくする。「人数を—・す」対 ふやす。増す。文《四》。

へらず-ぐち【減らず口】 負け惜しみに悪口やへりくつを言うこと。「—をたたく」類語 憎まれ口。

へら-ぶな【×篦×鮒】 ゲンゴロウブナ。特に、ゲンゴロウブナを釣り堀などで飼育したものを言う。へら。

へら-へら 《副》《「—と」の形も》❶薄いものがひらめくようす。ひらひら。「—した布」❷軽々しくしゃべるようす。ぺらぺら。「—とお世辞を言う」❸《自サ》だらしなく笑うようす。「何を言っても—しているだけだ」

べら-べら 《副》《「—と」の形も》❶とめどなくしゃべるようす。また、軽々しくしゃべるようす。「—(と)よくしゃべる女だ」類語 ぺらぺら。❷《形動・自サ》紙や布などの薄いようす。「—した布」類語 ぺらぺら。

ぺら-ぺら 《副》《「—と」の形も》❶《形動》外国語を上手にしゃべるようす。「彼は英語は—だ」❷軽々しくしゃべるようす。へらへら。類語べらべら。❸紙などをめくるようす。「ページをー(と)繰る」❹《形動・自サ》紙・布地などが薄くて弱いようす。「ーの紙」類語べらべら。

べら-ぼう【×箆棒】《名・形動》〔俗〕❶無茶でばかげていること。「ーな話」❷程度が激しいこと。「ーに早い」❸人をののしっていう語。「ーめ」

ベランダ ❶洋式建築で、建物の外側に張り出した、ひさしのない床。類語テラス。❷〔俗〕バルコニー。＝ヴェランダ。▽veranda

べらん-めえ《感》《「べらぼうめ」の転か》相手をののしって言う語。〔江戸の職人仲間で使われた〕 ーことば【ー言葉】江戸の下町の職人などが使った、巻き舌で荒っぽい口調。べらんめえ調。「ーでまくしたてる」

＊へり【▽縁】❶くぼみになっている所のそば・きわ。「がけのー」❷物の端。ふち。「本のー」❸畳・ござなどの両端につける布。また、カーテンなどの端につける飾り。

＊ヘリ「ヘリコプター」の略。

ヘリウム 希ガス類元素の一つ。水素に次いで軽い無色・無臭の気体。気球・飛行船やネオンサインなどに利用。元素記号 He。▽ドイツ Helium

ペリカン ペリカン科の水鳥。温帯・熱帯の海に分布し、下くちばしが大きな袋のようになっていて、魚をすくい取って食う。▽pelican

へり-くだ・る【×遜る・▽謙る】《自五》相手を敬って自分を卑下する。けんそんする。「ー・った態度」

へ-りくつ【×屁理屈】筋道のたたない議論。「ーを並べる」

ヘリコプター 主翼を持たず、ローター(＝回転翼)をまわして飛行する航空機。▽helicopter

ペリスコープ 潜望鏡(せんぼうきょう)。▽periscope

ヘリポート ヘリコプターの発着所。▽heliport

ベリリウム もろくて軽い白色の金属元素。原子炉の中性子減速材やX線管の窓などに利用する。有毒。元素記号 Be。▽beryllium

ヘリンボーン 杉綾(すぎあや)織。▽herringbone

＊へ・る【減る】《自五》❶〔数量が〕少なくなる。乏しくなる。「交通事故がー・る」「腹がー・る(＝空腹になる)」対増す。ふえる。❷《多く否定形で》ひるむ。臆(おく)する。「口のー・らない奴(やつ)だ」文《四》。

＊へ・る【経る】《自下一》❶時がたつ。月日がたつ。「すでに一か月を経た」❷ある場所を通過する。「名古屋を経て大阪に行く」❸ある過程・道筋をたどる。「所定の手続きを経る」「段階を経る」文ふ《下二》。

ベル 電磁石の吸引力とばねの弾力を利用して断続的に発音体をたたいて音を出す装置。電鈴(でんれい)。また、鐘・鈴の類。▽bell

ヘルシー《形動》健康的。「ーな食品」▽healthy

ヘルス《造語》「健康」「健全」の意。「ーフード」「ーメーター」▽health ーケア 健康管理。▽health-care ーセンター 保養地。また、保養のための施設。▽health center(＝診療所)

ヘルツ《助数》音波・電磁波などの一秒間の振動数を表す単位。サイクル毎秒。記号 Hz。▽ドイツ Hertz

ベルト ❶帯皮。また、帯状のもの。バンド。「ズボンのー」❷帯状の広がりをもつ場所・地域。「グリーンー」「太平洋ー地帯」❸二軸間に回転や動力を伝達するための帯状のもの。しらべかわ。▽belt ーコンベヤー 二つの車にけさ掛けに掛け渡したベルトを動力で動かし、ベルトの上にのせた物を連続的に一定の場所に運ぶ装置。ベルトコンベヤ。▽belt conveyor

ヘルニア 腹部内臓が異常な位置に脱出した状態。狭義には、腸の一部が腹膜とともに鼠蹊(そけい)部などの欠損部から脱出する鼠蹊ヘルニアのこと。▽ラテン hernia

ヘルパー ❶手伝い。助手。特に、家事の手伝いをする人。❷→ホームヘルパー。▽helper

ヘルペス〔医〕(帯状)疱疹(ほうしん)。▽ドイツ Herpes

ベルベット ビロード。特に、絹ビロード。ヴェルヴェット。▽velvet

ヘルメット 危険防止のためにかぶる、洋風のかぶと形のかたい帽子。安全帽。保護帽。ヘル。▽helmet

ベルモット リキュールの一種。ぶどう酒に種々の薬種の成分をしみ出させて作る。食前酒やカクテルに用いる。ヴェルモット。▽フランス vermouth

ベレー ふちなしの、まるく平たい帽子。頂点に小さくて短いつまみがついている。ベレー帽。▽フランス béret

ペレストロイカ 旧ソ連政権の政策の基本方針。一九七〇年代から八〇年代前半にかけて、法制度や管理体系を抜本的に検討しなおして大胆な改革を行おうとしたもの。▽ロシア perestroika(＝再編。改革)

べろ〔俗〕舌。

ベロア 毛足が長く光沢のある毛織物。保温力が大きく、コート地などに使う。▽velour

ヘロイン モルヒネから作る麻酔薬。▽ドイツ Heroin

べろ-べろ ㊀《副》(「ーと」の形も)舌で物をなめまわすようす。類語ぺろぺろ。㊁《形動》ひどく酒に酔っているようす。べろんべろん。

ぺろ-ぺろ《副》(「ーと」の形も)❶舌でなめるようす。❷舌をすばやく何度も出すようす。

ぺろり《副》(「ーと」の形も)❶舌を出すようす。「ついーと舌が出る」❷あっさり食べてしまうようす。「山盛りの料理をーと平らげる」＝ぺろっ。

＊へん【片】《助数》物の切れはし・花びらなどを数える語。参考上にくる語によって「ぺん」ともなる。

＊へん【遍】《助数》度数を数える語。返(へん)。参考上にくる語によって「べん」「ぺん」ともなる。

＊へん【偏】左右から構成される漢字の、左側をなす部分。「砂」の「石」、「私」の「禾」など。対旁(つくり)。

＊へん【変】㊀《名》❶〔文〕突然の出来事。事件。「桜田門外のー」❷〔音〕音の高さを半音だけ下げることを表す語。フラット。「ーホ長調」対嬰(えい)。㊁《形動》❶ふつうと違って妙なようす。不思議なようす。怪しいようす。「ーな話」「ーな人影」類語妙。奇妙。奇異。奇抜。奇怪。奇矯。奇警。新奇。珍奇。珍妙。突飛。異様。異体。特異。異状。別様。へんてこ。風変わり。型破り。妙ちきりん。へんちくりん。へんてこりん。不自然。目新しい。おかしい。珍しい。❷思いがけないようす。「事件はーな方向に発展した」

＊へん【編・×篇】㊀《名》❶首尾の完全に整った詩文。❷書物の部分け。❸編集。「文化庁ー」㊁《助数》❶書物の部分けを数える語。「全三ーからなる書物」❷詩文を数える語。「詩三ー」参考(ア)㊁は、上につく語によって「ぺん」ともなる。(イ)「編」は「あむ」、「篇」は「編んだ物」の意。表記㊀の①②、㊁の①②は、もと多く「篇」と書いた。㊀の③はもっぱら「編」と書く。

＊へん【辺】❶《形式名詞的に用いて》それに近い類似の場所・ことがらを指す。…あたり。…程度。「このーは閑静でいいですね」「今日はこのーまでにしておきましょ

う」❷多角形をつくっている各線分。「三角形の三つの―」❸等号の左右にある式、または数。

*へん【返】㊀《名》電報文の略語で、返事。答え。「―マッ」㊁《助数》↓遍(へん)。

*べん【便】㊀《名・形動》便利な・こと(手段)。「交通の―」❷大便・小便。特に、大便。「―の検査」

*べん【弁・×辯】㊀《名》話すこと。話しぶり。また、話の内容。「就任の―」「―が立つ」㊁《接尾》《地名などにつけて》その地方特有のことば。「大阪―」

*べん【弁・×瓣】❶花びら。花弁。参考 花びらの数を数える語としても使う。「五―の花」❷容器や管について、気体・液体の出入を一方向に制限する装置。生体内の同じ機能をはたすものにもいう。「安全―」

ペン ❶インキをつけて、字や絵を書く筆記用具。特に、万年筆。❷文章。また、文筆(活動)。「―は剣よりも強し(=言論は武力よりも訴える力をもっている)」「―を折る(=文筆活動をやめる)」▽pen ―だこ【―×胼×胝】筆記具を長い間使ってできたたこ。―ネーム 作家などが、文筆活動のときに用いる名。筆名。▽pen name ―パル ペンフレンド。▽pen pal ―フレンド 文通の仲間。ペンパル。▽pen-friend

へん-あい【偏愛】《名・他サ》かたよって愛すること。「末っ子を―する」

へん-あつ【変圧】電磁誘導作用を利用して交流電圧を変化させること。「―器」

*へん-い【偏×倚】《名・自サ》❶〔文〕かたよっていて標準から外れていること。❷〔理〕偏向。❸〔数〕偏差。

*へん-い【変位】《名・自サ》〔理〕物体が移動すること。また、その大きさ・向きを表す量。「星座の―」

*へん-い【変異】❶〔文〕非常に変わった出来事。異変。変動。「―が突発する」❷《名・自サ》同種の生物間にみられる形態的・生理的な相違。また、その相違が生ずること。「突然―」

*へん-い【変移】《名・自サ》〔文〕うつりかわること。「世相の―」

べん-い【便意】大小便、特に大便がしたくなる気持ち。「―をもよおす」

へん-うん【片雲】〔文〕〔一片の〕ちぎれ雲。

へん-えい【片影】〔文〕〔ある物の〕わずかに認められた姿。「沖行く舟の―」「故人の―を物語る逸話」

べん-えき【便益】〔文〕便利で利益があること。「―をはかる」類語 便宜。

へんおん-どうぶつ【変温動物】体温調節の機能をもたず、外界の温度の上下に伴って、体温が変化する動物。無脊椎(むせきつい)動物のほか、魚類・両生類など。冷血動物。対 定温動物。

*へん-か【変化】《名・自サ》❶性質・状態などが変わること。「時代の―に応じる」「化学―」「―に富む」❷単語の語形が用法に応じて形を変えること。「語尾―」類語 活用。類語 変遷。変動。変移。変転。

注意「へんげ」と読めば別語。―きゅう【―球】野球で、投手が投げるボールが、曲がったり落ちたりするもの。カーブなど。対 直球。

*へん-か【返歌】贈られた和歌に対する返答の和歌。返し歌。

へん-かい【変改】《名・自他サ》〔文〕変え改めること。また、変わり改まること。改変。変改(へんがい)。

べん-かい【弁解・×辯解】《名・他サ》言いわけをすること。言いひらき。「―の余地がない」類語 弁明。言い訳。⇩〖類義語の使い分け「言い訳」〗

*へん-かく【変格】〔文〕本来の格式や規則からはずれていること。正格でないこと。類語 変則。対 正格。―かつよう【―活用】国語の動詞の活用の型の一つ。不規則な活用をするもの。口語ではカ変・サ変、文語ではカ変・サ変・ナ変・ラ変。対 正格活用。

*へん-かく【変革】《名・自他サ》〔物事が根本的に〕変わり改まること。また、変え改めること。「機構の―」「技術上の―」類語 改革。

へん-がく【×扁額】〔文〕横に長い額(がく)。

べん-がく【勉学】《名・自他サ》〔文〕学問・学習につとめはげむこと。勉強。「―にいそしむ」

ベンガラ ❶酸化第二鉄を主体とする赤色顔料。塗料・油絵の具などに利用。紅殻(べにがら)。代赭(たいしゃ)。参考 インドのベンガルに産したことから。表記「紅殻」「弁柄」と当てる。❷「ベンガラじま」の略。たて糸が絹、よこ糸が木綿(もめん)のしまの織物。▽(オランダ) Bengala

*へん-かん【変換】《名・自他サ》〔別のものに〕とり変わること。また、変えること。「太陽エネルギーを電気に―する」「漢字―キー」

*へん-かん【返還】《名・他サ》一度手に入れたものを、返すこと。「領土の―」「優勝旗を―する」

べん-き【便器】大小便を受ける器。おまる。

べん-ぎ【便宜】《名・形動》〔使用したり、利用したりする上で〕都合がよいこと。また、適宜な処置。便宜(びんぎ)。「―をはかる」類語 便益。―てき【―的】《形動》物事を間に合わせに処置するようす。「―手段に過ぎない」

ペンキ ペイント。▽(オランダ) pek から。

へん-きごう【変記号】音符の高さを半音低める記号「♭」。フラット。対 嬰記号(えいきごう)。

へん-きゃく【返却】《名・他サ》借りた物や預かった物を持ち主に返すこと。「―の期限」「本を―する」

*へん-きょう【偏狭】《名・形動》❶考え・度量がせまいこと。「―な考え方」類語 狭量。❷〔文〕土地などがせまいこと。類語 ①②狭小。

*へん-きょう【辺境・辺×疆】〔文〕中央から遠く離れた国ざかい(の地)。国の果て。「―開拓の精神」

べん-きょう【勉強】《名・他サ》❶知識・技能などを身につけようと努め励むこと。「もっと―すれば成績も上がる」「受験―」「―家」❷(将来役に立つであろう)貴重な体験。「いい―になる」「又とない―をさせてもらいました」❸〔俗〕〔商人が〕安い値段で品物を売ること。「これなどいかがですか。―しますよ」

へん-きょく【編曲】《名・他サ》ある楽曲を、ほかの楽器・演奏形態で演奏できるように書き改めること。

へん-きん【返金】《名・自他サ》借りた金を返すこと。また、その金銭。「月末までに―します」類語 返済(へんさい)。

ペンギン ペンギン科の海鳥の総称。南極地方を中心に南半球に分布。つばさは小さなひれ状で、飛ぶことはできない。陸上で直立し、水中を泳ぐ。▽penguin

へん-くつ【偏屈】《名・形動》〔人の性質が〕かたよっていてすなおでないこと。「―な父」注意「変屈」は誤り。

へん-げ【変化】《名・自サ》〔文〕❶動物などが、姿を変えて現れること。また、現れたもの。ばけもの。「妖怪(ようかい)―」❷神仏が、仮に人の姿となってこの世に現れること。また、現れたもの。❸芝居で、役者が次々と役や衣装を変えること。「七―」

＊へん-けい【×扁形】〔文〕平たい形。扁平(へんぺい)な形。

＊へん-けい【変形】❶《名・自他サ》形が変わること。また、形を変えること。「原形を―する」❷標準の形とちがっているもの。「背広の―」

べんけい【弁慶・×辨慶】❶鎌倉時代初期の僧。武蔵坊(むさしぼう)と称し義経につかえたといわれ、豪傑(ごうけつ)として名高い。❷強い者。「内―」❸「弁慶縞(じま)」の略。縞柄で、紺と浅葱(あさぎ)、紺と茶など、二種の色糸を用いて碁盤目を織り出したもの。べんけいごうし。
―の立ち往生《句》進むことも退くこともできないようす。故事 弁慶が衣川(ころもがわ)の合戦で、なぎなたを杖(つえ)にして立ったまま死んだということから。
―の泣き所《句》❶(弁慶でも蹴られれば泣くといわれる所の意で)向こうずね。❷権勢のある人の、ただ一つの弱点。「孫の話が社長の―だ」

へん-けん【偏見】かたよった見解。「―を抱く」

＊へん-げん【変幻】《名・自サ》〔文〕(幻のように)すばやく現れたり消えたりすること。「―自在」

＊へん-げん【片言】〔文〕わずかなことば。ただの一言。「―隻語(せきご)(＝短いことば。ひとことふたこと)」

べん-ご【弁護・×辯護】《名・他サ》その人の利益となるようなことを主張して、助けかばうこと。「友人を―する」「自己―」 ―し【―士】依頼を受けて、他人の訴訟その他の法律事務をとることを職業とする者。

＊へん-こう【偏光】光を電磁波とみなしたとき、電場および磁場が特定の方向にだけ振動するか、または、その振動方向に規則性がある光。「―フィルター」

＊へん-こう【偏向】《名・自サ》❶一方にかたよって中正をかいていること。「―を是正する」「―教育」❷真空中を走行する電子などが、電場や磁場によって方向を曲げられること。偏倚(へんい)。振れ。

＊へん-こう【変更】《名・他サ》変えあらためること。「出発の予定を―する」「名義を―する」

へん-さ【偏差】〔数〕標準となる数値・位置・方向などからのかたより。また、その度合い。偏倚(へんい)。「標準―」 ―ち【―値】その人のテストの得点が、全体の受験者の中でどの程度の水準にあるかを表す数値。五〇を平均の水準とする。

べん-ざ【便座】洋風便器の腰を下ろす部分。

＊へん-さい【変災】〔文〕天変地異の災い。災難。

＊へん-さい【辺際】〔文〕(国や土地の)はて。かぎり。

＊へん-さい【返済】《名・他サ》借りた金や物品を返すこと。「借金を―する」

＊へん-ざい【偏在】《名・自サ》かたよって存在すること。「富の―」

＊へん-ざい【遍在】《名・自サ》広くゆきわたって存在すること。「神は大地に―している」

＊べん-さい【弁才・×辯才】〔文〕弁舌の才能。また、口が達者で人をごまかす才能。「―にたけている」

＊べん-さい【弁済・×辨済】《名・他サ》〔文〕借りたものを返すこと。「債務を―する」

べんざい-てん【弁才天・×辯才天・弁財天・×辨財天】七福神の一つ。もと、インドの女神。知恵・弁才・財福・音楽をつかさどり、琵琶(びわ)をひく美女神として表される。福徳の神としても信仰される。べざいてん。べんてん。参考 梵語 Sarasvatī の漢訳。

へん-さん【編×纂】《名・他サ》多くの材料を集めて、書物を作ること。「教科書を―する」類語 編集。

へん-し【変死】《名・自サ》病死・老衰死以外の、普通でない死に方。自殺・他殺・災害死など。「―体」

＊へん-じ【変事】異常な悪いできごと。類語 異変。

＊へん-じ【片時】〔文〕かたとき。しばしの間。「―も猶予(ゆうよ)できない」類語 瞬時。

＊へん-じ【返事・返辞】❶《名・他サ》(相手の呼びかけや問いかけに)答えること。また、そのことば。「呼ばれたらすぐ―しなさい」類語 返答。❷返信。「まだ―を書いていない」

べん-し【弁士・×辯士】❶(演説会・講演会などで)演説・説明をする人。「応援―」❷無声映画の説明者。活動弁士。活弁。

＊へん-しつ【偏執】➡へんしゅう(偏執)。

＊へん-しつ【変質】❶《名・自他サ》(物質・物事の)性質が変わること。また、変えること。「クリームが―する」❷普通とは異なる病的な性質。「―的」「―者」

へん-じゃ【編者】書物などを編纂(へんさん)する人。編纂者。編者(へんしゃ)。「論文集の―」類語 編集者。

へん-しゅ【変種】❶同類の中で、普通のものとは変わっているもの。変わりだね。❷同一種の生物で形態的・生態的に二つ以上の点で異なり、また分布地域を異にするもの。「風土的―」

＊へん-しゅう【偏執】〔文〕かたよった考えにこだわり、他の意見を受け入れないこと。偏執(へんしつ)。「異文化に対する―」類語 偏屈。 ―きょう【―狂】ある物事にとらわれて、常識はずれのことをする精神病状(の人)。モノマニア。偏執狂(へんしつきょう)。 ―びょう【―病】つねにある妄想(もうそう)を持ち続ける精神病。誇大妄想症・被害妄想症など。パラノイア。偏執病(へんしつびょう)。

＊へん-しゅう【×扁舟】〔文〕こぶね。

＊へん-しゅう【編修】《名・他サ》書籍を編み整えること。「国史の―」参考 特に、史書・研究書などについて言う。

＊へん-しゅう【編集・編×輯】《名・他サ》特定の意図のもとに、情報を収集・整理・構成すること。出版物や新聞、映画のフィルム、音声テープなどについていう。「―者」「―会議」「―方針」類語 編纂(へんさん)。

へん-しょ【返書】〔文〕返事の手紙。返信。

べん-じょ【便所】大小便をするための場所。「公衆―」類語 手洗い。かわや。雪隠(せっちん)。後架(こうか)。不浄。手水場(ちょうずば)。はばかり。閑所(かんじょ)。トイレ。WC。

へん-しょう【返照】❶《名・自サ》〔文〕光が照りかえすこと。特に、夕日の光。夕日。類語 夕照(せきしょう)。❷《名・他サ》〔仏〕過去に照らして考えること。また、自分の本源を明らかにすること。「自己の―につとめる」表記 ②は「反照」とも書く。

＊へん-じょう【返上】《名・他サ》(もらったものなどを)返すこと。また、受け取らないこと。「位階を―する」「休日を―して働く」「汚名を―する」

＊へん-じょう【遍照】《名・他サ》〔仏〕あまねく照らすこと。特に、法身仏の光明が、あまねく世界を照らすこと。遍照(へんしょう)。

＊べん-しょう【弁償・×辨償】《名・他サ》損害を金銭・品物でつぐなうこと。弁済と賠償(ばいしょう)。「―能力」

＊べん-しょう【弁証・×辯証・×辨証】《名・他サ》〔文〕弁論によって証明すること。また、弁別して証明すること。 ―ほう【―法】〔ドイツ Dialektik〕〔哲〕流動する現実世界を、動的に把握・認識する哲学の一方法。はじめに存在するもの(＝正・定立)が自己矛盾と自

己否定(=反・反定立)を生み、止揚されて高次の統合をはかる(=合・総合)という考え方。

＊**へん-しょく【偏食】**《名・自サ》好き嫌いが激しく、食事が特定の食品にかたよること。「―するな」

＊**へん-しょく【変色】**《名・自サ》色がかわること。「日に当たると―する」「写真が―する」類語 褪色。

ペンション ホテル風の民宿。▽pension

へん-じる【変じる】《自他上一》→変ずる。

＊**べん-じる【弁じる・×辨じる】**《自他上一》→弁(辨)ずる。

＊**べん-じる【弁じる・×辯じる】**《他上一》→弁(辯)ずる。

ペンシル 鉛筆。▽pencil

＊**へん-しん【変心】**《名・自サ》心変わりすること。「あの人の―ぶりには驚かされる」

＊**へん-しん【変身】**《名・自サ》体・姿を他のものに変えること。「歌手への華麗なる―」

＊**へん-しん【返信】**返事の手紙・通信。返書。「―用のはがき」対 往信。

へん-じん【変人・偏人】普通とは一風変わった(性格の)人。変わり者。類語 奇人。変物。

ベンジン 石油を分留して得られる揮発油。無色の液体で、引火性が強い。燃料・溶剤・洗浄用。石油ベンジン。▽ドイツ Benzin

ペンス《助数》→ペニー。▽pence(=ペニーの複数形)

＊**へん-すい【辺×陲】**〔文〕国のはて。類語 辺境。

＊**へん-すう【変数】**数式などで、定められた範囲内で種々の値を自由にとりうる数。対 定数。

＊**へん-すう【辺×陬】**〔文〕中央から遠く離れた地方。かたいなか。「―の地に流される」類語 辺地。僻地。

へん-ずつう【偏頭痛】発作的におこる、頭部片側の慢性的な頭痛。

＊**へん-・する【偏する】**《自サ変》〔文〕一方にかたよる。「右に―・した考え方」

＊**へん-・する【×貶する】**《他サ変》〔文〕❶そしる。けなす。❷地位または身分をおとす。降職する。「位を―・する」

＊**へん-・ずる【変ずる】**《自他サ変》変わる。また、変える。変じる。「顔色が急に―・ずる」

べん-・する【便する】《自サ変》〔文〕便利なようにする。役立たせる。「理解に―・する」

＊**べん-・ずる【便ずる】**《自他サ変》〔文〕用が足りる。用を足す。便じる。「手紙で用を―・ずる」

＊**べん-・ずる【弁ずる・×辨ずる】**❶《自サ変》〔文〕済む。ととのう。「用が―・ずる」❷《他サ変》〔文〕❶物事を区別する。弁別する。「善し悪しを―・ずる」❷物事を取り扱う。処理する。「片手で―・ずる」=弁じる。

＊**べん-・ずる【弁ずる・×辯ずる】**《他サ変》❶述べる。説明する。「一席―・ずる」❷弁解をする。=弁じる。

＊**へん-せい【変性】**特定の物質の性質が種々の原因で変化すること。「―アルコール」

＊**へん-せい【編制】**《名・他サ》個々を組み立ててまとまりのある組織体にすること。特に、団体・軍隊を組織すること。「戦時―」

＊**へん-せい【編成】**《名・他サ》〔多くのばらばらになっているものを〕組み立てて一つのまとまった体系をつくること。「予算の―」「番組の―」「六両―の電車」

へんせい-がん【変成岩】水成岩や火成岩などが、地球内部で圧力・温度などの変化や化学的作用を受け、成分・組織を変じてできた岩石。大理石など。

へんせい-き【変声期】声がわりのおこる年ごろ。

へんせい-ふう【偏西風】南北両半球の緯度三〇〜六〇度の中緯度地帯に一年中西寄りに吹く風。

へん-せつ【変節】《名・自サ》〔文〕それまでの自分の節義や主張を変えること。「―漢」

べん-ぜつ【弁舌・×辯舌】ものの言い方。話しぶり。「―さわやか」

へん-せん【変遷】《名・自サ》時とともに移り変わってゆくこと。「幾多の―を経る」「服装の―」類語 推移。

ベンゼン 石炭タールや石油から得られる、特有のにおいのある揮発性・無色の液体。各種化学工業製品の原料に使われる。ベンゾール。▽benzene

べん-そ【弁×疏・×辯×疏】《名・他サ》〔文〕弁解すること。「御託を並べて―する」

＊**へん-そう【変装】**《名・自サ》その人であることが他からわからないように、顔や服装などを変えること。また、その変えた姿。「警官に―する」類語 仮装。

＊**へん-そう【返送】**《名・他サ》発送主や持ち主に送り返すこと。「小包を送り主に―する」

へん-ぞう【変造】《名・他サ》今まであったものに手を加えてつくりかえること(もの)。「紙幣を―する」

へんそう-きょく【変奏曲】一つの主題をもとに、リズム・旋律・和音などを次々に変化させ、全体を一つのまとまった楽曲にしたもの。バリエーション。

ベンゾール →ベンゼン。▽ドイツ Benzol

＊**へん-そく【変則】**《名・形動》普通の規則・方法にはずれていること。「―的な日程」類語 破格。対 正則。

＊**へん-そく【変速】**《名・自サ》速力をかえること。「―装置」

＊**へん-たい【変体】**形・体裁などが、普通のものと違っていること。また、その形・体裁。「―詩」**―がな【―〈仮名〉】**今日ふつうに使用されている平がなとは異なる字体のかな。漢字の草体から転じたもの。「お」を「わ」、「こ」を「ゐ」などと書く。

＊**へん-たい【変態】**❶形態を変えること。特に、卵から孵化した動物が、成体となるまでに時期によって形態・生理・生活様式などを変えること。「完全―」❷性的行為や性欲の対象が異常であること。

＊**へん-たい【編隊】**航空機などが、隊形を組むこと。また、その一隊。「―飛行」

ペンタゴン〔建物の外郭が正五角形であるところから〕「アメリカ国防総省」の通称。▽Pentagon(=五角形)

べん-たつ【×鞭×撻】《名・他サ》〔むち打つ意〕〔文〕いましめはげますこと。「今後ともよろしく御―の程を…」

ペンダント 装身具の一種。鎖やひもで首から胸にさげるかざり。▽pendant

へん-ち【辺地】都会から遠く離れた、交通の不便な所。「―教育」類語 僻地。辺境。辺土。

ベンチ ❶公園などに備えてある数人掛けの長椅子。❷競技場内の、監督や選手の控え席。「―を暖める(=出場の機会がない)」▽bench **―ウオーマー** スポーツで、試合場にいても出場する機会の少ない補欠選手。▽bench warmer

ペンチ 針金を曲げたり切ったりするのに使う工具。▽pinchers から。

へんちく-りん《形動》〔俗〕非常に変であるようす。奇妙。へんてこりん。へんちきりん。「―なことを言う」
ベンチャー 冒険的な事業や企画。また、投機。▽venture **―ビジネス** 大企業が行わない独創的な新技術の開発などを行う中小の企業。ベンチャー企業。▽venture business
べん-ちゃら〔俗〕心にもないお世辞をいって、へつらうこと。また、そのことば。おべんちゃら。「お―を言う」
へん-ちょ【編著】❶編集および著作。「―者」❷編集・執筆した書物。
*****へん-ちょう【偏重】**《名・他サ》物事のある一面だけを重んじること。「知育―を正す」「学歴―の社会」
*****へん-ちょう【変調】**❶《名・自他サ》調子を変えること。調子が変わること。また、変わった調子。対 正調。❷身体の調子が狂うこと。「―を来す」❸音声・画像などの電気信号を伝送しやすい信号波に変えること。振幅変調(AM)、周波数変調(FM)など。
ベンチレーター 換気装置。▽ventilator
へん-つう【変通】《名・自サ》〔文〕その時、その場で自由自在に変化し適応してゆくこと。「―自在」
べん-つう【便通】大便が出ること。通じ。
ペンディング 事柄が未決定の状態であること。懸案中。「今のところ―にしておく」▽pending
へん-てこ《形動》〔俗〕変なようす。奇妙なようす。へんてこりん。へんちくりん。「―な服装」「―な理屈」表記「変梃」とも当てる。**―りん**《形動》→へんてこ。
へん-てつ【変哲】ふつうと違っていること。「何の―もない」(=特に取りたてて言うほどのこともない)」
へん-てん【変転】《名・自サ》ある状態から他の状態に移り変わること。「―きわまりない人生」「運命の―」
へん-でん【返電】返事の電報・電信。「―を打つ」
べん-てん【弁天・×辯天・×辨天】❶「べんざいてん」の略。❷〔俗〕美人。
へんでん-しょ【変電所】発電所から送られた電気の電圧を、用途に応じて変えるために設けられた施設。
へん-ど【辺土】〔文〕都から遠く離れた所。辺地。
ベント 上着やコートの裾(すそ)に入れる切り込み。ベンツ。▽vent
*****へん-とう【×扁桃】**❶アーモンド。❷扁桃腺(へんとうせん)。**―せん【―×腺】**のどの奥にある、発達したリンパ組織。細菌の感染を受けると炎症をおこす。扁桃(へんとう)。
*****へん-とう【返答】**《名・他サ》問いに答えること。また、そのことば。返事。「―を求める」類語 回答。
へん-どう【変動】《名・自サ》〔物事の状態が〕変わり動くこと。「地殻―」「株価の―」「社会の―」
べん-とう【弁当・×辨当】外出先で食べるために持ち歩く食品。「愛妻―」「手―」
へん-に【変に】《副》ふつうと異なっているようす。奇妙に。不思議に。「ちょっと―聞こえる」
へん-にゅう【編入】《名・他サ》〔別の部類・団体などに〕組み入れること。「―試験」
へん-ねん【編年】〔書物などを〕年月の順をおって編むこと。**―たい【―体】**歴史書で、事実のおこった順に年月を追って書きしるすもの。参考 →紀伝体。
へん-のう【返納】《名・他サ》もとの持ち主に返し納めること。「図書を―する」
へん-ぱ【偏×頗】《名・形動》一方にかたよっていて、公平でないこと。えこひいき。「―な愛情」
へん-ぱい【返杯・返×盃】《名・自サ》さされたさかずきを飲みほして相手に返すこと。「―を受ける」
べん-ばく【弁×駁・×辯×駁・×辨×駁】《名・他サ》〔文〕他人の説の誤りを指摘して、言い破ること。反論。べんぱく。「反対論を―する」「―の余地がない」
べん-ぱつ【弁髪・×辮髪】男の髪の結い方で、周囲の髪をそり、中央の髪を細長く一本に編んで、後ろに長くたらしたもの。もと満州族の習俗で、清(しん)朝で広く行われた。表記「弁髪」は代用字。

弁髪

へん-ぴ【辺×鄙】《名・形動》中央から離れて不便なこと。「―な村」
べん-ぴ【便秘】《名・自サ》排便の回数や量が減少すること。ふんづまり。秘結。
へん-ぴん【返品】《名・自他サ》買ったり仕入れたりした品物を仕入先に返すこと。また、その品物。
へん-ぷ【返付】《名・他サ》〔文〕〔品物などを〕返し渡すこと。類語 還付。返納。返還。
へん-ぷく【辺幅】〔文〕〔織物のへりの部分の意〕外側から見たようす。うわべ。外見。外観。「―を飾る」(=外見を立派に見せかける)」
べん-ぷく【便服】〔文〕ふだん着。便衣。
へん-ぶつ【変物・偏物】〔文〕変わり者。変人。
へん-ぺい【×扁平・偏平】《名・形動》平たいこと。
表記「偏平」は代用字。**―そく【―足】**足の裏が平たく、土踏まずがほとんど認められない足。
べん-べつ【弁別・×辨別】《名・他サ》〔文〕物事をよく見きわめて、区別すること。見わけること。識別。「理と非を―する」「善悪の―がつかない」
*****へん-ぺん【片片】**《形動タルト》〔文〕❶きれぎれになっているようす。また、断片が軽く翻るようす。「―と散る花吹雪」❷とるにたりないようす。「―たる小事」
*****へん-ぺん【×翩×翩】**《形動タルト》〔文〕軽くひるがえるようす。「―と蝶(ちょう)が舞う」
べん-べん【便便】《形動タルト》〔文〕❶無駄に時間が過ぎるようす。「―と日子(にっし)を費やす」❷ふとって腹が張り出ているようす。「―たる太鼓腹」
ぺんぺん-ぐさ【ぺんぺん草】〔種のさやの形が三味線(しゃみせん)のばちに似ることから〕「なずな」の別称。「―が生える」(=家屋が荒れはてる)」
*****へん-ぼう【偏×旁】**漢字の偏と旁(つくり)。「―冠脚」
*****へん-ぼう【変×貌】**《名・自サ》姿やようすが変わること。「めざましい―を遂げる」「工業地帯に―する」
へん-ぽう【返報】《名・自サ》他人の行いにむくいること。特に、仕返し。報復。
べん-ぽう【便法】❶便利な方法。「学問に―はない」❷当面のごく限られた場合に応ずる便宜上の手段。「―を講じる」
*****へん-ぽん【返本】**《名・他サ》書店が、一度仕入れた書物を版元などに返すこと。また、その書物。
*****へん-ぽん【×翩×翻】**《形動タルト》〔文〕〔旗などが〕ひらひらとひるがえるようす。「―とひるがえる大会旗」
べん-まく【弁膜・×瓣膜】心臓・静脈などの内部にある膜。血液・リンパ液の逆流をふせぐ。「心臓―症」
べんむ-かん【弁務官・×辨務官】植民地などに派遣されて政治・外交の事務にあたる官吏。「高等―」
へん-めい【変名】《名・自サ》本名を隠して別の名を称すること。また、その名。変名(へんみょう)。「―を使う」

べん‐めい【弁明・×辯明】《名・他サ》人々に納得してもらうために、自分のとった言行などを説明すること。申しひらき。「―を要求する」「―に窮する」類語弁解。

べん‐もう【×鞭毛】原生動物や動植物の精子などに生えている細長いむち状のもの。これで運動する。

へん‐もく【編目・×篇目】〔文〕〔書物の〕編・章につけた題目。また、その順序。

へん‐やく【変約】《名・自サ》〔文〕約束を変えること。違約。「一方的な―」

へん‐よう【変容】《名・自サ》姿・外観が変わること。「町が―する」類語変貌(へんぼう)。

へん‐らん【変乱】〔文〕事変による世の中の乱れ。

べん‐らん【便覧】見るのに便利なように作った小冊子。ハンドブック。便覧(びんらん)。「会社―」

べん‐り【便利】《名・形動》都合がよくて重宝であること。役にたつこと。「通学に―な所」「―屋」類語便益。利便。便宜。至便。簡便。軽便。対不便。

べんり‐し【弁理士・×辨理士】特許など特許庁に対する手続きの代理や鑑定などを職業とする者。

へん‐りん【片×鱗】〔文〕〔一片のうろこの意〕大きな全体のごくわずかの部分。「才能の―を示す」

***へん‐れい【返戻】**《名・他サ》〔文〕返すこと。返却。「提出書類の―」「―金」

***へん‐れい【返礼】**《名・自サ》他から受けた礼や贈り物に対して礼や品物を返すこと。また、その礼や品物。

べん‐れい【勉励】《名・自サ》〔文〕つとめはげむこと。「刻苦―して首席をかちえる」類語奮励。

べんれい‐たい【×駢×儷体】中国で、漢の中期に始まり南北朝時代に隆盛を極めた文体。四字および六字の対句を基本とする。四六(しろく)駢儷体。四六文。

へん‐れき【遍歴】《名・自サ》〔文〕❶広く各地をめぐり歩くこと。「諸国―の旅」❷さまざまな経験をすること。「女性―」

へん‐ろ【遍路】祈願のために、弘法大師修行の遺跡である四国の八八か所の霊場をめぐり歩くこと。また、その人。巡礼。「―の旅」

べん‐ろん【弁論・×辯論】❶《名・他サ》人々の前で意見を述べること(意見)。「―大会」類語演説。❷民事訴訟で、当事者がそれぞれ攻撃防御を尽くして裁判所の審理に協力すること。刑事訴訟では、公判そのものをいう。また、訴訟当事者の陳述、弁護人の最終意見などの意にも用いる。「最終―」

ほ

―保

***ほ【補】**《接尾》〔役職名の下につけて〕その役職につく前の、見習い・候補としての資格の意。「警部―」

***ほ【帆】**船の柱に張り、風を受けて船を進める布。「得手に―を揚げる」「尻(しり)に―を掛ける」

***ほ【歩】**㊀《名》〔文〕足で歩くこと。「―を運ぶ」㊁《助数》歩くときの、足を動かす回数や歩幅を数える語。参考上につく語によって「ぽ」ともなる。「三―(ぽ)進む」

***ほ【穂】**❶花や実が長い花軸のまわりにむらがりついたもの。稲・麦・すすきなどに見られる。「―に出る(=思いが外に現れる)」「―に穂が咲く(=稲が豊作である)」❷とがったものの先。㋐槍(やり)の刃の先。㋑筆の先。

***ぼ【簿】**《接尾》記入用の帳面。「出席―」「家計―」

***ぼ【×戊】**十干(じっかん)の五番め。つちのえ。

ポ《助数》活字で、「ポイント」の略。「九―」

ボア❶毛皮または羽毛で作った女性用のえり巻。❷毛皮に似せて作った織物。「―のコート」▽boa

ぼ‐あい【暮×靄】〔文〕夕暮れに立ちこめるもや。

ほ‐あん【保安】安全を保つこと。また、社会の平安・秩序を保つこと。「―処分」「―要員」

ほ‐い【補遺】〔書物などで〕漏れ落ちた事柄をおぎなうこと(もの)。「―版」類語拾遺。追補。増補。

ぽ‐い《接尾》《動詞の連用形や名詞などについて形容詞をつくる。多く、促音が入って「っぽい」の形になる》…の傾向・度合いが強い。「忘れっ―い男」「水っ―い」

ぼ‐いき【墓域】《名》〔文〕墓地としてくぎられた所。

***ほ‐いく【保育】**《名・他サ》幼児の心身が正常に発達するように守り育てること。「―器」**―し【―士】**「保母・保父」の正式名称。**―じょ【―所】**乳児・幼児を預かって保育する所。保育園。

***ほ‐いく【×哺育・保育】**《名・他サ》〔乳をのませて〕子どもを育てること。表記「保育」は代用字。

ボイコット《名・他サ》❶消費者が協力して、ある商品を買わないこと。不買同盟。非買同盟。「日本製品の―」❷特定の事柄や人を団結して排斥すること。「卒業式の―」▽boycott(=もと、人名)

ボイス‐レコーダー航空機の操縦室内の会話や、管制塔との交信を録音する装置。=ヴォイスレコーダー。▽voice recorder

ほ‐いつ【捕逸】〔文〕野球で、捕手が投手の投球をとりそこなって走者に先の塁を許すこと。パスボール。

ホイッスル競技などで、審判員・指導者が合図に鳴らす笛(の音)。「試合開始の―」▽whistle

ホイップ《名・他サ》料理で、卵・生クリームなどをかき混ぜて泡立てること(もの)。▽whip

ほ‐いっぽ【歩一歩】《副》(「―と」の形も)一歩一歩。ひとあしずつ。少しずつ。「―(と)発展する」

ぽい‐と《副》物を軽く投げたり捨てたりするようす。

ほい‐ほい《副》(「―と」の形も)〔俗〕気軽に引き受けるようす。「頼まれれば―金を貸す」

ボイラー密閉した容器内で水を熱し、高温・高圧の蒸気を発生させる装置。汽罐(きかん)。▽boiler

ホイル箔(はく)。「アルミ―」▽foil

***ボイル**ややあらめに平織りにした薄地の織物。夏の婦人服・子供服などに使う。▽voile

***ボイル**《名・他サ》ゆでること。「―した卵」▽boil

ほい‐ろ【×焙炉】火にかざして、茶の葉をほうじたり、物をかわかしたりする用具。

***ぼ‐いん【×拇印】**右の親指の先に朱肉をつけて指紋を押し、実印の代わりとするもの。つめいん。

***ぼ‐いん【母音】**声が口の中でさまたげを受けないで発音される音。日本語の共通語ではア・イ・ウ・エ・オの五つ。母音(ぼおん)。対子音。

ポインセチアトウダイグサ科の常緑低木。茎の上部に葉が放射状に密生し、花の近くの葉は赤い。冬、茎の先端に小花をつける。観賞用に栽培される。ショウジョウボク。▽poinsettia

ポインター犬の品種の一つ。耳が垂れ、毛が短く、足が長い。狩猟犬。▽pointer(=指示するもの)

ポイント㊀《名》❶点。地点。❷〔競技などの〕得点。

「―をかせぐ」❸小数点。❹要点。「―をつく」❺時機。ころあい。「―をつかむ」❻転轍機。「―を切り換える」❼トランプで、一。エース。◻二《助数》❶活字の大きさの単位。ポ。❷百分率の増減を表す語。パーセント。「前年比五―」▷point

***ほう【報】**〔文〕しらせ。「逝去の―に接する」

***ほう【方】** ◻一《名》❶方角。方向。「東の―を向く」❷《長さ・距離を表す語の上について》その長さを一辺とする正方形(の広さ)を表す語。「―三間の堂」◻二《形名》❶部面。方面。「飲む―では負けない」❷そのものをぼかしていうのに使う語。「建築の―の仕事をしている」❸相対するものの一つを取りあげてさす語。また、並べて幾つか考えられるものの一つを取りあげてさす語。「姉より妹の―が大きい」「彼より君の―が悪い」❹どちらかといえばこれだという部類を示す語。「彼は気が短い―だ」

日本語

ほうほう族

相手に対する敬語のつもりで、なんにでも「ほう」をつけて言う人を「ほうほう族」という。コンビニやファミレスの店員などに多い。「お飲み物のほうは何になさいますか」「お勘定のほうは三千円でございます」「お釣りのほうは百円になります」などと使う。

本来「ほう」は、方角・方面など、いくつかあるものの中から選択される一つを指す語なので、こうした敬語的な使い方には顔をしかめる向きもある。敬語として、聞く人に心地よい響きを与える語でもない。しかし、対称を示す「あなた」が以前は方角を指すものであったように、日本人の言葉づかいの基底には、コト・モノ・ヒトなどを直接示すことをはばかり、間接的に、漠然と指示することが丁寧であるという考え方がある。「ほうほう族」もモノを曖昧に指示することで相手に対する敬意を表そうとしているのだろう。

***ほう【法】**❶おきて。きまり。「―の下の平等」「―を守る」「児童福祉―」❷やり方。方法。「ほかに―はない」「美容―」❸作法。また、礼儀。「―にかなったふるまい」❹《下に打ち消しまたは反語をともなって》不当であるという判断を表す。「ここで死ぬ―があるか」❺〔仏〕仏の教え。仏法。「人を見て―を説く」

***ほう【×苞】**葉の変形物。芽やつぼみを包んで保護する。花弁のように見えるものもある。苞葉。

***ほう【×袍】**宮中で、衣冠・束帯のときに着た上着。参考 →衣冠(図)。

***ほう**《感》驚いたり感心したりしたときに思わず発する語。「―、なるほどねえ」「―、それは初耳だ」

***ぼう【坊】** ◻一《名》❶僧の居所。また、その建物。転じて、僧。「お―さん」❷小さいこども(ふつう、男児)を親しんで呼ぶ語。◻二《接尾》❶僧名の下につける語。「武蔵―弁慶」❷男の子、または、女の子の名(また、その略した形)の下につけて親しみを表す語。「健―」❸人の状態を表す語につけて、そういう状態の人の意を表す。〔親しみ、またはあざけりの気持ちを含める〕「けちん―」「甘えん―」「風来―」「朝寝―」

***ぼう【暴】**《名・形動》〔文〕不法なこと。また、法や道徳にそむくひどい行い。乱暴。

―を以て暴に易う《句》❶一つの暴を除くのに他の暴をもってする。結局は、暴を除くことにはならないということ。❷相手が暴力を使うならば、こちらも暴力で応じる。〈史記・伯夷伝〉

***ぼう【望】**〔文〕❶満月。もちづき。もち。対 朔。❷陰暦一五日の称。

***ぼう【某】** ◻一《名》名を言わずに、特定の人をさして言う語。なにがし。「会社員―」「山川―」◻二《接頭》その中の特定の一つをさして、しかもどれであるかは、はっきり示さずに言う語。「―年―月―日」「―大会社」

***ぼう【棒】**❶〔手に持てるくらいの〕まっすぐで細長い木・竹・金属などの総称。「犬も歩けば―に当たる」「人生を―に振る(=むだにする)」❷「指揮棒」の略。指揮者が合奏・合唱の指揮に使う棒。タクト。「―を振る(=指揮をする)」❸太めでまっすぐな線。「―グラフ」

ぼう・あく【暴悪】《名・形動》〔文〕乱暴で非道なこと。「―のふるまい」

***ぼう・あつ【暴圧】**《名・他サ》〔文〕〔権力や暴力で〕むりやり抑えつけること。乱暴に抑えつけること。「デモ隊を―する」類語 強圧。

***ぼう・あつ【防×遏】**《名・他サ》〔文〕ふせぎとめること。防止。「外界の威力を―する」

***ほう・あん【奉安】**《名・他サ》〔文〕安置したてまつること。「―殿」

***ほう・あん【法案】**法律の案文。

ぼう・あんき【棒暗記】《名・他サ》〔文章・語句などを〕意味・内容を理解しないで、機械的に暗記すること。「年号を―する」類語 丸暗記。

***ほう・い【包囲】**《名・他サ》〔逃げられないように〕まわりを取り囲むこと。「城を―する」「―作戦」

***ほう・い【方位】**❶東西南北をもとにしてきめた方向の基準。類語 方角。❷易で方向の吉凶。「―を占う」

***ほう・い【法衣】**→ほうえ(法衣)。

ぼう・い【暴威】〔文〕荒々しい威力。「台風が―をふるう」類語 猛威。

ほう・いがく【法医学】応用医学の一分野。法を適用するときに問題となる医学的な事柄を研究する。

ほう・いつ【放逸・放×佚】《名・形動》〔文〕わがままで節度のないこと。「―に流れる」類語 放恣。

ほう・いん【法印】❶「法印大和尚位」の略。僧としての最高の位。❷〔江戸時代に〕僧にならって仏師・経師・医師・画師・連歌師・儒者などに授けた称号。❸「山伏」の俗称。

ぼう・いん【暴飲】《名・他サ》酒などの飲料を度を超して飲むこと。「―暴食」

***ほう・え【法会】**❶説法のための会合。❷故人の追善供養を行うこと。また、その儀式。法要。仏事。

***ほう・え【法▽衣】**僧の着る衣服。僧衣。法衣。

ほう・えい【放映】《名・他サ》テレビで放送すること。

ぼう・えい【防衛】《名・他サ》〔他から侵されないように〕ふせぎまもること。「正当―」「過剰―」類語 守備。防御。防護。 **―ちょう【―庁】**内閣府の外局の一つ。国の防衛に関する機関で、自衛隊の管理・運営にあたる。

***ぼう・えき【貿易】**《名・自サ》外国との商品の取引。「自由―」「保護―」類語 交易。通商。 **―ふう【―風】**緯度三〇度付近から赤道に向かってたえず吹いている風。北半球では北東、南半球では南東の風。熱

帯東風。恒信風。**―まさつ【―摩擦】**貿易を巡る、国と国との対立。

***ぼう-えき【防疫】**伝染病の侵入・発生・流行を防ぐこと。「―対策」

ほう-えつ【法悦】❶宗教の教えによって心の底からわきおこる神聖な喜び。法喜。❷恍惚とした状態。

***ほう-えん【方円】**四角と丸。「水は―の器に随う」「―の境にひたる」

***ほう-えん【砲煙・砲×烟】**大砲を撃ったときに出る煙。「―弾雨」

***ほう-えん【豊×艶】**《名・形動》〔文〕〔女性が〕ふくよかで美しいこと。「―な女体」

ぼうえん-きょう【望遠鏡】遠くにある物を拡大してはっきり見るための器械。とおめがね。千里鏡。

ぼうえん-レンズ【望遠レンズ】遠くにあるものを拡大撮影するための、焦点距離の長いレンズ。

***ほう-おう【法王】**ローマカトリックの首長。ローマ法王。教皇。「―庁」

***ほう-おう【法皇】**仏門に入った上皇。「後白河―」

***ほう-おう【訪欧】**《名・自サ》ヨーロッパを訪れること。「天皇陛下の御―」

***ほう-おう【×鳳×凰】**〔文〕古代中国の想像上の鳥。聖天子が世に出たとき現れるという。参考「鳳」は雄、「凰」は雌。

ぼう-おく【×茅屋】〔文〕❶かやぶき屋根の家。茅舎。❷あばらや。また、自宅を謙遜していう語。「折をみて、―にお越し下さい」

***ほう-おん【報恩】**〔文〕受けた恩に報いること。恩返し。対忘恩。

***ほう-おん【芳恩】**〔文〕他人から受けた恩に対する尊敬語。御恩。「―をかたじけなくする」

***ぼう-おん【忘恩】**〔文〕受けた恩を忘れること。恩知らず。「―の徒」対報恩。

***ぼう-おん【防音】**《名・自サ》騒音を防ぐこと。特に、音が室内に入るのを防いだり、室内から外部に出るのを防ぐこと。「―装置」

***ほう-か【放歌】**《名・自サ》〔文〕辺り構わず大声で歌うこと。「酒に酔って―高吟する」類語放吟。高唱。

***ほう-か【放火】**《名・自サ》火災をおこさせるためにわざと火をつけること。つけ火。「―魔」

***ほう-か【放課】**学校の一日の課業が終わること。「―後」

***ほう-か【法家】**❶法律家。❷古代中国で、法律を厳しくして国家を統制することを主張した学派。韓非子など。

***ほう-か【法科】**❶法律に関する学科。❷〔大学で〕法学部。「―の学生」**―だいがくいん【―大学院】**高度な法律の専門家を養成する大学院。ロースクール。

***ほう-か【法貨】**《「法定貨幣」の略》法律によって強制的な通用力を与えられた貨幣。法定通貨。

***ほう-か【×烽火】**〔文〕異変があったときなどに、合図として上げる火。狼火。のろし。

***ほう-か【砲火】**大砲を発射したときに出る火。「―を浴びる」「―のちまた」「―を交える(＝交戦する)」

***ほう-か【邦家】**〔文〕国家。また、自分の国。

***ほう-か【邦貨】**〔文〕日本の貨幣。対外貨。

***ほう-が【奉加】**《名・他サ》神仏に財物を奉納すること。寄付。**―ちょう【―帳】**奉加する財物の目録や寄進者の氏名を記入する帳面。

***ほう-が【奉賀】**《名・他サ》〔文〕つつしんでお祝い申しあげること。謹賀。敬賀。「―新年」

***ほう-が【×萌芽】**《名・自サ》〔文〕❶植物の芽が出ること。また、その芽。❷新しく物事が生じようとする兆しが現れること。また、その兆し。「市民意識の―」類語①②芽生え。

***ほう-が【邦画】**❶日本画。❷日本映画。対①②洋画。

ぼう-か【防火】❶火災を防ぐこと。「―対策」「―訓練」❷火災の延焼をくいとめること。「―壁」

ぼう-が【忘我】〔文〕夢中になったり、うっとりしたりして我を忘れること。「―の境」類語無我。没我。

***ほう-かい【崩壊・崩×潰】**《名・自サ》❶くずれこわれること。「ビルの―」「学級―」類語瓦解。倒壊。❷放射性元素が放射線を出して別の元素に変わること。

***ほう-かい【抱懐】**《名・他サ》〔文〕ある考えを心の中に持つこと。「楽観的予測を―する」

***ほう-かい【法界】**❶→ほっかい。❷「法界悋気」の略。**―りんき【―×悋気】**自分に関係のないことに嫉妬すること。特に、他人の恋をねたむこと。

ほう-がい【法外】《名・形動》妥当な限度をこえること。常識外れ。けた外れ。度外れ。「―な値段」

***ぼう-がい【妨害・妨×碍】**《名・他サ》じゃまをすること。「営業―」「安眠―」類語阻害。阻止。注意「防害」は誤り。

***ぼう-がい【望外】**《名・形動》〔文〕願っていたより以上に喜ばしいこと。「―の喜びに接する」

ほうかい-せき【方解石】炭酸カルシウムの無色透明の結晶。多くは六つの菱形の面からなる。

***ほう-がく【方角】**❶その位置がどの方位にあたるかということ。「山の中で―を見失う」類語向き。方。❷方向①。❸見当。「―違い」方面。見当。

***ほう-がく【法学】**法に関する学問。法律学。

***ほう-がく【邦楽】**日本に古くからある音楽。雅楽・長唄・義太夫節・箏曲など。和楽。対洋楽。

ほう-かつ【包括】《名・他サ》〔文〕ひっくるめて一つにすること。「意見を―する」「―的に説明する」

***ほう-かん【奉還】**《名・他サ》〔文〕つつしんで返すこと。お返しすること。「大政―」

***ほう-かん【奉還】**《名・他サ》〔文〕つつしんで返すこと。

***ほう-かん【宝冠】**宝石で飾ったかんむり。

***ほう-かん【宝鑑】**〔書物の名に使って〕日常生活で手本となることを書いた実用書。「結婚―」類語宝典。

***ほう-かん【×幇間】**たいこもち。

***ほう-かん【法官】**司法の官吏。裁判官など。

***ほう-かん【砲艦】**海岸・河川などを警備する、喫水の浅い小型の軍艦。

***ほう-かん【芳簡・芳×翰】**〔文〕他人の手紙の尊敬語。貴簡。尊簡。

***ほう-がん【▽判官】**❶四等官の一つ。尉。特に、検非違使の三等官。判官。❷〔判官であったことから〕源義経の称。**―びいき【―×贔×屓】**不遇の英雄や弱者に対して第三者がひいきすること(気持ち)。はんがんびいき。参考九郎判官源義経が不遇の英雄として広く愛惜されたことから。

***ほう-がん【包含】**《名・他サ》〔文〕なかにつつみふくむこと。「多くの課題が―されている」類語含有。内包。

***ほう-がん【砲丸】**❶大砲のたま。❷砲丸投げに用いる金属製のたま。

***ほう-がん【芳顔】**〔文〕❶（女性の）美しい顔。❷他人の顔に対する尊敬語。お顔。

***ぼう-かん【傍観】**《名・他サ》第三者的な態度で物事を見ること。「なりゆきを―する」「―者」[類語]座視。

***ぼう-かん【坊間】**〔文〕町なか。また、世間。

***ぼう-かん【暴漢】**乱暴を働く男。「―に襲われる」

***ぼう-かん【防寒】**寒さを防ぐこと。「―具」[対]防暑。

ほうがん-し【方眼紙】縦横に一定間隔の平行線を引いて多くの方形をえがいた紙。セクションペーパー。

***ほうき【▽伯×耆】**はうき 旧国名の一つ。今の鳥取県の西部。伯州。

***ほう-き【宝器】**〔文〕宝のうつわ。たからもの。

***ほう-き【放棄・×抛棄】**《名・他サ》すててかえりみないこと。「戦争の―」「権利を―する」[類語]放擲（ほうてき）。遺棄。棄却。

***ほう-き【法器】**〔仏〕❶仏道修行のできる素質をもっている人。❷仏具。

***ほう-き【法規】**法律上の規則。法律規定。また、国民の権利・義務などにかかわる規則。法規範。

***ほうき【×箒・×帚】**はうき《「ははき」の転》ちりやごみをはく、草や竹などでつくった掃除用具。

***ほう-き【芳紀】**〔文〕年ごろの（美しい）女性の年齢を言う語。「―まさに十八歳」

***ほう-き【×蜂起】**《名・自サ》〔文〕（蜂（はち）が巣から一度に飛び立つように）おおぜいの者が、いっせいに事を起こすこと。「武装―」[類語]決起。旗揚げ。

ぼう-ぎ【謀議】《名・自他サ》はかりごと（特に犯罪の計画）の相談をすること。「共同―」

ほうき-ぐさ【×箒草】はうきー アカザ科の一年草。多数に分枝する茎を干して草ぼうきをつくる。果実は強壮・利尿薬。ほうきぎ。ははきぎ。古名、玉ははき。

ほうき-ぼし【×箒星】はうきー「彗星（すいせい）」の別称。

ぼう-きゃく【忘却】《名・他サ》〔文〕忘れさってしまうこと。「―のかなたに押しやる」

ぼう-ぎゃく【暴虐】《名・形動》〔文〕むごく乱暴なやり方で人を苦しめること。「―の限りをつくす」「―非道」

ほう-きゅう【俸給】公務員や会社員などが、労働に対して受ける報酬。給料。サラリー。

ほう-ぎょ【崩御】《名・自サ》〔文〕天皇・皇后・皇太后・太皇太后が死去すること。[類語]お隠れになる。

ぼう-きょ【暴挙】乱暴なふるまい。無謀なふるまい。「―に出る」

ぼう-ぎょ【防御・防×禦】《名・他サ》（敵の攻撃などを）ふせぎ守ること。「攻撃は最大の―」[表記]「防御」は代用字。[類語]防衛。防護。守備。

***ほう-きょう【豊凶】**〔文〕豊作と凶作。また、豊年と凶年。

***ほう-きょう【豊×頰】**〔文〕肉づきがよく美しくふっくらとした、ほお。[参考]多く、美人の形容に用いる。

***ぼう-きょう【望郷】**〔文〕故郷をなつかしく思うこと。懐郷。思郷。「―の念にかられる」

***ぼう-きょう【防共】**〔文〕共産主義の侵入・拡大をふせぐこと。「日独伊三国―協定」[類語]反共。

ほうきょう-しゅじゅつ【豊胸手術】女性の胸部をゆたかに見せるための美容整形手術。

ほう-ぎょく【宝玉】貴重な玉。宝石。宝珠。

ぼう-きれ【棒切れ】棒のきれはし。ぼうっきれ。

ほう-きん【砲金】青銅の一種で、銅と錫（すず）の合金。機械部品に用いる。昔、大砲の鋳造に使った。

ほう-ぎん【放吟】《名・自他サ》〔文〕あたりかまわず大声で詩歌をうたうこと。「高歌―」[類語]放歌。

ぼう-ぐ【防具】剣道やフェンシングで、顔面・胴まわり・腕などをおおって傷つけないようにする道具。

ぼう-ぐい【棒×杭・棒×杙】ーぐひ 棒状のくい。また、丸い木材のくい。

ぼう-くう【防空】〔航空機による〕空からの攻撃を防ぐこと。「―訓練」

ぼう-ぐみ【棒組（み）】印刷で、字詰めと行間だけを本組みと同じにして、ページの形に関係なく連続して活字を組んでいくこと。また、その組版。[対]本組み。

ぼう-グラフ【棒グラフ】数量を線分の長さで表したグラフ。

***ぼう-くん【亡君】**〔文〕死んだ主君。先君。

***ぼう-くん【傍訓】**〔文〕漢字の横につけるよみがな。ふりがな。ルビ。

***ぼう-くん【暴君】**❶乱暴で悪逆無道なやり方で人民を苦しめる君主。タイラント。「―ネロ」❷横暴な人。

ほう-げ【放下】《名・他サ》❶〔仏〕一切の欲を捨てて、無我の境地に入ること。❷〔文〕なげすてること。放下（ほうか）。

***ほう-けい【包茎】**成人の陰茎の先が皮に包まれたままになっていること。皮かぶり。「仮性―」

***ほう-けい【方形】**〔文〕四角形。「―の器」

ほう-げい【奉迎】《名・他サ》〔文〕身分の高い人を迎えること。[対]奉送。

***ぼう-けい【亡兄】**〔文〕死んだ兄。

***ぼう-けい【傍系】**❶直系から分かれ出た系統。「―会社」[対]直系。❷主流に属さないこと。「―の一派」

***ぼう-けい【謀計】**〔文〕はかりごと。「―をめぐらす」

ほう-げき【砲撃】《名・他サ》大砲で攻撃すること。「―を加える」

ぼう-げつ【某月】〔文〕ある月。〔不明のときや、明示したくないときに使う〕「―某日」

ほう-ける【×惚ける・×呆ける】[一]《自下一》心の働きが衰える。ぼんやりする。ぼける。「―・けた顔」[文]ほう・く《下二》。[二]《接尾》「とことんまで…する」「限度を超えて…する」などの意。「遊び―・ける」「病み―・ける」＝ほける。[文]ほう・く《下二》。

***ほう-けん【奉献】**《名・他サ》〔文〕神仏などにつつしんで物を差しあげること。[類語]奉納。

***ほう-けん【宝剣】**宝物として秘蔵している剣。

***ほう-けん【封建】**《名・他サ》〔封土を分けて諸侯を建てる意〕土地を諸侯・大名に分け与えて、それぞれの国を治めさせること。「―社会」**―せいど【―制度】**封土の授受を通じて主君と家臣の間に結ばれた主従の身分関係を基盤として、中世ヨーロッパや日本の武家時代などに確立された政治制度。封建制。**―てき【―的】**《形動》封建時代のような非民主的な・やり方（考え方）であるようす。「―な考え方」

***ほう-げん【放言】**《名・他サ》思ったままに言うこと。無責任な発言（をすること）。「大臣の―を追及する」「―してはばからない」[類語]暴言。放語。放談。

***ほう-げん【方言】**❶その地方に使われる言語を体系としてみた場合の言い方。「九州―」❷標準語・共通語と異なる、ある地方だけで使われる個々の単語または語法。国ことば。里ことば。俚言（りげん）。[対]標準語。共通

語。

＊**ほう・げん【法眼】** ❶〔仏〕「法眼大和尚位(だいかしょうい)」の略。法印(ほういん)につぐ僧の位。❷〔中世以後〕僧にならって仏師・経師(きょうじ)・医師・絵師・連歌師・儒者などに授けた位。

＊**ぼう・けん【傍見】**《名・他サ》〔文〕傍らから見ること。「事故を―する」

＊**ぼう・けん【剖検】**《名・他サ》解剖して調べること。

＊**ぼう・けん【望見】**《名・他サ》〔文〕遠くからながめること。「高台から町並みを―する」

＊**ぼう・けん【冒険】**《名・自サ》危険を押し切って行うこと。また、成功するかどうかわからないことをあえて行うこと。「―家」「恋の―だ」類語アドベンチャー。

＊**ぼう・げん【妄言】**〔文〕偽りのことば。うそ。また、でまかせのことば。いいかげんなことば。「―を吐く」参考自分の批評などの謙遜(けんそん)語としても使う。「―多罪」同妄語(ぼうご)。＝妄言(もうげん)。

＊**ぼう・げん【暴言】** 乱暴で無礼な内容のことば。「―を吐く」類語悪口(あっこう)。放言。

＊**ぼう・げん【×謗言】**〔文〕他人を悪くいうことば。

ほう・こ【宝庫】 ❶宝物をおさめておく倉庫。❷すぐれたものや産物などを産出・供給する土地。「伝説の―」

＊**ほう・ご【法語】**〔仏〕❶仏法を説いた書物。❷祖師・高僧などが平易に仏の教えを説いた文章。

＊**ほう・ご【邦語】**〔文〕わが国のことば。日本語。国語。対外語。

ぼう・ご【防護】《名・他サ》〔文〕ふせぎ守ること。「―服」

＊**ほう・こう【×咆×哮】**《名・自サ》〔文〕猛獣が叫びほえること。また、その声。参考ひゆ的に、波が荒れくるうようす、また、その音の意にも使う。「冬の海の―」

＊**ほう・こう【奉公】**《名・自サ》❶朝廷・国家につくすこと。「滅私―」❷〔その家に住み込んで〕使用人として他人に仕えること。〔古風な言い方〕「丁稚(でっち)―」

＊**ほう・こう【×彷×徨】**《名・自サ》〔文〕あてもなくさまようこと。「死線を―する」

＊**ほう・こう【放校】**《名・他サ》校則に違反した学生・生徒を、学校から追放すること。類語退校。退学。

＊**ほう・こう【方向】** ❶あるものの・進んで行く〔進んでくる〕場所が、基準とするものから見てどういう位置にあるかということ。むき。方角。「東に―を変える」❷見当。「―ちがい」❸自分のよりどころとする目的・目標。方針。「将来の―はまだ決まっていない」**―おんち【―音痴】** 方向の感覚がにぶい・こと〔人〕。

＊**ほう・こう【砲口】** 砲身の先端の、弾丸が出る部分。

＊**ほう・こう【芳香】**〔文〕よいかおり。「―剤」類語香気。清香。芳芬(ほうふん)。対悪臭。

＊**ほう・ごう【法号】**〔仏〕❶出家して戒を受けるとき、師から授けられる名。❷死んだ人におくられる名。戒名(かいみょう)。対①②俗名(ぞくみょう)。

＊**ほう・ごう【縫合】**《名・他サ》傷口や手術のあとの切り口をぬい合わせること。「傷口を―する」「―手術」

＊**ぼう・こう【暴行】**《名・自サ》❶他人に暴力を加えること。❷暴力で女を犯すこと。「婦女―罪」

＊**ぼう・こう【×膀×胱】** 腎臓(じんぞう)からおくられてくる尿を一時ためておく袋状の器官。

＊**ほう・こく【報告】**《名・他サ》告げ知らせること。特に、任務などの経過や結果を告げ知らせること。また、その内容。「作業経過を―する」「出張―書」

＊**ほう・こく【報国】**〔文〕国から受けた恩恵にむくいるため、力をつくすこと。「七生―」「―の念」

＊**ほう・こく【奉告】**《名・他サ》〔文〕神や貴人に申しあげること。

ぼう・こく【亡国】 ❶国をほろぼすこと。「―論」対興国。❷ほろんだ国。ほろびようとする国。「―の民」

ぼうこ・ひょうが【暴×虎×馮河】〔文〕〔あばれるトラを素手で倒し、黄河を歩いてわたる意から〕無謀な勇気をふるうこと。〈論語・述而〉

ほう・こん【方今】〔文〕ちょうど今。ただ今。当今。現今。〔副詞的にも使う〕「―の世情を見るに…」

ぼう・こん【亡魂】〔文〕死者の魂。亡霊。類語霊魂。

ほう・ざ【砲座】 大砲をすえておく所。類語砲架。

ぼう・さ【防砂】〔文〕土砂がくずれたり、砂が風で吹き寄せられたりするのを防ぐこと。砂防。「―林」

ほう・さい【報×賽】《名・自サ》〔文〕祈願が成就した礼に、神仏に参拝すること。お礼参り。

＊**ぼう・さい【亡妻】**〔文〕死んだ妻。対亡夫。

＊**ぼう・さい【防×塞・防×砦】** 敵を防ぐとりで。防塁。

＊**ぼう・さい【防災】**〔暴風・地震などの〕災害を防ぐこと。「―対策」「―訓練」

ぼう・さき【棒先】 ❶棒の先端。❷かごの棒の先端〔を担ぐ人〕。ぼうばな。

＊**ほう・さく【方策】** はかりごと。てだて。「―を立てる」

＊**ほう・さく【豊作】** 作物がよくできること。類語満作。豊熟。豊穣(ほうじょう)。上作。対凶作。不作。

＊**ぼう・さつ【忙殺】**《名・他サ》《多く、「―される」の形で》仕事などにおい回されること。「雑用に―される」

＊**ぼう・さつ【謀殺】**《名・他サ》計画して人を殺すこと。

＊**ほう・さん【奉賛】**《名・他サ》〔文〕神社などの仕事につつしんで協力すること。「―金」

＊**ほう・さん【宝算】**〔文〕天皇の年齢。類語聖寿。

＊**ほう・さん【放散】**《名・自他サ》はなれ散ること。また、はなし散らすこと。「熱を―する」

＊**ほう・さん【×硼酸】** 無色・無臭の温水によくとける結晶。殺菌作用があり、うがい・消毒などに用いる。

ぼう・さん【坊さん】 僧に対する親しみをこめた敬称。

ほう・さんしょう【法三章】 漢の高祖が定めた、殺人・傷害・窃盗のみを罰するという三章の法。転じて、法律をきわめて簡略にすること。〈史記・高祖本紀〉

＊**ほう・し【奉仕】**《名・自サ》❶社会や他人のために〔個人的な利害を無視して〕つくすこと。「社会―」❷商人が安い値段で品物を売ること。「―品」類語サービス。

＊**ほう・し【奉×祀】**《名・他サ》〔文〕謹んで神を祭ること。「祖先の霊を―する」

＊**ほう・し【放×恣・放×肆】**《名・形動》〔文〕勝手きままでしまりのないこと。「―な生活」類語放縦。放逸。

＊**ほう・し【法嗣】**〔仏〕仏法の伝統をうけつぐあととり。

＊**ほう・し【法師】** ㊀《名》〔文〕僧。㊁《接尾》「人」の意。「一寸―」参考㊁は、多く「ぼうし」と濁る。

＊**ほう・し【胞子】** 無性生殖するときにつくる単細胞の生殖細胞。コケ・シダ・キノコなどに見られる。芽胞。**―しょくぶつ【―植物】** 花も種子もつけず、胞子でふえたり、分裂してふえたりする植物の総称。菌類・地衣(ちい)類・藻(そう)類・苔(こけ)類・シダ植物など。

＊**ほう・し【芳志】**〔文〕相手の親切な気持ちや心づかいを敬っていう語。芳情。芳意。「御―感謝いたします」

＊**ほう・し【褒詞】**〔文〕ほめことば。賞詞。「過分な―」

ほ

*ほう・じ【×捧持】《名・他サ》〔文〕ささげ持つこと。うやうやしい態度を言う。「国旗を—する」

[参考] 多く、ありがたいものに対して行う、うやうやしい態度を言う。

*ほう・じ【法事】死者の追善供養(くよう)のため忌日などに行う仏事。法要。「—を営む」[類語] 法会(ほうえ)。回忌。周忌。年忌。遠忌(おんき)。

*ほう・じ【×牓示・×榜示】昔、石や杭(くい)によって領地や領田の境界の標示としたもの。牓示(ぼうじ)。

*ほう・じ【邦字】〔文〕日本の文字。漢字と仮名。

*ぼう・し【帽子】寒暑やほこりを防ぐため、また、身なりを整えるために頭にかぶるもの。

*ぼう・し【某氏】ある人。〔名がわからない場合、また、わざと名を出さない場合に使う〕

*ぼう・し【×眸子】〔文〕ひとみ。瞳子(どうし)。

*ぼう・し【防止】《名・他サ》ふせぎとめること。「交通事故の—」「火災を未然に—する」[類語] 予防。

ぼう・じ【房事】《閨房(けいぼう)の中の事の意》寝室での男女のまじわり。[類語] 淫事(いんじ)。閨事。合歓。雲雨。巫山(ふざん)雲雨。巫山の夢。

*ほう・しき【方式】〔何かをするときの〕ある決まったやり方・形式・手続き。「トーナメント—で行う」

*ほう・しき【法式】のり。おきて。儀式などのきまり。

ほうじ・ちゃ【×焙じ茶】番茶を強火でほうじた茶。

*ぼう・しつ【亡失】《名・自他サ》なくなること。また、失いなくすこと。「放火で—した寺」

*ぼう・しつ【忘失】《名・他サ》〔文〕すっかり忘れてしまうこと。また、忘れてなくすこと。「用件を—する」[類語] 忘却。

*ぼう・しつ【防湿】湿気を防ぐこと。「—剤」

ぼう・じつ【某日】〔文〕ある日。〔その日が不明なとき、わざと明示しないときに使う〕「某月—」

ぼう・じま【棒×縞】太いたてじま模様。

*ほう・しゃ【報謝】《名・自サ》〔文〕❶恩にむくいること。「—の念が厚い」❷僧や巡礼に金品を与えること。「巡礼に御—」

*ほう・しゃ【放射】❶《名・自他サ》〔光や線状のものが〕一点から、四方八方へ出ること。また、出すこと。「駅前から道路が—状に広がる」❷物体から放出される電磁波(赤外線・可視光線・紫外線・X線など)の総称。=輻射(ふくしゃ)。—せい【—性】物質が放射能をもっていること。「—廃棄物」—せい・げんそ【—性元素】放射能をもっている元素。ラジウム・ウランなど。—せん【—線】❶放射状にひろがっている線。❷放射性元素が崩壊する時に放射される粒子線および電磁波。アルファ線・ベータ線・ガンマ線がある。❸電磁波の総称。—ねつ【—熱】赤外線など、電磁波が運ぶ熱エネルギー。輻射(ふくしゃ)熱。—のう【—能】元素の原子核が自然にこわれて放射線②を出す作用。—れいきゃく【—冷却】夜間、熱放射によって地表の温度が下がる現象。霜・霧などの原因になる。

*ほう・しゃ【×硼砂】硼酸(ほうさん)ナトリウムの白い結晶。防腐剤などに用いる。南蛮砂。

ぼう・じゃく・ぶじん【傍若無人】《名・形動》〔傍(かたわ)らに人無きが若(ごと)しの意で〕他人にかまわず、自分の勝手放題にふるまうこと。「—なふるまい」

*ほう・しゅ【法主】→ほっしゅ。

*ほう・しゅ【砲手】火砲を発射する任務の兵士。

ほう・じゅ【宝珠】❶〔文〕宝の玉。宝玉。❷五重塔などの相輪の最上部につける飾り。=宝珠(ほうしゅ)。

ぼう・しゅ【×芒種】二十四節気の一つ。太陽暦の六月六日ごろ。[参考] 稲を植えるときの意。

ぼう・じゅ【傍受】《名・他サ》他人の間でやりとりされている無線通信を故意または偶然に受信すること。

ほう・しゅう【報酬】❶〔文〕むくい。返礼。❷労力・尽力などに対して支払う謝礼の金品。「—を受ける」

ほう・じゅう【放縦】《名・形動》勝手きままなこと。放縦(ほうしょう)。[類語] 放恣(ほうし)。放埒(ほうらつ)。奔放(ほんぽう)。

*ぼう・しゅう【房州】「安房(あわ)の国」の唐風の呼び名。

*ぼう・しゅう【防州】「周防(すおう)の国」の唐風の呼び名。

*ぼう・しゅう【防臭】臭気を防ぐこと。「—剤」

ほう・しゅく【奉祝】《名・他サ》〔文〕つつしんでお祝いすること。「—行事」

ほう・じゅく【豊熟】《名・自サ》〔文〕作物などがゆたかにみのること。「稲が—する」[類語] 豊作。

ぼう・しゅく【防縮】織物などのちぢむのを防ぐこと。「—加工」

ほう・しゅつ【放出】《名・他サ》❶《自サ》勢いよくふき出すこと。また、放って出すこと。「水を—する」❷たくわえていた物を一度に手放すこと。「—セール」

*ほう・じゅつ【方術】❶〔文〕方法。また、技。❷神や仙人が行う奇怪な術。

*ほう・じゅつ【砲術】火砲をあつかう技術。

*ほう・じゅん【芳×醇】《名・形動》〔文〕酒などのかおりが高く、味のよいこと。「—なワインを味わう」

*ほう・じゅん【豊潤】《名・形動》〔文〕ゆたかで、うるおいのあること。「—な土地」

*ほう・しょ【奉書】❶武家時代、臣下が上意を受けて命令を下の者に伝達した文書。❷「奉書紙」の略。コウゾの皮を原料とする、純白の高級和紙。

*ほう・しょ【方所・方処】〔文〕方向と場所。

*ほう・しょ【芳書】〔文〕他人の手紙の敬称。「御—を賜り恐縮に存じます」[類語] 芳信。芳墨(ほうぼく)。芳簡。

ほう・じょ【×幇助】《名・他サ》手だすけすること。特に、犯罪や自殺などを手だすけすること。「自殺—罪」

ぼう・しょ【某所】〔文〕ある所。〔その場所が不明なときや、わざと明示しないときに使う〕「都内—」

ぼう・じょ【防除】《名・他サ》予防して、わざわいをのぞくこと。「虫害の—に万全を期する」

*ほう・しょう【報償】《名・自サ》〔文〕損害をつぐなうこと。「災害—金」[類語] 賠償。弁償。補償。

*ほう・しょう【報奨】《名・他サ》〔文〕努力・勤労にむくい、ほめはげますこと。「販売—金」[類語] 奨励。

*ほう・しょう【奉唱】《名・他サ》〔文〕つつしんで歌うこと。また、つつしんで唱えること。「国歌—」

*ほう・しょう【放▽縦】《名・形動》→ほうじゅう。

*ほう・しょう【法相】〔文〕「法務大臣」の簡略化した表現。

*ほう・しょう【褒章】りっぱな行いに対して、国家からさずけられる記章。紅綬(こうじゅ)・緑綬(りょくじゅ)・藍綬(らんじゅ)・紺綬(こんじゅ)・黄綬(おうじゅ)・紫綬(しじゅ)の六種がある。

*ほう・しょう【褒賞】《名・他サ》〔文〕❶ほめたたえること。❷ほめて金品を与えること。また、その金品。

*ほう・じょう【放生】〔仏〕つかまえた動物を逃がしてやること。「—会(え)」

*ほう・じょう【方丈】❶一丈(=約三・〇三メートル)四方。❷禅宗で、寺にある住職の居所。転じて、住職。

*ほう・じょう【法城】仏法を、心のよりどころとする堅

固なものとして、城にたとえた語。

*ほう-じょう【法×帖】手本となる古人の筆跡を石ずりにした折り本。参考「一帖…」と数える。

*ほう-じょう【芳情】〔文〕芳志。「御―を賜る」

*ほう-じょう【褒状】ほめことばを書きしるした書きつけ。賞状。「人命救助の―」

*ほう-じょう【豊×穣】《名・形動》〔文〕穀物が豊かにみのること。「五穀―を祈る」類語 豊熟。豊作。

*ほう-じょう【豊×饒】《名・形動》〔文〕限りなく豊かであること。また、豊穣。「―な土地」類語 豊沃。

*ぼう-しょう【傍証】《名・他サ》間接的な証拠。また、それによって事実を推認すること。「―を並べる」

*ぼう-しょう【帽章】帽子、特に制帽につける記章。

*ぼう-じょう【暴状】〔文〕乱暴なふるまい。

*ぼう-じょう【棒状】〔文〕棒のような形。

ほうじょう-きたい【胞状鬼胎】→きたい(鬼胎)。

*ほう-しょく【奉職】《名・自サ》〔官公庁や学校など〕公の職につくこと。

*ほう-しょく【宝飾】装飾品として用いる宝石・貴金属の総称。宝飾品。「―店」

*ほう-しょく【飽食】《名・自他サ》〔文〕❶飽きるほど十分に食べること。❷食物や生活に不足のないこと。「―の時代」「―暖衣(=満ちたりた豊かな生活)」

*ぼう-しょく【暴食】《名・他サ》〔文〕度を超してやたらに食べること。「暴飲―」類語 馬食。

*ぼう-しょく【望×蜀】〔文〕一つの望みをとげて、さらにそれ以上のことを望むこと。「―の嘆」「―の感がある」参考「人足ること無きを苦しむ、既に隴を得て復た蜀を望む〈後漢書・献帝紀〉」から。

*ぼう-しょく【紡織】〔文〕糸をつむぐことと、布を織ること。

ぼうしょく-ざい【防食剤・防×蝕剤】金属の腐食を防ぐ薬剤。表記「防食剤」は代用字。

*ほう-じる【報じる】《他上一》→報ずる。

*ほう-じる【奉じる】《他上一》→奉ずる。

*ほう-じる【×焙じる】《他上一》(文語サ変動詞「焙ず」から転じた語)〔茶などを〕火にあぶって湿気をとり去る。「ゴマを―・じる」

*ほう-しん【放心】《名・自サ》❶心をうばわれて、ぼんやりすること。❷安心すること。「御―ください」類語 安堵。放念。休心。表記 ②は「放神」とも書く。

*ほう-しん【方針】〔磁石の針の意から〕物事をする際にきめる、これから先の行動についての考え。「経営―」「―を固める」類語 指針。進路。針路。ポリシー。

*ほう-しん【×疱×疹】あわ粒ぐらいの水疱が密集してできる皮膚病。ヘルペス。「帯状―」

*ほう-しん【砲身】大砲の筒の部分。

*ほう-しん【芳信】〔文〕他人の手紙の敬称。芳簡。

*ほう-しん【芳心】〔文〕芳志。芳情。

*ほう-じん【方陣】❶四角形の陣立て。❷縦横および対角線にならんだ数字の和がどれも等しくなるように数字をならべたもの。魔方陣。

*ほう-じん【法人】会社・団体など、法律上ふつうの個人と同じように、権利・義務の主体となりうる資格を与えられたもの。「財団―」「学校―」

*ほう-じん【邦人】〔文〕自国の人。特に、(外国にすみついている)日本人。「在留―」

ぼう-じん【防×塵】ほこりを防ぐこと。「―マスク」

ほう-ず【方図】〔俗〕物事のかぎり。際限。きり。「―がない(=のほうずな)飲み方をする」

ぼう-ず【坊主】━《名》❶寺のあるじ。住職。❷僧の俗称。「なまぐさ―」❸(僧のように)頭に毛がない・こと(物)。❹髪を短くかった(そった)頭。「―頭」❺男の子を親しんで言う語。❻釣りで、えものが全くないこと。二《接尾》❶親しみを含んで、「男の子」の意。「やんちゃ―」❷あざけりを含んで、「人」の意。「三日―」

―憎けりゃ袈裟まで憎い《句》あるものを憎むと、それに関係のあるすべてが憎くなる。

*ほう-すい【放水】《名・自他サ》❶(川などの)水を導き流すこと。「―路」類語 放流。❷(消火ポンプなどで)水を勢いよく遠くへとばすこと。「―車」

*ほう-すい【豊水】〔文〕水量が豊かなこと。「―期」

*ぼう-すい【紡錘】糸をつむいで巻きとる用具。錘。

*ぼう-すい【防水】《名・自サ》水がしみこむのをふせぐこと。「―加工」

*ほう-ずる【崩ずる】《自サ変》〔文〕天皇・皇后・皇太后・太皇太后が死ぬ。崩御する。崩じる。

*ほう-ずる【報ずる】〔文〕━《自サ変》むくいる。「恩に―・ずる」「仇を―・ずる」二《他サ変》❶報復する。❷知らせる。「事件を―・ずる」類語 (する)通報。通知。報知。通達。通告。報告。報道。=報じる。

*ほう-ずる【奉ずる】《他サ変》〔文〕❶ありがたく頂き、それに従う。「勅命を―・ずる」類語 (する)推戴。奉戴。捧持。拝承。奉承。❷身分の高い人にさしあげる。たてまつる。「主上に書を―・ずる」類語 捧げる。献ずる。(する)献上。献呈。献進。奉献。奉呈。❸職に就く。「職を―・ずる」=奉じる。

*ほう-ずる【封ずる】《他サ変》〔文〕封建君主が、臣下に領地を与えて、そこの領主とする。

ぼう-ずる【忘ずる】《他サ変》〔文〕わすれる。

ほう-すん【方寸】〔文〕❶一寸(=約三チセン)四方。転じて、ごく狭い範囲。❷胸の中。心。「万事は彼の―にある」

*ほう-せい【方正】《名・形動》〔文〕心や行いが正しいこと。「品行―」

*ほう-せい【法制】❶法律と制度。❷法律で定めた制度。

*ほう-せい【砲声】大砲を発射する音。

*ほう-せい【縫製】《名・他サ》〔文〕縫って作ること。

*ほう-せい【×鳳声】〔文〕他人からの便り・伝言の尊敬語。「御―を賜りたく」類語 鶴声。

ぼう-せい【暴政】〔文〕人民を圧迫するむごい政治。

ほう-せき【宝石】産出量が少なく、質がかたくて耐久性に富み、美しい鉱物。加工品は装飾用として珍重される。ダイヤ・エメラルド・ルビーなど。「―箱」類語 宝玉。宝珠。玉。宝璧。貴石。

ぼう-せき【紡績】❶《名・他サ》糸をつむぐこと。製糸。❷加工してつくった糸。また、それで織った布。

ほう-せつ【包摂】《名・他サ》〔論〕ある概念を、それより大きな概念の範疇につつみ入れること。

*ぼう-せつ【暴説】〔文〕道理にあわない乱暴な説。

*ぼう-せつ【防雪】〔文〕雪の害をふせぐこと。「―林」

ほう-せん【奉遷】《名・他サ》〔文〕神体などを他へ移すこと。

ほう-ぜん【宝前】〔文〕神仏の前。類語 仏前。神前。

*ぼう-せん【傍線】文中の一部をきわだたせるために、

文字のわきに引く線。サイドライン。類語下線。

*ぼう-せん【棒線】まっすぐに引いた線。直線。

*ぼう-せん【防戦】《名・自サ》相手の攻撃を防いで戦うこと。「―一方においやられる」類語守戦。抗戦。

*ぼう-ぜん【×呆然】《形動タルト》❶あっけにとられるようす。類語啞然(あぜん)。❷気抜けしてぼんやりするようす。茫然(ぼうぜん)。「―と立ち尽くす」

*ぼう-ぜん【×惘然】《形動タルト》〔文〕❶あきれはてるようす。❷驚きあきれて、また、気が抜けてぼうっとしているようす。「―として返すことばもない」＝惘然(もうぜん)。

*ぼう-ぜん【×茫然】《形動タルト》❶ぼんやりしていて、とりとめのないようす。「前途―として」❷呆然(ぼうぜん)②。「父の突然の死に―とする」「―自失(＝気が抜けてぼんやりとしてしまうこと)」

ほうせん-か【×鳳仙花】ツリフネソウ科の一年草。夏、白・赤・桃色の花を開く。実は熟すと、さけて種をはじきだす。つまべに。

*ほう-そ【宝×祚】〔文〕天皇の位。皇位。

*ほう-そ【×硼素】アルミニウム族元素の一つ。黒褐色で、硼酸や硼砂として産出する。元素記号B。

*ほう-そう【包装】《名・他サ》❶物を上から包むこと。「―紙」❷荷造り。パッキング。「厳重に―する」

*ほう-そう【奉送】《名・他サ》〔文〕身分の高い人を見送ること。「殿下を―する」対奉迎。

*ほう-そう【放送】《名・他サ》❶ラジオ・テレビを通してニュース・音楽・劇などの番組を伝えること。また、その番組。❷拡声器を使って、情報を人々に伝えること。また、その情報。「場内―」

*ほう-そう【法曹】〔文〕法律事務に従事する人。法律家。「―界」

*ほう-そう【×疱×瘡】「天然痘」の俗称。また、種痘およびその痕(あと)。

*ほう-ぞう【包蔵】《名・他サ》〔文〕中にたくわえもつこと。「諸問題を―する」

*ほう-ぞう【宝蔵】〔文〕❶宝物を入れておく蔵。❷〔仏〕経典を納めておく蔵。法蔵。

ぼう-そう【暴走】《名・自サ》❶〔車が〕規則を無視して走ること。「―するトラック」❷運転者のいない車が走り出すこと。❸野球で、無謀な走塁。❹周囲のことを考えずに事をおしすすめること。「幹部が―する」

ほう-そく【法則】❶守らなければならない決まり。掟(おきて)。規則。定則。規範。ルール。「―に従う」類語定め。❷事物相互の間に見られる、いつでも変わることなく存在する関係。「万有引力の―」類語摂理。原理。

ぼう-だ【×滂×沱】《形動タルト》〔文〕涙がとめどもなく流れ出るようす。「涙―と落つ」

*ほう-たい【包帯・×繃帯】手当てをした傷口などを保護するために巻く布。表記「包帯」は代用字。

*ほう-たい【奉×戴】《名・他サ》〔文〕謹んで頂くこと。「御趣旨を―する」「総裁に―する」

*ほう-だい【放題】《接尾》《動詞連用形、動詞＋「たい」、またはある種の形容動詞の語幹について》思いのままにする意。「食べ―」「言いたい―」「わがまま―」

*ほう-だい【砲台】大砲をすえつけるための構築物。

*ほう-だい【邦題】外国作品につけた日本語の題名。

*ぼう-だい【傍題】〔文〕副題。サブタイトル。

*ぼう-だい【膨大】《名・自サ》〔文〕ふくれて大きくなること。「―する予算」

*ぼう-だい【膨大・×尨大・×厖大】《形動》形・容積などが非常に大きいようす。また、非常に多量なようす。「―な量のごみ」表記「膨大」は代用字。

ぼう-たかとび【棒高跳(び)】陸上競技の一種目。二つの支柱にかけられた横木を、棒(ポール)を使ってとび越し、その高さを競う。

ぼう-だち【棒立(ち)】〔驚いたり、緊張したりして〕棒のようにまっすぐ立つこと。「―の状態」

ぼう-だま【棒球】野球で、威力のない直球。

ぼう-だら【棒×鱈】マダラの片身の干物。

ほう-たん【放胆】《名・形動》〔文〕大胆であること。「―にふるまう」

*ほう-だん【放談】《名・他サ》〔文〕自由に思うままを語ること。また、その話。「首相の車中―」類語放言。

*ほう-だん【法談】仏法の趣旨を説明して聞かせること。また、その話。法話。類語説法。説教。

*ほう-だん【砲弾】大砲のたま。

ぼう-だん【防弾】飛んでくる銃弾を防ぐこと。「―チョッキ」

*ほう-ち【報知】《名・他サ》知らせること。また、知らせ。「火災―機」類語通報。通知。報道。

*ほう-ち【放置】《名・他サ》ほうっておくこと。「自転車を―する」

*ほう-ち【法治】法律による政治を行うこと。「―国」

ぼう-ちぎり【棒乳切(り)】棒のきれはし。

ほう-ちく【放逐】《名・他サ》〔文〕追放。「国外―」

ほう-ちゃく【×逢着】《名・自サ》〔文〕出あうこと。「結論に―する」類語遭遇。直面。

ほう-ちゅう【×庖×厨】〔文〕台所。くりや。

*ぼう-ちゅう【傍注・×旁×註】本文のわきにつけた注釈。

*ぼう-ちゅう【忙中】〔文〕忙しいさなか。「―閑あり(＝時間の余裕のない時にも暇はあるものだ)」対閑中。

*ぼう-ちゅう【防虫】虫を防ぐこと。「―剤」

*ほう-ちょう【包丁・×庖丁】料理用の平たくて薄い刃物。参考「一丁(ちょう)…」と数える。表記「包丁」は代用字。

*ほう-ちょう【放鳥】《名・自サ》〔仏〕〔功徳(くどく)のためつかまえた鳥をにがしてやる・こと(鳥)。

*ぼう-ちょう【傍聴】《名・他サ》当事者でない人が会議・公判などをわきで聞くこと。「会議を―する」

*ぼう-ちょう【膨張・膨脹】《名・自サ》❶ふくれて大きくなること。❷発展し増大すること。「人口が―する」類語膨大。❸固体・液体・気体の体積が増すこと。「熱―」表記「膨張」は代用字。

*ぼう-ちょう【防潮】津波・高潮などの害を防ぐこと。「―林」「―堤」

*ぼう-ちょう【防×諜】〔文〕スパイの活動を防ぐこと。「―機関」

ほう-ちょく【奉勅】《名・自サ》〔文〕みことのりを承ること。対違勅(いちょく)。

ぼうっ-と《副・自サ》❶〔物が〕かすんでぼんやり見えるようす。❷〔頭が〕ぼんやりするようす。

ぽうっ-と《副・自サ》❶ぼんやりするようす。❷顔が赤くなるようす。ぽっと。「恥ずかしくて―なる」

*ほう-てい【奉呈】《名・他サ》〔文〕つつしんでさしあげること。献上。「祝辞を―する」

*ほう-てい【×捧呈】《名・他サ》〔文〕両手に高く持ってうやうやしくさしあげること。「目録を―する」

ほ

***ほう-てい【法定】**法律によって定められていること。「―相続人」**―でんせんびょう【―伝染病】**もと、法律によって患者は強制的に隔離されると定められていた一一種の伝染病。参考「感染症予防法」により、分類・呼称が改められた。

***ほう-てい【法廷】**裁判官が裁判を行う場所。〔その機能の面でとらえて言う語〕「―で争う」類語 公廷。公判廷。裁判所。

***ほう-てい【法弟】**仏道の教えを受ける弟子。

***ほう-てい【×鵬程】**〔文〕〔大鳥が飛んで行く道のように〕遠い、はるかな道のり。「―万里」

ぼう-てい【亡弟】〔文〕死んだ弟。

ほうてい-しき【方程式】文字を含む等式で、その文字に特定の数値を与えたときにだけ成立する等式。

***ほう-てき【放×擲・×抛×擲】**《名・他サ》〔文〕なげ出し、うちすてること。「希望を―する」

***ほう-てき【法敵】**〔仏〕仏法の敵。仏敵。

***ほう-てき【法的】**《形動》法律によっているようす。法律的。「―根拠」

***ほう-てん【奉×奠】**《名・他サ》〔文〕つつしんで神仏に供えること。「玉串たまぐし―」

***ほう-てん【宝典】**❶貴重な書物。❷〔実際的な知識を集めた〕便利な書物。参考 多く、書名に用いる。「生花―」類語 宝鑑。

***ほう-てん【法典】**❶おきて。のり。「ハムラビ―」❷同種類の法律を体系化したもの。

***ほう-でん【宝殿】**❶宝物殿。❷神の御殿。神殿。

***ほう-でん【放電】**《名・自他サ》❶電気を帯びた物体が電気を放出すること。対 充電。❷気体などの絶縁体を通して両極間に電流が流れること。

ぼう-てん【傍点】〔注意を促すために〕文字のわきに打つ点。圏点。

ほう-と【方途】〔文〕進むべき道。なすべき方法・手段。てだて。「危機をのりこえるための―」「―に迷う」

***ほう-ど【封土】**封建時代に君主が臣下の大名に与えた領地。知行ちぎょう。

***ほう-ど【邦土】**〔文〕一国の領土。〔わが〕国土。

***ぼう-と【暴徒】**暴動を起こした人々。「―と化す」

***ほう-とう【宝刀】**宝物として大切にしている刀。宝剣。「伝家でんかの―」

***ほう-とう【宝塔】**❶寺の塔の美称。❷多宝如来を安置する塔。多宝塔。

***ほう-とう【放×蕩】**《名・自サ》酒や女におぼれること。「―息子」類語 道楽。極道ごくどう。遊蕩ゆうとう。放埒ほうらつ。

***ほう-とう【×朋党】**〔文〕主義・利害などを共通にする仲間。類語 徒党。

***ほう-とう【法灯】**❶仏法を、心の闇やみを照らす灯火にたとえた語。❷仏前の灯火。みあかし。

***ほう-とう【法統】**仏法の伝統。「―をつぐ」

***ほう-とう【砲塔】**〔軍艦・要塞ようさいなどで〕大砲や砲手などを敵からまもるために厚い鋼鉄で囲んだもの。

***ほう-どう【報道】**《名・他サ》告げ知らせること。また、その知らせ。ニュース。参考 特に、新聞・テレビ・ラジオなどの知らせを言う。「事件を―する」「―写真」**―きかん【―機関】**報道を目的とする機関。新聞社・ラジオ局・テレビ局など。

***ほう-どう【法堂】**経を講ずる講堂。参考 禅宗では「はっとう」という。

***ぼう-とう【暴投】**《名・他サ》野球で、投手が捕手のとれないような投球をすること。また、その投球。ワイルドピッチ。類語 悪投。

***ぼう-とう【暴騰】**《名・自サ》物価・相場などが急に大きく上がること。「地価が―する」類語 急騰。狂騰。奔騰。対 暴落。

***ぼう-とう【冒頭】**物事の初め。特に、談話・文章・会議・討論・行事などの初めの部分。「―に述べたとおり…」類語 劈頭へきとう。初頭。

ぼう-どう【暴動】多くの者が集まって、社会の安定を乱す騒ぎを起こすこと。「政府転覆をねらった―」類語 騒動。騒乱。騒擾そうじょう。擾乱。

ほう-とく【報徳】〔文〕受けた徳、すなわち恩にむくいること。類語 報恩。

***ほう-どく【奉読】**《名・他サ》〔文〕つつしんで読むこと。「勅語を―する」

***ほう-どく【×捧読】**《名・他サ》〔文〕手にささげ持って読むこと。「祝詞のりとを―する」

ぼう-とく【冒×瀆】《名・他サ》〔文〕〔神聖なものを〕おかし、けがすこと。「神を―する」類語 汚辱。侵害。

***ぼう-どく【防毒】**毒ガスを防ぐこと。「―マスク」

ほう-なん【法難】〔仏〕仏法の布教に伴う迫害。

ほう-にち【訪日】《名・自サ》外国人が日本を訪れること。対 離日。

ほう-にょう【放尿】《名・自サ》小便をすること。

ほう-にん【放任】《名・他サ》なりゆきに任せてほうっておくこと。「いたずらを―する」「―主義」

ほう-ねつ【放熱】《名・自サ》❶熱を発散すること。❷〔機械を冷却させるために〕熱を散らすこと。「―板」

***ほう-ねん【放念】**《名・自サ》〔文〕気にかけないこと。「どうぞ、ご―下さい」参考 多く手紙文で使われる。

***ほう-ねん【豊年】**穀物の豊作の年。「―満作」対 凶年。注意「豊年万作」は誤り。

***ぼう-ねん【忘年】**❶〔文〕年齢の差を忘れること。「―の友」「―の交わり」❷年末に、その年の苦労を忘れること。年忘れ。「―会」

***ぼう-ねん【防燃】**燃焼を防ぐこと。「―加工」

ほう-のう【奉納】《名・他サ》神仏にささげること。「―相撲」「神楽かぐらを―する」類語 奉献。献納。

***ほう-はい【奉拝】**《名・他サ》〔文〕つつしんでおがむこと。「御真影を―する」

***ほう-はい【×澎×湃・×彭×湃】**《形動タル》〔文〕❶水が盛んにみなぎり逆まくようす。「―たる怒濤どとう」❷物事が盛んに起こるようす。「―として起こった新機運」

ほう-ばい【×朋輩・▽傍輩】〔文〕同じ主人・先生に仕える仲間。また、地位・年齢などが同じぐらいの友達。同輩。

ぼう-はく【傍白】芝居で、観客には聞こえるが相手役には聞こえないことにして言うせりふ。わきぜりふ。

ぼう-ばく【×茫漠】《形動タル》〔文〕❶広くてとりとめのないようす。「―たる麦畑が広がる」❷はっきりしないようす。「―たる話」

ほう-はつ【×蓬髪】〔文〕〔蓬よもぎのしげったような髪の意で〕のびて乱れた髪。「垢面こうめん―」

ほう-ばつ【放伐】〔文〕徳を失った天子を討って追い払うこと。参考 中国の易姓えきせい革命思想。↔禅譲。

ぼう-はつ【暴発】《名・自サ》❶事件などが突然おこること。類語 突発。❷小銃などの弾丸が、不注意のために飛び出すこと。「―事故」

ぼうは-てい【防波堤】港の外側の海に築いた堤。対鉤針。

ぼう-ばり【棒針】先がとがった編み棒。対鉤針。

ほう-はん【訪販】「訪問販売」の略。

*ぼう-はん【防犯】犯罪をふせぐこと。「―ベル」

*ほう-ひ【包皮】〔文〕表面を包む皮。

ほう-ひ【放×屁】《名・自サ》〔文〕おならをすること。

ほう-び【褒美】〔ほめる意から〕ほめて与える金品。「―をもらう」類語褒賞。恩賞。賞品。賞金。

ぼう-び【防備】《名・他サ》防ぎまもること。また、そのための備え。「―を固める」類語防護。防御。

ぼう-びき【棒引き】《名・他サ》❶線を引くこと。特に、線を引いて記載事項を消すこと。❷帳消し。「借金の―」

*ぼう-ひょう【妄評】《名・他サ》〔文〕❶勝手で、でたらめな批評。妄評。❷自分の批評のけんそん語。「―多謝」

*ぼう-ひょう【暴評】《名・他サ》〔文〕ひどい批評。

*ほう-ふ【抱負】やりとげたいと心の中に抱いている考え・計画。「―を述べる」

*ほう-ふ【豊富】《名・形動》豊かで富んでいること。「―な財源」「話題の―な人」類語潤沢。

ほう-ぶ【邦舞】〔文〕日本舞踊。日舞。対洋舞。

*ぼう-ふ【亡夫】〔文〕死んだ夫。対亡妻。

*ぼう-ふ【亡父】〔文〕死んだ父。対亡母。

*ぼう-ふ【防腐】腐るのを防ぐこと。「―剤」

*ぼう-ふう【暴風】被害をもたらす激しい風。「―圏」

―う【―雨】雨を伴う激しい風。あらし。

*ぼう-ふう【防風】❶風をさえぎって、その害をふせぐこと。「―林」❷ハマボウフウ。

*ほう-ふく【報復】《名・自サ》しかえしをすること。「―手段に出る」類語復讐。復仇。返報。意趣晴らし。意趣返し。

*ほう-ふく【抱腹・×捧腹】《名・自サ》〔文〕腹をかかえて大笑いすること。―ぜっとう【―絶倒】《名・自サ》腹をかかえ転げ回るほどに大笑いすること。

*ほう-ふく【法服】❶裁判官・弁護士などが法廷で着る制服。❷僧の正装。

ほう-ふつ【×彷×彿・×髣×髴】《名・自サ・形動タルト》よく似ている（ものがそこに現れたように見える）こと。「父の姿を―させた」

ほうぶつ-せん【放物線・×抛物線】円錐曲線の一つ。幾何学的には、一定点（=焦点）と一定直線（=準線）からの距離がおのおの等しい点の軌跡。物理学的には、物をなめ上方へ投げたとき、空中にえがく平面曲線。放擲線。表記「放物線」は代用字。

ぼう-ふら【×孑×孒・×孑×孒・棒▽振】蚊の幼虫。からだは細長く、水たまりにすむ。ぼうふり。

*ほう-ぶん【法文】❶法令の条文。❷法学部と文学部。「―系」

*ほう-ぶん【邦文】日本語の文字・文章。和文。「―タイプライター」対欧文。

*ほう-へい【奉幣】《名・自サ》〔文〕神前に幣をたてまつること。「―使」

*ほう-へい【砲兵】大砲を撃つことを専門とする兵。

ぼう-へき【防壁】敵や火・風雨などを防ぐための壁。

ほう-へん【褒×貶】《名・他サ》〔文〕ほめることとけなすこと。「毀誉―」類語評判。

ほう-べん【方便】〔仏教で衆生を救うための便法の意〕便宜上の手段。「うそも―」類語便法。

ぼう-ぼ【亡母】〔文〕死んだ母。対亡父。

ほう-ほう【方法】目的を達するためのやり方。「安易な―」⇩〖類語と表現〗―ろん【―論】物事の方法についての理論。

類語と表現

「方法」
＊いくつかの方法がある・好きな方法でする・独特の方法をとる・料理の方法を教わる・操縦方法をまちがえる・修理する方法がない。
◆仕方・やり方・行き方・生き方・（身の）振り方／仕様・術・術・方術・方途・方便・手・一手・新手・新手・其の手・奥の手・決め手・手口・手順・手だて・手段・非常手段・常套手段・法・手法・技法・新法・別法・良法・秘法・秘訣・正攻法・策・方策・秘策・善後策・窮余の一策・メソッド

*ほう-ぼう【方方】いろいろな方面。「―に世話をかける」「所々―」

*ほう-ぼう【×魴×鮄】ホウボウ科の海魚。からだは暗赤色。大きな胸びれのとげで、海底をはって歩く。食用。表記「竹麦魚」とも書く。

*ぼう-ぼう【某某】《代名》《不定称の人代名詞》だれだれ。〔名がわからない場合、また、わざと明示しない場合にいう〕「友人の―の言によると」

*ぼう-ぼう《副》《「―と」の形も》火が盛んに燃えるようす。

*ぼう-ぼう【×茫×茫】《形動タルト》❶〔文〕広々としてはてしのないようす。類語茫洋。❷草・髪などが、のび乱れるようす。「草―の庭」

ほうほう-の-てい【×這う×這うの体】《連語》かろうじて逃げ出すようす。「―で逃げ帰った」

*ほう-ぼく【放牧】《名・他サ》家畜を放し飼いにすること。類語遊牧。

*ほう-ぼく【芳墨】〔文〕❶かおりのよい墨。❷他人の手紙・筆跡をいう尊敬語。類語芳書。

ほう-まつ【泡×沫】❶あわ。あぶく。❷泡のようにはかないもの。「―会社」「―候補」

*ほう-まん【飽満】《名・自サ》〔文〕飽きるほど食べて腹が一杯になること。また、完全に満ち足りること。「―の日々を送る」

*ほう-まん【放漫】《形動》〔文〕やりっぱなしになるようす。「―経営」

*ほう-まん【豊満】《形動》❶物が豊かで十分なようす。❷〔女性が〕肉づきのよいようす。「―な肉体」

*ぼう-まん【暴慢】《名・形動》〔文〕荒々しく、気ままなこと。「―な態度」

*ぼう-まん【膨満】《名・自サ》中がいっぱいになってふくれあがること。「―感」

ほう-みょう【法名】❶仏門に入った人にさずけられる名。❷戒名。

ぼう-みん【暴民】〔文〕暴動を起こした民衆。

ほう-む【法務】❶法律上の事務。❷〔仏〕仏法に関する事務。寺の事務。―しょう【―省】検察・争訟・国籍・登記・人権擁護、出入国の管理などに関する事務を取りあつかう国の行政機関。

ほうむり-さ・る【葬り去る】《他五》❶物事が表面に現れないようにする。「事件を闇に―・る」❷捨て去る。「過去の記憶を―・る」❸追放する。二度と世間に出られないようにする。「業界から―・る」

ほうむ・る【葬る】《他五》❶死者・遺骨を土の中にうめる。類語（る・す）埋葬。埋骨。❷隠して表面に現れないようにする。「過去を―・る」「事件を闇に―・る」❸〔欠点・悪事などを暴露して〕世間に出られないようにする。「芸能界から―・られる」類語干す。文《四》。

ほう・めい【芳名】〔文〕❶名声。❷他人の名前の敬称。「ご―を承ります」

ぼう・めい【亡命】《名・自サ》政治的な理由で自国を脱出して他国に逃亡すること。「―者」「―国」

__ほう・めん【放免】__《名・他サ》❶（捕らえていた者を）解放すること。「徹夜の仕事から―される」❷〔法〕容疑者の勾留をとくこと。「無罪―となる」❸〔法〕刑期を終えた囚人を釈放すること。

*__ほう・めん【方面】__*❶そのあたり。その方向。「関西―からの行楽客」❷全体をいくつかにわけた際の一部分。分野。「その―には暗い」類語局面。局部。

ほう・もう【法網】〔文〕法律を、罪を犯したものを捕らえる網にたとえていう語。法の網。「―を逃れる」

ぼう・もう【紡毛】〔文〕❶毛をつむぐこと。❷羊などの短い毛や毛織物からとった毛などをつむいで作った糸。紡毛糸。

ほう・もつ【宝物】たからもの。「―殿」

*__ほう・もん【法文】__*仏法を説きあかした文章。

*__ほう・もん【法門】__*仏の教え。仏法。

*__ほう・もん【砲門】__*大砲のたまが飛び出す口。砲口。「―を開く（＝砲撃を開始する）」

__ほう・もん【訪問】__《名・他サ》人をたずねること。他家をおとずれること。「先生のお宅を―する」「会社―」「―介護」類語往訪。謙譲参上。参殿。参堂。注意「訪門」は誤り。 **―ぎ【―着】**和服で、女性の略式礼服。 **―はんばい【―販売】**販売員が客の家や職場などを訪れる販売方法。訪販。

ぼう・や【坊や】幼い男の子を親しんで呼ぶ語。また、世間知らずの若い男を、からかいあざけっていう語。

ほう・やく【邦訳】《名・他サ》外国文を日本文に訳すこと。また、訳したもの。和訳。日本語訳。

ほう・ゆう【×朋友】〔文〕ともだち。友人。ポンユー。

__ぼう・ゆう【亡友】__〔文〕死んだ友人。

__ぼう・ゆう【暴勇】__〔文〕無分別な勇気。類語蛮勇。

__ほう・よう【包容】__《名・他サ》❶その中に含みもつこと。類語包含。❷心が広く、こだわりなく人を受け入れること。「―力のある人」

__ほう・よう【抱擁】__《名・他サ》〔親しみ・愛情をもって〕抱きかかえること。また、抱いて愛撫すること。注意「抱擁力」は誤り。

__ほう・よう【法要】__〔追善供養などのために行う〕仏教の儀式。法会。仏事。法事。「四十九日の―」

__ぼう・よう【亡羊】__〔文〕逃げて見失った羊。 **―の嘆**《句》〔道が多く分かれ、逃げた羊の行方がわからなくなって嘆く意から〕学問の道が多方面にわたり、真理をつかむのがむずかしいことを嘆くこと。また、あれこれ迷うこと。参考→多岐亡羊。

__ぼう・よう【×茫洋・×芒洋】__《形動タルト》〔文〕広々として限りのないようす。「―たる荒野」類語茫々。

__ほう・よく【豊×沃】__《名・形動》〔文〕地味が肥えて作物がよくみのること。類語肥沃。豊饒。

__ほう・よく【×鵬翼】__〔文〕おおとりの翼。転じて、飛行機（の翼）。

ぼう・よみ【棒読み】《名・他サ》❶漢文を返り点に従わないで、そのまま音読すること。❷文章を、抑揚などを考えないで一本調子に読みくだすこと。

ほう・らい【×蓬×莱】❶「蓬莱山」の略。❷蓬莱山をかたどった台の上に、松竹梅・鶴亀・尉姥などを配して祝儀などの飾りとした物。蓬莱台。❸新年の祝いの飾り物で、三方に松竹梅を立てて、アワビ・カズノコ・コンブ・ダイダイなど山海の産物を飾りつけた物。蓬莱飾り。 **―さん【―山】**中国で、渤海湾の海中にあり、仙人がすむという伝説の山。不老不死の薬があるとされる。よもぎがしま。蓬莱島。

__ほう・らく【崩落】__《名・自サ》❶〔文〕くずれ落ちること。「岩石が―する」❷相場が急激に下落すること。

*__ほう・らく【法楽】__*❶法会・神事の音楽。❷〔文〕なぐさみ。楽しみ。放楽。

ぼう・らく【暴落】《名・自サ》物価・相場などが急に大きく下がること。「株の―」類語急落。対暴騰。

ほう・らつ【放×埒】《名・形動》《馬が埒をはなれる意》〔文〕行いや生活が勝手気ままなこと。「―な生活」類語放逸。放恣。放縦。

ほう・らん【抱卵】《名・自サ》〔文〕❶産卵後、親鳥が卵をかかえて温めること。❷魚が卵を腹に持っていること。子持ち。「―ニシン」

ほう・り【法理】法律の原理。

ぼう・り【暴利】不当な利益。「―をむさぼる」

ほう・りき【法力】仏法を修行してえられる不思議な力。また、仏法の威力。

ほうり・こ・む【▽放り込む】《他五》投げ入れる。

ほうり・だ・す【▽放り出す】《他五》❶投げて外に出す。また、強い勢いで向こうへやる。「横転した車から人が―・される」❷乱暴に投げ出す。また、その場にうち捨てる。「本を机の上に―・す」❸〔あきらめて〕途中でするのをやめてしまう。また、なすべきことを手をつけずにほうっておく。「宿題を途中で―・す」類語②③（る・す）放棄。放擲。❹（人を）捨ててかえりみない。「友人を―・して外へ出て行った」類語（る・す）放棄。遺棄。❺惜しげもなく出す。「あり金を残らず―・す」

ほう・りつ【法律】❶社会生活の秩序を保つために、国家の力によって行われる決まり。法。❷国会の議決によって成立する、国の決まり。法令。類語①②法規。公法。国法。

ほうり・な・げる【▽放り投げる】《他下一》❶遠くへ（弧をえがくようにして）投げる。また、無造作に（乱雑に）投げる。❷〔仕事などを〕途中でやめて片を付けないままにしておく。「仕事を―・げて遊び回る」

ほう・りゃく【方略】〔文〕計画。計略。

ぼう・りゃく【謀略】人をだますはかりごと。「―をめぐらす」「敵の―」類語陰謀。謀計。

ほう・りゅう【放流】《名・他サ》❶せきとめていた水を放出すること。類語放水。❷〔養殖するために〕魚を川・池などにはなすこと。「アユを―する」

ぼう・りゅう【傍流】❶本流から分かれた流れ。支流。❷主流から外れた流派・系統。傍系。

ほう・りょう【豊漁】大漁。対不漁。

ぼう・りょく【暴力】乱暴なふるまい。また、無法な腕力。「―に訴える」「―団」

ほう・りん【法輪】仏法。仏の教えがよく人に伝わることを輪にたとえて言う語。転法輪。

ボウリング 室内競技の一つ。直径約二〇チセンの球を転がし、レーン上に並べられた一〇本のピンを倒して、その本数を競うもの。ボーリング。「—場」▽ bowling

ほう・る【▽放る・×抛る】《他五》❶腕の力で物を遠くへ(弧をえがくようにして)とばす。投げる。「ボールを—る」類語(る(す))投擲。❷惜しげもなく差し出す。なげうつ。「我が身を—って人を助ける」❸あきらめてやめる。「計画を中途で—ってしまう」類語(る(す))放擲。放棄。❹〈「—っておく」の形で〉手をつけず、なりゆきにまかせる。「虫歯を—っておく」

ボウル 料理などに使う、口が広い、丸みのあるはち。ボール。「サラダ—」▽ bowl

ほう・るい【×堡塁】〔文〕敵の攻撃・侵入を防ぐためのとりで。堡塁。類語 防塁。

ぼう・るい【防塁】敵の攻撃を防ぐためのとりで。防塞。類語 堡塁。

*__ほう・れい__【報礼】〔文〕謝礼(の金品)。

*__ほう・れい__【法令】法律と命令。「—用語」

*__ほう・れい__【法例】法規の適用に関する諸原則を定めた規定。「民法に定める—」

*__ほう・れい__【豊麗】《名・形動》〔文〕肉づきが豊かで美しいこと。「—な肉体」「—な淑女」類語 豊艶。

*__ぼう・れい__【亡霊】❶死んだ人の魂。亡魂。❷幽霊。

*__ぼう・れい__【暴戻】《名・形動》〔文〕乱暴で人の道にそむくこと。非道。「領主の—な取り締まり」

*__ほう・れつ__【放列】大砲をずらりと横に並べて射撃する隊形。また、そのような態勢。砲列。「報道陣がカメラの—を敷く」

*__ほう・れつ__【砲列】↓ほうれつ(放列)。

*__ほう・れつ__【芳烈】《形動》〔文〕香気が激しくするようす。「—な果物のにおい」

ほう・れん【×鳳×輦】〔文〕❶屋根に金色の鳳凰の飾りがある御輿。❷天皇の乗り物の美称。

ほうれん・そう【×菠×薐草】アカザ科の一、二年草。茎・根は赤みをおびている。食用。

*__ほう・ろう__【放浪】《名・自サ》あてもなくさまよい歩くこと。さすらい。「諸国を—する」「—癖」類語 流浪。

*__ほう・ろう__【×琺×瑯】❶金属器の表面に焼きつけるガラス質の不透明な釉。❷琺瑯をやきつけた金属器。琺瑯引き。瀬戸引き。「—鍋」 **—しつ**【—質】歯の外側をおおう、光沢のあるかたい物質。エナメル質。

ぼう・ろう【望楼】遠くを見わたすための高い建物。物見やぐら。

ほうろう・きん【報労金】❶労に報いるために渡す金。❷落とし物を拾った人が落とし主に対して請求できる報酬。

*__ほう・ろく__【俸×禄】〔文〕職務に対する報酬として与えられる、米または金銭。「—を食む」

*__ほう・ろく__【×焙×烙・×炮×烙】茶・塩・豆などを炒る、素焼きの浅い土なべ。ほうらく。

ほう・ろん【放論】〔文〕自由気ままに議論すること。また、その議論。類語 放談。

ぼう・ろん【暴論】乱暴な議論・理論。「—を吐く」

*__ほう・わ__【法話】仏法に関する話。法談。類語 説教。

*__ほう・わ__【飽和】《名・自サ》❶含みうる最大限度まで満ちていること。「都市の人口が—状態になる」❷ある温度のもとで、溶媒の中に溶かし得る最大限の量の溶質が溶けている状態になること。また、蒸気が最大限の蒸気圧をもつこと。「—点」

ホエール・ウオッチング クジラを観察すること。▽ whale watching

ポエジー ❶詩。詩歌。ポエトリー。❷詩情。詩趣。「作者特有の—が作品ににじみ出る」▽フランス poésie

ほえ・づら【×吠え面】泣き顔。泣きっつら。「—をかく(=泣きっつらをする)」

ポエム 詩。韻文。ポエジー。▽ poem

ほ・える【×吠える・×吼える・×咆える】《自下一》❶犬・猛獣などが大きな声でなく。また、そのような音・声をたてる。類語 うそぶく。哮る。(る(す))咆哮。❷〔俗〕大声をあげて泣く。また、どなったり大口をたたいたりする。「大臣大いに—える」文ほ・ゆ《下二》。

*__ほお__【▽朴】朴の木。

*__ほお__【×頰】顔の両わきから目の下にかけてのやわらかい所。ほほ。「—が落ちる(=非常においしいことの形容)」「—を膨らます(=不満な顔つきをする)」類語 ほっぺた。ほっぺ。

ボー ❶弓。❷「ボーカラー」の略。婦人服に用いる、ひも状の飾り襟。ボウ。❸「ボータイ」の略。▽ bow **—タイ** 蝶ネクタイ。ボー。ボウタイ。▽ bow tie

ボーイ 一《造語》「男の子」「少年」の意。「メッセンジャー—」対 ガール。二《名》給仕。ウエーター。▽ boy **—スカウト** 少年の心身を鍛え、社会に奉仕する善良な公民になるように団体訓練を行う組織。英国で創始。類語 少年団。対 ガールスカウト。▽ Boy Scouts **—フレンド** 男の友達。〔女性の側から言う〕対 ガールフレンド。▽ boyfriend

ボーイッシュ《形動》〔女性が〕少年風であるようす。「—スタイル」▽ boyish

ほお・え・む【×頰笑む・▽微笑む】《自五》↓ほほえむ。

ポーカー トランプ遊びの一つ。二人から数人で行い、手持ちの役の強さによって争うもの。▽ poker **—フェース**〔ポーカーでは、表情をおもてに出さないことが肝心なことから〕無表情な顔。▽ poker face

ほお・がえし【×頰返し】❶ほおばった物をかみこなすこと。❷なすべき手段・方法。法返し。「—がつかない(=どうしようもない)」

ほお・かぶり【×頰▽被り】《名・自サ》❶手ぬぐいなどで頭からほおにかけておおうこと。❷知らないふりをすること。「あの件は—で押し通そう」「—をきめこむ」=ほおかむり。ほっかむり。ほっかぶり。

ボーカル 声楽。歌唱。ヴォーカル。「ジャズ—」▽ vocal(=音声の)

ボーキサイト アルミニウムの原料となる鉱石。赤褐色の粘土のような塊をしている。▽ bauxite

ボーク 野球で、走者がいるときの、投手の投球上の反則行為。走者は一つ進塁ができる。▽ balk

ポーク 豚の肉。「—ソテー」▽ pork

ほお・げた【×頰×桁】ほおの形をつくっている骨。ほおぼね。転じて、ほお。「—を張られる」

ほお・ける【×蓬ける】《自下一》〔古くなり〕けばだつ。ほける。「紙が—る」文ほほ・く《下二》。

ほお・じろ【×頰白】ホオジロ科の小鳥。頰に黒と白のすじがある。なき声が美しい。わが国固有の鳥。

ホース ゴムやビニールなどで作った管。▽オランダ hoos

*__ポーズ__ 休止。「少し—をおく」▽ pause

*__ポーズ__ ❶〔画像や写真などの人物の〕姿。姿勢。「—を

とる」❷気どった態度。また、虚勢。見せかけ。「ーを示す」「ーを作る」「彼女一流のー」▽pose

ホース-アウト 野球で、封殺。フォースアウト。▽force-out

ほお-ずき【▽酸×漿・▽鬼▽灯】ほほづき ❶ナス科の多年草。実は球形で、がくにつつまれて赤く熟し、子どものおもちゃになる。丹波ほおずき。❷口に入れて鳴らすおもちゃ。ホオズキの実の中をぬいたものや、ウミホオズキの卵の袋など。表記 現代仮名遣いでは「ほおづき」も許容。**ーぢょうちん【ー▽提▽灯】**ほおずき①の実にに た真っ赤な丸い小さなちょうちん。

ほお-ずり【×頰擦り】ほほー《名・自サ》自分のほおを相手のほおにすりつけること。参考 相手をいとおしむ気持ちを表す動作。

ボースン 甲板長。水夫長。▽boatswain

ボーダー へり。端。境。▽border **ーライン** 境界線。境目。どちらとも決めかねるすれすれの所。「当落のーにいる」▽border line **ーレス** 境界が・ないこと(はっきりしないこと)。「ー社会」▽borderless

ポーター (駅やホテルの)荷物運搬人。▽porter

ポータブル 一《造語》「携帯用」の意。二《名》《「ポータブル…」の略から》携帯用の、蓄音機・ラジオ・テレビ・テープレコーダー・ミシンなど。▽portable

***ポーチ** 洋風の建物で、玄関先を屋根でおおった所。車寄せ。▽porch

***ポーチ** 小型のかばん。小銭入れ。▽pouch

ほお-づえ【×頰×杖】ほほづゑ ひじを立てて、手のひらでほおをささえること。つらづえ。「ーをつく」

ほお-づき【▽酸×漿・▽鬼▽灯】→ほおずき。

ホーデン 睾丸。▽ドイ Hoden

ボート (櫂でこぐ)洋風の小舟。短艇。「モーターー」「キャッチャーー」▽boat **ーピープル** 小さな船で国外へ脱出する難民。▽boat people

ボード (加工して強化した建築用の)板。特に、合板。「耐火ー」▽board **ーセーリング** サーフボードに帆とマストを付け、風の力を利用して水上を帆走するスポーツ。ウインドサーフィン。▽boardsailing

ボードビリアン ボードビルに出演する芸人。また、軽演劇俳優。ヴォードビリアン。▽vaudevillian

ボードビル ❶通俗的な喜劇。❷歌・踊り・喜劇などを組み合わせた演芸。バラエティー。＝ヴォードビル。▽フランス vaudeville

ポートレート 肖像画。肖像写真。▽portrait

ポート・ワイン 熟成の途中でブランデーを加えた、甘い赤ぶどう酒。ポルトガル原産。▽port wine

ボーナス 賞与。特別配当金。▽bonus

ほお-の-き【▽朴の木】ほほー モクレン科の落葉高木。葉は大きな長円形で、初夏、大きな白い花を開く。材は家具・器具・版木・下駄などの材料。ほお。

ほお-ば【▽朴×歯】ほほー 朴の木で作った下駄の歯。また、その歯を入れた下駄。

ホーバークラフト 下方への圧縮空気の噴射によって地面または水面からわずかに浮きあがって走る乗り物。水陸両用。エアクッション船。エアカー。ホバークラフト。参考 もと、商標名。▽hovercraft

ほお-ば・る【×頰張る】ほほー《他五》口いっぱいにたべものをふくむ。「ハンバーガーをーる」

ほお-ひげ【×頰×髯】ほほー ほおに生えるひげ。

ホープ 将来に望みをかけられている人。「角界のー」▽hope

ほお-べた【×頰▽辺】ほほー ほおのあたり。ほっぺた。

ほお-べに【×頰紅】ほほー ほおにつける、紅。

ほお-ぼね【×頰骨】ほほー 顔面の骨。ほおの上部にあり、左右いくらか高く出ている骨。顴骨。ほおげた。きょうこつ。

ホーマー 野球で、ホームラン。▽homer

***ホーム** 一《造語》「わが家」「家庭」「故郷」の意。「ーパーティー」二《名》❶保護・収容施設。「老人ー」❷野球で、「ホームベース(＝本塁)」の略。❸サッカーなどで、自チームの本拠地。対アウェー。▽home **ーイン**《名・自サ》野球で、走者が本塁に達すること。生還。▽home と in からの和製語。**ーグラウンド** ❶野球などで、自チームのグラウンド。❷故郷。また、ふだん活躍して慣れている場所。「ーで立候補する」▽home ground **ーシック** (遠く離れた土地にいて)故郷や家庭を恋しく思うこと。郷愁。懐郷病。「ーにかかる」▽home sickness から。**ーショッピング** カタログ・テレビ・パソコンなどを利用して、家庭にいながら行う買い物。▽home shopping **ースチール** 野球で、本塁への盗塁。本盗。▽home と steal からの和製語。**ーステイ** 海外留学の一形態。外国人の一般家庭に住み込み、家族の一員として待遇されながら海外の文化を学ぶこと。▽homestay **ーストレッチ** 競技場・競馬場で、決勝線に向かう直線走路。対バックストレッチ。▽home stretch **ースパン** 太めの糸であらく平織り(あや織り)にした、手織りの毛織物。また、これに似せて機械で織った布。▽homespun **ーセンター** 日曜大工用品・生活雑貨・園芸用品などを幅広くそろえた店。▽home center **ードクター** 掛かり付けの医者。主治医。▽home と doctor からの和製語。**ードラマ** 家庭内の出来事を題材とした劇。▽home と drama からの和製語。**ーページ** インターネットで、個人や企業・団体などが開設した情報ページ。▽home page **ーヘルパー** 高齢者や身体障害者などの家庭へ出向き、身の回りの世話に当たる役(の人)。家庭奉仕員。ヘルパー。▽home と helper からの和製語。**ーメード** 自家製。「ーのケーキ」▽homemade **ーラン** 野球で、本塁打。ホーマー。▽home run **ールーム** (中学校・高等学校で)学級担任教師を中心に学級単位で集まって行う、生徒の自治的な活動を育成する教育活動。▽homeroom **ーレス** 住む家をもたない人。▽homeless

***ホーム** 「プラットホーム」の略。フォーム。

ポーラー よりの強い糸で平織りにした目の粗い織物。夏服地に使用。ポーラ。▽poral から。

***ボーリング** ❶穴をあけること。類語 穿孔。❷地中に深く穴を掘ること。特に、鉱床の探査や地下水・油田などの有無を調べるために行うもの。類語 試掘。▽boring

***ボーリング** →ボウリング。▽bowling

***ホール** ❶大広間。❷会館。「コンサートー」「市民ー」❸「ダンスホール」の略。▽hall

***ホール** ゴルフで、グリーンにある、球を入れる穴。「一八番ー」▽hole(＝穴) **ーイン・ワン** ゴルフで、第一打で球がホールに入ること。▽hole in one

***ボール** ❶たま。❷野球で、投手の投球でストライクゾー

ンを通らなかったもの。対ストライク。▽ ball **―ベアリング** 回転する心棒の摩擦を少なくするためのたまを入れた軸受け。玉軸受け。▽ ball bearing **―ペン** ペン先のかわりに、小さな金属のたまをはめこんだ筆記用具。▽ ballpoint pen から。

***ボール** ↓ボウル。▽ bowl

***ボール** 「ボール紙」の略。「―箱」▽ board から。**―がみ【―紙】** わらを原料とした厚い紙。馬糞紙。

ポール ❶〔支えとする〕棒。さお。❷電車で、架線から電流を受ける棒。❸棒高跳び用の棒。▽ pole

ホールド・アップ 《名・感・自サ》抵抗する意志のないことを示すために両手を上げること。また、それを命じる語。手を上げろ。▽ hold up

ボール・ばん【ボール盤】 ドリルを回転させて穴をあける機械。穿孔機。▽ boor bank から。

ボーロ ビスケットの一種。小麦粉・卵・砂糖をまぜて軽く焼いた小さなまるい菓子。▽ bolo

***ほ・おん【保温】** 《名・自サ》一定の温度を保つこと。特に、温度を温かく保つこと。「―器」

***ホーン** ❶〔自動車の〕警笛。クラクション。❷↓ホルン。▽ horn

ぼ・おん【母音】 ↓ぼいん(母音)。

ボーン・ヘッド 野球で、判断が悪いために生じたまずいプレー。▽ bonehead(=まぬけ)

ほか【外・▽他】 ㊀《名》❶そこでない所。他所。「―の場所」類語よそ。そと。❷その範囲からはずれたところ。「思いの―のできごと」「想像の―だ」❸それと異なる・こと(もの)。それを除いた・こと(もの)。それ以外。他。「この種の品はこの―にはない」「山田君の―はだれもいない」㊁《形名》《下に否定の語を伴って》それ以外にはないの意。「歩く―ない」

ぼ・か【簿価】 「帳簿価額」の略。帳簿上に記入されている価額。

ぽか 〔俗〕囲碁や将棋などで、ふつうでは考えられない悪い手。また、思いもかけない失敗。「とんでもない―をした」類語ちょんぼ。凡ミス。

***ほ・かく【保革】** 保守(派)と革新(派)。「―伯仲」

***ほ・かく【捕獲】** 《名・他サ》❶〔鳥・魚・けものを〕いけどること。❷戦時中、敵の軍艦などをおさえること。「敵艦を―する」類語拿捕。鹵獲。

***ほ・かげ【帆影】** 遠くに見える船の帆。

***ほ・かげ【火影・▽灯影】** 〔文〕ともしび(の光で見える姿)。「―がゆれる」

ほかけ・ぶね【帆掛(け)船】 帆をかけて走る船。ほぶね。類語帆船。帆前船。

ほか・す【▽放す】 《他五》〔関西方言〕すてる。文《四》。

ぼか・す【×暈す】 《他五》❶濃淡の境目をはっきりさせないようにする。❷あいまいにして、内容をぼんやりさせる。ぼやかす。「真相を―・す」文《四》。

ほか・なら・な・い【▽他ならない・外ならない】 《連語》他のものではない。まさにそのものである。ほかならぬ。「努力の結晶に―・い」「―・い君のことだから…」

ほか・ほか 《副・自サ》《副詞は「―と」の形も》暖まるようす。また、暖かいようす。「―のごはん」

ぽか・ぽか 《副・自サ》《副詞は「―と」の形も》〔快いほどに〕暖かく感じるようす。「―した陽気」

ほがら・か【朗らか】 《形動》❶〔空が〕曇りなく、晴れやかなようす。「―な青空」類語晴朗。❷心が快活で明るいようす。明朗。「―に笑う」類語陽気。磊落。闊達。注意「郎らか」は誤り。

***ほ・かん【保管】** 《名・他サ》壊したりなくしたりしないように、きちんと管理すること。「重要書類の―」

***ほ・かん【補完】** 《名・他サ》不十分なところをおぎなって完全にすること。「欠点を―する」「互いに―しあう」

ぼ・かん【母艦】 航空機や他の艦艇などの整備や燃料補給などをする軍艦。航空母艦・潜水母艦など。

ぽかん 《副》《多く「―と」の形で》❶勢いよくたたくようす。ぽかり。❷ぼんやりしているようす。また、そのようにして口を大きく開けているようす。「一瞬―とした」

ほ・き【補記】 《名・他サ》〔文〕おぎなうべき事がらを書きしるすこと。また、その書いたもの。

ぼ・き【簿記】 金銭の出し入れ、取引などを一定の形式によって帳簿に記録・計算・整理して、その結果を明らかにする記帳法。

ボギー ゴルフで、基準打数(パー)より一つ多い打数でホールに球を入れること。「―をたたく」参考↓バーディー・パー。▽ bogey

ボギー・しゃ【ボギー車】 車軸が自由に回転する台車を取り付けた鉄道車両。客車・動力車などに用いる。

ほぎ・うた【▽祝歌・▽寿歌】 〔文〕祝い歌。祝賀の歌。

ほき・だ・す【▽吐き出す】 《他五》〔東日本の方言〕はき出す。

ぽき・ぽき 《副》《「―と」の形も》細くて堅いものが続けて折れるようす。また、その音の形容。

ボキャブラリー 語彙。ヴォキャブラリー。「―が豊富である」▽ vocabulary

***ほ・きゅう【捕球】** 《名・他サ》飛んできたり転がってきたりしたボールをつかむこと。

***ほ・きゅう【補給】** 《名・他サ》たりない分をおぎなうこと。「―路」「―基地」

ほ・きょう【補強】 《名・他サ》弱い部分をおぎなって全体を強いものにすること。「堤防の―工事」

ぼ・きん【募金】 《名・自サ》寄付金などを求め集めること。「共同―」

ほきん・しゃ【保菌者】 病原体を体内に保有しながら発病せず、感染源となる可能性のある人。キャリア。

***ほ・ぐ【▽反▽故】** ↓ほご(反故)。

***ほ・ぐ【▽祝ぐ・▽寿ぐ】** 《他四》〔古〕たたえて祝う。

ぼく【僕】 《代名》《自称の人代名詞》男が自分をさし示していう語。〔おとなが使う場合は、「私」よりもくだけた言い方で、対等または目下の者にむかって使う〕対君。⇩〔類語と表現「私」〕

ほく・い【北緯】 赤道より北の緯度。対南緯。

ほく・が【北画】 「北宗画」の略。対南画。

ほく・げん【北限】 北方の限界。「茶の―」参考多く、動植物の分布について言う。

ボクサー ボクシングの選手。拳闘家。▽ boxer

ぼく・さつ【撲殺】 《名・他サ》なぐり殺すこと。殴殺。

ぼく・し【牧師】 キリスト教のプロテスタントで、信者を導き説教をする職(の人)。参考↓神父。

ぼく・じつ【朴実・×樸実】 《名・形動》〔文〕素朴で誠実なこと。類語質朴。

***ぼく・しゃ【×卜者】** 〔文〕うらないをする人。

***ぼく・しゃ【牧舎】** 〔牧場などで〕家畜小屋。

ぼく・しゅ【墨守】 《名・他サ》〔文〕〔古い習慣や自分の説を〕かたくなに守ること。「旧習を―する」類語固守。

守旧。守株。

ぼく-じゅう【墨汁】❶墨をすった汁。❷〔①のかわりに使う〕にかわ液とカーボンブラックで作った黒色の液。

ほくしゅう-が【北宗画】中国の絵画の二大系譜の一つ。彩色の山水画を主とし、雄壮な筆法。北画。対南宗画。

ぼく-しょ【墨書】《名・他サ》〔文〕すみで書くこと。また、すみで書いたもの。

ほく-じょう【北上】《名・自サ》北の方へ向かって進むこと。北進。「寒冷前線が―する」対南下。

ぼく-じょう【牧場】〔牛・馬・羊などの〕家畜を放し飼いできるようにしたところ。まきば。放牧場。

ぼく-しょく【墨色】〔文〕すみいろ。

＊**ほく-しん**【北×辰】「北極星」の別称。

＊**ほく-しん**【北進】《名・自サ》北の方へむかって進むこと。北上。対南進。

ぼく-しん【牧神】林野・牧畜をつかさどる半人半獣の神。牧羊神。半獣神。参考ギリシア神話のパン。ローマ神話のファウヌス。

ぼく-じん【牧人】〔文〕牧場で家畜を飼う人。牧者。類語牧夫。牧童。

ボクシング 二人の競技者が、四角いリング上で両手にグローブをはめてこぶしで相手とうちあう競技。拳闘。▽boxing

ほぐ-す【▽解す】《他五》❶結んであるものなどを、といてばらばらにする。ほごす。❷こりかたまったものをやわらかくする。「気分を―す」文《四》。

ぼく-する【×トする】《他サ変》〔文〕❶うらなう。❷選んで定める。選定する。「居を―する」

ほく-せい【北西】北と西との中間の方角。西北。

ぼく-ぜい【×ト×筮】〔文〕ト(=亀の甲)や筮(=筮竹)を使ったうらない。うらない。

＊**ぼく-せき**【墨跡・墨×蹟】〔文〕毛筆で書いた墨のあと。筆跡。「高僧の―」

＊**ぼく-せき**【木石】〔文〕❶木と石。❷人情を理解できないもの。「―漢」

ぼく-せん【×ト占】〔文〕うらない。

ほ-くそ【火×糞】❶ろうそくの燃えがら。❷火口。

ぼく-そう【牧草】家畜のえさになる草。「―地」

ほくそ-え-む【ほくそ笑む】《自五》〔満足に思って〕にんまり笑う。表記「北叟笑む」と当てる。

ぼく-たく【木×鐸】〔文〕❶昔、中国で法令などを人民にしめすときに鳴らした、木の舌のある鈴。❷世間の人々を教え導く人。「社会の―となる」

木鐸①

ほく-たん【北端】〔陸地・国境などの〕北のはし。北のはずれ。対南端。

ほ-くち【火口】火打ち石の火を移し取るもの。ほくそ。

ぼく-ち【墨池】〔文〕❶すずりの、水をためる部分。すずりの海。❷墨壺。

ぼく-ちく【牧畜】〔牛・馬・豚などの〕家畜を飼い育て、繁殖させること。類語畜養。牧養。

ぼく-ちょく【朴直・×樸直】《形動》〔文〕かざりけがなく正直なようす。実直。「―な言葉で説く」

ほく-てき【北×狄】〔文〕北方の野蛮人。対南蛮。

ぼく-てき【牧笛】〔文〕牧人の吹く笛。

ほく-と【北斗】「北斗七星」の略。**―しちせい**【―七星】《「斗」は「ひしゃく」の意》天球の北極に近く、ひしゃく形に並んで見える、大熊座の七つの星。北斗。北斗星。ななつぼし。ななつのほし。

ほく-とう【北東】北と東の中間の方角。東北。

＊**ぼく-とう**【墨東・×濹東】東京都の隅田川以東の地域の称。一般には墨田区一帯をさす。参考「濹」は「墨田川(=隅田川)」の意。

＊**ぼく-とう**【木刀】木で作った刀。木剣。きだち。

ぼく-どう【牧童】〔文〕❶牧畜に従事する少年・男。❷カウボーイ。

ぼく-とつ【木×訥・朴×訥】《名・形動》無口でかざりけがないこと。「―な人柄」「剛毅―」類語朴直。

ぼくねん-じん【朴念仁】無口で無愛想な人。頭が固くて話のわからない人。わからずや。

ぼく-ひ【僕×婢】〔文〕下男と下女。めしつかい。

ほく-ぶ【北部】北の方の部分。「九州の―」対南部。

ぼく-ふ【牧夫】〔文〕牧場で家畜の世話をする男。類語牧者。牧人。

ほく-ふう【北風】きたかぜ。朔風。対南風。

ほく-へん【北辺】〔文〕北のはて。北のあたり。

ほく-ぼう【北×邙】〔文〕墓地。参考洛陽の北にある北邙山が漢代以来の墓地であったことから。**―の-ちり**【―の×塵】《連語》死んで火葬にされ塵となること。死ぬこと。北邙の煙。「―と化す」

ほく-ほく《副・自サ》《副詞は「―と」の形も》❶すっかり満足してうれしそうなようす。「―顔」❷ふかした、芋などが水気が少なくて口あたりのよいようす。

ぽく-ぽく《副》《「―と」の形も》❶こまげた・ぽっくりなどをはいて、道をゆっくり歩くときの音の形容。❷中が空洞になっている木製の物をたたくときの音の形容。「木魚を―たたく」❸水分が少なく、柔らかくてくずれやすいようす。「―した土」

ぼく-めつ【撲滅】《名・他サ》すっかり滅ぼしてしまうこと。「交通事故の―」類語根絶やし。根絶。絶滅。

ぼく-や【牧野】〔文〕家畜を放し飼いにする野原。

ほく-よう【北洋】北極に近い海洋。「―漁業」対南洋。

ぼく-よう【牧羊】〔牧畜の一つとして〕ヒツジを飼うこと。**―しん**【―神】牧神。

ぼく-り【木履】〔文〕❶げた。❷ぽっくり。

ほく-りく【北陸】「北陸地方」の略。福井・石川・富山・新潟の四県。

ほく-れい【北×嶺】❶〔高野山を南山というのに対して〕「比叡山」の別称。❷〔奈良の興福寺を南都というのに対して〕「比叡山延暦寺」の別称。

ほぐ-れる【▽解れる】《自下一》〔もつれたもの、こりかたまったものなどが〕とけて正常な状態になる。「気分が―れてすっきりする」文ほぐ・る《下二》。

ほくろ【▽黒▽子】皮膚にできる黒い小さな斑点。

＊**ぼけ**【×惚け・×呆け】❶ぼけること。「連休―」❷漫才で、「つっこみ」のことばを受けて、ぼけたふりで受け答えする役の者。表記②は、かな書き。対つっこみ。

＊**ぼ-け**【▽木×瓜】バラ科の落葉低木。葉は長楕円形。春に白・紅色の花を開く。枝にとげがあり、

ほ-げい【捕鯨】鯨をとること。「―船」

＊**ぼ-けい**【母型】活字を鋳造する金属製の字型。

*ぼ-けい【母系】〔文〕❶母方の血筋。❷家系が母方の系統で相続されること。「—社会」対①②父系。

ほけ-きょう【▽法華経】「妙法蓮華経(みょうほうれんげきょう)」の略称。

ほ-げた【帆×桁】帆を張るために帆柱にわたす横木。

ほ-けつ【補欠・補×闕】欠員を補うこと。また、欠員にそなえた予備の人員。「—選挙」「—募集」

ぼ-けつ【墓穴】〔文〕死体を埋める穴。墓あな。「自ら—を掘る(=自分で破滅の原因を作る)」

ぼけっ-と《副・自サ》何もしないでぼんやりしているようす。また、頼りないようす。ぼさっと。「—した性格」

ポケット 洋服などについている、物を入れる袋。かくし。▽pocket —ベル 小型で軽便な無線呼出し機。ポケベル。▽pocket と bell からの和製語。—マネー こづかい銭。▽pocket money

ぼけ-なす【×惚(け)×茄子】〔俗〕ぼんやりした人をののしって言う語。

ほ-ける【×惚ける】《自下一・接尾》→ほうける。文ほ・く《下二》。

ぼ-ける【×惚ける・×呆ける】《自下一》❶〔意識などが〕ぼんやりする。もうろくする。「年をとっても—・けない人」表記①は「耄ける」とも書く。❷色・像がはっきりしなくなる。「—・けた柄の着物」表記②は「暈ける」とも書く。文ぼ・く《下二》。

*ほ-けん【保健】健康を保つこと。—し【—師】保健指導・公衆衛生指導などに従事する人。社会保健師。—じょ【—所】公衆衛生や住民の保健指導のために都道府県および政令指定都市が設置する機関。—ふ【—婦】女性の「保健師」の旧称。

*ほ-けん【保険】❶金をつみたてて共同の基金を設定し、不意に起こった事故・災害などが生じたときに、一定の給付を受ける制度。「—をかける」「生命—」❷損害をつぐなう保証。また、確実なことの保証。

ぼ-けん【母権】❶家の支配権を母系がもつこと。「—制度」❷母の持つ親権。対①②父権。

ほこ【矛・×鉾・×戈】❶昔の武器の一種。棒の先に両刃の剣をつけて、槍(やり)のように敵を突くもの。❷攻撃用の武器。「—を収める(=戦闘・攻撃をやめる)」

*ほ-ご【保護】《名・他サ》〔弱いものを〕かばい守ること。類語擁護。庇護(ひご)。尊敬高庇(こうひ)。—かんさつ【—観察】犯罪者を施設に収容せずに、観察や補導によって自律的に更生させる制度。少年・執行猶予者・仮出獄者などに対して行う。—かんぜい【—関税】国内産業を保護するために、輸入品にかける関税。—こく【—国】一定の主権を代行することによって、ある国を保護する国。また、その保護を受ける国。—しゃ【—者】未成年者などを保護する義務のある人。—しょく【—色】動物の、生活環境に似ている体色。捕食者から身を守るのに役立つ。隠蔽(いんぺい)色。参考↓警戒色。—ちょう【—鳥】とることが法律で禁止されている鳥。禁鳥。—ぼうえき【—貿易】国内産業を保護するために国によって統制された貿易。

*ほ-ご【▽反故・▽反古】❶文字などを書いて不用になった紙。❷役にたたなくなった物事。むだになった物事。「契約を—にする」=反故(ほうぐ)・(ほぐ)・(ほうご)。

*ほ-ご【補語】文の成分の一つ。述語の意味をおぎなうことば。「白くなる」「湯が水になる」の「なる」に対する「白く」「水に」の類。

ぼ-ご【母語】❶自分の国のことば。母国語。❷同じ系統に属する諸言語の、分かれ出るもとの言語。

*ほ-こう【歩行】《名・自サ》歩くこと。「—困難」

*ほ-こう【補講】補充のためにする講義。

*ぼ-こう【母后】〔文〕皇太后。ははきさき。

*ぼ-こう【母校】自分が学んでいる学校。また、自分が学び卒業した学校。出身校。「—をたずねる」

*ぼ-こう【母港】その船が出発した、もとの港。また、その船が根拠地としている港。「—に帰る」

ぼ-こく【母国】自分の生まれ育った国。祖国。故国。「—語」対異国。

ほこ-さき【矛先・×鋒先】❶矛の先。❷〔論争・非難などの〕攻撃の方向や勢い。「非難の—を向ける」

ほご・す【▽解す】《他五》→ほぐす。文《四》。

ぼこ-ぼこ《副》(「—と」の形も)❶表面に穴やくぼみがたくさんあるようす。❷泡が次々に浮き上がったり、中空のものをたたいたりする音の形容。

ほこら【×祠】神をまつった小さいやしろ。参考神社よりも小さいものをいう。類語祠堂(しどう)。神祠。

ほこら-か【誇らか】《形動》得意そうなようす。ほこらしいようす。「母校のことを—に語る」

ほこらし・い【誇らしい】《形》得意で自慢したい気持ちである。「—・い気分になる」文ほこら・し《シク》。

*ほこり【×埃】とびちっている、細かいごみ。類語塵埃(じんあい)。

*ほこり【誇り】名誉に思うこと。また、その心。「—を傷つける」類語自負。矜持(きょうじ)。自尊心。プライド。

ほこ・る【誇る】《他五》❶自慢して得意になる。「勇(ゆう)を—・る」「物量を—・る」❷自慢できるものを持っている。「伝統を—・る」文《四》。⇩【類語と表現】

類語と表現

「誇る」

＊才を誇る・腕を誇る・権勢［栄華］を誇る・歴史と文化を誇る町・世界に誇る先端技術・創業二百年を誇る老舗(しにせ)・誇るに足る業績。

◆勝ち誇る・思い上がる・のぼせる・のぼせ上がる・つけあがる・しょってる・任じる・自惚(うぬぼ)れる・おごる・おごり高ぶる・高ぶる・威張る・鼻を高くする・鼻にかける・天狗(てんぐ)になる・いい気になる／(する)慢心・増長・自慢・自賛・自画自賛・自得・自任・自負／誇らしい・鼻高々／誇り・自尊(心)・矜持(きょうじ)・我褒(われぼ)め・増上慢(ぞうじょうまん)・プライド・唯我独尊・お天下様・お山の大将・夜郎自大・手前味噌・自惚(うぬぼ)れ鏡

ほころば・せる【×綻ばせる】《他下一》ほころびるようにする。ほころばす。「バラがつぼみを—・せた」

ほころ・びる【×綻びる】《自上一》❶〔衣服などの縫い目が〕とけてゆるむ。❷〔花のつぼみが〕少しひらく。「ウメの花が—・びる」❸〔表情が〕ゆるんで笑顔になる。「口元が—・びる」文ほころ・ぶ《上二》。

ほころ・ぶ【×綻ぶ】《自五》→ほころびる。文《四》。

ほ-さ【補佐・×輔佐】《名・他サ》人の仕事を助けること(人)。「—役」「—官」表記「補佐」は代用字。類語補弼(ほひつ)。補助。

ぼ-さい【募債】《名・自サ》債券を募集すること。

ほ-さき【穂先】❶植物の穂の先端。「—をたれる」❷刀・槍(やり)・錐(きり)・筆・釣竿(つりざお)など、細長くとがっているものの先端。特に、刃物の先端。きっさき。「—をかわす」

ほ-さく【補作】《名・自他サ》一度できたものに手を加

ほ

えてよりよいものに仕上げること。また、そのもの。

ほざ・く《他五》〔俗〕他人が言うことをさげすんでいう語。ぬかす。「何を—くか」文《四》。

ぼ・さつ【×菩×薩】❶仏陀の次の位に位置づけられ、慈悲の心で衆生を導く大乗仏教の修行者。参考 梵語 bodhisattva の音訳「菩提薩埵」の略。❷昔、朝廷から徳の高い僧に賜った称号。「行基—」❸〔神仏習合思想によって〕仏になぞらえて神におくった称号。「八幡大—」

ぼさっ・と《副・自サ》ぼけっと。

ぼさ・ぼさ《副・自サ》《副詞は「—と」の形も》❶《形動》髪が乱れているようす。「—の髪」❷何もしないでぼんやりしているようす。「—していると取り残される」類語 ぼけっと。ぼさっと。

ぼ・さん【墓参】《名・自サ》〔文〕墓まいり。「—団」

ほし【星】❶夜空に小さく、点のようになって光って見える天体。「—の美しい夜」参考 広義にはすべての天体を、普通には太陽・月・地球を除いた天体をさしていう。❷星の輝く形に似たしるし。「—一つの肩章」❸小さな丸い点。また、斑点。「重要語のわきに—を打つ」❹病気のために眼球に生ずる小さな白い点。参考→星目。❺相撲の勝敗をしるす丸。転じて、勝負の成績。「—を落とす」「—のつぶし合い」参考→黒星・白星。❻目当て。ねらい。目ぼし。「—をつける」❼〔隠〕犯人。〔警察関係者の間で使う〕「—をあげる」❽九星のうち、その人の生まれた年にあたるもの。また、運勢。「よい—のもとに生まれる」❾〈「—移る」「—改まる」などの形で〉年月がたつ。「年移り、—改まる」❿スター。花形。「宝塚歌劇の—」⇩〔類語と表現〕

類語と表現「星」

＊星がきらきら[ちかちか]光る・夜空に星が瞬く[輝く・きらめく]・星が降る[流れる]・星のある[ない]夜・満天の星。

◆星座・星宿・(黄道)十二宮・星辰・星雲・宇宙塵・星団・隕石・星影・星屑・スター・スターダスト・夕星・昴・明星・明けの明星・宵の明星・銀河・天の川・ミルキーウエー・ブラックホール・パルサー・クエーサー

◇[…ほし(ぼし)]朝星・一番星・綺羅星・流れ星・七つ星・糠星・彦星・一つ星・箒星・三つ星・夫婦星・六連星

◇[…せい]一等星・衛星・火星・海王星・金星・牽牛星・恒星・織女星・北極星(北辰)・北斗七星・水星・彗星・天王星・土星・冥王星・木星・遊星・流星・惑星・新星・変光星・連星・巨星・矮星

ほ・じ【保持】《名・他サ》〔文〕保ち続けること。「選手権を—する」類語 維持。持続。

＊**ぼ・し**【墓誌】〔文〕死者の事績を墓石などに書きしるした文章。「—銘」

＊**ぼ・し**【×拇指・母指】〔文〕おやゆび。表記「母指」は代用字。

＊**ぼ・し**【母子】母と子。「—家庭」**—てちょう**【—手帳】「母子健康手帳」の略称。妊産婦・乳幼児の健康管理を目的として、都道府県知事が妊娠の届け出をした者に交付する手帳。

ポジ「ポジティブ」㊁の略。対 ネガ。

ほし・あかり【星明(か)り】星の光でかすかに明るいこと。また、星の光。

＊**ほし・い**【×糒】米をたいたり蒸したりしたのち干してかわかしたもの。保存食。ほしいい。

＊**ほし・い**【欲しい】㊀《形》自分のものにしたい。「食べ物が—い」「健康な体が—い」文 ほ・し《シク》。㊁《補形》「…してもらいたい」の意。「はっきり言って—い」「その本を見せて—い」文 ほ・し《シク》。

ほしい・まま【▽縦・×恣・×擅】《形動》望むにまかせるようす。思うまま。「権勢を—にする」類語 自在。随意。

ほし・うお【干(し)魚・▽乾(し)魚】魚のひもの。

ほし・うらない【星占い】星の運行・位置・配置などで人の運勢や物事の吉凶を占うこと。占星術。

ポシェット ❶小さなポケット。❷首や肩からつるす小型のバッグ。▽フランス pochette

ほし・か【干(し)×鰯・▽乾(し)×鰯】イワシの油をしぼった残りかすをほしたもの。肥料にする。

ほし・がき【干(し)×柿・▽乾(し)×柿】渋柿の皮をむき、かわかして甘くしたもの。つるしがき。ころがき。

ほし・かげ【星影】〔雅〕星の光。「またたく—」

ほし・が・る【欲しがる】《他五》ほしそうなようすをする。「おもちゃを—る」

ほし・くさ【干し草・▽乾(し)草】家畜のえさにするために、かり取ってほした草。ほしぐさ。

ほし・くず【星×屑】小さく光る無数の星。

ほじくり・かえ・す【×穿り返す】《他五》❶ほじくってひっくりかえす。再びほじくる。「アスファルトを—す」❷過去のあやまち・欠点などをあばきたてる。「遠い昔の事件を—す」

ほじくり・だ・す【×穿り出す】《他五》❶ほじくって取り出す。「耳垢を—す」❷他人のあやまち・欠点などをあばきたてる。「若い日のあやまちを—す」

ほじく・る【×穿る】《他五》❶つつくようにしてほって中のものを出す。❷〔かくされている物事を〕執拗に追求する。「人のあらを—る」＝ほじる。文《四》。

ほし・こ【干(し)▽海×鼠・▽乾(し)▽海×鼠】→いりこ(海参)。

ポジション ❶スポーツで、選手の位置。❷職務上の地位。また、部署。持ち場。▽position

ほ・しつ【保湿】《名・自サ》湿り気(うるおい)を保つこと。〔単独では使わない〕「—成分」「—化粧品」

ほし・づきよ【星月夜】よく晴れて星の光が月のように明るい夜。ほしづくよ。

ポジティブ ㊀《形動》❶積極的。肯定的。実証的。対 ネガティブ。❷医学で、陽性。❸電気の陽極。プラス。㊁《名》写真で、陽画。ポジ。対 ネガティブ。▽positive

ほし・とり【星取り】〔相撲などで〕勝負の結果を白黒などの星で表すこと。「—表」

ほし・のり【干(し)▽海×苔・▽乾(し)▽海×苔】のりを紙のように薄くすいてほした食品。

ほし・まつり【星祭(り)】たなばたまつり。

ほし・まわり【星回り】運命を定めるという星のめぐりあわせ。運命。「—がよくない」

ほし・め【星目・星▽眼】眼球の結膜や角膜の縁にあわ粒大の白い星状の斑点ができる病気。フリクテン。

ほし・もの【干(し)物・▽乾(し)物】日光にほして乾かすこと(物)。特に、洗濯物。

ほ・しゃく【保釈】《名・他サ》保証金をおさめさせて、

勾留中の刑事被告人を釈放すること。「—金」

ポシャ・る《自五》〔俗〕つぶれる。だめになる。「計画が—る」**参考**「ポシャ」は「シャッポ」の倒語という。

***ほ・しゅ【保守】**❶《名・他サ》〔機械などの〕正常な状態を保ち守ること。「線路の—点検」❷制度や伝統を守って、急激な改革に反対の立場をとること。「—政党」**対**革新。**—てき【—的】**《形動》保守②の傾向があるようす。「—な思想」**対**進歩的。革新的。

***ほ・しゅ【捕手】**野球で、本塁を守り投手の投球を受けとる役目(の人)。キャッチャー。

***ほ・しゅう【補修】**《名・他サ》破損したところを補いつくろうこと。「ビルの—工事」**類語**修繕。修理。

***ほ・しゅう【補習】**《名・他サ》正規の授業の補充として学習すること。「—授業」

ほ・じゅう【補充】《名・他サ》足りなくなった部分を補って十分なものにすること。「資金を—する」**類語**補塡。塡補。補足。補給。

***ぼ・しゅう【募集】**《名・他サ》ひろくつのって集めること。「生徒を—する」**類語**徴募。

***ぼ・しゅう【暮秋】**〔文〕秋のおわりごろ。晩秋。

ぼ・しゅん【暮春】〔文〕春のおわりごろ。晩春。

ほ・じょ【補助】《名・他サ》不十分なところを補って助けること。「学資を—する」**類語**援助。助勢。助力。支援。補佐。**—けいようし【—形容詞】**形容詞のうち、形容詞本来の意味を離れて助動詞に似た働きをし、補助的な意味を添えるもの。「寒くない」「書いてほしい」の「ない」「ほしい」。**—どうし【—動詞】**動詞のうち、動詞本来の意味を離れて助動詞に似た働きをし、補助的な意味を添えるもの。「見てやる」「猫である」の「やる」「ある」など。

ぼ・しょ【墓所】〔文〕はかば。墓地。

***ほ・しょう【保証】**《名・他サ》確かで間違いのないことをうけあうこと。「人物を—する」⇩〖使い分け〗

***ほ・しょう【保障】**《名・他サ》保護して、危険や災害などによる損害をこうむらないようにすること。「安全を—する」⇩〖使い分け〗

***ほ・しょう【歩×哨】**兵営・陣地などの要所に立って見張りをする役。また、その兵。見張り兵。「—に立つ」

***ほ・しょう【補償】**《名・他サ》与えた損害をつぐなうこと。「—を求める」⇩〖使い分け〗

> **使い分け**「ホショウ」
>
> **保証**〔間違いがないと請け合う〕身元を保証する・保証人・保証金・人柄を保証する・債務保証・連帯保証・保証の限りでない
>
> **保障**〔地位や状態がおかされないように保護することを請け合う〕最低生活を保障する・身の安全を保障する・身分を保障する・憲法が保障する権利・安全保障・社会保障制度
>
> **補償**〔与えた損害をつぐなう〕損害を補償する・国家補償・刑事補償・所得補償・災害補償・補償金

***ほ・じょう【×圃場】**〔文〕田畑。農場。「—整備」

***ほ・じょう【捕縄】**〔文〕犯人をしばるなわ。とりなわ。

ぼ・じょう【慕情】〔文〕恋い慕う気持ち。「—を寄せる」

***ほ・しょく【捕食】**《名・他サ》〔文〕つかまえて食べること。「昆虫を—する小動物」

***ほ・しょく【補色】**二つの色をまぜると白く見えるとき、一方の色を他方の色に対して言う語。赤と青緑、青とだいだいなど。余色。

ぼ・しょく【暮色】〔文〕夕方のうすぐらくなってきた様子や色合い。「—が迫る」「—に包まれる」

ほじょ・せき【補助席】バスなどで、客が多いときに使う座席。ふだんは折りたたんである。補助座席。

ほじ・る【×穿る】《他五》ほじくる。「鼻を—る」**文**《四》。

ほ・しん【保身】〔文〕自分のからだや地位の安全を守ること。「—の術」「—に汲々とする」**類語**護身。

ほ・す【干す・▽乾す】《他五》❶〔水気・湿気を取り除くために〕日光・風・熱などの当たる所に置く。「物干しに布団を—す」**類語**乾かす。乾燥。❷〔残らず取り除いて〕からにする。「プールの水を—す」「胃を—す(=食べものをとらないで胃の中をからにする)」「一気に杯を—す」❸仕事などを与えない。〔多く、受け身の形で用いる〕「役を—される」**文**《四》。

ボス 親方。親分。また、顔役。▽boss

ポス【POS】⇩巻末付録(POSシステム)。

ほ・すい【保水】《名・自サ》水分を保つこと。「土壌の—力」

ほ・すう【歩数】歩くときの足でふむ回数。

ポスター 広告・宣伝用のはりがみ。▽poster **—カラー** 水溶性の絵の具の一つ。▽poster color

ホステス ❶〔パーティーなどの〕女主人(役)。❷〔放送番組などの〕女の司会者。❸〔バーなどで〕客をもてなす女。女給。**対**①〜③ホスト。▽hostess

ホスト ❶〔パーティーなどの〕男の主人(役)。また、主催者(側)。受け入れ側。「—国」❷〔放送番組などの〕男の司会者。❸〔女性用のバーなどで〕客をもてなす男。「—クラブ」**対**①〜③ホステス。▽host **—コンピューター** 複数のコンピューターからなるシステムで、中心になるコンピューター。ホスト。ホストマシーン。▽host computer

***ポスト**《造語》《他の語の前につけて》「…のあと」「…の次に来る」などの意。「—インフレ」▽post-

***ポスト** ❶郵便局が街頭などに設けた、郵便物を入れる箱。また、各家庭の郵便受け。郵便箱。❷地位。持ち場。「課長の—につく」▽post **—カード** 郵便はがき。▽postcard

ボストン・バッグ 底は長方形で、中ほどのふくらんだ小型の旅行かばん。▽Boston bag

ホスピス 治る見込みのない末期的患者を受け入れ、心身の苦痛をやわらげる医療施設。▽hospice

***ほ・する【保する】**《他サ変》〔文〕たもつ。また、うけあう。保障する。「安全を—する」

***ほ・する【補する】**《他サ変》〔文〕職務の担当を命ずる。「部長に—する」

***ほ・せい【補整】**《名・他サ》〔文〕補ってととのえること。「—した計器」

***ほ・せい【補正】**《名・他サ》補ったり直したりして正しくすること。「—予算」

ほ・ぜい【保税】〔法〕関税の賦課が留保されている状態。「—倉庫」

ぼ・せい【母性】〔本能的に女性がもっている〕母親としての性質。「—愛」「—本能」**対**父性。

ぼ・せき【墓石】〔文〕はかいし。

ほ・せつ【補説】《名・他サ》説明の不足を補うこと。また、その説明。類語補注。

ぼ‐せつ【暮雪】〔文〕夕方に降る雪。また、夕方の雪景色。「比良(ひら)の―(=近江(おうみ)八景の一)」

ほ‐せん【保線】鉄道線路を安全に保つこと。「―区」

ほ‐ぜん【保全】《名・他サ》〔文〕保護して安全を保つこと。「国土の―」

*ぼ‐せん【母川】川から海へ出て再び川に戻る習性の魚(特にサケ・マス)が生まれた川。この川に戻って産卵する。「―回帰」「―国」

*ぼ‐せん【母船】これに付属する漁船の漁獲物を、加工処理または保存する設備をもった船。親船(おやぶね)。

ぼ‐ぜん【墓前】〔文〕墓の前。「―にぬかずく」

*ほぞ【×枘】《「臍(ほぞ)」と同語源》材木をつなぎあわせるために一方の材木の面につくった突起。

*ほぞ【×臍】腹にあるへそ。「―を固める(=覚悟をきめる)」「―をかむ(=後悔する)」

*ほぞ【×蔕】《「臍(ほぞ)」と同語源》果実のへた。

ほそ‐い【細い】《形》❶長いものを途中で切った場合、切り口の面積が小さい。また、やせている。「―い糸」「体が―い」❷幅が狭い。「―い道」「目を―くする」❸声が高く小さくて弱々しい。また、小さくてすんでいる。「蚊のなくような―い声」❹量が少ない。「食が―い」❺力が弱い。弱々しい。「呼吸が―くなる」対①〜⑤太い。文ほそ・し《ク》

ほ‐そう【舗装・×鋪装】《名・他サ》道路の表面をコンクリート・アスファルトなどで固め整えること。「―道路」

ほそ‐うで【細腕】やせて細い腕。転じて、かよわい力。「女の―で一家を支える」

ほぞ‐おち【×臍落ち・×蔕落ち】《名・自サ》果物が熟してへたから落ちること。また、その果物。

ほそ‐おもて【細面】ほっそりした顔。「―の美人」

*ほ‐そく【捕×捉】《名・他サ》〔文〕つかまえること。とらえること。「真意は―しがたい」

*ほ‐そく【歩測】《名・他サ》歩いてその歩数で距離をはかること。

*ほ‐そく【補則】規定を補うためにつけ加えた規則。

*ほ‐そく【補足】《名・他サ》不十分なところを補うこと。「説明を―する」類語補充。増補。

ほそく‐ながく【細く長く】《連語》物事を一度にしたり無理をしたりせずに、少しずつ行って長く続くようにするようす。「―生きる」対太く短く。

ほ‐そつ【歩卒】〔文〕徒歩で従軍する兵隊。歩兵。

ほそ‐づくり【細作り】❶細く作ること(物)。「―の太刀」❷体などが細くしなやかなこと。華奢(きゃしゃ)。「―の女性」

ぼそっ‐と《副》❶《自サ》ぼけっと。❷小さい声で無気力に話すようす。「―言う」

ほそ‐なが‐い【細長い】《形》細くて長い。

ほぞ‐の‐お【×臍の緒】(―を)へその緒。臍帯(さいたい)。

ほそ‐びき【細引(き)】麻をよった細いなわ。ほそ。

ほそ‐ぼそ【細細】《副》《「―と」の形も》❶非常に細いようす。また、細くて弱々しいようす。❷やっと生計をたてているようす。「親子二人で―と生きる」

ぼそ‐ぼそ《副》《副詞は「―と」の形も》❶小声で話すようす。「―と言い訳をする」❷《自サ》〔食物が〕水分がなくてまずいようす。「―した食パン」

*ほそ‐み【細み】寂(さび)・しおり・わびなどとともに芭蕉(ばしょう)の俳風の根本理念。幽玄で微妙な境地になった状態。

*ほそ‐み【細身】❶幅がせまく、きゃしゃに作ってあること。「―の太刀」❷細作り②。

*ほそ‐め【細め】《名・形動》どちらかと言えば細いこと。「―の糸で縫う」対太め。

*ほそ‐め【細目】❶少しひらいた目。「―をあける」「―をして見る」❷細い編み目・織り目。

ほそ‐める【細める】《他下一》細くする。「よい知らせに目を―める」文ほそ・む《下二》

ほそ‐る【細る】《自五》細くなる。「身も―る思い」文《四》

ほ‐ぞん【保存】《名・他サ》その状態のままでとっておくこと。「証拠物件を―する」「―状態が悪い」

ほだ【×榾・×榾×柮】燃やすのに使う木のきれはし。そだ。ほた。ほだぎ。

ポタージュ とろみのある濃いスープ。「コーン―」対コンソメ。▽(フランス) potage

*ぼ‐たい【母体】❶〔出産する〕母親のからだ。❷発展・派生してきたものの、もとのもの(団体)。「大学を―とする高校」表記「母胎」とも書く。

*ぼ‐たい【母胎】母親の胎内。参考ある物事を生みだすもとになるものの意にも使う。「犯罪の―となる貧困」

ぼだい【×菩▽提】❶仏教で、迷いをたちきって得たさとり。❷仏果を得て極楽に往生すること。「―を弔う(=死者の冥福(めいふく)を祈る)」参考梵語 bodhi(=道・覚・知)の音訳。―じ【―寺】先祖代々の位牌(いはい)をまつる寺。菩提所。檀那寺(だんなでら)。―じゅ【―樹】❶シナノキ科の落葉高木。初夏、うす黄色の小さい花を開く。球形の種子で数珠(じゅず)をつくる。❷クワ科の落葉高木。釈迦(しゃか)がその樹下で悟りを開いたといわれる。いんどぼだいじゅ。―しょ【―所】菩提寺。―しん【―心】❶仏道を修行しようとする心。求道心。発心(ほっしん)。❷あわれみの心。

ほだ‐ぎ【×榾木】❶ほだ。❷椎茸(しいたけ)の種菌を埋め込むための木材。シイ・クヌギなどを用いる。

ほださ‐れる【×絆される】《自下一》《「ほだす」の受け身形から》人情に引かされる。〔意思にさからう行動に言う〕「情(じょう)に―れる」文ほださ・る《下二》

ほだし【×絆(し)】〔心の〕自由を束縛するもの。「浮世の―にひかれる」

ほだ‐す【×絆す】《他五》束縛する。つなぎとめる。参考→ほだされる。文《四》

ほたて‐がい【帆立貝】(―がひ)イタヤガイ科の二枚貝。殻は扇を開いたような形で、貝柱は大きくて美味。

ぼた‐ぼた《副》《副詞は「―と」の形も》❶〔大粒の〕液体がしたたり落ちるようす。参考「ぽたぽた」より重い感じにいう。❷《自サ》体が異常に太っているようす。

ぽた‐ぽた《副》《「―と」の形も》水や汁などがしたたり落ちるようす。「―と涙をこぼす」参考「ぼたぼた」よりも軽い感じにいう。

ぼた‐もち【×牡▽丹×餅】おはぎ。

ぼた‐やま【ぼた山】炭鉱で、石炭にまじって掘りだされた石(=ぼた)をつみあげてできた山。

ぽたり《副》《多く「―と」の形で》液体が粒となって落ちるようす。「涙が―と落ちた」

ほたる【蛍】ホタル科に属する昆虫。多く水べのくさむらにすむ。腹部末端に発光器をもつものが多い。

ほたる‐いか【蛍×烏×賊】からだ全体に発光器をもつ、大きさ六(セン)チほどのイカ。食用。まついか。

ほたる‐び【蛍火】❶ホタルの放つ光。❷消え残った

小さな埋(うず)み火。

***ぼ・たん**【×牡丹】❶キンポウゲ科の落葉低木。五月ごろ、紅・紫・白色などの大形の花を開く。深見草。名取草。山橘(やまたちばな)。❷〔俗〕イノシシの肉。参考「牡丹に唐獅子(からじし)」の獅子が猪(しし)と音通するところから。 **―ゆき**【―雪】大きくふっくらとした雪。ぼた雪。

***ボタン** ❶洋服類の打ち合わせやあきを留めるためのもの。表記「釦」「鈕」とも当てた。▽ポルトガル botão ❷指で押して機械を作動させたり、ベルを鳴らしたりする、突起状の部品。押しボタン。

ぼ・ち【墓地】はかば。類語 墓所。北邙(ほくぼう)。霊園。

ホチキス〔［形の金具を打ちこんで紙をとじる仕掛けの器具。ホッチキス。▽Hotchkiss(=商標名)から。

ぽち・ぶくろ【ぽち袋】〔関西地方の方言〕祝儀袋。

ぼち・ぼち《副》(「―と」の形も)少しずつ物事が進行するようす。また、物事をゆるやかに始めるようす。そろそろ。ぼつぼつ。ぽつぽつ。「―でかけようか」

ぽちゃ・ぽちゃ《副》《副詞は「―と」の形も》❶水面を軽くかき乱すようす。また、その音の形容。❷《自サ》ふっくら太ってかわいいようす。「―としてかわいい子」

ほ・ちゅう【補注・補×註】補ってつけ加えた注釈。

ほちゅう・あみ【捕虫網】昆虫をとらえるための網。

ほ・ちょう【歩調】歩行の調子。また、一緒に行動するときの調子。足並み。「仕事の―があわない」

ほちょう・き【補聴器】聴力をおぎなうために耳にあてる器具。聴話器。

ぼつ【没】㊀《名》❶死ぬこと。死亡。「昭和五十年―」❷投稿・投書などの原稿を採用しないこと。没書。「―にする」表記 ①は「歿」とも書く。②は「ボツ」とも書く。㊁《接頭》「…が無い」の意。「―交渉」「―趣味」

ほつ・い【発意】《名・他サ》❶〔文〕思いつくこと。はつい。❷〔仏〕発心(ほっしん)。

ぼっ・か【牧歌】〔文〕❶牧童のうたう歌。❷牧人や農民を主題にした、叙情的で素朴な西洋の詩歌。 **―てき**【―的】《形動》牧歌のように素朴で叙情的なようす。「―なシーン」

ぼつ・が【没我】〔文〕物事にうちこんで自分を意識しないこと。「―の境地に入る」

ほっ・かい【法界】〔仏〕全宇宙のすべて。自然界。法界(ほうかい)。

ぼっ・かく【墨客】〔文〕書画をかく専門の人。墨客(ぼっきゃく)。「文人―」

ほっ・かり《副》《多く「―と」の形で》❶心地よいあたたかみがあるようす。❷その部分が浮き出たように、ほんのりと明るいようす。「―と夜明けの光がさす」

ぽっ・かり《副》《多く「―と」の形で》❶軽く浮かびただよっているようす。「―浮かんだ白い雲」❷口や穴が思いがけなくあくようす。また、ふいに現れるようす。「峰を越えたら―と山小屋が見えた」

ほつ・がん【発願】《名・自サ》❶〔仏〕神仏に願(がん)をかけること。❷《他サ》〔文〕企てること。

ほっ・き【発起】《名・他サ》❶〔事業などを〕新たに企て始めること。「―人」類語 発頭。❷思い立つこと。「一念―」類語 発心(ほっしん)。発意。注意「はっき」は誤読。

ほつ・ぎ【発議】《名・他サ》〔文〕最初に意見をとなえること。はつぎ。「改革を―する」

ぼっ・き【×勃起】《名・自サ》❶急に力強く起こり立つこと。❷陰茎が起こり立つこと。

ほっき・がい【北寄貝】「うばがい(姥貝)」の別称。バカガイ科の二枚貝。寒海の砂地にすむ。食用。

ぼっ・きゃく【没却】《名・他サ》〔文〕無視すること。すてかえりみないこと。「自我を―する」

ぼっ・きょ【×卜居】《名・自サ》〔文〕よい土地を選んで住むこと。

ほっ・きょう【法橋】❶仏法を、衆生を彼岸に渡す橋にたとえた語。❷僧位で、法眼(ほうげん)の次の位。❸昔、医師・画家・連歌師などに与えられた称号。

ほっ・きょく【北極】❶地球の自転の軸の北端にあたる地点。北緯九〇度の地点。北極点。❷北極とその周辺の地域。「―探検」❸天球と地球自転軸の北への延長線との交点。❹磁石の、北の方をさす極。N極。指北極。対①～④南極。 **―かい**【―海】北極圏にある海洋。北氷洋。北極洋。 **―ぐま**【―×熊】「しろくま」の別称。 **―せい**【―星】天球上の北極にもっとも近い星。小熊座のアルファ星。方位・緯度の指針となる。北辰(ほくしん)。北極。ポラリス。

ぽっきり ㊀《副》(「―と」の形も)もろく折れるようす。「小枝が―折れる」㊁《接尾》《数量を表す語について》ちょうどそれだけ。また、わずかにそれだけ。「千円―」

***ほっ・く**【発句】❶和歌の第一句の五文字。❷俳諧(はいかい)・連歌の第一句。五・七・五の一七文字の句。対挙句(あげく)。❸〔発句②が独立し発達したものであるところから〕俳句。

***ホック** 洋服などにつける、とめ金具。かぎホックや、はめてとめる丸形の金具。フック。▽hook

ボックス ❶箱。❷箱のようにしきった席。桟敷(さじき)。「―席」❸箱形の小さな建物。「電話―」❹野球で、打者・コーチャーなどが立つ四角にしきった位置。「―に立つ」❺「ボックスカーフ」の略。子牛のなめし革。▽box

***ぽっくり**【▽木履】女の子がはく駒(こま)げた。台の底をくりぬき、後ろ側を丸くして前部を前のめりにする。

***ぽっくり**《副》(「―と」の形も)❶もろく折れるようす。「雪で木の枝が―折れた」❷突然に死ぬようす。「―死ぬ」❸やわらかくふくらむようす。ぷっくり。「―ふくらんだ柳の芽」

ほっけ【×𩸽】アイナメ科の海産魚。からだは細長く灰色。食用。北洋に分布。

ホッケー 一一人ずつの二組が、先のまがった棒を使ってボールを相手方のゴールに打ちこんで得点を争うゲーム。フィールドホッケー。▽hockey

ほっけ・しゅう【法華宗】〔法華経を信奉する宗派の意で〕❶天台宗の別称。❷日蓮(にちれん)宗の別称。

ぼっ・けん【木剣】木で作った刀。木刀(ぼくとう)。

ぼつ・ご【没後・×歿後】〔文〕死後。対没前。

ぼっ・こう【×勃興】《名・自サ》急に勢いを得てさかえてくること。「民族が―する」類語 興隆。

ぼっ・こうしょう【没交渉】《名・形動》交渉がないこと。ぼつこうしょう。「世間とは、もはや―だ」

ぼつ・こせい【没個性】❶自分の個性をおさえて、客観的であろうと努めること。❷個性を失い、画一化していること。「―的」

ぼっ・こん【墨×痕】〔文〕毛筆で書いた墨のあと。「―鮮やか」類語 筆跡。

ほっ・さ【発作】激しい症状が急に起こること。また、その症状。「―が起こる」「―的(=突然の)犯行」

ほっ・しゅ【法主】❶釈迦(しゃか)の尊称。❷一宗の長。

特に、浄土真宗で、管長。❸法会の主宰者。＝法主（ほっす・ほうしゅ）

ぼっ-しゅう【没収】《名・他サ》❶取りあげること。「所持品を―する」類語 収奪。接収。❷〔法〕国家が刑罰として個人の所有物・所有権を取りあげること。

ぼつ-しゅみ【没趣味】《名・形動》〔文〕趣が感じられないこと。趣味を持たないこと。無趣味。ぼっしゅみ。

ぼっ-しょ【没書】〔文〕没(ぼつ)㊀②。「―になる」

ぼつ-じょうしき【没常識】《名・形動》〔文〕常識がないこと。非常識。「―な行動」

*__ほっ-しん【発心】__❶《名・自サ》信仰心を起こすこと。出家すること。発意。❷《名・他サ》思いたつこと。

*__ほっ-しん【発×疹】__→はっしん(発疹)。

*__ほっ-す【▽払子】__獣の毛や麻などをたばねて柄をつけた仏具。禅宗の僧が煩悩を払いのける象徴として持つ。

*__ほっ-す【法主】__→ほっしゅ。

ほっ-する【欲する】《他サ変》〔文〕ほしいと思う。また、のぞむ。ねがう。「無事ならんことを―する」

ぼっ-する【没する】㊀《自サ変》❶沈んで隠れる。「夕日が山に―する」❷〔文〕死ぬ。表記 ②は「歿する」とも書く。㊁《他サ変》❶沈めて隠す。見えなくする。「叢に姿を―する」❷〔文〕没収する。

*__ぼつ-ぜん【没前・×歿前】__〔文〕死ぬ前。生前。対 没後。

*__ぼつ-ぜん【×勃然】__《形動タルト》〔文〕❶急に起こりたつようす。「抗議の声が―として起こる」❷顔色をかえて怒りはじめるようす。「―と色を変える」

ほっ-そく【発足】《名・自サ》〔出発の意から〕組織・機関などができ上がって活動を始めること。発足(はっそく)。「委員会が―する」「―式」

ほっそり《副・自サ》《副詞は「―と」の形も》細くてきゃしゃなようす。「―した指」

ほっ-たい【法体】法衣を着た僧の姿。僧形。対 俗体。

ぼったくり〔俗〕盗むこと。また、法外な料金を取ること。「―バー」類語 ぶったくり。参考 関西地方から広がったことば。

ほっ-たて【掘(っ)立て・掘(っ)建て】土台をおかずに柱を直接地面にたてること。「―小屋」

ほったら-か-す《他五》そのままにうちすてておく。ほっておく。「仕事を―して遊び歩く」

ほっ-たん【発端】物事の始まる最初の段階。「事件の―」類語 おこり。緒。端緒。対 終末。

ぽっち ㊀《名》〔つまみや飾りなどの〕小突起。ぼっち。㊁《接尾》〔俗〕《指示代名詞および数量を表す語について》「わずかに…だけ」の意を表す。ぼっち。ぽち。「これっ―」「百円―」

ホッチキス→ホチキス。

ぽっちゃり《副・自サ》《副詞は「―と」の形も》〔女が〕肉付きがよく愛敬のあるようす。「―とした女」

ぼっ-ちゃん【坊ちゃん】《「坊様」の転》❶身分の高い人または他人の、男の子供の敬称。❷世間知らずの男。〔多く「お―」の形で使う〕「お―育ち」

ぽっちり《副》《「―と」の形も》ほんの少し。わずか。

ほ-づつ【火筒】〔文〕銃砲。

ほっつき-ある-く【ほっつき歩く】《自五》〔俗〕あてもなく歩きまわる。ほっつく。「盛り場を―く」

ほっ-つ-く《自五》〔俗〕ほっつき歩く。

ぽっつり《副》《「―と」の形も》❶点や穴が小さくできるようす。ぽつり。❷糸などがきれるようす。ぷつん。ぷっつり。ぽつり。「―ときれる」❸一言つぶやくようす。ぽつり。

ほって-お-く【▽放って置く・×抛って置く】《連語》うちすてておく。ほうっておく。「仕事を―く」

ぼってり《副・自サ》《副詞は「―と」の形も》厚くふくれていて重そうなようす。「―と太る」

*__ほっ-と__《副》❶ため息が出るようす。「―息をつく」❷《自サ》安心するようす。「無事を知って―する」

*__ホット__ ㊀《形動》❶熱いようす。「―コーヒー」対 コールド。❷強烈なようす。❸なまなましいようす。新しいようす。「―なニュース」㊁《名》「ホットコーヒー」の略。熱いコーヒー。対 アイス。▽hot **―ケーキ** 小麦粉・砂糖・牛乳・卵にベーキングパウダーを加えて水でとき、鉄板で円形に焼いた菓子。▽hot cake **―ドッグ** 細長いパンに熱いソーセージを挟んだ食べ物。▽hot dog **―ライン**〔国家首脳間の〕緊急連絡に用いる直通通信線。参考 ひゆ的に、緊密な連携・連絡の意にも用いる。▽hot line

*__ぽっ-と__《副》❶《自サ》ぼんやりするようす。ぼうっと。❷《自サ》顔やからだが急にほてるようす。「顔を―赤らめる」❸明かりがともるようす。また、急に火が燃え上がって明るくなるようす。

*__ポット__ ❶コーヒー・紅茶などを入れる、つぎ口のあるつぼ形の容器。「コーヒー―」❷魔法びん。▽pot

ほっ-とう【発頭】〔文〕最初に企てること。「―人」

ぼっ-とう【没頭】《名・自サ》そのことに精神をつぎこんで熱中すること。没入。「研究に―する」類語 専心。専念。⇩〔類義語の使い分け「専念」〕

ぽっと-で【ぽっと出】〔俗〕初めていなかから都会へ出て来ること(人)。「―の娘」

ほ-づな【帆綱】帆を上げおろしする綱。

ぼつ-にゅう【没入】《名・自サ》〔文〕❶しずみ入ること。「海中に―する」❷没頭。「仕事に―する」

ぼつ-ねん【没年・×歿年】❶死んだ時の年齢。「―八〇歳」類語 行年。享年。❷死んだ年。対 生年。

ぼつねん-と《副・自サ》ひとりで(手持ちぶさたにして)いるようす。「―部屋のすみに座る」

ぼっ-ぱつ【×勃発】《名・自サ》〔事件などが〕不意に起こること。「事変が―する」

ほっぴょう-よう【北氷洋】「北極海」の旧称。対 南氷洋。

*__ホップ__ クワ科の多年生つる草。実は薬用、また、ビールの苦み・芳香を出すのに用いる。▽オランダ hop

*__ホップ__《名・自サ》❶片足で跳ぶこと。特に、三段跳びの第一番の跳躍。「―、ステップ、ジャンプ」❷野球で、投球が打者の手もとで浮きあがること。▽hop

ポップ《形動》民衆に受け入れられるようす。大衆的。「―な感覚の演奏」▽pop **―アート** 一九六〇年代にアメリカを中心に興った、現代芸術の一傾向。マスメディア・大衆文化から主題をとる。ポピュラーアート。▽pop art **―アップ** ❶飛び出すこと。❷開くと絵が飛び出すしくみの絵本。▽pop-up

ポップ-コーン トウモロコシの実に油を加えて熱し、はじけさせて、塩などで味つけしたもの。▽popcorn

ポップス ❶欧米風な大衆音楽。❷交響楽団が大衆的な曲を演奏する音楽会。ポップスコンサート。▽pops

ほっ-ぺた【×頰っぺた】〔俗〕ほおのあたり。ほお。ほっぺ。「―が落ちる（＝おいしいことの形容）」

＊ぽっ-ぽ ❶〔俗〕ふところ。ポケット。転じて、ふところ具合。「―がさびしい（＝所持金が乏しい）」「―が温かい」❷ハト・ポケット・汽車などをいう幼児語。

＊ぽっ-ぽ《副》《副詞は「―と」の形も》❶煙や湯気が勢いよく立ちのぼるようす。❷《自サ》体が熱くなってくるようす。「熱燗(あつかん)で体じゅうが―してきた」

ほっ-ぽう【北方】 北の方角。「―領土」対南方。

＊ぽつ-ぽつ《副》《「―と」の形も》❶物事が少しずつ進行するようす。また、物事をゆるやかに始めるようす。ぽつぽつ。だんだん。そろそろ。「―出発しよう」❷小さな点や穴があちこちにあるようす。ぽつぽつ。

＊ぼつ-ぼつ【×勃×勃】《形動タルト》〔文〕〔秘められていた勢いが〕わき起こるようす。「―たる野心」

ぽつ-ぽつ《副》《「―と」の形も》❶ぽつぽつ①。❷ぽつぽつ②。❸雨粒が少しずつ降ってくるようす。ぽつりぽつり。❹切れ切れに物を言うようす。ぽつりぽつり。

ほっぽ・る《他五》〔俗〕打ち捨てる。「仕事を―・る」

ぼつ-らく【没落】《名・自サ》栄えていたものが衰え滅びること。「旧家の―」類語衰退。衰微。凋落(ちょうらく)。

ぽつり《副》《多く「―と」の形で》❶雨やしずくなどが落ちるようす。❷〔小さな点や穴が〕一つだけできるようす。「障子に―と穴があく」❸〔糸などが〕すっぱりと切れるようす。ぷっつり。❹他から離れて一つだけあるようす。「一人―と席につく」❺一言つぶやくようす。「―と本音をもらす」＝ぽつん。

ぼつ-りそう【没理想】❶〔文〕理想や主観をいたずらに追求せず、現実を客観的に描写する文学上の立場。参考坪内逍遥(しょうよう)が理想派の森鷗外(おうがい)に対して主唱した。❷はっきりした理想を持たないこと。

ほつ・れる【▽解れる】《自下一》〔縫い目などが〕ほどけてゆるむ。「すそが―・れる」「髪が―・れる」文ほつ・る《下二》。

ぽつん《副》《多く「―と」の形で》→ぽつり。

＊ほてい【▽布▽袋】 中国唐代の僧。大きな袋をもち、太鼓腹を出して喜捨を求め歩いたという。日本では七福神の一つとする。「―竹(ちく)（＝竹の一種）」**―ばら【―腹】** 布袋のように太って張り出した腹。太鼓腹。

＊ほ-てい【補×綴】《名・他サ》〔文〕❶〔破れたところや、不足しているところを〕補いつづること。補筆。「不備な文章を―する」❷古句をつづりあわせて詩文を作ること。＝補綴(ほてつ)。

＊ほ-てい【補訂】《名・他サ》文章の書き足りない部分を補い、誤りをただすこと。「―版」

ボディー ❶からだ。❷車体。機体。船体。❸胴の部分。❹洋裁で、人台。＝ボデー。▽body **―ガード** 体をはって重要な人物の身辺を護衛すること（人）。用心棒。▽bodyguard **―チェック**《名・自他サ》❶危険物の所持などを調べるための身体検査。❷アイスホッケーで、相手の攻撃を止めるための体当たり。▽body check **―ビル** バーベル・ダンベル・エキスパンダーなどを使って筋肉をたくましく発達させる運動。▽bodybuilding から。**―ランゲージ** 身ぶり・手ぶり・顔付きなどで、意思・感情を伝えること。身体言語。▽body language

日本語

日本人のボディーランゲージ

イタリア人は両手を縛るとしゃべれなくなる、という冗談があります。イタリア語ではしゃべるとき、両手や表情をいっぱい使って話します。それに比べて、日本人は表情に乏しいとか、身ぶり手ぶりをあまり使わないと言われています。でも、電話で話すより会って話すほうが、いろいろ相手のことがわかるように、日本人も表情や身ぶり手ぶりをたくさん使っています。

日本人は、上品に話したいと思うとき、両手を、頭より上に出さない、両肩より外に出さない、というルールがあります。「大きい」と言うときも両肩まで。日常的な「バイバイ」するときは、頭より上に手を上げないのが普通です。

今度、他の人のしぐさをじっくり観察してみてください。

ほ-てつ【補×綴】《名・他サ》→ほてい（補綴）。

ポテト〔主に食品としての〕ジャガイモ。▽potato **―チップ** ジャガイモの薄切りを油で揚げ、塩などで味つけした食品。ポテトチップス。▽potato chip

ぼて-ふり【▽棒手振り】 魚などを天秤(てんびん)棒で担いで売り歩くこと（人）。ぼて。振り売り。

＊ほ-て・る【火照る・▽熱る】《自五》顔やからだなどが熱くなる。また、そのように感じる。「顔が―・る」

＊ホテル 西洋風の宿泊施設。▽hotel

ほ-てん【補×塡】《名・他サ》〔文〕足りない部分を補ってうめること。「資金を―する」類語補充。穴埋め。

ポテンシャル 潜在能力。可能性。▽potential

＊ほ-ど【歩度】〔文〕歩くはやさ。また、歩幅の程度。

＊ほど【程】㊀《名》❶物事の度合い。㋐程度。度合い。「―のよい長さ」㋑限り。限度。極限。「冗談にも―がある」❷空間的な度合い。距離。へだたり。「―ちかい場所」❸時間的な度合い。「―なく戻ります」㋐ころ。時分。おり。「―を見はからって帰る」㋑時間。時刻。「ご帰宅の―お知らせください」❹身分の限度。分際。「身の―を知る」㊁《形名》〈「…の―」の形で〉こと。しだい。ようす。「覚悟の―を語る」「御自愛の―お祈り申し上げます」表記㊁は多くかな書き。

＊ほど【程】《副助》《「程度」の意の名詞「ほど」が助詞化したもの。副詞的に使うときは、やや文語的な言い方で「ほどに」とも》❶〔数量を表す語について〕限度を区切る含みで、おおよその分量を表す。ぐらい。ばかり。程度。「一キロほどの金塊」「半分ほど仕上げた」❷〔こそあどや連体修飾句などを受ける形で〕程度〔特に、甚だしい程度〕を表す。「この杖(つえ)ほど（＝くらい）の長さの棒」「茶の湯に親しむほどの人ですから」「足が棒になるほど歩いた」「どれほど（＝どれほどまでに）心配したか知れない」「輝くほど（に）美しい」❸程度を比較する基準を表す。「昔ほど無理がきかない」「僕も彼ほど（＝ぐらい）雄弁だといいのだが」❹〔「AはBほど…ない」の形で〕…の点でAはBに劣る意を表す。「事態は君が考えるほど単純ではない」❺〔「Aほど…はない」の形で〕Aが同類の中で最高である意を表す。…くらい…はない。「彼女ほど優しい人はいない」「死ほど悲しいことはない」❻〔主に「…ほどのことはない」の形で、上に相当の事態

の意を表す動詞を伴い〕たいしたことではないから、そこまで…する必要はない意を表す。…するまでのことはない。「わざわざ出かけるほどのことはない」
❼〔「…(という)ほどのことではない」の形で、上に相当の事態の意を表す動詞を伴い〕事態の程度が軽いことを言う。「親が口出しする(という)ほどのことではない」
❽〔ふつう「…すればするほど」の形で、接続助詞として働く〕一方の程度の変化に応じて、他方の程度が比例的に変化する場合の、一方の程度を表す。…に応じて(ますます)。「考えれば考えるほど分からなくなる」「弁解するほど(に)不信感は強まる」
❾文語 極限の意を表す。限り。「居あわせたほどの奉教人衆は〈龍之介〉」 表記 ①〜⑨は、ふつうかな書きにする。

ほど-あい【程合(い)】〔ーあひ〕ちょうどいい程度。ころあい。「ーを見計らう」

*__ほ-どう__【舗道・×鋪道】舗装した道路。ペーブメント。

*__ほ-どう__【歩道】道路を区切って、人の歩くためのところと定めた部分。人道。「ー橋」対 車道。

*__ほ-どう__【補導・×輔導】《名・他サ》〔犯罪を犯した、または犯す恐れのある青少年を〕正しい方向に教え導くこと。「非行少年をーする」 表記「補導」は代用字。 類語 教導。善導。

ぼ-どう【母堂】〔文〕他人の母の敬称。母君。

ほど-く【▽解く】《他五》結んであるもの、もつれているものを、ときはなす。「荷をーく」文《四》。

ほとけ【仏】❶悟りを得たもの。仏陀(ぶっだ)。特に、釈尊。❷仏像。❸仏法。❹死人(の霊)。「ーに成る」❺正直・純真で慈悲心のあつい人のたとえ。

ー作って魂入れず《句》苦心してなしとげても、肝心な点をぬかして何の役にも立たないことのたとえ。

ーの顔も三度《句》どんなに情け深い人でも、何度もひどいことをされればついには怒りだすということ。

ほとけ-ごころ【仏心】❶深く悟りを開いた心。❷情け深い心。慈悲心。「ーを起こす」

ほとけ-しょう【仏性】情け深い性質。

ほとけ-の-ざ【仏(の)座】❶シソ科の二年草。春、葉のつけねに赤紫色のくちびる形の花をつける。❷キク科の越年草。葉はタンポポに似て、青、黄色の小花を開く。春の七草の一つ。たびらこ。こおにたびらこ。

ほど-ける【▽解ける】《自下一》❶〔むすばれていたものが〕とける。「リボンがーける」❷気持ちが和らぐ。「緊張がーける」文 ほど・く《下二》。

ほどこ-す【施す】《他五》❶〔めぐみとして〕与える。「金品をーす」❷行う。「適切な処置をーす」❸つけ加える。飾りつける。「応接室に冷房装置をーす」❹あらわす。広くしめす。「面目をーす」文《四》。

ほど-ちか-い【程近い】《形》へだたりが少ない。「目的地まではーい」対 程遠い。

ほど-とお-い【程遠い】〔ーとほい〕《形》かなりへだたりがある。「世界平和にはーい」対 程近い。

ほととぎす【▽時▽鳥・×杜×鵑・▽不▽如▽帰・▽子▽規】カッコウ科の渡り鳥。五、六月ごろに渡来する。卵をウグイスの巣などにうむ。「テッペンカケタカ」と鳴く。 参考「時つ鳥」「魂迎鳥(たまむかえどり)」「賤子鳥(しずこどり)」「子規(しき)」「不如帰(ふじょき)」など別名が多い。

ほど-なく【程無く】《副》まもなく。やがて。「ー参ります」

ほど-に【程に】㊀《連語》文語的〔副助詞「ほど」+格助詞「に」〕→ほど(副助)。「死ほどに悲しいものはない」㊁《接助》文語的〔名詞「ほど」+格助詞「に」〕→ほど(副助)⑧。 表記 ㊀㊁とも、ふつうかな書き。

ほと-ばし-る【×迸る】《自五》勢いよくとびちる。「滝の水がーる」 類語 たばしる。迸出(へいしゅつ)(する)。奔出。

ほと-びる【▽潤びる】《自上一》水分を含んでふくれる。ふやける。「手がーびる」文 ほと・ぶ《上二》。

ほと-ほと【×殆】《副》非常に。まったく。本当に。「彼の頑固なのにはーまいった」「ー愛想がつきる」

ぽと-ぽと《副》〔「ーと」の形も〕しずくが続けざまに落ちるようす。ぽたぽた。「血がー滴る」

ほどほど-に【程程に】《副》ちょうどよい程度に。適当に。「さぼるのもーしろ」

ほとぼり【▽熱り】〔余熱の意から〕❶残っている感情のたかぶり。❷事件などがおさまった後にしばらく続く世間の関心・うわさ。「騒ぎのーがさめるのを待つ」

ボトム-アップ 会社などで、下位の人の意見・情報・企画が上位の人へ伝達されて実行されること。対 トップダウン。▽bottom-up

ほど-よ-い【程▽好い】《形》極端でなく具合がよい。ちょうどよい。「ーい湯加減」

ほとり【▽辺】そば。あたり。きわ。「沼のー」 類語 周辺。

ボトル ❶びん。❷びん入りの酒。「ーをキープする」▽bottle

ほとんど【×殆ど】㊀《副》❶今少しのところで。すんでのところで。「ー遅刻寸前だった」❷おおかた。大部分。「ー残った」㊁《名》大部分。「ーの人が賛成した」

*__ほ-なみ__【穂波】〔文〕風にふかれて波のようにゆらぐ穂。「ーが揺れる」

*__ほ-なみ__【穂並み】〔稲・麦などの〕穂が出そろったようす。「みごとなー」

ポニー-テール 小馬のしっぽのように髪を後ろに結んでたらした女性の髪型。▽ponytail

ほ-にゅう【×哺乳】《名・自サ》母乳をのませて幼児を育てること。また、母乳を幼児にのませること。

ーるい【ー類】脊椎(せきつい)動物のうち、生まれた子を乳で育てる動物。ほとんどが胎生。哺乳動物。

ぼ-にゅう【母乳】母親の体から出る乳。「ーで育つ」

ほ-ぬの【帆布】帆につかう厚い布。はんぷ。

ほね【骨】㊀《名》❶動物の骨格を構成して全身をささえている、堅い組織。「ーの髄(ずい)まで(=からだの中心の部分まで)寒さがこたえる」「ーと皮(=非常にやせていること)」 類語 骨格。骨(こつ)。髑髏(どくろ/されこうべ)。頭蓋(ずがい/とうがい)。胸郭。脊椎(せきつい)。脊柱。腰椎(ようつい)。骨盤。❷器物や障子などに紙や布を張るとき、芯(しん)となって全体をささえる材料。「かさのー」❸物事の中心になるもの。「会社のーともいうべき人」「ーになる(=死ぬ。また、中心になって働く)」❹苦しみなどに屈しない気力。気骨。「ーのある男」❺骨折り。労苦。「ーを惜しむ(=苦労・努力をいやがる)」㊁《形動》困難であるようす。「一時間で終えるのはーだ」

ーが折-れる《句》苦労である。

ーまでしゃぶ-る《句》人を徹底的に利用する。

ーを埋-める《句》そこで一生を終える。

ーを折-る《句》苦労して力をつくす。精を出す。

ほね-おしみ【骨惜しみ】〔ーをしみ〕《名・自サ》苦労をいやがってなすべきことをしないこと。「ーしないで働く」

ほね-おり【骨折り】〔ーをり〕努力すること。尽力すること。

「みんなの―で工事が進んだ」類語 労苦。刻苦。苦労。―ぞん【―損】せっかく苦労してもその効果のないこと。「―のくたびれ儲け」

ほね・お・る【骨折る】《自五》精を出す。尽力する。努力する。「再建に―・る」

ほね・ぐみ【骨組(み)】❶骨格。骨幹。❷〔建具・機械などの〕全体の構造を支えている基礎になる部分。「家の―ができあがる」❸物事の中心となる主要な部分の組み立て。大筋。「論文の―ができる」

ほね・つぎ【骨接ぎ・骨継ぎ】骨折や脱臼をなおすこと。接骨。整骨。また、その医者。

ほね・っ・ぷし【骨っ節】❶骨の関節。❷気骨。気概。意気。「―の強い人」＝骨節。

ほね・っ・ぽ・い【骨っぽい】《形》❶〔魚などの料理で〕小骨が多い。❷〔体などが〕ごつごつして骨ばっている。❸しっかりしている。気骨がある。「―・い男」

ほね・なし【骨無し】❶背骨がなえて、まっすぐ立てない・こと(人)。❷自分自身のしっかりした主義・主張を持たない・こと(人)。「―で頼りにならん」

ほね・ぬき【骨抜き】❶〔調理で〕魚や鳥などの骨をとりのぞくこと。また、そうした魚・鳥などの肉。❷〔主義・計画などの〕肝心な部分をとって内容・価値のとぼしいものにしてしまうこと。「―法案」

ほね・ば・る【骨張る】《自五》❶やせて骨の形があらわれている。「―・った体つき」❷意地を張って角がたつ。「―・った物言いをする」

ほね・ぶと【骨太】《形動》骨がふとく、骨格ががっしりしているようす。「―な政策」対 骨細。

ほね・み【骨身】骨と肉。からだ。

―に応こたえる《句》❶寒さや痛さなどを全身に強く感じる。「夜風が―・える」❷強く心に感ずる。心から・つらい(切ない)と思う。「苦労が―・える」

―に沁しみる《句》骨の中心にまでしみとおるほど強く心に感じる。骨にしみる。「人の情けが―・みる」

―を惜しまず《句》苦労をいとわず。「―働く」

―を削・る《句》身が細るほど、苦心や苦労をする。

ほね・やすめ【骨休め】《名・自サ》からだを休めること。「―に温泉に行く」類語 休息。休憩。

ほの【×仄】《接頭》《多く形容詞・動詞について》「ほのかに」の意。「―見える」「―白い」「―暗い」

ほのお【炎・×焰】《「火ほの穂」の意》気体が燃えるときに熱や光を発している部分。火炎。参考 嫉妬・怒りなどの激しい感情のたとえに用いる。「嫉妬の―」類語 光炎。

ほのか【×仄か・▽側か】《形動》〔わずかで〕はっきり識別できないようす。かすか。「―な明かり」

ほの・ぐら・い【×仄暗い】《形》ほのかに暗い。うす暗い。「―・い部屋の内部」

ほ・の・じ【ほの字】《名・形動》〔俗〕惚ほれていること。「あいつは彼女に―だ」

ほの・ぼの【×仄×仄】《副・自サ》《副詞は「―と」の形も》ほのかなようす。また、ほんのりと・明るみ(暖かみ)が感じられるようす。「―と夜が明ける」「―とした話」

ほの・み・える【×仄見える】《自下一》ほのかに見える。「希望の光が―・える」

ほの・めか・す【×仄めかす】《他五》それとなく示す。暗示する。におわせる。「辞意を―・す」

ほの・め・く【×仄めく】《自五》〔文〕かすかに見える。ちらっとあらわれる。「暗がりの中に―・く火影」

ほ・ばく【捕縛】《名・他サ》〔文〕つかまえてしばること。「犯人を―する」類語 就縛。

ほ・ばしら【帆柱・×檣】船の帆をあげるための柱。マスト。

ほ・はば【歩幅】歩くときの一歩の距離。

ぼ・はん【母×斑】先天的な原因で皮膚に生じる斑紋の総称。ほくろ・そばかす・あざ・なまずなど。

ぼ・ひ【墓碑】死者の姓名・戒名・事績などをしるして、墓のしるしとして立てる石。「―銘」

ポピー ケシ科ケシ属の植物の総称。特に、ヒナゲシ園芸上の通称。▽poppy

*__ほ・ひつ【補筆】__《名・他サ》〔文〕書き加えること。

*__ほ・ひつ【×輔×弼・補×弼】__《名・他サ》〔文〕天子が政治を行うのを助けること。補佐。「―の臣」

ポピュラー ■一《形動》広く知られて人気のあるようす。大衆的。「―な曲」■二《名》「ポピュラーミュージック」の略。大衆的な音楽。映画音楽・欧米の流行歌など。▽popular

ポピュリズム ❶大衆を支持基盤とする政治運動。人民主義。民衆主義。❷〔転じて〕民意の動向に合わせようとする政治姿勢。大衆迎合政治。▽populism

ぼ・ひょう【墓標・墓表】墓のしるしに立てる柱や石。

ボビン ❶紡織用具の一つ。糸を巻き取る棒状または筒状のもの。❷ミシンの下糸を巻く金具。❸電線を巻いてコイルをつくる円形の筒。巻きわく。▽bobbin

ほ・ふ【保父】保育所などの児童福祉施設で、保育に従事する男性。対 保母。

ほ・ぶ【歩武】〔文〕足どり。あゆみ。「―堂々」

ほ・ふく【×匍×匐】《名・自サ》〔文〕はらばい。「―前進」

ボブスレー ハンドルとブレーキのついた鋼鉄製のそりで山腹の氷のコースを滑り降りる競技。▽bobsleigh

ほ・ぶね【帆船・帆舟】ほかけぶね。帆船。

ポプラ ヤナギ科の落葉高木。枝がほうき状にまっすぐ高くのびる。街路樹などに植えられる。▽poplar

ポプリ 香りのある葉・樹皮・花弁などを乾燥させてまぜ、香料を加えたもの。▽フランス pot-pourri

ポプリン 〔綿糸・毛糸・レーヨン糸などを用いて〕横にはっきりした細いうねを織り出した、丈夫な平織りの織物。婦人服・ワイシャツなどに使う。▽poplin

ほふ・る【×屠る】《他五》❶鳥や獣のからだを切りさく。❷みなごろしにする。❸試合で相手を負かす。「決勝で強敵を―・る」文《四》。

ほ・へい【歩兵】小銃や機関銃を持ち、徒歩で戦う兵種。また、その兵隊。歩卒。「―隊」

ぼ・へい【募兵】《名・自サ》〔文〕兵士を募り集めること。

ボヘミアン 放浪生活をする人。また、自由で気ままな生活をする人。▽bohemian

ほほ【×頰】→ほお(頰)。

*__ほ・ぼ【保母・保・×姆】__保育所などの児童福祉施設で、保育に従事する女性。対 保父。参考→保育士。

*__ほぼ【▽略・▽粗】__《副》だいたい。おおかた。おおむね。「皆の意見が―一致する」

ほほえま・し・い【×頰笑ましい・▽微笑ましい】《形》思わずほほえみたくなるようすである。ほおえましい。「―・い光景」

ほほ・え・む【×頰笑む・▽微笑む】《自五》❶声を

たてずに、わずかに笑う。かすかに笑う。微笑する。❷花のつぼみが少しひらく。ほころびる。「桜のつぼみがー・む」＝ほおえむ。

ポマード〔男性が〕おもに髪型をととのえるために使う、かおりのよいねり油。▽pomade

ほまえ・せん【帆前船】帆をはって風の力で走る船。類語 帆船。帆掛船。

ほまち【帆待(ち)・▽外▽持(ち)】〔俗〕臨時の収入。また、ひそかにためた金。へそくり。参考 江戸時代、船頭たちが契約外の積み荷を運んで内密の収入を得たことから。

ほまれ【誉れ】誇りとする価値のある事柄。名誉。よい評判。「名手のーが高い」「出藍のー」類語 栄。栄誉。栄光。栄冠。光栄。光輝。声誉。

ほ・むぎ【穂麦】穂の出た麦。

ほ・むら【▽炎・×焰】〔文〕❶ほのお。❷嫉妬・怒りなどの激しい感情でもえたつ心のたとえ。「恋のー」

ほめ・そや・す【褒めそやす・▽誉めそやす】《他五》しきりにほめる。ほめたてる。「作品の出来をー・す」

ほめ・たた・える【褒め▽称える・▽誉め▽称える】《他下一》大いにほめる。称賛する。「勝者をー・える」

ほめ・た・てる【褒め立てる・▽誉め立てる】《他下一》盛んにほめる。「演技の素晴らしさをー・てる」

ほめ・ちぎ・る【褒めちぎる・▽誉めちぎる】《他五》口をきわめてほめる。最大級にほめる。「近来まれなる傑作とー・る」類語 (する)絶賛。激賞。

ほ・める【褒める・▽誉める】《他下一》よい、よくやったと評価して言う。たたえる。「生徒の絵をー・める」対 けなす。文 ほ・む《下二》。⇩〔類語と表現〕

類語と表現

「褒める・貶す」

＊生徒の善行を褒める・勇気ある行動を褒める・よくやったと褒める・褒められる・あまり褒めた話ではない／人を貶す・新人の作品をくそみそに貶す／口で貶して心で褒める。

◆［褒める］称える・称する・賞する・賛する・囃す・嘉する・頌する・嘆じる・褒め立てる・褒めちぎる・褒め称える・褒めそやす・褒めはやす・持てはやす・よく言う／(する)称賛・礼賛・賞揚・推賞・激賞・嘉賞・賛美・賞美・賛嘆・嘆賞・感嘆・嗟嘆・嘆美・三嘆・熱賛・絶賛・喝采・拍手喝采／べた褒め・頌徳・過褒・溢美／やんや(やんや)

◇［世辞］おだてる・おもねる・こびる・取り入る・意を迎える・歓心を買う・機嫌を取る・持ち上げる・味噌をする・胡麻をする・提灯を持つ・髭の塵を払う・媚を売る・取り巻く・よいしょする／おべっか・へつらい・追従・阿諛・迎合・社交辞令・曲学阿世

◆［貶す］謗る・譏る・くさす・咎める・罵る・毒づく・こき下ろす・悪く言う・悪口を言う・悪態をつく・悪たれ口［憎まれ口］をたたく・注文を付ける・文句を付ける・因縁を付ける・言い掛かりを付ける・難癖を付ける・けちを付ける・槍玉にあげる・揚げ足を取る・棚卸しをする・名誉を傷付ける／(する)誹謗・讒言・讒謗・誹毀・罵詈・嘲罵・面罵・悪罵・痛罵・冷罵・罵倒・中傷・論難・指弾・糾弾・弾劾・雑言・雑言・批判・批評・名誉毀損

＊ホモ 人類の属名。人。▽ラテン Homo ーサピエンス ❶動物学上、現生人類をさす学名。ひと。❷〔哲〕人間を定義する概念の一つ。知性・英知に人間の本質があるとするもの。知性人。▽ラテン Homo sapiens

＊ホモ 男の同性愛(者)。ホモセクシュアル。ゲイ。▽homosexual から。

＊ほや【▽海×鞘】原索動物ホヤ目に属する種類の総称。単体または群体。赤茶色の袋状のかたい表皮につつまれ、岩などに定着する。食用にされるものもある。

＊ほ・や【火屋】❶香炉や手あぶりなどのふた。❷ランプ・ガス灯などの、火をおおうガラス製のつつ。

＊ぼや【▽小▽火】小さな火事。「ーが起こる」対 大火。

＊ぼ・や【暮夜】〔文〕夜。夜分。

ぼや・く《他五》〔俗〕ぶつぶつ不平を言う。「給料が安いとー・く」文《四》。

ぼや・ける《自下一》はっきりしなくなる。ぼける。「焦点がー・ける」

ぼやっ・と《副・自サ》ぼんやりと。「目がーかすむ」「一日中ーする」

ほや・ほや《副》❶暖かくて湯気が立っているようす。「ーの肉まん」❷できたばかりであるようす。「新婚ー」

ぼや・ぼや《副・自サ》《副詞は「ーと」の形も》気がつかずぼんやりしているようす。「ーして追い越される」

ほ・ゆう【保有】《名・他サ》自分のものとして持っていること。「核のー」「ー量」

ほ・よう【保養】《名・自サ》心身を休めて健康をやしなうこと。「ー地」類語 養生。

＊ほ・ら【▽法×螺】❶ほら貝①。❷ほら貝②。❸大げさな話。でたらめ。「ーを吹く」類語 大言。放語。誇言。大言壮語。ーがい【ー貝】❶フジツガイ科の巻き貝。長さ四〇センチにもなる大きな貝で、南の海にすむ。肉は食用。❷①の殻の先に口をつけ吹き鳴らすようにしたもの。山伏の法具や戦陣での合図に用いられた。ーふき【ー吹き】大げさなことを言う人。うそつき。

＊ほら【洞】〔がけや岩などにできた〕中がうつろな穴。ほら穴。類語 岩穴。岩屋。岩室。洞穴。洞窟。岩窟。石窟。洞門。

＊ほら《感》人に注意を促すことば。「ー、おっこちるよ」

ぼら【×鯔・×鰡】ボラ科の魚。背は青く腹は白い。おもに海にすむが、成長の一時期を川で過ごす。卵巣から「からすみ」を作る。出世魚の一つで、「オボコ・スバシリ・イナ・トド」などと呼び名がかわる。食用。

ホラー ぞっとする恐怖。「ー映画」▽horror

ほら・あな【洞穴】ほら。洞くつ。類語 ↓洞。

ほら・が・とうげ【洞ケ峠】〔京都府と大阪府の境にある峠。山崎合戦のとき、筒井順慶がここで形勢を見たことから〕形勢の有利な方につこうとしてなりゆきを見ること。「ーを極め込む」類語 日和見。

ポラロイド・カメラ 特殊フィルムを使い、撮影後すぐに印画ができるカメラ。参考 商標名。▽Polaroid Land Camera から。

ボランティア 自主的に無報酬で奉仕活動をする人。篤志奉仕家。「ー活動」「ー精神」▽volunteer

＊ほり【堀・×濠】❶地面を掘って水を通した所。ほりわり。類語 堀切り。堀江。疎水。❷敵の侵入を防ぐため城の周囲に水をたたえた所。類語 濠。城濠。

＊ほり【彫り】❶彫ること。彫った具合。「ーの巧みな木像」❷顔の凹凸。「ーの深い顔」

＊ほ・り【捕吏】〔文〕犯人をつかまえる役人。とりて。

*ポリ〔俗〕「ポリス」の略。

*ポリ「ポリエチレン」の略。「—バケツ」

ほり・あげ【彫(り)上げ】彫刻や印で、模様や文字をまわりの地より高くすること。うきぼり。

ポリープ ➡ポリプ②。▽polyp

ほり・え【堀江】地面を掘って水を通した川。運河。疎水。〔古風な言い方〕

ポリエステル 合成樹脂の一種。車体・船体などの材料のほか、繊維としてもすぐれる。▽polyester

ポリエチレン 合成樹脂の一種。変質しにくく、気体を通さないので、袋や食品保存用の包装などに使われる。ポリ。▽polyethylene

ポリ・えんかビニール【ポリ塩化ビニール】塩化ビニールを重合してつくられる、熱可塑性樹脂。塩化ビニール樹脂。塩ビ。

ポリオ 二類感染症の一つ。ウイルスの感染によって脊髄灰白質の前部に起こる急性の炎症。手足などの筋肉に麻痺を生じる。脊髄性小児麻痺。急性灰白髄炎。▽polio

ほり・おこ・す【掘り起こす】《他五》❶土を掘りかえす。「荒れ地を—・す」❷〔埋もれているものを〕掘って取り出す。「埋めた宝を—・す」❸隠れていた事実・事柄などを探って表面に出す。「事件の真相を—・す」

ほり・きり【堀切(り)】地を掘って切り通した水路。〔古風な言い方〕類語 運河。堀。

ポリグラフ 鼓動・血圧・呼吸・精神電流現象などを同時に測定・記録する装置。うそ発見器として利用される。▽polygraph

ほり・ごたつ【掘(り)×炬×燵】〔置きごたつに対して〕床を切って、その中に熱源を入れるこたつ。切りごたつ。

ほり・さ・げる【掘り下げる】《他下一》❶下へ下へと掘る。❷〔ある問題を〕つっこんで考える。「問題点を—・げる」

ポリシー 政策。政略。方針。▽policy

*ポリス 警察。警官。ポリ。▽police

*ポリス ㊀《名》古代ギリシアの都市国家。㊁《造語》「都市」の意。「メガロ—」「メトロ—」▽ギリシア polis

ほりだし・もの【掘(り)出し物】思いがけず手に入れた、貴重な物、または意外に安い物。

ほり・だ・す【掘り出す】《他五》❶掘って取り出す。また、貴重な物を安く手にいれる。「小判を—・す」❷偶然めずらしい物をさがし出す。

ホリデー 休日。祭日。▽holiday

ほりぬき・いど【掘(り)抜き井戸】地下深く掘って地下水をわき出させる井戸。掘抜き。うちぬき。

ほり・ばた【堀端・×濠端】堀のすぐそば。

ポリプ ❶腔腸動物に見られる基本的な体型の一つで、固着生活をする型。円筒状のからだの一端は他物に付着する。❷皮膚や粘膜の表面から細長い柄のように突き出した、炎症性または腫瘍性の組織。鼻腔・胃腸・子宮などにできやすい。ポリープ。▽polyp

ポリフェノール 多価フェノール。コレステロールの酸化を抑え、動脈硬化を防止するフェノール。▽polyphenol

ほり・もの【彫(り)物】❶彫刻。❷いれずみ。

*ほ・りゅう【保留】《名・他サ》保ちとどめておくこと。特に、その場で決めないであとにのばすこと。留保。「返事を—する」類語 ペンディング。

*ほ・りゅう【×蒲柳】〔文〕❶「楊柳」の別名。➡ねこやなぎ。❷弱い体質。「—の質(=弱くて病気にかかりやすい体質)」参考 楊柳は秋になると、すぐ葉が落ちることから。類語 虚弱。弱体。

ボリューム ❶分量。かさ。「—のあるお弁当」❷音量。声量。「—をあげる」=ヴォリューム。▽volume

ほ・りょ【捕虜】敵にとらわれた人。とりこ。俘虜。

ほり・わり【掘(り)割(り)・堀割】ほり(堀)①。

*ほ・る【彫る】《他五》❶きざむ。また、そのようにして作品を作る。彫刻する。「木を—・る」「仏像を—・る」類語 彫る。刻する。❷いれずみをする。文《四》。

*ほ・る【掘る】《他五》❶土を取り除いて地面に穴をあける。また、そのようにしてくぼみを作る。「地面を—・る」「穴を—・る」類語 掘削(する)。❷地面に穴をあけ、地中にあるものを取り出す。「いもを—・る」類語 採掘(する)。発掘。文《四》。

ぼ・る《他五》〔俗〕不当な利益をむさぼる。「料金を—・られる」

ポルカ 二拍子の軽快なダンス(の曲)。▽polka

ボルシェビキ 二〇世紀初頭、ロシア共産党のもとに革命推進を主張したレーニンを支持する一派。対 メンシェビキ。▽ロシア bol'sheviki(=多数派)

ボルシチ ロシア風スープ。ビーツ(赤かぶ)・トマト・肉・野菜などを入れて長時間煮込んだもの。▽ロシア borshch

ホルスタイン オランダ原産の乳牛。黒白のまだらでからだが大きい。乳がよく出る。▽ドイツ Holstein

ホルダー《造語》❶「ささえるもの」「まとめるもの」の意。「ペン—」「キー—」❷「保持者」の意。「レコード—」=ホールダー。▽holder

ボルテージ ❶電位差。電圧。❷高まった意気込み。「—が上がる」=ヴォルテージ。▽voltage

*ボルト 金属の丸い棒の一端に頭をつけ、他端にねじを切ったもの。ナットと組んで締め具にする。▽bolt

*ボルト《助数》電圧の実用単位。一ボルトは一オームの抵抗のところに一アンペアの電流を流すときの電圧。ヴォルト。記号V。▽volt

ポルノ「ポルノグラフィー」の略。性を主題にした絵・映画・写真・文学などの総称。▽pornography から。

ホルマリン ホルムアルデヒドを四〇パーセント水溶液にしたものの薬品名。殺菌剤・防腐剤として使う。フォルマリン。▽ドイツ Formalin

ホルムアルデヒド 刺激臭のある無色の気体。合成樹脂・染料・医薬などの原料。フォルムアルデヒド。▽ドイツ Formaldehyd

ホルモン 内分泌腺で作られて血液の中に放出され、動物のからだの成長や働きを調節している物質。▽ドイツ Hormon

ホルン ❶つのぶえ。❷長い管をまるく巻き、朝顔の花のような形をした口をもつ大型の金管楽器。フレンチホルン。=ホーン。▽ドイツ Horn

ほ・れい【保冷】《名・他サ》〔凍結しない程度の〕低温状態に保つこと。「—庫」「—剤」

ボレー テニスやサッカーで、ボールが地上に落ちないうちに打つ(ける)こと。ダイレクト。ヴォレー。▽volley

ほれ・こ・む【×惚れ込む】《自五》すっかりほれる。「人柄に—・む」

ほれ・ぼれ【×惚れ×惚れ】《副・自サ》《副詞は「—と」の形も》うっとりするようす。「気っぷのよさに—する」

ほ・れる【×惚れる】㊀《自下一》❶心を奪われるまでに

異性に思いをかける。❷〔人物などに〕感心して心をひかれる。「いさぎよさに—・れる」文ほ・る《下二》。㊁《接尾》そうすることに心を奪われて、うっとりする。「聞き—・れる」「見—・れる」文ほ・る《下二》。

ボレロ ❶四分の三拍子で軽快なリズムをもつ、スペインの民俗舞踊。また、その舞曲。❷ボタンのない女性用の短い上着。▽bolero

***ほろ【×幌】**《「母衣」と同語源》雨や日光をよけるため車にかけるおおい。

***ほろ【▽母▽衣】** 昔、流れ矢をふせぐため、また飾りのために、よろいの背に負ったもの。

母衣

***ぼろ**《接頭》「めちゃくちゃ」「荒っぽい」などの意味を添える。「—負け」「—もうけ」

***ぼろ【×襤×褸】** ❶使い古してぼろぼろになった布切れ。類語 襤褸。❷着古して破れた衣服。また、つぎはぎだらけの衣服。類語 破れ着。弊衣。❸〔隠しておいた〕欠点・短所。また、失敗。「—を隠す」「—が出る」

ポロ 馬に乗り、たまを棒で打って相手のゴールに入れて得点をあらそう競技。一チーム四人。▽polo —**シャツ** 半そでで、共えりのスポーツシャツ。参考 もとポロ競技のときに着た。▽polo shirt

ぼろ・い《形》〔俗〕❶〔労力に比べて〕得る利益が大きい。「—・いもうけ」❷古びている。粗末である。「—・い家に住む」

ほ-ろう【歩廊】 ❶〔大きな建物などにある〕二列の柱の間に作った通路。回廊。❷プラットホーム。〔古風な言い方〕

ほろ-がや【×幌〈蚊帳〉・▽母▽衣〈蚊帳〉】 ほろの形をした幼児用の小さなかや。

ぼろ-くそ【×襤×褸×糞】《形動》〔俗〕❶《名》ぼろやくそのように価値のないもの。また、そのようなものとして手厳しく評価するようす。くそみそ。「こんな—をもらったってしかたない」「—にけなす」❷さんざんにやっつけられるようす。こてんこてん。「—にやられる」

ホログラフィー レーザー光線によって物体の立体像を空間に映し出す技術。▽holography

ホロコースト 大虐殺。特に、第二次世界大戦中の、ナチスによるユダヤ人の大量虐殺。▽holocaust

ほろ-にが・い【ほろ苦い】《形》少しにがみがある。「—・い思い出」

ポロネーズ 四分の三拍子のゆるやかなポーランドの民俗舞曲。また、その舞踊。▽polonaise(=ポーランドふう)

ほろ-ばしゃ【×幌馬車】 ほろをかけた馬車。

ほろ・びる【滅びる・▽亡びる】《自上一》絶えてなくなる。おとろえてなくなる。「国が—・びる」類語 滅する。(する)滅亡。文ほろ・ぶ《上二》。

ほろ・ぶ【滅ぶ・▽亡ぶ】《自五》→ほろびる。文《四》。

ほろぼ・す【滅ぼす・▽亡ぼす】《他五》ほろびさせる。たやす。「敵を—・す」文《四》。

ほろ-ほろ《副》(「—と」の形も)❶小さなものがこぼれおちるようす。「キンモクセイの花が—と散る」❷山鳥などの鳴き声の形容。ほろろ。—**ちょう【—鳥】** ホロホロチョウ科の鳥。からだは灰青色に白い斑紋があり、ニワトリに似ている。食用。

***ぼろ-ぼろ**《副》(「—と」の形も)❶粒状のものがこぼれるようす。「袋の穴から米が—こぼれる」❷隠されていた事実などが次々に現れ出るようす。「不正の事実が—明るみに出る」❸もろくくだけたり、くずれたりするようす。「壁が—とくずれる」

***ぼろ-ぼろ**《形動》古くなり、破れたりくずれたりしてもとの形・姿がなくなっているようす。「—の服」

ぽろ-ぽろ《副》(「—と」の形も)粒状の物がこぼれ落ちるようす。〔「ぼろぼろ」より軽い表現〕「涙を—流す」

ほろ-よい【▽微酔い】—よう 酒にちょっと酔うこと。「—機嫌(=酒に少し酔っていい気分になること)」「—気分」類語 生酔い。微酔。微醺。小酔。

ほろり《副》(多く「—と」の形も)❶物がたわいなく散り落ちるようす。❷深く感動して、涙がこぼれ落ちるようす。また、思わず涙ぐむようす。「親子の別れの場面で—と来た」=ほろっと。❸軽く酒に酔うようす。

ぽろり《副》(多く「—と」の形で)❶付着していた物がもげたりはなれたりして落ちるようす。❷涙など粒状のものが一つ落ちるようす。

ホワイト ❶白。白い色。❷白色の絵の具。「—で消す」❸白人。対 カラード。▽white —**カラー** 事務系の仕事にたずさわる労働者。〔現場労働者に対して言う〕対 ブルーカラー。▽white-collar —**ソース** ↓ベシャメルソース。▽white sauce —**デー** バレンタインデーのお返しとして、男性から女性へクッキーやキャンデーなどを贈る日。三月一四日。▽white と day からの和製語。—**ハウス** ❶ワシントン市にあるアメリカ合衆国大統領官邸の通称。白亜館。❷アメリカ合衆国政府の別称。▽White House —**リカー** 焼酎。▽white と liquor からの和製語。

ほ-わた【穂綿】 綿の代用にした、アシなどの穂。

***ほん【本】** ㊀《名》❶書物。「—にする(=出版する)」類語 書籍。図書。書。書冊。冊子。巻。書巻。典籍。竹帛。ブック。尊敬 貴書。❷もと。根本。㊁《連体》❶その。この。当の。参考 現在問題にしているものをさして言うときに使う。「—事件の概略」類語 当該。❷自分に・関する(属する)ものであることを表す。「—書店」㊂《接頭》主な。正式の。「—舞台」「—試験」㊃《助数》❶棒などの細長いものを数える語。「マッチ一—」❷映画の作品の数を数える語。「三—立て」❸勝負の回数を数える語。「一—勝負」

***ホン**《助数》感覚的な音(おもに騒音)の大きさを表す単位。フォン。参考 計量法の改正によって「デシベル」に改称。▽phon

***ぼん【凡】**《名・形動》〔文〕普通であること。平凡。なみ。「目のつけどころは—ではない」

***ぼん【盆】** ❶物をのせるための浅い器。❷「盂蘭盆」の略。お盆。「—暮れのつけ届け」

ほん-あん【翻案】《名・他サ》小説・戯曲などの原作をもとに改作すること。「小説を—した映画」

***ほん-い【本位】** ❶〔文〕もとの位置。「—に復する」❷〔名詞につけて〕そのものを考えや行動の中心とする意。「自分—の行動」「興味—の記事」❸貨幣制度の基準。「金—制」—**かへい【—貨幣】** その国の貨幣制度の基礎になる貨幣。正貨。対 補助貨幣。

***ほん-い【本意】** 本来の意志・希望。ほい。「—を明ら

かにする」「撤退は私の―ではない」

*__ほん・い【翻意】__《名・自サ》〔文〕決心をかえること。「―を促す」

__ほんいんぼう【本因坊】__本因坊戦(=選抜制の囲碁の試合)の優勝者に与えられる称号。参考もと、江戸幕府碁所の初代家元が起居した坊の名。

__ほん・えい【本営】__総指揮官のいる軍営。本陣。

__ぼん・おどり【盆踊(り)】__―をどり 盂蘭盆(うらぼん)の夜に、歌や音頭に合わせておどる踊り。

*__ほん・か【本科】__❶〔別科・専科・予科などに対して〕その学校の本体となる課程。❷〔文〕この科。

*__ほん・か【本歌】__❶本歌取り(=先人の詠んだ歌のことばや趣向を取り入れること)のもとになる歌。もとうた。❷〔狂歌や俳諧(はいかい)に対して〕本来の和歌。__―どり【―取り】__和歌や連歌などで、先人の詠んだ歌のことばや趣向をかりて作歌すること。

__ほん・かい【本懐】__もとからの望み。本望。本意。「―を遂げる」

__ほん・かいぎ【本会議】__❶〔部会・委員会などに対して〕本式の会議。❷国会で、議員全員による会議。

__ほん・かく【本格】__❶根本の格式・形式。❷本来の正しい形をとっていること。本式。「―派」__―てき【―的】__《形動》本来の、またそうあるべき正しい形・やり方に従っているようす。本式。「―な歌い方」

__ほん・かわ【本革】__―かは 人造でない、本物の革。

*__ほん・かん【本官】__━《名》❶正式の官職。❷その人本来の官職。━《代名》《自称の人代名詞》官吏が自分を指して言う語。本職。

*__ほん・かん【本管】__水道・ガスなどを通す、公道の下に設けた幹(みき)になる太い管。対支管。

__ほん・がん【本願】__❶本来の願い。「―成就」❷仏・菩薩(ぼさつ)が生き物すべてを救おうと誓った大願。

__ぼん・がん【凡眼】__〔文〕平凡な眼識・眼力。「―にはわからない傑作」対慧眼(けいがん)。炯眼(けいがん)。

__ポン・かん【ポン×柑】__ミカンの一品種。インド原産。実はあまくて、かおりが強い。参考「ポン」はインドの地名Poonaによる。

__ほん・き【本気】__《名・形動》冗談などではない、本当の気持ち。真剣な気持ち。また、そのような気持ちになること。「―で怒る」「―になって働く」「―にする(=偽りないことと思う)」類語正気。本心。真剣。真摯(しんし)。

*__ほん・ぎ【本紀】__紀伝体の歴史書で、天子一代の事績を書き記したもの。対列伝。

*__ほん・ぎ【本義】__〔文〕❶〔語・句などの〕本来の意味。本当の意味。対転義。❷根本の意義。

__ほん・ぎまり【本決(ま)り】__正式にきまること。「採用が―になる」

__ほん・きゅう【本給】__手当などを加えない基本となる給料。基本給。本俸(ほんぽう)。

__ほん・きょ【本拠】__仕事や活動の主なよりどころとなる場所。根拠。「―地」

__ほん・ぎょう【本業】__主とする職業。本職。対副業。

__ほん・きょく【本局】__❶中心になる局。対支局。❷〔文〕この局。

__ほん・きん【本金】__❶元金(がんきん)。もときん。❷純金。

__ぼん・ぐ【凡愚】__《名・形動》〔文〕平凡でおろかな・こと(人)。「―の及ぶところではない」

__ほん・ぐう【本宮】__❶神霊を他に分けた、もとの神社。もとみや。対別宮。❷熊野本宮。対①②新宮。

__ほん・くじ【本×籤・本×鬮】__頼母子(たのもし)講などで、落札者を決めるくじ。

__ほん・ぐみ【本組(み)】__印刷で、棒組みにして校正を経たものを本式のページに組むこと。また、その組版。対棒組み。

__ほん・ぐもり【本曇り】__空のほとんどが雲におおわれてしまうこと。

__ぼん・くら__《名・形動》〔俗〕(ばくちで、さいころをふせた盆の中が見通せない意から)ぼんやりしている・こと(人)。まぬけ。

__ぼん・くれ【盆暮(れ)】__盂蘭盆(うらぼん)のころと年末。「―のつけ届け」

__ほん・け【本家】__❶一門・一族の中心になる家筋。「―本元(ほんもと)」❷流派がそこから分かれ出た、もとの家。家元。❸商家のおおもとの店。対①～③分家。①③別家。

__ぼん・げ【凡下】__〔文〕《名・形動》平凡で劣っていること。平凡なこと。また、その人。

__ぼん・けい【盆景】__水盤上に石・砂などをおいて自然の風景をうつし、そのおもむきを味わうもの。盆石。

__ほんけ・がえり【本×卦帰り・本×卦▽還り】__―がへり 生まれた年と同じ干支(えと)の年がめぐってくること。数え年で六一歳になること。還暦。

__ほん・けん【本絹】__まじりけのない絹糸・絹織物。純絹。正絹(しょうけん)。本絹(ほんぎぬ)。対人絹。

__ほん・げん【本源】__〔文〕ものごとの大もと。根源。「事件の―をさぐる」

*__ぼん・ご【×梵語】__古代インドの文章語。サンスクリット。参考音訳された形で仏教語として伝わる。

*__ボンゴ__ 中南米音楽で使う二つ一組の小太鼓。いすにかけた奏者がひざではさみ、素手で打つ。▽スペ bongo

__ほん・こう【本校】__❶一つの学校がいくつかに分かれているとき、その中心になる学校。対分校。❷〔文〕この学校。当校。わが校。「―の伝統」

__ほん・こく【翻刻】__《名・他サ》〔文〕本を原本のままの内容で製版・印刷して、再び出版すること。「―本」

__ほん・ごく【本国】__❶その人の・祖国(国籍のある国)。「―政府」類語故国。母国。❷植民地でないもとからの国土。本土。「イギリス―」類語宗主国。宗国。

__ほん・ごし【本腰】__本気でじっくり行うこと。「―を入れる」

__ぼん・こつ【凡骨】__〔文〕平凡な素質の者。

__ぽん・こつ__〔俗〕使い古して役に立たなくなった物。廃品。「―車」

__ほん・さい【本妻】__正式な妻。正妻。対妾(めかけ)。

*__ぼん・さい【凡才】__平凡な才能(の人)。

*__ぼん・さい【×梵妻】__〔仏〕僧の妻。だいこく。

*__ぼん・さい【盆栽】__観賞用に育てた、鉢植えの木。

__ぼん・さく【凡作】__平凡なつまらない作品。対秀作。

__ほん・ざん【本山】__❶〔仏〕一宗一派の長として、末寺を統轄(とうかつ)する寺。❷〔文〕この寺。わが寺。

__ボン・サンス__ 良識。理性。判断力。▽フランス bon sens

*__ほん・し【本志】__〔文〕まことの心。本意。本懐。

*__ほん・し【本旨】__本来の趣旨。「―を説明する」

*__ほん・し【本紙】__❶〔号外などに対して〕本体となる新聞。❷〔文〕この新聞。わが新聞。

*__ほん・し【本誌】__❶〔別冊付録などに対して〕本体となる雑誌。❷〔文〕この雑誌。わが雑誌。

*ほん・じ【本地】本地垂迹(すいじゃく)説で、仮の姿をとって現れた垂迹身に対して、その本来の姿(=真実身)である仏・菩薩(ぼさつ)。 ーすいじゃく【ー垂×迹】神仏習合思想で、本地の仏や菩薩が衆生を救うために神の姿をかりて現れること。 参考 特に日本の仏教でいう。

*ほん・じ【本字】❶〔かなに対して〕漢字。❷ある漢字のもとになった漢字。

ぼん・じ【×梵字】梵語を書きしるすための文字。悉曇(しったん)文字。

ほん・しき【本式】《名・形動》正式な形式・やり方(であること)。「ーに習う」 対 略式。

ほん・しつ【本質】その物にとって一番大切で根本的な性質。「物事のーをとらえる」 ーてき【ー的】《形動》本質にかかわるようす。「ーな問題」

ほん・じつ【本日】〔文〕この日。きょう。

ほん・しゃ【本社】❶会社の中心となる事業所。 対 支社。❷いくつかの神社の中心となる神社。 対 末社。 対 分社。❸〔文〕自分の属する会社。わが社。当社。

ぼん・しゅ【凡手】〔文〕平凡なうでまえ(の人)。

ほん・しゅう【本州】日本列島の主要部をなす島。

ほん・しゅつ【奔出】《名・自サ》〔文〕激しい勢いでほとばしり出ること。「水がーする」 類語 迸出(へいしゅつ)。

*ほん・しょ【本初】〔文〕はじめ。もと。「ー子午線」

*ほん・しょ【本署】❶〔支署・分署などに対して〕それらを統轄(とうかつ)する署。❷〔文〕この署。当署。

*ほん・しょう【本性】❶生まれつきもっている性質。ほんじょう。ほんせい。「ーを現す」❷たしかな心。正気。「酔っ払ってーを失う」

*ほん・しょう【本省】❶〔管下の官庁を管轄する〕中央の最高官庁。❷〔文〕この省。当省。

ほん・じょう【本城】❶城郭の中心になっている城。ねじろ。本丸。❷〔文〕この城。当城。

*ぼん・しょう【凡小】《名・形動》〔文〕人物が平凡で小さなこと。また、その人。「ーな人物ではない」

*ぼん・しょう【×梵鐘】〔文〕寺院のつりがね。

ほん・しょく【本職】㊀《名》❶本来の職業。❷その道の専門家。「ー顔負けの腕前」㊁《代名》《自称の人代名詞》官吏が自分をさして言う語。本官。

*ほん・しん【本心】❶本来の正しい心。「ーにたちもどる」❷正気。「ーをなくす」❸本当の気持ち。「ーを明かす」 類語 本意。本懐。本気。本音(ほんね)。

*ほん・しん【翻身】《名・自サ》〔文〕身をひるがえすこと。

ほん・じん【本陣】❶大将のいる陣屋。本営。❷江戸時代、宿駅で大名などが泊まった公認の宿屋。

ぼん・じん【凡人】平凡な人。「ーにはとても考えつかない発想だ」 類語 凡夫。凡俗。凡才。凡骨。常人。

ポン・ず【ポン酢】ダイダイの絞り汁。 参考 本来は「ポンス(オランダ pons)」。「ポンス」の「ス」に「酢」を当てた。

ほん・すう【本数】「本」と数えるものの数。「列車のー」

ほん・すじ【本筋】本来のすじみち。「議論がーからはずれる」 類語 本流。本道。

*ほん・せい【本姓】❶生家の苗字。❷〔筆名・偽名などに対して〕戸籍上の本当の苗字。

*ほん・せい【本性】そのものとして当然もつべき本来の性質。ほんしょう。「人間のー」

ほん・せき【本籍】その人の戸籍の所在地。原籍。

ぼん・せき【盆石】盆景。また、それに使う石。

ぼん・せつ【×梵×刹】〔文〕寺。寺院。ぼんさつ。

*ほん・せん【本線】❶主要な線路。幹線。「山陽ー」 対 支線。❷〔文〕この線。この線路。

*ほん・せん【本船】❶〔船団などで〕主となる船。もとぶね。親船。❷〔文〕この船。

*ほん・せん【本選】コンクールなどで、予選を勝ち抜いた者の中から、最後の優勝者を選ぶ審査。

*ほん・ぜん【本然】〔文〕人の手を加えず自然のままであること。もともとの姿。本然(ほんねん)。「自己ーの姿」

*ほん・ぜん【本×膳】〔正式な日本料理の膳立てで〕客の正面に置かれる主な膳。一の膳。「ー料理」

*ほん・ぜん【翻然】《形動タルト》〔文〕❶ひるがえるようす。❷急に心を改めるようす。「ーとして非を悟る」

ぼん・せん【凡戦】平凡で面白みのない試合。

ほん・そ【本訴】民事訴訟で反訴などの提起が行われる場合、そのもととなった訴訟。

*ほん・そう【奔走】《名・自サ》物事がうまく運ぶように駆け回って努力すること。「国事にーする」

*ほん・そう【本葬】本式の葬儀。 対 仮葬。密葬。

ほん・ぞう【本草】❶〔文〕草木。植物。❷漢方で、薬用になる草。薬草。また、薬用になる植物・動物・鉱物の総称。❸「本草学」の略。中国古来の学問で、動物・植物・鉱物を医薬にする目的で研究するもの。

ほん・そく【本則】❶たてまえ。原則。❷法令の本体をなす部分。 対 付則。

ぼん・ぞく【凡俗】〔文〕❶《名・形動》平凡で俗っぽいこと。❷凡人。俗人。

ほん・ぞん【本尊】❶寺院の中央に安置され、信仰・祈りの対象として最も重んじられる仏像。本体。❷〔俗〕物事の中心になる人・物。「一味のー」❸〈「御ー」の形で〉〔俗〕本人。当人。「御ーはまだ知らない」

*ほん・たい【本体】❶そのものの本当の姿。正体。実体。「偽善者のーを現す」❷神社の神体。また、寺の本尊。❸〔哲〕理性によってのみとらえることができ、現象のもとになっている存在。❹〔機械などの、付属物をのぞいた〕主要な部分。

*ほん・たい【本態】本当の状態・様子。「ウイルスのー」 類語 実態。

*ほん・たい【本隊】❶〔いくつかの部隊の〕中心となる部隊。 対 支隊。❷〔文〕この隊。わが隊。

ほん・だい【本題】中心となる題目。「ーに入る」 類語 本論。主題。

ぼん・たい【凡退】《名・自サ》野球で、打者が出塁・犠打などを果たせず退くこと。「三者ー」

ほん・たく【本宅】〔別宅・妾宅(しょうたく)などに対して〕ふだん住んでいて生活の中心となっている家。本邸。

ほん・たて【本立(て)】本を立てて、ささえておくもの。ブックエンド。

ほん・だな【本棚】本をのせておく棚。書棚。書架。

ほん・だわら【▽馬▽尾▽藻・▽神▽馬▽藻】褐藻類ホンダワラ科の海藻の総称。古称、なのりそ(も)。 参考 新年の飾り物や肥料にする。

ほん・たん【奔×湍】〔文〕はやせ。急流。

ぼん・たん【▽文×旦】→ザボン。

ぼん・ち【盆地】四方を山にかこまれた平地。

*ポンチ ❶工作物の中心などに目じるしをつける道具。❷あなを明ける道具。▽punch

*ポンチ ❶果汁にソーダ水を加えた飲み物。「フルーツー」❷ワインなどの洋酒に、レモン汁やジュース類を加えた飲

み物。パンチ。▽punch

＊ポンチ「ポンチ絵」の略。寓意(ぐうい)・風刺をこめた滑稽(こっけい)画。漫画。▽Punch(=英国の週刊誌名)から。

ポンチョ ❶長方形の毛織物の中央に穴をあけ、そこから頭を入れてまわりに垂らす外套。元来、南米の原地人が着用したもの。❷ポンチョに似た形をした、ビニロン・ナイロン製の登山用雨具。▽(スペイン)poncho

＊ほん・ちょう【本庁】❶〔地方の官庁に対して〕中心になる官庁。中央官庁。❷〔文〕この庁。当庁。

＊ほん・ちょう【本朝】〔文〕わが国の朝廷。わが国。対異朝。

ほん・ちょうし【本調子】❶三味線の基本的な調弦法。また、それによる調子。❷本格的な調子(が出ること)。「体がまだ—でない」=ほんぢょうし。

ぽん・つく〔俗〕まの抜けていること。また、その人。

ほん・て【本手】❶勝負事で、本筋の手。❷三味線や箏曲(そうきょく)で、基本的な旋律。本手(ほんて)。対替手(かえて)。

ほん・てい【本邸】本宅。対別邸。

＊ほん・てん【本店】❶〔いくつかの店舗の中で〕営業の中心となる店舗。本店(ほんだな)。本舗。対支店。分店。❷〔文〕この店。

＊ほん・てん【翻転】《名・自他サ》〔文〕翻ること。翻すこと。また、回転・する(させる)こと。「—倒立」

＊ほん・でん【本殿】神社で、神体を安置してある社殿。正殿。

＊ほん・でん【本田】苗代で育った稲を植えつけ、収穫期まで生育させる田。類語本圃(ほんぽ)。対苗代田(なわしろだ)。

ぼん・てん【×梵天】❶インドの古代宗教で、万物創造の神。❷欲界の上にあるという清浄な世界。また、その主で仏法を守護し、国家に利益を与える神。❸はえなわにつける目印の漁具。

ほん・と【本▽当】《名・形動》ほんとう。

ほん・ど【本土】❶本国②。❷〔属国・属島に対して〕その国の主な国土。❸〔北海道・沖縄や島部から見て〕本州。

ぽん・と《副》❶ものを軽くたたいたり、無造作に投げたりするようす。❷急に勢いよく飛び上がったり飛び出たりするようす。「ウサギが穴から—とび出した」❸気前よくあっさり出すようす。「大金を—寄付する」

ボンド 証券。債券。▽bond

ポンド 一《助数》❶英国の貨幣単位。一ポンドは一〇〇ペンス。記号£またはL。表記「磅」とあてた。参考正式には「ポンド・スターリング」。❷ヤードポンド法での質量の単位。一ポンドは四五三・六グラム。パウンド。記号lb。表記「封度」「听」「英斤」などとあてた。二《名》ポンド一①で表される貨幣。▽pound

＊ほん・とう【奔騰】《名・自サ》〔文〕非常な勢いで上がること。「金相場が—する」類語高騰。暴騰。

＊ほん・とう【本島】❶〔列島・群島の中で〕中心となる島。「沖縄—」❷〔文〕この島。

＊ほん・とう【本当】《名・形動》うそや見せかけでなく、実際にそうであること。また、本物であること。ほんと。まこと。「—の話」「—におもしろい」類語真正。正真正銘。真実。実は。実に。

＊ほん・どう【本堂】寺院で、本尊を安置する建物。対庫裏(くり)。

＊ほん・どう【本道】❶交通の中心になる道。本街道。対間道。❷本来の正しいあり方。「—に立ちかえる」

ほん・どこ【本床】正式に作った床の間。床柱に角材を用い、床がまちを設けて畳を敷き、床わきに書院・床棚を備える。

ほん・に【本に】《副》本当に。〔古風なことば〕

ほん・にん【本人】その人自身。当人。

ほん・ね【本音】本心から出たことば。「—を吐く」

ボンネット ❶女性・子ども用の帽子。頭の頂上から後ろにかけてかぶって、顔と額をあらわに出すようにするもの。❷自動車のエンジンのおおい。▽bonnet

＊ほん・ねん【本年】〔文〕ことし。

＊ほん・ねん【本然】→ほんぜん(本然)。

ほん・の【本の】《連体》本当にただその程度に過ぎない。「—一時間」表記ふつうかな書きにする。

ほん・のう【本能】生まれつき持っている性質や能力。「—的」

ぼん・のう【煩悩】〔仏〕人間の心身につきまとってなやます、すべての欲望。「百八—」

ぼん・の・くぼ【盆の×窪】首の後ろのくぼんだ所。

ほんのり《副・自サ》《副詞は「—と」の形も》かすかなようす。また、かすかに温かみが感じられるようす。「—赤みがかった顔色」

＊ほん・ば【奔馬】〔文〕勢いよく走る馬。参考勢いのはげしいもののたとえに使う。「—の勢い」

＊ほん・ば【本場】❶あるものの主な産地。また、ある物事の中心地。「—の味」「—仕込み」❷取引所で、午前中の売買取引。前場。

ぼん・ばい【×梵×唄】経文を、節をつけて読むこと。声明(しょうみょう)。

ほん・ばこ【本箱】本を並べて入れておく箱。

ほん・ばしょ【本場所】相撲興行で、力士の地位や給金に影響する興行。一年に六回行われる。

ほん・ばん【本番】❶〔映画・テレビなどで〕準備・練習に対して、本式でやること。「ぶっつけ—」❷すっかりそうなること。「春—」

ぽん・びき【ぽん引き】〔俗〕❶その土地に不案内な人をだまして金品を巻きあげたり、かどわかしたりすること(人)。❷売春の客引き。

ぼん・ぴゃく【凡百】〔文〕かずかず。もろもろ。「—の罪を悔いる」

ほん・びゃくしょう【本百姓】江戸時代の自営農民。田畑・屋敷をもち、年貢や夫役(ぶやく)を負担した。対水呑み百姓。

ほん・ぶ【本部】組織の中心になる機関。「捜査—」対支部。

ほん・ぷ【本譜】五線譜に書いた本式の楽譜。対略譜。

ぼん・ぷ【凡夫】❶〔仏〕煩悩にとらわれて迷っている人。❷〔文〕ふつうの人。平凡な人。また、無知でおろかな男。「—の浅知恵」=ぼんぶ。類語凡人。常人(じょうじん)。

ポンプ ❶圧力の作用によって気体・液体を低い所から高い所にあげたり、他の部分へうつしたりする装置。❷「消防ポンプ」の略。火災の際に用いるポンプ。表記「喞筒」とあてた。▽(オランダ)pomp

ほん・ぷく【本復】《名・自サ》病気がすっかりなおること。全快。ほんぶく。〔古風な言い方〕

ほん・ぶし【本節】カツオの背肉でつくった、上等のかつおぶし。背節(せぶし)。参考→かめぶし。

ほん・ぶしん【本普請】本式の普請。本格的に建物を建てること。本建築。対仮普請。

ほ

ほん‐ぶり【本降り】 やみそうもない本格的な雨のふり方。「―になる」対小降り。

ほん‐ぶん【本分】 その人が尽くすべき本来の義務。「学生の―は勉強にある」

***ほん‐ぶん【本文】** →ほんもん。

ボンベ 高圧の気体などを入れる、鋼鉄製で円筒形の容器。▽ドイ Bombe

ほん‐ぽ【本舗】 ❶〔文〕本店。❷ある商品を製造・販売するおおもとの店。参考 店の名につけて用いる。

***ほん‐ぽう【奔放】** 《名・形動》世間のしきたりなどにしばられず、思うままにふるまうこと。「自由―に生きる」

***ほん‐ぽう【本俸】** 〔文〕本給。基本給。

***ほん‐ぽう【本法】** ❶本体となる法律。❷〔文〕この法律。

***ほん‐ぽう【本邦】** 〔文〕わが国。「―初公開」

ぼん‐ぼり【▽雪▽洞】 絹張り・紙張りなどのおおいをつけた手燭(てしょく)。また、小さい行灯(あんどん)。

***ぼん‐ぼん【凡凡】** 《トタル》〔文〕きわめて平凡なようす。「―たる人生」

***ぼん‐ぼん** 〔主に関西地方で〕良家の若い息子。若だんな。ぼんち。「―育ち」

***ボンボン** 外側を砂糖やチョコレートでかため、中に果汁・ウイスキーなどを入れた菓子。▽フランス bonbon

***ぽん‐ぽん** ㊀《副》〔「―と」の形も〕遠慮なく次から次へと文句を言うようす。また、物事が次から次へとはかどるようす。「目上の人に―ものを言う」㊁《名》「おなか」の幼児語。 **―じょうき【―蒸気】** 焼き玉機関の音をぽんぽんとたてて走る、小さな蒸気船。

***ポンポン** ❶毛糸や羽毛などの玉飾り。❷手に持って振る、毛のふさふさした丸いもの。▽フランス pompon **―ダリア** ダリアの一品種。小形の花をたくさんつける。▽pompon dahlia

ほん‐ま【本真】 《名・形動》〔関西方言〕ほんとう。「―のことを言うてみな」表記 ふつうかな書き。

ほん‐まつ【本末】 もとと、すえ。物事のたいせつなことと、つまらないこと。「―をわきまえない」 **―てんとう【―転倒】** 〔物事の扱いで〕たいせつなことと、つまらないこととが反対になること。「―の考え」

ほん‐まつり【本祭(り)】 神社の本式の祭り。一年おき、または数年ごとに行う大規模な祭典。対陰祭り。

ほん‐まる【本丸】 城の中心をなす部分。本城。対出丸(でまる)。

ほん‐み【本身】 ほんものの刀。真剣。

ぼん‐ミス【凡ミス】 〔俗〕つまらない失敗。類語 ぽか。

ほん‐みょう【本名】 〔筆名・渾名(あだな)・芸名などに対して〕本当の名前。実名。本名(ほんめい)。

ほん‐む【本務】 ❶本来のつとめ。「―に専心する」❷道徳上なすべき義務。

***ほん‐めい【奔命】** 《名・自サ》〔文〕〔君命に従って奔走する意から〕忙しく立ち働くこと。「―に疲れる」

***ほん‐めい【本命】** ❶〔文〕生まれた年の干支(えと)。本命(ほんみょう)。❷〔競輪や競馬などで〕優勝の第一候補。❸ある物事で、最も有力と思われている人(団体)。

ほん‐もう【本望】 もとからの望み。また、それがかなって満足であること。本懐。「―を遂げる」「それがかなえば―です」類語 本意。本志。本願。宿望。素懐。

ほん‐もと【本元】 おおもと。本当のもと。「本家―」

ほん‐もの【本物】 ❶〔にせものや作り物でない〕本当のもの。❷見せかけだけでなく、十分資格をそなえているもの。「彼の芸は―だ」対①②にせもの。

ほん‐もん【本文】 ❶〔序文・跋文(ばつぶん)に対して〕書物の主な内容をなす部分の文。本文(ほんぶん)。❷注釈・訳文などに対して、そのもとの文章。原文。

ほん‐や【本屋】 ❶屋敷の中の主となる建物。おもや。ほんおく。対下屋(げや)。❷本を売る店。書店。類語 書房。書林。書肆(しょし)。書舗。

ほん‐やく【翻訳】 《名・他サ》❶ある言語で書かれた文章を他の言語に移し変えること。「―小説」類語 訳。翻案。❷わかりやすく言いかえる(解説する)こと。

ぼんやり ㊀《副・自サ》〔副詞は「―と」の形も〕❶形などのはっきりしないようす。「―と人影が見える」類語 おぼろ。❷活気がなく、茫然(ぼうぜん)としているようす。「―見ている」㊁《名・自サ》間がぬけている・こと(人)。

ポンユー【×朋友】 友人。▽中国 peng-you

ぼん‐よう【凡庸】 《名・形動》平凡なこと。また、平凡な人。凡人。「―な人物」

ほん‐よみ【本読み】 ❶〔好んで〕読書すること。また、読書の好きな人。読書家。❷上演前に、俳優・作者・演出家が脚本を読み合って検討すること。また、俳優が脚本をせりふの調子で読み合うこと。

ほん‐らい【本来】 ❶もともとそうであること。初めから。元来。〔副詞的にも使う〕「―厳しい人だ」❷〔物事の道理・筋道からみて〕初めからそうあるべきこと。「―なら許さないところだ」類語 尋常。通常。通例。 **―無一物** 《句》〔仏〕すべてこの世の物はもともと仮の物であるから、執着すべき物は何もないということ。

***ほん‐りゅう【奔流】** 〔文〕はげしい勢いの流れ。「雪どけの―」類語 急流。激流。はやせ。奔湍(ほんたん)。

***ほん‐りゅう【本流】** ❶その川の根幹をなす川筋。川の主流。対支流。❷主な流派。「日本画の―」

ぼん‐りょ【凡慮】 〔文〕凡人の考え。ふつうの考え。「―の及ぶところではない」

ほん‐りょう【本領】 もちまえのすぐれた性質・特質。「政治家としての―を発揮する」

ほん‐るい【本塁】 ❶野球で、捕手の前にあるベース。ホームベース。「―打」❷〔文〕本拠となるとりで。根城。「―を攻める」

ほん‐れき【本暦】 基準となる正式のこよみ。対略本暦。略暦。

ほん‐ろう【翻×弄】 《名・他サ》思うままにもてあそぶこと。「時代の流れに―される」

ほん‐ろん【本論】 ❶〔序論・結論などに対して〕議論・論文で、中心となる部分。❷〔文〕この論。

ほんわか 《副・自サ》〔副詞は「―と」の形も〕なごんで、気分のよいようす。「―した気分」

***ま【真】** ㊀《名》本当。「―に受ける(=本当だと思う)」㊁《接頭》❶「真実」「正確」「純粋」などの意。「―心」「―北」「―顔」「―新しい」❷動植物の標準種の意。「―ダイ」「―ダケ」

***ま【間】** ㊀《名》❶物と物とのあいだの場所。すきま。「木(こ)の―」❷事と事とのあいだの時間。ひま。「あっと

言う—」「—を持たす(=あいてしまった時間を取りつくろう)」❸邦楽で、拍子の移り変わる休止のところ。「—が抜ける(=大事な点が抜けている。また、ばかげてみえる)」❹演劇で、せりふとせりふとのあいだの沈黙の時間。「—のとり方」❺〔「…の間」の形で〕部屋。「板の—」❻建物の柱と柱とのあいだ(の長さ)。けん。参考京間・田舎間・江戸間などの種類がある。❼機会。また、運。「—を見はからう」「—がいい(=運がいい)」「—が悪い(=運が悪い。また、きまりが悪い)」二《助数》部屋の数を数える語。「六畳二—」

***ま**【魔】一《名》❶〔仏〕人の心を苦しめ、善事をさまたげる悪い神。参考梵語 māra の音訳「魔羅」の略。❷人の心を迷わせ、凶事をひきおこす不気味なもの。「—が差す(=ふと、悪い考えをおこす)」「—の(=たびたび事故が起こる)交差点」二《接尾》しつこく…する人、人に害を与える人の意。「電話—」「通り—」

まあ 一《感》意外に思ったり驚いたときに発する語。二《副》❶《命令・勧誘・意志などを表す文の初めにつけて》ちょっと。とりあえず。「—食べてみてください」❷十分ではないがどうやら。まずまず。「—よかろう」

ま‐あい【間合(い)】❶あいだ。あいま。「—をつめる」「—が長い」❷ころあい。「—をはかる」

マーカー ❶目印。標識。❷目印をつける・道具(人)。❸得点記録係。採点者。▽marker

マーガリン 精製した動植物性油脂などを原料とする人造バター。▽margarine

マーガレット キク科の多年草。茎の下部は木質化する。観賞用。もくしゅんぎく。▽marguerite

マーク ❶《名・自サ》しるし(をつけること)。「JIS—」❷《名・他サ》特定の相手を監視すること。「相手の主将を—する」❸《名・他サ》記録を達成すること。「新記録を—する」▽mark **—シート** 試験やアンケートなどで、鉛筆で正答の欄を塗りつぶす解答・回答の用紙。また、その方式のテスト。▽mark と sheet からの和製語。

マーケット ❶一つの建物の中に各種の小売店が軒を並べ、日用雑貨・食料品などを売る所。市場。❷売買取引が行われる市場。「—を開拓する」▽market **—シェア** ある商品の売上高が、特定の市場における同種商品の全売上高の中で占める割合。市場占有率。▽market share **—リサーチ** 市場調査。マーケティングリサーチ。▽market research

マーケティング 商品やサービスを生産者から消費者へ合理的・能率的に流通させる企業の活動。▽marketing

ま‐あじ【真×鯵】アジ科の海魚。食用。一般に「あじ」とよばれる。

マージャン【麻×雀】中国から伝わった室内遊戯。一三六個の牌を用い、四人一組で勝負をきそう。各種の役がある。▽中国 ma-jiang(=麻将)から。

マージン ❶売買の差益金。利ざや。❷株式売買の証拠金。❸印刷で、余白。▽margin

ま‐あたらし‐い【真新しい】《形》見るからに新しい。「—・い家」

マーチ 行進曲。「ウエディング—」▽march

マーブル ❶遊戯用のおはじき石。❷何層かに色分けされているあめ玉。変わり玉。▽marble(=大理石)

まあ‐まあ 一《感》意外に思ったり驚いたりしたときに発する語。〔女性が使う〕「—、こんなになって…」二《副》❶なにはともあれ。「—、お座りなさい」❷《形動》十分とは言えないが現状ではそれで満足するようす。まずまず。「成績は—だ」❸相手の気持ちをおさえたりなだめたりする語。「—、そう言わずに…」

マーマレード 柑橘類の皮でつくったジャム。参考もと、マルメロの果実を原料とした。▽marmalade

マーメード 人魚。マーメイド。▽mermaid

***まい**【毎】《接頭》そのたびごと。「—日曜日」「—号」

***まい**【枚】《助数》❶薄くて平たい物を数える語。「浴衣一—」「盛りそば三—」❷あぜで区切られた田や畑を数える語。❸商品取引所で、売買数量を表す語。参考株式では、一株が一枚。

***まい**【舞】音楽や歌に合わせて、手足やからだを優美に動かし、種々の象徴的な姿を演ずる・こと(遊芸)。神楽・幸若舞や能の舞など。

***まい** 《助動:無変化型》❶〔状態あるいは非意志的な作用を表す動詞について〕打ち消しの推量を表す。…ないだろう。…ないにちがいない。「事実は多分そうではあるまい」「会議はすぐには終わる**まい**」❷〔意志的な動作を表す動詞について〕打ち消しの意志を表す。…ないでおこう。…ないつもりだ。…するのはやめよう。「もう何も言う**まい**」「二度と失敗はす**まい**と誓った」❸〔連体形を使って〕不可・不可能の意を表す。「あろうことかある**まい**(=あってはいけない)ことか」❹〔言い切りの形や、「…まいに」などの形で言いさして〕さげすみの気持ちをこめた不適切の意を表す。「分かりませんではある**まい**」「旅行でもある**まいに**」❺〔「…まいし」「…まいに」「…まいものを」の形で〕「…ではないのだから」と現状を否定し、さげすみの気持ちをこめて後件が不適切である理由を述べる。「子供じゃある**まいし**、自分で判断しなさい」「牛馬ではある**まい**ものを、何故にこき使う」❻〔「…うと…まいと」の形で〕対比的に取り上げる。「後悔しようとし**まい**と、私の知ったことではない」接続五段動詞および「ます」の終止形、その他の動詞および「(さ)せる」「(ら)れる」の未然形につく。サ変では「しまい」のほかに「**すまい**」「**するまい**」が、カ変では「来まい」のほかに「**来るまい**」が、一段動詞では「見まい」「考えまい」などのほかに、「**見るまい**」「**考えるまい**」などの形がある。参考やや文語的で、話しことばでは古風な感じが伴う。

***マイ** 《造語》私の。自分の。▽my **—カー** 〔個人用の〕自家用車。▽my と car からの和製語。**—ペース** 自分なりの行動のしかた。特に、行動の速度。「—でやる」▽my と pace からの和製語。**—ホーム** 自分の家庭。わが家。▽my と home(=家庭)からの和製語。**—ライン** 主に利用する電話会社を事前に登録する制度。▽my と line(=通信網)からの和製語。

まい‐あが‐る【舞い上がる】《自五》❶空中を回るようにして高く上がる。「ほこりが—・る」❷〔うれしくて〕冷静さをなくす。「優勝して—・ってしまった」

まい‐あさ【毎朝】毎日の朝。朝ごと。

まい‐おうぎ【舞扇】舞を舞うときに使う扇。ふつうの扇よりも大きい。

まい‐お‐りる【舞い降りる】《自上一》❶空中を回るようにして下の方へ移る。「木の葉がひらひらと—・

ま

りる」❷思いがけなく現れる。「幸運がー・りる」

まい-きょ【枚挙】《名・他サ》〔文〕事がらを一つ一つ数えあげること。「ーに遑(いとま)がない(=あまり多くていちいち数えきれない)」類語 列挙。

マイク「マイクロホン」の略。「ワイヤレスー」

マイクロ《接頭》メートル法の基本単位名につけて、その一〇〇万分の一の単位名をつくる。マイクロキュリー・マイクロボルトなど。ミクロ。記号μ。▽micro-

ーウエーブ 波長一(メートル)以下の電波。指向性が強く雑音が少ない。レーダーやテレビ放送用。マイクロ波。極超短波。▽microwave **ーコンピューター** 小型コンピューター。マイコン。▽microcomputer

ーバス 定員一〇〜三〇人程度の小型バス。▽microbus **ーフィルム** 新聞・書物などの内容を縮小複写して保存しておくフィルム。マイクロリーダーで拡大映写して読む。▽microfilm **ーホン** 音声を電流の強弱にかえて送る、放送・通信などの送話器。マイク。マイクロフォン。▽microphone **ーメーター** 測微針金の直径など、微小な長さを測定する計器。測微尺。▽micrometer

まい-げつ【毎月】ひと月ごと。毎月(まいつき)。

まい-こ【舞子・舞×妓】(ーまひ) 京都で、舞をまって酒席に興を添える職業の少女。おしゃく。半玉(はんぎょく)。

まい-ご【〈迷子〉】(ーまひ) 連れにはぐれたり道に迷ったりした子。まよいご。「ーになる」

まい-こつ【埋骨】《名・自他サ》死者の骨をうめてほうむること。「ー式」

まい-こ・む【舞い込む】(ーまひ)《自五》❶空中を回るようにしてはいってくる。「落ち葉が窓からー・んで来た」❷不意に思いがけなくはいってくる。「脅迫状がー・む」

マイ-コン「マイクロコンピューター」の略。

***まい-じ**【毎時】一時間ごと。「ー五キロの速度」

***まい-じ**【毎次】〔文〕そのたびごと。そのつど。毎回。「全国大会にはー出場するチーム」

まい-しゅう【毎週】一週間ごと。

まい-しょく【毎食】食事ごと。食事のたび。

まい-しん【×邁進】《名・自サ》〔文〕心をふるいたたせて突き進むこと。「勇往ー」「目標に向かってーする」

まい-す【▽売▽僧】俗悪で不徳義な僧。

まい-すう【枚数】紙・板など、平たくて薄いものの数。

まい-せつ【埋設】《名・他サ》地下・海底にうずめて設備すること。「ケーブルをーする」類語 敷設。

まい-そう【埋葬】《名・他サ》死体や遺骨を土中にうめてほうむること。「遺体は今朝ーされた」

まい-ぞう【埋蔵】❶《名・他サ》地中などにうずめかくすこと。「盗賊のー金」❷《名・自サ》天然資源などが、地中などにうずまっていること。「ー量」

ま-いちもんじ【真一文字】「一」の字のようにまっすぐであること。一直線。「口をーに閉じる」

まい-つき【毎月】→まいげつ。

まい-ど【毎度】《副》❶そのたびごと。❷いつも。「ーのこと」「ーありがとう」

まい-とし【毎年】→まいねん。

マイナー ❶〔音〕短調。短音階。「ーコード」❷《名・形動》小規模であること。また、二流。「ーな行楽地」対①②メジャー。▽minor(=より小さな。重要でない)

ーチェンジ《名・自他サ》自動車などで、全体的でない、小規模で部分的なモデルチェンジをすること。▽minor change

まい-ない【▽賄・×賂・▽賄×賂】(まひなひ) 賄賂(わいろ)。〔古風な言い方〕「ー政治」

マイナス ❶《名・他サ》引き算をして値を減らすこと。❷負数であること。❸陰極。負電荷。❹陰性。「ツベルクリン反応はーだった」参考 ①〜④の記号は「－」。❺不足。損失。赤字。また、損になること。ためにならないこと。不利(な点)。欠陥。「彼の将来にとってーだ」対①〜⑤プラス。▽minus

まい-にち【毎日】ひごと。その日その日。日々(ひび)。「ーの生活が楽しい」「ー通っている」類語 連日。

まい-ねん【毎年】としごと。毎年(まいとし)。

マイノリティー 少数。少数派。対 マジョリティー。▽minority

まい-ばん【毎晩】よごと。毎夜。夜々(よよ)。

まい-ひめ【舞姫】(ーまひ)〔雅〕舞・舞踏などを演ずる女。舞子・踊り子・バレリーナなど。

まい-びょう【毎秒】一秒ごと。

まい-ふん【毎分】一分ごと。

まい-ぼつ【埋没】《名・自サ》❶うずもれて見えなくなること。「土砂にーする」❷世に知られなくなること。「世にーした天才」

まい-まい【毎毎】《副》〔文〕いつも。つねに。毎度。「ー小言を言われてはたまらない」

まい-もど・る【舞い戻る】(ーまひ)《自五》〔いろいろな所を経て〕もとの所にもどってくる。「故郷にー・る」

まい-ゆう【毎夕】(ーゆふ) 毎日の夕方。毎晩。

まい-よ【毎夜】よごと。毎晩。

***まい・る**【参る】(まゐる) 一《自五》❶「行く」「来る」の謙譲語。〔改まった言い方〕「明日そちらにー・ります」❷「行く」「来る」の丁寧語。「散歩にー・りましょう」「お手紙がー・りました」❸神・仏などにもうでる。参拝する。「神社にー・る」❹負ける。降参する。また、閉口する。「どうだ、ー・ったか」「ひどい暑さにー・った」❺弱くなる。「心もー・ってきた」❻死ぬ。❼異性に心をうばわれる。「彼は彼女にー・っているらしい」文《四》。二《他四》〔古〕❶「さしあげる」の謙譲語。❷《終止形を用いて》昔、女性が、手紙のあて名に添えて用いた語。「さしあげる」の意。「右近(うこん)さまー・る」三《補動》「(…て)行く」「(…て)来る」の謙譲・丁寧語。「私が送ってー・ります」「春がやってー・りました」文《四》。

***マイル**《助数》ヤードポンド法による距離の単位。一マイルは約一六〇〇(メートル)。表記「哩」とも当てた。▽mile

マイルド《形動》刺激が少なくてやさしいようす。穏和。のどか。おだやか。「ーな味」▽mild

ま-いわし【真×鰯】イワシの一種。食用・肥料用。一般に「いわし」とよばれる。

マインド 心の持ち方。精神。「企業ー」▽mind **ーコントロール**《名・他サ》他人の精神を制御・管理すること。類語 洗脳。▽mind control

***ま・う**【×眩う】(ふま)《自五》〈「目がー・う」の形で〉目がくらくらして物がはっきり見えなくなる。目がくらむ。「目がー・うような忙しさ」文《四》。

***ま・う**【舞う】(ふま) 一《自他五》〔歌・音楽に合わせて〕一定のきまりどおり美しくからだを動かす。舞を演ずる。「道成寺をー・う」二《自五》空中をまわるように動く。「木の葉がひらひらとー・う」文《四》。

ま-うえ【真上】(ーうへ) ちょうど上。すぐ上。対 真下。

ま-うしろ【真後ろ】まっすぐ後ろ。対 真ん前。

マウス ❶ネズミ。また、医学実験に用いるハツカネズミ。❷コンピューターの入力装置の一つ。手のひらでおおうようにして机の上で動かし、指先でボタンを押す小型装置。ディスプレー上のカーソルの移動や対象の選択に使う。[参考]形がネズミに似ていることから。▽mouse

ま-うら【真裏】 ちょうどその裏。すぐ裏。

マウンテン・バイク 山野を走り回るための自転車。略語MTB。▽mountain bike

マウンド ❶野球で、投手が投球するときに立つ、小高く盛り上がった所。ピッチャーズマウンド。❷ゴルフで、コース内の小さな丘。▽mound(＝土手。小山)

まえ【前】 [一]《名》❶〔空間的に〕㋐目・顔・体の向いている方。「ーを見て歩く」「ーの席」「机をーにして座る」[対]後ろ。㋑ある物と向かい合ったとき、それを基準としてその物に近い方。手前。「母のーへ出る」[対]後ろ。㋒〔事柄に関して〕自分の行為の向かう方。また、ある事柄と向かい合ったとき、その手前。「困難がーに立ちはだかる」「常識も権力のーでは通用しない」㋓物の正面にあたる方。乗り物では、進む(進んでいる)方。建物では、玄関があり表通りに面する方。「車のー」「家のーの道」[対]後ろ。㋔着物のうちあわせた部分。「ーがはだける」㋕陰部。まえのもの。「ーをかくす」㋖目の前にいる他人に対する外聞・体裁。「お客のーをとりつくろう」❷〔時間的に〕その時よりはやい方。[対]のち。あと。㋐現在より以前。過去の時点。「それはだいぶーの話だ」㋑ある状態に達する以前。「焼けるーの家」「出発をーにして」㋒〔俗〕前科。「ーがある」❸順序が先の方。「あとから来てーになる」[対]あと。❹〔古〕身分の高い女性の名に添えて敬意を表す語。「玉藻のー」[二]《接尾》❶《人数を表す語について》その人数に相当する食べ物などの分量。「三人ー」❷それ相当の内容、それ相応の価値。「一人ーの男」

まえ-あし【前足・前脚・前▽肢】 動物の前の足。[対]後ろ足。後足。

まえ-いわい【前祝(い)】 その事の成功を見越して、前もって祝うこと。「ーに一杯やる」

まえ-うしろ【前後ろ】 ❶前と後ろ。❷後ろ前。「シャツをーに着る」

まえ-うた【前歌・前×唄】 ❶地歌・箏曲で、手事(＝楽器だけの部分)の前の、歌の部分。[対]後歌(あとうた)。❷主となる歌手が登場する前にうたう・こと(歌手)。

まえ-うり【前売り】 乗車券や入場券などを使用当日より前に売ること。「映画のー券」

まえ-おき【前置き】 《名・自サ》本論・本文にはいる前に述べる・こと(ことば)。「ーはこの程度にして」

まえ-かがみ【前▽屈み】 上半身を前に曲げること。前こごみ。

まえ-がき【前書き】 本文の前に書き添える・こと(文章)。[類語]緒言。序論。序文。[対]後書き。

まえ-かけ【前掛(け)】 着物のよごれやいたみを防ぐために前にかける布。特に、腰にひもで結び前にたらしたもの。まえだれ。[類語]エプロン。

まえ-がし【前貸し】 《名・他サ》代金・給料などを支払い日以前に貸し与えること。さきがし。[対]前借り。

まえ-がしら【前頭】 相撲の幕内力士で、横綱・三役を除いた位置(の力士)。小結の下、十両の上。

まえ-がみ【前髪】 ❶〔文〕女性や元服前の少年の、額の上で一部をたばねた髪。[類語]額髪(ひたいがみ)。❷〔文〕元服前の少年。❸額の前に短く切り下げた髪。

まえ-がり【前借り】 《名・他サ》受け取るべき期日以前に、代金・給料などを借りること。さきがり。前借(ぜんしゃく)。「ボーナスのー」[対]前貸し。

まえ-きん【前金】 品物を受け取ったり使用したりする前や、支払いの期限がくる前に、代金を支払うこと。前払い。また、そのお金。[対]後金(あときん)。

まえ-く【前句】 ❶連歌・俳諧の付合(つけあい)で、付句に対してその直前にある句。❷「前句付け」の略。

まえく-づけ【ー付(け)】 江戸時代に流行した、雑俳の一種。七・七の下の句(＝前句)を題として出し、それに五・七・五の上の句(＝付句)をつけるもの。

まえ-げいき【前景気】 ある事が始まる前の景気。「大宣伝でーをあおる」

まえ-こうじょう【前口上】 本すじ・本題にはいる前に述べる口上。「ーを述べる」[類語]前置き。

まえ-こごみ【前▽屈み】 まえかがみ。

まえ-しょり【前処理】 《名・他サ》コンピューターで、データなどを予備的に処理すること。

マエストロ 〔音楽で〕名人。巨匠。大家。マイスター。▽イタリア maestro

まえ-だおし【前倒し】 予算の執行や施策の実施などを、情勢の変化に応じて、予定した時期を早めて実行すること。「公共事業の一部をーで考慮する」

まえ-だて【前立(て)】 ❶かぶとの鉢の前につける飾り物。鍬形(くわがた)・半月(はんげつ)など。前立て物。❷名義上、表面に立てておく人。

まえ-だれ【前垂(れ)】 前かけ。特に、商家で用いるものを言う。

まえ-づけ【前付(け)】 書物の本文の前につける、序文・目次・凡例などのページ。[対]後づけ。

まえ-のめり【前のめり】 〔体が〕前方に低く傾くこと。「ーに歩く」

まえ-ば【前歯】 ❶口の前のほうにある歯。前歯(ぜんし)。門歯(もんし)。[対]奥歯。❷下駄(げた)の前の歯。

まえ-ばらい【前払い】 《名・他サ》代金・料金や給料などを前もって支払うこと。先払い。[対]後払い。

まえ-ひょうばん【前評判】 あることが行われる前に立つ評判。「ーが高い」

まえ-ぶれ【前触れ】 ❶事前に知らせること。「何のーもなくやって来る」[類語]予告。❷物事が起こる前にその徴候が現れること。前兆。きざし。「不吉なー」

まえ-まえ【前前】 ずっと以前。「ーからの約束」

まえ-みごろ【前身×頃】 衣服の身頃の前の部分。まえみ。[対]後ろ身頃。

まえ-みつ【前×褌】 相撲で、まわしの前の部分。前まわし。

まえ-むき【前向き】 ❶正面を向いていること。❷考え方が進歩的・積極的・発展的であること。「ーの姿勢で事にのぞむ」「ーに検討する」[対]①②後ろ向き。

まえ-もって【前▽以て】 《副》あらかじめ。「ー承諾を得る」

まえ-やく【前厄】 厄年の前年。また、その年にこうむる災厄。[対]後厄(あとやく)。

まえ-わたし【前渡し】 ❶《名・他サ》予定の期日より前に金や品物を渡すこと。[類語]先渡し。❷手付金。

ま-おう【魔王】 ❶〔仏〕人間を惑わし仏道の妨げをする悪鬼の頭領。天魔の王。❷魔界の王。

ま-おとこ【間男】《名・自サ》夫のある女が、ひそかに他の男と通じること。また、その相手の男。〔古風な言い方〕類語情夫。間夫。

ま-かい【魔界】〔文〕悪魔の住む世界。魔境。

まがい【▽紛(い)・▽擬(い)】━《名》見分けがつかないほど、本物によく似せて作ってある・こと(もの)。にせ物。「この宝石は━だ」━《接尾》「よく似ているが、違うもの」の意。「象牙━の細工物」

まがい-ぶつ【磨×崖仏】がけに彫られた仏像。

まがい-もの【▽紛い物】本物によく似せてある物。にせもの。類語偽造品。

まが・う【▽紛う】《自五》〔文〕入り乱れたりよく似ていたりして、区別がつかなくなる。「━・う方なき天才児」「雪にも━・う(=雪と見まちがうほどの)白い肌」類語まぎれる。参考現代では、連体形だけを用い、発音は多く「マゴー」となる。その場合、現代かなづかいでは「まごう」と書く。文《四》。

ま-がお【真顔】まじめな顔つき。「━で訴える」

ま-がき【×籬】〔文〕竹・柴などをあらく編んで作ったかきね。ませがき。ませ。

ま-かげ【目陰・目×蔭】遠方を見るとき、手をひたいにかざして光線をさえぎること。「━をさす」

まが-ごと【▽禍事】〔文〕凶事。災難。わざわい。

ま-がし【間貸し】《名・他サ》間代をとって部屋を貸すこと。対間借り。

マガジン ❶雑誌。「━ラック」❷写真で、生フィルムをつめ、明るい所でもカメラに取りつけられるようにした金属製の容器。▽magazine

***まか・す**【任す・▽委す】《他五》→まかせる。

***まか・す**【負かす】《他五》相手を負けさせる。破る。「敵を━・す」類語屠る。(する)一蹴。文《四》。

ま-かず【間数】部屋の数。

まかせ【任せ】《接尾》任せきりにする意。「あなた━」

まか・せる【任せる・▽委せる】《他下一》❶頼んでその人のしたい通りにやらせる。ゆだねる。「残りの仕事を━・せる」類語頼む。預ける。託する。嘱する。(する)委嘱。委託。❷なすままにさせる。「時に身を━・せる」「御推察に━・せます」❸そのものを思う存分に働かせる。「暇に━・せて育てた植物」文まか・す《下二》。

まが-たま【×勾玉・▽曲玉】《曲がった玉の意》古代の装身具。ともえ形をしたひすい・めのうなどの玉。

まかない【賄(い)】食事を用意して、(給仕などをして)食べさせる・こと(人)。「━付きの下宿」

まかな・う【賄う】《他五》❶〔限られた範囲内の物資・費用・人手などで〕用を便じて処置する。間に合わせる。きりもりする。「借入金で━・う」「仕事を三人で━・う」❷食事を用意して与える。「避難民を━・うだけの食糧」文《四》。

まがな-すきがな【間がな×隙がな】《副》ひまさえあればいつでも。〔古風な言い方〕「━書見している」

まか-ふしぎ【摩×訶不思議・×莫×訶不思議】《形動》どう考えても不思議であるようす。「━な出来事」

まがまが-し・い【▽禍▽禍しい・×枉×枉しい・▽曲▽曲しい】《形》悪い事がおこりそうでいまわしい。不吉だ。「━・い事件」

ま-がも【真×鴨】カモ科の鳥。大形で、雄は青緑色で白色の首輪がある。冬、日本各地に渡来する。

まかり【▽罷り】《接頭》語勢を強め、また、荘重さを添える。「━間違う」「━通る」参考→罷る④。

ま-がり【間借り】《名・他サ》間代を払って、他人の家の部屋を借りること。対間貸し。

まがり-かど【曲(が)り角】❶道の曲がっている角の所。❷物事の進行の変わり目。転機。「歴史の━」

まがり-くね・る【曲がりくねる】《自五》くねくねと曲がる。「━・った道」

まかり-こ・す【▽罷り越す】《自五》〔文〕「行く」の謙譲語。参上する。まいる。

まかり-・でる【▽罷り出る】《自下一》❶〔身分の高い人の所から〕退出する。ひきさがる。❷みずから進んで人の前に出る。参上する。「あいさつに━・でる」=まかりいでる。

まかり-とお・る【▽罷り通る】《自五》❶はた目を気にせず、堂々と行き過ぎる。❷悪い行為が堂々と行われる。「悪法が━・る」

まかり-なら・ぬ【▽罷り成らぬ】《連語》「ならぬ」の改まった言い方。してはいけない。「入ること━・ぬ」

まがりなり-にも【曲(が)り▽形にも】《連語》〔「曲がった形であるが」の意から〕不完全ではあるが。どうにか。〔副詞的に使う〕「━作品が完成した」

まかり-まちが・う【▽罷り間違う】《自五》「まちがう」を強めて言う語。参考多く「━・えば」「━・っても」の形で使う。「━・えば(=万一、まちがえでもすれば)命取りだ」

***まか・る**【▽罷る】《自五》〔文〕❶〔目上の人の前から〕ひきさがる。退出する。❷〔都から地方へ、また遥か遠い所へ〕行く。去る。❸「行く」「来る」の謙譲語。まいる。❹《連用形の形で接頭語的に用いる》謙譲の意を添える。「━・り出る」文《四》。

***まか・る**【負かる】《自五》値段を安くすることができる。負けられる。「これ以上は━・らない」文《四》。

まが・る【曲がる】《自五》❶物が弓形・くの字形・S字形などになる。たわむ。ゆがむ。「━・った枝」類語(する)曲折。屈曲。屈折。湾曲。❷進行方向を変える。「右へ━・る」❸折れる。「道が━・る」❹一方の方向に傾く。傾斜する。「ネクタイが━・る」❺〔心が〕ねじける。「根性の━・ったやつ」❻行いが悪い方向にそれる。「━・ったことは嫌いだ」文《四》。

マカロニ 管状の西洋風めん。イタリアの代表的パスタ。▽イタリア macchheroni から。

***まき**【巻(き)】━《名》❶書画の巻物。転じて、書籍。❷作品が内容上の区分に応じて何冊かの書物になっている場合の、それぞれの冊。「夕顔の━」「下の━」━《助数》❶巻物・書物の数を数える語。❷巻く回数を数える語。表記━と━の①は「巻」と書く。

***まき**【牧】《「馬城」の意》〔文〕まきば。ぼくじょう。

***ま-き**【真木・×槙】❶マキ科の常緑高木。暖かい地方の山地に自生し、また庭木にする。材は器具用。いぬまき。❷まき①の変種。低木性で、庭木・いけがきなどにする。らかんまき。❸〔上等の木の意で〕スギ・ヒノキなどの古名。特に、ヒノキ。

***まき**【▽薪】燃料にする木。たきぎ。「━をくべる」

まき-あ・げる【巻き上げる】《他下一》❶巻いて上に上げる。「ウインチで━・げる」❷すっかり巻く。❸〔だましたりおどしたりして〕うばい取る。「金を━・げる」

マキアベリズム ❶イタリアの思想家マキアベリが、「君主論」の中で唱えた政治思想。国家目的のためには、不正不義も許されるべきだとし、政治の優位を説く。

❷目的のためには手段を選ばないやり方。権謀術数主義。マキャベリズム。▽Machiavellism

まき‐あみ【巻(き)網・▽旋網】 魚群をとりまいて魚をとる網。巾着網・揚繰網など。

***まき‐え【×撒(き)×餌】** 鳥や魚を寄せ集めるためにえさをまくこと。また、そのえさ。

***まき‐え【×蒔絵】** 漆工芸の一つ。漆で模様をえがいた漆器の表面に、金・銀その他の金属粉をまきつけ、みがいて仕上げるもの。日本独特の工芸。

まき‐おこ・す【巻き起こす・×捲き起こす】《他五》❶〔風が塵などを〕くるくるとまわるように吹き上げる。❷多くの人を巻き込むような形で、ある状態を思いがけなく発生させる。「反響を―・す」

まき‐がい【巻(き)貝】 殻がらせん状に巻いている貝。タニシ・サザエなど。対二枚貝。

まき‐かえし【巻(き)返し】 劣勢を盛り返すために、反対にしかけること。「―政策」「―に出る」

まき‐がみ【巻紙】 半紙の半分の大きさの紙を継ぎ合わせて巻いた紙。毛筆で手紙を書くのに使う。

まき‐がり【巻(き)狩(り)】 猟場の四方からとり巻いて、中の獲物を追いつめていく狩り。

まき‐きゃはん【巻(き)脚半・巻(き)脚×絆】 足に巻きつけて用いる脚半。ゲートル。

まき‐こ・む【巻き込む・×捲き込む】《他五》❶巻くようにして中に引き込む。「車輪に―・まれる」❷〔本人が希望もしないのに〕仲間に引き入れる。また、強引にかかわりを持たせる。まきぞえにする。「事件に―・まれる」類語引き入れる。

マキシ すそが足首のあたりまでのびたスカート・コートなど。▽maxi

―シングル 直径一二チセンのシングルCD。▽maxi single

まき‐じた【巻(き)舌】 舌の先を巻くようにしてラ行音を発音すること。また、そのような威勢のよい話し方。「―でまくしたてる」

マキシマム 最大限。最高。極大。マクシマム。マックス。対ミニマム。▽maximum

マキシム 格言。金言。マクシム。▽maxim

まき‐じゃく【巻尺】 テープ状の金属・布などに目盛りをつけ、容器に巻いて収めるようにしたものさし。

まき‐ずし【巻(き)×鮨】 ほしのり・卵焼きなどで巻いたすし。

まき‐ぞえ【巻(き)添え】 他人の事件などに巻き込まれて、罪や損害を受けること。「事故の―を食う」類語とばっちり。そばづえ。

まき‐たばこ【巻(き)▽煙▽草】 細長く巻いたたばこ。葉巻(シガー)と紙巻き(シガレット)とがある。

まき‐ちら・す【×撒き散らす】《他五》広く散らばるようにまく。「砂を―・す」「うわさを―・す」

まき‐つ・く【巻き付く】《自五》その物のまわりを巻いてくっつく。「朝顔のつるが―・く」

まき‐つけ【×蒔(き)付け】 作物の種子をまくこと。播種。

まき‐つ・ける【巻き付ける】《他下一》その物のまわりに巻いてくっつける。「帯を腰に―・ける」

まき‐と・る【巻き取る】《他五》線状・帯状のものを巻いてすっかり移し取る。「フィルムを―・る」

まき‐なおし【×蒔(き)直し】 ❶種を再びまくこと。❷始めからやり直すこと。「新規―」

まき‐ば【牧場】→ぼくじょう。

まき‐ひげ【巻(き)×鬚】 茎や葉が変形して細い糸状になったもの。他の物に巻きついて全体をささえる。ブドウ・キュウリ・エンドウなどにある。

まき‐もの【巻物】 ❶書画を横に長く表装して軸に巻いたもの。軸物。「絵―」❷軸に巻いた反物。

ま‐きょう【魔境】 〔文〕魔物の住む世界。魔界。「アマゾンの―」

まぎら・す【紛らす】《他五》❶他のものに・混ぜて(すりかえて)、わからないようにする。「照れ臭さを笑いに―・す」❷他の事に心を向けて、気分が晴れるようにする。「気を―・す」同①②紛らわす。文《四》。

まぎらわし・い【紛らわしい】《形》よく似ていてまちがいやすい。「―・い書名」文まぎらは・し《シク》。

まぎらわ・す【紛らわす】《他五》→まぎらす。文《四》。

まぎれ【紛れ】 一《名》まぎれること。まぎれた状態(に乗じること)。「―もない(=まちがえようがない)事実」二《接尾》《形容詞語幹や動詞連用形などについて》…のあげく。「苦し―」「腹立ち―」「酔った―に」

まぎれ‐こ・む【紛れ込む】《自五》わからないように、また、知らぬまに入り込む。「スパイが―・む」

まぎ・れる【紛れる】《自下一》❶他の物の中に入りまじって分からなくなる。「夕闇に―・れる」❷他のことに心をうばわれて、本来のことを一時忘れる。「明日の準備に―・れて用事を忘れた」文まぎ・る《下二》。

ま‐ぎわ【間際・真際】 ちょうどそのことが行われようとする直前。寸前。「出発―」

まき‐わり【▽薪割り】 ❶丸太などを細く割ってたきぎを作ること。「―剣術(=下手な剣術)」❷まきわり①に用いる刃物。なた。類語斧。まさかり。

***まく【幕】** 一《名》❶布を大きく長く縫い合わせて、仕切り・装飾とするもの。❷劇場で、舞台と観客席とを隔てる布。引き幕と緞帳がある。❸能舞台で、幕口に張られる布。揚げ幕。❹演劇で、幕②があいてからおりるまでの一段落。❺場面。場合。「お前の出る―じゃない」❻物事の終結。しまい。「そろそろ―にしよう」❼相撲で、幕内。「―に上がる」二《助数》幕一④を数える語。「二―物」「三―五場」

―を切って落と・す《句》催し物などを華々しく開始する。「オリンピックの―・す」参考歌舞伎で、幕を一気にふり落として演技を始めることから。

***まく【膜】** ❶物の表面をおおう薄い皮。また、物と物の境をなしている薄い皮。❷生物体の諸器官をおおったりへだてたりする薄い細胞層。

***ま・く【巻く・×捲く】**《他五》❶長い物を、(一方の端がいちばん中へ入るように)丸い形にたたむ。また、そのようにして巻いた形のものを作る。「賞状を―・く」「蛇がとぐろを―・く」「渦を―・く」❷まわりにからみつける。「足に包帯を―・く」❸円形に動かす。ねじって回す。「ねじを―・く」❹周囲を輪のようにとり囲む。「城を―・く」「煙に―・かれる」❺登山で、山腹をななめに伝って迂回して行く。「滝を―・く」文《四》。

***ま・く【×撒く】**《他五》❶あちこちに散らす。「節分には豆を―・く」類語撒き散らす。❷〔水や粉などを〕散らしかける。散布する。「水を―・く」❸連れや尾行者を途中ではぐれさせる。「尾行を―・く」文《四》。

***ま・く【×蒔く】**《他五》❶〔発芽・生育させるために〕植物の種子を地に・おく(うめる)。表記「播く」とも書く。

❷蒔絵をする。文《四》。

—かぬ種は生えぬ《句》何もせずにいて、よい結果は期待できない。

まく‐あい【幕▽間】 芝居で、幕がおりてから次の幕があくまでの間。芝居の休憩時間。「—劇」注意「まくま」は誤読。

まく‐あき【幕開き】 ❶芝居で、幕があいて演技が始まること。また、幕があいてすぐの場面。❷物事の始まり。「連休の—」対①②幕切れ。＝まくあけ。

まく‐うち【幕内】 相撲で、番付の一段目に名を掲げられる前頭以上の力士。また、その位。まくのうち。

マグ‐カップ 大型の、ジョッキに似た形のカップ。マグ。▽mug と cup からの和製語。

まく‐ぎれ【幕切れ】 ❶芝居の一幕の終わり。❷物事の終わり。「あっけない—の試合」対①②幕開き。

ま‐ぐさ【×秣・馬草】 牛馬の飼料とする草。かいば。

まくし‐あ‐げる【×捲し上げる】《他下一》まくって上の方に引き上げる。まくりあげる。「袖を—げる」

まく‐した【幕下】 相撲で、番付の二段目に名を掲げられる者のうち、十両を除いた力士。また、その位。

まくし‐た‐てる【×捲し立てる】《他下一》激しい勢いでつづけざまにしゃべる。「早口で—てる」

ま‐ぐそ【馬×糞】 馬のくそ。ばふん。

ま‐ぐち【間口】 ❶建物や土地などの、正面の幅。❷〔ひゆ的に〕活動・知識などの領域の広さ。「仕事の—を広げる」対①②奥行き。

ま‐くつ【魔×窟】 ❶悪魔の住む所。❷〔俗〕私娼などの集まり住んでいる所。

マグニチュード 地震の規模を表す単位。震源から一〇〇キロの地点に地震計があったと仮定し、その最大振幅をミクロンで示した数字の常用対数。記号M。注意震度とは別。▽magnitude

マグネシウム 銀白色の軽い金属元素。熱すると白色光を出して燃える。写真のフラッシュなどに用いられる。元素記号Mg。▽magnesium

マグネット 磁石。▽magnet

まく‐の‐うち【幕の内】 ❶→まくうち。❷幕間。❸「幕の内弁当」の略。ごまをふりかけた俵形の小さな握り飯と、おかずとを詰め合わせた折箱入りの弁当。参考芝居の幕間に食べた。

まく‐ひき【幕引(き)】 ❶劇場で、場面が終わったとき幕を閉じる・こと(人)。❷物事を終わりにすること。「紛争の—をする」

マグマ 岩漿。▽magma

まくら【×枕】 ❶寝るときに頭をささえるもの。「—を交わす(＝男女が肉体関係をもつ。同衾する)」「—を高くして寝る(＝安心して眠る)」❷長い物を横たえるとき、下に置いてささえとするもの。「—木」❸事のよりどころ。たね。「歌—」❹前置きの話。特に、落語などで本題にはいる前に話す短い話。「—をふる」

—を欹てる《句》〔枕を傾けて注意して聴く意〕寝ながら耳をすまして聴こうとする。参考白楽天の「遺愛寺の鐘は枕を欹てて聴く」から。

—を並べる《句》❶同じ場所で寝る。❷同じ場所で倒れる。また、同じ場所で死ぬ。「—べて敗退する」

まくら‐え【×枕絵】 性行為を描いた絵。春画。

まくら‐がみ【×枕上】 枕もと。枕べ。

まくら‐ぎ【×枕木】 鉄道線路の道床の上にレールの方向と直角に敷き並べて、レールを固定させる角柱状のもの。参考木のほかにコンクリートも使われる。

まくら‐ぎょう【×枕経】 死者の枕もとであげる読経。

まくら‐ことば【×枕▽詞】 昔の歌や文に見られる修辞の一つ。特定の語句に冠して句調を整える。ふつうは五音。「山」にかかる「あしひきの」など。冠辞。

まくら‐さがし【×枕捜し・×枕探し】 旅客などの枕もとから金品を盗む・こと(人)。邯鄲師。

まくら‐せん【×枕銭】 ホテルなどで、部屋の掃除をする人に与える心づけ・チップ。枕金。

まくら‐もと【×枕元・×枕▽許】 寝ている人の枕のあたり。枕がみ。枕べ。枕頭。

まくり【▽海▽人▽草】 紅藻類フジマツモ科の海藻。虫くだしに用いられる。かいにんそう。

まくり‐あ‐げる【×捲り上げる】《他下一》まくって上にあげる。まくしあげる。「裾を—げる」

まく‐る【×捲る】 ㊀《他五》おおいとなっているものを端から(巻いて)上にあげる。「裾を—る」文《四》。㊁《接尾》非常な勢いで思う存分…する。「食べ—る」「走り—る」文《四》。

まぐれ【▽紛れ】 まぐれあたり。「—で一〇〇点をとる」

まぐれ‐あたり【▽紛れ当(た)り】 偶然にあたること。まぐれ。

まく‐れる【×捲れる】《自下一》まくったようになる。「風で裾が—れる」文まく・る《下二》。

マクロ 巨大。巨視。大局。「—的な見方」「—分析」対ミクロ。▽macro- **—コスモス** 大宇宙。対ミクロコスモス。▽ドイ Makrokosmos

まぐろ【×鮪】 サバ科の大形の魚。クロマグロ(ホンマグロ)・キハダ・メバチなどの総称。特に、クロマグロの称。世界中の暖海に分布し、回遊する。食用。

ま‐ぐわ【馬×鍬】 牛馬にひかせて田畑の土を細かくならす、櫛状の歯のあるくわ。まんが。万能。

ま‐ぐわい【目▽合い・×媾い】《名・自サ》〔古〕❶目くばせして愛情を示すこと。❷情交。性交。

まくわ‐うり【真桑×瓜・×甜×瓜】 ウリ科の一年生つる植物。果実は長円形で黄緑色に熟し、独特のかおりと甘みがあり生食する。あまうり。まくわ。

まけ【負け】 負けること。敗北。「—がこむ」対勝ち。

まげ【×髷】 髪の毛を頭上でまげてたばね、その先をまとめて結んだもの。わげ。「—を結う」

まけ‐いくさ【負(け)戦・負(け)▽軍】 戦争や試合に負けること。敗戦。対勝ち戦。

まけ‐いぬ【負け犬】 けんかに負けて、こそこそと逃げる犬。「—の遠吠え」参考ひゆ的に、惨めな敗北者の意にも用いる。

まけ‐いろ【負け色】 負けそうな気配。敗色。「—が濃くなる」対勝ち色。

まけ‐おしみ【負け惜しみ】 敗北や失敗をすなおに認めず、理屈をつけたり、負けていないと言い張ったりすること。「—の強い人」「—を言う」

まげき‐ざいく【曲(げ)木細工】 木材に熱・蒸気・圧力などを加えて曲げ、家具や運動器具などを作ること。また、そうして作ったもの。曲げ木。

まけ‐ぎらい【負け嫌い】《名・形動》人に負けたり後れをとったりするのを特にいやがる性質である・こと(人)。負けずぎらい。「—な性分」

まけ‐こ‐す【負け越す】《自五》勝負・試合で、負けた回数が勝った回数より多くなる。対勝ち越す。

まけじ-だましい【負けじ魂】(ーだましい) 他人に負けまいとしてがんばる気持ち。「ーでがんばる」

まけず-おとらず【負けず劣らず】《副》〔力量などが〕同じ程度で優劣がないようす。「ーの演技」

まけず-ぎらい【負けず嫌い】(ーぎらい)《名・形動》負けぎらい。

まげ-て【曲げて・×枉げて】《副》無理に都合をつけて。しいて。「ー御承知いただきたい」

*__まげ-もの__【曲げ物】❶わげもの。❷〔俗〕しちぐさ。

*__まげ-もの__【×髷物】ちょんまげを結っていた時代を題材にした小説・演劇など。時代物。ちょんまげ物。

ま・ける【負ける】㊀《自下一》❶争った結果、相手にやぶれる。敗北する。「試合にー・ける」参考「敗れる」よりも口語的。類語やられる。一敗地に塗(まみ)れる。土がつく。対勝つ。❷抵抗できないで従う。圧倒される。「誘惑にー・ける」「感情にー・ける」対勝つ。❸対抗できない。「だれにもー・けない技量」「気持ちだけは若い者にー・けない」対勝つ。❹理に折れてゆずる。がまんする。「子どものしたことだ、ー・けてやるよ」❺刺激・悪条件などに抵抗できなくなる。「うるしにー・ける」「暑さにー・ける」類語かぶれる。文ま・く《下二》。㊁《他下一》値引きをする。また、景品などをつける。「百円ー・ける」類語(ーする)勉強。奉仕。サービス。文ま・く《下二》。

ー・けるが勝ち《句》相手に勝ちをゆずっておくことが、結局は自分を有利にするということ。

ま・げる【曲げる】《他下一》❶まっすぐなものをまがった形にする。「腰をー・げる」❷道理・原則・事実をゆがめて正しくない行動をとる。「事実をー・げて話す」「法はー・げられない」❸主義・意志にそむいて考え方をかえる。「主張をー・げる」「信念をー・げない」表記②③は「枉げる」とも書く。❹〔俗〕〔「質(しち)」と同音の「七(しち)」の二画目がまがっていることから〕質に入れる。「洋服をー・げて作ったお金」文ま・ぐ《下二》。

まけん-き【負けん気】《「負けぬ気」の転》負けることを特別にきらう気持ちや性質。「ーの強い性格」

ま-こ【真子】❶〔古〕妻子を慈しんでいう語。❷魚の腹の中にある卵塊。対白子。

*__まご__【孫】❶その人の子の子。尊敬令孫。賢孫。高孫。謙譲愚孫。小孫。❷《接頭語的に》基(もと)から一つ隔てた関係にあることを表す。「ー弟子」「ー引き」

*__ま-ご__【馬子】馬に人や荷物を乗せて運ぶことを業とした人。馬方(うまかた)。類語馬丁。

ーにも衣装《句》外形を立派にするとだれでも引き立つことのたとえ。

ま-ごい【真×鯉】(ーごい) ふつうに見られる、黒っぽい色のコイ。参考→緋鯉(ひごい)。

まご-うけ【孫請(け)】《名・他サ》下請けのさらに下請け。

まご-こ【孫子】❶孫と子。❷子孫(しそん)。「ーの代まで栄える」

ま-ごころ【真心】偽りのない、まことの心。誠意。「ーを尽くす」類語至心。至誠。誠心。赤心。赤誠。丹心。

まご-つ・く《自五》なすべきことがわからず、まごまごする。「手順がわからずー・く」類語うろたえる。取り乱す。面くらう。(ーする)周章狼狽(ろうばい)。

まご-でし【孫弟子】弟子の弟子。またでし。

まこと【誠・▽実・▽真】㊀《名》❶うそや歪曲(わいきょく)のない、本当のこと。《「真事(まこと)」の意》本当。類語真実。事実。❷まごころ。誠意。「ーを表す」類語至情。真情。㊁《副》〔文〕じつは。じつに。「ー申し訳ない」

まこと-しやか【▽実しやか・▽真しやか】《形動》いかにも本当らしく思わせるようす。「ーな嘘(うそ)」

まこと-に【誠に・▽実に・▽真に・×寔に】《副》本当に。じつに。まったく。「ーめでたい事だ」

まご-の-て【孫の手】棒の先を指の形に細工して、背中などの手の届かない所をかくのに用いるもの。参考「孫」は「麻姑(まこ)」から。麻姑は中国の仙女で、その爪(つめ)でかいてもらうと非常に快かったという。

まご-びき【孫引き】《名・他サ》原典によらずに、他の本に引用してある文句をそのまま引用すること。引用の再引用。

まご-まご《副・自サ》《副詞は「ーと」の形も》どうしてよいかわからず、うろうろするようす。「勝手がわからず、ーする」

まご-むすめ【孫娘】その人の孫にあたる女子。対孫息子。

ま-こも【真×菰】イネ科の多年草。池や沼などの水辺に群生する。葉でむしろを作る。はながつみ。

マザー-コンプレックス 幼年期に母親に極度に甘やかされて育った青年に現れる、対女性関係の上での抑圧された状態。マザコン。対ファーザーコンプレックス。▽mother と complex からの和製語。

まさか【真逆】《副》《下に打ち消しや反語を伴って》いくらなんでも。よもや。〔単独で感動詞的にも使う〕「ー倒産するとは思わなかった」表記ふつうかな書き。

まさかり【×鉞】大形のおの。木を切るほか、古くは武器としても使った。類語斧鉞(ふえつ)。斧斤(ふきん)。

まさ-き【正木・×柾】ニシキギ科の常緑低木。日本全国に分布し、生垣や庭木などに植えられる。葉は長円形で厚くつやがある。

ま-さぐ・る【×弄る】《他五》〔手先で〕あちらこちらさぐる。また、指先でもてあそぶ。「ポケットをー・る」

ま-さご【真▽砂】〔雅〕細かい砂。まなご。

まさしく【正しく】《副》《文語形容詞「まさし」の連用形から》たしかに。まちがいなく。「ー正論だ」

ま-さつ【摩擦】❶《名・自他サ》物と物とがすれ合うこと。また、こすり合わせること。❷〔理〕二物体が接触し、一方が運動しようとするとき、または運動しているとき、その接触面に運動を妨げようとする力が働く現象。❸両者間に意見や感情の食い違いがあって、事がうまく行かないこと。「貿易ー」

ーおん【ー音】❶〔語学〕子音の一つ。呼気の通路をせばめて、そのすきまで発する音。[s, z, f]など。❷物と物がこすれ合って出す音。

ーねつ【ー熱】摩擦によって生じる熱。

まさ-に【正に】《副》❶疑いないようす。まちがいなく。確かに。また、ちょうど。全く。「ーその通り」「ー天才だ」❷〈「まさに…べし」の形で〉それが当たりまえであるようす。当然。かならず。「ー断行すべし」表記②は「当に」とも書く。❸事が行われる直前であるようす。ちょうどその時。「ー出かけようとするとき雨になった」表記③は「将に」とも書く。

まざ-まざ《副》《「ーと」の形も》はっきりと目の前に見えたり、心に思い浮かんだりするようす。「ーと記憶がよみがえる」類語ありあり。⇩〖類義語の使い分け「ありあり」〗

まさ-め【正目・×柾目】まっすぐに縦に平行に通った

木目。丸太の中心を通る、年輪に直角な縦断面に現れる。「—のげた」対板目。

まさ-ゆめ【正夢】 夢に見たことが現実に起こったときの、その夢。対逆夢(さかゆめ)。

まざり-もの【混(ざ)り物・▽雑(ざ)り物】 あるものの中に混ざっているもの。また、異質のものが混ざっているもの。混じり物。類語 夾雑物(きょうざつぶつ)。不純物。

***まさ・る【勝る・▽優る】** 一《自五》すぐれる。「語学では兄が弟に—っている」「—るとも劣らない」「聞きしに—る」類語 長じる。たける。凌(しの)ぐ。右に出る。ずばぬける。凌駕(りょうが)。対 劣る。文《四》。二《接尾》ますます激しくなる意。「風が吹き—る」文《四》。

***まさ・る【増さる】**《自五》ふえる。多くなる。加わる。「雪の深さが—る」「川の水かさが—る」文《四》。

まざ・る【交ざる・混ざる・▽雑ざる】《自五》→まじる。文《四》。⇩〖使い分け〗

使い分け 「まざる・まじる・まぜる・まじわる」

交ざる〔別のものが入り組んで一つになるが、区別できる〕黒地に赤が交ざる・漢字と仮名が交ざった文

混ざる〔▽雑〕〔別の種類が入り込みとけ合って一つになり、区別できない〕酒に水が混(雑)ざる・雑音が混ざる・混ざり物

交じる〔別のものが入り組んで一つになるが、区別できる〕白髪が交じる・漢字と仮名が交じる・子供に交じって大人が散見される・皆に交じって踊る・若手が交じる・入り交じる・立ち交じる

混じる〔▽雑〕〔別の種類が入り込みとけ合って一つになり、区別できない〕外国人の血が混(雑)じる・においが混じり合う・異物が混(雑)じる・砂の混(雑)じった米・混じりけのない酒

交ぜる〔別のものを入れて一つにするが、区別できる〕絹に麻を交ぜる・案を交ぜる・トランプを交ぜる・ない交ぜ

混ぜる〔▽雑〕〔別の種類を入れてとけあわして一つにするが、区別できない〕絵の具を混ぜる・不良品を混(雑)ぜる・砂をセメントに混ぜる

交わる〔入り乱れる。つき合う。交差する〕朱に交われば赤くなる・友と交わる・外国と交わる・二つの道が交わる地点

交える〔入り交じらせる。やりとりする。交差させる〕私情を交える・言葉を交える・一戦を交える・膝(ひざ)を交える・刀を交える

参考「交」は同種ではあるが別のものがとけ合わないでまじる意、「混」は種類を異にするものがとけ合ってまじる意。区別できるが、実際は混用されている。「雑」は多くのものが雑多に入りまじる意で、「混」に近い。なお、「交わる」は「交える」と対応する。「交わす」は「かわす」と読み、「話を交わす」などと使う。「まじわす」は誤読。

***まし【増し】** 一《名》増すこと。ふえること。参考 数量・割合を示す語について接尾語的にも使う。「三割—」二《形動》どちらがよいかといえば、その方が少しはまさっているようす。「死んだ方が—だ」

***まし**《助動：特殊型》文語 ❶事実に反することを仮定・想像する意を表す。〔希望・残念などの意を伴う場合もある〕もし…だったら。もし…だったらいいのに。「ああ、大和にしあらましかば、いま神無月〈泣菫〉」❷仮定に基づく推量、当然の意を含んだ推量。また、単なる推量を表す。…だろう。…したらよいだろう。「いかにせまし(=どうしたらいいだろう)」❸意志を表す。「君といざかへらまし〈泣菫〉」

***まし**《助動》(丁寧の助動詞「ます」の命令形)→ませ。

***まじ**《名・形動》〔俗〕「まじめ」の略。「—な話」参考 もとは、芸能界、特に落語家などが使った語。

***まじ**《助動：シク型》文語《上代の助動詞「ましじ」の転》「べし」の打ち消しの意を表す。…べきではない。…まい。「我身限つて腥(なまぐさ)きものは食べまじと思ひぬ〈一葉〉」参考 連体形「まじき」は古風な言い方として口語でも使う。「学生にあるまじき行為」「殴りかねまじき剣幕」「すまじきものは宮仕え」

マシーン →マシン。

まじ・える【交える】(まじへる)《他下一》❶いっしょに入れる。まぜる。「身ぶりを—えて話す」❷互いに組み合わせる。交差させる。「膝(ひざ)を—えて(=親しく)語り合う」❸やりとりする。とりかわす。「一戦を—える」文 まじ・ふ《下二》。⇩〖使い分け「まざる・まじる・まぜる…」〗

ま-しかく【真四角】《名・形動》正方形(であるようす)。「—な紙」

まじき《助動》《文語助動詞「まじ」の連体形》→まじ。

ま-じきり【間仕切(り)】 部屋のしきり。

マジシャン 手品師。奇術師。▽magician(=魔法使い)

ま-した【真下】 そのちょうど下。直下(ちょっか)。対 真上。

マジック ❶魔術。魔法。奇術。❷「マジックインク」の略。インクをフェルトの芯(しん)にしみ出させて書く筆記具。参考 商標名。▽magic **—ナンバー** プロ野球で、優勝に最も近い球団が優勝を決めるのに必要な最小限の勝ち数。▽magic number **—ハンド** 人間の腕や手に似た働きをもたせ、遠隔操作で取り扱う装置。マニピュレーター。▽magic と hand からの和製語。

まし-て【▽況して】《副》(「増して」の意)著しい例をあげて、「この場合でさえ…なのだから、なおさら…だ」の意。「大人でもわからないのだから、—子どもにわかるはずがない」

まじ-ない【×呪い】(まじなひ) 神仏・精霊などの不思議な力に祈って、災いを逃れたり及ぼしたりする術(ことば)。「—を唱える」類語 呪術(じゅじゅつ)。呪詛(じゅそ)。

まじ-まじ《副》(「—と」の形も)よく見きわめようとじっと見つめるようす。「—と見据える」

まし-ま・す【▽在す・×坐す】《自四》〔古〕「ます(在す)」をさらに敬って言う語。おいでになる。いらっしゃる。「天に—すわれらの父よ」

マシマロ ゼラチン・卵白などを原料とする、ふわふわした弾力のある菓子。マシュマロ。▽marshmallow

まじめ【真▽面目】《名・形動》❶〔うそや冗談でなく〕本気であること。真剣。「—な顔つき」類語 真摯(しんし)。❷真心・誠意のあふれていること。誠実。「—な人柄」「—によく働く」類語 忠実。真率。謹直。謹厳。堅実。実直。**—くさ・る【—腐る】**《自五》どこまでもまじめな態度をとる。「—って冗談を言う」

ま-しゃく【間尺】 ❶建築工事の寸法。❷計算。割り。「—に合わない(=割りに合わない)仕事」

ま-しゅ【魔手】〔魔の手の意で〕危害を加える恐ろしいもののたとえ。「テロリストの—にかかる」類語 毒牙(どくが)。毒手。

ま-じゅつ【魔術】 ❶人の心をまどわす、あやしい術。

魔法。妖術。「—団」❷いろいろな仕掛けをして行う、大がかりな奇術。

マシュマロ →マシマロ。

ま‐じょ【魔女】❶魔法使いの女。❷中世ヨーロッパで、悪魔と交わって魔力を得、異端を説き、人に種々の害悪を与えるとされた人。ウイッチ。「—裁判」「—狩り」❸あやしい魅力で、悪事をたくらんだり男の心をまどわしたりする女。類語 妖婦。

ま‐しょう【魔性】 悪魔のように、人をまどわす性質。「—の女」

マジョリカ 一五～一六世紀イタリアに発達した陶器。白地に色絵つけを施す。マヨリカ。▽majolica

マジョリティー 多数。過半数。多数派。対 マイノリティー。▽majority

ましら【▽猿】〔雅〕さる。まし。

まじらい【交じらい】 つきあい。〔古風な言い方〕

まじり‐け【混じり気・交じり気・▽雑じり気】 ほんの少し(不純なものが)まじっていること。「—のない酒」

まじ・る【交じる・混じる・▽雑じる】《自五》❶他の種類のものがはいりこんで一緒になる。混在する。まざる。「酒に水が—・る」❷他の人の間に入る。「子供に—・って遊ぶ」文《四》。⇩〖使い分け「まざる・まじる・まぜる…」〗

ま‐じろぎ【▽瞬ぎ】 またたくこと。「—もせず見守る」

ま‐じろ・ぐ【▽瞬ぐ】《自五》《古くは「まじろく」》〔文〕まばたきをする。またたく。

まじわり【交わり】❶つきあい。交際。「—を絶つ」❷交合。性交。

まじわ・る【交わる】《自五》❶つきあう。交際する。「友と—・る」❷交差する。「二直線が—・る」❸交合する。性交する。注意 送りがなは「交じわる」としない。文《四》。⇩〖使い分け「まざる・まじる・まぜる…」〗

*__ま‐しん【麻×疹】__ →はしか。

*__マシン__ ❶機械。「スロット—」❷競走用の自動車・オートバイ。＝マシーン。▽machine

ま‐じん【魔神】〔文〕災いを起こす神。魔神。

*__ます【升・×枡・×桝】__❶液状・粒状・粉状の物の量をはかる、方形または円筒形の容器。❷升ではかった量。「—がからい」❸升目。升席。

*__ます【×鱒】__ サケ科の魚。海で成長し、夏、川にのぼって産卵する。食用。さくらます。

*__ま・す【増す・▽益す】__ 一《自五》❶数・量が多くなる。ふえる。また、程度が甚だしくなる。「水かさが—・す」類語 (する)増加。増大。増進。対 減る。❷まさる。「何物にも—・してうれしい」文《四》。二《他五》数・量を多くする。ふやす。程度をはなはだしくする。「堅実に富を—・す」「勢いを—・す」対 減らす。文《四》。

*__ま・す【▽在す・×坐す】__《自四》〔古〕「ある」「いる」「行く」「来る」の尊敬語。いらっしゃる。

*__ます__《助動：特殊型》話し手の聞き手に対する丁寧の気持ちを表す。〔助動詞「です」とともに「です・ます体」といわれ、丁寧さに関して中立的な「だ体」「である体」と対立する。さらに丁寧な文体に「ございます体」がある〕「早くお元気になられ**ます**よう、お祈りいたし**ます**」「私はそうは思い**ません**」参考 →ませ・まする。

*__マス__ 一《造語》「集団」「大量」「大衆」などの意。二《名》塊。特に、美術で、部分が集合して相当量にまとまったものの概念。マッス。▽mass **—ゲーム** 集団で行う徒手体操・ダンス。▽mass と game からの和製語。**—コミ**「マスコミュニケーション」の略。対 ミニコミ。**—コミュニケーション** 新聞・ラジオ・テレビ・映画などの手段を通じて、一度に多数の人々に知識や情報を伝えること。大衆伝達。大衆通信。マスコミ。▽mass communication **—プロ**「マスプロダクション」の略。**—プロダクション** 大量生産。マスプロ。▽mass production **—メディア** マスコミュニケーションのための媒体。新聞・雑誌・映画・ラジオ・テレビなどの総称。大衆情報媒体。▽mass media

*__マス__〔俗〕「マスターベーション」の略。

まず【▽先ず】《副》❶最初に。第一に。「—いろはから教える」❷なにはともあれ。ひとまず。「—一安心」類語 差し当たって。取りあえず。当面。❸大体。おおよそ。「この調子なら—大丈夫」

ま‐すい【麻酔】 薬品などの作用により知覚を一時的に失わせること。手術のときなどに行う。「—をかける」

まず・い《形》❶味が悪い。おいしくない。「—・い料理」表記「不味い」と当てる。類語 不味。❷へただ。つたない。「—・い演技」表記「拙い」と書く。❸ぐあいが悪い。「—・いことになった」対 ①～③うまい。❹みにくい。「姿はいいが、顔は—・い」文 まづ・し《ク》。

ます‐がた【升形・▽斗形・×枡形】❶升のような四角い形。❷柱などの上に設けた方形の木。

マスカット ブドウの一品種。ヨーロッパ原産。実は大きく淡緑色。香りがよい。▽muscat

マスカラ まつげに塗る化粧品。▽mascara

マスキング《名・他サ》おおい隠すこと。「—テープ」▽masking

マスク ❶面。仮面。❷野球の捕手やフェンシングの選手などがかぶる、保護用の面。❸口・鼻をおおうガーゼ製の衛生用具。❹防毒マスク。❺顔だち。容貌。「甘い—の男」▽mask

マスク‐メロン マクワウリの一変種。果実は球形で網目状の模様がある。果肉は淡緑色で香りがよく美味。高級な果物とされる。参考 ふつう、メロンといえばこれをさす。▽muskmelon

マスコット 幸福をもたらすとされる、人形や小動物など。西洋風のお守り。「—ガール」▽mascot

ます‐ざけ【升酒・×枡酒】 升売りの酒。また、升についで冷やで飲む酒。参考 升の角に塩を盛って出す。

まずし・い【貧しい】《形》❶暮らしに必要な物資がたりない。貧乏だ。「—・い暮らし」類語 貧。極貧。赤貧。貧困。素寒貧。一文無し。無一物。無一文。すってんてん。丸裸。火の車。懐が寒い。❷とぼしい。少ない。貧弱だ。「資源の—・い国」「才能の—・い画家」「心の—・い人」文 まづ・し《シク》。

ます‐せき【升席・×枡席】 旧式の劇場や相撲の興行場で、ます形に四角く仕切った見物席。ます。

マスター ❶主人。特に、喫茶店・バーなどの男主人。対 マダム。ママ。❷修士。バチェラー(学士)の上、ドクター(博士)の下の学位。❸《名・他サ》完全に習得すること。ものにすること。「英語を—する」▽master **—キー** アパートなどで、どの部屋の錠もあけることのできる共通の合鍵。親鍵。▽master key **—プラン** 基本計画。基本設計。▽master plan

マスタード 西洋からしなの種子から作ったからし。洋がらし。▽mustard

マスターベーション 自慰。▽masturbation

マスト 帆柱。▽mast

まず・は【▽先ずは】ーまづ《副》ひとまず。さしあたって。「ー御礼まで」

ます・ます【▽益▽益】《副》《「増す増す」の意》程度が前より（段々）高くなるようす。いっそう。いよいよ。一段と。「ー寒さが厳しくなる」類語ひとしお。さらに。

まず・まず【▽先ず▽先ず】まづまづ《副・形動》十分満足できる状態ではないが一応それで満足するようす。まあまあ。「ーこれで一安心」「ーの出来だ」

ます・め【升目・×枡目】❶ますではかった量。「ーをごまかす」❷格子状に区切られたもの（の一つ）。「ーの原稿用紙」「ーからはみ出さないように書く」

ますら・お【▽益▽荒▽男・▽丈▽夫】ーを〔雅〕勇ましく強い、りっぱな男子。ますらたけお。対手弱女。

***ま・する**【摩する】《他サ変》〔文〕❶こする。みがく。「天をー・する（=天にとどくほどである）高層ビル」❷近づく。匹敵する勢いで迫る。「天を「剣をー・する」

***まする**《助動：特殊型》《室町期の助動詞「まらする」が「ます」に移る過程で現れた過渡的な形》「ます」の古風な、改まった言い方。〔現代の日常的な話しことばとしては、もはや使われない〕「承るところによりますれば…」参考→ます。

マズルカ ポーランドの民俗舞踊。また、その舞曲。三拍子で、軽快なリズムを持つ。▽ポーランドmazurka

***ませ**《名・形動》《動詞「ませる」の連用形から》年齢のわりにおとなびていること。早熟。参考「おー」の形で使うことが多い。「おーな女の子」

***ませ**《助動》《丁寧の助動詞「ます」の命令形》〔尊敬・謙譲の意を表す動詞の連用形について〕相手に対する丁寧な命令・依頼を表す。「くれぐれも御自愛下さいませ」「しっかりなさいませ」参考(ア)多く女性が使うが、店員が客に対する場合などでは男性も使う。書きことばとしては、多く女性が手紙で使う。(イ)「まし」とも言うが、現在では「ませ」が普通。↓ます。

ま・せい【磨製】石を研ぎみがいて作ること。「ー石器」

まぜ・かえ・す【交ぜ返す・▽雑ぜ返す】ーかへす《他五》❶よくかきまぜる。❷口をはさんで、話の筋を混乱させる。「話をー・す」=まぜっかえす。

ませ・がき【×籬垣】まがき。ませ。

まぜ・がき【交ぜ書き・混ぜ書き】《名・他サ》二字以上の漢字で表記する熟語の一部分を、仮名で書くこと。「憂うつ」「しょう油」などの表記。

まぜ・こぜ《名・形動》ごちゃまぜ。「書類をーにする」

まぜ・ごはん【混ぜ御飯】味をつけた肉・野菜などの具を入れてかきまぜた飯。まぜめし。類語五目飯。

ま・せる《自下一》〔子供が〕年のわりにおとなびる。「ー・せた少年」文ま・す《下二》。

ま・ぜる【交ぜる・混ぜる・▽雑ぜる】《他下一》別の物を加え入れていっしょにする。「米に麦をー・ぜて食べる」類語交える。混ぜ返す。混ぜ合わせる。合わせる。混じる。配合。混合。混入。混和。混交。混一。混成。攪拌。ミックス。ブレンド。文ま・ず《下二》。⇩〔使い分け「まざる・まじる・まぜる…」〕

マゾ「マゾヒズム」「マゾヒスト（=マゾヒズムの人）」の略。対サド。

マゾヒズム 異性から身体的・精神的苦痛を受けることで、性的快感を感じる心理状態。一般に、自虐的な傾向。マゾ。参考オーストリアの作家マゾッホ（Masoch）の名から。対サディズム。▽masochism

ま・そん【摩損・磨損】《名・自サ》〔文〕摩擦によってすりへること。「タイヤのー」

***また**【×股】❶一つのもとから二つ以上に分かれている所。「木のー」表記「叉」とも書く。❷両足のつけねの内側。また、ももとももの間。「世界をーにかける（=世界中をとびあるく。また、国際的な規模で活躍する）」

***また**【又】㊀《副》❶同じ事がもう一度現れるようすを表す。もう一度。再び。「いずれー伺います」「ーの機会を待つ」表記「復」とも書く。類語又しても。又もや。又々。またぞろ。重ねて。繰り返し。再度。一再ならず。❷同じく。同様に。やはり。「彼もー人の子だ」表記「亦」とも書く。❸それにつけても。〔語調をととのえたり感心したり驚いたりしたときに用いる〕「なんでーそんなことをしたんだろう」❹もう一つ別の事柄があるようすを表す。そのほかに。一方では。「彼はーなかなかの愛妻家でもある」㊁《接続》❶ある事柄に別の事柄を付け加える意を表す。その上に。さらに。かつ。「気がやさしいし、ー力も強い」類語並びに。及び。それから。❷事柄を列挙する意を表す。並びに。あるいは。「政治家であり、ー作家である」❸あるいは。または。「言ってもよい。ー言わなくてもよい」㊂《接頭》間接である意を表す。「ー聞き」「ーいとこ」

まだ【▽未だ】《副》❶一定の時期・段階に達していないことを表す。また、その時まで同じ状態がつづいていることを表す。今でもなお。いまだに。「ー帰ってこない」類語まだまだ。今もって。❷これから先にも（続いて）存在することを表す。さらに。もっと。「これからー寒くなる」「機会はーある」類語まだまだ。相変わらず。依然として。❸どちらかと言うとその方に多少良さがあることを表す。「ないよりはーましだ」類語まだまだ。❹それまでに時間が少ししか経過していないことを表す。わずかに。やっと。「ー三日しかたっていない」

***ま・だい**【真×鯛】ーだひ タイ科の魚。からだは桜色で、青緑色の斑点が散在する。日本・台湾・中国沿岸に分布。食用。めでたい魚とされ、慶事に用いられる。

***ま・だい**【間代】部屋代。類語家賃。

また・いとこ【又▽従▽兄▽弟・又▽従▽姉▽妹】双方の親が互いにいとこの関係にある・こと（人）。ふたいとこ。はとこ。

また・おい【又×甥】おいの子。兄弟姉妹の孫。姪孫。

また・がし【又貸し】《名・他サ》自分が借りたものをさらに貸すこと。転貸。「本をーする」対又借り。

また・がみ【×股上】ズボンなどの、股の分かれ目から上の部分（の長さ）。対股下。

また・がり【又借り】《名・他サ》他人が借りたものをさらに借りること。転借。対又貸し。

またが・る【×跨る・×股がる】《自五》❶またを広げて乗る。「白馬にー・る」❷二か所以上にわたって広がる。「三年にー・る工事」文《四》。

またぎ 信越地方から東北地方にかけての山間に集落を作って住み、イノシシなどの大形獣の集団猟に従事する猟師。儀礼や言葉の一部に古い習俗を保つ。

まだき〔文〕まだその時期に達しないとき。早くも。〔単独で、また「ーに」の形で副詞的にも使う〕「朝ー」

また・ぎき【又聞き】《名・他サ》間接に聞くこと。「ーした話だが…」

また・ぐ【×跨ぐ】《自五》またをひろげて物の上を越え

る。「ぬかるみを―・ぐ」〔参考〕ひゆ的に大きなものの上にかかる意にもいう。「大河を―・ぐ橋」〔文〕〔四〕。

また-ぐら【×股▽座】 両またの間。股間(こかん)。

ま-だけ【真竹・▽苦竹】 竹の一種。初夏に出るたけのこは食用になり、茎は家具・器具など用途が広い。古名、くれたけ。にがたけ。からたけ。川竹。

ま-だこ【真×蛸】 タコの一種。本州以南の海岸に近い岩の間にすむ最も普通のタコ。食用。

また-した【×股下】 ズボン・はかまなどで、またの分かれ目からすそまでの長さ。〔対〕股上(またがみ)。

また-して-も【又しても】 《副》「また」を強めていう語。重ねてまた。またまた。「―後れをとった」

まだ-しも【▽未だしも】 《副》いずれにしても不満足であるが、それでもまだその方がよいようす。「生きているだけ―ましだ」

また-ずれ【×股擦れ】 肥満などで、歩くとき両またが開かず、皮膚がすりむけること。また、その傷。

また-ぞろ 《副》(「又候(またぞうろう)」の転)またしても。さらにまた。またまた。「―旅に出たくなる」

ま-たた-く【瞬く】 《自五》(「目叩(またた)く」の意)❶まぶたをぱちぱちと開閉する。まばたく。❷光がちらちらする。きらめく。「星が―・く」

またたく-ま【瞬く間】 一回まばたきをするほどの間。きわめて短い時間。あっという間。「―に逃げ去った」

***またたび【▽木▽天×蓼】** マタタビ科のつる性落葉低木。果実は、長だ円形で独特の辛みと苦みがあり、薬用。ネコが好み、食べると酩酊(めいてい)状態になる。

***また-たび【×股旅】** 江戸時代、博徒(ばくと)・遊び人などが、足にまかせて旅をして歩いたこと。「―物」

またと-な-い【又と無い】 《連語》二度とない。「―・い機会」「―・い喜び」

また-どなり【又隣】 隣の隣。一軒おいた隣。

マタニティー-ドレス 妊婦服。腹部にゆとりを持たせてデザインしてある。▽maternity dress

また-の-な【又の名】 言いかえたときの名称。別名。一名。「筑後川(ちくごがわ)、―は筑紫(つくし)次郎」〔類語〕通称。

また-の-ひ【又の日】 ❶つぎの日。翌日。❷他日。後日。「―を約して別れる」

また-は【又は】 《接続》並列的な二つの事柄のいずれを選んでもよい意を表す。それでなければ。あるいは。「鉛筆―ペン」〔参考〕法令では、「若しくは」が同時に表れる場合には、「又は」はより大きな選択の段階であることを示す。「A若しくはB、―C若しくはD」

また-ひばち【×股火鉢】 火鉢にまたがるようにしてあたること。「―をして一服する」

また-また【又又・▽復▽復】 《副》「また」を強めたこと。またもや。またしても。「―大事故が発生」

まだ-まだ【▽未だ▽未だ】 《副》「まだ」を強めた語。「―半人前だ」

マダム ❶夫人。奥様。❷酒場などの女主人。ママ。〔対〕マスター。▽madam

また-も-や【又もや】 《副》またしても。重ねてまた。「―邪魔が入った」

まだら【×斑】 地色と異なった色、または同色の濃淡が、あちこちにまざってあること。はだら。ふ。「雪が―に残る」「―の模様」〔類語〕ぶち。

ま-だる-い【間▽怠い】 《形》のろのろしていてじれったい感じである。のろくさい。もどかしい。まだるっこい。まどろっこしい。「―・い船のエンジンの音」

まだるっ-こ-い【間▽怠っこい】 《形》「まだるい」を強めた語。「―・い手続きをふむ」

***まち【町・街】** ❶人家が多く集まっている土地。「―に出て働く」〔類語〕都市。都会。❷商店などが多く集まったにぎやかな地域。市街。「―まで買い物に行く」〔表記〕②は多く「街」と書く。❸市・村とともに都道府県に属する地方自治体の一つ。❹市・特別区・行政区内の小区画。「東京都千代田区麹(こうじ)―」〔参考〕③④は「ちょう」とも。⇩〔使い分け〕

使い分け「まち」

町（人家が多く集まっている所。行政区画）町並み・町外れ・裏町・城下町・町医者・町ぐるみ・町おこし・町づくり・大鳥町一の一・村が町に昇格する

街（商店の立ち並ぶにぎやかな街路や区画）若者の街・街を行く人々・春風が街をわたる・街に買い物に行く・街の声・街の灯・ネオン輝く街並み・銀座の街角

〔参考〕「城下町らしい落ち着いた町並み／飲食店が並ぶにぎやかな街並み」のように、前者は比較的広い地域の町に、後者は主に繁華街などに使う。

***まち【×襠】** 衣服で、布幅にゆとりを持たせるために、はめこみ補う小布。シャツのわきなどに用いる。

まち-あい【待合】 ❶茶室に付属する建物で、客が茶室にはいる前に待つ所。❷客が芸者を呼び入れて飲食・遊興する所。待合茶屋。**―しつ【―室】** 駅・病院などで、客が発車時刻・順番などを待つ部屋。

まち-あぐ-む【待ち×倦む】 《他五》いやになるほど長く待つ。待ちわびる。「夫の帰国を―・む」

まち-あわ-せる【待ち合わせる】 《他下一》あらかじめ時刻と場所を決めて会うようにする。「仙台駅で―・せる」

まち-いしゃ【町医者】 〔病院医に対して〕個人で開業している医者。開業医。

まち-う-ける【待ち受ける】 《他下一》準備して待つ。「審判を―・ける」

マチエール ❶材料。素材。❷絵画作品の表面に表される材質感。マテリアル。▽(フランス) matière

ま-ぢか【間近】 《名・形動》まぢかいこと。まぢかい所。「完成―のビル」〔類語〕目前。

ま-ちがい【間違い】 ❶正しいとされる結果とちがっていること。また、事実とちがっていること。「答えに―が多い」❷あやまち。しくじり。過失。「―はだれにでもある」❸事故・けんかなど、異常な状態・出来事。「子供に―があってはならない」

ま-ぢか-い【間近い】 《形》ある物事がすぐ近くに近づいていて、それと時間・空間のへだたりが小さい。間近だ。「山腹が―・く迫る」

ま-ちが-う【間違う】 〔一〕《自五》❶まちがいがある。ちがっている。「君の考えは―・っている」❷失敗する。しくじる。「―・えば命を落とすかもしれない」〔類語〕誤る。過つ。間違える。し損なう。し損ねる。し損ずる。過誤(錯誤・誤謬(ごびゅう))を犯す。エラー。(する)失策。ミス。〔二〕《他五》まちがえる。「計算を―・う」

ま-ちがえ【間違え】 →まちがい。

ま-ちが-える【間違える】 《他下一》❶まちがいを起こす。あやまつ。やりそこなう。「計算を―・える」❷とりちがえる。「砂糖と―・えて塩を入れる」

まちがっ‐て‐も【間違っても】《連語》《下に打ち消しまたは禁止を表すことばを伴ってその意を強める》どんなことがあっても。〔副詞的に使う〕「―言うな」

まち‐かど【町角・街角】❶町の道路の曲がり角。❷町の道ばた。街頭。「―で布教に努める」

まち‐か‐ねる【待ち兼ねる】《他下一》待つことに我慢できなくなる。「―ねて先に行く」

まち‐かま‐える【待ち構える】《他下一》いつでも応じられるように、用意して待つ。「記者たちは首相が来るのを―える」類語 待ち設ける。待ち受ける。

まち‐ぎ【街着・町着】ちょっとした外出のときに着る服。外出着。タウンウエア。

まち‐くたび‐れる【待ち▽草×臥れる】《自下一》長い間待ち続けて疲れる(いやになる)。類語 待ちあぐむ。

まち‐こうば【町工場】町なかにある小さな工場。

まち‐こが‐れる【待ち焦がれる】《他下一》落ち着かなくなるほど今か今かと待つ。「友の来訪を―れる」

まち‐すじ【町筋】町の通り。類語 街路。

まち‐どうじょう【町道場】市中にある武芸を教える道場。

まち‐どお【待ち遠】《名・形動》待ち遠しいこと。「お―さま(=大変お待たせしました)」 **―し‐い**《形》期待して待っていて、待つ時間が大変長く感じられる。「春が―い」

まち‐なか【町中】町の中で家や商店が集まっているにぎやかな所。類語 巷(ちまた)。巷間(こうかん)。市井(しせい)。市中。

まち‐なみ【町並(み)・街並(み)】❶町に家や商店が立ち並ぶ様子。「にぎやかな―」❷町ごとに(町じゅうに)それがあること。「―にお祭り気分があふれる」

まちに‐まった【待ちに待った】《連語》以前から強く待ちのぞんでいた。〔連体詞的に使う〕「―ボーナス」

マチネ matinée 演劇や音楽会の昼間興行。マチネー。▽フランス

まち‐のぞ‐む【待ち望む】《他五》早くそうなればいいと期待する。待望する。「子供の成長を―む」

まち‐はずれ【町外れ】町の中心から遠ざかって、人家がまばらになるあたり。

まち‐ばり【待ち針】裁縫で、布をとめたり縫いどめのしるしとして刺しておく、頭に小さな玉のついた針。小町針。対 縫い針。

まち‐びと【待ち人】来るのが待たれている人。「―来たらず」

まち‐ぶぎょう【町奉行】江戸時代、幕府の重要な直轄都市に置かれ、町方の行政・司法・警察をつかさどった職。特に、江戸町奉行。

まち‐ぶせ【待ち伏せ】《名・他サ》通り道に隠れて相手を待ち受けていること。

まち‐ぼうけ【待ち×惚け】待つ人がついに来なくて時間をむだにさせられること。待ちぼけ。「―を食わせる」

まち‐まち【▽区▽区】《名・形動》一つ一つ皆同じでないこと。様々(さまざま)。区々(くく)。「人の好みは―だ」

まち‐もう‐ける【待ち設ける】《他下一》❶用意をととのえて待ち受ける。「夜襲を―ける」❷心の準備をして待ちのぞむ。「花の咲く日を―ける」

まち‐や【町家・町屋】町の中にある商家や住宅。町家(ちょうか)。

まち‐やくば【町役場】地方自治体としての町の行政事務を扱う役所。

まち‐わ‐びる【待ち×侘びる】《他上一》気をもみながら待つ。「娘の帰宅を―びる」類語 待ち焦がれる。(する)鶴首(かくしゅ)。

***まつ**【末】《接尾》❶「すえ」の意。「今月―」「世紀―」「学期―」❷「粉末」「粉薬」の意。「硼酸(ほうさん)―」

***まつ**【松】❶裸子植物マツ科の常緑樹。葉は針状。樹皮はきっこう状にいくつにも裂ける。果実を「まつかさ」という。樹脂を「まつやに」という。建築材など用途が広い。観賞用として庭木・盆栽にされ、祝い事(特に長寿)などに用いられる。❷〔竹・梅に対して〕序列の最上位。❸「松明(たいまつ)」の略。❹「門松(かどまつ)」の略。

***ま‐つ**【待つ】《他五》❶事態の実現を予期または期待して時を過ごす。「発表を―つ」「相手からの返事を―つ」「夜の明けるのを―つ」類語 期する。待ち望む。待ちかまえる。待ち設ける。待ちこがれる。待ち兼ねる。待ちわびる。待ちあぐむ。満を持す。首を長くする。(する)心待ち。期待。待望。嘱望。待機。鶴首(かくしゅ)。❷〔主に命令形を使って〕しかかった動作などを途中でやめる。「ちょっと―て。早まるな」❸〈「…に―・つ」の形で〉頼りにしてまかせる。期待する。「今後の研究に―つ」❹必要とする。入用である。「論を―・たない」表記 ③④は「俟つ」とも書く。文《四》。 **―てば海路の日和あり**《句》待っていれば、そのうちきっとよいことがある。参考「待てば甘露の日和あり(=待っていれば甘いつゆが天から降ってくるような日和もある)」を言いかえたもの。

まつ‐えい【末×裔】〔文〕子孫。末孫。末裔(ばつえい)。「源氏の―」

まっ‐か【〈真っ赤〉】《形動》❶まったく赤いようす。また、赤いことを強めて言う語。「―な太陽」「―になって怒る」❷まったくその通りであるようす。まるっきり。「―なうそ」「―なにせもの」

まつ‐が‐え【松が▽枝】《「が」は「の」の意の格助詞》〔雅〕松のえだ。

まつ‐かさ【松×毬】松の果実。まつぼっくり。

まつ‐かざり【松飾り】門松(かどまつ)。

まつ‐かぜ【松風】❶松の木に吹く風(の音)。松籟(しょうらい)。❷茶の湯で、茶がまの湯のにえたぎる音。

まっ‐き【末期】〔文〕〔ある特定の期間の〕おわりの時期。「第二次世界大戦の―」「―的症状」類語 末葉。対 初期。注意「末期(まつご)」は別語。

まつ‐ぎ【末技】〔文〕❶重要でない枝葉末節の技術・技芸。❷未熟な技術・技芸。

まっ‐くら【真っ暗】《名・形動》❶全く暗くて何も見えないこと。❷全く希望のもてないこと。「お先―」

まっ‐くらやみ【真っ暗×闇】全くのくらやみ。

まっ‐くろ【真っ黒】《名・形動》❶全く黒いこと。また、黒いことを強めて言う語。「―の靴」「―に日焼けする」❷黒ずんでよごれていること。「―に汚れる」

まっ‐くろ‐い【真っ黒い】《形》全く黒い。

ま‐つ‐げ【×睫・×睫毛】《「目(ま)つ毛(げ)」の意。「つ」は「の」の意の格助詞》まぶたのふちにはえている毛。

まつ‐ご【末期】一生の終わりの時。死にぎわ。臨終。「―をみとる」 **―の‐みず**【―の水】臨終のとき、その口に含ませる水。死に水。

***まっ‐こう**【抹香・末香】シキミの葉と皮とを乾燥して作った粉末状の香。仏前の焼香に用いる。 **―くさ‐い**【―臭い】《形》❶抹香のにおいがする。❷いかにも仏教的なくさみがある。「―・い話だ」

***まっ-こう**【真っ向】❶〔かぶとの鉢(はち)の前面の意から〕ひたいのまんなか。「―から竹割り」❷真正面。「―から対立する」

まつ-ざ【末座】しもざ。末席。末座(ばつざ)。㊟上座。

マッサージ《名・他サ》手のひら・指先などで、直接皮膚の上に圧迫と摩擦を加えること。▽massage

まっ-さいちゅう【真っ最中】ちょうど盛りの時。まっただなか。まっさかり。「期末試験の―」

まっ-さお【〈真っ青〉】《形動》色が全く青いようす。また、青いことを強めて言う語。「顔色が―だ」

まっ-さかさま【真っ逆様】《形動》全くさかさまなようす。参考頭から転落するときに言う。「―に墜落」

まっ-さかり【真っ盛り】物事の最も盛んな・こと（時）。「青春―」類語たけなわ。最盛期。真っ最中。

まっ-さき【真っ先】いちばん先。「―に手を上げる」

まっ-さつ【抹殺】《名・他サ》〔文〕〔こすって消してしまう意から〕存在を完全に無視・否定すること。「相手の意見を―する」「文壇から―される」類語抹消。

まっ-さら【真っ▽新】《形動》全く新しいようす。できてからまだ一度も使われていないようす。「―な浴衣」

まっ-し【末子】末っ子。末子(ばっし)。㊟長子。

まつ-じ【末寺】本寺・本山の支配下にある寺。

まっしぐら【×驀▽地】《副》《多く「―に」の形で》わき目もふらずに突き進むようす。「―に目標に向かう」

まつ-じつ【末日】ある期間の最後の日。特に、月のおわりの日。「二月―」類語最終日。

まっ-しゃ【末社】本社に所属し、その支配を受ける神社。摂社(せっしゃ)に次ぐ格式をもつ。㊟本社。

マッシュ ❶すりつぶしてどろどろにしたもの。❷「マッシュポテト」の略。▽mash ―**ポテト** ジャガイモをゆでて裏ごしにかけ、バター・牛乳を加えて塩味をつけた料理。▽mashed potatoes から。

マッシュルーム ハラタケを栽培改良したもの。シャンピニオン。西洋まつたけ。▽mushroom

***まっ-しょう**【抹消】《名・他サ》そこに書かれてある字句を消してその効力を失わせること。「名簿から名前を―する」類語抹殺。塗抹。削除。

***まっ-しょう**【末×梢】〔文〕❶枝のさき。こずえ。❷はし。末端。また、ささいなこと。「―的な問題」 ―**しんけい**【―神経】中枢神経から出て、身体各部の臓器や器官に連絡する神経。㊟中枢神経。

まっ-しょうじき【真っ正直】《名・形動》しんから正直なこと。ましょうじき。「―な人」

まっ-しろ【真っ白】《名・形動》まったく白いこと。「雪で―におおわれた」類語純白。

まっ-すぐ【真っ▽直】《副・形動》❶曲がったりゆがんだりしていないようす。「―な一本の道」❷正しく正直なようす。「―な性格」❸間にものを置かないようす。直接。「―帰宅する」

まっ-せ【末世】❶仏法のすたれた世。末法の世。❷道徳・人情のすたれた世。

まっ-せき【末席】〔文〕順位が下の席。しもざ。末席(ばっせき)。「―を汚す（=同席したり団体の一員であったりすることをへりくだって言うことば）」㊟上席。

まっ-せつ【末節】〔文〕本筋から離れたつまらないことがら。「枝葉―」類語末梢(まっしょう)。末事。

まっ-そん【末孫】↓ばっそん。

まっ-た【待った】㊀《感》他人の動作を中止させるときに発する語。㊁《名》碁・将棋・相撲などで、相手のしかけてくるのを待ってもらうこと。「―を掛ける」

まつ-だい【末代】〔文〕❶のちのちの世。「―に名を残す」類語後代。❷死んでから後の世。「―まで恥をさらす」同①②後世。

まったく【全く】《副》《「まったし」の連用形から》❶完全に。すっかり。「―同意見だ」「―口をとざしたままだ」❷〔打ち消しを伴って〕全面的に否定する意を表す。全然。「―理解できない」類語まるで。❸ほんとうに。実に。「―おかしな話だ」「―の所、見当もつかない」⇩

〔類義語の使い分け「まるで」〕

まつ-たけ【松×茸】キシメジ科のキノコ。秋、アカマツの林に自生する。味もかおりもよく、秋の味覚の代表として珍重される。

まった・し【全し・▽完し】《形ク》〔古〕完全である。また、安全である。参考口語では、おもに「まったき」の形で使う。「―・きを期する」「―・きを得る」

まっ-ただなか【真っ▽直中・真っ×只中】❶まさにそのものの中央。まんなか。「広野の―」❷まっ最中。「試合の―」

まった-なし【待った無し】さし迫っていること。また、やりなおしがきかないこと。「―の状況」

まったり《副・自サ》《副詞は「―と」の形も》まろやかで、こくのあるようす。「―とした味」

まっ-たん【末端】〔文〕❶物の端・末の部分。「神経の―」❷組織の中核から遠い、最も下位の部分。「―の意見」「―価格」㊟①②中央。

***マッチ** 軸木の先につけた薬剤を摩擦によって発火させる用具。表記「燐寸」と当てた。▽match ―**ポンプ**〔俗〕他人の不正を暴露して騒ぎたて、かげで収拾工作を図って報酬をまきあげる・こと（人）。参考マッチで火つけし、ポンプで消火する意。▽英 match とオランダ pomp からの和製語。

***マッチ** ❶試合。競技。「タイトル―」❷《名・自サ》調和がとれること。つり合うこと。「背広に―したネクタイ」▽match ―**ポイント** テニス・卓球・バレーボールなどで、試合の勝負を決める最後の一点。「―を握る」▽match point

まっ-ちゃ【抹茶】↓ひきちゃ。

マッチョ《名・形動》〔外見が〕力強くたくましい・こと（人）。「―な男」▽macho

マッチング《名・他サ》❶組み合わせること。❷コンピューターで、二つのデータの照合。突き合わせ。「パターン―」▽matching

まっ-てい【末弟】一番下の弟。ばってい。㊟長兄。

マット 敷物。靴や足をぬぐうものやスポーツ用の厚い敷物など。「―に沈む（=ボクシングでKOされる）」▽mat

まっとう【真っ当】《形動》《「まったく」の音便》本来正しいとされる方向に従うようす。まとも。まじめ。「―な道を歩く」表記「真っ当」は当て字。

まっとう・する【全うする・▽完うする】《他サ変》《「まったくする」の転》〔与えられたものを〕完全に終わらせる。「任務を―・する」「天寿を―・する」

マットレス 洋風の、弾力性のある厚い敷物。布団の下やベッドに敷く。▽mattress

まつ-ねん【末年】すえの年。「明治の―」

まつ-の-うち【松の内】正月の松飾りのある期間。ふつう、元日から七日まで。しめのうち。㊟松過ぎ。

まつ-の-は【松の葉】❶松の木の葉。まつば。❷「寸

ま

志」の意で、贈り物に上書きすることば。

マッハ マッハ数。▽ドイツ Mach **―すう【―数】** 物体の速さを音速との比で表したもの。「マッハ数二」は音速の二倍。記号M。マッハ。参考 オーストリアの物理学者・哲学者エルンスト＝マッハの名にちなむ。

まつ-ば【松葉】 松の葉。**―づえ【―×杖】** 足の不自由な人がわきの下にあてて、体をささえて歩くつえ。松の葉のように二股に分かれている。**―ぼたん【―×牡丹】** スベリヒユ科の一年草。葉は松葉状。夏から秋に紅・白・黄色などの花をつける。観賞用。

まっ-ぱい【末輩】〔文〕地位・技術などが下の者。参考 多く自分のことをけんそんして言うときに用いられるが、他人に使うと、けいべつした言い方になる。

まっ-ぱだか【真っ裸】 丸裸。素っ裸。

まつ-ばやし【松林】 松の木の林。

まつ-ばら【松原】〔海岸近くの〕松が多くはえている原。「三保の―」

まつ-び【末尾】〔文〕ことばなどの最後の部分。

まっ-ぴつ【末筆】〔文〕おもに手紙文で、文章の終わりにつけ加える文句。「―ながら皆様によろしく」

まっ-ぴら【真っ平】《副》《まっぴらご免をこうむるの意》まっぴら御免。「手伝いなんて―だ」**―ごめん【―御免】**《連語》絶対したくない、全くいやだなどの意を表す語。まっぴら。「危険なことは―だ」

まっ-ぴるま【真っ昼間】 ひるひなか。白昼。参考 昼間にふさわしくない事が行われているようなときに使う。「―から飲んだくれて、しようのない奴だ」

マップ 地図。「ロードー」▽map

まっ-ぷたつ【真っ二つ】 ちょうど真ん中から分けて、二つ。「意見が―に分かれる」

まつ-ぶん【末文】 ❶文章の終わりの部分。❷手紙の終わりに書く、結びの簡単な文。「まずは右御礼まで」「取り急ぎごあいさつまで」など。

まっ-ぽう【末法】 ❶〔仏〕釈迦の入滅後正法・像法を経たのち一万年間の称。仏教が衰え悪思想がはびこる時期とされる。末法時。対 正法・像法。❷道義がすたれた世。末の世。澆季。**―しそう【―思想】** 平安末期から鎌倉時代にかけて流行した仏教思想。当時の社会的混乱を末法の徴と解釈した。

まつ-ぼっくり【松×毬】 まつかさ。まつぼくり。

まつ-むし【松虫】 ❶コオロギ科の昆虫。淡褐色で長卵形。草原にすみ、雄は初秋に「チンチロリン」と美しく鳴く。俗称、ちんちろりん。❷〔古〕すずむし。

まつ-やに【松▽脂】 松の幹から分泌される、ねばねばした樹脂。印刷インク・ワニス・製紙用。

まつよい-ぐさ【待宵草】 アカバナ科の多年草。夏の夕刻黄色の花を開き、翌朝しぼむ。チリ原産。よいまちぐさ。参考 ツキミソウとは別種であるが、一般にはこれをも「ツキミソウ」と言っている。

まつ-よう【末葉】〔文〕❶ある時代・世紀の終わりのころ。「鎌倉時代の―」類語 末期。❷子孫。「足利氏の―」＝末葉。

まつり【祭(り)】 ❶神霊を迎え、供物などをして慰め祈る儀式。祭儀。また、それに伴う種々の行事。祭祀。祭礼。「祇園―」❷祝賀・記念・宣伝などのために行う華やかな行事。祭典。フェスティバル。「港―」

まつり-あ・げる【祭り上げる】《他下一》おだてあげて、別格の地位につかせる。「町長に―・げる」

まつり-か【×茉×莉花】 モクセイ科の常緑つる性小低木。ジャスミンの一種。乾燥させた花を中国茶の香りづけに使う。茉莉。

まつり-ごと【政】《「祭り事」の意》〔文〕政治。

まつ-りゅう【末流】〔文〕❶子孫の末。「源氏の―」❷末の流派。類語 末派。亜流。＝末流。

__まつ・る【祭る・×祀る】__《他五》❶儀式を行って神霊をなぐさめる。「死者の霊を―・る」類語 弔う。❷神としてあがめ一定の場所に安置する。鎮座させる。「聖徳太子を―・る」文《四》。

__まつ・る【×纏る】__《他五》布の端を裏へ折り込んで、糸をからげるようにしてぬいつける。「裾を―・る」文《四》。

__まつ・る【▽奉る】__ ■一《他四》〔古〕たてまつる。■二《補動》〔古〕謙譲の意を表す。…申し上げる。…して差し上げる。「仕え―・る」

まつ-ろ【末路】 人生の最終部分の道程。特に、悲劇的な最後。「悪人の―」「平氏の―」

まつわり-つ・く【×纏わり付く】《自五》❶ものにからみつく。「髪の毛が櫛に―・く」❷つきまとう。「母親に―・く」同①②纏いつく。纏わりつく。

まつわ・る【×纏わる】《自五》❶からみついて離れないでいる。まとわりつく。「犬が―・りつく」❷付随する。からむ。「平家に―・る伝説」文《四》。

まで【×迄】 ■一《格助》❶動作・作用の至り及ぶところを表す。「今日はここ**まで**」「死ぬ**まで**闘う」❷〔「から…まで」の形で〕空間的・時間的範囲や数量の範囲を表す。また、物事の順序・序列などを表す。「小田原から東京**まで**通う」「九時から五時**まで**働く」「一グラムから二〇グラム**まで**」「初級から上級**まで**」参考 始点を表す「から」は言外に示されることも多い。「これ**まで**大病をしたことはない」❸〔「までに」の形で、時間を表す語について〕期限を表す。「七日**まで**に仕上げる」表記 ■一は、ふつうかな書き。■二《副助》❶〔「これ(それ・あれ・どれ)ほどまでに」や「…する(ほど)までに」などの形で〕程度(特に甚だしい程度)を表す。「これほど**まで**に心配しているのに」「一人で歩く(ほど)**まで**に回復した」❷〔「まで(も)」の形で〕極端な一例をあげて、事の甚だしいさまを強く述べ、他をほのめかすのに使う。〔意外・驚きの気持ちがこもる〕「姉さん**まで**(も)反対するんだ」「貯金**まで**(も)してたのか」❸〔「…するまでもない」などの形で〕…する必要はないの意を表す。…する(ほどの)ことはない。「口を出す**まで**もない」「わざわざ報告する**まで**のことはない」❹〔多く「…ないまでも」の形で〕…ないとしても、せめて(しかし)の意を表す。「参加しない**まで**も連絡くらいはしてほしい」❺〔「…したまで(のこと)だ」の形で〕事態は軽い程度にとどまり、それ以上でもなければ以下でもないことを(強く)言うのに使う。「試しにやってみた**まで**(のこと)だ」「賞をもらった**まで**で、大騒ぎすることはない」参考 手紙の末尾で使う「御礼**まで**」「右お知らせ**まで**」などは、この意を慣用句的に使ったもの。❻〔「…するまで(のこと)だ」の形で、上に条件句を伴い〕最終的な手段としてとるべき態度を、強く言うのに使う。「気に入らないなら断る**まで**(のこと)だ」表記 ■二は、ふつうかな書き。

まて-しばし【待て▽暫し】《連語》〔しばらく待ての意

で〕他人の行動をさしとめたり、自分の行動をひかえたりするときに言う語。「—と思案する」

まてど‐くらせど【待てど暮らせど】《連語》いくら待っていても。「—現れない」

マテリアル ■一《名》〔美〕材質(感)。マチエール。「—を活かした作品」■二《形動》物質的。有形的。具体的。▽material

まてん‐ろう【摩天楼】《「天を摩する建物」の意》天にもとどくばかりの高い建物。超高層ビル。

*まと【的】❶射撃の目標となるもの。標的。「—を射抜く」❷激しい攻撃や関心が集中する対象となるもの。「非難の—となる」「羨望(せんぼう)の—」❸物事の目標となるもの。めあて。ねらい。「—をしぼる」

*ま‐と【真×砥】刃物を研ぐときに、仕上げに用いるきめの細かい砥石(といし)。仕上げ砥(と)。対 粗砥(あらと)・中砥(なかと)。

まど【窓・×窗】❶採光・換気・展望などのために壁や天井に設けられた開口部。❷内部にあるものを外部に表して見せるもの。また、外部のものを採り入れるところ。「目は心の—」

—の雪《句》苦学のたとえ。転じて、学問。窓の蛍(ほたる)。故事 昔、中国で、孫康が窓に積もった雪明かりで書を読んだということから。〈晋書・孫康伝〉→蛍雪(けいせつ)。

まど‐あかり【窓明(か)り】窓からさしこむ明かり。

まとい【×纏】(まとひ)❶昔、戦場で大将の所在を示すために陣所の前に立てた武具。❷江戸時代以降、まとい①に模して、火消しが組の目印として火事場で用いたもの。「—持ち」

纏②

*まど‐い【▽団居・▽円居】(—ゐ)《名・自サ》〔文〕❶人々が車座になってすわること。❷家族など親しい者どうしが寄り集まって仲よく楽しむこと。団欒(だんらん)。「楽しい—のひととき」

*まどい【惑い】(まどひ)〔文〕まどうこと。迷い。

まとい‐つ・く【×纏い付く】(まとひ—)《自五》まつわりつく。

まどい‐ばし【惑い×箸】(まどひ—)どのおかずを取るか迷って、箸をあちこちにむけること。迷い箸。参考 無作法とされる。

まと・う【×纏う】(まとふ)《他五》まいて包むようにして、身につける。着る。「コートを身に—・う」「一糸—・わぬ(=何も身につけない)姿」文《四》。

*ま‐どう【魔道】〔文〕悪魔の道。悪の世界。

*まど・う【惑う】(まどふ)《自五》〔文〕❶どうしたらよいかわからなくなる。類語 まよう。「どの道を行くか—・う」❷ある事に心をうばわれる。「女に—・う」文《四》。

ま‐どお【間遠】(—ほ)《形動》物事の間隔が時間的・空間的に隔たっているようす。「行き来が—になる」

ま‐どお・い【間遠い】(—どほい)《形》時間的・空間的に間隔が離れている。間遠である。「—・いベルの音」

まどか【▽円か】《形動》〔文〕❶まるいようす。「—な月」❷おだやかなようす。円満。「—な人格」

まど‐ぎわ【窓際】(—ぎは)❶窓のそば。類語 窓辺。❷閑職。「—に追いやられる」参考 多く、デスクを窓のそばに配置することから。

まど‐ぐち【窓口】仕切りを通して、外来者の用件を受けつけたり金銭の出し入れなどをしたりする所。また、その係(の人)。「—の応対が不親切だ」参考 ひゆ的に、連絡をつける所の意にも使う。「国際親善の—」

まと‐はずれ【的外れ】(—はづれ)《名・形動》〔矢が的をはずれる意から〕見当ちがいなこと。「—な批評」

まど‐べ【窓辺】窓のそば。類語 窓際。

まとま・る【×纏まる】《自五》❶ばらばらのものが集まって一つになる。「皆の意見が—・る」「—・った金(=何かに十分役立つほどの金)」❷整理がついて筋道が立つ。「考えが—・る」❸〔交渉・相談などの〕決まりがつく。成立する。「縁談が—・る」「話が—・る」❹できあがる。完成する。「作品が—・る」文《四》。

まと・める【×纏める】《他下一》❶ばらばらのものを一つに合わせる。「荷物を一か所に—・める」類語(る・す) 一括。包括。❷筋道を立てて整理する。「考えを—・める」類語(る・す) 総括。統一。統括。❸決まりをつける。まるくおさめる。「交渉を—・める」❹完成させる。「論文を—・める」文 まと・む《下二》。

まとも【▽正▽面・▽真▽面】《名・形動》《「真つ面(も)」の転》❶物事を正面から行うこと。また、作用を正面から受けること。「—に立ち向かっても勝てない」「—に陽光を浴びる」❷すじみちが通って、きちんとしていること。「—な考え」「—な商売」「—にお礼も言えない」

マドモアゼル お嬢さん。参考 未婚女性の名前の前につけて「…嬢」の意になる。▽(フランス) mademoiselle

マドラー カクテルなどをかき混ぜる棒。▽muddler

ま‐どり【間取り】家の中のそれぞれの部屋の配置。

マドレーヌ 小麦粉・卵などを原料とし、平らなカップケーキ型に入れて焼いた菓子。▽(フランス) madeleine

マドロス 船員。船乗り。▽(オランダ) matroos

—パイプ 管が太くて折れまがっているパイプ。船員が常用した。▽(オランダ) matroos と英 pipe からの和製語。

まどろっこし・い《形》→まだるい。

まどろ・む【▽微▽睡む】《自五》《「目(ま)蕩(とろ)む」の意》〔文〕うとうととしばらくの間眠る。「しばし—・む」

まどわ・す【惑わす】(まどはす)《他五》❶考えを混乱させて、正しい判断を失わせる。「人心を—・す」類語(る) 幻惑。惑乱。❷誤った道に導く。悪にさそう。「青少年を—・す映画」❸だます。あざむく。「甘言で人を—・す」類語 ①〜③迷わす。文《四》。

まとわり‐つ・く【×纏わり付く】(まとはり—)《自五》→まつわりつく。

まとわ・る【×纏わる】(まとはる)《自五》〔文〕まつわる。文《四》。

マトン 羊肉。▽mutton

マドンナ ❶聖母マリア。❷あこがれの、美しくて清らかな女性。▽(イタリア) Madonna

*まな【▽愛】《接頭》「かわいがる」の意。「—娘」「—弟子」

*ま‐な【真名・真▽字】❶漢字。参考 かなに対して正式の字の意。対 かな。❷漢字の楷書(かいしょ)。

マナー その場のやり方にふさわしい態度。行儀作法。「テーブル—」「ステージ—」▽manner

まな‐いた【×俎板・×俎】《真魚(まな)を料理する板の意》包丁を使うときに台とする板。「政府の案を—に載せる(=議論・批判の対象にする)」

—の魚《句》相手の思いどおりになるよりほかに方法のないことのたとえ。俎板の鯉(こい)。俎上(そじょう)の魚。

ま‐な‐かい【▽目交・▽眼▽間】(—かひ)《「目の交(かひ)」の意》〔文〕両眼の視線の交わる間。目と目の間。転じて、目の先。目の前。「—に母の像が浮かぶ」

まな‐がつお【真▽魚×鰹・×鯧】(—がつを)マナガツオ科の海

魚。体はひし形。南日本の海にすむ。食用。

ま-な-こ【眼】《「目の子」の意。もと、黒目のこと》〔文〕めだま。また、目。「―を転ずる(=他を見る)」

ま-な-ざし【▽目差し・▽眼差し・▽眼指し】 物を見るときの、目の様子。「うっとりとした―」

ま-な-じり【×眦・×眥】《「目の後(しり)」の意》目じり。「―を決する(=目を見開いて怒る。また、決心する)」

ま-なつ【真夏】 夏のまっさかり。盛夏。「―の太陽が照りつける」対真冬。 **―び【―日】** ❶真夏の昼間。❷真夏の太陽。❸最高気温が三〇度を超えた日。参考→夏日。対真冬日。

まな-でし【▽愛弟子】 特に目をかけている弟子。

まなび【学び】〔文〕学ぶこと。「―の庭(=学校)」

まなび-や【学び▽舎】〔雅〕学問をする所。学校。

まな-ぶ【学ぶ】《他五》《「まねぶ」の転》❶見習って行う。まねて自分のものとする。「先人の言行に―・ぶ」❷教えてもらって修得する。教わる。「アメリカ人に英語を―・ぶ」❸学問をする。勉強する。「よく―・びよく遊ぶ」類語(する)学習。勉学。文《四》。

まな-むすめ【▽愛娘】 特にかわいがって、大事にしている娘。類語愛嬢(あいじょう)。

マニア 趣味として、一つの事にひどく熱中している人。熱狂者。マニヤ。「オーディオ―」▽mania

ま-に-あ・う【間に合う】(ー あ ふ)《自五》❶決まった時刻・時期におくれないで・すむ(着く)。「準備が―・わない」❷その場の必要を満たすことができる。その場の用が足りる。「一〇〇〇円もあれば―・う」「手持ちの物で―・う」❸物が十分あって用が足りている。そのものを必要としない。「今日は―・っています」

マニアック《形動》一つのことにひどく熱中しているようす。偏執狂的。「―な作品」▽maniac

ま-に-あわせ【間に合(わ)せ】(ー あ はせ) 一時しのぎの用にあてること。「一時の―」「―の借り着で出席する」

マニキュア 手のつめの化粧。形を整え、エナメルを塗って光沢を出すなど。▽manicure

マニフェスト ❶宣言。声明書。❷政権公約。▽manifesto

まに-まに【▽随に】《副》〔文〕なりゆきにまかせて従うようす。「波の―ただよう」類語ままに。

マニュアル ❶手順をしめした本。手引。「作業―」❷手で操作すること。手動。「―方式」▽manual

ま-にんげん【真人間】〔不正・犯罪などを犯さず〕まじめな暮らし方をしている人。まともな人間。

まぬか・れる【免れる】《自下一》好ましくない事態にあわずに、のがれる。こうむらないですむ。まぬがれる。「災難を―・れる」文まぬか・る《下二》。

マヌカン ❶マネキン。❷「ハウスマヌカン」の略。ブティックなどで、自社製の服を着て販売する女性。▽(フランス) mannequin

ま-ぬけ【間抜け】《名・形動》頭の働きがにぶく、することにぬかりがあること。「―な答え」類語とんま。

まね【真▽似】❶《名・他サ》まねること。他に似せてすること。模倣(もほう)。「鵜(う)の―をする烏(からす)」❷形だけその動作をすること。「三三九度は飲む―だけでよい」❸《形式名詞的に使って》しぐさ・行動をいやしめて言う語。「ふざけた―をするな」

マネー おかね。金銭。「ポケット―」▽money **―サプライ** 金融機関以外の民間部門が保有する通貨。通貨供給量。▽money supply

マネージメント〔企業の〕管理。経営。マネジメント。▽management

マネージャー ❶支配人。管理人。❷芸能人やスポーツチームなどの、交渉や世話をする人。▽manager

まねき【招き】 ❶まねくこと。招待。「米国政府の―で渡米する」類語招聘(しょうへい)。❷客寄せのために店の入り口に置いた看板や装飾物。招き看板。

まねき-ねこ【招き猫】 前足で人をまねくような格好をした、猫の置物。商家の繁盛を願う縁起物。

マネキン ❶人体模型。❷衣服などを着せて展示・陳列する等身大の人形。マネキン人形。❸ファッションモデル。マヌカン。❹化粧品などを実演して見せながら宣伝する女性。マネキンガール。▽mannequin

まね・く【招く】《他五》❶合図をして人を呼びよせる。「手で人を―・く」❷客として誘って、来させる。招待する。「結婚式に友人を―・く」「―・かれざる客(=歓迎されない客)」❸ある地位に就いてもらうために、頼んで呼びよせる。招聘(しょうへい)する。「工場長として―・く」❹〔好ましくない結果を〕ひきおこす。もたらす。「大事故を―・く」「危険を―・く」文《四》。

まね-ごと【真▽似事】 ❶まねてする事柄。❷形式だけをまねてととのえた事柄。参考自分の行為や作品を謙遜(けんそん)して言うときにも使う。「ほんの―です」

ま・ねる【真▽似る】《他下一》他のものに似せてそのようにする。まねをする。「役者の声色を―・ねる」類語倣(なら)う。(する)模倣(もほう)。文ま・ぬ《下二》。

ま-の-あたり【目の当(た)り・目の辺り】 目のすぐ前。目前。眼前。「海が―に見える宿」「交通事故を―にする(=この目で見る)」

ま-の-て【魔の手】 魔手。「―にかかる」

ま-のび【間延び】《名・自サ》❶間(ま)が長いこと。「―した声」❷どことなくしまりのないこと。「―した顔」

ま-ばたき【▽瞬き】《名・自サ》またたき。めばたき。「ぱちぱちと―をする」類語ウインク。

ま-ばゆ・い【目▽映い・×眩い】《形》まぶしい。「真夏の―・い太陽」「―・いばかりの服装」

ま-ばら【▽疎ら】《名・形動》ある範囲のあちこちに少しずつあること。「人影が―だ」類語疎(そ)。

ま-ひ【麻×痺・×痲×痺】《名・自サ》❶しびれること。❷〔医〕運動神経や知覚神経の障害によってその機能が・停止(衰弱)すること。「小児―」「心臓―」❸本来の活動が停止すること。「交通が―状態になる」表記「麻痺」「痲痺」は慣用による表記。本来は「麻痹」。

ま-びき【間引き】《名・他サ》まびくこと。「―運転」

ま-び・く【間引く】《他五》❶〔効率的な実りや育成をはかるため〕密生している作物の不要な一部を抜き取って間をあける。うろぬく。おろぬく。❷昔、養育困難などのため、生まれたばかりの子を殺す。❸中間にあるものを省く。「電車の運転を―・く」

ま-びさし【目×庇・×眉×庇】 かぶとや帽子の額からひさしのように出ているもの。

ま-ひる【真昼】 昼の最中。日中。白昼。

ま-ぶ【間夫】 情夫。特に、遊女の情夫。類語間男。

まぶ・い【×眩い】《形》〔俗〕容姿が美しい。「―・い女」

マフィア イタリアの反政府秘密結社から派生した、アメリカの大規模な秘密犯罪組織。▽Mafia

ま-ぶか【目深】《形動》帽子などを目がかくれるほど深くかぶるようす。「帽子を―にかぶる」

まぶし・い【×眩しい】《形》光が強くて、まともに見ていられない。また、立派すぎたりしてまともに見ていられない。まばゆい。「夏の陽光が—・い」「ダイヤモンドの—・い輝き」「—・いほどの殊勲」文まぶ・し《シク》。

まぶ・す【▽塗す】《他五》粉などをその物の表面全体にまんべんなくつける。「きなこを—・す」文《四》。

まぶ・た【×瞼】《「目の蓋(ふた)」の意》眼球を上下からおおって保護する皮膚のひだ。縁にまつげがある。眼瞼(がんけん)。「—に浮かぶ友の顔」 **—の・はは**【—の母】《連語》思い出の中に残っている母のおもかげ。

ま・ぶち【目縁・×眶】目のふち。

ま・ふゆ【真冬】冬のさかり。類語 厳冬。対 真夏。 **—び**【—日】一日の最高気温が摂氏零度未満の日。参考 ↓冬日。対 真夏日。

マフラー ❶えりまき。首巻き。❷自動車・オートバイなどの消音器。▽muffler

ま・ほ【真帆】順風を受けて、帆を船の方向と直角に張ること。また、その帆。対 片帆。

ま・ほう【魔法】〔人間ではできない〕ふしぎな事を起こさせる術。魔術。「—をかける」「—使い」 **—びん**【—瓶】中に入れたものの温度をそのまま保つ容器。内外二層のガラスびんから成る。テルモス。

ま・ほうじん【魔方陣】↓方陣❷。

マホガニー センダン科の常緑高木。材は堅く木目が美しい。家具・工芸品などに用いる。▽mahogany

まほし《助動：シク型》文語「…たい」「…が望ましい」の意を表す。「常にかくこそあらまほしけれ」

マホメット・きょう【マホメット教】イスラム教。回教。参考 マホメットが始めた。

まぼろし【幻】❶現実には存在しないのに、一時的にあるように見えるもの。幻影。幻像。「—を見る」❷たちまち消えるはかないもの。「—の(=公認の条件が満たされず未公認に終わった)世界新記録」❸存在が確かめられていないもの。また、存在は確かだがめったに見ることのできないもの。「—の名画」

まほろ・ば〔古〕すぐれたよい所。秀でた国。まほら。まほらま。「大和(やまと)は国の—」

***まま**【×儘】❶なりゆきにまかせること。「なすが—になる」❷思うとおりの状態。自由。勝手。「—ならぬ人の世」❸その状態のとおりであること。「昔の—の家屋」❹引用・校正などで、原文のとおりであることを示す語。表記 ④はふつう「ママ」と書く。

***ま・ま**【間間】《副》ときどき。「失敗も—ある」

***まま**《接助》《名詞「儘(まま)」から》❶文語《「ままに」の転か》〔候文などで〕事情をあげて、理由を説明するのに使う。…ので。…によって。「御尊顔を拝したく存じ候まま御来駕(がらい)をお待ち申し候」❷《「ままで」の転か》〔「…たまま」の形で、連用修飾句を作る〕㋐その状態を保って。「机に向かったまま考え込んでいる」㋑その動作・作用が起こったが、しかし。「一度救助を求めたまま、連絡がとだえた」

***ママ** ❶子供の母親に対する愛称。おかあさん。また、母親。「教育—」対 パパ。❷酒場などの女主人。マダム。対 マスター。▽ma(m)ma

まま・おや【▽継親】血縁関係のない親。

***まま・こ**【▽継子】❶血縁関係のない子。対 実子。❷仲間はずれにされる者。のけもの。「—になる」

***まま・こ**【▽継粉】粉を水などでこねるとき、小さなかたまりになってこなれない部分。

まま・ごと【▽飯事】子供がおもちゃを用いて、炊事や食事など家庭生活のまねをする遊び。「—遊び」

まま・ちち【▽継父】血縁関係のない父。継父(けいふ)。

まま・ならぬ【×儘ならぬ】《連語》思うとおりにはいかない。「—浮世」

まま・に【×儘に】《連語》文語的《名詞「儘(まま)」＋助詞「に」》〔接続助詞的に使って〕成りゆきに任せる意を表す。「誘われるままに参加したにすぎない」

まま・はは【▽継母】血縁関係のない母。継母(けいぼ)。

まま・よ【×儘よ】《連語》なりゆきにまかせて何かをするときに発する語。なんとでもなれ。どうなっても構わない。「—、突撃だ」

まみ・え【×眉・×眉▽毛】↓まゆ(眉)。

ま・み・える【▽見える】《自下一》《「目(ま)見える」の意》❶「会う」の謙譲語。お目にかかる。「将軍に—・える」❷会う。「敵に—・える」

ま・みず【真水】(—みづ) 海水などに対して、塩分のまじらない水。淡水。対 塩水。

まみ・れる【▽塗れる】《自下一》体(の一部)に血・汗・ほこりなどがべったりとつきたならしくつく。「あかに—・れる」「一敗地に—・れる」文まみ・る《下二》。

ま・むかい【真向(か)い】(—むかひ) 互いに正面に向かいあうこと。「—の家」

ま・むき【真向き】正しく向かうこと。正面。

***まむし**《動詞「まぶす」の連用形名詞「まぶし」の転》〔関西方言〕ウナギのかば焼き。また、うなぎ飯。

***ま・むし**【×蝮】クサリヘビ科の毒へび。首が細く頭は三角形で大きい。体は短く小さい。暗褐色の全身に黒い円形の斑紋(はんもん)がある。卵胎生。参考 蝮酒・黒焼きなどにして強壮剤として用いられる。

***まめ**【▽忠▽実】《名・形動》❶労をいとわずきちょうめんに物事をすること。「—に手紙を書く」「足—」❷からだが丈夫なこと。健康なこと。達者。「—に暮らす」

***まめ**【豆】㊀《名》❶マメ科植物の種子のうち、ダイズ・アズキ・ソラマメなど、主として食用になるものの総称。❷特に、ダイズの称。「—かす」「—まき」❸手足の一部がひどくこすれたときにできる、小さな水腫(すいしゅ)。表記 ③は「肉刺」とも書く。㊁《接頭》「形・規模の小さいもの」の意。「—本」「—知識」

まめいた・ぎん【豆板銀】江戸幕府が鋳造した豆粒状の銀貨。小粒。豆板。

まめ・かす【豆×粕】油をしぼりとった大豆のかす。肥料・飼料にする。

まめ・がら【豆▽幹・×萁】豆の実(み)を取り出したあとの茎・さやなど。

まめ・しぼり【豆絞り】白地に豆粒大のまるい形を染め出した絞り染め。手ぬぐい・浴衣などに多い。

まめ・たん【豆炭】無煙炭の粉に木炭などの粉をまぜて、卵形にかためてほした燃料。

ま・めつ【摩滅・磨滅】《名・自サ》すりへること。「タイヤが—する」

まめ・でっぽう【豆鉄砲】大豆をたまにしてはじきとばす竹製のおもちゃ。「鳩(はと)が—を食ったような顔(=突然のことできょとんとした顔)」

まめ・ほん【豆本】〔趣味的に、または携帯用につくった〕きわめて小型の本。

まめ・まき【豆×撒(き)】節分の夜、いった大豆をまいて鬼を追い払う行事。豆打ち。鬼やらい。追儺(ついな)。

ま

まめまめ-し・い【▽忠▽実▽忠▽実しい】《形》労をいとわずよく働くようすである。「―・く働く」

まめ-めいげつ【豆名月】陰暦九月一三日の夜の月。枝豆をそなえて祭る。参考「栗名月」ともいう。

まめ-やか【▽忠▽実やか】《形動》真心を込めて行うようす。また、親切で注意の行き届いているようす。「―に世話をする」

ま-もう【摩耗・磨耗】《名・自サ》すり減ること。「ブレーキの―による事故」類語 摩滅。

ま-も-なく【間も無く】《副》ほどなく。すぐに。「―式が始まる」

ま-もの【魔物】ふしぎな恐ろしい力で人をおびやかしたりまどわしたりするもの。魔性のもの。ばけもの。

まもり【守り】❶まもること。防備。守備。「―をかたくする」「ゆるがぬ―」「―につく」❷神仏などの加護があること。また、守り神。守り札。「神の―」「お―」

まもり-がたな【守(り)刀】身を守るための短い刀。

まもり-ふだ【守り札】神仏の霊がやどり、所持する人の身を守るという札。おふだ。おまもり。護符。

まもり-ほんぞん【守り本尊】身を守ってくれるものとして信仰する仏。

まも・る【守る】《他五》❶他から害を受けないようにかばう。守護する。「身を―・る」「留守を―・る」類語 (する)援護。警衛。警護。護衛。守備。庇護(ひご)。防衛。防御。防護。防備。保護。擁護。ガード。対 攻める。犯す。❷そこなわれないように保つ。「約束を―・る」表記「護る」とも書く。対 破る。文《四》

まやかし ごまかし。「―の近代主義」

ま-やく【麻薬・×痲薬】麻酔作用をもち、習慣性のある薬物の総称。モルヒネ・ヘロイン・コカインなど。

***まゆ**【×眉】まぶたの上に横に弓形に並んではえている毛。まゆげ。「―を引く(=まゆずみで眉を描く)」「―を顰(ひそ)める(=顔をしかめる)」「―を開く(=心配事が解決して晴れやかな顔になる)」「―を読む(=相手の考えや気持ちを推し量って知る)」類語 眉根(まゆね)。眉宇(びう)。柳眉(りゅうび)。蛾眉(がび)。

―に唾(つば)を付・ける《句》だまされないように用心する。眉に唾を塗る。

―に火が付・く《句》危険が身にせまる。焦眉(しょうび)の急。

***まゆ**【繭】❶カイコ・イモムシ・ケムシなど、完全変態をする昆虫の幼虫が、さなぎになるときにつくる、殻状のおおい。❷特に、カイコのまゆ。生糸の原料とする。

まゆ-がしら【×眉頭】→眉根(まゆね)。

まゆ-げ【×眉毛】まゆ。

まゆ-じり【×眉×尻】まゆ毛の末端で、こめかみに近い方。対 まゆね。

まゆ-ずみ【×眉墨・×黛】まゆをえがくための墨。

まゆ-だま【繭玉】正月、柳などの枝に繭形のもちをつけて神棚に飾る物。また、枝に、もち・小判・大福帳・お多福の面などをつけた縁起物。

繭　玉

まゆ-づき【×眉月】〔文〕まゆに似た形の月。三日月。びげつ。

まゆつば-もの【×眉×唾物】だまされないように用心しなければならない、あやしい事柄。「彼の話は―だ」

まゆ-ね【×眉根】まゆ毛の、鼻に近い方の端。また、まゆ。まゆがしら。「―を寄せる(=不快に思う)」対 まゆじり。

まよい【迷い】(まよひ) ❶まようこと。「―を生じる」❷〔仏〕悟りがひらけない状態。また、死者が妄執(もうしゅう)にさまたげられて成仏(じょうぶつ)できない状態。

まよ・う【迷う】(まよふ)《自五》❶進むべき方向がわからなくなる。「道に―・う」❷どうしたらよいかわからなくなる。「言うべきか否か―・う」「選択に―・う」類語 惑う。戸惑う。❸誘惑に負けたりして、まちがった方向に進む。「巧言令色に―・う」「女の色香に―・う」❹悟りをひらくことができないでいる。また、死者の霊が成仏(じょうぶつ)できないでいる。「仏が―・って出る」文《四》

ま-よけ【魔▽除(け)】魔物をさけること。また、そのためのお守り。「―のお札(ふだ)」

ま-よこ【真横】全くの横。「―から押す」

ま-よなか【真夜中】すっかり夜のふけた時。深夜。

マヨネーズ 卵黄にサラダ油・酢・からし・食塩などを加え、かきまわして乳化させたソース。サラダなど冷たい料理に使う。▽(フランス) mayonnaise

まよわ・す【迷わす】(まよはす)《他五》迷うようにする。迷わせる。惑わす。「人心を―・す言説」文《四》

まら【魔羅】❶仏道修行の妨げとなるもの。魔。魔障。参考 梵語 māra(=障害)の音訳。❷〔俗〕陰茎。参考 もと、僧侶(そうりょ)の隠語。

マラカス 中南米ラテン系の民俗楽器。ヤシ科のマラカの実を干して中にビーズを入れたもの。高音と低音の二個一組を両手で振って鳴らす。▽(スペイン) maracas

マラソン ❶陸上競技の一種目。四二・一九五キロメートルの競走。故事 紀元前四九〇年、ギリシア軍がペルシア軍をマラトンの野で破ったとき、戦勝の報を伝えるために首都アテナイまでの約四〇キロメートルを一兵士が走り抜いたという故事に由来する。❷〔俗〕駆けっこなどで長い距離を走ること。「駅まで―をしよう」❸《接頭語的に》「長時間・長期間に及ぶ」の意を表す。「―討論会」「―国会」▽marathon

マラリア 四類感染症の一つ。マラリア病原虫の寄生によっておこる感染症。熱帯・亜熱帯地方特有の熱病。病原虫はハマダラカの媒介で体内にはいり、発作的な発熱をくりかえす。▽(ドイツ) Malaria

まり【×毬・×鞠】遊びに使うたま。ゴム・革製のもの、綿を芯(しん)にして糸でかがったものなど。「―つき」

マリア ❶聖母マリア。イエス(=キリスト)の母。神の力によって処女のままイエスを産んだという。❷慈愛にみちた、母のような献身的な女性。「貧民街の―様」=マリヤ。▽Maria

マリーゴールド キク科の一年草。夏、だいだい色・黄色などの花を開く。観賞用。▽marigold

マリーナ ヨット・ボートなどの係留場。▽marina

マリオネット 人形劇で、人形の各部につけた糸を上部に集めて操作するもの。また、その人形。糸操り。操り人形。参考→ギニョール。▽(フランス) marionnette

まりし-てん【摩利支天】仏教の守護神。日本では武士の守り神として信仰された。

マリネ 魚や肉を香味料を入れた酢油にひたした料理。「イワシの―」▽(フランス) mariné

マリファナ 麻薬の一種。インド産の大麻の穂や葉を乾燥し粉末にしたもの。主に煙草に混ぜて用いる。ハシッシュ。マリワナ。▽(スペイン) marijuana

まり-も【×毬藻】緑藻類シオグサ科の淡水藻。暗緑色の球形の藻。参考 阿寒湖のものは特別天然記念物。

ま-りょく【魔力】不思議な力。また、人を迷わすような あやしい力。「文学の―にとりつかれる」

マリン《造語》「海の」の意。マリーン。「―ルック」「―パーク」「―スポーツ」▽marine

マリンバ 木琴の一種。音板の下に金属製の共鳴管がついている。もとアフリカの民俗楽器。▽marimba

まる【丸】㊀《名》❶円形。また、球形。❷よい評価を表す○形のしるし。「二重―をもらう」❸欠けたところのないこと。全部。完全。「―のまま食べる」❹〔隠〕金銭。「―送れ」❺〔俗〕句点。❻幾重にも築かれた城郭。「二の―」㊁《接頭》全部・全体であることを表す。また、完全であることを表す。「―一日」「―もうけ」「―はだか」㊂《接尾》《「まろ(麿)」の転》❶船の名まえにつける語。「氷川―」❷古く、人・刀剣・犬などの名まえにつけた語。「日吉―」「村雨―」

まる-あらい【丸洗い】《名・他サ》和服などを解きほどかずに、そのままの形で洗うこと。対 解き洗い。

まる-あんき【丸暗記】《名・他サ》内容を理解せずに丸ごと暗記すること。「教科書を―する」類語 棒暗記。

まる・い【丸い・円い】《形》❶円形・球形をしている。「―く輪になる」「―・い卵」表記 円形の場合には「円い」とも書く。「円い」は、ふつう②③には用いない。類語 円ら。真ん丸い。丸っこい。❷角がない。また、ふっくらとしている。「背を―・くする」「―・い顔」❸角だたず、穏やかだ。円満だ。「事を―・くおさめる」文 まる・し《ク》。

―い卵も切りよで四角《句》物事は、その扱い方によって円満におさまることもあり、角だつこともある。

まる-うち【丸打(ち)】切り口が丸くなるようにひもを打つこと。また、切り口の丸い打ちひも。

まる-うつし【丸写し】❶《名・他サ》そっくりそのままに写すこと。❷そっくりであること。「父親に―の顔」

まる-おび【丸帯】錦類や羽二重などの一筋の帯地を二つ折りにして仕立てた幅の広い女帯。礼装用。

まる-がお【丸顔・円顔】肉づきがよい丸い顔。

まる-がかえ【丸抱え】❶置屋が芸者の生活費を一切もつなどして、そっくりそのまま所属させてやとうこと。❷生活費や資金などを全部出してやること。

まる-かじり【丸×齧り・丸×噛り】《名・他サ》丸ごとかじること。「りんごを―する」

まる-がり【丸刈り】頭髪を全部短く刈り込むこと。

まる-き【丸木】山から切り出したままの加工していない木。丸太。 **―ばし**【―橋】一本の丸太を渡しただけの橋。 **―ぶね**【―舟・―船】一本の木の幹をくりぬいて造ったふね。くり舟。

マルキシスト マルキシズムを信奉する人。マルクス主義者。マルキスト。▽Marxist

マルキシズム ドイツの経済学者・哲学者マルクスと、思想家エンゲルスによって基礎づけられた思想体系。唯物史観に基づき、資本主義社会の矛盾やプロレタリアートによる変革を説く。科学的社会主義。マルクス主義。マルクシズム。▽Marxism

まる-きり【丸切り】《副》ことごとく。まったく。まるで。まるっきり。「―話が違う」

マルク ㊀《助数》ドイツの旧貨幣単位。一マルクは一〇〇ペニヒ。㊁《名》マルク㊀で表された貨幣。略語DM。▽ドイツ Mark

マルクス-しゅぎ【マルクス主義】→マルキシズム。

まる-くび【丸首】シャツなどのえりがまるくくりぬいてあること。また、そのもの。「―のセーター」

まる-ごし【丸腰】❶武士などが腰に刀を帯びていないこと。「―で敵に向かう」❷武器を持っていないこと。

まる-ごと【丸ごと】《副》分けずに、そっくりそのまま。まるのまま。「―飲みこむ」

まる-ぞめ【丸染(め)】衣服などを、ほどかないでそのまま染めること。また、その染めたもの。

まる-ぞん【丸損】利益が全然なく、かけた資金・労力がすべて無駄になること。対 まるもうけ。

まる-た【丸太】山から切り出したままの、材木の素材となる木。丸木。「―小屋」 **―ん-ぼう**【―ん棒】《「まるたの棒」の転》丸太。

まる-だし【丸出し】すっかりさらけ出すこと。むきだし。「執念―」「田舎なまり―」

マルチ《造語》「多数の」「複数の」「複合した」などの意。「―チャンネル」「―タレント」▽multi **―メディア** 文字・図形・音声・映像の情報をデジタル信号に変換し、コンピューターを使って統合的に扱う媒体。複合媒体。▽multimedia

まる-っ-きり【丸っ切り】《副》《「まるきり」の促音化》→まるきり。

まる-っ-こ・い【丸っこい】《形》〔俗〕丸みをおびているようす。丸い感じであるようす。「―・いからだつき」

まる-つぶれ【丸×潰れ】すっかりつぶれること。「面目が―だ」

まる-で《副》❶すっかり。まるっきり。「見本と―ちがう」類語 全く。全然。❷さながら。あたかも。ちょうど。「―綿のような雪だ」参考 ①は下に打ち消しや否定の語を、②は下に「ような」の意を表す語を伴う。

> **類義語の使い分け　まるで・全く**
> [まるで・全く] 記憶がまるで(全く)ない／それでは話がまるで(全く)違うじゃありませんか
> [まるで] まるで夢みたいだ／まるで桃源郷のよう
> [全く] 全く困った男だ／全くのところ弱っている

まる-てんじょう【丸天井・円天井】❶半円球の天井。ドーム。❷大空。青空。

まる-なげ【丸投げ】《名・他サ》仕事などをすべて他の者に任せること。「下請けに―する」

まる-のみ【丸×呑み】❶かまないで、そのままのみこむこと。うのみ。❷よく理解しないままで取り入れること。「ゴシップ記事を―にする」❸全体をそっくり受け入れること。「要求を―にする」

まる-はだか【丸裸】❶体に何もつけていないこと。まっぱだか。すっぱだか。あかはだか。❷体だけで財産・持ち物が何もないこと。無一物。「火災で―になる」

まる-はば【丸幅】布の、織った地のままの幅。

まる-ひ【マル秘・丸秘】その書類の内容が秘密事項に属する意を表す㊙のしるし。転じて、秘密。「―の判を押す」「この話は―だ」

まる-ぼうず【丸坊主】❶髪を全部そりおとした頭。また、髪を全部短く刈った頭。「―になってわびる」❷山などの木が全部なくなること。また、木の葉を全部落として裸になること。「木枯らしで木が―になる」

まる-ぼし【丸干(し)】魚・大根などを切らないで、丸のまま干すこと。また、その干したもの。「イワシの―」

まる・ぽちゃ【丸ぽちゃ】〔女性の〕顔がまるくて肉づきがよく、愛きょうのあること。「彼女は色白の―だ」

まる・ほん【丸本】❶全部そろっている書物。完本。対端本(はほん)。❷一つの浄瑠璃(じょうるり)の全段を一冊にした版本。院本。対抜き本。

まる・まげ【丸×髷】日本髪の一種。長円形の平たいまげをつけたもの。既婚女性が結った。まるわげ。

まる・まど【丸窓・円窓】まるい形の窓。

***まる・まる**【丸丸】㊀《名》〔伏せ字を言ったことから〕明らかに言うことをはばかるときに使う語。「―方面に出張中」㊁《副》❶〔「―と」の形も〕いかにも丸いようす。また、太っているようす。「―とした赤ん坊」❷すっかり。「―損をした」

***まる・ま・る**【丸まる】《自五》まるくなる。「―・った背中」

まる・み【丸み・円み】まるいようす。また、その度合い。「人柄に―が出る」「―をおびた体つき」

まる・みえ【丸見え】すっかり見えること。

まるめ・こ・む【丸め込む】《他五》❶まるめて中に入れる。❷あれこれ言いくるめて、人を手なずける。まるめる。「上司に―・まれる」類語(する)懐柔。籠絡(ろうらく)。

まる・める【丸める】《他下一》❶まるくする。「背中を―・める」❷〈頭を―・める〉頭髪をそって坊主頭になる。また、出家する。❸まるめこむ②。❹切り捨て・切り上げ・四捨五入などによって、切りのいい数字にする。文まる・む《下二》

マルメロ バラ科の落葉小高木。春、白または淡紅色の花を開き、秋、西洋ナシに似た果実を結ぶ。果実を砂糖づけ・ジャムなどにする。▽ポルトガル marmelo

まる・もうけ【丸×儲け】(―まうけ)《名・自サ》元手がかからず、はいった金が全部もうけになること。「坊主―」対まるぞん。

まる・やき【丸焼き】切らないで丸ごと焼くこと。また、そのもの。「鳥の―」

まる・やけ【丸焼け】火事ですっかり焼けてしまうこと。全焼。

まれ【×稀・▽希】《形動》めったにないようす。「―な体験」類語希有(けう)。

まろ・うど【▽客▽人・▽賓▽客】(まらうど)《「まらひと」の転》〔文〕〔「まれに来る人」の意から〕訪問客。客。

マロニエ トチノキ科の落葉高木。高さ二〇〜二五メートル。初夏、白色の四弁花をつける。街路樹として植えられる。▽フランス marronnier

まろ・ぶ【▽転ぶ】《自五》〔文〕❶ころがる。❷ころぶ。たおれる。「こけつ―・びつ」文《四》

まろ・やか【▽円やか】《形動》〔文〕まるいようす。まろらか。「―な(=刺激が少なくて口あたりがいい)味」

マロン・グラッセ 栗(くり)の実を砂糖液でやわらかくつやよく煮ふくめ、香料を加えて乾燥させたフランス風の菓子。▽フランス marrons glacés

まわし【回し・×廻し】(まはし)㊀《名》❶まわすこと。参考他の語につけて用いることが多い。「たらい―」「こま―」❷化粧まわし。❸ふんどし。特に、力士の締め込み。❹遊女が一夜のうちに多くの客の相手をすること。㊁《接尾》〔時間・場所を表す名詞につけて〕人や物をそちらの方へ移すことの意。「翌日―」「工場―」

まわし・のみ【回し飲み】(まはし―)《名・他サ》飲み物を同じ器で人から人へ渡しながら飲むこと。「祝杯を―する」

まわし・もの【回し者】(まはし―)内情をひそかにさぐらせるために、敵がしのび込ませた者。スパイ。「敵の―」

まわ・す【回す・×廻す】(まはす)㊀《他五》❶輪をえがくように動かす。回転させる。「こまを―・す」「ハンドルを―・す」❷まわりをとりかこむようにする。巡らす。「塀を―・した家」❸物を順に送り渡す。「杯を―・す」❹それを必要とする場所などに移す。「車を玄関に―・す」「忙しい部署に人を―・す」「金を預金に―・す」❺行きわたらせる。「前もって手を―・す」文《四》。㊁《接尾》あたり全体に…する、しきりに…する意。「ながめ―・す」「いじり―・す」文《四》。

ま・わた【真綿】くずまゆをひきのばして作った綿。丈夫で軽く、保温力が大きい。「―で首を締める(=じわじわと遠まわしに責めて動きをとれなくする)」

まわり【回り・×廻り・周り】(まはり)㊀《名》❶まわること。回転。「油をさしたので車の―が速くなった」❷行き渡ること。「火の―が速い」❸付近。あたり。周囲。「身の―」❹へり。ふち。周辺。「池の―」表記③④は「周り」と書く。㊁《接尾》❶そこを・回って(通って)行く意。「お得意―」「信越線―で新潟に行く」❷《助数》㋐まわる回数を数える語。「グラウンドを一―する」㋑大きさをくらべる時、その程度を漠然と言う語。「一―大きな人物」㋒十二支に従い、一二年を単位として年齢を比較する語。「一―も年上の友人」⇩【使い分け】

使い分け「まわり」

回り〔回転。行きわたること。周囲。遠道〕回り灯籠(どうろう)・火の回りが速い・身の回り・手回り品・胴の回り・得意先回り・遠回りする

周り〔事物をかこんでいる外側。周囲。周辺〕池の周り・家の周り・周りがうるさい・周りの目を気にする

参考「回」はまわる動作や状態に使う。周辺の意では「回」を使うこともあるが、「周」が普通。周囲の意では「胴の回り／池の周り」などのように慣用的に使い分ける。「廻」はまわる意で、「回」に書き換える。

まわり・あわせ【回り合(わ)せ】(まはりあはせ)めぐりあわせ。「―が悪い」

まわり・くど・い【回り×諄い】(まはり―)《形》遠まわしでわずらわしい。「―・い表現」

まわり・どうろう【回り灯×籠】(まはり―)風車のついた内わくに切り抜きの絵をはり、中心に立てたろうそくが起こす空気の対流で内わくが回るにつれて、外わくに影絵が動きながら映るしくみのおもちゃ。走馬灯(そうまとう)。

まわり・どお・い【回り遠い】(まはりどほい)《形》❶回り道になっていて、遠い。❷直接的でなく、もどかしい。まわりくどい。「―・い話だ」

まわり・ばん【回り番】(まはり―)❶役目などを順番に受け持つこと。輪番。回り持ち。❷見回りの当番。

まわり・ぶたい【回り舞台】(まはり―)劇場で、舞台中央の床板を円形に切り、回転するようにした舞台。

まわり・みち【回り道】(まはり―)遠回りになる道を通って行くこと。「―をして帰る」類語迂回路(うかいろ)。迂路。

まわり・もち【回り持ち】(まはり―)順番に受け持つこと。

まわ・る【回る・×廻る】(まはる)㊀《自五》❶物が軸を中心にしてみずから円形に動く。「扇風機が―・る」❷物の周囲などを輪をえがくようにして動き進む。「車輪が―・る」

[類語]①②〔るす〕円転。回転。旋回。旋転。転回。❸あちこちを順に通って行く。めぐって行く。「庭を見て—・る」「書類が—・ってくる」[類語]〔るす〕巡回。巡行。❹遠道を行く。迂回する。「急がば—・れ」❺寄り道をする。立ち寄る。「京都に—・ってから帰る」❻もう一方の側の場所・位置・立場に移る。「聞き手に—・る」❼行きわたる。行きとどく。「手が—・りかねる」「酔いが—・る」❽その物の機能がよく働く。「知恵が—・る」「舌がよく—・る(=よくしゃべる)」❾ある時刻をすぎる。「午後二時を—・る」[文]《四》。

***まん【真ん】**《接頭》《「ま」に撥音の介入した形》↓まん中」「—丸」「—丸い」

***まん【万】** 一〇〇〇〇の一〇倍。

***まん【満】** ❶満ちていること。満ちていること。❷年数や年齢がその数に満ちていること。「—で一七、数えで一八」[類語]まる。[対]数え。足かけ。

—を持・す《句》〔弓を引きしぼって構える意から〕十分用意をととのえて、機の熟するのを待つ。「—・して世に問うた作品」

***マン**《造語》「男」「人」の意。[参考]他の語の下につけて、「…に従事する人」「…家」の意を表す。「銀行—」「スポーツ—」「女性カメラ—」▽man **—ツー・マン** 一人の人間に対して一人がつくこと。一対一。「—で指導する」▽man-to-man **—パワー** ❶人力。❷人的資源。労働力(の総体)。▽man power

まん-いち【万一】 ㊀《名》万の中の一つ。ないにひとしいが、まれにはあること。「—に備える」㊁《副》ひょっとして。万が一。「—遅れたら先に行ってください」

まん-いん【満員】 定員に達すること。また、人がいっぱいでそれ以上入ることができないこと。「—札止め」

まん-えつ【満悦】《名・自サ》満足してよろこぶこと。「御—の体」

まん-えん【×蔓延】《名・自サ》〔好ましくないものが〕はびこりひろがること。「風邪が—する」

まん-が【漫画】 こっけい・風刺・諧謔などを主眼とし、単純な線や色を用いて描いた絵。「—本」

まん-かい【満開】《名・自サ》花がすっかり開くこと。「桜の花が—だ」

まん-が-いち【万が一】《副》↓まんいち㊁。

まん-がく【満額】 要求または計画した金額の全部。「—回答」

まん-かん【満干】〔文〕満潮と干潮。干満。

***まん-がん【万巻】**〔文〕非常に多くの書物。「—の書」

***まん-がん【満願】** 期限を定めて神仏に祈願した、その期限が満ちること。結願。

***マンガン** 銀白色の金属元素。かたくてもろい。鋼に化合させて硬度の高い特殊鋼を作る。元素記号 Mn。▽ドイツ Mangan

まんかん-しょく【満艦飾】 ❶祝祭日などに、信号旗などを張り渡して軍艦を飾ること。❷〔俗〕女性が派手に着飾ること。また、洗濯物を一面に干し並べること。「洗濯物で—のベランダ」

[表記]「満俺」とも当てた。

まん-き【満期】 期限に達すること。「保険が—になる」

まん-きつ【満喫】《名・他サ》❶心ゆくまで飲食すること。「山海の珍味を—する」❷十分に味わい楽しむこと。「歌舞伎の醍醐味を—する」

***まん-きん【万金】**〔文〕巨額の金銭。「—を積む」

***まん-きん【万×鈞】**〔文〕非常に重いこと。「生命は—に値する」[参考]「鈞」は、目方の単位。

まんきん-たん【万金丹】 伊勢の国(=三重県)の朝熊山で作った丸薬。胃腸疾患・解毒などに用いた。

マングース 哺乳類ジャコウネコ科の獣。体長約四五センチ。頭は小さく、尾は長い。ヘビ・ノネズミを好んで食うので、ハブ退治に用いる。▽mongoose

マングローブ 熱帯・亜熱帯の入り江や河口などに発達したヒルギ科などの常緑樹林。支柱根・呼吸根をもつ。▽mangrove

まんげ-きょう【万華鏡】 三枚の長方形の鏡を向かい合わせにした筒に、こまかい色ガラスまたは色紙を入れた玩具。回しながらのぞくとさまざまに変わる美しい模様が見られる。錦眼鏡。カレードスコープ。

まん-げつ【満月】 欠けた部分がなく、円形に輝く月。十五夜の月。望月。[対]新月。

***まん-げん【万言】**〔文〕非常に多くのことば。「—をついやす」

***まん-げん【漫言】**〔文〕はっきりした目的もなく、思いつきで言うことば。そぞろごと。漫語。

まん-こう【満×腔】〔心のやどる所としての〕からだの中全体。「—の敬意を捧げる」[類語]満胸。

マンゴー ウルシ科の常緑高木。果実は長さ一五センチほどの長楕円形で黄色に熟し、美味。「くだものの王」といわれる。独特の強いかおりがある。▽mango

まん-ざ【満座】 その場にいる人の全部。「—の視線を浴びる」

まん-さい【満載】《名・他サ》❶人や物をいっぱいに乗せること。「貨車に荷物を—する」❷新聞・雑誌に記事をいっぱいのせること。「買い物情報が—された雑誌」

***まん-ざい【万歳】** 正月の初め、家々をまわって賀詞をのべて舞う門付け芸。三河万歳・大和万歳など。

***まん-ざい【漫才】** 二人のコンビで、こっけいな掛け合いを演じる寄席演芸。掛け合い漫才。[参考]「万歳」を現代化したもの。

***まん-さく【万作】** マンサク科の落葉小高木。山地に自生する。早春、黄色の細長い四弁の花を枝いっぱいにつける。果実は球形。観賞用。

***まん-さく【満作】** 豊作。「豊年—」

まん-ざら【満更】《副》《下に打ち消しの語を伴って》必ずしも(…ときまったものでもない)。「—知らないわけではない」「—でもない(=それほど悪くない)」[表記]ふつうかな書きにする。

まん-さん【×蹣×跚】《形動タル》〔文〕よろめきながら歩くようす。「—たる足どり」

まん-ざん【満山】〔文〕❶山全体。山じゅう。「—紅を彩る」❷寺全体。寺じゅう。「—の僧」

まん-じ【×卍・×卍字・万字】 ❶仏の胸・手足・頭髪などに表れた瑞相。仏心や寺院のしるしとして用いる。❷卍をかたどった模様・紋章。

まんじ-どもえ【×卍×巴】〔—ども〕互いに相手を追うような形で入り乱れるようす。「—と降りしきる雪」

まん-しゃ【満車】 駐車場が車でいっぱいで駐車する余地のないこと。

まん-じゅう【×饅▽頭】 小麦粉で作った皮の中にあんなどを包み込み、蒸した和菓子。

まんじゅしゃげ【×曼珠×沙華】「ひがんばな」の別称。

まん-しょう【満床】 病院で、入院患者用のベッドが

ま

すべてふさがること。

まん‐じょう【満場】 会場いっぱいにみちていること。また、会場にいる人すべて。「ーの皆さん」「ー一致」

マンション 中高層の集合住宅。▽mansion

まんじり《副》ちょっとねむるようす。「ーともしない」

***まん‐しん【慢心】**《名・自サ》思い上がること。また、その心。「ーして練習を怠る」「ーを戒める」

***まん‐しん【満身】** からだ全体。からだじゅう。「ーの力をこめる」「ー創痍（そうい）（=全身傷だらけ）」類語 全身。

まん‐すい【満水】《名・自サ》水がいっぱいになること。「ーのダム」

マンスリー 毎月一回発行される刊行物。月刊雑誌。類語 ウイークリー。▽monthly

まん‐せい【慢性】 ❶急激な変化はないが、長びいてなかなか治らない病気の状態。「ーの虫垂炎」対 急性。❷社会に現れた病的な現象が日常的になること。「ー化した交通渋滞」

まん‐せき【満席】 乗り物・劇場などの席が、客でふさがること。「ーの大盛況」

まん‐ぜん【漫然】《形動タルト》ただ何となく物事をするようす。「ーと人生を送る」

まん‐ぞく【満足】《名・形動・自サ》❶ある条件・規格を満たすこと。不足がないこと。「五体ー」❷望みが満たされて、不平・不満がないこと。「現状にーする」

まんだら【×曼×陀羅・曼×荼羅】 仏教の本質である悟りの境地（を絵図にしたもの）。「天寿国ー」参考 梵語 mandala（=壇・輪円具足）の音訳。

まん‐タン【満タン】《「タン」は「タンク」の略》自動車の燃料タンクにガソリンがいっぱいに入っていること。一般に、容量の限度いっぱいに入っていること。

まん‐だん【漫談】 ❶《名・自サ》とりとめのない話（をすること）。❷こっけいな話術に批判・風刺をおりまぜて語る話術演芸。「歌謡ー」

まん‐ちゃく【×瞞着】《名・他サ》ごまかすこと。だますこと。「有権者をーする」

まん‐ちょう【満潮】 潮がみちて、海水面が一日のうちで最も高くなる状態。一日に二回おこる。対 干潮。

***まん‐てん【満天】**〔文〕空いっぱい。「ーの星」

***まん‐てん【満点】** ❶規定の点数いっぱいの点。「試験でーをとる」「一〇〇点ー」❷申し分のないこと。「栄養ー」注意「万点」は誤り。

まん‐てんか【満天下】 世の中全体。国中（くにじゅう）。世界中。「ーに並ぶ者なし」

***まん‐と【満都】** 都全体。都じゅう。「ーの喝采（かっさい）を浴びる」

***マント** ゆるやかな袖（そで）なしのコート。▽フランス manteau

まん‐どう【万灯】 木のわくに紙を張り長い柄をつけた行灯（あんどん）。祭り・法会（ほうえ）などに用いる。「ー会（え）」

まん‐どころ【▽政所】 鎌倉・室町幕府の中央政治機関。鎌倉幕府では行政一般を、室町幕府では財政を扱った。

マンドリン 二本の弦を四組張った撥弦（はつげん）楽器。半球状の胴をもち、爪（つめ）でひく。▽mandolin

マントル ❶ガス灯の炎にかぶせて、強い光を出させる器具。ガスマントル。❷地球の、地殻と核の間の部分。▽mantle

マントルピース 洋室の壁にとりつけた暖炉のまわりの装飾的な枠。特に、暖炉の上の飾り棚。〔暖炉を含めた全体をいうこともある〕▽mantelpiece

まん‐なか【真ん中】 ちょうど中央にあたるところ。「町のー」「顔のー」

まん‐にん【万人】 多くの人。すべての人。万人（ばんにん）。「ー向きの娯楽」

マンネリ「マンネリズム」の略。「ー化した番組」

マンネリズム 同じやり方のくりかえしで、新鮮味のないこと。特に、芸術作品が新鮮さや独創性を失っていること。マンネリ。「ーに陥る」▽mannerism

まん‐ねん【万年】 ㊀《名》一万年。また、多くの年月。㊁《接頭》いつもその状態であることの意。「ー課長」 **ーたけ【ー×茸】** マンネンタケ科のキノコ。広葉樹の根もとに生える。縁起のよいキノコとされる。さいわいたけ。霊芝（れいし）。 **ーどこ【ー床】** いつも敷きっぱなしにしてある寝床。 **ーひつ【ー筆】** 軸の中に入れたインクが自動的にペン先に出るしくみの携帯用ペン。 **ーゆき【ー雪】** 一年中消えずに残っている雪。

まん‐ねんれい【満年齢】 誕生日ごとに一歳を加えていく、年齢の数え方。満。対 数え年。

まん‐ば【漫×罵】《名・他サ》〔文〕はっきりした根拠もなしに、やたらにののしること。「ーを甘んじて受ける」

まん‐ぱい【満杯】〔俗〕それ以上はいる余地がないこと。いっぱい。「貯水池がーになる」「ーの倉庫」

まん‐びき【万引（き）】《名・他サ》すきを見はからって店の商品を盗むこと（人）。

まん‐ぴつ【漫筆】〔文〕❶筆にまかせて書いた文章。❷随筆。同 ①②漫録。

まん‐びょう【万病】 あらゆる病気。「風邪はーのもと」

***まん‐ぴょう【満票】** 選挙で、投票されたすべての票。投票者のすべての票。「ーを得る」

***まん‐ぴょう【漫評】**〔文〕思いつくままにする批評。

***まん‐ぷく【満幅】**〈「ーの」の形で〉全くの。全面的な。「ーの信頼を寄せる」「ーの自信」類語 全幅。

***まん‐ぷく【満腹】**《名・自サ》腹がいっぱいになること。「ーで動けない」対 空腹。

まん‐ぶん【漫文】 興味本位に気楽に書いた文章。

まんぶん‐の‐いち【万分の一】 ❶万のうちの一つ。❷ごくわずか。「ご恩のーにも報いることができず」

まんべん‐なく【万遍無く・満遍無く】《副》広くゆきとどいて。おちがなく。「ーペンキを塗る」

マンボ ラテンリズムにジャズの要素を加えた、強烈なリズムのダンス音楽。また、そのダンス。▽mambo

まん‐ぽ【漫歩】《名・自サ》〔文〕気の向くままにぶらぶら歩くこと。類語 散策。

まん‐ぼう【▽翻▽車▽魚】 マンボウ科の海魚。尾びれはなく、全体が卵形。世界の暖海に分布。

マンホール 地下敷設物などを点検・掃除・修理するために設けた、人の出入りする穴。▽manhole

まんま【×儘】〔俗〕儘（まま）。「そのーにしておく」

まん‐まえ【真ん前】 まっすぐ前。真正面。対 真後ろ。

まん‐まく【×幔幕】 式場・会場で、まわりに張りめぐらす、紅白などの幕。「ーを張りめぐらす」

まんま‐と《副》《「うまうまと」の転》うまくいくようす。首尾よく。「ー逃げ出した」

まん‐まる【真ん丸】《名・形動》ゆがみやひずみがなく、完全にまるいこと。「月がーだ」

まん‐まる‐い【真ん丸い】《形》完全にまるい。まる

ま

まるとしている。「―・いボール」「―・い月」

*まん-まん【満満】《形動タルト》あふれるくらいにいっぱいにあるようす。「―たる水」「自信―」

*まん-まん【漫漫】《形動タルト》広々としてはてしないようす。「―たる大海」

まんまん-いち【万万一】《副》「万一」を強めた言い方。「―にも違約することはない」

マンマンデー【慢慢的】《形動》ゆっくり。のろのろ。「万事―でやろう」▽中国 man-man-de

まん-めん【満面】顔いっぱい。「―に笑みを浮かべる」

まん-もく【満目】〔文〕見わたすかぎり。「―の紅葉」

マンモス ❶更新世に北半球に広く分布していた巨大な象。化石として発見される。❷巨大なものの形容。「―都市」「―大学」▽ mammoth

まん-ゆう【漫遊】《名・自サ》気の向くままに各地をめぐり歩くこと。「諸国を―する」

まんよう-がな【万葉〈仮名〉】かたかな・ひらがなの発生以前に、漢字の音・訓を用いて国語を書き表した表記法。漢字の意味には関係がない。万葉集に多く用いられたのでこの名がある。真仮名。「余能奈何波（よのなかは）」「也麻（やま＝山）」など。

まん-りき【万力】工作材料をはさみ、ねじの作用で締めつけて固定させる工具。バイス。

*まん-りょう【万両】ヤブコウジ科の常緑低木。暖地に自生。庭に植えられる。夏、白い小さな花をつけ、果実は小さい球形で赤く熟す。

*まん-りょう【満了】《名・自サ》期限が来て終わること。「任期が―する」

まん-るい【満塁】野球で、一、二、三塁全部に走者がいること。フルベース。「ツーアウト―」

まん-ろく【漫録】〔文〕漫筆。

み

み ― 美

*み【▽御】《接頭》尊敬・丁寧の気持ちを表す語。「―心」「―教え」「―姿」

*み【未】《接頭》「まだ…していない」「まだ…でない」の意。「―払い」「―解決」「―成年」対既。

*み【▽深】《接頭》〔文〕美しく表現したり、口調を整えたりするのに使う語。「―山」「―雪」

*み《接尾》❶《形容詞・形容動詞の語幹に付いて、体言化する》㋐程度・状態を表す。「ありがた―」「新鮮―」「青―をおびる」表記「味」と書くこともある。㋑そのような状態である場所の意。「高―」「深―にはまる」❷〔古〕原因・理由を表す。（…が）…なので。「瀬をはや―（＝流れが急なので）岩にせかるる滝川の…」❸〔古〕…したり…したり。「降り―降らず―（＝降ったりやんだり）」

*み【味】《接尾》「あじ」「おもむき」の意。「醍醐―」「人情―」

*み【三】さん。みっつ。〔数をかぞえるときに使う〕「ひ・ふ・―・よ、全部で四つだ」

*み【実】❶果実。たね。「クリの―」「若いエンドウはさやと―を食用にする」❷しるの中に入れる野菜・肉など。具。❸事柄の中身。内容。「―のある計画」

―を結・ぶ《句》❶植物の実がなる。❷よい結果があらわれる。成功する。「土地再開発計画が―・ぶ」

*み【×巳】〔文〕❶十二支の六番め。へび。❷昔の、方角の名。南南東。❸昔の、時刻の名。午前一〇時。または、午前九時から午前一一時まで。

*み【×箕】竹でちりとりのような形に編んだ農具。穀物のからやごみを除き去るのに使う。

*み【身】㊀《名》❶自分自身の体。また、自分。わが身。「こう忙しくては―が持たない（＝体力が続かない）」「―二つになる（＝子をうむ）」「―に覚えのない（＝自分でした覚えがない）」「―を捨てる（＝自分の身をかえりみない）」「仕事に―を入れる（＝一生懸命に働く）」❷〔魚や獣の〕肉。「骨ばかりで―が少ない」❸木の、皮より中の部分。❹〔ふたつきの入れ物で〕物を入れるほうのもの。「箱の―」対ふた。❺刀の、さやにはいっている部分。やいば。刀身。「抜き―」❻身分。地位。立場。「―に余る（＝分不相応である）光栄」「相手の―になって考える」㊁《代名》〔文〕❶《自称》おのれ。われ。「―ども」❷《他称》あなた。〔多く上に「御」をつけて用いる〕「御―ご大切に」

―から出た錆《句》自分がした悪い行いのために、自分が苦しむこと。

―も蓋も無・い《句》あまり露骨すぎて情味もうるおいもない。「そこまで言っては―・くなる」

―も世も無・い《句》〔悲しみ・苦しみがひどくて〕自分のことも世間のことも考えていられない。

―を固・める《句》❶身じたくをする。「制服に―・める」❷定職につく。❸結婚して所帯をもつ。

―を粉にする《句》苦労をいとわず、懸命に働く。

―を捨ててこそ浮かぶ瀬もあれ《句》自分の命を捨てる覚悟があって、初めて物事に成功する。

―を以て《句》自分のからだで。みずから。「―難局に当たる」

み-あい【見合（い）】《名・自サ》❶見合うこと。つりあうこと。「予算との―で進物を決める」❷結婚の相手をきめるために、見知らぬ男女が紹介者などを仲だちとして互いに顔を合わせること。「―結婚」

み-あ・う【見合う】㊀《自五》つりあう。「収入に―・った生活」㊁《他五》互いに見る。

み-あかし【▽御明し・▽御▽灯】神仏に供えるあかり。灯明。献灯。

み-あ・きる【見飽きる】《自上一》何度も見て、もう見たくなくなる。見飽く。「雑なドラマはもう―・きた」

み-あ・げる【見上げる】《他下一》❶下から上のほうを見る。仰ぎ見る。「―・げるような大男」対見下ろす。❷りっぱだと感心する。「彼の努力は―・げたものだ」対見下げる。

み-あた・る【見当たる】《自五》〔捜していたものが〕見つかる。〔多く、打ち消しの語を伴う〕「適任者が―・らない」

み-あやま・る【見誤る】《他五》❶〔他のものと〕見まちがえる。「他人を友人と―・る」❷見方をまちがえる。見そこなう。「人柄を―・る」

み-あわ・せる【見合わせる】《他下一》❶互いに見る。「二人は顔を―・せてうなずいた」❷見くらべる。「両書を―・せて相違点をしらべる」❸実行しようと思っていたことをさしひかえる。「発表を―・せる」

ミー-イズム 自己中心主義。▽ meism

み-いだ・す【見▽出す】《他五》〔捜していたものや隠れているものを〕みつける。発見する。「解決策を―・す」

「生きがいをー・す」

みいちゃん・はあちゃん〔俗〕↓みいはあ。

み・いつ【▽御×稜▽威】〔雅〕「稜威（づい）」の尊敬語。天皇の御威徳。

ミーティング 会合。打ち合わせ会。▽meeting

*__ミート__ 食用の獣肉。牛肉・豚肉・羊肉など。▽meat

*__ミート__《名・自サ》野球で、打者が投球にバットの振りを合わせること。「外角球にうまくーさせる」▽meet

みい・はあ《名・形動》〔俗〕流行や周りの人の趣味などに安易に同調する・こと（人）。「ーな服装」参考「みいちゃんはあちゃん」の省略形から。表記 多く「ミーハー」と書く。

ミイラ 人間や動物の死体が、腐らずにかわいて固まり、もとの形に近い状態で残っているもの。表記「木乃伊」と当てる。▽ポルトガル mirra

ー取りがミイラにな・る《句》人をさがしに行った者が、そのまま帰らないで、逆にさがされる立場になる。また、人を説得しようとした者がかえって相手の意見に同意してしまう。

み・いり【実入り】❶穀物などの実が成熟すること。「ーがおそい」❷〔費やした労力に対する〕収入。「忙しいわりにーが少ない」「ーのいい仕事を探す」

*__み・い・る【見入る】__《自五》❶《他五》目をじっとその方に向ける。注視する。「ゴッホの絵にー・る」❷とりつく。魂を奪う。〔多く「ー・られる」の形で使う〕「悪魔にー・られたように危険地域に近づく」類語 魅する。表記 ②は多く「魅入る」と書く。

*__ミール__ 穀物や種子などをひき割りにしたもの。「オートー」▽meal

み・うけ【身請（け）・身受（け）】《名・他サ》身の代金を払って、芸者・遊女などをうけ出すこと。落籍。

み・う・ける【見受ける】《他下一》❶見かける。「きのう駅でー・けた顔」❷見て判断する。見てとる。「ー・けたところ悪人ではないらしい」

み・うごき【身動き】《多く下に打ち消しを伴う》❶《名・自サ》からだを動かすこと。「満員でーもできない」❷思うように行動すること。「借金でーがとれない」

み・うしな・う【見失う】《他五》今まで見えていたものが消えて、どこに・ある（いる）のかわからなくなる。

「人ごみで連れをー・った」

み・うち【身内】❶家族。親類。親戚（しんせき）。「ーだけで仏を供養する」類語 身寄り。❷同じ組織に属する者。⇩〖類義語の使い分け「身寄り」〗

み・うり【身売り】《名・自サ》❶身の代金をとって、約束の期間、つとめ奉公をすること。〔多く、芸者・遊女になることにいう〕❷代金をとって、会社の経営権を他の会社に与えること。「A社がB社にーする」

みえ【見え】❶他人を意識して、実際以上によく見せようとすること。うわべを飾ること。「ーを張る」表記「見栄」と書くことが多い。❷歌舞伎（かぶき）で、役者が最高潮に達した感情を観客に強く印象づけるため、一瞬動きをとめて目立った表情・姿勢をとること。表記 ②は「見得」と書くことが多い。

見栄も外聞も無・い《句》人のうわさを気にかける余裕がない。「ー・く就職口をさがす」

見得を切・る《句》❶役者がみえ②をする。「花道でー・る」❷相手に対して、ことさらに自分を誇示する。「『今年は優勝だ』とー・る」

みえ・がくれ【見え隠れ】《名・自サ》見えたりかくれたりすること。みえかくれ。「ーについて来る」

みえ・す・く【見え透く】《自五》明らかにわかる。特に、他人の意図・本心がよくわかる。「ー・いたうそ」

みえ・っ・ぱり【見▽栄っ張り】《名・形動》自分をよく見せようとうわべを飾る・こと（人）。みえぼう。

みえ・ば・る【見▽栄張る】《自五》みえをはる。うわべをことさらに飾る。

みえ・ぼう【見▽栄坊】 みえっぱりな人。

みえ・みえ【見え見え】《名・形動》〔俗〕相手のねらいが簡単に見破れること。「ーの本心」類語 すけすけ。

み・える【見える】《自下一》❶目に存在が感じられる。目にうつる。「山がー・える」❷見る能力がある。「猫は夜でも目がー・える」❸〔外見から判断して〕…と見受けられる。「うれしそうにー・える」「彼は金持ちにー・える」❹「来る」の尊敬語。おいでになる。「B社の社長がー・えた」文 み・ゆ《下二》。

み・お【×澪・▽水▽脈】❶川や海で、船の水路になっている、帯状の深いところ。みよ。❷船が通ったあとにできる、水の筋。航跡。「ーを引いて船が行く」

み・おくり【見送り】 見送ること。「ーの三振」

み・おく・る【見送る】《他五》❶去るあとを目で追う。「川を下る舟をー・る」❷去り行く人を姿の見えるところまでながめやる。「客を玄関でー・る」「旅立つ友を空港までー・る」❸人の死を見届ける。「五年前に父をー・った」❹手を出さないでさしひかえる。「ボールをー・る」「今回は入会をー・る」

み・おさめ【見納め・見収め】 見るのがそれで最後となること。「この世のーに孫の姿が見たい」

みお・つ・くし【×澪▽標】〔文〕《「みおの串（くし）」の意》船に水路を示すために水中にたてるくい。みおぐい。

み・おと・す【見落とす】《他五》全体を見ていながらその部分に気がつかないでしまう。「誤字をー・す」

み・おとり【見劣り】《名・自サ》他のものと比較して、それより劣って見えること。「安物はやはりーがする」

み・おぼえ【見覚え】 以前に見た記憶があること。「ーのある顔」

み・おも【身重】《名・形動》妊娠していること。「ーな体でまだ働いている」

み・おろ・す【見下ろす】《他五》❶高い所から下の方を見る。「山上から下界をー・す」対 見上げる。❷見くだす。「人をー・した態度」

み・かい【未開】❶文化・文明がまだ開けていないこと。「ーの種族」類語 野蛮。❷土地がまだ開拓されていないこと。未開拓。「ーの原野」

み・かいけつ【未解決】 まだ解決していないこと。「ーの問題」

み・かいたく【未開拓】❶土地がまだ切り開かれていないこと。❷〔新分野に〕まだ手がつけられていないこと。「ーの研究分野」

み・かえし【見返し】❶書物の表紙の裏にあって、表紙と本文とが接合される部分。❷洋裁で、前あき・えりぐり・そで口などの始末のために裏側にぬいつける布。

み・かえ・す【見返す】《他五》❶後ろをふりむいて見る。かえりみる。「船上から港をー・す」❷もう一度よく見る。見直す。「目をこすってー・す」❸人が見たのに対し、こちらもそちらを見る。「きっとなってー・す」❹実績をみせつけて、かつてのあなどりに報いる。「いつかはあいつらをー・してやる」

み

み・かえり【見返り】ーかへり 金銭・物資などを借り受けるために、担保や保証としてさし出す・こと(もの)。また、代償(だいしょう)。「ー物資」

***み・かえ・る【見返る】**ーかへる《他五》ふり返る。

***み・か・える【見変える】**ーかへる《他下一》あるものをすてて他のものに心を移す。「恋人にー・えられる」

みがき【磨き・▽研き】 ❶こすって、きれいにしたりつやを出したりすること。「ーの掛かった廊下」 ❷いっそうすぐれたものにすること。「得意の技にーを掛ける」

みがき・あ・げる【磨き上げる】《他下一》❶みがいて仕上げる。「ぴかぴかにー・げた靴」 ❷洗練された状態にする。「芸をー・げる」

みがき・こ【磨き粉】 物をみがく粉。クレンザー。

みがき・た・てる【磨き立てる】《他下一》❶丹念に磨く。さかんに磨く。「床をー・てる」 ❷美しく装う。

みがき・にしん【身欠き×鰊】 片身にしたニシンを日に干したもの。かきわり。みかきにしん。

み・かぎ・る【見限る】《他五》見込みがないと考えて見きりをつける。「不調の先発投手をー・る」 類語 見捨てる。見離す。

> **類義語の使い分け　見限る・見捨てる・見離す**
>
> [見限る・見捨てる・見離す] 親も見限っ(見捨て・見離し)たどうしようもない放蕩(ほうとう)息子
>
> [見限る・見離す] 医者が患者を見限っ(見離し)ていいものだろうか
>
> [見限る] 時代遅れの家業を見限って商売替えをする
>
> [見捨てる] いじめられている友達を見捨てて逃げるとは

み・かく【味覚】 舌で知る味の感覚。甘さ・しおからさ・にがさ・すっぱさなどの感覚。「ーの秋」

みが・く【磨く・▽研く】《他五》❶こすって、きれいにつやを出す。❷努力して、学問・技芸などをいっそう立派なものにする。「腕をー・く」 文《四》。

みかくにん・ひこうぶったい【未確認飛行物体】「空飛ぶ円盤」の正式な名称。略語UFO。

み・かけ【見掛け】〔実体は別として〕外からだけ見たようす。外観。うわべ。「ーばかりで中身がない」 **ーだおし【ー倒し】**しだふ 外見は立派であるが、実質がともなわない・こと(もの)。「ーの力士」

みかげ・いし【▽御影石】〔石材としての〕花崗岩(かこうがん)。参考 神戸市御影が産地として有名だったことから。

み・か・ける【見掛ける】《他下一》見受ける。目にとめる。「よくー・ける人」「友人を町でー・けた」

***み・かた【味方・身方】** ❶対立して争っている二つの集団のうち、自分が属している方。また、他と対立し争うとき自分を支持してくれる人。「ーに引き入れる」 対 敵。❷《名・自サ》対立するものの一方を支持し応援すること。「会社側にーする」

***み・かた【見方】** ❶見る方法。「顕微鏡のー」 ❷〔ある立場に立った〕物事に対する考え方。見解。見様(みよう)。「ーによっては法律違反になる」「ーを変える」

み・がため【身固め】《名・自サ》身じたくをすること。「ーして出掛ける」

みか・づき【三日月】 ❶陰暦の毎月三日前後の夜に出る、細い弓形の月。新月。類語 弓張月。弦月。❷三日月の形をしたもの。「ー眉(まゆ)」「ー湖」

み・がって【身勝手】《名・形動》自分の都合だけを考えて行動すること。わがまま。「ーが過ぎる」「あまりにもーな言い分だ」

み・かど【▽御門・▽帝】〔文〕天皇。「時のー」

み・か・ねる【見兼ねる】《他下一》平気で見ていることができない。「見るにー・ねて手伝う」

み・がまえ【身構え】ーがまへ みがまえること。また、みがまえた姿勢。「ボクシングのー」 類語 体勢。

み・がま・える【身構える】ーがまへる《自下一》相手の攻撃や防御に対して姿勢をととのえる。参考 ひゆ的に精神のあり方にも言う。「きっとなってー・える」

み・がら【身柄】 ❶その人の体。当人自身。〔主に拘留・保護された人に対して使う〕「ーをひきうける」 ❷その人の身分。「ーをわきまえぬ行動」

み・がる【身軽】《名・形動》❶からだを軽々と動かすこと。「階段をーに駆け上がる」 ❷装いの簡単なこと。「ーな旅装」 ❸責任・重荷・係累などがなく気が楽なこと。「引退してーになる」

みかわ【三河】みかは 旧国名の一つ。今の愛知県の東部。三州(さんしゅう)。

み・かわ・す【見交わす】ーかはす《他五》互いに目や顔をじっと見る。「目と目をー・す」

み・がわり【身代(わ)り・身替(わ)り】ーがはり 他人のかわりになる・こと(人)。「ーを立てる」

***み・かん【未刊】** まだ刊行されないこと。対 既刊。

***み・かん【未完】** まだ完了・完成しないこと。「ーの小説」「ーの大器」

***み・かん【×蜜×柑】** ミカン科の常緑小高木。初夏、白い花が咲き、初冬、球形の果実が赤橙(せきとう)色に熟する。果実は晩秋から冬にかけての代表的な果物。

み・かんせい【未完成】《名・形動》まだ完成しないこと。「ーの作品」

***みき【幹】** ❶樹木の根から上にのびて枝・葉を出す太い部分。❷物事の大切な部分。「計画のーとなる工事」 類語 根幹(こんかん)。

***み・き【▽御▽酒・〈神酒〉】** 神に供える酒。「神棚におーを供える」 参考「酒」の美称「き」から。

みぎ【右】 ❶北を向いたとき、東にあたる方角。❷保守的なこと。右翼。対 ①②左。❸〔縦書きの〕文章で、そこより前の方(にしるした事柄)。「ーに述べたとおり」「ー御礼(おんれい)まで」 対 左。 **ーから左**《句》受け取ったものをすぐ他に渡してしまうこと。「ーへ使ってしまう」「ーへ忘れてしまう」 **ーと言えば左**《句》何事によらず人の言うことに反対すること。 **ーに出る者が無・い**《句》〈「…のー・い」の形で〉…が一番すぐれている。「数学では彼のー・い」 参考 昔、中国で、右を上位としたことから。 **ーへ倣え**《句》❶何人かの人を、右端の人を基点にして横に整列させるときにかける号令のことば。また、そのように整列すること。❷先にした人のまねをすること。

みぎ・うで【右腕】 ❶右側の腕。❷一番頼みになる部下。「総裁のーとして活躍する」 類語 股肱(ここう)。片腕。

みぎ・がき【右書き】 文章を縦書きにするときに右から左へ書くこと。対 左書き。

み・きき【見聞き】《名・他サ》見たり聞いたりすること。「外国の事情をーする」 類語 見聞(けんぶん)。

みぎ・きき【右利き】 左手よりも右手がよくきく・こと(人)。対 左利き。

ミキサー ❶果物・野菜などを、カッターの高速回転によってくだく電気器具。❷音声や映像を調節・調整して、よい状態のものを作り上げる器械。また、その技術者。❸「コンクリートミキサー」の略。コンクリートの材料をまぜあわせる機械。「―車」▽mixer

みぎ‐て【右手】❶右の手。❷右の方。対①②左手。

みぎ‐ひだり【右左】❶右と左。両側。また、あらゆる方向。「敵を―になぎたおす」「―に駆け回る」❷〔物の置き方・着方などで〕右と左をまちがえること。あべこべ。「茶わんの置き方が―だ」「着物を―に着る」

みぎ‐まわり【右回り】(―まはり) 右の方へ向かって回ること。「―に運動場を一周する」対左回り。

みぎ‐よつ【右四つ】相撲で、互いに右手を相手の左腕の下に差して組んだ体勢。対左四つ。

み‐きり【見切り】みきること。みかぎること。「才能に―をつける(=見込みがないと判断してあきらめる)」「―品(=定価では売れる見込みがないとして値下げした商品)」 **―はっしゃ【―発車】**《名・自サ》❶列車やバスが乗客を全部のせないまま発車すること。❷必要十分な条件や手続きがととのわないまま、物事を次の段階へ進めること。「合意が得られないまま―する」

み‐ぎり【×砌】〔文〕とき。おり。ころ。「向寒の―、御自愛下さい」「幼少の―」

み‐き・る【見切る】《他五》❶見込みがないと判断してあきらめる。みかぎる。特に、商品の値を安くして売り払う。投げ売りをする。「夏物を―・る」❷すっかり見る。「朝までかかって小説を―・る」

み‐ぎれい【身奇麗・身×綺麗】《形動》身なりをこざっぱりときれいにしているようす。「―な老婦人」

み‐ぎわ【▽水際・×汀】(―ぎは) 水ぎわ。類語なぎさ。

み‐きわ・める【見極める】(―きはめる)《他下一》❶最後までしっかりと見とどける。「自動車の行く先を―・める」❷物事の真偽・良否を鑑定する。見定める。「前後の文脈を―・めて翻訳する」

み‐ぐし【▽御▽髪】〔文〕髪の毛の尊敬語。おぐし。

み‐くず【▽水×屑】(―くづ)〔文〕水中のごみ。「―となる(=水死する)」類語藻屑(もくず)。

み‐くだ・す【見下す】《他五》〔人を〕目下あつかいにして軽べつする。見さげる。「人を―・したような態度」

みくだり‐はん【三▽行半・三下り半】夫が妻に与える離縁状。去り状。「―をつきつける」参考昔、慣習で三行半に書いたことから。

み‐くび・る【見×縊る】《他五》〔他人の〕価値や力を軽くみてあなどる。ばかにする。「相手を弱いチームと―・る」類語侮(あなど)る。⇩〔類義語の使い分け「侮る」〕

み‐くら・べる【見比べる・見▽較べる】《他下一》見てくらべる。「見本と実物を―・べる」

み‐ぐるし・い【見苦しい】《形》見ていていやな感じである。みっともない。「―・い逃げ口上」「―・い服装」

み‐ぐるみ【身▽包み】からだに着けているもの全部。「強盗に―はがされる」

ミクロ ㊀《名・形動》〔肉眼では見えないような〕非常に小さいこと。また、微視的であること。微小。極微。マイクロ。「―の世界」対マクロ。㊁《接頭》マイクロ。▽(ギリシア) mikros (フランス) micro- **―コスモス** 小宇宙。対マクロコスモス。▽(ドイツ) Mikrokosmos

ミクロン《助数》メートル法の長さの単位。記号μ。一ミクロンは一メートルの一〇〇万分の一。参考現在は「マイクロメートル(μm)」を用いる。▽(フランス) micron

み‐け【三毛】ネコの毛色で、白・黒・茶のまじったもの。また、その毛色のネコ。みけねこ。

み‐けいけん【未経験】《名・形動》まだ経験しないでいること。「―の物事」

み‐けつ【未決】❶〔文〕まだ決定されていないこと。「―の問題」対既決。❷〔法〕犯罪のうたがいで起訴され、まだ有罪か無罪かがきまっていないこと。「―囚」

***み‐けん【未見】**〔文〕❶まだ見ていないこと。「―の地」「―の文書」❷まだ会っていないこと。

***み‐けん【×眉間】**まゆとまゆとの間。額のまん中。眉間(びかん)。「―にしわを寄せる」

***み‐こ【×巫▽女・▽神子】**神に仕えて、神楽(かぐら)・祈禱(きとう)を行ったり神託をうかがったりする未婚の女性。かんなぎ。巫女(ふじょ)。

***み‐こ【▽御子・▽皇子・▽皇▽女】**❶天皇の子。皇子・皇女。❷高貴な人の子。「神の―キリスト」表記②は「御子」と書く。

み‐ご【×稈▽心】わらの、皮を取りさった茎。わらしべ。

み‐ごうしゃ【見巧者】《名・形動》芝居などをよく見なれていて、見方のじょうずなこと(人)。

***み‐こし【▽御×輿・▽神×輿】**祭りのときなどに、神体・神霊をのせて運ぶための輿(こし)。神輿(しんよ)。おみこし。「―を担ぐ(=他人をおだてて、まつりあげる)」 **―を上・げる**《句》落ち着いているのをやめて、行動しはじめる。長居をやめて立ち去る。参考俗には、「輿」と「腰」とをかけて用いることが多い。 **―を据・える**《句》ゆったりとすわり込んで動かない。参考俗には、「輿」と「腰」をかけて用いることが多い。

***み‐こし【見越し】**へだてた物を越して見ること。「―の松」

み‐ごしらえ【身×拵え】(―ごしらへ)《名・自サ》行動に移ろうとしてそれにふさわしい服装をととのえること。身じたく。「旅の―をする」

み‐こ・す【見越す】《他五》〔へだてた物を越して向こうを見る意〕将来起こることを前もって見通す。予見する。「満員になるのを―・して補助席を用意する」

み‐ごたえ【見応え】(―ごたへ) 見るに値すること。見るだけの価値。「―のある好試合」

みこと【▽命・▽尊】上代、神または貴人のよび名にそえた尊敬語。「大国主(おおくにぬし)の―」

み‐ごと【見事・▽美事】《形動》❶すばらしいようす。りっぱ。「―な雪景色」「―な出来ばえ」❷巧みなようす。あざやか。「―な足さばき」❸〔反語的に使って〕失敗・敗北などが完全なようす。「―に落第する」

みこと‐のり【詔・▽勅】〔「御言宣(みことのり)」の意〕天皇のことば。詔勅。表記昔、大事には「詔」、小事には「敕」(勅の正字)と書いた。

み‐ごなし【身▽熟し】身のこなし。挙動。動作。「―が軽い」「しなやかな―」

み‐こみ【見込み】❶予想。めあて。見当。「―が外れる」「―ちがい」❷将来成功するという見通し。将来性。可能性。「この子は大いに―がある」

み‐こ・む【見込む】《他五》❶予想して勘定に入れておく。「三億円の増収を―・む」❷期待してあてにする。目をつける。「君を―・んで頼むのだが…」❸とりつく。➡見入る②。「へびに―・まれた蛙(かえる)」

み‐ごも・る【身×籠もる】《自他五》子をはらむ。妊娠する。「二人目を―・る」

み

***み-ごろ**【見×頃】見るのに最もよい時期。「桜の―」

***み-ごろ**【身×頃・×裑】衣服の、そで・えり・おくみなどを除いた、からだの前と後ろをおおう部分。

み-ごろし【見殺し】人が死にそうになったり、困り苦しんでいたりするのを見ていながら、助け(られ)ないこと。「おれを―にする気か」

み-こん【未婚】まだ結婚していないこと。対既婚。

ミサ カトリック教会で、神をたたえ、罪のつぐないと神のめぐみを祈るための式典。表記「弥撒」と当てた。▽ラテン missa

み-さい【未済】〔必要な手続き・義務などが〕まだすんでいないこと。特に、まだ金をおさめたり返したりしてないこと。「借金の―分」対既済。

ミサイル 爆発する弾頭をもち、ロケットまたはジェットエンジンによって自力で飛行しながら目標に誘導される飛行兵器。誘導弾。▽missile

みさお【操】自分の志をかたく守って変えないこと。節操。特に、女の貞操。「―を立てる」「―を守る」

み-さかい【見境】物事を区別して考えること。見分け。参考多く、「―がつかない」「―がない」などの形で使う。「前後の―がつかない」「―もなくけんかする」

み-さき【岬・▽崎】海や湖に突き出た陸地の先端。

み-さ・げる【見下げる】《他下一》相手を(道徳的に)いやしい人間だと考えて軽べつする。「借金を踏み倒すとは―・げたやつだ」対見上げる。

みさご【×鶚】タカ科の鳥。留鳥で、全国各地の波の荒い海岸にすみ、海中の魚をとらえて食べる。

み-ささぎ【陵】天皇・皇后などの墓所。御陵。類語山陵。陵墓。

み-さだ・める【見定める】《他下一》そうと見きわめる。それとたしかめる。「目標を―・めて撃つ」

みざる-きかざる-いわざる【見猿聞か猿言わ猿】《連語》両目・両耳・口を両手でふさいだ三匹の猿の像。よけいなことを見たり、聞いたり、言ったりしないことの象徴。三猿。参考「見ざる聞かざる言わざる」にかけたもの。

みじか・い【短い】《形》❶端から端までの隔たりが小さい。「―・い鉛筆」❷始めから終わりまでの時間の経過が小さい。「―・い期間」❸〈気が―・い〉しんぼうすることができない。せっかちだ。「彼は気が―・くてすぐ怒る」対①～③長い。注意送りがな「短かい」は誤り。文みじか・し《ク》。

みじか-め【短め】《名・形動》こころもち短いこと。「布を―に切る」対長め。

みじか-よ【短夜】すぐ明ける夜。〔特に夏の夜をいう〕

み-じたく【身支度・身仕度】《名・自サ》それに合ったみなりを整えること。みごしらえ。「旅の―をする」

み-じまい【身仕舞(い)】《名・自サ》みなりを整えること。特に、女性の化粧や着付け。「すっきりと―する」類語身繕い。

みし-みし《副・自サ》《副詞は「―と」の形も》板・氷など、張りのあるものがきしむようす。また、その音の形容。「歩くと床が―(と)鳴る」

みじめ【惨め】《形動》かわいそうで見るにしのびないようす。また、非常に自分が情けなくあわれに思えるようす。「―な負け方」「―な暮らし」類語悲惨。無残。

***み-しゅう**【未収】まだ徴収・収納していないこと。「税の―分」

***み-しゅう**【未習】まだ学習していないこと。対既習。

み-じゅく【未熟】《名・形動》❶果物がまだ十分熟していないこと。「―なリンゴ」対完熟。❷まだ経験・修練が足りず、一人前でないこと。「―者」対円熟。―じ【―児】体重が二五〇〇グラム未満の新生児。

***み-しょう**【実生】〔つぎ木・さし木などによらず〕種子から芽がでて生長すること(草木)。みばえ。

***み-しょう**【未詳】〔文〕まだくわしくわかっていないこと。「損害の程度は―」類語不詳。

み-しらず【身知らず】《名・形動》自分の能力・地位などをわきまえないこと。身のほどしらず。「―にも程がある」

みしら-ぬ【見知らぬ】《連体》まだ一度も・見た(会った)ことがないこと。面識がない。「―人」「―土地」

みしり-ごし【見知り越し】以前から面識のあること。類語顔見知り。

み-し・る【見知る】《他五》以前に見て知っている。面識がある。「以後お―・りおきください」

み-じろぎ【身▽動ぎ】《名・自サ》からだをちょっと動かすこと。身動き。「―もせず謹聴する」

ミシン 布地などを縫う機械。▽sewing machine の machine(=機械)のなまりから。

み-じん【▽微×塵】〔細かいちりの意〕❶《名・形動》〔物がくだけて〕非常に細かくなること。「こっぱ―」❷ごくわずか。少し。〔ふつう、否定の語を伴って使う〕「反省のそぶりは―もない」❸「みじん切り」の略。料理で、細かく切ること。また、その細かく切ったもの。「―に切る」

―こ【―子・▽水×蚤】甲殻類ミジンコ科の小動物。体長約二ミリ。池・沼などに産する。魚類のえさとなる。

―こ【―粉】もちごめを蒸して干し、ひいて粉にした物。和菓子の材料。

***み-す**【▽御×簾】すだれ。特に、神前や宮殿などに使う、へりをつけた目のこまかいすだれ。「―をかかげる」

***ミス** ❶未婚の女性。娘。〔姓の上につけて未婚女性の敬称ともする〕「ハイ―」「彼女はまだ―だよ」対ミセス。❷美人コンテストなどの第一位の女性。〔多く接頭語的に用いる〕「―日本」「―着物」▽Miss

***ミス**《名・他サ》やりそこなうこと。失敗。失策。ミステーク。「―を犯す」「レシーブを―する」類語エラー。▽miss **―キャスト**〔映画・演劇などで〕俳優に対する役の割り振りを誤ること。妥当でない配役。▽miscast **―プリント** 誤植。ミスプリ。▽misprint **―マッチ** 調和していないこと。不似合い。参考服装などで、不調和とされる組み合わせを新しい感覚として取り入れる意味で使うこともある。▽mismatch(=不釣合いな組み合わせ) **―リード**《他サ》誤った方向に導くこと。「読者を―する」▽mislead

***みず**【水】❶池・川・雨・海などの形で、自然に普通に存在する冷たい透明な液体。飲用をはじめ多くの用途をもち、あらゆる生物にとって欠くことができない。化学的には水素と酸素の化合物。純粋のものは無色・無味・無臭で透明。常態では液体をなし、蒸発して蒸気に、氷点以下では氷になる。「―を飲む」「―に流す(=今までのいざこざなどをなかったことにする)」「―が出る(=洪水になる)」「湯―のごとく金を使う」❷みずいり。「―が入る(=水入りになる)」❸液状のもの。また、水分を多く含むもの。「―菓子」⇩〔類語と表現〕

―清ければ魚棲まず《句》清廉すぎると、かえって人に親しまれず、孤立してしまう。〈孔子家語・入官〉

み

ーと油《句》互いに反発し合って、しっくりと融和しない関係のたとえ。油と水。
ーの滴るよう《句》〔美男美女の〕みずみずしく美しいようすの形容。「ーな女」
ーの低きに就く如し《句》自然の勢いは、人力ではどうすることもできないことのたとえ。また、人々がおのずから従うようになることのたとえ。
ーは方円の器に随う《句》水は入れ物によって四角くもまるくもなる。人は交友・環境によってよくも悪くもなる。〈荀子・君道〉参考「方」は四角、「円」はまるいこと。
ーも漏らさぬ《句》警戒の厳重なようすの形容。「ー警備」
ーをあ・ける《句》❶〔ボートレース・水泳で〕一艇身または一身長以上の差をつける。❷他に差をつける。
ーを打ったよう《句》いっせいに静まりかえるようす。「場内はーに静まった」
ーを得た魚《句》↓魚の水を得たよう。
ーを差・す《句》仲のよい間柄や、うまくいっている状態をはたからじゃまをする。水をかける。「夫婦仲にー・す」
ーを向・ける《句》相手の関心をその方へ向けさせようとしてさそいかける。

類語と表現

「水」
＊水が流れる・水が漏れる・水道の水が出ない・池の水がかれる・水をくむ・水を浴びる・庭に水を撒く・野菜の水を切る・やかんに水をさす・水で冷やす。

◆お冷や・湯冷まし・閼伽・ウオーター・ミネラルウオーター

◇[…みず]雨水・井戸水・打ち水・大水・川水・氷水・差し水・誘い水・(石)清水・塩水・潮水・死に水・谷水・たまり水・力水・鉄砲水・泥水・生水・飲み水・日向水・冷や水・真水・湯水・呼び水・若水・湧き水

◇[…すい]飲料水・汚水・温水・河水・海水・鹹水・汽水・化粧水・下水・湖水・硬水・鉱水・香水・降水・山水・秋水・重水・上水・浄水・蒸留水・清水・泉水・ソーダー水・濁水・淡水・炭酸水・地下水・軟水・廃水・名水・流水・冷水・レモン水・濾水

◆オノマトペ ぽたぽた[「ぽたぽた・ぽとぽと」]落ちる／さらさら[じゃあじゃあ・ざあざあ・ちょろちょろ]流れる／ざぶざぶ[じゃぶじゃぶ]洗う／びしょびしょに濡れる／ちゃぷちゃぷ[ちゃっぷちゃっぷ・びしゃびしゃ・びちゃびちゃ・ぴちゃぴちゃ]音を立てる

＊ミズ〔ミスターに対応した〕ミスとミセスをまとめた呼び名。参考 女性だけ未婚(ミス)と既婚(ミセス)を区別するのは不合理だとして、アメリカの女性解放運動から出た語。一九七三年、国連でも正式に採用。▽Ms.

みず-あか【水×垢】 水中にとけた物質が、物について底に沈んだりして、汚く見えるもの。みあか。

みず-あげ【水揚げ】 ❶《名・他サ》船の荷物を陸へあげること。陸揚げ。「ー作業」❷漁獲高。❸タクシー・水商売などの売上高。「今夜はーが少ない」❹水にさした切り花が水を吸いあげること。「ーが悪い」❺《名・他サ》遊女がはじめて客に接すること。「ー料」

みず-あさぎ【水浅×葱】 うすいあさぎ色。

みず-あし【水足】 〔川や堀などの〕水のさしひきの速さ。

みず-あそび【水遊び】 水にはいったり、水を使ったりして遊ぶこと。「たらいでーをする」

みず-あたり【水▽中り】《名・自サ》なま水を飲んで胃腸をこわすこと。

みず-あび【水浴び】《名・自サ》❶水をあびること。水浴。❷水泳。〔古風な言い方〕

みず-あぶら【水油】 ❶液状の化粧用髪油。つばき油・オリーブ油など。❷灯火用の油。灯油。

みず-あめ【水×飴】 でんぷんを麦芽または酸を使って糖化させた、どろどろしたあめ。

みず-あらい【水洗い】《名・他サ》洗剤を使わずに、水だけで洗うこと。また、冷水で洗うこと。

み-すい【未遂】〔犯罪・自殺などを〕計画したり実行にふみきったりしたが、目的を達しなかったこと。「強盗ー」「ーに終わる」対既遂。

みず-いらず【水入らず】 身内の者だけで、他人がまじっていないこと。「親子ーの小旅行」注意「みついり」は誤読。

みず-いり【水入(り)】 相撲で、勝負が長びき双方の力士が取り疲れたとき、一時引き離して、力水をあたえて休ませること。水。「ーの大相撲」

みず-いろ【水色】 うすい青色。空色。ブルー。

みず-うみ【湖】《「水海」の意》陸地の内部にあって、池や沼よりも広く深く水をたたえている所。

＊**みず-え**【水絵】 水彩画。

＊**みず-え**【×瑞▽枝】〔文〕みずみずしい若い枝。

みず-えのぐ【水絵(の)具】 水彩絵の具。

み-す・える【見据える】《他下一》❶目をすえて見る。じっと見つめる。❷じっと見て、本質をはっきりととらえる。みさだめる。「将来をー・えた長期計画」

みず-おち【×鳩▽尾】《「水落ち」の意》↓みぞおち。

みず-かい【水飼い】 家畜、特に馬に水をやること。「ー場」

みず-がい【水貝】 新鮮なアワビの肉をさいの目に切り、薄めの塩水に浸して冷たくした料理。

みず-かがみ【水鏡】 人・物の姿を映す水面を鏡にみたてていう語。

みず-かき【水×搔き・×蹼】 水鳥や両生類の足の指の間にみられる膜状のもの。これで水をかいて泳ぐ。

みず-がき【×瑞垣・×瑞×籬】〔雅〕神社・宮殿のまわりの垣根の美称。たまがき。

みずかけ-ろん【水掛け論】 両方が自己の立場に固執し、決着のつかない議論。「ーに終始する」

みず-かげん【水加減】 水の入れぐあい。「ご飯のーを間違える」

みず-かさ【水×嵩】 川・池などの水の量。増減する水の量。「豪雨で川のーが増す」

みず-がし【水菓子】 くだもの。〔古風なことば〕

み-すか・す【見透かす】《他五》❶〔へだてたものを〕すかして見る。「霧の中をー・す」❷表面にあらわれないことまで見る。見とおす。見ぬく。「本心をー・す」

みず-がみ【水髪】 水でなでつけた髪。

みず-がめ【水▽瓶・水×甕】 水を入れておくかめ。

み-すがら【身すがら】〔文〕❶独身で係累のないこと。❷荷物などを持っていないこと。身一つ。

み-ずから【自ら】 ■一《名》自分。自身。「ーの力で難局を乗り切る」■二《副》自分で。自分から。手ずから。「ー命を絶つ」表記「躬ら」とも書いた。

み-すぎ【身過ぎ】《名・自サ》暮らしを立てていくこと(方法)。くらし。生計。「ー世過ぎ」類語 口すぎ。

みず-き【水木】 ミズキ科の落葉高木。初夏、枝先に白い花がかたまって開く。果実は小球形で、黒紫色。材は細工用。

みず-ぎ【水着】 水泳や水遊びに着るもの。海水着。

みず-きり【水切り】 ❶〔振ったり絞ったり落ちるに任せたりして〕物についている水分を取り去ること〔用具〕。「野菜の―」❷水面に小石をほとんど水平になげて、とびはねさせる遊び。❸生け花で、草花の茎を水の中で切ること。水揚げをよくするために行う。

みず-ぎれ【水切れ】 水がなくなること。水がかれること。

みず-ぎわ【水際】 地面と水面とが接しているところ。みぎわ。岸。**―さくせん【―作戦】** ❶敵軍を海岸で撃滅する作戦。また、病原菌・害虫などが国内に入りこむのを防ぐこと。❷一歩誤れば破滅しかねない、きわどい手段。**―だ・つ【―立つ】**《自五》やり方がきわだってすぐれる。「―った手並み」

みず-ぐき【水茎】 〔雅〕❶筆。筆跡。「―の跡うるわしい文面」❷手紙。

みず-くさ【水草】 水中にはえる草。水草。

みず-くさ・い【水臭い】《形》❶水分が多くて味がうすい。水っぽい。「―・い酒」❷〔親しい間柄なのに〕他人行儀でよそよそしい。「隠し事とは―・い」

みず-ぐすり【水薬】 薬剤を蒸留水に溶かした薬。水薬。

みず-ぐち【水口】 水を落とす〔引き入れる・出す〕口。「滝の―」

みず-ぐるま【水車】 水の流れる力を利用して回転させるしくみの車。水車。「―で粉をひく」

みず-け【水気】 物に含まれている水。水分。「―の多い果物」

みず-げい【水芸】 囃子にあわせて扇子・刀・衣服などの先端から水を吹きあげさせてみせる曲芸。

みず-けむり【水煙・水×烟】 ❶水面に立ちのぼる霧。❷煙のように細かく飛び散った水。水しぶき。「モーターボートが―をあげる」＝水煙。

みず-こ【水子・▽稚子】 胎児。特に、流産したり堕胎したりした胎児。みずご。「―供養」

みず-ごえ【水肥】 液状の肥料。液肥。水肥。

みず-ごけ【水×蘚・×水苔】 ❶ミズゴケ科のコケの総称。湿地に群生する。多量の水を吸収するので、園芸用に使われる。❷水垢。

みず-ごころ【水心】 水泳の心得。**―あれば魚心**《句》→魚心。

み-すご・す【見過ごす】《他五》❶見ていながら注意を払わないでやり過ごしてしまう。見落とす。「標識を―・す」❷〔人の欠点・失敗などを〕見ていながらそのままにしておく。見のがす。看過する。「―・せない過失」

みず-こぼし【水▽翻し】 茶わんをゆすいだ水などをこぼし入れる茶器。こぼし。建水。

みず-ごり【水×垢離】 神仏に願をかけるときなどに、冷水を浴びて身の穢れを払い清めること。垢離。「―を取る」

みず-さいばい【水栽培】 水耕法。

みず-さかずき【水杯・水×盃】 二度と会えそうにない別れの時などに、酒のかわりに水を飲みかわすこと。「―を交わす」

みず-さき【水先】 ❶水の流れて行く方向。❷船の進路。**―あんない【―案内】** 船の進路の案内をすること〔人〕。パイロット。「港の―」

みず-さし【水差し】 他の容器にそそぎ入れるための水を入れておく容器。

みず-しごと【水仕事】 水を使う、家庭の仕事。炊事・洗濯など。

みず-しぶき【水しぶき】 しぶき。

みず-じも【水霜】 →露霜②。

みず-しょうばい【水商売】 〔遊興客を相手とする〕収入が不確かで浮き沈みのはげしい商売の総称。料理屋・バーなどの類。水稼業。

みず-しらず【見ず知らず】《連語》会ったことも関心を持ったこともないこと。「―の間ではない」「―の人」

みず-すまし【水澄(まし)】 ミズスマシ科の小甲虫。卵形でひらたく、黒くてつやがある。水面をくるくるまわって泳ぐ。まいまいむし。

*__みず-ぜめ【水攻め】__《名・他サ》攻撃の手段として、水びたしにしたり飲料水をたったりして苦しめること。

*__みず-ぜめ【水責め】__《名・他サ》水を使ってする拷問。

みず-た【水田】 水田。

ミスター《接頭》〔その団体での〕代表的な男性であることを表すことば。「―日本」「―井上」▽Mr., Mister 参考 男の人の姓の上につけて敬称ともする。

みず-たき【水炊(き)】 若鶏の肉を骨付きのままぶつ切りにして、味を付けない湯で煮ながら食べるなべ料理。薬味を加えたポン酢で食べる。

みず-だし【水出し】 茶などを湯ではなく水で作ること。「―コーヒー」

みず-たま【水玉】 ❶まるく玉になった水滴。水のしぶき、露のしずくなど。❷地と色の違う円形を散らした模様。水玉模様。「―のネクタイ」

みず-たまり【水×溜(ま)り】 地面のくぼみに、雨水などのたまったところ。「庭の―」

みずち【×蛟・×虬】 想像上の動物。からだはヘビに似て長く、角と四本の足があり、毒気を吐き人をのむという。小形の竜。虬竜。

みず-ぢゃや【水茶屋】 江戸時代、道ばたや寺社の境内で、茶などを飲ませて客を休ませた店。

みず-っ-ぽ・い【水っぽい】《形》〔食べ物・飲み物などの〕水分が多すぎて味が薄い。水くさい。「―・い酒」

ミスティシズム 神秘主義。▽mysticism

ミステーク 誤り。まちがい。ミス。▽mistake

みず-でっぽう【水鉄砲】 水を細長い筒の先の穴から押し出して飛ばすおもちゃ。

ミステリアス《形動》神秘的なようす。また、謎めいているようす。「密室の―な事件」▽mysterious

ミステリー ❶神秘。不思議。怪奇。❷推理小説。「海外―」▽mystery

み-す・てる【見捨てる・見▽棄てる】《他下一》❶見ていながら、すてかえりみない。ほうっておく。「倒れた友を―・てる」❷世話をしたり目をかけたりすることをやめる。「師匠が弟子を―・てる」類語 見限る。見離す。⇩〔類義語の使い分け「見限る」〕

みず-てん【▽不▽見転】 〔俗〕芸者が、金しだいでたやすく身をまかせること。また、その芸者。「―芸者」

みず-どけい【水〈時計〉】 水が容器にたまる量、または容器からこぼれる量で時間をはかる時計。

発達史上最も古いもの。漏刻。

みず‐とり【水鳥】ミヅ 湖・川など、おもに内陸の水上で生活する鳥類。ガン・カモ・サギ・ツルなど。水鳥。水禽。**参考** 海岸で生活する鳥は海鳥。

みず‐な【水菜】ミヅ ❶イラクサ科の多年草。山野の湿地にはえる。若い茎は食用。うわばみそう。❷アブラナ科の越年草。葉は根元から多数むらがり出、深く羽状に裂ける。漬物・煮物などにする。京菜。

みず‐に【水煮】ミヅ 水だけ、または水に少量の塩を加えて煮ること(物)。「サバの—」

みず‐の‐あわ【水の泡】ミヅ ❶水面に浮かぶ泡。水泡。❷努力・苦心が、むだになってしまうこと。「せっかくの計画が—と消えた」

みず‐の‐え【×壬】ミヅ《「水の兄」の意》十干の第九。壬。

みず‐の‐と【×癸】ミヅ《「水の弟」の意》十干の第十。癸。

みず‐のみ【水飲み・水×呑み】ミヅ 水を飲むこと。また、そのための器。**—びゃくしょう**【—百姓】江戸時代、田畑を持たない貧しい農民。対本百姓。

みず‐ば【水場】ミヅ ❶野生動物の水飲み場。❷登山などで、水を飲んだり補給したりする所。

みず‐ばかり【水計り・水▽準】ミヅ 水を使って物の面の水平を定める道具。水盛り・水準器など。

みず‐はけ【水×捌け】ミヅ (いらない)水が流れてひいていく具合。みずはき。「—がいい」

みず‐ばしょう【水×芭×蕉】ミヅ—セウ サトイモ科の多年草。尾瀬ケ原などの山地の湿原に自生する。春、白色の大きな苞をもった淡緑色の花穂を出す。

みず‐ばしら【水柱】ミヅ 水が柱のように高く立ちあがったもの。水柱。

みず‐ばな【水×洟】ミヅ 水のようにうすい鼻汁。はなみず。みずっぱな。「—をたらす」

みず‐ばら【水腹】ミヅ ❶水をたくさん飲んだときの腹。❷水ばかり飲んで、ひもじさをしのいでいる腹。

みず‐ばり【水張り】ミヅ ❶布地を(のりを使わないで)水に浸して板に張って、かわかすこと。❷水彩画などで、用紙を水に浸してから画板上に張りつけること。絵の具ののびをよくするために行う。

みず‐ひき【水引】ミヅ ❶細いこよりに水のりをつけて干し固めたもの。数本をあわせて進物の包み紙にかけわたす。祝儀用は半白半紅・半金半銀、不祝儀用は半白半黒。❷タデ科の多年草。夏から秋にかけて枝先や上部の葉のわきから水引に似た細長い花穂を出し、紅色の小花をまばらにつける。みずひきぐさ。

みず‐びたし【水浸し】ミヅ (水につかっては困るものが)すっかり水につかること。「豪雨で床まで—になる」

みず‐ぶき【水×拭き】ミヅ《名・他サ》水でぬらした布で廊下・家具などをふくこと。対乾拭き。

みず‐ぶくれ【水▽脹れ】ミヅ ❶皮下に漿液がたまってふくれること(もの)。水疱。❷多量に水を含んで広がること。❸〔俗〕しまりのないふとり方(をした人)。

みず‐べ【水辺】ミヅ 水のほとり。すいへん。

みず‐ほ【×瑞穂】ミヅ〔文〕みずみずしい稲の穂。「—の国(=日本の美称)」

みず‐ぼうそう【水×疱×瘡】ミヅバウサウ「水痘」の俗称。

み‐すぼらし‐い【見×窄らしい】《形》(身なり・外観などが)貧弱で見苦しい。「—い家」

みず‐まくら【水×枕】ミヅ ゴムなどで作り、中に水や氷を入れて頭を冷やすのに用いる枕。**類語** 氷嚢。

みず‐まし【水増し】ミヅ《名・他サ》❶水を加えて量をふやすこと。「酒を—する」❷実際の数・量にいくらかつけ加えて、みかけ・名目をふやすこと。「—予算」

み‐すま・す【見澄ます】《他五》心をおちつけてよく見る。「敵の油断を—・して奇襲する」

みず‐まわり【水回り】ミヅまはり 建物の中で、水をよく使う部分。台所・浴室・便所など。

み‐す‐みす【見す見す】《副》そのままでは不都合が生じることを知っていながら、何もしないでいるようす。また、そのために不利益な結果になるようす。「せっかくの好機を—逃がす」「—損をする」**類語** むざむざ。

類義語の使い分け みすみす・むざむざ

[みすみす・むざむざ] 絶好のチャンスをみすみす(むざむざ)取り逃がすなんてもったいない
[みすみす] わかっていながら手を出してみすみす損をする
[むざむざ] 見抜いていたのに敵の計略にむざむざはまる

みずみず‐し‐い【×瑞×瑞しい】ミヅミヅ《形》新鮮で生気があふれている。つやがあって若々しい。「—い青葉」「—い少女」

みず‐むし【水虫】ミヅ 白癬菌(かびの一種)によって起こる皮膚病。足のうらや指の間に水ぶくれができたり皮膚がただれたりする。非常にかゆい。

みず‐もち【水×餅】ミヅ かびやひびわれが生じるのを防ぐため、水につけたもち。

みず‐もの【水物】ミヅ ❶飲み物や水分を多く含む果物。「—をとりすぎてお腹をこわす」❷予想がむずかしく終わってみなければわからない物事。「勝負は—だ」

みず‐もり【水盛(り)】ミヅ 細長い角材にほったみぞに水を入れ、土台面の水平をきめる器具。水ばかり。また、それを用いて水平をきめること。

みず‐もれ【水漏れ】ミヅ《名・自サ》水が漏れること。水漏り。漏水。

みず‐や【水屋】ミヅ ❶神社や寺で、参拝人が手や口を洗い清める所。御手洗。❷茶室のすみにあって茶の用意をする所。❸台所。❹茶器・食器などを入れる戸棚。❺洪水の際の避難所として、高く土盛りした上に建てられた家屋。

みず‐ようかん【水羊×羹】ミヅヤウ 夏場に食べる菓子の一つ。水分の多いようかん。

み‐ずら【▽角▽髪・▽角▽子】ミヅら 上代の男子の髪型で、髪を頭の中央で左右に分け、両耳のあたりで輪にして結んだもの。

角髪

み・する【魅する】《他サ変》不思議な力で人の心を迷わせたりひきつけたりする。魅惑する。「世の男性を—・する女優」〔多く「—・せられる」の形で使う〕「彼女の横顔に—・せられた」

みず‐わり【水割り】ミヅ 強い酒、特にウイスキーを水で薄めること(もの)。「—にする」

みせ【店】《「みせだな(見せ棚)」の略から》商品を並べ、販売する所。店。店屋。商店。また、商売。「—を畳む(=商売をやめる)」「—を張る(=店をかまえる)」

み‐せいねん【未成年】まだ成年に達しない・こと(人)。二〇歳未満。「—者」対成年。**注意**「未青

み

年」は誤り。

みせ‐か・ける【見せ掛ける】《他下一》〔うわべをつくろって〕実際とは別のものに見えるようにする。「スイス製に—・けた時計」「自殺と—・けた犯行」

みせ‐がね【見せ金】取引などで、信用を得るために相手に見せる金。

みせ‐がまえ【店構え】建物の大きさ・形など、店の構え方。「立派な—」

みせ‐ぐち【店口】店の間口。

みせ‐けち【見せ▽消ち】字句を訂正するとき、間違えたもとの字句も読めるようにした消し方。

みせ‐さき【店先】店の前あたり。店頭。

みせ‐じまい【店仕舞(い)】《名・他サ》❶店をしめてその日の商売をやめること。閉店。「きょうはもう—だ」❷〔商売を〕廃業すること。対①②店開き。

みせ‐しめ【見せしめ】悪い事をした人を罰して、他の人が同様のことをしないように戒めの例とすること。「騒いだ生徒を—に立たせる」

ミセス 既婚の女性。〔姓の上につけて既婚女性の敬称ともする〕対ミス。▽Mrs.

み‐せつ【未設】設備・施設などがまだ設けられていないこと。対既設。

みせ‐つ・ける【見せ付ける】《他下一》いやでも目にはいるようにする。「お熱いようすを—・ける」

み‐ぜに【身銭】自分が負担して支払う金銭。自腹。「—で酒を飲む」「—を切る（=自分が払わなくてもすむ経費を自分の金で払う）」

みせ‐ば【見せ場】見る価値のある場面。特に、芝居で役者が得意な芸などを見せる場面。「—をもうける」

みせ‐ばん【店番】店にいて見はりや客の相手をする・こと（人）。「—をたのむ」

みせ‐びらか・す【見せびらかす】《他五》自慢そうに人に見せる。誇示する。「満点の答案を皆に—・す」

みせ‐びらき【店開き】《名・自他サ》❶店をあけて（その日の）商売を始めること。「朝一〇時に—する」❷新しく店を開いて商売をはじめること。開店。開業。「駅前にすし屋が—する」対①②店じまい。

みせ‐もの【見せ物】❶料金をとって珍しい物や曲芸などを見せる興行。「—小屋」❷面白半分に見られるもの。「人の—になる」表記「見世物」とも当てる。

みせ‐や【店屋】店。

みせ‐・られる【魅せられる】《連語》↓魅する。

み・せる【見せる】一《他下一》❶他人が見るようにする。「地図を—・せて説明する」類語示す。指し示す。見せつける。見せかける。掲げる。見せびらかす。ひけらかす。(する)公開。内覧。展覧。展示。展観。提示。例示。図示。標示。掲示。尊敬御覧に入れる。高覧に供する。お目にかける。笑覧に供する。(する)奏覧。❷わからせる。「事実だということを—・せてやろう」❸おもてに出す。表す。「うれしそうな顔つきを—・せる」「文学に関心を—・せる」❹こうむらせる。経験させる。「つらい目を—・せる」❺診察させる。「医者に—・せる」文み・す《下二》。二《補動》❶他人に見えるように故意にする意。「うなずいて—・せる」❷話し手の強い意志を示すのに使う語。「必ず勝って—・せる」表記二はふつうかな書きにする。文み・す《下二》。

み‐ぜん【未然】まだそうなっていないこと。「災いを—に防ぐ」—けい【—形】文法で、用言・助動詞の活用形の一つ。口語では助動詞「ない」「（よ）う」「（ら）れる」「（さ）せる」などが、文語では助動詞「ず」「む」「まし」「（ら）る」「（さ）す」「しむ」などが接続する。

みそ【味×噌】❶むした大豆に、こうじ・塩をまぜて発酵させたもの。「—を擂る（=お世辞を言う。へつらう）」「—を付ける（=しくじって面目を失う）」❷みそに似たもの。カニ類の生殖巣など。❸特色とする点。「ごく薄型にしたところが—だ」

—も糞も一緒《句》いいも悪いも区別しないこと。

*__みぞ__【溝】❶水を流すために地面を細長く掘ったもの。❷細長いくぼみ。「鴨居の—」❸〔意見・感情などの〕へだたり。ギャップ。「夫婦の間に—ができる」

*__みぞ__【▽針▽孔】糸を通す針のあな。めど。

みそ‐あえ【味×噌▽和(え)】みそであえた料理。

み‐ぞう【未×曾有】《「未だ曾て有らず」の意》これまでに一度もなかったこと。〔特に重大なことに言う〕「—の好景気」「—の航空事故」類語空前。

みぞ‐おち【×鳩▽尾】《「みずおち」の転》上腹部中央で、胸骨が逆V字形に接合している部分のすぐ下のくぼんだ所。みずおち。鳩尾。

*__みそ‐か__【三▽十日・×晦日】〔月の第三十日の意から〕月の最終日。つごもり。「支払いは—です」対ついたち。

*__みそか__【▽密か】《名・形動》〔文〕ひそか。秘密。

みそか‐ごと【▽密か事】〔文〕❶内緒事。❷密通。

み‐そぎ【×禊ぎ】《名・自サ》神事の前などで、罪や穢れを払うために水を浴びて身を清めること。

みそ‐くそ【味×噌×糞】《形動》↓くそみそ。

み‐そこな・う【見損なう】《他五》❶見あやまる。見まちがえる。「打球を—・って後逸する」❷見るべきものを見ないでしまう。見る機会をのがす。「いい映画を—・った」❸評価をあやまる。〔よい評価を与えすぎた場合にいう〕「君を—・っていたよ」

みそ‐さざい【×鷦×鷯】ミソサザイ科の小鳥。全体がこげ茶色で、スズメの半分ぐらいの大きさ。動作がすばやく、鳴き声が美しい。食虫性。

みそ‐じ【三▽十・三▽十路】〔雅〕❶三〇。❷三〇歳。「—の坂をこえる」

み‐そしき【未組織】まだ組織されていないこと。「—の労働者」

みそ‐しる【味×噌汁】だし汁に豆腐・ワカメなどの具を入れ、味噌をとかした汁料理。おつけ。おみおつけ。

みそ‐すり【味×噌×擂り】❶みそをすって、中の豆の粒をつぶすこと。❷ごますり。追従。

みそ‐っ‐かす【味×噌っ×滓】〔俗〕❶みそをこしたかす。❷遊戯などで、一応は入れてやるが、一人前に数えられない子供。「小さい子を—にする」

みそ‐づけ【味×噌漬(け)】肉・野菜などをみそにつけること。また、つけたもの。

みそ‐っ‐ぱ【味×噌っ歯】〔俗〕子供の、欠けて黒くなった歯。

みそなわ・す《他四》〔古〕「見る」の尊敬語。ごらんになる。

みそ‐はぎ【×禊×萩・▽千▽屈▽菜】ミソハギ科の多年草。夏から秋、茎の上部の葉のわきに紅紫色の小花を三～五個つける。仏前に供える。

みそひと‐もじ【三▽十一文字】和歌。参考かなで書けば、三一字であるところから。

みそ‐まめ【味×噌豆】《みその原料となる豆の意》大豆。

み・そ・める【見初める】《他下一》《初めて見る意》異性を一目見て恋いしたうようになる。「入学式で―・めた女子学生」

み・そら【身空】身のうえ。「若い―で、けなげに働く」

みぞれ【×霙】❶雨まじりの雪。冬の初めや終わりに多い。❷かき氷にみつを加えたもの。

みぞれ・あえ【×霙▽和え】〈―あへ〉大根おろしであえること。また、その料理。

み・そ・れる【見▽逸れる】《他下一》❶見ていながらその人であることに気づかない。❷評価を誤って相手を低く見る。参考 (ア)①②とも多く、「お―・れしました」の形で使う。(イ)↓おみそれ。

みだ【×弥×陀】〔仏〕「阿弥陀(あみだ)」の略。

みたい・だ《助動：形動型》《「…見たようだ」の転》❶ある物事が(外観上)他の物事に似ている意を表す。「彼は借りてきた猫みたいだ」「友達みたいな親子」❷(「みたいな」「みたいに」の形で)ある物事を例として示す。「この間みたいなことはもうこりごりだ」「彼みたいな秀才は珍しい」❸推量、不確かな断定を表す。…(な)ようだ。…のようだ。「アメリカに永住するみたいな話でした」「景気はさっぱりみたいだ」接続 用言、および「(よ)う」「まい」を除く助動詞の終止形につく。体言、また一部の副詞にもつく。参考 (ア)「…ようだ」の口頭語的な、くだけた言い方であるが、意味・用法は「ようだ」より狭い。(イ)丁寧語は「みたいです」。(ウ)「だ」を省いて、「みたい」で言い切ることもできる(まるで子供みたい)。注意 「みたい」の形を、「まるで私のせいみたく言うの」などと形容詞のように活用させて使うのは誤り。「まるで私のせいみたいに言うの」としたい。

み・たけ【身丈】❶身のたけ。身長。❷衣服の後ろのえりの下からすそまでの背筋の長さ。

み・だし【見出し】❶新聞・雑誌・書物などで、文章の前にあって、内容の見当がつくようにした簡潔なことば。表題。❷書物や帳簿の内容の一覧。目次・索引など。❸辞書で、項目として立てた語。見出し語。

み・だしなみ【身×嗜み】❶服装やことば・態度などをきちんとする心がけ。「紳士の―」❷教養として身につけるべき技芸。「歌舞音曲は役者の―」

みた・す【満たす・▽充たす】《他五》❶満ちるようにする。一杯にする。「コップに水を―・す」❷満足させる。「組合の要求を―・す」表記 「充たす」はもっぱら②に使う。文《四》。

みだ・す【乱す】《他五》乱れた状態にする。整っているものをめちゃめちゃにする。「列を―・す」「秩序を―・す」「気持ちを―・される」文《四》。

み・たて【見立て】見立てること。「―がよい」

み・た・てる【見立てる】《他下一》❶見て、えらび定める。「似合いの服を―・てる」❷見て、判断をくだす。鑑定する。診断する。「名医に―・ててもらう」❸仮に他のものと考える。なぞらえる。「政治家を動物に―・てた漫画」

み・たま【▽御霊・▽御▽魂】「魂(たましい)」の尊敬語。〔死者をうやまって言う〕「祖先の―」 **―しろ【―代】**みたまの代わりにまつるもの。御神体。 **―や【―屋】**貴人の霊をしずめまつる所。おたまや。霊廟(れいびょう)。

み・た・め【見た目】《連語》外観。みば。「―はよいが、仕立てが雑だ」

みた・よう・だ【見たようだ】《連語》「みたいだ」の古い形。「小説―・な実話」「私―・な未熟者」

みだら【×淫ら・×猥ら】《形動》性的に乱れた感じを与えるようす。わいせつ。淫猥(いんわい)。「―な関係を結ぶ」

み・たらし【▽御手▽洗】↓水屋①。

み・たり【三▽人】〔文〕さんにん。

みだり【▽妄り・▽漫り・▽濫り・×猥り】《形動》善悪の区別も考えず、むやみやたらに行動するようす。無分別。「他人の生活に―に口を出すな」

みだり・がまし・い【▽妄りがましい・×猥りがましい】《形》みだらなようすである。みだりがわしい。

みだれ【乱れ】乱れていること。「髪の―」「政治の―」

みだれ・かご【乱れ×籠】ふろにはいったり、寝たりするときに脱いだ衣服を入れる浅い籠。乱れ箱。

みだれ・がみ【乱れ髪】乱れた髪の毛。

みだ・れる【乱れる】《自下一》❶整わなくなる。ばらばらになる。「髪が―・れる」❷基準・順序などがめちゃめちゃの状態になる。「隊列が―・れる」類語 ①②散らばる。散らかる。崩れる。〔する〕散乱。混乱。混迷。壊乱。紛乱。攪乱(かくらん)。紛糾。錯雑。錯綜(さくそう)。紊乱(ぶんらん・びんらん)。❸平和でなくなる。「世が―・れる」❹〔心が〕平静を失う。動揺する。「心は千々に―・れる」類語 〔する〕錯乱(さくらん)。文 みだ・る《下二》。

***み・ち【未知】**まだ知らないこと。まだ知られていないこと。「―の世界」対 既知。 **―すう【―数】**❶方程式などで、値のわかっていない数。対 既知数。❷予想などのつかないこと。「彼の実力は―だ」

***みち【道・▽路・▽途】**❶人や車が通るように作られた所。道路。❷人生の、進むべき方向。進路。「わが―を行く人」❸人がそれに従って行動すべきだと考えられているすじみち。道徳。「人の―にはずれた行為」❹途中。「会社へ行く―で友人に会った」❺てだて。方法。手段。「やめるしか―はない」❻〔儒教・仏教など〕宗教上の教え。教義。「聖人の―」❼専門の社会。方面。「その―に詳しい人」❽あゆみ。みちのり。「―がはかどる」「―は遠い」⇩〔類語と表現〕

類語と表現

「道」

＊道が込む・道を通す・道を横切る・道を急ぐ・道を譲る・道を間違える・道に迷う・遠い道・駅へ行く道・船の通う道・すべての道はローマに通ず。

◆[…みち]畦道(あぜみち)・田舎道・裏道・枝道・帰り道・崖道(がけみち)・片道・獣道(けものみち)・小道・坂道・岨道(そばみち)・田圃(たんぼ)道・近道・泥道・通り道・逃げ道・抜け道・花道・細道・回り道・山道・雪道・夜道・横道・分かれ道・脇道(わきみち)

◇[…どう]街道・間道・旧道・県道・公道・国道・山道・参道・私道・市道・車道・新道・大道・地下道・登山道・農道・歩道・舗道・本道・遊歩道・林道

◇[…ろ]隘路(あいろ)・悪路・往路・海路・街路・滑走路・岐路・帰路・空路・公路・行路・航路・三叉(さんさ)路・走路・十字路・水路・線路・通路・鉄路・道路・難路・復路・迷路・要路・陸路

◇[…じ]家路・大路・通い路・小路(こうじ)・野路(のじ)・広小路・袋小路

◇[その他]小径・路地・回廊・通り・裏通り・表通り・目抜き通り・往来・往還・筋・畷(なわて)・八衢(やちまた)／ロード・ストリート・アベニュー・ペーブメント・バイパス・ハイウエー・アーケード・コース

みち-あんない【道案内】❶道の方向・距離などを書いて道ばたに立ててあるもの。道標。道しるべ。❷道の方向などを教えるため、先に立って導くこと〈人〉。ガイド。「―をつとめる」「―に立つ」

みち-いと【道糸】つりで、手もと（リールを用いない場合はさお先）から仕掛けをつなぐ所までのつり糸。

み-ぢか【身近】《名・形動》自分の身の近くで、関連の深いこと。「危険を―に感じる」「―な問題」

み-ちが・える【見違える】(―ちがへる)《他下一》他のものとまちがえて見る。見あやまる。見まちがえる。「妹を姉と―・えた」「―・えるように大きくなった」

みち-かけ【満ち欠け・×盈ち×虧け】月がまるくなることと、欠けること。「月の―」

みち-くさ【道草】❶道ばたに生えている草。❷《名・自サ》道草を食うこと。

―を食・う《句》途中で他の事をして時間をついやす。

みち-しお【満ち潮】(―しほ)干潮から満潮に移るときに海面が高くなっていく現象。さし潮。あげ潮。対引き潮。

みち-じゅん【道順】❶〔ある場所へ行き着くまでの〕通っていく道の順序。❷当然そうすべき手続き。「まず親に話をするのが―だ」類語手順。

みち-しるべ【道▽標・道▽導】❶道案内。道標。❷手引き。「研究の―」❸「はんみょう」の別称。

みち-すがら【道すがら】《副》道を行く途中で。道を行きながら。みちみち。「―進学について話し合う」

みち-すじ【道筋】(―すぢ)❶通って行く道。通り道。「学校への―」参考ひゆ的に、物事の変化する過程の意でも用いる。「法案が成立するまでの―」❷物事の道理。すじみち。「議論の―が立たない」

みち-た・りる【満ち足りる】《自上一》必要な物事が十分にそなわっていて満足できる。「―・りた日々」

みち-づれ【道連れ】いっしょに連れだっていくこと〈人〉。同行（者）。「旅は―、世は情け」類語同伴。

みち-なか【道中】〔文〕❶〔目的地へ行く〕道の途中。道中(どうちゅう)。「―で突然話を始めた」類語中途。❷道路の真ん中。路上。「子供が―にとび出す」

みち-ならぬ【道ならぬ】《連体》道徳にはずれた。不倫の。「―恋に陥る」

みち-なり【道なり】道路が通っている、そのままの形。また、それにそって進路をとること。「―に行く」類語道沿い。

みち-の-く【▽陸▽奥】《「みち（道）のおく（奥）」の転》〔文〕旧国名で、陸奥(むつ)の国。今の福島・宮城・岩手・青森の四県。奥州(おうしゅう)。参考東北（奥羽）地方全体をさすことがある。「―秘湯の旅」

みち-の-べ【道の辺】〔雅〕道のほとり。道端(みちばた)。道辺(みちべ)。「―の野菊(のぎく)」

みち-のり【道▽程】〔ある地点から他の地点に行くまでの〕道の長さ。距離。どうてい。「隣村までの―」

みち-ばた【道端】道のほとり。路傍(ろぼう)。

みち-ひ【満ち干】海水の満ちることと、干ること。満ち引き。干満。

みち-ひき【満ち引き】満ち干。

みち-び・く【導く】《他五》❶道案内をする。連れて行く。「添乗員に―・かれてホテルに着く」❷よくなるように手引きをする。指導する。「生徒を―・く」❸ある状態に至らせる。「事業を成功に―・く」

みち-ぶしん【道普請】道を新しくつくったり、直したりする工事。道路工事。〔古風なことば〕

みち-みち【道道】《副》道を行きながら。道すがら。途中で。「―話をしよう」

み-ちゃく【未着】まだ着かないこと。「―の手紙」

みち-ゆき【道行（き）】❶旅人の心情や、たどって行く道すじの光景などをつづった、韻文体の文章。道行文。参考鎌倉期に完成。軍記物・謡曲などに見られる。❷人形浄瑠璃(じょうるり)・歌舞伎(かぶき)で、道中の模様を演じる場面。特に、相愛の男女がかけおち・情死などに連れだつ場面。❸形は被風(ひふ)に似て、えりもとが角型をした和服用コート。昔、旅行者が用いた。

み・ちる【満ちる・▽充ちる】《自上一》❶限界まで達する。いっぱいにはいる。「会場に―・ちた人々」❷極限のところまでおしよせる。「潮が―・ちる」❸〔ある感情的なものが〕いっぱいこもっている。「喜びに―・ちた表情」「感動に―・ちた映画」❹定められた期日・数量に達する。「任期が―・ちる」「定員に―・ちる」❺欠けたところがなく完全な形になる。「月が―・ちる」対欠ける。表記「充ちる」は③に使う。文み・つ《上二》。

*__みつ__【密】一《接頭》秘密の。「―入国」二《名・形動》❶すきまのないほどぎっしり詰まっていること。また、間隔のせまいこと。「人口が―になる」❷関係が深いこと。親密。密接。「連絡を―にする」❸細部にわたって行き届いていること。綿密。緻密(ちみつ)。「―な計画」対①③疎(そ)。❹人の目につかないようにすること。秘密。「謀(はかりごと)は―なるをもってよしとする」

*__み-つ__【三つ】〔文〕❶一の三倍。さん。みっつ。〔物の数をかぞえるときに使う〕❷三歳。

*__みつ__【三つ・×褌】❶ふんどしの横の部分と縦の部分が交差するところ。❷相撲で、力士の締めるまわし。ふんどし。「前―」

*__みつ__【×蜜】❶花から出る甘い汁。❷はちみつ。❸砂糖を煮てとかした、どろっとした液。糖蜜。

*__み・つ__【満つ・▽充つ】《自五》〈「―・たない」の形で〉達しない。とどかない。「十に―・たない」「定員に―・たない」「意に―・たない」参考「みちる」の古い活用（四段活用）の未然形だけ残ったもの。文《四》。

みつ-うん【密雲】〔文〕〔暗くなるほど〕厚く重なった雲。「―低く垂れこめる」

みっ-か【三日】❶月の三番目の日。「五月―」❷三日間。「―にあげず（＝三日間も間(ま)をおかず）通う」

―見ぬ間の桜《句》物事の変化や世の中のうつり変わりが早いことのたとえ。

みつ-が【密画】対象を精密に描いた絵。対疎画(そが)。

みっ-かい【密会】《名・自サ》〔人目をさけて〕ひそかに会うこと。「―を重ねる」類語あいびき。しのびあい。

みつ-がさね【三つ重ね】重箱などの、三つ重ねて一組としたもの。

みっか-てんか【三日天下】ほんのわずかの期間だけ政権・実権をにぎっていること。みっかでんか。参考明智光秀(あけちみつひで)が織田信長を倒して天下を取ってから短期間のうちに殺されたことから。

みつ-かど【三つ角】道が三方に分かれている所。三叉路(さんさろ)。

みっか-ばしか【三日▽麻×疹】「風疹(ふうしん)」の俗称。参考はしかに似ていて、二～三日で治るところから。

みっか-ぼうず【三日坊主】物事にあきっぽく、長続きのしないこと〈人〉。「毎年、日記が―に終わる」

み-つか・る【見付かる】《自五》❶人に見つけられる。

「つまみ食いをしてー・った」❷見つけることができる。「いい方法がー・らない」

***みつ・ぎ【密儀】** 出席者を限って行う宗教的儀礼。

***みつ・ぎ【密議】**《名・他サ》秘密の相談。「ーをこらす」

***みつぎ【貢(ぎ)】** ❶古代、人民が支配者に税としておさめた穀物以外の物品。一般に、租税。❷属国が時期を定めて君主に献上する財物。貢ぎ物。

みつぎ・もの【貢(ぎ)物】 貢ぎとして献上する品物。

みっ・きょう【密教】 大日如来が説いた深遠・秘奥(ひおう)の教え。加持(かじ)・祈禱(きとう)を重んじる。最澄(さいちょう)の台密(たいみつ)と、空海の東密との二系統がある。対 顕教(けんぎょう)。

みつ・ぐ【貢ぐ】《他五》❶献上する。「朝廷に黄金をー・ぐ」❷金・品物を供給する。「愛人に大金をー・ぐ」文《四》。

み・づ・く【▽水漬く】《自四》〔古〕水につかる。「海行かばー・くかばね　山行かば草むすかばね」

ミックス ❶《名・他サ》まぜ合わせる・こと(物)。「ージュース」❷〔テニス・卓球などで〕男女の混成チーム。「ーダブルス」▽mix

みつ・くち【三つ口・×兎▽唇】〔俗〕兎唇(としん)。

みつ・ぐみ【三つ組(み)】 ❶三つで一組になっている・こと(もの)。❷髪・糸などの束を三つにわけ、それを組み合わせてひも状に編むこと。三つ編み。

み・づくろい【身繕い】(ーづくろひ)《名・自サ》身なりをととのえること。「ーして来客を迎える」類語 身ごしらえ。

み・つくろ・う【見繕う】(ーつくろふ)《他五》品物などを適当に選んでととのえる。「プレゼントをー・う」「夕食のお菜をー・う」類語 見はからう。

み・つけ【見付・見▽附】 城のいちばん外側にあって、番兵が見張りをする所。城の外門。

みっ・けい【密計】 秘密の計略。「ーをめぐらす」

みつけ・だ・す【見付け出す】《他五》〔今まで目につかなかったものを〕見わけてとり出す。「法則をー・す」

みつ・げつ【×蜜月】 結婚したばかりのころ。ハネムーン。「ーの旅」

み・つ・ける【見付ける】《他下一》❶見いだす。発見する。「鉱脈をー・ける」「美点をー・ける」類語 探し出す。探しあてる。探りあてる。つきとめる。かぎつける。(る)(す)発掘。❷見なれる。「いつもー・けている風景」

***みつ・ご【三つ子】** ❶一度の出産で生まれた三人のこども。❷数え年三歳の子。

ーの魂百まで《句》幼時の性格は老年になってもかわらない。

***みつ・ご【密語】**《名・自サ》〔文〕ひそかに話すこと。また、その話。ひそひそ話。ないしょ話。「ーを交わす」

***みっ・こう【密航】**《名・自サ》❶旅券をもたず、または運賃を払わず、船や飛行機の中にかくれて渡航すること。「ー者」❷規則を破って航行すること。「ー船」

***みっ・こう【密行】**《名・自サ》人目につかないように行動すること。「ー中の私服刑事」

みっ・こく【密告】《名・他サ》〔監督者や警察などに〕こっそり告げ知らせること。「ー者」「仲間をーする」

みっ・し【密使】 秘密の使者。「ーを立てる」

みつ・じ【密事】 秘密の事柄。「ーがもれる」

みっ・しつ【密室】 ❶しめきって、人の出入りができない部屋。「ー殺人事件」❷人に知らせないで秘密にしてある部屋。「地下にーを作る」

みっ・しゅう【密集】《名・自サ》多くのものがすきまなく集まること。「住宅がーする」類語 蝟集(いしゅう)。雲集。

みつ・しゅっこく【密出国】《名・自サ》法律による手続きをふまずに自分の国を出ること。対 密入国。

みっ・しょ【密書】 秘密の手紙・文書。

ミッション ❶キリスト教で、伝道。布教。また、伝道布教団。❷使節団。派遣団。❸「ミッションスクール」の略。▽mission **ースクール** キリスト教団体が、キリスト教精神にもとづいた教育を行う学校。▽mission school

みっしり《副》(「ーと」の形も)❶すきまなくつまっているようす。「ー家が建てこんだ下町」類語 びっしり。ぎっしり。❷みっちり。「ー鍛えてやろう」

みっ・せい【密生】《名・自サ》草木や毛などが、すきまなくはえること。「アシがーしている」

みっ・せつ【密接】《名・自サ》❶他のものに、すきまのないほど接近すること。「隣家とーしている」類語 密着。❷《形動》互いの関係が深いこと。「ーに連絡をとる」「事件にーに関わる」類語 緊密。不離。

みつ・せん【×蜜×腺】 被子(ひし)植物が蜜(みつ)を出すところ。みっせん。

みっ・せん【密栓】《名・自サ》かたく栓をすること。また、その栓。

***みっ・そう【密葬】**《名・他サ》❶ひそかに遺骸(いがい)をほうむること。❷〔公的な葬式の前に〕内輪の者で行う、とむらい。対 本葬。

***みっ・そう【密送】**《名・他サ》こっそりと送ること。

みつ・ぞう【密造】《名・他サ》法律の禁を犯して、こっそりとつくること。「酒をーする」

みつ・ぞろい【三つ×揃い】(ーぞろひ) 三つでひとそろいになったもの。特に、上衣・チョッキ・ズボンを、そろいの布地でつくった男子服。

みつ・だん【密談】《名・他サ》こっそりと相談すること。また、その相談。「ーを交わす」類語 密語。

みっ・ちゃく【密着】《名・自サ》❶少しのすきまもなく、他のものにぴったりとくっつくこと。「タレントにーして取材する」❷写真で、原板(=ネガ)のままの大きさに焼き付けること。また、その印画。ベタ。

みっちり《副》(「ーと」の形でも)少しも手を抜かず、十分に行うようす。みっしり。「ー(と)練習を積む」

みっ・つ【三つ】→三(みっ)つ。

みっ・つう【密通】《名・自サ》妻や夫のある男女が、他の女や男とひそかに情を通じること。私通。類語 姦通(かんつう)。姦淫(かんいん)。

みっ・てい【密偵】《名・他サ》こっそりと相手の秘密や内情をさぐる・こと(人)。秘密探偵。スパイ。

ミット 野球で、捕手と一塁手が使う、親指だけが分かれている革製の手袋。類語 グローブ。▽mitt

みつ・ど【密度】 ❶一定の面積や体積の中に含まれる分布量の程度。「人口ー」❷ある物質の単位体積当たりの質量。類語 比重。❸内容が充実した度合い。「ーの濃い講演」

ミッド・ナイト 真夜中。深夜。▽midnight

みつ・どもえ【三つ×巴】(ーどもゑ) ❶三つのともえの模様が組み合わさって円になっている形(の紋)。❷三者が互いに対立して入り乱れていること。「三者ーの乱戦」

みっとも・な・い《形》(「見たうもない」の転)外聞や体裁が悪い。みにくい。「落第とはー・い」「酒を飲んでー・く振る舞う」類語 汚い。恥ずかしい。むさ苦しい。無様(ぶざま)。不体裁。不格好。人聞きが悪い。

みつ-にゅうこく【密入国】《名・自サ》法律による手続きをふまずに入国すること。対密出国。

みつ-ば【三(つ)葉】❶葉が三枚あること。❷セリ科の多年草。葉は三枚の小葉からなる。葉・茎とも独特のかおりをもち、食用。多く湿地に自生するが、栽培もされる。表記②は「野蜀葵」とも書く。

みつ-ばい【密売】《名・他サ》法律を犯してこっそりと売ること。禁制品を売ること。「麻薬の―」

みつ-ばち【×蜜×蜂】昆虫類ミツバチ科のハチの総称。背は黒茶色、羽は灰色。一匹の女王バチを中心に数万の働きバチと、数百の雄バチとが一つの巣で社会生活を営む。蜜を採るために飼育される。

みっ-ぷう【密封】《名・他サ》すきまなく厳重に封をすること。「果実酒の瓶を―する」

みっ-ぺい【密閉】《名・他サ》すきまなくぴったりと閉じること。「部屋を―して殺虫剤をまく」

みつ-ぼう【密謀】〔文〕秘密のはかりごと。

みつ-ぼうえき【密貿易】法律を犯してこっそりと行う貿易。

みつ-ぼし【三つ星】❶オリオン座の中央に直線上に三つ並んだ星。からすき星。参星。❷最高級のレストラン。参考フランスの料理店案内書「ミシュラン」の採点法から。

*__みつ-また__【三×椏・三×叉】ジンチョウゲ科の落葉低木。枝が三本ずつに分かれる。樹皮の繊維は和紙の原料。

*__みつ-また__【三つ×叉】〔川・道・木の枝などが〕三本に分かれている・こと(所)。三叉(さんさ)。

みつ-まめ【×蜜豆】さいの目に切った寒天、果物、ゆでたエンドウなどを盛りあわせ、糖蜜(とうみつ)をかけた食品。

みつ-み【三つ身】並幅一反の布の半分で仕立てる幼児用の着物(の裁ち方)。参考そでを除いた用布の見積もりを、並幅物の場合に身たけの三倍とする。

み-つ-める【見詰める】《他下一》じっと熱心に見続ける。凝視する。「夜空の星を―・める」

み-つもり【見積(も)り】みつもること。また、それをしるした書類。見積書。「―を立てる」

み-つも-る【見積もる】《他五》❶あらかじめ概算する。「旅費を―・る」「予算を―・る」❷目分量ではかる。「どう―・っても二〇〇坪はある」

みつ-やく【密約】《名・他サ》秘密の約束・条約を結ぶこと。また、その約束・条約。「―を交わす」

みつ-ゆ【密輸】《名・他サ》密貿易。「―船」

みつ-ゆしゅつ【密輸出】《名・他サ》法的な手続きを経ないで、ひそかに輸出すること。対密輸入。

みつ-ゆにゅう【密輸入】《名・他サ》法的な手続きを経ないで、ひそかに輸入すること。対密輸出。

みつ-ゆび【三つ指】親指・人さし指・中指の三本の指。「―を突く(=三つ指を畳の上などに軽くつけて、丁寧に礼をする)」

み-づら-い【見▽辛い】《形》❶見るにたえない。見苦しい。「骨肉の争いは―・い」❷見るのが困難である。見にくい。「小さい字は―・い」対見やすい。見よい。

*__みつ-りょう__【密漁】《名・他サ》禁制をやぶって、こっそりと魚や貝をとること。「条約に違反した―」

*__みつ-りょう__【密猟】《名・他サ》禁制をやぶって、こっそりと鳥やけものをとること。「野生動物の―」

みつ-りん【密林】樹木がすきまなく生い茂っている(熱帯地方の)林。ジャングル。対疎林。

みつ-ろう【×蜜×蠟】ミツバチが巣をつくるために分泌した、ろう。ろうそく・光沢材・クレヨンなどに利用。

み-てい【未定】《名・形動》まだ、決まっていないこと。「試験の期日は―」対既定。 **―こう**【―稿】書いたままで十分に仕上がっていない原稿。

ミディ「ミディスカート」の略。ミモレ(=ひざ丈)とマキシ(=くるぶしまでの丈)の中間のスカート(の丈)。▽midi

ミディアム ビフテキなどの焼き方で、中くらいの程度に焼くこと。参考→ウェルダン。レア。▽medium

みてぐら【▽幣】〔雅〕神に奉るものの総称。のち、神前に供える幣帛(へいはく)。さらに後世、紙を段々に切って長くしたものをいう。

みて-くれ【見て▽呉れ】〔「これを見てくれ」の意から〕外観。みかけ。「―だけはよいが、味が今一つだ」

みて-と-る【見て取る】《他五》❶見て、それと知る。みとめる。「外野手の捕球を―・って本塁へ突っこむ」❷見て、事情を判断する。見て、さとる。見抜く。「相手の真意を―・る」類語見破る。見透かす。

*__み-とう__【未到】まだだれも到達しないこと。「前人―の大事業」

*__み-とう__【未踏】まだだれも足をふみ入れていないこと。「人跡―」「―の極地を探検する」 **―ほう**【―峰】まだだれも登ったことのない山。処女峰。

み-どう【▽御堂】寺院または仏堂の尊敬語。

み-とおし【見通し】❶〔さえぎるものがなく〕ひと目に見えること。「霧で―がきかない」❷見抜くこと。洞察。「お前の考えはお―だ」❸将来を推察すること。予測。予知。「政局の―」❹見つづけ。みどおし。

み-とお-す【見通す】《他五》❶〔さえぎるものがなく〕遠方までひと目に見る。❷物事の実情や人の気持ちを見抜く。洞察する。「ずばり本心を―・す」❸将来を推察して知る。予測する。予知する。「相場の下落を―・す」❹始めから終わりまで見る。ずっと見る。見続ける。「番組を終わりまで―・す」

み-とが-める【見×咎める】〔不審なものを〕見て問いただす。「逃げ出した男を―・める」

み-とく【味得】《名・他サ》〔文〕よく味わって理解し、すっかり自分のものにすること。「古典を―する」

み-どく【味読】《名・他サ》〔文〕内容を十分に味わいながら読むこと。「名句を―する」類語熟読玩味(がんみ)。

み-どころ【見所・見▽処】❶見る価値のあるところ。「この映画の―をきく」❷将来の見込み。将来性。「―のある男」

み-とせ【三▽年・三▽歳】〔文〕三年(さんねん)。

み-とど-ける【見届ける】《他下一》最後まで確かに見る。「出発を―・ける」「子どもの成長を―・けたい」

みとめ【認め】❶みとめること。❷「認め印」の略。

みとめ-いん【認(め)印】あまり重要でない書類に使う、略式の印判。みとめ。対実印(じついん)。

みと-める【認める】《他下一》❶目にとめる。そこに・有る(居る)ことがわかる。「門外に人の姿を―・める」❷確かにそうであると判断する。判定する。「手術の必要性を―・める」「自分の失敗を―・める」❸〔他人の意見・行動・申し出などを〕正しいもの、良いもの、正当であるものとして受け入れる(許可する)。「外出を―・める」「人格を―・める」❹見込みがあると判断する。〔よいと〕評価する。「企画が社長に―・められる」文みと・む《下二》 ⇩〔類語と表現〕

類語と表現

「認める」

＊人影を認める・エンジンに異常は認められない／有罪と認める・犯行を認める・自分の非を認める／例外を認める・携帯電話の使用を認める／業績が認められる。

◆判じる・断じる・目に留まる・目に入る・見て取る・首を縦に振る／確認・現認・誤認・公認・再認・自認・体認・承認・是認・追認・容認・信認・黙認・否認・認可・認識・認知・認定・許可・評価・判断・判定・論断・決断・断定・肯定・首肯・賛成

み-ども【身共】《代名》《自称の人代名詞》〔文〕われ。われら。〔武士などが同輩（以下）に使った〕

みどり【緑・×翠】❶青と黄との中間色。草木の葉の色。「ーしたたる山々」⇩〖類語と表現「色」〗❷樹木（の葉）。「ーが多い地区」❸新芽。「松のー」

みどり-ご【×嬰▽児】〔雅〕生まれて間もない子。えいじ。

みとり-ざん【見取（り）算】そろばんで、数字を見ながら計算する方法。㊇読みあげ算。

みとり-ず【見取（り）図】土地・建物・機械などの形・配置・寸法などをわかりやすく書いた略図。

みどり-の-くろかみ【緑の黒髪】黒くてつやのある、生き生きとした髪。

みどり-の-ひ【みどりの日】国民の祝日の一つ。自然に親しむとともにその恩恵に感謝し、豊かな心をはぐくむ日。四月二九日。

***み-と・る【▽看取る】**《他五》❶病人の世話をする。看病する。❷臨終のとき、そばについて見守る。「父の最期をー・る」

***み-と・る【見取る】**《他五》見て取る。みとめる。

ミドル 中。中央。中間。中等。「ークラス」「ーマネージメント」「ーエージ（＝中年。初老）」▽middle **ーきゅう【ー級】**（middleweight）ボクシングで、重量別階級の一つ。プロで六六・六八～七二・五七キロ、アマで七一～七五キロ。

み-と・れる【見×蕩れる・見×惚れる】《自下一》うっとりとして見入る。「踊りにー・れる」㊎見惚れ（ほみれ）る。

みどろ《接尾》…まみれ。「汗ー」「血ー」

ミトン 親指と他の指を入れる部分との二つに分かれている手袋。ふたまた手袋。㊎ミット。▽mitten

みな【皆】残らず全部。すべて。みんな。〔副詞的にも、代名詞的にも使う〕「食料はー食べつくした」「ーとは言わないがほとんどが病気だ」「ーはどう考えるか」

み-なお・す【見直す】㊀《他五》❶もう一度改めてよく見る。「鏡をー・して服装をただす」「地図をー・す」❷価値がわかって再認識する。「会社の危機を救った彼をー・す」❸（改める方向で）再検討する。「法案をー・す」㊁《自五》（病気・景気などの状態が）回復して、よい方に向かう。「病状はぼつぼつー・してきた」

み-な-かみ【▽水上】《「な」は「の」の意》水の流れの上の方。上流。川上。㊇水下（みなしも）。

みな-が-みな【皆が皆】《連語》そこのもの全部。残らず。㊟下に否定表現を伴うことが多い。「ーそうであるとは限らない」「ー同意しているわけではない」

みなぎ・る【×漲る】《自五》❶〔文〕水があふれんばかりに盛り上がる。「濁流が川面にー・る」❷あふれんばかりに満ちる。「若い血潮がー・る」「不穏な空気がー・る」㊎あふれる。㊈《四》。

み-な-くち【▽水口】《「な」は「の」の意》〔川から〕田に引く水の入り口。

み-なげ【身投げ】《名・自サ》川・海・火口などに飛びこんで死ぬこと。投身。投身自殺。

みな-ごろし【皆殺し・×鏖】残らず殺すこと。「さからう者をーにした」㊎殲滅（せんめつ）。ホロコースト。

みな-さま【皆様】❶〔その場にいる〕おおぜいの人を指して言う尊敬語。〔代名詞的にも使う〕「御来場のー」❷相手の身内を指して言う尊敬語。「ーによろしく」

みな-さん【皆さん】「皆様（みなさま）」の少しくだけた言い方。

みなし-ご【▽孤▽児】親のないこども。孤児（こじ）。

み-な・す【見×做す・▽看×做す】《他五》それと判定したり、仮にそうだと考えたりする。そうときめる。仮定する。「異議がなければ賛成とー・す」

み-な-そこ【▽水底】《「な」は「の」の意》〔文〕水のそこ。みなぞこ。

み-な-づき【▽水無月】〔雅〕陰暦六月の別称。㊟太陽暦の六月にも言う。

み-な-と【港・×湊】《「水門（みなと）」と同語源》〔湾・河口などで〕船が安全に出入・停泊できるように設備した所。

み-なのか【三七日】人の死後二一日目（の忌日）。また、その日に行う法事。みなぬか。さんしちにち。

みな-の-しゅう【皆の衆】〔古風な言い方〕「ー、よく聞け」おおぜいの人に呼びかける語。皆さん方。

みなまた-びょう【▽水×俣病】工場廃液に含まれる有機水銀に汚染された魚介を食べることによって起こる中毒症。神経系が冒され、言語障害、視野狭窄（きょうさく）、歩行不自由などの症状を呈する。㊟一九五三年ごろから熊本県水俣地方に発生した。

みなみ【南】方角の一つ。太陽の出る方に向かって右の方向。㊇北。

みなみ-かいきせん【南回帰線】南緯二三度二七分の緯線。冬至の日に太陽がこの線の真上にくる。㊇北回帰線。

みなみ-かぜ【南風】南から吹いてくる（あたたかい）風。はえ。南風（なんぷう）。㊇北風。

みなみ-がわ【南側】南に面した側。ある点・線・位置より南の方。㊇北側。

みなみじゅうじ-せい【南十字星】南十字座の中のアルファ・ベータ・ガンマ・デルタの四つの星。対角線を結ぶと十字形になる。長軸を延長すると南極をさすところから、南の海を航海する際の目印とされた。

みな-みな【皆皆】《副》「みな」を強めた言い方。

みなみ-はんきゅう【南半球】地球の赤道以南の部分。㊇北半球。

みなみ-むき【南向き】南の方向に向いていること。

み-な-も【▽水▽面】→みのも。

み-な-もと【源】《「水のもと」の意》❶川の水の流れ出るもと。水源。源流。「信濃（しなの）川は甲武信（こぶし）岳にーを発する」❷物事の起こりはじめ。起源。「わが家のーをさぐる」㊎根源。

み-ならい【見習い】みならうこと。特に、実地に業務をならう・こと（人）。「行儀ー」「ー工」

み-なら・う【見習う・見倣う】《他五》〔他人のすることを〕見て模範とする。見て学ぶ。「作法をー・う」

み-なり【身▽形】❶衣服をつけた姿。また、その服装。

み

「―を整える」❷からだつき。なり。「―の大きい子」

み‐な・れる【見慣れる・見×馴れる】《自下一》いつも見てよく知っている。「―れた景色」「―れない男」

み‐な‐わ【▽水▽泡】《「みなあわ」の転》〔雅〕水のあわ。

ミニ ㊀《接頭》「小型の」の意。「―カメラ」㊁《名》「ミニスカート」の略。幅が狭く、丈が短いスカート。▽mini **―カー** ❶小型の乗用車。軽自動車。❷超小型の模型自動車。▽minicar **―コミ**〔俗〕「ミニコミュニケーション」の略。小規模な人数の間で行われる、情報の伝達(手段)。対マスコミ。▽mini と communication からの和製語。**―しんかんせん【―新幹線】**新幹線直行特急。新幹線と在来線が相互乗り入れできる高速特急。**―ディスク** ⇩巻末付録(MD)。

ミニアチュア ➡ミニチュア。▽miniature

ミニアチュール こまかく描きこまれた小さな絵。細密画。ミニアチュア。ミニチュア。▽フランス miniature

***み‐にく・い【見▽難い】**《形》見るのが困難だ。よく見えない。「―い画面」対見やすい。見よい。

***み‐にく・い【醜い】**《形》❶けがらわしく見苦しいようすである。「―い心」❷顔・体などの形が整っていないようすである。みめが悪い。「顔を―くゆがめる」類語グロテスク。グロ。対①②美しい。

ミニチュア ❶小型の模型。「―カー」❷➡ミニアチュール。(=ミニアチュア。)▽miniature

ミニマム 最小限。最小量。極小。「―の予算」対マキシマム。▽minimum

み‐ぬ・く【見抜く】《他五》表面にあらわれていない所まで見通す。「相手のうそを―く」類語見破る。

みね【峰・×嶺】《「み」は美称の接頭語。「ね」は頂の意》❶山のとがって高い所。対尾。表記①はもっぱら「嶺」と書く。❷ものの高くなった所。「雲の―」❸刀または刃物の、刃と反対の部分。背(せ)。

みね‐うち【峰打ち】〔打撲だけを与えるために〕刀のみねで打つこと。むねうち。

ミネラル 五大栄養素の一つ。カルシウム・カリウム・ナトリウム・燐(りん)・塩素・マグネシウム・鉄など、生物の生理作用に不可欠な塩類。無機質。無機塩類。灰分。▽mineral **―ウオーター** ミネラルを含む地下水(を飲料用にしたもの)。鉱水。▽mineral water

ミネルバ ローマ神話で、工芸・知恵・戦争の女神。ギリシア神話のアテナにあたる。ミネルワ。▽Minerva

***み‐の【三▽幅・三▽布】**並幅の用布を三枚縫い合わせた幅。一〇五チセンほど。「―ぶとん」

***みの【▽美▽濃】**❶旧国名の一つ。今の岐阜県の南部。濃州(のうしゅう)。❷「美濃紙(みのがみ)」の略。**―がみ【―紙】**文書の写し・障子紙などに用いる厚くて丈夫な和紙。参考美濃の国で多く産出したことから。

***みの【×蓑・×簑】**かや・すげ・わらなどで作り、合羽(かっぱ)のように肩に掛けて着る雨具。

み‐のう【未納】〔納めるべきものを〕まだ納めていないこと。「住民税の―」

み‐の‐うえ【身の上】―うへ ❶その人の置かれている境遇。「気の毒な―」「―相談」類語境遇。❷人の運命。「―を占(うらな)う」⇩〔類義語の使い分け「境遇」〕

み‐の‐かさ【×蓑×笠】みのと笠(かさ)。参考昔の雨具の代表的なもの。

み‐のが・す【見逃す・見×遁す】《他五》❶見る機会をのがす。「評判の映画を―す」❷見ていながらうっかりして、気がつかずにそのままにしておく。見落とす。「絶好球を―す」❸見ていながら、知らぬふりをしてとがめない。「違反を―す」類語②③見過ごす。

みの‐がめ【×蓑×亀】甲羅(こうら)に藻類がついて、みのをつけているように見えるイシガメ。俗に長寿のしるしといわれ、めでたいものとされる。

み‐の‐かわ【身の皮】―かは〔俗〕からだにつけた衣類。「―をはぐ(=生活のために衣類まで売る)」

み‐の‐け【身の毛】人体にはえている毛。「―がよだつ(=恐ろしさのため、からだの毛が立つ。非常に恐ろしく感じる)」

みのしろ‐きん【身の代金】人身売買の代金。また、人質に対する代償としての金銭。

み‐の‐たけ【身の丈・身の▽長】背の高さ。身長。身丈。「―六尺あまりの大男」

み‐の‐ふりかた【身の振り方】《連語》今後の生活についての方針。「退職したあとの―に迷う」

み‐の‐ほど【身の程】自分の力量・能力・立場などの限界。分際。「―をわきまえない言動」「―知らず」

み‐の‐まわり【身の回り】―まはり ❶衣服・装飾品など身につけるもの。また、日常生活に必要なこまごましたもの。「―を整える」❷日常生活の雑事。「―の世話」同①②身辺。

みの‐むし【×蓑虫】ミノガ科の昆虫の幼虫。木の葉や枝を糸でつづって巣とする。

み‐の‐も【▽水▽面】〔雅〕水の表面。みなも。

みのり【実り・×稔り】みのること。また、その程度。「秋の―」「―多い学究生活」類語結実。成果。

みの・る【実る・×稔る】《自五》❶〔農作物・果樹などの〕実がなる。「稲が―る」❷〔努力などが〕よい結果となって現れる。「長年の苦労が―る」文《四》。**―ほど頭(こうべ)を垂れる稲穂かな**《句》学識や徳行(とっこう)が深まるほど、謙虚になっていくことのたとえ。実るほど頭(あたま)の下がる稲穂かな。実る稲田は頭(あたま)垂る。

み‐ば【見場】みかけ。外観。「―は悪いが、味はいい」

み‐ばえ【見映え・見栄え】見た目に美しいこと。「―のしない服装」

み‐はから・う【見計らう】―はからふ《他五》見て見当をつける。また、適当な品を選んできめる。「ころ合いを―う」「ネクタイを―って贈る」類語見つくろう。

み‐はつ【未発】〔文〕❶〔事件などが〕まだ起こらないこと。「―に終わった反乱」❷まだ発明・発見・発表されないこと。「前人―の新見解」

み‐はったつ【未発達】《名・形動》まだ十分に発達していないこと。「文明が―の地域」

み‐はっぴょう【未発表】《名・形動》まだ発表されていないこと。未発。「―の作品」

み‐は・てる【見果てる】《他下一》〔文〕最後まで見る。見終わる。参考多く否定の形で使う。「―てぬ夢(=願い続けながら、かなえられない願望・希望)」

み‐はな・す【見離す・見放す】《他五》見切りをつけ、以後うちすててかえりみない。「わが子を―す」「医師が―した患者」類語見捨てる。見限る。⇩〔類義語の使い分け「見限る」〕

み‐ばなれ【身離れ】魚肉が骨から離れること。また、その具合。「―がいい」

み‐はば【身幅】衣服の身ごろの幅。

み‐はらい【未払い】―はらひ〔支払うべき金銭を〕まだ払っていないこと。「―金」

み-はらし【見晴らし】 見晴らす・こと(所)。また、そのけしき。眺望。「—がきく」類語 眺め。展望。

み-はら・す【見晴らす】《他五》遠くまで見渡す。「はるかに山々を—・す」

み-はり【見張り】 見張る・こと(人)。「—番」「—を立てる」類語 監視。番人。

み-は・る【見張る】《他五》❶〔びっくりして〕目を大きく開いて見る。「街の美しさに目を—・る」表記「瞠る」とも書く。❷よく見て番をする。「荷物を—・る」

み-はるか・す【見▽晴かす・見×霽かす】《他五》〔文〕はるかに見渡す。みはらす。「—・すかなたの山々」

み-びいき【身×贔×屓】 自分に関係のある人を特にひいきすること。

みひつ-の-こい【未必の故意】〔法〕自分の行為から、法に触れる結果が起こるかもしれないと思いながら、起こったら起こったで仕方がないとして、あえて行う心理状態。

み-ひとつ【身一つ】〔荷物を持たない、また、財産のない〕その人のからだだけ。また、自分ひとり。「—で上京する」「—で働く」類語 単身。

み-ひらき【見開き】 書物や雑誌で、左右の二ページ〔が一枚物になっているもの〕。「—で特集を組む」

み-ひら・く【見開く】《他五》目を(大きく)あける。

み-ぶり【身振り】(意志・感情などの表れた)体の動き。「—で感謝の意を示す」「—手ぶり」

み-ぶるい【身震い】《名・自サ》〔寒さ・恐ろしさ・感動などのために〕からだがふるえ動くこと。

***み-ぶん【未分】** まだ分かれないこと。未分化。「天地—の創世神話」

***み-ぶん【身分】** ❶社会における役割などから見た地位。「—不相応な生活」類語 地位。❷社会制度によって定められていた序列。「—制度」❸境遇。「結構な—だ」⇩〖類義語の使い分け「地位」〗

みぼう-じん【未亡人】 夫に死別し、再婚しないでいる女性。類語 寡婦。後家。やもめ。

み-ほ・れる【見×惚れる】《自下一》みとれる。

み-ほん【見本】 ❶品物の質や状態を知らせるために、一部を抜き出して示すもの。また、その規格で特に製作したもの。サンプル。「制服の—」「—原稿」「—市」❷代表例。適例。「正直の—みたいな好人物」

み-まい【見舞(い)】 見舞うこと。また、そのための手紙や品物。「—の客」「暑中—」「お—を出す」

み-ま・う【見舞う】《他五》❶おとずれる。やって来る。〔来てほしくないものに対して言うことが多い〕「台風に—・われる」類語 降りかかる。被る。❷病気・災難などにかかった人をおとずれ、または書面でなぐさめる。「病院に友人を—・う」

み-まが・う【見▽紛う】《他五》〔文〕見まちがえる。見あやまる。見まごう。「雲と—・う桜」

み-まか・る【身▽罷る】《自五》〔文〕〔身が現世からまかり去る意で〕死ぬ。

み-まご・う【見▽紛う】《他五》↓みまがう。

みまさか【▽美▽作】 旧国名の一つ。今の岡山県の東北部。作州。

み-まね【見真▽似】 見てまねること。「見様—で料理を覚える」

み-まま【身×儘】《名・形動》心のままにふるまうこと。身がって。「—な言い分」類語 気まま。

み-まも・る【見守る】《他五》❶問題が起こらないように気をつける。注意して見る。「病人を—・る」❷目を離さないでじっと見る。熟視する。注視する。「相手の顔をしげしげと—・る」「事の成りゆきを—・る」

み-まわ・す【見回す】《他五》ぐるりとまわりを見る。「—・したが、人影もない」

み-まわり【見回り】 見まわる・こと(人)。巡視。

み-まわ・る【見回る】《他五》〔警戒・監督などのため〕あちこちを見て歩く。「夜警が構内を—・る」

み-まん【未満】 示された数・年齢に達しないこと。参考 二〇歳未満は二〇歳を含まない。二〇歳以下は二〇歳を含む。

みみ【耳】 ❶人間その他の脊椎動物の頭部にあって、聴覚・平衡感覚をつかさどる器官。特に、物音などを・聞く(聞き分ける)働きを持つもの。「すぐれた—を持つ」「—が遠い(=音がよく聞き取れない。聴力が弱い)」「—にする(=聞く)」「—に留まる(=人のことばや物音に注意がむく)」「—に入る(=聞こえる)」「—に挟む(=ちらりと聞く。聞くとはなしに聞く)」「—を傾ける(=熱心に聞く)」「—を澄ます(=注意して聞こうとする。耳をそばだてる)」❷耳殻。「—を引っ張る」❸耳殻のように、物の左右についている部分。「なべの—」❹織物の両側の、縦糸で補強してあるところ。「毛布の—」❺紙・パンなどのへり。「食パンの—」

—が痛・い《句》自分の弱点にふれられて聞くのがつらい。

—が肥えて・いる《句》音楽などを聞いて、理解したり優劣を判断したりする力がある。

—が早・い《句》うわさなどをすばやく聞きつける。耳ざとい。

—に入・れる《句》❶聞きこむ。「面白い話を—・れた」❷人に聞かせる。告げる。「上役の—・れる」

—に逆ら・う《句》不愉快に聞こえる。「忠言—・う」

—に胼胝ができ・る《句》同じ事を繰り返して聞かされてうんざりする。

—につ・く《句》❶声や音が耳元に残って・忘れられない(気になる)。「電車の音が—・いて眠れない」❷新鮮味

日本語

パンの耳

食パンの端の部分は「耳」といい、あんパンの中央のくぼみは「へそ」という。川が海に流れ込む地点は「口」で、海に突き出ている地形は「はな(「岬の端」など、ふつう端と書くが、鼻と同語源。「長崎鼻」などでは鼻と当てる)」。瓶などの上部のくびれた部分は「首」だし、台風の中心部は「目」と呼ぶ。

ほかにも「釘の頭」「のこぎりの歯」「篳篥の舌」「机の足」「クレーンの腕」「鍋の尻」「理論の骨組み」など、いちいち挙げていけばきりがないのだが、私たちはさまざまなものについて、その形や機能から、人間の身体部分の名称を使って言い表すことをしてきた。今ではすでに身体部分の比喩と意識されないものも少なくないが、こうした表現はその意味を端的に伝え、身の回りの事物をより理解しやすくしているのである。

が失われて、聞くのがいやになる。

―を疑・う《句》〔あり得ない話、思いもかけない話などを聞いて〕聞き違いではないかと思う。「一瞬―・う」

―を貸・す《句》❶人の話などを聞く。また、聞こうとする。とりあう。「陳情に―・す」❷聞きやすいように、相手の口に耳を近づける。「ちょっと―・してくれ」

―を揃・える《句》まとまった金額の、全額をまとめる。「―・えて一〇〇万円返す」

―を聾・く《句》鼓膜を破る。〔声・音のけたたましいようすの形容〕「―・く雷鳴」

みみ・あか【耳×垢】耳の穴にたまるあか。みみくそ。

みみ・あたらし・い【耳新しい】《形》〔その事・ことばを〕聞くのが初めてである。「―・いことば」

みみ・うち【耳打ち】《名・自サ》相手の耳元に口をよせて話すこと。耳こすり。耳語。「小声で―する」

みみ・かき【耳×搔き】耳あかをかいて取るための、細い棒状で先が小さいしゃくし形になっている用具。

みみ・かくし【耳隠し】女性の髪型の一つ。鬢で耳をおおいかくすように結った束髪。大正末期に流行。

みみ・がくもん【耳学問】聞きかじって得た知識。

みみ・かざり【耳飾り】〔女性が〕耳たぶにつけてかざりとする装飾品。イヤリング。類語 耳輪。

みみ・がね【耳金】器物の左右に突き出た金具。

みみ・くそ【耳×糞】耳垢。

みみ・こすり【耳▽擦り】《名・自サ》❶耳打ち。❷あてこすり。「―を言う」

みみ・ざと・い【耳×聡い】《形》物音や声などを聞きつけるのがすばやい。聴覚が鋭い。「―・く聞きつける」

***みみ・ざわり**【耳触り】〔俗〕話・物音を聞いて受ける感じ。「―がよい音」「―の悪い話」

***みみ・ざわり**【耳障り】《名・形動》聞いて気にさわること。また、聞いて不快なこと。「―な話」「―な雑音」

みみず【×蚯×蚓】環形動物貧毛綱に属する動物の総称。からだは細長い円筒状で多くの体節からなる。地中にすんで土中の腐植物を食う。雌雄同体。―**ばれ**【―▽脹れ】皮膚を打ったりひっかいたりしたあとなどが赤く細長くはれること。また、そのはれ。

みみ・ずく【▽木×菟】フクロウ科の鳥のうち、頭に耳状の飾り羽をもつものの総称。オオコノハズク・ワシミミズクなど数種がある。表記 現代仮名遣いでは「みみづく」も許容。

みみ・せん【耳栓】耳にする栓。騒音や水が耳に入るのを防ぐもの。

みみ・だ・つ【耳立つ】《自五》❶きわだって聞こえる。「車の音が―・つ」❷耳ざわりになる。「ひときわ―・つ声」

みみ・たぶ【耳×朶・耳×埵】耳の下部の柔らかい部分。みみたぼ。耳朶。

みみ・だれ【耳垂れ・耳▽漏】耳の穴から分泌液が流れ出る病気。また、その分泌液。耳漏。

みみ・っ・ちい《形》〔俗〕けちくさい。しみったれている。「―・いもうけ」「―・い了見」

みみ・どお・い【耳遠い】《形》❶耳がよく聞こえない。「―・い老人」❷聞きなれない。「―・い外国語」

みみ・どしま【耳年▽増】〔俗〕若くて経験もないのに、聞いた知識でませたことを言う女。

みみ・なり【耳鳴り】刺激がないのに、耳の奥で何かが鳴っているような感じがすること。耳鳴。

みみ・な・れる【耳慣れる・耳×馴れる】《自下一》いつも聞いていて珍しくない。聞きなれる。「―・れた歌」

みみ・もと【耳元・耳▽許】耳のすぐそば。

みみ・より【耳寄り】《形動》〔その話が〕興味をそそるような内容であるようす。「―なもうけ話」

みみ・わ【耳輪・耳▽環】耳たぶにさげる飾りの輪。類語 耳飾り。イヤリング。

み・むき【見向き】〈―もしない〉❶その方を向いて見ようともしない。「―もしないで行ってしまう」❷全く関心を示さない。「結婚話には―もしない」

み・む・く【見向く】《他五》〔文〕その方向を向いて見る。類語 振り向く。

み・め【見目・×眉目】〔文〕❶かおだち。「―麗しい女性」❷体面。「―をはばかる」

み・めい【未明】夜がまだ明けきらないころ。「きょう―、地震があった」類語 あかつき。払暁。

みめ・かたち【見目形】顔だちと姿。容姿。〔古風な言い方〕「―がととのっている」

みめ・よ・い【見目▽好い】《形》器量がよい。顔だちが美しい。〔古風な言い方〕「―・い娘」

ミモザ ❶マメ科オジギソウ属の植物の学名。❷マメ科アカシア属のうち、フサアカシアなどの園芸上の呼び名。▽mimosa

み・もだえ【身×悶え】《名・自サ》苦しさなどのためにからだをねじり動かすこと。「―して苦痛を訴える」

み・もだ・える【身×悶える】《自下一》身悶えをする。

み・もち【身持ち】❶日常の行い。品行。素行。「―が悪い」参考 男女関係についていうことが多い。❷妊娠すること。身重。〔古風な言い方〕「―女」

み・もと【身元・身▽許】❶その人の出生・経歴などに関する事柄。「―不明」❷その人の一身上に関する事柄。「―を引き受ける」

み・もの【見物】見るだけの価値のあるもの。「これは―だ」類語 聞き物。

み・もん【未聞】〔文〕まだ聞いたことがないこと。「前代―」

みや【宮】〔「御屋」の意〕❶神社。社。「―参り」❷天皇の御殿。❸〔古〕皇族の住居。また、皇族の尊称。「斑鳩の―」❹親王家の称号。

みや・い【宮居】〔文〕❶神社。❷皇居。「玉の―」

みゃく【脈】❶生物の体液が運行する管。血管。「動―」❷脈搏。「―がはやい」「―を診る」❸前途の見込み。「十分に―がある（＝前途に見込みがある）」

みゃく・う・つ【脈打つ】《自五》❶血液が、規則的なリズムをもって血管を流れる。❷あるものの内部にあって、生き生きと活動し続ける。「彼には祖父の開拓者魂が―・っている」

みゃく・どう【脈動】《名・自サ》脈搏のように、規則正しくとぎれずに力強く動き続けること。「アメリカに―する民主主義の伝統」

みゃく・どころ【脈所】❶からだの中で、手で押さえて脈搏がわかる所。❷物事の急所。「―を突いた意見」「―をつかむ」類語 勘所。要点。

みゃく・はく【脈×搏・脈拍】心臓の動きによって起こる、動脈内圧力の周期的変化とそれに伴う動脈壁の波動(数)。脈。プルス。表記「脈拍」は代用字。

みゃく・みゃく【脈脈】《形動タルト》力強く、とぎれずに続いていくようす。「―と続く伝統」

みゃく・らく【脈絡】〔「血管」の意から〕つながり（のあ

み

る筋道)。「話の―が続かない」「―が乏しい連想」

みや・け【宮家】❶親王・法親王・門跡(もんぜき)などの家。❷皇族で、宮の称号をもつ家。

みやげ【〈土産〉】❶旅先・外出先から家などに持って帰る品物。「北海道―の塩ザケ」❷人の家を訪問するときに持っていく贈り物。手みやげ。 **―ばなし【―話】**旅先で見聞して持ち帰った話。「―に花が咲く」

みやこ【都】《「宮処(みやこ)」の意》❶皇居のある所。「奈良(なら)の―」[表記]「京」とも書く。❷首都。首府。「―へ上る」❸〔田舎に対して〕人口が多く繁華な土地。都会。❹それを特徴とする都会。「音楽の―ウィーン」

みやこ・おち【都落ち】《名・自サ》❶都から田舎へ逃げのびること。「平家の―」❷〔俗〕東京から地方に移り住むこと。「転勤で―する」

みやこ・どり【都鳥】❶ミヤコドリ科の鳥。海岸や砂浜に群棲(ぐんせい)して貝類を捕食する。日本にはきわめてまれに来る旅鳥。❷「ゆりかもめ」の別称。[参考]詩歌によまれ、隅田川(すみだがわ)の景物とされた。

みや・さま【宮様】皇族を敬愛していう呼び方。

みや・しばい【宮芝居】(―しばゐ) 祭礼などで、寺社の境内に小屋掛けして興行する芝居。宮地(みやち)芝居。

み・やす・い【見▽易い】《形》❶見るのにぐあいがいい。見よい。「―・い席」「―・い図表」[対]見にくい。❷容易に理解できる。「―・い道理」

みや・だいく【宮大工】神社・寺院などの建築に従事する大工。

みや・づかえ【宮仕え】(―づかへ)《名・自サ》〔宮廷に仕える意から〕役所・会社などにつとめること。「すまじきものは―」[類語]奉公。

み・やつくち【身八つ口】女物の長着や羽織のわきあけ。身八つ。八つ口。

み・やつこ【▽造】大化の改新以前の社会で使われた、身分を示す姓(かばね)。

みや・び【▽雅】《名・形動》〔「都人風をする、宮廷風をする」意の「みやぶ」が体言化した語〕〔文〕上品で優美な・こと(趣)。「―な遊び」「筆の―」[類語]風流。優雅。風雅。[対]里び。

みやび・やか【▽雅やか】《形動》上品で優美なようす。「―な服装」[類語]風雅。優雅。

みや・・びる【▽雅びる】《自上一》上品で優美である。「―・びた琴の音」[対]ひなびる。里びる。

み・やぶ・る【見破る】《他五》見て、かくされた秘密やたくらみなどをさとる。見抜く。「敵の作戦を―・る」

み・やま【▽深山】〔雅〕❶山の美称。❷奥深い山。奥山。深山(しんざん)。[対]外山(とやま)。 **―おろし【―×颪】**奥山から吹きおろしてくる〔激しい〕風。 **―ざくら【―桜】**❶バラ科の落葉高木。深山に自生し、五月ごろ純白の花が数個ずつ開く。❷深山にある桜。

みや・まいり【宮参り】(―まゐり)《名・自サ》❶生まれた子どもが初めて氏神にお参りすること。生後三〇日目前後が多い。産土(うぶすな)参り。❷七五三のお祝いに氏神にお参りすること。

みや・もり【宮守】お宮の番をする・こと(人)。

み・や・る【見▽遣る】《他五》視線を〔遠くの方に〕向ける。「山のかなたを―・る」

ミュージアム 博物館。美術館。▽museum

ミュージカル ❶「ミュージカルプレー」「ミュージカルコメディー」などの略。音楽を伴った演劇の総称。❷〔第一次世界大戦後、アメリカのブロードウェーで独自に発達した〕音楽・舞踊・演劇などの要素を巧みに融合させた総合舞台芸術の一形式。▽musical

ミュージシャン 音楽家。▽musician

ミュージック 音楽。「テーマ―」▽music

ミューズ ギリシア神話で、学問・芸術をつかさどる九人の女神。ムーサ。▽Muse

***み・ゆき【▽御▽幸】**《名・自サ》〔文〕「行くこと」の敬語。おでまし。特に、天皇・上皇・法皇・女院(にょいん)の外出をいう。[表記]天皇の場合には「行幸」とも書く。

***み・ゆき【▽深雪】**〔雅〕❶雪の美称。❷深く降り積もった雪。

み・よ【▽御代・▽御世】一代の天皇の治めている世、または、その期間の敬称。「明治の―」

み・よ・い【見▽好い】《形》❶見た感じがよい。「あまり―・い光景ではない」❷見やすい。「―・い画面」「―・いグラフ」[対]見づらい。見にくい。

み・よう【見様】見方。見る方法。「―によっては評価が分かれる」 **―みまね【―見真▽似】**他人のすることを見て、それをまねること。「―で運転を覚える」

***みょう【妙】**㊀《名・形動》きわめてすぐれていること。また、巧みなこと。「―を得る」「言いえて―」「造化の―」㊁《形動》おかしいようす。変。「あの秀才が落第するとは―だ」[類語]奇妙。[参考]➡妙に。

***みょう【明】**《連体》年・月・日を表す語につけて、「次の」「明くる」の意。「―六日」[類語]翌(よく)。

みょう・あん【妙案】〔物事の解決などのための〕すぐれた思いつき。名案。[類語]妙計。妙策。

みょう・おう【明王】〔仏〕❶大日如来につき従って悪魔を降伏(ごうぶく)し、仏法を守護する神。怒りの形相(ぎょうそう)をとる。❷不動明王。

みょう・おん【妙音】〔文〕非常に美しい音。

***みょう・が【×冥加】**❶目に見えない神仏の加護。冥助。冥利。「―を頼る」❷《名・形動》神仏の加護によるしあわせ。幸運。「―にも子宝に恵まれる」「命―なやつ」❸「冥加金」の略。 **―きん【―金】**❶神仏の加護に対するお礼として社寺に奉納する金銭。❷江戸時代の雑税。[同]①②冥加銭。冥加。

―に余・る《句》身に余るほどありがたい。

―に尽・きる《句》冥加に余る。

***みょう・が【×茗荷】**(めう―) ショウガ科の多年草。夏から秋に出る長楕円(だえん)の花芽は香りがあり、食用。[参考]食べると物忘れがひどくなるという。[表記]「茗荷」は当て字。

みょう・ぎ【妙技】すぐれて巧みな技。「―を披露する」

みょう・きょう【妙境】❶風景の非常によい土地。[類語]佳境。❷芸道・芸術などの奥深い境地。妙所。

みょう・けい【妙計】〔文〕巧みな計略。妙策。「―を案ずる」

***みょう・ご【×冥護】**〔文〕神仏がひそかに守ってくれること。

***みょう・ご【明後】**《連体》年・月・日を表す語につけて、「次の次」の意。「―三〇日」 **―にち【―日】**今日の次の次の日。あさって。 **―ねん【―年】**今年の次の次の年。さらい年。

みょう・ごう【名号】❶仏・菩薩(ぼさつ)の名。尊号。特に、阿弥陀(あみだ)仏の名。❷浄土宗で、「南無阿弥陀仏(なむあみだぶつ)」と唱えること。念仏。

みょう・さく【妙策】〔文〕すぐれたはかりごと。「―を思いつく」

み

みょう-じ【名字・▽苗字】 その家を表す名。姓。

***みょう-しゅ【妙手】** ❶〔技芸などの〕すぐれた腕まえ（をもつ人）。名手。「日本舞踊の―」 ❷〔囲碁・将棋などの〕うまい手。「―を打つ」

***みょう-しゅ【妙趣】**〔文〕非常にすぐれたおもむき。「―に富んだ庭園」

みょう-しゅん【明春】〔文〕来年の春。来春（らいしゅん・らいはる）。

みょう-じょう【明星】 ❶〔明るく輝く星の意で〕宵と明け方の金星。「宵の―、明けの―」 ❷〔ある分野で〕きわだって人気のある人。スター。「歌謡界の―」

みょう-じん【明神】 神を尊んでいう語。「大―」

みょう-せき【名跡】 ゆずり伝えられる家名・名字。名字の跡目（あとめ）。「歌舞伎（かぶき）の名門の―を継ぐ」

みょうせん-じしょう【名×詮自性】〔仏〕名がそのものの本性をあらわすこと。名と実とが相応ずること。

みょう-だい【名代】〔目上の人の〕代理をつとめる・こと（人）。「父の―で出席する」 類語 代人。代理人。

みょう-ちきりん【妙ちきりん】《形動》〔俗〕ひどく変わっていて、わけがわからないようす。妙ちき。「―な話だ」 類語 へんちくりん。不思議。

みょう-ちょう【明朝】 あすの朝。みょうあさ。

みょう-てい【妙×諦】〔文〕すぐれた真理。みょうたい。「人生の―を知る」

みょうと【▽夫▽婦】（めをと） ↓めおと。

みょう-に【妙に】《副》《「妙だ」の連用形から》不思議に。変に。「―かしこまった顔」「今日は―陽気だね」

みょう-にち【明日】 あした。あす。〔改まった言い方〕

みょう-ねん【明年】 ことしの次の年。来年。〔改まった言い方〕

みょう-ねんど【明年度】 ↓来年度。

みょう-ばつ【×冥罰】〔文〕神や仏がくだした罰。

***みょう-ばん【明晩】** あすの晩。明夜。類語 翌晩。

***みょう-ばん【明×礬】** 硫酸アルミニウム水溶液に硫酸カリウム水溶液を加えたときに析出する正八面体の無色の結晶。皮革のなめし、染料、医薬などに利用。

みょう-ほう【妙法】 ❶比較するものがないほどすぐれている不可思議の仏法。正法。 ❷「妙法蓮華経」の略。「法華経」の美称。 ―れんげ-きょう【―×蓮華経】代表的な大乗仏教の経典の一つ。天台宗・日蓮宗はこの経典による。法華経（ほけきょう）。

みょう-み【妙味】 非常にすぐれた、微妙な味わい。「文章の―を味わう」 類語 醍醐味（だいごみ）。

みょう-みょうごにち【明明後日】 明後日の次の日。 参考 地方によって「やのあさって」「やなあさって」などと言い、東京では「しあさって」という。

みょう-もく【名目】〔文〕 ❶呼び名。名称。 ❷名目（めいもく）。

みょう-もん【名聞】〔文〕名誉と声望。世間の評判。名聞（めいぶん）。「武士は―を尚（たっと）ぶ」 類語 誉れ。名声。

みょう-や【明夜】〔文〕あすの夜。明晩。

みょう-やく【妙薬】 不思議なほどよくきく薬。

***みょう-り【×冥利】** ❶神仏が人知れず与える利益（りやく）。また、善行のむくいとしての幸福。 ❷ある立場で受ける最高の幸福。「男―に尽きる」 類語 ①②冥加。

***みょう-り【名利】**〔文〕名誉と利益。めいり。

みょう-れい【妙齢】《「妙」は「若い」の意》女性の年が若いこと。（結婚する）年ごろ。「―の美女」 類語 芳紀。

みよ-がし【見よがし】《形動》《「がし」は接尾語》得意になって見せつけるようす。これみよがし。

み-よし【×舳・▽船▽首】《「水（み）押し」の転》船の先端の部分。へさき。

み-より【身寄り】 その人と血縁関係のある人。親類。「―のない老人」 類語 身内。

> **類義語の使い分け　身寄り・身内**
> 〔身寄り・身内〕 身寄り（身内）に不幸があった
> 〔身寄り〕 頼るべき身寄りのない独り暮らしのお年寄り
> 〔身内〕 身内だけで祖父の七回忌の法要を済ませる

ミラー 鏡。「バック―」。▽mirror ―ボール 多くの反射鏡で表面をおおった飾り玉。天井からつるし、光を当てながら回す。▽mirror ball

***み-らい【味×蕾】** 脊椎（せきつい）動物の味覚をつかさどる器官。おもに舌の乳頭内に多数ある。味覚芽。

***み-らい【未来】** ❶現在につづいてこれから来る時。将来。「日本の―は明るい」 ❷〔仏〕あの世。来世。 対 ①②現在・過去。 ―えいごう【―永×劫】未来永久にわたること。「―語りつがれる真実」

ミラクル ❶驚くべき物事。奇跡。 ❷幻惑。「―投法」 ▽miracle

ミリ 一《接頭》〔メートル法の単位名に冠して〕一〇〇〇分の一を表す。 二《助数》「ミリメートル」の略。記号mm。▽フランス milli- ―グラム《助数》一グラムの一〇〇〇分の一。記号mg。▽フランス milligramme ―は【―波】〔理〕波長一〜一〇ミリまでの電波。マイクロウエーブの一〇分の一。 ―バール《助数》圧力の単位。一バールの一〇〇〇分の一。記号mbまたはmbar。 参考 気圧の単位としては、「ヘクトパスカル」に変わった。▽millibar ―メートル《助数》メートル法の長さの単位。一メートルの一〇〇〇分の一。記号mm。▽フランス millimètre ―リットル《助数》メートル法の容積の単位。一リットルの一〇〇〇分の一。記号$m\ell$。▽フランス millilitre

ミリオネア 百万長者。大金持ち。▽millionaire

ミリオン 一〇〇万。▽million ―セラー 一〇〇万部（または一〇〇万枚）以上売れた本（またはレコード・CD）。▽million seller

ミリタリー 《造語》軍隊の。「―ルック」▽military

ミリタリズム 軍国主義。▽militarism

***み-りょう【未了】** まだ終わらないこと。「審議―で廃案になる」 対 完了。

***み-りょう【魅了】**《名・他サ》相手の心をとらえて夢中にさせてしまうこと。「観客を―した演技」 類語 魅惑。

み-りょく【魅力】 人の心を引きつけて離さない不思議な力。「―あふれる女優」「―に欠ける」「―的」

み-りん【味×醂】 焼酎（しょうちゅう）の中に蒸したもち米と米こうじを入れて作ったもろみを圧搾し、かすをこしとった酒。甘みがあり、調味用や正月の屠蘇（とそ）などにする。

***みる【▽水▽松・▽海▽松】** 緑藻類ミル科の海藻。茎は暗緑色の円柱状で、分枝を繰り返しておうぎ形に広がる。沿岸の岩上にはえ、食用。

***みる【見る・▽観る・▽覧る・▽看る・▽視る・▽診る】** 一《他上一》 ❶目の働きで物の存在をとらえる。また、物の形・様子・内容などを知る。「確かにこの目で見た」「新聞を**見る**」「映画を**見る**」「敵の動きを**見る**」 ❷目以外の感覚にたよって物事をとらえる。「味を**見る**」「夢を

見る」❸〔結論を出すために〕調べる。特に、診察する。「手相を**見る**」「答案を**見る**」「患者を**診る**」❹判断する。評価する。「人を**見る**目がある」「年とった母を**見る**」❺引き受けて世話をする。「会社の経理を**見る**」 表記 「看る」とも書く。❻身に受ける。経験する。「ばかを**見る**」「痛い目を**見る**」❼存在を確認する。「船は島を右に**見て**進む」❽〈「…から見る」の形で〉…と比較する。「彼から**見る**とずいぶん背の高い男だった」 文《上一》。

■二《補動》❶「ある動作を試みにする」の意を表す。「どんな味か少し食べて**みよう**」❷〈「…してみると」「…してみたら」「…してみれば」の形で〉次にくることが実現する、あるいは明らかになるための条件を表す。「行って**みる**と楽しい集まりだった」「歩いて**みたら**、結構時間がかかった」 表記 ㊁は、ふつうかな書き。 文《上一》。⇩〖類語と表現〗〖使い分け〗

見ぬが花《句》物事は、まだ実際に見ないで、どんなものだろうかと想像しているうちがよい。

見も知らぬ《句》見たこともなく、全く知らない。「―人からの手紙」 類語 見知らぬ。

見る影もな・い《句》すっかり落ちぶれたようす。

類語と表現

「見る」

*月を見る・車窓から海を見る・演劇を見る・顔色を見る・生徒の答案を見る・恐ろしい光景を見る・しばらく様子を見る・見れば見るほど美しい・見ると聞くとは大違い。

◆見える・眺める・望む・窺う・観ずる・覗く・覗き込む・睨む・認める・仰ぐ・振り仰ぐ・仰ぎ見る・相見る・垣間見る・盗み見る・見上げる・見下ろす・見かける・見受ける・見交わす・見通す・見取る・見初める・見直す・見返す・見返る・見張る・見届ける・見尽くす・見据える・見澄ます・見つめる・見とれる・見惚れる・見守る・見晴らす・見回す・見残す・見やる・見渡す・振りさけ見る・目くする・目を留める・目を据える・目を注ぐ・目を引く・目をやる・目を凝らす・目を配る・目を着ける・目を奪う・目を通す・目を向ける・目を上げる・目を皿のようにする・目を光らせる・目を喜ばせる・目に掛かる・目に入る・目に付く・目に触れる・目にする・目に留まる・目が行く・目が離せない／(する)見学・見物・よそ見・立ち見・観光・一見・再見・一目・一瞥・一望・一覧・閲覧・回覧・総覧・通覧・外覧・大観・傍観・静観・参観・観察・観望・観賞・観戦・着眼・着目・注目・目撃・実見・直視・正視・監視・環視・巡視・注視・透視・明視・熟視・凝視・黙視・座視・睥睨・細見・展望・俯瞰・鳥瞰・拱手傍観／一目・脇目・脇見・外見・外目

◆謙譲 拝する・拝む・拝見・拝観・笑覧

◆尊敬 ご覧・高覧・天覧・お目に留まる

◆オノマトペ じっと・じろじろ・じろりと・ちらちら・ちらりと・きょろきょろ・きょろりと・きょときょと・きょとんと・まじまじと（見る）／はたと・はったと・ぎょろりと（睨む）／かっと・ぱっちりと（目を見開く）

使い分け 「みる」

見る（▽観・▽覧・▽看・▽視）〔物事を目で感じる、判断する、世話をする、経験するなどの意で、一般に広く〕顔を見る・夢を見る・ばかを見る・行進を見（観）る・映画を見（観）る・新聞を見（覧）る・芝居を見（観）る・手相を見（観）る・心を見（観）る・面倒を見る・病人を見（看）る・老人を見（看）る・経理を見（看）る・痛い目を見る・被災地を見（視）る・見（視）れども見えず・人を見（視）る目

診る〔診察する〕患者を診る・脈を診る

参考 試しに…する意では、一般にかな書きされる。「観」は、遠くからそのものをよくみる、ぐるりとあたりを見回す、念を入れてみる意、「覧」はひととおり目をとおす意、「看」は手をかざして遠くを見る、そばについてよく世話をする意、「視」はまっすぐに見る、物事を注意して調べる意。このほかにも、ちらっと見るの「×瞥」、みおろして見るの「×瞰」、あおぎみるの「×瞻」、ながし目に見るの「×眄」などがあるが、一般には「見」を使うか、かな書きにされる。「病人を見る／看る」では、前者は視覚でとらえる意、後者は世話をする（＝看病する）意と使い分けることもできるが、今ではともに「見る」と書く。

みる-がい【▽水▽松貝・▽海▽松貝】ーガ ヒ バカガイ科の大形の二枚貝。海の泥地にすむ。肉は美味。

みる-から【見るから】《副》（「―に」の形も）ちょっと見ただけでも。「―に気の弱そうな顔つき」

ミルク 牛乳。▽milk **―セーキ** 牛乳に卵・砂糖などを入れてかきまぜ、冷やした飲み物。▽milk shake

みる-みる【見る見る】《副》見ているうちにどんどん。みるまに。「上機嫌だった顔が―険悪になった」

みる-め【見る目】《連語》❶見たところ。見た感じ。「―も忙しそうだ」❷そのものの価値を判断する力。「人を―がない」 類語 鑑識眼。

ミレニアム 千年紀。また、西暦で千年めごとの節目の年。▽millennium

み-れん【未練】《名・形動》〔執着が残って〕あきらめきれないこと。「別れた恋人に―を残す」「卑怯―な振る舞い」 **―がまし・い**《形》いかにも未練が残っているようだ。「―・い男」

―未酌が無・い《句》同情する心がなく、少しも容赦しない。

みろく【×弥×勒】釈迦の入滅後五六億七〇〇〇万年後にこの世に下り、新しい仏として衆生を救うと信じられている菩薩。弥勒菩薩。弥勒仏。

み-わく【魅惑】《名・他サ》魅力によって、人の心をひきつけ迷わすこと。「―的なまなざし」「華麗な文体で読者を―する」 類語 蠱惑。魅了。

み-わけ【見分け】みわけること。「―がつかない」

み-わ・ける【見分ける】《他下一》見て区別する。見て判断する。識別する。「理非を―・ける」

み-わた・す【見渡す】《他五》遠くまで広くながめる。みはらす。「―・す限り雲一つない空」

みん【民】《接尾》「…した人々」「…の人々」の意。「避難―」「遊牧―」

みん-い【民意】人民の意思。人々の考え。「―を反映する」「―を代表する人」 類語 世論。

みん-えい【民営】民間の経営。「―の事業」「―化」 対 官営。国営。

みん-か【民家】〔公の建物に対して〕民間人の住む家。民屋。「―に立ち入らぬこと」

みん-かつ【民活】「民間活力」の略。

みん-かん【民間】❶人民の間。普通の人々の社会。「―に伝わる説話」「―伝承」「―信仰」❷〔人・組織な

どが）公の機関に属しないこと。「—企業」[類語]在野(ざいや)。 **—かつりょく【—活力】**他企業との競争できたえられている民間企業が持つ創意・努力・積極性などのプラス面。民活。 **—ほうそう【—放送】**民間で経営する放送事業。民放。 **—りょうほう【—療法】**民間で古くから伝承されてきた病気の治療法。

みん-ぎょう【民業】民間の経営する事業。[対]官業。

ミンク イタチ科のけもの。北米原産。イタチに似てやや大きい。毛皮は高級品。▽mink

みん-ぐ【民具】古くから一般民衆が日常生活の中で伝承し用いてきた道具類。

みん-げい【民芸】一般民衆の中から生まれ、郷土の生活を反映させて発達した工芸。「—品」

みん-けん【民権】人民の権利。特に、人民が政治に参与する権利。「自由—」

みん-じ【民事】私法の規律する財産上ないし身分上の生活関係において生じる現象。また、これに関連する事項。「—責任」[対]刑事。 **—さいせい-ほう【—再生法】**倒産法の一つ。倒産手続きを迅速にし、企業の早期再建を促すことを目的とするもの。 **—じけん【—事件】**民事訴訟の対象となる、個人や会社など私人間の生活関係に関する事件。 **—そしょう【—訴訟】**私人の請求により、私人間の紛争を国家の裁判権により法律的・強制的に解決する手続き。民訴。

みん-しゅ【民主】❶主権が国民に帰属すること。❷民主主義を行動原則とすること。「—政治」 **—か【—化】**《名・他サ》民主的にすること。「政治体制を—する」 **—しゅぎ【—主義】**人民が主権を持ち、人民の手で、人民のために政治を行う主義。デモクラシー。[参考]人間の自由や平等を尊重する思想という意味で、広く使われている。 **—てき【—的】**《形動》民主主義の精神にかなっているようす。「—に運営する」

みん-じゅ【民需】〔文〕民間の需要。「—の拡大」

みん-しゅう【民衆】世の中の一般の人々。大衆。庶民。「—の要望にこたえる」[類語]公衆。

みん-しゅく【民宿】観光地で、一般民家が設備をととのえて営業し、比較的安い値段で家庭的なサービスを特徴とする簡易宿泊施設。

みん-じょう【民情】〔文〕国民の心情や生活の実情。国民の事情。民心。「—を視察する」

みん-しん【民心】〔文〕国民の心。人民の心。民情。「—が動揺する」「—の安定」

***みん-せい【民政】**❶国民の福利をはかる政治。❷軍人以外の市民の代表による政治。「—移管」[対]軍政。

***みん-せい【民生】**人民の生活。 **—いいん【—委員】**市町村に配置され、担当区域内の生活困窮者を保護指導して社会福祉の増進をはかる名誉職。

みん-せん【民選】《名・他サ》人民が選挙すること。「—議員」[対]官選。

みん-そ【民訴】「民事訴訟」の略。

***みん-ぞく【民俗】**民間に古くから伝わる風俗・習慣。 **—がく【—学】**民間に伝えられてきた言語・風習・信仰・芸能などを調査して、民族の文化の伝承を明らかにしようとする学問。フォークロア。

***みん-ぞく【民族】**同じ先祖から出、多くは、同じ言語・歴史・文化・生活様式をもち、同一地域に住んで、他に対して一体感をもった人種の集まり。「大和—」「—性（=ある民族に特有の性質）」「—衣装」 **—がく【—学】**諸民族の文化・習俗・信仰・制度などを比較・研究することによって、民族生活の生成・発展・本質を明らかにしようとする学問。エスノロジー。 **—じけつ【—自決】**各民族が、他の国家や民族からの干渉や強制を受けずに、独自に帰属や政治形態を選び決めること。 **—しゅぎ【—主義】**他の民族の干渉と支配を排して、自己の民族の統一・独立・発展を推進する主義。[参考]「ナショナリズム」の訳語の一つ。

ミンチ 細かく刻んだ肉。ひき肉。メンチ。▽mince

みんちょう-たい【▽明朝体】和文活字書体の一つ。横線が細く、縦線が太い。書籍などの本文用活字として最も普通に使われているもの。明朝活字。明朝。

みんてい-けんぽう【民定憲法】国民の総意に基づいて制定された憲法。[対]欽定(きんてい)憲法。

ミント 薄荷(はっか)。▽mint

みん-ど【民度】人々の生活や文化の程度。「—が高い」

みんな【▽皆】「みな」のくだけた言い方。

みん-ぺい【民兵】平時は家業に従事し、有事の時に兵役に服する、住民による軍隊。また、その兵士。

む

みん-ぼう【民望】世間の人望。衆望。「—を集める」

***みん-ぽう【民放】**「民間放送」の略。

***みん-ぽう【民法】**財産や身分などに関して、市民の私的生活関係を規定した法律。[参考]→私法。

みんぽん-しゅぎ【民本主義】民主主義。[参考]デモクラシーの訳語の一つ。大正期に用いられた。

みんみん-ぜみ【みんみん×蟬】セミ科の昆虫。やや大形。はねは透明で、多くはからだに緑色と黒色の模様がある。「ミーンミーン」と鳴く。

みん-ゆう【民有】民間の所有。[対]国有・官有。

みん-よう【民謡】民衆の間に生まれ、その土地の民衆の生活・感情をうたいこんだ歌。[類語]俗謡。里謡。

みん-りょく【民力】人民の財力・労力。「—の活用」

みん-わ【民話】一般の人々の間に口頭で伝承されている説話。伝説・昔話など。民譚(みんたん)。民間説話。

む

む—武

***む【六】**むっつ。ろく。〔数を数える語〕

***む【無】**存在しないこと。何もないこと。「—から有を生じる」「火事で一切が—に帰した（=なくなってしまった）」「人の好意を—にする（=むだにする。無意味なものにする）」[対]有。

***む**《助動：特殊型》**文語**《「ん（助動）」の古風な表記》→ん（助動・文語）

***む-い【無位】**〔文〕朝廷や政府から位をもらっていないこと（人）。「—無官」[対]有位(ゆうい)。

***む-い【無為】**❶《名・形動》〔文〕自然のままで人為を加えないこと。[対]作為。❷〔仏〕生滅・変化しないこと（もの）。[対]有為(うい)。❸《名・形動》〔文〕有意義なことを何もしないこと。「—に日を過ごす」「—無策」 **—としょく【—徒食】**《名・自サ》仕事もせず、ただぶらぶらして暮らすこと。「—の日々を送る」 **—にして化す**《句》自然に任せておけば、それで自然に天下が治まる。また、聖人の偉大な徳によってまわりの人々が自然に感化される。〈老子〉

むい‐か【六日】《「むゆか」の転》❶六日間。「まだ一ある」❷その月の六番めの日。「六月一」

一の菖蒲(あやめ)《句》時機に遅れて役に立たないこと。六日のしょうぶ。参考 五月五日の端午の節句の、翌日の六日のアヤメであることから。類語 十日の菊。

む‐いぎ【無意義】《名・形動》〔文〕そのことをしても価値のないこと。「一な行動」類語 無意味。対 有意義。

む‐いしき【無意識】❶意識を失っていること。「一状態」類語 人事不省。❷《名・形動》気づかないでふるまうこと。「一な動作」「一に目覚まし時計を止める」❸〔心〕自我観念の活動しない状態。特に、フロイトの精神分析学で、精神分析によらないと意識化されない状態をいい、意識過程に影響を与える力のあるもの。

むい‐そん【無医村】定住する医者のいない村。

む‐いちもつ【無一物】〔金や品物などを〕なに一つ持っていないこと。むいちぶつ。「本来一」

む‐いちもん【無一文】金銭を少しも持っていないこと。いちもんなし。「競馬で一になる」

む‐いみ【無意味】《名・形動》意味・価値のないこと。「一なたわごと」「一な生活を送る」類語 無意義。

む‐いん【無韻】〔文〕詩文で、韻をふまないこと。

ムース❶泡立てた生クリーム・卵白などを用いて作る、菓子・料理。❷泡状の整髪料。▽(フランス) mousse

ムーディー《形動》雰囲気がよく、心地よい気持ちを起こさせるようす。「一な音楽」参考 日本的な用法。英語では「不快な」「気まぐれな」の意味。▽moody

ムード❶雰囲気。情緒。気分。「一は最高だ」❷英文法で、法。▽mood **一ミュージック** 甘く柔らかい雰囲気を出し、くつろいだ気分にさせる音楽。ムード音楽。▽mood music

ムービー 映画。シネマ。キネマ。▽movie

ムームー〔腰回りを締めない〕ゆったりとした婦人服。もと、ハワイの先住民の普段着。▽(ハワイ) muumuu

ムール‐がい【ムール貝】(一がひ) イガイ科の二枚貝。南欧の料理によく用いられる。ムラサキイガイ。参考 (フランス) moule(=イガイ)から。

ムーン‐ライト 月の光。月光。▽moonlight

む‐えき【無益】《名・形動》ためにならないこと。また、むだなこと。「一な抵抗」類語 無用。対 有益。

__む‐えん【無援】__〔文〕だれも助けてくれる人がないこと。援助がないこと。「孤立一に陥る」

__む‐えん【無煙・無×烟】__ 煙が出ないこと。「一炭」

*__む‐えん【無縁】__*❶〔仏〕仏の教えに縁がないこと。❷〔仏〕死んだ人を弔う親類・縁者のないこと。「一墓地」❸《名・形動》縁がないこと。関係がないこと。「国民とは一の政争」類語 無関係。対 ①③有縁(うえん)。

__む‐えん【無塩】__ 塩を加えていないこと。「一バター」

む‐が【無我】❶私心を捨てたのびのびとした心の状態。無心。「一の境地」❷われを忘れること。無意識。

一むちゅう【一夢中】 一つの事にすっかり心をとらわれ、われを忘れて行動すること。「一で逃げ出す」注意「無我無中」は誤り。

むかい【向(か)い】(むかひ) 向かい合っているものの一方。むこう(側)。特に、正面。「はす一」「一の家」

__む‐がい【無害】__《名・形動》〔生物などに〕害がないこと。「人畜一の殺虫剤」対 有害。

__む‐がい【無×蓋】__〔文〕ふたや、おおいとなる屋根がないこと。「一の貨車」対 有蓋。

むかい‐あ・う【向かい合う】(むかひあふ)《自五》たがいに正面を向いて相対する。「道を挟んで一・った商店」

むかい‐あわせ【向(か)い合(わ)せ】(むかひあはせ) 互いに向かいあうこと。「一に座る」対 背中合わせ。

むかい‐かぜ【向(か)い風】(むかひ一) 進んで行く方向から吹いてくる風。逆風。対 追い風。

むか・う【向かう】(むかふ)《自五》❶顔を(体ごと)そちらへ向ける。そっちを向く。「机に一・って仕事をする」❷〔ある方向を〕目ざして進む。「式場へ一・う」❸ある状態の方向に進みはじめる。ある状態に近づく。「季節は春に一・う」「病気は快方に一・う」❹相手とする。対する。「親に一・って言うべきことばではない」❺はむかう。さからう。抵抗する。「全力を挙げて敵に一・う」「一・ってくる相手を投げとばす」文《四》。

むかう‐の‐さと【無何有の▽郷】 自然のままで、人事のわずらわしいことの何もない理想郷。ユートピア。無何有郷(むかゆうきょう)。〈荘子・逍遥遊〉

むかえ【迎え】(むかへ) 迎えること。また、その人。「一の車」「一を出す」参考→お迎え。対 送り。

むかえ‐い・れる【迎え入れる】(むかへ一)《他下一》迎えて中に入れる。また、集団・組織などに加える。「応接間に客を一・れる」「経験者なら喜んで一・れる」

むかえ‐う・つ【迎え撃つ・×邀え撃つ】(むかへ一)《他五》せめてくる敵を待ち受けて撃つ。迎撃する。邀撃(ようげき)する。

むかえ‐ざけ【迎え酒】(むかへ一) 二日酔いを発散させるために酒を飲むこと。また、その酒。

むかえ‐び【迎え火】(むかへ一) 盂蘭盆(うらぼん)の最初の日(陰暦七月一三日)の夜、祖先の霊を迎えるために家の門前で麻幹(おがら)をたくこと。また、その火。対 送り火。

むか・える【迎える】(むかへる)《他下一》❶待ち受けて、訪れた人を受け入れる。「客を一・える」類語 (す)(る) 歓迎。奉迎。来迎。❷家族・仲間の一員として受け入れる。「花嫁を一・える」「新入社員を一・える」❸呼び寄せる。来てもらう。招く。「講師を一・える」「彼を委員長に一・えよう」❹ある状況に遭遇する。「貧困のうちに死を一・えた」❺その時期になる。「正月を一・える」「結婚の日を一・える」❻〔相手のきげんを損じまいと〕気をつかう。迎合する。「客の心を一・えようとお世辞を言う」❼〔敵の攻撃を〕待ち受けて、さえぎり受け止める。「大軍を一・えて奮戦する」表記 ⑦は「邀える」とも書く。文 むか・ふ《下二》。

む‐がく【無学】《名・形動》教育を受けず、十分な学問・知識がないこと。無教育。「一文盲(もんもう)」類語 無識。無知。

むか‐ご【▽零▽余子】 珠芽(しゅが)。特に、ヤマノイモの珠芽をいい、食用にする。ぬかご。

むかし【昔】❶遠い過去。ずっと以前。〔副詞的にも用いる〕「この道は一通ったことがある」「ずいぶん一の話だ」「一取った杵柄(きねづか)(=以前にきたえた腕前)」類語 いにしえ。かつて。その上(かみ)。来し方。在りし日。過ぎし日。往時。当時。往年。往古。千古。太古。万古。昔年。対 今。❷過去の一〇年を単位として言う語。〔助数詞的に使う〕「十年ひと一」「ふた一前」

むかし‐かたぎ【昔▽気▽質】《名・形動》律義(りちぎ)で昔ふうをかたく守る気性。「一の頑固(がんこ)おやじ」

むかし‐がたり【昔語り】 遠い過去にあったことや経験したことなどを話すこと。また、その話。懐旧談。「防空壕(ごう)のことなどは一に属する」同 昔話。

むかしつ‐せきにん【無過失責任】〔法〕発生した

損害に対して、故意や過失がない場合でも、その賠償責任を負うこと。

むかし-ながら【昔×乍ら】昔のままで少しも変わっていないこと。「―の故郷の家並み」

むかし-なじみ【昔×馴染(み)】昔なれ親しんだことがあること。特に、昔親しんだ人。「―の風景」「―にばったり出会った」[類語]幼なじみ。

むかし-ばなし【昔話】❶昔語り。「―に花を咲かせる」❷古くから言い伝えられ、多く「むかしむかし…」という語り口で子どもに聞かせる話。「桃太郎」「舌切雀」など。

むかし-ふう【昔風】《名・形動》昔のままの様式・慣習に従うこと。「―に教育する」[類語]古風。[対]今風。

むか-つ-く《自五》❶胃の中のものを吐きだしたくなる。吐きけがする。「食当たりで胸が―・く」❷不愉快で腹が立つ。しゃくにさわる。虫酸が走る。「―・くようなお世辞を言う」[同]①②むかむかする。

むか-っ-ぱら【むかっ腹】むしょうに腹が立つこと。「―が立つ」

むかで【▽百▽足・×蜈×蚣】節足動物の一つ。からだは平たくて細長く、多くの足がある。口に毒腺をもつ一対のあごがあり、小昆虫を捕食する。

むか-ばき【▽行×縢】昔、乗馬や徒歩旅行の際に用いた男子の服装品。毛皮で作り、腰からすねをおおって雨露や茨を防いだ。

むか-むか《副・自サ》《副詞は「―と」の形も》❶吐きけをもよおすようす。「たばこの煙がこもって―する」❷怒りがこみあげるようす。「理不尽な要求に―する」

*__む-かん__【無冠】《位を表す冠がない意から》位のないこと。―の-ていおう【―の帝王】〔野にあって権威に屈しない者の意から〕「ジャーナリスト」の美称。

*__む-かん__【無官】〔文〕官職についていないこと。「無位―」―の-たゆう【―の大夫】❶官職はないが四位・五位の位にある人。❷公卿の子で、元服前に五位の位をうけた人。「―敦盛」

む-かんがえ【無考え】《名・形動》よく考えないこと。無分別。「―に退学して後悔する」

む-かんかく【無感覚】《名・形動》❶感覚がないこと。「寒さで手の指が―になる」❷相手の気持ちやその場の事情に気を配らないこと。「―に人を傷つける」[類語]無神経。

む-かんけい【無関係】《名・形動》何もかかわりあいがないこと。「自分とは―な人だ」[類語]無縁。

む-かんしん【無関心】《名・形動》関心をもたないこと。「政治に―な人」「―をよそおう」

*__むき__【向き】❶向いている方向。「体の―を変える」「南―」❷そういう傾向・面・性質(を持つ人々)。「下戸の―(=酒が飲めない人々)には菓子を用意する」「ご用の―に応じる」❸適すること。適した方面。〔接尾語的にも用いる〕「―不向き」「女性―のスポーツ」❹〈―になる〉ちょっとしたことに本気になって腹を立てる。「―になって怒る」[表記]④はふつうかな書き。

*__む-き__【無期】一定の期限を設けないこと。無期限。「―延期」「―懲役」[対]有期。

*__む-き__【無機】それ自体に生活機能がないこと。[対]有機。―かがく【―化学】化学の一部門。単体と無機化合物を研究対象とするもの。[対]有機化学。―かごうぶつ【―化合物】炭素以外のすべての元素の化合物、および一部の炭素化合物の総称。無機物。[対]有機化合物。―しつ【―質】脂肪・たんぱく質・炭水化物・ビタミンとともに五大栄養素の一つ。カルシウム・カリウム・燐・鉄など。体内では、骨・歯・体液・血液などに含まれる。灰分。ミネラル。―ぶつ【―物】❶それ自体は生活機能を持たない、鉱物・水・空気およびこれらを原料としてつくられた物質。❷単体および無機化合物。

*__む-き__【無季】俳句で、季語がないこと(句)。[対]①②有機物。

むぎ【麦】イネ科の大麦・小麦・ライ麦・燕麦などの総称。重要な穀物で、食用・飼料用など用途が広い。

むき-あ-う【向き合う】《自五》互いに正面を向けて相対する。向かいあう。「―・って置かれたいす」

むぎ-あき【麦秋】麦の取り入れのころ。五月下旬から六月上旬ごろ。[参考]「麦秋」を訓読した語。

むぎ-うち【麦打ち】刈り取った麦の穂を殻竿で打ち、実を穂から離すこと。また、その道具。殻竿。

む-きげん【無期限】期限を定めないこと。「―スト」

むぎ-こ【麦粉】麦、特に小麦の種をひいた粉。小麦粉。メリケン粉。

むぎ-こがし【麦焦(が)し】大麦をいってこがし、ひいて粉にしたもの。湯でねって食べる。香煎。はったい。

むぎ-さく【麦作】麦の栽培。また、麦の実りぐあい。麦のとれ高。[類語]稲作。

む-きず【無傷・無×疵】《名・形動》❶きず・損傷がないこと。「転んだが―だった」❷失敗・負け・罪・汚れなどが全くないこと。「―のチーム同士の対戦」

むき-だし【×剝き出し】《名・形動》❶おおい隠すはずのものがなく、裸のままであること。「―の電球」[類語]まるだし。露出。❷飾らないで、ありのまま現すこと。あらわ。露骨。「感情を―にする」[類語]あからさま。

むぎ-ちゃ【麦茶】大麦を殻のついたままいったもの(をせんじて茶のようにした、夏向きの飲み物)。麦湯。

む-きどう【無軌道】❶軌道がないこと。「―電車(=トロリーバス)」❷《名・形動》常軌を逸して行動がでたらめなこと。「―な生活に落ちこむ」

むき-なお-る【向き直る】《自五》❶その方へ向きを変える。「―・って三塁へ送球」❷改めて自分を肯定する態度に出る。「―・って反論する」

むぎ-ふみ【麦踏み】早春、麦の芽を足で踏む作業。麦の根張りをよくするなどのために行う。

むき-み【×剝(き)身】貝類の、殻から取り出した肉。「アサリの―」

む-きめい【無記名】氏名を書かないこと。「―投票」

むぎ-めし【麦飯】米に麦をまぜてたいた飯。また、麦だけでたいた飯。

むぎ-ゆ【麦湯】麦茶。

*__む-きゅう__【無休】休日がないこと。「年中―」

*__む-きゅう__【無窮】《名・形動》〔文〕〔時間的にも空間的にも〕きわまりのないこと。限り・はてしがないこと。無限。「―の大宇宙」[類語]永遠。永久。

*__む-きゅう__【無給】給料を支給しないこと。「―で仕事する」[対]有給。

む-きりょく【無気力】《名・形動》物事をしようとする気力がないこと。「―に陥る」

むぎ-わら【麦×藁】麦の実を取り去ったあとの茎。麦稈。「―細工」「―帽子」

む-きん【無菌】細菌が存在しないこと。「―状態」

*__むく__【×椋】❶「むくどり」の略。❷むくのき。

*む‐く【無×垢】《名・形動》❶〔仏〕煩悩(ぼんのう)からはなれ、けがれのないこと。また、けがれていないこと。❷心身がけがれていないこと。うぶなこと。純真。「一な心」「一な少女」類語 清浄。純潔。❸まじりものがないこと。純粋。「金一」❹衣服などで、上着・裏・下着とも無地の同色であること(もの)。おもに純白。「白一の花嫁衣装」

*む・く【向く】㊀《他五》❶ものの位置を、その方向に面するように動かす。ものの面(特に正面)を、その方向と一致するように動かす。「こちらを一・きなさい」「下を一・く」❷その方向に面した位置にある。また、その方向をさす。「磁石が北を一・く」「視線の一・いた先」文《四》。㊁《自五》❶その方向へ進む。「気が一・く」「足が彼の家の方へ一・く」❷適する。好まれる。「この品は老人に一・く」文《四》。

*む・く【×剝く】《他五》❶皮・殻など、おおいかぶさっているものをはがしとる。「リンゴを一・く」「ゆで卵を一・く」❷(おおいかぶさっているものをとりさって)あらわにする。「歯を一・いて食ってかかる」❸はぐ。奪う。「ばくちで身ぐるみ一・かれた」文《四》。

むくい【報い】❶よい事や悪い事をした結果として、自分の身に受けるもの。「大食の一で胃を悪くする」❷労苦にこたえる償い。報酬。

むく‐いぬ【×尨犬】むく毛の犬。

むく・いる【報いる・▽酬いる】《自上一》人から受けた物事に対して、それにふさわしいお返しをする。「数々の手柄に十分な地位で一・いる」「暴に対し徳で一・いる」参考「一矢(いっし)を一・いる」の形で、他動詞としても使う。文むく・ゆ《上二》。

むく・う【報う】(むくふ)《自五》《「むくいる」の文語形「むくゆ」の転》むくいる。「一・われない努力」文《四》。

*むく‐げ【×尨毛】〔けものの〕ふさふさと長くたれ下がった毛。

*むくげ【▽木×槿・×槿】アオイ科の落葉低木。夏から秋にかけて紅紫色・白色などの五弁花をつけ、一日でしぼむ。観賞用・いけがき用。もくげ。ゆうかげぐさ。きはちす。参考→槿花(きんか)。

む‐くち【無口】《名・形動》口数の少ない・こと(人)。寡言(かげん)。寡黙。「一な少年」

むくつけき《連体》《文語形容詞「むくつけし」の連体形から》〔もと、形や性質が異様で不気味であるの意〕気味が悪いほど無骨である。「一大男」

むく‐どり【×椋鳥】❶ツグミぐらいの大きさの、ムクドリ科の鳥。全身が灰褐色で、顔は白っぽい。人家近くに群がりすみ、やかましく鳴く。日本全土・アジア東部に分布。むく。❷〔俗〕いなかから都に上ってくる者をあざけっていう語。おのぼりさん。白頭翁(はくとうおう)。

むく‐の‐き【×椋の木】ニレ科の落葉高木。春、淡緑色の細かい花を開く。実は食用。むく。

むく・む《自五》〔水腫(すいしゅ)などのため〕顔・手・足などが全体的にはれてふくれる。「栄養不良で一・んだ体」表記「浮腫む」とも当てる。文《四》。

むく‐むく《副》《副詞は「一と」の形も》❶大きなかたまりが次から次へとわき上がるようす。「入道雲が一わく」「不信の念が一とわく」❷《自サ》厚くふくらむようす。また、肉がよくついてふとっているようす。「一した小犬」❸〔体の大きなものが〕ゆっくりと起き上がるようす。むっくり。「寝ていたトラが一と起き上がる」

むぐら【×葎】ヤエムグラなど、繁茂してやぶをつくるつる草の総称。

むく・れる【×剝れる】《自下一》❶〔皮などが〕はがれて、中のものがあらわれ出る。むける。「台風で屋根が一・れる」❷〔俗〕怒ってふきげんな表情を外にあらわす。「しかられるとすぐ一・れる」類語 冠を曲げる。

むくろ【×軀・×骸】❶〔古〕からだ。❷〔文〕死人のからだ。なきがら。死骸(しがい)。遺体。❸〔文〕朽ち木の幹。

むくろ‐じ【無▽患子・▽木×槵子】ムクロジ科の落葉高木。夏、淡緑色の細かい花をつける。種子は黒色でかたく、追い羽根の球にする。むく。

む‐げ【無×碍・無×礙】《名・形動》〔文〕さまたげるものや、こだわりがないこと。「融通一な振る舞い」

む‐けい【無形】〔文〕形にあらわれないこと。「一の報酬」「有形一の援助」対 有形。 ―ぶんかざい【―文化財】長い歴史をへて洗練されつつ伝承されてきた、芸術的・工芸的なわざ。演劇・音楽・工芸技術など無形の文化的所産をさす。対 有形文化財。

む‐げい【無芸】《名・形動》〔文〕〔人に見せるべき〕身についた芸がないこと。「一大食」対 多芸。

む‐けいかく【無計画】《名・形動》計画を立てていないこと。「一に金を使う」

*む‐けつ【無欠】《名・形動》〔文〕かけたところがないこと。「完全一」

*む‐けつ【無血】〔文〕❶人情がないこと。「一漢」類語 薄情。❷〔戦争・革命などで〕血を流さないこと。「一上陸」「一革命」

む‐げつ【無月】〔文〕空が曇って月が見えないこと。「中秋一」

むげ‐に【無下に】《副》そっけなく冷淡に扱うようす。「一断ってもかわいそうだ」

*む・ける【×剝ける】《自下一》表面をおおっていたものがとれる。「渋皮が一(=あかぬける)」文む・く《下二》。

*む・ける【向ける】㊀《他下一》❶〔目ざす方向に〕向くようにする。向かせる。「顔をこちらに一・ける」「ピストルを一・ける」「論鋒(ろんぽう)を内閣に一・ける」❷つかわす。送る。「担当刑事を現場に一・ける」❸ふりむける。わりあてる。「ボーナスの一割を衣料費に一・ける」文む・く《下二》。㊁《自下一》むかう。目指す。「大阪に一・けて出発する」文む・く《下二》。

む‐けん【無間】「無間地獄」の略。阿鼻(あび)地獄のこと。むげん。

*む‐げん【夢幻】〔文〕❶ゆめと、まぼろし。❷はかないことのたとえ。「一の人生」

*む‐げん【無限】《名・形動》限りのないこと。「一の宇宙」「一に近い財産」類語 無辺。無量。広大。対 有限。 ―きどう【―軌道】→キャタピラー。 ―だい【―大】❶《名・形動》限りなく大きいこと。「一の可能性」❷〔数〕変数の絶対値が、どんなに大きな正数よりも大きくなること。また、その変数。記号∞。

*むこ【婿・×聟・×壻】❶娘の夫。「一をとる」❷結婚する相手の男性。「一選び」❸婿入りした男性。入り婿。「一養子」尊敬 令婿。対 ①～③嫁。

*む‐こ【無×辜】〔文〕罪のないこと。「一の民」

むご・い【▽惨い・▽酷い】《形》❶あまりにひどいありさまで、見るにたえられないくらいである。悲惨である。「一・い死にかた」❷情け容赦がない。残酷無慈悲である。「一・い仕打ち」文むご・し《ク》。

むこ‐いり【婿入り】《名・自サ》むこになって嫁の家の籍にはいること。入夫結婚。対 嫁入り。

*__むこう__【向(こ)う】(むかう・むかふ) ❶むかい。正面。「—三軒両隣」 ❷あるものを隔てとして、自分から離れているがわ。あちらの方。遠方。「川の—」「はるか—」「—へ行っていろ」 ❸今から。今後。「—三日間有効」 ❹相手。先方。「—は喜んでもこっちは困る」「専門家を—に回して(=相手にして)論争する」
—を張・る《句》対抗する。はりあう。〔多く「…の—・る」の形で使う〕「高校生の—・って中学生が頑張る」

*__む-こう__【無効】《名・形動》効力・効果がないこと。「投票が—となる」 対 有効。

__むこう-いき__【向(こ)う意気】(むかういき・むかふいき) 相手に負けまいとする強い気持ち。負けん気。「—の強い男」

__むこう-がわ__【向(こ)う側】(むかうがは・むかふがは) ❶何かをへだてて、その先の方。「ビルの—」 ❷相手。相手方。先方。「—の意向」

__むこう-ぎし__【向(こ)う岸】(むかうぎし・むかふぎし) 川の、自分のいる岸とは反対側の岸。対岸。「船を—に着ける」

__むこう-きず__【向(こ)う傷・向(こ)う×疵】(むかうきず・むかふきず) ❶〔敵などと争って〕正面から顔や額などにうけた傷。対 後ろ傷。 ❷〔ひゆ的に〕積極的な行動の結果としての失敗。「—を恐れるな」

__むこうさんげん-りょうどなり__【向(こ)う三軒両隣】(むかうさんげんリヤウどなり・むかふさんげんリヤウどなり) 〔自分の家の向かい側にある三軒の家と左右にある二軒の家の意で〕ふだん親しく交際する近所の家。

__むこう-じょうめん__【向こう正面】(むかうジヤウめん・むかふジヤウめん) ❶まっすぐに相対する場所。 ❷相撲場で、土俵の正面(北側)に対する反対側(南側)の所。裏正面。 ❸競技場で、メーンスタンドの反対側の観客席。 ❹歌舞伎(かぶき)劇場で、舞台からみて、三階正面の後方の観客席。向桟敷(むこうさじき)や大向(おおむこう)。

__むこう-ずね__【向(こ)う×脛・向(こ)う×臑】(むかうずね・むかふずね) すねの前面。弁慶の泣き所。

__むこう-づけ__【向(こ)う付け】(むかうづけ・むかふづけ) ❶日本料理で、膳(ぜん)の上の、客から遠い側に配置する料理。酢の物・さしみなど。また、それを盛りつける器。 ❷相撲で、額を相手の胸につけること。

__むこう-っ-つら__【向(こ)うっ面】(むかうっつら・むかふっつら) 向き合った相手の顔。参考 憎しみの対象としていう。「—をはり倒してやろうか」

__むこう-はちまき__【向(こ)う鉢巻(き)】(むかうはちまき・むかふはちまき) 鉢巻を額の上で結ぶこと。また、その鉢巻。参考 威勢のよい姿とされる。「—で神輿(みこし)をかつぐ」

__むこう-みず__【向(こ)う見ず】(むかうみず・むかふみず)《名・形動》結果がどうなるかをよく考えずに、思い立ったらがむしゃらに行動する・こと(人)。無鉄砲。「—に結婚を申し込む」 類語 無分別。無謀。猪突(ちょとつ)猛進。

__むこう-もち__【向(こ)う持ち】(むかうもち・むかふもち) 費用などを先方が負担すること。「懇親会の食事は—だ」

__むこ-がね__【婿がね】 婿ときめた人。〔古風なことば〕

__む-こく__【無告】〔文〕自分の苦しみを訴える相手のないこと。「—の民」

__む-こくせき__【無国籍】《名・形動》❶国籍を持たないこと。「—者」 ❷国の別にこだわらないこと。「—料理」

__む-ごし__【無腰】〔文〕まるごし。

__むご-たらし・い__【▽惨たらしい・▽酷たらしい】《形》いかにもむごい。残酷である。「—・く殺される」

__むこ-とり__【婿取り】 娘にその夫になる男をむかえること。対 嫁取り。

__むこ-ようし__【婿養子】 養子縁組によって娘の夫としてむかえられる男。

__む-こん__【無根】《名・形動》〔根も(葉も)ない意から〕根拠となる事実が全くないこと。「事実—」「—のうわさを立てられる」 類語 無実。

__む-ごん__【無言】 ものを言わないこと。「—でうなずく」「—の同意を与える」 類語 沈黙。 —げき【—劇】 せりふを言わず、身振りや表情だけで演じる劇。黙劇。パントマイム。 —の-ぎょう【—の行】〔仏〕一定期間無言を守り通す行。転じて、黙り込んでいること。「—を決めこむ」

*__む-さい__【無才】《名・形動》〔文〕才能がないこと。「無学—」 類語 非才。

*__むさ・い__《形》きたならしい。また、むさくるしい。「—・い家ですが、お上がりください」 文 むさ・し《ク》。

__む-ざい__【無罪】 ❶責められるような罪がないこと。 ❷〔法〕犯罪が成立しないこと。また、その場合に言い渡す判決。対 有罪。

__む-さいしょく__【無彩色】 黒・白および灰色。明度・色相・彩度の色の三つの基本的性質のうち、明度のみ持つ色。対 有彩色。

__む-さく__【無策】《名・形動》〔文〕適切な方策や対策を立てていないこと。「無為—」「—のまま、敗れる」

__む-さくい__【無作為】《名・形動》自分の考えを入れないで行うこと。任意であること。「—に抽出する」

__むさ-くるし・い__【むさ苦しい】《形》〔家の中や身なりなどが〕きちんとしていなくてきたならしい。むさい。「腰に—・い手ぬぐいを下げる」 類語 見苦しい。

__むささび__【×鼯×鼠】 リス科の哺乳(ほにゅう)動物。前足から後足にかけての皮膜を広げて木から木へ滑空する。夜行性。のぶすま。参考「ももんが」を指す場合もある。

__むさし__【武▽蔵】 旧国名の一つ。今の東京都の大部分と埼玉県の全部と神奈川県の一部。武州(ぶしゅう)。

__む-ざつ__【無雑】《名・形動》〔文〕まじりけがないこと。「純粋—」

__む-さべつ__【無差別】《名・形動》❶区別・差別をつけないこと。平等。「希望者は—に受け入れる」 ❷目標を定めないこと。手当たり次第。「—爆撃」

__むさぼり-よ・む__【×貪り読む】《他五》夢中になっていくらでも読む。「専門書を—・む」

__むさぼ・る__【×貪る】《他五》まだ十分ではないとして、いくらでもほしがる。「にぎり飯を—・り食う」「眠りを—・る」「暴利を—・る」 類語 よくばる。注意「貧る」は誤り。文《四》。

__むざ-むざ__《副》(「—と」の形も)みずからなすところもなく、不結果を甘んじて受けるようす。類語 みすみす。 ㋐ わけもなく。たやすく。「—(と)計略にかかる」 ㋑ 惜しげもなく。あっさりと。「親の遺産を—(と)手放す」 ⇩
〔類義語の使い分け「みすみす」〕

*__む-さん__【無産】 財産がないこと。また、生産手段をもっていないこと。対 有産。 —かいきゅう【—階級】 生産手段をもたず、労働によって得た賃金によって生活する階級。労働者階級。プロレタリア階級。プロレタリアート。対 有産階級。

*__む-さん__【霧散】《名・自サ》〔文〕霧が消えるように散り去ってなくなること。雲散霧消。「疑問が—した」

__む-ざん__【無残・無惨・無×慚・無×慙】《名・形動》❶〔仏〕罪を犯しながら心に恥じないこと。「放逸—」

表記「無慚」「無慙」と書く。❷見ていられないほど気の毒なありさまであること。「ーに崩れた家」「ーな敗戦」❸残酷なこと。むごいこと。「ーな殺され方」

*む‐し【無私】《名・形動》〔文〕私心のないこと。私利私欲をはかる心のないこと。「公平ー」「ーの奉仕精神」類語無我。没我。忘我。

*む‐し【無視】《名・他サ》現にそこにあるものをないもののように扱うこと。また、存在するものの意義や価値を認めないこと。「親の意見をーする」類語黙殺。軽視。

*むし【虫】❶人類・獣類・鳥類・魚介類以外の小動物の総称。一般に昆虫をいう。特に、次のものをいうことが多い。㋐〔松虫・鈴虫など〕その鳴き声が人に愛される虫。「ーの声」㋑〔ノミ・シラミ・シミなど〕人の生活に害を与える虫。「ーに食われる」「ーも殺さぬ(=殺生(せっしょう)なことなどとてもできそうには思われない)顔をしながら」㋒〔回虫など〕動物の体内に寄生する虫。「ーを下す」類語虫けら。蛆(うじ)。❷子供の体質が弱いために起こる種々の病気。虫気(むしけ)。疳(かん)の虫。「ーが起こる」❸心の中にあって、人の感情を左右すると考えられるもの。「ふさぎのー」「ーがいい(=自分勝手でずうずうしい)」「腹のーが納まらない(=怒りをおさえられない)」「ーが知らせる(=何となく前もって感じる)」「ーが好かない(=何となく気にくわない)」「ーの居所が悪い(=機嫌が悪く、ちょっとしたことにもすぐ怒る状態にある)」「ーを殺す(=かんしゃくが起こりそうなのを我慢する)」❹一つの事に熱中する人。「本のー」「仕事のー」❺《人の弱点をさす語につけて》その人をあざける語。「泣きー」「弱ー」❻〔電算〕「バグ」の俗称。

ーが付く《句》❶植物・着物などに害虫が付く。❷娘に男ができる。「悪いーかないように目を光らせる」参考②は、多く「悪い虫が付く」の形で使う。

む‐じ【無地】〔布・紙などで〕全体が一色で模様のないこと(もの)。「ーのブラウス」「ーの食器」

むし‐あつ・い【蒸し暑い】《形》湿度が高く風がなくて気温が高い。むされるように暑い。「ーい梅雨期」

むし‐おくり【虫送り】稲の害虫駆除をねがう農村行事。おもに五〜六月、たいまつを掲げ、かね・太鼓を鳴らして行列し、虫を村から送り出す。

むし‐おさえ【虫押(さ)え】ーおさへ ❶子供の虫気(むしけ)を治すために飲ませる薬。虫薬。❷空腹のとき、一時しのぎに、少し物を食べること。

むし‐かえ・す【蒸し返す】ーかへす《他五》❶一度蒸したものをもう一度蒸す。「ふかしいもをー・す」❷一度きまりのついたことを再び問題にする。「議論をー・す」

む‐しかく【無資格】資格がないこと。「ーで診療する」類語無免許。潜り。

む‐じかく【無自覚】《名・形動》自分の言動の意味・責任・義務などを自覚していないこと。「ーな行動」

むし‐がし【蒸し菓子】蒸して作った生和菓子。まんじゅう・蒸し羊かん・くずざくらなど。蒸し物。

むし‐がれい【虫×鰈】ーがれひ カレイの一種。からだは薄くてやや長い。からだの右側に両眼がある。左側は白色。冬期に美味。

むし‐き【蒸(し)器】食品を蒸すための容器。

むし‐くい【虫食い・虫×喰い】ーくひ 虫が食っていたんでいること。また、そのあと。「ーだらけの衣類」

むし‐ぐすり【虫薬】虫押さえ①。

むし‐くだし【虫下し】腹の中にいる、回虫などの寄生虫をとりのぞくための薬。駆虫剤。

むし‐け【虫気】子供が、すぐいらいらしたりかんしゃくを起こしたりすること。虫。「ーが起こる」

むし‐けら【虫×螻】虫類をいやしめていう語。小さくてとるに足りない虫。参考ひゆ的に、とるに足りないくだらない人の意にも使う。「ー同然のやつ」

*む‐しけん【無試験】〔入学したり資格を取ったりするのに〕試験を受ける必要がないこと。「ーで入社する」

*むし‐けん【虫×拳】じゃんけんの一種。親指をカエル、人さし指をヘビ、小指をナメクジに見立て、それを示しあって勝負をあらそうもの。

む‐じこ【無事故】事故を起こさないこと。「ー無違反」

むし‐ず【虫×唾・虫酸】ーづ 胸がむかむかしたときなどに胃から口に出るすっぱい液。胃液。「ーが走る(=いやでたまらない気持ちになる)」表記現代仮名遣いでは、「むしづ」も許容。

むし‐ずし【蒸(し)×鮨】味付けをしたシイタケ・かんぴょうなどを混ぜた鮨飯に、甘く煮たエビのおぼろ・アナゴなどをのせて、蒸した鮨。参考大阪の名物。

むし‐タオル【蒸(し)タオル】蒸して熱くしたタオル。

む‐じつ【無実】❶実質がないこと。「有名ー」❷証拠となる事実がない(のに罪があるとされる)こと。ぬれぎぬ。冤罪(えんざい)。「ーの人に罪を着せる」

むじな【×貉・×狢】❶「あなぐま」の別称。❷「たぬき」の別称。

むし‐なべ【蒸(し)×鍋】食品を蒸す鍋。二重重ねで、内鍋の底の細かい穴から蒸気をふき上げる。

むし‐に【蒸(し)煮】食材を入れたフライパンなどに水を入れ、ふたをして加熱調理すること。また、その料理。

むし‐の‐いき【虫の息】今にも息が止まって、死にそうになること。また、今にも止まりそうな弱々しい息。「ーで救いを求める」

むし‐の‐しらせ【虫の知らせ】根拠がないのに、なんとなく心に感じる不吉なこと。悪い予感。「ーで親友の死をさとる」

むし‐ば【虫歯】口中の微生物の作用によって、歯の硬い組織がおかされたもの。齲歯(うし)。

むし‐ば・む【×蝕む】《他五》《「虫食(は)む」の意》❶虫が食ってだめにする。また、虫に食われてだめになる。「紙魚(しみ)にー・まれた古書」❷〔精神や肉体などを〕少しずついためる(悪くする)。「癌(がん)が全身をー・む」

むし‐ばら【虫腹】回虫などの寄生虫のために、腹が痛むこと。

むし‐パン【蒸(し)パン】蒸し上げて作ったパン。

む‐じひ【無慈悲】《名・形動》あわれみ思いやる気持ちがないこと。「借金をーに取り立てる」類語不人情。薄情。冷酷。

むし‐ピン【虫ピン】昆虫の標本を固定する、金属製の小さい留め針。参考「ピン」はpin。

むし‐ふうじ【虫封じ】子供に疳(かん)が起こらないように、祈禱(きとう)やまじないをすること。「ーのお守り」

むし‐ぶろ【蒸(し)風×呂】密閉した部屋に蒸気を送り、からだを蒸して、暖めたり汗を流したりするふろ。空風呂(からぶろ)。「会場はーのような暑さだった」

むし‐ぼし【虫干し】《名・他サ》おもに夏、かびや虫の害を防ぐため、衣類や書物を日に干したり風にあてたりすること。類語土用干し。風入れ。曝涼(ばくりょう)。

むし‐むし【蒸し蒸し】《副・自サ》《副詞は「ーと」の

形も》蒸し暑いようす。「人の熱気でーする」

むし-めがね【虫〈眼鏡〉】小さい物を大きくして見るための、焦点距離の小さな凸レンズを使った道具。拡大鏡。ルーペ。

むし-もの【蒸(し)物】❶蒸して作った料理。茶わんむしなど。❷蒸し菓子。

む-しゃ【武者】武士。特に、よろい・かぶとを着けた武士。「ー人形」 ーしゅぎょう【ー修行】武芸者が、武術の修行・鍛錬をするために諸国を巡ること。一般に、他の土地へ行って修行すること。 ーぶるい【ー震い】《名・自サ》重大な場に臨もうとするときに、心が勇みたってからだがふるえること。

むし-やき【蒸(し)焼(き)】〔料理で〕材料を容器に入れて、密閉して焼くこと。また、その料理。

む-じゃき【無邪気】《名・形動》いつわったり、だましたり、かざったりする気持ちがなく、すなおなこと。また、あどけないこと。「ほめられてーに喜ぶ」

むしゃ-くしゃ《名・副・自サ》《副詞は「ーと」の形も》腹立たしいことやすっきりしないものがあって気分が晴れないこと(気分)。「口論のあとで、ーしていた」

むしゃぶり-つ・く《自五》〔うれしさ・悲しさなどのあまり我を忘れて〕懸命に取りつく。「ー・いて泣く」

むしゃ-むしゃ《副》(「ーと」の形も)〔口を大きくあけたり音を立てたりして〕行儀の悪い食べ方をするようす。「まんじゅうをー(と)食べる」

む-しゅう【無臭】においがないこと。特に、くさいにおいがないこと。「無色ーの気体」

む-じゅう【無住】寺に住職がいないこと。「ーの寺」

む-じゅうりょく【無重力】〔理〕重力がないこと。

む-しゅく【無宿】〔文〕❶〔放浪生活などをして〕住む家がないこと(人)。宿なし。「ー渡世」類語住所不定。❷江戸時代、罪を犯して戸籍から除かれること(人)。「ー者」

む-しゅみ【無趣味】《名・形動》❶味わい・面白みが何もないこと。「ーな建物」類語殺風景。❷何にも趣味をもたないこと。没趣味。ぶしゅみ。「ーな人」類語無風流。

む-じゅん【矛盾】《名・自サ》《矛と盾の意》つじつまが合わないこと。自家撞着。「前の発言とーすることをいう」故事中国の楚の国で、矛と盾とを売る者が、この矛はどんな盾をも貫ける、この盾はどんな矛でも防げると自慢したので、その矛でその盾を突いたらどうなるかと尋ねたところ、何とも答えられなかったということから。〈韓非子〉

むしょ【隠】監獄。刑務所。〔やくざ・盗人仲間で使う〕

*む-しょう【無償】❶相手のためにした行為に対して、報酬がない(を期待しない)こと。「ーの慈善行為」「ーの愛」❷物を与えて代金をとらないこと。ただ。無料。「ーで株券を交付する」対有償。

*む-しょう【霧消】《名・自サ》〔文〕霧のように、たちまちのうちに跡形もなく消えうせること。「雲散ー」

*む-じょう【無上】この上もないこと。最上。最高。「賞が得られたのはーの光栄です」

*む-じょう【無常】《名・形動》❶〔仏〕万物が生滅・変化して定まりのないこと。「諸行ー」対常住。❷人の世は変わりやすくはかないこと。「世のーを悟る」 ーかん【ー観】〔仏〕一切のものは無常なものとする考え方。

*む-じょう【無情】《名・形動》❶同情心や思いやりがないこと。無慈悲。「ーにも子犬を捨てた」「ーの雨(=催しなどを台なしにする雨)」類語薄情。不人情。冷酷。冷淡。❷感情がないこと。非情。「ーの木石」

む-じょうけん【無条件】〔ある行為をするために〕何も条件をつけないこと。「ーで許可する」「ー降伏」

むしょう-に【無性に】《副》むやみに。やたらに。「ーさびしい夕暮れ時」「ー水が飲みたい」

*む-しょく【無職】職業をもたないこと。

*む-しょく【無色】❶色がついていないこと。また、色を塗らずに生地のままであること。「ー透明」対有色 ❷意見や思想などがいずれの立場にもかたよらないこと。類語中正。

むし-よけ【虫▽除け】❶害虫がつかないようにすること。また、そのための道具・装置・薬品。❷毒虫などを避けるのに効くという守り札。

む-しょぞく【無所属】どの党派や会にも属していないこと(人)。〔議員などに言う〕「ーで立候補する」

むし・る【×毟る・×挘る】《他五》❶くっついている物を、つかんで引き抜く。「雑草をー・る」「鳥の毛をー・る」類語摘む。❷ちぎりとって小さくする。「パンをー・る」表記②は「挘る」と書く。❸〔俗〕〔ばくちなどで〕相手の金をとる。「奴からー・ってやろう」文《四》。

む-じるし【無印】❶しるしがないこと。❷銘柄品でないこと。ノーブランド。「ーだが、うまいコーヒー」

*むしろ【×筵・×蓆・×莚】❶わら・すげ・竹・藺などを編んで作った敷物の総称。特に、わらを編んで作ったもの。わらむしろ。❷〔文〕座席。席。「花の香ただよう宴の一」〈北大寮歌〉表記②は「席」とも書く。

*むしろ【▽寧ろ】《副》二つの事柄のうちどちらかを選ぶかと言えばこちらの方がよりよいという意を表す語。どちらかと言えば。「辱めを受けるくらいならー死を選ぶ」

むしろ-ばた【×筵旗】むしろを竹ざおなどの先につけて旗の代わりにしたもの。百姓一揆などに使った。

む-しん【無心】❶《名・形動》心に雑念や邪念のないようす。「ーに遊ぶ子供」「ーで試合に臨む」類語無欲。無邪気。❷《名・他サ》〔金品を〕遠慮せずねだること。せびること。「友人に金をーして断られた」

*む-じん【無人】人がそこに(住んで)いないこと。無人。「ー島」「球がーの左中間にころがる」

*む-じん【無尽】❶〔文〕尽きることがないこと。❷「無尽講」の略。頼母子講。 ーぞう【ー蔵】《名・形動》いくらとってもなくならないこと。「ーの資源」

む-しんけい【無神経】《名・形動》❶感じのにぶいこと。鈍感。「ーで、皮肉られたのがわからない」❷恥や外聞を気にかけなかったり、人のいやがることなどを平気で行ったりすること。「隣国を刺激するーな発言」類語無感覚。無頓着。

むしん-ろん【無神論】神の存在を否定する立場に立つ考え方。対有神論。

*む・す【▽生す・▽産す】《自五》〔文〕生まれる。生じる。はえる。「苔がー・す巨岩」文《四》。

*む・す【蒸す】㊀《自五》むし暑く感じられる。「ずいぶんー・す晩だ」文《四》。㊁《他五》湯気で熱する。また、ふかす。「タオルをー・す」文《四》。

む-すい【無水】❶水分を(ほとんど)含まないこと。㋐結晶水を含まない化合物であること。「ー硫酸銅」「ー塩」㋑酸素を含む酸から水の分子を除いた化合物であること。「ー炭酸」❷水を使わないこと。「ー鍋」

む-すう【無数】《名・形動》数かぎりなくあること。非

む

常に多いこと。「―の人が集まっている」対有数。

むずかし・い【難しい】(むづかしい)《形》❶わかりにくい。理解しにくい。「哲学に関する―・い話」「―・い文章」❷複雑で、やっかいである。㋐解決しにくい。「―・く考えるな」「この問題は―・い」㋑〔なしとげるのが〕容易でない。いろいろと面倒である。困難である。「―・い手続き」対①②易(やさ)しい。❸〔病気が重く〕回復の見込みが〔ほとんど〕ない。「―・い病状」❹〔人の言うことを〕簡単に聞き入れない。苦情・不満が多い。「食べ物に―・い人」❺不機嫌で近づきにくい。「―・い顔をする」=むつかしい。文むづか・し《シク》。⇩〔類語と表現〕

類語と表現

「難(むず)かしい」

＊内容が難しい・難しくて解けない問題／登頂は難しい・生還は難しい・優勝することは難しい・難しい立場・難しい事件・難しい年ごろ／難しい病気。

◆小難しい・しち難しい・きつい・しんどい・苦しい・辛い・険しい・ややこしい・煩わしい・面倒くさい／困難・至難・難解・晦渋(かいじゅう)・大儀・煩雑・面倒／(るす)難渋・難航・難行苦行／てこずる・持て余す・手に余る・手に負えない・手が出ない・手も足も出ない・手を焼く・荷が重い・荷が勝つ／一難・艱難(かんなん)・危難・救難・苦難・国難・住宅難・七難・受難・女難・生活難・多事多難・法難・難境・難業・難局・難句・難訓・難件・難語・難産・難事・難所・難症・難題・無理難題・難病・難物・辛苦・粒々辛苦(りゅうりゅうしんく)・臥薪嘗胆(がしんしょうたん)

むず・がゆ・い【むず×痒い】《形》むずむずとかゆい。

むずか・る【▽憤る】(むづかる)《自五》〔子供が〕機嫌を悪くして、泣いたりだだをこねたりする。むつかる。「―・る子をあやす」文《四》。

むす・こ【〈息子〉】《「産(む)す子」の意》その両親の間にできた男の子供。せがれ。尊敬貴息。令息。御子息。御曹司(おんぞうし)。若旦那(わかだんな)。お坊ちゃま。お坊ちゃん。謙譲愚息。豚児(とんじ)。小倅(こせがれ)。対娘。

むず・と《副》急に勢いよく力をこめるようす。むんずと。「相手の胸倉(むなぐら)を―つかむ」

むすば・れる【結ばれる】《自下一》《「結ぶ」の受け身形》他の人とある関係になる。特に、男女が肉体関係を持つ。また、結婚する。「二人は友情で―・れた」「自然に―・れた夫婦」文むすば・る《下二》。

むすび【結び】❶結ぶ・こと（方法）。「荷物の―が悪い」「―目」「ちょう―」類語くくり。❷〔話や文章の〕終わり。しめくくり。結末。「―のことばをのべる」「―の一番」❸〔語学〕係り結びの法則で、文末・句末の活用語の語尾を上の「係り」の語に照応させること。また、その語。対かかり。❹にぎりめし。おむすび。

むすび・あわ・せる【結び合わせる】(―あはせる)《他下一》二つのものを結んで一つにする。また、ある物事と他の物事を互いに関係づけて一つにする。「人権問題と憲法とを―・せて考える」類語むすびつける。

むすび・つ・く【結び付く】《自五》❶結ばれて一つになる。❷密接に関係し合う。つながる。「勝利に―・く(=至らせる)ホームラン」「商社と―・く役人」

むすび・つ・ける【結び付ける】《他下一》❶物を他の物に結んでつける。ゆわえつける。また、しばりつける。「枝におみくじを―・ける」❷〔二つ以上のものを〕関係づける。「二つの事件を―・ける」類語①②結び合わせる。

むすび・の・かみ【結びの神】男女の縁を取り結ぶという神。縁結びの神。結ぶの神。

むすび・め【結び目】結び合わせたところ。「帯の―」

＊むす・ぶ【結ぶ】㊀《他五》❶ひもなどの端を組ませて、離れないようにする。ゆわえる。「リボンを―・ぶ」「ネクタイを―・ぶ」❷二つ以上のものをからませくっつけて離れないようにする。つなぎあわせる。「ともづなを橋に―・ぶ」「二点を―・ぶ」❸離れている二つの所が直接連絡できるようにする。「東京・大阪を―・ぶ高速道路」❹約束して関係をつける。関係を持たせる。「縁を―・ぶ」「契りを―・ぶ」「同盟を―・ぶ」❺構えつくる。「庵(いおり)を―・ぶ」❻生じさせる。「実を―・ぶ」「葉の上に露を―・ぶ」❼続けてきたものを、そこで終わりとする。しめくくりをつける。「話を―・ぶ」❽〔口などを〕かたくとじる。「唇をかたく―・ぶ」❾〔文法で〕係りに対応した活用形で文を終止させる。「係助詞の『ぞ』は連体形で―・ぶ」文《四》。㊁《自五》固まる。凝結する。「実が―・ぶ」「露の―・ぶころ」文《四》。

＊むす・ぶ【×掬ぶ】《他四》〔古〕てのひらを合わせて水をすくいあげる。

むすぼ・れる【結ぼれる】《自下一》〔文〕❶〔自然に〕結ばれて解けにくくなる。「糸が―・れる」❷〔露などが〕固まって玉になる。凝結する。❸心が晴れない状態になる。気がふさがる。「心が―・れて面白くない」❹関係をつける。縁をつなぐ。文むすぼ・る《下二》。

むず・むず《副・自サ》《副詞は「―と」の形も》❶〔虫がはうような〕かゆい感じがするようす。「背中が―する」類語もぞもぞ。❷〔あることがしたくて〕筋肉などがもどかしそうに動くようす。転じて、ほかの人のするのをじっとして見ていられないようす。「碁が打ちたくて―している」「歯がゆくて―する」

むす・め【娘】《「産(む)す女(め)」の意》❶その両親の間にできた女の子供。「―を嫁にやる」尊敬令嬢。御息女。お嬢様。お嬢ちゃん。娘御。謙譲愚女。対息子(むすこ)。❷若い未婚の女。おとめ。「都会の―」

むすめ・ごころ【娘心】娘らしい、純真・純情で感じやすい心。娘気。おとめ心。「―のいじらしさ」

むすめ・ざかり【娘盛り】娘らしい美しさが盛りの年ごろ。「いつ結婚してもおかしくない―」

むすめ・むこ【娘婿・娘×聟・娘×壻】娘の夫。

ムスリム イスラム教徒。ムスレム。モスレム。▽Muslim, Muslem

＊む・せい【夢精】《名・自サ》男子が、ねむっている間に夢の中で性的興奮を感じて射精すること。

＊む・せい【無性】おす・めすの区別がないこと。「―生殖」対有性。

＊む・せい【無声】〔文〕❶声・音がでないこと。また、声・音をださないこと。「―映画」❷音声学で、発音に声帯の振動を伴わない・こと（音）。無声音。対有声。

―おん【―音】音声学で、無声②の音。日本語のカ・サ・タ・ハ・パ行の子音など。無声。対有声音。

む・ぜい【無税】税がかからないこと。対有税。

む・せいげん【無制限】《名・形動》制限がないこと。制限しないこと。「―に紙幣を発行する」

む・せいふ【無政府】政府が存在しない（も同然になる）こと。「内乱で―状態になる」

―しゅぎ【―主義】いっさいの政治権力を否定し、個人の完全な自由と独立の保障される社会を実現しようとする主義。アナーキズム。

む・せい・ぶつ【無生物】 生命がなく、生活機能を持たないもの。類語 無機物。対 生物。

むせい・らん【無精卵】 受精していない卵。

むせ・かえ・る【×噎せ返る】 ーかへる《自五》❶ひどくむせる。「ーるような花の香り」❷〔息をつまらせて〕ひどくむせび泣く。

む・せき【無籍】 〔文〕国籍・戸籍・学籍などがないこと。「ー者」

む・せきにん【無責任】 ❶責任がないこと。「第三者はーに見ていればすむ」❷《名・形動》自分の言動に責任を感じないこと。責任感に欠けること。「今ごろ手を引くとはーだ」

むせび・な・く【×噎び泣く・×咽び泣く】《自五》❶息をつまらせてしゃくりあげるように、はげしく泣く。「相手の胸に顔をうずめてーいた」❷むせぶ③。

むせ・ぶ【×噎ぶ・×咽ぶ】《自五》❶→むせる。❷むせび泣きをする。「勝利の涙にーぶ」❸〔風や水の音が〕はげしく泣くように聞こえる。「夜汽車の汽笛がーぶ」「滝の音がーぶ」文《四》。

む・せる【×噎せる】《自下一》〔煙・飲食物・ごみなどで鼻やのどが刺激を受け〕息がつまりそうになる。また、息がつまってせきが出る。むせぶ。「煙にーせる」「焼きいもを食べてーせる」文 むす《下二》。

***む・せん【無線】** ❶電線がいらないこと。ワイヤレス。対 有線。❷「無線通信」の略。 **ーつうしん【ー通信】** 電波を利用した通信。無線電信・無線電話・無線写真電送やラジオ・テレビ放送を含む。無線。 **ーでんしん【ー電信】**〔電線を使わずに〕電波を利用した電信。無電。対 有線電信。 **ーでんわ【ー電話】**〔電線を使わずに〕電波を利用した電話。対 有線電話。

***む・せん【無銭】** ❶金銭をもっていないこと。文なし。「ー旅行」❷支払うべき金銭を支払わないこと。「ー飲食」「ー乗車」類語 無賃。

***む・そう【夢想】**《名・他サ》❶夢の中で見ること。参考 下に否定の語を伴い、意外性を強調する。「ーもしなかった大発明」❷あれこれとりとめもなく思い浮かべること。「彼女とのデートをーする」類語 空想。

***む・そう【無双】** ❶〔文〕比べるものがない〔ほどすぐれている〕こと。無二。無比。「古今ーの英雄」類語 無敵。随一。❷〔衣服で〕表と裏を同じ布でつくること。また、そのもの。「ー羽織」❸相撲で、片手を相手のももにあてて、相手を回すようにして倒すわざ。外無双と内無双とがある。 **ーまど【ー窓】**〔採光・通風などのため〕板連子を内外二重にし、外側を固定して内側を左右にすべり動かして開閉できるようにした窓。しめると一枚の板のようになり、あけると一つ置きにすきまができる。表記「無想窓」とも書く。

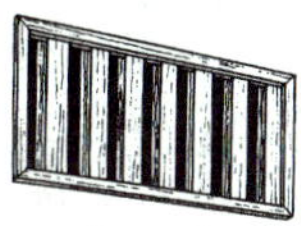

無双窓

***む・そう【無想】** 〔文〕心に何も思い浮かべないこと。何も考えないこと。「無念ー」類語 無心。

む・ぞうさ【無造作】《名・形動》慎重でなく、簡単気軽に〔おおざっぱに〕物事をするようす。「頼みをーに引き受ける」表記「無雑作」とも書く。

むそ・じ【六▽十・六▽十路】 ーぢ〔雅〕❶六の一〇倍。ろくじゅう。むそ。❷六〇年。また、六〇歳。

むだ【無駄・▽徒】《名・形動》役にたたないこと。効果・意味のないこと。「ーをはぶく」「人の親切をーにする」「ーな抵抗はやめろ」類語 台なし。いたずらに。空しい。詮無い。無益。無用。不用。徒労。徒事。迂遠。駄目。余計。不経済。無意味。ふいにする。あだになる。甲斐がない。水の泡。水泡に帰する。焼け石に水。豆腐にかすがい。糠に釘。暖簾に腕押し。月夜に提灯。釈迦に説法。猫に小判。後の祭り。闇夜のつぶて。二階から目薬。六日のあやめ。十日の菊。⇩〔類義語の使い分け「いたずら」〕

むだ・あし【無駄足】 せっかくそこまで足を運んだのに、そのかいがないこと。「人を訪ねてーを踏む」

む・たい【無体】《名・形動》❶〔文〕形がないこと。無形。「ー財産」❷道理にあわないこと。また、理屈にあわず、乱暴なこと。「ーなふるまい」「無理ー」類語 無理。無法。 **ーぶつ【ー物】**〔法〕音・電気・光・熱・においなどのように、形体をもたないもの。対 有体物。

***む・だい【無代】** 代金がいらないこと。無料。ただ。〔古風な言い方〕「ー進呈」

***む・だい【無題】** ❶〔作品に〕題名をつけないこと。また、「無題」という題名にすること。「ーの随筆」❷詩歌で、題を設けずによんだもの。また、その詩歌。

むだ・ぐい【無駄食い】 ーぐひ《名・自サ》働かずにただ食べるだけであること。徒食。

むだ・ぐち【無駄口・▽徒口】 たいして必要でもないことば〔を言うこと〕。よけいなおしゃべり。駄弁。冗語。「ーをきく」「ーをたたく」

むだ・げ【無駄毛】 顔や手足などの美容のさまたげになる毛。

むだ・じに【無駄死（に）・▽徒死（に）】《名・自サ》何の益もなく無意味に死ぬこと。いぬじに。「彼の死をーにしてはならない」

むだ・づかい【無駄遣い・▽徒遣い】 ーづかひ《名・他サ》金銭・品物などを役に立たないことに使うこと。浪費。「うまくもない酒を飲むのはーだ」「紙をーする」

むだ・ばな【無駄花・▽徒花】 ❶花がさいても実を結ばない花。特に、雄花。❷はでだが効果がないもの。「三本のホームランもーに終わった」類語 ①②あだ花。

むだ・ばなし【無駄話・▽徒話】 気楽な気持ちでする、軽い話。おしゃべり。「ーに興じる」類語 閑話。

むだ・ぼね【無駄骨・▽徒骨】 なんの役にも立たない努力。徒労。むだぼねおり。「ーを折る」「ーに終わる」

むだ・めし【無駄飯】 仕事や何らかの結果を生むようなことをせずに、いたずらに日を送ること。「ーを食う」

む・だん【無断】 許しを得ないですること。「ーで欠席する」「ーで図書を持ちだす」類語 無届け。

む・たんぽ【無担保】 担保を提供しないこと。また、担保を取らないこと。無抵当。「ーの融資」

***む・ち【無知・無×智】**《名・形動》知識のないこと。また、知恵がないこと。「ー蒙昧」「法律にはーだ」類語 無学。無識。

***む・ち【無恥】**《名・形動》〔文〕恥知らず。「厚顔ー」

***むち【×鞭・×笞】** 竹・革製の細長い棒。馬・牛を打って進ませたり罪人を打ったり、物を指し示したりするのに使う。「馬にーを入れる」「愛のー〔=相手のためを思って厳しい態度をとることのたとえ〕」

むち・うち【×鞭打ち】 ❶むちで打つこと。「ーの刑」❷「鞭打ち症」の略。 **ーしょう【ー症】** 自動車に追突されたときなどの衝撃で、むちを振る動きに似た激しい

む

ゆれで首の骨・筋肉や血管が受ける損傷。

むち・う・つ【×鞭打つ】《自他五》❶むちを打つ。また、むちで打つ。「馬に一・つ」「罪人を一・つ」❷はげまし元気づける。鞭撻(べんたつ)する。「老骨に一・つ」

む・ちつじょ【無秩序】《名・形動》秩序を失っていること。「一な運営」

む・ちゃ【無茶】《名・形動》❶〔考え方や言動などが〕道理・論理に合わず、乱暴なこと。「熱が高いのに入浴するとは一だ」「一を言う」❷程度がひととおりでなく、異常であること。むやみ。「車を一に飛ばす」表記 ふつうかな書き。 **一くちゃ【一苦茶】**《名・形動》「むちゃ」を強めて言った語。「一な言い方をする」参考「くちゃ」は語調をととのえるためにそえた語。表記 ふつうかな書き。

む・ちゃくりく【無着陸】航空機が目的地に着くまで一度も着陸しないこと。「一飛行」

***む・ちゅう【夢中】**❶〔文〕夢を見ている間。夢裏(むり)。「一で恋人に会う」❷《名・形動》ある物事にすっかり心を奪われて、われを忘れること。「野球に一になる」類語 脇目(わきめ)もふらず。余念がない。熱中。専心。

***む・ちゅう【霧中】**〔文〕一面に霧のただよっている中。「五里一」

む・ちん【無賃】〔乗り物にのるとき〕支払うべき料金を支払わないこと。また、料金のいらないこと。「一乗車」「一で運んでもらう」類語 無銭。無料。

***む・つ【六つ】**❶一の六倍。ろく。むっつ。❷六歳。むっつ。❸昔の時刻の名。今の午前六時ごろ(明け六つ)、および午後六時ごろ(暮れ六つ)。

***むつ【▽陸▽奥】**旧国名の一つ。㋐今の岩手県・宮城県・福島県と、青森県の大部分及び秋田県の一部。みちのく。奥州。㋑明治維新後、廃藩置県までの、今の青森県全体と岩手県の一部。参考 陸奥㋐から分割してできた。

***むつ【×鯥】**ムツ科の海魚。目と口が大きくて歯が鋭い。本州以南の太平洋岸の深海にすむ。食用。

む・つう【無痛】〔文〕痛みがないこと。痛みを感じないこと。「一分娩(ぶんべん)」

むつかし・い【難しい】《形》↓むずかしい。文 むつか・し《シク》。

むつか・る【▽憤る】《自五》↓むずかる。文《四》。

***むつき【×睦月】**〔雅〕陰暦正月。参考 太陽暦の一月にも言う。

***むつき【×襁×褓】**〔文〕❶おしめ。おむつ。❷うぶぎ。

ムック 判型などの体裁は雑誌に近いが、内容は単行本に近い、中間的な出版物。参考 magazine(=雑誌)とbook(=書籍)の合成語。▽mook

むっく・と《副》〔横になっていたものが〕急に起きあがるようす。むくりと。

むっくり《副》《「一と」の形も》❶むくむくと。「一(と)起き直る」❷《自サ》まるく高まっているようす。「ふとんに一(と)くるまる」❸《自サ》よく太っているようす。「一(と)肉づいた顔」

むつ・ごと【×睦言】むつまじく語り合うことば。特に、床の中での男女の語らい。「一を交わす」

むつ・ごろう【×鯥五郎】ハゼ科の海魚。青みのある灰色の体に白い点が散在する。干潮時に干潟(ひがた)をはいまわる習性がある。有明海・八代(やつしろ)湾に分布。食用。

ムッシュー 男性の姓名の前につけて敬意をそえる語。参考 英語の「ミスター」に当たる。▽(フランス) monsieur

むっちり《副・自サ》《副詞は「一と」の形も》ふっくらとして張りのあるようす。「一(と)した腰つき」

む・っ・つ【六つ】↓むつ(六つ)。

むっつり《副・自サ》《副詞は「一と」の形も》口数が少なくあいそのないようす。「一(と)黙りこむ」

むっ・と《副・自サ》❶急におこって黙るようす。また、口に出さず怒りをじっとこらえるようす。「一してそっぽを向く」❷暑さ・悪臭などのため、息がつまりそうなようす。「たばこの煙で一する」

むつまじ・い【×睦まじい】《形》互いに気があって仲がよい。情愛がこまやかである。「夫婦が一・く暮らす」文 むつま・じ《シク》。

むつま・やか【×睦まやか】《形動》〔文〕むつまじいようす。「一な夫婦」

むつみ・あ・う【×睦み合う】(ふ一あ)《自五》親しみ合う。〔やや古風な言い方〕「一・った仲」

むつ・む【×睦む】《自四》〔古〕仲よくする。親しむ。むつぶ。

む・て【無手】❶手に武器などをなにも持っていないこと。すで。からて。「一で敵陣に乗りこむ」❷元手・方法・手段などを持たないこと。

***む・ていけい【無定型】**〔詩歌などで〕一定の形式がないこと。「一の詩」

***む・ていけい【無定形】**《名・形動》一定の形がないこと。また、一定の形から外れること。「一郵便物」

む・ていけん【無定見】《名・形動》自分なりのしっかりときまった見解や方針がないこと。「一な施政方針」類語 行き当たりばったり。

む・ていこう【無抵抗】《名・形動》暴力・圧制などに対して手むかわないこと。「一の市民」「一主義」

むてかつ・りゅう【無手勝流】❶「卜伝(ぼくでん)流」の別称。塚原卜伝が始めた、剣術の一流派。参考 塚原卜伝が渡し舟の中で真剣勝負をいどまれたとき、相手をだまして小島に置きざりにして、その血気の勇をたしなめたという故事による。❷戦わないで勝つこと(流儀)。また、自分勝手な流儀。自己流。「一の将棋」

***む・てき【無敵】**《名・形動》〔文〕非常に強いので対抗する相手がないこと。「一の快進撃」「天下一」「一艦隊」類語 無双。

***む・てき【霧笛】**霧が深いとき、航海中に事故が起こらないように、灯台や船舶でならす汽笛。

む・てっぽう【無鉄砲】《名・形動》《「無手法」の意という》結果を深く考えずに、がむしゃらに物事を行うこと。むこうみず。あとさきみず。「一に家出する」類語 無分別。無謀。

む・でん【無電】「無線電信」の略。「一を打つ」

む・てんか【無添加】食品に色素・防腐剤などを加えていないこと。「一食品」

むてんぽ・はんばい【無店舗販売】店舗を持たずに販売する小売形態。訪問販売・通信販売・自動販売機による販売などの総称。

***む・とう【無灯】**〔文〕夜、乗り物などに灯火をつけないこと。無灯火。「一の自転車」

***む・とう【無糖】**糖分を含まないこと。「一練乳」

む・どう【無道】《名・形動》〔文〕道理にはずれていること。また、人道にそむく悪い行い。非道。「一な侵略」類語 無法。没義道(もぎどう)。

む・とうは【無党派】どの党派にも属さないこと。また、どの党派も支持していないこと。「—層」

む-どく【無毒】《名・形動》毒がないこと。対有毒。

む-とどけ【無届(け)】（前もって）届けを出していないこと。「—欠勤」類語無断。

む-とんちゃく【無×頓着】《名・形動》物事に特別のこだわりを示さないこと。むとんじゃく。「—な金づかい」「服装に—だ」類語平気。無神経。

むな-いた【胸板】❶（人間の）胸部の平たい部分。「—を撃ち抜く」❷よろいで、胸があたる所。

むな-がい【胸×繫・胸▽懸・×鞅】《「むなかき」の音便》馬具の一つ。馬の胸から鞍に掛け渡す組み紐。

むな-ぎ【棟木】木造建築で、むねに使う材木。

むな-くそ【胸×糞】「胸」を強め、卑しめていう語。むねくそ。「—が悪い（=いまいましいことなどがあって、気分がすっきりしない）」

むな-ぐら【胸倉・胸▽座】着物の左右のえりが重なり合うあたり。「—をつかんで投げを打つ」「—を取る」

むな-ぐるし・い【胸苦しい】《形》胸が圧迫されるようで苦しい。「—・い苦悩の日々を送る」

むな-げ【胸毛】胸のあたりに生えている毛。

むな-さき【胸先】胸のみぞおちのあたり。むなもと。「—に刀を突きつける」

むな-さわぎ【胸騒ぎ】《名・自サ》心配事や不吉な予感などのために、胸がどきどきすること。「夜中の電話に—（が）する」

むな-ざんよう【胸算用】《名・他サ》心の中でざっと見積もりをすること。胸勘定。胸積もり。胸算。胸算用。「旅費を—する」

むなし・い【▽空しい・▽虚しい】《形》❶内容がない。充実していない。からっぽである。「—・い心」「—・くなった杯の中」❷むだである。かいがない。「—・い努力」「—・く日を送る」❸〈「—・くなる」の形で〉死ぬ。「五〇を一期として—・くなった」文むな・し《シク》。

むな-だか【胸高】帯・はかまなどを、胸のあたりまで高くしめあげること。

むなつき-はっちょう【胸突(き)八丁】❶山道などで、登りの苦しい難所。「駅伝で最大の—」参考もと富士登山で、頂上までの八丁（=約八七二メートル）のけわしい道を言った。❷物事で、いちばん苦しくてむずかしい局面。「対米交渉は—に差しかかった」

むな-ひも【胸×紐】❶（子供用の）和服の胸のあたりにつけるひも。付け紐。❷転じて、幼いころ。

むな-もと【胸元】むなさき。「着物の—を合わせる」

む-に【無二】二つとない（ほどすぐれたり、かけがえがなかったりする）こと。「当代—の才人」「—の親友」類語無双。無比。無類。唯一。**—むさん【—無三】**〔もと、仏教で「唯一無二」の意〕わきめもふらず、ひたすらなこと。一心不乱。がむしゃら。〔「—に」の形で副詞的に使う〕「—に駆け出す」

ムニエル魚に塩・こしょうをふり、小麦粉をまぶして、バターで焼いた料理。▽フランス meunière

む-にん【無人】〔文〕❶↓むじん（無人）。❷人手が足りないこと。手不足。

む-にんか【無認可】認可を受けていないこと。「—の営業」「—保育所」

むにんしょ-だいじん【無任所大臣】国務大臣の中で、各省大臣として行政事務を受けもたないもの。無任所相。

*__むね【▽宗】__〔文〕第一に大切とする点。主な目的。「新聞記事は正確を—とする」表記「旨」とも書く。

*__むね【旨】__心のうち。考え。また、述べられたものの中に含まれている、おもなねらいや意味。趣意。「その—お伝えください」「礼装で出席の—、通達があった」

*__むね【棟】__㊀《名》❶屋根のいちばん高い部分。❷むな木。❸刀の背。みね。表記③は「刀背」「鉟」とも当てる。㊁《助数》家屋をかぞえる語。⇩〖使い分け〗

*__むね【胸】__❶からだの前面で、首と腹のあいだの部分。「—を張って歩け」参考女性の場合は、特に乳を指すことがある。「—を隠す」❷心臓。「—がどきどきする」❸肺。「—をわずらう」❹胃。「—が焼ける」❺心的なものが宿ると考えられる場所。また、心。思い。「真意は—にある」「—が痛む（=あれこれ悩み、つらく思う）」「—に手を置く（=心をしずめて、よく考える）」「希望に—を膨らます（=期待や幸福感などで、心の中がいっぱいになる）」⇩〖類語と表現〗〖使い分け〗

—が一杯にな・る《句》（悲しさ・くやしさ・うれしさなどで）強く心が動かされて胸がつまるように感じる。

—が裂・ける《句》胸が破れるほど苦しみや悲しみを強く感じる。胸が張り裂ける。

—が騒・ぐ《句》（期待や不安で）胸がどきどきする。

—がす・く《句》心にわだかまりがなくなって、すっとする。

—がつか・える《句》❶食べ物がのどにつまる。❷精神的に胸が苦しくなる。

—が潰・れる《句》❶ひどく驚く。❷ひどく悲しむ。

—に一物《句》心の中に、あるたくらみをもつこと。

—に迫・る《句》心にひしひしと感じる。

—に畳・む《句》心に秘めて、人に話さないでおく。

—を打・つ《句》人の心をゆり動かす。感動させる。

—を躍ら・せる《句》心がわくわくする。

—を借・りる《句》❶相撲で、上位力士にけいこの相手をしてもらう。❷実力のある相手にけいこをつけてもらう。

—を焦が・す《句》深く恋いしたう。思いこがれる。

—を突・く《句》はっとさせる。ふいに強く心を動かす。

—を潰・す《句》突然のできごとにあって、ひどく驚く。

—を撫で下ろ・す《句》ほっとする。安心する。

類語と表現

「胸」

＊胸を張る・胸を病む・胸が焼ける・胸が苦しい／胸のつかえがとれる・胸に描く・胸の丈を述べる・二人の胸が通い合う。

◆胸臆・胸襟・胸中・胸部・胸郭・胸間・胸裏・と胸・胸板・胸倉・胸先・胸元・肝胆・肺肝・肺腑・懐ろ・鳩尾・鳩尾

◆オノマトペ 胸がむかむか［どきどき・どきんと・どきりと・わくわく］する

使い分け

「胸・棟（むね／むな）」

＊「胸」は、古くは「むね」と言ったもので、現代語でも「むね…」の形を持つ複合語が多く残っている。語源を同じくする「棟」も同様である。

◆［むね…］胸当て・胸飾り・胸三寸・胸回り・棟上げ・棟飾り・棟割り ◇［「むな…」とも］胸焼け

◆［むな…］胸板・胸繫・胸倉・胸苦しい・胸毛・胸騒ぎ・胸算・胸底・胸元・胸突き八丁・胸づもり・胸鰭 ◇［「むね…」とも］胸くそ・胸算用・棟がわら・棟木・棟門

むね・あげ【棟上げ】家を建てるとき、柱や梁(はり)の組みたてができた後、その上に棟木(むなぎ)を上げること。また、それを祝って行う式。上棟(じょうとう)。建前。「―式」

むね・あて【胸当(て)】❶よろいの一種で、胸の所にあてるもの。❷〔衣服のよごれを防ぐため〕子どもなどが胸のあたりにあてる布。むねかけ。

むね・うち【▽刀▽背打ち・×峰打ち】みねうち。

むね・さんずん【胸三寸】胸の中。また、胸中にある考え。胸先三寸。「解散の有無は首相の―にある」

むね・やけ【胸焼け】みぞおちのあたりが焼けるように苦しく感じること。胃酸過多などが原因とされる。むなやけ。

むねわり・ながや【棟割(り)長屋】棟が一つになっている家を、壁でいくつにも仕切って、何軒かにした住宅。棟割り。

む・ねん【無念】❶〔仏〕無我の境にはいって、心に何も思わないこと。無心。❷《名・形動》〔どうすることもできなくて〕ひどくくやしく思うこと。「―骨髄に達する(=くやしさが骨身にしみる)」「―にも敗れ去った」類語 残念。―むそう【―無想】あらゆる雑念からはなれて無我の境に達した状態。「―で試合に臨む」

む・のう【無能】《名・形動》才能や能力がないこと。能なし。「―な上司」「無知―」対 有能。

む・のうりょく【無能力】《名・形動》❶物事をする能力がないこと。❷〔法〕単独で完全な法律上の行為をなしえないこと。「―者」

む・はい【無配】〔「無配当」の略〕株の配当が出ないこと。「―に転落する」対 有配。

む・はんのう【無反応】《名・形動》反応を示さないこと。「いくら呼び掛けても―だ」

む・ひ【無比】《名・形動》〔文〕他に比べるものがない(ほどすぐれている)こと。類がないこと。無双。無二。「当代―」「世界―」「痛快―な小説」

む・び【夢×寐】〔文〕眠っている間。眠って夢をみる間。「―にも(=夢にも)忘れない教訓」

む・ひつ【無筆】〔文〕読み書きができない・こと(人)。文盲(もんもう)。

む・ひはん【無批判】《名・形動》物事のよしあしを判定しないこと。批判しないこと。「新聞記事を―に受け入れる」

む・びゅう【無×謬】〔文〕何をしても誤りをおかさないこと。「―の神話を持つ独裁者」

む・ひょう【霧氷】気温が氷点下のとき、霧の粒や水蒸気が木の枝などに付着して生じる不透明な氷。

む・びょう【無病】病気をしないこと。類語 健康。―そくさい【―息災】病気がなく元気であること。

む・ひょうじょう【無表情】《名・形動》感情が顔に出ず、表情の変化にとぼしいこと。「―な顔」

む・ふう【無風】❶風がないこと。❷他からの影響や混乱がないこと。「政局は目下―状態だ」

む・ふんべつ【無分別】《名・形動》思慮がなく、物事の道理・すじみちをわきまえないこと。無考え。「―に退職する」類語 無鉄砲。

*むべ【×郁▽子】アケビ科の常緑つる性低木。四～五月ごろ、淡紅紫色をおびた白い小花がさく。紫色の果実は、甘く食用。ときわあけび。うべ。

*むべ【▽宜】《副》〔雅〕納得・肯定などの意を表す。なるほど。もっとも。うべ。―なるかな《連語》いかにももっともである。「あれでは失敗も―だ」

む・へん【無辺】《名・形動》〔文〕はてしがないこと。「広大―な太平洋」「―際」類語 無限。無量。

む・ほう【無法】❶法が無視されていること。「―地帯」❷《名・形動》一定のきまり・筋道に従わず、乱暴なこと。「―者」「―な要求」類語 無道。非道。無体。

む・ぼう【無謀】《名・形動》あと先を考えずに物事を行うこと。「―運転」類語 無鉄砲。無思慮。無分別。

注意「無暴」は誤り。

む・ぼうび【無防備】《名・形動》防備のないこと。

む・ほん【謀反・謀×叛】《名・自サ》臣下が君主にとってかわろうとして、兵を起こすこと。一般に、さからいそむくこと。「―を起こす」「―人」類語 反逆。

む・ま【夢魔】〔文〕〔うなされ、もがくような〕ひどい不安・恐怖に満ちている夢。〔悪魔に見立てて言う〕「―にさいなまれる」類語 悪夢。

む・み【無味】❶味がないこと。「―無臭」❷おもしろみ・味わいがないこと。「―乾燥」

む・みょう【無明】〔仏〕煩悩にとらわれ、仏法の真理を理解できない心の状態。「―の闇(やみ)に迷う」

*む・めい【無名】〔文〕❶名前を書かないこと。無記名。「―の手紙」❷名前がわからないこと。「―戦士」❸名前が知れわたっていないこと。「―の作家」対 有名。❹名目が立たないこと。「―の師(=大義名分の立たない出兵)」―し【―指】〔文〕くすりゆび。―し【―氏】〔文〕名前のわからない人。また、だれだかわからないように名前を隠した人。失名氏。

*む・めい【無銘】〔文〕〔刀剣・書画などで〕作者の名前が記してない・こと(もの)。「―の刀」対 在銘。

む・めんきょ【無免許】免許を受けていないこと。「―運転」

む・もくてき【無目的】《名・形動》目的がないこと。「―な生き方」

む・もん【無文】模様がついていない・こと(布)。表記「無紋」とも書く。

む・やく【無益】《名・形動》〔文〕むえき。

むやみ【無×闇・無▽暗】《名・形動》❶あとさきを考えないで理不尽に物事を行うこと。「―に人の悪口を言う」類語 無分別。無謀。❷物事が度を超していること。むしょう。「―に水が飲みたい」表記 ふつうかな書き。類語 やたら。―やたら【―矢×鱈】《形動》「むやみ」を強めた語。表記 ふつうかな書き。

むゆう・びょう【夢遊病】睡眠中または急に目がさめたときなどに、発作的に起き上がって行動を始めるが、その間のことを自分ではまったく覚えていない症状。夢遊症。夢中遊行。「―者」類語 離魂病。

む・よう【無用】《名・形動》❶役に立たないこと。「―の長物(ちょうぶつ)(=あってもかえってじゃまになるもの)」「―の用(=役に立たないように見えるものがかえって大いに役に立つこと)」類語 無益。対 有用。❷必要がないこと。いらないこと。「問答―」類語 不用。不要。❸用事がないこと。「―の者立ち入り禁止」❹穏やかな禁止を表す。「天地―」「通り抜け―」

む・よく【無欲・無×慾】《名・形動》欲ばる心がないこと。「―な人」「―の勝利」「―恬淡(てんたん)」類語 寡欲(かよく)。

*むら ❶〔物の仕上がりの濃淡・厚さなどが〕一様でなく、ふぞろいなこと。「染色に―ができる」❷安定しないで、変わりやすいこと。「成績に―がある」

*むら【村】〔「群(むら)」と同語源〕❶いなかで人家が集まって

む

いる所。❷〔「都市」に対して〕農業・漁業・林業などに従事している人々が、共通の利害関係によって集落をなしている地域。また、その地縁社会。農村・漁村・山村など。村落。村里。「―の若い衆」❸地方公共団体の一つで、町より小さいもの。村(そん)。

*むら【群・×叢】群がっていること。また、そのもの。群れ。〔数えるときにも使う〕「一(ひと)―の竹やぶ」

むら‐おこし【村起(こ)し・村興し】〔特産品・話題作りなどによって〕村を活性化し、発展させること。

むらが・る【群がる・×叢る・×簇る】《自五》多数の人や生き物などが、その場所のあたりに集まる。群れをなす。「盛り場に人が―る」〔文〕《四》。

むら‐き【むら気】《名・形動》気分が変わりやすいこと。また、その心。「―を起こす」類語きまぐれ。

むら‐ぎえ【むら消え】まばらに消えること。「―の雪」

むら‐くも【群雲・×叢雲】〔文〕群がり集まった雲。「月に―花に風」

むらさき【紫】❶ムラサキ科の多年草。山野に自生。花は小さく白色で夏に開花。昔、根から紫色の染料をとるために栽培された。❷むらさきいろ。赤と青の中間の色。類語紫紺(しこん)。葡萄(ぶどう)色。すみれ色。バイオレット。パープル。❸「しょうゆ」の別称。

むら‐ざと【村里】いなかで、人家が集まっている所。

むら‐さめ【村雨・×叢雨】〔文〕ひとしきり激しく降って、すぐやむ雨。にわか雨。驟雨(しゅうう)。夕立。

むら‐しぐれ【村〈時雨〉・×叢〈時雨〉】〔文〕降ってはやみ、やんでは降る(気まぐれな)しぐれ。

むら‐しばい【村芝居】(―ゐ) ❶村の人が出演する芝居。田舎(いなか)芝居。❷旅役者が田舎で興行する芝居。

むら・す【蒸らす】《他五》蒸れるようにする。特に、たき上がったご飯によく熱を通し、余分な水気をとってふっくらと仕上げる。「ご飯を―す」〔文〕《四》。

むら‐すずめ【群×雀】群れをなしているスズメ。

むら‐たけ【群竹・×叢竹】群がってはえている竹。

むら‐ちどり【群千鳥】群がっているチドリ。友千鳥。

むら‐はちぶ【村八分】村のしきたりやおきてを破った者に対するこらしめとして、村民が一切のつき合いをやめ、仲間はずれにすること。八分。

むら‐びと【村人】村に住んでいる人。村民。

むら‐むら《副》(「―と」の形も)❶群がって動くようす。「雲が―とわき上がる」❷《自サ》〔怒り・欲望など〕強い感情がおさえ切れずに急に心の中にわきおこってくるようす。「―と怒りがこみ上げる」

むら‐やくば【村役場】地方公共団体としての村の行政事務を取り扱う機関。また、その建物。

む‐り【無理】《名・形動》❶道理に反し、物事のすじみちが通らないこと。「―な要求」「―を承知で言う」類語よこしま。でたらめ。むちゃ。めちゃ。筋ちがい。不正。不当。無道。非道。無体。無法。邪道。理不尽。不条理。非合理。むちゃくちゃ。めちゃめちゃ。言語道断。途方もない。もっての外。さたの限り。とてつもない。けしからぬ。❷押し切ってすること。「―をして体をこわす」類語強引。❸することがむずかしいこと。困難なこと。「―な相談」「―を言って申し訳ない」―おし【―押し】《名・自サ》物事を強引におしすすめること。「―して法案を通す」類語ごり押し。―からぬ《連体》多分に道理のある。もっともな。「―事情がある」―さんだん【―算段】《名・他サ》非常に苦しいところを、なんとかやりくりして都合をつけること。「―した金」―じい【―強い】(―ひ)《名・他サ》相手のしたがらないことを強引にさせようとすること。「募金を―する」類語強制。―しんじゅう【―心中】《名・自サ》死ぬ意志のない相手をむりに自分と心中させること。―すう【―数】〔数〕二つの整数の比の形で表せない実数。$\sqrt{2}$・$\sqrt{3}$・πなど。対有理数。―なんだい【―難題】相手の能力ではとてもできそうにない、むりな要求。「―をふっかける」―むたい【―無体】《名・形動》〔文〕強引で道理に合わないやり方であること。―やり【―矢理】《副》(「―に」の形も)〔ふつう考えてできそうにないことや、相手のいやがることを〕強引に行うようす。「―押し込む」表記ふつうかな書き。―が通れば道理が引っ込む《句》不当なことが通用すれば、道理にかなったことは行われなくなる。

む‐りかい【無理解】《名・形動》〔相手のことを〕理解しないこと。「―な母親」

む‐りし【無利子】利子がつかないこと。無利息。

む‐りょ【無慮】《副》〔文〕《数が多くて数えきれないの意》おおよそ。だいたい。「―数万の群衆」

*む‐りょう【無料】料金がいらないこと。また、料金を払わない(もらわない)ですますこと。「―で入場できる」「―奉仕」類語無代。対有料。

*む‐りょう【無量】はかり知れないほど多いこと。「感慨―」類語無辺。無限。

む‐りょく【無力】《名・形動》〔あることをするだけの〕力がないこと。「―な経営者」類語非力。

む‐るい【無類】《名・形動》くらべるものがない(ほどすぐれている)こと。「―の酒好き」

むれ【群れ】《「群(む)れる」の連用形の名詞化》群がっていること(もの)。群(ぐん)。〔数えるときにも使う〕「人の―に逆らって動く」「暴力団の―に投ずる」

むれ‐つど・う【群れ集う】(―つどふ)《自五》〔文〕多くの人が一か所に集まる。「民衆が広場に―う」

むれ‐な・す【群れ成す】《自五》〔文〕むれをつくる。むらがる。「―して飛ぶ鳥」

*む・れる【群れる】《自下一》群がった状態でいる。「庭先にスズメが―れている」〔文〕む・る《下二》。

*む・れる【蒸れる】《自下一》❶温度が高く湿気がこもる。「靴の中が―れる」❷食物に十分熱や蒸気が通って、やわらかく食べごろになる。「ご飯が―れる」

*むろ【室】❶山腹などにほった、あなぐら。岩室(いわむろ)。❷外気をさえぎり、一定の温度が保てるようにした部屋。「バナナを―で熟させる」

*む‐ろ【無▽漏】〔仏〕煩悩(ぼんのう)のないこと。対有漏(うろ)。

むろ‐あじ【室×鰺】(―あぢ) アジ科の魚。マアジよりも丸みをおびて少し細長い。おもに干物にして食べる。

む‐ろく【無×禄】〔文〕禄がないこと。知行・給与がないこと。「―で仕える」

むろ‐ざき【室咲き】温室の中で、温度をあげて花をさかせること。また、その花。「―のチューリップ」

む‐ろん【無論】《副》とやかくいう必要のないほど物事の理が明らかなようす。いうまでもなく。もちろん。「私は―出席します」

むんず‐と《副》「むずと」を強めた言い方。「相手の首を―つかむ」

むん‐むん《副・自サ》《副詞は「―と」の形も》蒸し暑さやいやなにおいなどで、息がつまるように感じるようす。「会場は聴衆の熱気で―している」

む

め
女—女

*め【雌・×牝】《接頭》《「女め」と同語源》〔動植物の〕「めす」「雌性」の意。「—やぎ」「—蕊しべ」対雄お。

*め【▽奴】《接尾》❶《人・動物の名などにつけて》相手・第三者をけいべつし、ののしる意を表す。〔親しみの気持ちがこもることもある〕「こいつ—、またしくじったな」「カラスーが種をほじくる」❷《自分の名などにつけて》自分を一段低いものとして卑下する意を表す。〔古めかしい言い方〕「私—をおしかりください」

*め【女】《「雌め」と同語源》一《名》〔古〕おんな。女子。「—の童わら」対男お。二《接頭》❶「女性」の意。「—神」❷対になっているもののうち、弱いものや小さいものなどを表す。「—滝」「—波」表記❷は、「雌」とも書く。対①②男お。

*め【目・▽眼】一《名》❶生物の、物を見る働きをする器官。その人の表情・性質を表し、容貌ように重要な関係をもつ。「少女の美しい—」類語目がしら。目じり。眼まなこ。瞳ひとみ。目玉。双眸そうぼう。

❷㋐物を見るときの目①のようす。目つき。まなざし。「怒りの—」「悲しげな—」「—に角を立てる(=怒りや憎しみをこめて、するどい目つきをする)」「—引き袖そで引き(=目で合図したり袖を引いたりして、声を出さずに知らせるようす)」「—を凝らす(=じっと見る。見つめる)」「—を三角にする(=怒ったときの目のようすの形容)」「—を据える(=まばたきもしないで、じっと見る)」「—を側そばめる(=横目で見る)」「—を細くする(=笑みをうかべて、うれしそうな表情をする)」㋑物を見る働き(としての目①)。視力。「—がいい」「—がつぶれる(=視力を失う)」㋒物を見るものとしての目①。見ること。見えること。「お—にかける(=お見せする)」「お—にかかる(=お会いする)」「—も呉くれない(=見向きもしない。無視する)」「—を疑う(=意外なことにあって、目の前のできごとがあり得ないことのように思える)」「—を呉くれる(=ちょっと見る)」「—を注ぐ(=目をそちらに向ける。注意して見る)」「—を通す(=一通り見る。ざっと見る)」「—に一丁字いっていじなし(=無学で一字も読めない)」「—にする(=見る)」「—に入る(=見える)」「—に留まる(=特にあるものが目に入る。印象に残る)」「—に触れる(=ちらっと見える。注意をひく)」㋓注意して見る場合の、目①。注目。見張り。「周囲の—を気にする」「—が届く」「監視の—をのがれる」「—が離せない(=注意を怠らず常に見守っていなければならない)」「—が光る(=きびしく監視する)」「—を潜くぐる(=監視のすきをねらう)」「—を配る(=あちこちを注意してよく見る)」「—を晦くらます(=人の目をごまかす)」「—を付ける(=特別の注意を向ける。注目する)」「—を引く(=注目をひく)」㋔物を見る(物事に対する)ときの態度。見方。考え方。「冷静な—で見る」「つまらない奴やつだという—で人を見る」㋕物事を・見分ける(見抜く)力。鑑識力。洞察力。「にせものを見抜く—がない」「—が利く(=よしあしを見抜く力がある)」「—が肥える(=価値のあるものを見なれて、判断力が確かになる)」「—が高い(=本質を見抜く力がある)」㋖目①に映った印象。「若い人の—にはやぼに見える服」

❸形が目①に似たもの。㋐目玉の形をしたもの。「うおの—」㋑縦横に交わったものによって囲まれた部分。「—の粗い布」「網の—」㋒線状のものの交わった所。「結び—」「編み—」㋓囲碁で、自分の石で囲み、自分の領分となった所。㋔ものの中心部。「台風の—」

❹狭いすきま。㋐平行に細かく並んだ細長いもののすきま。「ほうきの—」「たたみの—」「のこぎりの—」「くしの—」㋑もののすきま。「割れ—」

❺さいころの面につけた点。「いい—が出る」

❻計器に刻んだ、量を表す印。目盛り。「秤はかりの—」

❼〔「秤の目」から転じて〕秤で計った重さ。「—減り」

❽木材の切り口にあらわれる模様のような線。もくめ。「—がきれいにそろっている」「柾まさ—」「板—」

二《形名》ある物事に出あった状態。特に、〔思いがけない〕変わった事を体験したときの状態。経験。体験。「さんざんな—にあう」「弱り—に祟たたり—」表記二はかなで書くことも多い。

三《接尾》❶その順序・順番に当たる意を表す。「三代—」「出産後四日—」❷《助数》「匁もんめ」に同じ。❸《動作性の名詞などにつけて》一続きになっている物事のある箇所で、それより前とそれより後とがはっきりと区切られているとき、その箇所。「つなぎ—」「合わせ—」「境—」「縫い—」「親の死に—」❹《形容詞の語幹につけて名詞・形容動詞語幹をつくる》「ふつうの程度よりもそういう性質・傾向を多く持つ」の意。「厚—の本」「短—に切る」表記ふつうかな書き。注意形容詞連体形を受けるときは「濃い—」を唯一の例外として他は標準から外れる(早い—に帰る→早—に帰る)。副詞につけるのは避けたい(ゆったり—に仕立てる→ゆったりと仕立てる)。

—が眩くらむ《句》❶〔まばゆく輝くものを見て〕目がくらくらする。❷心を奪われて、正しい判断ができなくなる。「金に—・む」

—が覚・める《句》❶眠りからさめる。❷眠けが去る。また、新鮮さ、あざやかさなどに驚く。「—・めるような赤」❸心の迷いや悪心から解放されて、正しい方向に進もうとする。「友人の忠告で—・めた」

—が据わ・る《句》じっと一点を見つめて、目玉が動かなくなる。酒に酔ったときなどのようすに言う。

—が飛び・出る《句》値段の高さにひどく驚くようす。また、ひどくしかられるようす。目玉が飛び出る。「—・でるほどの値段」「—・でるほどしかられた」

—が無・い《句》❶物事の価値を識別する力がない。「文章を見る—・い」❷あるものに夢中になり、思慮分別がなくなるほどである。「酒に—・い人」

—が回・る《句》❶目まいがする。❷非常に忙しいようすの形容。「月末は忙しくて—・る」

—から鱗うろこが落・ちる《句》何かのきっかけで、それまで分からなかったことが急にわかるようになる。さとる。開眼する。〈新約聖書・使徒行伝〉

—から鼻へ抜・ける《句》抜け目がなくすばしこいようす。また、非常に賢いようす。

—から火が・出る《句》❶頭や顔を強く打ちつけたときの、一瞬くらくらっとする感じの形容。❷ひどくしかられるようす。「—・でるほどしかられた」

—じゃない《句》〔俗〕全く問題にならない。相手にならない。「ライバルなんて—」

—と鼻の間《句》距離が非常に近いことの形容。目と鼻の先。

—に青葉《句》すがすがしい初夏の形容。参考 初夏の風物を並べた山口素堂の俳句「目には青葉山郭公（やまほととぎす）初松魚（はつがつを）」から。

—に余・る《句》あまりにひどい状態なので黙って見ていられない。「ごみの不法投棄は—る」

—に障・る《句》気にかかっていらいらする。

—に沁（し）・みる《句》❶目に強い刺激をうける。「煙が—みる」❷色彩の鮮明さの形容。「—みる若葉」

—に立・つ《句》きわだって注意を引く。めだつ。

—に付・く《句》❶目さきにちらついて離れなくなる。「母の姿が—く」❷目立って見える。「若者が—く」

—には目を歯には歯を《句》害を加えられたら、それに見合うだけの仕返しをすることのたとえ。〈旧約聖書・出エジプト記〉

—に見・える《句》見た目にはっきりそれとわかる。〔多く「—えて」の形で使う〕「—えて病気がよくなる」

—にも留まらぬ《句》あまり速くてはっきり見ることができない。〔連体詞的に用いる〕「—早わざ」

—に物言わ・す《句》目で気持ちを伝える。

—に物見・せる《句》思い知らせる。

—の色を変・える《句》血走った目つきになる。また、ある物を得ようと必死になる。「—えて捜す」

—の上の瘤（こぶ）《句》〔地位・実力が上で〕自分が活動するときに、じゃまになる人。目の上のたんこぶ。

—の敵（かたき）《句》憎くてしかたがない物や人。

—の薬《句》見てためになるもの。見て楽しめるもの。

—の黒いうち《句》命のあるうち。生きている間。

—の正月《句》晴れがましいもの、楽しいものを見て喜び楽しむこと。目の保養。目正月。

—の毒《句》❶見ると害になるもの。「暴力シーンは—だ」❷見るとほしくなるもの。「ダイヤの指輪は—だ」

—の中へ入れても痛くな・い《句》〔子供などを〕非常にかわいがる形容。

—は口ほどに物を言う《句》目つきも、言葉同様に感情を伝える。

—は心の鏡《句》目を見れば、その人の心のようすがわかるということ。〈孟子・離婁上〉目は心の窓。


—も当てられな・い《句》あまりひどくて見るにたえない。

—もあや《句》目がさめるほど美しいようす。「—な花嫁衣装」

—を奪・う《句》すっかり見とれさせる。「美技に—われる」

—を掛・ける《句》〔気に入った部下などを〕かわいがってめんどうをみる。ひいきにする。

—を皿のように・する《句》〔注意して見るために〕目を大きく見開いて、全神経を集中する。

—を白黒さ・せる《句》物がのどにつかえたり、びっくりしたりしたときの形容。

—を瞑（つぶ）・る《句》❶まぶたをとじる。❷死ぬ。❸〔過失などに〕見て見ないふりをする。「違反に—る」

—を盗・む《句》人にみつからないようにこっそりする。「親の—んで会う」

—を開・く《句》それまで知らなかった事実などに気づき、そこに新しい可能性を見いだす。開眼する。

—を丸く・する《句》びっくりして目をみはる。

—を回・す《句》❶気を失う。気絶する。❷非常に忙しくてうろたえる。「あまりの忙しさに—す」

—を見張・る《句》おこったり驚いたり、またあきれたりして、目を大きく見開く。「科学の進歩に—る」

—を剝（む）・く《句》おこったり驚いたりして目を大きく見開く。特に、おこって大きな目でにらむ。

*め【芽】❶草や木で、葉や茎や花になる前の、まだ発育していない状態のもの。「種が—を出す」類語 ひこばえ。むかご。もやし。❷卵の胚（はい）。❸新たに生じ、これから成長しようとするもの。きざし。「悪の—をつむ」「有望視されながら—が出ない」

め・あかし【目明（かし）】〔「目証（あかし）」の意〕江戸時代、町奉行（まちぶぎょう）配下の与力・同心の手先として、犯罪人を捕らえる仕事に従事した使用人。おかっぴき。

め・あたらし・い【目新しい】《形》今まで見たことのない新しさがある。「—いデザイン」

め・あて【目当て】❶目をつけて〔手に入れようと〕ねらうもの。目的。「お—の品」「金—の犯行」❷進む方向の指針となるもの。目標。目じるし。「たばこ屋を—に進む」類語 当て。付け目。狙い。めど。目星。的（まと）。目途。方向。方針。意図。企図。進路。行方。


め・あわ・せる【▽妻合わせる・×娶せる】（めあはせる）《他下一》〔女を男に〕添わせて夫婦にする。めあわす。〔やや古風な言い方〕「娘を有望な部下に—せた」

*めい【名】㊀《名》他の人と区別するために、個々の人の姓の下につけた名まえ。名（な）。「姓と—を分けて記入する」対 姓。㊁《接頭》《名詞につけて》「すぐれている」「名高い」などの意。「—選手」㊂《接尾》❶《助数》人数を数える語。人（にん）。「一〇—」参考「人（にん）」よりは丁寧な言い方。❷「名まえ」の意。「団体—」「学校—」

*めい【命】〔文〕❶いのち。生命。「—旦夕（たんせき）に迫る」❷運命。「—をさとる」❸命令。指図。「—を下す」

*めい【×姪】（めひ）その人の兄弟姉妹の娘。姪っ子。対 甥（をひ）。

*めい【明】〔文〕❶物事のほんとうの意義を見通す力。眼識。「先見の—がある」❷視力。「—を失う」

*めい【盟】〔文〕〔仲間としての〕約束。ちかい。同盟。「—を結ぶ」

*めい【銘】❶器物・金石などに刻みつけて、由来・功績などを述べた文章。「石碑の—」❷〔人生に関する〕戒めのことば。「座右（ざゆう）の—」❸作品にしるした製作者の名まえ。「正宗の—」❹器物・食品などに、特別に上等な品物という意味でつけた名称。「—をつける」

—を打・つ《句》❶製作者が製作物に自分の名を刻む。❷品物に名まえをつける。また、看板・名目としてかかげる。称する。銘打つ。

*めい・あん【名案】〔ある問題を解決するのに適当な〕すぐれた思いつき。「—が浮かぶ」類語 妙案。良案。

*めい・あん【明暗】❶明るいことと暗いこと。❷幸福と不幸、喜びと悲しみ、勝利と敗北など明るい面と暗い面。「人生の—」「—を分ける」❸絵・写真などで色の濃淡や明るさ暗さの対照の度合い。「—がきつい」

めい・い【名医】すぐれた医者。

めい・う・つ【銘打つ】《自五》〔宣伝のために〕品物に特別な名まえをつける。また、看板や名目としてかかげる。称する。「極上品と—って売り出す」

めい・うん【命運】❶選択の適否などによって左右される、未来の生・死、幸・不幸、発展・衰退などの運。運命。「会社の—をかけた事業」「—を共にする」❷幸運。また、命。「—が尽きる」類語 運。

め

***めい・えん【名園・名×苑】** 名の通った立派な庭園。

***めい・えん【名演】** すばらしい演技・演奏。

めいおう・せい【×冥王星】 太陽系のいちばん外側の惑星。大きさは地球の六分の一ぐらい。公転周期約二四八年。プルートー。

***めい・か【名家】** ❶古くから世間に信望がある、立派な家柄。名門。❷〔学問・芸道など〕その道にすぐれている（有名な）人。大家。名士。

***めい・か【名歌】** すぐれていて、広く知れわたっている和歌や詩。「—を集めた百人一首」

***めい・か【名花】** ❶名高い花。また、美しくて立派な花。❷〔ひゆ的に〕美しい女性。「社交界の—」

***めい・か【名菓】** おいしくて名のある菓子。

めい・か【銘菓】 特別な銘をもつ上等な菓子。

***めい・が【名画】** ❶すぐれた絵。❷すぐれた映画。

***めい・かい【×冥界】** 〔文〕人が死んだ後行くという想像上の世界。あの世。冥土(めいど)。

***めい・かい【明解】** 《名・形動》解釈がはっきりと分かりやすく述べられていること。また、その解釈。

***めい・かい【明快】** 《形動》すじみちがはっきり通っていて、わかりやすいようす。「—な文章」「—な説明を求める」「論旨—」

めい・かく【明確】 《名・形動》はっきりとしていて間違いのないこと。「—な解答」「当選が—になる」

めい・がら【銘柄】 ❶〔経〕取引の対象物件となる株式・商品の特定の名称。「不良—」❷商品の名称。商標。特に、一流製造会社でつくる、信用度の高い商品の名称をいう。ブランド。「—品」

めい・かん【名鑑】 〔文〕❶（同類の）物の名を集めた書物。「植物—」❷名簿。人名録。「美術家—」

***めい・き【名器】** すぐれていて名高い器物。

***めい・き【明記】** 《名・他サ》〔内容や文字を〕よくわかるようにはっきりと書くこと。「欠席の理由を—する」

***めい・き【銘記】** 《名・他サ》〔文〕心に強く印象づけて忘れないようにすること。「師の教えを心に—する」

***めい・ぎ【名×妓】** 〔踊り・三味線などの〕芸がすぐれている芸者。また、美人で評判の芸者。

***めい・ぎ【名義】** ❶〔法的な〕書類などに用いる、表立った名まえ。「他人の—を借りる」❷表向きの理由。名目。「病気という—で欠席する」❸名に応じて立てる義理。名分(めいぶん)。「—が立つ」

めい・きゅう【迷宮】 ❶中に入ると出口がわからなくなるように造った宮殿。ラビリンス。❷犯罪事件などで、複雑で解決の糸口がつかめない状態。「—入り」

めい・きょう【明鏡】 〔文〕一点の曇りもない鏡。—しすい【—止水】〔文〕〔曇りのない鏡と静かにたたえた水の意から〕心に何のわだかまりもなく、やすらかに落ち着いていること。「—の心境」

めい・きょく【名曲】 すぐれた楽曲。有名な楽曲。

めい・きん【鳴×禽】 〔文〕美しい声でよくさえずり鳴く小鳥。ウグイス・ヒバリなど。

めい・ぎん【名吟】 〔文〕❶すぐれている（有名な）詩歌・俳句。「古今の—」❷すぐれた吟詠。

めい・く【名句】 ❶名言。❷すぐれて、有名な俳句。

***めい・くん【名君】** 善政を行う、立派な君主。名主。

***めい・くん【明君】** すぐれて賢い君主。明主。[対]暗君。

***めい・げつ【名月】** 陰暦八月十五夜、または九月十三夜の月。「中秋の—」[表記]「明月」とも書く。

***めい・げつ【明月】** 澄み渡った夜の満月。

めい・けん【名剣】 すぐれた剣。有名な剣。

***めい・げん【名言】** 人の心を動かす巧みな表現によって物事の本質や人生の機微などをとらえた短いことば。名句。「—を吐く」

***めい・げん【明言】** 《名・他サ》はっきりと言い切ること。言明。「—を避ける」[類語]断言。

***めい・こう【名工】** 建築・陶器・彫刻・刀かじなどの腕前がすぐれた職人。名高い職人。名匠。

***めい・こう【名香】** 〔文〕匂(にお)いのよいすぐれた香。有名な香。また、その匂い。

めい・コンビ【名コンビ】 互いに息が合っていて、仕事などをスムーズに運ぶ二人組。

***めい・さい【明細】** ❶《名・形動》細かい部分まではっきりしていて、くわしいこと。「事情を—に説明する」❷「明細書(めいさいしょ)」の略。内容を明細に記した書きつけ。明細書き。「給与—」

***めい・さい【迷彩】** 敵の目をくらますために、兵員の服装や建造物・艦船・飛行機などにさまざまの色をぬって、周囲の物と見分けがつかないようにすること。カムフラージュ。「—をほどこした戦車」

めい・さく【名作】 〔歴史に残るような〕すぐれていて有名な（芸術）作品。[類語]傑作。[対]愚作。

***めい・さつ【名×刹】** 〔文〕由緒があり、古くから名の通った寺。「古寺—」

***めい・さつ【明察】** 《名・他サ》〔文〕❶真相・本質をはっきりと見抜くこと。「時勢を—する」❷相手の推察を尊敬していう語。「御—のとおり…」[類語]賢察。

めい・さん【名産】 その土地の有名な特産物。

めい・ざん【名山】 立派な姿をもち、古くから・知られる（仰ぎ尊ばれる）山。

***めい・し【名刺】** 小形の少し厚い紙に氏名・住所・勤務先・身分などを印刷したもの。初対面のあいさつなどに用いる。「—交換会」—ばん【—判】引伸し写真の寸法の一つ。長さ八・二センチ、幅五・四センチ。

***めい・し【名士】** 〔それぞれの社会で〕名望のある人。各界の知名人。「文壇の—」「医学界の—」

***めい・し【名詞】** 品詞の一つ。国文法では、自立語で活用がなく、助詞を伴って主語となることができる単語。普通名詞と固有名詞、実質名詞と形式名詞とに分けられる。[参考]代名詞を名詞に含める考え方もある。

***めい・し【明視】** 《名・他サ》〔文〕はっきりと見えること。「—距離」

***めい・じ【名辞】** 〔論〕概念をことばで表したもの。主辞と賓辞とがある。

***めいじ【明治】** 明治天皇が治めた時代の元号。一八六八年一〇月（＝明治元年陰暦九月）〜一九一二（＝明治四五）年七月。

***めい・じ【明示】** 《名・他サ》はっきりと分かるように示すこと。「内容を—する」[対]暗示。

めい・じつ【名実】 名まえと実質。評判と実際。「—ともに横綱の風格が出てきた」「—相伴う（＝世間の評判と実際とが一致している）」

め・いしゃ【目医者・▽眼医者】 目の治療を専門にする医者。眼科医。

***めい・しゅ【名手】** ❶専門的な領域ですぐれた腕前をもつ人。名人。「射撃の—」❷碁・将棋などで、うまい手。「—を打つ」[類語]好手。妙手。

*めい-しゅ【名酒】味のよい有名な酒。

*めい-しゅ【明主】〔文〕賢明な君主。明君。対暗主。

*めい-しゅ【盟主】仲間や同盟のなかで中心となるもの。「革命派の―」

*めい-しゅ【銘酒】特別の名まえをつけた質のよい酒。

めい-しょ【名所】景色がよいことで、または古跡などがあって、有名な土地。「桜の―」「―旧跡」

*めい-しょう【名勝】景色がすぐれている土地。

*めい-しょう【名匠】芸術(特に美術・工芸)や学術などで、すぐれた技量をもっている(有名な)人。

*めい-しょう【名将】すぐれて(有名な)武将・将軍。

*めい-しょう【名称】名まえ。呼び名。

*めい-しょう【明証】❶〔文〕はっきりした証拠。「―を示す」類語確証。❷〔哲〕判断の真理性が直観的に疑い得ないこと。直証。

*めい-じょう【名城】❶名高い城。すぐれた城。❷「名古屋城」の略称。

*めい-じょう【名状】《名・他サ》〔文〕ことばで言い表すこと。〔ふつう、打ち消しの語をともなって用いる〕「―し能(あた)わざる光景」「―し難い悲惨な姿」

めい-しょく【明色】明るい感じの色。対暗色。

*めい-じる【命じる】《他上一》➡命(めい)ずる。

*めい-じる【銘じる】《他上一》➡銘(めい)ずる。

*めい-しん【名神】名古屋と神戸(こうべ)。「―高速道路」

*めい-しん【迷信】《正しい判断を失った信仰の意》合理的な根拠がないのに、正しいと信じること。また、その信じられた事柄。ひのえうま生まれの女性は気が荒いとするなど。「―を信ずる」「―家」類語俗信。

めい-じん【名人】❶その専門的な分野での第一人者として評判の高い、うでまえのすぐれた人。名手。「釣りの―」❷将棋・囲碁で、最高位の称号。参考現代では、名人戦の優勝者をいう。

めい-すい【名水】❶おいしいと定評がある自然水。茶の湯・酒造などに適した有名なわき水。表記「銘水」とも書く。❷〔文〕美しさで有名な川。

*めい-すう【名数】❶同類のすぐれたものを、いつもきまった数を添えてまとめて言う、呼び方。たとえば、三筆・四天王など。❷単位の名や助数詞を添えた数。たとえば、百円・十人など。


*めい-すう【命数】〔文〕❶命の長さ。寿命。「―が尽きる(=死ぬ)」❷天命。運命。❸ある数に名をつけること。

―ほう【―法】数に名を当てて、整数を組織的に命名する方法。十進法で、十・百・千など。

*めい-する【×瞑する】《自サ変》〔文〕目をとじる。また、(おだやかに)死ぬ。「以(もっ)て―すべし」

*めい-する【銘する】《他サ変》〔文〕金属や石などに文字をはっきりと刻みつける。「墓碑に戒名を―する」

*めい-ずる【命ずる】《他サ変》❶言いつける。命令する。「出発を―ずる」❷ある地位・役職に任命する。「課長を―ずる」❸〔文〕名づける。命名する。「―じて月光号と称する」＝命じる。

*めい-ずる【銘ずる】《他サ変》〔文〕心に深く刻みつけて忘れないでいる。銘じる。「教えを肝に―ずる」

めい-せい【名声】名誉ある評判。ほまれ。「―が高い」「―を博する」

*めい-せき【名跡】〔文〕❶有名な古跡。❷➡みょうせき。

*めい-せき【明×晰】《名・形動》話の筋道や発音などがはっきりしてよく分かること。「―に話す」「頭脳―」

めい-せつ【名節】〔文〕名誉と節操。「―を貴ぶ」

めい-せん【銘仙】絹織物の一つ。玉糸・紡績絹糸を平織りにしたもの。和服地・夜具地などに使う。

*めい-そう【名僧】知徳のすぐれていることで名高い僧。高僧。「―知識」

*めい-そう【×瞑想・×冥想】《名・他サ》目を閉じて雑念を離れて深く静かに考えること。「―に沈む」類語黙想。思案。

*めい-そう【迷走】《名・自サ》行方が定まらないまま進むこと。「台風が―する」―しんけい【―神経】延髄から出る脳神経の十対目。喉頭(こうとう)・諸筋の運動や内臓の運動・分泌を受け持つ。

めいそう-じょうき【明窓浄机】〔文〕日当たりのよい明るい窓とよく整とんされた清らかな机。転じて、勉学に適した書斎。

め-いた【目板】❶〔板べい・羽目などの〕板の継ぎ目に打ち付ける幅の狭い板。❷「目板鰈(がれい)」の略。―がれい【―×鰈】カレイの一種。体長は約三〇チセン。目の近くにとげがある。食用。めいた。


めい-だい【命題】❶題号(をつけること)。❷〔論〕一つの判断の内容を言語・記号・式などで表したもの。主辞・賓辞・繋辞(けいじ)の区別をはっきりさせ、「AはBである」という形式をとる。プロポジション。❸解決すべく課せられた問題。「余生をどう生きるかという―」

めい-たつ【明達】《名・形動》〔文〕かしこく、物事の道理によく通じていること。「―の士」

めい-だん【明断】《名・他サ》〔文〕迷うことなくすっきりとさばくこと。また、そのような裁断。「―を下す」

めい-ち【明知・明×智】〔文〕すぐれた知恵。

めい-ちゃ【銘茶】特別な名まえをつけた上質の茶。

*めい-ちゅう【命中】《名・自サ》目標としたものに当たること。「敵艦に―する」類語的中。

類義語の使い分け　命中・的中
【命中・的中】矢が的(まと)の中心に命中(的中)する
【命中】獲物と距離があって命中させるのは難しい
【的中】いやな予感が的中した／予想が的中する

*めい-ちゅう【×螟虫】メイガ科の昆虫。特に、ニカメイガ・サンカメイガの幼虫。稲などの植物のずいを食い荒らす。ずいむし。

めい-ちょ【名著】❶世の中に広く知れわたっている、すぐれた著書。「古今の―を読破する」❷内容がすぐれた著書。「これは近来の―だ」類語好著。

*めい-ちょう【明徴】《名・他サ》〔文〕明らかな証拠(を立てること)。明証。「国体の―」

*めい-ちょう【明澄】《名・形動》〔文〕くもりなくすみわたること。「心境―」

め-いっぱい【目一杯】《副・形動》❶はかりの目盛りいっぱいまであるようす。❷ぎりぎりの限度までするようす。精一杯。「―頑張る」

めい-てい【×酩×酊】《名・自サ》〔文〕酒を飲んでひどく酔うこと。大酔(たいすい)。類語泥酔(でいすい)。

めい-てつ【明哲】《名・形動》〔文〕才知がすぐれ、道理に深く通じていること(人)。「―保身(=世の大勢をよく見つめ、逆らわず身の安全を保つこと)」

めい-てん【名店】有名なみせ。「―街」

め

*めい・てんし【明天子】〔文〕すぐれた賢い天子。

*めい・ど【×冥土・×冥途】〔仏〕死者の霊魂が行くという暗黒の世界。死後の世界。黄泉。冥界。冥府。よみじ。「―の土産」「―の旅」類語あの世。

*めい・ど【明度】色の明るさ(の度合い)。反射率一〇〇の白を一〇、〇の黒をゼロとする。参考↓彩度・色相。

*めい・とう【名刀】すぐれた切れ味や美しさを持つ、名高い刀。名剣。「正宗の―」

*めい・とう【名湯】すぐれた効能を持つ(有名な)温泉。

*めい・とう【名答】ぴったりとうまく言い当てた答え。「ずばり、ご―です」

*めい・とう【明答】《名・他サ》〔文〕はっきりした返事。明確な答え。確答。「―を避ける」

*めい・とう【銘刀】作者の名まえが刻んである(すぐれた)刀。

めい・どう【鳴動】《名・自サ》〔文〕(大きな物が)大きな音を鳴りひびかせてゆれ動くこと。「―とともに地震が発生した」「大山―して鼠一匹」

めい・とく【明徳】〔文〕(天から授けられた)立派な徳性。

めい・にち【命日】❶毎年・毎月めぐってくる、その人の死んだ日と同じ日。忌日。❷特に、祥月命日。

めい・ば【名馬】性質のすぐれている(名高い)馬。

めい・はく【明白】《名・形動》疑う余地がないほどはっきりしていること。「―な事実」

めい・ばん【名盤】すぐれた演奏とすぐれた録音技術による(名高い)レコード。「幻の―」

めい・び【明×媚】《名・形動》〔文〕山水の景色が清らかで美しいこと。「風光―」類語絶佳。

めい・ひつ【名筆】〔文〕❶すぐれていて名高い書や絵画。❷すぐれていて名高い書家や画家。

めい・ひん【名品】すぐれて名高い品。

めい・びん【明敏】《名・形動》頭の働きが鋭く、物事によく対処できること。「頭脳―」

めい・ふ【×冥府】〔文〕❶冥土。あの世。また、地獄。❷冥土あるいは地獄の役所。閻魔の庁。

*めい・ふく【×冥福】死後の幸福。「―を祈る」

めい・ぶつ【名物】❶その土地の有名な産物。名産。「長崎―のからすみ」❷その土地や社会で、ふつうと異なっていて有名なもの。「南方―のスコール」「村の―男」❸いわれのある名高い茶器。「大―」

―に旨い物無し《句》とかく名物と言われるものにおいしいものがない。「名物は聞くに名高く食うに味なし」とも。類語名所に見所なし。

*めい・ぶん【名分】❶道徳上、その人の身分に応じて、守るべき本分。「大義―」「親を見捨てては―が立たない」❷名目。「視察という―で海外出張する」

*めい・ぶん【名文】内容や表現力のすぐれた文章。「―家」対悪文。

*めい・ぶん【名聞】〔文〕世間の評判。名聞。「―にこだわる」

*めい・ぶん【明文】条文としてはっきり示されている文章。「罰則を―化する」

*めい・ぶん【銘文】銘として金石・器物などに刻んだ文章。

めい・ぼ【名簿】組織に属する人の姓名・住所・職業などを一定の順序に配列した帳簿。「同窓会―」

*めい・ほう【名峰】美しく、名高い山。名山。

*めい・ほう【盟邦】〔文〕同盟を結んだ国。同盟国。類語友邦。

*めい・ぼう【名望】多くの人から尊敬され、その社会で評判がよいこと。「土地の―を一身に集める」「―家」

*めい・ぼう【明×眸】〔文〕ぱっちりとしてすんだ美しい目。―こうし【―×皓歯】〔文〕美しい目と白い歯。〔美女の形容に言う〕「―、今いずくにかある」

*めい・ぼく【名木】❶樹齢が古く姿が立派で、由緒のある(有名な)木。❷すぐれた香木。特に、伽羅。

*めい・ぼく【銘木】床柱・床の間などに用いる、形・木目・材質などがすぐれて独特な趣のある材木。

めい・みゃく【命脈】〔つながっている〕いのち。生命。「細々と―をつなぐ」「独裁政権の―が尽きた」

*めい・む【迷夢】〔文〕夢のようにとりとめのない考え。心の迷い。「―からさめる」

*めい・む【迷霧】〔文〕❶方角がわからなくなるほど深い霧。❷心の迷いを霧にたとえていう語。

*めい・めい【×冥×冥・×瞑×瞑】《名・形動タル》〔文〕❶暗くて目に見えないこと。「―たる闇」❷事情がはっきりしないこと。「―裏(=知らず知らずのうちに)」

*めい・めい【命名】《名・自他サ》名まえをつけること。名付け。「―式」

*めい・めい【銘銘】おのおの。それぞれ。各人。「―が勝手なことをいう」―ざら【―皿】食べ物を一人一人に取り分けて盛るための皿。―でん【―伝】一人一人についての伝記。「義士―」

めいめい・はくはく【明明白白】《名・形動タル》〔文〕「明白」を重ねて強めた語。「―たる事実」参考「明々白々な」の形で使われることもある。

めい・めつ【明滅】《名・自サ》あかりがついたり消えたりすること。「沖のいさり火が―する」類語点滅。

めい・もう【迷妄】〔文〕物事の道理をよくわきまえず、事実を事実でないように思い込むこと。また、そのような考え。また、心の迷い。「―に陥る」

*めい・もく【名目】❶表向きの名まえ・呼び方。「―だけの役員」❷表向きの理由。口実。「交際費を―にして遊興する」=名目。―ちんぎん【―賃金】その時の物価変動を考えに入れず、金額だけを問題にした場合の賃金の額。対実質賃金。

*めい・もく【×瞑目】《名・自サ》〔文〕❶目を閉じること。「―して沈思する」❷安らかに死ぬこと。「家族に見守られて―する」

めい・もん【名門】長い歴史と伝統のある、りっぱな(名の通った)家柄。名家。「歌舞伎界の―」「地方の―」参考学校や企業などにもいう。「―校」

*めい・やく【名訳】すぐれた翻訳・解釈。

*めい・やく【盟約】《名・他サ》〔文〕固く誓って約束すること。また、その約束。「―を結ぶ」

めい・ゆ【明×喩】〔修辞学で〕直喩。対暗喩。

*めい・ゆう【名優】演技のすぐれた、有名な俳優。

*めい・ゆう【盟友】〔同じ目的のもとに〕固い約束を結んだ友人。同志。「無二の―」

めい・よ【名誉】❶すぐれている、立派である、善良であるなどと認められて社会的な評価が高いこと。また、その評価。「―ある地位」「―を回復する」「―にかかわる問題」「―心」類語誉れ。名声。面目。体面。❷《名・形動》社会的に高い評価を得たことを価値あるもの

め

と思うこと。「ーなことと思います」「私にとって大きなーです」類語 栄誉。栄光。はえ。❸〔大学・都市・団体などが〕功労のあった人に尊敬のしるしとして与える称号。〔地位や職名を表す語の上につけて用いる〕「ー教授」「ー市民」 ーきそん【ー×毀損】人の社会的評価を傷つけるような事実を公然と言ったり書いたりすること。表記 新聞では「名誉棄損」と書く。 ーしょく【ー職】生活費としての給料を受けず、他に本業を持つことができる公職。民生委員の類。

めい-り【名利】→みょうり。

めい-りゅう【名流】伝統ある流派や上流階級に属する、名の通った人たち。名士。「ー夫人」

めい-りょう【明×瞭】《名・形動》ある事柄が明らかでよく分かること。「簡単ー」「ーな違反」類語 明白。

め-い-る【▽滅入る】《自五》元気がなくなり、気分がふさぐ。「知人の葬式が続いて気がー・っている」

めい-れい【命令】❶《名・他サ》〔目上の人が〕ある行為を強制すること。また、その内容。「部長のー」「ーを下す」「ーにそむく」尊敬 尊命。❷〔法〕国の行政機関が出す政令・省令・規則や特定の人に対して与える処分など。 **ーけい【ー形】**活用形の一つ。口語では動詞と一部の助動詞にあり、命令の意を表して文を終止する場合に使う。「行け」「せよ」「来い」など。

***め-いろ【目色】**目のようす。目つき。「ーを変える」

***めい-ろ【迷路】**一度入り込むと、なかなか出られない道。また、迷いやすい道。類語 迷宮。ラビリンス。

めい-ろう【明朗】《名・形動》❶〔性格が〕明るく朗らかでわだかまりがないこと。「ー快活」❷ごまかしやかくしだてがなく、公正なこと。「ー会計」類語 ガラス張り。

注意「明郎」は誤り。

めい-ろん【名論】りっぱな議論・理論。「ー卓説」

めい-わく【迷惑】《名・自サ・形動》他人の言動などが原因となって、不利益を被ったり不快な気持ちになったりすること。「ー千万」「人にーをかけたくない」

め-うえ【目上】〈ーうへ〉地位または年齢が自分より上であること。また、その人。対 目下。類語 長上（ちょうじょう）。

め-うち【目打ち】❶千枚どおし。❷布に穴をあけたり刺繍（ししゅう）の糸をさばいたりするのに使う道具。❸うなぎなどを割くとき、首に打ちつけて動かないようにする・こと〔道具〕。❹切手などで、切り目に穴を一列に連続してあける・こと〔穴〕。

め-うつり【目移り】《名・自サ》〔物を選ぶときなど〕つい他のものに目が行き、心がその方にひかれること。「ーして買う物が決まらない」

メーカー 作る人。製造者。特に、有名な製品の製造会社。「ー品」▽maker

メーキャップ《名・自サ》❶俳優などが、出演のために化粧すること。また、その化粧。メーク。❷印刷で、組み版・割り付け。▽make-up

メーク《名・自サ》メーキャップ。また、広く、化粧すること。メイク。「ノーー」▽make

メージャー→メジャー。▽major

メーター ㊀《名》❶自動式計量器。電気・ガス・水道その他の使用量をはかるもの。メートル。❷タクシーの運賃料金表示器。㊁《助数》→メートル。▽meter

メー-デー 毎年五月一日に行われる、国際的な労働者の祭典。労働祭。▽May Day

メード〔ホテルや家庭で働く〕お手伝いさん。▽maid

メートル ㊀《助数》メートル法の長さの基本単位。一メートルの長さは、もとはメートル原器の長さを基準としていたが、現在は、真空中の光の速度をもとにして定められる。メーター。記号 m。㊁《名》→メーター㊀❶。参考 名詞として「一メートル」の意でも使う。「一〇〇〇円の生地」表記「米」「米突」と当てる。▽（フランス）mètre **ーげんき【ー原器】**もと、一メートルの長さを国際的に示した標準器。 **ーほう【ー法】**長さにはメートル、質量にはキログラム、体積にはリットルを基本単位とする、国際的な十進法の度量衡単位系。 **ーを上・げる**《句》〔俗〕酒をのんで勢いがよくなる。

メープル ❶楓（かえで）。❷サトウカエデの樹液を濃縮した甘い汁。メープルシロップ。▽maple

メール ❶郵便。郵便物。「エアー」❷「電子メール」の略。Eメール。eメール。▽mail **ーアドレス** 電子メールのあて先を示す識別番号。▽mail address **ーオーダー** 通信販売。▽mail order

メーン 主要なもの。中心。正面。メイン。▽main **ーイベント** 一連の試合・催し物・行事などの中で、主要なもの。大きな行事。メーンエベント。▽main event **ースタンド**〔競技場の〕正面観覧席。正面スタンド。▽main と stand からの和製語。 **ーストリート** 目抜き通り。▽main street **ーテーブル** 会議・宴会などで、議長や主賓がすわる席。主卓。▽main と table からの和製語。 **ーディッシュ** 西洋料理のコースの中心となる一品。主菜。main と dish からの和製語。 **ーバンク** ある企業に対して、金融面で最も多くの融資を引き受けている銀行。主力銀行。▽main と bank からの和製語。

め-おと【▽夫▽婦】〈ーをと〉❶夫婦（ふうふ）。みょうと。〔古風な言い方〕「晴れてーになる」❷〔夫婦のように〕一対になっているもの。「ー松」「ー窓」「ー岩」 **ーぢゃわん【ー茶×碗】**形と模様が同じ大小一組の茶碗。

メカ「メカニズム」「メカニック」の略。

メガ《接頭》一〇〇万倍の意を表す語。記号 M。▽mega- **ートン**《助数》❶一〇〇万トン。記号 Mt。❷TNT爆薬一〇〇万トンに相当する核爆弾の爆発エネルギーを表す単位。記号 Mt。▽megaton **ーフロート** 超大型浮体式海洋構造物。鋼鉄製浮体ユニットをつなぎ合わせてつくり、上に空港などの施設を建設する。▽megafloat（和製語） **ーヘルツ**《助数》〔理〕周波数の単位。一〇〇万ヘルツ。記号 MHz。▽megahertz

め-がお【目顔】〈ーがほ〉目であらわす表情。「ーで知らせる」

め-かくし【目隠し】《名・自サ》❶目を布などでおおって見えないようにすること。「手ぬぐいでー（を）する」❷家の中が外から見えないようにするための物。囲い・塀・植木など。

め-かけ【×妾】《「目を掛ける」意》正式の妻をもつ男と肉体関係を持ち、経済上の援助を受けて暮らす女。囲い者。「ーをかこう」類語 二号。対 本妻。

め-が・ける【目掛ける】《他下一》目標としてねらう。めざす。「入り口をー・けて人々が殺到した」

め-かご【目×籠】物を入れて持ったり背負ったりする、目のあらい竹のかご。

めかし・い《接尾》《接尾語「めく」から。名詞・形容詞語幹などにつけて形容詞をつくる》…のようにみえる。…のように見せかける。「古ー・い」「親切ー・い」

めかし-こ・む【▽粧し込む】《自五》ひどくおしゃれをする。「—・んで出かける」

め-がしら【目頭】目の、鼻に近い方のはし。「—を押さえる」「—が熱くなる」対目じり。

***めか・す** 《接尾》《名詞について五段活用動詞をつくる》…のように見せかける。…らしくする。…面をする。「忠臣—・して振る舞う」

***めか・す**【▽粧す】《自五》《「色めかす」の略か》〔着飾ったり、化粧したりして〕おしゃれをする。かざりたてる。「きょうはずいぶん—・してるね」

め-かた【目方】重さ。「—をはかる」「—で売る」

め-かど【目角・▽眼角】❶目のはし。目じり。目くじら。❷ものを鋭くみる目つき。ものを見抜く眼力。「—を立てる(=怒りをこめて鋭い目つきをする)」

メカトロニクス 高度な機械技術とエレクトロニクス(=電子工学)技術を結合した産業。また、その製品。▽mechatronics

メカニカル《形動》動作・動き・構造などが機械のようであるようす。機械的。メカニック。▽mechanical

メカニズム ❶機械装置。機構。メカ。「自動車の—」「運転はうまいが、—に弱い」❷物事の仕組み。構造。「流通の—」▽mechanism

メカニック ❶自動車競走で、車の故障を直したりタイヤ交換や給油などをしたりする係。メカ。❷《名・形動》メカニカル。▽mechanic(=機械工)

め-がね【〈眼鏡〉】❶視力を調整したり、目を保護したりするために目に当てて用いる、レンズ・色ガラスなどを使った器具。❷鑑識(眼)。「—違い」「—が狂う(=よしあしの判断をまちがう。人物などを見損なう)」「—に適う(=目上の人に気に入られる)」❸「望遠鏡」「双眼鏡」の類。「遠—」 —ばし【—橋】橋脚が二つのアーチ形になっている橋。参考 水に映った形が眼鏡の形に似ているところから。

メガホン 口にあてて、声を遠くまでとどかせるための、らっぱ形のつつ。メガフォン。「—をとる(=監督として映画をとる)」▽megaphone

め-がみ【女神】女の神。「勝利の—」対男神。

メガロポリス 帯状に連続して形成された巨大な都市群。巨帯都市。「東海道—」▽megalopolis

め-きき【目利き】器物・書画などのよしあし・真贋を見分けること(人)。また、人や物の性質・価値を判断するのがうまいこと(人)。鑑定(家)。「骨董品の—を頼む」「ひとかどの—」

めき-めき《副》《「—と」の形も》❶目に見えて早く成長・上達するようす。「—(と)腕を上げる」❷板などの物がきしんだり折れたりする音の形容。めりめり。

め-キャベツ【芽キャベツ】キャベツの一品種。茎のわきに生じる直径二〜三センチの球状の芽は食用。こもちたまな。こもちかんらん。

め-ぎれ【目切れ】目方が足りないこと。

め・く《接尾》《名詞などにつけて、五段活用動詞をつくる》…らしくなる。…のようにみえる。…の傾向をおびる。「色—・く」「春—・く」文《四》。

め-くぎ【目×釘】❶刀剣の身が柄から抜けないように、穴にさしてとめる、竹または銅製のくぎ。めぬき。「—を湿す(=刀を抜く用意をする)」❷鉄砲の銃身を銃床に固着するためのねじくぎ。

めくされ-がね【目腐れ金】ほんのわずかな金。はした金。くされがね。「そんな—では応じられない」参考「目腐れ」は目のふちがただれる病気。

め-くじら【目くじら】目かど。目のはし。目じり。「—を立てる(=人の欠点をあげつらって非難する)」

め-ぐすり【目薬】❶目の病気を治すための水薬。❷〔わいろとしておくる〕ほんのわずかの金品。「—がきく」

め-くそ【目×糞・目×屎】めやに。 —鼻糞を笑・う《句》似たりよったりの者が、自分の欠点に気づかずに、他人の欠点をあざ笑うたとえ。

め-くばせ【目▽配せ・×眴(せ)】《名・自サ》目で合図すること。「二人の刑事は—して犯人に近づいた」

め-くばり【目配り】《名・自サ》注意してあちこちに目をつけてみること。「—をきかせる」

めぐま・れる【恵まれる】《自下一》❶運よくよい物事を与えられる。「機会に—・れる」❷幸せである。「—・れない子供たち」文めぐま・る《下二》。

めぐみ【恵み】情けをかけること。いつくしみ。恩恵。「太陽の—で草木が伸びる」「神の—で奇跡が起こる」

***め-ぐ・む**【芽ぐむ】《自五》草木の芽がふくらむ。転じて、きざす。「若葉が—・み始めた」

***めぐ・む**【恵む】《他五》❶〔文〕人に情けをかける。あわれむ。❷気の毒な人をあわれんで、金品を与える。施し物をする。「金銭を—・む」文《四》。

めくら【▽盲】《「目暗」の意》〔卑称〕❶目が見えないこと(人)。めしい。盲目。盲人。視力障害者。❷道理・事情などが分からないこと(人)。

めぐら・す【巡らす・▽回らす・×廻らす】《他五》❶まわりを囲ませる。囲むようにして作る。「塀を—・した家」❷〔反対の方向へ〕回転させる。まわす。「首を—・して室外を見る」❸あれこれと考えを働かせる。くふうをこらす。「策略を—・す」文《四》。

めくら-ばん【▽盲判】書類の内容をよく確かめないで機械的に印をおすこと。また、その印影。

めくら-めっぽう【▽盲滅法】《名・形動》やみくもに物事をすること。「—に打ってかかる」

めぐり【巡り・▽回り・×廻り】❶ぐるっとまわること。循環。「血の—をよくする」❷あちこちを順にまわって歩くこと。「名所—」❸〔文〕周囲。周辺。「身の—」

めぐり-あい【巡り合い・▽回り×逢い】長い間、別れ別れになっていたものが、思いがけないところで出会うこと。邂逅。

めぐり-あ・う【巡り合う・▽回り×逢う】《自五》❶やっと出会う。「生き別れになった母に—・う」❷思いがけなく出会う。「とんだ悪友に—・った」

めぐり-あわせ【巡り合(わ)せ】意志とは関係なく、自然にそうなる運命。まわりあわせ。「不運な—」

めく・る【×捲る】《他五》《「まくる」の変化した語》おおっているものをはがす。また、はがすように裏返す。「スカートを—・る」「ページを—・る」文《四》。

めぐ・る【巡る・▽回る・×廻る】《自五》❶ぐるっと回る。また、回ってもとの所へ戻る。「湖を—・る」❷あちこちを順に回って歩く。「四国八十八箇所を—・る」❸まわりを囲む。とり囲む。とりまく。「山すそを—・る霧」❹そのこと(の周辺のこと)に関する。「遺産を—・る争い」文《四》。表記 ③は「繞る」とも書く。

め-くるめ・く【目×眩く】《自五》〔文〕目がくらむ。目くらむ。「—・く絶壁」「—・くばかりの栄光」

めく・れる【×捲れる】《自下一》自然にめくった状態になる。まくれる。「強風でテントが—・れる」

め・げる【▽負げる】《自下一》❶〔意志が〕くじける。気が弱る。ひるむ。〔多く打ち消しの形で使う〕「貧乏にー・げず働く」❷〔俗〕しょげる。❸〔関西・四国などの方言〕こわれる。「箱がー・げる」

め・こぼし【目×溢し】《名・他サ》とがめずに見て見ないふりをすること。大目に見ること。「おーを願う」

メサイア ➡メシア。▽Messiah

め・さき【目先】❶目の前。「ーに昨夜のことがちらつく」❷その場。その当座。また、近い将来。「ーのことにとらわれる」❸近い将来の見通し。「ーが利く(=先々のことがよく予測できる)」❹その場の、見た感じ。趣向。「ーの変わったデザイン」

め・ざし【目刺(し)】目に竹串(ぐし)を通したイワシの干物。三~五尾を一串とする。参考「一連…」と数える。

め・ざ・す【目指す・目差す】《他五》目標にする。めがける。「頂上をー・して登る」「今年は優勝をー・す」

め・ざと・い【目▽敏い・目×聡い】《形》❶見つけるのがすばやい。「人ごみからー・く友人をさがした」❷目がさめやすい。「年をとるとー・くなる」

め・ざまし【目覚(まし)】❶目をさまさせる・こと(もの)。「ーにコーヒーを飲む」❷子どもが目をさましたときに与える菓子類。おめざ。❸「目ざまし時計」の略。予定の時刻に音を出し、人を起こす時計。

め・ざまし・い【目覚ましい】《形》目がさめるくらいすばらしい。「ー・い進歩」「ー・い働きぶり」

め・ざめ【目覚め】❶目をさますこと。「おーの時刻です」❷隠れひそんでいたものが働き出すこと。「春のー」「性のー」❸本心に立ち返ること。「悪からのー」

め・ざ・める【目覚める】《自下一》❶眠りからさめる。「冬眠からー・めたカエル」❷かくれひそんでいたものが働き出す。「性にー・める(=時期が来て性を意識するようになる)」❸混とんとした状態からぬけ出し本心に立ち返る。はっきりと自覚する。「現実にー・める」

め・ざる【目×笊】物を盛る目のあらいざる。

めさ・・れる【召される】《連語》〔文〕❶召す①の受け身形。おめしにあずかる。「天国にー・れる」❷召す②③の尊敬語。「おかぜをー・れる」

め・ざわり【目障り】(ーざはり)《名・形動》❶ものを見るのにじゃまになる・こと(もの)。「前のビルがーだ」❷見て気にさわる・こと(もの)。「ーな態度を示す」

めし【飯】《「召し(=飲食するもの)」の意》❶米や麦をたいた食べ物。❷食事。「ーの時間」参考ふつうには、男性語。女性語は「ごはん」。

ーの食(い)上げ《句》生活のよりどころとなる収入を失うこと。

***めじ** めじまぐろ。

***め・じ**【目地】石・れんがなどを積みモルタルなどで固めるときや、タイルを張るときにできるつぎ目。

***め・じ**【目路・▽眼路】(ーぢ)〔雅〕目で見通せる範囲。眼界。視野。「ーはるかに山なみが連なる」

メシア 旧約聖書の中で出現を預言された救世主。ユダヤ教では、国を救うとして待ちのぞまれた王者の称。キリスト教では、イエス(=キリスト)の称。メサイア。▽(ヘブライ) Mashiah(=聖油をそそがれた者)から。

めし・あが・る【召し上がる】《他五》「飲む」「食う」の尊敬語。「ブランデーをー・る」「料理をー・る」

めし・あ・げる【召し上げる】《他下一》所有物を取り上げる。〔古風な言い方〕「田畑をー・げる」

めし・い【▽盲】(ーしひ)《「目廃(めしい)」の意》〔文〕盲目。

めし・いる【▽盲いる】(ーしひる)《自上一》〔文〕盲目になる。失明する。文めし・ふ《上二》

めし・かか・える【召し抱える】(ーかかへる)《他下一》家来として雇う。〔古風な言い方〕「浪人の武芸者をー・える」

めし・ぐ・す【召し具す】《他五》〔文〕目下の者や召使を供としてひきつれる。召し連れる。

めし・じょう【召(し)状】〔文〕呼び出し状。

めし・た【目下】地位または年齢が自分より下であること。また、その人。対目上。

めし・たき【飯炊(き)】めしをたくこと。また、そのために雇われている人。「ーのおばさん」

めし・だ・す【召し出す】《他五》〔文〕❶〔貴人が目下の者を〕呼び出す。「大臣をー・す」❷めしかかえる。「医者としてー・される」=めしいだす。

めし・つかい【召(し)使(い)】(ーつかひ)〔貴人が〕家の雑用をさせるために雇った人。下男・下女など。

めし・つぶ【飯粒】飯のつぶ。ごはんつぶ。

めし・どき【飯時】〔俗〕食事時。時分時(じぶんどき)。

めし・と・る【召し捕る】《他五》〔官命によって〕罪人を逮捕する。〔古風な言い方〕「下手人(げしゅにん)をー・る」

めし・の・たね【飯の種】収入を得る材料。生活の手段。「ーを失う」

めし・びつ【飯×櫃】たいた飯を釜(かま)から移し入れておく木製の容器。めしばち。おはち。おひつ。めしつぎ。

め・しべ【雌×蕊】種子植物の花の中心にある雌性生殖器官。受粉して実を結ぶ。しずい。対おしべ。

めじ・まぐろ【めじ×鮪】クロマグロの幼魚。五~一五キロのものをいう。めじ。

めし・もり【飯盛(り)】江戸時代、宿場の宿屋にいて、客の給仕をし、また、売春もした女。飯盛り女。

めし・や【飯屋】簡単な食事をつくって食べさせる、大衆相手の安い飲食店。大衆食堂。

***メジャー** ❶〔音〕長調。長音階。❷《名・形動》規模が大きくて主流であること。❸国際的な石油資本。❹アメリカの大リーグ。メージャー。「ーリーグ」対①~④マイナー。▽major(=より大きい)

***メジャー** ❶定量。計量。「ーカップ」❷ものさし。特に、(洋裁用の)巻尺。また、それではかる寸法。❸基準。尺度。▽measure

めしゅうど【▽囚▽人】(めしうど)《「めしびと」の音便》〔文〕捕らえられて獄につながれている人。囚人(しゅうじん)。表記歴史的かなづかい「めしうど」の形も用いられる。

めし・よ・せる【召し寄せる】《他下一》❶〔貴人や目上の人が〕呼びよせる。❷〔目下の人に命じて〕持って来させる。取り寄せる。〔古風な言い方〕

め・じり【目×尻】目の、耳に近い方のはし。まなじり。対目頭(めがしら)。

ーを下・げる《句》うれしいとき、女性に見とれたときなどの、満足そうな、または好色そうな表情の形容。

めし・りょう【召(し)料】貴人がつかう品物。

め・じるし【目印】❶見てすぐそれとわかるようにつけたしるし。❷目標物。手がかり。「ポストをーに進む」

め・じろ【目白】メジロ科の小鳥。ウグイスに似るが、目のまわりが白くふちどられる。鳴き声が美しい。**ーおし**【ー押し】〔目白は一か所に何羽も集まってとまるところから〕たくさんの人や物が、一か所に集まって込み合っていること。「スタンドには観客がーだ」

***めす**【雌・×牝】生物で雌性配偶子を生ずる個体。特に、動物で、卵巣をもち卵を生ずる方の称。対おす。

***め・す**【召す】《他五》❶「呼びよせる」「取りよせる」「呼び出して任じる」などの尊敬語。「神に━・された」❷「飲む」「食う」「着る」「履く」「買う」「乗る」などの尊敬語。❸「風邪をひく」「ふろにはいる」「気に入る」「年をとる」などの尊敬語。「お年を━・した方」文《四》。

***メス** 手術や解剖に用いる小刀。▽オランダ mes

━を入・れる《句》わざわいの根をのぞくために、思いきった手段をとる。「腐敗した組織に━・れる」

め・ず【▽馬頭】〔仏〕頭は馬、身は人の形をした地獄の獄卒。「牛頭━」

めずら・か【珍か】《形動》〔文〕めずらしいようす。「━な食物」

めずらし・い【珍しい】《形》《動詞「愛でる」から派生した語》見たり聞いたりすることがまれで、目新しい感じがする。「日本ではこの地方にしかいない━・い蝶」「━・く歌を歌った」文めづら・し《シク》。

メセナ〔企業などの〕芸術や文化を支援する活動。「企業━」参考古代ローマの大臣で、芸術・文化の支援者であった人の名から。▽フランス mécénat

め・せん【目線】視線②。〔演劇で使い始めた語〕

メゾ・ソプラノ 女声のソプラノとアルトの中間の声域(の女性歌手)。メゾ。▽イタリア mezzo-soprano

めそ・つ・く《自五》〔俗〕めそめそする。

メソッド 方法。方式。メソード。▽method

メゾネット 中高層の集合住宅で、一戸分が二つの階にまたがる構造のもの。メゾネットタイプ。▽フランス maisonnette(=小さな家)

めそ・めそ《副・自サ》《副詞は「━と」の形も》〔女・子供が〕弱々しく泣くようす。また、いくじなく、何かにつけてすぐ泣くようす。「━しないで元気を出せ」

メソン〔理〕中間子。▽meson

め・だか【目高】メダカ科の淡水魚。体長約二センチ。目が大きく、小川などの水面近くを群れをなして泳ぐ。

め・だき【雌滝・女滝】近くにある二つの滝のうち、勢いがゆるやかで、小さく幅が狭いほうの滝。対雄滝。

め・だけ【雌竹・女竹】竹の一種。節の間が長い。丘陵・川べりなどに群生。細工用。かわたけ。にがたけ。

めだし・ぼう【目出し帽】目の部分だけを出して、顔と頭をすっぽりおおう防寒用の帽子。冬山登山やスキーなどで用いる。目出帽。

メタセコイア スギ科の落葉高木。高さは三五メートルにも達する。化石として知られていたが、一九四五年中国で現生種が発見された。あけぼのすぎ。▽metasequoia

***め・だ・つ**【目立つ】《自五》それだけが、他と区別されてきわだって見える。「背が高いのでひときわ━・つ」「数学の成績が━・って悪い」類語ずばぬける。

***め・だ・つ**【芽立つ】《自五》〔文〕芽が出る。

め・たて【目立て】のこぎり・やすりなどのすりへった目を鋭くすること。

メタノール メチルアルコール。▽ドイツ Methanol

メタファー 隠喩。暗喩。▽metaphor

メタフィジック(ス) 形而上学。メタフィジーク。▽metaphysics

め・だま【目玉】❶目の中心となる部分で、丸くなっているもの。目の玉。眼球。❷目玉焼きなど、目玉①の形をしているもの。❸〔しかるときに目玉をむくところから〕しかられること。「大━を食う」❹「目玉商品」の略。❺特に目立たせたい事柄、最も中心となる事柄など。〔接頭語的にも用いる〕「━番組」「━銘柄」

━しょうひん【━商品】❶商店で、客寄せのために、思い切った値引きをして目立たせる商品。おとり商品。❷目立たせたいもの。看板になるもの。「社会福祉を新政権の━にする」

━やき【━焼(き)】卵の黄身と白身を割り落とした状態でフライパンで焼いた料理。参考黄身が目玉のように見えることから。

━が飛び・出る《句》値段の高いことに驚くようすや、ひどくしかられるようすに言うことば。目の玉が飛び出る。「━・でるような法外の要求」

めた・めた《形動・副》〔俗〕むやみやたら。めちゃくちゃ。めちゃめちゃ。

メタモルフォーゼ 変形。変相。形態変化。メタモルフォシス。▽ドイツ Metamorphose

メダリスト 競技で一位から三位に入賞してメダルをとった人。メダル受賞者。「ゴールド━」▽medalist

メタリック《形動》金属的であるようす。金属・性(質・製)であるようす。「━カラー」▽metallic

メタル 金属。金属製のもの。「━スキー」▽metal

メダル 表彰や記念などのために贈る、金属製の記章。賞牌。「銅━」参考俗に「メタル」とも。▽medal

め・だる・い【目▽怠い】《形》見ていて、じれったい。類語まだるい。

メタン・ガス 炭化水素の一つ。無色・無臭の可燃性の気体。天然ガスなどに多量に含まれ、沼地などで動植物体が腐敗したときにも発生する。沼気。泥気。メタン。▽ドイツ Methan gas

メチエ 芸術家がもちいる技巧。技法。▽フランス métier

め・ちがい【目違い】❶見まちがい。「彼を信用したのは私の━だった」❷〔建〕木の継ぎ手などの、接合部から少し入りこんだ部分。

めちゃ【目茶・▽滅茶】《名・形動》《「むちゃ」の転か》〔俗〕❶道理に合わないこと。「━な要求をつきつける」類語むちゃ。❷なみはずれていること。「━に足が長い」❸こわれて混乱した状態になること。表記ふつうかな書き。

━くちゃ【━苦茶】《名・形動》〔俗〕「めちゃ」を強めた語。秩序立っていたものが、もとの形をとどめないほどこわれて混乱した状態になること。めちゃめちゃ。「風で髪が━になる」表記ふつうかな書き。

━めちゃ【━目茶】《名・形動》めちゃくちゃ。「計画が━になる」表記ふつうかな書き。

め・ちょう【雌×蝶】❶めすのチョウ。❷紅白の紙をめすのチョウにかたどって折ったもの。婚礼などのとき、銚子や提子につけてかざる。対①②雄蝶。

メチル・アルコール 木材を乾留して得られる無色透明の香気のある有毒液体。木精。メタノール。メチル。参考→エチルアルコール。▽ドイツ Methylalkohol

メッカ ❶サウジアラビア西部にある都市。マホメットの生地。回教最大の聖地。❷その方面の人々が心をよせる中心地。あこがれの土地や場所。「映画の━ハリウッド」▽Mecca

め・づかい【目遣い】〔文〕ものを見るときの目の動かし方。「抜け目のない━」類語目つき。

め・っ・かち〔卑称〕❶一方の目が見えない・こと(人)。❷左右の目の大きさや視力がちがう・こと(人)。

め・つき【目付(き)】ものを見るときの目の様子。「━のよくない男」類語目づかい。

めっ‐き【×鍍▽金】 ❶《名・他サ》金・銀・クロム・ニッケルなどの薄い層を、他の金属の表面にかぶせること。また、そのもの。「メダルに―を施す」❷中身の悪い点を隠すため、表面だけ飾り立ててよく見せかけること。また、そのもの。[参考]「滅金(めっきん)」の転という。「鍍金」は、金めっきの中国語表記から。[表記]①②とも「メッキ」と書くことも多い。

―が剝(は)・げる 《句》〔俗〕中身があばき出される。本性が現れる。[類語]馬脚を現す。

め‐つぎ【芽接ぎ】 つぎ木の方法の一種。果樹などの新芽をとり、台木にはめこんでかたくしばるもの。

めっ‐きゃく【滅却】 《名・自他サ》〔文〕すっかり・なくなる(なくす)こと。「心頭を―すれば火もまた涼し」

めっきり 《副》(「―と」の形も)急にめだって変化するようす。「―寒くなった」「―ふけこむ」

めっ‐きん【滅菌】 《名・自他サ》熱・薬品などで、細菌を死滅させること。殺菌。「―室」「―作用」

め‐つけ【目付】 江戸幕府で、若年寄に直属して旗本・御家人を監察する役目。[参考]→大目付(おおめつけ)。

めっけ‐もの【めっけ物】 〔俗〕❶思いがけなく手に入ったよいもの。ほりだしもの。❷(あてにしない)幸運。「ここで一点でも取れれば―だ」❸不幸中の幸い。「かすり傷ですんだのは―だ」[類語]①～③もうけ物。拾い物。

めっ‐ける 《他下一》(「見つける」の転)〔俗〕みつける。

めつ‐ご【滅後】 〔仏〕入滅の後。釈迦(しゃか)の死後。

めつ‐ざい【滅罪】 〔仏〕ざんげや善行によって、それまでの罪業を滅ぼし絶やすこと。罪滅ぼし。「―寺」

めっ‐し【滅私】 自己中心的な考え方をすてること。「―奉公の精神」

めっ‐しつ【滅失】 《名・自サ》〔文〕滅びてなくなること。「―した古文書」

メッシュ [一]《名》❶網・編物の目。❷網目織り。靴・靴下・シャツなどにいう。「―のバッグ」[二]《助数》金網・フィルターなどの目の大きさを表す単位。一平方インチの目の数で示す。▽mesh

めつ‐じん【滅尽】 《名・自他サ》〔文〕滅びつきること。また、滅ぼしつくすこと。「戦乱で一族が―した」

めっ‐・する【滅する】 《自他サ変》〔文〕❶滅びる。滅ぼす。「私心を―・する」❷消える。消す。

メッセ 見本市。常設国際見本市。▽ドイツ Messe

メッセージ ❶伝言。「―を残す」❷声明。声明書。「―を発表する」▽message

メッセンジャー (個人的に)伝言・手紙・品物などをおくりとどけることを職業とする人。▽messenger

めっ‐そう【滅相】 [一]《名》〔仏〕四相の一つで、一切の存在が消滅する相。業(ごう)が尽き、生命が終わること。[二]《形動》とんでもないようす。「―な。できません」

―も無・い 《句》とんでもない。「―・いことを口走る」

めった【滅多】 《形動》むやみやたらであるようす。「―なことは言うな」「―打ち」[表記]ふつうかな書き。

―に 《副》(下に打ち消しの語を伴って)特別の場合をのぞいて、ほとんど(…ない)。よほどのことがない限り(…ない)。「―会わない」

―やたら【―矢×鱈】 《名・形動》〔俗〕めちゃくちゃなこと。むやみやたら。「―に走りまわる」

メッチェン 少女。むすめ。未婚女性。[参考]旧制高校の学生がよく使った。▽ドイツ Mädchen

め‐つぶし【目×潰し】 灰や砂などを投げつけて相手の目を見えなくすること。また、その灰や砂など。

めつ‐ぼう【滅亡】 《名・自サ》(国家や民族などが)滅びること。「ローマ帝国の―」

めっ‐ぽう【滅法】 [一]《名》〔仏〕一切の存在が消滅すること。[二]《形動》度を超しているようす。法外。「―に高い」[三]《副》程度のはなはだしいようす。非常に。「―肩が強い」

―かい【―界】 《形動・副》〔俗〕法外なようす。はなはだしいようす。「―うまい魚」

め‐づまり【目詰(ま)り】 《名・自サ》網などの目がごみなどで詰まること。

め‐づもり【目積(も)り】 《名・他サ》実際にはからずに、目で見てその大体の分量を察すること。目算。

め‐て【▽馬手・▽右手】 〔文〕❶馬の手綱(たづな)を取る方の手。右手(みぎて)。❷右側。[対]①②ゆんで。

メディア 媒体。媒介物。手段。「マス―」▽media

メディカル 《形動》医学上の。「―部門」▽medical

めでた・い 《形》(「愛(め)で甚(いた)し」の転)❶(よいことがあったり、物事が都合よく運んだりして)祝福すべき状態である。よろこばしい。結構である。「―・く結婚した」「覚えが―・い」❷人がよすぎてまぬけである。「お―・い男」❸〈「―・くなる」の形で〉「死ぬ」の忌みことば。[表記]「芽出度い」と当てる。[文]めでた・し(ク)

―し‐めでたし 《連語》。物事が無事に済んだりして喜ばしいときに言う語。「―の結末になる」

め‐・でる【▽愛でる】 《他下一》〔文〕❶かわいがる。いとおしむ。愛する。「子を―・でる」❷(自然の美などを)ほめ味わう。鑑賞する。「花を―・でる」[文]め・づ《下二》。

***め‐ど【目▽処】** めざすところ。目標。目あて。「―が立たない」「一か月を―とした工事」「交渉成立の―が付く(=見通しが立つ)」[表記]「目途」とも当てる。

***め‐ど【▽針▽孔】** 針のあな。

め‐どおし【目通し】 (書類などを始めから終わりまで)ひととおり見ること。「お―を願います」

め‐どおり【目通り】 〔文〕❶人が立ったときの目の位置における、立ち木の直径。目通り直径。「―で二尺の老木」❷身分の高い人に会うこと。謁見(えっけん)。「お―を許される」

めど‐ぎ【×蓍】 ❶めどはぎ。❷占いに用いる筮竹(ぜいちく)。筮(ぜい)。めどき。[参考]もと、メドハギの茎で作った。

めど‐はぎ【×蓍×萩】 マメ科の多年草。夏、葉のわきに、白色で紫色のすじのある小花を開く。めどぎ。

め‐と・る【×娶る】 《他五》(「妻(め)取る」意)〔文〕妻として迎える。「妻を―・る」

メドレー ❶いろいろの曲の、有名な部分だけをぬき出してつづり合わせた曲。混合曲。また、二つ以上の曲を休みなしに続けて演奏すること。「ヒット曲を―で演奏する」❷「メドレーリレー」の略。▽medley

―リレー 水泳で、四人の泳者が背泳・平泳ぎ・バタフライ・自由形の順に泳ぎつぐ競技。混合競泳。メドレー。[参考]一人で、バタフライ・背泳・平泳ぎ・自由形の順に泳ぐものを個人メドレーという。▽medley relay

メトロ 地下鉄。▽フランス métro

メトロノーム 音楽の曲の拍子をはかる振り子式の器械。拍節器(はくせつき)。▽ドイツ Metronom

メトロポリス ❶首府。❷大都会。▽metropolis

めなだ【▽赤▽目▽魚】 ボラ科の海魚。目と口辺が赤みをおびる。食用。あかめ。

め‐なみ【女波】 〔文〕高低のある波のうち、低い方の波。[対]男波。

め-な・れる【目慣れる・目×馴れる】《自下一》見なれる。「―・れた風景」

メニエール-びょう【メニエール病】めまい・耳鳴りなどを発作的に繰り返す病気。メニエール症候群。参考 フランスの医師メニエールが発見した。

メニュー ❶献立表。また、献立。❷予定表。「―どおりに練習する」❸〔電算〕作業の一覧表。「―選択」▽menu

メヌエット 四分の三拍子の、上品で優雅な、程よい速さのフランスの舞曲。交響曲の第三楽章などにも用いられる。▽ドイツ Menuett

***め-ぬき**【目抜き】〔「めぼしい・こと(もの)」の意〕大切なところ。目立つところ。「―の大通り」

***め-ぬき**【目▽貫(き)】刀剣の柄と身を固着するためにさすくぎ。めくぎ。また、それをおおう金具。

め-ぬり【目塗り】❶〔防風・防湿などのために〕板や戸の合わせ目をぬりつぶすこと。類語 めばり。❷防火のために、土蔵の戸前をぬりふさぐこと。

め-ねじ【雌×螺▽旋】―ねじ 雄ねじを受ける、円筒の内側をらせん状に切ったねじ。ナットなど。対 雄ねじ。

め-のう【×瑪×瑙】石英・玉髄・蛋白石などの混合物。赤・白・青などの美しいしま模様がある。宝石。

め-の-こ【目の子】「目の子算」の略。**―ざん**【―算】〔そろばんなどを使わずに〕目で見ておおよその計算をすること。概算。目の子勘定。目の子。類語 暗算。

め-の-たま【目の玉】めだま①。

め-の-と【▽乳▽母】《「妻の妹」の意か》〔古〕母親がわりに子どもに乳を飲ませ、育てる女。乳母。

め-ばえ【芽生え】❶芽ばえること。「若葉の―」❷物事のおこりはじめ。「文明の―」類語 ①②萌芽。

め-ば・える【芽生える】《自下一》❶草木の芽が出はじめる。❷物事がおこりはじめる。「恋が―・える」

め-はし【目端】その場の雰囲気を見はからう機転。「―が利く(=機転がきく)」類語 臨機応変。

め-はちぶ【目八分】❶物をささげもつとき、目よりもやや低い高さに持つこと。また、その位置。❷器の一〇分の八ほどに物を入れること。また、その分量。八分目。=目八分

め-はな【目鼻】❶目と鼻。目鼻立ち。「―が整っている」❷物事のおおよその様子。「研究の―が付く(=大体の見通しがつく)」**―だち**【―立ち】顔だち。

め-ばな【雌花】めしべだけあって、おしべがない花。対 雄花。

め-ばり【目張り・目×貼り】❶《名・自他サ》〔防風・防虫などのために〕戸などの隙間に紙などをはってふさぐ・こと(もの)。❷舞台化粧などで、目のふちを墨でかく・こと(もの)。アイライン。「―を入れる」

め-ばる【▽眼張】フサカサゴ科の近海魚。体は縦に不規則な黒っぽい帯がある。色は茶褐色・灰黒色など、すむ場所によって異なる。目が大きい。食用。

メフィストフェレス ドイツのファウスト伝説中の悪魔の名。ゲーテの作品「ファウスト」では誘惑者として描かれる。メフィスト。▽ドイツ Mephistopheles

め-ぶ・く【芽吹く】《自五》芽が出る。「柳が―・く」

め-ぶんりょう【目分量】〔はかりやますなどを使わないで〕目で見てはかった大体の分量。目積もり。

め-べり【目減り】《名・自サ》❶こぼれたりもれたりして、品物の重さや量が少なくなること。「輸送中の―を防ぐ」❷実質的な価値が下がること。「貯金の―」

め-ぼし【目星】❶大体の見当。目当て。「犯人の―がついた」❷目の玉にできる白い小さな点。

めぼし・い《形》特にめだっていて、取り上げるねうちがある。顕著だ。「―・い産業のない町」

め-まい【目×眩・×眩×暈】目がまわること。目がくらんで倒れそうになること。「―がする」

め-まぐるし・い【目まぐるしい】《形》目の前にあるものが、次から次へと移ったり動いたりして、目がまわるようである。「―・い時勢の変化」

め-まつ【雌松・女松】〔黒松を「雄松」と呼ぶのに対して〕あかまつ。対 雄松。

め-みえ【目見え】《名・自サ》❶「会うこと」の謙譲語。お目にかかること。❷役者が初めて観客の前で演技をすること。「お―興行」〔①②とも「お―」の形で用いる〕

めめし・い【女女しい】《形》〔男でありながら〕いくじがない。未練がましい。「―・い愚痴」対 おおしい。

メモ ❶《名・他サ》要点を〔忘れないように〕書きとめておくこと。また、その書いたもの。覚え書き。手控え。備忘録。「―をとる」❷メモ用紙。▽memo

め-もと【目▽許・目元】❶目のあたり。「ハンカチーフで―を押さえる」❷目つき。「―の涼しい美少年」

メモランダム〔政〕覚書②。▽memorandum

め-もり【目盛(り)】ものさし・はかりなどに記されている、長さ・重さなどを示すしるし。「―を読む」

メモリー コンピューターで、実行するプログラムや必要なデータなどを記憶する装置。また、記憶容量。▽memory(=記憶)

メモ・る《他五》〔俗〕メモをとる。メモする。「電話番号を―・る」参考 メモを動詞化した語。

メモワール 回想録。メモアール。▽フランス mémoire

め-やす【目安】大体の見当。目当て。「これまでの実績が将来の―になる」参考 もと、読みやすくするために箇条書きにした文書を言った。

め-やに【目▽脂】目から出る粘液(が固まったもの)。めくそ。

メラニン 動物の体表や毛髪などに含まれる、黒色ないし黒褐色の色素。▽melanin

メラミン 石灰窒素などから作る無色の柱状結晶。合成樹脂の原料とする。▽melamine **―じゅし**【―樹脂】メラミンとホルムアルデヒドから作られる合成樹脂。無色透明で、着色が容易。化粧板・食器など多方面に利用される。

めら-めら《副》《「―と」の形も》❶炎が広がり燃えるようす。「炎が―と建物を包む」❷激しい感情がわき上がるようす。「嫉妬の念が―と燃える」

メランコリー 気がふさぐこと。ふさぎこむこと。憂鬱(症)。▽melancholy

めり《助動:ラ変型》**文語** 眼前の事態からの推量、あるいは婉曲な断定を表す。…らしい。…のようだ。…のように思われる。「竜田川もみぢ乱れて流る**めり**渡らば錦なかや絶えなむ〈古今〉」

メリー-クリスマス《感》クリスマスを祝って言う語。クリスマスおめでとう。▽Merry Christmas!

メリー-ゴー-ラウンド 遊園地などの遊具の一つ。回転する台の上に木馬などをとりつけたもの。回転木馬。メリーゴーランド。▽merry-go-round

めり-かり【▽減▽甲・▽乙▽甲】〔笛や尺八などで、下がる音を「めり」、上がる音を「かり」ということから〕音の

高低。抑揚。参考→めりはり。

メリケン〔もと、アメリカ(人)の意〕〔俗〕げんこつ(でなぐること)。「—をくらう」表記「米利堅」と当てて書くことがある。▽American から。 **—こ【—粉】**小麦粉。うどん粉。参考在来のうどん粉と区別して、米国製の精製した小麦粉を呼んだもの。

めり-こ・む【▽減り込む】《自五》〔押されて、または重みで〕深くはいりこむ。「落石が車の屋根に—・んだ」

メリット ❶功績。手柄。❷長所。とりえ。利点。「企業合併の—」対デメリット。▽merit

めり-はり【▽減張・▽乙張】 ❶声や楽器の音を上げることと下げること。また、せりふ回しの強弱・伸縮。めりかり。「—の利いた歌い方」❷物事の調子や勢いの変化。「文章の—」「—に乏しい演説」

めり-めり《副》(「—と」の形も)板などのかたいものが折れたり、倒れたりするときの音の形容。

メリヤス 細めの綿糸・毛糸・化繊などを伸び縮みのきくように編んだ布地。「—のシャツ」表記「莫大小(=体の大小にかかわりないの意)」と当てた。▽(スペイン) medias

メリンス モスリン。メレンス。▽(スペイン) merinos

メルクマール(他と区別する)指標。「文化国家の—は教育予算だ」▽(ドイツ) Merkmal

メルシー《感》ありがとう。▽(フランス) merci

メルトン らしゃの一種。太くやわらかい紡毛糸で織った厚手の毛織物。表面を短く毛羽立てて仕上げる。洋服地・コート地。▽melton

メルヘン おとぎばなし。童話。▽(ドイツ) Märchen

め-ろう【女郎】〔俗〕女性をののしっていう語。対野郎。

メロディアス《形動》旋律が美しいようす。また、旋律的。音楽的。メロディック。「—な曲」▽melodious

メロディー 旋律。歌のふし。▽melody

メロディック《形動》旋律が美しいようす。メロディアス。▽melodic

メロドラマ 大衆向けの、恋愛を中心とした感傷的・通俗的な劇。参考もと、大衆的な音楽入りの劇の意。▽melodrama

めろ-めろ ━《副》(「—と」の形も)炎が物をなめるように広がり燃えるようす。めらめら。━《形動》〔俗〕しまりがなく、見るにたえないようす。「—になる」

メロン 欧米系の香味あるウリ科の果実の総称。特に、マスクメロン。▽melon

***めん【綿】** もめん。綿織物。「—のシャツ」

***めん【面】** ━《名》❶顔。顔立ち。「—がいい」❷顔をかたどったかぶりもの。演劇・おもちゃなどに使われる。仮面。マスク。「鬼の—」「—を打つ(=能面を作る)」❸剣道・野球などで頭や顔を保護するためにかぶる防具。また、剣道で相手の頭部をうつわざ。「お—一本」❹物の外側の平らな広がり。表面。外面。「水の—」❺物体の外側の、ほぼ平らで一定の広さをもつ部分。「さいころの六つの—」❻角材の稜(りょう)を削り落とした部分。❼〔事柄や事態の〕ある方面・領域・部分。「外交の—で失敗した」❽新聞のページ。「政治—」━《助数》平たいものを数える語。「鏡一—」「テニスコート二—」

—と向か・う《句》正面から直接顔を合わせて相対する。「—・って悪口を言う」

—を取・る《句》❶剣道で、相手の頭部に打ち込んで勝ち点を取る。転じて、晴れがましい勝利を得る。❷角(かど)の部分を少し削って、丸みをもたせたりする。「ダイコンの—・る」

***めん【×麵・×麪】** 参考→面取り。粉を練って細長い形にした食品。そば・うどんの類。めん類。

めん-うち【面打(ち)】 仮面を作る・こと(人)。特に、能面を作る人。

めん-えき【免疫】 ❶〔医〕体内に病原体や毒素がはいっても、抗原抗体反応によって発病しないこと。「—ができる」❷物事がたび重なった結果、それに慣れてしまって平気になること。「都会の騒音に—になる」

めん-おりもの【綿織物】 綿糸の織物。綿布(めんぷ)。

めん-か【綿花・×棉花】 綿(わた)のたねを包んでいる繊毛からとった、白色または淡褐色の繊維。綿織物の原料やふとん綿などに用いる。わた。

めん-かい【面会】《名・自サ》訪問先の人、または訪ねてきた人と会うこと。「—謝絶」類語面接。尊敬お目通り。謙譲拝謁。拝顔。拝芝(はいし)。お目もじ。

めん-かん【免官】《名・他サ》官職をやめさせること。「—処分にする」類語罷免(ひめん)。

めん-きつ【面詰】《名・他サ》〔文〕面と向かってとがめること。直接なじること。類語面責。

めん-きょ【免許】 ❶官公庁が許可(証)を与えること。また、その許可(証)。「運転—」❷師匠が弟子にその道の秘伝を教えること。また、それが終了したことを認めて授ける許し(状)。 **—かいでん【—皆伝】** 師が弟子に技芸の奥義をすべて伝授すること。「—の腕前」

めん-くい【面食い】〔俗〕顔の美しい人ばかりを好む・こと(人)。きりょう好み。

めん-くら・う【面食らう・面×喰らう】《自五》〔俗〕突然のできごとにでくわしてあわてる。まごつく。「思いがけない質問に—・った」

めん-こ【面子】 ボール紙などを丸や四角に切り、絵をはりつけたもの(を使う子供の遊び)。地面に置いた相手のものにぶつけて、裏返したりある範囲からはじき出したりして遊ぶ。

めん-ご【面×晤】《名・自サ》〔文〕面会すること。面会して話すこと。「詳細は御—の折に」

めんこ・い《形》〔東北地方の方言〕かわいい。

めん-ざい【免罪】〔文〕罪を許すこと。 **—ふ【—符】** ❶中世、ローマカトリック教会で一時的な罪の許しのために発行した証書。贖宥(しょくゆう)符。免償符。❷罪・責任をまぬかれるための行い。「再選されても、事件の—にはならない」

めん-し【綿糸】 もめんの糸。

メンシェビキ レーニンの率いるボルシェビキと対立した、ブルジョア民主主義的立場をとる反革命勢力。対ボルシェビキ。▽(ロシア) men'sheviki(=少数派)

めん-しき【面識】 互いに顔見知りであること。「—がある」「一—もない」

めんじつ-ゆ【綿実油】 綿(わた)の種子からとった油。マーガリン・石けんなどに用いる。わたのみあぶら。

めん-しゅう【免囚】〔文〕刑期を終えて刑務所から出た人。「—保護」

めんじゅう-ふくはい【面従腹背】〔文〕表面的には服従するように見せかけて、内心では従わないこと。

めん-じょ【免除】《名・他サ》義務や任務を果たさないでよいという許可を与えること。「授業料—」

めん-じょう【免状】 ❶免許・赦免・資格取得などのし

るしとして与えられる文書。免許状や赦免状の類。「教員—」❷「卒業証書」の俗称。「—式」

めん・しょく【免職】《名・他サ》会社員・公務員などで、担任の職をやめさせること。特に、官職を解いて公務員の地位を失わせること。「懲戒—」[類語]くび。罷免。[対]任命。

めん・じる【免じる】《他上一》↓免ずる。

めん・しん【免震】地震の震動が地盤から建造物に伝わるのを防ぐこと。「—構造」「—ビル」[参考]↓耐震。

メンス 月経。生理。▽ドイ Menstruation から。

メンズ 男性用。男物。「—ウエア」[対]レディース。▽men's

めん・・する【面する】《自サ変》❶〔物に〕向かい合う。「庭に—・した部屋」❷〔事柄・事件に〕ぶつかる。直面する。「難局に—・した政府」

めん・・ずる【免ずる】[一]《他サ変》❶義務・責任などを果たさなくてよいとする。免除する。「月謝を—・ずる」❷職をやめさせる。職を解く。「委員を—・ずる」[二]《自サ変》功労・人から・年齢などを考慮して、おかした罪などを許す。「高齢に—・じて不起訴とする」「私の顔に—・じて許してやってくれ」＝免じる。

めん・ぜい【免税】納税の義務を免除すること。「—品」[類語]非課税。

***めん・せき【免責】**〔文〕責任を問われるのを免れること。「—条項」

***めん・せき【面積】**平面または曲面の広さ。

***めん・せき【面責】**《名・他サ》〔文〕面と向かって責めとがめること。「上司の—を受ける」[類語]面詰。

めん・せつ【面接】《名・自サ》❶〔文〕面会。「一切の—を避ける」❷試験官が受験者に直接会い、その人柄を見たり、能力をためしたりすること。「—試験」

めん・ぜん【面前】目の前。「公衆の—で非難する」

***めん・そ【免租】**〔文〕租税を納めることを免除すること。免税。

***めん・そ【免訴】**〔法〕刑事事件で、一定の理由があるとき、裁判所が有罪・無罪の判決をしないで訴訟を打ち切ること。

めん・そう【面相】顔つき。顔かたち。面体。〔ふつうと著しく異なる場合にいうことが多い〕「—はいかついが、心は温かい」[類語]容貌。

めんたい・こ【▽明太子】たらこ。特に、唐辛子で加工したものに言う。[参考]「明太」は朝鮮語 miarthe（＝すけとうだら）から。

メンタリティー 心や精神の状態。「—の面では未熟だ」▽mentality（＝知性）

メンタル《形動》心的。精神的。「—な要素」「—テスト」▽mental **—トレーニング** 精神力を強化するためのトレーニング。▽mental training

めん・だん【面談】《名・自サ》直接会って話をすること。「委細—」「—の上で採用を決める」[類語]面接。

メンチ 細かく刻んだ肉。ひき肉。ミンチ。▽mince **—カツ** ひき肉（特に牛肉）にタマネギのみじん切りなどをまぜ、パン粉をつけて油で揚げたもの。▽mince と cutlet からの和製語。**—ボール** ひき肉にタマネギのみじん切りなどをまぜ、丸く固めて油で揚げたもの。ミートボール。▽mince と ball からの和製語。

めん・ちょう【面×疔】顔にできる、悪性のはれもの。化膿菌によって起こる。痛みが激しい。

メンツ【面子】体面。面目。「—を失う」「—がまるつぶれになる」▽中国 mian-zi

めん・つう【面×桶】〔文〕一人前ずつに飯を盛る曲げ物。

***めん・てい【免停】**「免許停止」の略。違反行為などのために免許の効力を一時停止する行政処分。

***めん・てい【面体】**〔身分・境遇などをあらわすものとしての〕かおかたち。かおつき。面相。「いかがわしい—」

メンテナンス〔建築物・機械などの〕整備。保全。手入れ。メインテナンス。▽maintenance（＝維持）

めん・どう【面倒】❶《名・形動》手間がかかってわずらわしく大儀であること。「—な交渉」「—を掛ける（＝手数をかける。厄介になる）」[類語]厄介。❷（やっかいな）世話。「子供の—を見る（＝世話をする）」⇩〔類義語の使い分け「厄介」〕 **—くさ・い【—臭い】**《形》手数がかかってやっかいである。めんどくさい。「話をするのも—・い」 **—み【—見】**人のめんどうを見ること。「部下の—がよい」

めん・とおし【面通し】〔警察で〕犯人を割り出すために、事件の関係者に容疑者の顔を見せること。面割り。[類語]首実検。

メントール 薄荷脳。メンソール。▽ドイ Menthol

めん・とり【面取り】面と面が交わった部分をけずりとって、丸みをもたせる・こと（もの）。[参考]角材や鋳物に、また、料理でダイコン・イモ類などに行う。

めん・どり【▽雌鳥】❶めすの鳥。❷ニワトリのめす。[表記]②は多く「雌鶏」と書く。[対]①②おんどり。

めん・ば【面×罵】《名・他サ》面と向かって相手をののしること。「責任者を激しく—する」[類語]痛罵。

メンバー ❶団体・グループの一員。❷運動チームの顔ぶれ。▽member **—シップ** その団体の構成員であること。また、その地位・資格。▽membership

めん・ぴ【面皮】〔文〕❶つらの皮。「—の厚いやつ」「—を剝ぐ（＝あつかましい者の悪事をあばき、はずかしめる）」❷世間の人に対する面目。体面。「—を失う」

めん・ぷ【綿布】綿糸で織った織物。綿織物。

めん・ぺき【面壁】《名・自サ》〔文〕壁に向かって座禅をすること。また、座禅。「—九年」[故事]インドの達磨が中国の少林寺で、壁に向かって九年間座禅をしたという故事から。

***めん・ぼう【綿棒】**細い棒の先に綿を巻きつけたもの。耳・鼻などに入れて薬をつけるときなどに使う。

***めん・ぼう【面×貌】**〔文〕顔つき。おもざし。「—のおだやかな人」

***めん・ぼう【×麺棒・×麪棒】**うどん・そばなどを作るとき、こねた粉を平らに押しのばす棒。

めん・ぽお【面×頰】❶武具の一つ。かぶとの付属品で、顔の形に作って顔全体に当てる防具。❷剣道で、頭や顔を守るためにかぶる道具。面。めんぽお。

めん・ぼく【面目】《(人に合わせるに足る恥ずかしくない顔の意)》〔これまで維持されてきた〕世間から受ける（高い）評価。面目。「—を失う」「—を保つ」「—躍如（＝高い評価通りの活躍をするようす）」「—を一新する（＝低い評価をくつがえす）」「—を施す（＝高い評価を維持する。また、失いかけた信用をとりもどす）」「—が立つ（＝体面が保たれる）」 **—な・い【—無い】**《形》（恥ずかしくて）人に合わせる顔がない。「—・いことをしてしまいました」

メンマ【×麵×媽】おもに台湾に産するタケノコをゆでて

乾燥または塩漬けにした食品。中華そばなどに使う。支那竹。▽中国 mian-ma

めん‐みつ【綿密】《名・形動》注意が細かく行き届いて手抜かりなどがないこと。「―な計画」「―に点検する」 類語 細心。精密。緻密。

***めん‐めん【面面】**一人一人。おのおの。めいめい。

***めん‐めん【綿綿】**《形動タルト》〔文〕どこまでも続いて絶えないようす。「―たる恨み」「苦情を―と訴える」

めん‐もく【面目】→めんぼく。

***めん‐よう【綿羊・×緬羊】**→ひつじ。

***めん‐よう【面容】**〔文〕顔のようす。顔かたち。

***めん‐よう【面×妖】**《形動》不思議なようす。怪しいようす。奇怪。〔やや古風な言い方〕「はて、―な」

めん‐るい【×麺類・×麪類】小麦粉やそば粉に食塩・水を加えて練り、線状にした食品。うどん・そうめん・そば・スパゲッティなど。

も

も―毛

***も【喪】**近親者の死後、一定の日数、社交的な行動をつつしむこと。忌み。「―に服する」「―が明ける」

***も【藻】**〔水草・海藻など〕水中にはえる植物の総称。 参考 狭義では、藻類を言う。

***も【▽面】**〔文〕おもて。表面。〔多く「…の面」の形で使う〕「水の―」「田の―」「川の―」

***も**《副》さらに。もう。「―一つほしい」

***も** 一《係助》❶同類の物事・事態が存在・成立していることを前提にして、それを累加的にとりたてるのに使う。「母が泣いた。父**も**泣いた」「彼女は美人で、センス**も**いい」「明日**も**雨らしい」 ❷〔「…も…も」の形で〕似合った同類であるという気持ちで、それぞれをとりたてるのに使う。「英語**も**話す。ドイツ語**も**話す」「バスで**も**電車で**も**行ける」 ❸〔「…も…も」の形で、対句的・慣用句的に〕それを代表とする他のすべてを暗示するのに使う。「元**も**子**も**ない」「話**も**何**も**できはしない」「どこ**も**かしこ**も**」 ❹極端な事例をあげ、領域がそこまで及ぶ意を表す。…さえも。「中には反対する人**も**いる」「急死した時のこと**も**考慮に入れておく」 ❺〔下に打ち消しの語を伴い〕否定の意を強める。…さえも…ない。〔多く、容易なことなのにといった気持ちで言う〕「掃除**も**しない」「冗談を言っても笑い**も**しない」「わき目**も**振らずに勉強する」 ❻〔高い評価を表す語について、多く慣用句的に〕文意を強めるのに使う。…さえも。「さすがの彼**も**お手上げらしい」「専門家**も**真っ青」 ❼〔許容されるもの、可能なものなどが一つに限られるわけではないことを示す形で〕文意をやわらげるのに使う。「帰って**も**よい」「反対だというわけで**も**ない」 ❽〔数量を表す語について〕㋐相当の程度だという気持ちで、程度を強調するのに使う。「一日一〇時間**も**働く」㋑〔条件句の中で〕相当の程度（あるいは、わずかの程度）だという気持ちで、程度を強調するのに使う。「五万円**も**するなら買えない」「五分**も**すれば着くだろう」㋒〔下に推量・疑問などの語を伴い〕おおよその程度を表す。「五分**も**歩いたろうか」 ❾〔下に打ち消しの語を伴い、少ない数量を表す語や不定を表す語などについて〕全面的否定を表す。「一刻**も**待てない」「少し**も**進歩しない」「どこへ**も**行かない」「何の不満**も**ない」 参考 不定を表す語につくときは、全面的肯定を表すこともできる。「どちら**も**好きだ」「いずこ**も**事情は同じだ」 ❿〔「AもAだが、BもBだ」などの形で、対句的に〕双方の行為が尋常でないことをとりたてるのに使う。〔多く、不当性を非難する気持ちがこもる〕「頼む方**も**頼む方だ」「親**も**親なら子**も**子だ」 ⓫〔「…も…たり」の形で、慣用句的に〕驚きの気持ちをこめて、見事な動作などをたたえるのに使う。「打ち**も**打ったり」「書き**も**書いたり三〇〇〇枚」 ⓬〔軽い詠嘆をこめて〕題目をあげるのに使う。〔多く、順当ななりゆきについて、累加・対比の気持ちを含ませないで言う〕「夜**も**ふけた」「これで仕事**も**一段落だ」「苦渋に満ちた戦いの日々**も**終わった」 二《接助》**文語**〔活用語の連体形につく〕逆接の仮定条件を表す。また、既定条件を表す。かりに…したとしても、それでも。…であるけれども。「知る**も**よし、知らざる**も**よし」「金なき**も**憂えず」 三《終助》**文語** 詠嘆・感動を表す。「ひさかたのしぐれふりくる空さびし土に下りたちて鴉は啼く**も**〈茂吉〉」

***もう【猛】**《接頭》「はげしい」の意。「―練習」

***もう【網】**《接尾》〔網の目のように〕広く一面に張りめぐらされているものの意。「放送―」「情報―」

***もう【毛】**《助数》〔一〇〇〇分の一の意〕❶尺貫法で、長さ・重さ・比率を表す単位。長さで寸の一〇〇〇分の一。重さで匁の一〇〇〇分の一。比率で割の一〇〇〇分の一、厘の一〇分の一。❷金銭の単位。円の一万分の一、銭の一〇〇分の一、厘の一〇分の一。

***もう【×蒙】**❶〔文〕知識がなく道理に暗いこと。無知。「―を啓く（=知識や道理に暗い人を教え導く。啓蒙する）」❷「蒙古（=モンゴル）」の略。「満―」

***もう** 一《副》❶ある事柄が終わっているようす。もはや。すでに。「バスは―出てしまった」「―済んだ」 類語 とっくに。早くも。疾うに。夙に。❷時や場所の近いようす。まもなく。やがて。「―帰ってくるころだ」「―じき試験だ」 類語 程なく。遠からず。日ならず。❸さらに。あと。も。「―少しまけてくれ」「―一つ物足りない」 類語 なお。なおかつ。 二《感》語調を整えたり、強調したりするのに使う語。「そりゃ―、暑い日だった」「ほんとに―、嫌だ」

もう‐あ【盲×唖】〔文〕目の見えないことと口のきけないこと。また、その人。

もう‐あい【盲愛】《名・他サ》〔文〕ただむやみにかわいがること。ねこかわいがり。 類語 溺愛。偏愛。

もう‐あく【猛悪】《名・形動》〔文〕非常に乱暴で悪いこと。「―な表情」 類語 強悪。凶悪。獰猛。

もう‐い【猛威】〔病気や風などの〕激しい威力。すさまじい勢い。「流感が―を振るっている」「自然の―」

もう‐う【猛雨】〔文〕激しく降る雨。

***もう‐か【×孟夏】**《「孟」は初めの意》〔文〕❶夏の初め。初夏。「―の候」❷「陰暦四月」の別称。

***もう‐か【猛火】**激しく燃える火。「地獄の―」

もう‐がっこう【盲学校】目の不自由な児童・生徒に普通教育をほどこし、その障害をおぎなうための知識・技能を教える学校。

もうか・る【×儲かる】《自五》❶金銭上の利益がある。「―・る商売」[類語]金になる。❷〔義務・代償を果たさずに済んで〕得をする。もうける。「行かずに済んで―・った」[文]《四》。

もう・かん【毛管】❶〔毛のように〕きわめて細いガラス管。毛細管。❷「毛細血管」の略。**―げんしょう**【―現象】液体中に細い管を立てると、管内の液面が管の外よりも高くなったり、低くなったりする現象。毛細管現象。

もうかん・じゅうそう【盲管銃創】弾丸がつきぬけないで、体内にとどまっている状態の傷。盲管射創。[対]貫通銃創。

もう・き【×濛気】〔文〕〔もや・霧などの〕もうもうとたちこめている気。

もうきのふぼく【盲×亀の浮木】《句》〔大海中に住んで一〇〇年に一度出て来る目の見えないカメが、浮き木に出あってその穴にはいる意から〕出あうことがきわめて難しいこと。また、仏の教えにあうことの難しさや、めったにない幸運のたとえ。[類語]優曇華の花。

もう・きん【猛×禽】〔文〕性質があらく、肉食をする鳥。ワシ・タカ・フクロウ・ミミズクなど。猛鳥。

もうけ【×儲け】金銭上の利益。利潤。利得。「―が少ない」「―を平々に分ける」

もうけ・ぐち【×儲け口】金銭を手に入れる手段・方法。もうけになる仕事。「ぼろい―」

もうけ・もの【×儲け物】思いがけず得た利益や幸運。「合格できれば―だ」[類語]拾い物。めっけ物。

***もう・ける**【×儲ける】《他下一》❶金銭上の利益を得る。「株で大いに―・けた」[類語]金儲け。銭儲け。一儲け。丸儲け。❷〔義務・代償を果たさずに済んで〕得をする。もうかる。「敵のエラーで三点―・けた」❸〔子供を〕得る。〔古風な言い方〕「一男二女を―・けた」[文]まう・く《下二》。

***もう・ける**【設ける】《他下一》❶前もって用意する。準備する。「宴席を―・ける」❷〔機関・規則などを〕こしらえ置く。「審議会を―・ける」[類語]しつらえる。設置。設定。設備。制定。[文]まう・く《下二》。

もう・けん【猛犬】性質が荒く力の強い犬。

もう・げん【妄言】〔文〕❶いつわりのことば。❷〔みだりに言う〕道理にあわないことば。妄語。[参考]自分の批評などをけんそんしても使う。「―多罪」「―多謝」＝妄言。

もう・こ【猛×虎】〔文〕性質の荒々しいトラ。

もう・ご【妄語】❶〔仏〕五悪・十悪の一つ。人をあざむき、うそをつくこと。虚妄語。妄舌。❷妄言❷。

もう・こう【猛攻】《名・他サ》はげしく攻めたてること。猛撃。猛攻撃。「敵の拠点に―を加える」

もうこ・はん【×蒙古×斑】幼児のしりなどにある青黒いあざ。メラニン色素が集まったもので、黄色人種に多い。成長につれて消える。小児斑。蒙古あざ。

もう・こん【毛根】毛の、皮膚の中の部分。

もう・さい【猛妻】たくましい妻。活力のある妻。

もうさい・かん【毛細管】❶〔理〕毛管①。❷→毛細血管。

もうさい・けっかん【毛細血管】体じゅうの組織内に網状に分布して、動脈と静脈との間を結ぶ細い血管。血液がここを流れる間に、組織との物質交換が行われる。毛細管。毛管。

もうし【申し】《感》人に呼びかける時に使う丁寧語。「―、そこのご老人」[参考]「もし」の古い形。

もうし・あ・げる【申し上げる】㊀《他下一》「申す」のさらに上級の謙譲語。言上する。「お喜びを―・げます」㊁《補動》《「お」「御」などをつけた動詞の連用形や動作性の体言の下について》動作の対象に対する敬意を表す。…してさしあげる。「お答え―・げます」

もうし・あわせ【申し合(わ)せ】話しあって、ある事柄を決めること。また、その決めた約束。「組合の―で木曜を定休日とする」「―を固く守る」

もうし・あわ・せる【申し合わせる】《他下一》話し合ってとり決める。前もって話を合わせておく。いい合わせる。「全員―・せたように礼装で来た」

もうし・いで【申(し)▽出で】申し出ること。また、その事柄。〔「もうしで」より丁寧で古風な言い方〕

もうし・い・れる【申し入れる】《他下一》自分の意志や要求や苦情などを〔正式に〕相手に伝える。申し込む。「大会参加を―・れる」

もうし・う・ける【申し受ける】《他下一》❶頼んで受け取る。「寄付を―・ける」❷「受ける」「もらう」「引き受ける」の謙譲語。承る。「お仕立て―・けます」

もうし・おく・る【申し送る】《他五》❶先方へ言ってやる。「手紙で―・る」❷命令・伝達事項などを次々に言い伝える。特に、後任者に仕事上の必要事項を言い伝える。「懸案事項を―・る」[類語]申し継ぐ。

もうし・か・ねる【申し兼ねる】《他下一》「言いかねる」の謙譲語。言いにくい。「大変―・ねますが…」

もうし・ご【申し子】❶神仏に祈って授かった子。「天神様の―」❷霊力のある物から生まれた子。転じて、特殊な社会的背景のもとに生じたもの。「かっぱの―のような泳ぎ上手」「時代の―」[類語]落とし子。

もうし・こし【申(し)越し】〈お―〉相手が言ってよこすことを丁寧に言う語。「お―の趣旨」「お―の件」

もうし・こ・す【申し越す】《他五》〔手紙などを通じて〕言ってよこす。

もうし・こみ【申(し)込み】申し込むこと〔事柄・手続き〕。「結婚の―」「入居の―を済ませる」

もうし・こ・む【申し込む】《他五》❶相手にこちらの要求や意志を伝える。申し入れる。「抗議を―・む」「結婚を―・む」❷〔募集などに応じて〕進んで契約する。「加入を―・む」

もうし・そ・える【申し添える】《他下一》「言い添える」の謙譲語。「一言―・えますが…」

もうし・た・てる【申し立てる】《他下一》〔公の機関などに対して〕自己の意見や希望を強く主張する。「判定に異議を―・てる」「不服を―・てる」

もうし・つ・ぐ【申し継ぐ】《他五》〔仕事などの〕内容・状況を後任者に言い伝える。[類語]申し送る。

もうし・つ・ける【申し付ける】《他下一》〔上の者が下の者に対して〕言い渡す。言いつける。命令する。「何なりとお―・け下さい」「退席を―・ける」

もうし・つた・える【申し伝える】《他下一》「言い伝える」の謙譲語。「係の者に―・えます」

もうし・で【申(し)出】申しいで。

もうし・・でる【申し出る】《他下一》自己の意見・希望などを言って出る。「参加を―・でる」「ご希望の方は―・でて下さい」[類語]申告。申請。

もうし・の・べる【申し述べる】《他下一》「述べる」の謙譲語。

もうし・ひらき【申(し)開き】「言い開き」の謙譲語。言いわけをすること。弁明。弁解。「―のできない失態を演じた」

もうし・ぶん【申し分】❶「言い分」の謙譲語。言いたい事柄。「私にも―がございます」❷《ふつう打ち消しの語をともなって》〔ある物事を評価した場合の〕非難すべき点。「作品は―(の)ない出来ばえだ」

もう・しゃ【猛射】《名・他サ》〔文〕はげしく射撃すること。猛烈な射撃。

もう・じゃ【亡者】❶〔仏〕死者。特に、成仏できないで冥土(めいど)をさまよっている死者。❷金銭・財産などへの執念にとりつかれている者。「金の―」「がりがり―」

***もう・しゅう【妄執】**〔仏〕〔悟りきれないため、心の迷いが生じ〕ある物事にかたくなに執着すること。また、その心。妄念(もうねん)。「生への―を断ち切る」

***もう・しゅう【×孟秋】**《「孟」は初めの意》〔文〕❶秋の初め。初秋。早秋。❷「陰暦七月」の別称。

***もう・しゅう【猛襲】**《名・他サ》〔文〕はげしくおそいかかること。はげしい襲撃。「敵の―にあう」類語強襲。

***もう・じゅう【猛獣】**性質があらく、肉食するけもの。ライオン・トラ・ヒョウなど。

***もう・じゅう【盲従】**《名・自サ》ひたすら人の言う通りに従うこと。「権力に―する」「評論家の説に―する」

もう・しゅん【×孟春】《「孟」は初めの意》〔文〕❶春の初め。早春。初春。❷「陰暦正月」の別称。

もう・しょ【猛暑】はげしい暑さ。類語酷暑。

もう・しょう【猛将】〔文〕勇猛な将軍。類語勇将。

もう・じょう【網状】〔文〕あみの目の形。網状(あみじょう)。

もうし・わけ【申(し)訳】❶「言い訳」の謙譲語。申し開き。「上役への―に苦しむ」類語弁解。弁明。陳弁。❷〈多く「―ばかりの」「―程度の」「―に」などの形で〉〔内容がともなわず〕やっと言い訳ができる程度であること。「―ばかりの食事」「―程度の謝罪」 **―な・い【―無い】**《形》言い訳のしようがない。たいへんすまない。「―・いことをいたしました」

もうし・わた・す【申し渡す】《他五》〔上の者から下の者へ〕命令・要求・判決などを告げる。言い渡す。「転勤を―・す」

***もう・しん【妄信】**《名・他サ》〔正当な根拠なしに〕むやみに信じこむこと。また、そのような誤った思い込み。「流言を―する」

***もう・しん【猛進】**《名・自サ》はげしい勢いでつき進むこと。「猪突(ちょとつ)―」

***もう・しん【盲信】**《名・他サ》よしあしを考えずに信じること。「怪しげな宗教を―する」

***もう・しん【盲進】**《名・自サ》〔文〕〔考えもなく〕めくらめっぽうに進むこと。「目的を定めず―する」

もう・じん【盲人】目の見えない人。盲者。

もう・す【申す】㊀《他五》❶「言う」の謙譲語。参考目上の人に対して発することばに言う。主に丁寧体の文に用いる。「事情は先日―・した通りです」「うそは―・しません」❷「言う」の荘重体。「今のことばで―・せば…」❸「する」の謙譲語。してさしあげる。いたす。「私がお世話を―・します」文まう・す《四》。㊁《補動》《「お」「御(ご)」のついた動詞の連用形や動作性の体言につけて》動作の対象に対する敬意を表す。…してさしあげる。…し申し上げる。「私がお送り―・します」「ご案内―・します」文まう・す《四》。

もう・せい【猛省】《名・他サ》〔文〕きびしい態度で反省すること。「関係当局の―を促す」

もう・せつ【妄説】根拠のない誤った説。ぼうせつ。

もう・せん【毛×氈】獣毛繊維を加工してフェルト状にしたもの。多く赤色に染めて、敷物に用いる。 **―ごけ【―×苔】**モウセンゴケ科の多年草。食虫植物の一つ。葉の表面にある腺毛(せんもう)から粘液を出して虫を捕らえる。

もう・ぜん【猛然】《形動タル》勢いが荒々しく激しいようす。「―と食欲が出てきた」「―と食ってかかる」

もう・そう【妄想】《名・他サ》❶根拠のないことを空想でつくりあげて、事実だと信じこむこと。また、その確信。「被害―」「誇大―」類語空想。❷〔仏〕心の迷いから生ずるみだらな考え。妄想(もうぞう)。「―を断ち切る」

もうそう・ちく【×孟宗竹】竹の一種。原産地は中国。高さ一〇メートル、直径二〇センチにもなる。たけのこは食用。幹は細工などに使う。もうそうだけ。

もう・だ【猛打】《名・他サ》激しく打つこと。特に、野球で、次々にヒットを打って攻めたてること。「―を浴びる」「―の応酬」類語痛打。連打。対貧打。

もう・だん【妄断】《名・他サ》確実な証拠や根拠に基づかないで、軽々しく判断すること。また、その判断。「―をつつしむ」

***もう・ちょう【猛鳥】**〔文〕性質があらく、肉食をする鳥。ワシ・タカ・フクロウ・ミミズクなど。猛禽(もうきん)。

***もう・ちょう【盲腸】**❶小腸から大腸にうつる最初の袋状の部分。❷「虫様突起」または「虫垂炎」の俗称。 **―えん【―炎】**「虫垂炎」の俗称。

もう・つい【猛追】《名・他サ》〔文〕はげしく追うこと。

もうで【×詣で】❶〔神社・寺・墓などに〕拝みに行くこと。おまいり。参拝。参詣(さんけい)。〔接尾語的に使う場合が多い〕「初―」「伊勢(いせ)―」❷願いを聞いてもらうために、(たびたび)訪問すること。「財務省―」

もう・でる【×詣でる】《自下一》〔神社・寺・墓などに〕拝みに行く。参拝する。参詣(さんけい)する。「観音さまに―・でてきた」文まう・づ《下二》。

もう・てん【盲点】❶視神経が眼(め)の網膜内にはいりこむ箇所。この部分には視細胞がないので、視覚を生じない。盲斑(もうはん)。❷だれもがうっかりして見おとしているような点。「警備の―を突く」類語死角。

***もう・とう【×孟冬】**《「孟」は初めの意》〔文〕❶冬の初め。初冬。❷「陰暦十月」の別称。

***もう・とう【毛頭】**《副》《「毛の先ほども」の意》少しも。全然。参考下に打ち消しの語をともない、多く意図の存在を否定するときに使う。「君を非難する気は―ない」「最高点などとは―考えなかった」

もう・どう【妄動】《名・自サ》よく考えないで、むやみやたらに行動すること。また、その行動。「軽挙―を戒める」表記「盲動」で代用することがある。

もうどう・けん【盲導犬】盲人を導いて歩くように訓練された犬。

もう・どく【猛毒】激しく作用する毒。劇毒。

もう・ねん【妄念】〔仏〕迷いの心。迷いの心から生ずる執念。「―を去る」

***もう・ばく【猛爆】**《名・他サ》激しく爆撃すること。

***もう・ばく【盲爆】**《名・他サ》ねらいを定めることなく、めくらめっぽうに爆撃すること。類語無差別爆撃。

もう・はつ【毛髪】体毛の総称。特に、髪の毛。

もう・ひつ【毛筆】〔けものの毛を穂にして作った〕ふで。また、それを用いて書いた字。

もう-ひとつ【もう一つ】《副・形動》ほんの少し足りないようす。もうちょっと。今一つ。「ー物足りない」「味がーだ」

もう-ひょう【妄評】〔文〕❶見当ちがいの批評。❷自分の批評をけんそんしていう語。「ー多罪」

もう-ふ【毛布】寝具・膝(ひざ)掛けなどに用いる厚い毛織物。ブランケット。ケット。

もう-べん【猛勉】《名・他サ》〔俗〕「猛勉強」の略。猛烈な勢いで勉強すること。

もう-ぼ【×孟母】中国の戦国時代の儒家、孟子(もうし)の母。参考 賢母の代表とされる。

ー三遷の教え《句》→三遷(さんせん)の教(おし)え。

ー断機の教え《句》孟子が学問をあきらめかけたとき、母が織りかけていた機糸(はたいと)をたち切って、修業は途中でやめてはならないと戒めたという故事。〈列女伝・鄒孟軻母〉

もう-まい【×蒙×昧】《名・形動》〔文〕おろかで、道理がわからないこと。「無知ー」類語 無知。

もう-まく【網膜】眼球の最内層にあり視神経や視細胞が分布している透明な膜。

もう-もう【×濛×濛・×朦×朦】《形動(タルト)》〔視界をさえぎるほどに〕霧・湯気・煙・ほこりなどが一面にたちこめているようす。「ーたる排気ガス」

もう-もく【盲目】❶目が見えないこと。❷感情におぼれて理性をなくすこと。「恋はー」「ー的な親の愛」**ーてき【ー的】**《形動》感情におぼれて理性を欠いているようす。分別がつかないようす。「ーな愛」

もう-ゆう【猛勇】《名・形動》〔文〕荒々しく勇ましいこと。勇猛。「ーの士」

もう-ら【網羅】《名・他サ》〔文〕〔あみを張って捕らえる意から〕余すところなくそろえること。「法律をーした六法全書」

もう-りょう【×魍×魎・×罔両】中国で、山水や木石の精気から生じるという化け物。人間の子どもに似て、耳が長く目は赤く、人の声をまねてだますと言う。すだま。「魑魅(ちみ)ー」

もう-れつ【猛烈】《名・形動》〔勢いや程度が〕非常に激しいこと。「ーな反対」類語 激烈。強烈。

もう-ろう【×朦×朧】《形動(タルト)》❶かすんで、物の形がはっきり見えないようす。おぼろ。「月光に人の姿がーと浮かぶ」❷意識が薄れてぼんやりしているようす。「酔ってーとする」

もう-ろく【×耄×碌】《名・自サ》年をとって頭や体の働きがおとろえること。おいぼれること。ぼけること。老耄(ろうもう)。衰耄(すいぼう)。

もえ-あが・る【燃え上がる】《自五》❶勢いよく燃えて炎が高く上がる。「油に火が移ってー・る」類語 (す)る炎上。❷感情などが激しく高まる。「怒りの念がー・る」

もえ-かす【燃(え)×滓】→燃え殻。

もえ-がら【燃(え)殻】火が燃えきったあとに残ったもの。燃えかす。灰燼(かいじん)。

もえ-ぎ【×萌×葱・×萌黄】〔芽が出たばかりの葱(ねぎ)の〕黄色がかった緑色。うすみどり色。もえぎいろ。

もえ-さか・る【燃え盛る】《自五》❶盛んに燃える。「火事は深夜までー・った」「ー・る炎」❷感情などが激しく高まる。「ー・る闘志」類語 ①②燃え立つ。

もえ-さし【燃え▽止し・燃え差し】燃えきらずに残ること。また、残ったもの。燃え残り。「たばこのー」

***もえ-た・つ【燃え立つ】**《自五》❶はげしく盛んに燃える。❷感情が、はげしく盛んに起こる。「怒りにー・つ」類語 ①②燃えさかる。

***もえ-た・つ【×萌え立つ】**《自五》勢いよく芽ぶく。

もえつき-しょうこうぐん【燃(え)尽き症候群】一つのことに没頭していた人が、疲労・ストレスのため突然、無気力になったり目的を失ったときの症状。バーンアウトシンドローム。

もえ-つ・きる【燃え尽きる】《自上一》❶燃えてなくなる。❷力を使い尽くす。力つきる。「情熱がー・きる」

もえ-つ・く【燃え付く】《自五》火が移って燃える。火が付く。

もえ-・でる【×萌え出る】《自下一》草木の芽が出る。芽ぐむ。芽ぶく。「草木のー・でる春」

もえ-のこり【燃(え)残り】燃えさし。

もえ-ひろが・る【燃え広がる】《自五》火が広くひろがっていく。「強風にあおられてー・る」

***も・える【燃える】**《自下一》❶焼けて炎が出る。「ストーブに火がー・える」「薪がー・える」類語 焼ける。燃え立つ。燃え盛(さか)る。(す)る燃焼。炎上。❷炎が出たようなようすになる。「かげろうがー・える」❸〔心の中に〕希望や情熱がたかまる。「若い血潮がー・える」「理想にー・える」文 も・ゆ《下二》。

***も・える【×萌える】**《自下一》草木の芽が出る。芽ぐむ。芽ぶく。「草の芽がー・える」文 も・ゆ《下二》。

モーグル スキー競技で、フリースタイルの一種目。多くのこぶがつけられた急斜面を滑走し、ターン・ジャンプの技術とスピードを競う。▽mogul

モーション 動き。動作。「スローー」▽motion **ーを掛・ける**《句》相手に働きかける。特に、異性に対してその関心を引こうとつとめる。

モーター ㊀《名》原動機・発動機類の総称。特に、電動機をいう。モートル。㊁《造語》自動車。「ーショー」▽motor **ーバイク** 小型のオートバイ。参考 ふつう排気量五〇cc以下のものをいう。▽motorbike **ープール** 駐車場。▽motor pool **ーボート** 発動機の力で走る高速の小型船。▽motorboat

モータリゼーション 自動車が生活の場に普及して、日常に欠かせなくなる現象。▽motorization

モーテル 自動車旅行用の車庫つきの簡易宿泊所。モテル。参考 モーター(motor)とホテル(hotel)との合成語。▽motel

モード ❶方式。形式。「標準ー」❷〔衣服などの〕流行の型。「ニューー」▽mode

モートル 電動機。モーター。▽(オランダ) motor

モーニング ㊀《造語》朝。午前。「ーサービス」㊁《名》「モーニングコート」の略。▽morning **ーカップ** 朝食用の、大形のコーヒーカップ。▽morning と cup からの和製語。**ーコート** 男子が〔昼間の〕儀式などに着る洋式の礼服。上着は黒無地で後ろが長い。ズボンは縦じまで、すそに折り返しがない。類語 タキシード。▽morning coat **ーコール** 頼んでおいた時刻に電話で起こしてくれるサービス。▽morning call **ーショー** 午前中に放送されるワイドショー番組。▽morning talk show から。

モーメント →モメント。▽moment

***モール** ❶遊歩道。❷中央に歩行者専用道路のある、大型商店街。「ショッピングー」▽mall

***モール** ❶緞子(どんす)に似た浮き織りの毛織物。もと、インドのモゴル地方の産。絹糸を縦糸とし、横糸に金や銀

の糸を配する。❷金糸・銀糸や色糸などを二本の細い針金にはさみ、よって、ひも状にしたもの。工作・手芸・装飾に使う。▽ポルトガル mogol

モールス-ふごう【モールス符号】 長短二種の信号を組み合わせた、電信用の符号。参考 ㋐アメリカのモース(S.F.B.Morse)の考案。㋑海難信号には使われなくなった。⇩巻末付録(GMDSS)。

*__も-が__ 《終助》文語《係助詞「も」＋係助詞「か」の転か》願望を表す。参考「もがも」「もがな」の古い形。

*__モガ__ 〔俗〕「モダンガール」の略。流行を追う、現代的な女性。参考 昭和初期に流行した語。対 モボ。

もが-く【×踠く・藻×掻く】 《自五》❶苦しがって手足をやたらに動かす。❷〔何とかしようと〕あせって懸命になる。「解決の糸口をさがしてー・く」類語 ①②あがく。のた打つ。(する)身悶(みもだ)え。文《四》。

もが-な 《連語》文語《終助詞「もが」＋終助詞「な」》詠嘆をこめた強い願望を表す。…がほしい。…であってほしい。…でありたい。「空しくも見ゆるかな山と積む書(ふみ)の中、われに来よとや、招かずもがな〈透谷〉」

もがり【×殯】 〔古〕上代、貴人の本葬をする前、死体を仮に納めて祭ること。また、その儀式。あらき。

もがり-ぶえ【×虎▽落笛】 冬の強い風が、竹がき・電線など細いものに当たって出す、笛のような音。参考「もがり」は、先をそいだ竹を筋違いに組んださく。

も-ぎ【模擬・×摸擬】 《名・他サ》本物をまねて同じように作ったり行ったりすること。「ー試験」「ー裁判」 **ーてん【ー店】** 〔宴会・学園祭・運動会などで〕実際の店をまねて臨時に設ける、簡単な飲食店。

もぎ-どう【▽没義道・×莫義道】 《名・形動》人の道にはずれてむごいこと。非道。〔古風な言い方〕「ーな処置」

もぎ-と・る【×捥ぎ取る】 《他五》もいで取る。また、むりやりに取る。「犯人の手からピストルをー・る」

もぎり【×捥り】 劇場などで、入場券を受けとって半分に切り、一方を入場者に渡す・こと(人)。

もぎ・る【×捥る】 《他五》もぐ。文《四》。

*__もく__ 〔俗〕たばこ(の吸いがら)。「洋ー」参考 たばこの煙を雲に見たて、「く」と「も」をさかさに言った語。

*__もく【木】__ ❶五行(ごぎょう)の第一位。時節では春、方位では東、十干では甲・乙、天体の五星では木星にあたる。❷「木曜日」の略。❸木目。「ーがいい」

*__もく【目】__ 一《名》❶予算編成の分類で、「項」の下、「節」の上。❷生物分類で、「綱」の下、「科」の上。「一ネコー」 二《助数》碁石や碁盤の目を数える語。「一ー置く」

も・ぐ【×捥ぐ】 《他五》ねじりとる。ちぎる。もぎる。「梨(なし)をー・ぐ」文《四》。

もく-ぎょ【木魚】 経を読むときにたたいて拍子をとる木製の道具。丸く中空で横に細長い割れ目がある。

もく-ぐう【木偶】 〔文〕木で作った人形。でく。

*__もく-げき【黙劇】__ せりふを一切使わないで、身振りや表情だけで演じる演劇。無言劇。パントマイム。

*__もく-げき【目撃】__ 《名・他サ》〔事件や犯人などを、ちょうどその場に居合わせて〕実際に目で見ること。実見。目睹(もくと)。「ー者」「犯行をーする」

もく-ざ【黙座・黙×坐】 《名・自サ》〔文〕だまってすわっていること。

*__も-ぐさ【×艾】__ ❶ヨモギの葉を干し、もんで葉裏の白い毛の部分だけを集めて作った、綿のようなもの。灸(きゅう)に使う。❷「よもぎ」の別称。

*__も-ぐさ【藻草】__ 藻(も)。

もく-ざい【木材】 建築物や工作品などの材料として使うために切ってある木。材木。「ー置き場」

*__もく-さく【木×柵】__ 〔文〕木で作ったさく。

*__もく-さく【木酢】__ 木材を乾留して得られる酢酸。防腐剤などに用いる。

もく-さつ【黙殺】 《名・他サ》無視して相手にしないこと。とりあわないこと。「少数意見をーする」

もく-さん【目算】 《名・他サ》❶目で見ただけで、およその計算をすること。「土地の広さをーする」類語 目分量。目の子勘定。❷〔利益や事の成否の〕およその見通しをつけること。見込み。当て。「ーがはずれる」

*__もく-し【黙止】__ 《名・他サ》〔文〕黙ったままでいること。黙って放っておくこと。黙過。「ーできない暴挙」

*__もく-し【黙示】__ 《名・他サ》❶〔文〕暗黙のうちに、相手に自分の意志を示すこと。❷キリスト教で、神が人間に対して人知をこえた真理や神意・神力などをあらわし示すこと。啓示。「ー録」＝黙示(もくじ)。

*__もく-し【黙視】__ 《名・他サ》〔かかわりあわずに〕黙って見ていること。「ーに耐えない惨状」類語 傍観。座視。

*__もく-し【目視】__ 《名・他サ》目で見ること。「ー距離」

もく-じ【目次】 書物の巻頭または巻末に、内容の所在ページなどを順序を立てて書き並べたもの。

もく-しつ【木質】 ❶木の性質。❷木のような堅い性質。「ーの草本」❸木の幹の内部の堅い部分。「ー部」

もく-じゅう【黙従】 《名・自サ》〔文〕異議を唱えずに、だまって従うこと。

もく-しょう【目×睫】 〔文〕目と、まつげ。「勝利はーの間(かん)(＝間近)に迫った」類語 眼前。目前。

も-くず【藻×屑】 ❶水中にある、藻(も)の切れはし。❷水中のごみくず。「海のーとなる(＝海で死ぬ)」

*__もく-・する【黙する】__ 《自サ変》〔文〕だまる。「ー・して語らず」

*__もく-・する【目する】__ 《他サ変》〔文〕❶見る。目にする。❷嘱目(しょくもく)する。「将来をー・される」❸判断・評価する。見なす。「異端とー・される宗派」

*__もく-せい【木星】__ 太陽系で太陽から五番目に位置する惑星。太陽系惑星中最大で、一六の衛星を持つ。ジュピター。

*__もく-せい【木×犀】__ モクセイ科の常緑小高木。秋、葉のわきに香りのよい、白または黄色の小さな花が集まって開く。ギンモクセイ・キンモクセイなど。

*__もく-せい【木精】__ 〔文〕❶木の精霊。木霊(こだま)。❷メチルアルコール。

*__もく-せい【木製】__ 木材で作ってあること。〔道具・器物など、小さなものに言う〕「ーの机」類語 木造。

*__もく-ぜん【目前】__ 目の前。また、きわめて近い・所(時)。眼前。「ーに証拠を突きつける」「勝利をーにする」類語 咫尺(しせき)(目睫(もくしょう))の間(かん)。

*__もく-ぜん【黙然】__ 《形動タルト》⇩もくねん(黙然)。

*__もく-そう【黙想】__ 《名・他サ》黙って思いにふけること。黙思。「ーにふける」類語 黙考。

*__もく-そう【目送】__ 《名・他サ》〔通り過ぎて行くものを〕目であとを追って見送ること。「葬列をーする」

*__もく-ぞう【木像】__ 木彫りの像。

*__もく-ぞう【木造】__ 木材で造ってあること。〔建物など、大きなものに言う〕「ーの家屋」「ー船」類語 木製。

もく‐そく【目測】《名・他サ》目分量でざっとはかること。「―で百畳はある」「―を誤る」類語 実測。

もく‐だく【黙諾】《名・他サ》〔文〕無言のうちに承諾の意を表すこと。「―を与える」

もく‐たん【木炭】❶木材をかまで蒸し焼きにして作った燃料。すみ。❷洋画のデッサンなどに使う細くやわらかいすみ。ツゲ・ヤナギなどを焼いて作る。「―画」

もく‐ちょう【木彫】木彫り。

もく‐てき【目的】なしとげたい、または得たいとして、それを目ざして行動するように設定しためあて。「―を果たす」「進学を―に勉強する」類語 目標。 **―いしき【―意識】**自分がなんのために行動するかということについての、はっきりした考え。「―がない」 **―ご【―語】**文法で、述語となる他動詞の動作・作用が及ぶ対象などを示す、文の成分。「手を洗う」の「手を」など。対 客語。 **―ぜい【―税】**特定の経費に充当する目的で徴収する税。入湯税・国民健康保険税など。

***もく‐と【目×睹】**《名・他サ》〔文〕目撃。「遠くに大型船の通交を―する」

***もく‐と【目途】**〔文〕めあて。めど。目標。「完成は三年後を―とする」

もく‐とう【黙×禱】《名・自サ》〔軽く頭を下げた姿勢で〕声を出さずに心の中で祈ること。「―をささげる」

もく‐どく【黙読】《名・他サ》声を出さずに読むこと。対 音読。

もく‐にん【黙認】《名・他サ》特別のとがめ立てをせずに見のがすこと。「欠席を―する」類語 目こぼし。

もく‐ねじ【木×螺▽旋】らせん状の筋が刻んである、木材用のねじ。

***もく‐ねん【黙念】**《名・他サ》黙って考えにふけること。

***もく‐ねん【黙然】**《形動タルト》静かに黙っているようす。黙然(もくぜん)。「―と物思いに沈む」

もく‐ば【木馬】❶木で馬の形に作ったもの。「トロイの―」「回転―」❷器械体操用具で、馬の背の形をしたもの。助走してこれに手をつき跳び越える。

もく‐はん【木版】木材に文字や絵画を彫った印刷用の版。また、それで印刷したもの。「―画」

***もく‐ひ【木皮】**〔文〕木のかわ。樹皮。木皮(ひぼく)。「草根―」参考 多く漢方で言う。

***もく‐ひ【黙秘】**《名・他サ》〔尋問や詰問に対し〕秘している事柄を話さないこと。「容疑者は住所氏名を―している」 **―けん【―権】**捜査機関の取り調べなどで、自分に不利益な供述を強要されない権利。憲法によって保障されている。注意「黙否権」は誤り。

もく‐ひょう【目標】❶そこまで行きつこう〔成しとげよう〕として設けためあて。「―を達成する」「―を立てる」類語 目的。❷射撃・攻撃などの対象。まと。

もく‐ぶ【木部】❶維管束のうち、道管・仮道管などからなる部分。❷〔器具などの〕木でできている部分。

もく‐へん【木片】材木の切れはし。木切れ。

もく‐ほん【木本】木部がよく発達して、かたい丈夫な多年生の茎〔＝幹〕をもつ植物。木。対 草本。

もく‐め【木目】木の縦方向の切り口に見える年輪の線。正目と板目がある。木理。もく。

***もく‐もく**《副》〔「―と」の形も〕❶煙・雲などが重なり合うようにしてさかんにわき出るようす。「たばこを―とふかす」❷《自サ》一部分が盛り上がりふくらんでいるようす。また、盛り上がりうごめくようす。もこもこ。もぐもぐ。「モグラが―と土を掘り進む」「口を―動かす」

***もく‐もく【黙黙】**《形動タルト》話をしないでだまっているようす。また、だまって、物事にひたすら精を出すようす。「―と仕事に励む」

もぐ‐もぐ《副・自サ》《副詞は「―と」の形も》❶口をとじたまま物をかむようす。「堅い肉を―とかむ」❷口をよくあけずにものを言うようす。また、口ごもるようす。「言い訳が見つからずに―する」❸おおいかぶさったものの下でうごめくようす。「ふとんの中で―動く」

もく‐やく【黙約】当事者間で暗黙のうちにそれとなくとりきめた約束。「相互不干渉の―がある」類語 黙契。

もく‐よう【木曜】日曜から五日めの日。木曜日。

もく‐よく【×沐浴】《名・自サ》〔文〕からだを洗ってきれいにすること。「斎戒(さいかい)―」類語 湯あみ。入浴。

もぐら【▽土▽竜・×鼹×鼠】モグラ科のけもの。ネズミ大で、前足が強く、土を掘るのに適する。地中にすみ、虫や小動物を食べる。もぐらもち。

もぐり【潜り】❶泳いで水中に潜ること。❷法律で禁じられている、また許可を必要とする商売などをひそかに行うこと。「―の医者」「―の営業」❸技能・知識などが不十分なのに、その仲間であるような顔をしている人。「この業界で彼を知らなきゃ―だ」

もぐり‐こ・む【潜り込む】《自五》❶水中・物の下などにはいりこむ。「ふとんに―・む」❷ひそかにはいりこむ。潜入する。また、正規の手続きをとらないではいりこむ。「敵陣に―・む」「金を使って有名校に―・む」

もぐ・る【潜る】《自五》❶水中にからだ全部が隠れるようにはいりこむ。「―・ったまま二〇メートル泳ぐ」類語 (るす)潜水。潜入。潜没。潜行。❷物の下・間などにはいりこむ。「こたつに―・る」❸人目につかないように隠れひそむ。特に、警察の目につかないように潜伏する。「テロリストが地下に―・る」文《四》。

***もく‐れい【黙礼】**《名・自サ》〔あいさつのことばを言わず〕だまって礼をすること。「―して通り過ぎる」

***もく‐れい【目礼】**《名・自サ》目であいさつすること。「―をかわす」

もく‐れん【木×蓮】モクレン科の落葉低木。春、葉の出る前に大きな紫色の花を開く。紫木蓮(しもくれん)。木蓮華(もくれんげ)。参考 白花をつける「はくもくれん」は近縁種。

もく‐ろう【木×蠟】ハゼノキの果皮から採取した脂肪。器具のつや出しや蠟燭(ろうそく)の原料などに用いる。

もく‐ろく【目録】❶所蔵・在庫・展示の品物の名などを、まとめて書き並べたもの。「図書―」「出展―」類語 リスト。❷贈り物の品名を書き出したもの。実物の代わりに相手に渡す。「贈呈―」❸武道・芸道などで、伝授した事項を書いて師から弟子に与える文書。

もくろみ【目▽論見】くわだて。計画。「―が外れる」

もくろ・む【目▽論む】《他五》計画をめぐらす。たくらむ。くわだてる。「大もうけを―・む」文《四》。

も‐けい【模型】実物の形に似せて作ったもの。「機関車の―」類語 ひながた。モデル。ミニチュア。

も・げる【×捥げる】《自下一》ちぎれて落ちる。「ボタンが―・げる」文 も・ぐ《下二》。

も‐こ【模×糊・×糢×糊】《名・形動タルト》〔文〕ぼんやりしていてはっきりしないようす。「曖昧(あいまい)―」

も‐こく【模刻】❶原本を模して版をつくり、印刷すること。「―本」❷ある作品などをまねて彫刻すること。

も‐こし【×裳▽層・×裳▽階】仏堂などで、のき下に一段低くめぐらしたひさし状の屋根。

もこ‐もこ《副・自サ》《副詞は「ーと」の形も》厚みを持ってふくらんでいるようす。「ーした感触の毛皮」

も‐さ【〈猛者〉】 勇敢で荒々しく強い人。また、その道ですぐれている人。「柔道五段のー」「ーぞろいの部隊」類語 精鋭。

モザイク 色々な色彩の貝殻・大理石・ガラスなどを壁面などにはめこんで図案にした装飾物。▽mosaic

***も‐さく【模作・×摸作】**《名・他サ》〔文〕他人の作品をまねて作ること(もの)。「名画をーする」類語 模造。

***も‐さく【模索・×摸索】**《名・他サ》〔手さぐりでさがすことの意〕あれこれと考え試みながら探っていくこと。「暗中ー」「戦争終結の道をーする」

もさっ‐と《副・自サ》〔俗〕気がきかず、ぼんやりしているようす。また、あかぬけせず、風采(ふうさい)のあがらないようす。「ーした男」類語 もっさり。

もさ‐もさ《副・自サ》《副詞は「ーと」の形も》❶気がきかず、動作がのろいようす。また、あかぬけていないようす。「ーしていると遅れるぞ」「ーした人」❷《形動》毛や草木が乱れてたくさんはえているようす。

***も‐し【模試】**「模擬試験」の略。入学試験などになぞらえて行う試験。

***もし【▽若し】**《副》ある事実を仮定して述べる場合に言う語。かりに。「ー雨が降れば中止する」類語 もしか。もしも。ひょっとして。万一。万が一。

***もし**《感》〔「申(もう)し」の転〕人に呼びかけるときに言う語。「ー、そこのお兄さん」

も‐じ【文字】㊀《名》ことばを目に見える形で表すための、線や点からなる記号。字。文字(もんじ)。転じて、語句あるいは文章、また、読み書きや学問の意。「ーを書く」「ーに弱い」㊁《接尾》〔女房詞で〕ことばの下部の音を略し、代わりにつけて品よく言う語。「そー(=そなた)」「しゃー(=しゃくし)」 **ーことば【ー▽詞】**女房詞のうち、ある語の頭の一音ないし二音に「もじ」を付けて、直接的な表現をさけて言うもの。「かもじ(=髪)」「湯もじ(=湯巻き)」「酸もじ(=すし)」などのほか、「おはもじ(=はずかしい)」「御推(ごすい)もじ(=御推量)」など。 **ーたじゅう‐ほうそう【ー多重放送】**テレビ放送で、放送電波の隙間を利用して文字・図形などの情報を放送すること(サービス)。文字放送。テレテキスト。 **ーづら【ー面】**❶文字の形や並び方から受ける感じ。字づら。「ーの悪い看板」❷文章のうわべ。 **ーどおり【ー通り】**(どほり)《副》〔ひゆなどではなく〕ことばの本来の意味のとおり。本当に。「ー骨と皮だけにやせた体」表記「どおり」はかなで書くことが多い。 **ーばけ【ー化け】**《名・自サ》コンピューター通信などで、原文の文字が受信・コピーの際に他の記号に変わってしまうこと。 **ーばん【ー盤】**時計・計器などの表面にあって、文字・数字・記号などを示してある盤。

も‐しお【藻塩】(しほ)❶簀(す)の上に積んだ海藻に海水をかけて焼き、水にとかしてそのうわ澄みを煮つめて作った塩。❷もしお①を作るために汲(く)む海水。 **ーぐさ【ー草】**〔雅〕❶もしお①をとるために用いる海藻。参考 掻き集めて海水をかけるところから、「書く」「書き集める」などのことばにかけて使われる。❷物事を書き集めたもの。随筆・筆記など。

も‐しか【▽若しか】《副》確実ではないが、そうなる可能性も十分に考えられるという気持ちを含めて、ある事柄を仮定して述べる語。ひょっとして。あるいは。「ー別れた妻ではないか」

もしか‐して【▽若しかして】《副》もしかすると。

もしか‐すると【▽若しかすると】《副》確かではないが、そうなる可能性も十分に考えられる意を表す。場合によっては。ひょっとすると。あるいは。もしかしたら。もしかして。「ー優勝するかもしれない」

も‐しき【模式】物事の関係などを示すために単純な形に整理したもの。「ー図」「ー化する」

もしく‐は【若しくは】《接続》〔文〕二つ以上のものを並べ、その中から一つのものが選ばれる関係にあることを表す語。または。あるいは。そうでなければ。「火曜ー金曜に来てください」参考→または。

もし‐も【▽若しも】《副》「若(も)し」を強めた言い方。「ー失敗したらどうしよう」「ーの時(=万一、不幸が起こった時)にはあとを頼むよ」類語→もし。

もし‐もし《感》〔「申(もう)し」の転「もし」を重ねた語〕人に呼びかけるときに言う語。参考 人を呼びとめるときや、電話で話し始めるときなどに使う。

もじ‐もじ(もぢもぢ)《副・自サ》《副詞は「ーと」の形も》気おくれがしたり恥ずかしかったりして、ためらっているようす。「ーしないで早く用件を言え」

もしも‐の‐こと【▽若しもの事】《連語》万が一起こるかもしれない好ましくない出来事。特に、死。万一の事。「私にーがあったら財産の管理を頼む」

もし‐や【▽若しや】《副》確実ではないが、そうなる可能性も十分に考えられるという気持ちを含めて、ある事柄を仮定して述べる語。ひょっとしたら。もしかしたら。「ーあなたはAさんではありませんか」

も‐しゃ【模写・×摸写】《名・他サ》実物どおりにまねて写すこと。また、そのもの。「壁画のー」「声帯ー」

もじゃ‐もじゃ《副・形動・自サ》《副詞は「ーと」の形も》毛や草などが、乱れてたくさんはえているようす。もしゃもしゃ。「ーの髪をかきむしる」

も‐しゅ【喪主】葬式をとり行う当主。類語 施主。

モジュール ❶建築物などの単位となる、基準の寸法。日本の伝統的建築の場合の三尺・一間など。❷機械・器具の、交換可能な構成部品。▽module

も‐しょう【喪章】人の死をいたむしるしとして腕や胸につける黒い布。

もじり【×捩り】(もぢり)❶もじること。また、もじったもの。類語 パロディー。❷和服の上に着る、筒そでまたは角そでの男子用外套(がいとう)。

もじ‐る【×捩る】(もぢる)《他五》❶ねじる。よじる。❷〔こっけい・風刺などのため〕もとの表現の形をまねて、別の表現を作る。「古歌をーった歌」文《四》。

も‐す【燃す】《他五》もやす。「落ち葉をーす」文《四》。

もず【×鵙・▽百▽舌】モズ科の鳥。スズメより大きい。くちばしの先が鋭く曲がり、性質は攻撃的。漂鳥で、秋に人家近くに来て鋭い声で鳴く。 **ーの速贄(はやにえ)**《句》モズの習性で、捕らえた虫・カエルなどを、あとで食べるため木の枝に刺しておくもの。

モスク イスラム教の寺院・礼拝所。▽mosque

もずく【▽水▽雲・▽海×蘊】(もづく)褐藻類モズク科の海藻。ひも状でたくさんに枝分かれし、ねばりけがある。酢の物などにして食べる。

モス‐グリーン〔「モス」は苔(こけ)の意〕こけのような、くすんだ黄緑色。こけ色。▽moss green

も‐すそ【×裳×裾】〔女の〕着物のすそ。〔古風な言い

も

方〕「ーをなびかせる」

モスリン 片縒(よ)りの梳毛糸(そもうし)を平織りにした薄地の毛織物。主に女性の衣服用。唐縮緬(とうちりめん)。メリンス。モス。▽muslin

も・する【模する・×摸する】《他サ変》まねる。似せる。「バロック調をー・した洋館」

も・ぞう【模造・×摸造】《名・他サ》ある物の形に似せて・つくること(つくったもの)。「ー品」類語 模作。 **ーし**【ー紙】化学パルプで作ったつやのある厚手のじょうぶな紙。ポスター・包装などに使う。参考 日本の鳥の子紙を模してつくったことから。

も・そっと《副》もっと。もう少し。〔古風な言い方〕「ー近う寄れ」

もぞ・もぞ《副・自サ》《副詞は「ーと」の形も》❶小さな虫などがうごめくようす。また、そのような動きをからだに感じるようす。「背中がーする」❷落ち着きなく小きざみに動くようす。「体をーさせる」❸動作や態度がにぶいようす。「ーと立ち上がる」

もだ・える【×悶える】《自下一》❶はげしく悩み苦しむ。「恋にー・える」類語 (る)(す)苦悶(くもん)。煩悶。憂悶。苦悩。懊悩(おうのう)。❷苦痛・快感のあまり体をねじり動かす。「腹痛にー・える」類語 もがく。文もだ・ゆ《下二》。

もた・げる【×擡げる】《他下一》❶もちあげる。「鎌首をー・げる」❷存在が目立つようになる。台頭する。「頭をー・げる」「勢力をー・げる」文もた・ぐ《下二》

もだ・す【▽黙す】《自五》〔文〕❶ものを言わないでいる。「ー・しきれずに口をはさむ」❷だまって見過ごす。参考 ふつう「ー・しがたい」の形で使う。「社命とあってはー・し難い」文《四》。

もたせ・か・ける【×凭せ掛ける】《他下一》もたせる。「からだをドアにー・ける」

*__もた・せる__【×凭せる】《他下一》《「持たせる」と同語源》あるものの側面などに寄せて支えさせる。もたせかける。「壁に身をー・せる」文もた・す《下二》。

*__もた・せる__【持たせる】《他下一》《「持つ」の使役形》❶あるものを所持させておく。「子供に大金をー・せるのはよくない」❷〔人にあるものを〕持って・行かせる(来させる)。「案内状をー・せる」❸〔ある状態を〕そのまま保たせる。「気力でー・せる」❹〔費用などを〕負担させる。「費用をー・せる」❺相手に期待させる。「気をー・せる」文もた・す《下二》。

もた・つく《自五》〔俗〕〔物事・動作が〕なめらかに進まない。もたもたする。「足がー・く」「交渉がー・く」

モダニズム ❶伝統的なものを否定し、近代的・機械文明的・主観主義的なものを強く主張する思想・芸術上の傾向。未来派・ダダイスム・シュールレアリスムなど。近代主義。❷最近の流行や都会的な感覚に追従する傾向。▽modernism

もた・もた《副・自サ》《副詞は「ーと」の形も》〔俗〕行動や態度がはっきりせず非能率的なようす。また、物事がすらすら運ばないようす。「ーしないで早く片づけろ」

もたら・す【×齎(ら)す】《他五》❶持って行く。持って来る。「吉報をー・す」「幸運をー・す」❷〔何かが原因となって〕ある影響や状態を生じさせる。「テレビが人類の文化にー・した意義」類語 (る)(す)招来。将来。＝もたらせる。文《四》。

もたれ・あ・う【×凭れ合う】《自五》❶互いにささえあう。❷なれあう。互いに甘える。「革新政党と労働組合のー・った関係」

もたれ・かか・る【×凭れ掛かる】《自五》寄りかかって、支えにする。「窓にー・って話す」

もた・れる【×凭れる】《自下一》❶寄りかかる。「いすにー・れて眠る」❷食物がよく消化しないで胃にたまる。また、食物が胃にたまっているようで気持ち悪く感じる。「胃がー・れる」文もた・る《下二》。

モダン《形動》現代的。近代的。当世風。モダーン。「ーなセンス」「ーな建築」▽modern

*__もち__【持ち】❶《名》❶質や状態が変わらず、長く保たれること。「ーがよい」❷歌合わせ・囲碁・将棋などで、勝負がつかないこと。持(じ)。❷《接尾》《体言の下について》❶身に備えている・こと(人)の意。「大金ー」「力ー」❷携帯するのに適している意。…用(よう)。「男ーの時計」❸その人の負担である意。「交通費は自分ー」

*__もち__【▽望】〔雅〕❶望月(もちづき)。満月。❷陰暦で、月の一五日の称。望(もち)の日。

*__もち__【×糯】米・アワ・キビなどの、ねばりけが多く、ついて餅(もち)にすることができる品種。対 粳(うるち)。

*__もち__【×餅】もち米を蒸して、ついた食品。特に正月や祝い事などのときに食べる。アワ・キビなどでも作る。 **ーは餅屋**《句》物事にはそれぞれの専門家がおり、しろうとでは及ばないことのたとえ。餅屋は餅屋。

*__もち__【×黐】❶「もちのき」の別称。❷モチノキ・ヤマグルマなどの樹皮をつき砕いて作ったねばりけの多いもの。鳥や虫を捕らえるのに使う。とりもち。

*__もち__《副》〔俗〕「もちろん」の略。「ー、いいよ」

もち・あい【持(ち)合(い)】❶互いに分けて持つこと。また、互いに力を合わせて保っていくこと。「株のーで提携する」「ー所帯」❷双方の力がつり合って勝負がつかないこと。「この碁(ご)はーだ」❸相場が動かないか、動いてもごく小幅にとどまっている状態。「ー相場」

もち・あが・る【持ち上がる】《自五》❶上の方に上がる。「土台がー・る」❷〔騒ぎ・事件などが〕起こる。発生する。「惨事がー・る」「縁談がー・る」❸教師が受け持ちの学級の進級後もそのまま受け持ちを続ける。「三年から四年にー・る」
表記 ③は「保合」とも書く。

もち・あ・げる【持ち上げる】《他下一》❶手や機械を使って物を上の方へ上げる。❷〔体の一部を〕高い位置にくるように動かす。起こす。もたげる。「頭をー・げて遠方を見る」❸〔俗〕相手を得意にさせるようなことを言う。「ー・げて有頂天にさせる」

もち・あじ【持(ち)味】❶もともとそなえている独特の(よい)味や気風・趣。「ナスのーを生かした料理」「ーを生かした演技」類語 特性。特徴。特色。

もち・あつか・う【持ち扱う】《他五》❶取り扱う。❷もてあます。参考 ①②とも古風な言い方。

もち・あみ【×餅網】もちを焼くときに使う金網。

もち・あわせ【持(ち)合(わ)せ】都合よく持っている・こと(物)。特に、金銭。「あいにくーがない」

もち・あわ・せる【持ち合わせる】《他下一》都合よく持っている。持ち合わす。「小切手をー・せる」

もち・いえ【持(ち)家】その人の所有している家。持ち家(や)。

モチーフ ❶芸術的創作活動の動機となるもの。❷絵画の主題。また、描写する対象。❸楽曲の最小単位となる旋律。動機。❹〔装飾・編物で〕模様としてのまとまりをもった作品の構成基本単位。▽(フランス) motif

もち・いる【用いる】もちゐる・もちひる《他上一》❶用にあてて使う。「次の単語を━・いて短文を作れ」類語用立てる。使う。(るす)使用。活用。行使。❷〈「心を━・いる」「意を━・いる」の形で〉心を、あれこれと働かせる。心を労する。注意する。「特に材料に意を━・いる」❸採用して働かせる。任用する。「学歴の区別なく重く━・いる」類語取り立てる。(るす)登用。挙用。❹必要とする。参考多く否定形で使う。「民主主義が憲法の基本であることは言を━・いない」文もち・ゐる《上一》。もち・うもち・ふ《上二》。もち・ゆ《上二》。

類義語の使い分け　用いる・使う
[用いる・使う]別の技法を用い(使っ)て製作する/トリックを用いる(使う)/有能な人材を用いる(使う)
[用いる]顧問として用いる/環境問題に意を用いる
[使う]仮病を使って欠席する/神経を使う仕事

もち-うた【持(ち)歌】歌い手などが、いつでも歌えるように用意している歌。レパートリー。
もち-おもり【持(ち)重り】持ってみて重く感じること。「━のする荷物」
もち-かえ・る【持ち帰る】━かへる《他五》❶〈品物などを〉持って帰る。「土産を━・る」❷出された案や討議内容をさらに検討するために保留のまま持って帰る。「本部に━・って検討する」
もち-か・ける【持ち掛ける】《他下一》話をして、相手にはたらきかける。「縁談を━・ける」類語持ち込む。
もち-がし【×餅菓子】もちを主原料として作った和菓子。だいふく・かしわもちなど。
もち-かぶ【持(ち)株】所有している株。手もち株。
━がいしゃ【━会社】他会社の株式を所有し、その経営を支配することを専門とする会社。
もち-きり【持ち切り】〈人々の話が〉始めから終わりまで一つの事に集中すること。「選挙の予測で━だ」
もち-き・る【持ち切る】《自五》❶持ち通す。また、全部を持つ。「━・れないほどの買い物」❷〈人々の話などが〉始めから終わりまで一つの事に集中する。「会社は人事異動のうわさで━・っていた」
もち-ぐさ【×餅草】よもぎ(の若葉)。参考もちにつき混ぜて草もちにするので言う。
もち-ぐされ【持(ち)腐れ】持っていながら、何の役にも立てないでおいてあること。「宝の━」
もち-くず・す【持ち崩す】━くづす《他五》〈大切なものを〉いたずらに使ってだめにする。「身を━・す(=身持ちを悪くする)」「身代を━・す(=財産を使い果たす)」
もち-こ・す【持ち越す】《他五》解決のつかないままの状態で、次の機会に送る。「結論はあすに━・す」
もち-こた・える【持ち▽堪える】━こたへる《他下一》なんとか、ある状態を保つ。支え保つ。「最後までは━・えられまい」類語持する。(るす)保持。維持。
もち-ごま【持(ち)×駒】❶将棋で、相手から取りあげたこま。必要なときに使える。❷必要なときに自由に使えるように用意してあるもの。「━の豊富なチーム」
もち-こ・む【持ち込む】《他五》❶外から持って来たものを中に入れる。「部屋に酒を━・む」類語(るす)搬入。❷〈相談事・願い事などを〉持って来る。持ちかける。「商談を━・む」❸〈解決のつかないまま〉ある状態にもっていく。「延長戦に━・む」
もち-ごめ【×糯米】炊くと強いねばりけが出、もち・こわめしなどを作るのに用いる米。対うるち。
もち-じかん【持(ち)時間】❶碁・将棋などで、打つ手を考えるために与えられる一定の時間。❷そのことをするために割り当てられた一定の時間。「スピーチの━は三分です」
もち-だい【×餅代】〈「正月用の餅の代金」の意から〉年を越すために必要な金。
もち-だし【持(ち)出し】❶持って外に出すこと。「━禁止」❷費用の足りない部分を自腹を切って出すこと。「接待費が━になる」
もち-だ・す【持ち出す】《他五》❶持って外や表に出す。「盆栽を縁側に━・す」「店の金を━・す」❷〈相談事や問題点などを〉特にとりあげて人に提示する。「賃上げの要求を━・す」「身の上話を━・す」❸足りない費用を自腹を切って出す。「不足分を━・す」
もち-つき【×餅×搗(き)】もちをつく・こと(人)。
もち-づき【▽望月】〈雅〉陰暦一五日の夜の月。満月。望(もち)。
もちつ-もたれつ【持ちつ持たれつ】《連語》互いに助けたり助けられたり。「━の間がら」
もち-てん【持(ち)点】減点法の競技などで、事前に参加者一人一人に割り当てられている点数。
もち-なお・す【持ち直す】━なほす 一《他五》〈もとの状態になるように〉持ち改める。「落ちかかったかばんを━・す」二《自五》〈病状・天候・景気などで〉一度悪くなった状態が再びよい方へ向かう。「病気が━・す」
もち-にげ【持(ち)逃げ】《名・他サ》他人の金品を持って逃げること。「売上金を━された」類語拐帯(かいたい)。
もち-ぬし【持(ち)主】〈あるものを〉所有している人。所有者。所有主。「忘れ物の━をさがす」
もち-のき【×黐の木】モチノキ科の常緑高木。樹皮から鳥もちをとる。もち。
もち-ば【持(ち)場】その人の・受け持つ(占有する)場所。また、その人が割り当てられた仕事・任務。「━を離れる」「━を守る」
もち-はこ・ぶ【持ち運ぶ】《他五》〈物などを〉持ってほかの場所・位置へ運ぶ。運搬する。
もち-はだ【×餅肌・×餅▽膚】〈つきたてのもちのように〉きめが細かくなめらかで柔らかい(女性の)肌。
もち-ばん【持(ち)番】受け持ちの番。
もち-ぶん【持(ち)分】共有している物や権利などについて、各人が受け持っている部分。「━を守る」
モチベーション ある行動をしようという意欲をおこさせるための条件。動機づけ。▽motivation
もち-まえ【持(ち)前】━まへ ❶その人・物にもともとそなわっている・こと(性質)。「━の朗らかさ」「その民族に━の粘着力」類語天性。うまれつき。❷〈全体の中で〉各自が受け持っている部分。持ち分。
もち-まわり【持(ち)回り】━まはり 物事を、関係者の間で順番に受け持つこと。「書記役は━になっている」
━かくぎ【━閣議】首相から各大臣に議題を回してそれぞれの意見を求め、議事を決定する形式。
もち-もち【×餅×餅】《副・自サ》歯ごたえなどが餅のようであるようす。「━した食感」
もち-もの【持(ち)物】❶所持している品物。所持品。「━検査」❷所有している物。所有物。
***もち-や**【持(ち)家・持(ち)屋】持ち家(いえ)。
***もち-や**【×餅屋】もちを(作って)売る店。また、その

職業(の人)

もち‐やく【持(ち)役】 芝居などで、その人が得意としている受け持ちの役。

も‐ちゅう【喪中】 喪に服している期間。「―につき年始の御挨拶(あいさつ)は失礼させていただきます」類語 忌中。

もち‐よ・る【持ち寄る】《他五》各々が持って寄り集まる。「材料を―・って寄せなべを作る」「議題を―・る」

もち‐ろん【×勿論】《副》言うまでもなく。無論。もち。「―賛成だ」「父は―のこと母も知っている」

***もつ**《「臓物(ぞうもつ)」の略》焼き鳥や煮込みなどの材料としての、鳥・豚・牛などの内臓。

***も・つ【持つ】** 一《自五》長くその状態を保つ。もちこたえる。「この時計は一〇年―・った」表記「保つ」とも書く。類語(る)維持。存続。持久。文《四》。二《他五》❶指を働かせて、手の中に入れて保つ。「ペンを―・つ」類語 執る。持する。有する。手に取る。(す る)把持。把握。❷所持・携帯する。携える。「大金をふところに―・つ」❸所有する。「店を―・つ」「会議を―・つ(=開く)」「機会を―・つ(=経験する・設ける)」「関係を―・つ(=関係する)」類語 握る。有する。擁する。領する。(す る)保有。保持。所蔵。❹ある性質や状態をその中に含んでいる。「すぐれた容姿を―・つ」「美しい輝きを―・つ宝石」類語(す る)具備。具有。享有。❺受け持つ。担当する。「仕事を三つ―・つ」❻心にいだく。「自信を―・つ」「希望を―・つ」❼負担する。引き受ける。「送料は会社が―・つ」文《四》。

***もっ‐か【黙過】**《名・他サ》〔文〕黙って見のがすこと。「―できない行為」類語 黙許。黙認。看過。

***もっ‐か【目下】** ❶〔文〕まのあたり。「危険が―に迫る」類語 目前。❷ただいま。現在。〔やや改まった言い方。副詞的にも使う〕「―の急務」「―外出中」類語 目今。方今。現下。

***もっ‐かん【木管】** ❶木で作った管。❷「木管楽器」の略。―がっき【―楽器】木製の管楽器。本来木製であったものが金属製の管に作りかえられたものにもいう。フルート・オーボエ・クラリネット・サクソホンの類。対 金管楽器。

***もっ‐かん【木簡】** 古代、文字を書き記した、薄く削った小木片。公文書の記録などに用いられた。

もっ‐きょ【黙許】《名・他サ》〔文〕黙ってそのまま許すこと。「―の形をとる」類語 黙過。黙諾。

もっ‐きん【木琴】 音階順に並べた、長さと厚さの異なる木片を、球のついた棒で打ち鳴らす楽器。シロホン。

もっ‐け【×勿▽怪・物▽怪】《名・形動》思いがけないこと。意外なこと。「雨を―の幸い(=思いがけない幸い)に仕事を休んだ」

もっ‐けい【黙契】〔文〕暗黙のうちに合意・契約が成立すること。また、その合意・契約。類語 黙約。

もっ‐こ【×畚】《「持ち籠(こ)」の転》縄などで編んだ正方形の網の四すみに綱をつけ、棒でつって土砂・農産物などを運ぶ用具。ふご。「―担ぎ」

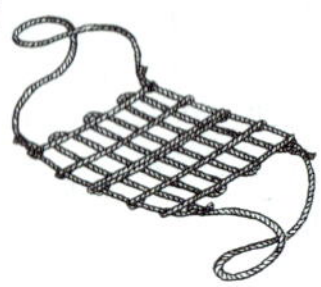

畚

***もっ‐こう【木工】** ❶大工(だいく)。❷木材を使って屋内装飾品や調度品などを作ること。「―機具」

***もっ‐こう【×沐×猴】**〔文〕猿(さる)。―にして冠す《句》〔猿が冠をかぶる意で〕粗野な人が見かけだけ飾る。〈史記・項羽本紀〉

***もっ‐こう【黙考】**《名・他サ》〔文〕黙って考えこむこと。「沈思―」類語 黙想。黙思。

もっ‐こく【木×斛】 ツバキ科の常緑高木。夏、五弁の白い小さな花を下向きに開く。

もっこす〔熊本県の方言〕意地っ張り。「肥後―」

もっ‐こつ【木骨】〔煉瓦(れんが)造り・石造りなどの〕建造物の骨組みを木造にすること。

もっ‐こん【目今】〔文〕ただいま。現在。「―の国際情勢を論ずる」

もっさり《副・自サ》《副詞は「―と」の形も》❶もさっと。「―とした男」❷毛がたくさんはえているようす。

もっ‐そう【物相・盛相】 一人ずつ一食分の飯を盛る器。「―飯(=特に監獄で与えられる飯)」

もっそり《副・自サ》《副詞は「―と」の形も》もさっと。

もっ‐たい【×勿体・物体】 ものものしくとりつくろった様子・態度。「―を付ける(=もったいぶる)」 ―な・い【―無い】《形》❶〔有用なものが〕粗末にされたり、むだにされたりしているのが惜しい。「閑職に置くには―・い男」類語 惜しい。❷〔目上の人の行為などが〕誠に恐れ多い。かたじけない。「―・いお言葉」 ―ぶ・る【―振る】《自五》わざと重々しく大げさにふるまう。勿体(もったい)を付ける。「―・って、なかなか話さない」 ―らし・い《形》大げさで、いかにももっともらしい。「―・い文章だが、中身はない」

もっ‐て【▽以て】《連語》《「持ちて」の転》❶〔文〕〈「…を―」の形で〉㋐手段として用いる意。…を使って。…によって。「牛刀を―鶏を割(さ)く」㋑理由を表す。…の理由で。…のために。「名文を―知られた作家」㋒「を」を強めた言い方。〔やや改まった言い方〕「これを―閉会とする」㋓「で」を強めた言い方。❷《前の文をうけ、接続詞的に用いて》それゆえに。だから。「―、懲役三年に処す」❸《間投詞的に用いて》語調を整え、文意を強める語。「ますます―けしからん」❹《文中で接続詞的に用いて》その上。さらに。かつ。「美人で―頭がいい」❺《動詞連用形について》…しながら。「歌い―踊る」 ―瞑(めい)すべし《句》死んでも満足してよい。また、単に満足してよい。「決勝まで進んだのだから―だ」

もって‐うまれた【持って生まれた】《連語》才能や性質が生まれつき備わっていること。生来の。生得の。〔連体詞的に用いる〕「―音楽の才」

もって‐きて【持って来て】《連語》〈「…へ―」の形で〉好ましくない条件にさらに別の悪条件がつけ加わることを言う語。「道路は狭い。そこへ―車がふえた」

もって‐こい【持って来い】《連語》あつらえむきうってつけ。「会計に―の人物」表記 ふつうかな書き。

もって‐の‐ほか【▽以ての外】《名・形動》❶思いもよらないこと。意外。「―のご立腹」❷〔常識では思いもよらないほど〕とんでもないこと。「金など―だ」

もって‐まわ・る【持って回る】 一《他五》物を持ってあちこちをまわる。二《自五》遠まわしに言ったり、したりする。婉曲(えんきょく)である。参考 多く、「―・った」の形で使う。「―・った言い方」

もっと《副》さらに程度や状態が強まるようす。「―速く歩け」「―食べたい」類語 いっそう。

モットー 目標とする事柄(を簡潔に表現した文句)。「早寝早起きがぼくの―だ」類語 座右の銘。スローガ

ン。▽motto

***もっ・とも**【最も】《副》他のいくつかのものに比べてその程度が一番であるようす。第一に。「―高い山」「―すぐれている」類語 極めて。この上無く。最高に。

***もっ・とも**【×尤も】━《形動》道理にかなっていて、なるほどとうなずけるようす。「君が言うことは―だ」「―至極」「―千万(せんばん)」類語 当然。妥当。━《接続》前の文にある条件を付加するのに使う。ただし。「酒は百薬の長。―度が過ぎては毒だが」**―らし・い**《形》いかにも・道理にかなっている(そうするだけの理由がある)ように見える。「―・いうそ」「―・い顔をする」

もっぱら【専ら】《副》その事だけに集中するようす。ひたすら。また、その事を主とするようす。「―英語を勉強する」「権勢を―にする(=ひとりじめにする)」類語 ただ。ひとえに。一(いっ)に。

モッブ 群衆。特に、暴徒の群れ。▽mob

モップ 柄の先にぞうきんをつけた掃除用具。▽mop

もつれ-こ・む【×縺れ込む】《自五》物事がもつれて解決がつかずに次の段階に入る。「延長戦に―・む」

もつ・れる【×縺れる】《自下一》❶〔糸・ひもなどが〕からみ合って解けなくなる。「糸が―・れる」❷〔事件・話・感情などが〕さまざまに入りくんで混乱し、決着がつかなくなる。「話が―・れる」「交渉が―・れる」類語 (する)紛糾。❸〔舌や足などが〕自由に動かなくなる。「舌が―・れる」「足が―・れる」文 もつ・る《下二》。

も-て《連語》文語《「もちて」の転「もって」の促音無表記形から》❶〔「(を)もて」の形で〕手段・材料・理由などを表す。…によって。「小指―ほつれ髪、かきあげながら〈竹友藻風〉」「女は色を―富貴を得べし〈紅葉〉」❷〔上の動詞連用形と下の動詞とにはさまれた形で、接続助詞的に〕二つの事柄が並び行われる関係を表す。…て。…ながら。「麦の葉は天つひばりの声ひびき一葉一葉に揺り―延ぶらし〈節〉」参考「…もて行く」の形では「だんだん…してゆく」の意を表す。「余と少女との交(まじはり)漸(やうや)く繁くなり―行きて〈鷗外〉」

もて-あそ・ぶ【×弄ぶ・×玩ぶ】《他五》❶手に取って遊ぶ。「扇を―・ぶ」類語 (する)玩弄(がんろう)。❷慰みとして愛好する。「盆栽を―・ぶ」類語 (する)愛玩。❸人を慰み物にする。おもちゃにする。なぶる。「女を―・ぶ」❹〔楽しむかのように〕思いのままに扱う。「議論を―・ぶ」「小舟が波に―・ばれる」「運命に―・ばれる」類語 ③④(する)翻弄。玩弄。

もて-あつか・う【持て扱う】(―あつかふ)《他五》❶取り扱う。❷取り扱いに困る。もてあます。「泣く子を―・う」〔①②とも古風な言い方〕

もて-あま・す【持て余す】《他五》取り扱い方や処置に困る。もちあつかう。もてあつかう。もちあます。「暇を―・す」「素行の悪い子を―・す」

もて-なし【持て成し】もてなすこと。特に、客にごちそうを出すこと。「手厚い―を受ける」類語 応対。待遇。接待。表記 ふつうかな書き。

もて-な・す【持て成す】《他五》人を(丁寧に)取り扱う。特に、客にごちそうする。「親も同然に―・す」「土地の料理で―・す」類語 遇する。(する)待遇。接待。表記 ふつうかな書き。

もて-はや・す【持て×囃す】《他五》❶特に取り立ててほめる。ほめそやす。ほめちぎる。「みんなが美男子と―・す」❷《受け身の形で》人気があって盛んに人のうわさにのぼる。「テレビで―・されるタレント」

モデム 変復調装置。コンピューターの信号と電話回線の信号を相互に変換し、コンピューター通信を可能にする装置。▽modem

もて-もて〔俗〕非常にもてること。「―の人気者」

モデラート 楽曲の速度を表す標語。「中ぐらいの速さで」の意。▽(イタリア) moderato

も・てる【持てる】《自下一》《動詞「持つ」の可能形から》〔俗〕好感を持たれ、よい取り扱いを受ける。「気前がよくて大いに―・てる」表記 多くかな書き。

モデル ❶型。型式。❷模型。ひな型。❸手本または模範となるもの。また、ある事柄を実験的に行う際の標準となるもの。「―地区」❹絵画・彫刻・写真などの題材とするもの。「ヌード―」❺小説などの作中人物の素材となる実在の人や事件。「―小説」❻「ファッションモデル」の略。▽model **―カー** 模型自動車。▽model car **―ケース** 同類の物事の標準となる事例。「都市再開発の―」▽model case **―チェンジ**《名・他自サ》〔自動車や電化製品など〕同一の商品名で販売する商品の、外観や性能を改めること。また、改まること。▽model change

***もと**【下・▽許】❶物の下(の部分)。物のある所。また、そのあたり。「ひざ―」「太陽の―で遊ぶ」❷ある人のいる所(のあたり)。また、ある人の支配・影響や、ある物事の条件・限定などの及ぶ範囲。「勇将の―に弱卒なし」「教授の指導の―で研究する」「正義の名の―に行動する」⇩〔使い分け〕

***もと**【元・▽故・▽旧】━《名》今より前の時。以前。むかし。「このあたりは―畑だった」「家に―からある道具」━《連体》以前そうであったことを表す。以前の。「―首相」「―東京教育大」類語 前(ぜん)。⇩〔使い分け〕

―の鞘(さや)に収ま・る《句》仲たがいして別れた者が、再び元の親密な関係にもどる。「夫婦が―・る」

―の木阿弥(もくあみ)《句》一度はよくなったものが、再び以前の悪い状態に戻ること。故事 戦国時代の大名、筒井順昭が病死した際、声のよく似た木阿弥という盲人を身変わりにし、薄暗い寝所に寝かせて外来者をあざむいたが、息子の順慶が成人すると、木阿弥はもとの身分に戻ったということから。

***もと**【本・元・基・▽原】━《名》❶物事の起こり。起源。「―をただせば君が悪い」❷物事の根本をなすもの。根源。「農は国の―」❸原因。「失敗は成功の―」❹原料。材料。「豆腐の―となる大豆」❺元金。もとで。❻原価。もとね。「―を取る」表記 ②③は多く「基」と書く。表記 ⑤⑥は「元」と書く。━《助数》〔雅〕《和語につけて》草木を数える語。「ひと―の菊」表記 ━は「本」と書く。⇩〔使い分け〕

元が切・れる《句》❶原価または元値よりも安い価格になる。元値を割る。❷資金がなくなる。

元も子も無・い《句》〔元金も利息もともに失う意から〕すべてを失って、今までの努力が何にもならなくなる。「相手を怒らせたら―・い」

使い分け「もと」

下〔ものの下。支配・影響下〕白日の下・指導の下・法の下・旗の下・勇将の下・運命の下・一言の下

元(▽許・▽因・▽旧)〔物事のはじめ。原因。原料。元金。むかし。以前の〕身元(許)・国元(許)・火の元(因)・蔵元・元も子もない・元を掛ける・元(旧)のさや

に収まる・元(旧)の住所・元(旧)大臣

本〔物事の根本・根源〕本を正す・農は国の本・正直をもって本となす・本を尋ねる・本立って道生ず

基〔助けになる物事。基本。基礎〕判断の基になる資料・国の基を築く・失敗は成功の基

もと(▽素)〔物をつくる際の原料になるもの〕ケーキのもと・味付けのもと・栄養のもと

参考「因」はおおむね「元」で代用できるが、「病気の元・争いの元」など、「元」ではなじみにくく、かな書きにされるものもある。「あしもと」は「足元／足下」のように二様の書き方があるが、前者は立っている足の周り、後者はその足の下といったニュアンス。「許」はそのものの存在する場所に近いところの意、「因」は物事の原因となるものの意、「旧」は年月を久しく経た意で、むかしを意味する。

*もと・い【基】ーゐ《「本居(もとい)」の意》〔国・社会・家などの〕基礎。土台。おおもと。〔古風な言い方〕「国のーを定める」類語根底。根幹。

*もとい《感》《「元へ」の転》↓もとへ。

もと・うけ【元請(け)】《「元請負」の略》注文主と、直接仕事の請負の契約をすること。また、その人(組織)。参考その仕事をさらに請け負う「下請け」「孫請け」に対して言う。

*もと・うた【元歌】替え歌の元になった歌。対替え歌。

*もと・うた【本歌】↓ほんか(本歌)。

もと・うり【元売(り)】〔卸売り・小売りに対して〕製品を製造・販売すること。また、その企業。

もどかし・い《形》〔物事が思いどおりに進まず〕いらいらする。じれったい。「はかどらないのがー・い」類語はがゆい。隔靴掻痒(かっかそうよう)の感。文もどか・し《シク》。

もと・き【本木】木の幹や根の部分。対末木(うらき)。

もどき【▽擬(き)】《接尾》《体言について》「そのものにそっくり」の意。「芝居ー」「がんー」類語まがい。

もと・きん【元金】❶商売などの元手とする金。資金。❷利子を生ずるもととなる金銭。＝元金(がんきん)。

モトクロス 山地や原野など、起伏の多いコースをオートバイで走るレース。▽motocross

もと・ごえ【元肥・基肥】種まき・苗植えの前に田畑に仕込んでおく肥料。原肥。基肥(きひ)。対追肥(おいごえ)。

もと・ごめ【元込め】銃身・砲身の後部から弾丸を込めること(鉄砲)。後装。「ー式の銃」対先込め。

もどし・ぜい【戻し税】国が一定の条件で、輸入関税や内国消費税を払い戻すこと。また、その税金。

もと・じめ【元締(め)】金銭の勘定や仕事などのしめくくりをする役目(の人)。

もど・す【戻す】《他五》❶もとの場所・状態などに返す。「話を元にー・す」「借りた道具をー・す」類語復す(る)。復元。復旧。❷へどをはく。嘔吐(おうと)する。「車に酔ってー・した」文《四》。

もと・せん【元栓】水道管・ガス管などの元をしめる栓。

もと・ちょう【元帳】すべての勘定科目について口座を設け、それぞれの増減や残高を記録しておく帳簿。

もと・づ・く【基づく】《自五》もととする。根拠とする。「史実にー・いた小説」「憲法にー・く政治」

もと・で【元手】事業などを始めるのに必要な資金。また、活動などに不可欠のもの。「何事も健康がーだ」

もと・どり【×髻】《「本取り」の意》髪の毛を一つにまとめて、頭の上でたばねた部分(の髪)。たぶさ。

もと・なり【本▽生り・本成り】植物の茎やつるの、もとの方に実がなること。また、その実。対うらなり。

もと・ね【元値】商品の仕入れ値。原価。「ーをきる」

もと・ばらい【元払い】ーばらひ 郵便料金や荷物の運賃などを送り主側が支払う方法。対先払い。着払い。

もと・へ【元へ】《感》《「元へ戻れ」の意》❶〔体操などで〕やり直しを命ずる号令。参考旧軍隊の号令。❷言い直しをする時にさしはさむ語。＝もとい。

もと・みや【本宮】本宮(ほんぐう)。本社。対別宮。

もとめ【求め】❶注文。要求。「大衆のーに応じる」❷買うこと。購入。「テレビのおーは当店で」

もとめ・あぐ・む【求め×倦む】《他五》〔捜しているものが容易に得られず〕捜し疲れる。捜すのが嫌になる。

もとめ・て【求めて】《副》自分の方から進んで。わざわざ。「ー困難に立ち向かう」

もと・める【求める】《他下一》❶あるものを、ほしいと心の中で望む。「幸福をー・める」類語願う。希求(する)。❷相手に、あることをしてほしいと要求する。「謝罪をー・める」「助けをー・める」類語頼む。請求(する)。❸得ようとしてさがす。「職をー・める」「資料をー・める」類語探求(する)。❹買う。「デパートで衣料品をー・める」類語購入(する)。文もと・む《下二》。

もと・もと【元元・本本】㊀《名》その結果が前の状態と大差ないこと。「しくじってもーだ」㊁《副》はじめから。もとから。「私はー物覚えが悪い」類語元来。

表記㊀㊁とも、ふつうかな書き。

もと・ゆい【元結(い)】ーゆひ 日本髪で、もとどりを結ぶときに使う、細いひも・こよりなど。もっとい。

もと・より【▽素より・▽固より】《副》❶初めから。もともと。「断られるのはー覚悟の上」❷言うまでもなく。無論。勿論(もちろん)。「中国はー、日本でも有名」表記①は「素より」、②は「固より」と書く。

もどり【戻り】❶戻ること。「ーが遅い」❷鉤(かぎ)・釣り針の端にあって、物をひっかけてはずれないようにした、逆さにとがって出た部分。 ーづゆ【ー梅雨】一度梅雨が明けたあと、再び雨続きになること。

もと・る【×悖る】《自五》〔原則・道理などに〕反する。〔古風な言い方〕「人道にー・る行為」文《四》。

もど・る【戻る】《自五》❶もとの状態に返る。「調子がー・る」「平静にー・る」類語復する。復元(する)。復帰。復旧。❷いったん手もとを離れた所有物が手もとに返る。「落とした金がー・る」❸もとの所へ帰る。「仕事にー・る」「自宅にー・る」❹〔逆の方向へ〕ひき返す。「電車が行き過ぎてー・る」文《四》。

も・なか【▽最中】❶〔文〕まん中。❷〔文〕一番盛んな時。まっ盛り。「ーの月(＝陰暦十五夜の月)」❸もち米の粉を薄く焼いた皮の間にあんを入れた和菓子。

モニター ❶放送・録音などの状態を監視し調整する・装置(人)。❷放送局・企業などから依頼されて、番組の内容や製品の品質などについて意見を述べる人。「消費者ー」「ー報告」▽monitor

モニュメンタル《形動》記念すべきようす。歴史に残すべきようす。「ーな大作」▽monumental

モニュメント 記念碑。記念建造物。▽monument

もぬけ【×蛻】《「裳(も)抜け」の意》ヘビ・セミなどが外皮をぬぐこと。脱皮。

もぬけ・の・から【×蛻の殻】❶ヘビ・セミなどの抜け

殻。❷求める人が抜け出して、空になっている状態。「—の根城」❸魂が抜け出たあとの体。放心状態。

***もの**【物】[一]《名》❶空間的に位置をしめ、感覚によってその存在を知ることができる対象。「—には形がある」[対]事。❷品物。物品。また、品質。「人に—を贈る」「—のよい品」[類語]品(しな)。物(ぶつ)。物体。物質。物件。❸その対象を具体的にささず、ばくぜんととらえて言う語。㋐〔口に出して言う〕ことば。「あきれて—が言えない」㋑文章。「—を書く職業」㋒所有物。持ち物。「他人の—を借りる」㋓動作の対象。それが具体的に何であるかはそれぞれの文脈によって示す。「—を食う」「—を覚える」㋔神仏・鬼・悪霊など、畏怖・恐怖の対象。「—もうで」「—の怪(け)」㋕事柄。物事。「彼のやり方には納得できない—がある」「—の弾(はず)み」❹事のわけ。道理。「—が分かる(=物事の道理や人情が分かる。わけが分かる)」❺特に取り立てて言うほどの事柄。「どれもこれも—になっていない」「危険を—ともしない(=問題にしない)」
[二]《接尾》❶《地名に付けて》その土地で生産された物品の意。「西陣—」「北海—」❷そういう事態を引き起こすような事柄の意。「冷や汗—」「切腹—」[参考][二]は「もん」ともいう。
[三]《形名》❶〔そうなるのが〕当然・普通であるの意を表す。「作家とはそういう見方をする—だ」「学問とは難しい—だ」❷感慨・感動を表す。「二人とも大きくなった—だ」❸〈「…した—」の形で〉過去の事柄を述懐して言う語。「若いころはよく遊んだ—だ」❹強調・断定を表す。「間に合わない—でもない」「住めた—ではない」[参考]㋐[三]は「もん」ともいう。㋑↓もの(終助)。[表記][三]はふつうかな書き。
[四]《接頭》《形容詞・形容動詞について》❶「なんとなく」の意。「—悲しい」「—静か」❷「いかにも…のようすだ」の意。「—めずらしい」「—すさまじい」

—言う花《句》〔ことばを話す花の意から〕美人のたとえ。解語の花。

—言えば唇寒し秋の風《句》人の悪口を言った後は、後味の悪い思いをするものだ。また、なまじよけいなことを言えば、そのために災いを招くものだ。口は災いのもと。[参考]芭蕉(ばしょう)の句から。

—に・する《句》❶〔苦心して〕目的にかなった形にする。「研究を—・する」❷役に立つようにしあげる。「独学でフランス語を—・した」❸思いどおりに手に入れる。「勝利を—・する」

—にな・る《句》❶目的にかなった形になる。「作詞も作曲もどれも—・らない」❷ひとかどの人物になる。「鍛えれば—・る」

—は相談《句》〔よい結果が得られるかもしれないから、何事もまず相談してみることだの意で〕相談を切り出すときに言うことば。「—だが、やってくれまいか」

—も言いようで角が立つ《句》何でもないことでも話のしかたによっては、相手に悪く受け取られる。物も言いよで角が立つ。

—を言・う《句》役立つ。効果をあらわす。「金が—・う社会」「今までの努力が—・った」

—を言わ・せる《句》力を発揮させる。効果をあらわさせる。「目に—・せる」「金に—・せる」

***もの**【者】《形名》「人」の意。〔改まった気持ちや、卑下・軽視の気持ちがこもることがある〕「次の—は当所に出頭されたし」[類語]方(かた)。方々(かたがた)。奴(やつ)。

***もの**《終助》《形式名詞「もの」が文末で使われて助詞化したもの》〔活用語の終止形、特に「(ん)だ」「(ん)です」「ます」につく。口頭語で、主に女性が使う。くだけた言い方では「もん」とも〕話し手が、自分の態度・判断に対して事態や理由をあげて説明するのに使う。〔多く「だって」「でも」と呼応し、〔甘えた態度での〕反駁(はんばく)の気持ちがこもる〕「だって、いじめるんだもん」「でも、私は信じていますもの」[参考]接続助詞的にも使い、その場合は当然の理由をあげる意となる。「冗談ばかりおっしゃるんですもの、困りますわ」

もの-あんじ【物案じ】心配して考えこむこと。〔古風な言い方〕「一人—に沈む」[類語]物思い。

もの-いい【物言い】(—ひ)❶話し方。ことばづかい。「—に品がない」❷相撲で、検査役が行司の勝負判定に異議をとなえること。転じて、一般に、異議をとなえること。「計画に—をつける」

もの-いみ【物忌み】❶〔神を祭るとき〕ある期間、飲食・行いを慎み、心身を清めて家にこもること。❷不吉として、ある種の物事を忌み避けること。

もの-いり【物入り】《名・形動》〔普段と違ったことがあって〕費用がかかること。「転居、結婚と—続きだ」

もの-いれ【物入れ】物を入れておく・ところ(箱・袋)。

もの-う・い【物憂い・×懶い】《形》何となく心が晴れず、けだるい。「—・い春の夕暮れ」「—・い動作」

もの-うり【物売(り)】〔品物を持ち歩いたり、街頭に立ったりして〕物を売る・こと(人)。[類語]行商。

もの-おき【物置】〔ふだんあまり使わない〕雑多な道具などをいれておく所。納屋(なや)。納戸(なんど)。

もの-おじ【物▽怖じ】(—おぢ)《名・自サ》物事に立ち向かう気組みを欠くこと。おじけづくこと。「—しない子供」

もの-おしみ【物惜しみ】(—をしみ)《名・他サ》物を与えたり使ったりするのを惜しむこと。「太っ腹だから—がない」

もの-おそろし・い【物恐ろしい】《形》なんとなく恐ろしい。「—・い気配」[類語]そら恐ろしい。

もの-おと【物音】何の音かはっきりとわからない音。

もの-おぼえ【物覚え】物事をおぼえる・こと(力)。記憶(力)。「—のよい子」

もの-おもい【物思い】(—おもひ)〔心配事などがあって〕あれこれと思い悩むこと。「—に沈む」「—にふける」[類語]物案じ。思案。

もの-か《終助》《形式名詞「もの」+終助詞「か」が文末に使われて助詞化したもの》〔連体形につく〕❶[文語]驚きをこめた感動を表す。「かく忘れがたくはありける**ものか**〈藤村〉」❷↓か(終助)⑪⑫。「負けてなる**ものか**」〔くだけた言い方では「もんか」とも〕

もの-かき【物書き】職業として文章を書く・こと(人)。文筆業(者)。「—に携わって二〇年」

もの-かげ【物陰・物×蔭】物にさえぎられて見えない所。「—にひそむ」

もの-がた・い【物堅い】《形》《「もの」は接頭語》義理をよくわきまえていて礼を失わない。律義(りちぎ)だ。実直だ。「—・い商人」

もの-がたり【物語】❶話された事柄。「彼の結婚にまつわる—」❷〔古くから〕語り伝えられている話。「古井戸にまつわる—」❸作者の見聞または想像をもとに、人物・事件について叙述した散文形式の文学作品。[参考]狭義には、日本文学で、平安時代以降、近世以前に作られたものを言う。「—文学」[類語]小説。

もの-がた・る【物語る】《他五》❶ある物事のなりゆきについて語る。「事の次第をくわしく―・る」❷ある事実が、ある意味を示す。「壁の絵が店の性格を―・る」

もの-がなし・い【物悲しい・物▽哀しい】《形》なんとなく悲しい。うらがなしい。「―・い夕暮れどき」

もの-かは 《連語》《形式名詞「もの」＋助詞「か」「は」》文語的〔「…ものかは(と)」の形で〕…ものともせず。…も問題とせず。「寒さも―川にとび込む」

もの-ぐさ【物臭・×懶】《名・形動》何かするのを面倒がる・こと(人)。「―な態度」類語無精。

モノグラフィー 一つの問題だけを扱った研究論文。モノグラフ。▽ドイツ Monographie フランス monographie

モノグラム〔ローマ字で書いた氏名のかしら文字など〕二つ以上の文字を組み合わせて一字のように図案化したもの。組み字。合一文字。▽monogram

もの-ぐるい【物狂い】❶《名・自サ》気が狂う・こと(人)。〔古風な言い方〕類語乱心。狂乱。❷能で、シテが、情愛に心が乱れるようすを演ずること。

もの-ぐるおし・い【物狂おしい】《形》〔文〕気が変になりそうである。ものぐるわしい。「―・い思い」

モノクロ「モノクローム」の略。白と黒の二色(だけからなる写真・映画・テレビなど)。対カラー。

モノクローム ❶単色画。❷モノクロ。対カラー。▽monochrome

もの-ごい【物×乞い】❶《名・他サ》他人に物をめぐんでくれるように頼むこと。❷こじき。

もの-ごころ【物心】〈―がつく〉子供が成長して世の中のありさまがわかるようになる。

もの-ごし【物腰】〔人に接するときの〕ことばづかいや態度。「上品な―」参考ふつう、よい方に使う。

もの-ごと【物事】 物と事。有形・無形のいっさいのもの。「―をよく知っている」参考→事物。

もの-さし【物差し・物指し】❶物に直接あてて、刻まれた目盛りで長さをはかる道具。さし。類語スケール。メジャー。❷評価するときの基準。「普通の―でははかれない人物」類語尺度。

もの-さびし・い【物寂しい・物×淋しい】《形》なんとなくさびしい。うらさびしい。「―・い町はずれ」

もの-さ・びる【物▽寂びる】《自上一》どことなく古びた趣がある。「―・びた城下町」

もの-さわがし・い【物騒がしい】《形》❶〔物音や人声がして〕なんとなく騒がしい。やかましい。「―・い場内」❷〔ぶっそうな事件などが起こって〕世の中が落ちつかない。穏やかでない。「事件続きで―・い時代」

もの-しずか【物静か】《形動》❶物音がせず、ひっそりしているようす。「―な古寺」❷〔人との応対などが〕落ちついていて穏やかなようす。「―に話す」

もの-しらず【物知らず・物▽識らず】〔常識として〕知っていなければならないことを知らない・こと(人)。

もの-しり【物知り・物▽識り】 広い知識をもっている・こと(人)。類語博識。博学。**―がお【―顔】** 物知りぶった顔つき。「―に時事を解説する」

もの・す【物す】《他五》→ものする②。

もの-ずき【物好き】《名・形動》風変わりな物事を好む・こと(人)。好事(家)。「あんな男にほれるとは、よっぽど―だね」

もの-すご・い【物×凄い】《形》❶表現しがたいほど恐ろしい。「―・い形相の男」❷その程度がはなはだしい。「―・く寒い」「―・い雨」

もの-・する【物する】《他サ変》❶〔古〕行う。❷〔文〕詩文などを作る。書く。著す。物す。「一句―・する」

モノセックス〔風俗に関して〕男女の区別が見られないこと。類語ユニセックス。▽mono-と sex からの和製語。

もの-だち【物断ち】 神仏に願いごとをして、ある飲食物を口にしないこと。茶断ち・塩断ちなど。物断ち。

もの-だね【物種】 物事の根本。「命あっての―」

もの-たりな・い【物足りない】《形》何かが足りないような気がして心が満ち足りない。ものたらない。「結末が―・い小説」類語飽き足りない。

もの-で《接助》《形式名詞「もの」＋格助詞「で」》〔くだけた言い方では「もんで」とも〕原因・理由を表す。〔多く、弁解の気持ちがこもる〕「性格が内気な**もので**いけません」参考ふつう、連体形につくが、終止形「だ」にもつく。「風邪だ**もので**声が出ません」

モノトーン《名・形動》〔状態・調子が〕変化に乏しいこと。㋐単調。一本調子。「―な音楽」㋑単色の色合い・色調。特に、白黒。▽monotone

もの-ども【者共】《代名》〔文〕大ぜいの家来・手下などによびかけるのに言う語。そのほうども。「―続け」

もの-とり【物取り】 他人の金品を盗むこと。また、その人。どろぼう。〔古風な言い方〕

もの-なら《接助》《形式名詞「もの」＋断定の助動詞「だ」の仮定形が一語化したもの》〔くだけた言い方では「もんなら」とも〕❶〔可能の意を表す動詞連体形について〕順接の仮定条件を表す。〔多く、不可能と思われるような条件を示し、文末の希望・命令表現と呼応する〕「行ける**ものなら**行きたいものだ」「取れる**ものなら**取ってみよ」❷〔「(よ)うものなら」の形で〕ひとたびそれが成立すると、大変な事態が生じる場合の、仮定条件を表す。もし、万一…ならば。「反論でもしよう**ものなら**怒りだしかねない」

もの-な・れる【物慣れる・物×馴れる】《自下一》その物事になれて、所作などがなめらかに運ぶ。参考多く「―・れた」の形で使う。「―・れた口調のあいさつ」

***もの-の【物の】**《連体》時間・距離・量などが、たいした程度でない。ほんの。「―五分とかからない所にいる」表記ふつうかな書き。

***もの-の**《接助》《形式名詞「もの」＋助詞「の」》❶ある事柄の成立を一応認めたうえで、それにもかかわらず別の事態が成立する場合の、逆接条件を表す。「大学は出た**ものの**、勤める気はないらしい」「社長とはいう**ものの**(＝とはいえ)、お飾りにすぎない」❷〔「…からいいような**ものの**」の形で〕ある事柄の成立が原因となって、大変な事態を回避した場合の、確定条件を表す。「いなかったからいいような**ものの**、万一いたら大変だった」❸〔「…すれば(すると)いいようなものの」の形で〕ある事柄の成立によって、好ましい結果が得られるのにそれができない場合の、仮定条件を表す。「諦めてしまえばいいような**ものの**、それができない」参考くずれた言い方に「もんの」がある。

もの-の-あわれ【物の哀れ】❶平安文学で、ものに触れて起こるしみじみとした趣。参考本居宣長が源氏物語の本質を規定するために用いた語で、その時代の精神を表すものとされる。❷事物に触れて起こるしみじみとした情感。情緒。情趣。「―を知らぬ人」

もの-の-かず【物の数】 特にとり立てて数えあげるほ

どのもの。参考多く下に打ち消しの語を伴う。「あの頃(ころ)に比べたら、今の苦しさなど―ではない」「あんな奴(やつ)など―ではない」

もの‐の‐ぐ【物の具】〔文〕❶道具。調度品。❷武器。特に、よろい。

もの‐の‐け【物の▽怪・物の気】〔恨みをもっていてたたりをするといわれる、死者または生きている人の霊魂。「―が憑く」類語悪霊(あくりょう・あくれい)。

もの‐の‐どうり【物の道理】物事のすじみち。

もの‐の‐はずみ【物の弾み】その場の勢いや成り行き。「―で会の世話役を引き受けてしまった」

もの‐の‐ふ【▽武▽士】武人。武士。軍人。〔古風な言い方〕類語ますらお。

もの‐の‐ほん【物の本】〔特に名を出さないが、特定の〕ある書物。「―によれば、…」

もの‐の‐みごとに【物の見事に】《連語》まことに立派に。たいへんあざやかに。〔副詞的に使う〕「―投げ飛ばされた」

ものは‐づけ【物は付け】雑俳で、「…のものは」「…するものは」の題に応じて答えの句をつけるもの。

もの‐び【物日】祝い事や祭りなどのある特別の日。

もの‐ほし【物干し】洗濯物を干す・こと(所)。物干し場。物干し台。

ものほし‐げ【物欲しげ】《形動》いかにもほしそうなようす。ものほしそう。「―にお愛想を言う」

モノポリー 独占(権)。専売(権)。▽monopoly

モノマニア 偏執狂(へんしゅうきょう)。▽monomania

もの‐まね【物真▽似】《名・他サ》他人のしたことをまねること。特に、他人や動物の動作・声などをまねる芸。「―では研究にならない」「―で笑わせる」

もの‐み【物見】❶見物。❷戦いで、敵のようすを見張ること(人)。「―の兵」類語斥候(せっこう)。偵察(ていさつ)。❸「物見やぐら」の略。敵のようすを見張るやぐら。**―だか‐い【―高い】**《形》めずらしがってむやみに見たがる。「―・い群衆」**―ゆさん【―遊山】**見物して遊び歩くこと。観光旅行。「―に来たのではない」

もの‐めずらし‐い【物珍しい】(―めづらしい)《形》なんとなくめずらしい。また、いかにもめずらしい。「―・い風習」

もの‐もう‐す【物申す】(―まうす)一《自五》〔要求や反対意見などを〕主張する。「お役所へ―・す」二《感》昔、玄関などで案内を請うときに言ったことば。ものもう。

もの‐もち【物持ち】❶金銭や家財道具など、財産をたくさん持っている・こと(人)。類語財産家。資産家。金持ち。❷〔使わなかったり丁寧に扱ったりして〕品物をいつまでも持っていること。「―のいい人」

ものもの‐し‐い【物物しい】《形》いかめしい。また、仰々しい。「―・い警備体制」「―・く言い渡す」

もの‐もらい【物×貰い】(―もらひ)❶こじき。❷「麦粒腫(ばくりゅうしゅ)」の俗称。まつげの毛根に細菌が入って化膿(かのう)し、まぶたが赤くはれて痛む症状。

もの‐やわらか【物柔らか】(―やはらか)《形動》態度・ことば遣いなどが優しく穏やかであるようす。「―に応接する」

モノラル 放送・録音で、音を単一的に再生するもの。モノーラル。対ステレオ。▽monaural

モノレール 一本のレールで電車を走らせる鉄道。単軌鉄道。▽monorail

モノローグ 劇で、相手なしにひとりで言うせりふ。独白。対ダイアローグ。▽monologue

もの‐わかり【物分(か)り】物事の道理や事情などを理解して、それを認めて受け入れること。「―がいい」

もの‐わかれ【物別れ】話し合いや相談が合意しないまま別れること。「折衝は―に終わった」類語決裂。

もの‐わすれ【物忘れ】《名・自サ》〔年をとったりして〕記憶力が弱まること。「―がひどくなる」

もの‐わらい【物笑い】(―わらひ)他の人々からあざけり笑われること。「世間の―になる」

もの‐を《接助》《形式名詞「もの」+助詞「を」》〔多く、条件句を伴い〕満足すべき事態の不成立に対する、恨みや不満・無念・非難などの気持ちをこめながら、下の文に続けるのに使う。…のに。〔やや文語的な言い方〕「早く来ればいいものを、何をぐずぐずしている」参考詠嘆の意をこめて、終助詞としても使う。「生きてさえいれば、役に立てたものを」

モバイル ❶移動式(の電気機器・情報通信機器)。「―コンピューター」❷「モバイルコミュニケーション」の略。小型のパソコンと携帯電話を接続して、移動中に情報の送受信をすること。▽mobile

も‐はや【▽最早】《副》今となっては。もうすでに。はやすでに。「―打つ手がない」「―絶望だ」

も‐はん【模範】見習うべき手本。規範。「―とすべき人物」「―を示す」「―演技」「―的」

モビール 種々の形の紙片などを針金や糸で吊り、わずかな振動で微妙な動きを示すようにした造形物。モービル。▽mobile

も‐ふく【喪服】葬式・法事などに着る(黒い)礼服。

モヘア アンゴラヤギからとった毛(で織った毛織物)。軽くて丈夫で、光沢があり、洋服地やショール地などに使う。モヘヤ。▽mohair

モボ 〔俗〕「モダンボーイ」の略。流行を追う(軽薄な)男。参考昭和初期に流行した語。対モガ。

も‐ほう【模倣・×摸倣】《名・他サ》他のものをまねること。「外国産を―した設計」対独創。

も‐ほん【模本・×摸本・×摹本】〔文〕❶模写した書物。❷〔習字などの〕手本。

***もみ【×樅】**マツ科の常緑高木。葉は線形で、枝に密生する。材は製紙原料・建築用。若木をクリスマスツリーとして使う。

***もみ【×籾】**❶もみ米。❷もみがら。

***もみ【▽紅・▽紅▽絹】**《「もみぎぬ」の略》無地の紅色の絹布。女性用和服の裏地に使う。「―裏」

もみ‐あ‐う【×揉み合う】(―あふ)《自五》〔多くの人が〕押し合い入り乱れて争う。「乗客がドア付近で―・う」

もみ‐あげ【×揉(み)上げ】鬢(びん)の毛が耳にそって下の方まではえている部分。

もみ‐がら【×籾殻】稲の実の外側の皮。籾(もみ)。

もみ‐くちゃ【×揉みくちゃ】❶紙などが乱暴にもまれてしわになること。「原稿用紙を―にする」❷多くの人にもまれてひどいめにあうこと。「満員電車で―にされる」同①②もみくしゃ。もみくた。

もみ‐け‐す【×揉み消す】《他五》❶手でもんで消す。「たばこの火を―・す」❷好ましくないうわさなどが広まる前に、ひそかにいろいろな手を使って、なかったことにしてしまう。「金を使って事件を―・す」

もみ‐ごめ【×籾米】稲穂から落としたままで、外側からを取り去っていない米。籾(もみ)。

もみじ【〈紅葉〉・▽黄▽葉】(もみぢ)❶《名・自サ》晩秋に、木の葉が赤や黄色に色づくこと。また、その葉。紅葉

も

黄葉。「美しく―した山々」「顔に―を散らす（＝はずかしさに顔を赤くする）」❷「かえで」の別名。❸〔俗〕鹿の肉。 **―おろし**【―卸し】ダイコンの切り口に赤とうがらしをさしこみ、一緒にすりおろした薬味。 **―がり**【―狩(り)】山や野にでかけて、紅葉を楽しむこと。観楓。

もみ‐しだ・く【×揉み×拉く】《他五》強くもむ。乱暴にもむ。

もみ‐すり【×籾×摺り】もみ米を臼や機械などですり、もみがらを取りのぞいて玄米にすること。

もみ‐で【×揉み手】手と手をすり合わせ、もむようにすること。参考 多く、人にものを頼んだり、わびを言ったり、お世辞を言ったりするときの気持ちを表す。「―をして客を迎える」

もみ‐ほぐ・す【×揉み▽解す】《他五》〔凝りなどを〕もんでやわらかくする。また、緊張した気持ちなどがやわらぐようにする。「肩を―・す」「緊迫感を―・す」

もみ‐りょうじ【×揉(み)療治】筋肉の凝りなどを、もんだりさすったりして治すこと。また、その治療を施す人。〔古風な言い方〕類語 あんま。マッサージ。

も・む【×揉む】《他五》❶両手の間に物をはさんでこする。また、両手をこする。「紙を―・んでやわらかくする」「きりを―・む」「キュウリを塩で―・む」❷〔物を〕激しくゆすり上下に動かす。「神輿を―・む」「舟が波に―・まれる」❸体の痛みや疲れをとるため、手で筋肉をつまみほぐす。按摩をする。「肩を―・む」類語 (す)マッサージ。❹《受け身の形で》人ごみの中で押されてあっちへ行ったりこっちへ行ったりする。「人波に―・まれる」❺激しく議論して争う。「会議で―・んでやっと結論が出た」❻〔運動などで〕〔練習の〕相手になってきたえる。「いっちょう、―・んでやるか」❼《受け身の形で》多くの人の中でさまざまな経験や苦労を体験させられる。「社会の荒波に―・まれる」文《四》

もめ‐ごと【×揉め事】ごたごたした争い。トラブル。「―に巻きこまれる」類語 いざこざ。紛糾。悶着。

も・める【×揉める】《自下一》❶ごたごたした争いが起こる。「政府と野党の間で―・める」類語 (る)(す)紛糾。❷心配で落ち着かない。「気が―・める」文 も・む《下二》

もめん【〈木綿〉】❶キワタの種子についている、白くてやわらかな繊維。弾力性・吸湿性・保温性に富み、精製して衣類・ふとんなどにいれる。木綿わた。❷木綿わたから作った糸。木綿糸。❸木綿糸で織った織物。綿布。木綿織。

モメント ❶契機。「創作の―」❷要素。❸〔理〕回転能力の大きさを表す量。＝モーメント。▷moment

*__もも__【▽百】〔文〕百。また、数が多いこと。「―さえずり」

*__もも__【桃】バラ科の落葉小高木。四月ごろ、うす紅または白色の五弁の花を開き、初夏に実を結ぶ。品種が多く、観賞用の品種には八重咲きのものもある。 **―栗三年柿八年**《句》芽を出してから、桃と栗は三年、柿は八年たつと実がなるということ。参考「桃栗三年柿八年、柚は九年になりかかる」とも。

*__もも__【×股・×腿】ひざから上の部分。大腿部。

もも‐いろ【桃色】❶〔桃の花の色のような〕うすい紅色。ピンク。類語 薄紅・うすべに。桜色。薔薇色。鴇色。肌色。浅紅。石竹色。❷〔俗〕たわむれにする男女間の恋愛を言う語。「―遊戯」「―事件」❸〔俗〕思想が、やや左翼がかっていること。

もも‐じり【桃×尻】〔桃の実が丸くてすわりが悪いことから〕馬に乗るのがへたで、尻が鞍にうまくすわらないこと。

もも‐だち【×股立(ち)】はかまの両脇上部の、開いている部分を縫い止めたところ。「―を取る（＝動きやすいように、ももだちをつまみ上げて帯にはさむ）」

もも‐ちどり【▽百千鳥】❶〔雅〕多くの鳥。百鳥。❷「ちどり」の別称。

もも‐とせ【▽百▽歳・▽百▽年】〔雅〕ひゃくねん。また、多くの年。長い年月。

もも‐の‐せっく【桃の節句】〔陰暦で、桃の花の咲く季節にあたるところから〕三月三日の節句。ひな祭り。上巳。

もも‐ひき【×股引(き)】腰から下を包む衣服。足に密着する。作業用や〔男性の〕下着用。パッチ。

もも‐われ【桃割(れ)】一六、七歳の少女が結う、日本髪。左右に髪を分けて輪にして頂で結び、びんをふくらませたもの。

ももんが【×鼯×鼠】❶リス科の小獣。ムササビに似ているが、小さい。夜行性で、木の上にすむ。ももんがあ。❷「むささび」の別称。

ももんがあ ❶ももんが。❷頭から着物をかぶってひじを張り、ムササビのまねをして子供などをおどすこと。また、そのときに言う語。ももんじい。❸人をののしって言う語。ももんじい。

*__も‐や__【▽母屋・▽身屋】❶〔庇に対して〕家の中心となる部屋。寝殿造りでは、寝殿の中央の間。❷〔離れ座敷・物置などに対して〕すまいの中心になる建物。同 ①②母屋。

*__もや__【×靄】地面や水面近くの大気中にたちこめた薄い霧状のもの。類語 霞。

*__もやい__【▽催▽合い】共同で所有すること。また、共同で一つのことをすること。

*__もやい__【×舫い】船と船とをつなぎ合わせること。船を杭などにつなぎとめること。また、そのための綱。もやいづな。「―を解く（＝出航する）」

もやい‐ぶね【×舫(い)船】❶互いにつなぎ合わせてある船。❷岸などにつなぎとめてある船。

もや・う【×舫う】《他五》船と船とをつなぎ合わせる。また、船を杭などにつなぎとめる。「川岸に―・ってある舟」文《四》

もやし【×萌やし・×糵】暗い場所で光にあてないで発芽させた、豆類などの若芽。食用。

もや・す【燃やす】《他五》❶燃えるようにする。「落ち葉を―・す」類語 燃す。焚く。焼く。(る)(す)焼却。❷ある意欲や感情で心を高ぶらせる。「闘志を―・す」「理想に胸を―・す」文《四》

もや‐もや《副・自サ》《副詞は「―と」の形も》❶煙・湯気・もやなどが立ちこめるようす。また、〔もやがかかっているように〕ぼんやりしているようす。「―とした湖面」❷《名》心にわだかまりがあって晴れ晴れしないようす。また、心のわだかまり。「誤解が解けて―が消えた」

もよい【▽催い】《接尾》〔「雨・雪」などに付けて〕それが起こりそうなきざしが見える意。「雪―の空」

も‐よう【模様】❶〔衣服・調度類などに〕装飾としてほどこす、線・色などで表した形象。文様。「唐草―」「絵―」類語 文。文目。柄。❷ようす。ありさま。状況。「交渉は決裂した―」「―眺めの相場」

参考 接尾語的に、そうなりそうなようす、それらしいようすの意でも使う。「雨—」「荒れ—」 **—がえ【—替え】**《名・他サ》❶室内の家具の配置・装飾や、建物の外観などをあらためること。❷物事の方法・手順・計画などを変更すること。

もよおし【催し】 もよおし物。 **—もの【催(し)物】** 大勢の人を集めて行う会合・演芸・展示などの行事。もよおし。

もよお・す【催す】《他五》❶《自五》ある状態や気分を起こし始める。また、起こり始める。きざす。「吐き気を—・す」「尿意を—・す」❷〔会などを〕企て行う。開催する。「展覧会を—・す」 類語 (する)挙行。 文《四》。

も・より【〈最寄り〉】 もっとも近く。「—の駅」

モラール 士気。▽morale

もらい・ご【×貰い子】 他人の子をもらって自分の子とすること(子)。〔古風な言い方〕 類語 養子。

もらい・さげ【×貰(い)下げ】 警察などに留置されている者の身元を保証して引き取ること。

もらい・ぢち【×貰い乳】 母乳が出なかったり足りなかったりしたとき、他の女性から乳をもらって自分の子に飲ませること。貰い乳。もらいぢち。

もらい・て【×貰い手】 もらってくれる人。もらい受ける人。「犬の—を探す」「嫁の—」

もらい・なき【×貰(い)泣き】《名・自サ》他の人が悲しんで泣くのに同情していっしょに泣くこと。

もらい・び【×貰い火】 よその火事から火が移って自分の家も焼けること。類焼。

もらい・もの【×貰い物】 他人からもらった物。「—をする(=物をもらう)」 類語 いただき物。到来物。

もらい・ゆ【×貰い湯】 他人の家のふろにいれさせてもらうこと。

もら・う【×貰う】 ㊀《他五》❶人から・与えられ(贈られ)たものを受けとる。「小遣いを—・う」❷人に頼んで、自分で自由に使う。「ふろを—・う」「暇を—・う」❸〔嫁・婿・養子・養女などを〕家に迎えとる。「娘を—・って下さい」「養子を—・う」❹他人の物事を自分にひき受ける。「このけんかはおれが—・った」❺〔勝負で〕勝利を自分のものにする。勝ちを得る。「この試合は—・ってみせる」❻〔よくないものを〕うつされる。「幼稚園で、はしかを—・ってきた」㊁《補動》他人が何らかの動作をすることによって利益を受ける意を表す。また、依頼して他人に行為をさせる意を表す。「英語を教えて—・う」「少し待って—・おう」 表記 ㊁は多くかな書き。文《四》。⇩〔類語と表現〕

> **類語と表現**
>
> 「貰う」
>
> ＊金を貰う・精勤賞を貰う・手紙を貰う・くれる物は何でも貰う・父から貰ったカメラ／休暇を貰う・許可を貰う／婿を貰う。
>
> ◆授かる・受ける・収める・頂く・賜る・受け取る・手に入れる・譲り受ける・申し受ける・貰い受ける・承る／(する)授受・甘受・享受・納受・収受・拝受・拝領・収賄・受章・受賞・受戒・受理・受納・受領・頂戴

もら・す【漏らす・×洩らす】《他五》❶〔液体などを〕外にこぼす。「小便を—・す」❷〔秘密などを〕こっそりと他へ知らせる。「国家機密を外国に—・す」 類語 (する)漏洩・漏泄。漏出。❸必要な事柄を、ぬかす。また、取り逃がす。のがす。「名簿から大事な人を—・した」「—・さず逮捕する」 類語 (する)遺漏。脱漏。❹心に思っている事を口に出して言う。また、声や表情を外に出す。「本音を—・す」「ため息を—・す」 文《四》。

モラトリアム 〔心〕青年が社会人となるまでの精神の猶予期間。モラトリウム。▽moratorium(=執行猶予。支払い猶予) **—にんげん【—人間】** 社会的存在として、自己を確立していない人間。特に、いつまでも大人社会に同化できないでいる青年。

モラリスト ❶道学者。道徳家。❷人間性や人間の生き方などを観察・探究する人。▽フランス moraliste

モラル 倫理。道徳。「—に反する行為」「政治家の—」「男女間の—」▽morals **—ハザード** 道徳的危険。保険に入ったことで事故防止の意識が薄れることや、国の保護をあてにして金融機関が乱脈経営に走ることなど。▽moral hazard

***もり【守(り)】** 子供や客などのきげんをとったり世話をしたりすること(人)。お守り。「子供の—をする」

***もり【森・×杜】** 大きな木がたくさん茂っている所。また、特に、神社をかこんで木が茂っている所。「鎮守の—」 表記「杜」は、多く後者に用いる。類語 ↓林。

***もり【盛り】** ㊀《名》❶食べ物を皿や茶碗などに盛ること。また、その分量。「あの食堂は—がいい」❷「盛りそば」の略。㊁《助数》皿や茶碗などに盛ったものを数える語。「どんぶり飯二—」

***もり【×銛】** 魚などを突き刺してとる、鉄製の道具。

もり・あが・る【盛り上がる】《自五》❶〔中からふくらんで〕盛ったように高くなる。「地震で海岸線が—・る」 類語 (する)隆起。❷〔意見・力・雰囲気・感情などが〕わきあがるように起こって高まる。「大会気分が—・る」「反対運動が—・る」

もり・あ・げる【盛り上げる】《他下一》❶盛って高くする。「土を—・げる」❷〔意見・力・雰囲気・感情などを〕高める。さかんにする。「士気を—・げる」「盛大な応援が大会を—・げる」

もり・あわせ【盛(り)合(わ)せ】 大きな一つの皿に何種類かの料理を盛ったもの。「刺身の—」

もり・かえ・す【盛り返す】《他五》〔弱まった勢いを〕再び盛んにする。「元気を—・す」「中盤から—・して優勝した」 類語 (する)挽回。復興。

もり・かご【盛(り)×籠】 供物などを盛る籠。

もり・がし【盛(り)菓子】 三方に山形に盛って神仏にそなえる菓子。

もり・きり【盛(り)切り】 入れ物に一度盛っただけで、おかわりを出さない・こと(食べ物)。「—の飯」

もり・こ・む【盛り込む】《他五》❶器に盛って入れる。「サラダを鉢に—・む」❷〔意見・意匠などを〕その中に含み持たせる。組み入れる。「アイディアを—・む」

もり・ころ・す【盛り殺す】《他五》飲食物に毒をまぜ与えて、人を殺す。

もり・じお【盛(り)塩】 料理屋などで、縁起を祝って門口に塩を盛ること。また、その塩。盛り花。

もり・そば【盛(り)×蕎▽麦】 ゆでたそばをすのこ張りの器に盛ったもの。つけ汁で食べる。もり。対 かけそば。

もり・だくさん【盛り沢山】《形動》〔出し物・料理などの〕内容や分量が多いようす。「—な行事」

もり・た・てる【▽守り立てる】《他下一》❶まわりからいろいろと世話や援助などをして、力を発揮させたり、立派な仕事をさせたりする。「若い社長を—・てる」

類語 ひきたてる。❷衰えた勢いを再び盛んにする。再興する。「倒産寸前の会社を―・てる」

もり-つ・ける【盛り付ける】《他下一》食べ物を器に盛る。「皿におかずを―・ける」

もり-つち【盛(り)土】 低い地面の上に土を盛って高くすること。また、その盛った土。盛り土。

もり-つぶ・す【盛り×潰す】《他五》酒を飲ませて正体をなくさせる。

もり-ばな【盛(り)花】 ❶華道で、水盤・籠などに花留めを使って盛ったように生けるもの。❷盛り塩。

モリブデン 金属元素の一つ。銀白色のかたい金属。鋼に添加して合金の特殊鋼を作る。元素記号 Mo。▽ドイ Molybdän

もり-もの【盛(り)物】 ❶器に盛って膳に供える食べ物。❷〔菓子・果物など〕神仏に供える物。おそなえ。

もり-もり《副》(「―と」の形も)❶盛んな食欲で物を食うようす。❷はげしい勢いで物事をするようす。「―働く」❸〔力などが〕強い勢いで起こってくるようす。「―と勇気がわく」❹《自サ》力強く盛り上がるようす。「筋肉が―している」

＊も・る【漏る・×洩る】《自五》〔液体・気体・光などが〕物のすき間を通って(外に)こぼれる。また、物のすき間からこぼれて入ってくる。「雨が―・る」文《四》。

＊も・る【盛る】《他五》❶器物の中に、積み上げるように入れる。「果物を―・ったかご」「御飯を―・る」❷うずたかく積み上げる。「土を―・っただけの墓」❸〔匙に盛って調合することから〕薬を調合して人に飲ませる。特に、毒を薬や飲食物に混入して人に飲ませる。「毒を―・る」「一服―・る」❹思想・感情などを文中に表現する。「自由平等の理念を―・った論説」❺目もりをつける。「目を―・る」文《四》。

モルタル 砂にセメントを混ぜ、水でねったもの。石・れんがの接合や、壁・床の仕上げ用。▽mortar

モルト 麦芽。また、麦芽を糖化・発酵させて蒸留したもの。ビールやウイスキーの原料とする。▽malt

モルヒネ 阿片にふくまれているアルカロイド。鎮痛・麻酔作用が強く、連用すると中毒になる。モヒ。▽オランダ morfine

モルモット ❶「てんじくねずみ」の通称。参考 医学実験に使われることから、実験台として利用される人を言うこともある。「子供を―にして実験教育を施す」❷リス科の小獣。アルプス・ヒマラヤなどの高山にすむ。マーモット。▽marmot

もれ【漏れ・×洩れ】 ❶〔液体・気体・光などが〕すき間からこぼれ出ること。❷あるべきものが抜け落ちる・こと(もの)。おち。脱落。遺漏。「記載に―がある」

もれ-き・く【漏れ聞く】《他五》〔人づてなどによって〕聞くともなしに耳にする。「―・くところによると」類語 (す)仄聞。

もれ-つたわ・る【漏れ伝わる・×洩れ伝わる】《自五》秘密などがいつの間にかもれて伝わる。

もれ-なく【漏れ無く】《副》ことごとく。すべて。「入場者には―記念品を差し上げる」

も・れる【漏れる・×洩れる】《自下一》❶すき間からこぼれ出る。「桶から水が―・れる」❷隠していたことが他に知られる。「うわさが世間に―・れる」類語 ①②(す)漏洩・漏泄。漏出。❸抜ける。落ちる。「選に―・れる」「御多分に―・れず」文も・る《下二》。

＊もろ【▽諸】〔多く、接頭語的に使って〕〔文〕❶二つあるものの両方。「―の腕」「―手」❷多く。すべて。「―人」❸一緒。「―声」

＊もろ《副》〔俗〕➡もろに。

もろ・い【×脆い】《形》❶こわれやすい。「―・い地盤」「現政権の基盤は―・い」類語 脆弱。❷感じやすい。「涙―・い」「情に―・い」文もろ・し《ク》。

もろく-も【×脆くも】《副》〔はかない結果を強調して〕簡単に。あっさりと。「―一回戦で敗れる」

もろ-こ【▽諸子】 コイ科の淡水魚。からだは細く、背は青灰色。食用。

もろ-ごえ【▽諸声】〔文〕互いに呼び合う声。いっしょに出す声。「―に叫ぶ」

＊もろこし【▽唐▽土・▽唐】 昔、中国を言った語。唐。

＊もろこし【▽唐×黍・×蜀×黍】 イネ科の一年草。葉や茎はトウモロコシに似ている。実は酒などをつくるのに使う。とうきび。もろこしきび。

もろ-ざし【▽両差し・▽双差し・▽諸差し】 相撲で、両腕を相手の両脇にさしいれること。

もろ-て【▽諸手】 両手。「―を挙げて賛成する」

もろ-とも【▽諸共】〔文〕いっしょ(にすること)。〔副詞的にも使う〕「死なば―」―に《副》〔文〕いっしょに。ともども。「両者―倒れる」

もろ-に《副》〔俗〕〔間をさえぎる物がなく〕直接に。まともに。じかに。もろ。「影響を―受ける」

もろ-は【▽諸刃】 両刃①②。対 片刃。―の剣《句》一方ではよい結果をもたらすが、他方では危険を招く恐れもあるもの。両刃の剣。注意 どちらにも使える便利なものという解釈は誤り。

もろ-はく【▽諸白】 米で作った麴と白米とでつくった(上等な)清酒。対 片白。

もろ-はだ【▽諸肌・▽諸▽膚】 左右の肩から腕にかけての、はだ。上半身のはだ。「―脱ぎ」対 片肌。

もろ-びと【▽諸人】〔文〕多くの人。衆人。みんな。

もろ-み【▽諸味・×醪】 しょう油・酒などで、醸造してまだかすをこしていないもの。

もろ-もろ【▽諸▽諸・▽諸】 多くのもの。さまざまのもの。参考 多く「―の」の形で、「いろいろ多くの」の意を表す。「―の事情で計画をやめる」類語 諸般。

＊もん【問】《助数》質問や問題の数を数える語。

＊もん【文】《助数》❶昔の通貨の単位。一文は一貫の一〇〇〇分の一。❷もと、足袋・靴などの底の寸法の単位。一文は約二・四センチ。参考 一文銭の長さから。

＊もん【▽物】〔俗〕もの(物)。「こんな―いらない」

＊もん【紋】 ❶地の上に表された図形。あや。模様。紋様。❷家紋。類語 紋章。

＊もん【▽者】〔俗〕もの(者)。「署の―」

＊もん【門】 ㊀《名》❶家や敷地の出入り口として設けた構築物。❷物事の出はいりする所。「口は災いの―」❸ある先生を中心とした一派。「漱石の―に入る」❹生物分類上の段階で、界の下、綱の上。「種子植物―」㊁《助数》大砲を数える語。「砲三―」

＊もん《終助》「もの」のくだけた言い方。➡もの(終助)。「だって、知らなかったんだもん」

もん-えい【門衛】 門のわきにいて、出入りの人たちを調べる役(の人)。門番。類語 守衛。

もん-おり【紋織(り)】 平織り・斜文織りなどを組み合わせて、紋様を浮き織りにした布地。

＊もん-か【門下】 ある先生のもと(で教えを受ける人)。

「—生」

***もん・か**《終助》終助詞「ものか②」のくだけた言い方。「泣くもんか」

もんがい・かん【門外漢】その道を専門としていない人。また、直接その事に関係していない人。「音楽については—だ」対専門家。

もんがい・ふしゅつ【門外不出】大切にして、持ち出したり貸し出したりしないこと。「—の珍本」

もん・がまえ【門構(え)】(—がまへ) ❶門をかまえていること。「堂々とした—」❷漢字のかまえの一つ。「閉」「開」などの「門」の称。門構(かどがまえ)。

もん・がら【紋柄】紋様。模様。

モンキー猿(さる)。▽monkey **—スパナ**ボルト・ナットなどの頭の大きさに応じて、くわえ口の大きさを自由に変えることのできるスパナ。自在スパナ。モンキーレンチ。▽monkey と spanner からの和製語。

もんきり・がた【紋切り形・紋切り型】〔紋形を切り抜くための型の意〕一定の型にはまって、新味や真情のないやり方。「—のあいさつ」

もん・く【文句】❶文章の中の語句。類語 言句。辞句。文言(もんごん)。❷〔他人の言動に対する〕不満や言いがかり。「—を付ける(=不満を言いたてる)」類語 異議。異論。**—なし【—無し】**不満を言ったり条件をつけたりする必要がないこと。「—に賛成する」

もん・げん【門限】夜、門をしめると定められた時刻。また、夜、外出から帰らなければならない時刻。

もん・こ【門戸】〔文〕❶家の門と戸。家の出入り口。「—を閉ざして謹慎する」❷物事の入り口。❸一家。一派。「—を構える」「—を張る」「—をなす」**—かいほう【—開放】**禁止または制限していた出入りを自由にすること。

モンゴロイドモンゴル人種。黄色人種。コーカソイド(白色)・ネグロイド(黒色)と並ぶ人種の三大区分の一つ。皮膚が黄色・黄褐色で、多く幼時に蒙古斑(もうこはん)が見られる。▽Mongoloid

もん・ごん【文言】〔文〕文章の中のことば。ぶんげん。「会則の—を修正する」

もん・さつ【門札】表札。

***もん・し【×悶死】**《名・自サ》〔文〕もだえ死に。

***もん・し【門歯】**歯列の中央部にある上下各四枚、計八枚の歯。参考 解剖学では「切歯」。

もん・じ【文字】↓もじ(文字)。

もん・しゃ【紋×紗】模様を織り出した紗(しゃ)。帯地・夏羽織地などに使う。

もん・しゅ【門主】❶門跡(もんぜき)である住職。❷一山・一教派の首長。

もん・じゅ【文殊】知恵をつかさどる菩薩(ぼさつ)。普賢(ふげん)菩薩に相対して釈迦(しゃか)の左わきに侍し、ふつうは獅子(しし)に乗り、右手に知恵の剣、左手に青蓮花(しょうれんげ)をもつ。文殊菩薩。「—の知恵(=深くすぐれた知恵)」

もん・じょ【文書】書類。文書(ぶんしょ)。〔古風な言い方〕

もん・しょう【紋章】ある家・団体のしるしとしてきめた図形。類語 紋。

もん・しろちょう【紋白×蝶】シロチョウ科の昆虫。白色のはねに黒い紋がある。幼虫は「青虫」といい、アブラナ・キャベツなどを食う。

もん・しん【問診】《名・他サ》医師が患者に自覚症状などについて質問して、およその診断をすること。

もん・じん【門人】ある先生のもとで教えを受ける人。弟子。門下生。門弟。門生。

モンスーン季節風。▽monsoon

モンスター巨大な怪物・ばけもの。▽monster

もん・せい【門生】〔文〕門人。門下生。

もん・せき【問責】《名・他サ》〔文〕問い責めること。「関係者を呼んで—する」類語 詰問。詰責。

もん・ぜき【門跡】❶祖師の法門を受け継ぎ、教義を伝えている僧。門主。❷皇族や身分の高い貴族が出家して住持している特定の寺(の住職)。門主。❸本願寺管長の俗称。

もん・ぜつ【×悶絶】《名・自サ》〔文〕もだえ苦しんで気を失うこと。「みぞおちを突かれて—する」類語 気絶。

もん・ぜん【門前】門の前。**—ばらい【—払い】**(—ばらひ) ❶訪問者を、会わずに追い返すこと。「—を食う」❷問題として受けつけないこと。「—の判決(=訴訟棄却)」類語 却下。**—まち【—町】**中世以降、有力な神社や寺の門前に発達した町。伊勢(いせ)神宮の宇治山田、善光寺の長野など。

—市を成・す《句》訪問者が非常に多いたとえ。

—雀羅(じゃくら)を張・る《句》〔門前にスズメをとるあみを張る意で〕訪問者が少しもなく閑散としているたとえ。〈漢書・鄭当時伝賛〉

—の小僧習わぬ経を読む《句》日ごろ見聞きしていると、習わない事も知らず知らずのうちに覚えてしまうたとえ。

モンタージュ《名・他サ》❶映画で、フィルムを編集すること。❷写真や映画などで、断片的な素材を寄せ集めて一つの写真または画面を作り上げること。「指名手配の—写真」▽フランス montage

もん・だい【問題】❶〔知識をためすなどのために〕答えを求めて出す質問。試験などの問い。「数学の—」❷解決しなければならない事柄。「土地—」「—点」類語 ①②課題。❸やっかいな事件。「—を起こす」❹世間の注目を集めていること。「—の女性」「最近の—作」

—にならな・い《句》解決すべき事柄として取り上げる価値がない。取るにたりない。また、劣っていて比較の対象にならない。「私なんかで—・い」

もん・ち【門地】〔文〕家柄。家格。「—門閥」

もん・ちゃく【×悶着】《名・自サ》〔物事がもつれて〕もめること。また、もめごと。ごたごた。「遺産をめぐって—が起こる」類語 紛争。

もん・ちゅう【門柱】門の、両側のはしら。

もん・ちょう【紋帳・紋×帖】紋所の見本を集めた本。紋本。

もん・つき【紋付(き)】紋所をつけた礼装用の和服。一つ紋・三つ紋・五つ紋など。五つ紋を正式とする。紋服。「—羽織」

もん・で《接助》「もので」のくだけた言い方。↓もので。「知らなかったもんで、失敬したな」

もん・てい【門弟】門人。弟子(でし)。門弟子。

もん・と【門徒】❶〔文〕門人。❷その宗門に属する信徒。特に、門徒宗で、檀家(だんか)。❸《「門徒宗」の略》「真宗」の俗称。

もん・とう【門灯】門に取り付けてある電灯。

もん・どう【問答】《名・自サ》問うことと答えること。また、議論すること。「—をかわす」「—無用」

もん・どころ【紋所】家々の定紋。家紋。紋。

もんどり【▽翻▽筋▽斗】飛びあがって空中で一回転すること。宙返り。とんぼがえり。参考 多く「—(を)打つ」の形で使う。「—打って川に落ち込む」

もん-ない【門内】〔文〕門のうち。対門外。

もん-なし【文無し】金がないこと。一文なし。

もん-なら《接助》「ものなら」のくだけた言い方。↓ものなら。「サボろうもんなら大目玉だよ」

もん-ぱ【門派】一門の流派。特に、宗門の流派。

もん-ばつ【門閥】家柄のよい家同士が血縁関係などを結んでつくった閥。「藤原氏の—」

もん-ばん【門番】門のわきにいて出入りの人の番をする役目(の人)。門衛。

もん-ぴ【門扉】〔文〕門のとびら。「—をとざす」

もん-ぴょう【門標】表札。

もんぶ-かがく-しょう【文部科学省】内閣各省の一つ。教育・学術・文化・科学技術などをあつかう国の行政機関。

もん-ぷく【紋服】紋つき。

もんぺ 腰まわりをゆるく、すそ口を細く仕立てた、はかまに似た形の女性用の衣服。防寒用・労働用。もんぺい。参考 第二次世界大戦中は女子の常用服とされた。

もんめ【匁】《助数》尺貫法における重さの単位。貫の千分の一。一匁は、約三・七五グラム。目。

もん-もう【文盲】文字が読めない・こと(人)。

もん-もん【×悶×悶】《形動タルト》〔心が晴れず〕悩み苦しんでもだえるようす。「—と日を送る」

もん-よう【文様・紋様】模様①。

もん-りゅう【門流】一門の分かれ。特に、学問・芸道・武道などで、一門から分かれ出た流派。

や
せ—也

***や**《接尾》人名や人を表す名詞などにつけて、親しみを表す語。「ねえ—」「坊—」「ばあ—」

***や【八】**数の名。七の次。やつ。やっつ。はち。

***や【屋・家】** 一《名》〔文〕建物。いえ。「この—の主人」「二階—」 二《接尾》❶その職業の・人(家)を表す。「さかな—」「左官—」また、それを専門とする人を表す。「政治—」❷その癖・性質などを持つ人を表す。「はずかしがり—」❸屋号・雅号などに添える語。「中村—」「成田—」「鈴の—」表記 一は「家」、二①②はもっぱら「屋」、③は「舎」とも書く。参考 後者の場合は自嘲的に、または軽べつの気持ちを含んで使われる。

***や【矢・×箭】**❶細い竹の棒の一方の端に鏃をつけ、他方の端に羽をつけて、弓づるにかけて射る武器。「弓に—をつがえる」「刀折れ—尽きる」参考 (ア)速いもののたとえにも使う。「光陰—のごとし」(イ)「一本…」「一条…」「一腰(=二一本)…」と数える。❷激しく頻繁に、また攻撃的に物事が行われるようすのたとえ。「—の催促(=厳しく続けざまにうながすこと)」「質問の—を放つ」❸木材や石などを割るときに打ちこむ、鉄製または木製のくさび。

—も楯もたまらない《句》〔ある事をしたいという気持ちが強くて〕じっとしていられない。

***や【×輻】**車輪の中心部から、輪に向かって放射状に出ている棒。スポーク。

***や【野】**〔文〕❶野原。野。「虎を—に放つ」❷民間。「—にあって官につかず」対朝。❸《名・形動》〔文〕いやしい。「粗にして—」

—に下・る《句》❶公職を離れて民間の生活にはいる。❷与党から野党にまわる。注意「野に下る」は誤読。

***や**《係助》口語《係助詞「は」がイ列・エ列音の後にきて、なまったもの。「や(あ)」「ゃ(あ)」ともなる》↓は(係助)。「わたしゃ知りゃ(あ)しないよ」参考「来やしない」の場合は、「きやしない」と「こやしない」の形がある。後者は東京方言的。

***や** 一《間投助》〔文語ではいろいろの語や文節につく、口語では主に副詞につく〕❶感動・詠嘆の気持ちを添えて意味を強める。また、語調を整える。「今や決行の時だ」「またもや失敗に終わった」「人の将に死なんとする、その言ふや善し〈論語〉」参考 俳句では、切れ字の一つ。「菊の香や奈良には古き仏たち〈芭蕉〉」❷呼びかけに使う。〔親しい間柄で、主に対等以下の人に使う〕「太郎や、ご飯ですよ」 二《終助》❶文語 感動・詠嘆を表す。「ふるさとの小野の木立に笛の音のうるむ月夜や〈露風〉」「げに小春日ののどけしや〈文部省唱歌〉」❷〔命令形や、勧誘を表す助動詞「(よ)う」について〕誘いかけを表す。〔くだけた言い方の男性語。対等以下の人に使う〕「おい、よく見ろや」「お茶でも飲もうや」❸〔形容詞などについて〕詠嘆をこめて軽く言い放つのに使う。〔男性、特に子供が使う〕「こっちの方がいいや」❹文語 疑問・反語を表す。「白鳥はかなしからずや空の青海のあをにも染まずただよふ〈牧水〉」「何をか言わんや」 三《係助》文語〔文末を連体形で結ぶ〕疑問・反語を表す。「隣家には福引の興やあるらむ〈蘆花〉」「言うにや及ぶ」 四《並助》同類のものを例示的に並べあげるのに使う。「森や林や田や畑」「何やかやと面倒なことだ」 五《接助》〔動詞の終止形につく〕ある事態が成立すると同時に(あるいはその直後に)他の事態が起こる場合の接続を表す。〔緊迫した事態の表現に使う〕「部屋に入るや大声で泣きだした」参考「…や否や」の形で使うことが多い。「上手を引くや否や投げ飛ばした」↓やいなや。

やあ《感》❶呼びかけるときや、驚いたときなどに発する語。「—、こんばんは」「—、君か」❷気合いをかけるときに発する語。=や。

やあい 一《感》はやしたてるときの語。〔子供がよく用いる〕「—、—、いい気味だ」 二《間投助》〔体言や動詞の命令形などについて〕大声で遠くにいる人に呼びかけるときに使う。「庄助やあい、聞こえるかい」参考 終助詞としても使う。「おーい、返事をしてくれやあい」

やあ-さん〔俗〕やくざ。やあさま。やあ公。

ヤード《助数》ヤードポンド法での長さの単位。一ヤードは三フィート(約九一・四センチ)。表記「碼」とも当てる。▽yard

—ポンド-ほう【—ポンド法】長さ・重さの基本単位をヤードポンドにおく、英米の度量衡法。

ヤール 一《助数》《「ヤード」のなまり》洋服地の長さの単位。 二《名》一ヤールの長さ。「—幅」

***や-あん【夜暗】**〔文〕夜中の暗さ。夜陰。

***ヤーン** 織物や編物などに使う糸。▽yarn

やい 一《感》〔目下の者などに〕ぞんざいに呼びかけるときに発する語。「—、ぼうず」 二《終助》〔動詞の命令形や体言などについて〕親しみや軽べつの意をこめて言い放つのに使う。「よせやい」「うるせえやい」参考 間投助詞としても使う。「庄助やい、参ったか」

や-いた【矢板】 土砂くずれや浸水を防ぐために、建物の土台の周囲やあぜなどに打ち込む板状のくい。

やい-と【×灸】《「焼処」の音便》灸。「―をすえる」

や-いな-や【や否や】《連語》《動詞の終止形につく》…したかと思うとすぐ。…するが早いか。「五時になる―帰り支度を始めた」

やい-の-やいの《副》《「―と」の形も》〔さわぎたてて〕しつこく要求するようす。やいやい。「―と催促する」

やい-ば【▽刃】《「焼き刃」の音便》❶刃のついたもの。特に、刀・剣など。はもの。「―にかかる(=刀で殺される)」参考 鋭い・こと(もの)のたとえにも使う。「詰問の―を向ける」❷刀身の刃のほうについている波形のもよう。焼き刃。

やい-やい 一《感》〔乱暴な〕呼びかけの語。「―、このおれをだれだと思ってるんだ」二《副》やいのやいの。

や-いん【夜陰】〔文〕夜中の暗いとき。また、夜中の暗さ。「―に紛れて行動する」「―に乗ずる」

や-うち【家内】〔文〕家の中(の者)。家族。

や-うつり【家移り】《名・自サ》引っ越し。転居。〔古風な言い方〕「―で物入りだ」

や-え【八重】 ❶八つ重なっている・こと(もの)。❷数多く重なっている・こと(もの)。❸「八重咲き」の略。「―山吹」「―の花」

***や-えい【夜営】**《名・自サ》〔軍隊などが〕夜、陣営を張り、宿泊すること。

***や-えい【野営】**《名・自サ》〔軍隊などが〕野や山などに陣営を設けて宿泊すること。また、その陣営。露営。「砂漠で―する」類語 野宿。

やえ-ざき【八重咲き】 花びらがいく枚も重なり合って咲くこと。また、その花。やえ。「―の桜」

やえ-ざくら【八重桜】 八重咲きの桜。サトザクラの八重咲き種で、花期は一般に他の桜よりおそい。大形の花が咲く。ぼたんざくら。

やえ-なり【八重▽生り】 一本の草木に、実がいくえにも重なってなること。

やえ-ば【八重歯】〔歯列からはみ出して〕重なってはえた歯。「―がかわいい」

やえ-むぐら【八重×葎】 ❶〔古〕たくさん生い茂った葎。❷アカネ科の一年草または二年草。茎は四角く、逆とげがある。夏、淡黄緑色の小花をつける。

や-えん【野猿】 野生のサル。

や-お【〈八百〉】 ❶〔文〕一〇〇の八倍。はっぴゃく。❷数が非常に多いことを表す語。〔多く、接頭語的に用いる〕「―屋」「―よろずの神」

やお-ちょう【〈八百長〉】〔俗〕❶競技・試合などで、真剣に戦っているように見せかけ、前もって打ち合わせたとおりの結果に導くこと。いんちき勝負。「―試合」❷なれあいで事を行うこと。

や-おもて【矢面・矢表】《矢が飛んで来る正面の意》非難などをまともにあびる立場。「攻撃の―に立つ」

や-お-や【〈八百屋〉】 ❶野菜類を売る・店(人)。青物屋。❷〔広く浅い知識で〕いろいろな方面に少しずつ通じている人。

やお-よろず【〈八百〉▽万】〔文〕数が非常に多いこと。「―の神」

やおら《副》〔文〕ゆっくりと落ちついてとりかかるようす。おもむろに。「―本を読みはじめた」

やか《接尾》《古く形容詞の語幹、擬態語、状態性の名詞などにつけて形容動詞の語幹を作る語》その状態にある、また、その属性を有する意。参考「つつましやか」「しめやか」「さわやか」などの語に残る。

や-かい【夜会】 ❶夜行う会合・宴会。❷夜行われる、社交を目的とした西洋風の舞踏会。**―ふく【―服】** 夜会②のときに着る洋服。男子は燕尾服(またはタキシード)、女子はイブニングドレス。

や-がい【野外】 ❶野原。「―演習」❷家の外。屋外。戸外。「―ステージ」

や-がく【夜学】 夜間、授業をする学校。夜学校。「働きながら―に通う」類語 定時制。

や-かず【家数】 家の数。戸数。

や-がすり【矢▽飛▽白・矢×絣】 矢羽根の模様を織り出したかすり。「―の着物」

や-かた【屋形】 ❶貴族などの屋敷。❷貴人の尊称。「お―様」❸「屋形船」の略。屋根のある小座敷を設けた、遊山用の和船。表記 ①②は「館」とも書く。

やがて【×軈て】《副》まもなく。そのうちに。「―解決するだろう」類語 遠からず。今に。追って。ほどなく。

やかまし・い【×喧しい】《形》❶人声・物音などが大きく、うるさい。「赤ん坊の泣き声が―・い」❷うるさいほど盛んである。「―・く言いはやされている問題」❸〔いろいろ文句をつけて〕きびしい。好みがむずかしい。「言葉づかいについて―・くいわれる」「服装に―・い人」類語 ↓うるさい。文 やかま・し《シク》。

やかまし-や【×喧し屋】 気むずかしくて、小言ばかり言う人。「おやじは定評のある―だ」

やから【▽族】〔文〕❶同じ血筋を引く人。一族。❷〔ある特定の〕仲間。連中。「不逞の―」参考 ②は、多く、「よくない仲間」という意識を含んで使われる。表記 ②はもっぱら「輩」と書く。

や-がら【矢柄・矢▽幹】 ❶矢の、細長くまっすぐな部分。矢の幹。篦。❷〔染め物などの〕矢の模様。

やがる《助動》〔動詞、助動詞「(ら)れる」「(さ)せる」などの連用形について〕動作主に対する、話し手のさげすみ・憎しみ・ののしりなどの気持ちを表す。〔主に、男性の、ぞんざいな調子の会話に使う〕「あいつ、ふざけやがって」「とうとう雨が降ってきやがった」参考「…ている」に「やがる」のついた「…ていやがる」は、「…てやがる」になることがある。「上品ぶってやがる」

***や-かん【夜間】** 夜のあいだ。夜。「―勤務」対 昼間。

***や-かん【▽薬×罐・▽薬×鑵】** ❶銅・しんちゅう・アルマイトなどで作った湯沸かし用の器具。参考 もと、薬を煎じるのに使った。❷〔俗〕〔やかん①の底のような〕はげあがった頭。やかん頭。表記「薬缶」とも書く。

***や-き【夜気】**〔文〕❶夜のひえびえとした空気。「―が冷たい」❷夜のけはい。夜の静かな気分。「―が迫る」

***やき【焼き】** ❶焼くこと。また、焼いたかげん。「―があまい」❷刃物を作るとき、熱した刃を水に入れて急に冷やしかたくする処理法。

―が回・る《句》〔刀に火が回り過ぎて切れ味が悪くなる意から〕勢いや能力が衰えてにぶくなる。

―を入・れる《句》〔刀などを焼いてきたえる意から〕制裁を加えて、しゃんとさせる。

やぎ【▽山▽羊・野▽羊】 ウシ科の家畜。ヒツジに似ており、毛は白色で短い。雄はあごにひげがある。肉・毛・乳などが利用される。

やき-あ・げる【焼き上げる】《他下一》❶十分に焼

く。❷焼いて作りあげる。「パンを━・げる」

やき‐あみ【焼(き)網】 魚や餅(もち)などを焼くときの金網。

やき‐いも【焼(き)芋】 焼いたサツマイモ。参考 おいしさが栗(くり)(九里)に近い意から「八里半」、栗(九里)より(四里)うまいの意から「十三里」などという。

やき‐いれ【焼(き)入れ】 高温に熱した金属を水や油の中に入れて急に冷やすこと。鉄などの硬度を高めるために行う。対 焼きもどし。

やき‐いろ【焼(き)色】 焼け焦げてつく色。

やき‐いん【焼(き)印】 火で熱し、物に押しつけてその焼きあとをしるす、金属製の印。また、そうしてつけたしるし。「━を押す」類語 烙印(らくいん)。

やき‐うち【焼(き)討ち】 《名・他サ》城・町・屋敷などに火をつけ、人々があわてるのに乗じて攻めこむこと。火攻め。「━をかける」

やき‐え【焼(き)絵】 小さな焼きごてや薬品で、木・竹・ぞうげなどに模様を焼きつける工芸。

やき‐がね【焼(き)金】 ❶熱した鉄を牛馬の尻(しり)などに押し当てて印をつけること。また、その道具。❷外科手術で、腐肉を焼き取る鋼鉄製の針。火針。

やき‐ぐし【焼(き)×串】 肉や魚にさして、あぶって焼くための、金属製または竹製のくし。

やき‐ごて【焼(き)×鏝】 ❶布や紙などのしわを伸ばしたり、折り目をつけたりする、火で熱したこて。❷焼き絵をかくのに用いる小さなこて。

やき‐ごめ【焼(き)米】 もみがついたままの新米をいり、うすでついてもみがらを除いたもの。食用。

やき‐ざかな【焼(き)魚・焼(き)×肴】 魚肉を火であぶった料理。

やき‐そば【焼(き)×蕎▽麦】 ❶蒸した中華そばを、野菜・肉などとともに油でいためた料理。❷油で揚げた中華そばの上に野菜・肉などのあんをかけた料理。

やきだま‐きかん【焼(き)玉機関】 シリンダーの圧縮室内の焼き玉を点火源とし、それを赤熱させた上に油を噴射して爆発させる内燃機関。

やき‐つぎ【焼(き)接ぎ】 《名・他サ》こわれた陶器などを、うわぐすりをつけて焼き、つなぎ合わせること。

やき‐つ・く【焼き付く】 《自五》❶焼けてくっつく。焼けてその跡がついて残る。「━・くような日差し」❷あ

る印象が心に強くのこる。「青い湖の色が胸に━・く」

やき‐つけ【焼(き)付け】 ❶素焼きの陶磁器に模様をかき、再び窯にいれて焼き、模様を定着させること。❷写真で、印画紙に原板を重ねて光線を当て、陽画を作ること。❸めっきすること。

やき‐つ・ける【焼き付ける】 《他下一》❶熱した金属を押し当てて物にしるしをつける。参考 強い日差しなどがきびしく照りつける意にも用いる。「━・けるような夏の日差し」❷写真で、印画紙に原板を重ねて光線を当て、陽画を作る。❸忘れ難い印象を残す。「心の底に━・ける」❹めっきする。❺やきつけ①をする。

やき‐どうふ【焼(き)豆腐】 固めの豆腐を直火(じかび)であぶって、表面にこげめをつけたもの。

やき‐とり【焼(き)鳥】 鳥の肉や内臓、また豚の臓物などを串(くし)にさし、直火(じかび)であぶった料理。

やき‐なおし【焼(き)直し】 ━な(ほし) 自分の古い作品や他人の作品に、多少手を加えて新作として発表する・こと(作品)。〔新鮮味がない意を含む〕「━の改革案」

やき‐なまし【焼(き)▽鈍し】 ガラス・金属などの内部のひずみを直すため、一度熱してから徐々に冷やしていく処理法。焼鈍(しょうどん)。

やき‐にく【焼(き)肉】 牛・豚などの肉をあぶり焼きにした料理。「━定食」

やき‐のり【焼(き)▽海×苔】 干しのりを火であぶってある食べ物。

やき‐ば【焼(き)場】 物を焼く場所。特に、火葬場。

やき‐ばた【焼(き)畑】 雑木・雑草を焼きはらい、そこに作物を植えつけ、肥料を与えずに育てる・こと(畑)。やいばた。火田(かでん)。やきはた。「━農業」

やき‐はまぐり【焼(き)×蛤】 ハマグリを貝殻のまま焼いた食べ物。また、ハマグリのむき身を串(くし)にさして焼いた食べ物。やきはま。「その手は桑名の━」(=「その手はくわない」をしゃれて言うことば)」

やき‐はら・う【焼き払う】 ━は(らふ) 《他五》(あたり一面を)すっかり焼いてしまう。「枯れ草を━・う」

やぎ‐ひげ【▽山▽羊×鬚】 〔ヤギのひげのように〕下あごの部分に長く生やしたひげ。

やき‐ふ【焼(き)×麩】 火にあぶって、ふくれさせた麩(ふ)。食用。

やき‐ぶた【焼(き)豚】 かたまりのままの豚肉を蒸し焼きにした食べ物。薄く切って食べる。チャーシュー。

やき‐まし【焼(き)増し】 《名・他サ》写真で、印画を追加して焼き付けること。

やき‐みょうばん【焼(き)明×礬】 みょうばんを熱し、脱水した白い粉。消毒剤。

やき‐めし【焼(き)飯】 ❶チャーハン。❷にぎり飯をあぶり、こげめをつけたもの。焼きおむすび。

やき‐もき 《副・自サ》《副詞は「━と」の形も》気をもんでいらいらするようす。「事態が進展せず━する」

やき‐もち【焼(き)×餅】 ❶火であぶった、もち。❷ねたみ。嫉妬(しっと)。「━を焼く」

やきもどし【焼き戻し】 焼き入れした金属の硬度を元の状態にもどすために熱を加えること。対 焼き入れ。

やき‐もの【焼(き)物】 ❶陶器・磁器など、土を焼いて作った器物の総称。「━を趣味とする」❷魚や鳥などを火にあぶって作った料理の総称。「尾頭つきの━」

や‐きゅう【野球】 九人一組となって二組が攻撃側と守備側に分かれ、ボールをバットで打ち、得点をあらそう競技。ベースボール。

や‐ぎゅう【野牛】 野生の牛。大形で黒茶色。背中は山形にもりあがっている。現在北アメリカとヨーロッパに少数が保護されている。バイソン。

や‐ぎょう【夜業】 《名・自サ》夜間に仕事をすること。また、その仕事。よなべ。類語 夜勤。

や‐きょく【夜曲】 セレナーデ。

***や‐きん【×冶金】** 鉱石から金属をとり出して、精製したり合金を作ったりすること。注意「治金」は誤り。

***や‐きん【夜勤】** 夜間の勤務。「━が続く」対 日勤。

***や‐きん【野×禽】** 〔文〕野生の鳥。野鳥。対 家禽(かきん)。

***やく【薬】** ㊀《接尾》「くすり」の意。「頭痛━」㊁《名》〔俗〕麻薬(まやく)。「━の売人(ばいにん)」

***やく【厄】** ❶わざわい。災難。「━を払う」❷「厄年(やくどし)」の略。「四二の━」

***やく【役】** ❶その人に割り当てられた務め・仕事。任務。「会費を集める━」❷〔責任を負う〕おもだった職務。また、その肩書。「━のつく仕事」「━力士」❸〔演劇などで〕各役者が受け持って扮(ふん)する役目。「ハムレットの━で出演する」「━を振る(=役を割り当てる)」❹〔花

や

札・マージャン・トランプなどで〕約束にしたがって定められた、特殊な札の集め方。「―ができる」

―に立・つ《句》その用をはたすことができる。有用である。「英会話に―・つ本」

*やく【約】■一《名》❶〔文〕約束。とりきめ。「―を交わす」❷つづめること。省略。❸〔語学〕約音。■二《副》おおよそ。だいたい。「川幅は―二〇メートルだ」

*やく【×葯】おしべの主要部分で、花粉を作り、それを入れておく袋。

*やく【訳】❶ある言語で書かれたものを、それと同じ意味の他の言語に変えて表すこと。また、その書き表されたもの。翻訳。❷むずかしいことばや文章を、わかりやすく言いかえたもの。「源氏物語の現代語―」〔①②とも接尾語的にも用いる〕

*や・く【焼く】《他五》❶熱・光・強い薬などを作用させる。㋐火で物を燃やす。「木を―・く」㋑火にあぶって、中まで熱が通るようにする。「魚を―・く」㋒火の中に入れて熱する。「鏝(こて)を―・く」㋓熱を加え、原料の性質を変化させて物を作る。「絵皿を―・く」「これは私が―・いたクッキーです」㋔日光に当てて、皮膚を黒くする。「海岸で肌を―・く」㋕〔写真で〕原板から陽画を作る。焼きつける。「キャビネ判に―・く」㋖強い薬をつけて、火をあてたような状態にする。「塩酸で―・く」類語燃す。燃やす。焦がす。焚(た)く。❷激しく心を動かす。㋐こまごまと気を使う。「世話を―・く」㋑ねたむ。そねむ。嫉妬(しっと)する。「二人の仲を―・く」類語角を生やす。甚助(じんすけ)を起こす。嫉視(す)(る)。悋気(りんき)。表記②㋑は「妬く」とも書く。文《四》

*ヤク ウシ科のけもの。チベットの高原にすみ、毛が長く、尾は馬に似る。乗用・運搬用・食用・乳用として飼われる。犛牛(りぎゅう)。▽チベット gyak

や・ぐ【夜具】寝るときに用いる用具。類語寝具。

*やく・いん【役印】〔職務上用いる〕役目を表す印。

*やく・いん【役員】❶会合・集会などで、特定の役〔に当たっている人〕。「運動会の―」❷団体・会社などで、責任をもって実際にそれを動かす役職〔にある人〕。「―待遇」類語幹部。

やく・えき【薬液】液状の薬。

やく・えん【薬園】薬草を栽培する畑。

やく・おとし【厄落〔と〕し】〔神仏に参拝などして〕災いを払い除くこと。厄はらい。

やく・おん【約音】〔語学〕語中の連続した二つの音節で母音が重なったときに、一方の母音が落ちて一音節になる現象。「わがいも」が「わぎも」、「とほつあはうみ」が「とほたふみ」となる類。約言。約。対延音。

やく・がい【薬害】薬品による害。「―訴訟」

やく・がえ【役替え】〈―がへ〉《名・他サ》ある人の役めや役職をかえること。転役。

やく・がく【薬学】薬の性質・製法・効能などについて研究する学問。

やく・がら【役柄】❶役目を持っている身分。「―を重んずる」❷役目の性質。「―上やむを得ない」❸〔演劇で、年齢・性別・性質などによって〕類型的に分けた、登場人物の性格。「上手に―をこなす」

やく・ぎ【役儀】〔文〕役目。つとめ。「―柄」

やく・ぎょう【訳業】翻訳の仕事。翻訳業。また、その業績。「―にたずさわる」

やく・げん【約言】❶《名・他サ》〔文〕要点を短くかいつまんで言うこと。「これを―すれば」類語略言。❷〔語学〕約音。

やく・ご【訳語】翻訳したことば。

やく・こう【訳稿】翻訳した原稿。

やくざ ❶《名・形動》〔しっかりしたところがなくて〕役にたたないこと。いいかげんなこと。また、そのような者。「―な暮らしをする」「―な仕事に手を出す」参考「三枚」というばくちで、八(や)・九(く)・三(さ)の目が出ると負けになったことから。❷正当な職業を持たずに生活している者。「―渡世」「―者」「―から足を洗う」類語ばくち打ち。渡世人。極道。愚連隊。暴力団。

やく・さい【訳載】《名・他サ》〔文〕翻訳して雑誌・新聞などに載せること。

やく・ざい【薬剤】〔医療用に調合してある〕くすり。〔専門的な場で使われる〕類語薬品。―し【―師】免許を受けて、薬を製造したり医師の処方箋(しょほうせん)にしたがって薬を調合したりする職業〔の人〕。

*やく・さつ【×扼殺】《名・他サ》〔文〕のどを手で絞めて殺すこと。「―死体」類語絞殺(こうさつ)。

*やく・さつ【薬殺】《名・他サ》毒薬で、けものなどを殺すこと。毒殺。「狂犬を―する」

*やく・し【薬師】「薬師如来」の略。―にょらい【―如来】「薬師瑠璃光(るりこう)如来」の略。衆生(しゅじょう)の病患・災難を除くという如来。薬師。

*やく・し【訳詞】歌詞の翻訳。また、その歌詞。

*やく・し【訳詩】詩の翻訳。また、その詩。

*やく・じ【薬事】医薬に関する事柄。「―法」

*やく・じ【薬×餌】〔文〕薬と食べ物。また、薬。「―療法」「―に親しむ〔=病気がちである〕」

*やく・しゃ【役者】❶「俳優」の別称。〔やや古風な言い方〕「歌舞伎(かぶき)―」❷ある物事を行うための〔おもだった〕顔ぶれ。「双方の―がそろう」❸世知にたけ、かけひきなどにたくみな人。「あいつはたいした―だ」

*やく・しゃ【訳者】詩や文章を翻訳した人。翻訳者。

*やく・しゅ【薬種】薬の材料。また、薬。「―問屋」

*やく・しゅ【薬酒】〔漢方薬などを入れて作った〕飲むと薬になるとされる酒。薬用酒。

やく・しゅつ【訳出】《名・他サ》〔文〕訳して表すこと。翻訳。「魯迅(ろじん)の書簡を―する」

やく・じゅつ【訳述】《名・他サ》翻訳してその内容を述べること。また、そのもの。「演説を―する」

*やく・しょ【役所】国家機関や地方自治体の役人がその事務を取り扱う場所。官公庁。

*やく・しょ【訳書】翻訳した書物。訳本。対原書。

やく・じょ【躍如】《形動タルト》〔文〕はつらつとして生気のあふれているようす。「面目―たるものがある」

やく・じょう【約定】《名・他サ》〔文〕約束を取り決めること〔約束〕。「―書」「―済み」類語契約。

やく・しょく【役職】❶勤務上の地位とその仕事。❷ある組織・団体を運営する上での重要な地位。管理職。「―に就(つ)く」「―手当」

*やく・しん【薬×疹】〔医〕薬を注射したり内服したりすることによって起こる、皮膚の発疹(はっしん)。

*やく・しん【躍進】《名・自サ》勢いよく発展すること。「―著しい企業」

*やく・・す【約す】《他五》→約(やく)する。

*やく・・す【訳す】《他五》❶翻訳する。「英語を日本語に―・す」❷古語やむずかしい語をわかりやすく解釈する。「枕草子(まくらのそうし)を現代語に―・す」＝訳(やく)する。

やく・すう【約数】ある整数または整式を割り切ることができる、整数または整式。対倍数。

*やく・する【×扼する】《他サ変》〔文〕❶握りしめる。強くしめる。「のどを—・する」❷要所をおさえる。「海峡を—・する要衝の地」

*やく・する【約する】《他サ変》❶〔文〕約束する。とりきめる。「軍備縮小を—・する」❷〔ことば・文章などを〕短くちぢめる。要約する。「演説を—・する」❸分子・分母または式の両辺を公約数で割って簡単にする。参考②③は、「約す」の形で使うことが多い。

*やく・する【訳する】《他サ変》➡訳す。

やく・せき【薬石】〔文〕〔薬と石針(=中国古代の治療器)の意で〕薬品と治療法。病気の手当て。「—効なく永眠いたしました」

やく・せつ【約説】《名・他サ》〔文〕要約して説くこと。また、説いたもの。

やく・ぜん【薬×膳】健康増進・病気治療に効果のあるとされる料理。参考医食同源の思想に基づく。

やく・そう【薬草】薬として用いる草。センブリ・ゲンノショウコなど。「—を煎じる」

やく・そく【約束】❶《名・他サ》相手に対し、あることの実行を誓うこと。また、その内容。「結婚の—」「—を破る」「—が違うではないか」❷〔ある社会・団体などで、あらかじめ定められている〕きまり。規定。規則。「無言の—に従う」❸〔自分の意志とは無関係に〕前もって定まっている運命。「前世の—」類語因縁。—ごと【—事】約束した物事。「—を守る」—てがた【—手形】発行した人が、一定の期日に一定の金額を名宛人に支払うことを約束した手形。約手。「—を振り出す」

*やく・たい【益体】〈「—もない」の形で〉役にたたない。つまらない。「—もないことに時間を費やす」

*やく・たい【薬袋】薬を入れる袋。薬嚢。

やく・だい【薬代】薬の代金。薬代。

やく・たく【役宅】〔文〕公務員用に、その役目に応じて造られた住宅。公舎。官舎。

やく・だく【約諾】《名・他サ》〔文〕約束し、引き受けること。

やく・だ・つ【役立つ】《自五》〔物事を行うにあたって〕その用をはたすことができる。有用である。役に立つ。「仕事に—・つ資料」

やく・ちゅう【訳注・訳×註】訳者がつけた注釈。対原注。

やく・づき【役付(き)】役②についていること。また、その人(身分)。やくつき。「—になる」

やく・づくり【役作り】《名・自サ》役者が、割り振られた役にふさわしい演技・扮装などを工夫すること。

やく・て【約手】「約束手形」の略。

やく・てん【薬店】〔文〕薬を売る店。薬屋。

やく・とう【薬湯】〔文〕❶くすりゆ。「—に入る」❷せんじぐすり。「—を飲む」

やく・どう【躍動】《名・自サ》力強く、いきいきと活動すること。「—する筋肉」「—感」

やく・とく【役得】その役目についているために得られる特別な利益。「仕事柄—が多い」

*やく・どく【薬毒】薬に含まれている有害な成分。

*やく・どく【訳読】《名・他サ》外国の書物や日本の古典などを翻訳または解釈して読むこと。

やく・どころ【役所】〔役目として与えられた〕仕事。役割。役柄。参考多く、難易・適不適の観点から言う。「むずかしい—」「ぴったりの—」

やく・どし【厄年】❶〔陰陽道で〕災難にあいやすいとされている年齢。一般に男は二五・四二・六〇、女は一九・三三・四九。やく。❷災難の多い年。

やく・なん【厄難】〔文〕〔身にふりかかる〕わざわい。災難。災厄。「—に遭う」

やく・にん【役人】公の職についている人。特に、官公庁に勤務している人。公務員。「—根性(=役人にありがちな形式主義的でいばりたがる性質)」

やく・ば【役場】❶町村長が、行政事務をとる所。「村—」❷公証人・執行官などが事務をとる所。「公証人—」

やく・ばらい【厄払い】神仏に祈ることによって、わざわいを取り去ること。厄落とし。やくはらい。類語厄よけ。

やく・び【厄日】❶〔陰陽道で〕災難がおこりやすいとして忌む日。❷災難が続いておこる、いやな日。「今日はとんだ—だった」

やく・ひつ【訳筆】〔文〕翻訳した文章。「名文家の手になる—」類語訳文。

やく・びょう【疫病】〔文〕〔流行性の強い〕感染性の熱病。疫病。「—にとりつかれる」—がみ【—神】❶疫病をはやらせるという神。❷多くの人からいみ嫌われる人。対福の神。

やく・ひん【薬品】❶〔商品などとしての〕くすり。医薬品。類語薬剤。❷〔工場・実験室などで〕ある化学変化を生じさせるために用いる液体・固体の物質。

やく・ぶそく【役不足】《名・形動》与えられた役が、その人の実力とは不相応に軽いこと。また、与えられた役に不満を持つこと。「課長補佐では—だ」「—を訴える」注意役割をこなすに足りる力がないこと(=力不足)の意に使うのはまちがい。

やく・ぶつ【薬物】薬となる物質。

*やく・ぶん【約分】《名・他サ》〔数〕分数や分数式の分子・分母を公約数で割って、比を簡単にすること。

*やく・ぶん【訳文】外国語の文章や古文を、翻訳したり解釈したりした文章。類語訳筆。

*やく・ほ【薬舗・薬×鋪】〔文〕薬屋。薬局。

*やく・ほ【訳補】《名・他サ》翻訳した上で、読者の理解を深めるために、原文にない文を補うこと。

やく・ほう【薬方】薬の調合のしかた。薬の処方。

やくほう・し【薬包紙】粉薬を包む紙。くすり紙。

やく・ほん【訳本】翻訳して作った書物。訳書。

やく・まえ【厄前】厄年の前の年。前厄。

やく・まわり【役回り】〔割り当てられた結果〕自分にまわってきた役目。「損な—」

やく・み【薬味】風味を増したり食欲を増進させたりするために、料理にそえる香辛料。ねぎ・わさび・しょうが・とうがらし・大根おろしなど。「—を利かせる」

やく・むき【役向き】その役目に関する事柄。役柄。特に、役目の性質。「—の打ち合わせ」

やく・め【役目】〔なしとげるように〕割り当てられた務め。「—を果たす」類語職務。任務。役割。

*やく・めい【役名】役目の名まえ。役職名。

*やく・めい【訳名】翻訳してつけた名まえ。

やく・よう【薬用】薬として用いること。「—石鹸」

やく・よけ【厄▽除け】災難が身にふりかかるのをはらい

のけること。また、その方法。[類語]厄払い。

や-ぐら【×櫓】《「矢倉」の意》❶〔見張りなどのために〕城門や城壁の上に設けた高い建物。❷展望用・足場用の高い台。「火の見―」❸〔相撲・盆おどりなどで〕太鼓を打ち鳴らす高い建物。「―を組む」❹こたつの、木を組み合わせた台。こたつやぐら。❺「櫓投げ」の略。相撲で、片方のひざを相手の内またに入れ、つり上げぎみに振るようにして投げる技。❻「櫓囲い」の略。将棋で、王将の左側または右側に金・銀をやぐらのように組んで守りを固める構え。

やぐら-した【×櫓下】人形浄瑠璃(じょうるり)で、一座の芸人の代表者。紋下(もんした)。

やぐら-だいこ【×櫓太鼓】開場または閉場を知らせるために櫓の上で打ち鳴らすたいこ。

やく-り【薬理】薬品の作用によって生体に起こる生理的変化。「―学」

や-ぐるま【矢車】軸のまわりに矢の形をしたものを放射状にとりつけたもの。風を受けて回る。**―ぎく**【―菊】キク科の一年草または二年草。夏から秋にかけて青紫・白・桃色などの矢車形の花を開く。やぐるまそう。**―そう**【―草】❶ユキノシタ科の多年草。深山に自生し、夏、緑白色の小花を開く。五枚の小葉が矢車形につく。❷「やぐるまぎく」の通称。

やく-ろう【薬×籠】❶〔文〕薬を入れる箱。薬箱。「自家(じか)―中の物」❷→印籠(いんろう)。

やく-わり【役割】割り当てられた役目や仕事。「それぞれの―をこなす」

やく-わん【×扼腕】《名・自サ》〔文〕〔非常に残念がったり憤慨したりして〕思わず自分の腕をにぎりしめること。「切歯(せっし)―」

***やけ**【焼け】❶焼けること。焼けたもの。「日―」「まる―」❷硫化鉱物の鉱床が地上に露出した部分で、焼けあとのように褐色がかっている所。

***やけ**【▽自▽棄】自分の思いどおりにならないため、前後のみさかいなく・乱暴な(無茶な)ふるまいをすること。自暴自棄。やけくそ。「―を起こす」「―になる」

やけ-あと【焼け跡】火事で焼けたあと。

やけ-あな【焼け穴】布などの一部が焼けてできた穴。

***や-けい**【夜景】夜のけしき。夜のながめ。夜色。「百万ドルの―」

***や-けい**【夜警】夜間に、建物の中や町内などを見まわって、火事や犯罪を警戒すること。また、その人。

やけ-いし【焼け石】焼けて熱くなった石。**―に水**《句》努力のしかたや援助が足りなくて、効果が上がらないことのたとえ。

やけ-お・ちる【焼け落ちる】《自上一》〔建物が〕焼けて倒れくずれる。「火事で―・ちた家」

やけ-くそ【▽自▽棄×糞】〔俗〕「自棄(けや)」を強めていう語。「―になる」

やけ-こげ【焼け焦げ】焼けてこげること。また、その跡。「畳に煙草(たばこ)の―をつける」

やけ-ざけ【▽自▽棄酒】すてばちな気分になって飲む酒。「―をあおる」

やけ-し・ぬ【焼け死ぬ】《自五》火に焼かれて死ぬ。

やけ-ださ・れる【焼け出される】《自下一》火事などで家を焼かれ、住む所を失う。「火事で―・れる」

やけ-ただ・れる【焼け×爛れる】《自下一》やけどで皮膚がただれる。

やけ-つ・く【焼け付く】《自五》焼けてこげつく。「―・くような砂漠」

やけ-っ-ぱち【▽自▽棄っぱち】〔俗〕「自棄(けや)」を強めていう語。すてばち。「―で酒を飲む」

やけ-ど【▽火▽傷】《名・自サ》《「焼け処(ど)」の意》❶火・熱湯などで皮膚をいためること。また、その傷。火傷(かしょう)。[類語]火ぶくれ。❷危険なことなどにかかわって痛手をうけること。「あんな女にかかわったら―するぞ」

やけ-に《副》〔俗〕むやみに。やたらに。「―寒い」

やけ-の【焼け野】野火で焼けた野原。焼け野原。**―の雉(きぎす)夜の鶴(つる)**《句》〔巣のある野原を焼かれたキジが身の危険を忘れて子を救い、寒い夜にツルが翼で子をおおって暖めることから〕親の、子を思う情が深いことのたとえ。

やけ-のこ・る【焼け残る】《自五》同じ火事で他が焼けたのにそれだけが焼けずに残る。「―・った土蔵」

やけ-のはら【焼け野原】❶野火で焼けた野原。焼け野。❷火事で、あたり一面がすっかり焼けてしまった所。焼け野が原。「―と化す」

やけ-のみ【▽自▽棄飲み】《名・他サ》やけになってむやみに酒を飲むこと。やけ酒を飲むこと。

やけ-ぶとり【焼け太り】《名・自サ》火災にあって、前よりかえって生活が豊かになったり事業がのびたりすること。

やけ-ぼっくい【焼け▽木×杭・焼け▽棒×杭】(―ぼっくひ)焼けた杭。焼け残った切り株。「―に火が付く(=一度切れていた男女の関係が、またもとにもどる)」

やけ-やま【焼け山】❶山火事などで、草木の焼けた山。❷〔俗〕〔焼けた感じがすることから〕休火山。

や・ける【焼ける】《自下一》❶熱・光・強い薬などが作用する。㋐火で物が燃える。「家が―・けた」㋑火にあぶられて、中まで熱が通る。「魚が―・ける」㋒物が熱せられて熱くなる。「―・けたトタン屋根」㋓〔陶器・パンなど〕熱を加えて物ができあがる。「つぼが―・ける」「パンが―・ける」㋔日光に当たって、皮膚が黒くなる。また、物の色が変色する。「背中が日に―・けて痛い」「日に―・けたカーテン」㋕〔日の出前や日没時に〕空が赤く染まる。「西の空がまっかに―・ける」[類語]焦げる。くすぶる。↓燃える。❷食物が胃にたまって、胸が熱いように感じる。「食べすぎて、胸が―・ける」❸心が激しく動かされる。㋐あれこれと気を使い、手がかかる。「世話が―・ける」㋑ねたましく感じられる。「友人の出世が―・ける」[表記]③㋑は「妬ける」とも書く。[文]や・く《下二》。

や-けん【野犬】飼い主のない犬。のら犬。「―狩り」

や-げん【▽薬研】漢方で、薬種を粉にするために使う、舟形で中がくぼんだ金属製の道具。

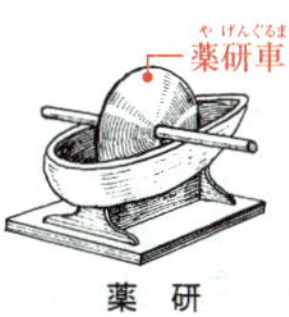

薬研

やご【水×蠆】トンボの幼虫。

***や-こう**【夜光】❶夜または暗い所で光を発すること。「―塗料」❷〔天〕月のない晴れた夜、空に見える、星以外のかすかな光。「―現象」**―ちゅう**【―虫】ヤコウチュウ科の原生動物。直径一ミリぐらいの球形で一本の触手を持つ。海面に浮遊し、刺激を受けると発光する。

***や-こう**【夜行】❶《名・自サ》〔文〕夜、行くこと。夜、行動すること。夜行(やぎょう)。「百鬼―」❷「夜行列車」の略。夜中に運行する列車。夜汽車。**―せい**【―性】昼間は休み、主として夜間に活動する性質。「―

動物」

***や-ごう【家号】** 代々受け継がれている、その家の呼び名。家名。

***や-ごう【屋号】** 〔姓のほかにつけた〕商店や歌舞伎役者などの家の呼び名。「越後屋」「成田屋」の類。

***や-ごう【野合】** 《名・自サ》〔文〕正式の結婚をしないで、男女が通じること。類語 私通。

やこ-ぜん【野×狐禅】 禅を学び、まだ深くは悟っていないうちに、すっかり悟りきったように得意になること。生禅。〔軽べつしていう〕

や-ごろ【矢×頃・矢▽比】 〔矢を射るのにちょうどよい距離の意から〕物事をするのにちょうどよい時機。頃合い。「値段を持ち出すーを計る」

や-さい【野菜】 畑に作って副食物にする植物。ジャガイモ・ホウレンソウ・トマトなど。青物。「ー畑」「生ーのサラダ」類語 菜。青果。

日本語

野菜と果物

辞書では、畑で作って主に副食物にする植物を「野菜」と定義し、食用となる水分（と甘み）の多い草木の実を「果物」と定義する。

「くだもの」は「木の物」の意で、もとは木に生る果実のこと。のちに広く草本性植物に生る果実も含めるようになった。古くは間食用の菓子類なども果物と呼び、草木の実は「生り果物」、菓子類を「唐果物」と言い分けている。

しかし、野菜と果物の違いは明確だろうか。同じウリ科の植物でも、キュウリ・シロウリ・トウガン・カボチャなどは野菜として利用され、メロン・スイカなどは果物として利用される。その区別は、植物学上の分類に基づくものではない。さらに生産統計などでは、メロンもスイカも野菜として扱われることが多いのだからややこしい。野菜と果物は、辞書の定義のように、私たちの常識に従って区別しておけばよいのだろう。

やさ-おとこ【優男】 ❶やさがたの男。また、風雅の道を解する男。「ーにほれる」

や-さがし【家捜し・家探し】 《名・自サ》❶家の中をくまなくさがすこと。「大事な書類が見当たらなくてーする」❷住む家をさがし求めること。「ーに奔走する」表記 ①は「家捜し」、②は「家探し」と書く。

やさ-がた【優形】 ❶姿が上品ですらりとしていること。❷〔男性の〕気だて・ふるまいなどがやさしいこと。

や-さき【矢先】 ❶矢の先端。やじり。❷矢のとんでくる正面。やおもて。「ーに立たされる」❸〔ある物事をしようとした〕ちょうどその時。「注意しようとしたーに事故が起きた」

や-さけび【矢叫び】 〔文〕❶矢を射あてたときに出す叫び声。矢声。❷戦闘開始の際、両軍が互いに遠矢を射かけ合うときにあげる高い声。＝矢叫び。

***やさし・い【優しい】** 《形》❶〔雅〕〔姿・顔立ちなどが〕上品で美しい。優美である。「姿ー・く咲くスミレ」❷やわらかな（まろやかな）感じである。「ー・い笑顔」「母のー・い声」❸〔性質が〕すなおでおとなしい。「気立てのー・い娘」類語 穏やか。温和。柔和。温厚。温良。順良。温柔。❹親切で情が深い。「不幸な人をー・く慰める」類語 懇ろ。濃やか。手厚い。温かい。情け深い。文 やさ・し《シク》。

***やさし・い【易しい】** 《形》❶たやすい。容易である。「ー・い問題」「操作のー・い機械」❷（理屈っぽくなく）わかりやすい。「ー・い童話の本」対 ①②むずかしい。文 やさ・し《シク》。⇩【類語と表現】

類語と表現

「易しい」

*易しい問題・易しい英文・誰にもできる易しい仕事・易しくかみくだいて説明する・人の批判をするのは易しい。

◆易い・与し易い・御し易い・生易しい・お安い・造作ない・たわいない・訳ない・何でもない・ちょろい・手っとり早い・ひとたまりもない／容易・平易・安直・安易・簡易・軽易・簡単・簡便・軽便・手軽／お茶の子（さいさい）・朝飯前・屁の河童

◆副詞句表現 手もなく・苦もなく・難なく・あっさり（できる）

◆オノマトペ すらすら・らくらく・やすやす（できる）／むざむざ（とやられる）

や-さつ【野冊】 植物採集のときに持って行く道具。竹・木などの二枚の板に吸水用の紙をはさみ、採集した植物を入れておさえておく。

***や-し【×椰子】** ヤシ科の常緑高木の総称。熱帯地方に自生。果実は長さ二〇センチほどの卵形で、やし油をとる。

ーゆ【ー油】 ココヤシの実からとった白色の脂肪。石けん・マーガリンなどの原料。

***や-し【野史】** 〔文〕民間で・書いた（編集した）歴史。野乗。外史。対 正史。

***や-し【▽香▽具師・野師】** 祭りや縁日などに、見せ物や露店などを出して商売をする小商人。てきや。

やじ【野次・×弥次】 ❶やじること。また、そのことば。「ーをとばす」❷「やじうま」の略。表記 「野次」「弥次」はあて字。

やじ-うま【野次馬・×弥次馬】 〔自分に関係のない物事に興味・関心を持ち〕人のあとについて、わけもなくさわぎたてる人。「ー根性」

や-しき【屋敷】 ❶家を建てるために囲った一区画の土地。家の敷地。「家ー」❷敷地が広く、構えがりっぱで大きい家。表記 ②は「邸」とも書く。類語 邸宅。

ーまち【ー町】 ❶武家屋敷のある町。❷屋敷の続いている地域。類語 住宅街。

やじ-きた【×弥次喜多】 ❶（二人づれの）気楽な漫遊旅行。「ー道中」❷好一対の滑稽な者。参考 ①②は、十返舎一九の作「東海道中膝栗毛」の主人公、弥次郎兵衛・喜多八の名から。

やしない-おや【養い親】 他人の産んだ子を自分の子として育てる人。養親。養父母。

やしな・う【養う】 《他五》❶生活のめんどうをみる。㋐〔子供などを〕育てる。養育する。「女手一つで二人の子をー・う」㋑〔家族などを〕扶養する。「妻子をー・う」㋒〔動物などにえさを与えて〕飼う。「牛馬をー・う」㋓自分の手元において〔技術・芸などを仕込み〕育てる。「子分をー・う」❷〔精神力・体力などを〕鍛錬してだんだんに作りあげる。「知力をー・う」❸養生する。「病を

—・う」❹〔スプーン・はしなどを持って〕幼児や病人に食事をさせる。「病人に食事を—・う」参考③④は古風な言い方。文《四》。

や‐しま【八×洲】〔文〕日本国の別称。大八洲(おおやしま)。参考「八洲」は「たくさんの島」の意。

やしゃ【夜×叉】〔仏〕顔や形が醜怪で、行動が暴悪な鬼神。参考梵語 yakṣa の音訳。

＊やしゃ‐ご【▽玄▽孫】ひまごの子。孫の孫。玄孫(げんそん)。

＊や‐しゅ【野手】野球で、内・外野を守る人。—せんたく【—選択】↓フィルダーズチョイス。

＊や‐しゅ【野趣】自然のままの素朴(そぼく)さが感じられるおもむき。「—に富むバーベキュー」

や‐しゅう【夜襲】《名・他サ》夜の暗やみを利用して敵を攻めること。夜討ち。「—をかける」

や‐じゅう【野獣】野生のけもの。「—狩り」「—主義」参考ひゆ的に、乱暴な人、または野性味のあふれた勇猛な人の意にも用いる。「美女と—」—は【—派】↓フォービスム。

＊や‐しょく【夜色】〔文〕夜のけしき。夜景。

＊や‐しょく【夜食】定められた夕食のあとにとる、夜の食事。参考「夕食」の意で使うこともある。

や‐じり【×鏃・矢×尻】矢の先端のとがった部分。矢先。矢の根。

やじ・る【野次る・×弥次る】《他五》他人の言動を、大声で非難したりひやかしたりして妨げる。「相手チームを—・る」表記「野次る」「弥次る」は当て字。

や‐じるし【矢印】〔方向を示す〕矢の形のしるし。

やしろ【社】神を祭ってある建物。神社。

やじろべえ【×弥次▽郎▽兵▽衛】短い棒または人形をかたどったものの上端に細長い横棒をとりつけ、その先端におもりをつけて左右を平均させ、棒・人形などが倒れないようにしたおもちゃ。参考もと、振り分け荷物を肩にした弥次郎兵衛の人形を使ったことから。

や‐しん【野心】〔もと、さかしまな望みの意〕❶ひそかに抱く〔身分不相応な〕大きな望みや企み。「会社乗っ取りの—を持つ」「—満々の政治家」「—家」類語野望。謀略。高望み。❷大きな望みをもって新しい試みに大胆にいどもうとする心。「—作」「—的試み」

や‐じん【野人】〔文〕❶いなかの人。「田夫(でんぷ)—」❷〔礼儀作法や身なりなどに〕飾り気がない人。朴訥(ぼくとつ)粗野な人。「—的風貌(ふうぼう)」❸民間の人。在野の人。

＊やす【安】一《接頭》❶「値段・金額が安い」「安くて粗末」の意。「—月給」「—普請」❷「たやすい」「慎重でない」の意。「—うけあい」二《接尾》金額を表す語につけて、ある時の価格より安い意。「三円—」対高(だか)。

＊やす【×簎・×矠】漁具の一つ。長い柄の先端に数本のとがった太針がついており、魚を突き刺してとる。

＊やす《助動：特殊型》「ます」の意を表す。「そろそろ出かけやしょう」参考江戸時代のことば。明治以降もくだけた口頭語として使われた。

＊やす《助動：特殊型》〔多く「お…やす」の形で使う。京阪方言〕動作主に対する軽い尊敬を表す。❶…なさる。「ようお越しやした」❷…なさい。「窓を開けやす(=お開けなさい)」参考「遊ばす」「遊ばせ」の転。

やす‐あがり【安上(が)り】《名・形動》やすい費用で・すむ(できあがる)こと。「—なパック旅行」

＊やす・い【安い】《形》❶〔質・量などのわりに〕値段が低い。「—・い洋服」「定価より—・い品物」表記「廉い」とも書く。類語安っぽい。安価。廉価。低廉。対高い。❷不安や悩みなどがなく、心がおだやかである。また、心身に無理がなく、楽である。「御霊(みたま)よ—・かれ」「—・からぬ思い」❸〈「お—・くない」の形で〉男女の間柄の親密なことをからかっていう語。「お—・くない話だ」文やす・し《ク》。
—かろう悪かろう《句》値段が安ければそれ相応に品質も悪いこと。

＊やす・い【▽易い】一《形》たやすい。容易である。「お—・い御用」「—・きに就く(=安易な道を選ぶ)」「言うは—・く、行うはかたし」文やす・し《ク》。二《接尾》《動詞の連用形について形容詞をつくる》「容易にそうなる」「そうなりがちだ」の意。「話し—・い人」「秋の日は暮れ—・い」対難(がた)い。文やす・し《ク》。

やす‐うけあい【安請(け)合い】深く考えずに引き受けること。「就職については—をするな」

やす‐うり【安売り】《名・他サ》❶安い値段で売ること。「大—」❷深く考えずに気軽に応じること。「親切の—はごめんだ」

やすけ【×弥助】「すし」の俗称。参考芝居「義経(よしつね)千本桜」のすし屋弥助の名から。

やすけ‐く【安けく】《副》〔文〕安らかに。「心—あれますように」

やす‐っ‐ぽ・い【安っぽい】《形》❶いかにも、値段が安く質が劣っているようだ。「—・い洋服」❷品格がなく軽々しい。下品である。「—・い言動」

やす‐で【安手】《名・形動》❶値段の安い方。「—の生地」❷安っぽいこと。「—の同情」「—の恋愛映画」

やす‐ね【安値】❶値段の安いこと。安価。「—で売る」❷取引所で、その日の立ち会いのうち、その株の最も安い値。「—引け」対①②高値。

やす‐ぶしん【安普請】あまり金をかけずに家を建てること。また、その家。「—の建売り住宅」

やす‐ぼった・い【安ぼったい】《形》〔俗〕いかにも安っぽい。

やすま・る【休まる】《自五》〔からだや気分が〕落ちついて安らかになる。「心が—・る」表記「安まる」とも書く。文《四》。

やすみ【休み】❶活動を中止して心身を休めること。「ひと—しよう」「—時間」❷仕事・授業などをしない日(期間)。休日。休暇。「—には山へ行く」❸学校・会合・会社などに出ないこと。欠席。欠勤。「—をとる」❹寝ること。「お—前の肌の手入れ」

やすみ‐やすみ【休み休み】《副》休みを入れながら。間をおいて。「—歩く」「ばかも—言え」

やす・む【休む】《自五》❶活動を中止して、心身を楽にする。「五分—・む」❷欠席・欠勤する。「学校を—・む」❸寝る。「毎晩九時には—・みます」表記③は「寝む」とも書く。文《四》。⇩【類語と表現】

類語と表現

「休む」

＊十分間休む・一日休む・八月は一週間休みます・会社を休む・営業を休む・喫茶店で休む・休まないで働く・休みながら山道を登る／祖父はもう休みました。

◆憩う・休らう・寝る・臥(ふ)せる・手を休める／(する)静養・一服・骨休め・小憩・休場・休息・休養・休止・小休止・休業・休刊・休館・休学・休校・休耕・休講・休診・休戦・休演・休漁・欠席・欠勤・欠場

◇〔…やすみ〕食休み・ずる休み・土用休み・中休み・夏休み・春休み・一休み・昼休み・冬休み
◇〔…きゅう〕運休・帰休・公休・産休・週休・代休・年休・半休・(不眠)不休・無休・有休・臨休・連休
◇〔その他〕休み・暇・休暇・憩い・休日・祭日・祝祭日・日曜日・土日・週末・ウイークエンド・バカンス・ゴールデンウイーク

*やすめ【休め】㊀《感》《「休む」の命令形》「楽な姿勢をとれ」という号令。対気をつけ。㊁《名》「休め」㊀の号令でとる姿勢。対気をつけ。

*やす・め【安め】《名・形動》〔値段が〕比較的安いこと。「―の旅館でがまんをする」対高め。

やす・める【休める】《他下一》❶〔心身を落ちつかせて〕安らかにする。「からだを―める」❷活動を一時中止して、休息させる。「手を―める」「羽を―める」「馬を―める」文やす・む《下二》

やす・もの【安物】値段が安く、質のよくない品物。「―買いの銭失い(=安物は品質が悪いからかえって高くつく)」対上物。

やす・やす【▽易▽易】《副》《「―と」の形も》いかにもたやすいようす。簡単に。「―とだまされる」

やす・やど【安宿】宿泊料の安い(粗末な)宿屋。

やすら・う【休らう・安らう】《自五》〔雅〕休む。休息する。「しばし―う」文《四》

やす・らか【安らか】《形動》❶穏やかで、何事もないようす。無事なようす。「―に暮らす」「国が―に治まる」類語つつがない。事なく。平穏。平静。静謐。安穏。❷心配事や苦しみのないようす。「―に眠れ」類語のどか。のんびり。安楽。気楽。安逸。安閑。

やすら・ぐ【安らぐ】《自五》安らかな気持ちになる。穏やかな気持ちになる。「気分が―ぐ」文《四》

や・すり【×鑢】のこぎりの目立てや金属の表面をたいらにするのに使う、棒状・板状の鋼鉄製の工具。

やすり・がみ【×鑢紙】紙やすり。サンドペーパー。

やすん・じる【安んじる】《自他上一》➡安んずる。

やすん・ずる【安んずる】《自サ変》❶〔それ以上を望まず〕満足する。「平凡な幸福に―ずる」類語あまんずる。❷《他サ変》安心する。また、安心させる。「お金があるので―じて暮らす」「心を―ずる」＝安んじる。

やせ【×痩せ・×瘠せ】やせること。また、やせている人。「夏―」「―の大食い(=体のやせている人は、一般によく食べるということ)」

*や・せい【野性】本能的な性質。洗練されていない、粗野な性質。「―的魅力」⇩〖使い分け〗

*や・せい【野生】㊀《名・自サ》〔動植物が〕自然に山野で生まれ育つこと。「―の馬」⇩〖使い分け〗㊁《代名》〔文〕自分をへりくだっていう語。小生。

使い分け 「ヤセイ」

野性〔「性」は性質の意。洗練されていない粗野な性質〕
野性の叫び・野性的な魅力・野性に返る・野性味あふれる少女

野生〔「生」はいきる、命を保つ意。自然に山野に生まれ育つ〕野生の馬・野生のバラ・野生種とかけ合わせる・野生化する・この山には猿が野生する

やせ・うで【×痩せ腕】❶やせた腕。❷微力な手腕。細腕。「―で生計を支える」

やせ・おとろ・える【×痩せ衰える】《自下一》やせて体力・気力が弱まる。「―えた姿」

やせ・がた【×痩せ形】やせたからだつき。

やせ・がまん【×痩せ我慢】《名・自サ》無理に我慢をして、平気なように見せること。「―をして笑う」

やせ・ぎす【×痩せぎす】《名・形動》やせて骨ばっている・こと(人)。「―だが、顔はまるい」

やせ・こ・ける【×痩せこける】《自下一》やせて、すっかり肉が落ちる。すっかりやせる。「頬が―ける」

やせ・さらば・える【×痩せさらばえる】《自下一》やせて、骨と皮ばかりのようになる。「―えた姿」

やせ・じし【×痩せ▽肉】やせた肉体。対太りじし。

やせ・じょたい【×痩せ所帯】貧しい所帯。

やせ・ち【×痩せ地】地味が悪く、草木(特に作物)がよく育たない土地。瘠地。瘠土。

やせ・っ・ぽち【×痩せっぽち】〔俗〕ひどくやせていること。また、その人をけいべつしていう語。対ふとっちょ。

やせ・ほそ・る【×痩せ細る】《自五》やせて、体が細くなる。「身が―る思い」

や

やせ・やま【×痩せ山】やせ地の山。

やせ・る【×痩せる・×瘠せる】《自下一》❶体の肉づきが悪くなる。「―せても枯れても(=たとえどんなにおちぶれても)」「―せる思い」類語やせ細る。こける。やせこける。やせさらばえる。やつれる。骨と皮になる。スマートになる。対ふとる。❷地味が乏しくなる。土地の、植物を育たせる力が弱まる。「―せた農地」対①②肥える。文や・す《下二》

*や・せん【夜戦】夜間に行われる戦闘。

*や・せん【野戦】野山で行う戦闘。また、城・要塞などのない所で行う戦闘。「―病院」

*や・せん【野選】➡フィルダーズチョイス。

や・ぜん【夜前】〔文〕きのうの夜。ゆうべ。昨夜。「―の雨」

ヤソ イエス＝キリスト。また、キリスト教(徒)。参考ラテン Jesus を中国で音訳した「耶蘇」を、日本で字音読みにしたもの。表記「耶蘇」と当てた。

や・そう【野草】野原に自然に生えている草。

やそう・きょく【夜想曲】ノクターン。

やそ・じ【八▽十・八▽十▽路】〔雅〕❶八〇。❷八〇年。八〇歳。

や・たい【屋台】❶移動できるようにした、屋根つきの台(を用いた店)。屋台店。❷「踊り屋台」の略。祭礼の時に引き出す屋根のついた踊りの舞台。❸能楽・演劇などで、家に模して作った大道具。表記③は「屋体」とも書く。❹「屋台骨」の略。―ばやし【―×囃子】祭礼の時、屋台②で行うはやし。ばかばやし。―ぼね【―骨】❶家屋の骨組み。❷その一家を支えているもの。身代。財産。「大店の―を支える」参考ひゆ的に、ある物事を支えて存続させるものの意でも使う。「高度成長経済の―を支える」

や・たけ【×弥×猛】《形動ナリ》〔古〕いよいよ勇みたつようす。「―心」

や・たけび【矢▽叫び】➡やさけび。

や・たて【矢立(て)】❶矢を入れる道具。❷箙の中に入れて陣中に携帯したすずり箱。矢立てのすずり。❸墨つぼに柄がついていてその中に筆を入れた、携帯用の筆記用具。

矢立③

や‐だね【矢種】 身に帯びている矢。また、射るために用意しておく矢。「ーが尽きる」

やた‐の‐かがみ【八×咫(の)鏡】 三種の神器の一つ。天照大神(あまてらすおおみかみ)の岩戸隠れの際、大神を迎え出すために作ったとされる鏡。

や‐だま【矢弾・矢玉】 矢と鉄砲のたま。

やたら【矢×鱈】《形動・副》《副詞は「ーと」の形も》正当な理由がなくいいかげんなようす。また、程度がなみはずれてひどいようす。むやみ。みだり。「ーに腹が立つ」「むやみー」 表記「矢鱈」は当て字。

やち【▽谷・▽谷地】 低くじめじめした土地。やつ。

やち‐ぐさ【八千草・八千▽種】〔文〕❶たくさんの草。❷たくさんの種類。表記❷は多く「八千種」と書く。

や‐ちゅう【夜中】 夜のうち。夜間。夜分。対日中。

やち‐よ【八千代】〔雅〕数多くの年代。よろずよ。「ーを経る」

や‐ちょ【野×猪】〔文〕いのしし。

*__や‐ちょう【夜鳥】__〔文〕夜鳴く鳥。

*__や‐ちょう【野鳥】__ 野生の鳥。野禽(やきん)。

*__や‐ちょく【夜直】__ 夜の当直。宿直。対日直。

や‐ちん【家賃】 家やアパートなどの一室の借り賃。

*__や‐つ【八つ】__ ❶一の八倍。はち。やっつ。参考他の語につけて「数が多い」意を表す。「ー裂き」❷八歳。やっつ。❸昔の時刻の名。今の午前二時ごろ、または午後二時ごろ。八つ時。

*__やつ【▽奴】__ ㊀《名》人や物を、けいべつして、また親しみをこめて言う語。〔ふつう、男性が使う〕「おかしなーだ」「その右のーをくれ」㊁《代名》《他称の人代名詞》あいつ。〔ふつう、男性が使う〕「ーにだまされた」

やっ《感》❶急にからだを動かしたり力を出したりするときに発する語。「えい、ーと」❷驚いたときに発する語。

やつ‐あたり【八つ当(た)り】《名・自サ》怒りや不満のはけ口を関係のない人やものに向けて、あたりちらすこと。「家族の者にーをする」

*__やっ‐か【薬価】__〔文〕薬の値段。また、薬代。

*__やっ‐か【薬禍】__〔文〕薬品の副作用や不適切な投与などによっておこる、病気などの災難。類語薬害。

*__やっ‐かい【厄介】__ ❶《名・形動》面倒で手数のかかること。「ーなことを頼まれる」類語面倒。❷面倒をみること。「ーをかける」「一晩だけーになる」 **ーばらい【ー払(ばら)い】** 厄介な者を追い払うこと。「ーをする」 **ーもの【ー者】** ❶他人に迷惑をかけ、いやがられる人。「村中のー」「ー扱い」❷いそうろう。食客。

類義語の使い分け　厄介・面倒

[厄介・面倒] 厄介(面倒)な問題が持ち上がる／手続きが厄介(面倒)だ／厄介(面倒)をかけるね

[厄介] このたびは何かとご厄介になります／仲間から厄介者扱いされる／居候を追い出し厄介払いをする

[面倒] 姉がけなげに弟の面倒を見る／面倒がらずによく世話をする／面倒だから出かけるのはやめよう

*__やっ‐かい【訳解】__《名・他サ》〔文〕外国語の文章や古文を訳し、解釈すること。また、その訳と解釈。

やつ‐がしら【八つ頭】 サトイモの一品種。たねいもから数個のイモがかたまってできる。「ずいき」と呼ばれる茎とともに食用。

やっか・む《他五》〔関東地方の方言〕ねたむ。そねむ。「他人の幸福をー・む」〔文〕《四》

やつがれ【▽僕】《代名》《自称の人代名詞》〔文〕自分の謙称。私。

やっ‐かん【約款】 契約・条約などの取り決めの、一つ一つの条項。「保険ー」

やっ‐き【躍起】《名・形動》あせってむきになること。「ーになって探す」注意「躍気」は誤り。

やつぎ‐ばや【矢継ぎ早】《名・形動》次から次へと続けざまに物事を行うこと。「ーに質問を浴びせる」

やっ‐きょう【薬×莢】 銃砲の弾丸で、弾頭を発射させるための火薬をつめる、真鍮(しんちゅう)製の筒。

やっ‐きょく【薬局】 ❶薬剤師が薬を管理し、調合して売る所。類語薬屋。❷病院などで、薬を調合する所。 **ーほう【ー方】** →日本薬局方。

やつ‐くち【八つ口】 身八つ口。

や‐づくり【家造り・家作り】 家を造ること。また、家の構え。「立派なー」

ヤッケ「ウインドヤッケ」の略。

やっこ【▽奴】《「家(や)つ子」の意。古くは「やつこ」》㊀《名》❶〔江戸時代に〕武家に召し使われた奴僕。また、しもべ。下男。「三下(さんした)ー」❷江戸時代の侠客(きょうかく)。「旗本ー」「町ー」❸「やっこ豆腐」の略。❹「やっこだこ」の略。㊁《代名》〔俗〕やっこさん。

やっ‐こう【薬効】〔文〕薬のききめ。「ーがあらわれる」

やっこ‐さん【▽奴さん】《代名》《他称の人代名詞》〔俗〕同等以下の男を(親しんで)呼ぶ語。あいつ。〔おもに男性が使う〕「ー、途中で逃げたらしい」

やっこ‐だこ【▽奴×凧】 江戸時代の武家の奴(やっこ)の姿をかたどって作った、たこ。やっこ。

やっこ‐どうふ【▽奴豆腐】 四角に切った豆腐を、しょうゆ・薬味で食べる料理。ひややっこ。やっこ。

やつ‐ざき【八つ裂き】 ずたずたに切りさくこと。寸断。「ーにしたいほど憎む」

やっさ‐もっさ《副・自サ》〔俗〕大勢の人が集まり、もめたり混乱したりするようす。「ーの大騒ぎ」

やつ・す【×俏す・×窶す】《他五》❶〔目立たないように、またはみすぼらしく〕姿をかえる。「庶民に身をー・す」❷やせるほど思いなやむ。また、ある物事に夢中になる。溺(おぼ)れる。「恋に身をー・す」「憂き身をー・す」❸化粧する。めかす。〔上方風の方言的な言い方〕「ー・して出かける」〔文〕《四》

やっちゃ‐ば【やっちゃ場】〔俗〕青物市場。

やっ・つ【八つ】《「やつ」の促音化》→やつ。

やっつけ‐しごと【やっつけ仕事】 間に合わせの、いいかげんな仕事。雑な仕事。

やっ‐つ・ける《他下一》《「やりつける」の音便》〔俗〕❶思いきってやりとおす。また、いいかげんにやってのける。「この仕事は一気にー・けよう」❷相手をこらしめる。また、負かす。「悪人をー・ける」

やつ‐で【八手】 ウコギ科の常緑低木。冬の初めに白い小花を球状に開く。葉は大きく、てのひら状。

やって‐・くる【やって来る】 ㊀《自カ変》向こうからこちらへ近づいて来る。「田舎から両親がー・来る」㊁《連語》その時まで続けてやる。「困難な仕事をー・来た」

やって‐の・ける【やって▽退ける】《他下一》〔困難な問題を〕うまく処理する。「堂々とー・ける」

やっ‐と《副》ようやく。かろうじて。どうにかこうにか。どうやらこうやら。「ー間に合った」類語辛くも。ようやっと。わずかに。何とか。どうにか。やっとこさ。曲がりなりにも。**—の・おもいで**【—の思いで】《連語》どうにかなしとげるようす。「—打ち明ける」**—の・ことで**【—の事で】《連語》ようやく。〔「やっと」を強めた言い方〕「—たどりついた」

やっとう〔剣術のかけ声から〕剣術。撃剣。〔古風な言い方〕「—の先生」

やっとこ【×鋏】針金・板金・熱した鉄などをはさむのに用いる工具。

やっとこ・さ ㊀《感》力を入れるときに発する語。㊁《副》苦労してどうにか物事をしとげるようす。かろうじて。ようやく。やっとこ。「—仕事のけりがついた」

やつ・はし【八（つ）橋】❶小川や池などに、幅の狭い橋板を数枚、電光状に継ぎ続けてかけた橋。❷「八橋煎餅」の略。米の粉を蒸して砂糖・にっけいなどを加え、短冊形に焼いたせんべい。京都名物。

やっぱし《副》（「やっぱり」の転じた語）〔俗〕やはり。

やつ・ばら【▽奴▽輩・▽奴原】二人以上の人をいやしめて呼ぶ語。やつら。あいつら。

やっぱり《副》やはり。〔「やはり」よりも口語的〕「—だめだ」表記「矢っ張り」と当てる。

ヤッピー アメリカの大都市に住む、知的職業についている裕福な若者。参考 一九八〇年代の語。▽yuppie

ヤッホー《感》登山した人が、山で呼びあうときに発する語。▽yo-ho

やつめ・うなぎ【八目×鰻】円口類ヤツメウナギ科の動物。ウナギに似ているが魚類ではない。口は吸盤となり、えら穴が七対ある。食用・薬用。かわやつめ。参考 目とえら穴とで、目が八つあるように見える。

やつ・ら【▽奴▽等】「やつ」の複数。あいつら。〔おもに男性が使うことば〕「—の正体をあばく」

やつ・れる【×窶れる】《自下一》❶〔病気や心配事のために〕みすぼらしいほどやせおとろえる。「心労で—・れる」❷〔服装などが〕みすぼらしくなる。文 やつ・る《下二》。

や・と【野×兎】〔文〕野生のウサギ。対 家兎。

やど【宿】❶住む家。すみか。「埴生の—」❷旅先で泊まる家。特に、宿屋。旅館。「—を取る」❸奉公人の親もと、または、保証人・世話人の家。「—下がり」❹〔俗〕妻が他人に対して自分の夫をさしていう語。主人。〔古風な言い方〕

やとい【雇（い）・×傭（い）】❶人をやとうこと。また、やとわれて働く人。「臨時—」❷〔官庁などで〕雇員。

やとい・い・れる【雇い入れる】《他下一》〔人を〕新しくやとう。「臨時にアルバイトを—・れる」

やとい・にん【雇（い）人】やとわれた人。使用人。

やとい・ぬし【雇（い）主】人をやとって使う人。

*__や・とう__【夜盗】〔文〕夜、盗みをすること（人）。

*__や・とう__【野党】議会政治のもとで、現在政権を担当していない政党。対 与党。

*__やと・う__【雇う・×傭う】《他五》❶給料を払って、人を使う。「通訳を—・う」類語 採る。抱える。雇い入れる。召し抱える。採用。雇用。❷料金を払って乗り物を専用に使う。「ハイヤーを—・う」文《四》。

やど・がえ【宿替え】《名・自サ》住む家をかえること。引っ越し。転居。

やど・かり【宿借り】❶節足動物甲殻類の一部門の動物。カニとエビの中間のなかま。巻き貝の殻の中にすみ、成長するにつれて貝殻をかえていく。❷借家人。また、その家の同居人。居候。

やど・さがり【宿下（が）り】《名・自サ》昔、奉公人が暇をもらって、親もとに帰ったこと。

やど・す【宿す】《他五》❶内部にふくんで持つ。特に、はらむ。妊娠する。「たねを—・す」❷とどめる。「露を—・す」「城下町の面影を—・す」文《四》。

やど・せん【宿銭】旅館の宿泊料。宿賃。

やど・ちょう【宿帳】旅館で、客の住所・氏名・職業などを書き入れる帳面。

やど・ちん【宿賃】旅館の宿泊料。宿銭。

やと・な【▽雇▽女】〔関西で〕臨時にやとう仲居。

やど・なし【宿無し】一定の住居がない・こと（人）。

やど・ぬし【宿主】❶宿の主人。❷→しゅくしゅ。

やど・もと【宿▽許】❶住んでいる所。居住所。❷宿泊所。❸奉公人の身元引受け先。

やど・や【宿屋】旅行者を泊めることを職業としている（日本風の）家。旅館。

やどり【宿り】宿る・こと（所）。住まい。「一夜の—」

やどり・ぎ【宿り木・▽寄▽生木】ヤドリギ科の常緑小低木。エノキ・ブナなどに寄生する。

やど・る【宿る】《自五》❶旅先で宿をとる。宿屋にとまる。❷寄生する。❸ある場所にとどまる。位置を占める。「露が—・る」「星が—・る」❹〔ある物の〕内部にとどまる。「命が—・る」「魂が—・る」文《四》。

やど・ろく【宿六】〔俗〕妻が自分の夫を軽んじて（なれ親しんで）いう語。亭主。「うちの—」

やど・わり【宿割り】団体旅行などで、泊まる宿屋を割り振ること。

やな【×梁・×簗】川魚をとるしかけの一種。川の瀬をせきとめ、水が一か所から落ちるようにし、その下にすのこをしいて、魚をとるようにしたもの。

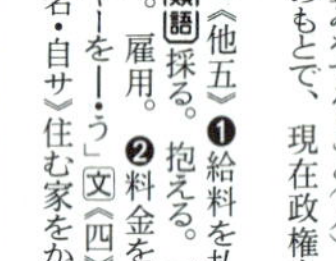

梁

や・な・あさって【×弥な▽明▽後▽日】→やのあさって。

やな・がわ【▽柳川】「柳川鍋」の略。ささがきにしたゴボウの上に、背開きにしたドジョウをのせ、煮立てて卵でとじた鍋料理。

やなぎ【柳・×楊▽柳】ヤナギ科の植物の総称。落葉高木または低木で、種類が多い。特に、しだれやなぎ。

—に風と受け流・す《句》少しもさからわず、おだやかにあしらう。

—に雪折れ無し《句》やわらかいものは、かたいものよりかえって事によくたえるものだ。

—の下にいつも泥鰌はいない《句》たまたま幸運を得たからといって、いつも同じ方法でそれが得られるものではない。

やなぎ・ごうり【柳行×李】皮をはいで乾燥させたコリヤナギの枝であんだ行李。衣類などを入れる。

やなぎ・ごし【柳腰】ほっそりとしてしなやかな腰つき。美人の腰の形容。

やなぎ・だる【柳×樽】❶角樽または柄樽の類。祝い事に用いる。参考 はじめ柳の木で作られたからという。❷「酒」の別称。

やなぎ・ば【柳刃】「柳刃包丁」の略。刺身包丁の一種。片刃で先のとがった細身の包丁。

や・なみ【家並み・屋並み】家並み。

や・なり【家鳴り・屋鳴り】家が音を立てて動くこと。

やに【▽脂】❶木からしみ出る粘液。樹脂。「松―」❷〔たばこを吸ったとき、きせる・パイプなどにたまる〕ニコチンを含んだ粘液。「パイプの―を取る」❸目やに。

やに-さが・る【▽脂下がる】《自五》得意になってにやにやする。「両手に花と―・っている」

やに-っ-こ・い【▽脂っこい】《形》❶やにの成分が多い。ねばりけが多い。❷〔性質・態度などが〕しつこい。くどい。「―・くからむ」＝やにこい。

やに-め【▽脂目】❶目やにだらけの目。❷結膜炎。

やにょう-しょう【夜尿症】寝小便の病的な状態。小児に多くみられる。

やにわ-に【矢庭に】《副》〔「矢を射たその場で」の意から〕❶即座に。たちどころに。「―返答する」❷態度を急に変えるようす。突然に。だしぬけに。「―態度を変える」表記ふつうかな書き。

や-ぬし【家主】❶一家の主人。戸主。❷貸し家・貸し部屋の所有者。＝家主。

や-ね【屋根】❶雨・雪などを防ぐための、家屋の最上部にあるおおい。❷物の最上部のおおい。「自動車の―」❸最も高い山・土地などのたとえ。「本州の―」

やね-いた【屋根板】屋根をふく板。

やね-うら【屋根裏】❶屋根の裏がわ。屋根と天井の間。❷屋根のすぐ下に作った部屋。屋根裏べや。

やね-ぶね【屋根船】上に屋根をとりつけた小形の船。参考屋形船よりはつくりが簡単。

や-の-あさって【×弥の▽明▽後▽日】〔東京で〕明後日の次の次の日。やなあさって。参考地方によっては「明後日の次の日」をさす所もある。

やのじ-むすび【やの字結び】「や」の字の形に結ぶ、女の帯の結び方。やのじ。

や-の-ね【矢の根】→やじり（鏃）。

や-ば【矢場】❶矢を射る練習場。❷昔、矢を射て遊ばせた所。楊弓場。

ヤハウェ→エホバ。

やば・い《形》〔俗〕不都合である。危険である。「みつかると―・い」

や-はず【矢×筈】❶矢の端の、弓のつるをかける部分。はず。❷〔高い位置に〕掛け物をかけるときに使う、棒の先が二つにわかれている道具。

や-ばね【矢羽・矢羽根】矢に直進性と回転を与えるためにつけてある羽根。

やはり【矢張り】《副》❶以前と同様に。また、他と同様に。そのまま。「―昔の面影は残っている」❷予想どおり。案の定。「結果は―だめでした」❸結局。つまるところ。「―同じ結果に終わった」表記「矢張り」は当て字。ふつうかな書き。＝やっぱり。

や-はん【夜半】よなか。特に、まよなかごろ。「―に雨が降り出す」

や-ばん【野蛮】《名・形動》❶文化が開けていないこと。未開。「―人」❷教養がなく粗野なこと。「―な人」「―な行い」

や-ひ【野卑・野×鄙】《名・形動》下品でいやしいこと。「―な言葉を浴びせる」

やぶ【×藪】❶雑草や低木、または竹などが密生している所。類語草むら。茂み。❷「やぶ医者」の略。

―から棒《句》突然、物事を行うこと。だしぬけ。「―に何を言うのだ」

―の中《句》関係者の言い分が食い違っていて、真相がわからないこと。「真相は―だ」参考芥川龍之介の同名の小説から。

―をつついて蛇を出す《句》よけいなことをして、かえって面倒なことをひきだす。やぶへび。

やぶ-いしゃ【×藪医者】医術のへたな医者。やぶ。

やぶい-ちくあん【×藪井竹×庵・×藪医竹×庵】〔俗〕藪医者を人名のように表した語。

やぶ-いり【×藪入(り)】奉公人が、正月・盆の一六日ごろに休みをもらって実家に帰ること。

やぶ-うぐいす【×藪×鶯】藪にいるウグイス。野山にいるウグイス。

やぶ-か【×藪蚊】蚊の一種。大形で黒く、藪にすみ人の血を吸うものの総称。しま蚊。

やぶ・く【破く】《他五》《「破る」と「裂く」からできた語》〔紙・布などを〕やぶりさく。「服を―・いてしまった」

やぶ・ける【破ける】《自下一》〔俗〕やぶれる。

やぶ-こうじ【×藪×柑子】ヤブコウジ科の常緑小低木。夏、白い花を開き、冬、赤い球形の実をつける。正月用の盆栽などに使われる。やまたちばな。

やぶさか【×吝か】《形動》〈「…に―でない」の形で〉…する努力を惜しまない。快く…する。「彼を推すに―でない」参考もと、物惜しみするようすの意。

やぶさ-め【▽流×鏑▽馬】馬に乗って駆けながら、一人で三つの的を鏑矢で射る競技。武芸修練のために武士の間で行われ、のち、神社の神事となった。

流鏑馬

やぶ-だたみ【×藪畳】竹・低木などが、重なり合って茂った所。

やぶ-つばき【×藪×椿】山野に自生するツバキ。野生のツバキ。やまつばき。

やぶ-にらみ【×藪×睨み】❶斜視。❷見当ちがい。「―の評論」

やぶ-へび【×藪蛇】「藪をつついて蛇を出す」の略。「文句を言うと、かえって―になる」

や-ぶみ【矢文】矢に結びつけて、相手方に射て飛ばす文書。

やぶ・る【破る】《他五》❶形を成しているものをそこなう。㋐〔紙・布などを〕引き裂く。また、張ってある紙・布などに穴をあける。「障子を―・る」㋑こわす。くだく。「門を―・って敵が攻めこむ」㋒傷つける。そこなう。「ストレスが心身を―・る」㋓安定した状態を乱す。「平和の眠りを―・る」「静寂を―・る」㋔守るべきことに反するようにする。「約束を―・る」「誓いを―・る」㋕つきぬける。「記録を―・る」類語→こわす。❷〔勝負で〕相手を負かす。「強敵を―・る」文《四》。⇩〔使い分け〕

やぶれ-かぶれ【破れかぶれ】《名・形動》〔俗〕〔思うようにならなくて〕どうにでもなれという心持ちであること。すてばち。「こうなったら―だ」

やぶれ-め【破れ目】破れたところ。「―をつくろう」

*__やぶ・れる__【敗れる】《自下一》〔勝負で〕相手に負ける。「初戦で―・れる」「いくさに―・れた武将」文やぶ・る《下二》。⇩〔使い分け〕

*__やぶ・れる__【破れる】《自下一》❶形を成しているものがくずれる。㋐裂ける。また、裂けて穴があく。「服が

ー・れる」❶こわれる。くだける。「ー・れた窓」❷物事が成り立たなくなる。組織が形を失う。「夢がー・れる」❸安定した状態が乱れる。「均衡がー・れる」**類語**↓こわす。❷〈「…にー・れる」の形で〉〔成就すべき〕ある事柄に失敗して傷つく。「結婚生活にー・れる」**文**やぶ・る《下二》。⇩〖使い分け〗

使い分け「やぶる・やぶれる」

破る〔形のあるものをだめにする、相手を負かす意で、一般に広く〕紙を破る・裏門を押し破る・調和を破る・約束を破る・平和を破る・記録を破る・敵陣を破る・敵を破る・打ち破る・見破る

破れる〔形のあるものがだめになる。破壊。破損。失敗〕破れた障子・窓ガラスが破れる・恋愛に破れる

敗れる〔相手に負ける。敗戦〕戦争に敗れる・試合に敗れる・人生に敗れる・選挙に敗れる・敗れ去る

参考「敗」に「やぶる」の訓は、常用漢字表では認められていない。相手に負ける意では「敵に敗れる」、相手を負かす意では「敵を破る」のように使い分ける。「敵に敗る」といったら、「敗れる」の文語形「敗る」〈下二段〉を使った表現。「恋愛に破れる／敗れる」では、前者は単なる失恋の意、後者は闘いとる対象としての恋愛に負ける意で、より強い表現となる。

や‐ぶん【夜分】 よる。〔改まった言い方〕「ー申し訳ありません」

やぼ【野暮】《名・形動》❶遊里の事情に通じていない・こと(人)。❷世情に通じていない・こと(人)。「ーなことは言うまい」❸洗練されていないこと。「ーな格好」**対**①〜③いき。**表記**「野暮」は当て字。

や‐ほう【野砲】 野戦用の大砲。

や‐ぼう【野望】 分不相応な望み。また、望んではならない、大それた望み。非望。「ーをいだく」「ーを砕く」**類語**野心。

やぼ‐っ‐た・い【野暮ったい】《形》〔俗〕すっきりしたところがない。やぼな感じがする。「ー・い服装」

やぼ‐てん【野暮天】〔俗〕たいへんやぼな・こと(人)。

やぼ‐よう【野暮用】〔粋ではない実務的な用事の意で〕つまらない用事のことを遠まわしに言う語。「明日はーで休みます」

やま【山】 ■一《名》❶自然のままに、平地より著しく高くそびえている所。❷特に、比叡山。また、そこにある延暦寺。❸鉱山。「ーを掘り当てる」❹〔山師の仕事は当たりはずれが激しいことから〕万一の成功をたのんでする・こと。「ーを掛ける」❺山①のような形をしたもの。〔多く、うずたかく盛ったものにいう〕「ごみのー」❻多く寄り集まったもの。「人のー」❼物の一部分の高くなった所。「ねじのー」❽物事の盛り上がった頂点(の時)。最高潮。クライマックス。「病人は今夜がーです」「ーが見える(=前途の見通しがつく)」❾「やまぼこ」の略。❿〔俗〕犯罪事件。〔警察や新聞記者の間で使う〕「ーを踏む(=犯罪を犯す)」⇩〖類語と表現〗■二《接頭》《名詞の上につけて》「山の」「山にすむ」「野生の」などの意を添える。「ー鯨」「ーねこ」「ーぶどう」■三《助数》《数を表す和語につけて》盛り上げたものを数える語。「トマト一ー」

ー**高きが故に貴からず**《句》真の価値は外観ではなく、その実質によって決まるものであるということ。

ー**を抜・く**《句》非常に力の強いことのたとえ。**参考**「力は山を抜き気は世を蓋ふ〈史記・項羽本紀〉」から。

類語と表現「山」

＊山が聳える〔そそり立つ・横たわる〕・山を登る〔下りる〕・夏休みを山で過ごす・山の頂〔背・稜線・中腹・ふもと〕・海の幸、山の幸。

◆山並・山脈・山系・山地・山塊・山頂・山腹・山麓・山裾・山襞・山間・山峡・山懐・山巓・山嶺・山稜・山岳・高嶺・高峰・主峰・連峰・霊峰・峻嶺・雪嶺・銀嶺・分水嶺／丘・片丘・丘陵・台地・高台・高原・高地

◇〔…やま〕石山・岩山・姥捨山・裏山・奥山・枯れ山・北山・小山・砂山・杣山・築山・夏山・禿山・冬山・松山・焼け山・痩せ山・雪山

◇〔…さん(ざん)〕火山・外輪山・金山・銀山・高山・鉱山・氷山・青山・大山・銅山・名山・霊山・〜山

やま‐あい【山▽間】 山と山との間。やまかい。「ーの村」

＊**やま‐あらし【山×嵐】** 山で吹く強い風。また、山から吹いてくる強い風。

＊**やま‐あらし【山荒(ら)し・▽豪×猪】** ヤマアラシ科のけもの。大きさはネコぐらい。背に針のような毛があり、敵にあうと、さか立てて身を守る。草食性。

やま‐あるき【山歩き】《名・自サ》運動などのために、山中を歩くこと。

やまい【病】 からだの故障。病気。「胸のーにかかる」「気のー」「ーが革まる」「ーは気から(=病気は自分の気の持ち方によって、良くも悪くもなる)」

ー**膏肓に入・る**《句》❶病気が重くなって治る見込みがなくなる。**参考**「膏」は心臓の下の部分、「肓」は横隔膜の上の部分。ともに治療しにくいとされる所。**故事**晋の景公が重病にかかったとき見た夢の中で、二童子の姿となった病魔が、名医を避けて肓の上と膏の下に隠れようとしたということから。〈春秋左氏伝・成公一〇年〉❷熱中して容易にぬけ出せなくなる。「彼の趣味もとうとうー・ってきた」**参考**「肓」を「盲」と読み誤ったことから、俗に「やまいこうもうにいる」ともいう。

やま‐いぬ【山犬】 ❶山野にすむ野生化した犬。野犬。❷日本産のイヌ科のけもの。小形で耳と足は短い。現在は絶滅。にほんおおかみ。

やま‐いも【山芋】↓やまのいも。

やま‐うば【山×姥】 深山に住むという女の怪物。鬼女。やまんば。**対**山男。

やま‐おく【山奥】 山の奥深い所。「ーの村」

やま‐おとこ【山男】 ❶深山に住むという男の怪物。**対**山姥。❷山に住んでいる男。また、山で働いている男。❸登山を愛好し、登山歴の古い男性。

やま‐おろし【山×颪】 山から吹きおろす(強い)風。**類語**山風。

やま‐が【山家】 山の中または山間。また、そこにある家。「ー育ち」「ーの一軒家」「ー料理」

やま‐かい【山▽峡】〔文〕山と山との間。やまあい。「ーの村」

やま‐かがし【山×棟▽蛇・▽赤×棟▽蛇】 ユウダ科のへビ。山地・水辺などにすむ。毒をもつ。からだに黒と赤の斑点がある。

やま-かけ【山掛け】「やまいもかけ」の略。ヤマイモなどをすりおろし、生の魚肉やそばにかけた料理。

***やま-かげ【山影】**山の姿かたち。山容。

***やま-かげ【山陰】**❶山のかげになって日の当たらない所。「—の温泉宿」❷山のかげになって見えない所。

やま-かご【山×駕×籠】昔、山道などを行くときに使った、竹で編んだ簡単なかご。

やま-かじ【山火事】山で起きた火事。

やま-かぜ【山風】❶山の中で起こる風。❷山から吹いてくる風。特に、夜間、山頂から山すそに向かって吹く風。[類語]山おろし。[対]谷風。

やま-がたな【山刀】きこりなどが使う、なた形の刃物。

やま-がら【山×雀】シジュウカラ科の小鳥。背は灰青色、腹はくり色。飼いならして芸をさせる。

やま-がり【山狩り】《名・自サ》❶山で狩猟をすること。❷〔山中に逃げこんだ犯人などを追って〕大勢で山の中をさがすこと。

やま-かわ【山川】山と川。

やま-がわ【山川】山の中を流れる川。

やま-かん【山勘】〔俗〕❶山師のように人をだます・こと(人)。❷万一の成功をねらって、勘で物事をすること。「—で名前を当てた」

やま-き【山気】万一の幸運をたのみに、冒険やかけごとなど思いきったことをする気質。やまぎ。やまけ。やまっけ。「—のある人」

やま-ぎし【山岸】❶山中の崖。❷山の端が岸になっているところ。

やま-ぎわ【山際】❶山の際。山の近く。❷山の稜線と空の接するあたり。「—に月が出る」

やま-くじら【山鯨】〔俗〕イノシシの肉。

やま-くずれ【山崩れ】《名・自サ》地震・大雨などで、山腹の岩石や土砂が突然くずれおちる現象。

やま-ぐに【山国】山の多い、または山に囲まれた・国(地方)。「—の生まれ」

やま-け【山気】→やまき。

やま-ごえ【山越え】《名・自サ》❶山を越えること。❷〔江戸時代に〕関所札を持たない者が間道を選んで山を越えること。

やま-ごし【山越し】❶山を越すこと。「—の道はつらい」❷山を越して行く所。山のむこう側。「—の町」

やま-ことば【山言葉・山▽詞】猟師などが、山に入ったときにだけ使う、忌みことば。

やま-ごもり【山×籠(も)り】《名・自サ》〔修行や隠遁生活を送るため〕山や山寺にこもること。

やま-ごや【山小屋】登山者の宿泊・休憩または避難のために、山の中に建てた小屋。ヒュッテ。

やま-さか【山坂】❶山や坂。「幾多の—を越える」❷山の中にある坂。やまざか。「険しい—をよじ登る」

やま-ざくら【山桜】❶山中に咲くサクラ。❷サクラの一種。関東地方より西の山地に自生する。四月ごろ、開花する。花は淡紅色。

やま-さち【山幸】→やまのさち。[対]海幸。

やま-ざと【山里】山の中にある村里。「—の春」

やま-ざる【山猿】❶山にすむ野生のサル。❷山国に・住み(育ち)、教養がなく礼儀作法をわきまえない人をあざけって言う語。

やま-し【山師】❶鉱脈を見つけ鉱物を掘り出す職業(の人)。❷山林の立ち木を売買する職業(の人)。❸冒険や投機などを好んでする人。❹詐欺師。「大—」

やま-じ【山路】〔雅〕山の中の道。山みち。

やまし・い【×疚しい・▽疾しい】《形》良心に恥じるところがあって、気がひける。「—・いところはない」[類語]うしろめたい。[文]やま・し《シク》。⇩〔類義語の使い分け「うしろめたい」〕

やま-しごと【山仕事】❶山でする仕事。❷山師のする投機的な仕事。

やましろ【山城・山▽背】旧国名の一つ。畿内の一国。今の京都府の南東部。城州。雍州。

やま-すそ【山×裾】山の下の方の、広がった所。山のふもと。

やま-せ【山背】❶山を越えて吹いてくる風。〔おもに海岸地方で使われる語〕❷東北・北陸地方で、初夏にオホーツク海方面から吹いてくる冷たい北東風。

***やま-だ【山田】**山地にある田。山間にある田。

やまたか-ぼうし【山高帽子】男子の礼装用の帽子。ふちつきで、上部が高くてまるい。山高帽。山高。

やま-だし【山出し】❶〔木材・石材などを〕山から出すこと。また、その物。❷田舎から出て来たばかりで、まだ都会生活になじまない者。「いかにも—の娘」

やま-っ-け【山っ気】→やまき(山気)。

やま-つなみ【山津波・山津▽浪】地震や大雨によっておこる、大規模な山くずれ。

やま-づみ【山積み】《名・他サ》❶山のように高く積みあげること。「トラックに—された荷物」❷〔仕事などが、処理しきれずに〕たくさんたまっていること。山積。「問題が—されている」

やま-て【山手】❶山に近い方。山の手。[対]浜手。❷高台の住宅地。[参考]②は、ふつう「山の手」という。

やま-でら【山寺】山の中にある寺。

やまと【〈大和〉】❶旧国名の一つ。現在の奈良県。和州。[表記]古くは「倭」とも書いた。❷「日本国」の雅称。❸《接頭語的に用いて》日本固有の物・事柄・製作法などであることを表す語。—いも【—芋】ナガイモの一品種。うす黄色で塊状。とろろにして食べる。多く関西以西で栽培される。—うた【—歌】〔日本固有の歌の意で〕和歌。[対]唐歌。—え【—絵】〔唐絵に対し〕日本で生まれ、日本で発展した絵画。㋐平安初期、唐絵から脱しておこった日本風の絵。日本の風景・風俗を題材とする。㋑鎌倉時代以降、宋元画に対して、伝統的な日本の絵画様式をもつ絵。—ごころ【—心】やまとだましい。—ことば【—言葉】❶日本固有のことば。漢語・外来語以外のことば。特に漢語に対して言う。和語。❷日本の雅言。おもに平安時代のことば。❸〔雅〕やまとうた。和歌。—しまね【—島根】〔雅〕❶「日本」の別称。日本の国土。❷「大和の国」の別称。—だましい【—魂】日本民族固有の〔勇猛でいさぎよい〕精神。—なでしこ【—×撫子】❶〔石竹をカラナデシコというのに対して〕日本の自生種であるナデシコ。❷〔みかけは可憐で弱々しいが心の強い意で〕日本の女性をたたえていう語。—べい【—塀】杉の木の皮を縦に並べ、さらした竹でふちをおさえた塀。

***やま-どめ【山止め】**山にはいることを禁止すること。

***やま-どめ【山留め】**鉱山などで土砂の崩壊を防ぐこと。また、そのための板・たななど。

やま-どり【山鳥】❶山中にすむ鳥。❷キジ科の鳥。

赤茶色で、キジより尾が長い。本州などの深い山にすみ、虫や草の実などを食べる。日本特産の留鳥。

やま‐な‐い【▽止まない・×已まない】《連語》《動詞の連用形に「て」を添えた形に続けて》…しないではいられない。…し続ける。やまぬ。「幸せを願って―い」

やま‐なす【山成す】《連体》〔文〕山のように高く盛り上がった。山積した。山を成す。「―荒波」「―難問」

やま‐なみ【山並(み)】〔文〕山が立ち並んでいること。また、その山々。連山。山脈。「美しい―」

*__やま‐なり__【山▽形】〔投げた球などが〕山のような曲線を描くこと。また、その曲線の形。「―のボール」

*__やま‐なり__【山鳴り】〔噴火などのため〕山が鳴りひびくこと。また、その音。

やま‐ねこ【山猫】❶山中にすむ野生のネコ。❷ネコ科の獣。灰褐色に暗褐色の斑点(はんてん)がある。ツシマヤマネコ・イリオモテヤマネコなど。**―スト** 労働組合の一部が、本部の指令を待たないで分散的に行うストライキ。山猫争議。

やま‐の‐いも【山の芋・×薯×蕷】ヤマノイモ科のつる性多年草。山野に自生し、根は円柱形で大きい。根をとろろなどにして食用。自然薯(じねんじょ)。やまいも。

やま‐の‐かみ【山の神】❶山を守り支配する神。❷〔俗〕妻。女房。かかあ。

やま‐の‐さち【山の幸】山でとれる食べ物。鳥・獣や、食用の草や木の実など。山幸(やまさち)。対海の幸。

やま‐の‐て【山の手】❶山手(やまて)①。❷高台の住宅地。特に、旧東京市内の武蔵野台地の東端部一帯の住宅地。対下町。

やま‐の‐は【山の端】山の、空に接する境。「―に月がかかる」

やま‐のぼり【山登り】山に登ること。登山。

やま‐ば【山場】〔進行している〕物事の最も盛んな(重大な)場面。クライマックス。「最後の―を迎える」

やま‐はた【山畑】山にある畑。山間の畑。

やま‐はだ【山肌・山▽膚】〔草木でおおわれていない〕山の地はだ。また、山の表面。

やま‐ばと【山×鳩】山にすんでいるハト。特に、「きじばと」の俗称。**―いろ**【―色】青みをおびた黄色。

やま‐ばん【山番】山の番人。山守。

やま‐びこ【山×彦】❶山の神①。❷山で声や音が反響すること。こだま。

やま‐ひだ【山×襞】山はだの、凹凸があってひだのように見えるところ。

やま‐びと【山人】〔雅〕❶山里に住む人。また、山で働く人。❷仙人。

やま‐びらき【山開き】❶山を切り開いて新しく道を作ること。❷登山で、山小屋が開かれるなどして夏山シーズンを迎えること。

やま‐ぶき【山吹】❶バラ科の落葉低木。晩春、黄色の花を開く。❷「やまぶき色」の略。❸金貨。大判・小判など。**―いろ**【―色】❶ヤマブキの花の色。こい黄色。❷黄金色。

やま‐ぶし【山伏】〔山に伏す(=宿る)意から〕❶山野に寝起きして修行する僧。野伏(のぶし)。❷修験者(しゅげんじゃ)。

やま‐ぶどう【山×葡×萄】ブドウ科のつる性落葉低木。山地に自生する。黒く熟した果実は食用。

やま‐ふところ【山懐】山に囲まれて深く入り込んでいるところ。やまぶところ。「―に抱かれる」

*__やまべ__ ❶オイカワの東京方言。❷ヤマメの東北方言。

*__やま‐べ__【山辺】山の近く。山のほとり。対海辺。

やま‐ぼこ【山×鉾】山形の飾りの台の上に、ほこ・なぎなたなどの飾り物を立てた山車(だし)。やま。「―巡行」

やま‐ほど【山程】非常に多く。処理しきれないくらいたくさん。〔副詞的にも用いる〕「仕事は―ある」表記ふつう「山ほど」と書く。

やま‐ほととぎす【山▽時▽鳥】❶山にすむホトトギス。また、ホトトギスの美称。❷ユリ科の多年草。九月ごろ、白色に紫色の斑点(はんてん)のある花を開く。

やま‐まゆ【山×繭】❶ヤママユガ科の大形の昆虫。繭から良質のてぐすが取れる。やままゆが。天蚕(てんさん)。❷「山繭織り」の略。山繭からとれる糸で織った絹織物の総称。光沢があり、美しい。

やま‐みち【山道・山▽路】山の中の道。やまじ。

やま‐むこう【山向(こ)う】(―むかう・―むかふ) 山の向こう。

やまめ【山女】サケ科の魚。サクラマスが海へもどらず、淡水に育ったもの。体側に黒いまだらがある。食用。参考 東北地方では「やまべ」と呼ぶ。

やま‐もち【山持ち】山を所有すること(人)。

やま‐もと【山元】❶山のふもと。「―がかすんで見える」表記「山下」「山本」とも書く。❷山の持ち主。また、鉱山の経営者。❸山林や鉱山などの所在地。

やま‐もも【山桃】ヤマモモ科の常緑高木。山地に自生する。赤紫色に熟した果実は食用。

*__やま‐もり__【山守】山を守ること(人)。山番。

*__やま‐もり__【山盛り】山のように高く盛りあげること。また、たくさんあることの形容。「―のご飯」

やま‐やき【山焼き】新しい芽が出やすいように、春の初めに、山の枯れ草を焼くこと。

やま‐やま【山山】㊀《名》多くの山。あちらこちらの山。「伊豆(いず)の―」㊁《副》❶たくさん。「話したいことは―ある」❷〈「…したいのは―だ」の形で〉…したい気持ちはこの上ない(が実際にはできない)。「ほしいのは―だが、お金がない」表記㊁は、ふつうかな書き。

やま‐ゆり【山▽百▽合】ユリ科の多年草。夏、白色に赤褐色の斑点(はんてん)のある大形の花を開く。香りがよい。地下茎は食用。

やま‐わけ【山分け】《名・他サ》大量に手に入った物を均等に分けること。「もうけは―(に)しよう」

やまんば【山×姥】→やまうば。

やみ【×闇】㊀《名》❶〔夜の〕暗い、または光が全くささない状態。「夜の―」「事件を―から―へ葬る(=世間に知られないうちに処理をする)」❷思慮分別がないこと。「心の―」❸前途に何の希望も持てないこと。「前途は―だ」❹「やみ相場」の略。❺「やみ取引」の略。「―で買う」㊁《接頭》《名詞の上について》正当でない意を表す。「―ブローカー」「―物資」

やみ‐あがり【病み上(が)り】病気がなおったばかりで、まだ十分に体力が回復していない状態(の人)。「―で体調はまだ万全ではない」

やみ‐いち【×闇市】やみ取引の品物をあつかっている市場。やみ市場。ブラックマーケット。

やみ‐うち【×闇討ち】《名・他サ》❶暗やみにまぎれて、人をおそうこと。「―をかける」類語夜襲。❷不意をついて人を驚かすこと。不意討ち。「―を食わせる」

やみ‐くも【×闇雲】《形動》〔俗〕思慮分別のないようす。むやみ。やたら。「―に反対するのはよくない」

やみ‐じ【×闇路】(―ぢ) ❶暗やみの中の道。「―をたどる」

❷心がまよい思慮分別のつかない状態。「心の―」

やみ‐じる【×闇汁】→やみ鍋(なべ)。

やみ‐そうば【×闇相場】公定の相場があるとき、それ以外にひそかに作られた相場。

やみ‐つき【病(み)付き】〔病気になる意から〕趣味・道楽・悪習などに熱中してやめられなくなること。「スキーに―になる」

やみ‐とりひき【×闇取引】❶売買を禁止された品を、こっそり売買すること。❷他に知られないように、裏でこっそり交渉すること。「工事受注をめぐる―」

やみ‐なべ【×闇×鍋】互いに秘密にして持ち寄ったものを、暗やみの中でなべに入れて煮ること。また、その料理。やみ汁。

やみ‐ね【×闇値】やみ取引の値段。

やみ‐ほう・ける【病み×呆ける・病み×耄ける】《自下一》病気のため、ひどく衰弱した状態になる。

やみ‐や【×闇屋】やみ取引を業とする人。

やみ‐よ【×闇夜】月の出ていない暗い夜。対月夜。

―に烏(からす)雪に鷺(さぎ)《句》区別がつかないことのたとえ。また、目あてのつかないことのたとえ。

―の提灯(ちょうちん)《句》切望しているものにめぐりあうことのたとえ。闇夜の灯火(ともしび)。

―の鉄砲《句》目的やあてのない、でたらめな行動。

類語 闇夜の礫(つぶて)。

***や・む**【▽止む・×已む】《自五》❶〔続いていたことが〕行われなくなる。終わる。「雨が―・む」「ピアノの音が―・む」❷〔続いている動きが〕一時的にとまる。休む。「―・むことなきせせらぎの音」文《四》。

***や・む**【病む】《他五》❶病気に冒される。「胸を―・む」❷おだやかならず思う。気にして心配する。「気に―・む」「苦に―・む」文《四》。

ヤムチャ【飲茶】茶を飲み点心〔ギョーザ・シューマイなど〕を食べて楽しむ、中国の習慣。▽中国 yin-cha

やむ‐な・い【×已むない】《形》文やむをえない。しかたない。「雨で―・く中止した」「延期の―・きに至る」

やむに‐やまれず【×已むに×已まれず】《連語》〔「やめようとしてもやめられずに」の意から〕どうしようもなく。「―上京する」

やむ‐を‐えず【×已むを得ず】《連語》しかたなく。やむなく。〔副詞的に使う〕「雨で―引き返した」

やむ‐を‐えな・い【×已むを得ない】《連語》どうしようもない。やむをえぬ。「―・い急用のため欠席します」

***や・める**【▽止める・×已める】《他下一》それまで続けていたことを行わなくなる。また、しようとしていたことをしないことにする。「酒を―・める」「話を―・める」「商売を―・める」「旅行を―・める」文や・む《下二》。

***や・める**【病める・▽痛める】《自下一》いたむ。苦痛を感ずる。〔古風な言い方〕「歯が―・める」

***や・める**【辞める】《自下一》〔職・地位などを〕去る。退く。「教師を―・める」「会社を―・める」表記「罷める」とも書く。文や・む《下二》。

***や・める**【病める】《連語》《文語四段動詞「病む」の已然形＋完了の助動詞「り」の連体形》〔文〕病んでいる。「―心」「―青春」

やもう‐しょう【夜盲症】夜、または夜明けや夕方などに物が見えなくなる症状〔の人〕。とりめ。

***やも‐め**【▽寡・▽寡婦・×孀】夫を失って独りでいる女。未亡人。後家。

***やも‐め**【×鰥・▽夫・▽寡男】妻を失って独りでいる男。男やもめ。鰥夫(やもお)。「―暮らし」

やも‐り【▽守▽宮】〔「家守(やもり)」の意〕ヤモリ科のはちゅう類。トカゲに似ている。背中は黒みがかった灰色。夜、壁・天井などをはいまわり、昆虫などを食べる。

やや【×稍】《副》少しばかり。いくらか。「―高い」

やや‐こ【▽稚▽児】あかんぼ。あかご。やや。〔古風で方言的な言い方〕

ややこし・い《形》こみいっていてわかりにくい。ややっこしい。「―・い話」文ややこ・し《シク》。

ややも‐すれば【▽動もすれば】《副》とかくそうなりがちであるようす。なにかというと。「―親に頼りがちだ」

や‐ゆ【×揶×揄】《名・他サ》〔文〕からかうこと。「政治家を―した川柳」

やよい【×弥▽生】〔雅〕陰暦三月。参考 太陽暦の三月にも言う。

やら ㊀《終助》〔「にやあらん」が「やらん→やらう→やら」と転じたもの〕〔多く、上に疑問を表す語を伴い〕自問を推量の形で示し、不確かな気持ちを表すのに使う。…だろうか。〔想像を働かせるさまが余韻として残る〕「いつになったら帰れるやら」「いつの日のことやらもう思い出せない」㊁《副助》〔㊀の転〕〔疑問詞について〕不確かなままで推量する気持ちを表す。「何やら様子が変だ」「どこへやら行ってしまった」「どうやら諦(あきら)めたらしい」㊂《並助》同類のものを例示的に並べあげるのに使う。〔「や」よりもくだけた言い方〕「飲むやら食うやら勝手に振る舞う」「傘やらセーターやら懐中電灯やらを用意する」参考 ㊂で、最後の「やら」は、省略したり「など」で言いかえたりすることもできる。

***や‐らい**【夜来】〔文〕昨夜以来〔ずっとひき続いて今まで〕。「―の雨」

***や‐らい**【矢来】竹・木などをあらく編んで作った仮の囲い。また、かきね。「竹―」

やら・か・す【▽遣らかす】《他五》〔俗〕する。やる。「へまを―・す」

やら・す【▽遣らす】《他五》→やらせる。文《四》。

やらず‐の‐あめ【▽遣らずの雨】《連語》来客を帰さないためや、出かけようとする人を行かせないためであるかのように降ってくる雨。

やらず‐ぶったくり《連語》〔俗〕自分から人に与えることはせず、取り上げるばかりであること。

やらせ【▽遣らせ】〔俗〕テレビ番組などで、実際にはないことをいかにも事実のようにつくること。表記 ふつう、かな書きにする。

やら・せる【▽遣らせる】《他下一》させる。やらす。「仕事を部下に―・せる」文やら・す《下二》。

やら‐ぬ《連語》→やる㊁①。「晴れ―・ぬ空」

やら・れる《自下一》〔「やる」の受け身形〕❶危害を加えられる。「爆弾で―・れる」❷やりこめられる。負かされる。「こりゃあ、一本―・れたね」

やり【×槍・×鎗・×鑓】❶長い柄の先に細長いとがった刃をつけた、刺す武器。参考「一本…」「一条(いちじょう)…」「一筋(ひとすじ)…」と数える。❷やり①をつかう術。槍術(そうじゅつ)。❸将棋で、「香車(きょうしゃ)」の別名。

やり‐あ・う【▽遣り合う】㊀《他五》互いにする。しあう。「宣伝合戦を―・う」㊁《自五》言葉や腕力などで互いに争う。特に、言い争う。「先輩と―・う」

やり‐いか【×槍×烏▽賊】ジンドウイカ科の軟体動物。胴は細長く先がとがっている。食用。

やり‐がい【▽遣り▽甲×斐】その物事をする価値。

や

そのことをする張り合い。「ーのない仕事」

やり‐かえ・す【▽遣り返す】(ーかへす)《他五》❶一度したことを初めからしなおす。やりなおす。「庭掃除をー・す」❷〔相手の追及・攻撃・主張などに〕反駁(はんばく)してやりこめる。「早口でー・す」

やり‐かた【▽遣り方】物事を行う方法。しかた。「相手のーはひどい」

やりきれ‐な・い【▽遣り切れない】《連語》❶〔仕事を〕やりとげることができない。また、やっていくことができない。「一日ではー・い仕事」❷がまんできない。辛抱しきれない。「ー・い思いを味わう」

やり‐くち【▽遣り口】やりかた。方法。手口。「ーがきたない」

やり‐くり【▽遣り繰り】《名・他サ》いろいろ工夫して、都合をつけること。「ー上手」「ーがつく」「ー算段」

やり‐こな・す【▽遣り▽熟す】《他五》〔むずかしい仕事などを〕うまくやってのける。無事にやり終える。「どんな仕事もー・す」

やり‐こ・める【▽遣り込める】《他下一》論じて、相手がまったく反論できないようにする。言い負かす。言いこめる。「相手をー・める」

やり‐すご・す【▽遣り過ごす】《他五》❶〔後から来たものを、自分より前に〕通り過ぎさせる。また、なすがままにさせる。「急行列車をー・す」❷限度をこえてする。しすぎる。「酒をー・す」

やり‐そこな・う【▽遣り損なう】(ーそこなふ)《他五》❶物事をして、しそんじる。しくじる。失敗する。「着地をー・った」❷ある事をする機会を失う。やりそびれる。

やり‐だま【×槍玉】やりを手玉のように自由に使いこなすこと。「ーに挙げる(=非難や攻撃の対象にする)」

やり‐っ‐ぱなし【▽遣りっ放し】物事をしたまま、後の始末をしないこと。「ーにしておく」

やり‐て【▽遣り手】❶〔その仕事を〕行うべき人。する人。「議長のーがない」❷物事をてきぱき処理できる人。「なかなかーだ」❸「やりてばば」の略。**ーばば**【ー▽婆】遊郭で、遊女と客を取り持ったり、遊女の取り締まりをしたりした老女。やりてばばあ。やりて。

やり‐ど【▽遣(り)戸】引き戸。

やり‐と・げる【▽遣り遂げる】《他下一》〔その仕事や目的を〕終わりまでやり通す。しとげる。「自分ひとりでー・げる」

やり‐とり【▽遣り取り】《名・他サ》相手におくったり、相手から受け取ったりすること。とりかわすこと。「手紙のー」「杯のー」

やり‐なお・す【▽遣り直す】(ーなほす)《他五》一度したことを、始めから改めてする。しなおす。「掃除をー・す」「書類の整理をー・す」文《四》。

やり‐なげ【×槍投げ】陸上競技の一種目。やりを投げて、その飛んだ距離を争う競技。

やり‐ぬ・く【▽遣り抜く】《他五》最後までやる。どこまでもやり通す。

やり‐ば【▽遣り場】もってゆきどころ。「不満のーがない」「ーのない怒り」

やり‐ぶすま【×槍×衾】大勢の者がすき間なくやりを突き出して構えること。「ーを作る」

やり‐みず【▽遣り水】(ーみづ)❶庭に水を導いて流れるようにしたもの。❷植え込みなどに水を与えること。

***や・る**【▽遣る】■一《他五》❶そこから他方へ移らせる。㋐前へ送る。進ませる。「駅へー・ってくれ」㋑〔ある場所へ〕行かせる。送る。つかわす。「一人娘を嫁にー・る(=嫁がせる)」「子どもを学校へー・る」「時計を修理にー・る」「秘書をー・って書類を届けさせる」㋒〔そこにあったものを動かして〕他の場所へ移す。「わしの眼鏡をどこへー・った?」㋓〔顔・視線などをそちらの方へ〕向ける。「足もとに目をー・る」㋔〔心にかかる思いを〕払いのける。晴らす。「憂いをー・る」❷〔同等以下の人や動植物に〕与える。「子どもにおもちゃをー・る」「植木に水をー・る」参考 相手に対して丁寧に言うときは「上げる」を使う。❸する。行う。〔種々な行為に関して、ばくぜんと言う。多少品のない言い方〕「ー・るだけのことはー・った」「自分の好きなことをー・る」㋐演じる。「白雪姫の小人をー・る人が一人足りない」㋑口にする。飲む。食う。「そこらで一杯ー・ろう(=酒を飲もう)」「いっしょに飯でもー・ろう」㋒《自動詞的に用いて》暮らす。生活する。「その収入でー・っていけるのか」㋓《多くは受け身の形で》害を加える。「ピストルで足をー・られた」㋔殺す。「上官の命令で、とらえたスパイをー・った」表記 ㋔は「殺る」とも書く。文《四》。■二《接尾》❶終了の意を表す。すっかり…する。〔多く、打ち消しの形で使う〕「晴れー・らぬ空」「興奮さめー・らず」❷広く及ぼす意を表す。「眺めー・る」文《四》。■三《補動》❶主体が他のために何らかの動作をする意。「ごちそうしてー・る」「助けてー・る」❷主体が、他に何らかの強制を加えてある動作をさせる意。「羊を小屋に追いこんでー・る」❸〔多く主体と話し手が一致する場合〕主体のその動作についての意志・決意などをともなう意。「すっぱぬいてー・る」文《四》。⇩〔類語と表現〕

類語と表現

「遣(や)る」

*花に水をやる・犬に餌をやる・息子に小遣いをやる/子供らに本を読んでやる・面白い話を聞かせてやろう。

◆上げる・与える・くれる・取らせる・給する・施す・恵む・贈る・渡す・授ける・譲る・貢(みつ)ぐ・摑(つか)ませる・譲り渡す・引き渡す・下げ渡す・呈する/(する)寄贈・遺贈・追贈・贈与・贈呈・贈位・贈賄(ぞうわい)・譲渡・譲与・進呈・寄進・寄付・分譲・分与・供与・授与・付与・貸与・授章・授賞・支給・交付・給付・送付・配布・プレゼント

◆謙譲 捧げる・献じる・奉(たてまつ)る・奉じる・供える・手向ける・差し上げる/(する)恵贈・献上・謹呈・奉呈・呈上

***やる**《助動:四型》文語〔「ある」の転。動詞連用形について〕動作主に対する軽い尊敬を表す。…なさい。〔古いスタイルの会話に使われた〕「直と仕事に走り**やれ**走り**やれ**〈露伴〉」

やるかた‐な・い【▽遣る方無い】《形》心を慰める方法がない。思いを晴らす方法がない。「憤懣(ふんまん)ー・い」

やる‐き【▽遣る気】《連語》自分から進んで何かをしようという意志。「ー十分」「ー満々」「ーがない」

やるせ‐な・い【▽遣る瀬無い】《形》〔苦しさ・悲しさなどの〕気を晴らす手段がない。「ー・い倦怠(けんたい)感」

***やれ**【▽破れ】❶〔文〕破れること。また、破れた・もの(ところ)。「ー垣」「ー笠」❷刷り損ねの印刷物。

***やれ**《感》❶ふと気づいたり、当惑したり、急に喜んだり

したときに発する語。「―、うれしや」❷相手の言ったことばなどを並べたてて言うときに、間にはさんで、わずらわしい意を表す。「―行儀が悪い、―言葉づかいが悪いと口うるさいことだ」

やれ-やれ《感》❶ほっと安心したとき、または疲労を感じたときや困ったときなどに発する語。「―助かった」❷感動したときに発する語。「―、見事なものだ」

や-ろう【野郎】㊀《名》❶男をののしって乱暴にいう語。「この―、よくもだましたな」❷〔俗〕男。特に、若い男。「家には―ばかり三人いる」㊟女郎(めろう)。㊁《代名》《他称の人代名詞》男を軽べつして言う語。やつ。あいつ。「―の言うことはあてにならない」㊟女郎(めろう)。

やろう-じだい【夜郎自大】《名・形動》〔文〕自分の力の程度を知らずに、いばっていること。故事 昔、中国の西南部にいた未開人「夜郎」が、漢の強大さを知らずに自らの勢力をほこったことから。〈史記・西南夷伝〉

***や-わ【夜話】**〔文〕〔人々を集めて〕夜間にされる話。よばなし。また、それを書き集めた本。「二宮翁―」

***やわ【柔】**《形動》やわらかなようす。また、こわれやすいようす。「地面が―だ」「そんなに―な体ではない」

やわ・い【柔い】《形》やわらかい。また、弱い。「ひな鳥だから肉は―・い」

やわ-はだ【柔肌・柔▽膚】〔女性の〕やわらかな肌。「―に触れる」

やわら【柔(ら)】「柔道」「柔術」の別称。

やわ-らか【柔らか・軟らか】《形動》❶ふっくらとしていて抵抗がないようす。「―なごはん」❷しなやかなようす。柔軟。「―なウエーブ」「からだの―な人」❸おだやかなようす。「―な春の日ざし」「―なまなざし」❹かたくるしくないようす。「―な話」

やわらか・い【柔らかい・軟らかい】《形》やわらかである。「つきたての―・いもち」「―・い身のこなし」㊟かたい。㊮やはらか・し《ク》。⇩〔使い分け〕

使い分け「やわらかい」

柔らかい(▽和)〔しなやかで、力を加えると形をかえるが、すぐにもとに戻る。弾力性がある〕柔らかい布団・柔らかい手触り・柔らかい皮・柔(和)らかい日差し・柔(和)らかな人当たり・柔(和)らかな性格

軟らかい〔ぐにゃぐにゃしていて、力を加えると形をかえるが、もとには戻らない。手ごたえがない〕軟らかいおかゆ・地盤が軟らかい・軟らかく煮る・軟らかい話・文章が軟らかい

参考「柔」は「剛」の対、「軟」は「硬」の対。「和」は「和らぐ」のように動詞に用いるが、形容詞としては、調和のある、おだやかだなどの意で、「柔」で代用することができる。「柔らかい日差し・柔らかい性格」では、「柔」を使うと意味がややずれるとして、かな書きもよく行われる。

やわら・ぐ【和らぐ】《自五》❶〔暑さや寒さ、風や波、また、怒り・悲しみ・苦痛などがおさまり〕おだやかになる。「寒さが―・ぐ」「気分が―・ぐ」❷〔対立していたものが〕うちとけて、なごやかになる。「両国の緊張が―・ぐ」㊮《四》。

やわら・げる【和らげる】《他下一》❶おだやかにする。しずめる。「香をたいて気分を―・げる」❷〔文章・表現などを〕わかりやすくする。平易にする。「表現を―・げる」㊮やはら・ぐ《下二》。

ヤンガー-ジェネレーション❶若い世代の人々。青少年層。❷新時代。▽younger generation

ヤンキーアメリカ人の俗称。▽Yankee

ヤング若い・こと(人)。「―の夏のよそおい」「―パワー」▽young

やんごと-な・い【▽止事無い】《形》《「止ゃむ事無し」の転》非常に尊い。高貴である。「―・いお方」

やんちゃ《名・形動》〔俗〕子どもがわがままで、だだをこねること。また、ひどくいたずらであること。「―をする」「―坊主」

やんぬる-かな【×已んぬる×哉】《連語》《「已ゃみぬるかな」の転》〔文〕今となっては、どうにも仕方がない。もうおしまいだ。

やんま【×蜻×蜓】ヤンマ科に属する大形のトンボの総称。ギンヤンマ・オニヤンマなど。

やんや《感》大勢で(ほめ)はやすときに発する語。「―の喝采(かっさい)」

やんわり《副・自サ》《副詞は「―と」の形も》やわらかに。おだやかに。「―と断る」

ゆ

由

ゆ【湯】❶水をわかしたもの。熱した水。「―をわかす」❸ふろ。また、銭湯。「―につかる」「―に行く」類語 温水。❷温泉。いでゆ。「―の香」「―の町」

ゆ-あか【湯×垢】❶水にとけている石灰分などが鉄びんや浴槽の内部について固まったもの。湯の花。❷浴槽の古くなった湯水にうく、垢などのまじったよごれ。

ゆ-あがり【湯上(が)り】❶入浴してふろから出たばかりの・状態(時)。「―姿」「―のビールはうまい」❷「湯上がりタオル」の略。ふろから出て体をふくのに用いる、大きなタオル。バスタオル。ゆあげ。

ゆ-あたり【湯▽中り】《名・自サ》ふろや温泉に・長く(何回も)はいったためにおこる、体の異常。めまい・頭痛など。「―して気分が悪くなる」

ゆ-あつ【油圧】❶油に加わる圧力。❷加圧した油でピストンなどの機械を動かすこと。「―ブレーキ」

ゆ-あみ【湯▽浴み】《名・自サ》湯にはいって体を洗うこと。入浴。〔古風なことば〕類語 沐浴(もくよく)。

ゆい【結】〔田植えや屋根替えなど〕一度に多くの人手を必要とするときに、互いに手を貸し合うこと。また、その仲間。

ゆい-いつ【唯一】それ一つだけであること。ゆいつ。「―の願い」「―の手掛かり」

ゆいが-どくそん【唯我独尊】❶「天上天下(てんじょうてんげ)唯我独尊」の略。❷自分だけがえらいとうぬぼれること。ひとりよがり。「―の態度」

ゆい-ごん【遺言】《名・他サ》死んだ後のことを、言い残して(書き残して)おくこと。また、そのことば。「―を守る」「―状」参考 法律では「いごん」。

ゆい-しき【唯識】唯心(ゆいしん)①。

ゆい-しょ【由緒】物事の由来した端緒。いわれ。また、名誉ある歴史。「―ある名刹(めいさつ)」「―正しい家柄」

ゆい-しん【唯心】❶〔仏〕大乗仏教の根本となる考え方。あらゆる現象は心の現れであるから、心は唯一の実

在であるとするもの。唯識(ゆいしき)。❷〔哲〕心だけが真の存在であると考えること。対唯物。―ろん【―論】〔哲〕心が唯一の根本実在で、すべてのものはその発現であるとする立場。参考認識論上では観念論の意味に使われる。対唯物論。

ゆい-のう【結納】(ゆひナフ) 婚約したしるしに、品物や金銭などを取りかわすこと。また、その金品。「―をかわす」類語納采(のうさい)。

ゆいび-しゅぎ【唯美主義】美を人間生活における最高の価値として追究する立場。耽美主義(たんびしゅぎ)。

ゆい-ぶつ【唯物】〔哲〕物質(＝客観的実在)のみが実在すると考えること。対唯心。―しかん【―史観】〔哲〕歴史や社会を動かす原動力を物質的・経済的諸関係におく立場。マルクス主義の歴史観。―ろん【―論】〔哲〕物質のみが実在するものであるとして、精神や意識などもそこから導こうとする哲学的立場。マテリアリズム。対唯心論。観念論。

ゆい-わた【結(い)綿】(ゆひ―) ❶真綿の中央を結びたばねたもの。祝い物に使う。❷日本髪の一つ。つぶし島田の中央を布で結んでまとめた形。若い娘が結う。

*ゆう【勇】〔文〕勇ましい心意気。勇気。「―をふるう」「―を鼓す(＝勇気をふるいおこす)」

*ゆう【夕】(ふゆ) 〔文〕夜になろうとするとき。日の暮れ方。夕ぐれ。夕方。「朝に―に」対朝(あさ)。

*ゆう【有】㊀《名》〔文〕❶存在すること。また、形のある物。「無から―を生じる」❷所有すること。また、所有物。「我が―に帰する」❸また。その上に。〔多く、年月を表す語につけて使う〕「十―三年」㊁《接頭》「…がある」「…をもつ」の意。「―資格者」

*ゆう【▽木▽綿】(ふゆ) コウゾの皮の繊維から作った糸状のもの。おもに榊(さかき)の幣(ぬさ)にした。

*ゆう【雄】強く、すぐれている・こと(もの)。「文壇の―」「一方の―と目される」

*ゆ・う【結う】(ふゆ)《他五》❶むすぶ。しばる。ゆわえる。「垣根を―・う」「ひもを―・う」❷髪をひもでむすぶなどしてととのえる。「髪を島田に―・う」文《四》。

*ゆ・う【言う】(ふい)《自他五》↓いう。表記「ゆう」は「言う」の表音式かなづかいによる表記。現代かなづかいでは「いう」と書く。

*ゆう【優】成績などを表す評語の一つ。優・良・可・不可では第一位、秀・優・良・可・不可では第二位を表す。

*ゆう【×尤】《形動ナリ》非常にすぐれているようす。「詩人の―なる者」

ユー-アール-エル【URL】⇩巻末付録。

ゆう-あい【友愛】友人・仲間に対する、親愛の情。「―の情」

ゆう-あかり【夕明(か)り】(ゆふ―) 日が沈んだあとに残っている明るさ。「―に透かして見る」類語残照。

ゆう-あく【優×渥】《名・形動》〔文〕めぐみ深く手厚いこと。ねんごろ。「―なるお言葉を賜る」

ゆう-あん【幽暗】《名・形動》〔文〕深く、暗いこと。「―な谷底」

*ゆう-い【優位】〔他のものより〕すぐれた立場・地位。「―に立つ」「―を占める」類語上位。対劣位(れつい)。

*ゆう-い【有意】❶意味があること。「―の差」❷そうしようという意志があること。「―的に働く」

*ゆう-い【有為】《名・形動》才能があって世の中の役に立つこと。「前途―の青年」

*ゆう-い【雄偉】《名・形動》〔文〕雄々しくりっぱなこと。すぐれて偉大なこと。「―な容貌(ようぼう)」

ゆう-いぎ【有意義】《名・形動》意味・意義があること。「―な学生生活」「―に時を過ごす」対無意義。

*ゆう-いん【誘因】〔文〕ある作用・状態をひきおこす原因。「過労が―となる」類語起因。遠因。きっかけ。

*ゆう-いん【誘引】《名・他サ》〔文〕〔人を〕さそいだすこと。いざなうこと。

ゆう-うつ【憂×鬱】《名・形動》❶心がふさぎ、はればれしないこと。「成績が悪くて―になる」「―症」❷暗く、うっとうしいこと。「―な天気」

ゆう-えい【遊泳・×游泳】《名・自サ》❶泳ぐこと。泳ぎまわること。水泳。「―禁止」参考泳ぐように・歩く〔飛ぶ〕ときにも使う。「宇宙―」❷よわたり。処世。「―術」

*ゆう-えき【有益】《名・形動》利益があること。ためになること。「―な本をよむ」「時間を―に使う」類語有効。有用。有利。対無益。

*ゆう-えき【誘×掖】《名・他サ》〔文〕導き、助けること。「後進を―する」参考「誘」は先にたって導く意、「掖」はかたわらから抱えて助ける意。

ゆう-えつ【優越】《名・自サ》〔他と比べて〕すぐれていること。まさっていること。「―した技術」―かん【―感】自分が他の人よりすぐれていると思って感じる快感。「―に浸る」対劣等感。

ユー-エス-エー【USA】アメリカ合衆国。米国。▽United States of America の略。

ユー-エッチ-エフ【UHF】⇩巻末付録。

ユー-エフ-オー【UFO】↓ユーフォー。

*ゆう-えん【優×婉・優×艶】《名・形動》〔文〕やさしく、しとやかで美しいこと。「―な乙女の舞」

*ゆう-えん【幽×艶・幽×婉】《名・形動》〔文〕奥深く、美しいこと。「―な風景」

*ゆう-えん【幽遠】《名・形動》〔文〕奥深く、はるかなこと。「―の趣」

*ゆう-えん【悠遠】《名・形動》はるかにへだたっていること。「―の昔」類語悠久。久遠(くおん)。

ゆうえん-ち【遊園地】遊びや娯楽の設備を設け、樹木などをうえた公園風の所。「児童―」

ゆう-おう【勇往】〔文〕勇んで進んでゆくこと。「―邁進(まいしん)」

ゆう-が【優雅】《名・形動》❶しとやかで、上品なこと。「―に着こなす」「―な身のこなし」類語エレガント。❷日常的なわずらわしさから離れて、ゆとりが感じられること。「―な生活」

*ゆう-かい【幽界】〔文〕死後に行くとされる世界。あの世。冥界。「―の人となる(＝死ぬ)」対顕界(けんかい)。

*ゆう-かい【誘拐】《名・他サ》人をだましてさそいだし、つれさること。かどわかすこと。「幼児を―する」

*ゆう-かい【融解】《名・自サ》❶とけること。❷固体が熱によって液体になること。溶融(ようゆう)。「―熱」―てん【―点】固体が融解する温度。

*ゆう-がい【有害】《名・形動》害があること。「―な本」「―物質」対無害。―むえき【―無益】《形動》害ばかりあって役に立たないこと。「―な行い」

*ゆう-がい【有×蓋】屋根やふたなどがあること。「―車」対無蓋(むがい)。

ゆう-がお【夕顔】(ゆふがほ) ❶ウリ科の一年生つる草。初夏の夕方、白い花を開き、朝にはしぼむ。果実は食用。

かんぴょうを作る。❷ヒルガオ科の一年生つる草。夏の夕方、アサガオに似た白い花を開く。よるがお。

***ゆう・かく【遊客】**❶きまった職をもたず、遊んでくらしている人。遊び人。❷遊覧の客。❸遊郭の客。＝遊客(ゆうきゃく)。

***ゆう・かく【遊郭・遊×廓】**遊女屋が多く集まっている場所。くるわ。いろざと。遊里。花柳街。

ゆう・がく【遊学】《名・自サ》遠く離れた他の土地(国)へ勉強に行くこと。「パリに―する」類語留学。

ゆう・かげ【夕影】ゆふ― ❶夕日の光。「―に映える山々」❷夕日にうつる姿。

ゆうか・しょうけん【有価証券】その所有者の財産権を記載した証書。船荷証券・約束手形・小切手・株券・公社債券など。

ゆう・がた【夕方】ゆふ― 太陽が沈むころ。夕暮れ。夕刻。類語暮れ時。いりあい。ひともしごろ。たそがれ時。逢魔(おうま)が時。雀色時(すずめいろどき)。対朝方(あさがた)。

ゆうが・とう【誘×蛾灯】夜、あかりをともし、ガ・ウンカなどをおびきよせて殺すしくみの灯火。

ユーカラ アイヌ民族に伝承されている、古い叙事詩。▽アイヌ Yukar(＝詞曲)

ユーカリ フトモモ科の常緑高木。原産地はオーストラリア。高さは一〇〇メートル近くにもなる。葉はコアラが好んで食べる。葉からユーカリ油をとる。材は船舶・建築用。▽eucalyptusから。

***ゆう・かん【勇敢】**《名・形動》勇気があり、おそれずに物事を行うこと。「―に戦う」「―な少年」

***ゆう・かん【夕刊】**ゆふ― 日刊新聞で、夕方刊行する新聞。対朝刊。

***ゆう・かん【憂患】**〔文〕心配と悩み。気がかり。心痛。「―を共にする」

***ゆう・かん【有閑】**財産などがあって働く必要がなく、ひまな時間が多いこと。「―夫人」「―階級」

***ゆう・き【勇気】**ものおじしない、強い気力。「―を出す」「―百倍」

***ゆう・き【幽鬼】**〔文〕❶死者の霊魂。亡霊。❷鬼。ばけもの。妖怪(ようかい)。

***ゆう・き【有期】**一定の期限があること。「―刑」対無期。

***ゆう・き【有機】**❶生活機能と生活力をもつもの。動植物など。❷炭素を主成分とする物質であること。対①②無機。**―かがく【―化学】**有機化合物を研究する化学の一部門。対無機化学。**―かごうぶつ【―化合物】**生物体の組織の中にみられる、炭素をふくむ化合物。ふつう、炭素・酸素・水素などから成る。対無機化合物。**―たい【―体】**❶生活機能をそなえている組織体。動植物のこと。❷ある目的のために、各部分が密接にむすびついて統一のある全体を形成しているもの。〔社会的な組織などにいう〕**―てき【―的】**《形動》多くのものが密接にむすびついていて、たがいに影響しあう関係にあるようす。「資本の―構成」**―のうほう【―農法】**有機肥料を使って、安全で味のよい農産物の生産をめざす農法。有機農業。**―ひりょう【―肥料】**有機化合物を成分とする肥料。堆肥(たいひ)・ふん尿・油かすなど。**―ぶつ【―物】**❶生活機能を持ち、生体内で生命力によって作られる物質。生命体を構成する物質。❷有機化合物。対①②無機物。

***ゆうき【結▽城】**❶「結城じま」の略。❷「結城つむぎ」の略。❸「結城もめん」の略。**―じま【―×縞】**茨城(いばらき)県結城地方で産する、「ゆうきつむぎ」「ゆうきもめん」などの縞柄(しまがら)のもの。ゆうき。**―つむぎ【―×紬】**つむぎ糸を平織りにした、丈夫な絹織物。高級な和服地。ゆうき。**―もめん【―〈木綿〉】**「ゆうきつむぎ」に似せて織った、もめんの縞織物。ゆうき。

***ゆう・ぎ【友×誼】**〔文〕友達に対する愛情・親しみ。「―にあつい人」「親密な―を結ぶ」類語友情。友好。

***ゆう・ぎ【遊戯】**❶《名・自サ》遊びたわむれること。「恋愛―」❷幼稚園や小学校で、子供が楽しみながら行う踊りや運動。「お―」

***ゆう・ぎ【遊技】**娯楽として行う(おとなの)遊び。パチンコ・玉突きなど。「―場」

ゆう・きゃく【遊客】→ゆうかく(遊客)。

***ゆう・きゅう【悠久】**《名・形動》〔年月や、ある状態などが〕かぎりなく長く続いていること。永久。「―の太古」「―な静寂」類語長久。

***ゆう・きゅう【有給】**給料が支払われること。「―休暇」対無給。

***ゆう・きゅう【遊休】**設備・資金などが利用されていないこと。「―地」「―施設」

ゆう・ぎょ【遊漁】〔生業としてではなく〕趣味や楽しみのために釣りや漁をすること。「―料」

***ゆう・きょう【幽境】**〔文〕俗世間を離れた、もの静かな所。

***ゆう・きょう【遊×侠】**〔文〕面目や約束を重んじ、強きをくじき弱きを助けること(人)。おとこだて。侠客(きょうかく)。「―の徒」

***ゆう・きょう【遊興】**《名・自サ》遊び興じること。特に、料理屋・酒場などで遊ぶこと。「―にふける」

ゆうぎょう・しゃ【有業者】職業を持っている人。対失業者。

ゆう・きん【遊金】〔文〕使いみちがないため、しまってある金銭。あそびがね。

ゆう・ぎん【遊吟】《名・他サ》〔文〕あちこちめぐり歩きながら詩・俳句などをくちずさむこと。

ゆう・く【憂苦】〔文〕うれいと苦しみ。「―を忘れる」

ゆう・ぐ【遊具】遊び道具。「子供の―」

ゆう・ぐう【優遇】《名・他サ》❶〔来客などを〕てあつくもてなすこと。「珍客を―する」類語厚遇。優待。❷〔使用人などに〕十分に報酬を出すこと。「経験者を―する」対①②冷遇(れいぐう)。

ゆう・ぐれ【夕暮(れ)】ゆふ― 太陽が沈んで、暗くなるころ。日暮れ。夕方。たそがれ。「秋の―」類語薄暮(はくぼ)。

***ゆう・くん【遊君】**〔文〕遊女。あそびめ。

***ゆう・ぐん【友軍】**味方の軍隊。「―機」対敵軍。

***ゆう・ぐん【遊軍】**❶戦列からはなれていて、必要に応じて出動する軍隊。遊撃隊。「―に出動命令が下る」❷きまった部署につかず、待機していて事が起こったときに活動する人。「―記者」

ゆう・げ【夕×餉】ゆふ― 夜の食事。夕食。夕飯。〔やや古風な言い方〕「―の膳(ぜん)」対朝餉(あさげ)。

***ゆう・けい【夕景】**ゆふ― 〔文〕夕方。日暮れ。また、夕方の景色。「―に伺います」「湖の―」

***ゆう・けい【有形】**〔抽象的でなく〕形をもっていること(もの)。「―財産」対無形。**―ぶんかざい【―文化財】**建造物・絵画・彫刻・工芸品・書跡・典籍・古文

書などの、歴史上または芸術上価値の高い有形の文化的所産。対無形文化財。

*ゆう-けい【雄×勁】《名・形動》〔文〕〔文章の調子・音調などが〕おおしく、力強いこと。「—な筆致」類語雄渾(ゆうこん)。

ゆう-げい【遊芸】〔茶の湯・いけ花・踊り・三味線など遊びごとに関した芸能。「—をたしなむ」

ゆう-げき【遊撃】❶〔前もって攻撃の相手をきめず〕戦列外にあって、ときに応じて味方を助け敵を攻撃すること。「—隊」❷「遊撃手」の略。野球で、二塁と三塁の間を守る内野手。ショートストップ。

ゆう-けむり【夕煙・夕×烟】(ゆふ—)夕方たつ煙。特に、夕方、食事のしたくをするときなどに出る煙。

*ゆう-けん【勇健】《名・形動》〔文〕❶勇ましくて、丈夫なこと。「—なる青年」❷病気やけがをしないこと。壮健。息災。〔手紙文などで使う〕

*ゆう-けん【郵券】〔文〕郵便切手。「—代用可」

*ゆう-げん【幽玄】《名・形動》❶〔たやすく知ることができないほど〕奥深い趣・余情などがあること。「—の世界」「—な奏楽の響き」❷中世日本文学の理念で、深い余韻のあること。

*ゆう-げん【有限】《名・形動》限りがあること。「宇宙は—か無限か」対無限。—がいしゃ【—会社】合名会社と株式会社との両方の長所をとりいれた小規模な会社。社員全員が有限の責任をおう。有限責任会社。—せきにん【—責任】債務者が、自分の財産の一部または一定の金額だけを返済するという形で負う責任。対無限責任。

ゆうげん-じっこう【有言実行】あらかじめ宣言して、物事を実行すること。対不言実行。

ゆうけん-しゃ【有権者】権利をもっている人。特に、選挙権をもっている人。

*ゆう-こう【友好】友だちとして、仲よくすること。親しいこと。「—を深める」注意「友交」は誤り。

*ゆう-こう【有功】〔文〕てがらがあること。

*ゆう-こう【有効】《名・形動》❶よい結果を生む力があること。ききめがあること。「休暇を—に使う」「—期間」❷法律上の効果を生じること。対①②無効。

*ゆう-こう【遊行】〔文〕❶遊び歩くこと。❷あてもなく、さまよい歩くこと。「夢中—」

ゆう-ごう【融合】《名・自サ》〔二つ以上の異なったものが〕とけて一つになること。「核—」

*ゆう-こく【夕刻】(ゆふ—)〔文〕夕方の時刻。夕方。日暮れどき。「—に訪問する」

*ゆう-こく【幽谷】〔文〕奥深い谷。「深山—」

*ゆう-こく【憂国】〔文〕自分の国の現状や将来について心配すること。「—の士」類語愛国。

*ゆう-こん【幽魂】〔文〕死んだ人のたましい。亡魂。「—とどまりて祖国を守れ」類語幽鬼(ゆうき)。

*ゆう-こん【雄×渾】《名・形動》おおしく、勢いがいいこと。のびのびして、力強いこと。「—な筆致」類語雄勁(ゆうけい)。雄大。

ユーザー 商品の使用者。利用者。▽user

ゆう-ざい【有罪】罪があること。特に、裁判で犯罪の事実が認められること。「—判決」対無罪。

ゆうさい-しょく【有彩色】黒・白・灰色以外のすべての色。対無彩色。

ゆう-さり【夕さり】(ゆふ—)〔文〕夕方。

ゆう-さん【有産】資産があること。対無産。—かいきゅう【—階級】財産があって生活が豊かな階級。地主・資本家など。ブルジョアジー。対無産階級。

ユーザンス〔経〕❶為替手形の支払い期限。❷為替手形の支払い期限を相手方に一定期間延ばしてもらうこと(制度)。「輸入—」▽usance

*ゆう-し【勇士】❶勇気のある男。勇者。❷勇ましい兵士。つわもの。「歴戦の—」

*ゆう-し【勇姿】勇ましい姿。「馬上の—」

*ゆう-し【有司】〔文〕役人。官吏。公吏。「百官—」

*ゆう-し【有史】〔文〕〔記録として残っている〕歴史があること。文献的史料があること。「—以来(=歴史が始まってからこのかた)の大事件」「—以前」「—時代」

*ゆう-し【有志】〔ある目標に対して〕志や関心をもっていること(人)。「—を募る」

*ゆう-し【猶子】〔文〕❶兄弟の子。おい、または、めい。❷養子。

*ゆう-し【遊子】〔文〕旅人(たびびと)。旅行者。

*ゆう-し【雄姿】堂々としてりっぱな姿。「富士の—」類語英姿。

ゆ

*ゆう-し【雄志】雄々しい志。「—をいだく」「—に燃える」類語雄心。大志。

*ゆう-し【融資】《名・他サ》資金を融通すること。また、その資金。「住宅資金を—する」「—を受ける」

ゆう-じ【有事】〔文〕〔大きな事件・戦争など〕ふつうでない事柄が起こること。「一朝—の際」「—に備える」

ゆう-しお【夕潮・夕×汐】(ゆふしほ)夕方にみちてくる潮。対朝潮(あさしお)。

ゆうしかい-ひこう【有視界飛行】操縦士の視覚に頼りながら行われる飛行。対計器飛行。

ゆう-しかく【有資格】必要な資格を持っていること。対無資格。

ゆう-しき【有識】❶〔文〕有識(ゆうそく)。❷学問があり見識の高いこと。「—者」

ユー-じ-こう【U字溝】コンクリート製の、断面がU字形の側溝。排水溝・用水路用。類語L字溝。

ゆうしつ-どうぶつ【有×櫛動物】無脊椎(むせきつい)動物の一門。二本の触手と運動器官である八列のくし板がある。オビクラゲ・フウセンクラゲなど。

ゆうし-てっせん【有刺鉄線】多数のとげを付けた鉄線。類語鉄条網。

ゆう-しゃ【勇者】勇気のある人。勇士。

ゆう-じゃく【幽寂】《名・形動》奥深く、静かでさびしいこと。「—の地」類語静寂。閑寂。幽邃(ゆうすい)。

*ゆう-しゅう【幽囚】〔文〕とらえられて牢屋(ろうや)に入れられること(人)。とらわれ人。「—の身となる」類語幽閉。

*ゆう-しゅう【幽愁】〔文〕深いもの思い。

*ゆう-しゅう【憂愁】心配して、悲しむこと。また、うれいを含んだ悲しみ。「—の思い」「—に閉ざされる」

*ゆう-しゅう【有終】〔物事の〕最後をまっとうすること。参考「初めの有らざるはなし、よく終わり有るは鮮(すく)なし〈詩経〉」より。—のび【—の美】《連語》最後までりっぱにやりとげて、成果をあげること。「—を飾る」

*ゆう-しゅう【優秀】《形動》他のものより、すぐれひいでていること。「—な成績」「日本の技術は—だ」注意「優秀の美」は誤り。

ゆうじゅう-ふだん【優柔不断】《名・形動》ぐずぐずして、決心がなかなかつかないこと。「—な男」

ゆう‐しゅつ【×湧出・×涌出】《名・自サ》《「ようしゅつ」の慣用読み》〔文〕自然にわきでること。「温泉が―する」「―量」

***ゆう‐しゅん【雄俊】**〔文〕すぐれた才知をもっている・こと(人)。英俊。「―博大」

***ゆう‐しゅん【優×駿】**〔文〕すぐれた走力の競走馬。

***ゆう‐じょ【×佑助・×祐助】**〔文〕〔神や自然の力が〕助けること。たすけ。「天の―を願う」類語 天佑(てんゆう)。

***ゆう‐じょ【×宥×恕】**《名・他サ》〔文〕〔他人の罪・非礼などを〕広い心でゆるすこと。〔許される側から使うことば〕「御―を請う」

***ゆう‐じょ【遊女】** ❶昔、宴席で歌をうたったり、舞をまったり、また身を売ったりした女。あそびめ。❷遊郭にいて客の遊びの相手をする女。女郎。

***ゆう‐しょう【優勝】**《名・自サ》❶競技などで、第一位で勝つこと。「マラソンで―する」❷〔文〕すぐれたものが勝つこと。**―れっぱい【―劣敗】** 強者が勝ち、弱者が負けること。また、境遇に適応したものが栄え、適さないものが滅びること。適者生存。

***ゆう‐しょう【優賞】**《名・他サ》〔文〕てあつく賞すること。また、そのほうび。「―にあずかる」

***ゆう‐しょう【勇将】** 勇気のある、強い将軍。「―のもとに弱卒なし」類語 猛将(もうしょう)。

***ゆう‐しょう【有償】** うけた利益に対して、金銭・物品などによってむくいること。代価が支払われること。「土地を―で払い下げる」対 無償。

***ゆう‐じょう【優×諚】**〔文〕天皇から臣下に賜る、ねんごろなおことば。「―を賜る」

***ゆう‐じょう【友情】** 友だちとしての愛情。「―を温める」「―に厚い男」

***ゆう‐しょく【夕食】**(ゆふ―) 夕方の食事。夕飯(ゆうはん・ゆうめし)。晩ごはん。類語 夜食。晩餐(ばんさん)。対 朝食・昼食。

***ゆう‐しょく【憂色】** 心配そうな顔つき。うれえているようす。「―を濃くする」類語 愁色(しゅうしょく)。愁眉(しゅうび)。

***ゆう‐しょく【有色】** ❶色がついていること。「―野菜」対 無色。❷肌の色が白くないこと。「―人種」

ゆう‐しん【雄心】〔文〕勇みたつ激しい心。おおしい心。「―勃々(ぼつぼつ)としておこる」

ゆう‐じん【友人】 友だち。友。朋友(ほうゆう)。

ゆうしん‐ろん【有神論】〔哲〕宇宙を超越した神が世界をつくり支配しているとする立場。対 無神論。

ユース ㊀《造語》「若者」「青春時代」などの意をあらわす。「―マーケット(=若年齢層市場)」㊁《名》「ユースチーム」の略。サッカーなどで、年齢の上限を設け、若い選手だけでつくったチーム。▽ youth。**―ホステル** 青少年の旅行者が安い費用でとまれるように作られた宿泊所。▽ youth hostel

***ゆう‐すい【×湧水・×涌水】** わいて出る地下水。わきみず。「―を汲(く)む」

***ゆう‐すい【幽×邃】**《形動》〔文〕〔景色などが〕奥深くひっそりとして、落ち着いているようす。「―な庭園」

ゆう‐ずい【雄×蕊】 おしべ。対 雌蕊(しずい)。類語 幽寂(ゆうじゃく)。

ゆうすい‐ち【遊水池】 洪水時に水量を調節するための貯水池。

ゆう‐すう【有数】 数えることができるほど数が少なくて、すぐれている(おもだっている)こと。屈指。指折り。「世界でも―のバリトン歌手」対 無数。

ゆう‐ずう【融通】 ❶《名・他サ》たがいに金銭・物品などを貸し借りすること。やりくりすること。「資金を―する」❷その場その場に応じて物事をうまく処理すること。「―がきかない」表記 現代仮名遣いでは「ゆうづう」も許容。**―てがた【―手形】** 商取引の裏付けがなく資金を調達する目的で振り出された手形。書きあい手形。なれあい手形。対 商業手形。**―むげ【―無×碍・―無×礙】**《名・形動》その場に当たってうまく物事を処理し、一つのことにこだわらないこと。「―の柔軟な発想」

ゆう‐すずみ【夕涼み】(ゆふ―) 夏、日が暮れてから外にですずむこと。「湖畔で―をする」類語 臨機応変。闊達(かったつ)自在。

ゆう‐ずつ【夕▽星・▽長×庚】(ゆふづつ)〔文〕夕方、西の空にみえる金星。宵の明星。「西天の―」

***ゆう‐する【幽する】**《他サ変》〔文〕〔人をある場所に〕とじこめる。幽閉(ゆうへい)する。「座敷牢に―する」

***ゆう‐する【有する】**《他サ変》〔文〕もつ。もっている。所有する。「富を―する」「権利を―する」

***ゆう‐せい【優勢】**《名・形動》〔他と比べて〕勢いなどがすぐれていること。「―に戦う」対 劣勢。

***ゆう‐せい【優性】** 対立する形質をもつ二つの品種を交配したとき、次の代(=雑種第一代)に必ず現れる形質。「―遺伝」対 劣性。

***ゆう‐せい【幽×棲・幽×栖】**《名・自サ》俗世間からはなれて、ひっそりと住むこと。また、静かなすまい。「山間に―する」類語 隠棲(いんせい)。

***ゆう‐せい【有性】** 同一種の個体に雌雄の区別があること。「―生殖」対 無性。

***ゆう‐せい【有声】** 音声学で、発音に声帯の振動を伴うこと。また、その音。有声音。対 無声。**―おん【―音】** 声帯の振動を伴う音声。母音・鼻音、ガ・ザ・ダ・バ行の子音など。有声。対 無声音。

***ゆうせい【郵政】** 郵便に関する行政。

***ゆう‐せい【遊星】** 惑星(わくせい)。

***ゆう‐せい【雄性】** 生物のおすに共通する性質。対 雌性(しせい)。

***ゆう‐ぜい【有税】** 税金がかかること。対 無税。

***ゆう‐ぜい【遊説】**《名・自サ》〔政治家が〕自分の意見や政策を各地に説いてまわること。「―の旅に出る」

***ゆう‐ぜい【郵税】** 郵便料金。郵送料。

ゆうせい‐がく【優生学】 優良な性質を子孫にのこすため、悪い遺伝をさけてよい遺伝をのこすことを科学的に研究する学問。ユーゼニクス。

ゆうせい‐こうしゃ【郵政公社】「日本郵政公社」の略。郵便・郵便貯金・簡易保険などの事業を扱う企業体。政府が全額出資している。参考 二〇〇三年四月、郵政事業庁から業務を引きついだ。

ゆう‐せつ【融雪】〔文〕雪どけ。「―注意報」

***ゆう‐せん【優先】**《名・自サ》他のものに先んじて取り扱われること。「公益は私益に―する」「仕事―」**―けん【―権】** あることを他よりも先にできる権利。**―てき【―的】**《形動》他のものより先に扱うようす。

***ゆう‐せん【勇戦】**《名・自サ》〔文〕勇ましく戦うこと。「―奮闘」類語 奮戦。

***ゆう‐せん【有線】** ❶〔電話・放送などの通信で〕電線を用いるもの。対 無線。❷「有線電信」の略。電線を用いてモールス符号のような信号を伝達する通信。また、その方式。❸「有線放送」「有線テレビ」の略。電

線を用いて限られた区域内で行う放送。

*ゆう・せん【郵船】郵便物を運ぶための船。郵便船。

*ゆうぜん【友禅】「友禅染」の略。絹布などに、花鳥・草木・山水などを豊富な色彩でそめだしたもの。

*ゆう・ぜん【悠然】《形動タルト》〔動作・態度などが〕落ちついてゆったりしているようす。「—と構える」

*ゆう・ぜん【▽油然】《形動タルト》〔文〕〔内部から〕盛んに湧き起こるようす。「—として湧く雲」

*ゆう・そう【勇壮】《名・形動》勇ましく、勢いがさかんなこと。「—なマーチ」「—をきわめた戦い」

*ゆう・そう【郵送】《名・他サ》郵便で送ること。「写真を—する」

ゆう・そく【有▽職】朝廷や武家の礼式・典故にくわしい・こと（人）。有職故実。「—故実」 表記 古くは「有識」とも書いた。

ゆう・だ【遊惰】《名・形動》〔文〕何もせず、遊びなまけること。「—に日々を送る」 類語 怠惰。懶惰。

ユー・ターン【Uターン】《名・自サ》❶車がU字形にまがって、一八〇度方向をかえること。❷もとの状態・場所にもどること。特に、都会に出た人が故郷へもどること。「—現象」▽U-turn

*ゆう・たい【優待】《名・他サ》他のもの以上に手厚くもてなすこと。優遇。「読者を—する」「—券」

*ゆう・たい【勇退】《名・自サ》〔後進の人に道をひらくため〕自ら進んで役職をやめること。「校長が—する」

*ゆう・たい【郵袋】郵便物を入れて、ある局から他の局へ送る袋。行嚢。

ゆう・だい【雄大】《形動》規模が大きく、堂々としているようす。「—な山容」「—な計画」 類語 壮大。

ゆうたい・ぶつ【有体物】〔法〕物理的に空間の一部を占め、形をもつ物。 対 無体物。

ゆう・だち【夕立】ゆふ— 夏の夕方などに、急にはげしくふる雨。局地的にふり、雷を伴うことが多い。「—は馬の背を分ける（=夕立は局地的なものであるというたとえ）」 類語 通り雨。にわか雨。村雨。しぐれ。篠つく雨。スコール。驟雨。白雨。暮雨。

ユー・タナジー 安楽死。オイタナジー。▽フランス euthanasie

ゆう・だん【勇断】《名・他サ》〔重大な事柄を〕勇気をもってきめること。また、その決断。「—をくだす」「—をふるう」 類語 果断。

ゆうだん・しゃ【有段者】〔武道・囲碁・将棋などで〕段位をもっている人。

ゆう・ち【誘致】《名・他サ》さそって、ある場所へよびよせること。また、ある状態を招きよせること。「工場を—する」 類語 勧誘。

ゆう・ちょう【悠長】《形動》〔動作・態度などが〕いやにのんびりしているようす。「そんな—なことは言っていられない」「—な話」 類語 気長。

ゆう・づう【融通】《名・他サ》➡ゆうずう。

ゆう・づきよ【夕月夜】ゆふ— ❶夕方にでる月。また、月のでている、夕方。❷夕方にだけ月のでている夜。宵月夜。=ゆうづくよ。

ユーティリティー ❶利用価値のあること。効用。実用性。❷「ユーティリティールーム」の略。住宅において家事作業の中心になる部屋。家事室。▽utility

ゆう・てん【融点】熱のために固体がとけて液体になりはじめる温度。融解点。

*ゆう・と【雄図】規模が大きく、男らしい計画。雄大な計画。「—むなしく挫折する」 類語 壮図。大計。

*ゆう・と【雄途】〔大きな事業・計画をはたすための〕勇ましい出発。意気盛んな、雄々しいかどで。「—につく」 類語 壮途。

*ゆう・とう【優等】《名・形動》〔学校などで〕成績・技能などが特にすぐれていること。「—の成績で卒業する」 対 劣等。 —せい【—生】❶学校で、成績・品行のすぐれている児童・生徒・学生。❷仕事の上などで、命じられたことをそつなく行い、規則などもきちんと守る人。 参考 融通性がなく、人間的な面白みのない人をやや非難の気持ちをこめて言うこともある。

*ゆう・とう【遊×蕩】《名・自サ》だらしなく酒色にふけること。「—児」 類語 放蕩。道楽。

ゆう・どう【誘導】《名・他サ》❶〔ある場所・状態に〕さそい導くこと。「安全な場所に—する」「地元に利益を—する」❷電気・磁気がその電場・磁場の中にある物体に及ぼす作用。感応。 —じんもん【—尋問】犯罪の容疑者などを検察官や司法警察職員が調べるとき、知らず知らず白状するようなたずね方をすること。また、そのようなたずね方。「—にひっかかる」 —たい【—体】化合物の分子内で、その一部分が変化してできる化合物。 —だん【—弾】➡ミサイル。

ゆうどう・えんぼく【遊動円木】太い丸太の両端を鉄のくさりなどで低くつるし、自由にゆれ動くようにして、その上を歩く運動用具。遊動木。

ゆう・とく【有徳】〔文〕徳をそなえている・こと（人）。有徳。「—の士」 類語 高徳。

ゆう・どく【有毒】《名・形動》毒性をもっていること。「—な植物」「—ガス」 対 無毒。

ユートピア 現実にはない理想郷。 参考 イギリスの思想家トマス=モアの著作の題名から。▽utopia

ユートピアン 空想家。夢想家。▽utopian

ゆう・なぎ【夕×凪】ゆふ— 夕方、海岸の近くで、海風と陸風が交替するとき、しばらく無風状態になること。 対 朝なぎ。

ゆう・に【優に】《副》十分なようす。十分に。「—二万を超える観衆」「体重は—一〇〇キロある」

ゆう・のう【有能】《名・形動》役にたつ才能や能力があること。「—な人材」「あの医師は—だ」 対 無能。

ゆう・はい【有配】株式に配当があること。 対 無配。

ゆう・ばえ【夕映え】ゆふ— 夕日の光で、空などが赤く照りかがやくこと。夕焼け。「—の空」

ゆう・ばく【誘爆】《名・自サ》一つの爆発が原因となって、新しい爆発を起こすこと。「火薬庫が—する」

ゆう・はつ【誘発】《名・他サ》あることが原因になって、他のことをさそい起こすこと。「内乱を—した事件」「余病を—する」 類語 挑発。

ゆう・ばれ【夕晴れ】ゆふ— 夕方、空が晴れること。

*ゆう・はん【有半】《接尾》《年月を表す語について》…と半分。…半。「三年—」 参考 「有」は「また」の意。

*ゆう・はん【夕飯】ゆふ— 夕食。晩飯。夕飯。

*ゆう・はん【雄藩】勢力のある藩。雄鎮。 類語 大藩。

*ゆう・ひ【夕日・夕▽陽】ゆふ— 夕方の太陽（の光）。入り日。「—に映える秋の山」 類語 ➡太陽。 対 朝日。 —かげ【—影】ゆふ— 〔文〕夕日の光。夕日。

*ゆう・ひ【雄飛】《名・自サ》意気盛んに勇ましく活躍すること。「海外に—する」 対 雌伏。

ゆう・び【優美】《形動》〔姿・形・動作などが〕上品で美

しいようす。「—な和服姿」「—に舞う」

ゆう-ひつ【右筆・×祐筆】❶昔、身分の高い人のそばにいて、物をかくことを司った役(の人)。書記。❷武家の職名の一つ。文書・記録を司った職。

ゆう-びん【郵便】❶郵政公社が管理して、書状・はがき・小包・金銭などを送りとどける業務。❷「郵便物」の略。郵便で送りとどける手紙・小包など。 **—かわせ【—〈為替〉】**郵便局の為替で送金する方法。また、その為替の証書。 **—きって【—切手】**郵便物にはって、料金の支払い済みであることを示す証票。類語 郵券。郵票。シール。 **—きょく【—局】**郵政公社の管理のもとに、郵便物・小包・貯金・為替・簡易保険などの事務をとりあつかう機関。 **—しょかん【—書簡】**郵政公社の発行する郵便はがきの一種。一枚の紙の内側に通信文を書き、それをはがきの大きさに折りたたんで封をし、表側にあて名を書くようにしたもの。ミニレター。 **—ちょきん【—貯金】**郵便局で取り扱う貯金事業。郵貯。 **—はがき【—葉書】**郵便料金の証票を備え、郵政公社が規格様式をきめて発行する通信用紙。はがき。参考 通常はがきと往復はがきは私製のものも認められる。表記「はがき」は、ふつうかな書き。 **—ふりかえ【—振替】**金銭取引を行う人が、地方貯金局に口座を設け、その取引を郵便局を通じて帳簿上の振替によって行う制度。振替。

ゆう-ふ【有夫】〔文〕夫をもっていること。「—の身」

ゆう-ぶ【勇武】〔文〕勇気があって、武芸にすぐれていること。「—を尊ぶ」「—を誇る」

ユーフォー 未確認飛行物体。空飛ぶ円盤など。ユーエフオー。参考 unidentified flying object の略。▽UFO

ゆう-ふく【裕福】《形動》財産があって、生活が豊かなようす。富裕。「—な家庭」「—に暮らす」

ゆう-ぶつ【×尤物】〔文〕❶〔多くの中で〕すぐれている物。逸品。❷美人。

ゆう-ぶん【右文】〔文〕学問や文学をたっとぶこと。「—左武(=文武にすぐれること)」対 左武。

***ゆう-べ【夕べ】**《「夕方へ」の意》〔文〕夕方。日暮れ方。「秋の—」「—の祈り」対 朝。

***ゆう-べ【▽昨▽夜】**きのうの夜。昨晩。昨夜。「—は寒かった」参考 語源は、「夕べ」と同語源とも、また、「よべ」の延音「ようべ」の転とも。類語 昨夕。

ゆう-へい【幽閉】《名・他サ》人をある場所にとじこめること。「石牢に—する」類語 監禁。禁固。拘禁。

ゆう-へん【雄編・雄×篇】力のこもった、すぐれた著作。雄大な作品。類語 傑作。力作。

ゆう-べん【雄弁・雄×辯】《名・形動》❶よどみなく、堂々と話すこと。「—をふるう」「—家」❷〈「—に語る」「—に物語る」の形で〉ある事実・心情などをはっきりとあらわしている。「事実が—に物語る」

ゆう-ほ【遊歩】《名・自サ》〔文〕目的もなく、ぶらぶら歩くこと。散歩。そぞろ歩き。「湖畔を—する」「—道」類語 散策。逍遥。漫歩。

***ゆう-ほう【友邦】**〔文〕互いに親しくつきあっている国。友国。類語 盟邦。

***ゆう-ほう【雄峰】**〔文〕雄大な山。

ゆう-ぼう【有望】《形動》将来に望みがあるようす。将来、役にたつ見こみがあるようす。「前途—」

ユー-ボート【Uボート】第一次・第二次世界大戦で使われた、ドイツ軍の潜水艦。▽U-boat

ゆう-ぼく【遊牧】《名・自サ》水と牧草を求めて移住しながら牧畜を業とすること。「—民族」類語 放牧。

ゆう-まい【雄×邁】《名・形動》〔文〕性質が雄々しくすぐれていること。

ゆう-まぐれ【夕間暮れ】《「まぐれ」は「目暗」の意》〔雅〕夕方のうす暗いころ。夕暮れ。「里のわたりの—」表記 ふつう「夕まぐれ」と書く。

ゆう-みん【遊民】〔文〕職につかず、遊んでくらしている人。のらくら者。「高等—」

***ゆう-めい【勇名】**勇ましいてがらをたてたという評判。「—をはせる」「—をとどろかす」類語 武名。

***ゆう-めい【幽×冥】**〔文〕❶かすかで暗いこと。❷あの世。冥土。よみじ。「—界」

***ゆう-めい【幽明】**〔暗いことと明るいことの意から〕あの世と、この世。冥土と、現世。「—境を異にする(=死んであの世へゆく。死に別れる)」

***ゆう-めい【有名】**《名・形動》世間に広く知られていること。名高いこと。「—な画家」「一躍—になる」類語 高名。対 無名。 **—ぜい【—税】**有名人であるがために払わなければならない代償を、税にたとえていう語。 **—むじつ【—無実】**《名・形動》名ばかりで実質がそれにともなわないこと。「—の規則」

ゆう-めし【夕飯】夕食。夕飯。

ゆう-めん【×宥免】《名・他サ》〔文〕罪やあやまちをゆるすこと。「—をこうむる」

ユーモア 気のきいた、上品な滑稽味。上品なしゃれ。「—に富むスピーチ」「—を解する」類語 諧謔。ウイット。▽humor

ゆう-もう【勇猛】《名・形動》物事にひるまず、たけだけしいこと。激しく勇気をわきたてること。「—な武将」「—果敢」類語 剛勇。猛勇。

ユーモラス《形動》ユーモアのあるようす。明るく軽い滑稽味のあるようす。「—なしぐさ」▽humorous

ユーモリスト ユーモアのある人。▽humorist

ユーモレスク ユーモラスな感じをもった器楽の小曲。▽フランス humoresque

***ゆう-もん【幽門】**胃が十二指腸につづく部分。括約筋によって開閉し、食物を腸に送る。

***ゆう-もん【憂×悶】**《名・自サ》心配し、悩むこと。うれえ、もだえること。「—の情に堪えない」

***ゆう-やく【勇躍】**《名・自サ》〔ある事をしようと〕心が勇みたつこと。「—して任地に赴く」

***ゆう-やく【×釉薬】**〔文〕うわぐすり。

ゆう-やけ【夕焼け】太陽が沈むとき、西の空が赤くなる現象。夕ばえ。類語 残照。対 朝焼け。

ゆう-やみ【夕×闇】夕方、(月が出ないために)暗いこと。夕方の暗さ。「—が迫る」類語 よいやみ。

ゆうや-ろう【遊×冶郎】酒色にふける、身持ちの悪い男。類語 道楽者。放蕩者。蕩児。

ゆう-ゆう【悠悠】《形動トタル》❶はるかにへだたっているようす。「—たる宇宙」❷時が限りなく続くようす。「—と流れる時」❸ゆったりと落ちついているようす。「—と歩く」対 あくせく。 **—かんかん【—閑閑】**《形動トタル》〔文〕のんびりかまえて落ちついているようす。「老後を—と暮らす」 **—じてき【—自適】**《名・自サ》世間のわずらわしさからはなれて、自分の思うままに心静かに生活すること。「—の生活」

***ゆう-よ【有余】**《接尾》《数を表す漢語について》「…

あまり」「…以上」の意を表す。「十年―の歳月」

***ゆう・よ**【猶予】❶《名・自サ》ためらって、なかなかきめないこと。「いまは―している時ではない」❷《名・他サ》きめられた日時をのばすこと。「刑の執行を―する」類語延引。注意「猶余」は誤り。

***ゆう・よう**【悠揚】《形動タルト》〔文〕物事にこだわらず、落ちついているようす。「―迫らざる態度」

***ゆう・よう**【有用】《形動》役にたつようす。「―な動植物」類語有益。対無用。

ゆう・よく【遊×弋】《名・自サ》〔文〕軍艦・船舶などが海上を動きまわること。航行。「艦隊が―する」

ゆう・らく【遊楽】《名・自サ》〔文〕〔あちこちへ出かけて〕遊び楽しむこと。「―の旅」類語遊興。逸楽いつらく。

ゆう・らん【遊覧】《名・自サ》遊びながら見物して回ること。「景勝地を―する」「―バス」類語観光。周遊。

***ゆう・り**【有理】❶道理のあること。筋道の通っていること。「造反―」❷加・減・乗・除以外の演算を含まないこと。―すう【―数】整数または分数の形で表すことのできる数。対無理数。

***ゆう・り**【遊里】遊女屋が集まっている所。色町。色里。遊郭。

***ゆう・り**【遊離】《名・自サ》❶あるものから離れて存在すること。「現実から―した理論」❷〔理〕他のものと化合しないで存在すること。「―基」類語分離。

***ゆう・り**【有利】《形動》利益があるようす。また、都合がよくて、うまくゆきそうなようす。「試合を―に進める」「被告に―な証言」対不利。

ゆう・りょ【憂慮】《名・他サ》〔悪い状態になることを予想して〕気づかうこと。心配すること。「前途を―する」「―すべき事態となる」類語配慮。遠慮。

***ゆう・りょう**【優良】《名・形動》〔性質・品質・成績などが〕他よりすぐれていること。「―な製品」「成績―」類語良好。優秀。

***ゆう・りょう**【有料】料金がいること。「―駐車場」「―老人ホーム」対無料。

***ゆう・りょう**【遊猟】《名・自サ》〔文〕狩猟をして遊ぶこと。「―に出かける」

ゆう・りょく【有力】《形動》❶勢力・権力・威力などがあるようす。「―者」「―な証拠」対無力。❷見込みがあるようす。「―な候補」

***ゆう・れい**【優麗】《名・形動》〔文〕上品で美しいこと。「―な姿」類語優雅。典雅。

***ゆう・れい**【幽霊】❶死者の霊魂が生前の姿になって現れるというもの。亡霊。類語おばけ。❷実際にはないのに、あるように見せかけたもの。「―会社」

ゆう・れき【遊歴】《名・自サ》〔修行・見物などを目的として〕各地をめぐり歩くこと。歴遊。〔やや古風なことば〕「諸国―の旅にでる」類語遍歴へんれき。漫遊まんゆう。

ゆう・れつ【優劣】すぐれていることと、おとっていること。まさりおとり。「―を競う」「どちらの作品も―をつけがたい」類語甲乙。長短。雌雄しゆう。

類義語の使い分け　優劣・甲乙

〔優劣・甲乙〕両方とも優秀で優劣(甲乙)をつけがたい
〔優劣〕応募作品は粒ぞろいで優劣の判定は難しい
〔甲乙〕社内には彼と甲乙を争うほどの人材はいないね

ユーロ　一《接頭》「ヨーロッパ」の意。「―ダラー」▽Euro-　二欧州連合(EU)の統一通貨(単位)。▽Euro

***ゆう・わ**【×宥和】《名・自サ》〔文〕〔相手などを〕大目にみて仲よくすること。「―政策」類語融和。

***ゆう・わ**【融和】《名・自サ》気持ちなどがとけあって、他と一つになること。「民族間の―を図る」類語宥和。

ゆう・わく【誘惑】《名・他サ》心を迷わせて、よくない状態に誘いこむこと。「―に負ける」

ゆえ【故】ゆゑ　一《名》わけ。理由。原因。「―あって会社をやめる」二《接助》体言について理由を表す。…のため。…だから。「正直者―損をする」参考→ゆえに。

ゆ・えつ【愉悦】《名・自サ》〔文〕たのしみ、よろこぶこと。「生の―」類語悦楽。快楽。

ゆえ・に【故に】ゆゑ―《接続》〔前にのべたことを受けて〕それだから。こういうわけで。〔やや改まった言い方〕

ゆえ・よし【故由】ゆゑ―〔文〕いわれ。わけ。理由。〔古風な言い方〕「地名の―を調べる」

***ゆえん**【▽所▽以】ゆゑん　いわれ。理由。わけ。「天才と呼ばれる―はそこにある」参考漢文訓読語「ゆえ(故)になり」の音便形「ゆえんなり」からの転。

***ゆ・えん**【油煙・油×烟】油・樹脂などがもえるときにでる、黒くて細かい炭素の粉。類語すす。

***ゆ・えん**【由縁】〔文〕❶物事の由来。わけ。❷かかわりがあること。ゆかり。「なんの―もない人」

ゆ・おう【▽硫黄】→いおう。

ゆか【床】❶家の中で、地面より一段高く水平に板をはりつめた所。また、室内や廊下などで、人が立ったり座ったりする平らな底面。「―が抜ける」「―にカーペットを敷く」❷劇場などで、浄瑠璃じょうるりを語る高座。

ゆ・かい【愉快】《名・形動》楽しくて、気持ちがよいこと。「―な会合」「―に語り合う」類語快い。面白い。欣快きんかい。痛快。壮快。快的。―はん【―犯】放火など、人々が騒ぎ出すようなことをして快感をおぼえる犯罪。また、その犯人。

ゆか・いた【床板】床にはってある板。「―をはがす」

ゆか・うえ【床上】―うへ　床の上。「―浸水」対床下。

ゆか・うんどう【床運動】体操競技種目の一つ。一二メートル四方のマットの上で、徒手体操その他の演技を組み合わせて調和のあるリズミカルな運動を行うもの。

ゆ・が・く【湯×搔く】《他五》〔野菜などのあくを抜くため〕熱湯につける。「ホウレンソウを―く」文《四》。

ゆ・がけ【▽弓懸・×韘・×韝】矢を射る際に、指を傷つけないために手にはめる革製の手袋。

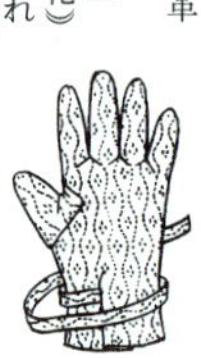

弓懸

ゆかし・い【床しい】《形》〔「行く」の形容詞化〕❶何となく懐かしく慕われる。「古式―い儀式」注意「古式豊かな儀式」は誤り。❷上品で奥深い。心がひきつけられるような趣がある。「どことなく―い人」文ゆか・し《シク》。

ゆか・した【床下】床の下。縁の下。対床上。

ゆ・かた【〈浴衣〉】もめんのひとえ。湯上がりや、夏のくつろぎ着として用いる。「―がけでくつろぐ」

ゆ・かたびら【湯×帷▽子】昔、貴人が入浴時や入浴後に着た着物。湯巻ゆまき。

ゆが・む【×歪む】《自五》❶形がねじけたり、曲がったりする。ひずむ。「ドアが―む」「テレビの画面が―んで見える」❷〔もののありさま、人の心・性格などが〕ふつうの状態でなくなる。「根性が―む」文《四》。

ゆかり【▽縁・▽所▽縁】今までにつながりや関係があるこ

と。また、今までにあったつながりや関係。縁故。「縁(えん)もーもない人」「義経(よしつね)にーのある地」

ゆ・かん【湯×灌】仏式の葬儀で、死体を棺に入れる前に湯でふき清めること。

*__ゆき__【行き・▽往き】■一《名》〔目的地へ〕行くこと。また、その途中。行(い)き。「ーは飛行機にした」「ーはよいよい帰りはこわい」[対]帰り。■二《接尾》目的地がそこであることを表す語。行(い)き。「東京ー」

ー大名の帰り乞食(こじき)《句》旅行をする時、行きには多くの金を使ってぜいたくをし、帰りには金が足りなくなって必要な経費まで払えなくなることのたとえ。

*__ゆき__【×裄】衣服(特に和服)の、背中の中心からそで口まで(の長さ)。裄丈(ゆきたけ)。「着物のーが短い」

*__ゆき__【雪】❶気温が零度以下の大気の上層で、水蒸気が結晶して地上にふってくる、白いもの。「ーが積もる」❷白い色。白いもの。「頭(かしら)にーをいただく(=白髪になる)」⇒〔類語と表現〕

類語と表現　「雪」

*雪が降る[降りしきる・降りかかる・降り込む]・雪が積もる[降り積もる]・雪が融ける[消える]・雪に降りこめられる・今年は雪が多い・雪を頂いた山。

◆[…ゆき]淡雪・泡雪・薄雪・大雪・堅雪・小雪・粉雪・細雪(ささめゆき)・里雪・粗目(ざらめ)雪・凍(し)み雪・処女雪・白雪・どか雪・根雪・はだれ雪・初雪・衾(ふすま)雪・ぼた雪・牡丹(ぼたん)雪・斑(まだら)雪・万年雪・山雪・綿雪

◇[…せつ]降雪・豪雪・残雪・宿雪・春雪・深雪・新雪・積雪・霜雪・白雪・氷雪・風雪・暮雪・融雪・落雪

◇[その他]白いもの・吹雪・風花(かざはな)・霙(みぞれ)・雪催(もよ)い・雪模様・雪空・雪崩

◆オノマトペ　こんこん・しんしん・さらさら・ちらちら(と降る)

ゆぎ【×靫・×靱】昔、矢を入れて背に負った道具。ゆき。

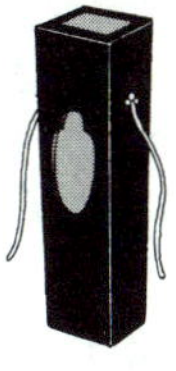

靫

ゆき・あ・う【行き合う・行き×逢う】(ーあふ)《自五》途中で偶然にあう。出あう。出くわす。行(い)きあう。「駅で友人にーう」

ゆき・あかり【雪明(か)り】夜、積もった雪のために辺りが薄明るく見えること。「ーの道」

ゆき・あし【行き足】➡いきあし。

ゆきあたり・ばったり【行(き)当(た)りばったり】《名・形動》計画をたてず、その時のなりゆきにまかせて行うこと。行(い)き当たりばったり。「ーの施策」

ゆき・あた・る【行き当たる】《自五》❶進んで行って、つき当たる。「かたい岩にーる」❷行きづまる。「難問にーる」(=行(い)き当たる。

*__ゆき・うさぎ__【雪×兎】雪でウサギの形を作り、ナンテンの赤い実を目に、ユズリ葉を耳にしたもの。

ゆき・おこし【雪起(こ)し】雪がふろうとするときに鳴る雷。

ゆき・おとこ【雪男】(ーをとこ) ヒマラヤ山中にすむといわれる、人間に似た動物。イエティ。

ゆき・おれ【雪折れ】(ーをれ)《名・自サ》つもった雪の重みで竹や木の枝が折れること(もの)。「柳(やなぎ)にーなし」

ゆき・おろし【雪下(ろ)し・雪降(ろ)し】❶雪を伴って山からふきおろす風。❷屋根などにつもった雪をかきおとすこと。

ゆき・おんな【雪女】(ーをんな) 雪国の伝説で、雪のふるとき、雪の精が姿をかえて現れたものという、白い衣を着た女。雪女郎。雪娘。

ゆき・か・う【行き交う・▽往き交う】(ーかふ)《自五》あるものは行き、あるものは来る。往来する。行(い)き交う。「通りをーう人もない」

ゆき・かえり【行き帰り・▽往き帰り】(ーかへり) ❶〔目的地への〕行きと帰り。往復。「ーに要する時間」❷《名・自サ》〔目的地へ続く道を〕行ってひきかえすこと。「山道を幾度となくーする」(=行(い)き帰り。

ゆき・がかり【行(き)掛(か)り】❶物事を始めてしまった勢い。ある物事がそうなったなりゆき。「ーで後にひけなくなった」「ー上どうしようもない」❷行く途中。行きがけ。「ーに友人の家へ寄る」(=行(い)き掛かり。

ゆき・かき【雪×搔き】❶つもった雪をかきのけること。「路地のーをする」[類語]除雪。❷雪をかきのける道具。

ゆき・がけ【行(き)掛け】〔ある場所へ〕行くついで。行く途中。また、行く時。行(い)きがけ。「ーに手紙を入れてください」[対]帰りがけ。来がけ。

ーの駄賃《句》あることをするついでに(自分の利益になる)他のことをすること。〔ふつう、悪いことに使う〕[参考]馬子(まご)が問屋へ荷物を取りに行くついでに、荷物を空馬(からうま)につけて運び、運賃をとったことから。

ゆき・がこい【雪囲い】(ーがこひ) ❶草木・野菜などが雪や霜でそこなわれないように、わら・むしろなどで表面をおおうこと。また、そのおおい。❷雪の多い地方で、家の周りなどを、わら・むしろなどでおおうこと。また、そのおおい。

ゆき・がた【行き方】行った方向。行くえ。行(い)き方(がた)。「古風な言い方」「ー知れず」

ゆき・がっせん【雪合戦】雪をまるめてたがいに投げつけあう遊び。雪投げ。

ゆき・き【行き来・▽往き来】《名・自サ》❶行くことと来ること。往来。「人のーが多い」❷つきあい。交際。「卒業後も級友たちとーがある」(=行(い)き来。

ゆき・ぐつ【雪×沓】雪道を歩くときにはく藁沓(わらぐつ)。

ゆき・ぐに【雪国】雪が多くふる国(地方)。

ゆき・ぐも【雪雲】雪をふらせそうな雲。雪雲(せつうん)。「ーが垂れこめる」[類語]雨雲。

ゆき・くら・す【行き暮らす】《自五》歩き続けて日を暮らす。日が暮れるまで行く。

ゆき・く・れる【行き暮れる】《自下一》歩いて行く途中で日が暮れる。「野辺にーれる」

ゆき・げ【雪▽消】〔文〕〔暖かくなって〕雪がきえること。雪どけ。「山のー」

ゆき・げしき【雪〈景色〉】雪のふっている眺め。雪のふりつもった眺め。「白一色のー」[類語]雪景(せっけい)。

ゆき・げしょう【雪化粧】《名・自サ》〔化粧するように〕雪で美しくおおわれること。「ーをした山」

ゆき・けむり【雪煙・雪×烟】雪が風などでまいあがって、煙のようにみえるもの。

ゆき・さき【行き先】❶行った場所。「兄のーがわからない」❷でかけて行く目当ての所。目的地。「ーもきめずに旅にでる」❸将来。行く末。「今の勤めではーが心配だ」(=行(い)き先。

ゆき・しな【行きしな】《「しな」は接尾語》行くついで。行きがけ。行(い)きしな。「ーに銀行に寄る」[対]帰りしな。

ゆ

ゆき-じょろう【雪女郎】→ゆきおんな。

ゆき-しろ【雪代】雪どけ水。雪代水みず。

ゆき-すぎ【行き過ぎ】❶行き過ぎること。通り過ぎること。❷〔行動・考えなどが〕度をこすこと。「取り調べに―があった」＝行ゆき過ぎ。

ゆき-ずり【行きずり】❶道ですれちがうこと。「―の人に道をきく」❷通りがけ。通りすがり。「―のレストランに入る」❸一時的なこと。かりそめ。「―の恋」

ゆき-ぞら【雪空】雪が降り出しそうな状態の空。雪模様の空。「いまにも降りそうな―」

ゆき-だおれ【行き倒れ】ーだふれ 飢うえ・病気・疲れ・寒さなどで、道ばたに倒れている・こと(人)。また、倒れて死ぬ・こと(人)。行ゆき倒れ。行路こう病者。「―になる」

ゆき-たけ【×裄丈】衣服の裄と丈。また、裄の長さ。

ゆき-だるま【雪▽達磨】雪をかためて、だるまの形に作ったもの。 **―しき【―式】**雪だるまを作るとき、転がされて塊がだんだん大きくなるように、どんどん積み重なってふえてゆくこと。「―に借金がふえる」

ゆき-ちがい【行(き)違い】ーちがひ ❶すれ違うこと。「―に悪態をつく」❷行き合わないこと。「―になって会えなかった」❸手ちがい。意思などの食い違い。「手続きに―が生ずる」＝行ゆき違い。

ゆき-つ-く【行き着く】《自五》〔目的の場所・状態に〕到着する。達する。行ゆき着く。「ようやく目的地に―いた」「状況は―くところまできた」

ゆき-つけ【行(き)付け】何度も訪れて〔親しくなって〕いる・こと(場所)。いきつけ。「近所の―の店」

ゆき-づま-る【行き詰まる】《自五》❶道がなくなって先へ進めなくなる。❷進行していた物事がうまく進まなくなる。「交渉が―る」＝行ゆき詰まる。

ゆき-つ-める【行き詰める】《自下一》行ける所まで行く。文ゆきつ・む《下二》

ゆきつ-もどりつ【行きつ戻りつ】《連語》同じ所を行ったり戻ったりすること。「家の前を―する」

ゆき-つり【雪×吊り】雪の重みで折れないように、庭木などの枝を縄でつり上げること。ゆきづり。

ゆき-どけ【雪解け・雪▽融け】❶〔気温があがり〕つもっていた雪がとけて水になること。「―で川の水量がふえる」❷対立していた両者の間の緊張した状態がゆるみ、うちとけた雰囲気が生じること。

ゆき-とど-く【行き届く】《自五》すみずみまで行きわたる。細かい所まで気をくばる。行ゆき届く。「監視の目が―く」「配慮が―く」

ゆき-どまり【行(き)止(ま)り】行く手がふさがっていて、先へ進めない・こと(場所)。行ゆき止まり。「この路地は―です」「人生の―」類語行きづまり。

ゆき-なげ【雪投げ】雪合戦。

ゆき-なだれ【雪〈雪崩〉】山の斜面などにふりつもった雪が、一時にくずれ落ちること。なだれ。

ゆき-なや-む【行き悩む】《自五》❶思うように先へ進めず困る。「ひどい吹雪ふぶきで捜索隊も―んでいる」❷物事が思うように進まない。はかどらない。「資金難で事業が―む」「研究が―む」＝行ゆき悩む。

ゆき-ぬけ【行(き)抜け】通り抜ける・こと(所)。通り抜け。行ゆき抜け。

ゆき-の-した【雪の下】ユキノシタ科の常緑多年草。初夏、花茎に白い小さな花を多数つける。葉は心臓形で、せきどめ・しもやけの薬になる。

ゆき-ば【行き場】行って自分が占める場所。行ゆき場。「家が狭くて―がない」

ゆき-はだ【雪肌・雪▽膚】❶ふりつもった雪の表面。雪面。「なだらかな―が朝日にはえる」❷雪のように白く美しい〔女性の〕肌。雪の肌。類語玉の肌。

ゆき-ばな【雪花】雪を花にたとえていう語。

ゆき-ばら【雪腹】雪がふる前やふっているとき、腹がひえて痛むこと。

ゆき-びさし【雪×庇】→せっぴ。

ゆき-ひら【行平】「行平なべ」の略。とって・ふた・注ぎ口のある陶器の平なべ。かゆなどを作るときに使う。

ゆき-ま【雪間】❶雪がしばらくやんだ間。雪のはれ間。「―をみて使いに行く」❷地面などにつもった雪がところどころとけた所。「―に若草がもえる」

ゆき-まつり【雪祭(り)】雪の多くふる地方で行う、観光を目的とした祭り。札幌市のものが有名。

ゆき-み【雪見】雪のふりつもった景色を眺め、たのしむ・こと(遊び)。「―をする」「―の宴えんをはる」「―酒」 **―どうろう【―灯×籠】**高さが低く、かさが大きく、脚が三方にひろがった石灯籠。庭園などにおく。

ゆき-みち【雪道】雪がふっている道。雪がふりつもった道。「―で車がスリップした」

ゆき-め【雪目・雪▽眼】積雪に反射する紫外線の刺激によって起こる目の炎症。雪盲せつもう。

ゆき-もち【雪持ち】❶木の枝や葉が雪をかぶっていること。「―の竹」❷屋根につもった雪が一度に落ちるのをふせぐしかけ。雪止め。

ゆき-もよい【雪▽催い】ーもよひ〔空が曇って〕雪がふりそうなようす。雪もよう。「―の空」

ゆき-もよう【雪模様】❶雪が降りそうな様子。雪もよい。❷雪片せっぺんを図案化した模様。

ゆき-やけ【雪焼け】❶《名・自サ》雪に反射する太陽光線で、皮膚がやけて黒くなること。❷しもやけ。

ゆき-やなぎ【雪柳】バラ科の落葉低木。春、白い小さな花が枝全体に咲く。観賞用。こごめばな。

ゆき-やま【雪山】❶雪のふりつもった〔高い〕山。類語冬山。❷雪を山のように高くつみあげたもの。

ゆ-ぎょう【遊行】《名・自サ》〔仏〕僧が衆生教化や修行のために諸国をめぐり歩くこと。行脚あんぎゃ。

ゆき-よけ【雪▽除け・雪▽避け】❶雪がかからないようにする・こと(設備)。「―のビニールをかぶせる」❷つもった雪をとりのぞくこと。除雪。「道路の―をする」

ゆき-わた-る【行き渡る】《自五》もれなくとどく。全体に及ぶ。行ゆき渡る。「注意が―る」

ゆきわり-そう【雪割(り)草】❶サクラソウ科の多年草。高山に自生する。夏、淡紅色の小さい花を開く。❷キンポウゲ科の多年草。山地に自生する。早春のころ、白・紅・紫などの花を開く。みすみそう。

＊ゆ-く【行く】《「いく」と同じように使われるが、より文章語的な感じをもつ。「ふけゆく」「たちゆく」など文章語的な語では「いく」とならず「ゆく」となる。連用形が促音便となるときは「ゆった」とならず「いった」となる》一《自五》❶〔その位置からはなれるように〕進む。たちさる。「早くあっちへ―け」「―く人、来る人」❷〔ある目的の場所・地位などに〕おもむく。「学校へ―く」「医学部へ―く」❸〔軍隊や刑務所に〕はいる。「つかまったら五、六年は―くことになる」❹〔知らせなどが〕とどく。達する。「連絡が―くはずです」❺歩く。歩いて通る。「山道を―く」❻〔雲や川の水などが〕流れて進む。流

れさる。「雲が—・く」❼〔季節・年月などが〕すぎさる。「—・く春」「三年の月日が—・く」❽〈「年(年端)の(も)—・かぬ」の形で〉おさない。若い。「年端の—・かぬ娘」❾〔物事が〕行われる。❿ある方法を用いる。「その手で—・こう」⓫〈「…するわけには—・かない」の形で〉事情が事情だから…することはできない。「欠席するわけには—・かない」⓬〔ある状態に〕なる。「損が—・く」「そこへ—・くと(=その点になると)」⓭結婚する。他家の一員となる。「婿に—・く」表記 ①〜⑦は「往く」とも書く。⑥⑦は「逝く」とも書く。文《四》。⇩〖類語と表現〗
二《補動》❶話し手または問題や中心となっているものから遠ざかる動作を表す。「外へ出て—・く」「遠ざかって—・く」❷主として・現在(基準となるある時点)から将来のある時点への進行を表す。「くじけずに生きて—・く」「思い通りになって—・く」表記 二は、ふつうかな書き。文《四》。

類語と表現

「行く・来る」

＊そちらに行く・ロンドンへ行く・雪道を行く・行く春を惜しむ・道を行く人々／こちらに来る・客が来る・電車が来る・順番が来る・台風が来る・もうすぐ春が来る。

◆[行く]（そちら〈へ〉）向かう・出向く・出掛ける・通う・赴(おもむ)く・足を運ぶ・足を向ける・押し掛ける／（京〈へ〉）上る・（相模(さがみ)に）下る・（二階〈へ〉）上がる／（現場〈へ〉）飛ぶ・走る・急ぐ・駆けつける・直行する・急行する・（海を）渡る／（そちらを）訪ねる・訪(とう)・訪れる・訪問する／(する)遠出・遠征・登校・登庁・通勤・通学・出席・出向・赴任・渡航・渡米・洋行・上京・下向(げこう)／（山道を）進む・辿(たど)る・登る・降りる

◆尊敬 いらっしゃる・おいでになる・お出ましになる・お越しになる・御足労願う（頂く・賜る）・おわす・おわします／（貴人・天子が）(する)御幸(みゆき)・行幸(ぎょうこう)・巡幸・行啓(ぎょうけい)／謙譲 上がる・伺う（お伺いする）・参る・参じる・馳(は)せ参じる・参上する・参向する・まかる・まかりこす・お邪魔する・拝趨(はいすう)する

◆[来る]（こちら〈へ〉）向かう・出向く・出掛ける・通う・赴く・足を運ぶ・足を向ける・押し掛ける・駆けつける・やって来る／（こちらを）訪ねる／(する)殺到・襲来・渡来・到来・舶来・飛来・来校・来社・来場・来会・来店・来館・来任・来航・来日・来朝・来襲／新来・外来・遠来

◆尊敬 いらっしゃる・見える（お見えになる）・おいでになる・お出ましになる・お越しになる・おなりになる・御足労願う［頂く・賜る］・おわす・おわします／（御〜になる）来駕(らいが)・枉駕(おうが)・光臨・光来・来臨・台臨(たいりん)／謙譲 上がる・伺う（お伺いする）・参る・参じる・馳せ参じる・参上する・参向する・まかる・まかりこす・お邪魔する・拝趨(はいすう)する

◆[往来]行き交う／(する)行き戻り・行きつ戻りつ・行き来・往復・往還・交通・通行

＊**ゆ・く【逝く】**《自五》〔人が〕死ぬ。逝去する。逝(い)く。「卒然として—・く」文《四》。

ゆく・え【〈行方〉】ヘ ❶行くべき目あての場所。進んで行く方向。「—を定めずに出かける」❷（去って）行った先の場所。「—をくらます」❸これから先。将来。行く末。「勝敗の—を占う」類語 ①③行く先。注意 送りがな「行く方」は誤り。**—ふめい【—不明】**どこへ行ったかわからないこと。消息がわからないこと。

ゆく・さき【行く先】❶行くべき目あての場所。進んで行く方向。❷将来。前途。行く末。「子どもの—を案ずる」類語 ①②行方(ゆくえ)。=行(い)く先。

ゆく・すえ【行く末】—すゑ〔ある人・物事などの〕これから先。前途。将来。「子の—」「—長く連れ添う」

ゆ・ぐち【湯口】❶湯の出口。温泉のわき出し口。❷浴室の出入り口。

ゆく・て【行く手】❶進んで行く先の方。「—に山がある」「—をさえぎる」❷前途。「—は決して楽ではない」

ゆく・とし【行く年】すぎ去っていく年。〔年の暮れなどにいう〕「—、来る年」対 来る年。

ゆく・ゆく【行く行く】《副》❶ある場所へ行く道すがら。行く途中で。行きながら。「事情は—話す」❷将来。行く末。「—は家業を継ぐつもりだ」

ゆくり・なく《副》(「—も」の形も)〔文〕思いがけず。偶然に。「—も恩師に邂逅(かいこう)した」参考「ゆくりなし」の連用形から。

ゆ・げ【湯気】ものの表面からたちのぼった蒸気が空気中で冷えて細かい水滴となったもの。「—がこもる」「—が立つ」類語 水蒸気。蒸気。湯けむり。

ゆ・けつ【輸血】《名・自他サ》患者の静脈に健康な人の血液を注入すること。

ゆ・けむり【湯煙・湯×烟】煙のようにみえる湯げ。湯けぶり。「—が立つ」

ゆ・ごう【癒合】《名・自サ》傷がなおって、傷口がくっつきふさがること。「傷口が—する」

ゆ・こく【諭告・×喩告】《名・自サ》さとして聞かせること(ことば)。「社員一同に—する」

ゆ・ごて【▽弓×籠手】弓をひくとき、左腕をおおう道具。革・絹などで作る。たまき。

ゆ・こぼし【湯▽零し・湯▽翻し】❶飲み残した湯・茶などを捨てる器。こぼし。❷茶道で、茶碗(ちゃわん)をすすいだ湯や水を捨てる器。建水(けんすい)。こぼし。

ゆ・さい【油彩】油絵の具で絵をかくこと。また、その絵。油絵。対 水彩。

ゆ・ざい【油剤】油のはいった薬剤。油状の薬剤。類語 乳剤(にゅうざい)。

ゆさ・ぶ・る【揺さ振る】《他五》❶ゆすって動かす。ゆり動かす。「木を—・る」❷故意に働きかけて、相手を混乱・動揺させる。「政局を—・る」「打者を—・る」表記 ②はふつうかな書き。=ゆすぶる。

ゆ・ざまし【湯冷(ま)し】わかした湯をさましたもの。「—を飲む」

ゆ・ざめ【湯冷め】《名・自サ》入浴したあと、からだがひえて寒くなること。「—して風邪を引いた」

ゆさ・ゆさ《副・自サ》(副詞は「—と」の形も)大きくて重いものがゆれ動くようす。「木が—と揺れる」

ゆ・さん【遊山】❶野や山へ遊びに行くこと。❷(遠くへ)遊びにでかけること。「物見—」類語 行楽。

＊**ゆ・し【油紙】**油をぬった紙。油紙(あぶらがみ)。

＊**ゆ・し【油脂】**油と脂肪。

＊**ゆ・し【諭旨】**〔文〕〔上の者から下の者に〕諭しきかせること。言いきかせること。「—免職」「—退学」

ゆ・しゅつ【輸出】《名・他サ》外国へ品物・労力・技術などを売ること。「自動車を—する」対 輸入。**—ちょうか【—超過】**ある期間内の輸出総額が輸入総額よりも多いこと。出超。[対]輸入超過。 ―にゅう【―入】輸出と輸入。

ゆ-じょう【油状】油のような状態。「―の液体」

ゆず【×柚・×柚子】ミカン科の常緑小高木。初夏、白色の花を開く。果実は香味料に用いる。「―湯」

ゆす・ぐ【▽濯ぐ】《他五》〔水や湯の中に入れたり、や湯を中に入れたりして〕ゆり動かして洗う。すすぐ。「ハンカチを―・ぐ」「口を―・ぐ」[表記]口をゆすぐは「漱ぐ」とも書く。[文]《四》。

ゆす-ぶ・る【揺す振る】《他五》↓ゆさぶる。[表記]ふつうかな書き。

ゆすら-うめ【▽梅▽桃・▽山▽桜▽桃】バラ科の落葉低木。春、白または淡紅色の梅に似た小さな花を開く。実は六月ごろ赤く熟し、食用になる。

ゆすり【揺すり】❶ゆすること。「貧乏―」❷他人の弱みなどを利用して、金品をおどしとる・こと（人）。「―を働く」[類語]恐喝。[表記]②は「強請」と当てる。

ゆずり【譲り】ゆずりうけること。〔多く、人を表す名詞につけて使う〕「親―の無鉄砲」「先代―の財産」

ゆずり-あ・う【譲り合う】《他五》たがいにゆずる。両方で遠慮する。「席を―・う」

ゆずり-う・ける【譲り受ける】《他下一》❶〔他の人から〕もらって自分のものにする。「親の財産を―・ける」❷〔他の人の物を〕買って自分のものにする。「土地を市価の半値で―・ける」

ゆずり-は【譲り葉】トウダイグサ科の常緑高木。葉は枝の先に集まって互生する。初夏、黄緑色の小さい花を開く。葉は新年のしめ飾りに使う。

ゆずり-わた・す【譲り渡す】《他五》〔権利・物品などを〕他人に与える。ゆずり与える。「資産を弟に―・す」「社長の地位を―・す」

***ゆす・る**【揺する】《他五》❶〔押したり引いたりして〕ゆり動かす。ゆすぶる。「木を―・る」「体を―・って笑う」❷他人の弱みなどを利用して、金品をおどしとる。「秘密をばらすと言って―・る」[表記]②は「強請る」と当てる。[類語]↓ゆれる。[文]《四》。

***ゆ・する**【輸する】《他サ変》《「しゅする」の慣用読み》〔文〕❶はこぶ。おくる。「食糧を―・する補給路」❷負ける。劣る。「一籌を―・する（=ひけをとる）」

ゆず・る【譲る】《他五》❶〔自分の所有物・地位・権力などを〕他人に与える。また、他人にまかせる。「子どもに財産を―・る」「社長の座を―・る」「正否は後世の史家の筆に―・る」[類語]割く。譲り渡す。(す)る 譲渡。譲与。分譲。委譲。移譲。割譲。❷〔それを希望する人などに〕売る。「土地を安く―・る」❸〔自分が後になって〕ほかの人が先になるようにする。「順番を―・る」❹自分の考え・主張などをおさえて、他人の考え・主張などを通させる。譲歩する。「これ以上は一歩も―・らない」[類語]折り合う。折れ合う。歩み寄る。譲り合う。(す)る 妥協。❺おくれをとる。劣る。「学力でも体力でも人に―・ったことはない」❻〔ある行為を〕先へのばす。「結論を後日に―・る」[文]《四》。

***ゆ-せい**【油井】石油をくみとるために掘った井戸。

***ゆ-せい**【油性】油が持っているような性質。「―の薬品」「―インク」[類語]油状。

ゆせい-かん【輸精管】雄性生殖器の一部。精子を精巣から生殖孔まで運ぶ管。精管。[対]輸卵管。

***ゆ-せん**【湯×煎】《名・他サ》容器に入れたものを湯にひたして、間接に熱すること。「バターを―してとかす」

***ゆ-せん**【湯銭】入浴料。〔古風な言い方〕

***ゆ-そう**【油層】地中の、石油などがたまっている層。

***ゆ-そう**【油槽】ガソリン・石油などをたくわえておく、大型のいれ物。油タンク。「―船」

***ゆ-そう**【油送】〔船やパイプで〕石油を送ること。「―管」 ―せん【―船】石油・ガソリンなどを運ぶ船。タンカー。[表記]もと「油槽船」と書いた。

***ゆ-そう**【輸送】《名・他サ》〔鉄道・船などで〕大量の人や貨物を運ぶこと。「食糧―」[類語]運送。運輸。

ユダ ❶キリストの十二使徒の一人。銀三〇枚でイエスを敵方の祭司に売った背信の徒として知られる。❷裏切り者。▽Judas

ゆたか【豊か】《形動》❶みちたりて、不足がないようす。十分にあるようす。「―な生活」「六尺―な男」「財政が―だ」[類語]豊富。豊饒。豊潤。潤沢。満々。なみなみ。たっぷり。↓多い。❷〔心やからだが〕のびのびしたようす。「―な気持ちになる」❸重量感のあるようす。「白い―な大輪の花」

ゆ-だき【湯炊き】《名・他サ》〔水からでなく〕湯に米を入れてたくこと。

ゆだ・ねる【▽委ねる】《他下一》❶〔ある人や力に〕すっかりまかせる。「全権を―・ねる」[類語](す)る 委任。一任。❷〔身を〕ささげる。「社会事業に身を―・ねる」[文]ゆだ・ぬ《下二》。

ゆ-だま【湯玉】❶湯がにえたつとき、表面にわきたつ泡。❷玉のように丸くなってとびちる熱湯。「走る―」

ユダヤ ❶紀元前一〇～紀元前六世紀ごろ、パレスチナの南部を占めていたユダヤ人の王国。❷ユダヤ人とその民族集団。[表記]「猶太」と当てた。▽ラテン Judaea ―きょう【―教】ユダヤ人の民族宗教。モーゼの律法をもととして、エホバを信じる一神教。

ゆだ・る【×茹だる】《自五》湯の中で十分に煮える。ゆでられる。うだる。「たまごが―・る」[文]《四》。

ゆ-たん【油単】❶ひとえの布・紙などに油をひいたもの。道具などをおおって湿気を防ぐ。❷たんす・長持などにおおいとしてかける布。

ゆ-だん【油断】《名・自サ》安心して気をゆるめたり注意を怠ったりすること。「―したすきに逃げられた」「―も隙もない（=少しも油断できない）」[類語]不覚。 ―大敵《句》油断していると思わぬ損害をうけるものだ。油断こそ最もおそろしい敵である。

ゆ-たんぽ【湯▽湯▽婆】《「たんぽ」は「湯婆」の唐音》中に熱い湯をいれ、寝床などにいれてからだをあたためる道具。金属製・陶製のものが多い。

ゆ-ちゃ【湯茶】湯と茶。湯や茶。「―の接待」

ゆ-ちゃく【癒着】《名・自サ》❶体内におこる炎症のため、粘膜や漿膜がくっついてしまうこと。❷本来離れているべきものが、好ましくない状態で結びつくこと。「政界と財界の―」

ユッカ ユリ科のユッカ属に属する植物の総称。葉は厚く、剣状にとがっている。夏から秋にかけて白い花がたくさん咲く。観賞用。▽yucca

ゆ-づかれ【湯疲れ】《名・自サ》温泉やふろに、長時間または何度もはいって、からだがつかれること。

ゆっくり《副・自サ》《副詞は「―と」の形も》❶おちついているようす。「―歩く」「―と休む」❷ゆとりのあるようす。たっぷり。ゆったり。「終電には―間に合う」

ゆ-づけ【湯漬(け)】飯に湯をかけて食べること。また、その食べ物。類語茶漬け。

ゆったり《副・自サ》《副詞は「ーと」の形も》❶のんびりしているようす。「ーとくつろぐ」❷ゆとりのあるようす。ゆっくり。たっぷり。「ーした暮らし」

ゆ・つぼ【湯×壺】 温泉などで、わいてくる湯をためておく所。

ゆ・づる【▽弓弦】 弓のつる。

ゆで・こぼ・す【×茹で×溢す】《他五》あく抜きなどのために、茹でて汁を捨てる。「大根をー・す」

ゆで・だこ【×茹(で)×蛸】 ❶熱湯でゆでて赤くなった蛸。❷入浴して、または酒を飲んで赤くなったようすの形容。「すっかりーになった」

ゆで・たまご【×茹(で)卵・×茹(で)玉子】 たまご(特に鶏卵)を殻のままゆでたもの。煮抜きたまご。ボイルドエッグ。うでたまご。

ゆ・でる【×茹でる】《他下一》熱い湯に入れて熱を通す。うでる。「あずきをー・でる」文ゆ・づ《下二》

ゆ・でん【油田】 地下に石油の層があって石油を産出する地域。「海底ー」

ゆ・ど【油土】 油をまぜた粘土。彫刻・鋳物などの原型を作るときに使う。油土(あぶらつち)。

ゆ・とう【湯×桶】 飲料の湯をいれる、木製の器。「そば屋のー」

ーよみ【ー読み】「湯桶」を「ゆとう」と読むように、漢字の熟語を、上は訓、下は音で読む読み方。「身分」「荷物」「手本」など。対重箱読み。

ゆ・どうふ【湯豆腐】 湯に入れて豆腐をあたため、薬味を加えたしょうゆにつけて食べる料理。

湯　桶

ゆ・どおし【湯通し】《名・他サ》❶のりけを落としたり、あとでちぢむのを防いだりするために温湯に織物をひたすこと。❷料理で、材料のくさみ・油けを除いたり温めたりするために、熱湯にさっとくぐらせること。

ゆ・しょう【油床】 原油が集まっている地層。

ゆ・どの【湯殿】 入浴をする部屋。浴室。ふろば。

ゆとり〔時間・金銭・気力などが十分あって〕きゅうくつでないこと。余裕。「ーのある生活」「心のー」類語余地。余力。

ゆ・な【湯▽女】 ❶昔、温泉宿にいて客のせわをした女。❷江戸時代、湯屋にいた遊女。ふろやおんな。

ユニーク《形動》ほかに同じようなものがないようす。独特。特異。「ーな作品」「発想がーだ」▽unique

ユニオン ❶組合。労働組合。❷連合。同盟。▽union

ージャック イギリスの国旗。▽Union Jack

ーショップ 使用者が雇いいれた労働者は労働組合に加入しなければならず、組合を除名されたときは使用者からも解雇されるという、労働協約上の決まり。また、その雇用形態。参考→クローズドショップ・オープンショップ。▽union shop

ユニ・コード コンピューターで、全世界の文字を統一して扱うための文字コード(体系)。▽Unicode

ユニコーン 一角獣。頭に一本の長い角が生えた、伝説上の馬。▽unicorn

ユニセックス〔衣服・髪型などで〕男女の区別がないこと。類語モノセックス。▽unisex

ユニセフ 国連児童基金。主として発展途上国の児童への援助を行う、国連の機関。もと、国連国際児童緊急基金。▽UNICEF (United Nations Children's Fund)

ユニゾン 斉唱。斉奏。▽unison

ユニット ❶全体を構成する単位となる、一つ一つの部分。「ー家具(＝組み合わせが自由にできる家具)」❷教育で、単元。▽unit

ユニバーサル《形動》❶宇宙的。世界的。❷すべてに共通であるようす。普遍的。一般的。▽universal

ーデザイン 障害の有無に関わらず、だれもが無理なく利用できるような設計・デザイン。▽universal design

ユニバーシアード「国際学生競技大会」の通称。二年に一度開催される。▽Universiade

ユニバーシティー〔カレッジに対して〕総合大学。▽university

ユニホーム 制服。特に、運動用の制服。ユニフォーム。「日本選手のー」▽uniform

ゆ・にゅう【輸入】《名・他サ》外国から品物・技術などを買いいれること。「高級なー品」参考外国の思想・制度などを取りいれることにもいう。「日本にーされた思想」対輸出。

ゆにょう・かん【輸尿管】 腎臓から膀胱に尿を送る管。尿管。

ユネスコ 国際連合教育科学文化機構。国連の機関の一つ。教育・科学・文化を通じて世界の平和につくすことを目的とする。▽UNESCO (United Nations Educational, Scientific and Cultural Organization)

ゆ・のし【湯×熨】 湯気に当てたり湯でしめしたりして、布のしわをのばすこと。

ゆ・の・はな【湯の花・湯の華】 ❶鉱泉の中にできる沈殿物。ゆばな。温泉華。❷ゆあか①。

ゆ・のみ【湯飲み・湯×呑(み)】 湯や茶を飲むときに使う茶わん。湯飲み茶わん。「ーで酒を飲む」

ゆ・ば【湯葉】 豆乳を煮て、その表面にできた薄い膜をすくいあげ、ほした食品。

ゆ・はず【▽弓×筈】 弓の両端の、つるをひっかける部分。弓筈(ゆみはず)。はず。

ゆ・ばな【湯花・湯華】 湯の花①。

ゆ・ばり【▽尿】〔文〕小便。いばり。ゆまり。

ゆび【指】 手足の先の、(五つに)分かれた部分。「ーを折る(＝指を折りまげて数を数える)」

ー一本も差させない《句》他人から非難や干渉をうけるようなことは決してしない。また、他人からの非難や干渉を許さない。

ーを銜える《句》自分でもそうしたい、そうなりたいと思いながら、手がだせなくて、むなしく見ている。

ーを詰める《句》やくざの社会で、仲間に対する不都合な行為を詫びるために手の指を切り落とす。

ゆび・おり【指折り】 多くのものの中で、指を折って数える中にはいるほどすぐれていること(もの)。屈指。「日本でもーのピアニスト」「ーの景勝地」

ゆびおり・かぞ・える【指折り数える】《自下一》指を折りまげて一つ一つ数える。「ー・えて待つ」

ゆ・びき【湯引(き)】 料理で、熱湯にさっとくぐらせたり、熱湯をかけたりすること。「ハモのー」類語湯通し。

ゆび・きり【指切り】《名・自サ》〔子供などが〕約束を守るしるしとして、互いに小指をからみあわせること。「ーげんまん嘘ついたら針千本のます」

ゆ・び・く【湯引く】《他五》〔魚肉などを〕熱湯でさっと煮る。湯通しをする。類語ゆでる。ゆがく。

ゆび・さ・す【指差す】《他五》指でさし示す。「山頂を―・す」表記ふつう「指さす」と書く。

ゆび・しゃく【指尺】指をひろげて長さをはかること。

ゆび・ずもう【指〈相撲〉】(―ずまう・―ずまふ)二人が、互いに片手の四本の指を組み合わせ、親指で相手の親指をおさえて勝ち負けを争う遊び。

ゆび・にんぎょう【指人形】からだの部分を布で袋のように作り、中に手を入れて操る人形。ギニョール。

ゆび・ぬき【指▽貫】針仕事をするとき、指にはめて針の頭を押す、金属や革で作った小さな輪。ゆびさし。

ゆび・ぶえ【指笛】指を口に入れて音を出すこと。また、その音。参考熱狂した場面などで吹かれる高く鋭い音のものと、メロディーを奏でるものとがある。

ゆび・わ【指輪・指▽環】飾りとして指にはめる輪。宝石などをはめこむ。リング。「婚約―」「ダイヤの―」

ゆ・ぶね【湯船】入浴用の湯をいれる大きなおけ。浴槽(よくそう)。風呂桶(ふろおけ)。表記「湯槽」とも書く。

ゆ・ぶん【油分】ものに含まれる油の成分。あぶら分。

ゆぼ・けつがん【油母×頁岩】石油を含んだ岩石。オイルシェール。

ゆ・まき【湯巻(き)】❶昔、貴人が入浴する時に身につけた衣。ゆかたびら。❷女性の腰巻き。湯もじ。

ゆ・まく【油膜】〔水面や物体の表面の〕油の膜。

ユマニスム→ヒューマニズム。▽(フランス) humanisme

ユマニテ→ヒューマニティー。▽(フランス) humanité

ゆみ【弓】❶竹・木などの細長い棒に弦を張り、矢をつがえて射る武器。「―を引く(=弓に矢をつがえて射る。転じて、そむく。反抗する)」❷弓①で矢を射る術。弓術。「―を習う」❸バイオリンなどの弦をこすって音を出すもの。「チェロの―」

―折れ矢尽・きる《句》❶徹底的に戦いにやぶれるたとえ。❷力尽きてどうすることもできなくなるたとえ。類語①②刀折れ矢尽きる。

ゆみ・がた【弓形】→ゆみなり。

ゆ・みず【湯水】(―みづ)❶湯と水。❷どこにでもたくさんあるもの。「金を―のように使う(=金銭を惜しげもなく乱費する)」

ゆみ・とり【弓取り】❶弓をとりあつかう・こと(人)。特に、武士。❷弓術にたくみな人。❸相撲で、取組終了後に行う、弓をとりさばく儀式。弓取り式。

ゆみ・なり【弓▽形】弦を張ったときの弓のような形。ゆみがた。

ゆみはり・ぢょうちん【弓張(り)▽提▽灯】柄(え)を弓のように曲げ、その上下に引っかけてひろげるようにしたちょうちん。ゆみはり。

ゆみはり・づき【弓張(り)月】弓の形をした月。上弦または下弦の月。弦月(げんげつ)。ゆみはり。

ゆみ・や【弓矢】❶弓と矢。❷武器。❸戦い。いくさ。「―の神」

***ゆめ【夢】**❶眠っているときに、現実にあるようにいろいろの物事を見たり経験したりする現象。「ゆうべは悪い―を見た」「―から覚める」❷実現しそうもないはかない望み・願い。「―を追う」「すべては―と消えた」❸将来、実現したいと思っている理想・希望。「大きな―をいだく」「―を描く」❹〔現実を忘れさせるほど〕楽しく甘美な状態。「太平の―をむさぼる」

―は逆夢《句》夢というものは、現実の逆になるものであるということ。

―を・見る《句》❶空想にふけったり、明るい未来を思い描いたりする。❷実現不可能な、分不相応な考えを持つ。❸非常に楽しいいい思いをする。

***ゆめ【▽努】**《副》〔文〕《後に禁止・打ち消しの語を伴って》決して。きっと。「―忘るることなかれ」参考→ゆめゆめ。

ゆめ・あわせ【夢合(わ)せ】(―あはせ)見た夢の内容を考え合わせて吉凶をうらなうこと。夢占(ゆめうら)。夢判じ。

ゆめ・うつつ【夢▽現】❶夢と現実。❷夢なのか現実なのか、意識のはっきりしない状態。「―に鳥の声を聞く」類語夢心地(ゆめごこち)。夢心(ゆめごころ)。

ゆめ・がたり【夢語り】❶夢で見たことを話すこと。また、その話。❷夢のようにはかない話。「一場の―に終わる」=夢物語。

ゆめ・ごこち【夢〈心地〉】〔楽しい〕夢を見ているような気持ち。うっとりした状態。夢見ごこち。夢心。「恋をして―になる」

ゆめ・さら【夢更】《副》《下に禁止・打ち消しの語を伴って》決して。少しも。〔古風な言い方〕「あきらめようとは―思わない」

ゆめ・じ【夢路】(―ぢ)夢。また、夢を見ていること。「―をたどる(=眠る)」

ゆめ・ちがえ【夢違え】(―ちがへ)悪い夢を見たとき、災難がおこらないようにまじないをすること。

ゆめ・にも【夢にも】《副》《下に禁止・打ち消しの語を伴って》少しも。つゆほども。いささかも。「ここで会えるとは―思わなかった」

ゆめ・の・よ【夢の世】《連語》はかない世の中。無常の世。「この世は―」

ゆめ・まくら【夢×枕】夢を見て寝ているときのまくらのそば。「―に立つ(=夢の中に神仏や死んだ人が現れて、ある事がらを告げ知らせる)」

ゆめ・まぼろし【夢幻】夢や幻。参考非常にはかないことのたとえに使う。「―の人生」

ゆめ・み【夢見】夢を見ること。また、見た夢。「ゆうべの―が悪かった」

ゆめ・・みる【夢見る】㊀《自上一》夢を見る。㊁《他上一》〔願い・望みなどを〕心に描く。空想する。「宇宙旅行を―・みる」「恋を―・みる年ごろ」

ゆめ・ものがたり【夢物語】夢語り。

ゆめ・ゆめ【▽努▽努】《副》〔文〕《下に禁止・打ち消しの語を伴って》決して。少しも。「―忘れるな」参考「努(ゆめ)」を重ねて強めた語。

ゆ・もじ【湯文字】❶入湯のときに身にまきつけた衣。湯具。❷女性の腰巻き。ゆまき。参考①②とも、もと女房ことば。

ゆ・もと【湯元・湯本】温泉のわきでるもと(の所)。

ゆ・や【湯屋】❶ふろ屋。銭湯。❷ふろ場。湯殿(ゆどの)。〔①②とも古風な言い方〕

ゆ・やせ【湯×痩せ】《名・自サ》入浴しすぎてやせること。湯あたりしてやせること。

ゆゆし・い【由由しい・▽忌▽忌しい】《形》そのままにしておくと大変なことになる。容易ならない。「―・い事態」「―・い問題」文ゆゆ・し《シク》。

ゆ・らい【由来】㊀《名・自サ》ある物事がそこから起こっていること。また、ある物事が今まで経てきたすじみち。「地名の―をしらべる」「ギリシアに―する建築様式」類語由緒(ゆいしょ)。来歴。二《副》〔文〕もともと。元来。「―耕地に恵まれぬ山国」

ゆ・らく【愉楽】〔文〕楽しみ。「現世の―に生きる」

ゆら・ぐ【揺らぐ】《自五》❶ゆれ動く。「大地が―ぐ」❷〔物事の状態が〕不安定になる。「身代が―ぐ」文《四》。

ゆら・す【揺らす】《他五》ゆり動かす。「木を―す」

ゆら・め・く【揺らめく】《自五》ゆれ動く。ゆらぐ。「炎が―く」

ゆら・ゆら《副・自サ》《副詞は「―と」の形も》ゆっくりとゆれ動くようす。「家が―ゆれる」

ゆらり《副》《多く「―と」の形で》物がゆっくりと〔一度だけ〕動くようす。「船が―とゆれる」

ゆらん・かん【輸卵管】卵巣内の卵子を子宮まではこぶ管(くだ)。卵管。対輸精管。

ゆり【▽百▽合】ユリ科ユリ属に属する植物の総称。夏、つりがね形の花がさく。地下茎は食用。

ゆり・うごか・す【揺り動かす】《他五》❶ゆすぶって動かす。「大木を―す」❷〔人の心などを〕動揺させる。「心を―す話」

ゆり・おこ・す【揺り起こす】《他五》〔ねむっているものを〕ゆすぶって目をさまさす。「肩に手をかけて―す」

ゆり・かえし【揺り返し】ゆれた反動でふたたびゆれること。特に、余震。「しばらくして―がきた」

ゆり・かご【揺(り)×籠・揺(り)×籃】赤んぼうを入れてゆり動かすかご。揺籃(ようらん)。「―から墓場まで〔=生まれてから死ぬまで〕」

ゆり・かもめ【▽百▽合×鷗】カモメ科の水鳥。全身が白く、くちばしと脚が赤い。みやこどり。

ゆ・りょう【湯量】〔温泉などの〕わきでてくる湯の量。

ゆ・る【揺る】《他五》ゆすぶって動かす。ゆする。「馬車に―られて行く」類語→ゆれる。文《四》。

ゆる・い【緩い】《形》❶しまっていない。ゆるんでいる。「ふたが―い」❷きびしくない。厳重でない。ゆるやかである。「取りしまりが―い」❸〔傾きなどが〕急でない。「―い上り坂」❹〔勢い・速度などが〕はげしくない。のろい。「―い流れ」文ゆる・し《ク》。

ゆるが・す【揺るがす】《他五》ゆり動かす。ゆすぶる。震動させる。「大地を―す轟音(ごうおん)」文《四》。

ゆるがせ【×忽せ】注意をせず、いいかげんにしておくこと。おろそか。なおざり。「一刻も―にできない」

ゆるぎ・な・い【揺るぎない】《形》ゆれ動かない。しっかりしている。「―い信念」

ゆる・ぐ【揺るぐ】《自五》❶〔固定している物が〕ゆれ動く。「足場が―ぐ」❷〔物事の基礎・心持ちなどが〕たしかでなくなる。「信念が―ぐ」文《四》。

ゆるし【許し】❶許すこと。よいとみとめること。許可。「出版の―を得る」❷犯した罪や過失などをとがめないこと。「―を請(こ)う」類語容赦(ようしゃ)。赦免。❸芸道で、師匠が弟子に授ける免許。

ゆる・す【許す】《他五》❶〔願い・申し出などを〕聞きいれて、希望どおり行動させる。許可する。「入学を―す」❷差しつかえないと認める。悪くないと認める。許容する。「芸術家として自他ともに―す」「相応の出費を―す」「時間の―す限り遊ぶ」「肌を―す」❸罪をとがめるのをやめる。赦免する。「過ちを―す」「犯人を―す」❹義務・負担を免除する。「税を―す」表記③④は「赦す」とも書く。❺ゆるめる。「心を―す」「気を―す」表記⑤は「宥す」「恕す」とも書く。文《四》。⇩〔類語と表現〕

類語と表現

「許す」

＊外泊を許す・入館を許す・営業を許す・娘の結婚を許す・わがままを許す・機内の喫煙は許されていない・法の許す範囲／部下の過失を許す・罪が許される。

◆聞く・聞き入れる・容(い)れる・堪(こら)える・恕(じょ)する・諒(りょう)とする・見逃す・見過ごす・差し許す・目をつぶる・大目に見る・聞き流す・水に流す／(する)承知・許容・許可・認可・承認・容認・聴許・黙許・公許・官許・免許・裁許・裁可・容赦・赦免・宥免(ゆうめん)・宥恕(ゆうじょ)・諒恕(りょうじょ)・寛恕・海容・仮借(かしゃく)・勘弁・堪忍・我慢・看過・黙過・目こぼし／許し・免罪・特許

ゆる・ふん【緩×褌】❶ふんどしの締め方がゆるいこと。❷気が緩んでいることのたとえ。

ゆる・む【緩む・×弛む】《自五》❶しまりがなくなる。ゆるくなる。「ねじが―む」「口先が―む」❷気持ちの張りつめ方が少なくなる。油断する。「緊張が―む」「寒気が―む」「心の―んだすきにつけ入る」「警戒が―む」文《四》。❸きびしくなくなる。

ゆる・める【緩める・×弛める】《他下一》❶ゆるむようにする。ゆるませる。「帯を―める」「手綱を―める」❷〔速度・勢いなどを〕ゆるやかにする。「スピードを―める」「攻撃の手を―める」文ゆる・む《下二》。

ゆる・やか【緩やか】《形動》❶ゆとりがあるようす。しまっていないようす。「ひもを―に結ぶ」❷〔かたむきなどの〕度合いが少ないようす。「―な坂」❸〔速度・勢いなどが〕ゆっくりしているようす。はげしくないようす。「―なテンポ」「―に流れる川」類語緩慢(かんまん)。❹きびしくないようす。寛大。「取りしまりを―にする」

ゆる・ゆる《副》《「―と」の形も》❶ゆっくりと動くようす。いそがないようす。「―と進む」❷くつろぐようす。のんびり。「―と休む」

ゆるり【緩り】《副》《多く「―と」の形で》ゆったりとくつろぐようす。ゆっくり。「ご―とおくつろぎください」

ゆれ【揺れ】ゆれ動くこと。ゆれ動く程度。「今の地震は―が大きかった」類語震動。振動。

ゆれ・うごく【揺れ動く】《自五》❶揺れて動く。❷安定せず、激しく変化する。「―く世界情勢」

ゆ・れる【揺れる】《自下一》〔ある点を中心にして〕前後・左右・上下などに動く。動揺する。「大地が―れる」「船が―れる」「心が―れる〔=安定しない〕」類語揺する。揺らぐ。揺らめく。揺るぐ。揺る。揺るがす。揺さぶる。震う。振るう。振る。震える。震わす。揺れ動く。(する)震動。振動。揺動。震撼(しんかん)。ゆらゆら。ぐらぐら。

ゆわ・える【結わえる】《他下一》〔ひもで〕むすぶ。しばる。「荷を縄で―える」文ゆは・ふ《下二》。

ゆ・わかし【湯沸(か)し】湯をわかす、金属製の道具。やかんなど。

ゆわ・く【結わく】《他五》〔俗〕ゆわえる。

ゆん・ぜい【▽弓勢】〔文〕弓をひく力。

ゆん・づえ【▽弓×杖】〔文〕弓をつえにすること。

ゆん・で【▽弓手・▽左手】〔文〕❶弓を持つほうの手。左の手。「馬手(めて)に血刀、―に手綱」❷左の方向。「―に海を見る」対①②めて。

ゆ

よ

*よ【世】《「節(よ)」と同語源。限られた期間の意》❶ある(政体に属する)支配者が主権を維持してその国を統治する期間。時代。「昭和の御(み)―」「武家の―」 尊敬 大御世(おおみよ)。御世(みよ)。❷ある人が家督を相続してその家を治める期間。代(だい)。「子に―を譲る」❸個人の生存している期間。生涯。一生。「わが―の春」❹時。時世。「―の変遷」 表記 ①〜④は「代」とも書く。❺〔仏〕過去・現在・未来のそれぞれ。「さきの―」「あの―」❻人々が互いに関係を持ちながら形づくっている、生活の場。また、その成り行き。世の中。社会。世間。「―を嘆く」「―に逢(あ)う(=時流にのって栄える)」「作品が―に入れられる(=世間からみとめられる)」「―に聞こえた(=有名な)画家」「―に出る(=世間に現れる。出世する)」「―を挙げて(=世の中の人残らず)祝う」「―を忍ぶ(=人目をさけてかくれる)仮の姿」「―を捨てる(=出家する。また、隠遁(いんとん)する)」「―を渡る(=暮らしていく)」 類語 浮き世。娑婆(しゃば)。

―が世なら《句》昔のように栄えているころであったなら。「―何不自由のないくらしができるのに…」

*よ【余】 一 《名》❶ある数量を上まわる部分。あまり。残り。 参考 多く「…の―」の形で「…あまり」の意を表す。「一年の―も病床にある」❷そのほか。それ以外。「―の事はわからない」 二 《接尾》《数を表す語につけて》それ以外にも端数(はすう)があることを表す。…とすこし。「三年―ののち」

*よ【四】よっつ。し。

*よ【夜】→よる(夜)。

―も日も明けな・い《句》それなしでは少しの間も過ごせない。「酒なしには―・い」

―を籠(こ)めて《句》夜中から暁前にかけて。

―を徹・する《句》物事を一晩中寝ないでする。「―・して働く」

―を日に継・ぐ《句》昼夜の別なく休まず続ける。昼夜兼行する。「―・いで働く」

*よ【▽節】竹・アシなどの茎の、ふしとふしとの間。

*よ【予・余】《代名》《自称の人代名詞》われ。わたくし。 参考 昔、貴人の自称として用いられ、明治・大正のころには、改まった文章や演説に用いられた。

*よ 一 《間投助》❶〔「だよ」「ですよ」の形で男性が、「(です)よ」の形で女性が使う〕断定・念押しなどの気持ちで、(たたみかけながら)相手の注意を引きつけるのに使う。「かりにだよ君がだよ彼女と結婚するとしよう」「もしも(です)よ、うそだとしたらどうなさるの」❷→よう(間投助)。

二 《終助》❶文語 (感動をこめた)呼びかけを表す。「青年よ大志を抱け」❷文語 詠嘆を表す。「友がみなわれよりえらく見ゆる日よ花を買ひ来て妻としたしむ〈啄木〉」❸親しみの気持ちをこめて、断定したり、軽く言い放ったり、言い聞かせたり、念を押したりするのに使う。〔親しい間柄のくだけた会話で使う〕「顔つきでよく分かりますよ」「明日は雨になるだろうよ」「まだかって? もう済んだよ」「思うとおりにはなりませんよ」 参考 (ア)断定の助動詞「だ・です」に続くときは、「だよ・ですよ」の形で男性が、「(です)よ・だわよ」の形で女性が使う。説明的な断定を表す「のだ・のです」に続くときも同様。「これがバッハだよ」「絶対に譲らないの(です)よ」 (イ)形容動詞に続くときは、「だよ」の形で男性が、活用語尾「だ」を言わない形や「だわよ」の形で、女性が使う。「僕は健康だよ」「あなた素敵(だわ)よ」 (ウ)「…てよ」は女性専用。「…ことよ」は、男女共用だが、イントネーションが異なる。「すぐ分かってよ」「いいってことよ(男性)」「男らしくないことよ(女性)」

❹〔命令・禁止・意向・勧誘・依頼・疑問・反語などの意を表す文を受けて〕親しみの気持ちを添える。また、強め・念押しなどの気持ちを添える。「おい、もうよせよ」「私の言葉を忘れるなよ」「もう帰りましょうよ」「こっちに来てよ」「おや、どうしたんだよ、しょんぼりして」「何言ってんのよ」 参考 (ア)常体の命令・禁止は男性専用。丁寧体の場合は女性も使う。「触るなよ」「よくご覧なさいよ」 (イ)依頼の「てよ」、禁止の「ないでよ」は主に女性が使う。「二度と来ないでよ」→て 三 (接助)。

よ-あかし【夜明(か)し】《名・自サ》一晩じゅう眠らないで、朝を迎えること。徹夜。「読書で―をする」

よ-あけ【夜明け】夜が終わって東の空が明るくなるころ。明け方。 参考 ひゆ的に、新しい物事が始まる時の意でも使う。「新時代の―」 類語 暁(あかつき)。曙(あけぼの)。朝明け。未明。払暁。早暁。黎明(れいめい)。 対 日暮れ。

よ-あそび【夜遊び】《名・自サ》夜、遊び歩くこと。また、その遊び。「―が過ぎる」

よ-あらし【夜×嵐】夜吹く強い風。

よ-あるき【夜歩き】《名・自サ》夜、外出すること。

*よ-い【余威】〔文〕ある事をなしとげたあとの、はずみのついた勢い。調子づいた勢い。余勢。「―を駆(か)って勝ち進む」

*よい【宵】(ひよ) 日が暮れてまもないころ。また、夜になってまだそれほどふけないころ。「春の―」 類語 夕べ。

*よい【酔い】(ひよ) 酔うこと。また、酔った状態(程度)。「―がまわる」「―をさます」

*よ・い【良い・善い・▽好い・▽佳い】 一 《形》《口語の終止形・連体形は「いい」と言うことが多く、「よい」は改まった言い方》❶希望するような、また賞賛するような性質をもっている状態である。 対 わるい。㋐他よりまさっている。質・程度がすぐれている。また、上手である。うまい。「―・い酒」「記憶が―・い」「―・い天気」「人づきあいが―・い」「腕の―・い職人」「―・い声で歌う」「頭痛に―・くきく薬」「病気が―・くなる」「割りの―・い仕事」「なかなか―・い値だ(=高価だ)」 ㋑筋道にかなっている。正しい。善である。理想的である。「性格が―・い」「行儀が―・い」 表記 ㋑は「善い」と書く。 ㋒感情の面で望ましい。こころよい。楽しい。また、親しい。善良である。「酒をのんで―・い気持ちになる」「仲の―・い夫婦」「人が―・い」「女性に―・くする」 ㋓祝うべきである。めでたい。吉である。「今日の―・き日」「あしたは日が―・い」

❷適している。 類語 好ましい。ふさわしい。格好。好個。 ㋐適当である。ころあいである。「結婚しても―・い年ごろ」「湯加減が―・い」 ㋑〔年齢が〕おとなとして適するところまでいっている。相当である。「―・い年をしてみっともない」「―・い若者になった」 ㋒好都合である。「君はだまって「ちょうど―・い時に来た」 ㋓十分である。

いれば、それでー・い」❸さしつかえない。かまわない。「私は帰ってもー・いか」「金などなくてもー・い」❹そうすべきである。そうすることが望ましい。「早く行ったほうがー・い」「けんかはしないがー・い」参考 連用形の形で副詞に用いる。→よく(副詞)。文 よ・し《ク》。

⇩〘類語と表現〙〘使い分け〙
[二]《接尾》《動詞の連用形について》たやすく…することができる。快く…することができる。「世の中を住みー・くする」「歩きー・いくつ」文 よ・し《ク》。

類語と表現

「良い」

*気分が良い・器量が良い・成績が良い・接客態度が良い・あの少年は頭が良い・良い品・良い文章・良い景色・腕の良い職人・評判の良い店・育ちの良い人・質の良い素材。
◆ほど良い・よろしい・優れている・申し分ない・素晴らしい・芳(かんば)しい・輝かしい・非の打ち所がない・二度とない・またとない・願ってもない・格好の・誂(あつら)え向き／良・良性・良好・純良・優・優良・優秀・優等・最良・最高・最適・最善・次善・善良・見事・立派・素敵・天晴れ・佳良・絶好・絶佳・可・結構・適当・適正・適切・好適・妥当・上々・至高・好都合・理想的

使い分け

「よい」
良い(▽好・▽佳)〔性質が他のものよりもまさっている。程よくととのっていてよい。好ましい〕良い成績・品質が良い・良(好・佳)い女・仲が良(好)い・気分が良(好)い・良(佳)い作品・感じが良(好)い
善い〔道徳的にみて、ほめるべきと考えられる〕善い行い・善い悪いの判断・善い人柄・善い政治
参考 「…してよい」「…でよい」の形は、一般にかな書き。めでたいの意の「佳い」は、「今日のよき日」「よい年を迎える」「お日柄がよい」などのように、一般にかな書きにするが、荘重な感じの手紙文などでは、その限りではない。「好」はこのましい、好都合だ、同意できる、親しいなど、こうあって欲しいと思う状態にある様子を意味する。「佳」は心や行いの正しく清らかな人の意から、うつくしい、祝う値打ちのある様子を意味する。「良い女／好い女／佳い女／善い女」では、それぞれ、性質のよい女、好ましい女、愛人／見目うるわしい女／志操堅固な女のように、文字遣いから女性の性状を書き分けることができる。

よい-ごこち【酔(い)〈心地〉】(よひ) 酒に酔ったときの(よい)心持ち。「ーのよい酒」
よい-ごし【宵越し】(よひ) そのまま一夜持ち越すこと。**ーの金は持たない**《句》その日にかせいだ金はその日のうちに使ってしまう。江戸っ子の気前のよいことを言ったことば。
よい-ざまし【酔い×醒(ま)し・酔い覚(ま)し】(よひ) 酔いをさますこと。「ーに風にあたる」「ーの妙薬」
よい-ざめ【酔い×醒め・酔い覚め】(よひ) 酒の酔いがさめること。また、さめた時。「ーの水は甘露の味」
よいしょ [一]《感》❶民謡・小唄(こうた)などのはやしことば。よいさ。❷重い物を持ち上げたり受け渡しをしたり、力を入れたりするときのかけ声。よいさ。よいこらしょ。[二]《名・他サ》〔俗〕おせじを言っていい気持ちにさせること。「ーして取り入る」
よい-し・れる【酔い▽痴れる】(よひ)《自下一》❶ひどく酔って正体がなくなる。類語 酔いつぶれる。❷うっとりする。陶酔する。「美声にー・れる」
よい-っ-ぱり【宵っ張り】(よひ) 夜おそくまで起きていること。また、そういう習慣のある人。「ーの朝寝坊」
よい-つぶ・れる【酔い×潰れる】(よひ)《自下一》酒に酔って、正体を失ったり寝込んでしまったりする。「ー・れて立ち上がれない」類語 酔いしれる。
よいと-まけ〔俗〕建築現場の地ならしのため、重い槌(つち)を滑車で上げおろしすること。また、その作業に従事する人。参考 そのときに発する掛け声から。
よい-どめ【酔い止め】(よひ) 乗り物酔いを抑える薬。
よい-どれ【酔いどれ】(よひ) ひどく酒に酔った人。よっぱらい。
よい-ね【宵寝】(よひ)《名・自サ》❶宵の口から寝てしまうこと。類語 早寝。❷宵の間だけ寝ること。
よい-の-くち【宵の口】(よひ) 夜になって間もないころ。よい。「まだーだ」「ーから寝てしまう」
よい-の-みょうじょう【宵の明星】(よひーミヤウジヤウ) 日没後に西の空に明るくかがやいている金星。長庚(ちょうこう・ゆうずつ)。対 明けの明星。
よいまち-ぐさ【宵待草】(よひ) マツヨイグサ・オオマツヨイグサなど、マツヨイグサ属の植物の別称。
よい-まつり【宵祭(り)】(よひ) 祭日の前夜に行う祭り。よいみや。夜宮(よみや)。
よい-みや【宵宮】(よひ) 宵祭(よいまつ)り。
よい-やみ【宵×闇】(よひ) ❶陰暦十五夜以後二〇日ごろまで、月の出が遅く宵の間が暗いこと。また、そのころ。❷宵のころのやみ。夕やみ。「ーが迫る」
よい-よい〔俗〕足がしびれ、話や歩行などが正常でないこと(人)。中風(ちゅうぶう)などが原因となる。
よ-いん【余韻】❶鐘をついたときなどに、後まで残る響き。余音。「ー嫋々(じょうじょう)(=余韻が長く残るようす)」❷事が終わったあとまで残る味わい。言外の味わい。余情。「ーのある歌」
***よう**【葉】《助数》木の葉・紙など、薄く平たいものを数える語。「三ーの写真」
***よう**【×俑】昔の中国で、殉死者の代わりに死者と共に埋葬した人形。
***よう**【幼】〔文〕おさない・こと(人)。「ーにして俊才の誉れ高し」「老ーを問わず」対 老(ろう)。
***よう**【容】〔文〕姿。かたち。「ーを改む」「ーを正す」
***よう**【様】[一]《名》❶形。ありさま。❷方法。「言いーもない悲しみ」❸〈「言うー」「思うー」などの形で〉…することには)。参考 あとにその内容を示す引用文を導く。「心に思うー、非常に楽しいと」[二]《接尾》❶㋐「…するようす」の意。「たいへんな喜びーだった」㋑(…するための)しかた・方法・手段の意。「ほかにもやりーはある」「手のうちーがない」「たとえーがない姿」表記 [二]①は、ふつうかな書き。❷《多く名詞について》㋐「型・様式」の意。「唐(から)ー」「天竺(てんじく)ー」㋑「…の形をしているもの」「…らしく見えるもの」の意。「ガラスーの物質」「ステッキーの金属棒」参考 →ようだ(助動)。
***よう**【洋】[一]《名》〔文〕世界を東西二つに分けた部分。東洋と西洋。「ーの東西を問わず」[二]《接尾》「広い海」の意。「太平ー」「インドー」
***よう**【用】[一]《名》❶仕事。用事。「ーがある」❷〔役に

立つ〕働き。使い道。「―に供する」「―に立たない」❸〔文〕費用。入り用。❹大小便をすること。用便。「―を足す」㊁《接尾》「…に使う」「…の役に立つ」の意。「化粧―の石鹸(せっけん)」「家庭―の電気製品」

*よう【×癰】背中・顔・腹などにできやすい、はれもの。激痛と発熱を伴うことが多い。参考→根太(ねぶと)。

*よう【要】〔文〕❶物事の大切な点。要点。「簡にして―を得ている」❷必要。必要性。「再考の―がある」「弁解の―はない」参考→要は。

*よう【陽】❶表から見える所。「陰に―に」❷〔易学で〕積極的な性質をもつもの。月に対する日、女に対する男、マイナスに対するプラスなど。対①②陰(いん)。

*よう【▽能う】《副》《下に打ち消しの語を伴って》…することができない。とても…できない。参考 現代語としては、おもに西日本で使われる。「―でけへん」「―言わんわ(＝あきれてものが言えない)」

*よう【良う・善う・▽好う】《副》《「よく」の音便》→よく(副詞)。〔方言的なことば〕「―おいでなさった」

*よう《感》❶人に気軽に呼びかけるときのことば。また、それに応じるときのことば。〔おもに男が使う〕「―、元気か」❷相手にせがむときに呼びかけることば。「―、話を聞いてちょうだいってば」

*よ・う【酔う】《自五》《「ゑふ」の転》❶酒を飲んだとき、アルコールの作用で運動・知覚神経がにぶくなる。類語 酔っ払う。酔い痴(し)れる。酔い潰(つぶ)れる。微醺(びくん)を帯びる。(す)酩酊(めいてい)。沈酔。❷乗り物にゆられたり人ごみにもまれたりして、気分が悪くなる。「バスに―・う」❸あるふんいき・物事にひたりきり、それに心をうばわれてうっとりする。「名演奏に―・う」「勝利に―・う」類語 (す)陶酔。心酔。文《四》。

*よう【×杳】《形動タル》〔文〕❶はるかで奥深いようす。奥深く暗いようす。❷《多く「―として」の形で》暗くてはっきり見きわめられないようす。事情などがはっきりわからないようす。「―として消息を聞かない」

*よう《助動：無変化型》《助動詞「う」が、一段動詞、サ変・カ変動詞、助動詞「(さ)せる・しめる・(ら)れる」につくときの形。サ変の場合は「し」の形につく》「一度訪ねてみよう」(意志)、「一緒に映画でも見ようよ」(勧誘)、「二度と同じ間違いをしないようにしようね」(穏やかな命令)、「明日は晴れよう」「彼こそ日本を代表する知識人と言えよう」(推量・想像、やわらかい断定)、「何人(なんぴと)がなしえようか」(強い疑問・反語)、「今出かけようとしているところだ」(実現しかけている意)、「人に何と言われようが、決意はかたい」「何をしようと、君の自由だ」(仮定)。参考→う。

*よう《間投助》話を聞いてくれという気持ちで、相手の注意を引きつけるのに使う。〔親しい間柄の青少年が、くだけた会話で言う。「よ」とも〕「きのう図書館に行ったらよう休みでやんの」「そこがよう、泣かせるところさ」参考「さ」に比べて粗野な感じが強い。

よう・あん【溶暗】→フェードアウト。対溶明。

*よう・い【×妖異】〔文〕怪しいできごと。また、ばけもの。

*よう・い【用意】《名・他サ》❶ある事のために細かいところにまで気をくばること。用心。「地震に対する―を怠らない」❷事に備えて、それが完全に行われるような条件・環境を前もって作っておくこと。準備。「―がととのう」「夕食を―する」「―周到」類語 備え。手配り。手配。支度。

*よう・い【容易】《形動》たやすいようす。「完成までは―なことではない」類語 簡易。平易。

よう・いく【養育】《名・他サ》〔文〕子どもを養いそだてること。「―に専念する」「―費」類語 扶養。扶育。

*よう・いん【要員】ある事をなすのに必要な人員。「保安―を確保する」

*よう・いん【要因】原因となるものの中で、おもなもの。また、物事の成立に必要な因子。「営業不振の―は人材不足にある」「複雑な―がからむ」

よう・うん【×妖雲】〔文〕不吉な前兆を感じさせるような雲。「―が漂う」

よう・えい【揺×曳】《名・自サ》〔文〕尾をひくようにしてゆらゆらとただようこと。また、あとまで長く残っていること。「噴煙が―する」

*よう・えき【溶液】二種以上の物質が均一にまじり合っている液体。「飽和―」

*よう・えき【用益】〔文〕使用と収益。「―物権(＝他人の土地を使用して収益を得ることのできる物権)」

*よう・えき【葉×腋】葉が茎や枝と接続している部分の内側。葉のつけね。

*よう・えん【×妖×艶・×妖×婉】《形動》〔文〕〔女性の姿が〕あでやかで美しいようす。「―な舞い姿」

*よう・えん【×遥遠】《形動》〔文〕はるかに遠いようす。「―な地」

よう・おん【×拗音】国語で、一音節でありながら、「や」「ゆ」「よ」「わ」のかなを小さくそえて、かな二字で書き表す音。「きゃ(kja)」「くゎ(kwa)」など。参考→直音。

*よう・か【八日】(やう)❶月の八番目の日。❷一日を八回重ねた日数(期間)。

*よう・か【×妖花】〔文〕❶美しいが、あやしく不気味な花。❷あやしく不思議な魅力をもつ美人。

*よう・か【×沃化】《名・自サ》沃素(ようそ)と他の物質とが化合すること。「―銀」

*よう・か【養家】養子としてはいった家。「―との折合いが悪い」対実家。生家。

*よう・が【洋画】❶西欧で発達した、西欧独特の技法をもつ絵画。油絵・水彩画など。西洋画。「―を学ぶ」対日本画。❷欧米で製作されて日本に輸入された映画。「―ファン」対邦画。

*よう・が【陽画】陰画を通して感光紙に焼きつけた写真の像。被写体の色彩・明暗がそのままに表れたもの。ポジ。ポジティブ。対陰画。

*よう・かい【×妖怪】〔文〕人知でははかり知れない奇怪な姿をしたもの。ばけもの。「―変化(へんげ)」類語 変化。

*よう・かい【容×喙】《名・自サ》〔文〕〔「喙(くちばし)を容(い)れる」意から〕はたから(よけいな)口出しをすること。干渉。差し出口。「第三者の―すべきことではない」

*よう・かい【溶解】《名・自他サ》物質が液体にとけて溶液を作ること。また、そうさせること。「―熱」

*よう・かい【溶解・×熔解・×鎔解】《名・自他サ》〔固体が〕熱をうけて液状になること。また、そうさせること。「鉄が―する」表記「溶解」は代用字。

よう・がい【要害】〔文〕❶地勢が、敵を防ぎとめ味方を守るのに都合のよいこと。また、その場所。「天然の―」「―堅固」❷戦略上築いた、とりで。

*よう・がく【洋学】西洋の学問。特に、江戸中期以後、わが国に取り入れられた西洋の学術および西洋事

よ

情の研究の総称。

*よう-がく【洋楽】ヨーロッパで生まれ発展した芸術音楽。西洋音楽。「―の鑑賞」対邦楽。

よう-がさ【洋傘】こうもり傘・パラソルなど、洋風の傘。

よう-がし【洋菓子】洋風の菓子の総称。特に、ケーキ。西洋菓子。対和菓子。

よう-がらし【洋×芥子・洋辛子】マスタード。

*よう-かん【洋館】西洋風の家屋。西洋館。

*よう-かん【羊×羹】餡(あん)と砂糖とを煮つめ、練ったり蒸したりして固めた和菓子。参考「一棹(ひとさお)…」「一本(いっぽん)…」と数える。――いろ【―色】黒・紫などの染め色がさめて赤みをおびた色。

*よう-かん【腰間】〔文〕腰の辺り。腰の回り。「―の秋水(=腰にさした曇りのない日本刀)」

*よう-がん【容顔】〔文〕かおだち。かんばせ。類語容貌(ようぼう)。面相。

*よう-がん【溶岩・×熔岩】地下の深所にあるマグマが火山の噴出口から地表に流れ出したもの。また、それが冷え固まってできた岩石。表記「溶岩」は代用字。――りゅう【溶岩流・×熔岩流】噴火の際、火口から流出する溶岩。また、その凝固したもの。

*よう-き【×妖▽姫】〔文〕あやしい魅力と雰囲気(ふんいき)をもつ美女。

*よう-き【×妖気】〔文〕何か不吉なことが起こりそうなあやしい気配。不気味な雰囲気(ふんいき)。「―が漂う」

*よう-き【容器】物を入れるうつわ。入れ物。

*よう-き【揚棄】《名・他サ》→アウフヘーベン。

*よう-き【陽気】一《形動》朗らかで明るいようす。また、そういう性格であるようす。「―に騒ぐ」「―な人柄」類語快活。対陰気。二《名》❶(寒暖などの)時候。天候。「春らしい―」❷万物を発生・活動させる気。対陰気。

*よう-ぎ【容儀】〔文〕礼儀作法にかなった姿勢・態度。「―を正す」

*よう-ぎ【容疑】罪を犯した疑い(があること)。「殺人の―で逮捕される」「―を晴らす」「―者」類語嫌疑。

ようき-が【用器画】製図用の器具を使って幾何学的に描く図形。対自在画。


*よう-きゅう【×楊弓】江戸時代に民間で流行した遊戯用の小弓。参考もと楊柳(ようりゅう)で作ったという。

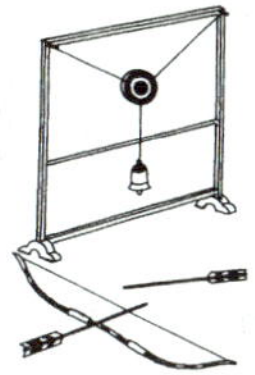
楊　弓

*よう-きゅう【洋弓】→アーチェリー。

*よう-きゅう【要求】《名・他サ》自分にとって必要である、また当然受け取るべきであるとして、それを強く求めること。また、そのもの。「賃上げの―」「―を拒む」類語要請。欲求。請求。需要。

*よう-ぎょ【幼魚】成魚になっていない魚。対成魚。

*よう-ぎょ【養魚】魚を飼育して繁殖させること。「―場」

*よう-きょう【×佯狂】〔文〕気が狂ったふりをすること。また、その人。

*よう-きょう【容共】共産主義を容認すること。「―派」対反共。

よう-ぎょう【窯業】鉱物質の原料を高熱処理して種々の製品を作り出す工業。陶磁器・かわら・れんがなどの製造業、また、セメント工業・ガラス工業など。

*よう-きょく【謡曲】能の詞章・台本。また、その詞章に節をつけてうたうこと。うたい。

*よう-きょく【陽極】❶電位が高く、電流が流れ出す方の電極。正の電極。❷磁石の北極。対①②陰極。

*よう-きん【洋琴】〔文〕ピアノ②の別称。

*よう-きん【用金】❶公用の金。❷武家時代、幕府または大名が臨時に領民から取り立てた金銭。参考①②とも多く「御―」の形で使う。

よう-ぎん【洋銀】ニッケル・銅・亜鉛からなる銀白色の合金。食器・装飾品などに使う。洋白。

*よう-ぐ【庸愚】《名・形動》〔文〕平凡でおろかなこと。「―な君主」

*よう-ぐ【用具】ある物事をするのに用いる道具。「筆記―」類語道具。⇩〔類義語の使い分け「道具」〕

*よう-ぐ【要具】ある物事をするのに必要な道具。「登山の―」

よう-くん【幼君】〔文〕幼い君主。幼主。


よう-けい【養鶏】《名・自サ》ニワトリを飼育すること。「―場」

*よう-げき【要撃】《名・他サ》〔文〕待ちぶせして攻撃すること。「敵を―する」

*よう-げき【×邀撃】《名・他サ》〔文〕〔攻めて来る敵を〕迎えうつこと。迎撃(げいげき)。「―機」

*よう-けつ【溶血】赤血球の膜が破壊されて、ヘモグロビンが血球外へ出る現象。

*よう-けつ【要×訣】〔文〕ある物事をなしとげるのに欠くことのできない大事な点。秘訣。「武芸の―」

*よう-けん【用件】〔さしあたって〕しなければならない事柄(の内容)。「大切な―を思い出す」類語用事。用むき。用務。尊敬御用。御来示。

*よう-けん【要件】❶大切な用件。「―を処理する」❷〔その事柄に〕必要な条件。「―を満たす」

*よう-げん【×妖言】〔文〕不吉なことが起こるなどと、人の心を迷わせるあやしいことば。「―に迷う」

*よう-げん【揚言】《名・他サ》〔文〕〔声をはりあげて言う意から〕はばかることなく、おおっぴらに言うこと。「余は天才なりと―する」

*よう-げん【用言】活用のある自立語で、それだけで述語になることができる単語。動詞・形容詞・形容動詞の総称。対体言。

*よう-ご【擁護】《名・他サ》〔文〕そのものが存立できるようにかばい守ること。「憲法を―する」

*よう-ご【洋語】〔文〕西洋人の使うことば。また、西洋からの外来語。西洋語。

*よう-ご【用語】使用することば。また特に、ある特定の人や部門によってもっぱら使われることば。術語。「適切な―を使う」「科学―」「専門―」

*よう-ご【要語】〔文〕重要なことば。また特に、ある作品や文献を理解する上でかなめとなることば。重要語。「―索引」

*よう-ご【養護】《名・他サ》(からだの弱い児童などを特別な施設を用いて)保護し育てること。「―学校」――しせつ【―施設】児童福祉施設の一つ。保護者のない児童・環境上保護の必要な児童を入所させて養護する。

*よう-こう【×妖光】〔文〕不吉な事が起こりそうな感じ

よ

のする、あやしい光。

*よう・こう【洋行】㊀《名・自サ》欧米へ旅行（留学）すること。〔古風な言い方〕「—の官命を受ける」「—帰り」㊁《接尾》〔中国で〕外国の商社名につける語。

*よう・こう【要港】〔貿易その他の面で〕重要な港。

*よう・こう【要綱】〔文〕重要であり、基本的な事項。また、それをまとめたもの。「英文法—」

*よう・こう【要項】欠く事のできない大切な事項。また、それを書いた文書。「募集—」

*よう・こう【陽光】〔文〕太陽の光。日光。「春の—」

ようこう・ろ【溶鉱炉・×熔鉱炉・×鎔鉱炉】金属鉱石を火力でとかして鉄や銅を製錬するための炉。表記「溶鉱炉」は代用字。

よう・こく【陽刻】浮き彫りにした印や版。文字や絵の部分が高くなるように彫ったもの。対陰刻。

よう・こそ《感》〔「よくこそ」の音便〕相手の訪問に対して歓迎の意を表す語。「—いらっしゃいました」

*よう・さい【洋才】〔文〕洋学の能力・知識。また、洋学に基づく物の見方・考え方。「和魂—」

*よう・さい【洋菜】西洋野菜。

*よう・さい【洋裁】洋服の裁縫。対和裁。

*よう・さい【葉菜】茎や葉を食用とする野菜。ネギ・ハクサイ・ホウレンソウなどの類。対果菜・根菜。

*よう・さい【要塞・要×寨・要×砦】戦略上重要な地点に設けた、砲台その他の防備施設。「—地帯」

*よう・ざい【溶剤】物質を溶かすために用いる液体。ふつう、揮発油・アルコール・ベンゼンなどをさす。

*よう・ざい【用材】❶建築・木工などに使用する材木。「建築—」❷材料として用いるもの。「学習—」

*よう・さん【葉酸】ビタミンB複合体の一つ。緑色野菜・肝臓などに含まれ、造血に有効。ビタミンM。

*よう・さん【養蚕】繭または蚕種(さんしゅ)を生産する目的で蚕を飼育すること。こがい。「—業」

*よう・し【×夭死】《名・自サ》〔文〕若死に。夭折(ようせつ)。

*よう・し【容姿】〔文〕〔女性の〕顔かたちや姿。みめかたち。「—端麗」類語風采(ふうさい)。容貌(ようぼう)。尊敬尊容。

*よう・し【容止】〔文〕立居振舞い。「—が法にかなう」

*よう・し【洋紙】パルプを原料とし、西洋流の製法で機械すきして作った紙。西洋紙。対和紙。

*よう・し【用紙】ある用途にあてるための紙。「答案—」

*よう・し【要旨】長い文章・談話などで、大事な部分。また、それを短くまとめたもの。要点のあらまし。「講演の—をまとめる」類語主旨。

*よう・し【陽子】陽電気をおびる素粒子で、中性子とともに原子核をなすもの。陽電子。プロトン。

*よう・し【養子】養子縁組によって子となった人。「—になる」「—を迎える」対実子。—えんぐみ【—縁組】親子の血縁のない者の間に、法律上親子と同一の親族関係を設定する行為。縁組。

*よう・じ【幼児】幼い子供。参考「児童福祉法」では満一歳から小学校入学のころまでをいう。「—教育」

*よう・じ【幼時】幼いころ。幼年時代。「—の記憶」

*よう・じ【×楊枝・×楊子】食べ物をさしたり、歯にはさまった物を取る、先のとがった細い棒。つまようじ。—で重箱の隅をほじくる《句》「重箱の隅を楊枝でほじくる」と同じ。

*よう・じ【用事】〔さしあたって〕しなければならない事柄。「急ぎの—がある」「—を頼む」類語用件。所用。要用。用。尊敬御用。

*よう・じ【用字】使用する文字。また、文字の使い方。「—法」「—用語」

*よう・じ【要事】〔文〕重要な事柄。必要な事柄。

*よう・しき【様式】❶かたち。様子。「—の古い家具」❷〔社会の営みの中で〕長い間に自然に定まったやり方。「生活—」❸〔文書などの〕約束で定められた形。「退職届の—」❹芸術作品の特徴となり、他と区別される表現形態。スタイル。「ルネサンス—」❺文芸作品の形態的種類。ジャンル。「戯曲の—」

*よう・しき【洋式】西洋の様式に従っていること。西洋式。「—のトイレ」類語西洋流。洋風。

よう・しし【養嗣子】民法旧規定で、家督相続人となるべき養子。

ようしじ・やく【要指示薬】医師の指示がなければ販売できない薬。要指示医薬品。

*よう・しつ【洋室】西洋式に作られた部屋。洋間。「—を書斎にする」対和室。

*よう・しつ【溶質】溶液にとけている物質。食塩水における食塩など。対溶媒。

*よう・しゃ【容赦・用捨】《名・他サ》❶〔他人の無礼・失敗・罪などを〕ゆるすこと。とがめないこと。「失礼の段はご—ください」類語勘弁。堪忍。宥恕(ゆうじょ)。仮借(かしゃく)。尊敬御免。❷控え目にすること。手加減をすること。—なく【—無く】《副》手加減をせずに。遠慮なく。「—罰する」「—風が吹き込む」

*よう・しゃ【用捨】《名・他サ》〔文〕用いることと、捨てて用いないこと。「—を誤る」類語取捨。

*よう・じゃく【幼弱】《名・形動》〔文〕幼くてからだが弱いこと（人）。

*よう・じゃく【用尺】衣服を裁断するのに必要な布の長さ。

*よう・しゅ【幼主】〔文〕幼君。「—を後見する」

*よう・しゅ【洋種】西洋の系統に属する種類。西洋種。参考多く動植物に言う。「—のラン」

*よう・しゅ【洋酒】西洋から渡来した酒。また、その製法で作られた酒。ウイスキー・ブランデー・ウオツカなど。対日本酒。

よう・じゅ【×榕樹】〔文〕→がじゅまる。

よう・しゅつ【溶出】《名・自サ》〔文〕成分などが溶けて流れ出ること。

よう・じゅつ【×妖術】人をまどわすあやしい術。魔術。幻術。魔法。「—を使う」

よう・しゅん【陽春】〔文〕❶陽気に満ちあふれる春。暖かくなり草木が芽ぐむ春。春の盛り。「—の候」❷陰暦正月の別称。

*よう・しょ【洋書】欧米諸国で出版され、欧米の文字で印刷された書物。類語原書。対和書・漢書。

*よう・しょ【要所】大切な箇所。重要な地点。「—を固める」「—、—をおさえておく」類語要点。

*よう・じょ【幼女】幼い女の子。

*よう・じょ【×妖女】〔文〕❶なまめかしい美しさで男をまどわす女。妖婦。❷魔法使いの女。魔女。

*よう・じょ【養女】養子縁組によって養子となった女子。「姪(めい)を—にする」

*よう・しょう【幼少】〔文〕幼いこと。「—のころ」

*よう・しょう【要衝】〔文〕軍事上・交通上の重要な地点・場所。「敵の—を攻撃する」「海上交通の—」

*よう・じょう【洋上】陸から遠く離れた海の上。海洋

よ

の上。「ーを漂う」「ー会談」類語 海上。

***よう‐じょう【養生】**《名・自サ》❶健康の維持・増進をはかること。「医者の不ー」❷病気をなおすように努めること。また、病後の体力の回復をはかること。「転地してーに励む」❸工事箇所を防護すること。

***よう‐しょく【容色】**〔女性の美しい〕顔かたち。みめかたち。「ーが衰える」類語 容貌(ようぼう)。

***よう‐しょく【洋食】**西洋料理。対 和食。

***よう‐しょく【要職】**重要な地位・職務。重職。「政府のーに就く」

***よう‐しょく【養殖】**《名・他サ》水生の動植物を人工的に飼育・増殖させること。「ウナギのー」「ー真珠」

よう‐しん【養親】❶〔法〕養子縁組によって親となった人。❷養い親。

***よう‐じん【用心・要心】**《名・自サ》〔わざわいなどを招かないように〕気をつけること。不意の事態にそなえて注意・警戒すること。「火のー」「万一の時のー」 **ーぶか・い【ー深い】**《形》十分に心を配っているようすだ。「ーい性格」 **ーぼう【ー棒】**❶盗賊の侵入に備えて用意しておく棒。❷内側から戸を押さえておくつっかい棒。しんばり棒。❸身辺において護衛をさせるために雇っておく者。類語 ガードマン。

***よう‐じん【要人】**〔文〕その組織の重要な地位についている人。「政府のー」類語 VIP。

よう‐す【様子・容子】❶〔内情を想像させる〕外からうかがった大体のありさま。状況。状態。模様。「内部のーがわからない」「ーをうかがう」類語 様相(ようそう)。佇(たたず)まい。様態。形相(けいそう)。風。相。状。形勢。情勢。❷人の姿。みなり。容姿。また、そぶり。「みすぼらしいーの男」「楽しそうなーだった」類語 姿形。様形。格好。風貌(ふうぼう)。❸物事が起こっているらしい〔起こりそうな〕けはい。「雪が降りそうなーだ」類語 趣。風情。動勢。形勢。事態。気味。❹特別な事情。わけ。いわく。「ーありげに立っている」

よう‐ず【要図】必要な部分を簡潔に書いた図面。

***よう‐すい【揚水】**《名・自他サ》水を上にあげること。「ポンプでーする」「ー発電」

***よう‐すい【用水】**飲料・灌漑(かんがい)・消火などに使う目的で引く水。また、そのための施設。「ー池」「箱根ー」

***よう‐すい【羊水】**子宮の羊膜腔(ようまくくう)を満たす液。胎児を保護し、出産時には分娩(ぶんべん)を容易にする。

よう‐ずみ【用済み】用事が済んでいらなくなること。また、そのもの。「ーの器具」

***よう‐・する【擁する】**《他サ変》〔文〕❶いだく。かかえる。だきかかえる。「幼子をー・する」「相ー・して泣く」❷〔自分の勢力を豊かにするものとして〕もつ。所有する。「権力をー・する」「巨万の富をー・する」

***よう‐・する【要する】**《他サ変》❶必要とする。「休養をー・する」❷〔文〕待ちぶせる。「敵をー・して撃つ」

ようする‐に【要するに】《副》簡単に言えば。つまり。結局。「ー反対ということだ」類語 所詮(しょせん)。畢竟(ひっきょう)。詰まるところ。煎(せん)じ詰めると。端的に言えば。

***よう‐せい【幼生】**卵からかえったばかりの、成体とは異なる形・生活方式をもつ時期のもの。たとえば、カエルの幼生はおたまじゃくし。

***よう‐せい【×夭逝】**《名・自サ》〔文〕夭折(ようせつ)。

***よう‐せい【×妖星】**昔、不吉なことの起こる前兆と考えられた、不気味な星。彗星(すいせい)などに言う。

***よう‐せい【×妖精】**〔西洋の民話・伝説などに出てくる〕森・湖あるいは動植物などの、自然物の精霊。小人(こびと)や美しい女の姿をしたものが多い。フェアリー。

***よう‐せい【要請】**《名・他サ》必要があるからそうしてほしいと願い求めること。「協力をーする」「時代のー」

***よう‐せい【陽性】**❶《名・形動》陽気で積極性のある性質。「ーな人」❷検査の反応がプラスであること。「ツベルクリン反応がーになる」対 ①②陰性。

***よう‐せい【養成】**《名・他サ》訓練や教育をほどこして、ある能力や技術を身につけさせること。「後継者をーする」「調理師ー所」

よう‐せき【容積】❶容器がその中に満たし得る分量。容量。❷〔数〕立体が占めている空間の大きさ。体積。

***よう‐せつ【×夭折】**《名・自サ》〔文〕若死に。夭死(ようし)。夭逝(ようせい)。早死に。早世。「天才のーを惜しむ」

***よう‐せつ【溶接・×熔接・×鎔接】**《名・他サ》金属をとかし、つなぎ合わせること。「鉄管をーする」「ー工」表記「溶接」は代用字。

***よう‐せん【溶銑・×鎔銑・×熔銑】**銑鉄をとかすこと。また、とけてどろどろになった状態の銑鉄。表記「溶銑」は代用字。

***よう‐せん【用×箋】**手紙・原稿などを書くために使う〔特別の〕紙。便箋(びんせん)。「書簡ー」

***よう‐せん【用船】**ある事のために使う船。

***よう‐せん【用船・×傭船】**《名・他サ》貨物または旅客を運ぶために、船を借り切ること。また、その船。チャーター(船)。表記「用船」は代用字。

***よう‐そ【×沃素】**ハロゲン元素の一つ。暗紫色の結晶で、海藻(かいそう)などに化合物として含まれる。医療品・染料などに使う。ヨード。元素記号I。

***よう‐そ【要素】**ある物事を構成する上で、欠くことのできない基本的なもの。エレメント。「成否のかぎとなる重要なー」「生産の三ー」類語 成分。

***よう‐そう【様相】**〔外部に現れた〕物事のありさま。「複雑なーを呈する」類語 様子。形相(けいそう)。

***よう‐そう【洋装】**❶《名・自サ》西洋風の服装をすること。〔ふつう女性について言う〕「ーで結婚式に臨む」❷洋式の装丁(そうてい)。洋とじ。「ー本」対 ①②和装。

よう‐だ ヤウー《助動：形動型》❶推量、不確かな断定、婉曲(えんきょく)な断定を表す。「どうやら雨がやんだ**ようだ**」「どうも負ける**ような**気がしてならない」「私が間違っていた**ようだ**」❷他の事態に類似している意(＝比況)を表す。「まるで春の**ように**暖かい一日だった」「火が消えた**ように**ひっそりしている」❸〔主に、「ような」「ように」の形で〕ある物事を例として示す。また、内容として示す。「アメリカの**ような**多民族国家が抱える悩み」「約束を守れない**ような**人間とはつきあえない」「すぐ来る**ように**頼んだ」❹〔動詞連体形＋「ように」＋「なる」「する」「させる」の形で〕「なる」「する」「させる」の実質的な内容を示す。「機械が動く**ように**なる」「子供をお使いに行く**ように**させた」❺〔「ように」の形で〕動作の目的を表す。「忘れない**ように**メモしておく」❻〔「ように」の形で、言い切って〕やわらかい、あるいは丁寧な調子の要求・願望を表す。「明日は七時に登校する**ように**」「当選します**ように**」接続 用言、助動詞「(さ)せる」「しめる」「(ら)れる」「たい」「ない」「た」などの連体形につく。また、体言＋「の」、または連体詞「この」「その」「あの」「どの」などにつく。参考 丁寧語は「ようです」。

よう‐たい【様態】❶存在・行動などのありさま。「社

よ

会の—が変わる」❷文法で、そのようなありさまが見られる意を表す語法。「—の助動詞」

よう·だい【容体·容態】❶外面に現れた様子。うわべ。ありさま。「—を飾る」❷病気の様子。病状。「—が悪化する」

よう·たし【用足し·用▽達】❶《名·自サ》用事をすませること。「—に行く」「ちょっと—してから、そちらへ伺う」❷《名·自サ》大小便をすること。❸〈「御—」の形で〉官庁·会社などに出入りして商品を納めること〈商人〉。「宮内庁—」表記③は「御用達」と書く。

よう·だ·てる【用立てる】《他下一》❶〈それを使って〉ある事の役に立てる。「この金を交通事故の防止に—ててほしい」❷金銭を立て替えて他人の便宜をはかる。「当座の資金を—てる」

***よう·だん【用談】**ある用事についての話し合い。仕事の上での話し合い。「早速—に入る」類語商談。

***よう·だん【要談】**〔文〕重要な事柄についての話し合い。「政府高官との—を済ます」

***よう·だんす【洋×箪×笥】**西洋風のたんす。対和箪笥。

***よう·だんす【用×箪×笥】**雑多な手まわりの物を入れておく、小さいたんす。

***よう·ち【幼稚】**《名·形動》❶年が幼いこと。類語幼少。❷考え方·やり方などが未熟で劣っていること。子供っぽいこと。「—な議論」**—えん【—園】**満三歳から小学校就学までの幼児を対象とする教育施設。

***よ·うち【夜討(ち)】**夜間、不意をついて敵を攻めること。夜襲。「—をかける」対朝駆け。**—あさがけ【—朝駆け】**《連語》〔俗〕新聞記者などが、取材のため深夜や早朝に相手の自宅を訪問すること。

***よう·ち【揚地】**船の荷物を陸あげする所。陸あげ地。

***よう·ち【用地】**ある事に使用するための土地。「—を買収する」「工場—」

***よう·ち【要地】**〔文〕ある事に関して重要な役割をはたす地点·場所。「交通の—」「軍事上の—」

よう·ちゅう【幼虫】〔動〕昆虫で、卵からかえってさなぎになるまでの期間のもの。対成虫。

よう·ちゅうい【要注意】注意する必要があること。「—人物」

***よう·ちょう【羊腸】**《名·形動タルト》〔文〕山道などが、羊のはらわたのように曲がりくねっていること。つづら折り。「—の小径」「—たる山道」

***よう·ちょう【×膺懲】**《名·他サ》〔文〕〔敵を〕討ちこらすこと。征伐してこらしめること。「—の軍」

***よう·ちょう【×窈×窕】**《形動タルト》〔文〕〔女性の〕しとやかで美しいようす。「—たる淑女」

よう·つい【腰×椎】脊柱(せきちゅう)の一部で、胸椎(きょうつい)の下にあり、五つの骨からなる部分。

よう·つう【腰痛】腰のいたみ。

よう·てい【要×諦】〔文〕物事の肝心かなめの所。たいせつな点。要諦(ようたい)。「外交の—」類語要点。眼目。

***よう·てん【要点】**事柄のたいせつな箇所。「—を整理して話す」「—をつかむ」類語要(かなめ・よう)。要所。主眼。眼目。要諦(ようてい)。骨子。ポイント。

***よう·てん【陽転】**《名·自サ》ツベルクリン反応で、陰性であったものが陽性に転じること。

よう·でんき【陽電気】エボナイトと毛皮を摩擦したときに、毛皮に生じる電気。また、それと同じ性質をもつ電気。正電気。プラス電気。対陰電気。

よう·でんし【陽電子】電子と同じ質量をもつ、正電荷の素粒子。

よう·と【用途】その物や金銭の使いみち。「会費の—を明確にする」「—の広い商品」類語使途。費途。

***よう·ど【用土】**園芸植物などの栽培に用いる土。

***よう·ど【用度】**❶必要な費用。入費。〔古風な言い方〕❷〔官庁·会社などで〕事務用品などの供給に関すること。「—係」

***よう·どう【幼童】**〔文〕年の幼い子供。

***よう·どう【揺動】**《名·自他サ》〔文〕揺れ動くこと。また、揺り動かすこと。揺蕩(ようとう)。

ようとう·くにく【羊頭×狗肉】《「羊頭を掲(かか)げて狗肉を売る」から》看板には羊の肉を出しておき、実際には狗(いぬ)の肉を売ること。見かけだけりっぱで内容のともなわないことのたとえ。見かけ倒し。

ようどう·さくせん【陽動作戦】挑発的な行動によって敵の注意を他にそらし、情勢判断を誤らせてそのすきに乗じようとする作戦。

よう·とじ【洋×綴(じ)】(ヤウとぢ)洋式の本のとじ方。「—の本」対和綴(わと)じ。

ようと·して【×杳として】《連語》➡よう〈杳〉②。

よう·とん【養豚】〔肉や皮をとるために〕豚を飼育すること。「—業」

よう·なし【洋×梨】アジア西部原産のナシ。果実はヒョウタン形で、かおり·甘味に富む。西洋梨。ペア。

***よう·にん【×傭人】**〔文〕雇われた人。雇い人。使用人。特に、官庁·役所に雇われて下働きをする者。

***よう·にん【容認】**《名·他サ》〔文〕その事柄をよいとして許し認めること。認容。「決して—できない行為」

***よう·にん【用人】**江戸時代、大名·旗本の家で、主君のそば近く仕えて、庶務·出納などに従事した職。参考将軍に仕える者は、「側用人(そばようにん)」といった。

よう·ねん【幼年】〔文〕幼い年齢。小学校に入学するころまでの年齢。また、その子供。「—期」「—童話」

よう·は【要は】《副》前述の事を要約したり要点だけを言ったりするときに使う語。肝要なことは。要するに。「—慎重に行動することだ」

よう·ば【×妖婆】〔文〕あやしげな老婆。妖術(ようじゅつ)使いの老婆。

よう·はい【×遥拝】《名·他サ》〔文〕はるか遠く離れた所から拝むこと。「皇居を—する」

***よう·ばい【溶媒】**溶液を作るとき、溶質をとかす液体。食塩水における水など。対溶質。

***よう·ばい【×熔媒】**陶磁器を焼くとき、釉薬(ゆうやく)をとけやすくするために用いる、木灰·石灰など。

よう·はつ【洋髪】〔日本髪に対して〕西洋風の、髪の形。

よう·ひ【要否】〔文〕必要か不要か。「—を問う」

***よう·び【×妖美】**〔文〕女の、あやしい美しさ。

***よう·び【曜日】**七曜にあてた一週間の各日の名称。

ようひ·し【羊皮紙】主に羊の皮で作った書写材料。ヨーロッパでは中世末まで用いられた。パーチメント。

よう·ひつ【用筆】❶使用する筆。❷筆づかい。

***よう·ひん【洋品】**西洋風の品物。特に、洋装に必要な衣類やその付属品、装身具など。「—店」「—雑貨」

***よう·ひん【用品】**ある事をするのに使用する品物。所要の品物。「スポーツ—」

*よう・ふ【×妖婦】〔文〕男をまどわす、なまめかしく美しい女。バンプ。

*よう・ふ【用布】〔文〕衣服を作るのに必要な布。

*よう・ふ【養父】養子先の父親。対実父。

*よう・ぶ【洋舞】モダンダンス・バレエの総称。西洋舞踊。「―を習う」対邦舞。日舞。

*よう・ぶ【腰部】〔文〕腰の部分。

よう・ふう【洋風】欧米の様式をそなえていること。西洋風。「―の料理」類語洋式。西洋流。対和風。

よう・ふく【洋服】西洋風の衣服。男子のズボン、女子のスカートなど。対和服。

よう・ぶん【養分】栄養となる成分。「―に富む食品」

*よう・へい【×傭兵】契約によってやとわれている兵士。やとい兵。「―部隊」

*よう・へい【用兵】戦闘の際の、兵力の使い方。「―の術」「―の妙」

*よう・へい【葉柄】葉にある柄。葉の本体を茎や枝と結びつけているもの。

よう・べん【用便】《名・自サ》大小便をすること。

よう・ぼ【養母】養子先の母親。対実母。

*よう・ほう【用法】〔ものの〕使い方。使用法。

*よう・ほう【養×蜂】蜜をとるために蜜蜂を飼うこと。「―家」

*よう・ぼう【容×貌】顔かたち。顔だち。「美しい―」「―魁偉」類語容姿。容色。

*よう・ぼう【要望】《名・他サ》その事を実現してくれるように強くのぞむこと。また、その事柄。「施設の拡充を―する」「―に応える」類語期待。要求。願望。

よう・ぼく【用木】材料として使う木。類語用材。

よう・ほん【洋本】❶洋書。❷洋とじの本。洋装本。〔古書店などで使われる語〕対和本。

*よう・ま【×妖魔】〔文〕まもの。ばけもの。

*よう・ま【洋間】西洋間。洋室。対日本間。

よう・まく【羊膜】子宮内で、羊水を満たして胎児を包む半透明の膜。

よう・みゃく【葉脈】葉身の中を走っている維管束。水分や養分の通路となる。

*よう・みょう【幼名】→ようめい(幼名)。

*よう・む【用務】なすべきつとめ。仕事。「―で外出する」―いん【―員】学校・会社などで、雑用に従事する人。

*よう・む【要務】〔文〕重要な職務。大切な任務。「―を帯びて着任する」類語大任。

よう・むき【用向き】用事。また、用件の内容。「―を伝える」「どんなご―ですか」

*よう・めい【幼名】その人の幼い時の名前。元服以前の名。幼名。「豊臣秀吉の―は日吉丸」

*よう・めい【溶明】→フェードイン。対溶暗。

よう・めい【用命】用を言いつけること。参考現在では、商人の側から客の注文に対して言うことが多い。「御―の品を持参しました」

ようめい・がく【陽明学】明の王陽明が唱えた儒学の一派。知識と実践との一致(=知行合一)を説く。

よう・もう【羊毛】羊からとった毛。ちぢれがあり、保温性に富む。毛糸・毛織物の原料。

ようもう・ざい【養毛剤】発毛をうながす薬剤。毛生え薬。育毛剤。

よう・もく【要目】〔文〕重要な項目。「―を列挙する」

*よう・やく【要約】《名・他サ》文章・談話などの要点をまとめて短くすること。また、そのようにしたもの。「論旨を―する」類語要略。摘要。摘録。ダイジェスト。

*ようやく【▽漸く】《副》❶徐々に進行してある状態に達するようす。段々に。次第に。「―春もたけなわとなった」「―勉強する気になった」類語おもむろに。追い追い。ぼつぼつ。❷手間どりながら、かろうじて実現するようす。やっとのことで。どうにかこうにか。「―許可がおりた」「―終電に間に合った」類語→やっと。

よう・ゆう【溶融・×熔融】《名・自サ》〔文〕融解②。表記「溶融」は代用字。

*よう・よう【要用】〔文〕❶《名・形動》ぜひ入用であること。必要。❷重要な用事・用件。「まずは取り急ぎ―のみ」

*ようよう【▽漸う】《副》(「ようやく」の転)→ようやく(漸く)。参考「ようやく」よりも古風なことば。

*よう・よう【揚揚】《形動タルト》得意になるようす。「―と道を歩く」「意気―」

*よう・よう【洋洋】《形動タルト》〔文〕❶水があふれるばかりに満ちて、水面が果てしなく広がっているようす。「―たる大海」類語満々。❷前途がひらけ、将来が限りない希望に満ちているようす。「前途―」

よう・らく【×瓔×珞】宝石や貴金属を連ねた飾り。仏像の天蓋や頭・首・胸などに垂れ下げる。

*よう・らん【揺×籃】〔文〕❶ゆりかご。❷物事をはぐくみ育てるもの。また、物事が発展する初め。「ギリシア文明―の地」「資本主義の―期」

*よう・らん【洋×蘭】日本産・中国産以外のランの総称。カトレア・デンドロビウムなど。

*よう・らん【要覧】統計資料などを使い、その概略・要点を見やすくしるした文書。「会社―」

よう・り【要理】大切な教理・理論。

よう・りく【揚陸】❶《名・他サ》積み荷などを船から陸地へ運び上げること。「港に―された船荷」❷《名・自サ》上陸。「―艦艇」

よう・りつ【擁立】《名・他サ》〔文〕周囲からもりたてて位につかせること。もりたてて、長や主として戴くこと。「幼帝を―する」

よう・りゃく【要略】《名・他サ》要点を取り、不要な点を捨てて簡単にまとめること。また、そうしたもの。「講義の―をメモする」

よう・りゅう【×楊柳】やなぎ。参考「楊」はかわやなぎ、「柳」はしだれやなぎ。

*よう・りょう【容量】❶入れ物がその中に満たすことができる分量。容積。「―が少ない」❷物体がその中に含み得る物理量。熱容量・電気容量など。

*よう・りょう【用量】使用・服用すべき一定の分量。「薬の―を誤る」

*よう・りょう【要領】❶物事の肝心な点。要点。「一向に―を得ない」❷物事の急所・こつをつかんだ、処理・処置のしかた。「操作の―を飲みこむ」類語こつ。

類義語の使い分け 要領・こつ

[要領・こつ] 要領(こつ)をつかむ／要領(こつ)を覚える
[要領] 説明がさっぱり要領を得ない／要領よく立ち回る／要領が悪くて損ばかりしている／要領のいい男
[こつ] このこぎりで材木をうまく切るにはちょっとしたこつがあるんだ／これが商売のこつさ

よ

ーがい・い《句》❶物事をむだなく処理することが巧みだ。手ぎわがいい。❷〔俗〕人目につかないところでは手を抜きながら、表面をうまくとりつくろって、よい評価を得ることが巧みだ。〔軽い非難の気持ちを含めていう〕「要領のいい男」「あいつは、いつだってー・い」

よう・りょく【揚力】 流体中を運動する物体に対して、その運動方向と垂直に上向きに作用する力。

ようりょく・そ【葉緑素】 植物の細胞の葉緑体に含まれる緑色の色素。光合成を行う中心的な物質。クロロフィル。

よう・れい【用例】 実際に使われている例。用い方の例。「ーをあげて説明する」類語 引例。

よう・れき【陽暦】 太陽暦。対 陰暦。

***よう・ろ【溶炉・×熔炉・×鎔炉】** 金属をとかす炉。表記「溶炉」は代用字。

***よう・ろ【要路】**〔文〕❶重要な道路。「交通のーにあたる」❷〔政治上・職務上の〕重要な地位。「政界のーにある人物」

よう・ろう【養老】〔文〕❶老人をいたわり世話すること。「ー院」❷老後を安楽に過ごすこと。「ー保険」

よう・ろん【要論】 要点を取り上げて論じること。また、その書物。「アジア史ー」

よ・うん【余×蘊】〔文〕❶余分なたくわえ。❷残された部分。残余。余り。余すところ。「ー無く学ぶ」

***よ・えい【余映】**〔文〕太陽が沈んだあとに残るかがやき。余光。「落日のー」

***よ・えい【余栄】**〔文〕〔ある人の〕死後に残る名誉。「死してーあり」

よ・えん【余炎・余×焰】〔文〕❶消え残りのほのお。「風に揺らぐー」❷残暑。「ー去りやらぬ昨今」

よ・おう【余×殃】〔文〕先祖の悪事の報いとして子孫に残る災難。「積悪の門にーとどまる」対 余慶(よけい)。

ヨーガ ➡ヨガ。▽梵語 yoga

ヨーク 洋服で、装飾のために上着の肩や胸、スカートの上部などの布地を切り替えてあるもの。▽yoke

ヨーグルト 牛乳・ヤギの乳などに乳酸菌を加えて、発酵・凝固させた食品。▽ドイ Yoghurt 英 yog(h)urt

ヨーデル アルプス地方の民謡で使われる、普通の声と裏声をひんぱんに交替させる特殊な発声法。また、それを使った歌。▽ドイ Jodel

ヨード ➡ようそ(沃素)。表記「沃度」と当てた。▽ドイ Jod **ーチンキ** エチルアルコールに沃素を溶かした赤褐色の液体。傷・炎症などの消毒殺菌剤用。ヨジウムチンキ。ヨーチン。表記「沃度丁幾」と当てた。▽ドイ Jodtinktur **ーホルム** 特異な臭気をもつ黄色の結晶性粉末。防腐・消毒剤。▽ドイ Jodoform

ヨーヨー 二つのまんじゅう形の木片をつないだ軸にひもを巻きつけ、ひもを持って上下させるおもちゃ。▽yo-yo

***よ・か【予価】** 発売以前に予定する商品の値段。予定価格。「ーよりも安く売る」

***よ・か【予科】** 本科に進む前の予備の課程。**ーれん【ー練】**「海軍飛行予科練習生」の略。旧日本海軍での航空機搭乗員養成のための制度。また、そこに所属した練習生。

***よ・か【余暇】** 仕事のあいまのひまな時間。「ーの過ごし方」「ーにピアノを習う」

ヨガ 精神の統一をはかり、瞑想(めいそう)して超自然的な力を得ようとする、インドの神秘的修行法。健康法・美容法としても応用される。ヨーガ。▽梵語 yoga

よ・かく【予覚】《名・他サ》〔文〕予感。

よ・かぜ【夜風】 夜吹く風。「ーが身にしみる」

よ・が・る【善がる】《自五》うれしがる。満足に思う。また、快感を感じる。

よかれ【善かれ】《形ク》《文語形容詞「よし」の命令形》よくあってくれ。「ーと願う」

よかれ・あしかれ【善かれ▽悪しかれ】《副》よくても悪くても、どっちみち。どうであろうと。「ー早くやる」

よ・がわり【世変(わ)り】(ーがはり) 時代・世の中の変化。

***よ・かん【予感】**《名・他サ》何か事が起こりそうだと、前もって感じること。予覚。「悪いーがする」

***よ・かん【余寒】**〔文〕立春のあとまで残る寒さ。「ーきびしき折から」

***よ・き【予期】**《名・他サ》ある状態になることを前もって推測して期待すること。「ーせぬ出来事」「ーに反して大敗する」類語 予測。予想。

***よき【×斧】** 小形の斧(おの)。ちょうな。

***よき【良き・善き】**〔文〕一《形ク》《文語形容詞「よし」の連体形》よい。「ー友」対 悪しき。二《名》よいもの。「ーを取り悪しきをすてる」対 悪しき。

***よ・ぎ【余技】** 専門以外の、趣味として身につけた技芸。「ーとして書をよくする」

***よ・ぎ【夜着】** ❶寝る時に掛ける布団などの夜具。❷着物の形に作った掛け布団。

よぎ・しゃ【夜汽車】 夜間走る汽車。夜行列車。

よぎ・な・い【余儀無い】《形》ほかにとるべき方法がない。やむをえない。「ー・い事情で欠席する」

***よ・きょう【余興】** 集会・宴会などで、興を添えるために行う芸。

***よ・きょう【余響】**〔文〕音が消えた後も残る響き。

よ・ぎり【夜霧】 夜、たちこめる霧。

よぎ・る【▽過る】《自五》通り過ぎる。通過する。〔やや改まった言い方〕「街角をー・る」「さまざまな思いが胸中をー・る」文〔四〕。

よ・きん【預金】《名・自他サ》銀行などの金融機関に金銭を預けること。また、預けてある金。「ー通帳」 **ーこうざ【ー口座】** 金融機関に預け入れのために設けた、個人または法人の口座。

***よく【欲・×慾】** ある物を(ひどく)ほしいと思う心。ある事を(ひどく)したいと思う心。欲望。〔接尾語的にも使う〕「ーが深い」「独占ー」「創作ー」「ーに目が眩(くら)む(=物がほしいために正常な心を失う)」「ーも得もなく(=我慢がしきれず)眠る」「ーを言えば(=さらに望むとすれば)」「ーをかく(=欲を出す)」類語 欲心。欲念。

***よく【翼】**〔鳥・飛行機などの〕つばさ。はね。「ーを連ねて飛ぶ」

***よく【翌】**《連体》〔特定の年・月・日などの〕次の。明くる。「ー二〇日に到着の予定」

***よく【良く・善く・▽好く・▽克く・▽能く】**《副》《形容詞「よし(よい)」の連用形から》❶くわしく。十分に。「もっとー考える」「星がー見える夜」❷できにくい、または、ありそうもないことをするのに対して、感じ入って言う語。よくまあ。「ー助かりましたね」「あの体力でー三〇キロも歩いたものだ」❸うまく。「ー書けた小説」❹相手の行為に対して、それが自分の意にかなってうれしい、また、その相手をほめたりねぎらったりしたい、という気持ちを表す語。「ーやったなあ」「ーおいでくださいました」❺相手の行為をにくみ、「とてもそんなことは

できるはずがないのに、ずうずうしくも」という気持ちを含んで、④を反語的に言う語。「そんなことが―言えたもんだ」❻多くその傾向があるようす。しばしば。いつも。「鎌倉へは―行く」「―ある話」類語→たびたび。❼程度のはなはだしいようす。「―似ている」表記かな書きにすることも多い。

よく-あさ【翌朝】 その次の日の朝。あくる朝。翌朝。「―になって気がついた」類語明朝。

よく-あつ【抑圧】《名・他サ》行動・欲望などを無理やりおさえつけること。「言論の自由を―する」「―された感情」類語抑制。

よく-うつ【抑×鬱】〔文〕心がはれないこと。不快な気持ちで心が沈むこと。また、その不快な感情。**―しょう【―症】** 鬱病。

よく-かい【欲界・×慾界】〔仏〕三界の一つ。色欲・食欲・睡眠欲の三欲の強い有情のすむ世界。よっかい。参考→三界。

よく-け【欲気】 欲のあるようす。また、欲心。「まるで―がない人だ」

よく-げつ【翌月】 その次の月。あくる月。類語来月。

よく-ご【浴後】〔文〕ふろにはいったあと。ゆあがり。

よく-さん【翼賛】《名・他サ》〔文〕力を添えて(天子の政治などを)助けること。「大政―会」

よく-し【抑止】《名・他サ》それ以上進行しないようにおさえつけてとめること。「核―力」類語制止。抑制。

よく-しつ【浴室】 ふろば。ゆどの。バスルーム。

よく-じつ【翌日】 その次の日。あくる日。類語明日。

よく-しゅう【翌週】 その次の週。類語来週。

よく-しゅん【翌春】 その次の年の春。翌年の春。類語来春。

***よく-じょう【欲情】** ❶〔文〕強くほしいと思う感情。欲心。❷異性に対する肉体的な欲望。情欲。「―に襲われる」「―を抑える」類語肉欲。

***よく-じょう【浴場】** ❶(大きな)浴室。ふろば。ゆどの。❷料金を取って入浴させる所。ふろや。「公衆―」

よく-しん【欲心】〔文〕何かをほしがる心。欲につながる心。欲念。「―を起こす」「―を捨てる」類語欲望。

***よく-・する【浴する】**《自サ変》〔文〕❶湯に体をひたす。入浴する。また、日光にあたる。あびる。「温泉に―・する」❷(ありがたいものとして)身に受ける。こうむる。「恩恵に―・する」「光栄に―・する」

***よく-・する【▽能くする・善くする】**《他サ変》❶〔文〕十分することができる。たくみに行う能力がある。「書を―・する」❷〈「―・したものだ」の形で〉具合よくいくものだ。うまくいくものだ。「―・したもので、夫婦仲はますます良くなった」

よく-せい【抑制】《名・他サ》さかんになろうとする勢いをおさえとどめること。「インフレを―する」「―の利いた文体」類語抑止。抑圧。制御。

よく-せき《副》本当にやむをえない状態であるようす。よほど。よくよく。「あの人が怒るのは―のことだ」

よく-ぞ【善くぞ】《副》相手の言動をほめたり感心したりしたときに言う語。よくも。よくもまあ。「―戦った」「遠いところを―おいでくださいました」

よく-そう【浴槽】〔文〕ふろおけ。ゆぶね。

よく-ち【×沃地】 地味の肥えた・土(土地)。作物のよくみのる土地。沃土。類語沃野。

よく-ちょう【翌朝】→よくあさ。

よく-ど【×沃土】 沃地。類語沃野。対貧土。

よく-とく【欲得】 利益を得ようとすること。また、その心。「―を離れた行為」**―ずく【―▽尽く】** 何事も欲得にもとづいてすること。「―で人の世話をする」表記現代仮名遣いでは「欲得づく」も許容。

よく-とし【翌年】 よくねん。類語来年。

***よく-ねん【欲念】**〔文〕欲心。「一切の―を去る」

***よく-ねん【翌年】** その次の年。あくる年。よくとし。類語来年。**―ど【―度】** 今年の次の年度。来年度。次年度。対昨年度。

よく-の-かわ【欲の皮】 欲の強いことを皮にたとえた語。「―が突っ張る(=たいへん欲張りである)」

よく-ばり【欲張り】《名・形動》よくばる・こと(人)。「―を言う」類語欲深。強欲。胴欲。貪欲。貪婪。

よく-ば・る【欲張る】《自五》必要以上に・ほしがる(したがる)。「あれもこれもと―・る」

よく-ばん【翌晩】 その次の日の晩。あくる晩。

よく-ふか【欲深】《名・形動》欲がふかい・こと(人)。欲心の強い・こと(人)。類語→欲張り。

よく-ぼう【欲望】〔必要なものが備わっても、それ以上に〕したい、ほしい、と望むこと。また、その心。「―が強い」「―を満たす」類語欲求。欲心。欲念。

よく-ぼけ【欲×惚け・欲×呆け】《名・自サ》欲が強いために、道徳に関する感覚などが鈍ること。また、その人。

よく-め【欲目】 見る人の希望的な主観から実際以上によく見えること。ひいきめ。「親の―」

よく-も【善くも】《副》「よく②⑤」を強めた言い方。普通ではできないはずなのに、よくまあ。「女一人、―ここまで無事にこられたものだ」「―なぐったな」

よく-や【×沃野】〔文〕地味が肥えて作物などのよくみのる平野。類語沃地。沃土。

***よく-よう【抑揚】** 音声の調子や文章の勢いなどを、上げ下げすること。また、その起伏。イントネーション。「―のない話し方」「言葉に―をつける」

***よく-よう【浴用】** 入浴時に使うこと。「―石けん」

***よく-よく【翌翌】**《連体》(特定の年・月・日などの)次のそのまた次の。(「翌」を重ねたもの)「―一四日」

***よく-よく【善く善く・▽能く▽能く】**《副》❶「よく①」を強めた言い方。念を入れて。十分に。「―考えた末」❷程度が並はずれているようす。また、究極的にそういう結果にならざるを得ないようす。よっぽど。よくせき。「―のあわて者だ」「怒るのは―のことだ」

***よく-よく【翼翼】**《形動タルト》〔文〕つつしみ深いようす。用心深いようす。「小心―」

よく-りゅう【抑留】《名・他サ》❶強制的にひきとめておくこと。特に、他国の人や物(特に船舶)を国に帰さないで強制的にとどめておくこと。「戦後シベリアに―された」❷比較的短期の身体の拘束。

よ-くん【余薫】〔文〕❶あとまで残るかおり。余香。❷先人の残した(業績の)おかげ。余徳。余光。「―をこうむる」

***よ-けい【余慶】**〔文〕先祖の善行のおかげで得られる、子孫の幸福。「積善の家に―あり」対余殃。

***よ-けい【余計】** ━《形動》必要の度を超していてむだなようす。「―なお世話だ」「―に費用がかかる」━《副》

《「―に」の形も》❶〔比較して〕程度・分量の大きいようす。「人より―に勉強する」❷なおさら。より一層。「見るなと言われると―見たくなる」

よ-けつ【預血】《名・自他サ》自分の血液を血液銀行に提供すること。参考 ↓献血。

よ・ける【▽避ける・▽除ける】《他下一》❶《自下一》いやなもの、害をなすものから遠ざかったり間をへだてたりして、行きあたらないようにする。さける。また、防ぐ。「飛んでくるボールを―・ける」「水たまりを―・けて歩く」「霜を―・ける」「風を―・ける」類語 回避。退避。待避。避難。逃避。❷とりのぞく。除外する。「未熟な実は―・けておく」表記 ②は「除ける」と書く。文 よ・く《下二》。

*__よ-けん【予見】__《名・他サ》〔文〕物事の起こる先に、その事を前もって見通すこと。「将来の問題を―する」類語 先見。予測。予知。

*__よ-けん【与件】__ 与えられた条件。推理・研究などの出発点となる、議論の余地のない事実・原理。所与。

*__よ-げん【予言】__《名・他サ》未来を予測して言うこと。また、そのことば。「大地震を―する」「―通りになる」

*__よ-げん【預言】__《名・他サ》ユダヤ教・キリスト教で、神から受けた啓示または命令を人々に伝えること。また、そのことば。「―者」

よこ【横】❶〔上下に対して〕水平の方向。物に向かって左右の方向。また、その距離。「首を―に振る」❷四角形で、水平方向の辺。また、その長さ。「縦三センチ―五センチの長方形」対 ①②縦。❸ものの側面。「箱の―」「―を向く(=相手に反対したり相手を無視したりする)」❹物の倒れた形。「―になる(=寝る)」❺かたわら。そば。わき。「―から手を出す」

―の物を縦にもしない《句》ものぐさで、何もしないことのたとえ。「縦の物を横にもしない」とも。

よ-ご【予後】❶病気にかかったとき、その病気がたどる経過についての医学上の見通し。❷〔俗に〕病後の経過。「手術の―がよくない」

よこ-あい【横合い】❶横の方向。よこて。「列の―から割り込む」❷その事に直接関係のない立場・位置。局外。「―から口を出すな」「―から干渉する」

よこ-あな【横穴】 山腹などに横の方向に掘った穴。「―住居」対 縦穴。

よこ-いっせん【横一線】❶横に一直線に並ぶこと。「―に並ぶ候補者」❷優劣の差がないこと。「―に走る」

よこ-いと【横糸・▽緯糸】 織物で、横に織りこむ糸。対 縦糸。

*__よ-こう【予行】__《名・他サ》〔儀式などを〕正式に行う前に、練習のために行うこと。「―演習」

*__よ-こう【余光】__〔文〕❶日没後、空に残る光。余映。❷先人の死後にまで受けるおかげ。余徳。「親の―で出世する」

*__よ-こう【余香】__〔文〕あとまで残るかおり。余薫。

よこ-がお【横顔】❶横向きの顔。横から見た顔。側面。❷ある人の、一般にはあまり知られていない面。「A氏の―を紹介する」同 ①②プロフィール。

よこ-がき【横書き】 文字を横の方に書き並べること。「レポートは―にする」対 縦書き。

よこ-がみ【横紙】❶漉目が横に通っている紙。横目の紙。「―を裂く(=無理を通す)」❷紙を、漉目が横になるようにして使うこと。また、そうして使う紙。

―やぶり【―破り】〔和紙は漉目が縦になっていて、横には破りにくいことから〕不合理な事、または習慣に反した事であっても、無理を承知で自分の言い分を押し通そうとする・こと(人)。

よこ-ぎ【横木】 横にわたしてある木の棒。バー。

よこ-ぎ・る【横切る】《自五》横の方向に通り過ぎる。一方の側から他方の側へ渡る。横断する。「車道を―・る」「林の中を―・る」

*__よ-こく【予告】__《名・他サ》実施することを前もって告げ知らせること。「新刊を―する」「―編」

*__よ-こく【与国】__〔文〕軍事的に互いに助け合って行動する国。同盟国。

よこ-ぐみ【横組(み)】 印刷の組版で、欧文のように活字を横に組むこと。対 縦組み。

よこ-ぐも【横雲】 横に長くたなびく雲。

よこ-ぐるま【横車】❶〔車を側面から押して動かそうとするように〕道理に合わないことを無理に押し通そうとすること。無理押し。「―を押す」類語 横紙破り。❷武術で、棒・なぎなたなどを横に振り回すわざ。

よこ-こう【横坑】 鉱山で、ほぼ水平に掘られた坑道。対 縦坑。

よ-ごころ【世心】 世間のことを解する心。特に、男女の情を解する心。「―がつく」

よこ-ざ【横座】 正面奥の座席。上座。

よこ-ざま【横様】《名・形動》❶横の方向。横向き。よこしま。「―にたなびく雲」❷道理にあわないこと。よこしま。

よこ-じく【横軸】❶横長の軸もの。❷〔数〕平面上の直交座標での x 軸。対 縦軸。

よこ-しぐれ【横〈時雨〉】 横から吹きつけるしぐれ。

よこ-しま【▽邪】《名・形動》道理にはずれていて、正しくないこと。「―な思いを抱く」類語 邪悪。

よこ-じま【横×縞】〔織物などで〕横の方向に通ったしま。対 縦縞。

よこ・す【▽寄越す・▽遣す】 ━《他五》❶〔手紙や物を〕こちらに送ってくる。「手紙を―・す」❷〔人を〕来させる。「使いを―・す」文《四》。━《補動》こちらに…してくる。「電話をかけて―・す」文《四》。

よご・す【汚す】《他五》よごれをつける。きたなくする。「服を―・す」「部屋を―・す」「心を―・す」類語 けがす。汚染。冒瀆。文《四》。

よこ-ずき【横好き】 上手でもないのに、むやみやたらにしたがること。「囲碁は下手の―」

よこ-すじ【横筋】❶横に通った筋。❷本筋からはずれた筋。よこみち。「話が―にそれる」

よこ-すべり【横滑り・横×辷り】《名・自サ》❶正面を向いたまま、横の方向にすべること。❷それまでと同格の他の地位・職に移ること。「営業部長に―する」

よこ-ずわり【横座り・横×坐り】《名・自サ》姿勢をくずして、足を横に出してすわること。

よこ-た・える【横たえる】《他下一》❶横にして置く。横に寝かす。「ベッドにからだを―・える」❷横にして・身につける(持つ)。「大刀を腰に―・える」

よこ-だおし【横倒し】 たおれて横になること。また、その状態。よこたおし。「車が―になる」

よこ-だき【横抱き】 横にしてだくこと。わきにかかえてだくこと。「赤ん坊を―にする」

よこ-たわ・る【横たわる】《自五》❶横に寝る。「ベッドに―・る」❷どっしりとした物が・前方(眼下)に位置する。「行く手に―・る山」❸困難・障害などが行く手に存在する。「前途に―・る難問」

よこ-ちょう【横町・横丁】表通りから横にはいった通り。また、その町並み。よこまち。「―のたばこ屋」

よこ-づけ【横付け】《名・他サ》船・車などの側面をある場所に接するようにつけること。「タクシーを玄関に―にする」

よこ-っ-ちょ【横っちょ】〔俗〕よこ。「帽子を―にかぶる」

よこ-っ-つら【横っ面】↓よこつら。「―を張る」

よこ-っ-とび【横っ跳び・横っ飛び】《名・自サ》↓よことび。

よこ-づな【横綱】❶相撲で、最高位の力士が土俵入りのとき腰にしめる、四手(しで)をたらした白麻の太いしめなわ。「―をしめる」❷よこづな①をしめて土俵入りすることを許された力士。また、その地位。「―を張る(=横綱の地位に就く)」❸同類のもののうち、最もすぐれたもの。「和菓子の―」「地酒の―」

よこ-っ-ぱら【横っ腹】↓よこばら。

よこ-つら【横面】❶顔の側面。横顔。「―を張る」❷物の側面。「車の―にぶつかる」＝よこっつら。

よこ-て【横手】横にあたる方向。横の方。「家の―に納屋がある」

よこ-で【横手】左右に開いた両手を合わせるようにして打つこと。「―を打つ(=うまくいったときなどに、思わず両手を打ち合わせる)」

よ-ごと【夜▽毎】毎晩。毎夜(よまい)。「―の雨」類語 連夜。よなよな。

よこ-とじ【横×綴(じ)】(―とぢ)〔和綴じで〕冊子を横長の形にして短い辺をとじること。また、そうした本。

よこ-とび【横跳び・横飛び】《名・自サ》❶横のほうにとぶこと。❷体を低くかまえて走ること。〔急いで走ることに言う〕「―に飛んで帰る」＝よこっとび。

よこ-どり【横取り】《名・他サ》他人の物を横合いからうばい取ること。「もうけを―される」類語 横領。

よこ-なが【横長】《名・形動》縦よりも横が長い・こと〈形〉。「―のテレビ」

よこ-ながし【横流し】《名・他サ》〔配給品・統制品などの物資を〕正規の経路からはずしてほかへ売ること。「官給品を―する」

よこ-ながれ【横流れ】横流しされること。また、その物資。「―の電機製品」

よこ-なぐり【横殴り】❶横の方からなぐりつけること。❷〔風雨などが〕横の方から強く吹きつけること。「―の雨」

よこ-なみ【横波】船の側面の方から打ちつける波。

よこ-ならび【横並び】❶横に並ぶこと。並列していること。❷状態・数量などに差がなくて同一であること。横一線。「各社の売上高は―だ」

よこ-ね【横根】股(また)の付け根にある鼠蹊(そけい)リンパ腺(せん)の炎症によるはれもの。性病などが原因。

よこ-ばい【横×這い】(―ばひ)❶横の方向にはって進むこと。「カニの―」❷物価・相場などの数値に、大きな変動のない状態が続くこと。「株価は―だ」❸半翅(はんし)目ヨコバイ類に属する昆虫の総称。体長五ミリ内外でウンカに似る。農作物を荒らす害虫。

よこ-はば【横幅】左右の幅。「―のある車」

よこ-ばら【横腹】腹部の横の部分。また、物の側面。わきばら。よこっぱら。「―が痛む」「船の―に穴があく」類語 脾腹(ひばら)。

よこ-ぶえ【横笛】横にかまえて吹く笛。対 縦笛。

よこ-ぶり【横降り】強風のため、雨や雪が横から吹きつけるように降ること。「―の雨」

よこ-ぼう【横棒】横に引いた線。対 縦棒。

よこ-みち【横道】❶本道からわきへはいり込んだ道。わき道。「―に迷い込む」類語 枝道。間道。❷本筋からはずれた事柄。「話が―にそれる」❸正道からはずれた道。邪道。「悪い仲間に誘われて―に入る」

よこ-みつ【横×褌】相撲で、まわしの横の部分。

よこ-むき【横向き】横の方を向くこと。「―に座る」

よこ-め【横目】❶顔の向きを変えず、眼球だけを動かして横を見ること。また、その目つき。「―でにらむ」❷〈「…を―に」の形で〉ちょっと横を見ただけで問題としないようす。「騒ぎを―に仕事を続ける」

よこ-もじ【横文字】ローマ字のように横書きにするきまりのある文字。また、欧文。「―に弱い」

よこ-もの【横物】額や軸などの、横に長い形のもの。

よこ-やり【横×槍】❶横あいから突き出すやり。❷他人の話や仕事にわきから口を出して、文句をつけること。差し出口。容喙(ようかい)。「―を入れる(=はたから文句をつける)」

よこ-ゆれ【横揺れ】❶航空機・船舶などが左右に揺れること。ローリング。「―が激しい」❷地震で、横に揺れること。水平動。対 ①②縦揺れ。

よごれ-やく【汚れ役】映画・演劇で、きたならしい扮装(ふんそう)の人物や、世間からよく思われない人物の役。娼婦(しょうふ)・暴力団員・浮浪者などの役。

よご・れる【汚れる】《自下一》きたなくなる。また、けがれる。「手が―・れる」「ぬかるみで靴が―・れた」「―・れたタオル」類語 (す)る汚染。汚濁。文 よご・る《下二》。

よこ-れんぼ【横恋慕】《名・自サ》他人の配偶者や愛人に横合いから恋をすること。「人妻に―する」

***よ-ざい**【余罪】現に問われている以外に犯した罪。「―がある」「―を追及する」

***よ-ざい**【余財】〔文〕残りの財産。「―は寄付する」

よ-ざくら【夜桜】夜見る桜の花。また、夜間に桜の花を観賞すること。「―見物」

よ-さむ【夜寒】❶夜の寒さ。❷晩秋のころ、夜になって感じる寒さ。「―のころとなりました」対 朝寒。

よ-さり【夜さり】《「さり」は、ある時・季節が近づく意の動詞「さる」の連用形から》〔文〕夜。夜分。

よ-さん【予算】❶あらかじめ必要な費用を見積もること。また、その費用。「海外旅行の―」「―を組む」❷一会計年度における、国または地方公共団体の歳出・歳入に関する見積もり。「国家―」「―案」

***よし**【▽止し】やめること。よすこと。やめ。とりやめ。「つまらぬ口論は―にしよう」

***よし**【由】㊀《名》事物の起こるもとになった事柄。理由。原因。「―なくして休む」㊁《形名》❶わけ。いわれ。事情。「だれも事の―を知らない」❷物事の内容。事の趣旨。「すぐに戻る―を言って出立した」❸…とのこと。〔伝聞の内容を示す〕「御健勝の―…」類語 旨(むね)。❹てだて。手段。方法。「知る―もない」

***よし**【×葦・×蘆・×葭】「葦(あし)」の別称。参考「あし」が「悪(あ)し」に通じるのをさけて言いかえたもの。

―の髄から天井覗(のぞ)く《句》自分だけの狭い見識で広い世界を判断することのたとえ。

*よ・し【良し・善し・▽好し】《形ク》〔古〕よい。参考 現在では、「悪(あ)し」とともに対句的に用いたり、終止形のまま名詞として用いたりする。「―・きにつけ悪しきにつけ」「よし悪し」「よしとする」

*よし【▽縦(し)】《副》〔文〕《下に仮定の句を伴って》かりに(…であっても)。たとえ(…としても)。「―わが子であろうとも」類語 よしんば。

*よし《感》❶相手の行為を是認・承認する語。「―、よくできた」❷決意したときに言う語。「―、やろう」

よ・じ【余事】〔文〕❶当面している事以外の事。「―は知らず」❷余暇にする仕事。「―に多忙である」

よし・あし【善し▽悪し】❶よいことと悪いこと。よいものと悪いもの。よいか悪いか。善悪。良否。「事の―を判断する」類語 可否。曲直。正悪。正邪。正否。是非。当否。❷一見よさそうだが、よく考えると悪い面もあって、単純には判断が下せないこと。よしわるし。「あまり駅に近いのも―だ」

よし・きり【×葦切】ヒタキ科に属する鳥の総称。夏鳥で、水辺のヨシなどの茂みにすんで「ギョギョシ・ギョギョシ」と鳴く。食虫性。よしわらすずめ。行々子(ぎょうぎょうし)。

よ・じげん【四次元】四つの次元。縦・横・高さの三次元の空間に時間の次元を加えたもの。参考 ↓二次元・三次元。

よし・ず【×葦×簾・×葭×簀】ヨシの茎を編んで作ったすだれ。よしすだれ。「―張りの小屋」

よ・じつ【余日】〔文〕❶〔期限までに〕残っている日数。「―いくばくもない」❷その日以外の日。またの日。他日。「訪問を―にゆずる」

よし・ど【×葦戸・×葭戸】よしずを張った戸。夏の間、ふすま・障子などと入れ替えて使う。

よし・な・い【由無い】《形》〔文〕❶理由・根拠がない。「―・い主張」❷なすべき方法がない。すべがない。せんない。「手術も施すに―・く…」❸やむを得ない。しかたがない。「―・く彼の言いなりになる」❹意味がない。つまらない。くだらない。無益である。「―・き妄想」

よしなし・ごと【由無し言】つまらないことば。くだらないことば。

よしな・に《副》よいように。よろしく。〔古風な言い方〕「どうぞ―」

よしの・がみ【▽吉野紙】和紙の一種。楮(こうぞ)を原料とする非常に薄い上質の紙。大和(やまと)の国吉野から産した。奈良紙。

よしの・ざくら【▽吉野桜】❶奈良県吉野山に咲くサクラ。おもに、山桜。❷「そめいよしの」の俗称。

よじ・のぼ・る【×攀じ登る】(よぢ—)《自五》物にすがりついて、はうようにして登る。「塀に―・る」

よし・み【×誼・▽好】❶〔親しい〕交際。つきあい。交誼(こうぎ)。「―を結ぶ」「―を通ずる」類語 情誼。友誼。尊敬 高誼。❷何らかの縁によって仲間意識をもつ関係。「同郷の―」「昔の―で」

よし・や【▽縦(し)や】《副》《副詞「よし」+間投助詞「や」》〔文〕「縦(よ)し」を強めた語。「―苦しくとも」

*よ・しゅう【予習】《名・他サ》これから教わるところを、あらかじめ学習すること。「―を済ます」対 復習。

*よ・しゅう【余臭】〔文〕〔あとに残るにおいの意から〕前の時代から残っている事柄。なごり。「―を残す」

*よ・じょう【余剰】〔文〕必要な分をさしひいた残り。あまり。剰余。「―農産物」「―価値」類語 残余。

*よ・じょう【余情】❶あとまで心に残る、しみじみとした味わい。❷詩歌・文章などで、言外にこめられた趣。「―にあふれる和歌」類語 余韻。

よじょう・はん【四畳半】日本家屋で、畳が四枚半敷ける、一間半四方の部屋(の広さ)。「―趣味(=待合などのいきな小部屋で、芸者などを相手に酒を飲み、小唄(こうた)などを口ずさんで遊ぶ、日本的な趣味)」

よ・しょく【余色】↓ほしょく(補色)。

よし・よし《感》《「よし(感)」を重ねた語》❶相手の行為、物事のなりゆきなどを是認・承認していう語。「―わかった」❷目下の者や幼い者を慰めたりなだめたりするときにいう語。「―泣くんじゃない」

*よじ・る【×捩る】(よぢる)《他五》ひねって向きを変える。ひねり曲げる。「からだを―・って笑いこける」

*よ・じる【×攀じる】(よぢる)《自上一》登ろうとしてすがりつく。また、よじのぼる。文 よ・づ《上二》。

よじ・れる【×捩れる】(よぢれる)《自下一》よじった状態になる。ひねり曲がる。ねじれる。「ロープが―・れる」「腹が―・れるほど笑う」文 よぢ・る《下二》。

*よ・しん【予審】旧刑事訴訟法で、事件を公判に付すべきか否かを決定するために行われる審査。

*よ・しん【余震】大地震のあとに、引き続いて同一地域にひんぱんに起こる(小さな)地震。ゆりかえし。

*よ・じん【余人】〔文〕自分以外の人。当人以外の人。ほかの人。他人。よにん。「―を交えない」「―はいざ知らず、私にとっては…」

*よ・じん【余×塵】〔文〕❶〔車馬などの〕通ったあとにたつ土ぼこり。後塵(こうじん)。「―が舞う」❷先人の残したおしえ。遺訓。余風。「―を拝する」

*よ・じん【余×燼】〔文〕❶〔火事などの〕もえ残りの火。もえさし。「大火の―」❷事件・騒動などが終わったあとに部分的に残っているもの。「学内紛争の―」

よしん・ば【▽縦しんば】《副》〔文〕「縦(よ)し」を強めた語。たとえ。かりに。「―そうした事実があろうとも」

よ・す【▽止す・▽廃す】《他五》❶それまで続けてきたことを打ち切る。「研究を―・す」「会社を三月で―・す(=やめる)」類語 (る)(す)終止。中止。停止。❷しないことにする。取りやめる。「登山は―・して海水浴に行く」同 ①②やめる。文《四》。

よす・が【▽縁・▽便】〔文〕〔ある物事をするための〕たよりや助けとなる・もの(こと)。よりどころ。手がかり。「身を立てる―」「亡き人をしのぶ―」

よ・すがら【夜すがら】《名・副》〔文〕夜の間ずっと。夜通し。夜もすがら。「―歩き回る」

よ・すぎ【世過ぎ】世の中を暮らしていくこと。よわたり。生活。〔古風な言い方〕「身過ぎ―」類語 身過ぎ。

よすて・びと【世捨(て)人】僧や隠者など、俗世間との交渉を絶った人。

よ・すみ【四隅】四方のすみ。「部屋の―」

*よせ【寄せ】❶寄せること。寄せ集めること。❷〔碁・将棋で〕終盤戦の勝負をきめる段階。また、その手順。

*よせ【〈寄席〉】《「寄せ席」の略》人を寄せて金をとり、落語・講談・漫才・浪曲などを演じる演芸場。寄せ場。「―芸人」

よせ・あつめ【寄(せ)集め】必要な数を雑多に集めたもの。「―の野球チーム」

*よ・せい【余勢】何かをやってのけたあとの、余っている勢い。「―を駆って(=勢いにのって)攻める」

*よ・せい【余生】活躍の時期を過ぎた、残りの人生。

老後に残された生活。「ひっそりと―を送る」注意「余世」は誤り。

よせ-うえ【寄(せ)植え】(よせうえ)《名・他サ》いろいろな種類の植物を寄せ集めて植えること。また、その植物。

よせ-がき【寄(せ)書き】《名・自他サ》一枚の紙に、多くの人が絵や字をかくこと。また、そのかいたもの。「色紙に―する」

よせ-か・ける【寄せ掛ける】 ㊀《他下一》物を何かに寄りかからせて立てる。もたせかける。「塀にはしごを―・ける」㊁《自下一》攻め寄せる。押し寄せる。

よせ-ぎ【寄(せ)木】 ❶木片を組み合わせて作ったもの。❷「寄木細工」の略。色の木目の異なる木や竹の細片を組み合わせて、ある模様を表した細工(物)。

よせ-ぎれ【寄せ切れ】 裁ち残りの布をよせ集めたもの。

よせ-ざん【寄せ算】 二つ以上の数を加え合わせて一つの数を求める計算方法。足し算。加法。加え算。

よせ-つ・ける【寄せ付ける】《他下一》近くまで来させる。近寄らせる。「人を―・けない厳かな雰囲気」

よせ-て【寄(せ)手】 攻め寄せるほうの軍勢。

よせ-なべ【寄(せ)×鍋】 汁を入れたなべで、魚・貝・野菜などを一緒に煮ながら食べる料理。

よせ-むね【寄(せ)棟】 屋根の形式の一つ。屋根の一番高い棟(大棟)から、四つの屋根の面が広がっているもの。また、その屋根の建物。「―造り」

よ・せる【寄せる】 ㊀《自下一》寄る。近づく。「波が―・せる」文よ・す《下二》。㊁《他下一》❶寄らせる。近づける。近づけて置く。「車を左に―・せる」「耳に口を―・せて話す」類語(るす)接近。近接。アプローチ。❷〔あること・人に対して、同情・好意・興味などの〕心をかたむける。「かなわぬ相手に思いを―・せる(=恋い慕う)」❸ゆだねる。まかせる。「叔父の家に身を―・せる」❹ある事に関係づける。かこつける。なぞらえる。「花に―・せて歌を作る」❺〔多くの物を〕一か所に集める。「客を―・せる」「額にしわを―・せる」類語(るす)結集。集結。集合。❻寄せ算をする。数を加える。「二に四を―・せる」❼手紙・原稿などを先方に送る。「便りを―・せる」「一文を―・せる」❽訪問させる。よらせる。「正月にはお宅に―・せていただきます」

文よ・す《下二》。

よ・せん【予選】 ❶《名・他サ》〔文〕多くのものの中から、一定水準以上のものを前もって選び出すこと。「応募作品を―する」❷競技で、決勝戦や本大会への出場資格者をきめるための試合。「―を通過する」

よ・ぜん【余×喘】〔文〕死ぬまぎわの、今にも絶えそうな息。虫の息。

―を保・つ《句》❶絶えそうな命を、かろうじて長らえる。❷滅びそうなものが、ほそぼそと続いている。「―・つ零細企業」

よせん-かい【予×餞会】 旅立ちや卒業の前に行う送別会。

よそ【余▽所・▽他▽所】 ❶ほかの所。他の場所。「―へ行く」❷自分の家以外の所。他人の家。「―の子」❸自分とは直接関係のない・こと(もの)。参考 多く「…を―に」の形で、「…をかえりみずに」「…を無視して」の意で使う。「騒ぎを―に悠然(ゆうぜん)と構える」

よそ-いき【余▽所行き】↓よそゆき。

***よ-そう【予想】**《名・他サ》ある物事のなりゆきや結果などを前もって想像すること。また、その内容。「―を立てる」「―が外れる」類語 予測。推測。推量。

―がい【―外】《名・形動》予想もしなかったほどのこと。思いのほか。「―の好成績」類語 意外。

***よそ・う【▽装う】**(よそふ)《他五》❶↓よそおう。❷飲食物を器に盛る。よそる。「茶碗(ちゃわん)にご飯を―・う」文《四》。

よそ・える【▽寄える・▽比える】(よそへる)《他下一》❶〔他の物事に〕たとえる。なぞらえる。「はかない命を露に―・える」❷かこつける。ことよせる。「仕事に―・えて誘いを断る」文よそ・ふ《下二》。

よそおい【装い】(よそほひ) ❶〔したくして〕外観を飾り整えること。また、そうしたもの。よそい。「春の―」「派手な―で外出する」「―を凝らす(=一生懸命に飾り整える)」❷したく。準備。よそい。「旅の―に忙しい」❸外観のおもむき。様子。「―を新たにした店舗」

よそお・う【装う】(よそほふ)《他五》❶外観・身なりを飾り整える。「ミンクのコートに身を―・う」❷一見そうであるかのように見せかける。ふりをする。「親切を―・う」「平気を―・う」=装(よそ)う。文《四》。

よ-そく【予測】《名・他サ》物事のなりゆきや結果を前もっておしはかること。また、その内容。「―し難い災害」類語 予想。推測。

よそ-ごと【余▽所事】 自分とは関係のない事柄。「―とは思えない(=同じ事がいつ自分の身に起こるかわからない、いつかは起こりそうだ)」

よそ-じ【四▽十・四▽十路】(よそぢ)〔雅〕❶四〇。よそ。❷四〇年。また、四〇歳。

よそ-ながら【余▽所×乍ら】《副》遠くのほうから。かげながら。それとなく。「友人の成功を―喜ぶ」

よそ-み【余▽所見】 ❶《名・自サ》〔他に気を取られて〕別の方へ目を向けること。わきみ。「―をして石につまずく」❷よそめ①。「―には幸せそうだ」

よそ-め【余▽所目】 ❶直接関係のない立場で見たところ。他人の見る目。よそみ。「―には落ち着いて見える」「―にもうらやましいほど仲がよい」類語 傍目(はため)。❷〈「…を―に」の形で〉…をちらっと見ただけで無視して。「落伍(らくご)者を―にゆうゆうと走る」

よそ-もの【余▽所者】 よその土地から新たに来た者。「―には冷たい町」「―にする(=仲間はずれにする)」

よそ-ゆき【余▽所行き】 ❶外出する時に用いる・こと(もの)。外出用(の衣服・持ち物など)。「―の着物」「―を着る」❷他人の目を意識した、儀式ばった態度や物言い。「―の顔」=よそいき。

よそよそ-し・い【余▽所余▽所しい】《形》〔親しくつき合っているのに〕知らない人のように冷淡で親しみを見せない態度である。他人行儀である。「結婚したら妙に―・くなった」類語 隔てがましい。隔意ある。

よ-ぞら【夜空】 夜の暗い空。「―を仰ぐ」

よそ・る《他五》↓よそう②。参考「よそう」と「盛る」がまざった語。

よた【与太】 ㊀《形動》❶おろかで役に立たないようす。「―な者ばかりだ」❷真剣でなくいいかげんなようす。「―な気持ちではだめだ」㊁《名》❶ふざけたことば。でたらめ。「―を飛ばす」❷「与太者」の略。❸「与太郎」の略。表記 ㊀や㊁①②は、ふつうかな書き。

よ-たか【夜×鷹】 ❶ヨタカ科の鳥。夜行性。全国に渡来する夏鳥。❷江戸時代、夜、道端で客を引いた下等な売春婦。参考 客を呼ぶ声が、ヨタカの「チョッチョッ」という鳴き声に似ていることから。

*よ-たく【余沢】〔文〕❶先人の徳行によってその死後にまで残る恩恵。「―を受ける」「孫子の代まで―が及ぶ」❷あり余って他にまで及ぶ恩恵。同①②余徳。

*よ-たく【預託】《名・他サ》〔文〕〔金銭や財産を〕一時的にあずけまかせること。「保証金の―」

よ-だち【夜立ち】《名・自サ》〔旅行などに〕夜、出発すること。対朝立ち。

*よ-だつ【与奪】《名・他サ》〔文〕与えることと奪うこと。与えるか奪うか。「生殺―の権」

*よ-だ-つ【×弥立つ】《自五》〈多く「身の毛が―・つ」の形で〉恐ろしさ・寒さなどのためにぞっとして、からだの毛が立つ。「不気味な姿に身の毛が―・つ」

よた-もの【与太者】❶役に立たないなまけ者。❷正業をもたず、ばくちや恐喝などをして世を渡る者。不良。表記①②とも、ふつう「よた者」と書く。

よた-よた《副・自サ》《副詞は「―と」の形も》歩く足もとが定まらず、心もとないようす。「酔って―と歩く」

よた-る【与太る】《自五》《名詞「与太」を動詞化した語》〔俗〕❶不良じみた言動をする。「盛り場を―・って歩く」❷口から出まかせなことを言う。表記①②とも、ふつうかな書き。

よ-だれ【×涎】口外にたれ流れる唾液(だえき)。「―を流す」(=ひどくほしがるようす)」

よだれ-かけ【×涎掛け】幼児の首からたらし、よだれで衣服のよごれるのをふせぐ布。

よたろう【与太郎】おろか者。間抜け。参考落語で、間抜けな男として登場することから。

*よ-だん【予断】《名・他サ》前もって判断すること。「成否は―を許さない」「偏見や―をなくす」

*よ-だん【余談】話題の本筋からそれた話。「これは―にわたるが…」

*よ-ち【予知】《名・他サ》前もって知ること。「地震を―する」「―できない天災」類語予見。予察。先見。

*よ-ち【余地】❶はいりこむことのできる場所。あき。「立錐(りっすい)の―もない」❷何かをすることのできるあき地。利用することのできる部分。ある事を行うゆとり。余裕。「妥協の―がない」「言葉をはさむ―もない」

*よ-ち【×輿地】《「輿」は万物をのせる物の意》〔文〕大地。全地球。全世界。

よ-ちょう【予兆】《名・他サ》何かが起ころうとする前ぶれ。きざし。また、前ぶれとして示すこと。「不吉な―」「天変地異を―するような不気味な空」

よち-よち《副・自サ》《副詞は「―と」の形も》幼児などがあぶない足どりで歩くようす。「―歩き」

よ-つ【四つ】❶一の四倍。し。よん。よっつ。〔数を数える語〕❷四歳。よっつ。❸昔の時刻の名。今の午前および午後の一〇時。四つ時。❹相撲で、双方が腕を差し出して抱くような形に組むこと。四つ身。四つ手。「右―」

―に組・む《句》❶相撲で、双方が両腕を差し合って組み合う。❷正面から立ち向かう。本気で取り組む。「公害問題と―・む」

よつ-あし【四(つ)足・四(つ)脚】❶四本の足。また、足の数が四本ある・こと(もの)。❷特に、獣類。

*よっ-か【四日】❶月の第四の日。❷日の数が四つあること。「―の後にまた会いましょう」「―間」

*よっ-か【欲火・×慾火】欲情の強いことを燃える火にたとえた語。

*よっ-か【翼下】〔文〕❶〔飛行機などの〕つばさの下。❷〔ある組織・団体などの〕支配力の及ぶ範囲。「全県の業者を―に収める」「―の組合員」類語傘下(さんか)。

よっ-かい【欲界・×慾界】→よくかい(欲界)。

よつ-かど【四つ角】二つの道が交差している所。また、その角(かど)。四つ辻(つじ)。十字路。「―を左に曲がる」

よつ-がな【四つ〈仮名〉】発音や仮名遣いのうえで問題視される「じ」「ぢ」「ず」「づ」の四つの仮名。

よ-つぎ【世継(ぎ)】家の跡目をつぐ・こと(人)。あとつぎ。相続人。「―が生まれる」「―が決まらない」

よっ-きゃく【浴客】ふろ屋・温泉宿などに入浴に来る客。浴客(よくかく)。

よっ-きゅう【欲求】《名・他サ》何かが必要になったり欠乏したりする場合に、それを満たそうとしてほしがり求めること。また、その気持ち。「―を満たす」「―を抑える」類語欲望。―ふまん【―不満】欲求が何らかの障害のために満たされないためにおこる、不安定な心理状態。参考「フラストレーション」の訳語。

よつ-ぎり【四つ切り】❶全体を四つに切り分けること。また、そうしたもの。❷写真で、全紙の四分の一の大きさの印画紙。三〇・五(センチ)×二五・五(センチ)。

よつ-ずもう【四つ〈相撲〉】―ずまう・―ずまふ 両力士が四つに組んでたたかう相撲。

よっ-たり【四▽人】四人(よにん)。

よっ-つ【四つ】→よつ。

よつ-つじ【四つ×辻】よつかど。十字路。

よっ-て【因って・依って・×仍って】《接続》《「よりて」の音便》前の文で述べたことを理由とする意。そのために。そういうわけで。「―罰金刑に処す」

よつで-あみ【四つ手網】方形の竹のわくに網を張り、四すみにつり手を取りつけた漁具。水中にしずめて魚を捕らえる。四つ手。

よって-きたる【▽由って来(た)る】《連語》原因となる。もととなる。「不祥事の―ところ」

よって-たかって【寄って▽集って】《連語》大勢集まって。大勢がいっしょになって。「―いじめる」

ヨット 遊覧やスポーツ用の比較的小形の洋式帆船。広くはモーターヨットも含める。快走艇。▽yacht

よっ-ぱらい【酔っ払い】―ぱらひ 酒にひどく酔った人。よいどれ。類語大虎(おおとら)。ずぶろく。酔漢。

よっ-ぱら-う【酔っ払う】―ぱらふ《自五》ひどく酒に酔う。「―・って正体を失う」類語深酔い。大酔。泥酔。酩酊(めいてい)。

よっ-ぴて【夜っぴて】《副》《「夜一夜(よひとよ)」の転》一晩中ずっと。夜通し。「―騒ぐ」類語よもすがら。終夜。

よっ-ぽど【余っ程】《副》〔俗〕「よほど」を強めた語。「歩いたほうが―早い」表記ふつう、かな書き。

よつ-み【四つ身】❶四、五歳から一二、三歳ぐらいの子ども用の和服の裁ち方。また、その和服。❷相撲で、四つに組んだ体勢。

よつ-め【四(つ)目】❶目が四つある・こと(もの)。❷四角形を四つ組み合わせた模様。―がき【―垣】竹をあらく編んで四角形のすきまができるように作った垣根。―ぎり【―×錐】刃が四角になっているきり。方錐(ほうすい)。

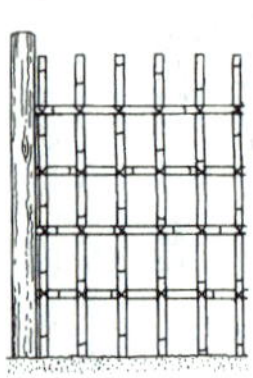

四目垣

よ‐づめ【夜×爪】夜、つめを切ること。参考 俗に、不吉なことが起こるといわれる。

よ‐つゆ【夜露】夜間におりる露。「―に濡(ぬ)れる」対 朝露。

よつ‐ん‐ばい【四つん×這い】(―ばひ)《「四つ這(ば)い」の転》両手・両ひざを地につけてはうこと(姿勢)。

よ‐てい【予定】《名・他サ》今後行うことなどをあらかじめ決めること。また、決めた事柄。スケジュール。「―を組む」「―が立たない」「―の行動」

よ‐てき【余滴】〔文〕❶筆の先に残ったしずく。❷雨のあとのしたたり。

よど【×淀・×澱】水の流れがよどんでいる所。よどみ。

よ‐とう【与党】❶議会政治において、政権を担当している政党。対 野党。❷〔文〕仲間の人々。

よ‐どおし【夜通し】(―どほし)《副》夜を通して。一晩中。よっぴて。「―語り合う」「―看病する」

よ‐とぎ【夜×伽】❶(看病・通夜(つや)などのために)夜通し眠らないでそばにつき添っていること(人)。「病人の―をする」❷女が男と共寝して夜の相手をすること。

*よ‐とく【余得】余分の利得。余分のもうけ。「あの商売はかなりの―がある」

*よ‐とく【余徳】〔文〕❶先人の徳行によってその死後にまで残る恩恵。「父祖の―を被る」❷あり余って他にまで及ぶ恩恵。同①②余沢。余光。

よどみ【×淀み・×澱み】❶物事が順調に運ばないこと。「―ない雄弁」❷水などが流れないでたまっている状態。また、その所。よど。「―に浮かぶうたかた」❸活気がなくなること。「景気に―がみられる」

よど・む【×淀む・×澱む】《自五》❶(水や空気などが)流れずにとどまっている。「部屋の空気が―・む」❷沈んで活気がなくなる。「―・んだ目」❸なめらかに進まない。とどこおる。「―・むところなく語る」❹ものが底に沈んでたまる。「ごみが水底に―・む」文《四》。

よ‐なおし【世直し】(―なほし)《名・自サ》世の中の悪い状態をよくすること。

よ‐なか【夜中】夜の中ほど。夜ふけ。夜半(やはん・よわ)。類語 深夜。深更。中夜。半夜。

よ‐なが【夜長】夜が長い(と感じられる)こと。参考 おもに秋の半ばすぎにいう。「秋の―」対 日長。

*よ‐なき【夜泣き】《名・自サ》乳幼児が夜泣くこと。

*よ‐なき【夜鳴き・夜×啼き】《名・自サ》鳥などが夜鳴くこと。 ―そば【―×蕎▽麦】夜間、路上を売り歩くそば屋。また、そのそば。

ヨナぬき‐おんかい【四▽七抜き音階】四度(=ファ)と七度(=シ)の音がない五音音階。明治時代の唱歌などで用いられた。参考 当時は、全音階の階名にヒフミヨイムナを使っていた。ヨは「ファ」、ナは「シ」にあたる。

よ‐なべ【夜▽業】《名・自サ》〔昼間に引き続いて〕夜間に仕事をすること。また、その仕事。「―仕事」

よな‐よな【夜な夜な】《副》夜が来るごとに。夜ごと。毎夜。「―幽霊が出る」対 朝な朝な。

よ‐な・れる【世慣れる・世×馴れる】《自下一》いろいろ経験して、世間の慣行や実情になれる。世故(せこ)にたける。「―・れた人」

よ‐にげ【夜逃げ】《名・自サ》夜中に、こっそりと逃げだして他の土地へ行くこと。「借金に追われて―する」

よ‐にも【世にも】《副》とりわけて。ことのほか。非常に。「―不思議な物語」

よ‐にん【余人】→よじん(余人)。

よね【▽米】〔文〕❶こめ。❷八十八歳。「―の祝い」

よ‐ねつ【余熱】さめきらないで残っている熱気。「ストーブの―」

よ‐ねん【余念】当面している事とは関係のない考え。ほかの考え。他念。「勉強に―がない(=ひたすら勉強に励んでいる)」「―なく働く」

よ‐の【四▽幅・四▽布】反物で、並幅の布を四枚ぬい合わせた幅。よはば。

よ‐のう【予納】《名・他サ》〔文〕前納。

よ‐の‐ぎ【余の儀】《連語》〔文〕ほかのこと。「―にあらず」

よ‐の‐きこえ【世の聞(こ)え】《連語》世間の評判。「―をはばかる」「―が悪い」

よ‐の‐ためし【世の▽例】《連語》世の中にありがちなこと。世の常。世の習い。

よ‐の‐つね【世の常】《連語》〔文〕❶世間でとかくそうなりがちなこと。世の習い。世の例(ためし)。「出る杭(くい)は打たれるのが―だ」❷世間で普通のこと。世間並み。「―ならぬ面白さ」

よ‐の‐なか【世の中】人々が互いにかかわりあって生活している場。社会。「物騒な―」「―を知らない」類語 世間。浮き世。娑婆(しゃば)。巷間(こうかん)。市井(しせい)。

類義語の使い分け　世の中・世間

[世の中・世間] 世の中(世間)に出る／世の中(世間)を知らない／世の中(世間)に対して顔向けできない

[世の中] いやな世の中になった／世の中は広いようで狭い／世の中のために尽くす／科学万能の世の中

[世間] 渡る世間に鬼はない／自分から世間を狭くする／世間体(てい)を気にする／世間知らずの学者先生

よ‐の‐ならい【世の習い】(―ならひ)《連語》世間によく行われていること。世間のならわし。「栄枯盛衰は―」

よ‐の‐め【夜の目】夜間の(眠るはずの)目。「―も寝ずに(=眠るべき夜も寝ないで)研究に没頭する」

よ‐は【余波】❶風が静まった後も立っている波。「台風の―」❷ある物事が起こった後の、周囲に及ぼす影響。「インフレの―を受ける」類語 影響。あおり。名残。

よ‐はい【余輩】《代名》〔文〕自分たち。われわれ。

よ‐ばい【夜×這い】(よばひ)昔、夜に、恋人の(ふつう男が女の)寝所へ忍び入って情交を結んだこと。参考「呼ばう②」の名詞形の転といわれる。

よば・う【呼ばう】(よばふ)《他五》《「呼ぶ」に接尾語「ふ」が付いた語》❶〔大きな声で〕呼ぶ。また、叫ぶ。よばわる。「大声で友を―・う」❷〔古〕男または女が恋する相手を呼びさそう。言い寄る。文《四》。

よ‐はく【余白】紙の、文字などが書かれず、白く残っている部分。スペース。「―を埋める」

よ‐ばたらき【夜働き】《名・自サ》❶夜、働くこと。また、その仕事。夜業。❷〔俗〕夜、盗みをすること(人)。夜盗。

よ‐ばなし【夜話・夜×咄】夜に話をすること。また、夜にする話。夜話(やわ)。類語 夜長話。夜語り。

よば・れる【呼ばれる】《自下一》《「呼ぶ」の受け身形から》❶言われる。称せられる。「昔、神童と―・れた男」❷招待される。「パーティーに―・れる」「夕飯に―・

れる」「風呂に―・れる」[文]よば・る《下二》。

よばわり【呼ばわり】《接尾》《相手をさげすむ意味のことばにつけて》いかにもそうであるときめつける意。「泥棒―される」

よばわ・る【呼ばわる】《自五》(大声で)呼ぶ。叫ぶ。[文]《四》。

よ・ばん【夜番】夜、寝ないで番をすること(人)。やばん。[類語]夜まわり。夜警。

よ・び【予備】❶(万一に備えて)あらかじめ準備しておくこと(もの)。「―の食糧」「―のタイヤ」❷(法)犯罪を実現するための準備行為で、その実行の着手に至らないもの。❸「予備役」の略。 **―えき【―役】**もと、常備兵役の一つ。現役を終えたあとの一定期間、非常時・演習時に召集されて軍務に服するもの。 **―こう【―校】**上級学校(特に大学)の入学試験準備のための指導を行う施設。 **―ちしき【―知識】**あらかじめ身につけておくべき知識。

よび・あ・げる【呼び上げる】《他下一》❶大声で呼ぶ。❷いくつかの物の名を次々に口に出して言う。「合格者名を―・げる」

よび・おこ・す【呼び起こす】《他五》❶声をかけて、眠っている人をさまさせる。❷今まで静止していたものを刺激して活動を起こさせる。「感動を―・す」

よび・かけ【呼び掛け】呼び掛けること。「―に応じて同志が集まる」「―に答える」

よび・か・ける【呼び掛ける】《他下一》❶注意を向けさせるために、声をかける。「『おい』と―・ける」❷賛同を求めて、見解や主張を述べ訴える。「有志に―・けて基金を募る」「協力を―・ける」

よび・かわ・す【呼び交わす】《他五》互いに呼び合う。「大声で名を―・す」

よび・こ【呼び子】人を呼ぶ合図に吹く小さい笛。よぶこ。よぶこのふえ。

よび・ごえ【呼び声】❶呼ぶ声。「物売りの―」❷評判。世間の聞こえ。「次期首相の―が高い」

よび・こみ【呼(び)込み】呼び込むこと。呼びかけて誘い入れること(人)。「劇場の―」

よび・こ・む【呼び込む】《他五》呼んで中に入れる。「客を―・む」

よび・さま・す【呼び覚ます】《他五》❶呼びかけて目をさまさせる。❷今まで隠されていたものを、(意識の)表面に現れるようにする。「幼時の記憶を―・す」

よび・じお【呼び塩】塩分の強い食品の塩出しをするために、水につけて少量の塩を加えること。また、その塩。

よび・すて【呼(び)捨て】人の姓・名に敬称をつけないで呼ぶこと。「親しげに―にする」

よび・だし【呼(び)出し】❶呼び出すこと。召喚。「―を食う」「お―を申し上げます」❷相撲で、東西の力士を土俵上に呼び出す役(の人)。呼出し奴。❸「呼出し電話」の略。電話のない人がとりついでもらって使う、近所の電話。

よび・だ・す【呼び出す】《他五》呼んで、その場所まで来させる。また、連れ出す。「友人を駅前まで―・す」「電話口へ―・す」

よび・た・てる【呼び立てる】《他下一》❶声を張り上げて呼ぶ。「名前を―・てる」❷わざわざ呼び出す。「出先から―・てられる」

よび・つ・ける【呼び付ける】《他下一》❶呼んで、自分のところへ来させる。「自宅に―・ける」❷呼びなれる。「―・けた名前」

よび・と・める【呼び止める】《他下一》声をかけて立ち止まらせる。「警官に―・められる」

よび・な【呼び名】正式の名まえ以外に、ふだん呼びならわしている名まえ。通称。

よび・ならわ・す【呼び習わす・呼び▽慣わす】《他五》いつもそう呼ぶことを習慣としている。通称として呼ぶ。「底なし沼と―・す」

よび・ね【呼び値】取引で、売買物件の一定数量に対して売買当事者が意思表示するために示す値段。

よび・みず【呼び水】❶ポンプの水が出ないとき、水を誘い出すために、上から水を注ぎ込むこと。また、その水。誘い水。「―をさす」❷物事をひき起こすきっかけとなるもの。「ホームランが反撃の―となった」

よび・もど・す【呼び戻す】《他五》❶呼んで元の所に帰らせる。呼び返す。「出張先から―・す」❷きっかけを作って元の状態に返らせる。「遠い記憶を―・す」

よび・もの【呼び物】(興行や催し物で)人を集める、人気のある出しもの。「早変わりが―の芝居」

よ・びょう【余病】ある病気に伴って起こる別の病気。「―を併発する」

よび・よ・せる【呼び寄せる】《他下一》呼んでそばへ来させる。「仲間を―・せる」[尊敬]召す。

よび・りん【呼び鈴】人を呼ぶため、また、合図のために鳴らす鈴・電鈴。ベル。

よ・ぶ【呼ぶ】《他五》❶(答えるように)相手の名またはそれにかわるものを言う。「名前を―・ぶ」「―・べば答える」[類語]呼ばわる。(るす)疾呼。連呼。❷声をかけて自分の所に来させる。「助けを―・ぶ」「社長が―・んでいます」[尊敬]御召しになる。❸頼んで、来てもらう。「医者を―・ぶ」「タクシーを―・ぶ」[類語]呼び付ける。呼び寄せる。呼び込む。呼び出す。❹客として招く。招待する。「誕生パーティーに友人を―・ぶ」❺引き寄せる。集める。「関心を―・ぶ」「人気を―・ぶ」❻あるものを言うのにその名を用いる。称する。「この動物をパンダと―・ぶ」[類語](るす)呼称。[文]《四》。

よ・ふう【余風】❶大風のあと、なおしばらく吹く風。❷残っている風習・習慣。遺風。

よ・ふかし【夜更(か)し】《名・自サ》夜おそくまで起きていること。「―はからだに悪い」

よ・ふけ【夜更け】夜がふけた時分。深夜。深更。

よぶ・こ【呼ぶ子】呼び子。 **―どり【―鳥】**「かっこう」の別名。

よ・ふね【夜船】夜間、航行する船。よぶね。「白河―」

よ・ふん【余憤】〔文〕発散しきれずに残っているいきどおり。「―がさめない」「―をもらす」

***よ・ぶん【余分】**❶余った分。余り。残り。「―があったら、私にもください」❷《名・形動》必要以上であること。よけい。「―の収入」「―に働く」

***よ・ぶん【余聞】**本筋からはずれた、一般にあまり知られていない話。こぼれ話。余話。「財界―」

よ・へい【余弊】〔文〕❶のちのちまで残る弊害。「文明の―」❷ある事に伴って生じる弊害。「水害の―」

よ・ほう【予報】《名・他サ》前もって知らせること。また、その内容。「―を出す」「―が外れる」「天気―」

***よ・ぼう【予防】**《名・他サ》災害や病気などを前もって

ふせぐこと。「生活習慣病を—する」類語防止。—せっしゅ【—接種】感染症を予防するため、毒力を弱めた病原菌などを人体に接種して、人工的に免疫を与えること。—せん【—線】敵の攻撃などに備えてあらかじめ施す、警戒・監視などの手段。転じて、あらかじめ手をうっておくこと。「—を張る」

*よ‐ぼう【×輿望】〔文〕世間一般の人から受ける期待。「—をになう」「—を集める」類語衆望。

よ‐ほど【余程】《副》(「よきほど」の転)❶相当。かなり。「—寒い国らしい」「—痛かったのだろう」「立っているほうが—楽だ」類語大いに。随分。❷よくよく。思い切って。「—打ち明けようかと思った」＝よっぽど。

よぼ‐よぼ《副・形動・自サ》年老いて力が衰え、動作のしっかりしないようす。「—の老人」「—歩く」

よまい‐ごと【世▽迷い言】(ひーよま)他人には通じないような不平やぐちをくどくどと言うこと。また、そのことば。「—を並べる」

よ‐まつり【夜祭(り)】夜間に行う祭り。

よ‐まわり【夜回り】(ーまはり)《名・自サ》〔警戒のために〕夜間に見回って歩く・こと(人)。類語夜番。夜警。

*よみ【読み】❶〔文章を〕読むこと。「—、書き、そろばん」❷漢字の読み方。特に、漢字の意味を国語にあてて読んだもの。訓。❸碁・将棋などで、これから先の局面の変化を考えて見通すこと。❹事態の成り行きを見通すこと。「—が浅い」「—を誤る」

*よみ【▽黄▽泉】死者の魂が行くという所。あの世。冥土(めいど)。よみの国。黄泉(こうせん)。類語よみじ。

よみ‐あ・げる【読み上げる】《他下一》❶声をあげて読む。「声明文を—・げる」❷その全部を読み終える。「推理小説を一晩で—・げた」

よみ‐あわ・せる【読み合わせる】(ーあはせる)《他下一》同一内容の二つの文書を、一人が読み上げ、他の一人がそれを聞きながら誤りを正す。

よみ‐うり【読(み)売(り)】江戸時代、社会の事件を瓦版(かわらばん)にし、読みながら売り歩いた・こと(人)。

よみ‐かえ・す【読み返す】(ーかへす)《他五》くり返して読む。「原稿を—・す」「名作を—・す」

よみ‐か・える【読み替える】(ーかへる)《他下一》❶一つの漢字を別な読み方で読む。❷法令などの条文中にある一定の語句に、それと同じ条件だと認められる他の語句をあてはめて適用する。

よみ‐がえ・る【×蘇る・×甦る】(ーがへる)《自五》(黄泉(よみ)から帰る意という)❶死んだものが生き返る。類語息を吹き返す。蘇生(そせい)(する)。回生。更生。再生。復活。❷一度消えうせたものが再び現れる。以前の(活気のある)状態を取りもどす。「記憶が—・る」「平和が—・る」「勇気が—・る」類語回復(する)。復活。

よみ‐かき【読み書き】文字を読んだり書いたりすること。また、書物を読むことと文章を書くこと。

よみ‐かた【読み方】❶文字の発音の方法。また、文章を読み上げる方法。読みよう。「—がぎこちない」❷文章を読んで内容を理解すること。また、その方法。「文学作品には文学作品の—がある」❸旧制の小学校の教科目の一つ。文章の読解と発表とを学ぶ。

よみ‐きり【読(み)切(り)】〔雑誌などの読み物で〕一回で完結するもの。「—小説」

よみ‐くせ【読み癖】❶普通の読み方ではないが、古くからの習慣として定まっている読み方。「紫宸殿(ししいでん)」「烏丸(からすま)」「春宮(とうぐう)」などの類。類語故実読み。慣用読み。❷その人特有の読み方。

よみ‐くだ・す【読み下す】《他五》❶文章を始めから終わりまで(さっと)読む。「書類を—・す」❷漢文を日本文の語順に直して読む。訓読する。「漢詩を—・す」

よみ‐ごたえ【読(み)▽応え】(ーごたへ)読んで満足感を得るほど内容が充実していること。また、読むのにほねがおれること。「—のある小説」

よみ‐こな・す【読み▽熟す】《他五》読んで内容を十分に理解する。「原書を—・す」

*よみ‐こ・む【詠み込む】《他五》地名・人名・きめられたことばなどを、詩や歌に入れて作る。よみ入れる。「名所を—・んだ歌」

*よみ‐こ・む【読み込む】《他五》❶熟読する。「台本を—・む」❷コンピューターで、記憶装置にあるデータを探し出してメモリーに取りこむ。

よみ‐さし【読(み)▽止し】読んでいるのを中途でやめること。また、その読み物。読みかけ。「—の小説」

よみ‐じ【▽黄▽泉路】(ーぢ)よみの国(へ行く道)。冥土(めいど)(への道)。「—をたどる」

よみ・する【×嘉する】《他サ変》〔文〕〔神や身分の高い人などが、目下の人の行為を〕りっぱであるとしてほめる。よしとする。「功績を—・する」

よ‐みせ【夜店・夜見世】夜、道ばたなどに品物を並べて売る店。「—を冷やかして歩く」

よみ‐だ・す【読み出す】《他五》❶読み始める。❷コンピューターで、記憶装置にあるデータを探して取り出す。

よ‐みち【夜道】夜の暗い道。夜、道を歩くこと。

よみ‐て【読み手】❶読む役の人。特に、かるた会などで、歌がるたの文句を読む役の人。❷和歌・俳句の作者。また、和歌・俳句を作ることの上手な人。表記❷は「詠み手」とも書く。

よみ‐で【読みで】分量が多くて読みごたえのあること。「—のある小説」

よみ‐と・く【読み解く】《他五》読んで解釈する。解読する。「古典を—・く」

よみ‐と・る【読み取る】《他五》❶読んでその内容を理解する。「要旨を—・る」❷外面のようすから、その内にひそむものを理解する。「真意を—・る」

よみ‐なが・す【読み流す】《他五》❶すらすらと読む。❷深く吟味せずにざっと読む。「軽く—・す」

よみ‐びと【詠(み)人・読(み)人】その詩歌の作者。「—知らず」

よみ‐ふけ・る【読み×耽る】《自他五》(興に乗り)夢中になって読む。耽読(たんどく)する。「推理小説に—・る」

よみ‐ふだ【読み札】歌がるたで、読み手が読む方の札。対取り札。

よみ‐ほん【読本】江戸時代後半期の小説の一種。空想的・伝奇的な内容の長編が多く、雄大な規模と複雑な筋をもつ。「南総里見八犬伝」「雨月物語」など。

よみ‐もの【読(み)物】❶書物などを読むこと。「机に向かって—をする」❷読むための物。書物。「高校生向きの—」❸〔新聞・雑誌などで〕興味本位に、気軽に読めるように作った文章・記事。「—に重点を置いた新聞」❹講談師が語る題目。❺一読に値する文章。「今月号の—は○○先生の論文だ」

よ‐みや【夜宮】よいまつり。

*よ・む【詠む】《他五》詩歌(しいか)を作る。「和歌を—・む」「紅葉を句に—・む」類語詠ずる。吟ずる。(する)句作。

よ

作歌。表記「読む」とも書いた。文《四》。

*よ・む【読む】《他五》❶文字・文章などを見て、そのまま声に出して言う。文字にしたがって発音する。「経を━・む」❷文字・符号・図などを見て、その意味を理解する。「新聞を━・む」「グラフを━・む」「地図を━・む」類語ひもとく。(する)書見。披見。閲覧。謙譲(する)拝読。拝見。拝誦(はいしょう)。❸一つの文字が、あるきまった音をもつ。「木偏に黄と書いて何と━・むか」表記③は「訓む」とも書く。❹そのものの意味するところを理解する。また、物事の成り行きを推量する。「顔色を━・む」「手の内を━・む」❺数をかぞえる。「票を━・む」「さばを━・む」❻講談を演ずる。「寄席で太閤(たいこう)記を━・む」❼碁・将棋で、先の手を考える。「数手先を━・む」参考→読める。文《四》。

*よ・め【夜目】夜、暗い中で物を見ること。また、そのときの目。「━がきく」参考「━にも…」の形で、その程度を強調する。「━にも美しい桜並木」

━遠目笠(さか)の内《句》夜目に見たとき、遠くから見たとき、笠の下からのぞき見たときなどは、女性の顔が実際より美しく見えるものである。

*よめ【嫁】❶結婚して夫の方の家族の一員になった人。「あそこの家の━は働き者だ」❷むすこの妻。「炊事は━がしてくれる」❸結婚する相手の女性。「━を迎える」尊敬①〜③嫁御(よめご)。嫁御寮。対①〜③婿。

よ・めい【余命】〔文〕〔一生の終わりの時期に近づいて〕これから先残っている命。「━いくばくもない」

よめ・いり【嫁入り】《名・自サ》嫁として夫の家に入ること。とつぐこと。また、その儀式。輿入(こしい)れ。「商家に━する」「━道具」対婿入り。

よめ・ご【嫁御】嫁の敬称。〔古風なことば〕

よめ・じょ【嫁女】嫁。〔古風なことば〕

よめ・とり【嫁取り】嫁を迎えること。また、その儀式。対婿取り。

よめ・な【嫁菜】キク科の多年草。秋、淡紫色で中央が黄色の花を開く。若芽は食用。はぎな。のぎく。

よ・める【読める】《自下一》(「読む」の可能形)❶読むことができる。「静かに本が━・める」❷意味を了解する。わかる。「相手の心が━・める」❸読む値打ちがある。「ちょっと━・める作品だ」

*よ・も【四▽方】〔雅〕東西南北の四つの方角。四方(しほう)。また、前後左右。いろいろな・方向(方面)。まわり。あちこち。「━の山々」

*よも《副》〔文〕よもや。「━虚言ではあるまい」

よもぎ【×蓬・×艾】キク科の多年草。夏から秋に淡褐色の花を開く。若い葉を草もちに用いる。葉の裏の毛はもぐさの原料となる。もちぐさ。

よもぎ・う【×蓬▽生】━ふ〔古〕ヨモギなどの生い茂った所。草深い荒れはてた所。

よ・も・すがら【夜もすがら】《副》〔雅〕夜どおし。一晩中。夜すがら。「━虫の音を聞く」対ひねもす。

よも・や《副》実際に起こりそうにない事を仮定していう語。まさか。いくらなんでも。よも。参考あとに打ち消しの語を伴う。「━負けるとは思わなかった」

よも・やま【四▽方山】(「四方八方(よもやも)」の転)さまざま。いろいろ。雑多。〔世間のできごとに言う〕「━話」

よ・やく【予約】《名・他サ》前もって約束すること。また、その約束。「航空券を━する」「━席」

よ・ゆう【余裕】ありあまっている部分。ゆとり。「時間の━がない」「━のある生活」「━綽々(しゃくしゃく)(=ゆとりが十分にあって落ちついているようす)」

*よ・よ【世世・代代】幾代も続くこと。だいだい。

*よ・よ【夜夜】毎晩。夜ごと。〔副詞的にも使う〕

*よよ《感》〔雅〕しゃくり上げて泣く声の形容。おいおい。「━と泣き伏す」

*より【寄り】㊀《名》❶人々が集まること。「━が悪い」❷できものが一か所に集まって固くなったもの。❸相撲で、組んだまま相手を土俵際に押して行く技。「激しい━をみせる」❹「寄り付き」①の略。㊁《接尾》その方に近い位置を示す。「山━の畑」

*より【×縒り・×撚り】細く長い物をねじって、からみ合わせること。また、からみ合わせた物。「━の強い糸」「━を戻す(=人と人との関係をもとの状態にする。特に、別れた男女が再び一緒になる)」

*より㊀《格助》❶文語的 空間的・時間的な起点や経過点などを表す。〔口語の「から」に当たる〕「名も知らぬ遠き島**より**流れ寄る椰子(やし)の実一つ〈藤村〉」「朝**より**吹きそめし風次第に荒らく〈独歩〉」「つづれきぬのやれま**より**身を刺す寒さいかほどぞ〈大和田建樹〉」❷位置・時間を境界として区切り、起点や基準として示す。〔「から」に比べて、基準の意味合いが強い〕「今の位置**より**やや右に寄せる」「その日**より**三日ほど前」❸〔「より(は)」「より(も)」の形で〕比較されるものの一方を基準として示す。また、比較対照されるものの一方を引き合いに出して示す。「栗(くり)**より**うまい十三里」「生活**より**は芸術を優先させる」参考くずれた言い方では「…よりか(も)」とも。「アイス**より**か(も)お菓子の方がいい」❹〔多く「よりほか(に)」「よりほかには」の形で、下に打ち消しを伴い〕それ以外(以上)はすべて否定し、それと限定するのに使う。「信ずる**より**ほかはない」「たった三度**より**ほかには来たためしがない」❺文語的〔動詞連体形について〕…するとすぐに。…が早いか。〔口語では「より早く」の形を使う〕「『しめた!』と言う**より**早く飛び出した」㊁《副》(欧文の比較級を訳すために案出されたもの。㊀③の転)〔主に、形容詞・形容動詞に冠して〕程度を比較して述べるのに使う。それ以上に。いっそう。もっと。〔わずかに翻訳臭が残る〕「**より**速く、**より**高く、**より**遠く」「**より**効果的な利用法」

より・あい【寄(り)合(い)】━ひ━あ❶雑多なものの集まり。他人どうしの集まり。「━所帯」❷話し合いのための集まり。会合。「町内の━」

より・いと【×縒(り)糸・×撚(り)糸】幾本かの糸をより合わせて作った糸。対片糸。

より・かか・る【寄り掛かる・×凭り掛かる】《自五》❶からだを他の物にもたせかける。「机に━・る」❷他の人の力をあてにする。「親に━・る」

よ・りき【与力】江戸時代、諸奉行(ぶぎょう)・所司代・城代などの配下で、部下の同心を指揮した下級役人。

より・きり【寄(り)切り】相撲の手の一つ。組んだまま押し進んで相手を土俵外に出す技。

より・けり《連語》(「因る」の連用形に詠嘆の助動詞「けり」のついた語)〈「…に━」の形で〉その人・事・物・場合のいかんによって決まることで、一概には言えない。「さわぐのも時に━だ」

より・ごのみ【▽選り好み】《名・他サ》多くのものの中から、自分の好きなものだけを選んで取ること。えりごのみ。「食べ物の━が激しい」

より・しろ【▽依代】神霊が降臨して乗り移るもの。樹木・岩石・人形・人間・など。形代(かたしろ)。参考 特に人間・人形の場合を「憑人(よりまし)」という。

より・すが・る【寄り×縋る】《自五》❶寄り添うようにしてすがりつく。「—って泣く」❷他の力をたのみ、それにたよりきる。「人の情に—る」

より・すぐ・る【▽選りすぐる】《他五》多くのすぐれたものの中から、特によいものを選ぶ。えりすぐる。「—った選手」

より・そ・う【寄り添う】(ふ)(—そ)《自五》身を〔触れんばかりに〕そばに寄せる。「母親に—って歩く」

より・たおし【寄(り)倒し】(—たふし)相撲の手の一つ。組んだまま押し進んで、土俵ぎわで相手を倒す技。

より・つき【寄(り)付き】❶取引所で、午前または午後の立ち会いの、最初の取引。また、それによって決まった値段。寄り。対 大引け。❷はいってすぐの部屋。❸庭園などに設けた、ちょっとした休み所。

より・つ・く【寄り付く】《自五》❶そばへ近づく。近寄ってくる。「子どもが—かない」❷取引所で、その日最初の立ち会いが成立する。寄る。

より・て【因りて・▽依りて・×仍りて】《接続》〔文〕そのような理由や事情で。従って。よって。

より・どころ【▽拠(り)所】❶そのもののささえとして、たよりすがるもの。「心の—」「生活の—」❷その事が成立するもとになるもの。根拠。「—のないうわさ」類語 依拠。原拠。準拠。

より・どり【▽選り取り】多くのものの中から自分の好きなものを自由に選び取ること。「—見取り」

よりに・よって【▽選りに▽選って】《連語》もっとほかに選び方があるのに、ことさら〔変なものを〕選んで。「—あんな男と結婚しなくてもいいのに」

より・ぬき【▽選り抜き】選び抜くこと。また、選り抜かれた物・人。えりぬき。「いずれも—の逸品ぞろい」

より・みち【寄り道】《名・自サ》目的の所へ行く途中、ついでに立ち寄ること。回り道。「—をして帰る」

より・め【寄り目】〔俗〕ごく近くのものをみつめるのに、左右の瞳(ひとみ)を顔の中央に寄せること〔目〕。また、内斜視の俗称。

よ・りょく【余力】ある事をなし終えてなお残っている力。「—を残してゴールインする」

より・より【寄り寄り・▽度▽度】《副》《度り(より)(=度数を数える語)を重ねた語》たびたび。ときどき。おりおり。〔古風な言い方〕「—話し合う」

より・わ・ける【▽選り分ける】《他下一》〔ある基準にしたがって〕多くのものの中から選んで他と区別する。えりわける。選別する。「新鮮な野菜を—ける」

＊よる【夜】日没から日の出までの間。太陽が沈んでいる暗い間。対 昼。⇩〔類語と表現〕

類語と表現 「夜(よる)」

＊夜が来る・夜が更ける・夜の帳(とばり)がおりる・夜が明ける・夜を明かす・歴史は夜つくられる・夜の闇に紛れる・夜も昼も働く。

◆日暮れ・暮れ方・夕べ・黄昏(たそがれ)・火点(ひとも)し頃(ごろ)・逢魔(おうま)が時・宵・宵の口・春宵・暮夜・晩・晩方・一晩・一夕・夜(よ)・一夜・小夜・夜分・夜間・夜中・真夜中・夜半(やはん)・夜(よわ)・夜更け・深夜・深更・残夜・夜長・短夜(みじかよ)・月夜・朧夜(おぼろよ)・朧月夜・星月夜・闇夜・暗夜・夜陰・白夜・霜夜・雨夜・清夜・晴夜・星夜・静夜・聖夜・除夜・熱帯夜／昨晩・先夜・昨夜(さくや)・昨夜(ゆうべ)・前夜・今晩・今夜・今宵・明晩・明夜・翌晩・翌夜／毎晩・毎夜・夜毎(よごと)・連夜・夜な夜な・幾夜／一晩中・夜通し・夜を徹して・夜をこめて・徹夜・宵っ張り・夜明かし・宵越し

＊よ・る【因る・▽縁る・▽由る・▽依る・▽拠る】《自五》❶もとづく。㋐それが原因となる。起因する。「不注意に—る事故」類語 因って来る。因する。発する。(るす) 由来。因由。㋑物事がどうであるかということに関する。応じる。「時と場合に—る」❷たよる。依存する。また、手段とする。「生活費は年金に—る」「—って立つ所」❸よりどころとする。㋐根拠地とする。「城に—る」㋑根拠とする。のっとる。「法の定めるところに—る」表記 ①は「因る」「縁る」「由る」、②は「依る」、③は「拠る」と書く。文《四》

＊よ・る【寄る】《自五》❶近づく。接近する。「池のそばに—る」❷互いに一か所に近づく。集まる。「—ると触ると(=寄り集まって口を開くたびに)その話だ」「三人—れば文殊(もんじゅ)の知恵」❸重なりふえる。「しわが—る」「年が—る」❹端の方へ近づく。片寄る。「道路の右側に—る」❺道の途中でおとずれる。立ち寄る。「友人の家に—って帰る」❻相撲で、組んだままの体勢で、相手を押し進む。「回しを取って一気に—る」❼寄り付く。❽もたれかかる。「壁に—る」表記 ⑧は「凭る」「倚る」とも書く。文《四》

—らば大樹の蔭(かげ) 《句》庇護(ひご)を頼むのなら、勢力のある人の方がよいというたとえ。

＊よ・る【×縒る・×撚る】《他五》〔糸など〕細いものをねじり曲げる。また、ねじってその物を作る。「糸を—る」「こよりを—る」文《四》

＊よ・る【▽選る】《他五》《「える」の転》えらぶ。えらび出す。「気に入った品を—る」文《四》

よ・るい【余類】〔文〕仲間のうちで戦いなどに生き残ったもの。残党(ざんとう)。「平家の—」

よる・ひる【夜昼】一《名》夜と昼。昼夜(ちゅうや)。二《副》夜も昼も。いつも。あけくれ。「—問わずかせぎまくる」「子どものことが—心にかかって離れない」

よる・べ【寄る辺】頼って身を寄せることのできる人〔所〕。親類縁者の類。「—なき身」

＊よ・れい【予冷】《名・他サ》野菜・果物の鮮度を保つために、出荷・貯蔵の前に摂氏三〜五度に冷やすこと。

＊よ・れい【予鈴】〔開始の合図の本鈴の少し前に〕予告として鳴らす、ベル。対 本鈴。

よれ・よれ《形動》衣服などが、〔古くなって〕張りがなくなり、よれたようになっているようす。「—の背広」

よ・れる【×縒れる・×撚れる】《自下一》ねじれる。よじれる。「ネクタイが—れる」文 よ・る《下二》

よろい【×鎧・▽甲】(よろひ)戦場で身を守るために着用した武具。物の具。参考「一領(りょう)…」と数える。

よろい・いた【×鎧板】(よろひ—)室内の採光・通風のために、窓の外がわに幅のせまい板を一定の間隔をとって横に何枚も取りつけた装置。

よろい・ど【×鎧戸】(よろひ—)❶鎧板をとりつけた戸。❷↓シャッター②。

よろ・う【×鎧う】(よろふ)《他五》〔文〕❶甲冑(かっちゅう)を身につけて武装する。❷おおいかくすようにしてまとう。身につける。「もっともらしい理論で身を—う」文《四》

＊よ・ろく【余×禄】正規の収入のほかに得られる余分の利益。余得。「なにかと—のある仕事」

＊よ-ろく【余録】〔文〕ある記録の本筋からもれた記録。余話。「日露戦争―」

よろけ ❶よろけること。❷〔歩行がもつれることから〕「珪肺」の俗称。

よろ・ける《自下一》足もとがふらふらして倒れそうになる。よろよろする。よろめく。「つまずいて―・ける」表記「蹌踉ける」などと当てる。文よろ・く《下二》。

よろこばし・い【喜ばしい・▽悦ばしい】《形》喜ぶべき状態である。うれしい。「みんなが無事で―・い」「―・いニュース」文よろこば・し《シク》。

よろこば・せる【喜ばせる・▽悦ばせる】《他下一》喜ぶようにする。よろこばす。「入試に合格して親を―・せる」文よろこば・す《下二》。

よろこび【喜び・▽悦び・▽慶び】❶喜ぶ・こと（気持ち）。「―に浸る」類語喜悦。❷めでたいできごと。おめでた。「息子の結婚、初孫の誕生と―が続く」❸祝いのことば。祝詞。「―を述べる」

よろこび-いさ・む【喜び勇む】《自五》喜びで心が勇み立つ。うれしくて勢いこむ。「―・んで出立する」

よろこ・ぶ【喜ぶ・▽悦ぶ・▽慶ぶ】《他五》よいことに満足し、うれしい（ありがたい）と思う。こころよく感じる。めでたいと思う。「合格を―・ぶ」「母の―・ぶ顔が見たい」文《四》。⇩〖類語と表現〗

類語と表現

「喜ぶ」

＊無事を喜ぶ・昇進を喜ぶ・娘の幸せを喜ぶ・生還の報を聞いて喜ぶ・合格の知らせに喜ぶ・喜んで出席致します・人の忠告を喜ばない・孫の喜ぶ顔が見たい。

◆嬉しがる・嬉しく思う・幸せに思う・喜びを感じる・喜びとする・喜ばしき限りである・願ってもないことだ・欣快［欣幸・同慶・恐悦］に思う・法悦（の境）にある・天にも昇る心地がする・有頂天になる・悦に入る・笑壺に入る・嬉し涙［歓喜の涙・随喜の涙］を流す・歓喜に咽ぶ・にんまりする・手の舞い足の踏む所を知らず／浮かれる・浮かれ出す・浮き立つ・浮つく／（する）喜悦・愉悦・満悦・満足・歓喜・欣喜雀躍・狂喜・狂喜乱舞・驚喜・随喜・大喜び／空喜び・糠喜び

よろこん-で【喜んで・▽悦んで】《副》こころよく。「―うかがいます」「―ちょうだいします」

よろし・い【▽宜しい】《形》❶「よい」の改まった言い方。㋐適当である。ちょうどよい程度である。「湯加減は―・い」㋑さしつかえない。かまわない。「答えは鉛筆書きでも―・い」❷「よい」を丁寧に言う語。「お体はもう―・いのですか」「本当に―・いんですか」❸《終止形を感動詞的に用いて》「よし（感）①②」の改まった言い方。「―・い、そうしましょう」文よろ・し《シク》。

よろしき【▽宜しき】《「よろしい」の文語「よろし」の連体形から》〔文〕ちょうどよい・こと（程度）。適切なこと。「寛厳―を得た指導」

よろしく【▽宜しく】《副》《「よろしい」の連用形から》❶〔その人の判断で〕悪くないように。適当に。「自分の判断で―やってください」❷いいように。うまくいくように。よしなに。「―頼む」「話がまとまるよう―お願いします」❸「よろしくお伝えください」の略。「お母様に―」❹「よろしくお願いします」の略。「この件についてはどうか―」❺〔文〕〈「よろしく…べし」の形で〉当然…すべきである。ぜひとも…しなければならない。「―意を学業に注ぐべし」参考漢文訓読から出た用法。❻《多く他の語の下について》いかにも…のようなようすで。「オペラ歌手―声を張り上げる」

よろず【▽万】㊀《名》❶〔雅〕万。「八百―の神」❷数や種類の非常に多い・こと（もの）。また、すべての・こと（もの）。「―の事を打ち明ける」㊁《副》すべて。いっさい。万事。「―御相談に応じます」

よろず-や【▽万屋】❶いろいろな生活必需品を売る店。❷いろいろな事を一通りはできる人。

よろぼ・う《自五》よろよろと歩く。文《四》。

よろ-め・く《自五》❶足もとがふらふらして倒れそうになる。よろける。「押されて―・く」❷〔俗〕誘惑などに乗せられる。特に、他の異性に心が引かれる。浮気をする。

よろ-よろ《副・自サ》《副詞は「―と」の形も》足もとがふらふらして倒れそうなようす。よろめくようす。「―と歩く」「酔って―する」表記「蹌踉めく」などと当てる。

よ-ろん【×輿論・世論】世間で一般に行われている議論。世間の人々に共通した意見。世論・世論。パブリックオピニオン。「―に訴える」「―を喚起する」表記「世論」は「輿論」の言い換え語「世論」を書き換え語と混同して用いられるようになった表記。

＊よ-わ【余話】〔文〕こぼれ話。余聞。余録。

＊よ-わ【夜▽半】〔雅〕夜中。夜。夜半。「―の月」

＊よわい【▽齢】〔雅〕とし。年齢。「―不惑（＝四十）に近し」「―を重ねる」

＊よわ・い【弱い】《形》❶他と争えば負ける。力や勢いが少ない。「女は―・し、されど母は強し」「視力が―・い」「気が―・い」類語弱々しい。弱小。弱体。❷〔音などが〕かすかだ。「声が―・い」「―・い響き」❸不得意だ。苦手だ。「数学に―・い」❹他からの力や刺激に対する抵抗力に乏しい。「寒さに―・い植物」類語もろい。❺病気にかかりやすい。病弱だ。「―・い体」対①～⑤強い。文よわ・し《ク》。

よわ-き【弱気】❶《名・形動》気力に乏しいこと。弱々しいこと。また、そういう気持ち。「戦う前から―では困る」「―になる」類語気弱。内気。❷取引で、相場が下落すると予想すること。対①②強気。

よわ-ごし【弱腰】❶腰の左右の少し細くなっている部分。「―をける」❷《名・形動》相手に対する態度が消極的なこと。ひっこみ思案。「―で交渉してもだめだ」「―外交」対強腰。

よ-わたり【世渡り】世の中に交わって暮らしを立てて行くこと。渡世。処世。「―がうまい」

よわ-ね【弱音】意気地のないことば。「―を吐く」

よわ-び【弱火】煮たきをするときの、火力の弱い火。とろ火。参考「とろ火」を「弱火」と書いたところから出た語。対強火・中火。

よわ-ふくみ【弱含み】相場の動きが下がり気味であること。対強含み。

よわま・る【弱まる】《自五》弱くなる。「風が―・る」「抵抗が―・る」対強まる。文《四》。

よわ-み【弱み】他よりも劣っている点。また、後ろめたいと自覚している点。「―に付け込む」「―を見せる」類語欠点。弱点。ウイークポイント。対強み。

よわ-むし【弱虫】弱い人。いくじのない人。

よわ・める【弱める】《他下一》弱くする。「火を―・める」「勢力を—・める」[対]強める。[文]よわ・む《下二》。

よわよわ・し・い【弱弱しい】《形》いかにも弱そうである。「—・い子ども」「—・い声」

よわり・き・る【弱り切る】《自五》❶すっかり弱くなる。「—・った体」❷大いに困る。「—・ったあげく、相談する」[同]①②弱りはてる。

よわり・め【弱り目】勢力が衰えた時。困った時。—に祟(たた)り目《句》困っている時に、さらに困るようなことが起こること。[類語]泣き面(つら)に蜂(はち)。

よわ・る【弱る】《自五》❶弱くなる。衰える。「足腰が—・る」[類語]弱体化。弱化。衰弱。衰退。衰微。❷困る。「雨に降られて—・る」「ことばがわからなくて—・った」[文]《四》。

よん【四】よっつ。し。

よん・きょう【四強】❶四人・四つの強豪。❷トーナメントで、準決勝に進出する・人(チーム)。

よん・ダブリュー・ディー【4WD】→四輪駆動。▽four-wheel drive の略。

よんどころ・な・い【▽拠所無い】《形》《「よりどころない」の音便》そうするよりほかに方法がない。やむを得ない。「—・い事由のために欠席する」

よん・びょうし【四拍子】音楽で、四拍がひとまとまりになってリズムの基礎をなしていること。四拍子(しびょうし)。

よんもじ・ご【四文字語】(four-letter word)英語の卑猥(ひわい)語・タブー語。fuck(=性交)・shit(=くそ)など。

よんりん・くどう【四輪駆動】前後四つのタイヤにエンジンの駆動力が伝わる構造。また、その構造を持つ自動車。四輪駆動車。四駆(よんく)。略語 4WD。

ら

ら―良

ら【▽等】《接尾》❶体言について、複数を表す。人に関する体言につくときは、多く自分・対等以下の人に対して用い、謙譲・親愛・見下しの気持ちを含んで、それと同類のものをばくぜんと指して言う。「子供—」「あいつ—」「わたし—には理解できません」「ここ—で一休みしよう」❷方向・場所・時などのおおよそを示す。

ラーゲリ 捕虜収容所。ラーゲル。▽ロシア lager'

ラード 豚の脂肪組織からとった半固体のあぶら。食用・薬用。豚脂。▽lard

ラーメン【×拉×麺】中華風の麺(めん)料理。しょうゆ・みそなどで味をととのえた汁に麺を入れ、肉・野菜をそえたもの。中華そば。▽中国 la-mian

ラーユ【×辣油】植物油に唐辛子の辛味を加えた調味料。中国料理に用いる。▽中国 la-you

*__らい__【来】㊀《接頭》「次に来る」の意。「—学期」[類語]次(じ)。㊁《接尾》「…から今まで」の意。「昨夜—」

*__らい__【雷】〔文〕かみなり。「百—のごとき音」

らい・い【来意】〔文〕❶来訪した理由。「—を告げる」❷手紙の趣旨。「ご—は了解しました」

らい・う【雷雨】かみなりを伴って降る雨。

らい・うん【雷雲】かみなりをおこす雲。かみなりぐも。[参考]多くの場合、発達した積乱雲。

*__らい・えん__【来援】《名・自サ》〔文〕助けにやってくること。来て助けること。「—を求める」

*__らい・えん__【来演】《名・自サ》芸能人がその土地に来て、演技や演奏をすること。

らい・おう【来往】《名・自サ》〔文〕行ったり来たりすること。往来。「政治家の—が激しくなる」

ライオン ネコ科の大形の猛獣。全身褐色で、雄にはたてがみがある。アフリカとインドにすむ。夜行性で肉食性。獅子(しし)。[参考]百獣の王といわれる。▽lion

らい・か【雷火】〔文〕❶いなびかり。いなずま。❷落雷によっておこった火事。

らい・が【来×駕】《名・自サ》〔文〕〈御(ご)—〉他人が訪れてくることの尊敬語。「御—を待つ」[類語]来訪。来車。

らい・かい【来会】《名・自サ》〔文〕会合・催し物などの場所に来ること。「御(ご)—下さい」[類語]参会。

*__らい・かん__【来観】《名・自サ》〔文〕〔行事・催し物などを〕見物するために来ること。「—者」

*__らい・かん__【雷管】金属製の容器に薬品をつめたもの。爆薬や火薬に点火するのに用いる。

らい・きゃく【来客】たずねて来る客。「—がある」

らい・ぎょ【雷魚】「カムルチー」「タイワンドジョウ」の俗称。肉食性の淡水魚で、有用魚を食い荒らす。

らい・げき【雷撃】❶〔文〕かみなりにうたれること。❷《名・他サ》魚雷で敵の艦船を攻撃すること。

らい・げつ【来月】今月の次の月。翌月。

*__らい・こう__【来校】《名・自サ》学校にやってくること。「生徒の父母が—する」

*__らい・こう__【来航】《名・自サ》外国から船に乗ってくること。「ペリーの浦賀—」

*__らい・こう__【来貢】《名・自サ》〔文〕貢物を持ってやってくること。朝貢(ちょうこう)。[類語]入貢(にゅうこう)。

*__らい・こう__【雷光】→いなずま。

らい・こう【雷公】〔俗〕かみなり。

らい・ごう【来▽迎】《名・自サ》阿弥陀(あみだ)如来・諸菩薩(ぼさつ)などが、極楽浄土から臨終の人を迎えに来ること。[参考]→御来迎(ごらいごう)。御来光(ごらいこう)。

らい・さん【礼賛・礼×讃】《名・他サ》❶仏を礼拝し、その功徳(くどく)をたたえること。❷ありがたい、またはすばらしいと思ってほめたたえること。「先輩の業績を—する」[類語]賛嘆。賛美。称賛。頌美(しょうび)。[注意]「れいさん」は誤読。

らい・し【来旨】〔文〕手紙などの趣旨。また、来訪の趣旨。来意。

らい・じ【来示】〔文〕〈御(ご)—〉人が手紙で書いてきた事柄の尊敬語。「御—の趣、確かに承知いたしました」

*__らい・しゃ__【来社】《名・自サ》人がよそから自分の会社におとずれて来ること。

*__らい・しゃ__【来車】《名・自サ》〔文〕〈御(ご)—〉他人が訪問してくることの尊敬語。「御—を仰ぐ」[類語]来訪。来駕(らいが)。

*__らい・しゅう__【来襲】《名・自サ》〔害をなすものが〕一斉に襲って来ること。襲来。「敵の—を迎え撃つ」

*__らい・しゅう__【来週】今週の次の週。次週。

*__らい・しゅう__【来集】《名・自サ》集まってくること。「—する者数万人」[類語]参集。

らい・しゅん【来春】〔文〕来年の春。明春。

らい・しょ【来書】〔文〕来信。

らい・じょう【来場】《名・自サ》人が、その場所・会場などに来ること。「御(ご)—の皆様に申しあげます」

*らい‐しん【来信】〔文〕よそから来た手紙。来書。

*らい‐しん【来診】《名・自サ》医師が患者の家に来て診察すること。「高熱なので―を頼む」注意 患者の側から言う語。医師の側から言う場合は「往診(おうしん)」。

らい‐じん【雷神】雷をつかさどると考えられた神。鬼の形をし、虎(とら)の皮の褌(ふんどし)をつけ、太鼓を輪形に連ねたものを背負い、手に撥(ばち)を持つ。

らいしん‐し【頼信紙】電報を打つときに電文を記入した所定の用紙。電報発信紙。参考 今は使わない。

ライス〔飲食店で〕飯。ごはん。▽rice ―カレー→カレーライス。▽rice と curry からの和製語。

らい‐せ【来世】〔仏〕三世(さんぜ)の一つ。死後の世界。来世(らいせ)。対 前世(ぜんせ)・現世(げんせ)。

ライセンス ❶免許。また、免許状。❷してもよいという認可。また、その認可証。「―生産」▽license

らい‐だ【×懶惰】《名・形動》(「懶惰(らんだ)」の慣用読み)→らんだ。

*ライター たばこに火をつけるための用具。「使い捨て―」▽lighter

*ライター ❶その文章を書いた人。著者。執筆者。作者。❷文章を書くことを職業とする人。著述家。作家。❸記者。「スポーツ―」▽writer

ライダー 馬・オートバイなどの乗り手。▽rider

らい‐たく【来宅】《名・自サ》〔文〕よその人が自分の家にたずねてくること。

らい‐だん【来談】《名・自サ》〔文〕やって来て話をすること。「御不審の点はご―ください」

ライチー→れいし(茘枝)。▽中国 li-zhi

らい‐ちゃく【来着】《名・自サ》〔文〕目的地に着くこと。「調査のため本日―した」

*らい‐ちょう【来朝】《名・自サ》〔文〕外国人がわが国に来ること。来日(らいにち)。「国王一家が―する」

*らい‐ちょう【来聴】《名・自サ》〔文〕〔講演・演説などを〕聞きに来ること。「研究発表会にご―ください」

*らい‐ちょう【雷鳥】キジ科の鳥。羽毛は、夏は灰褐色、冬は白色になる。目の上部に赤い肉冠がある。日本では南北アルプスの高山にすむ。特別天然記念物。

らい‐てい【雷×霆】〔文〕かみなり。いかずち。

ライティング《名・他サ》明かりをつけること。照明。▽lighting

らい‐てん【来店】《名・自サ》人が店に来ること。「御―をお待ちしています」

*らい‐でん【来電】〔文〕電報が来ること。また、その電報。「パリからの―で事の重大さを知る」類語 着電。

*らい‐でん【雷電】〔文〕雷鳴と雷光。雷と稲妻。

*ライト 一《名》❶光線。光。❷照明。灯火。「―を浴びる」二《造語》❶(色が)明るみをおびていること。「―ブルー」❷軽いこと。手軽なこと。「―ミュージック」▽light ―アップ《名・他サ》建造物・庭園などに夜間照明を当て景観を美しく見せること。▽light up ―きゅう【―級】(lightweight)ボクシングで、重量別階級の一つ。プロで五八・九七〜六一・二三キロ、アマで五七〜六〇キロ。―バン 乗用自動車の型で、後部に荷物を積めるようにしたもの。バン。▽light と van からの和製語。

*ライト ❶正しいこと。正義。❷権利。❸右。右側。❹野球の右翼。また、右翼手。❺保守的な立場。また、その人。対 ③〜⑤レフト。▽right

らい‐とう【来島】《名・自サ》島にやってくること。

らい‐どう【雷同】《名・自サ》自分の考えを持たず、やたらに他人の言動に同調すること。「付和―」参考 雷の音に万物が応じて響く意から。

ライナー ❶〔野球で〕直線状に飛ぶ打球。❷定期船や列車。❸定期飛行機。❹服のうら地。特に、取り外しのできるうら地。「―付きコート」❺レコードのジャケット。▽liner ―ノート レコードやCDなどの中に付ける解説文。ライナーノーツ。▽liner note

らい‐にち【来日】《名・自サ》外国人が日本に来ること。来朝。「イタリア歌劇団の―公演」類語 訪日。対 離日。

らい‐にん【来任】《名・自サ》〔文〕任地に来ること。「支店長が―する」

らい‐ねん【来年】今年の次の年。明年(みょうねん)。「―のことを言うと鬼が笑う(=未来のことは予知しがたいことのたとえ)」類語 翌年。―ど【―度】今年度の次の年度。翌年度。次年度。対 昨年度。

らい‐はい【礼拝】《名・他サ》仏をうやまい拝むこと。「―堂」参考→礼拝(れいはい)。

らい‐はる【来春】→らいしゅん。

ライバル ❶好敵手。❷恋敵(こいがたき)。▽rival

らい‐びょう【×癩病】〔卑称〕「ハンセン病」の古い言い方。レプラ。

らい‐ひん【来賓】〔催し物・会合などに〕主催者が招待した人。「―の祝辞をいただく」

ライフ ❶生命。命。❷一生。生涯。また、経歴。人生。「―ヒストリー(=伝記)」❸生活。「スクール―」▽life ―サイエンス 生命について研究する学問分野。生命科学。▽life science ―サイクル ❶〔人や動物が〕生まれてから死ぬまでの、成長し変化する過程。❷商品などの、市場に現れ、普及し、やがては他の商品にとって代わられていく過程。「―の短いカメラ」▽life cycle ―ジャケット おぼれないように体につける救命具。救命胴衣。▽life jacket ―スタイル 生活のしかた。生活様式。▽lifestyle ―ステージ 人間の一生を少年期・青年期・壮年期・老年期などに分けて考えた段階。また、入学・就職・結婚・出産など、生活の節目。▽life stage ―セービング 海水浴場などでの人命救助活動。▽lifesaving ―ボート 救命艇。救命ボート。▽lifeboat ―ライン 電気・ガス・水道など、生活にかかわるものの補給・線(路)。参考 道路・鉄道・電話を含める場合もある。▽lifeline(=命綱) ―ワーク 一生をかけてする大きな仕事。畢生(ひっせい)の事業。▽lifework

ライブ ❶生放送。❷生演奏。「―ステージ」▽live ―ハウス 生演奏を聴かせる店。▽live と house からの和製語。

らい‐ふく【来復】《名・自サ》〔文〕一度過ぎ去ったものが、再びもどってくること。「一陽―」

ライブラリー ❶図書館。また、音盤・映画・写真などを集めて保管したり、見せたり、聞かせたりする所。「フィルム―」❷叢書。シリーズ。〔多く、出版物の名につけて用いる〕「科学―」❸蔵書。▽library

ライフル ❶銃砲の銃身や砲身の内側に刻まれた、らせん状のみぞ。❷ライフルをほどこした小銃。ライフル銃。▽rifle

*らい‐ほう【来報】《名・他サ》来て知らせること。また、その知らせ。「友からの―を待ちわびる」

***らい・ほう**【来訪】《名・自サ》人がたずねて来ること。「珍客が—する」[尊敬]光来。光臨。来駕。来臨。[対]往訪。

ライム 柑橘類の常緑小高木。果実はレモンに似るが小さい。香りがよく、強い酸味がある。▽lime

ライむぎ【ライ麦】イネ科の一、二年草。寒さに強い。種子は黒パンの原料。くろむぎ。なつこむぎ。

ライム・ライト ❶石灰片を酸水素ガス炎で熱して出す強烈な白光色。もと、舞台の集中照明に用いた。❷名声。評判。▽limelight

***らい・めい**【雷名】〔文〕❶世間になりひびいている名声・評判。「—をとどろかす鬼将軍」❷〈御ご—〉相手の名まえの尊敬語。「かねがね御—は承っております」

***らい・めい**【雷鳴】〔文〕かみなりの音。

らい・ゆ【来由】〔文〕いわれ。おこり。由来。来由。「古文書の—をたずねる」

らい・ゆう【来遊】《名・自サ》〔文〕遊びに来ること。「ぜひ一度、当地へご—ください」

らい・らく【×磊落】《名・形動》〔男性が〕度量が大きく、さっぱりしていること。「豪放—」

ライラック モクセイ科の落葉低木。種類が多く、春、紫・白・赤など、香りのよい花を穂状に開く。観賞用。リラ。むらさきはしどい。▽lilac

らい・りん【来臨】《名・自サ》〔文〕〈御ご—〉人が来ることの尊敬語。「御—を賜る」[類語]来席。来駕。

らい・れき【来歴】〔文〕❶ある物事がこれまで経てきた筋道。由来。由緒。「故事—」❷経歴。

ライン ❶線。境界線。「—をひく」「合格—」❷列。行。「—ダンス」❸船や航空機の通る道すじ。航路。また、ドライブの道すじ。「リバーサイド—」「スカイ—」❹企業で、生産・販売など直接的な活動を担当する部門。[対]スタッフ。▽line **—アップ** ❶野球で、打順。❷顔ぶれ。陣容。＝ラインナップ。▽lineup **—ダンス** レビューで、おおぜいのダンサーが一列に並んで踊るダンス。▽line と dance からの和製語。

ラインズ・マン 線審。▽linesman

ラウ きせるの、火ざらと吸い口の金具とをつなぐ竹の管。ラオ。[参考](ア)ラオスから渡来した竹を使ったことから。(イ)↓きせる(図)。[表記]「羅宇」と当てる。

ラウド・スピーカー スピーカー。▽loudspeaker

ラウンジ ホテルなどの社交室・休憩室。「スカイ—」[類語]ロビー。▽lounge

ラウンド ❶丸いこと。〔他の語につけて使う〕「—テーブル」❷ゴルフで、コースの一回り。❸ボクシングで、一試合の小区分。一ラウンドは三分間。回。▽round

ラオ ↓ラウ。

ラオチュー【老酒】米・アワ・コーリャンなどを原料とした中国の醸造酒の総称。ラオチウ。▽中国 lao-jiu

ラガー ラグビーの選手。▽rugger(＝「ラグビー」の意)

ラガー・ビール 〔生ビールに対して〕加熱処理をして、貯蔵に適するようにしたビール。[参考]本来は貯蔵タンクで熟成させるタイプのビール。▽ドイツ Lagerbier

らかん【羅漢】「阿羅漢」の略。

ら・がん【裸眼】眼鏡などを使わないときの視力。

ら・ぎょう【裸形】〔文〕裸の姿。裸形。「—像」

らく【楽】❶《名・形動》心身がやすらかで悩みがないこと。また、生活のための苦労や心配がないこと。「親に—をさせる」「生活が—になった」[類語]安楽。気楽。安気。安逸。左団扇。❷《名・形動》たやすいこと。「—に勝てた」[類語]易しい。易い。易々。容易。平易。安直。安易。軽易。簡単。造作ない。無造作。手もなく。苦もなく。難なく。訳ない。楽々。❸「千秋楽」の略。❹「楽焼き」の略。

—あれば苦あり《句》世の中のことはいつも楽しいことばかりではない。楽は苦の種、苦は楽の種。

ラグ 時間的なずれ。遅れ。タイムラグ。▽lag

***らく・いん**【×烙印】焼いて物に押す鉄製・銅製の印。昔、刑罰として罪人に押した。焼き印。「—を押される(＝消すことのできない汚名を受ける)」[類語]極印。

***らく・いん**【落×胤】〔文〕身分の高い男が正妻以外の女に生ませた子。おとしだね。「将軍様のご—」

らく・いんきょ【楽隠居】《名・自サ》のんびりと安楽な隠居の生活をすること(人)。

らく・えん【楽園】悩みや苦しみがなく、楽しみに満ちた所。楽土。パラダイス。[類語]極楽。天国。

らく・がい【×洛外】〔文〕都の外。特に、京都の市外。「—に居を構える」「洛中—図」[対]洛中。洛内。

らく・がき【落書(き)】《名・他サ》字や絵などを面白半分にいたずら書きすること。また、その書いたもの。落書。「壁の—」[類語]戯書。落筆。

らく・がん【落×雁】❶〔文〕〔列を作って〕空から地上に降りようとするガン。「堅田の—(＝近江八景の一つ)」❷そば・もち米・麦・豆などのいり粉に砂糖や水などを加えてねり、型に入れて乾かした菓子。

***らく・ご**【落×伍】《名・自サ》〔隊伍から脱落する意〕仲間・集団についてゆけなくなること。「生存競争から—する」「—者」[表記]「落後」で代用することもある。

***らく・ご**【落語】寄席演芸の一つ。一人でこっけいに語って聴衆を笑わせ、終わりに落ちをつける話芸。おとしばなし。

らく・さ【落差】❶水が流れ落ちる、高低両所における水面の高さの差。「—の大きい滝」❷高低の差。また、ある物事と他の物事の間のへだたり。「生産性の—が大きい」[類語]ギャップ。

らく・さつ【落札】《名・他サ》入札の結果、目的物を自分の手に入れること。「名画を—する」

らく・じつ【落日】〔文〕❶沈もうとしている太陽。入り日。落陽。❷没落。滅亡。「インカ帝国の—」

***らく・しゅ**【落手】❶《名・他サ》〔文〕受け取ること。落掌。「本日お手紙—しました」[類語]入手。❷碁・将棋で、悪手。

***らく・しゅ**【落首】〔文〕匿名で時事や人物を風刺した狂歌や狂句。[参考]昔、政道批判の落書の一つ。

らく・しょ【落書】❶〔文〕らくがき。❷時事や特定の人物を風刺した匿名の文書。人目につく場所や該当者の家の門や壁にはったり、道に落としたりした。

***らく・しょう**【楽勝】《名・自サ》楽に勝つこと。「—の試合」[類語]大勝。[対]辛勝。

***らく・しょう**【落掌】《名・他サ》〔文〕落手①。〔「落手」より改まった言い方〕「御芳書—致しました」

らく・じょう【落城】《名・自サ》❶城が攻め落とされること。「大坂城の—」❷〔俗〕くどかれて承知すること。[類語]①②陥落。

らく・しょく【落飾】《名・自サ》〔身分の高い人が〕髪をそり落として仏門にはいること。祝髪。[類語]剃髪。[対]復飾。

らく・せい【落成】《名・自サ》〔大がかりな建造物が〕

すっかりできあがること。「―式」類語竣工(しゅんこう)。完工。

*らく・せき【落石】《名・自サ》山の上などから石が落ちること。また、その石。「―の多い岩場を登る」

*らく・せき【落籍】《名・他サ》(戸籍簿から名前が抜け落ちている意)芸者や遊女などを身請けすること。落籍(ひか)すこと。

らく・せつ【落雪】積もった雪が崩れ落ちてくること。また、その雪。

らく・せん【落選】《名・自サ》❶選挙に落ちること。対当選。❷選にはいらないこと。対入選。

らく・だ【×駱×駝】❶ラクダ科の獣。背中に脂肪をたくわえたこぶをもち、数日間食物をとらずにいることができ、砂漠の生活に適する。草食性。乗用・運搬用。乳は飲用、肉は食用、毛は織物用。❷ラクダの毛で作った繊維。また、その織物。

らく・だい【落第】《名・自サ》❶試験・検査などにうからないこと。参考一定の条件を満足させない意にも使う。「安全性の点で―だ」対及第。❷成績がわるくて進級できず、もとの学年にとどまること。類語留年。

らく・たん【落胆】《名・自サ》がっかりして気力をなくすこと。「失敗して―する」類語気落ち。力落とし。

らく・ちゃく【落着】《名・自サ》物事にきまりがつくこと。「難航した交渉が―した」「これにて一件―」

らく・ちゅう【×洛中】〔文〕都の中。特に、京都の市中。洛内。対洛外。

*らく・ちょう【落丁】本のページが一部分抜けていること。類語乱丁。

*らく・ちょう【落潮】〔文〕❶引き潮。落ち潮。❷物事がおとろえること。落ち目。「勢力の―」類語退潮。

らく・てん【楽天】人生や社会を楽観すること。のんきなこと。―か【―家】楽天的な人。オプティミスト。対厭世(えんせい)家。―しゅぎ【―主義】世界や人生は善であるとする、または善は悪を圧倒するとする立場。また、一般に物事をすべてよい方向にだけ考えようとする傾向。楽天観。オプティミズム。対厭世(えんせい)主義。―てき【―的】《形動》物事をすべて明るく、よいほうに考えるようす。「―な性格」「―に生きる」対悲観的。

らく・ど【楽土】楽園。パラダイス。

らく・に【楽に】《形動》《形容動詞「らく(楽)だ」の連用形》→らく(楽)②。

らく・ね【楽寝】《名・自サ》気を楽にして寝ること。

らく・のう【酪農】牛・羊などを飼って、その乳をしぼり、バター・チーズなどの乳製品を製造する農業。

らく・ば【落馬】《名・自サ》馬から落ちること。

*らく・はく【落×剝】《名・自サ》〔文〕はげ落ちること。剝落(はくらく)。「―の激しい壁画」

*らく・はく【落×魄】《名・自サ》〔文〕おちぶれること。「―した姿をさらす」類語零落(れいらく)。

らく・ばく【落×莫・落×寞】《形動タルト》〔文〕ものさびしいようす。「―たる哀愁」類語寂寞(せきばく)。

らく・はつ【落髪】《名・自サ》〔文〕髪の毛をそり落として仏門にはいること。剃髪(ていはつ)。類語落飾。

らく・ばん【落盤・落×磐】炭鉱や鉱山の坑道内で、天井や側面の岩盤がくずれ落ちること。「―事故」

らく・び【楽日】興行の千秋楽の日。楽(らく)。

ラグビー 一五人ずつ二組にわかれ、一定の時間内に楕円(だえん)形のボールを持ったりけったりして運び、相手方のゴール内に手でつけることによって得点を争う競技。ラグビーフットボール。ラ式蹴球(しゅうきゅう)。参考イギリスのラグビー校で初めて行われた。▽rugby

らく・ほく【×洛北】〔文〕都の北部。特に、京都の北部。

らく・めい【落命】《名・自サ》〔文〕(不慮の災難で)命を落とすこと。

らく・やき【楽焼(き)】❶ろくろをつかわず、指先で形をつけ、低い温度で焼いた陶器。茶の湯の茶碗(ちゃわん)などに愛好される。聚楽(じゅらく)焼き。❷素焼きの陶器に、客に絵などをかかせ、低い温度で焼きあげたもの。

*らくよう【×洛陽】❶中国、河南省北部の古都。名勝・古跡に富む。❷京都の別称。―の紙価を高・める《句》著書が世に受け入れられて大いに売れる。故事中国の晋(しん)の左思(さし)が三都賦(さんとのふ)を作ったとき、洛陽の人々が争ってこれを写したため、紙の価が高くなったという。

*らく・よう【落葉】《名・自サ》木の葉が枯れて落ちること。また、その葉。おちば。―じゅ【―樹】秋から冬に葉を落とし、翌年新しい葉をだす木。サクラ・イチョウ・ケヤキなど。対常緑樹。

*らく・よう【落陽】〔文〕入り日。落日。

らく・らい【落雷】《名・自サ》雷が落ちること。

らく・らく【楽楽】《副》《「―と」の形も》❶ゆったりしていて安楽なようす。「老後を―くらす」❷非常にたやすいようす。「難問題を―とこなす」

ラグラン 「ラグランスリーブ」の略。洋服の上着の袖(そで)つけが、えりあきからそで下にかけて斜めになっているもの。▽raglan

らく・るい【落涙】《名・自サ》〔文〕涙を落とすこと。「―にむせぶ」類語流涕(りゅうてい)。涕涙(ているい)。

ラクロス 一チーム一〇人で行う、ホッケーに似た競技。ネットを張ったスティックでゴムボールをゴールに入れて得点を争う。▽lacrosse

ラケット テニス・バドミントン・卓球などで、たまを打つための用具。▽racket

らし 文語 一《助動：無変化型》確信のある推定を表す。…にちがいない。まちがいなく…らしい。「馬車着けるらし〈茂吉〉」参考口語の「らしい」とは別語源。二《助動：シク型》《「らしい」の文語形。中世以後の文語文に使われた》→らしい(助動)。

ラジアル・タイヤ 自動車タイヤの種類の一つ。内部の繊維層が車輪の中心から見て放射状になっていて、高速走行での安定性がよいもの。▽radial tire

*らし・い《接尾》《名詞(ときに副詞・形容動詞)について形容詞をつくる》❶…としての特質をよくそなえている。「男―・い」❷…という気持ちを起こさせる。「わざと―・い」「もっとも―・い」「ばか―・い」参考→らしい(助動)。文らし〈シク〉

*らしい《助動：形型》客観的な根拠・伝聞にもとづく推量を表す。また、婉曲(えんきょく)な断定を表す。「事故があったらしい」「この酒はうまいらしい」「犯人はどうやら女性らしい」「田中さんらしい人を見かけた」「明日の天気は穏やからしい」「駅から歩いてすぐらしい」接続動詞・形容詞、助動詞「(ら)れる」「(さ)せる」「たい」「ない」「た」などの終止形につく。また、体言、形容動詞の語幹などにつく。注意紛らわしいものに接尾語の「らしい」がある。「いかにも物理学者らしい聡明(そうめい)な人だ」「男らしい男が好きだ」「いやらしい話」などは接尾語。「この法則を発見したのは高名な物理学者らしい」「女のように

ら

見えるが、実は男らしい」「彼はこの仕事がいやらしい」などは助動詞。後者はいずれも「〜であるらしい」とすることができる。

ラジウム 放射性元素の一つ。銀白色の金属で、キュリー夫妻が一八九八年に発見。医療・理化学研究に利用される。元素記号Ra。▽radium

ラジエーター ❶蒸気や温水の熱を利用した暖房装置の放熱器。❷自動車の水冷式エンジンの冷却に用いる放熱器。冷却器。▽radiator

ラジオ ❶電波を用いる通信方式。❷放送局から音声を電波にのせて放送し、受信機によって聴取者がその音声を受信して聞けるようにしたもの。また、その番組(の内容)。「—体操」❸ラジオ②の受信装置。「カー—」▽radio **—アイソトープ** 放射性同位元素。▽radioisotope **—カセット** ラジオとカセットテープレコーダーを組み合わせて一つにしたもの。ラジカセ。▽radio cassette recorder から。**—コントロール** 無線操縦。ラジコン。▽radio control **—コンパス** 船や航空機が地上局から発信される電波の方向を測り、自分の位置を知る計器。無線方向探知器。▽radio compass **—せい【—星】** 強い電波を放射する天体の総称。電波星。電波天体。**—ゾンデ** 気球・ロケットなどにとりつけて打ち上げ、上層の温度・湿度・気圧・宇宙線などのようすを電波で地上に送信する装置。▽ドイツ Radiosonde **—ビーコン** 地上の一定の位置から電波を発信し、船や航空機に位置・方向を知らせる装置。無線標識。ビーコン。▽radio beacon

ラジ-カセ 「ラジオカセット」の略。

ラジカル 《形動》❶根本的。「物事を—に考える」❷急進的。「—な政治思想」=ラディカル。▽radical

ラジ-コン 「ラジオコントロール」の略。

らし-しょくぶつ【裸子植物】 胚珠(はいしゅ)が子房につつまれていない植物。マツ・スギ・ヒノキなど。対 被子(ひし)植物。

らしゃ【羅×紗】 紡毛糸を原料とし、起毛して毛先を切りそろえるなどの仕上げをした、織り目のつんだ厚地の毛織物。▽ポルトガル raxa **—がみ【—紙】** 外観や感触が羅紗に似た厚手の紙。壁紙・台紙などに使う。**—めん【—綿】** 〔明治前期に〕西洋人の妾(めかけ)になった日本人の女を卑しめて言った語。洋妾(ようしょう)。

ら-しゅつ【裸出】 《名・自サ》〔文〕物におおわれないでむきだしになっていること。「地層が—する」類語 露出。

ラショナリズム 合理主義。▽rationalism

ら-しん【裸身】 〔文〕はだかの体。裸体。

らしん-ぎ【羅針儀】 ❶方位を知るための装置。船・航空機の航行用や測量作業に用いる。❷特に、羅針盤(らしんばん)。

らしん-ばん【羅針盤】 →コンパス②。

ラスク パンを薄く切り、表面に粉砂糖と卵白を混ぜたものを塗ってオーブンで焼いた菓子。▽rusk

ラスト 最終。終わり。▽last **—スパート** 競走・競泳で、ゴールに近くなって、ありったけの力をだすこと。「—をかける」▽last spurt **—ヘビー** 最後のがんばり。▽last と heavy からの和製語。

ラズベリー バラ科キイチゴ属の落葉低木。また、その果実。赤い小さな実が集合した果実は、甘酸っぱく、香りがよい。生食のほか、ジャム・ゼリーなどに用いる。フランボワーズ。▽raspberry

らせつ【羅×刹】 足が速く大力で、人を食うとされる悪鬼。のち、仏教の守護神となる。速疾鬼。参考 梵語 rākṣasa の音訳。

ら-せん【×螺旋】 ❶螺(にな)の殻のうずまきのように、ぐるぐる巻いた形をしたもの。「—階段」❷〔文〕ねじ。

ら-ぞう【裸像】 はだかの体の像。裸体像。

ら-そつ【×邏卒】 ❶見回りをする兵卒。❷明治初期の巡査の称。

ら-たい【裸体】 はだかの体。裸身。ヌード。

*__らち【×埒】__ 〔馬場の周囲のさくの意〕物事の、それ以上はこえられないさかいめ。くぎり。限界。範囲。「忍耐の—を越える」「—を踏みはずす」
—が明・く 《句》物事の決着がつく。参考 多く、打ち消しの形で使われる。「いくら交渉しても—かない」
—も無・い 《句》筋道だっていないで、とりとめがない。埒口(らちくち)も無い。「—い論法」

*__ら-ち【×拉致】__ 《名・他サ》〔いやがる者を〕無理につれていくこと。らっち。「重要人物を—する」

らち-がい【×埒外】 ある一定の範囲の外。圏外。「法律の—にある家族内問題」対 埒内(らちない)。

らち-ない【×埒内】 ある一定の範囲の内。圏内。「学校の—で処理すべき課題」対 埒外(らちがい)。

*__らっ-か【落下】__ 《名・自サ》落ちること。「小石が—してくる」「頭上、—物に注意」**—さん【—傘】** 飛行中の航空機などから、人や荷物を安全に地上へ降下させるための布製のかさ状の用具。パラシュート。

*__らっ-か【落果】__ 《名・自サ》〔文〕〔強風などのため〕果実が木から落ちること。また、その果実。

*__らっ-か【落花】__ 〔文〕〔桜の〕花が散ること。また、散った〔桜の〕花。**—せい【—生】** マメ科の一年草。地中にまゆ形の殻をもった実を作る。種子は食用。ピーナッツ。なんきん豆。**—ろうぜき【—×狼×藉】** 〔文〕物が散り乱れているようす。「宴の後は—だった」

ラッカー 繊維素や合成樹脂の溶液に顔料をまぜた塗料。乾燥が速く耐水性にすぐれている。▽lacquer

*__らっ-かん【楽観】__ 《名・他サ》将来に対して明るい見通しをもつこと。「病状は—を許さない」「—的な見解」対 悲観。**—てき【—的】** 《形動》物事がうまくゆくと考えて心配しないようす。「—な考え方」対 悲観的。

*__らっ-かん【落款】__ 書や絵に、作者が署名したり雅号の印を押したりすること。また、その署名や印。

ラッキー 《形動》運がよいようす。幸運。対 アンラッキー。▽lucky **—セブン** 野球で、得点の機会が多いといわれる、第七回の攻撃。▽lucky seventh から。**—ゾーン** 野球場で、外野の両翼に(フェンスに接して)設けた、さくで囲った区域。直接ここに入った打球もホームランになる。参考 現在日本のプロ野球場にはない。▽lucky と zone からの和製語。

らっ-きゅう【落球】 《名・自他サ》野球で、一度受け止めたボールを落とすこと。

らっ-きょう【×辣×韮・×薤】 ユリ科の多年草。卵形で白色のりん茎には臭気があり、漬けて食用にする。

ラック 衣服・帽子をつるしたり、本などを立てかけておいたりするための棚。「マガジン—」▽rack

らっ-けい【落慶】 《名・他サ》〔文〕神社・仏閣などの新築や補修の工事の落成を祝うこと。「—式」

らっ-こ【▽猟×虎・▽海×獺】 イタチ科の海獣。カワウソに似るが大きい。あお向けになって泳ぐ。北太平洋の近

海にすみ、貝・カニなどを食べる。体毛はやわらかく光沢がある。▽アイヌ rakko

ラッシュ ❶ある物事が、一時に多数おしよせたり起こったりすること。殺到。また、混雑。「通勤―」「帰省―」 ❷ボクシングで、猛烈な攻撃。 ❸「ラッシュアワー」の略。▽rush **―アワー** 通勤・通学者などで交通機関が混雑する、朝夕の時間。▽rush hour

***ラッセル** 気管支や肺胞に分泌物や血液がたまっているときに聴診器に聞こえる異常呼吸音。水泡音。▽ドイツ Rasselgeräusch から。

***ラッセル** ❶《名・自サ》〔登山で〕雪を踏みつけて道をひらくこと。 ❷「ラッセル車」の略。▽russel **―しゃ【―車】** 除雪車の一種。前部に排雪板をもち、機関車に押されて線路上の雪をかき分けながら進む。

らっ-ち【×拉致】《名・他サ》➡らち(拉致)。

らっぱ【×喇×叭】 ❶金管楽器の一つ。弁のない簡単なトランペット。信号用・軍隊用。 ❷金管楽器の総称。 ❸あさがお形の拡声器。 ❹大言壮語。大ぼら。 表記 ふつう、かたかなで書く。 参考 梵語 rava から、オランダ roeper からなど諸説がある。 **―のみ【―飲み】**《名・他サ》らっぱを吹くようなかっこうで、びんからじかに飲むこと。「ビールを―する」 **―を吹・く**《句》〔実現できそうもない〕大きなことを言う。ほらをふく。

ラッピング《名・他サ》包装すること。▽wrapping

***ラップ**《名・他サ》食品包装用の透明なフィルム。また、それで包むこと。ラップフィルム。▽wrap(=包む)

***ラップ** ❶競走路の一周。また、プールの一往復。 ❷「ラップタイム」の略。▽lap **―タイム** 陸上競技の中・長距離競走やスピードスケート・水泳などで、区切りのよい距離ごとに要した時間。途中計時。ラップ。▽lap time **―トップ** 膝の上に置いて使えるほど小型・軽量であること。「―パソコン」▽laptop

***ラップ** 軽快なリズムに乗せて、早口でしゃべるように歌う歌唱法(歌)。アメリカの黒人たちの間から広まった。ラップミュージック。▽rap

らつ-わん【×辣腕】《名・形動》〔あくどいと見えるほどに〕物事を処理する能力がすぐれていること。「―を振るう」 類語 すご腕。

ラディカル《形動》➡ラジカル。▽radical

ラディッシュ ハツカダイコン。▽radish

ら-でん【×螺×鈿】 漆工芸で、おうむ貝・あわび貝・夜光貝などの貝殻から真珠色の光を放つ部分を切りとって、漆器などの表面にはめこんで装飾としたもの。

ラテン-アメリカ 南北アメリカ大陸のうち、ラテン語系のスペイン語・ポルトガル語を用い、ラテン文化の影響を受け継ぐ国々の総称。メキシコ以南の国々。▽Latin America

ラテン-ご【ラテン語】 インドヨーロッパ語族のイタリック語派に属する、古代ローマ帝国の公用語。現在でもローマカトリック教会の公用語や、学術用語・学名などとして使われる。 表記 「羅甸語」と当てる。

ラテン-みんぞく【ラテン民族】 ラテン語を祖語とする、イタリア語・フランス語・スペイン語・ポルトガル語・ルーマニア語を話す人々の総称。

ラテン-もじ【ラテン文字】 ローマ字。

ラドン 希ガス元素の一つ。ラジウムの崩壊によってできる放射性物質。無色の気体。γ線源として医療に使う。元素記号 Rn。▽radon

ラ-ニーニャ 日付変更線より東の太平洋赤道海域の海水温が継続的に下がる現象。 参考 気候変動に影響を及ぼす。▽スペイン La Niña(=女の子)

らぬき-ことば【ら抜き言葉】 動詞の可能形から「ら」を省く話し方。「起きられる」「食べられる」を「起きれる」「食べれる」とするなど。 参考 ➡られる。

ラノリン 羊毛に付着する脂肪質の物質を精製したもの。軟膏の基剤・保革油などに用いる。羊毛蠟。▽lanolin

***ら-ば【×騾馬】** 馬の雌とロバの雄との間にできた雑種。馬より小さいが、力があり、丈夫。繁殖力はない。

***ラバ**〔地〕溶岩。▽lava

ラバー ❶ゴム。 ❷消しゴム。▽rubber **―ソール** ゴム底(革ぐつ)。▽rubber sole

***ら-ふ【裸婦】** はだかの女。「―の絵」

***ラフ**《形動》❶織物の目などが、あらいようす。また、物の表面が、ざらざらしているようす。「―な布地」 ❷動作などが、荒っぽく、乱暴なようす。「―なプレー」 ❸〔判断・仕事などが〕大ざっぱなようす。むぞうさ。「―なプラン」「―な服装」▽rough

ラブ ❶《名・自他サ》恋愛。恋。愛。「プラトニック―」「―ゲーム」 ❷テニスなどで、無得点。零点。「―オール」▽love **―コール** ❶熱心な勧誘。愛情を込めた呼び掛け。「―を送る」 ❷恋人などへの愛の電話。▽love call **―シーン** 映画・演劇で、男女の恋愛を演ずる場面。恋の場面。ぬれば。▽love scene **―ホテル** 情事のためのホテル。▽love と hotel からの和製語。 **―ラブ**《名・形動》〔俗〕愛し合っていること。「―のカップル」▽love をかさねた和製語。 **―レター** 恋の手紙。恋文。▽love letter

ラプソディー 狂詩曲。狂想曲。▽rhapsody

ラベル ❶〔小形の〕はり札。はり紙。レッテル。「マッチ箱の―」 ❷曲目・演奏者名などをしるして、レコード盤の中央にはる円形の紙。レーベル。▽label

ラベンダー シソ科の常緑低木。青紫色の花をつける。香料・薬用にするラベンダー油を採る。▽lavender

ラボ「ラボラトリー」の略。

ラボラトリー 化学実験室。研究室。製作所。ラボ。▽laboratory

ラマ ラマ教の高僧。 表記 「喇嘛」「刺麻」と当てる。▽チベット blama(=師)英 lama **―きょう【―教】** チベット・モンゴルなどで行われている仏教。観音を信仰し、ダライラマ・パンチェンラマを活仏として崇拝する。

ラミー イラクサ科の多年生植物。苧麻の変種。茎からとれる繊維を織物・網・綱などに使う。▽ramie・ramee

ラミネート アルミ箔やプラスチックの薄片などを重ね合わせること。「―加工」「―チューブ」▽laminate

***らむ**《助動》《「らん」の古風な表記》➡らん(助動)。

***ラム【RAM】** ⇩巻末付録。

***ラム** 糖蜜などを原料としてつくった蒸留酒。飲用や、菓子の材料などに使う。糖酒。ラム酒。▽rum

***ラム** 子羊。また、その毛や肉。▽lamb

ラムサール-じょうやく【ラムサール条約】 水鳥の生息地である湿地を守るための国際条約。正式名「特に水鳥の生息地として国際的に重要な湿地に関する条約」。 参考 一九七一年にイランのラムサール

(Ramsar)で開かれた会議で採択された。

ラムネ 砂糖とレモン香料を加えた水に、炭酸ガスをとかし込んだ清涼飲料。ガラス玉のはいった特殊な形のびんに詰める。[類語]サイダー。▽lemonadeから。

ラメ ❶金糸または銀糸のまざった糸。また、それで織った織物。❷化粧品などに用いる微小な箔。▽フランス lamé

ラリー ❶テニス・卓球で、ボールを続けざまに打ち合うこと。❷指定されたコースを一定の条件で走る、自動車の長距離耐久競走。▽rally

らる《助動：下二型》文語《文語助動詞「る」が、一・二段動詞、サ変動詞、カ変動詞、および助動詞「(さ)す」につくときの形》↓る。「むづ痒いやうに覚え**られ**〈露伴〉」(自発)、「竜華寺の坊さまにいぢめ**られ**んは心外と〈一葉〉」(受け身)、「この銭はいつまでも貯へ**らるる**ものぞと〈鷗外〉」(可能)、「昨夜ここに着せ**られ**し天方大臣に附きてわれも来たり〈鷗外〉」(尊敬)

ラルゴ 楽曲の速度を表す標語の一つ。「幅広く、ゆるやかに」の意。▽イタリア largo

ら-れつ【羅列】《名・自他サ》ずらりと・ならぶこと(ならべること)。「問題点を―する」

られる《助動：下一型》《助動詞「れる」が、一段動詞・カ変動詞、および使役の助動詞「(さ)せる」「しめる」につくときの形》↓れる。「上級生にいじめ**られる**」「門はかたく閉じ**られ**ている」(直接的受け身)、「一晩中レコードをかけ**られ**たのでは眠れない」「君に辞め**られる**と困る」(間接的受け身)、「まずくて食べ**られ**ない」「六時にはとても起き**られ**ない」「見たい時には、すぐに見**られ**ます」「歩いて十分で来**られる**」(可能)、「行く末が案じ**られる**」(自発)、「部長、電話に出**られ**ますか」(尊敬) [注意]可能の意では、近年「見れる」「来れる」「出れる」「食べれる」など、可能動詞の形も広く行われるが、標準から外れるとする考えも強い。できるだけ「見**られる**」「来**られる**」「出**られる**」「食べ**られる**」など、未然形+「られる」の形で使いたい。

ラワン フタバガキ科に属する常緑高木の総称。材はやわらかく良質で、合板用・建築用材・家具用材・車両用材など。フィリピンで多く産する。▽タガログ lauan

***らん**【乱】〔文〕秩序が乱れること。特に、戦いが起こり世の中が乱れること。「応仁の―」「治にいて―を忘れず」[類語]内乱。反乱。内戦。騒動。動乱。

***らん**【卵】雌性の生殖細胞。卵子。

***らん**【欄】❶書籍・文書・印刷物などの紙面の、罫で囲んだりくぎったりした部分。「解答―」❷新聞・雑誌などで、特定の記事をのせるために罫で囲んだ部分。また、記事の種類による紙面の区分。「投書―」

***らん**【×蘭】ラン科の植物の総称。多年草。花が美しく、多くは観賞用に栽培される。

***らん**《助動：特殊型》文語 推量を表す。「われをばはや見忘れし玉ひつらん〈鷗外〉」[表記]「らむ」とも書く。

***ラン** 同一建物内の情報通信網。企業内通信網。▽LAN(local area network)の略。

***ラン** ❶〔映画・演劇などの〕興行。「ロング―」❷野球で、得点。「スリー―ホーマー」❸ニット類の編み目がほどけること。❹コンピューターで、プログラムの実行。▽run(=はしる)

らん-うん【乱雲】❶〔文〕乱れ飛ぶ雲。❷〔気〕乱層雲の旧称。

らんえん-けい【卵円形】卵の外形に似て一方が少しとがった円形。[類語]卵形。

らん-おう【卵黄】卵の黄身。脂肪・たんぱく質に富む。[対]卵白。

らん-がい【欄外】〔新聞・書籍・文書などの紙面の〕文章を囲んだ枠・仕切りの外。

***らん-かく**【卵殻】〔文〕卵のから。

***らん-かく**【濫獲・乱獲】《名・他サ》鳥・獣・魚などをむやみに捕ること。「野鳥の―を防ぐ」

らん-がく【×蘭学】オランダの学問。特に、江戸中期以後、オランダ語の書物によって西洋の学術を研究した学問。[類語]洋学。

***らん-かん**【卵管】輸卵管。

***らん-かん**【欄干・×闌干】橋・階段・縁側などのふちに、木・金属などを縦横に渡して、人や物が落ちるのを防いだり飾りにしたりするもの。手すり。おばしま。

らん-き【×嵐気】〔文〕山中に立つもや。山気。

らん-ぎく【乱菊】花弁が長くてふぞろいな菊の花。また、その模様や紋所。

らん-ぎゃく【乱逆】〔文〕むほん。反逆。「―の徒」

らん-ぎょう【乱行】乱暴なふるまい。また、みだらな行い。不行跡。「酔って―におよぶ」「御―」

らん-ぎり【乱切り】料理で、野菜などを、形をそろえずにだいたい同じ大きさに切ること。「―にする」

らん-きりゅう【乱気流】〔飛行機の航行に影響するほどの〕不規則な気流。

ランキング 順位づけ。等級。選手などの成績順位。「―第一位」▽ranking

ランク《名・他サ》順位を定めること。また、順位。「最上位に―される」▽rank

らん-ぐい【乱×杭・乱×杙】川底や地上などに、秩序なくやたらに打ち込んだくい。「―歯(=ふぞろいに生えている歯)」

らん-くつ【濫掘・乱掘】《名・他サ》計画や方針をたてずに、鉱山などをむやみに掘ること。

らん-ぐん【乱軍】〔文〕敵味方が入り乱れて戦うこと。乱戦。「―の中で戦死する」

らん-けい【卵形】〔文〕卵のような形。また、卵の縦断面のような形。たまごがた。[類語]卵円形。

***らん-こう**【乱交】《名・自サ》男女が集団の中の不特定の相手と性行為をもつこと。「―パーティー」

***らん-こう**【濫行・乱行】〔文〕道にそむいた行い。

らん-こうげ【乱高下】《名・自サ》相場が上下に激しく不規則にうごくこと。乱調子。

らん-ごく【乱国】〔内戦などで〕秩序が乱れた国。[対]治国。

らん-こん【乱婚】男女が特定の夫・妻を定めずに夫婦関係を結ぶこと。雑婚。[参考]人類学者モルガン(L.H.Morgan)が原始的な婚姻形態として想定した。

らん-さく【濫作・乱作】《名・他サ》作品を(質を考えず)むやみに多く作ること。「推理小説を―する」

らん-ざつ【乱雑】《名・形動》乱れて整理されていないこと。「―な部屋」「書類を―に散らす」

***らん-し**【乱視】目の水晶体や角膜が正しい球面をしていないため、光線が網膜上の一点に集まらず、物が重複して見えたり、ちらついて見えたりする状態。

***らん-し**【卵子】雌の生殖細胞。精子と合して一つの個体となる。卵細胞。卵。[対]精子。

ランジェリー 女性用の下着類と薄い布で作られた部屋着の総称。[類語]ファンデーション。アンダーウエア。

▽(フランス) lingerie

らんし-しょく【×藍紫色】あい色を帯びた紫色。

らん-しゃ【乱射】《名・他サ》〔矢や弾丸などを〕目標を定めず、めちゃくちゃに発射すること。「銃を—する」 **—らんげき**【—乱撃】〔矢や弾丸などを〕めちゃくちゃに発射して攻撃すること。「—雨あられ」

らん-じゃ【×蘭×麝】〔文〕蘭の花の香りと麝香の香り。転じて、よい香り。

らん-じゅく【×爛熟】《名・自サ》❶果実が熟しすぎること。❷物事が、これ以上発達できないと考えられるほど発達していること。「—した江戸文化」

らんじゅ-ほうしょう【×藍×綬褒章】→褒章。

らん-しょう【濫×觴】〔文〕物事の始まり。おこり。起源。「京浜間が日本鉄道網の—である」 参考 「揚子江も源流は觴を濫べるほど小さい流れである」という、孔子家語のことばから。 類語 嚆矢。

***らん-しん**【乱心】《名・自サ》心が狂い乱れること。気が狂うこと。「—者」 類語 狂気。発狂。

***らん-しん**【乱臣】世を乱し主君に反逆を企てる臣下。「—賊子(=乱臣と、親に背く子)」

らんすう-ひょう【乱数表】0から9までの数字を無秩序に並べた表。統計や暗号などに用いる。

***らん-せい**【乱世】秩序の乱れた世の中。戦乱の世。らんせ。「—を生きる」「—の雄」 対 治世。

***らん-せい**【卵生】卵が、体外に産み出され、体外で発育してかえること。 参考 →胎生・卵胎生。

らん-せん【乱戦】❶〔戦争などで〕敵味方が入り乱れて戦うこと。乱軍。「市長選挙は保守・革新の—となった」❷荒れ模様の試合。 同 ①②混戦。

らん-そう【卵巣】動物の雌性生殖器の一つ。卵子を生じ、女性ホルモンを分泌する。ヒトでは骨盤の内側に左右一対ある。

らん-ぞう【濫造・乱造】《名・他サ》質や内容を考えず、むやみに多くつくること。「粗製—」

らんそう-うん【乱層雲】高度の低いところに広がる暗灰色の雲。雨・雪などを降らせる。雨雲。

***らん-だ**【乱打】《名・他サ》❶むやみやたらに打ちたたくこと。「太鼓を—する」❷〔テニスなどで〕練習のために球を打つこと。❸〔野球で〕安打を打ちまくること。「—戦」 同 ①〜③乱れ打ち。

***らん-だ**【×懶惰】《名・形動》〔文〕なまけること。「—な生活」 類語 怠惰。

らん-たいせい【卵胎生】卵生の動物であるが母体内で卵がふ化し幼生となって生まれること。タニシ・マムシ・グッピーなど。 参考 →卵生・胎生。

ランダム《形動》手当たりしだい。行き当たりばったり。「街頭で—に意見を聞く」▽random **—サンプリング** 抜き取り検査や標本調査でサンプルを取り出す際に、ある部分にかたよらないように、全体からその一部分を無作為に取り出す方法。無作為抽出(法)。任意抽出法。▽random sampling

ランタン 四面をガラス張りにした、角型の手さげランプ。角灯。ランターン。▽lantern

***ランチ** ❶〔港内などを走る〕エンジン付き小型船。汽艇。❷軍艦に積んだ連絡用の小艇。▽launch

***ランチ** 〔洋食ふうの〕手軽な食事。特に、昼食。また、盛り合わせの定食。「お子様—」「—タイム」▽lunch

らんちき-さわぎ【乱痴気騒ぎ】〔酒に酔うなどして〕入り乱れて大騒ぎすること。「深夜まで—をくりひろげる」 類語 どんちゃん騒ぎ。

ランチャー ロケット・ミサイルなどの発射装置。発射筒。▽launcher

らん-ちゅう【×蘭鋳・×蘭虫】金魚の一品種。体が丸く、腹部がふくらんで、背びれがない。頭部に小さな粒状の肉が盛り上がる。まるこ。

***らん-ちょう**【乱丁】書物のページの順序が乱れて製本されていること。また、そのページ。 類語 落丁。

***らん-ちょう**【乱調】❶乱調子。❷詩歌で、韻律の法則に従っていないこと。また、その詩歌。 類語 破調。

らん-ちょうし【乱調子】❶調子が乱れていること。❷乱高下。 同 ①②乱調。

ランチョン 昼食。午餐。「—マット」 参考 「ランチ」よりも形式ばったもの。▽luncheon

ランディング ❶上陸。陸揚げ。❷飛行機の着陸。また、スキーのジャンプなどの着地。▽landing

ランデブー ❶〔男女が〕時・場所をきめて会うこと。あいびき。〔古風な言い方〕 類語 密会。デート。❷二つの人工衛星が、ドッキングを行うために軌道上の空間で近づくこと。▽(フランス) rendez-vous

***らん-とう**【乱闘】《名・自サ》敵・味方が入り乱れて、たたかうこと。「両軍の選手が—を演じる」 類語 乱戦。

***らん-とう**【卵塔・×蘭塔】台座の上の部分がたまご形をしている墓石。多く禅僧の墓に用いる。 **—ば**【—場】墓場。墓地。

らん-どく【濫読・乱読】《名・他サ》〔系統立てず〕手あたりしだいに書物を読むこと。「ミステリーを—する」

ランドセル おもに小学生が学用品を入れて通学する、せおい式のかばん。▽(オランダ) ransel から。

ランド-マーク ❶陸上の目印。❷歴史的建造物。▽landmark

らん-どり【乱取り・乱捕り】柔道で、二人ずつ組んで、自由に技を出し合って行う練習。

ランドリー クリーニング店。「コイン—」▽laundry

ランナー ❶陸上競技で、競走種目の選手。「長距離—」❷野球で、走者。▽runner

らん-にゅう【乱入】《名・自サ》荒々しく、むりやりにはいりこむこと。「敵陣に—する」

ランニング ❶走ること。競走。❷「ランニングシャツ」の略。▽running **—コスト** 維持管理費。また、運転資金。▽running cost **—シャツ** そでなしで、えりぐりの大きいシャツ。運動用、また、下着用。ランニング。▽running と shirts からの和製語。 **—ストック** 企業活動を続けるのに必要な在庫。正常在庫。 対 デッドストック。▽running stock

らん-ばい【乱売】《名・他サ》〔損得を度外視して〕むやみに安く売ること。投げ売り。「—合戦」

らん-ぱく【卵白】卵の白身。 対 卵黄。

らん-ばつ【濫伐・乱伐】《名・他サ》無計画に山林の木を伐採すること。「—の結果、山崩れが起こる」

らん-ぱつ【濫発・乱発】《名・他サ》❶むやみに放つこと。「野次を—する」❷〔紙幣・債券・小切手などを〕むやみに多く発布・発行すること。「手形を—する」

らん-はんしゃ【乱反射】《名・自サ》光がさまざまな方向に反射すること。 対 整反射。

らん-ぴ【濫費・乱費】《名・他サ》〔金・品物・精力など〕むやみについやすこと。「公金の—」 類語 浪費。

らん-ぴつ【乱筆】❶筆跡が乱れていること。また、そ

ら

の筆跡。❷〔手紙文で〕自分の筆跡をへりくだっていう語。「—乱文にて失礼いたします」類語 拙筆。

らん‐ぶ【乱舞】《名・自サ》入り乱れて舞うこと。また、入り乱れて激しく動き回ること。「札束が—する選挙戦」「音と光が—する舞台」類語 群舞。

***ランプ** ❶石油などを燃料とする(西洋風の)照明具。❷電灯。「テール—」表記 ①②とも「洋灯」と当てた。▽lamp

***ランプ** 高速道路のインターチェンジで、立体交差した二つの道路をつなぐ傾斜道路。また、自動車専用道路の出入り口。ランプウエー。▽ramp

らん‐ぶん【乱文】〔文〕❶乱れてととのっていない文章。❷〔手紙文で〕自分の手紙などをへりくだっていう語。「乱筆—をお許しください」

らん‐ぺき【×藍×碧】〔文〕あおみどり。

らん‐ぼう【乱暴】《名・形動》❶《自サ》ふるまいが荒荒しいこと。「—者」「—してはいけない」「—に座席へ割りこむ」類語 狼藉(ろうぜき)。粗暴。参考「強姦」の婉曲(えんきょく)な表現として使われることがある。❷言動などが粗雑で、筋道が立っていないこと。「—な議論」

らん‐ぽう【×蘭方】江戸時代、オランダから伝わってきた医術・薬学。「—医」

らん‐ぽん【×藍本】〔文〕〔藍(あい)は青の出るもとの意で〕原本。原典。

***らん‐ま【乱麻】**〔文〕❶乱れもつれた麻糸。❷物事や世の中の乱れたようす。参考 ↓快刀(かいとう)乱麻を断つ。

***らん‐ま【欄間】**天井と鴨居(かもい)または長押(なげし)との間に格子や、透し彫りの飾り板などをとりつけた部分。

らん‐まん【×爛漫】《形動タルト》〔文〕❶花が咲きほこっているようす。「春—の花の色」❷形や枠にとらわれず明らかに現れるようす。「天真—」

らん‐みゃく【乱脈】《名・形動》秩序やきまりがみだれて筋道が立たないこと。「—な経理」類語 不正。

らん‐よう【濫用・乱用】《名・他サ》むやみやたらに使うこと。「職権の—」「睡眠薬の—は危険だ」

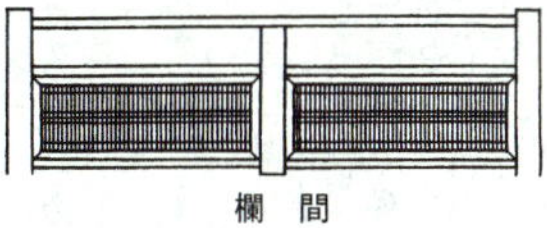

欄　間

らん‐らん【×爛×爛】《形動タルト》〔文〕❶光り輝くようす。「—たる満天の星」❷眼光がするどく輝くようす。「トラが—と目を光らせる」

らん‐りつ【乱立・濫立】《名・自サ》❶秩序なく立ち並ぶこと。「プラカードが—する」類語 林立。❷多数のものがむやみやたらに立つこと。「候補者が—する」

らん‐りゅう【乱流】運動している流体において、速度や圧力が不規則に変化する流れ。対 層流。

らん‐りん【乱倫・濫倫】〔文〕行いが人の道にはずれること。特に、男女の関係がみだらなこと。類語 不倫。

らん‐る【×襤×褸】〔文〕ぼろ。ぼろきれ。つづれ。

り

利—利

***り【裏・×裡】**《接尾》その条件・状況のなかにある意。…のうち。「暗々—に悟る」「成功—に終わる」

***り【里】**《助数》尺貫法の距離の単位。一里は、三六町(=約三・九三キロ)。参考 古代の一里は、六町。

***り【利】**❶もうけ。利益。「—にさとい」「—を追う」「漁夫の—」❷都合がよいこと。便利。便宜。「地の—を得る」❸勝利。勝ちめ。「戦い—あらず」❹利子。利息。「—が—を生む」

***り【吏】**㊀《名》〔文〕役人。「—の道にそむく」㊁《接尾》「役人」の意。「税関—」

***り【理】**❶〔物事に作用している〕原理。法則。「自然の—」❷理屈。また、道理。「盗人にも三分の—」「—が通らない」❸「理科」「理学部」「物理学」の略。

—に落ちる《句》理屈っぽくなる。

—に適(かな)う《句》理屈・道理にぴたりと合う。

—の当然《句》理屈からみてたしかにそうであるべきこと。

***り**《助動：ラ変型》文語 ❶継続を表す。…ている。「青澄む空に群れ飛べる鳥影小さし〈岡野直七郎〉」❷結果の存続を表す。また、単なる状態を表す。…ている。…てある。「やはらかに柳あをめる北上の岸辺目に見ゆ…〈啄木〉」❸完了(時に、過去)を表す。…た。「この時母上通りかかり給へり〈鷗外〉」参考 現在でも、連体形「る」の形は、優雅な表現として表題・標語などで使われる。多く連体詞的に働く。「生ける屍(しかばね)」「花咲ける騎士道」「眠れる獅子(しし)」「怒れる若者たち」など。

リアクション 反動。反応。反作用。▽reaction

リアスしき‐かいがん【リアス式海岸】起伏の多い陸地が沈降してできた、海岸線の屈曲のとくに複雑な海岸。三陸海岸・志摩半島など。参考「リアス(Rias)」は、スペイン語のリア(=湾)にちなむ。

リアリスティック《形動》❶写実的。「—な描写」❷現実的。実際的。「—な政治感覚」同 ①②リアル。=リアリスチック。▽realistic

リアリスト ❶文学・美術などで、リアリズムを信奉する人。写実主義者。❷現実主義者。実際家。=レアリスト。▽realist

リアリズム ❶文学・美術などで、自然や人生のありさまを忠実・客観的に描写することを重んずる立場。写実主義。❷〔哲〕実在論。❸〔非現実的・空想的な事柄を排し〕現実的・実際的な事柄を重んずる立場。現実主義。=レアリスム。▽realism

リアリティー ❶現実性。現実感。「—の乏しい小説」❷〔哲〕実在。実体。=レアリテ。▽reality

リアル《形動》❶現実的。「—に生活を見つめる」❷写実的。「—な筆致」同 ①②リアリスティック。▽real

—タイム ❶即時。同時。「—の映像が届く」❷リアルタイム処理。▽real time

—タイム‐しょり【—タイム処理】〔real-time processing〕〔電算〕データが発生すると同時に処理し、その結果をただちにデータ発生箇所に送り返す方式。即時処理。実時間処理。対 バッチ処理。

リーク《名・自他サ》秘密が漏れること。秘密を漏らすこと。機密漏洩(きみつろうえい)。「情報を—する」▽leak

リーグ 同盟。連合。連盟。特に、運動競技の連盟。「メジャー—」▽league

—せん【—戦】競技に参加した団体や個人が、少なくとも一回はすべての相手と試合をして優勝をきめる試合方法。総当たり戦。参考 ↓トーナメント。

***リース**《名・他サ》〔比較的長期の〕賃貸借契約。類語 レンタル。▽lease

り

*リース 花輪。花冠。「クリスマス―」▽wreath

リーズナブル《形動》❶合理的。❷価格が、妥当であるようす。手ごろ。「―な値段」▽reasonable

リーゼント・スタイル 男の髪型の一つ。長い髪をポマードで光らせ、前髪を持ち上げ、両横をなでつけるもの。リーゼント。▽regent と style からの和製語。

*リーダー ❶指導者。指揮者。主将。首領。「チーム―」❷〔印刷で〕点線。破線。「―罫(けい)」▽leader ―シップ ❶指導者としての地位または職責。指導権。主導権。「主流派が―を握った」類語ヘゲモニー。❷統率力。「―に欠ける首相」▽leadership

*リーダー ━《名》❶〔英語の読解用の〕教科書。❷読者。━《造語》読み取り機。「マイクロ―」▽reader

リーチ 腕を伸ばした長さ。特に、ボクシングで、相手までとどく腕の長さ。「―がある」▽reach

リーディング・ヒッター 野球で、一シーズンの打撃率が最もよい打者。首位打者。▽leading hitter

リート ドイツの独唱用の歌曲。叙情的なものが多い。▽(ドイツ) Lied(=歌)

*リード ❶《名・他サ》〔集団などを〕指導すること。先導すること。「民衆運動を―する」❷《名・他サ》運動競技などで、相手を引き離すこと。アヘッド。「一点―する」「―を許す」❸野球で、走者が次の塁をねらって塁から離れること。❹《名・他サ》社交ダンスで、男性が手や足の動きによって、女性を次の動きに導くこと。❺新聞で、記事の概要を書いて冒頭におく文章。前書き。前文。▽lead ―オフ・マン ❶野球で、一番打者。トップバッター。❷その道の先頭に立って他を導く人。「政界の―」▽lead-off man

*リード オーボエ・クラリネットやリードオルガンなどにとりつける、竹・金属などの細長い薄片。これを振動させて音を出す。簧(こう)。した。▽reed(=葦(あし)) ―オルガン ペダルをふみ、リードを振動させて音を出すオルガン。最も普通に見られるオルガン。▽reed organ

リーフレット 〔宣伝・案内などのための〕一枚刷りの印刷物。類語パンフレット。▽leaflet

リーベ ❶《名・他サ》愛すること。❷恋人。▽(ドイツ) Liebe

リール 糸・つり糸・映画用フィルム・録音テープなどを巻き取るための枠。▽reel

り・いん【吏員】地方公務員。公吏。〔古風な言い方〕

り・うん【利運】〔文〕よいめぐり合わせ。幸運。

り・えき【利益】❶金銭上のもうけ。「上半期の―」「―を上げる」類語得。益。利。利潤。収益。利得。得分。利鞘(りざや)。一挙両得。一攫(いっかく)千金。漁夫の利。❷〔ある個人・集団などにとって〕得になること。ためになること。「国民の―」「―代表」―しゃかい【―社会】(ドイツ Gesellschaft)会社・組合など、成員が利益を目的として結びついてつくる社会。ゲゼルシャフト。対共同社会。

*り・えん【×梨園】❶〔文〕梨(なし)の木の植えてある庭園。❷歌舞伎(かぶき)役者の社会。「―の御曹司」故事中国の唐の玄宗皇帝が、梨の木を植えた庭園で自ら舞楽を教えたことから。

*り・えん【離縁】《名・他サ》❶夫婦または養親子(ようしんし)の縁を絶つこと。❷〔法〕養子縁組を解消すること。―じょう【―状】夫から妻に離縁のしるしとして渡した書きつけ。三行(みくだり)半。去り状。

リエンジニアリング 企業が、コスト・品質・サービスなどを改善するために事業システムの根本的な再設計・再編成を行うこと。▽reengineering

*り・か【×李下】〔文〕スモモの木の下。―に冠を正さず《句》実を盗んでいると疑われる恐れがあるので、スモモの木の下で冠を直すべきではない。人から疑いをかけられるような行いはつつしむべきである。〈古楽府・君子行〉類語瓜田(かでん)に履(くつ)を納(い)れず。

*り・か【理科】❶学校教育における教科の一つで、自然界の事象や現象について学ぶもの。また、物理・化学・地学・生物など、自然科学方面の科目の総称。❷大学で、自然科学を研究・教授する部門。対文科。

*り・かい【理会】《名・他サ》〔文〕物事の道理をさとること。合点。「宇宙成立の原理を―する」

*り・かい【理解】《名・他サ》❶物事の筋道・意味をさとり、のみこむこと。分かること。「文章を―する」「―に苦しむ」「―力」類語納得。会得(えとく)。得心。了解。了得。❷他人の心・立場などを思いやること。「部下に対して―がある」

*り・がい【利害】利益と損害。「―得失」「両者の―が一致する」類語得失。損得。損益。―かんけい【―関係】同一の物事によって、同じ利益を得たり、利害が相反したりする関係。

*り・がい【理外】〔文〕普通の道理では説明できないこと。「―の理(=普通の道理では説明できない不思議な道理)」

り・がく【理学】自然に関する科学の総称。特に、物理学。

り・かがく【理化学】物理学と化学。理化。

り・かく【離隔】《名・自他サ》〔文〕離れへだたること。また、離しへだてること。「中央から―した地」

*り・かん【×罹患】《名・自サ》〔文〕病気にかかること。罹病(りびょう)。「―率」

*り・かん【離間】《名・他サ》〔文〕〔故意に〕互いの仲を引き離すこと。「両国の―をはかる」類語反間。

り・がん【離岸】《名・自サ》〔文〕岸をはなれること。

*り・き【利器】❶〔文〕するどい刃物・武器。類語利剣。❷便利ですぐれた道具や器械。「文明の―」

*りき【力】━《名》〔俗〕ちから。体力。精力。「あの人には―がある」「―が入る」━《接尾》それだけの力がある意。「十人―」

りき・えい【力泳】《名・自サ》力いっぱい泳ぐこと。

りき・えん【力演】《名・他サ》力いっぱい演じること。「マクベスを―する」類語熱演。

りき・がく【力学】物体間に作用する力と物体の運動の関係を研究する、物理学の一部門。「量子―」

りき・かん【力感】力強い感じ。「―あふれる作品」

りき・さく【力作】精いっぱいの力をつぎこんで作り上げた作品。類語労作。

りき・し【力士】相撲取り。

りき・せつ【力説】《名・他サ》ある意見・主張などを力をつくして述べること。「土地政策の重要性を―する」

*りき・せん【力戦】《名・自サ》力闘。

*りき・そう【力×漕】《名・自他サ》〔ボートなどを〕力の限りこぐこと。

*りき・そう【力走】《名・自サ》力の限り走ること。

リキッド ❶液体。流動体。「―タイプ」❷男性用の液体整髪料。ヘアリキッド。▽liquid

りき・てん【力点】❶〔理〕てこやそれを応用した道具で

り

物を動かすとき、力を加える箇所。対支点・作用点。❷主眼とし、力をこめる箇所。「数学に—を置く」

***りき-とう【力投】**《名・自他サ》野球で、投手が力の限り投球すること。

***りき-とう【力闘】**《名・自サ》力の限りたたかうこと。力戦。「—むなしく敗れる」類語奮闘。奮戦。

りき・む【力む】《自五》❶息をつめて力を入れる。いきむ。「バーベルに手をかけて—・む」❷力があるように見せかける。勢いを張る。気負う。「優勝してみせると—・む」文《四》。

り-きゅう【離宮】皇居・王宮などのほかに設けた宮殿。「赤坂—」類語御用邸。

りきゅう-いろ【利休色・利久色】黒みがかった緑色。参考千利休が好んだという。

りきゅう-ねずみ【利休×鼠・利久×鼠】利休色をおびたねずみ色。

リキュール蒸留酒やアルコールに、糖類・香味料などを加えてつくった香気の高い混成酒。アブサン・キュラソー・ベルモットなど。▽フランス liqueur

***り-きょう【離京】**《名・自サ》都を離れること。特に、東京または京都を離れること。

***り-きょう【離郷】**《名・自サ》故郷を離れること。

りき-りょう【力量・力×倆】ある物事をするのに出し得る能力の程度。「教師としての—が試される」

りく【陸】地球表面の、水におおわれず岩石・砂れきなどでできている部分。「—の孤島(=陸続きなのに離れ島のように交通が不便な所)」類語陸地。大地。対海。

りく-あげ【陸揚げ】《名・他サ》船で運んで来た荷物を陸にあげること。荷あげ。揚陸。

り-ぐい【利食い】《名・自サ》株の転売や買いもどしをして、差額をもうけること。「—売り」

りく-うん【陸運】貨物・旅客などを陸上の輸送機関で運ぶこと。陸上運輸。対海運・水運。

リクエスト《名・他サ》〔利用者・客などからの〕希望。注文。「—に応じる」「—曲」▽request

りく-ぐん【陸軍】陸上での作戦を任務とする軍隊。対海軍・空軍。

りく-さん【陸産】陸上で産出すること(もの)。対海産・水産。

りく-しょ【▽六書】❶漢字の成り立ちと使い方に関する六つの種別。成り立ちに関する象形・指事・会意・形声(諧声)と、使い方に関する転注・仮借。❷六体。

りく-じょう【陸上】❶陸の上。陸地。対海上・水上。❷「陸上競技」の略。

—きょうぎ【—競技】トラックやフィールドで、走る・跳ぶ・投げるの三つの基本の技を競って行う運動競技の総称。陸上。

りく-すい【陸水】海洋以外の陸地に囲まれた水の総称。湖沼・河川の水および地下水。「—学」

りく-せい【陸生・陸×棲】《名・自サ》陸地にすむこと。「—動物」表記「陸生」は代用字。対水生。

りく-せん【陸戦】陸上での戦闘。対海戦・空戦。

りくぜん【陸前】旧国名の一つ。今の宮城県の大部分と岩手県の一部。

りく-そう【陸送】《名・他サ》陸上を輸送すること。陸上での輸送。類語陸運。対海送。

りく-ぞく【陸続】《形動タルト》〔文〕〔人・車などが〕絶え間なく続くようす。「—と続くパレード」

りく-たい【▽六体】漢字の六種の書体。大篆・小篆・八分・隷書・行書・草書。また、古文・奇字・篆書・隷書・繆篆・虫書。六書。ろくたい。

りく-だな【陸棚】大陸棚。陸棚。

りく-ち【陸地】陸である土地。おか。

りくちゅう【陸中】旧国名の一つ。今の岩手県の大部分と秋田県の一部。

り-くつ【理屈・理×窟】❶物事のすじみち。もっともな論理。道理。「—に合った議論」類語筋。理。条理。事理。理路。❷こじつけの理論。へりくつ。「—をこねる」表記「理屈」は代用字。

—っ-ぽ・い《形》何事にも理屈をつけたがる傾向が強い。「—・い人」

りく-とう【陸稲】おかぼ。対水稲。

りくとう-さんりゃく【▽六×韜三略】❶中国の昔の兵法書「六韜」と「三略」。❷兵法の極意。兵法の虎の巻。

りく-はんきゅう【陸半球】〔地〕地球を水陸の分布状態から二分したとき、できるだけ陸地の面積を広く含むようにとった半球。対水半球。

***りく-ふう【陸封】**海水と淡水との両方で生活する魚が、河川や湖などに閉じこめられて、そこにすみつくようになること。ベニマスに対するヒメマスの類。

***りく-ふう【陸風】**晴天の日の夜、陸から海に向かって吹く風。陸軟風。対海風。

りく-ほう【陸▽棚】大陸棚。陸棚。

リクライニング-シート〔乗り物などで〕背もたれが後ろに傾き、その角度を変えられる座席。「三段式—」▽reclining seat

りく-り【陸離】《形動タルト》〔文〕〔光が〕美しくかがやくようす。参考多く「光彩—」の形で使う。「光彩—たるものがある」

リクルート❶《名・他サ》人材を求めること。❷学生が就職活動をすること。また、その活動。▽recruit(=新兵・補充兵募集)

リクレーション→レクリエーション。▽recreation

りく-ろ【陸路】陸上の交通路。参考副詞的に用いて、「歩いて」「陸上の交通機関を用いて」の意を表す。「—京におもむく」対海路(水路)・空路。

リケッチア細菌とウイルスの中間ぐらいの大きさをもつ微生物。発疹チフス・つつがむし病の病原体など。▽rickettsia

***り-けん【利剣】**❶〔文〕切れあじのするどい刀剣。類語利器。❷仏教で、一般に、邪悪なものを打ち破るもの。煩悩を打ち破る仏法の力。類語破邪の剣。

***り-けん【利権】**ある利益を自分のものにし得る権利。特に、業者が公的機関の財政経済活動と結託して手に入れる権益。「—の獲得に奔走する」「—にむらがる」

***り-げん【×俚言】**〔文〕卑俗なことば。また、いなかびたことば。俚語。俚辞。対雅言。

***り-げん【×俚×諺】**世間で広く言いならわされていることわざ。「負けるが勝ち」「急がば回れ」など。

り-こ【利己】〔他人のことを考えず〕自分だけの利益をはかること。「—的な我利我利亡者」対利他。

—しゅぎ【—主義】自分の利益・快楽などをまず第一にし、他の人のことをかえりみない考えかた。主我主義。エゴイズム。対利他主義。愛他主義。

***り-こう【利口・利巧・×悧巧】**《名・形動》❶頭がよいこと。賢いこと。怜悧。「—な子供」類語聡い。利発。賢明。聡明。利根。明敏。❷〈多く「お—」

の形で〕〔子供などが〕聞き分けがよくおとなしいこと。〔ふつう、女性が子供にむかって言うときに使う〕「おーにしているんですよ」❸悪がしこく、抜け目のないこと。「ーに立ち振るまう」

類義語の使い分け　利口・利発・聡明

[利口・利発・聡明]　一を聞いて十を知る利口〔利発・聡明〕な少年
[利口]　烏は利口な鳥だ／利口に立ち回る／お利口さん
[利発]　幼い時から利発ぶりはこの辺では有名だった
[聡明]　聡明な為政者として人民から慕われた君主

***り・こう【履行】**《名・他サ》〔義務や約束ごとなどを〕実際に行うこと。「債務をーする（＝借金を返す）」

り・ごう【離合】《名・自サ》離れたり合わさったりすること。「政党のーが目まぐるしい」「ー集散」

リコーダー 縦吹きの木管楽器。中世やバロックの音楽で重要な地位を占めた。素朴で柔らかい音色をもつ。ブロックフレーテ。▽recorder

リコール《名・他サ》❶議会の解散や公職者の解職を請求すること。また、その請求に基づいて、解散・解職させること。解散請求。解職請求。❷自動車などで、製品の欠陥がわかったとき、生産者が無料で回収・修理を行うこと。▽recall

リゴリズム 道徳・規範を守ることをきびしく求める態度。厳粛主義。厳格主義。▽rigorism

***り・こん【利根】**《名・形動》〔文〕〔生まれつき〕かしこいこと。類語 利口。利発。対 鈍根。

***り・こん【離婚】**《名・自サ》夫婦が婚姻を解消すること。「ー訴訟」類語 離縁。

リサーチ 調査。「マーケティングー」▽research

リザーブ《名・他サ》予約すること。▽reserve

り・さい【×罹災】《名・自サ》災害にあうこと。「ー者」類語 被災。罹難。

り・ざい【理財】❶〔文〕財産をうまく運用すること。「ーの道に暗い」❷「経済」の旧称。

リサイクリング ↓リサイクル。▽recycling

リサイクル《名・他サ》廃物の再利用。再生利用。リサイクリング。「資源のー」▽recycle

リサイタル 独唱会。独奏会。▽recital

り・ざや【利×鞘】取引で、売値と買値の差額によって生じる利益金。「ーをかせぐ」

り・さん【離散】《名・自サ》はなればなれになること。「破産して一家がーする」「集合ー」類語 四散。

り・し【利子】金銭を貸すことに対する報酬として、その金銭の額に対して一定の割合で支払われる金銭。利息。類語 金利。利。対 元金。

り・じ【理事】❶〔法〕法人の事務を処理し、その法人を代表して権利を行使する役。参考 株式会社・有限会社では「取締役」と称する。❷団体で、担当事務を処理する特殊な役職。

***り・しゅう【履修】**《名・他サ》規定の学科・課程などをおさめること。「大学の全課程をーする」注意「履習」は誤り。

***り・しゅう【離愁】**〔文〕別れの悲しみ。

り・じゅん【利潤】総収入から経費を差し引いた残り。もうけ。「ーの追求を第一に考える」

***り・しょう【利生】**《「利益衆生」の略》仏や菩薩が衆生に利益を与えること。また、その利益。

***り・しょう【離床】**《名・自サ》〔文〕〔病気が治ったり目がさめたりして〕寝床をはなれること。類語 起床。

***り・しょう【離昇】**《名・自サ》〔文〕飛行機が地上をはなれて上昇すること。「ー力」

***り・しょう【離礁】**《名・自サ》船が、乗りあげた暗礁からはなれること。

***り・しょく【利殖】**《名・自サ》資金をうまく運用して財産をふやすこと。「ーに長ける」類語 理財。貨殖。

***り・しょく【離職】**《名・自サ》❶職務から離れること。❷勤めをやめて職場を離れること。「ー者」

りす【×栗×鼠】《「栗鼠」の唐音「りっす」の転》リス科の獣。背は褐色、腹は白色で、尾は長くふさふさしている。森林にすんで木の上を敏捷に動きまわり、木の実などを食べる。きねずみ。くりねずみ。

***り・すい【利水】**水の流れをよくすること。また、水の利用をはかること。「ー事業」類語 水利。治水。

***り・すい【離水】**《名・自サ》〔文〕〔水上飛行機などが〕水面から飛び上がること。対 着水。

り・すう【理数】理科と数学。「ー系」

リスキー《形動》危険なようす。リスクが大きいようす。「ーな事業」▽risky

リスク〔損害を受ける〕危険。「ーを伴う投資」▽risk

***リスト**〔スポーツで〕手首。「ーが強い」▽wrist

***リスト** 目録。明細書。名簿。表。「不要品のーを作る」「ブラックー」▽list **ーアップ**《名・他サ》目録・名簿・表などから、ある条件にあてはまるものを選び出すこと。また、選び出して、名簿などにのせること。▽list と up からの和製語。

リストラ《他サ》「リストラクチャリング」の略。企業がその構造や業務内容を再構築すること。特に、人員整理。首切り。▽restructuring から。

リスナー 聞き手。聴取者。特に、ラジオ番組の聴取者。▽listener

リズミカル《形動》リズムがあるようす。律動的。リズミック。「手足をーに動かす」▽rhythmical

リズム ❶物事が規則的にくり返されるときの、規則的な動き。調子。「生活のーが狂う」❷詩の韻律。また、話しことばで、声の大小・抑揚から生ずる快いひびき。❸メロディー・ハーモニーとともに音楽の三要素の一つ。音の強弱や長短が、一定のきまりに従って連続するもの。節奏。律動。▽rhythm

り・する【利する】㊀《他サ変》❶利用する。「けわしい地形をー・した城」❷利益を与える。「敵をー・する行為」㊁《自サ変》役に立つ。「研究にー・するところが大きい」

り・せい【理性】〔感性に対して〕物事を論理的・概念的に思考したり自己を抑制したりする能力。「人間はーの動物である」「怒りのあまりーを失う」**ーてき【ー的】**《形動》〔感情に走らず〕理性に従って冷静に判断し、行動するようす。「ーな対応」類語 理知的。対 感情的。

***り・せき【離席】**《名・自サ》席を離れること。対 着席。

***り・せき【離籍】**《名・他サ》民法旧規定で、戸主が家族に対して、家族としての身分を取り除くこと。

リセット《名・他サ》〔操作中の機器・計器などの設定を〕始動時の状態に変えること。▽reset

り・せん【離船】《名・自サ》〔難破したときなどに〕乗船

り

員・乗客などが船を離れ去ること。類語下船。

り-そう【理想】 最も完全なものとして、人が心に描き求めるもの。「平和を―とする憲法」 **―か【―化】**《名・他サ》物事を現実の状態から離れて、理想の状態において考えたり見たりすること。「恋人の像を―する」 **―きょう【―郷】** 理想として描く、完全で平和な社会。桃源郷。ユートピア。 **―しゅぎ【―主義】**〔哲〕道徳的・社会的理想の実現を追求することが人生の意義であるとする立場。アイディアリズム。対現実主義。 **―てき【―的】**《形動》状態が理想に合致しているようす。「攻守走そろった―な選手」

リゾート 行楽・避暑・避寒などのために行く場所。保養地。「―ホテル」▽resort

り-そく【利息】 利子。

り-ぞく【×俚俗】〔文〕❶田舎の風習。また、卑しい風習。❷《名・形動》田舎びていること。

リゾット イタリア風の米料理。バターでいためた米に魚貝・野菜などを加え、スープ・白ワインで軟らかめに炊いたもの。▽イタリア risotto

り-そん【離村】《名・自サ》住んでいた村を離れること。「過疎地の住民が―する」

り-た【利他】 自分のことよりも他人の利益や幸福をはかること。対利己。 **―しゅぎ【―主義】** 他人の利益や幸福をはかることを目的とする立場。愛他主義。類語博愛主義。対利己主義。

リターナブル《名・形動》メーカーが空き瓶などを回収し、返却代を支払うこと。回収の対象となること。「―瓶」▽returnable

リターン-マッチ プロボクシングなどで、選手権をうばわれた者が、新しい選手権保持者の最初の挑戦者となって行う選手権試合。▽return match

リタイア《名・自サ》❶〔自動車レースなどの競技で〕故障・事故などのために、途中で退場すること。棄権すること。❷引退・退職すること。「早く―してのんびり暮らしたい」▽retire(=退く)

り-たつ【利達】《名・自サ》〔文〕身分・地位などが高くなること。立身出世。類語栄達。

り-だつ【離脱】《名・自サ》〔組織や状態などから〕ぬけ出すこと。「党籍を―する」「戦線―」類語脱退。

り-ち【理知・理×智】 感情に支配されず、論理的に物事の道理を判断する能力。 **―てき【―的】**《形動》理知によって物事の道理を判断し、行動するようす。「―で冷静な人」類語理性的。知性的。

リチウム アルカリ金属元素の一つ。銀白色でやわらかく、金属の中で最も軽い。有機化合物の還元剤、合金の添加剤、花火、医薬などに使う。元素記号 Li。▽ドイツ Lithium

りち-ぎ【律義・律儀】《名・形動》かたく義理を守ること。実直なこと。「―な人だから時間通りに来るよ」

り-ちゃくりく【離着陸】《名・自サ》航空機の離陸と着陸。類語離発着。

***りつ【立】** ㊀《接頭》「…に立つ」「…を立てる」の意。「―候補」「―太子」 ㊁《接尾》「…によって設立された」の意。「島根県―」

***りつ【律】** ❶物事がそれに従って行われる、おきて・法則。「因果―」❷奈良・平安時代、令とともに律令制度の基本とされた法典で、刑罰に関して規定したもの。❸日本および中国の古い音楽で用いる、音組織上の用語。十二律のうちの奇数律。陰陽に分けたときの陽に属するもの。対呂。

***りつ【率】** ❶全体の中のある一部分の、全体に対する比。割合。歩合。〔接尾語的にも使う〕「配当の―がいい」「合格―」❷努力・労力に対するむくいの程度。「もっと―のいい仕事はないか」

りつ-あん【立案】《名・他サ》❶計画を立てること。「再開発計画を―する」❷文書の下書きをつくること。類語①②起案。

***りっ-か【立夏】** 二十四節気の一つ。陰暦四月の節で、太陽暦の五月六日ごろ。暦の上で夏が始まる日。

***りっ-か【立花・立華】** 生け花で、中心になる枝をまっすぐに立てた型を基本とするもの。また、そのように生けた花。

りつ-がん【立願】《名・自サ》神や仏に願をかけること。願かけ。願だて。立願。類語発願。

り-つき【利付(き)】 債券・株式に利札・配当がついていること。「―債券」

りっ-きゃく【立脚】《名・自サ》そのものがよって立つ立場を定めること。「民主主義に―した政治」「―点」

りっ-きょう【陸橋】 道路や鉄道線路の上にかけた橋。ガード。

***りっ-けん【立件】**《名・他サ》訴訟事件とすべきことを立証すること。「その行為を贈賄として―する」

***りっ-けん【立憲】** 憲法を制定すること。 **―せいじ【―政治】** 憲法に基づいた政治。 **―せいたい【―政体】** 憲法を定め、司法・立法・行政の三権を分立させ、議会を通して国民が政治に参加する政体。

りつ-げん【立言】《名・自サ》〔文〕自分の意見をはっきりと述べること。また、その意見。「政策に関する―」

***りっ-こう【力行】**《名・自サ》〔文〕たえまなく力をつくし、励むこと。「苦学―のたまもの」

***りっ-こう【陸行】**《名・自サ》陸路を行くこと。陸上の旅。陸行。対水行。

りっ-こうほ【立候補】《名・自サ》選挙で、候補者として名乗りでること。「自治会の会長に―する」

りっ-こく【立国】 ❶新しく国家を建設すること。建国。「―の精神」❷〔ある産業を基本とする方針や計画によって〕国家を存立・発展させること。「工業―」

***りっ-し【律師】**〔仏〕❶戒律に通じ、徳望の高い僧。❷僧都に次ぐ僧の官位の名称。

***りっ-し【律詩】** 漢詩の一体。一句が五言または七言の八句から構成されているもの。律。「五言―」

りっし-でん【立志伝】 逆境の中でこころざしを立て、努力奮闘した末に成功した人の伝記。「―中の人(=立志伝に登場するような立派な人)」

***りっ-しゅう【律宗】** 仏教の一派。南都六宗の一つで、戒律を重んじる。七五四年、唐僧鑑真が来朝して伝えた。本山は唐招提寺。律。

***りっ-しゅう【立秋】** 二十四節気の一つ。陰暦七月の節で、太陽暦の八月八日ごろ。暦の上で秋が始まる日。

りっ-しゅん【立春】 二十四節気の一つ。陰暦正月の節で、太陽暦の二月四日ごろ。暦の上で春が始まる日。参考八十八夜・二百十日・二百二十日は、立春から起算する。

りっ-しょう【立証】《名・他サ》ある物事の存在や真実性を、証拠立てて明らかにすること。証明すること。「新説の信憑性を―する」「無罪を―する」

り

りっ‐しょく【立食】 立ったままで食べること。特に、洋式の宴会で、卓上の飲食物をめいめいが自由に取って立ったまま食べること。「—パーティー」

りっ‐しん【立身】《名・自サ》人が社会的に認められ、よい地位につくこと。「—栄達」類語 栄達。出世。**—しゅっせ【—出世】**《名・自サ》社会的に高い地位につき、名声を得ること。

りっ‐すい【立×錐】〔文〕錐(きり)を立てること。**—の余地も無・い**《句》〔錐を立てるほどのわずかなすきまもないの意〕人が密集して入りこめないようす。「満員で、場内は—・い」

りっ‐・する【律する】《他サ変》ある基準に従って物事を・判断(処理)する。「自分の考えで他を—・する」

りつ‐ぜん【×慄然】《形動タト タル》〔文〕恐れおののくようす。ぞっとするようす。「大地震の惨状に—とする」

りつ‐ぞう【立像】 立っている姿の像。対 座像。

りっ‐たい【立体】 一定の位置において、幅・奥行き・高さの三次元の広がりをもって空間を占めるもの。**—こうさ【—交差】**〔道路・鉄道などで〕二つの路線が、上下に高さを違えて交差すること。**—ずけい【—図形】** 立方体・直方体・球などのように三次元の広がりをもつ図形。対 平面図形。**—てき【—的】**《形動》❶見た物が、奥行きや深みや厚みをもっていて、立体の感じを与えるようす。「—な画面」❷〔観察・研究などで〕ある物事をいろいろな視点・立場からとらえるようす。「農村社会の構造を—に調べあげる」対 ①②平面的。**—は【—派】**↓キュービスム。

りっ‐たいし【立太子】 公式に皇太子を定めること。「—礼」

***りっ‐ち【立地】**〔社会的・自然的な条件を考えて〕産業を営むのに適した土地を決定すること。「—条件に恵まれる」

***リッチ**《名・形動》富んでいること。豊かなこと。金持ち。「—な感じ」対 プア。▽rich

***りっ‐とう【立党】**《名・自サ》新しく政党・党派を作ること。

***りっ‐とう【立冬】** 二十四節気の一つ。陰暦一〇月の節で、太陽暦の一一月八日ごろ。暦の上で冬が始まる日。

りつ‐どう【律動】《名・自サ》ある一定の規則でくり返される運動。「—美」類語 リズム。

リットル《助数》メートル法による体積の単位。縦・横・高さがそれぞれ一〇センチの立方体に等しい体積。一〇〇〇立方センチ。約五合五勺。リッター。記号 ℓ。表記「立」と当てた。▽フランス litre

りっ‐ぱ【立派】《形動》❶堂々として正しく、見事なようす。また、技術・能力などがすぐれているようす。「—な邸宅を構える」「—な腕前」❷とやかく言うところがなく完全であるようす。「—に責任を果たす」

リップ 唇。▽lip **—サービス** 実行する気持ちのない口先だけの言葉。おせじ。▽lip service **—スティック** 棒状の口紅。棒紅。▽lipstick

りっ‐ぷく【立腹】《名・自サ》腹を立てること。

***りっ‐ぽう【立方】**❶《名・他サ》同じ数・式を三度かけあわせること。三乗。❷長さを表す単位名の前につけて、体積の単位をつくる語。「五—センチ」❸長さの単位のあとにつけて、その長さを一辺とする立方体の体積を表す語。「三メートル—(=二七立方メートル)」「二尺—」**—たい【—体】** 六面の等しい正方形でかこまれた立体。さいころ状の形。

***りっ‐ぽう【立法】** 法律を定めること。「麻薬対策の—化を急ぐ」**—きかん【—機関】** 法律を制定する権限を持つ国家機関。日本では国会。立法府。**—ふ【—府】** 立法機関。

り‐づめ【理詰(め)】 理屈だけでおしとおすこと。「—の論法」

りつ‐りょう【律▽令】 奈良・平安時代、隋(ずい)・唐の制度にならって作られた、国の基本とされた法典。「大宝律令」「養老律令」などがある。

りつ‐ろん【立論】《名・自サ》議論の筋道を組み立てること。また、その議論。「—の根拠」

り‐てい【里程】 里(り)を単位としてはかった陸上の距離。里数。また、みちのり。「—標」

り‐てき【利敵】 敵に利益を与えるようにすること。「—行為」

リテラシー ある物事を理解し、対応する能力。「コンピューター—」▽literacy(=読み書き能力)

り‐てん【利点】〔ある物事の持つ〕有利・便利な点。「大量輸送の—」類語 とりえ。長所。メリット。

***り‐とう【離党】**《名・自サ》所属していた政党・党派をはなれること。「—勧告」類語 脱党。対 入党。

***り‐とう【離島】**❶陸地から遠くはなれている島。はなれ島。類語 孤島。❷《名・自サ》島をはなれること。

り‐とく【利得・利徳】 利益を得ること。また、得た利益。もうけ。「あっせん—処罰法」

リトグラフ 石版画。石版印刷。▽フランス lithographe

リトマス‐しけんし【リトマス試験紙】 液体にひたして、その液体が酸性かアルカリ性かを判別するのに使う紙。酸性では青色の紙が赤く、アルカリ性では赤色の紙が青くなる。リトマス紙。

リトル‐リーグ 九歳から一二歳までの少年少女が行う野球リーグ。参考 硬式ボールを使用し、六イニングまで行う。▽Little League

リニア‐モーター 可動部分が直線運動をする構造の電動機。振動・騒音・故障が少ない。線型誘導電動機。「—カー」参考 超高速鉄道の動力として利用される。▽linear motor(=直線状の発動機)

り‐にち【離日】《名・自サ》〔外国人が〕日本を離れること。「大使が—する」対 来日。訪日。

り‐にゅう【離乳】《名・自サ》歯のはえはじめた乳児が、乳以外の食物を少しずつとるようになり、しだいに乳からはなれること。乳離(ちばな)れ。「—食」

リニューアル ❶活性化するため、イメージを変えて新しくすること。❷〔デパートや店舗などを〕改装すること。「—オープン」▽renewal

り‐にょう【利尿】 小便を出やすくすること。「—剤」

り‐にん【離任】《名・自サ》〔官吏などが〕任務をはなれること。「—式」対 着任。

***り‐ねん【理念】** ある物事に関して、それがどうあるべきかについての根本的な考え方。「憲法の—」

***リネン** ❶↓リンネル。❷ホテルや病院などで、シーツ・枕カバー・タオルなど、布製品の総称。「—室」▽linen

り‐のう【離農】《名・自サ》農業をやめて他の職業に転ずること。

リノリウム 亜麻仁(あまに)油の酸化物に樹脂・コルククずなどをまぜて熱し、麻布などにぬって薄い板状にした物。洋風建築の床材などに使う。▽linoleum

リハーサル ❶〔放送・演劇・映画などの〕下げいこ。練習。特に、本番の直前に〔総出演で〕行うけいこ。総げいこ。舞台げいこ。「監督が—に立ち会う」❷予行演習。「運動会の—」▽rehearsal

リバーシブル《名・形動》布や洋服が表裏両面ともに使えること。「—のオーバー」▽reversible

リバイバル 古い歌謡曲・映画などが再び世間で行われるようになること。再流行。「—ソング」▽revival

リバウンド《名・自サ》❶バスケットボールなどで、シュートしたボールがゴールに入らずにはね返ること。❷ダイエット・薬の服用などを急にやめた結果、状態がもとに戻ったり更に悪くなったりすること。▽rebound

***り・はつ【利発・×悧発】**《名・形動》〔「利口発明」の略〕賢いこと。利口なこと。「—な子」類語 聡明(そうめい)。利口。⇩〔類義語の使い分け「利口」〕

***り・はつ【理髪】**《名・自サ》髪の毛を刈って形を整えること。「—店」「—師」類語 調髪。整髪。散髪。

りはっ・ちゃく【離発着】《名・自サ》〔航空機での〕出発と到着。類語 離着陸。発着。

り・はば【利幅】 利益のはば。「—が小さい」

リハビリテーション 傷病で長く社会生活をはなれていた人に対して、医学的な指導や職業訓練などを行い、社会生活に復帰できるようにすること。更生指導。リハビリ。▽rehabilitation(=復帰。更生)

り・ばらい【利払い】(—ばらひ) 利息を払うこと。

り・はん【離反・離×叛】《名・自サ》はなれそむくこと。「大衆から—した過激思想」

り・ひ【理非】 道理にかなっていることと外れていること。是非。「—をわきまえた行動」「—曲直をただす」

リピーター 同じ店などに何度も行く人。▽repeater(=繰り返す人)

リピート《名・他サ》❶繰り返すこと。❷音楽で、反復記号。❸再放送。再上演。▽repeat

リビドー 精神分析学で、人間の行動の基底となる根元的欲望。▽(ラテン)libido

り・びょう【×罹病】《名・自サ》病気にかかること。罹患(りかん)。「—率」

リビング ❶《造語》「生活」「暮らし」「生きている」などの意をあらわす。「—ストック(=生活関連産業株)」❷《名》「リビングルーム」の略。▽living **—ウイル** 過度の延命医療を拒否する旨を書き記した文書。参考「生前に発効する遺言」の意。▽living will **—ルーム** 家族の団らんの中心となる〔洋風の〕部屋。居間。リビング。▽living room

リブ 牛などの、肋骨(ろっこつ)周辺の肉。リブロース。▽rib

リファイン《名・他サ》洗練すること。また、純化すること。精製すること。▽refine

リフォーム《名・他サ》❶仕立て直し。「ワイシャツを子供服に—する」❷建物の改築・増築。▽reform(=改正。改良)

り・ふじん【理不尽】《名・形動》物事のすじみちが通らないこと。また、理屈にあわないことを無理に押し通そうとすること。「—な要求」類語 不合理。不条理。

リフト ❶荷物を運ぶ〔小型の〕エレベーター。昇降機。❷スキー場などで、低地と高所をロープで結び、客を乗せてのぼりおりする、いす式の装置。▽lift

リプリント《名・他サ》❶写真・資料などを複写すること。❷本を復刻すること。翻刻。また、再版すること。重版。「—版」❸録音テープを複製すること。また、そのテープ。▽reprint

リプレー《名・他サ》❶録音・録画テープの再生。「ビデオを—する」❷再演。▽replay

リフレーン 詩・歌曲の各節の最後の部分を二度以上くり返すこと。また、その文句。ルフラン。▽refrain

リフレッシュ《名・自他サ》いきいきとよみがえること。また、よみがえらせること。「疲れた体を—する」「—休暇」▽refresh

リベート ❶支払い代金などの一部を、謝礼金・報奨金などの形で支払い人にもどすこと。また、その金銭。割りもどし。❷手数料。また、わいろ。▽rebate

り・べつ【離別】《名・自サ》❶〔いままで親しくしていた人と〕わかれること。別離。「—の杯をくみかわす」❷夫婦である者がその関係を断ってわかれること。「妻と—する」類語 離婚。離縁。

リベット 鋼板をつぎ合わせるのに使う大形の鋲(びょう)。頭部は半球形、軸部は円柱状をなす。▽rivet

リベラリスト 自由主義者。▽liberalist

リベラリズム 自由主義。▽liberalism

リベラル《形動》❶〔社会的な規律や慣習などにとらわれないで〕自由であるようす。「—な生活を楽しむ」❷自由主義的。「—な考え」▽liberal

り・べん【利便】《名・形動》〔文〕つごうのよいこと。便利。「交通—の地」「—を図る」「—性」

りべん・か【離弁花】 花冠を構成する花弁が、たがいに分離している花。対 合弁花。

リベンジ《名・自サ》❶復讐(ふくしゅう)。❷雪辱。▽revenge

り・ほう【理法】〔文〕物事の道理にかなったきまり。法則。「自然の—」

リポーター ⇩レポーター。▽reporter

リポート ⇩レポート。▽report

リボ・かくさん【リボ核酸】 リン酸・糖・塩基が多数結合した高分子化合物。DNAの遺伝情報に従って、蛋白(たんぱく)質の合成に主要な役割を果たす。略語RNA。

リボルビング クレジットカード発行時に月間利用限度わくを決め、毎月一定額を返済する方式。リボルビング方式。▽revolving

リボン 絹・合成繊維などで織ったテープ状のひも。また、それを結んでかざりとしたもの。▽ribbon

り・まわり【利回り】(—まはり) 債券・株券の買入れ価格に対する配当金または利息の割合。「—が有利な債券」

リミット 限界。限度。また、範囲。境界。「タイム—」▽limit

リム 車輪の外側の輪の部分。自転車・自動車などではここにタイヤをはめこむ。▽rim

リムジン ❶箱形の高級乗用車。❷空港への客の送り迎えに用いるバス。▽(フランス)・英 limousine

リメーク《名・他サ》再映画化すること。また、その作品。▽remake(=作りなおす)

り・めん【裏面】 ❶物のうらがわ。うらがわの面。❷物事の、表面には現れない部分。「政界の—をあばく」類語 内幕。内面。対 ①②表面。

リモート・コントロール 遠隔制御。遠隔操作。リモコン。▽remote control

リモ・コン ❶「リモートコントロール」の略。❷遠隔操作するための器具。

リヤ・カー 手で引いたり、自転車などの後ろにつないだ

り

りして動かす、荷物運搬用の二輪車。▽rear(=後部の)とcarからの和製語。

り・やく【利益】❶神仏の授ける恵み。「御―がある」❷その物によって与えられる恵み・利益(りえき)。

りゃく【略】❶〔文〕計略。❷省略。「以下―」

りゃく・が【略画】おおよその形をかいた絵。

りゃく・ぎ【略儀】〔文〕正式のやりかたによらないで、その一部をはぶいて簡単にした形式。「―ながら書面をもってごあいさつ申し上げます」類語 略式。

りゃく・げん【略言】❶《名・他サ》〔すでに述べた事を〕要約して述べること。「以上を―すれば…」類語 約言。❷一語中のある音が省略される現象。また、そうしてできた語。略音。「あかいし」を「あかし」という類。

りゃく・ご【略語】語形の一部分をはぶいて簡略にした単語。ローマ字の頭文字だけ並べたものもいう。「テレビ(テレビジョン)」「安保(日米安全保障条約)」「早大(早稲田大学)」「KK(Kabushiki Kaisha)」など。

りゃく・ごう【略号】簡単に表示するために使う〔文字による〕記号。マグニチュードを「M」で表す類。

りゃく・し【略史】概略を記述した歴史。類語 概史。

りゃく・じ【略字】正字体の字画の一部を簡略にした漢字。「職」を「耺」、「繩」を「縄」と書く類。略体。

りゃく・しき【略式】正式な手続きの一部を簡略にした形式。「―の結納(ゆいのう)」類語 略儀。対 正式。本式。

―めいれい【―命令】簡易裁判所が、軽微な事件について、書面の審査だけで言い渡す命令。

りゃく・しゅ【略取】《名・他サ》❶〔文〕兵力などを用いて奪いとること。類語 略奪。❷〔法〕暴力・脅迫などを用いて、人をかどわかし連れ去ること。「―誘拐罪」

りゃく・じゅ【略×綬】略式の席などで、勲章・記章の代わりにつける略式の綬。類語 略章。

りゃく・じゅつ【略述】《名・他サ》〔要点以外をはぶいて〕簡略に述べること。「これまでの経緯を―する」類語 略説。対 詳述。

***りゃく・しょう【略称】**《名・他サ》正式の名前の一部をはぶいて呼ぶこと。また、その名前。高等専門学校を「高専」と言う類。

***りゃく・しょう【略章】**勲章・記章などのかわりにつける略式のしるし。類語 略綬(りゃくじゅ)。

りゃく・す【略す】《他五》全体の中から〔不要な〕ある一部をとって、簡単にする。はぶく。省略する。「前置きを―して本論に入る」＝略する。

りゃく・ず【略図】要所だけを簡単に示した図。

りゃく・する【略する】《他サ変》略す。

りゃく・せつ【略説】《名・他サ》要点だけを簡略に説くこと。類語 略述。対 詳説。

りゃく・そう【略装】略式の服装。略服。対 正装。

りゃく・たい【略体】もとの形を簡単にしたもの。特に、簡略にした字体。略字。

りゃく・だつ【略奪・×掠奪】《名・他サ》暴力でむりやりにうばいとること。奪略。「金品を―する」類語 強奪。略取。

りゃく・でん【略伝】ある人についての簡単な伝記。「野口英世の―」類語 小伝。対 詳伝。

りゃく・ひつ【略筆】《名・他サ》❶必要な事柄以外をはぶいて書くこと。省筆。また、その文章。略文。「右要件のみ。―お許し下さい」❷字画を略して書くこと。省筆。また、その文字。略字。

りゃく・ふ【略譜】❶主要な事柄だけを簡略にしるした系譜。「武田家―」❷〔五線譜を用いないで〕数字などを使って簡略にしるした楽譜。対 本譜。

りゃく・ふく【略服】〔正服の代わりに着る〕略式の衣服。略式の服装。略装。「夏向きの―」対 正服。

りゃく・ほんれき【略本暦】本暦から日常生活に必要な事項をぬき出して一般向きに作ったこよみ。略暦。対 本暦。

りゃく・れいそう【略礼装】略式の礼装。

りゃく・れき【略歴】あらましの経歴。

りゃっ・かい【略解】《名・他サ》要点を簡単に解釈すること。また、その解釈。りゃくかい。りゃくげ。〔書物の題名に使われる〕「論語―」対 詳解。

りゃっ・き【略記】《名・他サ》要点だけを簡略にしるすこと。また、そのもの。りゃくき。対 詳記。

リャン・こ【両個】〔俗〕〔両刀を差しているところから〕武士をあざけっていう語。参考「両(liang)」は、中国語で二つの意。

り・ゆう【理由】❶〔そうした結果・結論が生じるに至った〕事情。わけ。「判決―」「反対の―を説明する」類語 謂(いわ)れ。口実。故(ゆえ)。所以(ゆえん)。由(よし)。事由。所由。❷いいわけ。「病気を―に学校を休む」

***りゅう【流】**《接尾》❶伝統的な芸術・技芸などにおける流派・流儀の意。「観世(かんぜ)―」❷そのものに特有のやり方・スタイルの意。「自己―」類語 風(ふう)。

***りゅう【×旒・流】**《助数》旗を数える語。ながれ。

***りゅう【粒】**《助数》〔穀物・丸薬など〕つぶ状のものを数える語。つぶ。

***りゅう【竜】**❶想像上の動物。体は蛇に似、四本の足と角を持つ。海中や湖沼にすみ、空にのぼって雲を起こし雨を降らせるという。竜(りょう)。たつ。参考 中国では麒麟(きりん)・鳳凰(ほうおう)・亀(かめ)とともにめでたい動物とされ、わが国でも海神・水神として信仰された。また、すぐれた人物のたとえにも使う。❷将棋で、竜王。

りゅうあん・かめい【柳暗花明】〔文〕❶〔柳は茂ってほの暗く、花は咲いて明るく映える意で〕春の野の美しいながめ。❷花柳界。遊里。「―の巷(ちまた)」

りゅう・い【留意】《名・自サ》気をつけること。「健康に―する」類語 注意。

りゅう・いき【流域】川の流れに沿った地域。「利根川―」

りゅう・いん【×溜飲】飲食物が不消化のため、胸やけがしたり、すっぱい液がのどに出てきたりする症状。

―を下・げる《句》不平・不満などを払い去って、気分をさっぱりさせる。「たんかを切って―・げる」

りゅう・おう【竜王】❶〔仏〕仏法を守護する八部衆の一つ。蛇の形をした鬼神。竜神。❷将棋で、飛車が成ったもの。成り飛車。竜。

***りゅう・か【流下】**《名・自他サ》〔文〕〔液状のものが〕流れ下ること。また、流し下すこと。

***りゅう・か【硫化】**《名・自サ》硫黄(いおう)と他の物質とが化合すること。「―物」「―水素」

りゅう・かい【流会】予定した会が成立しないでとりやめになること。「委員会が―になる」

りゅう・がく【留学】《名・自サ》一定期間、他の土地〔特に外国〕に滞在して勉強すること。「フランスへ―する」「内地―」

***りゅう・かん【流感】**「流行性感冒」の略。

***りゅう・かん【流汗】**〔文〕流れ出るあせ。「―淋漓

り

」

りゅう-き【隆起】《名・自サ》〔ある部分が〕高く盛り上がること。特に、土地が海面に対して高くなること。「珊瑚礁がーした島」

りゅう-ぎ【流儀】❶学問・技芸などで、その家・流派などに古くから伝えられているやり方・しきたり。「剣法のー」❷〔そのもの独特の〕物事のやり方。しきたり。「ーを知らぬ男」「私なりのーでやります」

りゅう-きへい【竜騎兵】昔のヨーロッパで、銃を装備していた騎兵。

りゅうきゅう【×琉球】沖縄の旧称。一八七九（明治一二）年に沖縄県が置かれた。

りゅう-ぐう【竜宮】海底にあって、竜神や乙姫が住むという想像上の宮殿。竜宮城。

りゅう-けい【流刑】罪人を離れ島や遠方に追いやる刑罰。流罪。流刑。「ー地」

りゅう-けつ【流血】❶血が流れること。また、その血。「ーを止める」❷〔争い事・事故などのため〕血を流すこと。「ーの惨事を見る」

りゅう-げん【流言】根拠のないうわさ。流説。デマ。「ーを飛ばす」 **ーひご【ー飛語・ー×蜚語】**世間に流れている事実無根のうわさ。

りゅう-こ【竜×虎】❶竜と虎。❷すぐれた力量を持つ二人の英雄・豪傑。「ー相うつ」＝竜虎。

りゅう-こう【流行】《名・自サ》❶〔感染症が〕一時的に広まること。はやること。「風邪がーする」類語 蔓延。❷世間に広く用い行われること。特に、服装やことばなどの〔新しい〕様式が、一時的にもてはやされ広まること。また、その様式。「ーの先端をゆく」「ーを追う」❸〔文〕〔物事の本質が〕時代とともにうつりかわること。「不易ー」 **ーか【ー歌】**ある一時期に多くの人に歌われる〔通俗的な〕歌。はやり歌。参考 特に、歌謡曲をさして言う。 **ーせい・かんぼう【ー性感冒】**インフルエンザウイルスによっておこる四類感染症。症状は感冒より激しい。インフルエンザ。流感。 **ーせい・じかせんえん【ー性耳下×腺炎】**ウイルスによる感染性の耳下腺の炎症。ほおから下あごにかけてはれ、発熱・疼痛を伴う。五～一五歳の少年期に多い。おたふくかぜ。

りゅう-こつ【竜骨】❶船底の中心をへさきからともまで貫く材。船体の背骨に当たる重要な役割を持つ。キール。❷地質時代に生息した巨大な動物の骨の化石。参考 昔、薬として用いた。

りゅう-さ【流砂・流×沙】↓りゅうしゃ。

りゅう-さん【硫酸】無機酸の一つ。無色でねばりけのある液体。酸性が強く、金・白金以外の多くの金属をとかす。化学工業上広い用途をもつ。

***りゅう-ざん【流産】**《名・自サ》❶妊娠第二二週未満（狭義には一二週未満）に胎児が死んで母胎から出ること。参考 ↓早産。❷計画・意図などが実現するに至らずに中途でだめになること。「法案がーする」

***りゅう-ざん【流×竄】**〔文〕❶遠地をさすらい歩くこと。「諸国ーの身」類語 放浪。彷徨。❷罪によって遠地に流されること。流刑。流罪。

りゅう-し【粒子】物質を構成している極小の粒。

りゅう-しつ【流失】《名・自サ》ものが水に流されてなくなること。「大水で橋がーする」

りゅう-しゃ【流砂・流×沙】❶流れる水に運ばれて来る砂。❷〔水をいっぱいに含んで〕流動しやすい砂。漂砂。❸〔文〕砂漠。＝流砂。

リュージュ ブレーキもハンドルもない、小型のそり。また、それを用いて氷でつくったコースを滑走する競技。トボガン。▽フランス luge

***りゅう-しゅつ【流出】**《名・自サ》❶〔液体が〕流れて外に出ること。「石油のー事故」❷〔重要なものなどが〕国や組織の外に出て行ってしまうこと。「頭脳のー」「文化財のー」対 ①②流入。

***りゅう-しゅつ【留出・×溜出】**《名・他サ》蒸留時に、ある成分が液体となってとり出されること。

りゅう-じょ【柳×絮】〔文〕風に乱れ散る、ヤナギの白い綿毛のついた種子。参考 降る雪の形容として使われることもある。

りゅう-しょう【隆×昌】〔文〕栄えること。隆盛。

りゅう-じょう【粒状】〔文〕粒のような形。つぶ状。

りゅう-しょく【粒食】〔文〕❶穀物、特に米を食べること。❷〔粉食に対して〕穀物をつぶの形のままで調理して食べること。対 粉食。

りゅう-じん【竜神】❶竜を神格化して言う語。❷〔仏〕竜王。

リユース《名・他サ》再利用すること。▽reuse

りゅう-ず【竜頭】❶つり鐘の上部につけてある、竜の頭の形をした、つりて。❷懐中時計・腕時計などの、ぎざぎざのついた丸いつまみ。「ーを巻く」

りゅう-すい【流水】流れる水。また、川。「行雲ー」「野菜をーで洗う」対 静水。止水。

***りゅう-せい【流星】**小さな天体が地球の引力に引き寄せられて大気層を落下するとき、空気との摩擦で高熱を生じて発光するもの。流れ星。参考 ↓隕石。

***りゅう-せい【隆盛】**《名・形動》勢いがさかんなこと。栄えること。隆昌。「一族がーを極める」

りゅう-せつ【流説】世間に言い広められている、根拠のない説。流言。流説。類語 浮説。

りゅうぜつ-らん【竜舌×蘭】ヒガンバナ科の大形の常緑多年草。原産地はメキシコ。葉は多肉で、ふちにとげがある。多数の淡黄色の花を開き、観賞用。葉のしぼり汁からテキーラを醸造する。

りゅう-せん【流線】流体が規則正しく並んで流れるときに表す曲線。 **ーけい【ー型・ー形】**流体の中を運動するとき、流体から受ける抵抗が最も小さい、物体の形。

りゅう-ぜん【流×涎】〔文〕よだれを流すこと。また、ある物を非常に食べたい（ほしい）と思うこと。垂涎。「ーの思いだが、金がなくて買えない」

りゅうぜん-こう【竜×涎香】マッコウクジラの腸内にできた結石からとる香料。高級品として珍重される。

りゅう-そく【流速】流体の流れる速さ。

***りゅう-たい【流体】**液体と気体の総称。固定した形を持たず、流動しやすい。流動体。「ー力学」

***りゅう-たい【隆替】**《名・自サ》〔文〕勢いがさかんになったり、衰えたりすること。「政権のーを見守る」類語 盛衰。消長。

りゅう-だん【流弾】目標からそれた弾丸。流れ弾。「ーに当たる」

りゅう-ち【留置】《名・他サ》人や物を一定の支配下にとどめおくこと。特に、犯罪の疑いのある者を取り調べるために、ある期間警察署に拘束しておくこと。 **ーじょう【ー場】**警察署内に設けて、犯罪容疑者などを拘束しておく場所。

***りゅう-ちょう**【留鳥】一年じゅう、ほぼ同じ地域にすみ、季節による移動をしない鳥。スズメ・カラス・キジなど。対渡り鳥。

***りゅう-ちょう**【流×暢】《形動》〔ことばが〕流れるようにすらすらと出てよどみのないようす。「フランス語を―に話す」

りゅう-つう【流通】《名・自サ》❶〔空気などが〕とどこおることなく、流れ通うこと。「窓が大きく外気の―のよい部屋」類語風通し。❷〔金銭などが〕広く世間に通用すること。「貨幣の―」「世界に―する言語」❸〔商品などが〕生産者から消費者へとどこおりなく移動すること。「―機構」

りゅう-つぼ【立坪】《助数》土砂などの容積を計る単位。六尺立方の容積を一立坪とする。たてつぼ。

りゅう-てい【流×涕】《名・自サ》〔文〕涙を流すこと。「―して哀訴する」類語落涙。涕泣。

***りゅう-と**《副・自サ》服装や態度などがりっぱで、きわだつようす。「―した背広で出勤する」

***リュート** マンドリンに似て、それより大きい形の弦楽器。指ではじいて鳴らす。中世ヨーロッパでさかんに使われた。▽lute

***りゅう-とう**【流灯】〔文〕灯籠流し。

***りゅう-とう**【竜灯】〔文〕❶海上に灯火が連なったように見える光。参考海中の燐が発光するのを竜神がささげる灯火と見なして名づけたもの。❷神社に奉納するともし火。神灯。

りゅう-どう【流動】《名・自サ》とどこおることなく、流れ動くこと。また、動き変わること。「めまぐるしく―するアジア情勢」 **―しほん**【―資本】一回の生産過程でその価値のすべてが生産物に移転する資本。賃金・原材料など。対固定資本。 **―しょく**【―食】消化しやすい液状の食物。おも湯・果汁・牛乳・スープなど。病人・幼児用の食物。 **―たい**【―体】❶流体。❷流動する性質をもつもの。 **―てき**【―的】《形動》物事が停滞せずにたえず流れ動いているようす。また、成り行きがはっきりわからないようす。「現在のところ状況は依然として―だ」 **―ぶつ**【―物】流動体のもの。特に、流動食。

りゅうとう-だび【竜頭蛇尾】〔頭は竜で尾は蛇の意で〕はじめは勢いがよいが、終わりはまったく勢いがなくなること。末細り。「―に終わる」

りゅうど-すい【竜吐水】❶水槽の上に押し上げポンプを装置し、横木を上下して水を吹き出させるもの。消火用具などとして用いた。❷水鉄砲。〔古風な言い方〕

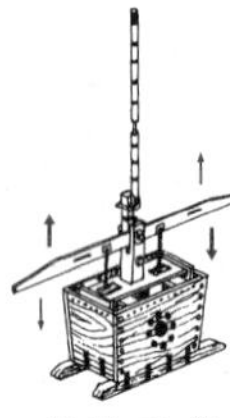
竜吐水①

りゅう-にゅう【流入】《名・自サ》❶液体や気体が流れこむこと。❷〔多くの人や金銭などが〕外部からはいり込んで来ること。「外国資本の―」対①②流出。

りゅう-にん【留任】《名・自サ》同じ官職や職務にそのままとどまること。「外務大臣は―だ」

りゅう-ねん【留年】《名・自サ》学生・生徒が卒業・進級を延期して原級にとどまること。〔自らの意志でとどまったという意味合いで使う〕類語落第。

りゅう-のう【竜脳】竜脳樹からとる樟脳に似たかおりの、無色の結晶。化粧品・医薬品などにする。

りゅう-は【流派】技芸などで、それぞれ独自の主義や手法を持って分かれ立っている一派。「―を立てる」

***りゅう-び**【柳×眉】〔文〕〔ヤナギの葉のように〕細く美しいまゆ。〔美女のまゆの形容〕「―を逆立てる（=美女が怒った顔をする）」類語蛾眉。

***りゅう-び**【隆鼻】低い鼻を人工的に高くすること。「―術」

りゅう-ひょう【流氷】寒帯地方の海面にできた氷が割れ、風や海流によって運ばれ漂流するもの。

りゅう-へい【流弊】〔文〕前々から世間に広まっている悪いならわし。「買収の―を断つ」類語宿弊。

りゅう-べい【立米】《助数》立方メートル。〔土木・建築方面でいう〕

りゅう-べつ【留別】《名・自サ》〔文〕旅に出る人が、あとにとどまる人に別れを告げること。

りゅう-ほ【留保】《名・他サ》❶直ちに決めないで、決定を後日に残しておくこと。保留。「払い下げをしばらく―する」❷〔法〕権利・義務を残留・保持すること。

りゅう-ぼう【流亡】〔文〕❶故郷を離れてさすらい歩くこと。流亡。類語放浪。流浪。❷雨などのために、田畑から肥料分が流されること。

りゅう-ぼく【流木】❶〔海や川の水面に〕ただよい流れる木。流れ木。❷山からきり出して、上流から流しおろす木。流し木。

リューマチ ↓リューマチス。▽rheumatism から。

リューマチス 原因不明で関節や筋肉などが痛む、急性または慢性の病気の総称。リューマチ。ロイマチス。▽rheumatism

りゅう-みん【流民】故郷や本国をはなれ、各地をさすらい歩く人民。流氓。るみん。類語難民。

りゅう-め【竜▽馬】❶〔文〕優れて立派な馬。竜馬。類語駿馬。❷将棋で、角の成ったもの。成り角。

***りゅう-よう**【柳腰】〔文〕〔ヤナギの枝のように〕細くしなやかな腰。柳腰。〔美人の腰の形容〕

***りゅう-よう**【流用】《名・他サ》〔金品などを〕予定していた目的以外の事に振りかえて用いること。「会議費を図書購入費に―する」類語転用。

りゅう-り【流離】《名・自サ》〔文〕故郷をはなれて方方をさすらうこと。さすらい。「実をとりて胸にあつれば新たなり―の憂〈藤村〉」類語流浪。放浪。

***りゅう-りゅう**【流流】流派・流儀によっていろいろなやり方があること。「細工は―」

***りゅう-りゅう**【隆隆】《形動タルト》❶勢いのさかんなようす。「―たる国運」❷盛り上がってたくましいようす。「―たる筋肉」

りゅうりゅう-しんく【粒粒辛苦】《名・自サ》〔穀物の一粒一粒は農民の辛苦によって作られたものだの意から〕ひとつおりでない苦労をすること。「―の末、大殿堂を建てる」

***りゅう-りょう**【流量】水・ガス・電気などが単位時間〔普通は一秒〕内にある断面を通過する量。「―計」

***りゅう-りょう**【×嚠×喨】《形動タルト》〔文〕楽器〔特に管楽器〕の音色などがさえ渡るようす。「―たる笛の音」

りゅう-れい【流麗】《形動》よどみがなく美しいようす。「―な文章」

りゅう-ろ【流露】《名・自他サ》〔心のうちにあるもの

が〕〔自然に〕外にあらわれること。また、外にあらわすこと。流露(るろ)。「悲哀の―した詩」[類語]発露。吐露。

リュック・サック 食料・衣類などの必要品を入れて背負う袋。リュック。ザック。ルックザック。▽(ドイツ) Rucksack

りょ【×呂】日本および中国の古い音楽で用いる、音組織上の用語。十二律のうちの偶数律。陰陽に分けたときの陰に属するもの。[対]律。

***り・よう**【利用】《名・他サ》❶役に立つように、うまく使うこと。「バスを―する」「余暇の―」[類語]活用。充用。❷自分の利益のための便宜的な手段として使うこと。「地位を―して私腹をこやす」

***り・よう**【理容】理髪と美容。「―師」「―学校」

***り・よう**【里謡・×俚謡】地方の民衆の間で歌われてきた歌。[表記]「里謡」は代用字。[類語]民謡。

***りょう**【両・×輛】《助数》汽車・電車・戦車などの台数を数える語。「七―編成の列車」[表記]もと、もっぱら「輛」と書いた。

***りょう**【両】❶相対して一組となるものの双方。「―の手」「―の肩」❷二(に)。二つ。「一―日」❸《助数》昔の貨幣の単位。江戸時代には、金貨で分(ぶ)の四倍、銀貨で四匁三分。「小判三―」[参考]俗に、「円」と同義に用いることもある。

***りょう**【▽令】奈良・平安時代、律とともに国の基本とされた法典。行政法・民法などに相当。

***りょう**【寮】❶寄宿舎。「独身―」❷大宝令(たいほうりょう)の制で、省に属する役所。大学寮・図書(ずしょ)寮など。

***りょう**【料】❶材料。「調味―」「研究の―とする」❷代金。料金。「入場―」「慰謝―」〔①②とも、多く接尾語的に使う〕

***りょう**【涼】〔文〕肌に感じる快い冷たさ。すずしさ。また、すずしい風。「―を求める」「縁側で―を取る(=すずむ)」

***りょう**【漁】《「猟」の字音の転用》魚・貝などの水産物をとること。また、その獲物。「昆布―」「しけで―ができない」[類語]いさり。すなどり。

***りょう**【猟】〔山野で〕鳥や獣をとらえること。また、その獲物。狩り。狩猟。ハンティング。

***りょう**【×稜】❶〔文〕物のかど。❷〔数〕多面体で、となり合う二つの面が交わってできる線。

***りょう**【糧・×粮】旅行や行軍の際にもって行く食べ物。兵糧(ひょうろう)。糧食。

***りょう**【良】❶物の質や状態などがよいこと。「―不良」❷成績や品質の評価で、「優」の下、「可」の上。「英語の成績は―」

***りょう**【×諒】〈「―とする」の形で〉事情を思いやって納得する。よしとする。諒する。「部下の苦情を―とする」[表記]「了」で代用することもある。

***りょう**【量】❶〔物が〕空間で占める大きさ。容積。かさ。「貯水池の水の―がへる」❷〔物の〕目方。はかりではかった重さ。「―がかかる」❸〔物の〕かず。数量。「蔵書の―」❹限度となる分量。「酒の―を過ごす」❺ものごとの多少の程度。「質より―」「仕事の―」❻〔文〕心のひろさ。度量。器量。「指揮官の―を問う」

***りょう**【陵】天皇・皇后などの墓。陵(みささぎ)。「仁徳(にんとく)天皇―」

***りょう**【領】■一《名》〔文〕領土。また、領分。「他国の―を侵す」[参考]接尾語的にも使う。「水戸(みと)―」「イギリス―」■二《助数》装束・よろいなどを数える語。「よろい一―」

りょう・あし【両足】両方の足。[対]片足。

***りょう・あん**【良案】よい思いつき。[類語]名案。

***りょう・あん**【×諒×闇】天皇・太皇太后・皇太后がなくなったときに、皇室及び国民が喪に服する期間。御物思(みものおも)い。

りょう・いき【領域】❶領有している区域。特に、国際法上、国家の主権の及ぶ区域。領土・領海・領空からなる。「―侵犯」❷関係・勢力の及ぶ範囲。「天文学の―」

りょう・いん【両院】両院制をとる議会を構成する二つの議院。[参考]日本では衆議院と参議院、英米では上院と下院。

りょう・う【涼雨】〔文〕涼しい感じの、夏の雨。

りょう・うで【両腕】両方のうで。諸腕(もろうで)。

***りょう・えん**【良縁】よい縁組。「―に恵まれる」

***りょう・えん**【×遼遠】《形動》〔文〕〔時間的にも空間的にも〕はるかに遠いようす。「前途―」

***りょう・か**【寮歌】学生寮などで、寮の気風などを盛り込んだ、寮生全員が歌うための歌。

***りょう・か**【良家】家柄のよい家。また、教養があって中流以上の暮らしを営む家庭。良家(りょうけ)。「―の子女」

***りょう・か**【良貨】地金の品質のよい貨幣。実際の価格と法定価格との差が小さい貨幣。「悪貨は―を駆逐する」[対]悪貨。

りょう・が【×凌×駕・陵×駕】《名・自サ》相手をしのいで上に出ること。「生産高で他社を―する」

***りょう・かい**【了解・×諒解・領解・領会】《名・他サ》❶物事の筋道・理由・意味などをよくのみこむこと。また、理解して承認すること。「―に苦しむ」「上司の―を得る」[類語]了承。❷〔無線通信などの対話で〕「分かった」「聞こえた」の意で使う語。

***りょう・かい**【領海】〔法〕一国の周辺にあって、その国の主権のもとにある海。「―侵犯」[対]公海。

りょう・がえ【両替】(りやうがへ)《名・他サ》ある種類の貨幣をそれと同額の他の種類の貨幣にかえること。「一万円札を千円札一〇枚に―する」

りょう・かく【×稜角】〔多面体の〕とがった角。

りょう・がわ【両側】(りやうがは)右と左、裏と表など、相対する二つの方向または面。「道路の―」「紙の―」

***りょう・かん**【僚艦】一緒に行動している軍艦。[類語]僚船。

***りょう・かん**【涼感】すずしそうな感じ。「風鈴は―を誘う」

***りょう・かん**【猟官】〔文〕官職にありつこうとして奔走すること。「―運動」

***りょう・かん**【量感】重量・分量のある感じ。ボリューム。「―のある料理」

***りょう・がん**【両岸】〔川の〕両側の岸。両岸(りょうぎし)。

***りょう・がん**【両眼】両方の目。双眼。両目。

***りょう・き**【僚機】一緒に編隊を組んでいる他機。

***りょう・き**【涼気】涼しい空気。「―が流れ込む」

***りょう・き**【漁期】❶ある種の魚・貝・海藻などをとるのに適している時期。[類語]旬(しゅん)。❷ある種の魚・貝・海藻などの漁を許可されている期間。=漁期(ぎょき)。

***りょう・き**【猟奇】奇怪なことや異常なことを好んであさり求めること。「―趣味」「―の念に駆られる」

***りょう・き**【猟期】❶ある種の鳥や獣をとるのに適して

いる時期。❷狩猟法で、猟を許可されている期間。

りょう・ぎ【両義】 二つの意味。

りょう・きょく【両極】 ❶両方のはし。また、ひどくかけ離れている二つのもの。両極端。「自由主義と全体主義という―の思想」❷電気の陽極と陰極。❸地球の南極と北極。

りょう・きょくたん【両極端】 両極①。「意見が―に分かれる」

りょうぎり・たばこ【両切(り)▽煙▽草】 両端を切りそろえただけで、吸い口のない紙巻きたばこ。

りょう・きん【料金】 ものを使用・利用したり、人に手数をかけたり、催し物を見たりしたときなどに支払う金銭。「水道―」「入場―」 参考 輸送機関では、運賃と区別して、輸送に直接関係しないものの代金をいう。入場料金・急行料金・寝台料金など。

りょう・く【猟区】 猟を許された区域。 対 禁猟区。

りょう・くう【領空】 一国の領土・領海の上空で、その国の主権がおよぶ空間。「―侵犯」「―権」

りょう・ぐん【両軍】 〔戦う〕両方の軍隊・チーム。

***りょう・け【両家】** 〔関係の深い〕両方の家。「御―にお慶(よろこ)びを申し上げます」

***りょう・け【良家】** ↓りょうか(良家)。「―の出」

りょう・けい【量刑】 《名・自サ》裁判官が法の範囲内で刑罰の程度を決めること。

***りょう・けん【料▽簡・了見・量見】** ❶考え。思案。意図。「けちな―を起こす」❷《名・自サ》思いをめぐらすこと。「さんざん―した上の結論」❸《名・他サ》がまんして許すこと。「悪気ではないから―してやる」

***りょう・けん【猟犬】** 狩猟に用いる犬。

りょう・げん【×燎原】 〈―の火〉野原を焼く火のように勢いが激しくて防ぎ止めることができないことのたとえ。「暴動が―の火のごとく広がる」

りょう・こ【両×虎】 〔文〕〔二匹のトラの意〕力量の差をつけがたい二人の英雄・豪傑。「―相搏(う)つ」

***りょう・こう【良港】** 船の出入り・停泊などに都合のよい港。「天然の―」

***りょう・こう【良好】** 《形動》好ましい状態にあるようす。「感度―」「手術後の経過は―だ」

りょう・こく【両国】 〔関係のある〕二つの国。

りょう・ごく【領国】 領地として所有している国土。

りょう・さい【良妻】 夫のためになるよい妻。 類語 賢妻。 対 悪妻。 ―けんぼ【―賢母】 夫にとってはよい妻、子にとってはかしこい母。

りょう・ざい【良材】 ❶よい材木。また、良質の材料。❷すぐれた人材。

りょう・さく【良策】 よいはかりごと。よい方法。 類語 上策。上計。良計。

りょう・さつ【了察・×諒察】 《名・他サ》事情を思いやってもっともだと思うこと。「事情を御―ください」

***りょう・さん【両三】** 〔文〕二か三。二、三。「―日」

***りょう・さん【量産】** 《名・他サ》大量に(安く)生産すること。大量生産。マスプロダクション。マスプロ。「自動車を―する」

りょうざん・ぱく【×梁山泊】 豪傑や野心家の集まる場所。 故事 中国山東省にある梁山に一〇八人の豪傑が集まったという、水滸伝(すいこでん)の故事から。

***りょう・し【料紙】** 〔文〕ある事に使う紙。用紙。「手紙の―は季節にかなっていた」

***りょう・し【漁師】** 魚・貝・海藻などをとって暮らしを立てている人。漁夫。

***りょう・し【猟師】** 山野の鳥・獣をとって暮らしを立てている人。猟人。かりゅうど。

***りょう・し【量子】** ある物理量が連続的な値をとらず、ある最小単位量の整数倍で表されるときの、その最小単位量。エネルギー量子・光量子など。

***りょう・じ【両次】** 第一次と第二次。「―の大戦」

***りょう・じ【療治】** 《名・他サ》〔あんま・はりなど、おもに特殊な療法を用いて〕病気をなおすこと。〔古風な言い方〕「もみ―」「温泉で―に専念する」 類語 治療。

***りょう・じ【×聊×爾】** 《名・形動》〔文〕❶軽はずみで、いいかげんなこと。「―の沙汰(さた)」❷ぶしつけなこと。失礼なこと。「―をわびる」 類語 ①②卒爾(そつじ)。

***りょう・じ【領事】** 外国に駐在して、自国の通商の促進やその国に在留する自国民の保護などにあたる官職(の人)。領事官。 ―かん【―館】 領事がその駐在都市で事務を取り扱う役所。

りょう・しき【良識】 〔社会人としての〕物事を正しく判断する能力。「―がある」「―に訴える」「―にまつ―の・ふ【―の府】《連語》政党の党利党略にしばられず、もっと高い見地から判断する機関。ふつう、参議院をさして言う。

りょう・しつ【良質】 《名・形動》品質がすぐれていること。よい品質。「―の米」 類語 上質。 対 悪質。

りょう・じつ【両日】 その両方の日。二日。

***りょう・しゃ【両者】** その両方のもの。「―相まってこの成功をみた」

***りょう・しゃ【寮舎】** 寮の建物。

りょう・しゅ【領主】 ❶荘園(しょうえん)の持ち主。❷江戸時代、城主・国主に対して、城を持たず陣屋を設けて領内をおさめる小大名。❸中世ヨーロッパで、荘園や村を直接的に治めた者。

***りょう・しゅう【涼秋】** 〔文〕❶涼しい秋。「―の候」❷「陰暦九月」の別称。

***りょう・しゅう【領収】** 《名・他サ》〔金銭などを〕受け取りおさめること。「年会費を―する」 類語 受領。受納。 ―しょう【―証】 金銭を受け取った人がその証拠として支払った人に渡す書きつけ。領収書。受取。レシート。

***りょう・しゅう【領×袖】** 〔文〕〔団体などの〕おもだった指導者。また、頭首。幹部。「派閥の―」 参考 「領」はえりの意。えりとそでは人目につく重要な部分であるところから。

りょう・じゅう【猟銃】 狩猟に使う銃。

***りょう・しょ【両所】** ❶二つの場所。❷〈多く「御―」の形で〉「両人」を敬って言う語。おふたり。おふたかた。〔古風な言い方〕「御―、仲がおよろしい」

***りょう・しょ【良書】** 読んでためになる書物。 対 悪書。

りょう・じょ【×諒×恕】 《名・他サ》〔文〕相手の事情を思いやってゆるすこと。「御―をねがう」

りょう・しょう【了承・×諒承・領承】 《名・他サ》〔相手の申し出などを〕納得し、聞き入れること。承知。「―済み」「―を求める」 類語 了解。

***りょう・しょく【漁色・猟色】** ↓ぎょしょく。

***りょう・しょく【糧食】** 〔文〕必要な場合にそなえた食糧。「―が尽きる」

りょう・じょく【陵辱・×凌辱】 《名・他サ》〔文〕❶他

人をはずかしめること。❷〔女性を〕暴力を使って犯すこと。暴行。強姦(ごうかん)。

***りょう・しん**【両親】〔その人の〕父母。ふたおや。

***りょう・しん**【良心】物事の善悪を区別し、悪を避け善をなそうとする心。「私の―が許さない」「―の呵責(かしゃく)に悩む」**―てき**【―的】《形動》良心に従って物事をするようす。誠実なようす。「―な商売」

***りょう・じん**【猟人】〔文〕かりゅうど。猟師。

***りょう・じん**【良人】〔文〕おっと。良人(りょうにん)。

***りょう・すい**【量水】水量・水位をはかること。「―器」

***りょう・すい**【領水】国際法で、国家の領域に属するすべての水域。通常は「領海」と同義に用いられる。

***りょう・・する**【了する】《他サ変》〔文〕❶《自サ》終える。また、終わる。「―・するに一年かかる」❷了解する。納得する。「意味を―・する」

***りょう・・する**【漁する】《他サ変》〔文〕漁をする。魚・貝などをとる。

***りょう・・する**【猟する】《他サ変》〔文〕❶狩りをする。狩る。❷あさる。強引に求めて手に入れる。

***りょう・・する**【×諒する】《他サ変》〔文〕事情をくみ取って（とがめないで）承知する。諒(りょう)とする。「多忙を―して欠席を許す」

***りょう・・する**【領する】《他サ変》〔文〕❶土地などを自分のものとして支配する。また、感情などが心の中を占領・支配する。「広大な山林を―・する大地主」「悲しみが心を―・する」❷受け取る。了承する。

***りょう・せい**【両性】❶男性と女性。雄性と雌性。「―の平等」❷相異なる二つの性質。

***りょう・せい**【両生・両×棲】同一の動物が、水中と陸上との両方にすめること。[表記]「両生」は代用字。**―るい**【―類】脊椎(せきつい)動物の一類。一般に、幼時は淡水中にすんでえらで呼吸し、成長すると肺ができて陸上にもすむ。多くは卵生。カエル・イモリなど。

***りょう・せい**【寮生】寮で生活している学生・生徒。

***りょう・せい**【良性】たちのよいこと。特に、病気が手術・治療などによってなおる性質を持っていること。「―の腫瘍(しゅよう)」[対]悪性。

りょう・せいばい【両成敗】争いごとの当事者を両方とも罰すること。「けんか―」

***りょう・せん**【僚船】一緒に行動している船。[類語]僚艦。

***りょう・せん**【×稜線】山の峰から峰へ続く頂の線。尾根。「なだらかな―」

***りょう・ぜん**【両全】両方とも完全なこと。また、二つとも全うすること。「忠孝―」

***りょう・ぜん**【×瞭然】《形動タルト》〔文〕明らかで疑う余地のないようす。「一目(いちもく)―」「事の善悪は―だ」

りょう・ぞく【良俗】〔文〕健全な風俗。「公序―」

りょう・ぞん【両存】《名・自サ》両者がともに存在すること。両存(りょうそん)。

りょう・だめ【両▽為】両方のためになること。〔古風な言い方〕「仲よくしなさい。その方が―だ」

りょう・たん【両端】両方のはし。両端(りょうはし)。**―を持(じ)・す**《句》二つのうちのどちらにつこうかと迷って心を決めかねている。

りょう・だん【両断】《名・他サ》まっ二つに断ち切ること。「一刀―」

***りょう・ち**【了知】《名・他サ》〔文〕よく知ること。「その事は―している」

***りょう・ち**【料地】ある事に使う土地。用地。「御―」

***りょう・ち**【良知】〔文〕〔経験・教育などによらずに〕生まれつき持っている知能・良心。「―良能」

***りょう・ち**【領地】❶昔、大名などの所有していた土地。知行地。封土。❷一国の主権がおよぶ範囲の土地。領土。

りょう・ちょ【良著】すぐれた内容の本。[類語]好著。

りょう・ちょう【寮長】寮の責任者として、寮生を取り締まる人。また、寮生の代表者。

りょう・て【両手】両方の手。もろて。[対]片手。**―に花**《句》二つの美しいものや、よいものを同時に手に入れることのたとえ。

***りょう・てい**【料亭】日本風の（高級な）料理屋。

***りょう・てい**【量定】《名・他サ》〔軽重の程度を〕はかり考えて定めること。「刑の―」

りょう・てき【量的】《形動》物を量の観点から見るようす。「―には十分だ」[類語]数的。[対]質的。

りょう・てんびん【両天×秤】どちらか一方がだめになっても心配のないように、同時に二つのものに関係をつけておくこと。ふたまたをかけること。「―をかける」

***りょう・ど**【両度】二度。「―にわたる来日」[類語]再度。

***りょう・ど**【領土】❶昔、大名などの領有する土地。❷一国の統治権のおよぶ地域。「―権」「―保全」[類語]版図(はんと)。[同]①②領地。

***りょう・とう**【両刀】❶大小二本の刀。大刀(だいとう)と脇差(わきざし)。「―をたばさむ」❷「両刀づかい」の略。**―づかい**【―遣(づか)い】❶大小二本の刀を両手に持ってたたかう・こと（人）。二刀流。❷二つの物事が同時にできる・こと（人）。「翻訳と創作の―」❸〔俗〕甘い物も酒も好きな・こと（人）。**―ろんぽう**【―論法】大前提として二つの仮言的命題を立てる特殊な形式の三段論法。「もしAならばCとなる、もしBならばやはりCとなる。AかBか、この二つ以外考える余地はないのだから、いずれにせよCとなる」の類。ジレンマ。

***りょう・とう**【両統】❶両方の系統。二つの血統。❷〔歴〕南北朝時代に相対立した二つの皇統。大覚寺統（=南朝）と持明院統（=北朝）。「―迭立(てつりつ)」

***りょう・とう**【両頭】❶〔一匹の動物の〕二つの頭。双頭。「―の鷲(わし)」❷二人の支配者・権力者。「―政治」

***りょう・どう**【両道】〔文〕❶二つの道。二つの地方。二道。「東海・山陽の―」❷二つの方面。特に、文の道と武の道。「文武―」

***りょう・どう**【糧道】❶〔軍隊などへの〕食糧を送りとどける道。「―を断つ」❷生活の支え。また、資金源。「支援物資という―を断たれる」

りょう・どうたい【良導体】熱や電気をよく伝える物質。導体。[対]不良導体。

りょうとう・の・いのこ【×遼東の×豕】《句》見聞がせまいため、つまらぬことを誇りに思ってうぬぼれる・こと（人）。[故事]遼東（中国の秦(しん)代に置かれた都の名）では珍しがられた白頭のブタが、他の地方ではありふれたものであったということから。

りょう・とく【両得】❶一度に二つの利益を得ること。「一挙―」[類語]一石二鳥。❷両方とも利益を受けること。=両得(りょうどく)。[対]①②両損。

りょう・と・・する【了とする・×諒とする】《連語》

り

↓りょう〔諒〕。

りょう-どなり【両隣】〔その家・座席などの〕右と左の両側の隣。右隣と左隣。「向こう三軒—」

りょう-ない【領内】領地の中。領域内。対領外。

りょう-ながれ【両流れ】建物の造りで、屋根の傾斜が棟の左右両方についているもの。また、その屋根。対片流れ。

りょう-にらみ【両×睨み】両方に目を配ること。

りょう-にん【両人】両方の人。両者。両名。「—を引き合わせる」「よう、御—」

*りょう-ば【両刃】❶刀身の両面からV字形にほぼ同じ角度で刃を研ぎ出したもの。❷両方のふちに刃をつけること。また、その刃物。「—のかみそり」同①②諸刃。対①②片刃。

—の剣《句》一方では役立つが、使い方を誤ると害も大きくなるもの。もろはのつるぎ。

*りょう-ば【漁場】水産物がたくさんとれる場所。漁場。

*りょう-ば【猟場】狩りをする場所。狩り場。

*りょう-ば【良馬】すぐれた馬。よい馬。「—を産する牧場」類語名馬。駿馬。

りょう-はん【量販】《名・他サ》同じ規格の商品を、一時に大量に販売すること。「大型—店」

*りょう-ひ【寮費】寮で生活するために支払う費用。寄宿費、寮の維持費など。

*りょう-ひ【良否】よいことと悪いこと。よしあし。「—を判断する」類語善悪。

りょう-びょう【療病】〔文〕病気を治療すること。

りょう-びらき【両開き】〔扉などが〕真ん中から左右両側に分かれて開くこと。類語観音開き。

りょう-ひん【良品】品質のよい品。

りょう-ふ【両夫】〔文〕〔一人の女にとっての〕二人の夫。二夫。「貞女—にまみえず」

*りょう-ふう【涼風】すずしい風。涼風。

*りょう-ふう【良風】よい風習・風俗。「—美俗」対悪風。

*りょう-ぶん【両分】《名・他サ》〔文〕二つに分けること。二分。「財産を—する」

*りょう-ぶん【領分】❶その人・国の持ち分である土地。❷そのものの支配・勢力の及ぶ範囲。なわばり。「人の—に口を出す」「警察の—」類語①②領域。

*りょう-ぼ【寮母】寮に住んで、そこで生活している人の世話をする女性。

*りょう-ぼ【陵墓】みささぎ。参考「陵」は天皇・皇后・皇太后・太皇太后の墓、「墓」はその他の皇族の墓。

*りょう-ほう【両方】〔二つあるものの〕どちらも。双方。両者。「—の立場があり得る」対片方。

*りょう-ほう【療法】治療の方法。「対症—」

*りょう-ほう【良法】よい方法。うまいやりかた。「解決の—を編み出す」

りょう-まい【糧米】食糧にするための米。粮米。

りょう-まえ【両前】洋服の上衣やコートなどの前を深く重ね合わせ、ボタンを二列に並べたもの。ダブル。ダブルブレスト。対片前。

りょう-まつ【糧×秣】軍隊で、兵士の食糧と軍馬のまぐさ。

りょう-み【涼味】涼しい趣。「—満点の川遊び」

りょう-みん【良民】善良な人民。

*りょう-め【両目】両方の目。両眼。対片目。

*りょう-め【量目】はかりにかけてはかった重さ。目方。はかりめ。かけめ。「—不足」

りょう-めん【両面】❶両方の面。「レコードの—」対片面。❷二つの方面。「物心—から援助する」

*りょう-や【涼夜】〔文〕夏の、涼しい夜。

*りょう-や【良夜】〔文〕月が明るく美しい夜。参考中秋の名月の夜をいうこともある。

りょう-やく【良薬】よくきく薬。類語妙薬。

—は口に苦し《句》〔よくきく薬は苦くて飲みにくい意から〕身のためになる忠言は聞くのがつらい。

*りょう-ゆう【僚友】同じ仕事や物事にたずさわる友だち。「会計課の—」類語同僚。

*りょう-ゆう【両雄】〔たがいに競いあう〕ふたりの英雄。「—並び立たず(=勢力が同程度の英雄は必ず争ってどちらかが倒れる)」類語竜虎。両虎。

*りょう-ゆう【良友】よい友だち。対悪友。

*りょう-ゆう【領有】《名・他サ》〔土地などを〕自分のものとして所有すること。「広大な耕地を—する地主」類語保有。

*りょう-よう【両様】二つの様式。ふたとおり。ふたいろ。二様。「—の解釈が成り立つ」

*りょう-よう【両用】《名・他サ》両方の目的や事柄に使うこと。「水陸—」類語兼用。⇩〖類義語の使い分け「兼用」〗

*りょう-よう【療養】《名・自サ》病気やけがの治療をしながら休養すること。「自宅—」「—所」

—がた-びょうしょうぐん【—型病床群】要介護高齢者など、長期療養患者を対象とした医療施設。

りょう-よく【両翼】❶〔鳥や飛行機の〕左右に広がっているものの両方のつばさ。❷軍陣・隊列など、左右両方のはし。❸野球で、外野の左翼と右翼。

りょう-ら【×綾羅】〔文〕〔あやぎぬとうすぎぬの意から〕美しい衣服。羅綾。「—錦繡(=美しい衣服)」

りょう-らん【×繚乱・×撩乱】《形動タルト》〔文〕❶入り乱れるようす。「—たる光の群舞」❷〔花が〕咲き乱れるようす。「百花—と咲き誇る」

りょう-り【料理】《名・他サ》❶物事をうまく処理すること。かるがると扱うこと。「国政を—する」「敵を—する」❷食べ物をつくること。また、その食べ物。調理。「—教室」「家庭—」類語割烹。クッキング。

りょう-りつ【両立】《名・自サ》〔支障なく〕同時に、二つのものが成り立つこと。「学業と部活を—させる」

*りょう-りょう【両両】〔文〕両方とも。二つとも。「—相まって(=両方が互いに助け合って)」

*りょう-りょう【×喨×喨】《形動タルト》らっぱなどの音が、すんで気持ちよく鳴り響くようす。「—たるらっぱの響き」類語嚠喨。

*りょう-りょう【×寥×寥】《形動タルト》〔文〕❶ひっそりとしてものさびしいようす。「—とした生活」❷数などが非常に少ないようす。「賛成者は—たるものだ」

*りょう-りょう【×稜×稜】《形動タルト》〔文〕❶角ばっているようす。気性が強くきびしいようす。「気骨—」❷寒気のきびしいようす。「月影—」

りょう-りん【両輪】❶一本の軸の両端についている二つの車輪。❷両者が一組になってはじめて十分な働きをするもの。「製作部門と販売部門は会社の—だ」

りょう-る【料る】《他五》料理する。「「料理」を活用させた古風な言い方」文《四》。

りょう‐ろん【両論】〔相対立する〕二つの議論。「賛否―」「―が並行する」

りょ‐がい【慮外】《名・形動》〔文〕❶思いのほか。意外。案外。存外。「―の結果になる」「これは、―なことをおっしゃる」❷無礼。失礼。「―者(もの)」

りょ‐かく【旅客】❶〔文〕旅をしている人。たびびと。❷飛行機・船・列車・バスなどに乗って旅行する人。「―係」「―の便をはかる」類語 乗客。＝りょきゃく。**―き【―機】**旅客を乗せて運ぶことを目的とした飛行機。

りょ‐かん【旅館】宿泊料をとって旅行者を泊めることを商売とする(日本風の)家。宿屋。類語 はたご。旅舎。旅亭。

りょ‐きゃく【旅客】↓りょかく。

り‐よく【利欲】私利をむさぼる心。「―の念」

りょく【力】《接尾》その事に関する力・能力の意を表す。「支配―」「吸引―」「理解―」

りょく‐いん【緑陰】〔文〕青葉のしげった木陰(こかげ)。「―読書会」

りょくおうしょく‐やさい【緑黄色野菜】色素・カロチンを多く含む野菜の総称。カボチャ・トマト・ピーマン・ニンジンなど。濃色野菜。対 淡色野菜。

りょく‐か【緑化】《名・他サ》↓りょっか。

りょく‐しゅ【緑酒】〔文〕緑色にすんだ酒。参考 うまい酒、上質の酒を言う。「紅灯―」「ああ玉杯に花うけて―に月の影やどし〈矢野勘治〉」類語 美酒。

りょく‐じゅ【緑樹】青葉の茂った樹木。

りょく‐じゅうじ【緑十字】国土緑化運動のシンボルマークの、緑色の十字のしるし。

りょくじゅ‐ほうしょう【緑×綬褒章】↓褒章。

りょく‐そう【緑草】緑色の草。青々とした草。青草。

りょく‐ち【緑地】草木の青々と茂っている土地。**―たい【―帯】**緑の多い地域。特に、都市の中で、美観・保健・防災などのために草木を植えてある地域。グリーンベルト。

りょく‐ちゃ【緑茶】普通に飲まれている、緑色をした茶の総称。茶の若葉を蒸し、もみながら乾燥させてつくる。日本茶。グリーンティー。

りょく‐ど【緑土】草木の青々と茂った土地。

りょく‐ないしょう【緑内障】眼球内部の圧力が高くなるために起こる眼病。目の痛み、視力の減退をきたし、失明することもある。多くひとみが緑色を帯びる。あおそこひ。

りょくのう‐きん【緑×膿菌】嫌気性桿菌(かんきん)の一つ。みどり色のうみがでる。

りょく‐ひ【緑肥】青草のまま、田畑にすきこんで肥料にするもの。レンゲソウ・ウマゴヤシ・クローバーなど。草肥(くさごえ)。

りょく‐ふう【緑風】〔文〕初夏の青葉を吹きわたってくる、さわやかな風。みどりの風。「―薫るころ」

りょく‐べん【緑便】乳児が消化不良などによって出す緑色の大便。

りょく‐もん【緑門】〔文〕アーチ②。

りょく‐や【緑野】〔文〕青々と茂っている野原。「―を渡る風」

りょく‐りん【緑林】〔文〕青々と茂る林。

りょ‐けん【旅券】国が、外国へ旅行する人の身分・国籍などを証明し、相手国にその保護を依頼する公文書。旅行免状。パスポート。参考 ↓査証。

りょ‐こう【旅行】《名・自サ》〔ある一定期間〕居所を離れて他の土地へ出かけて行くこと。旅をすること。「日帰り―」「海外―」類語 旅(たび)。行(こう)。周遊。歴遊。遊歴。漫遊。外遊。洋行。行脚(あんぎゃ)。長途。ツアー。

***りょ‐しゅう【旅愁】**〔文〕旅先で何となく感じる、わびしい思い。旅のうれい。「―を誘う音楽」類語 旅情。

***りょ‐しゅう【虜囚】**捕らわれている人。とりこ。捕虜(ほりょ)。「生きて―のはずかしめを受けることなかれ」

りょ‐しゅく【旅宿】旅先で泊まること。また、その宿。やど。やどや。

りょ‐じょう【旅情】旅に出て感じるしみじみとした思い。「―を慰める」「千曲川―の歌」類語 旅愁。

りょ‐じん【旅人】〔文〕旅行している人。たびびと。

りょ‐そう【旅装】〔文〕旅行をするための身ごしらえ。旅のよそおい。旅じたく。「―を解く」

りょ‐だん【旅団】陸軍の部隊編制上の単位の一つ。師団の下、連隊の上で、二、三個連隊からなる。

りょっ‐か【緑化】《名・他サ》草木を植えて国土の緑を豊かにすること。緑化(りょくか)。「―週間」「―運動」

りょ‐てい【旅程】〔文〕旅行の道のり。旅行の行程。また、旅行の日程。「三泊四日の―」

りょ‐ひ【旅費】旅行の費用。類語 路銀。路用。

りょ‐りょく【×膂力】〔文〕腕・肩などの筋肉の力。類語 腕力。

***リラ**《助数》イタリアの旧貨幣単位。▽(イタリア) lira

***リラ** ↓ライラック。▽(フランス) lilas

リライト《名・他サ》原稿・記事などに手を加えて書き直すこと。▽rewrite

リラックス《名・自サ》緊張をほぐすこと。くつろぐこと。「―して試合に臨む」▽relax

リリース《名・他サ》❶機械などの設定を解除すること。❷映画などを一般に公開すること。また、CD・ビデオソフトを発売すること。❸釣った魚を元の川や海に逃がすこと。▽release(＝解放する)

リリーフ❶《名・他サ》野球で、登板している投手と交替して救援すること。❷レリーフ。▽relief

リリカル《形動》叙情的。リリック。▽lyrical

り‐りく【離陸】《名・自サ》〔飛行機などが〕地面をはなれて空中に飛び上がること。対 着陸。

りりし・い【×凜×凜しい】《形》〔人の容姿・態度などが〕ひきしまっていて雄々しい。「―・い制服姿」文 りりし〈シク〉

リリシズム 叙情的な趣。叙情味。「―あふれる作品」▽lyricism

り‐りつ【利率】利息の元金に対する比率。

リリック ㊀《名》叙情詩。対 エピック。㊁《形動》叙情的。リリカル。▽lyric

リリ‐ヤン 手芸材料の一つ。人絹・ナイロン糸・絹糸などを細く丸編みにしたひも。編み物の材料や刺繍(ししゅう)用に使う。リリーヤーン。▽lily yarn

リレー❶《名・他サ》受け継いで次に送り伝えること。中継。交替。「―放送」「投手―」❷「リレーレース」の略。❸継電器。▽relay **―レース** 陸上・水泳競技で、数人一組でそれぞれが一定の距離を受け持ち、次々と引きついで速さを競うもの。▽relay race

り‐れき【履歴】その人が今までに経てきた学業・職業などの事柄。経歴。「―に傷がつく」類語 閲歴。―

しょ【―書】履歴を書式に従って書き記した文書。

りろ【理路】〔文〕話や議論などの筋道。「―整然とした文章」

りろん【理論】❶〔哲〕筋道を立ててまとめられた、普遍性・統一性をもった知識体系。対実践。❷特定の学者・思想家などがもつ系統的学説。「相対性―」❸物事の筋道。理屈。道理。「―家」

***りん**【林】《接尾》「はやし」の意。「原生―」「砂防―」

***りん**【輪】《助数》❶花を数える語。「梅一―」❷車に付いている車輪を数える語。「四―駆動車」

***りん**【厘】《助数》❶もとの金銭の単位。円の一〇〇〇分の一。銭の一〇分の一。「一銭五―（＝召集令状の俗称）」❷尺貫法の長さの単位。尺の一〇〇〇分の一。寸の一〇〇分の一。分の一〇分の一。❸尺貫法の重さの単位。貫の一〇万分の一。匁の一〇〇分の一。❹比率を表す単位。割の一〇〇分の一。分の一〇分の一。〇・一パーセント。「打率三割三分三―」

***りん**【×燐】非金属元素の一つ。酸化しやすく、暗い所で見ると青白い微光を放つ。有毒。マッチ・肥料・殺虫剤・殺鼠剤などの原料。元素記号P。

***りん**【鈴】❶すず（の音）。❷ベル（の音）。❸読経などのときに棒でたたいて鳴らす、小さな鉢形の仏具。

りんう【×霖雨】〔文〕ながあめ。宿雨。

***りんか**【×燐火】〔墓地・沼沢などで自然に発生する〕燐の燃える青白い火。鬼火。狐火。

***りんか**【輪禍】〔文〕自動車・自転車などにひかれたり、はねられたりする災難。「―にあう」

***りんか**【隣家】となりの家。

***りんかい**【臨海】海に面していること。「―工業地帯」**―がっこう**【―学校】夏休みなどに、海近くで児童・生徒が集団で学習しながら健康の増進をはかる教育行事。また、そのための施設。類語林間学校。

***りんかい**【臨界】さかいめ。境界。特に、物質が物理的・化学的な変化を起こして、ある状態から別の状態に移るさかいめ。「原子炉が―に達する」「―温度」

りんかく【輪郭・輪×廓】❶物の周囲の形を表す線。「画像に―をつける」❷物事のあらまし。概要。アウトライン。「―の不明瞭な計画」

りんがく【林学】樹木に関する基礎理論や林業に関する技術・経営・経済などについて研究する学問。農学の一分野。

***りんかん**【林間】林の間。林の中。**―がっこう**【―学校】夏休みなどに、山や高原で、児童・生徒が集団で学習しながら健康の増進をはかる教育行事。また、そのための施設。類語臨海学校。

***りんかん**【輪×姦】《名・他サ》一人の女性を大勢の男がかわるがわる強姦すること。

***りんき**【×悋気】《名・自サ》恋愛・情事などに関することで相手をねたむこと。やきもち。しっと。「―深い女」

***りんき**【臨機】時にのぞみ応じること。「―の処置」**―おうへん**【―応変】その時にのぞみ、成り行きの変化に応じて適切な手段をとること。「―の対応」

りんぎ【×稟議】（「ひんぎ」の慣用読み）官庁・会社などで、担当者が案を作って関係者・上部組織に回し、承認を求めること。「―書」

りんぎょう【林業】森林を育て、経済的に利用できるものを生産する産業。

りんきん【×淋菌・×痳菌】淋病の病原体である双球菌。

***リンク**《名・他サ》結びつけること。連結。「勤続年数と給与を―させる」「貿易の―制」▽link（＝鎖の輪）

***リンク** スケート場。スケートリンク。▽rink

リング ❶輪。❷指輪。「エンゲージ―」❸「イヤリング」の略。❹ボクシング・プロレスなどの試合が行われる、囲いをした一段高い場所。「―サイド」▽ring

りんくう【臨空】空港の周辺にあること。空港に近いこと。〔単独では用いない語〕「―タウン」

***りんけい**【輪形】輪のような形。わがた。類語輪状。

***りんけい**【×鱗形】うろこがた。鱗状。

***りんけい**【×鱗茎】地下茎の一つ。地中の短い茎のまわりに、養分をたくわえて厚くなった葉がたくさんついて球形になったもの。ユリ・タマネギなどにある。

リンケージ《名・他サ》関連づけること。連鎖。連関。▽linkage

りんげつ【臨月】出産予定の月。うみづき。

リンゲル 出血や衰弱が激しいときなどに体液の代用として注射する、食塩・塩化カリウム・塩化カルシウムなどを含む水溶液。リンゲル液。リンガー液。参考創製者リンガー（Ringer）の名にちなむ。

りんけん【臨検】《名・他サ》その場所に立ち入って検査すること。立ち入り検査。「船舶を―する」

りんげん【×綸言】〔文〕帝王が臣下に向かって言うことば。みことのり。類語勅語。**―汗の如し**《句》〔出た汗が体内にもどらないように〕帝王のことばは、ひとたび口から出れば取り消せないことのたとえ。

りんこ【×凜×乎】《形動タルト》〔文〕〔人の態度などが〕ひきしまって雄々しいようす。りりしいようす。凜然。「―たる気概」

りんご【林×檎】バラ科の落葉高木。春、白色の五弁花が開き、秋、球形の果実がみのる。果実は食用。寒地で栽培され、品種が多い。

***りんこう**【×燐光】❶黄燐が空気中で発する青白い光。❷〔理〕ルミネセンスの一種。光を受けたある種の物質が、その光をとりのぞいた後も発光する現象。

***りんこう**【臨幸】《名・自サ》〔文〕天皇がその場所に出かけること。出御。臨御。「開会式に―される」

***りんこう**【臨港】港に面していること。港の近くにあること。〔単独では用いない語〕「―地帯」

***りんこう**【輪講】《名・他サ》数人の人が代わり合って一つのテキストの講義をすること。

りんごく【隣国】となりの国。隣邦。

りんざいしゅう【臨済宗】唐の臨済義玄を開祖とする、禅宗の一派。鎌倉時代に栄西が伝えた。

りんさく【輪作】《名・他サ》同じ耕地に、異なった種類の作物を一定年限ごとに順々にくり返して栽培すること。輪栽。「小麦と牧草を―する」対連作。

***りんさん**【林産】山林から産出すること（産物）。

***りんさん**【×燐酸】燐の酸化物が水と種々の割合に結合してできる酸の総称。無色の柱状結晶。医薬用・化学工業用。

りんし【臨死】瀕死の状態になること。「―体験」

りんじ【臨時】❶その時にのぞんで特別に物事を行うこと。「―休校」「―国会」類語不時。不定時。❷一時的であること。当面限りであること。「―収入」

***りんしつ**【×淋疾・×痳疾】〔文〕↓りんびょう。

***りんしつ**【隣室】となりの部屋。

り

りんし‐もく【×鱗×翅目】 節足動物昆虫綱の一目。チョウ・ガの類で、種類が多い。全体が鱗粉でおおわれ、はねの模様の美しいものが多い。鱗翅類。

りん‐じゅう【臨終】 人の、今にも死のうとする間際(まぎわ)。死にぎわ。「―のことば」「御―です(=お亡くなりになりました)」 類語 今際(いまわ)の際。最期(さいご)。末期(まつご)。

りん‐しょ【臨書】《名・他サ》〔文〕手本を見ながら書を練習すること。また、そうして書いた書。

***りん‐しょう【臨床】** 実際に患者に接して、診察・治療をすること。「―医学」「―尋問」

***りん‐しょう【輪唱】**《名・他サ》同じ旋律を、二つ以上の声部が追いかけるようにうたう歌い方。ラウンド。

***りん‐じょう【臨場】**《名・自サ》その場所にのぞむこと。「―の来賓」「―感あふれるサウンド」 類語 臨席。

***りん‐じょう【輪状】**〔文〕輪(わ)のような形。環状。

***りん‐じょう【×鱗状】**〔文〕うろこのような形。鱗形。 類語 輪形。

りん‐しょく【×吝×嗇】《名・形動》〔文〕極端にもの惜しみすること。けち。しみったれ。「―家」

りん‐じん【隣人】 となり近所の人。また、身近にいる人。「―愛」

リンス《名・他サ》洗髪したあとで、仕上げのすすぎ洗いをする・こと(液)。▽ rinse

りん‐ず【×綸子】 絹製の紋織物の一つ。地織りと紋様が表裏反対になるように織ってあり、なめらかで光沢に富む。

***りん‐せい【林政】** 林業に関する行政。

***りん‐せい【×稟請】**《名・他サ》《「ひんせい」の慣用読み》〔文〕上役に請求すること。申請。

***りん‐せい【輪生】**《名・自サ》茎の一つの節に三枚以上の葉が輪状につくこと。 対 対生・互生。

***りん‐せき【臨席】**《名・自サ》その席にのぞむこと。「御―の皆さま」 類語 列席。臨場。

りん‐せき【隣席】 となりの座席。「―にいる女性」

***りん‐せつ【隣接】**《名・自サ》となり合っていること。「校舎に―した図書館」

***りん‐せん【林泉】**〔文〕木立と泉・池などを配した大きな庭園。

***りん‐せん【臨戦】** 戦争にのぞむこと。「―態勢」

りん‐ぜん【×凜然】《形動タルト》〔文〕❶寒さのきびしいようす。「―たる朔風(さくふう)」❷〔人の態度などが〕きりっとしてひきしまって威厳のあるようす。りりしいようす。凜乎(りんこ)。「―たる号令」

りん‐そん【隣村】 となりの村。となりむら。

りん‐タク【輪タク】 自転車の後方または側面に、幌(ほろ)でおおった客用の座席をつけた三輪の乗り物。 参考 (ア)第二次世界大戦直後に多用された。(イ)「タク」は「タクシー」の略。

輪タク

***りん‐ち【臨地】** 現地におもむくこと。「―調査」

***リンチ** 民間人がかってに行う違法の暴力制裁。私刑。「―を加える」▽ lynch(=もと、人名)

りん‐てん【輪転】《名・自サ》輪をえがいて回ること。

―き【―機】 円筒形の印刷版を回転させ、これに巻き取り紙を接触させて高速で印刷をする機械。

りん‐と【×凜と】《副》〔文〕❶寒さが厳しいようす。「―した冬の朝」❷〔態度・顔つき・声が〕ひきしまって、しっかりしているようす。「―した姿勢」「彼の声は―響く」 類語 きりり。

***りん‐どう【林道】** 林の中を通っている道。特に、材木を切り出すために林の中につくった道。

***りん‐どう【▽竜▽胆】** リンドウ科の多年草。秋、茎の先に紫色でつりがね形の花を上向きに開く。根は薬用。

りん‐どく【輪読】《名・他サ》何人かが一冊の本を順番に読み、解釈・研究などをすること。「―会」

りん‐ね【輪×廻】《名・自サ》《「りんえ」の連声(れんじょう)》〔車輪がとどまることなく回転するように〕霊魂が滅びないで転々と他の肉体に移って生まれ変わり、かぎりなく迷いの世界をへめぐること。転生(てんしょう)。

リンネル 亜麻糸で織った丈夫でつやのある薄地の織物。夏服・ハンカチ・ワイシャツ・室内装飾品などに広く使われる。亜麻布。リネン。▽フランス linière

リンパ 高等動物の身体組織の間を流れている無色の液体。組織内へ栄養物を取り入れて老廃物を送り出すほか、細菌の侵入を防止する。リンパ液。 表記 「淋巴」と当てた。▽ドイツ Lymphe **―かん【―管】** リンパが流れる管。全身に分布する。 **―せん【―×腺】** リンパ管の途中にある、米粒大からそら豆大の結節。リンパ球を作り、リンパ管に入ってくる病原菌をろ過して殺すとともに、これに対する抗体を作る。首・わきの下・ももの付け根などに多い。リンパ節。

りん‐ばん【輪番】 大勢の人が順序をきめて番にあたること。まわり番。「―制」「掃除は―で行う」

りん‐びょう【×淋病・×痳病】 淋菌(りんきん)の感染によっておこる性病。おもに性交によって感染し、泌尿器・生殖器に炎症がおこる。淋疾(りんしつ)。トリッペル。

りん‐ぶ【輪舞】 ❶《名・自サ》大勢の人が輪になって回りながら踊る・こと(舞踊)。❷ロンド。輪舞曲。

りん‐ぷん【×鱗粉】 チョウやガの羽の表面についているうろこ状の粉。毛の変化したもの。

りん‐ぺん【×鱗片】 うろこの一片。また、うろこ形をした細かいかけら。

りん‐ぽ【隣保】〔文〕となり近所の人々。また、その人々が互いに助け合うための組織。「―活動」

りん‐ぽう【隣邦】〔文〕となりの国。隣国。

りん‐ぼく【林木】〔文〕森林の樹木。「―の伐採」

りん‐も【臨模・臨×摸・臨×摹】《名・他サ》〔文〕〔書画などの〕手本・実物を見ながら、かき写すこと。臨模(りんぼ)。「古写本を―する」

***りん‐もう【厘毛】**〔文〕〔一厘や一毛の意から〕ごくわずかなこと。ほんの少し。 参考 多く下に打ち消しの語を伴う。「―の狂いもない」 類語 毫末(ごうまつ)。

***りん‐もう【×鱗毛】** 茎・葉などの表面をうろこのようにおおい守っている小さな毛。

りん‐や【林野】 林と野原。林や野原。「―庁」

りん‐らく【×淪落】《名・自サ》おちぶれて身をもちくずすこと。零落。「―の女」「―のふちに沈む」

***りん‐り【倫理】** ❶人のふみ行うべき道。人倫の道。道徳。「政治―」 類語 道義。徳義。❷〔個人や組織ごとに考えられた〕道徳の規準。モラル。「企業の―が個人の―に優先する」❸「倫理学」の略。 **―がく【―学】** 人間の行為の規範を研究する学問。

***りん‐り【×淋×漓】**《形動タルト》〔文〕❶〔汗・血・涙・墨

汁・雨など〕多量の液体がしたたり落ちるようす。「流汗―」「―たる墨痕(ぼっこん)」❷〔感情・勢いなどが〕表にあふれ出るようす。「―たる赤誠を示す」

りん‐りつ【林立】《名・自サ》〔林のように〕ものが数多く立ち並ぶこと。「港に―する船のマスト」

りん‐りん【×凜×凜】《形動タト・タル》〔文〕❶寒さなどが厳しく身にしみて感じられるようす。「―たる夜気」❷〔勢いがみなぎり〕勇ましくりっぱなようす。りりしいようす。「勇気―と試合に臨む」

りん‐れつ【×凜×冽】《名・形動タト・タル》〔文〕寒さの厳しいこと。「―の気がみなぎる」

りん‐ろう【×琳×琅・×琳×瑯】〔文〕❶美しい玉。宝石。❷美しい詩文などをたとえて言う語。

る

る―留

る《助動：下二型》**文語**《助動詞「れる」の文語形》❶自発を表す。「台座より転び落給はんかと危ぶま**るる**やうなり〈一葉〉」❷受け身を表す。「またなき名誉なりと人にも言は**れ**〈鷗外〉」❸可能を表す。「自分の家に飼たる馬にも乗られぬ程の〈福沢諭吉〉」❹動作主に対する尊敬を表す。「上人…掌(て)に持た**れ**し花を…〈露伴〉」接続 四段・ナ変・ラ変動詞の未然形につく。その他の動詞、および助動詞「(さ)す」には「らる」がつく。

ルアー 本物そっくりに似せて作った餌(さえ)や針。擬似餌。擬餌鉤。また、それを使ってする釣り。「―フィッシング」▷lure

***るい【塁】**❶〔文〕とりで。「―を摩す（＝敵陣に迫る。また、地位や力量が他に匹敵するほどになる）」❷野球で、ベース。「―に出る」

***るい【累】**〔文〕好ましくない影響。かかりあい。まきぞえ。「―を及ぼす（＝迷惑を及ぼす）」

***るい【類】** ㊀《名》❶性質などが似かよっている・こと（もの）。なかま。たぐい。「トラ・ライオンの―」❷動植物の分類で、綱(こう)または目(もく)の代わりに慣用として用いる語。〔接尾語的に使う〕「両生―」㊁《接尾》「…のたぐい」の意。「魚介―」

―は友を呼ぶ《句》気の合う者や、似かよった志・趣味をもつ者同士は自然に集まるものである。

―を以(もっ)て集まる《句》良きにつけ悪しきにつけ、似た者同士は自然に寄り集まる。〈易経・繫辞上伝〉

***るい‐えん【涙×淵】**〔文〕悲しみの涙の深さを淵(ふち)にたとえた語。「―に沈む（＝ひどく悲しむ）」

***るい‐えん【類縁】**〔一族・親類の意〕形状・性質・機能などの点で互いに近い関係にあること。「―関係」

るい‐おん【類音】 発音が似ていること。「―語」

***るい‐か【累加】**《名・自他サ》次から次へと重なり加わること。また、重ね加えること。「貿易赤字が―する」
類語 累積。

***るい‐か【類歌】** その歌と発想・内容・表現がよく似ている歌。

***るい‐か【類火】** 類焼。もらい火。対 自火。

るい‐がいねん【類概念】〔論〕ある概念の外延が他の概念の外延よりも大きく、それを自己の内に含む場合、前者を後者の類概念といい、後者を前者の種概念という。たとえば、「魚」は「フナ」「コイ」などに対しては類概念、「動物」に対しては種概念となる。類。対 種概念。

るいぎ‐ご【類義語】 意味がよく似ている二つ以上の単語。「ゆらぐ」と「ゆれる」、「母」と「おかあさん」「ママ」「おふくろ」など。類語。

るい‐く【類句】❶その句と内容・表現が似ている語句や俳句。❷和歌・俳句などの第一句、または第三句や第五句などを、検索の便のために五十音順などに配列したもの。

***るい‐けい【累計】**《名・他サ》部分部分の計を次々に加えて合計を出すこと。また、その計算の結果。累算(るいさん)。「平成元年以来の鉄鋼生産の―」類語 総計。

***るい‐けい【類型】**❶共通する点をとり出してまとめあげた一つの型。「―化」❷個性のみられないありふれた型。「―的な表現」注意「類形」は誤り。

るい‐げつ【累月】〔文〕何か月も続くこと。「―に及ぶ」

るい‐げん【累減】《名・自他サ》〔文〕次々に減ってゆくこと。また、次々に減らしてゆくこと。「人口が―の傾向にある」対 累増。

るい‐ご【類語】 類義語。

るい‐こん【涙×痕】〔文〕涙の流れた跡。

***るい‐さん【累算】**《名・他サ》累計(るいけい)。

***るい‐じ【累次】**〔文〕幾重にも重なって続くこと。何度も引き続いて起こること。「―にわたる災害」

***るい‐じ【類似】**《名・自サ》互いに似かよっていること。「―の作品には見られない長所」

***るい‐じ【類字】** 形の似かよっている漢字。「大」と「太」、「爪」と「瓜」、「己」と「已」など。

るい‐じつ【累日】〔文〕幾日も続くこと。積日。「―に及ぶ」

るい‐じゃく【×羸弱】《名・形動》〔文〕からだが弱いこと。ひよわなこと。「―な幼児」類語 虚弱。

るい‐じゅ【類×聚】《名・他サ》↓るいじゅう。

るい‐じゅう【類×聚・類従】《名・他サ》〔文〕同じ種類の事柄を集めること。また、集めたもの。類集。るいじゅ。「群書―」

るい‐しょ【類書】❶ある書物と、内容・形式が同じ種類に属する書物。類本。❷種々の書物を事項別に分類して編集した書物。

るい‐しょう【類焼】《名・自サ》他から出た火事が燃えうつって焼けること。類火。もらい火。類語 延焼。

るい‐じょう【累乗】《名・他サ》〔数〕同じ数をいくつか掛け合わせること。また、その結果得た数値。

***るい‐しん【塁審】** 野球で、一塁・二塁・三塁のそばにいる審判員。ベースアンパイア。類語 球審。線審。

***るい‐しん【累進】**《名・自サ》❶地位などが次々に上がっていくこと。❷数量が増すにつれてそれに対する比率も高くなっていくこと。「―課税」

るいじん‐えん【類人猿】 サル類のなかで、最もヒトに近いもの。尾がなく、あと足で直立して歩く。ゴリラ・チンパンジー・オランウータン・テナガザルなど。

るい‐すい【類推】《名・他サ》似た点をもとにして他のことを推しはかること。「ヒトからサルの社会を―する」

るい‐・する【類する】《自サ変》似通う。同じ類(たぐい)に入っている。「随筆に―・する文章」類語 属する。

るい‐せき【累積】《名・自他サ》前からあるものに次から次へと・積み重なる（積み重ねる）こと。「―赤字」

るい-せつ【×縲×絏・×縲×紲】〔文〕捕虜や罪人として捕らえられること。「―のはずかしめ」

るい-せん【涙×腺】涙を分泌する腺(せん)。

るい-ぞう【累増】《名・自他サ》〔文〕数量などが次々にふえること。また、次々にふやすこと。[対]累減。

***るい-だい**【累代】〔文〕代を重ねること。代々。累世(るいせい・るいせ)。「山田家―の墓」「―の主君」

***るい-だい**【類題】❶同じ種類の題。似かよった題名。❷同じ種類の問題。似かよった問題。❸和歌・俳句などを類似した題によって集めたもの。「―歌集」

るい-どう【類同】《名・形動》〔文〕同じ種類であること。似かよっていること。同類。

るい-ねん【累年】〔文〕年を重ねること。何年も続くこと。年々。累歳。「―の怨恨(えんこん)」

るい-はん【累犯】❶〔文〕犯罪を重ねること。❷〔法〕懲役に処せられた者が、刑の終了の日から五年以内に再び罪を犯して有期懲役に処せられること。

るい-ひ【類比】《名・他サ》比較すること。

ルイベ 凍らせた鮭(さけ)を薄切りにしたもの。[参考]アイヌ語から。

るい-へき【塁壁】〔文〕とりで(の壁)。城壁。

るい-べつ【類別】《名・他サ》種類ごとに分けること。分類。「蔵書を判型で―する」

るい-らん【累卵】〔文〕積みかさねた卵。〔非常に不安定で、危うい物事のたとえに使う〕「―の危うき」

るい-るい【累累】《形動タルト》〔文〕❶物があたり一面に重なり合っているようす。「死屍(しし)―」❷物があたり一面に連なり続くようす。「―たる杉木立」

るい-れい【類例】似かよった例。「世界に―がない奇習」

ルー 小麦粉をバターでいためたもの。カレー・シチュー・ソースなどの材料にする。▽フランス roux(=褐色)

ルーキー プロ野球などで、新人の選手。[参考]一般に、「新人」の意でも使う。▽rookie

ルージュ 口紅。▽フランス rouge(=赤色)

ルーズ《名・形動》物事をすみずみまできちんとしないこと。だらしがないこと。「彼は時間に―だ」▽loose **―リーフ** 用紙のとりはずしが自由にできるようにつくったノート。▽loose-leaf notebook の略。

ルーチン ❶きまりきった、日常の習慣・仕事。「―ワーク」❷コンピューターのプログラムの中で、特定の機能を実行するための一連の命令。[参考]「プログラム」と同義にも使われる。▽routine

ルーツ ❶根源。ものごとの始まり。「ラーメンの―をさぐる」❷始祖。祖先。「わが家の―」▽roots

***ルート** ❶〔数〕根(こん)。特に、平方根。根数。記号√。❷〔語学〕原形。語根。▽root

***ルート** ❶道。道路。道筋。「南―で登山する」❷経路。手づる。「密輪―」▽route

ルーバー よろい戸状の格子。また、それがついた開口部。日よけ・換気・照明の調節に用いる。▽louver

ルーフ《造語》屋根。屋上。「―ガーデン」▽roof

ループ ❶輪。また、輪の形をしたもの。❷衣服の、ボタンなどをかける糸・ひもなどの輪。▽loop **―せん**【―線】急勾配(こうばい)の地に鉄道を敷設する際に、山を巻くように敷き、回り道をして次第に高所に達する形式の路線。

ルーブリ《助数》↓ルーブル。▽ロシア rubl'

ルーブル《助数》ロシア連邦の通貨単位。一ルーブルは一〇〇コペイカ。ルーブリ。[表記]「留」と当てた。▽ruble

ルーペ 虫めがね。拡大鏡。▽ドイツ Lupe

ルーム《造語》「部屋」の意。「ベッド―」「ホーム―」▽room **―サービス** ホテルなどで、客室に飲食物を運ぶサービス。▽room service **―メート**〔下宿・寮などで〕同室の者。同宿者。▽roommate

ルーラー 定規。▽ruler

ルール 規則。規定。「交通―」「―ブック」▽rule

ルーレット かけごとの一種。赤・黒に色分けし、0から三六までの目に区画したすり鉢状の円盤を回転させ、中に小さな玉を入れて円盤が停止したとき、玉がどの目に位置するかによって勝負を争うもの。また、その用具。▽フランス roulette

ルクス《助数》照度の単位。光度一カンデラの光源から一メートルの距離にある、光源に垂直な面における照度を一ルクスとする。ルックス。記号 lx。▽フランス lux

る-けい【流刑】昔の刑罰で、罪人を遠く離れた土地に追放するもの。流罪(るざい)。流刑(りゅうけい)。「―地」[類語]島流し。配流。

る-げん【×縷言】《名・他サ》〔文〕くわしくこまごまと述べること(ことば)。縷述(るじゅつ)。縷説(るせつ)。「それが優ることは―を要しない」[類語]多言。

ルゴール-えき【ルゴール液】よう素・よう化カリウム・グリセリンを混合して作った赤茶色の液体の薬。殺菌力があり、咽喉(いんこう)カタル・扁桃(へんとう)(腺(せん))炎などの患部に塗る。ルゴール。[参考]商標名。創製したフランスの Lugol の名から。

る-こつ【×鏤骨】〔文〕〔骨を刻む意から〕非常な苦心をすること。鏤骨(ろうこつ)。「彫心―の作」「―砕心する」

る-ざい【流罪】流刑(るけい)。「―人」

ルサンチマン 心に積もった恨み・憎悪・嫉妬(しっと)などの感情。▽フランス ressentiment

る-じ【×屢次】〔文〕たびかさなること。しばしばであること。「―の大火で町並みが変わった」

るしゃな-ぶつ【×盧遮×那仏】「毘盧遮那仏(びるしゃなぶつ)」の略。

る-じゅつ【×縷述】《名・他サ》〔文〕くわしくこまごまと述べること(ことば)。縷言(るげん)。縷説(るせつ)。「製品の開発過程を―する」[類語]詳述。

る-す【留守・留主】❶《名・自サ》主人や家人などが不在の間、その家に残って番をする・こと(人)。留守居。留守番。「―を預かる(=留守中の責任を負う)」❷《名・自サ》外出していて、家にいないこと。家をあけること。不在。「本人はあいにく―です」「―を使う(=家にいるのに不在を装う)」❸〔他のことに気をとられて〕すべき事をしないでほうっておくこと。「勉強がお―になる」 **―い**【―居】《名・自サ》留守①。 **―ばん**【―番】《名・自サ》留守①。 **―ばん-でんわ**【―番電話】自動的に応答し、メッセージを録音する電話。

***る-せつ**【流説】〔文〕❶世間に言い広められた説。❷世間に言い広められた根拠のないうわさ。流言(りゅうげん)。

***る-せつ**【×縷説】《名・他サ》〔文〕細部にわたってくわしく説明する・こと(ことば)。縷言(るげん)。縷述(るじゅつ)。「必要性を―する」[類語]詳説。

る-たく【流×謫】〔文〕罪によって遠方へ流されること。りゅうたく。[類語]流罪。配流。

ルック 服装がある傾向をもっていること。…風。「ミリタリー―」「ニュー―」▽look

る

***ルックス** 人の外見。容姿。「―がいいタレント」▽looks

***ルックス**《助数》↓ルクス。▽フランス lux

る-つぼ【×坩×堝】 ❶〔理〕物質をとかしたり強く熱したりするときに用いる、耐熱性の容器。❷〔るつぼの中の物が沸き立つように〕そこにいる人々の感情がはげしく高まっている状態や場所のたとえ。「音楽会場は興奮の―と化した」❸種々のものがまじり合い、流動性の高い状態や場所のたとえ。「人種の―、アメリカ」

る-てん【流転】《名・自サ》❶とどまることなく、移り変わること。「―の人生を送る」❷〔仏〕生死因果が相続いて起こり、きわまりないこと。輪廻。「生々―」

る-にん【流人】〔文〕流刑に処せられた罪人。流罪人。

ルネサンス 一四世紀のイタリアに始まり、一六世紀に西欧全体に広がった、学問・芸術・文化上の革新運動。文芸復興。ルネッサンス。▽フランス Renaissance

ルバシカ ロシア人が着るゆるやかな、ブラウスふうの衣服。つめえりで、ウエストに細い帯を結び下げる。ルパシカ。▽ロシア rubashka

ルビ ふりがな用の小さな活字。また、一般に、漢字のふりがな。参考 和文の五号活字のふりがなとして、英国の活字、ルビー(五・五ポイント)とほぼ同じ大きさの七号活字を用いたことから。▽ruby から。

ルビー 鋼玉の一つで、赤色透明な宝石。七月の誕生石。紅玉。▽ruby

ルピー《助数》インド・パキスタン・スリランカ・ネパールの通貨単位。▽rupee

る-ふ【流布】《名・自サ》世間に広くゆきわたること。「ちまたに―するうわさ」

ルフラン ↓リフレーン。▽フランス refrain

ルポ「ルポルタージュ①」の略。**―ライター** ルポルタージュ①を専門に書く記者。参考「ルポ」と writer からの和製語。

ルポルタージュ ❶〔特派記者による〕現地の報告。報告記事。ルポ。❷〔現地報告による〕記録文学。報告文学。▽フランス reportage

ルミノール 血液に加え、過酸化水素を作用させると蛍光を発する有機物質。「―反応」参考 この反応を血痕の鑑識に利用する。▽luminol

る-みん【流民】 ↓りゅうみん。

る-り【×瑠×璃・×琉×璃】 ❶美しい青色の宝石。七宝の一つとされる。❷「ガラス」の古称。**―いろ【―色】** 紫がかった美しい青色。**―ちょう【―鳥】** ❶ヒタキ科の小鳥。全身が濃い紫色で、腹部は淡い。台湾の深山にすむ。❷「おおるり」の別称。**―も玻璃も照らせば光る**《句》〔瑠璃も玻璃も光をあてれば輝くの意で〕よい素質や才能を持っているものは、だれでも磨けば立派に大成する。

る-る【×縷×縷】《形動タルト》〔文〕❶細く長く、絶えないで続くようす。「煙が―とたなびく」❷こまごまと詳しく話を続けるようす。〔副詞的にも使う〕「―説明する」

る-ろ【流露】《名・自他サ》↓りゅうろ。

る-ろう【流浪】《名・自サ》あてもなくさすらうこと。「諸国を―する」「―の民」類語 放浪。

ルンゲ ❶肺臓。❷「肺結核」の俗称。▽ドイツ Lunge

ルンバ 四分の二拍子の、強烈なリズムのキューバ起源のダンス(音楽)。▽スペイン rumba

ルンペン 浮浪者。失業者。▽ドイツ Lumpen(=ぼろぎれ)

るん-るん《副・名・形動》《副詞は「―と」の形も》〔俗〕心がはずむようす。「気分は―だ」

***レア**《名・形動》まれなこと。珍しいこと。「―物(=希少価値のある物)」▽rare **―メタル** 存在がまれであるか抽出が困難な金属。希少金属。▽rare metal

***レア** 肉の焼き方の一つ。表面を焼いただけで中の方が生である焼き方。生焼き。参考 ↓ミディアム。ウェルダン。▽rare

レアリスム ↓リアリズム。▽フランス réalisme

レアリテ ↓リアリティー。▽フランス réalité

***れい【令】** ㊀《名》〔文〕命令。「―を下す」「―を守らない」㊁《接尾》公布された命令の意。「戒厳―」「大赦―」㊂《接頭》尊敬の意を表す。「―夫人」

***れい【例】** ❶今までに行われている、同じようなこと。通例。ためし。「―のない大地震」「―に漏れない」❷過去の事柄で、現在の典拠・基準となるもの。ならわし。先例。慣例。しきたり。「―に照らして裁く」❸いつもと同じで、目新しくないこと。「―によって―のごとし」「―によって愚痴ばかり」参考 ↓例の。❹同種類の多くの事柄を類推・理解させるために、そのよりどころとして示す事柄。「―をあげて述べる」

***れい【礼】** ❶社会の秩序を保ち、人間相互の交際を円滑にするために、日常生活の規範として人の守り行うべき道。作法・儀式・制度など。礼儀。「―にかなう」「―をわきまえる」類語 儀礼。礼式。礼法。エチケット。❷頭を下げるなどして敬意を表すこと。おじぎ。敬礼。「先生に―をする」「起立、―」❸謝意を表すためのことばや金品。お礼。謝礼。「―を言う」「―の品を贈る」類語 礼物。謝儀。謙譲 薄志。薄謝。拝謝。

***れい【零】** 数量が全く無いことを言う語。ゼロ。

***れい【霊】** ❶肉体に宿って、その行為を支配する働きをすると考えられるもの。霊魂。たましい。精神。「―と肉の闘い」対 肉。❷死者のたましい。霊魂。「先祖の―を祭る」❸何かあると感じられるが、実体としてはとらえられない現象・存在。「山の―」「神の―」

***レイ** ハワイを訪れる人に歓迎の意を表して首にかける花輪。▽ハワイ lei

レイアウト《名・他サ》新聞・雑誌・書籍・ポスターなどの紙面作製の際に、文字・さしえ・写真などを効果的に配置すること。割り付け。参考 展覧会や商品展示などの立体的なデザインについても言う。▽layout

れい-あん【冷暗】 涼しくて日が当たらないこと。「―所に保存する」

れいあん-しつ【霊安室】〔病院などで〕遺体を遺族に渡すまで安置しておく部屋。

***れい-い【霊位】**〔文〕〔死者のたましい(の宿る所)の意から〕位牌。御霊代。「―を安置する」

***れい-い【霊威】**〔文〕神仏などのふしぎな力。

***れい-い【霊異】**〔文〕神仏などに関する、人間の知恵ではかり知れないふしぎなこと。霊異。類語 霊妙。

れい-いき【霊域】 神社・寺などのある神聖な地域。

類語 霊地。霊場。聖域。

れい‐う【冷雨】〔文〕冷たい雨。

れい‐えん【霊園】区画され、樹木などを植えて公園風に造った(大規模な)共同墓地。「都営多磨―」

レイ‐オフ 企業が将来の再雇用を条件に労働者を一時的に解雇すること。一時帰休制。▷layoff

れい‐おん【冷温】❶冷たい・こと(もの)と温かい・こと(もの)。❷低い温度。低温。

*__れい‐か【冷夏】__例年に比べて気温の低い夏。

*__れい‐か【冷菓】__〔文〕アイスクリームのように凍らせたり、ゼリーのように冷やしたりして作った菓子。

*__れい‐か【隷下】__〔文〕その人に従属する・こと(人)。配下。手下(てした)。「山下将軍―の部隊」類語 傘下。

*__れい‐か【零下】__温度が零度より低いこと。氷点下。

*__れい‐かい【例会】__日を決めて、定期的に開く会。類語 常会。

*__れい‐かい【例解】__《名・他サ》例をあげて解釈・説明すること。「国文法―」

*__れい‐かい【冷塊】__空気や潮流の冷たいかたまり。

*__れい‐かい【霊界】__❶霊魂の世界。死者の住む世界。冥界(めいかい)。❷精神の世界。対 肉界。

*__れい‐がい【例外】__ふつうの例からはずれている・こと(もの)。「―は原則として認めない」「―のない規則はない」「―的処置」類語 異例。異数。

*__れい‐がい【冷害】__例年より夏の気温が異常に低かったり日照不足が続いたりして、農作物に減収や品質低下を招く害。「―にみまわれる」

*__れい‐かん【冷寒】__《名・形動》〔文〕つめたくさむいこと。「―地」類語 寒冷。

*__れい‐かん【冷汗】__〔文〕ひやあせ。**―さんと【―三斗】**〔文〕恥ずかしさや恐ろしさのため、ひどくひや汗をかくようす。冷汗三斗(さんど)。「―の思い」

*__れい‐かん【霊感】__❶人の祈りに対する、神仏の不思議な反応。霊応。❷神から啓示を受けたようにひらめく考え。インスピレーション。「―が働く」

れい‐がん【冷眼】〔文〕人をばかにするような、ひややかな目つき。「―視」

れいかん‐しょう【冷感症】女性にみられる、性的な欲望の起こらない症状。不感症の強度のもの。

*__れい‐き【例規】__〔法令の解釈などで〕慣例から成り立つ規則。先例とする規則。

*__れい‐き【冷気】__〔文〕ひんやりして冷たい空気。「早朝の―がただよう」対 熱気。

*__れい‐き【霊気】__神秘的な気配・雰囲気。「山の―」

れい‐ぎ【礼儀】社会の秩序を保つために、人間が守らなければならない作法。特に、敬意を表す作法。礼儀作法。「―を欠く」「―を守る」「―知らずの男」類語 ↓礼。注意「礼義」は誤り。

れい‐きゃく【冷却】《名・自他サ》❶ひえること。また、ひやすこと。「―水」❷感情がしずまること。また、感情をしずめること。「投資意欲が―する」**―きかん【―期間】**争い事などがこじれてきたとき、当事者双方の感情的対立を落ち着かせるために、交渉などをしばらく停止する期間。「―を置く」

れい‐きゅう【霊×柩】〔文〕死体を納めた棺(かん)。ひつぎ。**―しゃ【―車】**霊柩を乗せて運ぶ車。柩車。

れい‐きん【礼金】謝礼として出す金銭。特に、部屋や家を借りるときに、家主に謝礼という形で支払う一時金。参考 ↓敷金。

れい‐く【麗句】〔文〕美しく飾りたてた文句。「美辞―」

*__れい‐ぐう【冷遇】__《名・他サ》ひややかに扱うこと。冷淡な待遇。薄遇。「会社で―される」対 厚遇。優遇。

*__れい‐ぐう【礼遇】__《名・他サ》〔文〕礼儀をつくしてもてなすこと。「使節を―する」類語 厚遇。

*__れい‐けい【令兄】__〔文〕他人・相手の兄に対する敬称。参考 多く手紙文で用いる。

*__れい‐けい【令×閨】__〔文〕↓れいしつ(令室)。

*__れい‐けつ【冷血】__❶体温が低いこと。対 温血。❷人間らしいあたたかみがないこと。「―漢」類語 薄情。**―どうぶつ【―動物】**❶↓変温動物(へんおんどうぶつ)。対 温血動物。❷冷酷・不人情な人。類語 冷血漢。

*__れい‐げつ【例月】__いつもの月。「―どおり行う」

れい‐けん【霊剣】〔文〕ふしぎな威力をそなえた剣。

*__れい‐げん【例言】__〔文〕❶書物の凡例として述べることば。また、前書きの文章。❷《名・自サ》例として述べること。また、その言葉。

*__れい‐げん【霊験】__人の祈願・善行に対する神仏の不思議な反応。御利益(ごりやく)。霊験(れいけん)。「―あらたかな神」

*__れい‐げん【冷厳】__《形動》〔文〕❶冷静で厳格なようす。「―な判決を下す」類語 厳粛。❷冷ややかで厳しいようす。「―な現実」類語 過酷。

れい‐こう【励行・×厲行】《名・他サ》❶励み行うこと。「冷水摩擦を―する」❷規則・約束などを定められたとおり厳格に行うこと。「時間―」「条約を―する」

*__れい‐こく【例刻】__〔双方であらかじめ了解されている〕いつもきまった時刻。「―に集合する」

*__れい‐こく【冷酷】__《名・形動》思いやりがなく、むごいこと。「―な処罰」類語 酷薄。残酷。苛酷(かこく)。酷。

れい‐こん【霊魂】肉体とは別に存在し、しかも肉体に宿って精神的・生理的諸活動を支配し、死後は肉体からはなれて滅びずにのこると考えられているもの。たましい。霊。「―不滅」類語 心霊。精霊。魂魄(こんぱく)。亡魂。尊敬 尊霊。御霊。対 肉体。

*__れい‐さい【例祭】__毎年決まった月日に行われる祭り。特に、年一回行われる最も重要な大祭。

*__れい‐さい【冷菜】__中国料理で、冷たい前菜。

*__れい‐さい【零細】__《名・形動》きわめて規模が小さく、貧弱なこと。「―企業」

れい‐さつ【霊×刹】〔文〕霊験あらたかな仏をまつってある寺。霊寺。

れい‐ざん【霊山】〔神仏をまつった〕神聖な山。

*__れい‐し【令姉】__〔文〕他人・相手の姉を尊敬していう語。参考 多く手紙文で用いる。

*__れい‐し【×茘枝】__ムクロジ科の常緑小高木。果実は暗赤色のうろこ状の皮でおおわれ、果肉は白くゼリー状。食用。中国南部の原産。ライチー。

*__れい‐し【麗姿】__〔文〕美しく整った姿。類語 優姿。

*__れい‐じ【例示】__《名・他サ》〔ある事柄を〕実例として示すこと。「記入法を―する」

*__れい‐じ【零時】__午後一二時(=午前零時)、あるいは午前一二時(=正午・午後零時)。

れい‐しき【礼式】〔文〕❶礼儀を表す法式。礼法。❷礼意を表すための贈り物。

*__れい‐しつ【令室】__〔文〕他人・相手の妻に対する敬称。令閨(れいけい)。参考 多く手紙文で用いる。

れい‐しつ【麗質】〔文〕(女の)美しい生まれつき。また、すぐれた素質。「親譲りの―に恵まれる」

れい‐じつ【例日】〔文〕いつもの日。また、定期的に決まっている日。

れい‐しゅ【冷酒】❶燗(かん)をしていない(常温のままの)日本酒。ひやざけ。ひや。❷燗をせず、さらにつめたくして飲むようにつくった酒。冷用酒。

***れい‐じゅう【隷従】**《名・自サ》〔文〕手下となって従うこと。隷属。「大国に―する」

***れい‐じゅう【霊獣】**〔文〕めでたいしるしをもたらすとされる神聖な獣(けもの)。麒麟(きりん)などの類。類語 神獣。

***れい‐しょ【令書】**〔文〕行政官庁の命令を書きしるした文書。「徴税―」類語 令状。

***れい‐しょ【隷書】**漢字の書体の一つ。篆書(てんしょ)を簡単にしたもの。隷(れい)。

***れい‐しょう【例証】**《名・他サ》実例をあげて、証明すること。また、証拠としてあげる例。「実験の―をあげて説明する」

***れい‐しょう【冷床】**〔農〕人工的な温熱を与えず、太陽熱のみを利用した自然のままのなえどこ。対 温床。

***れい‐しょう【冷笑】**《名・他サ》あざわらうこと。また、その表情。「―を浮かべる」類語 冷嘲(れいちょう)。

***れい‐じょう【令嬢】**他人・相手の娘を尊敬していう語。「深窓の―」

***れい‐じょう【令状】**❶命令を書きしるした書状。「召集―」❷〔法〕強制処分を行うとき、裁判所が与える命令書・許可書。召喚状・勾引(こういん)状・逮捕状・差押え状など。類語 令書。

***れい‐じょう【礼状】**お礼の手紙・はがき。

***れい‐じょう【礼譲】**〔文〕礼儀として、へりくだった態度をとること。「―に富む」「―を厚くする」

***れい‐じょう【霊場】**神仏をまつってある神聖な場所。霊地。類語 霊域。

れい‐しょく【令色】〔文〕(気に入られようとする)こびへつらった顔つき。「巧言(こうげん)―」

***れい‐じん【×伶人】**〔文〕音楽、特に雅楽を奏する(職業の)人。楽人(がくじん)。

***れい‐じん【麗人】**〔文〕顔や姿の美しい女の人。美人。佳人(かじん)。「男装の―」

***れい‐すい【冷水】**〔文〕つめたい水。「―を浴びせる(=人の気をそぐようなことをする)」**―かい【―塊】**海水の温度が周囲より低くなる現象。漁場に影響を与える。**―まさつ【―摩擦】**冷水でしぼった手ぬぐいで全身をこすること。血行がよくなる。**―よく【―浴】**冷水をあびて、皮膚を強くすること。

***れい‐すい【霊水】**〔文〕不思議な効能のある神聖な水。霊験あらたかな水。

***れい‐する【令する】**《他サ変》〔文〕命令する。

***れい‐せい【冷製】**西洋料理で、冷たくして食べる料理。

***れい‐せい【冷静】**《名・形動》おちついていて、一時の感情などによって左右されないこと。「―な判断」「―に行動する」「沈着―」類語 沈着。クール。

***れい‐せつ【例説】**《名・他サ》〔文〕例をあげて説明すること。また、その説明。

***れい‐せつ【礼節】**〔文〕秩序を保つ礼儀作法と節度ある行い。「―を重んじる」

***れい‐せん【冷戦】**軍事行動には及ばないが、互いに敵視しあっている国家間の対立状態。冷たい戦争。コールドウオー。参考 第二次世界大戦後の、アメリカとソ連の関係を表した語。

***れい‐せん【冷泉】**つめたい泉。特に、鉱泉のなかで水温の低いもの。温泉法ではセ氏二五度以下のものをいう。参考 ↓温泉。

***れい‐せん【霊泉】**〔文〕不思議な効能のある泉・温泉。

***れい‐ぜん【霊前】**❶死者の霊をまつった場所の前。「―に花をささげる」尊敬 御霊前。❷神仏をまつってある場所の前。神前。仏前。

れい‐ぜん【冷然】《形動タルト》〔文〕感情を交えず、ひややかに物事に対するようす。「要求を―と拒絶する」

***れい‐そう【礼奏】**《名・他サ》❶演奏会でアンコールにこたえてする演奏。❷儀礼としての演奏。「賓客の国歌を―する」

***れい‐そう【礼装】**《名・自サ》儀式に出る時、礼式にかなった服装をすること。また、その服装。「略式―」

***れい‐そう【霊草】**〔文〕不思議なききめのある草。

***れい‐ぞう【冷蔵】**《名・他サ》飲食物などを、くさらせないためや冷たくするために低温で貯蔵すること。**―こ【―庫】**氷を用いたり電気・ガスなどの動力を用いたりして低温を保つ、箱型の装置。

***れい‐ぞう【霊像】**〔文〕神仏の像。

れい‐そく【令息】〔文〕他人・相手の息子を尊敬していう語。

***れい‐ぞく【隷属】**《名・自サ》他の思うがままに支配されること。隷従。「権力者に―する」類語 従属。

れい‐そん【令孫】〔文〕他人・相手の孫を尊敬していう語。

れい‐だい【例題】例として出す練習問題。

れい‐たいさい【例大祭】毎年決まった日に行われる大祭。

れい‐たつ【令達】《名・他サ》〔文〕命令を伝えること。また、その命令。

れい‐たん【冷淡】《名・形動》❶物事に不熱心なこと。「仕事には―だ」❷不親切で思いやりのないこと。同情心のないこと。「部下に―な上司」類語 つれない。冷たい。冷ややか。心無い。薄情。無情。冷然。

***れいだん‐ぼう【冷暖房】**冷房と暖房。「―完備」

***れい‐ち【霊地】**神仏が祀(まつ)られている神聖な土地。霊場。霊域。類語 聖地。

***れい‐ち【霊知・霊×智】**〔文〕霊妙な知恵。

***れい‐ちょう【冷×嘲】**《名・他サ》〔文〕ひやかし、あざけること。「腹の底で―する」類語 冷笑。

***れい‐ちょう【霊鳥】**〔文〕神聖で霊妙な鳥。めでたいしるしをもたらすという。鳳凰(ほうおう)など。

れいちょう‐るい【霊長類】哺乳(ほにゅう)類の一目(もく)。哺乳類中最も高等なグループで、よく発達した大脳をもつ。人類やサル類が含まれる。霊長目。

れい‐てい【令弟】〔文〕他人・相手の弟に対する敬称。参考 多く手紙文に用いる。

れい‐てき【霊的】《形動》霊・精神に関するようす。「―世界」「―現象」対 肉的。

れい‐てつ【冷徹】《名・形動》〔文〕物事を冷静に深く鋭く見通していること。「―な判断力」

***れい‐てん【冷点】**感覚点の一つ。皮膚・粘膜上に点在する、体温以下の温度を感ずる場所。寒点。対 温点。

***れい‐てん【礼典】**〔文〕礼に関するきまり(を書き記した書物)。

れ

*れい・てん【零点】❶得点が全くないこと。ゼロ。❷セ氏温度目盛りで、氷点。

れい・でん【霊殿】〔文〕神仏または先祖の霊をまつってある建物。みたまや。類語霊廟。霊堂。

れい・ど【零度】度数の起点になる度。「セ氏―」

れい・とう【冷凍】《名・他サ》生鮮食品などを長期保存や運搬のために凍らせること。「―食品」「―庫」対解凍。

*れい・どう【霊堂】神仏・貴人の霊を祀った堂。

*れい・にく【冷肉】蒸し焼きにしたりゆでたりしたのち冷やした食肉。薄く切ってオードブルなどにする。コールドミート。

*れい・にく【霊肉】〔文〕霊魂と肉体。「―の相克」

れい・ねつ【冷熱】〔文〕❶つめたいこととあついこと。「―の感覚」❷冷淡さと熱心さ。

れい・ねん【例年】いつもの年。「―になく寒い」「―の催し」

れい・の【例の】《連体》いつもの。あの。決まりきっている。〔過去の経験によって、互いに知っている物事についていう〕「―とおり」「彼の―くせがまた出た」

れい・のう【霊能】霊魂・神霊を呼び出したり、対話したりする能力。「―者」

れい・ば【冷×罵】《名・他サ》〔文〕さげすんでののしること。また、そのことば。「―を浴びせる」類語嘲罵。

*れい・はい【礼拝】《名・他サ》キリスト教で、神を拝むこと。「―堂」参考↓らいはい。

*れい・はい【零敗】❶《名・自サ》試合で得点を一点もとれずに敗れること。ゼロ敗。❷試合で、負けた回数がゼロであること。無敗。「五勝―一分」

*れい・ばい【冷媒】冷凍機などで、その中を循環しながら気化・液化をくりかえし、気化熱によって低温を与える物質。アンモニア・二酸化硫黄など。

*れい・ばい【霊媒】超感覚的な能力をもって神霊や亡霊に働きかけ、現実の人間と意志を通じさせるための媒介をする者。みこ・いちこ・心霊術者の類。

れい・ひつ【麗筆】〔文〕美しい筆跡。また、美しい文章。「―をふるう」

れい・ひょう【冷評】《名・他サ》冷淡で皮肉まじりの批評(をすること)。「―を浴びせる」

*れい・びょう【霊×廟】〔文〕先祖や偉大な先人の霊をまつった建物。みたまや。おたまや。類語霊殿。霊堂。

レイプ《名・他サ》婦女暴行。強姦。▽rape

れい・ふう【冷風】冷たい風。類語寒風。対温風。

れい・ふく【礼服】儀式・儀礼などに着用する、正式の衣服。対平服。

れい・ふじん【令夫人】他人・相手の妻に対する敬称。「―ともどもお越し下さい」

*れい・ぶん【例文】例として示された文・文章。

*れい・ほう【礼法】礼儀作法。礼式。「―にもとる」

*れい・ほう【礼砲】軍隊の礼式の一つで、敬意・祝意・弔意を表するしるしとして発する空砲。

*れい・ほう【霊宝】〔文〕神聖な宝物。特に、社寺で尊ぶ宝物。

*れい・ほう【霊峰】〔文〕信仰の対象となっている山。霊山。「―富士」

*れい・ぼう【冷房】《名・他サ》暑さをさけるため、人工的にその室内の温度を外気の温度よりも低く保つ・こと(装置)。対暖房。

*れい・ぼう【礼帽】〔文〕礼装用の帽子。

*れい・ぼく【零墨】〔文〕古人の筆跡で、わずかな断片として残っているもの。「断簡―」

*れい・ぼく【霊木】〔文〕神社などで、〔神霊が宿っているとして〕神聖視される木。神木。

れい・ほん【零本】↓はほん(端本)。

れい・まい【令妹】〔文〕他人・相手の妹に対する敬称。参考手紙文などに用いる。

れい・まいり【礼参り】神仏にかけた祈願がかなった、そのお礼に参拝すること。参考↓おれいまいり。

れい・まわり【礼回り】恩を受けた人々の家を回って礼をのべて歩くこと。回礼。

れい・みょう【霊妙】《名・形動》人間の知恵でははかりしれないほど、すぐれてとうといこと。また、きわめて神秘的なこと。「―な奇跡をあらわす」類語霊異。

れい・む【霊夢】〔文〕神仏が現れてお告げをする、ふしぎな夢。「御―をこうむる」

*れい・めい【令名】〔文〕すぐれているという評判。名声。「―が高い」「―をはせる」

*れい・めい【×黎明】〔文〕❶夜明け。「―を告げる鶏の声」❷新しい時代の始まり。「近代日本の―」―き【―期】〔さらに進歩した〕新しい時代が始まろうとする時期。「人類文化の―」

れい・もつ【礼物】謝礼として贈る品物。お礼の品。〔古風なことば〕

*れい・やく【霊薬】ふしぎなききめのある薬。

*れい・よう【冷用】冷たいままで飲むこと。また、冷やして飲むこと。「―酒」

れい・よう【麗容】〔文〕美しく整った姿や形。麗姿。「富士の―」

れい・らく【零落】《名・自サ》〔「零」は草が枯れる意、「落」は木が枯れる意〕おちぶれること。「―の一途をたどる」類語落魄。

れい・り【×怜×悧】《形動》〔文〕賢くて頭の働きがすぐれているようす。聡明。「―な子」「精細―な観察」対栄達。

れい・りょう【冷涼】《名・形動》〔文〕ひんやりと涼しく感じること。「高原の―な空気」

れい・りょく【霊力】魂の不思議な力。

れい・れい【麗麗】《形動タル》〔文〕麗々しいようす。―し・い《形》わざと人目につくように、はでに飾り立てている。おおげさでわざとらしい。「―・い宣伝文に惑わされる」「名刺に―と学位を刷りこむ」

れい・ろう【×玲×瓏】《形動タル》〔文〕❶美しく澄みきっているようす。「―たる月光」「―とそびえる富士」「八面―」❷玉・金属の音や楽音・人声などが澄んでひびきわたるようす。「―たる美声」

れい・わ【例話】ある事柄の説明のために実例として語りきかせる話。

レイン・コート 衣服が雨でぬれるのを防ぐ外套。レーンコート。類語雨合羽。▽raincoat

レイン・シューズ 雨天の時などにはく靴。雨ぐつ。レーンシューズ。▽rainとshoesからの和製語。

レーサー ❶競走者。特に、自動車レースをする人。カーレーサー。❷競走用の乗り物。自動車・オートバイ・ヨットなど。▽racer

レーザー 電磁波の誘導放出現象を利用した、光の増幅・発振装置。その放射する光は、位相がそろっていて単色光に近く、広がりの少ない平行光線であるために、光通信・測定装置・レーダーなどに応用される。「―光」

▽ laser(light amplification by stimulated emission of radiation の略) **ーディスク**➡エルディー。参考 商標名。▽ LaserDisc **ーメス** レーザー光線を用いて、切開などを行う医療器具。▽ laser と(オランダ) mes からの和製語。

レーシング・カー 競走用の自動車。▽ racing car

***レース** 糸をより合わせたり、組み合わせたりして透かし模様をあらわした布状のもの。「カーテンー」▽ lace

***レース** 競走・競泳・競漕(きょうそう)・競馬などの競技。「自動車ー」「ボートー」「最終ー」▽ race

レーズン ほしぶどう。▽ raisin

レーゼドラマ 〔上演を考えず〕読まれることだけを目的とした戯曲。▽(ドイツ) Lesedrama

レーゾン・デートル 存在理由。存在価値。レゾンデートル。▽(フランス) raison d'être

レーダー 電波を発射して遠方の物体に当て、そこから反射してくる電波の方向と往復時間によって、物体の位置・方向を測定する装置。電波探知機。電探。▽ radar(radio detecting and ranging の略)

レート 割合。歩合。率。「公式ー」▽ rate

レーベル➡ラベル②。▽ label

レーヨン 人絹(で織った布地)。レイヨン。▽(フランス) rayonne

レール ❶鉄道車両の車輪を支え、その回転を円滑にして車両を走行させるための鋼鉄製の棒状の材。軌条。軌道。「ーを敷く(=物事が順調に運ぶように下準備をする)」❷戸車やカーテンを走らせるための、鋼製などの棒状のもの。「カーテンー」▽ rail

レーン ❶ボウリングで、ボールをころがすコース。❷道路上で、自動車走行のために分離帯によって区分されているコース。車線。▽ lane(=小道)

レーンジャー ❶〔軍隊で〕敵の背後や側面にあって、悪条件のもとで特殊な活動をするために、特別の訓練を受けた兵士。遊撃隊員。挺身隊員。「ー部隊」❷〔アメリカで〕森林警備隊員。❸〔日本で〕国・公立公園管理員。＝レインジャー。レンジャー。▽ ranger

レオタード バレエやスポーツをするときに着る、体に密着する服。▽ leotard(=人名から)

レオポン ヒョウの雄とライオンの雌との交配によってできた雑種。参考 leopard(=ヒョウ)と lion(=ライオン)とからの合成語。▽ leopon

レガーズ 球技の選手などがすねにつける防護用具。すねあて。▽ leg-guards

レガート 音楽で、「なめらかに続けて」の意。対 スタカート。▽(イタリア) legato

レガッタ ボート・ヨットなどの競技(大会)。▽ regatta

れき【×礫】〔文〕小さい石。小石。つぶて。

れき・がん【×礫岩】堆積岩(たいせきがん)の一種。海岸や川原に堆積した礫が長年月の間に砂や粘土といっしょに固まったもの。

れき・さつ【×轢殺】《名・他サ》〔文〕自動車・汽車・電車などでひき殺すこと。

***れき・し**【歴史】❶人間社会が時間の経過にともなって過去から現在に至るまでうつり変わってきた過程(の中で見られる出来事)。また、その記録。「ーに残る大人物」類語 史(し)。青史。❷ある事物・組織・人物などが現在まで経過してきた跡。来歴。経歴。沿革。「鉄道のー」 **ーじだい**【ー時代】文献的史料によって歴史が解明できる時代。対 先史時代。 **ーてき**【ー的】《形動》❶歴史に関するようす。「ー事実」❷歴史の中で語られるほど、時代が古いようす。「ーな技術」❸歴史の中に残るほど価値のあるようす。「ーな事件」類語 画期的。 **ーてき・かなづかい**【ー的〈仮名〉遣(い)】現代の発音によらず、平安時代中期以前の文献によって定めたかなづかい。旧かなづかい。対 現代仮名遣い。

***れき・し**【×轢死】《名・自サ》自動車・汽車・電車などにひかれて死ぬこと。

レキシコン ❶〔ギリシア語・ヘブライ語・ラテン語などの〕古典語辞書。一般に、辞書。❷特定の分野における語彙(ごい)。また、用語集。▽ lexicon

れき・じつ【暦日】〔文〕❶年月の経過。「山中ーなし」表記「歴日」とも書く。❷こよみ。

れき・じゅん【歴巡】《名・自サ》〔文〕順々にめぐりあること。「欧米五か国をーする」類語 歴訪。

れき・しょう【暦象】〔文〕太陽・月・星などの天体の運行の現象。また、暦で天体の運行をおしはかること。

れき・すう【暦数】〔文〕❶太陽や月の運行を測定して暦を作る方法。❷自然にめぐってくる運命。めぐりあわせ。天命。「ーの定め」❸年代の数。年数。「ー二〇〇〇年を経る」

***れき・せい**【歴世】〔文〕代々。歴代。

***れき・せい**【×瀝青・歴青】❶天然の炭化水素混合物の総称。アスファルト・石油類・天然ガスなど。ビチューメン。❷タールを蒸留したあとの、黒いねばねばした残りかす。木材の防腐剤・道路舗装などに使われる。表記「歴青」は代用字。

れき・せん【歴戦】何度も戦場に出てたたかった経験をもつこと。「ーの勇士」類語 千軍万馬。

れき・ぜん【歴然】《形動タルト》非常にはっきりと分かって紛れのないようす。歴々。「ーたる差別」

れき・だい【歴代】何代もある地位を占めること。代代。歴世。「ーの天皇」

れき・だん【×轢断】《名・他サ》〔文〕列車などがからだをひいて、切断すること。「死後ー」

れき・ちょう【歴朝】〔文〕代々の朝廷・天皇。

れき・てい【歴程】〔文〕通りすぎてきた道すじ。また、時間的な経過。「遍路ー」

れき・ど【×礫土】〔文〕小石の多くまじった土。

れき・にん【歴任】《名・他サ》次から次へと種々の官職や役職に任ぜられてきたこと。「大公使をーする」

***れき・ねん**【暦年】〔文〕一月一日に始まり十二月三十一日に終わる、暦の上での一年間。〔四月一日に始まり三月三十一日に終わる会計年度などに対しても言う〕

***れき・ねん**【歴年】〔文〕❶年月を経てきたこと。「ーの功」❷毎年。連年。「ー一月三日に大祭を催す」

れき・ねんれい【暦年齢】〔精神年齢に対して〕こよみによって数えた実際の年齢。生活年齢。

***れき・ほう**【暦法】日・月の運行など天文に関する法則。また、その法則によって暦を作る方法。

***れき・ほう**【歴訪】《名・他サ》方々の土地や人を次々に訪ねること。「中東諸国をーする」

れき・ゆう【歴遊】《名・自サ》〔文〕遊歴。

レギュラー ㊀《造語》「規則正しい」「正規の」「通例」などの意。「ーポジション」「ー会員」㊁《名》「レギュラーメンバー」の略。▽ regular **ーメンバー** ❶スポーツ競技で、正選手。対 サブ(メンバー)。❷放送の

連続番組などで、常時出演する人。常連。対ゲスト。▽regular member

れき-れき【歴歴】 一《名》身分・地位などの高い人々。参考「おー」の形で使うことが多い。「政界のおー」二《形動タルト》〔文〕はっきりと見えて、疑いのないようす。歴然。「顔に不満がーと表れる」

レギンス ❶すね当て。きゃはん。❷幼児用の、ズボン風の衣服。すそ口にゴムひもをつけて足裏にかける。▽leggings

レクイエム 鎮魂曲。▽ラテン requiem

レクチャー ❶講義。講演。❷〔報道機関などに対する、当局者の〕解説・説明。レク。「事件のーを受ける」類語ブリーフィング。=レクチュア。▽lecture

レグホン ニワトリの一品種。イタリア原産。最も広く飼われる卵用種で、白色のものが多い。▽Leghorn

レクリエーション 疲れをいやして活力をもりかえすための休養や娯楽。リクリエーション。リクレーション。▽recreation

レゲエ ジャマイカに生まれたラテン系音楽。躍動的なリズムを持つ。▽reggae（=もと、曲の名）

れこ《代名》〔俗〕《「これ」を逆にした語》例のもの。参考「情人」「金銭」など、はっきり言うことをはばかるものをそれとなく指していう。「あいにくーが無くて」

レコーダー ❶記録係。❷記録器。「タイムー」❸録音機。「テープー」▽recorder

レコーディング《名・他サ》❶記録すること。❷録音。吹き込み。▽recording

レコード ❶〔競技の〕（最高）記録。「ーを破る」「ータイム」❷らせん状にきざみ込んだ溝に音を記録して、レコードプレーヤーによって再生する平たい円盤。音盤。レコード盤。▽record **ープレーヤー** レコード②から音を再生する装置。プレーヤー。▽record player **ーホルダー** 競技の最高記録保持者。▽record holder

***レザー** ❶皮革。なめし革。❷「レザークロス」の略。▽leather **ークロス** 綿布などに塗料を塗って、なめし革に似せたもの。擬革ぎかく。▽leathercloth

***レザー** 西洋かみそり。レーザー。▽razor

レジ「レジスター」の略。

レシート 領収証。また、レジスターで金額などを印字した領収証。▽receipt

レシーバー ❶無線受信機。ラジオ。特に、ステレオで、アンプとチューナーが一体化したもの。❷音声電流を音に変える装置で、直接耳に当てて用いるもの。類語イヤホン。ヘッドホン。❸テニス・卓球などで、サーブを受ける人。対サーバー。▽receiver

レシーブ《名・他サ》テニス・バレーボール・卓球などで、相手の打った球を受け返すこと。▽receive

レジスター ❶金銭登録器。レジ。❷商店・食堂・デパートなどで、金銭登録器を扱う係（の人）。出納係。レジ。参考②は多く「レジ」と言う。▽register

レジスタンス 権力・圧力や侵略者などに対する抵抗。特に、第二次世界大戦中、ドイツ軍の占領地域におけるナチスドイツに対する、フランス市民の行った抵抗運動。「ーの闘士」▽フランス résistance

レシタティーブ ↓レチタティーボ。▽recitative

レジデンス 中高層の高級な集合住宅。▽residence（=住居）

レシピ 料理・菓子などの調理法・作り方。▽recipe

レシピエント 臓器の提供を受ける患者。対ドナー。▽recipient

レジャー 自由な時間（を利用してする遊びや娯楽）。「ーをスキーで楽しむ」「ー産業」▽leisure（=余暇）

レジュメ〔研究報告・講演などの〕要約（を印刷したもの）。レジメ。▽フランス résumé

レズ「レズビアン」の略。↓レズビアン。

レスキュー-たい【レスキュー隊】 人命救助を主な任務とする特殊部隊。（特殊）救助隊。参考レスキュー（rescue）は「救助する」の意。

レスト-ハウス 観光地などにある休憩所や宿泊所。▽rest house

レスト-ルーム〔デパート・劇場などの〕休憩室。また、トイレ。▽rest room

レストラン 西洋料理店。▽フランス restaurant

レスビアン 女性の同性愛。また、その人。レズ。レス。レズビアン。▽lesbian（=もと、レスボス島の意から）

レスポンス ❶反応。応答。❷コンピューターで、データ伝送に対する受信側からの応答。❸自動車などで、運転者の操作に対するブレーキ・エンジンなどの反応。=リスポンス。▽response

レスラー（おもに、職業としての）レスリングの選手。▽wrestler

レスリング 二人の競技者がマットの上で素手で組み合い、相手の両肩をマットにつけたものを勝ちとする格闘技。▽wrestling

レセプション 客を歓迎するための（西洋風の）宴会。歓迎会。招待会。類語パーティー。▽reception

レセプト 医療機関が社会保険診療報酬を受ける際に提出する書類。診療報酬請求明細書。▽ドイツ Rezept

レター ❶手紙。書簡。「ラブー」❷〔ローマ字の〕字母。「キャピタルー（=大文字・頭文字）」▽letter

レタス おもにサラダ用として生で食べる西洋野菜。チシャ。特に、結球性のチシャ（=タマチシャ）。▽lettuce

レタリング 広告などで、デザインとしての効果を考えて文字を書くこと（書かれた書体）。▽lettering

レチタティーボ オペラなどで、語るように歌う様式。叙唱。レシタティーブ。対アリア。▽イタリア recitativo

れつ【列】 一《名》❶〔いくつかのものが〕順に長くならんだもの。「ーを正す」「ーを組む」類語行列。❷〔身分・地位・境遇などによって位置づけられた〕なかま。グループ。「役員のーに加わる」二《助数》長くならんだ一続きを数える語。

れつ-あく【劣悪】《形動》〔品質・能力などが〕ひどく劣っているようす。「ーな生活環境」類語粗末。

れつ-い【劣位】〔文〕他よりもおとっている地位・位置。「後輩よりーに立たされる」対優位。

***れっ-か【列火】** 漢字の部首の一つ。「烈」「然」などの「灬」の称。連火れんが。

***れっ-か【劣化】**《名・自サ》品質などが悪くなること。「古くなってコンクリートがーする」類語老朽化。

***れっ-か【烈火】**〔文〕〔はげしい勢いで燃える火の意〕激しい怒りの形容に使う語。「ーのごとく怒る」

レッカー クレーンを備えた自動車。故障車や駐車違反車をつるして運ぶ。レッカー車。▽wrecker

れっ-かい【裂開】《名・自他サ》〔文〕さけ開けること。また、さき開くこと。「果実が熟してーする」

れ

れっ-き【列記】《名・他サ》一つ一つ順に並べて書き記すこと。「出席者名を―する」類語連記。

れっきと-した【▽歴とした】《連体》《「れきとした」の転》その存在が紛れもなく認められるようす。ちゃんとした。立派な。「―紳士」「―証拠をそろえる」

れっ-きょ【列挙】《名・他サ》一つ一つ並べあげること。「好きな書物を―する」類語枚挙。

れっ-きょう【列強】 強国とみなされる国々。「世界の―に伍(ご)する」

レッグ-ウオーマー 膝下(ひざした)から足首までを覆う、ニット製の防寒具。▽leg warmers

れつ-ご【列×伍】〔文〕列を組んで並ぶこと。また、きちんと並んだ列。類語隊伍。

れっ-こう【列侯】 諸侯。諸大名。

れっ-こく【列国】〔並び立っている〕たくさんの国々。諸国。「―間の友好をはかる」

れつ-ざ【列座】《名・自サ》〔文〕一員としてその場に並び加わること。列席。「壇上に―する講師陣」

れっ-し【烈士】〔文〕節操を守りとおす雄々しい男子。烈夫(れっぷ)。類語義士。

れつ-じつ【烈日】〔文〕❶強く照りつける夏の太陽。「―のもと、甲子園大会開く」❷太陽のように激しい勢い。「秋霜―の懲戒処分」「―の意気」

れっ-しゃ【列車】 鉄道で、旅客または貨物の輸送などの目的で駅間を運行するために編成した車両(の連なり)。「終―」

れつ-じゃく【劣弱】《形動》〔文〕能力・体力・勢力などが劣っていて弱いようす。「栄養が悪くて―な体位」

れつ-じょ【烈女】〔文〕みさおをかたく守りぬく、気性のはげしい女。烈婦(れっぷ)。

れっ-しょう【裂傷】 皮膚などが裂けてできた傷。

れつ-じょう【劣情】〔文〕動物的でいやしい情欲。「―を催す」

れっ-する【列する】 ㊀《自サ変》〔文〕❶その場に出席して居並ぶ。「宴席に―する」❷同じ資格で仲間として加わる。「大国に―して発言する」㊁《他サ変》〔文〕並べる。連ねる。「名を―する」

レッスン 課業。けいこ。練習。特に、日を決めて一定時間個人的に指導を受ける練習。「ピアノの―」「英会話の―」▽lesson

***れっ-せい【列世】**〔文〕代々。歴代(れきだい)。列代。「―の天子」

***れっ-せい【列聖】**〔文〕代々の天子。

***れっ-せい【劣勢】**《名・形動》他より勢力が劣っていること。「―を挽回(ばんかい)する」対優勢。

***れっ-せい【劣性】**〔遺伝で〕対立形質のちがった二品種を交配したとき、雑種第一代では外にあらわれず内にひそんでいて、それ以後の代であらわれる形質。「―遺伝」対優性。

れっ-せき【列席】《名・自サ》〔会議・儀式などに〕関係者の一員として出席すること。席に連なること。列座。「披露宴に―する」類語出席。参列。

類義語の使い分け　列席・出席

[列席・出席] 祝賀会に列席(出席)する／列席(出席)者多数

[列席] 殿下が列席して式典が挙行された／招待されて列席の栄に浴する／列席の栄を賜る

[出席] 大半の卒業生が同窓会に出席する／出席日数が不足する／では出席を取ります／出席と欠席

れっ-ちゅう【列柱】 何本も並んだ柱。

レッテル びん・かんなどの商品にはる、商標・品質などを印刷した紙のふだ。ラベル。▽(オランダ) letter **―を張・る**《句》一方的な評価をする。〔多く、悪い意味で使う〕「無能という―・られる」

れつ-でん【列伝】 たくさんの人の伝記を書きならべたもの。「英雄―」「―体」対本紀。

レッド 赤色。▽red **―カード** サッカーなどで、主審が選手に対して退場処分の意で示す、赤色のカード。サッカーでは、悪質な反則を行った選手や一試合に二枚のイエローカードを受けた選手に示される。▽red card **―データブック** 絶滅のおそれのある野生生物の資料集。国際自然保護連合(IUCN)が刊行。▽Red Data Book **―パージ** 共産党員及びその同調者を危険人物とみなして、公職または民間企業から追放すること。日本では一九四九年ごろから連合総司令部の指示により行われた。▽red purge

***れっ-とう【列島】** 一列に並んだように続いている島々。特に、日本列島。「千島―」「―改造論」

***れっ-とう【劣等】**《名・形動》程度・等級などが(水準より)劣っていること。「人格―」「―生」対優等。**―かん【―感】** 自分が他人よりも劣っていると思い込む意識。また、その時の不快な感情。インフェリオリティーコンプレックス。「―に悩む」対優越感。

れっ-ぱい【劣敗】〔文〕劣っているものが生存競争に負けること。「優勝―」

れっ-ぱく【裂×帛】〔文〕きぬを引き裂く音のように、声が鋭くはげしいこと。「―の気合いをこめる」

れっ-ぱん【列藩】〔文〕〔並び立っている〕いくつかの藩。諸藩。「―同盟」

れっ-ぷ【烈婦】〔文〕烈女(れつじょ)。

れっ-ぷう【烈風】 はげしい風。

れつ-りつ【列立】《名・自サ》〔文〕列をつくって立つこと。並び立つこと。「諸臣が―するもとで引見する」

れつ-れつ【烈烈】《形動タリ》〔文〕勢い・意気ごみなどが激しいようす。「―たる闘志」

***レディー**《感》競走・競泳などのスタートで、「用意！」の意を表す語。▽ready **―メード**〔洋服などの〕既製品。できあいの品。対オーダーメード。▽ready-made

***レディー** ❶貴婦人。淑女。対ジェントルマン。❷一般に、女性。婦人。「オフィス―」▽lady **―ファースト** 女性を尊重して優先させる態度。▽ladies first から。

レディース 女性用。女物。「―ファッション」対メンズ。▽ladies'

れ-てん【レ点】 漢文訓読の返り点の一つ。「レ」のこと。下から上へ一字返ることを示す。かりがね点。

レトリック ❶文章などの表現効果を高めるための技法。また、巧みな言い回し。修辞(法)。「―を駆使した華麗な文体」❷修辞学。▽rhetoric

レトルト 化学実験用具の一つ。フラスコの首を横に倒した形のもの。蒸留用。▽(オランダ) retort **―しょくひん【―食品】** 即席食品の一種。調理した食品を袋に入れて密封し、蒸気がまで加熱・殺菌したもの。袋ごと数分間ゆでればすぐに食べられる。

れ

レトロ 回顧。懐古調。「―ブーム」▽retrospect(=回顧)から。

***レバー** 機械・器具を操作する握り。▽lever(=てこ)

***レバー**〔食品としての〕鳥獣の肝臓。きも。レバ。「カモの―料理」▽liver

レパートリー ❶音楽・演芸などで、出演者がいつでも演奏・上演できるように用意してある(得意な)曲目・演目。演奏目録。上演目録。「―が豊富だ」❷ある個人がいつでも人に示し得るほどの自信のある、研究・技芸などの分野。「―が広い」▽repertory

***レビュー** 評論。批評。「ブック―」▽review

***レビュー** 歌・踊り・寸劇・曲芸などを組み合わせて見せるはなやかなショー。▽(フランス)revue

レフ ❶「レフレックスカメラ」の略。❷「レフレクター」の略。

レファレンス ❶参考。❷照会。▽reference **―サービス** 図書館の業務で、必要とする文献や参考図書について利用者に情報を提供したり検索に協力したりするもの。▽reference service **―ブック** ❶〔辞書・百科事典・地図帳・年鑑などの〕参考図書。❷図書館で、禁帯出の参考図書。▽reference book

レファレンダム ❶国民投票。❷外交代表が、問題事項に関して、本国政府の意思を問い合わせること。=レフェレンダム。▽referendum

レフェリー〔レスリング・ボクシング・サッカー・ラグビー・バスケットボールなどの〕(主任)審判員。主審。審判長。参考→ジャッジ。▽referee

レフト ❶左。左側。❷〔政治・思想上の〕左翼。左派。進歩派。❸野球で、左翼。また、左翼手。対①～③ライト。▽left

レプラ〔医〕ハンセン病。▽(ドイツ)Lepra

レプリカ 複製。また、複製品。「クラシックカーの―」▽replica

レフレクター 反射板。反射鏡。反射装置。リフレクター。レフ。▽reflector

レフレックス・カメラ レンズからの入射光を反射鏡で直角に曲げてカメラの上側のピントグラスに送り、フィルム面の像と同様の像が見られる方式のカメラ。レフ。▽reflex camera

レベル ❶(それと同程度の)水準。標準。また、標準的な程度。「かなりの―に達する」❷段階。級。「トップ―」「大使―の会談」❸水準器。水準儀。▽level **―アップ**《名・自他サ》水準が上がること。また、水準を上げること。「学力を―する」対レベルダウン。▽level と up からの和製語。**―ダウン**《名・自他サ》水準が下がること。また、水準を下げること。対レベルアップ。▽level と down からの和製語。

レポ「レポート」「レポーター」の略。特に、左翼運動・労働運動で、「連絡」「指令」「連絡員」などの意。

レポーター ❶報告者。❷報道機関の取材記者で、現地報告をする役(の人)。=リポーター。▽reporter

レポート ❶研究・調査などの報告書。❷学生が提出する研究結果の小論文。❸新聞・雑誌などの報告記事。類語ルポルタージュ。=リポート。▽report

レモネード レモンの果汁に砂糖と水を加えた清涼飲料。レモン水。▽lemonade

レモン ミカン科の常緑高木。果実は淡黄色の楕円(だえん)形で、水分が多く酸味・芳香がある。食用・香料用・化粧品原料用。表記「檸檬」と当てた。▽lemon **―スカッシュ** レモンの果汁にソーダ水をまぜた清涼飲料。▽lemon squash

レリーフ 彫刻で、浮き彫り。リリーフ。▽relief

れる《助動:下一型》❶直接的受け身を表す。〔一般に、もとの文の「…を」「…に」、まれに「…と」「…から」が主格になる〕「彼女は彼に愛されている」「門はかたく閉ざされている」「犬にかみつかれる」「彼はノーベル賞を授与された」「彼は彼女から離婚された」「太郎はスリに財布をすられた」❷間接的受け身を表す。〔一般に、他動詞にも自動詞にもつく。もとの文に現れない第三者が不利益を受ける意を表すことが多いことから、「迷惑の受け身」ともいう〕「私は君に去られると困る」「私は妹に先に結婚されてしまった」❸可能を表す。…することができる。〔この意味の場合は、慣用的表現を除いて、近年可能動詞で表現することが多い。また、命令形がない〕「ロケットで火星まで行かれる(=行ける)と思うかい?」「言うに言われぬ(=言えぬ)悩み」「越すに越されぬ大井川」❹自発を表す。自然に…なる。「便りが待たれる」「失敗と思われる」❺動作主に対する尊敬を表す。お…になる。〔第三者について使われることが多い。聞き手について使うときは、やや文語的な、または、改まった感じを伴うことが多い〕「先生はもう帰られました」「披露宴には出席されますか」
接続 五段動詞・サ変動詞につく。サ変動詞の未然形は「さ」の形をとる。その他の動詞、および使役の助動詞「(さ)せる」「しめる」には「られる」がつく。参考 文語助動詞の「る」にあたる。→られる。

***れん【連】**《接尾》❶「連中」の意。「御夫人―」❷《助数》いくつかの物をひもなどで一続きに通したものを数える語。「三―のネックレス」❸《助数》洋紙を数える語。五〇〇枚、一〇〇〇枚などを単位とする。参考 ream から。表記 もと「嗹(れん)」と書いた。

***れん【×聯】** ❶壁面または柱などに左右一対にしてかけて飾りとする細長い書画の板。❷〔漢詩の〕律詩の対句(ついく)。聯句(れんく)。

れん・あい【恋愛】《名・自サ》男女が互いに相手にひかれて愛しあうこと。恋(こい)。「―小説」「熱烈な―」

***れん・か【廉価】**《名・形動》〔商品の〕ねだんが安いこと。安価。「―大販売」対高価。

***れん・か【恋歌】** 恋愛を歌った詩歌(特に和歌)。恋歌(こいうた)。

***れん・が【×煉×瓦】** 粘土に砂・石灰などをまぜて練り、かまで焼き上げたもの。ふつう、直方体の赤褐色のもの。土木建築用材料。「―塀」「―造り」

***れん・が【連歌】** 日本文芸の一様式で、ふつう二人以上の人が、短歌の上(かみ)の句と、下(しも)の句とを交互によみつないで行く形式のもの。

れん・かん【連関・×聯関】《名・自サ》互いに関係をもってつながっていること。かかわりつながっていること。関連。「地勢と生活様式には密接な―がある」

れん・き【連記】《名・他サ》〔名まえなどを〕並べて書きつけること。「投票―」対単記。

れん・ぎ【連木】〔西日本地方で〕すりこぎ。「―で腹を切る(=やってもできるはずのないことのたとえ)」

***れん・きゅう【連丘】**〔文〕いくつも続いている丘。

れ

***れん-きゅう【連休】** 何日か休日がつづくこと。また、連続する休日。「三―」

れん-ぎょう【連×翹】 モクセイ科の落葉低木。早春、黄色の美しい花を開く。中国原産。観賞用。

れん-ぎん【連吟】《名・他サ》謡曲で、詞章の一部分をふたり以上で声をそろえてうたうこと。対 独吟。

れんきん-じゅつ【錬金術・×煉金術】 ❶銅・鉛・すず・鉄などの卑金属を金・銀などの貴金属に変化させようとした、原始的な化学技術。古代エジプトに起こり、一六世紀ごろまでヨーロッパで流行した。アルケミー。❷お金をふやす技術。「―にたける」

***れん-く【×聯句】** ❶漢詩の形式で、何人かの人が一、二句ずつ作り、それを集めて一編の長詩とすること。また、その詩。❷律詩(りっし)の対句。聯(れん)。

***れん-く【連句】**〔文学〕俳諧(はいかい)の連歌の称。連歌と同様に数人で五七五と七七の句を交互によみつづけて作るもの。参考 明治以後、連歌や、発句のみをさす俳句などと区別するために生まれた名称。

れん-げ【×蓮華】 ❶〔文〕ハスの花。❷れんげそう。❸ちりれんげ。 **―そう【―草】** 畑に栽培するマメ科の越年草。春、紅紫色のちょう形の小花を開く。牧草・緑肥・薬用となる。げんげ。れんげ。

***れん-けい【連係・連×繫・×聯×繫】**《名・自サ》〔何かをする上で〕互いにつながりを持たせること。密接な関係をもつこと。「―を保つ」「―プレー」

***れん-けい【連携】**《名・自サ》同じ目的に従っている者同士が、互いに連絡をとり、協力し合って事を行うこと。「国と民間が―した開発計画」

***れん-けつ【廉潔】**《名・形動》〔文〕心が清らかで、行いが正しいこと。清廉潔白。「―の士」

***れん-けつ【連結】**《名・他サ》一続きに並べてつなぎ結ぶこと。「機関車に客車を―する」 **―けっさん【―決算】** 親会社に関連の子会社を含めた、その企業グループ全体の決算。

れん-げん【連言】〔論〕二つの異なった命題が「かつ」「そして」「および」などでつながっている合成命題。それぞれの命題が真であるときにのみ全体も真となる。「P∧Q(PかつQと読む)」で表す。対 選言。

れん-こ【連呼】《名・他サ》同じ語句を何度もくりかえし叫び立てること。「選挙戦で―をくり返す」

れん-ご【連語】 二つ以上の単語が結合して一つの観念をあらわすが、結合のしかたからみて語としても文としても扱えないもの。「桜の花」「木の実」など。

***れん-こう【連行】**《名・他サ》犯人・容疑者などを捜査当局へつれていくこと。「犯人を―する」

***れん-こう【連衡】**《「衡」は横(=東西)の意》中国の戦国時代、秦と東方の六国を東西に連ねて同盟させようとした外交策。張儀が主張したもの。参考 ↓合従連衡(がっしょうれんこう)。

れん-ごう【連合・×聯合】《名・自他サ》個々のものがまとまって一つになること。また、個々のものをまとめて一つの組織をつくること。「―政権」「―会」 **―こく【―国】** 二国以上の国が共通の利益目的のもとに連合したもの。特に、第二次世界大戦で日本・ドイツなどを相手として戦った、イギリス・フランス・中国・ソ連・アメリカなどの国々。

れん-ごく【×煉獄】 カトリック教で、天国と地獄の間にあり、霊魂が天国にはいる前に、苦しみを受けるとされる所。参考 苦しみの多い環境のたとえとしても使う。

れん-こん【×蓮根】 ハスの地下茎。筒状で中にいくつかの穴が通っている。食用。はすね。

れん-さ【連鎖】《名・自サ》くさりのようにつながっていること。「流通過程の複雑な―」「食物―」 **―きゅうきん【―球菌】** くさりの形につながっている球形の細菌。化膿(かのう)・丹毒・中耳炎・扁桃(へんとう)炎などをひき起こす。連鎖状球菌。 **―はんのう【―反応】** ❶一つの反応がきっかけとなって、同じような反応が次々とくり返されてゆく現象。原子炉内における核分裂反応など。❷(一つの事件の発生をきっかけとして)、次々に同類の事件が誘発されること。「食中毒事件が―を起こす」

れん-ざ【連座・連×坐】《名・自サ》他人の犯罪行為に関与すること。また、関与して処罰されること。連累。「疑獄事件に―する」「―制」

れん-さい【連載】《名・他サ》小説・記事などを新聞・雑誌などに続き物として掲載すること。「―小説」

れん-さく【連作】《名・他サ》❶同一作物を同一耕地に毎年続けて栽培すること。対 輪作。❷文芸作品・絵画などで、一人の作者が一連のテーマの下に次々と作品を作ること。また、その作品。「六つの―からなる短編集」❸数人の作家が分担して執筆し、全体として一編の小説にまとめること。また、その作品。

れん-さつ【×憐察】《名・他サ》同情して察すること。「何とぞ事情を御―くださいますよう…」

れん-ざん【連山】 いくつも重なるように続いている山。「箱根―」類語 連峰(れんぽう)。

れん-し【連枝】〔文〕〔もとを同じくする枝をつらねる意から〕身分の高い人のきょうだいを尊敬していう語。「宮様の―」

***れん-じ【×櫺子・連子】** 窓・欄間(らんま)などに、縦または横に一定の間隔をおいてとりつけた桟(さん)。「―窓」

***レンジ** 調理用のこんろと天火を備えた金属製の台。「ガスー」▽range

れん-じつ【連日】 ある期間ひきつづいて毎日。「―連夜の雨」

れん-しゃ【連射】《名・他サ》連続して発射すること。「ピストルを―する」類語 連発。

レンジャー ↓レーンジャー。▽ranger

れん-じゃく【連尺・連▽索】 麻糸などで肩にあたる所を幅広く組んでつくった荷縄。また、それをつけた背負子(しょいこ)。「―商い(=行商)」

れん-しゅ【連取】《名・他サ》スポーツなどで、続けざまに点やセットを取ること。「二セット―する」

れん-じゅ【連珠・×聯珠】 ❶〔文〕たまをつなぐこと。また、つないだたま。❷五目ならべ。

れん-しゅう【練習】《名・他サ》学問・技芸・スポーツなどを何度もくり返し習い行うこと。「『ピアノを―する』「―曲」「―船」類語 稽古(けいこ)。訓練。習練。トレーニング。レッスン。

れん-じゅう【連中】 ❶↓れんちゅう。❷音曲などをいっしょにする仲間。「長唄(ながうた)―」類語 社中。表記 現代仮名遣いでは「れんぢゅう」も許容。

れん-じゅく【練熟】《名・自サ》〔文〕熟練。「歴史小説に―の手腕を発揮する」類語 練達。

れん-しょ【連署】《名・他サ》同一文書に、ふたり以上の人が並んで署名すること。また、その署名。

れん-しょう【連勝】 ❶《名・自サ》〔二つ以上の戦争・試合などに〕続けざまに勝つこと。「連戦―」表記「連捷」とも書いた。対連敗。❷競馬や競輪で、一着と二着を組にして当てるもの。「—複式」対単勝。

*れん-じょう【恋情】〔文〕異性を恋い慕う気持ち。恋心。「—をつのらせる」類語慕情。

*れん-じょう【×憐情】〔文〕人をあわれむ気持ち。

*れん-じょう【連乗】《名・他サ》〔数〕三つ以上の数・式をかけあわせること。類語累乗。

*れん-じょう【連声】〔語学〕前の音節が m・n・t で終わったとき、次にア行・ヤ行・ワ行のどれかが続くと、その部分がマ行・ナ行・タ行に変化する現象。「三位」を「サンミ」、「陰陽師」を「オンミョウジ」、「因縁」を「インネン」、「観音」を「カンノン」、「天皇」を「テンノウ」、「雪隠」を「セッチン」と言う類。

レンズ ガラスなどの透明な物体の両面または片面を球面とし、光線を集束または発散させて物体の像を結ばせるもの。▽ lens —つき-フィルム【—付(き)フィルム】フィルムを、レンズとシャッターを収納したプラスチック製のボディーに組み込んだもの。撮影後、そのまま現像に出す。使い捨てカメラ。

*れん-せい【連星】空間的に隣接する二つ以上の恒星が、万有引力によって、重心を共通にして公転しているもの。

*れん-せい【錬成・練成】《名・他サ》〔文〕〔人の心やからだを〕十分にきたえてりっぱに仕上げること。錬磨育成。「心身の—」「—道場」

れん-せつ【連接】《名・自他サ》〔文〕関連をもってつながり続くこと。また、関連をもたせてつなぎ続けること。「—した段落」

れん-せん【連戦】《名・自サ》二度以上の戦いや試合を続けざまに戦うこと。「三—」「—連勝」

*れん-そう【連奏・×聯奏】《名・他サ》同種の楽器をふたり(以上)で同時に演奏すること。類語連弾。

*れん-そう【連想・×聯想】《名・他サ》一つの事柄とどこかつながりのある事柄を思い浮かべること。「富士山を見て白扇を—する」

*れん-そう【連装・×聯装】一つの砲架または砲塔に、二門以上の砲が装備してある・こと(もの)。連装砲。

れん-ぞく【連続】《名・自他サ》〔同種の物事が〕切れ目なく続くこと。また、切れ目なく続けること。「三日間—して休む」

れん-だ【連打】《名・他サ》❶続けざまに打つこと。「太鼓の—」❷野球で、連続してヒットを打つこと。

*れんたい【連体】文法で、体言に続くこと。—けい【—形】活用形の一つ。体言につらなり、これを修飾するときの形。また、文語で係りの助詞「ぞ」「なむ」「や」「か」が上にある場合に文の結びとして用いられる形。—し【—詞】品詞の一つ。自立語で活用がなく、体言を修飾する。「この」「あらゆる」の類。—しゅうしょくご【—修飾語】修飾語のうち、特に体言を修飾するもの。

*れん-たい【連帯・×聯帯】《名・自サ》ふたり以上の人が、結びついていっしょに事に当たること。特に、責任を共にすること。「—責任」「—感」注意「連体責任」は誤り。

*れん-たい【連隊・×聯隊】陸軍の部隊編制単位の一つ。ふつう、三つの大隊から成るもの。

*れん-だい【×蓮台】仏像の台座。ハスの花をかたどっている。蓮華座(れんげざ)。はすのうてな。

*れん-だい【×輦台】昔、橋のない川で数人の人夫が旅客をのせ、かついで川を渡すときに使った台。表記「蓮台」とも書く。

輦　台

レンタ-カー 貸し自動車。▽ rent-a-car

れん-だく【連濁】二語が結合して複合語を作る場合などに、下の語の頭音が濁音になる現象。「川(かわ)」が「谷」の下にきて「谷川(たにがわ)」となる類。

れん-たつ【練達】《名・自サ・形動》〔練習・経験をつみかさねて〕その道に熟達すること。「経済記事に—した記者」「—の士」類語熟達。

レンタル〔比較的短期の〕賃貸借。「—料」「—ビデオ」類語リース。▽ rental

れん-たん【練炭・×煉炭】石炭・木炭・コークスなどの粉をねりかためて、たてにいくつかの穴を通した円筒形の燃料。「—火ばち」表記「練炭」は代用字。

れん-だん【連弾・×聯弾】《名・他サ》一台のピアノ、一面の琴などをふたりで同時にひくこと。「ピアノの—」「—曲」類語連奏。

*れん-ち【廉恥】〔文〕心が清らかで恥を知る気持ちの強いこと。「—心」「破—」

*レンチ ナット・ボルト・鉄管などを、その太さに合わせてねじってまわす工具。スパナ。▽ wrench

れん-ちゃく【恋着】《名・自サ》〔文〕深く恋い慕うこと。「—の情」

*れん-ちゅう【×簾中】〔文〕❶すだれで仕切ってある内側。❷身分の高い人の正妻の敬称。奥方。

*れん-ちゅう【連中】仲間同士とみなされる人々。連中(れんじゅう)。「金持ち—とはつきあいきれない」類語輩(やから)。

れん-ぢゅう【連中】↓れんじゅう(連中)。

れん-ちょく【廉直】《名・形動》〔文〕正直な心を持ち、曲がったことをしないこと。「—の士」

れん-てつ【錬鉄】炭素の含有量を〇・二〜二(パーセント)以下にし、不純物を取りのぞいた軟鉄。鉄線・くぎなどを造る。鍛鉄(たんてつ)。ロートアイアン。

*れん-とう【連投】❶《名・自サ》〔野球で〕ひとりの投手が二試合以上に連続して登板すること。「三—」❷《名・他サ》〔野球で〕投手が同じ球種のボールを続けざまに投げること。「カーブを—する」類語多投。

*れん-とう【連騰】《名・自サ》〔物価などが〕つづけざまに値上がりすること。

れん-どう【連動・×聯動】《名・自サ》主たるものの動きに伴って、関連する他のものが自動的に動きだすこと。「—装置」「物価と賃金は必ずしも—しない」

レントゲン ㊀《名》❶「レントゲン線」の略。❷「レントゲン写真」の略。エックス線で撮影した写真。㊁《助数》放射線の強さを表す単位。記号R。参考ドイツの物理学者 Röntgen の名から。—せん【—線】エックス線。

れん-にゅう【練乳・×煉乳】牛乳の水分を蒸発させて濃縮したもの。菓子用の加糖練乳(コンデンスミルク)など。表記もと、もっぱら「煉乳」と書いた。

れん-ねん【連年】〔文〕ある期間引き続いて毎年。年々。「—の豊作」

*れん-ぱ【連破】《名・他サ》敵や競争相手をつづけざまに負かすこと。「連戦―」

*れん-ぱ【連覇】《名・自サ》引き続いて優勝すること。「九―」

れん-ばい【廉売】《名・他サ》安売り。「―品」「―店」

*れん-ぱい【連俳】❶連歌と俳諧(はいかい)。❷俳諧の連句。

*れん-ぱい【連敗】《名・自サ》引き続いて負けること。「三―」対連勝。

れん-ぱく【連泊】《名・自サ》連続して宿泊すること。

れん-ぱつ【連発】❶《名・自サ》続けざまに起こること。「事件が―する」❷《名・他サ》続けざまに放つこと。「質問を―する」「―銃」「五―の花火」対単発。

れん-ばん【連番】宝くじなどで、番号が連続していること。また、その番号。続き番号。

れん-ぱん【連判】《名・自サ》一つの文書にふたり以上の人が連名で判(はん)をおすこと。連印。れんばん。「―状」類語連署。

れん-びん【×憐×憫・×憐×愍】〔文〕かわいそうだと思うこと。あわれみ。れんみん。「―の情を催す」

れん-ぶ【練武】〔文〕武術をねりきたえること。

れん-べい【連×袂・×聯×袂】《名・自サ》〔文〕〔たもとを連ねる意〕何人かの人が行動・進退を共にすること。「―辞職」

れん-ぺい【練兵】兵士に対して戦闘の訓練をすること。「―場」

れん-ぼ【恋慕】《名・自他サ》異性を恋いしたうこと。「いやます―」「横―」類語愛慕。

*れん-ぽう【連峰】いくつも連なる峰々。類語連山。

*れん-ぽう【連邦・×聯邦】共通の目的をもつ複数の国が、統一的な主権のもとに平等な関係で結合している複合国家。連合国家。

れん-ま【練磨・錬磨】《名・他サ》心身や技術などをきたえみがくこと。「―した腕を十分に発揮する」「百戦―」類語鍛錬。修練。陶冶(とうや)。切磋琢磨(せっさたくま)。

*れん-めい【連名】二人以上の人が姓名を並べて書くこと。「―で手紙を書く」類語連署。

*れん-めい【連盟・×聯盟】〔二つ以上の団体・国家などが〕共通の目的を達成するために、互いに助けあって行動することを申し合わせること。また、その組織体。同盟。「同業者間で―を結ぶ」「―を脱退する」

れん-めん【連綿】《形動タルト》〔文〕物事の長く続いて絶えないようす。「―たる伝統」

れん-や【連夜】ある期間ひきつづいて毎夜。「―の残業」「連日―」

れん-よう【連用】❶《名・他サ》同じ物を続けて使うこと。「薬品の―をさける」❷文法で、用言に続くこと。

―けい【―形】活用形の一つ。用言につらなる形。また、文が一時中止したり、「て」「た」につらなったり、体言と同資格になったりする形。

―しゅうしょくご【―修飾語】修飾語のうち、特に用言を修飾するもの。

れん-らく【連絡・×聯絡】《名・他サ》❶《自サ》〔別々のものの間に〕つながりがあること。つながりをつけること。「企業と官庁が―を結ぶ」「特急に―している船便」「―船」❷情報などを知らせる〔知らせ合う〕こと。「暴風雨のため―がとだえる」

れん-り【連理】〔文〕❶枝が他の木の枝とくっついて、木目が一つになっていること。❷夫婦・男女の契(ちぎ)りの深いことのたとえ。連理比翼。比翼連理。「―の契り」

れん-りつ【連立・×聯立】《名・自サ》二つ以上のものが並び立つこと。また、幾つかのものが並び立ちながら、全体として一つの形をなしていること。「―内閣」

れん-るい【連累】《名・自サ》〔文〕連座。また、連座した人。「汚職の―者」

れん-れん【恋恋】《形動タルト》〔文〕❶異性に対する恋慕の情を、思いきれないようす。「―たる思い」❷未練がましいようす。「政権に―として施策を誤る」

ろ

―呂

*ろ【炉】❶床を四角に切ってわくで囲み、中に灰を入れて火を燃やす所。暖をとったり、物を煮炊(た)きしたりする。いろり。「―を切る」❷物質を加熱して、溶融したり化学反応を起こさせたりするための、耐火物で囲まれた装置。溶鉱炉・原子炉・反射炉など。

*ろ【×絽】布地の縦あるいは横の方向にすきまをつくって織った絹織物。夏の和服用。絽織り。類語紗(しゃ)。

*ろ【×艪・×櫓・×艣】和船をこぎ進める、さお状の道具。船尾にとりつけ、押したり引いたりして進める。

*ろ【×艫】❶船の前部。船首。へさき。みよし。❷船の後部。船尾。とも。

ろ-あく【露悪】自分の悪いところをわざとさらけ出すこと。「―趣味」「―者」類語偽悪。

ロイド-めがね【ロイド〈眼鏡〉】セルロイド製の円形の太い縁をつけためがね。参考アメリカの喜劇俳優ハロルド=ロイド(H.Lloyd)が用いたことから。

ロイマチス リューマチス。〔古風ないい方〕▽ドイツ Rheumatismus から。

ロイヤリティー 特許権・著作権などの使用料。ロイヤルティー。▽royalty

ロイヤル-ゼリー ミツバチの働きばちの分泌物で、将来女王バチとなる幼虫のえさになるもの。淡黄色のバター状の物質で、老化防止・強壮に効果があるといわれる。王乳。ローヤルゼリー。▽royal jelly

ロイヤル-ボックス 劇場・競技場などに設けた貴賓席。▽royal box

*ろう【浪】《助数》浪人した年数を言う語。「一―」

*ろう【労】〔文〕あれこれとその事につとめた苦労・努力。骨折り。「―に報いる」「―をいとわない」「―を多とする〔=苦労をねぎらい感謝する〕」

―多くして功少なし《句》苦労が多かったわりには効果が少ない。

―を執る《句》〔他人のために〕わざわざある事をする。「仲人(なこうど)の―る」「紹介の―る」

*ろう【廊】〔文〕❶建物と建物を結ぶ屋根のある通路。ほそどの。わたどの。❷廊下(ろうか)。

*ろう【楼】㊀《名》〔文〕❶高い建物。たかどの。高楼(こうろう)。❷遠くまで見わたせるように高く造った建物。望楼(ぼうろう)。ものみやぐら。㊁《接尾》高い建物・旅館・料理屋などの名の下につける語。「しののめ―」「万亀―」

*ろう【×牢】罪人などをとじこめておく所。ろうや。獄。「―に入れられる」「座敷―」

ろう【老】㊀《名》〔文〕老人。対幼。㊁《接尾》老人の名まえの下につけて敬意を表す。「吉田―」 三《接頭》「年を取った」の意。「―大家」「―先生」

*ろう【×聾】〔文〕耳が聞こえないこと。「―学校」

*ろう【×蠟】脂肪酸とアルコールからなるエステル。熱によって溶けやすく燃えやすい。ろうそく・化粧品・医薬などの原料。ワックス。

*ろう【×鑞】溶かして、金属の接合に用いる合金の総称。はんだ・銀ろう・銅ろうなど。

*ろう【×隴】中国の地名。甘粛(かんしゅく)省の東南部地方。

―を得て蜀(しょく)を望む《句》一つの望みがかなうと、次の望みが出てくる。欲をいえばきりがないことのたとえ。望蜀(ぼうしょく)。参考 隴も蜀も中国の地名。曹操が司馬懿(しばい)にのべたことばから。〈後漢書・献帝紀〉

ろう-あ【×聾×啞】耳が聞こえない・こと(人)と、言語の発音ができない・こと(人)。

*ろう-えい【朗詠】《名・他サ》漢詩・和歌などを、節をつけて声高くうたうこと。類語 詠誦(えいしょう)。朗吟。

*ろう-えい【漏×洩・漏×泄】《名・自他サ》(「ろうせつ」の慣用読み)秘密がもれること。また、もらすこと。「極秘の人事が事前に―する」

ろう-えき【労役】課せられてする力仕事。

*ろう-おう【老×媼】〔文〕年とった女性。おうな。対 老翁(ろうおう)。

*ろう-おう【老翁】〔文〕年とった男性。おきな。対 老媼(ろうおう)。

*ろう-おう【老桜】〔文〕サクラの老木。

*ろう-おう【老×鶯】〔文〕春が過ぎても鳴いているウグイス。老いうぐいす。

ろう-おく【×陋屋】〔文〕狭くてみすぼらしい家。陋居(ろうきょ)。陋宅(ろうたく)。参考 自分の家の謙称としても使う。「―ですが、一度お越し下さい」

*ろう-か【廊下】建物の中の部屋と部屋とをつなぐ細長い通路。廊(ろう)。 ―とんび【―×鳶】❶遊女屋で、相方(あいかた)の遊女が来ないため、客が廊下に出てうろつくこと。また、その客。❷〔転じて〕用もないのに廊下などをうろつく・こと(人)。

*ろう-か【×弄火】〔文〕火あそび。火いたずら。

*ろう-か【老化】《名・自サ》❶年をとるにつれて、身体的機能が衰えること。「―現象」❷ゴム・コロイド溶液などが時間の経過に従って変質すること。劣化。

ろう-かい【老×獪】《名・形動》経験を十分積んで悪賢いこと。「―な政界工作」「―きわまる人物」

ろう-がい【労×咳・×癆×痎】肺結核。〔古風な言い方〕参考 もとは漢方医の用語。

ろう-かく【楼閣】〔文〕高くてりっぱな構えの建物。高閣。高楼。たかどの。「空中の―」

ろう-がっこう【×聾学校】聴力障害者に対して、普通教育を行い、あわせてその障害を補うための知識・技能を授ける教育を行う学校。

ろう-かん【×琅×玕】暗緑色または青緑色で半透明の美しい宝石。特に中国で、同色の翡翠(ひすい)。

ろう-がん【老眼】〔医〕眼球の調節機能が年齢とともに衰えたため、遠視に似て近くのものが見えにくく・なること(なった目)。老視。 ―きょう【―鏡】老眼を矯正するための凸(とつ)レンズのめがね。

ろう-き【×牢記】《名・他サ》〔文〕忘れないようにしっかりと覚えておくこと。銘記。「師の言を―する」

ろう-ぎ【老×妓】〔文〕年とった芸者。

ろうき-ほう【労基法】「労働基準法」の略。

*ろう-きゅう【×籠球】〔文〕バスケットボール。

*ろう-きゅう【老朽】《名・自サ》年をとったり長く使ったりしたために、役に立たなくなること。また、その人・物。「―した校舎を建てかえる」「―化」

*ろう-きょ【×籠居】《名・自サ》〔文〕家にとじこもっていること。閉居。蟄居(ちっきょ)。「病のため―の日々を送る」

*ろう-きょ【×陋居】〔文〕陋屋(ろうおく)。

ろう-きょう【老境】〔世事から遠ざかって静かな毎日を送る〕老人の心境・境地。「―に入る」「―に至る」

ろう-きょく【浪曲】「なにわぶし」の別称。

*ろう-ぎん【労銀】労賃。

*ろう-ぎん【朗吟】《名・他サ》漢詩・和歌などを、声高らかに吟じること。類語 朗詠。

*ろう-く【労苦】〔ある事のための〕苦労・努力。ほねおり。「―に報いる」「―をいとわず…する」

*ろう-く【老×軀】〔文〕年をとって衰えた体。老体。老骨。「―に鞭(むち)打って働く」

ろう-けい【老兄】〔文〕❶年をとった兄。❷年長の友人を敬って呼ぶ語。〔多く手紙文で使う〕

ろう-けつ【×﨟×纈・×蠟×纈】染色法の一つ。蠟(ろう)と樹脂とをまぜ合わせた防染剤で布に模様をかき、染色液に浸したあとで防染剤を取り除くもの。ろうけつ染め。ろうけち。ろう染め。

*ろう-げつ【×朧月】〔文〕ぼんやりかすんだ(春の夜の)月。おぼろづき。

*ろう-げつ【×臘月】〔文〕陰暦一二月。臘(ろう)。

*ろう-けん【老健】《名・形動》〔文〕年をとっても体が丈夫なこと。

*ろう-けん【老犬】年をとった犬。

*ろう-けん【×陋見】〔文〕❶卑しい考え。あさはかで狭い見解。「―にとらわれる」❷自分の考え・見解を謙遜(けんそん)していう語。同 ①②卑見。

*ろう-こ【×牢×乎】《形動タルト》〔文〕びくともしないようす。「―たる決意で臨む」

*ろう-こ【×牢固】《形動タルト》〔文〕強く根づいていてたやすくくずれないようす。堅固。「―とした確信」

ろう-ご【老後】年をとってからのち。「―に備える」

*ろう-こう【老公】〔文〕年とった貴人の敬称。「水戸の御―」

*ろう-こう【老巧】《名・形動》多くの経験を積み、やり方がたくみで抜け目のないこと。「―なリードを見せる捕手」類語 老練。

*ろう-こう【×陋×巷】〔文〕むさ苦しい町なか。狭くてきたない裏町。「―に身を沈める」

ろう-こく【×鏤刻】《名・他サ》〔文〕❶金属・木などの面に文字や絵をちりばめ彫ること。❷苦心して文章の字句を整え飾ること。＝鏤刻(るこく)。

ろう-ごく【×牢獄】捕らえた罪人を閉じこめておく所。牢屋(ろうや)。牢(ろう)。獄。ひとや。

*ろう-こつ【老骨】〔文〕❶年とって衰えた(自分の)体。老体。老軀(ろうく)。「―に鞭(むち)打つ」❷老人が自分のことを謙遜(けんそん)していう語。

*ろう-こつ【×鏤骨】→るこつ。

*ろう-さい【労災】❶「労働災害」の略。労働者が業務上で被った負傷・疾病(しっぺい)・死亡などの災害。「―事故」❷「労働者災害補償保険」の略。労働者の業務上の災害による負傷・疾病・廃疾・死亡などに対して、その療養ならびに生活保障を行う社会保険。労災保険。

*__ろう-さい【老妻】__ 年とった(自分の)妻。

__ろう-ざいく【×蠟細工】__ 蠟を使って・細工すること(作ったもの)。

__ろう-さく【労作】__ ❶《名・自サ》〔文〕労働。❷苦心して仕上げた作品。「一〇年を費やした—」類語 力作。

__ろう-ざん【老残】__ 〔文〕おいぼれて生きながらえること。「—の身」類語 衰残。

*__ろう-し【労使】__ 労働者とその使用者。「—の主張に開きがある」「—関係」

*__ろう-し【労資】__ 労働者(階級)と資本家(階級)。「—協調の路線」

*__ろう-し【浪士】__ 〔文〕主家を離れ、仕える主君をもたない武士。浪人。「赤穂—」

*__ろう-し【×牢死】__ 《名・自サ》牢に入れられたままで死ぬこと。獄死。「—をとげる」

*__ろう-し【老師】__ 〔文〕❶年をとった先生。❷年をとった僧に対する敬称。類語 老僧。

__ろう-じ【×聾児】__ 〔文〕耳の聞こえない子ども。

*__ろう-じつ【老実】__ 《名・形動》〔文〕物事に慣れていて、まごころをもってよくつとめること。「—な召使」

*__ろう-じつ【×臘日】__ 〔文〕おおみそか。

__ろう-しゃ【×聾者】__ 〔文〕耳の聞こえない人。

*__ろう-じゃく【老若】__ ↓ろうにゃく。

*__ろう-じゃく【老弱】__ ❶老人と子ども。老年と弱年。老幼。❷《名・形動》年をとって体が弱っていること。「—の身」

__ろう-しゅ【楼主】__ 〔文〕〔妓楼・酒楼など〕楼と名のつく店の主人。

__ろう-じゅ【老樹】__ 老木。

*__ろう-しゅう【老醜】__ 年をとって心や姿の醜くなった状態。「—をさらす」

*__ろう-しゅう【×陋習】__ 悪い習慣。「旧来の—を破る」

__ろう-じゅう【老中】__ 江戸幕府の職名。将軍に直属して政務を担当した最高責任者。表記 現代仮名遣いでは「ろうぢゅう」も許容。

__ろう-じゅく【老熟】__ 《名・自サ》多くの経験を積み、物事に熟練すること。「—した技術」類語 老巧。

__ろう-しゅつ【漏出】__ 《名・自他サ》もれて出ること。また、もらして出すこと。「ガスの—」

__ろう-じょ【老女】__ ❶年をとった女性。老婦。❷武家時代に、将軍や大名の奥方に仕えた侍女の長。

*__ろう-しょう【朗唱】__ 《名・他サ》〔歌を〕声高らかに歌うこと。「アリアを—する」

*__ろう-しょう【朗×誦・朗唱】__ 《名・他サ》〔詩・文章などを〕調子をつけて声高く読むこと。「漢詩を—する」類語 朗読。

*__ろう-しょう【老将】__ 〔文〕年をとった大将。老将軍。また、多くの経験を積んだすぐれた大将。

*__ろう-しょう【老少】__ 〔文〕年寄りと若者。—ふじょう【—不定】〔仏〕人間の寿命は年寄りが先に死に、若者が長く生きるようには定まっていないということ。

*__ろう-しょう【老松】__ 〔文〕長い年月を経た松。

*__ろう-じょう【楼上】__ 〔文〕高い建物の上または上部。

*__ろう-じょう【×籠城】__ 《名・自サ》❶敵に囲まれて、城の中にたてこもること。❷ある場所にひきこもって外に出ないこと。「借金取りを避けて安宿に—する」

*__ろう-じょう【老嬢】__ 〔文〕結婚の適齢期をかなり過ぎても独身でいる女性。オールドミス。

__ろう-しょく【朗色】__ 〔文〕ほがらかな顔色・様子。「—をとりもどす」

*__ろう-しん【老親】__ 〔文〕年を取った親。

*__ろう-しん【老身】__ 〔文〕年をとって衰えた体。老体。

__ろう-じん【老人】__ 年をとった人。年寄り。類語 老者。老体。老身。古老。老。尊敬 御爺さん。御婆さん。老大人。宿老。老台。老君。謙譲 おいぼれ。愚老。老骨。老生。老輩。—ホーム 老人の福祉を増進するため、老人を収容・養護する施設。養護老人ホームなど。参考 もと、養老院と呼ばれた。—ほけん・しせつ【—保健施設】入院するほどではないが、治療や看護・生活訓練サービスを必要とする寝たきりの高齢者などの施設。特別養護老人ホームと老人病院の中間的性格をもつ施設。

*__ろう-すい【漏水】__ 《名・自サ》〔水道管などがこわれて〕水がもれること。また、もれた水。水もれ。

*__ろう-すい【老衰】__ 《名・自サ》年をとって心身がおとろえること。「—死」

*__ろう-・する【労する】__ ㊀《自サ変》〔文〕苦労する。骨を折る。「—・せずして億万長者となる」㊁《他サ変》〔文〕苦しませる。「子供の病気で心身を—・する」

*__ろう-・する【×弄する】__ 《他サ変》いろいろな手段をもてあそぶ。「甘言を—・して誘惑する」「策を—・する」

*__ろう-・する【×聾する】__ 《自他サ変》〔文〕耳が聞こえなくなる。耳を聞こえなくする。「耳を—・する大歓声」

*__ろう-せい【老成】__ 《名・自サ》❶おとなびること。「年のわりには—した少年」❷経験を積んで円熟すること。「そろそろ—してよい年ごろ」類語 老熟。

*__ろう-せい【老生】__ 《代名》《自称の人代名詞》〔文〕老年の男子が自分のことをへりくだっていう語。〔手紙文で使う〕「—の願いをお聞き届け下さい」

__ろう-せき【×蠟石】__ 脂肪のような光沢やろうのような感触をもつ鉱物の総称。耐火物・陶磁器などの原料。また、チャコ・石筆などに利用する。

__ろう-ぜき【×狼×藉】__ 〔狼が草を藉いて寝たあとは草が散乱していることから〕❶秩序なく入り乱れること。「落花—」「杯盤—」❷秩序を乱す荒々しいふるまい。ひどい乱暴。「—をはたらく」「—者」

__ろう-そ【労組】__ 「労働組合」の略。ろうくみ。

*__ろう-そう【老僧】__ 年をとった僧。類語 老師。

*__ろう-そう【老荘】__ 中国古代の哲学者である、老子と荘子。「—虚無の思想」

__ろう-そく【×蠟×燭】__ 糸などを芯にして円筒状にろうを固めたもの。芯に火をつけて、明かりとする。キャンドル。参考「一本…」「一丁(挺)…」と数える。

__ろう-ぞめ【×蠟染(め)】__ ↓ろうけつ。

__ろう-たい【老体】__ ❶年をとって衰えた体。老身。❷年寄り。「御—」類語 老人。

*__ろう-だい【楼台】__ 〔文〕❶高い建物。たかどの。❷屋根のついた台。対 露台。

*__ろう-だい【老台】__ 《代名》《対称の人代名詞》〔文〕年長の男性に対する敬称。〔男性の手紙文で多く使う〕

__ろう-たいか【老大家】__ 年をとったその道の大家。「文壇の—」

__ろう-たいこく【老大国】__ 全盛期を過ぎて国勢のふるわない大国。

__ろう-たく【×陋宅】__ 陋屋。

__ろう-た・ける【×臈▽長ける】__ 《自下一》美しく、気品がある。洗練される。参考 ふつう、女性にいう。

「─・けた面ざし」

ろう‐だん【×壟断】〔文〕《名・他サ》〔利益・権利などを〕ひとりじめにすること。独占。「市場を─する」故事 貧しい男が高い丘の切り立っている所（＝壟断）にのぼって市場を見回し、安い物を買い占めて高く売って利益を独占したということから。〈孟子・公孫丑下〉

ろう‐ぢゅう【老中】→ろうじゅう（老中）。

ろう‐ちん【労賃】労働に対する賃金。労銀。

ろう‐づけ【×鑞付（け）】《名・他サ》金属を鑞（ろう）で接合すること。また、接合したもの。

ろう‐でん【漏電】《名・自サ》電気器具や電線の絶縁が不完全なため、他に電流がもれ流れること。

ろう‐と【漏斗】〔文〕じょうご。

ろう‐とう【郎等・郎党】❶中世、武家の家臣で、主人と血縁関係がなく、領地をもたないもの。郎従（ろうじゅう）。類語 家の子。家人（けにん）。❷〔文〕家来。従者。「一族─」＝ろうどう。

ろう‐どう【労働】《名・自サ》❶体力を使って働くこと。「重─」❷〔経〕収入を得る目的で、物の生産や人に対するサービスのために、身体または精神を活動させること。**─いいんかい【─委員会】**労働組合法によって設けられた機関。労働争議の調停と不当労働行為の審査・救済をおもな任務とする。**─うんどう【─運動】**労働者が団結して自分たちの労働・生活条件の改善や、経済的・社会的地位の安定と向上を目的として行う、自主的・組織的な社会運動。**─きじゅん‐ほう【─基準法】**労働者の保護を目的として労働条件の最低基準を定めた法律。**─きょうやく【─協約】**労働組合と使用者またはその団体とが労働条件その他に関して結ぶ、文章による協定。**─くみあい【─組合】**労働者が、労働条件の維持・改善や経済的地位の向上を主目的として組織した団体。**─さんぽう【─三法】**労働関係について定めた三つの基本法。労働基準法・労働組合法・労働関係調整法の総称。**─しゃ【─者】**労働を提供し、賃金をえて生活する者。賃金労働者。特に、肉体労働者。**─じょうけん【─条件】**賃金・労働時間・休日などについて、労働者と使用者の間でとりきめる条件。**─せいさんせい【─生産性】**投入された労働量と生産量との割合。国内総生産を就業者数で割って算出する。**─りょく【─力】**人間が労働する際の肉体的・精神的能力。また、それをもつ人。類語 マンパワー。

ろう‐どく【朗読】《名・他サ》〔文章などを〕声を出して読みあげること。特に、小説・詩などを、そのおもむきを出して読みあげること。「詩を─する」類語 朗誦（ろうしょう）。
注意「郎読」は誤り。

ろう‐として【×牢として】《副》〔文〕しっかり根づいて、動かしたり変えたりすることができないようす。「─破れぬ信念」

ろう‐に【老尼】〔文〕年をとった尼（あま）。

ろう‐にゃく【老若】〔文〕年寄りと若者。老若（ろうじゃく）。「─男女（なんにょ）（＝すべての人。万人）」類語 老幼（ろうよう）。

ろう‐にん【浪人】《名・自サ》❶武士が、主家を離れて禄（ろく）を失うこと。また、その武士。浪士。表記「牢人」とも書く。❷その意志をもちながら進学や就職ができずにいること。また、その人。

ろう‐ねん【老年】年をとっていること。また、そのころの年齢（の人）。老齢。「─期」

＊**ろう‐のう【労農】**〔文〕労働者と農民。

＊**ろう‐のう【老農】**〔文〕年老いた農夫。

ろう‐ば【老婆】年をとった女性。老女。対 老爺（ろうや）。**─しん【─心】**必要以上に気をつかい世話をやきたがる心。老婆親切。「─から忠告するが…」参考 おもに他人に忠告するときに、へり下って言う語。

＊**ろう‐はい【老廃】**《名・自サ》〔文〕❶年をとって役に立たなくなること。表記「老癈」とも書く。❷古くなって役に立たなくなること。「─物」類語 老朽。

＊**ろう‐はい【老輩】**〔文〕年をとった人たち。参考 老人である自分を謙そんしていうときにも使う。

＊**ろう‐ばい【×狼×狽】**《名・自サ》慌てて落ち着きをなくすこと。うろたえ騒ぐこと。「奇襲に─する」「周章─」

＊**ろう‐ばい【老梅】**〔文〕年を経た梅の立ち木。

＊**ろう‐ばい【×蠟梅・×臘梅】**ロウバイ科の落葉低木。冬、香気のある花がさく。からうめ。

ろう‐ばん【×牢番】牢屋の見張りをする役目（の人）。牢屋番。類語 獄卒（ごくそつ）。看守。

＊**ろう‐ひ【浪費】**《名・他サ》〔金銭・物・精力・時間などを〕役に立たないことに使うこと。むだづかい。「─を戒めて貯金を勧める」類語 濫費。空費。徒費。

＊**ろう‐ひ【老×婢】**〔文〕年をとった下女。対 老僕。

ろう‐びょう【老病】〔文〕老衰のために起こる病気。老衰病。

＊**ろう‐ふ【老夫】**〔文〕年をとった男性。対 老婦。

＊**ろう‐ふ【老婦】**〔文〕年をとった女性。対 老夫。

ろう‐ふ【老父】〔文〕年をとった父親。対 老母。

ろう‐へい【老兵】❶年をとった兵士。「─は死なず、ただ消えゆくのみ」❷古参。

ろう‐ほ【老舗・老×鋪】〔文〕しにせ。

ろう‐ぼ【老母】〔文〕年をとった母親。対 老父。

ろう‐ほう【朗報】うれしい事柄を知らせる通知。「全員救助の─に沸く」対 悲報。

＊**ろう‐ぼく【老僕】**〔文〕年をとった下男。対 老婢（ろうひ）。

＊**ろう‐ぼく【老木】**年を経た立ち木。老樹。古樹。古木。

ろうまん‐しゅぎ【浪漫主義】→ローマン主義。

ろうまん‐てき【浪漫的】《形動》→ローマン的。

ろう‐む【労務】❶賃金を得る目的で行う労働勤務。「─者（＝主に日雇い労働者）」❷〔会社などで〕労働に関する事務。「─担当重役」

ろう‐もう【老×耄】《名・自サ》〔文〕年をとって頭がにぶくなった・こと（人）。耄碌（もうろく）。「─の身」

ろう‐もん【楼門】〔文〕二階造りの門。寺などに多く見られる。

＊**ろう‐や【×牢屋】**捕らえた罪人などを閉じこめておく所。牢（ろう）。牢獄。獄（ひとや）。

＊**ろう‐や【老×爺】**〔文〕年をとった男性。対 老婆（ろうば）。

ろう‐やぶり【×牢破り】牢屋を〔壊して〕逃げ出すこと。脱獄。また、その者。

＊**ろう‐ゆう【老優】**❶年をとった俳優。❷年功を積んで芸のうまい俳優。

＊**ろう‐ゆう【老友】**年をとった友人。

＊**ろう‐ゆう【老雄】**〔文〕年をとった英雄。

ろう‐よう【老幼】〔文〕年寄りと子ども。類語 老若。

ろう‐らい【老来】《副》〔文〕年をとってこのかた。「彼の芸は、─ますます円熟味を加えてきた」

ろう‐らく【×籠絡】《名・他サ》〔文〕他の人をうまく手なずけて自分の思いのままに利用すること。まるめこむこ

ろ

と。「わいろで政治家を—する」

ろう・りょく【労力】 ❶力を尽くすこと。骨折り。「—を惜しまず、せっせと働く」 ❷生産に必要な人手。人的資源。労働力。「—が不足する」

ろう・れい【老齢】 非常に年をとっていること。「—に達する」 類語 高齢。 **—ねんきん【—年金】** 老後の生活保障を目的とする年金。

類義語の使い分け　老齢・高齢

［老齢・高齢］ 老齢（高齢）に達する／もうかなりの老齢（高齢）だがまだ元気だ

［老齢］ 老齢年金の給付を受ける／老齢人口が年々増加する

［高齢］ ご高齢なので健康が心配だ／九十歳という高齢で逝去された／高齢化社会が到来する／高齢出産

ろう・れつ【×陋劣】 《名・形動》〔行い・手段・考え方などが〕いやしくて軽べつすべきであること。下劣。卑劣。「品性—な男」「—きわまるやり口」

ろう・れん【老練】 《名・形動》多くの経験を積み、なれて上手なこと。「—な手腕」 類語 老巧。老成。

***ろう・ろう【浪浪】** 《名》〈—の〉〔文〕 ❶さすらうこと。「—の民」 ❷職がなく、ぶらぶらしていること。「—の身を嘆く」

***ろう・ろう【朗朗】** 《形動タトル》声が大きくはっきりしているようす。「—と響くせりふ」「音吐—と漢詩を吟ずる」

ろう・わ【朗話】 〔文〕人の心を明るくする内容の話。

ろ・えい【露営】 《名・自サ》 ❶野外に陣営をかまえること。また、その陣営。 ❷野外にテントなどを張って寝ること。キャンプ。 同 ①②野営。

ロー 一 《造語》「低い」の意。 対 ハイ。 二 《名》自動車で、第一速度。低速。ローギア。▽low **—コスト** 原価・経費などが安いこと。コストが安いこと。低コスト。▽low cost **—ティーン** 十代の前半の年齢（の少年少女）。一三〜一五、六歳を言う。 対 ハイティーン。▽low と teen からの和製語。 **—ヒール** かかとの低い女性用のくつ。 対 ハイヒール。▽low と heel からの和製語。 **—ブロー** 《名・形動》教養が低い・こと（人）。低級な・こと（人）。ローブラウ。 対 ハイブロー。▽lowbrow

ローカル 《名・形動》規模が国内の（中央から離れた）ある一定の地域に限られること。地方に関すること。地方的。「—線」「—放送」▽local **—カラー** その地方らしい感じ。地方色。郷土色。▽local color

ローション アルコール分を含んだ化粧水・頭髪用香水などの総称。「アフターシェーブ—」「ヘア—」▽lotion

ロージン・バッグ ↓ロジンバッグ。▽rosin bag

ロース 牛・豚などの、あばら骨の上部から腰骨の近くまでについている上等な肉。「—ハム」▽roast（=蒸し焼きに適した肉）から。

***ローズ** ばら。また、ばら色。▽rose

***ローズ** 汚れたり傷があったりして、売り物にならないもの。きずもの。▽中国 lu-tou（蘆頭）から。

ロー・スクール ↓法科大学院。▽law school

ロースター 肉などをあぶって焼くための器具。焼き肉用オーブン。▽roaster

ロースト 牛・豚・とりなどの肉を・あぶる（蒸し焼きにする）こと。また、その料理。「—ビーフ」▽roast

ローズマリー シソ科の常緑小低木。葉は松葉状で強い芳香がある。ハーブの一種。▽rosemary

ローター ❶発電機・電動機・タービンなどの回転部。回転子。 ❷ヘリコプターの回転翼。▽rotor

ロータリー ❶機械などで、回転するようになっているもの。 ❷交通整理のため、市街地の交差点の中央に築いた円形地帯。▽rotary **—エンジン** 自動車用エンジンの一つ。シリンダーの中の回転子（ローター）が回転して回転動力を直接得る。▽rotary engine **—クラブ** 社会奉仕と国際間の親交を目的とする実業家・知識人の団体。▽Rotary Club

ローテーション ❶野球で、一チーム中の投手が試合に出場する順序。 ❷バレーボールで、サーブの権利を得たチームの選手が、右方向に一人ずつ位置をかえること。 ❸物事を順繰りに交替するやり方。また、その順序。「夜勤の—を組む」▽rotation（=回転。循環）

ロード 《造語》 ❶「道」「道路」の意。「シルク—」 ❷「地方の」の意。▽road **—ゲーム** 本拠地を離れ、他の土地でする試合。遠征試合。▽road game **—ショー** 映画で、一般封切りに先立って特定の大劇場で行う、独占的な特別興行。▽road show **—プライシング** 都心の交通渋滞を緩和するために、自動車の乗り入れを有料にすること。▽road pricing **—マップ** 運転者用の道路地図。ドライブマップ。▽road map **—レース** 道路上で行う競走。▽road racing から。 **—ワーク** スポーツ選手が路上で行う、ランニングを中心にした訓練。▽roadwork

ロートル【老頭児】 としより。▽中国 lao-tour

ローブ ❶すそまでたれる長くてゆるやかな上着。 ❷裁判官などが着る法服。▽フランス robe **—デコルテ** えりぐりを深くして首すじや胸の部分をあらわにしたドレス。儀式・夜会用。▽フランス robe décolletée

ロープ つな。なわ。「ワイヤー—」▽rope **—ウエー** 空中に張り渡した鋼索に運搬器をつるし、引き綱によって移動させ客や荷物を運ぶ装置。空中ケーブル。ケーブルカー。▽ropeway

ローマ ❶イタリアの首都。 ❷今のイタリア中部に興った古代都市国家。 表記 「羅馬」と当てた。▽Roma **—じ【—字】** ❶古代ローマで完成された文字で、現在、欧米でふつうに使われている表音文字。ラテン文字。 ❷日本語の表記に使われたローマ字①。ローマ字つづり。 **—すうじ【—数字】** 古代ローマの数字で、ローマ字の大文字を用いたもの。I（一）…V（五）…X（一〇）…L（五〇）…C（一〇〇）…D（五〇〇）…M（一〇〇〇）など。 **—ほうおう【—法王】** ↓きょうこう（教皇）。 **—は一日にして成らず** 《句》〔ローマ帝国が長い期間を要して建設されたように〕努力せずに、また短い期間に大事業は完成するものではないということ。

ローマン・しゅぎ【ローマン主義】 ロマンチシズム。 表記 古くは「浪漫…」と当てた。

ローマンス 〔清純な〕恋物語。恋愛譚たん。ロマンス。〔やや古風な言い方〕▽romance

ローマン・てき【ローマン的】 《形動》ロマンチック。 表記 古くは「浪漫…」と当てた。

ローム 砂・細砂（シルト）・粘土をほぼ等量にふくむ風化堆積土たいせきど。「関東—層」▽loam

ローヤル・ゼリー ↓ロイヤルゼリー。▽royal jelly

ローラー ❶円筒形の回転物。印刷用・圧延用・巻き取り用、また、ころなどとして用いる。ロール。❷地ならしに使う機械。ロードローラー。▽roller **ーさくせん**【ー作戦】多くの人を集めて、ある地域の全体で一斉に物事を行うこと。**ースケート** 底に小さな車をとりつけたくつをはいて、コンクリートや床板の上をすべる遊び。また、その遊びに使う靴。▽roller skate

ローリエ ↓ローレル。▽フランス laurier

ローリング《名・自サ》船・航空機などが左右にゆれること。横ゆれ。ロール。対ピッチング。▽rolling

ロール ❶《名・他サ》巻きこむこと。巻きあげること。また、巻いたもの。「ーパン」❷ローラー①。❸《名・自サ》ローリング。▽roll **ーキャベツ** ゆでたキャベツの葉でひき肉などを包み、スープで煮込んだ料理。キャベツ巻き。▽rolle と cabbage からの和製語。

ロールシャッハ-テスト〔心〕インクのしみなどで作った模様が何に見えるかを答えさせて、その人の性格や精神状態を診断する方法。参考スイスの精神科医ロールシャッハの創案。▽Rorschach test

ロール-プレイング ❶ある場面設定の中で経営者・販売員などの役割を演じさせ、さまざまな問題点やその解決法を考えさせる訓練法。役割演技法。❷コンピューターゲームなどで、自分がゲームの世界の主人公になって物語を展開させること。「ーゲーム」▽role-playing

ローレル 月桂樹。また、その葉を乾燥させて作った香辛料。ローリエ。▽laurel

***ローン** 芝生。▽lawn **ーテニス** 芝生のコートで行うテニス。また、テニス。庭球。▽lawn tennis

***ローン** 貸し付け。貸付金。「住宅ー」▽loan

ローンウルフ 他人と協調せず単独行動をする人。一匹狼。▽lone wolf

ろ-か【×濾過】《名・他サ》〔文〕液体をこして、まじっている固体粒子をとりのぞくこと。「不純物をーする」

ろ-かい【×艪×櫂・×櫓×櫂】〔文〕❶艪と櫂。❷和船で、船具。

ろ-かく【×鹵獲】《名・他サ》〔文〕〔勝って〕敵の兵器・軍用品などを奪い取ること。ぶんどること。「ー品」

ろ-かた【路肩】道路の両はしの部分。特に、がけの上を通る道で、がけのふちにあたる部分。路肩。

ロカビリー ロックンロールのリズムとヒルビリーとをあわせた、激しいリズムの音楽。▽rockabilly

ろ-ぎょ【×魯魚】〔文〕〈ーの誤り〉文字の誤り。参考「魯魚章草の誤り」とも言う。「魯」と「魚」、あるいは「章」と「草」とは字形が似ていて誤りやすいことから。

ろ-ぎん【路銀】旅費。路用。〔古風な言い方〕類語焉馬。

***ろく**【六】〔数の名で〕一の六倍の数。むっつ。

***ろく**【×禄】武士の給与。家禄。俸禄。給金。「ーを食む（=給金をもらって生活する。仕官する）」

***ろく**【▽陸・×碌】《名・形動》❶〔文〕物の面・形などの、平らなこと。❷物事の正常なこと。まとも。参考下に打ち消しの語を伴う。「ーなことはない」「ーでもない」「ーに賃金ももらえない」表記ふつう、①は「陸」、②は「碌」と書く。ただし、「碌」は当て字。

ろ-ぐい【×艪×杭・×櫓×杙】和船で、船尾のふなばたにとりつけてある小さなでっぱり。艪にある穴にこれをはめて、こぐときの支点とする。ろべそ。

ろく-おん【録音】《名・他サ》音をレコード・テープ・フィルムなどに記録すること。また、そのもの。「ーをとる」「ー機」類語録画。

ろく-が【録画】《名・他サ》映像をビデオテープに記録すること。また、そのもの。類語録音。

ろく-がつ【六月】一年の六番目の月。水無月。

ろく-ざい【×肋材】船舶の肋骨にする材料。

ろくさん-せい【六三制】初等教育を六か年、前期中等教育を三か年とする義務教育制度。

ろく-じぞう【六地蔵】六道のそれぞれにいて、衆生を教化・救済するという六種の地蔵菩薩。檀陀・宝珠・宝印・持地・除蓋障・日光の六つ。異説もある。

ろくじ-の-みょうごう【六字の名号】浄土教でたえず唱える、「南無阿弥陀仏」の六字。

ろく-しゃく【六尺】❶一尺の六倍。一間。約一・八メートル。❷「六尺褌」の略。長さ六尺のさらし木綿のふんどし。❸「六尺棒」の略。長さ六尺ほどの、カシなどで作った棒。護身用の武器とした。六尺。

ろく-じゅう【六十】❶六の一〇倍。むそ。❷六〇歳。むそじ。**ーの手習い**《句》年をとってから学問やけいこ事を始めること。晩学のたとえ。

ろくじゅうろく-ぶ【六十六部】法華経を六六部書写して、日本六六か国の霊場におさめて歩く行脚僧。また、死後の冥福を祈るために経文を唱えて物ごいして歩く巡礼。六部。

ろく-しょう【緑青】空気中の水分や二酸化炭素の作用によって銅の表面にできる、青緑色のさび。

ろく-しん【六親】最も身近な六種の親族。父・母・兄・弟・妻・子。または、父・子・兄・弟・夫・妻。りくしん。**ーけんぞく**【ー×眷属】すべての親類・縁者。

ろく-すっぽ【×碌すっぽ】《副》〔俗〕《下に打ち消しの語を伴う》満足に。ろくに。「けがでー練習できなかった」表記「碌」は当て字。

ろく-する【録する】《他サ変》〔文〕記録する。「名をーして後世に伝える」

ろく-だいしゅう【六大州・六大×洲】アジア州・アフリカ州・北アメリカ州・南アメリカ州・ヨーロッパ州・オセアニア州（=大洋州）の総称。

ろく-だか【×禄高】武士が主君から受ける給与の額。石高。

ろくで-なし【×碌でなし】〔俗〕のらくらしていて何の役にも立たない者。表記「碌」は当て字。

ろく-どう【六道】〔仏〕衆生がこの世で行ったそれぞれの行為のむくいとして、死後住まなければならない六つの世界。地獄・餓鬼・畜生・修羅・人間・天の六つ。六趣。六界。**ーりんね**【ー輪×廻】〔仏〕衆生が六道を、生まれては死に、死んでは生まれて迷い続けること。流転。

ろくに【▽陸に・×碌に】《形動》《形容動詞「ろく」の連用形》↓ろく。

ろく-ぬすびと【×禄盗人】給与に応じた能力や働きがない人をののしっていう語。類語月給泥棒。

ログ-ハウス 丸太を組み合わせて造った建物。▽log と house からの和製語。

ろくぶん-ぎ【六分儀】〔天〕天球上の二点間の角度をはかる器械。航海・航空・測量用。セクスタント。

ろく-ぼく【×肋木】数本の柱をならべて立て、間に十数本の棒を横に平行に通した体操用具。

ろく‐まい【×禄米】禄として武士が受け取った米。扶持米。ろくべい。

ろく‐まく【×肋膜】❶胸腔の内面と肺の表面をおおう二重の漿膜。胸膜。❷「肋膜炎」の略。肋膜におこる炎症。多くは結核菌による。熱がでて胸がいたみ、呼吸が苦しくなる。胸膜炎。

ろくめん‐たい【六面体】六つの平面でかこまれた立体。立方体・直方体など。

ろく‐やね【▽陸屋根】傾斜がほとんどない平らな屋根。りくやね。

ろく‐よう【六曜】吉凶の基準とされる六つの日。先勝・友引・先負・仏滅・大安・赤口の六種。六曜日。六輝。

ろく‐ろ【×轆×轤】❶物を引いたり、上げ下げしたりするのに用いる滑車。❷から傘の柄の上端につけて傘の開閉に用いる、臼形の小さい器具。❸「轆轤鉋」の略。❹「轆轤台」の略。円形の陶器を作るのに使う、回転する円形の木製の台。**―がな**【―×鉋】回転軸の端に刃をつけ、軸を回しながらその刃で材料を丸くえぐる工具。ろくろがんな。ろくろ。**―くび**【―首】首が長くのびたり縮んだりする化け物。ぬけくび。ろくろっくび。

ろく‐ろく【×碌×碌】《副》《下に打ち消しの語を伴う》満足に。ろくに。ろくすっぽ。「昨夜は―寝ていない」表記「碌碌」は当て字。かなで書くことが多い。

ろくろく‐ばん【六六判】写真のフィルムで、大きさが縦横ともに六センチのもの。二眼レフ用。シックス判。

ロケ「ロケーション」の略。**―ハン**「ロケーションハンティング」の略。

ロケーション ❶撮影所の外で映画・テレビの撮影をすること。野外撮影。ロケ。❷立地条件。「工場建設には―がいい」▽location **―ハンティング** ロケーションを行うのに適した土地をさがし歩くこと。ロケハン。▽location と hunting からの和製語。

*__ロケット__ 小さな容器に写真などを入れて、鎖で首から下げる金属製の装身具。メダリオン。▽locket

*__ロケット__ 内部の燃料を燃焼させて高温・高圧のガスを噴出し、その反動で推力を得る装置(をもった飛行体)。「―弾」▽rocket

*__ろ‐けん__【路肩】→ろかた。

*__ろ‐けん__【露見・露顕】《名・自サ》隠していた秘密・悪事などがあらわになること。ばれること。「スキャンダルが―する」類語 発覚。

ロゴ 会社名やブランド名をマークのように表現したもの。意匠文字。ロゴタイプ。ロゴマーク。▽logo **―マーク** →ロゴ。▽logo と mark からの和製語。

ろ‐こう【露光】《名・自サ》写真で、撮影・焼き付けなどのとき、フィルム・乾板・印画紙などの感光材料に光をあてること。「―時間」

ロココ 一八世紀中ごろ、フランスで流行した室内調度の装飾様式。複雑な曲線模様と華麗な色彩をもち、優雅・軽快な情調を特色とする。▽フランス rococo

ロゴス 〔言語の意。ギリシア人が言語は人間の理性の表れと解したことから〕人間の理性的な知能から発して表現された諸活動。また、精神や存在の合理的・普遍的・客観的な側面。ことば・概念・意味・論理・理性・思想などの意に解される。対 パトス。▽ギリシア logos

ろ‐こつ【露骨】《名・形動》〔感情・欲望などを〕そのままに表すこと。むきだし。あからさま。「―に敵意を示す」「―な要求」類語 あけすけ。

ろ‐ざ【露座・露×坐】《名・自サ》屋根のないところにすわること。参考 特に仏像に言う。「―の大仏」

ろ‐ざし【×絽刺(し)】刺繡で、絽織りの布の透いた目に絹糸を刺し、図案を表す・こと(もの)。

ロザリオ カトリック教で、祈りのときに用いる十字架のついた数珠。コンタツ。▽ポルトガル rosario

ろ‐し【×濾紙】液体を濾すための紙。濾過紙。こしがみ。

*__ろ‐じ__【路地】《「露地」から出た語》❶人家の間の狭い通路。「表通りから―へと曲がる」❷〔日本家屋の〕門内・庭内にある細い通路。「―門」「―口」表記 ①②は「露地」とも書き、①はまれに「路次」とも当てる。

*__ろ‐じ__【路次】〔文〕道の途中。途次。また、道筋。「大阪への―で恩師に会う」

*__ろ‐じ__【露地】❶屋根などのおおいがなく、雨や露がじかに当たる地面。「―栽培」❷茶室へ通じる庭内の通路。また、茶室の庭。表記 ②は「路地」とも書く。

ロジカル《形動》論理にかなっているようす。論理的。論理学的。「―に話をすすめる」▽logical

ロジック 論法。論理。論理学。「このレポートには―がない」▽logic

ろ‐しゅつ【露出】《名・自サ》❶《他サ》おおい隠されていたものを現し出すこと。また、現れ出ること。「全身を―して日光浴する」「山肌が―している斜面」❷写真撮影で、シャッターを開いてフィルム・乾板などの感光材料に光を作用させること。「―計」

ろ‐しょう【路床】舗装道路をつくる時に、地面を掘り下げ、地ならしをして固くした地盤。

*__ろ‐じょう__【路上】❶道の上。道ばた。「―で遊ぶな」類語 路盤。❷どこかへ行く道の途中。「―で人に会う」

*__ろ‐じょう__【露場】気象観測を行う屋外の場所。

ろ‐しん【炉心】炉の中心部分。特に原子炉の中心部分。「―溶融」

ロジン 精製した純粋な松脂。ロージン。▽rosin **―バッグ** 野球で、ボールやバットを握りやすくするために使う、松脂の粉のはいった袋。ロージンバッグ。▽rosin bag

ロス《名・他サ》失うこと。また、損失。むだ。「時間の―」「向かい風でタイムを―した」▽loss **―タイム** ❶むだな時間。タイムロス。❷サッカー・ラグビーなどで、負傷・反則などのためにプレーが止まった時間。後でその分試合を延長する。インジャリータイム。▽loss と time からの和製語。

ロストル 〔暖炉や焼却炉などで〕火をたく部分の下部に設けて燃料を支える格子。燃えかすを下に落とし、空気の流通をよくする。火格子。▽オランダ rooster

ロゼ 発酵の途中でぶどうの果皮を取り除いてつくる、うす紅色のワイン。ロゼワイン。▽フランス rosé(＝バラ色の)

ろせい‐の‐ゆめ【×盧生の夢】《句》→邯鄲の夢。

ろ‐せん【路線】❶鉄道・バス・飛行機などの交通機関が通っている道筋。「バスの―を増やす」❷団体・組織などで、方針として掲げた一定の傾向。「平和―」「親米―」「現実的な―を歩む」

ろ‐だい【露台】❶屋根のない台。対 楼台。❷バルコニー①。

ろ‐ちりめん【×絽▽縮×緬】絽のように、織り目にすきまをつくって織ったちりめん。

ロッカー かぎがかかるようになっている戸棚や箱。「―ルーム」「コイン―」▽locker

ろっ‐かせん【六歌仙】 平安時代初期の六人の和歌の名人。在原業平(ありわらのなりひら)・僧正遍昭(そうじょうへんじょう)・喜撰法師(きせんほうし)・大伴黒主(おおとものくろぬし)・文屋康秀(ふんやのやすひで)・小野小町(おののこまち)。

ろっ‐かん【×肋間】 肋骨(ろっこつ)と肋骨の間。「―神経痛」

ろっきょく‐いっそう【六曲一双】 びょうぶが、六枚一組でできていること。「―のびょうぶ」

ロッキング‐チェア 足の下に弓形にそり返った板を付け、座ると前後に揺れるように作ってあるいす。揺りいす。▽rocking chair

＊**ロック**《名・他サ》錠をおろすこと。かぎをかけること。「ドアを―する」▽lock **―アウト** 労働争議における使用者側の戦術で、事業所を閉鎖し、労働者である組合員をしめ出して仕事につかせず、その団結を打ち破ろうとするもの。工場閉鎖。▽lockout

＊**ロック** ❶岩石。岩壁。❷「オンザロック」の略。「ウイスキーを―でやる」▽rock **―クライミング** 登山で、特殊な道具を用いて高山の岩壁をよじ登ること。岩登り。▽rock-climbing

＊**ロック** ロックンロール。また、それから派生した演奏様式。▽rock(=揺り動かす)

ロックン‐ロール 第二次世界大戦後、アメリカで起こった狂熱的なダンス音楽。また、そのダンス。ロック。▽rock'n' roll(rock and roll の短縮形)

ろっ‐こつ【×肋骨】 ❶胸部の内臓を保護し、胸郭を構成する左右一二対の骨。あばらぼね。❷船体の外側を形づくる肋骨状の骨組み。

ろっ‐こん【六根】〔仏〕感覚・認識作用を生じ、また、迷いを生じるもととなる六つの器官。眼(げん)・耳(に)・鼻(び)・舌(ぜつ)・身(しん)・意。六賊。六盗。**―しょうじょう【―清浄】**〔仏〕六根からくる迷いをたち切って、清らかな身となること。参考 山参りの修行者や寒参りの人などがとなえる文句。「―お山は晴天」

ロッジ 山小屋(風の簡易宿泊所)。▽lodge

ロッド 細長い棒。特に、釣りざお。「―アンテナ」「グラス―」▽rod

ろっ‐ぱく【六白】〔文〕九星(きゅうせい)の一つ。星は金星、方位は西北に配する。

ろっ‐ぷ【六×腑】〔文〕漢方で、人間の腹の中にあるとされる六つの内臓。大腸・小腸・胆・胃・三焦(さんしょう)(=消化吸収と排泄(はいせつ)の器官)・膀胱(ぼうこう)の六つ。「五臓―」参考 →五臓。

＊**ろっ‐ぽう【六方】** ❶東西南北と天地の六つの方向。❷歌舞伎(かぶき)で、役者が花道を通って揚げ幕にはいるときの、手足を大きくふりあげて歩く様式化された歩き方。「―を踏む」表記 ❷は「六法」とも書く。

＊**ろっ‐ぽう【六法】** ❶現行成文法中の六つの主要な法律。憲法・刑法・民法・商法・刑事訴訟法・民事訴訟法。❷「六法全書」の略。**―ぜんしょ【―全書】** ❶と、それに付属する法規のほか、種々の部門の主要法律を収録した書籍。六法。

＊**ろ‐てい【路程】** ある地点から目的地までのみちのり。また、目的地までかかる時間。道程。行程。

＊**ろ‐てい【露呈】**《名・自他サ》〔よくない性質が〕あらわになること。また、あらわにすること。「欠陥が―する」

ロデオ 暴れる馬や牛を乗りこなしたり、投げ縄で牛を捕らえたりする技をきそう競技会。▽rodeo

＊**ろ‐てん【露天】**〔雨・露などにさらされる〕屋根のない所。野天。「―風呂(ぶろ)」**―しょう【―商】** 露天で品物を広げて行う商売(をする者)。**―ぼり【―掘り】** 石炭や鉱石などを、坑道を作らずに地表から直接掘り取っていくこと。陸掘(おかぼ)り。

＊**ろ‐てん【露店】** 道ばたにござを敷いたり台を置いて、物を売ったり食べさせたりする店。大道店(だいどうみせ)。

＊**ろ‐てん【露点】** 水蒸気を含む空気が冷えて露ができはじめるときの温度。

＊**ろ‐とう【路頭】**〔文〕道のほとり。みちばた。「―で商いをする」「―に迷う(=収入の道や住む家を失って日々の暮らしに困る)」類語 路傍。

＊**ろ‐とう【露頭】** 地層・鉱床などが地表に露出している所。探鉱などの重要な手掛かりとなる。

ろ‐どん【×魯鈍】 ❶おろかで頭の働きのにぶいこと。❷かつて、精神遅滞のうち、程度が最も軽いものをいった語。参考 今は「知的障害」という。

ろは〔俗〕無料。ただ。参考「只(ただ)」という漢字をかたかなのロとハに分けて言いかえた語。表記 ふつうロハと書く。

ろ‐ば【×驢馬】 ウマ目ウマ科の動物。馬に似ているが、小形で耳が大きい。忍耐力が強いので、おもにヨーロッパで農耕・運搬などに使う。うさぎうま。

ろ‐ばた【炉端・炉×辺】 いろりばた。炉辺(ろへん)。

ろ‐ばん【路盤】 ❶鉄道線路の土台。「―が弱くて陥没する」❷舗装道路の表面部分と路床にはさまれた、砕石・砂などをしきつめた部分。類語 路床。

ロビー ❶ホテル・集会所・空港などの玄関近くにあって、控え室と応接間を兼ねた広間。類語 ラウンジ。❷議院の中で、議員が来客などと会う部屋。「―活動」▽lobby

ロビイスト〔ロビー❷にたむろする人の意から〕財界や圧力団体のためにその意図を政党や議員に取り次ぐ人。▽lobbyist

ろ‐びらき【炉開き】 茶道で、陰暦一〇月一日に風炉(ふろ)を閉じ、地炉(じろ)を使い始めること。対 炉塞(ろふさ)ぎ。

ロビング〔テニスで〕高くゆるやかに球を打ちこむこと。また、その打球。ロブ。▽lobbing

ろ‐ふさぎ【炉×塞ぎ】 茶道で、陰暦三月末日に、地炉(じろ)を閉じて風炉(ふろ)を使い始めること。対 炉開き。

ロブスター ウミザリガニ科のエビの総称。ふつう、アメリカンロブスターをさす。大きなはさみを持ち、ザリガニに似る。食用。ウミザリガニ。▽lobster

ろ‐ぶつ【露仏】〔文〕露天に置かれた仏像。ぬれぼとけ。

ロフト ❶屋根裏の部屋。❷倉庫の最上階。また、倉庫を利用したアトリエ・ホールなど。▽loft

ろ‐べそ【×艪×臍・×櫓×臍】 →ろぐい(艪杭)。

ろ‐へん【炉辺】〔文〕炉端(ろばた)。**―だんわ【―談話】**(fireside chat)暖炉のそばでくつろいでするおしゃべり。炉端のよもやま話。

ろ‐ぼ【×鹵簿】〔文〕行幸・行啓のときの行列。

ろ‐ぼう【路傍】 みちばた。路辺。

ロボット ❶人間に似た形態をもち、人間の労働の代替物として仮想された精巧な機械装置。人造人間。自動人間。オートマトン。類語 サイボーグ。❷複雑な操作・作業を自動的に行う機械・装置。「産業用―」❸実力がなく地位だけを与えられて、他人の意のままにあやつられる人。参考 robota(=労働)から生まれた語で、チェコの作家チャペックの造語。▽robot

ろ

ロマ ジプシーの自称。ロム。ロムニー。▽Roma

ロマネスク 一《名》一一～一二世紀、西ヨーロッパに起こった建築・彫刻・絵画の様式。ローマ・ビザンチンなどの影響を受け、重厚な教会建築などに特徴がある。▽Romanesque 二《形動》伝奇的。空想的。「―な世界を展開する小説」▽romanesque

ロマン ❶小説。物語。特に、長編小説。❷〔人の心を引きつける〕夢や冒険に満ちた事柄。また、それにあこがれる気持ち。冒険に満ちた夢。「海には男の―がある」「男の―をかきたてる」▽(フランス)roman

ロマンス ❶空想的・冒険的・伝奇的な要素の強い物語・小説。参考元来は、ヨーロッパ中世の騎士道や宮廷恋愛の物語。❷恋愛に関する話や事件。恋物語。ローマンス。「若いころの―」❸吟遊詩人の歌った叙情的な物語ふうの歌曲。転じて、近代の叙情的な器楽の小曲。▽romance **―カー** 座席がすべてロマンスシートの電車やバス。▽romanceとcarからの和製語。**―グレー** 若い女性をひきつけるような白髪まじりの髪(をもつ中年の男)。▽romanceとgrayからの和製語。**―ご【―語】** ラテン系言語の総称。フランス語・イタリア語・スペイン語・ポルトガル語など。**―シート** 映画館・喫茶店・乗り物などで、(男女)二人が並んですわれるようにした座席。▽romanceとseatからの和製語。

ロマンチシスト ❶ロマンチシズム①を信奉する芸術家の一派。浪漫派(ろうまんは)。ローマン派。ローマン主義者。❷ロマンチックな考えを持つ人。空想家。夢想家。＝ロマンチスト。ロマンティシスト。▽romanticist

ロマンチシズム ❶一八世紀末から一九世紀にかけて、ヨーロッパに起こった文学・芸術上の思潮。古典主義に反抗し、個性・感情・情緒を重んじた。ロマン主義。浪漫主義。ローマン主義。❷非現実的で夢や空想の世界にあこがれ、感傷的な情緒を好む精神の傾向。「基盤のない―」＝ロマンティシズム。▽romanticism

ロマンチスト ロマンチシスト。▽romanticistから。

ロマンチック《形動》非現実的な甘い美しさを求めるようす。空想的。ローマン的。ロマンティック。「―な夢を描く」「―な物語」▽romantic

ロム【ROM】⇩巻末付録。

ろ-めい【露命】〔文〕すぐ消えてしまう露のようにはかない命。「―を繋(つな)ぐ(＝細々と生活してゆく)」

ろ-めん【路面】 道路の表面。「―電車」

ろ-よう【路用】 旅費。路銀。〔古風な言い方〕

ろ-れつ【×呂▽律】 発音するときの舌を動かす調子。ことばの調子。「―が乱れる」「酒に酔って―が回らない(＝舌がよく動かず、ことばがはっきりしない)」参考「呂律(りょりつ)(＝音楽の調子)」のなまりという。

ろん【論】 ❶筋道を立てて事の是非を言い立てること。「―をつくして説得する」類語説。理論。所説。謙譲拙論。愚論。愚説。❷(互いに)意見を述べること。議論。「―をたたかわす」「同日の―ではない(＝全く違った事柄で、一緒に論ずることは適当でない)」「―を俟(ま)たない(＝議論するまでもなく明白である)」❸考え方。意見。見解。「―が分かれる」「大胆な―」参考接尾語としても使う。「芸術―」「恋愛―」

―より証拠《句》物事を納得させるには、いろいろ議論するよりも証拠を示すほうが早くて確実だ。

ろん-がい【論外】《名・形動》❶議論の範囲の外。「その件は今は―にしておこう」❷論じる価値のないこと。また、もってのほかであること。問題外。「そんな突飛な意見は―だ」類語法外。

ろん-かく【論客】↓ろんきゃく。

ろん-ぎ【論議】《名・自他サ》ある問題について、互いに意見を述べ合って理非を明らかにすること。「部内で―した末の結論」類語議論。討論。討議。論弁。ディスカッション。

ろん-きつ【論詰】《名・他サ》論じてなじること。言い込めること。

***ろん-きゃく【論客】** 巧みに議論をなす人。ろんかく。

***ろん-きゅう【論及】**《名・自サ》〔文〕論議がその事に及ぶこと。「芸術論に―する」

***ろん-きゅう【論究】**《名・他サ》〔文〕議論して道理を深くきわめること。「学説の当否を―する」

ろん-きょ【論拠】 議論の根拠となる事柄。議論のよりどころ。「―に乏しい思いつきの意見」

ロング 一《造語》「長い」の意。「―サイズ」「―セラー」「―ヘア」対ショート。二《名》「ロングショット」の略。▽long **―ショット** ❶映画・テレビ・写真で、場面の全景を画面に収めるように遠くから撮影すること。遠写し。ロング。❷ゴルフで、長打。▽long shot **―ステイ** 長期滞在。また、海外での長期滞在型余暇。対ショートステイ。▽long stay **―セラー** 書籍などが、一時的な流行でなく長期間にわたって売れ続けること。また、そのもの。▽long seller **―ラン**〔演劇・映画などで〕長期興行。続映。続演。▽long run

***ろん-けつ【論決】**《名・他サ》〔文〕あれこれ議論した上で決定すること。また、その決定。「―をまつ」

***ろん-けつ【論結】**《名・他サ》〔文〕あれこれ議論した末に結論を出すこと。また、その結論。「―に入る」

ろんご【論語】 四書の一つ。孔子の言行、弟子との問答や高弟の言行などを編集した、儒教の聖典。

―読みの論語知らず《句》書物にあることを知識として持っていながら、それを生かして実行することに思い至らない人をあざけっていうことば。

***ろん-こう【論功】**〔文〕功績の有無・大小などを論じて定めること。**―こうしょう【―行賞】**〔文〕論功により、それに相応した賞を与えること。

***ろん-こう【論考・論×攷】**《名・他サ》〔あることについて〕論じ考察すること。また、その内容をあらわした文章。「中国近世史―」

ろん-こく【論告】《名・他サ》〔法〕証拠調べが終わった段階で、検察官が法廷で公訴事実や法律の適用について意見を述べ、求刑すること。「検察官の―に入る」

ろん-さく【論策】〔文〕時事問題や時の政治の方策などについて論じた文章。

ろん-さん【論×纂】〔文〕❶互いに議論して編纂すること(した本)。❷一つの主題のもとに、多くの人の論文を集めた書物。類語論集。

ろん-し【論旨】 議論の趣旨。「―明快」

ろん-しゃ【論者】 議論をしている人。論者(ろんじゃ)。

ろん-しゅう【論集】(何人かの)論文を集めたもの。論文集。論叢(ろんそう)。類語論纂(ろんさん)。

ろん-じゅつ【論述】《名・他サ》筋道を立てて・論じ述べること(述べたもの)。「研究成果を―する」

ろん-しょう【論証】《名・他サ》❶証拠をあげ、正しい論理によって証明すること。「資料を用いて―する」

❷〔論〕ある判断が真実であることをはっきりさせるため、その根拠となる理由を提示すること。立証。証明。

ろん‐じん【論陣】〔反論する勢力に対して〕弁論を組み立て展開するためのかまえ。「―を張る」

ろん‐・ずる【論ずる】《他サ変》❶〔道理・是非などを〕筋道を立てて述べる。「憲法について―・ずる」「文学を―・ずる」［類語］論述（する）。弁論。❷互いに意見を出して検討する。また、議論する。論争する。「人生を―・ずる」［類語］討議（する）。討論。論議。❸《下に打ち消しの語を伴う》取り上げて問題とする。問う。「男女を―・じない」「―・ずるに足りない」＝論じる。

ろん‐せつ【論説】《名・他サ》（時事的な）事柄について説明し、その是非について自分の意見を述べること（述べた文章）。特に、新聞の社説。「―委員」

ろん‐せん【論戦】《名・自サ》議論を戦わせること。また、その議論。論争。「国会での―」

***ろん‐そう【論×叢】**〔文〕論集。

***ろん‐そう【論争】**《名・自サ》互いに違った意見を持った者同士が、自分の説を主張してゆずらずに言い争うこと。また、その議論。論戦。「友人と―する」

ろん‐だい【論題】❶議論の題目。❷論文の題。

***ろん‐だん【論壇】**❶演説・講演する人が立つ高い壇。演壇。❷言論界。「―時評」

***ろん‐だん【論断】**《名・他サ》論じて判断をくだすこと。また、その判断。「簡単に―すべきではない」

ろん‐ちょう【論調】議論の立て方や進め方についての調子・傾向。「各新聞の―を比較する」

ろん‐てき【論敵】論争の相手。

ろん‐てん【論点】議論・論説・論文の中心となっている事柄。また、論争などの問題点。「―があいまいだ」

ロンド〔楽曲の形式で〕同じ調子で繰り返される主題の間に別の副主題がはさまれるもの。舞曲風の快活な気分をもつものが多い。ロンド形式。輪舞曲。回旋曲。▽イタリア rondo

ろん‐なん【論難】《名・他サ》〔文〕〔相手の欠点やあやまりなどを〕論じて非難すること。「―の的となる」［類語］論駁（ろんばく）。

ろん‐ぱ【論破】《名・他サ》議論して相手の意見を言い負かすこと。「反対論を―する」［類語］説破。

ロンパース上着とブルーマーとが続いている、幼児用の遊び着。おもに夏用。▽rompers

ろん‐ばく【論×駁】《名・他サ》相手の意見や説などの誤りを論じて非難し、攻撃すること。また、その議論。「反論に対し―する」［類語］論難。

ろん‐ぱん【論判】《名・他サ》〔文〕❶論じて是非を判定すること。また、その判定。❷事の是非を言い争うこと。また、その議論。論争。

ろん‐ぴょう【論評】《名・他サ》ある事件や作品などの内容について論じ、批評すること。また、その論や批評。「―を加える」

ろん‐ぶん【論文】❶ある事柄について筋道を立てて自分の意見を述べしるした文章。「試験科目に小―を加える」❷学問上の研究の成果を筋道を立てて書きまとめた文章。「卒業―」「博士―」

ろん‐べん【論弁・論×辨・論×辯】《名・他サ》〔文〕意見を述べて物事の理非を明らかにすること。また、その意見。「正当性を―する」

***ろん‐ぽう【論法】**議論の運び方。「三段―」

***ろん‐ぽう【論×鋒】**〔文〕❶議論のほこさき。「―を執行部に向ける」❷議論を進める勢い。「鋭い―」［類語］筆鋒。舌鋒。

ろん‐り【論理】❶議論や推論を進めてゆく筋道。ロジック。「―に飛躍がある」「あやふやな―」［類語］理屈。❷思考、および客観的事物の間にある法則的な連関・構造。「適者生存の―」❸「論理学」の略。 **―がく【―学】**（logics）正しい判断や認識を得るために、思考のあり方、およびその法則や形式を明らかにする学問。 **―てき【―的】**《形動》議論や思考が論理にかなっているようす。「―な主張」

わ

わ―和

***わ【把】**《助数》たばねた物を数える語。束。「小松菜二―」［参考］上につく語によって「ぱ」とも。「十―（じっぱ）」

***わ【羽】**《助数》鳥またはウサギの数を数える語。「スズメが二―」［参考］上につく語によって「ぱ」「ば」とも。「ハトが六―（ろっぱ）」「カラスが三―（さんば）」

***わ【×倭】**七世紀ごろまでの中国・朝鮮で日本をさした称。「―人」

***わ【和】**❶仲よくすること。「人の―」❷仲直りすること。「―を結ぶ」❸いくつかの数を加えた値。「―を求める」［対］差。

***わ【輪・▽環】**❶円形になっているもの。「―になって踊る」❷車輪。❸おけなどのたが。「おけの―がはずれる」 **―を掛・ける**《句》程度をさらにはげしくする。また、誇張する。「―・けて話が伝わる」

***わ**《終助》《係助詞「は」の転》❶〔下降調のイントネーションを伴う、男性専用の口頭語〕自得する形で〔軽く〕主張するのに使う。〔軽い感動・詠嘆の気持ちが添えられる〕「これは、よくできてる**わ**」「もういい**わ**、その話ならよく分かった**わ**」❷〔「…わ…わ」の形で、並立助詞的に使って〕たたみこむ形で、感動・驚きの気持ちを表す。〔叙述に緊迫感を添える〕「雨は降る**わ**風は吹く**わ**で大変だった」［参考］言いきりの形では主に男性が使う。「ぞろぞろ出てくる**わ**、出てくる**わ**」❸〔女性専用の口頭語〕㋐〔上昇調のイントネーションを伴い〕自得する形で、感動・詠嘆を表す。「私の思ったとおりだ**わ**」「今日で私も二十歳になる**わ**」㋑そっけない響きをおさえ、表現をやわらげながら、意見や主張を述べるのに使う。〔軽い感動・詠嘆の気持ちが添えられる〕「きっと参ります**わ**」「この本、面白い**わ**よ」

わあ《感》驚き・喜び・悲しみなどの気持ちが極度に高まったときに発する語。

ワーカホリック仕事を第一に考えて働いてばかりいることを、中毒症に見立てて言う語。仕事中毒症。▽workaholic

ワーキング働くこと。仕事をすること。また、作業をすること。「―グループ」▽working **―マザー**働きながら育児や家事を行う女性。▽working mother

ワーク《造語》「仕事」「研究」「作品」などの意。「ライフ―」▽work **―シェアリング**失業者の増加を抑える方法の一つ。一人当たりの労働時間を少なくして仕事を分け合うこと。▽work sharing **―ショップ**❶作業場。❷意見を交換したり、技術の紹介をしたりする研究会。研究集会。▽workshop **ーステーション** 中央のコンピューターや他の端末とデータのやりとりができる、単独でも高い処理能力をもった端末装置。▽workstation **ーブーツ** 足首あたりまでの深さの編み上げ靴。ワーキングブーツ。▽work boots **ーブック**〔主として小・中学校で〕教科書と併用して、あるいは教科書の代わりに用いられる学習帳。▽workbook **ーホリック** ↓ワーカホリック。

ワースト《造語》「いちばん悪い」の意。「ードレッサー」 対 ベスト。▽worst

ワード《造語》「ことば」「単語」の意。▽word **ープロセッサー** コンピューターを内蔵した文書作成機。文書の入力・編集・記憶・印字などの処理を行う。ワープロ。▽word processor

ワードローブ ❶衣装戸棚。洋服だんす。❷個人などの衣装全部。持ち衣装。▽wardrobe

ワープ《名・自サ》❶〔SFなどで〕宇宙船が、宇宙空間のひずみを利用して超高速航行をすること。❷ある所からある所へと、瞬間的に移動すること。「異次元へーする」▽warp(=ひずみ。ゆがみ)

ワー・プロ「ワードプロセッサー」の略。

ワールド《造語》「世界」「世界の」などの意を表す語。▽world **ーカップ** スポーツ競技の世界選手権大会。W杯。▽World Cup **ーシリーズ** アメリカのプロ野球(メジャーリーグ)の選手権試合。▽World Series **ーミュージック** ポピュラー音楽の一つ。世界各地の民族音楽を素材とする。エスノポップ。▽world music **ーワイド・ウェブ** インターネットの情報提供システム。ページ間をリンクすることで、利用者が世界各地のページに移ることを可能にする。ウェブ。略称WWW。▽World Wide Web

わあ・わあ《副》(「ーと」の形も)❶声をあげて激しく泣くようす。「ーと泣き叫ぶ」❷やかましく騒ぎ立てるようす。「ー騒ぐな」

わ・い《連語》《終助詞「わ」＋終助詞「い」》↓い(終助)。〔主に、高齢の男性が使う〕「知ったことではないわい」

ワイ・エム・シー・エー【YMCA】 キリスト教信仰にもとづいて理想社会の建設をめざす、世界的な青年団体。キリスト教青年会。対 ワイダブリューシーエー。▽Young Men's Christian Association の略。

わい・きょく【×歪曲】《名・他自サ》〔物事の内容を〕故意にゆがめること。また、ゆがんで本当の姿をとらないこと。「事実をーする」

わい・く【×矮×軀】〔文〕背丈の低い体。「ーながら腕力のある男」

わい・ざつ【×猥雑】《名・形動》〔文〕ごたごたしていて、げびた感じがすること。また、乱れてしまりがないこと。「ーな都会」

ワイ・シャツ えりの形がネクタイをしめるようになっている、長そでのシャツ。表記 俗に「Yシャツ」とも当てる。▽white shirt から。

わい・しょう【×矮小】《形動》〔文〕❶たけが低く小さいようす。短小。「ーな体つき」❷こぢんまりとして小さいようす。「問題をー化する」

ワイじ・ろ【Y字路】 Y字形の交差点。

***わい・せい【×矮性】** 生物で大きく育たない性質。「ーの植物」

***わい・せい【×矮星】** 恒星のうち、直径や絶対光度の小さいもの。太陽をはじめ多くの恒星がこれに属する。対 巨星。

わい・せつ【×猥×褻】《名・形動》性に関して不快感を覚えるくらいにいやらしいこと。みだりがましいこと。「ーな行為」「ーな話をする」類語 淫猥(いんわい)。卑猥。

ワイ・ダブリュー・シー・エー【YWCA】 キリスト教信仰にもとづいて理想社会の建設をめざす、世界的な女子青年団体。キリスト教女子青年会。対 ワイエムシーエー。▽Young Women's Christian Association の略。

わい・だん【×猥談】 性に関するみだらな話。わいせつな話。

ワイド《名・形動》空間や時間を大きく占めること。「ースクリーン」「ーショー」▽wide **ーばんぐみ【ー番組】** ラジオ・テレビの長時間番組。

ワイナリー ぶどう酒の醸造所。▽winery

ワイパー 自動車・電車などの前方の窓に付いていて、雨滴などをふきとる装置。▽wiper

ワイフ 妻。女房。対 ハズバンド。▽wife

わい・ほん【×猥本】 性に関する内容を興味本位に書き著した本。エロ本。淫本(いんぽん)。春本。猥書(わいしょ)。

ワイヤ ❶針金。❷「ワイヤロープ」の略。鋼鉄の針金をより合わせたロープ。索条。鋼索(こうさく)。❸電線。❹楽器の金属弦。=ワイヤー。▽wire **ーレス** 電線を使わないこと。また、無線通信。無線。「ーマイク」▽wireless

ワイルド《形動》野性的で粗野なようす。また、乱暴なようす。「ーなデザイン」「ーな感じの人」▽wild **ーピッチ** 野球で、投手の暴投。▽wild pitch

ワイル・びょう【ワイル病】 高熱、黄疸(おうだん)、粘膜・皮膚からの出血などの症状を起こす経口性の急性感染症。農漁村に多い。黄疸出血性レプトスピラ病。参考 ドイツの医師ワイル(Weil)の報告による。

わい・ろ【賄×賂】 公務員などが職権を利用して業者に都合のよい取り計らいをする見返りとして得る不正な金品。「ーを要求する」類語 賄(まいない)。袖(そで)の下。

わい・わい《副》(「ーと」の形も)おおぜいの人が口々に大声をあげて騒ぐようす。

ワイン ぶどう酒。▽wine **ーレッド** 赤ぶどう酒色。暗赤色。▽wine red

ワインド・アップ《名・自サ》野球で、投手が投球直前にきき腕を大きく振りまわすこと。▽windup

わ・おん【和音】 ❶日本的になまって発音される漢字の音(おん)。❷高さの異なる二つ以上の音を同時にひびかせたときにできる音。「ドミソのー」

***わか【若】** 一《接頭》❶「年若い・こと(人)」「年若くしてそうなる」の意。「ー夫婦」「ー向き」「ー白髪」❷「若い方の」「次の代の」の意。「ーだんな」「ー奥様」対 大(おお)。二《名》「若様」の略。

***わ・か【和歌】**〔漢詩(からうた)に対して〕上代から日本に行われている、長歌(ちょうか)・短歌・旋頭歌(せどうか)の総称。やまとうた。特に、短歌。三十一文字(みそひともじ)。参考「一首(いっしゅ)…」と数える。

わ・が【我(が)・×吾(が)】《連体》《代名詞「わ」＋助詞「が」》〔文〕わたし(たち)の。「ー国」「ー意を得たり(=まさしく自分の考えと一致した。自分の思った通りだ)」

わか・あゆ【若×鮎】 若くて元気のいいアユ。「ーのような娘」

*わ・かい【和解】《名・自サ》❶互いに気持ちがやわらいで、仲よくなること。仲直り。「長年のこだわりをすてて—する」❷〔法〕争っていた当事者同士が互いに譲歩して争いをやめること。また、その契約。「—勧告」「—が成立する」

*わか・い【若い】《形》❶生まれてから、多くの年月を経ていず、元気である(世になれていない)。「—・い男女」「—・いころの思い出」❷その事が始まってから、多くの年月を経ていず、これから発展しようとしている。「戦後独立した—・い国」❸〔他の人にくらべて〕年齢が少ない。年下である。「ご主人より三つ—・い」類語 年少。❹血気盛んである。「六〇を過ぎたが、まだまだ—・い」類語 若々しい。❺〔経験が少なくて〕未熟だ。「考え方がまだ—・い」❻順番を示す数値が少ない。「—・い番号」文 わか・し《ク》。

わかい・しゅ【若い衆】年の若い男(たち)。若者。特に、祭礼などの世話をする若者。わかいしゅう。

わかい・つばめ【若い×燕】年上の女に愛される若い男。

わか・がえ・る【若返る】(—がへる)《自五》❶若いころの状態にもどる。若々しくなる。「ランニングを始めて—・った」❷メンバーが以前よりも若い人(たち)に入れかわる。「幕内上位陣はすっかり—・った」

わか・がき【若書き・若▽描き】文筆家・書家・画家などの、若いころの作品。

*わか・ぎ【若木】芽ばえてから年数の少ない木。「桜の—を植える」対 老(お)い木。

*わか・ぎ【若気】→わかげ。

わか・くさ【若草】春になって芽を出して間もない草。「—萌(も)え出る春」

わか・げ【若気】若い人の、血気にはやって思慮分別を忘れがちな心。わかぎ。「—の過ち(=若気が原因となった失敗)」「—の至り(=年が若いために血気にはやって、思慮分別を失うこと。また、その結果の失敗)」

わが・こと【我(が)事】《連語》自分に直接関係ある事柄。「—のように喜ぶ」「—なれり」

わかさ【若▽狭】旧国名の一つ。福井県の南西部。

わか・ざかり【若盛り】年が若くて最も・元気のよい(美しく見える)年ごろ。

わか・さぎ【若×鷺・▽公魚・×鰙】キュウリウオ科の魚。体長約一五センチで細長い。食用。

わか・さま【若様】身分の高い人の男の子に対する敬称。わか。

わ・かざり【輪飾り】わらを輪の形に編み、下に数本のわらをたらしたり裏白(うらじろ)の葉などをつけたりした、正月の飾り物。室内・門松などに掛ける。

わか・し【若×鰤】ブリの一番若い幼魚。体長一〇～二〇センチのものをいう。

わ・がし【和菓子】日本独特の菓子。まんじゅう・ようかん・ねりきり・せんべい・らくがんなど。対 洋菓子。

わか・じに【若死に】《名・自サ》若いうちに死ぬこと。早死に。「—を惜しむ」類語 早世(そうせい)。夭折(ようせつ)。夭逝(ようせい)。夭死。

わかし・ゆ【沸(か)し湯】〔天然の温泉に対して〕沸かして適温にした風呂(ふろ)の湯。

わか・しゅ【若衆】❶若者。❷江戸時代、元服(げんぷく)前の、前髪を立てている男子。「—歌舞伎(かぶき)」

わか・しらが【若〈白髪〉】若い人にはえる白髪。

*わか・す【沸かす】《他五》❶水などを熱して・沸騰させる(熱くする)。また、そのようにして、ある物を作り出す。「水を—・す」「湯を—・す(=湯にする)」「風呂(ふろ)を—・す」「麦茶を—・かす(=作る)」類語 煮立てる。煮沸。❷金属をとかす。❸熱狂させる。「観客を—・す好プレー」「野球に血を—・す」文《四》。

*わか・す【×湧かす・×涌かす】《他五》〔うじなどを〕発生させる。「うじを—・す」

わか・ぞう【若造・若蔵・若僧】年の若い者。未熟な者。〔軽べつの気持ちがこもる〕「—にばかにされる」

わか・たけ【若竹】❶その年にはえた竹。新竹。❷わかめと筍(たけのこ)。「—煮」

わかた・ず【分かたず】《連語》区別をしないで。分かず。「昼夜を—走り通す」

わか・だんな【若×旦×那】❶〔商家などで〕主人の長男の敬称。対 大旦那。❷金持ちの家の子息の敬称。

わかち・あ・う【分かち合う】(—あふ)《他五》たがいに分担する。分け合う。「責任を—・う」

わかち・がき【分(か)ち書き・▽別ち書き】文節と文節または語と語の間をあけて書くこと。

わか・つ【分かつ・▽別つ】《他五》❶〔一つのものを〕二つ以上の部分に離す。別々にする。分ける。❷〔たもとを—・つ〕人と別れる。また、交わりを絶つ。❸区別する。「青年と少年を—・つ点」❹区分する。仕切る。「南と北に—・たれる気候」❺判断して見分ける。弁別する。「事の白黒を—・つ」❻分けて持ち合う。分配する。「二人で苦しみを—・つ」表記 ⑥は「頒つ」とも書く。文《四》。

わか・づくり【若作り】実際の年齢より若く見えるような化粧・服装をすること。「派手な服を着て—をする」

わか・づま【若妻】年の若い妻。

わか・て【若手】〔ある一団の中で〕若い部類に属する人。「—を起用する」「—人気歌手」

わか・とう【若党】❶若い侍(さむらい)。❷若い郎等(ろうとう)。

わか・どしより【若年寄】❶江戸幕府の職名の一つ。老中(ろうじゅう)に次ぎ、おもに旗本・御家人その他の諸役人を統轄し、その政務を扱ったもの。参考 老中(=年寄)に対し、若年の年寄の意。❷まだ若いのに老人のように元気のない人。「分別臭い—だ」

わか・との【若殿】❶年若い主君。わかぎみ。❷主君のあととり。対 大殿。

わか・どり【若鳥・若▽鶏】まだ成長しきっていない鳥。特に、生後三か月から五か月までの、産卵前の鶏。

わか・な【若菜】春の初めに生える、葉がやわらかくて食用にされる草。「—を摘む」

わか・ぬ【分かぬ】《連語》区別がつかない。見分けがつかない。「あやめも—真の闇(やみ)」

わが・ねる【×綰ねる】《他下一》〔細長い物を〕曲げて輪にする。「帯を—・ねる」文 わが・ぬ《下二》。

わか・ば【若葉】生え出て間もない葉。「—の季節」表記「嫩葉」とも書く。—マーク 免許取得後一年以内のドライバーが車につける、若葉をデザインしたマーク。初心者マーク。初心運転者標識の俗称。

わが・はい【我(が)輩・×吾(が)輩】《代名》〔自称の人代名詞〕❶われわれ。❷われ。わし。余。おれ。〔古風で尊大な言い方〕「あいつは—の弟分だ」

わか・はげ【若×禿(げ)】年が若いのに頭がはげている・こと(人)。

わか・ぶ・る【若ぶる】《自五》若いように見せかける。

わ

若々しくふるまう。

わか‐まつ【若松】❶松の若木。❷正月の飾りに使う小松。

わが‐まま【我(が)×儘】《名・形動》〔他人の迷惑を考えず〕自分のしたいままにふるまうこと。勝手気まま。自分勝手。「—(＝身勝手なこと)を言う」

わが‐み【我(が)身】❶自分のからだ。自分。「—可愛さ」❷自分の身の上・立場。「あすは—」

—を抓って人の痛さを知れ《句》自分の苦痛にひきくらべて、他人の苦痛を思いやるべきである。

わか‐みず【若水】元日の朝早く、その年最初に汲む水。その年の邪気を払うといわれる。

わか‐みどり【若緑】松の若葉。また、そのみずみずしい緑色。

わか‐みや【若宮】❶幼い皇子。❷皇族の子。❸新宮。

わか‐むき【若向き】若い人に似合うこと。

わか‐むしゃ【若武者】年若い武者。

*__わか‐むらさき【若紫】__うすい紫色。

*__わか‐め【若▽布・▽和▽布】__褐藻類コンブ科の海藻。冬から初夏に、沿岸の岩の上に生える。食用。

*__わか‐め【若芽】__生え出たばかりの草木の芽。

わか‐もの【若者】年の若い人。青年。若人。

わが‐もの【我(が)物】〔文〕自分の所有物。**—がお【—顔】**《名・形動》勝手気ままにふるまうこと。「—に歩き回る」

—と思えば軽し傘の雪《句》自分の利益になるなら、苦しいことも苦労と感じないの意。 参考 榎本其角の句「我が雪と思へば軽し笠の上」から。

わが‐や【我(が)家】自分の家・家庭。

わか‐やか【若やか】《形動》若々しいようす。「—にふるまう」

わか‐や・ぐ【若やぐ】《自五》若々しくなる。若返ったように元気はつらつとする。「—・いだ気分になる」

わがよ‐の‐はる【我(が)世の春】《連語》すべての事が自分の思いどおりになる、最も得意な時期。「—を謳歌する」

わからず‐や【分(か)らず屋】❶物事の道理のわからない人。また、道理を聞き分けないこと。「—を言う」❷人情の機微のわからない人。「彼は—だ」 表記 「没分暁漢」とも当てた。

わかり【分(か)り】わかること。のみこみ。理解。悟り。「—の良い学生」

わか・る【分かる・▽判る・▽解る】㊀《自五》❶知れなかった事が明らかになる。見たり聞いたりして、知る事ができる。「居場所が—・る」「結果が—・る」❷理解する事ができて、意味内容が明らかになる。了解される。納得される。「話の意味が—・らない」「私はドイツ語が—・る」「味が—・る」 類語 気付く。解せる。合点が行く。❸〔②から転じて〕人の気持ちや物事の事情を理解できる。世情に明るく、融通性がある。「気心は—・っている」「話の—・る人」 文《四》。㊁《他五》❶知らなかった事を明らかにする。理解する。「そのことばの意味を—・っているのか」❷人の気持ちや物事の事情を理解する。「この点を—・ってほしい」 文《四》。

わかれ【別れ】❶別れること。「—がつらい」 類語 別離。離別。告別。❷主たるものから分かれ出たもの。傍系。分岐。「先祖は源氏の—といわれる」 表記 ②は「分かれ」とも書く。

わかれ‐ぎわ【別れ際】別れるまぎわ。

わかれ‐じ【別れ路】〔文〕人と別れて行く道。

わかれ‐しな【別れしな】別れようとする時。別れぎわ。「—に手紙をわたす」

わかれ‐じも【別れ霜】春の終わりの霜。忘れ霜。「八十八夜の—」

わかれ‐ばなし【別れ話】〔夫婦・恋人・婚約者などの〕離別することに関する話し合い。「—が持ちあがる」

わかれ‐みち【分(か)れ道・別れ道】❶道が分かれている所。また、物事の進む方向が二方に分かれる所。岐路。「一〇〇メートルほど先が—になっている」「人生の—」❷本道から分かれ出た道。えだみち。

わかれ‐め【分(か)れ目】❶物が分かれている所。分岐点。「道の—」❷物事がどのような結果になるかという境目。「勝敗の—」「生死の—」

*__わか・れる【分かれる】__《自下一》❶一つのものが二つ以上のものになる。「道が三つに—・れる」「意見が—・れる」 類語 ①②分離する。❷区別が生じる。分裂。分化。分散。 文 わか・る《下二》。⇩〖使い分け〗

*__わか・れる【別れる】__《自下一》いっしょにいたものが離れ離れになる。離別する。「妻と—・れる」「駅で友人と—・れた」 注意 送りがなは「別かれる」としない。 文 わか・る《下二》。⇩〖類語と表現〗〖使い分け〗

類語と表現

「別れる」

＊夫婦が別れる・夫［妻］と別れる・愛する人と別れる・駅前で仲間と別れる・両親と別れて暮らす・親友と別れるのが辛い。

◆生き別れる・死に別れる・立ち別れる・泣き別れる・離れ離れになる・別れ別れになる・送る・見送る・縁を切る・関係［交際・交わり］を絶つ・袂を分かつ・仲が裂ける・暇乞いする・さよならする・バイバイする／離別・離縁・絶縁・訣別・送別・留別・告別・生別・死別・永別・永訣・辞去・拝辞・絶交・断交・義絶・勘当／別れ・別離・一別・哀別・惜別・子別れ・喧嘩別れ・今生の別れ・永の別れ・終いの別れ・夫婦別れ・物別れ

◆ 挨拶 さようなら・さらば・ではまた・ではこれで・また明日・グッドバイ・バイバイ・アデュー・オールボアール／お元気で・お大事に・気を付けて・道中ご無事で・行ってらっしゃい・行ってきます／お先に(失礼します)・お邪魔しました／〇〇さんによろしく

使い分け

「わかれる」

分かれる〔一つのものが離れて二つ以上になる〕道が二つに分かれる・六十余の国に分かれる・意見が分かれる・運命の分かれ目・五段階に分かれる評価

別れる〔一緒になっていたものが別々になる〕妻と別れる・母と死に別れる・駅で別れる・会談は物別れとなる

わかれ‐わかれ【別れ別れ】互いに別れて離れること。べつべつ。はなればなれ。「親子が—に暮らす」

わかわか‐し・い【若若しい】《形》いかにも若いという印象を与えるようす。「—・いお年寄り」

*__わ‐かん【和×姦】__〔文〕男女が合意の上で行う姦通。 対 強姦。

*__わ‐かん【和漢】__❶日本と中国。「—の書」 類語 日中。日華。❷和学と漢学。❸和文と漢文。**—こん**

漢文訓読体がまじった文体。平家物語・太平記などの軍記物に多く見られる。

こうぶん【―混×淆文】 文語文の一種。和文体と漢文訓読体がまじった文体。平家物語・太平記などの軍記物に多く見られる。

***わ-き【和気】**〔文〕なごやかなむつまじい雰囲気。**―あいあい【―×藹×藹】**《形動タルト》なごやかで楽しい気分が満ちているようす。「―とした会合」

***わき【×脇】** ❶胸の両側面で腕のつけねの下の部分。「本を―にかかえる」 類語 脇の下。腋窩(えきか)。❷衣服のわき①にあたる部分。「―のあいた着物」 表記 ①②は「腋」とも書く。❸人・物の横に近い所。かたわら。そば。「駅の―にある売店」 類語 傍(はた)。近く。近辺。近傍。付近。❹目ざすものからはずれた方向。横。あらぬかた。「話を―にそらす」「はずかしくて―を向く」 表記 ③④は「傍」「側」とも書く。❺能で、主役(シテ)に次ぐ演者。シテの相手役となって能を進行させる。 表記 ⑤はふつう「ワキ」と書く。❻連歌・俳諧(はいかい)で、脇句。

―が甘・い《句》❶相撲で、脇がしまらず、相手に差されやすい。❷〔転じて〕すきがあって、つけこまれやすい。

わ-ぎ【和議】 ❶仲直りの相談。「両国間に―が成立した」❷〔法〕債務者が破産の宣告を受ける状態にあるとき、破産からまぬかれるように債務者と債権者との合意によって結ばれる、債務整理に関する契約。

わき-あが・る【沸き上がる】《自五》❶さかんに沸く。煮え立つ。沸騰する。「湯が―・る」❷〔雲や煙などが〕下から出てきて上に上がる。「雲が―・る」 表記 ②はもっぱら「湧き上がる」と書く。❸〔感情や、それによる声などが〕激しく起こる。「怒りが―・る」「歓声が―・る」 表記 ③は「湧き上がる」とも書く。

わき-おこ・る【×湧き起こる】《自五》❶盛り上がるようにさかんに出てくる。「雲が―・る」❷感情や音などがさかんに生ずる。急に激しく起こる。「喜びが―・る」 表記 ②は「沸き起こる」とも書く。

わき-が【×腋▽臭・×狐▽臭】 わきの下の汗腺(かんせん)の異常分泌によって悪臭をはなつ病気。腋臭症(えきしゅうしょう)。

わき-かえ・る【沸き返る】《自五》(―かへる) ❶はげしく沸く。にえくりかえる。「鉄瓶が―・る」❷たえられないほど感情が高ぶる。怒りや興奮のため心中が激しく動揺する。「胸の中が―・る」❸〔人々が〕興奮して騒ぐ。熱狂する。「村中うわさで―・る」

わき-く【×脇句】 連歌・俳諧(はいかい)で、発句(ほっく)に続ける七・七の句。わき。「―を付ける」

わき-げ【×腋毛・×脇毛】 わきの下にはえる毛。

わき-ざし【×脇差・×脇指】 日本刀の一種。腰に差す長さ一、二尺の小刀。

わき-し【×脇師】 能楽で、ワキの役を専門とする役者。ワキ方(かた)。

わき-じ【×脇士】→脇士(きょうじ)。

わき-だち【×脇立】→脇士(きょうじ)。

わき-た・つ【沸き立つ・×湧き立つ】《自五》❶盛んに沸く。煮え立つ。「湯が―・つ」「鍋が―・つ」❷〔雲や煙などが〕下から出て上に広がる。「噴煙が―・つ」 表記 ②のみもっぱら「湧き立つ」と書く。❸感情がひどく高ぶる。また、興奮して騒ぐ。熱狂する。「―・つ心をおさえる」「劇的なシーンに場内が―・つ」 表記 ③は「湧き立つ」とも書く。

わき-づくえ【×脇机】 机の横に置いて、上に物をのせたり引き出しを利用したりするもの。袖机(そでづくえ)。

わき-づけ【×脇付】 手紙のあて名の左下に書き添えて敬意を表す語。「侍史(じし)」「机下」「玉案下」など。

わき-づれ【×脇連】 能楽で、ワキにつき従って演技する役者。わきつれ。 表記 ふつう「ワキヅレ」と書く。

わき-・でる【×湧き出る】《自下一》❶地中にある水が〔絶え間なく多量に〕地表に出てくる。「地下水が―・でる」❷涙が目から流れ出る。❸〔感情・才能など、ある物の中に含まれていて普段は見えないものが〕急に表面に出てくる。「勇気が―・でる」

ワギナ 膣(ちつ)。バギナ。▽ラテン vagina

わき-の-した【×腋の下・×脇の下】 両腕のつけねの下側のくぼんだ部分。腋窩(えきか)。わき。「―をくすぐる」

わき-ばさ・む【×脇挟む・×腋挟む】《他五》わきの下にはさみ込む。わきにかかえる。「本を―・んでの登校」

わき-ばら【×脇腹】 ❶腹の側面。よこばら。❷めかけの生んだ子。めかけばら。妾腹(しょうふく)。

わきまえ【▽弁え・×辨え】(わきまへ) わきまえること。「前後の―もなく」「善悪の―がない」

わきま・える【▽弁える・×辨える】(わきまへる)《他下一》❶正しく判断して見分ける。識別する。「自分の立場を―・える」 類語 弁ずる。分別(ふんべつ)(する)。弁別。❷物事を十分に理解して自分のものとする。よく心得る。「人情を―・える」「物の道理をよく―・えた人」 類語 会得(えとく)(する)。 文 わきま・ふ《下二》。

わき-み【×脇見】《名・自サ》わきを見ること。よそ見。わき目。「―運転」

わき-みず【×湧き水・×涌き水】(―みづ) 地下から自然にわき出る水。湧水(ゆうすい)。

わき-みち【×脇道】 ❶本道からわきにはいった道。横道。枝道。❷本筋からそれた道。また、正しくない方向。「話が―にそれる」

***わき-め【×脇目】** ❶わきみ。「―も振らず(=そのことだけを一心にするようす)」❷わきから見ること。よそめ。「―に見るほど楽ではない」

***わき-め【×脇芽】** 枝・茎の側方から出る芽。側芽(そくが)。

わき-やく【×脇役・▽傍役】 ❶映画・演劇などで、主役を助けて演じる役(の人)。助演者。❷中心となって活躍する人を補佐する立場(の人)。「―に徹して会長をたすける」 対 ①②主役。

わ-ぎゅう【和牛】 日本で古くから飼われている、労役・食肉兼用の牛。黒色または褐色。「黒毛―」

わ-ぎり【輪切り】 円筒形・紡錘形・球形の物を、切り口が円形になるように、横に(適当な厚さに)切ること。また、その切ったもの。「レンコンの―」

わ-きん【和金】 金魚の一品種。体形はフナに似て、色は赤や赤白のぶちなど。最も多く飼われる。

***わく【枠】** ❶細長い材料を組み合わせて、器具の骨または縁(ふち)としたもの。「窓の―」❷印刷記事などの四方を取り囲む線。囲み。輪郭。「黒―」❸コンクリートを流し込むときに用いる箱形の板。パネル。❹ある制限の範囲。「予算の―を超える」「―にはまる(=考え方などが、古い形そのままで新味がない)」

***わ・く【沸く】**《自五》❶水などが熱せられて沸騰する。また、熱くなる。「湯が―・く」「風呂(ふろ)が―・く」 類語 沸き立つ。沸き返る。煮え立つ。煮えたぎる。煮立つ。❷金属が熱せられて溶ける。「鉛が―・く」❸感情が高ぶる。興奮する。「ホームランに場内が―・く」「ハイテク産業は好況に―・く」 文《四》。

***わ・く【×湧く・×涌く】**《自五》❶水などが、地中から地表に吹き出す。「清水が―・く」 類語 湧出(ゆうしゅつ)(する)。

わ

噴出。❷汗・涙などが出る。「悔し涙が━・く」❸ある感情などが生じる。起こる。「勇気が━・く」「希望が━・く」❹(何もなさそうな所から)虫などが一時に(大量に)発生する。「シラミが━・く」[文]《四》。

わく-がい【枠外】一定の範囲・限界の外。制限外。「━の人員」[対]枠内(わくない)。

わく-ぐみ【枠組(み)】❶枠を組むこと。また、その枠。❷物事の大まかな組み立て。「論文の━」

わく-せい【惑星】❶太陽のまわりを公転し、それ自身発光しない大形天体の総称。水星・金星・地球・火星・木星・土星・天王星・海王星・冥王(めいおう)星の九つがある。遊星。[対]恒星。❷人物・力量などが未知であるが、有力と見られている人。ダークホース。「政界の━」

ワクチン 病原菌やウイルスを弱毒化したり死滅させたりしてつくった、感染症の予防接種に用いる免疫材料。▽(ドイツ) Vakzin

わく-でき【惑×溺】《名・自サ》〔文〕その事にすっかり心を奪われて、本心を失うこと。「子供への愛に━する」「酒色に━する」[類語]耽溺(たんでき)。

わく-どり【枠取り】《名・自他サ》❶線を引くなどして、枠をつけること。「図面の━」❷ある制限の範囲をきめること。

わく-ない【枠内】一定の範囲・限度の内。制限内。「予算の━」[対]枠外(わくがい)。

わくら-ば【▽病葉】〔文〕病気で変色したり枯れたりした葉。また、夏、赤または黄白色に色づいた葉。

わく-らん【惑乱】《名・自他サ》〔文〕(物事を冷静に判断できないほど)心が迷い乱れること。また、まどわし乱すこと。「人心を━する」

わく-わく《副・自サ》《副詞は「━と」の形も》期待などで心が落ち着かないようす。「━して眠れない」

わ-くん【和訓・×倭訓】漢字・漢語を、それに相当する日本固有のことばをあてて読みとること。また、その読み方。訓。

*__わけ__【分け】━《名》引き分け。「この勝負は━としよう」━《接頭》のれん分けした店であることを表す。(芸者屋などの名に使う)「━花の家」

*__わけ__【訳】━《名》❶物事の筋道。道理。「━の分からない人」[類語]条理。事理。❷事情。いきさつ。また、物事の原因・理由。「遅刻した━を話す」[類語]謂(いわ)れ。所以(ゆえん)。故由(ゆえよし)。故(ゆえ)。次第。子細。事由。❸深い事情。いわく。特に、男女間の情事について言う。「あの二人は━ありだ」❹意味。「━の分からないことば」[類語]意義。趣旨。━《形名》❶帰結として当然そうなったということ。次第。「晴れたので、出かけた━です」❷《下に打ち消しの語を伴って》否定の意をやわらげた言い方。「どうなる━でもない」❸《あとに「いかない」という語を伴って》(理論的な帰結として)そうすることはできない。「承知する━にはいかない」

わけ-あい【訳合(い)】(ひあ)わけ。事情や理由。訳柄。「どうしても出席しなければならぬ━がある」

わけ-あり【訳有り】《名・形動》〔俗〕特別な事情があること。「━の人」

わ-げい【話芸】たくみな話術で人の心をひきつける芸。「━にたける」

わけい-せいじゃく【和敬清寂】〔文〕茶道で、穏やかで慎み深く、汚れなく落ち着いていること。[参考]「和」と「敬」は主客の心得、「清」と「寂」は茶室・茶庭・茶器などの心得を示す。

わけ-がら【訳柄】訳合い。

わけ-ぎ【分×葱・▽冬×葱】ユリ科の多年草。全体がネギに似ているが、かおりが少なく、葉は二〇〜三〇(センチ)で細い。食用。冬から春にかけて収穫される。

わ-げさ【輪×袈×裟】布を輪の形にし、首にかけて胸にたらす略式の袈裟。種子袈裟(しゅじげさ)。

わけ-しり【訳知り】❶物事の事情に通じている・こと(人)。「━顔で得々と話す」❷情事の機微や遊里の事情に通じている・こと(人)。粋(すい)。粋人(すいじん)。

わけて-も【▽別けても】《副》とりわけ。「━数学が得意だ」

わけ-な・い【訳無い】《形》手間がかからない。簡単である。たやすい。「━・い仕事」

わけ-へだて【分け隔て・▽別け隔て】《名・他サ》相手によって対し方・もてなし方を変えること。差別待遇。「━なくつきあう」

わけ-まえ【分け前】(へ|ま)めいめいに分け与えられる分。わりまえ。「━にあずかる」

わけ-め【分け目】❶物を分けた境の所。「髪の━」❷物事の決着がどちらにつくかという境目。分かれ目。「天下━の戦い」「生死の━」

わげ-もの【×綰物】ヒノキ・杉などの薄い板を円形に曲げ、底板を取り付けた容器。曲げ物。

わ・ける【分ける・▽別ける】《他下一》❶(一つにまとまっているものを)二つ以上の部分に離す。分割する。分かつ。「髪を七三に━・ける」「予算を月別に━・ける」❷(雑多なものを)種類によって区別する。分類する。分かつ。「ことばを漢語と和語に━・ける」[類語]分別(ぶんべつ)。類別。区分け。部分け。❸一部分を他に与える。分配する。「食糧を━・ける」[表記]③は「頒ける」とも書く。❹争っているものを引き離す。また、引き分けにする。「けんかを━・ける」[文]わ・く《下二》。

わ・げる【×綰げる】《他下一》ヒノキ・杉などのうすく削った板をたわめて、円形にする。

わ-ご【和語・×倭語】漢語の渡来する以前から日本に存在していた、日本固有の語。「あめつち(天地)」「やま(山)」「かわ(川)」など。やまとことば。字訓語。

和語

和語は、単語のうち日本で作られた純粋な日本語の単語のことで、「あさ(朝)」「やま(山)」「はる(春)」「ひと(人)」「くる(来る)」「よい(良い)」など、親しい言葉はみなこれである。「白い」「早い」などの形容詞はほとんど全部が和語で、「は」「が」「を」「けれども」などの助詞もすべて和語である。

和語は耳に聞いて分かりやすく、「朝露」「春霞(はるがすみ)」「三日月」「若草」のような美しい意味・響きのものがたくさんある。和歌・俳句・詩などに多く使われるが、「野分(のわき)」「時雨(しぐれ)」のように正体が分からなくなって使われなくなりそうなものもある。

和語は、多くは漢字で書くことができるが、助詞や擬態語などは漢字では書かない。

わ-こう【和×寇・×倭×寇】鎌倉から室町時代にかけて、朝鮮・中国沿岸で略奪または私貿易に従事した日本人の集団を、中国・朝鮮側で呼んだ語。

わ-ごう【和合】《名・自サ》〔文〕互いに仲むつまじくしあうこと。むつみ合うこと。「夫婦—」

わこうど【〈若人〉】《「わかうど(わかびと)」の転》若者。青年。「—の集い」

わこう-どうじん【和光同×塵】❶〔文〕自分の才能・智徳(ちとく)の光をやわらげてつつみ隠し、俗世間に従いまじわること。参考 老子のことばから。❷〔仏〕仏・菩薩(ぼさつ)が智徳の光を隠して、煩悩(ぼんのう)の塵(ちり)にまみれて人間界に現れること。本地垂迹(ほんじすいじゃく)。

わ-こく【和国・×倭国】❶〔文〕日本の国。わが国。❷中国・朝鮮で、「日本国」の古称。倭(わ)。

わ-ごと【和事】歌舞伎(かぶき)で、恋愛・情事の場面を演じる演技や場面・演目。対 実事・荒事。

わ-ゴム【輪ゴム】細い輪状のゴム。ゴムバンド。

わ-こん【和魂】〔文〕日本人に固有の精神。やまとだましい。**—かんさい【—漢才】**日本固有の精神と中国からとり入れた学問(を兼ねそなえていること)。古くは学者の理想とされた。**—ようさい【—洋才】**《「和魂漢才」のもじり》日本固有の精神と西洋からとり入れた学問(を兼ねそなえていること)。参考 明治時代に言われた。

***わ-ごん【和▽琴・×倭▽琴】**日本古来の琴で、現代の琴より小形のもの。六弦がふつうで、雅楽に用いる。やまとごと。

***ワゴン** ❶四輪の荷馬車。❷料理などを運ぶための手押し車。移動式配膳(はいぜん)台。「—サービス」「—セール」❸「ステーションワゴン」の略。荷物輸送用の箱形自動車。▽wagon

***わざ【技】**❶〔物事を行うための〕一定の型に基づく技術。「—をみがく」類語 腕前。技能。術。テクニック。❷柔道・剣道・相撲などで、相手に仕掛けて負かすための、一定の型に基づく動作。「—をかける」

***わざ【業】**❶行い。しわざ。所為。「人間の—ではない」「至難の—」❷〔つとめとして〕行う事柄。仕事。こと。「炭焼きを—とする」「容易な—ではない」

わざ-あり【技有り】柔道で、わざが完全には決まらないが、かなり有効だった場合の判定。二回とると「合わせて一本」となり、勝つ。

わ-さい【和裁】和服の裁縫。対 洋裁。

わざ-し【業師】❶〔柔道・相撲などで〕わざの特に巧みな人。❷策略に富んだ人。策士。

わざ-と【▽態と】《副》自然の成り行きに対して意識的に何らかの行為をしかけるようす。故意に。わざわざ。「—しくじった」

わざと-がまし・い【▽態とがましい】《形》わざとらしい。「—・い親切」

わざと-らし・い【▽態とらしい】《形》わざと行ったように見えるようす。わざとがましい。「—・く笑う」

わさび【▽山×葵】アブラナ科の多年草。渓流に自生。栽培もする。根茎は強い辛味とかおりを持ち、香辛料にされる。「—が利く(=人の言動などが、鋭くぴりっとひきしまっている)」**—づけ【—漬(け)】**ワサビの根・茎・葉を細かに刻んで酒粕(さけかす)に漬けた食品。

わざ-もの【業物】名工が鍛えた、切れ味の鋭い刀。

わざ-わい【災い・▽禍】(—はひ)人を不幸にする悪い出来事。災難。災厄。「口は—の門」類語 難。厄。災害。災禍。厄難。**—・する**《自サ変》それが原因となって悪い結果を生ずる。「正直がかえって—・した」**—を転じて福となす**《句》災いにあっても、それを利用して、自分に都合のいいように事をはこぶ。

わさ-わさ《副・自サ》《副詞は「—と」の形も》落ち着かず、ざわついているようす。「—と落ち着かない」

わざ-わざ【▽態▽態】《副》その事だけのために、また、必要もないのに、特に意図的に事を行うようす。「—手紙で礼を言う」

***わ-さん【和算】**中国から伝来した算法をもとにして、江戸時代、日本で独自に発達した数学。対 洋算。

***わ-さん【和×讃】**〔仏〕日本語を用いた仏教賛歌。七五調の今様歌形式で、仏・菩薩(ぼさつ)の功徳(くどく)をほめたたえたもの。参考 梵語を用いるものは「梵讃(ぼんさん)」、漢文のものを「漢讃」という。

わ-さんぼん【和三盆】精製された上等の白砂糖。三盆。三盆白(じろ)。参考 中国から入ってきた砂糖を「唐三盆」と呼んだのに対していう。

***わ-し【和紙】**日本古来の製法による手すきの紙。コウゾ・ミツマタ・ガンピなどの繊維を原料とする。鳥の子紙・美濃(みの)紙など。日本紙。対 洋紙。

***わし【×鷲】**タカ科の鳥のうち、大形の猛鳥の総称。翼は長大で、くちばし・つめは鋭くかぎ状に曲がる。日本にはイヌワシ・オジロワシ・オオワシなどがいる。

***わし【×儂】**《代名》《「わたくし」の略》《自称の人代名詞》多く、年配の男の人が目下の人に対して用いる。

わ-じ【和字】国字❷。

わ-しき【和式】日本特有の様式。日本式。類語 和風。対 洋式。

わ-しつ【和室】日本古来の建築様式による、畳敷きの部屋。日本間。対 洋室。

わし-づかみ【×鷲×掴み】鷲(わし)が獲物をとるように、指を広げて荒々しくつかむこと。「札束を—にする」

わし-ばな【×鷲鼻】鷲(わし)のくちばしのように、先が下向きにとがっている鼻。かぎばな。わしっぱな。

わ-しゃ【話者】〔文〕話す人。話し手。対 聴者。

わ-しゅう【和臭】日本のものらしい特殊な傾向や趣。日本(人)くささ。「—の漢文」

わ-じゅう【輪中】江戸時代、水害を防ぐため、川中の州を利用した耕地や集落の周囲に堤防をめぐらしたもの。表記 現代仮名遣いでは「わぢゅう」も許容。

わ-じゅつ【話術】(巧みに)話す技術。話のしかた。

わ-しょ【和書】❶日本語で書き著された書物。対 洋書・漢書。❷和とじの書物。

わ-じょう【和上・和▽尚】師の僧。参考 真宗・律宗・法相(ほっそう)宗・真言宗などでいう。

わ-しょく【和食】日本料理。対 洋食。

わ-しん【和親】《名・自サ》〔文〕親しみ仲よくすること。特に、国と国との間の親交に言う。「—条約」

わ-じん【和人・×倭人】昔、中国人やアイヌ人が用いた、「日本人」に対する呼称。

わずか【×僅か・×纔か】(わづか)《形動》❶《副》時間・数量・程度・価値などの非常に少ないようす。「—一秒の差」「集まったのは—に五人だった」「—な金銭」類語 かすか。いささか。少々。僅少(きんしょう)。些細(ささい)。些少。微々。微少。軽微。軽少。❷〈「—に」の形で〉かろうじて。やっと。「—に口をしめらす程度の水」

わずらい【煩い・患い】(わづらひ)❶心を悩ませること。心配ごと。❷病気。「長(なが)の—」表記 ②はもっぱら「患い」と書く。

わ

わずらい-つ・く【患い付く】《自五》病気になる。

わずら・う【煩う・患う】■一《自他五》❶思いなやむ。心の中で苦しむ。「心を―・わせる」類語(る)苦悩。煩悶。懊悩。❷病気にかかる。病む。「胸を―・う」表記❷はもっぱら「患う」と書く。類語(る)罹患。罹病。文《四》。■二《接尾》❶「…して苦しむ」の意。「思い―・う」「悩み―・う」❷「…しかねる」「なかなか…しない」の意。「行き―・う」文《四》。

わずらわし・い【煩わしい】《形》面倒で、気が進まない感じである。また、手間がかかって面倒くさい。煩雑である。「外出さえ―・い」「―・い人間関係」類語億劫。煩瑣。煩多。文わづらは・し《シク》。

わずらわ・す【煩わす】《他五》❶心を悩ませる。苦しい思いをさせる。「子は親を―・す」❷世話を焼かせる。面倒をかける。わざわざしてもらう。「先生の手を―・す」同①②わずらわせる。文《四》。

わ・する【和する】《自サ変》❶他と交わって仲よくする。「他校の生徒と―・して語る」❷他と、声・音などの調子を合わせる。「ピアノに―・して歌う」❸他の詩歌にこたえて、それにかなった詩歌を作る。

―して同ぜず《句》仲よく交際はするが、道理に合わないことにまで同調はしない。〈論語・子路〉

わすれ-がた・い【忘れ難い】《形》〔文〕忘れられない。いつまでも記憶に残る。

わすれ-がたみ【忘れ形見】❶その人を長く忘れないための記念の品。❷親の死後に残された子供。遺児。遺子。「夫の―」

わすれ-じも【忘れ霜】春の終わりごろにおりる霜。別れ霜。晩霜。「八十八夜の―」

わすれ-っ-ぽ・い【忘れっぽい】《形》忘れやすい性質である。忘れがちである。「年を取ると―・くなる」

わすれな-ぐさ【×勿▽忘草】ムラサキ科の多年草。ヨーロッパ原産。春から夏にかけ、茎の先に青い小さな花が多数開く。観賞用。わするなぐさ。参考英語の forget-me-not の訳語。

わすれ-もの【忘れ物】持って行くべき物を忘れて置いてくること。また、その物。「―をする」類語遺失物。

わす・れる【忘れる】《他下一》❶心にとめていたことが記憶から消える。「恩を―・れる」「昔のことを―・れない」類語(る)物忘れ。度忘れ。忘却。失念。忘失。❷〔他の事に心を奪われて〕気がつかないでいる。「寝食を―・れて働く」「時のたつのを―・れる」❸〔持ってくるべき物を〕うっかりして置いてくる。「財布を―・れる」❹すべきことをしないでいる。「宿題を―・れた」❺〔過去のことを〕思い出さないようにする。「済んだ事は―・れよう」類語水に流す。文わす・る《下二》。

＊**わせ**【▽早▽生】生育の早い作物。転じて、成熟の早い人。そうせい。対中手・晩生。

＊**わせ**【▽早▽稲】早く開花・結実・成熟する品種のイネ。対中稲・晩稲。

＊**わ-せい**【和声】和音が進行していくときの調和した響き。旋律(=メロディー)・リズムと並んで、音楽をかたちづくる基本的な要素。ハーモニー。

＊**わ-せい**【和製】日本製。類語国産。

―えいご【―英語】日本で、英語らしく作った語。「アイビースタイル」「バックミラー」など。

ワセリン 石油を分留したかすを精製してつくる、白色・半透明のゼリー状物質。軟膏・さび止め剤などの原料。参考商標名。▽ドイツ Vaselin

＊**わ-せん**【和戦】〔文〕❶仲直りすることと戦うこと。「―両様の構え」❷仲直りすること。「―条約」

＊**わ-せん**【和船】日本固有の形式の木造船。

わ-そう【和装】❶日本風の服装。和服姿。❷日本風の装丁。和綴じ。「―本」対①②洋装。

わ-ぞく【和俗】日本のならわし・風俗。

＊**わた**【綿・×棉】❶アオイ科の一年草。果実は熟すと割れ、種子を包んだ白くて長い繊維を露出する。これを綿花といい、糸やもめん綿の原料とする。種子から油をとる。表記「棉」と書いた。❷もめん綿・真綿などの総称。「―のように疲れる(=くたくたになる)」

＊**わた**【▽腸】はらわた。「魚の―を抜く」

わた-あめ【綿×飴】綿のようにふわふわした駄菓子。ざらめを煮つめ、噴射・冷却して、細い糸のようになったところを割りばしにからめとる。綿菓子。

わ-だい【話題】話の題目。話の材料。話のたね。「―が豊富な人」「―の人物」類語話柄。

わた-いれ【綿入れ】表布と裏布の間に綿を入れた防寒用の和服。

わた-うち【綿打ち】打ち綿を作ること(職人)。

わた-がし【綿菓子】綿飴。

わだかまり【×蟠り】誤解・不信・不満などがあって、さっぱりしない気持ち。「話し合って胸の―がとれる」

わだかま・る【×蟠る】《自五》〔とぐろを巻く意〕晴れ晴れとしない複雑な感情が心につかえる。「いやな気持ちが―・っていた」文《四》。

わたくし【私】■一《名》〔文〕❶自分だけについてのこと。個人的なこと。「―の感情」対公。❷公然・公正でないこと。その人だけの秘密であること。「―に交渉する」❸えこひいきがあること。不公平。「―のない教育」❹自分の都合・利益だけを本位とすること。私曲。「―をはかる(=私利・私欲をはかる)」■二《代名》《自称の人代名詞》話し手が自分自身をさす語。わたし。〔男女を通じて、標準的な、やや改まった言い方〕「―にお任せ下さい」「―で恐れ入りますが…」

―ごと【―事】❶個人的なこと。私事。❷隠しごと。内緒ごと。

―しょうせつ【―小説】↓ししょうせつ。

―・する《他サ変》公共のものを自分のもののように使う。「公金を―・する」

―りつ【―立】↓しりつ(私立)。参考市立と混同するのを避けて言う。

わた-ぐも【綿雲】「積雲」の別称。

わた-くり【綿繰り】❶綿花から綿の種を取り去る作業。❷「綿繰り車」の略。二本のローラーの間に綿花を通して繊維と綿の実を分ける装置。

わた-げ【綿毛】綿のように柔らかい毛。にこげ。

＊**わたし**【渡し】❶人に物を渡すこと。「店頭―」❷人や物を舟で対岸に渡すこと。また、その場所や舟。渡し場。渡し舟。「矢切の―」

＊**わたし**【▽私】《代名》〔「わたくし」の転〕《自称の人代名詞》話し手が自分自身をさす語。〔男女を通じて、標準的な言い方〕⇩【類語と表現】

類語と表現

「私」

＊私が行きます・私を忘れないでください・私に任せてください・私にも考えがあります・私の好きな人・この土地は私のものだ・私としたことが迂闊でした。

◆私(わたくし)・あたし・あたい・あっし・儂(わし)・わて・わい・うち・僕(ぼく)・俺(おれ)・おいら・おい(どん)・おら・こちとら・こちら・こっち・自分・某(それがし)・吾人・予・我(われ)・我が輩・余輩・乃公(だいこう)・わらわ／朕(ちん)(＝天子・王の自称)
◆[謙称]手前・身ども・小生・小職・老生・愚生・愚老・野生・拙生(せっせい)・拙・拙者・拙僧・拙老・不肖

わたし-ば【渡し場】 渡し舟が往来する場所。渡船場。渡し。

わたし-ぶね【渡し舟・渡し船】 渡し場を往来して、人や物を対岸に渡す船。

わたし-もり【渡し守】 渡し舟の船頭。

わた・す【渡す】 ㊀《他五》❶こちら側から向こう側へ送る。「船で人を—・す」「犯人を警察に—・す」❷一方から他方にまたがらせる。かける。「橋を—・す」❸二点の間に張る。「網を—・す」❹手から手へ移す。「賞品を—・す」類語(するす)交付。授付。下付。譲渡。文《四》。㊁《接尾》その動きが全体にわたるようにする。ずっと…する。「眺め—・す」「見—・す」文《四》。

わだち【×轍】 ❶車が通ったあとに残る車輪のあと。「馬車の—」❷〔俗〕車の輪。

わた-つ-み【▽海▽神・綿津見】《「わた」は海、「つ」は「の」、「み」は神の意》〔古〕❶海の神。海神(かいじん)。❷海。表記②は「綿津見」と書く。＝わだつみ。

わた-の-はら【▽海の原】〔古〕海原(うなばら)。

わた-ぼうし【綿帽子】 ❶江戸時代、真綿をのばし広げてふのりで固めた、女子のかぶり物。のち、婚礼のとき新婦が用いるかぶり物。かずきわた。❷山頂や木の枝などに積もった白い雪を帽子に見立てた語。

わた-ぼこり【綿×埃】 散らばった綿くずのほこり。また、綿のようにかたまったほこり。

わた-ゆき【綿雪】 綿をちぎったように、大きな雪片となって降る雪。

***わたり【渡り】** ❶渡ること。また、川などの渡るべき所。渡し場。渡し。「—に船(＝ちょうどその場にふさわしく、好都合なこと)」❷外国から渡来すること。伝来。「オランダ—のギヤマン」❸渡り歩くこと。また、その人。「—職人」❹うまく通じ合うように連絡をとること。交渉。話し合い。また、交渉・話し合いのてづる。「—をつける」❺囲碁で、盤の端を利用して二つの石の連絡をとること。❻鳥類の季節的な大移動。

***わたり【▽辺】**〔古〕あたり。「里の—」

わたり-あ・う【渡り合う】《自五》❶議論し合う。論争する。また、争う。張り合う。「外国人と英語で—・う」❷切り合う。戦う。「敵兵と—・う」

わたり-ある・く【渡り歩く】《自五》(仕事を求めて)あちこちと移り歩く。「世間を—・く」

わたり-ぜりふ【渡り▽台▽詞】 歌舞伎(かぶき)で、一続きのせりふを二人以上の役者が分担して順々に続けて言うこと(せりふ)。最後の一句を全員で斉唱する。

わたり-ぞめ【渡り初め】〔一般の通行に先立って〕完成した橋を初めて渡ること。また、その儀式。

わたり-どり【渡り鳥】 繁殖地と越冬地の間を、毎年きまった季節に移動する鳥。夏鳥・冬鳥・旅鳥・漂鳥などに分けられる。候鳥。対留鳥。

わたり-もの【渡り者】 ❶渡り奉公をする人。❷一か所に落ち着かず、渡り歩いて暮らす人。「旅から旅の—」❸他の土地からやって来た人。よそもの。

わたり-ろうか【渡り廊下】 建物をつなぐ廊下。

わた・る【渡る】 ㊀《自五》❶〔間をへだてているところを通って〕一方の側から他方の側へ移動する。「橋を—・る」「川を—・る」❷海を越えて、遠方へ・行く(来る)。「米国に—・る」「南へ—・る鳥」❸通り過ぎて行く。「樹間を—・る秋の風」「時雨(しぐれ)が—・る」❹世の中を生きて行く。暮らして行く。「世を—・る」❺他人の手に移る。他の所有するところとなる。「家が人手に—・る」❻ある範囲にまで及ぶ。また、広い範囲にあまねく及ぶ。かかわる。「細部に—・って調べる」「東西に—・る学識」❼ある期間中引き続き行われる。「三か月に—・る旅行」表記⑥⑦は「亙る」「亘る」と書く。また、①⑥は「渉る」とも書く。文《四》。㊁《自四》〔古〕「居る」「行く」「来る」の尊敬語。いらっしゃる。「美男に—・らせられる」㊂《接尾》すみずみまで及ぶ。「響き—・る鐘の音」「冴(さ)え—・る月」文《四》。

—る世間に鬼はな・い《句》世の中には無慈悲な人ばかりがいるわけではない、情け深い人もいるものだ。

わ-だん【和談】〔文〕和議。「—が成立する」

わちき《代名》《自称の人代名詞》江戸時代、吉原(よしわら)の遊女たちが自分をさして言った語。

わ-ちゅう【和衷】〔文〕心の底からやわらぐこと。また、心をやわらげて互いに親しくすること。「—協同(＝心を合わせて親しみ協力して事を行うこと)」

わ-ぢゅう【輪中】→わじゅう。

わっ《感》❶驚いたとき、驚かすときに発する語。❷急に激しく泣き出すときに発する語。

わっか【輪っか】〔俗〕輪(わ)。

ワックス つやを出したりすべりをよくしたりするために塗る蠟(ろう)。「スキーの—」「床に—を塗る」▽wax

ワッシャー ❶ボルトとナットで物を締めつけるとき、間にはさむ薄い金属板。座金(ざがね)。❷「ワッシャー加工」の略。初めから洗いっぱなしのような自然なしわをつくる加工法。▽washer

わっしょい《感》おおぜいで重い物をかつぐときや、気勢を上げるときに発する語。「祭りだ祭りだ—、—」

ワッセルマン-はんのう【ワッセルマン反応】 梅毒の診断に用いる血清反応。参考ドイツの細菌学者ワッセルマン(Wassermann)が発見した。

わっち《代名》《自称の人代名詞》〔俗〕「わたし」のなまった言い方。

ワット《助数》❶仕事率(電気工学では電力)の単位。一ワットは一秒間に一ジュールの仕事をする仕事率。また、一ボルトの電圧で一アンペアの電流が一秒間に行う仕事率。記号W。❷「ワット時」の略。▽watt(＝人名から)

—じ【—時】《助数》仕事量(電気工学では電力量)の単位。一ワット時は一ワットの仕事率で一時間行ったときの仕事量。ワット(アワー)。記号Wh。

***わっぱ【▽童】**《「わらは(童)」の転》〔俗〕子どもをののしって言う語。わんぱく小僧。「こしゃくな小—め」

***わっぱ【輪っぱ】** ❶輪の形をしたもの。❷曲げ木細工の容器。

わっ-ぷ【割賦】《「わりふ」の促音便》割賦(ぶかっ)。

ワッフル 洋菓子の一つ。小麦粉に鶏卵・砂糖・牛乳・バターなどを混ぜて型で厚めに焼き、ジャムやクリームをのせて二つに折ったもの。▽waffle

ワッペン ブレザーコートなどの腕や胸に縫いつける、紋章風の模様のある布製の飾り。また、それに類したおもちゃ。▽ドイツ Wappen(＝紋章)

わ

わて《代名》《自称の人代名詞》〔関西方言〕わたし。

わ‐とう【話頭】〔文〕話の糸口。話の内容。話題。「―を転ずる」「―に上る」

わ‐とじ【和×綴(じ)】(―とぢ) 和紙を二つ折りにして重ね、その端を表紙の上から糸でかがる、和本のとじ方。「―の和歌集」対洋綴(ようと)じ。

わな【×罠・×羂】〔ひもなどを輪の形にしたものの意から〕❶鳥獣を捕らえるため、なわを輪の形にして引けば締まるように作ったもの。また、網・落とし穴など、鳥獣を生け捕りにする仕掛け。「―をかける」❷人をおとしいれる計略。「敵の―にはまる」類語陥穽(かんせい)。

わ‐なげ【輪投げ】遠くの棒に輪を投げ入れる遊び。

わなな‐く【▽戦×慄く】《自五》〔恐れ・寒さ・緊張などのために〕からだ(全体)がぶるぶるとふるえる。おののく。「恐怖で全身が―・く」文《四》。

わ‐なり【輪▽形】〔文〕輪のような形。環状。

わな‐わな《副・自サ》《副詞は「―と」の形も》〔感情の高まりや寒さで〕震えるようす。「あまりの寒さに手足が―と震える」

わに【×鰐】❶ワニ目に属するはちゅう類の総称。多くは熱帯・亜熱帯地方の川や湖にすむ。短い肢(あし)と長い尾を持つ。体は角質のうろこでおおわれ、指には水かきがある。❷サメ類の古名。わにざめ。

わに‐あし【×鰐足】人が歩くときの足つきで、足首の方向が斜めになること。参考外側に向くのを外鰐、内側に向くのを内鰐という。

わに‐ぐち【×鰐口】❶社寺の拝殿の正面に綱とともにつり下げ、綱を振って打ち鳴らす金属製の法具。中空で下方が横に長く裂けている。金鼓(ごん)。❷人の口の形が横に長いのをあざけっていう語。

鰐口①

ワニス つやのある透明な膜を作る塗料。ニス。仮漆(かしつ)。▽varnish から。

わ‐ぬけ【輪抜け】宙にある輪をくぐり抜ける曲芸。

わ‐のり【輪乗り】〔馬術で〕輪の形を描くように馬を乗り回すこと。

***わび【×侘(び)】**❶静かな生活の情趣を楽しむこと。❷茶道や俳諧(はいかい)の理念で、閑寂質素で落ち着きのある風情(ふぜい)・境地。表記もと「佗」と書いた。類語さび。

***わび【×詫(び)】**あやまちをわびること。また、そのことば。謝罪。陳謝。「被害者に心底から―を言う」「―を入れる」

わび‐い・る【×詫び入る】《自五》心をこめて相手にわびる。「―・らんばかりの風情で縮こまる」

わび‐ごと【×詫(び)言】謝罪のことば。「―を言う」

わびし・い【×侘しい】《形》❶心を慰めるものがなくてさびしい。心細い。「一人―・く暮らす」❷さびしくても静かな趣がある。「―・い夕暮れ時」❸貧しくみすぼらしい。「―・い食卓」文わびし《シク》。

わび‐じょう【×詫(び)状】おわびの手紙。謝状。

わび‐すけ【×侘助】ツバキ科の常緑小高木。葉も花もツバキに似るが小さく、葉は細く、花は完全に開ききらない。茶花として好まれる。

わび‐ずまい【×侘(び)住(ま)い】(―ずまひ) ❶貧しくみすぼらしくて、心細いくらし。また、その住居。「アパートの―」❷〔文〕騒々しい世間からのがれた、ひっそりとした静かなくらし。また、その住居。「山里の―」

わび‐ちゃ【×侘(び)茶】茶の湯の一つ。和敬清寂(わけいせいじゃく)の境地を重んじる。参考桃山時代に千利休(せんのりきゅう)が完成させたとされる。→和敬清寂

わび‐ね【×侘(び)寝】〔文〕さびしい思いで寝ること。一人わびしく寝ること。

***わ・びる【×侘びる】**㊀《自上一》❶〔古〕さびしく思う。もの悲しく思う。❷〔文〕見すぼらしく見える。「山奥の―・びた住まい」文わ・ぶ《上二》。㊁《接尾》…する気力を失う。…しきれなくなる。…あぐねる。「待ち―・びる」「恋い―・びる」文わ・ぶ《上二》。

***わ・びる【×詫びる】**《他上一》あやまる。謝罪する。「両手をついて―・びる」文わ・ぶ《上二》。⇩【類語と表現】

類語と表現

「詫(わ)びる」

*非礼を詫びる・無沙汰(ぶさた)を詫びる・不行き届きを詫びる・遅れてきたことを詫びる／詫び状をしたためる。

◆謝る・謝する・謝罪する・陳謝する・深謝する・平謝りに謝る・謝意を表する・詫び入る・詫びを入れる・詫び言を連ねる〔並べる・並べ立てる〕・許し〔御免〕を請う・容赦〔勘弁〕願う

◆**副詞句表現** 謹んで・衷心より・心から・幾重にも・ひとえに・ひたすら・土下座して・七重(ななえ)の膝(ひざ)を八重(やえ)に折って

◆**挨拶** 御免なさい・申し訳ありません・すみません・失礼しました・どうかお許しください・勘弁〔堪忍〕してください・ご海容のほどお願いします・お詫び申し上げます・お詫びの言葉もありません・不徳の致すところです・もう二度と致しません・深く反省しております・悔悟の涙に暮れております・痛惜の念にかられております・失礼・失敬・ご免・悪いなあ・すまん／妄言(もうげん)多罪〔多謝〕

わ‐ふう【和風】❶日本独特の様式・風習。日本風。「―建築」対洋風。❷〔文〕穏やかな風。春風。

わ‐ふく【和服】日本独特の様式による衣服。きもの。「―を着こなす」対洋服。

わ‐ぶん【和文】日本語の文章。邦文。「―英訳」対漢文・欧文。

***わ‐へい【和平】**〔文〕戦争をやめて平和になること。「―工作」

***わ‐へい【話柄】**〔文〕話す事柄。話の種。話の題。「―を転ずる」

わ‐ほう【話法】❶話す技術。話のしかた。「巧みな―で聴衆をあきさせない」❷文法で、ある発話を自分の発話の中に引用するときの表現形式。直接話法と間接話法がある。

わ‐ぼく【和×睦】《名・自サ》〔文〕争いをやめて、仲直りをすること。

わ‐ほん【和本】和とじの書物。和書。対洋本。

わ‐まわし【輪回し】(―まはし) 子どもの遊戯の一つ。叉(また)状になった棒の先を、鉄または竹で作った輪にはめて、倒れないように押しころがしていくもの。

わ‐みょう【和名・×倭名】〔文〕日本での(古くからの)呼び名。日本名。わめい。対唐名。

わ‐めい【和名】❶和名(わみょう)。❷動植物につけた、動植物学上の日本での標準名。参考たとえば、ホモサピエンス(=学名)に対する和名は「ヒト」。梧桐(ごとう)(=漢名)に

対する和名は「青桐」。

わめ・く【▽喚く】《自五》大きな声で叫ぶ。また、大声を上げて騒ぐ。「興奮して━・く」 類語 叫ぶ。 文《四》。

> **類義語の使い分け　わめく・叫ぶ**
> [わめく・叫ぶ]「助けてくれ」と泣きながら大声でわめく（叫ぶ）／「痛い、苦しい」と泣きわめく（泣き叫ぶ）
> [わめく] 泣いてもわめいてももう遅い／わめき散らす
> [叫ぶ]「火事だ」と叫ぶ／叫んでも遠くて声が届かない

わや《名・形動》〔関西方言〕❶道理に合わないこと。むちゃくちゃ。「━言うたらあかん」❷効力がなくなること。駄目。「ビールの気がぬけて━になる」

***わやく**《名・形動》〔関西方言〕❶道理に合わないこと。無茶。無法。❷いたずら。わんぱく。「━な子」

***わ-やく【和訳】**《名・他サ》外国語を日本語に訳すこと。「英文━」

***わ-よう【和様】** 日本固有の様式。 対 唐様。

***わ-よう【和洋】** ❶日本と西洋。❷日本風と西洋風。和風と洋風。「━折衷（＝和洋を調和して用いること）」

わら【×藁】 稲・麦などの茎を干したもの。ふつう、稲のわらをさす。 類語 藁稭。 麦稈。

わらい【笑い】 ❶笑うこと。笑う声。「━が止まらない（＝喜びをおさえきれない。うれしくてたまらない）」❷あざけり笑うこと。「識者の━を招く」 類語 失笑。 嘲笑。 冷笑。

わらい-え【笑い絵】 ❶人を笑わせる、こっけいな絵。❷春画。 まくら絵。

わらい-ぐさ【笑い▽種・笑い草】 もの笑いの種。おわらいぐさ。「老いらくの恋とはお━だ」

わらい-こ・ける【笑いこける】《自下一》〔腹をよじり体を激しく動かして〕ひどく笑う。笑いころげる。

わらい-ごと【笑い事】 笑ってすませるような軽い事柄。「━ではない」

わらい-さざめ・く【笑いさざめく】《自五》大勢がにぎやかに笑いさわぐ。

わらい-じょうご【笑い上戸】 ❶酔うとやたらに笑う癖のある人。 対 泣き上戸。❷ちょっとしたことにでもよく笑う人。

わらい-じわ【笑い×皺・笑い×皴】 笑ったときにできるしわ。

わらい-とば・す【笑い飛ばす】《他五》笑って、まともに取り合わない。「うわさを━・す」

わらい-ばなし【笑い話】 ❶こっけいな内容の短い話。笑話。❷笑いながら話せる気楽な話。「その場の━ですませた」

わらい-もの【笑い物】 もの笑いのたね。わらいぐさ。「世間の━になる」

わら・う【笑う】 一《自五》❶うれしさ・おかしさ・楽しさの表現として、顔をやわらげたり、声を立てたりする。「楽しそうに━・う」「顔で━・って心で泣く」「ひざが━・う（＝ひざががくがくする）」❷花のつぼみが開く。また、果実が成熟して皮が裂ける。「花━・う」 文《四》。 二《他五》あざけりわらう。嘲笑する。「人の失敗を━・う」「一円を━・うものは一円に泣く」 表記 二は「嗤う」とも書く。 文《四》。 ⇩〔類語と表現〕

━う門には福来たる《句》いつも楽しそうに笑って暮らす人の家には、自然に幸運が訪れるものだ。

> **類語と表現**
> 「笑う」
> ＊愉快そうに笑う・歯を見せて笑う・涙が出るほど笑う・腹を抱えて笑う・腹の底から笑う・腹の皮がよじれるほど笑う・照れくさそうに笑う・ふふん［ふん・へへん・へん］と鼻先で笑う・腹の中で［陰で］笑う・へまをして笑われる・一円を笑うものは一円に泣く・笑う門には福来たる
> ◆笑む・微笑む・ほくそ笑む・にこつく・吹き出す・笑い崩れる・笑いこける・笑いさざめく・相好を崩す・笑壺に入る・嘲笑う・せせら笑う・笑い飛ばす・一笑に付する／㋜微笑・微苦笑・朗笑・大笑・哄笑・爆笑・嬉笑・談笑・嘲笑・嗤笑・冷笑・憫笑・失笑・呵呵大笑・破顔一笑・抱腹絶倒／大笑い・高笑い・豪傑笑い・馬鹿笑い・追従笑い・愛想笑い・作り笑い・忍び笑い・盗み笑い・独り笑い・含み笑い・照れ笑い・思い出し笑い・苦笑い・薄ら笑い・泣き笑い・物笑い
> ◆オノマトペ（かんら）からから・げらげら・けらけら・くすくす・へらへら／ははは・ひひひ・ふふふ・へへへ・ほほほ・おほほ／にやにや・にたにた・にこにこ・にこり・にっこり・にんまり

> **花が笑う**
> 
> 日本語
> 「咲」という漢字は中国語では「わらう」の意で使われる。中国では花がさくことは「開花」という。花がちることは「落花」であって「散花」ではない。「散華」とすれば、仏の供養のために花をまきちらす意となる。日本では「散」も「落」も花がちる意で使い、俳句などでは桜の花は「ちる」、「椿」の花は「おちる」として、やかましく区別する。
> 室町時代の画僧、如拙が瓢簞でぬるぬるしたナマズを押さえるという禅の公案を題材として描いた水墨画に「瓢鮎図」がある。日本では「鮎」と書けば淡水魚のアユをさすが、中国ではナマズの意。「瓢鮎図」はアユを押さえようとする絵ではない。日本ではナマズには「鯰」という漢字を当てるが、これはネンの音を借りた国字である。

わら-がみ【×藁紙】 稲のわらの繊維を原料としてすいた粗悪な日本紙。

わ-らく【和楽】《名・自サ》〔文〕皆でなごやかに楽しむこと。「━の時を過ごす」

わら-ぐつ【×藁×沓・×藁▽履】〔雪の中を歩くのに用いる〕わらで編んで作ったくつ。 類語 雪沓。

わらさ【▽稚×鰤】 成魚になる少し前のブリ。

わらし【▽童・▽童子】〔東北方言〕わらべ。子供。

わらじ【▽草×鞋】《わらぐつ→わらんづ→わらんぢ、と転化したものがさらに転じた形》わらで足形の台を編み、それにつけた長いひもで足に結びつけてはく履物。

━せん【━銭】 わらじを買う金。転じて、わずかの・金銭（旅費）。

━を脱・ぐ《句》❶旅宿に着いてとまる。❷旅を終える。

❸諸国を渡り歩くばくち打ちなどが、その土地の親分の所に身を落ち着ける。—を穿はく《句》❶旅に出る。❷ばくち打ちなどが追っ手をのがれて旅に出る。

わら-づと【×藁×苞】わらをたばね、中に物を包み込むもの。つと。

わら-しべ【×藁×稭】稲のわらの芯しん。わらすべ。

わら-ばい【×藁灰】—ばひ わらを燃やしてできた灰。火鉢に入れたり、肥料としたりする。

わら-ばんし【×藁半紙】わらの繊維にミツマタ・コウゾの繊維を混ぜてすいた、きめのあらい半紙。ざら紙。

わらび【×蕨】シダ類ウラボシ科の多年草。山野に自生する。渦巻状の若芽を食用とする。地下茎からとれるでんぷん(わらび粉)をのり・餅もちにする。

わら-ぶき【×藁×葺(き)】屋根をわら(特に麦わら)でふくこと。また、そうした屋根。

わら-ぶとん【×藁布団】わらを詰めた敷き布団。

わらべ【童】《「わらはべ」の転じた「わらんべ」のさらに転じた形》〔文〕子供。児童。

わらべ-うた【童歌】子供たちが自然に習い覚え、口伝えに歌われてきた歌。

わら-や【×藁屋】わらぶき屋根の家。また、粗末な家。茅屋ぼうおく。

*__わらわ__【▽童】わらは 一〇歳前後の子供。

*__わらわ__【×妾】わらは《代名》《自称の人代名詞》〔古〕わたくし。参考 多く武家の女性がへりくだっていった。

わらわ-せる【笑わせる】わらはせる《他下一》《「笑う」の使役形》❶相手の人が笑うように仕向ける。「くすぐって—せる」❷「嘲笑ちょうしょうをさそうようなありさまである」の意で、相手をあざけって言う語。「あれでも大学教授とは—せる」文 わらは・す《下二》。

わり【割(り)】❶割ること。割ったもの。❷比率。割合。特に、損か得かという比率。「三人に一個の—」「—が合わない(=差し引き勘定をすると損になる)」「—を食う(=損をする)」❸互いに比例し合う物事について、一方の程度に応じた他方の程度。割合。「値段の—に質が悪い」「年の—にふけてみえる」❹《助数》一〇分の一を表す単位。表記 ❷〜❹は「割」と書く。

わり-あい【割合】—あひ 一《名》❶全体または基準となるものに対してそのものの占める比率。歩合ぶあい。割り。「全体に占める—」類語 率。歩留まり。レート。❷割り❸。「年の—にませている」二《副》《「—に」の形も》❶どちらかというと。比較的。「—(に)よく働く」❷思いのほか。案外。「—に頑固だ」参考 俗に「割合と」とも言う。

わり-あて【割(り)当(て)】わりあてること。また、わりあてた分量・役目・範囲など。「—量」 同 ①②わりかた・わりと・わりに。

わり-あ-てる【割り当てる】《他下一》分量・役目・範囲などの全体をいくつかの部分に分けて、それぞれの人にあてがう。わりふる。「寄付金を均等に—てる」「炊事係を—てられた」類語 (る(す))配当。配分。分配。

わり-いん【割(り)印】二枚の書面が一続きである証明として、両方にまたがって印を押すこと。また、その印。割り判。

わり-がき【割(り)書(き)】《名・自サ》本文の途中に注などを細字で二行に割って書き入れること。また、その文字・文章。類語 割り注。

わり-かた【割り方】《副》割に。割と。割合に。「—元気だ」参考 俗に「わりかし」とも言う。

わり-かん【割(り)勘】《「割り前勘定」の略》全体でかかった費用をその人数で割って、各人が平等に負担すること。また、各自が自分にかかった分の額をそれぞれ支払うこと。

わり-き-る【割り切る】《他五》❶ある一つの原則をつらぬき通して単純・明快に処理し結論づける。「どうせ客なんだと—る」❷割り算で、余りが出ないように割る。整除する。

わり-き-れる【割り切れる】《自下一》よく理解できてすっきりする。「—れない表情」

わりぐり-いし【割(り)×栗石】建築・土木工事などの基礎に用いる、小さく砕いた石。わりぐり。

わり-げすい【割(り)下水】掘り割りの下水道。

わり-ご【▽破子・▽破×籠】白木の薄板で折箱のように作り、中に仕切りをつけた弁当箱。

わり-こみ【割(り)込み】〔並んでいる列などに〕割り込むこと。

わり-こ-む【割り込む】《自五》❶間に押し分けてはいり込む。「二人の間に—む」❷列に無理にはいり込む。「乗客の列に—む」❸人が話しているところへわきから口出しをする。「横あいから—む」

わり-ざん【割(り)算】ある数が他の数の何倍にあたるかを見いだす計算法。除法。対 掛け算。

わり-した【割(り)下】《「割り下地」の略》だし汁をしょうゆ・みりん・砂糖などで調味した液。なべ料理の煮汁などに使う。

わり-ぜりふ【割(り)▽台▽詞】歌舞伎かぶきで、二人の役者がそれぞれのせりふをいくつかに区切って、交互に述べること。また、そのせりふ。最後の一句を同音で斉唱する。

わり-だか【割高】《形動》品質・分量などの割に値段が高いようす。また、同類の他のものに比べて値段が高いようす。「外食は—だ」対 割安。参考 →渡りぜりふ。

わり-だし【割(り)出し】わりだすこと。「犯人の—」

わり-だ-す【割り出す】《他五》❶割り算をして答えを出す。また、計算をして結果を出す。算出する。「得票率をコンピューターで—す」❷ある事柄をもとに、いろいろ検討・推論して結論を導き出す。推断する。「犯人を—す」

わり-ちゅう【割(り)注・割(り)×註】本文の途中で、小さく二行にわたって書いた注。類語 割り書き。

わり-つけ【割(り)付(け)】印刷物の作製にあたって、文字・図版・写真などの原稿を定められた紙面に効果的に配置すること。レイアウト。

わり-と【割と】《副》〔俗〕割合二。「—親切だ」

わり-な-い【▽理無い・▽別無い】《形》筋道・道理を超えているようす。「—仲となる(=男女が親密な間柄となる)」

わり-に【割に】《副》割合二。「—よく聞く名前だ」

わり-ばし【割(り)×箸】使うときに割り離して二本にする、木や竹の箸はし。

わり-ばん【割(り)判】割り印。

わり-びき【割引】❶《名・他サ》所定の額からある割合の金額を差し引くこと。「—率」「学生—」「たくさん買ったので—してくれた」対 割り増し。❷「手形割引」の略。❸《名・他サ》物事を内輪に見積もること。「少し—して考える」

わり-び-く【割り引く】《他五》❶所定の金額からあ

わ

る割合の金額を差し引く。❷手形割引をする。❸物事を内輪に見積もる。「話を少し—いて聞く」

わり・ひざ【割(り)×膝】 両方のひざがしらを少し開いて正座すること。

わり・ふ【割(り)符】 木片や紙片の札の中央に文字・証印をしるして二つに割り、後日、その札を合わせて証拠とするもの。符節。割り札。わっぷ。

わり・ふ・る【割り振る】《他五》割り当てる。「担当を—る」

わり・まえ【割(り)前】〈—まへ〉分配や支払い分として割り当てること。また、割り当てられた分量・金額。

わり・まし【割(り)増し】《名・他サ》所定の金額に、ある割合の金額を増加すること。また、その加えられた金額。「—を支払う」「—料金」対割引。

わり・もど・す【割り戻す】《他五》一度受け取った金額の中から、その一部を支払い者に返す。「立て替え分を—す」

わり・やす【割安】《形動》品質・分量などの割に値段が安いようす。また、同類の他のものに比べて値段の安いようす。「大量に仕入れるので—になる」対割高。

*__わる【悪】__ ❶悪いこと。悪さ。「—をする」❷悪い人。悪党。また、意地悪やいたずらをする人。「—にそそのかされる」「学校一の—だ」

*__わ・る【割る】__ ㊀《他五》❶㋐固まっている物に、力を瞬間的に強く加えて、全体にひびを入れたり全体をいくつかに分け離したりする。「ガラスを—る」「薪(まき)を—る」類語 砕く。(する)破砕。㋑心の奥や内情をあらわにする。さらけ出す。「腹を—って話す」「事を—って話す」❷一般に、一つのものをいくつかに分ける。分け配る。「五人に—る」「頭数(あたまかず)で—る」㋐わりあてる。類語 区切る。分かつ。(する)分割。区分。区画。区分け。区割り。㋑割り算をする。除する。❸〔押し開くように分け離すところから〕㋐押し分ける。分けて間を離す。「二人の仲を—る」㋑ある液体に他の液体を入れる。他の液体を混ぜてうすめる。「ウイスキーを水で—る」❹〈手形を—る〉割り引く。文《四》。㊁《自五》❶ある境界線をやぶって外に出る。「土俵を—る」❷数量が、ある数量以下になる。「投票率は五割を—った」文《四》。

わる・あがき【悪▽足×掻き】《名・自サ》あせって、あれこれと試みること。「この期に及んで—するな」

わる・あそび【悪遊び】 よくない遊び。特に、ばくち・女遊びなどを言う。

わる・い【悪い】《形》ある物事が、何らかの基準からはずれたり何らかの要求に反したりするときに、それを、思わしくない、好ましくない、または望ましくないと評価して言う語。参考「よくない」に似るが、「よくない」よりも積極的・断定的な意味あいが強い。対良い。❶〔言動などが道徳・法律・社会的規範から外れて〕一般に、不都合である。適当でない。有害である。迷惑である。「社会に—い影響を及ぼす事件」「—い考えを起こす」「法を守らぬ—いやつ」類語 邪(よこしま)。邪悪。❷能力的に劣っている。「頭が—い」「成績が—い」❸顔・体などの外見が劣っている。美しくない。みにくい。「顔は—いが性格はよい」❹心の状態や体の調子が通常とちがって思わしくない。「気分が—い」「加減が—い」❺運・環境・状況などが好ましくない。㋐〔特に、物の状態に関する場合〕「道が—い」「—い品物」㋑〔特に、自然現象・社会現象などに関する場合〕「政治が—い」「天気が—い」「日が—い」❻〔特に、会話文中で、こちらの行為が相手に対して迷惑や不都合な影響を及ぼすことを言う場合〕気の毒である。申しわけない。「どうも—いことをしました」「待たせて—かった」文わる・し《ク》。

わる・がき【悪餓鬼】〔俗〕悪いことをする子供。

わる・がしこ・い【悪賢い】《形》悪いことによく知恵が働くようす。悪知恵がある。「—い男」類語 狡猾(こうかつ)。奸猾(かんかつ)。

わる・ぎ【悪気】 相手を悪い状態にしようという気持ち。悪意。「—があった訳ではない」

わるくする・と【悪くすると】《連語》へたをすると。悪い場合を考えると。〔副詞的に使う〕「—もう帰って来ないかもしれない」 《参考》悪い結果を予想して言う。

わる・くち【悪口】 他人を悪く言うこと。また、そのことば。悪口(あっこう)。わるぐち。「—を言う」類語 憎まれ口。悪態。悪罵(あくば)。雑言(ぞうごん)。罵詈(ばり)。

わる・さ【悪さ】 ❶悪いこと。また、その程度。「気分の—といったらない」❷いたずら。「—が過ぎる」

わる・ずれ【悪擦れ】《名・自サ》人ずれして悪賢くなること。「やり口が—している」

わる・だくみ【悪巧み】 人をおとしいれる悪い計画。奸計(かんけい)。「—に加わる」「—がばれる」

わる・だっしゃ【悪達者】《名・形動》〔芸能などが〕巧みではあるが、気品がないこと。「—な芸」

わる・ぢえ【悪知恵】 悪事によく働く知恵。悪賢い知恵。奸知(かんち)。狡知(こうち)。「—にたけた男」

ワルツ 四分の三拍子の優美・華麗な舞曲。また、その踊り。円舞曲。▽waltz

わる・どめ【悪止め】《名・他サ》帰ろうとする人をしつこく止めること。「—してはお客様に失礼だ」

わる・のり【悪乗り】《名・自サ》〔俗〕調子や勢いに乗って、つい度を過ごしたり、好ましくない話などに乗ったりすること。「—して皆のひんしゅくを買う」

わる・ば【悪場】 登山で、通過するのが困難で危険な場所。

わる・び・れる【悪びれる】《自下一》気おくれがして、はにかんだり卑屈な態度をとったりする。「注意しても—れる様子もない」「—れずに意見をのべる」

わる・ふざけ【悪ふざけ】《名・自サ》度を超してふざけること。「調子に乗って—が過ぎた」

わる・ぶ・る【悪ぶる】《自五》わざと悪い人のようにふるまう。

わる・もの【悪者】 悪い事をする人。悪人。

わる・よい【悪酔(い)】〈—よひ〉《名・自サ》気分の悪くなる酒の酔い方。「体調が悪くて—する」

われ【我・×吾】 ㊀《代名》❶〔文〕《自称の人代名詞》わたし。わたくし。「—こそは」❷《対称の人代名詞》おまえ。おのれ。〔古風で方言的な言い方〕㊁《名》自分自身。自分。自己。「—に返る(=正気に戻る)」「—にもなく(=自分らしくもなく)取り乱す」「—を忘れる(=心を奪われてぼんやりする)」「—と思わん者(=自分こそ有能・優秀だと思う者)」

—関せず焉(えん)《句》自分にはかかわりがないと、超然としているようす。「我関せず」とも。参考「焉」は漢文の助辞で、語調をととのえる語。

われ・かえ・る【割れ返る】〈—かへる〉《自五》「割れる」を強めていう語。すっかり割れる。〔ひどく騒がしいことの形

わ

容として使う」「―・るような拍手」文《四》。

われがち-に【我勝ちに】《副》他人に負けまいと、互いに先を争うようす。われさきに。「いい席をとろうと―走り出す」

われ-がね【割(れ)鐘・▽破(れ)鐘】ひびのはいった鐘。参考 濁った大きな声のたとえにも使う。「―のような声」

われ-から【我から】《副》〔文〕自分から。みずから。「―会に参加する」「家のことを―話す」

わ-れき【和暦】❶日本の年号や皇紀に基づく年の数え方。❷日本式の暦法に基づく暦。

われさき-に【我先に】《副》われがちに。「民衆が―逃げ出す」

われ-しらず【我知らず】《副》その事を意識せずに。思わず。「―居眠りする」

われ-と【我と】《副》自分から進んで。みずから。われから。「―わが身をさいなむ」

われ-ながら【我×乍ら】《副》自分の事ではあるが。自分ながら。「―良い作品だと思う」

われ-なべ【割(れ)×鍋・▽破(れ)×鍋】ひびのはいったなべ。参考 濁った大きな声のたとえにも使う。―に綴じ蓋《句》〔どんな人にでもそれにふさわしい配偶者はあるものだの意で〕結婚は互いに似通った者どうしがすればうまくゆくものだ。

われ-ひと【我人】〔文〕自分と他人。自他。「―ともに」

われ-ぼめ【我褒め】〔文〕自分で自分をほめること。自賛。自慢。「―が過ぎる」

われ-め【割れ目・▽破れ目】割れた所。類語 裂け目。

われもこう【×吾▽木香・×吾×亦紅】バラ科の多年草。秋、茎の先が枝分かれして、その先に暗紅色の花の穂をつける。根は漢方薬。

われ-もの【割(れ)物・▽破(れ)物】❶割れた物。❷〔陶器・ガラス製品など〕割れやすい物。「―注意」

われ-ら【我▽等】《代名》《「われ」の複数》❶われわれ。私たち。❷おまえら。なんじら。参考 ②は、古風で方言的な言い方。なまって「わいら」とも。

わ・れる【割れる】《自下一》❶固まっている物に、力が瞬間的に強く加えられて、全体にひびがいったり全体がいくつかに分かれ離れたりする。「コップが―・れる」「地面が―・れる」類語 砕ける。(るす)破砕。❷〈「―・れるよう」などの形で〉㋐声・音が非常に大きいようす。「―・れるような歓声」㋑〔頭痛などが〕ひどいようす。「頭が―・れるように痛い」❸一般に、一つのものがいくつかに分かれる。「党が二つに―・れる」❹隠れていたところがあらわれ出る。ばれる。「犯人が―・れる」「尻が―・れる」文 わ・る《下二》。

われ-われ【我我】《代名》《自称の人代名詞》われら。わたくしたち。「この事件は―の手におえない」

***わん**【×椀・×碗・×埦】飯・汁などを盛る木製または陶磁製の食器。表記 木製のものには「椀」、陶磁器には「碗」「埦」を使う。

***わん**【湾】陸にはいり込んだ海のうち、顕著に湾曲した海岸線によって囲まれた水域。「鹿児島―」

***ワン** 一。ひとつ。▽one **―クッション** 滑らかに事が運ぶように、直接的方法を避けて間に設ける一段階。「―を置く」▽one と cushion からの和製語。**―サイド・ゲーム** 力の差が大きく、一方が終始圧倒的な優勢のうちに進められる試合。▽one-sided game から。**―ステップ** ❶第一歩。一段階。❷社交ダンスの一種。四分の二拍子の音楽に合わせて踊るもの。また、そのための楽曲。▽① one step ② one-step **―セット** 一組。一式。▽one と set からの和製語。**―タッチ** 一度手を触れること。また、一度手を触れればすむほど、簡単に操作・調理などができること。▽one と touch からの和製語。**―パターン**《名・形動》一本調子で、変化がないこと。千篇一律。「―の発想」▽one と pattern からの和製語。**―ピース** 上衣とスカートを一続きに仕立てた女性・子供用の洋服。ワンピースドレス。対 ツーピース。▽one-piece **―プライス** 均一価格(であること)。「―ショップ」▽one price **―ポイント** ❶〔得点の〕一点。❷一か所。一地点。「―に的をしぼった攻撃」❸服飾などで、一か所にだけ刺繡などを施すこと。ワンポイントマーク。▽one point **―マン** ㊀《造語》「ひとり(だけ)の」「ひとりで活躍する」などの意。「―チーム」▽one-man ㊁《名》人の意見や世評にかまわず、思い通りに物事を押し進める人。独裁的な人。「―社長」▽one と man からの和製語。**―マン・カー** 運転手だけで車掌のいない電車・バス。▽one-man car **―マン・ショー** ひとりのスターを中心に演じられるショー。▽one-man show **―ルーム** 一室でリビング・キッチン・ベッドルームをかねている部屋。「―マンション」▽one-room

わん-おう【湾央】湾の中央。

わん-がん【湾岸】湾に沿った岸。「―道路」

わん-きょく【湾曲・×彎曲】《名・自サ》弓なりに曲がること。「背中が―している」表記「湾曲」は代用字。

ワンゲル「ワンダーフォーゲル」の略。

わん-こう【湾口】湾の出入り口。

わん-こつ【腕骨】手首の骨。八つの小骨が四つずつ二列にならんでいる。

わんさ《副》《多く「―と」の形で》❶おおぜいの人がおしかけるようす。わんさか。「受付開始と同時に申込者が―ときた」❷たくさん。「金が―とある」「同じような人が―といる」

わん-しょう【腕章】洋服の腕に巻いたりつけたりして目印とする布・記章。

ワンダーフォーゲル 青少年がグループで山野を巡り歩き、自然に親しみ、体をきたえ、団結心を養うことを目的とする運動。ワンゲル。▽独 Wandervogel(=渡り鳥)

ワンダー-ランド 不思議の国。おとぎの国。▽wonderland

わん-だね【×椀種】吸い物の実。具。

ワンタン【×饂×飩・雲×呑】中国式の軽食の一つ。小麦粉をこねて薄くのばした皮に調味したひき肉を包み、スープで煮たり、油で揚げたりして食べる。▽中国 hun-tun(=餛飩)

わん-とう【湾頭】〔文〕湾に近い所。湾のほとり。

わん-ない【湾内】湾の内側。湾中。対 湾外。

わん-にゅう【湾入・×彎入】《名・自サ》〔文〕海岸線が弓形に陸地にはいり込んでいること。「海が大きく―する」

わん-ぱく【腕白】《名・形動》子供が、いたずら・わがままなどのはげしいこと。また、そういう子供。「―小僧」「男の子は―だ」「―盛り」

わ

わん‐もり【×椀盛り】 魚肉・鳥肉・野菜などを椀に盛り合わせ、汁をそそいだ料理。茶碗盛り。

わん‐りょく【腕力】 ❶腕の力。うでぢから。［類語］腕っ節。膂力。❷肉体を用いて相手を押さえつけたりなぐったりする力。「―にものを言わせる」

> **類義語の使い分け　腕力・腕っ節**
>
> ［腕力・腕っ節］体は大きくないが恐ろしく腕力（腕っ節）が強い
>
> ［腕力］腕力がある人／すぐに腕力を振るう乱暴な男
>
> ［腕っ節］腕っ節をへし折ってやるぞ／頼りない腕っ節の男

わん‐わん ㊀《副》《「―と」の形も》❶犬のほえる声をあらわす語。❷人が声をあげて泣くようす。「―泣く」㊁《名》「犬」の幼児語。

を ㊀《格助》❶〔他動性の動詞を伴い〕対象を表す。「～を」の表す意味と動詞の表す意味との関係から、おおむね次のような意味を取り出すことができる。

㋐主体の動作・作用が直接的に及ぶ対象。「火を消す」「ガラスを割る」「小包を送る」「手を洗う」「機械を動かす」「子供を使いに行かせる」

㋑精神的働きかけの対象。「海を見る」「先輩を敬愛する」「友の死を悼む」「休暇を楽しむ」

㋒その動作・作用によって結果的に作り出されるもの（＝作品）。「家を建てる」「手袋を編む」「仏像を彫る」「本塁打を打つ」「お湯を沸かす」「歌を歌う」「ダンスを踊る」［参考］㋒は「…を」に、いわゆる結果目的語をとるもの。「歌を歌う」「ダンスを踊る」などは、同属目的語をとった例で、内容を表す「真実を語る」「嘘をつく」などとともに、ここに位置づけられる。なお、「棒を立てる」「毛糸を編む」「木を彫る」「直球を打つ」などは㋐の意。「四番を打つ」は㋕の意。

㋓使用・操作する対象としての道具。「鉄砲を撃つ」「『ピアノを弾く」［参考］「鳥を撃つ」は㋐の意。「『月光の曲』を弾く（＝演奏して作品を作る）」は㋒の意。

㋔動作・作用の向かう対象としての場所。「庭を掃く」「ペンキで壁を塗る」［参考］「壁にペンキを塗る」は㋐の意。「漆喰で壁を塗る（＝作る）」は㋒の意。「庭の落ち葉を掃く」は㋐の意。

㋕主体の演じる役割。「ハムレットを演じる」「委員長を務める」「カルメンを歌う」「四番を打つ」［参考］「校歌を歌う」は㋒の意。

㋖動作・作用の向かう対象としての方向。「西を向く」「磁針が北を指す」「青年は荒野をめざす」
❷〔自動性の動詞が同属目的語を伴う形で〕自動詞を一時的に他動詞化するのに使う。〔他動詞化して示すことによって、より細密・簡潔な表現を得ることが多い。なお、この場合、①㋒にいう「作品」の意は希薄となる〕「苦難の人生を生きる」「決勝戦を闘う」「縄跳びを一〇〇回も跳んだ（＝縄跳びをして、一〇〇回も跳んだ）」「マラソンを走る（＝マラソン競技に参加して走る）」［参考］この種の表現には、「不幸な死を死ぬ」「贅沢な悩みを悩む」など、翻訳臭のある言い方も多い。なお、「高齢化社会を生きる」は⑥㋐の抽象的用法。「マラソンコースを走る」は⑥㋐の意。
❸〔「何を…か」などの形で、自動詞を伴い〕問題点（の原因・理由）を聞くのに使う。また、反語に使う。「何についで…か。なぜに…か。どうして…なのだろう。「何を泣いてるの？」「何をもめているんだ」「何を大騒ぎすることがあろうか」［参考］他動詞を伴う場合（例、何を食べようか・何を作ろうか）は、①㋐㋒などの意。
❹〔感情の表現で、形容動詞・形容詞を伴い〕感情の向けられる対象を表す。「心から君を好きだ」「煮え切らない君を私は嫌いだ」［参考］近年「ほしい」「恋しい」「慕わしい」などでも「を」を使うことがあるが、一般には「が」を使う。特殊な文脈では「が」よりも「を」が普通である場合もある（だれがだれを好きだって？）。
❺〔「…をする」の形で、動作性の名詞を伴い〕その動作・行為を行う意を表す。「早起きをする」「英語の勉強をする（＝英語を勉強する）」「彼女に恋をする」など。［参考］「手袋をして出かける」「青い目をした人形」など、「する」の意味・用法が形式化したもので、動作性の名詞を伴わない言い方もある。
❻〔移動・経過を表す自動詞を伴い〕㋐移動する場所を表す。また、経過点を表す。「道を歩く」「街道を行く」「峠を越える」「空を飛ぶ」「東京を経由して日光に行く」「峠を越える」「門を潜る」「三遊間を抜く」［参考］「高齢化社会を生きる」「人生の修羅場を潜り抜ける」「当局の審査を経る」などは、これを抽象的に使ったもの。また、「雨の中を横断歩道を駆け抜ける」などのように「状況」を表す言い方もある。
㋑相対的位置を表す。「先頭を走る」「トップを行く」

㋒経過する時間を表す。また、時間的な経由点を表す。「昼休みを読書で過ごす」「眠れぬ夜を明かす」「日々を気ままに送る」「今を時めく大作家」「思春期を経て大人になる」「もう一二時を過ぎた」

㋓基準となる境界線を表す。「土俵を割る」「三〇度を超える」「平均点を上回る」「一〇〇人を下らない」
❼〔離脱を表す自動詞を伴い〕離脱点を表す。〔多く、起点を表す「から」で言い換えることができる〕「部屋を出る」「故郷を離れる」「大学を卒業する」「会社を辞める（＝退職する）」「現役を引退する」「コースをそれる」「水たまりを避ける」「攻撃をかわす」「非難を免れる」［参考］「水たまりから身を避ける」「攻撃から身をかわす」と言えば他動詞表現。「会社を辞める」は⑦の意の自動詞だが、「たばこを止ゃめる」は①の意の他動詞。「就任を辞退する」「申し出を遠慮する」なども、遠ざかりの表現としてここに位置づけられる。
❽〔不在を表す自動詞を伴い〕不在の場所や不参加の催しなどを表す。〔離脱の結果としての不在に注目して言う〕「学校を休む」「春場所を休場する」「例会を欠席する」「授業をサボる」［参考］英語などでも、この意では離脱の表現をとる（absent from school）。
［参考］自動性の強い可能・受け身表現や、形容詞化した願望・難易の表現では「が」とも。「新幹線が／を利用できる」「勲章が／を授与された」「酒が／を飲みたい」「話が／を理解しにくい」↓が（格助）。
㊁《接助》**文語**〔多く、文語では連体形に、口語では連体形＋準体助詞「の」の形につく〕❶逆接的接続を表す。また、逆接的な前置きを表す。〔「のに」に比べて、

論理関係を述べる力が弱く、間投助詞的な詠嘆の趣がある〕「我身だに知らざりし**を**、怎(いか)でか人に知らるべき〈鷗外〉」 参考 口語で使う「度々忠告しておいたの**を**聞かなかったからだ」「困っているの**を**見過ごす訳にはいくまい」などの「を」は格助詞。
❷順接的接続を表す。「いのち短し恋せよ乙女…明日の月日はないもの**を**〈勇〉」
三《間投助》**文語** 詠嘆・強調を表す。〔文末で終助詞的にも使う〕「あなにやし(＝ああ誠に)愛男(えをとこ)**を**〈古事記〉」 参考 現代では「ものを」の形で使う。↓ものを。

をこと-てん【×乎古▽止点】漢文を訓読するために、漢字の四すみ・上下などにつけて助詞・助動詞・活用語尾などを示した、点や線などの符号。 参考 漢字の右上の点が「ヲ」と「コト」を意味したことから言う。

を-して 《連語》**文語**《格助詞「を」＋「して」》〔「…をして…しむ」の形で〕使役における動作の主体を表す。〔漢文訓読調の言い方〕「私**をして**言わしむれば」

を-ば 《連語》**文語**《格助詞「を」＋係助詞「は」の転》「を」のついた語を取り立て強めるのに使う。「万巻の書**をば**読まん」 参考 ↓ば(格助)。

を-や 《連語》**文語**《間投助詞「を」＋間投助詞「や」》〔多く「いわんや…(において)をや」の形で、程度の軽い事例をあげた前文を受けて〕まして、この場合はなおさらであるの意を強く表すのに使う。〔漢文訓読の言い方〕「幼児にして能(よ)くする。ましていわんや貴兄においてを**や**」

ん

ん—无

***ん** 《造語》金額・年齢などをぼやかして言うときに、実際の数に代えて用いる語。「もうけは—万円だった」「彼女は三〇—歳になる」 表記 ふつう「ン」と書く。

***ん** 《助動：特殊型》**文語** ❶推量を表す。…だろう。「彼ならばよき知恵を授けてくれ**ん**」 ❷仮定を表す。「産れんは君に似て黒き瞳子(ひとみ)をや持ちたら**ん**〈鷗外〉」 ❸確実性の高い推量・当然などを表す。…はずだ。…にちがいない。…べきだ。「帰りてエリスに何とかいは**ん**〈鷗外〉」 ❹意志を表す。…しよう。「今こそ別れ**め**」 ❺〔「…んとす」の形で〕㋐意志を表す。「紛争を解決せ**んとす**」 ㋑実現のために努力する意を表す。特に、実現しかけている意を表す。「将(まさ)に命絶え**んとす**」 ❻〔副詞「いかで」、係助詞「ぞ・や」とともに使って〕反語を表す。「何ぞ恐るるに足ら**ん**」 参考 古くは「む」と言った。口語助動詞「う」はこの語から発展した。 表記 「む」とも書く。

***ん** 《助動》《打ち消しの助動詞「ぬ」の転》↓ぬ。

ん-・だ 《連語》《「のだ」の転》「のだ」のくだけた言い方。「何をしてる—・だ」 参考 ↓のだ。

ん-で 一《連語》❶「ので」のくだけた言い方。↓ので(連語)。「こんな**ん**でいいかい」 ❷「ないで」の方言的な言い方。「そんなことは知ら**んで**もいい」 二《接助》接続助詞「ので」のくだけた言い方。↓ので(接助)。「急に怒り出した**んで**びっくりしたよ」

ん-で-・す 《連語》《「のです」の転》「のです」のくだけた言い方。「行かない—・すか」 参考 ↓のです・のだ。

ん-と-・す 《連語》**文語**《推量の助動詞「ん(む)」＋格助詞「と」＋動詞「す」》↓ん(助動・文語)。

んば 《接助》**文語** 〔漢文訓読で、接続助詞「ば」が、形容詞ならびに助動詞「べし・ごとし・たし」の連用形につくときの形。また、「ず」の未然形につくときの形〕↓ば(接助)。 参考 漢文的格調と力感を添える。現代では、助動詞に接続する形が慣用的表現にわずかに残る。「言うべく**んば**」「宛然(えんぜん)白露のごとく**んば**」「真実にあら**ずんば**」など。↓ずば。

付録

▼文法編

現代日本語の文法……………………1428
動詞活用表……………………………1438
形容詞活用表…………………………1442
形容動詞活用表………………………1443
主要助動詞活用表（口語）……1444
主要助動詞活用表（文語）……1446

▼表記編

『常用漢字表』………………1448
『現代仮名遣い』……………1450
『外来語の表記』……………1453
『送り仮名の付け方』………1458
「人名用漢字」………………1463

▼漢字編

常用漢字小字典……………1465

▼その他

ローマ字のつづり方…………………1535
時刻・方位・干支……………………1536
二十四節気・月の異称・月齢表……1537
主要季語一覧…………………………1538
計量単位一覧…………………………1540
旧国名・県名対照地図…………後ろ見返し

▶アルファベット略語集………1588

現代日本語の文法

一　はじめに

(1)　**文法**とは、小さい単位のことばが組み合わせられて大きい単位ができる場合の決まりのことで、これを研究する学問を**文法論**（**文法学**）という。今日、これには、形式を重んずる立場、意味内容を重んずる立場などの違いによって、いろいろの説が行われている。本書本文では教育上の配慮を考え、いわゆる学校文法をもとにして個々の語を分類し、その文法的性質を説明するのを原則としているので、本稿でもおおむねそれによって概要を述べる。文法研究の単位として、ここでは、便宜的に①**文**、②**文節**、③**単語**を設ける。単語が文節を構成し、文節が文を構成する。

(2)　**文**は、内容的にはある一つのまとまった思想や感情を表し、外形的には一続きのことばで、音声を表す場合はその前後に音の切れ目があり、終わりにはある特殊な音調（イントネーション。急なしり下がりと弱まり、しり上がりと強まり、その他）が加わるものを言う。文字で書き表す場合は、終わりに句点「。」をつけるのが普通である。

(3)　日本語は文の切れ目のはっきりした言語であると言われるのは、文の終わりに用いられる文節のパターンがおおよそ決まっていることによる。文についての研究は種々行われているが、日本語の特色をとらえた体系的研究はまだ十分とは言えないのが現状である。

(4)　単語より小さい単位には接辞（接頭語・接尾語）がある。これは単語を構成する要素（語構成要素・造語成分）の一つで、語の構成にあずかる点で、文法論・語彙論の両方にかかわりを持つ重要な単位である。

(5)　二つ以上の単語が結合したものを、文節のように文の一成分として扱うのではなく、ひとまとまりの意味単位として扱いたいとき、これを**連語**ということがある。本書で《連語》としたものがそれで、まとまった意味を表すが、一語とするには結合が弱すぎ、文をなすほど大きくはないものと言える。ことわざや慣用句などは広い意味の連語に含まれるが、本書ではこれらの見出しを《句》として、《連語》とは区別した。

二　文節

文を区切って言うときに、実際のことばとして不自然にならないように最も小さく区切った一区切り一区切りを、**文節**という。

久しぶりに－窮屈な－制服を－着て－学校へ－行ったら－正門前で－やはり－制服を－着た－成瀬に－会った。

右の文は一二の文節に区切ることができる。文は「火事だ！」のように、一つの文節で成り立っている場合もあるが、二つ以上の文節からなるのが普通である。文節は文を直接に構成する単位である。

◎切れる文節と続く文節

一つの文の中には、前の例の「会った」のように、文の最後に来て文を完結させて終わらせる文節がある。このような文節を「**切れる文節**」と言う。「会った」以外の文節は、そこで切れないで、それを受ける文節を要求している。このような文節を「**続く文節**」という。前の文節が後の文節に続くことを「係る」と言い、後の文節はそれを「受ける」という。

文としてのまとまりは、このように二つ（またはそれ以上）の文節が「係る－受ける」の関係で結びつくことによって得られる。続く文節の受ける文節への続き方は、右の例では「窮屈な」は「制服（を）」に、「制服を」は「着て」に続くというように、すぐ次の文節に直接続く場合と、「久しぶりに」は「行ったら」に、「正門前で」は「会った」に続くというように、他の幾つかの文節を隔てて続く場合とがある。

◎文節相互の関係とその種類

二つ以上の文節が結びついて文の統一にあずかるのであるが、その結びつき方すなわち文節相互の関係を区分することが、文節の種類を分けることにもなる。文節相互の関係は、ふつう次の種類が考えられている。

(1)　主語・述語の関係（主述関係）

「何ガドウスル」「何ガドンナダ」「何ガ何ダ」という関係で結びついている文節の、「何ガ」を**主語**、「ドウスル・ドンナダ・何ダ」を**述語**という。

鳥が　鳴く。（何ガドウスル型。動詞文）
鳥が　かわいい。（何ガドンナダ型。形容詞文）
あれが　ひばりだ。（何ガ何ダ型。名詞文）

(2)　修飾・被修飾の関係

下の語の意味を詳しく説明したり、限定したりする文節の働きを**修飾**といい、それを受ける文節の働きを**被修飾**という。受ける文節が体言である場合の修飾を**連体修飾**、用言である場合の修飾を**連用修飾**という。

①連体修飾・被修飾の関係

私の　手帳　（何ノ何型）

美しい　本　（ドンナ何型）

折る　紙　（ドウスル何型）

②連用修飾・被修飾の関係

本を　読む。（何ヲドウスル型）

山に　登る。（何ニドウスル型）

美しく　老いる。（ドンナニドウスル型）

とても　すばらしい。（ドンナニドンナダ型）

読めば　分かる。（ドウスレバドウスル型）

言っても　むだだ。（ドウスレバドンナダ型）

「本を読む」「山に登る」の「本を」「山に」などを連用修飾としないで、文の組み立てに必須的な「**補語**」とする立場もある。「読めば分かる」「言ってもむだだ」の「読めば」「言っても」なども連用修飾としないで、「**条件句**」などとする立場もある。このように連用修飾については意見がまちまちであるのが現状である。

(3) 対等（並立）の関係

二つ以上の文節が、主述関係でも修飾・被修飾関係でもなく、意味上対等の内容で結びついている文節を対等または並立の関係にあるという。

山と　川　（何ト何型）

安くて　うまい。（ドンナデドンナダ型）

(4) 補助・被補助の関係

下の文節が上の文節に補助的な意味を添える働きで結びついている場合、下の文節と上の文節との関係を補助・被補助の関係にあるという。

吾輩は　猫で（被補助）　ある。（補助）

右の「ある」という文節は、「物が存在する」という実質的な意味を表す文節ではなく、「猫で」という文節を助ける働きをしている。補助語となる語には「ある・いる・おく・しまう・いく・くる・みる・やる・くれる・もらう・あげる・くださる…」などの動詞がある（補助動詞）。また、形容詞の「ない」「ほしい」も「高くない」「行ってほしい」のように用いられて補助語となる（補助形容詞）。

(5) 接続の関係

上にある文または文節が、下に順接や逆接あるいは条件の内容で続いていくとき、それを接続の関係にあるという。接続助詞で受ける句、および接続詞からなる文節がこの働きをする。

日中は暑いが、夜は涼しい。

女は弱し。されど、母は強し。

(6) 独立語

文中のある特定の文節と結びつかず、文全体の意味や他の文節どうしの関係に、意味の上でわずかにつながりを持つ文節をいう。品詞の上からは感動詞がこれにあたり、感動・呼びかけ・応答などの種類がある。

ああ、恐ろしい。

それ、行くぞ。

いいえ、違います。

右のほか、

昭和五十年八月四日、この日は私の誕生日です。

なども独立の文節として扱う。

三　単語

①庭の　②花が　③きれいに　④咲きました。

右の文は、①②③④の四つの文節に区切ることができる。これらの文節を文から離して考えると、①の「庭」は常に「の」を伴うとは限らず、「庭が」「庭を」などと、「が」や「を」を伴って文節を作ることができるから、①の文節は「庭」と「の」に分けることができる。同様にして、右の各文節から多くの文節に共通する要素を取り出して、それ以上分けると意味をなさなくなる最小限まで分けると、

庭　の　花　が　きれいに　咲き　まし　た。

の八つに分けることができる。このようにして得られた最小の意味単位を**単語**または**語**という。単語は文節を直接に構成する単位である。

◎**自立語と付属語**

右の例では、③の「きれいに」は、一つの単語で、それがそのまま文節を構成している。①②の文節は二つの単語からなり、④は三つの単語からなっているが、「庭」「花」「咲き」は、それぞれ単独でも一つの文節を作る性質を持っている。このように、それ自身単独でも一つの文節を作ることができる単語を**自立語**という。また、右の「の」「が」「まし」「た」のように、単独では文節を作ることがなく、必ず自立語に付いて文節を作り、単語と単語との結びつきの関係を示したり、いろいろ付属的な意味を

添えたり、叙述を助けたりする単語を**付属語**という。一つの文節には、必ず一つの自立語が含まれ、付属語は「咲きました」のように二つ以上重なってもよいし、重ならなくてもよい。

◎ 活用と活用形

単語の中で、例えば「行く」は、用い方（切れるか続くか）によって、「行か（ナイ）」「行き（マス）」「行く。」「行く（トキ）」「行け（バ）」「行け。」と語形が規則的体系的に変わる。このような、用法による形の変化を**活用**といい、規則的体系的に語形を変える語を**活用語**という。「行く」では、「行」の部分が共通して変わらず、「か・き・く・く・け・け」の部分だけが変わっている。この変わらない部分を**語幹**といい、変わる部分を**活用語尾**または単に**語尾**という。「見る」「来る」のように、語幹と語尾とに分けられないものもある。

活用したそれぞれの形を**活用形**といい、ふつう、未然形・連用形・終止形・連体形・仮定形（文語では**已然形**）・命令形の六形を立てる。

◎ 活用形の用法

六つの活用形の用法は、単独の用法と、助詞・助動詞をつける用法とに分けられる。以下に、口語の活用形の主な用法をあげる。

(1) 未然形

①単独用法はない。

②助動詞「（ら）れる」「（さ）せる」「ない」「ぬ」「（よ）う」などがつく。助詞はつかない。

(2) 連用形

①単独用法に次のものがある。

ア **連用法**　連用修飾語となるのをはじめ、他の用言に連なる。

「話し始める」「寒くなる」「立派に成長する」

イ **中止法**　文を中止し、下に対等の関係で続ける。

「太郎は本を読み、花子はテレビを見る」

ウ **その他**　移動の目的を表したり、敬語表現にあずかったりする。

「友を見送りに行く」「話をお聞きになる」

②助動詞「ます」「た」「たい」「そうだ（様態）」、助詞「て」「ても」「たり」「ながら」がつく。（このうち、「ます」「たい」「そうだ」「ながら」は動詞や一部の助動詞につく）。

(3) 終止形

①単独用法に**終止法**がある。

「友と将来の夢を語る。」「この花は赤い。」「海は静かだ。」

*この形は、活用形の中で最も基本になる形と考えられることから**基本形**ともいう。辞書の見出しに立つのはこの形である（形容動詞を除く）。

②助動詞「らしい（動詞・形容詞、一部の助動詞）」「そうだ（伝聞）」、助詞「と」「か」「から」「けれども」「が」などがつく。

(4) 連体形

①単独用法に**連体法**（連体修飾語として用いる用法）がある。

「走る電車」「青い花」「静かな海」

②助動詞「ようだ」、助詞「の」「ので」「のに」「だけ」「ほど」「ばかり」などがつく。

(5) 仮定形

①単独用法はない。

②助詞「ば」がつく用法のみ。「話せば分かる」

(6) 命令形（形容詞・形容動詞を除く）

①単独用法に**命令終止法**（命令・願望・放任などの意を含んで文を終止

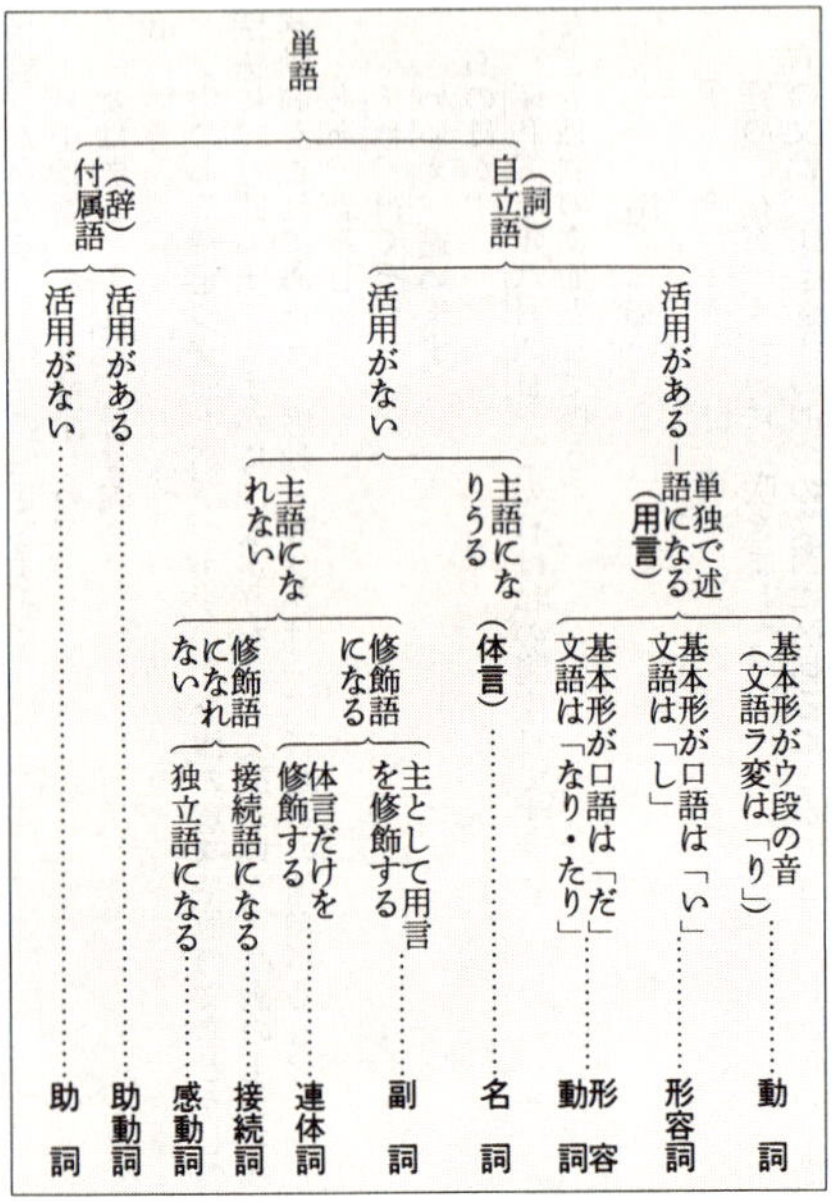

する用法）がある。「人の話をよく聞け。」「行きたいなら行け。」
②助詞「よ」がつく。

四　品詞

単語を文法上の性質・機能の面から分類したものを**品詞**という。
①自立語か付属語か。②活用があるかないか。③どのように活用し、言い切りの形はどうか。④どんな文節を作るか――の基準によって単語を品詞に分類すると、前ページの表のようになる。動詞・形容詞・形容動詞の三つは、いずれも自立語で活用があるところから**用言**と呼ばれる。

(1) 動詞

用言の一つ。自立語で活用があり、文の中心部になることが最も多い。終止形がウ段の音で終わり（文語ラ変動詞だけはイ段の音の「り」）、主として事物の動作・作用・状態・存在などを表す（本文「動詞」を参照）。活用のしかたによって、次のように文語では九種、口語では五種に分類することができる（――→は文語と口語の対応を表す）。

〈文語〉		〈口語〉
四段活用 下一段活用 ナ行変格活用 ラ行変格活用	――→	五段活用
上二段活用 上一段活用	――→	上一段活用
下二段活用	――→	下一段活用
カ行変格活用	――→	カ行変格活用
サ行変格活用	――→	サ行変格活用

なお、動詞の活用語尾の初めの音は、音便形を除いて、原則として五十音図の同じ行の中で行われ、形容詞や形容動詞のように他の行にまたがらない、という語形上の特色がある。（付録「動詞活用表」を参照）。

◎**補助動詞・独立動詞（本動詞）**

ア　机の上に本をおく。
イ　戸を開けておく。

右のア・イの「おく」は、アの方は「ある場所に据える」意で、動詞本来の意味を表すのに対して、イの方は上の語（文節）に「前もって…する」意を添える働きをしている。後者のように動詞本来の意味が薄れ、他の語について付属的な意味を添える動詞を**補助動詞**といい、それに対して前者のように動詞本来の意味を表すものを**独立動詞（本動詞）**という。

◎**自動詞・他動詞**

ア　水が流れる。　授業が終わる。
イ　水を流す。　授業を終える。

右のアの「流れる」「終わる」は、〈対象〉を表す目的語を必要とせず、それ自身の働きとして、充足した意味を表すことのできる動詞であり、イの「流す」「終える」は、ある事物（水・授業）に及んで、それに対する働きかけを表す動詞である。その場合、その事物に「を」を添えて表す。アの類の動詞を**自動詞**、イの類の動詞を**他動詞**といい、対応に応じて意味も異なる。「を」を受ける動詞がすべて他動詞かというとそうではなく、「家を出る」「零度を割る」「道を歩く」のように、離脱点や基準点や移動の場所などを表す「〜を」の下に来る動詞は自動詞である。この「を」は〈対象〉を表してはいない（本文「を」を参照）。

自動詞・他動詞は、「結果が残っている」ことを言い表すときの違いによって区別することもできる。「戸が開いている」「戸が開けてある」のように、「ている」のついたものが自動詞、「てある」のついたものが他動詞であるが、この方法はすべての動詞に適用できないという弱点がある。

また、「犬が人をかむ→人が犬にかまれる」のように、直接的な受け身を作るかどうかも自他動詞の弁別のために使われるが、「犬が人にかみつく」のように「〜に」をとるものも直接的な受け身を作ったり（人が犬にかみつかれる）、「私は右手を骨折した」などでは純然たる他動詞でありながら受け身を作らなかったりするので、これも自他動詞弁別の有効な手段とはならない。あくまで、〈対象〉の「を」をとるかどうかで他動詞と自動詞の区別がつけられることに注意したい。

自動詞・他動詞の対応は、「流れる／流す」「終わる／終える」のように、多く語幹または語幹の一部を等しくし、活用の種類および語尾の行を異にすることによって示される。しかし、「する」「吹く」「笑う」などのように同一語形で両方用いられるもの、「来る」「行く」「あわてる」などのように自動詞だけで他動詞の対応のないもの、「殺す」「飲む」「着る」「思う」などのように他動詞だけで自動詞の対応のないものもある。

また、「走る」「跳ぶ」「生きる」のように本来的な自動詞が、「〜を」をとって他動詞に転じる用法もあり（マラソンを走る・三段跳びを跳ぶ・八十年の生涯を生きる）、本来的な他動詞（机を右に寄せる）を、「波が寄せる」のように自動詞として使う例もある。他動詞「替える」に対応する自動詞「替わる」には、「住所が替わる（自）」のほかに、「住所を替わる（他）」の言い方もある。「替わる」の他動詞表現は「住所を替える（他）」に比べて、動作主の〈意図性〉が穏やかな表現となっている。

「もちにかびが生ずる（自）」「もちがかびを生ずる（他）」、「解決には困難が伴う（自）」「解決は困難を伴う（他）」や、「字が上手に書けますか（自）」「字を上手に書けますか（他）」のように、自他動詞で意味が異ならないと考えられるものもあり、この意味では、日本語の動詞は自他に二分されるとするよりは、自動詞・他動詞・自他動詞に三分されると考えるべきかもしれない。「二〇〇ｃｃの血を輸血する」「本丸を築城する」など、目的語を含み持つ漢語サ変動詞にとりわけこの傾向が強いようだ。

◎**可能動詞**

「行ける」「読める」「書ける」など、ある動詞の本来の意味に可能の意味を合わせて「…することができる」意を表す動詞を**可能動詞**という。これらは、もと五段動詞から作られたもので、語幹と活用の行とをもとのままにして、活用のしかたを下一段化したものである。ところが、近年上一・下一・カ変の語に可能の意を持たせたラ行下一段活用の動詞ができて話題になっている（「ら」抜きことば）。「見れる」「着れる」「出れる」「食べれる」「来れる」などがそれであるが、まだ標準的な言い方とはなっていない。可能動詞は動作を表すというよりは、可能／不可能といった形容詞に近い性質的意味をあらわすため、命令形はない。

◎**動詞の音便**　動詞の音便は五段活用の語の連用形に「て」「た」「たり」などが続くときに現れ、活用の行によって語尾の音が「イ」「ッ」「ン」に変わる。

イ音便　咲き→咲いて　仰ぎ→仰いで
促音便　持ち→持って　取り→取って
撥音便　呼び→呼んで　読み→読んで

なお、「～ウ」となる**ウ音便**も一部に、あるいは地方などに残っている。「問い→問うて」「買い→買うて」など。

(2)　形容詞

用言の一つ。自立語で活用があり、それだけで述語になることができ、事物の状態・性質や感情・感覚を表す単語をいう。終止形の語尾の音は「イ」である（文語では「シ」）。英語の形容詞が名詞を修飾するものであり、単独では述語になれないのに対して、日本語の形容詞はそれらの働きを持つほか連用修飾語にもなるなど、名称は同じでも文法上の働きは大いに異なる。

活用は、文語では「ク活用」「シク活用」の二種、口語では一種である。文語の形容詞には命令形があるが、口語にはない（付録「形容詞活用表」を参照）。

形容詞は語幹の用法が発達している。「おお、さむ（寒）」などのように単独で用いたり、「麗しの君」などのように体言のように用いたりする。また、接尾語の「さ」「み」をつけて「高さ」「弱み」のように名詞として用いたり、「楽しげだ（形容動詞）」「古くさい（形容詞）」「遠浅（名詞）」「近々（副詞）」など、派生語や複合語を作ったりする働きもある。

形容詞には、「良くない」の「ない」のように本来の意味を失い、形容詞・形容動詞などについて補助的な意味を添える働きを持つものがある。この「ない」は「行かない」などと言うときの、動詞につく「ない（助動詞）」と意味は同じ（打ち消し）であるが、用法は違い、「ない」とその上の語との間に助詞「は」「も」などを入れて、「良くはない」「良くもない」と言える。すなわち、助動詞に似ているが、単独で文節を作る点であくまでも形容詞である。このような「ない」は補助動詞の場合と同様に、本来の形容詞とは区別して**補助形容詞**という。口語の補助形容詞には、ほかに「来てほしい」などと使う「ほしい」がある。

(3)　形容動詞

用言の一つ。自立語で活用があり、それだけで述語になることができ、事物の状態・性質や感情を表す単語をいう。終止形の語尾の音は「ダ」である。表す意味が形容詞に近く、文語形容動詞の活用のしかたが動詞（文語ラ変）に似ていることから、「形容動詞」と呼ばれるようになったが、口語の活用は動詞とは全く趣の違ったものになっている。（本文「形容動詞」を参照）

活用は、文語では「ナリ活用」「タリ活用」の二種、口語ではふつうナリ活用の系統を引く「だろ－だっ・で・に－だ－な－なら－〇」の一種とされるが、本書ではタリ活用の系統を引く連用形「－と」、連体形「－たる」も口語の形容動詞として認める立場をとった。前者を**ニナ型活用**、後者を**トタル型活用**と呼ぶ（付録「形容動詞活用表」を参照）。

語幹の用法は形容詞よりも活発で、「まあ、きれい」のように単独で用いたり、「元気らしい」「静かです」「元気かね」のように直下に助動詞や助詞がついたりする。また、接尾語をつけて「穏やかさ」のように名詞になる。これは形容動詞の語幹の独立性が強いためで、その点で、形容動詞を認めず、語幹を体言とし、語尾を指定の助動詞とする立場もある。本書では、形容動詞は語幹で見出しを立てた。

(4) 名詞

自立語で活用がなく、単独で主語になることができる単語をいう。英文法などでは、名詞・代名詞・数詞は区別されるが、日本語の場合、代名詞も数詞も文法上の性質は名詞とはほとんど違わないので、右の基準によって代名詞と数詞を名詞の下位区分とするのがふつうである。

従来、英文法などの影響から名詞・代名詞・数詞を区別し、これらを一括して**体言**と呼んできたが、ここでの立場は代名詞・数詞を名詞の中に含めるので、名詞イコール体言ということになる。体言とは事物の実体概念を表す語の意で、用言に対する語である。

名詞の下位分類として、代名詞・数詞の区分のほかに、便宜的に普通名詞と固有名詞とを区別することがあり、実質的な意味を表すかどうかによって実質名詞と形式名詞とを区別することがある。

①**普通名詞**は、同一種類の事物に通じて用いられる名称を言い、「山・川・人・愛・平和…」などがある。さらに具体名詞（具象名詞）と抽象名詞に分けることもある。

②**固有名詞**は、人名・地名・書名・国名など同一種類に属する個々の特定の事物を互いに区別するために与えられる名称をいい、「聖徳太子・京都・源氏物語・日本…」などがある。

③**形式名詞**は、その表す意味が抽象的意味を持つ名詞をいう。常に上に実質的な内容を示す連体修飾語をとるのが特徴である。これに対して、実質的内容を表す一般の名詞を**実質名詞**という。「事を大きくする」は実質名詞の、「大きなことを言う」は形式名詞の例である。

④**数詞**は、数量または数による順序を表す名詞をいう。これは、「一つ・二人・三本・四枚・五匹」など数量を表す**基数詞**と、「第一・二つ目・三番・四号・五等」など順序を表す**序数詞**に分けられる。また、「三本・三番」の「本・番」など数量や順序を表す接尾語を**助数詞**と言い、数だけを表す部分を**本数詞**ということがある。助数詞は、数えられる事物の種類や性質によって使い分けられることが多く、これが複雑に発達しているのは、日本語を含めてアジアの言語に見られる性質である。なお、数詞は他の名詞と文法上の働きを等しくするが、単独で連用修飾語になれる点が、他の名詞と異なる。これは「昔・今日・あした」など、時を表す名詞にも共通することで、これらは副詞に近いものと言うことができる。（本文「助数詞」を参照）

⑤**代名詞**は、人・事物・場所・方角について、その名称を言わずに、それを話し手の立場から直接に指し示して表す語である。文法上の性質は他の名詞とほとんど変わらないが、他の名詞のように事物の概念を個々の名称によって表すものではなく、話し手と聞き手との関係に基づいて同一人物が「僕」「君」「彼」のように、同一事物が「これ」「それ」「あれ」のように異なった語で指示される点に特色がある。

代名詞の種類は、人に関するものとそれ以外のものとを区別して、**人代名詞**（**人称代名詞**）と**指示代名詞**とに分けられる（本文「人代名詞」「指示代名詞」を参照）。次に口語の代名詞の主なものを挙げた。

		自称	対称	他称 近称	他称 中称	他称 遠称	他称 不定称
人代名詞		わたくし わたし ぼく おれ	あなた 君 お前	このかた このひと こちら これ こいつ	そのかた そのひと そちら それ そいつ	あのかた あのひと あちら あれ あいつ 彼 彼女	どのかた どのひと どなた だれ どちら どれ どいつ
指示代名詞	事物			これ こいつ	それ そいつ	あれ あいつ	どれ どいつ
指示代名詞	場所			ここ	そこ	あそこ	どこ
指示代名詞	方角			こちら こっち	そちら そっち	あちら あっち	どちら どっち

自称（第一人称）は話し手が自分を指し、**対称**（第二人称）は相手を指し、**他称**（第三人称）は話し手の近くか、相手の近くか、双方から遠方かによって、**近称**・**中称**・**遠称**と、それに疑問と不定の意を表す**不定称**を加えた四種に分けられる。人代名詞の各人称に幾つもの語があるのは、敬語の使い分けに応ずるためである。

(5) 副詞

自立語で活用がなく、主語になることがなく、単独で連用修飾語になることができる単語をいう。その表す意味や修飾のしかたによって次の三種に分けられる。

◎**情態副詞**　動作の行われる様子がどのようであるかを表す。主として動詞を修飾するが、まれに他の用法もある。「さっと・むっつり・がらりと」などの擬態語、「ますます・はるばる」などの畳語、「こう・そう」などの指示語、「しいて・かえって・あえて・改めて」などの動詞連用形＋「て」から転じたもの、「一向・早速」などの漢語、その他種々のものを含む。

◎**程度副詞**　情態を表す語の上にあって、その情態がどの程度であるかを表す。主として形容詞・形容動詞を修飾するが、動詞も修飾する。また、その他にも種々の用法を持つ点で問題の多い副詞である。「かなり・ずっと・すこし・もっと・大変・ちょっと」など。

◎**叙述副詞**　用言の叙述のしかたを修飾する機能を持つ。述語の形式を定めて、これと呼応するところから**呼応の副詞**とも、文を述べおさめることを陳述と言うことから**陳述副詞**ともいう。次のようなものがある。

仮定条件と呼応……もし、たとい、万一、よし（文語）
推量と呼応……おそらく、多分、けだし（文語）
打ち消しと呼応……少しも、全く、めったに、おさおさえ（文語）
打ち消しの推量と呼応…まさか、よもや
禁止と呼応……決して、ゆめ（文語）
比況と呼応……ちょうど、まるで、あたかも（文語）
願望・希望と呼応……ぜひ、どうか、どうぞ
疑問・反語と呼応……なぜ、どうして、いったい
強い確信と呼応……必ず、きっと
当然と呼応……まさに、すべからく（文語のみ）

副詞は連用修飾語となるのが普通だが、他にも次のような用法がある。

①程度副詞は他の副詞を修飾することがある。
「もう少し欲しい」「もっとゆっくり話せ」「ずっとはっきりしている」

②程度副詞は単独で時・数・方角・場所を表す名詞を修飾することがある。
「ずっと昔」「もう一枚」「もっと右」

③格助詞「の」を伴って連体修飾語になることがある。
「やっとの思い」「かなりの寒さ」「まさかの場合」

④助動詞「だ」「です」を伴って述語になることがある。
「ちょうどぴったりだ」「もう少しです」

(6) **連体詞**

自立語で活用がなく、単独で連体修飾語としてだけ用いられる単語をいう。この品詞に属する語は多くなく、いずれも他の品詞から転成したものか、あるいは連語だったものが一語化して連体詞となったものである。成立が比較的新しいために、連体詞に含めるかどうか迷うものもあり、また、口語と文語で取り扱いの異なるものもある。

例えば、「この」「我が」などは口語では連体詞であるが、文語では代名詞＋助詞「の」「が」の連語である。それは、文語においては「こ」「わ」は独立して用いられ、種々の助詞に接続するが、口語においてはこの用法がなく、いつも「この」「わが」という形だけで文節を作り、一語として意識されるからである。

(7) **接続詞**

自立語で活用がなく、もっぱら「接続の文節」となって、前後の事柄の関係を意味的にはっきりさせ、文脈を展開・誘導する役目を持つ単語をいう。その関係づけは話し手の立場からなされ、話し手の意図が反映されている単語と言うことができる。連体詞と同様、これに属する語の大部分は他の品詞から転じたものである。

接続詞はその条件的関係や表す意味によって次のように分類される。

①順接を表す……だから、ゆえに、そこで
②逆接を表す……しかし、けれども、だが
③並列・添加などを表す…また、および、そして、それから
④選択を表す……あるいは、または、もしくは、ないしは
⑤話題の転換を表す……さて、ところで、では

また、用法の上から次のように分けられる。

①文をつなぎ合わせる。
「彼は元気がなかった。しかし、頑張った」「もう少しで完成する。だから、元気を出せ」

②文中の文節・連文節をつなぎ合わせる。
「疲れていたし、それに急いでもいた」「雨はやんだが、しかし中止する」

③単語をつなぎ合わせる。
「鉛筆および万年筆」「英語またはフランス語」

(8) 感動詞

自立語で活用がなく、付属語をつけて用いることがなく、常に「独立の文節」となって、感動・呼びかけ・応答などを表す単語をいう。常に一語で一文を構成する単語であるとも言える。自分の気持ちを直接的に表現するもので、外界に指示対象を持たないといった特徴もある。

感動詞はその表す内容によって次のように分類できる。

①感動を表す……ああ、おお、あっ、まあ
②呼びかけを表す…おい、もしもし、いや
③応答を表す……はい、いいえ、うん
④かけ声を表す……よいしょ、どっこいしょ
⑤あいさつを表す…おはよう、こんにちは、さようなら

感動詞はまた、用法の上から「はい。」のように、それだけで一個の文（一語文）になるものと、「さあ、いらっしゃい」のように、文中で独立語として用いられるものとに分けられる。

本書では、「拝啓・敬具・かしこ・草々」など、手紙文に用いられるあいさつ語も意味・文法上の働きを考慮して感動詞に含めた。

(9) 助動詞

付属語で活用があり、常に他の語について一文節を構成し、上の語に一定の意味を加えたり、そのすぐ上の語にかかる文節までを含めた全体の叙述を助けたりする機能を持つ単語をいう。主として用言につくが、助動詞や助詞、名詞、副詞につく語もある。

助動詞の分類方法には、ふつう、(ア)意味によるもの、(イ)活用の型によるもの、(ウ)接続のしかたによるもの、の三つがあるが、次に示すのは意味によって分類したものである。（〔　〕内は文語）

①受身…れる　られる　〔る　らる〕
②可能…れる　られる　〔る　らる〕
③自発…れる　られる　〔る　らる〕
④尊敬…れる　られる　〔る　らる　す　さす　しむ〕
⑤使役…せる　させる　しめる　〔す　さす　しむ〕
⑥希望…たい　〔たし　まほし〕
⑦打消…ない　ぬ　まい　〔ず　じ　まじ〕
⑧推量…う　よう　まい　らしい　〔む　けむ　らむ　らし　べし　まじ　じ　まし　めり〕
⑨過去…た　〔き　けり〕
⑩完了…た　〔つ　ぬ　たり　り〕
⑪指定…だ　です　〔なり　たり〕
⑫比況…ようだ　〔ごとし　ごとくなり〕
⑬様態…そうだ（連用形接続）
⑭伝聞…そうだ（終止形接続）　〔なり〕
⑮丁寧…です　ます

右のうち、①から⑥までは上の語の意味を補う働きを持つもので、これらを接尾語とする説もある。⑦から⑮までは話し手の種々の判断のしかたを表すものである。

助動詞の重なり方の順序は、ほぼ次のような順序で一定している。

せる・させる・しめる→れる・られる→たい*→ます*→ない*・ぬ（ん）*→そうだ（そうです）〔様態〕→だ→た→らしい→です・ようだ（ようです）→う・よう・まい・そうだ（そうです）〔伝聞〕

＊同じグループ内のものは相互に重ならない。また、＊印の語は「た」の上に位置することがある。

最上位は、他の助動詞につくことのないグループで、各活用形がそろい、用言に近い性質を持ち、接尾語とも言われる。最下位は、他の助動詞がつくことのないグループで、語形変化がなく（あるいは、乏しく）、終助詞に近い性質のものである。（活用の型についての分類や、各助動詞の活用のしかた及び接続については、付録「主要助動詞活用表」を参照）

(10) 助詞

付属語で活用がなく、常に他の語について一文節を構成し、他の成分に対して、どのような関係にあるかを示したり、いろいろの意味を添えたりするときに用いる単語をいう。日本語が名詞の使われ方から膠着（こうちゃく）語に属すると言われるのも、この助詞が非常に発達し、文法上の重要な機能を発揮しているからである。

助詞の分類方法には種々のものが行われているが、本書では次の八種類に細分した。（学校文法では、ふつう格助詞、接続助詞、副助詞、終助詞の四つに分ける。これにならえば、本書の八種類のもののうち、準体助詞は格助詞に、並立助詞は格助詞や副助詞または接続助詞に、係助詞は副助詞に、間投助詞は終助詞に含めることになる）

①**接続助詞**　活用する語について、上の文と下に来る文とをいろいろな意味関係でつなぐ。「時間が許せば、出席できるのだが」などと使って仮定条件を表す「ば」、「本を読んでいると、電話がかかってきた」

などと使って時間的関連を表す「と」、「春になったが、まだ寒い」などと使う逆接の「が」、原因・理由を表す「から」「ので」、列挙や前後の事柄をつなぐ「て」などのほか、「ても」「つつ」「くせに」などがある。

②**格助詞**　体言（準体言を含む）について、それが述語あるいは他の格を伴う成分とどういう資格で関係するかを示す。主格を表す「が」、対格を表す「を」、位格を表す「に」、共同者格を表す「と」のほか、「へ」「から」「まで」「より」「で」「の」がある。所有などを表す「の」は述語との格関係を表示せず、もっぱら体言と体言との関係を示すため、新たに助詞の分類として連体助詞を立て、それに含める立場もある。係助詞の「は」「も」などとともに、日本語の文の組み立てにかかわる最も重要な助詞群である。

③**準体助詞**　種々の語について、それを体言に準ずるもの（**準体言**）とする。「もっと赤いのがよい」「本を読むのが好きだ」などの「の」がこれに当たる。後者の「の」は形式名詞に近い。

④**並立助詞**　種々の語について、対等の文節を作る。「AかBか」などと選択を表す「か」や、「AとB」などと並列を表す「と」、「おせんにキャラメル」などと使う「に」のほか、「の」「や」「たり」「とか」などがある。

⑤**副助詞**　種々の語について、いろいろの補助的意味を添える。「漱石くらい読め」などと使う「くらい」、「愚痴ばかり言う」などと使う「ばかり」や、「母まで反対する」などと使う「まで」、「言うほどのことはない」などと使う「ほど」のほか、「だけ」「か」「さえ」「しか」「など」などがある。主として連用修飾語を作ると考えられて、「副助詞」の名称があるが、必ずしも適切ではないとする考えもある。係助詞との境界が微妙である。

⑥**係助詞**　種々の語について、ある種の意（特に、とりたての意）を添える。「私はうそは言わない」などと使う「は」や、「明日も雨らしい」などと使う「も」のほか、「こそ」「しか」「とは」「ったら」「って」「てば」などがある。あとに来る述語に決まった勢力を及ぼす語とも言われるが、係り結びの法則を失った現代語では、必ずしも適切な規定ではない。

⑦**終助詞**　種々の語について、常に文の終わりに位置し、話し手の疑問・禁止・詠嘆・勧誘・依頼・念押しなどの気持ちを表す。「か」「な」「や」「よ」「わ」「ぜ」などのほか、他の助詞や名詞から転じた「の」「が」「もの」などがある。

⑧**間投助詞**　種々の語につく。文の途中にも終わりにも位置して、語調を強めたり感動の意を添えたりする。切れる文節、続く文節を問わず、必ず文節の最後に来る。「お兄ちゃんがね、ぶったの」などと使う「ね」や、「さ」「よ」「な」などがある。

⑾**品詞の転成**

ある単語が、意味や文法上の働きの上で本来の品詞としての特質を失い、他の品詞としての特質を持つようになることをいう。その主な例に次のようなものがある。

①名詞への転成
ア　動詞の連用形から（光・謡・思い・受け・取り次ぎ）。
イ　形容詞の連用形・終止形・語幹から（遠く・鮨（すし）・赤）。
ウ　感動詞から（あわれ）

②副詞への転成
ア　名詞から（つゆ・いっぱい）
イ　動詞から（あまり・ますます）

③接続詞への転成
ア　動詞から（及び）
イ　副詞から（また）
ウ　助詞から（が・と・けれども）

④感動詞への転成
ア　名詞から（くそ・畜生）
イ　代名詞から（それ・あれ）
ウ　動詞から（もし）
エ　形容詞から（よし）
オ　副詞から（ちょっと）

⑤連体詞への転成
ア　動詞から（去る・明くる）
イ　形容動詞から（大きな・小さな）

これらの中で最も多いのは、動詞の連用形が名詞に転ずるもので、これを**連用形名詞**と言うことがある。ところで、「時計をお買い上げになる」は、全体で「買い上げる」の敬語を表す特殊な動詞とみなすことができるが、「時計をお買い上げのお客さま」は上に対しては動詞の働きをし、下に対しては名詞の働きをするという二重の働きをする。また、「論文を執筆中の田中先生」なども同様である。これらはいずれも省略的表現で、連用形名詞と言うよりは、連用形の特殊な用法と言うべきものであろう。

五　造語成分

単語には、意味的にそれ以上小さな単位に分けられないもの（単純語）と、さらに小さく分けられるもの（複合語・派生語）とがある。前者に「山・春・花」など、後者に「山里・春めく・お花・山岳」などがある。前者におけるそれぞれの単位は、語を構成する単位となっているところから、**語構成要素**または**造語成分**と呼ばれる。これには本来単語として用いられる独立的なもの（山・里・春・花）と、単語としては決して用いられない非独立的なもの（めく・お・山・岳）とがある。

非独立的造語成分には、派生語を作る接頭語・接尾語（総称して、接辞）、およびそれ以外のものとがある。非独立的造語成分から接辞を除いたものを特に**語構成要素**または**造語成分**、または**語素**と言うことも多く、本書で《造語》と表示したのはそれである。

(1) **接頭語**　常に他の基本となる構成要素の上にあって、意味を添えたり語調を整えたりする造語成分。一般に、文法的性質を変える働きはないが、漢語の否定の意の「不・非」などは形容動詞語幹を作ることが多い。

(2) **接尾語**　常に他の基本となる構成要素の下にあって、①主に体言について意味を添える造語成分と、②意味を添えると同時にその文法的性質を変える造語成分とがある。①には、敬意・親愛・軽卑、複数、数量、順序などを表すものがあるが、このうち数量、順序を表すものを特に**助数詞**という。これには、「五メートル」などの単位名も含まれる。②には、名詞・動詞・形容詞・形容動詞を作るものなどがある。

(3) **接辞以外のもの**　「ほのめく・ほの暗い・ほのぼの」の「ほの」、「ひそまる・ひそひそ」の「ひそ」などは、単独で単語として用いられることがなく、しかも接頭語でも接尾語でもない造語成分の例である。ふつう**語根**と呼ばれるが、この用語は他の意味に用いられることがある。

ところで、「山岳・健康」の「山・岳・健・康」などは、それぞれある意味を表しているが、単独で単語として用いることはない。これらを単語相当のものとして認める立場もあるにはあるが、非独立的な造語成分（語素）として、(3)に含まれるものであることに変わりはない。このように、漢字一字の造語成分から構成された単語は複合語であり、特にこれらの漢語の場合には**熟語**ということが多い。

六　敬　語

(1) 敬語は、話し手（書き手）が聞き手（読み手）に対して敬意を表す場合と、話題中の人物に対して敬意を表す場合に分けて考えることができる。前者を「丁寧語」といい、後者はさらに動作をする人を敬うのか、動作を受ける人を敬うのかによって「尊敬語」と「謙譲語」とに分ける。

尊敬語は、話し手が主体を敬う敬語をいう。主体とは、ある動作をする人（動作の仕手）のことである。

謙譲語は、話し手が客体を敬う敬語をいう。客体とは、ある動作の及ぶ人（動作の受け手）のことである。この敬語が「謙譲語」と呼ばれるのは、現代語では動作の主体が話し手自身である場合が圧倒的に多く、そこから、自分をへりくだるという意識が出たためである。しかし、本来、主体のいかんに関係なく用いられるもので、敬意の向けられる対象が客体であることに変わりはない。

丁寧語は、話し手がその相手（聞き手）そのものに対する敬意を表すもので、話題中の主体・客体などに関係なく用いられる敬語である。「お米があります」の「お米」は、「アナタガメシアガルお米があります」の文脈では尊敬語として、「アナタニサシアゲルお米があります」の文脈では謙譲語として働いているが、店で「お米がありますカ？」と使う「お米」は、聞き手を意識して丁寧に言ったもので、この言い方が丁寧語である。これを「**美化語**」と言う意見もある。

(2) 敬語を語形の面から見ると、①敬語的成分（補助動詞・助動詞・接頭語・接尾語）を付け加えるものと、②「来る－いらっしゃる」のように普通の言い方と別の形をとるもの、とに分けられる（①は二つ以上を併用することがある）。

①は、尊敬語に「お（御）…になる」「…てくださる」「…（ら）れる」「お（御）…」「貴…」「…様」「…殿」、謙譲語に「お（御）…する」「…ていただく」「お（御）…」「拝…」、丁寧語に「…（ござい）ます」「…です」「お（御）…」などがある。②は、尊敬語に「なさる」「おっしゃる」、謙譲語に「いただく」「うかがう」、丁寧語に「ございます」などがある。

〔編集部注〕以上は中島繁夫「文法について」（『学研国語大辞典』所収）に加筆し一部修正を加えたものである。

動詞活用表

口語

種類	行	基本形	語幹	未然形	連用形	終止形	連体形	仮定形	命令形
五段	カ	歩く	ある	か／こ	き／い	く	く	け	け
	カ	行く	い	か／こ	き／っ	く	く	け	け
	カ	行く	ゆ	か／こ	き／○	く	く	け	け
	ガ	泳ぐ	およ	が／ご	ぎ／い	ぐ	ぐ	げ	げ
	サ	話す	はな	さ／そ	し	す	す	せ	せ
	サ	略す	りゃく	さ／そ	し	す	す	せ	せ
	タ	打つ	う	た／と	ち／っ	つ	つ	て	て
	バ	学ぶ	まな	ば／ぼ	び／ん	ぶ	ぶ	べ	べ
	マ	読む	よ	ま／も	み／ん	む	む	め	め
	ラ	取る	と	ら／ろ	り／っ	る	る	れ	れ[1]
	ラ	なさる[2]	なさ	ら／ろ	いり／っ	る	る	れ	れい
	ワア	買う[3]	か	わ／お	い／っ	う	う	え	え
	ナ	死ぬ[4]	し	な／の	に／ん	ぬ	ぬ	ね	ね
	ラ	有る[6]	あ	ら／ろ	り／っ	る	る	れ	れ
	ラ	蹴る[8]	け	ら／ろ	り／っ	る	る	れ	れ
	ア	射る	（い）	い	い	いる	いる	いれ	いろ いよ
	ア	居る	（い）	い	い	いる	いる	いれ	いろ いよ
	カ	着る	（き）	き	き	きる	きる	きれ	きろ きよ
	ナ	似る	（に）	に	に	にる	にる	にれ	にろ によ

文語

種類	行	基本形	語幹	未然形	連用形	終止形	連体形	已然形	命令形
四段	カ	歩く	ある	か	き	く	く	け	け
	カ	行く	ゆ	か	き	く	く	け	け
	ガ	泳ぐ	およ	が	ぎ	ぐ	ぐ	げ	げ
	サ	話す	はな	さ	し	す	す	せ	せ
▲「略す」は文語ではサ行変格活用									
四段	タ	打つ	う	た	ち	つ	つ	て	て
	バ	学ぶ	まな	ば	び	ぶ	ぶ	べ	べ
	マ	読む	よ	ま	み	む	む	め	め
	ラ	取る	と	ら	り	る	る	れ	れ
	ラ	なさる	なさ	ら	り	る	る	れ	れ
	ハ	買ふ	か	は	ひ	ふ	ふ	へ	へ
ナ変	ナ	死ぬ[5]	し	な	に	ぬ	ぬる	ぬれ	ね
ラ変	ラ	有り[7]	あ	ら	り	り	る	れ	れ
下一段	カ	蹴る[9]	（け）	け	け	ける	ける	けれ	けよ
上一段	ヤ	射る	（い）	い	い	いる	いる	いれ	いよ
	ワ	居る	（ゐ）	ゐ	ゐ	ゐる	ゐる	ゐれ	ゐよ
	カ	着る	（き）	き	き	きる	きる	きれ	きよ
	ナ	似る	（に）	に	に	にる	にる	にれ	によ

○はその活用形がないことを示す。（○）は語幹と語尾の区別がないことを示す。
語の下の数字については解説四の注を参照。

上一段	ハ	干る	（ひ）	ひ	ひ	ひる	ひる	ひれ	ひろ・ひよ
	マ[10]	見る	（み）	み	み	みる	みる	みれ	みろ・みよ
	ア[11]	強いる	し	い	い	いる	いる	いれ	いろ・いよ
	ア	老いる	お	い	い	いる	いる	いれ	いろ・いよ
	カ	起きる	お	き	き	きる	きる	きれ	きろ・きよ
	カ	飽きる	あ	き	き	きる	きる	きれ	きろ・きよ
	ガ	過ぎる	す	ぎ	ぎ	ぎる	ぎる	ぎれ	ぎろ・ぎよ
	ザ	閉じる	と	じ	じ	じる	じる	じれ	じろ・じよ
	タ	落ちる	お	ち	ち	ちる	ちる	ちれ	ちろ・ちよ
	バ	浴びる	あ	び	び	びる	びる	びれ	びろ・びよ
	マ	染みる	し	み	み	みる	みる	みれ	みろ・みよ
	ラ	降りる	お	り	り	りる	りる	りれ	りろ・りよ
	ラ	借りる	か	り	り	りる	りる	りれ	りろ・りよ
	ザ	信じる	しん	じ	じ	じる	じる	じれ	じろ・じよ
口語「凪ぐ」は五段活用（文語では四段も）▼									
口語「恨む」は五段活用（文語では四段も）▼									
下一段	ア	心得る	こころ	え	え	える	える	えれ	えろ・えよ
	ア	教える	おし	え	え	える	える	えれ	えろ・えよ
	ア	覚える	おぼ	え	え	える	える	えれ	えろ・えよ
	ア	植える	う	え	え	える	える	えれ	えろ・えよ
	カ	分ける	わ	け	け	ける	ける	けれ	けろ・けよ
	ガ	上げる	あ	げ	げ	げる	げる	げれ	げろ・げよ
	サ	乗せる	の	せ	せ	せる	せる	せれ	せろ・せよ
	ザ	混ぜる	ま	ぜ	ぜ	ぜる	ぜる	ぜれ	ぜろ・ぜよ
	タ	立てる	た	て	て	てる	てる	てれ	てろ・てよ

	ハ	干る	（ひ）	ひ	ひ	ひる	ひる	ひれ	ひよ
	マ	見る	（み）	み	み	みる	みる	みれ	みよ
上二段	ハ	強ふ	し	ひ	ひ	ふ	ふる	ふれ	ひよ
	ヤ	老ゆ	お	い	い	ゆ	ゆる	ゆれ	いよ
	カ[12]	起く	お	き	き	く	くる	くれ	きよ
▲文語は「飽く」で、四段活用									
上二段	ガ	過ぐ	す	ぎ	ぎ	ぐ	ぐる	ぐれ	ぎよ
	ダ	閉づ	と	ぢ	ぢ	づ	づる	づれ	ぢよ
	タ[13]	落つ	お	ち	ち	つ	つる	つれ	ちよ
	バ	浴ぶ	あ	び	び	ぶ	ぶる	ぶれ	びよ
▲文語は「染む」で、古くは四段活用									
上二段	ラ	降る	お	り	り	る	るる	るれ	りよ
▲文語は「借る」で、四段活用									
▲文語は「信ず」で、サ行変格活用									
上二段	ガ	凪ぐ	な	ぎ	ぎ	ぐ	ぐる	ぐれ	ぎよ
	マ	恨む	うら	み	み	む	むる	むれ	みよ
下二段	ア[14]	心得	こころ	え	え	う	うる	うれ	えよ
	ハ	教ふ	をし	へ	へ	ふ	ふる	ふれ	へよ
	ヤ	覚ゆ	おぼ	え	え	ゆ	ゆる	ゆれ	えよ
	ワ[15]	植う	う	ゑ	ゑ	う	うる	うれ	ゑよ
	カ	分く	わ	け	け	く	くる	くれ	けよ
	ガ	上ぐ	あ	げ	げ	ぐ	ぐる	ぐれ	げよ
	サ	乗す	の	せ	せ	す	する	すれ	せよ
	ザ	混ず	ま	ぜ	ぜ	ず	ずる	ずれ	ぜよ
	タ	立つ	た	て	て	つ	つる	つれ	てよ

下一段	ダ	出る	（で）	で	で	でる	でる	でれ	でろ でよ
	ダ	撫でる	な	で	で	でる	でる	でれ	でろ でよ
	ナ	寝る	（ね）	ね	ね	ねる	ねる	ねれ	ねろ ねよ
	ナ	尋ねる	たず	ね	ね	ねる	ねる	ねれ	ねろ ねよ
	ハ	経る	（へ）	へ	へ	へる	へる	へれ	へろ へよ
	バ	食べる	た	べ	べ	べる	べる	べれ	べろ べよ
	マ	止める	と	め	め	める	める	めれ	めろ めよ
	ラ[16]	暮れる	く	れ	れ	れる	れる	れれ	れろ れよ
カ変	カ	来る	（く）	こ	き	くる	くる	くれ	こい
サ変	サ	する[17]	（す）	し／せ さ	し	する	する	すれ	しろ せよ
	サ	接する	せっ	し／せ	し	する	する	すれ	しろ せよ
	ザ	論ずる[18]	ろん	じ／ぜ	じ	ずる	ずる	ずれ	じろ ぜよ
下二段	ダ	出	（づ）	で	で	づ	づる	づれ	でよ
	ダ	撫づ	な	で	で	づ	づる	づれ	でよ
	ナ	寝	（ぬ）	ね	ね	ぬ	ぬる	ぬれ	ねよ
	ナ	尋ぬ	たづ	ね	ね	ぬ	ぬる	ぬれ	ねよ
	ハ	経	（ふ）	へ	へ	ふ	ふる	ふれ	へよ
	バ	食ぶ	た	べ	べ	ぶ	ぶる	ぶれ	べよ
	マ	止む	と	め	め	む	むる	むれ	めよ
	ラ	暮る	く	れ	れ	る	るる	るれ	れよ
カ変	カ	来	（く）	こ	き	く	くる	くれ	こ こよ
サ変	サ	す	（す）	せ	し	す	する	すれ	せよ
	サ	接す	せっ	せ	し	す	する	すれ	せよ
	ザ	論ず	ろん	ぜ	じ	ず	ずる	ずれ	ぜよ

《解説》

一、口語五段動詞の未然形と連用形、およびサ変動詞の未然形の語尾の欄は、さらに二つあるいは三つに分けた。そのそれぞれの用法を示すと次のようになる。

五段動詞未然形
上段　助動詞「ない」「ぬ」「せる」「れる」「しめる」に続く。
下段　助動詞「う」に続く。

五段動詞連用形
上段　言いさすときと、「―はしない」「―もしない」「―さえすれば」のような連語の形に用いる。また、助動詞「ます」「たい」「そうだ（様態）」、助詞「ながら」、接尾語「たがる」に続く。
下段　助動詞「た（だ）」、助詞「て（で）」「たり（だり）」「ても（でも）」に続く。

サ変動詞未然形
上段　助動詞「ない」「まい」「よう」に続く。

中段（「する」のみ）　助動詞「ぬ」「られる」「しめる」に続く。

下段（「する」）　助動詞「せる」「れる」に続く。

（「接する」「論ずる」）　助動詞「ぬ」「させる」「られる」「しめる」に続く。（ただし、上一段化する結果、「させる」「られる」に続くときは「接し」「論じ」となることが多い）

二、口語五段動詞の「歩こう」「話そう」などは、歴史的かなづかいでは「歩かう」「話さう」などと書き、オ段の仮名は使われなかった。そのため、五段活用の動詞は、以前は文語の場合と同じく四段活用の動詞と呼ばれていた。現在でも歴史的かなづかいの立場ではこの名で呼ばれることがある。

この「歩こう」「話そう」は、本来「歩かむ」「話さむ」であり、従って文語では、打消の形も推量・意志の形もともに語尾はア段の音であった。それが、推量の助動詞「む」の方に音の変化が起こり、歴史的かなづかいでは「歩かう」「話さう」と書いたものが、現代かなづかいでは発音に従うところから、「歩こう」「話そう」と書くようになった。

このように、現代かなづかいでは、打消の形と推量・意志の形とでは活用語尾が変わるが、学校文法では、この「歩こう」などを単独の活用形として立てず、文語の活用形の用法に合わせてそのまま未然形としたため、五段活用の未然形にア段とオ段とが並ぶことになっている。

三、文語四段動詞の連用形の音便の形は、

▽ サ行にイ音便がある。（話いて）
▽ ハ行に促音便のほかにウ音便がある。（買うて）
▽ バ・マ行に撥音便のほかにウ音便がある。（喜うで、頼うで）
▽ 「行(ゆ)く」はイ音便である。（行(ゆ)いて）

などの点が違うほかは、その動詞の口語での活用の連用形下段の形とほぼ同じである。

四、表の注。

1 ラ行五段動詞の中には、「すべる」「しゃべる」のように、命令形が「―れ」の形のほかに、俗に「―ろ」の形になるものがある。

2 ラ行五段動詞「なさる」と同様の活用をする語は、ほかに「いらっしゃる」「おっしゃる」「くださる」「ござる」がある。これらの活用形の用法の中で注意すべき点は次のようである。
ア、未然形「―ら」は「せる」「れる」「しめる」にふつう続かない。
イ、連用形「―い」は「ます」に続くときだけに用いる。
ウ、命令形の二つの形のうち、「―れ」は文語的な言い方で、ふつうは「―い」を用いる。これは本来、連用形の音便形「なさい」に「ませ」が付いたものの省略形である。

3 「買う」の連用形下段の用法「買った」「買って」は、関西地方では「買(こ)うた」「買(こ)うて」となる。

4 ナ行五段動詞は「死ぬ」の一語のみ。

5 ナ変動詞は「死ぬ」「往(い)ぬ」の二語のみ。

6 「有る」と同様の活用をする語は、ほかに「居(お)る」がある。未然形の「―ら」はふつう「ない」に続かない。（打消にはふつう単に「ない」を用いる。「あらず」「あらぬ」は文語、または文語的）また、命令形「―れ」も文語、または文語的。

7 ラ変動詞は「有り」「居(を)り」「侍(はべ)り」「いまそかり」の四語。

8 ラ行五段動詞「蹴る」は、複合動詞をつくるときは「蹴落とす」のように下一段活用となることも多い。（文語の残存）

9 文語の下一段動詞は「蹴る」一語のみ。

10 マ行上一段動詞「試みる」「夢見る」「かんがみる」などは、文語では古くはマ行上一段活用であったが、のち、「試む」「夢む」「かんがむ」のように、マ行上二段にも活用するようになった。

11 ア行上一段動詞「用いる」は、文語では、平安時代にワ行上一段の「用ゐる」とハ行上二段の「用ふ」の両形があり、中世以降、ワ行上二段の「用う」とヤ行上二段の「用ゆ」がある。

12 カ行上二段動詞「生く」には古く四段活用もあった。

13 タ行上二段動詞「満つ」には古く四段活用もあった。

14 ア行下二段動詞は「得(う)」とその複合動詞のみ。なお、下二段動詞の「得」「出(づ)」（ダ行）「寝(ぬ)」（ナ行）「経(ふ)」（ハ行）の四語は、語幹と語尾の区別がない。

15 ワ行下二段動詞は「植う」「据う」「飢(う)う」の三語のみ。

16 口語ラ行下一段動詞の中で、「呉(く)れる」のみは命令形が「呉れ」となる。

17 サ変動詞「する」と同様に活用するサ変複合動詞は数多くある。それらのうち、「愛する」「解する」「適する」の類は、「愛す」などの形をとって五段に活用する。（サ変の五段化）

18 サ変動詞「論ずる」と同様に活用するサ変複合動詞には、「感ずる」「信ずる」「命ずる」「通ずる」「甘んずる」「軽んずる」「先んずる」などがある。この類には上一段化した「―じる」の形が対応する。（サ変の上一段化）

五、補注。

＊ 五段動詞は、その多くについて、次のように可能の意味をもつ下一段動詞（可能動詞）が対応する。

歩く―歩ける　行く―行ける　取る―取れる
読む―読める　愛す―愛せる

可能動詞には、命令形がない。なお、五段動詞以外でも対応する可能動詞が用いられることもある（「来る―来(こ)れる」「見る―見れる」「出る―出れる」「食べる―食べれる」の類）が、まだ標準的な用法とはなっていない。

形容詞活用表

口語

基本形	語幹	活用語尾 未然形	連用形	終止形	連体形	仮定形	命令形
高い	たか	かろ	く／かっ	い	い	けれ	○
美しい	うつくし						
むつまじい	むつまじ						

文語

種類	基本形	語幹	活用語尾 未然形	連用形	終止形	連体形	已然形	命令形
ク活用	高し	たか	から	く／かり	し	き／かる	けれ	かれ
シク活用	美し	うつく	しから	しく／しかり	し	しき／しかる	しけれ	しかれ
	むつまじ	むつま	じから	じく／じかり	じ	じき／じかる	じけれ	じかれ

○はその活用形がないことを示す。

《解説》

一、口語形容詞の連用形、および文語形容詞の連用形・連体形の語尾の欄は、さらに二つに分けた。そのそれぞれの用法は次のとおり。

口語形容詞連用形

上段　言いさすとき、および連用修飾語として用いる。補助形容詞「ない」、助詞「て」「ても」に続く。

下段　助動詞「た」、助詞「たり」に続く。

文語形容詞連用形

上段　言いさすとき、および連用修飾語として用いる。補助動詞「あり」、助詞「て」「して」などに続く。

下段　助動詞「き」「けり」「つ」「ぬ（完了）」などに続く。

文語形容詞連体形

上段　連体修飾語として用いる。また、準体言として用いる。「ぞ」「なむ」「や」「か」を受けて文を終止する（係り結び）。助動詞「なり」「ごとし」に続く。

下段　助動詞「べし」「らし」「まじ」「らむ」「めり」などに続く。

二、口語形容詞の連用形が「ございます」「存じます」に続くときには次のような形がある。これは、もと連用形「―く」のウ音便による。（関西地方では「ございます」「存じます」以外の語にも広く続けて用いる。「寒うなった」など）

ア、語幹の最終音がウ段の場合、ウ段の長音となる。「寒うございます」「暑うございます」

イ、語幹の最終音がオ段の場合、オ段の長音となる。「白うございます」「重うございます」

ウ、語幹の最終音がア段の場合、オ段の長音となり、語幹も変化して、「こう…」の形になる。「たか（高）くございます」→「たこうございます」、「あか（赤）くございます」→「あこうございます」

エ、語幹の最終音がイ段の場合、ウ段の拗音の長音「しゅう…」の形になる。「うれしくございます」→「うれしゅうございます」

三、文語形容詞の連用形「―く」「―しく」の音便の形はすべてウ音便。

四、文語形容詞の連体形「―き」「―しき」は、イ音便の形となることがある（連体形の口語化）。

五、文語のシク活用形容詞の活用語尾の「し」の部分は、各活用形にわたって現れるところから、語幹に含める考え方がある。この場合の活用は、終止形を除いてク活用と全く同じになる。これは、「なつかしの…」「美しさ」などの用法を語幹の用法としてク活用の場合と同様に説明できる利点があるが、語幹が終止形の語尾がなくなるため、活用表に終止形が現れなくなり、語幹が終止形の用法を受け持つと説明せざるを得なくなる。そこで学校文法では、「し」の部分を語幹から外し、別の活用形式（シク活用）とする。そして、語幹の用法は終止形がはたすと見る。

六、文語形容詞「ク活用」「シク活用」のうちで、「から・かり・かる・かれ」「しから・しかり・しかる・しかれ」という活用は、形容詞の連用形語尾「く」「しく」に「あり」が付いてできた活用で、本来の「○・く・し・き・けれ・○」「○・しく・し・しき・しけれ・○」の活用に対して補助的な役目を持つところから、形容詞の補助活用あるいはカリ活用ともいう。

形容動詞活用表

○はその活用形がないことを示す。

口語

種類	基本形	語幹	活用語尾 未然形	連用形	終止形	連体形	仮定形	命令形
ニナ型活用	静かだ	静か	だろ	だっ／で／に	だ	な	なら	○
トタル型活用	堂堂たる	堂堂	○	○／○／と	○	たる	○	○

文語

種類	基本形	語幹	活用語尾 未然形	連用形	終止形	連体形	已然形	命令形
ナリ活用	静かなり	静か	なら	なり／に	なり	なる	なれ	なれ
タリ活用	堂堂たり	堂堂	たら	たり／と	たり	たる	たれ	たれ

《解説》

一、口語形容動詞の連用形、および文語形容動詞の連用形の語尾の欄は、さらに三つあるいは二つに分けた。そのそれぞれの用法は次のとおり。

口語形容動詞連用形
上段　助動詞「た」、助詞「たり」に続く。
中段　言いさすときに用いる。補助形容詞「ない」、補助動詞「ある」に続く。
下段　連用修飾語として用いる。

文語形容動詞連用形
上段　助動詞「き」「けり」「つ」「けむ」に続く。
下段　言いさすとき、および連用修飾語として用いる。助詞「て」（ナリ活用のみ）「して」に続く。

二、ニナ型活用は、本書では《形動》と表示してある。トタル型活用は、本書では《形動トタル》と表示してある。

三、ニナ型活用は、丁寧な言い方をするときには、
静か　でしょ・でし・です・です・○・○
となる。

四、トタル型活用の「―と」「―たる」は、学校文法では、それぞれ副詞・連体詞とする。しかし本書では、二つの活用形をもつ口語の形容動詞として認める立場をとった。

五、「同じだ」「こんなだ」「あんなだ」の類の形容動詞では、連体形「―な」は「ので」「のに」に続く場合にのみ用いられ、体言に続くときは語幹がそのまま用いられる。

六、「大きな」「小さな」などは本来形容動詞であり、その連体形「―な」のみ口語に残ったものである。従って、連体形のみの形容動詞とする説もあるが、「だ」で言い切れないなどの点から、本書では連体詞に転成したものと見る。ただし「目の大きな人」「声の小さな人」などの言い方がある点で形容動詞的であり、他の連体詞とは違いがある。

七、形容詞と形容動詞の間で、共通の語幹を持つものがある。「柔らかい―柔らかだ」「細かい―細かだ」など。

八、ニナ型活用の形容動詞の中には、「有能だ」のように副詞的な連用修飾語として用いる連用形「―に」の形のないものがある。

九、ニナ型活用の形容動詞の中には、「大幅だ」のように連体形「―な」のほかに「―の」の形をとるものがある。

十、トタル型活用の形容動詞は、おもに文章語として用いられる。

主要助動詞活用表

(1) 助動詞の分類方法には、意味によるもの、活用の型によるもの、どのような語を受けるか（活用語ならば何形を受けるか）という接続によるもの、の三種があるが、この活用表では、活用の型によって語を配列し、各語の活用欄の下に意味および接続の欄を設けた。

(2) ○はその活用形がないことを示す。（ ）はふつうには使われない形であることを示す。〈 〉は古風な書き方であることを示す。口語の活用表で、語の下の数字については解説三の注を参照。

口語

種類	基本型	未然形	連用形	終止形	連体形	仮定形	命令形	意味	接続
動詞下一段型	せる	せ	せ	せる	せる	せれ	せろ せよ	使役	未然形（五段・サ変の「さ」）。
	させる	させ	させ	させる	させる	させれ	させろ させよ		未然形（上一・下一・カ変・サ変の「せ」）。
	しめる[1]	しめ	しめ	しめる	しめる	しめれ	しめよ		未然形（動詞・文語形容詞・文語形容動詞）。
	れる[2]	れ	れ	れる	れる	れれ	れろ れよ	受身・可能 自発・尊敬	未然形（五段・サ変の「さ」）。
	られる[2]	られ	られ	られる	られる	られれ	られろ られよ		未然形（上一・下一・カ変・サ変の「せ」、「せる」「させる」「しめる」）。
形容詞型	ない	○ なかろ	なく なかっ	ない	ない	なけれ	○	打消	未然形（動詞・動詞型活用の助動詞）。［サ変は「し」の形］
	たい	○ たかろ	たく[3] たかっ	たい	たい	たけれ	○	希望	連用形（動詞・動詞型活用の助動詞）。
	らしい	○	らしく[3] らしかっ	らしい	らしい	○	○	推定	終止形（動詞・形容詞・助動詞）。語幹（形容動詞、「そうだ」）。名詞など。
形容動詞型	だ	○ だろ	で だっ	だ	な[4]	なら	○	指定	名詞。ある種の助詞。［未然形・仮定形は、動詞・形容詞・一部の助動詞の終止形にも］
	そうだ	○	そうで ○	そうだ （そうな）	○	○	○	伝聞	終止形（用言・助動詞）。
	そうだ	○ そうだろ	そうで そうに そうだっ	そうだ	そうな	そうなら	○	様態	連用形（動詞・動詞型活用の助動詞）。語幹（形容詞・形容動詞）。
	ようだ	○ ようだろ	ようで ように ようだっ	ようだ	ような	ようなら	○	比況・推量	連体形（用言・助動詞）。助詞「の」。連体詞「この」「その」「あの」「どの」。
	みたいだ	○ みたいだろ	みたいで みたいに みたいだっ	みたいだ	みたいな	みたいなら	○	比況	名詞。連体形（用言）〔俗語的〕
特殊型	た[5]	○ たろ	○	た	た	たら	○	過去・完了 存続	連用形（用言、「ぬ」「う」「よう」「まい」「そうだ（伝聞）」以外の助動詞）。
	です	○ でしょ	○ でし	です	です[6]	○	○	丁寧な指定	名詞。助詞。語幹（形容動詞・その型の助動詞）。終止形（形容詞・その型の助動詞）。［未然形は動詞の終止形にも］
	ます[7]	ませ ましょ	○ まし	ます	ます	○	ませ まし[8]	丁寧	連用形（動詞・動詞型活用の助動詞）。

無変化型	ぬ	○	ず / ○	ん ぬ[9]	ん ぬ[9]	ね	○	打消	未然形（動詞・文語形容詞・文語形容動詞・動詞型活用の助動詞および「ます」）。〔サ変は「せ」の形〕
	う	○	○	う	う[10]	○	○	推量・意志 勧誘	未然形（五段動詞・形容詞・形容動詞、「ない」「たい」「だ」「ようだ」「そうだ」「ます」「です」「た」）。
	よう	○	○	よう	よう[10]	○	○		未然形（上一・下一・カ変・サ変、動詞型活用の助動詞）。〔サ変は「し」の形〕
	まい	○	○	まい	まい[10]	○	○	打消の推量 打消の意志	終止形（五段動詞、「ます」）。未然形（上一・下一・カ変・サ変、動詞型活用の助動詞）。〔カ変・サ変などは終止形にも〕

《解説》

一、未然形は、一般に「ない」「ぬ（ん）」「う」「よう」に続く形であるが、二つに分けた所は、上段が「ぬ（ん）」にのみ続き、下段が「う」にのみ続く形である。

二、連用形は、一般に、言いさすときおよび助動詞「た」に続くときに用いるが、二つに分けた所は、上段（「とう〔「たい」の連用形「たく」の変化〕」「らしゅう〔「らしい」の連用形「らしく」の変化〕」「ように」「みたいに」を除く）は言いさすときに用い、下段が「た」に続く形である。

ただし、このほかにも次のような用法がある。

(1)「ます」に続くもの
「せる」「させる」「しめる」「れる」「られる」の連用形。

(2) 連用修飾語となるもの
「ない」「たい」「らしい」「そうだ（様態）」「ようだ（比況）」「みたいだ」の連用形「なく」「たく」「らしく」「そうに」「ように」「みたいに」。

(3)「ございます」に続くもの
「たい」「らしい」の連用形「たく」「らしく」の変化した「とう」「らしゅう」、「だ」「そうだ（伝聞・様態）」「ようだ」「みたいだ」の連用形「で」「そうで」「ようで」「みたいで」。

(4)「て」に続くもの
「せる」「させる」「しめる」「れる」「られる」の連用形、「ない」「たい」「らしい」の連用形「なく」「たく」「らしく」、「です」「ます」の連用形「でし」「まし」。

(5) 補助動詞「ある」、補助形容詞「ない」に続くもの
「で」「そうだ（伝聞・様態）」「ようだ」「みたいだ」の連用形「で」「そうで（「ない」に続くのは様態の場合のみ）」「ようで」「みたいで」。

三、表の注。

1 「しめる」は主に文章語として用いられる。

2 「れる」「られる」は、自発・可能の意（ふつう尊敬の意の場合も）では命令形がない。

3 「たく」「らしく」は、「ございます」「存じます」に続くときには「とう」「らしゅう」となる。

4 「だ」の連体形「な」は、助詞「の」「ので」「のに」に続く用法のみ。

5 「た」は、ガ・ナ・バ・マ行の五段動詞に続くときには、音便の形に付いて濁音となる。「泳いだ」「死んだ」「学んだ」「読んだ」

6 「です」の連体形「です」は、助詞「ので」「のに」に続く用法のみ。

7 「ます」には、古風なスタイルの話しことばに用いられる形として、終止形・連体形に「まする」、仮定形に「ますれ」を認める見方もあるが、ここではこれらを別の助動詞として扱い、「ます」の活用形とはしなかった。本文の「まする」の項参照。

8 「ます」の命令形「まし」「ませ」は、「いらっしゃる」「おっしゃる」「くださる」「なさる」などの敬語動詞に付く。

9 「ぬ」の終止形・連体形の「ぬ」は主に文語的な言い方として用いられる。

10 「う」「よう」「まい」の連体形「う」「よう」「まい」は、ふつう形式名詞「もの」「こと」「はず」などに続く用法のみ。

文語

種類	基本形	未然形	連用形	終止形	連体形	已然形	命令形	意味	接続
下二段型	す	せ	せ	す	する	すれ	せよ	使役・尊敬	未然形(四段・ナ変・ラ変)。
	さす	させ	させ	さす	さする	さすれ	させよ		未然形(右以外の動詞)。
	しむ	しめ	しめ	しむ	しむる	しむれ	しめよ		未然形(用言)。
	る	れ	れ	る	るる	るれ	れよ	受身・尊敬・自発・可能	未然形(四段・ナ変・ラ変)。
	らる	られ	られ	らる	らるる	らるれ	られよ		未然形(右以外の動詞、「す」「さす」「しむ」)。
	つ	て	て	つ	つる	つれ	てよ	完了	連用形(用言・助動詞)。
ナ変型	ぬ	な	に	ぬ	ぬる	ぬれ	ね	完了	連用形(動詞・形容詞・助動詞)。
ラ変型	たり	たら	たり	たり	たる	たれ	たれ	完了・存続	連用形(ラ変以外の動詞・助動詞)。
	り	ら	り	り	る	れ	れ		已然形または命令形(四段)。未然形(サ変)。
	けり	(けら)	○	けり	ける	けれ	○	過去詠嘆(回想)	連用形(用言・助動詞)。
	めり	○	(めり)	めり	める	めれ	○	推量	終止形(ラ変以外の動詞・助動詞)。連体形(ラ変・形容詞・形容動詞・助動詞)。
	なり	○	(なり)	なり	なる	なれ	○	伝聞・推定	
	侍り	侍ら	侍り	侍り	侍る	侍れ	侍れ	丁寧	連用形(動詞)。
四段型	候ふ	候は	候ひ	候ふ	候ふ	候へ	候へ	丁寧	連用形(動詞)。
サ変型	んず〈むず〉	○	○	んず〈むず〉	んずる〈むずる〉	んずれ〈むずれ〉	○	推量・意志	未然形(用言・助動詞)。
形容詞型 ク活型	べし	べく べから	べく* べかり	べし	べき*☆ べかる	べけれ	○	推量・意志・可能・当然・命令	終止形(ラ変以外の動詞・助動詞)。連体形(ラ変・形容詞・形容動詞・助動詞)。
	たし	たく たから	たく* たかり	たし	たき*	たけれ	○	希望	連用形(動詞、「る」「らる」「す」「さす」)。
	ごとし	ごとく	ごとく	ごとし	ごとき☆	○	○	比況・例示	連体形(用言・助動詞)。連体形＋「が」。名詞＋「の」。
形容詞型 シク活型	まほし	まほしく まほしから	まほしく まほしかり	まほし	まほしき まほしかる	まほしけれ	○	希望	未然形(動詞、「す」「さす」など)。
	まじ	まじく まじから	まじく まじかり	まじ	まじき まじかる	まじけれ	○	打消の推量・打消の意志・禁止	終止形(ラ変以外の動詞・助動詞)。連体形(ラ変・形容詞・形容動詞・助動詞)。

形容動詞型 ナリ活型	なり	なら	なり・に	なり	なる	なれ	なれ	指定	名詞。連体形(活用語)。副詞。助詞。
形容動詞型 ナリ活型	ごとくなり	ごとくなら	ごとくなり・ごとくに	ごとくなり	ごとくなる	ごとくなれ	ごとくなれ	比況・例示	連体形(用言・助動詞)。連体形＋「が」。名詞＋「の」。
形容動詞型 タリ活型	たり	たら	たり・と	たり	たる	たれ	たれ	指定	名詞。
特殊型	ず	(な)・ず・ざら	(に)・ず・ざり	ず・(ざり)	ぬ・ざる	ね・ざれ	○・ざれ	打消	未然形(用言・助動詞)。
特殊型	まし	(ませ)	○	まし	まし	ましか	○	反実仮想	未然形(用言・助動詞)。
特殊型	き	(せ)	○	き	し	しか	○	過去(回想)	連用形(用言・助動詞)。[カ変・サ変は特別]。※
特殊型	ん〈む〉	○	○	ん〈む〉	ん〈む〉	め	○	推量・意志	未然形(用言・助動詞)。
特殊型	けん〈けむ〉	○	○	けん〈けむ〉	けん〈けむ〉	けめ	○	過去の推量(回想的)	連用形(用言・助動詞)。
特殊型	らん〈らむ〉	○	○	らん〈らむ〉	らん〈らむ〉	らめ	○	現在の推量	終止形(ラ変以外の動詞・助動詞)。連体形(ラ変・形容詞・形容動詞・助動詞)。
無変化型	らし	○	○	らし	らし(らしき)	らし	○	推定	終止形(ラ変以外の動詞・助動詞)。連体形(ラ変・形容詞・形容動詞・助動詞)。
無変化型	じ	○	○	じ	(じ)	(じ)	○	打消の推量 打消の意志	未然形(用言・助動詞)。

《解説》

一、この表にあがっている助動詞の大部分は、平安時代の生きた口語だったもので、それは現代の文語体が平安時代の口語をもとにしたものであることによる。

和歌や俗謡などはそれ以外の助動詞もまじるので、本文の中ではこれらのほかにもいくつかの助動詞も扱った。

二、表の注。

＊　「べし」の連用形「べく」、連体形「べき」、「たし」の連用形「たく」、連体形「たき」は、音便で、「べう」「べい」、「たう」「たい」となることがある。

☆　「べし」の連体形「べき」、「ごとし」の連体形「ごとき」は口語にも用いられる。これは文語的な言い方の残存したものである。

※　「き」は、カ変・サ変に対して次のように接続する。

終止形「き」
　サ変連用形「し」に付く。「し―き」
　カ変には付かない。
連体形「し」、已然形「しか」
　サ変未然形「せ」に付く。「せ―し」「せ―しか」
　カ変未然形「こ」に付く。「こ―し」「こ―しか」
　カ変連用形「き」に付く。「き―し」「き―しか」

『常用漢字表』

＊これは、昭和五十六年十月一日の内閣告示『常用漢字表』の「（付）字体についての解説」を除く「前書き」「表の見方及び使い方」の全文を掲載し、それに解説を付したものである。「本表」に掲げる常用漢字一つ一つの字種・音訓・語例等と「付表の語」については、付録「常用漢字小字典」を参照されたい。

常用漢字表

前書き

1 この表は、法令、公用文書、新聞、雑誌、放送など、一般の社会生活において、現代の国語を書き表す場合の漢字使用の目安[1]を示すものである。

2 この表は、科学、技術、芸術その他の各種専門分野や個々人の表記にまで及ぼそうとするものではない[2]。

3 この表は、固有名詞を対象とするものではない[3]。

4 この表は、過去の著作や文書における漢字使用を否定するものではない。

5 この表の運用に当たっては、個々の事情に応じて適切な処置を加える余地のあるものである[4]。

注

〔1〕目安　『常用漢字表』の前身である『当用漢字表』『当用漢字音訓表』『当用漢字字体表』（それぞれ、昭和二十一年、二十三年、二十四年内閣告示）は、漢字の使用を制限するという色彩が強かった。「目安」は、「制限」でも「基準」でも「標準」でもないが、この語には漢字使用における努力目標といった意味合いがこめられている（無制限な漢字使用を容認するものではない）。「目安」の考えが明確に打ち出されたのは、改定『当用漢字音訓表』（昭和四十八年）以後のことである。

〔2〕『常用漢字表』の、各種専門分野や個々人の表記にまで及ぶものではないという考え方は、『送り仮名の付け方』『現代仮名遣い』『外来語の表記』でも同様である。なお、出版物などでは、『常用漢字表』にない漢字（以下、「表外字」）や『常用漢字表』で認められていない音訓（以下、「表外音訓」）で表される語は、やさしいことばに言い換えたり、かなで書いたり、振りがなをつけたりすることが行われる。『常用漢字表』に従って表記しようとする場合、本書本文中の【　】内の漢字につけられた「×」（表外字）や「▽」（表外音訓）のついた語を用いる際には、相応の注意が必要である。

〔3〕既に行われている地名・人名が、この表に拘束されることはない。ただし、新たに子供の名前をつけるときは、使用できる漢字に制限が加わる。→付録「人名用漢字」。

〔4〕教育界では、この趣旨に従って、『学習指導要領』で小学校の各段階で学習する漢字（通称「教育漢字」。一〇〇六字）を示している。これがいわゆる「学年配当」である。教育漢字は義務教育で、それ以外の常用漢字は高等学校で、読み書きともに習得すべきものとされる。

表の見方及び使い方

1 この表は、「本表」及び「付表」から成る。

2 「本表」には、字種[5]**一九四五字**を掲げ、字体[6]、音訓、語例等を併せ示した[7]。

3 漢字欄には、字種と字体を示した。字種は字音によって五十音順に並べた。同音の場合はおおむね字画の少ないものを先にした。字音を取り上げていないものは字訓によった[8]。

4 字体は文字の骨組みである[9]が、便宜上、明朝体活字[10]のうちの一種を例に用いて現代の通用字体を示した（「（付）字体についての解説」参照——省略）。

5 括弧に入れて添えたものは、いわゆる康熙字典体[11]の活字である。これは明治以来行われてきた活字の字体とのつながりを示すために添えたものであるが、著しい差異のないものは省いた。

6 音訓欄には、音訓を示した。字音は片仮名で、字訓は平仮名で示した。一字下げで示した音訓[12]は、特別なもの又は用法のごく狭いものである。

7 派生の関係にあって同じ漢字を使用する習慣のある次のような類は、適宜、音訓欄又は例欄に主なものを示した。

けむる	煙る
けむり	煙
けむい	煙い、煙たい、煙たがる

わける	分ける
わかれる	分かれる
わかる	分かる
わかつ	分かつ

なお、次のような類は、名詞としてだけ用いるもの[13]である。

しるし	印
こおり	氷

8 例欄には、語例を示した。これは、音訓使用の目安としてその使用例の一部を示したものである。

9 例欄の語のうち、副詞的用法又は接続詞的用法として使うものであって紛らわしいものには、特に〔副〕又は〔接〕という記号を付けた。

10 他の字又は語と結び付く場合に音韻上の変化を起こす次のような類〔14〕は、音訓欄又は備考欄に示しておいたが、すべての例を尽くしているわけではない〔15〕。

納得（ナットク）　格子（コウシ）
手綱（タヅナ）　金物（カナモノ）
音頭（オンド）　夫婦（フウフ）
順応（ジュンノウ）　因縁（インネン）
春雨（ハルサメ）

11 備考欄には、個々の音訓の使用に当たって留意すべき事項を記したほか、異字同訓のあるものを適宜↔で示し、また、付表にある語でその漢字を含んでいるものを注記した。

12 「付表」〔16〕には、いわゆる当て字や熟字訓〔17〕など、主として一字一字の音訓として挙げにくいものを語の形で掲げ、便宜上、その読み方を平仮名で示し、五十音順に並べた。

注

〔5〕字種　ここでは、『常用漢字表』にとりあげられた漢字の種類を言う。漢字の異なり字数を問題にするときに使われる。

〔6〕字体　常用漢字の表内字はその字体を、表外字は康熙字典体（例えば「鷗」）を使うということが一般に行われてきた。しかし、近年表外字にパソコン・ワープロ独特の簡略字（例えば「鴎」）も使われるようになり、混乱している。これを整理するために、国語審議会は、表外字一〇二二字について二〇〇〇年九月、ほぼ康熙字典体に沿った字体を示す「印刷標準字体（試案）」を発表した。

〔7〕ちなみに「本表」は次のような形で示される。字種は「亜・遺」で代表させる。

漢字	音訓	例	備考
亜（亞）	ア	亜流、亜麻、亜熱帯	
遺	イ	遺棄、遺産、遺失	
	ユイ	遺言	「遺言」は、「イゴン」とも。

〔8〕字音・字訓　音訓のうち、音読みとして与えられるものが「字音」、訓読みとして与えられるものが「字訓」である（「哀」における「アイ」が字音、「あわれ」が字訓）。字音から成り立つ語が「字音語」、字訓から成り立つ語が「字訓語」。

〔9〕字体は文字の骨組みである　字体は、その文字のアイデンティティーをその文字みずからが主張する形で、一点一画が組み合わされて、その文字をその文字たらしめている要素の集合を言う。例えば、「画（新字体）」と「畫（旧字体）」は同字（起源を同じくし、音訓が同じで、相互に入れ換えても意味は変わらないもの。「異体字」「別体」とも）であるが、それぞれの文字を組み立てる点画が異なるので、「字体」が異なるとする。一方、教科書体「人」と明朝体「人」とは、字の形は全く同一というわけではない（「字形」が違う）が、これらは、互いに文字設計上のデザインの差異にすぎないとして、「書体」は違うが「字体」は同じであるとする。

〔10〕明朝体活字　本書の書体が明朝体（人）である。教科書体（人）やゴチック体（人）とは「書体」が異なるが、「字体」は同じ。注〔9〕を参照。

〔11〕康熙字典体　『康熙字典』は中国・清の康熙帝の命によって編纂された字典。ここに言う「康熙字典体」とは、俗字体に対して「正字体」、『常用漢字表』の新字体に対して「旧字体」と言われるものにほぼ相当する。「徑」は俗字体「径」に対しては「正字体」、常用漢字「径」に対しては「旧字体」。

〔12〕一字下げで示した音訓　例えば「遺」における「遺言」の「ユイ」、「雨」における「春雨」の「さめ」など。注〔7〕を参照。

〔13〕名詞としてだけ用いるもの　これは、名詞の形でだけ掲げたものを動詞などの場合に援用することはできないことを意味する。例えば、「しるし（印）」「こおり（氷）」などを、「印す」「氷る」などと読むことを『常用漢字表』では認めていない。一方、「頂」「帯」「隣」などは、「頂く・頂」「帯びる・帯」「隣り合う・隣」のように、両様の読みが認められている。また、「哀」には「アイ・あわれ・あわれむ」の音訓が掲げられるが、「あわれ」から「哀れがる」が、「あわれむ」からは「哀れみ」の読みが認められる。

〔14〕音韻上の変化を起こす次のような類　「夫婦（ふうふ）」の場合を延音、「順応（じゅんのう）・因縁（いんねん）」の場合を「連声」、「春雨（はるさめ）」などの場合を「転音」と言う。いずれも広い意味での「音便」で、表内音訓である。また、「暦（こよみ）→花暦（はなごよみ）」などの連濁、「学（がく）→学校（がっこう）」などの促音便も表内音訓である。

〔15〕すべての例を尽くしているわけではない　例えば、「火」には「カ・ひ・ほ」の音訓を掲げるが、「灯」には「トウ・ひ」の音訓しか掲げない。しかし、「火」が「火影」に見るように「ほ」と読める以上、「灯」は「灯影」と読めるとみなすことができる。同様に、音訓を「セイ・ゆく」としか掲げない「逝」も、「行」の「ゆく・いく」に準じて、「逝く」と読むことができる。また、「来」の場合も「来る」と読める以上、「来い」とも読める。

〔16〕「付表」　「付表」に掲げられた一一〇語は「付表の語」と言われ、当て字や熟字訓などを語の形で掲げたものである。「田舎」を「片田舎」のように、複合語の構

成要素の一部として使うこともできるし、「手伝う」「立ち退く」を「手伝い」「立ち退き」など名詞の形で使うこともできる。複合語の形で掲げた「一言居士」「差し支える」「五月晴れ」「三味線」「数奇屋・数寄屋」「立ち退く」「伝馬船」「八百屋」「八百長」や、「お母さん」などはその語にのみ適用されて、それを構成する「こじ（居士）」「つかえる（支える）」「さつき（五月）」「しゃみ（三味）」「すき（数奇・数寄）」「のく（退く）」「てんま（伝馬）」「やお（八百）」、「かあさん（母さん）」などには適用されないもの（表外音訓）とされるが、本書では便宜上「のく（退く）」「つかえる（支える）」の場合を除き、他を「付表」の語相当とみなして、表内音訓並みに扱っている。これらの矛盾の大半は、「一言居士」を「居士」で付表に入れるか、「居（コ）」「士（ジ）」を本表の音に加えれば解消できる問題である（「母さん」なども「かあ」を本表の訓として掲げれば解決する）。これによって「居士」「慎重居士」「母さん」「おっ母」などが、「一言居士」「お母さん」と並んで、晴れて『常用漢字表』で読めるようになるのである。

〔17〕当て字や熟字訓　「付表」に掲げる「ともだち・へや・でこぼこ」などを「友達・部屋・凸凹」などと漢字で書くのが当て字。「明日・小豆・海女・田舎・乳母・叔父・伯母」などを「あす・あずき・あま・いなか・うば・おじ・おば」などと読むのが熟字訓。「かな（仮名）」「てつだう（手伝う）」などは、当て字でも熟字訓でもないが、「か」「つだう」は「仮」「伝」の音訓（この場合は、訓）として挙げにくいことから「付表」に入ったもの。

『現代仮名遣い』

＊　これは、昭和六十一年七月一日の内閣告示『現代仮名遣い』の「付表」を除く全文を掲載し、それに解説を付したものである。

現代仮名遣い

前書き

1　この仮名遣いは、語を現代語の音韻〔1〕に従って書き表すことを原則とし、一方、表記の慣習を尊重して〔2〕一定の特例を設けるものである。

2　この仮名遣いは、法令、公用文書、新聞、雑誌、放送など、一般の社会生活において、現代の国語を書き表すための仮名遣いのよりどころ〔3〕を示すものである。

3　この仮名遣いは、科学、技術、芸術その他の各種専門分野や個々人の表記にまで及ぼそうとするものではない〔4〕。

4　この仮名遣いは、主として現代文のうち口語体のものに適用する〔5〕。原文の仮名遣いによる必要のあるもの、固有名詞〔6〕などでこれによりがたいものは除く。

5　この仮名遣いは、擬声・擬態的描写や嘆声〔7〕、特殊な方言音〔8〕、外来語・外来音〔9〕などの書き表し方を対象とするものではない。

6　この仮名遣いは、「ホオ・ホホ（頰）」「テキカク・テッカク（的確）」のような発音にゆれのある語について、その発音をどちらかに決めようとするものではない〔10〕。

7　この仮名遣いは、点字、ローマ字などを用いて国語を書き表す場合のきまりとは必ずしも対応するものではない。

8　歴史的仮名遣いは、明治以降、「現代かなづかい」（昭和二十一年内閣告示第三三号）の行われる以前には、社会一般の基準として行われていたものであり、今日においても、歴史的仮名遣いで書かれた文献などを読む機会は多い。歴史的仮名遣いが、我が国の歴史や文化に深いかかわりをもつものとして、尊重されるべきことは言うまでもない。また、この仮名遣いにも歴史的仮名遣いを受け継いでいるところがあり、この仮名遣いの理解を深める上で、歴史的仮名遣いを知ることは有用である。付表において、この仮名遣いと歴史的仮名遣いとの対照を示すのはそのためである。

注

〔1〕現代語の音韻　「音韻」とは、同一言語社会に属する話し手たちが共有していると仮定される抽象的な言語音の意である。その場その場の具体的な音声（発音）とは区別される。

〔2〕助詞の「を・は・へ」や、「ちぢむ・つづく」の「ぢ・づ」や「いう（言う）」などのことを言っている。「本文・第2」で扱う。

〔3〕よりどころ　この考え方は、昭和四十八年の『送り仮名の付け方』を最初として、『現代仮名遣い』『外来語の表記』でも踏襲された。ちなみに、『常用漢字表』ではほぼ同じ意味で「目安」という語が使われている。→付録『常用漢字表』注〔1〕

〔4〕個々人の表記にまで及ぼそうとするものではないということは、『常用漢字表』『現代仮名遣い』『外来語の表記』も同様である。

〔5〕近年、文語文を現代仮名遣いで書くことも行われないではないが、原則的には、文語文は歴史的仮名遣いで書かれるべきものである。口語文の中に混入する文語体については、一般には現代仮名遣いによるが、「出ず」「閉ず」と書くと、否定の「ず」と紛らわしいとして、例外的に「出ゞ（出る）」「閉ぢ（閉じる）」のように歴史的仮名遣いを用いる場合もある。

〔6〕固有名詞　例えば、「しづ子・かをる」などを「しず子・かおる」などとする必要

はない。「小千谷・会津・神通川」などの仮名遣いについては、注〔19・20〕を参照。

〔7〕擬声・擬態的描写や嘆声　特に、擬声語・嘆声の場合はかたかなで書かれることが多く、外来語のように長音符号「ー」を用いることもある。呼びかけを表す感動詞［オーイ］は「おおい・おうい・おーい・オーイ」などの書き方がある。

〔8〕特殊な方言音　東京方言の［おとっつぁん］など。

〔9〕外来語・外来音　外来語は付録『外来語の表記』を参照。外来音もおおむね『外来語の表記』によることができるが、特殊な表記が用いられることもある。

〔10〕この文言を仮名遣いについて解釈しなおすと、現代語音［ホオ］には「ほお」、［ホホ］には「ほほ」という仮名遣いが認められるということになる。「てきかく・てっかく」なども同様である。

本　文

凡　例

1　原則に基づくきまりを第1に示し、表記の慣習による特例を第2に示した。

2　例は、おおむね平仮名書きとし、適宜、括弧内に漢字を示した。常用漢字表に掲げられていない漢字及び音訓には、それぞれ＊印及び△印をつけた。

第1　語を書き表すのに、現代語の音韻に従って、次の仮名を用いる。

ただし、傍線（原文、下線）を施した仮名は、第2に示す場合にだけ用いるものである。

1　直音

あ	い	う	え	お					
か	き	く	け	こ	が	ぎ	ぐ	げ	ご
さ	し	す	せ	そ	ざ	じ	ず	ぜ	ぞ
た	ち	つ	て	と	だ	ぢ	づ	で	ど
な	に	ぬ	ね	の					
は	ひ	ふ	へ	ほ	ば	び	ぶ	べ	ぼ
					ぱ	ぴ	ぷ	ぺ	ぽ
ま	み	む	め	も					
や		ゆ		よ					
ら	り	る	れ	ろ					
わ				を					

例　あさひ（朝日）　きく（菊）　さくら（桜）　ついやす（費）　にわ（庭）　ふで（筆）　もみじ（紅葉）　ゆずる（譲）　れきし（歴史）　わかば（若葉）　えきか〔11〕（液化）　せいがくか〔11〕（声楽家）　さんぽ（散歩）

2　拗音

きゃ	きゅ	きょ	ぎゃ	ぎゅ	ぎょ
しゃ	しゅ	しょ	じゃ	じゅ	じょ
ちゃ	ちゅ	ちょ	ぢゃ	ぢゅ	ぢょ
にゃ	にゅ	にょ			
ひゃ	ひゅ	ひょ	びゃ	びゅ	びょ
			ぴゃ	ぴゅ	ぴょ
みゃ	みゅ	みょ			
りゃ	りゅ	りょ			

例　しゃかい（社会）　しゅくじ（祝辞）　かいじょ（解除）　りゃくが（略画）

〔注意〕拗音に用いる「や、ゆ、よ」は、なるべく小書きにする。

3　撥音
ん

例　まなんで（学）　みなさん　しんねん（新年）　しゅんぶん（春分）

4　促音
っ

例　はしって（走）　かっき（活気）　がっこう（学校）　せっけん（石＊鹸）

〔注意〕促音に用いる「つ」は、なるべく小書きにする。

5　長音

(1)　ア列の長音

ア列の仮名に「あ」を添える。

例　おかあさん　おばあさん

(2)　イ列の長音

イ列の仮名に「い」を添える〔12〕。

例　にいさん　おじいさん

(3)　ウ列の長音

ウ列の仮名に「う」を添える。

例　おさむうございます（寒）　くうき（空気）　ふうふ（夫婦）
うれしゅう存じます〔13〕　きゅうり〔13〕　ぼくじゅう（墨汁）
ちゅうもん（注文）

(4)　エ列の長音

エ列の仮名に「え」を添える。

例　ねえさん　ええ（応答の語）

(5) オ列の長音

オ列の仮名に「う」を添える[14]。

例　おとうさん　とうだい（灯台）
わこうど（若人）　おうむ
かおう（買）　あそぼう（遊）　おはよう（早）
おうぎ（扇）　ほうる（*抛）　とう（塔）
よいでしょう　はっぴょう（発表）
きょう（今日）　ちょうちょう（*蝶々）

注

[11] 「えっか・せいがっか」も行われるが、一般性を欠く。同様に「刻々・三角形・洗濯機・逆光線」などもなるだけ「こくこく・さんかくけい・せんたくき・ぎゃくこうせん」のようにしたい。「てつせん（鉄船）」「てっせん（鉄線・鉄扇）」のように区別する場合もある。

[12] 「じっと」の強調形は「じいっと」。「二・二六事件」の場合は「にいにいろく…」となる。

[13] 「うれしう存じます・きうり」などの形も行われるが、一般的ではない。「狩人・桐生（市）」なども、一般には「かりゅうど・きりゅう」。

[14] 「そうっと・ぼうっとする」なども「う」を用いる（「そおっと・ぼおっと」も行われるが、規範的には「う」）。また、歴史的仮名遣いで「あさふ」と書く「麻生」は現代語音に従って、「あそう」のほか、「あさお」とも書く（それぞれ仮名遣いの違いに応じて[アソー][アサオ]と発音）。歴史的仮名遣いで「しもふさ」と書く「下総（旧国名）」も、現代語音に従って「しもうさ」と書くほか、「しもふさ」とも書く。これらは、語形のゆれに応じて仮名遣いがゆれている例である。

第2　特定の語については、表記の慣習を尊重して、次のように書く。

1　助詞の「を」は、「を」と書く。

例　本を読む　岩をも通す　失礼をばいたしました
やむをえない　いわんや…をや　よせばよいものを
てにをは

2　助詞の「は」は、「は」と書く。

例　今日は日曜です　山では雪が降りました
あるいは　または　もしくは
いずれは　さては　ついては　ではさようなら　とはいえ
惜しむらくは　恐らくは　願わくは
これはこれは　こんにちは[15]　こんばんは[15]
悪天候もものかは

[注意]　次のようなものは、この例にあたらないものとする。
いまわの際[16]　すわ一大事
雨も降るわ風も吹くわ　来るわ来るわ　きれいだわ

3　助詞の「へ」は、「へ」と書く。

例　故郷へ帰る　…さんへ　母への便り　駅へは数分

4　動詞の「いう（言）」は、「いう」と書く[17]。

例　ものをいう（言）　いうまでもない　昔々あったという
どういうふうに　人というもの　こういうわけ

5　次のような語は、「ぢ」「づ」を用いて書く。

(1) 同音の連呼[18]によって生じた「ぢ」「づ」

例　ちぢみ（縮）　ちぢむ　ちぢれる　ちぢこまる
つづみ（鼓）　つづら　つづく（続）　つづめる（△約）　つづる（*綴）

[注意]　「いちじく」「いちじるしい」は、この例にあたらない。

(2) 二語の連合[19]によって生じた「ぢ」「づ」

例　はなぢ（鼻血）　そえぢ（添乳）　もらいぢち
そこぢから（底力）　ひぢりめん
いれぢえ（入知恵）　ちゃのみぢゃわん
まぢか（間近）　こぢんまり
ちかぢか（近々）　ちりぢり
みかづき（三日月）　たけづつ（竹筒）　たづな（手綱）　ともづな
にいづま（新妻）　けづめ　ひづめ　ひげづら
おこづかい（小遣）　あいそづかし　わしづかみ
こころづくし（心尽）　てづくり（手作）　こづつみ（小包）　ことづて
はこづめ（箱詰）　はたらきづめ　みちづれ（道連）
かたづく　こづく（小突）　どくづく　もとづく
うらづける　ゆきづまる　ねばりづよい
つねづね（常々）　つくづく　つれづれ

なお、次のような語については、現代語の意識では一般に二語に分解しにくいもの等として、それぞれ「じ」「ず」を用いて書くことを本則とし、「せかいぢゅう」「いなづま」のように「ぢ」「づ」を用いて書くこともできるものとする[20]。

例　せかいじゅう（世界中）

いなずま（稲妻）　かたず（固＊唾）　きずな（＊絆）　さかずき（杯）
ときわず　ほおずき　みみずく
うなずく　おとずれる（訪）　かしずく　つまずく　ぬかずく　ひざまずく
あせみずく　くんずほぐれつ　さしずめ　でずっぱり　なかんずく
うでずく　くろずくめ　ひとりずつ
ゆうずう（融通）

〔注意〕次のような語の中の「じ」「ず」は、漢字の音読みでもともと濁っているものであって、上記(1)、(2)のいずれにもあたらず、「じ」「ず」を用いて書く〔21〕。

例　じめん（地面）　ぬのじ（布地）
ずが（図画）　りゃくず（略図）

6　次のような語は、オ列の仮名に「お」を添えて書く。

例　おおかみ　おおせ（仰）　おおやけ（公）　こおり（氷・△郡）　こおろぎ
ほお（＊頰・△朴）　ほおずき　ほのお〔22〕（炎）　とお（十）
いきどおる（憤）　おおう（覆）　こおる（凍）　しおおせる　とおる（通）
とどこおる（滞）　もよおす（催）
いとおしい　おおい（多）　おおきい（大きい）　とおい（遠）
おおむね　おおよそ

これらは、歴史的仮名遣いでオ列の仮名に「ほ」又は「を」が続くものであって、オ列の長音として発音されるか、オ・オ、コ・オのように発音されるかにかかわらず、オ列の仮名に「お」を添えて書くものである。

付記

次のような語は、エ列の長音として発音されるか、エイ、ケイなどのように発音されるかにかかわらず、エ列の仮名に「い」を添えて書く。

例　かれい　せい（背）
かせいで（稼）　まねいて（招）　春めいて
へい（塀）　めい（銘）　れい（例）
えいが（映画）　とけい（時計）　ていねい（丁寧）

注

〔15〕「こんにち**わ**・こんばん**わ**」ではないことに注意したい。「こんにちは」の縮約形［チワー］では、「ちわー」なども行われる。注［7］参照。

〔16〕「いまわの際」の「わ」はもと助詞の「は」。「いま**は**の際」も好まれる。

〔17〕「言う」の発音は［ユー］であるが、「**ゆ**います」などの形はなく、すべての活用形の語幹に「ゆ」が現れることがないことから、歴史的仮名遣いを踏襲して「い」としたものである。

〔18〕「ちぢむ」などにおける「ち・ぢ」は同音を連呼したとはしがたいが、意味するところは本文の例示で明らかだ（「同音の連呼」は慣用的な表現によったもの）。なお、上に挙げられた例は、いずれも歴史的仮名遣いでは「ぢ・づ」と書いたものである。「いちじく・いちじるしい」は歴史的仮名遣いでも「じ」である。

〔19〕ここでは、連濁現象をおこした「ち・つ」が「ぢ・づ」になる場合のことを言っている。いずれも歴史的仮名遣いでは、「ぢ・づ」である。固有名詞の「小千谷・千々岩・会津・手塚」などは「二語の連合」とはしがたい面があるが、一般にはこの項の規則を準用して「お**ぢ**や・ち**ぢ**わ・あい**づ**・て**づ**か」のように書く（「じ・ず」でも誤りではない）。「愛想づかし（尽）・心づくし（尽）」の場合は「ず」は誤り、「腕ずく（▽尽）・黒ずくめ（▽尽）」の場合は「ず」が本則、「づ」が許容となって紛らわしいので注意したい。

〔20〕ここでは、本則が「じ・ず」、許容が「ぢ・づ」と書く場合のことを言っている。漢語の場合も、「心中・老中・輪中」などは「…じゅう」が本則、「…ぢゅう」が許容。「神通力（普通名詞）」の場合は「**ず**う」が本則、「**づ**う」が許容。固有名詞「神通川」の場合は「ずう」も行われるが、「づう」が一般的。「天智天皇」の場合も「じ」も行われるが、「ぢ」が一般的。

〔21〕「**じ**めん（地面）・ぬの**じ**（布地）」の「じ」も、「**ず**が（図画）・りゃく**ず**（略図）」の「ず」も呉音で、これらはもともと濁音。「執着」の「着」も「しゅう**ちゃく**」と書けば、漢音による表記、「しゅう**じゃく**」と書けば、呉音による表記。

〔22〕この語は［ホノー］のようにオ列長音で発音されることはない。

『外来語の表記』

＊　これは、平成三年六月二十八日の内閣告示『外来語の表記』の付録「用例集」と「付」を除く全文を掲載し、それに解説を付したものである。

外来語の表記

前書き

1　この『外来語の表記』は、法令、公用文書、新聞、雑誌、放送など、一般の社会生活において、現代の国語を書き表すための「外来語の表記」のよりどころを示すものである〔1〕。

2　この『外来語の表記』は、科学、技術、芸術その他の各種専門分野や個々人の表記にまで及ぼそうとするものではない〔2〕。

3　この『外来語の表記』は、固有名詞など（例えば、人名、会社名、商品名等）

でこれによりがたいものには及ぼさない〔3〕。

4　この『外来語の表記』は、過去に行われた様々な表記（「付」参照）を否定しようとするものではない。

5　この『外来語の表記』は、「本文」と「付録」から成る。「本文」には「外来語の表記」に用いる仮名と符号の表を掲げ、これに留意事項その1（原則的な事項）と留意事項その2（細則的な事項）を添えた。「付録」には、用例集として、日常よく用いられる外来語を主に、留意事項その2に例示した語や、その他の地名・人名の例などを五十音順に掲げた。

注

〔1〕→『送り仮名の付け方』注〔1〕

〔2〕→『送り仮名の付け方』注〔2〕

〔3〕「ニッカウヰスキー」「ブリヂストン」などが、この例に当たる。

本　文

「外来語の表記」に用いる仮名と符号の表

1　第1表に示す仮名は、外来語や外国の地名・人名を書き表すのに一般的に用いる仮名とする〔4〕。

2　第2表に示す仮名は、外来語や外国の地名・人名を原音や原つづりになるべく近く書き表そうとする場合に用いる仮名とする。

3　第1表・第2表に示す仮名では書き表せないような、特別な音〔5〕の書き表し方については、ここでは取決めを行わず、自由とする。

4　第1表・第2表によって語を書き表す場合には、おおむね留意事項を適用する。

注

〔4〕第1表に示す「ア」から「ッ」までは、在来の日本語（和語・漢語）を書き表すための仮名で、それをそのまま外来語にも使うものである。「シェ」から「デュ」までは、外来語を書き表すために特別に設けられた仮名で、在来音を書き表すために使うことはほとんどないが、外来語を書き表すためには、ごく普通に使う。日本人にとっては、そのほとんどが親しみやすいものである。なお、第2表に示す仮名は、「外来語や外国の地名・人名を原音や原つづりになるべく近く書き表そうとする場合に用いる仮名」として設けられたもので、日本人にとって読み書きとも必ずしも易しくはない。これによる必要がない場合は、第1表に示された仮名を使おうというのが趣旨である。なお、ときおり見られる「スペシァル・フロッピィ・ファジィ」などにおける「シァ・ピィ・ジィ」などは、第1表にも第2表にもない。一般的には「スペシャル・フロッピー・ファジー」などと書く。

〔5〕特別な音　ここでは、「スィ」「ズィ」…「フォ」「ヴォ」などのことを言ってい

第1表

ア	イ	ウ	エ	オ
カ	キ	ク	ケ	コ
サ	シ	ス	セ	ソ
タ	チ	ツ	テ	ト
ナ	ニ	ヌ	ネ	ノ
ハ	ヒ	フ	ヘ	ホ
マ	ミ	ム	メ	モ
ヤ		ユ		ヨ
ラ	リ	ル	レ	ロ
ワ				
ガ	ギ	グ	ゲ	ゴ
ザ	ジ	ズ	ゼ	ゾ
ダ			デ	ド
バ	ビ	ブ	ベ	ボ
パ	ピ	プ	ペ	ポ
キャ		キュ		キョ
シャ		シュ		ショ
チャ		チュ		チョ
ニャ		ニュ		ニョ
ヒャ		ヒュ		ヒョ
ミャ		ミュ		ミョ
リャ		リュ		リョ
ギャ		ギュ		ギョ
ジャ		ジュ		ジョ
ビャ		ビュ		ビョ
ピャ		ピュ		ピョ
ン（撥音）				
ッ（促音）				
ー（長音符号）				
			シェ	
			チェ	
ツァ	ティ		ツェ	ツォ
ファ	フィ		フェ	フォ
			ジェ	
	ディ	デュ		

第2表

			イェ	
	ウィ		ウェ	ウォ
クァ	クィ		クェ	クォ
	ツィ			
		トゥ		
グァ				
		ドゥ		
ヴァ	ヴィ	ヴ	ヴェ	ヴォ
		テュ		
		フュ		
		ヴュ		

る（「留意事項その1」6を参照）。

留意事項その1（**原則的な事項**）

1　この『外来語の表記』では、外来語や外国の地名・人名を片仮名で書き表す場合のことを扱う。

2　「ハンカチ」と「ハンケチ」、「グローブ」と「グラブ」のように、語形にゆれのあるものについて、その語形をどちらかに決めようとはしていない[6]。

3　語形やその書き表し方については、慣用が定まっているもの[7]はそれによる。分野によって異なる慣用[8]が定まっている場合には、それぞれの慣用によって差し支えない。

4　国語化の程度の高い語は、おおむね第1表に示す仮名で書き表すことができる。一方、国語化の程度がそれほど高くない語、ある程度外国語に近く書き表す必要のある語——特に地名・人名の場合——は、第2表に示す仮名を用いて書き表すことができる。

5　第2表に示す仮名を用いる必要がない場合は、第1表に示す仮名の範囲で書き表すことができる。

例　イェ→イエ　ウォ→ウオ　トゥ→ツ、ト　ヴァ→バ

6　特別な音の書き表し方については、取決めを行わず、自由とすることとしたが、その中には、例えば、「スィ」「ズィ」「グィ」「グェ」「グォ」「キェ」「ニェ」「ヒェ」「フョ」「ヴョ」等の仮名が含まれる。

注

〔6〕これは、専ら〈書き表し方〉を問題にしているのであって、語形のゆれのある「ハンカチ」「ハンケチ」、「グローブ」「グラブ」などについて、その語形のうち、どちらが標準的だとか望ましいとかというようなことを問題にしているのではないことを言っている。ここから、[ハンカチ][グローブ]と発音する語は「ハンカチ」「グローブ」と書き、[ハンケチ][グラブ]と発音する語は「ハンケチ」「グラブ」と書くということを読み取ることができる。

〔7〕慣用が定まっているもの　例えば、「ティロル（地）」「エディソン・エディスン（人）」などとしないで、「チロル」「エジソン」とする場合や、「ディジタル」としないで、「デジタル」とする場合など。

〔8〕分野によって異なる慣用　例えば、野球では「グローブ」と書き、ボクシングでは「グラブ」と書く場合など。

留意事項その2（**細則的な事項**）

以下の各項に示す語例は、それぞれの仮名の用法の一例として示すものであって、その語をいつもそう書かなければならないことを意味するものではない。語例のうち、地名・人名には、それぞれ（地）、（人）の文字を添えた。

Ⅰ　第1表に示す「シェ」以下の仮名に関するもの

1　「シェ」「ジェ」は、外来音シェ、ジェに対応する仮名である[9]。

〔例〕シェーカー　シェード　ジェットエンジン　ダイジェスト
シェフィールド（地）　アルジェリア（地）
シェークスピア（人）　ミケランジェロ（人）

注　「セ」「ゼ」と書く慣用のある場合は、それによる。

〔例〕ミルクセーキ　ゼラチン

2　「チェ」は、外来音チェに対応する仮名である。

〔例〕チェーン　チェス　チェック　マンチェスター（地）　チェーホフ（人）

3　「ツァ」「ツェ」「ツォ」は、外来音ツァ、ツェ、ツォに対応する仮名である[10]。

〔例〕コンツェルン　シャンツェ　カンツォーネ
フィレンツェ（地）　モーツァルト（人）　ツェッペリン（人）

4　「ティ」「ディ」は、外来音ティ、ディに対応する仮名である[11]。

〔例〕ティーパーティー　ボランティア　ディーゼルエンジン　ビルディング
アトランティックシティー（地）　ノルマンディー（地）
ドニゼッティ（人）　ディズニー（人）

注1　「チ」「ジ」と書く慣用のある場合は、それによる。

〔例〕エチケット　スチーム　プラスチック　スタジアム　スタジオ
ラジオ　チロル（地）　エジソン（人）

注2　「テ」「デ」と書く慣用のある場合は、それによる。

〔例〕ステッキ　キャンデー　デザイン

5　「ファ」「フィ」「フェ」「フォ」は、外来音ファ、フィ、フェ、フォに対応する仮名である[12]。

〔例〕ファイル　フィート　フェンシング　フォークダンス　バッファロー（地）
フィリピン（地）　フェアバンクス（地）　カリフォルニア（地）
ファーブル（人）　マンスフィールド（人）
エッフェル（人）　フォスター（人）

注1　「ハ」「ヒ」「ヘ」「ホ」と書く慣用のある場合は、それによる。

〔例〕セロハン　モルヒネ　プラットホーム　ホルマリン　メガホン

注2　「ファン」「フィルム」「フェルト」等は、「フアン」「フイルム」「フエルト」と書く慣用もある。

6　「デュ」は、外来音デュに対応する仮名である[13]。

注

〔例〕デュエット　プロデューサー　デュッセルドルフ（地）　デューイ（人）

注「ジュ」と書く慣用のある場合は、それによる。

〔例〕ジュース（deuce）　ジュラルミン

〔9〕「シェ」「ジェ」は、外来音シェ、ジェに対応する仮名である　平たく言えば、「シェ」「ジェ」と発音する外来音は「シェ」「ジェ」と書く、ということである。これは、「原音における『シェ・ジェ』の音は、なるべく『セ・ゼ』と書く」（昭和二十九年三月国語審議会部会報告「外来語の表記について」）としていたものを改めたものである。

〔10〕すべての日本人にとって、「ツェ」「ツァ」を文字どおり発音することは、必ずしも容易ではない（「ツェ」は「チェ」に、「ツァ」は「ツア」になりがち）。しかし、「コン**チェ**ルン」「モー**ツァ**ルト」などの書き表し方は、ここでは認められていない。このほかにも、「スウェーデン（地）」「カミュ（人）」などと書いても、発音は「スエーデン」「カミユ」などとなりがちなものもある。外来語は、表記は安定しているが、発音がそれに追いつかない場合があることにも注意したい。

〔11〕これも、従来「原音における『ティ・ディ』の音は、なるべく『チ・ジ』と書く」としていたものを改めたものである。

〔12〕これも、従来「原音における『ファ・フィ・フェ・フォ』の音は、なるべく『ハ・ヒ・ヘ・ホ』と書く」としていたものを改めたものである。

〔13〕これも、従来「原音における『テュ』『デュ』の音は、『チュ』『ジュ』と書く」としていたものを改めたものである。しかし、「デュ」は第1表の仮名であるが、「テュ」は第2表の仮名であることに注意したい（「第2表に示す仮名に関するもの」8を参照）。

Ⅱ　第2表に示す仮名に関するもの

第2表に示す仮名は、原音や原つづりになるべく近く書き表そうとする場合に用いる仮名で、これらの仮名を用いる必要がない場合は、一般的に、第1表に示す仮名の範囲で書き表すことができる。

1「イェ」は、外来音イェに対応する仮名である。

〔例〕イェルサレム（地）　イェーツ（人）

注　一般的には、「イエ」又は「エ」と書くことができる。

〔例〕エルサレム（地）　イエーツ（人）

2「ウィ」「ウェ」「ウォ」は、外来音ウィ、ウェ、ウォに対応する仮名である[14]。

〔例〕ウィスキー　ウェディングケーキ　ストップウォッチ
ウィーン（地）　スウェーデン（地）　ミルウォーキー（地）
ウィルソン（人）　ウェブスター（人）　ウォルポール（人）

注1　一般的には、「ウイ」「ウエ」「ウオ」と書くことができる。

〔例〕ウイスキー　ウイット　ウエディングケーキ　ウエハース
ストップウオッチ

注2「ウ」を省いて書く慣用のある場合は、それによる。

〔例〕サンドイッチ　スイッチ　スイートピー

注3　地名・人名の場合は、「ウィ」「ウェ」「ウォ」と書く慣用が強い。

3「クァ」「クィ」「クェ」「クォ」は、外来音クァ、クィ、クェ、クォに対応する仮名である。

〔例〕クァルテット　クィンテット　クェスチョンマーク　クォータリー

注1　一般的には、「クア」「クイ」「クエ」「クオ」又は「カ」「キ」「ケ」「コ」と書くことができる。

〔例〕クアルテット　クインテット　クエスチョンマーク　クオータリー
カルテット　レモンスカッシュ　キルティング　イコール

注2「クァ」は、「クヮ」と書く慣用もある[15]。

4「グァ」は、外来音グァに対応する仮名である。

〔例〕グァテマラ（地）　パラグァイ（地）

注1　一般的には、「グア」又は「ガ」と書くことができる。

〔例〕グアテマラ（地）　パラグアイ（地）
ガテマラ（地）

注2「グァ」は、「グヮ」と書く慣用もある[16]。

5「ツィ」は、外来音ツィに対応する仮名である。

〔例〕ソルジェニーツィン（人）　ティツィアーノ（人）

注　一般的には、「チ」と書くことができる。

〔例〕ライプチヒ（地）　ティチアーノ（人）

6「トゥ」「ドゥ」は、外来音トゥ、ドゥに対応する仮名である。

〔例〕トゥールーズ（地）　ハチャトゥリヤン（人）　ヒンドゥー教

注　一般的には、「ツ」「ズ」又は「ト」「ド」と書くことができる。

〔例〕ツアー（tour）　ツーピース　ツールーズ（地）
ヒンズー教　ハチャトリヤン（人）　ドビュッシー（人）

7「ヴァ」「ヴィ」「ヴ」「ヴェ」「ヴォ」は、外来音ヴァ、ヴィ、ヴ、ヴェ、ヴォに対応する仮名である。

〔例〕ヴァイオリン　ヴィーナス　ヴェール
ヴィクトリア（地）　ヴェルサイユ（地）　ヴォルガ（地）
ヴィヴァルディ（人）　ヴラマンク（人）　ヴォルテール（人）

注　一般的には、「バ」「ビ」「ブ」「ベ」「ボ」と書くことができる。
〔例〕バイオリン　ビーナス　ベール
ビクトリア（地）　ベルサイユ（地）　ボルガ（地）
ビバルディ（人）　ブラマンク（人）　ボルテール（人）

8　「テュ」は、外来音テュに対応する仮名である。
〔例〕テューバ（楽器）　テュニジア（地）
注　一般的には、「チュ」と書くことができる。
〔例〕コスチューム　スチュワーデス　チューバ　チューブ
チュニジア（地）

9　「フュ」は、外来音フュに対応する仮名である。
〔例〕フュージョン　フュン島（地・デンマーク）　ドレフュス（人）
注　一般的には、「ヒュ」と書くことができる。
〔例〕ヒューズ

10　「ヴュ」は、外来音ヴュに対応する仮名である。
〔例〕インタヴュー　レヴュー　ヴュイヤール（人・画家）
注　一般的には、「ビュ」と書くことができる。
〔例〕インタビュー　レビュー　ビュイヤール（人）

注
〔14〕一般的には、「ウイ」「ウエ」「ウオ」は普通名詞に、「ウィ」「ウェ」「ウォ」は固有名詞に使う。
〔15〕特殊な慣用で、一般には行われない。
〔16〕特殊な慣用で、一般には行われない。

Ⅲ　撥音、促音、長音その他に関するもの

1　撥音は、「ン」を用いて書く。
〔例〕コンマ　シャンソン　トランク　メンバー　ランニング　ランプ
ロンドン（地）　レンブラント（人）
注1　撥音を入れない慣用のある場合は、それによる。
〔例〕イニング（←インニング）　サマータイム（←サンマータイム）
注2　「シンポジウム」を「シムポジウム」と書くような慣用もある。

2　促音は、小書きの「ッ」を用いて書く。
〔例〕カップ　シャッター　リュックサック　ロッテルダム（地）　バッハ（人）
注　促音を入れない慣用のある場合は、それによる。
〔例〕アクセサリー（←アクセッサリー）
フィリピン（地）（←フィリッピン）

3　長音は、原則として長音符号「ー」を用いて書く。
〔例〕エネルギー　オーバーコート　グループ　ゲーム　ショー　テーブル
パーティー　ウェールズ（地）　ポーランド（地）　ローマ（地）
ゲーテ（人）　ニュートン（人）
注1　長音符号の代わりに母音字を添えて書く慣用もある。
〔例〕バレエ（舞踊）[17]　ミイラ
注2　「エー」「オー」と書かず、「エイ」「オウ」と書くような慣用のある場合は、それによる。
〔例〕エイト　ペイント　レイアウト　スペイン（地）
ケインズ（人）　サラダボウル　ボウリング（球技）[18]
注3　英語の語末の -er, -or, -ar などに当たるものは、原則としてア列の長音とし長音符号「ー」を用いて書き表す。ただし、慣用に応じて「ー」を省くことができる。
〔例〕エレベーター　ギター　コンピューター　マフラー
エレベータ　コンピュータ[19]　スリッパ

4　イ列・エ列の音の次のアの音に当たるものは、原則として「ア」と書く。
〔例〕グラビア　ピアノ　フェアプレー　アジア（地）　イタリア（地）
ミネアポリス（地）
注1　「ヤ」と書く慣用のある場合は、それによる。
〔例〕タイヤ　ダイヤモンド　ダイヤル　ベニヤ板
注2　「ギリシャ」「ペルシャ」について「ギリシア」「ペルシア」と書く慣用もある[20]。

5　語末（特に元素名等）の (-i)um に当たるものは、原則として「-（イ）ウム」と書く。
〔例〕アルミニウム　カルシウム　ナトリウム　ラジウム
サナトリウム　シンポジウム　プラネタリウム
注　「アルミニウム」を「アルミニューム」と書くような慣用もある[21]。

6　英語のつづりのxに当たるものを「クサ」「クシ」「クス」「クソ」と書くか、「キサ」「キシ」「キス」「キソ」と書くかは、慣用に従う。
〔例〕タクシー　ボクシング　ワックス　オックスフォード（地）
エキストラ　タキシード　ミキサー　テキサス（地）

7　拗音に用いる「ャ」「ュ」「ョ」は、小書きにする。また、「ヴァ」「ヴィ」「ヴェ」「ヴォ」や「トゥ」のように組み合せて用いる場合の「ァ」「ィ」「ゥ」「ェ」「ォ」も、小書きにする。

8　複合した語であることを示すための、つなぎの符号の用い方については、それ

それの分野の慣用に従うものとし、ここでは取決めを行わない。

〔例〕 ケース バイ ケース　ケース・バイ・ケース　ケース-バイ-ケース
マルコ・ポーロ　マルコ=ポーロ

注

〔17〕バレエ（舞踊）「バレー」とも書くが、球技の「バレー」(volley)と区別して、普通「バレエ」(ballet)と書く。

〔18〕サラダボウル・ボウリング（球技）「（サラダ）ボール」とも書くが、球の「ボール」(ball)と区別して、普通「ボウル」(bowl)と書く。また、球技のそれは、「ボーリング」とも書くが、試錐(しすい)の「ボーリング」(boring)と区別して、普通「ボウリング」(bowling)と書く。

〔19〕エレベータ・コンピュータ　「エレベータ」「コンピュータ」のように長音を省く方式は、理科学・工学などにおける書き方である。一般には、「エレベーター」「コンピューター」のように書く。

〔20〕ギリシャ・ペルシャ　従来、「ギリシア」「ペルシア」と書くことが多かったが、近年新聞などでは「ギリシャ」「ペルシャ」と書く。

〔21〕外来語としての日本語の発音に近い形は「アルミニューム」であるが、一般には「アルミニウム」と書く。「ナトリウム・ラジウム・サナトリウム・プラネタリウム」なども同様であるが、「シンビジウム／シンビジューム（植物）」などのようにゆれのあるものもある。

『送り仮名の付け方』

＊ これは、昭和四十八年六月十八日の内閣告示『送り仮名の付け方』の全文を掲載し、それに解説を付したものである。

送り仮名の付け方

前書き

一　この「送り仮名の付け方」は、法令・公用文書・新聞・雑誌・放送など、一般の社会生活において、「常用漢字表」の音訓によって現代の国語を書き表す場合の送り仮名の付け方のよりどころ〔1〕を示すものである。

二　この「送り仮名の付け方」は、科学・技術・芸術その他の各種専門分野や個々人の表記にまで及ぼそうとするものではない〔2〕。

三　この「送り仮名の付け方」は、漢字を記号的に用いたり、表に記入したりする場合〔3〕や、固有名詞を書き表す場合を対象としていない。

注

〔1〕「現代の国語を書き表す場合の送り仮名の付け方のよりどころ」を示すという考え方は、以後『現代仮名遣い』『外来語の表記』でも踏襲される。『常用漢字表』における「目安」とほぼ同じ意味を持つ。なお、送り仮名とは、一般に語形を明らかにする（その語が、その語であるということをはっきりさせる）ために送るものとされる。例えば、「危い」と書いたら「危うい」と「危ない」との区別がつかなくなるから、区別がつくように送ろうというのが送り仮名である。

〔2〕これは、『常用漢字表』『現代仮名遣い』『送り仮名の付け方』『外来語の表記』にも共通する考え方である。

〔3〕「一月一日（晴）」「十二月三十一日生」などのことを言っている。

「本文」の見方及び使い方

一　この「送り仮名の付け方」の本文の構成は、次のとおりである。

単独の語

1　活用のある語

通則1（活用語尾を送る語に関するもの）

通則2（派生・対応の関係〔4〕を考慮して、活用語尾の前の部分から送る語に関するもの）

2　活用のない語

通則3（名詞であって、送り仮名を付けない語に関するもの）

通則4（活用のある語から転じた名詞であって、もとの語の送り仮名の付け方によって送る語に関するもの）

通則5（副詞・連体詞・接続詞に関するもの）

複合の語

通則6（単独の語の送り仮名の付け方による語に関するもの）

通則7（慣用に従って送り仮名を付けない語に関するもの）

付表の語

1（送り仮名を付ける語に関するもの）

2（送り仮名を付けない語に関するもの）

二　通則とは、単独の語及び複合の語の別、活用のある語及び活用のない語の別等に応じて考えた送り仮名の付け方に関する基本的な法則をいい、必要に応じ、例外的な事項又は許容的な事項を加えてある。

したがって、各通則には、本則のほか、必要に応じて例外及び許容を設けた。

ただし、通則7は、通則6の例外に当たるもの〔5〕であるが、該当する語が多数に上るので、別の通則として立てたものである。

三　この「送り仮名の付け方」で用いた用語の意義は、次のとおりである。

単独の語……漢字の音又は訓を単独に用いて、漢字一字で書き表す語をいう。

複合の語……漢字の訓と訓、音と訓などを複合させ、漢字二字以上を用いて書き表す語をいう。

付表の語……「常用漢字表」の付表に掲げてある語のうち、送り仮名の付け方が問題となる語をいう。

活用のある語…動詞・形容詞・形容動詞をいう〔6〕。

活用のない語…名詞〔7〕・副詞・連体詞・接続詞をいう。

本則……送り仮名の付け方の基本的な法則と考えられるものをいう。

例外……本則には合わないが、慣用として行われていると認められるものであって、本則によらず、これによるものをいう。

許容……本則による形とともに、慣用として行われていると認められるものであって、本則以外に、これによってよいものをいう。

四　単独の語及び複合の語を通じて、字音を含む語は、その字音の部分には送り仮名を要しない〔8〕のであるから、必要のない限り触れていない。

五　各通則において、送り仮名の付け方が許容によることのできる語については、本則又は許容のいずれに従ってもよいが、個々の語に適用するに当たって、許容に従ってよいかどうか判断し難い場合には、本則によるものとする。

注

〔4〕「勇む・勇ましい」「清い・清らかだ」「後ろ・後ろめたい」などが派生の例、「当たる・当てる」「変わる・変える」「始まる・始める」などが対応の例。

〔5〕通則4では、慣用的に送り仮名を付けない語は、「例外」の項で扱われている。

〔6〕助動詞も活用するが、これは仮名書きを原則とするので、送り仮名の対象とはならない。

〔7〕「彼」「私」などの代名詞を含む。

〔8〕送り仮名は、和語（字訓語）を漢字を用いて書き表す場合に発生する問題である。ただし、形容動詞の場合、「活用語尾を送る」を本則とすると、和語「主だ」に準じて、漢語「勤勉だ」なども送り仮名の問題となりかねない。通則の立て方にやや疑問が残るところである。

本文

単独の語

1　活用のある語

通則1

本則　活用のある語（通則2を適用する語を除く。）は、活用語尾を送る〔9〕。

〔例〕憤る　承る　書く　実る　催す
生きる　陥れる　考える　助ける
荒い　潔い　賢い　濃い
主だ

例外　(1)　語幹が「し」で終わる形容詞は、「し」から送る。

〔例〕著しい　惜しい　悔しい　恋しい　珍しい

(2)　活用語尾の前に「か」、「やか」、「らか」を含む形容動詞は、その音節から送る。

〔例〕暖かだ　細かだ　静かだ
穏やかだ　健やかだ　和やかだ
明らかだ　平らかだ　滑らかだ　柔らかだ

(3)　次の語は、次に示すように送る。

明らむ　味わう　哀れむ　慈しむ　教わる　脅かす（おどかす）
脅かす（おびやかす）　食らう　異なる　逆らう　捕まる
群がる　和らぐ　揺する〔10〕
明るい　危ない　危うい　大きい　少ない　小さい　冷たい　平たい
新ただ　同じだ　盛んだ　平らだ　懇ろだ　惨めだ
哀れだ　幸いだ　幸せだ　巧みだ〔11〕

許容　次の語は、（　）の中に示すように、活用語尾の前の音節から送ることができる。

表す（表わす）　著す（著わす）　現れる（現われる）　行う（行なう）
断る（断わる）　賜る（賜わる）〔12〕

（注意）語幹と活用語尾との区別がつかない動詞は、例えば、「着る」「寝る」「来る」などのように送る。

注

〔9〕「覆る」「覆す」「翻る」「翻す」「唆す」「承る」「伴う」「貫く」「陥る」「養う」「快い」「潔い」「幼い」などもこの本則による。

〔10〕ここに挙げられた一四語はいずれも、活用語尾の一つ前の音節から送るものである。活用語尾から送ったのでは、語形を明らかにしにくかったり、難読・誤読のおそれが生じたりするものが多い。また、「明らむ」「明るい」は、「明ける」「明かす」に準じて送るものではないことに注意したい。

〔11〕ここに挙げられた一八語はいずれも、活用語尾の一つ前の音節から送るものである。活用語尾から送ったのでは、語形を明らかにしにくく、難読・誤読のおそれ

が生ずる。例えば、「すくなくない」を活用語尾から送った「少くない」は、「すくない」とも読めてしまう。

〔12〕活用語尾から送るものが本則、一つ前の音節から送るものが許容。通則2の「許容」とは逆の関係になるので注意したい。この方式によると、単独の形では語形が明らかにならない「行(おこ)なって」と「行(い)って」、「断(ことわ)って」と「断(た)って」も、文脈からは明らかになると考えてそれを本則としたもの。「表(あら)わす」と「表(ひょう)す」の場合は「謝意を表す」などに見るように、文脈からも語形を明らかにしえない場合があるので、注意が必要。

通則2

本則　活用語尾以外の部分に他の語を含む語は、含まれている語の送り仮名の付け方によって送る〔13〕。（含まれている語を〔　〕の中に示す。）

〔例〕

(1) 動詞の活用形又はそれに準ずるものを含むもの。

動かす〔動く〕　照らす〔照る〕
語らう〔語る〕　計らう〔計る〕　向かう〔向く〕
浮かぶ〔浮く〕
生まれる〔生む〕　押さえる〔押す〕　捕らえる〔捕る〕
勇ましい〔勇む〕　輝かしい〔輝く〕　喜ばしい〔喜ぶ〕
晴れやかだ〔晴れる〕
及ぼす〔及ぶ〕　積もる〔積む〕　聞こえる〔聞く〕
頼もしい〔頼む〕
起こる〔起きる〕　落とす〔落ちる〕
暮らす〔暮れる〕　冷やす〔冷える〕
当たる〔当てる〕　終わる〔終える〕　変わる〔変える〕
集まる〔集める〕　定まる〔定める〕　連なる〔連ねる〕
交わる〔交える〕
混ざる・混じる〔混ぜる〕
恐ろしい〔恐れる〕

(2) 形容詞・形容動詞の語幹を含むもの。

重んずる〔重い〕　若やぐ〔若い〕
怪しむ〔怪しい〕　悲しむ〔悲しい〕　苦しがる〔苦しい〕
確かめる〔確かだ〕
重たい〔重い〕　憎らしい〔憎い〕　古めかしい〔古い〕
細かい〔細かだ〕　柔らかい〔柔らかだ〕
清らかだ〔清い〕　高らかだ〔高い〕　寂しげだ〔寂しい〕

(3) 名詞を含むもの。

汗ばむ〔汗〕　先んずる〔先〕　春めく〔春〕
男らしい〔男〕　後ろめたい〔後ろ〕

許容　読み間違えるおそれのない場合は、活用語尾以外の部分について、次の（　）の中に示すように、送り仮名を省くことができる〔14〕。

〔例〕浮ぶ（浮かぶ）　生れる（生まれる）　押える（押さえる）　捕える（捕らえる）
晴やかだ（晴れやかだ）
積る（積もる）　聞える（聞こえる）
起る（起こる）　落す（落とす）　暮す（暮らす）　当る（当たる）
終る（終わる）　変る（変わる）

（注意）次の語は、それぞれ〔　〕の中に示す語を含むものとは考えず、通則1によるものとする〔15〕。

明るい〔明ける〕　荒い〔荒れる〕　悔しい〔悔いる〕　恋しい〔恋う〕

注

〔13〕この「本則」を別のことばで言えば、「派生・対応の関係にある語は、漢字の受け持つ部分が同じになるように送る」ということになる（「恐(おそ)れる－恐(おそ)ろしい」「動(うご)く－動(うご)かす」など）。ここから、「起きる」に合わせて「起こる」「起こす」が得られるが、「興」の場合は「おきる」など対応の形がないので、「興る」「興す」のように、ともに活用語尾だけを送ることになる。

〔14〕ここに言う、活用のある語の送り仮名を省く方式は、法令・公用文書・新聞・放送などでは、一般に行われていない。

〔15〕ここに挙げられた四語は、「明(あか)るい」「明(あ)ける」のように、いずれも漢字の受け持つ部分の読みが異なるものである。注〔13〕を参照。

2　活用のない語

通則3

本則　名詞（通則4を適用する語を除く。）は、送り仮名を付けない〔16〕。

〔例〕月　鳥　花　山
男　女
彼　何

例外　(1) 次の語は、最後の音節を送る。

辺り　哀れ〔17〕　勢い　幾ら　後ろ　傍ら　幸い〔17〕　幸せ〔17〕

(2) 互い 便り 半ば 情け 斜め 独り 誉れ 自ら 災い
数をかぞえる「つ」を含む名詞は、その「つ」を送る。
〔例〕一つ 二つ 三つ 幾つ

注
〔16〕「己れ」「塊り」も、この項を適用して送り仮名をつけないが、誤読のおそれがあるとして、慣用的に「己れ」「塊り」も行われる。
〔17〕「哀れ」は「哀れむ」「哀れだ」と、「幸い」「幸せ」は「幸いだ」「幸せだ」と同じ送り方になっている。これらは、いずれも「例外」による送り方である。

通則4
本則 活用のある語から転じた名詞及び活用のある語に「さ」、「み」、「げ」などの接尾語が付いて名詞になったものは、もとの語の送り仮名の付け方によって送る。
〔例〕
(1) 活用のある語から転じたもの。
動き 仰せ 恐れ 薫り 曇り 調べ 届け 願い 晴れ
当たり 代わり 向かい
狩り 答え 問い 祭り 群れ
憩い 愁い 憂い 香り 極み 初め
近く 遠く
(2) 「さ」、「み」、「げ」などの接尾語が付いたもの。
暑さ 大きさ 正しさ 確かさ
明るみ 重み 憎しみ
惜しげ
例外 次の語は、送り仮名を付けない。
謡 虞 趣 氷 印 頂[18] 帯 畳
卸 煙 恋 志 次 隣 富 恥 話[18] 光[18] 舞[18]
折[18] 係 掛(かかり) 組 肥 並(なみ)[18] 巻 割[18]
(注意) ここに掲げた「組」は、「花の組」、「赤の組」などのように使った場合の「くみ」であり、例えば、「活字の組みがゆるむ。」などとして使う場合の「くみ」を意味するものではない。「光」、「折」、「係」なども、同様に動詞の意識が残っているような使い方の場合は、この例外に該当しない。したがって、本則を適用して送り仮名を付ける。
許容 読み間違えるおそれのない場合は、次の(　)の中に示すように、送り仮名を省くことができる[19]。
〔例〕曇り(曇) 届け(届) 願い(願) 晴れ(晴)
当たり(当り) 代わり(代り) 向かい(向い)
狩り(狩) 答え(答) 問い(問) 祭り(祭) 群れ(群)
憩い(憩)

注
〔18〕「頂」「話」の場合は、上の(注意)によって、「山の頂／これは頂きだ」、「話を聴く／お話しになる・お話しする」のように使い分ける。後二者は、活用語尾を送る「お食べになる」「お聞きする」などの場合と同様である。「折」は、「折を見て話す・〜する折に」のように、時間の意では送らない。「割」は「〜割」の場合は送らない。「わりに」では「割りに」「割に」のようにゆれが見られる。「並」は「並の人」などの場合は送らない(複合の語「並肉」「並製品」なども送らない)。「並木」は、慣用が固定しているとして送らない。ただし、「十人並み」「足並み」などでは「本則」では送るが、「許容」では省くことができる)。「光」は「光が反射する」の場合は送らない(ただし、複合の語「親の七光り」の場合は、「本則」を適用して送ることが多い)。「舞」は「舞を舞う」の場合は送らない(ただし、「きりきり舞い」「てんてこ舞い」の場合は、「本則」では一般に送る)。
〔19〕ここでいう単独の語の「許容」の形は、法令・公用文書・新聞・放送では、原則として行われていない。

通則5
本則 副詞・連体詞・接続詞は、最後の音節を送る。
〔例〕必ず 更に 少し 既に 再び 全く 最も
来る[20] 去る
及び 且つ 但し
例外 (1) 次の語は、次に示すように送る。
明くる 大いに 直ちに 並びに 若しくは
(2) 次の語は、送り仮名を付けない。
又
(3) 次のように、他の語を含む語は、含まれている語の送り仮名の付け方によって送る。(含まれている語を〔　〕の中に示す。)
〔例〕併せて〔併せる〕 至って〔至る〕 恐らく〔恐れる〕 従って〔従う〕
〔従う〕 絶えず〔絶える〕 例えば〔例える〕 努めて〔努める〕
辛うじて〔辛い〕 少なくとも〔少ない〕

互いに〔互い〕　必ずしも〔必ず〕

注

〔20〕このように送るのは、あくまでも連体詞の場合である。「蒙古（もうこ）きたる（文語動詞）」の場合は、「来たる」のように送る。

複合の語

通則6

本則　複合の語（通則7を適用する語を除く。）の送り仮名は、その複合の語を書き表す漢字の、それぞれの音訓を用いた単独の語の送り仮名の付け方による。

〔例〕

(1) 活用のある語

書き抜く　流れ込む　申し込む　打ち合わせる　向かい合わせる
長引く　若返る　裏切る　旅立つ
聞き苦しい　薄暗い　草深い　心細い　待ち遠しい　軽々しい
若々しい　女々しい
気軽だ〔21〕　望み薄だ

(2) 活用のない語

石橋　竹馬　山津波　後ろ姿　斜め左　花便り　独り言　卸商
水煙　目印
田植え　封切り　物知り　落書き　雨上がり　墓参り　日当たり
夜明かし　先駆け　巣立ち　手渡し
入り江　飛び火　教え子　合わせ鏡　生き物　落ち葉　預かり金
寒空〔22〕　深情け
愚か者
行き帰り　伸び縮み　乗り降り　抜け駆け　作り笑い　暮らし向き
売り上げ　取り扱い　乗り換え　引き換え　歩み寄り　申し込み
移り変わり
長生き　早起き　苦し紛れ　大写し
粘り強さ　有り難み　待ち遠しさ
乳飲み子　無理強い　立ち居振る舞い　呼び出し電話
次々　常々
近々　深々
休み休み　行く行く

許容　読み間違えるおそれのない場合は、次の（　）の中に示すように、送り仮名を省くことができる〔23〕。

〔例〕書き抜く（書抜く）　申し込む（申込む）　打ち合わせる（打ち合せる・打合せる）　向かい合わせる（向い合せる）
聞き苦しい（聞苦しい）　待ち遠しい（待遠しい）
田植え（田植）　封切り（封切）　落書き（落書）
雨上がり（雨上り）　日当たり（日当り）　夜明かし（夜明し）
入り江（入江）　飛び火（飛火）　合わせ鏡（合せ鏡）
預かり金（預り金）
抜け駆け（抜駆け）　暮らし向き（暮し向き）
売り上げ（売上げ・売上）　取り扱い（取扱い・取扱）
乗り換え（乗換え・乗換）　引き換え（引換え・引換）
申し込み（申込み・申込）　移り変わり（移り変り）
有り難み（有難み）　待ち遠しさ（待遠しさ）
立ち居振る舞い（立ち居振舞い・立居振舞い・立居振舞）
呼び出し電話（呼出し電話・呼出電話）

（注意）「こけら落とし（こけら落し）」、「さび止め」、「洗いざらし」、「打ちひも」のように前又は後ろの部分を仮名で書く場合は、他の部分については、単独の語の送り仮名の付け方による。

注

〔21〕この方式に従うと、「気短だ」「手短だ」などのように送ることになる。やや難読だとされ、慣用的に「気短かだ」「手短かだ」の形も行われる。

〔22〕この方式に従うと、「幼子（おさなご）」「幼友達（おさなともだち）」などのように送ることになる。難読・誤読のおそれがあって、慣用として「幼な子」「幼な友達」の形も行われる。

〔23〕活用のある語の場合、法令・公用文書・新聞・放送では、「許容」でなく「本則」によって送る。活用のない語の場合、法令・公用文書では、一部「許容」を採用するが、新聞・放送では「本則」によっている。

通則7

複合の語のうち、次のような名詞は、慣用に従って、送り仮名を付けない。

(1) 特定の領域の語で、慣用が固定していると認められるもの。

〔例〕

ア　地位・身分・役職等の名。

関取　頭取　取締役　事務取扱

イ　工芸品の名に用いられた「織」、「染」、「塗」等。

《博多》織　《型絵》染　《春慶》塗　《鎌倉》彫　《備前》焼

ウ　その他。

書留　気付　切手　消印　小包　振替　切符　踏切

請負　売値　買値　仲買　歩合　両替　割引　組合　手当

倉敷料　作付面積

売上《高》　貸付《金》

借入《金》　繰越《金》　小売《商》

積立《金》　取扱《所》

取扱《注意》　取次《店》　取引《所》

乗換《駅》　乗組《員》

引受《人》　引受《時刻》　引換《券》

《代金》引換　振出《人》

待合《室》　見積《書》　申込《書》

(2)　一般に、慣用が固定していると認められるもの。

奥書　木立　子守　献立　座敷　試合　字引　場合　羽織　葉巻

番組　番付　日付　水引　物置　物語　役割　屋敷　夕立　割合

合図　合間　植木　置物　織物　貸家　敷石　敷地　敷物　立場

建物　並木　巻紙　受付[24]　受取[24]

浮世絵　絵巻物　仕立屋

（注意）

(1)　「《博多》織」、「《売上》高」などのようにして掲げたものは、《　》の中を他の漢字で置き換えた場合にも、この通則を適用する。

(2)　通則7を適用する語は、例として挙げたものだけで尽くしてはいない。したがって、慣用が固定していると認められる限り、類推して同類の語にも及ぼすものである[25]。通則7を適用してよいかどうか判断し難い場合には、通則6を適用する。

注

[24]「受付」は、「受付を務める・受付に聞く・右手に受付がある」など「役割・人・場所」を表す場合は送らない。「うけつけは九時から」などの場合は、「本則」で「受け付け」、「許容」では「受付け」。「受取」は領収証の場合にのみ使う。「うけとりに行く」などの場合は、「本則」で「受け取り」、「許容」では「受取り」。

[25]新聞では「支払（い）」が、「人・日・金・手形・銀行」などに続く場合は、通則7によって「支払人・支払日・支払金…」などとし、「停止・方法・済み」などに続く場合は、通則6によって「支払い停止・支払い方法・支払い済み」などとするなどの処置が講じられている。

付表の語

「常用漢字表」の「付表」に掲げてある語のうち、送り仮名の付け方が問題となる次の語は、次のようにする。

1　次の語は、次に示すように送る。

浮つく　お巡りさん　差し支える　五月晴れ　立ち退く　手伝う　最寄り

なお、次の語は、（　）の中に示すように、送り仮名を省くことができる。

差し支える（差支える）　五月晴れ（五月晴）　立ち退く（立退く）

2　次の語は、送り仮名を付けない。

息吹　桟敷　時雨　築山　名残　雪崩　吹雪　迷子　行方

「人名用漢字」

子につける名は、「戸籍法」で「常用平易な文字を用いなければならない」と決められている。さらに「戸籍法施行規則」では、「常用平易な文字」を、

一　常用漢字表に掲げる漢字（括弧書きが添えられているものについては、括弧の外のものに限る。）

二　別表第二に掲げる漢字

三　片仮名又は平仮名（変体仮名を除く。）

と、規定している。二に言う「別表第二」に掲げる漢字が、「**人名用漢字**」である。

『常用漢字表』が告示された時点（昭和五十六年）で、「人名用漢字別表」に掲げられた漢字は一六六字であったが、平成二年一一八字、九年一字が追加され、現在は二八五字となっている。常用漢字（一九四五字）と合わせると、合計二二三〇字の漢字を子の名づけに用いることができる。「人名用漢字別表」は、『常用漢字表』に示された漢字とともに、〈政令文字〉とも言われ、その字体は常用漢字と同様に、一般に広く使われている。子に名づけるときにも、この字体を使わなければならない。

このほかに、当分の間、子の名に用いることができるものとして、「人名用漢字許容字体表」に示す漢字二〇五字（旧字体）があるが、これらは『常用漢字表』の漢字欄に掲げる康熙字典体から選び出された一九五字と、「人名用漢字別表」からそれに準ずるものとして選び出された一〇字とからなっている。

漢字の読み方については、特別の規定は設けられていない。

別表第二　人名用漢字別表

丑丞乃之也亘亥亦亨亮伊伍伎伶伽佑
侃侑侔倭偲允冴冶凌凜凪凱勁匡卯叡
只叶吾呂哉唄啄喬嘉圭尭奈奎媛嬉孟
宏宥寅峻崚嵐嵩嵯嶺巌巳巴巽庄弘弥
彗彦彪彬怜恕悌惇惟惣慧憧拳捷捺敦
斐於旦旭旺昂昌昴晃晋晏晟晨智暉暢
曙朋朔李杏杜柊柚柾栗栞桂桐梓梢梧
梨椋椎椰椿楊楓楠榛槙槻樺橘檀欣欽
毅毬汀汐汰沙洲洵洸浩淳渚渥湧滉漱
澪熙熊燎燦燿爽爾猪玖玲琢琳瑚瑛瑞
瑠瑶瑳璃甫皐皓眉眸睦瞭瞳矩碧碩磯
祐禄禎秦稀稔稜穣竣笙笹紗紘紬絃絢
綜綸綺綾緋翔翠耀耶聡肇胡胤脩舜艶
芙芹苑茉茄茅茜莉莞菖菫萌萩葵蒔蒼
蓉蓮蔦蕉蕗藍藤蘭虎虹蝶衿袈裟詢誼
諄諒赳輔辰迪遥遼邑那郁酉醇采錦鎌
阿隼雛霞靖鞠須頌颯馨駒駿魁鮎鯉鯛
鳩鳳鴻鵬鶴鷹鹿麟麿黎黛亀琉

附則別表　人名用漢字許容字体表

*（　）内は、常用漢字表・人名漢字別表に示された新字体。

一　常用漢字表に掲げる漢字に関するもの

亞（亜）　惡（悪）　爲（為）　逸（逸）　衞（衛）　謁（謁）　緣（縁）
應（応）　櫻（桜）　奧（奥）　橫（横）　溫（温）　價（価）　禍（禍）
悔（悔）　海（海）　壞（壊）　懷（懐）　樂（楽）　渴（渇）　卷（巻）
陷（陥）　寬（寛）　漢（漢）　氣（気）　祈（祈）　器（器）　僞（偽）
戲（戯）　虛（虚）　峽（峡）　狹（狭）　響（響）　曉（暁）　勤（勤）
謹（謹）　勳（勲）　薰（薫）　惠（恵）　揭（掲）　鷄（鶏）　藝（芸）
擊（撃）　縣（県）　儉（倹）　劍（剣）　險（険）　圈（圏）　檢（検）
顯（顕）　驗（験）　嚴（厳）　廣（広）　恆（恒）　黃（黄）　國（国）
黑（黒）　穀（穀）　碎（砕）　雜（雑）　祉（祉）　視（視）　兒（児）
濕（湿）　社（社）　者（者）　煮（煮）　壽（寿）　收（収）　臭（臭）
從（従）　澁（渋）　獸（獣）　縱（縦）　祝（祝）　暑（暑）　署（署）
緖（緒）　諸（諸）　敍（叙）　將（将）　祥（祥）　涉（渉）　燒（焼）
奬（奨）　條（条）　狀（状）　乘（乗）　淨（浄）　剩（剰）　疊（畳）
孃（嬢）　讓（譲）　釀（醸）　神（神）　眞（真）　寢（寝）　愼（慎）
盡（尽）　粹（粋）　醉（酔）　穗（穂）　瀨（瀬）　齊（斉）　靜（静）
攝（摂）　節（節）　專（専）　戰（戦）　纖（繊）　禪（禅）　祖（祖）
壯（壮）　爭（争）　莊（荘）　搜（捜）　巢（巣）　裝（装）　僧（僧）
層（層）　騷（騒）　增（増）　憎（憎）　藏（蔵）　贈（贈）　臟（臓）
卽（即）　帶（帯）　滯（滞）　單（単）　嘆（嘆）　團（団）　彈（弾）
晝（昼）　鑄（鋳）　著（著）　廳（庁）　徵（徴）　聽（聴）　懲（懲）
鎭（鎮）　轉（転）　傳（伝）　都（都）　燈（灯）　盜（盗）　稻（稲）
德（徳）　突（突）　難（難）　拜（拝）　賣（売）　梅（梅）　髮（髪）
拔（抜）　繁（繁）　晚（晩）　卑（卑）　祕（秘）　碑（碑）　賓（賓）
敏（敏）　侮（侮）　福（福）　拂（払）　佛（仏）　勉（勉）　步（歩）
墨（墨）　飜（翻）　每（毎）　默（黙）　藥（薬）　與（与）　搖（揺）
樣（様）　謠（謡）　來（来）　賴（頼）　覽（覧）　欄（欄）　龍（竜）
虜（虜）　綠（緑）　淚（涙）　壘（塁）　類（類）　曆（暦）　歷（歴）
練（練）　鍊（錬）　郞（郎）　朗（朗）　廊（廊）　錄（録）

二　別表第二に掲げる漢字に関するもの

亙（亘）　巖（巌）　彌（弥）　渚（渚）　猪（猪）　琢（琢）　祐（祐）
祿（禄）　禎（禎）　穰（穣）

常用漢字小字典

＊ これは、常用漢字のよりよき理解と使用のために、『常用漢字表』の「本表」に掲げられた漢字の、音訓・字体・意味やその使い方などについて、簡潔な解説を付したものである。また、使用の便を考慮して各漢字にその漢字の筆順を付した。『常用漢字表』の趣旨等については、付録『常用漢字表』を参照されたい。末尾に「付表」を掲げた。

《凡　例》

1　親字の配列は『常用漢字表』の順序に従う。最初に、【　】でくくった大きな字で常用漢字の字体を、（　）内に『常用漢字表』に示された康熙（こうき）字典体（いわゆる旧字体）を示す。＊は人名用漢字として当分の間使用を認められた旧字体であることを表す。

2　次に、常用漢字の音（片仮名）と訓（平仮名）を示す。**太字**は本則（または例外）による送り仮名。傍線は用法の狭い特別な読み。

3　例 欄に、その音訓を使用した語例・句例を示す。

4　表外 欄に、『常用漢字表』で認められていない音訓（音は片仮名、訓は平仮名）を、→以下に音訓外の語の処理の仕方を示す。例えば、「愛」の項で、

①めでる→かな書き
②おしむ→惜しむ
③まな→愛娘（まなむすめ）

とあるのは、それぞれ、①「めでる」はかなで書くことを、②「愛しむ」と書かずに「惜しむ」と書くことを、③例えば、「愛娘（まなむすめ）」のように漢字に振りがなをつけて書くことを表す。訓は意味の記述をも兼ねる。

5　使い分け 欄に、異字同訓語などの使い分けを示す。本文の［囲み］で扱ったものは、その旨注記した。

6　参 欄に、

①「同音の漢字による書きかえ」（昭和三十一年国語審議会報告）
②表内字と表外字、表内音訓の語と表外音訓を含む語の使い分け
③当該漢字の意味

などについて注記した。①は「同音の漢字による書きかえ」として、『当用漢字表』（『常用漢字表』の前身）の時代から行われてきた代用表記や統一表記についての注記である。「代用」とは、以前にその書き表し方がなかったもの、「統一」とは二様三様の書き表し方の中から現代に最もふさわしいものとして統一的に表記されるようになったものの意である。国語審議会報告だけでなく、新聞・学術用語集などで行われるものをも含む。

7　付 は「付表の語」。末尾の①～⑥の数字は小学校で学習する学年を表す。▽は表外音訓、×は表外字。

8　正字 欄には、漢字表が掲げていない正字のうち、注意を要するもの、また掲げているが、画数に増減のあるものなどを示した。

9　部首 欄に、『康熙字典』に行われる当該漢字の部首のうち、誤認されやすいものを示した。それによりがたい新字体については、現行の漢和辞典などで一般に行われる部首を示した。

10　⇩は参照項目。

本表

【亜（＊亞）】ア 例 亜流・亜鉛・亜熱帯。表外 つぐ→次ぐ。参「白×堊」は「白亜」で代用（「堊」は白土）。「×啞鈴」は「亜鈴」で代用（「啞鈴」はdumbbell の訳語）。部首 二。

【哀】アイ、あわれ・**あわれむ** 例 哀感・哀愁。表外 かなしい→悲しい。参「哀れを催す・物の哀れ／［×憐・×憫］同病相あわれむ・難民をあわれむ・あわれみの情をかける」のように使う。部首 口。

【愛】アイ 例 愛情・愛読・恋愛・愛する。表外 めでる→かな書き、おしむ→惜しむ、いとしい→かな書き、まな→愛娘（まなむすめ）。参 いとしい意で「かなしい」とも訓ずる。部首 心。④

【悪（＊惡）】アク・オ、わるい 例 悪人・悪質・嫌悪（ケンオ）、悪者。表外 にくむ→憎む、あし（「善し」の対）→かな書き。③

【握】アク、にぎる 例 握手・掌握・把握、握り締める。

【圧（壓）】アツ 例 圧力・気圧・圧する。表外 おさえる→押さえる・抑える。参 上から押しつける意。部首 土。⑤

【扱】あつかう 表外 しごく→かな書き、こく（稲扱き）→かな書き。参「あつかう」は国訓。正字 扱。

【安】アン、やすい 例 安心・安価、安上がり。表外 いずくんぞ→かな書き。③

【案】アン 例 案文・案内・案ずる。表外 つくえ→机、かんがえる→考える。参「×按分／案分」は「案分」で統一（「按・案」は考える）。「×按分比例」は「案分比例」で代用。④

【暗】アン、くらい 例 明暗・暗示・暗愚、暗やみ。表外 やみ→かな書き。参「暗夜／×闇夜」は「暗夜」で統一（「闇」はやみ）。「×諳記／暗記」「×諳誦／暗唱」は後者で統一（そらんずる意で「諳・暗」は通ずる）。③

【以】イ 例 以上・以下。表外 もって→かな書き、もちいる→用いる。部首 人。④

【衣】イ、ころも 例 衣服、羽衣。表外 エ→衣紋（えもん）、きぬ→衣（きぬ）、きる→着る。付 浴衣（ゆかた）。④

【位】イ、くらい 例 位置・各位、気位（きぐらい）・位する。参「三位（さんみ）」は連声。④

【囲（圍）】イ、かこむ・かこう 例 包囲・範囲、囲み記事。表外

めぐる→巡る。正字 廻。④

【医(醫)】イ 例 医者・医学・医する。表外 くすし(医者)→かな書き、いやす→かな書き。参 「医・醫」は本来別字。「医(イ)」は矢を入れるうつぼ、「醫(イ)」はいやす意。部首 医―匚、醫―酉。③

【依】イ・エ 例 依頼・帰依(キエ)。表外 よる→かな書き。参 新聞は「委託/依託」を「委託」で統一(「委」はゆだねる、「依」は頼りにする。一般には「委託販売/依託射撃」などと使う)。「エ」は呉音。

【委】イ 例 委任・委細・委する。表外 ゆだねる→かな書き、まかせる→任せる、くわしい→詳しい。参 新聞は「×萎縮」を「委縮」で代用するが、慣用になじまない(「萎」はなえる)。③

【威】イ 例 威力・威嚇(カク)。表外 たけし→かな書き、おどす→脅す。参 勢いを見せつけておどす意。部首 女。

【胃】イ 例 胃腸・胃袋。参 「×冑(チュウ)(よつぎ)」「×冑(チュウ)(よろい)」は別字。部首 肉。④

【為(*爲)】イ 例 行為・作為・為政者。表外 する→かな書き、なす→かな書き、ため→かな書き、つくる→作る・造る。付 為替(かわせ)。部首 為―灬、爲―爪。

【尉】イ 例 尉官・大尉。表外 ジョウ(判官)→尉(じょう)。部首 寸。

【異】イ、こと 例 異常・異状・差異、異にする・異なる。表外 ちがう→違う。参 普通と違う意で「あやしい」とも訓ずる。正字 異。⑥

【移】イ、うつる・うつす 例 移動・推移、移り気・住所を移す。使い分け ⇩本文[囲み]うつる(移・映・写)。⑤

【偉】イ、えらい 例 偉大・偉人、お偉方。正字 偉。

【意】イ 例 意見・意味。表外 こころ→心、おもう→思う。付 意気地(いくじ)。③

【違】イ、ちがう・ちがえる 例 違反・違法・相違、間違う・間違える・見違える・性格の違い。表外 たがえる→かな書き。正字 違。

【維】イ 例 維持・繊維。表外 つな→綱、つなぐ→かな書き、これ→かな書き。参 「維新」は、これ新たの意。「維」は発語の助辞。

【慰】イ、なぐさめる・なぐさむ 例 慰安・慰問・慰する、慰め事・手慰み・慰み者。

【遺】イ・ユイ 例 遺志・遺言(ユイゴン・イゴン)。表外 のこす→残す、わすれる→忘れる、おくる→贈る。参 あとに残す意。「ユイ」は呉音。⑥

【緯】イ 例 緯度・北緯・経緯(ケイイ)。表外 よこいと→横糸。参 「▽経▽緯(いきさつ)」は熟字訓。正字 緯。

【域】イキ 例 地域・区域・域外。参 くぎる・さかいの意。⑥

【育】イク、そだつ・そだてる 例 育児・教育、都会育ち・子育て。表外 はぐくむ→かな書き。正字 育。③

【一】イチ・イツ、ひと・ひとつ 例 一度・一般・一知半解、一息・一つ目小僧。参 「イチ」は呉音。⇩壱(イチ)。付 一日(ついたち)・一人(ひとり)。①

【壱(壹)】イチ 表外 ひとつ→一つ。参 証書類で「一」に代えて使う。

【逸(*逸)】イツ 例 逸話・逸品・逸脱・逸する。表外 イチ→逸物(いちもつ)、それる→かな書き、はやる→かな書き。参 「安逸/安×佚」「散逸/散×佚」は前者で統一(「逸・佚」は楽しむ、逃げる)。

【芋】いも 例 里芋・焼き芋・芋虫。参 本来サトイモの意だが、イモ一般に使う。ヤマノイモの意の「藷・薯」は表外字。

【引】イン、ひく・ひける 例 引率・引退・強引、綱を引く。使い分け ⇩本文[囲み]ひく(引・弾)。参 「網を×曳(ひ)く/貨車を×牽(ひ)く/同情を×惹(ひ)く・×惹(ひ)き起こす/くじを▽抽(ひ)く」なども「引」でまかなう。②

【印】イン、しるし 例 印刷・印象・印する、星印。表外 しるす→かな書き。参 記号(をつける)の意。「印を付ける/〔▽標〕感謝のしるし/〔▽徴〕噴火のしるし/〔▽験〕薬石のしるし」のように使う。④

【因】イン、よる 例 因果・原因。表外 ちなむ→かな書き。参 「不注意に因る事故/〔▽拠〕城によって戦う/〔▽由〕よって来たるところ/〔▽依〕先例による」のように使う。⑤

【姻】イン 例 婚姻。参 嫁ぎ先・縁組みの意。

【員】イン 例 満員・定員・員数・社員。表外 かず→数。参 人や物の数の意。部首 口。③

【院】イン 例院内・病院・議院・芸術院。参囲い（を巡らした建物）の意。③

【陰】イン、かげ・かげる 例陰気・光陰、山陰(やまかげ)・陰の声。表外オン↓陰陽(おんみょう)家。使い分け⇩本文［囲み］かげ（影・陰）。参日の当たらない側の意。「…のおかげ」は「×蔭(イン)」が、「かげのある女」などでは「×翳(エイ)」も好まれる。

【飲】イン、のむ 例飲料・痛飲、酒飲み。表外オン↓飲酒(おんじゅ)。参「のむ」と訓ずる「×呑(ドン)（丸のみする）」「▽喫（少しずつのむ）」「×嚥(エン)（ぐっとのむ）」は「飲」でまかなう。③

【隠（隱）】イン、かくす・かくれる 例隠居・隠語、神隠し・隠れんぼ。表外オン↓隠密(おんみつ)。参「×湮（×堙）滅」は「隠滅」で代用（「湮・堙」はふさぐ、ほろびる）。

【韻】イン 例韻文・脚韻・音韻・余韻。参音の美しい響きの意。

【右】ウ・ユウ、みぎ 例右岸・左右、右手。参天や神がたすける意で「×佑・×祐」に通ずる。「ウ」は呉音。①

【宇】ウ 例宇宙・堂宇・気宇広大。参大きな家、全空間の意。⑥

【羽】ウ、は・はね 例羽毛・羽化、羽根・羽を伸ばす・羽飾り。参「～羽(は)」は「わ（一羽）・ば（三羽）・ぱ（六羽）」となる。昆虫には「×翅(はね)」、加工したものは「羽根」。正字羽。②

【雨】ウ、あめ・あま 例雨量・雨天、にわか雨・雨雲(あまぐも)。参「春雨(はるさめ)・小雨(こさめ)」などは添音。付五月雨(さみだれ)・時雨(しぐれ)・梅雨(つゆ)。①

【運】ウン、はこぶ 例運動・運搬、持ち運び。表外めぐる↓巡る。参新聞は「耕×耘機」を「耕運機」で代用（「耘」は草を切る）。③

【雲】ウン、くも 例雲海・積乱雲・雲散霧消、雲隠れ。②

【永】エイ、ながい 例永遠・永久、永い眠り・永の別れ。表外とこしえ↓かな書き。使い分け⇩本文［囲み］ながい（長・永）。部首水。⑤

【泳】エイ、およぐ 例泳法・水泳・背泳、平泳ぎ・背泳ぎ。③

【英】エイ 例英雄・英語。表外はなぶさ↓花房、ひいでる↓秀でる。参「英知／×叡×智」「英才／×穎才」は前者で統一。「叡」は賢い、「穎」はさとい意。④

【映】エイ、うつる・うつす・はえる 例映画・反映・映ずる、鏡に姿が映る。使い分け①⇩本文［囲み］うつる（移・映・写）。②「朝日に映える・夕映え・和服に帯が映える／栄えある勝利・出来栄え・見栄え」のように使う。⑥

【栄（榮）】エイ、さかえる・はえ・はえる 例繁栄・栄誉・栄養。使い分け⇩映(エイ)。参もと草木が盛んに茂る意。④

【営（營）】エイ、いとなむ 例営業・陣営、営み。参住まいの意も。部首営－⺍、營－火。⑤

【詠】エイ、よむ 例詠唱・詠嘆・朗詠・題詠・雑詠・詠ずる。表外うたう↓歌う。使い分け⇩読(ドク)。

【影】エイ、かげ 例影響・陰影・撮影、影絵・影が薄い。使い分け⇩本文［囲み］かげ（影・陰）。参「暗影／暗×翳」「陰影／陰×翳」は前者で統一（「影」は光が作る物の形、「翳」はほの暗いかげ）。もと、光の意（月影）。

【鋭】エイ、するどい 例鋭利・鋭角・鋭敏・精鋭。正字鋭。

【衛（*衞）】エイ 例衛生・護衛・守衛・門衛。表外エ↓衛府(えふ)、まもる↓守る。参周りを囲んで守る意。⑤

【易】エキ・イ、やさしい 例貿易・易姓革命(えきせいかくめい)・容易、易しい問題。表外かえる↓換える、やすい↓かな書き。参「×易(ヨウ)（日が高くのぼる）」は別字。⑤

【疫】エキ・ヤク 例疫病(えきびょう)・疫病(やくびょう)神。参流行病の意。「ヤク」は呉音。

【益】エキ・ヤク 例利益(りえき)・益する・御利益(ごりやく)。表外ます↓増す、ますます↓かな書き。参「ますます」の形では「▽益」より「▽益々」が一般的。「ヤク」は呉音。正字益。部首皿。⑤

【液】エキ 例液体・液化・血液・水溶液。参「夜(エキ)」が音符。⑤

【駅（驛）】エキ 例駅長・駅伝・○○駅。参古代の宿駅制下のうまやの意。③

【悦】エツ 例悦楽・喜悦。表外よろこぶ↓喜ぶ。参満足して喜ぶ意。正字悦。

【越】エツ、こす・こえる 例越境・超越、峠を越す。表外オツ↓越訴(おっそ)、エチ↓越後(えちご)。使い分け⇩本文［囲み］こえる（越・超）。

漢

会う意。

【謁(*謁)】 エツ 例 謁見・拝謁・謁する。参 身分の高い人に会う意。

【閲】 エツ 例 閲覧・閲歴・校閲・閲する。表外 けみする→閲する。参 数える・経過する意。正字 閲。

【円(圓)】 エン、まるい 例 円卓・円熟・円高。表外 まどか→かな書き。使い分け ⇩丸。部首 冂。①

【延】 エン、のびる・のべる・のばす 例 延長・延期、寿命が延びる・間延び・延べ人数・引き延ばし。表外 ひく→引く。使い分け ⇩本文[囲み]のびる（伸・延）。参「敷×衍」は「敷延」で代用（「衍」は広がる、はびこる）。正字 延。⑥

【沿】 エン、そう 例 沿岸・沿革、線路に沿って歩く。使い分け ⇩本文[囲み]そう（沿・添）。⑥

【炎】 エン、ほのお 例 炎上・炎天・炎症。参「炎／×焔」は「炎」で統一（火炎・気炎）。ともに、ほのおの意。

【宴】 エン 例 宴会・酒宴。表外 うたげ→かな書き。参 酒盛りをして楽しむ意。

【援】 エン 例 援助・応援。表外 たすける→助ける。参「義×捐金」は「義援金」で代用。「×掩護」は類義の「援護」で代用（「援護の手を差し伸べる／掩護射撃」のように使い分けることも多い）。「援」は引き上げて助ける、「捐」は捨てる、救済の金品を出す、「掩」はかばう意。

【園】 エン、その 例 園芸・公園、花園。表外 オン→祇園。参「園地／×苑地」は「園地」で統一（ともに庭の意）。②

【煙】 エン、けむる・けむり・けむい 例 煙突・喫煙、土煙。参「×烟」は別体。

【猿】 エン、さる 例 類人猿・犬猿の仲、手長猿。表外 ましら→かな書き。参 十二支のさるは「▽申」。

【遠】 エン・オン、とおい 例 遠近・久遠、遠出。参「▽遠▽近」は熟字訓。「オン」は呉音。②

【鉛】 エン、なまり 例 鉛筆・黒鉛・亜鉛・鉛直線、鉛色。

【塩(鹽)】 エン、しお 例 塩分・食塩、塩辛い。表外 しょっぱい→かな書き。参「▽塩梅」は国訓で「あんばい」と読む。部首 塩―土、鹽―鹵。④

【演】 エン 例 演技・講演・演ずる。表外 のべる→延べる・述べる。参 原義は水を引く意。⑤

【縁(*緣)】 エン、ふち 例 縁故・血縁・絶縁・縁結び、額縁。表外 へり→かな書き、えにし→かな書き、よる→かな書き。参「因縁」は連声。

【汚】 オ、けがす・けがれる・けがらわしい・よごす・よごれる・きたない 例 汚点・汚名、汚れ・口汚し・汚れ物。

【王】 オウ 例 王子・帝王。表外 きみ→君、おおきみ→大君。参「勤王」「尊王」などは連声。①

【凹】 オウ 例 凹凸・凹レンズ。表外 くぼむ→かな書き、へこむ→かな書き。参 部首は「出」と同じ「凵」。付 凸凹。

【央】 オウ 例 中央・震央。表外 なかば→半ば。部首 大。③

【応(*應)】 オウ 例 応答・応対・呼応・応ずる。表外 こたえる→かな書き、まさに→かな書き。参「反応」・「順応」などは連声。部首 心。⑤

【往】 オウ 例 往復・往来・往事。表外 いにしえ→かな書き、ゆく・いく→行く。参 帰りを予定して行く意で、「復」の対。⑤

【押】 オウ、おす・おさえる 例 押収・押印・押韻、手押し車・押さえ込み。使い分け ⇩本文[囲み]おさえる（押・抑）。

【欧(歐)】 オウ 例 欧州・欧文・西欧。参「欧羅巴」の略。原義は「×嘔（はく）」と同義。

【殴(毆)】 オウ、なぐる 例 殴打、殴り込み。表外 たたく→かな書き。参 本来「棒で殴る／平手で▽撲る／書き×擲る」のように使ったが、今は多く「殴」でまかなう。

【桜(*櫻)】 オウ、さくら 例 桜花、桜色。参「桜」は中国では桜桃の意。サクラは「桜花」。⑤

【翁】 オウ 例 老翁。表外 おきな→かな書き。参 男性老人の敬称ともする（福沢翁の偉業）。「×沙翁・×奈翁」はシェークスピア・ナポレオン。

【奥(*奧)】 オウ、おく 例 深奥・奥義、奥底・奥の手・奥様。参 音としての「オク」もある（奥義・奥妙）。

【横(*橫)】 オウ、よこ 例 横断、横顔・横たわる。参 よこしまの意も（横領・専横）。③

木 朩 栟 栟 棤 構 構 横

【屋】オク、や 例屋上・屋外オクガイ、屋根・小屋。使い分け「二階屋・屋敷・果物屋・やかまし屋／一軒家・離れ家・空き家・あばら家・家主・家賃」のように使う。付母屋おも・部屋へや。③

一 ㄱ 尸 尸 层 层 屋 屋 屋

【億】オク 例億万・一億。参「憶」と通じるが、一般には助数詞として使う。「億×劫おっくう」の「劫コウ」も巨数を表す助数詞。④

亻 亻 亻 伫 倍 倍 億 億

【憶】オク 例記憶・追憶。表外おぼえる（感知する）→覚える、おもう→思う。参「×臆（推し量る）」に通ずるところから、「臆」の代用も行われる（憶測・憶断・憶説・憶想）が、慣用になじまない。「臆する・臆見・臆病・臆面」では、一般に「憶」は使わない（新聞では「憶病」）。

忄 忄 忙 忙 恃 愔 憶 憶

【虞】おそれ 表外グ→虞犯ぐはん少年。参憲法に使われたことから、いまだに常用漢字表に残る。「風俗を乱す虞（れ）［または「×惧（れ）」］がある」のように使ったが、今は「恐れ」でまかなう。

ト 广 广 虍 虐 虐 虞

【乙】オツ 例甲乙。表外イツ→乙夜いつや、きのと→乙きのと。付乙女おとめ。

乙

【卸】おろす・おろし 例小売商に卸す・卸売・卸商。使い分け⇩本文［囲み］おりる・おろす（下・降・卸）。参商業用語は送らないが、「大根卸し・積み卸し」などは送る。正字卸。

ノ 𠂉 午 午 缶 金 釦 卸

【音】オン・イン、おと・ね 例音楽・福音フクイン・音信インシン・オンシン、物音・音色ねいろ。参「観音かんのん」は連声。「オン」は呉音。①

丶 亠 亠 立 产 音 音 音

【恩】オン 例恩情・恩人・謝恩会・親の恩。参恵み・情けの意。⑤

丨 冂 冃 因 因 因 恩 恩

【温（*溫）】オン、あたたか・あたたかい・あたたまる・あたためる 例温暖・気温、温かな家庭・スープを温める。表外ウン→温州うんしゅうミカン、ぬくい→かな書き。使い分け⇩本文［囲み］あたたかい（温・暖）・あたたまる（温・暖）。③

氵 氵 氵 氾 沪 渭 温 温

【穏（穩）】オン、おだやか 例穏当・平穏。参「安穏あんのん」は連声。

禾 禾 秆 秤 稃 稃 穏 穏

【下】カ・ゲ、した・しも・もと・さげる・さがる・くだる・くだす・くださる・おろす・おりる 例下降・下車、下見・足下あしもと・法の下もとにおける平等・払い下げる・昼下がり・天下り・見下す・書き下ろす。使い分け⇩本文［囲み］もと（下・元・本・基）・さげる（下・提）・おりる（下・降・卸）。付下手へた。部首一。①

一 丅 下

【化】カ・ケ、ばける・ばかす 例化石・文化・化する・変化ヘンカ・ヘンゲ・化粧・権化ゴンゲ、お化け。参「ケ」は呉音。③

ノ 亻 亻 化

【火】カ、ひ・ほ 例火災・火山、火花・火影ほかげ。使い分け「火が燃える・火に掛ける／灯がともる・街の灯」のように使う。①

丶 丷 少 火

【加】カ、くわえる・くわわる 例加入・加減・追加、付け加える。④

フ カ カ 加 加

【可】カ 例可否・可能・許可。表外よい→かな書き、べし→かな書き。部首口。⑤

一 丅 可 可 可

【仮（假）】カ・ケ、かり 例仮面・仮定・仮病ケビョウ、仮処分。参「仮」・「假」は本来別字。「仮ヘン・ハン」は「反」の別体、「假カ」はかり。付仮名かな。⑤

ノ 亻 仁 仮 仮 仮

【何】カ、なに・なん 例幾何学、何者・何事・何本ナンボン・何人ナンニン・ナンびと。表外いずれ→かな書き。参「▽何▽時いつ・▽何▽故なぜ・▽幾▽何いくばく・▽如▽何いかん・いかに」は熟字訓。②

ノ 亻 仁 仃 佝 何

【花】カ、はな 例花弁・花壇・落花、花火・草花・花屋。使い分け「生け花・花が咲く・花の都・花を添える／文化の華・火事は江戸の華・華やか」のように使う。参本来「華」の俗字。①

一 十 卄 艹 芢 花

【佳】カ 例佳作・佳人・絶佳。参表外訓「よい（めでたい、美しい）」は「今日の▽佳よき日・▽佳よい女」などで好まれる。

ノ 亻 仁 什 仕 佳 佳 佳

【価（*價）】カ、あたい 例価値・価格・定価・真価・評価、価する。使い分け⇩値チ。⑤

ノ 亻 仁 仁 価 価 価 価

【果】カ、はたす・はてる・はて 例果実・果断・結果、果たして・果てしない。参「▽涯」は「果て」でまかなう（「果て」は物事の最終点、「涯」は広がりの最終点）。付果物くだもの。部首木。④

丨 冂 日 日 旦 甲 果 果

【河】カ、かわ 例河川・河口・運河。参本来「黄河」の意。⇩川セン。付河岸かし・河原かわら。⑤

丶 氵 氵 汀 沪 河 河

【科】カ 例科学・教科・罪科・刑を科する。表外しな（等級・植物名）→かな書き、とが→かな書き。参はかる、品分けの意も。部首禾。②

ノ 二 千 禾 禾 科

【架】カ、かける・かかる 例架橋・架空・書架、橋を架ける。使い分け⇩本文［囲み］かかる（掛・係・懸・架）。

フ カ カ 加 加 架 架

【夏】カ・ゲ、なつ 例夏期・夏至ゲシ、真夏。参「ゲ」は呉音。②

一 丆 百 百 頁 夏 夏

【家】カ・ケ、いえ・や 例家庭・作家・家来ケライ・本家、家元。使い分け⇩屋オク。付母家おもや。②

丶 宀 宀 宇 宇 家 家 家

【荷】カ、に 例出荷、荷物・荷札。表外になう（背に負う）→担う。参原義は植物のハス。③

漢

【華】カ・ケ、はな [例]華美・繁華・栄華・香華・散華、華やか・華やぐ。[使い分け]⇩花。[正字]華。

【菓】カ [例]菓子・製菓・茶菓。[参]原義は果物。今は菓子の意で使う。

【貨】カ [例]貨物・貨幣・通貨・財貨。[参]値打ちのある品物の意。④

【渦】カ、うず [例]渦中、渦潮・渦巻く。[参]音符は「咼」。

【過】カ、すぎる・すごす・あやまつ・あやまち [例]過度・過失・通過、過ちを犯す。[使い分け]⇩本文[囲み]あやまる・あやまつ(誤・謝・過)。⑤

【嫁】カ、よめ・とつぐ [例]転嫁・嫁する、花嫁・嫁ぎ先。[表外]かたづく(とつぐ意)→かな書き。

【暇】カ、ひま [例]余暇・休暇・寸暇、暇取る・手間暇。[表外]いとま→かな書き。

【禍(*禍)】カ [例]禍福・禍根・災禍。[表外]わざわい→災い、まが→かな書き。

【靴】カ、くつ [例]製靴、靴下・革靴。[参]革靴の意。履物一般には「×沓(くつ)」を使うことも多い。

【寡】カ [例]寡黙・寡婦・寡占・多寡。[表外]すくない→少ない。[参]ひとり・やもめの意。

【歌】カ、うた・うたう [例]歌曲・唱歌、舟歌。[参]節をつけてうたう意。「唱歌を歌う/謡曲を謡う/「×謳」質実剛健をうたわれる・校則にうたう」のように使う。邦楽では「×唄」が好まれる。②

【箇】カ [例]箇条。[参]「箇所」は普通漢字で書くが、助数詞の場合は「一か所(一般)」のほか、「一カ所・一ヵ所・一ケ所・一ヶ所(特殊)」がある。新聞は「箇所・箇条書き」には「▽個」を使う。

【稼】カ、かせぐ [例]稼業・稼働、出稼ぎ。[参]本来、実り・植えるの意。「かせぐ」は国訓。

【課】カ [例]庶務課・日課・税を課する。[参]割り当てられた仕事の意。④

【蚊】か [例]蚊柱・やぶ蚊。[表外]ブン→蚊脚。[付]蚊帳。

【我】ガ、われ・わ [例]我流・自我、我ら・我が国。[参]「わ」は古訓。連体詞「我が」の形で使う。⑥

【画(畫)】ガ・カク [例]画家・絵画・映画・計画・一線を画する。[表外]え→絵、えがく→描く、かく→かな書き。[参]「画/×劃」は「画」で統一(企画・区画・画期的・画然・画する)。ともに区切るの意で、もと多く「劃」。「画」の原義は線画の意。「ガ」は慣用音。②

【芽】ガ、め [例]発芽・麦芽、芽生える・新芽。[正字]芽。④

【賀】ガ [例]賀正・祝賀・賀する。[参]喜び祝う意。「横須賀」の「カ」は漢音(表外音訓)、「ガ」は呉音。⑤

【雅】ガ [例]雅趣・優雅・風雅。[表外]みやび→かな書き。[正字]雅。[部首]隹。

【餓】ガ [例]餓死・餓鬼・飢餓。[表外]うえる→飢える。

【介】カイ [例]介入・紹介・介する。[表外]すけ(次官)→介。[参]仲立ちをする・助けるの意。「貝」の当て字とする(魚介類)。[部首]人。

【回】カイ・エ、まわる・まわす [例]回答・転回・次回・回向・回り道・手回し。[表外]めぐる→巡る。[使い分け]⇩本文[囲み]まわり(回・周)。[参]「×蛔虫」は「回虫」で代用(「蛔」は腹の虫)。「回/×廻」は同義の「回」で統一(回送・回転・回廊)。「低回/×低×徊」は同義の「低回」で統一(漱石の用字は「低徊」)。「回復/×恢復」は類義の「回復」で統一。「×囘」は古字。「エ」は呉音。[部首]囗。②

【灰】カイ、はい [例]石灰・灰白色、灰色・火山灰・灰褐色。[参]「灰分」は、俗に「はいぶん」とも。[正字]灰。⑥

【会(會)】カイ・エ、あう [例]会話・社会・会する・会釈・会得・法会、先生に会う。[使い分け]⇩本文[囲み]あう(会・遭・合)。[参]「エ」は呉音。[部首]会—人、會—人。②

【快】カイ、こころよい [例]快活・快晴・明快、快い春風。[表外]ケ→快楽。⑤

【戒】カイ、いましめる [例]戒心・戒律・警戒、戒め。[参]「教×誨」は「教戒」で代用(「誨」は教え諭す)。「戒/×誡」は「戒」で統一(戒告・訓戒)。「誡」は言葉で戒める意。「モーゼの十戒(代用)」は、仏教の「十戒」と区別して、もと「十誡」。「▽警める(気付かせて用心させる)」も「戒」でまかなう。

【改】カイ、あらためる・あらたまる [例]改革・更改、改めて。[参]「年が改まる・改まった言い方/▽革」病気があらたまる」のように使う。「×悛める(改心する)」「▽検める(調べる)」は「改」でまかなう（心を改める・荷札を改める）。④

【怪】カイ、あやしい・あやしむ 例怪談・怪物・奇怪、怪しげ。表外 ケ→怪訝・怪我・物の怪。参 実体が分からず不思議の意。「妖しい（なまめかしい）女／異しい（変わった）気配／奇しい（珍しい）術」のように使うが、「妖」以外は「怪」でまかなえよう。

【拐】カイ 例拐帯・誘拐。表外 かどわかす→かな書き、かたる（だます）→かな書き。

【悔（*悔）】カイ、くいる・くやむ・くやしい 例悔恨・後悔、悔い・悔やみ・悔しがる。表外 ケ→懺悔。参「悔やしい／悔やむ」の送りに注意。

【海（*海）】カイ、うみ 例海岸・海水浴・航海、海鳴り。参「わた（海の古語）」とも訓ずる。付 海女・海原。②

【界】カイ 例境界・限界・世界。参 境・範囲の意。「堺」は別体。③

【皆】カイ、みな 例皆無・皆勤、皆さん。表外 みんな→かな書き。部首 白。

【械】カイ 例機械・器械。参 かせ・しかけの意。④

【絵（繪）】カイ・エ 例絵画・絵本・絵図・絵の具・口絵。参「絵」は彩色画、「画」は線画の意。「エ」は呉音。②

【開】カイ、ひらく・ひらける・あく・あける 例開始・展開、本を開く・窓を開ける。使い分け ⇩本文[囲み]あく（空・明・開）。参「荒野を拓く／迷蒙を啓く」は「開」でまかなう。③

【階】カイ 例階段・階級・地階。表外 きざはし→かな書き。③

【解】カイ・ゲ、とく・とかす・とける 例解決・解禁・理解・解する・解脱・解熱剤・解せない、問題を解く・雪解け。表外 ほどく→かな書き、わかる→分かる。使い分け ⇩本文[囲み]とく（解・溶・説）。参「ゲ」は呉音。部首 角。⑤

【塊】カイ、かたまり 例塊状・山塊、ひと塊。使い分け ⇩固ョ。参 もと、土くれの意。慣用的に「塊り」とも送る。

【壊（*壞）】カイ、こわす・こわれる 例破壊。表外 エ→壊疽、やぶれる→破れる。参「潰／壊」は類義の「壊」で統一（壊走・壊滅・壊乱・決壊・崩壊・全壊）。「潰」はついえる意で、「壊」より意味が強く、別語意識があるが、混同もされた。

【懐（*懷）】カイ、ふところ・なつかしい・なつかしむ・なつく・なつける 例懐中・懐古・述懐、懐手・内懐。表外 いだく→抱く、おもう→思う。参「手懐ける」（かな遣い）は、本来的には「手伝う」と同様に付表に入れるべきものであろう（「懐ける／手懐ける」の関係は、「伝う／手伝う」の関係と同じ）。慣用的に「懐ろ」とも送る。

【貝】かい 例貝細工・ほら貝。表外 バイ→貝貨。参 ⇩介ヵ。①

【外】ガイ・ゲ、そと・ほか・はずす・はずれる 例外出・外科・外道、外囲い・その外・踏み外す・町外れ。表外 ウイ→外郎（官名・菓子名）。参「その外」は「その他」が好まれる。「ゲ」は呉音。部首 夕。②

【劾】ガイ 例弾劾。参 罪状をきびしく追及する意。

【害】ガイ 例害悪・被害・害する。表外 そこなう→損なう。参「妨害／妨碍（礙）」「障害／障碍（礙）」は前者で統一（「害・碍・礙」は妨げる）。正字 害。④

【涯】ガイ 例生涯。表外 みぎわ→かな書き、はて→果て。参 ⇩果ヵ。

【街】ガイ・カイ、まち 例街頭・街道、街角・学生の街。使い分け ⇩本文[囲み]まち（町・街）。参 もと十字路の意。「カイ」は漢音、「ガイ」は慣用音。④

【慨（慨）】ガイ 例慨嘆・憤慨・感慨。表外 なげく→嘆く。参 胸をつまらせてなげく意。正字 慨。

【該】ガイ 例該当・該博・当該。表外 その→かな書き。参 そなわる、あたる意。

【概（概）】ガイ 例概念・概観・大概・概して。表外 おおむね→かな書き。参 平らにならす、おおよその意。おもむき・様子の意も（気概）。正字 概。

【垣】かき 例垣根・人垣。表外 エン→籬垣（垣根）。参「垣間見る」の「かい」は「かき」の音便。

【各】カク、おのおの 例各自・各種・各位。参「おのおの」の形では「各」よりも「各々」が好まれる。部首 口。④

【角】カク、かど・つの 例角度、街角・角笛。表外 すみ→隅。②

【拡（擴）】カク 例拡大・拡張。表外 ひろげる→広げる。参 もとしばしば「広」は形容詞に、「拡」は動詞（▽拡げる・▽拡がる）に使った。⑥

【革】カク、かわ [例]革新・改革・皮革。[表外]あらたまる（急変・改革）→改まる。[使い分け]⇩皮。[参]⇩改。⑥

【格】カク・コウ [例]格式・規格・性格・格子。[表外]キャク→格式、いたる→至る。[参]「格闘／×挌闘」「骨格／骨×骼」は前者で統一（「挌」はうつ、「骼」は骨組みの意で「格」に通ずる）。「×恰好」は「格好」で代用（「恰」はあたかも、ちょうど）。「コウ」は慣用音。⑤

【核】カク [例]核心・核反応・結核。[表外]さね→かな書き。[参]果実の中心にある種の意。

【殻（殼）】カク、から [例]甲殻・地殻、貝殻・脱け殻。

【郭】カク [例]城郭・外郭。[表外]くるわ→かな書き。[参]「郭／×廓」は「郭」で統一（輪郭・城郭・外郭・遊郭）。新聞は「×廓清」を「郭清」で代用（「廓」はすっきりさせる、ただす）。「×廓大（広く大きくする）」→郭大」の「郭大」は類義の「拡大」でまかなう。

【覚（覺）】カク、おぼえる・さます・さめる [例]覚悟・知覚・発覚、覚え・目覚まし・目覚め。[表外]さとる→悟る。[参]知らないことがはっきりする意。[使い分け]⇩本文［囲み］さめる・さます（覚・冷）。④

【較】カク [例]比較。[表外]コウ→較量、くらべる→比べる。

【隔】カク、へだてる・へだたる [例]隔離・隔月・間隔、隔て。[正字]隔。

【閣】カク [例]内閣・閣議・高閣。[参]たかどのの意。[参]「太×閤」の「閤」は別字。⑥

【確】カク、たしか・たしかめる [例]確定・確認・確実・確保・正確。[表外]しっかり→かな書き。⑤

【獲】カク、える [例]獲得・捕獲・漁獲高、獲物。[表外]とる→取る。[使い分け]⇩得。[参]新聞は「一×攫千金」を「一獲千金」で代用するが、慣用になじまない（「獲」は鳥獣を捕らえる、「攫」はさらう）。「獲える」は「獲物」の形で使う。[正字]獲。

【嚇】カク [例]威嚇。[表外]おどす→脅す。[参]強くしかる意。

【穫】カク [例]収穫。[表外]とる→取る。[参]作物を取り入れる意。[正字]穫。

【学（學）】ガク、まなぶ [例]学習・科学、学び・学びの庭。[部首]子。①

【岳（嶽）】ガク、たけ [例]岳父・山岳、○○岳。[参]「岳／嶽」には別字意識があって使い分けることもある（岳父／嶽神）。

【楽（*樂）】ガク・ラク、たのしい・たのしむ [例]楽隊・楽器・音楽・楽園・快楽・娯楽、楽しげ。[付]神楽。②

【額】ガク、ひたい [例]額縁・金額、富士額。[表外]ぬか（ひたい）→かな書き。⑤

【掛】かける・かかる・かかり [例]洋服掛け・腰掛け・掛かりきり・出札掛。[使い分け]⇩本文［囲み］かかる（掛・係・懸・架）。[参]「掛」は「×挂冠」の「挂」と同義（ひっかける意）。

【潟】かた [例]干潟・潟湖・○○潟。[表外]セキ→潟湖。[参]「×瀉（吐く）」は別字。

【括】カツ [例]括弧・一括・包括・総括。[表外]くくる→かな書き。

【活】カツ [例]活動・活力・生活。[表外]いきる→生きる。[参]「快×闊」は類義の「快活」で代用（「闊」は広い）。「塩加減で味が▽活きる・▽活け作り」なども好まれる。②

【喝（喝）】カツ [例]喝破・一喝・恐喝。[参]しかる、どなる意。

【渇（*渇）】カツ、かわく [例]渇望・渇水・枯渇・渇する、のどの渇き。愛に渇く。[使い分け]⇩本文、かわく（乾・渇）。

【割】カツ、わる・わり・われる・さく [例]割愛・分割・割譲、割り引く・五割・ひび割れる・時間を割く。[使い分け]⇩本文［囲み］さく（割・裂）。⑥

【滑】カツ、すべる・なめらか [例]滑走・円滑、滑り込み。[表外]コツ→滑稽。

【褐（褐）】カツ [例]褐色・茶褐色。[参]黒ずんだ茶色の意。

【轄】カツ [例]管轄・所轄・直轄・総轄。[参]車輪をとめるくさびの意から、取り締まる意。

【且】かつ [例]且つ。[表外]まさに→かな書き。[参]「且つ」はかな書きも多い。[部首]一。

【株】かぶ 例 切り株・一株・株式。表外 シュ→旧株(きゅうしゅ)。⑥

【刈】かる 例 刈り入れ・稲刈り。参 もっぱら訓を使う。

【干】カン、ほす・ひる 例 干渉・干潮・若干、干し物・干上がる・潮干狩り。表外 おかす→侵す。参 たて、ふせぐの意も(干戈(かんか)を交える)。「×旱害」「×旱天」は「干害」「干天」で代用(「干」は乾く、「旱」は日照り)。「×于(ウ)(ここに)」は別字。⑥

【刊】カン 例 刊行・発刊・週刊。参 版木にほって出版する意。⑤

【甘】カン、あまい・あまえる・あまやかす 例 甘言・甘受・甘味料、甘み・甘え。表外 うまい→かな書き。参「▽美味(うま)い(熟字訓)」も好まれる。

【汗】カン、あせ 例 汗顔・発汗、冷や汗。参 モンゴルの首長の「汗(カン)」は「ハン」とも。

【缶(罐)】カン 例 缶詰・製缶・缶切り。参「缶・罐」は本来別字。「缶(フ)」はほとぎ(器)、「罐」はブリキかん・ボイラーの意。「缶詰」を表記するために「缶」を常用漢字に加えたが、「罐」をその旧字体としたため、近年「薬罐(やかん)・汽罐(きかん)」「罐(かま)」を「薬缶・汽缶」「缶」とする表記も行われる。避けたい。

【完】カン 例 完全・完成・未完。表外 まっとうする→全うする。④

【肝】カン、きも 例 肝臓・肝胆・肝要、肝っ玉。参「肝」は肝臓、「胆」は胆嚢(タンノウ)。ともに、きもの意。

【官】カン 例 官庁・官能・教官。表外 つかさ→官(つかさ)。参 役所・器官の意。④

【冠】カン、かんむり 例 王冠・栄冠・冠する。表外 かぶる→かな書き。参「▽冠(かぶ)る」は頭にのせるの意。

【巻(*卷)】カン、まく・まき 例 巻頭・一巻、糸で巻く・巻き貝・巻の一。表外 ケン→巻雲(けんうん)。参 巻き上げる意で「×捲(ケン)」に通ずる(席捲・席巻)。⇩絹(ケン)。⑥

【看】カン 例 看護・看破・看板。表外 みる→見る。参 手をかざして見る、病人をみとる意。⑥

【陥(*陷)】カン、おちいる・おとしいれる 例 陥落・陥没・欠陥。表外 おちる→落ちる。

【乾】カン、かわく・かわかす 例 乾燥・乾杯・乾電池、洗濯物が乾く。表外 ケン→乾坤(けんこん)、いぬい→乾(いぬい)、ほす→干す。使い分け ⇩本文、かわく(乾・渇)。部首 乙。

【勘】カン 例 勘弁・勘当・勘案・勘定・勘がいい。表外 かんがえる→考える。参 第六感の意も。使い分け ⇩本文[囲み]カン(感・観・勘)。

【患】カン、わずらう 例 患者・疾患、長患い。表外 ゲン→苦患(くげん)、うれえる→憂える。使い分け ⇩煩(ハン)。

【貫】カン、つらぬく 例 貫通・縦貫・尺貫法。表外 ぬく→抜く。

【寒】カン、さむい 例 寒暖・厳寒・寒心、寒がる・寒空。参 貧しい意も(寒村・貧寒)。正字 寒。部首 宀。③

【喚】カン 例 喚問・召喚・叫喚。表外 わめく→かな書き、よぶ→呼ぶ、めす→召す。

【堪】カン、たえる 例 堪忍(カンニン)、任に堪える・鑑賞に堪えない。表外 タン→堪能(たんのう)、こたえる→かな書き、こらえる→かな書き、たまる→かな書き。使い分け ⇩本文[囲み]たえる(耐・堪・絶)。

【換】カン、かえる・かわる 例 換気・換算・交換、引き換え・乗り換える。使い分け ⇩本文[囲み]かわる(変・換・代・替)。

【敢】カン 例 敢然・果敢・勇敢。表外 あえて→かな書き。参 押し切ってする意。

【棺】カン 例 棺おけ・出棺・石棺。参「▽棺(ひつぎ)」よりは「×柩(ひつぎ)」が好まれる。

【款】カン 例 定款・借款・落款。参 まこと、ひとまとまりの文章の意。喜ぶ意で「歓」に通ずる(歓待・款待、交歓・交款)。

【間】カン・ケン、あいだ・ま 例 間隔・中間・世間(セケン)・人間、間柄・客間・間違う。表外 あい→幕間(まくあい)。参 暇の意で「閑」に通ずる(閑話・間話、閑居・間居)。参「ケン」は呉音。正字 閒。②

【閑】カン 例 閑静・閑却・繁閑。表外 ひま→暇、しずか→静か。参 ⇩間(カン)。

【勧(勸)】カン、すすめる 例 勧誘・勧奨・勧告、入会を勧める。使い分け ⇩本文[囲み]すすむ・すすめる(進・勧・薦)。正字 勸。

【寛(*寬)】カン 例 寛大・寛容・寛厳。表外 ひろい→広い、ゆるやか→緩やか。参「×髖骨(腰の部分の骨」は「寛骨」で代用。正字 寛。

【幹】カン、みき 例幹線・幹事・幹部・根幹。参 才能の意も（才幹）。部首 干。⑤

【感】カン 例感心・感覚・直感・優越感・隔世の感・感ずる。使い分け ⇩本文［囲み］カン（感・観・勘）。③

【漢（*漢）】カン 例漢字・漢語・漢和・門外漢。参 中国古代の王朝、男子の意。「▽漢(から)」は、おおむね「唐」でまかなう。③

【慣】カン、なれる・ならす 例慣例・慣性・習慣、場慣れ。参「早起きに慣れる・体を慣らす／「×馴」猛獣をならす」のように使う。⑤

【管】カン、くだ 例管理・管制・鉄管・管楽器。参 もと、笛の意。④

【関（關）】カン、せき 例関節・関係・玄関・難関・関する、関取・関の山。表外 かかわる→かな書き。参「×函数（function の訳語）」は「関数」で代用（「函」は、はこ・入れる）。④

【歓（歡）】カン 例歓迎・歓声。表外 よろこぶ→喜ぶ。参「交歓／交款／交×驩」は「交歓」で統一（「驩」はよろこぶ）。⇩款(カン)。正字 歡。

【監】カン 例監視・監督・総監。参 取り締まる、よく見る意。

【緩】カン、ゆるい・ゆるやか・ゆるむ・ゆるめる 例緩和・緩慢・緩急・緩徐楽章。参「ゆっくり」とも訓ずる。

【憾】カン 例遺憾。表外 うらむ→かな書き。参 残り惜しく思う意。

【還】カン 例生還・返還・還元。表外 ゲン→還俗(げんぞく)、かえる→帰る。参 もとへ戻る意。

【館】カン 例館内・館長・旅館・図書館。表外 やかた→かな書き。参 公共の建物、大きな建物の意。人名などに使う「たて・たち」は表外訓。「×舘」は俗字。③

【環】カン 例環状・環境・循環。表外 わ→輪（「指▽環(ゆびわ)・首▽環(くびわ)」も好まれる）、たまき→かな書き、めぐる→巡る。参 輪になって囲む意。

【簡】カン 例簡単・簡易。表外 えらぶ→選ぶ。参 原義は文字を書く竹の札、文章の意。「書簡／書×翰」は「書簡」で統一（「翰」は文章の意）。正字 簡。⑥

【観（觀）】カン 例観察・客観・壮観・直観・無常観・観ずる。表外 みる→見る。使い分け ⇩本文［囲み］カン（感・観・勘）。参 新聞は「鳥×瞰図」を「鳥観図」で代用するが、なじまない（「瞰」は見下ろす意）。正字 觀。④

【艦】カン 例艦船・艦隊・軍艦。参 いくさ船の意。「ふね」とも訓ずる。

【鑑】カン 例鑑賞・鑑定・年鑑。表外 かがみ→かな書き、かんがみる→かな書き。参 模範・手本の意。参「×鑒」は別体。

【丸】ガン、まる・まるい・まるめる 例丸薬・弾丸、丸太・丸洗い。使い分け「地球は丸い・背中を丸める・丸く治める／円く輪になる・人柄が円い・円天井・円屋根」のように使う。部首 丶。②

【含】ガン、ふくむ・ふくめる 例含有・含蓄・包含、含み・含め煮。部首 口。

【岸】ガン、きし 例岸壁・対岸・彼岸、川岸。参 いかめしい意も（倣岸(ごうがん)）。付 河岸(かし)。③

【岩】ガン、いわ 例岩石・岩塩・火成岩、岩場。表外 いわお→かな書き。②

【眼】ガン・ゲン、まなこ 例眼球・開眼(カイゲン/カイガン)、血眼。表外 め→目。参「象×嵌」は「象眼」で代用（「眼」は目の玉、「嵌」ははめる）。「ゲン」は呉音。付 眼鏡(めがね)。⑤

【頑】ガン 例頑強・頑健・頑固。表外 かたくな→かな書き。

【顔】ガン、かお 例顔面・童顔・厚顔、横顔。表外 かんばせ→かな書き。付 笑顔(えがお)。正字 顏。②

【願】ガン、ねがう 例願望・祈願・志願、願い・願わしい。④

【企】キ、くわだてる 例企図・企画・企業、企て。表外 たくらむ→かな書き。

【危】キ、あぶない・あやうい・あやぶむ 例危険・危害、危ながる・危うく。⑥

【机】キ、つくえ 例机上・机下（手紙の脇づけ）、勉強机。⑥

【気（*氣）】キ・ケ 例気体・気候・元気・気配(ケハイ)・火の気。参「ケ」は呉音。付 意気地(イクジ)・浮気(うわき)。部首 气。①

【岐】 キ [例]岐路・分岐。[表外]ギ↓岐阜(ぎふ)、わかれる↓分かれる。[参]枝道の意。

【希】 キ [例]希望。[表外]ケ↓希有(けう)、まれ↓かな書き、こいねがう↓かな書き、ねがう↓願う。[参]「希／×稀」は「希」で統一（希少・希代・希薄・古希・希元素・希釈・希硫酸・希有(きゆう)）。「希・稀」はまれの意。もと多く「稀」。[部首]巾。④

【忌】 キ、いむ・いまわしい [例]忌避・忌中・禁忌、死を忌む。

【汽】 キ [例]汽車・汽船・汽笛。[参]「×滊（塩の池）」は別字。②

【奇】 キ [例]奇襲・奇数・珍奇。[表外]くし↓かな書き、あやしい↓怪しい。[参]「×畸形」は類義の「奇形」で代用（「畸」はいびつ、「奇」は珍しい）。「奇人・×畸人」は「奇人」で統一。「×綺談（巧みな話）」は類義の「奇談」で代用。「×綺想曲」は「奇想曲」で代用。「×詭弁」は、新聞は「奇弁」で、学術用語集は「危弁」で代用するが、ともに慣用になじまない（「詭」は偽る）。[付]数奇屋(すきや)。

【祈(*祈)】 キ、いのる [例]祈願・祈念、祈り。[参]神に福を願い求める意。

【季】 キ [例]季節・季寄せ・四季・雨季。[表外]すえ↓末。[参]幼い、時節の意。④

【紀】 キ [例]紀行・紀元・風紀。[参]のり、順序立てて記すの意。「紀念（＝記念）」は中国で好まれる。④

【軌】 キ [例]軌道・広軌・常軌。[参]わだち・法則の意。

【既(既)】 キ、すでに [例]既成・既婚・既往症。[参]もはや、終わるの意。[正字]既。

【記】 キ、しるす [例]記入・記号・伝記・記する。[参]「×徽章（身分を表す標章）」は類義の「記章（記念の標章）」で代用。②

【起】 キ、おきる・おこる・おこす [例]起立・起源・奮起、早起き・持病が起こる・訴訟を起こす。[表外]たつ↓立つ。[使い分け]⇩本文［囲み］おこる（起・興）。[正字]起。③

【飢】 キ、うえる [例]飢餓・飢渇、飢え。[参]「飢餓／×饑餓」は「飢餓」で統一（「飢・饑」はうえる）。

【鬼】 キ、おに [例]鬼神(きしん)・鬼才・餓鬼、鬼ごっこ。[参]人力の及ばぬ目に見えぬ存在の意。

【帰(歸)】 キ、かえる・かえす [例]帰還・帰納・復帰・帰する、帰り道。[使い分け]⇩本文［囲み］かえる（返・帰）。[部首]帰—リ・巾、歸—止。②

【基】 キ、もと・もとい [例]基礎・基準・基地・基金、基になる資料・基づく。[使い分け]⇩本文［囲み］もと（下・元・本・基）。[参]基礎・基本の意。⑤

【寄】 キ、よる・よせる [例]寄宿・寄贈・寄港、近寄る・人寄せ。[付]数寄屋(すきや)・最寄(もよ)り・寄席(よせ)。⑤

【規】 キ [例]規則・規律・定規(じょうぎ)。[表外]のり↓かな書き、ただす↓正す。[参]コンパス・標準の意。⑤

【喜】 キ、よろこぶ [例]喜劇・歓喜、ぬか喜び・喜ばしい。[参]新聞は「×嬉々」を「喜々」で代用（「嬉々」は笑いさざめく様）。手紙類では「▽慶(よろこ)ぶ」が好まれる（御健勝の段、お慶び致します）。④

【幾】 キ、いく [例]幾何学、幾つ・幾ら・幾日。[参]「▽庶▽幾(こいねが)う・▽幾▽何(いくばく)」は熟字訓。[部首]幺。

【揮】 キ [例]指揮・発揮・揮発油。[表外]ふるう↓振るう。[参]手で物を振り回す意。⑥

【期】 キ・ゴ [例]期間・期待・予期・満期・期する・最期(さいご)・この期(ご)に及んで。[参]一定の時間などの意。「ゴ」は呉音。[正字]期。③

【棋】 キ [例]棋士・棋譜・将棋。[参]碁・将棋の意。「×棊」は別体。

【貴】 キ、たっとい・とうとい・たっとぶ・とうとぶ [例]貴重・貴下・騰貴、貴い体験・平和を貴ぶ。[使い分け]⇩本文［囲み］とうとい（貴・尊）。⑥

【棄】 キ [例]棄権・放棄・遺棄。[表外]すてる↓捨てる。[参]「破×毀」は類義の「破棄（捨てる）」で代用。新聞は「名誉×毀損」を「名誉棄損」で代用するが、なじまない（「毀」は壊す、そしる）。[正字]棄。

【旗】 キ、はた [例]旗手・国旗・万国旗、手旗・旗色が悪い。[参]「×幟(はた)」はのぼりの意だが、「旗」で代用。④

【器(*器)】 キ、うつわ [例]器量・器用・機器・石器・火器・電器。[使い分け]⇩機(き)。[部首]口。④

【輝】 キ、かがやく [例]輝石・光輝、輝き・輝かしい。[部首]車。

【機】 キ、はた [例]機械・機会・危機、機織り。[表外]からくり↓かな書き。〔参〕しかけ・前兆の意も。〔使い分け〕「印刷機・通信機・電算機／変圧器・補聴器・電熱器」のように使う（⇩本文［囲み］機械・器械）。④

【騎】キ 〔例〕騎士・騎馬・騎乗・一騎当千。〔表外〕のる→乗る。

【技】ギ、わざ 〔例〕技術・技師・特技、荒技。〔使い分け〕⇩業（わざ）。⑤

【宜】ギ 〔例〕時宜・適宜・便宜。〔表外〕よろしい→かな書き、むべ→かな書き。〔参〕差し障りがない意。

【偽（*僞）】ギ、いつわる・にせ 〔例〕偽名・真偽・虚偽、偽り・偽物・偽札。〔参〕「×贋物（にせもの）・×贋札（にせさつ）」も好まれる。

【欺】ギ、あざむく 〔例〕詐欺。〔参〕うそを言ってだます意。

【義】ギ 〔例〕義理・意義・正義。〔表外〕よし→善し。〔参〕仮の意も（義父・義歯）。「恩義／恩×誼」「情義／情×誼」は前者で統一（「義」は立派な行為、「誼」はよしみ。しばしば混同され一語化した）。〔部首〕羊。⑤

【疑】ギ、うたがう 〔例〕疑念・疑問・質疑・容疑、疑い・疑わしい。〔部首〕疋。⑥

【儀】ギ 〔例〕儀式・威儀・律儀・地球儀。〔参〕作法・手本などの意。

【戯（*戲）】ギ、たわむれる 〔例〕戯曲・遊戯、戯れ。〔表外〕ゲ→戯作（げさく）、ざれる→かな書き。

【擬】ギ 〔例〕擬音・擬人法・模擬・擬する。〔表外〕なぞらえる→かな書き、もどき→かな書き。〔参〕よく似せる意。

【犠（犧）】ギ 〔例〕犠牲（ぎせい）・犠打。〔表外〕いけにえ→かな書き。〔参〕「▽犠▽牲（いけにえ）」は熟字訓。

【議】ギ 〔例〕議論・会議・異議・議する。〔表外〕はかる→謀る。〔参〕寄り合って事の可否を論じ合う意。④

【菊】キク 〔例〕菊花（きっか）・白菊（しらぎく）。〔参〕音符は「匊」。「キク」は「×掬」などと同じく音。

【吉】キチ・キツ 〔例〕吉例（きちれい）・大吉・吉日（きちにち・きつじつ・きちじつ）・吉報・不吉（ふきつ）。〔参〕めでたい意。人名などに使う「よし」は表外訓。「×𠮷」は俗字。

【喫】キツ 〔例〕喫煙・満喫・喫する。〔表外〕のむ→かな書き、すう→吸う。〔参〕「×吃水」は「喫水」で代用。「吃」は口に入れる意で「喫」に通ずるが、「吃水（船が水につかる）」の場合は慣用になじまない。

【詰】キツ、つめる・つまる・つむ 〔例〕詰問・難詰・面詰、詰め物・行き詰まる。〔表外〕なじる→かな書き。〔参〕問い詰める意。

【却】キャク 〔例〕却下・退却・売却。〔表外〕しりぞく→退く、かえって→かな書き。

【客】キャク・カク 〔例〕客間・乗客・主客（しゅかく・しゅきゃく）・旅客（りょかく・りょきゃく）・客死（かくし）。〔参〕「キャク」は呉音。③

【脚】キャク・キャ、あし 〔例〕脚部・脚本・脚立（きゃたつ）・行脚（あんぎゃ）。〔表外〕カク→脚気（かっけ）。〔使い分け〕⇩足（そく）。〔参〕「キャ」は唐音。

【逆】ギャク、さか・さからう 〔例〕逆上・逆転・順逆、逆立ち・逆さま。〔表外〕ゲキ→逆旅（げきりょ）（宿屋）、むかえる→迎える。⑤

【虐】ギャク、しいたげる 〔例〕虐待・虐殺・残虐。〔正字〕虐。〔部首〕虍。

【九】キュウ・ク、ここの・ここのつ 〔例〕三拝九拝・九分九厘、九日（ここのか）・九重（ここのえ）。〔参〕証書類では「×玖（ク）」とも。「ク」は呉音。〔部首〕乙。①

【久】キュウ・ク、ひさしい 〔例〕永久・持久・耐久・久遠（くおん）、久々（ひさびさ）。〔参〕「ク」は呉音。〔部首〕丿。⑤

【及】キュウ、およぶ・および・およぼす 〔例〕及第・追及・普及、及び腰・A及びB。〔正字〕及。〔部首〕丿。

【弓】キュウ、ゆみ 〔例〕弓道・弓状・洋弓、弓矢。〔参〕「▽弓手（ゆんで）（左手）」は「ゆみて」の転。②

【丘】キュウ、おか 〔例〕丘陵・砂丘、片丘。〔参〕小高い所の意。「岡（おか）」は表外字。〔部首〕一。

【旧（舊）】キュウ 〔例〕旧道・新旧・復旧。〔表外〕ク→旧唐書（くとうじょ）、もと（昔）→かな書き、ふるい→古い。〔正字〕舊。〔部首〕旧－日、舊－臼。⑤

【休】キュウ、やすむ・やすまる・やすめる 〔例〕休止・休憩・休す、昼休み・気休め。〔参〕就寝・休憩の意の「▽寝（やす）む・▽憩（やす）む」は「休」でまかなう。①

【吸】キュウ、すう 〔例〕吸収・呼吸、吸い口。〔参〕「たばこを▽喫（す）う」も好まれる。〔正字〕吸。⑥

【朽】 キュウ、くちる 〔例〕不朽・老朽、朽ち木。〔参〕木が腐る意。

【求】 キュウ、もとめる 〔例〕求職・求道(きゅうどう)・要求・追求、求め。〔表外〕グ→求道(ぐどう)。〔部首〕水。④

【究】 キュウ、きわめる 〔例〕究明・研究、学問を究める。〔参〕深く研究して本質をつかむ意。〔使い分け〕⇩本文［囲み］きわまる・きわめる（極・窮・究）。③

【泣】 キュウ、なく 〔例〕号泣・感泣、泣き声。〔使い分け〕⇩鳴(なく)。④

【急】 キュウ、いそぐ 〔例〕急速・急務・緊急、大急ぎ。〔表外〕せく→かな書き。③

【級】 キュウ 〔例〕級友・等級・上級・階級。〔参〕順序・等級の意。〔正字〕級。③

【糾】 キュウ 〔例〕糾弾・紛糾・糾合。〔表外〕ただす→かな書き。〔参〕調べてあばく意。「糾弾／×糺弾」「糾明／×糺明」は前者で統一（「糺」は「糾」の別体）。〔正字〕糾。

【宮】 キュウ・グウ・ク、みや 〔例〕宮殿・宮廷・宮司・神宮・宮内庁(くないちょう)、宮参り。〔表外〕クウ→内宮(ないくう)。〔参〕「グウ」は慣用音、「ク」は呉音。③

【救】 キュウ、すくう 〔例〕救助・救援、救い。〔表外〕ク・グ→救世(くせ・ぐぜ・ぐせ)観音、たすける→助ける。④

【球】 キュウ、たま 〔例〕球形・球技・地球、決め球。〔使い分け〕⇩本文［囲み］たま（玉・球・弾）。③

【給】 キュウ 〔例〕給水・配給・月給・給する。〔表外〕たまう→かな書き。〔参〕あてがう・そなわる意。④

【窮】 キュウ、きわめる・きわまる 〔例〕窮極・窮屈・困窮・窮する、窮まりなき宇宙。〔使い分け〕⇩本文［囲み］きわまる・きわめる（極・窮・究）。

【牛】 ギュウ、うし 〔例〕牛馬・牛乳・闘牛、種牛。〔表外〕ゴ→牛頭馬頭(ごずめず)。〔参〕十二支のうしは「×丑(チュウ)」。②

【去】 キョ・コ、さる 〔例〕去年・去就・過去(かこ)、去り状・去る○日。〔参〕「いぬ」とも訓ずる。「コ」は呉音。〔部首〕ム。③

【巨】 キョ 〔例〕巨大・巨匠・巨万。〔表外〕コ→巨細(こさい)、おおきい→大きい。〔正字〕巨。〔部首〕二。

【居】 キョ、いる 〔例〕居住・住居、居留守・芝居。〔表外〕コ→安居(あんご)、おる→かな書き。〔付〕一言居士(イチゲンコジ)。⑤

【拒】 キョ、こばむ 〔例〕拒絶・拒否。〔表外〕ふせぐ→防ぐ。

【拠(據)】 キョ・コ 〔例〕拠点・占拠・根拠・証拠(ショウコ)。〔表外〕よる（よりどころにする）→かな書き、よりどころ→かな書き。〔参〕新聞は「×醵出・×醵金」を「拠出・拠金」で代用するが、慣用になじまない（「醵」は金品を出し合う意）。「急遽(きゅうきょ)」を「急拠」と書くのは誤り。「コ」は呉音。

【挙(擧)】 キョ、あげる・あがる 〔例〕挙手・挙国・壮挙、全力を挙げる・挙げて（副詞）。〔表外〕こぞる→かな書き。〔使い分け〕⇩本文［囲み］あがる（上・挙・揚）。④

【虚(*虛)】 キョ・コ 〔例〕虚無・虚偽・空虚・虚空(コクウ)。〔表外〕そら→空、むなしい→かな書き。〔参〕新聞は「廃×墟」を「廃虚」で代用するが、慣用になじまない（「虚」は実体がない、「墟」は住居跡）。「コ」は呉音。

【許】 キョ、ゆるす 〔例〕許可・許諾・特許、許し。〔表外〕もと→元、ばかり→かな書き。〔参〕聞き入れる意。⑤

【距】 キョ 〔例〕距離。〔表外〕けづめ→かな書き、へだてる→隔てる。〔参〕間をおく意。

【魚】 ギョ、うお・さかな 〔例〕魚類・鮮魚、魚市場・煮魚。〔参〕「魚を釣る／［×肴］酒のさかな」のように使う。「魚獲」は誤り。〔付〕雑魚(ザコ)。②

【御】 ギョ・ゴ、おん 〔例〕御者・御意・制御・御する・御飯(ゴハン)・御殿、御中(おんチュウ)・御礼(おんレイ)。〔表外〕お→かな書き、み→かな書き。〔参〕「防×禦」は「防御」で代用。「御者／×馭者」「制御／制×馭（×禦）」は前者で統一。「御」は車馬を操る、「馭」は馬を操る意。近年、接頭語の「御」はかなで書く傾向が強い（ご案内）。〔正字〕御。〔部首〕彳。

【漁】 ギョ・リョウ 〔例〕漁業・漁船・漁獲・女色を漁(ギョ)する・漁師(リョウシ)・大漁・カニを漁(リョウ)する。〔表外〕すなどる→かな書き、あさる→かな書き。〔参〕「リョウ（慣用音）」は「猟」の字音の転用。④

【凶】 キョウ 〔例〕凶作・吉凶・大凶。〔表外〕わるい→悪い。〔参〕「凶／×兇」は意味の広い「凶」で統一（凶悪・凶漢・凶器・凶行・凶刃・凶変・凶暴・元凶）。「凶」は災い・不吉・悪い・悪者、「兇」は悪い・悪者の意。もと、悪者の意では「兇」が優勢。

【共】 キョウ、とも 〔例〕共同・共通、共食い。〔表外〕ども→かな書き。〔部首〕八。④

【叫】キョウ、さけぶ 例叫喚・絶叫、叫び声。

【狂】キョウ、くるう・くるおしい 例狂気・狂言・狂信・熱狂・狂する、物狂い。

【京】キョウ・ケイ 例帰京・上京・京浜(ケイヒン)。表外キン→南京(ナンキン)。参「キョウ」は呉音。②

【享】キョウ 例享有・享受・享楽。表外うける→受ける。参神に供える、よいものを受ける意。「×亨(キョウ・コウ)」(たてまつる・とおる)」は別字。

【供】キョウ・ク、そなえる・とも 例供給・提供・供する・供物(クモツ)・供養(クヨウ)、お神酒を供える・子供。使い分け ⇩本文[囲み]そなえる(備・供)。参「×饗応」は「供応」で統一(もともっぱら「饗応」)。それにならい、新聞は「饗宴」を「供宴」で代用するが、やや慣用になじまない。「ク」は呉音。⑥

【協】キョウ 例協力・協会・妥協・協同組合。参「かなう」とも訓ずる(古字の「×叶」が好まれる)。④

【況】キョウ 例状況・実況。表外いわんや→かな書き、まして→かな書き。参「×况」は俗字。

【峡(*峽)】キョウ 例峡谷・海峡・地峡・山峡。表外はざま→かな書き、かい→かな書き。

【挟(挾)】キョウ、はさむ・はさまる 例挟撃、挟み打ち。

【狭(*狹)】キョウ、せまい・せばめる・せばまる 例狭量・広狭・狭苦しい。

【恐】キョウ、おそれる・おそろしい 例恐怖・恐慌・恐縮、恐れ・恐らく。表外こわい→怖い。参「戦々×兢々」は「戦々恐々」で代用(「兢」は慎む)。「神への×畏れ」「将来への×懼れ」「間違う×惧れ」も「恐」でまかなう。

【恭】キョウ、うやうやしい 例恭賀・恭順。参「▽恭々(うやうや)しい」とも。「×忝(テン)(かたじけない)」は別字。部首小。

【胸】キョウ、むね・むな 例胸囲・度胸、胸当て・胸騒ぎ。⑥

【脅】キョウ、おびやかす・おどす・おどかす 例脅迫・脅威、脅し。参「▽脅(おび)える」より「×怯(おび)える」が一般的。

【強】キョウ・ゴウ、つよい・つよまる・つよめる・しいる 例強弱・勉強・強引(ゴウイン)・強情、強がる・無理強い。表外こわい→かな書き。参「▽×鞏固」は類義の「強固」で代用(「▽鞏」は固い)。学術用語集は「×鞏膜」を「強膜」で代用。「ゴウ」は呉音。「×强」は俗字。②

【教】キョウ、おしえる・おそわる 例教育・宗教、教え。正字教。②

【郷(鄕)】キョウ・ゴウ 例郷里・郷土・郷士(ゴウシ)・在郷。表外さと→里。参行政区画の名、ふるさとの意。「ゴウ」は慣用音。正字鄕。⑥

【境】キョウ・ケイ、さかい 例境界・逆境・境内(ケイダイ)、境目。参「辺境/辺×彊」は「辺境」で統一(「彊」もさかいの意)。「ケイ」は漢音、「キョウ」は呉音。⑤

【橋】キョウ、はし 例橋脚・鉄橋・歩道橋、丸木橋。③

【矯】キョウ、ためる 例矯正・奇矯、矯め直す。

【鏡】キョウ、かがみ 例鏡台・望遠鏡。参「鏡に映す・手鏡・鏡もち/[▽鑑]武士のかがみ」のように使う。「鑑」は手本の意。付眼鏡(めがね)。④

【競】キョウ・ケイ、きそう・せる 例競争・競技・競馬、競い合う・競り合う。表外くらべる→比べる。参「キョウ」は慣用音。部首立。④

【響(*響)】キョウ、ひびく 例音響・影響、響き。表外どよむ→かな書き。正字響。

【驚】キョウ、おどろく・おどろかす 例驚異・驚嘆、驚き。参馬がおびえ騒ぐ意から。「母の死に×愕(おど)(×駭)く」は「驚」でまかなう。正字驚。

【仰】ギョウ・コウ、あおぐ・おおせ 例仰天・仰角・信仰(シンコウ)・渇仰(カツゴウ・カツギョウ)、仰ぎ見る・仰せ付ける。参「おっしゃる」は「▽仰▽有る・▽仰▽言る・▽仰しゃる」などと書く。「コウ」は慣用音。

【暁(*曉)】ギョウ、あかつき 例暁天・通暁。表外さとる→悟る。

【業】ギョウ・ゴウ、わざ 例業績・職業・卒業・罪業(ザイゴウ)・自業自得、仕業。使い分け「離れ業・至難の業・寝業師・早業/柔道の技・技あり」のように使う。新聞は「×劫火」を類義の「業火」で代用するが、慣用になじまない。参「ゴウ」は呉音。部首木。③

【凝】ギョウ、こる・こらす 例凝固・凝視、凝り性・目を凝らす。

【曲】キョク、まがる・まげる 例曲線・名曲、曲がり角。表外くせ→か

漢

な書き、くま→かな書き。［部首］曰。③

【局】キョク ［例］局部・時局・結局。［表外］つぼね→局(つぼね)。［部首］尸。③

【極】キョク・ゴク、きわめる・きわまる・きわみ ［例］極限・終極・積極的・極上(ごくじょう)・極秘・至極、極め付き・極めて。［使い分け］⇩本文［囲み］きわまる（極・窮・究）。［参］「▽極(き)める」は「月極(つきぎ)めの契約」などと使われる。副詞の「ごく」は一般に仮名書き。「ゴク」は呉音。④

【玉】ギョク、たま ［例］玉座・宝玉、目玉・替え玉・悪玉。［使い分け］⇩本文［囲み］たま（玉・球・弾）。①

【斤】キン ［例］斤量。［表外］おの→かな書き。［参］尺貫法の単位。

【均】キン ［例］均等・平均。［表外］ひとしい→等しい。［参］平らにならす、むらなくととのえる意。⑤

【近】キン、ちかい ［例］近所・近代・接近、近道。［表外］コン→左近(さこん)。②

【金】キン・コン、かね・かな ［例］金属・金色(きんいろ)・黄金(おうごん)・金色(こんじき)、金目・金具(かなぐ)。①

【菌】キン ［例］細菌・殺菌・保菌者。［表外］きのこ→かな書き。

【勤（*勤）】キン・ゴン、つとめる・つとまる ［例］勤務・勤勉・勤行(ごんぎょう)、朝のお勤め・会社勤め。［表外］いそしむ→かな書き。［使い分け］⇩本文［囲み］つとめる（努・勤・務）。［参］「参勤交替／参×覲交替」は前者で統一（「覲」は君主にまみえる意。もと、多く「参覲交替」）。「ゴン」は呉音。⑥

【琴】キン、こと ［例］琴線・木琴、大正琴。［表外］ゴン→和琴(わごん)。［参］五弦か七弦の「きんのこと」の意。今日の十三弦には「×箏(そう)（そうのこと）」を当てることもある。

【筋】キン、すじ ［例］筋肉・鉄筋、筋書き・大筋。⑥

【禁】キン ［例］禁止・禁煙・厳禁・禁ずる。［参］とどめる意。⑤

【緊】キン ［例］緊張・緊密・緊急。［表外］しめる→締める。

【謹（*謹）】キン、つつしむ ［例］謹慎・謹賀、謹んで。［使い分け］⇩本文、つつしむ（慎・謹）。

【襟】キン、えり ［例］襟度・開襟・胸襟、襟首・襟章。［参］「×衿(きん)（えり）」も同義。⇩領(りょう)。

【吟】ギン ［例］吟味・詩吟・苦吟・吟ずる。［参］詩歌をくちずさむ、うめく意。

【銀】ギン ［例］銀貨・銀行・水銀。［表外］しろがね→かな書き。③

【区（區）】ク ［例］区別・区々・地区。［参］区分けをする意。③

【句】ク ［例］句集・字句・句読点・節句。［参］区切りの意。⑤

【苦】ク、くるしい・くるしむ・くるしめる・にがい・にがる ［例］苦心・苦労、苦しがる・苦しみ・苦虫・苦り切る。［参］原義は、にが菜。③

【駆（驅）】ク、かける・かる ［例］駆使・駆逐・先駆、抜け駆け・駆り立てる。［参］俗字「×駈」は「駈(か)ける」で好まれる。

【具】グ ［例］具体・具備・道具・具する。［表外］つぶさ→かな書き、そなわる→備わる。［参］必要なものがそろう意。［正字］具。③

【愚】グ、おろか ［例］愚問・愚鈍、愚か者・愚かしい。

【空】クウ、そら・あく・あける・から ［例］空想・上空、青空・空き巣・家を空ける・空手形。［表外］むなしい→かな書き、すく→かな書き。［使い分け］⇩本文［囲み］あく（空・明・開）。①

【偶】グウ ［例］偶然・偶数・配偶者・偶像。［表外］たまたま→かな書き、たまに→かな書き。［参］対になる、人形の意も。

【遇】グウ ［例］奇遇・境遇・待遇・遇する。［表外］あう→会う。［参］思いがけず出会う、もてなす意。

【隅】グウ、すみ ［例］一隅、片隅。［参］片すみの意。「▽角(すみ)」は∧状の先端の意。

【屈】クツ ［例］屈辱・屈伸・不屈・屈する。［表外］かがむ→かな書き。［参］「理×窟」は「理屈」で代用（「窟」はへこませる）。

【掘】クツ、ほる ［例］掘削・発掘、掘割(ほりわり)。［使い分け］「穴を掘る・芋を掘る／仏像を彫る・浮き彫り・木彫り」のように使う。［参］「掘」は動詞（掘り進む）に、「堀」は名詞（お堀・釣り堀）に使う。

【繰】くる ［例］繰り返す・繰り出す。［参］もっぱら訓を使う。

【君】クン、きみ 例君主・君臨・諸君・○○君、母君(ははぎみ)・君が代。③

【訓】クン 例訓練・教訓・訓読・音訓・訓ずる。表外キン→庭訓(ていきん)、おしえる→教える、よむ→読む。④

【勲(*勳)】クン 例勲功・勲章・元勲・殊勲・武勲。表外いさお→かな書き。部首力。

【薫(*薰)】クン、かおる 例薫風・薫陶・薫ずる。使い分け「風薫る五月／花が香る・香りが高い」のように使う。参「×燻製」は「薫製」で代用するが、慣用になじまない(但し、「薫」はくすべる意で「燻」に通ずる)。

【軍】グン 例軍隊・軍備・空軍。表外いくさ→戦。参軍隊の意。④

【郡】グン 例郡部・○○郡。表外こおり→郡(こおり)。参行政区画の一。④

【群】グン、むれる・むれ・むら 例群居・大群・抜群、群(むら)すずめ・群がる。⑤

【兄】ケイ・キョウ、あに 例兄事・父兄・義兄・兄弟(キョウダイ)・兄弟(ケイテイ)、兄上。参「キョウ」は呉音。付兄(にい)さん。部首儿。②

【刑】ケイ 例刑罰・刑法・処刑・刑する。表外ギョウ→刑部(ぎょうぶ)。参おきて・しおきの意。

【形】ケイ・ギョウ、かた・かたち 例形成・図形・形相(ギョウソウ)・人形、手形・形見。使い分け ⇩本文[囲み]かた(形・型)。参「ギョウ」は呉音。②

【系】ケイ 例系統・系列・体系。参つながる意で「すじ」とも訓ずる。⑥

【径(徑)】ケイ 例直径・直情径行。表外みち→道。参小道・さしわたしの意。④

【茎(莖)】ケイ、くき 例球茎・地下茎、歯茎・水茎(みずぐき)。

【係】ケイ、かかる・かかり 例係累・関係、本件に係る訴訟・係り結び・案内係。表外かかわる→かな書き。使い分け ⇩本文[囲み]かかる(掛・係・懸・架)。参「×繫船」「×繫属」「×繫留」は「係船」「係属」「係留」で代用(「繫」はつなぐ意)。「係争／×繫争」は「係争」で統一。③

【型】ケイ、かた 例原型・模型・典型、ひな型・型どおり・型破り。使い分け ⇩本文[囲み]かた(形・型)。④

【契】ケイ、ちぎる 例契約・契機、契り。表外キッ→契丹(きったん)。参割り符を合わせる意。

【計】ケイ、はかる・はからう 例計算・計画・寒暖計、まんまと計られた・取り計らい。使い分け ⇩本文[囲み]はかる(計・測・量・図・謀・諮)。付時計(トケイ)。②

【恵(*惠)】ケイ・エ、めぐむ 例恵贈・恩恵・恵方(エホウ)参り、恵み。参「×智×慧(×智恵)」は「知恵」で代用(「智・慧」はさとい意。さとい意で「慧・恵」は通ずる)。「エ」は呉音。

【啓】ケイ 例啓発・啓示・拝啓・啓する。表外ひらく→開く、もうす→申す。参知らないことを明らかにする意。

【掲(*揭)】ケイ、かかげる 例掲示・掲載・前掲。

【渓(溪)】ケイ 例渓谷・渓流・雪渓。表外たに→谷。参谷川の意。同義の「×谿(ケイ)」は別字。

【経(經)】ケイ・キョウ、へる 例経費・経済・経験・経文(キョウモン)・写経、歳月を経る。表外つね→常、たつ→かな書き、たていと→縦糸。参「経(へ)る」を「える」としない。「キョウ」は呉音。付読経(ドキョウ)。⑤

【蛍(螢)】ケイ、ほたる 例蛍光灯・蛍光塗料、源氏蛍。

【敬】ケイ、うやまう 例敬意・敬服・尊敬。表外キョウ→愛敬(あいきょう)、つつしむ→謹む。正字 敬。⑥

【景】ケイ 例景気・風景・光景。表外エイ→景印(えいいん)本、かげ→影。参光景の意。付景色(ケシキ)。④

【軽(輕)】ケイ、かるい・かろやか 例軽快・軽薄・軽率、手軽。表外キン→剽軽(ひょうきん)。③

【傾】ケイ、かたむく・かたむける 例傾斜・傾倒・傾向。表外かしげる→かな書き。

【携】ケイ、たずさえる・たずさわる 例携帯・必携・提携。

【継(繼)】ケイ、つぐ 例継続・中継、跡を継ぐ・継ぎ目。表外まま→かな書き。使い分け ⇩本文[囲み]つぐ(次・継・接)。

【慶】ケイ 例慶弔・慶祝・慶賀・慶する。表外キョウ→慶喜(きょうき)(喜びの意の仏語)、よろこぶ→喜ぶ(⇩喜(キ))。

部首 心。

【憩】ケイ、いこい・いこう 例 休憩・少憩。参 途中で休む意。

【警】ケイ 例 警告・警戒・警察。表外 キョウ→警策(きょうさく)、いましめる→戒める。正字 警。⑥

【鶏(*鷄)】ケイ、にわとり 例 鶏卵・闘鶏・養鶏。表外 とり→かな書き。参「×雞」は別体。十二支のとりは「×酉(ユウ)」。

【芸(*藝)】ゲイ 例 芸術・芸能・文芸。参「芸・藝」は本来別字で、「藝術・文藝」なども好まれる。「芸(ウン)」は香草、「藝(ゲイ)」は植える、わざの意。「ウン」には、「×芸」を使うことも多い(芸亭(うんてい))。④

【迎】ゲイ、むかえる 例 迎合・歓迎・送迎、迎え酒・出迎え。表外 ゴウ→来迎(らいごう)。

【鯨】ゲイ、くじら 例 鯨油・捕鯨。参 元来、雄鯨の意。雌鯨は「×鯢(ゲイ)」。

【劇】ゲキ 例 劇薬・劇場・演劇。表外 はげしい→激しい。参 激しい意の熟語は「劇毒・劇薬」を除いてもっぱら「激」を使う(激痛・激職・激甚・激務)。⑥

【撃(*擊)】ゲキ、うつ 例 撃退・攻撃・打撃、早撃ち・鳥を撃つ。使い分け ⇩本文[囲み]うつ(打・撃・討)。

【激】ゲキ、はげしい 例 激動・感激・激する。参「刺×戟」は「刺激」で代用(「戟」はほこ)。⇩劇(ゲキ)。⑥

【欠(缺)】ケツ、かける・かく 例 欠乏・欠席・補欠、欠け字。参「欠・缺」は本来別字。「欠(ケン)」は欠伸(あくび)、「缺(ケツ)」はかける。「間×歇」は「間欠」で代用(「歇」は尽きる)。部首 欠—欠、缺—缶。④

【穴】ケツ、あな 例 穴居・墓穴。参 元来、奥がふさがった洞あなの意。通り抜けるあな(▽孔)も「穴」でまかなう。⑥

【血】ケツ、ち 例 血液・吐血・血統、血の海。表外 ケチ→血脈(けちみゃく)。③

【決】ケツ、きめる・きまる 例 決裂・決心・決意・決定・解決・決する、取り決め・決まり。参「×蹶起」は類義の「決起(思いきって立ち上がる)」で代用(「蹶」は勢いよく立つ)。「×訣別」は「決別」で代用するが、慣用になじまない(「訣」は別れる)。「訣別」を「×袂(たもと)を分かつ」に引かれて「袂別」と書くのは誤り。「×决」は俗字。③

【結】ケツ、むすぶ・ゆう・ゆわえる 例 結論・結婚・結する、結び・結納(ゆいのう)・元結(もとゆい)。表外 ケチ→結縁(けちえん)。④

【傑】ケツ 例 傑物・傑作・豪傑。表外 すぐれる→優れる。正字 傑。

【潔】ケツ、いさぎよい 例 潔白・清潔、潔さ。参 清い、さっぱりしたの意。「×屑(いさぎよ)しとしない」は「潔」でまかなう。⑤

【月】ゲツ・ガツ、つき 例 月曜・名月・正月(ショウガツ)、月見・三日月。参「ガツ」は慣用音。部首の「月」は旧字体では「月(つき)—有」「月(肉づき)—肌」「月(ふなづき)—服」を区別した。付 五月晴(さつきば)れ・五月雨(さみだれ)。①

【犬】ケン、いぬ 例 犬歯・愛犬・野犬、赤犬。参 十二支のいぬは「×戌(ジュツ)」。①

【件】ケン 例 件数・事件・条件。表外 くだり→かな書き、くだん→かな書き。⑤

【見】ケン、みる・みえる・みせる 例 見学・意見、下見・丸見え・顔見せ。表外 ゲン→見参(げんざん)、あらわれる→現れる、まみえる→かな書き。使い分け ⇩本文[囲み]みる(見・診)。部首 見。①

【券】ケン 例 乗車券・旅券・債券。参 割り符の意。部首 刀。⑤

【肩】ケン、かた 例 肩章・比肩、なで肩。部首 肉。

【建】ケン・コン、たてる・たつ 例 建築・建議・封建的・建立(コンリュウ)、二階建て・銅像が建つ。使い分け ⇩本文[囲み]たつ(立・建)。参「コン」は呉音。④

【研(研)】ケン、とぐ 例 研究・研修・研磨。表外 みがく→磨く。参 鋭くする意。③

【県(*縣)】ケン 例 県庁・県立・○○県。表外 あがた→県(あがた)。参 原義は縄などで宙づりにする意。部首 県—目、縣—糸。③

【倹(*儉)】ケン 例 倹約・節倹。表外 つづまやか→かな書き、つましい→かな書き。

【兼】ケン、かねる 例 兼用・兼任・兼備。参 康熙(こうき)字典体は「兼」、正字は「兼」。部首 八。

【剣(*劍)】ケン、つるぎ 例 剣道・刀剣。参「×劒・×劔」は別体。

漢

【軒】ケン、のき 例軒数・一軒、軒先。参(貴人の乗った)車の意から、高く上がる意も(意気軒×昂)。

【健】ケン、すこやか 例健康・健闘・穏健・強健。参たけし→かな書き。④

【険(*險)】ケン、けわしい 例険悪・危険・冒険・保険。参「険阻／×嶮×岨」は「険阻」で統一(「険・嶮・岨」はけわしい、「阻」ははばむ意。別語が一語化した)。⑤

【圏(*圈)】ケン 例圏内・圏外・成層圏。参区域の意。

【堅】ケン、かたい 例堅固・堅実・中堅、堅い材木・堅い商売・堅苦しい。使い分け⇩本文[囲み]かたい(堅・固・硬・難)。

【検(*檢)】ケン 例検査・検討・点検・検する。表外しらべる→調べる。⑤

【嫌】ケン・ゲン、きらう・いや 例嫌悪・機嫌、嫌い・嫌気。参疑わしいの意も(嫌疑)。「×厭」は「嫌」でまかなう。「ゲン」は呉音。

【献(獻)】ケン・コン 例献上・献身的・文献・献ずる・献立・一献。表外たてまつる→かな書き、ささげる→かな書き。参「コン」は呉音。

【絹】ケン、きぬ 例絹布・人絹、薄絹。参学術用語集は「▽巻雲」「▽巻積雲」「▽巻層雲」を「絹雲」「絹積雲」「絹層雲」で代用するが、慣用になじまない。⑥

【遣】ケン、つかう・つかわす 例派遣・分遣、気遣う・仮名遣い・金遣い。表外やる→かな書き。使い分け⇩本文[囲み]つかう(使・遣)。

【権(權)】ケン・ゴン 例権利・権威・人権・権化・権現。参他を服従させる力、はかりの意。「ゴン」は呉音。正字 權。⑥

【憲】ケン 例憲法・憲章・官憲。表外のり→かな書き。参基本法の意。正字 憲。部首 心。⑥

【賢】ケン、かしこい 例賢人・賢明、悪賢い。表外まさる→勝る。

【謙】ケン 例謙虚・謙譲・謙称。表外へりくだる→かな書き。

【繭】ケン、まゆ 例繭糸、繭玉。部首 糸。

【顕(*顯)】ケン 例顕著・顕彰・顕微鏡。表外あきらか→明らか、あらわれる→かな書き。参未知のものがはっきりする意。

【験(*驗)】ケン・ゲン 例試験・経験・実験・験がある・霊験。表外しるし→かな書き、ためす→かな書き。参証拠の意。「ケン」は慣用音。④

【懸】ケン・ケ、かける・かかる 例懸垂・懸賞・懸命、懸念・懸想、命懸け・月が中天に懸かる。使い分け⇩本文[囲み]かかる(掛・係・懸・架)。参「ケ」は慣用音。

【元】ゲン・ガン、もと 例元素・元気・元祖・元日・元来、出版元。表外はじめ→始め・初め。使い分け⇩本文[囲み]もと(下・元・本・基)。参「ゲン」は漢音、「ガン」は呉音。部首 儿。②

【幻】ゲン、まぼろし 例幻滅・幻覚・夢幻、幻の名作。

【玄】ゲン 例玄米・玄関・幽玄。表外くろ→黒。参明かりの及ばない深遠な所、黒いの意。付 玄人。部首 玄。

【言】ゲン・ゴン、いう・こと 例言行・言論・伝言・無言、言い表す・寝言。参物をいう意。「×云う(同定する)」はかな書き(〜という人・こういった類の話)。「×謂う(名付ける)」は「言」でまかなう(言わば・世に言うところの)。「ゴン」は呉音。②

【弦】ゲン、つる 例上弦・正弦。参「×絃」は「弦」で代用(弦歌・管弦楽・弦楽器・三弦)。「絃」は楽器の糸、「弦」は弓づるの意。

【限】ゲン、かぎる 例限度・制限・期限、限り。表外きり→かな書き。⑤

【原】ゲン、はら 例原因・原理・高原、野原。表外もと→元、たずねる→尋ねる。参もとの意で「源」に通ずる(語原・語源)。付 海原、河原・川原。②

【現】ゲン、あらわれる・あらわす 例現象・現在・表現・現ずる、怪獣が現れる・姿を現す。表外うつつ→かな書き、うつし→かな書き。使い分け⇩本文[囲み]あらわす(表・現・著)。部首 王。⑤

【減】ゲン、へる・へらす 例減少・増減・加減・減ずる、目減り・人減らし。参「×減」は俗字。⑤

【源】ゲン、みなもと 例源泉・水源・資源・語源・起源。参⇩原。⑥

【厳(*嚴)】 ゲン・ゴン、おごそか・きびしい [例]厳格・厳重・威厳・荘厳。[表外]いかめしい→かな書き。[参]「厳然／×儼然」は「厳然」で統一(「厳・儼」は同義)。「ゴン」は呉音。⑥

【己】 コ・キ、おのれ [例]自己・利己・知己・克己、己を知る。[表外]おの→かな書き、つちのと→己。[参]慣用的に「己れ」とも送る。「×巳(十二支の一、み)」「×已(既に)」は別字。「コ」は呉音。⑥

【戸】 コ、と [例]戸外・戸籍・下戸、雨戸。[参]地名などでは「へ」とも(八戸)。[正字]戶。②

【古】 コ、ふるい・ふるす [例]古代・古典、古株・使い古す。[表外]いにしえ→かな書き。②

【呼】 コ、よぶ [例]呼吸・呼応・点呼、呼び声・呼び名。[参]「宴席に▽招ぶ／証人を▽喚ぶ」も「呼」でまかなう。⑥

【固】 コ、かためる・かたまる・かたい [例]固定・固有・堅固、地盤が固い・頭が固い。[表外]もとより→かな書き。[使い分け]①⇩本文［囲み］かたい(堅・固・硬・難)。②「一固まりの学生・汗の固まり／脂肪の塊・欲の塊」のように使う。[参]「禁固／禁×錮」「断固／断×乎」は前者で代用(但し、法令はルビ付きで「禁錮」。「錮」はとじこめる、「乎」は感動の助辞)。④

【孤】 コ [例]孤児・孤独・孤立。[表外]みなしご→かな書き。[参]独りぼっちの意。[正字]孤。

【弧】 コ [例]弧状・括弧。[参]木の弓、弓形の意。[正字]弧。

【故】 コ、ゆえ [例]故郷・故意・事故・故○○氏、故に。[表外]もと→かな書き、もとより→かな書き、ことさら→かな書き、ふるい→古い。[部首]攵。⑤

【枯】 コ、かれる・からす [例]枯死・枯淡・栄枯、枯れ木・木枯らし。[参]「枯渇／×涸渇」は「枯渇」で統一(「涸」は水がかれる。もと「涸渇」が優勢)。「水が×涸れる」「声が×嗄れる」はかな書き。

【個】 コ [例]個人・個性・一個。[参]「コ」は唐音。「個条書き」の「カ」は表外音。⇩箇。⑤

【庫】 コ、ク [例]倉庫・文庫・車庫・庫裏。[参]武器庫から、物を収める建物の意に。「ク」は唐音。③

【湖】 コ、みずうみ [例]湖水・湖沼・湖畔。[参]「うみ」とも訓ずる。③

【雇】 コ、やとう [例]雇員・雇用・解雇。[参]⇩用。[部首]隹。

【誇】 コ、ほこる [例]誇示・誇大・誇張、誇らしい。[参]大言を吐いていばる意。

【鼓】 コ、つづみ [例]鼓動・鼓舞・太鼓・鼓する、小鼓。[参]古く「鼓」は名詞、「×鼓(つづみうつ)」は動詞に使った。「×皷」は俗字。[部首]鼓。

【顧】 コ、かえりみる [例]顧慮・顧問・回顧、過去を顧みる。[使い分け]⇩本文、かえりみる(顧・省)。

【五】 ゴ、いつ・いつつ [例]五穀・五感・五色・五目飯、五日。[参]証書類では「×伍」とも。[付]五月晴れ・五月雨。[部首]二。①

【互】 ゴ、たがい [例]互角・互選・交互・相互、互いに・互い違い。[参]「×瓦(かわら)」「×亙(わたる)」は別字。[部首]二。

【午】 ゴ [例]午前・正午・子午線。[表外]うま→午、ひる→昼。[参]正午の意。[部首]十。②

【呉】 ゴ [例]呉服・呉越同舟。[表外]くれ→かな書き、くれる→かな書き。[参]古代中国の王朝名。[正字]吳。[部首]口。

【後】 ゴ、コウ、のち・うしろ・あと・おくれる [例]後刻・前後・午後・後続・後悔、後の世・後ろ姿・後回し・気後れ。[使い分け]⇩本文［囲み］あと(後・跡)・おくれる(遅・後)。[参]「ゴ」は慣用音。②

【娯】 ゴ [例]娯楽。[表外]たのしむ→楽しむ。[参]ゆったりして楽しむ意。

【悟】 ゴ、さとる [例]悟性・覚悟・悔悟、悟り。[参]心の迷いが開ける意。

【碁】 ゴ [例]碁石・碁盤・囲碁。[参]碁(を打つ)の意。「棋」と同義。

【語】 ゴ、かたる・かたらう [例]語学・新語・国語、物語・語らい。[参]ことば・単語の意。②

【誤】 ゴ、あやまる [例]誤解・正誤・錯誤、誤り。[使い分け]⇩本文［囲み］あやまる(誤・謝・過)。⑥

【護】 ゴ [例]護衛・救護・保護。[表外]まもる→守る。[正字]護。⑤

【口】 コウ・ク、くち [例]口述・人口・口調・口伝・異口同音、口絵・出口。[参]「ク」は呉音。①

【工】 コウ・ク [例]工場・加工・工面・細工・大工。[表外]たくみ(木工)

↓工(たくみ)・匠(たくみ)。〔参〕「ク」は呉音。②

【公】 コウ、おおやけ 〔例〕公平・公私・公園。〔表外〕ク→公事(くじ)。〔参〕「きみ(爵位の一)」とも訓ずる。慣用で「公け」とも送る。〔部首〕八。②

【孔】 コウ 〔例〕鼻孔・気孔。〔表外〕あな→穴。〔参〕突き抜けたあなの意。

【功】 コウ・ク 〔例〕功名(コウミョウ)・功績・成功・功徳(クドク)。〔表外〕いさお→かな書き。〔参〕手柄・働きの意。「ク」は呉音。〔部首〕力。④

【巧】 コウ、たくみ 〔例〕巧拙・巧妙・技巧、巧みな術。〔表外〕うまい→かな書き。

【広(*廣)】 コウ、ひろい・ひろまる・ひろめる・ひろがる・ひろげる 〔例〕広大・広義、広場・名広め・広がり。〔参〕「広壮／×宏壮」「広大／×宏大」は前者で統一（「広・宏」は広い）。「広報／×弘報」は「広報」で統一（もと「弘報」が優勢）。「×曠野(こうや)」は類義の「広野(広い野原)」で代用(「曠野」は限りなく広い野原、曠野(あらの))。②

【甲】 コウ・カン 〔例〕甲乙・装甲車・甲板(コウハン・カンパン)・甲高い。〔表外〕きのえ→甲(きのえ)、よろい→かな書き、かぶと→かな書き。〔参〕種子の外皮、甲羅の意。「肩×胛骨」は「肩甲骨」で代用。「カン」は慣用音。〔部首〕田。

【交】 コウ、まじわる・まじえる・まじる・まざる・まぜる・かう・かわす 〔例〕交通・交番・社交、交わり・交ぜ織り・飛び交う。〔表外〕こもごも→かな書き。〔使い分け〕⇩本文［囲み］まざる(交・混)。〔参〕「混×淆」は「混交」で代用(「淆」は入りまじる)。②

【光】 コウ、ひかる・ひかり 〔例〕光線・栄光・観光、光り輝く・親の七光り・日の光・稲光。〔部首〕儿。②

【向】 コウ、むく・むける・むかう・むこう 〔例〕向上・傾向・趣向・動向、顔向け・向かいの家・向こう側。〔表外〕キョウ→向来(きょうらい)(今まで)、さきに→先に。〔参〕「意向／意×嚮」は「意向」で統一(「向・嚮」は同義)。③

【后】 コウ 〔例〕皇后・皇太后。〔表外〕ゴ→午后(ごご)(一般には「午後」を使う)、のち→後、きさき→かな書き。⑥

【好】 コウ、このむ・すく 〔例〕好意・好敵手・良好、好み・好き嫌い。〔表外〕よしみ→かな書き、よい→良い。〔部首〕女。④

【江】 コウ、え 〔例〕江湖(コウコ)、入り江。〔参〕揚子江、大河、入り江の意。

【考】 コウ、かんがえる 〔例〕考慮・思考・参考、考え。〔参〕「×銓衡」は「選考(選び考える)」で代用するが、なじまない(「銓・衡」は、はかる)。〔部首〕耂。②

【行】 コウ・ギョウ・アン、いく・ゆく・おこなう 〔例〕行進・行為・行列(ギョウレツ)・行政・行脚(アンギャ)・行火(アンカ)、行く末・行い。〔使い分け〕「学校に行く／老翁ついに逝く」のように使う。〔参〕「ギョウ」は呉音、「アン」は唐音。〔付〕行方(ゆくえ)。②

【坑】 コウ 〔例〕坑道・炭坑・廃坑。〔表外〕あな→穴。〔参〕採鉱用の穴の意。

【孝】 コウ 〔例〕孝行・不孝。〔参〕先祖や親によく仕える意。〔部首〕子。⑥

【抗】 コウ 〔例〕抗争・抗議・対抗・抗する。〔表外〕あらがう→かな書き。

【攻】 コウ、せめる 〔例〕攻守・攻撃・専攻。〔使い分け〕「敵を攻める・水攻めで城を落とす／過失を責める・水責めの刑・責めをふさぐ」のように使う。〔部首〕攵。

【更】 コウ、さら・ふける・ふかす 〔例〕更新・更迭・変更、夜更け。〔表外〕あらたまる→改まる、かわる→替わる。〔参〕「更生(立ち直る)／×甦生」は「更生」で統一(「甦生(こうせい)」は「甦生(そせい)」の慣用読み。「甦生(そせい)」は普通「蘇生」と書く)。〔部首〕曰。

【効(效)】 コウ、きく 〔例〕効果・効力・時効、効き目。〔使い分け〕⇩本文［囲み］きく(利・効)。〔部首〕効－力、效－攴。⑤

【幸】 コウ、さいわい・さち・しあわせ 〔例〕幸福・不幸・行幸、海の幸・幸せな人。〔参〕「射幸心／射×倖心」「薄幸／薄×倖」は前者で統一(「倖」は思いがけない幸せ。もと多く「射倖心」)。〔部首〕干。③

【拘】 コウ 〔例〕拘束・拘留・拘置。〔表外〕とらえる→捕らえる。〔参〕とどめおく意。「×勾引」は「拘引」で代用(但し、法律では使い分ける)。表外訓「かかわる」は「～にかかわらず」の形で使う。

【肯】 コウ 〔例〕肯定・首肯(シュコウ)。〔表外〕うべなう→かな書き、がえんずる→かな書き。〔参〕元来、肉と骨の結合部分の意。〔部首〕肉。

【侯】 コウ 〔例〕諸侯・王侯。〔参〕領主の意。「公爵／侯爵」を区別して「公(きみ)公爵／侯(そうろう)侯爵」と言うが、「候」は別字。

【厚】 コウ、あつい 〔例〕厚情・厚生課・濃厚、厚い本・壁が厚い。〔使い分け〕⇩本文［囲み］あつい(暑・熱・厚)。⑤

【恒(*恆)】 コウ 〔例〕恒常・恒久・恒例。〔表外〕つね→常。〔参〕いつまでも変わらない意。

【洪】 コウ 〔例〕洪水・洪大・洪積層。〔参〕大水、大きいの意。

【皇】 コウ・オウ 〔例〕皇帝・皇室・皇后・法皇。〔表外〕きみ→君、すめらぎ→かな書き。〔参〕「倉皇／×蒼×惶」は「倉皇」で統一（「皇（さまよう）」は「惶」の意の転用。慌てる意）。「天皇」は連声。「オウ」は呉音。〔部首〕白。⑥

【紅】 コウ・ク、べに・くれない 〔例〕紅白・紅茶・真紅・深紅、口紅・紅のバラ。〔表外〕グ→紅蓮、あかい→赤い。〔参〕「もみ」とも訓ずる。「ク」は慣用音。〔付〕紅葉。⑥

【荒】 コウ、あらい・あれる・あらす 〔例〕荒天・荒廃、荒々しい・大荒れ・倉庫荒らし。〔表外〕すさぶ→かな書き。〔使い分け〕「波が荒い・気が荒い・金遣いが荒い／仕事が粗い・きめが粗い・編み目が粗い」のように使う。

【郊】 コウ 〔例〕郊外・近郊・西郊。〔参〕町外れの意。

【香】 コウ・キョウ、か・かおり・かおる 〔例〕香水・線香・香車、移り香が。〔使い分け〕⇩薫。〔参〕「コウ」は呉音、「キョウ」は漢音。〔部首〕香。

【候】 コウ、そうろう 〔例〕候補・気候・時候・測候所、候文・居候。〔参〕⇩侯。④

【校】 コウ 〔例〕校閲・将校・学校・校合・校する。〔表外〕キョウ→校合、あぜ→校倉造り、かんがえる→考える、くらべる→比べる。①

【耕】 コウ、たがやす 〔例〕耕作・耕地・農耕。〔正字〕耕。⑤

【航】 コウ 〔例〕航海・航空・就航・航する。〔参〕船で水上をわたる意から、空中をわたる意に。「ゆく」とも訓ずる。④

【貢】 コウ・ク、みつぐ 〔例〕貢献・貢する・年貢、貢ぎ物。〔参〕「ク」は呉音。

【降】 コウ、おりる・おろす・ふる 〔例〕降雨・降参・降伏、乗り降り・大降り。〔表外〕ゴウ→降伏、くだる→下る。〔使い分け〕⇩本文［囲み］おりる・おろす（下・降・卸）。〔正字〕降。⑥

【高】 コウ、たかい・たか・たかまる・たかめる 〔例〕高低・高級・高ずる、高台・売上高・高まり。〔参〕「×昂揚」は「高揚」で代用（「昂」は意気があがる）。新聞は「×昂（×亢）進」「（意気）軒×昂」を「高進」「（意気）軒高」で代用。「高騰／×昂騰」は「高騰」で統一（もと「昂騰」が優勢）。〔部首〕高。②

【康】 コウ 〔例〕健康・小康。〔表外〕やすらか→安らか、やすい→安い。④

【控】 コウ、ひかえる 〔例〕控訴、手控える・控え室。〔表外〕ひく→引く。〔参〕「×扣除／控除」は「控除」で統一（「扣」はひかえる、引く意）。

【黄(*黃)】 コウ・オウ、き・こ 〔例〕黄葉・黄金・卵黄、黄色・黄金。〔参〕「オウ」は呉音。〔付〕硫黄。〔部首〕黄。②

【慌】 コウ、あわてる・あわただしい 〔例〕恐慌、大慌て。

【港】 コウ、みなと 〔例〕港湾・漁港・出港・空港、港町。〔参〕「×湊」も「港」と書く。〔正字〕港。③

【硬】 コウ、かたい 〔例〕硬度・硬貨・生硬、硬い石・硬い表情。〔使い分け〕⇩本文［囲み］かたい（堅・固・硬）。〔参〕「硬骨／×鯁骨」は「硬骨」で統一（「鯁」は魚の骨、かたい）。

【絞】 コウ、しぼる・しめる・しまる 〔例〕絞殺・絞首刑、絞り上げる・絞め殺す。〔使い分け〕⇩本文［囲み］しぼる（絞・搾）・しまる（締・閉・絞）。

【項】 コウ 〔例〕項目・事項・条項。〔表外〕うなじ→かな書き。〔参〕小分けしたものの意。〔部首〕頁。

【溝】 コウ、みぞ 〔例〕側溝・下水溝・排水溝。〔表外〕どぶ→かな書き。

【鉱(鑛)】 コウ 〔例〕鉱物・鉱山・鉄鉱。〔表外〕あらがね→粗金。〔参〕「×礦」は「鉱」で統一（鉱業・鉱石・炭鉱）。「礦」は「鑛」の別体。⑤

【構】 コウ、かまえる・かまう 〔例〕構造・構内・結構、構え・構わない。⑤

【綱】 コウ、つな 〔例〕綱紀・綱領・要綱、綱引き・横綱。〔参〕おおもとの意も。

【酵】 コウ 〔例〕酵母・酵素・発酵。〔参〕酒が醸されて泡立つ意。

【稿】 コウ 〔例〕草稿・原稿・投稿。〔参〕わら・下書きの意。

【興】 コウ・キョウ、おこる・おこす 〔例〕興行・復興・振興・興味・余興・産業を興す。〔使い分け〕⇩本文［囲み］おこる（起・興）。〔参〕「興奮／×昂（×亢）奮」は「興奮」で統一（「昂・亢」はたかぶる）。「コウ」は呉音。〔部首〕臼。⑤

【衡】コウ 例均衡・平衡・度量衡。表外はかり→かな書き。参釣り合い、横の意。

【鋼】コウ、はがね 例鋼鉄・鋼材・鋼管・製鋼。⑥

【講】コウ 例講義・講演・聴講・講ずる。参「講和／×媾和」は「講和」で統一（「講」は処置する、「媾」は仲直りする意。別語が一語化した）。⑤

【購】コウ 例購入・購買・購読。表外あがなう→かな書き。

【号（號）】ゴウ 例号令・号泣・番号・号する。表外さけぶ→叫ぶ。部首号―口、號―虍。③

【合】ゴウ・ガッ・カッ、あう・あわす・あわせる 例合同・合計・合併・合点（ガッテン）・合戦（カッセン）、試合・合わせ鏡。使い分け⇩本文［囲み］あう（会・遭・合）・あわせる（合・会・併）。参「合点」は「ガテン」とも。「ゴウ」は呉音（「ガッ」は転音）。「カッ」は慣用音。部首口。②

【拷】ゴウ 例拷問。参罪を白状させるために打つ意。「×栲（たえ）」は別字。

【剛】ゴウ 例剛健・剛直・金剛力・外柔内剛。表外こわい→かな書き、つよい→強い。

【豪】ゴウ 例豪傑・豪遊・豪雨・文豪・強豪。参ヤマアラシの意から、優れる意。「えらい」とも訓ずる。

【克】コク 例克服・克明・克己・克する。表外かつ→かな書き、よく→かな書き。参「下×剋上」は「下克上」で代用するが、慣用になじまない（但し、「剋・克」は打ちかつ意で同義）。「相×剋」は「相克」で代用。

【告】コク、つげる 例告示・告白・報告・広告・警告。正字告。④

【谷】コク、たに 例幽谷・渓谷（ケイコク）・峡谷（キョウコク）、谷川。表外きわまる→窮まる。参「や」は表外訓（大▽谷石）。②

【刻】コク、きざむ 例彫刻・時刻・深刻・刻する、刻み。表外とき→かな書き。参ほりきざむ意。むごい意で「酷」に通じる（残酷・残刻）。⑥

【国（*國）】コク、くに 例国家・国際・外国、島国。②

【黒（*黑）】コク、くろ・くろい 例黒色・黒板・暗黒、真っ黒・腹黒い。②

【穀（*穀）】コク 例穀物・雑穀・脱穀。参もみ・穀物の意。部首禾。⑥

【酷】コク 例酷似・冷酷・残酷。表外むごい→かな書き、ひどい→かな書き。参⇩刻。

【獄】ゴク 例獄舎・地獄・疑獄。表外ひとや→かな書き。参牢屋（ろうや）、裁判するの意。部首犭。

【骨】コツ、ほね 例筋骨・反骨・骨子・気骨（キコツ）、骨折り・気骨（きぼね）。⑥

【込】こむ・こめる 例人込み・やり込める。参国字。入りこむ意。

【今】コン・キン、いま 例今後・今日（コンニチ）・今朝（コンチョウ）・今年（コンネン）・昨今・今上（キンジョウ）、今し方。参「▽未だに」を「今だに」とするのは誤用。「コン」は呉音。人名に見る「×今」は俗字。付今日（きょう）・今朝（けさ）・今年（ことし）。②

【困】コン、こまる 例困難・困窮・貧困。表外くるしむ→苦しむ。参サ変は音便で「困（こう）ずる」。⑥

【昆】コン 例昆虫・昆布（コンブ）。参「昆布」は「コブ」とも。

【恨】コン、うらむ・うらめしい 例遺恨・痛恨・悔恨、恨み。参思いどおりにならずに無念に思う意。参「己の不幸を恨む／［▽憾］公平を欠くうらみがある」のように使う。あだとしてうらむ意の「×怨（エン）」は「恨」でまかなう（敵を恨む・薄情を恨む・恨み言）。

【根】コン、ね 例根拠・根気・根性（コンジョウ）・平方根、根強い・屋根。③

【婚】コン 例婚約・婚姻・結婚・婚する。参「▽許▽婚（いいなずけ）」は熟字訓。参縁組みの意。

【混】コン、まじる・まざる・まぜる 例混合・混雑・混乱・混ずる、酒に水が混じる・西洋人の血が混ざる・混ぜ物。使い分け⇩本文［囲み］まざる（交・混）。参「×昏迷」は類義の「混迷」で代用（「昏」は暗い）。⑤

【紺】コン 例紺青（コンジョウ）・紺屋（コンや）・濃紺。参赤みを帯びた濃い青の意。「紺屋」は音便で「こうや」とも。

【魂】コン、たましい 例魂胆・霊魂・商魂、負けじ魂。表外たま→かな書き。参精神を支配する陽のたましいを「魂」、肉体を支配する陰のたましいを「×魄（ハク）」と区別した。

漢

【墾】コン 例開墾・墾田。表外ひらく→開く。参荒れ地を切り開いて耕す意。

【懇】コン、ねんごろ 例懇切・懇望・懇願・懇親会。参真心を尽くし親切にする意。

【左】サ、ひだり 例左右・左翼・左遷、左利き。表外たすける→助ける。部首工。①

【佐】サ 例佐幕・補佐・大佐。表外すけ（次官）→佐〈すけ〉、たすける→助ける。参左手でする動作（助ける）の意。「×佑〈ユウ〉」の対。

【査】サ 例査察・調査・巡査。表外しらべる→調べる。参よく見て明らかにする意。⑤

【砂】サ・シャ、すな 例砂丘・砂糖、砂場。表外いさご→かな書き。参「シャ」は呉音。「×沙〈サ・シャ〉」も砂。付砂利〈じゃり〉。⑥

【唆】サ、そそのかす 例教唆・示唆。参「唆かす」と送らない。

【差】サ、さす 例差異・差別・誤差、差し潮・差し出す。表外シ→参差〈しんし〉（ふぞろい）。使い分け⇩本文［囲み］さす（差・刺・指・挿）。参「交×叉」は「交差」で代用（「叉」はふたまた）。付差し支〈つか〉える。部首工。④

【詐】サ 例詐欺・詐取・詐称。表外いつわる→偽る。参巧みな言葉で欺く意。

【鎖】サ、くさり 例鎖国・連鎖・封鎖。表外とざす→閉ざす。

【座】ザ、すわる 例座席・座談・星座・オペラ座。使い分け「椅子〈いす〉に座る・末席に座る／腰が据わる・目が据わる・礎石を据える」のように使う。参元来、動作の意で「×坐」、場所の意で「座」と使い分けた（坐禅・連坐／座右・台座）。⑥

【才】サイ 例才能・才覚・秀才。表外ざえ→かな書き。参小学校では「九才」のように「歳」の代用とする（ただし、「才月」とはしない）。中学以上では避けたい。部首手。②

【再】サイ・サ、ふたたび 例再度・再選・再出発・再来年〈サライネン〉。参「サ」は慣用音。部首冂。⑤

【災】サイ、わざわい 例災害・火災。参自然のわざわいの意。「▽禍〈わざわい〉」（不幸せ）は「災」でまかなう。⑤

【妻】サイ、つま 例妻子・夫妻・良妻、人妻・切り妻。⑤

【砕（*碎）】サイ、くだく・くだける 例砕石・砕氷・粉砕、腰砕け。参「破砕／破×摧」は「破砕」で統一（「摧」もくだく）。

【宰】サイ 例宰領・宰相・主宰。表外つかさ→宰〈つかさ〉、つかさどる→かな書き。参仕事のきりもりをする意。

【栽】サイ 例栽培・盆栽・前栽〈センザイ〉。表外うえる→植える。参草木をうえる意。部首木。

【彩】サイ、いろどる 例彩色〈サイシキ・サイショク〉・色彩・淡彩、彩り。表外あや→かな書き。正字彩。

【採】サイ、とる 例採集・採用・採光、大卒を採る・決を採る。使い分け⇩本文［囲み］とる（取・採・捕・執・撮）。正字採。⑤

【済（濟）】サイ、すむ・すます 例返済・救済・経済、売約済み。表外セイ→多士済々〈たしせいせい〉、わたる→渡る、すくう→救う。⑥

【祭】サイ、まつる・まつり 例祭礼・祭壇・文化祭、神を祭る・祭り上げる・秋祭り・祇園〈ぎおん〉祭。参お供えをして儀式を行う意。神として神社にとどまってもらう意の「×祀〈シ〉（まつる）」も「祭」でまかなう。③

【斎（齋）】サイ 例斎場・潔斎・書斎。表外ものいみ→物忌み、とき（食事）→かな書き、いつく→かな書き。参心身を清め神をまつる意。⇩斉〈セイ〉。部首斉。

【細】サイ、ほそい・ほそる・こまか・こまかい 例細心・詳細・零細、細腕・心細い・細かな注意。表外くわしい→詳しい。②

【菜】サイ、な 例菜園・菜食・野菜、青菜。正字菜。④

【最】サイ、もっとも 例最大・最近・最先端。参「最も新しい／[×尤]もっともな意見・もっとも賛成はすまい」のように使う。付最寄〈もよ〉り。正字最。部首曰。④

【裁】サイ、たつ・さばく 例裁縫・裁断・裁判・体裁〈テイサイ〉・裁する、裁ち物・裁き。使い分け⇩本文［囲み］たつ（断・絶・裁）。参「紙を×截〈た〉つ」は「裁」でまかなう。部首衣。⑥

【債】サイ 例債務・債券・負債・公債。参借金・負い目の意。

【催】サイ、もよおす 例催眠・開催・主催・催事場、催し物。

【歳】サイ・セイ 例歳末・歳月・十歳・歳暮。表外とし→年。参一年の意。「サイ」は呉音。⇩才。付二十歳。正字歳。部首止。

【載】サイ、のせる・のる 例積載・掲載・記載、棚に載せる。使い分け⇩本文[囲み]のる(乗・載)。部首車。

【際】サイ、きわ 例際限・交際・学際的・この際・～に際して、際立つ。⑤

【在】ザイ、ある 例在宅・存在、在りし日。表外います→かな書き、おわします→かな書き。使い分け⇩本文[囲み]ある(有・在)。部首土。⑤

【材】ザイ 例材木・材料・材幹(才能)・人材。表外サイ→材幹。参丸太の意から原料・才能の意。④

【剤(劑)】ザイ 例錠剤・薬剤師・消化剤。参薬(を混合する)の意。

【財】ザイ・サイ 例財産・私財・文化財・財布。表外たから→宝。参財貨の意。「サイ」は漢音、「ザイ」は呉音。⑤

【罪】ザイ、つみ 例罪状・罪人・犯罪・謝罪、罪人。部首罒。⑤

【崎】さき 例○○崎。表外キ→崎陽丸(船名)。参みさきの意で「×岬・×碕・×埼」と同義。「×﨑・×嵜」は俗字。

【作】サク・サ、つくる 例作文・作為・著作・豊作・作業・作用・動作・作法、作り方・米作り。表外なす→かな書き、おこす→興す。使い分け⇩本文[囲み]つくる(作・造)。参「見×做す」の「做」は「作」の俗字。②

【削】サク、けずる 例削除・削減・添削、粗削り。表外そぐ→かな書き。参「掘×鑿」「×鑿岩機」は「掘削」「削岩機」で代用(「鑿」は、のみ・うがつ)。

【昨】サク 例昨日・昨年・一昨日。参前日・前年の意。付昨日。④

【索】サク 例索引・思索・鉄索。表外なわ→縄、もとめる→求める。参さびしい意も(索漠)。

【策】サク 例策略・対策・策する。表外むち→かな書き、はかりごと→謀り事、ふだ(文字を記した竹のふだ)→札。⑥

【酢】サク、す 例酢酸、酢の物。参「×醋酸」は「酢酸」で代用(すっぱい意では、もと「す」は「酢」を、「サク」は「醋」を使った)。「サク」は慣用音。

【搾】サク、しぼる 例搾取・圧搾、乳を搾る・搾り取る。参国字。圧力を加えて汁をとる意。使い分け⇩本文[囲み]しぼる(絞・搾)。

【錯】サク 例錯誤・錯覚・交錯。表外ソ→錯辞(語句の配置法)、まじる→交じる、あやまる→誤る。参食い違う意。

【咲】さく 例遅咲き・返り咲き。参呉音・漢音に「ショウ(わらう)」がある。「さく」は国訓。正字咲。

【冊】サツ・サク 例冊子・分冊・別冊・短冊。表外ふみ→文。参文書の意。「サツ」は慣用音。正字册。部首冂。⑥

【札】サツ、ふだ 例札入れ・表札・改札、名札・札所。④

【刷】サツ、する 例刷新・印刷・増刷、四色刷り。表外はく(きれいにする)→かな書き。使い分け⇩本文[囲み]する(刷・擦)。参「版画を×摺する」なども「刷」でまかなう。部首刂。④

【殺(殺)】サツ・サイ・セツ、ころす 例殺人・殺傷・殺到・黙殺・相殺・殺生、見殺し。表外そぐ→かな書き。参「サイ」はそぎ削る意。「セツ」は呉音。④

【察】サツ 例察知・観察・考察・警察・察する。表外みる→見る。参念入りに細かく調べる意。④

【撮】サツ、とる 例撮影・撮要、写真を撮る。表外つまむ→かな書き。使い分け⇩本文[囲み]とる(取・採・捕・執・撮)。

【擦】サツ、する・すれる 例擦過傷・摩擦、擦り傷・靴擦れ。表外こする→かな書き、さする→かな書き。使い分け⇩本文[囲み]する(刷・擦)。

【雑(*雜)】ザツ・ゾウ 例雑談・雑音・混雑・雑炊・雑木林・雑兵。表外まじる→混じる。参別種のものが入り乱れる意。「ザツ」は慣用音、「ゾウ」は呉音。付雑魚。⑤

【皿】さら 例大皿・灰皿・銘々皿。参もっぱら訓を使う。③

【三】サン、み・みつ・みっつ 例三角・再三、三日月・三日・三つ指。参⇩参。付三味線。部首一。①

【山】 サン、やま 例山脈・高山・登山、山登り。表外セン→大山（だいせん）。付山車（だし）・築山（つきやま）。①

【参（參）】 サン、まいる 例参加・降参・参ずる。表外シン→参差（しんし）（入りまじる）、みっつ→三つ、まじわる→交わる。参証書類で「三」に代えて使う。④

【桟（棧）】 サン 例桟橋・桟道。参かけはし・さんばしの意。付桟敷（さじき）。

【蚕（蠶）】 サン、かいこ 例蚕食・養蚕。参「蚕・蠶」は本来別字。「蚕（テン）」はみみず、「蠶（サン）」はかいこ。正字蠶。⑥

【惨（慘）】 サン・ザン、みじめ 例惨劇・悲惨・陰惨・惨死（ザンシ）・惨殺（ザンサツ）。表外むごい→かな書き、いたましい→痛ましい・傷ましい。参「ザン」は慣用音。⇩残（ザン）。

【産】 サン、うむ・うまれる・うぶ 例産業・生産・産する、産み月。使い分け⇩本文[囲み]うむ（生・産）。付土産（みやげ）。正字產。④

【傘】 サン、かさ 例傘下・落下傘、雨傘。表外からかさ→唐傘。参「傘を差す／「×笠」かさをかぶる／「×暈」月にかさがかかる」のように使う。

【散】 サン、ちる・ちらす・ちらかす・ちらかる 例散歩・散文・解散、散り散りに・散らし。参「×撒布（まき散らす）」は「散布（散在・分布する）」で代用。「×撒水」は「散水（新造語）」で代用。「撒布（さんぷ）・撒水（さんすい）」は「さっぷ・さっすい」の慣用読み。「撒」はまきちらす、「散」はちらす意。④

【算】 サン 例算数・計算・予算・算する。表外かぞえる→数える。参算木の意。②

【酸】 サン、すい 例酸味（サンミ）・酸素、酸っぱい。表外す→酢。参すっぱい、酸素の意のほか、辛い意も（辛酸）。⑤

【賛（贊）】 サン 例賛成・賛同・称賛。表外たたえる→かな書き、ほめる→褒める、たすける→助ける。参「×讃」は「賛」で統一（賛仰・賛辞・賛嘆・賛美[歌]・称賛・賞賛）。「賛・讃」は褒めたたえる意。「讃」は「×讚」の俗字で、広く使う。⑤

【残（殘）】 ザン、のこる・のこす 例残留・残念、残り・食べ残し。表外そこなう→損なう。参むごい意で「惨」に通ずる（惨忍・残忍）。「敗残」の「残」は損なう意。付名残（なごり）。④

【暫】 ザン 例暫時・暫定的。表外しばらく・しばし→かな書き。

【士】 シ 例士官・武士・紳士。表外ジ→居士（こじ）、さむらい→侍。使い分け「栄養士・行政書士・計理士・無線技士・弁理士・税理士／教戒師・調理師・調教師・調律師・美容師・薬剤師／児童福祉司」のように使う。参立派な男子、役人の意。付一言居士（イチゲンコジ）・博士（ハカセ）。④

【子】 シ・ス、こ 例子孫・女子・帽子・金子（キンス）・扇子・様子、親子。表外ね→子（ね）。参「ス」は唐音。付迷子（まいご）・息子（むすこ）。①

【支】 シ、ささえる 例支持・支障・支店、支え。表外つかえる→かな書き。参枝分かれの意。付差し支（つか）える。⑤

【止】 シ、とまる・とめる 例止宿・静止・中止、行き止まり・歯止め。表外とどまる→かな書き、やめる→かな書き、よす→かな書き。使い分け⇩本文[囲み]とまる（止・留・泊）。付波止場（はとば）。②

【氏】 シ、うじ 例氏族・氏名・姓氏・某氏・源氏・〇〇氏、氏神。参家柄を表す名称。敬称ともする（氏の受賞を祝う）。部首氏。④

【仕】 シ・ジ、つかえる 例出仕・給仕（キュウジ）、宮仕え。表外つかまつる→かな書き。参「する」の連用形「し」に当てる（仕事・仕手・仕方・仕草・仕入れ・泥仕合）。「ジ」は呉音。③

【史】 シ 例史学・歴史・史料・世界史。表外ふみ→文、サカン（佐官）→史（さかん）。参歴史の意。部首口。④

【司】 シ 例司会・司令・上司。表外ス→殿司（でんす）（禅宗の役僧）、つかさ→司（つかさ）、つかさどる→かな書き。使い分け⇩士（シ）。④

【四】 シ、よ・よつ・よっつ・よん 例四角・四季、四人・四日（よっか）・四つ角・四回（よんカイ）。参証書類では「×肆（シ）」とも。①

【市】 シ、いち 例市民・市場（シジョウ）・市況・都市・市役所、市場（いちば）・競り市。参一画少ない「×巿（フツ）（ひざかけ）」は別字。部首巾。②

【矢】 シ、や 例一矢（イッシ）を報いる、弓矢・矢印・矢面（やおもて）。②

【旨】 シ、むね 例要旨・趣旨・本旨、〜の旨。表外うまい→かな書き。

【死】 シ、しぬ 例死亡・死角・必死・死する、死に絶える・死に神。参「死体／×屍体」は「死体」で統一（「屍」はしかばね）。③

【糸（絲）】 シ、いと 例綿糸・蚕糸・製糸業、糸目・毛糸。参

「糸・絲」は本来別字。「糸(ベキ)」は細糸、「絲(シ)」は絹糸。「いと」は国訓（中国では、「線(シェン)」）。①

【至】シ、いたる 例至当・至上・夏至(ゲシ)・冬至、若気の至り・至って。参特定の場所や段階に達する意。「▽到る（目的地に行き着く）」は「至」でまかなう（京都に至る・至る所）。⑥

【伺】シ、うかがう 例伺候。参「御機嫌を伺う・お宅に伺う」／「×窺・×覗」動向をうかがう・うかがい知れない」のように使う。

【志】シ、こころざす・こころざし 例志望・有志・寸志・三国志、志が高い。表外しるす→記す。⑤

【私】シ、わたくし 例私立・私腹・公私、私(わたくし)する。表外ひそかに→かな書き、わたし→かな書き。部首禾。⑥

【使】シ、つかう 例使役・使者・駆使・行使、使い走り・猛獣使い・子供の使い。使い分け ⇩本文［囲み］つかう（使・遣）。③

【刺】シ、さす・ささる 例刺激・刺客(シカク)・風刺・名刺、目刺し・刺し殺す。表外セキ→刺客(せっかく)、とげ→かな書き。使い分け ⇩本文［囲み］さす（差・刺・指・挿）。参「×潑×刺(はつらつ)」の「刺(ラツ)（もとる）」は別字。

【始】シ、はじめる・はじまる 例始終(シジュウ)・終始(シュウシ)・年始・開始、会議を始める・始まり。使い分け ⇩本文［囲み］はじまる（始・初）。③

【姉】シ、あね 例姉妹、姉上。参女きょうだいの年長者。「×姐御(あねご)」の「姐」は先輩格の女性。付姉(ねえ)さん。②

【枝】シ、えだ 例枝葉(シヨウ)・末節、枝葉(えだは)。参本筋から分かれ出たものの意。⑤

【祉（*祉）】シ 例福祉。表外さいわい→幸い。参恵みの意。

【肢】シ 例肢体・下肢・四肢・選択肢。参手足の意。

【姿】シ、すがた 例姿勢・姿態・容姿・雄姿、絵姿。⑥

【思】シ、おもう 例思想・意思・相思相愛、親思い。表外おぼす→かな書き。参広く思考作用に使う（苦しいと思う・問題だと思う・思い切り遊ぶ）。「おもう」と訓ずる「▽想（想像する）」「▽懐（思いを懐く）」「▽憶（記憶する）」「▽念（思念する）」「×惟（思惟(シイ)する）」は「思」でまかなう。②

【指】シ、ゆび・さす 例指示・指導・屈指、指先・名指し・指図。表外ゆびさす→指さす。使い分け ⇩本文［囲み］さす（差・刺・指・挿）。③

【施】シ・セ、ほどこす 例施設・施政・実施・施主(セシュ)・布施、施し。表外しく→敷く。参「セ」は慣用音。

【師】シ 例師匠・教師・医師。使い分け ⇩士(シ)。参先生の意。軍隊の意も（出師(スイシ)）。付師走(しわす・しはす)。部首巾。⑤

【紙】シ、かみ 例紙面・用紙・新聞紙、紙くず・厚紙。②

【脂】シ、あぶら 例脂肪・油脂・樹脂。使い分け ⇩油(ユ)。

【視（*視）】シ 例視覚・視力・注視。表外みる→見る。参注意して調べみる意。部首見。⑥

【紫】シ、むらさき 例紫紺・紫煙・紫外線、紫色・濃紫(こむらさき)。

【詞】シ 例歌詞・作詞・品詞。表外ことば→かな書き。付祝詞(のりと)。⑥

【歯（齒）】シ、は 例歯科・乳歯・義歯、歯茎・奥歯・入れ歯。表外よわい（年齢）→かな書き。③

【嗣】シ 例嗣子・嫡嗣。表外つぐ→継ぐ。参財産や名などを受け継ぐ意。部首口。

【試】シ、こころみる・ためす 例試験・試作・追試、試み・試し。参結果を調べるために行う意。④

【詩】シ 例詩情・詩人・詩歌(シカ)。参美的な表記として「▽詩(うた)」も好まれる。「詩歌」は「しいか（延音）」とも。③

【資】シ 例資本・資格・物資・資する。表外たすける→助ける。⑤

【飼】シ、かう 例飼育・飼料、牛飼い。表外やしなう→養う。⑤

【誌】シ 例誌面・日誌・雑誌。表外しるす→記す。⑥

【雌】シ、め・めす 例雌雄・雌伏、雌花・雌犬(めすいぬ)。参「▽雌▽鶏(めんどり)」は表外訓。鳥以外の家畜では「×牝」が一般的（牝馬(ひんば・めすうま)）。

【賜】シ、たまわる 例賜暇(シカ)・下賜(カシ)・恩賜、賜り物。表外たまう→かな書き。参「たまもの」とも訓じ、「▽賜物」とも書く。

【諮】シ、はかる [例] 諮問(シモン)、審議会に諮る。[使い分け] ⇩本文[囲み]はかる(計・測・量・図・謀・諮)。

【示】ジ・シ、しめす [例] 示威(ジイ)・示談・指示・示唆(シサ)・黙示(モクシ)録、指し示す。[参]「ジ」は呉音。新字体の偏は「ネ」(祝・祈・礼・社)。⑤

【字】ジ、あざ [例] 字画・字体・字音・文字・活字、大字(おおあざ)。[表外] あざな→かな書き。[部首] 子。①

【寺】ジ、てら [例] 寺院・社寺(ジシャ)(神社と寺院)・末寺、尼寺。②

【次】ジ・シ、つぐ・つぎ [例] 次回・次元・目次・次第(シダイ)、取り次ぐ・次いで・次に。[表外] やどる→宿る。[使い分け] ⇩本文[囲み]つぐ(次・継・接)。[正字] 次。[部首] 欠。③

【耳】ジ、みみ [例] 耳鼻科、早耳。[表外] のみ(助詞)→かな書き。①

【自】ジ・シ、みずから [例] 自分・自由・自然(シゼン)。[表外] おのずから→かな書き。[参]「▽自〜至〜」の形で「〜より〜に至る」と訓じて、時間・場所の範囲を表す(漢文訓読の名残)。「ジ」は呉音。②

【似】ジ、にる [例] 類似・酷似・疑似、似顔・父親似・似せる。⑤

【児(＊兒)】ジ・ニ [例] 児童・幼児・小児(ショウニ)科。[表外] こ→子。[参]「ニ」は呉音。[付] 稚児(ちご)。④

【事】ジ・ズ、こと [例] 事物・無事・師事・好事家(コウズカ)、仕事・出来事。[表外] つかえる→仕える。[使い分け]「事を起こす・事を構える／行ったことがある・上履き持参のこと」のように使う。[参] 新聞は「食×餌療法」を「食事療法」で代用するが、慣用になじまない(「食餌」は治療のための食事)。「ジ」は呉音、「ズ」は慣用音。[部首] 亅。③

【侍】ジ、さむらい [例] 侍従・侍女・侍医・侍する、犬侍(いぬざむらい)。[表外] さぶろう→かな書き、はべる→かな書き。

【治】ジ・チ、おさめる・おさまる・なおる・なおす [例] 政治・療治・治安(チアン)・自治・治する、国が治まる・風邪が治る。[使い分け] ⇩本文[囲み]おさまる(収・納・修・治)・なおる(直・治)。[参]「ジ」は呉音。④

【持】ジ、もつ [例] 持参・持続・支持、手持ちぶさた・女持ち。[表外] チ→扶持米(ふちまい)。③

【時】ジ、とき [例] 時間・時候・当時、時めく・時々。[使い分け]「二十歳に達した時／困ったとき(場合)」のように使う。[付] 時雨(しぐれ)・時計(トケイ)。②

【滋】ジ [例] 滋味・滋養。[表外] しげる→茂る、ます→増す。[参] うるおう意。[正字] 滋。

【慈】ジ、いつくしむ [例] 慈愛・慈善・慈悲、慈しみ。[正字] 慈。

【辞(辭)】ジ、やめる [例] 辞書・辞職・式辞・辞する。[表外] ことば→言葉、ことわる→断る、いなむ→否む。[参] 言葉、辞去・辞退・辞職の意。「会社を辞める／[▽止]酒をやめる」のように使う。[部首] 辛。④

【磁】ジ [例] 磁石・磁気・陶磁器。[参] 鉄を吸いつける石の意。[正字] 磁。⑥

【璽】ジ [例] 御名御璽(ギョメイギョジ)・国璽。[表外] しるし→かな書き。[参] 玉石に刻んだ印の意。

【式】シキ [例] 式典・形式・数式・日本式。[表外] のり→かな書き。[参] 決まり・行事の意。③

【識】シキ [例] 識見・識別・意識・常識・知識・面識。[表外] しる→知る、しるす→記す。[参] 物事を見分ける、記録する意。⑤

【軸】ジク [例] 軸受け・車軸・地軸・枢軸。[参] 物事の中心の意。

【七】シチ、なな・ななつ・なの [例] 七五三・七福神・七宝(シッポウ)、七不思議・七日(なのか)。[参]「七日」は「なぬか」とも。⇩漆(シツ)。[付] 七夕(たなばた)。①

【失】シツ、うしなう [例] 失望・失敗・消失・失する、銭失い。[表外] うせる→かな書き。[部首] 大。④

【室】シツ、むろ [例] 室内・皇室・居室・温室・密室、室咲き・石室(いしむろ)。[参] 奥の部屋の意。②

【疾】シツ [例] 疾患・疾走・疾風・悪疾。[表外] やまい→病、やむ→病む、にくむ→憎む、はやい→速い。[参] はやい、急性の病気の意。

【執】シツ・シュウ、とる [例] 執務・執筆・執念(シュウネン)・執心・我執、事務を執る・執り行う。[使い分け] ⇩本文[囲み]とる(取・採・捕・執・撮)。[参]「シツ」は慣用音。[部首] 土。

【湿(＊濕)】シツ、しめる・しめす [例] 湿度・湿地・湿気(シッケ・シッキ)・多湿、湿り気。[表外] うるおう→潤う。

【漆】シツ、うるし 例漆器・漆黒・乾漆、漆塗り。参証書類では俗字「×桼」とともに「七」の代わりにも使う。

【質】シツ・シチ・チ 例質問・質実・本質・質屋・人質・言質。表外ただす→かな書き。参「シチ・チ」は呉音。⑤

【実(實)】ジツ、み・みのる 例実力・実行・充実・実に、実入り・実り。表外まこと→誠。③

【芝】しば 例人工芝・芝居。表外シ→霊芝(キノコの名)。付芝生。

【写(寫)】シャ、うつす・うつる 例写真・写実・描写・映写、写真を写す・写し絵。使い分け⇩本文[囲み]うつる(移・映・写)。部首写ー冖、寫ー宀。③

【社(*社)】シャ、やしろ 例社会・社交・社中・会社・神社、奥社。②

【車】シャ、くるま 例車輪・車庫・電車、歯車。参人力車の場合は「×俥(国字)」も。付山車。①

【舎】シャ 例舎監・校舎・寄宿舎。表外やどる→宿る。参謙称ともする(舎弟)。付田舎。正字舍。⑤

【者(*者)】シャ、もの 例学者・医者・前者・後者・第三者、若者。使い分け「十八歳未満の者/物を大切に扱う/正しいものと認める」のように使う。「大物・小物」は人を指すときも「物」。付猛者。部首耂。③

【射】シャ、いる 例射撃・発射・日射病、射手・射座。表外ヤ→僕射(官名)、さす→差す、あてる→当てる。部首寸。⑥

【捨】シャ、すてる 例捨象・取捨・喜捨。正字捨。⑥

【赦】シャ 例赦免・大赦・恩赦。表外ゆるす→許す。参罪をないものとする意。

【斜】シャ、ななめ 例斜面・斜線・傾斜、斜め上。表外はす→かな書き。

【煮(*煮)】シャ、にる・にえる・にやす 例煮沸、雑煮・生煮え・業を煮やす。

【遮】シャ、さえぎる 例遮断・遮音・遮二無二。

【謝】シャ、あやまる 例謝絶・陳謝・感謝・新陳代謝・謝する、平謝り。表外ことわる→断る。参「慰×藉料」は「慰謝料」で代用(「謝」は謝罪する、「藉」は慰める)。⑤

【邪】ジャ 例邪悪・邪推・正邪。表外よこしま→かな書き。付風邪。正字邪。

【蛇】ジャ・ダ、へび 例蛇の目・大蛇・蛇行・蛇足、にしき蛇。参十二支のへびは「×巳」。「ジャ」は呉音、「ダ」は慣用音。

【勺】シャク 例五勺の酒。参尺貫法の単位。参ひしゃく、くむ意。正字勺。

【尺】シャク 例尺度・尺貫法。表外セキ→咫尺(ごく近い距離)。参尺貫法の単位。部首尸。⑥

【借】シャク、かりる 例借用・借金・貸借・拝借。表外シャ→仮借(漢字の六書の一)。④

【酌】シャク、くむ 例酌量・晩酌、酌み交わす。参「酒を酌む/[×汲]水をくむ・流れをくむ」のように使う。「事情をくむ・意味をくみ取る」は多くかな書き。

【釈(釋)】シャク 例釈明・釈放・解釈。表外セキ→釈奠、とく→解く、すてる→捨てる、おく→かな書き、ゆるす→許す。参解きあかす意。

【爵】シャク 例爵位・公爵・天爵。参貴族の階級を表す。本来、さかずきの意。正字爵。部首爫。

【若】ジャク・ニャク、わかい・もしくは 例若年・若干・老若、若者。表外ニャ→般若、ごとし→かな書き、もし→かな書き、しく→かな書き。参「ニャク」は呉音。⇩弱。付若人。部首艹。⑥

【弱】ジャク、よわい・よわる・よわまる・よわめる 例弱点・弱小・強弱、弱虫。参若い、二十歳の意も(弱冠)。若い意で「若」に通じる(若年・弱年、若輩・弱輩)。②

【寂】ジャク・セキ、さび・さびしい・さびれる 例寂滅・静寂・閑寂・寂する・寂然・寂として、物寂しい・寂しさ。表外しずか→静か。参「さび」は表内訓(寂のある声)、「さびる」は表外訓(▽寂びた声)。「ジャク」は呉音、「セキ」は漢音。

【手】シュ、て・た 例手腕・挙手・選手、手柄・素手・手綱・手繰る。付上手・下手・手伝う。①

【主】 シュ・ス、ぬし・おも [例]主人・主権・施主・法主(ホッス・ホウシュ・ホッシュ)・坊主(ボウズ)、地主・主な人々。[表外]あるじ→かな書き、つかさどる→かな書き。[参]「ス」は呉音。[正字]主。[部首]丶。③

【守】 シュ・ス、まもる・もり [例]守備・保守・厳守・留守(ルス)、守(まも)り・お守(もり)・子守・灯台守。[表外]かみ(長官)→守(かみ)。[参]「ス」は呉音。③

【朱】 シュ [例]朱肉・朱筆・朱塗り。[表外]ス→朱雀(すじゃく)、あか→赤、あけ→かな書き。[参]黄赤色の意。[部首]木。

【取】 シュ、とる [例]取捨・取材・聴取、手に取る。[使い分け]⇩本文[囲み]とる(取・採・捕・執・撮)。[部首]又。③

【狩】 シュ、かる・かり [例]狩猟、狩り込み・狩り場・ぶどう狩り。

【首】 シュ、くび [例]首尾・首席・自首、首飾り。[表外]こうべ→かな書き、はじめ→初め、おさ→長(おさ)。[参]頭の意。元来「くび」は「×頸(ケイ)」。②

【殊】 シュ、こと [例]殊勝・殊勲・特殊、殊に・殊の外・殊更。

【珠】 シュ [例]珠玉・珠算・真珠。[表外]たま→玉。[参]真珠の意。[付]数珠(ジュズ)。

【酒】 シュ、さけ・さか [例]酒宴・酒席・飲酒・洋酒、酒好き・酒屋(さかや)。[参]「×洒脱(しゃだつ)・×洒▽落(しゃれ)」の「洒」は別字。[付]お神酒(みき)。[部首]酉。③

【種】 シュ、たね [例]種類・人種、菜種・一粒種。[表外]くさ→かな書き、うえる→植える。④

【趣】 シュ、おもむき [例]趣向・趣味、趣がある。[表外]おもむく→赴く。

【寿(*壽)】 ジュ、ことぶき [例]寿命・長寿。[表外]とし→年、ことほぐ→かな書き。[参]長生きする意。[部首]寿ー寸、壽ー士。

【受】 ジュ、うける・うかる [例]受諾・受験・受信・享受・甘受、注文を受ける・受付・試験に受かる。[表外]ズ→受領(ずりょう)。[使い分け]⇩本文[囲み]うける(受・請)。[部首]又。③

【授】 ジュ、さずける・さずかる [例]授与・授受・教授、授かり物。⑤

【需】 ジュ [例]需要・需給・必需品。[表外]もとめる→求める。

【儒】 ジュ [例]儒学・儒教・儒者。[参]孔子の教え、学問、学者の意。

【樹】 ジュ [例]樹木・樹立・街路樹。[表外]き→木、うえる→植える、たてる→立てる。[参]立ち木の意。⑥

【収(*收)】 シュウ、おさめる・おさまる [例]収穫・収入・収納・回収、成功を収める。[使い分け]⇩本文[囲み]おさまる(収・納・修・治)。[参]「×蒐集」は類義の「収集」で代用(「蒐」は集める)。[部首]収ー又、收ー攵。⑥

【囚】 シュウ [例]囚人・死刑囚。[表外]とらえる→捕らえる、とらわれる→かな書き。[参]獄に入れて自由を奪う意。「▽囚▽人(めしゅうど)」は熟字訓。⇩捕(ホ)。

【州】 シュウ、す [例]州議会・六大州・豪州、中州・三角州。[参]「×洲」は同義の「州」で代用。もと「洲/州」は「中洲(なかす)・欧洲(オウシュウ)/九州・奥州・州議会」のように使った。③

【舟】 シュウ、ふね・ふな [例]舟運・舟艇、渡し舟・舟遊び(ふなあそび)・舟歌。[使い分け]⇩船(セン)

【秀】 シュウ、ひいでる [例]秀逸・秀才・秀作・優秀。

【周】 シュウ、まわり [例]周知・周囲・円周、池の周り・周りの人。[表外]めぐる→巡る。[使い分け]⇩本文[囲み]まわり(回・周)。[部首]口。④

【宗】 シュウ・ソウ [例]宗教・改宗・宗家(ソウケ)・宗匠(ソウショウ)・宗主。[表外]むね→かな書き。[参]おおもとの意。「シュウ」は慣用音。⑥

【拾】 シュウ・ジュウ、ひろう [例]拾得・収拾・拾万円、拾い物。[参]証書類では「十」に代えて使う。「ジュウ」は呉音。③

【秋】 シュウ、あき [例]秋季・秋分・晩秋、麦秋(バクシュウ・むぎあき)。[表外]とき→危急存亡の秋(とき)。②

【臭(*臭)】 シュウ、くさい [例]臭気・悪臭・俗臭、臭み。[表外]におい→かな書き。[参]学術用語集は「×嗅覚(キュウカク)」を新造語「臭覚(シュウカク)」で言い換えるが、慣用になじまない。[部首]自。

【修】 シュウ・シュ、おさめる・おさまる [例]修業(シュウギョウ)証書・修飾・武者修行(シュギョウ)・花嫁修業(シュギョウ)、学を修める・身が修まらない。[使い分け]⇩本文[囲み]おさまる(収・納・修・治)。[部首]人。⑤

【終】 シュウ、おわる・おえる [例]終了・終日・終電車・最終、終わり。[表外]ついに→かな書き。[参]「しまう」とも訓ずる。[正字]終。③

【習】シュウ、ならう 例 習得・習慣・練習、手習い。表外 ならわし→かな書き。使い分け ⇩本文［囲み］ならう（倣・習）。部首 羽。③

【週】シュウ 例 週刊・週末・毎週。表外 めぐる→巡る。参「週」は七曜に使う。巡る意の熟語は同義の「周」を使う（周遊・周回）。②

【就】シュウ・ジュ、つく・つける 例 就任・就寝・去就・成就（ジョウジュ）、床に就く・職に就く。使い分け ⇩本文［囲み］つく（付・着・就・突）。参「ジュ」は呉音。部首 尢。⑥

【衆】シュウ・シュ 例 衆寡（シュウカ）・民衆・大衆・聴衆・衆愚・衆生（シュジョウ）。表外 おおい→多い、もろもろ→かな書き。参「シュ」は呉音。⑥

【集】シュウ、あつまる・あつめる・つどう 例 集合・集結・全集、集まり・人集め・集い。参「特集／特×輯」「編集／編×輯」「集荷／×蒐荷」「集落／×聚落」は前者で統一（「輯」は集めて一つにする、「蒐」は寄せ集める、「聚」は寄り合う）。部首 隹。③

【愁】シュウ、うれえる・うれい 例 愁傷・哀愁・憂愁。使い分け ⇩憂（ウュ）。

【酬】シュウ 例 報酬・応酬。表外 むくいる→報いる。参 返杯する意から、受けた物を返す意。

【醜】シュウ、みにくい 例 醜悪・醜態・醜聞・醜怪・美醜、醜さ。表外 しこ→かな書き。部首 酉。

【襲】シュウ、おそう 例 襲撃・襲来・襲名・世襲、襲いかかる。表外 かさねる→重ねる（ただし、「▽襲（かさね）の色目」）、つぐ→継ぐ。

【十】ジュウ・ジッ、とお・と 例 十字架・十回（ジッカイ）、十日（とおか）・十色（といろ）。参「十回・十手・十足」などは、「ジッカイ・ジッテ・ジッソク」のようにしたい（常用漢字表では「ジュッ」の形は認められていない）。証書類では「拾・×什」とも。「ジッ」は慣用音。付 十重二十重（とえはたえ）、二十・二十歳（はたち）、二十日（はつか）。①

【汁】ジュウ、しる 例 果汁・墨汁、汁粉・みそ汁。

【充】ジュウ、あてる 例 充実・充電・補充。表外 みちる→満ちる。使い分け ⇩本文［囲み］あたる・あてる（当・充）。正字 充。

【住】ジュウ、すむ・すまう 例 住所・安住・衣食住・住する、部屋住み・住まい。参 人に使う。動物には「×栖（す）む・×棲（す）む」も好まれる。③

【柔】ジュウ・ニュウ、やわらか・やわらかい 例 柔軟・柔道・柔和（ニュウワ）・柔弱（ニュウジャク）、柔らかな物腰・柔らかい毛織物。使い分け ⇩本文［囲み］やわらかい（柔・軟）。参「ニュウ」は慣用音。

【重】ジュウ・チョウ、え・おもい・かさねる・かさなる 例 重量・重大・厳重・重畳（チョウジョウ）・慎重・貴重、重たい・重ね着。参「ジュウ」は慣用音。付 十重二十重（とえはたえ）。部首 里。③

【従（*從）】ジュウ・ショウ・ジュ、したがう・したがえる 例 従事・従順・従業員・服従・従容（ショウヨウ）・従◯（ジュイ）位、従って。表外 より→かな書き。参「ジュウ」は慣用音、「ショウ」は漢音、「ジュ」は呉音。⑥

【渋（*澁）】ジュウ、しぶ・しぶい・しぶる 例 渋滞・苦渋、渋紙・渋み・出し渋る。参「×澀」は別体。

【銃】ジュウ 例 銃砲・銃弾・小銃。表外 つつ（銃身）→筒、つつ（銃全体）→銃（つつ）。正字 銃。

【獣（*獸）】ジュウ、けもの 例 獣類・猛獣・鳥獣。表外 けだもの→かな書き。

【縦（*縱）】ジュウ、たて 例 縦横・縦断・操縦・放縦（ホウジュウ）、縦横。表外 ショウ→放縦（ほうしょう）、はなつ→放つ、ゆるす→許す、ほしいまま→かな書き、たとえ→かな書き。参 考古学では「×竪穴（たてあな）」。「ジュウ」は慣用音。⑥

【叔】シュク 例 伯叔（ハクシュク）。参 父母の弟の意。付 叔父（おじ）・叔母（おば）。

【祝（*祝）】シュク・シュウ、いわう 例 祝賀・祝日・祝する・祝儀（シュウギ）・祝言（シュウゲン）、入学祝い。表外 はふり（巫者（ふしゃ））→かな書き、ほぐ→かな書き、のる（神に告げる）→かな書き。参「シュウ」も漢音。付 祝詞（のりと）。④

【宿】シュク、やど・やどる・やどす 例 宿泊・合宿、宿屋・雨宿り。表外 スク→宿世（すくせ）（前世）、とまる→泊まる。参 もとからの意も（宿願・宿題）。「▽宿酔（ふつかよい）」は熟字訓。③

【淑】シュク 例 淑女・貞淑・私淑。表外 よい→善い、しとやか→かな書き。

【粛（肅）】シュク 例 粛清・静粛・自粛。表外 つつしむ→慎む。参 心を引き締め、かしこまる意、また損なう意（粛殺）。部首 聿。

【縮】シュク、ちぢむ・ちぢまる・ちぢめる・ちぢれる・ちぢらす 例 縮小・縮図・短縮、伸び縮み・縮れ毛。⑥

【塾】ジュク 例私塾・義塾。参私設の学校の意。

【熟】ジュク、うれる 例熟練・熟慮・成熟・熟成・熟語・熟する。表外つらつら→かな書き。⑥

【出】シュツ・スイ、でる・だす 例出入・出現・提出・出納(スイトウ)・出師(スイシ)・遠出・出し入れ。表外いだす→かな書き。参「スイ」も漢音。部首凵。①

【述】ジュツ、のべる 例述懐・叙述・陳述・著述。正字述。⑤

【術】ジュツ 例術策・技術・芸術。表外わざ→技、すべ→かな書き。正字術。⑤

【俊】シュン 例俊敏・俊秀・俊英・俊傑。表外すぐれる→優れる。参「俊才／×駿才」は「俊才」で統一。「俊足(俊英、優れた人)／×駿足(駿英、足の速い馬・人)」は類義の「俊足」で統一。元来「駿」は優れた馬。足の速い馬の意では「駿足」。

【春】シュン、はる 例春季・立春・青春、春めく。参「×舂(ショウ)(うすづく)」は別字。部首日。②

【瞬】シュン、またたく 例瞬間・瞬時・一瞬、瞬き。正字瞬。

【旬】ジュン 例旬刊・上旬。表外シュン→旬(しゅん)の野菜。参十日間の意。

【巡】ジュン、めぐる 例巡回・巡業・一巡、巡り歩く。参ぐるりと回り歩く、見て回る意。「めぐる」と訓ずる「×廻(ぐるりと回る)」「×繞(取り巻く)」「▽循(あちこち回る)」は「巡」でまかなう。付お巡(まわ)りさん。

【盾】ジュン、たて 例矛盾、後ろ盾。参「たて」は「×楯(ジュン)」も好まれる。

【准】ジュン 例准将・准看護師。参「批准」の「准」は許す意。なぞらえる意では、もと「準」の俗字。「×淮(ワイ)」は別字。

【殉】ジュン 例殉死・殉職・殉難・殉ずる。表外したがう→従う。参後を追って死ぬ意。

【純】ジュン 例純真・純粋・純朴・単純・不純。参混じりけがない意。⑥

【循】ジュン 例循環・因循。表外したがう→従う、めぐる→巡る。

【順】ジュン 例順序・順調・従順・打順・着順。表外したがう→従う。参学術用語集は「×馴化」を「順化」で代用(「馴」はならす)。新聞は「遵法・遵守」の「遵(表内字)」を同義の「順」で代用することがある(順法・順守)。「遵奉」も「順奉」で代用することがある。これは「遵」は常用漢字表から削除できるという考えに基づく。部首頁。④

【準】ジュン 例準備・基準・標準・準ずる。表外なぞらえる→かな書き。参水準器の意から、目安となるものの意。「×凖」は俗字。部首氵。⑤

【潤】ジュン、うるおう・うるおす・うるむ 例潤色・潤沢・湿潤。

【遵】ジュン 例遵守・遵法・遵奉。表外したがう→従う。参⇩順(ジュン)。正字遵。

【処(處)】ショ 例処置・処罰・処分・処女・処する。表外ところ→かな書き・所(場所)、おる→かな書き、おく→置く。参「場処」は避けたい。部首処―几、處―虍。⑥

【初】ショ、はじめ・はじめて・はつ・うい・そめる 例初期・初心者・最初、冬の初め・初めて・初雪・書き初(ぞ)め。使い分け⇩本文[囲み]はじまる(始・初)。部首刀。④

【所】ショ、ところ 例所得・住所・近所、台所。使い分け「家を建てる所・所番地／今のところ・ところで・ところが」のように使う。③

【書】ショ、かく 例書画・書籍・読書・書する、読み書き。表外ふみ→文。参「字を書く／[▽描]絵をかく／[▽画]図をかく」のように使う。部首曰。②

【庶】ショ 例庶民・庶務・庶子。表外ちかい→近い、もろもろ→かな書き。参もろもろ、もろびと、めかけの子。部首广。

【暑(*暑)】ショ、あつい 例暑気・残暑・酷寒・避暑、蒸し暑い。使い分け⇩本文[囲み]あつい(暑・熱・厚)。③

【署(*署)】ショ 例署長・署名・警察署・署する。参役所、記す意。部首罒。⑥

【緒(*緒)】ショ・チョ、お 例緒戦・由緒・端緒・情緒(ジョウチョ)・鼻緒。表外いとぐち→糸口。参「チョ」は慣用音。

【諸(*諸)】ショ 例諸君・諸国・諸般。表外これ→かな書き、もろ→かな書き、もろもろ→かな書き。⑥

【女】ジョ・ニョ・ニョウ、おんな・め 例 女子・少女・女人・天女・女房、女心・女神。表外 むすめ→娘、なんじ→かな書き、めあわす→かな書き。参「ニョ」は呉音。「ニョウ」は慣用音。付 海女・乙女。①

【如】ジョ・ニョ 例 欠如・突如・躍如・如実・如来。表外 しく→かな書き、ごとし→かな書き、もし→かな書き。参「ニョ」は呉音。部首 女。

【助】ジョ、たすける・たすかる・すけ 例 助力・助監督・救助、助けを呼ぶ・大助かり・助太刀。表外 すけ（次官）→助。③

【序】ジョ 例 序幕・順序・秩序。表外 ついで→かな書き。参 順序の意。⑤

【叙（*敍）】ジョ 例 叙述・叙景・叙する。表外 のべる→述べる。参 序列に組み込む意も（叙勲）。「×抒情／叙情」は「叙情」で統一（「抒」も述べる意。もと、もっぱら「抒情」）。部首 叙―又、敍―攴。

【徐】ジョ 例 徐行・徐々に。表外 おもむろに→かな書き、しずかに→静かに。

【除】ジョ・ジ、のぞく 例 除外・除数・解除・控除・除する・掃除、取り除く。表外 はらう→払う。参「ジ」は慣用音。⑥

【小】ショウ、ちいさい・こ・お 例 小心・縮小、小さな・小鳥・小川・小暗い。表外 さ→小夜。使い分け「過小・極小・弱小・微小／希少・軽少・年少・幼少」のように使う。「少数／小数」「少額／小額」「最少／最小」は意味に応じて使い分ける。「少憩／小憩」「少食／小食」は同義だが、対句表現では「小食・大食にかかわらず…」などと使う。参「小路」は延音。付 小豆。①

【升】ショウ、ます 例 一升、升目。表外 のぼる→上る・昇る。参 尺貫法の単位。部首 十。

【少】ショウ、すくない・すこし 例 少年・多少・減少、少なめ。表外 わかい→若い、しばらく→かな書き。使い分け ⇩小。②

【召】ショウ、めす 例 召喚・召集、お召し物・召し上がる。部首 口。

【匠】ショウ 例 師匠・巨匠・意匠。表外 たくみ→かな書き。参 大工の意。部首 匚。

【床】ショウ、とこ・ゆか 例 起床・温床、床の間・寝床・床下。参 本来「×牀（ゆか）」の俗字。「床しい」とも当てる。

【抄】ショウ 例 抄録・抄本・抄訳・詩抄・手抄。参 抜き書きする、写すの意。

【肖】ショウ 例 肖像・不肖。表外 にる→似る、かたどる→かな書き。あやかる→かな書き。正字 肖。部首 肉。

【尚】ショウ 例 尚早・高尚・尚武。表外 たっとぶ→尊ぶ、ひさしい→久しい、なお→かな書き。正字 尚。部首 ⺌。

【招】ショウ、まねく 例 招待・招請・招集・招ずる、招き。表外 よぶ→呼ぶ。⑤

【承】ショウ、うけたまわる 例 承知・承諾・継承。表外 うける→受ける。参「受け▽給わる」は避けたい。部首 手。⑤

【昇】ショウ、のぼる 例 昇降・昇進・上昇、日が昇る。使い分け ⇩本文［囲み］のぼる（上・昇・登）。参「×陞叙／昇叙」は「昇叙」で統一（「陞」ものぼる意。もと、もっぱら「陞叙」）。

【松】ショウ、まつ 例 松竹梅・白砂青松、松原・門松。④

【沼】ショウ、ぬま 例 沼沢・湖沼、沼地・泥沼。

【昭】ショウ 例 昭和。表外 あきらか→明らか。参 年号・人名などに使う。③

【宵】ショウ、よい 例 春宵・徹宵、宵の口。

【将（*將）】ショウ 例 将来・将棋・大将。表外 ひきいる→率いる、まさに→かな書き。部首 寸。⑥

【消】ショウ、きえる・けす 例 消滅・消極的・費消、立ち消え・消しゴム。参「消却／×銷却」は「消却」で統一（もと法令ではもっぱら「銷却」）。「消夏／×銷夏」は「消夏」で統一。「×銷沈」は「消沈」で代用。「銷」は消す・なくす意。③

【症】ショウ 例 症状・炎症・重症・合併症。参 病気の意。

【祥（*祥）】ショウ 例 発祥・吉祥・不祥事。表外 さいわい→幸い、さち→幸。参 めでたさの先触れの意。

【称（稱）】ショウ 例 称賛・称号・名称・称する。表外 たたえる

→かな書き、となえる→唱える。[参]名づける意。ほめる意では「賞」に通じる（称賛・賞賛）。

【笑】 ショウ、わらう・えむ [例]笑覧・微笑・談笑、大笑い・ほくそ笑む。[付]笑顔。④

【唱】 ショウ、となえる [例]唱歌・合唱・提唱。[表外]うたう→歌う、うたう→歌。[参]「吟×誦」「愛×誦」は「吟唱」「愛唱」で代用（「誦」は大声で読む、そらんずる）。④

【商】 ショウ、あきなう [例]商売・商業・貿易商、商い。[表外]はかる→謀る。[部首]口。③

【渉（*渉）】 ショウ [例]徒渉・渉外・干渉・交渉。[表外]わたる→渡る、かかわる→かな書き。

【章】 ショウ [例]憲章・勲章・文章。[参]印・模様・区切り・明らかの意。③

【紹】 ショウ [例]紹介。[表外]つぐ→継ぐ。[参]引き合わせる意も。

【訟】 ショウ [例]訴訟。[表外]うったえる→訴える。[参]法廷で争う意。

【勝】 ショウ、かつ・まさる [例]勝敗・勝利・優勝・全勝・名勝、勝ち星・勝手・男勝り。[表外]たえる→耐える・堪える、すぐれる→かな書き。[参]「勝負に勝つ／[▽克]苦難にかつ・己にかつ」のように使う。[部首]力。③

【掌】 ショウ [例]掌握・掌中・職掌・合掌・車掌。[表外]てのひら→手の平、たなごころ→かな書き、つかさどる→かな書き。

【晶】 ショウ [例]結晶・水晶。[表外]あきらか→明らか。[参]きらめく意。

【焼（*燒）】 ショウ、やく・やける [例]焼却・燃焼、炭焼き・夕焼け。[参]「魚を焼く／[×妬・×嫉]人の幸せをやく／[▽焦]思慕に身をやく」のように使う。④

【焦】 ショウ、こげる・こがす・こがれる・あせる [例]焦土・焦慮・焦心、黒焦げ・待ち焦がれる・焦り。[表外]じらす→かな書き。

【硝】 ショウ [例]硝石・硝酸。[参]ガラスなどの原料鉱石の意。

【粧】 ショウ [例]化粧・新粧。[表外]ソウ→新粧、よそおう→装う。[参]おしゃれをする意。

【詔】 ショウ・みことのり [例]詔勅・詔書。[参]天子の命令の意。

【証（證）】 ショウ [例]証拠・証明・免許証・証する。[表外]あかし→かな書き。[参]事実によって明らかになる意。「証・證」は本来別字。「証」はいさめる、「證」は明らかにする意。「證」は「～證券（会社名）」などで好まれる。⑤

【象】 ショウ・ゾウ [例]象徴・対象・現象・巨象。[表外]かたち→形、かたどる→かな書き。[参]「ショウ（漢音）」はかたどる、「ゾウ（呉音）」は像（形）の意。④

【傷】 ショウ、きず・いたむ・いためる [例]障害・負傷・感傷、古傷・家が傷む。[表外]きずつける→傷付ける、やぶる→かな書き。[使い分け]⇩本文[囲み]いたむ（痛・傷・悼）。⑥

【奨（*奬）】 ショウ [例]奨励・推奨。[表外]すすめる→勧める。

【照】 ショウ、てる・てらす・てれる [例]照明・照会・対照的、日照り。④

【詳】 ショウ、くわしい [例]詳細・詳報・未詳。[表外]つまびらか→かな書き。

【彰】 ショウ [例]表彰・顕彰。[表外]あきらか→明らか、あらわす→かな書き。

【障】 ショウ、さわる [例]障害・障子・故障、目障り・差し障り。[使い分け]⇩本文[囲み]さわる（触・障）。[参]法令では、「×牆壁（垣根と壁、隔て）」を類義の「障壁（壁・障害・隔て）」で代用。⑥

【衝】 ショウ [例]衝突・衝動。[表外]つく→突く、うつ→打つ。[参]かなめの意も（要衝・折衝）。

【賞】 ショウ [例]賞罰・賞与・懸賞・賞する。[表外]ほめる→褒める、めでる→かな書き。[参]⇩称。④

【償】 ショウ、つぐなう [例]償金・弁償・代償・補償、償い。

【礁】 ショウ [例]岩礁・暗礁・さんご礁。[参]水面下に隠れた岩の意。

【鐘】 ショウ、かね [例]半鐘・警鐘・鐘楼、除夜の鐘。[参]「鐘を突く／[×鉦]かねや太鼓で探す」のように使う。「鐘」はつり鐘、「鉦」はたたきがね。「鍾乳洞」の「×鍾（集める）」は別字。

【上】 ジョウ・ショウ、うえ・うわ・かみ・あげる・あがる・のぼる・のぼせる・のぼす [例]上旬・上昇・上品・上述・身上・上人・身上をつぶす、身の上・調査・上着・川上・売り上げ・値上がり・上り列車。表外 たてまつる→奉る。使い分け ⇩本文[囲み]あがる(上・挙・揚)・のぼる(上・昇・登)。参「ジョウ」は呉音、「ショウ」は漢音。付 上手(ジョウズ)。部首 一。①

【丈】 ジョウ、たけ 例 丈六の仏・丈夫な体・方丈、着丈・背丈。表外 だけ(助詞)→かな書き。参 尺貫法の単位。部首 一。

【冗】 ジョウ 例 冗談・冗長・冗費。表外 むだ→無駄。参 新聞は「剰員」を「冗員」と書く(余る意で「剰」に通ずる)。また「×饒舌(じょうぜつ)(多弁)」を「冗舌」で代用するが、慣用になじまない。

【条(*條)】 ジョウ 例 条理・条件・条約・箇条。表外 えだ→枝、すじ→筋。参 箇条書きにした文の意。部首 木。⑤

【状(*狀)】 ジョウ 例 状態・形状・白状・免状。表外 かたち→形。参 姿・形の意で「さま」とも訓ずる。⇩情(ジョウ)。部首 犬。⑤

【乗(*乘)】 ジョウ、のる・のせる 例 乗数・乗車・乗ずる、乗り物。使い分け ⇩本文[囲み]のる(乗・載)。部首 丿。③

【城】 ジョウ、しろ 例 城内・城郭・築城・城下町、城跡。表外 きずく→築く。正字 城。⑥

【浄(*淨)】 ジョウ 例 浄化・清浄・不浄。表外 きよい→清い。参「洗×滌」は類義の「洗浄(洗い清める)」で代用(「滌」はそそぐ意。「洗滌(せんじょう)」は「せんでき」の慣用読み)。

【剰(*剩)】 ジョウ 例 剰余・過剰・余剰。表外 あまる→余る、あまつさえ→かな書き。参 余分な残り物の意で「冗」に通ずる。⇩冗(ジョウ)。

【常】 ジョウ、つね・とこ 例 常備・日常・非常・異常、常に・世の常・常夏(とこなつ)。表外 とこしえに→かな書き。部首 巾。⑤

【情】 ジョウ・セイ、なさけ 例 情報・情熱・人情・風情(フゼイ)・情けない。表外 こころ→心。参 有様の意で「状」に通じる(状況・情況)。参「ジョウ」は呉音、「セイ」は漢音。正字 情。⑤

【場】 ジョウ、ば 例 会場・入場、場所・広場・場合。参「×塲」は俗字。②

【畳(*疊)】 ジョウ、たたむ・たたみ 例 畳語・重畳(チョウジョウ)、折り畳み・畳表。

【蒸】 ジョウ、むす・むれる・むらす 例 蒸気・蒸発、蒸し暑い。⑥

【縄(繩)】 ジョウ、なわ 例 縄文・自縄自縛、縄張り。参 常用漢字表では「縄張り」を「縄張」とするが、慣用になじまない。

【壌(壤)】 ジョウ 例 土壌。表外 つち→土。参 大地の意。

【嬢(*孃)】 ジョウ 例 令嬢・愛嬢・お嬢さん。表外 むすめ→娘。参 少女の敬称。

【錠】 ジョウ 例 錠前・手錠・錠剤・健胃錠。参 じょうまえ・丸薬の意。

【譲(*讓)】 ジョウ、ゆずる 例 譲渡・譲歩・謙譲、親譲り。

【醸(*釀)】 ジョウ、かもす 例 醸造・醸成。参 酒類を造る意。

【色】 ショク・シキ、いろ 例 原色・特色・物色・色彩(シキサイ)・色調、色づく・色ごと・声色(こわいろ)。参「シキ」は呉音。付 景色(ケシキ)。②

【食】 ショク・ジキ、くう・くらう・たべる 例 食事・食物(ショクモツ)・食料・食する・断食(ダンジキ)、食い物・びんたを食らう・食べ物。表外 はむ→かな書き。参「×蝕」は「食」で代用(日食・月食・部分食・金環食・食尽・浸食・侵食・海食・水食・波食・腐食・耐食・防食[剤])。「蝕」はむしばむ意。「ジキ」は呉音。②

【植】 ショク、うえる・うわる 例 植樹・植物・誤植、植木。参 定着させる意で「殖」に通じる(殖民・植民)。③

【殖】 ショク、ふえる・ふやす 例 殖産・生殖・繁殖・利殖・学殖、財産が殖える。使い分け ⇩本文[囲み]ふえる(増・殖)。参 ⇩植(ショク)。

【飾】 ショク、かざる 例 装飾・修飾・服飾、飾り。参「かざり職」は「×錺(国字)」が好まれる。「×飭(チョク)(つつしむ)」は別字。

【触】 ショク、ふれる・さわる 例 触媒・触発・接触・感触、前触れ・手触(ざわ)る・肌触り。使い分け ⇩本文[囲み]さわる(触・障)。

【嘱(囑)】 ショク 例 嘱託・委嘱・嘱目・嘱する。参 頼む、寄せる意。

【織】 ショク・シキ、おる 例 織機・染織・紡織・組織(ソシキ)、織り目・織物・西陣織。参「シキ」は呉音。⑤

【職】 ショク 例 職業・職務・就職。表外 シキ→摂津職(せっつしき)。参 勤め・

仕事の意。「有▽職故実」とよむ。⑤

【辱】ジョク、はずかしめる 例 恥辱・雪辱・屈辱、辱め。表外 ニク→忍辱(仏語)、かたじけない→かな書き。部首 辰。

【心】シン、こころ 例 心身・感心・関心・中心、心得る・親心。参 中心の意で「×芯」に、精神の意で「神」に通じる(鉛筆の心・芯、喪心・喪神)。「肝心／肝×腎」は「肝心」で統一(「腎」は腎臓)。付 心地。②

【申】シン、もうす 例 申告・申請・内申書、申し上げる。表外 さる→申。部首 田。③

【伸】シン、のびる・のばす 例 伸縮・伸張・屈伸・追伸、背伸び・才能を伸ばす。使い分け ⇩本文［囲み］のびる(伸・延)。

【臣】シン・ジン 例 臣下・君臣・大臣。表外 おみ(姓の一)→臣。参 家来の意。「ジン」は呉音。④

【身】シン、み 例 身体・単身、身内・親身。参 財産の意も(身上・身代)。③

【辛】シン、からい 例 辛苦・辛酸・香辛料、辛み・辛うじて。表外 かのと→辛、つらい→かな書き。

【侵】シン、おかす 例 侵入・侵害・侵食・不可侵、権利を侵す。使い分け ⇩本文［囲み］おかす(犯・侵・冒)。

【信】シン 例 信用・信頼・信心・信ずる。表外 まこと→誠。参 しるし・合図の意も(通信・信号)。④

【津】シン、つ 例 興味津々・津波・津々浦々。参 港の意のほか、わきでる意がある。

【神(*神)】シン・ジン、かみ・かん・こう 例 神聖・神経・精神・神社・神宮、神様・神主・神々しい。参 「ジン」は呉音。⇩心。付 お神酒・神楽。③

【唇】シン、くちびる 例 口唇・下唇。参 元来くちびるは「×脣」。「唇」はふるえる意。部首 口。

【娠】シン 例 妊娠。表外 はらむ→かな書き。参 身ごもる意。

【振】シン、ふる・ふるう 例 振動・振興・不振。使い分け ⇩本文［囲み］ふるう(振・奮・震)。

【浸】シン、ひたす・ひたる 例 浸水・浸食。参 「×滲」は「浸」で代用。「滲」はしみ通る意。

【真(*眞)】シン、ま 例 真実・真偽・写真・純真・真南・真っ先。表外 まこと→誠。参 本物の意。付 真っ赤・真っ青。部首 目。③

【針】シン、はり 例 針路・運針・秒針、針金。参 「×鍼術」は「針術」で、「鍼」も「針」で代用する(針師・針治療)が、慣用になじまない。「針」は縫い針、「鍼」は医療用のはり。釣りばりの「はり」は「×鉤」。⑥

【深】シン、ふかい・ふかまる・ふかめる 例 深刻・深山・深夜・水深、深入り・深み・目深。表外 み→深山・深雪。③

【紳】シン 例 紳士・貴紳。参 身分や教養の高い人の意。

【進】シン、すすむ・すすめる 例 進級・進歩・進言・前進・先進国、前へ進む。使い分け ⇩本文［囲み］すすむ・すすめる(進・勧・薦)。③

【森】シン、もり 例 森林。参 厳かの意も(森閑・森厳)。こんもりした森には「×杜」も好まれる。①

【診】シン、みる 例 診察・診療・往診、脈を診る。使い分け ⇩本文［囲み］みる(見・診)。

【寝(*寢)】シン、ねる・ねかす 例 寝室・寝具・就寝、昼寝。表外 やすむ→かな書き。参 「×寐(ねる)」はぐっすり眠る意。

【慎(*愼)】シン、つつしむ 例 慎重・謹慎、身を慎む・酒を慎む。言葉を慎む。使い分け ⇩本文、つつしむ(慎・謹)。

【新】シン、あたらしい・あらた・にい 例 新旧・新聞・革新、新しがる・新たな決意・新妻。②

【審】シン 例 審判・審議・不審。表外 つまびらか→かな書き。参 細かく調べる意。

【震】シン、ふるう・ふるえる 例 震動・震災・地震、身震い・大地が震える。使い分け ⇩本文［囲み］ふるう(振・奮・震)。

【薪】シン、たきぎ 例 薪炭・薪水。表外 まき→かな書き。

【親】シン、おや・したしい・したしむ 例 親族・親友・肉親、母親・親しみ・慣れ親しむ。表外 ちかしい→かな書き。②

【人】 ジン・ニン、ひと 例 人道・人員・人間・人情・人形、旅人。参「ニン」は呉音。付 玄人・素人・仲人・若人・大人・一人・二人。①

【刃】 ジン、は 例 白刃・凶刃、刃物・両刃。表外 ニン→刃傷、やいば→かな書き。正字 刄。

【仁】 ジン・ニ 例 仁義・仁愛・仁術・仁王。表外 ニン→仁俠。参 人の意も（御仁）。参「ニ」は慣用音。⑥

【尽（*盡）】 ジン、つくす・つきる・つかす 例 尽力・無尽蔵、心尽くし・運の尽き・愛想尽かし。表外 ことごとく→かな書き、〜ずく→かな書き、〜ずくめ→かな書き。参「蝕甚」は「食尽」で代用（「甚」は今は表内字）。部首 尽—尸、盡—皿。

【迅】 ジン 例 迅速・疾風迅雷。表外 はやい→速い。参 宙を飛ぶように速い意。

【甚】 ジン、はなはだ・はなはだしい 例 甚大・激甚・幸甚・深甚。参 ⇩尽ジン。部首 甘。

【陣】 ジン 例 陣頭・陣痛・円陣・大坂夏の陣・陣する。参 陣立ての意。

【尋】 ジン、たずねる 例 尋問・尋常・千尋の谷、尋ね人。表外 ひろ→かな書き、ついで→次いで。使い分け ⇩本文[囲み]たずねる（尋・訪）。参「×訊問」は類義の「尋問」で代用（「訊問」は罪状を取り調べる意の法律用語、「尋問」は尋ねる意の一般用語）。

【図（圖）】 ズ・ト、はかる 例 図画・地図・図書・意図・壮図、解決を図る。使い分け ⇩本文[囲み]はかる（計・測・量・図・謀・諮）。参「図」は線画、「絵」は彩色画の意。「ズ」は呉音。②

【水】 スイ、みず 例 水分・水陸・海水、水浴び。付 清水。①

【吹】 スイ、ふく 例 吹奏・吹鳴・鼓吹、風が吹く。使い分け ⇩本文[囲み]ふく（吹・噴）。付 息吹・吹雪。

【垂】 スイ、たれる・たらす 例 垂直・垂線・懸垂、雨垂れ。表外 なんなんとする→かな書き。部首 土。⑥

【炊】 スイ、たく 例 炊事・自炊・雑炊、飯炊き。表外 かしぐ→かな書き。参「飯を炊く／[×焚・▽焼]雑木をたく／[×焚・▽薫・×炷]香をたく」のように使う。

【帥】 スイ 例 統帥・元帥。表外 ソツ→大宰帥、ひきいる→率いる。参 将軍の意も。「師」は別字。

【粋（*粹）】 スイ 例 粋人・純粋・精粋。表外 いき→かな書き。参「抜×萃（抜き出す）」は類義の「抜粋（抜きんでる）」で統一（「萃」は集める、「粋」は優れたものの意だが、混同もされた。もと多く「抜萃」）。

【衰】 スイ、おとろえる 例 衰弱・盛衰・老衰、衰え。表外 サイ→持衰（＝斎戒）。正字 衰。部首 衣。

【推】 スイ、おす 例 推進・推測・推量・推薦・推する、会長に推す・推し量る。使い分け ⇩本文[囲み]おす（押・推）。⑥

【酔（*醉）】 スイ、よう 例 酔漢・麻酔・心酔、船酔い。

【遂】 スイ、とげる 例 遂行・未遂・完遂。表外 ついに→かな書き。参「▽遂に」に引かれて、「遂行」「完遂」と読むのは誤り。

【睡】 スイ 例 睡眠・熟睡・午睡。表外 ねむる→眠る、ねむい→眠い。

【穂（*穗）】 スイ、ほ 例 穂状・出穂期、稲穂。

【錘】 スイ、つむ 例 紡錘。参 おもり、紡績用具の意。「つむ」は「▽紡▽錘（熟字訓）」とも。

【随（隨）】 ズイ 例 随行・随員・随意・追随・付随。表外 したがう→従う。参 なるに任せる、ついて行く意。部首 阝。

【髄（髓）】 ズイ 例 骨髄・脳髄・神髄。参 骨の中心部にある組織の意。

【枢（樞）】 スウ 例 枢機・枢軸・枢密・枢要・中枢。表外 くるる→かな書き、とぼそ→かな書き。参 かなめの意も。

【崇】 スウ 例 崇拝・崇高。表外 たっとぶ→尊ぶ、たっとい→尊い、あがめる→かな書き。参 気高く尊い意。「×祟（たたる）」は別字。

【数（數）】 スウ・ス、かず・かぞえる 例 数字・数量・年数・人数、数々・数え年。参「スウ」は慣用音、「ス」は漢音。付 数珠、数寄屋・数奇屋。②

【据】 すえる・すわる 例 腰を据える・腹が据わる。参 一定の位置にとどまって動かない意。⇩座。

【杉】すぎ [例]杉並木。[表外]サン→杉風。[参]「×椙」は国字。

【寸】スン [例]寸法・寸暇・一寸先。[参]尺貫法の単位。⑥

【畝】せ・うね [例]畝間・畝織り。[参]「せ」は尺貫法の単位。常用漢字表では「畝織り」を「畝織」とするが、慣用になじまない。

【瀬(*瀨)】せ [例]浅瀬・立つ瀬・瀬戸際。[表外]ライ→急瀬(急流)。[参]川の浅い所。

【是】ゼ [例]是非・是認・是正・国是。[表外]この→かな書き、ここ→かな書き、これ→かな書き。[参]正しい意。

【井】セイ・ショウ、い [例]油井・市井・天井、井戸。[参]「天井」の「井」は井げたの意。「ショウ」は呉音。[部首]二。

【世】セイ・セ、よ [例]世紀・時世・処世・世界・世間・出世、世の中。[参]「セ」は呉音。「×丗」は俗字。③

【正】セイ・ショウ、ただしい・ただす・まさ [例]正義・正誤・訂正・正直・正面・正月、礼儀正しい・正夢。[表外]かみ(長官)→正。[参]「誤りを正す/[▽質]真偽をただす/[▽糾]罪をただす」のように使う。「▽訂す(訂正する)」は「正」でまかなう。[参]「ショウ」は呉音。[部首]止。①

【生】セイ・ショウ、いきる・いかす・いける・うまれる・うむ・おう・はえる・はやす・き・なま [例]生活・先生・発生・生滅・一生・誕生・生ずる、長生き・生け捕り・早生まれ・生み出す・生い立ち・芽生え・生糸・生の野菜・生水。[表外]なる→かな書き。[参][使い分け]⇩本文[囲み]うむ(生・産)。[参]「生息/×棲(×栖)息」は類義の「生息」で代用(元来「生息」は人に、「棲(栖)息」は動物に使った)。一般に「棲・栖」は「生」で代用(両生〔類〕・水生・陸生)。「棲・栖」はすむ意。「ショウ」は呉音。[付]芝生。①

【成】セイ・ジョウ、なる・なす [例]成功・完成・賛成・成就・成仏、成り立つ・成し遂げる。[参]「ジョウ」は呉音。[正字]成。[部首]戈。④

【西】セイ・サイ、にし [例]西暦・西部・西国・東西、西日。[参]「サイ」は呉音。[部首]襾。②

【声(聲)】セイ・ショウ、こえ・こわ [例]声楽・声援・大音声、呼び声・声色。[参]「ショウ」は呉音。[部首]声−士、聲−耳。②

【制】セイ [例]制度・制限・統制・制する。[参]定める・おさえる意。⑤

【姓】セイ・ショウ [例]姓名・同姓・百姓。[表外]かばね→姓。[参]「ショウ」は呉音。

【征】セイ [例]征服・遠征・出征。[表外]うつ→討つ、ゆく→行く。

【性】セイ・ショウ [例]性質・理性・男性・性分・相性・根性。[表外]さが→かな書き。[参]生まれつきの意。「たち」とも訓ずる。「ショウ」は呉音。⑤

【青】セイ・ショウ、あお・あおい [例]青天・青銅・青年・緑青・紺青・群青、青ざめる・青さ。[参]「ショウ」は呉音。[付]真っ青。[正字]靑。①

【斉(*齊)】セイ [例]斉唱・一斉・斉一。[表外]ひとしい→等しい。[参]そろう意。「斎(書斎・潔斎)」は別字。[部首]斉。

【政】セイ・ショウ、まつりごと [例]政治・行政・政策・摂政。[参]「まつりごと」は「政▽事」とも。「ショウ」は呉音。[正字]政。⑤

【星】セイ・ショウ、ほし [例]星座・流星・衛星・明星、黒星。[参]「ショウ」は呉音。②

【牲】セイ [例]犠牲。[表外]いけにえ→かな書き。[参]「▽犠▽牲」は熟字訓。

【省】セイ・ショウ、かえりみる・はぶく [例]省察・反省・内省・帰省・省する・省略・省令・外務省・省庁、自らを省みる・むだを省く。[使い分け]⇩本文、かえりみる(顧・省)。[参]「ショウ」は呉音。④

【逝】セイ、ゆく [例]逝去・急逝。[使い分け]⇩行。[参]音便形は「逝った」。「いく」は「行(いく・ゆく)」に準じて、表内訓と認められる。

【清】セイ・ショウ、きよい・きよまる・きよめる [例]清潔・清算・粛清・六根清浄。[参]「ショウ」は呉音。[付]清水。[正字]淸。④

【盛】セイ・ジョウ、もる・さかる・さかん [例]盛大・全盛・繁盛、盛り上がる・花盛り・盛んに。[参]「ジョウ」は呉音。[正字]盛。⑥

【婿】セイ、むこ [例]女婿、花婿。[参]「×壻」「×聟」ともに俗字。[部首]婿→女、壻→土、聟→耳。

【晴】セイ、はれる・はらす [例]晴天・快晴、日本晴れ・気晴らし。[参]「画竜点睛」の「×睛(ひとみ)」は別字。[正字]晴。②

【勢】セイ、いきおい 例勢力・優勢・情勢・大勢・形勢・運勢、勢いづく。⑤

【聖】セイ 例聖書・聖人(セイジン)・神聖。表外ショウ→聖人(しょうにん)、ひじり→かな書き。参清らかの意。正字聖。部首耳。⑥

【誠】セイ、まこと 例誠実・誠意、誠に。正字誠。⑥

【精】セイ・ショウ 例精米・精密・精進(ショウジン)・不精(ブショウ)。表外くわしい→詳しい。参まじりけのない意。「ショウ」は呉音。正字精。⑤

【製】セイ 例製造・製鉄・鉄製・製する。表外つくる→造る・作る。参原義は衣服を作る意。⑤

【誓】セイ、ちかう 例誓約・誓詞・宣誓、誓い。

【静(*靜)】セイ・ジョウ、しず・しずか・しずまる・しずめる 例静止・静穏・安静・動静・静脈(ジョウミャク)、静かさ・物静か・鳴りを静める。使い分け⇩本文[囲み]しずまる(静・鎮)。参「ジョウ」は呉音。④

【請】セイ・シン、こう・うける 例請求・申請・普請(フシン)、請け合う・請負・下請け。表外ショウ→起請文(きしょうもん)。使い分け⇩本文[囲み]うける(受・請)。参「認可を請う(許可を願う)／「×乞(頼みねだる)」「案内をこう」のように使う。参「シン」は唐音。正字請。

【整】セイ、ととのえる・ととのう 例整理・整列・均整・調整、身辺を整える。使い分け⇩本文[囲み]ととのう(整・調)。参「家を斉(ととの)える」は「整」でまかなう。部首攵。③

【税】ゼイ 例税金・免税・関税・消費税。参税金の意。正字税。⑤

【夕】セキ、ゆう 例今夕・一朝一夕、夕方・夕べ。付七夕(たなばた)。①

【斥】セキ 例斥候・排斥。表外しりぞける→退ける。

【石】セキ・シャク・コク、いし 例石材・岩石・宝石・磁石(ジシャク)・石高(コクだか)・千石船、小石。参「シャク・コク」は慣用音。①

【赤】セキ・シャク、あか・あかい・あからむ・あからめる 例赤道・赤貧・赤色革命・発赤(ハッセキ・ホッセキ)・赤銅(シャクドウ)、赤字・赤ん坊。使い分け⇩明(メイ)。付真っ赤(か)。①

【昔】セキ・シャク、むかし 例昔日・昔年・今昔(コンジャク)、昔話。参「シャク」は呉音。③

【析】セキ 例析出・分析・解析。表外さく→割く。参主に分ける意で使う。「折(セツ)(おる)」「×拆(タク)(われる)」「×柝(タク)(拍子木)」は別字。

【隻】セキ 例隻手・数隻。参一つの意。また、船を数える助数詞。部首隹。

【席】セキ 例席上・座席・出席・末席。表外むしろ→かな書き。参座る所の意。付寄席(よせ)。④

【惜】セキ、おしい・おしむ 例惜敗・哀惜・愛惜、負け惜しみ。表外シャク→不惜身命(ふしゃくしんみょう)。

【責】セキ、せめる 例責務・責任・職責。表外シャク→呵責(かしゃく)。使い分け⇩攻(コウ)。⑤

【跡】セキ、あと 例追跡・旧跡・遺跡、苦心の跡・跡を追う。使い分け⇩本文[囲み]あと(後・跡)。参「跡／×蹟」は「跡」で統一(遺跡・旧跡・古跡・史跡・奇跡・聖跡・手跡・筆跡・三跡)。「秘×蹟(サクラメント)」は「秘跡」で代用。「蹟」は「跡」の別体。もと「蹟」が好まれた。遺跡の意では「×址(あと)・×阯(あと)」、傷あとの意では「×痕(あと)」も好まれる。

【積】セキ、つむ・つもる 例積雪・蓄積・面積、下積み・見積もり。④

【績】セキ 例紡績・成績・業績。表外つむぐ→紡ぐ、うむ→かな書き。参手柄の意も。⑤

【籍】セキ 例書籍・戸籍・本籍。表外ふみ→文。参「×藉(シャ)(かりる)」は別字。

【切】セツ・サイ、きる・きれる 例切断・親切・切に・一切(イッサイ)、切り身・一切れ。参「サイ」は呉音。②

【折】セツ、おる・おり・おれる 例折衷・折衝・屈折、折り紙・折も折・名折れ。部首扌。④

【拙】セツ 例拙劣・拙速・巧拙。表外つたない→かな書き、まずい→かな書き。

【窃(竊)】セツ 例窃盗・窃取・盗窃。表外ぬすむ→盗む、ひそか→かな書き。

【接】セツ、つぐ 例接触・接待・直接・接する、接ぎ木。表外まじわる→交わる、はぐ→かな書き。使い分け⇩本文[囲み]つぐ(次・継・接)。⑤

【設】セツ、もうける 例設立・設備・建設。表外しつらえる→かな書き。参「新しく支店を設ける・一席設ける／〔×儲〕金をもうける・一子をもうける」のように使う。部首言。⑤

【雪】セツ、ゆき 例雪辱・降雪・積雪、初雪。表外すすぐ→かな書き。付雪崩(なだれ)・吹雪(ふぶき)。②

【摂(*攝)】セッ 例摂取・摂生(せっせい)・摂理・摂政(せっしょう)・摂する。表外ショウ→摂受(しょうじゅ)(受け入れる)、とる→取る。参かねる、おさめる意も。

【節(*節)】セツ・セチ、ふし 例節約・季節・関節・お節(せち)料理、節穴。参「セチ」は呉音。正字節。④

【説】セツ・ゼイ、とく 例説明・小説・演説・遊説(ゆうぜい)、説き伏せる。参「ゼイ」は慣用音。正字說。④

【舌】ゼツ、した 例舌端・弁舌・筆舌、猫舌・二枚舌。部首舌。⑤

【絶】ゼツ、たえる・たやす・たつ 例絶妙・絶対・絶好調・断絶・中絶・根絶・絶する、命を絶つ。使い分け⇩本文〔囲み〕たつ(断・絶・裁)。正字絕。⑤

【千】セン、ち 例千円・千人力・千差万別、千草・千々に。参証書類では「×仟・×阡」とも。①

【川】セン、かわ 例川柳・河川、川岸・小川。参もと「川／河」は、日本の川／外国の大河で使い分けたが、今は「川」と書く(信濃川・ドナウ川)。付川原(かわら)。①

【仙】セン 例仙人・酒仙・六歌仙。参仙人、優れた人の意。

【占】セン、しめる・うらなう 例占拠・占星術・独占、買い占め・星占い。部首ト。

【先】セン、さき 例先方・先生・機先・率先、先立つ・旅先。表外まず→かな書き。参「×尖鋭」「×尖兵」は「先鋭」「先兵」で、「×尖端」は類義の「先端」で代用(「尖」はとがる、「先」は物のはし)。①

【宣】セン 例宣言・宣誓・宣伝・託宣・宣する。表外のる→かな書き、のたまう→かな書き、のべる→述べる。参多くの人に言い広める意。⑥

【専(*專)】セン、もっぱら 例専門・専属・専用・独断専行。参「専断／×擅断」は「専断」で統一(「擅」はほしいままの意。別語が一語化した)。⑥

【泉】セン、いずみ 例泉水・温泉・源泉。参いずみ・源の意。⑥

【浅(淺)】セン、あさい 例浅薄・浅学・深浅、浅瀬・遠浅。④

【洗】セン、あらう 例洗面・洗礼・洗剤、洗い流す。⑥

【染】セン、そめる・そまる・しみる・しみ 例染色・染料・汚染・伝染・感染、染め物・汗染みる・染み抜き。参「色が布に染みる／〔×沁〕目にしみる・心にしみる・身にしみる／〔×滲〕水がしみる・体液がし(▽沁)み出る」のように使う。部首木。⑥

【扇】セン、おうぎ 例扇子・扇風機・扇状地、舞扇。表外あおぐ→かな書き。参「×煽動」「×煽情」は「扇動」「扇情」で代用(「煽」はあおる)。

【栓】セン 例栓抜き・元栓・耳栓・給水栓・消火栓。

【旋】セン 例旋回・旋律・周旋。表外めぐる→巡る、かえる→帰る。参ぐるぐる回る意。部首方。

【船】セン、ふね・ふな 例船舶・乗船・汽船、親船・大船・船旅(ふなたび)・船賃(ふなちん)。使い分け大型／小型で「船の甲板・船で世界を巡る／舟をこぐ・ささ舟・小舟」のように使う。参「×舩」は俗字。②

【戦(*戰)】セン、いくさ・たたかう 例戦争・苦戦・論戦・舌戦、勝ち戦・敵と戦う。表外おののく→かな書き。使い分け⇩本文〔囲み〕たたかう(戦・闘)。④

【践(踐)】セン 例実践。表外ふむ→踏む。参ふみ行う意。

【銭(錢)】セン、ぜに 例銭湯・金銭、小銭・身銭。表外かね→金。参「ぜに」は「セン」の転。⑤

【銑】セン 例銑鉄。表外ずく(鉄鉱石を溶かして得る不純な鉄)→かな書き。

【潜(潛)】セン、ひそむ・もぐる 例潜水・潜在的・沈潜、物陰に潜む・潜り込む。表外くぐる→かな書き。

【線】セン 例線路・線条・点線・直線・光線。参すじの意。②

【遷】セン 例遷延・遷都・変遷。表外うつる→移る。参「都を▽遷(うつ)す」と多用する。正字遷。

【選】セン、えらぶ 例選択・選挙・選集・当選・選する、選び出す。

表外 える→かな書き、よる→かな書き。参「×銓衡」は「選考」で代用(⇩考)。新聞は「抽×籤」を「抽選」で代用するが、慣用になじまない(「籤」はくじの意)。詩文を編集する意では、伝統的に「×撰」を使う(勅撰集・貫之の撰・歌集を撰ぶ)。「撰」はより分ける意。正字 選。④

【薦】 セン、すすめる 例 推薦・自薦、婿に田中君を薦める。使い分け ⇩本文[囲み]すすむ・すすめる(進・勧・薦)。

【繊(*纖)】 セン 例 繊細・繊維・化繊。参 細い意。「よわい」とも訓ずる。

【鮮】 セン、あざやか 例 鮮血・鮮明・新鮮、色鮮やか。表外 すくない→少ない。参 新しいの意も(鮮魚)。

【全】 ゼン、まったく 例 全部・全国・全然・完全、全うする。表外 すべて→かな書き。正字 全。部首 全ー人、全ー入。③

【前】 ゼン、まえ 例 前後・以前・空前、前向き・名前。表外 さき→先。正字 前。部首 リ。②

【善】 ゼン、よい 例 善悪・善処・善戦・改善・慈善・追善、善い行い。使い分け ⇩本文[囲み]よい(良・善)。部首 口。⑥

【然】 ゼン・ネン 例 当然・自然・必然・天然。表外 しか→かな書き、しかり→かな書き、しかし→かな書き。参「ネン」は呉音。④

【禅(*禪)】 ゼン 例 禅宗・座禅。参 位を譲る意も(禅譲)。

【漸】 ゼン 例 漸次・漸進的・漸近線・東漸。表外 ようやく→かな書き。参 次第に進む意。「×斬」に引かれて、「ザン」と読むのは誤り。

【繕】 ゼン、つくろう 例 修繕・営繕、取り繕う・身繕い。

【阻】 ソ、はばむ 例 阻害・険阻。表外 けわしい→険しい。参「阻止/×沮止」は「阻止」で統一(「沮」もはばむ)。これに準じて、「×沮喪」は「阻喪」で代用。

【祖(*祖)】 ソ 例 祖父・元祖・祖述。表外 おや→かな書き。参 祖先・おおもと・のっとるの意。「お祖父さん」は熟字訓。⑤

【租】 ソ 例 租税・公租公課・租庸調・租借・租界。参 税金・借りるの意。

【素】 ソ・ス 例 素材・元素・炭素・平素・素顔・素手・素性。表外 もと→かな書き。参 原義は白絹の意。「ス」は呉音。付 素人。⑤

【措】 ソ 例 措置・措辞・挙措。表外 おく→かな書き。参 しばらくそのままにしておく、ふるまう意。⇩置。

【粗】 ソ、あらい 例 粗密・粗野・精粗。表外 ほぼ→かな書き。参 念入りでない意。使い分け ⇩荒。

【組】 ソ、くむ・くみ 例 組織・組成・改組、組み込む・縁組み・組長・番組。②

【疎】 ソ、うとい・うとむ 例 疎密・疎外・親疎、疎ましい。表外 まばら→かな書き、おろそか→かな書き。参「×疏」は同義の「疎(するりと通る)」で代用(疎通・疎明)。これに準じて、「×疏水→疎水」も行われるが、「疏水」が優勢。注釈の意ではもっぱら「疏」。

【訴】 ソ、うったえる 例 訴訟・告訴・哀訴、訴え。

【塑】 ソ 例 塑像・彫塑・可塑性。参 土をこねてかたどる意。

【礎】 ソ、いしずえ 例 礎石・基礎・定礎。参 柱の下に置く石の意。

【双(雙)】 ソウ、ふた 例 双肩・双方・無双。使い分け ⇩二。参 新聞では「×叢書」を「双書」で代用するが、慣用になじまない(「叢」は集める、「双」は二つ)。ただし、ならびない本の意で「双書」ともする。部首 双ー又、雙ー隹。

【壮(*壯)】 ソウ 例 壮大・壮絶・強壮。表外 さかん→盛ん。参 血気さかんの意。部首 士。

【早】 ソウ・サッ、はやい・はやまる・はやめる 例 早期・早晩・早々・早速・早急、時期が早い・素早い・早番。使い分け ⇩本文[囲み]はやい(早・速)。参「サッ」は慣用音。「▽早▽稲」は熟字訓。付 早乙女・早苗。部首 日。①

【争(*爭)】 ソウ、あらそう 例 争議・争乱・競争・紛争、争い。部首 亅。④

【走】 ソウ、はしる 例 走行・競走・滑走、先走る。付 師走。②

【奏】 ソウ、かなでる 例 奏楽・演奏・合奏・奏上・奏する。表外 もうす→申す。部首 大。⑥

【相】 ソウ・ショウ、あい 例 相当・相談・真相・永遠の相の下に・首相・宰相、相手・相済まない。表外 みる→見る、たすける→助ける。参 互いに・有様・大臣などの意。付 相撲。部首 目。③

【荘(*莊)】ソウ 例 荘厳・荘重・別荘。表外 ショウ→荘園。参 おごそか、別荘の意。

【草】ソウ、くさ 例 草案・雑草・牧草・草々・草する、草花・語り草。参 くさ、下書き、ぞんざいなどの意。付 草履。①

【送】ソウ、おくる 例 送別・放送・運送、見送り。使い分け ⇩本文[囲み]おくる(送・贈)。正字 送。③

【倉】ソウ、くら 例 倉庫・穀倉、倉敷料。使い分け ⇩本文[囲み]くら(倉・蔵)。参「船×艙/船倉」は「船倉」で統一(「艙」はふなぐら。もと多く「船艙」)。⇩皇。部首 人。④

【捜(*搜)】ソウ、さがす 例 捜索・捜査・博捜、部屋の中を捜す。使い分け ⇩本文[囲み]さがす(探・捜)。正字 搜。

【挿(插)】ソウ、さす 例 挿入・挿話、挿し木・挿絵。使い分け ⇩本文[囲み]さす(差・刺・指・挿)。

【桑】ソウ、くわ 例 桑園、桑畑。参 クワの木の意。

【掃】ソウ、はく 例 掃除・清掃・一掃、掃きだめ。表外 はらう→払う。参「×剿滅」は類義の「掃滅」で代用(「剿」は殺す)。

【曹】ソウ 例 法曹界・軍曹・陸曹・御曹司。参 役人・仲間の意。

【巣(*巢)】ソウ、す 例 営巣・卵巣・病巣・帰巣、巣箱・巣立つ。部首 ツ。④

【窓】ソウ、まど 例 車窓・同窓・深窓、窓口・出窓。参「×窗」は別体。⑥

【創】ソウ 例 創造・独創・刀創。表外 きず→傷、はじめる→始める、つくる→作る・造る。参 初めてつくり出す意では「▽創る」が愛好される。⑥

【喪】ソウ、も 例 喪失・阻喪・大喪の礼、喪服・喪主。表外 うしなう→失う、ほろびる→滅びる。参 なくなる意。部首 口。

【葬】ソウ、ほうむる 例 葬式・葬儀・埋葬・会葬・冠婚葬祭。

【装(*裝)】ソウ・ショウ、よそおう 例 装置・服装・変装・装束・衣装、装い。参「衣装/衣×裳」は「衣装」で統一(「裳」はもすその意。元来別語だが、混同もされた。もと、もっぱら「衣裳」)。「ショウ」は呉音。⑥

【僧(*僧)】ソウ 例 僧院・高僧・尼僧。参 出家の意。

【想】ソウ、ソ 例 想像・感想・予想・愛想。表外 おもう→思う。参 思い浮かべる意。「▽想う」は「母を想う・過ぎし日を想う・想い出」などで好まれる。「ソ」は慣用音。③

【層(*層)】ソウ 例 層雲・高層・断層・階層。参 上下に重なる意。⑥

【総(總)】ソウ 例 総意・総括・総計・総帥・総理・総髪・総崩れ。表外 ふさ→房、すべて→かな書き。参 集めたばねる意。「総合/×綜合」は「総合」で統一(「綜」は統べる意。「分析」の対語では、もと、もっぱら「綜合」)。「×惣菜」は「総菜」で代用(「惣」はすべての意)。⑤

【遭】ソウ、あう 例 遭遇・遭難、災難に遭う。使い分け ⇩本文[囲み]あう(会・遭・合)。

【槽】ソウ 例 水槽・浴槽・歯槽。表外 おけ→かな書き、ふね→かな書き。

【操】ソウ、みさお・あやつる 例 操縦・操作・節操・志操堅固、操り人形。表外 とる→執る。⑥

【燥】ソウ 例 乾燥・高燥。表外 かわく→乾く、はしゃぐ→かな書き。参「焦×躁」は類義の「焦燥(焼け焦げる)」で代用(「躁」は騒ぐ意で「燥」に通ずる)。

【霜】ソウ、しも 例 霜害・晩霜、霜柱・初霜。参 年月の意も(幾星霜)。

【騒(*騷)】ソウ、さわぐ 例 騒動・騒乱・騒音・物騒、大騒ぎ・騒がしい。

【藻】ソウ、も 例 藻類・海藻。参 文章のあやの意も(詞藻・文藻)。

【造】ゾウ、つくる 例 造船・造花・構造・建造物、庭園を造る・酒造り。表外 みやつこ(姓の一)→造、いたる→至る。使い分け ⇩本文[囲み]つくる(作・造)。⑤

【像】ゾウ 例 肖像・現像・想像。表外 かたち→形、かたどる→かな書き。⑤

【増(*增)】ゾウ、ます・ふえる・ふやす 例 増減・増加・激増、数が増える・水増し。使い分け ⇩本文［囲み］ふえる（増・殖）。⑤

【憎（*憎）】ゾウ、にくむ・にくい・にくらしい・にくしみ。例 憎悪・愛憎、憎さ・憎体（にくてい）・心憎い・小憎らしい。

【蔵（*藏）】ゾウ、くら 例 蔵書・貯蔵・土蔵・蔵する、蔵屋敷・蔵払い。表外 かくす→隠す、おさめる→収める。使い分け ⇩本文［囲み］くら（倉・蔵）。⑥

【贈（*贈）】ゾウ・ソウ、おくる 例 贈与・贈呈・寄贈（キゾウ・キソウ）、贈り物。使い分け ⇩本文［囲み］おくる（送・贈）。参「ゾウ」は呉音。

【臓（*臟）】ゾウ 例 臓器・内臓・心臓。参 はらわたの意から、体内器官の総称。⑥

【即（*卽）】ソク 例 即応・即席・即興・即する。表外 つく→就く、すなわち→かな書き。参 ただちにの意。

【束】ソク、たば 例 束縛・結束・拘束・約束・二束三文、花束・束ねる。表外 つか→かな書き、つかねる→かな書き。参「×束（し）（とげ）」は別字。④

【足】ソク、あし・たりる・たる・たす 例 足跡（ソクセキ）・遠足・補足、足音・満ち足りる・舌足らず・足し算。使い分け「足の裏・足しげく通う・足並み・手足／脚が細い・机の脚・雨脚・船脚」のように使う。付 足袋（たび）。①

【促】ソク、うながす 例 促進・促成・催促。表外 せまる→迫る。

【則】ソク 例 法則・鉄則・変則・則する。表外 のり（法）→かな書き、のっとる→かな書き、すなわち→かな書き。⑤

【息】ソク、いき 例 休息・消息・子息、息巻く・吐息。表外 やすむ→休む、やめる→かな書き。参「終息／終×熄」は「終息」で統一（「熄」もやめる意。もともっぱら「終熄」）。「いき」は「▽呼▽吸（熟字訓）」とも。付 息吹（いぶき）・息子（むすこ）。③

【速】ソク、はやい・はやめる・すみやか 例 速度・敏速・時速、足が速い・回転を速める。使い分け ⇩本文［囲み］はやい（早・速）。③

【側】ソク、かわ 例 側面・側近・側壁、裏側・片側。表外 そば→かな書き、かたわら→傍ら。④

【測】ソク、はかる 例 測量・目測・観測・推測、血圧を測る。使い分け ⇩本文［囲み］はかる（計・測・量・図・謀・諮）。⑤

【俗】ゾク 例 俗事・俗悪・風俗・民俗・俗に。参 ならわしの意。

【族】ゾク 例 族長・遺族・一族・家族・豪族・親族・民族。表外 やから→かな書き。参 原義は集まる意。「×簇生／族生」は「族生」で統一（ともに群がり生える意。「簇生」は「そうせい」の慣用読み）。③

【属（屬）】ゾク 例 属性・従属・金属・属する。表外 ショク→属目（しょくもく）（＝嘱目）、サカン（佐官）→属（さかん）、つく→付く。⑤

【賊】ゾク 例 賊軍・盗賊・賊する。表外 そこなう→損なう、ぬすむ→盗む。部首 貝。

【続（續）】ゾク、つづく・つづける 例 続出・続行・連続、降り続く・手続き。表外 ショク→続日本紀（しょくにほんぎ）、つぐ→継ぐ。④

【卒】ソツ 例 卒業・卒中・卒する。表外 シュツ→卒（しゅっ）す（死ぬ）、おわる→終わる、ついに→かな書き、にわかに→かな書き。参 兵士の意も（兵卒）。俗字「×卆」は「卆寿（そつじゅ）」で好まれる。部首 十。④

【率】ソツ・リツ、ひきいる 例 率先・率直・統率・引率・軽率・比率（ヒリツ）・能率・百分率。表外 したがう→従う、おおむね→かな書き。参「ソッ」は慣用音。正字 率。部首 玄。⑤

【存】ソン・ゾン 例 存在・存続・既存・存ずる・存分（ゾンブン）・温存・保存・大慶に存じます。表外 ながらえる→長らえる。参 ある、思う意。「ゾン」は呉音。部首 子。⑥

【村】ソン、むら 例 村長・村落・農村、村里。参「×邨」は別体。①

【孫】ソン、まご 例 子孫・皇孫・嫡孫、孫子（まご）。④

【尊】ソン、たっとい・とうとい・たっとぶ・とうとぶ 例 尊敬・尊大・本尊、尊い犠牲・神仏を尊ぶ。表外 みこと→尊（みこと）（貴・尊）。使い分け ⇩本文［囲み］とうとい（貴・尊）。正字 尊。部首 寸。⑥

【損】ソン、そこなう・そこねる 例 損失・欠損・破損・損ずる、見損なう。参 減るの意も（損耗）。⑤

【他】タ 例 他人・他界・排他的・その他。表外 ほか→外。③

【多】タ、おおい 例 多少・多数・雑多、恐れ多い。②

【打】 ダ、うつ [例]打撃・殴打・打算、くぎを打つ・打ち明ける。[表外]チョウ→打擲。[使い分け]⇩本文[囲み]うつ(打・撃・討)。③

【妥】 ダ [例]妥当・妥結・妥協。[参]おだやか、おれあう意。[部首]女。

【堕(墮)】 ダ [例]堕落・堕胎・堕する。[表外]おちる→落ちる。

【惰】 ダ [例]惰眠・惰性・怠惰。[表外]おこたる→怠る、なまける→怠ける。

【駄】 ダ [例]駄菓子・駄作・駄馬・無駄。[表外]タ→下駄。[参]荷物を運ぶ馬の意から、くだらない意。「ダ」は呉音。

【太】 タイ・タ、ふとい・ふとる [例]太陽・太鼓・皇太子・丸太、太字。[表外]はなはだ→甚だ。[参]「財産が太る／体が▽肥る」などと使ったが、今は「太」でまかなう。「タ」は慣用音。[付]太刀。②

【対(對)】 タイ・ツイ [例]対立・絶対・反対・対する・対句・一対。[表外]むかう→向かう、こたえる→かな書き。[参]向かい合う、相手の意。「ツイ」は呉音。③

【体(體)】 タイ・テイ、からだ [例]体格・人体・主体・体する・体裁・風体、体つき。[参]「体・體」は本来別字。「体」は粗末、「體」はからだ。「×躰」は俗字。「タイ」は呉音。「▽身▽体(熟字訓)」も好まれる。②

【耐】 タイ、たえる [例]耐久・耐火・忍耐、重圧に耐える。[表外]こらえる→かな書き。[使い分け]⇩本文[囲み]たえる(耐・堪・絶)。

【待】 タイ、まつ [例]待機・待望・期待、待ち遠しい。[参]もてなす意も(待遇・招待)。「後考に×俟つ」は「待」でまかなう。③

【怠】 タイ、おこたる・なまける [例]怠惰・怠慢、怠け者。

【胎】 タイ [例]胎児・受胎・母胎・胎動。[参]はらむ意。

【退】 タイ、しりぞく・しりぞける [例]退却・退陣・退屈・進退。[表外]のく→かな書き、すさる→かな書き、しさる→かな書き、ひく→引く。[参]「褪×色／退色」は「退色」で統一(「褪」は色がさめる意。もと、もっぱら「褪色」)。「×頽」は類義の「退」で代用(退廃・廃退・退勢・衰退)。「頽」は崩れ衰える意。[付]立ち退く。⑤

【帯(*帶)】 タイ、おびる・おび [例]携帯・地帯・連帯・帯する、角帯。④

【泰】 タイ [例]泰然・泰斗・安泰。[表外]やすい→安い。[参]はなはだの意も〔泰西(＝西洋)〕。

【袋】 タイ、ふくろ [例]風袋・郵袋、紙袋。[表外]テイ→布袋。[付]足袋。

【逮】 タイ [例]逮捕・逮夜。[表外]およぶ→及ぶ。[参]追うの意。

【替】 タイ、かえる・かわる [例]代替・交替、替え歌・両替・内閣が替わる。[使い分け]⇩本文[囲み]かわる(変・換・代・替)。[付]為替。

【貸】 タイ、かす [例]貸借・貸与・賃貸、貸し借り。[参]「本を貸す／×藉すに時をもってする(時間的猶予を与える)」のように使う。「藉す」は「仮す」とも。⑤

【隊】 タイ [例]隊列・隊商・軍隊・部隊。[参]軍隊・組の意。④

【滞(*滯)】 タイ、とどこおる [例]滞在・沈滞・遅滞、滞り。

【態】 タイ [例]態勢・形態・容態。[表外]テイ→人態、わざと→かな書き。[参]振る舞い・様子の意。⑤

【大】 ダイ・タイ、おお・おおきい・おおいに [例]大小・大胆・拡大・大悪・大衆・大して、大通り・大きさ。[参]「ダイ」は呉音。[付]大人・大和。①

【代】 ダイ・タイ、かわる・かえる・よ・しろ [例]代理・世代・現代・十代・代謝・交代、代わりに・身代わり・神代・代物・苗代。[使い分け]⇩本文[囲み]かわる(変・換・代・替)。[参]「ダイ」は呉音。③

【台(臺)】 ダイ・タイ [例]台地・灯台・車数台・舞台。[表外]うてな→かな書き。[参]「台・臺」は本来別字。「台」は星の名、喜ぶ、「臺」はうてな。「×颱風」は「台風」で代用(「颱」は大風)。新聞は「×擡(×抬)頭」を「台頭」で代用(「擡」はもたげる意。「抬」は「擡」の略字)。「ダイ」は呉音。[部首]台―口、臺―至。②

【第】 ダイ [例]第一・第三者・及第。[表外]テイ→第宅(＝邸宅)。[参]物の順序の意。③

【題】 ダイ [例]題名・問題・出題・題する。[参]見出し・問題の意。③

【滝(瀧)】 たき [例]滝つぼ。[参]もっぱら訓を使う。

【宅】タク 例宅地・自宅・帰宅。参住まいの意。⑥

【択(擇)】タク 例選択・採択・二者択一。表外えらぶ→選ぶ。

【沢(澤)】タク、さわ 例光沢・潤沢・恩沢、沢登り。参うるおい・つや・湿地の意。

【卓】タク 例卓越・卓見・卓球・食卓。参優れる、テーブルの意。

【拓】タク 例拓殖・開拓。表外ひらく→開く。参石刷りの意も（拓本）。

【託】タク 例託宣・委託・結託・嘱託・信託・仮託・託する。表外かこつける→かな書き。参任せる意で「×托」に通ずる（委託・委托）が、のせる意では「託」を「托」の代用とはしない（一蓮托生・托鉢）。

【濯】タク 例洗濯。表外すすぐ→かな書き、あらう→洗う。

【諾】ダク 例諾否・承諾・快諾・諾する。表外うべなう→かな書き。

【濁】ダク、にごる・にごす 例濁流・濁音・清濁・連濁、濁り酒。表外ジョク→濁世。

【但】ただし 例但し書き。参もっぱら訓を使う。表外ただ→かな書き。

【達】タツ 例達人・達観・調達・伝達・達する。表外たち（接尾語）→かな書き、さとる→悟る。参通じる、届く意。付友達。④

【脱】ダツ、ぬぐ・ぬげる 例脱衣・脱出・虚脱・脱する、肌脱ぎ。表外のがれる→逃れる、ぬける→抜ける。正字脫。

【奪】ダツ、うばう 例奪回・奪取・争奪・強奪、奪い取る。

【棚】たな 例棚上げ・戸棚・大陸棚。表外ホウ→陸棚。正字棚。

【丹】タン 例丹念・丹精。表外に→丹塗り、あか→赤。参浅い赤色、真心の意。部首丶。

【担(擔)】タン、かつぐ・になう 例担当・担保・負担、担ぎ出す・担い手。参「担・擔」は本来別字。「担」は払う、上がる、「擔」はになう。⑥

【単(*單)】タン 例単独・単身・単位・簡単・単に。表外ひとえ→かな書き。参一つの意。部首ツ。④

【炭】タン、すみ 例炭鉱・炭素・石炭・炭火・消し炭。部首火。③

【胆(膽)】タン 例胆石・大胆・落胆・魂胆・心胆。表外きも→肝。参「胆・膽」は本来別字。「胆」は肌脱ぎになる、「膽」はきも。

【探】タン、さぐる・さがす 例探究・探訪・探知、空き家を探す。使い分け⇩本文[囲み]さがす（探・捜）。⑥

【淡】タン、あわい 例淡水・濃淡・冷淡・枯淡、淡雪。参「うすい」とも訓じ、「▽淡口・▽淡茶」なども好まれる。

【短】タン、みじかい 例短歌・短気・長短、気短・短夜。参劣ったの意も（短所・短慮）。慣用的に「気短か・短か夜」とも送る。③

【嘆(*嘆)】タン、なげく・なげかわしい 例嘆息・嘆願・嘆ずる、嘆き節。参「嘆／×歎」は同義の「嘆」で統一（嘆声・嘆美・詠嘆・慨嘆・感嘆・驚嘆・賛嘆・悲嘆）。

【端】タン、はし・は・はた 例末端・極端、片端・端数・半端・道端。参まっすぐで正しいの意も（端正・端麗）。

【誕】タン 例誕生・生誕。参生まれる意。いつわる意も（誕言（大げさな話））。正字誕。⑥

【鍛】タン、きたえる 例鍛錬、鍛え方。参「▽鍛×冶」は熟字訓、漢音は「タンヤ」。「×鍜（しころ）」は別字。

【団(*團)】ダン・トン 例団結・団地・集団・楽団・布団。表外ドン→炭団、かたまり→固まり。参丸い、集まりの意。「ダン」は呉音、「トン」は唐音。⑤

【男】ダン・ナン、おとこ 例男子・男女・男性・美男子・長男、男らしい・優男。参「ナン」は呉音。部首田。①

【段】ダン 例段落・階段・手段・算段。表外タン（尺貫法の単位）→反。参区切り・手立て・階段などの意。「ダン」は呉音。⑥

【断(斷)】ダン、たつ・ことわる 例断絶・断定・判断・断ずる、食事を断つ・縁談を断る。使い分け⇩本文[囲み]たつ（断・絶・裁）。参「▽謝る」は丁重に辞退する意。⑤

【弾(*彈)】ダン、ひく・はずむ・たま 〔例〕弾力・弾圧・爆弾・弾ずる、琴を弾く・弾みがつく・鉄砲の弾。〔表外〕はじく→かな書き。〔参〕正す意も(糾弾・弾劾)。〔使い分け〕⇩本文[囲み]ひく(引・弾)・たま(玉・球・弾)。

【暖】ダン、あたたか・あたたかい・あたたまる・あたためる 〔例〕暖流・温暖・寒暖、暖かい気候。〔使い分け〕⇩本文[囲み]あたたかい・あたたまる(温・暖)。〔参〕「暖/×煖」は「暖」で統一(暖房・暖炉)。「煖」は火であたためる意。もと、もっぱら「煖」。⑥

【談】ダン 〔例〕談話・談判・相談・談ずる。〔表外〕かたる→語る、はなし→話。③

【壇】ダン・タン 〔例〕壇上・花壇・文壇・土壇場。〔参〕高い所、集まりの意。「独壇場」は「独×擅場」の誤読に基づく言換え語。「擅」はほしいままの意。「ダン」は呉音、「タン」は漢音。

【地】チ・ジ 〔例〕地下・天地・境地・地面・地震・地元。〔表外〕つち→天地。〔参〕「ジ」は呉音(「チ」が濁音化したものではない。かな遣いに注意)。〔付〕心地・意気地。②

【池】チ、いけ 〔例〕貯水池・用水池・電池、古池。②

【知】チ、しる 〔例〕知識・知人・知己・認知・通知、物知り。〔参〕「知/×智」は類義の「知」で統一(知恵・知能・知謀・英知・機知・無知・理知)。「知」は認識する、「智」はちえの意(この意では、もと多く「智」と書いたが、混同もされた)。〔部首〕矢。②

【値】チ、ね・あたい 〔例〕価値・数値・絶対値、値段・値する。〔使い分け〕「そのものの持つ値・xの値/商品の価」のように使う。⑥

【恥】チ、はじる・はじ・はじらう・はずかしい 〔例〕恥辱・無恥・破廉恥、恥じ入る・生き恥・恥じらい・恥ずかしがる。〔参〕「×耻」は俗字。「×羞らう」も好まれる。〔部首〕心。

【致】チ、いたす 〔例〕誘致・致死量・合致・一致・極致・風致地区、致し方ない。〔部首〕至。

【遅(遲)】チ、おくれる・おくらす・おそい 〔例〕遅延・遅刻・遅速、出遅れる・遅咲き。〔使い分け〕⇩本文[囲み]おくれる(遅・後)。〔参〕「仕事が遅い/夜も▽晩い」のように使ったが、今は「遅」でまかなう。

【痴(癡)】チ 〔例〕痴情・愚痴。〔表外〕しれる(酔い痴れる)→かな書き、おろか→愚か。

【稚】チ 〔例〕稚魚・稚拙・幼稚。〔表外〕おさない→幼い、わかい(子供っぽい)→若い。〔参〕「いとけない」とも訓ずる。〔付〕稚児。

【置】チ、おく 〔例〕位置・放置・処置、置き時計。〔参〕「机上に置く/[▽措]彼をおいて適任者はない・さておく/[×擱]筆をおく」のように使う。④

【竹】チク、たけ 〔例〕竹林・竹馬の友・爆竹、竹やぶ。〔付〕竹刀。①

【畜】チク 〔例〕畜産・牧畜・家畜。〔参〕養う、家畜の意。〔部首〕田。

【逐】チク 〔例〕逐次・逐一・駆逐。〔表外〕おう→追う。〔参〕「遂」は別字。

【蓄】チク、たくわえる 〔例〕蓄積・蓄電池・貯蓄、蓄え。

【築】チク、きずく 〔例〕築港・築城・建築・改築・新築・構築、築き上げる。〔表外〕つく(=築く)→かな書き。〔付〕築山。⑤

【秩】チツ 〔例〕秩序・秩禄。〔参〕順序・次第、また扶持の意。原義は作物を順序よく重ねる意。

【窒】チツ 〔例〕窒息・窒素。〔参〕ふさがる、ふさぐ意。

【茶】チャ・サ 〔例〕茶色・茶番劇・番茶・茶菓・茶話会・喫茶。〔参〕「×荼毘」の「荼」は別字。「サ」は唐音。②

【着】チャク・ジャク、きる・きせる・つく・つける 〔例〕着用・着手・土着・着する・愛着・執着、着物・お仕着せ・席に着く・こぎ着ける。〔使い分け〕⇩本文[囲み]つく(付・着・就・突)。〔参〕もと「著」の俗字。「ジャク」は呉音(「チャク」の連濁によるものではない。かな遣いに注意)。〔部首〕羊。③

【嫡】チャク 〔例〕嫡子・嫡流。〔表外〕テキ→嫡子。〔参〕正妻が生んだ子の意。「チャク」は呉音。

【中】チュウ、なか 〔例〕中央・中毒・胸中、中庭・真ん中。〔表外〕うち→かな書き、あたる→かな書き。〔使い分け〕「箱の中・両者の中に入る/仲がいい・仲を取り持つ・仲働き」のように使う。〔部首〕|。①

【仲】チュウ、なか 〔例〕仲介・伯仲、仲間。〔使い分け〕⇩中。〔付〕仲人。④

【虫(蟲)】チュウ、むし 〔例〕虫類・昆虫・幼虫・害虫、毛虫・泣き虫。〔参〕「虫・蟲」は本来別字。「虫」はマムシ、「蟲(チュウ)」はむし。①

丶 口 口 中 虫 虫

【冲】チュウ、おき 例沖積層・沖天・沖する、沖合。参むなしい、とびあがる意。「おき」は国訓。「×冲(チュウ)」も同義(俗字ともする)。

丶 冫 氵 沪 沪 沖

【宙】チュウ 例宙返り・宙づり・宇宙。参大空の意。⑥

丶 宀 宀 宀 宙 宙 宙

【忠】チュウ 例忠実・忠勤・忠誠・誠忠。参まごころの意。⑥

丶 口 口 中 中 忠 忠 忠

【抽】チュウ 例抽出・抽象。表外ひく→引く、ぬく→抜く、ぬきんでる→抜きん出る。参抜き取る意。「▽抽▽斗(ひきだし)」は熟字訓。

一 扌 扌 扪 扪 抽 抽 抽

【注】チュウ、そそぐ 例注入・注目・注意・発注・注する、降り注ぐ。表外つぐ→かな書き、さす→かな書き。参「注／×註」は「注」で統一(注記・注解・注釈・脚注・注文)。「注・註」はともに記す、解き明かす意。もと「註」が優勢。③

丶 冫 氵 氵 汁 汴 注 注

【昼(*晝)】チュウ、ひる 例昼夜・昼間(チュウカン)・昼食・白昼、昼寝・真昼。②

コ ヨ 尸 尺 尽 昼 昼 昼

【柱】チュウ、はしら 例支柱・円柱・電柱、帆柱・大黒柱。③

十 才 木 木 杧 杧 柱 柱 柱

【衷】チュウ 例衷心・折衷・苦衷。表外うち→かな書き。参真心の意。

亠 亠 亡 亩 声 声 衷 衷

【鋳(*鑄)】チュウ、いる 例鋳造・鋳鉄、鋳物・鋳型。

ト 乍 金 金 金 鋳 鋳 鋳

【駐】チュウ 例駐車・駐在・進駐。表外とどまる→かな書き、とめる→留める。参車馬がとまる意。

「 Π 耳 馬 馬 馬 駐 駐

【著(*著)】チョ、あらわす・いちじるしい 例著名・著者・著作・顕著・名著・旧著、書物を著す。表外チャク→着色(ちゃくしょく)(＝着色)、ジャク→執着(しゅうじゃく)(＝執着)、つく→着く、きる→着る。使い分け⇩本文[囲み]あらわす(表・現・著)。参もと「着」の正字。⑥

艹 艹 艹 芏 芏 茅 著 著

【貯】チョ 例貯蓄・貯金・貯水池。表外たくわえる→蓄える、ためる→かな書き。参「[▽貯]金をためる／[×溜]ごみをためる」のように使う。④

丨 Π 目 貝 貝 貯 貯 貯

【丁】チョウ・テイ 例丁数・落丁・二丁目・丁字路(テイジロ)・甲乙丙丁。表外ひのと→丁(ひのと)。参壮年男子(壮丁)、町の通路などの意。「装×釘(×幀)」は「装丁」で代用(古来の用字は「装釘」、「装幀」は明治期以来の慣用)。「丁寧／×叮×嚀」は「丁寧」で統一。それに準じて、「×鄭重」は「丁重」で代用(「鄭」は懇ろの意で「丁寧」の意に通じる)。「符丁／符×牒」は「符丁」で統一。長い物(銃・すき・包丁・三味線など)を数える助数詞の「×挺(チョウ)・×梃(チョウ)」は「丁」で代用(「丁」は元来ページ・豆腐・町などに使った)。「チョウ」は呉音。③

一 丁

【弔】チョウ、とむらう 例弔問・弔辞・慶弔・弔する、弔い合戦。参つるす意があるが、日本では俗字「×吊」を別字意識で使う(吊り革)。部首弓。

コ ヨ 弓 弔

【庁(*廳)】チョウ 例庁舎・官庁・県庁。参役所の意。⑥

丶 亠 广 广 庁

【兆】チョウ、きざす・きざし 例兆候・前兆・億兆。参「流行の兆し／死の▽徴(きざ)し／若芽の×萌(きざ)し」のように使ったが、今は「兆」でまかなう。部首儿。④

丿 丬 丬 兆 兆 兆

【町】チョウ、まち 例町内・市町村、町外れ・町役場・下町。参尺貫法の単位の意も。使い分け⇩本文[囲み]まち(町・街)。①

丨 Π 田 田 田 町 町

【長】チョウ、ながい 例長女・長所・成長・長ずる、長い髪・長い道。表外おさ→長(おさ)、たける→かな書き。使い分け⇩本文[囲み]ながい(長・永)。参「伸長／伸×暢」は類義の「伸長」で代用(「暢」はのびる)。部首長。②

丨 ｢ ｢ 巨 巨 長 長 長

【挑】チョウ、いどむ 例挑戦・挑発、挑みかかる。

十 扌 扌 扎 扎 挑 挑 挑

【帳】チョウ 例帳面・帳簿・通帳。表外とばり→かな書き。参「手帳／手×帖」は「手帳」で統一(「帳・帖」は帳面)。付蚊帳(かや)。③

巾 巾 忙 帄 帄 帳 帳 帳

【張】チョウ、はる 例張力・拡張・主張、欲張る・引っ張る・張り付ける。参「膨脹」は「膨張」で代用(「脹」はふくれる意の表内字。本来は「膨脹」が正しいが、学術用語集や新聞などで広く代用表記が行われ一般化した)。はりつける意では「×貼る」が好まれる。⑤

弓 弓 弓 弫 弫 張 張 張

【彫】チョウ、ほる 例彫刻・彫塑・木彫。使い分け⇩掘(クツ)。正字彫。

丿 冂 月 用 周 周 彫 彫

【眺】チョウ、ながめる 例眺望、眺め。参右に左にと広く見渡す意。

Π 目 目 目 目 眺 眺 眺

【釣】チョウ、つる 例釣果(チョウカ)・釣魚(チョウギョ)、釣り船・釣り合い・お釣り。参はりでつりあげる意。つりさげる意では「×吊る」が好まれる。⇩弔(チョウ)。

ノ ト 乍 金 金 釣 釣 釣

【頂】チョウ、いただく・いただき 例頂上・頂点・絶頂、頂き物・山の頂。参「頂く／×戴く」では、後者により丁重な感じがこもる。⑥

一 丁 丁 丁 頂 頂 頂

【鳥】チョウ、とり 例鳥類・野鳥・一石二鳥、鳥居・小鳥。参十二支のとりは「×酉(ユウ)」。②

丶 亻 户 白 皀 鳥 鳥 鳥

【朝】チョウ、あさ 例朝食・早朝、朝日・毎朝。表外あした→かな書き。参 天子の政庁の意も（朝廷・王朝・帰朝）。付 今朝。正字 朝。②

【脹】 チョウ 例 膨脹。表外 ふくれる—膨れる、はれる→かな書き。参 ⇩張。

【超】 チョウ、こえる・こす 例 超越・超過・超高層・入超・出超、百人を超える。使い分け ⇩本文［囲み］こえる（越・超）。

【腸】 チョウ 例 腸炎・大腸・胃腸。表外 はらわた→かな書き。参「×膓」は俗字。④

【跳】 チョウ、はねる・とぶ 例 跳躍、飛び跳ねる・縄跳び。表外 おどる→躍る。使い分け ⇩本文［囲み］とぶ（飛・跳）。

【徴（*徵）】 チョウ 例 徴兵・特徴・象徴・徴する。表外 しるし→かな書き、めす→召す。参 取り立てる意も（徴収）。

【潮】 チョウ、しお 例 潮流・満潮・風潮、潮路。表外 うしお→かな書き。参 朝しおの意。「×汐」は夕しお。正字 潮。⑥

【澄】 チョウ、すむ・すます 例 清澄、上澄み・澄まし顔。

【調】 チョウ、しらべる・ととのう・ととのえる 例 調和・調査・調達・調子、取り調べ・味を調える。使い分け ⇩本文［囲み］ととのう（整・調）。正字 調。③

【聴（*聽）】 チョウ、きく 例 聴覚・聴衆・聴問・傍聴、音楽を聴く。使い分け ⇩本文［囲み］きく（聞・聴）。

【懲（*懲）】 チョウ、こりる・こらす・こらしめる 例 懲罰・懲戒・懲役・勧善懲悪、性懲りもなく。

【直】 チョク・ジキ、ただちに・なおす・なおる 例 直立・直接・実直・直角・垂直・直訴・直筆・正直、故障を直す・手直し・仲直り。表外 あたい→値、すぐ→かな書き。使い分け ⇩本文［囲み］なおる（直・治）。参「ひた・ジカ」とも読む〔ひた（▽直）隠し・▽直談判〕。「ジキ」は呉音。②

【勅（敕）】 チョク 例 勅語・勅使・詔勅。表外 みことのり→かな書き。

【沈】 チン、しずむ・しずめる 例 沈滞・沈黙・浮沈、海底に沈める。表外 ジン→沈丁花、シン→沈約（人名）。参「×沉」は俗字。

【珍】 チン、めずらしい 例 珍客・珍重・珍妙、珍しがる。参 新聞は「×椿事」を類義の「珍事」で代用（「椿・珍」はめずらしいの意で同義だが、両者は別語意識が強い）。「×珎（和同開珎）」は俗字。

【朕】 チン 例 朕は国家なり。参 天子・君主の自称。正字 朕。部首 月。

【陳】 チン 例 陳列・陳謝・開陳・陳ずる。表外 つらねる→連ねる、ならべる→並べる、のべる→述べる。参「▽陳▽者」は熟字訓。

【賃】 チン 例 賃金・賃上げ・運賃。参 雇い人に与える対価の意。⑥

【鎮（*鎭）】 チン、しずめる・しずまる 例 鎮座・鎮静・重鎮、反乱を鎮める。使い分け ⇩本文［囲み］しずまる（静・鎮）。

【追】 ツイ、おう 例 追加・追跡・追放・追求・訴追、追いかける。③

【墜】 ツイ 例 墜落・墜死・撃墜。表外 おちる→落ちる。参 事故で落下する意。

【通】 ツウ・ツ、とおる・とおす・かよう 例 通行・通信・普通・通知・食通・通ずる・通夜、通り・通し矢・通い帳。参「ツ」は呉音。②

【痛】 ツウ、いたい・いたむ・いためる 例 痛快・痛飲・苦痛、胸が痛む・腰を痛める。使い分け ⇩本文［囲み］いたむ（痛・傷・悼）。⑥

【塚（塚）】 つか 例 貝塚。表外 チョウ→陪塚（従者の墓）。参 盛り土した墓の意。「×冢」は本字。

【漬】 つける・つかる 例 漬物・水漬く。表外 シ→浸漬（ひたす）、セキ（慣用音）→塩漬。参 元来、水にひたす意だが、多く漬物を作る意（国訓）に使う。

【坪】 つぼ 例 坪数・建坪・延べ坪。参「つぼ（尺貫法の単位）」は国訓。「ヘイ（平地）」の音があり、「建×蔽率」を「建坪率」で代用することもある。

【低】 テイ、ひくい・ひくめる・ひくまる 例 低級・低気圧・高低・最低、低さ。参「低回／×低×徊」は「低回」で統一。⇩回。④

【呈】 テイ 例 呈上・進呈・贈呈・呈する。表外 あらわす→現す。参 差し出す意。正字 呈。部首 口。

【廷】 テイ 例 宮廷・法廷・出廷。参 政庁・裁判所の意。「庭」に通ずる。

【弟】テイ・ダイ・デ、おとうと 例弟妹・義弟・子弟・兄弟・弟子、弟分。参「ダイ」は呉音、「デ」は慣用音。部首弓。②

【定】テイ・ジョウ、さだめる・さだまる・さだか 例定価・安定・決定・定期・定番・定石・定紋・必定、定め。参「きめる」とも訓ずる。「ジョウ」は呉音。③

【底】テイ、そこ 例底流・海底・到底・徹底、奥底。参「根×柢」は「根底」で代用(「柢」は根の意で、もと「根柢」を「根底」と書くのは誤用とされた)。④

【抵】テイ 例抵抗・抵当・大抵・並大抵。表外あたる→当たる、いたる→至る。参「抵触/×牴(×觝)触」は「抵触」で統一(ふれる意で「抵・牴・觝」は同義)。

【邸】テイ 例邸宅・邸内・私邸・豪邸。表外やしき→屋敷。

【亭】テイ 例亭主・料亭。参あずまやの意。「▽亭チン」は唐音。

【貞】テイ 例貞淑・貞操・貞節。表外ジョウ→貞観(年号)、ただしい→正しい。部首貝。

【帝】テイ 例帝王・帝国・皇帝。表外みかど→御門・帝。

【訂】テイ 例訂正・改訂・訂する。表外ただす→正す。参文字の誤りを正す意。

【庭】テイ、にわ 例庭園・家庭、庭師・庭先。参にわ・家の意。⇩廷。③

【逓(遞)】テイ 例逓信・逓送・逓減。表外たがいに→互いに。参次々と(伝える)の意。

【停】テイ 例停止・停車・調停。表外とまる→止まる、とどめる→かな書き。参「停泊/×碇泊」は「停泊」で統一(「碇」はいかり)。④

【偵】テイ 例偵察・探偵・内偵。表外うかがう→かな書き。参ようすを探るの意。

【堤】テイ、つつみ 例堤防・突堤・防波堤。参土手の意。

【提】テイ、さげる 例提供・提案・前提、手提げ。表外ダイ→菩提、チョウ→提灯。使い分け⇩本文[囲み]さげる(下・提)。⑤

【程】テイ、ほど 例程度・日程・過程・行程・工程・航程、程遠い・身の程を知る。参決まりの意。「ほど(助詞)」はかな書き(半分ほど・言うほどに)。正字程。⑤

【艇】テイ 例艦艇・舟艇・競艇・一艇身。参細長い小舟の意。「ふね」とも訓ずる。

【締】テイ、しまる・しめる 例締結、取り締まり・締め切り・引き締める。使い分け⇩本文[囲み]しまる(締・閉・絞)。

【泥】デイ、どろ 例泥土・雲泥・拘泥、泥沼・泥棒。表外なずむ→かな書き。

【的】テキ、まと 例的中・目的・標的・科学的、的外れ。④

【笛】テキ、ふえ 例汽笛・警笛・牧笛、口笛・横笛。③

【摘】テキ、つむ 例摘要・指摘、摘み草。表外つまむ→かな書き。参あばく意も(摘発)。

【滴】テキ、しずく・したたる 例水滴・点滴・一滴、滴り。

【適】テキ 例適切・適度・適応・快適・適する。表外かなう→かな書き、ゆく→行く、たまたま→かな書き。⑤

【敵】テキ、かたき 例敵意・敵対・強敵・無敵・敵する、敵役・商売敵。参争いごとのあいての意。参「×仇」(かたき)は深い恨みをもつ相手の意だが、今は「敵」でまかなう(敵討ち・親の敵)。つり合う意も(匹敵)。⑤

【迭】テツ 例更迭。参かわるの意。「送」は別字。

【哲】テツ 例哲学・哲理・哲人・先哲・明哲。表外さとい→かな書き。参道理に明るく、さとい意。

【鉄(鐵)】テツ 例鉄道・鉄筋・鉄人・鋼鉄・電鉄。表外くろがね→かな書き。参「かね」とも訓ずる(鬼に▽鉄棒)。③

【徹】テツ 例徹底・徹夜・貫徹・徹する。表外とおす→通す。参貫き通す意。正字徹。

【撤】テツ 例撤去・撤回・撤退・撤兵・撤する。表外すてる→捨てる。参ひきあげる意。正字撤。

【天】 テン、あめ・あま 例 天地(テンチ)・天然・雨天、天(あめ)の下・天(あま)の川・天下り。表外 そら→空。①

一 二 チ 天

【典】 テン 例 典拠・古典・式典。表外 ふみ→文、のり(基準)→かな書き、つかさどる→かな書き、サカン(佐官)→典(さかん)。参「香×奠」は「香典」で代用(「奠」は供え物)。部首 八。④

丨 冂 巾 曲 曲 曲 典 典

【店】 テン、みせ 例 店舗・開店・本店、夜店・仲店。参「たな」とも訓ずる(大店(おおだな))。②

丶 亠 广 广 庐 庐 店 店

【点(點)】 テン 例 点線・点火・点眼・採点・点ずる。表外 ともす→かな書き、たてる→かな書き。参 ぽちの意。部首 点ー灬、點ー黑。②

丨 ト 卜 占 占 占 点 点 点

【展】 テン 例 展開・発展・展示・展覧会。表外 のべる→延べる、ひろげる→広げる、ならべる→並べる。⑥

尸 尸 屏 屏 屏 展 展 展

【添】 テン、そえる・そう 例 添加・添付・添削、手紙を添える・連れ添う。使い分け ⇩本文[囲み]そう(沿・添)。

氵 氵 汘 汘 沃 沃 添 添 添

【転(*轉)】 テン、ころがる・ころげる・ころがす・ころぶ 例 転出・回転・運転・転ずる、寝転ぶ。表外 うたた→かな書き。参「×顚/転」は「転」で統一(転倒・転覆・転落・七転八倒)。「顚」は倒れる意。もと、もっぱら「顚」。③

一 亘 亘 車 軒 軒 転 転

【田】 デン、た 例 田地田畑(デンチデンパタ)・水田・油田、田植え。付 田舎(いなか)。①

丨 冂 冂 田 田

【伝(*傳)】 デン、つたわる・つたえる・つたう 例 伝言・伝統・宣伝・遺伝・伝する、言い伝え。表外 つて→かな書き。参「つて」は「▽伝▽手(熟字訓)」とも。付 伝馬船(テンマセン)・手伝(てつだ)う。④

ノ イ 亻 仁 伝 伝

【殿】 デン・テン、との・どの 例 殿堂・宮殿・貴殿・御殿(ゴテン)、殿様・○○殿。表外 しんがり→かな書き。参 たかどのの意。「沈×澱」は「沈殿」で代用(「澱」はよどむ)。「×臀部(でんぶ)(しり)」を「殿部」で代用した時期もあったが、さすがに近年姿を消した。「デン」は呉音。

尸 尸 屏 屏 展 展 殿 殿

【電】 デン 例 電気・電報・発電・超電導。表外 いなずま→稲妻。参 電気の意。②

一 〒 币 雨 雨 雷 雷 電

【斗】 ト 例 斗酒(トシュ)・泰斗・北斗七星。参 ひしゃく・ますの意。尺貫法の単位ともする(四斗だる)。「闘」を「斗」で代用するのは誤り(×斗争)。

丶 ミ 三 斗

【吐】 ト、はく 例 吐露・吐血・音吐朗々、吐き気。参「ぬかす・つく・こく」とも訓ずる。

丨 口 口 叶 吐

【徒】 ト 例 徒歩・徒競走・徒労。表外 かち→かな書き、いたずらに→かな書き。参 弟子、仲間の意も(徒弟・生徒、徒党・教徒)。④

彳 彳 仁 什 什 徒 徒

【途】 ト 例 途上・途中・中途・帰途・前途。表外 ズ→三途(さんず)の川、みち→道。参「×杜絶」は「途絶」で代用(「杜」はふさぐ)。

ノ 𠆢 亼 今 余 余 涂 途

【都(*都)】 ト・ツ、みやこ 例 都会・都心・首都・都合(ツゴウ)・都度(ツド)、都落ち。表外 すべて→かな書き。参「ツ」は呉音。③

土 耂 者 者 者 都 都

【渡】 ト、わたる・わたす 例 渡航・渡河・渡世・譲渡、綱渡り・渡し船。参「川を渡る・人手に渡る/[×亙・×亘・▽渉]一昼夜にわたる・すべてにわたる」のように使う。

氵 汁 广 沪 浐 浐 渡 渡

【塗】 ト、ぬる 例 塗布・塗装・塗料、塗り付ける。表外 まみれる→かな書き。参「途」に通じ(塗説)、「みち」とも訓ずる。

氵 氵 㳄 沵 涂 涂 塗

【土】 ド・ト、つち 例 土木・国土・粘土・土地(トチ)、赤土。参「ド」は慣用音、「ト」は漢音。付 土産(みやげ)。①

一 十 土

【奴】 ド 例 奴隷・農奴・守銭奴。表外 ヌ→奴婢(ぬひ)、やつ→かな書き、やっこ→かな書き、め(接尾語)→かな書き。部首 女。

く 女 女 奴 奴

【努】 ド、つとめる 例 努力、解決に努める。表外 ゆめ(決して)→かな書き。使い分け ⇩本文[囲み]つとめる(努・勤・務)。④

く 女 女 奴 奴 努 努

【度】 ド・ト・タク、たび 例 度胸・制度・限度・度しがたい・法度(ハット)・支度(シタク)、度重なる。表外 わたる→渡る、たい(希望の助動詞)→かな書き。参「ド」は呉音、「ト」は漢音。「タク(漢音)」は、はかる意(×忖度(そんたく))。部首 广。③

亠 广 广 庐 庐 庐 度 度

【怒】 ド、いかる・おこる 例 怒号・怒気・激怒、怒り狂う・怒られる。表外 ヌ→憤怒(ふんぬ)。②

く 女 女 奴 奴 怒 怒 怒

【刀】 トウ、かたな 例 刀剣・名刀・小刀(ショウトウ)、小刀(こがたな)。付 太刀(たち)・竹刀(しない)。②

フ 刀

【冬】 トウ、ふゆ 例 冬季・冬至・越冬、冬枯れ。正字 冬。部首 冫。②

ノ ク 夂 冬 冬

【灯(*燈)】 トウ、ひ 例 灯火・電灯・点灯、街の灯。表外 チン→提灯(ちょうちん)、ともしび→かな書き。使い分け ⇩火(か)。参「火(ひ・ほ)」に準じて、「灯(ほ)」も表内訓と認められる(灯影(ほかげ))。「灯・燈」は本来別字。「灯(テイ・チョウ)」は激しい火、「燈(トウ)」はともしび。④

丶 丷 ソ 火 灯 灯

【当(當)】 トウ、あたる・あてる 例 当惑・当然・妥当・相当、心当たり・割り当て。表外 まさに→かな書き。

使い分け ⇩本文[囲み]あたる(当・充)。部首 当ー⺌、當ー田。②

【投】トウ、なげる 例 投資・投与・暴投・投機・意気投合・投ずる、身投げ。付 投網(とあみ)。③

【豆】トウ・ズ、まめ 例 豆腐・納豆・大豆(だいず)、豆粒・煮豆。参「ズ」は呉音。付 小豆(あずき)。③

【東】トウ、ひがし 例 東西・東国、東側。表外 あずま→かな書き。部首 木。②

【到】トウ 例 到着・到底・周到。表外 いたる→至る。参 目的地に着く意。部首 刂。

【逃】トウ、にげる・にがす・のがす・のがれる 例 逃走・逃亡・逃避、夜逃げ・見逃す・一時逃れ。参「チョウ」は「跳」の音を当てた慣用音(▽逃散(ちょうさん))。「逃(に)がす/逃(の)がす」の送りがなに注意。

【倒】トウ、たおれる・たおす 例 倒産・倒立・圧倒・傾倒・打倒、共倒れ。参「さかしま」とも訓ずる。参「たおれる」と訓ずる「×斃(死んで倒れる)」「×仆(横にのびる)」も「倒」でまかなう。

【凍】トウ、こおる・こごえる 例 凍結・凍死・冷凍、凍え死に。

【唐】トウ、から 例 唐本・唐土(とうど)・唐突、唐織り・唐草模様。参「もろこし」とも訓ずる。常用漢字表では「唐織り」を「唐織」とするが、慣用になじまない。正字 唐。部首 口。

【島】トウ、しま 例 島民・半島・諸島・列島、島国・離れ島。参「島×嶼(とうしょ)」の「嶼」はこじまの意。「×嶋・×嶌」は別体。③

【桃】トウ、もも 例 桃源郷・白桃・桜桃(おうとう)、桃色。

【討】トウ、うつ 例 討伐・討論・検討、賊を討つ・討ち入り。表外 たずねる→尋ねる。使い分け ⇩本文[囲み]うつ(打・撃・討)。⑥

【透】トウ、すく・すかす・すける 例 透写・透明・浸透、透き間・透かし模様。表外 とおる→通る。参「透き間」は「×隙間(すきま)」が好まれる。

【党(黨)】トウ 例 党派・政党・徒党。参「党・黨」は本来別字。「党(トウ)」はタングート族、「黨(トウ)」はともがら。部首 党ー儿、黨ー黒。⑥

【悼】トウ、いたむ 例 悼辞(とうじ)・哀悼・追悼、死を悼む。使い分け ⇩本文[囲み]いたむ(痛・傷・悼)。

【盗(*盜)】トウ、ぬすむ 例 盗難・盗用・強盗・窃盗、盗み。参「▽盗▽人(ぬすっと)」は表外訓。

【陶】トウ 例 陶器・陶酔・薫陶。参 二つ重なった丘の原義から転じて、焼き物(を作る)、教化する、うっとりするの意。「すえ(焼き物)」とも訓ずる。

【塔】トウ 例 五重の塔・鉄塔。参 卒塔婆(そとば)、タワーの意。「搭」は別字。

【搭】トウ 例 搭乗・搭載。参 乗る・載せる意。参「塔」は別字。

【棟】トウ、むね・むな 例 上棟・病棟・別棟・棟上げ・棟木(むなぎ)。参「×楝(レン)(オウチの木)」は別字。

【湯】トウ、ゆ 例 湯治(とうじ)・熱湯・銭湯、湯水・煮え湯。③

【痘】トウ 例 種痘・水痘・天然痘。表外 もがさ→かな書き。参 天然痘の意。

【登】トウ・ト、のぼる 例 登場・登校・登記・登用・登山(とざん)・登城、山に登る。使い分け ⇩本文[囲み]のぼる(上・昇・登)。参「ト」は慣用音。③

【答】トウ、こたえる・こたえ 例 答弁・答申・答案・応答・問答・解答・回答、受け答え。参 返事する意。「質問に答える/「▽堪」体にこたえる/「▽応」期待にこたえる/「▽対」恩愛にこたえる」のように使う。②

【等】トウ、ひとしい 例 等分・等級・平等(びょうどう)。表外 など→かな書き、ら(接尾語)→かな書き。③

【筒】トウ、つつ 例 封筒・水筒・円筒形、筒抜け。参 銃身・鉄砲の意も。

【統】トウ、すべる 例 統一・統括・統合・統計。参 血筋の意も(伝統・系統)。正字 統。⑤

【稲(*稻)】トウ、いね・いな 例 水稲、稲刈り・稲作(いなさく)・稲穂(いなほ)。参「▽早▽稲(わせ)・▽晩▽稲(おくて)」は熟字訓。

【踏】トウ、ふむ・ふまえる 例 踏破・人跡未踏・高踏的、足踏み。参「踏/×蹈」は同義の「踏」で統一(踏襲・踏破・舞踏・踏査)。

【糖】トウ 例 糖分・砂糖・製糖。参 あめの意。⑥

【頭】トウ・ズ・ト|、あたま・かしら 例 頭部・頭注・年頭・船頭・頭痛(ズツウ)・頭上・音頭(オンド)、頭打ち・頭(かしら)文字。表外 ジュウ→饅頭(まんじゅう)、かみ(長官)→頭(かみ)、こうべ→かな書き。参「ズ」は呉音、「ト」は慣用音。②

【謄】トウ 例 謄写版・謄本。表外 うつす→写す。正字 謄。部首 言。

【闘(鬭)】トウ、たたかう 例 闘争・闘志・戦闘・決闘、病気と闘う。使い分け ⇩本文[囲み]たたかう(戦・闘)。参「鬭」の俗字が「闘」、「鬪」はその略字。⇩斗(ト)。部首 闘―門、鬭―鬥。

【騰】トウ 例 騰貴・暴騰・沸騰。表外 あがる→上がる、のぼる→昇る・上る。正字 騰。部首 馬。

【同】ドウ、おなじ 例 同情・同一・異同・混同・同ずる、同じ人・同い年。参「×仝」は別体。部首 口。②

【洞】ドウ、ほら 例 洞穴(ドウケツ)・空洞、洞穴(ほらあな)。参 見抜く意も(洞察)。

【胴】ドウ 例 胴体・胴回り・胴巻き。参 胴体の意。

【動】ドウ、うごく・うごかす 例 動物・活動・騒動・動ずる、身動き。表外 やや(もすると)→かな書き。③

【堂】ドウ 例 殿堂・聖堂・講堂・堂々と・母堂。参 御殿の意。④

【童】ドウ、わらべ 例 童話・童心・児童、童歌。参「わらわ」とも訓ずる。部首 立。③

【道】ドウ・トウ|、みち 例 道路・道徳・報道・言語道断・神道(シントウ)、近道。表外 いう→言う。参「トウ」は漢音、「ドウ」は呉音。②

【働】ドウ、はたらく 例 労働・実働、働き。参 国字。略字として「仂」を使うのは避けたい。「×仂(ロク)(余り)」は別字。④

【銅】ドウ 例 銅貨・銅像・金銅・青銅・赤銅(シャクドウ)。表外 あかがね→赤金。⑤

【導】ドウ、みちびく 例 導入・指導・補導・半導体、導き。⑤

【峠】とうげ 例 峠道・○○峠。参 国字。音はない。

【匿】トク 例 匿名・隠匿・秘匿。表外 かくれる→隠れる、かくす→隠す。

【特】トク 例 特別・特殊・特産・特徴・特長・独特・特に。参 原義は優れた種牛の意。④

【得】トク、える・うる 例 得意・会得(エトク)・損得・得する。参 自分のものにする意。使い分け「勝利を得る・許可を得る・得物(武器)/獲物」のように使う。参「うる」は文語の残存(得るところ大・書き得る)。④

【督】トク 例 督促・監督・督する。参 うながす、見張る意。

【徳(*德)】トク 例 道徳・美徳・恩徳・余徳。参 道徳・恩恵の意。利益の意で「得」に通ずる(得用・徳用)。⑤

【篤】トク 例 篤農・懇篤・危篤。参 真心がある、病気が重い意。「▽篤(あつ)い」は、真心の意では「厚」でまかなう[徳が厚い/病があつい(▽篤)]。

【毒】ドク 例 毒薬・毒舌・中毒・劇毒・害毒・毒する。④

【独(獨)】ドク、ひとり 例 独立・独断・単独。参「独り」は連れがない意に、「一人」は人数に注目して使う(独り者・独り言・独り占め/一人息子・一人旅・一人天下)。⑤

【読(讀)】ドク・トク・トウ|、よむ 例 読書・音読・講読・読本(トクホン)・句読点(クトウテン)。使い分け「本を読む・心を読む・秒読み/和歌を詠む・一首詠む」のように使う。参「ドク」は呉音。「トウ(漢音)」は区切りの意。付 読経(ドキョウ)。②

【凸】トツ 例 凸版・凸レンズ・凸面鏡・凹凸。参 中高の意。部首は「出」と同じ「凵」。付 凸凹(でこぼこ)。

【突(*突)】トツ、つく 例 突出・突破・突端・衝突、一突き。参 急にの意も(突然・唐突)。使い分け ⇩本文[囲み]つく(付・着・就・突)。

【届(屆)】とどける・とどく 例 届け出る・欠席届・不行き届き。参 国訓のみを使う。⑥

【屯】トン 例 屯所・屯田兵・駐屯。表外 たむろ→かな書き。参 集団の意。重量の「トン」にも当てる(国字「×噸」の略字)。部首 屮。

【豚】トン、ぶた 例 豚汁・養豚・子豚・豚肉。参 謙称にも(豚児)。部首 豕。

【鈍】ドン、にぶい・にぶる 例 鈍感・鈍角・愚鈍・鈍する。表外 のろい→かな書き。参 濃いねずみ色は「▽鈍色(にびいろ)」。

呉音。

【曇】ドン、くもる 例曇天、薄曇り。表外タン→悉曇(しったん)。参「ドン」は呉音。

【内】ナイ・ダイ、うち 例内外・内容・内側。内服・内裏(ダイリ)・参内(サンダイ)・境内(ケイダイ)。参「ナイ」は呉音、「ダイ」は漢音。正字內。部首冂。②

【南】ナン・ナ、みなみ 例南北・南端・指南・南無(ナム)、南向き。参「ナン」は呉音、「ナ」は慣用音。部首十。②

【軟】ナン、やわらか・やわらかい 例軟化・軟弱・硬軟、軟らかな土・軟らかい話。使い分け⇩本文[囲み]やわらかい(柔・軟)。部首車。

【難(*難)】ナン、かたい・むずかしい 例難易・困難・非難・論難・難ずる、許し難い・気難しい。表外にくい→かな書き。参「難(むずか)しい」は「むつかしい」とも。⑥

【二】ニ、ふた・ふたつ 例二番目・二分。表外ジ→二乗(じじょう)。使い分け「二」は数に、「双」は対に注目して「二重まぶた・二つ返事・二つ折り／双子・双葉」のように使う。参「ニ」は呉音。⇩弐(に)。付十重二十重(とえはたえ)、二十・二十歳(はたち)、二十日(はつか)、二人(ふたり)、二日(ふつか)。①

【尼】ニ、あま 例尼僧・修道尼、尼寺。表外ジ→仲尼(ちゅうじ)(孔子のあざな)。参「ニ」は呉音。

【弐(貳)】ニ 例弐万円。表外ジ→弐心(じしん)(＝二心)、ふたつ→二つ。参証書類で「二」の代わりに使う。部首弐-弋、貳-貝。

【肉】ニク 例肉類・肉親・肉体・肉薄・筋肉。参「しし」とも訓ずる(太り▽肉(じし))。「×宍(しし)」に同じ。②

【日】ニチ・ジツ、ひ・か 例日時・日光・毎日・連日(レンジツ)・平日、日帰り・十日(とおか)。参「ニチ」は呉音。付明日(あす)・昨日(きのう)・今日(きょう)・一日(ついたち)・二十日(はつか)・日和(ひより)・二日(ふつか)。①

【入】ニュウ、いる・いれる・はいる 例入学・侵入・収入・入水(ニュウスイ)・入唐(ニットウ)、寝入る・入り込む。表外ジュ→入水(じゅすい)。使い分け⇩本文[囲み]いる(入・要)。①

【乳】ニュウ、ちち・ち 例乳児・牛乳、乳首(ちくび)・添え乳(ぢ)。付乳母(うば)。部首乚。⑥

【尿】ニョウ 例尿意・尿素・排尿・夜尿症。表外いばり・ゆばり→かな書き。

【任】ニン、まかせる・まかす 例任意・任務・責任・任ずる、人任せ。⑤

【妊】ニン 例妊娠・懐妊・不妊。表外はらむ→かな書き。参「みごもる」とも訓ずる。「×姙」は別体。

【忍】ニン、しのぶ・しのばせる 例忍者・忍耐、忍び足・忍びやか。参むごいの意も(残忍)。参「恥を忍ぶ／[×偲]往時をしのぶ」のように使う。正字忍。

【認】ニン、みとめる 例認識・承認・容認・否認、認め印(イン)。表外したためる→かな書き。⑥

【寧】ネイ 例安寧・丁寧。表外やすい(無事)→安い、むしろ→かな書き。参気持ちが落ち着いている意。⇩丁(チョウ)。正字寧。

【熱】ネツ、あつい 例熱病・熱湯・熱風・炎熱・情熱・熱する、熱い湯・お熱い仲。使い分け⇩本文[囲み]あつい(暑・熱・厚)。④

【年】ネン、とし 例年代・少年・豊年、年子・年寄り。参「とし」は「▽年齢(熟字訓)」とも。付今年(ことし)。部首干。①

【念】ネン 例念願・念仏・信念・念ずる。表外おもう→思う。参一心に思う意。④

【粘】ネン、ねばる 例粘土・粘液・粘着・粘膜、粘り強い。

【燃】ネン、もえる・もやす・もす 例燃焼・燃料・可燃性、燃え尽きる。⑤

【悩(惱)】ノウ、なやむ・なやます 例悩殺・苦悩・煩悩(ボンノウ)、悩み・悩ましい。

【納】ノウ・ナッ・ナ・ナン・トウ、おさめる・おさまる 例納入・納涼・収納・納得(ナットク)・納豆(ナットウ)・納屋(ナヤ)・納戸(ナンド)・出納(スイトウ)、税を納める・御用納め。表外いれる→入れる。使い分け⇩本文[囲み]おさまる(収・納・修・治)。参「ノウ」は呉音、「ナッ・ナ・ナン」は唐音、「トウ」は慣用音。⑥

【能】ノウ 例能力・能楽・芸能・効能・能がない。表外あたう→かな書き、よくする→かな書き、よく→かな書き。部首肉。⑤

【脳(腦)】ノウ 例脳髄・首脳・頭脳・脳外科。⑥

【農】ノウ 例農業・農具・酪農。参耕し作る意。部首辰。③

漢

【濃】ノウ、こい 例濃厚・濃密・濃紺・濃淡、濃いめ。表外こまやか→かな書き。

【把】ハ 例把握・把持。表外とる→取る。参手でつかむ意で「にぎる」とも訓ずる。助数詞では「ワ(一把)・バ(三把)・パ(十把)」。

【波】ハ、なみ 例波浪・波及・電波、荒波。参「▽浪・×濤(なみ)」は大波の意。付波止場(はとば)。③

【派】ハ 例派遣・派生・派閥・流派・宗派・派する。参つかわす、分かれるの意。正字派。⑥

【破】ハ、やぶる・やぶれる 例破壊・破産・撃破、型破り・破れかぶれ。表外われる→割れる。使い分け⇩本文[囲み]やぶる・やぶれる(破・敗)。⑤

【覇(霸)】ハ 例覇気・覇権・覇者・制覇・争覇・連覇。参武力による支配の意。正字霸。部首覇―西、霸―雨。

【馬】バ、うま・ま 例馬車・競馬、馬小屋・馬子(まご)。表外メ→駿馬(しゅんめ)。参十二支のうまは「▽午」。付伝馬船(テンマセン)。②

【婆】バ 例老婆・産婆役。表外ばば・ばばあ→かな書き。

【拝(*拜)】ハイ、おがむ 例拝見・拝啓・崇拝・拝する、拝み倒す。⑥

【杯】ハイ、さかずき 例祝杯・銀杯、水杯。参俗字の「×盃(さかずき)」も好まれる。「×抔(など)」は別字。

【背】ハイ、せ・せい・そむく・そむける 例背後・背景・背丈・背中・上背(うわぜい)。参「背徳／×悖徳」は類義の「背徳」で統一(「悖」はもとる)。「×脊(セキ)(背骨)」は別字。⑥

【肺】ハイ 例肺臓・肺炎・肺肝・肺結核・肺活量。⑥

【俳】ハイ 例俳優・俳句・俳味(ハイミ)・雑俳。表外わざおぎ→かな書き。参芸人・俳句の意。⑥

【配】ハイ、くばる 例配分・交配・心配・気配・配する、気配り。参並ぶの意で「排」に通ずる(排列・配列)。③

【排】ハイ 例排斥・排除・排気・排水管・排する。表外おす→押す。参押し開く、押しのける意。⇩配(イ)。

【敗】ハイ、やぶれる 例敗北・腐敗・失敗、勝負に敗れる。表外まける→負ける。使い分け⇩本文[囲み]やぶる・やぶれる(破・敗)。部首攵。④

【廃(廢)】ハイ、すたれる・すたる 例廃止・廃物・荒廃・工場廃水・廃する、流行が廃れる。参旧字体で類似する「×癈(ハイ)(不治の病)」は別字。

【輩】ハイ 例輩出・先輩。表外ともがら→かな書き、やから→かな書き。

【売(*賣)】バイ、うる・うれる 例売買・売品・商売、売り出す・売値(うりね)・売れ行き。表外マイ→売僧(まいす)。②

【倍】バイ 例倍率・倍加・二倍・旧に倍する。表外ます→増す。③

【梅(*梅)】バイ、うめ 例梅雨・入梅・紅梅・老梅、梅見・梅酒(うめシュ)。参「×楳」は別体。付梅雨(つゆ)。④

【培】バイ、つちかう 例培養・栽培。参養う意。

【陪】バイ 例陪席・陪食・陪審員。参従う、付き添う意。

【媒】バイ 例媒介・媒体・霊媒・冷媒。表外なかだち→仲立ち。

【買】バイ、かう 例買収・売買・購買、買い物・売り買い。②

【賠】バイ 例賠償。表外つぐなう→償う。参損害を金銭で補償する意。

【白】ハク・ビャク、しろ・しら・しろい 例白髪(ハクハツ)・紅白・明白・告白・黒白(コクビャク)、真っ白・白壁(しらかべ)・白む・青白い。表外もうす→申す。参「ビャク」は呉音。付白髪(しらが)。①

【伯】ハク 例伯仲・伯爵・画伯。参父の兄の意。付伯父(おじ)・伯母(おば)。

【拍】ハク・ヒョウ 例拍手・拍車・一拍・拍子(ヒョウシ)。表外うつ→打つ、たたく→かな書き。参「×搏」は「拍」で代用(脈拍・拍動・心拍)。「搏」は強くうつ意で「拍」に通ずる。「ヒョウ」は慣用音。

【泊】ハク、とまる・とめる 例停泊・宿泊・外泊、旅館に泊まる。使い分け⇩本文[囲み]とまる(止・留・泊)。

【迫】ハク、せまる 例迫害・脅迫・切迫、押し迫る。参せまる意で「薄」に通ずる(肉薄・肉迫)。「気×魄」は「気迫」で代用(「魄」は肉体を支配するたましい)。

【舶】 ハク [例]舶来・船舶。[参]大きな船の意で、「ふね」とも訓ずる。

【博】 ハク・バク [例]博識・博覧・博士・博する・博労・博徒。[表外]ひろい→広い。[参]あまねく通ずる意。「バク」は慣用音。[付]博士。④

【薄】 ハク、うすい・うすめる・うすまる・うすらぐ・うすれる [例]薄情・薄謝・軽薄、薄着・品薄・薄ら寒い。[表外]すすき→かな書き、せまる→迫る。[参]⇩迫・淡。

【麦(麥)】 バク、むぎ [例]麦芽・麦秋・精麦、大麦・小麦・麦畑。[部首]麦。②

【漠】 バク [例]砂漠・漠然・広漠。[参]砂漠の意から、広々と果てしない意。「×寞(さびしい)」に通ずる(寂寞・寂漠)。

【縛】 バク、しばる [例]束縛・捕縛・緊縛・縛する、金縛り。

【爆】 バク [例]爆発・爆弾・原爆。[表外]はぜる→かな書き、はじける→かな書き。

【箱】 はこ [例]箱詰め・箱入り娘・小箱・箱庭・百葉箱・一箱。[表外]ソウ→百葉箱。③

【畑】 はた・はたけ [例]畑作・麦畑・畑違い。[参]国字。別体の「×畠」も国字。③

【肌】 はだ [例]肌色・地肌・山肌・柔肌・美肌。[表外]キ→玉肌。[参]「▽肌▽理」は熟字訓。「肌/▽膚」は美醜で使い分ける傾向がある(鮫膚・鳥膚)。

【八】 ハチ、や・やつ・やっつ・よう [例]八月・八方、八重桜・八つ当たり・八日。[参]証書類では「×捌」とも。末広がりの字として喜ばれる。[付]八百屋・八百長。①

【鉢】 ハチ・ハツ [例]植木鉢・衣鉢。[参]皿状の器物の意。「ハチ」は呉音、「ハツ」は漢音。

【発(發)】 ハツ・ホツ [例]発明・発見・発射・出発・突発・発する・発足・発作・発端・発起。[表外]はなつ→放つ、ひらく→開く、あばく→暴く、たつ(出発する)→かな書き、おこす→起こす。[参]「活×潑」は「活発」で代用(「潑」は勢いのよい様)。「反×撥」は「反発」で代用(「撥」は跳ねる)。「×醱酵」は「発酵」で代用(「醱」はかもす)。「ホツ」は慣用音。③

【髪(*髮)】 ハツ、かみ [例]頭髪・白髪・整髪、髪結い・洗い髪。[付]白髪。

【伐】 バツ [例]伐採・間伐・征伐・殺伐・濫伐。[表外]きる→切る、うつ→討つ。

【抜(*拔)】 バツ、ぬく・ぬける・ぬかす・ぬかる [例]抜群・抜刀・選抜・奇抜・卓抜、くぎ抜き・気抜け・手抜かり。

【罰】 バツ・バチ [例]罰金・処罰・天罰・罰する・罰当たり。[参]とがめの意。「×罸」は俗字。「バチ」は呉音。[部首]罒。

【閥】 バツ [例]門閥・財閥・学閥・派閥。[参]利害を同じくする者のつながり。

【反】 ハン・ホン・タン、そる・そらす [例]反映・反対・反面・違反・反する・謀反・反物。[表外]かえす→返す、そむく→背く、かえって→かな書き。[参]「体を反らす/「▽逸」目をそらす」のように使う。「反/×叛」は同義の「反(そむく)」で統一(反逆・反乱・反旗・背反・離反)。もと多く「叛」。「ホン」は呉音、「タン」は慣用音。[部首]又。③

【半】 ハン、なかば [例]半分・半面・大半、月半ば。[参]新聞は「脚×絆」を「脚半」で代用(「絆」はつなぎとめる)。[正字]半。[部首]十。②

【犯】 ハン、おかす [例]犯罪・共犯・侵犯・窃盗犯、法を犯す。[表外]ボン→女犯。[使い分け]⇩本文[囲み]おかす(犯・侵・冒)。⑤

【帆】 ハン、ほ [例]帆船・帆走・出帆・順風満帆、帆柱。

【伴】 ハン・バン、ともなう [例]同伴・随伴・伴奏・伴食。[表外]とも→かな書き。[参]「バン」は呉音。

【判】 ハン・バン [例]判定・判明・裁判・B5判・判ずる・大判。[表外]わかる→分かる。[参]はっきりする意。「バン」は慣用音。俗に「判が大きい」とも言うが、一般には「ハン」。常用漢字表の語例「大判」などは、「ハン」の連濁とも解せよう(「版」の場合は連濁)。⑤

【坂】 ハン、さか [例]急坂、坂道・下り坂。[参]「×阪」と同字。「大阪」はもと「大坂」(今、「大阪市/大坂城」など書き分ける)。③

【板】 ハン・バン、いた [例]甲板・鉄板・看板・黒板・掲示板・板書、板戸・板前・胸板。[参]「バン」は慣用音。③

【版】 ハン [例]版画・版元・版下・写真版・出版。⇩判。⑤

【班】ハン 例班長・救護班。表外 わける→分ける。参 新聞は「×斑点」を「班点」で代用するが、慣用になじまない（「斑」はまだら）。⑥

【畔】ハン 例湖畔・池畔。表外 あぜ→かな書き、くろ→かな書き、ほとり→かな書き、そむく→背く。

【般】ハン 例諸般・一般・先般・今般。参 種類・時の意。

【販】ハン 例販売・販路・市販。参 商いをする意で「ひさぐ」とも訓ずる。

【飯】ハン、めし 例御飯・炊飯・赤飯、飯粒・五目飯。表外 いい→飯（いい）。④

【搬】ハン 例搬入・搬出・運搬。表外 はこぶ→運ぶ。

【煩】ハン・ボン、わずらう・わずらわす 例煩雑・煩悩（ボンノウ）・煩わしい。使い分け「思い煩う・人手を煩わす・心を煩わす／胸を患う・三年ほど患う」のように使う。参「ボン」は呉音。

【頒】ハン 例頒布・頒価。表外 わける→分ける。参 分かち与える意。

【範】ハン 例範囲・師範・模範・規範。表外 のり→かな書き。参「広範／広×汎」は「広範」で統一（「汎」はあまねく、「範」は区切りの意。もと、もっぱら「広汎」）。

【繁（*繁）】ハン 例繁栄・繁雑・繁盛・繁茂・繁華街。表外 しげる→茂る、しげく→かな書き。参「繁殖／×蕃殖」は「繁殖」で統一（「蕃」もしげる）。

【藩】ハン 例藩主・廃藩置県・○○藩。参 垣根の意から、諸侯の領地の意。

【晩（*晩）】バン 例晩夏・今晩・早晩。表外 くれ→暮れ、おそい→遅い。⑥

【番】バン 例番人・番組・番茶・番傘・順番・当番・番台。表外 つがう→かな書き。参 順序、かわるがわる、見張りなどの意。②

【蛮（蠻）】バン 例蛮行・蛮人・野蛮。参「×蕃族」は「蛮族」で統一（「蛮」は南方のえびす、「蕃」は未開人の意だが、混同された）。

【盤】バン 例基盤・円盤・碁盤・盤台。参 物を載せる台の意。「落×磐／落盤」「×磐石（バンジャク）／盤石」は後者で統一（岩の意で「磐・盤」は通ずる。もと多く「磐」）。

【比】ヒ、くらべる 例比較・比例・無比・比する、背比べ（せいくらべ）。参「体重を比べる／腕を▽競べる・力▽競べ」のように使ったが、今は「比」でまかなう。部首 比。⑤

【皮】ヒ、かわ 例皮膚・皮相・樹皮、毛皮。使い分け「皮をはぐ・トラの皮・木の皮・面の皮・化けの皮／革のベルト・革靴」のように使う。③

【妃】ヒ 例妃殿下・王妃・皇太子妃。表外 きさき→かな書き。参 皇太子や皇族の妻の意。

【否】ヒ、いな 例否定・適否、～や否や・否む。表外 いや→かな書き。⑥

【批】ヒ 例批判・批評・批正・批准（ヒジュン）。参 品定めする意。⑥

【彼】ヒ、かれ・かの 例彼我・彼岸、彼ら・彼女。参「かの（連体詞）」はかな書き（かの有名な画家）。

【披】ヒ 例披見・披露（ヒロウ）・直披（チョクヒ・ジキヒ）。表外 ひらく→開く。

【肥】ヒ、こえる・こえ・こやす・こやし 例肥大・肥料・施肥（セヒ）、下肥（しもごえ）。表外 ふとる→太る。⑤

【非】ヒ 例非行・非道・非難・非常・是非。表外 あらず→かな書き。参 悪い、背く、そしるの意も。「×菲才」は類義の「非才」で代用（「菲」は薄い）。⑤

【卑（*卑）】ヒ、いやしい・いやしむ・いやしめる 例卑近・卑屈・卑下・卑称。表外 ひくい→低い。参「野×鄙／野卑」は「野卑」で統一（「鄙」は田舎じみた、卑しい。別語が混同された）。部首 十。

【飛】ヒ、とぶ・とばす 例飛行・飛躍・雄飛、飛び込む・飛び火。使い分け ⇩本文［囲み］とぶ（飛・跳）。参「飛語／×蜚語」は「飛語」で統一（「蜚」も飛ぶ意）。部首 飛。④

【疲】ヒ、つかれる・つからす 例疲労・疲弊、気疲れ・湯疲れ。

【秘（*祕）】ヒ、ひめる 例秘密・秘書・神秘・秘する、秘め事。表外 かくす→隠す、ひそか→かな書き。部首 秘－禾、祕－示。⑥

【被】ヒ、こうむる 例被服・被覆・被害・被告・外被・被選挙権。表外おおう→覆う、かぶる→かな書き、きる→着る、かずく→かな書き。参「災難を被る／恩恵を×蒙る」のように使ったが、今は「被」でまかなう。

【悲】 ヒ、かなしい・かなしむ 例 悲劇・悲痛・悲哀・悲恋・慈悲、悲しがる・悲しみ。③

【扉】 ヒ、とびら 例 開扉・門扉、中扉・扉絵。

【費】 ヒ、ついやす・ついえる 例 費用・消費・生活費。参「財産が費える／［×潰］敵軍がついえる・夢がついえる」のように使う。④

【碑（＊碑）】 ヒ 例 墓碑銘・石碑・記念碑。表外 いしぶみ→石文。

【罷】 ヒ 例 罷業・罷免。表外 ハイ→罷免、やめる→辞める、つかれる→疲れる、まかる（＝引き退く、去る）→かな書き。

【避】 ヒ、さける 例 避難・逃避・回避・不可避。表外 よける→かな書き。

【尾】 ビ、お 例 尾行・首尾・末尾・尾する、尾頭付き・尾根。

【美】 ビ、うつくしい 例 美醜・美術。表外 ミ→美事、よい（華やか）→かな書き。参 ほめる意も（賛美・嘆美）。部首 羊。③

【備】 ビ、そなえる・そなわる 例 備考・守備・準備、老後に備える。使い分け ⇩本文［囲み］そなえる（備・供）。⑤

【微】 ビ 例 微妙・微笑・衰微・微行。表外 ミ→微塵、かすか→かな書き。参 ごく小さい、ひそかにの意。正字 微。

【鼻】 ビ、はな 例 鼻孔・耳鼻科、鼻血・水っぱな・はなをかむ。参「鼻が高い・鼻水／［×洟］水っぱな・はなをかむ」のように使う。正字 鼻。③

【匹】 ヒツ、ひき 例 匹敵・匹夫・馬匹、数匹。参「たぐい」とも訓じ、夫婦・仲間の意。助数詞としても使う。「ひき」を音とする説もある。

【必】 ヒツ、かならず 例 必然・必死・必要、必ずしも。④

【泌】 ヒツ・ヒ 例 分泌・泌尿器。表外 しみる→かな書き。参 しみ出る意。「沁（しみこむ）」は別字。⇩染。

【筆】 ヒツ、ふで 例 筆記・毛筆・文筆、筆先。参 土地の区画の意も（分筆）。③

【姫】 ひめ 例 お姫様・姫小松。表外 キ→美姫。正字 姬。

【百】 ヒャク 例 百貨店・百科事典。表外 もも→百。参 証書類では「×陌・×佰」とも。付 八百屋・八百長。①

【氷】 ヒョウ、こおり・ひ 例 氷点・氷山・結氷、氷砂糖・氷雨。表外 こおる→凍る。③

【表】 ヒョウ、おもて・あらわす・あらわれる 例 表面・代表・発表・通知表・表する。使い分け ①⇩本文［囲み］あらわす（表・現・著）。②「裏と表・表で遊ぶ・表向き／面を上げる・面を着ける・細面・矢面」のように使う。③

【俵】 ヒョウ、たわら 例 土俵・一俵、米俵。⑤

【票】 ヒョウ 例 投票・票決・伝票・通知票。参 札の意。部首 示。④

【評】 ヒョウ 例 評価・評判・定評・評する。参 品定めする意。⑤

【漂】 ヒョウ・ただよう 例 漂着・漂泊・漂流、花の香が漂う。参 さらす意も（漂白）。

【標】 ヒョウ 例 標準・標本・目標。表外 しるし→かな書き、しるべ→かな書き、しめ→かな書き、しるす→記す。④

【苗】 ビョウ、なえ・なわ 例 種苗・痘苗、苗木・苗代。表外 ミョウ→苗字。付 早苗。

【秒】 ビョウ 例 秒針・秒速・寸秒。参 時間・角度などの単位。③

【病】 ビョウ・（ヘイ）、やむ・やまい 例 病気・病根・臆病・看病・疾病、病み付き・気の病。参「ビョウ」は呉音。③

【描】 ビョウ、えがく 例 描写・描出・素描・点描、描き出す。表外 かく（描く）→かな書き。

【猫】 ビョウ、ねこ 例 愛猫、三毛猫・犬猫病院。

【品】 ヒン、しな 例 品評・作品・上品・一品料理、品物・手品。表外 ホン→一品。③

【浜(濱)】ヒン、はま 例海浜・京浜、浜辺・砂浜。参「浜・濱」は本来別字。「浜(ヒン・ホウ)」は船を入れる溝、「濱(ヒン)」ははま。

【貧】ヒン・ビン、まずしい 例貧富・貧弱・清貧・赤貧・貧する・貧乏(ビンボウ)。参「ビン」は呉音。「×貪(ドン)(むさぼる)」は別字。⑤

【賓(*賓)】ヒン 例賓客・主賓・来賓。参敬うべき客の意。

【頻(頻)】ヒン 例頻度・頻発・頻繁。表外しきりに→かな書き。

【敏(*敏)】ビン 例敏感・敏速・機敏・鋭敏。表外すばやい→素早い、さとい→かな書き

【瓶(瓶)】ビン 例瓶詰・花瓶。表外ヘイ→瓶子(へいし)。参「ビン」は唐音。

【不】フ・ブ 例不当・不利・不賛成・不作法(ブサホウ)・不用心。表外ず→かな書き。参否定の意で「無」に通ずる(無粋・不粋)。「フ」は呉音、「ブ」は慣用音。④

【夫】フ・フウ、おっと 例夫妻・農夫・凡夫・夫婦(フウフ)・工夫(クフウ)。表外おとこ→男、それ→かな書き。参「▽夫▽婦(めおと・みょうと)」は熟字訓。「フウ」は慣用音。④

【父】フ、ちち 例父母・父兄・祖父、父親。付叔父(おじ)・伯父(おじ)、お父(とう)さん。②

【付】フ、つける・つく 例付与・交付・給付・付する、名付ける・気付く。使い分け⇩本文[囲み]つく(付・着・就・突)。参添え加える意の「附」に代えて使う(付録・付属・付則・添付・寄付)。与える意では、もっぱら「付」(給付・交付・送付・配付・納付)。④

【布】フ、ぬの 例敷布・分布・布陣、布地。表外ホ→布衣(ほい)(平民)、しく→敷く。参「敷」に通ずる(敷設・布設)。参「フ」は呉音。⑤

【扶】フ 例扶助・扶養・扶育。表外たすける→助ける。

【府】フ 例都道府県・首府・政府・学問の府。参役所の意。④

【怖】フ、こわい 例恐怖、怖がる。表外おそれる→恐れる、おそろしい→恐ろしい、おじる→かな書き、おびえる→かな書き。

【附】フ 例附属。表外つく→付く。参添え加える意。⇩付(フ)。

【負】フ、まける・まかす・おう 例負担・負傷・勝負、勝ち負け・背負う。参マイナスの意も(負号)。表外そむく→背く。正字負。③

【赴】フ、おもむく 例赴任。参もと、急いで駆けつける意。

【浮】フ、うく・うかれる・うかぶ・うかべる 例浮沈・浮力・浮薄、浮き袋・浮世絵・浮かれ調子。付浮気(うわき)・浮(うわ)つく。

【婦】フ 例婦人・夫婦・主婦。表外おんな→女。参妻の意。⑤

【符】フ 例符号・切符・護符・音符。参割り符の意。

【富】フ・フウ、とむ・とみ 例富裕・貧富・富貴(フウキ)、富み栄える・富の分配。参「富貴」は「フッキ」とも。「フ」は呉音、「フウ」は慣用音。⑤

【普】フ 例普通・普遍・普請(フシン)。表外あまねく→かな書き。

【腐】フ、くさる・くされる・くさらす 例腐敗・陳腐・豆腐、腐れ縁・ふて腐れる・後腐れ。参心を悩ます意も(腐心)。

【敷】フ、しく 例敷設(フセツ)、布団を敷く・下敷き・敷石・座敷・屋敷。参「敷く」を「ひく」としない。⇩布(フ)。付桟敷(さじき)。

【膚】フ 例皮膚・完膚(カンプ)。表外はだ(⇩肌)、はだえ→かな書き。部首肉。

【賦】フ 例賦与・月賦・天賦・賦する。参割り当てて与える意。

【譜】フ 例系譜・楽譜・年譜・音譜。参系統的に作った記録の意。正字譜。

【侮(*侮)】ブ、あなどる 例侮辱・軽侮、侮り。

【武】ブ・ム 例武力・武士・文武・武者(ムシャ)人形。表外たけし→かな書き。参力で屈伏させる意。「ム」は呉音。部首止。⑤

【部】ブ 例部分・全部・一部・本部・野球部。表外べ→部(べ)の民。参区分けする意。付部屋(へや)。③

【舞】ブ、まう・まい 例舞踏・舞台・歌舞・鼓舞、舞い上がる・きりきり舞い・舞扇。正字舞。

【封】 フウ・ホウ [例]封鎖・封書・密封・動きを封ずる・封建的・素封家・備州に封ずる。[参]「フウ（慣用音）」は閉じる、「ホウ（漢音）」は領地（を与える）の意。[部首]寸。

【風】 フウ・フ、かぜ・かざ [例]風力・風俗・中風・風情、そよ風・風上。[参]「×諷」は「風」で代用（風刺・風詠）。「風」はほのめかす意で「諷」に通ずる。「フ」は呉音。[付]風邪。②

【伏】 フク、ふせる・ふす [例]伏線・起伏・潜伏・伏する、うつ伏せ・伏し拝む。[表外]ブク→折伏。[参]服従する意で「服」に通ずる（降服・降伏）。

【服】 フク [例]服装・服従・服毒・心服・一服・服する。[参]衣服、従う、飲むなどの意。⇩伏。[正字]服。③

【副】 フク [例]副業・副作用・正副。[表外]そう→添う、そえる→添える。[参]予備として助ける意。④

【幅】 フク、はば [例]幅員・振幅・全幅、横幅・幅を利かす。[参]俗に略字として「巾」も使う（「×巾」はふきん・布きれの意）。

【復】 フク [例]復活・復帰・復旧・往復・報復・復する。[表外]かえる→帰る、ふたたび→再び、また→又。[参]⇩覆・複。⑤

【福（*福）】 フク [例]福祉・福徳・福音・幸福。[表外]さいわい→幸い。③

【腹】 フク、はら [例]腹案・空腹・山腹、腹芸・太っ腹。[参]「×肚が据わる」も好まれる。⑥

【複】 フク [例]複数・複雑・重複。[参]かさねる意で「復」に通ずる（復製・複製）。⑤

【覆】 フク、おおう・くつがえす・くつがえる [例]覆面・転覆、覆い。[参]繰り返す意で「復」に通ずる（反復・反覆、復刻・覆刻）。[正字]覆。[部首]襾。

【払（*拂）】 フツ、はらう [例]払暁・払底、支払う・月払い。[参]「金を払う・犠牲を払う／［×祓］汚れをはらう」のように使う。

【沸】 フツ、わく・わかす [例]沸騰・煮沸、沸き返る・湯沸かし。[表外]たぎる→かな書き。[参]「湯が沸く／［×湧］泉がわく・興味がわく」のように使う。

【仏（*佛）】 ブツ、ほとけ [例]仏事・仏像・念仏・成仏、仏様・生き仏。[表外]フツ→仏文学。[参]ほとけの意では、旧字「佛」も好まれる。「ブツ」は慣用音。⑤

【物】 ブツ・モツ、もの [例]物質・人物・動物・食物・進物・禁物、物語・品物・大物・物する。[参]形式名詞はかな書き（正しいものと認める）。⇩者。「モツ」は慣用音。[付]果物。③

【粉】 フン、こ・こな [例]粉末・粉砕・粉飾、小麦粉・粉雪。④

【紛】 フン、まぎれる・まぎらす・まぎらわす・まぎらわしい [例]紛失・諸説紛々、紛れ込む。[参]もつれる意も（紛争・内紛）。

【雰】 フン [例]雰囲気。[参]水蒸気・大気の意。

【噴】 フン、ふく [例]噴火・噴出・噴水・噴激、山が火を噴く。[表外]はく→吐く。[使い分け]⇩本文［囲み］ふく（吹・噴）。[正字]噴。

【墳】 フン [例]墳墓・古墳。[参]盛り土した墓の意。[正字]墳。

【憤】 フン、いきどおる [例]憤慨・義憤・発奮、憤り。[参]「おこる」とも訓ずる。[正字]憤。

【奮】 フン、ふるう [例]奮起・奮発・興奮・発奮、奮って参加する・奮い立つ。[使い分け]⇩本文［囲み］ふるう（振・奮・震）。[部首]大。⑥

【分】 ブン・フン・ブ、わける・わかれる・わかる・わかつ [例]分解・自分・水分・分別・分銅・一分・五分、引き分け・枝分かれ・物分かり・分かち合う。[使い分け]⇩本文［囲み］わかれる（分・別）。[参]区別して理解ができる意。「わかる」と訓ずる「▽判（判別できる）」「▽解（解釈できる）」も「分」でまかなう。「ブン」は呉音、「ブ」は慣用音。②

【文】 ブン・モン、ふみ [例]文学・文化・作文・文字・経文、恋文。[表外]あや→かな書き。[参]「文字」は「もじ」とも。模様の意で「紋」に通ずる（縄紋・縄文）。「モン」は呉音。①

【聞】 ブン・モン、きく・きこえる [例]新聞・見聞・聴聞・前代未聞、聞き流す。[使い分け]⇩本文［囲み］きく（聞・聴）。[参]うわさの意も（風聞）。「モン」は呉音。[部首]耳。②

【丙】 ヘイ [例]丙種・甲乙丙丁。[表外]ひのえ→丙。

【平】 ヘイ・ビョウ、たいら・ひら [例]平面・平和・公平・地平線・平等、平らな土地・平らげる・平手・平謝り・平泳ぎ。[参]「ビョウ」は呉音。[正字]平。[部首]干。③

【兵】ヘイ・ヒョウ 例兵器・兵隊・撤兵・兵糧(ヒョウロウ)・雑兵(ゾウヒョウ)。表外つわもの→かな書き。参武器の意も(兵馬)。「ヒョウ」は呉音。部首八。④

【併(倂)】ヘイ、あわせる 例併合・併用・合併、併せ考える・併せて(接続詞)。表外ならぶ→並ぶ、しかし→かな書き。使い分け⇩本文[囲み]あわせる(合・会・併)。参ならぶの意で「並」に通ずる(並称・併称)。

【並(竝)】ヘイ、なみ・ならべる・ならぶ・ならびに 例並行・並列、足並み・並の品・並製品・並木・五目並べ・並び大名。参⇩併(ヘイ)。部首並ー一、竝ー立。⑥

【柄】ヘイ、がら・え 例横柄・権柄ずく、家柄・身柄・ひしゃくの柄。表外つか→かな書き。

【陛】ヘイ 例陛下。表外きざはし→かな書き。参王宮の階段の意。⑥

【閉】ヘイ、とじる・とざす・しめる・しまる 例閉店・閉口・密閉、閉じ込める・窓を閉める。使い分け⇩本文[囲み]しまる(締・閉・絞)。⑥

【塀(塀)】ヘイ 例板塀。参国字だが、「ヘイ」は「瓶(ヘイ)」などに準じて音とする。康熙(こうき)字典体として掲げる「塀」も日本製。

【幣】ヘイ 例幣制・貨幣・紙幣・御幣担ぎ。表外ぬさ→かな書き、しで→かな書き、みてぐら→かな書き。正字幣。

【弊】ヘイ 例弊害・旧弊・疲弊。表外つかれる→疲れる、やぶれる→破れる。参「弊衣/×敝衣」は「弊衣」で統一(ともに衣服が傷む意。もと、もっぱら「敝衣」)。正字弊。

【米】ベイ・マイ、こめ 例米作・米価・米食・精米(セイマイ)・新米・白米・米粒。参人名などに用いる「よね」は表外訓。「メートル・アメリカ」に当てる。「マイ」は呉音。②

【壁】ヘキ、かべ 例壁面・壁画・岸壁、白壁。参「完璧(かんぺき)・双璧(そうへき)」の「×璧(たま)」は別字。

【癖】ヘキ、くせ 例習癖・悪癖・潔癖(ケッペキ)、七癖(ななくせ)・口癖。

【別】ベツ、わかれる 例別離・区別・特別、家族と別れて住む。使い分け⇩本文[囲み]わかれる(分・別)。④

【片】ヘン、かた 例紙片・破片・断片・一片(イッペン)、片一方。表外きれ→かな書き、ひら→かな書き。⑥

【辺(邊)】ヘン、あたり・べ 例辺境・周辺・海辺(カイヘン)・三角形の一辺・その辺、この辺り・海辺(うみべ)。表外ほとり→かな書き。④

【返】ヘン、かえす・かえる 例返却・返事・返礼、仕返し・寝返り。使い分け⇩本文[囲み]かえる(返・帰)。③

【変(變)】ヘン、かわる・かえる 例変化・異変・大変・変ずる、心変わり・観点を変える。使い分け⇩本文[囲み]かわる(変・換・代・替)。部首変ー夂、變ー言。④

【偏】ヘン、かたよる 例偏見・偏食・偏在・偏する、偏り。表外ひとえに→かな書き。参「×扁平」は「偏平」で代用(「扁」は平ら)。

【遍】ヘン 例遍歴・遍在・普遍・一遍。表外あまねく→かな書き。

【編】ヘン、あむ 例編集・編成・一編・編する、手編み・編み物。参「編/×篇」は「編」で統一(短編・長編・詩編・前編・全編・完結編)。ただし、固有名詞の場合はその限りではない(『論語・学而篇』)。「編(編纂ー動詞)/篇(編纂物ー名詞)」は「○○編の辞典/短篇」のように使ったが、混同もされた。「千×篇一律」は「千編一律」で代用。⑤

【弁(辨・瓣・辯)】ベン 例弁別・花弁・雄弁・弁ずる。表外[辨]わける→分ける、わきまえる→かな書き。[瓣]はなびら→花びら。[辯]わける→分ける。参「弁・辨・瓣・辯」は本来別字。「弁(ベン)」はかんむり、「辨」は見分ける、「瓣」は花びら、「辯」は言い開きをするの意。「×辦」は「辨」の古字。「×辮髪」は「弁髪」で、「合×辦・買×辦」は「合弁・買弁」で代用(「辮(ベン)」は編む、「辦(ベン)」はとりしきる)。部首弁ー廾、辨ー刂、瓣ー瓜、辯ー言。⑤

【便】ベン・ビン、たより 例便利・簡便・理解に便する・用を便ずる・便乗(ビンジョウ)・郵便、花便り。表外すなわち→かな書き。参都合がよい意。「ベン・ビン」は呉音。④

【勉(*勉)】ベン 例勉強・勉学・勉励・勤勉。表外つとめる→努める。③

【歩(*歩)】ホ・ブ・フ、あるく・あゆむ 例歩道・徒歩・進歩・歩合(ブあい)・日歩(ひブ)・成歩(なりフ)(将棋)・出歩く。参「ブ」は呉音、「フ」は慣用音。②

【保】ホ、たもつ 例保護・保存・担保・保する。表外ホウ→保元(ほうげん)の乱、やすんずる→安んずる、もつ→かな書き。参「×哺育(乳で育てる)」は類義の「保育(守り育てる)」で代用。新聞は「×堡塁(ほうるい)・橋頭×堡(きょうとうほ)」を「保塁・橋頭保」で代用。

「堡・保」はとりでの意で同義だが、慣用になじまない。「もつ」は「腐らずにも（▽保）つ」などで仮名書き。「ホ」は慣用音。⑤

【捕】 ホ、とらえる・とらわれる・とる・つかまえる・つかまる 例 捕獲・捕虜・逮捕、生け捕る・捕り物。使い分け ⇩本文［囲み］とる（取・採・捕・執・撮）。参 「犯人を捕らえる／［×捉］機会をとらえる」「敵に捕らわれる／［▽囚］独房にとらわれる・因習にとらわれる」「警察に捕まる／［×摑］つり革につかまる」のように使う。

【浦】 ホ、うら 例 曲浦、津々浦々・田子の浦。参 入り江・海岸の意で、地名・人名に多用。

【補】 ホ、おぎなう 例 補欠・補充・補足・候補・補する、補い。参 「×輔佐」「×輔導」は「補佐」「補導」で代用（「輔」は補い助ける、「補」はおぎなう意でほぼ同義だが、ともに別語意識が強かった）。⑥

【舗】 ホ 例 舗装。表外 しく→敷く。参 店の意も（店舗）。「舗装／×鋪装」は「舗装」で統一（「鋪」は「舗」の別体）。「▽老▽舗」は熟字訓。正字 鋪。部首 人。

【母】 ボ、はは 例 母性・父母・祖母、母親・母御。表外 モ→雲母。参 「保×姆／保母」は「保母」で統一（「姆」はもり役の女性。もと多く「保姆」）。新聞は「×拇指」を「母指」で代用（「拇」は親指の意）。「×母ナ（なかれ）」は別字。付 乳母・お母さん・叔母・伯母・母屋・母家。ただし、「入り▽母屋」。②

【募】 ボ、つのる 例 募金・募集・応募、吹き募る。部首 力。

【墓】 ボ、はか 例 墓地・墓参・墓穴、墓参り。⑤

【慕】 ボ、したう 例 慕情・敬慕・思慕、慕わしい。部首 小。

【暮】 ボ、くれる・くらす 例 暮春・歳暮・薄暮、夕暮れ・暮らし。⑥

【簿】 ボ 例 簿記・名簿・帳簿・出勤簿。参 帳面の意。

【方】 ホウ、かた 例 方法・方角・地方、お乗りの方・話し方・敵方。表外 あたる→当たる、ならべる→並べる、まさに→かな書き。付 行方。②

【包】 ホウ、つつむ 例 包囲・包容力・内包、包み・小包。参 「×繃帯」は「包帯」で代用（「繃」も包む意）。「×庖丁」は「包丁」で代用（「庖」は台所）。正字 包。④

【芳】 ホウ、かんばしい 例 芳香・芳紀・芳志・芳名。表外 よし→かな書き。

【邦】 ホウ 例 邦楽・邦画・本邦・連邦。表外 くに→国。正字 邦。

【奉】 ホウ・ブ、たてまつる 例 奉納・奉仕・奉公・信奉・奉ずる・奉行。参 「ブ」は呉音。部首 大。

【宝（寶）】 ホウ、たから 例 宝石・国宝・財宝、宝船・子宝。⑥

【抱】 ホウ、だく・いだく・かかえる 例 抱負・抱懐・介抱、抱き締める・反感を抱く・一抱え。

【放】 ホウ、はなす・はなつ・はなれる 例 放送・放棄・追放、見放す・放し飼い。表外 ゆるす→許す、ほうる→かな書き。使い分け ⇩本文［囲み］はなれる（放・離）。参 「放棄／×抛棄」は「放棄」で統一。「×抛物線」は「放物線」で代用。「抛」は投げとばす意。部首 攵。③

【法】 ホウ・ハッ・ホッ 例 法律・文法・方法・法度・法主・法主。表外 のり→かな書き、のっとる→かな書き。参 「ハッ・ホッ」は慣用音。④

【泡】 ホウ、あわ 例 気泡・水泡・発泡剤、泡立つ。

【胞】 ホウ 例 胞子・同胞・細胞。表外 えな→かな書き、はら→かな書き。参 「▽同▽胞」は熟字訓。

【俸】 ホウ 例 俸給・月俸・年俸・本俸。参 給料の意。

【倣】 ホウ、ならう 例 模倣、故人に倣う。使い分け ⇩本文［囲み］ならう（倣・習）。参 「見×倣す」の「倣」は別字（「作」の俗字）。

【峰】 ホウ、みね 例 秀峰・霊峰・連峰、剣が峰。参 「×峯」は別体。

【砲】 ホウ 例 砲撃・砲弾・大砲・鉄砲。参 おおづつの意。「つつ」とも訓ずる。

【崩】 ホウ、くずれる・くずす 例 崩壊・崩御・崩ずる、総崩れ・持ち崩す。付 雪崩。正字 崩。

【訪】 ホウ、おとずれる・たずねる 例 訪問・来訪・探訪、春の訪れ・史跡を訪ねる。表外 とう→かな書き、おとなう→かな書き。使い分け ⇩本文［囲み］たずねる（尋・訪）。⑥

【報】 ホウ、むくいる 例 報酬・報道・情報・報ずる、恩に報いる。表外 し

漢

らせる→知らせる。[部首]土。⑤

【豊(豐)】ホウ、ゆたか [例]豊作・豊満・豊富、豊かだ。[参]人名などに使う「とよ」は表外訓。⑤

【飽】ホウ、あきる・あかす [例]飽和・飽食、見飽きる・～に飽かして。

【褒(襃)】ホウ、ほめる [例]褒章・褒美・過褒、褒め言葉。

【縫】ホウ、ぬう [例]縫合・縫製・裁縫、縫い目。

【亡】ボウ・モウ、ない [例]亡父・存亡・亡命・亡者、今は亡き人・亡くす・亡くなる。[表外]うせる→かな書き、ほろびる→滅びる。[使い分け]⇩無。[参]「亡い」は多く「亡き(文語)」の形で使う。「モウ」は呉音。⇩滅。[正字]亡。[部首]亠。⑥

【乏】ボウ、とぼしい [例]欠乏・貧乏・耐乏、乏しさ。

【忙】ボウ、いそがしい [例]忙殺・多忙・繁忙。[参]「せわしい」とも訓ずる。

【坊】ボウ・ボッ [例]僧坊・坊主・寝坊・赤ん坊・坊ちゃん。[参]原義は区画された町の意(坊間)。「ボウ」は呉音、「ボッ」は慣用音。

【妨】ボウ、さまたげる [例]妨害、妨げ。[参]「防」は別字。

【忘】ボウ、わすれる [例]忘却・備忘録・忘ずる、物忘れ。⑥

【防】ボウ、ふせぐ [例]防衛・防備・堤防・消防・予防、防ぎ。⑤

【房】ボウ、ふさ [例]独房・官房・冷房・文房具、一房・乳房。[参]部屋、ブドウなどのふさの意。

【肪】ボウ [例]脂肪。[表外]あぶら→脂。[参]動物性のあぶらの意。

【某】ボウ [例]某氏・某国。[表外]それがし→かな書き、なにがし→かな書き。

【冒】ボウ、おかす [例]冒険・冒頭・感冒、危険を冒す。[参]向こう見ずに進む意。[使い分け]⇩本文[囲み]おかす(犯・侵・冒)。[正字]冒。

【剖】ボウ [例]解剖。[表外]わける→分ける、さく→割く。[参]二つに分ける意。「ボウ」は慣用音。

【紡】ボウ、つむぐ [例]紡績・紡織・混紡、紡ぎ出す。

【望】ボウ・モウ、のぞむ [例]望郷・希望・人望・大望・所望・本望、望ましい。[表外]もち→望。[参]「モウ」は呉音。[正字]望。[部首]月。④

【傍】ボウ、かたわら [例]傍線・傍聴・路傍。[表外]ホウ→傍輩(仲間)、そば→かな書き。[参]「ボウ」は呉音。

【帽】ボウ [例]帽子・脱帽・無帽。[参]帽子の意。[正字]帽。

【棒】ボウ [例]棒グラフ・棒読み・鉄棒。[参]大きなつえ状の木の意。⑥

【貿】ボウ [例]貿易。[参]金銭で取引をする意。⑤

【暴】ボウ・バク、あばく・あばれる [例]暴言・横暴・乱暴・暴露、暴き出す・大暴れ。[表外]あらす→荒らす、あれる→荒れる、にわかに→かな書き。[参]「×曝露」は「暴露」で代用(「曝」はさらす、「暴」はあばく意。混同されたが、本来別語)。「ボウ」は呉音、「バク」は慣用音。⑤

【膨】ボウ、ふくらむ・ふくれる [例]膨大・膨張、着膨れ・青膨れ。[参]「はれる」とも訓ずるが、「×腫れる」が好まれる。「×厖大」は類義の「膨大」で代用(「厖大(巨大)」は形容動詞に、「膨大(大きく膨れる)」はサ変動詞に使った)。

【謀】ボウ・ム、はかる [例]謀殺・謀略・密謀・無謀運転・首謀者・謀反、暗殺を謀る。[使い分け]⇩本文[囲み]はかる(計・測・量・図・謀・諮)。[参]「ム」は呉音。

【北】ホク、きた [例]北進・北方・敗北、北風・北半球。[表外]そむく→背く、にげる→逃げる。②

【木】ボク・モク、き・こ [例]大木・土木・木造・樹木、並木・木立・木陰。[表外]もとづく→基づく。[参]「モク」は呉音。[付]木綿。①

【朴】ボク [例]純朴・素朴・質朴。[参]素直の意。ホオノキの意も(▽朴歯)。「×樸」は同義。

【牧】ボク、まき [例]牧場・牧畜・遊牧・牧師、牧場。④

【僕】ボク [例]公僕・僕の本。[参]しもべ→かな書き、やつがれ→かな書き。

【墨(*墨)】ボク、すみ [例]筆墨・白墨・遺墨、墨絵。

【撲】ボク 例撲殺・撲滅・打撲。表外うつ→打つ、なぐる→殴る。参平手で殴る意。付相撲(すもう)。

【没】ボツ 例没収・出没・没する。表外モツ→没薬(もつやく)。参「没／×歿」は「没」で統一（没年・病没・死没・生没・戦没）。「没」は水中に沈む意。死ぬ意で「歿」と同義だが、もと、もっぱら「歿」。正字沒。

【堀】ほり 例外堀・内堀・釣り堀。参掘った水路の意。「ほり」は国訓。「×濠(ほり)」も好まれる。⇩掘(クツ)。

【本】ホン、もと 例本質・本来・資本、本を正す・旗本。使い分け⇩本文［囲み］もと（下・元・本・基）。①

【奔】ホン 例奔走・奔放(ほんぽう)・出奔(しゅっぽん)。表外はしる→走る。参勢いよく走る意。正字奔。

【翻(*飜)】ホン、ひるがえる・ひるがえす 例翻意・翻訳。参康熙(こうき)字典体では「飜」が別体、「翻」が正字。

【凡】ボン・ハン 例凡人・平凡・凡例(はんれい)。表外およそ→かな書き、すべて→かな書き。参ありふれた意も。「ボン」は呉音、「ハン」は漢音。正字凡。

【盆】ボン 例盆栽・盆地・盆踊り・盆に盛る。参本来、洗面器状の器の意。

【麻】マ、あさ 例麻薬・大麻、マニラ麻。参しびれる意で「×痲(マ)」に通ずる。今は「麻酔・麻痺」のように使うが、もと多く「痲酔・痲痺(ひ)」。正字麻。部首麻。

【摩】マ 例摩擦・摩滅・摩天楼・摩する。表外する→擦る、こする→かな書き。参擦る意で「磨」に通ずる（研磨・研摩）。正字摩。部首手。

【磨】マ、みがく 例研磨・錬磨、磨き粉。表外する→擦る、とぐ→研ぐ。参⇩摩(マ)。正字磨。部首石。

【魔】マ 例魔法・悪魔・邪魔。参惑わすものの意。正字魔。部首鬼。

【毎(*每)】マイ 例毎度・毎日・毎晩。表外ごと→かな書き、つねに→常に。②

【妹】マイ、いもうと 例姉妹・義妹・令妹。表外いも→妹(いも)。②

【枚】マイ 例枚数・枚挙・大枚・数枚。表外バイ→枚(ばい)を銜(ふく)む、ひら→かな書き。参一つ一つ数える意。「マイ」は呉音。⑥

【埋】マイ、うめる・うまる・うもれる 例埋没・埋蔵・埋葬、穴埋め・埋もれ木。表外うずめる→かな書き、いける→かな書き。

【幕】マク・バク 例幕切れ・暗幕・幕府(ばくふ)・幕僚。参たれまくの意。「マク」は呉音。⑥

【膜】マク 例膜質・鼓膜・粘膜。参臓器を包むまくの意。

【又】また 例又聞き・又は。参「×股(また)」の代用とはしない。部首又。

【末】マツ・バツ、すえ 例末代・本末・粉末・末子(まっし／ばっし)・末弟(まってい／ばってい)、末っ子。参「うら」とも訓ずる。「未」は別字。部首木。④

【抹】マツ 例抹殺・抹消・抹茶・一抹。参こする、けす意。

【万(萬)】マン・バン 例万一(まんいち)・万年筆・巨万・万国(ばんこく)・万端(ばんたん)。表外よろず→かな書き。参「マン」は呉音。部首万―一、萬―艹。②

【満(滿)】マン、みちる・みたす 例満月・満足、満ち潮。④

【慢】マン 例慢心・怠慢・自慢・高慢・慢ずる。表外おこたる→怠る、あなどる→侮る。参ながびく、おそいの意も（慢性・緩慢）。

【漫】マン 例漫画・漫歩・漫談・散漫・放漫・漫然。表外みだりに→かな書き、そぞろに→かな書き。

【未】ミ 例未来・未満・前代未聞。表外ひつじ→未(ひつじ)、いまだ→かな書き、まだ→かな書き。参「末」は別字。④

【味】ミ、あじ・あじわう 例味覚・意味・興味・人間味、味見・味わい。参「赤味・辛味(からみ)」の「味」は当て字（普通「み」と書く）。「▽不▽味(まずい)」は熟字訓。付三味線(しゃみせん)。③

【魅】ミ 例魅力・魅惑・魅する。参もののけの意。

【岬】みさき 例岬の灯台・○○岬。参「崎(さき)」と同義。

【密】ミツ 例密約・密度・密着・厳密・秘密。表外こまやか→細やか、ひそか→かな書き、みそか→かな書き。参「×蜜(ミツ)」は別字。⑥

【脈】 ミャク [例]脈絡・動脈・山脈・文脈・脈拍。[参]原義は血管の意。[正字]「すじ」とも訓ずる。「×脉」は俗字。④

【妙】 ミョウ [例]妙案・妙味・奇妙・巧妙・珍妙・妙だ。[表外]たえ→かな書き。

【民】 ミン、たみ [例]民族・民主的・国民・人民、亡国の民。[部首]氏。④

【眠】 ミン、ねむる・ねむい [例]不眠・睡眠、眠り・眠たい・眠気。

【矛】 ム、ほこ [例]矛盾、矛先をかわす。[参]「ほこ」は「×鉾」とも。

【務】 ム、つとめる [例]事務・職務・義務・公務、主役を務める・主婦の務め。[使い分け]⇩本文［囲み］つとめる（努・勤・務）。[部首]力。⑤

【無】 ム・ブ、ない [例]無名・無理・皆無・無事・無礼・無愛想。[使い分け]「金が無い・無い物ねだり／亡き父」のように使うが、「無」はかな書きも多い。[参]「ム」は呉音。⇩不。④

【夢】 ム、ゆめ [例]夢幻・夢想・夢中・悪夢、夢心地・夢見る・初夢。[部首]夕。⑤

【霧】 ム、きり [例]霧笛・濃霧・噴霧器、霧雨・朝霧。

【娘】 むすめ [例]娘心・子娘。[表外]ジョウ→娘子軍。

【名】 メイ・ミョウ、な [例]名誉・氏名・有名・名字・本名・大名、名前。[表外]なづける→名付ける。[使い分け]「名」は有名な、すぐれたの、「銘」は特別の名を持つの意で「名作・名曲・名菓・名酒／銘菓・銘木・銘酒・銘刀」のように使う。[参]「ミョウ」は呉音。[付]仮名・名残り。[部首]口。①

【命】 メイ・ミョウ、いのち [例]命令・命題・運命・生命・命ずる・寿命、命拾い。[表外]みこと→命。[参]言いつける、名づける、定めなどの意も。「亡命」の「命」は名（を記した戸籍）の意。「ミョウ」は呉音。[部首]口。③

【明】 メイ・ミョウ、あかり・あかるい・あかるむ・あからむ・あきらか・あける・あく・あくる・あかす [例]明暗・説明・鮮明・明日・光明・灯明、薄明かり・明るさ・明らかだ・夜明け前・明くる日・種明かし。[表外]ミン→明朝体。[使い分け]⇩本文［囲み］あく（空・明・開）。「空が明らむ／顔が赤らむ」のように使う。[参]「ミョウ」は呉音。[付]明日。②

【迷】 メイ、まよう [例]迷路・迷惑・低迷、迷い。[付]迷子。⑤

【盟】 メイ [例]加盟・同盟・連盟。[表外]ちかう→誓う。⑥

【銘】 メイ [例]銘柄・墓碑銘・銘記・銘々・銘する・銘ずる。[参]碑にきざんで行跡をしるす文章、心にしるすの意。[使い分け]⇩名。

【鳴】 メイ、なく・なる・ならす [例]鳴動・悲鳴・雷鳴、鳴き声・耳鳴り・海鳴り。[使い分け]「鳥が鳴く・犬が鳴く／子供が泣く・泣き叫ぶ」のように使う。「×啼く」は「鳴」で、「×哭く」は「泣」でまかなう。[参]「×鳴▽呼」「×嗚×咽」の「嗚」は別字。②

【滅】 メツ、ほろびる・ほろぼす [例]滅亡・絶滅・点滅・滅する。[表外]きえる→消える。[参]「興」の対で、衰微・消滅の意。「亡」は「存」の対で、（個体が）非存在化する意。おおむね「平家が滅びる・賊を滅ぼす・国を滅（▽亡）ぼす／身を▽亡ぼす」のように使ったが、今は「滅」でまかなう。

【免（免）】 メン、まぬかれる [例]免許・免除・放免・免ずる、免れる。[表外]ゆるす→許す。[参]「免れる」は「まぬがれる」とも。「×兎・×兔（×兎は俗字）」は別字。[部首]儿。

【面】 メン、おも・おもて・つら [例]面会・顔面・方面・面する、川の面・面影・面長・細面・面魂・鼻面。[使い分け]⇩表。[参]「まのあたり」とも訓ずる。[部首]面。③

【綿】 メン、わた [例]綿布・純綿、真綿。[参]細かい、連なるの意も（綿密・連綿）。「綿花／×棉花」は「綿花」で統一（「棉」はワタの木に、「綿」はその製品に使ったが、混同もされた。もと多く「棉花」）。[付]木綿。⑤

【茂】 モ、しげる [例]繁茂、生い茂る・茂り・茂み。

【模】 モ、ボ [例]模範・模倣・模擬・模造・模様・模型・模する・規模。[表外]かたどる→かな書き。[参]「模索／×摸索」は「模索」で統一（「模」はさぐる意で「摸」に通ずる。また、「摸」はかたどる意で「模」に通じ、「摸倣・摸擬・摸造」などとも書いた）。「モ」は呉音。⑥

【毛】 モウ、け [例]毛髪・毛布・毛頭・毛細管・不毛・羊毛、毛糸・抜け毛。②

【妄】 モウ・ボウ [例]妄信・妄想・迷妄・妄動・妄言。[表外]みだりに→かな書き。[参]「モウ」は呉音。

【盲】 モウ [例]盲点・盲従・盲腸・盲人・文盲。[表外]めしい→かな書き。

[参]「▽盲(卑称)」は避けたい。「妄動」→盲動」は当用漢字期の代用(今は「妄動」)。

【耗】 モウ・コウ [例]消耗・心神耗弱。[表外]へる→減る。[参]体力などが衰える意。「モウ」は慣用音、「コウ」は漢音。[正字]秏。

【猛】 モウ [例]猛烈・勇猛。[表外]たけし→かな書き。[参]たけだけしい意。[付]猛者。

【網】 モウ、あみ [例]網膜・漁網・通信網、網戸。[参]「綱」は別字。[付]投網。

【目】 モク・ボク、め・ま [例]目撃・注目・目的・項目・目する・面目、結び目・目の当たり・目深。[表外]サカン(佐官)→目。[参]「目」はまぶたの開閉で見え隠れする部分(の働き)の意、「▽眼」は目玉(の働き)の意で、おおむね「目を覚ます・目にとまる・目につく・青い目(眼)の外国人／眼を病む・眼がいい・鋭い眼の光・白い眼で見る・眼医者」のように使ったが、今は「目」でまかなう。「モク」は呉音、「ボク」は漢音。①

【黙(*默)】 モク、だまる [例]黙殺・暗黙・沈黙・黙する・黙り込む。[表外]もだす→かな書き。[部首]黙—黒、默—黑。

【門】 モン、かど [例]門戸・門下生・門跡・専門・部門、門口・門出・門松。②

【紋】 モン [例]紋章・家紋・指紋・波紋。[参]織物の模様・紋所の意。「文」に通ずる(文様・紋様)。

【問】 モン、とう・とい・とん [例]問題・問答・質問・訪問、問いに答える・問屋。[参]「責任を問う・道を問う・事情を問(×訊)う／[▽訪]史跡をとう」のように使う。③

【匁】 もんめ [例]百匁。[参]尺貫法の単位。国字。「もんめ」は「め」とも。

【夜】 ヤ、よ・よる [例]夜半・夜行・深夜・昼夜、夜が明ける・夜昼なく。[部首]夕。②

【野】 ヤ、の [例]野外・野性・野卑・野心・野球・分野・野に下る、野原・野放し・野に置く。[参]「×埜」は古字。「別×墅(別荘)」の「墅」は俗字。[付]野良。②

【厄】 ヤク [例]厄年・厄日・災厄。[表外]わざわい→災い。

【役】 ヤク・エキ [例]役所・役目・荷役・懲役・使役・兵役。[参]「ヤク」は呉音。③

【約】 ヤク [例]約束・新約聖書・約半分・契約・婚約・節約・約する。[表外]つづめる→かな書き、つづまやか→かな書き。④

【訳(譯)】 ヤク、わけ [例]訳文・翻訳・訳す、内訳・申し訳。⑥

【薬(*藥)】 ヤク、くすり [例]薬剤・薬局・火薬、飲み薬。③

【躍】 ヤク、おどる [例]躍動・躍起・飛躍、胸が躍る・躍り上がる。[表外]はねる→かな書き。[使い分け]⇩本文[囲み]おどる(踊・躍)。

【由】 ユ・ユウ・ユイ、よし [例]経由・自由・理由・由緒、…の由。[表外]よる(起因する)→かな書き。[参]いわれの意も(由縁・由来)。「ユ」は呉音、「ユイ」は慣用音。[部首]田。③

【油】 ユ、あぶら [例]油脂・油田・石油、油絵。[使い分け]「油を流したような水面・ごま油・水と油・火に油を注ぐ／脂が乗る・脂性」のように使う。「×膏」は「血と膏・がまの膏」のように使う。③

【愉】 ユ [例]愉快・愉悦。[表外]たのしい→楽しい、たのしむ→楽しむ。[正字]愉。

【諭】 ユ、さとす [例]諭旨・教諭・説諭・勅諭。[表外]さとる→悟る。[正字]諭。

【輸】 ユ [例]輸出・輸送・運輸・輸する。[表外]シュ→輸贏(勝敗)、いたす→致す。[参]車などで運ぶ意。「ユ」は慣用音。[正字]輸。⑤

【癒】 ユ [例]癒合・癒着・治癒・快癒・平癒。[表外]いえる→かな書き、いやす→かな書き。[参]「なおる」とも訓ずる。[正字]癒。

【唯】 ユイ、イ [例]唯一・唯物論・唯美主義、唯々諾々。[表外]ただ→かな書き。[参]それだけの意。[参]「ユイ」は呉音、「イ」は漢音。

【友】 ユウ、とも [例]友好・友情・親友、竹馬の友。[付]友達。[部首]又。②

【有】 ユウ・ウ、ある [例]有益・所有・特有・有する・有無・有象無象、有り金。[表外]もつ→持つ、たもつ→保つ。[使い分け]⇩本文[囲み]ある(有・在)。[参]「ウ」は呉音。③

【勇】 ユウ、いさむ [例]勇敢・勇気・武勇、勇み足・勇ましい。④

【幽】 ユウ 例 幽閉・幽境・幽玄・幽霊・幽する。表外 くらい→暗い、かすか→かな書き。部首 幺。

【悠】 ユウ 例 悠然・悠長・悠々。表外 はるか→かな書き。参 ゆったりした様の意。

【郵】 ユウ 例 郵便・郵送・郵政。参 官営の郵送制度の意。⑥

【猶】 ユウ 例 猶予。表外 なお（ちょうど～のよう）→かな書き。正字 猶。

【裕】 ユウ 例 裕福・富裕・余裕。表外 ゆたか→豊か。参 「▽余▽裕（ゆとり）」は熟字訓。

【遊】 ユウ・ユ、あそぶ 例 遊戯・遊学・遊説（ユウゼイ）・遊離・交遊・回遊・豪遊・周遊・遊山（ユサン）、遊び相手。参 「游泳・巡游」などの「×游」は「遊」と書く。「ユ」は呉音。③

【雄】 ユウ、お・おす 例 雄大・英雄・雌雄、雄しべ・雄牛・雄々しい・雄犬（おすいぬ）。参 「▽雄▽鶏（おんどり）」は表外訓。鳥以外の家畜には「×牡（ボ）（おす）」が好まれる（牡馬（ぼば・おすうま））。

【誘】 ユウ、さそう 例 誘惑・誘発・誘導・誘致・勧誘、誘い水。表外 いざなう→かな書き。

【憂】 ユウ、うれえる・うれい・うい 例 憂愁・憂慮・一喜一憂、憂（う）き目・物憂（う）い。使い分け 「後顧の憂い・災害を招く憂いあり／春の愁い・愁いに沈む」のように使う。参 「憂（う）い」は「憂え」とも。「憂き目」は文語「憂し」の連体形。

【融】 ユウ 例 融解・融和・融通（ゆうずう）・金融。表外 とける→溶ける、とかす→溶かす、とおる→通る。部首 虫。

【優】 ユウ、やさしい・すぐれる 例 優秀・優越・優柔不断・俳優、優しさ・優男（やさおとこ）・人並み優れる。表外 ウ→優曇華（うどんげ）（伝説上の花）、まさる→勝る。⑥

【与（*與）】 ヨ、あたえる 例 与党・授与・関与。表外 くみする→かな書き、あずかる→かな書き、ともに→共に。部首 与―一、與―臼。

【予（豫）】 ヨ 例 予定・予備・予言・予知・猶予。表外 あらかじめ→かな書き、かねて→かな書き。参 「予（ヨ）・豫」は本来別字。「予（ヨ）」は与える・われ、「豫（ヨ）」はあらかじめ。部首 予―亅、豫―豕。③

【余（餘）】 ヨ、あまる・あます 例 余分・余剰・余地・残余、余り・余すところなく。参 「余・餘」は本来別字。「余（ヨ）」はわれ、「餘（ヨ）」は余す。部首 余―人、餘―食。⑤

【誉（譽）】 ヨ、ほまれ 例 名誉・栄誉、美人の誉れ。表外 ほめる→褒める。

【預】 ヨ、あずける・あずかる 例 預金・預言・預託、預け入れ・預かり物。表外 あらかじめ→かな書き。参 「金を預かる／〔▽与〕相談にあずかる」のように使う。⑤

【幼】 ヨウ、おさない 例 幼児・幼虫・幼稚、幼友達・幼い子。表外 いとけない→かな書き。参 慣用で「幼な友達・幼な子・幼な妻」のように送ることもある。部首 幺。⑥

【用】 ヨウ、もちいる 例 用意・用事・使用・費用。参 「雇×傭」は「雇用」で代用（「傭」は雇う）。学術用語集は「×傭船」を「用船」で代用するが、慣用になじまない。②

【羊】 ヨウ、ひつじ 例 羊毛・綿羊、羊飼い。参 十二支のひつじは「▽未」。③

【洋】 ヨウ 例 洋上・洋楽・洋風・海洋・洋食。参 大海、西洋の意。③

【要】 ヨウ、いる 例 要点・要人・要約・要注意・重要・需要・要する、金が要る。表外 かなめ→かな書き。使い分け ⇩本文［囲み］いる（入・要）。参 新聞は「×邀撃」を「要撃」で代用（「邀・要」はともに迎える意だが、両者は別語）。正字 要。部首 襾。④

【容】 ヨウ 例 容器・容易・容姿・許容・形容。表外 かたち→かな書き、いれる→入れる、ゆるす→許す。⑤

【庸】 ヨウ 例 凡庸・中庸。表外 つね→常、もちいる→用いる。

【揚】 ヨウ、あげる・あがる 例 揚力・意気揚々・抑揚・掲揚、てんぷらを揚げる・花火が揚がる。使い分け ⇩本文［囲み］あがる（上・挙・揚）。

【揺（*搖）】 ヨウ、ゆれる・ゆる・ゆらぐ・ゆるぐ・ゆする・ゆさぶる・ゆすぶる 例 動揺、揺り返し・揺るぎない・貧乏揺すり。表外 うごく→動く。

【葉】 ヨウ、は 例 葉緑素・落葉（ラクヨウ）・紅葉（コウヨウ）、枯れ葉・落ち葉。表外 ショウ→迦葉（かしょう）（人名）。付 紅葉（もみじ）。③

【陽】 ヨウ 例 陽光・陽気・陰陽・太陽。表外 ひ→日、ひなた→かな書き。③

【溶】ヨウ、とける・とかす・とく [例]水溶液、絵の具を溶く。[使い分け]⇩本文[囲み]とく（解・溶・説）。[参]「×熔・×鎔」は「溶」で代用（溶解・溶岩・溶鉱炉・溶接・溶銑・溶融・溶炉）。「鎔（「熔」は俗字）」は金属がとける、「溶」は固体を液体にとかしこむ意。

【腰】ヨウ、こし [例]腰痛・腰部、腰だめ・物腰。[正字]腰。

【様（*樣）】ヨウ、さま [例]様式・様子・模様、○○様。[表外]ざま→かな書き。[参]助動詞「ようだ」はかな書き（生きているようだ）。③

【踊】ヨウ、おどる・おどり [例]舞踊、盆踊り・踊り子。[使い分け]⇩本文[囲み]おどる（踊・躍）。

【窯】ヨウ、かま [例]窯業、炭焼き窯・窯元。[参]「窯で陶器を焼く／[×釜]かまで飯をたく／[×罐]機関車のかま」のように使う。

【養】ヨウ、やしなう [例]養育・養子・休養・栄養。[部首]食。④

【擁】ヨウ [例]擁護・擁立・抱擁・擁する。[表外]いだく→抱く。

【謡（*謠）】ヨウ、うたい・うたう [例]謡曲・民謡・歌謡、素謡《すうたい》・謡曲を謡う。[使い分け]⇩歌《カ》。

【曜】ヨウ [例]曜日《ヨウビ》・七曜表・日曜。[参]七曜の意。②

【抑】ヨク、おさえる [例]抑圧・抑制・抑揚、怒りを抑える。[表外]そもそも→かな書き。[使い分け]⇩本文[囲み]おさえる（押・抑）。

【浴】ヨク、あびる・あびせる [例]浴場・海水浴・浴する、水浴び・浴びせ倒す。[付]浴衣《ゆかた》。④

【欲】ヨク、ほっする・ほしい [例]欲望・欲心・欲張る。[参]「欲／×慾」は「欲」で統一（愛欲・強欲・色欲・食欲・性欲・大欲・物欲・無欲・名誉欲）。「欲」は動詞に、「慾」は名詞に使ったが、混同もされた。[部首]欠。⑥

【翌】ヨク [例]翌春・翌年・翌々日。[表外]あくる→明くる（連体詞）。⑥

【翼】ヨク、つばさ [例]翼下・翼賛・左翼・尾翼。[表外]たすける→助ける。

【裸】ラ、はだか [例]裸身・裸体・全裸・赤裸々、丸裸《まるはだか》。

【羅】ラ [例]網羅・羅列・一張羅《イッチョウラ》・羅針盤。[参]あみ・つらねる・薄ものなどの意。

【来（*來）】ライ、くる・きたる・きたす [例]来年・来歴・往来、行く年来る年・出来心・来《きた》る○日・支障を来す。[参]「来《きた》る」は連体詞。動詞の場合は「蒙古来たる（文語）」のように送る。②

【雷】ライ、かみなり [例]雷雨・雷鳴・雷名、雷おやじ。[表外]いかずち→かな書き。

【頼（*賴）】ライ、たのむ・たのもしい・たよる [例]依頼・信頼・無頼漢《ブライカン》、頼み。[参]「衆を×恃《たの》む（頼りにする意）」も「頼」でまかなう。[部首]頁。

【絡】ラク、からむ・からまる [例]短絡・脈絡、絡み付く。[参]つながるの意も（連絡）。

【落】ラク、おちる・おとす [例]落涙・落雷・落語・脱落・落胆、落ち着く・力落とし。[参]できあがる、村里の意も（落成・集落）。「飛行機が▽墜《お》ちる／地獄に▽堕《お》ちる」も「落」でまかなう。③

【酪】ラク [例]酪農・乾酪《カンラク》（チーズ）・牛酪《ギュウラク》（バター）。[参]乳製品の意。

【乱（亂）】ラン、みだれる・みだす [例]乱戦・混乱・反乱・応仁《オウニン》の乱、乱れ髪・かき乱す。[参]新聞は「濫（表内字）」を「乱」で代用（乱獲・乱用・乱売・乱発・乱伐・乱立・乱作・乱費）。「波×瀾」は「波乱」で、「腐×爛」は「腐乱」で代用。「濫」はみだりに、「瀾」は大波、「爛」はただれる意。[部首]乚。⑥

【卵】ラン、たまご [例]卵黄・卵巣・鶏卵・産卵、卵焼き・生卵《なまたまご》。[部首]卩。⑥

【覧（*覽）】ラン [例]観覧・展覧・一覧・閲覧・高覧・ご覧なさい。[表外]みる→見る。⑥

【濫】ラン [例]濫伐・濫用・濫費。[表外]みだりに→かな書き。[参]「乱」で代用することも多い。⇩乱《ラン》。

【欄（*欄）】ラン [例]欄干・空欄。[表外]てすり→手すり。

【吏】リ [例]官吏・能吏・執達吏（執行官）。[参]役人の意。

【利】リ、きく [例]利益・利発・営利・勝利・利する、左利き・口利き・機転が利く。[使い分け]⇩本文[囲み]きく（利・効）。[参]「利口／×悧口」は「利口」で統一（「悧」は賢い、「利」は鋭い、役立つ。別語が混同され一語化した）。[付]砂利《ジャリ》。④

【里】 リ、さと [例]里程・郷里・千里眼、里心・村里。[参]「俚×謡」は「里謡」で代用（「俚」はひなびた、俗なの意で、「里」に通ずる）。②

【理】 リ [例]理科・理由・理性・条理・整理・処理。[表外]ことわり→かな書き、おさめる→治める。②

【痢】 リ [例]赤痢・疫痢・下痢。[参]腹下りの意。

【裏】 リ、うら [例]裏面・表裏・脳裏・心裏・内裏、裏口・裏目・屋根裏。[表外]うち→かな書き。[参]「×裡」は俗字。「成功裡」など「～裡（～のうちに）」の形で好まれる。「×裹（つつむ）」は別字。⑥

【履】 リ、はく [例]履歴・履行・弊履、履物。[表外]くつ→かな書き、ふむ→踏む。[付]草履。

【離】 リ、はなれる・はなす [例]離別・離陸・距離・分離・流離、職を離れる。[使い分け]⇩本文［囲み］はなれる（放・離）。

【陸】 リク [例]陸地・陸橋・大陸・着陸。[表外]ロク→陸屋根、おか→かな書き。[参]証書類で「六」の代わりにも。④

【立】 リツ・リュウ、たつ・たてる [例]立案・立春・起立・独立・建立、立場・夕立・立て札、席を立つ。[使い分け]⇩本文［囲み］たつ（立・建）。[参]「リツ」は慣用音。[付]立ち退く。①

【律】 リツ・リチ [例]規律・法律・旋律・一律・律する・律儀。[表外]のっとる→かな書き。[参]おきて、音楽の調子の意も。「リチ」は呉音。⑥

【略】 リャク [例]省略・計略・侵略・略す・略する。[表外]はぶく→省く、ほぼ→かな書き。[参]「略／×掠」は「略」で統一（略奪・奪略・侵略）。かすめとる意で「略・掠」は通ずる。「×畧」は別体。⑤

【柳】 リュウ、やなぎ [例]花柳界・川柳、柳腰。[参]同訓の「×楊」は川やなぎ。

【流】 リュウ・ル、ながれる・ながす [例]流行・流動・電流・流布・流転・流罪、流れ着く。[参]「ル」は呉音。[正字]流。③

【留】 リュウ・ル、とめる・とまる [例]留意・留学・逗留・保留・留守、帯留め・書留・歩留まり。[表外]とどめる→かな書き、とどまる→かな書き。[使い分け]⇩本文［囲み］とまる（止・留・泊）。[参]「×溜」は「留」で代用（乾留・蒸留・分留）。新聞は「×溜飲」を「留飲」で代用するが、慣用になじまない。「溜」はたまる意。「ル」は呉音。⑤

【竜（*龍）】 リュウ、たつ [例]竜頭蛇尾・竜神・竜王、竜巻。[表外]リョウ→竜神。[参]十二支のたつは「×辰」。[部首]竜。

【粒】 リュウ、つぶ [例]粒子・粒々辛苦、粒ぞろい・豆粒・数粒。

【隆（隆）】 リュウ [例]隆起・隆盛・興隆。[表外]たかい→高い、さかん→盛ん。

【硫】 リュウ [例]硫酸・硫化銀。[参]いおうの意。[付]硫黄。[正字]硫。

【旅】 リョ、たび [例]旅行・旅情、旅先・船旅。[正字]旅。③

【虜（*虜）】 リョ [例]虜囚・捕虜。[表外]とりこ→かな書き。[参]いけどる意。

【慮】 リョ [例]遠慮・考慮・無慮。[表外]おもんぱかる→かな書き。

【了】 リョウ [例]完了・校了。[表外]おわる→終わる、しまう→かな書き、さとる→悟る。[参]「了／×諒」は「了」で統一（了承・了解）。「了・諒（明らか）」は互いに通ずるが、「諒（と）する」には及ぼさない。「了する」は完了する意。

【両（兩）】 リョウ [例]両親・両立。[表外]ふたつ→二つ。[参]「両／×輛」は「両」で統一（五両・車両）。「両」は車を数える助数詞として「輛」に通ずる（もと、もっぱら「輛」）。[部首]両—一、兩—入。③

【良】 リョウ、よい [例]良好・良心・良俗・改良・優良・善良、仲良し・質が良い。[表外]やや→かな書き。[使い分け]⇩本文［囲み］よい（良・善）。[意]すぐれる、けがれのない意。「▽好い天気／▽佳い姿」は「良」でまかなう。[付]野良。[部首]艮。④

【料】 リョウ [例]料金・料理・原料・材料・給料。[表外]とが→かな書き、はかる→量る。[部首]斗。④

【涼】 リョウ、すずしい・すずむ [例]涼味・清涼剤、夕涼み。[参]「×凉」は俗字。

【猟（獵）】 リョウ [例]猟師・狩猟・渉猟・猟する。[表外]かり→狩り。[参]野山の鳥獣を捕らえる意。

【陵】 リョウ、みささぎ [例]陵墓・御陵・丘陵。[表外]おか→丘、しのぐ→かな書き。[参]しのぐ意では普通「×凌」を使うが、「陵」とも（陵駕・陵辱）。

【量】リョウ、はかる 例量産・測量・推量・度量、升で量る。参才能の意も（力量・器量）。使い分け ⇩本文［囲み］はかる（計・測・量・図・謀・諮）。参「×倆」は「技量」で代用（「倆」は腕前の意で「量」に通ずる）。部首里。④

【僚】リョウ 例僚友・官僚・同僚。参同役の仲間、役人の意。表外とも→友。

【領】リョウ 例領土・領収・要領・綱領・本領・大統領・管領・領する。表外レイ→管領、えり→かな書き。参えりの意から、かなめ、かしら、手に入れるなどの意。「リョウ」は呉音。⑤

【寮】リョウ 例寮生・寮母・独身寮。表外つかさ→寮。参寄宿舎の意。

【療】リョウ 例療養・医療・治療。表外いやす→かな書き。

【糧】リョウ・ロウ、かて 例糧食・糧道・食糧・兵糧。参「×粮」は俗字。「ロウ」は慣用音。

【力】リョク・リキ、ちから 例権力・努力・能力・力量・力作・馬力、力仕事。表外つとめる→努める。参「リキ」は呉音。①

【緑（*綠）】リョク・ロク、みどり 例緑茶・緑陰・新緑・緑青、薄緑。参「ロク」は呉音。③

【林】リン、はやし 例林業・森林・山林・林立、松林。①

【厘】リン 九分九厘。参貨幣・長さ・小数などの単位。「×釐」の略字から。「リン」は慣用音。

【倫】リン 例倫理・人倫・絶倫。表外つね→常、たぐい→かな書き。参人が修めるべき道の意。

【輪】リン、わ 例輪番・一輪・車輪、輪切り・首輪。参「めぐる・まわる」とも訓ずる。⇩環。④

【隣】リン、となる・となり 例隣室・隣接・近隣、隣り合う・両隣・隣近所。参「×鄰」は別体。正字隣。

【臨】リン、のぞむ 例臨時・臨床・臨終・君臨。使い分け ⇩望。⑥

【涙（*淚）】ルイ、なみだ 例感涙・声涙・落涙、涙ぐむ・涙する。参「×泪」は別体。

【累】ルイ 例累計・累積・係累。表外かさねる→重ねる、わずらわす→煩わす、しきりに→かな書き。参原義は糸でつなぐ意。部首糸。

【塁（*壘）】ルイ 例塁審・敵塁・土塁。表外とりで→かな書き。

【類（*類）】ルイ 例類型・種類・分類・類する。表外たぐい→かな書き。④

【令】レイ 例令嬢・令名・令夫人・法令・命令・号令・辞令・令する。表外リョウ→大宝令。参言いつける、おきてなどの意。小学校では「年齢」を「年令」で代用。中学以上の表記としては避けたい。④

【礼（禮）】レイ・ライ 例礼儀・謝礼・無礼・礼する・礼拝・礼賛。参「ライ」は呉音。③

【冷】レイ、つめたい・ひえる・ひや・ひやす・ひやかす・さめる・さます 例冷却・冷淡・寒冷、冷たさ・底冷え・冷や汗・冷やし中華・冷やかし・湯冷め・湯冷まし。参「×泠（清らか）」は別字。④

【励（勵）】レイ、はげむ・はげます 例励行・奨励・精励、励み。

【戻（戾）】レイ、もどす・もどる 例戻入・返戻、差し戻し・後戻り。表外もとる→かな書き。

【例】レイ、たとえる 例例外・例年・用例・条例。参従来「例える」は例をあげる意で使った（例えば・例えを引く・例えに漏れない）。近年、比喩の意でも「例え話・美人を花に例える」のように使うが、慣用になじまない。表外字であるが、「譬える・喩える」を使うべきであろう。④

【鈴】レイ・リン、すず 例電鈴・振鈴・予鈴・風鈴・呼び鈴、鈴なり。参「リン」は唐音。

【零】レイ 例零下・零細・零落。表外おちる→落ちる、こぼれる→かな書き、ふる→降る。参「ゼロ」に当てる（零歳児）。

【霊（靈）】レイ・リョウ、たま 例霊感・霊魂・悪霊・死霊、霊屋。表外たましい→魂。参「リョウ」は呉音。

【隷】レイ 例隷属・隷従・奴隷。参つきしたがう意。正字隷。部首隶。

【齢（齡）】レイ 例年齢・老齢・樹齢・妙齢。表外よわい→かな書き、とし→かな書き。参⇩令。

【麗】レイ、うるわしい 例 麗人・端麗・美麗、麗しの君。表外 うららか→かな書き。

【暦(*曆)】レキ、こよみ 例 還暦・太陽暦、花暦。部首 日。

【歴(*歷)】レキ 例 歴史・歴訪・歴任・経歴。表外 へる→経る。参 明らかの意も(歴然)。学術用語集は「×瀝青(炭)」を「歴青(炭)」で代用。「瀝」はしたたる意。部首 止。④

【列】レツ 例 列外・列車・陳列・列する。表外 ならぶ→並ぶ、つらなる→連なる。③

【劣】レツ、おとる 例 劣等・劣悪・卑劣・劣勢・優劣。

【烈】レツ 例 烈火・壮烈・強烈・猛烈。表外 はげしい→激しい。参 原義は火が激しく燃える意。

【裂】レツ、さく・さける 例 決裂・破裂・分裂、八つ裂き。使い分け ⇩本文[囲み]さく(割・裂)。

【恋(戀)】レン、こう・こい・こいしい 例 恋愛・恋慕・失恋、恋い慕う・初恋・恋する・恋しがる。

【連】レン、つらなる・つらねる・つれる 例 連休・連続・連勝、連れ。表外 むらじ(姓の一)→連、しきりに→かな書き。参「連/×聯」は「連」で統一(連係・連座・連想・連珠・連邦・連合・連盟・連鎖・連弾・連絡・連綿・連立)。「聯」も連なる意。もと多く「聯」。④

【廉】レン 例 廉価・清廉潔白・破廉恥。表外 かど→かな書き、やすい→安い。参 行いの正しい意。正字 廉。

【練(*練)】レン、ねる 例 練習・練達・熟練、案を練る。参「×煉炭」「×煉乳」は「練炭」「練乳」で代用(「煉」はこね鍛える、「練」は糸をねり鍛える)。「試練/試×煉」「洗練/洗×煉」は前者で統一(もと多く「煉」。「×煉獄・×煉×瓦」の場合は「煉」)。③

【錬(*鍊)】レン 例 錬金術・鍛錬・精錬。表外 ねる→練る。参 金属をねり鍛える意。

【炉(爐)】ロ 例 炉辺・炉端・暖炉・原子炉。

【路】ロ、じ 例 路上・道路、家路・旅路。表外 みち→道。③

【露】ロ・ロウ、つゆ 例 露出・露店・露天掘り・披露、夜露。表外 あらわれる→現れる、あらわ→かな書き。参「ロウ」は慣用音。

【老】ロウ、おいる・ふける 例 老人・老巧・老練・敬老・長老、老い・老け役。④

【労(勞)】ロウ 例 労働・苦労・疲労・労する。表外 ねぎらう→かな書き、いたつき→かな書き。参「漁×撈」は「漁労」で代用(「労」は働く、「撈」は水中のものをすくう)。④

【郎(*郞)】ロウ 例 新郎・郎等・一姫二太郎。表外 おとこ→男。参 原義は清らかな男の意。

【朗(*朗)】ロウ、ほがらか 例 朗読・朗報・朗々と・清朗・明朗、朗らかさ。表外 あきらか→明らか。正字 朗。⑥

【浪】ロウ 例 波浪・放浪・浪人・浪費。表外 なみ→波。参 大波、さまよう、みだりにの意。

【廊(*廊)】ロウ 例 廊下・回廊・歩廊・画廊。参 廊下の意。

【楼(樓)】ロウ 例 楼閣・鐘楼・岳陽楼。表外 たかどの→高殿。

【漏】ロウ、もる・もれる・もらす 例 漏電・疎漏・脱漏、雨漏り・情報漏れ。

【六】ロク、む・むつ・むっつ・むい 例 六月・六法・丈六、六つ切り・六日。参 ⇩陸。部首 八。①

【録(*錄)】ロク 例 録音・記録・実録・録する。表外 しるす→記す。参 近年「とる」の訓が生まれた(FMから▽録る)。新聞は「貫×禄」を「貫録」で代用するが、慣用になじまない。④

【論】ロン 例 論証・論理・論議・議論・結論・論ずる。表外 あげつらう→かな書き。⑥

【和】ワ・オ、やわらぐ・やわらげる・なごむ・なごやか 例 和解・和服・柔和・和する・和尚。表外 カ→和尚、あえる→かな書き。参「ワ」は呉音。「オ」は唐音。付 日和・大和(大和絵・大和魂など)。③

【話】ワ、はなす・はなし 例 話題・話術・会話・童話、話し言葉・お話しする・お話しになる・話を聞く・立ち話。参「×噺(国字)」は「話」でまかなう。「×咄」は「落とし咄・咄家」などで好まれる。「×譚」は物語の意(出生譚)。②

【賄】ワイ、まかなう 例 収賄・贈賄、賄い付き。表外 まいなう→かな書き。

意。書き。参「賄×賂ゎぃろ」の「賂」もまいなうの

【惑】 ワク、まどう 例惑星・迷惑・誘惑・当惑・困惑、去就に惑う。

【枠】 わく 例枠組み・枠内・窓枠・黒枠。参国字。音はない。

【湾(灣)】 ワン 例湾内・湾岸・港湾。参「×彎曲」は「湾曲」で代用（「湾」は入り海、「彎」は弓なりに曲がる）。「湾入／×彎入」は「湾入」で統一。

【腕】 ワン、うで 例腕章・腕力・敏腕、腕前。表外かいな→かな書き。

付表

あす	明日
あずき	小豆
あま	海女
いおう	硫黄
いくじ	意気地
いちげんこじ	一言居士
いなか	田舎
いぶき	息吹
うなばら	海原
うば	乳母
うわき	浮気
うわつく	浮つく
えがお	笑顔
おかあさん	お母さん
おじ	叔父
	伯父
おとうさん	お父さん
おとな	大人
おとめ	乙女
おば	叔母
	伯母
おまわりさん	お巡りさん
おみき	お神酒
おもや	母屋
	母家
かぐら	神楽
かし	河岸
かぜ	風邪
かな	仮名
かや	蚊帳
かわせ	為替
かわら	河原
	川原
きのう	昨日
きょう	今日
くだもの	果物
くろうと	玄人
けさ	今朝
けしき	景色
ここち	心地
ことし	今年
さおとめ	早乙女
ざこ	雑魚
さじき	桟敷
さしつかえる	差し支える
さつきばれ	五月晴れ
さなえ	早苗
さみだれ	五月雨
しぐれ	時雨
しない	竹刀
しばふ	芝生
しみず	清水
しゃみせん	三味線
じゃり	砂利
じゅず	数珠
じょうず	上手
しらが	白髪
しろうと	素人
しわす（「しはす」とも言う。）	師走
すきや	数寄屋
	数奇屋
すもう	相撲
ぞうり	草履
だし	山車
たち	太刀
たちのく	立ち退く
たなばた	七夕
たび	足袋
ちご	稚児
ついたち	一日
つきやま	築山
つゆ	梅雨
でこぼこ	凸凹
てつだう	手伝う
てんません	伝馬船
とあみ	投網
とえはたえ	十重二十重
どきょう	読経
とけい	時計
ともだち	友達
なこうど	仲人
なごり	名残
なだれ	雪崩
にいさん	兄さん
ねえさん	姉さん
のら	野良
のりと	祝詞
はかせ	博士
はたち	二十
	二十歳
はつか	二十日
はとば	波止場
ひとり	一人
ひより	日和
ふたり	二人
ふつか	二日
ふぶき	吹雪
へた	下手
へや	部屋
まいご	迷子
まっか	真っ赤
まっさお	真っ青
みやげ	土産
むすこ	息子
めがね	眼鏡
もさ	猛者
もみじ	紅葉
もめん	木綿
もより	最寄り
やおちょう	八百長
やおや	八百屋
やまと＝（大和絵・大和魂等）	大和
ゆかた	浴衣
ゆくえ	行方
よせ	寄席
わこうど	若人

ローマ字のつづり方

昭和29年12月9日
内閣告示第1号

ま　え　が　き

1　一般に国語を書き表わす場合は，第1表に掲げたつづり方によるものとする。

2　国際的関係その他従来の慣例をにわかに改めがたい事情にある場合に限り，第2表に掲げたつづり方によってもさしつかえない。

3　前二項のいずれの場合においても，おおむねそえがきを適用する。

第1表

a	i	u	e	o			
ka	ki	ku	ke	ko	kya	kyu	kyo
sa	si	su	se	so	sya	syu	syo
ta	ti	tu	te	to	tya	tyu	tyo
na	ni	nu	ne	no	nya	nyu	nyo
ha	hi	hu	he	ho	hya	hyu	hyo
ma	mi	mu	me	mo	mya	myu	myo
ya	(i)	yu	(e)	yo			
ra	ri	ru	re	ro	rya	ryu	ryo
wa	(i)	(u)	(e)	(o)			
ga	gi	gu	ge	go	gya	gyu	gyo
za	zi	zu	ze	zo	zya	zyu	zyo
da	(zi)	(zu)	de	do	(zya)	(zyu)	(zyo)
ba	bi	bu	be	bo	bya	byu	byo
pa	pi	pu	pe	po	pya	pyu	pyo

〔(　)は重出を示す。〕

第2表

sha	shi		shu	sho
			tsu	
cha	chi		chu	cho
			fu	
ja	ji		ju	jo
di	du	dya	dyu	dyo
kwa				
gwa				
				wo

〔編集部注〕
第1表はもとの訓令式のつづり方である。第2表のうち，上5段は標準式，下4段は日本式のつづり方で，それぞれ第1表の該当するつづりの代わりに用いる。

標準式では，はねる音をp，b，mの前ではmで書き，つまる音をchの前ではtで書く。

日本式では，woは助詞に限って用い，また，名詞の語頭はいつも大文字で書く。

そ　え　が　き

前表に定めたもののほか，おおむね次の各項による。

1　はねる音「ン」はすべてnと書く。

2　はねる音を表わすnと次にくる母音字またはyとを切り離す必要がある場合には，nの次に'を入れる。

3　つまる音は，最初の子音字を重ねて表わす。

4　長音は母音字の上に^をつけて表わす。なお，大文字の場合は母音字を並べてもよい。

5　特殊音の書き表わし方は自由とする。

6　文の書きはじめ，および固有名詞は語頭を大文字で書く。なお，固有名詞以外の名詞の語頭を大文字で書いてもよい。

〔編集部注〕　そえがきの各項の例を示すと，1はkokumin（国民），sinbun（新聞）など，2はken'ei（県営），sen'yaku（先約）など，3はgakki（楽器），itten（一点）など，4はgenkô（原稿），raisyû（来週），Ômiya・ÔMIYA・OOMIYA（大宮）など，5はotottsan・otottuan（おとっつぁん），fâsuto・huasuto（ファースト）など，6はNippon（日本），Tukue ga aru（机がある）などである。

時刻・方位・干支

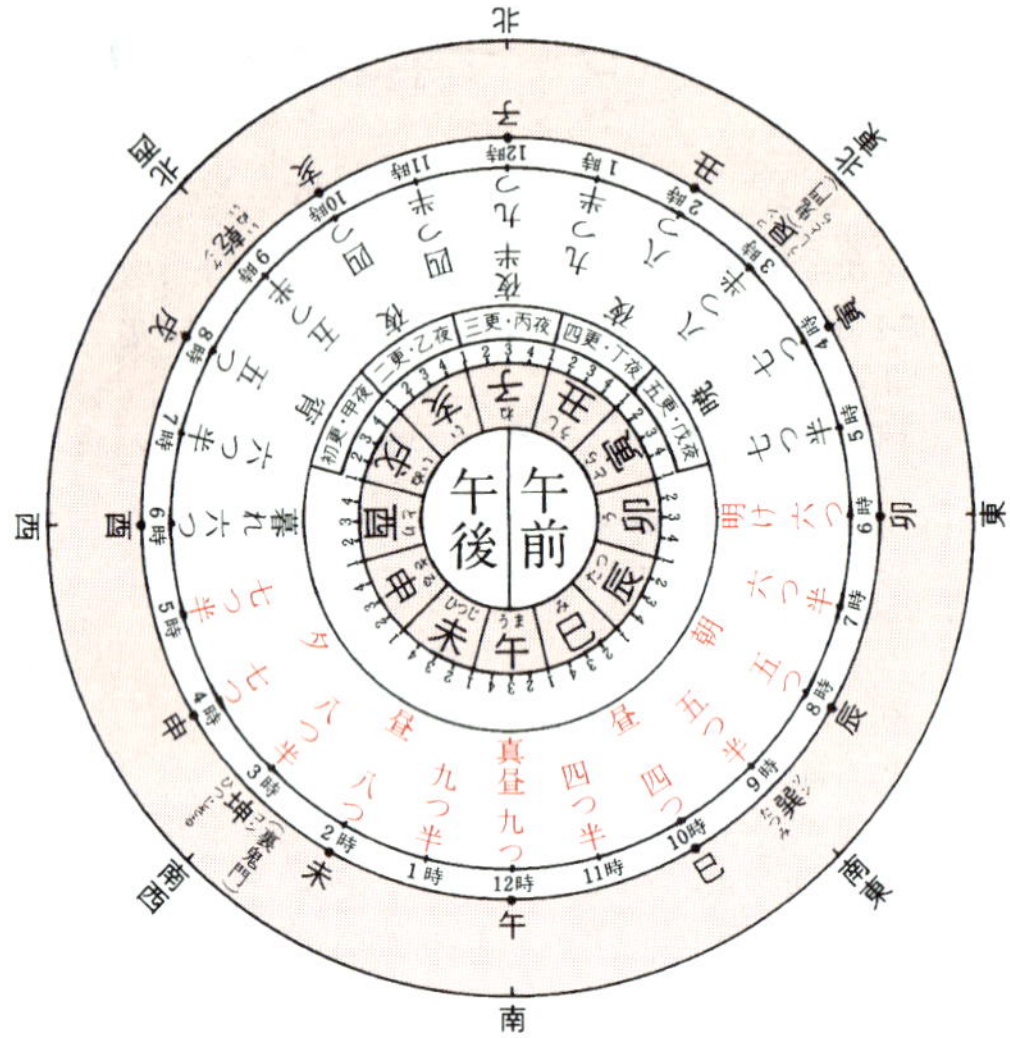

◇時刻

わが国の時法には、古く定時法と不定時法の二種があった。定時法は一日を十二等分するもので、一時(ひとき)は二時間に当たる。不定時法は昼と夜をそれぞれ六等分するもので、季節により、一時の長さが異なる。これは江戸時代に広く行われていた。

◇方位

三百六十度を十二等分して、それぞれに十二支を当てはめ、北を「子(ね)」、南を「午(うま)」などと呼んだ。また、北東を「艮(うしとら)」、南東を「巽(たつみ)」、南西を「坤(ひつじさる)」、北西を「乾(いぬい)」と呼んだ。陰陽道(おんみょうどう)では、艮を「鬼門」、坤を「裏鬼門」と称し、不吉な方角とした。

◇十干

中国古来の学説で、天地の間をめぐり動いて万物を組成するとされる木・火・土・金・水の五行を、それぞれ兄(え)(陽)・弟(と)(陰)に分け、甲・乙・丙…など十の文字に当てたもの。「きのえ」「きのと」「ひのえ」…と読む。

五行	兄弟	十干
木(モク)	兄	木(き)の兄(え)＝甲(こう)
	弟	木(き)の弟(と)＝乙(おつ)
火(カ)	兄	火(ひ)の兄(え)＝丙(へい)
	弟	火(ひ)の弟(と)＝丁(てい)
土(ド)	兄	土(つち)の兄(え)＝戊(ぼ)
	弟	土(つち)の弟(と)＝己(き)
金(ゴン)	兄	金(か)の兄(え)＝庚(こう)
	弟	金(か)の弟(と)＝辛(しん)
水(スイ)	兄	水(みず)の兄(え)＝壬(じん)
	弟	水(みず)の弟(と)＝癸(き)

◇十二支

一年十二か月を表す子・丑・寅…など十二の文字にそれぞれ動物名を当てはめて、「ね」「うし」「とら」…と読むもの。時刻・方位を示すのに用いる。

子(シ)	ね	(鼠(ねずみ))
丑(チュウ)	うし	(牛)
寅(イン)	とら	(虎)
卯(ボウ)	う	(兎(うさぎ))
辰(シン)	たつ	(竜)
巳(シ)	み	(蛇(みずち))
午(ゴ)	うま	(馬)
未(ビ)	ひつじ	(羊)
申(シン)	さる	(猿)
酉(ユウ)	とり	(鶏(にわとり))
戌(ジュツ)	いぬ	(犬)
亥(ガイ)	い	(猪(いのしし))

◇干支表

十干と十二支の組み合わせを「干支」と書いて「えと(かんし)」といい、六十組できる。年の順序では六十一年目にもとにもどり、六十一歳を還暦という。

1 甲子(きのえね)	11甲戌(きのえいぬ)	21甲申(きのえさる)	31甲午(きのえうま)	41甲辰(きのえたつ)	51甲寅(きのえとら)
2 乙丑(きのとうし)	12乙亥(きのとい)	22乙酉(きのととり)	32乙未(きのとひつじ)	42乙巳(きのとみ)	52乙卯(きのとう)
3 丙寅(ひのえとら)	13丙子(ひのえね)	23丙戌(ひのえいぬ)	33丙申(ひのえさる)	43丙午(ひのえうま)	53丙辰(ひのえたつ)
4 丁卯(ひのとう)	14丁丑(ひのとうし)	24丁亥(ひのとい)	34丁酉(ひのととり)	44丁未(ひのとひつじ)	54丁巳(ひのとみ)
5 戊辰(つちのえたつ)	15戊寅(つちのえとら)	25戊子(つちのえね)	35戊戌(つちのえいぬ)	45戊申(つちのえさる)	55戊午(つちのえうま)
6 己巳(つちのとみ)	16己卯(つちのとう)	26己丑(つちのとうし)	36己亥(つちのとい)	46己酉(つちのととり)	56己未(つちのとひつじ)
7 庚午(かのえうま)	17庚辰(かのえたつ)	27庚寅(かのえとら)	37庚子(かのえね)	47庚戌(かのえいぬ)	57庚申(かのえさる)
8 辛未(かのとひつじ)	18辛巳(かのとみ)	28辛卯(かのとう)	38辛丑(かのとうし)	48辛亥(かのとい)	58辛酉(かのととり)
9 壬申(みずのえさる)	19壬午(みずのえうま)	29壬辰(みずのえたつ)	39壬寅(みずのえとら)	49壬子(みずのえね)	59壬戌(みずのえいぬ)
10癸酉(みずのととり)	20癸未(みずのとひつじ)	30癸巳(みずのとみ)	40癸卯(みずのとう)	50癸丑(みずのとうし)	60癸亥(みずのとい)

二十四節気・雑節

季節	二十四節気名	陰暦	陽暦	雑節名（陽暦）
春	立春（りっしゅん）	正月節	二月四日ごろ	節分（二月三日ごろ）
	雨水（うすい）	正月中	二月一九日ごろ	彼岸（春分を中日とする七日間）
	啓蟄（けいちつ）	二月節	三月六日ごろ	社日（春分に最も近い戊の日）
	春分（しゅんぶん）	二月中	三月二一日ごろ	土用（立夏前一八日間）
	清明（せいめい）	三月節	四月五日ごろ	
	穀雨（こくう）	三月中	四月二〇日ごろ	
夏	立夏（りっか）	四月節	五月六日ごろ	八十八夜（五月二日ごろ）
	小満（しょうまん）	四月中	五月二一日ごろ	入梅（六月一一日ごろ）
	芒種（ぼうしゅ）	五月節	六月六日ごろ	半夏生（七月二日ごろ）
	夏至（げし）	五月中	六月二一日ごろ	土用（立秋前一八日間）
	小暑（しょうしょ）	六月節	七月七日ごろ	
	大暑（たいしょ）	六月中	七月二三日ごろ	
秋	立秋（りっしゅう）	七月節	八月八日ごろ	二百十日（九月一日ごろ）
	処暑（しょしょ）	七月中	八月二三日ごろ	二百二十日（九月一一日ごろ）
	白露（はくろ）	八月節	九月八日ごろ	彼岸（秋分を中日とする七日間）
	秋分（しゅうぶん）	八月中	九月二三日ごろ	社日（秋分に最も近い戊の日）
	寒露（かんろ）	九月節	一〇月八日ごろ	土用（立冬前一八日間）
	霜降（そうこう）	九月中	一〇月二三日ごろ	
冬	立冬（りっとう）	一〇月節	一一月八日ごろ	土用（立春前一八日間）
	小雪（しょうせつ）	一〇月中	一一月二三日ごろ	
	大雪（たいせつ）	一一月節	一二月七日ごろ	
	冬至（とうじ）	一一月中	一二月二二日ごろ	
	小寒（しょうかん）	一二月節	一月六日ごろ	
	大寒（だいかん）	一二月中	一月二〇日ごろ	

月の異称

季節	月	異称	その他の異称
春	一月	むつき（睦月）	孟春（もうしゅん）・初春（しょしゅん）・祝月（いわいづき）
	二月	きさらぎ（如月）	仲春（ちゅうしゅん）・梅見月（うめみづき）
	三月	やよい（弥生）	季春（きしゅん）・晩春（ばんしゅん）・花見月（はなみづき）
夏	四月	うづき（卯月）	孟夏（もうか）・初夏（しょか）・卯の花月（うのはなづき）
	五月	さつき（皐月）	仲夏（ちゅうか）・五月雨月（さみだれづき）
	六月	みなづき（水無月）	季夏（きか）・晩夏（ばんか）・常夏月（とこなつづき）
秋	七月	ふづき（文月）	孟秋（もうしゅう）・初秋（しょしゅう）・七夕月（たなばたづき）
	八月	はづき（葉月）	仲秋（ちゅうしゅう）・月見月（つきみづき）
	九月	ながつき（長月）	季秋（きしゅう）・晩秋（ばんしゅう）・菊月（きくづき）
冬	一〇月	かんなづき（神無月）	孟冬（もうとう）・初冬（しょとう）・時雨月（しぐれづき）
	一一月	しもつき（霜月）	仲冬（ちゅうとう）・霜降月（しもふりづき）
	一二月	しわす（師走）	季冬（きとう）・晩冬（ばんとう）・春待月（はるまちづき）

月齢表

上弦　下弦

- 新月（しんげつ）
- 二日月（ふつかづき）
- 三日月（みかづき）
- 七日月（なぬかづき）
- 八日月（ようかづき）
- 九日月（ここのかづき）
- 十日余りの月（とおかあまりのつき）（一一日ごろ）
- 十三夜の月（じゅうさんやのつき）
- 望月（もちづき）（満月（まんげつ））（一五日ごろ）
- 十六夜の月（いざよいのつき）
- 立待ち月（たちまちづき）（一七日ごろ）
- 居待ち月（いまちづき）（一八日ごろ）
- 臥待ち月（ふしまちづき）（一九日ごろ）
- 更待ち月（ふけまちづき）
- 二十日余りの月（はつかあまりのつき）（二二日ごろ）
- 二十三夜の月（にじゅうさんやのつき）

主要季語一覧

▼主要な季語を季節別・分野別に分類し、それぞれでは、五十音順に配列した。
▼漢字の表記・送り仮名については、俳句の慣例を考慮し、それによった。

	春（立春〜立夏の前日まで）	夏（立夏〜立秋の前日まで）
時候	啓蟄・冴返る・春暁・早春・遅日・夏近し・長閑・八十八夜・花冷え・彼岸・弥生・余寒・立春	暑し・炎昼・夏至・三伏・涼し・大暑・梅雨明・土用・熱帯夜・入梅・薄暑・半夏生・短夜・麦の秋・夜の秋・立夏・冷夏
天文／地理	淡雪・朧月・陽炎・霞・東風・残雪・菜種梅雨・花曇・春一番・忘れ霜／薄氷・雪崩・苗代・逃水・水温む・山笑う・雪代・雪解け	朝焼け・油照・卯の花腐し・片蔭・雷・雲の峰・五月雨・涼風・梅雨・虹・雹・夕立・夕焼け／青田・泉・清水・雪渓・滝・出水・土用波
行事／生活	御水取・闘鶏・涅槃会・針供養・雛祭・復活祭／草餅・蚕飼・汐干狩・卒業・田打ち・凧・種蒔き・茶摘・野焼き・畑打ち・花衣・風船・山焼き	葵祭・朝顔市・川開・薪能・夏越・鬼灯市／甘酒・鵜飼・団扇・髪洗う・蚊遣火・行水・更衣・早乙女・新茶・田植・花火・プール・風鈴・祭・浴衣
動物	浅蜊・鶯・馬の子・お玉杓子・蚕・雁帰る・蛙・雉子・胡蝶・仔猫・囀・栄螺・白魚・雀の子・蝶・燕・鳥雲に入る・鰊・猫の恋・蜂・蛤・雲雀・若鮎・公魚	雨蛙・鮎・蟻・蚊・蝸牛・鰹・郭公・兜虫・閑古鳥・金魚・金亀子・蟬・天道虫・熱帯魚・蚤・蠅・斑猫・蟇・蛍・時鳥・山時鳥・目高
植物	薊・梅・梅が香・桑・木の芽・桜・シクラメン・菫・芹・薇・蒲公英・土筆・躑躅・椿・菜の花・海苔・蘩蔞・花散る・桃の花・柳・山吹・蓬・ライラック・落花・若草・若布	青葉・紫陽花・あやめ・苺・卯の花・瓜・杜若・桑の実・罌粟の花・さくらんぼ・早苗・芍薬・菖蒲・空豆・筍・月見草・茄子・蓮・万緑・向日葵・蕗・牡丹・麦・夕顔・百合・若葉

（春の代表句）

雉子の眸のかうかうとして売られけり　加藤楸邨
ぜんまいののの字ばかりの寂光土　川端茅舎
梅が香にのっと日の出る山路かな　松尾芭蕉
雪とけて村一ぱいの子どもかな　小林一茶

（夏の代表句）

万緑の中や吾子の歯生え初むる　中村草田男
滝落ちて群青世界とどろけり　水原秋櫻子
涼風の曲がりくねって来たりけり　小林一茶
牡丹散ってうちかさなりぬ二三片　与謝蕪村

	秋（立秋～立冬の前日）	冬（立冬～立春の前日）	新年（新年に関する語）
時候	秋惜しむ・秋澄む・秋深し・朝寒・暮の秋・残暑・新涼・二百十日・肌寒・身に入む・行く秋・夜寒・夜長	大晦日・寒暁・小春日・寒し・霜夜・除夜・節分・短日・年惜しむ・年越・年の暮・春近し・日脚伸ぶ・行く年	元日・小正月・去年今年・初春・松の内
天文／地理	秋旱・天の川・稲妻・芋嵐・鰯雲・霧・十五夜・台風・月・露・後の月・野分・初嵐・名月／秋出水・秋の田・刈田・不知火・花野・水澄む	霰・風花・神渡し・北風・凩・時雨・霜・隙間風・初時雨・冬麗・鰤起し・深雪・雪／凍土・枯野・氷柱・初氷・水涸る・山眠る	御降・淑気・初茜・初明り・初霞・初風・初空・初凪・初日／初景色・初富士
行事／生活	秋彼岸・盂蘭盆・風の盆・大文字・七夕・月見・灯籠流し・墓参り・火祭・盆・迎火／秋収め・稲刈・踊・案山子・菊人形・栗飯・相撲	神迎え・寒念仏・除夜の鐘・年の市・酉の市・羽子板市・松迎え／網代・炬燵・障子・炭・咳・焚火・足袋・縄跳び・日向ぼこ・蒲団	左義長・七草・初詣・若水／書初め・門松・独楽・獅子舞・雑煮・宝船・初夢
動物	赤蜻蛉・鰯・鶉・落鮎・雁・啄木鳥・螽蟖・蟋蟀・小鳥・鮭・秋刀魚・鹿・鴫・鈴虫・蟷螂・蜻蛉・鯊・螇蚸・蜩・鵯・虫・鵙・渡り鳥	鮟鱇・鴛鴦・牡蠣・竈猫・鴨・寒鴉・寒鯉・寒雀・寒鮒・狐・氷下魚・笹鳴・鷹・千鳥・鶴・鰰・河豚・冬の蠅・鰤・水鳥・木菟・都鳥・綿虫	伊勢海老・初鴉・初雀・初鶏・嫁が君
植物	芋・枝豆・落穂・女郎花・柿・菊・茸・草の花・栗・鶏頭・コスモス・木の実・芒・露草・冬瓜・団栗・萩・糸瓜・鬼灯・曼珠沙華・木槿・竜胆・早稲	落葉・帰り花・蕪・枯尾花・枯木・寒椿・寒牡丹・山茶花・朱欒・水仙・セロリ・大根・南天の実・人参・葱・白菜・万両・蜜柑・麦の芽・藪柑子・八手の花	歯朶・橙・薺・福寿草・穂俵・楪

（秋の代表句）

柿くへば鐘が鳴るなり法隆寺　正岡子規

荒海や佐渡によこたふ天の河　松尾芭蕉

（冬の代表句）

学問のさびしさに堪へ炭をつぐ　山口誓子

初しぐれ猿も小蓑をほしげ也　松尾芭蕉

ともかくもあなたまかせの年の暮　小林一茶

（新年の代表句）

去年今年貫く棒の如きもの　高浜虚子

門松やおもへば一夜三十年　松尾芭蕉

計量単位一覧

４種類の量の主な単位を，メートル法，尺貫法，ヤード＝ポンド法，その他の順にそれぞれ点線で区切って示した。

各単位系の中で基本的な単位は**太字**で示し，それに相当する他の単位系の数値を示した。また，尺貫法およびヤード＝ポンド法の各項目では，それに相当するメートル法における数値を示した。

メートル法は国際的に承認された計量単位系で，日本でも 1959（昭和 34）年からメートル法が完全実施されている。

(1) 長さの単位

1 mm(ミリメートル)	1/1000m	
1 cm(センチメートル)	1/100m	
1 dm(デシメートル)	1/10m	
1 m(メートル)	3.3 尺	1.0936ヤード
1 km(キロメートル)	1000m	

1 毛(もう)	1/10 厘	0.0303mm
1 厘(りん)	1/10 分	0.303mm
1 分(ぶ)	1/10 寸	0.303cm
1 寸(すん)	1/10 尺	3.03cm
1 尺(しゃく)	0.303m	0.3314ヤード
1 丈(じょう)	10 尺	3.03m
1 間(けん)	6 尺	1.818m
1 町(ちょう)	60 間	109.09m
1 里(り)	36 町	3.9273km

1 インチ(in)	1/36 ヤード	2.54cm
1 フィート(ft)	1/3 ヤード	30.48cm
1 ヤード(yd)	0.9144m	3.0175 尺
1 チェーン	22 ヤード	20.12m
1 マイル	1760 ヤード	1.609km

1 海里〔メートル法〕		1852m
〔英海里〕	6080 フィート	1853.18m
〔米海里〕	6080.20フィート	1853.19m

(2) 面積の単位

1 mm^2(平方ミリメートル)	1/100cm^2	
1 cm^2(平方センチメートル)	1/10000m^2	
1 m^2(平方メートル)	0.3025歩, 坪	1.196平方ヤード
1 km^2(平方キロメートル)	1000000m^2	
1 a(アール)	100m^2	
1 ha(ヘクタール)	100 a , 10000m^2	

1 平方尺	1/36歩, 坪	0.09183m^2
1 勺(しゃく)	1/10合	0.033m^2
1 合(ごう)	1/10歩, 坪	0.33m^2
1 歩(ぶ), 坪(つぼ)	3.306m^2	3.954平方ヤード
1 畝(せ)	30歩, 坪	99.17m^2
1 反, 段(たん)	10畝, 300歩, 坪	9.917 a
1 町(ちょう), 町歩	10反, 3000歩, 坪	99.17 a

1 平方インチ(in^2)	1/1296平方ヤード	6.451cm^2
1 平方フィート(ft^2)	1/9 平方ヤード	929.03cm^2
1 平方ヤード(yd^2)	0.836m^2	0.253歩, 坪
1 エーカー	10平方チェーン	4046.9m^2
1 平方マイル	640 エーカー	2.5899km^2

(3) 体積の単位

1 mm^3(立方ミリメートル)	1/1000cm^3	
1 cm^3(立方センチメートル)	1/1000000m^3	
1 m^3(立方メートル)	554.352 升	1.30796立方ヤード
1 km^3(立方キロメートル)	1000000000m^3	
1 mℓ(ミリリットル)	1/1000 ℓ	
1 dℓ(デシリットル)	1/10 ℓ	
1 ℓ(リットル)	1000cm^3	
1 kℓ(キロリットル)	1000 ℓ	

1 立方寸	1/1000立方尺	
1 石(こく)	10 立方尺	0.278m^3
1 勺(しゃく)	1/10 合	18.04mℓ
1 合(ごう)	1/10 升	1.804dℓ
1 升(しょう)	1.804 ℓ	110.085立方インチ
1 斗(と)	10 升	18.04 ℓ
1 石(こく)	10 斗	180.39 ℓ

1 立方インチ(in^3)	1/46656 立方ヤード	16.387cm^3
1 立方フィート(ft^3)	1/27 立方ヤード	28.317 ℓ
1 立方ヤード(yd^3)	764.55 ℓ	4.238 石
1 英ガロン		4.546 ℓ
1 米ガロン		3.785 ℓ
1 英バレル	36 英ガロン	163.65 ℓ
1 米バレル	31.5米ガロ(液体用)	119.2 ℓ
	42米ガロ(石油用)	158.9 ℓ

1 トン, 総トン(船舶用)　100立方フィート=1000/353m^3=2.83286m^3

(4) 重さの単位

1 mg(ミリグラム)	1/1000 g	
1 cg(センチグラム)	1/100 g	
1 g(グラム)	1/1000kg	
1 kg(キログラム)	0.26667 貫	2.2046ポンド
1 t(トン)	1000kg	
1 kt(キロトン)	1000 t	

1 毛(もう)	1/10 厘	0.00375 g
1 厘(りん)	1/10 分	0.0375 g
1 分(ぶ)	1/10 匁	0.375 g
1 匁(もんめ)	1/1000 貫	3.75 g
1 斤(きん)	160 匁	600 g
1 貫(かん)	3.75kg	8.267ポンド

1 オンス(oz)	1/16 ポンド	28.35 g
1 ポンド(lb)	0.4536kg	0.121 貫
1 英トン(ロングトン)	2240 ポンド	1.016 t
1 米トン(ショートトン)	2000 ポンド	0.907 t

X線 [X-ray] ⇨エックス線。
X線星 [X-ray star]《天》強いX線を出している星。
X線バースト [X-ray burst]《天》ある天体から放出されるX線が数分程度の時間，爆発的に強くなる現象。
X線リソグラフィー [X-ray lithography] 集積回路を製造する際，X線によって半導体の基板上に回路パターンを刻み込む技術。超微細加工が可能。
X線CT [X-ray computerized tomography]《医》X線コンピューター断層撮影装置。X線とコンピューターとを組み合わせて人体の断層(断面)写真を撮る。*X線スキャナーとも。
Xデー ⇨エックスデー。
Xリーグ [X league]《アメフト》日本のアメリカンフットボールの社会人リーグ。◆1996年より開幕。
X理論 [theory X] 人間は本来怠惰で労働を嫌うので，強制・命令・処罰によって厳しく管理しなければならないとする考え方。参考アメリカの心理学者D.マグレガーの説。→Y理論。
Xe [xenon]《化》キセノンの元素記号。
XL [extra large] (衣類などの)特大。
Xmas [Christmas] ⇨クリスマス。参考Xはキリストを表すギリシア語Xristosからの造語。
XML [Extensible Markup Language] インターネットのデータ記述言語の1つ。文法の平易なHTMLと，文書の構造を記述できるSGMLの双方の長所を合わせもつ。
XO [extra old] 長年月貯蔵された超高級ブランデー。→VO，VSO，VSOP。
XO醤(ジャン) 干し貝柱や干しエビに香味野菜・香辛料・調味料を加えてつくる中国料理の調味料の一つ。参考XOは超高級ブランデーから。
X-Yプロッター [X-Y plotter]《電算》図形出力装置の一つ。直交座標グラフ上に出力する装置。

Y

Y ①[Yttrium ドイツ]《化》イットリウムの元素記号。②[yellow] イエロー。黄色。③[yotta-]《理》ヨタ。国際単位系(SI)の単位用接頭語で，10^{24}。④[yukawa]《理》ユカワ。原子物理学で用いる長さの単位。1ユカワは1フェルミと同値。参考日本で，物理学者湯川秀樹にちなんで設けられた単位。
y ①《数》第2の未知数を表す記号。②[yocto-]《理》ヨクト。国際単位系(SI)の単位用接頭語で，10^{-24}。
Y理論 [theory Y] 人間は自己の能力を発揮する場として労働を望んでいるので，理想の環境があれば強制しなくても働くという考え方。参考アメリカの心理学者D.マグレガーの説。→X理論。
YA [young adult] ヤングアダルト。大人でも子供でもない若者たちの層。
YAC [Young Astronauts Club of Japan] 日本宇宙少年団。
YAGレーザー [yttrium aluminium garnet laser] イットリウム・アルミニウム・ネオジムの各酸化物からなる，ガーネット構造の固体レーザー。
Yahoo(ヤフー) インターネット上でWebサイトの検索サービスを行うアメリカの企業。また，そのサービス。
yd [yard] ⇨ヤード。
Y-Gテスト [Yatabe-Guilford test]《心》矢田部・ギルフォード性格検査。性格検査法の一つ。
YH [youth hostel] ⇨ユースホステル。
Y2K [year 2 kilo]《電算》コンピューター2000年問題。コンピューターが西暦2000年に下2桁だけで表されたデータを混同し，誤作動を引き起こすと考えられた問題。参考kiloは「1000」の意。
YMCA [Young Men's Christian Association] ⇨ワイエムシーエー。
YS-11 《航》戦後初の国産ターボプロップ旅客機。参考YSは輸送・設計の頭文字。
YWCA [Young Women's Christian Association] ⇨ワイダブリューシーエー。

Z

Z ①[zetta-]《理》ゼタ。国際単位系(SI)の単位用接頭語で，10^{21}。②[impedance]《電》インピーダンス。コイルまたはコンデンサーで構成されている交流回路における電圧と電流の比。直流回路における抵抗に相当する。単位Ω。
z ①《数》第3の未知数を表す記号。②[zone] ゾーン。地帯。③[zepto-]《理》ゼプト。国際単位系(SI)の単位用接頭語で，10^{-21}。
Z項 [Z-term]《地》緯度変化を表す公式の補正項。参考1902年に木村栄が発見したことから木村項ともいう。
Z理論 [theory Z]《経》セオリーZ。日本的経営とアメリカ的経営のそれぞれの長所を生かした経営を目指す理論。参考アメリカのW.オーウチ教授の理論。
ZERI [Zero-Emission Recycle Initiative] ゼロエミッション計画。ある産業の廃棄物を別の産業で利用することによって廃棄物をゼロにしようとする国連大学の開発計画。
ZIFT [zygote intrafallopian transfer]《医》ジフト法。接合子卵管内移植。不妊症の治療法の一つ。体外に取り出した卵子と精子を授精させてから母体の卵管に戻す方法。
ZIP(ジップ) [zone improvement plan] 郵便物の集配区域改善計画。参考これに基づく郵便番号をジップコードという。
Zn [zinc]《化》亜鉛の元素記号。
Zr [Zirkonium ドイツ]《化》ジルコニウムの元素記号。
ZTT [zinc sulfate turbidity test]《医》硫酸亜鉛混濁試験。血清たんぱく質の組成異常を調べる検査。肝障害の有無を見分ける検査として用いられる。

労連。国際労働組合連合。

WCP ①［World Climate Program］世界気候計画。国連の気象機関 WMOの提案に基づく国際的な研究計画。②［World Council of Peace］世界平和評議会。◆1950年ワルシャワで設立。

WCS［World Conservation Strategy］世界自然資源保全戦略。

4WD［four-wheel drive］⇨四輪駆動。

WDM［wavelength division multiplexing］《通信》波長分割多重光伝送。より多くの情報を伝えるために，光信号を多重にして伝送する方式。

Web(ウェブ) →WWW。

Web(ウェブ)**サイト**［Web site］インターネット上で，WWWの方式に基づいてサーバーからの情報の提供などのサービスが行われる場所。

Web(ウェブ)**ページ**［Web page］ウェブサイト上で公開されている，それぞれの情報ページ。参考ホームページと同義に用いられることもある。

WEC［World Energy Council］世界エネルギー会議。

WECPNL［weighted equivalent continuous perceived noise level］加重等価感覚騒音レベル。航空機騒音を表す国際単位。

Wed.［Wednesday］水曜日。

WESTPAC(ウエストパック)［Cooperative Study of the Western Pacific］西太平洋海域共同調査。IOC(政府間海洋学委員会)の下で実施されている。

WFC［World Food Council］国連の世界食糧会議。

WFDY［World Federation of Democratic Youth］世界民主主義青年連盟。◆1945年設立。

WFMH［World Federation for Mental Health］世界精神衛生連盟。◆1960年結成。

WFP［World Food Program］世界食糧計画。

WFTU［World Federation of Trade Unions］世界労働組合連盟。◆1945年結成。

WFUNA［World Federation of United Nations Associations］国連協会世界連盟。

WG［World Games］ワールドゲームズ。オリンピックの種目にないスポーツを集めた国際大会。

Wh［watt-hour］⇨ワット時。

WHO［World Health Organization］世界保健機関。国連の専門機関の一つ。すべての人々が可能な最高の健康水準に到達することを目的としている。

WID［women in development］開発と女性。開発における女性の役割。発展途上国の開発において，女性が積極的に参加できるようにする考え方。

WIDER［World Institute for Development Economics Research］世界開発経済研究所。国連大学の機関。

Windows(ウインドウズ)《商標》アメリカのマイクロソフト社製のパソコン用OS。

WIPO(ワイポ)［World Intellectual Property Organization］国連の世界知的所有権機関。特許権・著作権などの保護を目的とする。◆1970年発足。

WMD［weapons of mass destruction］大量破壊兵器。核兵器や生物兵器・化学兵器などを指す。

WMO［World Meteorological Organization］世界気象機関。◆1950年設立。

WOCE［World Ocean Circulation Experiment］世界海洋循環実験計画。

WOWOW(ワウワウ) 日本衛星放送(JSB)が放送衛星を利用して送る有料衛星放送。

WPC ①［wood plastic combination］スーパーウッド(合成樹脂などを注入した木材)の一つ。木材のすきまにプラスチックを注入してあるため，寸法の狂いが少なく腐りにくい。②［World Petroleum Congress］世界石油会議。◆1933年結成。

WPI［wholesale price index］《経》卸売物価指数。

WPW症候群［Wolff-Parkinson-White syndrome］《医》先天性不整脈の一つ。急に動悸(どうき)がして息苦しくなる発作性頻拍。

WR［wide receiver］《アメフト》ワイドレシーバー。外側に位置してパスを受ける選手。

WRC［World Rally Championship］世界ラリー選手権。

WRI［World Resources Institute］世界資源研究所。

WS ①［workstation］ワークステーション。高性能パソコンの一つ。単独でも高い処理能力をもつ端末装置。②［world scale］ワールドスケール。標準石油タンカーの1航海での石油1トン当たり運賃を100とした場合の運賃指数。

WSSD［World Summit for Social Development］国連社会開発サミット。◆1995年3月コペンハーゲンで開催。

WTB［wing three-quarter backs］《ラグビー》ウイング。左右両端のポジション。また，その選手。

WTC［World Trade Center］世界貿易センター。

WTI［West Texas Intermediate］アメリカで生産される代表的な軽質原油。ニューヨーク商品取引所が先物取引の代表銘柄に指定。

WTO ①［Warsaw Treaty Organization］ワルシャワ条約機構。◆1991年7月，解体を定めた議定書に調印。②［World Trade Organization］世界貿易機関。ガットに代わり，ウルグアイラウンドで合意した種々の協定を管理・運営するための国際機関。◆1995年1月設立。

WTUC［World Trade Union Congress］世界労働組合会議。

WWB［Women's World Banking］女性の世界銀行。女性事業家の経済的自立を世界的に支援するための国際組織。

WWF［Worldwide Fund for Nature］世界自然保護基金。世界の野生生物を保護するため寄付を募り，各国へ配分する民間団体。参考旧称は「世界野生生物基金(World Wildlife Fund)」。

WWP［Wide World Photos］アメリカの通信社。

WWW ①［World Weather Watch］世界気象監視計画。②［World Wide Web］インターネット上の情報検索・表示システム。文字だけでなく，静止画・動画の情報も扱うことができる。*Webとも。→Webサイト，Webページ。

WYSIWYG(ウィジウィグ)［what you see is what you get］コンピューターで文字や図形などが画面で表示されたとおりに印刷されるシステム。

X

X 未知のもの。不確定要素。

x 《数》第1の未知数を表す記号。

成・振興を図る経済産業省の外郭団体。
VER [voluntary export restraint]《経》輸出自主規制。→VRA。
VFR [visual flight rules] 有視界飛行方式。
VHD [video high-density] 溝なし針式静電容量方式。ピット信号をレーザー光線によって読み取るビデオ再生方式。
VHF [very high frequency] ⇨超短波。
VHS [Video Home System] 家庭用ビデオテープレコーダーの一方式。
VICS [Vehicle Information and Communication System] 道路交通情報通信システム。道路工事や渋滞など情報をカーナビゲーションやラジオで伝える。
VIP [very important person] ⇨ブイアイピー。
VJ [video jockey] ビデオジョッキー。テレビなどで，ビデオ映像を流しながら番組を進行させる人。
VLBI [very long baseline interferometer] 超長基線電波干渉計。クエーサーからの電波を受信し，地球上の各地点間の距離を精密に測定する装置。
VLF [very low frequency]《通信》超長波。→UHF，VHF。
VLSI [very large-scale integration]《電算》超大規模集積回路。超LSI。
VMX [voice mailbox] ボイスメールボックス。電話によるメッセージを業者のメールボックスに録音し，外から聞くことができるサービス。
VO [very old] 貯蔵年数の少ないブランデー。→VSO，VSOP，XO。
VOD [video-on-demand] ビデオオンデマンド。見たいときにその番組や映画を家庭のテレビに呼び出せるサービス。
vol. [volume] ボリューム。書物やビデオソフトなどの，巻。
VP [video package] ビデオパッケージ。映像が記録されている市販用ビデオソフトなどの総称。
VPN [virtual private network]《通信》仮想私設通信網。通常の電話回線を使って点在する事業所などを仮想的に接続し，企業内の内線電話のように利用する通信網。
VR [virtual reality] ⇨バーチャルリアリティー。
VRA [voluntary restraint agreement]《経》輸出自主規制協定。貿易摩擦解消のために輸出国側による輸出規制を取り決めた2国間協定。→VER。
VRAM [video RAM] ビデオRAM。画面表示用のRAM。→RAM。
VRE [vancomycin-resistant enterococcus]《医》バンコマイシン耐性腸球菌。強力な抗生物質であるバンコマイシンも効かない腸内細菌。日和見感染を起こす。
VRML [virtual reality modeling language]《電算》インターネット上で3次元グラフィックを表示するためのプログラミング言語。
VS [vital signs]《医》バイタルサイン。生命(生存)徴候。生きている徴候。呼吸・心拍・血圧など。
vs. →v.。
VSAT [very small aperture terminal] 超小型衛星地球局。
VSO [very superior old] 貯蔵年数12～17年の中級ブランデー。→VO，VSOP，XO。
VSOP [very superior old pale] 貯蔵年数18～25年の高級ブランデー。→VO，VSO，XO。
VT [verotoxin]《医》ベロ毒素。病原性大腸菌O157などが人の腸内で増殖したときに出す毒素。
VTOL [vertical takeoff and landing] 垂直離着陸機。
VTR [video tape recorder] ビデオテープレコーダー。映像と音声をビデオテープに記録し再生する装置。また，その記録したもの。*ビデオデッキ，ビデオカセットレコーダーとも。
VW [Volkswagen] フォルクスワーゲン。ドイツの自動車メーカー。また，その乗用車。*ワーゲンとも。参考 原義はドイツ語で「国民車」。
VXガス [venom X gas]《化》有機リン系の神経ガスの一つ。無色・無臭の液体で，きわめて毒性が強い。

W

W ① [watt] ⇨ワット。② [Wolfram ドイツ]《化》タングステンの元素記号。③ [woman] 女性。④ [west] 西。⇌E。⑤ [waist] ⇨ウエスト。⑥ [double] ダブル。
W杯 [World Cup] ワールドカップ。スキー，ラグビーなどスポーツの世界選手権大会。特にサッカーで，FIFAが主催する各国・各地域代表チームによる世界大会。4年に1回，オリンピックの中間年に開かれる。参考 1930年ウルグアイで第1回大会開催。98年フランス大会に日本初出場。2002年日本と韓国で共同開催。
W粒子 [weak boson]《理》ウイークボソン。素粒子間に作用する力のうち，弱い相互作用を媒介する粒子。
WAN [wide area network] 広域ネットワーク。広域化した情報空間。
WASP(ワスプ) [White Anglo-Saxon Protestant] アングロサクソン系白人のうち，プロテスタントのアメリカ人。
WB ① [warrant bond]《経》ワラント債。新株引受権付き社債。株価の変動とは無関係に，一定の価格で発行会社の株式を購入する権利をつけた債券。② [Warner Brothers]《映画》ワーナーブラザース。1923年に設立されたアメリカの映画製作配給会社。
Wb [weber]《理》ウェーバー。国際単位系(SI)の磁束の単位。1ウェーバーは，1回巻きの閉回路を貫く磁束が減少して1秒後に0になるとき，その閉回路に1ボルトの起電力を生じさせる磁束。参考 ドイツの物理学者W.E.ウェーバーの名から。
WBA [World Boxing Association] 世界ボクシング協会。
WBC ① [white blood cell] 白血球。白血球数。② [World Boxing Council] 世界ボクシング評議会。WBAから独立した汎世界的組織。
WC [water closet] ⇨ダブリューシー。
WCC [World Council of Churches] 世界教会協議会。
WCED [World Commission on Environment and Development] 国連の環境と開発に関する世界委員会。
WCL [World Confederation of Labour] 国際

UNRISD [United Nations Research Institute for Social Development] 国連社会開発研究所。

UNRWA [United Nations Relief and Works Agency] 国連難民救済事業機関。パレスチナ難民の救済を目的とする。

UNSC [United Nations Security Council] 国連安全保障理事会。*SCとも。

UNSF ① [United Nations Security Forces] 国連平和軍。② [United Nations Special Fund] 国連特別基金。

UNTAC(アンタック) [United Nations Transitional Authority in Cambodia] 国連カンボジア暫定統治機構。◆1992〜93年に活動。

UNTSO [United Nations Truce Supervision Organization] 国連休戦監視機構。イスラエルと近接アラブ諸国間の休戦協定遵守状況の監視などを行う。◆1948年設立。

UNU [United Nations University] 国連大学。◆本部は東京。

UNV [United Nations Volunteers] 国連ボランティア。発展途上国への開発援助のために多様な分野の専門家を派遣する機関。

UNWC [United Nations Water Conference] 国連水資源会議。

UPI [United Press International] アメリカの通信社。

UPOV条約 [United Protection of Vegetation Act] 植物の新品種の保護に関する国際条約。

UPU [Universal Postal Union] 万国郵便連合。

URL [uniform resource locator] インターネット上で個々のホームページ(Webページ)に割り当てられたアドレス。

USA ① [United States of America] アメリカ合衆国。*USとも。② [United States Air Force]《軍》アメリカ空軍。

USFJ [United States Forces, Japan]《軍》在日アメリカ軍。*USF-Jとも。

USGA [United States Golf Association] 全米ゴルフ協会。

USJ [Universal Studios Japan] ユニバーサルスタジオジャパン。2001年に大阪にオープンした映画のテーマパーク。

USN [United States Navy]《軍》アメリカ海軍。

USO [unknown swimming object] 未確認水泳物体。ネッシーなどを指す。UFOのもじり。

USSR [Union of Soviet Socialist Republics] ソビエト社会主義共和国連邦。◆1991年12月崩壊。

USTR [United States Trade Representative] アメリカ通商代表部。

USTS [United States Travel Service] アメリカ政府観光局。

UT [universal time] 世界時。国際的な観測資料を整理するために用いるグリニッジ標準時。

UTC [universal time coordinated] 協定世界時。

UTMS [Universal Traffic Management System] 警察庁が開発している新交通管理システム。

UV [ultraviolet rays] ⇨紫外線。

UVカット 紫外線を防ぐこと。また，そういった商品。

UVA, UVB [ultraviolet-A, ultraviolet-B] 長波長紫外線および中波長紫外線。

V

V ① [vanadium]《化》バナジウムの元素記号。② [volt] ⇨ボルト。

v. ① [verb]《文法》動詞。② [versus ラテン] バーサス。…対…。*vs.とも。

Vゴール [V goal]《サッカー》Jリーグで，同点の場合の勝敗を決める方式。また，その勝敗を決めるゴール。最大30分間の延長時間内に得点が入った時点で決着がつくもの。参考「急死」を意味するサドンデスを改称。国際試合では「ゴールデンゴール」を用いる。

Vサイン [V sign] 手のひらを外に向けて，人さし指と中指でV字形をつくる勝利の印。*ピースマーク，ピースサインとも。参考 Vはvictory(勝利)の略。

Vシネマ [video cinema] ビデオソフト用に製作•販売される映画。

Vチップ [V-chip] テレビに装着し，暴力や過剰な性表現のテレビ番組を自動的にカットするチップ(集積回路)。参考 Vはviolence(暴力)の略。

Vデー [victory day] 戦勝記念日。

Vネック ⇨ブイネック。

Vリーグ [V league] 日本バレーボール協会が主催するバレーボールリーグ。◆1994年，日本リーグを改称。参考 Vはvolleyballとvictoryの略。

VA [value analysis]《経》バリューアナリシス。価値分析。製造過程などの分析•改善によって価格の引き下げを図ること。

VAN(バン) [value-added network]《通信》付加価値通信網。一般公衆通信網を使って特定の情報処理サービスを付加した通信を行うネットワーク。

VAR [value-added reseller] 付加価値販売業者。既存のコンピューター機器本体やソフトをユーザーの希望に合うように手直しして販売する業者。

VAT [value-added tax]《経》付加価値税。

VB [venture business] ⇨ベンチャービジネス。

VC ① [venture capital]《経》ベンチャーキャピタル。ベンチャービジネスを金融面から指導•育成する企業。また，その資本。② [voluntary chain]《経》ボランタリーチェーン。任意連鎖店。複数の独立店舗が協力して共同仕入れなどを行う方式の店舗。

VCR [video cassette recorder] ビデオカセットレコーダー。映像と音声をビデオテープに記録して再生する装置。*ビデオデッキとも。

VD [videodisc] ビデオディスク。画像と音声を記録した円盤。テレビ受像機やパソコンで再生する。

VDT ① [video display terminal] ビデオ表示装置。② [visual display terminal] ビジュアルディスプレー装置。ブラウン管表示装置。

VDT症候群 [visual display terminal syndrome]《医》パソコンやワープロなどのディスプレーを見続ける人に起こる障害。目の疲労•頭痛•肩凝り•精神的ストレスなど。*OA病とも。

VE ① [value engineering]《経》バリューエンジニアリング。価値工学。② [video engineer] ビデオエンジニア。テレビカメラの映像を調整し，最良の状態に維持する技術者。

VEC [Venture Enterprise Center] ベンチャーエンタープライズセンター。ベンチャービジネスの育

世界大戦で使用されたドイツ軍の潜水艦。

UAE [United Arab Emirates] アラブ首長国連邦。

UCLA [University of California at Los Angeles] カリフォルニア大学ロサンゼルス校。

UDC [universal decimal classification] 図書の整理に使われる国際10進分類法。

UEFA(ウエファ) [Union of European Football Associations] ヨーロッパサッカー連合。▷ ～カップ。

UFO [unidentified flying object] ⇨ ユーフォー。

UHF [ultrahigh frequency] 極超短波。デシメートル波。300～3000メガヘルツの周波数帯。テレビや移動無線通信に利用される。⇨超短波。

UI ① [university identity] ユニバーシティーアイデンティティー。大学のアイデンティティー。学風の統一などによって個々の大学が独自性や存在意識を高めること。② [union identity] ユニオンアイデンティティー。労働組合のアイデンティティー。愛称の採用や活動方針の変更によってイメージチェンジを図り，組合への帰属意識を高めること。

UICC [Unio Internationalis Contra Cancrum ラテン] 国際対がん連合。◆1933年結成。

UK [United Kingdom] 連合王国。イングランドのほか，スコットランド，ウェールズ，北アイルランドまで含めたイギリスの呼称。

ULA [ultralight airplane] ウルトラライトプレーン。超軽動力機。エンジン付きハンググライダーや簡易構造の飛行機。

ULSI [ultra large-scale integration] 《電算》超々LSI。超LSIを超えるLSI。

UMIN [University Medical Information Network] 大学医療情報ネットワーク。国立大学付属病院間を結ぶ医療情報ネットワーク。

UMIS [urban management information system] 都市行政管理情報システム。

UN [United Nations] ⇨国際連合。

UNA [United Nations Association] 国連協会。

UNAFEI [United Nations Asia and Far-East Institute for the Prevention of Crime and the Treatment of Offenders] アジア極東犯罪防止研修所。国連の地域研修機関の一つ。◆1961年に東京都府中市に設立。

UNC [United Nations Charter] 国連憲章。

UNCD [United Nations Conference on Desertification] 国連砂漠化防止会議。

UNCDF [United Nations Capital Development Fund] 国連資本開発基金。

UNCED [United Nations Conference on Environment and Development] 国連環境開発会議。1992年リオデジャネイロで開催された地球サミット。

UNCHS [United Nations Center for Human Settlements] 国連人間居住センター。環境問題や人口問題の中で，人間の安定した居住生活の確保に向けて国際協力の推進を図る機関。

UNCITRAL [United Nations Commission on International Trade Law] 国連国際商取引法委員会。

UNCRD [United Nations Center for Regional Development] 国連地域開発センター。アジア・アフリカなどの地域開発が目的。

UNCTAD(アンクタッド) [United Nations Conference on Trade and Development] 国連貿易開発会議。

UNDC [United Nations Disarmament Commission] 国連軍縮委員会。

UNDD [United Nations Development Decade] 国連開発の10年。参考1960年代の第1次に始まり，2000年代は第5次。

UNDOF [United Nations Disengagement Observer Force] 国連兵力引き離し監視軍。イスラエル・シリア間の停戦監視や兵力引き離しを行う。◆1974年設立。

UNDP [United Nations Development Program] 国連開発計画。◆1966年発足。

UNEF [United Nations Emergency Forces] 国連緊急軍。

UNEP(ユネップ) [United Nations Environment Program] 国連環境計画。

UNESCO [United Nations Educational, Scientific and Cultural Organization] ⇨ユネスコ。

UNF [United Nations Forces] 国連軍。

UNFPA [United Nations Fund for Population Activities] 国連人口活動基金。

UNGA [United Nations General Assembly] 国連総会。

UNHCHR [United Nations High Commissioner for Human Rights] 国連人権高等弁務官。国連の人権関連機関の統括責任者。

UNHCR [Office of the United Nations High Commissioner for Refugees] 国連難民高等弁務官事務所。

UNIC [United Nations Information Center] 国連広報センター。

UNICE [Union des Industries de la Communauté Européenne フランス] 欧州共同体産業連盟。

UNICEF [United Nations Children's Fund] ⇨ユニセフ。

UNIDO [United Nations Industrial Development Organization] 国連工業開発機関。

UNIKOM [United Nations Iraq-Kuwait Observation Mission] 国連イラククウェート監視団。◆1991年設立。

UNIX(ユニックス) 《電算》ベル研究所が1969年に開発したマルチユーザー，マルチタスク向けのオペレーティングシステム。

UNMIBH [United Nations Mission in Bosnia and Herzegovina] 国連ボスニアヘルツェゴビナミッション。◆1995年設立。

UNMOGIP [United Nations Military Observer Group in India and Pakistan] 国連インドパキスタン軍事監視団。◆1949年設立。

UNMOVIC [United Nations Monitoring, Verification and Inspection Commission] 国連監視検証査察委員会。イラクの大量破壊兵器廃棄のため，1999年に設置された国連組織。

UNO [United Nations Organization] ⇨国際連合。

TP ① [total protein]《医》総たんぱく質。臨床血液検査の1項目で，血清中のたんぱく質の総量。肝障害・腫瘍・出血などの原因で増加する。② [transparency] トランスペアレンシー。オーバーヘッドプロジェクター用のスライド。*トラペンとも。参考 原義は「透明」。

TPA [tissue plasminogen activator]《生化》組織プラスミノーゲン活性化物質。血栓溶解剤になる。

TPE [thermoplastic elastomer]《化》熱可塑性エラストマー。高温では可塑性，常温ではゴム状の性質を示す高分子。

TPO [time, place and occasion] ⇨ティーピーオー。

TPT [triphenyltin]《化》トリフェニルスズ。防腐剤として船底や漁網に塗る有機スズ化合物。神経障害を引き起こす猛毒物質。

TQ制 [tariff quota]《経》タリフクォータ。関税割当制。割当数量までの輸入には低税率を適用し，それを超過する分には高税率を適用する二重関税制度。

TQC [total quality control]《経》総合的品質管理。

TR [thermal reactor]《車》サーマルリアクター。新しい空気を送り込んで，排ガス中の未燃焼ガスを完全に燃焼させる装置。

TRAFFIC(トラフィック) [Trade Records Analysis of Flora and Fauna in Commerce] 野生動植物国際取引調査記録特別委員会。不法な野生動植物取引を調査するための国際機関。参考 日本の委員会をトラフィックジャパンという。

T-REX(ティーレックス) [Tyrannosaurus Rex ラテン] ティラノサウルスレックス。中生代後期の白亜紀に栄えたティラノサウルス科の巨大な肉食恐竜。*ティラノサウルスとも。参考 Rexは「王」「暴君」の意。

TRIM(トリム) [trade-related investment measures] 貿易関連投資措置。海外から直接投資を受ける際に政府がとる規制や要求の措置。

TRIP [trade-related aspects of intellectual property rights] 知的所有権の貿易関連側面。

TRISTAN(トリスタン) [Transposable Ring Intersecting Storage Accelerators in Nippon]《理》電子と陽電子を逆方向に加速して正面衝突させる方式の大型加速器。

TRMM [Tropical Rainfall Measuring Mission] 熱帯降雨観測衛星計画。熱帯域を中心に日米共同で降雨を観測する。

tRNA [transfer RNA]《生化》トランスファーRNA(リボ核酸)。転移RNA。細胞質にあるRNAの一つ。アミノ酸をたんぱく合成の場まで運び，mRNAが運んでくる遺伝子暗号に従ってたんぱく質を組み立てる役目をもつ。→mRNA。

TRON(トロン) [the realtime operating system nucleus]《電算》リアルタイム性(応答が速く瞬時に処理できること)を重視して設計されたオペレーティングシステム。ITRON, BTRON, CTRON, MTRONなどがある。

TRT [Trademark Registration Treaty] 商標登録条約。

TS [transsexual] トランスセクシュアル。自分の性に違和感(性同一性障害)を覚えている人で，実際に性転換を行った人。また，性転換を望んでいる人。→TG。

TSE [Tokyo Stock Exchange] 東京証券取引所。

TSL [Technosuperliner] テクノスーパーライナー。関東―九州間を10時間程度で走る次世代の超高速貨物船。

TSS [time-sharing system]《電算》タイムシェアリングシステム。時分割処理システム。1台のホストコンピューターを多数の端末で共有するために，実行時間を細かく分割して順々に割り当てること。

TSWV [tomato spotted wilt virus] トマト黄化壊疽ウイルス。トマトやピーマンなどの農作物を枯らせたり腐らせたりするウイルス。参考 ミカンキイロアザミウマという昆虫が媒介する。

TT ① [technology transfer] テクノロジートランスファー。技術移転。特に先端技術を企業間や国家間で供与し合うこと。② [telegraphic transfer] 電信為替。

TTB [telegraphic transfer buying rate]《経》電信為替買い相場。⇄TTS。

TTBT [Threshold Test Ban Treaty] 地下核実験制限条約。

TTL [transistor-transistor logic]《電》回路の主要部分がトランジスターで構成されている論理素子。デジタルICの主流。

TTL方式 [through-the-lens meter]《写》露出計内蔵一眼レフの測光方式。レンズからの透過光を測光する。

TTS [telegraphic transfer selling rate]《経》電信為替売り相場。⇄TTB。

TTT ① [thymol turbidity test]《医》チモール混濁試験。血清たんぱく質の組成異常を調べる検査。肝障害のスクリーニング検査として用いられる。② [time temperature tolerance] 許容温度時間。食品の鮮度が一定温度下で何時間保たれるかを示す数値。

TTV [TT Virus]《医》日本で発見された新型肝炎ウイルス。参考 TTはウイルスが発見された患者の頭文字から。

TUAC [Trade Union Advisory Committee] OECDの労働組合諮問委員会。

TUC [Trades Union Congress] イギリスの労働組合会議。

Tues. [Tuesday] 火曜日。

TV ① [television] ⇨テレビジョン。② [transvestite] トランスベスタイト。異性の格好をしたがる人。*トランスベスチストとも。

TVジャパン [TV Japan] NHKがアメリカとヨーロッパの邦人向けに提供している有料のテレビ放送。◆1991年から開始。

TWI ① [training within industry]《経》企業内での監督者訓練。② [tolerable weekly intake] 耐容週間摂取量。ダイオキシンなどの毒性物質の1週間あたりの許容摂取量。→TDI。

U

U ① [Uran ドイツ]《化》ウランの元素記号。② [under] アンダー。下の。以下の。…歳以下の。参考 英語でunderは「…未満の」の意。

Uカー [used car] ユーズドカー。中古車。

Uボート [Unterseeboot ドイツ]《軍》第1次・第2次

TCP/IP [transmission control protocol/internet protocol] インターネットで用いられる通信プロトコル体系。

TD ① [technical director]《放送・映画》テクニカルディレクター。制作に携わる技術スタッフの最高責任者。② [touchdown]《アメフト》タッチダウン。相手のエンドゾーンにボールを持ち込んで得点すること。

TDB [(United Nations) Trade and Development Board] 国連貿易開発理事会。UNCTADの常設執行機関。*UNTDBとも。

TDI [tolerable daily intake] 耐容１日摂取量。ダイオキシンなど毒性物質の１日あたりの許容摂取量。→TWI。

TDL [Tokyo Disneyland] 東京ディズニーランド。

TDS [Tokyo Disneysea] 東京ディズニーシー。2001年オープンのテーマパーク。

Te [Tellur ドイツ]《化》テルルの元素記号。

TEE [Trans-Europe Express] 欧州横断国際特急列車。

TEFL(テフル) [teaching English as a foreign language] 外国語としての英語教授法。日本・ドイツ・フランスなど，英語を常用しない環境での英語教育。→TESL，TESOL。

tel. ① [telegram] 電報。② [telephone] 電話。*Tel，TELとも。

TEPP [tetraethyl pyrophosphate] テップ剤。稲の害虫駆除に用いる有機リン系殺虫剤。日本では使用禁止。

TESL(テスル) [teaching English as a second language] 第２言語としての英語教授法。英語を常用する環境での英語教育。英語国に住むが，英語が話せないフィリピン人・インド人などが対象。→TEFL，TESOL。

TESOL(ティーソル) [Teachers of English to Speakers of Other Languages] 英語以外の言語を話す人たちに英語を教える教師の組織。→TEFL，TESL。

TeX(テック) 《電算》文書清書システムの一つ。大型コンピューターからパソコンまで多くの計算機で使用可能なシステム。*テフ，テクとも。参考 スタンフォード大学のクヌースが考案。

TFS [tin-free steel] 錫(すず)を使わない缶用表面処理鋼板。

TFT [thin film transistor]《電》薄膜トランジスター。また，それを使った液晶ディスプレー装置。

TFTR [Tokamak Fusion Test Reactor]《理》アメリカの臨界核融合実験炉。

TG ① [transgender] トランスジェンダー。自分の性に違和感(性同一性障害)を覚えている人。特にそのなかで，手術による肉体の転換を望まない人。→TS。② [triglyceride]《医》トリグリセライド。中性脂肪。

TGV(テージェーベー) [train à grande vitesse フランス] フランスの超高速列車。

Th [Thorium ドイツ]《化》トリウムの元素記号。

Thurs. [Thursday] 木曜日。*Thur.，Th.とも。

Ti [Titan ドイツ]《化》チタンの元素記号。

TIA [transient ishemic attack]《医》一過性脳虚血発作。

TIBOR [Tokyo Interbank Offered Rate]《経》東京市場における銀行間取引金利。

TIFFE [Tokyo International Financial Futures Exchange]《経》東京金融先物取引所。◆1989年開業。

tkm [ton kilometer] トンキロ。「貨物トン数×輸送キロ数」で表した貨物輸送量の単位。

TKO [technical knockout] ⇨テクニカルノックアウト。

Tl [Thallium ドイツ]《化》タリウムの元素記号。

TM ① [Thema ドイツ＋music 和] テーマミュージック。主題曲。参考 英語はtheme tune。② [trademark] ⇨トレードマーク。

Tm [thulium]《化》ツリウムの元素記号。

TMD [theater missile defense]《軍》アメリカが計画中の戦域ミサイル防衛。弾道ミサイルに対処するための防衛構想。宇宙・地上・海上に配備するミサイルの探知・攻撃システムで構成する。参考 NMDと異なり，在外米軍と同盟国を防衛するもの。

TMO [town management organization] タウンマネージメント機関。地方都市の中心市街地などの活性化を目指して商工会や商店街の人々が設置する街づくりのための組織。

TMV [tobacco mosaic virus] タバコモザイクウイルス。タバコの葉に緑色の斑紋(はんもん)が現れるモザイク病の病原体。参考 1935年に結晶として抽出された最初のウイルス。

Tn [transposon]《生化》トランスポゾン。染色体間を動く遺伝子。

TNC [transnational corporation] 多国籍企業。

TNF [tumor necrosis factor]《医》腫瘍壊死(しゅようえし)因子。

TNT [trinitrotoluene]《化》トリニトロトルエン。トルエンを硝化してつくる淡黄色の結晶。代表的な爆薬の一つ。

TOB [take-over bid]《経》テークオーバービッド。株式公開買い付け。企業の経営権を支配するため，買い付け期間・株価・株数を一般に公開して株を買い集めること。参考 アメリカではテンダーオファーともいう。

TOD [total oxygen demand] 総酸素要求量。水の汚れを示す指標。

TOEFL(トーフル) [Test of English as a Foreign Language] アメリカで勉強する外国人のための英語学力テスト。

TOEIC(トーイック) [Test of English for International Communication] 国際コミュニケーションの英語能力テスト。

TOGA [Tropical Ocean and Global Atmosphere] 熱帯海洋と全地球大気変動国際共同研究。

Tokamak(トカマク) 《理》輪切り状の磁場コイルを用いて高温プラズマを閉じこめる方式の核融合実験装置。参考 ロシア語のtok(電流)，amera(容器)，magnit(磁場)，katushka(コイル)の略。

TOP(トップ) [The Olympic Program] 国際オリンピック委員会がスポンサー料を受け取るための組織。スポンサー料を出した企業は五輪マークが使える。

TOPIX(トピックス) [Tokyo Stock Price Index]《経》東京証券取引所株価指数。

toto(トト) スポーツ振興くじ(サッカーくじ)の愛称。Jリーグの試合結果を予想し，最高１億円が当たるもの。◆2001年スタート。

ピスト。言語療法士。言語障害者の治療や訓練を行う専門技術者。

St［saint］⇨セント。

st［stone］ストーン。ヤードポンド法の質量の単位。1ストーンは14ポンド(約6.35kg)。参考イギリスでは体重を示すのに用いる。

STマーク［safety toy mark］製品安全協会の安全基準に合格した玩具(がんぐ)につけるマーク。

START(スタート) ①［Strategic Arms Reduction Talks］アメリカと旧ソ連の戦略兵器削減交渉。②［Strategic Arms Reduction Treaty］アメリカと旧ソ連の戦略兵器削減条約。参考1993年に，アメリカとロシアでSTARTⅡ(第2次戦略兵器削減条約)が調印された。

STD［sexually transmitted disease］《医》性行為感染症。性行為によって感染する病気の総称。

STF［step over toe hold with face lock］《プロレス》うつぶせになった相手の足を自分の足で固めて背へのしかかり，両腕で相手の顔面を絞り上げる技。

STM［scanning tunneling microscope］走査型トンネル顕微鏡。トンネル効果を利用した顕微鏡で，原子レベルの観察が可能。参考1983年，IBM社のG．ビーニッヒらが開発。

STOL(エストール)［short takeoff and landing］短距離離着陸機。*ストールとも。

STS ①［serologic test for syphilis］《医》梅毒血清反応。②［space transportation system］宇宙輸送システム。スペースシャトルが代表。

STZ［Super Technology Zone］スーパーテクノゾーン。創造的経済発展基盤地域。複数の県にまたがる広域産業の基盤づくりを目指す経済産業省の構想。

Sun.［Sunday］日曜日。

SUV［sport utility vehicle］《車》アメリカで，クロスカントリー用の車。

Sv［sievert］《理・医》シーベルト。国際単位系(SI)の放射線の線量当量の単位。参考スウェーデンの物理学者R.M. シーベルトから。

S-VHS［S-Video Home System］高画質のVHS規格。

SW ①［short wave］⇨短波。②［switch］⇨スイッチ。

SWAT(スワット)［Special Weapons and Tactics］アメリカの特別任務用機動隊。

SWIFT［Society for Worldwide Interbank Financial Telecommunications］国際銀行間通信協会。◆1973年設立。

SWU［separate work unit］分離作業単位。天然ウランから濃縮ウランをつくる際の仕事量の単位。

T

T ①［tera-］《理》テラ。国際単位系(SI)の単位用接頭語で，1兆倍(10^{12})を表す語。②［tesla］《理》テスラ。磁石の力(磁束密度)の強さを表す単位。1ガウスの1万倍。参考アメリカの電気技師N. テスラの名から。③［try］《ラグビー》トライ。④［tritium］《化》トリチウム。三重水素。質量数3の水素の放射性同位体。

t ①［ton］⇨トン。②［town］町。

T細胞［T-cell］《生化》骨髄でつくられ，胸腺(きょうせん)で成熟する細胞。B細胞の抗体生産を調節したり，標的となる細胞を攻撃したりする。*Tリンパ球とも。参考Tは胸腺(thymus)から。

Tシャツ ⇨ティーシャツ。

Tボーンステーキ［T-bone steak］ヒレとサーロインをいっしょに骨ごと切り分けて焼いた大形ステーキ。参考骨がT字形であることから。

TA ①［terminal adapter］《通信》ターミナルアダプター。ISDNなどのデジタル信号を処理し，パソコンのインターネットやファックスなどにつなぐための装置。②［transactional analysis］《心》トランザクショナルアナリシス。交流分析。グループワークなどを用いた精神分析療法の一つ。参考アメリカのE．バーンが提唱。

Ta［Tantal ドイツ］《化》タンタルの元素記号。

TAB［Technical Assistance Board］国連の技術援助評議会。

tabキー［tabulator key］タブキー。キーボード上のキーの一つ。字の位置をそろえる時などに用いる。

TAC ①［Technical Assistance Committee］国連の技術援助委員会。②［total allowable catch］漁獲可能量。資源が減っている魚類に対し，国が総漁獲量の上限を定める制度。

tan［tangent］⇨タンジェント。

TB ①［three quarters］⇨スリークォーター。②［total bilirubin］《医》総ビリルビン。臨床血液検査の1項目で，直接ビリルビンと間接ビリルビンを合わせたもの。③［Treasury bill］《経》トレジャリービル。アメリカ財務省が発行する割引短期国債。④［Treasury bond］《経》トレジャリーボンド。アメリカ財務省が発行する長期債券。

Tb［Terbium ドイツ］《化》テルビウムの元素記号。

TBT［tributyltin］《化》トリブチルスズ。有機スズ化合物。毒性がある。➡TBTO。

TBTO［tributyltin oxide］《化》トリブチルスズオキシド。有機スズ化合物の一つ。毒性がある。参考漁網などの汚染防止剤や船底塗料として使われたが，1987年使用禁止。

TBZ［thiabendazole］《薬》サイアベンダゾール。柑橘(かんきつ)類やバナナなどのかび防止剤。発がん性の疑いがある。

TC ①［total cholesterol］《医》総コレステロール。ネフローゼ症候群や閉塞(へいそく)性黄疸(おうだん)では血中濃度が上昇し，栄養障害や重症の肝障害では低下する。②［traveler's check］トラベラーズチェック。旅行者用小切手。

Tc［technetium］《化》テクネチウムの元素記号。

TCA回路［tricarboxylic acid cycle］《生化》摂取した栄養素が呼吸とともに酸化し，二酸化炭素と水に分解される代謝回路。*クレブス回路とも。参考イギリスの生化学者H.A. クレブスが解明。

TCAS［traffic alert and collision avoidance system］《航》航空交通警報および衝突防止システム。航空機の操縦席に他の航空機との距離や方位を表示してニアミスや空中衝突を防ぐ。

TCAT［Tokyo City Air Terminal］東京シティーエアターミナル。東京の箱崎にある成田空港用の都内ターミナル。

TCDD［tetrachlorodibenzodioxin］《化》有機塩素化合物の一つ。ダイオキシン類の中で最も毒性が強い。枯れ葉剤・除草剤に用いる。

欧

SOD [super-oxide dismutase]《生化》老化や発がんと関係のある活性酸素を分解する酵素。
SOFAR [sound fixing and ranging] 海難救助用の水中測音装置。
SOHO(ソーホー) [small office, home office] パソコンやネットワーク回線をフルに活用して，自宅などで仕事をすること。
SoHo(ソーホー) [South of Houston Street] ニューヨーク市のグリニッチビレッジの南にあるファッション・芸術の中心地区。→NoHo。
SOI素子 [silicon on insulator element]《電算》絶縁層の上に単結晶シリコンを形成した半導体回路素子。
sonar(ソナー) [sound navigation (and) ranging] 水中音波探知機。*ソナーとも。
SOR [synchrotron orbital radiation]《理》シンクロトロン放射光。シンクロトロンによって光の速度近くまで加速された電子が円の接線方向に放出する電磁波(光)。
SOT [stay-on tab] ステイオンタブ。缶入り飲料の缶を開けるときに引くつまみ(プルタブ)が缶から離れないようにしたもの。
SOx [sulfur oxide] 硫黄酸化物。→NOx。
SP ① ⇨ エスピー。② [short program]《フィギュア》ショートプログラム。規定されたジャンプやスピンなどの要素で構成する 1 種目。参考以前はオリジナルプログラムともいった。
SP株価指数 [Standard & Poor's Stock Price Index]《経》アメリカのS&P社が開発した加重平均株価指数。
SPリング-8 [Super Photon Ring-8]《理》兵庫県の播磨科学公園都市にある大型放射光施設。強力なX線を出す。*スプリング 8 とも。◆1997年運転。
SPC [special purpose company]《経》特定目的会社。資産の譲り受けとその資産を担保にした証券の発行を目的とする特例会社。企業や金融機関などが設立する。▷～法。
SPD [Sozialdemokratische Partei Deutschlands ドイツ] ドイツ社会民主党。
SPDPM [Subcommission on Prevention of Discrimination and Protection of Minorities] 国連差別防止・少数者保護小委員会。国連人権委員会の補助機関。
SPEC(スペック) [South Pacific Bureau for Economic Cooperation] 南太平洋経済協力機関。◆1973年設立。
SPF ① [South Pacific Forum] 南太平洋フォーラム。② [sun protection factor]《美容》日焼け止め指数。紫外線ベータ波の防御効果を表す数値で，数値が大きいほど防止効果が大きい。*サンケア指数とも。
SPF豚 [specific pathogen-free pig] 清浄豚。無菌豚。無菌状態で飼育した肉豚。
SPI ① [service price index]《経》企業向けサービス価格指数。サービス部門の価格変動を把握するための物価指数。② [Synthetic Personality Inventory] リクルート社が開発したマークシート方式の能力・性格適性テスト。
SPM ① [scanning probe microscope] 走査型プローブ顕微鏡。先のとがった探針を試料に近づけて原子・分子レベルの微細構造を観察する装置の総称。② [suspended particulate matter] 浮遊粒子状物質。大気中に浮遊する直径10ミクロン以下の粒子状の物質。
SQ [special quotation]《経》特別清算指数。株式の先物取引を現金決済するときの価格。
SQC [statistical quality control]《経》統計的品質管理。
SQL [structured Query Language]《電算》データベースの操作・照会用言語の一つ。
SQUID [superconducting quantum interference device]《電》超伝導量子干渉素子。ジョセフソン効果を利用した超高感度磁場測定素子。
Sr [strontium]《化》ストロンチウムの元素記号。
sr [steradian]《数》ステラジアン。立体角の単位。
SRAM [static random-access memory]《電算》スタティックRAM。再書き込みしなくても記憶内容を保持できる半導体記憶素子。→DRAM。
SRC [steel reinforced concrete] 鉄筋コンクリート。
SRI ① [socially responsible investing] 社会的責任投資。株価や配当だけでなく，企業の環境保護や人種・性差別撤廃への取り組みも評価して行う株式投資。② [Stanford Research Institute] スタンフォード研究所。アメリカ有数のシンクタンク。
SRS [supplemental restraint system] 乗員保護補助装置。一般的には，エアバッグを用いたシステムを指す。
SS ① [suspended solid] 懸濁物質。浮遊物質。水面または水中に濁りのかたちで含まれる固形物質。② [Schutzstaffel ドイツ] ナチスの親衛隊。
SSD ① [Special Session of the United Nations General Assembly on Disarmament] 国連軍縮特別総会。② [super Schottky diode]《電》スーパーショットキーダイオード。超伝導体と半導体を組み合わせたダイオード。超高周波電波の検出器として用いられる。
SSE [supply-side economics]《経》サプライサイドエコノミックス。需要面よりも供給面を重視する経済政策上の考え方。*サプライサイドとも。
SSI [small-scale integration]《電算》小規模集積回路。
SSM [surface-to-surface missile]《軍》地対地ミサイル。艦対艦ミサイル。地対艦ミサイル。
SSPE [subacute sclerosing panencephalitis]《医》亜急性硬化性全脳炎。幼児の知能障害の原因となる。
SSRI [Selective Serotonin Reuptake Inhibitor]《薬》選択的セロトニン再取り込み阻害薬。抗うつ薬の一つで，副作用も少ない。参考1999年より日本国内でも販売。→SNRI。
SSS [super sport sedan]《車》超スポーツ型セダン。
SST [supersonic transport]《航》超音速輸送機。
SSW [school social worker] スクールソーシャルワーカー。学校と家庭のパイプ役となって非行や不登校などの相談に当たる人。
ST ① [sensitivity training] センシティビティートレーニング。感受性訓練。集団生活を通して，他人の考えや感情などに対する感受性を高めるための訓練。② [speech therapist]《医》スピーチセラ

cisco］サンフランシスコ。

SFマーク［safety fireworks mark］日本煙火協会の安全検査に合格した玩具(がんぐ)用花火につけられるマーク。

SFメトロカード［SF metro card］帝都高速度交通営団発行の地下鉄用プリペイドカード。自動改札に入れるだけで自動的に精算される。

SFF［split-fingered fastball］《野球》スプリットフィンガードファーストボール。人さし指と中指の間をやや広げた手に球を握って投げる変化球。

SFM［scanning force microscope］《理》走査型表面力顕微鏡。半導体などの超微細構造の観察に用いる。

SFOR［Stabilization Force］《軍》和平安定化部隊。IFOR(平和実施部隊)を引き継ぎ，ボスニアヘルツェゴビナに駐留した部隊。

SFU［Space Flyer Unit］経済産業省•文部科学省が開発中の宇宙実験•観測フリーフライヤー。

SFX［special effects］《映画》特殊撮影技術。［参考］effectsの発音がFXのように聞こえることから。

SGマーク［safety goods mark］特定製品以外の生活用品に対する安全基準合格マーク。

SGML［Standard Generalized Markup Language］汎用(はんよう)マークアップ言語規約。電子出版や大規模文書処理のために文章のスタイルを標準化する言語。

SH ①［shoot］⇨シュート。②［scrum half］《ラグビー》スクラムハーフ。スクラムの周辺にいてスクラムから出てきたボールを処理するハーフバック。

SHF［superhigh frequency］波長が1～10㎝の電波。衛星通信•衛星放送•テレビ中継などに利用される。*センチメートル波とも。

SI ①［system integration］システムインテグレーション。異なった機種のコンピューターや周辺機器を組み合わせて統合的コンピューターシステムを構築すること。②［system integrator］システムインテグレーター。システムインテグレーションを行う専門家(集団)や企業。③［sneak in］《放送》スニークイン。いつの間にか音や音楽が入ってきて次第に大きくなること。⇄SO。

Si［silicon］《化》ケイ素の元素記号。

SI単位系［Système International d'Unités (フランス)］国際単位系。

SIA［Semiconductor Industry Association］アメリカの半導体工業会。◆1977年設立。

SIDS［sudden infant death syndrome］《医》乳幼児突然死症候群。

SIGINT［signal intelligence］信号•放送傍受などによる秘密情報収集。

SII［structural impediments initiative］日米構造協議。

SIMEX［Singapore International Monetary Exchange］シンガポール国際先物取引所。

sin［sine］⇨サイン。

SIPRI［Stockholm International Peace Research Institute］ストックホルム国際平和研究所。◆1966年開設。➡IIPCR。

SIS［strategic information system］戦略情報システム。コンピューターなどを使って構築される，経営戦略上の情報収集•分析•活用システム。

SIT［static induction transistor］《電》静電誘導トランジスター。半導体中の静電誘導効果を使って電流を制御する方式のトランジスター。

SITA［Société Internationale de Télécommunications Aéronautiques (フランス)］国際航空通信協会。世界の航空会社加盟の企業間ネットワーク。

SL［steam locomotive］蒸気機関車。

SLBM［submarine-launched ballistic missile］《軍》潜水艦から発射される戦略用弾道ミサイル。

SLCM［sea-launched cruise missile］《軍》海洋発射巡航ミサイル。

SLE［systemic lupus erythematosus］《医》全身性エリテマトーデス。膠原(こうげん)病の一種。高熱，皮膚の赤斑(せきはん)，脱毛，関節や筋肉の痛みなどが現れる。

SLORC［State Law and Order Restoration Council］ミャンマーの国家法秩序回復評議会。

SLR［single lens reflex］《写》一眼レフ。

SLSI［super large scale integration］《電算》超大規模集積回路。

SLT ①［single lane transit］自動運転軌道バス。②［solid logic technology］《電算》固体論理技術。VLSIなどのシリコンウエハー上に論理回路を作成する技術。

SM［sadism and masochism］サドとマゾ。

Sm［samarium］《化》サマリウムの元素記号。

SMA［shape memory alloy］形状記憶合金。一度形を与えておくと，変形させても一定温度で元の形に戻る合金。

SMART［scheduling management and allocating resources technique］1969年にNHKが開発した番組制作管理システム。番組の規模•制作予定などをコンピューターに指示すると，施設•機材•人員などが表示される。

Sn［stannum (ラテン)］《化》スズの元素記号。

S-N比［signal to noise ratio］信号と雑音の比。［参考］単位にはふつうデシベルを用いる。

SNA［system of national accounts］《経》国民経済計算体系。

SNC［Supreme National Council］カンボジアの最高国民評議会。

SNCF［Société Nationale des Chemins de Fer Français (フランス)］フランス国有鉄道。

SNG ①［satellite news gathering］《通信》通信衛星を利用したニュース画像の送受信システム。②［synthetic natural gas］《化》合成天然ガス。石炭•石油•LPGなどをガス化させ，そのガス成分をメタン化してつくった人工ガス。

SNM［special nuclear material］《理》特定核物質。核分裂を起こすウラン235，233，プルトニウム239などを指す。

SNP(スニップ)［single nucleotide polymorphisms］一塩基変質多型。一塩基多型。DNAの塩基配列が1か所だけ違っていること。

SNRI［Serotonin Noradrenaline Reuptake Inhibitor］《薬》セロトニンノルアドレナリン再取り込み阻害薬。抗うつ薬の一つ。［参考］2000年より日本国内でも発売。➡SSRI。

SO［sneak out］《放送》スニークアウト。音や音楽がいつの間にか小さくなって消えていくこと。⇄SI。

SOC［social overhead capital］社会資本。社会的間接資本。毎年の公共投資の結果形成された産業基盤施設•国土保全施設•生活基盤施設などの総称。

RWD [rear wheel drive]《車》リアドライブ。後輪駆動。⇄FWD。

S

S ①[Siemens ドイツ]《電》ジーメンス。電気抵抗の単位オームの逆数を表す単位。②[sulfur]《化》硫黄の元素記号。③[south]南。⇄N。④[second]《車》セカンド。第2速のギア。⑤[second]セコンド。秒。*セカンドとも。⑥[small]スモール。小さい。▷~サイズ。⇄L。

S睡眠 [synchronized sleep]睡眠中の深い眠り。

S波 [secondary wave]《地》地震波のうち，P波の後に観測される横波(振動の方向が波の進行方向と垂直である波)。振幅が大きい。➡P波。

Sマーク [safety mark]生活用品のうち，危険性のある特定製品に対する安全基準合格マーク。

SA ①[service area]⇨サービスエリア。②[system analysis]システムアナリシス。システム分析。③[store automation]ストアオートメーション。OA機器を用いて店舗の運営・経営を省力化・自動化すること。

SAARC [South Asian Association for Regional Cooperation]南アジア地域協力連合。インド・パキスタンなど7か国が，1985年に設立。

SAC [Space Activities Commission]日本の宇宙開発委員会。

SACO [Special Action Committee on Facilities and Areas in Okinawa]沖縄に関する特別行動委員会。日米政府が設けた沖縄のアメリカ軍基地問題検討のための委員会。◆1995年設置。

SAL便 [surface airlifted mail]日本から相手国までは航空便だが，相手国に着いてからは船便扱いの陸上輸送になる郵便。

SALT(ソルト) [Strategic Arms Limitation Talks]アメリカと旧ソ連の戦略兵器制限交渉。➡START。

SAM [sequential access method]《電算》順次アクセス方式。

SANE(セイン) ➡NCSNP。

SARS(サーズ) [Severe Acute Respiratory Syndrome]重症急性呼吸器症候群。高熱・呼吸困難などを伴う新型の感染症。感染力が強く，死亡率も高い。俗に「新型肺炎」ともいう。

Sat. [Saturday]土曜日。

SB ①[store brand]スーパー独自のブランド商品。②[station break]《放送》ステーションブレーク。番組と番組の間の短い切れ目。*ステブレとも。③[sideback]《サッカー・ラグビーなど》サイドバック。フィールドの左右のサイド後方を守る選手。また，そのポジション。*ウイングバックとも。➡CB。

Sb [stibium ラテン]《化》アンチモンの元素記号。

sb [stilb]《理》スチルブ。輝度の単位。1スチルブは1㎠当たり1カンデラの光度をもつ光源の輝度。

SBU [strategic business unit]《経》戦略的事業単位。

Sc [scandium]《化》スカンジウムの元素記号。

SCC [Security Consultative Committee]日米安全保障協議会。

SCM [supply chain management]《経》サプライチェーンマネジメント。受注から資材調達・生産・在庫管理・発送に至るまでの流れをコンピューターを使って管理する経営システム。

SCMS [serial copy management system]デジタル方式のレコーダー用複製防止システム。コピーしたテープやディスクから再度のコピーはできない。

SCR [silicon controlled rectifier]シリコン制御整流子。

SCSI(スカジー) [small computer serial interface]《電算》コンピューターの周辺機器を接続するための規格の一つ。参考1986年ANSI(アメリカ国家規格協会)が制定。

SCT [sentence completion test]《心》文章完成検査。性格検査の一種である投影法の一つで，不完全な文章を完成させるもの。

SCU [stroke care unit]《医》脳卒中患者の集中治療室。

SD [standard deviation]標準偏差。

SDC [Subcommittee for Defense Cooperation]防衛協力小委員会。

SDI [Strategic Defense Initiative]《軍》アメリカの戦略防衛構想。飛来する敵のICBMが到達する前に迎撃・破壊するもの。*スターウオーズとも。

SDP ①[self-development program]自己啓発計画。②[Social Democratic Party](日本の)社会民主党。

SDR [special drawing right]《経》IMFの特別引き出し権。

SDS [special discount sale]《経》特別割引販売。

SE ①[sound effects]⇨音響効果。②[systems engineering]システム工学。複雑なシステムの計画・設計・評価を行うための基礎的工学。*システムエンジニアリングとも。③[system engineer]⇨システムエンジニア。④[sales engineer]セールスエンジニア。技術的な専門知識をもっている営業職。

Se [Selen ドイツ]《化》セレンの元素記号。

SEA ①[Single European Act]単一欧州議定書。◆1985年EC首脳会議で採択。87年発効。②[Southeast Asia]東南アジア。

SEANZA(セアンザ) [Southeast Asia, New Zealand and Australia]東南アジア・ニュージーランド・オーストラリアの中央銀行総裁会議。

SEC [Securities and Exchange Commission]アメリカの証券取引委員会。◆1934年設立。

sec ①[secant]《数》セカント。正割。コサインの逆数。②[second]セコンド。秒。*セカンドとも。

SELA [Sistema Económico Latinoamericano スペイン]ラテンアメリカ経済機構。◆1975年設立。

SEMATECH [Semiconductor Manufacturing Technology Institute]アメリカでの官民共同による次世代半導体の開発計画。

SEPAC [Space Experiments with Particle Accelerators]日米共同の粒子加速器による宇宙科学実験。

Sept. [September]9月。

SETI(セチ) [Search for Extraterrestrial Intelligence]地球外の宇宙での知的生物の探査計画。宇宙にメッセージを送ったり，宇宙からの電波を解析したりする。

SF ①[science fiction]⇨エスエフ。②[semifinal]セミファイナル。準決勝。③[San Fran-

行う。

RCS ① [radar cross section] レーダー断面積。レーダー波の反射の大小を計る度合い。② [remote computing service] スーパーコンピューターなどをユーザーの端末と結び，時間貸しするサービス。

RCU [respiratory care unit]《医》呼吸器疾患集中治療室。

RDB [relational database]《電算》リレーショナルデータベース。関係データベース。データ要素を行と列の 2 次元の配列で関係づけ，それに基づいて構成したデータベース。

RDF [refuse-derived fuel] ごみ固形化燃料。

RDS ① [random digit sampling] 電話による世論調査方法の一つ。地域別の人口比に応じてコンピューターが無作為に選んだ電話番号を使う。② [respiratory distress syndrome]《医》新生児呼吸窮迫症候群。

RE ① [reverse engineering] リバースエンジニアリング。他のメーカーの完成品を分解・分析して，その原理や設計思想を知り，自社の製品の開発に役立てること。② [right end]《アメフト》ライトエンド。

Re [rhenium]《化》レニウムの元素記号。

RE車 [rotary engine car] ロータリーエンジン車。

REIT [Real Estate Investment Trust]《経》不動産投資信託。

REM [remark]《電算》ベーシック言語で，プログラムをわかりやすくする注釈文のための見出し語。

rem(レム) [roentgen equivalent man]《理・医》放射線の線量当量の単位。現在はシーベルト(Sv)を用いる。

rep(レップ) [roentgen equivalent physical]《理・医》放射線の単位のうち，組織の吸収に関するもの。

RFLP [restriction fragment length polymorphism]《生化》制限酵素断片長多型。DNA を切断する制限酵素の部位の変異。遺伝病の原因となったDNAの突然変異を探すのに用いられる。

RFP方式 [reverse field pinch]《理》逆磁場ピンチ方式。核融合装置の一つ。

RG [right guard]《アメフト》ライトガード。

Rh [rhodium]《化》ロジウムの元素記号。

Rh因子 [rhesus factor] ⇨アールエッチ因子。

RI [radioisotope]《理》ラジオアイソトープ。放射性同位体。

RIMPAC(リムパック) [Rim of the Pacific Exercise]《軍》アメリカ海軍の第 3 艦隊が主催してハワイ周辺などで行う環太平洋合同演習。

RIN [Rassemblement pour l'Indépendance Nationale フランス] カナダのケベック州の分離独立党。参考 ケベックはフランス人が入植した地域で，現在もカナダからの独立を主張する人々が多い。

RISC [reduced instruction set computer]《電算》縮小命令セットコンピューター。できるだけ簡単な命令だけを用いることによってハードウエアを単純にし，処理の高速化を図るコンピューター。⇄ CISC。

RKO [Radio Keith Orpheum] アメリカの映画製作配給会社。◆1928年設立。

RLV [Reusable Launch Vehicle] 再使用型ロケット。

RMC [Regional Meteorological Center]《気》世界気象監視計画の地域気象中枢。

Rn [radon]《化》ラドンの元素記号。

RNA [ribonucleic acid] リボ核酸。塩基・糖(リボース)・リン酸からなる核酸DNA の遺伝情報にしたがって，たんぱく質を合成する役割を担う。➡ tRNA，mRNA。

ROA [return on assets]《経》資産に対する利益の比率。

ROE [return on equity]《経》株主資本利益率。企業が株主資本(自己資本)からどれくらいの利益を得ているかを示す指標。

ROI [return on investment]《経》投資利益率。

ROM(ロム) [read-only memory]《電算》読み出し専用記憶素子。ランダムアクセスができる半導体記憶素子のうち，読み出しのみが可能な記憶素子。➡ RAM。

ROV [remotely operated vehicle] 有索無人探査機。遠隔操作によって海底の観察や試料の採取を行う。

RPG ① [report program generator]《電算》報告書作成のためのプログラム生成用言語。② [role-playing game] ロールプレイングゲーム。コンピューターゲームの一つ。プレーヤーがゲームの主人公になり，ゲームの世界を旅しながら物語を展開させていくもの。*ロープレとも。

r.p.m. [revolutions per minute] 1 分間の回転数を表す単位。

RPS [retail price survey]《経》小売物価統計調査。

RR ① [railroad] レールロード。鉄道。鉄道線路。② [Rolls-Royce]《車・商標》ロールスロイス。イギリスの自動車メーカー。また，その乗用車。参考 1998年，フォルクスワーゲンに買収・合併された。③ [rear engine rear drive]《車》リアエンジンリアドライブ。後部エンジン，後輪駆動の自動車。④ [risk return]《経》資金運用の際の，損をする危険性と儲(もう)かる可能性。参考 証券投資信託協会がRR1～5 に分類。数値が大きいほどハイリスクハイリターン(高収益だが危険も大きい)になる。

rRNA [ribosomal RNA]《生化》リボソーム RNA。リボソームを構成するRNA。

RS [retail support system]《経》リテールサポートシステム。メーカーや卸売業者が小売店を活性化するために，販売上有用な情報を流して支援するシステム。

RSC ① [referee stop contest]《ボクシング・プロレスなど》レフェリーストップ。選手のダメージが大きいとき，レフェリーが戦えないと判断して試合を中止すること。② [Royal Shakespeare Company] イギリスのロイヤルシェークスピア劇団。

RSF [Ruble Stabilization Fund]《経》ルーブル安定化基金。1992年，10か国蔵相会議で合意に達したロシアの通貨安定策。

RTOL [reduced take-off and landing]《航》離着陸距離減少機。短距離離着陸機。

Ru [ruthenium]《化》ルテニウムの元素記号。

RV [recreational vehicle]《車》レクリエーショナルビークル。ワンボックスカー，ステーションワゴン，クロスカントリー4WDなど，レジャー用の自動車の総称。

ビット家庭用ゲーム機。*プレステとも。
P.S. [postscriptum ﾗﾃﾝ] (手紙の)追伸。参考 英語はpostscript。

欧

PSP [Pacific Security Pact]《軍》太平洋安全保障条約。
PST [Pacific Standard Time] 太平洋標準時。
PSW [psychiatric social worker] 精神科ソーシャルワーカー。精神保健福祉士。精神病院や保健所などで精神障害者の社会復帰を助ける人。
PT [physical therapist] 理学療法士。→OT。
Pt [platina ｽﾍﾟｲﾝ]《化》白金(プラチナ)の元素記号。
pt. [pint] パイント。ヤードポンド法の液量の単位。参考 1パイントは，イギリスでは0.57リットル，アメリカでは0.47リットル。
PTA ① [Parent-Teacher Association] ⇨ピーティーエー。② [percutaneous transluminal angioplasty]《医》経皮経管的血管形成術。参考 心臓の冠動脈に対して行うPTAは特にPTCAという。
PTBT [Partial Test Ban Treaty] 部分的核実験禁止条約。大気圏内での核実験を禁止する条約。
P.T.O. [please turn over]「裏面に続く」「次ページに続く」。
PTSD [post-traumatic stress disorder]《医》心的外傷後ストレス障害。死や負傷などの危機に直面した人がかかる幻覚・精神的不安定などの障害。▷～症候群。
Pu [plutonium]《化》プルトニウムの元素記号。
PVA [polyvinyl alcohol]《化》ポリビニールアルコール。水溶性の高分子化合物の一つ。フィルム・接着剤などに用いる。
PVC [polyvinyl chloride]《化》ポリ塩化ビニール。塩化ビニール樹脂(塩ビ)。塩化ビニールを重合してつくる代表的な熱可塑性樹脂。
PVS [Post-Vietnam Syndrome]《医》ベトナム後症候群。ベトナム戦争から復員したアメリカ軍人に見られる精神障害。
PWM [pulse width modulation] パルス幅変調。
PWR [pressurized water reactor]《理》加圧水型原子炉。冷却材に用いる軽水を約160気圧に加圧して沸騰を抑え，蒸気発生器で蒸気をつくって発電する。

Q

Q ① [question] クエスチョン。質問。疑問。問題。②《印刷》級。級数。写植用の活字の大きさを表す単位。0.25㎜角が1級。参考 Qはquarter(4分の1)から。③ [queen] ⇨クイーン。
q. [quotient] 指数。
Q盤 [Quality music] すでに発売された，評価の高いレコードやCDの再プレス盤。
Qマーク [quality mark] 繊維業界の自主品質基準に合格した繊維製品につけられるマーク。
Q&A [question and answer] 質疑応答。
QB [quarterback]《アメフト》クォーターバック。4人のバックスの1人。
QbA [Qualitätswein mit bestimmtem Anbaugebiet ﾄﾞｲﾂ] ドイツの指定栽培地域で生産された上級ワイン。
QC [quality control]《経》品質管理。
QCサークル [quality control circle]《経》生産性・品質向上のための少人数の活動グループ。
QE [quick estimation]《経》四半期ごとに発表される国民所得統計の速報値。
QE2 [Queen Elizabeth Ⅱ] クイーンエリザベス2世号。イギリスの豪華客船。
QmP [Qualitätswein mit Prädikat ﾄﾞｲﾂ] ドイツの指定栽培地域で，規定に適合した品種・収穫方法でつくられた最上級ワイン。
QOL [quality of life] クォリティーオブライフ。量より質を重視した生活観。
QSG [quasi-stellar galaxy]《天》恒星状小宇宙。
QSO [quasi-stellar object]《天》クエーサー。準星。準恒星状天体。強い電波星雲で，大エネルギーをもつ。
QSTOL [quiet short take-off and landing]《航》静粛型短距離離着陸機。短距離離着陸の特性を生かして周辺騒音を大幅に低下させる航空機。

R

R ① [Röntgen ﾄﾞｲﾂ]《理・医》放射線の照射線量の単位。現在はクーロン/キログラム(C/kg)を用いる。② [right] ライト。右。右側。また，右翼。⇌L。③ [roof] ルーフ。屋根。屋上。
R因子 [resistance factor]《薬》細菌の中にできる，薬物に耐性を示す物質。
R指定 《映画》性描写や残虐なシーンの多い映画に対し，映倫が中学3年生以下の鑑賞を規制するための指定。参考 Rはrestricted(制限された)の頭文字。
RA ① [response analyzer] 反応分析装置。② [Royal Academy of Arts] ロイヤルアカデミー。イギリスの王立美術院。絵画・彫刻・建築などの芸術を育成・振興するための協会。◆1768年設立。
Ra [radium]《化》ラジウムの元素記号。
rad ① [radian]《数》ラジアン。弧度。角度の単位。1ラジアンは57°17′。② [radiation]《理》ラド。放射線の吸収線量の単位。1ラドは0.01グレイ。参考 現在はグレイ(Gy)を用いる。
rall [rallentando ｲﾀﾘｱ]《音》ラレンタンド。「だんだんゆるやかに」。
RAM [random access memory]《電算》ランダムアクセスメモリー。随時書き込み読み出し記憶素子。パソコンでは特に電源を切ると内容が失われる本体メモリーをいう。→ROM。
R&A [Royal and Ancient Golf Club of St. Andrews] セントアンドリュースゴルフクラブの略称。また，英国ゴルフ協会。
R&B [rhythm and blues]《音》リズムアンドブルース。ブルースに軽快なリズムが加わったポピュラー音楽。
R&R [rock'n'roll] ⇨ロックンロール。
Rb [rubidium]《化》ルビジウムの元素記号。
RB [running back]《アメフト》ランニングバック。
RBC [red blood cell] 赤血球。赤血球数。
RC ① [Red Cross] 赤十字。② [remote control] ⇨リモートコントロール。
RCC [Resolution and Collection Corporation] 整理回収機構。1999年に住宅金融債権管理機構と整理回収銀行が合併して設立した株式会社。破綻(はたん)金融機関から不良債権を買い取り，回収等を

党。参考 英語はKurdistan Workers Party。

PKO ①［price keeping operation］《経》株価維持政策。②⇨ピーケーオー。

PL ①［phospholipid］《生化》リン脂質。臨床血液検査の1項目。②［product liability］製造物責任。製品の欠陥による損害は，製造者に過失がなくても損害賠償請求に応じる責任があるとする制度。▷～法(製造物責任法)。

P/L［profit and loss statement］損益計算書。

PL/I(ピーエルワン)［programming language one］《電算》IBM社が開発した事務計算・科学計算両用の汎用(はんよう)プログラム言語。

PLA［Palestine Liberation Army］パレスチナ解放軍。PLOの正規軍。

PLI［people's life indicators］《経》新国民生活指標。国民個人個人の豊かさを総合的に測定した指標。参考 NSI(国民生活指標)を引き継ぎ，1992年に改変。➡NSI。

PLO［Palestine Liberation Organization］パレスチナ解放機構。パレスチナ人を公的に代表する唯一の政治組織。

PM ①［phase modulation］《放送》位相変調。②［prime minister］プライムミニスター。首相。総理大臣。

P.M.［post meridiem ラテン］⇨ピーエム。⇄A.M.。

Pm［promethium］《化》プロメチウムの元素記号。

PM2.5［particulate matter 2.5］《化》大気中に浮遊する直径2.5ミクロン以下の超微粒子。主成分はばい煙や排ガス中に含まれる化学物質で，健康災害をもたらす主要因とみられる。

PMA［personnel management analysis］《経》人事管理分析法。

PMS［premenstrual syndrome］《医》月経前症候群。

PNC［Palestine National Council］パレスチナ民族評議会。

PNdB［perceived noise decibel］PNデシベル。知覚される騒音レベルの単位。

PNF［proprioceptive neuromuscular facilitation］固有受容性神経筋促通法。筋肉の伸縮を感知する器官に刺激を与えて筋肉の働きをよくするトレーニング法。

PNL［perceived noise level］航空機1機当たりの知覚騒音レベル。参考 単位はPNデシベル。

PO ①［post office］ポストオフィス。郵便局。②［private offering］《経》プライベートオファーリング。株式・債券の場外取引。

Po［polonium］《化》ポロニウムの元素記号。

POB［post-office box］郵便局私書箱。

POE［port of entry］《経》到着港渡し。

POP(ポップ)**広告**［point of purchase advertising］購買時点広告。店頭・店内広告。*POS広告とも。

POPs［persistent organic pollutants］残留性有機汚染物質。ダイオキシン・PCB・有機塩素系農薬など，生体内に残留性のある有機物質。

POS(ポス)**システム**［POS system］販売時点情報管理システム。商品のバーコードを自動読み取り装置に読み取らせ，コンピューターで販売管理・顧客管理・在庫管理・仕入れ管理などを行うシステム。*ポスとも。参考 POSはpoint of salesの略。

PP ①［pole position］ポールポジション。自動車やバイクレースの決勝スタートで，先頭の位置。予選1位の者に与えられる。②［polypropylene］《化》ポリプロピレン。プロピレンを重合してつくる軽くて熱に強い合成樹脂。

pp［pianissimo イタリア］⇨ピアニシモ。

ppb［parts per billion］「10億分の…」。超微量の濃度を表すのに用いる。

pphm［parts per hundred million］「1億分の…」。超微量の濃度を表すのに用いる。

PPM ①［product portfolio management］《経》プロダクトポートフォリオマネージメント。多角化した企業で，自社の製品や事業を分類して経営戦略を練る手法。②［pulse position modulation］パルス位置変調。

ppm［parts per million］「100万分の…」。超微量の濃度を表すのに用いる。参考 1 ppmは気体1‰中に1mℓ，または液体1‰の中に1gの物質が含まれていることを示す。

PPP ①［polluter pays principle］環境汚染者負担の原則。②［purchasing power parity］《経》購買力平価。各国通貨の対内購買力で示される物価指数の一つ。

PPS ①［Peter Pan syndrome］《心》ピーターパンシンドローム。いつまでも少年のままでいたいという傾向。②［polyphenylene sulfide］ポリフェニレンサルファイド。耐熱性にすぐれたエンジニアリングプラスチックの一つ。

PPV［pay-per-view］ペイパービュー。加入者が見た番組の本数や時間数に応じて料金を支払う有料テレビ方式。

PQS［percentage quota system］《経》貿易の比例割当制。

PR ①［personal representative］個人代表。国際会議の事務レベルでの取りまとめ役。②［public relations］⇨ピーアール。

Pr［Praseodym ドイツ］《化》プラセオジムの元素記号。

PREX［Pacific Resource Exchange Center］太平洋人材交流センター。ODAを活用して人材育成を行う機関。

PRIO［International Peace Research Institute, Oslo］オスロ国際平和研究所。

PRISM［Private Sector Multi Evaluation System］多角的企業評価システム。日本経済新聞社が開発。

Prof.［professor］⇨プロフェッサー。

PROLOG［programming in logic］《電算》推論ができる人工知能用言語。第5世代コンピューターの中核言語。

PROM(ピーロム)［programmable read-only memory］《電算》記憶内容の変更が可能な読み出し専用記憶素子。EPROMやEEPROMなど。

pron.［pronoun］《文法》代名詞。

PRTR［pollutant release and transfer register］環境汚染物質排出・移動登録。企業が有害化学物質の排出量を行政に報告し，発表する制度。

PS ①［payload specialist］ペイロードスペシャリスト。宇宙船で実験を行い，データの分析をする科学者。➡MS。②［Pferdestärke ドイツ］馬力。③［PlayStation］《商標》プレイステーション。ソニーコンピュータエンタテインメントが開発した32

きた電子回路のパターンを貼(は)り付けたもの。*PCBとも。

PCB [polychlorinated biphenyl]《化》ポリ塩化ビフェニール。体内蓄積性のある有毒物質。

PCDF [polychlorinated dibenzofuran]《化》ポリ塩化ジベンゾフラン。ダイオキシンの一つで，PCBより毒性が強い。

PCE [personal consumption expenditure]《経》個人消費支出。

PCFR [price cash flow ratio]《経》株価キャッシュフロー比率。株価を1株当たりのキャッシュフローと対比した数値。*PCRとも。

PCIバス [peripheral component interconnect bus] アメリカのインテル社が提唱する拡張バス規格。32ビットまたは64ビットで，多くのパソコンで使われている。

PCM [pulse code modulation]《電》パルス符号変調。オーディオなどで，信号をデジタル化して2進符号化し，0か1かのパルスで表すこと。雑音に強い。▷～放送。

PCP ① [pentachlorophenol]《化》ペンタクロロフェノール。防腐剤・水田除草剤・殺菌剤などに用いられる。② [phenylcyclohexyl piperidine]《薬》鎮静剤フェンシクリジンの商品名。麻薬の一つ。

PCR [polymerase chain reaction]《生化》ポリメラーゼチェーンリアクション法。DNAの複製をつくり出せる酵素(ポリメラーゼ)の性質を利用し，DNA分子の特定の部分を大量に増やす技術。

PCT ① [Patent Cooperation Treaty] 特許協力条約。◆1975年発効。② [polychlorinated triphenyl]《化》ポリ塩化トリフェニール。PCBに似た有毒物質。

PD [program director]《放送》プログラムディレクター。番組演出の責任者。*ディレクターとも。

Pd [palladium]《化》パラジウムの元素記号。

PDA [personal digital assistant] 通信機能を備えた携帯型情報端末。

PDB [paradichlorobenzene]《化》パラジクロロベンゼン。ベンゼンを塩素化して得られる無色の固体。衣類などの防虫剤に用いる。*パラジクロルベンゾールとも。

PDF [portable document format] インターネット上で，配信者のデータの体裁を忠実に保ちながら送信できる電子文章の規格。参考アメリカのアドビ社が開発した。

PDL [page description language] ページ記述言語。プリンターの出力を制御する言語の一つ。行単位ではなく，ページ単位で指定する。

PDP [plasma display panel]《電》プラズマディスプレーパネル。ネオンなどのガス放電による光を利用して文字や図形の表示をする発光型のディスプレー装置。

PDS [public domain software] パブリックドメインソフトウエア。無料公開されるパソコンのソフトウエア。

PE [professional engineer] プロフェッショナルエンジニア。理工系技術や責任能力に関するアメリカの資格。

PECC [Pacific Economic Cooperation Council] 太平洋経済協力会議。

PEN [International Association of Poets, Playwrights, Editors, Essayists and Novelists] 国際ペンクラブ。各国間の相互理解を深め，表現の自由を擁護することを目的とする文化組織。

PER [price earnings ratio]《経》株価収益率。

PET [polyethylene terephthalate (resin)] ポリエチレンテレフタレート(樹脂)。加工しやすく，軽く，割れにくいので，清涼飲料などのボトル材料として使われる。

PETボトル [PET bottle] ⇨ペットボトル。

PFC [perfluorocarbon]《化》パーフルオロカーボン。代替フロンの一つ。半導体の洗浄などに使うが，温室効果ガスとして規制されている。

PFI [private finance initiative] 公共事業などの社会資本整備に民間資金などを導入すること。

PFLP [Popular Front for the Liberation of Palestine] パレスチナ解放人民戦線。

PFP [Partnership for Peace] 平和のための協力協定。北大西洋条約機構(NATO)が旧ワルシャワ条約機構の加盟国と軍事的協力について結ぶ協定。

PG ① [parental guidance] アメリカで，年齢により親の指導が望ましいとする映画。▷～13。② [penalty goal]《ラグビー・サッカー》ペナルティーゴール。ペナルティーキックによる得点。③ [propane gas] ⇨プロパンガス。④ [prostaglandin]《化》プロスタグランディン。生理機能を調節する作用をもつ高級不飽和脂肪酸の総称。参考子宮収縮作用があるものは人工妊娠中絶剤として用いられる。

Pg [picogram] ピコグラム。1兆分の1g。

PGA [Professional Golfers' Association] アメリカのプロゴルフ協会。

PGP [pretty good privacy] インターネットで電子メールを交換するときの暗号技術の一つ。公開鍵(かぎ)方式によって暗号化や解読を行うもの。

PGR [psychogalvanic response] 精神電気反応。ポリグラフ(うそ発見器)を使ったときに現れる現象。

PH [pinch hitter] ⇨ピンチヒッター。

pH [potential hydrogen] ⇨ペーハー。

PHC [primary health care] プライマリーヘルスケア。予防・健康増進・治療・社会復帰・地域開発活動などのすべてを含む統合的な医療活動。

Ph.D. [Philosophiae Doctor ラテン] 博士号。

PHS [personal handyphone system] 簡易型携帯電話。一般に通常の携帯電話より低料金だが，乗物などでの移動中の通話は通じにくい。参考俗にピッチともいう。

PI ① [portfolio insurance]《経》ポートフォリオインシュアランス。株式で資金を運用する際，最悪の場合でも元本は確保するという投資法。② [price index]《経》物価指数。

PIM [personal information management] スケジュールや住所などの個人的な情報管理をパソコン上で行うためのソフトウエア。

PK ① [penalty kick]《サッカー・ラグビーなど》ペナルティーキック。相手側の反則に対する罰則として味方に与えられるキック。② [psychokinesis] サイコキネシス。念力。念動。

PKF [peace-keeping forces] ⇨ピーケーエフ。

PKK [Partiya Karkeren Kurdistan] クルド労働者党。トルコからの分離独立を掲げるクルド人の政

ORS [oral rehydration salts] 経口補水塩。下痢性脱水症を抑えるための糖類と塩分の調合剤。

OS [operating system] ⇨オペレーティングシステム。

Os [osmium]《化》オスミウムの元素記号。

OSCE [Organization for Security and Cooperation in Europe] 欧州安全保障協力機構。東西ヨーロッパを中心にアメリカ，カナダを加えた諸国の安全保障に関する協議機構。参考 1995年にCSCE(全欧安保協力会議)を改称したもの。

OSO [orbiting solar observatory] アメリカの太陽観測衛星。◆1962年に第1号を打ち上げ。

OT [occupational therapist] 作業療法士。➡PT。

O.T. [The Old Testament] ⇨旧約聖書。

OTC [over-the-counter] 医師の処方箋(せん)なしで買える売薬。

OTEC(オテック) [ocean thermal energy conversion] 海洋温度差発電。熱帯海域海面付近の高温海水と深さ500m内外の低温海水の温度差を利用する発電。

OTM [on-line teller machine] オンライン預金支払い機。

OWS [office workstation] オフィスワークステーション。事務用ワークステーション。

OX [oxidant] ⇨オキシダント。

oz. [ounce] ⇨オンス。

P

P ① [phosphorus]《化》リンの元素記号。② [parking] ⇨パーキング。③ [poise フランス] ポアズ。CGS単位系の粘度の単位。1ポアズは1g/cm・秒。参考 フランスの物理学者J.L.M. ポワズイユの名から。④ [point] ポイント。活字の大きさの単位。⑤ [penalty] ⇨ペナルティー。

p ① [pico-] ⇨ピコ。② [penny] ⇨ペニー。③ [page] ⇨ページ。

p [piano イタリア] ⇨ピアノ。

P5 国連安全保障理事会の5常任理事国。米・英・仏・中国・ロシアの5か国。参考 P は Permanent Member(常任理事国)から。

P型半導体 [P-type semiconductor] シリコンに不純物を微量加えて正孔が電子より多くなるようにした半導体。参考 Pは電子の電荷が正(positive)であることから。

P波 [primary wave]《地》地震波のうち，最初に観測される縦波(振動の方向が波の進行方向と同じ波)。➡S波。

PA ① [public acceptance] パブリックアクセプタンス。社会的受容。企業が事業を始める際の，地域住民の同意と承認。② [parking area] パーキングエリア。駐車場。駐車区域。また，高速道路の休憩所。

Pa ① [pascal]《理》国際単位系(SI)の圧力の単位。1パスカルは1平方メートルに1ニュートンの力が働く圧力。② [prot(o)actinium]《化》プロトアクチニウムの元素記号。

PAC ① [Pan-American Congress] 汎米(はんべい)会議。② [political action committee] アメリカの政治活動委員会。企業・労働組合などが選挙で献金するための組織。

PACS [picture archiving and communication system for medical application] 医療用画像保管電送システム。病院内で撮影した画像情報をコンピューターで管理するシステム。

PAL [phase alternation line]《放送》カラーテレビのパル方式。ヨーロッパを中心に使われている。

PAM [pulse amplitude modulation] パルス振幅変調。

PAN [peroxyacetyl nitrate]《化》硝酸ペルオキシアセチル。オキシダントの中で，特に目に対して刺激性の強い物質。

PANA [Pan-Asia Newspaper Alliance] パナ通信社。世界にアジアのニュースを配信する。本社は香港。

PAP [Positive Adjustment Policies] OECDが資源配分の変動を促進するために採択した積極的調整政策。

PAS [para-aminosalicylic acid]《薬》パラアミノサルチル酸。結核の治療薬。

pat. [patent(ed)] 特許。特許権。また，特許権を所有していること。

PB [private brand] プライベートブランド。自家商標。製造業者商標(ナショナルブランド)に対して，大手販売業者が独自につける商標。

Pb [plumbum ラテン]《化》鉛の元素記号。

PBEC [Pacific Basin Economic Council] 太平洋経済委員会。

PBR [price book-value ratio]《経》株価純資産倍率。

PBT [polybutyrene terephthalate]《化》ポリブチレンテレフタレート。150℃以上でも変形しない熱可塑性樹脂。参考 ガラス繊維で強化して電気・機械部品に用いる。

PC ① [personal computer] ⇨パーソナルコンピューター。② [politically correct] ポリティカリーコレクト。政治的に妥当なこと。特に1990年代アメリカで盛んになった人種差別や性差別の是正運動をいう。③ [polycarbonate]《化》ポリカーボネート。エンジニアリングプラスチックの一つ。機械的強度・耐熱性・透明性・電気絶縁性などにすぐれる。④ [prestressed concrete] プレストレストコンクリート。鋼線を強く引っ張った状態で埋め込んだコンクリート。⑤ [precast concrete] プレキャストコンクリート。あらかじめ工場で製造されたコンクリートの部材やパネル。⑥ [Pacific Community] 太平洋共同体。南太平洋地域の経済・社会協力機構。参考 1997年にSPC(南太平洋委員会)を改称。

pc [parsec]《天》パーセク。天体の距離の単位。1パーセクは約3.26光年(30兆8600億km)。

P-3C 《軍》アメリカ海軍の主力対潜哨戒(しょうかい)機。日本の海上自衛隊も導入。参考 Pはpatrolに由来。

PCカード [personal computer card] パソコン用のカード型記憶装置。クレジットカードのサイズで，PCMCIA規格が主流。

PCゲーム [personal computer game] パソコンゲーム。パソコンの画面上で遊ぶコンピューターゲーム。

PCボード [printed-circuit board]《電》プリント基板。穴のあいた絶縁体の板の上に導体の薄膜でで

NYMEX [New York Mercantile Exchange] 《経》ニューヨーク商品取引所。
NYSE [New York Stock Exchange] 《経》ニューヨーク証券取引所。ニューヨーク市ウォール街にある世界最大規模の証券取引所。
NYT [The New York Times] ニューヨークタイムズ。アメリカの代表的な日刊紙。◆1851年創刊。
NZ [New Zealand] ニュージーランド。

O

O ① [oxygen] 《化》酸素の元素記号。② [out] ⇨アウト。
O_2レンズ [O_2 lens] 酸素の透過率の高いハードコンタクトレンズ。
O157 《医》病原性大腸菌の一つ。菌体から放出されるベロ毒素により，激しい腹痛・下痢などの症状を引き起こす。参考Oは菌がもつO抗原に由来。
OA [office automation] ⇨オフィスオートメーション。
OAEC [Organization for Asian Economic Cooperation] アジア経済協力機構。
OANA [Organization of Asian News Agencies] アジア通信社連盟。◆1961年設立。
OAO [orbiting astronomical observatory] 天体観測衛星。
OAPEC(オアペック) [Organization of Arab Petroleum Exporting Countries] アラブ石油輸出国機構。サウジアラビア・クウェート・エジプトなど，アラブの石油輸出国11か国で構成する協議機関。◆1968年結成。
OAS [Organization of American States] 米州機構。南北アメリカの地域協力機構。
OAU [Organization of African Unity] アフリカ統一機構。➡AU。
OB ⇨オービー。
OCA [Olympic Council of Asia] アジアオリンピック評議会。
OCI [overall commodity index] 総合国際商品指数。
OCN [open computer network] NTTによるインターネットとの回線接続サービス。
OCOG [Organizing Committee of the Olympic Games] オリンピック大会組織委員会。オリンピックの諸準備を行う組織。
OCR [optical character reader] 光学式文字読み取り装置。
Oct. [October] 10月。
OD ① [organization development] 《経》組織開発。② [overdoctor 和] オーバードクター。博士浪人。博士課程修了者が就職できずにいる状態。
ODA [official development assistance] 政府開発援助。先進国が，発展途上国や国際機関に対して供与する経済援助。▷～大綱。
ODP ① [Ocean Drilling Program] 大洋底掘削計画。国際深海掘削計画(IPOD)の継続として，海洋底の掘削調査を行う国際プロジェクト。② [Ozone depletion potential] オゾン破壊係数。オゾンを破壊する力を示す国際基準。フロン11を1として算出する。
Oe [oersted] 《理》エルステッド。磁場の強さの単位。参考デンマークの物理学者H.C. エルステッドの名から。
OECD [Organization for Economic Cooperation and Development] 経済協力開発機構。
OECD-NEA [OECD Nuclear Energy Agency] OECD(経済協力開発機構)の原子力機関。
OECF [Overseas Economic Cooperation Fund] (日本の)海外経済協力基金。
OED [Oxford English Dictionary] オックスフォード英語辞典。
OEIC [opto electronic integrated circuit] 《電算》光電子集積回路。
OEM [original equipment manufacturing] 供給先ブランド名で売り出される製品の受注生産。
OFF-JT [off-the-job training] オフザジョブトレーニング。職場外訓練。職場を離れて行う教育研修。⇄OJT。
OG ⇨オージー。
OGL [open general license] 《経》包括輸入許可制。
OGO [orbiting geophysical observatory] 地球物理観測衛星。
OHP [overhead projector] ⇨オーバーヘッドプロジェクター。
OIC [Organization of the Islamic Conference] イスラム諸国会議機構。イスラム教諸国の連帯強化を目的とする国際機構。◆1971年設立。
OIT [Office of International Trade] アメリカの国際通商局。
OJT [on-the-job training] オンザジョブトレーニング。現場研修。実際に仕事をしながら一定の技能を習得させる従業員の訓練法。⇄OFF-JT。
OL ① [office lady 和] ⇨オフィスレディー。② [Orientierungslauf ドイツ] ⇨オリエンテーリング。③ [overlap] ⇨オーバーラップ。
OMA [Orderly Marketing Agreement] 《経》市場秩序維持協定。
OMR [optical mark reader] オプティカルマークリーダー。光学式マーク読み取り装置。
OOC [Olympic Organizing Committee] オリンピック組織委員会。
op [opus ラテン] オプス。作品。特に音楽の作品番号。
OPアンプ [operational amplifier] 《電算》演算増幅器。
OPコード [operation code] 《電算》演算コード。
OPCW [Organization for the Prohibition of Chemical Weapons] 化学兵器禁止機関。◆1997年設立。
OPEC(オペック) [Organization of Petroleum Exporting Countries] 石油輸出国機構。参考1960年，中東を中心とする産油国が国際石油資本(メジャー)に対抗して結成。
OPP [ortho-phenyl phenol] 《化》柑橘(かんきつ)類用の白かび防止剤。ワックスに混ぜて塗る。
OR [operations research] 《経》オペレーションズリサーチ。経営を合理的に行うための科学的な調査・研究。
OREX [orbital reentry experiment] 軌道再突入実験機。参考1994年，H-IIによって打ち上げ，再突入時の加熱や通信途絶などに関するデータを集めた。

ギー産業技術総合開発機構。
NEEDS [Nikkei Electric Economic Databank System] 日本経済新聞社の経済データバンクサービス。
NELSON [New Editing and Layout System of Newspapers] 朝日新聞社が開発したコンピューターによる新聞制作システム。
NF [national front] 国民戦線。民族戦線。
NFC [National Football Conference] 《アメフト》アメリカのプロリーグの一つ。➡AFC, NFL。
NFL [National Football League] 《アメフト》全米プロフットボールリーグ。参考 NFL所属のリーグにAFCとNFCがある。
NG [no good] ⇨エヌジー。
NGF [nerve growth factor] 《生》神経成長因子。
NGL [natural gas liquid] 《化》油井(ゆせい)から出るガスを精製し, 低級炭化水素を分離した天然ガソリン。
NGO [nongovernmental organization] 非政府組織。発展途上国などで援助活動を行う民間団体。
NH [All Nippon Airways] 全日空(全日本空輸)の2文字コード。➡ANA。
NHK [Nippon Hoso Kyokai] 日本放送協会。
NHL [National Hockey League] 《アイスホッケー》アメリカとカナダにまたがるプロリーグ。◆1916年創設。
NI [national income] 《経》国民所得。
Ni [nickel] 《化》ニッケルの元素記号。
NICU [neonatal intensive care unit] 《医》新生児集中治療処置室。未熟児や先天性異常児の治療を集中的に行う。
NIEO [New International Economic Order] 新国際経済秩序。◆1974年の国連本会議で採択。
NIES (ニーズ) [newly industrializing economies] 新興工業経済地域。参考 1988年のトロントサミットの経済宣言でNICS(新興工業国)を改称。
NIRA [National Institute for Research Advancement] 総合研究開発機構。官民合同のシンクタンク。
NK細胞 [natural killer cell] 《医》ナチュラルキラー細胞。リンパ細胞の一つ。がん細胞を破壊する作用をもつ。
NL [National League] ナショナルリーグ。アメリカのプロ野球2大リーグの一つ。
NLD [National League for Democracy] 国民民主連盟。ミャンマーの最大野党。
NLP [night landing practice] 《軍》艦載機の夜間離着陸訓練。
NMD [National Missile Defense] 《軍》米本土ミサイル防衛。長射程の弾道ミサイルからアメリカ本土を防衛する構想。➡TMD。
NMF [natural moisturizing factor] 天然保湿因子。皮膚の角質中にあって, 肌をみずみずしく保つ。
NMR [nuclear magnetic resonance] 《理》核磁気共鳴現象。磁場の中で, ある種の原子核が特定の周波数の電磁波に共鳴し, 電磁波の吸収・放出を行う現象。
NNE [net national expenditure] 《経》国民純支出。
NNN [Nippon News Network] 日本テレビ系列のネットワーク。
NNP [net national product] 《経》国民純生産。GNPから減価償却を差し引いたもの。
NNW [net national welfare] 《経》国民純福祉。
No [nobelium] 《化》ノーベリウムの元素記号。
No. [number] ⇨ナンバー。
NOAA (ノア) [National Oceanic and Atmospheric Administration] アメリカ海洋大気局。商務省の一部局で, 海洋の環境保全と資源の保護・開発を任務とする。
NOC [National Olympic Committee] 各国の国内オリンピック委員会。➡IOC, JOC。
NoHo (ノーホー) [North of Houston Street] ニューヨーク市マンハッタンのハウストン通りの北部地区。若い芸術家たちが多い。➡SoHo。
NOR [not-or] 《電》論理積(or)の否定(反転)。⇄NAND。
NOTAM [notice to airmen] 航空情報。
Nov. [November] 11月。
NOW [National Organization for Women] 全米女性連盟。
NOx [nitrogen oxide] 環境汚染となる窒素酸化物の総称。一酸化窒素・二酸化窒素など。
Np [neptunium] 《化》ネプツニウムの元素記号。
NPA [New People's Army] 新人民軍。フィリピンの反政府共産組織。
NPFL [National Patriotic Front of Liberia] リベリア国民愛国戦線。
NPO [non-profit organization] 民間非営利団体。市民運動・ボランティア活動などを行う人々の組織。▷〜法。
NPT [Nonproliferation Treaty] 核拡散防止条約。◆1970年発効。
NR ① [noise reduction] ノイズリダクション。録音テープの雑音を減らすための回路。代表的なものにドルビーがある。② [no-return] ノーリターン。戻ってこないこと。
NRA [National Rifle Association] 全米ライフル協会。銃規制に反対する圧力団体。◆1871年設立。
NRC [Nuclear Regulatory Commission] アメリカの原子力規制委員会。
NRT [New Tokyo International Airport (Narita)] 新東京国際空港(成田)の空港コード。
NSA [National Security Agency] アメリカの国家安全保障局。
NSC [National Security Council] アメリカの国家安全保障会議。
NSI [new social indicators] 国民生活指標。国民生活の豊かさを国際比較する指標。➡PLI。
N.T. [The New Testament] ⇨新約聖書。
NTB [nontariff barrier] 《経》ノンタリフバリア。非関税障壁。関税以外の輸入抑制手段。
NTP [normal temperature and pressure] 《化》標準状態。圧力1気圧, 温度0℃の状態。
NTSC方式 [National Television System Committee standard] 主に日米で用いられているカラーテレビの放送方式。
NTT [Nippon Telegraph and Telephone Corporation] 日本電信電話株式会社。
NTV [Nihon Television Network] 日本テレビ放送網。
N.Y. [New York] ニューヨーク。

MTBE [methyl tertiary butyl ether]《化》石油精製の際の副生ガスとメタノールからつくるオクタン価向上剤。

MTCR [Missile Technology Control Regime] ミサイル関連技術輸出規制。弾道ミサイル技術の拡散防止を目的とした国際的規制。

MTN [medium-term note]《経》中期社債。

MTO [Multilateral Trade Organization]《経》多国間貿易機構。

MTR ① [material testing reactor]《理》材料試験炉。強い放射線の中で材料を試験するための原子炉。② [multitrack recorder] マルチトラックレコーダー。主に音楽制作に用いられる，複数の録音用トラック(4～48)をもつレコーダー。

MTSAT (エムティーサット) [Multi-functional Transport Satellite] 運輸多目的衛星。◆1999年第1号打ち上げ。

MTV [Music Television] アメリカのロック系音楽専門の有線テレビ局。

MUF [material unaccounted for]《理》核物質不明量。計量誤差や溶液漏れなどの原因で，核燃料再処理工場などで行方不明になった核物質の量。

MVP [most valuable player]《プロ野球・サッカーなど》最優秀選手。

MW [medium wave] ⇨中波。

MWD [megawatt day]《理》メガワット日。核燃焼率を表す単位。1メガワット日は，1gのウラン235が完全に核分裂を行ったときのエネルギー。

Mx [maxwell]《理》マクスウェル。CGS単位系の磁束の単位。1マクスウェルは1億分の1ウェーバー。参考 イギリスの物理学者J.C. マクスウェルの名から。

N

N ① [nitrogen]《化》窒素の元素記号。② [newton]《理》ニュートン。力の単位。参考 イギリスの物理学者I. ニュートンの名から。③ [north] 北。⇌S。④ [nuclear] ニュークリア。原子核の。原子力の。

n. ① [noun]《文法》名詞。② [nano-]《理》ナノ。国際単位系(SI)の単位用接頭語で，10^{-9}。

N型半導体 [N-type semiconductor] シリコンに微量の不純物を加え，電子が正孔より多くなるようにした半導体。参考 Nは電子の電荷が負(negative)であることから。

N響 [NHK Symphony Orchestra] NHK交響楽団。日本の代表的交響楽団。参考 1926年に「新交響楽団」として発足。

Nゲージ [nine gauge] 軌間が9㎜の鉄道模型。

Nロケット [N rocket] 国産の3段式中型ロケット。

Na [Natrium ドイツ]《化》ナトリウムの元素記号。

NAACP [National Association for the Advancement of Colored People] 全米黒人地位向上協会。◆1909年設立。

NAC [National Advisory Council on International Monetary and Financial Problems] 国際通貨金融問題国家諮問委員会。

NACC [North Atlantic Cooperation Council] 北大西洋協力理事会。

NAFTA [North American Free Trade Agreement] 北米自由貿易協定。

NAL [National Aerospace Laboratory] 航空宇宙技術研究所。

NAND [not-and]《電》論理和(and)の否定(反転)。⇌NOR。

NASA (ナサ) [National Aeronautics and Space Administration] アメリカ航空宇宙局。◆1958年設立。

NASCAR (ナスカー) [National Association for Stock Car Auto Racing] 全米自動車競走協会。

NASDA (ナスダ) [National Space Development Agency of Japan] 日本の宇宙開発事業団。◆1969年設立。

NASDAQ (ナスダック) [National Association of Securities Dealers Automated Quotations]《経》アメリカ店頭市場のコンピューターによる相場報道システム。全米証券業協会(NASD)が管理。

NAT [North Atlantic Treaty] 北大西洋条約。

NATO (ナトー) [North Atlantic Treaty Organization]《軍》北大西洋条約機構。北大西洋条約(NAT)に加盟しているアメリカと西欧諸国などでつくられた集団安全保障の組織。

NB [national brand] ナショナルブランド。全国的規模で販売されているメーカーの商品や商標。

Nb [Niob ドイツ]《化》ニオブの元素記号。

NBA [National Basketball Association] アメリカのプロバスケットボールリーグ。

NBC [National Broadcasting Company] ナショナル放送。アメリカの3大ネットワークの一つ。

NC ① [numerical control] 数値制御。工作機械などを数値によって制御すること。② [network computer] ネットワークコンピューター。インターネット利用を目的に開発された，最小限の機能だけをもつ低価格のパソコン。

NC工作機械 [numerical controlled machine tools] 数値制御で自動的に作業する工作機械。

NCC [New Common Carrier] ニューコモンキャリア。電気通信の自由化によって第1種電気通信事業に参入した企業。日本テレコム，第2電電，日本高速通信など。

NCNA [New China News Agency] 中国の新華社通信。

NCSNP [National Committee for a Sane Nuclear Policy] 全米健全核政策委員会。アメリカが行う核実験への反対と世界平和を訴える民間組織。*セイン(SANE)とも。◆1957年結成。

NCU ① [nervous care unit]《医》脳神経疾患集中治療室。② [network control unit]《電算》ネットワーク制御装置。

Nd [Neodym ドイツ]《化》ネオジムの元素記号。

NDAC [Nuclear Defense Affairs Committee] 核防衛問題委員会。NATOの常設機関。

NDC [Nippon Decimal Classification] 日本図書10進分類法。

NDP [net domestic product]《経》国内純生産。

NDT [non-destructive testing] 非破壊試験。X線を使って製品の傷を調べる方法。

Ne [neon]《化》ネオンの元素記号。

NED [Netherlands] オランダ。

NEDO [New Energy and Industrial Technology Development Organization] 新エネル

MMF [money market mutual fund]《経》短期金融商品を中心に運用する投資信託。[参考]日本のMMFはmoney management fund(マネーマネージメントファンド)の略。→MMA。

MMPI [Minnesota Multiphasic Personality Inventory] ミネソタ多面的人格目録法。質問紙法形式の性格検査の一つ。

MMRワクチン [MMR-vaccine]《薬》3種混合ワクチン。measles(はしか), mumps(おたふくかぜ), rubella(風疹)の生ワクチン。[参考]副作用のため，3種混合としては1993年中止。

Mn [Mangan ドイツ]《化》マンガンの元素記号。

MNC [multinational corporation]《経》多国籍企業。

MNLF [Moro National Liberation Front] モロ民族解放戦線。フィリピンのイスラム教徒の組織。

MO [magneto-optical disc] 光磁気ディスク。レーザー光と磁気を利用してデータの書き込みと消去ができる大容量の記憶媒体。*MOディスクとも。

Mo [Molybdän ドイツ]《化》モリブデンの元素記号。

modem(モデム) [modulator-demodulator] 変復調装置。アナログ信号とデジタル信号のような異なる電気信号を交換し，コンピューターと通信回線の間の通信を可能にする装置。

MOF(モフ) ① [Ministry of Finance] 財務省。② [Minister of Finance] 財務大臣。

MOL(モル) [manned orbiting laboratory] アメリカの有人軌道実験室。

MoMA(モーマ) [Museum of Modern Art] ニューヨーク近代美術館。◆1929年開館。

Mon. [Monday] 月曜日。

MOR [middle-of-the-road]《音》イージーリスニング。気軽に聴けるポピュラー音楽。

MOS(モス) ① [marine observation satellite] 海洋観測衛星。② [metal-oxide semiconductor] 金属酸化膜半導体。→CMOS, HMOS。

MOSS [market oriented sector selective]《経》市場重視型個別協議。日米間の市場開放問題を製品分野別に討議する方式。

MOX(モックス) [mixed oxide]《理》天然ウランに使用済み核燃料から取り出したプルトニウムを添加した混合酸化物燃料。

MP3 [MPEG audio layer 3] MPEGによる音声圧縮技術の規格の一つ。圧縮率が最も高く，現在インターネットの標準フォーマットとされる。

MPAA [Motion Picture Association of America] アメリカ映画協会。映画の自主的倫理規制を行う。[参考]1919年，映画製作配給業者が設立。

MPC [multimedia personal computer] マルチメディアパソコン。

MPD [maximum permissible dose] 放射線の最大許容線量。

MPEG(エムペグ) [motion picture experts group] 動画像の圧縮方法を世界的に定めた団体。また，その規格。→JPEG。

MPLA [Movimento Popular de Libertação de Angola ポルトガル] アンゴラ解放人民運動。

MPR [Madjelis Permusjawaratan Rakjat インドネシア] インドネシア国民協議会。

MPU [microprocessor unit]《電算》マイクロプロセッサー。1個ないし数個のLSIチップを使った超小型の演算処理装置。マイコンなどに組み込まれている。

MRヘッド [magneto-resistive head]《電算》ハードディスク用の情報読み取り素子。ハードディスクの大容量化に欠かせない技術。→GMRヘッド。

MRF [money reserve fund]《経》公社債投資信託。証券総合口座に利用される。

MRI [magnetic resonance imaging]《医》磁気共鳴画像診断装置。人体を強い磁場の中に置いて電磁波を照射し，その共鳴の度合いから断層像をつくる診断装置。

mRNA [messenger RNA]《生化》メッセンジャーRNA(リボ核酸)。伝令RNA。細胞内でたんぱく質が合成される際，DNAの遺伝情報を写し取ってリボソームに伝える役目をもつ。→tRNA。

MRSA [methicillin-resistant staphylococcus aureus]《医》メチシリン耐性黄色ブドウ球菌。多くの抗生物質が効かない化膿(かのう)菌。また，それによる感染症。

MRTA [Movimiento Revolucionario Tupac Amaru スペイン] トゥパクアマル革命運動。ペルーの武装左翼ゲリラ組織。*ツパクアマルとも。[参考]1996年12月のリマ日本大使公邸占拠事件で知られる。

MRV [multiple reentry vehicle]《軍》多弾頭再突入ミサイル。

MS ① [manuscript] マニュスクリプト。写本。原稿。② [mission specialist] ミッションスペシャリスト。スペースシャトル搭乗者で，科学実験も行う飛行士。③ [meal solution] ミールソリューション。スーパーマーケットなどで，インスタント食品や調理済み総菜などを提供すること。また，その売り場。[参考]原義は「食事(の悩み)解決法」。

MSC [Manned Spacecraft Center] アメリカのNASAの有人宇宙船センター。

MS-DOS(エムエスドス) [Microsoft Disk Operating System] アメリカのマイクロソフト社が開発・販売しているパソコン用OS。

MSF [Médecins sans Frontières フランス] 国境なき医師団。自然災害や大事故・戦争などの緊急時に活躍する民間の国際的医療奉仕団。

MSI [medium scale integration]《電算》中規模集積回路。

MSO [multiple system operator] マルチプルシステムオペレーター。複数のCATV局を統括して共通番組を放送する会社。

MSS [manned space station] 有人宇宙ステーション。

MSW [medical social worker] メディカルソーシャルワーカー。医療社会福祉事業に携わる人。

MSY [maximum sustainable yield] 最大持続生産量。資源の再生力の範囲内に漁獲量などを抑えようとする場合の目安。

MT ① [magnetic tape] ⇨ 磁気テープ。② [manual transmission] 手動式変速装置。⇄AT。③ [medical technologist] 衛生検査技師。

Mt ① [Mount] 山。② [megaton] メガトン。核兵器の威力を表す単位。

MT管 [miniature tube]《電》小型真空管。

MTB [mountain bike] マウンテンバイク。山野や起伏の多いところを走り回るのに適した自転車。

Md [mendelevium]《化》メンデレビウムの元素記号。

MDC [more developed country] 中進国。経済的には豊かな発展途上国。

MDMA [methylenedioxymethamphetamine] 覚醒(かくせい)剤の一つ。乱用すると神経が破壊され，死亡する。*エクスタシーとも。

MDS [multipoint distribution system]《通信》多点配信システム。アンテナを備えた受信機にだけ電波を送るシステム。

Mdyn [megadyne]《理》メガダイン。力の単位。1メガダインは100万ダイン。

ME ① [medical electronics] 医療用電子工学。② [medical engineering] メディカルエンジニアリング。医用工学。コンピューターや電子機器を応用した医療。③ [microelectronics]《電》マイクロエレクトロニクス。集積回路の高密度化・微小化を追求する電子工業技術。

Med [Mediterranean] 地中海。

MERCOSUR(メルコスール) [Mercado Común del Cono Sur スペイン] 南米南部共同市場。ブラジル・アルゼンチン・ウルグアイ・パラグアイ・チリからなる自由貿易圏を目指す共同市場。◆1995年関税同盟が発足。

MEX(メックス) [Metropolitan Expressway] 首都高速道路公団の愛称。

MEY [maximum economic yield] 最大経済生産量。

MF ① [medium frequency] 中波。ヘクトメートル波。② [midfielder]《サッカーなど》ミッドフィールダー。フォワードとバックスの間の中盤に位置するポジション。また，その選手。

MFA [multinational fiber arrangement] 多国間繊維取り決め。発展途上国などの安い繊維が大量に輸入されることを規制する。

MFLOPS(メガフロップス) [Mega floating-point operations per second]《電算》スーパーコンピューターなどの科学技術用コンピューターの計算能力を表す単位。1秒間に実行できる浮動小数点演算の数を100万単位で表示したもの。→GFLOPS。

Mg [magnesium]《化》マグネシウムの元素記号。

mg [milligramme フランス] ミリグラム。メートル法の質量の単位。1グラムの1000分の1。

MGM [Metro-Goldwyn-Mayer] 1910年に設立されたアメリカの映画製作配給会社。

MHD発電 [magnetohydrodynamics power generation] 電磁流体発電。電気を通す流体が磁場を高速でよぎったときに電気が生じることを利用した直接発電。

MHS [message handling system] メッセージ通信処理システム。

MHz [megahertz] ⇨メガヘルツ。

MI ① [Military Intelligence] イギリスの諜報(ちょうほう)部。② [misery index]《経》ミザリー指数。国の経済困難の程度を示す指数。消費者物価指数の上昇率と失業率を合計したもの。

mi [mil] ミル。ヤードポンド法の長さの単位。1ミルは1000分の1インチ。針金の単位などに用いる。

MIC [management (of) indirect cost(s)]《経》経理・総務・人事などの事務部門を合理化し，経費節減によって効率を高める経営手法。

MICOS [meteorological information confidential on-line system] 気象庁の気象情報提供システム。

MICR [magnetic ink character reader]《電算》磁気インク文字読み取り装置。

MIDAS [missile defense alarm system]《軍》ミサイル防衛警報システム。弾道ミサイルの攻撃などを探知するアメリカの軍事衛星。

MIDI(ミディ) [musical instrument digital interface]《音》シンセサイザーなどの電子楽器を演奏させたりコントロールしたりするデジタル信号の統一規格。

MiG(ミグ) 《軍》旧ソ連の代表的戦闘機。**参考** 共同設計者ミコヤン(A. Mikoyan)とグレビッチ(M. Gurevich)の名から。

MIGA [Multilateral Investment Guarantee Agency] 国際投資保証機構。債務の累積した発展途上国への投資を促す機関。◆1988年発足。

min ① [minimum] ⇨ミニマム。② [minute(s)] 分。

MIP [most important person] 最重要人物。

MIPS(ミップス) [million instructions per second]《電算》コンピューターの処理能力を表す単位。1秒間に実行できる命令の個数を100万単位で表示したもの。→MFLOPS。

MIRV [multiple independently targetable reentry vehicle]《軍》個別誘導複数目標核弾頭。最終段階で個別に誘導され，複数の目標を攻撃できる。

MIS [management information system] 経営情報システム。経営管理に役立つ情報を収集・処理し，タイムリーに提供するシステム。

MIT [Massachusetts Institute of Technology] マサチューセッツ工科大学。

MKS単位系 [meter-kilogram-second system] 長さにメートル，質量にキログラム，時間に秒を採用した単位系。→CGS単位系。

MKSA単位系 [meter-kilogram-second-ampere system] MKS単位系に電流の単位アンペアを加えた単位系。→CGS単位系，MKS単位系。

ML [mailing list] メーリングリスト。インターネット上の特定のグループ内で，そのメンバーがメールを送るとグループ全員に配信されるシステム。

mℓ [millilitre フランス] ⇨ミリリットル。

MLB [Major League Baseball] メジャーリーグ。アメリカのプロ野球で最上位のリーグ。ナショナルリーグとアメリカンリーグがある。*メジャーとも。

MLS ① [microwave landing system] マイクロ波着陸装置。空港に進入してくる航空機をマイクロ波によって誘導するシステム。② [Major League Soccer] メジャーリーグサッカー。アメリカのプロサッカーリーグ。

MM21 横浜市の「みなとみらい21計画」の通称。

MMA [money market deposit account]《経》アメリカの銀行が発売した高利回りの金融商品。*MMDAとも。

MMC ① [mitomycin]《薬》マイトマイシン。放線菌から得られる抗生物質の一つ。抗がん剤に用いられる。② [money market certificate]《経》市場金利連動型定期預金。金利が譲渡性定期預金の利率に連動するもの。◆日本では1985年3月に登場。

LPGA [Ladies Professional Golf Association] アメリカの女子プロゴルフ協会。
Lr [lawrencium]《化》ローレンシウムの元素記号。
LRT [light-rail transit] 軽快電車。地下鉄とバスの中間に位置する高速・低騒音の新交通システム。→LRV。
LRTNF [long-range theater nuclear forces]《軍》長距離戦域核戦力。→INF。
LRV ① [light-rail vehicle] LRT 用の軽快な車両。② [lunar roving vehicle] アメリカの最初の有人月面車。◆1971年アポロ15号で打ち上げ。
LS原油 [low-sulphur crude oil] ローサルファ原油。含有硫黄分が重量比１％以下の軽質油。
LSD [lysergic acid diethylamide] ⇨エルエスディー。
LSI [large-scale integration]《電算》大規模集積回路。
LSS [life-support system] 宇宙飛行士の生命維持装置。
LST [local standard time] 地方標準時。
LTA ① [Lawn Tennis Association] イギリスのテニス協会。ウィンブルドン選手権大会の主催団体。② [lighter-than-air] 空気より軽い航空機。飛行船・気球など。⇄HTA。
Ltd. [limited] 有限会社。主にイギリスで社名の後に付記する。参考 アメリカではInc., Corp. などを用いる。
LTP [low temperature passivation]《電算》半導体の低温処理。半導体の薄膜をつくるための技術の一つ。
Lu [lutetium]《化》ルテチウムの元素記号。
LV値 [light value]《写》ライトバリュー。光量値。写真撮影時に得られる光量を示す値。
LW [long wave] ⇨長波。
LWR [light water reactor]《理》軽水炉。炉心から熱を取り出す冷却材と中性子のスピードを緩める減速材に軽水(ふつうの水)を用いる原子炉。
lx [lux フランス] ⇨ルクス。

M

M ①⇨エム。② [magnitude] ⇨マグニチュード。③ [magenta] マゼンタ。明るくさえた赤紫色。④ [Mark ドイツ] ⇨マルク。⑤ [mega-] ⇨メガ。⑥ [Mach ドイツ] ⇨マッハ。⑦ [male, monsieur フランス] 男性。⇄F。
m [mètre フランス] ⇨メートル。
M_1 《経》統計上で，通貨供給量を表す指標の一つ。日本では民間非金融部門のもつ現金通貨に主要金融機関の要求払い預金を加えたもの。
M_2 《経》統計上で，通貨供給量を表す指標の一つ。M_1に主要金融機関の定期性預金を加えたもの。
M_3 《経》統計上で，通貨供給量を表す指標の一つ。M_2に信用組合・郵便局などの預貯金や貸付信託・金銭信託の元本を加えたもの。
mマーク [merchandising mark] 生活用品の品質奨励マーク。
M5ロケット [Mu rocket M-V] 文部科学省宇宙科学研究所の科学衛星打ち上げ用ロケット。
MA ① [Master of Arts] 修士。修士号。特に文学修士。② [mental age] 精神年齢。→CA。
Mac(マック) [Macintosh]《商標》マッキントッシュ。アメリカのアップル社製のパソコン。MacOSが基本ソフト。参考 リンゴの品種McIntoshから。
MacOS(マックオーエス) [Macintosh Operating System]《商標》アップル社のマッキントッシュのためのオペレーティングシステム(基本ソフト)。
MAD [mutual assured destruction]《軍》相互確証破壊。核兵器による先制攻撃を加えても，報復として相手国の核兵器による壊滅的な攻撃を受ける可能性があること。
M&A [merger and acquisition]《経》企業の合併と買収。
MAP(マップ) ① [manufacturing automation protocol] 生産自動化のための通信制御手段。② [Middle Atmosphere Program]《気》中層大気観測計画。
Mar. [March] ３月。
MARC [machine readable catalog] 出版物の書名・著者名・出版社・発行年などを磁気テープに収録し，コンピューターによる読み取りを可能にした国会図書館の目録法。
MARS [multiple access reservation system] JRの電子自動予約システム。
MAVR [modulating amplifier by variable reactance] 可変誘導抵抗による変調増幅装置。
Max(マックス) [multiamenity express] 東北・上越新幹線の総２階建て車両の愛称。
max(マックス) [maximum] ⇨マキシマム。
MB [megabyte] メガバイト。情報量の単位。１メガバイトは1000キロバイト(100万バイト)。
mb [millibar] ⇨ミリバール。
MBA [Master of Business Administration]《経》経営管理学修士。欧米のビジネススクール(経営大学院)を卒業した者に与えられる修士号。
MBD [minimal brain dysfunction]《医》微細脳損傷。脳の小さな傷による学習・行動機能障害。
MBE [molecular beam epitaxy]《化》分子線エピタキシー。化合物半導体の単結晶をつくる方法。
MBO ① [management by objectives]《経》目標による管理。P.F. ドラッカーが提唱。② [management buyout]《経》マネージメントバイアウト。経営者が自社株を買い取り，株式を非公開にすること。合併・買収に対する防衛策の一つ。
MC ① [machining center] マシニングセンター。各種の加工作業を行うために，何種類もの工具を自動的に交換する工作機械。② [marginal cost]《経》マージナルコスト。限界費用。生産量を１単位増やすために必要となる総費用の増加分。③ [moving coil] 可動コイル。④ [master of ceremonies] 司会者。また，コンサートなどで曲と曲の間の歌手のおしゃべり。
MCA [multi-channel access system] 多数の利用者が複数の周波数を共同利用する無線方式。
MCFC [molten carbonate fuel cell] 溶融炭酸塩型燃料電池。
MCLS [mucocutaneous lymphnode syndrome]《医》急性熱性皮膚粘膜リンパ節症候群。川崎病のこと。
MD ① [minidisc]《商標》ミニディスク。録音・再生ができる直径64㎜の音楽用光磁気ディスク。② [medicinae doctor ラテン] 医学博士。

地震検出装置。

LASH [lighter-aboard-ship] ラッシュ船。貨物積み込み用のはしけをそのまま積み込んで運ぶ船。

LB [linebacker]《アメフト》ラインバッカー。

LB膜 [Langmuir-Blodgett's membrane]《化》単分子膜(分子が一層に並んでできた膜)をいくつも積み上げてつくった膜。

LBG [liquefied butane gas]《化》液化ブタンガス。ライターの燃料などに用いられる。

LBO [leveraged buyout]《経》借入金によって企業を買収すること。

L/C [letter of credit] ⇨ 信用状。

LCA [life cycle assessment] ライフサイクルアセスメント。製品のライフサイクルの各段階で，環境への影響を評価すること。

LCD [liquid crystal display] 液晶ディスプレー。

LCM, lcm [lowest common multiple]《数》最小公倍数。

LD ① [Laser Disc] ⇨ エルディー。② [laser diode] レーザーダイオード。レーザー光を出す半導体ダイオード。電子機器や光通信の光源に用いる。③ [light director]《放送》照明担当者。④ [learning disabilities] 学習障害。学習困難。▷ ～児。⑤ [lethal dose] 薬物の致死量。参考 LD50は実験動物の50%が死に至る投与薬物の量のこと。

LD転炉 [LD converter] 炉の上から銑鉄に酸素を吹き付ける方式の製鋼用転炉。参考 LDはオーストリアのリンツ(Linz)，ドナビッツ(Donawiz)両製鉄所の頭文字。

LDC [less developed country] 発展途上国。

LDDC [least developed among developing countries] 後発発展途上国。*LLDCとも。

LDH [lactate dehydrogenase]《生化》乳酸脱水素酵素。肝臓・心筋・骨格筋に多く含まれ，心筋梗塞(こうそく)では血中濃度が上昇する。

LDK [living room, dining room, kitchen 和] ⇨ エルディーケー。

LDL [low density lipoprotein]《医》悪玉コレステロール。低密度リポたんぱく質。コレステロールを約半分含む，動脈硬化の促進因子。⇄ HDL。

LDP [Liberal Democratic Party]（日本の）自由民主党。

LDR [London Depositary Receipts] ロンドン預託証券。

LD-ROM [Laser Disc read-only memory] レーザーディスクを使った読み出し専用メモリー。

LE [left end]《アメフト》レフトエンド。

LED [light emitting diode] 発光ダイオード。電流の変化を光の強弱に変換するダイオード。

LEP [large electron-positron collider]《理》セルン(欧州合同原子核研究機関)の巨大素粒子加速器。

LF [low frequency] 低周波。◆ 現在では，特に長波をいう。⇨ 長波。

LF牛乳 [low-fat milk] ローファット牛乳。脂肪分を低く抑えた牛乳。

LG [left guard]《アメフト》レフトガード。

L/G [letter of guarantee]《経》① 貿易関連の荷物引取保証状。② 輸入国銀行発行の保証状。

LHC [Large Hadron Collider]《理》セルン(欧州合同原子核研究機関)が建設する大型ハドロン衝突型加速器。

Li [Lithium ドイツ]《化》リチウムの元素記号。

lib [Women's Lib] ⇨ ウーマンリブ。

LIBOR [London Interbank Offered Rate]《経》ロンドン銀行間取引金利。

LIFFE [London International Financial Futures Exchange]《経》ロンドン国際金融先物取引所。

LIFO(ライフォー) [last-in, first-out] ①《経》在庫に関する後入れ先出し法・買入れ順法。②《電算》データの入力順と全く逆の順序で処理する，後入れ先出し方式。⇄ FIFO。

Linux(リナックス) パソコン用OSの一つ。プログラムを無料公開したので世界中の技術者によって改良が進んでいる。*ライナックス，リヌクスとも。参考 フィンランドの大学生Linus Torvaldsを中心に1991年ごろから開発された。

LIPS(リップス) [logical inferences per second]《電算》コンピューターが一群の論理計算を1秒間に何回実行できるかの単位。→ MIPS，FLOPS。

LISP [list processor]《電算》1960年ごろ，アメリカのJ. マッカーシーを中心とするグループによって開発された関数型のプログラム言語。

LK ⇨ エルケー。

LL ⇨ エルエル。

LL牛乳 [long life milk] ロングライフ牛乳。長期間保存に耐えられる牛乳。

LLシステム [language laboratory system] 専用の教室・練習室を使った語学教育法。*ラボシステムとも。

LLA [Language Laboratory Association]（日本の）語学ラボラトリー学会。

LLDC [least less developed countries] → LDDC。

LM ① [lunar module] 月着陸船。アメリカがアポロ計画で打ち上げた。② [light music]《音》ライトミュージック。軽音楽。

lm [lumen]《理》ルーメン。単位時間当たりに放出される可視光線の量の単位。

LME [London Metal Exchange] ロンドン金属取引所。非鉄金属の総合市場。◆ 1877年設立。

LMG [liquefied methane gas]《化》液化メタンガス。

LNG [liquefied natural gas]《化》液化天然ガス。▷ ～船。

LOCA [loss of coolant accident]《理》冷却材喪失事故。原子炉の冷却材が流出する事故。

LORAN(ロラン) [long-range navigation] 船・航空機などが電波を使って自分の位置や航路を割り出す装置。

LOS [land observation satellite] 日本の陸地観測用衛星。

LP ① [linear programming]《経》リニアプログラミング。線型計画法。ある条件下で，利益を最大に，コストを最小にするオペレーションズリサーチの手法。② [line printer]《電算》ラインプリンター。行印字機。1行分を一度にまとめて印刷する装置。③ [long play] 1分間33⅓回転のレコード。→ EP。

LPG [liquefied petroleum gas]《化》液化石油ガス。▷ ～車。

Jun. [June] 6月。
JUNET [Japan University Network] 日本全国の大学間の情報交換を目的とする学術情報ネットワーク。
JV [joint venture] ジョイントベンチャー。① 共同企業体。大規模な工事を複数の企業が請け負うとき，一時的に結成される事業体。② 合弁会社。外国資本とともに事業を行う国際的な共同出資会社。
JVA [Japan Volleyball Association] 日本バレーボール協会。
JVC [Japan Volunteer Center] 日本国際ボランティアセンター。難民を救援する民間組織。
JWA ① [Japan Weather Association] 日本気象協会。② [Japan Whaling Association] 日本捕鯨協会。

K

K ① [Kelvin temperature] ⇨ 絶対温度。② [Kalium ドイツ]《化》カリウムの元素記号。③ [Köchel number] ⇨ ケッヘル番号。④ [karat] ⇨ カラット。⑤ [kitchen] ⇨ キッチン。⑥ [king] ⇨ キング。
k [kilo フランス] ⇨ キロ。
K1(ケーワン) 両手にグローブをはめ，殴るけるなど立ち技を用いて行う格闘技の世界大会。*K1グランプリとも。参考 Kは，空手・拳法(けんぽう)・キックボクシングなどの頭文字から。1は「ナンバー1」の意。
K2(ケーツー) カラコルム山脈の最高峰。標高8611mで，エベレストに次いで世界第2位。参考 測量局番号「カラコルム第2号」から。
K点 [Kritischer Punkt ドイツ]《スキー》ジャンプ競技で，その先まで飛ぶと危険とされる地点。参考 原義は「極限点・危険地点」。
kB [kilobyte]《電算》キロバイト。コンピューターの記憶単位。1キロバイトは1024バイト。
kcal [kilocalorie] ⇨ キロカロリー。
KCNA [Korean Central News Agency] 朝鮮中央通信社。朝鮮民主主義人民共和国(北朝鮮)の国営通信社。
KD輸出 [knockdown export]《経》ノックダウン輸出。部品セットを現地で組み立てて完成品にする輸出方式。
KDD [Kokusai Denshin Denwa Co., Ltd] 国際電信電話株式会社。
KE ① [knowledge engineer] ナレッジエンジニア。知識工学者。② [knowledge engineering] ナレッジエンジニアリング。知識工学。
KEDO(ケドー) [Korean Peninsula Energy Development Organization] 朝鮮半島エネルギー開発機構。北朝鮮の軽水炉転換を支援する国際組織で，アメリカ・韓国・日本などが1995年に設立。
KEW [kinetic energy weapon]《軍》運動エネルギー兵器。目標を衝突エネルギーだけで破壊する兵器システム。
kg [kilogramme フランス] ⇨ キログラム。
kgf [kilogramme-force フランス] キログラム重。重量単位系の力の単位。1グラム重の1000倍。
KGB [Komitet Gosudarstvennoi Bezopasnosti ロシア] 国家保安委員会。旧ソ連の秘密警察。◆1991年解体。
kgm [kilogramme-mètre フランス] キログラムメートル。メートル法の仕事の単位。
kHz [kilohertz] ⇨ キロヘルツ。
KK [Kabushiki Kaisha] 株式会社。
KKK [Ku Klux Klan] クークラックスクラン。南北戦争後に結成されたアメリカの白人秘密結社。白衣・白頭巾を着用して暗躍し，黒人・ユダヤ人・東洋人などを排斥。
kℓ [kilolitre フランス] ⇨ キロリットル。
km [kilomètre フランス] ⇨ キロメートル。
KO [knockout] ⇨ ノックアウト。
KP [kommunisticheskaya partiya ロシア] (各国の)共産党。
Kr [krypton]《化》クリプトンの元素記号。
KS鋼 [KS steel] 鉄にコバルト・タングステンなどを加えた永久磁石合金。参考 KSは研究費を出した住友吉左衛門の頭文字から。
KSC [Kennedy Space Center] ケネディ宇宙センター。アメリカのフロリダ州メリット島にあるNASAのロケット発射基地。
KSD 厚生労働省所管の㈶ケーエスデー中小企業経営者福祉事業団の呼称。
kt [knot] ⇨ ノット。
kW [kilowatt] ⇨ キロワット。
kWh [kilowatthour] ⇨ キロワット時。

L

L ① [large] ラージ。大きな。広い。大規模の。▷～サイズ。⇄S。② [left] レフト。左。左側。また，左翼。⇄R。
l ① [line] (文章の)行。② [length] 長さ。
ℓ [litre フランス] ⇨ リットル。
L波 [long wave]《地》地表波。地震のとき震央から地表に沿って伝わる波長の長い地震波。参考 ラブ波とレーリー波がある。
Lリーグ [L league]《サッカー》日本女子サッカーリーグの愛称。参考 Lはladyの頭文字。
LA ① [laboratory automation] ラボラトリーオートメーション。研究所・開発部門などでの研究開発業務の自動化。② [Los Angeles] ロサンゼルス。アメリカ西海岸の都市。
La [Lanthan ドイツ]《化》ランタンの元素記号。
LACA [Latin America Coffee Agreement] 中南米コーヒー協定。
LAK療法 [lymphokine-activated killer therapy]《医》患者から採取したリンパ球を活性化して患者に戻し，リンパ球の中のキラーT細胞によってがんを治療する方法。
LAN(ラン) [local area network] 企業内通信網。同一構内または同一建物内における私設の情報通信網。
LANDSAT(ランドサット) [land satellite] アメリカが打ち上げた地球資源観測衛星。
LAP [leucine aminopeptidase]《生化》ロイシンアミノペプチダーゼ。胆道酵素の一つ。肝臓・胆道の障害があると血中濃度が上昇する。
LAS [linear alkylbenzene sulfonate]《化》リニアアルキルベンゼンスルホン酸塩。合成洗剤の成分の一つ。
LASA [large aperture seismic array] 超遠距離

dustry］日本商工会議所。

JCI［Junior Chamber International］国際青年会議所。

JCP［Japan Communist Party］日本共産党。

JCSAT［Japan Communications Satellite］日本の通信衛星。日本衛星通信(JSAT)が運用する。

JD［Japan Air System］日本エアシステムの２文字コード。➡JAS。

JDR ①［Japan Disaster Relief Team］国際緊急援助隊。国際協力事業団や自衛隊が海外の大災害に対して派遣する。②［Japanese Depositary Receipts］《経》日本預託証券。

JEIDA(ジェイダ)［Japan Electronic Industry Development Association］日本電子工業振興会。

JEM［Japanese Experiment Module］アメリカの宇宙ステーション計画に日本が参加する実験モジュール。

JERS［Japan Earth Resources Satellite］日本の地球資源衛星。

JES［Japanese Engineering Standards］日本技術標準規格。

JET［Joint European Torus］EU(欧州連合)が建設したトカマク型核融合実験装置。

JETRO(ジェトロ)［Japan External Trade Organization］日本貿易振興会。海外市場の調査や日本商品の広報などを行う。◆1958年発足。

JFA［Japan Football Association］《サッカー》日本サッカー協会。FIFAに所属し，アマチュアからプロまでを統括する。◆1921年設立。

JFC［Japan Filipino Children］日本人とフィリピン人の混血児。

JFK［John F. Kennedy］アメリカの第35代大統領，J.F. ケネディ。

JFL［Japan Football League］《サッカー》Jリーグ(J1･J2)下部のトップアマチュアリーグ。

JGSDF［Japan Ground Self-Defense Force］陸上自衛隊。

JH［Japan Highway］日本道路公団。

JHFA［Japan Health Food Association］日本健康食品協会。

JICA(ジャイカ)［Japan International Cooperation Agency］日本の国際協力事業団。政府開発援助に基づき，発展途上国への技術援助，青年海外協力隊の派遣などを実施する特殊法人。◆1974年設立。

JICST［Japan Information Center of Science and Technology］日本科学技術情報センター。

JIDA［Japan Industrial Designers Association］日本インダストリアルデザイナー協会。

JIS［Japanese Industrial Standard］⇨ジス。

JISコード［JIS code］コンピューター上で文字や符号を出力するためのJIS規格。

JL［Japan Airlines］日本航空の２文字コード。➡JAL。

JLA［Japan Library Association］日本図書館協会。

JLPGA［Japan Ladies Professional Golfers' Association］日本女子プロゴルフ協会。

JMSDF［Japan Maritime Self-Defense Force］海上自衛隊。

JMTDR［Japan Medical Team for Disaster Relief］日本国際救急医療チーム。

JMTR［Japan Material Test Reactor］日本原子力研究所の材料試験用原子炉。

JNLT［Japanese National Large Telescope］すばる。日本の国立天文台がハワイ島マウナケア山頂に建設した大型光学赤外線望遠鏡。

JNN［Japan News Network］日本ニュース放送網。TBS系のネットワーク。

JNTA［Japan National Tourist Association］日本観光協会。

JNTO［Japan National Tourist Organization］日本の国際観光振興会。

JOC［Japan Olympic Committee］⇨ジェーオーシー。

JOCV［Japan Overseas Cooperation Volunteers］青年海外協力隊。発展途上国へ国際協力事業団が派遣する。

JOIS［JICST On-line Information System］日本科学技術情報センターのデータバンク。

JOM［Japan offshore market］東京オフショア市場。

JPA［Japan Patent Association］日本特許協会。

JPC［Japan Productivity Center］日本生産性本部。

JPEG(ジェーペグ)［joint photographic experts group］静止画像の圧縮方法を世界的に定めた団体。また，その規格。➡MPEG。

JPGA［Japan Professional Golfers Association］日本プロゴルフ協会。

JPN ①［Japan］日本。②［Japanese］日本人。

J-POP(ジェーポップ)［Japan popular music］日本のポピュラーミュージック。ポピュラー，ロック，ニューミュージックなどの総称。

JPS［Japan Photographers Society］日本写真家協会。日本最大のプロ写真家の団体。

JR［Japan Railway］⇨ジェーアール。

JRA［Japan Racing Association］日本中央競馬会。

JRC［Japan Red Cross］日本赤十字社。➡IRC。

JRFU［Japan Rugby Football Union］日本ラグビーフットボール協会。

JRN［Japan Radio Network］TBSラジオをキー局とするネットワーク。

JSB［Japan Satellite Broadcasting, Inc.］日本衛星放送会社。WOWOWを放送する。

JSC［Japan Science Council］日本学術会議。

JSD［Japanese Standard of Dietetic Information］日本食品栄養成分表示基準。

JSPS［Japan Society for the Promotion of Science］日本学術振興会。

JST［Japan Standard Time］日本標準時。

JT［Japan Tobacco Inc.］日本たばこ産業株式会社。

JT-60［JAERI Tokamak-60］日本原子力研究所のトカマク型大型核融合実験装置。

JTA［Japan Tennis Association］日本テニス協会。◆1922年設立。

JTB［Japan Travel Bureau］日本交通公社。

JTC［Japanese trust certificate］日本信託証券。

JTU［Japan Teachers' Union］日本教職員組合。日教組。◆1947年結成。

Jul.［July］７月。

どのこと。▷～産業。

IT革命 [information technology —] ITの発展に基づく，企業の経営管理から社会構造全般までに至る変革。

ITC [International Trade Commission] アメリカの国際貿易委員会。

ITER [International Thermal Nuclear Experimental Reactor] 国際熱核融合実験炉。EU・アメリカ・ロシア・日本が共同で設計作業を進めている。

ITF [International Tennis Federation] 国際テニス連盟。◆1913年設立。

ITFコード [Interleaved 2 of 5 Code] 標準物流バーコード。

ITI [International Theater Institute] 国際演劇協会。

ITP [idiopathic thrombocytopenic purpura] 《医》特発性血小板減少性紫斑(しはん)病。難病の一つ。

ITS [Intelligent Transport Systems] 高度道路交通システム。交通情報，自動運転，自動料金収受システムなどを備えたもの。

ITTO [International Tropical Timber Organization] 国際熱帯木材機関。◆1986年設立。

IU [international unit] インターナショナルユニット。食物中のビタミン量などを表す国際単位。

IUCN [International Union for Conservation of Nature and Natural Resources] 国際自然保護連合。

IUCW [International Union for Child Welfare] 国際児童福祉連合。◆1946年設立。

IUD [intrauterine device] 《医》子宮内避妊リング。

IUGG [International Union of Geodesy and Geophysics] 国際測地学・地球物理学連合。

IUPAC [International Union of Pure and Applied Chemistry] 国際純正応用化学連合。◆1919年設立。

IUPS [International Union of Physiological Sciences] 国際生理学連合。

IUS [International Union of Students] 国際学生連盟。

IVF [in vitro fertilization] 《医》体外受精。試験管内授精。

IVH [intravenous hyperalimentation] 《医》中心静脈栄養法。栄養分を輸血で補給する方法。

IWC [International Whaling Commission] 国際捕鯨委員会。

IWRB [International Waterfowl and Wetland Research Bureau] 国際水禽(すいきん)・湿地調査局。

IWS [International Wool Secretariat] 国際羊毛事務局。

IWTC [International Women's Tribune Center] 国際女性運動センター。女性運動の民間機関。

J

J ① [Japan] ジャパン。日本。② [joule] 《理》ジュール。国際単位系(SI)の仕事・熱量・エネルギーの単位。③ [jack] ジャック。トランプの絵札の一つ。兵士を表す。

Jリーグ [J- League] 《サッカー》日本のプロサッカーリーグの通称。◆1993年リーグ戦開幕。参考 99年よりJ1とJ2の2部制を採用。正式名称は，日本プロフットボールリーグ(Japan Professional Football League)。

JA [Japan Agricultural cooperatives] 農業協同組合。農協。

JAAF [Japan Amateur Athletic Federation] 日本陸上競技連盟。

JABA [Japan Amateur Baseball Association] 日本野球連盟。日本のアマチュア野球の統括団体。

JABBA [Japan Basketball Association] 日本バスケットボール協会。

JACET [Japan Association of College English Teachers] 大学英語教育学会。大学・短大の英語教員が会員。

JAERI [Japan Atomic Energy Research Institute] 日本原子力研究所。

JAF [Japan Automobile Federation] 日本自動車連盟。自動車オーナーの団体。◆1962年設立。

JAL(ジャル) [Japan Airlines] 日本航空の3文字コード。→JL。

JAMA [Japan Automobile Manufacturers' Association] 日本自動車工業会。

JAN [Japanese article number code] 日本工業規格(JIS)制定の標準商品表示。

Jan. [January] 1月。

JAPIO [Japan Patent Information Organization] 日本特許情報機構。

JARL [Japan Amateur Radio League] 日本アマチュア無線連盟。

JARO(ジャロ) [Japan Advertising Review Organization] 日本広告審査機構。

JAS(ジャス) ① [Japan Air System] 日本エアシステムの3文字コード。→JD。② [Japanese Agricultural Standards] 日本農林規格。

JAS-1b [Japan Amateur Satellite-1b] 《通信》日本のアマチュア無線衛星。*ハム衛星とも。

JASA [Japan Amateur Sports Association] 日本体育協会。日本のアマチュアスポーツを統括する全国組織。◆1911年設立。

JASDAQ(ジャスダック) [Japan Association of Securities Dealers Automated Quotations] 日本の株式店頭市場機械化システム。参考 アメリカのNASDAQに倣ったもの。

JASDF [Japan Air Self-Defense Force] 航空自衛隊。

JASF [Japan Amateur Swimming Federation] 日本水泳連盟。

JASRAC(ジャスラック) [Japanese Society for Rights of Authors, Composers and Publishers] 日本音楽著作権協会。

JATA [Japan Association of Travel Agents] 日本旅行業協会。

JBC [Japan Boxing Commission] 日本ボクシング委員会。

JC ① [Japan Junior Chamber] 日本青年会議所。② [Japan certificate] 《経》日本身代わり証券。日本国内で外国企業の株券を扱う方法の一つ。

JCA [Japan Consumer Association] 日本消費者協会。

JCCI [Japan Chamber of Commerce and In-

national Olympic Committee] ⇨ アイオーシー。

IOCS [input-output control system]《電算》入出力制御システム。

IOCU [International Organization of Consumers' Unions] 国際消費者機構。

IOE [International Organization of Employers] 国際経営者団体連盟。◆1920年設立。

IOJ [International Organization of Journalists] 国際ジャーナリスト機構。

IOM [International Organization for Migration] 国際移住機構。移民・難民・避難民の移送などを支援する政府間組織。

IOSCO(イオスコ) [International Organization of Securities Commissions] 証券監督者国際機構。

IP ① [image processing] イメージプロセシング。イメージ処理。画像処理。② [information provider] インフォメーションプロバイダー。情報提供者。CAPTAINやINSなどで，サービス提供のもとになる情報を提供する業者。③ [internet protocol] インターネットプロトコル。インターネットで標準的に用いられている通信規則・通信規約。▷～アドレス。

IPアドレス [internet protocol address] インターネットアドレス。インターネットに接続するために各コンピューターに割り振られる，32ビットからなる番号。*アドレスとも。

IPA ① [International Phonetic Alphabet] 国際音標文字。② [International Phonetic Association] 国際音声学会。本部はロンドン大学内。③ [icosapentaenoic acid] イコサペンタエン酸。→EPA。

IPB [International Peace Bureau] 国際平和ビューロー。◆1982年設立。

IPC ① [International Paralympic Committee] 国際パラリンピック委員会。② [Intellectual Property Committee] アメリカの知的所有権委員会。

IPCC [Intergovernmental Panel on Climate Change] 地球温暖化の防止策を協議するための政府間会議。

IPI [International Press Institute] 国際新聞編集者協会。◆1951年設立。

IPPNW [International Physicians for the Prevention of Nuclear War] 核戦争防止国際医師の会。

IPR [intellectual property rights] 知的所有権。知的財産権。

IPRA(イプラ) [International Peace Research Association] 国際平和研究学会。

IPTC [International Press Telecommunications Committee] 国際新聞通信委員会。

IQ ① [import quota]《経》輸入割当。▷～制。② [intelligence quotient] ⇨知能指数。

IR ① [information retrieval] ⇨情報検索。② [investor relations]《経》企業の投資家向け広報活動。

Ir [iridium]《化》イリジウムの元素記号。

IRA [Irish Republican Army] アイルランド共和軍。北アイルランド独立を目指して活動する組織。

IRAN [Inspect and Repair as Necessary] 航空機の必要箇所検査・修理。

IRAS [Infrared Astronomical Satellite] 赤外線天文衛星。1984年，アメリカ・オランダ・イギリスが共同で打ち上げた。

IRC [International Red Cross] 国際赤十字社。

IRCAM [Institut de Recherche et de Coordination Acoustique/Musique フランス]《音》音響・音楽の探究と調整センター。現代音楽の国際的研究機関。

IrDA [Infrared Data Association]《通信》赤外線データ通信協会。また，そこで定めた赤外線通信の国際標準規格。

IRI [Istituto per la Ricostruzione Industriale イタリア] イタリアで，全額政府出資による国家持ち株会社。

IRO [International Refugee Organization] 国連の国際難民救済機構。

IRRI [International Rice Research Institute] 国際稲作研究所。

ISバランス [investment saving balance]《経》投資と貯蓄のバランス関係のこと。

ISA ① [International Sugar Agreement] 国際砂糖協定。② [International Student Association of Japan] 日本国際学生協会。

ISA(アイサ)**バス** [industry standard architecture bus]《電算》IBM-PCの拡張バス規格として開発されたバスの総称。*ISAとも。

ISAM [indexed sequential access method]《電算》索引順次アクセス方式。

ISAS [Institute of Space and Astronautical Science] 文部科学省宇宙科学研究所。

ISBN [International Standard Book Number] 国際標準図書番号。全世界で出版される書籍につけられる10桁(けた)の国際共通番号。

ISD [international subscriber dialing]《通信》国際ダイヤル通話。

ISDB [integrated services digital broadcasting]《放送》統合デジタル放送。すべての放送をデジタル化すること。

ISDN [integrated services digital network]《通信》総合デジタル通信網。電話系・非電話系の各種通信サービスを一元的に取り扱い，デジタル化して伝送する通信網。→B-ISDN，INS。

ISO(イソ) [International Organization for Standardization] 国際標準化機構。各国の工業規格を標準化する機関。◆1947年設立。▷～9000シリーズ(品質保証規格)。

ISP [internet service provider] プロバイダー。インターネットとの接続サービスを提供している業者。

ISPA [International Society for the Protection of Animals] 国際動物愛護協会。

ISSA [International Social Security Association] 国際社会保障協会。

ISSP [International Space Station Program] 国際宇宙ステーション計画。国際宇宙基地計画。

ISTP [international solar-terrestrial project] 太陽・地球系物理観測計画。

IT [information technology] 情報技術。インターネットや遠距離通信・移動体通信などの情報通信技術，またそれらを用いたデータ収集・処理技術な

分を証明するカード。
IDA [International Development Association] 国連の国際開発協会。◆1960年設立。本部はワシントン。
IDB [Industrial Development Board] 国連の工業開発理事会。
IDD [international direct dialing] 国際ダイヤル通話。
IDE [integrated drive electronics] パソコン，特にIBM-PC/ATやその互換機のハードディスク装置を接続する規格。参考 IDEの拡張版であるEIDEも用いられる。
IDL [international date line] 国際日付変更線。
IDR [International Depositary Receipt]《経》国際預託証券。
IDTV [improved definition television] 高画質テレビの方式の一つ。受像機側だけで画質を改善するもの。→EDTV。
IE [industrial engineering] インダストリアルエンジニアリング。生産工学。産業工学。
IEA [International Energy Agency] 国際エネルギー機関。石油消費国がエネルギー問題を協議する機関。参考 OECDの下部機関として1974年設立。
IF ① [index fund]《経》インデックスファンド。株価指数に連動して運用される投資信託。② [interferon]《生化》インターフェロン。ウイルス感染細胞がつくるたんぱく質。ウイルス感染症・悪性腫瘍(しゅよう)などの治療に応用される。*IFNとも。
IFC [International Finance Corporation] 国際金融公社。発展途上国のための，国連の金融機関。◆1956年設立。
Ig [immunoglobulin]《生化》免疫グロブリン(抗体)。
IGA [International Grains Arrangement] 国際穀物協定。
IGBP [International Geosphere-Biosphere Program] 国際地球圏・生物圏変動研究計画。
IGF [International Genetics Federation] 国際遺伝学会。
IGO [Intergovernmental Organization] 政府間国際組織。
IGOSS [Integrated Global Ocean Service System] 全世界海洋情報サービスシステム。海洋の観測データの収集と交換を目的とする国際事業。
IGU [International Geographical Union] 国際地理学連合。
IHRLA [International Human Rights Law Association] 国際人権法学会。
IIED [International Institute for Environment and Development] 環境と開発国際協会。
IIF [Institute of International Finance]《経》国際金融協会。日本・アメリカ・ヨーロッパの民間銀行で組織。◆1983年設立。
IIHF [International Ice Hockey Federation] 国際アイスホッケー連盟。
IIPCR [International Institute for Peace and Conflict Research] 国際平和紛争研究所。SIPRIが改称されたもの。
IISI [International Iron and Steel Institute] 国際鉄鋼協会。◆1967年設立。
IISS [International Institute for Strategic Studies] 国際戦略研究所。◆1958年設立。
IJF [International Judo Federation] 国際柔道連盟。◆1951年設立。
IL ① [import license]《経》輸入承認証。② [interleukin]《生化》インターロイキン。リンパ球またはマクロファージがつくり出す生体機能調整物質の中で，遺伝子が明らかになっているもの。
ILO [International Labor Organization] 国連の国際労働機関。
IMADR [International Movement Against All Forms of Discrimination and Racism] 反差別国際運動。
IME [input method editor] Windowsで，かな漢字変換を行うシステムの総称。
IMF ① [International Metalworkers Federation] 国際金属労働組合連合。② [International Monetary Fund] 国際通貨基金。国際通貨の安定を目的とする国連の機関。◆1944年設立。
IMF-JC [International Metalworkers Federation-Japan Council] 国際金属労働組合連合日本協議会。
IMO ① [International Maritime Organization] 国連の国際海事機関。② [International Mathematical Olympiad] 国際数学オリンピック。
IMT-2000 [International Mobile Telecommunications 2000]《通信》世界中で利用できる次世代の携帯電話システム。
IN [Information Network]《通信》アメリカのIBM社が1985年から実施している高度情報通信サービス。
In [indium]《化》インジウムの元素記号。
Inc. [incorporated] 株式会社。参考 イギリスではLtd.。→corp.。
INCB [International Narcotic Control Board] 国連の国際麻薬統制委員会。
INF [intermediate-range nuclear forces]《軍》中距離核戦力。戦域核兵器。射程500～5500kmの中距離核ミサイル。→LRTNF。
INFCE [International Nuclear Fuel Cycle Evaluation] 国際核燃料サイクル評価。
INGO [International Non-Governmental Organization] 非政府間国際機構。
INMARSAT(インマルサット) [International Maritime Satellite Organization] 商業用の国際海事衛星。また，それを運用する国際海事衛星機構。
INP [index number of prices]《経》物価指数。
INS ① [inertial navigational system] 慣性航法装置。② [Information Network System]《通信》NTTの高度情報通信システム。→ISDN。
INSネット64 [Information Network System Net 64]《通信》NTTによるISDNのデジタル専用線サービスの一つ。電話・ファクシミリ・インターネットなどのデータ通信が同時に使用できるもの。
INTELSAT(インテルサット) [International Telecommunications Satellite Organization] 国際電気通信衛星機構。通信衛星の開発・打ち上げ・管理運営を行う商業衛星通信組織。
I/O [input/output]《電算》入出力。入力と出力。
IOC ① [Intergovernmental Oceanographic Commission] 政府間海洋学委員会。② [Inter-

世代の高速商用輸送機。

HSGT [high-speed ground transportation] 超高速陸上輸送機関。

HSST [high-speed surface transport] 常電導磁気浮上式リニアモーターカー。磁気で浮上し，リニアモーターで推進する新交通システム。

HST ① [hypersonic transport] 極超音速旅客機。② [Hubble Space Telescope] ハッブル宇宙望遠鏡。1990年にスペースシャトルから打ち上げられた空飛ぶ天文台。

Ht [hematocrit]《医》ヘマトクリット。赤血球容積量。血液中に赤血球が占める容積の割合。

HTA [heavier-than-air] 空気より重いふつうの航空機。⇄LTA。

HTGR [high temperature gas-cooled reactor]《理》高温ガス冷却原子炉。

HTLV [human T-cell leukemia virus]《医》ヒトT細胞白血病ウイルス。成人型T細胞白血病の病原体であるウイルス。*ATLVとも。

HTML [hypertext markup language] インターネット上にWWWの機能に対応したページをつくるためのプログラミング言語。

HTTP [hypertext transfer protocol] インターネット上でHTMLの文書を送受信するために用いるプロトコル。参考 目的のアドレスにアクセスする際，先頭にhttpと記述することで，このプロトコルが実行される。

HUS [hemolytic uremic syndrome]《医》溶血性尿毒症症候群。O157などが出すベロ毒素による病気。腹痛・下痢・鮮血便などの症状を呈する。

HWR [heavy water reactor]《理》重水炉。中性子の減速材に重水を用いる原子炉。

Hz [Herz ドイツ] ⇨ヘルツ。

I

I [iodine]《化》ヨウ素の元素記号。

iモード [i mode]《商標》NTTドコモによる携帯電話向けインターネット接続・情報提供サービス。

IAAF [International Amateur Athletic Federation] 国際陸上競技連盟。

IABP [intra-aortic balloon pumping]《医》大動脈バルーンパンピング。胸部大動脈内にバルーン(風船)を入れて心臓のポンプ機能を補う治療装置。

IAC [International Apprentices Competition] 国際職業訓練競技大会。参考 通称は技能オリンピック。

IAEA [International Atomic Energy Agency] 国連の国際原子力機関。原子力平和利用の推進を目的とする。◆1957年設立。

IAS [International Accounting Standards] 国際会計基準。

IASC [International Accounting Standards Committee] 国際会計基準委員会。会計基準の世界統一を目指す国際機関。

IB ① [incubation business] インキュベーションビジネス。ベンチャー企業に対して必要な援助をする事業。② [International Baccalauréat] インターナショナルバカロレア。大学入学のための国際資格制度。

IBA ① [International Bar Association] 国際法曹学会。② [International Baseball Association] (アマチュア野球の)国際野球協会。

IBE [International Bureau of Education] 国際教育局。

ibid. [ibidem ラテン] 「同じ箇所に」「同書に」。すでに引用した書名などの繰り返しを避けるために用いる。*ib.とも。

IBM [International Business Machines Corporation] アメリカのコンピューターの製造会社。また，その製品。

IBRD [International Bank for Reconstruction and Development] 国連の「国際復興開発銀行」。通称，世界銀行。◆1946年設立。

IC ① [integrated circuit] ⇨集積回路。② [interchange] インターチェンジ。高速道路と一般道路をつなぐ所。

ICBL [International Campaign to Ban Landmines] 地雷禁止国際キャンペーン。世界中に存在する対人地雷の廃絶を求めて活動する国際組織。

ICBM [intercontinental ballistic missile]《軍》大陸間弾道弾。

ICC [International Chamber of Commerce] 国際商業会議所。◆1920年設立。

ICE [Intercity Express] ドイツの超高速列車。営業速度は時速250km。◆1991年6月に営業開始。

ICEM [Intergovernmental Committee for European Migration] 欧州移住政府間委員会。◆1952年設立。

ICFTU [International Confederation of Free Trade Unions] 国際自由労働組合連合。◆1949年結成。

ICJ [International Court of Justice] 国際司法裁判所。

ICM [Intergovernmental Committee for Migration] 国際移民委員会。◆1952年設立。

ICO [Islamic Conference Organization] イスラム諸国会議機構。

ICOMOS(イコモス) [International Council of Monuments and Sites] 国際記念物・遺跡会議。

ICPD [International Conference on Population and Development] 国際人口開発会議。

ICPO [International Criminal Police Organization] 国際刑事警察機構。⇨インターポール。

ICRC [International Committee of the Red Cross] 赤十字国際委員会。◆1863年設立。

ICRP [International Commission on Radiological Protection] 国際放射線防護委員会。

ICSID [International Council of Societies of Industrial Design] 国際工業デザイン団体協議会。

ICU ① [intensive care unit]《医》集中治療室。重症患者・手術直後の患者を治療する室。② [International Christian University] 国際基督キリスト教大学。

ID ① [identification] 身分証明。② [identification] データ通信でユーザーを識別するための暗証番号。③ [industrial design] インダストリアルデザイン。工業デザイン。④ [industrial designer] インダストリアルデザイナー。工業デザイナー。

IDカード [identification card] 身分証明書。身

GVH反応 [graft-versus-host reaction]《医》他人のリンパ細胞を輸血や骨髄移植によって体内に注入したとき，T 細胞(リンパ細胞の一種)が元からあった組織細胞を攻撃する反応。➡GVHD。

GVHD [graft-versus-host disease]《医》GVH 病。移植片対宿主病。GVH 反応が起こって患者の臓器が攻撃される病気。

GW [golden week 和] ⇨ゴールデンウイーク。

Gy [gray]《理》グレイ。放射線の吸収線量の単位。

H

H ① ⇨エッチ。② [hit] ⇨ヒット。③ [hip] ⇨ヒップ。④ [hydrogen]《化》水素の元素記号。

h ① [hecto- フランス] ⇨ヘクト。② [hour] ⇨アワー。

H0ゲージ [half of 0-gauge] 軌間幅が16.5㎜の鉄道模型。

H-IIロケット 国産の 2 段式大型ロケット。*H2 型ロケットとも。◆初打ち上げは1994年 2 月。参考 H2 A ロケットが2001年，2002年に打ち上げ。

HA [home automation] ホームオートメーション。コンピューターや通信技術を使って家庭生活を自動化すること。

ha [hectare] ⇨ヘクタール。

HABITAT(ハビタット) [U.N.Conference on Human Settlement] 国連人間居住会議の通称。都市環境悪化の防止，持続可能な都市づくりなどを討議する会議。参考 1976年にバンクーバーで第 1 回，96年にイスタンブールで第 2 回が開催。

HACCP(ハサップ) [hazard analysis critical control point] 危機分析重点管理制度。食品の原料から製造・消費に至るまでの全過程で，予想される汚染源や異物の混入をチェックする衛生管理体制。参考 アメリカで宇宙食管理用として開発された。

HB ① [halfback]《ラグビー・アメフトなど》ハーフバック。中衛。② [hard and black] ⇨エッチビー。

Hb [hemoglobin, Hämoglobin ドイツ] ⇨ヘモグロビン。

HBV [hepatitis type B virus] B型肝炎ウイルス。

HC ① [House of Commons] イギリスの下院。② [hydrocarbon]《化》ハイドロカーボン。炭化水素。

HCB [hexachlorobenzene]《化》ヘキサクロロベンゼン。有機塩素系化合物の一つ。人体に有害であるので製造・使用が規制されている。

HCF [highest common factor]《数》最大公約数。

HCFC [hydrochlorofluorocarbon]《化》ハイドロクロロフルオロカーボン。代替フロンとして使われていたが，塩素を含むため2000年までに全廃。

HD [hard disk] ⇨ハードディスク。

HDD [hard disk drive] ハードディスクドライブ。ハードディスクの駆動装置。

HDI [Human Development Index] 人間開発指標。国連開発計画(UNDP)がつくった各国の国民生活の発展段階を示す指標。

HDL [high density lipoprotein]《医》善玉コレステロール。高密度リポたんぱく質。組織中のコレステロールを運んで代謝させるので，動脈硬化の予防因子として注目されている。⇄LDL。

HDLC [high-level data link control procedure]《通信》高速で信頼性の高いデータ通信の制御手順。

HDTV [high-definition TV] 高品位テレビ。高精細度テレビ。走査線の数を増やして画像の精度を高めたもの。

HE [human engineering] ⇨人間工学。

He [helium]《化》ヘリウムの元素記号。

HF [high frequency] 高周波。◆現在は，特に短波をいう。⇨短波。

Hf [hafnium]《化》ハフニウムの元素記号。

HFC [hydrofluorocarbon]《化》ハイドロフルオロカーボン。オゾン層を破壊しない代替フロンの一つ。冷蔵庫の冷媒などに使われるが，温室効果ガスとして規制される。

Hg [hydrargyrum ラテン]《化》水銀の元素記号。

HGH [human growth hormone]《生化》ヒト成長ホルモン。

Hi8(ハイエイト) [High 8] 8 ミリビデオの高画質規格。

hi-fi(ハイファイ) [high fidelity] ビデオデッキなどで，原音を忠実に再生すること。また，その装置。

HIP [hot isotatic pressing] 熱間静水圧プレス。セラミックスを焼き固める際に用いる高温・高圧プレス装置。

HIPCs [heavily indebted poor countries] 重債務貧困国。

HIV [human immunodeficiency virus]《医》ヒト免疫不全ウイルス。エイズの病原体ウイルスで，レトロウイルスの一種。*エイズウイルスとも。

HKD [Hong Kong dollar] 香港ドル。

HLA [human leucocyte antigen]《医》ヒト主要組織適合性抗原。白血球の型の一つで，型が一致しないと臓器移植の際に拒絶反応が起こる。

HMOS [high-density metal-oxide semiconductor] 高密度MOS。➡MOS。

HMR [home meal replacement] 家庭料理代替食。食品スーパーなどが家庭の食事を丸ごと提供することをねらったもの。

HND [Tokyo International Airport (Haneda)] 東京国際空港(羽田)の空港コード。

Ho [holmium]《化》ホルミウムの元素記号。

HOPE [H-II Orbiting Plane] 宇宙開発事業団が開発中の無人宇宙往還機。日本版スペースシャトル。

HP ① [home page] ⇨ホームページ。② [horsepower] 馬力。③ [halfpipe] ハーフパイプ。スノーボードのフリースタイル種目の一つ。半円筒状のコースで，ジャンプや宙返りなどの技を競うもの。

hPa [hectopascal] ⇨ヘクトパスカル。

HR ① [human relations] ヒューマンリレーションズ。人間関係。特に企業体や組織体での人間関係をいう。② [home run] ⇨ホームラン。

HR図 [Hertzsprung-Russell diagram]《天》ヘルツシュプルングラッセル図。縦軸に恒星の明るさ，横軸に表面温度やスペクトル型をとり，各恒星を点で表した図。

HRT [hormone replacement therapy]《医》ホルモン補充療法。女性の更年期障害の治療に女性ホルモンを用いる方法。

HSCT [high-speed commercial transport] 次

協定に基づいて取引するもの。

GGG [gadolinium gallium garnet] ガドリニウム，ガリウム，ガーネット。記憶素子の材料。

GHG [greenhouse gas] 温室効果ガス。

GHQ [General Headquarters]《軍》総司令部。特に，第2次世界大戦後の連合国最高司令官総司令部。

GI [government issue] アメリカ兵の俗称。

GIGO [garbage in, garbage out]《電算》信頼性の低いデータからは正しい結果が得られないこと。参考「ごみを入れるとごみが出る」ということから。

GII [Global Information Infrastructure] 地球的規模で張り巡らせたコンピューターネットワークによって世界情報基盤を構築しようという構想。

GIS ① [geographic information system] 地理情報システム。コンピューター上の白地図に種々の情報を入力して地域の状態をつかむシステム。② [global information system] 全地球的情報システム。

GIT [group inclusive tour] パック旅行。

GK ① [goalkeeper] ⇨ゴールキーパー。② [goal kick]《サッカー・ラグビー》ゴールキック。

4GL [4th generation language]《電算》第4世代言語。事務処理アプリケーションを容易にしたプログラム言語。

GLOBE [Global Legislators Organization for a Balanced Environment] 地球環境国際議員連盟。

GLP [Good Laboratory Practice]《医》医薬品の安全性試験の実施に関する基準。

GLU [glucose]《医》血糖値。血液中のブドウ糖の量。糖尿病などの際に血中濃度が上昇する。

GM ① [general manager] ゼネラルマネージャー。総監督。総支配人。② [General Motors Corp.] ゼネラルモーターズ社。アメリカの自動車メーカー。

GM食品 [Genetically Modified Organization] 遺伝子組み換え食品。安全性が問題になっている。*GMOとも。

GMDSS [global maritime distress and safety system] 衛星通信・デジタル通信を取り入れた全世界的な海上遭難・安全通信システム。参考国際海事機関(IMO)が推進し，日本でも1999年よりモールス信号の代わりに採用された。

GMP [Good Manufacturing Practice] 医薬品製造と品質管理に関する規定。

GMRヘッド [giant magneto-resistive head]《電算》MRヘッドよりも磁気的感度の高い読み取り素子。

GMS [Geostationary Meteorological Satellite] 日本の静止気象衛星。

GMT [Greenwich mean time] ⇨グリニッジ時。

GN [global negotiation] 国連の包括的交渉。

GND [gross national demand]《経》国民総需要。

GNE [gross national expenditure]《経》国民総支出。

GNI [gross national income]《経》国民総所得。

GNP [gross national product]《経》国民総生産。

GNS [gross national supply]《経》国民総供給。

GNSS [global navigation satellite system] 全地球的航法衛星システム。

GNW [gross national welfare]《経》国民総福祉。

GOLKAL(ゴルカル) [Golongan Karya インドネシア] インドネシア第2代大統領スハルトを支えていた翼賛政党。

GOOS [Global Oceans Observing System] 世界海洋観測システム。

GOT [glutamic oxaloacetic transaminase]《生化》グルタミン酸オキサロ酢酸トランスアミナーゼ。心臓・肝臓に多く含まれるアミノ酸代謝酵素。心筋梗塞(こうそく)や肝障害の際に血中濃度が高くなる。

GP [grand prix フランス] ⇨グランプリ。

GPCP [global precipitation climate program]《気》全球降水気候計画。

GPMSP [Good Post-marketing Surveillance Practice]《医》医薬品の市販後調査の実施に関する基準。

GPS [global positioning system] 全地球測位システム。人工衛星を使った高精度の航法・位置把握システム。カーナビゲーションなどに用いられる。

GPT [glutamic pyruvic transaminase]《生化》グルタミン酸ピルビン酸トランスアミナーゼ。肝臓に多く含まれるアミノ酸代謝酵素。肝障害の際に血中濃度が上昇する。

GPWS [ground proximity warning system]《航》地上接近警報装置。航空機が一定の対地高度以下に下がると警告音などで乗員に危険を知らせる。

gr [grain] ⇨グレーン。

GRC [glass fiber reinforced concrete] ガラス繊維強化コンクリート。

GRO [Gamma Rays Observatory] ガンマ線天文台。宇宙のガンマ線を観測するためにアメリカのスペースシャトルで打ち上げた宇宙天文台。

GS ① [gasoline stand 和] ⇨ガソリンスタンド。② [geodetic satellite] 測地衛星。アメリカのラジオス，日本の「あじさい」など。③ [group sounds 和]《音》グループサウンズ。

GSI [giant scale integration]《電算》巨大規模集積回路。

GSM [groupe spéciale mobile フランス] 欧州各国で統一規格として採用されているデジタル方式の自動車電話・携帯電話システム。

GSR [galvanic skin response] 電気皮膚反応。ポリグラフ(うそ発見器)に応用される。

GT ① [grand touring car]《車》グランドツーリングカー。高速・高性能の長距離用乗用車。② [group technology] グループテクノロジー。多品種少量生産の際，類似部品をグループ分けし，標準化することによって効率を高める方法。

GTO [Gran Turismo Omologato イタリア]《車》グランドツーリングカーとして正式に認定された車。

γ-GTP [γ-glutamyl transpeptidase]《生化》ガンマグルタミールトランスペプチダーゼ。アミノ酸の代謝に関係する酵素。肝疾患の際に血中に増加する。

GUI [graphical user interface] アイコンなどの絵記号を利用してユーザーとコンピューターの情報交換を媒介するインターフェース。

GUT [grand unified theory]《理》大統一理論。自然界の4つの力(重力，電磁力，強い相互作用，弱い相互作用)を統一的に説明する理論。

不安定な市場で発行される。

FRP [fiber reinforced plastics] 繊維強化プラスチック。

FRS [Federal Reserve System] アメリカの連邦準備制度。

FS [fighter support]《軍》支援戦闘機。

FSLN [Frente Sandinista de Liberación Nacional スペイン] ニカラグアのサンディニスタ民族解放戦線。

FSX [fighter support X]《軍》航空自衛隊の次期支援戦闘機。

ft [feet] ⇨フィート。

FTAA [Free Trade Area of the Americas] 米州自由貿易圏。2005年までに設立交渉を終了する。

FTC [Federal Trade Commission] アメリカの連邦取引委員会。

FTP [file transfer protocol] TCP/IPネットワーク上でファイル転送などを行うプロトコル(通信規約)。

FTTH [fiber to the home]《通信》各家庭に光ファイバーケーブルを張り巡らすというNTTの構想。

FTZ [free trade zone] フリートレードゾーン。自由貿易地域。空港・港湾など，関税免除などの措置がとられている地域。

FW [forward] ⇨フォワード。

FWD ① [four-wheel drive]《車》四輪駆動。② [front wheel drive]《車》フロントドライブ。前輪駆動。⇄RWD。

FX [fighter-X]《軍》次期戦闘機。次期採用予定の戦闘機。

FXA [forward exchange agreement]《経》為替先渡し契約。

G

G ① [gauss] ⇨ガウス。② [giga-] ⇨ギガ。③ [guide number]《写》ガイドナンバー。ストロボなどの露光係数。

g ① [gramme フランス] ⇨グラム。② [gravity]《理》重力加速度。*Gとも。

GⅠ(ジーワン)《競馬》GⅠ，GⅡ，GⅢの中の最上位レース。ダービー・天皇賞など16レースある。参考Gはgrade(等級)の頭文字。

G5(ジーファイブ) [Group of 5] 5か国蔵相(財相)会議。日・米・英・仏・独が国際通貨問題を調整する会議。

G7(ジーセブン) [Group of 7] 7か国蔵相(財相)中央銀行総裁会議。G5にカナダ・イタリアを加えたもの。

G8(ジーエイト) [Group of 8] 主要7か国とロシアによる首脳会議。

G10 [Group of 10] 10か国蔵相(財相)会議。

G15 [Group of 15] 発展途上国の主要15か国首脳で構成される国際機関。南側サミット。

G22 [Group of 22] 22か国蔵相(財相)中央銀行総裁会議。G8のほか，アジア・中南米の諸国が参加。

G77 [Group of 77] 77か国グループ。国連など国際会議の場で共同行動をとる発展途上国のグループ。

Gコード [Gemstar Code]《商標》テレビ番組の録画予約をビデオデッキへ入力する数字列。

Gショック [G-Shock]《商標》カシオ社製の時計の一つ。頑丈で，落としたりぶつけたりしても壊れにくいのが特徴。

Gスポット [G spot] 女性の膣(ちつ)内にある代表的な性感帯。参考Gは報告したドイツの産婦人科医E.グレーフェンベルグの頭文字。

Gマーク [good design mark] ⇨ジーマーク。

GA [genetic algorithm] 遺伝的アルゴリズム。生物の進化の過程を工学的にモデル化したもの。人工知能などに応用される。

Ga [gallium]《化》ガリウムの元素記号。

GAB [General Arrangements to Borrow]《経》国際通貨基金(IMF)の一般借り入れ取り決め。

GABA [γ-aminobutyric acid]《生化》ガンマアミノ酪酸。酒酔いを引き起こすとされる神経抑制物質。

GAN [global area network]《通信》広域通信網。全国的・国際的な通信網。

GATT [General Agreement on Tariffs and Trade] ⇨ガット。

GAW計画 [Global Atmosphere Watch Program]《気》全球大気監視計画。世界気象機関が推進する地球温暖化・酸性雨などの監視計画。→GCOS。

GCC [Gulf Cooperation Council] 湾岸協力会議。ペルシア湾岸の産油6か国が集団安全保障体制確立のために設立した機構。◆1981年設立。

GCM [greatest common measure]《数》最大公約数。*HCFとも。

GCOS [Global Climate Observing System]《気》全球気候観測システム。→GAW計画。

GCP [good clinical practice]《医》医薬品の臨床試験の実施に関する基準。

Gd [gadolinium]《化》ガドリニウムの元素記号。

GDE [gross domestic expenditure]《経》国内総支出。

GDP [gross domestic product]《経》国内総生産。参考GNPと異なり，海外との利子所得の受け払いなどを含まないため，国内の経済活動をより密接に表す指標といえる。

GDR [German Democratic Republic] ドイツ民主共和国。旧東ドイツ。

Ge [Germanium ドイツ]《化》ゲルマニウムの元素記号。

GEF [Global Environment Facility] 地球環境ファシリティー。発展途上国の環境保全計画に対する融資システム。

GEMS [Global Environmental Monitoring System] 地球環境モニタリングシステム。

GEOS(ジオス) [Geodetic Satellite] アメリカの測地衛星。

gf [gram force] グラム重。重量(力)の単位。*重量グラムとも。

GFLOPS(ギガフロップス) [giga floating-point operations per second]《電算》スーパーコンピューターなどの科学技術用コンピューターの計算能力を表す単位。1秒間に実行できる浮動小数点演算の平均値を，10億を単位として表示したもの。

GFRP [glass fiber reinforced plastics] ガラス繊維強化プラスチック。

GFTU [General Federation of Trade Unions] イギリスの労働組合連盟。

GG原油 [government to government crude oil] 政府間取引原油。産油国と消費国の両政府が

ら給気し，燃焼後の排ガスを屋外に出す方式。
ff [fortissimo ｲﾀﾘｱ] ⇨フォルティシモ。
FFレート [federal funds rate]《経》アメリカの銀行が支払い準備金の調節のために貸借する短期資金の金利。
FFP [frequent flier program] マイレージサービス。航空会社が乗客の利用飛行距離に合わせて無料航空券などを提供するサービス。
FFTアナライザー [fast Fourier transform analyzer]《理》高速フーリエ変換分析装置。波動や振動などの現象をフーリエ変換という数学的手法によって高速に分析する装置。
FI [fade-in] ⇨フェードイン。
FIA [Fédération Internationale de l'Automobile ﾌﾗﾝｽ] 国際自動車連盟。
FIAT(ﾌｨｱｯﾄ) [Fabbrica Italiana Automobili Torino ｲﾀﾘｱ] イタリア最大の自動車メーカー。また，その乗用車。◆1899年設立。
FIBA [Fédération Internationale de Basketball ﾌﾗﾝｽ] 国際バスケットボール連盟。◆1932年設立。
FIEJ [Fédération Internationale des Editeurs de Journaux et Publications ﾌﾗﾝｽ] 国際新聞発行者協会。
FIFA(ﾌｨｰﾌｧ) [Fédération Internationale de Football Association ﾌﾗﾝｽ] 国際サッカー連盟。ワールドカップをはじめとする国際大会を主催する。◆1904年設立。
FIFO(ﾌｧｲﾌｫｰ) [first-in, first-out] ①《経》在庫に関する先入れ先出し法。買入れ逆法。②《電算》データの入力順や取引順に処理する先入れ先出し方式。⇌LIFO。
FIG [Fédération Internationale de Gymnastique ﾌﾗﾝｽ] 国際体操連盟。◆1881年設立。
FIJ [Fédération Internationale des Journalistes ﾌﾗﾝｽ] 国際ジャーナリスト連盟。反共的新聞記者の連合体。*IFJとも。◆1952年設立。
FILA [Fédération Internationale de Lutte Amateur ﾌﾗﾝｽ] 国際レスリング連盟。◆1912年設立。
FINA(ﾌｨﾅ) [Fédération Internationale de Natation Amateur ﾌﾗﾝｽ] 国際水泳連盟。
FIO [free in and out]《経》積み荷・揚げ荷の費用が船主負担でなく荷主負担となる荷役契約。
FIR [flight information region]《航》飛行情報区。航空管制地域。
FIS ① [Fédération Internationale de Ski ﾌﾗﾝｽ] 国際スキー連盟。◆1924年設立。② [Foreign Industrial Standard] 海外工業規格。③ [Front Islamique du Salut ﾌﾗﾝｽ] イスラム救国戦線。アルジェリアのイスラム原理主義政党。
FISU [Fédération Internationale du Sport Universitaire ﾌﾗﾝｽ] 国際大学スポーツ連盟。ユニバーシアード大会を主催。
FIT [foreign independent travel] 自分で日程や宿泊施設などを設定して行う個人や少人数の海外旅行。
FIU [financial intelligence unit]《経》金融情報機関。マネーローンダリング(資金洗浄)を監視する組織。
FIV [feline immunodeficiency virus] ネコ免疫不全ウイルス。ネコエイズの病原体。
FIVB [Fédération Internationale de Volleyball ﾌﾗﾝｽ] 国際バレーボール連盟。◆1947年設立。
FK [free kick]《サッカー・ラグビーなど》フリーキック。相手の反則などによって与えられる自由なキック。
FL [forward left]《バレーなど》左翼の前衛。⇌FR。
FLOPS(ﾌﾛｯﾌﾟｽ) [floating-point operations per second]《電算》1秒間に何回浮動小数点の演算ができるかを示す単位。➡MIPS, LIPS。
FLQ [Front de Libération du Québec ﾌﾗﾝｽ] カナダのケベック解放戦線。
FM ① [facility management] ファシリティーマネージメント。自社で所有するコンピューターの管理運営全般を外部の専門会社に委託すること。② [frequency modulation] ⇨エフエム。
Fm [fermium]《化》フェルミウムの元素記号。
FMS [flexible manufacturing system] フレキシブル生産システム。産業用ロボットなどを利用して多品種少量生産を行う方式。
FN [Front national ﾌﾗﾝｽ] 国民戦線。フランスの極右政党。
FNN [Fuji News Network] フジテレビ系列のネットワーク。
FO [fade-out] ⇨フェードアウト。
FOB [free on board]《経》本船渡し。商品を本船に積み込むまでの一切の経費とリスクを売り主が負担する取引条件。
FOIA [Freedom of Information Act] アメリカの「情報の自由法」。政府が情報を公開するもの。◆1966年成立。
FOMC [Federal Open Market Committee] アメリカの連邦公開市場委員会。
FOR [free on rail]《経》貨物の鉄道渡し。指定の貨車に貨物を積み込むまでが売り主の責任となる。➡FOB。
FORTRAN(ﾌｫｰﾄﾗﾝ) [formula translation]《電算》科学技術向けの高水準プログラム言語。
FP [financial planner]《経》ファイナンシャルプランナー。資産運用・節税対策などのアドバイスを行う専門家。
FPU ① [field pickup unit]《通信》マイクロ波送受信装置。テレビ塔などに設置される。② [floating point unit]《電算》浮動小数点の演算を高速で行うハードウエア。
FR ① [forward right]《バレーなど》右翼の前衛。⇌FL。② [front engine rear drive]《車》フロントエンジンリアドライブ。前部エンジン後輪駆動。
Fr [francium]《化》フランシウムの元素記号。
FRB ① [Federal Reserve Bank] アメリカの連邦準備銀行。② [Federal Reserve Board] アメリカの連邦準備制度理事会。日本の日本銀行に相当する中央銀行にあたる。
FRC [fiber reinforced concrete] 繊維強化コンクリート。
FRG [Federal Republic of Germany] ➡BRD。
Fri. [Friday] 金曜日。
FRM [fiber reinforced metal] 繊維強化金属。
FRN [floating rate note]《経》フローティングレートノート。6か月ごとに利率が変動する債券。金利

自分でコンピューターシステムを設計・構築・運用すること。
EURATOM(ユーラトム) [European Atomic Energy Community] 欧州原子力共同体。◆1958年設立。
EV [electric vehicle] 電気自動車。
eV [electron volt] 《理》エレクトロンボルト。電子ボルト。素粒子・原子核・原子などのエネルギーを表す単位。
EV値 [exposure value] 《写》カメラの露光指数。
EVA [economic value added] 《経》経済付加価値。
EWS [engineering workstation] 《電算》エンジニアリングワークステーション。理工学研究用高機能小型コンピューター。
ext. [extension] 内線番号。
EXW [exercise walking] エクササイズウオーキング。健康増進のために歩くこと。
EZLN [Ejército Zapatista de Liberación Nacional スペイン] サパティスタ民族解放軍。メキシコで，先住民(インディオ)による政権奪取を目指す武装組織。

F

F ① [Fahrenheit ドイツ] (温度計の)華氏。② [firm] 鉛筆の芯(しん)の硬度がHBよりやや硬いことを表す記号。③ [fluorine] 《化》フッ素の元素記号。④ [franc フランス] ⇨フラン。⑤ [farad] 《電》ファラド。コンデンサーなどの静電容量の単位。⑥ [floor] 建物の階(フロア)数を表す記号。▷1～。⑦ [female] 女性。⇌M。⑧ [focal] レンズの明るさや絞りの大きさを表す記号。
f ① [femto] 《理》フェムト。国際単位系(SI)の単位用接頭語で，10^{-15}。② [focus] レンズの焦点距離を表す記号。
f [forte イタリア] ⇨フォルテ。
F1 [Formula one] ⇨エフワン。
Fネット [Facsimile Communications Network] NTTのファクシミリ通信網サービスの愛称。*FCNとも。
FA ① [factory automation] ファクトリーオートメーション。産業用ロボットやコンピューターを利用して工場を自動化すること。② [focus aid] 《写》カメラの合焦点表示機能。
FA制 [free agent system] フリーエージェント制。プロ野球などで，同一球団に一定期間在籍して一軍登録されていた選手が，自由に他球団に移籍する権利をもつ制度。
FAA [Federal Aviation Administration] アメリカの連邦航空局。
FAI [Fédération Aéronautique Internationale フランス] 国際航空連盟。
FAIS [Foundation for Advancement of International Science] 国際科学振興財団。
FAO [Food and Agriculture Organization] 国連の食糧農業機関。
FAQ ① [fair average quality] 《経》標準品。農産物などの売買契約締結時に用いられる平均的な品。② [frequently asked questions] インターネットで，よく聞かれる質問とその回答をまとめたファイル。
FARC [Fuerzas Armadas Revolucionarias de Colombia スペイン] コロンビア革命軍。コロンビア最大の左翼系反政府組織。
FAS [free alongside ship] 《経》船側渡し。貨物を船積み港の本船のそばで買い主に引き渡すまでの一切の費用とリスクを売り主が負担する取引条件。
FAX [facsimile] ⇨ファクシミリ。
FAZ [foreign access zone] 輸入促進地域。輸入拡大を図るために，国際空港・港湾付近に輸入関連事業や施設を集中させた地域。
FB ① [financial bill] 《経》ファイナンシャルビル。政府短期証券の総称。財務省証券・食糧証券・外国為替証券など。② [firm banking] 《経》ファームバンキング。企業と銀行を通信回線で結び，人手を介さずに各種金融業務を行うシステム。③ [fullback] 《ラグビーなど》フルバック。後衛。
FBE [foreign bill of exchange] 《経》外国為替手形。
FBI [Federal Bureau of Investigation] ⇨エフビーアイ。
FBR [fast-breeder reactor] 《理》高速増殖炉。核分裂で発生する高速中性子を減速しないで利用する原子炉。運転しながら新たに燃料をつくり出す。
FC ① [franchise chain] ⇨フランチャイズチェーン。② [fine ceramics] 《化》ファインセラミックス。電子材料や機械・医療材料などに用いられる高精度のセラミックス。③ [football club] フットボールクラブ。サッカーの球団。
FCBP [foreign currency bills payable] 《経》外貨支払い手形。
FCC [Federal Communications Commission] アメリカの連邦通信委員会。
FD ① [floor director] 《放送》フロアディレクター。演出助手。② [floppy disk] ⇨フロッピーディスク。③ [freeze-dry] ⇨フリーズドライ。
FDA [Food and Drug Administration] アメリカの食品医薬品局。
FDD [floppy disk drive] フロッピーディスク駆動装置。
FDM [frequency-division multiplex] 《通信》周波数分割多重化方式。
FDN [Frente Democrático Nicaragüense スペイン] ニカラグア民主戦線。
FDR [flight data recorder] ⇨フライトレコーダー。
Fe [ferrum ラテン] 《化》鉄の元素記号。
Feb. [February] 2月。
FEMA [Federal Emergency Management Agency] アメリカの連邦緊急事態管理庁。参考 核攻撃や地震などの自然災害に備えて1979年に発足。
FEN [Far East Network] アメリカ軍の極東放送網。◆1997年AFNに改称。
FEPC [Federation of Electric Power Companies] (日本の)電気事業連合会。
FET [field-effect transistor] 《電》電界効果トランジスター。3つの電極からなり，中央の電極の電圧を変えることによって他の2極間に流れる電流を制御するトランジスター。
FF ① [front engine front drive] 《車》フロントエンジンフロントドライブ。前部エンジン前輪駆動。② [forced flue] 石油やガスのストーブで，屋外か

[electromagnetic interference]《電》電磁波障害。

EMIF [Emerging Market Investment Fund]《経》途上国市場ファンド。発展途上国の経済発展のため，機関投資家からの資金を途上国株式に投資するファンド。

EMS ① [European Monetary System]《経》欧州通貨制度。EU(欧州連合)内の通貨安定を図るための制度。◆1979年発足。② [express mail service] 国際エクスプレスメール。最優先で届く国際郵便。

EMU [Economic and Monetary Union]《経》経済通貨同盟。EU(欧州連合)加盟国の通貨を一つにまとめ，各国の中央銀行の上に欧州中央銀行を設立するという構想。参考この構想のもとにユーロやECBが設立された。

ENA [École nationale d'administration フランス] フランスの国立行政学院。高級官僚の育成を目的に設立された学校。

END [European Nuclear Disarmament] 欧州核兵器完全廃絶運動。

ENT [ear, nose, and throat]《医》耳鼻咽喉(いんこう)科。

EOS [electronic ordering system] コンピューターの通信回線を使って受発注作業を行うシステム。

EP ① [electronic publishing] 電子出版システム。② [extended play] 1分間45回転のレコード。→LP。

EPA ① [eicosapentaenoic acid]《化》エイコサペンタエン酸。青魚に多く含まれている不飽和脂肪酸の一種。コレステロールを溶かし，中性脂肪を低下させる。参考正式にはイコサペンタエン酸(IPA)という。② [Environmental Protection Agency] アメリカの環境保護局。

EPG [electric program guide] データ放送による番組表。テレビやパソコンなどで見ることができる。

EPIRB(イーパブ) [emergency position-indicating radio beacon] 衛星非常位置指示無線標識。通信衛星を使って海上での位置を知らせるもの。

EPO [erythropoietin]《生化》エリスロポエチン。人工透析を受けている人の貧血治療薬として使用されている。

EPR [European Pressurized Water Reactor] 欧州加圧水型原子炉。ドイツとフランスが共同開発中。

EPROM [erasable programmable read-only memory]《電算》消去・再書き込みが可能な読み出し専用ROM。→PROM。

EPS [earnings per share]《経》1株当たり利益。企業の収益性をみる指標で，税引き利益を発行済み株式数で割ったもの。

EQ ① [educational quotient] 学力の程度を示す教育指数。② [emotional quotient] 感情指数。心の知能指数。→IQ。③ [equalizer] イコライザー。録音時の処理を再生時に補正する回路。

ER [emergency room]《医》病院の緊急救命室。

Er [erbium]《化》エルビウムの元素記号。

ERA [Equal Rights Amendment] アメリカの憲法修正条項が規定する男女平等の原則。

ERM [exchange rate mechanism]《経》欧州為替相場安定制度。為替相場メカニズム。

ERPパッケージ [enterprise resource planning package] 総合業務パッケージ。企業の基幹業務に関するアプリケーションソフトを連係させ，総合的に利用できるようにしたもの。

ERS [earth resources satellite] 地球資源衛星。

ES [employee satisfaction] 企業内での従業員の満足度。

Es [einsteinium]《化》アインスタイニウムの元素記号。

ES細胞 [embryonic stem cell]《生化》胚性(はいせい)幹細胞。受精卵が分裂を繰り返してできる初期胚から採取した細胞。参考神経，筋肉，血液などあらゆる種類に分化する能力をもち，万能細胞ともいわれる。

ESA [European Space Agency] 欧州宇宙機関。アリアンロケットの打ち上げ，スペースラブの開発などを進めている。

ESC ① [Economic and Social Committee]《経》経済社会評議会。EU(欧州連合)内で，経営者・労働者・利害関係者などからなるグループが経済や社会問題を論議する。② [European Security Conference] ヨーロッパ安全保障会議。

Esc [escudo ポルトガル] エスクード。ポルトガルの通貨単位。

ESCキー [escape key] エスケープキー。キーボード上で操作の取り消しなどを指示するためのキー。

ESCAP(エスカップ) [Economic and Social Commission for Asia and the Pacific] 国連のアジア太平洋経済社会委員会。参考1974年にECAFE(エカフェ)を改称したもの。

ESCB [European System of Central Banks]《経》欧州中央銀行制度。欧州中央銀行(ECB)とEU(欧州連合)内の各国中央銀行から成る。

ESOP [employee stock ownership plan]《経》従業員持ち株制度。

ESP [extrasensory perception] 第六感。超感覚的知覚。霊感。

Esq. [Esquire] 手紙のあて名などにつける敬称。…殿。…様。*Esqr.とも。

ESR ① [electron spin resonance]《電》電子スピン共鳴(現象)。磁場の中の電子が特定の電磁波に共鳴して電磁波を吸収し，その後放出する現象。② [erythrocyte sedimentation rate]《医》赤血球沈降速度。血沈。

ESWL [extracorporeal shock wave lithotripsy]《医》体外衝撃波破砕術。体外から衝撃波を当て，体内の腎(じん)結石や尿道結石を砕く方法。

ET ① [enterostomal therapist]《医》人工肛門(こうもん)・膀胱(ぼうこう)をもつ患者のケアを行う専門家。② [extra-terrestrial] 地球外生物。

ETA [Euskadi ta Asktasuna バスク] バスク祖国と自由。スペインからの独立を目指すバスク人の民族主義組織。

ETC [electronic toll collection system] ノンストップ自動料金収受システム。料金所のセンサーと車の通信機を用い，車を止めずに有料道路の料金が支払えるもの。

etc. [et cetera ラテン] ⇨エトセトラ。

EU ① [European Union] ⇨イーユー。② [enriched uranium]《化》濃縮ウラン。

Eu [europium]《化》ユーロピウムの元素記号。

EUC [end-user computing] エンドユーザーコンピューティング。最終的なコンピューター利用者が

EBRD [European Bank for Reconstruction and Development]《経》欧州復興開発銀行。旧ソ連と東欧諸国の経済改革を支援する目的で設立された国際金融機関。

EBU [European Broadcasting Union] 欧州放送連合。

EC ① [electronic commerce] 電子商取引。インターネットなどを使って，取引のすべてを電子的に処理すること。*Eコマースとも。② [European Community] ⇨イーシー。

ECA [Economic Commission for Africa] 国連のアフリカ経済委員会。◆1958年設立。

ECB [European Central Bank] 欧州中央銀行。EUの通貨統合によって，1998年に設立された中央銀行。本部フランクフルト。

ECC [error-correcting code]《電算》データが正しく送受信されたかを確認するため，送信データに付加される符号。

ECCS ① [electronic concentrated engine control system]《車・商標》燃料噴射・点火時期・アイドリング回転など，エンジンのさまざまなコントロールを精巧に行うシステム。② [emergency core cooling system]《理》緊急炉心冷却装置。

ECE [Economic Commission for Europe]《経》国連の欧州経済委員会。ヨーロッパと北アメリカ間の経済協力フォーラム。◆1947年設立。

ECG [electrocardiogram]《医》心電図。

ECM [electronic countermeasure]《軍》電子妨害手段。電子機器を使って相手のレーダーなどの電子装置を無力化すること。

ECO [Economic Cooperation Organization] 経済協力機構。イラン・トルコ・パキスタンが1993年に設立した経済協力機構。参考のち旧ソ連のイスラム系共和国なども加盟した。

ECOSOC(エコソク) [Economic and Social Council]《経》経済社会理事会。国連の重要機関の一つ。*ESCとも。

ECR [efficient consumer response] 消費者のニーズに対応して製品の生産から販売までの流れが効率的に運ばれるようにすること。

ECSC [European Coal and Steel Community] 欧州石炭鉄鋼共同体。◆1952年設立。

ECT ① [electronic controlled transmission]《車》電子制御自動変速装置。② [emmission computed tomography]《医》エミッションCT。体内に放射線放出薬剤を投与し，その放射線を検出器で検出して体の断層像をつくる装置。

ECU(エキュ) [European Currency Unit]《経》1991年のマーストリヒト条約で決められた欧州通貨単位。◆1999年1月，ユーロに変更。

ED ① [elemental diet] 成分栄養食。② [Erectile Dysfunction]《医》勃起(ぼっき)不全症。勃起障害。

ED カード [embarkation disembarkation card] 出入国記録カード。

EDベータ [Extended Definition Beta] 画質や音質を改善したベータ方式のVTR。

EDB [ethylene dibromide]《化》二臭化エチレン。殺虫剤・ガソリン添加物。発がん性の疑いがある。

EDI [electronic data interchange]《電算》電子データ交換。企業間の商取引にかかわるデータのやりとりを，企業のコンピューターネットワークを介して迅速に処理すること。

EDR [European Depositary Receipt]《経》欧州預託証券。

EDRC [Economic and Development Review Committee]《経》OECD内の経済開発検討委員会。

EDTV [extended definition television] 高画質テレビ。*EDテレビ，クリアビジョンとも。➡IDTV。

EEカメラ [electric eye camera]《写》自動的に適正露出が得られる電子カメラ。

EEA [European Economic Area]《経》欧州経済地域。1994年に欧州連合(EU)と欧州自由貿易連合(EFTA)が統合した経済圏。

EEC [European Economic Community]《経》欧州経済共同体。◆1958年にフランス・西ドイツなどが設立。➡EFTA。

EEPROM [electrically erasable and programmable read-only memory]《電算》消去・再書き込みが可能な読み出し専用メモリー。➡PROM。

EEZ [exclusive economic zone]《経》排他的経済水域。

EFTA(エフタ) [European Free Trade Association]《経》欧州自由貿易連合。◆EECに対抗し，イギリスなどが1960年に設立。➡EEC。

e.g. [exempli gratia ラテン]「例えば」。

EGF [epidermal growth factor]《生化》上皮細胞成長因子。

EGI [electronic gasoline injection]《車》電子制御燃料噴射装置。

EGR [exhaust gas recirculation]《車》排ガス再循環装置。

EHF [extremely high frequency] 極超短波。超高周波。

EIA [environmental impact assessment] 環境影響評価。環境アセスメント。

EIAJ [Electronic Industries Association of Japan] 日本電子機械工業会。

EIB [European Investment Bank]《経》欧州投資銀行。◆1958年設立。参考現在は欧州連合(EU)内で長期貸付などの業務を行う。

EKG [Elektrokardiogramm ドイツ]《医》心電図。

ELEC [English Language Education Council] 英語教育協議会。日本の英語教育の改善・発展を図るための財団法人組織。

ELT [English Language Teaching] イギリスの英語教育法。英語以外の言語を話す人たちへの英語指導。参考アメリカのTESOLに当たる。

ELV [expendable launch vehicle] 使い捨て型打ち上げロケット。

Em [Emanation ドイツ]《化》エマナチオン。放射性希ガス元素の総称。

EM ⇨電子メール。

EMC [electromagnetic compatibility]《電》電磁環境両立性。多くの電磁波が飛び交う環境の中に，電磁波を送受信する機器を置いたときに生じるさまざまな問題に対処すること。

EMG [electromyogram]《医》筋電図。

EMI ① [European Monetary Institute]《経》欧州通貨機関。ECBの前身。◆1994年設立。②

OS。② MS-DOSの略称。➡MS-DOS。

DOS/V(ドスブイ) [disk operating system/V] IBM社がPC/AT互換機上でMS-DOSを日本語で使えるようにしたOS。

doz. [dozen] ⇨ダース。

DP ①➡DPE。② [dynamic programming] ダイナミックプログラミング。動的計画法。数理計画法の一つで，経営の長期計画の決定などに用いられる。③ [displaced person] 難民。

DPA [Deutsche Presse-Agentur ドイツ] ドイツの通信社。

DPBX [digital private branch exchange]《電算》多様な情報通信サービスに対応できるデジタル式構内交換機。

DPE [development, printing, enlargement]《写》現像・焼き付け・引き伸ばし。また，それを行う写真店。*DPとも。▷～店。

dpi [dot per inch]《電算》文字や画像を構成するドット数が1インチ当たり何個あるかによって解像度を表す単位。プリンター，スキャナーなどの解像度を表す。参考 標準は300dpi前後。

Dr. [doctor] ⇨ドクター。

DRAM(ディーラム) [dynamic random-access memory] ダイナミックRAM。コンデンサーに電荷を蓄えることで記憶を行うICメモリー。➡SRAM。

DS [discount store] ディスカウントストア。家庭用品や雑貨などを大量に仕入れ，安売りをする小売店。

D.S. [dal segno イタリア]《音》ダルセーニョ。楽譜で，𝄋記号まで戻って演奏をくり返すことを指示する語。

DSA [digital subtraction angiography]《医》血管造影法の一つ。コンピューター処理によって血管だけを映し出す。

DSB [Dispute Settlement Body] WTO(世界貿易機関)に設けられている紛争処理機関。

DSL [deep scattering layer] 深海音波散乱層。

DSM [demand-side management] ディマンドサイドマネージメント。電力などの公益事業者が消費者に働きかける需要量の制御・調節のための活動。

DSP ① [digital signal processor]《電算》デジタル信号の処理を目的とした専用IC。② [digital sound processor]《音》ライブハウスなどの音響を再現するマイクロプロセッサー。

DSR [debt service ratio]《経》デットサービスレシオ。一国の債務負担の程度を示す指標の一つ。年間債務支払い額を輸出額で割った比率。*DS比とも。

DSS [decision support system]《電算》意思決定支援システム。コンピューターの情報処理能力をもとに，企業経営者などが意思決定するための情報を提供するもの。

DST [daylight saving time] ⇨サマータイム。

DSU [digital service unit] デジタル回線終端装置。ISDNなどのデジタル通信回線を端末機とつなぐための中継器。

DTM [desktop music]《音》パソコン上で作曲やミキシングをすること。

DTP ①➡DTPR。② [desktop publishing] ⇨ディーティピー。

DTPR [desktop presentation] コンピューターの画面上で，会議などの発表用のスライドやビデオ制作を行うシステム。*DTPとも。

DU [Dobson unit] ドブソン単位。大気中のオゾン量を0.01㎜単位で表したもの。

DV [domestic viorence] ドメスティックバイオレンス。特に男性(夫)から女性(妻)への肉体的・精神的暴力。▷～防止法。

DVD [digital versatile disc] デジタルバーサタイルディスク。映像や音声をデジタル信号で記録するディスク。直径12㎝。2枚張り合わせた構造で，厚さ1.2㎜。記録容量が大きい。参考 かつてはdigital video discといった。

DVD-R [DVD recordable] 一度だけの映像の書き込み記録と，再生が可能なDVD。

DVD-RAM [DVD-random access memory] データの消去や書き換えが自由にできるDVD。VTRの代替用やパソコンの記録媒体になる。

DVD-ROM [DVD read-only memory] 再生のみで書き込みのできないDVD。CD-ROMなどより，はるかに記録容量が大きい。

DVD-RW [DVD rewritable] 何度でも映像の書き込み記録と再生が可能なDVD。

D-VHS [Digital-VHS] デジタル方式を採用したVHSの規格。VHSと互換性がある。

DVI [digital video interactive] デジタルビデオインタラクティブ。膨大な動画データを圧縮・加工してCD-ROMディスクに記録するための処理システムの一つ。

DWT [deadweight ton] 重量トン。貨物船の貨物の積載量を重量(トンまたはロングトン)で表したもの。*dwtとも。

DX [de luxe フランス] ⇨デラックス。

Dy [dysprosium]《化》ジスプロシウムの元素記号。

dyn [dyne] ダイン。力の単位。参考 1ダインは1gの物体に1㎝毎秒毎秒の加速度を起こさせる力。

dz. [dozen] ⇨ダース。

E

E ① [east] 東。⇄W。② [exa] エクサ。国際単位系(SI)の単位用接頭語で，10^{18}。

Eコマース ➡EC。

Eシネマ [electronic cinema] フィルムは使わないで，デジタルデータ化した映画をスクリーンに投影する方法。

Eメール [E-mail, e-mail] ⇨電子メール。

Eラーニング [electronic learning] パソコンなどを利用した学習方法。

EAEC [East Asia Economic Caucus] 東アジア経済会議。東アジア経済協議体。

EAP [employee assistance program] 従業員支援プログラム。アルコール依存症など，従業員の健康問題や生活全般を支援するプログラム。

EB ① [electronic banking] エレクトロニックバンキング。銀行と企業や家庭を通信回線で結んだサービスシステム。② [electronic book] ⇨電子ブック。

EBウイルス [EB virus]《医》がんの原因となる疑いのあるウイルス。参考 EBは発見者の頭文字から。

EBM [evidence based medicine]《医》根拠に基づく医療。医師の判断や経験だけに頼るのではなく，最新の医療技術と研究結果を加え，患者の病状や価値観に合わせて行う医療。

コーダー。

DD ① [demand draft]《経》請求払い手形。② [direct deal]《経》直接取引。銀行どうしが直接為替の売買を行うこと。③ [direct drive] ダイレクトドライブ。回転型の機器で，モーターと回転軸が直結している方式。

DD原油 [direct deal crude oil] 産油国がメジャーを通さないで直接取引する原油。

DDI [dideoxyinosine]《薬》ジデオキシイノシン。エイズウイルスの増殖を抑える薬の一つ。参考 一般名はジダノシン。

DDS [drug delivery system]《医》ドラッグデリバリーシステム。薬剤が最適な時間に必要な部位に到達し，効果的に作用するように工夫された薬剤投与法。

DDT [dichloro-diphenyl-trichloro-ethane] ⇨ディーディーティー。

DDVP [dimethyl-dichloro-vinyl phosphate]《薬》有機リン系殺虫剤。

DDX [digital data exchange]《通信》デジタルデータ交換網。

DEA [Drug Enforcement Administration] アメリカ司法省の麻薬取締局。

Dec. [December] 12月。

delキー [delete key] デリートキー。コンピューターのキーボード上のキー。主にカーソル上の文字などを削除するのに用いる。

DEP [diesel exhaust particle] ディーゼル車排ガス粒子。吸入すると喘息(ぜんそく)症状などを起こす。

dept. [department] 部門。部。課。学科。

DES ① [Data Encryption Standard]《電算》アメリカの商務省が公布した暗号化方式。② [diethylstilbestrol]《生化》女性ホルモンの一つ。月経不順・更年期障害・不妊症などの治療に用いられたが，発がん性があるとされる。

DEWKS(デュークス) [double employed with kids] 子供がいて共働きをする夫婦。→DINKS。

DF ① [defense] ⇨ディフェンス。② [defender]《サッカーなど》ディフェンダー。後方での守備に当たるポジション。また，その選手。

DFDR [digital flight data recorder] ⇨フライトレコーダー。

DG [drop goal]《ラグビー》ドロップゴール。ドロップキックしたボールがゴールを越えて得点になること。

DGB [Deutscher Gewerkschaftsbund (ドイツ)] ドイツ労働総同盟。

DH [designated hitter] ⇨指名打者。

DHA [docosahexaenoic acid] ドコサヘキサエン酸。魚の油に多く含まれる不飽和脂肪酸の一つ。脳の働きをよくし，血中コレステロールを下げる働きがあるとされる。

DHC [district heating and cooling] 地域熱供給。一定規模以上の設備をもった地域冷暖房事業。

DHEA [dehydroepiandrosterone]《生化》デヒドロエピアンドロステロン。副腎(ふくじん)皮質でつくられる男性ホルモンの一つ。参考 関節痛など，老化症状を抑える働きがある。

DI ① [diffusion index]《経》ディフュージョンインデックス。景気動向指数。② [discomfort index] ⇨不快指数。

DIA [Defense Intelligence Agency] アメリカの国防情報局。

DIC [disseminated intravascular coagulation]《医》血管内凝固症候群。血管内に血栓が多発する。

DID [densely inhabited district] 人口集中地区。

DIN [Deutsche Industrie Norm (ドイツ)] ドイツ工業品標準規格。日本のJISにあたる。

DINKS(ディンクス) [double income no kids] 子供を作らない共働き夫婦。

DIPS [Dendenkabushikigaisha Information Processing System]《電算》NTTが開発した超大型計算機システム。

DIS [Disaster Information System] 地震防災情報システム。GISを利用して地震前後の情報を迅速に把握するシステム。

DIY [do-it-yourself] ドゥーイットユアセルフ。日曜大工。既製品を買わないで自分で作ろうということ。

DJ [disc jockey] ⇨ディスクジョッキー。

DK [dining kitchen 和] ダイニングキッチン。食堂と台所を兼ねた部屋。▷1(ワン)〜。

DM ① [direct mail] ⇨ダイレクトメール。② [Deutsche Mark(s) (ドイツ)] ⇨マルク。

DMB [dual-mode bus] デュアルモードバス。一般道路では有人運転，専用道路ではコンピューター制御による無人運転で走るバス。

DME [distance measuring equipment]《航》航空機の距離測定機材。

DMNA [dimethylnitrosamine]《化》ジメチルニトロソアミン。発がん性物質の一種。

DMT [dimethyltryptamine]《薬》ジメチルトリプタミン。幻覚剤の一種。

DMZ [demilitarized zone]《軍》非武装地帯。

DNA [deoxyribonucleic acid] ⇨ディーエヌエー。

DNC [direct numerical control]《電算》直接数値制御。

DNR [do not resuscitate]《医》蘇生(そせい)ではなく，尊厳死を望むという患者の意思表示。

DO [dissolved oxygen] 溶存酸素量。水中に溶けている酸素の量。

DOA [dead on arrival]《医》到着時心肺停止(患者)。

DOC [denominazione di origine controllata (イタリア)] イタリアで，ワインの原産地統制名称。銘醸産地名を製品に表示できる資格を法律で定めたもの。参考 この上にDOCGとして原産地統制保証名称のワインがある。

DOD [Department of Defense] アメリカの国防総省。

DOE [Department of Energy] アメリカのエネルギー省。

DOHC [double overhead camshaft]《車》1個のシリンダーの頭部に2本のカムシャフトを取り付けた高速車用のエンジン方式。*ツインカムとも。

DOP [dioctyl phthalate]《化》フタル酸ジオクチル。ポリ塩化ビニールの可塑剤。

DOS(ドス) ① [disk operating system] 磁気ディスク記憶装置と接続したシステムを動かすための

欧

Cs [cesium]《化》セシウムの元素記号。
C/S ① [cycle per second] サイクル/秒。1秒間のサイクル。1秒間の周波数。② [client-server system] クライアントサーバーシステム。パソコンどうしのネットワーク方式の一つ。データやプログラムを提供するサーバーを中心に利用者のパソコンを接続する。
CSデジタル放送 [CS digital broadcasting] 通信衛星(CS)を使って行うデジタル放送。デジタル化により多チャンネル・高画質などが可能になった。*CS放送とも。
CSCE [Conference on Security and Cooperation in Europe] 全欧安保協力会議。参考1995年1月OSCEに改称。➡OSCE。
CSD [Commission on Sustainable Development] 持続可能な開発委員会。
CSF [colony stimulating factor]《医》コロニー刺激因子。体内で白血球やマクロファージがつくられるように刺激する物質。化学療法や放射線療法の際，白血球減少の改善などに利用する。
CSU [Christlich-Soziale Union ﾄﾞｲﾂ] ドイツのキリスト教社会同盟。
CT [computerized tomography] ⇨シーティー。
ct [carat] ⇨カラット。
C/T [cable transfer] 電報為替。電信為替。
CTスキャナー [CT scanner] コンピューター断層撮影装置。
CTスキャン [CT scan] CTスキャナーを用いて検査すること。
CTB [center three-quarter backs]《ラグビー》中央のスリークォーターバックス。
CTBT [Comprehensive Test Ban Treaty] 包括的核実験禁止条約。
CTC [centralized traffic control] ⇨シーティーシー。
C to B [consumer to business] インターネットなどを使い，消費者がみずからほしいものの情報を，企業に対し伝えること。
CTRLキー [control key] コントロールキー。キーボード上で他のキーを多目的に使用するための機能キー。
CTS ① [computerized typesetting system] コンピューター植字システム。② [cold-type system] コールドタイプシステム。熱を使わず，フィルムなどを化学処理して印刷原版を作る方式。
CU ① [close-up] ⇨クローズアップ。② [Consumer Union (of US)] コンシューマーユニオン。消費者同盟。アメリカの消費者教育機関。
Cu [cuprum ﾗﾃﾝ]《化》銅の元素記号。
CUG [closed user group] インターネットなどで，特定の会員や契約者だけに提供する情報サービス。また，そのネットワーク。
CVD [chemical vapor deposition]《理・電》化学的気相成長。特定の気体の化学反応を利用してシリコン基板上に単結晶半導体や絶縁膜などをつくる薄膜形成技術。
CVR [cockpit voice recorder]《航》コックピットボイスレコーダー。旅客機の操縦席内の会話・交信などを記録する装置。*ボイスレコーダーとも。
CVS ① [computer-controlled vehicle system] コンピューター制御による無人操縦交通システム。② [convenience store] ⇨コンビニエンスストア。
CVT [continuously variable transmission]《車》ベルトを使用した無段階変速機。参考この変速を電子制御しているものをECVTと呼ぶ。
C/W [coupling with] CDシングルで，シングルレコードのB面に当たる同時収録曲。
CWC [Chemical Weapons Convention] 化学兵器禁止条約。化学兵器の使用・開発・貯蔵・移転・取得を禁止し廃棄を義務づけたもの。◆1997年発効。

D

D ① [Dioptrie ﾄﾞｲﾂ] ⇨ジオプトリー。② [denier] 生糸や合繊糸の太さを表す単位。1デニールは長さ9kmの糸の重さが1gのときの太さで，数が大きいほど太くなる。③ [deuterium] ⇨重水素。
Dデー [D-Day] ① 行動予定日。② 1944年6月6日。第2次世界大戦で，連合国側のノルマンディー上陸作戦決行日。参考Dはdayを強めたもの，departureの頭文字などの諸説がある。
Dレンジ [dynamic range] ダイナミックレンジ。オーディオや計測機器で，最大入力と最小入力との範囲。ふつう，それらの比をとりデシベルで表す。
Da [décare ﾌﾗﾝｽ] デカール。1アールの10倍の面積を表す単位。
D/A変換 [digital-to-analog conversion] デジタル量(不連続量)をアナログ量(連続量)に変換すること。⇌A/D変換。
DAC [Development Assistance Committee] (OECDの)開発援助委員会。
DAD [digital audio disc] 音楽信号をデジタル化して記録したディスクの総称。
DAG [Development Assistance Group] 開発援助グループ。OECDの組織の一つ。発展途上国への援助を目的とする。
DAM [direct access method]《電算》直接アクセス法。
DARPA [Defense Advanced Research Projects Agency]《軍》アメリカ国防総省の防衛先端研究計画局。
DAT [digital audio tape recorder] デジタル信号で録音・再生できるカセットレコーダー。
DB ① [data bank] ⇨データバンク。② [database] ⇨データベース。③ [direct bilirubin]《医》直接ビリルビン。血清ビリルビンの一つで，肝障害や閉塞(へいそく)性黄疸(おうだん)の際に血中濃度が上昇する。
dB, db [decibel] ⇨デシベル。
DBMS [database management system] データベース管理システム。データベースの一元的な管理やサービスを行う体系化されたプログラム群。
DC ① [decimal classification] 図書の10進分類法。② [direct current]《電》直流。⇌AC。③ [dark change]《劇》ダークチェンジ。暗転。
D.C. [da capo ｲﾀﾘｱ]《音》ダカーポ。「最初からもう一度演奏せよ」の意。
DCブランド [designer's and character brand] 有名デザイナーのブランド商品。デザイナーの個性やメーカーの特徴を強く打ち出した衣料品。
DCC [digital compact cassette] アナログテープが使え，さらにデジタル信号で録音・再生ができるレ

サービス。
CMV [cytomegalovirus]《医》サイトメガロウイルス。免疫力が低下した場合，肝炎・肺炎・聴力障害などを起こす。
CNC [computerized numerical control]《電算》コンピューターを使用した数値制御。
CND [Campaign for Nuclear Disarmament] 核兵器廃絶運動。
CNG [compressed natural gas]《化》圧縮天然ガス。
CNN [Cable News Network] アメリカのニュース専門の有線テレビ局。24時間ニュース番組を流す。
CNP [chlornitrophen] 水田用除草剤。発がん性の疑いから1994年に製造・販売を自粛した。*クロルニトロフェンとも。
CO ① [carbon monoxide]《化》一酸化炭素。② [conscientious objector] 良心的兵役拒否者。
Co [cobalt]《化》コバルトの元素記号。
Co. [company] カンパニー。会社。株式会社。
c/o [care of] …方。…気付。
COBE [Cosmic Background Explorer] アメリカのNASAが1989年に打ち上げた宇宙背景放射観測衛星。
COBOL(コボル) [common business oriented language] 一般事務用のプログラミング言語。
COD ① [cash on delivery] キャッシュオンデリバリー。代金引き換え払い。② [chemical oxygen demand] 化学的酸素要求量。河川などの汚染度を示す数値。➡BOD。
CODASYL(コダシル) [Conference on Data Systems Language]《電算》アメリカのコンピューター用標準言語策定委員会。参考 1960年にコンピューター用プログラム言語コボルを製作。
COE [center of excellence] 中核的研究拠点。優れた人材をそろえ，基礎研究の拠点となる機関。
Co., Ltd. [company limited] 株式会社。有限会社。➡Corp.。
COMDEX [Computer Dealer's Exposition]《電算》大規模なコンピューターの展示会。アメリカを中心に世界各地で開催される。
COMECON(コメコン) [Council for Mutual Economic Assistance] 東ヨーロッパの経済相互支援会議。◆1949年設置，1991年解体。
COMETS [Communications and Broadcasting Engineering Test Satellite]（日本の）通信放送技術衛星。
COMTRAC [computer-aided traffic control system] 新幹線の運転制御システム。
conj. [conjunction]《文法》接続詞。
COO [chief operating officer]《経》最高執行責任者。
coop(コープ) [cooperative] 生活協同組合。消費生活協同組合。生協。
COP [Conference of the Parties] 二酸化炭素など温室効果ガスの削減を目的とした気候変動枠組み条約（地球温暖化防止条約）の締約国会議。参考 1995年以降，ほぼ毎年開催。1997年には京都で第3回（COP3）が開催され京都議定書が採択された。
Corp. [Corporation] ① 法人。組合。会社。団体。② 株式会社。➡Co., Ltd.。
cos [cosine] ⇨コサイン。
COSATU [Congress of South African Trade Union] 南アフリカ労働組合会議。
COSMETS [Computer System Meteorological Services]《気》気象資料総合処理システム。◆1988年運用開始。
COSPAR [Committee on Space Research] 国際宇宙空間研究委員会。◆1958年発足。
CP ① [cerebral paralysis]《医》脳性麻痺(まひ)。② [cleaner production] クリーナープロダクション。省資源を実現しながら廃棄物を最小限に抑える生産方式。③ [commercial paper]《経》コマーシャルペーパー。企業が短期資金調達のために短期金融市場で発行する無担保証券。④ [continental plan] コンチネンタルプラン。宿泊代と朝食代を含んだホテル料金制。⑤ [counter purchase]《経》見返り輸入。輸出代金の一部でその国の生産物を買うこと。⑥ [circular pitch]《機》サーキュラーピッチ。円ピッチ。歯車の歯の1点から次の歯車の同じ点までの円弧の長さ。
CPA [certified public accountant] 公認会計士。
CPI ① [character(s) per inch]《電算》磁気テープなどの1インチ当たりの記録。② [consumer price index]《経》消費者物価指数。
CPK [creatine phosphokinase]《医》クレアチンフォスフォキナーゼ。心筋梗塞(こうそく)の際には血中濃度が上昇する。
CPP ① [career path program]《経》ジョブローテーションを標準化し，一定の基準で運用する方法。② [casein phosphopeptide]《生化》体内でカルシウムなどのミネラルの吸収をよくする物質。*ミネラルキャッチャーとも。
CPR [cost per response] コストパーレスポンス。広告の効果の経費効率。
CPS [consumer price survey]《経》消費者物価調査。内閣府統計局が毎月実施する。
CPT [cost per thousand] コストパーサウザンド。広告対象者1000名に広告が到達するまでの経費。
CPU [central processing unit] ⇨シーピーユー。
CR ① [card reader] カードリーダー。カード読み取り装置。② [consumers' research]《経》コンシューマーズリサーチ。消費者調査。③ [creatine]《生化》クレアチン。筋肉中に多く含まれる，筋収縮のためのエネルギーを貯える物質。進行性筋ジストロフィー症などの際には血中濃度が上昇する。
Cr [Chrom(ドイツ)]《化》クロムの元素記号。
CRN [creatinine]《生化》クレアチニン。血液中に含まれる生理的代謝生成物。腎臓(じんぞう)疾患では高く，筋肉疾患では低くなる。
CRS [computer reservation system] コンピューターによる航空券の予約・販売システム。
CRT [cathode-ray tube] ブラウン管。陰極線管。
CRTディスプレー [cathode-ray tube display] ブラウン管を使って文字や図形を表示する装置。
CS ① [communications satellite] 通信衛星。▷～デジタル放送。② [customer satisfaction] 商品に対する客の満足度のこと。参考 CSを数値化した顧客満足度をCSIという。③ [container ship] コンテナ船。貨物を収容したコンテナを運搬する専用貨物船。④ [convenience store] ⇨コンビニエンスストア。

カーなど》センターフォワード。③ [cross-fade] クロスフェード。テレビやラジオで，映像・音声を徐々に小さくして，他の映像・音声と入れ替えること。

Cf [californium]《化》カリホルニウムの元素記号。

cf. [confer ラテン]「参照せよ」。「比較せよ」。

CFE条約 [Treaty on Conventional Armed Forces in Europe] 欧州通常戦力条約。参考 1990年全欧安保協力会議の首脳会議で調印。

CFF [compensatory financing facility]《経》輸出変動補償融資制度。1次産品輸出国などの輸出落ち込みに伴う国際収支赤字を補塡するためのもの。参考 IMFが1963年に創設。

CFRC [carbon fiber reinforced concrete] 炭素繊維強化コンクリート。

CFRP [carbon fiber reinforced plastics] 炭素繊維強化プラスチック。

CFS [chronic fatigue syndrome]《医》慢性疲労症候群。疲労感が続き，微熱・筋肉痛などが生じる原因不明の病気。

CG [computer graphics] ⇨ コンピューターグラフィックス。

CGI ① [computer-generated image] 航空機の操縦訓練のためのコンピューターグラフィックス模擬視界装置。② [computer graphics interface] コンピューターによる図形処理をサポートするソフトウエア。③ [common gateway interface] WWWのサーバーと外部のプログラムなどとをつなぐインターフェース。

CGRT [compensated gross registered tonnage]《船》標準貨物船換算トン。補償総登録トン。

CGS単位系 [centimeter-gram-second (system of) units] 長さにはセンチメートル，質量にはグラム，時間には秒を基本単位とする単位系。→MKS単位系，MKSA単位系。

CGT [Confédération Générale du Travail フランス] フランス労働総同盟。

CHE [choline esterase]《生化》コリンエステラーゼ。神経伝達物質であるアセチルコリンを分解する酵素。

CHS [Century Housing System]《建》センチュリーハウジングシステム。国土交通省の推進する耐用期間100年の住宅建設計画。

CI ① [corporate identity] コーポレートアイデンティティー。企業のイメージを明確にするための総合的な広報戦略。② [composite index]《経》景気総合指数。③ [cut-in] カットイン。映画・放送などで一連の場面に別のカットや映像を挿入すること。

Ci [curie フランス] ⇨ キュリー。

CIA [Central Intelligence Agency] ⇨ シーアイエー。

CIAB [Coal Industry Advisory Board] IEA(国際エネルギー機関)の石炭産業諮問委員会。

CIAM(シアム) [Congrès International de l'Architecture Moderne フランス] 国際近代建築会議。

CIEC [Conference on International Economic Cooperation]《経》国際経済協力会議。

CIF(シフ) [cost, insurance and freight]《経》保険料・運賃込み価格。輸出商品の船積み価格に保険料・運賃を加えたもの。

CIF&C [cost, insurance, freight and commission]《経》CIF(保険料・運賃込み価格)に種々の手数料を加えた値段。

CIM [computer integrated manufacturing] コンピューターによる総合生産管理システム。コンピューターで生産体制や工程を総合的に管理し，経営情報と結び付けてシステム化すること。

CIO [chief information officer]《経》最高情報責任者。経営戦略上の重要な情報収集を担当する責任者。

CIQ [customs, immigration and quarantine] 税関・出入国管理・検疫。

CIS [Commonwealth of Independent States] 独立国家共同体。旧ソ連の共和国によって創設された共同体。◆1991年12月発足。

CISC [complex instruction set computer]《電算》CPUのハードウエアに数多くの複雑な命令をもたせ，ソフトウエア側の負担を減らすように設計されたコンピューター。⇄RISC。

CIT [California Institute of Technology] カリフォルニア工科大学。

CITES [Convention on International Trade in Endangered Species of Wild Fauna and Flora] 絶滅のおそれのある野生動植物の種の国際取引に関する条約。ワシントン条約の正式名称。

CITO [Charter of International Trade Organization] 国際貿易憲章。

CJD [Creutzfeldt-Jakob disease]《医》クロイツフェルトヤコブ病。脳神経がおかされ，痴呆症状が急速に進む難病。

CJTF [combined joint task force]《軍》ヨーロッパ合同統合機動部隊。

CK [corner kick]《サッカー》コーナーキック。守備側が自陣のゴールラインからボールを出したとき，攻撃側がコーナーエリア内から行うプレースキック。

CKD [completely knocked down] 完全現地組み立て。

CL [Champions League]《サッカー》ヨーロッパチャンピオンズリーグ。ヨーロッパ1のクラブチームを決める大会。

Cl [Chlor ドイツ]《化》塩素の元素記号。

CLI [computer-led instruction] コンピューターと教育機器を組み合わせて行う一斉授業。

CM ① [commercial message] ⇨ シーエム。② [command module] コマンドモジュール。宇宙船の母船。司令船。③ [construction management] コンストラクションマネージメント。工事管理の専門家による総合的な建築管理。▷ ～方式。

Cm [curium]《化》キュリウムの元素記号。

CMC [carboxymethyl cellulose]《化》カルボキシメチルセルロース。のりや接着剤の原料。

CME [Chicago Mercantile Exchange]《経》シカゴマーカンタイル取引所。

CMI [computer-managed instruction]《教》成績の記録や分析などの教育事務管理をコンピューターで行うシステム。

CMOS [complementary metal-oxide semiconductor] 相補性金属酸化膜半導体。動作速度は若干遅いが，極めて消費電力の少ない半導体素子。→MOS。

CMS [cash management service]《経》資金管理サービス。企業や個人の資金を管理する銀行の

ス。

car [carat] ⇨カラット。

CARD [Campaign Against Racial Discrimination] イギリスの人種差別反対運動。

CARICOM(カリコム) [Caribbean Community] カリブ共同体。英語圏カリブ諸国の経済統合機構。◆1973年発足。

CART [Championship Auto Racing Teams] アメリカのフォーミュラカーのレースを運営する団体の一つ。インディ500などを主催する。

CASE [computer-aided software engineering] ソフトウエアの開発・製造をコンピューターで支援すること。

CATV [cable television] ケーブルテレビ。有線テレビ。

CAV [constant angular velocity] 光ディスクの記録方式の一つ。ディスクの回転数が一定で，両面の情報量が等しい。

CB ① [citizen's band]《通信》一般市民が近距離の連絡に使う携帯無線。また，その周波数。② [convertible bonds]《経》転換社債。③ [corner back]《アメフト》コーナーバック。守備側後列で，外側に位置する選手。④ [center back]《サッカーなど》センターバック。フィールドの中央後方を守る選手。また，そのポジション。➡SB。

CB兵器 [chemical and biological weapons] ➡BC兵器。

CBC [Canadian Broadcasting Corporation] カナダ放送協会。

CBI ① [computer-based instruction] コンピューターを利用した個別学習。CAI，CMIなどの総称。② [Confederation of British Industry] イギリス産業連盟。

CBO ① [community-based organization] 主として国内の地域で活動するNGOの団体。② [Congressional Budget Office] アメリカ連邦議会予算事務局。

CBS [Columbia Broadcasting System] コロンビア放送網。アメリカの3大放送会社の一つ。

CBT [Chicago Board of Trade]《経》シカゴ商品取引所。

CC ① [country club] ⇨カントリークラブ。② [cold chain] ⇨コールドチェーン。③ [carbon copy] カーボンコピー。電子メールで，同じメールを複数のあて先に送付する機能。➡BCC。

CCコンポジット [carbon reinforced carbon composite] 炭素繊維強化炭素複合材料。

CCD ① [charge-coupled device]《電》電荷結合素子。光の強弱を電気信号に変換する固体撮像素子として，小型ビデオカメラなどに使われる。② [Conference of Committee on Disarmament] 国連の軍縮委員会会議。ジュネーブ軍縮会議。

CCI [Chamber of Commerce and Industry] 商工会議所。

CCIS [coaxial cable information system]《通信》同軸ケーブル情報システム。

CCITT [Comité Consultatif International Télégraphique et Téléphonique (フランス)] 国際電信電話諮問委員会。

CCM [Caribbean Common Market] カリブ共同市場。◆1973年発足。

CCU [coronary care unit]《医》冠状動脈疾患集中治療室。

CD ① [compact disc] ⇨コンパクトディスク。② [cash dispenser] キャッシュディスペンサー。現金自動支払い機。③ [certificate of deposit]《経》譲渡制預金。他人に譲渡できる定期預金証書。*NCDとも。④ [creative director] クリエーティブディレクター。広告の企画・立案・制作を統括する人。

Cd [cadmium]《化》カドミウムの元素記号。

cd [candela] ⇨カンデラ。

CDシングル [CD single] シングルレコードに相当する音楽CD。*シングルCDとも。

CDDP [cisdiamine dichloro platinum]《薬》シスプラチン。プラチナ製剤の抗がん剤。

CDE [Conference on Disarmament in Europe] 欧州軍縮会議。

CDMA [code division multiple access]《通信》符号分割多元接続。携帯電話などの移動通信用の新しい多元接続技術で，混信を防ぐもの。

CD-R [CD-recordable] 1回だけ自分で書き込みができるようになっているCD-ROM。➡CD-RW。

CD-ROM [compact disc read-only memory] ⇨シーディーロム。

CD-ROMドライブ [CD-ROM drive] CD-ROMに記録されたデータを読み出す装置。

CD-RW [CD-rewritable] いったん書き込んだデータの消去可能なCD-ROM。CD-Rと異なり，何度でも書き込みができる。➡CD-R。

CDS [Centre des Démocrates Sociaux (フランス)] フランスの社会民主中道派勢力。

CDU [Christlich-Demokratische Union (ドイツ)] キリスト教民主同盟。カトリック教徒を支持団体とするドイツの保守政党。

CD-V [CD-video] ビデオ付きCD。コンパクトディスクに画像を記憶させたもの。

CE ① [customer engineer] カスタマーエンジニア。コンピューターの保守・管理を担当する技術者。② [Council of Europe] 欧州会議。または，欧州評議会。加盟国の外相により構成され，ヨーロッパの経済・社会の統合を目指す国際組織。◆1949年設立。

Ce [cerium]《化》セリウムの元素記号。

CEA [Council of Economic Advisers] アメリカの大統領経済諮問委員会。

CED [Committee for Economic Development] アメリカの経済開発委員会。

CELSS [closed ecological life support system] 閉鎖生態系生命維持システム。宇宙基地のような外部から隔絶された状況で，人間が酸素・水・食料などを自給自足するシステム。

CEO [chief executive officer]《経》最高経営責任者。

CEPT [common effective preferential tariff]《経》共通効果特恵関税。アセアンが自由貿易圏実現のため打ち出した段階的な関税引き下げ。

CERN(セルン) [Conseil Européen pour la Recherche Nucléaire (フランス)] 欧州合同原子核研究機関。◆1952年設立。

CF ① ⇨シーエフ。② [center forward]《サッ

マーク。

BM ① [Baccalaureus Medicinae (ラテン)] 医学士。② [ballistic missile]《軍》弾道ミサイル。

BMD [ballistic missile defense]《軍》弾道ミサイル防御。

BMI [body mass index] 体格指数。肥満度を判定する指数。体重を身長の二乗で割って算出する。**参考**標準値は22。

BMR [basal metabolic rate]《生》基礎代謝率。生命維持に必要な最小のエネルギー代謝率。

BMW(ベーエムベー) [Bayerische Motoren Werke (ドイツ)] ドイツの自動車メーカー。また，その乗用車。

BMX [bicycle motocross] バイシクルモトクロス。自転車で山林や原野を走る競技。

BOD [biochemical oxygen demand] 生物化学的酸素要求量。河川などの水質汚染度を示す数値。→COD。

BOJ [Bank of Japan] 日本銀行。

BOP [balance of payments]《経》国際収支。国際収支勘定。

BP [British Petroleum] イギリス石油会社。

Bq [becquerel]《理・医》ベクレル。放射能の強さを表すSI単位。

BR [breeder reactor] 増殖炉。

Br [Brom (ドイツ)]《化》臭素(ブローム)の元素記号。

BRD [Bundesrepublik Deutschland (ドイツ)] ドイツ連邦共和国。*FRGとも。

BRM [biological response modifier]《医》生物応答調節物質。生体の免疫機構に関与し，異物に対する防御力を高めるものの総称。

BS ① [Bachelor of Science] 理学士。② [broadcasting satellite] 放送衛星。▷～放送。

B/S ① [balance sheet] ⇨貸借対照表。② [bill of sale]《経》売り渡し証書。

BS放送 [broadcasting satellite ―] 放送衛星(BS)を利用したテレビ放送。アナログ放送ではNHK第1・第2とJSBのWOWOW(ワウワウ)がある。**参考**2000年末にはBSデジタル放送も開始。

BSE [bovine spongiform encephalopathy] 牛海綿状脳症。狂牛病のこと。体内たんぱく質のプリオンが変異した異常型プリオンが原因で，脳がスポンジ状になり死に至る。

BSEC [Black Sea Economic Cooperation Organization] 黒海経済協力機構。黒海沿岸11か国の経済協力機構。◆1992年発足。

BSI [business survey index]《経》国内景気判断指数。

BT [British Telecommunications] イギリス電気通信会社。

Bt [baht] バーツ。タイの通貨単位。

B to C [business to consumer] インターネットを通じてメーカーや小売業が消費者に直接販売を行う消費者向け電子商取引。**参考**企業向け電子商取引はB to B。

BTR [bicycle trial] バイシクルトライアル。専用の自転車を使い，一定時間内にいかにうまく障害物を乗り越えるかを競うスポーツ。

BTS [broadcasting technical standard] 放送技術規格。NHKが作成した放送設備や機器についての技術基準。

BTU [British thermal unit] ヤードポンド法の熱量の単位。

BUN [blood urea nitrogen]《医》血中尿素窒素。腎臓(じんぞう)障害では血中濃度が上昇し，尿毒症では低下する。

BW [biological weapons]《軍》生物兵器。

B/W [black and white] 写真・テレビなどの白黒。

BWC [Biological Weapons Convention] 生物兵器禁止条約。

BWR [boiling water reactor]《理》沸騰水型原子炉。

BWV [Bach Werke-Verzeichnis (ドイツ)]《音》J.S.バッハの作品総目録番号。

C

C ① [carbon]《化》カーボン。炭素の元素記号。② [Celsius scale] セルシウス温度。摂氏温度。③ [coulomb (フランス)] ⇨クーロン。

© [copyright] コピーライト。著作権。版権。

CA ① [chlonological age] 生活年齢。暦年齢。→MA。② [Consumers' Association] 消費者協会。③ [capital account]《経》資本収支。④ [current account]《経》経常収支。

Ca [calcium]《化》カルシウムの元素記号。

CAB [Civil Aeronautics Board] アメリカの民間航空委員会。

CAD(キャド) [computer-aided design] コンピューターを利用した設計。また，それを行うソフト。

CAE ① [computer-aided education] コンピューターを使って行う教育。② [computer-aided engineering] コンピューター援用エンジニアリング。

CAFTA(カフタ) [Central American Free Trade Association] 中米自由貿易連合。

CAI [computer-assisted / computer-aided instruction] コンピューターを使用して生徒・受講者が独習する自動研修システム。

Cal ① [kilocalorie] ⇨キロカロリー。② [calorie] ⇨カロリー。

cal [calorie] ⇨カロリー。

CAM(キャム) [computer-aided manufacturing] コンピューターを利用した生産システム。

C&C ① [cash and carry]《経》キャッシュアンドキャリー。現金払いでの持ち帰り制。② [computer and communication] コンピューターと通信を統合した総合的情報技術。

C&I [cost and insurance]《経》保険料込みの(価格)。CIFから運賃込み条件を除いたもの。

C&W [country and western]《音》カントリーアンドウェスタン。アメリカの南部の大自然を背景に生まれ育った大衆音楽。

CAPD [continuous ambulatory peritoneal dialysis]《医》連続携帯型腹膜透析。

CAPSキー [caps lock key] キャップスロックキー。キーボード上でアルファベットの大文字を入力する機能を担うキー。

CAPTAIN(キャプテン) [Character and Pattern Telephone Access Information Network] 文字図形情報ネットワーク。知りたい情報を電話回線で入力すると，テレビに文字や図形が映し出される。**参考**NTTが1984年に開発。一般名はビデオテック

ATV ① [all-terrain vehicle] どんな地形でも走れるレクリエーション用の 4 輪車。② [advanced television] 高品位・高画質のテレビ方式。
AU ① [African Union] アフリカ連合。アフリカ諸国の政治・経済統合を目指す連合体。◆2002年 7 月発足。② [astronomical unit] 天文単位。1 AUは太陽と地球との平均距離(約 1 億 5000 万km)。
Au [aurum ラテン] 金の元素記号。
Aug. [August] 8 月。
AV ⇨エーブイ。
AVアンプ [AV amp] ビデオ，レーザーディスク，DVDプレーヤーなどとの接続を考慮したオーディオアンプ。
AVMシステム [automatic vehicle monitoring system] 車両位置等自動表示システム。
AWACS [airborne warning and control system]《軍》空中早期警戒管制指揮機。
AWC [Association of Wildlife Conservation] 野生生物保存協会。
AWLS [all-weather landing system]《航》全天候着陸システム。
AZT [azidothymidine]《薬》アジドチミジン。エイズの治療薬。

B

B ①⇨ビー。② [black] 鉛筆の芯しんの硬度が軟らかいことを表す記号。③ [boron]《化》ホウ素の元素記号。④ [basement] 地階。地下室。⑤ [bust]《服》バスト。胸回りの寸法。
B777 [Boeing 777]《航》ボーイング社が日本の航空業界と共同開発した長距離用大型旅客機。
B級映画 低予算でつくった娯楽映画。
B級グルメ [— gourmet フランス] 高級レストランの料理ではなく，どんぶり物など庶民的な料理の味覚を探求する人。
BA [bank acceptance]《経》銀行引受手形。
Ba [Barium ドイツ]《化》バリウムの元素記号。
BAC [Business Advisory Council]《経》アメリカの経済諮問委員会。
B&B [bed and breakfast] 寝室と朝食だけを提供する民宿や低価格のホテル。
BASIC(ベーシック) [Beginner's All-purpose Symbolic Instruction Code] パソコン用の標準的な形式言語。簡単な英語の語句が使われているので初心者にもわかりやすい。
BBレシオ [book-to-bill ratio]《経》出荷額に対する受注額の割合。半導体市場の需給バランスを示す指数。
BBC [British Broadcasting Corporation] イギリス放送協会。
BBS [bulletin board system] 電子掲示板。インターネット上で，自分の言いたいことを不特定多数の人に伝えるための場。
BC ① [bill for collection]《経》代金取り立て手形。② [birth control] 産児制限。
B.C. [before Christ] 西暦紀元前。⇌A.D.。
BC兵器 [biological and chemical weapons]《軍》生物・化学兵器。*CB兵器とも。
BCC [blind carbon copy] ブラインドカーボンコピー。電子メールで，同じメールを複数のあて先に送付する機能。参考CCと異なり，他のだれに送付したのか受信者はわからない。
BCD [binary-coded decimal]《電算》2 進化10進数。2 進法の表現を用いて 0 〜 9 までの数字を表したもの。コンピューター符号方式に用いる。
BCG [bacille bilié de Calmette et Guérin フランス] ⇨ビーシージー。
BCM [black contemporary music]《音》ブラックコンテンポラリーミュージック。1970 年代以降の黒人ポップミュージックの総称。
BCN [broadband communications network] 広帯域通信網。
BCR ① [bar code reader] バーコード読み取り装置。② [bioclean room] バイオクリーンルーム。無菌室。
BD ① [bank draft]《経》銀行手形。② [bill discounted]《経》割引手形。
BDシャツ [button-down shirt]《服》両襟の先をボタンでとめたワイシャツ。
BE ① [biological engineering] 生体工学。② [bill of exchange]《経》為替手形。
Be [beryllium]《化》ベリリウムの元素記号。
BEI [Banque Européenne d'Investissement フランス] 欧州投資銀行。
BETRO [British Export Trade Research Organization] イギリス貿易振興会。
BGM [background music] ⇨バックグラウンドミュージック。
BGV [background video] ⇨ビージーブイ。
BHA [butylated hydroxyanisole]《化》ブチルヒドロキシアニソール。油脂・マーガリンなどの酸化防止剤。参考発がん性により1982年に使用禁止。
BHC [benzene hexachloride]《化》ベンゼンヘキサクロライド。殺虫剤の一つ。参考農薬としては1971年に使用禁止。
BHT [butylated hydroxytoluene]《化》ブチルヒドロキシトルエン。油脂・マーガリンなどの酸化防止剤。
Bi [bismuth]《化》ビスマスの元素記号。
BIAC [Business and Industry Advisory Committee] 経済産業諮問委員会。OECD所属の民間機関。
BIE [Bureau International des Expositions フランス] 万国博覧会国際事務局。◆1928年開設。
BIOS(バイオス) ① [basic input/output system]《電算》コンピューターの基本的な入出力を行うプログラム。② [biosatellite] 生物衛星。参考1966年にアメリカのNASAが打ち上げた。
BIS(ビス) [Bank for International Settlement]《経》国際決済銀行。本部はスイスのバーゼル。参考BISが民間銀行の自己資本比率について定める統一的規制をBIS規制という。
B-ISDN [broadband integrated services digital network] 広帯域総合デジタル通信網。→ISDN。
BJP [Bharatiya Janata Party] インド人民党。
Bk [berkelium]《化》バークリウムの元素記号。
B/L [bill of landing]《経》船荷証券。船積荷物に対して発行される有価証券。
BLマーク [better living mark] 優良住宅部品認定制度で，すぐれた住宅部品や設備に付けられる

デス共同市場。

ANG [American Newspaper Guild] アメリカ新聞協会。

ANN [All Nippon News Network] テレビ朝日系列のネットワーク。

ANOC [Association of National Olympic Committees] 各国オリンピック委員会連合。

ANS(アンス) [Asian News Service] アジア通信社。

Ans. [answer] 答え。解答。

ANSA(アンサ) [Agenzia Nazionale Stampa Associata イタリア] イタリア国営通信社。

ANSER(アンサー) [Automatic Answer Networks System for Electrical Request] NTTが行っている金融機関向けの音声照会応答システム。

ANSI [American National Standards Institute] アメリカ国家規格協会。

ANZUS(アンザス) [Australia, New Zealand and the United States] 太平洋安全保障条約。◆1951年締結。

AO入試 [admission office ―] 大学入試において，論文や面接などを課し，学力(偏差値)以外の適性や意欲なども含めて人物を多角的に評価する方法。学校長の推薦は必要としない。参考admission officeは「入試準備室」の意。

AOC [appellation d'origine contrôlée フランス] フランスで，ワインの原産地統制名称。醸造産地名を製品に表示できる資格を法律で定めたもの。

AOR [adult-oriented rock] 大人向けのロック。

AP ① [Associated Press] AP通信社。ニューヨークに本社をもつ世界最大の通信社。② [alkaline phosphatase]《生化》アルカリフォスファターゼ。胆道酵素の一種。肝臓・胆道障害の際に血中濃度が上昇する。

APC ① [Atoms for Peace Conference] 原子力平和利用国際会議。② [automatic pallet changer]《機》パレットを自動的に交換する装置。

APD [avalanche photodiode]《電》アバランシュフォトダイオード。光の照射によって発生した電流を増幅する機能をもつダイオード。

APEC(エーペック) ⇨エーペック。

APL [A Programming Language]《電算》IBM社が開発した数値計算用のプログラム言語。

APS ⇨エーピーエス。

APT ① [Advanced Passenger Train] イギリスの超高速旅客列車。② [Automatically Programmed Tool]《電算》工作機械の数値制御用プログラム言語。

AQ [achievement quotient] 学力指数。成就指数。学業不振の判定に使用する。

Ar [Argon ドイツ]《化》アルゴンの元素記号。

ARC [AIDS-related complex]《医》エイズ関連症候群。

ARDF [Amateur Radio Direction Finding]《通信》無線方位測向。また，その競技大会。

ARF [ASEAN Regional Forum] アセアン地域フォーラム。アジア地域の安全保障を討議するための機関。

ARPANET(アーパネット) [Advanced Research Project Agency Network]《電算》アメリカの国防総省高等研究計画局が構築した研究機関間のコンピューターネットワーク。

As [arsenic]《化》ヒ素の元素記号。

ASA [American Standards Association] アメリカ国家規格協会(ANSI)の旧称。また，そこで定めた一般撮影用フィルムの感光度の規格。アサ感度。参考現在ではISOを用いる。

ASCAP [American Society of Composers, Authors and Publishers] アメリカの作曲家・著作者・出版社協会。

ASEAN [Association of Southeast Asian Nations] ⇨アセアン。

ASEM(アセム) [Asia-Europe summit meeting] アジア欧州首脳会議。2年ごとに開催される東アジア諸国とEUの首脳会議。◆第1回は1996年。

ASIC [application specific integrated circuit]《電算》特定用途向けに開発された大規模集積回路(LSI)。

ASM [air-to-ship missile]《軍》空対艦ミサイル。

ASP [American Selling Price] アメリカ販売価格。アメリカの国内産業保護を目的とする関税制度。

ASR ① [airport surveillance rader] 空港監視レーダー。② [automatic send / receive set]《電算》自動送受信装置。

ASV [advanced safety vehicle] 事故防止のための高度な機能をもつ先進安全自動車。

AT ① [alternative technology] オルターナティブテクノロジー。代替技術。エネルギー浪費型の在来技術に対し，資源循環や省エネルギーをめざす新しい技術。② [autogenic training] 自律訓練法。自己暗示法の一つ。③ [automatic transmission] オートマティックトランスミッション。自動変速装置。⇄MT。

At [astatine]《化》アスタチンの元素記号。

AT車 ⇨エーティー車。

AT&T [American Telephone and Telegraph Co.] アメリカ電話電信会社。G. ベルが1885年に設立した世界最大の電話会社。*ATTとも。

ATC ① [air traffic control] 航空交通管制。② [automatic train control] 自動列車制御装置。指令速度を受信し，走行中の列車速度を自動的に制御する。③ [automatic tool changer] 自動工具交換装置。数値制御工作機械に取り付け，工具を自動的に交換する。

ATIS [Advanced Traffic Information Service] 道路交通情報通信サービス。

ATL [adult T-cell leukemia]《医》成人型T細胞白血病。

ATM ① [automatic teller machine] 現金自動預金・支払い機。② [anti-tank missile]《軍》対戦車ミサイル。③ [asynchronous transfer mode] 非同期転送モード。送信する情報を一定の長さに分割し，超高速で伝送する技術。

ATO [automatic train operation] 自動列車運転装置。

ATP [adenosine triphosphate]《生化》アデノシン三リン酸。アデニン，リボースと3個のリン酸から成る物質。→ADP。

ATR [advanced thermal reactor] 新型転換炉。改良型の熱中性子原子炉。

ATS ① [applications technological satellite] 応用技術衛星。② ⇨エーティーエス。

メフト》アメリカのプロリーグの一つ。→NFC, NFL。② [automatic frequency control]《放送》自動周波数制御。

AFCS [automatic flight control system] 自動飛行操縦装置。

AFL-CIO [American Federation of Labor and Congress of Industrial Organizations] アメリカ労働総同盟産業別会議。

AFM [atomic force microscope] 原子間力顕微鏡。原子レベルの微細構造を観察するのに用いる。

AFP ① [Agence France Presse フランス] フランス通信社。② [alpha fetoprotein]《医》胎児性血清たんぱく質。妊娠後期や肝臓がんなどの際，血清中に増加する。

AFTA [ASEAN Free Trade Area] アセアン自由貿易圏。

AG [Aktiengesellschaft ドイツ] 株式会社。→Co., Ltd.。

Ag [argentum ラテン]《化》銀の元素記号。

AGF [Asian Games Federation] アジア競技連盟。

AGM [air-launched guided missile]《軍》空中発射誘導ミサイル。

AGR [advanced gas-cooled reactor] 改良ガス冷却型原子炉。

AGT [automated guideway transit] 自動運転軌道交通機関。

AGV [automatic guided vehicle] 無人搬送車。

Ah [ampere-hour] アンペア時。電気量の単位。1アンペアの電流が1時間流れたときの電気。

AHC [acute hemorrhagic conjunctivitis]《医》急性出血性結膜炎。

AHT [animal health technician] 獣医看護師。獣医の助手。

AI ①⇨人工知能。②⇨アムネスティー。

AIBA [Association Internationale de Boxe Amateur フランス] 国際アマチュアボクシング協会。

AIBD [Association of International Bond Dealers]《経》国際債券ディーラーズ協会。ユーロ債の売買を扱うディーラーによって結成された協会。

AICO [ASEAN Industrial Cooperation] アセアン産業協力計画。

AID ① [Agency for International Development] アメリカ国際開発局。1961年に設立された開発途上国援助機関。② [artificial insemination by donor]《医》非配偶者間人工授精。⇄AIH。

AIDS [Acquired Immunodeficiency Syndrome] ⇨エイズ。

AIH [artificial insemination by husband]《医》配偶者間人工授精。⇄AID。

AIM ① [air-launched intercept missile]《軍》空対空迎撃ミサイル。② [American Indian Movement] アメリカインディアンの権利擁護運動。

AIPPI [Association Internationale pour la Protection de la Propriété Industrielle フランス] 国際工業所有権保護協会。

AIPS ① [AIDS induced panic syndrome] エイズ誘発パニック症候群。② [Association Internationale de la Presse Sportive フランス] 国際スポーツ記者協会。

AIU [American International Underwriters] アメリカの大手国際損害保険会社。

AL ① [American League] アメリカンリーグ。アメリカのプロ野球2大リーグの一つ。② [American Legion] アメリカ在郷軍人会。③ [Arab League] アラブ連盟。参考 公式名 The League of Arab States。④ [artificial life] 人工生命。⑤ [Awami League] アワミ連盟。バングラデシュの政党。

Al [aluminium]《化》アルミニウムの元素記号。

ALADI [Asociación Latino-Americana de Integración スペイン] ラテンアメリカ統合連合。◆1981年発足。

ALB [albumin]《生化》アルブミン。生体内に存在する一群の可溶性たんぱく質の総称。

ALC [autoclaved lightweight concrete] 軽量気泡コンクリート。

ALFLEX(アルフレックス) [automatic landing flight experiment] 自動着陸実験機。

ALGOL(アルゴル) [algorithmic language]《電算》科学技術計算用のプログラム言語。

ALM [assets and liabilities management]《経》資産・負債管理。

ALPS [automatic linearmotor pneumatic system] 自動リニアモーター空気タイヤシステム。

ALS ① [automatic landing system] 自動着陸装置。② [antilymphocyte serum]《医》抗リンパ球血清。

ALT [assistant language teacher] 日本の中学校・高校で，外国人の外国語指導助手。→AET。

ALU [arithmetic and logic unit]《電算》算術論理演算装置。

AM [amplitude modulation] ⇨エーエム。

A.M. [ante meridiem ラテン] ⇨エーエム。⇄P.M.。

AMA ① [American Management Association] アメリカ経営者協会。② [American Medical Association] アメリカ医学会。

AMDA [Association of Medical Doctors of Asia] アジア医師連絡協議会。参考 難民救済などのため1984年結成。

AMeDAS ⇨アメダス。

AMEX(アメックス) [American Stock Exchange]《経》アメリカ株式取引所。

AMSAT(アムサット) [amateur satellite] アマチュア無線通信用衛星。

AMTICS [Advanced Mobile Traffic Information and Communication System] 新自動車交通情報通信システム。

Amtrak [American (travel by) track] 全米鉄道旅客輸送公社。

AMU ① [Arab Maghreb Union] アラブマグレブ連合。マグレブ5か国が1989年に設立した北アフリカの地域経済協力機構。② [Asian Monetary Unit]《経》アジア通貨単位。

ANA(アナ) [All Nippon Airways] 全日空の3文字コード。

ANC [African National Congress] アフリカ民族会議。南アフリカ共和国の黒人解放運動組織・政党。

ANCOM(アンコム) [Andean Common Market] アン

A

欧

A ① [acre] ⇨エーカー。② [ampere] ⇨アンペア。③ [ace] ⇨エース。④ [answer] アンサー。答え。解答。

a ① [acre] ⇨エーカー。② [are フランス] ⇨アール。

AA ① [Asian-African, Afro-Asian] アジア・アフリカの。▷ ～会議。② [affirmative action] アファーマティブアクション。差別修正措置。女性・障害者などを積極的に採用し，差別待遇の改善を図ること。

AAAS [American Association for the Advancement of Science] アメリカ科学振興協会。

AAM [air-to-air missile]《軍》空対空ミサイル。

AATC [automatic air traffic control] 自動航空管制。

AB [Artrium Baccalaureus ラテン] 文学士。

ABC ① ⇨エービーシー。② [American Broadcasting Companies] アメリカの ABC 放送。参考CBS, NBCと並ぶ三大放送網の一つ。

ABCC [Atomic Bomb Casualty Commission] 原爆障害調査委員会。参考1946年，広島・長崎に日米合同で設置された。

ABM制限条約 [antiballistic missile —] 弾道弾迎撃ミサイル制限条約。

ABS ① [alkyl benzene sulfonate]《化》アルキルベンゼンスルホン酸塩。合成洗剤の主成分。② [anti-lock brake system] アンチロックブレーキシステム。急ブレーキをかけたとき，車輪がロック(回転停止)してスリップするのを自動的に防止するシステム。

ABS樹脂 [acrylonitrile-butadiene-styrene resin]《化》アクリロニトリルとブタジエンとスチレンを共重合した合成樹脂。自動車部品などに用いる。

ABU [Asian Pacific Broadcasting Union] アジア太平洋放送連合。◆1964年設立。

ABWR [advanced boiling water reactor] 改良型沸騰水型原子炉。

AC ① [Advertising Council] アメリカの広告協議会。また，日本の公共広告機構。② [adaptive control] 適応制御装置。③ [alternating current]《電》交流。⇌DC。

Ac [actinium]《化》アクチニウムの元素記号。

ACAP ① [advanced composite airframe program] 先端複合材料体構造計画。② [Association of Consumer Affairs Professionals] 消費者関連専門家会議。

ACC ① [Administrative Committee on Coordination] 国連の行政調整委員会。② [Arab Cooperation Council] アラブ協力会議。◆1989年設立。

ACCU [Asian Culture Center of UNESCO] ユネスコアジア文化センター。

AC/DC [alternating current/direct current]《電》電流の交直両用。

ACLU [American Civil Liberties Union] アメリカ自由人権協会。

ACM [advanced composite materials] 先端複合材料。高性能強化繊維を用いた複合材で，自動車・航空機などの構造材料に用いる。

ACP [acid phosphatase]《医》血清酸フォスファターゼ。前立腺がんに冒されると，その血中濃度が上昇する。

ACSA(アクサ) [acquisition and cross-servicing agreement] 物品役務相互提供協定。輸送などの役務や燃料などの物品を相互に提供する，アメリカと同盟諸国間の協定。

ACTH(アクス) [adrenocorticotrophic hormone]《生化》副腎皮質刺激ホルモン。

ACV [air-cushion vehicle] エアクッション船。

AD ⇨エーディー。

A.D. [anno Domini ラテン] 西暦紀元。⇌B.C.。

A/D変換 [analog-to-digital conversion] アナログ量(連続量)をデジタル量(不連続量)に変換すること。⇌D/A変換。

ADB ① [African Development Bank] アフリカ開発銀行。② [Asian Development Bank] アジア開発銀行。

ADC [analog-to-digital converter] アナログデジタル変換器。

ADEOS(アデオス) [advanced earth observing satellite] 地球観測プラットフォーム技術衛星。

ADESS(アデス) [automatic data editing and switching system] 気象庁の気象資料自動編集中継システム。

ADF ① [Asian Development Fund] アジア開発基金。② [African Development Fund] アフリカ開発基金。

ADHD [attention deficit hyperactivity disorder] 注意欠陥多動性障害。注意の持続が困難で動き回る子供の行動障害。

ADI [acceptable daily intake] 一日当たりの有害物質摂取許容量。

ADL [activities of daily living] 日常生活動作。高齢者などが自立生活を営むために必要な動作能力。

ADP [adenosine diphosphate]《生化》アデノシン二リン酸。アデニン，リボースと 2 個のリン酸から成る物質。➡ATP。

ADR ① [American Depositary Receipt] アメリカ預託証券。② [Alternative Dispute Resolution] 裁判によらない紛争解決。▷ ～機関。

ADSL [asymmetric digital subscriber line] 非対称デジタル加入者回線。電話加入者と電話局との回線に高い周波数を用いて情報を高速伝送する技術。参考利用者にとって，受信速度が送信速度より速くなっているので，「非対称」と呼ばれる。

AE ① [automatic exposure] カメラの自動露出調整。▷ ～カメラ。② [account executive] アカウントエグゼクティブ。広告代理店を代表して広告主と連絡・折衝に当たる人。

AEC [Atomic Energy Commission of Japan] 日本の原子力委員会。◆1956年設立。

AEROSAT(エアロサット) [aeronautical satellite] 航空衛星。航空機との通信に利用する人工衛星。

AET [assistant English teacher] 公立の中学校・高校に派遣される外国人の英語指導助手。➡ALT。

AF ① [Air Force]《軍》空軍。② [audio frequency]《放送》可聴周波数。③ [autofocus] オートフォーカス。自動焦点。▷ ～カメラ。

AFC ① [American Football Conference]《ア

アルファベット略語集

使い方（凡例）

配　列

見出し語はすべてABC…順に並べた。同じアルファベットに漢字やカナがつく場合には、その読みの50音順にした。また、数字は原則として読まないこととし、数の大小をもとに配列した。

（例）f
　　　F1
　　　Fネット

見出し語が同じアルファベットのものは、原語が異なるものでもすべてまとめて、①②③…を用いて表記した。

原語の表記

原語は見出し語の直後に［　　］にくくって入れ、英語以外の原語名は、その原語の直後に置いて示した。

（例）NMD［National Missile Defense］ mg［milligramme フランス］

原語のないもの、示しようのないものは原語表記していないものがある。

読み方

アルファベットどおりの読み方の場合は表示しない。

（例）DVD［digital versatile disc］

アルファベット以外の読み方があるものは（　）でくくって記した。

（例）FIFA（フィーファ）［Fédération Internationale…］

記　号

＊　同義の略語、カタカナ語などを示した。
　（例）SB…＊ウイング-バックとも。

▷　用例を示した。
　（例）AF…▷～カメラ。

◆　設立年、発足年などの簡単な補足説明を記した。
　（例）toto…◆2001年スタート。

参考　語源や類語解説、原義などの参考事項を記した。
　（例）EMU… 参考 この構想のもとにユーロやECBが設立された。

⇨　本文中の見出し語と同義であり、本文に詳しい解説があることを記した。
　（例）UN…⇨国際連合。　VIP…⇨ブイ-アイ-ピー。

➡　同義、または参照すべきアルファベット略語を示した。
　（例）SOx…➡NOx。

⇄　反対語、対語を示した。
　（例）HDL…⇄LDL。

分野表記　必要に応じて《　》でくくり、特定分野などの表示をした。
　（例）《経》…経済、経営　《化》…化学　《理》…物理　《天》…天文学

学研 現代新国語辞典 改訂第三版

1994年 4 月 1 日　初版発行
1997月11月20日　改訂新版発行
2002年 4 月 1 日　改訂第三版初刷発行
2004年 3 月 1 日　改訂第三版第 3 刷発行

編者――――金田一春彦
発行人―――東樹　正明
印刷所―――大日本印刷株式会社
製本――――牧製本印刷株式会社
発行所―――株式会社学習研究社
〒145-8502 東京都大田区上池台 4-40-5

この本に関するお問い合わせなどがありましたら、次のところにご連絡ください。

- 文書は　〒146-8502 東京都大田区仲池上 1-17-15
  学研「お客様センター」
  「学研現代新国語辞典」係
- メールは　info @gakken.co.jp（お客様センター）
- 電話は　内容について→(03)3726-8373(編集部直通)
  在庫・不良品について→(03)3726-8154(出版営業部)
  その他→(03)3726-8124(お客様センター)
- 学研の辞典に関する情報は…
  http://www.gakken.co.jp/jiten/

旧国名・県名対照地図

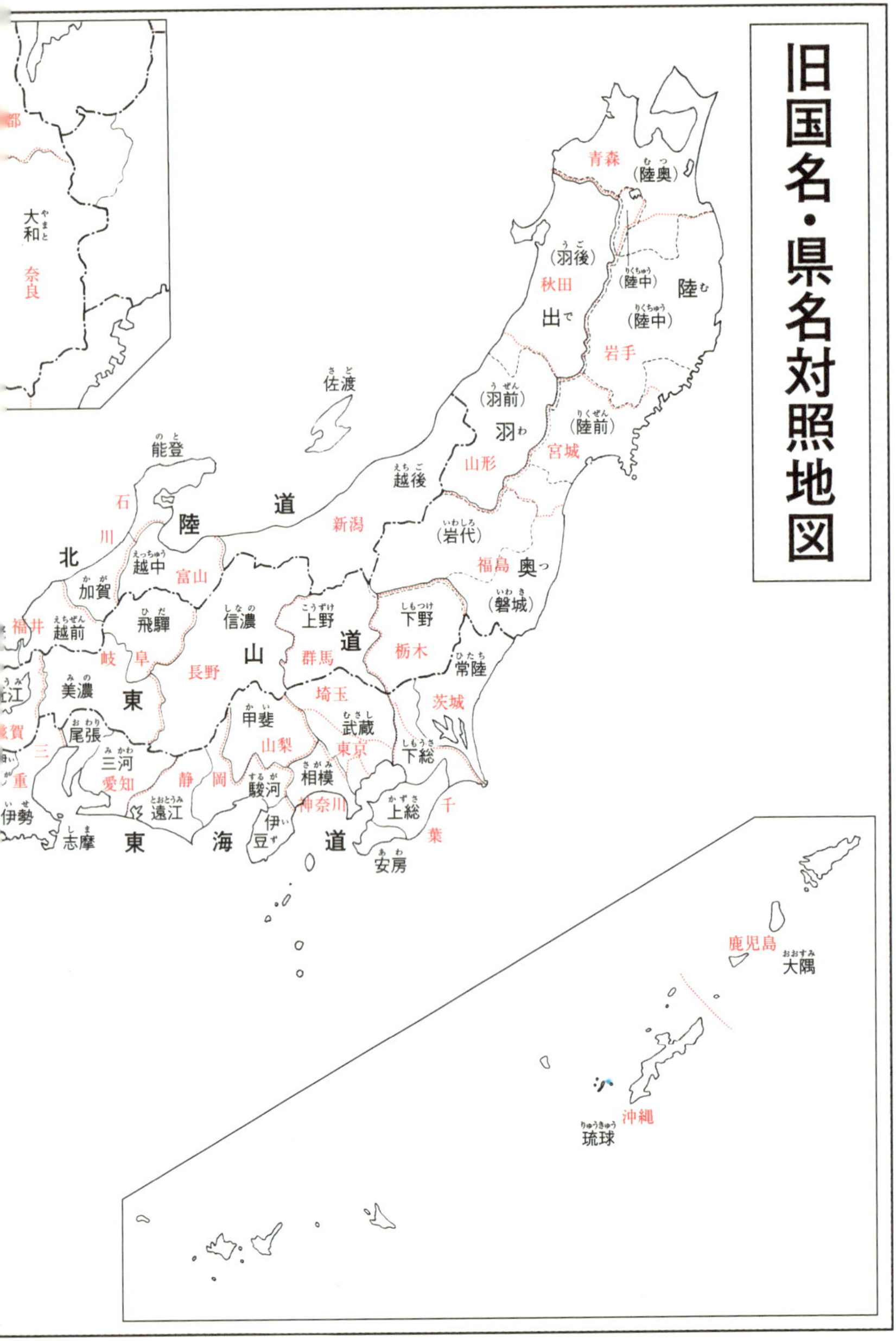

青森
(陸奥)
(羽後)
秋田
出羽
(陸中)
陸奥
岩手
佐渡
(羽前)
山形
(陸前)
宮城
能登
越後
石川
北陸道
新潟
越中
富山
(岩代)
福島
加賀
(磐城)
福井
越前
飛驒
信濃
上野
下野
岐阜
長野
東山道
群馬
栃木
常陸
近江
美濃
埼玉
茨城
甲斐
武蔵
滋賀
尾張
三河
山梨
東京
下総
三重
愛知
静岡
駿河
相模
神奈川
上総
千葉
伊勢
遠江
伊豆
志摩
東海道
安房
大和
奈良
京都
鹿児島
大隅
沖縄
琉球